Ouvrages édités par les DICTIONNAIRES LE ROBERT
107, avenue Parmentier, 75011 PARIS (France).

Dictionnaires de langue :

— *Grand Robert de la langue française* (deuxième édition).
Dictionnaire alphabétique et analogique de la langue française (9 vol.).
Une étude en profondeur de la langue française : 80 000 mots.
Une anthologie littéraire de Villon à nos contemporains : 250 000 citations.

— *Petit Robert 1 [P. R. 1].*
Dictionnaire alphabétique et analogique de la langue française
(1 vol., 2 200 pages, 59 000 articles).
Le classique pour la langue française : 8 dictionnaires en 1.

— *Robert méthodique [R. M.].*
Dictionnaire méthodique du français actuel
(1 vol., 1 650 pages, 34 300 mots et 1 730 éléments).
Le seul dictionnaire alphabétique de la langue française qui groupe les mots par familles.

— *Micro-Robert.*
Dictionnaire du français primordial
(1 vol., 1 230 pages, 30 000 articles).
Un dictionnaire d'apprentissage du français.

— *Dictionnaire universel* d'Antoine Furetière
(édition de 1690, préfacée par Bayle).
Réédition anastatique (3 vol.), avec illustrations du XVIIᵉ siècle et index thématiques.
Précédé d'une étude par Alain Rey :
« Antoine Furetière, imagier de la culture classique ».
Le premier grand dictionnaire français.

— *Le Robert des sports.*
Dictionnaire de la langue des sports
(1 vol., 580 pages, 2 780 articles, 78 illustrations et plans cotés),
par Georges PETIOT.

Dictionnaires de noms propres :
(Histoire, Géographie, Arts, Littératures, Sciences...)

— *Grand Robert des noms propres.*
Dictionnaire universel des noms propres
(5 vol., 3 450 pages, 42 000 articles, 4 500 illustrations couleurs et noir, 210 cartes).
Le complément culturel indispensable du *Grand Robert de la langue française.*

— *Petit Robert 2 [P. R. 2].*
Dictionnaire des noms propres
(1 vol., 2 000 pages, 36 000 articles, 2 200 illustrations couleurs et noir, 200 cartes).
Le complément, pour les noms propres, du *Petit Robert 1.*

— *Dictionnaire universel de la peinture.*
(6 vol., 3 000 pages, 3 500 articles, 2 700 illustrations couleurs).

Dictionnaires bilingues :

— *Le Robert et Collins.*
Dictionnaire français-anglais/english-french
(1 vol., 1 500 pages, 225 000 « unités de traduction »).

— *Le « Junior » Robert et Collins.*
Dictionnaire français-anglais/english-french
(1 vol., 960 pages, 105 000 « unités de traduction »).

— *Le « Cadet » Robert et Collins.*
Dictionnaire français-anglais/english-french
(1 vol., 620 pages, 60 000 « unités de traduction »).

— *Le Robert et Signorelli.*
Dictionnaire français-italien/italiano-francese
(1 vol., 3 000 pages, 339 000 « unités de traduction »).

Consultez à la fin de ce volume
les titres de la collection « Les usuels du ROBERT ».

LE GRAND ROBERT
DE LA LANGUE FRANÇAISE

LE GRAND ROBERT
DE LA LANGUE FRANÇAISE

DICTIONNAIRE
ALPHABÉTIQUE ET ANALOGIQUE
DE LA LANGUE FRANÇAISE

de Paul ROBERT

DEUXIÈME ÉDITION
entièrement revue et enrichie
par
Alain REY

Tome III
Couv - Ento

LE ROBERT
107, avenue Parmentier, Paris-XIᵉ

Deuxième édition entièrement revue et enrichie, mise à jour pour 1987.

Tous droits réservés pour le Canada.
© 1987, Les Dictionnaires ROBERT - CANADA S.C.C.
Montréal, Canada.

Tous droits de reproduction, de traduction et d'adaptation
réservés pour tous pays.
© 1987, Dictionnaires LE ROBERT
107, avenue Parmentier, 75011 PARIS.

ISBN 2-85036-099-6 (édition complète).
ISBN 2-85036-078-3 (tome III).

On trouvera en tête du premier volume
les préfaces de Paul ROBERT et d'Alain REY,
l'explication des signes conventionnels, abréviations et conventions,
les principes de la transcription phonétique,
les correspondances des principales datations lexicales
ainsi que la liste des collaborateurs de l'ouvrage ;
et en fin d'ouvrage (tome IX) les annexes suivantes :
dérivés de noms propres de personnes et de lieux (noms d'habitants),
tableaux des conjugaisons des verbes français,
bibliographie et liste des suffixes.

Couv

COUVADE [kuvad] n. f. — 1877, *in* Littré, cf. en 1538, *faire la couvade* «rester inactif»; de *couver*.

◆ Ethnol. Coutume en usage chez certains peuples par laquelle le futur père calque son comportement sur celui de la future mère (repos, isolement, station couchée...) puis, après l'accouchement, reçoit les félicitations, les cadeaux de son entourage.

Conjurer la puissance féminine de fécondité, l'encercler, la circonscrire, éventuellement la simuler et se l'approprier, telle est l'entreprise de la couvade (...)
J. BAUDRILLARD, De la séduction, p. 138.

COUVAIN [kuvɛ̃] n. m. — 1690; *couvin* au XIVᵉ; de *couver*.

◆ Techn. (apic.). Amas d'œufs d'abeilles ou d'autres insectes. Par ext. Dans une ruche, les rayons qui contiennent les œufs et les larves.

(...) prévoir le point où se concentreront les rayons du couvain, dont l'emplacement, sous peine de désastre, doit être à peu près invariable, ni trop haut, ni trop bas, ni trop près, ni trop loin de la porte.
MAETERLINCK, la Vie des abeilles, II, p. 107.

COUVAISON [kuvɛzɔ̃] n. f. — 1542; de *couver*.

◆ Vieilli ou techn. Action de couver. — Temps pendant lequel les oiseaux couvent leurs œufs.

Par métaphore ·

Saturé d'histoire, en vérité, je le fus, par ces années de longues couvaisons.
Raymond ABELLIO, Ma dernière mémoire, t. I, p. 71.

COUVÉE [kuve] n. f. — Fin XIᵉ, *covede*; *covee*, XIIᵉ; de *couver*.

◆ **1.** Ensemble des œufs couvés par un oiseau. *Une couvée de quinze œufs. Ces poussins sont de la même couvée. Une bonne couvée. Toute la couvée fut perdue.*

1 (...) adieu veau, vache, cochon, couvée.
LA FONTAINE (→ Adieu, cit. 16 et aussi Cent, cit. 10).

◆ **2.** Les petits qui viennent d'éclore. ⇒ **Nichée.** *Couvée affamée* (→ Bégayant, cit. 1).

2 Notre alouette, de retour,
Trouve en alarme sa couvée. LA FONTAINE, les Fables, IV, 22.

3 (...) les nids des petits oiseaux qu'il (Goupil) savait découvrir (...) Tantôt il en gobait les œufs, tantôt il en dévorait les oisillons (...) il détruisit dans les blés en herbe des couvées de perdrix et de cailles (...)
Louis PERGAUD, De Goupil à Margot, p. 42.

◆ **3.** Fig. et fam. Famille nombreuse. — Par métaphore. *Une couvée d'enfants.*

4 Je vous souhaite toute sorte de bonheur, et à cette jolie couvée qui est sous votre aile (...) Mᵐᵉ DE SÉVIGNÉ, 991, 29 avril 1686.

Loc. fam. *Être de la même couvée* : avoir la même origine.

5 (...) le seul peut-être *(le général de Gaulle)* avec lequel je me sente un langage commun malgré tout ce qui sépare d'un simple homme de lettres un grand personnage historique; sans doute parce que nous sommes, à quelques années près, de la même couvée, que nous avons écouté les mêmes maîtres et aimé les mêmes livres (...) F. MAURIAC, le Nouveau Bloc-notes 1958-1960, p. 316.

HOM. Couver, couvet.

COUVENT [kuvã] n. m. — Déb. XIIᵉ, *covent, convent*; lat. *conventus* «assemblée» (→ Convent, conventuel; convention); de *convenire*. → Convenir.

◆ **1.** Maison dans laquelle des religieux ou des religieuses vivent en commun. ⇒ **Communauté** (religieuse); **conventualité, conventuel; abbaye, béguinage, chartreuse, cloître, monastère, prieuré, scolasticat,** et aussi **séminaire.** *Couvent de carmélites, de chartreux, de dominicains. Les cénobites* d'un couvent. Chartes, règles d'un couvent. Supérieur, père supérieur d'un couvent. ⇒ **Abbé, custode, gardien, prieur, supérieur.** Supérieure, mère supérieure d'un couvent. Maître, maîtresse de novices d'un couvent. Archimandrite d'un couvent grec. Cloître, chapelle, parloir d'un couvent. Entrer au cou-*

vent, dans les ordres (cf. Prendre le voile, la robe). *Le couvent effraye tout ce qui n'y entre pas.* → 1. Mourir, cit. 43.

1 *Couvent* (...) a été d'abord le nom vulgaire des monastères. On ne le trouve guère employé au XVIIᵉ siècle que dans le style de la conversation (...) Le *couvent* n'est ni une prison comme le *cloître*, ni un désert comme le *monastère*, c'est un lieu de retraite où on se met pour vivre en commun sous une même règle avec d'autres personnes qui vous édifient (...) LAFAYE, Dict. des synonymes, Couvent.

2 Voltaire n'écrira jamais une bonne histoire. Il est comme les moines, qui n'écrivent pas pour le sujet qu'ils traitent, mais pour la gloire de leur ordre. Voltaire écrit pour son couvent. MONTESQUIEU, Des Modernes.

3 (...) cet ensemble de nonnes blanches, ou bleues, ou noires, qui, des innombrables couvents de la terre, font monter vers le ciel une immense et perpétuelle intercession pour les péchés du monde (...) LOTI, Ramuntcho, I, XIX, p. 169.

Par anal. *Couvent de moines bouddhistes.* ⇒ **Lamaserie.**

◆ **2.** Par métonymie. Ensemble de ceux qui composent la communauté. ⇒ **Couventine, frère** (lai, convent...), **moine, religieux, sœur;** et aussi **pitancier, procureur,** etc. *Tout le couvent s'assembla dans la chapelle.*

Par anal. (Vx). Lieu où sont formées (des personnes). ⇒ **Pépinière, vivier.**

4 Les régiments sont des couvents d'hommes, mais des couvents nomades (...)
A. DE VIGNY, Servitude et Grandeur militaires, II, I, p. 104.

◆ **3.** (XVIIIᵉ). Pensionnat de jeunes filles dirigé par des religieuses. *Élever une jeune fille au couvent.*

5 *(Ce lieu)* évoquait de vagues souvenirs de couvent : les leçons de cuisine données par sœur Angélique, et qui étaient pour la plupart des élèves l'occasion de plaisanteries (...) J. ROMAINS, les Hommes de bonne volonté, t. V, IV, p. 30.

◆ **4.** Fig. Lieu austère, contraignant. *J'ai hâte de quitter ce couvent. C'est un vrai couvent!*

DÉR. Couventine.
HOM. Couvant (de couver).

COUVENTINE [kuvãtin] n. f. — Fin XIXᵉ; de *couvent*.

◆ Relig. Religieuse qui vit dans un couvent. — Jeune fille élevée dans un couvent.

(...) des enfants, des maisons de campagne, un homme qui sourit (...) Et tout cela nous semble aussi lointain que le monde extérieur à des couventines (...)
Benoîte et Flora GROULT, Il était deux fois, p. 218.

COUVER [kuve] v. — Fin XIIᵉ; du lat. *cubare* «être couché».

★ I. V. tr. ◆ **1.** (Oiseaux). Se tenir pendant un certain temps sur des œufs pour les faire éclore. ⇒ **Couvaison, couvée.** *La poule a couvé tant d'œufs. Couvoir*, nichoir*, nid* où l'oiseau couve ses œufs. Appareil pour couver artificiellement les œufs.* ⇒ **Couveuse, incubateur.** — Absolt. *Cette poule veut couver.*

1 Elle bâtit un nid, pond, couve et fait éclore. LA FONTAINE, Fables, IV, 22.

Rare (au p. prés. adj.) :

1.1 L'alouette s'est levée pour aller se poser un peu plus loin, les ailes encore couvantes. J. RENARD, Journal, le 10 mai 1905.

Loc. *Être* (étonné) *comme une poule qui aurait couvé un œuf de cane* (ou *un canard*) : être surpris par un résultat inattendu.

◆ **2.** Fig. (Personnes). *Couver qqn,* l'entourer de soins attentifs. *Cette mère couve ses enfants.* ⇒ **Protéger.** — Par ext. Considérer avec une attention affectueuse, jalouse.

2 (...) cette douceur maternelle qui me couvait durant des heures entières d'un sourire attendri et placide (...) G. SAND, Elle et Lui, X, p. 231.

3 Après avoir couvé Lucien par un regard de mère à qui l'on arrache le corps de son fils (...) BALZAC, Splendeur et Misères des courtisanes, Pl., t. V, p. 1037.

4 (...) l'amour délirant de ces braves gens qui le couvaient *(Bonaparte),* à la lueur des torches, de regards de tendresse.
Louis MADELIN, l'Avènement de l'Empire, XXV, p. 323.

Loc. *Couver* (qqn, qqch.) *des yeux, du regard* : regarder avec convoitise.

Par métaphore. *Couver son argent,* le garder jalousement.

Entretenir, nourrir, préparer mystérieusement, sourdement. *Couver des projets de vengeance. Couver un complot, une trahison.* ⇒ **Tramer.** *Couver une idée.*

5 Je vous avoue (...) que je couve une grande joie; mais elle n'éclatera point que je ne sache votre résolution. Mᵐᵉ DE SÉVIGNÉ, 370, 15 janv. 1674.

6 L'ouvrage d'un scélérat qui couvait de mauvais desseins. ROUSSEAU, 1ᵉʳ dialogue.

7 (...) quelque noir projet de vengeance s'ébauchait déjà dans sa cervelle, projet qui voulait être couvé par la rancune pour être mené à bien.
Th. GAUTIER, le Capitaine Fracasse, t. II, p. 4.

♦ **3.** *Couver une maladie,* porter en soi les germes (⇒ **Incubation**). *Qu'est-ce qu'elle nous couve, une rougeole?*

8 Qu'a donc maman? Elle est malade. Elle «couve quelque chose».
G. DUHAMEL, Chronique des Pasquier, II, Jardin des bêtes sauvages.

★ **II.** V. intr. Être entretenu sourdement jusqu'au moment de se découvrir, de paraître. *Le feu couve sous la cendre.* ⇒ **Cendre** (cit. 5 et *supra*).

9 Le feu qui paraissait presque éteint couvait sous la cendre, pour éclater bientôt avec plus de fureur que jamais. ROUSSEAU, Émile, V.

Fig. Se préparer secrètement, sans se manifester. *Un orage couve. La maladie couve en lui. La haine couve dans son cœur. La crise, la guerre couvait depuis longtemps.* ⇒ **Gestation** (être en gestation).

10 Le forban couvait déjà, paraît-il, sous le petit sauvage.
LOTI, Mon frère Yves, XXI, p. 72.

11 En Vendée, le fanatisme religieux, qui couvait depuis deux ans, éclata.
JAURÈS, Hist. socialiste..., t. VII, p. 169.

Fam. *Il faut laisser couver cela.* (Se dit de qqch. qu'on a intérêt à ne pas hâter).

▶ **SE COUVER** v. pron.

Passif. *Les œufs qui se couvent,* qui sont couvés.

Impers. (fig.). *Il se couve qqch. de dangereux.*

▶ **COUVÉ, ÉE** p. p. adj. (sens I). *Œuf couvé. Maladie longuement couvée.* Fig. *Cet enfant est très couvé.*

12 (...) un poupon, c'est vrai, un nourrisson couvé, sans force... un gosse capricieux...
N. SARRAUTE, le Planétarium, p. 142.

13 (...) toujours couvé du regard par la mère, M. Jo apprenait à Suzanne l'art de se vernir les ongles. M. DURAS, Un barrage contre le Pacifique, p. 99.

DÉR. et COMP. Accouver. — Couvade, couvain, couvaison, couvée, couvet, couveuse, couvi, couvoir.

COUVERCLE [kuvɛʀkl] n. m. — V. 1160; du lat. *cooperculum,* de *cooperire* «couvrir», de *co-,* et *operire.*

♦ **1.** Pièce mobile qui s'adapte à l'ouverture d'un récipient pour le fermer. *Le couvercle d'une boîte, d'un coffre. Le couvercle d'un pot, d'une marmite, d'une soupière. Un couvercle plat, bombé. Couvercle creux ou bombé d'une braisière. Couvercle à charnière. Lever, soulever, mettre, visser le couvercle. Baisser, laisser retomber le couvercle.*

Par métaphore. Ce qui enferme hermétiquement (en général avec une valeur d'oppression).

1 Le Ciel! couvercle noir de la grande marmite
Où bout l'imperceptible et vaste Humanité.
BAUDELAIRE, les Fleurs du mal, «Spleen et Idéal», LXXXVII, «Le couvercle».

2 Une *pambéotie* redoutable, une ligue de toutes les sottises, étend sur le monde un couvercle de plomb, sous lequel on étouffe.
RENAN, Souvenirs d'enfance..., II, I, p. 64.

Prov. *Trouver couvercle à sa marmite. — Il n'est si méchant pot qui ne trouve son couvercle :* on trouve toujours à se marier.

♦ **2.** Ce qui recouvre un objet pour le protéger. ⇒ **Capuchon, chape, chapeau, chapiteau, cloche, couvre-plat, enveloppe, tampon.**

Spécialt, anat. *Couvercle du larynx.* — Zool. *Couvercle des ouïes, des branchies d'un poisson.*

Mécan. Fermeture du piston vers le haut (opposé à *fond*). *Couvercle d'un cylindre à compression.* ⇒ **Soupape.**

Fig. Couche qui recouvre un liquide en fermentation (notamment en brasserie).

♦ **3.** Vx et pop. Crâne. *Partir du couvercle :* délirer (→ Travailler du chapeau). — Chapeau. «*Les crânes bouillaient sous le soleil à faire sauter tous leurs couvercles*» (Daudet, *Tartarin de Tarascon,* 1885, in T. L. F.).

♦ **4.** Par métaphore ou fig. Se dit de ce qui recouvre. *Un couvercle de nuages, de brume.* «*Le couvercle des mœurs*» (Gide) : les mœurs qui recouvrent, oppriment.

Par comparaison.

3 Quand le ciel bas et lourd pèse comme un couvercle
Sur l'esprit gémissant en proie aux longs ennuis (...)
BAUDELAIRE, les Fleurs du mal, LXXVIII.

1. COUVERT [kuvɛʀ] n. m. — XIIᵉ, «logement, retraite»; p. p. subst. de *couvrir.*

★ **I.** Ce qui couvre. ♦ **1.** (XVIᵉ, «toit»). Vx. Logement où l'on est protégé des intempéries. *Donner le couvert à qqn.* — *Le vivre et*

le couvert (loc. encore employée, mais mal comprise, à cause du sens II).

1 Il fit tant, de pieds et de dents,
Qu'en peu de jours il eut au fond de l'hermitage
Le vivre et le couvert; que faut-il davantage? LA FONTAINE, Fables, VII, 3.

2 On donne le couvert à des passants embarrassés de leur gîte.
ROUSSEAU, Émile, V.

3 Les populations de nos régions torturées travaillent : il leur faut bien, à défaut de reconstruction réelle, édifier, du moins, des cités de fortune, s'assurer à tout prix le couvert. G. DUHAMEL, Manuel du protestataire, II, p. 71.

♦ **2.** (1285). Vx ou littér. Abri, ombre que donne le feuillage. ⇒ **Abri, ombrage.** — Par ext. Massif d'arbres qui donnent de l'ombre. *Couvert végétal. Un couvert de marronniers.*

4 (...) il plante un jeune bois, et il espère qu'en moins de vingt années il lui donnera un beau couvert (...) LA BRUYÈRE, les Caractères, XI, 124.

5 Par le beau matin de juin, nous descendons gaîment le sentier breton; au-dessus de nos têtes, le couvert des chênes et des hêtres tamise des petits ronds de lumière qui tombent par milliers à travers la verdure comme une pluie blanche.
LOTI, Mon frère Yves, XLVII, p. 119.

5.1 Là-haut, les renards ont mangé. Lourds de viande, ils marchent pesamment, cherchent le couvert pour dormir. J. GIONO, les Vraies Richesses, p. 32.

Mod. *Sous le, un couvert, sous les couverts. Blindés dissimulés sous un couvert.*

6 Ils avaient pénétré sous le couvert des pins que le voisinage de la rivière rend énormes. F. MAURIAC, le Sagouin, IV, p. 147.

Littér. Abri. «*L'humble couvert de tôle qu'on a construit près de la rue Grégoire-de-Tours*» (Carco, *Nostalgie de Paris,* 1941, in T. L. F.).

♦ **3.** (1669). SOUS LE COUVERT DE : sous l'adresse, le nom de (qqn), en parlant d'un envoi. *Cela est arrivé franc de port sous le couvert du ministre. Écrire une lettre à qqn sous le couvert d'un tiers qui la lui remettra.*

7 Je supplie V. A. R. d'adresser les ordres sous le couvert de M. du Breuil.
VOLTAIRE, Lettre au roi de Prusse, 12.

8 On m'a déjà adressé quelques volumes sous le couvert du général Miollis.
P.-L. COURIER, Lettre, II, 16.

Fig. Sous la responsabilité ou la garantie de (qqn), par délégation de (qqn). *Il a agi sous le couvert de ses chefs.* — Sous l'apparence, le prétexte* de (qqch.). *Sous le couvert de l'amitié il lui a extorqué des sommes considérables.* ⇒ **Voile** (sous le voile de). *Sous le couvert d'une visite à faire.* ⇒ **Couleur** (sous couleur).

9 (...) il (le tsar) envoya à Paris un émissaire, le baron d'Oubril, chargé sous le couvert d'une mission très restreinte, de surveiller les pourparlers anglo-français.
Louis MADELIN, Talleyrand, III, XVI, p. 170.

♦ **4.** Loc. prép. À COUVERT DE ; loc. adv. À COUVERT. Dans un lieu où l'on est couvert, garanti, protégé. ⇒ **Abri** (à l'abri de). — Protégé de (qqch.). *À couvert de la pluie. À couvert du bombardement. À couvert de l'ennemi.* — Protégé par (qqch.). *Être à couvert d'un bois, d'un rempart.* «*L'animation ne reprend qu'à couvert de la nuit*» (P. Morand, *Rien que la Terre,* p. 213).

10 Enfin notre dernier recours, c'est que la fuite nous peut mettre à couvert de tout (...) MOLIÈRE, l'Avare, I, 5.

10.1 (...) on avait dressé des tentes alentour, afin que tout le monde fût à couvert pendant la cérémonie (...) A. GALLAND, les Mille et Une Nuits, t. II, p. 352.

Fuir à couvert, à l'abri des regards. *Se mettre à couvert.* ⇒ **Abriter** (s'), **garantir** (se), **protéger** (se), **réfugier** (se), **terrer** (se).

11 Julien sauta le mur d'une terrasse, fit à couvert une cinquantaine de pas, et se remit à fuir dans une autre direction.
STENDHAL, le Rouge et le Noir, I, XXX, p. 225.

Fig. *Agir à couvert. Se mettre à couvert :* dégager sa responsabilité.

12 M. Poincaré tient surtout à mettre notre responsabilité à couvert (...)
MARTIN DU GARD, les Thibault, t. VII, p. 92.

Comm. *Être à couvert :* avoir des garanties sûres, pour les avances faites à quelqu'un.

★ **II.** (V. 1570). Ce que l'on dispose sur la table pour prendre un repas. *Mettre, dresser le couvert :* disposer la nappe, les assiettes, les verres, les serviettes, les fourchettes, les cuillers, les couteaux. (Syn. : *mettre la table*). *Ôter le couvert. Ranger le couvert.*

13 Sur un tapis de Turquie
Le couvert se trouva mis. LA FONTAINE, Fables, I, 9.

14 Jusqu'à ce couvert de campagne, ces verres propres, cette fraîche assiette de beurre demi-sel, cette cruche de cidre, qui aidaient à l'intimité de cette table éclairée par une lampe (...) HUYSMANS, Là-bas, V, p. 57.

Loc. fig. (argot). *Remettre le couvert :* recommencer; «remettre ça».

Hist. *Grand couvert :* repas qu'un prince prenait en public avec un certain cérémonial. *Petit couvert* ou *couvert privé :* repas sans cérémonie.

(1616). Les ustensiles de table à l'usage de chaque convive. *Une table de douze couverts. Un banquet de cent couverts.* ⇒ 2. **Assiette** (2., b). *Il manque un couvert. Apporter, rajouter un couvert* (→ Avidité, cit. 4). *Lave-vaisselle de douze couverts,* qui a une capacité de douze couverts. *Avoir toujours son couvert mis (chez qqn).* être certain d'y être toujours reçu.

Réserver quatre couverts au restaurant, quatre places.

15 (...) jusqu'au second couvert que parfois je dispose, sur la table ombragée, en face

du mien. Un second couvert... Cela tient peu de place, maintenant : une assiette verte, un gros verre ancien, un peu trouble... Le couvert est celui de l'ami qui vient s'en va (...) COLETTE, la Naissance du jour, p. 14.

15.1 Sur le pont, une vingtaine de convives à la table commune. Une autre table, parallèle à la première, où l'on a mis nos trois couverts.
GIDE, Voyage au Congo, *in* Souvenirs, Pl., p. 697.

Spécialt. Un couvert, l'ensemble des ustensiles de table dont on se sert avec la main, à l'usage d'une personne *(couvert individuel).*

[a] La cuiller et la fourchette. *Couvert d'argent massif. Couvert de ruolz, de maillechort, d'alfénide. Une douzaine de couverts. Coffret à couverts.* ⇒ **Ménagère.** *Offrir un couvert de baptême dans un écrin. Ranger les couverts et les couteaux.*

[b] La cuiller, la fourchette et le couteau. *Une ménagère de douze couverts, avec des couteaux à manche d'ébène.*

[c] (Ustensiles destinés, par leur taille ou leur forme, à un usage spécifique). *Couvert à dessert ; couvert à poisson.*
Les couverts, l'ensemble de ces ustensiles (cuillers, fourchettes, couteaux). *Panier à couverts.*

16 (...) la grande table ovale où brillent sur la nappe damassée les couverts d'argent bien fourbis à la peau de chamois (...)
J. CHARDONNE, les Destinées sentimentales, III, p. 437.

DÉR. Couverte, couverture.

HOM. Couvert, p. p. adj. du v. couvrir.

2. COUVERT, ERTE [kuvɛʀ, ɛʀt] p. p. adj. ⇒ **Couvrir.**

COUVERTE [kuvɛʀt] n. f. — XIIᵉ ; p. p. fém. de *couvrir.*

♦ **1.** Vx. Couverture (de lit). *Spécialt.* Couverture en laine à l'usage des soldats. — Couverture des chevaux. ⇒ **Couverture** (2.). — Par ext. Toile qui protège des intempéries. *Placer une couverte sur une voiture.*

Loc. fam. Passer à la couverte ; faire danser la couverte (à qqn) : projeter qqn en l'air au moyen d'une couverture tendue. ⇒ **Berner.**

Il déshabilla précipitamment l'officier, pris (...) de rage parce que les habits ne se dégageaient pas assez vite du corps, comme si celui-ci les eût retenus. Il secouait ce corps sauveur comme s'il lui eût fait danser la couverte.
MALRAUX, la Condition humaine, p. 232.

♦ **2.** Techn. Mod. (de *couvert*). Émail dont est revêtue la faïence, la porcelaine, et qui est composé de substances facilement vitrescibles. *On peint sur la couverte.*

COUVERTURE [kuvɛʀtyʀ] n. f. — 1155 ; du bas lat. *coopertura,* de *cooperire.* → Couvrir.

★ **I.** (Concret). ♦ **1.** [a] Ce qui forme la surface extérieure du toit* d'un bâtiment. *La couverture d'une maison. Couverture de chaume. Couverture en tuiles, en ardoises, en zinc. Refaire la couverture d'une maison. Couvreur* qui répare, pose la couverture.*

0.1 Selon la surface entière d'un petit toit de zinc que le regard surplombe elle ruisselle en nappe très mince, moirée à cause de courants très variés par les imperceptibles ondulations et bosses de la couverture.
Francis PONGE, le Parti pris des choses, p. 31.

[b] Agric. Ce qui sert à protéger une culture des intempéries (paille, feuilles, fumier, etc.).

[c] Techn. Revêtement de tôle qui cache une serrure.

♦ **2.** (XIIᵉ). Pièce de toile, de drap, qu'on dresse ou qu'on étend pour recouvrir. *La couverture d'un parapluie. Couverture imperméabilisée sur des marchandises.* ⇒ **Bâche.** *Couverture mobile de voiture.* ⇒ **Capote.** *Couverture de cheval,* dont on couvre un cheval après une course. ⇒ **Couverte** (vx) ; **caparaçon.** *Couverture de voyage,* dont on s'enveloppe en voyage pour se garantir du froid. ⇒ **Plaid.**

Spécialt (plus cour.). *Couverture de lit,* et absolt, *couverture :* pièce (souvent de laine) qu'on place sous les draps, sous* le matelas, et qui recouvre le lit, pour tenir chaud. ⇒ 2. **Berlue** (argot), **courtepointe, couverte, couvrante** (argot), **couvre-lit, couvre-pied.** *Une couverture de laine, de coton. Couverture doublée d'ouate* (⇒ **Matelassure**). *Couverture piquée. Couverture chauffante :* couverture de lit munie d'un dispositif électrique chauffant. — *Loc. Faire sauter qqn dans une couverture.* ⇒ **Berne** (→ Berner, cit. 1), **brimade, couverte.** *Prendre toute la couverture,* être un mauvais coucheur*. — Faire la couverture :* relever un coin des draps et de la couverture pour entrer plus facilement dans le lit.

1 (...) il y a des familles dont les membres sont réduits à s'entortiller ensemble pendant la nuit faute de couverture pour se réchauffer.
CHATEAUBRIAND, Mémoires d'outre-tombe, t. VI, p. 318.

2 Il essaya de rafistoler son lit, de reborder les couvertures saccagées, de regonfler les oreillers aplatis et il se coucha. HUYSMANS, Là-bas, XIII, p. 190.

2.1 Elle se laissa hisser jusqu'à sa chambre et enfouir sous la couverture chauffante.
Hervé BAZIN, Qui j'ose aimer, p. 44.

Fig. Amener, tirer la couverture à soi : s'approprier la meilleure ou la plus grosse part de quelque chose.

2.2 Le général, élu chef du gouvernement à l'unanimité des votants, formait son ministère, dans lequel je devenais ministre de l'Information. Tâche instructive : il s'agissait surtout d'empêcher chaque parti de tirer la couverture à lui. Thorez

---

observait la règle du jeu : mettre le parti communiste au service de la reconstruction de la France. Mais en même temps, le Parti noyautait, noyautait (...)
MALRAUX, Antimémoires, Folio, p. 138.

♦ **3.** Ce qui couvre, recouvre un livre, un cahier. *Couverture de cuir, de basane, de chagrin, de maroquin.* ⇒ **Reliure.** *Couverture cartonnée, toilée.* ⇒ **Cartonnage.** *Couverture brochée.* ⇒ **Brochage.** *Titres dorés d'une couverture.* — *Enveloppe dont on recouvre un livre pour le protéger.* ⇒ **Couvre-livre, jaquette, liseuse.** *Couverture en étoffe, en papier, en matière plastique. Couverture d'un cahier.* ⇒ **Protège-cahier.**

★ **II.** (Abstrait ; dans quelques emplois). ♦ **1.** Action, fait de couvrir, de recouvrir (pour protéger). — *Engrais de couverture.*

Géol. Pli de couverture, qui n'affecte que la couche sédimentaire.

♦ **2.** Action de couvrir, de protéger ; ce qui sert à protéger. — *Milit. La couverture d'une zone. Troupes de couverture :* troupes placées à la frontière d'un pays pour le défendre (→ Avant-poste, cit. 2). *Une couverture. Couverture atomique.* ⇒ **Parapluie.**

3 (...) les troupes de couverture sont tenues prêtes : en quelques heures, sous le premier prétexte, elles occuperont Belgrade !
MARTIN DU GARD, les Thibault, t. V, p. 133.

Par ext. Zone de protection. ⇒ **Tampon.**

4 (...) toute une *couverture* s'était ainsi créée, de républiques forgées par la France et par elle étroitement inféodées, tandis que le rêve allait jusqu'à envisager, sinon la possession, du moins l'inféodation de la rive droite du Rhin (...)
Louis MADELIN, De Brumaire à Marengo, V, p. 64.

Action de couvrir une zone (pour un dispositif). *La couverture d'un radar. Fam. La couverture radar. « Une bonne " couverture-météo "»* (B. Moitessier, *Cap Horn à la voile,* p. 69). Zone couverte (par un dispositif, etc.).

♦ **3.** Ce qui couvre, recouvre matériellement (une surface). *La couverture végétale d'un sol.* → ci-dessus, I., 1., b.

Anat. Couverture musculaire, graisseuse.

Zool. Les couvertures : plumes recouvrant la base des grandes pennes.

♦ **4.** [a] Vx ou littér. Action de cacher ; ce qui sert à cacher, à dissimuler, à donner le change. ⇒ **Couvert, déguisement, paravent, prétexte.** *Loc. Sous couverture d'amitié, de dévouement, de dévotion.*

5 Il fallait trouver quelque couverture à un défaut si visible.
BOSSUET, Hist. des Variations, XV, *in* LITTRÉ.

6 J'avais déjà remarqué chez différentes personnes que l'affectation des sentiments louables n'est pas la seule couverture des mauvais, mais qu'une plus nouvelle est l'exhibition de ces mauvais, de sorte qu'on n'ait pas l'air au moins de s'en cacher.
PROUST, A la recherche du temps perdu, t. XIV, p. 58.

[b] Mod. *Une couverture :* affaire servant de prétexte et dissimulant une activité secrète. *Son bar est une couverture.*

6.1 Quant au maître de céans, s'il en a un pour ses affaires avouables — couverture indispensable —, il se trouve néanmoins obligé de conserver en permanence un capital liquide pour son trafic de base. Roger NAÏM, l'Ere des truands, p. 233.

♦ **5.** (1826). Fin. Garantie donnée pour assurer le paiement d'une dette. ⇒ **Garantie, provision.** *Ce négociant doit beaucoup, mais il a de bonnes couvertures. Une commande sans couverture.* ⇒ **Avance.**

7 (...) et que, dans le cadre de cette opération, nous trouvions moyen de vous assurer une large couverture du risque que vous prendriez d'autre part.
J. ROMAINS, les Hommes de bonne volonté, t. V, VI, p. 56.

♦ **6.** *Couverture sociale :* protection dont bénéficie un assuré social.

♦ **7.** Le fait de couvrir* (I., 8.) un événement, pour un journaliste. *La couverture d'un fait divers sensationnel. La couverture d'une région par un correspondant. La couverture de l'actualité.*

8 L'universalité de la *couverture* des événements, la notion même d'actualité internationale (...) Philippe GAILLARD, Technique du journalisme, p. 37.

DÉR. Couverturier.

COUVERTURIER [kuvɛʀtyʀje] n. m. — 1252 ; de *couverture.*

♦ Vx. Fabricant ou marchand de couvertures de lit.

COUVET [kuvɛ] n. m. — 1350, *couwet,* dial. ; de *couver.*

♦ Vx. Petit pot de cuivre ou de terre qui servait de chaufferette. — On dit aussi *couveau* ou *couvot* [kuvo].

HOM. Couvée, couver.

COUVEUSE [kuvøz] n. f. ou adj. — 1542 ; de *couver.*

★ **I.** ♦ **1.** Poule qui couve. *Une bonne couveuse.* — Par ext. Femelle d'oiseaux de basse-cour, susceptible de pondre et de couver. *Adj. Poule couveuse.*

♦ **2.** N. f. Fig. (souvent péj.). Femme qui protège excessivement ses enfants. *Adj. « La mère couveuse »* (Bachelard). Cf. Mère poule. — Par ext. Fam. (péj.). Mère de nombreux enfants. *« Si vous vouliez faire de ma fille une couveuse... »* (O. Feuillet, *in* T. L. F.).

Par métaphore et littér. (n. ou adj.). *Couveuse de...*, qui couve (quelque chose).

★ **II.** ♦ **1.** [a] (1838). *Couveuse artificielle :* étuve où l'on fait éclore les œufs. ⇒ **Couvoir, incubateur.**
Vx. Appareil où l'on fait éclore les œufs des vers à soie.

[b] Appareil permettant d'élever à une température constante les enfants nés avant terme ou insuffisamment protégés contre les risques d'infection. ⇒ **Incubateur.** *Mettre un prématuré* en couveuse, dans une couveuse.*

[c] Loc. fig. *En couveuse :* dans un état de protection excessive. → *Dans du coton*.*

♦ **2.** Adj. f. *Pile couveuse :* réacteur produisant à la fois de la matière fissile et de l'électricité.

COUVI [kuvi] adj. m. — Fin XIIᵉ, *couveïs ; de couver.*
♦ Techn. *Œuf couvi :* œuf gâté pour avoir été couvé ou gardé trop longtemps. *Des œufs couvis.*

COUVOIR [kuvwaʀ] n. m. — 1564 ; de *couver.*
Agriculture.
♦ **1.** Vx. Nid ou panier pour faire couver les poules.
♦ **2.** Mod. Local où se fait l'incubation des œufs (naturelle ou par couveuse). — Par ext. Entreprise spécialisée dans l'incubation industrielle des œufs.

COUVRAILLES [kuvʀaj] n. f. pl. — XVIᵉ ; de *couvrir.*
♦ Régional. Semailles — REM. La var. *couvraines* est attestée dès le XIVᵉ siècle.

COUVRANT, ANTE [kuvʀɑ̃, ɑ̃t] adj. — 1901 ; p. prés. de *couvrir.*
♦ **1.** Qui couvre, protège.
Or, rien ne peut se faire d'efficace à cet égard, sous peine d'être démoli chaque année par la mer, tant que la masse couvrante, la jetée protectrice, ne sera pas construite. L. H. LYAUTEY, Paroles d'action, p. 88 (1927).
♦ **2.** Techn. Qui recouvre sans aucune transparence. *Produit couvrant. Peinture couvrante. Un fond de teint très couvrant qui dissimule toutes les imperfections de la peau.*
L'*oxyde de titane* (...) est une poudre blanche, très couvrante (...) Charles BOURGEOIS, Chimie de la beauté, p. 74.
Le pouvoir couvrant d'une peinture.
CONTR. Transparent.

COUVRANTE [kuvʀɑ̃t] n. f. — 1895 ; p. prés. de *couvrir.*
Argot familier.
♦ **1.** Couverture (de lit). *Une bonne couvrante.*
♦ **2.** (Abstrait). Couverture (II., 4.).
(...) si, avant vingt-quatre heures, on n'a pas fait part de la découverte d'un criminel, il y a non-dénonciation de malfaiteur et, pour le petit René, même avec une couvrante, le temps devenait précieux. Martin ROLLAND, la Rouquine, p. 26.

COUVRE-CHEF [kuvʀəʃɛf] n. m. — XIIᵉ ; de *couvrir*, et *chef* « tête ».
♦ **1.** Vx. Au moyen âge, Morceau d'étoffe qui servait de coiffe aux hommes.
♦ **2.** Par plais. Ce qui couvre la tête. ⇒ **Chapeau, coiffure.** — REM. Ne se dit guère que des chapeaux d'hommes. *Des couvre-chefs. Il portait un superbe couvre-chef.*

COUVRE-FEU [kuvʀəfø] n. m. — V. 1260 ; de *couvrir*, et *feu.*
♦ **1.** Signal qui indique l'heure de rentrer chez soi et parfois d'éteindre les lumières. ⇒ **Black-out** (anglic.). *Des couvre-feux.*
♦ **2.** Interdiction de sortir après une heure fixée (mesure de police). *Décréter le couvre-feu. L'heure du couvre-feu.*
Par extension :
Il y a une loi dite du couvre-feu (*curfew*), en vertu de laquelle ces boîtes sont quelquefois condamnées à l'amende pour être restées ouvertes trop tard (...) Paul MORAND, New York, p. 189.
♦ **3.** Vx. Ustensile qui sert à couvrir le feu et à prévenir les dangers d'incendie, tout en conservant des braises.

COUVRE-JOINT [kuvʀəʒwɛ̃] n. m. — 1845 ; de *couvrir*, et *joint.*
♦ Techn. Ce qui recouvre et cache les joints dans les ouvrages de maçonnerie ou de menuiserie. *Poser des couvre-joints.*
Mar. Bourrelet réunissant des éléments métalliques joints.

COUVRE-LIT [kuvʀəli] n. m. — 1863 ; de *couvrir*, et *lit.*
♦ Pièce d'étoffe, couverture légère servant de dessus-de-lit (cf. Jetée de lit). *Des couvre-lits.*

COUVRE-LIVRE [kuvʀəlivʀ] n. m. — XXᵉ ; de *couvrir*, et *livre.*
♦ Protection souple recouvrant un livre. ⇒ **Couverture, liseuse.** *Des couvre-livres.*

COUVRE-LUMIÈRE [kuvʀəlymjɛʀ] n. m. invar. — Déb. XXᵉ ; de *couvrir*, et *lumière.*
♦ Milit. (vx). Petite plaque métallique qui couvrait la lumière* du canon pour le protéger des intempéries. *Des couvre-lumière.*

COUVRE-NUQUE [kuvʀənyk] n. m. — 1833 ; de *couvrir*, et *nuque.*
♦ Pièce adaptée à la coiffure pour protéger la nuque. *Des couvre-nuques. Les couvre-nuques des fantassins de l'ancienne armée d'Afrique, des légionnaires. Casque colonial du XIXᵉ siècle muni d'un couvre-nuque.*

COUVRE-PIED [kuvʀəpje] n. m. — 1696 ; de *couvrir*, et *pied.*
♦ **1.** Vx. Pièce d'étoffe recouvrant et ornant un lit. ⇒ (mod.) **Dessus-de-lit.**
Le lit occupait une alcôve profonde et se drapait d'un couvre-pied en tapisserie au petit point (...) Th. GAUTIER, le Capitaine Fracasse, t. II, p. 170.
♦ **2.** Mod. Couverture, pièce de laine, édredon recouvrant une partie du lit, à partir des pieds, et destinée à augmenter la chaleur du lit. *Un couvre-pied de laine, ouaté* (⇒ aussi **Édredon**). *Des couvre-pieds.* — REM. On écrit parfois : *un couvre-pieds.*

COUVRE-PLAT [kuvʀəpla] n. m. — 1688 ; de *couvrir*, et *plat.*
♦ Couvercle dont on recouvre un plat (on dit aussi *dessus-de-plat*). *Des couvre-plats.*

COUVRE-RADIATEUR [kuvʀəʀadjatœʀ] n. m. — V. 1950 ; de *couvrir*, et *radiateur.*
♦ Techn. Dispositif destiné à protéger du froid le radiateur d'une automobile. *Des couvre-radiateurs.*

COUVRE-SELLE [kuvʀəsɛl] n. m. — D. i. (mil. XXᵉ) ; de *couvrir*, et *selle.*
♦ Petite housse protégeant une selle (de vélo, de moto). « (À Pékin) *Une grosse fille assise dans une cariole vend des couvre-selles de vélos bleus à liséré rose* » (*Actuel*, févr. 1980, p. 114).

COUVREUR [kuvʀœʀ] n. m. — Déb. XIIIᵉ ; de *couvrir.*
♦ Personne qui fait ou répare les toitures des maisons. *Couvreur-ardoisier* (→ en Belgique Ardoisier). *Couvreur-chaumier. Couvreur-zingueur. Le couvreur fixe les ardoises, les tuiles sur les voliges* (→ Ardoise, cit. 2). *Outils de couvreur :* aissette, enclume, tille, tire-clou. *Chevalet des couvreurs.* ⇒ **Oiseau** (II., 2.).
Le couvreur. Son plaisir, c'est de s'arrêter sur l'échelle et de surprendre par la fenêtre une fille qui s'habille. J. RENARD, Journal, 16 sept. 1902.
Si le destin m'avait obligé de choisir un métier manuel, tourneur ou couvreur, soyez tranquille, j'eusse choisi les toits et fait amitié avec les vertiges. CAMUS, la Chute, p. 31.
REM. Le mot ne semble pas avoir de forme féminine attestée ; *couvreuse* serait normal, mais on dirait plutôt : *elle est couvreur.*

COUVREUSE [kuvʀøz] n. f. — 1975, in la Clé des mots ; de *couvrir.*
♦ Techn. Machine disposant autour d'un doigt, d'un article, un film plastique. — En appos. *Ensacheuse couvreuse.*

COUVRIR [kuvʀiʀ] v. tr. — *Je couvre, nous couvrons ; je couvrais ; je couvris ; je couvrirai ; couvre ; que je couvrisse ; couvrant ; couvert.* Fin Xᵉ ; du lat. *cooperire*, de *co-* (*cum*) et *operire.* → Ouvrir.
Revêtir pour cacher, fermer, orner, protéger...
A. ♦ **1.** Garnir (un objet) en disposant qqch. dessus. ⇒ **Appliquer, disposer, mettre** (sur), **recouvrir ; couverture.** *Couvrir qqch., qqn de, avec qqch. Couvrir un lit d'un dessus-de-lit, d'une couverture. Couvrir un toit d'ardoises, de chaume, de paille, de tuiles* (⇒ **Couvreur ; couverture,** I., 1.). *Couvrir une voiture d'une bâche. Couvrir des marchandises d'une toile.* ⇒ **Bâcher, banner, tenter.** *Couvrir le corps d'une armure, couvrir une surface d'un blindage.* ⇒ **Barder, blinder, caparaçonner, cuirasser.** *Couvrir une surface, un sol d'une mosaïque, de pavés* (⇒ **Paver**), *d'une moquette, d'un tapis. Couvrir un objet d'un enduit.* ⇒ **Cimenter, crépir, enduire, plâtrer ; revête-**

ment. *Couvrir un mur d'une couche de peinture.* ⇒ **Peindre.** *Couvrir une toile de couleurs. Couvrir son visage (se couvrir le visage) de poudre, de fard.* ⇒ **Farder, maquiller, poudrer.** *Couvrir un objet d'un métal, d'un alliage.* ⇒ **Métalliser, plaquer ; argenter, chromer, cuivrer, dorer, nickeler.** *Couvrir une semence de terre.* ⇒ **Enfouir, enterrer, terrer ; couvrailles, semailles.** *Couvrir les plates-bandes d'un jardin avec des branchages, des cloches*. Couvrir un meuble d'une housse.* ⇒ **Envelopper.** *Couvrir un pan de mur d'une tapisserie, un parquet d'un tapis.*

1   Un homme de cœur pense à remplir ses devoirs, à peu près comme le couvreur pense à couvrir (...) Le premier n'est guère plus vain d'avoir forcé un retranchement, que celui-ci d'avoir monté sur de hauts combles, ou sur la pointe d'un clocher.   LA BRUYÈRE, les Caractères, II, *in* LITTRÉ, Dict., art. *Couvreur.*

Spécialt. Mettre un enjeu sur (un des espaces d'un jeu).

2   Le résultat est qu'il cherchait à multiplier les placements, sans beaucoup plus de méthode qu'un joueur qui couvre, çà et là, des cases du tapis.   J. ROMAINS, les Hommes de bonne volonté, t. III, XIII, p. 183.

(Sans compl. en *de,* dans des emplois spéciaux). *Couvrir un plat, une marmite,* lui mettre son couvercle. — *Couvrir une maison,* en faire la toiture, la couverture. — *Couvrir un livre,* lui mettre une couverture. ⇒ aussi **Brocher, relier.** — *Couvrir le feu,* mettre de la cendre dessus pour le conserver, le faire couver. — Jeux. *Couvrir une carte* : mettre une carte sur une autre, ou de l'argent sur sa carte.

♦ **2.** (Sujet n. de choses). Être disposé sur.. *Housse qui couvre un fauteuil. Jaquette qui couvre un livre* (⇒ **Couvre-livre**). *Le toit couvre la maison. Les téguments couvrent le corps. La peau couvre les muscles. Duvet qui couvre les joues de l'adolescent. Cheveux qui couvrent le crâne. Chapeau couvrant la tête. Son vêtement* le couvre tout entier.* ⇒ **Vêtir.** *Des haillons le couvraient. Bandage, compresse* (cit. 2) *qui couvre le front.*

3   Qu'il voie que tous les hommes portent à peu près le même masque, mais qu'il sache aussi qu'il y a des visages plus beaux que le masque qui les couvre.   ROUSSEAU, Émile, IV.

4   (...) la toile qui couvrait son corps était si souple et si diaphane qu'elle laissait voir les boutons des seins, comme à ces statues de baigneuses couvertes d'une draperie mouillée.   Th. GAUTIER, Mlle de Maupin, IX, p. 196.

5   (...) des moquettes épaisses couvrirent les parquets (...)   J. CHARDONNE, les Destinées sentimentales, I, p. 35.

5.1   (...) les tendances à «contenir», «flotter», «couvrir», particularisées par le traitement de l'écorce donnent le vase, le canot, ou le toit.   Gilbert DURAND, les Structures anthropologiques de l'imaginaire, p. 54.

♦ **3.** Parsemer (qqch., qqn) d'une grande quantité de (choses), de qqch. d'abondant. ⇒ **Éparpiller, étendre, parsemer, répandre.** *Couvrir sa poitrine de décorations.* ⇒ **Consteller.** *Couvrir une table de plats.* ⇒ **Charger.** *Couvrir une tombe de fleurs.* ⇒ **Fleurir.** *Couvrir de boue un passant.* ⇒ **Éclabousser, salir, souiller.** *Couvrir de sucre, de sel.* ⇒ **Poudrer, saupoudrer.** *Le tireur a couvert la cible de trous.* ⇒ **Cribler.**

6   (...) une gueule enflammée,
Qui le couvre de feu, de sang et de fumée.   RACINE, Phèdre, V, 6.

Par métaphore. *On l'a couvert de boue.*

Fig. *Couvrir qqn de caresses, de baisers. Couvrir qqn d'or, d'argent,* lui donner beaucoup d'argent. *Il la couvrait de cadeaux.*

7   (...) il est sûr qu'on couvrirait plutôt de soufflets que de baisers un laid visage effronté, au lieu qu'avec la modestie il peut exciter une tendre compassion qui mène quelquefois à l'amour.   ROUSSEAU, Julie ou la Nouvelle Héloïse, II, XXI, p. 269.

8   La Sicile a eu le bonheur d'être possédée, tour à tour, par des peuples féconds, venus tantôt du Nord et tantôt du Sud, qui ont couvert son territoire d'œuvres infiniment diverses.   MAUPASSANT, la Vie errante, IV, p. 75.

9   Enfin elle saisit Puce à pleins bras, et s'enfuit en gambadant vers sa chambre, couvrant l'animal de caresses.   MARTIN DU GARD, les Thibault, t. I, p. 23.

Fig. ⇒ **Accabler, combler.** *On l'a couvert de huées, d'injures. Couvrir qqn de honte, d'opprobre* (⇒ **Honnir**). *Couvrir qqn de compliments, d'éloges,* ou *couvrir de fleurs. Couvrir d'honneur un général vainqueur.*

10   (...) vingt minutes on le couvrit de gloire (...)   COURTELINE, Messieurs les ronds-de-cuir, 6e tableau, II, p. 226.

♦ **4.** (Sujet n. de choses). Être éparpillé, répandu sur (qqch.). *Les feuilles qui couvrent l'arbre.* ⇒ **Couronner.** *L'ombre des feuillages couvre la clairière.* ⇒ **Ombrager ;** → Abri, cit. 9 ; chêne, cit. 7. *Les feuilles couvrent le sol.* ⇒ **Joncher.** *Des nuages couvraient le ciel. Eau qui couvre la plaine.* ⇒ **Inonder, submerger.** *La neige couvre le chemin. Le sang, la boue couvre son vêtement. La sueur couvre son corps. Une rougeur lui couvrit le visage. La poussière qui couvre un meuble.* — (Par assimilation des personnes à des choses). *La foule des curieux couvrait la place.* — Fig. *Son discours fut couvert d'applaudissements. La honte couvre son visage.*

11   Où se peuvent cacher tes saints?
Les pêcheurs couvrent la terre.   RACINE, Athalie, II, 9.

12   Œnone, la rougeur me couvre le visage (...)   RACINE, Phèdre, I, 3.

13   (...) ses feux *(de Kutusof)* couvraient tellement tout le terrain occupé par les Français, que le même boulet qui renversait un homme du premier rang allait tuer sur les voitures les femmes fugitives de Moscou.   Ph.-P. SÉGUR, Hist. de Napoléon, X, 8.

14   Mais c'était l'heure du coucher du soleil ; et, plus nombreuse que la foule active, la foule désœuvrée couvrait la jetée.   Pierre LOUŸS, Aphrodite, II, p. 29.

15   De larges, de grandes rides, un réseau de soucis et d'efforts passionnés, couvre d'une tempe à l'autre son front sec et anguleux   André SUARÈS, Trois hommes, III, «Ibsen», p. 111.

16   Les vêtements des hommes étaient blancs de poussière, ainsi que les huit cartouchières à chargeurs qui leur couvraient la poitrine et le ventre.   P. MAC ORLAN, la Bandera, VI, p. 66.

B. ♦ **1.** Cacher en mettant qqch. par-dessus, autour. ⇒ **Cacher, dissimuler.** *Couvrir le corps, la nudité de qqn. Couvrir les yeux d'un bandeau.* ⇒ **Bander.** *Couvrir une statue d'un voile.* ⇒ **Voiler.** *Couvrir qqch., qqn d'un drap.* ⇒ **Draper.**

17   Couvrez ce sein que je ne saurais voir :
Par de pareils objets les âmes sont blessées,
Et cela fait venir de coupables pensées.   MOLIÈRE, Tartuffe, III, 2.

(Sujet n. de choses). *Masque, voile qui couvre un visage. L'ombre qui couvre un objet. Cela couvre un mystère.* ⇒ **Contenir, receler.**

18   La lune se dégagea aussi des vapeurs qui la couvraient et commença à semer des diamants sur la mousse humide.   G. SAND, la Mare au diable, X, p. 87.

19   Il montait la garde, seul derrière un petit mur en chicane dont l'ombre le couvrait (...)   P. MAC ORLAN, la Bandera, X, p. 122.

♦ **2.** Par ext. (le compl. désigne un son, un bruit, ou la source d'un son). *Couvrir la voix de qqn.* ⇒ **Dominer, étouffer.** *L'orchestre couvre la voix des chanteurs. Les huées des députés couvraient la voix de l'orateur. La rumeur couvrait l'orchestre.*

20   (...) la rumeur des écluses couvre mes pas.   RIMBAUD, les Illuminations, «Enfance», IV.

21   Le son du piano devait couvrir les aboiements, car la musique ne cessa pas.   MARTIN DU GARD, les Thibault, t. II, p. 268.

22   Il a profité du bruit de ses propres paroles, d'un raclement de gorge sonore qu'il y ajoute, pour couvrir un glissement et claquement de métal.   J. ROMAINS, les Hommes de bonne volonté, t. II, XX, p. 238.

♦ **3.** Loc. (idée de recouvrement pour cacher). *Couvrir sa marche,* la dérober aux regards de l'ennemi. Fig. Cacher sa conduite, ses démarches, ses vues. — *Couvrir son jeu* : tenir ses cartes de telle sorte que les autres joueurs ne puissent les voir. — Fig. *Il couvre bien son jeu.* ⇒ **Cacher** (*supra,* cit. 6), **celer, déguiser.** — *Sa modestie couvre son ambition. Les apparences de la vertu couvrent souvent le vice.* — *Couvrir ses intentions par..., de...*

23   Quelque soin que l'on prenne de couvrir ses passions par des apparences de piété et d'honneur, elles paraissent toujours au travers de ces voiles.   LA ROCHEFOUCAULD, Maximes, 12.

24   Elle tâchait de couvrir sous ces paroles menaçantes la joie de son cœur, qui éclatait malgré elle sur son visage.   FÉNELON, Télémaque, I.

25   Il faut bien couvrir le vice d'une apparence agréable, autrement il ne plairait pas.   A.-R. LESAGE, le Diable boiteux, II, p. 31.

26   (...) on a beau déguiser la vérité là-dessus ; elle se venge tôt ou tard des mensonges dont on a voulu la couvrir (...)   MARIVAUX, le Paysan parvenu, I, p. 1.

27   Le devoir est exceptionnel : il faut le réserver pour les moments de réel sacrifice, et ne pas couvrir de ce nom sa propre mauvaise humeur et le désir qu'on a d'être désagréable aux autres.   R. ROLLAND, Jean-Christophe, t. III, p. 177.

♦ **4.** Vx ou littér. ⇒ **Compenser, effacer, excuser, pallier, racheter, réparer.** *Couvrir de ses mérites.* *Les beautés de cet ouvrage n'en couvrent pas les lacunes. L'excuse ne couvre pas la faute. La prescription, l'amnistie couvre la faute.*

28   Non, vous voulez en vain couvrir son attentat (...)   RACINE, Phèdre, V, 3.

28.1   (...) tant que l'on fera perdre la vie aux voleurs comme aux meurtriers, le vols ne se commettront jamais dans ces assassinats. Les deux délits se punissant également, pourquoi se refuser au second, dès qu'il peut couvrir le premier?   SADE, Justine..., t. I, p. 49.

29   Il *(Lahrier)* chercha un mot heureux, un de ces mots qui couvrent la honte des défaites.   COURTELINE, Messieurs les ronds-de-cuir, 1er tableau, III, p. 51.

30   (...) je vous sais également gré d'être, pour nos vieux défauts français, plus indulgent que je ne peux l'être. Vous les couvrez généreusement, ces vieux défauts, parce que vous connaissez bien les Français et que vous savez quelle générosité nous emporte, jusque dans nos pires erreurs.   GIDE, Journal, 5 févr. 1916.

C. (Protéger, garantir). ♦ **1.** Interposer (qqch.) comme défense, protection. ⇒ **Garantir, protéger.** *Couvrir qqn de son corps. Couvrir ses arrières** (en parlant d'une armée, d'une équipe sportive). — Milit. *Le premier rang des soldats couvre le second. Une forte armée couvre les frontières. Rideau* de troupes couvrant la retraite. Couvrir une ville, une position.* — Protéger par une arme à feu dirigée contre d'éventuels ennemis. *Passe le premier, je te couvre.* — *Les signaux couvrent la marche du train.*

31   En même temps que sur son flanc droit le maréchal se fait un rempart de ces malheureux, il a regagné les bords du Dnieper, dont il couvre la rive gauche (...)   Ph.-P. SÉGUR, Hist. de Napoléon, X, 9, *in* LITTRÉ.

32   Ainsi, sans compromettre son système de défense, il couvrait encore sa complice, en permettant à chacun d'attribuer son crime à la nécessité d'avoir des fonds pour accomplir un ambitieux projet.   BALZAC, le Curé de village, PL., t. VIII, p. 586.

33   La France avait conquis ses *limites naturelles* et, déjà, les *marches* qui, au-delà du Rhin et des Alpes, la *couvraient* et la prolongeaient.   Louis MADELIN, le Consulat, XIII, p. 208.

Loc. *Le pavillon* couvre la marchandise.*

Techn. Avoir dans son rayon d'action. *Ce radar couvre tant de kilomètres carrés en plaine.* → ci-dessous, D.

♦ **2.** Abriter (qqn) par son autorité, sa protection. *Couvrir les fautes de qqn,* l'en décharger en les prenant à son compte, sous sa responsabilité. *Ce chef couvre toujours ses subordonnés* (⇒ **Endosser, justifier**). *Cette assurance tous risques vous couvre totalement.*

34 Supposez qu'on ait un pépin. Monsieur Alessandrovici nous couvre tous.
M. AYMÉ, la Tête des autres, III, p. 1.

♦ **3.** Comm. et fin. Donner une couverture* financière à (qqn, un organisme). ⇒ **Garantir; approvisionner, payer, régler, rembourser.** *Couvrir un agent de change.* — *Prière de nous couvrir par chèque. Les recettes couvrent à peine, ne couvrent pas les dépenses.* ⇒ **Balancer.** *Couvrir ses frais* (→ Goûter, cit. 7).

35 (...) les revenus de leurs domaines devaient tout au plus couvrir les dépenses qu'ils étaient amenés à y faire (...)
J. ROMAINS, les Hommes de bonne volonté, t. III, XI, p. 145.
Couvrir un emprunt, une souscription : souscrire la somme demandée. *Le public couvrit plusieurs fois l'emprunt. Couvrir une enchère :* enchérir au-dessus de qqn. ⇒ **Surenchérir.** — Par ext. *Couvrir les risques,* y faire face.

D. (Parcourir, s'étendre sur un espace). ♦ **1.** Parcourir (une distance). *La voiture a couvert plus de dix mille kilomètres en une semaine. Cet avion couvre mille kilomètres en une heure. Les coureurs ont couvert la première étape en dix heures.* ⇒ **Courir.**

♦ **2.** S'étendre sur (une durée). *Cette affaire couvre une période de dix ans, couvre plus de dix ans.* — *Cet ouvrage couvre une période de trente ans, couvre le règne de Louis XIII, couvre la Deuxième Guerre mondiale.*

♦ **3.** Techn. Desservir, avoir ses effets sur (une surface, un espace). *La station émettrice couvre tout le Bassin parisien.* — (Passif). *La vallée n'est pas couverte par les retransmissions.*

♦ **4.** Fig. Inclure. *Ce billet, ce bon couvre vos dépenses de logement et de transport.* ⇒ **Comprendre;** et ci-dessus C., 3. : *couvrir les dépenses.*

♦ **5.** (Angl., *to cover*). Assurer la couverture* de (un événement). *Les journalistes qui couvrent le championnat, la conférence internationale.*

35.1 En général, le correspondant, seul représentant de son journal en un certain lieu, n'est pas spécialisé et *couvre* aussi bien des événements sportifs et artistiques que politiques et que des faits divers.
Philippe GAILLARD, Technique du journalisme, p. 22.

E. (XIIIᵉ). Animaux. S'accoupler avec (une femelle). ⇒ **Monter, saillir, servir.** *Couvrir sa femelle,* en parlant de l'oiseau (⇒ **Côcher**), du chien (⇒ **Lacer, mâtiner...**), du loup (⇒ **Ligner**), du bouc (⇒ 1. **Bouquiner**)... *Le saut, action de l'étalon couvrant la jument. Cette chienne a été couverte d'un épagneul, par un épagneul* (Académie).

▶ **SE COUVRIR** v. pron.

♦ **1.** S'envelopper* d'un vêtement. ⇒ **Vêtir** (se); **emmitoufler** (s'). *Il fait froid, il faut se couvrir davantage. Se couvrir de* (un vêtement, etc.).

36 Il est des degrés entre les pauvres comme entre les riches; on peut aller depuis l'homme qui se couvre l'hiver avec son chien, jusqu'à celui qui grelotte dans ses haillons tailladés. CHATEAUBRIAND, Mémoires d'outre-tombe, t. II, p. 85.
Se couvrir de bijoux.

Spécialt. Mettre sur sa tête qqch. qui coiffe. ⇒ **Coiffer** (se). *Se couvrir d'un casque.* — Absolt. Mettre son chapeau. *Couvrez-vous, je vous prie.*

Fig. *Se couvrir de lauriers :* remporter d'éclatants succès. *Se couvrir de gloire, de ridicule.*

♦ **2.** (Choses). Se remplir. *La place se couvrit de curieux.* ⇒ **Envahir.** *La terre se couvre de verdure. Arbre qui se couvre de fleurs. Le ciel, le temps se couvre de nuages.* — Absolt. *Le temps se couvre.* ⇒ **Assombrir** (s'), **barbouiller** (se), **charger** (se), **obscurcir** (s'); → Orage, cit. 1. — Fig. *L'horizon se couvre,* des difficultés, des événements graves se préparent.

37 Au crépuscule, le ciel se couvrit de nuages gris, et les montagnes semblaient plus rapprochées sous des voiles roses mêlés de bleu, qui descendaient jusqu'au lac pareil à une soie un peu froncée.
J. CHARDONNE, les Destinées sentimentales, II, p. 234.
Littér. *Son visage se couvrit de honte.* — Vx. (Personnes). *Il s'est couvert du sang de nombreux innocents,* il est responsable de leur mort.

♦ **3.** (Personnes). Se cacher sous. *Se couvrir des apparences, du manteau de la vertu :* cacher ses vices sous des apparences d'honnêteté.

38 (...) ce voile de pudeur ou de pitié dont se couvrent avec tant de soin l'infirmité et l'erreur. A. DE MUSSET, l'Anglais mangeur d'opium.

♦ **4.** (Personnes). S'abriter, se garantir, se retrancher derrière. *Se couvrir d'un bouclier. Se couvrir de l'autorité d'un grand personnage. Se couvrir d'un nom, d'un titre. Se couvrir d'un prétexte.*

(Concret). Milit. *Se couvrir d'un retranchement, d'un bois, d'une rivière,* s'en faire un abri contre l'ennemi.

Absolt. *Se couvrir :* se ménager une protection; rejeter une responsabilité sur qqn d'autre que soi.

Boxe. Se protéger le visage avec ses gants.

Escr. *Se couvrir de son épée :* manier adroitement son épée pour

---

se mettre à couvert. Absolt. Tenir la pointe de l'épée de son adversaire hors de la ligne du corps.

▶ **COUVERT, COUVERTE** p. p. adj.
Qu'on a couvert.

♦ **1.** Qui a un vêtement. *Bien couvert, chaudement couvert (de qqch.). Être couvert d'une chemise, d'un manteau. Couvert de serge, de laine.*

39 Un jeune enfant couvert d'une robe éclatante (...) RACINE, Athalie, II, 5.
40 Le paysan est vieux, trapu, couvert des haillons.
G. SAND, la Mare au diable, I, p. 9.

Loc. fam. *Être couvert comme un oignon :* être très couvert (l'oignon ayant de nombreuses peaux).

Spécialt. Qui a un chapeau sur la tête. *Restez couvert :* gardez votre chapeau.

(Choses). *Voiture couverte d'une bâche. Maison couverte en tuile. Piscine couverte. Préau* (cit. 4) *couvert.* — (1898, *in* Petiot). *Court* (de tennis) *couvert.*

Être clos et couvert. — *Livre couvert de basane.*

41 (...) un Ovide sur parchemin, couvert de cuir rouge avec fermoir de vermeil et clef.
HUYSMANS, Là-bas, IV, p. 48.

♦ **2.** Qui a sur lui, au-dessus de lui (qqch.). ⇒ **Chargé, plein** (de). *Une table couverte de mets.* — (1623, *in* D. D. L.). Absolt. *Ciel couvert* (de nuages). ⇒ **Bouché, brumeux, nuageux.** — *Champ de bataille couvert de morts. Mont couvert de neige* (⇒ **Chenu**). — Absolt. *Pays couvert,* pays couvert de végétation arborescente. ⇒ **Boisé, buissonneux.** *Allée couverte :* allée taillée en berceau. *Allée couverte* (archéol.). ⇒ **Allée,** II., 2. — Par ext. *Page couverte d'inscriptions. Manuscrit couvert d'écriture au recto et au verso.* ⇒ **Opisthographe.** *Un visage couvert de boutons,* boutonneux. *Couvert de poussière. Couvert de sang :* sanglant.

42 Je l'ai vu, tout couvert de sang et de poussière,
Porter partout l'effroi dans une armée entière. CORNEILLE, le Cid, I, 5.
43 Ces portiques, ces lieux que vous voyez déserts,
De nombreux citoyens seront bientôt couverts, VOLTAIRE, Tancrède, III, 3.
44 Je me souviens de m'être éveillée à Nohant couverte de taches hépatiques de la tête aux pieds, et de n'avoir pas cessé depuis ce jour-là d'avoir mal au foie.
G. SAND, Correspondance, à Alfred de Musset, p. 94.
45 (...) ils apercevaient les bus et motorbus, peinturlurés, couverts d'inscriptions comme un mur d'affiches (...)
J. ROMAINS, les Hommes de bonne volonté, t. V, XXVI, p. 252.
Fig. *Être couvert de gloire. Discours couvert d'applaudissements.* — *Couvert de honte, d'opprobre.*

♦ **3.** Caché*. *Visage couvert d'un masque, par un masque.* Fig. *Faute couverte par le mensonge.* — Fig. et vx. Dissimulé, secret.

46 (...) je ne sais quel ennemi couvert,
Révélant nos secrets, nous trahit, et me perd. RACINE, Mithridate, IV, 2.
Par ext. Effacé, racheté, réparé.

47 Des fautes couvertes de ce qu'il a fait pour les réparer.
BOSSUET, Oraison funèbre du prince de Condé.

Rare. *Mots couverts :* mots qui cachent un sens différent de celui qu'ils expriment. — Loc. cour. À MOTS COUVERTS. *Vous le lui direz à mots couverts,* en termes voilés. — Rare. *Voix couverte,* assourdie.

48 (...) les familiers du lieu s'entretenaient par petits groupes, les uns à voix couverte, les autres sans baisser le ton. G. DUHAMEL, Chronique des Pasquier, IV, VIII, IX.

♦ **4.** Abrité*, protégé*. *Armée couverte.*

49 Couverte de toutes parts, la France est capable de tenir la paix avec une sûreté dans son sein, mais aussi de porter la guerre partout où il faut
BOSSUET, Oraison funèbre de Marie-Thérèse d'Autriche.

(Personnes). Dont la responsabilité est dégagée par quelqu'un d'autre (→ ci-dessus cit. 34, et *supra*).

50 Je n'avais découvert qu'une alternative : entrer dans l'esprit du jour et transmettre impitoyablement les vexations, cela, afin d'être «couvert», un mot encore qui venait de reprendre toute sa valeur, ou bien, alors, m'interposer (...)
Roger VERCEL, Capitaine Conan, p. 91.

(Personnes). Qui bénéficie de la garantie totale ou partielle d'une assurance. *Être totalement couvert. Il est couvert contre le vol uniquement. De toute façon vous êtes couvert par votre assurance.*

CONTR. Découvrir, démasquer, dévoiler, révéler. — (Du p. p.) **Découvert, ouvert; clair** (temps).
DÉR. Couvert, couverte, couverture, couvrailles, couvrant, couvrante, couvreur, couvreuse, couvrure.
COMP. Recouvrement, recouvrir. — **Couvre-chef, couvre-feu, couvre-joint, couvre-lit, couvre-livre, couvre-lumière, couvre-nuque, couvre-pied, couvre-plat, couvre-radiateur.**

COUVRURE [kuvʀyʀ] n. f. — XXᵉ; de *couvrir.*

♦ Techn. (reliure). Application de la couverture (brochage, reliure) sur l'assemblage des cahiers destinés à former un livre.

COVALENCE [kovalɑ̃s; kɔvalɑ̃s] n. f. — 1920; angl. *covalence;* de *co-,* et *valence,* de même orig. que le franç. *valence.*

♦ Sc. *Covalence simple :* liaison formée par une paire d'électrons mis en commun (appelée *doublet*). *Covalence multiple :* dans laquelle plusieurs paires d'électrons sont mises en commun.

DÉR. Covalent.

COVALENT, ENTE [kovalɑ̃, ɑ̃t ; kɔvalɑ̃, ɑ̃t] adj. — Mil. xxe (attesté 1957) ; de *covalence*.

♦ Sc. Relatif à la covalence. *Liaison covalente.*

(...) il y a lieu de distinguer deux classes :
a) les liaisons dites covalentes ;
b) les liaisons non-covalentes.
Les liaisons covalentes (auxquelles on réserve souvent le nom de «liaison chimique» *sensu stricto*) sont dues à la mise en commun d'orbitales électroniques entre deux ou plusieurs atomes. Les liaisons non-covalentes sont dues à plusieurs autres types d'interactions (qui n'impliquent pas le partage d'orbitales électroniques).
　　　　Jacques MONOD, le Hasard et la Nécessité, 1970, p. 76-77.

COVARIANCE [kovaʀjɑ̃s ; kɔvaʀjɑ̃s] n. f. — 1921 ; de *co-*, et *variance*.

♦ Math., statist. Moyenne des produits de deux variables centrées sur leurs espérances mathématiques et servant à définir leur cœfficient de corrélation*. ⇒ **Covariant.**

COVARIANT, ANTE [kovaʀjɑ̃, ɑ̃t ; kɔvaʀjɑ̃, ɑ̃t] adj. et n. m. — 1877, n. ; adj, 1932 ; de *co-*, et *variant*.

♦ Math. Relatif à la covariance*. *Fonction, courbe covariante.*

N. m. «*Covariant bilinéaire ; covariants algébriques* » (Bourbaki).

COVARIATION [kovaʀjasjɔ̃ ; kɔvaʀjasjɔ̃] n. f. — 1956 ; de *co-* «avec», et *variation*.

♦ Didact. Changement qui coïncide avec un autre.

(...) il *(le physicien)* ne rejette pas cette mesure mais la situe au contraire dans un système de co-variations qui lui confère sa signification limitée (l'erreur n'ayant consisté qu'à la croire universelle).
　　　　J. PIAGET, Épistémologie des sciences de l'homme, p. 52 (1970).

COVEDETTE [kovədɛt] n. f. — Mil. xxe ; de *co-*, et *vedette*.

♦ Rare. Personne qui est la vedette (d'un film, d'un spectacle) en même temps que d'autres.

COVENANT [kov(ə)nɑ̃ ; kɔv(ə)nɑ̃] n. m. — 1754, *in* Höfler ; attestation isolée, 1652 ; mot angl. de l'anc. franç. *covenant* (1160).

♦ **1.** Hist. Ligue formée par les Écossais en 1588 pour maintenir l'église presbytérienne.

♦ **2.** Convention, pacte (dans un pays anglophone).

COVENDEUR, EUSE [kovɑ̃dœʀ, øz] n. — 1673 ; de *co-*, et *vendeur*.

♦ Dr. Personne qui vend une chose conjointement avec une autre personne.

COVENTRISATION [kovɛntʀizasjɔ̃] n. f. — xxe ; de *Coventry*, ville anglaise systématiquement détruite par les bombardements allemands.

♦ Vieilli (mot utilisé pendant et après la Seconde Guerre mondiale). Destruction complète (d'une ville) par bombardement aérien.

La coventrisation d'un port comme Hambourg, vous appelez ça un détail (...) ! Mais c'est la plus formidable nouvelle de la guerre depuis la fin de la bataille de Stalingrad (...)　　　　B. CENDRARS, Bourlinguer, p. 282.

COVER-COAT [kovœʀkot] n. m. — 1896 ; angl. de *(to) cover* «couvrir», et *coat* «manteau».
Anglicisme.

♦ **1.** Techn. Étoffe de laine à petits grains.

♦ **2.** Vx. Manteau de voyage fait de cette laine. *Des cover-coats.*
REM. On écrit aussi *cover coat.*

COVER-GIRL [kovœʀgœʀl] n. f. — 1946 ; mot anglo-amér., de *cover* «couverture», et *girl* «fille».

♦ Anglicisme (a remplacé *pin-up*, démodé). Jeune fille, jeune femme qui pose pour les photographies d'illustrés, et, spécialt, pour la page de couverture des magazines. *Des cover-girls. Elle a un physique de cover-girl.*

[1] (...) ces brutes répugnantes qui préfèrent laisser leurs regards relâchés aller se vautrer ignoblement sur les fades rondeurs, les faciles et trompeuses douceurs des nez, des mentons et des joues des cover-girls, des stars.
　　　　N. SARRAUTE, le Planétarium, p. 95.

[2] (...) de jolies bêtes, bien habillées, bien coiffées, bien parfumées, starlettes de cinéma, cover-girls, beautés à la mode.　　　J. DUTOURD, Pluche, V, p. 34.

[3] — Bon, mais je rencontrai ensuite une très belle fille de vingt-deux ans, une cover-girl danoise... Ce qu'on faisait de mieux dans le prêt-à-porter à l'époque... Eh bien, elle aussi souffrait de cette difformité intérieure...
　　　　R. GARY, Au-delà de cette limite votre ticket n'est plus valable, p. 23.

REM. Le correspondant masc. *cover-boy* (1956, *in* Höfler) s'emploie plus rarement : «*Cheveux plaqués, cravate et costume rayés, Veruschka s'est transformée en cover-boy pour vanter les mérites du mohair*» (*l'Express*, 29 janv. 1973, p. 61).

COW-BOY [kawbɔj ; cour. kɔbɔj] n. m. — 1839, dans une trad. ; répandu fin xixe ; mot angl. «vacher», de *cow* «vache», et *boy* «garçon».

♦ **1.** Gardien de troupeau de bovins (et, par ext., de chevaux), dans l'ouest des États-Unis. *Un cow-boy à cheval. Des cow-boys.*

[1] Tout à coup j'entends des cris et des hennissements. Une centaine de chevaux en liberté, menés par un *cow-boy*, se ruaient au grand galop (...) jeune homme de vingt-cinq ans à peine, très confiant en ses bêtes, était resté en arrière (...)
　　　　Albert TISSANDIER, Voyage d'exploration dans l'Utah et l'Arizona, *in* le Tour du monde, 1886, t. I, p. 365.

♦ **2.** Cour. Personnage essentiel de la légende de l'Ouest américain, popularisé par le cinéma. *Les beaux cow-boys des années 30. Un cow-boy d'Hollywood. Film de cow-boys.* ⇒ **Western.** *Les gosses jouent aux cow-boys et aux Indiens. Panoplie de cow-boy.*

[2] Plusieurs d'entre nous, sur le modèle des cow-boys qui laissent, pour tirer, leur revolver dans le veston, claquaient des doigts les mains dans les poches.
　　　　GIRAUDOUX, Simon le Pathétique, p. 26.

REM. 1. Le fém. *cow-girl* (ou *cow girl*) est peu utilisé en français. «*Les juniors aimeront la tendance trappeur, illustrée par des vestes de lainage bordées de cuir frangé, des houppelandes en peau à porter enroulées sur les pantalons, des robes de cow girls à corsage lacé, des toques et des tours de cou en renard*» (*Télé 7 Jours*, 28 juil. 1979, p. 104). *Calamity Jane, «mi-shérif, mi-redresseuse de torts, une cow-girl qui se bat tantôt contre les hors-la-loi, tantôt contre les Sioux ou les Cheyennes*» (F Magazine, déc. 1979, p. 74).

2. La prononciation approximativement américaine [kawbɔj] est souvent altérée, involontairement ou plaisamment en [kobwa], [kɔvbwa] ou [kaɔbwa], plus souvent en [kɔbɔj].

[3] — L'art dramatique ça ne l'a pourtant jamais beaucoup intéressé, dirent les vieux parents, pas plus que le cinéma, sauf quand il était tout petit, Jacques, pour aller voir les coboys.　　　R. QUENEAU, Loin de Rueil, p. 219.

COW-POX [kawpɔks ; kopɔks] n. m. — 1828 ; *cowpox*, fin xviiie ; angl. *cow* «vache», et *pox* «éruption (de boutons)».

♦ Techn. (vétér.). Éruption qui se manifeste sur les trayons des vaches, et qui contient le virus vaccin, préservatif de la variole.

COXAL, ALE, AUX [kɔksal, o] adj. — 1811 ; dér. sav. du lat. *coxa* «cuisse».

♦ Anat. Relatif à la hanche. *Os coxal* (ou *iliaque**). *Muscles coxaux.*

COXALGIE [kɔksalʒi] n. f. — 1823 ; du lat. *coxa* «cuisse», et grec *algos* «douleur».

♦ Méd. Douleur ou maladie de la hanche ; tuberculose de l'articulation coxo-fémorale (de la hanche).

Ma petite fille, dit-il, je vais te conter une histoire. Il y a dix-huit ans j'en avais dix-huit. Tu sais comment m'éleva mon grand-père. Je vivais étendu, à cause de ma coxalgie, et de ma naissance au jour de la guérison je n'ai pas aperçu un jeune visage (...)　　　GIRAUDOUX, Siegfried et le Limousin, p. 137 (1922).

DÉR. Coxalgique.
COMP. Sacro-coxalgie.

COXALGIQUE [kɔksalʒik] adj. et n. — 1863 ; de *coxalgie*.

♦ Méd. Relatif à la coxalgie ; atteint de coxalgie.

N. *Un, une coxalgique :* personne atteinte de coxalgie.

Nous avons dû revenir à pied depuis le haut de Montmartre, papa devant comme un chien berger et Flora derrière bien entendu, car elle avait mis ses chaussures neuves et boitait comme une coxalgique.
　　　　Benoîte et Flora GROULT, Journal à quatre mains, p. 128 (1962).

COXARTHROSE [kɔksaʀtʀoz] n. f. — 1959 ; de *coxa* «cuisse», et *arthrose*.

♦ Méd. Arthrose de l'articulation de la hanche.

COXITE [kɔksit] n. f. — Mil. xxe ; du lat. *coxa*, et *-ite*.

♦ Méd. Inflammation de la hanche ; arthrite* coxo-fémorale.

COXO-FÉMORAL, ALE, AUX [kɔksofemɔʀal, o] adj. — 1833 ; de *coxa* «cuisse», et *fémoral*.

♦ **Anat.** Relatif à la hanche et à la cuisse ou à la tête du fémur. *Articulation coxo-fémorale. Arthrite coxo-fémorale* ou *coxite.* Plur. masc. (rare). *Coxo-fémoraux.*

COYAU [kɔjo] n. m. — 1304, *coiel, coiaux ;* de *coe, coue.* → Queue.

♦ **Techn.** Pièce de bois placée horizontalement sous l'arêtier d'un comble.

COYOTE [kɔjɔt] n. m. — Av. 1864, cit. ; aztèque du Mexique, *coyotl.*

♦ Mammifère carnivore d'Amérique, voisin du chacal. (On dit aussi *loup de prairies* ou *chacal aboyeur.*)

Par métaphore (le coyote, comme ailleurs la hyène, symbolisant la traîtrise, la méchanceté fourbe et lâche). T. d'injure. ⇒ **Chacal.**

(...) avec le temps, les pieux *(du monument funéraire)* se pourrissent, tout l'écha-faudage s'écroule, et les loups et les coyotes ou petits loups, qui rôdent sans cesse autour des cimetières, dispersent au loin les os des pauvres Indiens.
  E. DE GIRARDIN, Voyage dans les mauvaises terres de Nebraska.
  in le Tour du monde, 1864, t. I, p. 53.
Cf. plus loin : « le coyote ou loup des prairies » (p. 54).

C. P. E. M. [sepeɸɛm] n. m. — 1963 ; sigle.

♦ Certificat préparatoire aux études médicales. *Le C. P. E. M. a remplacé le P. C. B. Son amie prépare le C. P. E. M.*

C. Q. F. D. [sekyɛfde] — Abréviation (sigle).

♦ Ce qu'il fallait démontrer (formule employée à la fin d'une démons-tration mathématique).

Cr [seɛʀ] Symbole chimique du chrome*.

CRABE [kʀab] n. m. — Déb. XIIe ; fém. jusqu'au XVIIIe, mot surtout nor-mand et picard ; du moy. néerl. *krabe* (n.f.) ou de l'anc. nordique *krabbi* (n. m.) par le normand.

♦ **1.** Crustacé décapode brachyoure*, animal marin de forme ovoïde ou ovale, à pattes et pinces latérales, se déplaçant souvent latéralement (ex. : *calappe, dromie, étrille, maïa, portune, tour-teau* ou *dormeur, poupart*). ⇒ **Cancer** (vx). — REM. L'emploi normal de *crabe* inclut ou non, selon les locuteurs, des décapodes plus sphéri-ques à pattes plus longues, comme l'araignée* de mer. *Crabe nageur, coureur, sauteur. Crabe de terre, crabe de lagune* (en Afrique). *La carapace, les pinces d'un crabe. Pêche au crabe. Manger du crabe. Crabe en conserve, conserves de crabe. Salade de crabe. Crabe farci* (plat antillais).

1   (...) vous vous entre-dévorez comme des crabes dans un panier.
  FRANCE, le Mannequin d'osier, Œ., t. XI, p. 436.

2   Une salade aux œufs durs l'enchantait, et il suffisait d'y ajouter une tranche de crabe ou de langouste pour qu'elle eût l'impression d'atteindre au sublime dans cet ordre de plaisirs.
  J. ROMAINS, les Hommes de bonne volonté, t. IV, XX, p. 230.

2.1   (...) la voiture se déplaçant toujours aussi vite, avec cette différence qu'elle se pro-pulsait à présent à la façon d'un crabe : non pas le capot en premier, mais un de ses flancs — le hurlement des pneus lui déchirant à ce moment les oreilles, puis quelque chose de dur le frappant violemment, non pas à gauche comme il s'y atten-dait, mais à droite (...)   Claude SIMON, le Palace, 10/18, p. 67.

2.2   Sur la plage, fuite éperdue des troupeaux des crabes, hauts sur pattes et sembla-bles à de monstrueuses araignées.
  GIDE, Voyage au Congo, in Souvenirs, Pl., p. 689.

Crabe des cocotiers : crustacé décapode de la famille des cénobiti-dés (n. sc. : *Birgus latro*). ⇒ **Birgue.**

Loc. fig. *Un panier de crabes :* un ensemble de personnes qui se haïssent et cherchent à se nuire (→ ci-dessus, cit. 1, par comparai-son).

2.3   (...) passer, au plus tôt, de notre panier de crabes à une civilisation où tâches et biens seraient équitablement répartis.   Michel LEIRIS, Frêle bruit, p. 392.

Astrol. *Nébuleuse du Crabe,* dans la constellation du Taureau. (On dit aussi *le Crabe*).

2.4   Dans de nombreux zodiaques la lune est symbolisée par l'écrevisse ou le crabe, ces derniers crustacés étant remplacés dans le zodiaque de Denderah par le sca-rabée qui, comme l'écrevisse, marche en rétrogradant (...)
  Gilbert DURAND, les Structures anthropologiques de l'imaginaire, 1969, p. 362.

Fig. *Marcher en crabe,* de côté, en déplaçant les pieds latéralement.

(1913, *in* Petiot). **Aviat.** *Avancer, voler en crabe :* subir une dérive (en parlant d'un avion).

♦ **2.** (1901). **Fam.** Individu ridicule, têtu. *C'est un vieux crabe.*

Mais Aragon traite la littérature de machine à crétiniser, les littérateurs de crabes.   3
  J. PAULHAN, les Fleurs de Tarbes, I, p. 17.

♦ **3.** Par anal., méd. Chancre à la plante des pieds, dû au pian*.

♦ **4.** Techn. Véhicule à chenille.

DÉR. Crabier, crabillon.

CRABIER [kʀabje] n. m. — 1690 ; de *crabe.*

♦ Animal se nourrissant de crabes. — Spécialt. *Crabier,* ou, en appos., *héron crabier :* variété de héron qui se nourrit de petits cra-bes.

CRABILLON [kʀabijɔ̃] n. m. — 1954, M. Genevoix ; de *crabe.*

♦ Rare. Petit crabe, jeune crabe.

CRABOT [kʀabo] n. m. ; **CRABOTAGE** [kʀabɔtaʒ] n. m. ⇒ **Cla-bot ; clabotage.**

CRABRON [kʀabʀɔ̃] n. m. — 1530 ; lat. *crabro, -onis* « frelon ».

♦ **1.** Vx (langue class.). Frelon.
Fig. Critique acerbe, censeur.

♦ **2.** Zool. Insecte hyménoptère fouisseur *(Sphégidés)* qui se nour-rit d'insectes. Syn. : *guêpe fouisseuse.*

CRABS [kʀabs] ou **CRAPS** [kʀaps] n. m. pl. — 1779 ; mot angl., de *crab* « crabe ».

♦ Anglic. Jeu de dés où le nombre de points gagnant est déterminé par le serveur. *Jouer aux craps.*

1. CRAC [kʀak] interj. — 1492 ; onomatopée. → Craquer.

♦ Mot imitant le bruit sec que font certains corps en se brisant, en éclatant. ⇒ **Boum ;** → Bander, cit. 6.

La corde se rompt : crac, pouf, il tombe à terre.   1
  LA FONTAINE, Ragotin, IV, 2, in HATZFELD.

Soulignant le caractère soudain et inattendu d'un événement. *Crac, le voilà parti.* → Tout à coup. *« Crac ! ma bougie s'éteint »* (Ed. et J. de Goncourt, *Manette Salomon,* p. 81). *Tout d'un coup, boum crac,* (ou *crac boum*) *c'est arrivé !*

On avait une trouille intense, on se demandait ce qui arrivait, on dormait bien et   2
crac, le Père Noël !   Jean FERNIOT, Pierrot et Aline, p. 21 (1973).

N. m. *On entend tout à coup un grand crac.*

DÉR. V. Craquer.
HOM. Crack, craque (formes de craquer), krach, krak.

2. CRAC [kʀak] n. m. ⇒ **Crack.**

3. CRAC [kʀak] n. m. ⇒ **Krak.**

CRACHAT [kʀaʃa] n. m. — V. 1260 ; de *cracher.*

♦ **1.** Salive, mucosité rejetée par la bouche. ⇒ **Bronchorrée, glaire, pituite, salive ;** → Glaviot, graillon, huître, molard. *Crachats muqueux, sanguinolents. Crachats spumeux. Faire, lancer un cra-chat.* ⇒ **Cracher.**

Alors Neptune ayant toussé   1
Et plusieurs crachats repoussé
Qui voulaient sortir tous ensemble (...)   SCARRON, Thyphon, II, *in* LITTRÉ.

Le vinaigre, le fiel, le roseau, les crachats   2
Joignirent l'insulte au trépas.   CORNEILLE, Hymnes, 7.

Au bout d'un temps indéterminé, sans même enlever le mégot coincé à la commis-   2.1
sure des lèvres, il envoie un crachat net et rond contre la vitre, derrière laquelle défilent les quais déserts et mal éclairés d'une station secondaire. Laura, qui con-temple la tache de salive épaisse, blanchâtre, dont le bord inférieur commence à couler vers le bas (...)
  A. ROBBE-GRILLET, Projet pour une révolution à New York, p. 110-111.

Par métaphore :

Dans le seau de toilette nageaient des cheveux enroulés sur eux-mêmes et de gros   2.2
crachats de savons.   H. TROYAT, le Vivier, p. 215.

Fig. Marque de mépris, insulte. *Méprisez donc ces crachats.*

Loc. fig. *Se noyer, se laisser noyer dans un crachat :* se laisser arrê-ter, embarrasser par la moindre difficulté. → Se noyer dans un verre d'eau.

Loc. Vx. *Maison faite de boue et de crachat :* maison bâtie avec de mauvais matériaux.

♦ **2.** Fig. et fam. Plaque, insigne, étoile servant à distinguer les gra-des supérieurs dans les ordres de chevalerie. ⇒ **Décoration.** *Des croix, des étoiles et des crachats.*

Près du Maître, les Dignitaires s'étageaient, couverts de rubans, de crachats et de   3
plaques honorifiques (...)   Laurent TAILHADE, Contes et poèmes en prose,
  « Un souper chez Simon le pharisien ».

4 Le baron de Meyendorff me dit que les indigènes des îles Aléoutes sont restés orthodoxes et qu'ils ont conservé l'habitude de s'habiller en se collant sur la poitrine d'énormes décorations et crachats en carton doré.
CLAUDEL, Journal, 26 janv. 1921.

5 Là-bas, vers Modane (...) il y avait tant d'ennemis, tout alentour et tout autour, que les gens déguisés sérieux, j'entends ceux qui ont des étoiles sur les manches et des crachats sur les pectoraux, décidèrent de se débiner avec armes et bagages.
R. QUENEAU, le Chiendent, p. 410 (1932).

♦ **3.** Littér. ou stylistique. Projection, jaillissement d'une matière. ⇒ **Crachement.** *Crachat d'un volcan, d'une mitrailleuse.*

Techn. Rejet d'un haut-fourneau.

♦ **4.** Régional. *Crachat de lune* : nostoc*.

♦ **5.** Techn. Défaut d'une glace sous la forme d'une tache blanche striée.

CRACHÉ, ÉE [kʀaʃe] adj. — Mil. xvᵉ ; p. p. de *cracher*.

♦ **1.** P. p. de *cracher*. ⇒ **Cracher.**

♦ **2.** Adj. invar. **TOUT CRACHÉ** (après un n. ou un pron.). Très ressemblant. *C'est son père tout craché.* → *C'est tout le portrait** de son père. — Loc. *C'est lui, c'est elle tout craché* : on le (la) reconnaît bien là, c'est tout à fait lui (elle) ; il n'y a que lui (elle) qui pouvait agir ainsi.

Le voilà tout craché comme on nous l'a défiguré.
MOLIÈRE, le Médecin malgré lui, I, 5.

(Sans *tout*). *C'est son père craché.*

CRACHEMENT [kʀaʃmã] n. m. — xiiiᵉ ; de *cracher*.

♦ **1.** Action de cracher. ⇒ **Expectoration.** *Crachement de sang.* ⇒ **Hémoptysie.** *Crachement fréquent, continu.* ⇒ **Spumation.**

♦ **2.** (1859). Fig. Projection de gaz, de vapeurs, d'étincelles. *Crachement de flammes. Crachement de lave d'un volcan.* Spécialt. *Crachement d'une mitrailleuse.*

♦ **3.** Crépitement (d'un haut-parleur, d'un poste de radio, d'un téléphone). → Crachotement, friture.

CRACHER [kʀaʃe] v. — Déb. xiiᵉ ; du lat. pop. *craccare*, onomatopée.

★ **I.** V. intr. ♦ **1.** Projeter de la salive, des mucosités (⇒ **Crachat**) de la bouche. ⇒ **Expectorer ; crachoter ;** fam. **glavioter, molarder.** *Cracher par terre. Défense de cracher. Vieillard, malade, qui tousse et crache.*

1 Un homme (...) mouchant, toussant, crachant toujours (...)
MOLIÈRE, le Malade imaginaire.

2 La reine Gisèle était toute courbée, toussant et crachant toute la journée avec une saleté qui faisait bondir le cœur. FÉNELON, Fables, XIX, 17.

3 Ils se tapèrent dans la main, crachèrent de côté pour indiquer que l'affaire était faite (...) MAUPASSANT, Clair de lune, Légende du Mont Saint-Michel.

4 Les belles pommes rouges que les nègres astiquent en crachant dessus et en frottant ferme avec une loque de laine (...)
G. DUHAMEL, Scènes de la vie future, VI, p. 88.

4.1 À La Haye, dit Courteline, les gens sont tellement propres que, quand ils ont envie de cracher, ils prennent le train pour aller cracher à la campagne.
J. RENARD, Journal, 12 avr. 1894.

Cracher sur, dans qqch. Cracher au visage de qqn. → Muet, cit. 6.

Prov. *Quand on crache en l'air votre crachat vous retombe sur le nez* : les actes inconsidérés tournent au désavantage de leurs auteurs. *C'est comme si on crachait en l'air* : c'est inutile (cf. Pisser dans un violon).

♦ **2.** Littér. *Cracher sur qqn.* ⇒ **Calomnier, insulter, outrager.**

5 Vous vous êtes assis aux festins qui corrompent,
Vous avez applaudi le mal, ri du remords,
Et vous avez craché sur la face des morts.
HUGO, la Légende des siècles, « La vision de Dante », LIV, XI.

♦ **3.** Fam. *Cracher sur une chose,* exprimer un violent mépris à son égard, la dédaigner.

5.1 Quand on a goûté à la vache enragée on n'aime pas voir les gens cracher sur le beau rôti. François NOURISSIER, le Maître de maison, 1968, p. 143.

Ne pas cracher sur qqch, l'aimer bien. ⇒ **Amateur** (être). *Elle ne crache pas sur les jolis garçons. Il ne crache pas sur l'alcool.*

Loc. *Cracher dans la soupe* : afficher du mépris pour ce dont on tire avantage.

♦ **4.** Par anal. *Cette plume, ce stylo crache,* l'encre en jaillit et éclabousse le papier sur lequel on écrit.

6 De fait, peu à peu les bâtons commençaient à marcher plus droit, la plume crachait moins, et il y avait moins d'encre sur les cahiers (...)
Alphonse DAUDET, le Petit Chose, I, VI, p. 80.

Fusil qui crache, qui projette de la poudre et des étincelles. — *Moule qui crache,* qui rejette une partie des matières en fusion.

♦ **5.** Émettre des crépitements. *Haut-parleur, radio, téléphone qui crache.* ⇒ **Crachoter.**

♦ **6.** Payer (voir ci-dessous II., 3., cit. 9.1).

★ **II.** V. tr. ♦ **1.** Lancer (qqch.) de la bouche. *Cracher du sang. Cracher l'eau que l'on a dans la bouche.* ⇒ **Rejeter.**

6.1 (...) un remous *(d'un cortège)* dont le centre progresse en sinuosités irrégulières, finissant par expulser l'intrus d'un seul coup, comme un noyau que l'on crache au loin (...) A. ROBBE-GRILLET, Souvenirs du triangle d'or, p. 40.

Loc. fig. *Cracher ses poumons* : tousser en crachant du sang. Par ext. Tousser violemment.

♦ **2.** Fig., fam. *Cracher des injures.* ⇒ **Injurier, insulter, proférer.** *Cracher des insultes, son mépris* (cit. 8, 11) *à la figure, au nez de qqun.*

6.2 Après vingt-deux ans de veuvage, elle *(Mᵐᵉ de La Barois)* s'est amourachée de M. de La Barois qui en aimait une autre, à la vue du public, à qui elle a donné tout son bien, qui n'a jamais couché qu'un quart d'heure avec elle, pour fixer les donations, et qui l'a chassée de chez lui outrageusement (voici une grande période) ; mais quand on songe à tout cela, on a extrêmement envie de lui cracher au nez. Mᵐᵉ DE SÉVIGNÉ, Lettre à Mᵐᵉ de Grignan, 4 juin 1676.

7 (...) il cracha sur moi toutes les malédictions des prophètes.
FLAUBERT, Trois contes, « Hérodias », I.

8 Il reprit sa course, arriva d'une traite rue d'Amsterdam, bien décidé à chasser cette femme de chez lui (...) en lui crachant l'injure de son nom dans son dos.
Alphonse DAUDET, Sapho, III, p. 17.

Cracher son fait à qqn, lui dire franchement ce qu'on pense de lui (cf. Dire ses quatre vérités à quelqu'un).

Cracher le morceau : avouer. *Il a fini par cracher le morceau.*

Vx (péj.). *Cracher du latin* : faire à tout propos des citations latines.

9 Et *(les hommes de mon temps)* dédaignaient l'argot du moine chassieux
Qui crache du latin et fait des pexamètres (...)
HUGO, la Légende des siècles, « Les quatre jours d'Elciis », I.

♦ **3.** Fam. (de la loc. *cracher au bassinet,* cit. 2 : donner à une quête). Donner (de l'argent) ; payer*. ⇒ **Casquer, débourser.** *Il a fini par cracher mille francs.* — Absolt. *Il ne veut pas cracher.* → ci-dessus I., 6.

9.1 Ils ne peuvent pas cracher deux mille francs sans emmerder personne, vos philanthropes ?
— Ils cracheraient une fois, mais pas dix. S. DE BEAUVOIR, les Mandarins, p. 250.

♦ **4.** Émettre en lançant. *Volcan qui crache de la lave. Dragon qui crache du feu, des flammes.* — *Foyer qui crache de la fumée, des cendres.* ⇒ **Projeter, rejeter.**

10 À chaque fois l'énorme tuyau de la machine se courbait en deux et crachait des torrents d'une fumée noire qui faisait tousser (...)
Alphonse DAUDET, le Petit Chose, I, II, p. 17.

11 (...) la suie que crachaient sans arrêt cinquante petits tuyaux de poêle.
G. DUHAMEL, Récits des temps de guerre, V, p. 278.

Mar. *Navire qui crache ses étoupes,* se dit d'un vieux bâtiment dont les étoupes sortent des coutures. *Calfatage qui crache.*

▶ **CRACHÉ, ÉE** p. p. adj. *Du sang craché. Un morceau de viande mâché* — *Des injures violemment crachées.* — *Tout craché.* ⇒ **Craché,** adj.

DÉR. Crachat, crachement. — Cracheur. — Crachin. — Crachis. — Crachoter, crachouiller, crachouillis.

CRACHEUR, EUSE [kʀaʃœʀ, øz] n. et adj. — 1538 ; de *cracher*.

♦ **1.** (Sans compl.). Rare. Personne qui crache (souvent, beaucoup). *Les tousseurs et les cracheurs nous ont gâté le concert.*

♦ **2.** *Cracheur, euse de...* — *Cracheur de feu* : bateleur qui emplit sa bouche d'un liquide inflammable qu'il rejette en soufflant sur une torche enflammée (on dit aussi *avaleur de feu*).

Fig. (vx et péj.). *Cracheur de latin* : personne qui fait à tout propos des citations latines. *Un cracheur de latin, de citations, « d'apophtegmes »* (Duhamel, *in* T. L. F.).

♦ **3.** Adj. (au fig.). *« Des tuyaux cracheurs »* (Duhamel, *in* T. L. F.).

CRACHIN [kʀaʃɛ̃] n. m. — 1880 ; mot dial. de l'Ouest ; de *cracher*.

♦ Pluie fine et serrée. ⇒ **Bruine.**

1 Il était six heures du matin, et il faisait grand jour depuis longtemps ; mais ici, à cause du crachin et de la fraîcheur humide, on avait l'impression de l'aube. G. SIMENON, Maigret et la vieille dame, p. 7.

2 Calme total vers minuit... baromètre en baisse, ciel entièrement couvert, crachin. Quelle vie ! Bernard MOITESSIER, Cap Horn à la voile, p. 71.

DÉR. Crachiner.

CRACHINER [kʀaʃine] v. impers. — 1908 ; de *crachin*.

♦ Faire du crachin. *Il commence à crachiner.* ⇒ **Bruiner, pleuvoter.** *Ça crachine depuis des heures.*

CRACHIS [kʀaʃi] n. m. — 1929, Larousse ; de *cracher*, suff. *-is*.

♦ Techn. Éclaboussures d'encre utilisées en dessin lithographique, semis de points noirs qui en résulte (utilisé pour figurer ou renforcer les ombres).

CRACHOIR [kʀaʃwaʀ] n. m. — 1546, Rabelais ; de *cracher*.

♦ **1.** Petit récipient, parfois muni d'un couvercle, dans lequel on peut cracher. *Crachoir à pied.*

♦ **2.** Loc. fam. TENIR LE CRACHOIR : faire à soi seul les frais de la conversation ; parler sans arrêt. *Tenir le crachoir à qqn,* l'écouter sans pouvoir placer un mot. — REM. Cet emploi, de sens opposé à celui de *tenir le crachoir* employé absolument, est de ce fait plus rare. — *Conserver le crachoir.*

1 Pour peu que l'assistance ouvrît une oreille docile, Fauvet conservait le crachoir.
G. DUHAMEL, Chronique des Pasquier, VII, XIII, p. 122.

2 Il interloquait... il esbroufait bien les timides... il tenait pas le crachoir... tandis que Delphine l'opposé c'était des clameurs perpétuelles... du monologue à plus finir... les circonstances de rien du tout !... CÉLINE, Guignol's band, p. 196.

CRACHOTANT, ANTE [kʀaʃɔtã, ãt] adj. — xxᵉ ; de *crachoter*.

♦ Qui crachote. — Par anal. Qui verse irrégulièrement quelques gouttes d'eau.
La pluie cessant, (les hommes) se bousculaient encore, à ras du sol autour de la source crachotante des gouttières. Pierre GASCAR, le Temps des morts, p. 260.
Qui émet des sons, des crépitements irréguliers. *Une vieille radio crachotante.*

CRACHOTEMENT [kʀaʃɔtmã] n. m. — 1694 ; de *crachoter*.

♦ **1.** Action, fait de crachoter. ⇒ **Crachement.** — Projection (⇒ **Postillon**), bruit fait en crachotant.

♦ **2.** Par anal. *Les crachotements d'un vieux poste de radio.* ⇒ **Crachement, friture.**

CRACHOTER [kʀaʃɔte] v. — 1660 ; *cracheter*, 1578, d'Aubigné ; de *cracher*.

♦ **1.** V. intr. [a] Cracher* souvent et peu à la fois. *Il ne fait que crachoter.*

[b] Par anal. Verser irrégulièrement des gouttes d'eau. *Ce robinet ne cesse de crachoter.* — Perdre de l'encre, éclabousser (en parlant d'une plume).

[c] Émettre des crépitements. *Radio, haut-parleur, téléphone qui crachote.*

♦ **2.** V. tr. Projeter en crachotant.
Clappique (...) avançait dans le couloir de son hôtel chinois où les boys, affalés sur une table ronde au-dessous du tableau d'appel, crachotaient des grains de tournesol autour des crachoirs. MALRAUX, la Condition humaine, p. 217.

DÉR. Crachotant, crachotement.

CRACHOUILLER [kʀaʃuje] v. tr. et intr. — 1924 ; de *cracher*, et suff. péj. *-ouiller.*

♦ Dial. ou fam. ⇒ **Crachoter.**

1 (...) une petite usine qui crachouille sur le quai et nous fabrique, avec de la poussière et du brai, les briquettes que nous embarquons toutes fumantes.
J.-R. BLOCH, Sur un cargo, p. 177.

2 J'émergeai, soufflant par le nez, crachouillant une eau qui sentait le roui.
Hervé BAZIN, Qui j'ose aimer, 1, p. 9.

CRACHOUILLIS [kʀaʃuji] n. m. — 1954, Butor ; de *cracher*, et suff. péj. *-ouillis* ; cf. béarnais *crachoutis.*

♦ Dial. ou fam. Crachotement.
(...) Georges disant, répétant : « Sacré veinard qu'est-ce que je donnerais pas pour crachoter moi aussi un petit peu : rien qu'un petit crachouillis de rien du tout bon sang si je pouvais aussi mais ce n'est pas moi qui aurais un pareil coup de pot... »
Claude SIMON, la Route des Flandres, p. 80 (1960).

CRACK [kʀak] n. m. — 1854 ; mot angl., « fameux », de *to crack* « craquer, se vanter ».
Anglicisme.

♦ **1.** Poulain préféré, dans une écurie de course ; cheval qui a remporté de nombreuses victoires, qui a une forte cote parmi les parieurs. *Un grand crack. Pour le Grand-Prix tous les cracks étaient au départ.*

1 Rue Euler, c'est un rez-de-chaussée écrasé de peluches brodées, aux tons fracassants, orné sur les murs de lithographies anglaises : chasses, steeples, cracks célèbres, portraits variés du prince de Galles, dont un avec dédicace.
O. MIRBEAU, Journal d'une femme de chambre, p. 367.

♦ **2.** (1886, *in* Petiot). Vieilli et fam. *C'est un crack,* une personne qui se distingue dans un sport. ⇒ **As, champion.** — Par ext. Personne remarquable. *C'est un crack en mathématiques. Seuls les cracks*

réussissent un tel concours. *Un faux crack.* — Plus cour. *Un grand crack.*

2 (...) un pauvre mec inintelligent, à peine plus évolué qu'une grenouille, et qui avait le ridicule supplémentaire de se prendre pour un grand crack, formé à l'image de Dieu et tout... Jean-Louis CURTIS, le Roseau pensant, p. 150.
REM. On rencontre l'orth. francisée *crac.*

3 Elle avait un lot de vieilles expressions, (...) un « crac » pour un champion. « Oh non, disait-elle de Dieu, ce n'est pas un crac. »
Jacques LAURENT, les Bêtises, p. 91.

HOM. Crac, craque, krach, krak. — Formes des v. 1 et 2. **craquer.**

CRACKER [kʀakœʀ ; kʀakɛʀ] n. m. — 1962 ; apparu, mais non fréquent, au xixᵉ ; mot angl., de *to crack* « craquer ».

♦ Anglic. Petit biscuit salé et croustillant. *Des crackers.*

CRACKING [kʀakiŋ] n. m. — 1892, *in* Höfler ; var. *crackling*, 1899 ; mot angl., de *to crack* « briser ».

♦ Anglic. Procédé de raffinage du pétrole. ⇒ **Craquage** (recomm. off.).

CRACOVIEN, IENNE [kʀakɔvjɛ̃, jɛn] adj. et n. — Attesté xixᵉ, → ci-dessous, 2. ; de *Cracovie* (polonais *Kraków*), ville de Pologne.

♦ **1.** Relatif à la ville, à la région ou aux habitants de Cracovie. N. *Un cracovien, une cracovienne,* habitant de Cracovie.

♦ **2.** N. f. (1840, cit. ci-dessous ; du polonais *krakowiak* « danse de Cracovie »). Danse polonaise vive et légère.
Pardine... quatre cent cinquante musiciens sur le théâtre... dansez donc la Cracovienne au milieu de ça.
BAYARD et DUMANOIR, les Guêpes, 1840, *in* D. D. L., II, 2.

CRACRA [kʀakʀa] adj. invar. — Déb. xxᵉ ; de la première syllabe de *crasseux,* redoublée.

♦ Fam. Crasseux. ⇒ **Crado.** « *Il y a des séminaristes qui sont singulièrement cracra* » (R. Queneau).
Il est cracra comme une poubelle et son accoutrement ferait merveille sur la piste de Médrano. SAN-ANTONIO, le Secret de Polichinelle, p. 56.
REM. On écrit parfois *cra-cra* : « *Un petit air cra-cra très Saint-Germain-des-Prés* » (Pierre Nord, *Miss Péril jaune,* p. 29).

CRADO [kʀado] adj. invar. et n. — 1935 ; de *crasseux.*

♦ Fam. Très sale, crasseux. ⇒ **Cracra, craspec.** *Elle est plutôt crado !* — Var. : *cradot.*
REM. Certains font *crado* invariable :
Le sud, toujours peuplé de campements crado, sent la cloche : mélange d'urine, de bière tournée, de pieds mal lavés. Pierre ACCOCE, le Polonais, p. 110.
N. *Un, une crado. Une bande de crados.*
REM. On dit aussi *cradingue* [kʀadɛ̃g], *cradoque* [kʀadɔk].

2 (...) il faut avoir vécu en taule, ou être toubib aux urgences, pour savoir à quel point la majorité des gens est cradingue. A. SARRAZIN, la Cavale, p. 413.

CRAIE [kʀɛ] n. f. — xiᵉ, *creide* ; *croie,* v. 1175 ; *crée,* déb. xivᵉ ; du lat. *creta* « argile ».

♦ **1.** Calcaire des terrains crétacés. *Craie blanche,* faite de calcaire presque pur (carbonate de calcium, $CaCO_3$). *Craie blanche de la Champagne pouilleuse. Craie argileuse* ou *marneuse.* ⇒ **Marne.** *Amendement d'un sol au moyen de craie. Craie à ciment. Pierre à craie. Craie friable. Banc de craie. Falaise de craie,* sur les côtes de la Manche, dans la vallée de la Seine. — *Exploitation de la craie, dans des carrières à ciel ouvert ou par des galeries. Caves champenoises creusées dans la craie. Terrains de craie.* ⇒ **Crayeux, crétacé** (1.).

1 Les fonds de craie *(dans les fleuves)* résistent plus que ceux de sable ou de limon. FONTENELLE, Guglielmini.

Par compar. *Blanc, pâle comme de la craie :* d'un teint pâle, mat et légèrement terreux. *Dur, friable comme de la craie.*

Par métonymie. Sol fait de craie. *Marcher sur la craie champenoise.*

Par métaphore. Substance friable (comparée à la *craie*).

2 (...) la force de sa constitution résista jusqu'à la fin. Un corps et une âme ainsi bâtis semblent de porphyre et de granit, tandis que les nôtres sont de craie et de plâtras. TAINE, Philosophie de l'art, t. I, II, V, p. 186.

♦ **2.** Calcaire réduit en poudre et moulé (en bâtons) pour écrire, tracer des signes. *Un morceau de craie. Écrire, tracer avec de la craie, à la craie.*

3 Vous savez, au fond de l'impasse des Bourdonnais... Mon nom est écrit à la craie sur la porte, Claude Lantier... Venez voir l'eau-forte de la rue Pirouette.
ZOLA, le Ventre de Paris, t. I, p. 44.

(Une, des craies). Bâtonnet de craie pour écrire (au tableau* noir, sur une ardoise*). *Passe-moi ta craie. Il n'y a plus de craies. Craies de couleur.*

♦ **3.** Techn. Calcaire préparé (pour divers usages). *Craie broyée,* *lavée, mélangée d'eau gommée, moulée en pains.* ⇒ **Blanc** (d'Espagne, de Meudon). *Mélange de craie et d'huile.* ⇒ **Mastic.** *Mélange de craie, de pâte à papier et de colle forte pour obtenir du carton-pierre. — Craie de Briançon.* ⇒ **Stéatite, talc.** *Morceau de craie de Briançon à l'usage des tailleurs. Craie de couturière, de tailleur* : *mélange de blanc de Meudon et de cire, servant à tracer sur le tissu. Craie de charpentier.* ⇒ **Arcanne, rubrique.** *Craie de billard,* dont on frotte une queue de billard. *Cingler une surface au moyen d'une corde enduite de craie. Craie rouge utilisée en peinture.* ⇒ **Rosette.** — *Craie lévigée*,* utilisée dans la fabrication des pâtes dentifrices, dans le glaçage du linge. — Méd. *Craie préparée* : carbonate de chaux pur, servant à combattre l'acidité gastrique.

Une, des craies (et compl.) : morceau, bâtonnet de l'une de ces substances.

♦ **4.** Vétér. Maladie des oiseaux de proie, aussi appelée *pierre.*

DÉR. Crayère, crayeux. — V. Crayon, crétacé.

CRAIGNOS [kʀɛɲos] adj. et interj. ⇒ **Craindre,** 6. (ça craint).

CRAILLEMENT [kʀajmɑ̃] n. m. — XVIᵉ ; de *crailler.*

♦ Régional ou techn. Cri de la corneille et du corbeau. ⇒ **Croassement.** — Par ext. Cri d'oiseau, semblable à celui de la corneille ou du corbeau.

CRAILLER [kʀaje] v. intr. — XVIᵉ ; onomat. (→ Crac), probablt de la même famille que *cracher.*

♦ **1.** Régional ou techn. Crier, en parlant de la corneille.

Eh! bien vous vous trompiez Bertrand. Ce sont les corbeaux qui croassent. Les corneilles craillent.   Claude MAURIAC, le Dîner en ville, p. 153.

Par ext. Crier, en parlant d'oiseaux au cri semblable à celui de la corneille. ⇒ **Croasser.**

♦ **2.** Littér. (Personnes). Crier, parler d'une manière désagréable.

DÉR. Craillement.

CRAINDRE [kʀɛ̃dʀ] v. tr. — *Je crains, tu crains, il craint, nous craignons, vous craignez, ils craignent ; je craignais, nous craignions ; je craignis, nous craignîmes* (inus.) ; *je craindrai, nous craindrons ; je craindrais, nous craindrions ; crains, craignons, craignez ; que je craigne, que nous craignions ; que je craignisse* (inus.) ; *craignant, craint, crainte.* — Xᵉ ; *criembre,* v. 1050 ; refait d'après les verbes en -aindre ; du lat. pop. *cremere,* altér. de *tremere* «trembler», puis «craindre», sous l'infl. d'un rad. gaul. *crit-,* attesté par l'irlandais *crith* «tremblement».

♦ **1.** Envisager (qqn, qqch.) comme dangereux, nuisible, et en avoir peur*. ⇒ **Appréhender** (cit. 3), **redouter ; peur** (avoir peur de). *Craindre le danger, le péril, la mort. Ne pas craindre la mort. Craindre la douleur, les souffrances, la maladie. Craindre le ridicule. Craindre les responsabilités. Craindre les questions de qqn. Craindre le regard de qqn* (cf. Baisser les yeux). *Il ne viendra pas, je le crains. Ne craignez rien. Vous n'avez rien à craindre. Ne craignez rien, c'est indolore. Il craint ses menaces, sa colère. Faire craindre qqch. à qqn. — Craindre qqn. Tous le craignent. On le craint. Il est craint de tous. Je ne vous crains pas. Il sait se faire craindre.* ⇒ **Intimider ; menacer ;** → 1. Marine, cit. 6.

1   (...) ce chat exterminateur,
Vrai Cerbère, était craint une lieue à la ronde ;
Il voulait de souris dépeupler tout le monde.   LA FONTAINE, Fables, III, 18.

2   Qui ne craint point la mort ne craint point les menaces.
     CORNEILLE, le Cid, II, 1.

3   (...) avec moi vous n'avez rien à craindre (...)   MOLIÈRE, George Dandin, I, 6.

4   C'est la connaissance des dangers qui nous les fait craindre (...)
     ROUSSEAU, Émile, I.

5   (...) à force de craindre les ridicules, les vices n'effrayent plus.
     ROUSSEAU, Lettre à d'Alembert, p. 142.

6   «Qu'ils me haïssent, pourvu qu'ils me craignent !» c'est bien un mot d'ambitieux.
     ALAIN, les Aventures du cœur, p. 27.

7   Il ne craignait ni les remords, ni la honte, mais il craignait la police et la terrible aventure dont elle ouvre les portes.   P. MAC ORLAN, la Bandera, VII, p. 84.

C'est une chose à craindre, c'est à craindre : c'est une chose pénible, désagréable et possible, vraisemblable.

Ne craindre personne (*pour, dans, à qqch.*), se considérer de force égale à n'importe qui, sinon meilleur. *Au billard je ne crains personne. Pour la cuisine, elle ne craint personne.*

Craindre qqch. de la part de qqn. «*Je craignais de ta part des suppositions odieuses*» (Flaubert, Correspondance, 1846, *in* T. L. F.).

Allus. littér. *Je crains les Grecs même quand ils font des offrandes* (timeo danaos...). — *Je crains l'homme d'un seul livre.* ⇒ **Livre** (*infra* cit. 11). — Prov. *Chat* échaudé craint l'eau froide.*

Absolt. *Cette mère craint pour ses enfants. Craindre pour la vie de qqn.* ⇒ **Redouter, trembler.** *Ne craignez point* : n'ayez pas peur. Vieilli. *Avoir quelques raisons de craindre.*

Non, non, ne craignez point : il se mariera avec vous tant que vous voudrez.   8
     MOLIÈRE, Dom Juan, II, 2.

Andromaque (...) craint pour la vie de Molossus (...)   9
     RACINE, Andromaque, 2ᵉ Préface.

Quoi de plus facile que de craindre ?   9.1
     ALAIN, Propos, 17 sept. 1927, la Foi qui sauve.

♦ **2.** CRAINDRE QUE (et subj.). [a] Dans une affirmation (presque toujours avec *ne* explétif). *Je crains qu'il ne vienne.* ⇒ **Ne,** cit. 21, 22. *Je crains qu'il ne soit mort. Il est à craindre que cet élève n'échoue à l'examen. Il est à craindre qu'un orage se prépare. — Il y a lieu de craindre qu'il ne vienne pas.*

Un lièvre, apercevant l'ombre de ses oreilles,   10
Craignit que quelque inquisiteur
N'allât interpréter à cornes leur longueur.   LA FONTAINE, Fables, V, 4.

Quoique la royauté actuelle ne semble pas viable, je crains toujours qu'elle ne vive   11
au-delà du terme qu'on pourrait lui assigner.
     CHATEAUBRIAND, Mémoires d'outre-tombe, t. VI, p. 149.

(...) il glissait une main dans sa poche, pour toucher la lettre, comme s'il craignait   12
qu'un feuillet ne s'en échappât.
     J. CHARDONNE, les Destinées sentimentales, I, p. 139.

Sans *ne* explétif :

(...) je crains pour vous qu'un Romain vous écoute (...)   13
     CORNEILLE, Nicomède, I, 2.

Par le temps actuel, il serait à craindre qu'un monument élevé dans le but d'imprimer l'effroi des excès populaires donnât le désir de les imiter (...)   14
     CHATEAUBRIAND, Mémoires d'outre-tombe, t. III, p. 331.

Elle le croyait malade et craignait qu'il ne devînt davantage.   15
     FRANCE, le Crime de S. Bonnard, Œ., t. II, p. 385.

[b] Dans une négation (sans *ne* explétif) :

(...) on ne craint point qu'il venge un jour son père (...)   16
     RACINE, Andromaque, I, 4.

[c] Dans une interrogation (avec ou sans *ne* explétif) :

Craignez-vous que mes yeux versent trop peu de larmes ?   17
     RACINE, Bérénice, V, 5.

Tu ne crains pas qu'il n'envoie des échos aux journaux ?   18
     M. PAGNOL, Topaze, III, 3.

♦ **3.** CRAINDRE DE (et l'inf.). *Il craint d'être découvert. Il craint de mourir.* ⇒ **Peur** (avoir peur de).

(*Ma mère*) se gardait bien de me conduire dans ces sentiers de la grammaire où   19
elle craignait de s'égarer.   FRANCE, le Petit Pierre, XXIX, p. 200.

Hésiter, ne pas oser. *Je crains de le laisser entrer. Je ne crains pas d'affirmer* : je n'hésite pas à affirmer.

Joseph, fils de David, ne crains point de prendre chez toi Marie ton épouse, car   20
ce qui est conçu en elle est du Saint-Esprit.
     BIBLE (CRAMPON), Évangile selon saint Matthieu, I, 20.

♦ **4.** Vx. Compl. n. de personne. Respecter, vénérer (qqn). *Craindre son père, sa mère* ⇒ **Révérer.** — Relig. *Craindre Dieu.* ⇒ **Crainte** (cit. 9).

(...) afin que tu craignes Yahweh, ton Dieu (...) en observant, tous les jours de ta   21
vie, toutes ses lois et tous ses commandements que je te prescris (...)
     BIBLE (CRAMPON), Deutéronome, VI, 2.

Il n'en est pas ainsi de celui qui te craint :   22
Il renaîtra, mon Dieu, plus brillant que l'aurore.   RACINE, Esther, II, 8.

Loc. *Ne craindre ni Dieu ni diable* : n'avoir peur de rien.

♦ **5.** Compl. n. de chose. Être sensible à (qqch.), ne pas supporter (qqch.). *Cet enfant craint le froid. Elle craint l'odeur du tabac. Elle craint la voiture. — Ces arbres craignent le froid, l'humidité, le froid, l'humidité leur sont nuisibles, contraires. — Cette couleur, ce tissu craint le soleil, les lavages à haute température.*

Par ext. *Ce cheval craint l'éperon,* il y est sensible.

Ellipt. «*Craint l'humidité, la chaleur*», formule qu'on inscrit sur l'emballage d'une marchandise périssable.

♦ **6.** Fam. (avec le dém. neutre). *Ça craint pas* : ça ne risque rien. *Ça craint, ça craint drôlement* : la situation est mauvaise, dangereuse. «*Année russe : ça craint*» (Actuel, févr. 1980, p. 64 : titre).

Le Ponosse peut bien dire tant que ça lui plaît dans son église, ça craint pas que   22.1
tu le déranges!   G. CHEVALLIER, Clochemerle, p. 186.

Ça craint : c'est laid, désagréable, sans intérêt. Cf. argot fam. *craignos* [kʀɛɲos], adj. (*c'est craignos ; un truc craignos*) ou interj. péj. (*Craignos !*)

▶ SE CRAINDRE v. pron.

Récipr. *Les deux boxeurs se craignaient déjà avant le combat.*

Réfl. Avoir la crainte de soi-même.

Mais il se craint, dit-il, soi-même plus que tous.   RACINE, Andromaque, V, 2.   23

CONTR. Affronter, aspirer (à), **braver, désirer, espérer, mépriser, oser, rechercher, souhaiter.** — **Assuré, sûr** (être).
DÉR. Crainte.

CRAINTE [kʀɛ̃t] n. f. — XIIᵉ, *crieme* ; *criente,* XIIIᵉ ; de *craindre.*

♦ **1.** Sentiment par lequel on craint* (qqn ou qqch.) ; appréhension inquiète. ⇒ **Alarme, angoisse, anxiété, appréhension, effarouchement, effroi, émoi, épouvante, frayeur, frousse** (fam.), **inquiétude, obsession, peur, terreur, timidité, trac.** *Crainte morbide.* ⇒ **Phobie ; transe.** *La crainte de qqch.,* qu'inspire qqch. *La crainte de la mort*

Comm. *La création d'un nouveau produit.* ⇒ **Production.** — Fin. *Création d'une monnaie. Création d'un système monétaire.*

♦ **4.** Par métonymie. Ce qui est créé (par l'homme). *Les plus belles créations de l'homme. Cette fonction, cette institution, cet établissement sont des créations utiles.* — *Les créations de l'art.* ⇒ **Œuvre, ouvrage.** *Les créations de Molière. Création géniale. Création inattendue, originale*.* ⇒ **Trouvaille.**

15.2 Nous appelons réalité le système des rapports que nous prêtons au monde — au plus vaste englobant possible. La création, dans les arts plastiques et ceux du langage, semble la transcription fidèle ou idéalisée de ces rapports, alors qu'elle se fonde sur d'autres.   MALRAUX, l'Homme précaire et la Littérature, p. 159.

16 Il est donc raisonnable de penser que les créations de l'homme sont faites, ou bien en vue de son corps, et c'est là le principe que l'on nomme utilité, ou bien en vue de son âme, et c'est là ce qu'il recherche sous le nom de beauté.   VALÉRY, Eupalinos, p. 184.

17 Chaque être est détruit quand nous cessons de le voir; puis son apparition suivante est une création nouvelle, différente de celle qui l'a immédiatement précédée, sinon de toutes.   PROUST, À l'ombre des jeunes filles en fleurs, t. III, éd. Gallimard, coll. la Gerbe, p. 209.

18 De même, la création unique d'un homme se fortifie dans ses visages successifs et multiples que sont les œuvres.   CAMUS, le Mythe de Sisyphe, p. 154.

Comm. Nouvelle fabrication; modèle inédit. *Toutes les dernières créations seront exposées au salon.* — Spécialt. *Les créations des grands couturiers. Les dernières créations de la mode.*

19 (...) on les dirait faites *(les robes)* de brouillard bleu ou de brouillard rose; toutes les dernières *créations* de vos grands couturiers (...)   LOTI, les Désenchantées, IV, p. 57.

20 Ce n'était pas l'argent, la convoitise d'un héritage qui les passionnaient si fort, mais la crainte de voir tomber la création ancestrale, le bien spirituel de la famille : la porcelaine Barnery.   J. CHARDONNE, les Destinées sentimentales, I, p. 131.

CONTR. **Abolition, abrogation, anéantissement, annihilation, destruction.** — **Contrefaçon, copie, imitation, plagiat.** — **Néant.**

DÉR. **Créationnisme, créatique.**

CRÉATIONNISME [kʀeasjɔnism] n. m. — Av. 1890; de *création.*

♦ Didact. Théorie de la création des espèces. ⇒ **Fixisme.**

(...) dans le fond, beaucoup de naturalistes commencent à trouver un peu bien enfantin le créationnisme de la Genèse.   Jean ROSTAND, Esquisse d'une histoire de la biologie, p. 147.

DÉR. **Créationniste.**

CRÉATIONNISTE [kʀeasjɔnist] adj. et n. — 1869, *in* D.D.L.; de *créationnisme.*

♦ Didact. Relatif au créationnisme. *Hypothèse créationniste.* — N. *Un, une créationniste :* partisan du créationnisme.

CRÉATIQUE [kʀeatik] n. f. — 1973, ⟩ ci-dessous; de *création, créativité,* et suff. de *informatique, mathématique,* etc.; bien que cette activité vienne des États-Unis, le mot ne semble pas être un anglicisme.

♦ Didact. Ensemble des techniques de stimulation de la créativité, notamment dans le domaine économique tertiaire. « *Les entreprises en créatique s'efforcent d'abord d'obtenir que le client analyse et formule correctement son problème* » (*Paris-Match,* 27 oct. 1973, p. 84). « *Il y va* (sic) *des entreprises comme des hommes. Les maîtres en créatique qui ont pignon sur rue ne cessent de le dire : les situations de concurrence, de transformation profonde au sein des organisations exigent une adaptation rapide (...). Les praticiens de la créativité apprennent en quelque sorte aux managers et aux cadres à utiliser leurs propres ressources, à être audacieux, à puiser dans leur propre énergie* » (*Courrier Cadres,* 23 déc. 1983, p. 8).

DÉR. **Créaticien.**

CRÉATIVITÉ [kʀeativite] n. f. — 1946, Mounier, mot diffusé par Debesse; de *créatif,* d'après l'angl. *creativity* (même sens) employé par J. M. Moreno (1934).

♦ Pouvoir de création, d'invention. *Manquer de créativité. Une créativité inépuisable.* ⇒ **Inventivité.** — *Techniques de développement de la créativité.* ⇒ **Créatique.** « *L'entreprise demande moins d'obéissance et de conformisme, plus de créativité, d'autonomie et d'ambitions* » (*Entreprise,* 9 août 1969).

1 Qu'est-ce que la littérature potentielle? (...) Quel est le but de nos travaux? Proposer aux écrivains de nouvelles « structures », de nature mathématique ou bien encore inventer de nouveaux procédés artificiels ou mécaniques, contribuant à l'activité littéraire : Des soutiens de l'inspiration, pour ainsi dire, ou bien encore, en quelque sorte, une aide à la créativité.   R. QUENEAU, Bâtons, chiffres et lettres, p. 321.

2 En 1950, Guilford fit devant les psychologues américains sa célèbre conférence sur la « créativité », dimension de l'intelligence non repérable par les tests traditionnels.   J. SCHNEIDER, *in* Éducation enfantine, nov. 1975, p. 7.

3 Et de libérer la créativité des masses, comme on dit quand on veut impressionner... qui, au fait?   F. GIROUD, Si je mens, p. 195 (1972).

Exercices de créativité (en classe, par ex.).

(Angl. *creativity*). Ling. Faculté de produire et de comprendre un nombre indéterminé de phrases, pour un sujet parlant qui maîtrise le système de sa langue. *Créativité gouvernée par les règles.* — *La créativité lexicale* (L. Guilbert), *morphologique.*

CRÉATURE [kʀeatyʀ] n. f. — V. 1050; lat. *creatura,* de *creatum,* supin de *creare.* → Créer.

♦ **1.** Didact. (relig.) ou littér. Être qui a été créé, tiré du néant. *Les créatures visibles. Les créatures animées, inanimées. L'homme, créature raisonnable.* — Spécialt. Homme, animal en tant que créé (cit. 4, 5). *Massacre d'innocentes créatures.*

Théol. *La créature.* L'homme, opposé au *Créateur,* à *Dieu* (⇒ **Chair,** II.). → ci-dessous, cit 1 et 8, et aussi recueilli, cit. 1.

(Les païens) qui ont adoré et servi la créature au lieu du Créateur,   BIBLE (SEGOND), Épître aux Romains, I, 25.   1

Et je n'ai pu vous voir, parfaite créature, / Sans admirer en vous l'auteur de la nature (...)   MOLIÈRE, Tartuffe, III, 3.   2

S'il y a un Dieu, il ne faut aimer que lui, et non les créatures passagères.   PASCAL, Pensées, VII, 479.   3

On ne voit sous les cieux / Nul homme, nul être, aucune créature, / Qui n'ait son opposé : c'est la loi de nature.   LA FONTAINE, Fables, XII, 8.   4

(...) un rossignol, chétive créature, / Forme des sons aussi doux qu'éclatants, / Est lui seul l'honneur du printemps.   LA FONTAINE, Fables, II, 17.   5

Il faut que je m'élève au-dessus de l'homme pour faire trembler toute créature sous les jugements de Dieu.   BOSSUET, Oraison funèbre de la reine d'Angleterre.   6

(...) cette espèce bizarre de créatures qu'on appelle le genre humain (...)   FONTENELLE, Entretien sur la pluralité des mondes, 2e soir.   7

La créature étant égale au créateur, / Cette perfection, dans l'infini perdue, / Se serait avec Dieu mêlée et confondue (...)   HUGO, les Contemplations, VI, 26 (→ Créer, cit. 3).   8

Spécialt. Être (non humain) considéré comme analogue à l'homme et doté d'une personne; notamment, être démoniaque ou étrange. *Créature du démon, créature infernale. Créatures humanoïdes. Des créatures venues d'un autre monde, d'une autre planète, de l'espace.* ⇒ **Extraterrestre.**

♦ **2.** a (Sans spécification du sexe). L'être, la personne* humaine. ⇒ **Homme.** *Créature raisonnable. Cet homme est la meilleure créature du monde.*

Nous sommes des créatures tellement mobiles, que les sentiments que nous feignons, nous finissons par les éprouver.   B. CONSTANT, Adolphe, VI, p. 55.   9

CRÉATURE HUMAINE (même sens). *Une, des créatures humaines.* — Collectif. *La créature humaine est ainsi faite.*

Toute créature humaine est un être différent en chacun de ceux qui la regardent.   FRANCE, le Lys rouge, XXVII, p. 202.   10

Elle était aussi douce, polie et pure que peut l'être la créature humaine.   Valery LARBAUD, Amants, heureux amants, I, p. 16.   11

Spécialt (qualifié par un compl. ou un adj.). Personnage créé par l'art, par un romancier, un peintre, etc. *Les créatures de l'homme, de la pensée, de l'imagination.*

(...) l'homme fait fournir au romancier des types, des créatures figées dans un métier, dans un vice, dans une manie; l'adolescent lui propose un monde confus, et non pas un seul être, mais une multitude divisée.   F. MAURIAC, le Jeune Homme, p. 88.   12

b (Avec un adj.). Vieilli. Femme*. *Une splendide créature. C'est une bonne créature,* une brave femme. *Une pauvre, une misérable créature. Quelle sotte créature! Odieuse créature; vile, méprisable créature. Des créatures bizarres.* → Platoniquement, cit. 1.

(XVIIe). Absolt (sans adj.), vieilli. Femme dont les mœurs sexuelles sont réprouvées; femme galante, courtisane*. *Il sort avec des créatures.*

Mailly prit par le bois de Meudon pour n'être point vu et pour arriver dans le quartier des Incurables où logeait une créature dont il l'entretenait.   SAINT-SIMON, 66, 100, *in* LITTRÉ.   13

— Bon! des Catins! tu n'y penses pas! elles t'avaient ensorcelé. — Ne parlons pas de ces Créatures.   RESTIF DE LA BRETONNE, la Vie de mon père, p. 110.   13.1

Son mari est voyageur de commerce. Il la quitte pendant des six mois, s'en va avec des créatures.   ZOLA, Lourdes, p. 77.   13.2

♦ **3.** Vieilli ou littér. *La créature de qqn :* personne qui tient sa fortune, sa position de qqn à qui elle est dévouée (en général péj.). ⇒ **Favori, protégé; main** (homme de main). *C'est la créature du président. Les créatures d'un ministre, d'un dictateur.*

Certes plus je médite, et moins je me figure / Que vous m'osiez compter pour votre créature (...)   RACINE, Britannicus, I, II.   14

CONTR. **Auteur, créateur, démiurge.** — **Dieu.** — **Chose, objet.** — **Patron, protecteur.**

CRÉCELLE [kʀesɛl] n. f. — XIIe, *cresselle;* p.-ê. du lat. pop. *crepicella,* du lat. class. *crepitacillum* « claquette », de *crepitare* « craquer ».

♦ **1.** Moulinet de bois formé d'une planchette mobile qui tourne bruyamment autour d'un axe denté. — Ce moulinet, dans des utilisations religieuses, liturgiques.

1 Et dans la synagogue, quand le Hazën psalmodie la Chronique d'Esther, tous ils agitent des crécelles (...)
Jérôme et Jean THARAUD, l'Ombre de la croix, XI, p. 243.

1.1 Sur le parvis du temple, des prêtresses en longue robe blanche élèvent des hymnes vers le ciel et, dans le vacarme des crécelles et des tambours, agitent vers l'orient des étoffes rouges et noires en souvenir des victimes.
Jean D'ORMESSON, la Gloire de l'empire, p. 302.

Dans la liturgie catholique, Instrument qui remplace les cloches ou la sonnette durant l'office, du jeudi au samedi saint.

1.2 Les enfants du village, remplaçant les cloches absentes, annoncent l'heure avec des crécelles. Vieille tradition, émouvante. Absurde survivance (car l'horloge de l'église sonne à son habitude), mais si douce.
Claude MAURIAC, le Temps immobile, p. 37.

Hist. Moulinet que devaient agiter les lépreux pour avertir de leur approche.

Jouet d'enfant. « *Un intolérable mioche de quatre ans jouait avec une crécelle sur les marches du comptoir* » (Flaubert, *l'Éducation sentimentale,* 1869, in T. L. F.).

Loc. *Faire un bruit de crécelle,* un bruit crépitant sec et aigu.

1.3 Il finit par ne plus entendre le bruit de crécelle *(de la pluie)* sur la carrosserie.
Régis DEBRAY, l'Indésirable, p. 300.

Voix de crécelle, aiguë, désagréable.

♦ **2.** Bruit semblable à celui de la crécelle. *La crécelle d'un insecte, d'un grillon, d'une cigale.*

2 Ils entendaient, dans le grand silence, la crécelle infatigable du grillon.
FRANCE, Pierre Nozière, I, v, L'école, p. 58.

♦ **3.** (1866). Personne bavarde et à la voix désagréable. *Une horrible crécelle.*

♦ **4.** Argot milit., vieilli. Mitrailleuse.

♦ **5.** Rare. Crécerelle.

CRÉCERELLE [kʀɛsʀɛl ; kʀɛsʀɛl] n. f. — V. 1223, *cresserelle,* Gautier de Coincy ; 1560, *crécerelle ;* dér. par élargissement de *crécelle ;* var. *cercerelle,* XIVᵉ.

♦ Zool. Oiseau rapace diurne (faucon) de petite taille. *La crécerelle se nourrit de petits mammifères, de reptiles, d'insectes ; on la nomme parfois* Émouchet* rouge. — En appos. *Faucon crécerelle.*

(..) et quelquefois, très haut, et très à l'écart du village, quelque petit rapace, un émouchet, un faucon crécerelle (...)
H. BOSCO, Un rameau de la nuit, IV, p. 145.

REM. Le dér. *crécerellette* [kʀɛsʀɛlɛt] n. f., est attesté (E. About, *in* T. L. F.).

CRÈCHE [kʀɛʃ] n. f. — V. 1150 ; du francique **kripja,* cf. all. *krippe* « crèche ».

♦ **1.** Vx et littér. Mangeoire* pour les bestiaux. ⇒ **Auge, râtelier.** *Les crèches d'une bergerie, d'une étable, d'une écurie. Mettre du foin, du fourrage dans une crèche.*

Absolt. Cour. La crèche où Jésus fut placé à sa naissance, dans l'étable de Bethléem, selon la tradition de Noël (en ce sens prend parfois une majuscule). *La (Sainte) Crèche.*

1 Noël, Noël ! Dans l'étable aux colonnes fuselées (...), repose l'Enfant-Dieu sur le foin de la crèche.
Louis TAILHADE, Contes et Poèmes en prose, « Noël triste ».

(1803, Châteaubriand). Représentation en trois dimensions de l'étable de Bethléem. *Les crèches sont exposées dans les églises de Noël à l'Épiphanie. Fabriquer une petite crèche en carton. Les personnages de la crèche.* ⇒ **Santon.** *L'âne et le bœuf de la crèche. Une crèche vivante :* en Provence, Mise en scène de la naissance de Jésus en tableau vivant.

Par ext., poét., vx. Berceau (Chateaubriand, Proust, *in* T. L. F.).

♦ **2.** (1867). Établissement, asile destiné à recevoir dans la journée les enfants de moins de trois ans. ⇒ **Garderie, pouponnière.** *Confier, mettre un enfant à la crèche. La crèche de la commune, d'une entreprise. Crèche sauvage,* non déclarée.

2 (...) des femmes qui viennent déposer leurs enfants à la crèche, pour être libres d'aller trimer aux ateliers. MARTIN DU GARD, les Thibault, t. VII.

♦ **3.** (1905 ; « lit », 1793). Fam. Chambre, maison (⇒ **Crécher**).

3 (...) Pépé-la-Vache ajoutait que l'heure était venue, les « singes » *(les propriétaires)* partis depuis deux jours dans le Midi, de « nettoyer proprement la crèche » tout à son aise. Francis CARCO, Jésus-la-Caille, v, p. 54.

4 Mais il fait trop noir dans la crèche... elle voit rien du tout...
CÉLINE, Guignol's band, p. 240.

DÉR. Crécher.

CRÉCHER [kʀɛʃe] v. intr. — Conjug. *céder.* — 1921 ; de *crèche,* 3.

♦ Fam. Habiter, loger. *Où est-ce que tu crèches ? Je crèche au sixième étage.*

1 Il demanda : Où est-ce que je vais crécher, cette nuit ? Il y avait sûrement de bons endroits, avec un peu d'herbe. Mais il fallait les connaître (...)
SARTRE, le Sursis, p. 122.

2 (...) il crèche chez des copains et il bouffe ce qu'on lui donne. En ce moment il dort chez moi. S. DE BEAUVOIR, les Mandarins, p. 287.

CRÉDENCE [kʀedɑ̃s] n. f. — 1519, au sens 1 ; « croyance », v. 1360 (→ créance) ; ital. *credenza* « confiance » dans la loc. *fare credenza* « faire l'essai » (des mets, des boissons) d'où le franç. *faire credance,* 1474 ; *credenza* vient du lat. *credere.* → Croire.

♦ **1.** Buffet* de salle à manger dont les tablettes superposées servent à poser les plats, la verrerie, etc., dans une salle à manger. ⇒ **Desserte, dressoir, vaisselier.** *Une crédence en chêne. Les tablettes d'une crédence.* — Partie d'un buffet de salle à manger comprise entre le corps inférieur et le corps supérieur.

Vx. Garde-manger, lieu où l'on conservait la nourriture, dans les couvents, les séminaires, les collèges.

Par ext. Meuble destiné à contenir des bibelots, des objets précieux (→ Bibelot, cit. 2.1, Mallarmé).

1 Ils avancent vers la table... « Oh mais là, sur cette crédence, qu'est-ce que c'est ? Elle s'arrête... Mais c'est très beau, dites-moi, cette Vierge gothique (...) »
N. SARRAUTE, le Planétarium, p. 303.

2 Ils joueront là il y a des étagères et des crédences qui portent de nombreux bibelots c'est ce qui représentera la Chine.
Tony DUVERT, Paysage de fantaisie, p. 204.

♦ **2.** (1671). Liturgie cathol. Petite table, console sur laquelle on dépose les burettes, le bassin, servant pour la messe ou pour une cérémonie religieuse. *Autel flanqué de deux crédences.*

DÉR. Crédencier.

CRÉDENCIER [kʀedɑ̃sje] n. m. — 1552, *credentier,* Rabelais ; de *crédence.*

Vieux.

♦ **1.** Celui qui goûtait les mets à la table d'un prince (⇒ **Crédence,** étym.).

♦ **2.** (1835). Relig. Personne chargée des provisions de bouche dans une communauté. ⇒ **Économe, intendant.**

CRÉDIBILITÉ [kʀedibilite] n. f. — 1651 ; lat. *credibilitas,* de *credibilis* → Crédible.

♦ **1.** Ce qui fait qu'une chose mérite d'être crue ; caractère de ce qui est croyable. ⇒ **Possibilité, vraisemblance ;** (littér.) **crédit, créance** (mériter). *Établir la crédibilité d'un fait. La crédibilité d'une intrigue de roman. Sa thèse manque de crédibilité.*

1 Celui qui doute parce qu'il ne connaît pas les raisons de crédibilité n'est qu'un ignorant. DIDEROT, Pensées philosophiques, 24.

2 La crédibilité est l'une des qualités nécessaires au roman.
A. MAUROIS, Études littéraires, J. Romains, t. II, p. 148.

3 Déjà les milieux, où elle *(l'épopée des Patriarches)* se situe, les multiples coïncidences qu'on observe, lui confèrent une grande crédibilité.
DANIEL-ROPS, le Peuple de la Bible, I, III, p. 55.

4 Eh bien, les pièces qu'ils voient sur leur écran, surtout si elles relèvent de la psychologie, gagnent beaucoup en vérité, et en « crédibilité ».
F. MAURIAC, le Nouveau Bloc-notes 1958-1960, p. 177.

Théol. *Crédibilité d'un dogme :* aspect philosophique d'un dogme selon lequel il est acceptable pour la raison.

♦ **2.** (V. 1960 ; angl. *credibility*). Milit. Certitude que fait éprouver une puissance à un ennemi quant à l'exécution d'une politique offensive (notamment en matière nucléaire). « *Chefs militaires et politiciens dissertent sans fin depuis des années sur la crédibilité de nos bombes atomiques, prenant bien soin d'esquiver le problème fondamental de la crédibilité de notre institution militaire elle-même* » (le *Monde,* 31 juil. 1970).

CONTR. Impossibilité, improbabilité, incrédibilité, invraisemblance.

CRÉDIBLE [kʀedibl] adj. — XVᵉ ; repris v. 1965 de l'angl. *credible :* le moy. franç. et l'angl. viennent du lat. *credibilis,* de *credere* « croire ». → Croire.

♦ **1.** Qui présente un caractère de crédibilité, qui mérite d'être cru. ⇒ **Croyable, vraisemblable.** *Rendre crédible une information.* « *Une action simplette et peu crédible* » (R. Kanters, in *l'Express*).

♦ **2.** (Anglic.). Milit. « *Une dissuasion rendue plus crédible* » (le *Monde,* 26 mars 1970). ⇒ **Crédibilité** (2.).

CRÉDIÉ [kʀedje] interj. — D. i. (1879, cit. 1) ; abrév. de *sacrédié, sacredieu.* → Cré.

♦ Vx. Juron familier, équivalent à *Nom de Dieu.*

REM. Le mot a subsisté au XXᵉ s. dans l'usage rural ; la var. *crédieu* est attestée (Bernanos, *l'Imposture, in* Œ. roman., Pl., p. 454).

1 Ah ! vous n'insistez pas... *(Elle remonte.)* Partons !
— Crédié ! *(Haut.)* Monsieur Dardenbœuf !... j'aurais encore quelques mots à vous dire !
E. LABICHE, Mon Isménie, 11.

2 Touche à ren, mon gars ! Méfie-toi ! Fais d'abord faire un constat, c'est la loi. Tu demanderas au premier venu, la route est passante. Crédié ! Sa voiture s'est amenée en plein sur la gauche (...)
BERNANOS, Monsieur Ouine, Œ. roman., Pl., p. 1411.

CRÉDIRENTIER, IÈRE [kʀediʀɑ̃tje, jɛʀ] n. m. — 1779; de *crédit* et *rentier*.

♦ Vx. Créancier d'une rente.

CONTR. **Débirentier.**

CRÉDIT [kʀedi] n. m. — V. 1481, «créance»; lat. *creditum*, du supin de *credere* «croire»; de l'ital. *credito* «dette» au sens II.

★ **I.** ♦ **1.** Confiance qu'inspire qqn ou qqch. (dans quelques syntagmes verbaux sans article). ⇒ **Confiance.** *Cet auteur, ce livre n'a pas trouvé crédit auprès de lui.* ⇒ **Estime.** *Donner crédit à un bruit, à une rumeur. Accorder crédit, faire crédit à qqn.* ⇒ **Compter** (sur), **fier** (se fier à). *Avoir tout crédit pour faire qqch.* ⇒ **Liberté.** — Vx (avec un déterminant). *Avoir quelque crédit* (→ ci-dessous, cit. 2, 3). *Accorder du crédit à qqn. On doit du crédit à cet homme.*

Mod. **FAIRE CRÉDIT À (qqn),** s'y fier, compter sur lui. *Les électeurs ont fait crédit au candidat non inscrit.* — Fig. *Faire crédit au hasard.*

1 Je lui fais crédit *(au cardinal de Retz)* pour sa conduite; tous ses amis se sont si bien trouvés de s'être fiés à lui, que je veux m'y fier encore (...)
Mᵐᵉ DE SÉVIGNÉ, 688, 28 avr. 1678.

2 Des gens à qui l'on peut donner quelque crédit.
MOLIÈRE, l'École des maris, II, 2.

3 Pour le faire venir vous avez tout crédit.
MOLIÈRE, les Femmes savantes, III, 3.

4 Le romancier, d'ordinaire, ne fait point suffisamment crédit à l'imagination du lecteur.
GIDE, les Faux-monnayeurs, I, VIII, p. 97.

5 (...) cette confiance du médecin qui fait crédit à la nature et à la fièvre plus qu'à ses remèdes (...)
J. CHARDONNE, les Destinées sentimentales, III, p. 480.

♦ **2.** Littér. Influence dont jouit une personne ou une chose auprès de qqn, par la confiance qu'elle inspire. ⇒ **Ascendant, autorité, empire, influence, pouvoir.** *Jouir d'un grand crédit auprès de qqn.* ⇒ **Faveur.** *Cela lui a acquis du crédit. Il a gagné du crédit. Le crédit de qqn, son crédit (auprès de qqn). Il a renforcé son crédit. Perdre de son crédit. Il y a employé, usé, compromis, perdu, ruiné tout son crédit. Son crédit pâlit.* → *Il n'a plus aucun crédit.* → *Il est brûlé. Se servir de son crédit pour protéger, recommander qqn. Prêter son crédit.* ⇒ **Couvrir, engager** (s'), **répondre** (de). *Avoir beaucoup de crédit.* → *Présenter beaucoup de surface*; avoir toutes les portes* ouvertes devant soi. Garder son crédit.* ⇒ **Réputation** (vivre sur sa réputation). *Il est malaisé d'avoir du crédit dans son pays.* → *Nul n'est prophète*... — Cette idée a du crédit dans son esprit. Cette opinion acquiert du crédit dans tel milieu.* ⇒ **Force, importance.**

Loc. *En crédit* (ci-dessous, cit. 8). *Être en crédit, en grand crédit auprès de qqn.* ⇒ **Faveur** (en). — *Mettre une mode en crédit.* ⇒ **Vogue.** *Cette coutume est en crédit dans tout le pays.* ⇒ **Régner.**

6 — Je disais vérité. — Quand un menteur la dit,
En passant sur sa bouche elle perd son crédit.
CORNEILLE, le Menteur, III, 6.

7 Sur l'esprit de Tartuffe elle a quelque crédit (...)
MOLIÈRE, Tartuffe, III, 1.

8 (...) ils ne laissent pas pour cela d'être en crédit parmi les gens (...)
MOLIÈRE, Dom Juan, V, 2.

9 (...) cette suite continuelle de méchantes affaires, qui nous réduisent, à toutes heures, à lasser les bontés du Souverain, et qui ont épuisé auprès de lui le mérite de mes services et le crédit de mes amis?
MOLIÈRE, Dom Juan, IV, 4.

10 Les Jésuites ont assez bonne opinion d'eux-mêmes, pour croire qu'il est utile et comme nécessaire au bien de la religion, que leur crédit s'étende partout et qu'ils gouvernent toutes les consciences.
PASCAL, les Provinciales, 5.

11 En conscience, je suis contrainte de penser qu'un de ses moyens pour réussir dans une maison, est de chercher à séduire la femme qui a le principal crédit.
STENDHAL, le Rouge et le Noir, II, XXXV, p. 449.

12 Vous allez donc paraître? et vous avez la bonté de compter sur ce que vous appelez mon crédit! Il est en vérité bien mince. Je n'ai qu'un peu accès qu'à trois journaux (...)
SAINTE-BEUVE, Correspondance, 96, 30 nov. 1829, t. I, p. 160.

13 (...) une singulière incapacité de jauger son crédit dans le cœur et l'esprit d'autrui leur était commune et les paralysait tous deux.
GIDE, les Faux-monnayeurs, I, IX, p. 100.

14 (...) cette effarante imputation de « haine » à l'égard de mon pauvre oncle Charles (...) était assimilable à une émission de billets faux, tant elle trouvait peu de crédit et d'assentiment dans mon cœur.
GIDE, Journal, 19 août 1927.

★ **II.** ♦ **1.** (Confiance dans la solvabilité de qqn.)

Loc. (V. 1508). **À CRÉDIT :** sans exiger de paiement immédiat (opposé à *au comptant*). *Achat, vente à crédit.* ⇒ **Tempérament** (vente à), **terme**; régional **carnet** (au).

FAIRE CRÉDIT À (qqn) : ne pas exiger de paiement immédiat. *On fait volontiers crédit aux fonctionnaires. Cafetier qui fait crédit aux consommateurs* (→ Ardoise, 3.). — Absolt. *La maison ne fait pas crédit.*

♦ **2.** (1636). Confiance qu'inspire qqn; réputation de solvabilité. *Avoir du crédit. Le crédit de qqn, son crédit.*

15 Pour sauver son crédit, il faut cacher sa perte.
LA FONTAINE, Fables, XII, 7.

CRÉDIT PUBLIC : confiance que l'État inspire aux particuliers et qui lui permet de recourir à l'emprunt. — *Le crédit de l'État, de la banque centrale...*

16 (...) le crédit des États reposait sur une armature financière que les contemporains estimaient devoir durer toujours (...)
André SIEGFRIED, l'Âme des peuples, I, 1, p. 8.

Loc. *Prêter son crédit à qqn.* ⇒ **Aval, caution, ducroire.**

Prov. *Crédit est mort, les mauvais payeurs l'ont tué.* — Vieilli. *Avoir du crédit comme un chien à la boucherie,* n'avoir aucun crédit.

♦ **3.** Fin., cour. Opération par laquelle une personne met une somme d'argent à la disposition d'une autre, et, par ext., cette somme. ⇒ **Prêt; avance.** *Établissement de crédit.* ⇒ **Banque.** *Crédit bancaire. Ouverture de crédit :* engagement de prêt. *Carte* de crédit. La carte bleue est une carte de crédit. Avoir un crédit de tant chez un banquier, dans une banque. Faire une demande de crédit.* ⇒ **Compte** (compte courant), **découvert.** *Bloquer* le crédit. Crédit à la production. Crédit agricole, commercial, foncier, hôtelier, industriel, maritime... Crédit réel. Crédit personnel. Crédit garanti par gage, hypothèque, cautions...* ⇒ **Garantie, sûreté.** *Crédit à long terme, à moyen terme, à court terme. Crédit étalé sur dix ans. Instruments de crédit, lettre* de crédit.* ⇒ **Billet, effet** (de commerce), **titre, valeur, warrant.**

17 Il serait fort gênant pour un vendeur à crédit ou pour un prêteur d'argent d'être toujours obligé d'attendre l'arrivée du terme pour toucher la somme promise (...) L'invention des *titres de crédit* a fourni un ingénieux moyen de concilier des intérêts en apparence inconciliables et de remettre les capitaux prêtés à la disposition des prêteurs quand ils le désirent, sans qu'il soit nécessaire de les réclamer prématurément aux emprunteurs.
Paul REBOUD, Précis d'économie politique, t. I, p.546.

18 Déjà, pour terminer son bungalow, elle avait fait une ou deux demandes de crédit aux banques de la colonie.
M. DURAS, Un barrage contre le Pacifique, p. 28.

Fin. *Crédit de campagne :* avance aux entreprises pour un achat de matières premières agricoles. *Crédit documentaire :* contrat par lequel un banquier accepte de régler le prix d'une marchandise au vendeur contre remise de documents attestant la livraison. *Crédit acheteur :* forme de crédit à l'exportation, attribué à l'acheteur étranger par les banques du pays exportateur.
(V. 1966; pour traduire l'anglic. *leasing*). **CRÉDIT-BAIL :** opération de financement, à moyen ou à long terme, de l'achat de biens d'équipement, dans laquelle un organisme financier se porte acheteur du matériel dont une entreprise a besoin, et le lui loue pendant la durée d'amortissement.
Crédit d'impôt. Crédit logement. Société de crédit différé, pour l'acquisition d'un logement neuf. *Crédit revolving* (anglic.), renouvelé au fur et à mesure des remboursements. ⇒ **Revolving.**

19 Il accepterait à la rigueur d'emprunter le minimum d'apport personnel exigé par le crédit logement : à condition de voir les deux familles y participer à parts égales.
Hervé BAZIN, Cri de la chouette, p. 181.

Au Canada. *Crédit social.* ⇒ **Créditiste.**
Crédit croisé (trad. de l'anglicisme *swap*, recomm. off.). « Troc portant sur des monnaies différentes et effectué, entre banques, par un jeu croisé d'écritures... » (*Journal officiel*, 1ᵉʳ mars 1974, p. 95).
(1852). Qualifié. Nom donné à des établissements de crédit. *Le Crédit Foncier de France,* qui consent des prêts sur immeubles. *Crédit municipal,* nom des anciens monts-de-piété. *Le Crédit Agricole.*

♦ **4.** (1845). Fin., cour. (au plur.). Sommes allouées sur un budget pour un usage déterminé. *Crédits budgétaires. Vote des crédits. Crédits ordinaires. Crédits additionnels, supplémentaires, extraordinaires. Ouverture de crédits par décret.*

♦ **5.** (1675). Comptab. Partie d'un compte où sont inscrites les sommes remises ou payées par l'ayant droit à celui qui tient le compte (opposé à *débit*). ⇒ **Avoir.** *Le crédit est porté sur le côté droit du compte. Balance du crédit et du débit.*

♦ **6.** (Mil. xxᵉ; mot angl. des États-Unis). Au Canada, Unité* de valeur dans l'enseignement universitaire.

CONTR. **Discrédit.** — **Défiance, méfiance.** — **Débit, doit.**
DÉR. et COMP. **Accréditer, décréditer, discrédit.** — **Crédirentier, créditer, créditeur, créditiste.**

CRÉDIT-BAIL [kʀedibaj] n. m. ⇒ **Crédit,** 3.

CRÉDITER [kʀedite] v. tr. — 1671; de *crédit*.

♦ **1.** Comptab. Rendre (qqn) créancier d'une somme que l'on porte au crédit de son compte. *Créditer qqn.* — (Avec un compl. en *de*). *On l'a crédité de mille francs.* — Par ext. *Créditer un compte de telle somme.*

♦ **2.** Fig. *Créditer qqn de qqch.,* lui reconnaître (un mérite particulier, le mérite de [qqch.]). *Le ministre a été crédité des bons résultats des négociations.*

Accorder (qqch.) :

Tout en lui m'inspirait une confiance absolue dont il ne m'a jamais été possible par la suite de créditer quelqu'un d'autre.
M. YOURCENAR, le Coup de grâce, p. 148.

Sports. *Cet athlète a été crédité d'une excellente performance.*

CONTR. (Du sens 1) **Débiter.**
DÉR. V. **Créditeur.**

CRÉDITEUR, TRICE [kʀeditœʀ, tʀis] n. et adj. — 1723; de *créditer;* «créancier», XIIIᵉ; de *crédit.*

♦ **1.** Personne qui a des sommes portées à son crédit, qui a consenti un crédit. *Les créditeurs ont refusé de renouveler leurs crédits.*

♦ **2.** Adj. Qui correspond à un crédit (comptable). *Compte créditeur. Solde créditeur d'un bilan.*

CONTR. Débiteur.

CRÉDITISTE [kʀeditist] n. — 1930; de *crédit (social).*

♦ Au Canada, Partisan de la doctrine économique du crédit social (Major C.H. Douglas). — (1935). Membre du Parti du crédit social ou (1963) du *Ralliement des créditistes.*
Adj. Relatif à cette doctrine, à ce parti.

CREDO [kʀedo] n. m. — V. 1190; mot lat., «je crois», inf. *credere,* par lequel commence le Symbole des apôtres.

♦ **1.** Relig. chrét. (souvent avec une majuscule). Symbole* des apôtres, contenant les articles fondamentaux de la foi catholique. *Dire, chanter le Credo. Il est entré dans l'église au moment du credo,* pendant la messe au moment où on récite cette prière. Par ext. *Apprendre son Credo,* les éléments fondamentaux de sa religion (⇒ **Catéchisme**). *Le Credo d'une religion.* ⇒ **Base, dogme, fondement.** *. Des credos.*

1   La violence n'est le Credo d'aucune religion.
R. ROLLAND, Mahatma Gandhi, p. 76.
1.1 Une grande sagesse conseilla aux Israélites, lorsqu'ils durent remettre un exemplaire de leurs livres aux mains du pouvoir, d'y substituer un chiffre, et de masquer sous des fables leurs découvertes sociales et scientifiques. Ces fables devinrent le credo d'une Église qui les suspectait au XVIᵉ siècle, mais sans deviner qu'elles étaient l'envers de ce qu'il faudrait lire à l'endroit.
COCTEAU, Journal d'un inconnu, p. 81.

♦ **2.** (1771). Qualifié par un compl. ou un adj. Ensemble des principes sur lesquels on fonde une opinion, une conduite. ⇒ **Foi, principe, règle.** *Le credo de qqn, son credo. Exposer son credo :* faire sa profession de foi. *Un credo moral, politique, social. Un credo libéral, marxiste. Formuler un credo esthétique, littéraire.* — REM. Dans ce sens, *credo* ne prend pas de majuscule.

2   À quoi sert un credo que l'on peut discuter, un dogme aussi changeant qu'une philosophie?
A. MAUROIS, les Discours du Dr O'Grady, II, p. 12.
3   Les jeunes ne s'occupent que de l'Amérique et de la Russie. Les autres sont des pays pour voyages d'agrément, des pays sans credo.
Henri MICHAUX, Un barbare en Asie, p. 99.

CRÉDULE [kʀedyl] adj. — 1393; lat. *credulus,* de *credere* «croire».

♦ **1.** Qui croit trop facilement; qui a une confiance aveugle dans les informations reçues. ⇒ **Candide, confiant, naïf, simple;** et, fam., **bonhomme, boniface, gobe-mouches, gobeur, gogo, jobard...** *Esprit crédule. L'humanité est crédule. Un peuple crédule et superstitieux*. Il est trop bon et trop crédule.*

1   (...) vous êtes un peu trop crédule, Prince, d'ajouter foi si promptement à ce qu'il vous a dit.
MOLIÈRE, la Princesse d'Élide, IV, 4.
2   (...) les diseurs d'horoscopes (...) profitent de la vanité et de l'ambition des crédules esprits.
MOLIÈRE, l'Amour médecin, III, 1.
3   (...) de ces opinions que le peuple reçoit avec une facilité trop crédule (...)
PASCAL, Pensées, III, 195.
4   La haine ainsi que l'amour rend crédule.
ROUSSEAU, les Confessions, V.
5   (...) haineux, et crédules en proportion de leur haine.
MICHELET, Hist. de la Révolution franç., t. II, p. 155.
6   Et si, pensant à tel ou tel de vos amis chrétiens, vous étiez tenté de vous dire : «Mais il est trop mou et trop bénin de caractère, trop crédule et trop simple agneau devant les hommes; voilà son défaut réel trouvé, il est trop chrétien.»
SAINTE-BEUVE, Volupté, XXII, p. 232.
7   C'est d'ailleurs le propre de l'amour de nous rendre à la fois plus défiants plus crédules, de nous faire soupçonner, plus vite que nous n'aurions fait une autre, celle que nous aimons, et d'ajouter foi plus aisément à ses dénégations.
PROUST, À la recherche du temps perdu, t. IX, p. 296.
Littér. *Être crédule à qqch. Une foule crédule aux fausses rumeurs.*
N. (rare). *C'est un, une crédule.* ⇒ **Naïf.**

♦ **2.** (Choses). *Croyance, confiance crédule,* naïve, irréfléchie. → cidessus, cit. 3.

CONTR. Défiant, incrédule, sceptique, soupçonneux.
DÉR. Crédulement.

CRÉDULEMENT [kʀedylmɑ̃] adv. — 1544; de *crédule.*

♦ Rare. D'une manière crédule; avec crédulité.

CRÉDULITÉ [kʀedylite] n. f. — XIIᵉ; lat. *credulitas,* de *credulus.* → Crédule.

♦ **1.** Grande facilité à croire sur une base fragile. ⇒ **Bonhomie, candeur, confiance, jobarderie, naïveté, simplicité.** *Crédulité en matière de religion.* ⇒ **Superstition.** *Un charlatan qui abuse de la crédulité du public. Excessive, sotte crédulité.*

Avec quelle insolence et quelle cruauté
Ils se jouaient tous deux de ma crédulité!   RACINE, Bajazet, IV, 5.   1
Nos prêtres ne sont pas ce qu'un vain peuple pense;
Notre crédulité fait toute leur science.   VOLTAIRE, Œdipe, IV, 1.   2
Elle ressentait une sorte de honte aussi de s'être laissé surprendre sottement par   3
un être facile à tromper, et qu'elle méprisait pour sa crédulité.
FRANCE, le Mannequin d'osier, Œ., t. XI, VIII, p. 313.

♦ **2.** Littér. *(Une, des crédulités).* Ce qui exprime cette grande facilité à croire (paroles, comportement...). *Il devient agaçant avec ses crédulités.* — Rare. L'objet même de la crédulité. «Et puis, par une foi, par une croyance dans tant de crédulités» (Goncourt, *Ch. Demailly,* 1860, *in* T. L. F.).

CONTR. Défiance, incrédulité, scepticisme.

CREEK [kʀik] n. m. — 1865, Verne, *De la Terre à la Lune,* p. 164; mot angl., «crique, estuaire», d'abord *crike,* 1250, apparenté au franç. *crique.*

♦ Anglic. Petite rivière (dans un pays anglophone).

Phileas Fogg, la jeune femme, Fix et Passepartout, confortablement assis, regardaient le paysage varié qui passait sous leurs yeux, — vastes prairies, montagnes se profilant à l'horizon, «creeks» roulant leurs eaux écumeuses.
J. VERNE, le Tour du monde en 80 jours, p. 229.

CRÉER [kʀee] v. tr. — Conjug. régulière. — Mil. XIIᵉ; *crier,* 1119; lat. *creare.*
Faire exister. ⇒ **Création.**

♦ **1.** Relig. Donner l'être, l'existence, la vie à...; tirer du néant. ⇒ **Faire, former.** *Créer un être, ex nihilo. Dieu créa le ciel et la terre. Dieu créa l'homme à son image.*

Au commencement Dieu créa le ciel et la terre (...)   1
(...) Dieu créa donc l'homme à son image; il le créa à l'image de Dieu, et il les
créa mâle et femelle.   BIBLE (SACY), Genèse, I, (1 et 27).
J'ai créé l'homme saint, innocent, parfait, je l'ai rempli de lumière et d'intelli-   2
gence; je lui ai communiqué ma gloire et mes merveilles (la Sagesse de Dieu).
PASCAL, Pensées, VII, 430.
Dieu n'a créé que l'être impondérable.   3
Il le fit radieux, beau, candide, adorable,
Mais imparfait; sans quoi, sur la même hauteur,
La créature étant égale au créateur (...)
HUGO, les Contemplations, VI, 26 (→ Créature, cit. 8).

Absolument :

(...) le bien est voulu, il est le résultat d'un acte, le mal est permanent. Le dieu   3.1
caché quand il crée obéit à la nécessité cruelle de la création qui lui est imposée
à lui-même (...)   A. ARTAUD, le Théâtre et son double, Idées/Gallimard, p. 155.

♦ **2.** (V. 1130). Faire, réaliser (ce qui n'existait pas encore). ⇒ **Composer, concevoir, découvrir, élaborer, enfanter, engendrer, imaginer, inventer, naître** (faire naître), **produire, réaliser.** *Créer des mots. Créer une science. Créer un genre littéraire. Le romancier crée des personnages. Créer une œuvre. Créer des formes. Créer une mélodie, une symphonie.* ⇒ **Composer.** *Créer péniblement une œuvre.* ⇒ **Accoucher** (fig. et fam.). *Créer une idée, un rêve. Créer un système.* ⇒ **Élaborer.** *Créer qqch. de toutes pièces. Créer la mode et la lancer.*

(...) il crée les modes sur les équipages et sur les habits (...)   4
LA BRUYÈRE, les Caractères, X, 8.
(...) on ne triomphe du temps qu'en créant des choses immortelles; par des tra-   5
vaux sans avenir, par des distractions frivoles, on ne le tue pas : on le dépense.
CHATEAUBRIAND, Mémoires d'outre-tombe, t. VI, p. 302.

Rare. Faire naître, donner naissance à (un être vivant). ⇒ **Procréer.**
Absolt. *L'artiste, le poète créent. La joie de créer. Le génie, l'inspiration crée.*

(...) il n'y a ici-bas de bonheur qu'un seul, créer et créer toujours (...)   6
MICHELET, la Femme, p. 147.
Votre Lucien est un homme de poésie et non un poète, il rêve et ne pense pas,   7
s'agite et ne crée pas.   BALZAC, Illusions perdues, Pl., t. V, p. 906.
Découvrir ou créer, n'est-ce pas même chose? Inventer, c'est trouver, en bon fran-   8
çais. On trouve ce qu'on invente, on découvre ce qu'on crée, ce qu'on rêve, ce
qu'on pêche dans le vivier du songe.
R. ROLLAND, l'Âme enchantée, L'été, t. II, p. 50.
Les artistes ont une grande estime pour leurs songes parce qu'ils leur permettent   9
de créer.   Edmond JALOUX, le Dernier Jour de la création, XIX, p. 243.
La fatigue des sens crée. — Le vide crée. Les ténèbres créent. Le silence crée.   10
L'incident crée. Tout crée, excepté celui qui signe et endosse l'œuvre.
VALÉRY, Autres rhumbs, p. 133.
Créer, en définitive, est la seule joie digne de l'homme et cette joie coûte beau-   11
coup de peine.   G. DUHAMEL, Chronique des Pasquier, III, VIII, p. 88.
Créer, aussi, c'est donner une forme à son destin.   12
CAMUS, le Mythe de Sisyphe, p. 158.
Créer n'est pas un jeu quelque peu frivole. Le créateur s'est engagé dans une aven-   12.1
ture effrayante qui est d'assumer soi-même jusqu'au bout les périls risqués par ses
créations. On ne peut supposer une création n'ayant l'amour à l'origine. Comment
mettre en face de soi aussi fort que soi, ce qu'on devra mépriser ou haïr? Mais
alors le créateur se chargera du poids du péché de ses personnages. Jésus devint
homme. Il expie. Après, comme Dieu, les avoir créés, il délivre de leurs péchés
les hommes : on le flagelle, on lui crache au visage, on le moque, on le cloue.
Jean GENET, Journal du voleur, p. 220.

Sc. nat. *Créer un genre, une espèce,* en établir les caractères génériques, spécifiques.

(1811, *in* D. D. L.). *Créer un rôle, un personnage,* en être le premier interprète. *Créer un spectacle,* l'organiser, le mettre en scène.

♦ **3.** (Sujet n. de choses). Être la cause de. ⇒ **Causer, engendrer, occasionner, produire, provoquer, susciter.** *La fonction crée l'organe. L'état de choses que les événements ont créé. Ce contre-temps nous créera des obstacles. Créer des embarras, des ennuis à qqn. Créer un malaise. Créer une diversion.* ⇒ **Cause, source** (être la...). *Créer des obligations à qqn. Créer des besoins. La publicité crée des besoins nouveaux.*

13 (...) il faut du temps à l'âme pour s'accoutumer à la douleur. Elle a un tel besoin de la joie que, quand elle ne la possède pas, il faut qu'elle la crée. Quand le présent est trop cruel, elle vit sur le passé.
R. ROLLAND, Vie de Beethoven, p. 16.

14 (...) un homme porte au fond de l'âme un sens de la souffrance, qui finit par créer les occasions de souffrir. André SUARÈS, Trois hommes, « Ibsen », II, p. 87.

15 J'en ai vu d'autres, tentés par le zèle de charité, qui eussent créé les malades en ce monde pour leur donner des soins, les coupables pour les sauver, et les lépreux pour les entretenir. André SUARÈS, Trois hommes, Pascal, III, p. 50.

16 Le capitalisme est par essence individuel, déréglé et inventif. Il ne se conforme pas aux besoins : il les a presque tous créés.
J. CHARDONNE, l'Amour du prochain, VIII, p. 206.

♦ **4.** (1611). Constituer, fonder* qqch. (le compl. désigne une réalité humaine, sociale). ⇒ **Aménager, commencer, établir, former, instituer, organiser.** *Créer une institution, un établissement. Créer et animer une société. Créer une ville.* ⇒ **Bâtir, construire, édifier, élever, ériger.** *Créer un ordre religieux, créer une institution. Créer un régiment, une armée, un ordre honorifique. Créer une entreprise, un ministère, une agence. Créer des lois nouvelles. Créer de nouvelles taxes, de nouveaux impôts. Créer une charge, un emploi, un poste. — Créer, constituer une rente. Créer des actions, des obligations. Créer un chèque, un effet de commerce.*

17 On créa une seconde compagnie, une troisième, plusieurs successivement, et le gouvernement, qui se faisait une habitude d'en créer, croyait toujours qu'il lui était avantageux d'en créer encore.
CONDILLAC, le Commerce et le Gouvernement..., II, XVII.

18 Ce corps d'élite, qui fut créé et commandé par le général Millan Astray, reçoit, comme la Légion étrangère française dont il s'inspire (...)
P. MAC ORLAN, la Bandera, V, p. 54.

Fig. *Créer son propre destin,* l'élaborer, le diriger. ⇒ **Faire.**

19 Je m'imaginais avoir créé ma destinée et mérité mes réussites.
MARTIN DU GARD, les Thibault, t. IX, p. 249.

♦ **5.** (V. 1350). Admin. Nommer (qqn) à un nouvel emploi. ⇒ **Désigner.** *Créer un fonctionnaire, un dignitaire, un magistrat.*

♦ **6.** Comm. Fabriquer* ou mettre en vente (un produit nouveau). *Créer un nouveau produit. Créer un modèle de haute couture. Créer une collection. La maison X... a créé et lancé* ce produit.

▶ **SE CRÉER** v. pron. (sens passif).
Être créé ; s'élaborer. ⇒ **Former** (se). *Rien ne se crée, rien ne se perd, tout se transforme.*

20 Et maintenant nous sommes presque de vieux mariés ; entre nous, les habitudes se créent tout doucement. LOTI, Mme Chrysanthème, V, p. 55.

21 Il a créé la terre. Mais la beauté de la terre se crée elle-même, à chaque minute.
GIRAUDOUX, Amphitryon 38, II, 2.

22 Il se dit : « Ne péchons ni par précipitation, ni par excès de ménagements non plus. La situation doit se créer peu à peu. »
J. ROMAINS, les Hommes de bonne volonté, t. IV, XII, p. 133.

Se créer (qqch.), susciter pour soi-même. ⇒ **Faire** (se), **former, imaginer.** *Se créer des habitudes, des besoins, Se créer des illusions.*

23 J'avais une tendre mère, une amie chérie ; mais il me fallait une maîtresse. Je me la figurais à sa place ; je me la créais de mille façons pour me donner le change à moi-même. ROUSSEAU, les Confessions, IV.

24 Malheureusement, quand les journées sont si longues, et qu'on est désoccupé, on rêve, on fait des châteaux en Espagne, on se crée sa chimère (...)
LACLOS, les Liaisons dangereuses, III, CXVIII.

Se créer des amis, une clientèle. ⇒ **Faire** (se). *Ce chanteur a dû se créer un public.*

▶ **CRÉÉ, ÉE** p. p. adj. *Le monde créé.* — N. m. Celui qui est créé. *Le créé :* l'ensemble des choses créées (contr. : *incréé*).

CONTR. **Abolir, abroger, anéantir, annihiler, détruire.** — (Du p. p.) **Incréé.**
DÉR. (Du lat.) V. **Créateur, création, créature.**
COMP. **Procréer, recréer.**

CRÉMA [kʀema] n. f. — 1863, Littré ; dér. du lat. *cremare* « brûler ».

♦ Techn. Résultat de l'oxydation du fer dans le fourneau.

CRÉMAILLÈRE [kʀemajɛʀ] n. f. — 1549 ; *carmeilliere* (XIIIe), *cramailliere* (1445) ; de l'anc. franç. *cramail, cremail ;* du lat. pop. *cramaculus,* de *cremaculus,* altér. de **cremasculus,* du grec *kremastêr* « qui suspend ».

♦ **1.** Tige de fer munie de crans qui permettent de la suspendre à différentes hauteurs dans une cheminée, et terminée par un bout recourbé auquel on accroche une marmite, un chaudron... *Suspendre, accrocher une crémaillère. Hausser, baisser la crémaillère.*

Une cheminée haute dont les jambages étaient de bois grossièrement cannelé, laissait pendre à une crémaillère, une marmite pleine de pommes de terre.
LAMARTINE, Raphaël, 14. [1]

Loc. fig. **PENDRE LA CRÉMAILLÈRE** : célébrer par un repas, une fête son installation dans un nouveau logement (→ Cabotin, cit. 1). *Aller pendre la crémaillère chez qqn. — Pendaison de crémaillère.* Ellipt. *La crémaillère :* ce repas, cette fête.

Nous donnâmes une fête de fort bon goût pour pendre la crémaillère.
STENDHAL, Mémoires d'un touriste, p. 13. [2]

♦ **2.** (1680). Techn. Pièce munie de crans, qui sert à relever ou à baisser une partie mobile. *Crémaillère d'un fauteuil à dossier mobile. Crémaillères d'une armoire, d'une bibliothèque à rayons mobiles.*

Spécialt. Tige, rail... muni de crans.

Mar. *Crémaillère de ridage.* ⇒ **Ridoir.**

♦ **3.** Loc. **À CRÉMAILLÈRE.** [a] Cour. (Sens propre). Muni d'une crémaillère, d'une tige rectiligne à crans qui s'engrènent dans une roue dentée pour transformer un mouvement de rotation continu en un mouvement rectiligne continu, ou inversement. *Cric à crémaillère.* « *L'antique système de chemin de fer à crémaillère qui fut essayé à l'origine de nos voies ferrées* » (*l'Année sc. et industr.* 1876, p. 314). *Automobile avec direction à crémaillère. Chemin de fer à crémaillère,* à rail denté. — *Limon à crémaillère :* sorte de limon taillé à dents qui, dans un escalier, est posé contre les murs et reçoit les marches. *Chevalet, pupitre à crémaillère.*

[b] Fig. Fin. *Parité à crémaillère :* régime dans lequel les parités de change sont susceptibles d'être révisées par une succession de modifications de faible amplitude.

CRÉMANT [kʀemɑ̃] adj. et n. m. — 1846 ; p. prés. de 1. *crémer.*

♦ *Champagne crémant,* ou, n. m., *crémant :* vin de Champagne à mousse légère (spécialement préparé à cet effet). *Boire une coupe de crémant.*

HOM. **Crément** ; p. prés. de 1. **crémer** et 2. **crémer.**

CRÉMASTER [kʀemastɛʀ] n. m. — 1546 ; du grec *kremastêr* « qui suspend ».

♦ Anat. Muscle suspenseur du testicule. — Appos. *Muscle crémaster.*

CRÉMATEUR [kʀematœʀ] n. m. — 1885, *in* D. D. L. ; du rad. de *crémation.*
Rare.

♦ **1.** Partisan de la crémation. ⇒ **Crématiste.**

♦ **2.** Personne qui pratique la crémation.

CRÉMATION [kʀemasjɔ̃] n. f. — XIIIe ; rare av. 1823 ; lat. *crematio,* du supin de *cremare* « brûler ».

♦ **1.** Vx. Action de brûler (qqch.).

♦ **2.** Didact. Action de brûler le corps des morts. ⇒ **Incinération.** *Pratique de la crémation.*

Les crémations royales ont lieu, en plein air (...) Le corps est placé sous un dais en drap d'or, entouré de parasols d'or. Il est dans une urne, assis.
Paul MORAND, Rien que la Terre, p. 165.

CRÉMATISTE [kʀematist] n. — 1960 ; dér. sav. du lat. *crematio* ou du rad. de *crémation.*

♦ Didact. Adepte de l'incinération des morts. ⇒ **Crémateur.** *Un, une crématiste convaincu(e).* — Adj. *Mouvement crématiste.*

CRÉMATOIRE [kʀematwaʀ] adj. — 1879 ; dér. sav. du lat. *crematum,* supin de *cremare* « brûler ».

♦ Qui a rapport à la crémation* (rare, sauf dans le syntagme ci-dessous). *Four crématoire,* où l'on réduit les corps en cendres. *Fours crématoires d'un cimetière.* ⇒ **Crematorium.** — Spécialt. *Les fours crématoires et les chambres à gaz des camps d'extermination.* → Camp, cit. 3 — N. m. *Un crématoire :* le lieu, le four où est effectuée une crémation (l'expression évoque presque toujours les camps d'extermination nazis ; elle est rare dans les autres emplois, pour lesquels on recourt de préférence au terme *crematorium,* didactique et affectivement neutre).

(...) quand on sait que le gouvernement qui vient de décorer le poète chrétien Paul Claudel est celui-là même qui décora de l'ordre des Flèches Rouges Himmler, organisateur des crématoires, on est fondé à dire, en effet, que ce n'est pas Calderon ni Lope de Vega que les démocraties viennent d'accueillir dans leur société d'éducateurs mais Joseph Goebbels.
CAMUS, Actuelles II, *in* Essais, Pl., p. 781. [1]

L'épaisse fumée du crématoire se perd dans les nuages bas qui viennent de la forêt de Bavière et des monts de Bohème.
MALRAUX, Antimémoires, Folio, p. 607. [2]

CREMATORIUM [kʀɛmatɔʀjɔm] n. m. — 1882, cit.; mot lat., de *cremare*. → Crématoire.

♦ Didact. Dispositif (four) où l'on incinère les restes des morts. *«À côté du crematorium où le corps est brûlé...»* (*l'Année sc. et industr.* 1882-83, p. 325).

CRÈME [kʀɛm] n. f. — 1190, *craime; cresme*, 1261; du lat. pop. *crama* d'orig. gauloise, croisé avec *chrisma*. → Chrème.

★ **I. A.** ♦ **1.** Matière grasse et onctueuse du lait, à partir de laquelle est fait le beurre. *Crème fraîche. Mesurer la quantité de crème du lait. Un pot de crème. Séparer la crème du lait.* ⇒ **Écrémer.** *Crème double,* obtenue à l'écrémeuse* et qui contient deux fois plus de beurre que la crème qui monte naturellement à la surface du lait. *Crème fluide.* ⇒ **Fleurette.** *Battre la crème.* ⇒ **Baratter; beurre; babeurre.**

1 Les jattes sont alignées, pleines de lait toujours plus jaune jusqu'à ce que toute la crème en soit montée. La crème affleure lentement; elle se boursoufle et se ride et le petit lait s'en dépouille. GIDE, les Nourritures terrestres, V, III, p. 118.

Spécialt. **a** Crème prélevée sur le lait et consommée fraîche. *Préférez-vous de la crème ou du lait dans votre thé? Crème liquide; crème épaisse. Café avec de la crème.* → ci-dessous, II., 2.

b Pellicule qui se forme à la surface du lait qu'on a fait bouillir. ⇒ **Peau** (de lait).

♦ **2.** *Crème de gruyère, de gorgonzola,* fromage fondu.

♦ **3.** (Dans quelques expr.). Crème sucrée et montée au fouet, accompagnant desserts et pâtisseries. *Crème fouettée. Crème chantilly. Glace, fraises à la crème chantilly.* — Absolt. *Il aime les gâteaux avec de la crème.*

B. Fig. Ce qu'il y a de meilleur en certaines choses. *Il n'y a plus rien à gagner, on a pris toute la crème. C'est la crème des hommes, le meilleur des hommes* (→ Pâte, B., 3.). *Il fréquente des gens douteux : ce n'est pas la crème.* ⇒ **Gratin.** *La crème de la crème.* → Le dessus du panier*.

1.1 Il rêvait déjà pour sa femme cet empire sur la crème de la société parisienne, sur le faubourg Saint-Germain le plus légitimiste et le plus fermé, sur le corps diplomatique et les familles royales étrangères qu'elle a conquis depuis. PROUST, Jean Santeuil, Pl., p. 433.

2 Mon oncle Henri était la crème des hommes : doux, paterne, même un peu confit (...) GIDE, Si le grain ne meurt, IV, p. 99.

C. ♦ **1.** (1802). Entremets composé ordinairement de lait et d'œufs. *Crème fortement battue.* ⇒ **Mousse.** *Crème pâtissière. Crème anglaise. Crème renversée,* ou *crème prise. Crème caramel. Crème au beurre. Crème à flan. Tarte à la crème* (⇒ **Flan;** → Affadir, cit. 2). Fig. ⇒ **Tarte.** *Chou, éclair à la crème. Crème aux amandes* (⇒ **Frangipane**). *Crème glacée* (calque de l'angl. *ice-cream*). ⇒ **Bienfait, glace, parfait.** *Crème à l'ananas, au café, au chocolat, aux fraises, à la pistache, à la vanille... Crème vendue prête à consommer.* ⇒ **Crème-dessert.**
Crème de marrons : préparation sucrée de marrons réduits en bouillie, additionnée de beurre et de crème (A., 1.). — *Chocolat à la crème,* fourré et parfumé.

♦ **2.** Potage lié et velouté dont les éléments réduits en bouillie ont pris une consistance crémeuse. *Crème de riz. Crème d'asperges, de champignons. Crème d'avoine* (→ Flocons d'avoine). *Crème de volaille. Crème de crevettes, d'écrevisses.*

♦ **3.** (1760, *in* D.D.L.). Liqueur de consistance sirupeuse. *Crème de bananes, de cacao, de cassis, de menthe, de moka, de vanille.*

♦ **4.** (1818, *in* D.D.L.). Préparation crémeuse utilisée dans la toilette et les soins de la peau. *Crème à raser. Crème de beauté* (⇒ **Cold-cream**). *Crème de jour, de nuit. Crème grasse. Crème fond de teint. Crème à bronzer.*
Pharm. *Crème (dermique) :* préparation molle, moins grasse que la pommade*, renfermant une importante quantité d'eau, utilisée comme excipient pour divers produits médicamenteux.

♦ **5.** Produit d'entretien, à base de cire ou d'oléine (⇒ **Pâte**). *Crème pour chaussures.* ⇒ **Cirage.**

♦ **6.** Chim. anc. *Crème de tartre :* bitartrate de potasse que l'on extrait des lies de vin. — *Crème de soufre :* fleur de soufre.

★ **II.** ♦ **1.** Adj. invar. (1882, Zola; *blanc crème,* 1880, *in* D.D.L.; du sens A, 1). D'une couleur blanche légèrement teintée de jaune. *Des gants crème.*

3 Un cadre noir sur un papier vergé d'un ton crème (...) J. CHARDONNE, les Destinées sentimentales, I, IV, p. 170.

N. m. *Un crème, du crème :* cette couleur. *Pour la salle de séjour, nous avons choisi un crème légèrement ocré.*

4 La petite fillette était en crème avec des gants rouges sang de bœuf. J. RENARD, Journal, 9 avr. 1890.

♦ **2.** (1898; *café à la crème,* 1822). Appos. **CAFÉ CRÈME :** café avec de la crème (plus souvent, avec du lait); tasse de cette boisson. *Deux cafés crème.* — (Ellipt). *Un crème* (n. m.) : un café crème. *Garçon! deux grands crèmes* (parfois invar., comme dans *café crème*).

« Si j'avais le temps, je me taperais un crème croissant au bistrot d'en face » (Borniche, *le Ricain,* p. 297), un café crème avec un croissant.

5 «Je vous en offre un...» J'allais pas le vexer. «Entrons!» que je fais. «Deux crème.» CÉLINE, Voyage au bout de la nuit, p. 277.

6 Le train jette son fardeau sur le quai. Le tas file vers une ouverture où il se désagrège. Les uns prennent le B, d'autres le V, d'autres le CD, d'autres le métro. D'autres vont à pied. D'autres s'attardent pour avaler un crème avec un croissant. R. QUENEAU, le Chiendent, Folio, p. 40.

DÉR. 1. Crémer, crémet, crémeux, crémier, crémoir.
COMP. Écrémer, écrémage. — Crème-dessert.
HOM. Chrême. — Formes des v. 1. et 2. crémer.

CRÈME-DESSERT [kʀɛmdesɛʀ] n. f. — xxᵉ; de *crème,* et *dessert.*

♦ Comm. Entremets à base de lait écrémé, de sucre, d'huile végétale hydrogénée, d'amidon modifié et de différents produits chimiques, aromatisé artificiellement et coloré, vendu dans le commerce en boîtes de conserve, ou sous forme de poudre. — Au plur. *Des crèmes-desserts.*

CRÉMENT [kʀemã] n. m. — 1743; du lat. *crementum* «accroissement», de *crescere* «croître».

♦ Didact. Vx. Augmentation d'une ou de plusieurs syllabes que subit dans la déclinaison le nominatif d'un mot, ou, dans la conjugaison, la deuxième personne de l'indicatif présent d'un verbe.

HOM. Crémant; p. prés. de 1. crémer et 2. crémer.

1. CRÉMER [kʀeme] v. intr. — Conjug. *céder.* — 1580; de *crème.*

♦ Rare. Se couvrir de crème, en parlant du lait. — Par anal. *Mousse qui crème.*
Trans. Donner la couleur de la crème, une couleur crème à (qqch.). *Crémer une dentelle.*

▶ **CRÉMÉ, ÉE** p. p. adj.
Tissé de fils couleur crème. *Dentelle crémée.*
DÉR. Crémant.
HOM. 2. Crémer.

2. CRÉMER [kʀeme] v. tr. — V. 1200; du lat. *cremare* «brûler».

♦ **1.** Vx. Brûler.

♦ **2.** Mod., rare. Incinérer le corps de (un mort). ⇒ **Crémation, crématoire.**

HOM. 1. Crémer.

CRÉMERIE [kʀemʀi] n. f. — 1845; du rad. de *crémier.*

♦ **1.** Lieu où l'on traite le lait, où l'on produit et l'on vend la crème (du lait), le lait.

♦ **2.** Magasin où l'on vend les produits laitiers. ⇒ **Beurrerie, laiterie; crémier.** *La crémerie vend du lait, de la crème, du beurre, des fromages, des yaourts, des œufs* (→ Beurre*, œufs, fromage).

♦ **3.** Anciennt. Restaurant populaire où on servait à l'origine des produits laitiers. — Par ext. Petit restaurant bon marché.
Loc. fig. *Changer de crémerie :* aller ailleurs (→ Mettre les voiles*). ⇒ **Déménager.**

1 On s'emmerde ici... Si on allait dans une autre crémerie?... A. MAUROIS, Terre promise, X, p. 72.

2 Chazot, Sagan, Merle étaient partis, poussés par le besoin de changer de crémerie. Jacques LAURENT, les Bêtises, p. 419.

CRÉMET [kʀemɛ] n. m. — Attesté 1953; de *crème.*

♦ Régional. Petit fromage à la crème. — Au plur. *Crémets d'Angers, de Saumur :* fromages frais composés de crème fouettée et de blancs d'œufs (on dit aussi *mulon* «petite meule»).

CRÉMEUX, EUSE [kʀemø, øz] adj. — 1572; de *crème.*

♦ **1.** Qui contient beaucoup de crème. *Lait crémeux, bien crémeux.*

♦ **2.** Qui a la consistance, l'aspect de la crème. *Une préparation, une sauce crémeuse.*

♦ **3.** Qui a la couleur de la crème; qui tire sur le crème* (II., 1.). *Couleur crémeuse. Des mains blanches, crémeuses.*

(...) le tenon complètement rouillé, scellé dans le mur de briques, le ciment autour de l'épaisse lame de fer formant une collerette crémeuse dans laquelle on pouvait encore voir les traces de la truelle (...) Claude SIMON, la Route des Flandres, p. 212.

CRÉMIER, IÈRE [kʀemje, jɛʀ] n. — 1762 ; de *crème*.

♦ **1.** Commerçant, commerçante qui vend des produits laitiers (lait, crème, beurre, fromage), des œufs. ⇒ **Beurrier** (vx), **laitier**. *Va acheter des yaourts chez le crémier*.

♦ **2.** Techn. Récipient servant à conserver la crème.

DÉR. **Crémerie.**

CRÉMOIR [kʀemwaʀ] n. m. — 1885 ; de *crème*, suff. *-oir*.

♦ Techn. Ustensile pour écrémer le lait. *« (Les) crémoirs, d'où le petit lait s'en allait goutte à goutte »* (Zola, *in* T. L. F.).

CRÉMONE [kʀemon] n. f. — 1790 ; p.-ê. du rad. de *crémaillère*, ou du nom de la ville de *Crémone* en Italie.

♦ Espagnolette* servant à fermer les fenêtres, composée d'une tige de fer qu'on hausse ou qu'on baisse en faisant tourner une poignée. *Faire jouer, manœuvrer la crémone.*

Sa main s'est posée sur la poignée de porcelaine, lisse et froide sous la paume. La crémone n'est pas fermée, les deux battants sont seulement poussés, ils s'ouvrent d'eux-mêmes sans aucun effort, par le simple poids du bras qui s'y accroche.
A. ROBBE-GRILLET, Dans le labyrinthe, p. 102 (1959).

CRÉNAGE [kʀenaʒ] n. m. — 1835 ; de *créner*.

♦ Techn. Action de créner*. — REM. On dit aussi *crénerie* [kʀen(ə)ʀi] n. f. (1782).

CRÉNEAU [kʀeno] n. m. — V. 1154 (plur.) *crenel, creneaus* ; de *cren, cran**, suff. *-el, -eau*.

★ **I.** ♦ **1.** Ouverture dentelée pratiquée au sommet d'un rempart, d'une courtine et qui servait à la défense. *Les merlons*, l'embrasure du créneau. Créneaux de couronnement.* ⇒ **Château** (cit. 1). *Créneau mâchicoulis*, permettant d'atteindre les assaillants au pied de la muraille. ⇒ **Mâchicoulis**. *Château, mur à créneaux.* ⇒ **Crénelé**.

1 Spongieuses, sèches comme des pierres ponce, des tours, argentées par des lichens et dorées par les mousses, se dressaient entières jusqu'à leurs collerettes de créneaux dont les débris s'usaient, peu à peu, dans les nuits de vent.
HUYSMANS, Là-bas, VIII, p. 114.

Motif décoratif de forme analogue à un créneau. *Pièce d'étoffe à créneaux.*

♦ **2.** Ouverture d'un parapet de tranchée, d'une muraille pour viser et tirer. ⇒ **Meurtrière.**

Loc. fig. Mod. *Monter au créneau* : s'engager personnellement dans une action qui a le caractère d'une lutte. *Pour défendre votre projet, il va falloir que vous montiez au créneau.*

Vx. Intervalle entre deux sections, deux pelotons de soldats, et où se placent les chefs de section, de peloton. *Se placer en créneaux.*

Mod., techn. Ouverture des fourneaux de potiers. — *Écrou à créneaux*, muni d'une encoche, dans laquelle passe une goupille qui traverse aussi la tige du bouton pour le tenir solidement fixé.

Mar. Tuyau conduisant les ordures à la mer.

♦ **3.** Astronaut. *Créneau de lancement.* ⇒ **Fenêtre.**

★ **II.** (Mil. xxᵉ). ♦ **1.** Espace disponible entre deux espaces occupés. *Créneau entre deux voitures* (en mouvement, en stationnement). *Se ranger dans un créneau, en créneau. Faire un créneau.*

♦ **2.** (Abstrait). Temps disponible. *Trouver un créneau dans son emploi du temps.* — Spécialt (radio, télév.). Temps d'antenne réservé à une personne ou un groupe de personnes. *Les créneaux réservés aux grandes formations politiques.*
Occasion :

2 La difficulté (...) n'existait plus et je n'avais plus aucune excuse à tarder. Je ne cherchais plus qu'un créneau. Virginie me l'offrit.
Cecil SAINT-LAURENT, la Mutante, p. 156.

Comm. Publicité. Possibilité de marché pour un produit ; place disponible sur un marché. *Trouver un créneau.* *« Nous cherchons alors un " créneau ", une ouverture sur le marché pour un produit que nous créerons »* (le Nouvel Obs., 2 avr. 1973, p. 51). *Créneau économique* (pour une invention).

DÉR. **Créneler.**

CRÉNELAGE [kʀenlaʒ] n. m. — 1723 ; de *créneler*.
Technique.

♦ **1.** Action de créneler (une pièce de monnaie).

♦ **2.** Cordon, sur l'épaisseur d'une pièce de monnaie, d'une médaille. ⇒ **Grènetis.**

CRÉNELER [kʀenle] v. tr. — Conjug. *appeler*. — V. 1160 ; de *créneau*.

♦ **1.** Munir de créneaux. *Créneler une muraille, un parapet* (⇒ **Bretèche**).

♦ **2.** Entailler en disposant des crans. ⇒ **Denteler**. *Créneler une roue pour un engrenage.* — *Créneler une pièce de monnaie*, faire un cordon sur son épaisseur.

▶ **SE CRÉNELER** v. pron.

♦ **1.** Milit. Vx. Former des créneaux* (2.).

♦ **2.** Fig. Se protéger. ⇒ **Barricader** (se). *« Il s'était crénelé dans cette masure »* (V. Hugo, les Travailleurs de la mer, 1866, *in* T. L. F.).

▶ **CRÉNELÉ, ÉE** p. p. adj.

♦ **1.** Garni de créneaux. *Murs crénelés* (→ Arsenal, cit. 1). — Spécialt. Blason. *Écu crénelé* (⇒ **Bastillé, bretessé**). *Chape crénelée de l'écu.*
Fig. Barricadé, retranché.

♦ **2.** Sc. nat. Dont le bord est découpé. *Feuille crénelée, aile crénelée.* — *Coquille crénelée.*

DER. **Crénelage, crénelure.**

CRÉNELURE [kʀenlyʀ] n. f. — xivᵉ ; de *créneler*.

♦ Découpure en forme de créneaux. ⇒ **Dentelure**. *La crénelure des remparts.* — *Crénelures de la feuille de chêne. Crénelure des os du crâne.*

CRÉNER [kʀene] v. tr. — Conjug. *céder*. — xiᵉ *« entailler, couper »* ; sens mod., 1754 ; p.-ê. du lat. *crena*, par un gaul. **crinare*.
Imprimerie.

♦ **1.** Évider la partie qui déborde le corps d'une lettre.

♦ **2.** Marquer d'un cran, d'une entaille (la tige d'une lettre).

DÉR. 1. **Cran, crénage.**

CRÉNOLOGIE [kʀenɔlɔʒi] n. f. — xxᵉ ; du grec *krênê* « source », et *-logie*.

♦ Méd. Étude de la valeur thérapeutique des eaux minérales.

CRÉNOM ou **CRÉ NOM** [kʀenõ] interj. — 1832, *cré nom de nom, in* D. D. L. ; abrév. de *sacré* nom de Dieu.

♦ Juron atténué. *Crénom de nom ! Cré nom de Dieu !* (⇒ aussi **Acré, cré, crédié**).

Cré nom de nom ! Vous voyez bien que je suis occupé. Mademoiselle est un professeur. Je prends une leçon de danse.
J. ANOUILH, la Valse des toréadors, I, p. 123.

CRÉNOPHILE [kʀenɔfil] adj. — xxᵉ ; du grec *krênê* « source », et *-phile*.

♦ Biol. Se dit d'un organisme qui vit de préférence dans les eaux de source.

CRÉNOTHÉRAPIE [kʀenoteʀapi] n. f. — 1909, in *Rev. gén. des sc.*, nᵒ 16, p. 718 ; du grec *krênê* « source », et *-thérapie*.

♦ Méd. Traitement par les eaux de source. *« Les bienfaits escomptés de la crénothérapie »* (le Monde, 23 févr. 1978).

CRÉOLE [kʀeɔl] adj. et n. — 1670 ; altér. de *criolle, criollo, -a*, 1643 ; esp. *criollo*, du port. *crioulo* « serviteur nourri dans la maison », appliqué aux métis noirs du Brésil, de *criar* « nourrir, élever », du lat. *creare* (→ Créer) ; le suff. est obscur.

♦ **1.** Qui se rapporte aux personnes de race blanche, nées dans les colonies intertropicales (en particulier aux Antilles). *Un planteur créole. Joséphine de Beauharnais était créole.*
N. *Un, une créole.*

(...) celle-ci *(la fille des Îles)* restera toujours enveloppante ; une certaine câlinerie naturelle aux créoles, et que son accent zézayant de la Martinique rendait plus séduisante (...)   Louis MADELIN, l'Ascension de Bonaparte, II, p. 25. 1
M. Richard C. Lionel est ce qu'on nomme, en ce pays, un créole, c'est-à-dire qu'il descend des colons français, sans le moindre alliage de sang coloré.
G. DUHAMEL, Scènes de la vie future, XI, p. 166. 2

REM. En français de l'île Maurice, *créole* désigne au contraire une personne de couleur.

♦ **2.** Relatif aux pays de la zone tropicale caractérisés par la colonisation blanche et l'esclavage noir (à l'origine). *Noirs créoles et noirs africains. Parlers créoles* (→ ci-dessous, 3.). *Pays créoles.* —

À la créole. Coiffure à la créole. Cuis. *Riz à la créole,* ou, adj., *riz créole :* riz cuit à l'eau et séché puis accompagné soit de fruits (entremets) soit de poivrons et de tomates. *Œufs à la créole,* frits, disposés sur les courgettes grillées.

♦ **3.** (XIXe ; une première fois en 1668, *langue créole,* à propos d'un créole portugais d'Afrique). N. m. Ling. *Le créole, un créole.* Système linguistique mixte provenant du contact du français, de l'espagnol, du portugais, de l'anglais ou du néerlandais avec des langues africaines indigènes ou importées (Antilles) et devenu langue maternelle d'une communauté (opposé à *pidgin** et à *sabir**, qui ne sont pas des langues maternelles). *Le créole d'Haïti, de la Guadeloupe, de la Martinique. Les créoles anglais de la Jamaïque. Les créoles portugais, néerlandais. Parler créole, le créole, un créole* ⇒ **Créolophone.** *Apprendre le créole. Grammaire du créole haïtien. Alphabétiser la population en créole. Ouvrage, bande dessinée, conte en créole. Étudier le créole.* ⇒ **Créoliste.**

3   (...) à la Martinique (...) je suis entré dans la salle de la Cour d'assises qui était alors en session ; (...) Accusé, plaignant et témoins s'exprimaient en un créole volubile dont en un tel lieu la cristalline fraîcheur avait quelque chose de surnaturel.
Claude LÉVI-STRAUSS, Tristes tropiques, p. 20-21.

Adj. *Locutions créoles. Vocabulaire, dictionnaire créole.*

REM. La reconnaissance du créole comme véritable langue est relativement récente ; ces parlers étaient conçus, jusqu'à la fin du XIXe s., comme de simples altérations du français, de l'anglais, etc., ce qui n'est vrai que de leurs lexiques. Hugo, dans *Bug-Jargal* (1826), parle de *jargon,* de *patois créole.*

DÉR. Créoliser (se), créoliste.
COMP. Créolophonie.

CRÉOLISER (SE) [kʀeɔlize] v. pron. — 1838 ; de *créole.*

♦ **1.** S'adapter aux habitudes, au mode de vie des créoles.

♦ **2.** Ling. Prendre certains caractères du créole, en parlant de la langue d'où provient un parler. — Au p. p. *Français, espagnol créolisé.*

CONTR. et COMP. (Du sens 2) **Décréoliser** (se) : «perdre le caractère créole».

CRÉOLISTE [kʀeɔlist] n. — Mil. XXe ; de *créole.*

♦ Didact. Linguiste spécialiste d'un créole, des créoles. *« Provoquer une réunion des créolistes et (...) faire le point sur les études créoles dans le monde »* (la Banque des mots, 1978, p. 117). — Adj. *Études créolistes.*

CRÉOLOPHONE [kʀeɔlɔfɔn] adj. et n. — V. 1960 ; de *créole,* et *-phone.*

♦ Didact. Personne qui parle le créole, un créole. *Créolophones et francophones des Antilles, de Haïti.* — Adj. *« Les territoires créolophones de l'Océan indien »* (A. Valdman, le Créole, p. 35).

CRÉOPHAGE [kʀeɔfaʒ] adj. et n. — 1863 ; du grec *kreas* «chair», et *-phage.*

♦ Biol. Se dit d'un organisme qui se nourrit de chair. *Insecte créophage.* ⇒ **Carnivore.** — N. *Un, une créophage.*

CRÉOSOL [kʀeɔzɔl] n. m. — 1866 ; de *créos(ote),* et élément *-ol* du lat. *oleum* «huile».

♦ Chim., techn. Huile de la créosote* de hêtre.

CRÉOSOTAGE [kʀeozɔtaʒ] n. m. — 1869 ; de *créosoter.*

♦ Techn. Action de créosoter. *Créosotage des traverses de chemin de fer.*

CRÉOSOTE [kʀeozɔt] n. f. — 1832 ; du grec *kreas* «chair», et *sôzein* «conserver».

♦ Liquide huileux, transparent, désinfectant, qui contient du phénol et du crésol. *Les créosotes sont des mélanges complexes d'huiles lourdes. Huiles de créosote qui servent à la fabrication du carbonyle. Injecter de la créosote dans le bois pour le conserver.* ⇒ **Créosoter.** — *Créosote officinale :* antiseptique obtenu par rectification des créosotes industrielles.

L'artimon (c'est-à-dire le poteau de l'E. D. F.) était imprégné de créosote sous pression comme le sont les poteaux télégraphiques, ce qui les garantit contre la pourriture.   Bernard MOITESSIER, Cap Horn à la voile, p. 48.

DÉR. Créosoter. — V. Créosol, crésol.

CRÉOSOTER [kʀeozɔte] v. tr. — 1868 ; *créosoté,* 1934 ; de *créosote.*

♦ Techn. Imprégner (le bois) de créosote* pour qu'il résiste à

l'humidité. *Créosoter des poteaux télégraphiques, des traverses de chemin de fer.*

▶ **CRÉOSOTÉ, ÉE** p. p. adj.
Imprégné de créosote. *Bois créosoté. Produits créosotés,* qui contiennent de la créosote.
DÉR. Créosotage.

CRÊPAGE [kʀɛpaʒ] n. m. — 1723 ; de *crêper.*

♦ **1.** Techn. Apprêt de (une étoffe) pour faire un crêpe.

♦ **2.** (1877). Fam. CRÊPAGE DE CHIGNON : bataille entre femmes ; violente dispute. — (1922). Action de crêper (I., A., 1.) les cheveux.

Tu portes la question du cheveu sur le forum. Pour les photographes d'un journal, tu n'hésites pas à faire mousser dans ta tignasse un shampooing aux œufs, à t'offrir au sirocco brûlant d'un sèche-cheveux, à te soumettre à la loi de la mise en plis et du crêpage à la brosse.
P. GUTH, Lettre ouverte aux idoles, Antoine, p. 71.

CONTR. et DÉR. Décrêpage.

1. CRÊPE [kʀɛp] n. f. — 1380 ; *crispe,* v. 1285, de l'adj. *cresp* «frisé», v. 1160 ; du lat. *crispus* «frisé», par allus. à l'aspect pris par la pâte.

♦ **1.** Fine galette faite d'une pâte liquide composée de lait, de farine et d'œufs, que l'on a fait frire dans une poêle ou sur une plaque (dite *plaque à crêpes.* ⇒ **Crêpier**). *Crêpe roulée. Crêpe de blé, de sarrazin* (⇒ **Blinis**). *Crêpe fourrée. Crêpe salée, sucrée. Crêpe à la confiture, au jambon. Crêpe flambée. Crêpes bretonnes accompagnées de cidre. Crêpe de Chartreux,* fourrée et parfumée à la chartreuse verte. *Crêpe Suzette,* au sucre, parfumée au citron ou au curaçao. *Crêpes au Grand Marnier* (dont *d'une liqueur*). *Crêpe épaisse.* ⇒ **Matefaim; pannequet.** *Faire sauter des crêpes. Manger des crêpes à la Chandeleur, le jour du Mardi gras. Manger des crêpes dans une crêperie* bretonne.

Mais, d'ordinaire, pour sa réception du mardi, Pauline se bornait à commander des tartelettes et des crêpes aux confitures (...)
J. CHARDONNE, les Destinées sentimentales, I, p. 41.

♦ **2.** Loc. compar. *S'aplatir comme une crêpe :* se soumettre lâchement. *Retourner qqn comme une crêpe,* l'influencer au point de lui faire changer instantanément d'opinion. *Laisser tomber qqn comme une crêpe,* l'abandonner brutalement.

Fig., fam. Personne molle, niaise. *Quelle crêpe, ce type !*

DÉR. Crêperie, crêpier.
HOM. 2. Crêpe.

2. CRÊPE [kʀɛp] n. m. — 1285, «ornement de tête» ; de 1. *crêpe,* «tissu frisé, crêpu».

♦ **1.** (V. 1820). Tissu léger de soie, de laine fine, auquel on fait subir un certain apprêt suivi d'une compression. *Crêpe de soie,* dont les fils de chaîne sont très tordus. — (1827). *Crêpe de Chine :* étoffe de soie légèrement crêpée. *Crêpe frisé* ou *crêpu. Crêpe marocain :* tissu épais à grain cannelé. *Crêpe georgette,* souple, transparent. *Crêpe lisse, crêpe crêpé* ou *crêpe de garniture.* — (1925). *Crêpe satin.*

REM. Les syntagmes de loin les plus courants sont *crêpe de Chine* et *crêpe georgette.*

(Mil. XVIe). *Un, des crêpes.* Morceau de crêpe noir, que l'on porte en signe de deuil. *Porter un crêpe,* à la coiffure, au revers de la veste, en brassard... — *Mettre un crêpe, un bandeau de crêpe à un drapeau.*

(...) il avait gardé à son chapeau le crêpe de l'enterrement de Jacques (...)
GIRAUDOUX, Bella, IX, p. 212.

Par métonymie. Littér. Vêtement de deuil, et, fig., le deuil. *« Le crêpe et les fatigues accablaient la jeune veuve »* (J. Cocteau, les Enfants terribles, 1929, in T. L. F.).

Poét. ⇒ **Chagrin, mélancolie, spleen.**

♦ **2.** (1929, in D.D.L.). Latex de caoutchouc coagulé et séché, très résistant, servant à faire des semelles de chaussure. *Chaussures à semelles de crêpe,* ou, fam., *chaussures en crêpe.* En appos. *Semelles crêpe.*

(...) ces souliers, aux épaisses semelles de crêpe, des souliers dans lesquels on marcherait sans faire de bruit et sans se mouiller les pieds.
S. DE BEAUVOIR, les Mandarins, p. 86.

♦ **3.** Par anal. (Vx). Petite touffe de cheveux, nattés ou frisés, que les femmes ajoutaient à leur coiffure.

DÉR. Crêpine, crépon, crépu. — V. Crêper.
HOM. 1. Crêpe.

CRÊPÉ, ÉE [kʀepe] p. p. adj. et n. ⇒ **Crêper.**

CRÊPELAGE [kʀɛplaʒ] ou CRESPELAGE [kʀɛspəlaʒ] n. m. — 1877 ; de *crêpelé.*

♦ Vx. Le fait de rendre crêpelés (les cheveux) ; état des cheveux crêpelés (⇒ **Crêpelure**).

(...) chaque soir, après qu'un léger crêpelage ajouté à la brosse de ses cheveux roux avait tempéré de quelque douceur la vivacité de ses yeux verts (...)
PROUST, Du côté de chez Swann, Pl., t. I, p. 195.

CRÊPELÉ, ÉE ou CRESPELÉ, ÉE [kʀɛp(ə)le] adj. — 1513, crespelez ; crêpelu, 1560 ; de crêper.

♦ Frisé à très petites ondulations (cheveux). → Crépu. *Cheveux crêpelés. Chevelure crêpelée.* — REM. La graphie *crespelé* est archaïsante et littéraire.

1   Tes cheveux crespelés, ta peau de mulâtresse
   Rendaient plus attrayants tes charmes ingénus (...)
BAUDELAIRE, Premiers poèmes, XVI, à Yvonne Pen-Moor.

2   Et les mèches de ses cheveux roux crespelés par la nature, mais collés par la brillantine, étaient largement traitées comme elles sont dans la sculpture grecque (...)
PROUST, Du côté de chez Swann, Pl., t. I, p. 324.

DÉR. Crêpelage, crêpelure.

CRÊPELER (SE) ou CRESPELER (SE) [kʀɛp(ə)le] v. pron.
— Conjug. *geler*. — 1530 ; de l'anc. franç. *cresper* ou de *crêpelé*, qui semble antérieur. → Crêper.

♦ Devenir ondulé. — Var. graphique : *se crépeler.*

Sur sa tête carrée du haut, large de front, se crépelait une chevelure abondante, qui s'échappait en boucles.
J. VERNE, Michel Strogoff, p. 32.

COMP. Décrêpeler.

CRÊPELURE [kʀɛplyʀ] n. f. — XVIe ; de crêpelé.

♦ État des cheveux crêpelés* ; frisures à très petites ondulations. *De belles crêpelures brunes.* — On écrit aussi *crespelure.*

CRÊPER [kʀɛpe] v. tr. et intr. — 1523, cresper ; probablt crespeure, v. 1377 ; p.-ê. de l'anc. franç. crespe. → 1. Crêpe.

★ **I. A.** V. tr. ♦ **1.** Gonfler (les cheveux) en repoussant une partie de chaque mèche avec le peigne ou la brosse de manière à les faire gonfler. *Crêper une mèche. Les cheveux ne peuvent être crêpés qu'à sec.* — (Compl. n. de personne) :

1   Le coiffeur (...) vous crêpe avec une espèce de fureur. On dirait qu'il espère parvenir à faire mousser vos cheveux, comme s'il battait des blancs d'œufs.
Ch. PAUL DE KOCK, la Grande Ville, t. I, p. 239.

♦ **2.** Loc. fig., fam. *Se crêper le chignon :* se battre*, se prendre aux cheveux (en parlant de femmes). ⇒ **Attraper** (s') ; **crêpage** (de chignon). — Par ext. Se quereller violemment. — Ellipt. *Se crêper :* se battre.

B. V. intr. Friser, se crêper. *« Ses cheveux noirs crêpaient »* (Robert Sabatier, *les Noisettes sauvages,* p. 198).

★ **II.** Préparer (un tissu) comme le crêpe en faisant subir une torsion à la chaîne. *Crêper une étoffe.*

▶ **SE CRÊPER** v. pron. (Emploi réfl. ; sens A). *Cheveux qui commencent à se crêper,* à friser*. ⇒ **Onduler.**

▶ **CRÊPÉ, ÉE** p. p. adj. *Cheveux crêpés, mèches crêpées.* — Qui ressemble au crêpe* (II., 1.). *Étoffe crêpée.*
N. m. *Un, des crêpés,* cheveux, souvent courts, à mèches crêpées. — *En crêpé :* ayant subi un crêpage.

2   (...) la masse de cheveux qu'on portait alors prolongés en « devants », soulevés en « crêpés », répandus en mèches folles le long des oreilles (...)
PROUST, Du côté de chez Swann, Pl., t. I, p. 197.

DÉR. Crêpage, crêpelé.
COMP. Décrêper.

CRÊPERIE [kʀɛpʀi] n. f. — 1929 ; de 1. crêpe.

♦ Endroit où l'on fait, où l'on consomme des crêpes, soit exclusivement, soit principalement. *Manger dans une crêperie bretonne. Cette crêperie sert des crêpes salées et sucrées.*

CRÉPI [kʀepi] adj. et n. m. — 1528, crespis ; p. p. de crépir.

★ **I.** Adj. ♦ **1.** Qui a été enduit d'une couche de plâtre, de ciment d'aspect raboteux. *Murs crépis. Appartement entièrement crépi.*

♦ **2.** Fig., péj. Très fardé. *Visage crépi.* — Loc. (n. m.). Vx. *Un beau crépi :* une femme belle mais très fardée.

★ **II.** N. m. Couche de plâtre, de ciment dont on revêt une muraille. *Faire un crépi.* ⇒ **Crépir.** *Refaire le crépi d'une maison.* ⇒ **Ravalement** (→ Badigeon, cit. 1). *Crépi moucheté. Crépi à la chaux.* → Plâtrer, cit. 1. *L'éclat d'un chaud crépi.* → Peinturlurage, cit.

1. CRÉPIDE [kʀepid] n. f. — 1754 ; lat. crepida « sandale », du grec.

♦ Didact. Dans l'Antiquité grecque, Sandale très découpée ne couvrant complètement que le talon.
HOM. 2. Crépide.

2. CRÉPIDE [kʀepid] n. f. ou CRÉPIS [kʀepis] n. m. — 1842, crépide ; crépis, 1850 ; lat. crepis, crepidis, grec krêpis, krêpidos, même sens.

♦ Bot. Plante herbacée des champs et des lieux incultes (Composées) à feuilles oblongues, à fleurs jaunes ou roses.
HOM. 1. Crépide.

CRÉPIER, IÈRE [kʀepje, kʀepjɛʀ] n. — 1863, au fém. ; de 1. crêpe.

★ **I.** ♦ **1.** Marchand, marchande de crêpes.

★ **II.** ♦ **1.** (XXe). *Un crêpier* ou *une crêpière :* appareil à plaques sur lesquelles on fait des crêpes. *« Une crêpière très plate et sans rebords gênants »* (Paris-Match, févr. 1974).

♦ **2.** N. f. CRÊPIÈRE : poêle sans rebord, pour faire des crêpes.

CRÉPIN [kʀepɛ̃] n. m. — 1723 ; saint crespin, 1640 ; de saint Crépin, patron des cordonniers.
Vieux.

♦ **1.** Au plur. *Crépins :* outils et accessoires servant au cordonnier. *Marchand de cuirs et crépins.* ⇒ **Saint-crépin.**

♦ **2.** Par métonymie. Cordonnier.

CRÉPINE [kʀepin] n. f. — 1245, crespine « collerette » ; de 2. crêpe.

★ **I.** ♦ **1.** Frange, passementerie ouvragée (servant à orner un dais, une fenêtre...). *Crépine à houppes en soie, en argent, en or. « Une tenture de velours rouge à crépines d'or »* (Zola, Son Excellence Eugène Rougon, t. II, p. 187).

1   Le grand appartement (de Versailles) était meublé de velours cramoisi avec des crépines et des franges d'or.
SAINT-SIMON, Mémoires, 67, 113.

2   (...) la terre rouge au sacrifice, parée de pampres et d'épices comme un front de bélier sous les crépines d'or et sous les ganses (...)
SAINT-JOHN PERSE, Amers, VI, in Poètes d'aujourd'hui, Seghers, p. 195.

♦ **2.** (1393). Techn. (boucherie). Membrane graisseuse et transparente qui enveloppe les viscères du veau, du porc, du mouton. ⇒ **Coiffe ; épiploon.**

3   Le quartier fut fier de sa charcuterie (...) Pendant un mois, les voisines s'arrêtèrent sur le trottoir, pour regarder Lisa (...) à travers les cervelas et les crépines, de l'étalage. On s'émerveillait de sa chair blanche et rosée, autant que des marbres. Elle parut l'âme, la clarté vivante, l'idole saine et solide de la charcuterie ; et on ne la nomma plus que la belle Lisa.
ZOLA, le Ventre de Paris, t. I, p. 82.

★ **II.** Techn. Tôle perforée servant à arrêter les corps étrangers à l'ouverture d'un tuyau.

DÉR. Crépinette, crépinier.

CRÉPINETTE [kʀepinɛt] n. f. — V. 1269, « ouvrage de passementerie » ; de crépine.

★ **I.** (1597). Régional. Renouée (plante).

★ **II.** (1740). Cour. Saucisse plate entourée d'un morceau de crépine.

CRÉPINIER, IÈRE [kʀepinje, jɛʀ] n. — V. 1260, crespiniers, crespinière ; de crépine.

♦ Vx. Marchand(e), fabricant(e) de passementerie. ⇒ **Passementier.**

CRÉPIR [kʀepiʀ] v. tr. — 1528 ; « devenir grenu » (du cuir), v. 1170 ; de l'anc. adj. cresp. → 1. Crêpe.

♦ **1.** (1528). Garnir (une muraille) d'un crépi. ⇒ **Ravaler, renformir.** *Crépir un mur. Crépir une maison à la chaux. Crépir en donnant un genre rustique.* ⇒ **Rustiquer.**

Le mur du jardin et de la chènevière était crépi à chaux et à sable.
G. SAND, la Mare au diable, XII, p. 101.

♦ **2.** Techn. *Crépir du cuir,* le rendre grenu. *Crépir le crin,* le faire bouillir dans l'eau pour le friser.

DÉR. Crépi, crépissage, crépissoir, crépissure.
COMP. Décrépir, recrépir.

CRÉPIS [kʀepis] n. m. ⇒ 2. **Crépide.**

CRÉPISSAGE [kʀepisaʒ] n. m. — 1611; de *crépir*.
Technique.

♦ **1.** Action de crépir (un mur). *Crépissage à la truelle* ou *truellisation.*

♦ **2.** État d'une surface crépie. Var. : *crépissure*, n. f. (xIVᵉ).

CRÉPISSOIR [kʀepiswaʀ] n. m. — 1869, P. Larousse; de *crépir*.
♦ Techn. Balai à manche court servant à crépir les murs.

CRÉPISSURE [kʀepisyʀ] n. f. — xIVᵉ; de *crépir*.
♦ Techn. Surface crépie; manière dont une surface est crépie.

CRÉPITANT, ANTE [kʀepitɑ̃, ɑ̃t] adj. — xVᵉ; p. prés. de *crépiter*.
♦ Qui crépite*, produit une succession de bruits secs. *Feu crépitant.* (1833). Méd. *Râle crépitant :* râle pulmonaire, rapide et régulier. ⇒ **Crépitation.** *Râle crépitant observé lors d'une pneumonie.*
COMP. Sous-crépitant.

CRÉPITATION [kʀepitasjɔ̃] n. f. — 1560; de *crépiter*.
♦ **1.** Le fait de crépiter; bruit de ce qui crépite. ⇒ **Crépitement.** *Crépitation du feu,* bruit formé d'une succession de petits craquements. *Crépitation du sel dans le feu. Crépitation des arbres, des feuilles sèches dans la forêt.*

1 La cueille des fruits n'est pas encore faite, et mille crépitations inusitées font ressembler les arbres à des êtres inanimés.
G. SAND, la Mare au diable, Appendice I, p. 149.

2 Ils s'étonnaient de ce silence, interrompu quelquefois par le souffle rauque des éléphants qui s'agitaient dans leurs entraves, et la crépitation du phare où flambait un bûcher d'aloès.
FLAUBERT, Salammbô, Pl., t. I, p. 812.

♦ **2.** Méd. *Crépitation osseuse :* bruit que font entendre les fragments d'un os fracturé quand ils frottent l'un contre l'autre. *Crépitation sanguine :* broiement des caillots sanguins dans un hématome. — (1833). *Crépitation pulmonaire :* bruit produit par l'air dans les alvéoles du poumon dans certains états pathologiques (pneumonie, œdème aigu). — REM. On dit aussi *crépitement* (vieilli).
COMP. Décrépitation.

CRÉPITEMENT [kʀepitmɑ̃] n. m. — 1866; de *crépiter*.
♦ Le fait de crépiter. ⇒ **Crépitation.** *Le crépitement du feu dans l'âtre.* ⇒ **Grésillement** (→ Bûche, cit. 2). *Le crépitement d'une mitrailleuse.*

1 Dans ce bruit de fusillade, le crépitement régulier d'une mitrailleuse domine, exaspérant.
R. DORGELÈS, les Croix de bois, v, p. 100.

2 La chandelle, posée debout sur une pierre plate, faisait entendre, en brûlant, des crépitements sonores et prolongés rappelant exactement le bruit du tonnerre.
Raymond ROUSSEL, Impressions d'Afrique, p. 360.

Spécialt, méd. ⇒ **Crépitation, 2.**

CRÉPITER [kʀepite] v. intr. — Fin xVᵉ; lat. *crepitare*, fréquentatif de *crepare* «craquer».
♦ **1.** Faire entendre une succession de bruits secs. *Le feu crépite.* ⇒ **Grésiller, pétiller.** *Sel qui crépite. L'huile crépite sur le feu. La pluie crépite sur les carreaux.* ⇒ **Frapper.** *Les applaudissements* (cit. 8) *crépitent. On entend crépiter la fusillade.*

1 Cinq légionnaires avaient été blessés par cette fusillade inattendue et précise qui avait fait crépiter la crête la plus voisine du poste, à cinq cents mètres, de l'autre côté d'une étroite vallée encombrée d'éclats de roches recouverts de neige.
P. MAC ORLAN, la Bandera, XVII, p. 201.

2 Les cigales et le clayonnage neuf qui abrite la terrasse crépitent (...)
COLETTE, la Naissance du jour, p. 11.

♦ **2.** Faire sur les sens un effet analogue à un bruit crépitant. *Couleurs qui crépitent.*
DÉR. Crépitant, crépitation, crépitement.
COMP. Décrépiter.

CRÉPON [kʀepɔ̃] n. m. — V. 1550, *crespon*; de 2. *crêpe*.
♦ **1.** Vx. Rouleau de cheveux postiches disposés sous les cheveux pour les faire bouffer.

♦ **2.** Crêpe épais ou étoffe (laine, coton) semblable au crêpe. *Un peignoir de crépon.*

♦ **3.** Papier crépon, gaufré et décoratif. — *Un crépon :* estampe japonaise sur papier grenu.

CREPS [kʀɛps] n. m. — 1779, *in* D. D. L.; var. de *crabs** (écrit *krabs*, 1788), mot anglais.
♦ Vx. Jeu de dés analogue au tric-trac (Balzac, E. Sue *in* T. L. F.).
HOM. C. R. E. P. S.

C. R. E. P. S. [kʀɛps] — Abrév. (sigle).
♦ Centre régional d'éducation physique et sportive, centre de formation des professeurs d'éducation physique. *Faire le C. R. E. P. S.*
HOM. Creps.

CRÉPU, UE [kʀepy] adj. — 1175; de 2. *crêpe.*
♦ **1.** Frisé naturellement en touffes serrées (cheveux). ⇒ **Cotonné** (→ Cheveux, cit. 25). *Poil crépu. Cheveux crépus. Tête crépue. Perruque crépue.*

(*Le duc de Bourgogne) avait des cheveux châtains si crépus et en telle quantité qu'ils bouffaient à l'excès (...)* SAINT-SIMON, Mémoires, 822, 211.

♦ **2.** Par anal. Semblable à une chevelure crépue. *Tête de balai crépue.* — Spécialt. Bot. *Mousse, feuille crépue.*

CRÉPUSCULAIRE [kʀepyskylɛʀ] adj. — 1705; de *crépuscule*.
♦ **1.** Du crépuscule* (1.). *Lumière, lueur crépusculaire. Calme crépusculaire. Beauté crépusculaire.*

1 Cependant c'était bien comme une lueur de soleil, comme une lueur crépusculaire renvoyée de très loin par des miroirs mystérieux.
LOTI, Pêcheur d'Islande, I, ɪ, p. 5.

2 (...) des choses qui semblent soudain éclairées d'un jour crépusculaire où certaines nuances prennent plus d'éclat.
J. CHARDONNE, les Destinées sentimentales, III, p. 375.

Astron. *Cercle crépusculaire :* cercle de la sphère, qu'on suppose passer par le degré où se trouve le soleil quand cesse le crépuscule.

Zool. *Animaux crépusculaires,* qui ne sortent qu'au crépuscule. *Papillons crépusculaires.*

♦ **2.** Fig. Qui est sur son déclin. *Âge, époque crépusculaire. Un art crépusculaire.* — Incertain, trouble. *Rêve crépusculaire. Des sentiments crépusculaires.* — (1847). Spécialt. Vx. *Histoire crépusculaire :* le premier âge de l'histoire.

Psychol., méd. *État crépusculaire :* état de demi-conscience précédant et suivant la perte absolue de la conscience. *État crépusculaire lors d'une crise d'épilepsie.* — *Vision crépusculaire :* réaction à la baisse de la lumière.

3 L'épisode hypnotique, dit-on, est ordinairement précédé d'un état crépusculaire : le sujet est en quelque sorte vide, disponible, offert sans le savoir au rapt qui va le surprendre.
R. BARTHES, Fragments d'un discours amoureux, p. 225.

DÉR. Crépusculairement.

CRÉPUSCULAIREMENT [kʀepyskylɛʀmɑ̃] adv. — 1942; de *crépusculaire*.
♦ Rare (littér.). D'une manière crépusculaire.

Il faisait encore jour, mais déjà crépusculairement; avec une bonne petite moyenne au thermomètre, ça vous donnait l'envie de jouir du beau temps sans causer.
R. QUENEAU, Pierrot mon ami, éd. L. de Poche, p. 7.

CRÉPUSCULE [kʀepyskyl] n. m. — xIIIᵉ «aube» (ci-dessous, A., 2.); lat. *crepusculum*, de *creperus* «douteux».
A. ♦ **1.** (1596). Lumière incertaine qui succède immédiatement au coucher du soleil. ⇒ **Brune; déclin** (du jour), **tombée** (du jour, de la nuit). *Le crépuscule du soir, de la nuit. Au crépuscule, à l'heure du crépuscule, à la nuit tombante.* → Entre chien* et loup. ⇒ **Crépusculaire.** *Un faible crépuscule. Paysage noyé dans le crépuscule d'hiver.*

1 Le crépuscule encor jette un dernier rayon (...)
LAMARTINE, Premières méditations poétiques, « L'isolement ».

1.1 (...) les yeux de Fabrice furent attirés vers une des fenêtres du second étage, où se trouvaient, dans de jolies cages, une grande quantité d'oiseaux de toutes sortes. Fabrice s'amusait à les entendre chanter, et les voir saluer les derniers rayons du crépuscule du soir, tandis que les geôliers s'agitaient autour de lui.
STENDHAL, la Chartreuse de Parme, II, *in* Romans, Pl., t. I, p. 310.

1.2 Ce jour-là, le soleil, qui s'était levé à six heures vingt minutes, se couchait à cinq heures quarante, après avoir tracé pendant onze heures son arc diurne au-dessus de l'horizon. Le crépuscule devait lutter contre la nuit pendant deux heures encore. Puis, l'espace s'emplirait d'épaisses ténèbres...
J. VERNE, Michel Strogoff, p. 477.

2 Ce qui avait été un crépuscule blême, une espèce de soir d'été hyperborée, devenait à présent, sans intermède de nuit, quelque chose comme une aurore, que tous les miroirs de la mer reflétaient en vagues traînées roses (...)
P. LOTI, Pêcheur d'Islande, I, ɪ, p. 11.

3 La bruine ruisselait toujours, sous un ciel uniforme et gris qu'enténébrait lentement l'approche du crépuscule. Une tristesse lugubre montait du creux blême de l'étang.
M. GENEVOIX, Forêt voisine, p. 169.

4 Le crépuscule se faisait nuit. Brigitte n'était plus éclairée que par la flamme.
F. MAURIAC, la Pharisienne, p. 192.

♦ **2.** Par anal. (Littér ; avec un compl.). Lueur qui précède le lever du soleil. ⇒ **Aube, aurore.** *Le crépuscule du matin. Le crépuscule d'aube* (→ Brume, cit. 3).

5   C'était l'heure où le jour chasse le crépuscule (...)
                                    HUGO, l'Année terrible, Juillet, 3.

6   En ce pays, soir et matin, le crépuscule n'existe pas.
                                    MAUPASSANT, Au soleil, p. 115.

7   *Crépuscule* convient aussi bien par rapport au passage de la nuit au jour que par rapport à celui du jour à la nuit : il y a un *crépuscule* du matin comme il y en a un du soir.   LAFAYE, Dict. des synonymes, Suppl., Crépuscule.

♦ **3.** Didact. *Crépuscule astronomique,* qui dure du lever ou du coucher du soleil jusqu'au moment où l'astre s'abaisse de 18° au-dessous de l'horizon. *Crépuscule nautique,* jusqu'au moment où le soleil s'abaisse de 12° sous l'horizon.

B. Fig., littér. Déclin, fin. *Le crépuscule d'un empire.* ⇒ **Décadence.**

7.1   La solitude le silence
      Plus émouvant
      Au crépuscule de la peur
      Que le premier contact des larmes
                    ÉLUARD, Seconde nature, III, in Œ. compl., Pl., t. I, p. 244.

♦ **1.** (1778 ; du sens A, 1). *Le crépuscule de la vie.* ⇒ **Vieillesse.** — *Les Chants du crépuscule,* recueil de poèmes de Victor Hugo. *Le Crépuscule des Dieux,* opéra de Wagner.

8   Au crépuscule de mes jours
    Rejoignez, s'il se peut l'aurore.   VOLTAIRE, Stances, XV (→ Âge, cit. 24).

9   (...) Hermès, dieu de l'adolescence, était aussi le dieu du crépuscule.
                    MONTHERLANT, la Relève du matin, Conclusion, I, p. 130.

10   Elle avait cette grâce fugitive de l'allure qui marque la plus délicate des transitions, l'adolescence, les deux crépuscules mêlés, le commencement d'une femme dans la fin d'un enfant.   HUGO, les Travailleurs de la mer, I, I, 1.

♦ **2.** (Des sens A, 1 et 2). Ce qui est mal défini, trouble. *« On ne peut que rêver dans les crépuscules de la mauvaise foi sur la réalité positive du mystère* (féminin) *»* (S. de Beauvoir, *le Deuxième Sexe,* 1949, in T. L. F.).

CONTR. Jour. — Nuit.
DÉR. Crépusculaire.

CRÉQUIER [kʀekje] n. m. — V. 1280 ; de *creque* (XIIᵉ) «prune sauvage» ; du néerl. *crieke* «sorte de prune».

♦ **1.** Régional (Nord). Prunier sauvage.

♦ **2.** (XIVᵉ). Blason. Représentation d'un prunier sauvage muni de sept branches, prolongées par autant de fruits, et ses racines.

CRESCENDO [kʀeʃɛndo] adv. et n. m. invar. — 1775 ; mot ital. *crescendo* «en croissant», gérondif de *crescere,* lat. *crescere.* → Croître.

♦ **1.** Mus. En augmentant* progressivement l'intensité sonore. ⇒ **Rinforzando.** *Ce passage doit être exécuté crescendo, il est précédé du signe <. — N. m. Un crescendo :* une suite de notes que l'on doit exécuter en crescendo. *Ouverture qui se termine sur un magnifique crescendo. Des crescendo.*

1   A mesure qu'on s'enfonçait dans le couloir vert (...) le tintement monotone des cigales s'enflait comme un crescendo d'orchestre.
                                    LOTI, Mᵐᵉ Chrysanthème, II, p. 5.

♦ **2.** (Phénomènes sonores, et, par ext., tout phénomène). En augmentant, en croissant. *Son mal va crescendo. Sa mauvaise humeur allait crescendo.* — N. m. ⇒ **Augmentation ; amplification, hausse, montée, renforcement.**

2   (...) un cri général, un *crescendo* public, un *chorus* universel de haine et de proscription.   BEAUMARCHAIS, le Barbier de Séville, II, 8 (→ Calomnie, cit. 5).

3   (...) le crescendo naturel qu'on observe toujours dans de telles agitations (...)
                    MICHELET, Hist. de la Révolution franç., t. I, p. 272.

4   Un crescendo brusque, imprévu, effroyable, des râles, la mêlée aérienne de deux voix furibondes (...)   COLETTE, la Paix chez les bêtes, «Prrou», p. 20.

5   Petit à petit, mot à mot, mon père élevait la voix. C'était un crescendo bien contenu, une gradation savante.
                    G. DUHAMEL, Chronique des Pasquier, I, p. 209.

CONTR. et COMP. Decrescendo.
CONTR. Diminuendo.

CRÉSOL [kʀezɔl] n. m. — 1866 ; de *crés-,* tiré de *créosote,* et *-ol.*

♦ Chim. Chacun des phénols dérivés du toluène, utilisés comme désinfectants (⇒ **Crésyl**). *Ortho-, métha-, para-crésol.*

Ajoutons en outre que cette désignation *(phénoplastes)* s'applique aussi à différents plastiques que l'on peut obtenir par action du formol dans des corps à fonction phénolique, autres que le phénol ordinaire, par exemple le crésol.
                                    Jean VÈNE, les Plastiques, p. 20.

CRESSICULTEUR, TRICE [kʀesikyltœʀ, tʀis] n. m. — 1869 ; du rad. de *cresson,* et *-culteur* «cultivateur».

♦ Techn. Producteur de cresson ; personne qui connaît la culture

du cresson, travaille dans une cressonnière, effectue la mise en bottes.

DÉR. Cressiculture.

CRESSICULTURE [kʀesikyltyʀ] n. f. — Fin XIXᵉ ; de *cressiculteur.*

♦ Techn. Culture du cresson.

CRESSON [kʀesɔ̃] n. m. — 1130 ; du francique* *kresso,* cf. all. *Kresse ;* avec infl. de *croître.*

♦ **1.** Plante herbacée, à tige rampante et à feuilles découpées en lobes arrondis, cultivée pour ses parties vertes comestibles. *Cresson de fontaine (cresson charnu, cresson à feuilles minces, cresson gaufré),* qui croît dans les mares et les ruisseaux. *Le cresson* (n. sc. : *naturtium,* famille des *Cruciféracées*) *est une plante annuelle, bisannuelle ou vivace. Culture du cresson.* ⇒ **Cressonnière.** *Salade de cresson. Cresson cuit.*

C'est un carré de filet de bœuf rôti saignant, garni de pommes soufflées et de cresson.   J. ROMAINS, les Hommes de bonne volonté, t. IV, VI, p. 44.

Par anal. (Qualifié, désignant d'autres végétaux). *Cresson alénois.* ⇒ **Passerage ; nasitort.** — *Cresson des jardins,* passerage cultivé. — *Cresson des prés, cresson amer, cresson des murailles.* ⇒ **Cardamine, cressonnette.** *Cresson de Para* ou *cresson du Brésil.* — *Cresson de cheval, de chien.* ⇒ **Véronique.** — *Cresson d'Inde,* ou grande capucine. — *Cresson doré :* dorine.

♦ **2.** Fig., fam. (en loc.). Chevelure. *N'avoir plus de cresson sur la fontaine, sur le caillou :* être chauve*.

DÉR. Cressonnette, cressonnière.

CRESSONNETTE [kʀesɔnɛt] n. f. — Fin XIXᵉ ; de *cresson.*

♦ Cardamine* (dite aussi *cresson des prés*).

CRESSONNIÈRE [kʀesɔnjɛʀ] n. f. — 1274 ; de *cresson.*

♦ Lieu baigné d'eau où l'on cultive le cresson (de fontaine).

Une façade *(de la ferme)* regardait les bassins d'une cressonnière bordée d'un coteau de sapins (...)   Geneviève DORMANN, la Fanfaronne, p. 131.

CRÉSUS [kʀezys] n. m. — 1543, Marot ; lat. *Craesus,* grec *Kroisos,* nom d'un roi de Lydie, célèbre par ses richesses.

♦ Homme extrêmement riche. *C'est un Crésus* (plus souvent : *Il est riche comme Crésus*).

CRÉSYL [kʀezil] n. m. — 1866 ; marque déposée, de *crés(ol),* et *-yl.*

♦ Solution désinfectante formée par le mélange des trois crésols, bleu, violet et crésyl.

1   (...) il cautérisa la plaie au fer rouge, fit une application de crésyl et ajusta au sabot malade un fer légèrement bombé pour maintenir le pansement.
                                    H. TROYAT, les Semailles et les Moissons, p. 37.

2   On peut utiliser le phénol et les crésols sous forme de savons en émulsions appelés crésyls.   Jean BECK, le Goudron de houille, p. 12.

DÉR. Crésylé.

CRÉSYLÉ, ÉE [kʀezile] adj. — 1926 ; de *crésyl.*

♦ Qui contient du crésyl.

Le sol formait un lac d'eau crésylée au centre duquel se trouvait un lot de briques.
                                    CAMUS, la Peste, éd. L. de Poche, p. 76.

CRÊT [kʀɛ] n. m. — 1210 ; en Suisse depuis 1150 ; repris en géol., 1832 ; en géogr., XXᵉ ; mot dial., Jura, Alpes..., var. de *crête*.*

♦ Régional ou didact. Escarpement rocheux qui borde une combe*.

HOM. Craie.

CRÉTACÉ, ÉE [kʀetase] adj. et n. m. — 1735 ; du lat. *cretaceus,* de *creta* «craie».

♦ **1.** Vx. Qui contient de la craie, est de nature crayeuse*. *Matière crétacée. Terrain crétacé* (→ Bassin, cit. 9).

♦ **2.** Géol. Qui correspond à une période géologique de la fin du secondaire, au cours de laquelle se sont formés (notamment) les terrains à craie. *Période crétacée. Les dix étages de la période crétacée :* berriasien, valanginien, hauterivien, barrémien, aptien, albien, cénomanien, turonien, sénonien, danien. *La période crétacée est caractérisée par l'apparition de la famille des mollusques charnacés* (→ Baculite, hippurite...) *et des dicotylédones.*

N. m. *Le crétacé. Crétacé inférieur, supérieur, moyen. Mammifère du crétacé. Reptiles fossiles du crétacé* (ex. : atlantosaure, iguanodon, mégalausaure...).

COMP. Mésocrétacé.

CRÊTE [kʀɛt] n. f. — V. 1180, *creste;* du lat. *crista,* cf. l'anc. provençal *cresta.*

★ **I.** ♦ **1.** [a] Excroissance charnue, rouge et dentelée de la tête (de certains gallinacés). *Crête de coq.* — Absolt. *Crête du coq. Crête pendante. Crête droite. Double crête. Enlever la crête d'un coq.* ⇒ **Écrêter.**

1 La gent qui porte crête au spectacle accourut.
Plus d'une Hélène au beau plumage
Fut le prix du vainqueur...   LA FONTAINE, Fables, VII, 13.

Pâté de crête de coq (⇒ **Béatilles**) ou *crête de coq en pâté. Crêtes de coq rôties, frites, à la broche, farcies.*

[b] Loc. métaphorique (symbole d'orgueil, de supériorité). *Lever la crête :* être arrogant mais aussi courageux, hardi. — *Baisser la crête :* témoigner de l'humilité. *Rabaisser, rabattre la crête à qqn,* l'humilier. *Rabaisser la crête à un insolent* (→ Le caquet). — *Avoir la crête rouge :* être colérique.

2 À cette époque j'avais déjà une fort belle crête et cette injure me parut impossible à supporter.   Léon BLOY, la Femme pauvre, II, IV, p. 202.

[c] Par métonymie. Fam., vx. Tête. *« Plus on tape sur la crête du bourgeois, plus je suis content »* (G. Flaubert, *Correspondance,* 1878, *in* T. L. F.).

♦ **2.** Zool. Excroissance tégumentaire sur la tête. — (Oiseaux). *Crête d'une alouette, d'un cochevis.* ⇒ **Huppe.** — (Batraciens). *Crête d'un triton. Crête du caméléon, de l'iguane.* — (Poissons). *Crête de morue.*

★ **II.** Par anal. (Concret). ♦ **1.** (1539). *Crête-de-coq :* amarante* (plante). *Des crêtes-de-coq.*

♦ **2.** Anat. Saillie osseuse. ⇒ **Apophyse.** — Partie saillante et allongée. *La crête du tibia.* — *Crête dermique :* saillie à la surface du derme. — (1834). Méd. ⇒ **Crête-de-coq.** *En forme de crête.* ⇒ **Cristiforme.**

♦ **3.** Archit. Ensemble des tuiles faîtières (d'un toit). ⇒ **Faîte.** *La crête d'un toit.* — Chaperon (d'un mur). ⇒ **Chaperon** (4.).

3 (...) le drapeau qui flotte à la crête du toit...
        Alphonse DAUDET, Contes du lundi, « La Partie de billard ».

Sommet d'un mur, d'une construction (⇒ **Parapet**). *Crête d'une fortification.*

4 Un matin, comme il *(Julien)* s'en retournait par la courtine, il vit sur la crête du rempart un gros pigeon qui se rengorgeait au soleil.
        FLAUBERT, Trois contes, « la Légende de saint Julien l'Hospitalier », I.

♦ **4.** (XIIIᵉ). Géogr. et cour. Ligne de faîte (d'une montagne). ⇒ **Cime, sommet.** *Escalader une crête. Crêtes couvertes de neige.* — *Ligne de crête,* entre deux versants (⇒ **Barre,** II., 1.). *Succession de lignes de crêtes* (⇒ **Appalachien** [relief]).

5 Quelques brumes fumaient sur les pentes des Alpes, effaçaient les vallées en rampant vers les sommets dont les crêtes dessinaient une immense ligne dentelée dans un ciel rose et lilas.   MAUPASSANT, la Vie errante, p. 14.

5.1 Nous suivons longtemps la ligne des crêtes, puis descendons dans un vallonnement profond.   GIDE, Voyage au Congo, in Souvenirs, Pl., p. 779.

La crête d'un rocher. ⇒ **Haut, sommet.** — Au fig. :

5.2 Chateaubriand supporte peu la traduction (...) La beauté chez lui, même la beauté de la pensée, tient trop à la forme ; elle est comme enchaînée à la cime des mots (...) à la crête brillante des syllabes.
        SAINTE-BEUVE, Chateaubriand et son groupe littéraire
        sous l'Empire, t. I, 1860, in T. L. F.

♦ **5.** Topogr. Ligne de partage des eaux.

♦ **6.** (XIIIᵉ). Techn. Pièce élevée (d'un casque) servant d'ornement. *Crête d'un morion, d'un armet.* — Petite passementerie dentelée, servant à orner un tissu d'ameublement. *Crête d'un chien de fusil* ou *crête du chien :* la partie supérieure du chien*.

♦ **7.** Agric. *Crête de labour :* exhaussement du sol à l'extrémité d'une parcelle. *Crête d'un sillon.* Mar. et cour. *La crête d'une vague, d'une lame. Vagues aux crêtes blanches.*

6 (...) à quelques centaines de mètres, tout paraissait finir en espèces d'épouvantes vagues, en crêtes blêmes qui se hérissaient...
        LOTI, Pêcheur d'Islande, II, I, p. 75.

Levée de terre (d'un fossé).

★ **III.** (Abstrait). ♦ **1.** Sc. Valeur maximale (schématisée par une *crête* sur un graphique).

♦ **2.** Électr. Valeur maxima par laquelle passe l'intensité d'un courant (⇒ **Modulation**). *Tension, courant de crête.*

♦ **3.** Météor. *Crête de haute pression :* longue bande de hautes pressions s'allongeant en ligne entre deux dépressions stationnai-res. ⇒ **Dorsale.** *Le temps est généralement beau dans les crêtes de haute pression.*

CONTR. Fond, vallée.
DÉR. Crêté, crételle, crêter ; accrêté.
COMP. Crête-de-coq.

CRÊTÉ, ÉE [kʀete] adj. — V. 1170, *cresté;* de *crête.*

♦ **1.** Agric., zool. Qui a une crête. *Un coq bien crêté.* — Blason. *Coq d'argent crêté de gueules.*

♦ **2.** Muni d'une crête (II.). *Mur crêté. Vague crêtée. Casque crêté.*

1 (...) un lourd et pesant nuage violet, crêté de blanc.
        Ed. et J. DE GONCOURT, Manette Salomon, p. 66.

Fig., rare. Hérissé (au moment du combat).

2 On voudrait prendre dans ses bras toute femme qui ne se comporte pas en chatte aux poils crêtés.   François NOURISSIER, le Maître de maison, p. 202.

CRÊTE-DE-COQ [kʀɛtdəkɔk] n. f. — 1611 ; cf. *creste à géline,* 1539 ; de *crête, de,* et *coq.*

♦ **1.** Régional. Nom de plusieurs plantes (sainfoin, rhinanthe) à feuilles dentelées.

♦ **2.** (1834). Méd. Excroissances (papillomes) d'origine vénérienne.

CRÉTELER [kʀetle] v. intr. — Conjug. *appeler.* — XIVᵉ ; orig. incert., p.-ê. de *se crêter.*

♦ Rare. Crier, en parlant de la poule qui vient de pondre.

CRÉTELLE [kʀetɛl] n. f. — 1786 ; de *crête.*

♦ Graminée fourragère. *La crételle des prés.*

CRÊTER [kʀete] v. tr. — V. 1175 ; de *crête.*

♦ **1.** Garnir de crêtes (II.). *Crêter une étoffe.*

♦ **2.** (Choses). Constituer une crête.

1 Les cheveux drus, emmêlés, crêtaient d'une broussaille rousse, presque rouge, le front bombé, les joues pleines et dures.   J. KESSEL, le Lion, p. 46.

▶ **SE CRÊTER** v. pron.
(En parlant d'un gallinacé, et, spécialt, du coq). Hérisser sa crête au moment de se battre.

2 (...) des cris imitatifs dont il inquiétait la basse-cour, des *cocoricos* avec lesquels il faisait se piéter et se crêter batailleusement les coqs.
        Ed. et J. DE GONCOURT, Manette Salomon, p. 270.

Fig., vx. (Personnes). Prendre une attitude agressive, se mettre en position de combat.

CRÉTIN, INE [kʀetɛ̃, in] n. — 1750, n. m. ; du valaisan *crétin,* var. de *chrétien,* au sens de « innocent ».

♦ **1.** Méd. et cour. Individu atteint de crétinisme* par insuffisance thyroïdienne. *Un crétin goitreux. Crétin du Valais, crétin des Alpes* (allus. à l'origine de l'expression, les populations de ces régions de haute altitude, carencées en iode, étant fréquemment atteintes d'hypothyroïdie).

1 Là où se trouvent les crétins, la population croit que la présence d'un être de cette espèce porte bonheur à la famille.
        BALZAC, le Médecin de campagne, Pl., t. VIII, p. 334.

1.1 Quand je me levais le matin l'idiot était déjà debout, il furetait dans la cour à moitié habillé, ses cheveux dans la figure, de loin une certaine élégance, celle de la jeunesse, de près ses yeux absorbaient toute l'attention, d'une tristesse, un paradis vague des crétins ou est-ce un enfer, le même pour tous (...) il avait des yeux de crétin c'est tout, trop écartés et qui n'allaient pas dans la même direction (...)   Robert PINGET, Passacaille, p. 105.

Par compar. ou fig. Personne totalement inintelligente.

2 (...) c'est une espèce d'« innocente », de crétine, de « demeurée » comme dans les mélodrames ou comme dans l'*Arlésienne.*
        PROUST, À la recherche du temps perdu, t. VIII, p. 128.

3 Non, imbéciles, non, crétins et goitreux que vous êtes, un livre ne fait pas de la soupe à la gélatine (...)
        Th. GAUTIER, Préface Mˡˡᵉ de Maupin, p. 28 (éd. critique MATORÉ).

♦ **2.** Personne sotte, stupide. ⇒ **Idiot, imbécile.** *C'est un crétin, il ne comprend rien. Quelle crétine ! Se faire traiter de crétin.*

Appellatif. *Crétin ! Bande de crétins ! Espèce, bougre de crétin ! Pauvre crétin !* ⇒ **Andouille, con** (fam.), **idiot.**

Adj. (Personnes). *Il est complètement crétin.* ⇒ **Abruti, con, débile, idiot.** *Il est encore plus crétin que son frère. Mais tu es complètement crétine !*

4 (...) eh bien ! c'est un imbécile tout à fait remarquable ; aussi congénitalement crétin que le plus crétin de l'École, avec cette circonstance aggravante qu'il a une instruction de garçon boucher et une fatuité de ténor.
        J. ROMAINS, les Hommes de bonne volonté, t. IV, XXII, p. 240.

(Choses). *Quelle réaction crétine ! Sa réponse est totalement crétine.* ⇒ **Inepte ; absurde, idiot.**

♦ 3. Argot scol. (vx). Élève travailleur (Flaubert, *Correspondance*, in T. L. F.).

DÉR. Crétinerie, crétiniser, crétinisme.

CRÉTINERIE [kʀetinʀi] n. f. — 1860 ; de *crétin*.

♦ 1. Caractère du crétin (2.). ⇒ **Bêtise, connerie** (fam.), **sottise**. *« J'eus la crétinerie de faire un second article »* (Goncourt, *Charles Demailly, in* T. L. F.).

♦ 2. *(Une, des crétineries).* Action du crétin.

CRÉTINISANT, ANTE [kʀetinizɑ̃, ɑ̃t] adj. — 1926 ; p. prés. de *crétiniser.*

♦ Qui rend bête, crétinise. ⇒ **Abêtissant**. *Une lecture crétinisante.*

Réflexion faite, je ne sais pourquoi je m'abstiendrais plus longtemps de dire que l'Humanité, puérile, déclamatoire, inutilement crétinisante, est un journal illisible, tout à fait indigne du rôle d'éducation prolétarienne qu'il prétend assumer.
A. BRETON, *in* la Révolution surréaliste, nº 8, p. 31 (1926).

CRÉTINISATION [kʀetinizasjɔ̃] n. f. — 1870 ; de *crétiniser.*

♦ Action de crétiniser, de rendre crétin. ⇒ **Abêtissement.**

1 Après la crétinisation souriante, avant la robotisation totale, il y a le chiffrement.
Jean-Louis BORY, Ma moitié d'orange, p. 114.

2 Pas de basse besogne, pas de manifestations, pas de levées en masse de la crétinisation nationale qui ne trouvent chez vous un exutoire ou un tremplin.
A. ARTAUD, Lettres à l'administrateur de la Comédie-Franç., 21 févr. 1925, *in* Œ. compl., t. III, p. 128.

CRÉTINISER [kʀetinize] v. tr. — 1834 ; de *crétin.*

♦ Rendre crétin (2.). ⇒ **Abêtir ; abrutir**. *Certains pensent que la télévision crétinise l'enfant.*

1 Sale bourgeois ! cria Claude exaspéré. Ah ! ils te crétinisent raide à l'École, tu n'étais pas si bête !
ZOLA, l'Œuvre, II, p. 53.

2 Qu'espérer d'une foule tous visages éteints ? Foutu, le Beau Jeu. Contemple-les, mon âme, ils sont vraiment crétins. Est-ce leur faute ? On les crétinise.
Jean-Louis BORY, Ma moitié d'orange, p. 112.

▶ SE CRÉTINISER v. pron.
Devenir crétin.

▶ CRÉTINISÉ, ÉE p. p. adj.
Rendu crétin. *Enfant crétinisé par son éducation.*

3 (...) à l'exception de Chauvet, tous les chefs de service crétinisés par l'ambition dansent devant le totem.
Pierre MOUSTIER, la Mort du pantin, p. 243.

DÉR. Crétinisant, crétinisation.

CRÉTINISME [kʀetinism] n. m. — 1784 ; de *crétin*, et *-isme.*

♦ 1. Méd. Forme de débilité mentale et de dégénérescence physique en rapport avec une insuffisance thyroïdienne et souvent accompagnée de goitre. *Être atteint de crétinisme. Crétinisme congénital.*

♦ 2. (1844, *in* D.D.L.). Cour. Grande bêtise ; état du crétin (2.). ⇒ **Connerie** (fam.), **idiotie, imbécillité, sottise, stupidité.** *Quelle époque de crétinisme ! Il a eu le crétinisme de démissionner.*

CRÉTOIS, OISE [kʀetwa, waz] adj. et n. — V. 1165, *Creteis ;* de *Crète,* lat. *Creta.*

♦ Qui se rapporte à l'île de Crète ou à ses habitants, notamment dans l'Antiquité. *Art crétois.*
N. *Un Crétois, une Crétoise :* habitant de la Crète (⇒ **Candiote,** vx).
N. m. *Le crétois :* langue parlée dans la Crète antique. — Dialecte grec de Crète.

CRETON [kʀətɔ̃] n. m. — 1120 ; orig. obscure, p.-ê. du néerl. *kerte* « entaille ».

♦ Morceau (de lard, de panne de porc) frit. *Creton de lard.* — Au plur. Résidus de la fonte des graisses d'animaux. *Pains de cretons servant d'aliments pour chiens.*

1 Depuis ce temps, la révolte, l'horreur de son estomac pour la viande avait été telle, qu'elle avait passé toute sa jeunesse sans pouvoir toucher à un *creton* de lard (...)
Ed. et J. DE GONCOURT, Manette Salomon, p. 273.

2 — Goûte ces cretons, Mathieu. J'ai fait boucherie pour les Fêtes.
— Y a pas à dire, c'est bon.
Jean-Yves SOUCY, Un dieu chasseur, p. 67.

CRETONNE [kʀətɔn] n. f. — 1723 ; p.-ê. de *Creton,* nom d'un village de l'Eure, renommé pour ses toiles au XVIᵉ.

♦ Toile de coton très forte. *Cretonne blanche, imprimée. Rideaux, housses de cretonne.*

1 La couleur blanche du lit ancien et sa couverture en toile de Jouy, les brosses en ivoire sur la coiffeuse entre les deux fenêtres et leurs rideaux de cretonne à fleurs se détachent dans la pénombre de la chambre.
J. CHARDONNE, les Destinées sentimentales, III, p. 419.

La chambre d'hôtel était tendue de cretonnes pimpantes ; il y avait dans la salle de bains de l'eau chaude, du vrai savon, des peignoirs en tissu éponge.   2
S. DE BEAUVOIR, les Mandarins, p. 85.

CREUSAGE [kʀøzaʒ] ou CREUSEMENT [kʀøzmɑ̃] n. m. — 1716 ; v. 1287, *crousement ;* de *creuser.*

♦ 1. Action de creuser ; son résultat. *Le creusement d'un canal.*

Tout le long du chemin, la fabrication des fascines, des gabions, des sacs de terre, le creusage dans les tranchées des poudrières et des caves à pétrole...
Ed. et J. DE GONCOURT, Journal, t. IV, p. 29.

♦ 2. (1753). Spécialt. Travail de gravure sur bois ou sur métal.

♦ 3. Figuré :
Creusement d'une perception une fois orientée.
VALÉRY, Cahiers, Pl., t. II, p. 270.

COMP. Surcreusement.

CREUSER [kʀøze] v. tr. — V. 1173, *croser ;* de *creux.*

★ I. ♦ 1. Rendre creux en enlevant de la matière. ⇒ **Évider, trouer.** *Creuser le bois, la terre. L'eau, le vent creusent les rochers.* ⇒ **Affouiller, caver ; miner.**
Faire un trou, des trous dans. *Creuser la terre* (⇒ **Défoncer, piocher**) *pour faire des travaux* (⇒ **Terrasser**)*, pour la cultiver* (⇒ **Bêcher, labourer**)*, pour chercher qqch.* (⇒ **Fouir, fouiller**)*. Creuser en spirale une pièce qui doit recevoir une vis.* ⇒ **Tarauder.** *Creuser une médaille* (⇒ **Champlever**)*, une pierre précieuse* (⇒ **Chever**).
Absolt. *Creuser dans la terre. Creuser pour percer.* ⇒ **Forer, percer.** *Creuser intérieurement.* ⇒ **Évider.**

Remuez votre champ dès qu'on aura fait l'août.   1
Creusez, fouillez, bêchez, ne laissez nulle place
Où la main ne passe et repasse.
LA FONTAINE, Fables, v, 9.

(...) ce pouvait tout aussi bien être l'ouvrage d'un de ces gros rats d'eau qui fourragent, creusent et rongent en pareils endroits (...)   2
G. SAND, la Petite Fadette, VIII, p. 55.

Chacun havait le lit de schiste, qu'il creusait à coups de rivelaine ; puis il pratiquait deux entailles verticales dans la couche, et il détachait le bloc (...)   3
ZOLA, Germinal, t. I, IV, p. 40.

♦ 2. Donner une forme concave à... *Creuser le dos, la taille.* ⇒ **Cambrer, rentrer.** *Creuser un décolleté.* ⇒ **Échancrer.** *La maladie lui a creusé les joues* (⇒ **Amaigrir**)*, les yeux* (⇒ **Enfoncer**)*. Visage creusé de rides,* aux rides profondes.

Le travail ne l'avait pas creusé et flétri comme la plupart des paysans qui ont dix années de labourage sur la tête.   4
G. SAND, la Mare au diable, v, p. 45.

Le violoniste couchant la joue sur son violon, comme sa tête se pâmait ; et la pianiste qui se penche en creusant le dos, et se relève, et ondule.   5
J. ROMAINS, les Hommes de bonne volonté, t. IV, XV, p. 154.

♦ 3. Loc. métaphorique. *Creuser l'estomac :* donner l'impression d'un vide dans l'estomac ; donner faim. *La marche nous a creusé l'estomac.* — Par métonymie. (Régional). *Creuser une faim à qqn.*
(1869). Fig. Donner de l'appétit à (qqn), donner faim. *Cet exercice les a creusés.* — Absolt. *Le grand air, ça creuse.*

(...) moi, on m'a invité à rester à la porte.... ça me creuse !...   5.1
E. LABICHE, la Chasse aux corbeaux, 1.

♦ 4. (1865). Abstrait. Approfondir. *Creuser une idée, un sujet, une question. Creuser une science.* — *Creuser qqn,* l'analyser en profondeur.

Absolt. *Si l'on creuse un peu on s'aperçoit qu'il ne connaît rien.*

Vouloir rendre raison de Dieu (...) c'est creuser longtemps et profondément, sans trouver les sources de la vérité.   6
LA BRUYÈRE, les Caractères, XVI, 23.

Plus on creuse avant dans son âme, plus on ose exprimer une pensée très secrète, plus on tremble lorsqu'elle est écrite.   7
STENDHAL, Souvenirs d'égotisme, p. 187.

Après avoir entendu les paroles, ne creusez pas trop les consciences. Vous trouveriez souvent au fond de la sévérité l'envie, au fond de l'indulgence la corruption.   8
HUGO, Post-Scriptum de ma vie, L'esprit, II.

Quel lourd aviron qu'une plume et combien l'idée quand il la faut creuser avec, est un dur courant !   9
FLAUBERT, Correspondance, t. II, p. 62.

★ II. Faire, former, en enlevant de la matière. *Creuser une fosse, un sillon, une tranchée, un trou, une rigole* (→ Pioche, cit. 2). *Creuser un canal, une carrière, une mine. Fleuve qui creuse son lit. Creuser un tunnel.* ⇒ **Ouvrir.** *Creuser un puits.* ⇒ **Foncer.** *Creuser la fosse d'une tombe.* ⇒ **Fossoyeur.** — (Sujet n. de chose). → ci-dessous cit. 12, 14, 14.1.

Celui qui creuse une fosse y tombe,   10
et la pierre revient sur celui qui la roule.
BIBLE (CRAMPON), Proverbes, XXVI, 27.

Voyez-vous à nos pieds fouir incessamment   11
Cette maudite laie, et creuser une mine ?
C'est pour déraciner le chêne assurément (...)   LA FONTAINE, les Fables, III, 6.

L'été, on se demande où sont les rivières qui ont pu creuser de pareils lits.   12
E. FROMENTIN, Un été dans le Sahara, p. 84.

Les terrassiers commenceraient à creuser tout de suite les fondations de l'hôtel, tracées dans la partie libre du terrain.   13
J. ROMAINS, les Hommes de bonne volonté, t. V, XXVII, p. 272.

14 Les roues des ambulances avaient creusé les ornières dans l'allée, où il ne restait plus trace du gravier fin que M. Thibault faisait jadis ratisser chaque jour.
MARTIN DU GARD, les Thibault, t. IX, p. 59.
14.1 Par instants un remous creuse un sillon profond ; une gerbe d'écume bondit.
GIDE, Voyage au Congo, in Souvenirs, Pl., p. 692.

Loc. fig. *Creuser sa fosse, sa tombe* : être cause de sa propre mort. Loc. fig. *Creuser sa fosse avec ses dents* : manger avec excès. — *Creuser un abîme entre deux personnes.* ⇒ **Désunir, séparer.** *Creuser un abîme devant qqn.* — *Creuser son sillon* : poursuivre son œuvre avec persévérance.

15 Ceux qui font les révolutions à demi ne font que creuser leurs tombeaux.
SAINT-JUST, in MICHELET, Hist. de la Révolution franç., t. II, p. 780.
16 (...) les indemnités de guerre imposées au vaincu viendront, souvent, boucher les trous que la guerre même aura creusés dans les budgets militaires.
Louis MADELIN, Vers l'Empire d'Occident, v, p. 65.

▶ **SE CREUSER** v. pron.

♦ **1.** (Sens passif). Devenir creux, affecter une forme creuse.
17 (...) son front large et haut commençait à se creuser de rides (...)
HUGO, Notre-Dame de Paris, I, II, III.
18 (...) l'avenue se creusait comme une tranchée d'ombre.
MARTIN DU GARD, les Thibault, t. I, p. 63.

Mar. *La mer se creuse,* devient mauvaise. — REM. On rencontre dans le même sens un emploi intransitif : «*la mer creuse de plus en plus*» (Accoce, *Polonais,* p. 197).

♦ **2.** (Faux pron., avec un compl.). Creuser pour soi (qqch.). *Se creuser un abri.*
19 Le blaireau est un animal paresseux, défiant, solitaire, qui se retire dans les lieux les plus écartés, dans les bois les plus sombres, et qui s'y creuse une demeure souterraine (...)
BUFFON, Hist. nat. des animaux, Le blaireau.
20 Il se rappela le jour de son enfance où, après avoir couronné son poney, il s'était creusé aux genoux deux plaies.
GIRAUDOUX, Bella, v, p. 115.

♦ **3.** Fig. (Choses). Se former. *Abîme qui se creuse entre deux personnes.* → Abîme, cit. 11 et 14.

♦ **4.** Fam. (Personnes). Réfléchir intensément. *Tu ne t'es pas trop creusé !* ⇒ **Casser** (fam.), **fatiguer.**
21 (...) quand je me suis bien creusée sur ce sujet (...)
Mme DE SÉVIGNÉ, 222, 25 nov. 1671.
(Avec un compl.). *Se creuser la tête, l'esprit, la cervelle, le ciboulot* (même sens).
22 (...) ne vous y creusez point trop l'esprit (...) Mme DE SÉVIGNÉ, 153, 8 avr. 1672.
23 (...) les idées me manquent, j'ai beau me creuser la tête, le cœur et les sens, il n'en jaillit rien.
FLAUBERT, Correspondance, t. II, p. 339.

▶ **CREUSÉ, ÉE** p. p. adj.
Rendu creux. *Sol creusé par endroits. Visage creusé de rides.* ⇒ **Sillonné.**
24 (...) le visage (...) creusé par la mort, se ranima, ses mains se soulevèrent.
FRANCE, Les dieux ont soif, p. 165.
25 Les traits de son visage, fins et charmants mais hâlés, creusés par la fatigue, endurcis par les soucis, avaient une expression audacieuse et mâle.
FRANCE, Les dieux ont soif, p. 185.
26 (...) un ventre spacieux, comme une vasque creusée au tour.
MARTIN DU GARD, les Thibault, t. III, p. 18.
Fait, taillé en forme de creux. *Trous creusés dans le sol. Cannelures* creusées sur une colonne.*
27 La neige est partout : elle comble les mille vallées creusées dans la puissante échine des montagnes (...) André SUARÈS, Trois hommes, « Ibsen », I, p. 69.
Par métaphore :
28 Quand je monte à la tribune, je suis déjà vidé, je suis creusé, je suis épuisé par ces dévorations intérieures, je suis exténué d'avance.
JAURÈS, in Ch. PÉGUY, la République, p. 67.
REM. Le participe présent *creusant* est parfois adjectivé :
29 (...) ni par la plus creusante tempête tournant des paquets de feuilles à la fois.
Francis PONGE, le Parti pris des choses, p. 60.

CONTR. Arrondir, bomber, bouffer, bouffir, boursoufler, combler, remplir, ressortir.
DÉR. Creusage, creuseur, creusoir, creusure.
HOM. Creuset.

CREUSET [krøzε] n. m. — 1514, *croiset;* altér. de l'anc. franç. *croisnel* «lampe», du gallo-roman *croceolus,* mot germanique (?) par attr. de *creux* et changement de suffixe.

♦ **1.** Récipient qui sert à faire fondre ou calciner certaines substances (en chimie, dans l'industrie). *Creuset en terre, en porcelaine, en fer, en platine, en plombagine, en graphite... Creuset de verrerie,* destiné à recevoir le verre fondu, et qui supporte une température de 1 400°. *Passer une substance par le creuset. Épurer au creuset. Mélanger des corps dans un creuset. Fond métallique d'un creuset.* ⇒ **Culot.** *Petit creuset pour séparer l'or ou l'argent* (cit. 33) *en alliage avec un autre métal.* ⇒ **Coupelle.**
1 Un autre avantage bien rare de la porcelaine des Indes, c'est que sa pâte est admirable pour faire des creusets (...)
G.-T. RAYNAL, Hist. philosophique..., v, 27.

♦ **2.** Fig. Lieu où diverses choses se mêlent, se fondent. *Le creuset américain* (→ Assimiler, cit. 10, cf. angl. *melting pot*).

2 Le théâtre est un creuset de civilisation. C'est un lieu de communion humaine.
HUGO, William Shakespeare, I, IV, II.
3 Le monde oriental avait toujours été un creuset où s'étaient mêlés cent cultes divers. DANIEL-ROPS, le Peuple de la Bible, IV, II, p. 331.
Moyen d'épuration. *Le creuset du temps, de la souffrance...* ⇒ **Épreuve.**
4 Tout son mérite *(de Corneille),* à l'heure qu'il est, ayant été mis par le temps comme dans un creuset, se réduit à huit ou neuf pièces de théâtre qu'on admire (...) BOILEAU, le Longin, Réflexion, 7e.
5 Feu sacré dont brûla ton âme généreuse
Qui s'épurait encore au creuset du malheur. VOLTAIRE, Odes, XII, in LITTRÉ.
6 Mais, il faut le croire, dit-elle en appuyant ses doigts sur mon bras, oui, croyons-le, Félix, nous devons passer par un creuset rouge avant d'arriver saints et parfaits dans les sphères supérieures.
BALZAC, le Lys dans la vallée, Pl., t. VIII, p. 923.

♦ **3.** Techn. Partie inférieure (d'un haut fourneau) où se trouve le métal en fusion.
7 La fonte, épurée, autant qu'elle peut l'être dans un creuset ou refondue une seconde fois, donne une régule qui fait la nuance ou l'état mitoyen entre la fonte et le fer. BUFFON, Hist. nat. des minéraux, t. IV, p. 141.
HOM. Creuser.

CREUSEUR, EUSE [krøzœr, øz] n. — XIVe; de *creuser.*
♦ Techn. Celui, celle qui creuse (au propre et au fig.). *Creuseur de puits.* ⇒ **Puisatier.**

CREUSOIR [krøzwar] n. m. — 1785; var. régionale *crosioux* (1597), *crosoir* (1725); de *creuser.*
♦ Techn. Outil de luthier pour creuser la table des instruments de musique.

CREUSURE [krøzyr] n. f. — 1547; de *creuser.*
♦ Rare. Cavité peu profonde. *La creusure d'un évier.*

CREUX, EUSE [krø, øz] adj. et n. m. — XIIe, *crues, cruose,* v. 1180; du lat. pop. *crosus* p.-ê. d'orig. gauloise.

★ **I.** Adj. **A.** (Qui présente un vide interne).

♦ **1.** Qui est vide à l'intérieur. ⇒ **Évidé, vide.** *Tige creuse, arbre creux. Os creux. Balle creuse. Statue creuse. Bout creux d'une plume d'oiseau.* — *Dent* creuse,* trouée par une carie. — Iron. *Le dîner est bien maigre, il n'y a pas de quoi se boucher une dent creuse* : il n'y a rien à manger. *Partie creuse d'un instrument que l'on adapte au manche.* ⇒ **Douille.** *Les obus, les bombes, projectiles creux. Bijouterie creuse,* dont les pièces sont évidées (opposé à *massif*). — Par ext. *Rendre un son creux* : se dit d'un objet vide sur lequel on frappe. — *Voix creuse.* ⇒ **Grave, sourd** (→ Basse-taille, cit.). — *Ventre, estomac creux,* qui est vide. *Avoir l'estomac* creux* : avoir faim (→ L'estomac* dans les talons). — Fig. *Avoir le nez creux* : avoir du flair, deviner (→ Avoir le nez* fin).
1 L'aigle avait ses petits au haut d'un arbre creux (...)
LA FONTAINE, Fables, III, 6.
2 C'était un buste creux, et plus grand que nature. LA FONTAINE, Fables, IV, 14.
3 Oh! que la science sonne creux quand on y vient heurter avec désespoir une tête pleine de passions! HUGO, Notre-Dame de Paris, VIII, IV.
4 (...) ce chandelier creux qu'est la Tour-Eiffel ! HUYSMANS, Là-bas, XVII, p. 234.
Adv. *Sonner creux* : rendre un son creux (→ ci-dessus cit. 3).

♦ **2.** Par ext. *Tissu creux,* dont le tissage est lâche.
Loc. (1611). Vx. **VIANDE CREUSE** : viande peu nourrissante. Fig. Aliment de l'esprit, nourriture intellectuelle ou spirituelle pauvre en substance. *Se repaître de viandes creuses,* d'idées vaines, chimériques.
5 Ma foi! si vous songez à nourrir votre esprit
C'est de viande bien creuse, à ce que chacun dit (...)
MOLIÈRE, les Femmes savantes, II, 7.
6 Le renoncement, c'est très beau ; n'empêche que si l'humanité ne vivait que de cette viande creuse, elle serait encore dans les cavernes (...)
G. DUHAMEL, Chronique des Pasquier, IV, XIV, p. 393.

♦ **3.** Fig. *Tête, cervelle creuse,* vide d'idées. *Paroles creuses,* vides de sens. ⇒ **Chimérique, futile, vain.** *Discours creux, ronflant et creux.* ⇒ **Parlage, phraséologie, verbiage.** *Jugement, raisonnement creux,* peu solide.
7 (...) ce sont des visions creuses. Mme DE SÉVIGNÉ, 348, 20 nov. 1673.
8 Le sublime du nouvelliste est le raisonnement creux sur la politique.
LA BRUYÈRE, les Caractères, I, 33.
9 (...) les sciences, séparées des lettres, demeurent machinales et brutes, et les lettres, privées des sciences, sont creuses, car la science est la substance des lettres.
FRANCE, la Vie en fleur, VI, p. 77.
10 (...) les mots sonores sont aussi les plus creux.
GIDE, les Nouvelles Nourritures, p. 135.
Fam. Sans intérêt, nul. «*Il est complètement creux, ce mec !* » (J. Merlino, *les Jargonautes,* p. 195).

♦ **4.** (Avec un subst. désignant une durée). Qui correspond à une faible activité. *Heures creuses. Jours creux, mois creux,* pendant lesquels les activités sont ralenties. *Il ne passe que peu de trains de banlieue dans les heures creuses. Profiter des heures creuses pour visiter les expositions. Le lundi est un jour creux. Août est un mois creux à Paris.*

11   Il partageait sa pièce-atelier avec deux collègues qui, aux heures creuses, s'adonnaient à d'autres travaux, ou plaisirs.   Georges LECOMTE, Ma traversée, p. 122.

Spécialt. En démographie, *Classes creuses* (⇒ **Classe**, II., A., 2., d), les moins fournies de la population.

B. Qui présente une courbe* rentrante, une concavité. *Vallée creuse.* ⇒ **Profond.** *Surface creuse.* ⇒ **Concave, rentrant.** *Assiette creuse,* qui peut contenir des liquides. *Le cuilleron, partie creuse d'une cuiller. Pli creux,* qui forme un creux en s'ouvrant. *Mer creuse,* qui se creuse en longues et hautes lames. — Cour. *Chemin creux,* situé en contre-bas. ⇒ **Encaissé.** — Littér. *Au plus creux, du plus creux de,* au plus, du plus profond de. ⇒ **Fond, profondeur.** *Au plus creux du sommeil.*

12   L'envieux verra du plus creux de l'abîme
Le ciel ouvert aux saints et fermé pour son crime.
                            CORNEILLE, l'Imitation de J.-C.

13   Il représentait les forêts sombres qui couvrent les montagnes et les creux vallons.
                            FÉNELON, Télémaque, II.

14   Nous nous acheminions tous trois par des sentiers creux très profonds (...)
                            LOTI, Mon frère Yves, XLIV, p. 112.

15   (...) à côté, une écuelle vide et des œufs dans une assiette creuse.
            J. CHARDONNE, les Destinées sentimentales, III, I, p. 362.

Visage creux, joues creuses. ⇒ **Amaigri, maigre.** *Des yeux creux.* ⇒ **Cave, creusé, enfoncé.** *Orbites creuses. Reins creux.* ⇒ **Cambré.**

16   Des joues maigres, creuses.
            J. ROMAINS, les Hommes de bonne volonté, t. II, XIII, p. 136.

★ **II.** N. m. **A.** ♦ **1.** Vide intérieur (dans un corps); espace entre deux corps. ⇒ **Trou.** *Creux du sol.* ⇒ **Abîme, anfractuosité, bas-fond, bourbier, caverne, cavité, dépression, excavation, fosse, fossé, gorge, gouffre, ornière, ravin, rigole, vallée.** *Creux d'une vallée.* ⇒ **Fond.** *Creux en retrait.* ⇒ **Enfoncement, renfoncement, rentrée.** *Creux étroit et profond.* ⇒ **Entaille, faille, fente.** *Creux peu profond pratiqué sur du bois ou du métal.* ⇒ **Cannelure, rainure.** *Creux d'une pièce de charpente.* ⇒ **Refouillement.** *Dans un creux.*

17   Quand Maurice peut tout du creux de son cercueil (...)
                        CORNEILLE, Héraclius, I, 3.

18   Trou, ni fente, ni crevasse,
Ne fut large assez pour eux,
Au lieu que la populace
Entrait dans les moindres creux.
                       LA FONTAINE, Fables, IV, 6.

19   Thétis, les yeux en pleurs, dans le creux d'un rocher
Aux monstres dévorants eut soin de le cacher.
               André CHÉNIER, la Jeune Tarentine.

20   La mer y entre par une infinité de golfes, d'anfractuosités, de creux, de dentelures (...)
            TAINE, Philosophie de l'art, t. II, IV, I, I, p. 94.

Fig. *Avoir un creux dans l'estomac :* avoir faim. Plais. *Avoir un petit creux.* — (1690). *Avoir un bon creux,* une voix de basse profonde, bien timbrée.
Sonner le creux : produire le son d'un objet vide frappé. Être sans intérêt.

♦ **2.** Fig. Période d'activité ralentie. *Le creux du lundi, des vacances. Ménager un creux dans la semaine.*

B. ♦ **1.** Partie concave. ⇒ **Concavité.** *Le creux de la main,* le milieu de la paume. *Le creux et le dos de la main. Tenir dans le creux de la main :* être tout petit. *Tenir, avoir qqch. dans le creux de la main,* à portée. — *Le creux de l'épaule. Creux du cou,* derrière la clavicule. ⇒ **Salière.** *Creux de l'estomac :* partie extérieure du buste au-dessous du sternum. *Creux des joues. Petits creux qui sillonnent la peau.* ⇒ **Ride.**
Le creux d'une vague. Être dans le creux de la vague, au plus bas de son succès, de sa réussite. Ellipt. *« (...) elle sera "dans le creux" »* (Guy des Cars, *l'Entremetteuse,* p. 175).
Le creux du lit, de l'oreiller.

20.1   Le creux, comme la psychanalyse l'admet fondamentalement, est avant tout l'organe féminin. Toute cavité est sexuellement déterminée, et même le creux de l'oreille n'échappe pas à cette règle de la représentation.
         Gilbert DURAND, les Structures anthropologiques de l'imaginaire, p. 275.

21   Les lignes qui tracent le contour du corps, ou qui, dans ce contour, marquent les creux et les saillies, ont une valeur par elles-mêmes (...)
           TAINE, Philosophie de l'art, t. II, V, IV, p. 333.

22   Le creux sous les yeux semblait s'étendre comme la morsure d'un acide.
           J. ROMAINS, les Hommes de bonne volonté, t. II, V, p. 45.

23   Elle reposa la tasse, et relevant un peu le ton, tandis qu'elle joignait ses mains maigres dans le creux de sa jupe (...)
           J. ROMAINS, les Hommes de bonne volonté, t. III, VII, p. 113.

24   (...) les eaux limpides des fontaines qu'on peut boire au creux de la main pour se rafraîchir.   H. BOSCO, Un rameau de la nuit, p. 169.

25   Un peu plus haut, la soie blanche de la jupe est fendue latéralement, laissant deviner le creux du genou et la cuisse.
         A. ROBBE-GRILLET, la Maison de rendez-vous, p. 15.

Mar. Profondeur entre deux lames, de la crête à la base. *Mer d'un mètre de creux.* — *Creux d'un navire :* hauteur prise à mi-longueur du navire.

EN CREUX : selon une forme concave, évidée. *Figure taillée, sculptée en creux* (opposé à *en saillie*). *Graver en creux.*

♦ **2.** Dépression de terrain. *Il y a un creux. Des creux et des bosses.* — Ski (par oppos. à *bosse*). ⇒ **Cuvette.** *« Le skieur a intérêt à s'accroupir sur les bosses et à se détendre dans les creux »* (F. Gazier, *les Sports de la montagne,* p. 85).

♦ **3.** Techn. Moule creux servant à former ou à imprimer des figures en relief. *Un creux de plâtre, d'acier.*

CONTR. Arrondi, bombé, bouffant, bouffi, boursouflé, convexe, élevé, gros, massif, plat, plein, proéminent, renflé, saillant, solide. — Arrondi, avancée, bosse, bouffissure, bourrelet, boursouflure, butte, convexité, éminence, pli, proéminence, relief, saillie.
DÉR. Creuser.
COMP. Songe-creux.

CREVABLE [kʀəvabl] adj. — 1845; de *crever.*

♦ Qui est susceptible de crever. *Le ballon, le pneu serait facilement crevable.*

(Dans la maison japonaise traditionnelle) les parois sont fragiles, crevables, les murs glissent, les meubles sont escamotables (...)
            R. BARTHES, l'Empire des signes, p. 59.

CONTR. Increvable.

CREVAGE [kʀəvaʒ] n. m. — 1883, cit.; de *crever.*

♦ Rare. Le fait de crever (attesté dans la nominalisation de : *crever de faim*).

Eh bien! il a... il a... qu'il en a assez de cette vie de crevage de faim.
          Alphonse DAUDET, l'Immortel, p. 134 (1883).

CREVAILLE [kʀəvaj] n. f. — 1564; de *crever.*

♦ Vx et fam. Ripaille*, bombance.

CREVAISON [kʀəvɛzɔ̃] n. f. — XIIIᵉ; de *crever.*

♦ **1.** Action de crever; résultat de cette action. — (1906). Spécialt. *Crevaison d'un pneu de bicyclette, d'automobile.* ⇒ **Éclatement.** — Par métonymie. *Coller une rustine pour réparer une crevaison.*

Deux crevaisons de pneus : l'une au milieu de la Camargue, l'autre en plein mitan de la Crau.   GIDE, Journal, 1910, Vers Marseille, en auto.

♦ **2.** (1847). Pop. ⇒ **Mort; crève** (1). — Par ext. ⇒ **Fatigue.** *Faire dix kilomètres à pied, quelle crevaison!*

CREVANT, ANTE [kʀəvɑ̃, ɑ̃t] adj. — Attesté 1883, Zola, cit. 1; p. prés. de *crever.*

♦ **1.** Fam. Qui fait crever, mourir de fatigue. ⇒ **Épuisant, exténuant, fatigant, tuant.** *C'est un travail crevant.*

Clorinde voulut allonger la tête dans la salle des Pas perdus; mais un huissier referma brusquement la porte. Alors, elle revint auprès de sa mère, muette sous sa voilette noire. Elle murmura : — C'est crevant d'attendre.   1
         ZOLA, Son Excellence Eugène Rougon, t. I, p. 26
         (autre attestation, entre guillemets, t. I, p. 201).

Il ne tenta pas de répondre. Il savait qu'il ne pouvait plus parler, c'était crevant. Il remuait encore les lèvres, non sans effort, et il n'en sortait pas plus de son que d'un sifflet bouché.   G. SIMENON, Feux rouges, 1953, p. 69.   2

♦ **2.** Qui fait crever, éclater de rire. ⇒ **Amusant, drôle, marrant, tordant.** *Il est crevant avec ce chapeau-là.*

CONTR. Reposant. — Triste.

CREVARD, ARDE [kʀəvaʀ, aʀd] adj. — 1860, «moribond»; de *crever,* et -*ard.*
Familier.

A. ♦ **1.** Qui a une mauvaise santé, paraît en mauvaise santé. *Il est un peu crevard.*

Tu sais que mon chef de service est un peu *crevard,* on nous en a donné un provisoire...   Ed. et J. DE GONCOURT, Sœur Philomène, p. 84 (1861).   1
N. *Un crevard, une crevarde.*

Autour d'eux, des petits cons flanqués de leurs crevardes, celles du genre vous avez pas un franc, râlaient en se tâtant les poches devant les machines à sous.   2
         Pierre GOMBERT, le Prix d'un taxi, 1976, p. 95.

♦ **2.** N. Rare. Mourant. ⇒ **Moribond.**

Je m'y suis fait à cette guerre, je me suis fait une mentalité pour cette guerre, une mentalité de crevard, et de chrétien, et de communard.   3
         DRIEU LA ROCHELLE, la Comédie de Charleroi, p. 223 (1934).

B. (1939, *in* Esnault; de *crever* de faim). Qui a toujours faim; avide, glouton. — N. *Vous avez encore faim, bande de crevards?*

CREVASSE [kʀəvas] n. f. — V. 1120, *cravace;* du lat. pop. *crepacia,* de *crepare.* → Crever.

♦ **1.** Fente plus ou moins profonde à la surface d'une chose. ⇒ **Fente, fissure, trou.** *Les crevasses d'un mur.* ⇒ **Lézarde.** *Crevasse* *dans le sol.* ⇒ **Anfractuosité, cassure, craquelure, déchirure, entaille, faille, fondrière.**

1 (...) la terre était toute fendillée par des crevasses, qui faisaient, en la divisant, comme des dalles monstrueuses.   FLAUBERT, *Salammbô*, XI, p. 216.

1.1 Le feu central avait brisé la croûte du globe, soulevé des terrains, fait des crevasses.   FLAUBERT, *Bouvard et Pécuchet*, Pl., t. II, p. 744.

Géol. et cour. Crevasse des glaciers ou *crevasse glaciaire :* cassure étroite et profonde dans la glace. *Tomber dans une crevasse en faisant de l'alpinisme.*

♦ **2.** Méd. Fissure enflammée de la peau ou au pourtour des orifices naturels (bouche, anus). ⇒ **Engelure, gerçure, rhagade.** *Avoir des crevasses aux pieds, aux mains. Crevasses des seins :* plaies superficielles situées sur la peau du mamelon d'une femme qui allaite.

2 Celui qui a des crevasses aux doigts (...)   MONTAIGNE, II, *in* LITTRÉ.

3 La main de l'homme est rouge, abîmée par les travaux rudes et le froid ; les doigts, repliés vers l'intérieur de la paume, montrent, sur le dessus, de multiples petites crevasses au niveau des articulations ; ils sont en outre tachés de noir, comme par du cambouis, qui aurait adhéré aux régions crevassées de la peau et dont un lavage trop rapide ne serait pas venu à bout.
          A. ROBBE-GRILLET, *Dans le labyrinthe*, p. 66.

Vétér. Crevasses du paturon : infection cutanée chez le cheval située au pli du paturon. *Crevasses aux mamelles des vaches.*

DÉR. Crevasser.

CREVASSER [kRəvase] v. tr. — V. 1300, *cravaciez* ; de *crevasse.*

♦ Faire des crevasses sur, à (qqch.). *Le froid crevasse le sol, les mains.* ⇒ **Craqueler, fendiller, fendre, fissurer, gercer, lézarder.**

0.1 Sophie les devait *(ces avantages),* aux promiscuités gênantes d'une maison changée en caserne, à ses dessous de laine rose qu'elle était bien forcée de repriser devant nous sous la lampe, à nos chemises qu'elle lavait à l'aide d'un savon fabriqué sur place, et qui lui crevassait les mains.
          M. YOURCENAR, *le Coup de grâce*, p. 168 (1929).

▶ **SE CREVASSER** v. pron.
Se couvrir de crevasses. *Le sol, le mur se crevasse.*

1 (...) l'inflexible granit ne commence à se briser, à se crevasser, à s'onduler, qu'à deux cents pieds environ au-dessus des eaux.
          BALZAC, *Séraphîta*, Pl., t. X, p. 459.

2 La toiture de feuilles se crevassait, jaunissait, s'écaillait petit à petit et laissait insidieusement filtrer (...) sur les hôtes familiers des branchages, des filets de pluie (...)
          L. PERGAUD, *De Goupil à Margot*, p. 155.

▶ **CREVASSÉ, ÉE** p. p. adj.
Percé, parsemé de crevasses. ⇒ **Fenestré.** *Mains crevassées par le froid* (→ Crevasse, cit. 3). *Sol crevassé.*

CRÈVE [kRɛv] n. f. — 1902 ; de *crever.*

♦ **1.** Pop., rare. Mort.

♦ **2.** Loc. Cour. (Fam.). *Attraper la crève :* attraper du mal, spécialt, prendre dangereusement froid. *Choper la crève ; avoir la crève. Attraper la crève dans une pièce mal chauffée.* « *On attrape la crève !* » (Colette, *la Vagabonde*, I, p. 11). — (Avec d'autres verbes). *Il a pris la crève. J'ai la crève !*

CREVÉ, ÉE [kRəve] p. p. adj. et n. m. ⇒ **Crever.**

CRÈVE-CŒUR [kRɛvkœR] n. m. invar. — XIIe, *crievecuer* ; de *crever*, et *cœur.*

♦ Grand déplaisir mêlé de dépit. ⇒ **Désappointement, peine, supplice.** *C'est un crève-cœur pour lui de voir partir ses camarades en vacances alors qu'il doit rester à la maison. Des crève-cœur. — Le Crève-cœur,* recueil de poèmes d'Aragon.

1 Ô honte ! ô crève-cœur ! ô désespoir ! ô rage !   CORNEILLE, *Clitandre*, 345.

2 Quel crève-cœur ça devait être pour ce pauvre homme de quitter toutes ces choses (...)   Alphonse DAUDET, *Contes du lundi*, « La dernière classe ».

3 (...) tous les ans j'éprouve ce crève-cœur de voir une partie de la forêt à bas (...)   E. DELACROIX, *Journal*, 30 avr. 1850.

CONTR. Joie, plaisir, soulagement.

CREVÉE [kRəve] n. f. — 1867 ; de *crevé*, p. p. de *crever.*

♦ **1.** Régional (Suisse). Bévue, maladresse. ⇒ **Gaffe.** *Faire une crevée, une grosse crevée.*

♦ **2.** Vx. Le fait de crever (concret).

(...) tout le désolé de la pluie, une trombe dans le buisson de Ruysdaël, la crevée de l'ondée au bout d'un champ (...)
          Ed. et J. DE GONCOURT, *Manette Salomon*, p. 304 (1867).

CRÈVE-LA-FAIM [kRɛvlafɛ̃] n. m. invar. — 1870 ; de *crever*, I., 4., et *faim.*

♦ Fam. Miséreux qui ne mange pas à sa faim. ⇒ **Miséreux.** (On

dit aussi *crève-de-faim, crève-faim :* « tous les crève-faim », Louise Michel, *la Misère*, t. I, p. 101). *Des crève-la-faim.*

1 Un crève-la-faim qui cherche à raccrocher des leçons particulières.
          M. PAGNOL, *Topaze*, I, XIII.

2 Et le chômage trop souvent condamnait à de maigres besognes, d'aricandiers *(sic),* de crève-la-faim.   M. GENEVOIX, *Forêt voisine*, XIV, p. 204.

REM. La formation analogique *crève-la-soif* est attestée (Jeanne Cordelier, *la Passagère*, p. 79).

CREVER [kRəve] v. — Conjug. *lever.* — xe, *crever les yeux* ; du lat. *crepare* « craquer ».

★ **I.** V. intr. ♦ **1.** S'ouvrir en éclatant, par excès de tension. ⇒ **Éclater.** *Nuage qui crève. Bulle qui crève. Sac trop plein, ballon trop gonflé qui risquent de crever. Abcès qui crève.* ⇒ **Percer.** — *Faire crever du riz,* le faire gonfler à l'eau bouillante jusqu'à ce que les grains s'ouvrent. — (1891, *in* Petiot). *Le pneu de sa bicyclette, de sa voiture a crevé* (⇒ **Crevaison**). — Vx. Éclater. *Bombe qui crève en l'air. Fusil qui crève dans les mains,* qui éclate au moment où l'on veut tirer. ⇒ **Péter.** — Fig. *Affaire qui crève dans les mains,* qui échoue, qui rate. ⇒ **Claquer.** — REM. Le pron. *se crever,* qui correspond syntaxiquement au sens transitif II, s'est employé dans la langue classique et jusqu'au xixe s. comme exact synonyme de *crever* (→ cit. 1, 5, 6).

1 Terre, crève-toi donc, afin de m'engloutir.   CORNEILLE, *Clitandre*, variante, 1.

2 La chétive pécore
S'enfla si bien qu'elle creva.   LA FONTAINE, *Fables*, I, 3.

3 (...) la nuée creva le soir à dix heures (...)   Mme DE SÉVIGNÉ, 126, 31 déc. 1670.

4 Son fusil lui creva dans la main.   Mme DE SÉVIGNÉ, 476, *in* LITTRÉ.

5 Il avait un abcès dans la poitrine, qui s'est crevé tout d'un coup, et l'a étouffé.
          Mme DE SÉVIGNÉ, 659, 4 oct. 1677.

6 Le bourgeon cotonneux du pommier se gonfle et se crève.
          BERNARDIN DE SAINT-PIERRE, *Harmonies de la nature*, I, *in* LITTRÉ.

7 Je crèverais comme un obus,
Si je n'absorbais comme un chancre.
          BAUDELAIRE, *Poèmes divers*, II, *Bribes*, « Le goinfre ».

Loc. *Plein, rempli à crever :* trop plein. *Une armoire pleine* (cit. 2) *à crever.*

Figuré :

8 (...) furieusement, son long silence creva en un flot de paroles.
          ZOLA, *Germinal*, t. III, p. 39.

9 (...) ce premier sommeil, grignoté par les mille bruits du coucher des autres, cède et crève de toutes parts.   GIDE, *Journal*, 24 août 1926.

(Sujet n. de personne, de véhicule). *Avoir un pneu qui crève. Nous avons crevé deux fois de suite : plus de pneu de rechange ! — La voiture n'a pas crevé depuis six mois.*

9.1 On arriverait à la ville tard dans la soirée à condition de ne pas trop crever en route.   M. DURAS, *Un barrage contre le Pacifique*, p. 156.

♦ **2.** Être sur le point d'éclater ; être trop gonflé, trop plein. *Crever d'embonpoint, de graisse* (→ cit. 11). *Manger à crever,* excessivement.

10 Il soupe, il crève ; on y court
On lui donne maints clystères.   LA FONTAINE, *Glout.*, *in* LITTRÉ.

11 Nanette crève de graisse.   RACINE, *Lettres.*

12 (...) ils mangeront jusqu'à regorger, jusqu'à crever.   ROUSSEAU, *Émile*, II.

CREVER DE... (suivi d'un nom ou d'un infinitif). Être sur le point d'éclater, de mourir ; être gorgé, rempli de... (selon les compl., acquiert des valeurs différentes). *Crever d'argent.* ⇒ **Regorger.** *Crever de santé* (→ Péter de santé*). — Être rempli (d'un sentiment qui ravage). *Crever de dépit, de colère rentrée, de jalousie. C'est à crever de rire,* à éclater de rire. ⇒ **Crevant** (fam.).

13 Mais je suis trop barbon pour oser soupirer,
Et je ferais crever de rire.   MOLIÈRE, *Amphitryon*, I, 4.

14 Je crève de dépit.   MOLIÈRE, *les Précieuses ridicules*, 15.

15 Mme de Coulanges, qui crève d'argent, a prêté mille francs.
          Mme DE SÉVIGNÉ, 1069, 8 oct. 1688.

16 Je ne connais pas cet abbé qui était là, mais il est redondant et rubicond, il pète dans sa graisse et crève de joie.   HUYSMANS, *Là-bas*, XVII, p. 231.

17 (...) ces filles qui crèvent de misère et d'orgueil, belles de leur dénûment éclatant.   COLETTE, *la Vagabonde*, II, p. 99.

REM. Cet emploi tend à se confondre avec 4. (mourir de...). Cf. *Il crève de dépit,* et *il a manqué en crever de dépit,* ou : *qu'il en crève !* (sous entendu : de dépit).

♦ **3.** (XIIIe). Mourir, en parlant d'un animal, d'une plante. ⇒ **Mourir.** *Faire crever un chien à force de mauvais traitements. Les poissons rouges crèveront si l'on ne change pas l'eau. Arrose cette plante, ou elle crèvera.* ⇒ **Dessécher** (se), **sécher.**

18 Voilà mes chiens à boire : ils perdirent l'haleine,
Et puis la vie ; ils firent tant
Qu'on ne vit crever à l'instant.   LA FONTAINE, *Fables*, VIII, 25.

19 Un serpent piqua Jean Fréron.
Que pensez-vous qu'il arriva ?
Ce fut le serpent qui creva.   VOLTAIRE, *Épigramme.*

19.1 Pendant la campagne de France, officier de Napoléon, il sonna un soir, son cheval ayant crevé, à la porte d'un château (...)
          M. LEBLANC, *l'Aiguille creuse*, p. 157.

♦ **4.** (En parlant d'une personne ; fam. jusqu'au xviiie ; très fam. de nos jours). Mourir. *Il va crever.* ⇒ **Mourir ; claboter, clamser, claquer**

(→ Attraper la crève*). *Plutôt crever que de céder.* « *J'ai une soif à crever* » (ZOLA, *Rome*, p. 541). *Il fait une chaleur à crever.* — *Crever de faim :* mourir de faim. — *Fig.* Avoir grand faim. Être dans la misère. ⇒ **Crève-la-faim.** → ci-dessous II., 5., Crever la faim (même sens). — *Par ext.* Être très incommodé par... *Crever de chaud, de froid. Crever d'ennui.*

20 (...) elle et son équipage ont pensé crever des chaleurs (...)
Mme DE SÉVIGNÉ, 1211, 31 août 1689.

21 Ou la malade crèvera, ou bien elle sera à vous.
MOLIÈRE, le Médecin malgré lui, II, 5.

22 Sitôt que je m'assieds, je crève d'ennui. — Je ne chasserais pas trois jours à Fontainebleau sans périr de langueur.
A. DE VIGNY, Servitude et Grandeur militaires, III, v, p. 209.

22.1 Non! dit-elle, je ne crois pas ça... D'ailleurs, il n'y a personne qui soit resté trois jours sans manger. Quand on dit : « Un tel crève de faim », c'est une façon de parler. On mange toujours, plus ou moins... Il faudrait des misérables tout à fait abandonnés, des gens perdus...
ZOLA, le Ventre de Paris, t. I, p. 136 (1875).

23 « C'est l'heure de payer ton terme, ou d'aller crever dans la rue, parmi les enfants des chiens ! » répond le propriétaire (...)
Léon BLOY, la Femme pauvre, II, p. 284.

24 Avoir, à Paris, un foyer confortable, être le frère d'un médecin, et courir le risque de crever dans un hôpital d'Afrique (...)
MARTIN DU GARD, les Thibault, t. IV, p. 82.

25 (...) son travail de journaliste, honnêtement payé, l'aurait juste empêché de crever de faim !
J. ROMAINS, les Hommes de bonne volonté, t. III, XVII, p. 235.

26 Qu'il crève la gueule ouverte, seul dans le bled, en appelant sa mère, conclut le caporal-clairon.
P. MAC ORLAN, la Bandera, XII, p. 147.

27 Non, dit Kyo aux ouvriers : avant on ne mangeait pas. Je le sais, j'ai été docker. Et crever pour crever, autant que ce soit pour devenir des hommes.
MALRAUX, la Condition humaine, p. 130.

Pop. *Il est crevé :* il est mort. → ci-dessous Crevé, 4.

★ **II.** V. tr. ♦ **1.** Faire éclater (une chose gonflée ou tendue). *Crever un pneu* en le perçant. ⇒ **Déchirer, percer.** *Crever un ballon, un tambour, un papier d'emballage. Crever les yeux à qqn.* ⇒ **Éborgner.**

28 Et la foudre qui va partir,
Toute prête à crever la nue,
Ne peut plus être retenue.
CORNEILLE, Polyeucte, IV, 2.

29 En mai, une végétation formidable crevait ce sol de cailloux.
ZOLA, la Faute de l'abbé Mouret, p. 31.

Figuré :

30 (...) l'empire énervé et dépeuplé n'eut plus assez d'hommes ni d'énergie pour repousser les Barbares. Leur flot entra, crevant les digues, et, après le premier flot, un autre, puis encore un autre, et ainsi de suite pendant cinq cents ans.
TAINE, Philosophie de l'art, t. I, I, II, VI, p. 77.

31 (...) le dernier numéro des *Marges* où Suarès crève sa poche de fiel.
GIDE, Journal, 14 avr. 1933.

Crever le cœur de qqn, crever le cœur à qqn : faire de la peine ; provoquer de l'attendrissement, de la compassion chez qqn. ⇒ **Crève-cœur.** *Un spectacle qui crève le cœur. Cette injustice lui crève le cœur.* ⇒ **Fendre.**

32 Cela nous creva le cœur, et nous fit voir (...) qu'à la mort on dit la vérité.
Mme DE SÉVIGNÉ, 288, 24 juin 1672.

Vx. *Se crever* pron. → ci-dessus, cit. 1 et REM. *supra.*

♦ **2.** Loc. fig. (Sujet n. de chose). **CREVER LES YEUX :** être bien en vue, tout proche ; par ext. être évident. ⇒ **Sauter** (aux yeux). *Cela crève les yeux :* c'est évident, manifeste.

33 (...) les saletés y crèvent les yeux *(dans cette pièce).*
MOLIÈRE, la Critique de l'École des femmes, 3.

34 Mais j'étais alors si bête, que je ne voyais pas même ce qui crevait les yeux à tout le monde.
ROUSSEAU, les Confessions, IX.

35 (...) l'évolution de la France vers la guerre crève les yeux !
MARTIN DU GARD, les Thibault, t. V, p. 187.

35.1 (...) Vous le saviez? — Mais bien sûr qu'on le savait. Ça crève les yeux voyons.
N. SARRAUTE, Vous les entendez?, p. 85.

Se crever les yeux à lire dans la pénombre, s'altérer la vue.

Loc. *Crever l'écran*. Crever le plafond*.*

♦ **3.** Faire mourir. [a] Vx. *Que la peste te crève !* imprécation contre quelqu'un.

[b] (Idée de coup de couteau). Pop. *Crever qqn.* ⇒ **Tuer.** — *Crever la peau de qqn. Se faire crever la peau, la paillasse...*

35.2 Le boucher dit à Chaboullet, venu chez lui pour prendre sa première leçon de savate : « Mon petit, donne-moi 60 francs et je t'apprendrai à crever un homme ! »
Ed. et J. DE GONCOURT, Journal, t. I, p. 65.

36 Allez prévenir les agents. Moi... la Fernande... Oui... oui... Moi, j'ai crevé mon homme !
Francis CARCO, Jésus-la-Caille, III, IX, p. 225.

[c] Argot. Arrêter, prendre (qqn).

36.1 (...) c'est toujours avec un petit détail de rien qu'on se fait crever.
A. SARRAZIN, la Cavale, p. 97.

♦ **4.** (1895, in Petiot). Fam. (Sujet n. de chose). Exténuer (qqn) par un effort excessif. ⇒ **Claquer, épuiser, fatiguer.** *Ce travail vous crève.* ⇒ **Crevaison, crevant.** — Pron. *Se crever à faire qqch. Je me crève à te l'expliquer.*

37 Il est (...) usé, dit un grand ; il s'est crevé à me suivre : qu'en faire ?
LA BRUYÈRE, les Caractères, IX, 7.

37.1 Mais à partir de ce jour a commencé l'indisposition qui m'a fort retenu et fort donné à penser sur la sottise de vouloir se crever de travail et compromettre tout par le sot amour-propre d'arriver à temps. E. DELACROIX, Journal, 17 nov. 1852.

38 Qu'est-ce que vous avez fichu pour avoir vos places? Pendant que je me crevais la santé à faire du commerce, vous n'avez jamais bougé un orteil.
M. AYMÉ, la Tête des autres, IV, 5.

REM. Le faux pronominal *se crever la santé, le tempérament* (vulg. *se crever le cul*) correspond à un transitif inusité et a le même sens que *se crever.*

Spécialt. *Crever un cheval,* le tuer de fatigue.

39 Pour moi, ajouta-t-il (encouragé par le sourire de quelques femmes), je ne croirai à la vertu de Mme de Merteuil, qu'après avoir crevé six chevaux à lui faire ma cour.
LACLOS, les Liaisons dangereuses, II, LXX.

♦ **5.** (1873, Zola, cit., *crève-la-faim* semble antérieur). Fam. *Crever la faim :* crever de faim (ci-dessus, intrans.). *Crever la dalle* (même sens). — (1870). Ellipt. *La crever.* → La péter*, la sauter*. *On la crève, sers-nous quelque chose à bouffer !*

39.1 Quand il s'éveilla de son sermon sur la fraternité, il crevait la faim sur la dalle froide d'une casemate de Bicêtre. ZOLA, le Ventre de Paris, t. I, p. 70.

▶ **CREVÉ, ÉE** p. p. adj.

♦ **1.** Qui a crevé, présente une déchirure, une crevaison. ⇒ **Percé, fendu.** *Pneu crevé. Ballon crevé.* — *Par ext. Yeux crevés. Il, elle a un œil crevé.* ⇒ **Borgne.**

40 (...) la montagne semble avoir eu des convulsions, tant elle est soulevée, fendue, crevée dans tous les sens. E. FROMENTIN, Un été dans le Sahara, p. 61.

41 Je m'en allais, les poings dans mes poches crevées (...)
RIMBAUD, Poésies, « Ma bohème ».

42 (...) une bourre grise qui se dénoue en neige comme un édredon crevé.
COLETTE, l'Étoile Vesper, p. 12.

♦ **2.** N. m. *Un, des crevés :* fente pratiquée aux manches de certains habits et servant à les orner, en laissant apercevoir la doublure. *Les manches à crevés étaient de mode sous François Ier. Un crevé Henri II* (→ Gigot, cit. 7).

42.1 Il distingua des habits noirs, puis une table ronde éclairée par un grand abat-jour, sept ou huit femmes en toilettes d'été, et, un peu plus loin, Mme Dambreuse dans un fauteuil à bascule. Sa robe de taffetas lilas avait des manches à crevés, d'où s'échappaient des bouillons de mousseline, le ton doux de l'étoffe se mariant à la nuance de ses cheveux. FLAUBERT, l'Éducation sentimentale, Pl., t. II, p. 267.

42.2 (...) il était vêtu d'un pourpoint et d'un haut-de-chausses violet avec des aiguillettes de même couleur, sans aucun ornement que les crevés habituels par lesquels passait la chemise. DUMAS, les Trois Mousquetaires, t. I, p. 20.

42.3 (...) la conversation (...) va à l'étymologie, et l'on recherche celle de petit crevé. L'un dit que c'est l'antiphrase de gros crevé, c'est-à-dire, crevant de santé, l'autre soutient que cela vient des chemises bouillonnées qu'ils avaient l'habitude de porter, et du nom donné à ces chemises par les blanchisseuses : chemises à petits crevés. Ed. et J. DE GONCOURT, Journal, t. V, p. 149.

♦ **3.** Vx. Gros, bouffi. — N. *Un crevé, une crevée. Un gros crevé* → ci-dessus cit. 42.3.

43 (...) elle *(Mme de Verneuil)* n'est plus rouge, ni crevée, comme elle était.
Mme DE SÉVIGNÉ, 261, 1er avr. 1672.

44 (...) je ne suis plus une *grosse crevée :* j'ai le dos d'une *plateur* qui me ravit (...)
Mme DE SÉVIGNÉ, 556, 8 juil. 1676.

♦ **4.** Mort (animal, plante). *Un chat crevé.* — Fam. (vx); pop. (mod.). En parlant d'une personne :

45 (...) vous n'êtes point crevé de toutes les médecines qu'on vous fait prendre (...)
MOLIÈRE, le Malade imaginaire, III, 3.

46 J'aime mieux te voir crevée que de te voir à un autre.
MOLIÈRE, Dom Juan, II, 3.

N. m. *Avoir une gueule de crevé.*

♦ **5.** Fam. Très fatigué. ⇒ **Claqué.** *Être complètement crevé.*

47 — Écoute, il est tard et nous sommes tous les deux un peu crevés. Mais sortons ensemble un de ces soirs, et tâchons d'avoir une vraie conversation (...)
S. DE BEAUVOIR, les Mandarins, p. 469.

N. *Des crevés.* ⇒ **Crevard.**

Loc. Vieilli. **PETIT CREVÉ :** jeune homme malingre, efféminé, élégant, qui mène une vie oisive et dissipée. → ci-dessus, cit. 42.3.

48 C'était un petit crevé, d'assez jolie mais fort insignifiante binette (...)
Louise MICHEL, la Misère, t. II, p. 478 (1881).

CONTR. Résister, tenir. — Reposer.
DÉR. Crevable, crevage, crevaille, crevaison, crevant, crevard, crève, crevée, crevure.
COMP. Crève-cœur, crève-la-faim, crève-tonneau, crève-vessie.

CRÈVE-TONNEAU [kʀɛvtɔno] n. m. invar. — 1647 ; de *crever*, et *tonneau.*

♦ Vx. Appareil inventé par Pascal, qui sert à vérifier les lois de la pression des liquides sur les parois des vases qui les contiennent.

CREVETTE [kʀəvɛt] n. f. — 1530 ; forme normande de *chevrette* « petite chèvre », le crustacé aurait été ainsi dénommé à cause des sauts qu'il fait.

♦ **1.** Petit crustacé décapode marin ou d'eau douce (sous-ordre des décapodes nageurs). *Les crevettes appartiennent à deux groupes assez différents, les* Carididés (petites crevettes, sauf le *Macrobrachium*) et Pénéidés (« gambas », etc.). *Crevette rose* (Palaemon serratus ; ⇒ **Bouquet**) ou *chevrette ; crevette grise* (Crangon crangon ; ⇒ régional **Boucaud**). *Pêche aux crevettes à marée basse. Filet pour pêcher les crevettes.* ⇒ **Crevettier, crevettière, haveneau, puche,** truble ; régional **bourraque, pousseux.** *Faire cuire, éplucher, décortiquer des crevettes. Crevettes à la mayonnaise. Beignets de crevettes. Garniture, mousse, coulis de crevettes.* — *Grosses crevettes des mers chaudes.* ⇒ **Gambas, scampi.** *Crevettes congelées.* — REM. Employé absolument, le mot désigne en général les petites crevettes roses ou grises, dites régionalement *salicoques*.*

1 Cependant, les crevettes roses, les crevettes grises, dans les bourriches, mettaient, au milieu de la douceur effacée de leurs tas, les imperceptibles boutons de jais de leurs milliers d'yeux ; les langoustes épineuses, les homards tigrés de noir, vivants encore, se traînant sur leurs pattes cassées, craquaient.
ZOLA, le Ventre de Paris, t. I, p. 150 (1875).

2 On nous apporte des crevettes de rivière ; très grosses, semblables à du « bouquet »... Cuites, leur chair reste molle et gluante.
GIDE, Voyage au Congo, in Souvenirs, Pl., p. 766.

3 La crevette, de la taille ordinaire d'un bibelot, a une consistance à peine inférieure à celle de l'ongle. Elle pratique l'art de vivre en suspension dans la pire confusion marine au creux des roches (...) La crevette ressemble à certaines hallucinations bénignes de la vue, à forme de bâtonnets, de virgules, d'autres signes aussi simples, — et elle ne bondit que d'une façon différente.
Francis PONGE, la Crevette, in Pièces, p. 16 et 19.

(Autres crustacés). *Crevette d'eau douce.* ⇒ **Caridine, crevettine, gammare.**

Par compar. *Une barbe, des yeux de crevette* (*in* T. L. F.). *Des petits sauts de crevette.*

♦ **2.** Argot. **a** (Vx). Femme galante de luxe. *Les crevettes des Années folles. La Môme Crevette,* personnage de Feydeau dans *la Dame de chez Maxim's* (1899).

b Mod. Amante, maîtresse. *Tu viendras dîner avec ta crevette ?* ⇒ **Langoustine.**

DÉR. Crevettier, crevettière, crevettine.

CREVETTIER [kʀəvetje] n. m. — 1877 ; de *crevette*.

♦ **1.** Filet à crevettes. ⇒ **Crevettière, haveneau.**

♦ **2.** Bateau qui fait la pêche à la crevette.

CREVETTIÈRE [kʀəvetjɛʀ] n. f. — 1863 ; de *crevette*.

♦ Filet à crevettes. ⇒ **Crevettier.**

CREVETTINE [kʀəvetin] n. f. — 1845 ; de *crevette*.

♦ Crustacé amphipode à petite tête, dont les espèces vivent dans l'eau de mer ou l'eau douce (syn. cour. : *crevette d'eau douce*). ⇒ **Gammare.**

CRÈVE-VESSIE [kʀɛvvesi] n. m. invar. — 1783 ; de *crever,* et de *vessie.*

♦ Phys. (Vx). Appareil destiné à mettre en évidence la pression atmosphérique. *Le crève-vessie est un vase fermé par une vessie qui crève sous la pression extérieure de l'air lorsqu'on a fait le vide à l'intérieur. Des crève-vessie.*

CREVURE [kʀəvyʀ] n. f. — V. 1120, *creveure* « crevasse » ; de *crever.*

★ **I.** Vx ou littér. Coupure, entaille (Giono, *in* T. L. F.).

★ **II.** Fam. (surtout rural). Chose, personne méprisable, ignoble. ⇒ **Ordure.** — (Surtout en appellatif injurieux). *Saloperie, crevure !*

— Sale crevure. Je te tiens pourtant ! Tête de vache, te voilà muselé... parfaitement, j'appellerai au secours... je vas t'apprendre à vivre, moi...
M. AYMÉ, Maison basse, p. 137.

CRI [kʀi] n. m. — xᵉ, *criz* ; déverbal de *crier.*

♦ **1.** Son intense, souvent aigu, perçant, émis par la voix humaine. ⇒ **Éclat** (de voix). *Élever un cri, des cris. Faire, pousser des cris.* ⇒ **Crier.** Vx. *Jeter, répandre des cris. Un long cri s'est fait entendre, a retenti. Un grand cri jaillit de sa poitrine. Le Cri,* film d'Antonioni. *Percer, remplir l'air de ses cris. Appeler à grands cris.* ⇒ **Appel** (→ Oh, hé !). *Cris de querelle. Aimer les cris* (→ Casse, cit. 1). *Redouter les cris. Avoir les oreilles rebattues des cris de qqn. Ne faire qu'un cri,* en parlant de cris ininterrompus, continuels. *Étouffer un cri. Cri aigu, assourdissant, bref, déchirant, éclatant, fort, perçant, strident, stridulant* (⇒ **Beuglement, braillement, braiment, gueulement, hurlement, rugissement**). *Des cris épouvantables. Cri étouffé, inarticulé, plaintif, sourd. Cri de surprise* (→ Oh ! Ah !) ; *de joie, de triomphe ; de frayeur, de colère, de douleur.* ⇒ **Gémissement, grognement, hurlement, plainte, pleur, protestation, râle, sanglot ; lamentation.** Littér. *Des cris de damné.* Loc., vx. *Hauts cris :* cris forts et aigus. → ci-dessous, cit. 2 et, dans un autre contexte, au sens 2.

1 Elle jeta des cris, elle versa des pleurs.
CORNEILLE, Médée, I, 1.

2 Je le trouvai (La Rochefoucauld) criant les plus hauts cris des douleurs extrêmes de la goutte.
Mᵐᵉ DE SÉVIGNÉ, 148, 23 mars 1671.

3 D'une mère en fureur épargne-moi les cris (...)
RACINE, Iphigénie, I, 1.

3.1 Elle avait caché là sa tête, afin d'assourdir ses horribles cris, obéissant à une sorte d'instinct pudique : c'étaient des sanglots, des pleurs d'enfant, mais plus pénétrants, plus plaintifs ; il n'y avait plus rien dans le monde pour elle.
BALZAC, le Message, éd. 1834, p. 23.

À quoi sert de pleurer ? À quoi bon ces clameurs ?
4 Les cris n'éveillent point les morts.
LECONTE DE LISLE, les Érinnyes, II, IV.

5 (...) j'entendis des cris, des cris humains, plaintifs, étouffés, déchirants.
MAUPASSANT, Clair de lune, « Le père », p. 230.

6 L'homme s'exprime souvent, comme les animaux, par des cris, réflexes ou non, qui traduisent surtout ses sensations et ses sentiments. Les uns sont de vrais cris : *Bah ! Pst ! Hop !* les autres sont des mots : *Halte !*
F. BRUNOT, la Pensée et la Langue, I, I, p. 3.

7 (...) Vanini poussa un cri de douleur si fort, et si déchirant que les assistants en frémirent.
GIDE, Journal, 3 avr. 1945.

8 L'enfant laissa échapper un cri bref, qui se mua bien vite en rire forcé.
MARTIN DU GARD, les Thibault, t. III, p. 146.

9 Le cri, si fort et si vivant qu'on en fera quelque chose, un jour. Il est absurde que cette énorme somme d'énergie s'évapore ainsi, se perde dans l'espace.
G. DUHAMEL, Scènes de la vie future, VIII, p. 129.

10 Ce trouble, elle *(la muette)* était impuissante à l'exprimer par la parole. Prise de désespoir, un cri lui montait à la gorge, dont elle retenait douloureusement l'émouvante et terrible bestialité (...) et j'appréhendais toujours l'éclat de ce cri qu'elle contenait avec peine, c'est-à-dire passionnément.
H. BOSCO, Un rameau de la nuit, V, p. 202.

11 Longtemps la voix rauque des hommes, les cris des femmes, les hurlements des chiens, la tenaient éveillée sous ses couvertures.
J. CHARDONNE, les Destinées sentimentales, II, p. 183.

11.1 Je devais rester fidèle à ce cri qui était sorti de moi quand l'énorme obus s'était abattu sur Thiaumont. Voilà : il fallait me raccrocher à ce cri. Car ce cri était bien resté en moi.
DRIEU LA ROCHELLE, la Comédie de Charleroi, p. 309.

Cri du nouveau-né. ⇒ **Vagissement.** *Cris d'enfants.* ⇒ **Braillement** (s) ; **criaillerie, piaillerie.**

Loc. *Pousser des cris d'orfraie* (cit. 1), *de paon* (→ le sens 7) : *des cris aigus, des protestations* (→ le sens 2). ⇒ **Protester.**

♦ **2.** Ensemble des paroles, des phrases brèves émises simultanément par un groupe de personnes, une assemblée, une foule. *Concert de cris.* ⇒ **Clameur.** *Un long cri monta de la foule. Cris séditieux*. La foule pousse des cris de mort. Cri de protestation, de révolte, de désapprobation, d'indignation...* ⇒ **Bas** (à bas), **charivari, clabaudage, clabaudement, clabauderie, criaillerie, crierie, exclamation, glapissement, grognement, gueulement, haro, hou !, hourvari, huée, hurlement, improbation, interjection, mouvement, mugissement, murmure, piaillerie, protestation, réclamation, récrimination, tapage, tollé, tumulte, vacarme, vocifération...** *Protester à grands cris* (→ Applaudir, cit. 5 ; bousculer, cit. 4).

12 Chiens, chasseurs, villageois, s'assemblent pour sa perte.
Jupiter est là-haut étourdi de leurs cris (...)
LA FONTAINE, Fables, X, 5.

13 Nous nous levons alors, et tous en même temps
Poussons jusques au ciel mille cris éclatants.
CORNEILLE, le Cid, IV, 3.

14 Tout le peuple à grands cris demande Nicomède.
CORNEILLE, Nicomède, V, 4.

Cris d'approbation. ⇒ **Acclamation, ah, applaudissement** (cit. 4), **ban, battement** (des mains), **bis, bravo, hourra, ovation, viva, vivre** (vive). → Hip hip hip, hourra ! *Être accueilli aux cris de vive...* — *Cri de louange.* ⇒ **Hosanna.** *Cri de joie, d'allégresse* (⇒ **Alléluia**). *Cris d'adieu. Cri d'encouragement.* ⇒ **Aller** (allez-y), **courage** (bon courage) ; **incitation.** *Cri de supplication.* ⇒ **Prière.** *Cri des bacchantes.* ⇒ **Évoé.**

Vx. *Hauts cris : cris aigus, perçants.* Loc. mod. *Jeter, pousser les hauts cris :* protester véhémentement.

15 J'eus dans le même temps une autre affaire, qui occasionna la dernière lettre que j'ai écrite à M. de Voltaire : lettre dont il a jeté les hauts cris, comme d'une insulte abominable, mais qu'il n'a jamais montrée à personne.
ROUSSEAU, les Confessions, X.

16 Les prêtres, attaqués dans la *Confession du vicaire savoyard,* jetèrent les hauts cris (...)
CHAMFORT, Maximes, I, « Sur la philosophie et la morale », XCIV.

16.1 D'abord, son frère Saturnin avait poussé les hauts cris : jamais d'la vie é n'irait voir Meussieu Narceuse. Qu'est-ce quelle lui voulait ? De quoi qu'è s'mêlait ?
R. QUENEAU, le Chiendent, p. 169.

À cor et à cri. ⇒ **Cor** (cit. 5 et 6).

Argot. *Faire du cri, aller au cri :* faire du scandale, protester bruyamment.

♦ **3.** (1892). Loc. fig. **DERNIER CRI.** *Le dernier cri de la mode,* sa toute dernière nouveauté. *Ce chapeau est du dernier cri,* de la suprême élégance. ⇒ **Mode, vogue...** — En appos. *Des voitures dernier cri* (ces emplois ont vieilli).

17 Nous pouvons dès la semaine prochaine commencer les travaux d'un établissement hydrominéral, dernier cri, sans avoir rien eu à payer que le prix du terrain.
J. ROMAINS, les Hommes de bonne volonté, t. V, XXII, p. 180.

17.1 Son chauffe-eau, son frigo, elle me les céderait volontiers, elle choisirait des modèles dernier cri (...)
Violette LEDUC, la Folie en tête, p. 409 (1970).

♦ **4.** Par anal. Parole(s) lancée(s) très fort en signe d'appel, d'avertissement. ⇒ **Appel** (cit. 1 et 2), **avertissement.** *Cri d'alarme.* ⇒ **Arme** (aux armes), **assassin** (à l'assassin), **garde** (prenez garde), **moi** (à moi), **voleur** (au voleur)... *Cri de détresse.* ⇒ **Sauver** (sauve qui peut), **secours** (au secours), **S.O.S.** *Cri de la sentinelle.* ⇒ **Aller** (qui va là ?), **vivre** (qui vive ?). — *Cri d'armes. Cri de guerre. Cri de ralliement.* ⇒ **Devise, slogan.** « Mont-joie Saint-Denis », *ancien cri des Français.* « Notre-Dame », *cri de la maison de Bourbon.* « Dieu premier servi », *cri de Jeanne d'Arc.* « Toujours prêt », *cri des scouts. Cri de ralliement.*

18 Le seul chapitre des cris d'exhortation remplirait des pages. Il y a des cris de guerre, depuis *Montjoie* jusqu'à *En avant !* des cris de chasse, de marche, de sport, etc. La conversation la plus banale en fournit : *Attention ! Prenez garde ! Un peu de patience ! Allons, courage !*
F. BRUNOT, la Pensée et la Langue, XII, v, v, p. 566.

Cri des chasseurs. ⇒ **Hallali, hourvari, huée, taïaut.**

Spécialt. Annonce des marchands ambulants (⇒ **Criée**). *Le cri du rémouleur, du chiffonnier. Les cris des marchands de journaux. Les cris de Paris.*

19 Dans les grandes artères retentissaient les cris des vendeurs de journaux (...)
MARTIN DU GARD, les Thibault, t. VII, p. 114.

♦ **5.** Littér. Opinion* manifestée hautement. *Il n'y a qu'un cri sur cet homme politique* (⇒ **Bruit**). *Un cri général et unanime s'élève contre lui. Les cris de la cabale. Des cris de vengeance, de haine ; de misère. Les cris des opprimés. Cri d'amour, de désir... Cri d'ardeur.* — Spécialt. *Le cri public.* ⇒ **Opinion** (publique). *Braver le cri public.*

20 (...) un cri général, un crescendo public, un chorus universel de haine et de proscription.
BEAUMARCHAIS, le Barbier de Séville, II, 8 (→ Calomnie, cit. 5).

♦ **6.** Fig. Mouvement intérieur (de la conscience). ⇒ **Appel, voix ; avertissement, aveu.** — Loc. CRI DU CŒUR. *C'est le cri du cœur,* l'expression non maîtrisée d'un sentiment sincère. — *Le cri de la conscience. Cri de l'âme* (→ Auditoire, cit. 8 ; blues, cit. 2.). *Cri du sang, de la nature. Le cri de l'amour maternel.*

21 Le premier langage de l'homme, le langage le plus universel, le plus énergique, et le seul dont il eût besoin avant qu'il fallût persuader des hommes assemblés, est le cri de la nature. ROUSSEAU, De l'inégalité parmi les hommes, I, p. 53.

22 Un cri sorti du cœur, un geste un mouvement,
Et nos cœurs confondus n'avaient qu'un battement.
LAMARTINE, Jocelyn, Sixième époque, Lettre à sa sœur, 26 sept. 1800.

Le cri de la chair. ⇒ **Exigence, protestation.**

23 Saisie par ce grandiose, soupçonnant que le bonheur devait justifier cette immolation, entendant en elle-même les cris de la chair révoltée, elle demeura stupide en face de sa vie manquée. BALZAC, le Lys dans la vallée, Pl., t. VIII, p. 960.

♦ **7.** Didact. Son vocal émis par les animaux et variant avec les espèces. *Désignation des cris des animaux.* ⇒ **Aboyer** (aboi, aboiement ; *chien),* **babiller** (babil, babillage ; *corneille, merle, pie),* **bareter** *(éléphant, rhinocéros),* **barrir** (barrissement, barrit ; *éléphant),* **bêler** (bêlement, rare bég; *bélier, brebis, chèvre, mouton),* **bégueter** (béguètement ; *chèvre),* **beugler** (beuglement ; *bœuf, buffle, taureau, vache),* **blatérer** *(bélier, chameau),* **bourdonner** (bourdonnement ; *abeille, mouche),* **brailler** (braillement ; *paon),* **braire** (braiement ; *âne),* **bramer** (bramement, régional bramée ; *cerf, chevreuil, daim),* **cacaber** *(perdrix),* **cacarder** *(oie),* **cajoler** *(geai, pie),* **caqueter** (caquet ; *poule),* **caracouler** *(ramier),* **carcailler** *(caille),* **chanter** (chant ; *cigale, coq, fauvette, rossignol..., oiseau),* **chicoter** *(souris),* **chuchoter** (chuchotement ; *moineau),* **chuinter** (chuintement ; *chouette),* **clabauder** (clabaudage ; *chien),* **clapir** *(lapin),* **clatir** (clatissement ; *chien de chasse),* **coasser** (coassement ; *crapaud, grenouille),* **coqueriquer** (cocorico *ou* coquerico ; *coq),* **coucouler** (coucou ; *coucou),* **courailler** *(caille),* **crailler** (craillement ; *corneille),* **craquer** et **craqueter** (craquètement ; *cigale, cigogne, grue),* **crételer** *(poule),* **criailler** (criaillement ; *oie, paon),* **croasser** (croassement ; *corbeau),* **ébrouer** (s') (ébrouement ; *cheval),* **feuler** (feulement ; *chat, tigre),* **flûter** *(merle),* **frigotter** *(pigeon),* **gazouiller** (gazouillement et gazouillis ; *hirondelle..., oiseau),* **gémir** (gémissement ; *tourterelle),* **glapir** (glapissement ; *grue, renard),* **glatir** *(aigle),* **glouglouter** et **gloglôter** (glouglou ; *dindon),* **glousser** (gloussement ; *gélinotte, perdrix, poule),* **grailler** (graillement ; *corneille),* **grésiller** et **grésillonner** (grésillement : *grillon),* **gringotter** *(rossignol),* **grisoller** *(alouette),* **grogner** (grognement ; *ours, porc),* **grommeler** (grommellement ; *sanglier),* **hennir** (hennissement ; *cheval),* **hôler** *(hulotte),* **huer** *(chouette, hibou),* **hululer** (hululation, hululement ; *chouette, hibou),* **hurler** (hurlement ; *chien, loup, ours),* **jacasser** (jacassement, jacasserie ; *pie),* **japper** (jappement ; *chien),* **jargonner** *(jars),* **jaser** (jasement ; *geai, pie),* **lamenter** (crocodile), **margauder** et **margoter** *(caille),* **meugler** (meuglement ; *bœuf, taureau, vache),* **miauler** (miaulement ; *chat),* **mugir** (mugissement ; *bœuf, buffle, taureau, vache),* **nasiller** (nasillement ; *canard),* **parler** *(perroquet),* **piailler, piauler** (piaulement, piaulis ; *poulet... oiseau),* **pupuler** *(huppe),* **raire** (cerf, chevreuil, daim), **râler, raller, réer** *(cerf, chevreuil, daim, faon, tigre),* **ramager** *(oiseau),* **rauquer** (rauquement ; *tigre),* **ronronner** (ronronnement ; *chat),* **roucouler** (roucoulement ; *colombe, pigeon, ramier, tourterelle),* **rugir** (rugissement ; *lion),* **siffler** (sifflement ; *courlis, loriot, marmotte, merle, serpent),* **souffler** (soufflement ; *buffle),* **striduler** (stridulation ; *cigale),* **tirelirer** (tire-lire ; *alouette),* **trisser** *(hirondelle),* **trompeter** *(aigle, cygne, grue ; mammifères marins),* **ululer** (ululation, ululement ; *chouette, hibou)...* et aussi **voix.** *Imitation du cri de certains oiseaux.* ⇒ **Frouer** (frouée ; *chouette),* **rossignoler** *(rossignol),* **turluter** *(courlis),* etc.

REM. Le mot s'applique surtout à propos des oiseaux dont le cri spécifique ne porte pas de nom, ou porte un nom peu connu ; il paraît anormal lorsqu'il est appliqué au son non vocal produit par un insecte (→ ci-dessous cit. 29).

Collectif. *Le cri du loup.*

24 L'aigle, étant de retour et voyant ce ménage,
Remplit le ciel de cris (...) LA FONTAINE, Fables, II, 8.

25 Un cri par l'éléphant est aussitôt jeté ;
Le peuple aussitôt sort en armes. LA FONTAINE, Fables, X, 13.

26 Les sifflements du courlis et le cri de la barnacle perchée sur les framboisiers de la grotte, m'annoncèrent le retour du matin (...)
CHATEAUBRIAND, les Natchez, VIII, 333.

27 (...) en se cachant le visage avec leurs manches, elles poussèrent ensemble un cri bizarre, pareil au hurlement d'une louve (...) FLAUBERT, Salammbô, VII, p. 140.

28 (...) dans le ciel, passaient et repassaient les tourbillons d'hirondelles noires, ivres de mouvement et de lumière, qui, de minute en minute, à chaque tour de leur vol, lançaient dans le collège silencieux leur cri comme une fusée.
LOTI, Matelot, III, p. 12.

29 La lande n'était qu'un infini cri de cigales. F. MAURIAC, le Mal, I, p. 27.

29.1 Plusieurs fois, *(Jules Matrat)* s'arrêta pour écouter piauler une bête dont il ne reconnaissait pas le cri. Plus doux que le glapissement du renard, c'était aussi plus clair comme son. Il y avait si longtemps qu'il n'avait entendu de marmottes qu'il n'en pouvait plus reconnaître le sifflement. Charles EXBRAYAT, Jules Matrat, p. 242.

Imiter, faire des cris d'animaux.

♦ **8.** Bruit aigu et peu harmonieux (d'une chose). ⇒ **Bruit.** *Le cri de la lime, des ciseaux.* ⇒ **Crissement, frottement.** *Cri de la soie.* ⇒ **Bruissement.** *Cri de la girouette.* ⇒ **Gémissement, grincement.** *Le cri d'une chaussure, d'un vieux meuble.* ⇒ **Craquement.** *Cri d'une locomotive.* ⇒ **Sifflement.**

30 Véronique reconnut à sa douceur exquise l'organe du curé, le frôlement de la soutane, et le cri d'une étoffe de soie qui devait être une robe de femme.
BALZAC, le Curé de village, Pl., t. VIII, p. 739.

CONTR. Silence.

CRIAGE [kʀijaʒ] n. m. — Fin XIIe ; de *crier.*

♦ Vx. Office du crieur public. Annonce faite en criant. *Criage sur la voie publique.*

CRIAILLEMENT [kʀiajmɑ̃ ; kʀijajmɑ̃] n. m. — 1611 ; de *criailler.*

♦ Action de criailler ; cri désagréable. Spécialt. *Le criaillement des oiseaux.* ⇒ **Piaillement.**

Et le criaillement d'un oiseau, qui seul dans ce temps si triste se hasardait à gazouiller (...) PROUST, Jean Santeuil, Pl., p. 511.

CRIAILLER [kʀiaje ; kʀijaje] v. intr. — 1555, Ronsard ; de *crier,* et suff. *-ailler.*

♦ **1.** Crier de manière désagréable, fréquente ou constante ; produire de petits cris aigus. ⇒ **Brailler, piailler.**

♦ **2.** Se plaindre ou protester fréquemment et d'une façon désagréable. ⇒ **Brailler, clabauder, rouspéter.** *Il criaille à propos de tout et de rien. Il, elle criaille après ses enfants.*

1 Si on ne leur donnait jamais *(aux enfants)* ce qu'ils auraient demandé en pleurant, ils apprendraient à s'en passer ; ils n'auraient garde de criailler (...) pour se faire obéir. ROLLIN, Traité des Études, VI, I, I, III, in LITTRÉ.

2 Dans cette guerre, on s'appelait, on ne se répondait pas. J'ai senti cela, au bout d'un siècle de course. On a senti cela. Je ne faisais plus que gesticuler, criailler.
DRIEU LA ROCHELLE, la Comédie de Charleroi, p. 77.

♦ **3.** Crier (oie, perdrix, faisan, paon, pintade). — (Des oiseaux en général). ⇒ **Piailler.**

DÉR. Criaillement, criailleur, criaillerie.

CRIAILLERIE [kʀiajʀi ; kʀijajʀi] n. f. — 1580, Montaigne ; de *criailler.*

♦ **1.** Ensemble de cris discordants.

♦ **2.** Fig. Plainte, cri répété et désagréable. ⇒ **Piaillerie, plainte, protestation, récrimination.** *Criailleries conjugales.* ⇒ **Discussion ; querelle, scène** (scène de ménage). *Les criailleries de sa patronne,* réprimandes répétées, déplaisantes, sans objet. — Absolt. *La criaillerie :* l'habitude de criailler.

1 Délivrez-moi, Monsieur, de la criaillerie (...) MOLIÈRE, Tartuffe v, 7.

2 Ce qui nourrit les criailleries des enfants, c'est l'attention qu'on y fait, soit pour leur céder, soit pour les contrarier. Il ne leur faut quelquefois pour pleurer tout un jour, que s'apercevoir qu'on ne veut pas qu'ils pleurent.
ROUSSEAU, Julie ou la Nouvelle Héloïse, V, lettre III.

3 La campagne électorale de 1881 est enfiévrée par ces critiques et par les acerbes criailleries de ceux qui, impatients de réaliser les réformes inscrites dans les républicains et par le fameux programme de Gambetta à ses partisans, qualifiés avec mépris d' « opportunistes », de le ajourner pour finalement les renier. Georges LECOMTE, la Traversée, p. 38.

4 Quand elle était énervée, quand elle voulait convaincre, sa voix devenait suraiguë, une vibration de pointe presque insupportable, une criaillerie piaillante (...)
Ph. SOLLERS, Femmes, p. 41.

CRIAILLEUR, EUSE [kʀiajœʀ, øz ; kʀijajœʀ, øz] adj. et n. — 1564 ; de *criailler.*

♦ Fam. Qui a l'habitude de criailler. ⇒ **Criard, tapageur.** — N. (Vieilli). Personne qui criaille.

CRIANT, ANTE [kʀijɑ̃, ɑ̃t] adj. — 1677, au sens 2 ; p. prés. de *crier.*

♦ **1.** Rare (ou senti comme verbal). Qui crie. « *Couvée... criante* » (Michelet, 1856, *in* T. L. F.). — Vx. Qui crie, qui émet un son aigu. *Une voix criante.* ⇒ **Criard** (plus cour.).

(xixᵉ). Qui choque vivement. *Couleurs criantes.* ⇒ **Criard.** *Contraste criant.* ⇒ **Choquant.**

1 (...) le contraste, tous les jours plus criant, de cette misère générale avec la débauche dorée qui, plus que jamais s'étalait.
Louis MADELIN, Ascension de Bonaparte, XIII, p. 181.

♦ **2.** Cour. Qui fait pousser des cris, protester. *Une injustice criante. Des abus criants. L'insuffisance criante de moyens.*

♦ **3.** Qui s'impose avec force. ⇒ **Flagrant.** *Une preuve criante.* ⇒ **Évident, manifeste.**

2 La fin de Candide est pour moi la preuve criante d'un génie de premier ordre. La griffe du lion est marquée dans cette conclusion tranquille, bête comme la vie.
FLAUBERT, Correspondance, t. II, p. 94.

CRIARD, ARDE [kʀijaʀ, aʀd] adj. — 1495 ; de *crier.*

♦ **1.** Qui crie* désagréablement et de façon continue. ⇒ **Braillard, brailleur, bruyant, criailleur, gueulard** (fam.), **tapageur...** *Enfant criard.* ⇒ **Pleurnicheur.**

1 La même cause qui le rend *(un enfant)* criard à trois ans le rend mutin à douze, querelleur à vingt, impérieux à trente, et insupportable toute sa vie.
ROUSSEAU, Julie ou la Nouvelle Héloïse, V, lettre III.

Qui proteste, crie ou criaille. ⇒ **Rouspéteur** (fam.), **querelleur.**

N. Fam. *Un insupportable criard. Une petite criarde.*

♦ **2.** Aigu et désagréable. *Sons criards. Voix criarde.* ⇒ **Âcre, aigu, désagréable, discordant, glapissant, perçant ; crécelle** (voix de crécelle). *Instrument criard. Les gonds criards d'une porte. Musique criarde.*

2 Comment concevrez-vous jamais que la langue française, dont l'accent est si uni, si simple, si modeste, si peu chantant, soit bien rendue par les bruyantes et criardes intonations de ce récitatif ?
ROUSSEAU, Lettre sur la musique franç., *in* LITTRÉ.

3 Rien n'avait pénétré ici de la richesse nouvelle, sauf un phonographe criard.
J. CHARDONNE, les Destinées sentimentales, III, v, p. 450.

La poule et le canard sont des oiseaux criards.

(1831). *Soie criarde,* dont le frottement produit un crissement. — *Toile criarde,* gommée et crissant au toucher. — N. f. (Vx). *Une criarde :* jupon qui était fait de cette toile.

3.1 Pour les criardes, ainsi nommées du bruit de leur toile gommée, elles n'étaient portées que par les actrices sur le théâtre et les dames du plus grand air.
Ed. et J. DE GONCOURT, la Femme au XVIIIᵉ siècle, II, p. 56.

♦ **3.** Qui choque la vue. *Ton criard. Couleur criarde,* trop vive. ⇒ **Criant, dur, vif.** *Bijoux d'un luxe criard.* ⇒ **Tapageur.** *Toilette criarde.*

4 (...) des filles aux cheveux jaunes (...) traînaient sur les frais gazons le mauvais goût criard de leurs toilettes. MAUPASSANT, la Femme de Paul, p. 10.

(1690). *Dettes criardes,* dont le paiement est sollicité avec insistance, importunité.

5 À condition que toutes les dettes criardes qu'il a faites dans ce pays-ci seraient préalablement acquittées. VOLTAIRE, Lettre à Beaumont, 16 févr. 1770.

CONTR. Calme, discret, doux, silencieux, taciturne. — Agréable, harmonieux. — Faible, pâle, sobre, sombre.

CRIBLAGE [kʀiblaʒ] n. m. — 1573 ; de *cribler.*

♦ **1.** Techn. Action, fait de passer (qqch.) au crible. ⇒ **Calibrage, triage.** *Le criblage du grain.* — Spécialt. Triage mécanique du minerai par grosseur des morceaux. *Criblage du charbon.*

♦ **2.** Littér. Action de « cribler » (fig.), de passer au crible.

C'est la supériorité et la loi puissante de cet art que son rythme, sa vitesse, son caractère d'éloignement de la vie, son aspect illusoire exigent un criblage serré et l'essentialisation de tous ses éléments.
A. ARTAUD, À propos du cinéma, *in* Œ. compl., t. III, p. 74.

CRIBLANT, ANTE [kʀiblɑ̃, ɑ̃t] adj. — 1892, cit. ; p. prés. de *cribler.*

♦ Qui crible.

Hier, allés, par une pluie criblante, aux courses du Vélodrome, sachant qu'il ne pouvait pas y avoir de courses (...) J. RENARD, Journal, 28 oct. 1892.

CRIBLE [kʀibl] n. m. — Fin XIIIᵉ ; du lat. pop. *criblum,* altér. du lat. class. *cribrum.*

♦ **1.** Instrument percé d'un grand nombre de trous, et qui sert à trier des objets de grosseur inégale. ⇒ **Grille, passoire, sas, tamis, van.** *Crible servant à passer de la terre, du sable* (⇒ **Claie**), *du blé* (⇒ **Tarare**), *du plâtre* (⇒ **Trémie**). *Crible à la main, à la machine. Crible mécanique.* ⇒ **Calibreuse, trieuse.** — Loc. *Passer une substance au crible.* ⇒ **Cribler, trier ; sélectionner.**

1 L'eau tombait du plafond comme des trous d'un crible.
HUGO, la Légende des siècles, « Les pauvres gens », VI.

2 (...) les mouvements d'une chose qu'on secouerait dans un crible, qu'on secouerait sans trêve, sans merci (...) LOTI, Mon frère Yves, XXVIII, p. 90.

Bot. Paroi criblée de trous (d'un tube végétal) permettant le passage de la sève.

♦ **2.** Fig. PASSER (une idée, une opinion) AU CRIBLE : examiner avec soin, pour distinguer le vrai du faux, le bon du mauvais. ⇒ **Cribler** (2.). *Le crible de la critique, de la mémoire, du temps* (⇒ **Critère**). — *Passer qqn au crible. Réussir à passer au travers du crible.*

3 (...) le critique (...) peut soumettre les faits au crible de son analyse (...).
DANIEL-ROPS, le Peuple de la Bible, IV, III, p. 311.

Math. *Crible d'Eratosthène :* méthode inventée par Eratosthène (194 av. J.-C.) permettant de dresser une table des nombres premiers.

CONTR. Mélangeur.

CRIBLÉ, ÉE [kʀible] adj. ⇒ **Cribler,** 2.

CRIBLER [kʀible] v. tr. — Déb. XIIIᵉ ; lat. pop. *criblare,* altér. du lat. class. *cribare,* de *cribrum.* → **Crible.**

♦ **1.** Passer au crible*. ⇒ **Démêler, épurer, grabeler, nettoyer, passer, purifier, sasser, séparer, tamiser, trier.** *Cribler du charbon, du minerai. Cribler de la terre, du sable. Cribler des fruits.* ⇒ **Calibrer, trier.** *Cribler des grains.*

1 Il faut cribler le froment et rejeter l'ivraie.
VOLTAIRE, Des singularités de la nature, 186, *in* LITTRÉ.

Au participe passé :

1.1 Un homme te panse avec soin, te lave, te donne de l'orge bien criblée et de l'eau fraîche et nette. A. GALLAND, les Mille et une Nuits, t. I, p. 18.

♦ **2.** *Cribler... de... :* percer de trous nombreux et rapprochés. — *Cribler qqn de coups.* ⇒ **Battre.** *Cribler une cible de flèches, un objectif d'obus.* ⇒ **Bombarder.** — Sans compl. en *de* → ci-dessous, cit. 4. — Au p. p. *Corps criblés de blessures.* ⇒ **Percer, transpercer.** *Visage criblé par la petite vérole.*

2 Son visage *(le derviche de D'jelfa)* criblé de rides ne peut plus vieillir (...)
E. FROMENTIN, Un été dans le Sahara, p. 68.

3 Il était tellement criblé de balles, qu'on l'aurait dit fusillé par jugement.
E. FROMENTIN, Un été dans le Sahara, p. 134.

Figuré :

4 Mais, ce soir, la pluie crible les carreaux, le vent a éteint les étoiles et les noyers ragent dans les prés. J. RENARD, Poil de carotte, p. 12.

5 (...) sa figure ronde criblée de taches de rousseur.
P. MAC ORLAN, la Bandera, VI, p. 67.

REM. Cet emploi peut également être rattaché au sens 3.

Par métaphore :

6 (...) nous cribler des flèches barbelées de tes plaisanteries (...)
Th. GAUTIER, Fortunio, X.

7 Le soleil, penchant à l'horizon, criblait de ses flèches enflammées les marronniers touffus. FRANCE, Les dieux ont soif, p. 231.

♦ **3.** Couvrir, parsemer (rare à l'actif). — Au p. p. *Nappe criblée de taches. Pelage criblé de mouchetures sombres.*

8 Le train traverse d'abord une plaine, criblée de flaques d'eau bizarres. On dirait une sorte de carte de géographie, avec les océans et les continents (...)
MAUPASSANT, la Vie errante, p. 247.

9 (...) les eaux du golfe et du Bosphore, les eaux criblées de navires, les eaux accablées de lumière, scintillent jusqu'à l'horizon comme un tapis gris-perle à grandes paillettes de mica. LOTI, Suprêmes visions d'Orient, p. 108.

10 Une heure plus tard, il entra en contact avec la nuit criblée d'étoiles. Elles clignotaient par milliers au-dessus de sa tête. P. MAC ORLAN, la Bandera, XX, p. 255.

Fig. *Être criblé de dettes*,* en avoir beaucoup.

11 En deux mois, la maison fut criblée de dettes.
Alphonse DAUDET, le Petit Chose, II, XII, p. 337.

Cribler qqn de reproches, d'injures. ⇒ **Accabler.** Rare (sans compl. en *de*) :

12 Elle lui dit, sans préface, qu'elle venait lui demander grâce, qu'elle le priait du moins de lui dire pourquoi il ne passait pas un jour sans la cribler, l'accabler.
MICHELET, la Femme, p. 46.

13 (...) les critiques acérées dont, suivant son habitude, il criblait son successeur, le duc de Richelieu (...) Louis MADELIN, Talleyrand, V, XXXIV, p. 374.

♦ **4.** Fig. Passer au crible, trier. ⇒ **Crible** (passer au crible).

▶ **CRIBLÉ, ÉE** p. p. adj. → ci-dessus, cit. 2, 3, 5, 8 à 10, pour le p. p. — Spécialt, anat. *Lames* criblées.*

CONTR. Mélanger, mêler.
DÉR. Criblage, criblant, cribleur, cribleux, criblure.

CRIBLEUR, EUSE [kʀiblœʀ, øz] n. — 1556 ; *crieulleurs de grain,* 1493 ; de *cribler.*
Technique.

♦ **1.** Personne qui crible.

♦ **2.** N. f. ou n. m. (1878). Machine à cribler. ⇒ **Crible.**

CRIBLEUX, EUSE [kʀiblø, øz] ou **CRIBREUX, EUSE** [kʀibʀø, øz] adj. — 1561, A. Paré, *os cribleux ;* de *cribler.*

♦ Anat. (Vx). Qui est percé de trous comme un crible. *Os cribleux* du nez. « *La lame cribleuse de l'os ethmoïde* » (Cuvier), lame criblée (mod.).

CRIBLURE [kʀiblyʀ] n. f. — 1439 ; de *cribler*.

♦ Agric. Résidu des grains passés au crible. *Donner des criblures aux volailles.*

1. CRIC [kʀik] n. m. — 1447, p.-ê. du moy. all. *Krier, Krich.*

♦ Engin servant à pointer de lourdes machines de guerre. Appareil à crémaillère et à manivelle permettant de soulever à une faible hauteur certains fardeaux pesants. ⇒ **Treuil ; cabestan, levier, orgueil** (cit. 27), **vérin.** *Cric à manivelle. Cric hydraulique. Cric à vis. Cric d'automobile.*

(...) le passage se fait aisément si l'on remplace la poulie par une roue dentée et deux crémaillères.
— Le cric, dit Lebrun.   ALAIN, Entretiens au bord de la mer, IV,
in les Passions et la Sagesse, Pl., p. 1304 (1960).

Par ext. *Cric tenseur,* pour tendre les fils d'une clôture. *Cric faucon :* instrument de dentiste servant à ranger les dents déplacées.

HOM. 1. Creek, cric, 2. crique, 3. crique.

2. CRIC [kʀik] n. m. — XIXᵉ ; 1877, Zola, *l'Assommoir ;* orig. incert. ; p.-ê. métaphore de 1. *cric,* l'alcool « remonte ».

♦ Fam., vieilli. Eau-de-vie de mauvaise qualité. *Un petit verre de cric.*

HOM. Creek, 1. cric, 1. crique, 2. crique, 3. crique.

3. CRIC [kʀik] n. m. ⇒ 3. **Crique.**

CRIC-CRAC ou CRIC CRAC [kʀikkʀak] interj. — 1520 ; onomatopée.

♦ (Exprimant le bruit d'un mécanisme qui joue — serrure, en particulier). *Cric-crac... le pêne joua dans la gâche et la porte s'ouvrit.* — N. m. invar. *Des cric-crac.*

(...) le père Roquille sortit, poussa la porte, qui cria lourdement sur ses gonds rouillés, et fit résonner aux oreilles de Jean-Paul le quadruple cric-crac d'une grosse serrure.
Louis DESNOYERS, les Mésaventures de Jean-Paul Choppart, IV, p. 56-57 (1836).

CRICKET [kʀikɛt] n. m. — 1728 ; mot angl. « bâton », p.-ê. du moy. franç. *criquet* « bâton servant de but au jeu de boules », 1478.

♦ Sport britannique qui se pratique avec des battes* de bois et une balle (→ Boxe, cit. 3.). *Dans le jeu de cricket, la balle est dirigée vers le wicket* (guichet) *ou but. Partie, match de cricket. Le base-ball* américain dérive du cricket.*

(...) on le croirait idiot, mais c'est une erreur : il a joué au cricket pour Essex.
A. MAUROIS, les Silences du colonel Bramble, p. 13.

DÉR. Cricketeur.

CRICKETEUR ou CRICKETER [kʀikɛtœʀ] n. m. — 1869, *in* Höfler ; de *cricket.*

♦ Rare. Joueur de cricket.

CRICOÏDE [kʀikɔid] adj. — XVIIᵉ ; grec *krikoeidês,* de *krikos* « anneau », et *eidos* « forme ».

♦ En forme d'anneau. — *Cartilage cricoïde,* et, n. m., *le cricoïde :* anneau cartilagineux qui occupe la partie inférieure du larynx.

Le cartilage cricoïde occupe la partie inférieure du larynx : sur lui, reposent tous les autres. Il a la forme d'un anneau, d'où le nom de *cricoïde* qui lui a été donné.
L. TESTUT, Traité d'anatomie, t. III, p. 885.

CRI-CRI, CRI CRI ou CRICRI [kʀikʀi] n. m. — 1559 ; onomatopée.

♦ **1.** Cri du grillon, de la cigale. — Fam. Grillon*. *Des cri-cri ou des cris-cris.*

1 Elle était montée dans sa chambre et songeait. Des souffles de chaleur remuaient de temps en temps les rideaux. Le chant des cris-cris emplissait l'air. Jamais encore elle ne s'était sentie si triste.
MAUPASSANT, Fort comme la mort, éd. 1889, p. 185.

Figuré :

2 Et quand je mets la petite Fadette en comparaison avec un grelet, c'est vous dire qu'elle n'était pas belle, car ce pauvre petit *cri-cri* des champs est encore plus laid que celui des cheminées.   G. SAND, la Petite Fadette, VIII, p. 59.

♦ **2.** Jouet d'enfant composé de lamelles qui imitent le cri du grillon lorsqu'on les presse.

♦ **3.** Vx. T. d'affection désignant une personne frêle et sans défense. — Terme méprisant (donné par un souteneur aux prostituées autres que les siennes, selon Bruant).

CRID [kʀid] n. m. ⇒ **Criss.**

CRIÉE [kʀije] n. f. — V. 1130 ; de *crier.*

♦ **1.** Anciennt. Proclamation verbale et publique par laquelle un huissier ou un sergent annonçait les ventes par autorité de justice. *Le code a substitué les affiches à la criée.*

♦ **2.** Mod. Dr. **VENTE À LA CRIÉE,** et, ellipt., **CRIÉE :** vente publique aux enchères de biens meubles ou immeubles (⇒ **Enchère**). — *Audience des criées :* audience du tribunal où sont faites les ventes judiciaires d'immeubles. *Chambre des criées.*

♦ **3.** Cour. Annonce à voix forte de la marchandise à vendre. *La criée du poisson, des légumes.* — Par ext. Vente effectuée par les grossistes à l'ouverture des marchés.

1 En passant à gauche du marché aux poissons, où l'animation ne commence que de cinq à six heures, moment de la vente à la criée, nous avons remarqué une foule d'hommes en blouse, en chapeau rond et en manteau blanc rayé de noir, couchés sur des sacs de haricots (...)
NERVAL, les Nuits d'octobre, XII, « Le marché des innocents ».

Par métonymie. Le lieu où se fait cette vente. *La Criée,* théâtre de Marseille (aménagé dans une ancienne criée).

2 Autour des neuf bancs de criée, rôdaient déjà des revendeuses, tandis que les employés arrivaient avec leurs registres, et que les agents des expéditeurs, portant en sautoir des gibecières de cuir, attendaient la recette, assis sur des chaises renversées, contre les bureaux de vente.
ZOLA, le Ventre de Paris, t. I, p. 148 (1875).

HOM. Crier.

CRIER [kʀije] v. — Xᵉ ; du lat. pop. *critare,* contraction du lat. class. *quiritare* « appeler les citoyens au secours ». → Quirite.

★ **I.** V. intr. ♦ **1.** Pousser un ou plusieurs cris* pour manifester une émotion, une sensation ou pour être entendu de loin. ⇒ **Beugler, brailler,** (fam.) **braire, bramer, égosiller** (s'), **époumoner** (s'), **gueuler, hurler.** *Crier de colère.* ⇒ **Rugir.** *Crier de douleur.* ⇒ **Gémir, plaindre** (se). *Crier de plaisir. Crier comme un beau diable, comme un enragé, un fou, un perdu, un damné, un brûlé... Crier comme un sourd :* crier fort. *Crier à tue-tête, à pleine tête. Crier comme un putois, un veau. Crier de toutes ses forces. Il crie comme si on l'écorchait.*

Enfant qui crie. ⇒ **Piailler, pleurer.** *Laissez-le crier.* — Par métaphore (le sujet est une chose abstraite) → ci-dessous, cit. 2.

1 Elle me regardait, effarée, affolée, épouvantée, n'osant pas crier de peur du scandale (...)   MAUPASSANT, Contes de la Bécasse, Un fils, p. 232.

2 Érôs fait crier sur vos lèvres, ô femmes !
Le Désir douloureux et doux.   Pierre LOUŸS, Aphrodite, I, II, p. 27.

3 Des gitanes en robes à volants couvertes de taches criaient dans les ruelles ; des enfants piaillaient (...)   P. MAC ORLAN, la Bandera, I, p. 16.

3 1 Puis, toujours immobile, elle se met à crier : un long hurlement continu, parti de très bas, qui s'enfle peu à peu jusqu'à un paroxysme coupé net, dont elle écoute ensuite l'écho qui se répercute d'un bout à l'autre de l'immense corridor.
A. ROBBE-GRILLET, Projet pour une révolution à New York, p. 123.

Loc. (vx). *Il crie comme un aveugle qui a perdu son bâton.* — Loc. prov. (vx). *Il ressemble aux anguilles* (infra cit. 4), *il crie avant qu'on l'écorche.*

Rare. Pousser son cri (le sujet désigne un animal, et, spécialt, un oiseau). — REM. Alors que *cri* est courant dans ce sens, *crier* est souvent remplacé par un verbe spécifique ; pour les oiseaux, on oppose *crier* et *chanter* (→ aussi Gazouiller, ramager).

4 L'oiseau crie ou chante ; et la voix semble être à l'oiseau d'une valeur assez différente de la valeur qu'elle a chez les autres bêtes criantes ou hurlantes.
VALÉRY, Autres rhumbs, Poésie perdue, p. 60.

Prov. *Chien* (infra cit. 42) *qui crie ne mord pas.*

♦ **2.** Parler fort, élever la voix au cours d'une conversation, d'une discussion. ⇒ **Beugler, brailler, clamer, criailler, dire, égosiller** (s'), **gueuler** (fam.), **hurler, tonitruer, tonner, vociférer.** *Il ne sait pas parler sans crier. Crier fort ; crier haut. C'est à qui criera le plus fort.* — Péj. Produire des sons forts, aigus, peu harmonieux. *Elle ne chante pas, elle crie.* ⇒ **Hurler.**

5 Je ne vous parle pas de ça, dit Germain en s'approchant d'elle et en criant à tue-tête (...)   G. SAND, la Mare au diable, XIV, p. 117.

6 Lorsqu'une racine arrêtait le soc, le laboureur criait d'une voix puissante, appelant chaque bête par son nom, mais plutôt pour calmer que pour exciter (...)
G. SAND, la Mare au diable, II, p. 21.

7 On peut discuter sans hurler. D'ordinaire on ne crie que quand on a tort.
GIDE, Robert ou l'Intérêt général, III, 2ᵉ tableau, II.

♦ **3.** Manifester son mécontentement sur un ton élevé. ⇒ **Accuser, conspuer, fâcher** (se), **gueuler** (fam.), **hurler, invectiver, plaindre** (se plaindre), **protester, récrier** (se), **réprimander, rouspéter** (fam.), **rugir, tempêter.** → Musique (faire de la musique). *Crier sans raison.* ⇒ **Clabauder.** *Crier contre qqn. Crier après qqn.* ⇒ **Attraper, gronder, engueuler** (fam.). *Tes parents vont crier ou crier contre toi, après toi,* au même sens. — REM. L'emploi transitif de *crier,* dans le même sens, est archaïque ou dialectal.

8 Pourquoi me criez-vous ?   MOLIÈRE, l'École des femmes, V, 4.

9 (...) eux qui faisaient profession d'une sagesse si austère, et qui criaient sans cesse après les vices de leur siècle.   MOLIÈRE, Tartuffe, Préface.

♦ **4.** Manifester avec force un sentiment personnel ou collectif. — Spécialt, en implorant. *Crier au Seigneur, crier vers Dieu.* ⇒ **Implorer, invoquer, prier, supplier; appel** (faire appel).

10 À qui crierai-je, Seigneur, si ce n'est à vous?   PASCAL, *Prière.*

(En protestant). *Crier à l'injustice.* ⇒ **Dénoncer, protester.** *Iniquité qui fait crier. C'est à crier. Crier à l'oppression, au scandale.* ⇒ **Révolter** (se).

11 La censure de guerre, qui nous a paru si naturelle, faisait, en 1830, crier à un attentat contre la liberté. J. BAINVILLE, Hist. de France, XVIII, p. 453.

♦ **5.** (Choses). Produire un bruit aigre, désagréable. ⇒ **Crisser, grincer, hurler.** *La lime crie sur le fer. Les gonds de la porte crient. Essieu, roue qui crie en tournant. Faire crier les ressorts d'un fauteuil, d'un lit.* ⇒ **Gémir.** *Étoffe qui crie sous la main. Sirènes qui crient.* ⇒ **Retentir, ululer.**

12 Le char s'avança lentement sur le sable qui criait dans le silence. FRANCE, Histoire comique, X, p. 172.

13 La maison crie sous le vent comme un bateau (...) PROUST, les Plaisirs et les Jours, p. 218.

14 On entendait crier sous les couteaux les larges miches de pain de ménage. M. BARRÈS, la Colline inspirée, V, p. 85.

Par métaphore :

15 La langue est un instrument dont il ne faut pas faire crier les ressorts. RIVAROL, Pensées et maximes, p. 7.

Avoir un effet brutal et désagréable (en parlant d'un autre sens que l'ouïe). *Couleurs qui crient entre elles* (⇒ **Criard**). *Dans ce décor, ce tissu crie.* ⇒ **Hurler, jurer.**

★ **II.** V. tr. ♦ **1.** Dire (qqch.) à qqn d'une voix forte. ⇒ **Dire, gueuler** (fam.), **hurler.** *Crier des injures à qqn. Crier un ordre.* ⇒ **Donner.** *Crier la vérité.* ⇒ **Proclamer.** *Crier qqch. d'une voix forte, autoritaire. Chacun crie ses péchés* (cit. 4) *à la face de tous. Il lui cria de se taire. Non, cria-t-il, je ne viendrai pas.* — REM. Comme *parler, crier* peut introduire un énoncé en style direct *(il cria : venez par ici)* et être employé en incise *(Sortez! cria-t-il).* — *Crier que...* (suivi d'un énoncé en style indirect). *Il a crié de loin qu'il allait revenir.*

16 *On a entendu* la voix de celui qui crie dans le désert : Préparez la voie du Seigneur (...) BIBLE (SACY), Isaïe, XL, 3.

17 (...) d'une voix âpre, il cria un ordre à ses matelots. FLAUBERT, Salammbô, VII.

18 Vers le 5 ou le 6, je vous jure, j'ai cru à la guerre. Et j'ai crié comme un sourd, j'ai crié qu'elle était impossible, fantastiquement absurde. J. ROMAINS, les Hommes de bonne volonté, t. III, XXII, p. 294.

19 (...) une voix s'éleva, forte, vibrante, autoritaire, une voix qui criait rudement (...) G. DUHAMEL, Chronique des Pasquier, IX, 1.

20 *(Elle)* criait sa foi dans les salons orthodoxes avec un courage agressif. A. MAUROIS, le Cercle de famille, III, XI, p. 281.

21 Une voix répondit : « Je l'ai vu courir comme un fou. Il a crié qu'il allait manquer son train. » J. CHARDONNE, les Destinées sentimentales, I, III, p. 115.

21.1 Sur quoi Thomas Trublet, lâchant sa barre et criant : « Frères à moi! » se précipita le premier, sabre d'une main pistolet de l'autre, poignard entre les dents, à l'abordage. Claude FARRÈRE, Thomas l'Agnelet, p. 107.

♦ **2.** Fig., littér. Faire connaître avec force, hautement. *Crier son mécontentement.* ⇒ **Exprimer, manifester.** — *Crier la vérité de qqch., crier son innocence.* ⇒ **Affirmer, clamer, proclamer.** — *Les faits crient que vous avez tort.* — Absolt. *Les faits crieront d'eux-mêmes.* ⇒ **Parler.**

22 Voltaire, comme historien, est souvent admirable; il laisse crier les faits. HUGO, Littérature et philosophie mêlées, Journal des idées, Histoire.

Crier une nouvelle, un secret sur les toits, par toute la ville... ⇒ **Annoncer, proclamer, publier, répandre, trompeter.** *Crier une nouvelle à son de trompe. Crier qu'on a raison.*

23 Un fol allait criant par tous les carrefours
Qu'il vendait la sagesse (...) LA FONTAINE, Fables, IX, 8.

24 L'on ne vient point crier de dessus un théâtre ce qui se doit dire en particulier. MOLIÈRE, la Comtesse d'Escarbagnas, 8.

25 Vous pensez bien qu'ils n'iraient pas le crier sur les toits (...) J. ROMAINS, les Hommes de bonne volonté, t. II, IV, p. 39.

♦ **3.** Annoncer à haute voix, sur la voie publique, pour vendre (⇒ **Crieur**). *Crier des journaux, de vieux chiffons.*

25.1 On entendait crier par les rues les mirabelles et les reines-Claude (...) Alphonse DAUDET, Fromant jeune et Risler aîné, p. 42.

26 Des camelots traversaient le carrefour en criant des éditions spéciales. MARTIN DU GARD, les Thibault, t. VII, p. 186.

26.1 Ils circulèrent à travers le lotissement. Rodrigue continuait de crier ses journaux (...) Roger VAILLAND, Bon pied, bon œil, p. 30.

(1268). Dr. *Crier une vente.* ⇒ **Criée** (vente à la criée). *Crier des meubles,* les vendre à la criée.

♦ **4.** V. tr. et tr. ind. (suivi d'un nom sans article), v. tr. ind. (suivi d'un nom introduit par *à*). Lancer d'une voix forte des paroles, une formule ayant une valeur d'avertissement, d'exhortation. *Crier aux armes.* ⇒ **Appeler.** Pop. *Crier au vinaigre* (crier contre qqn). — Loc. (trans. dir.). *Crier haro* sur...* ⇒ **Exciter.** *Sans crier gare*. Crier casse-cou.* ⇒ **Avertir, prévenir, signaler.** *Crier grâce*.* Vx. *Crier merci, miséricorde.* ⇒ **Avouer** (s'avouer vaincu), **demander** (grâce), **rendre** (se), **supplier.** *Crier bravo.* — Trans. dir. (suivi d'un énoncé rapporté). *Crier : « Vive le roi, vive le président ! »* ⇒ **Acclamer.** *Crier : à bas Untel!* ⇒ **Conspuer.**

Les autres animaux, créatures plus douces, 27
Bonnes gens, s'étonnaient qu'il criât au secours;
Ils ne voyaient nul mal à craindre. LA FONTAINE, Fables, VIII, 12.

À ces mots, on cria haro sur le baudet. LA FONTAINE, Fables, VII, 1. 28

J'entends crier partout : Au meurtre! on m'assassine! BOILEAU, Satires, VI. 29

(...) tout leur fait croire, à Grimm et à elle, qu'en me poussant à la dernière extrémité, ils me réduiraient à crier merci, et à m'avilir aux dernières bassesses (...) ROUSSEAU, les Confessions, X. 30

(...) on nous crie gare, et à peine avons-nous le temps de nous garer. LOTI, Aziyadé, I, XX, p. 32. 31

(...) l'univers haletant criait grâce (...) HUYSMANS, En route, p. 11. 32

Je ne souhaite pas que vous criiez casse-cou sans nécessité (...) J. ROMAINS, les Hommes de bonne volonté, t. V, XXIV, p. 228. 33

(Voyant le gouverneur mort), les siens perdirent courage. Beaucoup jetèrent leurs armes, criant : « Grâce! » et « Quartier! » cependant que d'autres fuyaient de-ci et de-là, sans grand-chance d'échapper ailleurs Claude FARRÈRE, Thomas l'Agnelet, p. 188. 33.1

Vx. *Crier sa devise. Soldats qui attaquent en criant leur devise.* ⇒ **Cri** (4.). Lancer (un cri de ralliement). *Autrefois les Français criaient « Montjoie! »*.

Loc. fig. *Crier famine*.* Par métaphore. *Estomac qui crie famine.* — *Crier misère*.* ⇒ **Gémir, plaindre** (se). — Prov. : *Crier famine sur un tas de blé* : se plaindre de manquer de tout, bien qu'on soit dans l'abondance.

Elle alla crier famine 34
Chez la fourmi sa voisine,
La priant de lui prêter
Quelque grain pour subsister (...) LA FONTAINE, Fables, I, 1.

Si vous n'aviez du blé, je vous offrirais du mien; j'en ai vingt mille boisseaux à vendre. Je crie famine sur un tas de blé. Mme DE SÉVIGNÉ, Lettre à Mme de Grignan, 21 oct. 1673. 34.1

Crier merveille. ⇒ **Admirer, extasier** (s').

La lunette placée, un animal nouveau 35
Parut dans cet astre si beau;
Et chacun de crier merveille (...) LA FONTAINE, Fables, VII, 18.

Trans. ind. *Crier au miracle* (même sens) :

La santé dans ces murs tout d'un coup répandue 36
Fait crier au miracle (...) CORNEILLE, l'Œdipe, V, 9.

Loc. Vx. *Crier Noël :* se réjouir.

Crier vengeance*. ⇒ **Réclamer; exiger** (avec un sujet n. de chose). *Le sang du juste crie vengeance,* et, ellipt., *le sang crie.*

Et Dieu dit *(à Caïn) :* Qu'as-tu fait? La voix du sang de ton frère crie de la terre jusqu'à moi. BIBLE (SEGOND), Genèse, IV, 10. 37

Le sang de vos rois crie, et n'est point écouté. RACINE, Athalie, I, 1. 38

Fig. *La conscience crie des reproches, des avertissements.* ⇒ **Cri** (de la conscience).

La conscience crie devant le devoir comme le coq chante devant le jour. HUGO, l'Homme qui rit, II, VII, 1. 39

▶ **CRIANT, ANTE** p. prés. et adj. ⇒ **Criant.**

CONTR. Chuchoter, murmurer. — Taire (se).
DÉR. Cri, criage, criailler, criant, criard, criée, crierie, crieur.
COMP. Décrier, écrier (s'), récrier (se).
HOM. Criée.

CRIERIE [kʀiʀi] n. f. — V. 1180; de *crier.*
Rare.

♦ **1.** Action de crier sans cesse; cris continuels. ⇒ **Criaillerie.**

♦ **2.** Annonce à haute voix sur la voie publique pour vendre (⇒ **Criée**); cri des marchands.

Ces crieries de Paris se sont transmises depuis des siècles dans les divers métiers de la rue et lorsqu'il arrivait encore, avant cette guerre, de voir passer sous ses fenêtres un vieil homme qui, tous les vingt-cinq pas, jetait vers les étages son éternel : « Habits, chiffons! » il fallait réellement peu de chose pour que l'imagination s'en mêlât. Francis CARCO, Nostalgie de Paris, p. 63.

CRIEUR, EUSE [kʀijœʀ, øz] n. — XIIe; de *crier.*

♦ **1.** Rare. Personne qui crie* ou se manifeste à voix forte (pour se plaindre, protester, demander...). *Faites taire ce crieur.* — Rare au fém. *Une crieuse.*

C'est bien fait de fermer la porte à ce crieur. RACINE, les Plaideurs, II, 10. 1

Adj. (littéraire) :

Mais puisque c'est en vain, ô nos bouches, crieuses d'infini, dont la voix, comme un oiseau de feu, emporte au ciel l'amour des foules furieuses, ah! puisque Dieu sans doute existe, mais si peu! Germain NOUVEAU, Premiers poèmes, Pl., p. 376. 1.1

♦ **2.** Cour. Personne qui annonce en criant (une chose qu'elle propose, qu'elle vend). ⇒ **Aboyeur.** *Des crieurs de journaux. Les crieurs apportaient les journaux à domicile. « (Le) retard du crieur qui apporte le Temps »* (Proust, Jean Santeuil, Pl., p. 885).

Les aboiements des crieurs de journaux, dominant le sourd bruissement de la foule (...) MARTIN DU GARD, les Thibault, t. VII, p. 243. 2

(1723, *in* D.D.L.). Spécialt (vx ou anciennt). Celui qui est chargé des annonces, dans une vente à la criée*.

Le crieur, le bossu, allumé, battant l'air de ses bras maigres, tendait les mâchoires en avant. À la fin, il monta sur un escabeau, fouetté par les chapelets de chiffres qu'il lançait à toute volée, la bouche tordue, les cheveux en coup de vent, n'arrachant plus à son gosier séché qu'un sifflement inintelligible. ZOLA, le Ventre de Paris, t. I, p. 156. 3

Anciennt. *Crieur public :* personne qui était chargée d'annoncer à haute voix, des proclamations publiques. *Juré* crieur. Crieur de nuit :* personne qui parcourait la cité en annonçant les heures de nuit.

CONTR. (De l'adj.) **Silencieux.**

CRIME [kʀim] n. m. — V. 1165, *crimme;* lat. *crimen* «accusation», d'où «crime».

♦ **1.** (Sens large). Manquement très grave à la morale, à la loi. ⇒ **Attentat, délit, faute, forfait, infraction, mal, péché.** *Crime affreux, atroce, avilissant, horrible* (→ Abominable, cit. 1). *Crime inexpiable*, irrémissible*. S'avilir, se déshonorer, se souiller par un crime. C'est un crime. Le crime de parjure* (cit. 4). *Crimes contre nature,* comportement condamné par la société comme particulièrement odieux et contraire aux interdits jugés naturels, notamment dans le domaine du meurtre (⇒ **Fratricide, matricide, parricide...**) et du sexe (⇒ **Inceste, sodomie**). — Collectif. *Le crime :* les actes criminels (→ ci-dessous, cit. 3).

1 L'intérêt, que l'on accuse de tous nos crimes, mérite souvent d'être loué de nos bonnes actions. LA ROCHEFOUCAULD, Maximes, 305.

2 Il y a des crimes qui deviennent innocents (...)
LA ROCHEFOUCAULD, Maximes, 608 (→ Conquête, cit. 1).

3 Dans le crime il suffit qu'une fois on débute;
Une chute toujours attire une autre chute. BOILEAU, Satires, X.

4 J'ai conçu pour mon crime une juste terreur;
J'ai pris la vie en haine, et ma flamme en horreur. RACINE, Phèdre, I, 3.

5 Quelques crimes toujours précèdent les grands crimes. RACINE, Phèdre, IV, 2.

6 Si je savais quelque chose qui me fût utile, et qui fût préjudiciable à ma famille, je le rejetterais de mon esprit. Si je savais quelque chose utile à ma famille, et qui ne le fût pas à ma patrie, je chercherais à l'oublier. Si je savais quelque chose utile à ma patrie, et qui fût préjudiciable à l'Europe et au genre humain, je le regarderais comme un crime.
MONTESQUIEU, Pensées diverses, Portrait de Montesquieu par lui-même.

7 Le bonheur des méchants est un crime des dieux.
André CHÉNIER, Poésies diverses et fragments, XIII.

8 Tout crime porte en soi une incapacité radicale et un germe de malheur : pratiquons donc le bien pour être heureux, et soyons justes pour être habiles.
CHATEAUBRIAND, Mémoires d'outre-tombe, t. II, p. 327.

9 Il faut avoir commis bien des crimes, plus ou moins intérieurs, et porter un passé lourd et varié, plein d'accidents moraux et autres, pour savoir, pour oser, réussir enfin quelque jour un acte bon, faire un peu de bien — sans erreur.
VALÉRY, Rhumbs, Arrière-pensée, p. 255.

10 Certains prêtaient à Fouché le mot célèbre : « *C'est pire qu'un crime, c'est une faute!* » Louis MADELIN, l'Avènement de l'Empire, VI, p. 76.

Acte politique, social, de nature criminelle. *Histoire d'un crime,* œuvre de Hugo.

♦ **2.** Dr et cour. Infraction que les lois punissent d'une peine afflictive ou infamante, opposé à *contravention* ou à *délit* (Code pénal, art. 1). *Faire, commettre, consommer, perpétrer* (cit. 1 et 2) *un crime.* ⇒ **Attenter.** *Auteur d'un crime.* ⇒ **Criminel.** *Être coupable*, complice* d'un crime, d'une tentative de crime.* ⇒ **Complicité, tentative.** *Scélérat, bandit, brigand capable de tous les crimes. Crime commis avec préméditation. Mobile du crime. Crime flagrant. Commettre un nouveau crime.* ⇒ **Récidive.** *Victime d'un crime. Accuser qqn d'un crime.* ⇒ **Accusation** (cit. 2); **incriminer.** *Imputer un crime à qqn. Poursuivre un crime au nom de la société.* ⇒ **Vindicte. Instruire un crime.** ⇒ **Instruction.** *Les crimes sont jugés par la cour d'assises.* ⇒ **Assises;** → 2. Pouvoir, cit. 16. *Être jugé coupable d'un crime. Punir un crime. Crime impuni. Crime qui mérite une peine sévère.* Anc. *Crime amendable*. Payer, réparer son crime.* ⇒ **Expier.** *Se venger d'un crime* (⇒ **Vengeance; vendetta**).

11 Si le fait est qualifié crime par la loi, et que la cour trouve des charges suffisantes pour motiver la mise en accusation, elle ordonnera le renvoi du prévenu aux assises. Code d'instruction criminelle, art. 231.

Crime d'État. Crime de lèse*-majesté. Crime contre la chose publique. Crime contre la sûreté de l'État. ⇒ **Attentat, complot, espionnage, trahison.** *Crime de guerre*. Crime politique. Crime de droit commun. Crime contre la paix publique.* ⇒ **Faux, forfaiture** (concussion, corruption, abus d'autorité); **association** (cit. 14. — association de malfaiteurs). *Crimes contre les particuliers.* ⇒ **Assassinat, empoisonnement, homicide, meurtre.** → suff. -cide (fratricide, génocide, homicide, infanticide, matricide, parricide). *Crime contre les mœurs.* ⇒ **Attentat.** *Crime passionnel. Crime crapuleux. Crime d'un dégénéré. Crime contre les propriétés.* ⇒ **Vol; escroquerie, fraude...**

Crime et Châtiment, roman de Dostoïevsky (1866).

12 Seront punis de la même peine ceux qui (...) auront fait l'apologie des crimes de meurtre, de pillage ou d'incendie, ou de vol, ou de l'un des crimes prévus par l'article 435 du Code pénal. Loi du 12 déc. 1893, art. 24.

13 Quand le crime d'État se mêle au sacrilège,
Le sang ni l'amitié n'ont plus de privilège. CORNEILLE, Polyeucte, III, 3.

14 Le crime fait la honte et non pas l'échafaud.
Thomas CORNEILLE, le Comte d'Essex, IV, 3.

15 La honte est dans le crime et non dans le supplice.
VOLTAIRE, Artémise, IV, 3, cité par Antoine ALBALAT, la Formation du style, II, p. 48.

16 Enfin, à côté de la juridiction épiscopale, l'Église avait institué pour la répression du crime d'hérésie qui comprenait alors le parjure, le blasphème, le sacrilège, tous les forfaits de la magie, le Tribunal extraordinaire de l'Inquisition.
HUYSMANS, Là-bas, XVI, p. 223.

17 On ne voit dans vos rues et dans vos lieux publics que des gens qui, le nez dans des feuilles fraîchement noircies, semblent avec délices absorber tous les crimes possibles, qu'on croirait perpétrés sur commande pour qu'ils en trouvent tous les jours de tout neufs et de plus abominables. VALÉRY, Variété IV, p. 182.

18 S'agit-il d'un crime contre la sûreté ou le crédit de l'État (contrefaçon du sceau de l'État, de monnaies nationales ayant cours, de papiers nationaux, de billets de banque...)? La compétence des juridictions françaises s'étend à ce crime, alors même que l'agent n'est pas rentré sur le territoire français (...) S'agit-il d'un crime de droit commun? (...) L'agent est justiciable des tribunaux français (...)
DONNEDIEU DE VABRES, Droit criminel, nos 1268, 1269.

Allus. hist. « *Ô liberté, que de crimes on commet en ton nom!* », paroles attribuées à Madame Roland montant à l'échafaud.

♦ **3.** Cour. Assassinat, meurtre. *Ce n'est pas un suicide, c'est un crime. Le lieu, l'arme du crime. Le mobile* (cit. 8), *les mobiles d'un crime. L'auteur, les complices, la victime d'un crime. Crime crapuleux, passionnel.* — Loc. *Crime parfait,* dont l'auteur ne peut être découvert.

18.1 C'est sans doute la volupté de s'accuser sans risques, de se flageller sans souffrance, de s'étaler sans crainte, qui pousse la presse et le public à se repaître d'atroce.
Lorsqu'un bon crime éclate, le tirage des journaux triple.
COCTEAU, Journal d'un inconnu, p. 68.

18.2 C'est dans ces cas-là qu'il m'a vu ainsi, devant ce qu'on pourrait appeler des crimes d'amateur qu'on finit *toujours* par découvrir être des crimes d'intérêt. Pas de crimes d'argent. Je veux dire pas de crimes commis par besoin immédiat d'argent, comme dans le cas des petites gouapes qui assassinent les vieilles femmes.
G. SIMENON, les Mémoires de Maigret, p. 150.

18.3 C'est pas seulement à Paris que le crime fleurit
Nous au village l'on a de beaux assassinats. G. BRASSENS, l'Assassinat.

♦ **4.** Par exagér. Faute blâmable, inexcusable. *C'est un crime d'avoir abattu de si beaux arbres. Ce n'est pas un (grand) crime :* ce n'est pas bien grave.

19 Prenez la femme la plus sensée, la plus philosophe, la moins attachée à ses sens; le crime le plus irrémissible que l'homme, dont au reste elle se soucie le moins, puisse commettre envers elle, est d'en pouvoir jouir et de n'en rien faire.
ROUSSEAU, les Confessions, VI.

Imputer qqch. à crime. Faire à qqn un crime d'une chose : donner beaucoup d'importance à une faute sans gravité, le plus souvent injustement. *Il lui en ferait un crime, un crime d'État.*

20 Il vous fait un crime des choses les plus innocentes. FÉNELON, Télémaque, VII.

21 J'en étais bien sûre, que ces reproches-là viendraient dès le lendemain du bonheur rêvé et promis, et que tu me ferais un crime de ce que tu avais accepté comme un droit. G. SAND, Lettre à Alfred de Musset, p. 79.

Iron. *Faire un crime à qqn de qqch.,* lui reprocher ce qui est, en réalité, digne d'éloges. « *On lui faisait un crime de ses exploits, de ses vertus* » (Académie).
Son crime est, tout son crime est..., se dit en parlant d'actions excusables ou même louables. *Tout mon crime est d'avoir cru en lui.*

♦ **5.** *Le crime.* **a** Littér. Les criminels; le fait de commettre des crimes. *Poursuivre, châtier, désarmer le crime. Le vice appuyé sur le bras du crime* (→ Appuyer, cit. 42).

22 Je ne sais de tout temps quelle injuste puissance
Laisse le crime en paix et poursuit l'innocence. RACINE, Andromaque, III, 1.

23 Ainsi que la vertu, le crime a ses degrés (...) RACINE, Phèdre, IV, 2.

Prov., cour. *Le crime ne paie pas.*

b Cour. L'ensemble des crimes. *Le milieu du crime. La capitale du crime :* la ville ayant le taux le plus élevé de criminalité. *Les syndicats du crime* (aux États-Unis). ⇒ **Maffia.**

CONTR. Exploit, prouesse. — Innocence, justice; martyre, sacrifice.

CRIMINALISER [kʀiminalize] v. tr. — 1584 «incriminer»; dér. sav. du lat. *criminalis.* → Criminel.

♦ Dr. Faire passer de la juridiction civile ou correctionnelle à la juridiction criminelle. *Criminaliser une affaire.*

CRIMINALISTE [kʀiminalist] n. — 1660; dér. sav. du lat. *criminalis.* → Criminel.

♦ Dr. Juriste spécialisé dans le droit criminel (ne pas confondre avec *criminologue**). *Une célèbre criminaliste.*

Bénéfice de la philanthropie, d'imbéciles criminalistes diminuent la pénalité, et d'ineptes moralistes le crime, et encore ils ne le diminuent que pour diminuer la pénalité. BARBEY D'AUREVILLY, les Diaboliques, p. 379 (1874).

Adj. *Un médecin criminaliste. — Théories criminalistes.*

DÉR. Criminalistique.

CRIMINALISTIQUE [kʀiminalistik] n. f. — 1907; de *criminaliste.*

♦ Didact. (dr. pénal). Science d'application de toutes les techniques d'investigation policière à l'identification d'un coupable. *Laboratoire de criminalistique.*

La Criminalistique peut être entendue de deux sens.
Au sens large, c'est l'ensemble des procédés applicables à la recherche et à l'étude matérielle du crime pour aboutir à sa preuve. Dans ce cas, il convient de distinguer:
des procédés policiers (...)
des procédés scientifiques (...)
des procédés juridiques (...)

Au sens strict, la Criminalistique sera cette science seule, séparée même de la médecine, de la toxicologie et de la psychiatrie légales (...) d'une technicité absolument différente et particulière (...)
Au sens large comme au sens strict, la Criminalistique s'intègre à la Criminologie, étude doctrinale et appliquée du phénomène appelé *Crime* (...)
P.-F. CECCALDI, la Criminalistique, p. 6-7.

Adj. Relatif à la criminalistique. *Théories criminalistiques.*

CRIMINALITÉ [kʀiminalite] n. f. — 1539; dér. sav. du lat. *criminalis.* → Criminel.

♦ **1.** Vx. Caractère de ce qui est criminel, d'une personne criminelle. « *La criminalité de Michu* » (Balzac, *Une ténébreuse affaire, in* T.L.F.). ⇒ **Culpabilité.**

♦ **2.** Mod. Ensemble des actes criminels dont on considère la fréquence et la nature, l'époque et le pays où ils sont commis, leurs auteurs. *Régression de la criminalité.* ⇒ **Crime,** 5. *Proportionnalité de la criminalité au surpeuplement, à la misère... Science de la criminalité.* ⇒ **Criminalistique, criminologie.**

CRIMINEL, ELLE [kʀiminɛl] adj. et n. — 1080, adj. *Chanson de Roland;* 1648, n.; bas lat. *criminalis,* de crimen. → Crime.

♦ **1.** [a] (Personnes). Qui est coupable d'une grave infraction à la morale, ou, spécialt, d'une infraction que les lois punissent d'une peine afflictive ou infamante (⇒ **Crime,** 1. et 2.). *L'Homme criminel,* ouvrage de Lombroso. *Se rendre criminel* (→ Autorité, cit. 3). *Elle est criminelle devant Dieu et devant les hommes. Tous ceux qui sont accusés ne sont pas criminels* (Académie).

1 Je le crois criminel, puisque vous l'accusez.   RACINE, Phèdre, v, 7.

2 (...) celui qui, sans Autorité, tue un criminel, se rend criminel lui-même (...)
RACINE, PASCAL, les Provinciales, XIV.

[b] (Choses). *Âme criminelle.*

3 Grâces au ciel, mes mains ne sont pas criminelles.
Plût aux Dieux que mon cœur fût innocent comme elles !   RACINE, Phèdre, I, 3.

(Sentiments, actions). Très coupable*. *Attachements** (cit. 6) *criminels. Passion criminelle. Désirs, desseins criminels* (→ Avortement, cit. 2). *Une politique criminelle. Vie criminelle.*

4 Un amour criminel causa toute sa haine.   RACINE, Phèdre, IV, 1.

5 (...) et jamais il n'eut un projet qui ne fût malhonnête ou criminel.
LACLOS, les Liaisons dangereuses, I, IX.

6 (...) en peignant la misère si laide, si avilie, parfois si vicieuse et si criminelle, leur but *(de certains artistes)* est-il atteint, et l'effet en est-il salutaire, comme ils le voudraient ?   G. SAND, la Mare au diable, I, p. 12.

Fam. (Par exagér.). *C'est criminel de jeter du pain.*

♦ **2.** N. Personne qui est coupable d'un crime (en général, au sens 2 de *crime*). ⇒ **Coupable ; bandit, gangster, gredin** (vx) **, malfaiteur, scélérat ; assassin, empoisonneur, homicide, incendiaire, meurtrier, tortionnaire** et le suff. **-cide** (du lat. *caedere* « tuer »). *Criminel dégénéré, fou, irresponsable; responsable. Un grand criminel. Criminel d'État :* auteur d'un crime d'État. *Criminel de guerre,* qui commet des atrocités au cours d'une guerre. — *Criminel qui commet un nouveau crime.* ⇒ **Récidiviste.** *Demander l'extradition* d'un criminel. Arrêter le criminel et ses complices*. Passer les menottes à un criminel. Identification des criminels.* ⇒ **Anthropométrie.** *Interroger, juger, condamner le criminel. Criminel condamné au bagne, aux travaux forcés.* ⇒ **Bagnard, forçat; convict.** *Exécuter un criminel.* ⇒ **Exécution.** *Lyncher un criminel.*

REM. En droit, le mot désigne tout auteur de crime (2.), mais dans le langage courant, il ne s'applique guère qu'aux meurtriers (→ Assassin, meurtrier) ou aux auteurs de sévices graves.

7 *Condamnée !* Ah! ce mot est choquant, et n'est fait
Que pour les criminels.   MOLIÈRE, les Femmes savantes, V, 4.

8 Il y a des criminels que le magistrat punit, il y en a d'autres qu'il corrige.
MONTESQUIEU, l'Esprit des lois, XXVI, 24.

9 Les malfaiteurs ont été condamnés aux mines, aux travaux publics; leurs châtiments sont devenus utiles à l'État : institution non moins sage qu'humaine, partout ailleurs on ne sait que tuer un criminel, avec appareil ; sans jamais avoir empêché les crimes.   VOLTAIRE, Hist. de l'Empire de Russie, I, 8.

10 Et puis... et puis... ces doctrines qui consistent à confondre maintenant les criminels et les aliénés, les démonomanes et les fous, sont insensées quand on y songe !
HUYSMANS, Là-bas, VIII, p. 111.

10.1 LE COMMISSAIRE. — Un homme sans domicile... savez-vous bien ce que c'est ?...
JEAN GUENILLE. — Un malheureux... probable...
LE COMMISSAIRE. — Non... un réfractaire... quelque chose comme un déserteur civil... un criminel... quelquefois... un délinquant, toujours... vous êtes un délinquant, Jean Guenille...
O. MIRBEAU, le Portefeuille, Comédie en 1 acte, Lib. Théâtrale, 1954, p. 22 (1900).

11 Quinette n'osait jurer qu'il n'avait pas obéi à quelque impulsion aussi aveugle que celle qui conduit les criminels à un traquenard de police.
J. ROMAINS, les Hommes de bonne volonté, t. II, VIII, p. 80.

11.1 Le meurtrier, la plupart du temps, se sent innocent quand il tue. Tout criminel s'acquitte avant le jugement. Il s'estime, sinon dans son droit, du moins excusé par les circonstances. Il ne pense ni ne prévoit ; lorsqu'il pense, c'est pour prévoir qu'il sera excusé totalement ou partiellement.
CAMUS, Réflexions sur la guillotine, in Essais, Pl., p. 1033.

11.2 Nous en savons assez pour dire que tel grand criminel mérite les travaux forcés à perpétuité. Mais nous n'en savons pas assez pour décréter qu'il soit ôté à son propre avenir, c'est-à-dire à notre commune chance de réparation.
CAMUS, Réflexions sur la guillotine, in Essais, Pl., p. 1061.

Fam. (Par exagér.). Coupable* (d'une faute, d'une sottise). *Ah ! Voilà le criminel.*

♦ **3.** Adj. (Dr. et cour.). Relatif aux actes délictueux et à leur répression (⇒ **Pénal**). *Droit criminel. Législation criminelle. Instruction criminelle. Code d'instruction criminelle. Procédure criminelle. — Juridiction criminelle.* ⇒ **Assise** (cit. 8 et *supra*). *Chambre* criminelle* (→ Bouffon, cit. 9). *Procès criminel. Impliquer qqn dans une affaire criminelle. Audience criminelle. Juge criminel. Peines en matières criminelles.* (→ Afflictif, cit. 2).

Droit criminel ou droit *pénal?* Le premier de ces termes vise les *actes* délictueux, qu'il s'agit d'atteindre ; le second s'applique aux *sanctions.* L'usage courant les emploie comme synonymes pour désigner la science juridique qui traite de la répression.   DONNEDIEU DE VABRES, Précis de droit criminel, n° 2.   12

N. m. Dr. Juridiction criminelle. (Surtout dans : *au criminel; s'oppose à civil, à correctionnel*). *Avocat au criminel. Poursuivre qqn au criminel. Procéder au criminel. Être jugé au criminel.*

CONTR. Innocent, juste, légitime, vertueux.
DÉR. Criminellement.

CRIMINELLEMENT [kʀiminɛlmã] adv. — XIIIᵉ, criminaument, crimineusement; de *criminel.*

♦ **1.** D'une manière criminelle. *Agir criminellement.*

♦ **2.** Dr. Devant une juridiction criminelle ; au criminel. *Poursuivre, juger criminellement un accusé.*

CRIMINOGÈNE [kʀiminɔʒɛn] adj. — V. 1950; comp. sav. du lat. *crimen, criminis* « crime », et suff. *-gène.*

♦ Didact. Qui contribue à l'extension de la criminalité, à la propagation du crime. *Facteur criminogène. Situation criminogène. Tendances criminogènes.*

On peut se demander s'il existe vraiment des perversions criminogènes spécifiques. D'une façon beaucoup plus probable, le crime est le symptôme d'une réaction à des causes qui peuvent être très variées, comme c'est le plus souvent le cas en psychologie.   Guy PALMADE, la Psychothérapie, p. 14.

CRIMINOLOGIE [kʀiminɔlɔʒi] n. f. — 1890; du lat. *criminalis* « criminel », et *-logie.*

♦ Didact. et cour. Science de la criminalité; étude des causes et des manifestations du phénomène criminel. ⇒ **Criminalistique** (→ Anthropologie, anthropométrie, médecine légale, psychologie, psychiatrie, sociologie criminelle). *Criminologie générale et criminologie clinique.* « *La criminologie clinique, discipline nouvelle dont l'épanouissement devrait entraîner une profonde transformation de l'univers carcéral* » (*le Monde,* 13 avr. 1966). *Branche de la criminologie s'intéressant aux victimes de la criminalité.* ⇒ **Victimologie.**

DÉR. Criminologique, criminologiste.

CRIMINOLOGIQUE [kʀiminɔlɔʒik] adj. — 1893; de *criminologie.*

♦ Didact. Relatif à la criminologie ; relatif au crime (Durkheim).

CRIMINOLOGISTE [kʀiminɔlɔʒist] ou CRIMINOLOGUE [kʀiminɔlɔg] n. — 1933; de *criminologie.*

♦ Didact. Spécialiste de criminologie* (ne pas confondre avec *criminaliste**). *Un, une criminologiste.*

Il se tenait au courant des punitions qui pleuvaient autour de lui, comme ces honnêtes criminologistes qui font des livres sur la psychologie des assassins, ou des enquêtes sur les bagnes.   M. PAGNOL, le Temps des secrets, p. 385.

Adj. *École criminologiste. Théories criminologistes,* des criminologistes.

CRIN [kʀɛ̃] n. m. — V. 1050; « cheveux », du lat. *crinis* « cheveu », et p.-ê. « crin » (sens 1) en bas lat.

♦ **1.** (V. 1160). Poil long et rude qui pousse au cou et à la queue de certains animaux, spécialement des chevaux. *Tirer, arracher un crin à la queue d'un cheval. Crins blancs, noirs, raides, soyeux. Touffe de crins aux boulets du cheval.* ⇒ **Fanon.** *Crins de l'encolure.* ⇒ **Crinière.** *Crins d'un lion, d'un bœuf.* — Collectif. *Le crin :* les crins, la crinière. → Le poil*. *Crin blanc* (nom du cheval mis en scène par l'œuvre d'Albert Lamorice qui porte ce titre). *Se cramponner au crin. Un beau crin.*

Des coursiers attentifs le crin s'est hérissé.   RACINE, Phèdre, V, 6.   1
(...) pendus aux crins de nos chevaux.
E. FROMENTIN, Un été dans le Sahara, p. 13 (→ Avancer, cit. 30).   2

Douce et vaillante bête, dès que l'homme a posé la main sur son cou pour empoigner ses crins, son œil s'allume, et l'on voit courir un frisson dans ses jarrets.   3
E. FROMENTIN, Un été dans le Sahara, p. 80.

♦ **2.** (Premier sens attesté). Fam., vx. Cheveu, barbe. ⇒ **Poil.** *Avoir les crins bien plantés.* — Collectif. *Il a le crin revêche.* — Se *prendre aux crins,* aux cheveux. ⇒ **Disputer** (se), **quereller** (se); **battre** (se).

Argot. « *Nous avons eu la tirelire en palissandre et les crins en fil de fer* » (L. Forton, *les Aventures des Pieds-Nickelés,* in *l'Épatant,* 1909, p. 52).

♦ **3.** Loc. **ⓐ** À TOUS CRINS. *Cheval à tous crins,* à qui on a laissé tous ses crins. — Par ext. *Un homme à tous crins,* barbu et chevelu. *Chevelure à tous crins,* longue.

(1840). Fig. *À tous crins* (du cheval qui a tous ses crins) : complet, ardent, énergique. ⇒ aussi **Endurci, entier.** *Un brave à tous crins,* à toute épreuve. *Révolutionnaire, aventurier, marin à tous crins.*

4   — Oh! Mendès, le voilà romantique à tous crins. Ça l'a pris comme un retour en enfance.   J. RENARD, Journal, 16 nov. 1895.

ⓑ *Être comme un crin,* revêche, de mauvaise humeur.

ⓒ Vx. *Être tout crin,* irrité, énervé (Goncourt, *Manette Salomon,* p. 282). → À cran.

ⓓ Adj. Revêche, de mauvaise humeur. « *Elle est crin, mais elle est marrante* » (R. Dorgelès, *À bas l'argent,* p. 50). N. *C'est un crin. Quel crin !*

♦ **4.** (1680, *crin d'archet*). Poil d'animal utilisé à divers usages. — *(Un crin).* Crin plat utilisé dans la fabrication des balais, des pinceaux, des dards et des cordes d'instruments de musique. *Crin de ligne pour pêcher.* ⇒ **Empile, florence** *(crin de Florence);* → Avançon, cit. — *(Du crin). Étoffes de crin.* ⇒ **Cilice; crinoline.** *Tissu de crin pour fabriquer les tamis, les sacs.* ⇒ **Étamine, rapatelle.** — Loc. *Gant de crin.* — *Crins crépis,* tordus en corde et bouillis pour être dégraissés, qu'utilisent les bourreliers, les matelassiers. *Rembourrer un coussin avec du crin. Matelas, oreiller de crin.*

5   Johnson se décide à monter dans un pousse-pousse rouge, dont le coussin collant de molesquine laisse échapper son crin moisi par une déchirure du triangle.   A. ROBBE-GRILLET, la Maison de rendez-vous, p. 108.

CRIN VÉGÉTAL : fibres de certains végétaux — agave, palmier nain, *Phormium tenax,* tampico, tillandsie, etc. — préparées pour remplacer le crin animal. *L'industrie du crin végétal. Crin artificiel, synthétique* ou *crin acétate,* utilisé en chirurgie ou pour la pêche.

DÉR. Crinelle, crinier, crinière. — V. Crincrin.
HOM. Formes du v. craindre.

CRINCRIN [knɛ̆knɛ̃] n. m. — 1661, Molière; onomat., p.-ê. redoublement de *crin*.

♦ **1.** Familier. Mauvais violon. *Les grincements d'un crincrin.*

1   (...) ce sont des masques,
Qui portent des crincrins et des tambours de Basques.
        MOLIÈRE, les Fâcheux, III, 6.

2   (...) on entendait toujours le crincrin du ménétrier qui continuait à jouer dans la campagne.   FLAUBERT, Mme Bovary, I, IV, p. 23.

Instrument de musique quelconque.

3   (...) j'ai acheté pour moi ce grand crin-crin, qu'il te plaît d'appeler un piano, afin que lorsque je râclerai du violon, tu puisses m'aider à faire le charivari qui me dispensera de parler politique à ton père.   Louise MICHEL, la Misère, t. I, p. 219.

4   Il piquait un crincrin dans le tas, un saxo, un piccolo, mandoline... il taquinait le truc un petit peu... comme ci, comme ça... un air prélude... une fantaisie, un petit rien... il laissait tomber... tout caprice!...
        CÉLINE, Guignol's band, p. 185.

♦ **2.** Son produit par un mauvais violon. *On entendait un crincrin discordant.*

♦ **3.** (Rare). Mauvais violoniste.

CRINELLE [kninɛl] n. f. — xxᵉ; de *crin,* et suff. *-elle.*

♦ Pêche. Bas de ligne en acier pour la pêche aux poissons susceptibles de cisailler la ligne (brochets, etc.). « *Ou bien la crinelle d'acier est trop fine, ou bien les hameçons sont trop gros* » (*Au bord de l'eau,* nᵒ 366, p. 25).

CRINIER [kninje] n. m. — 1680; de *crin.*

♦ Techn. Ouvrier qui travaille, apprête le crin. — REM. Le fém. n'est guère utilisable en raison de l'homonyme *crinière.*

CRINIÈRE [kninjɛn] n. f. — 1556; de *crin,* et suff. *-ière.*

♦ **1.** Ensemble des crins* qui garnissent le cou de certains animaux. *La crinière du lion, d'un lion. La lionne n'a pas de crinière. Crinière de cheval. Partie de la crinière du cheval qui tombe sur le front.* ⇒ **Toupet.** *Barde* de crinière* (⇒ **Armure,** cit. 4). *L'animal secoua sa crinière.* → Reconnaître, cit. 2.

1   Le lion hérisse sa crinière (...)   FÉNELON, Télémaque, II.

2   J'aimai les fiers coursiers, aux crinières flottantes,
Et l'éperon froissant les rauques étriers.   HUGO, Odes et Ballades, V, IX, I.

L'animal (...) portait, sur presque toute la longueur de l'épine dorsale, une crinière   2.1
noire, touffue et dure.
En examinant les crins, le chimiste remarqua certaines nodosités.
        Raymond ROUSSEL, Impressions d'Afrique, p. 360-361.

Par ext. *Crinière d'un casque :* touffe de crins fixée à l'apex* du casque et qui sert d'ornement. *La crinière des cavaliers de la Garde républicaine.*

Fig., poét. *Une crinière de brume, de fumée.* Spécialt. *La crinière des flots :* l'écume des vagues.

3   L'air siffle, le ciel se joue
Dans la crinière des flots (...)   LAMARTINE, Harmonies, I, 3.

♦ **2.** Littér. (langue class.), puis fam. Chevelure* abondante.

4   Ce nouvel Adonis, à la blonde crinière (...)   BOILEAU, le Lutrin, I.

5   (...) l'allure libre, la longue chevelure d'or éparse en crinière, la mise presque élégante (...)   LOTI, Matelot, XXV, p. 95.

♦ **3.** Méd. **ⓐ** *Crinière dorsale* ou *lombaire :* développement excessif du système pileux de l'épine dorsale lombaire, constaté chez les individus atteints de dysmorphie.

ⓑ Fig. *Crinière occipitale :* crête épineuse formée par l'inion trop saillant.

♦ **4.** Agric. Terrain en friche, mal labouré.

CRINOÏDES [kninɔid] n. m. pl. — 1823; grec *crinoeidès* « en forme de lis », de *krinon* « lis ».

♦ Zool. Classe d'animaux métazoaires échinodermes marins, munis de cirres*, qui vivent pour la plupart attachés au fond de la mer par un pédoncule. — Au sing. *Un crinoïde.*

CRINOLINE [kninɔlin] n. f. — 1829; ital. *crinolino,* de *crino* « crin », et *lino* « lin ».

♦ **1.** Vx. Étoffe à trame de crin.

♦ **2.** (1848). Ancienn. Jupon fait de cette étoffe pour soutenir la robe. Spécialt. Jupe de dessous, garnie de baleines et de cercles d'acier flexibles, que les femmes portaient pour faire bouffer les robes. ⇒ **Bouffante, panier.** *Robes à crinoline.*

1   (...) les femmes (...) imitant toutes, à l'envi, l'impératrice Eugénie (...) balançant leurs crinolines énormes qui nous semblent aujourd'hui burlesques (...)
        FRANCE, la Vie en fleur, XXV, p. 279.

2   Ces gens, qui aujourd'hui sont authentiquement des fantômes, se tiennent devant nous, comme ceux revenants pourraient le faire, vêtus de spectrales redingotes et de fantomales crinolines.   M. YOURCENAR, Archives du Nord, p. 196.

Par métonymie. Femme portant une crinoline (→ Jupe, jupon...).

3   Vous ne pouvez rien imaginer de plus drôle qu'une crinoline entrant dans une gondole.   MÉRIMÉE, Lettres à la Comtesse de Montijo, 1870, in T. L. F.

♦ **3.** Mar. *Affût à crinoline :* affût de pièce d'artillerie légère. — Techn. « Armature à arceaux pour assurer la sécurité sur les échelles verticales » (*Banque des mots,* nᵒ 9, p. 55).

CRIO- Élément, du grec *krios* « bélier », entrant dans la composition de termes didactiques (hist. antiq.; zool.). ⇒ **Criocéphale, criocère.**

CRIOCÉPHALE [kniosefal] n. m. — 1845; de *crio-,* et *-céphale.*
Didactique.

♦ **1.** Sphinx à tête de bélier, dans la mythologie et l'art égyptiens anciens.

♦ **2.** Zool. Coléoptère longiforme *(Cérambycidés)* vivant dans les pinèdes.

CRIOCÈRE [kniosɛn] n. m. — 1762, Geoffroy, de *crio-,* et grec *keras* « corne ».

♦ Zool. Insecte coléoptère *(Chrysomélidés)* dont certaines variétés sont nuisibles aux plantes. *Criocère de l'asperge, du lis.*

CRIQUAGE [knika3] n. m. — Mil. xxᵉ; de *criquer.*

♦ Techn. Formation de criques (⇒ 2. **Crique**) que l'on élimine par « décriquage ».

1. CRIQUE [knik] n.f. — 1336, mot normand; de l'anc. scandinave *kriki* « crevasse ».

♦ **1.** Enfoncement du rivage où les petits bâtiments peuvent se mettre à l'abri. ⇒ **Anse, baie, calanque, conche;** (vx) **cale.** *Mouiller à l'abri d'une petite crique.*

1   Nous entrâmes au port de Sunium : c'est une crique abritée par le rocher.
        CHATEAUBRIAND, Itinéraire..., 252.

1.1   Les colons se trouvaient alors à l'échancrure d'une petite crique sans importance, qui n'eût même pas pu contenir deux ou trois barques de pêche, et qui servait de goulot au nouveau creek; mais, disposition curieuse, ses eaux, au lieu de se jeter

41 Ils croyaient s'affranchir *(en)* suivant leurs passions :
Ils étaient esclaves d'eux-mêmes. La Fontaine, Fables, xii, 1.

42 J'ai cru sentir le temps s'arrêter dans mon cœur ?
A. de Musset, Lettre à Lamartine.

43 On croit pardonner ; on va jusqu'à se féliciter de sa propre grandeur d'âme ; et ce n'est que faiblesse.
Valery Larbaud, Amants, heureux amants..., III, xxi, p. 234.

44 L'homme croit toujours émouvoir
La femme qu'il désire :
Elle n'est pour lui qu'un miroir
Dans lequel il s'admire (...)
A. Maurois, les Silences du colonel Bramble, xiii, p. 138.

45 Mais les gens qui croient avoir des indices, même très faibles, ont raison, dans ces cas-là, de nous les communiquer.
J. Romains, les Hommes de bonne volonté, t. II, xiii, p. 134.

Il croit être heureux. → ci-dessous Se croire *(il se croit heureux). Ne croyez pas être raisonnable en agissant ainsi !*

46 Les grands croient être seuls parfaits, n'admettent qu'à peine dans les autres hommes la droiture d'esprit, l'habileté, la délicatesse...
La Bruyère, les Caractères, ix, 19.

47 Mais non, chère amie, nous croyons être acteurs, nous ne sommes jamais que spectateurs. A. Maurois, Climats, II, ii, p. 156.

48 Chacun de nous croit être aux yeux d'autrui ce qu'il est aux siens propres.
Edmond Jaloux, les Visiteurs, xv, p. 131.

48.1 J'ai fini par comprendre que ces actions avaient été émises par des sociétés en faillite ou qui n'existaient plus depuis longtemps. Il croyait dur comme fer pouvoir les utiliser encore et les remettre sur le marché.
Patrick Modiano, les Boulevards de ceinture, p. 89.

Croire pouvoir, devoir (et inf.). *Je crois pouvoir (vous) dire que... Je crois devoir dire, affirmer que...*

(*Croire* suivi d'un adj., de *de* et l'infinitif). *Croire important, nécessaire, utile... de dire, de faire. Je ne crois pas inutile de vérifier. J'ai cru bon, plus sage de...* — Loc. *Il a cru de son devoir* de vous prévenir.*

♦ **7.** *Croire (qqn, qqch.)* et attribut du compl. ⇒ **Estimer, imaginer, juger, réputer, supposer, tenir** (pour). *Il l'avait cru plus intelligent. On l'a cru mort. Je la croyais belle. Je le crois capable de tout. On le croit ruiné.*

49 Si on ne voulait qu'être heureux, cela serait bientôt fait : mais on veut être plus heureux que les autres ; et cela est presque toujours difficile, parce que nous croyons les autres plus heureux qu'ils ne sont.
Montesquieu, Pensées diverses, Variétés.

★ **II.** V. tr. ind. (construit avec *à*, *en*). — REM. D'une manière générale, *croire à* désigne plutôt l'adhésion intellectuelle, *croire en* y ajoute l'adhésion morale.

♦ **1.** *Croire à, en une chose,* la tenir pour réelle, vraisemblable, possible ; lui accorder une adhésion intellectuelle ou morale. ⇒ **Adhérer** (à), **fier** (se fier à), **rallier** (se rallier à) ; **opinion** (avoir, embrasser, partager une opinion). *Croire aux promesses de qqn.* ⇒ **Compter** (sur). *Croire à ce qu'il dit. Croire au témoignage, à l'honnêteté de qqn. Croire à sa parole, en sa parole. Croire au talent de qqn.* ⇒ **Apprécier.** *Ne plus croire à rien* (⇒ **Nihilisme**). *Croire à la magie, à l'occultisme. Croire à la graphologie, à la psychotechnique. Il n'y croit pas. Il ne croit pas à la médecine. — Croire à l'innocence de qqn.* ⇒ **Persuader** (être persuadé), **présumer, reconnaître.** *Tu y crois, toi ? Je n'y crois pas, je n'y crois guère.* — Fam. *Il y croit dur comme fer,* vraiment, fermement (→ Être coiffé* d'une idée ; se fourrer qqch. dans la tête* ; il en donnerait sa tête* à couper). *C'est à n'y pas croire, à ne pas y croire* (⇒ **Incroyable**). — *Le médecin crut à une pneumonie,* pensa que ce pouvait être une pneumonie.

50 Si je vous le disais, qu'une douce folie
A fait de moi votre ombre et m'attache à vos pas (...)
Peut-être diriez-vous que vous n'y croyez pas.
A. de Musset, Poésies nouvelles, « À Ninon ».

51 *L'après, l'au-delà,* il n'y croyait guère, devenu matelot sous ce rapport comme sous tant d'autres (...) Loti, Matelot, xlix, p. 192.

52 La syncope se renouvela cinq à six fois, de plus en plus inquiétante. Une minute, Nathan, terrifié, crut au tétanos. Léon Bloy, le Désespéré, iii, p. 130.

53 La culture positive de Vincent le retenait de croire au surnaturel (...)
Gide, les Faux-monnayeurs, I, xvi, p. 183.

54 Il est de ceux qui ne croient qu'à l'initiative privée, pour qui fonctionnaire à tous les degrés signifie sinécure et paperasses, homme public à tous les degrés : impuissance et corruption (...)
J. Romains, les Hommes de bonne volonté, t. V, xviii, p. 139.

55 (...) il y a, quoi qu'on veuille, une chose irréductible, une chose qu'aucun doute ne parvient à entamer : ce besoin qu'a l'homme de croire en sa raison (...)
Martin du Gard, les Thibault, t. III, p. 220.

56 Je crois à un monde spirituel, tout à fait opposé aux trésors de la terre.
J. Chardonne, les Destinées sentimentales, I, iii, p. 93.

57 Il s'est reconnu pessimiste en ce qu'il ne croit pas à la durée éternelle d'un idéal, quel qu'il soit (...) André Suarès, Trois hommes, « Ibsen », ii, p. 93.

Croyez à ; veuillez croire à ; je vous prie de croire à (mes sentiments...), formule de politesse au terme d'une lettre. — REM. La tournure avec *en* semble moins normale.

Spécialt. *Croire à :* considérer comme probable, imminent. *Croire à la guerre. Croyez-vous à une crise prochaine ? J'y crois ; je n'y crois pas.*

♦ **2.** *Croire en qqn,* avoir confiance en lui. ⇒ **Apprécier, compter** (sur), **estimer, fier** (se fier à) ; **disciple** (se faire disciple de) ; **confiance** (faire confiance à), **rapporter** (s'en rapporter à). *Croire en ses amis.*

Croire à qqn. Croire aux... (avec un compl. au plur. désignant une catégorie de personnes). *Croire aux astrologues, aux voyants. Croire aux médecins.*

Croire à... : considérer comme vraie ou vraisemblable l'existence de qqn. — REM. Alors que *croire en...* implique en général une croyance considérée comme fondée, *croire à...* est ici associé à une croyance désapprouvée. *Cet enfant croit au père Noël*.* Fig. *Croire au père Noël :* se faire des illusions. *Croire au barbu* (même sens). — *Croire aux revenants, aux fantômes. — Il y croit, ce naïf.*

Il ne suffit pas de croire aux sirènes pour en rencontrer sur les eaux, mais il suffit parfaitement de croire à l'influence des mots, pour que cette influence aussitôt surgisse (...) J. Paulhan, les Fleurs de Tarbes, iii, p. 133. 58

♦ **3.** Être persuadé de l'existence et de la valeur de (un être religieux, un dogme). — (Avec *à*). *Croire au Messie.* Loc. *Ne croire ni à Dieu, ni à Diable. — Croire à la sainte Église. Croire à l'Évangile. Croire à la sainte Vierge.* — (Avec *en*). *Croire en Dieu :* avoir la foi*. ⇒ **Credo, croyance.** *« Je crois en Dieu, le Père tout-puissant... »,* début du Credo.

Il faut croire en Dieu pour être sauvé. Rousseau, Émile, iv. 59

(...) une femme forte, qui ne croit ni à Dieu ni au diable, mais qui accepte aveuglément les prédictions des somnambules et du marc de café. 60
Alphonse Daudet, le Petit Chose, II, xi, p. 308.

Loc. *Croire à qqch. comme à l'Évangile, comme (à) une parole d'Évangile, à un article de foi,* y croire fermement.

Intrans. ou absolt. *Croire :* avoir la foi. *Il ne croit plus :* il a perdu la foi. *Il faut croire et prier* (→ L'abêtissement* pascalien). *Le besoin, le bonheur de croire.*

Puis *(Jésus)* dit à Thomas « (...) ne sois plus incrédule, mais croyant (...) Parce que tu m'as vu tu as cru ? Heureux ceux qui ont cru sans avoir vu. » 61
Bible (Crampon), Évangile selon saint Jean, xx, 27-29.

Je vois, je sais, je crois, je suis désabusée (...) 62
Je suis chrétienne enfin (...) Corneille, Polyeucte, v, 5.

Il y a peu de vrais Chrétiens, je dis même pour la foi. Il y en a bien qui croient, mais par superstition ; il y en a bien qui ne croient pas, mais par libertinage ; peu sont entre deux. Pascal, Pensées, iv, 256. 63

Suivez la manière par où ils ont commencé ; c'est en faisant tout comme s'ils croyaient (...) Naturellement même cela vous fait croire (...) 64
Pascal, Pensées, iii, 233 (→ Abêtir, cit. 1).

Je suis devenu chrétien. Je n'ai point cédé, j'en conviens, à de grandes lumières surnaturelles : ma conviction est sortie du cœur ; j'ai pleuré et j'ai cru. 65
Chateaubriand, le Génie du christianisme, 1re Préface.

En présence du ciel il faut croire ou nier. 66
A. de Musset, Poésies nouvelles, « L'espoir en Dieu ».

Le débat religieux n'est plus entre religions, mais entre ceux qui croient que croire a une valeur quelconque, et les autres. Valéry, Rhumbs, p. 246. 67

Je crus, d'une telle force d'adhésion, d'un tel soulèvement de tout mon être, d'une conviction si puissante, d'une telle certitude ne laissant place à aucune espèce de doute que, depuis, tous les livres, tous les raisonnements, tous les hasards d'une vie agitée, n'ont pu ébranler ma foi, ni, à vrai dire, la toucher. 68
Claudel, *in* A. Maurois, Études littéraires, t. I, p. 190.

Croire, c'est faire crédit à Dieu qui nous a donné sa parole, le Verbe. 68.1
Claudel, Journal, janv.-févr. 1910.

Pour que Pascal supportât la vie, il était nécessaire qu'il crût. 69
André Suarès, Trois hommes, « Pascal », ii, p. 48.

(Nietzsche) a diagnostiqué en lui-même, et chez les autres, l'impuissance à croire et la disparition du fondement primitif de toute foi, c'est-à-dire la croyance à la vie. Camus, l'Homme révolté, Pl., p. 475. 69.1

♦ **4.** *Croire en soi :* avoir confiance en soi, et aussi être présomptueux. *L'orgueilleux rejette Dieu et ne croit qu'en soi-même.*

(...) ne faites jamais la folie de douter de vous-même. Il faut croire en soi. 70
André Suarès, Trois hommes, « Ibsen », v, p. 133.

▶ **SE CROIRE** v. pron.

♦ **1.** Se considérer comme... *Se croire intelligent, bête. Se croire un grand savant.* ⇒ **Prendre** (se prendre pour). — Vieilli. *S'en croire. Il s'en croit beaucoup trop :* il a une confiance en soi exagérée. → ci-dessous Se croire.

(Sieyès) un « métaphysicien », un « idéologue », un homme à théories, sans bon sens, sans réalisme, et, par surcroît, rogue, pontifiant, orgueilleux à l'excès, s'en croyant jusqu'au ridicule. Louis Madelin, l'Ascension de Bonaparte, xxiii, p. 329. 71

Péj. (suivi d'un adj. positif). S'estimer à tort. *Se croire intelligent.* ⇒ **Estimer** (s'), **imaginer** (s'). *Il se croit plus malin que les autres. Se croire fort.* ⇒ **Supposer** (se). *Tu te crois fin, malin ?* Fam. *Qu'est-ce qu'il se croit, celui-là !*

Se croire un personnage est fort commun en France. 72
On y fait l'homme d'importance,
Et l'on n'est souvent qu'un bourgeois :
C'est proprement le mal français.
La sotte vanité nous est particulière. La Fontaine, Fables, viii, 15.

Il n'y a que deux sortes d'hommes : les uns justes, qui se croient pécheurs ; les autres pécheurs, qui se croient justes. Pascal, Pensées, vii, 534. 73

(...) je ne me serais jamais cru tant de vigueur. 74
Alphonse Daudet, le Petit Chose, I, ix, p. 114.

Absolt. Être prétentieux.

Elle est toujours prête à y jouer un rôle grotesque ou dramatique, prédisant les malheurs de la France et de la fille du boucher, imitant la dame du troisième qui « se croit » (...) F. Mallet-Joris, le Jeu du souterrain, p. 149. 74.1

♦ **2.** *Se croire* (et adj., p. p. ou compl. circonstanciel). S'imaginer être (dans un état, une situation). ⇒ **Supposer** (se). *Se croire perdu. Se croire dans une situation désespérée. Il se croit heureux. Il se croit dans une situation enviable.*

75 (...) je me serais cru sur une des croupes des Alleghanis, n'était qu'un haut aqueduc, surmonté d'un pont étroit, me rappelait un ouvrage de Rome (...)
                      CHATEAUBRIAND, Mémoires d'outre-tombe, t. V, p. 13.

76 Rien ne rend si aimable que de se croire aimé (...)
                                  MARIVAUX, le Paysan parvenu, II, p. 81.

77 Je me suis crue à l'abri de l'outrage de vos désirs.
                                  G. SAND, Elle et Lui, II, p. 26.

78 Il est de ces êtres qui ne se croient francs que lorsqu'ils sont brutaux.
                                  GIDE, Journal, mai 1906.

Se croire quelque part. Je me croyais revenu dans mon pays. On s'y croirait : on a l'illusion, le sentiment d'y être.

▶ **CROYANT** p. prés. ⇒ **Croyant,** adj.

▶ **CROIRE** n. m.
Rare. *Le croire :* la croyance, le fait de croire.

79 Sous le sommeil, l'homme est sans défense contre le croire.
      Il n'a aucun moyen de ne pas *croire* car il est privé du *second chemin*, de la dualité. — de la conscience de conscience.   VALÉRY, Cahiers, t. II, Pl., p. 174.

CONTR. Douter. — Contester, démentir, discuter. — Désabuser, nier, protester, révoquer (en doute).
DÉR. Créance, croyable, croyance.
COMP. Mécroire ; recru.

CROISADE [kʀwazad] n. f. — xvᵉ ; réfection de *croisée* (1390), *croisement* (fin XIIᵉ), *croiserie* (mil. XIIIᵉ), dér. de *croiser* employés au sens de «croisade», d'après l'anc. provençal *crozata* et l'esp. *cruzada,* de *croz, cruz.* → Croix.

♦ **1.** Expédition entreprise par les chrétiens coalisés pour délivrer les Lieux saints qu'occupaient les Musulmans. ⇒ **Guerre** (sainte). *Prêcher la croisade. Partir pour la croisade, en croisade. L'Ordre teutonique, fondé au temps des croisades. Huit croisades eurent lieu du XIᵉ au XIIIᵉ siècle. Les deux dernières croisades furent dirigées par saint Louis.*

1 Quel jugement porter sur les croisades et quel aura été leur rôle mondial? On a tendance à ne voir en elles qu'un magnifique mouvement d'idéalisme ne répondant à aucune nécessité historique. C'est qu'on néglige de les replacer dans l'histoire de la question d'Orient (...)   R. GROUSSET, Bilan de l'histoire, IV, p. 234.

Hist. Expédition militaire effectuée par des croyants (chrétiens) contre des hérétiques. *La croisade contre les Albigeois.*
Par anal. (souvent iron.). Expédition armée motivée par des desseins idéologiques, religieux. «*Croisade contre le bolchevisme*» (dans les slogans inspirés par l'occupant nazi, pendant la Seconde Guerre mondiale). *Un esprit de croisade. Partir en croisade contre...*

♦ **2.** (XVIIIᵉ). Cour. Tentative pour diriger l'opinion dans une lutte. ⇒ **Campagne.** *Croisade contre l'alcoolisme, le tabagisme, la drogue. Croisade en faveur de...*

2 (...) ce serait trop humiliant pour elle, l'insoumise, qui s'était tant vantée de ne se laisser marier qu'à son gré, qui avait tant prêché aux autres la croisade féministe (...)   LOTI, les Désenchantées, I, III, p. 42.

♦ **3.** Régional. ⇒ **Carrefour.** *Croisade de chemins.* ⇒ **Croisée,** 1.

CROISÉ, ÉE [kʀwaze] p. p. adj. et n. m. ⇒ **Croiser.**

CROISÉE [kʀwaze] n. f. — V. 1348 ; «transept», XIIᵉ ; de *croiser.*

♦ **1.** Techn. Point où deux choses se coupent transversalement (⇒ **Croiser**). — *Croisée d'une épée :* point de rencontre des quillons dans une épée à garde en forme de croix. *Croisée des fils d'un réticule de lunette.* — Mar. *Croisée d'une ancre**. — Archit. *Croisée d'ogives** (cit. 2). *Croisée du transept,* et, absolt, *la croisée :* croisement du transept et de la nef. ⇒ **Croisillon** (→ Clocher, cit. 1), **croix.**

CROISÉE DES CHEMINS : carrefour*, croisement de voies. *La croisée de deux rues, de deux routes. Se rencontrer à la croisée des chemins.* Fig. *Croisée des chemins :* moment de la vie où doit être fait un choix déterminant.

1 Je délibérais aux croisées des chemins.   ROUSSEAU, les Confessions, IV.

(Avec un autre subst. que *chemin*) :

1.1 (...) le milicien lui apparut un soir à la croisée de quatre rues.
                              Jean GENET, Pompes funèbres, p. 54.

1.2 Des bars encore, de petits restaurants, sont au bas de chaque façade ou presque, et à droite et à gauche il jette des regards en suivant le courant, car à partir de la croisée des rues le mouvement s'est accentué dans la direction que lui-même avait prise.   A. PIEYRE DE MANDIARGUES, la Marge, p. 63.

♦ **2.** (1690 ; «montant de pierre ou de bois qui divisait l'ouverture d'une fenêtre», 1508). Vieilli ou régional. Châssis vitré, ordinairement à un battant, qui ferme une fenêtre. *Ouvrir, fermer la croisée. Montants et traverses de la croisée.* ⇒ **Meneau.** *Linteau de la croisée.* ⇒ **Sommier.** *Espagnolette qui sert à fermer une croisée.* ⇒ **Crémone.** *Le solement, filet de plâtre autour de la croisée.*
Par ext. Fenêtre*. *Refermer la croisée* (→ Augure, cit. 11).

Les branches et la pluie se jettent à la croisée de la bibliothèque.   2
                      RIMBAUD, Illuminations, Enfance, IV.

Sans que je m'en fusse aperçu, ma lampe s'était éteinte ; devant l'aube s'était   3
ouverte ma croisée. Je mouillai mon front à la rosée des vitres, et repoussant dans le passé ma rêverie consumée, les yeux dirigés vers l'aurore, je m'aventurai dans le val étroit des métempsychoses.
                      GIDE, le Voyage d'Urien, in Romans, Pl., p. 15.

Assise, la fileuse au bleu de la croisée (...)   4
                      VALÉRY, Poésies, «La fileuse», in Œ., t. I, Pl., p. 75.

♦ **3.** Techn. Pièce de bois ou de métal disposée en croix. *Croisée d'une presse d'imprimeur. Croisée de l'axe d'un dévidoir. Croisée d'une roue d'horlogerie. Croisée à la partie supérieure d'une ruche.*

HOM. Croiser.

CROISEMENT [kʀwazmɑ̃] n. m. — 1539 ; «croisade», 1195 ; de *croiser.*

♦ **1.** Action de disposer en croix, de faire se croiser ; disposition croisée. *Le croisement des fils d'un tissu.* ⇒ **Chaîne, trame.** *Croisement des jambes* (→ Cheville, cit. 4). *Croisement de mains, au piano.* ⇒ **Croiser.** *Croisement de deux pièces qui se recouvrent.* ⇒ **Chevauchement.** — *Le croisement de deux trains sur une voie double. Gare de croisement sur une voie simple. Le croisement de deux voitures sur une route. Effectuer un croisement sans ralentir.*

En bien des points, tout croisement est difficile, voire impossible, au passage d'un   1
car, même pour la plus étroite des voitures de tourisme.
                      G. DUHAMEL, Manuel du protestataire, IV, p. 137.

Ce que je revois ensuite, c'est un carrefour ; avec ces croisements de reflets, de   2
passants, de véhicules, de souffles d'air noir, qui déjà par eux-mêmes vous communiquent un rien de tournoiement intérieur et d'incertitude.
                      J. ROMAINS, les Hommes de bonne volonté, t. III, IV, p. 74.

Escrime. *Le croisement du fer :* action de se mettre en garde contre son adversaire. — Milit. *Croisement de la baïonnette :* présentation du fusil, pointe de la baïonnette en avant.

♦ **2.** Point où se coupent deux ou plusieurs voies. ⇒ **Bifurcation, carrefour, coupement, croisée, croiserie** (régional), **embranchement, fourche, intersection.** *Le croisement de deux chemins, de deux routes. Croisement d'une route départementale avec une route nationale. Contre-rails du croisement de deux voies ferrées.*

Le croisement des voies s'y opère à angles droits : quelques bâtisses fermières,   3
avec leurs dépendances, occupent trois de ses angles ; le quatrième (...) est à peu près libre et s'ouvre sur la campagne cultivée.
                      G. DUHAMEL, Récits des temps de guerre, V, p. 254.

Absolt. *Vous vous arrêterez au croisement. Feux de croisement. Croisement dangereux.*

— Tu as dépassé le croisement.   3.1
— Quel croisement ?
— Celui qui était marqué d'une flèche (...)   G. SIMENON, Feux rouges, p. 20.

Un croisement, à angle droit, montre une seconde rue toute semblable : même   3.2
chaussée sans voitures, mêmes façades hautes et grises, mêmes fenêtres closes, mêmes trottoirs déserts.   A. ROBBE-GRILLET, Dans le labyrinthe, p. 15.

♦ **3.** Ling. Composition d'un mot par contamination ou télescopage de deux mots. Ex. : *Franglais est un croisement de français et anglais.* → Mot-valise.

♦ **4.** Mus. Dans une composition harmonique, passage d'une partie au-dessus de celle qui lui est normalement supérieure. *Lorsque l'alto monte plus haut que le soprano, il y a croisement.*

♦ **5.** (1829). Biol. et cour. Méthode de reproduction par fécondation réalisée sélectivement entre individus (animaux ou plantes) d'une même espèce ou d'espèces voisines. ⇒ **Mélange, métissage.** *Améliorer une race de bovins par des croisements. Croisement de deux espèces* (⇒ **Métis**). *Croisement de deux races de la même espèce.* ⇒ **Hybridation.** *Le croisement de l'âne et de la jument donne le mulet, qui est un hybride.* ⇒ **Hybridation.** *Expériences de croisement des pois de Mendel.*

Le croisement diffère (...) de la sélection par la dissemblance des sujets qu'on   4
unit, mais il s'en rapproche par la fécondité des produits, alors que les produits de l'hybridation demeurent stériles. Physiologiquement, le croisement tiendrait le milieu entre la sélection et l'hybridation.   Omnium agricole, p. 279.

Croisement consanguin, croisement (chez l'homme) : union féconde entre individus apparentés, pouvant manifester chez les enfants des caractères défavorables non apparents chez les parents.

D'ailleurs, plus plébéienne que son père, par suite de croisements sans doute,   5
d'hérédités ancestrales inconnues (...)   LOTI, Matelot, VI, p. 30.

(...) les produits de croisement où ils coexistent et grandissent, se se neutralisant,   6
des exigences opposées, c'est parmi eux, je crois, que se recrutent les arbitres et les artistes.   GIDE, Si le grain ne meurt, I, I, p. 21.

CROISER [kʀwaze] v. — XIIᵉ ; *cruisier,* 1080, *Chanson de Roland ;* de *crois, cruis* «croix».

★ **I.** V. tr. ♦ **1.** Disposer (deux choses) l'une sur l'autre, en forme de croix. *Croiser deux bouts de bois, deux brindilles.* — Cour. (en parlant des membres, des doigts). *Croiser les jambes* (→ Asseoir, cit. 17). *Croiser les bras :* ramener les bras sur la poitrine. *Croi-*

ser les doigts, *croiser ses doigts,* pour conjurer le sort. *Fig.* Rester dans l'inaction, refuser d'agir, être indifférent.

Plus cour. *Se croiser les bras* (même sens). — *Par ext. Croiser un habit, une écharpe,* les disposer de manière que les côtés passent l'un sur l'autre.

1 *(Mélanie)* croisait sur sa poitrine son petit châle noir et l'y fixait par une épingle.
FRANCE, le Petit Pierre, XIV, p. 81.

2 (...) puis il s'asseyait, croisait ses longues jambes en thyrse en se penchant tout d'un côté, à droite (...)
HUYSMANS, Là-bas, II, p. 22.

Croiser les fils d'une étoffe : faire traverser en les alternant les fils de la chaîne par les fils de la trame. ⇒ **Entrecroiser, entrelacer.** *Croiser les brins d'osier pour faire un ouvrage de vannerie. Croiser les soies, les fils,* les tordre avec un moulin.

Didact. (versification). *Croiser les rimes, les vers,* les alterner au lieu de les faire aller par couples. ⇒ **Croisure.**

♦ **2.** (1835). *Croiser le fer, l'épée :* engager les épées; se battre à l'épée. ⇒ **Duel.** *Au fig.* Entrer en lutte (avec qqn), s'opposer (à qqn), rivaliser (avec qqn).

2.1 La personne qui vous écrit ces quelques lignes a eu l'honneur de croiser l'épée avec vous dans un petit enclos de la rue d'Enfer.
A. DUMAS, les Trois Mousquetaires, t. II, p. 554.

3 Il s'agissait du duel, aussi malheureux que ridicule, d'un confrère catholique assez (...) inconséquent pour avoir accepté de *croiser le fer* avec l'un des plus décriés représentants de cette vermine.
Léon BLOY, le Désespéré, IV, p. 212.

3.1 Ce qu'elle disait n'était pas si mal. Mais c'était le ton, cette agressivité, cette rage. Elle voulait croiser le fer et ne rencontrait que le beurre.
Claude COURCHAY, La vie finira bien par commencer, p. 44 (1972).

Milit. Croiser la baïonnette : présenter pointe en avant la baïonnette fixée au fusil.

♦ **3.** (1660). Passer au travers de (une ligne, une route). ⇒ **Couper, traverser; bifurcation, carrefour, croisée, croisement.** *La voie ferrée croise la route de biais. Cette route croise celle de Paris.* — *Nous venons de croiser la grand route.*

Fig. Croiser le chemin de qqn, lui susciter des obstacles, s'opposer à ses desseins. ⇒ **Chemin** (cit. 48 et *supra*).

♦ **4.** Passer à côté de, en allant en sens contraire. *Croiser une file de voitures. Train qui en croise un autre sur une double voie. Croiser qqn dans la rue, dans un couloir.*

4 (...) ils *croisèrent* un taxi en maraude, qui, sur un signe, vint se ranger contre le trottoir.
MARTIN DU GARD, les Thibault, t. II, p. 123.

5 (...) elle croisait des domestiques dépouillés d'apparat (...) traversait des logements encombrés de meubles de rebut, se heurtant dans les couloirs à des êtres informes (...)
J. CHARDONNE, les Destinées sentimentales, II, I, p. 184.

Par ext. Ma lettre a dû croiser la vôtre : nous nous sommes écrit en même temps.

Mon regard a croisé le sien. Croiser qqn du regard.

♦ **5.** *Biol.* Accoupler (des animaux), faire un croisement* (de plantes du même genre mais d'espèces différentes). ⇒ **Croisement** (cit. 4); **mâtiner, mélanger, mêler, métisser.** *Croiser deux races de chevaux. Croiser une race avec une autre. Croiser des plants de vigne.*

Par métaphore. (Rare). Mélanger (des choses contraires mais de même espèce). «*Croisons nos plaisirs*» (Sainte-Beuve, *Pensées et Maximes,* 1869, *in* T. L. F.).

★ **II.** *V. intr.* ♦ **1.** (1690). Passer l'un sur l'autre (en parlant de bords d'un vêtement). *Faire croiser un vêtement. Cette veste croise trop. Manteau qui ne croise pas assez.*

♦ **2.** *Mar.* Couper la route à un navire sur son avant. *Avertir avant de croiser.*

Aller et venir dans un même parage (en parlant d'un navire). ⇒ **Croisière; parader.** *Croiser à vue de terre. Croiser au large. La flotte croise dans la Manche, sur les côtes.* — *Spécialt.* Exercer une surveillance. *Un navire garde-côte croise à faible distance de la plage.*

▶ **SE CROISER** v. pron.

A. ♦ **1.** Être ou se mettre en travers l'un sur l'autre. *Deux chemins qui se croisent à angle droit. Branchages qui se croisent.*

Se ramener l'un sur l'autre en double (vêtement). *Les vestes d'homme se croisent généralement à droite, les vestes de femme, à gauche.*

♦ **2.** Passer l'un à côté de l'autre en allant dans une direction différente ou opposée. — (Personnes). *Se croiser en route.* — (Choses). *Nos lettres se sont croisées.*

5.1 Piste juste assez large pour un seul corps.
Jamais deux ne s'y croisent.
S. BECKETT, Pour finir encore et autres foirades, p. 41.

6 Ils parcouraient tumultueusement la ville, cherchant les uns des vivres, d'autres des fourrages, quelques-uns des logements; on se croisait, on s'entre-choquait, et, l'affluence augmentant à chaque instant, ce fut bientôt, comme un chaos (...)
Ph. P. SÉGUR, Hist. de Napoléon, IV, 7.

Regards qui se croisent.

Fig. et littér. Des intrigues qui se mêlent et se croisent. Idées qui se croisent (dans une conversation).

(Personnes). *Littér.* Se faire mutuellement obstacle. *Ils se croisent dans leurs prétentions.*

♦ **3.** *Biol.* S'accoupler par croisement. *Le loup peut se croiser avec le chien.*

B. (*Soi crusier,* 1174). *Hist.* S'engager dans une croisade. ⇒ **Croisade.** *Saint Louis se croisa.*

Littér. Entrer dans une coalition contre qqn ou qqch. *Se croiser contre un dictateur.*

▶ **CROISÉ, ÉE** p. p. adj. et n. m.

★ **I.** *Adj.* ♦ **1.** Disposé en croix, qui se croise (avec autre chose du même genre). *Bâtons croisés. Rideaux croisés.* — *Rester les bras* (cit. 19) *croisés* (fig.) : rester à ne rien faire. — *Mains croisées derrière la nuque. Jambes croisées.*

7 Les jambes croisées, dans une pose abandonnée, un peu provocante, elle l'examinait sans rien dire.
MARTIN DU GARD, les Thibault, t. IX, p. 96.

7.1 (...) ses pieds chaussés d'espadrilles ramenés sous sa chaise et croisés l'un sur l'autre (...)
Claude SIMON, le Palace, p. 165.

Tissu croisé. N. m. Du croisé : tissu où le croisement des fils est très serré. — (Vêtement). Dont les bords croisent. *Veste croisée, veston croisé* (opposé à *droit*). *Châle croisé sur la poitrine.*

8 Un sein qui semblait gonflé de tendresse soulevait le fichu, croisé à la mode de l'année.
FRANCE, Les dieux ont soif, p. 26.

♦ **2.** *Fig. Rimes croisées :* rimes qui alternent. *Vers croisés.*

Cour. Mots croisés. ⇒ **Mot; cruciverbiste.**

♦ **3.** *Feu(x) croisé(s), tir(s) croisé(s),* qui proviennent de divers points mais qui convergent vers le même but. — *Par métaphore. Un feu croisé de moqueries.*

♦ **4.** *Escrime. Tireur croisé,* qui a le pied droit trop en dedans de la ligne. — *N. m. Un croisé :* mouvement de l'épée pour faire sauter l'arme de la main de l'adversaire.

Danse. ⇒ **Chassé-croisé; brisé.**

♦ **5.** Coupé, traversé. *Un chemin croisé par un autre.* ⇒ **Croisée, croisement.** — *Blason. Croisé de :* traversé en diagonale.

♦ **6.** Qui est le résultat d'un croisement*, qui n'est pas de race pure. ⇒ **Hybride, mâtiné, mélangé, métis, métissé,** et aussi **bâtard.** *Race croisée. Sangs croisés. Chien croisé.*

9 Ils étaient, ces Berny, une très nombreuse famille du pays, non croisée de sang étranger au moins depuis l'époque sarrasine, et leur type provençal avait pu se maintenir très pur.
LOTI, Matelot, I, p. 2.

♦ **7.** *Pathol. Aphasie croisée.*

★ **II.** *N. m.* (1194). CROISÉ : celui qui prenait la croix pour combattre les infidèles. ⇒ **Croisade.** *L'armée des croisés* (→ Bénir, cit. 10). *Un croisé.*

Adj. L'armée croisée.

10 Le pape Grégoire VII fut le premier communiste sérieux. Sans lui les Croisés n'auraient jamais commis la folie de quitter le con de leur femme et le coin de leur cheminée pour s'en aller conquérir un tombeau vide. C'étaient de bons militants.
Régis DEBRAY, l'Indésirable, p. 294.

Par extension :

11 Les grandes causes, il n'en connaît que de trois sortes : la prison spirituelle des croyants, les aberrations des croisés de toutes sortes, et le jeu de la politique.
Alain BOSQUET, les Bonnes Intentions, p. 213.

DÉR. Croisée, croisement, croiserie, croiseur, croisière, croisure.

CROISERIE [kʀwazʀi] n. f. — Fin XIIe, a signifié aussi «croisade»; de *croiser.*

Régional.

♦ **1.** Ouvrage de vannerie fait de brins d'osiers entrecroisés.

♦ **2.** Croisement, carrefour.

CROISETÉ, ÉE [kʀwazte] adj. — D. i.; de *croisette.*

♦ *Didact.,* blason. Garni, orné de croisettes.

(...) une pyramide appliquée au mur, que surmonte une boule croisetée (...)
Th. GAUTIER, Constantinople, p. 30.

CROISETTE [kʀwazɛt] n. f. — V. 1170; de *croix.*

♦ **1.** *Vx* ou régional. Petite croix (nom d'une célèbre avenue de Cannes). — *Par anal.* (Nord-Est). Tas de gerbes entassées sur le sol; gerbes en croix.

À gauche, l'école de Chaumot, une ferme, les piles de bois du canal, les croisettes, les champs Bargeot où je chasse, des prés peuplés de bœufs.
J. RENARD, Journal, 12 juil. 1901.

♦ **2.** *Techn.* Fleuret dont la garde est en forme de croix.

♦ **3.** *Bot.* Plante dont les feuilles et/ou les fleurs sont en forme de croix; spécialt, variété de gaillet* ou de gentiane.

Blason. Croix alésée et diminuée.

♦ **4.** Régional. (Vx). Livre d'alphabet commençant par le signe de la croix. — Catéchisme.

DÉR. Croiseté.

CROISEUR [krwazœr] n. m. — 1690; de *croiser.*

♦ **1.** Navire de guerre rapide, armé de canons et destiné à éclairer les escadres, à faire des raids de reconnaissance, à surveiller les routes maritimes. *Croiseur léger,* de 5 000 tonnes environ. *Croiseur lourd, croiseur de bataille,* de 10 000 tonnes. *Croiseur anti-aérien. Croiseur torpilleur. Croiseur auxiliaire :* cargo ou paquebot rapide utilisé comme croiseur en temps de guerre.

> La vedette se détacha du quai, prit enfin son élan dans la nuit. Elle disparut bientôt derrière une jonque. Des croiseurs, les faisceaux des projecteurs ramenés à toute volée du ciel sur le port confus se croisaient comme des sabres.
> MALRAUX, la Condition humaine, p. 59.

♦ **2.** (1863). Techn. Filon qui, dans une mine, en coupe un autre. — Adj. *Filon croiseur.*

♦ **3.** Régional. Hirondelle de mer.

CROISIÈRE [krwazjɛr] n. f. — 1678; «croisade», 1285; «croisement de deux choses», 1344; de *croiser.*

♦ **1.** Mar. Action de croiser, en parlant de navires de guerre qui surveillent des parages déterminés. ⇒ **Croiser.** *Une croisière de trois semaines en Méditerranée. Patrouilleur en croisière.*

Par métonymie. (Vx). Ensemble des navires qui croisent. ⇒ **Flotte.** — Le lieu où croisent ces navires.

♦ **2.** (1924, *in* Petiot). Cour. Voyage d'excursion ou d'étude effectué par un paquebot, un navire de plaisance. *Croisière en Grèce. Faire une croisière. Partir en croisière.* — Adj. *Course croisière :* compétition nautique.

Par ext. Long voyage d'étude ou d'agrément. *La croisière noire* (1924-1925); *la croisière jaune* (1931-1932), expéditions organisées dans un but publicitaire à travers l'Afrique et l'Asie par André Citroën.

Croisière aérienne : voyage d'agrément organisé, par avion.

♦ **3.** Loc. VITESSE DE CROISIÈRE : la meilleure allure moyenne pour un navire ou un avion, une machine pilotée par l'homme, sur une longue distance. — Fig. *Vitesse, régime, rythme, allure de croisière :* le rythme normal, après une période d'adaptation, de rodage. *Atteindre la, sa vitesse de croisière.*

> 1 Ces laboratoires et d'autres travaillaient, depuis longtemps, à un rythme qu'on appelle couramment de croisière. Le risque de grave famine a suscité une vive accélération des efforts, comme il arrive en temps de guerre, et la riposte a suivi.
> A. SAUVY, Croissance zéro?, p. 147.

> 2 Et pourtant, derrière ces meurtres, c'est peut-être seulement de *tiédeur* qu'il s'agit? La mort en vitesse de croisière? Dans l'indifférence générale?
> Ph. SOLLERS, Femmes, p. 171.

♦ **4.** Techn. Ensemble des guides pour l'attelage à deux (les guides intérieures se croisent).

CROISILLÉ, ÉE [krwazije] adj. — 1879, Daudet; v. 1170, «orné de dessins en croix» — de l'anc. franç. *croisille,* de *croix* —; de *croix,* et suff. *-ille,* ou provençal *crousilhat* «entrecroisé».

Rare ou régional.

♦ **1.** Disposé en forme de croix; garni de croix.

♦ **2.** Garni d'éléments disposés en croix. ⇒ **Croisillonné** (Colette, *in* T. L. F.).

CROISILLON [krwazijɔ̃] n. m. — 1375; de l'anc. franç. *croisille,* dér. de *croix.*

♦ **1.** La traverse d'une croix. *Les deux croisillons inégaux de la croix de Lorraine.*

Archit. Le transept* d'une église. Abusivt. L'un des bras du transept.

> Il faut donc éviter de dire les croisillons nord et sud du transept, puisque ce mot désigne non un bras, mais l'ensemble du transept.
> Louis RÉAU, Dict. d'art, p. 134.

♦ **2.** Barre qui partage une baie, un châssis de fenêtre, et qui sert à fixer les vitres. *Croisée à deux, trois croisillons.* Plur. Boiseries qui se croisent pour maintenir de petits carreaux, dans les fenêtres anciennes. *Fenêtre à croisillons.*
Morceau de charpente* qui en croise un autre perpendiculairement. *Croisillon d'un fauteuil.* → Piètement, cit.

♦ **3.** Au plur. (Techn.). Pièces de fer en croix à l'intérieur d'un arbre tournant pour le renforcer et l'empêcher de se fendre.

♦ **4.** Mar. Petite bitte en forme de croix.

DÉR. Croisillonné.

CROISILLONNÉ, ÉE [krwazijɔne] adj. — Déb. xxe; de *croisillon.*

♦ Qui possède des croisillons* (2.). ⇒ **Croisillé.** *Fenêtre croisillonnée.*

> (...) un simple rez-de-chaussée en maçonnerie, muni de petites et rares ouvertures croisillonnées de barreaux de fer (...) 1
> R. FRISON-ROCHE, Premier de cordée, p. 109.

> Puis il prit, pour chacun, deux assiettes de porcelaine blanche croisillonnées d'or transparent (...) 2
> Boris VIAN, l'Écume des jours, I, p. 16.

CROISSANCE [krwasɑ̃s] n. f. — V. 1190; du p. prés. de *croître.* Cf. le lat. *crescentia,* de *crescere.* → Croître.

♦ **1.** Le fait de croître*, de grandir (organisme). ⇒ **Développement, poussée.** *L'âge de la croissance :* l'enfance; l'adolescence. *Enfant arrêté dans sa croissance. Croissance rapide, hâtive.* → Pousser comme un champignon*. *Crise de croissance. Maladie de croissance. L'atéliose est un trouble de la croissance. Animal en pleine croissance.* ⇒ **Crue.** *Ration de croissance. Finir sa croissance. Cet arbre a toute sa croissance.* ⇒ **Venue** (arbre d'une belle venue). *Croissance retardée par la sécheresse. L'actinauxisme, effet de la radiation sur la croissance des végétaux. Croissance particulière d'un organe.* ⇒ **Allométrie.**

> Quand un enfant se plie sans défense à une bonne éducation, il est perdu. Heureusement, on se penche en vain sur cette existence oscillante, cette croissance mystérieuse, sans parvenir à comprendre son développement, rassuré à tort, tourmenté sans motifs, redoutant ce qui est bon, ignorant ce qu'il faut souhaiter. 1
> J. CHARDONNE, l'Amour du prochain, II, p. 57.

Le fait de se développer, de s'épanouir (intellectuellement, moralement, spirituellement). *La croissance intellectuelle de qqn.* ⇒ **Développement, évolution.**

♦ **2.** (Choses). Le fait de grandir. ⇒ **Accroissement, agrandissement, augmentation, développement, progression.** *La croissance d'une ville. La croissance d'une passion, d'un sentiment.*

> (...) chaque école poétique a ses phrases, son cours, sa croissance, sa décadence. 2
> SAINTE-BEUVE, Correspondance, t. I, p. 148.

> (...) cette confiance en soi que donne la croissance de la richesse et l'essor des entreprises. 3
> JAURÈS, Hist. socialiste..., t. V, p. 9.

> Il est trop vrai que la passion, à un certain point de sa croissance, nous tient et que nous ne pouvons plus rien contre ce cancer. 4
> F. MAURIAC, Souffrances et Bonheur du chrétien, p. 67.

Spécialt. *La croissance d'un cristal.*

> Chaque élément de séquence dans l'une des deux fibres joue le rôle d'un germe cristallin, qui choisit et oriente les molécules qui viennent spontanément s'y associer, assurant la croissance du cristal. 5
> Jacques MONOD, le Hasard et la Nécessité, p. 141.

Croissance économique : accroissement de la production nationale des biens et des services. *Croissance matérielle et développement culturel. Croissance et développement. Croissance planifiée. Secteur industriel en pleine croissance. Une croissance ralentie, nulle. Croissance exponentielle* (cit. 2). *Croissance zéro :* hypothèse selon laquelle, à un certain degré de développement économique, l'accroissement de la production n'est pas souhaitable.

> Cette société connaît, avons-nous dit et écrit, une croissance (économique, quantitative, mesurée en tonnes et kilomètres) remarquable et un développement faible. 6
> Henri LEFEBVRE, la Vie quotidienne dans le monde moderne, p. 155.

CONTR. Atrophie, chute, déclin, décroissance, décroissement, diminution, tassement.

1. CROISSANT, ANTE [krwasɑ̃, ɑ̃t] adj. — D. i.; du p. prés. de *croître.*

♦ **1.** Qui croît, s'accroît, augmente. *Le nombre croissant des naissances. En nombre croissant. Bruit sans cesse croissant. Avec une colère croissante.*

> Je sentis à mon trouble croissant que j'allais me perdre (...)
> ROUSSEAU, *in* LITTRÉ.

♦ **2.** Math. *Fonction croissante :* fonction qui varie comme sa variable.

♦ **3.** Mar. *Échelle des latitudes croissantes :* échelle utilisée pour corriger la représentation des méridiens sur une carte par rapport à leur distance réelle correspondante sur le globe.

2. CROISSANT [krwasɑ̃] n. m. — V. 1180; de *croître.*

★ **I.** Vx. Temps pendant lequel la lune a une augmentation apparente. ⇒ **Progression.** *La lune est dans son croissant,* elle croît.

★ **II.** Mod. ♦ **1.** Figure échancrée de la lune pendant qu'elle croît et décroît. *Le croissant se dit de la nouvelle lune jusqu'au premier quartier; il se dit aussi de la figure échancrée depuis le der-*

nier quartier jusqu'à la nouvelle lune. — *Le croissant de la lune. Un croissant de lune. Cornes du croissant.*

1 Le croissant de la lune, constamment dirigé vers le soleil, indique évidemment qu'elle en emprunte sa lumière.
LAPLACE, Exposition du système du monde, I, 3, *in* LITTRÉ.

2 (...) il lève les yeux de temps à autre vers ce qui se passe au-dessus, dans l'infini, regarde la lune nouvelle, dont le croissant, mince autant qu'une ligne, s'abaisse et va disparaître (...)
LOTI, Ramuntcho, I, XIII, p. 119.

♦ **2.** (1223). Forme arquée* analogue à celle du croissant de lune (surtout dans : *en croissant*). *Dessiner, découper un croissant.* — *Agrandir une ouverture en la taillant en forme de croissant.* ⇒ **Échancrer.** *Figure en croissant.* ⇒ **Lunule, ménisque.** *Fer en croissant de la faucille.* — *Bacille, corps en croissant. Troupes disposées en croissant. Fortifications en croissant.*

3 Il avait les joues rubicondes, les cheveux longs par derrière, très pommadés, ramenés en croissants le long des tempes.
HUYSMANS, Là-bas, XII, p. 175.

♦ **3.** Emblème en croissant de l'Empire turc, de la religion musulmane. *La lutte de la croix et du* (contre le) *croissant.* (→ Chevalier, cit. 3). — *Le Croissant rouge* (équivalent de la Croix rouge dans les pays d'Islam).

Blason. Pièce héraldique en forme de croissant. *Croissant renversé, couché, tourné, contourné. Croissant montant. Croissants adossés.*

♦ **4.** (1863 ; d'après all. *Hornchen,* de *Horn,* nom donné à des pâtisseries, à Vienne, après la victoire sur les Turcs, en 1689). Cour. Petite pâtisserie feuilletée, en forme de croissant (à l'origine : certains croissants, au moins en France, sont droits). *Prendre un café et un croissant au petit déjeuner. Un croissant au beurre. Des croissants et des brioches.*

4 Elle demande un croissant pour la seconde fois. Mais le garçon, tout à ses manettes, n'a pas écouté ; et la corbeille aux croissants se penche là-bas comme une barque échouée dans la rigole de zinc.
J. ROMAINS, les Hommes de bonne volonté, t. IV, XVIII, p. 196.

5 J'ai pris encore un croissant. Elle préférait les tartines. C'est vrai que la France est coupée en deux. Il y a ceux qui préfèrent les tartines et ceux qui préfèrent les croissants.
É. AJAR (R. GARY), l'Angoisse du roi Salomon, p. 254.

6 Prenez de la farine, ajoutez du sel, du sucre, de la levure, de l'eau, un peu de lait. Mélangez. Pétrissez. Laissez reposer douze heures à une température de cinq degrés. Puis feuilletez la pâte en y ajoutant un quart de beurre : vous pliez trois fois en longueur, trois fois en largeur. Laissez reposer dix minutes. Découpez en triangles que vous roulez sur eux-mêmes. Posez sur une plaque, dorez à l'œuf, passez quinze minutes à four très chaud. Qu'est-ce que vous obtenez ? Des croissants ? Pas seulement. Vous obtenez un symbole — symbole de la douceur de vivre bien française, du petit déjeuner-café-au-lait-au-lit du dimanche, des paradis perdus et des douceurs envolées.
le Nouvel Obs., 14 nov. 1977.

♦ **5.** Disposition, objet, espace qui rappelle le croissant de lune. — *Les croissants d'une ville :* groupes de maisons disposées en croissant (d'après l'angl. *crescent*). « *Les croissants de Londres* » (Michelet). — (Au Québec, t. normalisé). Rue en forme de demi-cercle.

Techn. *Croissant d'un pneu,* sa partie bombée.

Techn. Instrument de fer en arc, muni d'un long manche, dont on se sert pour élaguer les arbres, tondre et tailler les haies.

7 Il s'est coupé la main avec un de ces croissants dont on se sert pour abattre les petites branches.
J. RENARD, Journal, juil. 1903.

Régional. Filet de peau autour d'un ongle.

Biol. Zone en forme de croissant.

Techn. Branche de fer recourbée et scellée aux jambages des cheminées pour retenir les pelles et pincettes.

Mar. *Croissant de gui :* chandelier fixé sur un pont et qui sert à soutenir un gui.

Fortif. Demi-lune.

Géogr. Zone en forme de croissant. *Le Croissant fertile :* zone fertile du Moyen-Orient qui va de la mer Morte au golfe d'Arabie, et est irriguée par le Tigre et l'Euphrate.

Opt. *Distorsion en croissant,* qui fait apparaître les droites infléchies vers l'intérieur de l'image (opposé à *distorsion en barillet**).

HOM. **Croissant,** p. prés. de **croître***.

CROISURE [kRwazyR] n. f. — 1423 ; de *croiser.*

♦ **1.** Vx. Point où se coupent deux lignes qui s'entrecroisent. — Blason. *Croisure de l'écu.*

♦ **2.** Techn. Tissure d'une étoffe croisée. *Croisure de la serge,* par oppos. à la *filure du drap.* — *Croisure des fils,* pendant le tirage de la scie. — Mar. Longueur des vergues d'un navire.

♦ **3.** Littér. Action de croiser les rimes des vers, d'entrecroiser des vers de différentes mesures.
La diversité de la mesure et de la croisure des vers que j'y ai mêlés (...)
CORNEILLE, Examen d'Andromède.

CROÎT [kRwɑ] n. m. — V. 1160, *croiz* ; de *croître.*

♦ **1.** Agric., dr. Augmentation d'un troupeau par les petits qui naissent chaque année.
(...) le preneur *(du bail à cheptel simple)* profitera de la moitié du croît (...) il supportera aussi la moitié de la perte.
Code civil, art. 1804.

♦ **2.** Didact. Augmentation en nombre. « *Le croît du volume social* » (Durkheim, *in* T. L. F.).

♦ **3.** Littér. et rare. Croissance, venue (d'un végétal).

CONTR. Déchet, diminution, perte.

HOM. Croix ; formes de **croire** et de **croître.**

CROÎTRE [kRwɑtR] v. intr. — *Je crois, tu crois, il croît, nous croissons, vous croissez, ils croissent ; je croissais, nous croissions ; je crûs, nous crûmes* (inus.) ; *je croîtrai, nous croîtrons ; je croîtrais, nous croîtrions ; que je croisse, que nous croissions ; que je crûsse, que nous crûssions* (inus.) ; *crois, croissant ; crû.* — 1080, creistre, Chanson de Roland ; croistre, XIIᵉ ; crestre, crètre, craître jusqu'au XVIIIᵉ ; du lat. *crescere* « naître, grandir ».

♦ **1.** Vieilli ou littér. (⇒ **Grandir, pousser,** cour.). Grandir progressivement jusqu'au terme du développement normal, en parlant des êtres organisés. ⇒ **Développer** (se), **gagner ; croissance, crue.** *Croître insensiblement. Croître très vite, à vue d'œil, comme un champignon. Se remettre à croître.* ⇒ **Renaître, repousser.** *Les végétaux croissent à une certaine hauteur.* ⇒ **Tasser, végéter.** — Au p. p. « *Les arbres crûs depuis mon départ* » (Littré).

1 Ainsi l'on vit l'aimable Samuel
Croître à l'ombre du tabernacle.
RACINE, Athalie, II, 9.

2 Le bois qui, dans le même terrain, croît le plus vite est le plus fort ; celui qui a crû lentement est plus faible que l'autre.
BUFFON, Expérience sur les végétaux, 1ᵉʳ mém.

Faire croître. Le beau temps a fait croître les légumes. — *Laisser croître. Laisser croître la récolte.*

Littér. (Des animaux, des personnes). Grandir*. *Les animaux, les enfants croissent jusqu'à un certain âge.* ⇒ **Croissance** (cour.). → aussi ci-dessous, 3.

3 Les bessons croissaient à plaisir sans être malades plus que d'autres enfants, et mêmement ils avaient le tempérament si doux et si bien façonné qu'on eût dit qu'ils ne souffraient point de leurs dents ni de leur croît, autant que le reste du petit monde.
G. SAND, la Petite Fadette, II, p. 13.

Pousser naturellement (végétaux). ⇒ **Naître, pousser, venir.** *Les pays où croissent la vigne et l'olivier. Ce sol fait croître des arbres magnifiques, de belles récoltes.* ⇒ **Nourrir, prospérer.** *Ici, le blé ne croît pas. Bois qui croît dans les terres labourables.* ⇒ **Écrues.**

Figuré :

4 Je ne fais pas un livre, il se fait. Il mûrit et croît dans ma tête comme un fruit.
A. DE VIGNY, Journal d'un poète, p. 109.

Littér. *Laisser croître sa barbe, ses cheveux* (→ Accompagner, cit. 11).

Loc. *Mauvaise herbe croît toujours,* se dit, par plaisanterie, des enfants qui grandissent beaucoup. — Loc. cour. *Ne faire que croître et embellir,* se dit d'une jeune personne qui devient de plus en plus belle en grandissant, ou, d'une chose qui augmente en bien, et, iron., en mal (⇒ **Empirer**).

5 (...) sa sottise tous les jours ne fait que croître et embellir.
MOLIÈRE, la Comtesse d'Escarbagnas, 1.

6 (...) le détraquement de Letondu ne fit que croître et embellir.
COURTELINE, Messieurs les ronds-de-cuir, 5ᵉ tableau, I, p. 161.

Par ext. **CROÎTRE EN** (suivi d'un subst. sans article). *Croître en liberté. Croître en harmonie.* — Loc. Spécialt. *Croître en beauté, en sagesse, en vertu... :* acquérir progressivement plus de beauté, de sagesse, de vertu.

7 Et Jésus croissait en sagesse, en âge et en grâce, devant Dieu et devant les hommes.
BIBLE (SACY), Évangile selon saint Luc, II, 52.

♦ **2.** (Choses). Devenir plus grand, plus nombreux, plus intense. ⇒ **Accroître, augmenter, développer.** *Croître en volume, en étendue.* ⇒ **Agrandir** (s'), **étendre** (s'), **enfler, grossir...** *Croître en intensité.* ⇒ **Redoubler.** *Croître en durée. La fonte des neiges fait croître la rivière.* « *La rivière a crû, est crue* » (Académie). ⇒ **Crue,** n. f. *Le vent croît. La lune commence à croître* (⇒ **Croissant**). *Le jour, la nuit croît rapidement. Les marées croissent dans l'équinoxe. Jours qui croissent au printemps.* ⇒ **Allonger.** *Le bruit croît* (→ Arrêt, cit. 5). *Le tumulte croît à mesure que l'on se rapproche. La fièvre croît. Sentiment, passion qui croît.*

8 Ah ! laisse à ma fureur le temps de croître encore (...)
RACINE, Andromaque, II, 1.

9 L'amour qui croît peu à peu par degrés ressemble trop à l'amitié pour être une passion violente.
LA BRUYÈRE, les Caractères, IV, 13.

10 (...) mon désir croît avec ma honte, et je rentre enfin comme un sot, dévoré de convoitise, ayant dans ma poche de quoi la satisfaire, et n'ayant osé rien acheter.
ROUSSEAU, les Confessions, I.

11 L'amour peut toujours croître ou diminuer.
STENDHAL, De l'amour, p. 315.

12 Par la jalousie véritable l'affection d'amour croît toujours.
STENDHAL, De l'amour, p. 317.

13 Il peut arriver que la fureur des sens croisse avec la passion.
André SUARÈS, Trois hommes, « Dostoïevski », IV, p. 238.

14 Son exaltation ne cessa de croître jusqu'au crépuscule de la nuit.
P. MAC ORLAN, la Bandera, XV, p. 180.

♦ **3.** Allus. bibl. *Croissez et multipliez-vous :* augmentez en nombre. ⇒ **Multiplier.**

15 Dieu les bénit *(l'homme et la femme),* et leur dit : Croissez et multipliez-vous (...)
BIBLE (SACY), Genèse, I, 28.

16 (...) le nombre des Barbares qui se pressaient aux portes semblait croître.
J. BAINVILLE, Hist. de France, p. 17 (→ Anarchie, cit. 6).

17 Son curé lui a dit : « Croissez et multipliez », de sorte qu'il ne prend plus de précautions. « Heureusement », dit sa femme, « j'ai fait une fausse couche, et j'ai tout arrêté. Mais si je l'avais laissé faire, il aurait rempli d'enfants la maison ».
J. RENARD, Journal, 1er nov. 1902.

♦ **4.** V. tr. Vx. Accroître. *Croître les difficultés de qqn. Croître son bonheur, son malheur. Cet encouragement va croître son zèle.*

CONTR. Atrophier, baisser, décliner, décroître, diminuer, rabougrir, tomber.
DÉR. et COMP. Croissance, 1. et 2. **croissant, croît, crue, décroître, recroître.** — V. **Accroître, excroissance, surcroît.**
HOM. Formes du v. croire. — (Du p. prés.) 1. et 2. **Croissant.**

CROIX [kʀwa] n. f. — xe, *croiz* ; du lat. *crux, crucis* « croix, gibet ».

♦ **1.** Hist. Gibet fait d'un poteau coupé par une traverse et sur lequel on attachait des condamnés pour les faire mourir. *Ériger, planter, dresser des croix. Mettre, attacher, clouer un criminel sur la croix, en croix. La mise en croix.* ⇒ **Crucifixion ; crucifier.**

1 Ils l'attachèrent à une croix qui était un supplice ordinaire chez les Carthaginois, et l'y firent périr. ROLLIN, Hist. ancienne, Œ., t. I, p. 330, *in* LITTRÉ.
La peine, le supplice de la croix.

2 Carthage exténuait ces peuples. Elle en tirait des impôts exorbitants ; et les fers, la hache ou la croix punissaient les retards jusqu'aux murmures.
FLAUBERT, Salammbô, VI, p. 97.

♦ **2.** Spécialt et cour. (écrit avec un C majuscule). Le gibet sur lequel Jésus-Christ fut mis à mort. *L'arbre* (cit. 50) *de la Croix. La vraie Croix. La sainte Croix. Relique faite du bois de la vraie Croix. Jésus montant au calvaire en portant sa croix. Tableau représentant le portement* de la croix. Écriteau sur la croix* (⇒ **Inri**).

3 Alors il le leur abandonna pour être crucifié. Ils prirent donc Jésus, et l'emmenèrent. Et portant sa croix, il vint au lieu appelé le Calvaire, qui se nomme en hébreu Golgotha, où ils le crucifièrent, et deux autres avec lui, l'un d'un côté, et l'autre de l'autre, et Jésus au milieu. Pilate fit aussi un écriteau, qui fut mis au haut de la croix ; et voici ce qu'il y portait : Jésus de Nazareth, Roi des Juifs.
BIBLE (SACY), Évangile selon saint Jean, XIX, 16 à 19.

4 (...) méconnu *(le Christ)*, persécuté, battu de verges, couronné d'épines, mis en croix pour et par les hommes, il meurt en faisant triompher la lumière et ressuscite adoré. CHATEAUBRIAND, Mémoires d'outre-tombe, t. VI, p. 209.

5 L'attitude que la croix fait prendre au Fils de l'Homme est sublime : l'affaissement du corps et la tête penchée font un contraste divin avec les bras étendus vers le ciel. CHATEAUBRIAND, le Génie du christianisme, IV, I, II, p. 58.

5.1 La souffrance n'a pas de sens. Mais la croix en a un.
CLAUDEL, Journal, mars 1928.

5.2 La croix chrétienne, en tant que bois dressé, qu'arbre artificiel, ne fait que drainer les acceptions symboliques propres à tout symbolisme végétal. En effet, la croix est souvent identifiée à un arbre, tant par l'iconographie que par la légende, elle devient par là échelle d'ascension, car l'arbre (...) est contaminé par les archétypes ascensionnels. Se greffe également sur la légende de la croix le symbolisme du breuvage d'éternité, du fruit de l'arbre ou de la rose fleurissant sur le bois mort. L'on pourrait aussi souligner que la croix chrétienne est une inversion des valeurs (...) emblème romain infamant, elle devient symbole sacré, *spes unica*.
Gilbert DURAND, les Structures anthropologiques de l'imaginaire, p. 379.

Relig. (mystique). Le mystère de la rédemption des hommes par la mort de Jésus-Christ sur la croix. *Le scandale de la croix :* ce qui, dans ce mystère, semble absurde aux incroyants. — *L'Exaltation*, l'invention* de la sainte Croix.* — (1845). *Le chemin de la Croix :* le chemin que Jésus-Christ fit en portant sa croix jusqu'au Calvaire. — *Un chemin de Croix :* les quatorze tableaux qui illustrent les scènes de ce chemin. ⇒ **Station.** *Faire le chemin de la croix, un chemin de croix :* s'arrêter et prier devant chacun de ces tableaux. — Fig. *C'est un véritable chemin de croix.* ⇒ **Calvaire.**

Fig. *Une croix, la croix de qqn.* ⇒ **Affliction, calvaire, épreuve, tourment.** *C'est une croix pour lui.* Loc. *Porter sa croix :* supporter ses épreuves avec la résignation et la foi de Jésus-Christ. *Chacun a sa croix, porte sa croix :* chacun a ses souffrances à supporter.

6 (...) si tu peux enfin t'affranchir d'une croix,
Ce n'est que faire place à d'autres croix plus rudes,
Qui te viennent sur l'heure accabler de leur poids.
CORNEILLE, Imitation de J.-C., 1504.

7 (...) la vertu de la folie de la croix (...)
PASCAL, Pensées, VIII, 587.

8 La croix est la vraie épreuve de la foi, le vrai fondement de l'espérance, le parfait épurement de la charité, en un mot le chemin du ciel ; Jésus-Christ est mort à la croix, il a porté sa croix toute sa vie ; c'est à la croix qu'il veut qu'on le suive, et il met la vie éternelle à ce prix (...)
BOSSUET, Disc. sur l'Hist. universelle, II, 19.

9 (...) il n'y a plus moyen pour tout de soutenir une croix si pesante et (...) si le secours d'en haut se fait plus longtemps attendre, elle va succomber dans quelques instants. Léon BLOY, la Femme pauvre, I, p. 114.

9.1 Notre croix est toujours faite sur mesure. CLAUDEL, Journal, avr. 1925.

10 Être aimé plus qu'on aime est une des croix de la vie.
MONTHERLANT, les Jeunes Filles, p. 52.

10.1 Cette Grand-Croix (...) cette façon enfin, si remarquable chez un chrétien, de porter sa croix, mais en sautoir, quelle ample matière à réflexion, et même à méditation! F. MAURIAC, le Nouveau Bloc-notes 1958-1960, p. 125.

(1579). Vx. *Faire la croix ;* mod. *(faire) le signe de la croix, un signe de croix,* un signe que l'on fait en portant le bout des doigts joints de la main droite au front, à la poitrine, puis à l'épaule gauche et à l'épaule droite. ⇒ **Signer** (se). *L'évêque bénit par trois signes de*

croix la main tendue vers le peuple lors d'une bénédiction solennelle.
Jurer qqch. sur la croix (→ ci-dessous : *croix de bois, croix de fer...*).
Symbole du christianisme*. *L'étendard de la croix. Combattre, mourir pour la croix. Faire triompher la croix. La lutte de la croix et du croissant*.* ⇒ **Croisade.** *Prédication de la croix.*

11 Le Christ n'a pas seulement vaincu la mort, il a vaincu la solitude humaine. En vain accuserez-vous la croix d'avoir enténébré la vie, l'Église vous répond, avec une joie mêlée de larmes, le jour du vendredi saint (...)
F. MAURIAC, Souffrances et Bonheur du chrétien, p. 181.

♦ **3.** **a** Ornement en bois, en métal... qui figure une croix. *Montant de la croix.* ⇒ **Hampe** (ou *stipe*). *Traverse, bras, branches de la croix.* ⇒ **Croisillon.** *Croix ancrée. Croix ansée ou potencée.* ⇒ **Ankh.** *Croix pattée,* à extrémités évasées. *Croix fleuronnée ou treflée, florencée ou fleurdelisée. Croix bretessée, écotée, pommettée, perlée, perronnée, recerclée, recroisetée... Croix patriarcale ou croix de Lorraine,* à double croisillon. *Croix grecque,* à branches égales. *Croix de Malte. Croix de Saint-André,* qui figure un X. — *Croix gammée** (⇒ **Svastika**). — *Croix lobée,* dont les branches ont leur extrémité arrondie. — *Croix latine,* dont la branche inférieure est plus longue que les trois autres. *Église construite en forme de croix latine. Croix en tau, croix de Saint Antoine.*

11.1 La forme actuelle de cette église est celle d'un crucifix ou croix latine.
STENDHAL, Mémoires d'un touriste, I, p. 29.

b Représentation de Jésus-Christ sur la croix, ou de la croix seule. ⇒ **Crucifix.** *Le stipe* (stipes) *et le patibulum de la croix. La croix d'un clocher. Croix de mission. Croix commémorative. Croix érigée sur un chemin, sur une élévation.* ⇒ **Calvaire, croisette.** *Croix funéraire en fer forgé, en marbre, en bois...,* qu'on place sur une tombe. *Croix de bois. Les croix d'un cimetière. — Les Croix de bois,* roman de R. Dorgelès (1919). — Loc. (1918). *Gagner la croix de bois :* être tué.

12 On entrait dans ce champ plein de croix et de fosses,
Lieu sévère où la mort dort si Dieu le permet (...)
HUGO, la Légende des siècles, « Les petits », Petit Paul.

13 Sur les bords des fossés, une file s'allongeait, croix de hasard, faites avec deux planches ou deux bâtons croisés. R. DORGELÈS, les Croix de bois, III, p. 38.

13.1 Les croix du cimetière étroit,
Les bras des morts que sont ces croix,
Tombent, comme un grand vol
Qui se rabat contre le sol. VERHAEREN, les Villages illusoires, « Le vent ».

c (D'après les serments effectués sur la croix). *Croix de bois, croix de fer, si je mens je vais en enfer !* (formule plaisante de serment).

13.2 Je te promets de la lui envoyer. Croix de bois croix de fer.
Jean FOLLONIER, la Sommelière, p. 93.

d Spécialt. *Croix processionnelle, croix de procession.* — Loc. *Aller au devant de qqn avec la croix et la bannière* (au propre et au fig. ⇒ **Bannière**).

14 La croix et la bannière de l'église étaient tenues de chaque côté de l'estrade par deux sacristains en cheveux blancs.
BALZAC, le Curé de village, Pl., t. VIII, p. 760.

Croix pastorale. Croix pectorale (cit. 1) *portée sur la poitrine. Croix pectorale simple d'un chapelain, d'un missionnaire, d'une religieuse. Croix pectorale d'argent, d'or... des évêques.*

e Bijou* en forme de croix. ⇒ **Jeannette, médaillon.** *Une croix de, en diamants. Croix suspendue autour du cou* (cit. 9). *Croix huguenote,* soutenant la colombe du Saint-Esprit. *Porter une croix en sautoir.*

15 (...) elle fut étourdie, stupéfaite par le tapage des ménétriers, les lumières dans les arbres, la bigarrure des costumes, les dentelles, les croix d'or, cette masse de monde sautant à la fois. FLAUBERT, Trois contes, « Un cœur simple ».

♦ **4.** Croix figurée symbolique. **a** Loc. Hist. *Prendre la croix :* s'enrôler dans une croisade* (par allus. à la croix d'étoffe cousue sur les vêtements des croisés). ⇒ **Croiser** (se). *Privilège de la croix,* qu'avaient les croisés de ne pas être poursuivis pour dettes.

b (Décoration). Décoration d'ordres* de chevalerie. ⇒ **Cordon.** *La croix de Malte. La croix du Saint-Esprit. Croix de Saint-Louis* (→ Chevalerie, cit. 4). — (1802). Cour. *Croix de la Légion* d'honneur. Gagner, obtenir la croix de la Légion d'honneur.* Absolt. *Recevoir la croix.* — *La grand-croix :* la décoration la plus élevée de l'Ordre (→ ci-dessus cit. 10.1). — N. m. *Grand-croix,* celui qui a le grade le plus élevé.

16 D'ailleurs, il faut fréquenter les salons et avoir des *croix* ou des *pensions* (...)
E. DELACROIX, Journal, 6 mai 1852.

(1915). *Croix de guerre :* médaille conférée aux soldats qui se sont distingués au cours d'une guerre. — (1930). *Croix du combattant.* — (1940). *Croix de la Libération.* — (1953). *Croix du combattant volontaire.* — (1956). *Croix de la valeur militaire.* — Par ext. *Croix du mérite ; croix de la sagesse,* décernée aux élèves méritants dans certaines écoles.

Croix-de-feu : emblème et désignation d'un mouvement politique de droite, dans les années 1930. — Adj. (→ 2. Camelot, cit. 4).

Blason. Ornement figuré dans les armoiries. Pièce honorable de l'écu.

♦ **5.** CROIX-ROUGE : insigne de neutralité des services d'aide médicale, depuis la convention de Genève (1864). *Ambulances, brancardiers portant la croix rouge. Croix rouge des hôpitaux, des dispensaires.* — *La Croix-Rouge* : organisme d'entraide et de secours. *Le comité international de la Croix-Rouge à Genève. Brassard de la Croix-Rouge.* — *Le drapeau de la Croix-Rouge (croix rouge sur fond blanc) est l'inverse du drapeau suisse (croix blanche sur fond rouge).* — REM. Le croissant* rouge est l'équivalent de la croix rouge en pays musulman.

♦ **6.** (XIVe). Marque formée de deux traits croisés. *Faire une croix au bas d'un acte* (en guise de signature). *Les illettrés signaient d'une croix. Marquer qqch. d'une croix.* — Typogr. (vx). Marque *(croix latine)* qui, dans un texte, renvoie aux notes. — Marque qui, placée à côté d'un nom propre, indique que la personne est décédée. — *La marque de l'addition est une croix.* ⇒ **Plus.**

Loc. fig. *Il faut faire une croix, une croix à la cheminée,* noter qqch. d'extraordinaire. *Il y a un temps fou qu'on ne vous a vu, il faut faire une croix à la cheminée.*

17   Quand nous serons à dix, nous ferons une croix.   MOLIÈRE, l'Étourdi, I, 9.

Loc. fig. *Faire, mettre une croix sur qqch.,* y renoncer définitivement.

Loc. *La croix des vaches* : incision en croix constituant une marque d'infâmie. — On écrit parfois *croix-des-vaches.*

17.1 Elle retrousserait la grosse mère, parfaitement, devant tout le monde. Elle la fesserait, lui arracherait la tignasse, la marquerait aux joues de la croix-des-vaches.
                                                              R. DORGELÈS, À bas l'argent!, p. 215.

Vx. La face d'une monnaie marquée d'une croix. ⇒ **Face.** *Choisir croix ou pile* (→ Pari* de Pascal).

18   Rien ne pouvait lui donner quelque agitation et la guérir d'un fond d'ennui sans cesse renaissant que l'idée qu'elle jouait à croix ou pile son existence entière.
                                                              STENDHAL, le Rouge et le Noir, II, 17, p. 345.

♦ **7.** Loc. adv. EN CROIX : à angle droit ou presque droit (⇒ **Croiser, entrecroiser ; crucial, cruciforme**). *Les pétales des crucifères* sont disposés en croix. Chemins qui se coupent en croix.* ⇒ **Carrefour, croisée, croisement.** *Avoir, mettre les bras en croix.* — *Mettre des bâtons, deux pièces en croix.* ⇒ **Croiser ; sautoir.** *Câbles en croix. Vergues en croix. Poutres en croix.* ⇒ **Guette.** *Tournevis en croix* (pour les vis cruciformes).

19   Il resta pendant la messe, à plat ventre au milieu du portail, les bras en croix, et le front dans la poussière.
                                                              FLAUBERT, Trois contes, «Légende de saint Julien l'Hospitalier», II.

♦ **8.** POINT DE CROIX : point de broderie très simple, où le fil est disposé en petites croix garnissant des carrés juxtaposés.

♦ **9.** Par anal. Objets, choses en forme de croix. *Croix de l'épée* : croix que forme la poignée de l'épée et la garde (⇒ aussi **Croisette, 2.**).

20   Faute de prêtre, les anciens capitaines mourant sur le champ de bataille se confessaient à la croix de leur épée, ils en faisaient une fidèle confidente entre eux et Dieu.
                                                              BALZAC, le Médecin de campagne, Pl., t. VIII, p. 472.

Bot. *Croix d'une fleur,* ses pétales disposés en croix ; la fleur elle-même. — Spécialt (dans un nom de fleur et de plante). *Croix de Saint-Jacques* : espèce d'amaryllis. *Croix de Jérusalem* ou *croix de Malte* : plante d'ornement.

20.1 J'aurai bien d'autres verveines en rosaces, aristoloches en pipes, gazon d'Espagne en houppes, croix-de-Jérusalem en croix, lupins en épis (...)
                                                              COLETTE, Fleur et Pomone, in Gigi, p. 181.

Astron. *Croix-du-Sud* : constellation de l'hémisphère austral. (On dit aussi *Grande Croix, Croix,* ou *Croix australe*).

21   Il est tard, il est minuit ; la Croix-du-Sud est droite sur l'horizon.
                                                              BERNARDIN DE SAINT-PIERRE, Paul et Virginie, p. 83.

22   La nuit s'annonçait magnifiquement. La lune, qui avait été pleine cinq jours auparavant, n'était pas encore levée, mais l'horizon s'argentait déjà de ses nuances douces et pâles que l'on pourrait appeler l'aube lunaire. Au zénith austral, les constellations circumpolaires resplendissaient, et, parmi toutes, cette Croix du Sud que l'ingénieur, quelques jours auparavant, saluait à la cime du mont Franklin.
                                                              J. VERNE, l'Île mystérieuse, p. 172.

23   À travers les cimes rapprochées de hauts arbres inconnus, je cherchais et trouvais la Croix-du-Sud dans les éclaircies des branchages.
                                                              Claude MAURIAC, le Dîner en ville, p. 273.

Régional. *Croix* : croisée* de chemins. ⇒ **Croisement.**

Archit. ⇒ **Croisée** (du transept).

Croix de Saint-André : partie en X d'une charpente. — Mar. *Croix de Saint-André* : sangle avec laquelle on soutient la voile de misaine.

Techn. *Croix de Malte* : dispositif d'entraînement destiné à obtenir un mouvement intermittent, saccadé, à partir d'un mouvement de rotation. *La croix de Malte d'un projecteur cinématographique.*

DÉR. Croiser, croisette, croisillé.
HOM. Croît. — Formes de croire et de croître.
COMP. Décroiser, entrecroiser, recroiser.

CROLLE [kʀɔl] n. f. — D. i. ; du flamand *krol*, passé lui-même dans le wallon *crole.*

♦ Régional (Belgique), fam. Boucle de cheveux.
Déjà le garçonnet montrait une tête pleine de crolles encore courtes et drues.
                                                              L. COUROUHLE, la Famille Kaekebrœck, III (1902).
DÉR. Crollé.

CROLLÉ, ÉE [kʀɔle] adj. — D. i. ; de *crolle.*

♦ Régional (Belgique), fam. Bouclé (en parlant des cheveux).
Il est brun ou blond ? — Blond avec des cheveux crollés.
                                                              F. FONSON et F. WICHELER, le Mariage de Mlle Beulemans, II, 16 (1910).

CROMESQUIS [kʀɔmɛski] n. m. — 1866 ; orig. obscure (le mot est considéré comme d'orig. polonaise).

♦ Cuis. Petite croquette de homard, de gibier, de cervelle... *Servir des cromesquis comme hors-d'œuvre.*

CROMLECH [kʀɔmlɛk] n. m. — 1785 ; mot gallois et breton «pierre *(lech, llech)* courbe *(crom)*», par l'anglais.

♦ Archéol. Enceinte de monolithes verticaux (⇒ **Menhir**) appartenant à l'âge de pierre. *Cromlechs de la Bretagne, du pays de Galles.*
Le noir cromlech, épars dans l'herbe,
Est sur le mont silencieux (...)
                                                              HUGO, les Contemplations, VI, «Au bord de l'infini», XXIII, VII.

CROMORNE [kʀɔmɔʀn] n. m. — 1610, *cremehorne ; cromhorne,* 1636 ; all. *Krummhorn* «cor *(horn)* à courbe».
Musique.

♦ **1.** Ancien instrument de musique à vent, en bois et à anche double en forme de J. *Le cromorne est une quinte au-dessous du hautbois et son timbre rappelle celui de la clarinette.*

♦ **2.** Un des jeux à anche de l'orgue, remplaçant la trompette dans les petites orgues.

1. CRÔNE [kʀon] n. m. — 1694 ; du néerl. *kraan,* mot germanique ; cf. angl. *crane.*

♦ Techn. (mar.). Grue utilisée dans les ports pour charger et décharger les navires.
HOM. 2. Crône, crosne.

2. CRÔNE [kʀon] n. f. — 1700 ; mot de l'Ouest, d'orig. incert. ; on allègue un gaulois *kros-no* «trou».

♦ Techn., régional. Excavation produite par les eaux sous une berge et où se retire le poisson. *Pêcher à la main dans les crônes.*
HOM. 1. Crône, crosne.

CRONIR ou **CRÔNIR** [kʀoniʀ] v. — 1889 ; étym. incertaine.
Argot vieilli.

★ **I.** V. intr. Mourir. — Au p. p. *Croni* : mort. *Elle est cronie.*

★ **II.** Tuer.
J'ai cru que vous alliez les cronir (...) — Comment ? fit répéter le visiteur. — Les buter, quoi, les dessouder, les mettre en l'air.
                                                              R. DORGELÈS, Tout est à vendre, p. 126.

CRONSTADT [kʀõstat] n. m. — 1891 ; n. de la ville russe de *Kronstadt.*

♦ Ancienn. Chapeau d'homme, à coiffe légèrement conique, en vogue au début du XXe siècle. *Un cronstadt en feutre mat. Porter un cronstadt.* — En appos. *Chapeau cronstadt.*
Depuis que l'anarchie en chapeau cronstadt avait pénétré dans notre appartement, il était d'évidence que le naufrage semblait s'être accéléré.   1
                                                              A. BLONDIN, les Enfants du bon Dieu, p. 99.
Il était coiffé d'un petit cronstadt enfoncé légèrement de côté, ce qui était d'un effet très gai.   2
                                                              J. DUTOURD, Mémoires de Mary Watson, p. 111.
Var. graphique : *kronstadt.*
J'appris ainsi qu'il possédait une collection de couvre-chefs qui lui servait tantôt à aller tout le monde — et c'était un Kronstadt — tantôt, comme il le disait avec un rien de condescendance, chez des... gens — et c'était un melon.   3
                                                              Francis CARCO, Ombres vivantes, p. 244.

CROONER [kʀunœʀ] n. m. — 1946, *in* Höfler ; mot amér., de *to croon* «chanter des chansons sentimentales».

♦ Anglic. Chanteur de charme, dont le style s'apparente à celui des chanteurs américains des années 40 et 50. *«Une chanson de*

Jean Sablon, le crooner de l'époque... » (F. Giroud, *Si je mens...*, p. 83).

CROPETONS ou CROPPETONS (À) [akʀɔptɔ̃] loc. adv. ⇒ **Croupetons** (à).

CROQUADE [kʀɔkad] n. f. — 1842 ; de 1. *croquer.*

♦ Vieilli. Ébauche* rapide. ⇒ **Croquis, esquisse.** *Faire des croquades au crayon, à l'encre.*

1. CROQUANT, ANTE [kʀɔkɑ̃, ɑ̃t] adj. et n. m. — D. i. ; p. prés. de 1. *croquer.*

★ **I.** Adj. ♦ **1.** Qui croque sous la dent. ⇒ **Croustillant.** *Biscuit, cornichon croquant.*

♦ **2.** Fig. et rare. En parlant d'une œuvre d'art. Croustillant. « *La (...) croquante eau-forte de...* » (Goncourt, 1881, *in* T. L. F.).

♦ **3.** N. m. *Le croquant :* ce qui croque. *Le croquant d'un morceau de viande, les endroits cartilagineux. Il n'y a que du gras et du croquant dans cette côtelette. — Le croquant de l'oreille.*

★ **II.** N. m. (1829). Petit gâteau fait de pâte d'amandes et de blanc d'œuf roulés dans la cassonade. ⇒ **Croquante.**

DÉR. **Croquante.**

2. CROQUANT, ANTE [kʀɔkɑ̃, ɑ̃t] n. — 1608, « paysan » ; orig. incert. ; p.-ê. du provençal *crouca* « arracher » ou dér. de *croc* ou de *croquer,* au sens de « détruire ».

♦ **1.** Hist. Paysans révoltés, sous Henri IV et Louis XIII. *La révolte des croquants était une jacquerie*.

1   La déroute des croquan(t)s en Limousin au nombre de quinze mille (...)
         SULLY, Mémoires, t. III, p. 159, *in* LITTRÉ.

♦ **2.** (1603). Péj. Paysan. *Jaquou le Croquant,* roman d'Eugène Le Roy.

2   Passe un certain croquant qui marchait les pieds nus.
Ce croquant par hasard avait une arbalète.
Dès qu'il voit l'oiseau de Vénus,
Il le croit en son pot, et déjà lui fait fête.   LA FONTAINE, Fables, II, 12.
3   Les croquants dont je suis ne savent rien ou presque rien au-delà de leurs aïeux immédiats, paternels ou maternels.   Léon BLOY, Choix de textes, p. 268.
4   Si un croquant vient un matin acheter trois mètres de drap bleu, il les renvoie le soir, sous prétexte qu'il les avait crus jaunes (...)
         A. MAUROIS, Bernard Quesnay, XXI, p. 143.

♦ **3.** Homme peu raffiné, grossier. *C'est un vrai croquant.* ⇒ **Rustre.** — Appellatif. *Bande de croquants !* — Adj. *Il est un peu croquant.*

5   (...) il se sentait très à l'aise, il éprouvait même un petit sentiment protecteur pour les plus croquants d'entre eux.   R. QUENEAU, le Dimanche de la vie, p. 79.

REM. La forme fém. *croquante* (ici au sens 3) est rare :

6   Elle est à toi cette chanson
Toi l'Auvergnat qui sans façon
M'as donné quatre bouts de bois
Quand dans ma vie il faisait froid
Toi qui m'as donné du feu quand
Les croquantes et les croquants
Tous les gens bien intentionnés
M'avaient fermé la porte au nez.   G. BRASSENS, Chanson pour l'Auvergnat.

CROQUANTE [kʀɔkɑ̃t] n. f. — 1716 ; de 1. *croquant.*

♦ Vx ou régional. Gâteau croquant. ⇒ **Croquant.** — Gros gâteau de pâte d'amandes.

1. CROQUE [kʀɔk] n. f. — Mil. xxᵉ ; déverbal de *croquer* « manger ».

♦ Fam. Action de manger ; nourriture. ⇒ **Bouffe.**

Sur ce bateau poubelle, la croque ne doit pas ressembler à celle du Rogano *(un restaurant).*   Pierre ACCOCE, le Polonais, p. 130.

2. CROQUE [kʀɔk] n. m. ⇒ **Croque-monsieur.**

CROQUE AU SEL (À LA) [alakʀɔkosɛl] loc. adv. — 1718 ; de 1. *croquer, au,* et *sel.*

♦ Cru, et sans autre assaisonnement que du sel. *Des radis à la croque au sel.*

CROQUEMBOUCHE [kʀɔkɑ̃buʃ] n. m. invar. — 1845 ; *croque-en-bouche, in* D.D.L., 1818 ; de 1. *croquer, en,* et *bouche.*

♦ **1.** Pâtisserie croquante.

♦ **2.** Pièce montée faite de petits choux à la crème glacés de sucre (et par conséquent croquants).

CROQUEMENT [kʀɔkmɑ̃] n. m. — 1863 ; de 1. *croquer.*

♦ Rare. Bruit que fait ce que l'on croque. → Craquement.

CROQUE-MITAINE [kʀɔkmitɛn] n. m. — 1820 ; de 1. *croquer,* et *mitaine,* p.-ê. d'après néerl. *metjen,* all. *Mädchen* « jeune fille ».

♦ **1.** Personnage imaginaire qu'on évoque pour effrayer les enfants et s'en faire obéir (→ Le moine bourru*, le loup-garou). *Viens te coucher ou j'appelle le croque-mitaine !*

♦ **2.** Fig. Personne très sévère qui fait peur à tout le monde. *C'est un vrai croque-mitaine. Des croque-mitaines.*

1   Le génie de Dickens vient de ce qu'il croyait également à ses deux personnages, le personnage bonasse et le croque-mitaine.
         J. GREEN, Journal (Ce qui reste de jour), 4 avr. 1971, p. 298.

Fig. « *Les idées sont le croque-mitaine des gens au pouvoir* » (Stendhal, *Correspondance, in* T. L. F.). ⇒ **Épouvantail.** — Apposition :

2   Lâche ! un joli mot croquemitaine à l'usage des imbéciles.
         BERNANOS, Un mauvais rêve, *in* Œ. roman., Pl., p. 959.

CROQUE-MONSIEUR [kʀɔkməsjø] n. m. invar. — 1918, Proust (qui met le mot entre guillemets) ; de 1. *croquer* à l'impératif, et *monsieur.*

♦ Entremets chaud fait de pain de mie grillé, au jambon et au fromage. *Des croque-monsieur.*

Se nourrir, à quoi bon ? On avale quelques frites, un verre de lait, un croque-monsieur et on passe à des choses graves (...)
         Alain BOSQUET, les Bonnes Intentions, p. 242.

REM. On trouve aussi *croque-madame* [kʀɔkmadam] n. m., désignant un entremets analogue, mais garni d'un œuf.

Abrév. fam. (langage des cafés) : *un croque. Deux croques, une pizza et trois demis !*

CROQUE-MORT [kʀɔkmɔʀ] n. m. — 1788 ; de 1. *croquer,* au fig., « faire disparaître », et *mort,* n. m.

♦ **1.** Employé des pompes funèbres chargé du transport des morts au cimetière. *Les croque-morts hissent la bière dans le corbillard.* — Loc. *Avoir une figure, une tête, une gueule de croque-mort :* être très triste (→ Faire une figure d'enterrement*).

1   Au moment où les croque-morts allaient le coucher dans sa bière, Clotilde avait voulu baiser une dernière fois son petit Lazare que ne ressusciteraient les larmes d'aucun Dieu (...)   Léon BLOY, la Femme pauvre, II, XII, p. 228.
2   La plaisanterie favorite des croque-morts algérois, lorsqu'ils roulent à vide, c'est de crier : « Tu montes, chérie ? » aux jolies filles qu'ils rencontrent sur la route.
         CAMUS, Noces, *in* Essais, Pl., p. 73.
3   Mais où sont les funérailles d'antan (...) Quand les héritiers étaient contents
Au fossoyeur au croquemort au curé aux chevaux même
Ils payaient un verre.   G. BRASSENS, Funérailles d'antan.

♦ **2.** Personne d'aspect sinistre et d'humeur sombre, funèbre.

CROQUENOT ou CROQUENEAU [kʀɔkno] n. m. — 1866 ; p.-ê. de 1. *croquer,* I. « craquer ».

♦ Fam. Gros soulier*. ⇒ **Chaussure, godasse.** *De vieux croquenots.*

L'autre semaine, j'ai repéré sur le dessus d'une poubelle une paire de brodequins crevés, déchirés, brûlés par la sueur, humiliés de surcroît parce qu'avant de les jeter on avait récupéré leurs lacets, et ils bâillaient en tirant la languette et en écarquillant leurs œillets vides. Mes mains les ont cueillis avec amitié, mes pouces cornés ont fait ployer les semelles — caresse rude, mais affectueuse —, mes doigts se sont enfoncés dans l'intimité de l'empeigne. Ils semblaient revivre, les pauvres croquenots, sous un toucher aussi compréhensif, et ce n'est pas sans un pincement au cœur que je les ai replacés sur le tas d'immondices.
         M. TOURNIER, le Roi des Aulnes, p. 55.

CROQUE-NOTE ou CROQUENOTE [kʀɔknɔt] n. m. — 1767, Rousseau ; de 1. *croquer,* et *note.*

♦ Fam. Musicien pauvre, souvent dépourvu de talent. (On dit aussi *croque-sol.*) *Des croque-notes, des croquenotes.* — REM. On écrit aussi : *un croque-notes, un croquenotes.*

1   Le petit joueur de flûteau
Menait la musique au château
Pour la grâce de ses chansons
Le roi lui offrit un blason
Je ne veux pas être noble
Répondit le croque-note   G. BRASSENS, le Petit Joueur de flûteau.

Figuré :

2   En somme, je ne serai jamais qu'un croque-notes littéraire.
         J. RENARD, Journal, 19 avr. 1890.

1. CROQUER [kʀɔke] v. — xiiiᵉ, « frapper » ; « briser, faire craquer », fin xivᵉ ; de l'onomat. *krokk-* exprimant un bruit sec. → 1. Croc.

★ **I.** V. intr. (xvᵉ). Faire un bruit sec (le sujet désigne une chose que l'on broie avec les dents). ⇒ **Craquer.** *Salade, fruit vert qui croque. Bonbons qui croquent sous la dent.* ⇒ **Croquant.** *Les biscottes, le pain frais, les croustades croquent.* ⇒ **Croustillant, croustiller.**

1　(...) un pain (...) relevé de croûte partout, croquant tendrement sous la dent (...)
　　　　　　　　　　　　MOLIÈRE, le Bourgeois gentilhomme, IV, 1.

2　Je ne connais rien de meilleur (...) mais je veux *(les haricots verts)* cuits en bouillie. J'aimerais mieux mordre le fer d'une pioche que de manger un haricot qui croque sous la dent.　　　　　　J. RENARD, Poil de carotte, p. 68.

Spécialt. *Légumes qui croquent,* qui gardent des traces de terre parce qu'ils ont été mal lavés. *Soupe qui croque.*

★ **II.** V. tr. **A. ♦ 1.** (XVe). Broyer (qqch.) sous la dent en produisant un bruit sec. ⇒ **Gruger.** *Croquer une biscotte. Croquer un morceau de sucre. Croquer un bonbon. Pastille à laisser fondre dans la bouche sans la croquer. Croquer une pomme.* ⇒ **Mordre.** *Croquer un morceau de chocolat. Chocolat à croquer* (opposé à *chocolat à cuire*).

3　Elle enfonça une cuillère dans la terrine de veau en croûte, remplit l'assiette de l'enfant, prit du bout des doigts un morceau de la pâte dorée qu'elle croqua (...)
　　　　　　　　　　J. CHARDONNE, les Destinées sentimentales, II, IV, p. 287.

Intrans. ou absolt. *Croquer dans une pomme,* mordre.

♦ **2.** Vieilli. Manger à belles dents. *Il croquerait facilement un poulet à lui tout seul. Le chat a croqué une souris.*

4　Le monarque des dieux leur envoie une grue,
　Qui les croque, qui les tue,
　Qui les gobe à son plaisir.　　　　　LA FONTAINE, Fables, III, 4.

Loc. *Que la crique (le crique, le cric) me croque si...* ⇒ 3. **Crique.**

Fig. Mod. *Croquer de l'argent :* dépenser beaucoup en peu de temps. ⇒ **Dilapider, dissiper, gaspiller.** *Croquer un héritage. Il croque un argent fou.* ⇒ **Claquer.** *Il a croqué tout son mois en deux jours.*

♦ **3.** (1665). Fam. et vx. *Croquer une femme, une fille, une poulette...,* l'amener rapidement à se donner.

♦ **4.** Vieilli. *Croquer une note en jouant un morceau de musique,* la sauter, ne pas la jouer. ⇒ **Escamoter;** aussi **croque-note.**

♦ **5.** Loc. *Croquer le marmot :* attendre longtemps, en se morfondant. ⇒ **Marmot** (cit. 5 et 6).

5　Monsieur le nouveau secrétaire, me disais-je pendant ce temps-là, prenez, s'il vous plaît, patience. Vous croquerez bien le marmot, avant que vous le fassiez croquer aux autres.　　　　　　　A. R. LESAGE, Gil Blas, VIII, 3.

B. (1650). **♦ 1.** [a] Prendre rapidement sur le vif (un site, un personnage...) en quelques coups de crayon, de pinceau... qui caractérisent l'aspect général. ⇒ **Dessiner, peindre; croquis.** — Par ext. Faire la première ébauche de... ⇒ **Ébaucher, esquisser.**

[b] Par anal. Décrire (qqch., qqn) en notant, en indiquant brièvement l'essentiel. *Croquer un personnage dans un livre.* ⇒ **Camper, caricaturer.**

6　(...) ce sont tous les plus beaux violents sentiments qu'on puisse imaginer; mais ils sont croqués comme les grosses peintures (...)
　　　　　　　　　　　Mme DE SÉVIGNÉ, 281, 30 mai 1672.

♦ **2.** Fig. et fam. (du sens précédent; le fig. de «manger à belles dents» a surmotivé la loc.). *Personne jolie, mignonne à croquer,* très jolie (au point de donner envie de prendre un croquis). Ellipt. *Elle est à croquer avec ce manteau-là.* Par ext. *Des paysages à croquer.*

7　On appelle, en termes d'atelier, croquer une tête, en prendre une esquisse, dit Mistigris d'un air insinuant, et nous ne demandons à croquer que les belles têtes. De là le mot : *Elle est jolie à croquer.*
　　　　　　　　　　BALZAC, Un début dans la vie, Pl., t. I, p. 681.

8　« Il est à croquer là-dessous », disait Mme Eyssette.
　　　　　　　　Alphonse DAUDET, le Petit Chose, I, II, p. 25.

C. Trans. ind. Argot fam. **EN CROQUER :** profiter d'avantages inavouables; toucher de l'argent (par la prostitution, la délation). → **Poule,** cit. 11. *Il, elle en croque.*

9　Parce que moi, les donneuses j'ai jamais pu les encaisser. Tu te rends compte de ce que ça pouvait m'être comme coup de massue de douter de toi? De croire que tu pouvais en croquer?　　　　Jean GENET, Journal du voleur, p. 245.

CONTR. Fondre. Sucer.
DÉR. **Croquade,** 1. **croquant,** 1. **croque, croquement,** 1. **croquet, croquette, croqueur, croquis.** — V. aussi 2. **Croquant,** 2. **croquet,** 2. **croquignole.**
COMP. **Croque au sel** (à la), **croquembouche, croque-mitaine, croque-monsieur, croque-mort, croquenot, croque-note.**

2. CROQUER [kʀɔke] v. tr. — 1869; d'après *croquet,* avec la valeur initiale de 1. *croquer,* I. «frapper».

♦ Au croquet, Chasser (une boule) en la plaçant contre sa propre boule que l'on frappe avec le maillet. — (Aux boules) :

Le joueur qui croque présentement la boule cloutée de son adversaire (...)
　　　　　　　　　　　　ARAGON, les Beaux Quartiers, p. 10.

CROQUE-SOL [kʀɔksɔl] n. m. Vx. ⇒ **Croque-note.**

1. CROQUET [kʀɔke] n. m. — 1642, Oudin; de 1. *croquer.*

♦ Vx ou régional. Biscuit mince, sec et croquant, garni d'amandes.

2. CROQUET [kʀɔke] n. m. — 1835; angl. *crocket,* altér. du franç. *crochet* ou du moy. franç. *croquet* «coup sec», de 1. *croquer* au sens de «frapper».

♦ Jeu qui consiste à faire passer des boules de bois sous des arceaux au moyen d'un maillet, et selon un trajet déterminé par des règles. *Jeu de croquet. Jouer au croquet. Terrain de croquet. Faire une partie de croquet.*

1　C'est d'Angleterre que nous est revenu depuis quelques années, sous le nouveau nom de *croquet,* l'ancien paille-maille quelque peu transformé.
　　　　　　　　　　　　P. LAROUSSE, art. *Croquet.*

2　Des appels venaient du tennis; des enfants jouaient au croquet sur la pelouse et on entendait les coups secs sur les boules, des rires, des disputes (...)
　　　　　　　　J. CHARDONNE, les Destinées sentimentales, I, III, p. 115.

3. CROQUET [kʀɔke] n. m. — V. 1935; var. dial. de *crochet.*

♦ Techn. (couture). Petit galon formant des dents, utilisé comme ornement de couture. *Jupe garnie de croquet rouge.*

CROQUETTE [kʀɔkɛt] n. f. — 1740; de 1. *croquer.*

♦ **1.** Boulette (de pâte, de hachis...) qu'on fait frire dans l'huile après l'avoir trempée dans un jaune d'œuf et enrobée de farine ou de chapelure. *Croquettes de riz, de pommes de terre, de fromage blanc. Croquettes de veau, de volaille, de poisson.* ⇒ **Cromesquis.** *Croquettes de poisson à l'antillaise.* ⇒ **Acra.** *On sert les croquettes comme entrée.*

♦ **2.** Confiserie au chocolat (spécialt, en forme de disque).

Elle dépapillota une croquette de chocolat, la mit entre ses dents, et l'offrit ainsi à Antoine (...)　　　MARTIN DU GARD, les Thibault, t. III, p. 72.

♦ **3.** (Au plur.). Préparation industrielle alimentaire pour animaux, en forme de boulettes sèches. *Boîte de croquettes. Donner des croquettes à son chat.*

CROQUEUR, EUSE [kʀɔkœʀ, øz] n. et adj. — 1668; *crocqueur de pies* «gros buveur», 1548, Rabelais; de 1. *croquer.*

♦ **1.** Personne qui croque*, mange avidement (qqch.). *Un croqueur de radis.*

1　Un vieux renard, mais des plus fins,
　Grand croqueur de poulets, grand preneur de lapins (...)
　　　　　　　　　　　　LA FONTAINE, Fables, V, 5.

1.1　Puisqu'on voit en France les hommes
　Céder à leurs femmes le pas,
　Et que les Croqueuses de pommes
　Leur font mettre à tous chapeau bas (...)
　　　　　　　　Germain NOUVEAU, Valentines, Pl., p. 584.

1.2　Le cinéma le jeudi après-midi avec les vieilles et les enfants, parmi les croqueuses de bonbons, les éplucheuses d'oranges.
　　　　　　　　　　Violette LEDUC, la Folie en tête, p. 181.

Fig. et fam. Personne qui dilapide, dépense rapidement. *Un croqueur de fortune, de dot.* — (1952). *Une croqueuse de diamants :* femme entretenue qui dilapide l'argent, les bijoux.

Fig. et vx. *Un croqueur de femmes :* un Don Juan. ⇒ **Séducteur.** — *Un croqueur d'orémus :* un prêtre.

2　Convenez (...) que ce croqueur d'orémus avait de saintes maximes sur le gouvernement.　　　FRANCE, Les dieux ont soif, X, p. 109.

♦ **2.** Artiste qui croque* sur le vif (un personnage, un site...).

CROQUIGNOL, OLE [kʀɔkiɲɔl] adj. — 1936, Céline; de *croquignole* — ou dér. régressif de *croquignolet.*

♦ Fam. Bizarre et comique. ⇒ **Croquignolet.**

Par exemple : en morale. Déjà l'idée de nature en art a provoqué les élucubrations les plus croquignoles — mais la question se pose, on peut l'admettre.
　　　　　　　　　　J.-L. BORY, Ma moitié d'orange, p. 68 (1973).

HOM. Croquignole.

CROQUIGNOLE [kʀɔkiɲɔl] n. f. — XVe; p.-ê. de 1. *croquer,* I., «donner un coup, frapper», finale obscure, p.-ê. (Guiraud) d'un double diminutif expr. *-ign-,* var. de *-in-,* et *-ole.*

♦ **1.** Vx. Chiquenaude* sur le nez. *Donner une croquignole à qqn.*

1　Choisissez donc sans façon
　D'avoir trente croquignoles,
　Ou douze coups de bâton.　　MOLIÈRE, le Malade imaginaire, Premier intermède.

2　Ils prétendent que je me mets à genoux pour leur donner des croquignoles.
　　　　　　　　VOLTAIRE, Lettres au roi de Prusse, 187, in LITTRÉ.

♦ **2.** (1542). Petite pâtisserie croquante. ⇒ **Croquembouche.**

3 (...) aussi désarmé que jadis, lorsqu'à l'abri du préau d'école (...) il bourrait de croquignoles la pochette des filles.
BERNANOS, Monsieur Ouine, *in* Œ. roman., Pl., p. 1397.

DÉR. V. **Croquignol, croquignolet.**
HOM. Croquignol.

CROQUIGNOLET, ETTE [kʀɔkiɲɔlɛ, ɛt] adj. — 1939 ; « pâtisserie », 1869 ; de *croquignole*.

♦ Fam. Amusant, mignon, un peu ridicule. *Son col de dentelle est croquignolet.*

— Alors tu dis que dans ton rêve, Félix était en premier communiant avec une aube blanche ? (...) Elle se mit à rire. Il devait être croquignolet, dans cette tenue (...) J.-L. CURTIS, le Roseau pensant, 1971, p. 121.

Fam. (intensif plaisant). *Ce problème est un rien croquignolet*, difficile. « *(Un suicide) du haut d'un avion, une nuit de brouillard, en plein océan. Ça, c'est croquignolet* » (A. Arnoux, *in* T. L. F.).

Var. : *croquignolesque*. « *Une petite colle, pas bien méchante, mais assez croquignolesque...* » (Cécil Saint-Laurent, *la Mutante*, p. 49).

CROQUIS [kʀɔki] n. m. — 1752 ; de 1. *croquer*, II., B.

♦ **1.** Esquisse rapide (le plus souvent au crayon, à la plume), lignes essentielles d'une représentation graphique. ⇒ **Crayon, dessin, ébauche, esquisse ;** cf. en argot fam. *crobar. Le croquis est fait de premier jet. Croquis d'un paysage, d'un portrait. Croquis au fusain, à la sanguine.*

1 Il disait une fois à un jeune homme de ma connaissance : « Si vous n'êtes pas assez habile pour faire le croquis d'un homme qui se jette par la fenêtre, pendant le temps qu'il met pour tomber du quatrième étage sur le sol, vous ne pourrez jamais produire de grandes machines ».
BAUDELAIRE, Curiosités esthétiques, L'œuvre et la vie de Delacroix, VI.

1.1 L'idée première, le croquis, qui est en quelque sorte l'œuf ou l'embryon de l'idée, est loin ordinairement d'être complet ; il contient tout si l'on veut, mais il faut dégager ce tout (...) E. DELACROIX, Journal, 23 avr. 1854.

2 (...) Beltara fit du lieutenant Dundas un croquis aux trois crayons.
A. MAUROIS, les Discours du Dr O'Grady, XVI, p. 171.

3 Il tira un crayon de sa poche et dessina un croquis sur le journal.
J. CHARDONNE, les Destinées sentimentales, III, VII, p. 483.

Par ext. Dessin rapide servant à illustrer, à compléter une explication écrite ou verbale. *Faites un croquis pour m'expliquer où se trouve la poste.* ⇒ **Schéma,** (fam.) **topo.** *Les croquis d'un journal de mode, d'un grand couturier.*

Loc. fam. *Pas besoin de faire un croquis, inutile de faire un croquis* (ou, *un dessin*) : la chose a été bien comprise.

Géom. *Croquis coté.* ⇒ **Épure.**

♦ **2.** (1775). Esquisse. ⇒ **Ébauche.** *Croquis biographiques.*

4 Lekain a une vieille Ériphile de moi ; c'est une esquisse assez mauvaise de la Sémiramis ; il serait ridicule que ce croquis parût (...)
VOLTAIRE, Lettre à d'Argental, 8 mars 1775.

CROSKILL [kʀɔskil] n. m. — 1890 ; *croskillage*, 1877, *in* Littré ; du nom de l'inventeur.

♦ Techn. (agric.). Rouleau qui sert à briser les mottes de terre. ⇒ **Brise-mottes.**

CROSNE [kʀon] n. m. — 1882 ; de *Crosnes*, village de l'Essonne (alors Seine-et-Oise) où cette plante importée du Japon fut cultivée pour la première fois en France.

♦ Bot. Plante (*Labiacées* ; n. sc. : *stachys*) du genre épiaire, à tubercules comestibles, originaire du Japon.
Petit tubercule de cette plante, à goût voisin du salsifis. *Crosnes cuits à l'eau, frits, en sauce blanche.* « *M. Pallieux (...) a donné aux tubercules le nom de Crosnes, qui est, dit-il, le nom de son propre village* » (*Année sc. et industr.*, 1888, p. 447).

Je ne mange pas de crosnes parce qu'ils ont une vague figure de ver de hanneton (...) COLETTE, Flore et Pomone, *in* Gigi, p. 172.

HOM. 1. **Crône,** 2. **crône.**

CROSS [kʀɔs] ou CROSS-COUNTRY [kʀɔskuntʀi] n. m. — 1889, *cross* ; *cross-country*, 1884 ; *across country*, 1885, in *le Figaro* ; mot angl., de *across* « à travers », et *country* « campagne ».

♦ **1.** Course de fond*, à pied, en terrain varié, avec des obstacles. *Faire du cross-country. Des cross-countries.* — REM. La forme *cross-country* est vieillie. — *Un champion de cross. Faire du cross.*

1 (...) savoir s'il pleuvrait dimanche, auquel cas son cross-country était fichu.
MONTHERLANT, le Démon du bien, p. 79.

2 Ça fait une trotte, remarqua le sergent de ville bourgeoisement. Je suis pas champion de cross, moi. R. QUENEAU, Zazie dans le métro, Folio, p. 105 (1959).

♦ **2.** (1902, *in* Petiot). CROSS, abrév. de *cyclo-cross, moto-cross* (voir ces mots). *Moto de cross.*

COMP. Crossman.
HOM. (De *cross*) **Crosse, crosses.**

CROSSE [kʀɔs] n. f. — 1080, *Chanson de Roland* ; du francique* *krukkja* « bâton à bout recourbé », avec infl. de *croc.*

★ **I.** ♦ **1.** Bâton pastoral d'évêque ou d'abbé dont l'extrémité supérieure se recourbe en volute. *La mitre et la crosse sont les symboles du pouvoir épiscopal. Crosse d'argent, d'or, de cuivre. Hampe, nœud d'une crosse. Crosse à nœud ouvragé. Personne qui porte la crosse d'un évêque.* ⇒ **Porte-crosse.**

1 Et lors il se leva, et s'appuya sur sa crosse. JOINVILLE, 198, *in* LITTRÉ.

2 *(Le prélat)* fit, au dos d'un carrosse,
A côté d'une mitre armorier sa crosse. BOILEAU, le Lutrin, VI.

3 En une silencieuse procession, ils s'avançaient, alourdis par leurs rigides chapes qui tombaient, en s'évasant, de leurs épaules, pareilles à des cloches d'or fendues sur le devant, et ils tenaient la crosse à laquelle pendait le manipule, une sorte de voile noir (...) HUYSMANS, Là-bas, XVII, p. 244.

Blason. Bâton pastoral ornant l'écu d'un évêque ou d'un abbé.

♦ **2.** (1719, Richelet). Bâton recourbé utilisé dans certains jeux pour pousser la balle. *Crosse de cricket, de hockey. Crosse de golf.* ⇒ **Club.** *Garçon qui porte les crosses.* ⇒ **Caddie.**

Vx. Ancien jeu collectif semblable au hockey sur gazon. — (Canada). Hockey.

♦ **3.** Vx. Béquille* qui se pose sous l'aisselle. *Marcher avec des crosses.*

★ **II.** ♦ **1.** Bout recourbé (d'un objet fabriqué). *La crosse d'une canne. La crosse d'un violon* ; *une crosse de violon* : partie recourbée qui porte les chevilles. — Mécan. *Crosse de piston* : extrémité de la tige du piston qui vient s'articuler avec la tête de la bielle motrice. — Mar. Longue pièce de métal protégeant la partie basse du gouvernail.

♦ **2.** Cour. Partie postérieure recourbée (d'un pistolet, d'un revolver). *Crosse de revolver. Crosse sculptée, en argent. Les policiers gardaient la main sur la crosse de leur revolver. Assommer qqn à coups de crosse.*

4 Thomas Trublet, qui avait brisé sur les os espagnols trois épées, son poignard, et la crosse de tous ses pistolets, brandissait maintenant deux haches énormes, et se battait comme les bûcherons se battent contre les chênes.
Claude FARRÈRE, Thomas l'Agnelet, p. 109.

Partie postérieure (d'une arme à feu portative) servant à épauler. *Crosse de fusil en bois, en acier. Crosse démontable. Appuyer la crosse du fusil contre l'épaule pour tirer. Coude de la crosse d'un fusil.* ⇒ **Busc.** — *Crosse d'un fusil-mitrailleur, d'un pistolet mitrailleur.*

5 Dans les chambres, on entendait un brouhaha de voix, un fracas de crosses de fusil qui retombaient une à une sur le sol cimenté.
P. MAC ORLAN, la Bandera, XV, p. 186.

Loc. *Mettre, lever la crosse en l'air* (fig.) : se rendre ; arrêter le combat.

5.1 Sur le bruit qu'un nouveau gouvernement venait de s'introduire dans le palais national, les troupes mirent la crosse en l'air.
La bataille était finie, la fraternisation commença.
A. ROBIDA, le Vingtième Siècle, p. 295.

Au temps pour les crosses !, ordre de recommencer le maniement d'armes, lorsque le bruit des crosses n'est pas synchrone. — Fig. Recommencez.

Vx. *Crosse d'affût d'un canon :* partie par laquelle il repose sur le sol. *Soc de la crosse d'un canon limitant le recul de la pièce.* ⇒ **Bêche.**

♦ **3.** Objet naturel en forme de crosse ; extrémité recourbée. — Anat. *La crosse de l'aorte*, *de l'azygos* (veine). *Segment de la crosse de l'aorte* (⇒ **Arc**).

Bot. Extrémité recourbée d'une inflorescence. *Inflorescence en crosse* (l'axe des fleurs étant recourbé sur lui-même). — Jeune feuille de fougère enroulée sur elle-même (comestible).

6 Dorées aussi étaient les feuilles de chênes, et dorées les crosses de fougères, feutrées d'un duvet délicat, si vite épanouies que l'œil suivait leur déroulement, et déjà, une à une, l'éploiement de leurs palmes (...)
M. GENEVOIX, Raboliot, IV, II, p. 222.

Partie recourbée d'une plume d'oiseau. *Les crosses :* les plumes recourbées de l'aigrette.

Bouch. *Crosse de bœuf :* morceau situé au-dessous du gîte.

DÉR. Crossé, crosser, crossette, crosseron.
COMP. Porte-crosse.
HOM. Crosse, crosses.

CROSSÉ [kʀose] adj. m. — XIIe ; de *crosse*, I., 1.

♦ Relig. Qui a le droit de porter la crosse (dans l'expr. : *abbé crossé et mitré*).

1 Il n'y avait ni évêque, ni abbé crossé.
VOLTAIRE, Philosophie, III, 300, *in* LITTRÉ.

2 (...) au fond, le clergé, les évêques crossés et mitrés, faisaient une gloire, un de ces resplendissements qui ouvrent une trouée sur le ciel (...)
ZOLA, Son Excellence Eugène Rougon, t. I, p. 116.

HOM. Crosser.

CROSSER [kʀɔse] v. tr. — 1270; de *crosse*.

♦ **1.** Rare. Pousser avec une crosse*. *Crosser une balle, une pierre.* — Absolt. Jouer à la crosse.

♦ **2.** Vx. Battre, frapper (à coups de crosse, et, par ext., avec un bâton, etc.). *Crosser qqn,* le malmener.

1 L'autre jour, le père Brabbant s'installe. Je m'accours. Il me coule dans le pavillon : « Pas là ? Alfred ? » Je lui retourne : « Parti. »
Alors il a crossé le guéridon :
« Tonnerre ! » chevrota-t-il.
Je l'ai trouvé un peu dérangé. R. QUENEAU, les Derniers Jours, p. 212.

2 Elle affectait maintenant de le mépriser et de le crosser ouvertement, lui reprochant d'être trop et trop docile aux ordres.
Claude FARRÈRE, Thomas l'Agnelet, p. 364 (1913).

Fig. et vieilli. Critiquer violemment.

▶ **SE CROSSER** v. pron.
Se quereller, se battre. ⇒ **Crosses.**

DÉR. Crosseur, crosses.
HOM. Crossé.

CROSSES [kʀɔs] n. f. pl. — 1881; du v. pop. *crosser* (1790) « se plaindre », dial. « glousser », du lat. *glocire,* avec infl. de *crosser* « pousser avec une crosse », puis « battre ».

♦ Fam. Dispute, chicane. *Chercher des crosses à qqn,* lui chercher querelle. *Avoir des crosses avec qqn,* des sujets de dispute.

1 (...) au moins ma journée de travail est intacte et je n'ai pas de crosses avec papa...
COLETTE, Julie de Carneilhan, p. 92.

2 « Je n'aime pas ton air », dit Chatelard.
Busard fronça le sourcil.
« Pourquoi me cherchez-vous des crosses ? Je suis honnête. »
Roger VAILLAND, 325 000 francs, p. 110.

Argot. *Prendre les crosses de qqn,* prendre parti pour lui dans une querelle. ⇒ **Patin.**

HOM. Cross, crosse.

CROSSETTE [kʀɔsɛt] n. f. — 1551; de *crosse.*

♦ **1.** Agric. Jeune branche de vigne, de figuier... portant un peu de bois de l'année précédente et taillée en forme de crosse, pour faire des boutures.

Une vigne dont les crossettes ont été *(ap)*portées directement de Candie.
O. DE SERRES, 151, *in* LITTRÉ.

♦ **2.** Archit. Partie d'un voussoir prolongée horizontalement au delà du joint. *Arc à crossettes.* — Ressaut d'un cadre de lucarne, de fenêtre, de porte. *Crossettes du linteau.*

CROSSEUR [kʀɔsœʀ] n. m. — 1680; de *crosser.*

♦ **1.** (XVIIᵉ). Vx. Celui qui chasse la balle avec la crosse.

♦ **2.** (1829). Fig. Vx et pop. Querelleur, batailleur. — Argot vieilli. Avocat général (Bruant, 1901).
REM. Le fém. *crosseuse* est virtuel.

CROSSING OVER [kʀɔsiŋɔvœʀ] n. m. invar. — 1926, *in* Rey-Debove et Gagnon; mot angl. (1912), de *to cross over* « se croiser *(to cross)* en se recouvrant ».

♦ Anglic., didact. Enjambement* des chromosomes. *« Des chromosomes mixtes, dans lesquels les crossing-over auront permis d'abouter des segments originaires de chacun des parents »* (la *Recherche,* oct. 1973, nº 38, p. 874). — REM. L'équivalent franç. est *enjambement.*

CROSSMAN [kʀɔsman] n. m. — 1909, *in* Höfler; mot angl., de *across* « à travers » (→ Cross-country), et *man* « homme ».

Anglicisme.

♦ **1.** Coureur à pied spécialiste de cross-country. *Des crossmen.*

♦ **2.** Coureur de cyclo-cross, de moto-cross. — REM. On rencontre la forme fém. *crosswoman* (1931, *in* Petiot).

CROSSOPTÉRYGIENS [kʀɔsɔpteʀiʒjɛ̃] n. m. pl. — 1875; lat. sc. *crossopterygii* (Huxley, 1861), du grec *krossos* « frange », et *pterux, pterugos* « aile ». → -ptère.

♦ Zool. Ordre de poissons très primitifs, représenté par des fossiles de l'ère primaire et par le cœlacanthe. — Au sing. *Un crossoptérygien.*

(...) les Poissons crossoptérygiens (...) chez lesquels apparurent les premiers signes d'une adaptation à la vie terrestre. Jean GUIBÉ, les Batraciens, p. 13.

CROTALE [kʀɔtal] n. m. — 1596; lat. *crotalum,* du grec *krotalon.*

★ **I.** Antiq. (généralt au plur.). Cliquette employée dans le culte de Cybèle et pour accompagner la danse. — Aujourd'hui, Cet instrument à percussion, en usage chez certains peuples (Afrique, notamment).

1 Et le rauque tambour, les sonores cymbales,
Les hautbois tortueux, et les doubles crotales
Qu'agitaient en dansant sur ton bruyant chemin
Le Faune, le Satyre et le jeune Sylvain (...)
André CHÉNIER, Bucoliques, « Bacchus ».

2 Ses pieds passaient l'un devant l'autre, au rythme de la flûte et d'une paire de crotales. FLAUBERT, Trois contes, « Hérodias », III.

3 C'étaient les prêtresses de Tanit, accourues pour recevoir les hommes. Elles se tenaient rangées sur le long du rempart, en frappant des tambourins, en pinçant des lyres, en secouant des crotales. FLAUBERT, Salammbô, Pl., t. I, p. 766.

4 Il chanta. Pendant le couplet de cette chanson d'un rythme très bizarre, une danseuse vint se placer près de lui et demeura immobile, l'écoutant; mais chaque fois que le refrain revenait aux lèvres du jeune chanteur, elle reprenait sa danse interrompue, secouant près de lui son daïré et l'étourdissant du cliquetis de ses crotales. J. VERNE, Michel Strogoff, p. 338 (1876).
N. B. Il s'agit de Bohémiens.

★ **II.** ♦ **1.** (1804; lat. sc.). Reptile ophidien *(Solénoglyphes)* venimeux, qui porte au bout de la queue une succession de cônes creux produisant un bruit de crécelle, d'où son nom de *serpent à sonnette. Le crotale vit en Amérique. Crotale des bois des montagnes Rocheuses; crotale cendré du Texas. Crotale pygmée. Crotale des marais. La morsure du crotale est mortelle.*

♦ **2.** (1882; de *crotale,* II., 1., pour *serpent,* altér. de « sergent », selon Esnault). Argot de Polytechnique. Chef de salle (plur. : *crotaux*).

5 Chaque salle se trouvait dès lors placée sous le commandement de l'un des premiers, qu'on nommait son *crotale.* La première année, j'eus ainsi la chance de tomber avec le major de l'École, un Marseillais qui d'après ses notes au concours s'annonçait, disait-on, comme un nouveau Laplace, un futur Arago.
Raymond ABELLIO, Ma dernière mémoire, t. II, p. 20-21.

CROTAPHITE ou **CROTAPHYTE** [kʀɔtafit] adj. et n. m. — XVIᵉ, Paré; grec *krotaphites* « muscle temporal ».

♦ Anat. *Muscle crotaphyte,* ou, n. m., *le crotaphyte :* l'un des muscles servant au mouvement de la mâchoire inférieure.

En conséquence, je songeai vivement qu'il était à propos de donner du jeu à l'héroïque appareil de muscles masséters et crotaphytes, dont la Nature, en mère prévoyante, m'a départi la propriété. L'instant d'après, nos deux paires de mâchoires, se sentant dans le vrai, luttaient avec bruit, de rapidité, d'adresse et de vigueur, et joignaient la ruse au discernement.
VILLIERS DE L'ISLE-ADAM, Tribulat Bonhomet, p. 85-86 (1887).

CROTON [kʀɔtɔ̃] n. m. — 1791; grec *kroton* « ricin ».

♦ Bot. Arbuste *(Euphorbiacées,* tribu des *Crotonées)* à fleurs unisexuées monoïques ou dioïques. *Les espèces du genre croton appartiennent aux régions équatoriales. Croton elateria* ou *cascarille*. La maurelle*, variété de croton. — Huile de croton :* huile extraite des graines du *croton tiglium,* et qui a des propriétés purgatives. *Colorant extrait du croton.* ⇒ **Tournesol.**

DÉR. Crotonique.

CROTONIQUE [kʀɔtɔnik] adj. — XIXᵉ; de *croton.*

♦ Chim. Se dit de l'acide extrait de l'huile de croton par saponification. *Acide crotonique.* Syn. : *acide buténoïde* $(CH_2 - CH = CH - CO_2H)$. *Alcool crotonique. Aldéhyde crotonique.*

CROTTE [kʀɔt] n. f. — Fin XIIᵉ; orig. incert., p.-ê. du francique* *krotta* « excrément, fiente ».

★ **I.** *(Une, des crottes).* ♦ **1.** Fiente globuleuse de certains animaux. *Crottes de brebis, de chèvre, de lapin, de souris.* ⇒ aussi **Crottin** (cit. 4).
Fam. Excrément solide (animal ou humain). *Crottes de chien. Une grosse crotte.* ⇒ **Étron, sentinelle.** Loc. *Aller faire sa crotte :* aller à la selle. Fig. et vx. *Ne pas chier de grosses crottes :* avoir mal mangé. — *Mettre le nez de qqn dans sa crotte,* l'obliger à reconnaître qqch. dont il est la cause. → Mettre le nez* (de qqn dessus) — *Panier à crottes :* derrière.

Fam. *Crotte !,* interjection par laquelle on manifeste son impatience, son dépit (euphém. pour *merde* : ⇒ **Flûte, zut**). *Crotte de bique !* (même emploi).

0.1 — Il n'est pas là ?
— Non, mademoiselle. Pas avant une heure.
— Crotte. Une heure. Qu'est-ce que je vais faire en attendant.
R. QUENEAU, le Vol d'Icare, p. 201.

0.2 Elle se mit à brailler en martelant la muraille avec un instrument que Monsieur Jadis présuma être son soulier, car elle dit : « Crotte, j'ai encore craqué le talon ».
A. BLONDIN, Monsieur Jadis, p. 144.

♦ 2. Fig. et fam. *De la crotte, de la crotte de bique* : une chose sans valeur. *Il ne se prend pas pour de la crotte (de bique)* (cf. vulg. Pour une merde, pour de la merde). *Son livre, c'est de la crotte.*

1 Et *ma* soupe de *mes* oignons gratinée, c'est de la crotte de bique, alors?
COLETTE, la Naissance du jour, p. 197.

(1898). T. d'affection. *Ma crotte ; ma petite crotte ; ma petite crotte en chocolat, en sucre* (→ ci-dessous, 3.).

Spécialt. *Une crotte :* une production (littéraire, etc.) insignifiante, sans valeur.

♦ 3. (V. 1900). Par anal. *Crotte de, en chocolat :* bonbon de chocolat. *Des crottes de Noël.* — *Une crotte de beurre.* ⇒ **Coquille, noix, noisette.**

★ II. *(La crotte).* **♦ 1.** (1635). Vx. Boue (des chemins, des rues). ⇒ **Boue, fange, saleté.** *Avoir ses vêtements souillés, maculés de crotte.* ⇒ **Crotter** (→ Boguet, cit. 1).

♦ 2. Loc. fam., vx. *Être dans la crotte, tomber dans la crotte :* vivre dans la misère, l'abjection. ⇒ **Boue** (cit. 10), **crasse** (vx). *Il est dans la crotte :* il a de gros ennuis.

2 Et le tremplin s'était cassé; il demeurait, les pieds dans la crotte, rivés au sol.
HUYSMANS, Là-bas, XIII, p. 187.

Loc., vx. *Avoir le nez dans la crotte.*

3 — Tandis que nous autres, nous sommes bien fichus, le nez dans la crotte, sans un espoir de nous en retirer (...)
ZOLA, Paris, t. II, p. 221.

REM. Ces emplois sont compris aujourd'hui comme des figurés du sens I.

DÉR. Crotter, crottillon, crottin.
COMP. Décrotter.

CROTTER [kʀɔte] v. — XIIᵉ ; de *crotte.*

♦ 1. V. tr. Vieilli ou régional. Salir de crotte (II., 1.). ⇒ **Maculer, souiller.** *Crotter un parquet avec des chaussures sales.* — Pron. *Se crotter :* se salir avec de la boue.

1 Ils ont des pieds qui vont chercher de la boue dans tous les quartiers de la ville (...) et la pauvre Françoise est presque sur les dents, à frotter les planchers *(qu'ils)* viennent crotter régulièrement tous les jours.
MOLIÈRE, le Bourgeois gentilhomme, III, 3.

♦ 2. V. intr. Fam. Faire des crottes (I.). *Le chat a crotté dans toute la maison.* ⇒ **Chier** (vulg.), **déféquer** (didact.), **faire** (fam.).

1.1 (...) il dit à l'enfant en lui désignant une chèvre qui crottait : Tu vois, elle dit son chapelet par-derrière.
R. SABATIER, les Noisettes sauvages, p. 109.

▶ CROTTÉ, ÉE p. p. et adj. (V. 1170 ; de *crotte,* 4.).

♦ 1. Vieilli ou régional (mais plus vivant que le verbe). Couvert de boue. *Vêtement crotté, tout crotté.* ⇒ **Sale.** Loc. fam. *Crotté comme un barbet, crotté jusqu'à l'échine, jusqu'aux oreilles.*

2 Tel s'est moqué de son confrère qui était arrivé le matin crotté jusqu'à l'échine et mouillé jusqu'aux os, qui, le soir, rentre chez lui dans le même état.
DIDEROT, le Neveu de Rameau, Pl., p. 469.

♦ 2. Par métaphore ou fig. Vx. Pauvre. *Un étudiant crotté. Un jupon crotté :* une miséreuse. « *Il la trahissait pour le premier jupon crotté, suivi sur un trottoir* » (E. Zola, l'Assommoir, 1877, *in* T. L. F.).

CONTR. Décrotter, laver, nettoyer.

CROTTILLON [kʀɔtijɔ̃] n. m. — D. i. (attesté XXᵉ) ; de *crotte.*

♦ Régional. Petite crotte séchée (notamment, à la « culotte » d'une vache ; → Pâtis, cit.).

CROTTIN [kʀɔtɛ̃] n. m. — V. 1346 ; de *crotte.*

♦ 1. Excrément des équidés, des ovins. ⇒ **Crotte.** *Ramasser du crottin. Oiseaux qui picorent du crottin. Le crottin de cheval est apprécié comme engrais* (⇒ **Fumier**). *Une odeur de crottin.*

1 (...) les moineaux s'ébattaient en troupes pour picorer le crottin.
FRANCE, la Vie en fleur, III, p. 45.

2 Le cheval de gauche trousse la queue avec grâce, expulse un crottin bien formé qui fait honneur à l'hygiène de l'écurie.
J. ROMAINS, les Hommes de bonne volonté, t. III, XII, p. 167.

3 Le crottin effrité, un crottin d'or (humide encore du cheval), tapissait l'argile et l'humus, où poussaient les légumes.
H. BOSCO, Antonin, p. 37.

4 Brioches paille, de désagrégation plutôt facile. Fumantes, sentant mauvais. Écrasées par les roues de la charrette, ou plutôt épargnées par l'écartement des roues de la charrette. L'on est arrivé à vous considérer comme quelque chose de précieux. Pourtant, l'on ne vous ramasserait qu'avec une pelle. Ici se voit le respect humain. Il est vrai que votre odeur serait un peu attachante aux mains. En tout cas, vous n'êtes pas du dernier mauvais goût, ni aussi répugnantes que les crottes du chien ou du chat, qui ont le défaut de ressembler trop à celles de l'homme, pour leur consistance de mortier pâteux et fâcheusement adhésif.
Francis PONGE, Pièces, « Le crottin », p. 49.

♦ 2. Petit fromage de chèvre de forme arrondie. *Crottin de Chavignol* (région de Sancerre).

5 Le choix des chèvres est magnifique. Ronds et roux, les secs petits crottins de Chavignol et quelques Saint-Marcellin (...)
Claude MAURIAC, le Dîner en ville, p. 228 (→ Chèvre, cit. 6).

♦ 3. *Crottin d'âne :* algue dont la forme et l'aspect rappellent un crottin d'âne.

CROUILLAT [kʀuja] ou CROUILLE [kʀuj] n. m. — 1917, répandu 1932 ; arabe *khouya* « frère ».

♦ Pop. et injurieux (terme raciste). Arabe d'Afrique du Nord.

1 (...) ce cardinal Lavigerie (...) premier archevêque de Carthage depuis la conquête des crouillats.
Hervé BAZIN, Vipère au poing, p. 39.

2 (...) j'ai entendu Suzanne qui disait au crouille :
Pas ici Ali, pas ici.
Albert SIMONIN, Touchez pas au grisbi, p. 47.

Var. graphique : *crouilla* (H. Charrière, *Papillon,* p. 48, 353).

CROULANT [kʀulɑ̃] adj. et n. m. — 1944 ; de *croulant, ante,* p. prés. de *crouler.* → Crouler.

★ I. Adj. ⇒ **Crouler.**

★ II. N. m. Fam. Personne qui n'est plus jeune, du point de vue des adolescents (cf. par plais. P. P. H. « passera pas l'hiver »). ⇒ vieilli **Amorti,** n. — REM. Le fém. *croulante* est virtuel.

1 Jacques, galant homme, ne lui fera pas le moindre mal non plus qu'au croulant qui n'est autre que le papa.
R. QUENEAU, Loin de Rueil, p. 40 (1944).

2 (...) elle a filé tout simplement, parce qu'elle se fout de nous, les croulants sont faits pour crouler de chagrin (...)
Benoîte et Flora GROULT, Il était deux fois, p. 344 (1968).

CONTR. Jeune.

CROULE [kʀul] n. f. — 1863 ; de 2. *crouler.*

Chasse.

♦ 1. Cri par lequel les bécasses font leur appel à la tombée du jour pendant la saison des amours (printemps).
Chasse à la croule : chasse à la bécasse, lors du passage du printemps.
Par ext. *Chasser le pigeon à la croule. Place de croule,* lieu favorable à cette chasse.

REM. On rencontre le mot au masc. :

J'assiste encore au coucher des grives, à l'endormement du bois. J'en deviens bête.
J. RENARD, Journal, 19 mars 1889.

♦ 2. Moment où les bécasses poussent ce cri.

CROULEMENT [kʀulmɑ̃] n. m. — Déb. XIIᵉ ; de *crouler.*

♦ Action de crouler; résultat de cette action. ⇒ **Affaissement, chute, éboulement, effondrement.** *Le croulement d'un pont.* Fig. *Le croulement d'un empire, d'une société.*

Les champs sont aux travailleurs. Un oisif comme moi aurait un peu honte s'il n'avait un fusil. Ça lui donne presque un air utile. J'entends le croulement des pommes de terre dans les tombereaux.
J. RENARD, Journal, 26 sept. 1903.

1. CROULER [kʀule] v. — Xᵉ ; *crodler, croller* « vaciller » ; « secouer violemment », 1080, Chanson de Roland ; p.-ê. du lat. pop. *corrotulare* « faire rouler », de *rotulare* « rouler », ou de *crotalare* « secouer », de *crotalum* (→ Crotale). → Grouiller.

★ I. ♦ 1. V. tr. Vx (langue class.). Secouer, agiter.

1 Je les compare à ces ambitieux
Qui, monts sur monts, déclarèrent la guerre
Aux immortels; Jupin, croulant la terre,
Les abîma sous des rochers affreux (...)
LA FONTAINE, Poésies mêlées, LVII, Ballade au roi (1684), *in* LITTRÉ.

Spécialt (chasse). *La bête croule la queue,* elle agite la queue de peur.

♦ 2. (1721). Mar. Vx. *Crouler un vaisseau,* le lancer, le mettre à l'eau, à la mer.

★ II. V. intr. **♦ 1.** (V. 1177). Cour. (mais plutôt style écrit ou soutenu). Tomber en s'affaissant, en parlant d'une construction, d'un édifice... ⇒ **Abattre** (s'), **affaisser** (s'), **ébouler** (s'), **écrouler** (s'), **effondrer** (s'). *Cette maison croule.* ⇒ **Tomber** (en ruine). *Masse de neige qui croule* (⇒ **Avalanche**). *Terre qui croule sous les pieds* (⇒ **Croulier**).

2 Quand nous verrions partout les roches ébranlées,
Et jusqu'au fond des mers les montagnes croulées,
Nous n'aurions point lieu de trembler.
CORNEILLE, Office de la Vierge, 7.

3 Les murs évidés sont presque tout entiers occupés par les fenêtres ; l'appui manque ; sans les contreforts plaqués contre les parois, l'édifice croulerait (...)
TAINE, Philosophie de l'art, t. I, I, II, VI, p. 84.

4 Une seule pierre arrachée de cet édifice, l'ensemble croule fatalement.
RENAN, Souvenirs d'enfance..., V, 3.

5 Il lui semblait voir crouler cet abri que, depuis trois ans, il s'était construit de ses mains (...)
MARTIN DU GARD, les Thibault, t. IV, p. 51.

5.1 Aux gueules des canons, braqués sur le vaisseau de ligne, dix longues flammes s'allumèrent, et la bordée, sifflant parmi mâts et cordages, jeta bas, comme par

magie, la moitié de cette pyramide de voiles qui surmontait le galion, et qui tout d'un coup fondit et croula, comme neige au soleil.
Claude FARRÈRE, Thomas l'Agnelet, p. 105.

Faire crouler (qqch.). ⇒ **Abattre, détruire.** *Faire crouler un pan de mur.*

Par ext. (vieilli) *Se laisser crouler à terre.* ⇒ **Tomber ; glisser.** *Crouler lourdement sur le sol.*

6   Il se laissa crouler à terre, mit sa tête sur les genoux de la simple fille, et ses yeux, qu'on aurait pu croire plus arides que les citernes consumées dont il est parlé dans le Prophète lamentateur, devinrent des fontaines.
Léon BLOY, la Femme pauvre, II, p. 206.

Fig. S'écrouler (plus cour.). *Crouler de sommeil. Crouler de rire.*

6.1   Mais n'importe quelle bêtise, des grimaces, des singeries (...) personne comme ce petit pitre, un vrai petit clown, ne sait, mettant sa langue sous sa lèvre supérieure qu'il a très longue, rapetissant ses yeux, voûtant son dos, une main sous l'aisselle, se grattant, imiter un singe (...) Ça les fait chaque fois crouler de rire (...)
N. SARRAUTE, Vous les entendez?, p. 15.

(1831). Fig. et cour. *Salle de spectacle qui croule sous les applaudissements,* qui résonne d'applaudissements, en est ébranlée*.

♦ **2.** Fig. S'effondrer. *Faire crouler un projet.* ⇒ **Échouer.** *Cette objection fait crouler votre hypothèse.* ⇒ **Détruire ; réduire** (à rien), **renverser, ruiner.**

7   Ce point une fois manqué, il est aisé de voir que tout le système de M. l'abbé Dubos croule de fond en comble.
MONTESQUIEU, l'Esprit des lois, XXX, 24.

Entreprise qui croule. ⇒ **Faillite** (faire faillite). *Société, empire qui croule.* ⇒ **Écrouler** (s'), **effondrer** (s').

8   Or, la compagnie avait croulé, et Arnoux, civilement responsable, venait d'être condamné, avec les autres, à la garantie des dommages-intérêts (...)
FLAUBERT, l'Éducation sentimentale, II, III, p. 204.

9   Raison de plus, riposta Carhaix ; si la Société est telle que vous la dépeignez, il faut qu'elle croule !
HUYSMANS, Là-bas, XX, p. 283.

Crouler sous le poids des ans : être très âgé. *Crouler sous le ridicule.* — Par ext. *Crouler sous... :* être enfoui sous... *Le balcon croulait sous les fleurs.*

♦ **3.** Techn. (fauconnerie). Fienter, en parlant du faucon.

♦ **4.** (Chasse). Crier, en parlant de la bécasse au moment des amours. ⇒ **Croule.**

▶ **CROULANT, ANTE** p. p., adj. et n.

♦ **1.** Qui menace ruine. *Édifice croulant* (→ Aspect, cit. 19). *Des murs croulants.*

(Personnes). Qui se laisse tomber.

10   Et je me trouvais toute croulante de sommeil, avec un solliciteur trop tenace pour être éconduit, et trop bien placé.
J. ROMAINS, les Hommes de bonne volonté, t. III, XV, p. 198.

Qui semble s'effondrer par une surcharge, un trop grand poids. « *Je n'ai jamais vu un tel monument de chairs croulantes, débordantes* » (B. Cendrars, Bourlinguer, 1948, in T. L. F.). — *Un arbre croulant de fruits.*

♦ **2.** Fig. En voie d'effondrement, de disparition. *Empire croulant, société croulante.* — (Personnes). *Personne croulante,* très âgée. ⇒ **Croulant,** n. m.

CONTR. Dresser (se), relever (se), résister, tenir.
DÉR. Croulant, croulement, croulier.
COMP. V. Écrouler (s').
HOM. 2. Crouler.

2. CROULER [krule] v. intr. — XVIᵉ, « roucouler » ; altér. de l'all. *grillen* « crier », d'après 1. *crouler.*

♦ Chasse. Crier (en parlant des bécasses) au moment des amours. ⇒ **Croule.**

DÉR. Croule.
HOM. 1. Crouler.

CROULIER, IÈRE [krulje, jɛr] adj. et n. f. — 1572, adj. ; n. f., v. 1200 ; de 1. *crouler.*

♦ **1.** Adj. Qui cède, qui s'enfonce sous les pieds. *Terre croulière. Prés crouliers.*

♦ **2.** N. f. *Une croulière :* une fondrière.

CROUP [krup] n. m. — 1773, in Höfler ; mot angl. (Home, 1765) p.-ê. onomatopéique.

♦ Vx en méd. Laryngite suffocante ; spécialt, laryngite pseudo-membraneuse, de nature diphtérique (⇒ **Diphtérie**). *Être atteint du croup. Cet enfant est mort du croup.* — (1844, in Höfler). *Faux croup ou croup spasmodique :* spasme du larynx, appelé aussi *laryngite striduleuse.* — *Dans le croup du larynx, pour permettre le passage de l'air, on pratique le tubage du larynx.*

1   Un jour, — nous avons tous de ces dates funèbres ! —
Le croup, monstre hideux, épervier des ténèbres,
Sur la blanche maison brusquement s'abattit,
Horrible, et, se ruant sur le pauvre petit,
Le saisit à la gorge. O noire maladie !
HUGO, les Contemplations, III, « Les luttes et les rêves », XXIII.

2   (...) c'est le croup, qui l'a emporté en quelques heures, au milieu de l'affolement de ceux qui le soignaient (...)
LOTI, Figures et Choses..., « Passage d'enfant », p. 9.

3   Eugène tenait sa tête de côté, sur le traversin, en fronçant toujours ses sourcils, en dilatant ses narines ; sa pauvre petite figure devenait plus blême que les draps ; et il s'échappait de son larynx un sifflement produit par chaque inspiration, de plus en plus courte, sèche, et comme métallique. Sa toux ressemblait au bruit de ces mécaniques barbares qui font japper les chiens de carton.
(...) Les secousses de sa poitrine le jetaient en avant comme pour le briser ; à la fin, il vomit quelque chose d'étrange, qui ressemblait à un tube de parchemin. Qu'était-ce ? Elle s'imagina qu'il avait rendu un bout de ses entrailles. Mais il respirait largement, régulièrement (...) M. Colot survint. L'enfant, selon lui, était sauvé.
FLAUBERT, l'Éducation sentimentale, Pl., t. II, p. 311 et 313.

DÉR. Croupal, croupeux.
HOM. Croupe.

CROUPADE [krupad] n. f. — 1642 ; de *croupe.*

♦ Équit. Saut dans lequel le cheval relève les jambes de derrière jusque sous le ventre.

CROUPAL, ALE, AUX [krupal, o] adj. — 1814, *in* Höfler ; de *croup.*

♦ Méd. Relatif au croup*. *Toux croupale,* dont sont affectés les enfants atteints du croup. *Membranes croupales.*

CROUPE [krup] n. f. — 1080, *crupe, in Chanson de Roland* ; du francique **kruppa* ; cf. bas all. *kropf* ; les mots de cette famille germanique signifient « bosse, panse ».

♦ **1.** Partie postérieure arrondie qui s'étend des hanches à l'origine de la queue de certains animaux, particulièrement du cheval. ⇒ **Derrière, fesse.** *Cheval qui a une belle croupe, qui n'a guère de croupe, une maigre croupe.* — *Cheval chatouilleux sur la croupe. Cheval à croupe de mulet,* dont la croupe est aiguë, pointue. *Croupe avalée,* qui tombe trop tôt. — *Croupe tranchante,* dont les cuisses sont trop plates. *Croupe coupée,* étroite et un peu arrondie. *Croupe osseuse* (→ Bidet, cit. 1). — **EN CROUPE :** à cheval sur la croupe, derrière la personne en selle. *Monter, être en croupe. Porter qqn, qqch. en croupe. Prendre qqn en croupe.*

1   Après maints quolibets coup sur coup renvoyés,
L'homme crut avoir tort, et mit son fils en croupe.   LA FONTAINE, Fables, III, 1.

2   Le cheval accusa ce poids nouveau par un effort des jarrets, et, la croupe abaissée, partit au trot.   J. CHARDONNE, les Destinées sentimentales, p. 98.

Fig. *Monter qqn en croupe,* suivre, accompagner.

3   Le chagrin monte en croupe et galope avec lui.   BOILEAU, Épîtres, V.

♦ **2.** (V. 1119). Fam. Fesses*, derrière* (humain) plus ou moins rebondi. ⇒ **Cul.** — REM. Le mot s'emploie surtout avec une implication érotique et plaisante, et plus souvent en parlant des femmes (→ ci-dessous cit. 6.1), dans la mesure où l'homme est moins souvent considéré comme objet érotique. — *Une croupe avantageuse. S'asseoir la croupe sur les talons.* ⇒ **Accroupir** (s'), **croupetons** (à). *Une croupe proéminente, rebondie, dodue. Manquer de croupe. Avoir de la croupe.*

4   (...) Le sexe, à Paris, a la mine jolie,
L'air attractif, surtout la croupe rebondie ;
Mais il est diablement sujet à caution.   J.-F. REGNARD, le Bal, 7.

5   Ceux qui la suivaient, qui la regardaient trotter avec ses petits pieds, et qui mesuraient cette large croupe dont ses jupons légers dessinaient la forme, doublaient le pas (...)   DIDEROT, le Neveu de Rameau, Pl., p. 504.

6   Elle a de la grâce (...) Mais je la soupçonne de manquer un peu de croupe. C'est un grave défaut !   FRANCE, le Mannequin d'osier, Œ., t. XI, p. 357.

6.1   Vous observerez du reste que le mot croupe ne s'emploie guère que pour les femmes et les animaux. On dit une croupe de femme, comme on dit une croupe de jument. En somme, le corps d'une femme est un peu une transition entre celui de l'homme et celui de l'animal.   M. AYMÉ, Travelingue, p. 209.

Fam. *Dandiner de la croupe. Tortiller la croupe :* balancer les hanches en marchant. ⇒ **Croupion, croupionner.**

7   (...) il n'ignorait pas que la nature l'avait affligé d'une croupe de houri, qui se dandinait de droite et de gauche dès qu'il pressait le pas (...)   MARTIN DU GARD, les Thibault, t. II, p. 116.

♦ **3.** (XIVᵉ). Sommet arrondi d'une colline, d'une montagne. ⇒ **Renflement, sommet.** *Une croupe boisée, neigeuse.*

8   Une rangée de maisons assises sur la croupe de la colline, présentait le gai spectacle de jardins étagés (...)   BALZAC, le Curé de village, Pl., t. VIII, p. 606.

9   (...) la partie nord-ouest de la Terre de Baffin, paysage lunaire en blanc et gris, avec des sommets arasés, des croupes de glace, des fjords immobiles dans leur linceul d'hiver.   R. FRISON-ROCHE, Peuples chasseurs de l'Arctique, p. 325.

♦ **4.** (1374). Archit. Pan de charpente de forme triangulaire qui constitue l'une des petites faces d'un comble. *Croupe droite. Croupe* *biaise,* lorsque le bâtiment a la forme d'un trapèze. *Chevron de croupe.* — Sorte de coupole surmontant le chevet d'une église.

CONTR. Poitrail. — (Du sens 3.) **Fond, vallée.**

DÉR. Croupade, croupé, croupetons (à), croupiat, croupier, croupion, croupir, croupon.

COMP. Accroupir (s').

HOM. Croup.

CROUPÉ, ÉE [kʀupe] adj. — 1798 ; de *croupe.*

♦ Techn. (hippol.). Qui a la croupe bien ou mal conformée (d'un animal). *Cheval bien croupé.*

CROUPETONS (À) [akʀuptɔ̃] loc. adv. — Fin xiie, *à coupeton ; à cropeton,* xve ; de *croupe.*

♦ Dans une position accroupie, les fesses sur les talons. ⇒ **Accroupir** (s'). *Assis à croupetons. Se tenir à croupetons* (→ Attitude, cit. 9).

1 Il revint à la maison, alluma du feu non sans peine et se tint à croupetons, les yeux cuits par la fumée, pour souffler sur la flamme incertaine.
    G. DUHAMEL, Chronique des Pasquier, v, p. 85.

2 Il était aussi humilié d'être plié nu dans une couverture, à croupetons près du feu et qu'il fallait ça s'il voulait vivre. Or il y avait la liberté de cette jeune femme à conduire à Gap. Il parla du choléra.   J. GIONO, le Hussard sur le toit, p. 368.

Var. : *à cropetons, à croppetons.* — Figuré :

3 Les vieux chaumes, à cropetons
Autour des vieux clochers d'église,
Sont ébranlés sur leurs bâtons (...)   VERHAEREN, les Villages illusoires, Le vent.

CONTR. 1. Droit.

CROUPEUX, EUSE [kʀupø, øz] adj. — 1833 ; de *croup.*

♦ Méd. Relatif au croup*. ⇒ **Croupal.** *Angine croupeuse.*

CROUPI, IE [kʀupi] p. p. et adj. ⇒ **Croupir.**

CROUPIAT [kʀupja] n. m. — 1845 ; *groupiail,* 1382 ; *croupias,* 1694 ; de *croupe.*

♦ Mar. Grelin ou cordage servant à amarrer l'arrière d'un bateau à un quai ou à un navire voisin. ⇒ **Croupière.** *Amarrer avec un croupiat. Faire croupiat :* appareiller en s'aidant d'un croupiat, d'une amarre tournée à l'arrière.

CROUPIER, IÈRE [kʀupje, jɛʀ] n. — 1657 ; de *croupe.*

★ **I.** Vx (fém. non attesté). ♦ **1.** Personne qui monte en croupe, derrière qqn. — Adj. ou appos. *Cavalier croupier.*

1 (...) le chevaucheur croupier se laissa tomber à terre et se mit à rire.
    SCARRON, le Roman comique, II, 1.

♦ **2.** (1676). Personne qui, étant de moitié avec un joueur de cartes, de dés, se tenait derrière lui.

2 Chamillart prit des croupiers *(au jeu du roi),* parce que le jeu était gros (...)
    SAINT-SIMON, Mémoires, 70, 118, *in* LITTRÉ.
Personne qui se tenait derrière le banquier, au jeu de la bassette.

★ **II.** (1797 ; du sens I, 2). Mod. ♦ **1.** Employé, employée d'une maison de jeu, qui tient le jeu, paie et ramasse l'argent pour le compte de l'établissement. ⇒ **Changeur** (1.). *Les croupiers du casino de Nice, de Monte-Carlo. Laisser un pourboire au croupier. Rateau de croupier.* — Au fém. (rare, à cause de l'homonymie). On dira plutôt : *elle est croupier au casino de X.* « *Un casino à la James Bond où les annonces sont faites en français par des croupières terriblement sexy* » (*Paris-Match,* no 1280, 17 nov. 1973) « (Elle) *est la première femme croupier ou croupière de France* » (*Cosmopolitan,* août 1984, faisant référence à un décret du 23 mai).

♦ **2.** N. m. Dr. comm. *Convention de croupier :* convention selon laquelle l'associé d'une société particulière cède à une tierce personne une partie des intérêts qu'il a dans la société sans que cette tierce personne (dite *croupier*) entre dans la société (cf. Code civil, art. 1861).

HOM. (Du fém.) Croupière.

CROUPIÈRE [kʀupjɛʀ] n. f. — V. 1160, *crupiere ;* de *croupe.*

♦ **1.** Longe de cuir que l'on passe sous la queue d'un cheval, d'un mulet... et qui, fixée au bât, empêche celui-ci de remonter sur le garrot. ⇒ **Harnais ; bacul, culeron, trousse-queue.** *Mettre une croupière à une selle. Serrer la croupière d'un cheval.*

0.1 J'avais tourné autour du monstre *(un cheval),* dont la robe gris fer, parcourue de longs frissons, ne présageait rien de bon, hésitant à choisir telle bride ou telle croupière, m'empêtrant dans les martingales, les colliers, les sellettes.
    A. BLONDIN, les Enfants du bon Dieu, p. 112.

Par métonymie. Endroit de la croupe où se fixe la croupière.

Par ext (en parlant d'une femme). Croupe*, fesse. *Remuer la croupière.*

♦ **2.** Loc. vieillie. (1616). *Tailler des croupières à qqn* (par allus. aux cavaliers qui en poursuivent d'autres d'assez près pour couper à l'épée les croupières des chevaux), lui susciter des difficultés, des embarras ; faire obstacle à ses projets.

1 Les ennemis, pensant nous tailler des croupières (...)
    MOLIÈRE, Amphitryon, I, 1.

2 Je crains que Laurence ne nous taille encore des croupières !
    BALZAC, Une ténébreuse affaire, Pl., t. VII, p. 577.

3 (...) avec des coups de main arrogants et maladroits, avec des enthousiasmes et des paniques, que les Allemands conçurent l'idée de vous tailler des croupières.
    DRIEU LA ROCHELLE, la Comédie de Charleroi, p. 238 (1934).

♦ **3.** Par anal. Mar. ⇒ **Croupiat.** — Loc. *Mouiller en croupière :* mouiller par gros temps en jetant une ancre par l'arrière.

HOM. Croupière, fém. de croupier.

CROUPION [kʀupjɔ̃] n. m. — 1460 ; de *croupe.*

A. ♦ **1.** Extrémité postérieure du corps (d'un oiseau), composée des dernières vertèbres dorsales et supportant les plumes de la queue. ⇒ **As** (de pique). *Morceau délicat au-dessus du croupion d'une volaille.* ⇒ **Sot-l'y-laisse.** *Croupion de poule, de poulet, de pigeon* (cit. 3.2). *Du croupion.* ⇒ **Uropygial.**

1 L'Albanais voulut me régaler d'une de ces poules sans croupion et sans queue.
    CHATEAUBRIAND, Itinéraire..., 153.

2 (...) la géline s'affaissa sur ses jarrets, partageant en deux, au centre du croupion, les plumes de sa queue qui s'éploya en éventail horizontalement.
    L. PERGAUD, De Goupil à Margot, p. 205.

2.1 Un dos large et ferme s'achevant par un croupion abondamment fourni sur toutes ses faces de plumes fines et soyeuses, douze plumes caudales plutôt courtes que longues (...)   M. TOURNIER, le Roi des Aulnes, p. 150.

Loc. fam. *La bouche en croupion de poule.* ⇒ **Cul** (en cul de poule).

♦ **2.** Chez les mammifères, La base de la queue.

♦ **3.** Fam. Le derrière humain. ⇒ **Coccyx, croupe, cul, derrière** (→ Chignon, cit. 1). — Loc. fig. *Se décarcasser, se casser... le croupion :* se donner beaucoup de mal pour parvenir à un résultat.

3 Il recevait des millions et il se décarcassait le croupion pour faire faire à sa société une économie de cent sous.   G. DUHAMEL, Chronique des Pasquier, X, p. 294.

B. En appos. (après un nom). Hist. (trad. angl. *rump*). *Le Parlement Croupion :* dans l'histoire d'Angleterre, Nom donné au Parlement *(Long Parliament)* convoqué par Charles Ier en 1640, dissous par Cromwell en 1653 et rappelé à deux reprises *(Rump parliament).*

Par ext. Se dit d'un organisme politique qui n'est plus que le résidu d'un autre qui était réellement représentatif. *Un syndicat, un parti croupion.*

DÉR. Croupionner.

CROUPIONNER [kʀupjɔne] v. intr. — 1858 ; de *croupion.*

♦ **1.** (Cheval). Lever la croupe sans ruer.

♦ **2.** Fam. et rare. (Personnes). Marcher en balançant la croupe.

« (Mme Heaume) *taillait ses buis en croupionnant solennellement* » (H. Bazin, *l'Huile sur le feu,* 1954, *in* T. L. F.).

Trois canards domestiques, croupionnant de concert, apparurent sous le pont.
    Hervé BAZIN, Madame Ex, p. 61.

CROUPIR [kʀupiʀ] v. intr. — 1549 ; *soi cropir* « s'accroupir », 1178, le sens donné pour étymologique par Littré « demeurer couché dans ses ordures » semble artificiel ; de *croupe.*

♦ **1.** Demeurer longtemps (dans un état pénible, mauvais). *Croupir dans la paresse, l'abjection, l'oisiveté, le vice.* ⇒ **Rester, séjourner, vivre.** *Croupir dans l'ignorance.* ⇒ **Encroûter** (s'). *Croupir en prison* (ou en tout lieu où l'on est retenu contre son gré), *en pension, dans une caserne.* ⇒ **Moisir, pourrir.** — *Laisser croupir une minorité,* ne pas se préoccuper d'elle.

1 Nous aimons mieux croupir dans notre ignorance que de chercher à en sortir.
    BOSSUET, Hist., II, 13, *in* LITTRÉ.

2 Enfin, lui dit-il, c'est l'amour du luxe qui est cause de cette fainéantise où tous les esprits, excepté un petit nombre, croupissent aujourd'hui.
    BOILEAU, le Longin sublime, 35, *in* LITTRÉ.

3 C'est ainsi qu'ils vivaient, non ! qu'ils croupissaient ensemble, rivés au même fer, couchés dans le même ruisseau (...)
    Alphonse DAUDET, le Petit Chose, II, XII, p. 339.

♦ **2.** (1545, au p. p.). Rester sans couler et se corrompre (liquide). ⇒ **Stagner.** *Eau qui croupit au fond d'une mare.* — Demeurer dans l'eau stagnante. ⇒ **Moisir, pourrir.**

4 Au fond du bois croupit une eau dormante et sale ;
Là, le monde se plaît aux vapeurs qu'elle exhale (...)   LA FONTAINE, Adonis.

5 (...) pas de jardins, pas de verdure, à peine un pied mourant de vigne ou de figuier qui croupit dans les décombres des carrefours.
    E. FROMENTIN, Une année dans le Sahel, p. 27.

6 Parfois, au milieu des bas-fonds où croupissait un reste d'eau, dans le lit vidé des rivières, quelques joncs verts faisaient une tache crue et toute petite (...)
MAUPASSANT, Au soleil, Le Zar'ez, p. 117.

▶ **CROUPISSANT, ANTE** p. prés. et adj.

Qui croupit. *Eaux croupissantes.* ⇒ **Stagnant.** — Fig. *Vie croupissante.* ⇒ **Inactif, oisif.** — *Richesses croupissantes.* ⇒ **Improductif, inutile.**

7 Les imbéciles deviennent fous et dans leur folie l'imbécillité demeure croupissante ou agitée; dans la folie d'un homme de génie il reste souvent du génie : la forme de l'intelligence a été atteinte et non sa qualité (...)
R. DE GOURMONT, le Livre des masques, p. 139.

▶ **CROUPI, IE** p. p. adj.

(1545). *Eau croupie,* devenue fétide pour avoir séjourné sans couler. ⇒ **Bourbe, cloaque.**

8 (...) odeur de sève et de pourriture, d'herbe fraîche et d'eau croupie, de fleurs mortes et de champignons (...) Edmond JALOUX, les Visiteurs, v, p. 56.

CONTR. **Évader** (s'), **sortir.** — **Couler, courir.** — **Actif, utile; vif.**
DÉR. **Croupissement, croupissoir, croupissure.**

CROUPISSEMENT [kʀupismɑ̃] n. m. — 1610; de *croupir.*

♦ Littér. (liquides). Action de croupir; état de ce qui croupit. — Fig. *Croupissement moral, intellectuel.*

CROUPISSOIR [kʀupiswaʀ] n. m. — 1835; de *croupir.*

♦ Agric. (vx). Fosse où l'on faisait pourrir des herbes pour obtenir un engrais. — Fig. Lieu putride (Bloy, *in* T. L. F.).

CROUPISSURE [kʀupisyʀ] n. f. — 1886; de *croupir.*

♦ Littér. Liquide croupi. *Une immonde croupissure.*

1 Si nous consultons Céline, dont la belle âme a trouvé son climat dans ces lieux, il répond : «Le passage? c'est pas croyable comme croupissures. C'est fait pour qu'on en crève lentement mais à coup sûr entre l'urine des petits clebs, les crottes, les glaviots, le gaz qui fuit. C'est plus infect qu'un dedans de prison».
Francis CARCO, Nostalgie de Paris, p. 45.

2 (...) où les chambres se ressemblaient toutes, avec leurs meurtrières minces et leurs coins noirâtres, où se croisaient près du béton armé de lourdes odeurs de croupissures et d'excréments. J.-M. G. LE CLÉZIO, la Fièvre, p. 34 (1965).

CROUPON [kʀupɔ̃] n. m. — V. 1180, *crepon, croupon* «croupe d'un cheval»; sens mod., 1723; de *croupe.*

♦ Techn. Peau tannée du bœuf ou de la vache dont on a retranché les parties minces de la tête et du ventre (⇒ **Cuir**). *Fabriquer des objets en croupon.*

CROUSTADE [kʀustad] n. f. — 1735; *pâté de croustade,* 1712; p.-ê. de l'ital. *crostata* ou du provençal mod. *croustado,* de *crousto* «croûte».

♦ Entremets chaud, fait d'une pâte frite garnie d'une préparation. → Pâté, vol-au-vent, bouchée. *Croustade de foies gras, de viande. Croustade de homard.*

CROUSTANCE [kʀustɑ̃s] n. f. — D. i. (xxᵉ); de *crouste,* pour *croûte,* et suff. de *bouffetance.*

♦ Fam. Nourriture; repas. ⇒ **Croûte, I., 2.**

CROUSTILLANT, ANTE [kʀustijɑ̃, ɑ̃t] adj. — 1751, sens 2; de *croustiller.*

♦ 1. (1832). Qui craque sous la dent comme une croûte de pain frais. *Pâte croustillante.*

♦ 2. Fig. Amusant et léger ou grivois. ⇒ **Croustilleux, piquant.** *Une histoire croustillante. Des détails assez croustillants.*

J'ai essayé de prendre le ton le plus enthousiaste possible.
— Un truc croustillant, vous comprenez?
— Parfaitement.
Il fait trop chaud pour discuter.
— Pas carrément pornographique, mais leste... un peu cochon... Qu'en dites-vous, Serge? Patrick MODIANO, les Boulevards de ceinture, p. 116 (1972).

♦ 3. Arts. a Vieilli. « Vif et séduisant » (Adeline) en parlant du rendu.

b Mod. (du sens 1). «*La matière croustillante de la "chambre"* (dans un Matisse) *se fait plus unie*» (A. Lhote, *Peinture,* p. 75, *in* T. L. F.).

CROUSTILLE [kʀustij] n. f. — 1680; de *croustiller.*

♦ 1. Vx (au plur.). Petite croûte. — Mod. et régional (Canada). Lamelles de pommes de terre frites. ⇒ **Chips.**

♦ 2. Fam. et vx. Repas léger. ⇒ **Collation.**
DÉR. **Croustillon.**

CROUSTILLER [kʀustije] v. intr. — 1612; provençal *croustilha,* de *crousta.* → Croûte.

♦ 1. Vx. Manger une croûte (de pain). — Fam. et vieilli. Manger. ⇒ **Croûter, II., 2.**

♦ 2. (1869). Croquer sous la dent (sans résister autant que ce qui croque*). *Des biscuits qui croustillent.* — Par ext. (stylistique). Produire de petits craquements.

Les cadavres de rats jonchent le sol, les squelettes de rats croustillent sous le pied.
Robert PINGET, Graal flibuste, p. 9.

♦ 3. Fig. et rare. Être croustillant* (2.). *« La marquise lut, sautant tout ce qui ne croustillait pas »* (J. Péladan, *in* T. L. F.).
DÉR. **Croustillant, croustille.** — (Du sens 3.) **Croustilleux.**

CROUSTILLEUX, EUSE [kʀustijø, øz] adj. — 1680; de *croustiller.*

♦ Vx. Croustillant (2.), léger, grivois. ⇒ **Piquant.** *Des détails croustilleux. Une histoire, un récit croustilleux.*

J'oubliais : il aimait à raconter des histoires croustilleuses.
Georges BORGEAUD, le Voyage à l'étranger, p. 187, 1974.

CONTR. **Austère, sérieux, sévère.**

CROUSTILLON [kʀustijɔ̃] n. m. — 1852; de *croustille.*

♦ Petite croûte (de pain). ⇒ **Croustille.** — Régional (Belgique). Beignet.

CROÛTAGE [kʀutaʒ] n. m. — D. i. (xxᵉ); de *croûte,* ou de *croûter.*

♦ Techn. (agric.). Dessèchement de la couche superficielle du sol.

CROÛTE [kʀut] n. f. — xiᵉ, *crosto*; du lat. *crusta* «ce qui enveloppe».

★ I. ♦ 1. Partie extérieure (du pain) durcie par la cuisson (opposé à *mie*). *La croûte et la mie du pain. Croûte de pain. Croûte dure, épaisse, croustillante; dorée, brûlée, noire. Pain tout en croûte :* pain très cuit et qui a très peu de mie. *Manger toute la croûte et laisser la mie.* — (*Une, des croûtes de pain*). Morceau de pain. *Croûtes de pain râpées.* ⇒ **Chapelure.** *Croûte de pain frottée d'ail.* ⇒ **Chapon.** *Croûte frite.* ⇒ **Croustade.**

1 C'était un potage, et la moitié d'une poule rôtie sur une croûte de pain.
SAINT-SIMON, Mémoires, 225, 54.

(1740). *Des croûtes de pain :* des restes de pain, souvent secs et durcis. ⇒ **Croûton.**

2 Nous y rencontrâmes un homme (...) qui trempait des croûtes de pain dans une fontaine. A.-R. LESAGE, Gil Blas, II, 8.

Loc. (vieilli). *Ne manger que des croûtes :* faire maigre chère. *Ne laisser à qqn que la croûte,* les restes. — *Frotter la croûte contre la mie :* se contenter de pain pour son repas.

♦ 2. Loc. fam. (1878). CASSER LA CROÛTE : manger. ⇒ **Croûter.** Syn. : *casser la graine*. Casser une croûte, une petite croûte :* manger légèrement, faire une rapide collation*. ⇒ **Casse-croûte.** *Casser la croûte avec qqn,* manger avec lui, simplement, sans façon.

3 (...) et attend le matin pour casser une croûte.
J. VALLÈS, Jacques Vingtras, L'enfant, p. 232.

4 C'est bien le diable si je ne trouve pas dans ce village un bistrot où je pourrai casser la croûte. J. ROMAINS, les Hommes de bonne volonté, t. V, x, p. 77.

(De *casser la croûte,* ou déverbal de *croûter*). *La croûte :* la nourriture, le repas. *C'est l'heure de la croûte.* ⇒ **Bouffe, croustance, soupe.** *À la croûte! :* à table !

4.1 À quoi que l'caporal pense de nous faire claquer du bec? Le v'là. J'vais l'agrafer. Eh! caporal, à quoi qu'tu penses d'pas nous faire croûter?
— Oui, oui, la croûte! répète le lot des éternels affamés.
H. BARBUSSE, le Feu, t. II, II, XX, p. 23.

4.2 Je vous invite chez moi après la croûte, vous le verrez (...)
René FALLET, le Triporteur, p. 224.

Loc. (1900). GAGNER SA CROÛTE, sa nourriture*, sa vie* (→ Gagner son bifteck*). *Il gagne bien sa croûte.* — *Travailler pour la croûte,* pour gagner sa vie.

4.3 (...) il était temps qu'il se démerde pour gagner sa croûte car il ne lui restait pas grands fonds en poche (...)
R. QUENEAU, Pierrot mon ami, éd. L. de Poche, p. 123.

Pop. *Faire qqch. à ses croûtes,* à ses frais.

♦ 3. (1611; v. 1165, *crouste* «pâte qui enveloppe un pâté»). Pâte cuite qui entoure (une préparation culinaire). *La croûte d'un pâté* (⇒ **Croustade**). *Croûte fine, feuilletée. Lever la croûte d'un pâté.*

— **Prov.** (vx). *Croûte de pâté vaut bien pain :* le meilleur est assez bon pour moi.

EN CROÛTE : préparé avec une croûte. *Pâté en croûte* (cour., mais en contradiction avec le sens original de *pâté*, voir ce mot). *Terrine en croûte. Bœuf en croûte.*

5   Elle enfonça une cuillère dans la terrine de veau en croûte (...)
                     J. CHARDONNE, les Destinées sentimentales, II, IV, p. 287
                                   (→ 1. Croquer, cit. 3).

Cuis. Préparation comportant des croûtes de pain, des tranches de pâte cuite, une croûte (ci-dessus, 3.). *Croûte au fromage. Croûte aux champignons.* — **Vx.** *Croûte au pot :* gros morceau de pain, croûtons mitonnés avec un bouillon (⇒ **Chapon**). Par métaphore et adj. (vx). → ci-dessous, cit. 10. — Pâte feuilletée destinée à recevoir un plat chaud. *Acheter des croûtes pour faire des bouchées à la reine.*

♦ **4.** Partie superficielle du fromage (qui ne se mange pas, en général). *Enlever la croûte.* — Par métonymie. **CROÛTE ROUGE** (régional) : fromage de Hollande.

★ **II.** (1314, méd.). Par ext. ♦ **1.** Partie superficielle durcie. *Croûte de tartre formée autour d'un tonneau.* ⇒ **Dépôt.** *Croûte minérale* (⇒ **Incrustant**). *Croûte calcaire déposée sur les faces intérieures d'une chaudière.* ⇒ **Calcin.** *Croûtes de sel qui se déposent sur la peau après un bain de mer.* — Par ext. Couche de matières durcies.

6   D'un peu partout, des odeurs de débris, de balayures, de serpillières gorgées, de petits tas humides dans des recoins, de minces croûtes de crasse vivante collant à du carrelage (...)
                   J. ROMAINS, les Hommes de bonne volonté, t. IV, XV, p. 156.

Spécialt. Couche de terre durcie et asséchée à la surface du sol. ⇒ **Croûtage.** — **Techn.** Couche solide à la surface d'une cuve d'électrolyse d'alumine, formée d'alumine et de cryolite.

♦ **2.** (1855). **Géol.** *La croûte terrestre :* la partie superficielle du globe terrestre, formée par refroidissement. ⇒ **Écorce** (terrestre). ⇒ **Lithosphère.** *La croûte terrestre repose sur l'asthénosphère*.* — **Loc.** (vx en sc.). *Croûte continentale,* d'une épaisseur de 30 km. *Croûte océanique,* d'une épaisseur (d'eau) de 5 km.

7   Cette pâte encore souple que vous venez de voir est issue des plus anciennes roches cristallines, les premières qui ont paru sur la croûte terrestre, celles que l'on nomme les roches ignées (...)
                   J. CHARDONNE, les Destinées sentimentales, III, VII, p. 495.

♦ **3.** **Mar.** Surface irrégulière (d'une pièce de bois). — **Menuis.** Première ou dernière planche sciée, dont une face conserve l'écorce.

♦ **4.** **Méd.** Lamelle irrégulière formée sur une lésion de la peau par dessèchement du sang, du pus ou d'une sérosité. ⇒ **Écaille, escarre, squame.** *Faire tomber la croûte d'une plaie.* ⇒ **Écroûter.** *Croûtes dartreuses* (⇒ **Dartre**). *Croûtes vaccinales. Son corps est couvert de croûtes* (⇒ **Croûteux**).
Croûtes de lait, qui se forment parfois sur le corps des nourrissons, notamment sur leur cuir chevelu.

♦ **5.** **Fig.** et rare. Ce qui recouvre superficiellement ; couche* superficielle. *Une croûte de culture.* ⇒ **Vernis.** — **REM.** Cet emploi est vieilli, le mot étant, au figuré, surtout péjoratif.

8   La croûte germanique étendue sur la nation est mince, ou se trouve percée de bonne heure par la renaissance de la civilisation latine.
                   TAINE, Philosophie de l'art, t. I, II, III, p. 126.

Péj. et cour. *Une croûte d'ignorance, d'indifférence.*

8.1   Une croûte d'ignorance et d'avarice a tellement recouvert les principes invariables de la doctrine monétaire (...)   MIRABEAU, Collection, t. V, p. 63.

♦ **6.** **Techn.** a Face intérieure (d'un cuir). — (1723). *Cuir en croûte,* non apprêté. *Sac en croûte.*

b **Céramique.** Première ébauche d'un travail de porcelaine lorsque la pâte a été travaillée sur le tour.

★ **III.** Fig. et péj. ♦ **1.** (1730, « tableau faux », puis « tableau noirci, encroûté »). **Fam.** Mauvais tableau. *Ce peintre ne fait que des croûtes.*

8.2   Cet homme, lorsqu'il était nouvellement revenu d'Italie, faisait de très belles choses ; il avait une couleur forte et vraie ; sa composition était sage, quoique pleine de chaleur ; son faire large et grand. Je connais quelques-uns de ses premiers morceaux qu'il appelle aujourd'hui des croûtes et qu'il rachèterait volontiers pour les brûler.   DIDEROT, Salon de 1763, « Boucher », in Œ. esthétiques, p. 452-453.

9   Êtes-vous seulement connaisseur ? Je vous demande cela dans votre intérêt, parce que vous devez vous faire repasser des croûtes par les marchands (...)
                   PROUST, À la recherche du temps perdu, t. I, p. 28.

♦ **2.** (1844). Personne bornée, encroûtée dans la routine. *C'est une vieille croûte.* ⇒ **Croûton.** *Quelle croûte !* ⇒ **Imbécile.**

Adj. (d'abord dans les milieux artistes, → cit. 10 ; de *croûte,* n. f., II., 1.). (XIXᵉ). **Fam.** et **vx.** Médiocre, « bourgeois » (→ l'emploi actuel de Tarte, II., 2.). *Il est un peu croûte.* ⇒ **Croûton** (plus cour.).

10   Il se prononçait sur toutes choses par un seul mot à trois modificatifs, le mot artistique croûte. Un homme, un meuble, une femme pouvaient être croûte, puis, dans un degré supérieur de malfaçon, croûton ; enfin, pour dernier terme, croûte-au-pot. Croûte-au-pot, c'est là qu'il n'existe pas des artistes, l'omnium du mépris. Croûte, on pouvait se désencroûter ; croûton était sans ressources ; mais croûte-au-pot ! Oh ! mieux valait n'être jamais sorti du néant.   BALZAC, les Paysans, II, I.

REM. Le locuteur dont il est question est un notaire bourguignon qui se donne des airs parisiens.

On trouve aussi, dans ce sens, le dér. *croûtard, arde,* au XIXᵉ s.

11   (...) rugissons contre M. Thiers. Peut-on voir un plus triomphant imbécile, un croûtard plus abject, un plus étroniforme bourgeois.   FLAUBERT, Correspondance,
                  Lettre à George Sand, 5ᵉ série, 337 (1887), in D.D.L., II, 4.

CONTR. Mie.

DÉR. V. **Croûtage.** — **Croûté, croûtée, croûtelette, croûter, croûteux, croûton.**
COMP. **Casse-croûte.** — **Écroûter, encroûter.**

CROÛTÉE [kʀute] n. f. — XXᵉ ; de *croûte.*

♦ Neige croûteuse. *Des farts « pour la poudreuse, la tôlée et la croûtée... »* (*Brefs échos du camp de ski valaisan, in* Falkenstein, 1947, p. 44).

CROÛTELETTE [kʀutlɛt] n. f. — V. 1280, méd. ; de *croûte.*

♦ **Rare.** Petite croûte sur la peau. — (1680). Par ext. Petite croûte (de pain). *Il ne reste sur la table que des croûtelettes.*

CROÛTER [kʀute] v. — XIᵉ, *croster* (en parlant du pain) ; de *croûte.*

★ **I.** **V. tr.** Couvrir (qqch.) de croûtes. *Des plaques lui croûtent la peau.*

★ **II.** **V. intr.** ♦ **1.** **Techn.** Former une croûte. *Sol qui croûte.* ⇒ **Croûtage.**

♦ **2.** (1879, de *casser la croûte**). **Fam.** Manger. ⇒ **Bouffer, croustiller ; croustance.** *N'avoir rien à croûter.* — **Absolt.** *On va croûter ensemble ?*

1   — Tiens, voilà le fakir, dit Léonie. Ce qu'il vient tôt. Pour moi, il n'a pas dû déjeuner pour mieux croûter ce soir à nos dépens. On va le faire lanterner un peu, ça lui fera les pieds.   R. QUENEAU, Pierrot mon ami, éd. L. de Poche, p. 29.

2   C'est pas tellement la soif, dit le ch'timi, c'est la faim : j'ai rien croûté depuis hier.
                   SARTRE, la Mort dans l'âme, p. 202 (1949).

3   Tiens, j'ai soif, tout à coup, fit-il après réflexion. Et un peu faim, même. Il reste quelque chose à croûter dans le frigidaire ?
              Jean-Louis CURTIS, le Roseau pensant, p. 68.

DÉR. **Croûtage.**

CROÛTEUX, EUSE [kʀutø, øz] adj. — XIVᵉ ; de *croûte.*

♦ **1.** Qui a des croûtes. *Nez croûteux. Sol croûteux.* — **Spécialt.** **Méd.** *Eczéma croûteux. Pustules croûteuses.*

♦ **2.** Qui présente une croûte. *Neige croûteuse.* ⇒ **Croûtée.**

Je suis rapidement distancé, harassé car les sacs sont lourds, et la neige très irrégulière et souvent croûteuse.
             R. FRISON-ROCHE, Peuples chasseurs de l'Arctique, p. 349.

CROÛTON [kʀutɔ̃] n. m. — 1669 ; av. 1596, sens obscur ; de *croûte.*

★ **I.** ♦ **1.** Extrémité d'un pain long. ⇒ **Quignon.** *Manger le croûton* (→ Câliner, cit.). *Je préfère le croûton.* — Par ext. Bout de pain sec.

♦ **2.** Petite croûte utilisée en cuisine. *Croûtons à l'ail.* — Petit morceau de pain frit ou grillé. *Omelette aux croûtons. Garnir de croûtons un plat d'épinards.*

1   Des croûtons de pain vieux frottés d'oignon ou d'ail, arrosés d'une goutte d'huile d'olive bien fruitée, voilà dont je ne me lasserais pas (...)
            A. PIEYRE DE MANDIARGUES, la Marge, p. 151.

★ **II.** **Fig.** ♦ **1.** (1838). Personne arriérée, d'esprit borné. ⇒ **Croûte.** *Un vieux croûton* (⇒ **Encroûter**).

2   Jolie femme, dites donc ! Pour un vieux croûton comme vous !
              M. AYMÉ, la Tête des autres, IV, 7.

♦ **2.** (1808). Mauvais peintre, qui ne fait que des croûtes. ⇒ **Barbouilleur.**

♦ **3.** Adj. invar. en genre (ou emploi attribut). *Elle est un peu croûton. Ce que vous pouvez être croûtons !* ⇒ **Croûte,** cit. 10, Balzac.

DÉR. **Croûtonner.**

CROÛTONNER [kʀutɔne] v. intr. — 1833 ; de *croûton,* 2.

Familier.

♦ **1.** **Arts.** (Vieilli). Peindre des croûtes (III., 1.). — **Trans.** :

Lui ? un barbouilleur qui me devait vingt-cinq francs... et qui m'a croutonné ça en payement... C'est le portrait de mon épouse !
             E. LABICHE, la Chasse aux corbeaux, II, 2.

♦ **2.** (De *croûton,* 1.). **Fam., vx.** Manger, grignoter.

♦ **3.** **Pron.** *Se croûtonner :* s'ennuyer (de la loc. *s'ennuyer comme un croûton derrière une malle*).

CROWN-GLASS [kʀawnglas] n. m. — 1776, *Encyclopédie;* mot angl., de *crown* «couronne», et *glass* «verre», ce type de verre étant initialement présenté sous forme de disque.

♦ Sc., techn. (anglic.). Verre blanc, transparent, formé de silicate de potasse et de chaux, servant à faire des lentilles d'instruments d'optique.

CROYABLE [kʀwajabl] adj. — xiie, *credable;* de *croire.*

Qui peut ou doit être cru. → Croire.

♦ **1.** (Personnes). Rare. *Ce témoin est croyable.* ⇒ **Digne** (de foi), **véridique.** *« Des personnes absolument croyables »* (Hugo, *in* T. L. F.).

1 J'ai voulu être hardi quelquefois, afin d'être croyable toujours.
GUEZ DE BALZAC, À Richelieu.

♦ **2.** (Choses). Cour. à la forme négative ou dans un syntagme qui contient une nuance de doute, fait une restriction. *C'est à peine croyable, ce n'est pas croyable.* ⇒ **Imaginable, possible.** *Une histoire pas croyable. Ce qui rend la chose plus croyable.* ⇒ **Admissible, probable, vraisemblable.**

2 J'entre en des sentiments qui ne sont pas croyables (...)
CORNEILLE, Polyeucte, III, 5.

3 Voilà une femme qui m'aime (...) cela n'est pas croyable.
MOLIÈRE, le Malade imaginaire, II, 6.

4 Il n'est pas croyable ce qu'elle dépensait à (...)
SAINT-SIMON, Mémoires, III, 69, *in* HATZFELD.

5 Il n'est pas croyable ce que la femme qui sait lire s'estime au prix de l'homme qui ne sait qu'épeler. André SUARÈS, Trois hommes, « Ibsen », I, p. 73.

(Au positif). *Une histoire « vraie et croyable »* (J. Janin, *in* T. L. F.). *Caractère croyable.* ⇒ **Crédibilité,** et aussi le doublet savant **crédible.**

CONTR. Douteux, impensable, incroyable, inimaginable, invraisemblable.
COMP. Incroyable.

CROYANCE [kʀwajãs] n. f. — 1361; réfection de *creance* (xie); de *croire.*

♦ **1.** L'action, le fait de croire une chose vraie, vraisemblable ou possible. ⇒ **Attente, certitude, confiance, conviction, espérance, foi, idée, opinion, pensée, persuasion, prévision.** — (Rare). *La croyance de qqn. Sa croyance. Avoir une croyance. Il a la ferme croyance qu'il arrivera demain. Cela est arrivé, contre la croyance de tout le monde.* — Loc. Cour. *Contrairement à la croyance populaire... La croyance en la grandeur de l'homme. La croyance en l'honnêteté de qqn. La croyance vague en qqch.* ⇒ **Idée, soupçon; conscience** (avoir vaguement conscience).

1 Soit caprice ou raison, j'ai toujours la croyance
Que votre âme en ces lieux souffre de son absence (...)
MOLIÈRE, Dom Garcie, I, 3.

2 La croyance ou l'opinion des uns ne saurait être une chaîne pour les autres.
RENAN, Souvenirs d'enfance..., Préface, p. 15.

3 (...) la croyance qu'on pourra revenir vivant du combat aide à affronter la mort.
PROUST, À la recherche du temps perdu, t. VI, p. 149.

4 C'est le désir qui engendre la croyance et si nous ne nous en rendons pas compte d'habitude, c'est que la plupart des désirs créateurs de croyances ne finissent que qu'avec nous-mêmes. PROUST, Albertine disparue, éd. La Gerbe, p. 261.

5 La croyance indistincte, indéfinissable, à je ne sais quoi d'autre, à côté du réel, du quotidien, de l'avoué, m'habita durant nombre d'années (...)
GIDE, Si le grain ne meurt, I, I, p. 27.

5.1 Il y a croire et croire, et cette différence paraît dans les mots croyance et foi. La différence va même jusqu'à l'opposition; car selon le langage commun et pour l'ordinaire de la vie, quand on dit qu'un homme est crédule, on exprime par là qu'il se laisse penser n'importe quoi (...) Mais quand on dit d'un homme d'entreprise qu'il a la foi, on veut dire justement le contraire.
ALAIN, Propos, Pl., p. 736-737.

Vx. *Avoir la croyance que... :* croire... — *Donner croyance à qqn, à qqch.,* lui accorder du crédit*, s'y fier.

6 Je sais ce qu'est un songe, et le peu de croyance
Qu'un homme doit donner à son extravagance (...) CORNEILLE, Polyeucte, I, 1.

7 Puis-je à de tels discours donner quelque croyance ?
CORNEILLE, le Cid, Variante.

La croyance (de qqn), *une croyance en qqn. Ma croyance en lui n'a jamais failli.* — *Croyance en soi.* ⇒ **Confiance** (en soi).

Vx. *Être dans la croyance que... :* croire que...

7.1 Le roi de Perse, qui ne s'attendait pas à spectacle, poussa des cris épouvantables, dans la croyance qu'il ne reverrait plus le prince son cher fils (...)
A. GALLAND, les Mille et une Nuits, t. II, p. 294.

Spécialt. *Croyance en Dieu.* ⇒ **Foi; espérance.**

8 La foi on ne sait quel bizarre besoin de forme. De là les religions. Rien n'est accablant comme une croyance sans contour.
HUGO, les Travailleurs de la mer, II, II, V.

♦ **2.** *(Une, des croyances).* Plus cour. au plur. Ce que l'on croit (spécialt, en matière religieuse). *Croyances religieuses.* ⇒ **Conviction, doctrine, dogme, foi; religion; coutume, tradition.** → Civilisation, cit. 15. *Les croyances des chrétiens. Croyance au Messie.* ⇒ **Messianisme.** *Il faut respecter toutes les croyances. Aspect philosophique d'une croyance religieuse.* ⇒ **Crédibilité.**

9 Tant qu'il reste quelque bonne croyance parmi les hommes, il ne faut point trou-

bler les âmes paisibles, ni alarmer la foi des simples par des difficultés qu'ils ne peuvent résoudre (...) ROUSSEAU, Émile, IV.

10 Crédule et incrédule, le manque de foi la portait à se moquer des croyances dont la superstition lui faisait peur.
CHATEAUBRIAND, Mémoires d'outre-tombe, t. II, p. 340.

11 (...) une croyance. Il n'est rien de plus puissant sur l'âme. Une croyance est l'œuvre de notre esprit, mais nous ne sommes pas libres de la modifier à notre gré. Elle est notre création, mais nous ne le savons pas. Elle est humaine, et nous la croyons Dieu. Elle est l'effet de notre puissance et elle est plus forte que nous. Elle est en nous; elle ne nous quitte pas; elle nous parle à tout moment. Si elle nous dit d'obéir, nous obéissons; si elle nous trace des devoirs, nous nous soumettons. L'homme peut bien dompter la nature, mais il est assujetti à sa pensée.
FUSTEL DE COULANGES, la Cité antique, p. 149.

12 Les hommes ont grand'peine à mettre un peu de critique dans les sources de leurs croyances et dans l'origine de leur foi. Aussi bien, si l'on regardait trop aux principes, on ne croirait jamais. FRANCE, le Jardin d'Épicure, p. 86.

13 La Gaule *(avant l'avènement du christianisme)* comme tous les autres pays d'Europe, n'avait jamais connu que les religions rudimentaires, faites de pratiques et de croyances transmises par la tradition sans doctrine d'ensemble, sans enseignement religieux, sans commune autorité; les prêtres n'étaient que les gardiens de sanctuaires chargés d'accomplir les cérémonies.
Ch. SEIGNOBOS, Hist. sincère de la nation franç., p. 28.

14 Les faits ne pénètrent pas dans le monde où vivent nos croyances, ils n'ont pas fait naître celles-ci, ils ne les détruisent pas; ils peuvent leur infliger les plus constants démentis sans les affaiblir, et une avalanche de malheurs ou de maladies se succédant sans interruption dans une famille ne la fera pas douter de la bonté de son Dieu ou du talent de son médecin.
PROUST, À la recherche du temps perdu, t. I, p. 201.

La croyance aux sciences occultes. ⇒ **Occultisme.** *Croyance aux esprits.* ⇒ **Spiritisme.** *Croyance à la valeur symbolique des nombres. Une croyance absolue, naïve à..., en... — Croyances superstitieuses.* ⇒ **Crédulité; superstition.**

15 Regardez les institutions des anciens sans penser à leurs croyances, vous les trouvez obscures, bizarres, inexplicables.
FUSTEL DE COULANGES, la Cité antique, p. 3.

16 Le vieux, lui, avait une bonne tête : il ne risquait rien à tant apprendre. Et tous ces dictons de naguère, toutes ces croyances qui troublaient nos anciens le laissaient au fond bien tranquille, car il avait la peau du cœur épaisse.
M. GENEVOIX, Raboliot, II, III, p. 98.

Philos. Assentiment de l'esprit qui exclut le doute. ⇒ **Adhésion, assentiment; certitude, savoir.** *Les croyances philosophiques :* les opinions auxquelles l'esprit adhère. *La croyance à la réalité, à l'existence du monde extérieur. La croyance à l'absurdité du monde.*

17 La croyance dans l'absurdité de l'existence doit donc commander sa conduite.
CAMUS, le Mythe de Sisyphe, p. 19.

CONTR. Doute; défiance, incroyance, méfiance; ignorance. — Agnosticisme, scepticisme. — Athéisme.
COMP. Incroyance.

CROYANT, ANTE [kʀwajã, ãt] adj. et n. — Mil. xiie, *creanz;* p. prés. de *croire.*

★ **I.** Adj. Qui a une foi religieuse. ⇒ **Dévot, fidèle, mystique, pieux, religieux.** *Une âme croyante. Il était croyant à l'époque de son adolescence. Il n'est plus croyant :* il a perdu la foi. *Chrétien, juif, musulman, bouddhiste... croyant, à peine croyant.*

1 Puis *(Jésus)* dit à Thomas «(...) ne sois plus incrédule, mais croyant (...) Parce que tu m'as vu tu as cru? Heureux ceux qui ont cru sans avoir vu ».
BIBLE (CRAMPON), Évangile selon saint Jean, XX, 27-29.

2 J'étais croyant, je l'ai toujours été, quoique non pas comme les gens à symboles et à formules. ROUSSEAU, Dialogues, I, *in* LITTRÉ.

3 (...) il n'est ici-bas chrétien plus croyant et homme plus incrédule que moi.
CHATEAUBRIAND, Mémoires d'outre-tombe, t. VI, p. 331.

4 Croyante, elle l'était bien un peu; pratiquement plutôt, comme tant d'autres femmes autour d'elle (...) LOTI, Ramuntcho, II, VII, p. 254.

5 Elle avait beau être très croyante, jamais elle ne cherchait à imposer aux autres ses façons de voir. Aujourd'hui! (...) Si vous l'entendiez catéchiser ses malades!
MARTIN DU GARD, les Thibault, t. IX, p. 55.

★ **II.** N. Personne qui a une foi religieuse. *Un croyant, une croyante.* ⇒ **Fidèle.** *Les vrais croyants. Croyant qui pratique sa religion.* ⇒ **Pratiquant.** *Croyant qui attache une importance exagérée aux aspects secondaires, caducs de sa foi.* ⇒ **Bigot, crédule, superstitieux.**

6 En général, les croyants font Dieu comme ils sont eux-mêmes; les bons le font bon, les méchants le font méchant; les dévots, haineux et bilieux, ne voient que l'enfer, parce qu'ils voudraient damner tout le monde (...)
ROUSSEAU, les Confessions, VI.

7 (...) le corps des chrétiens primitifs se distinguait en *croyants* ou *fidèles,* et catéchumènes. CHATEAUBRIAND, le Génie du christianisme, IV, III, 2.

8 Le croyant le réjouit de ses ulcères; il a pour échelle les injustices et les violences de ses ennemis; ses fautes même et ses crimes ne lui ôtent pas l'espérance.
FRANCE, le Jardin d'Épicure, p. 52.

9 Le fait merveilleux et indubitable, c'est qu'il existe des croyants. Mais il y a des incrédules; cela aussi est extraordinaire.
J. CHARDONNE, l'Amour du prochain, VI, p. 153.

Vieux croyant : secte de catholiques orthodoxes russes attachés à la tradition.

10 (...) il ne lui en fallait pas tant pour se rassasier. Il se rassasia donc, et mieux même que son voisin de table, qui, en qualité de «vieux croyant» de la secte des Raskolniks, ayant fait vœu d'abstinence, rejetait les pommes de terre de son assiette et se gardait bien de sucrer son thé. J. VERNE, Michel Strogoff, p. 65-66 (1876).

REM. Dans ses contextes culturels les plus courants, le mot s'applique à la foi chrétienne ou, moins souvent, juive. En principe, il s'applique à tous les dogmes religieux.

Loc. *Le père des croyants :* Abraham.

Spécialt. *Les croyants :* les musulmans. *Le commandeur des croyants* (⇒ **Calife**).

CONTR. **Agnostique, athée, incrédule, incroyant, infidèle, mécréant, penseur** (libre penseur), **sceptique.**

C. R. S. [seerɛs] n. — V. 1960; abrév. de *C(ompagnie) R(épublicaine) de S(écurité)* (1947).

♦ **1.** N. f. Compagnie républicaine de sécurité. *La C. R. S. 59 stationnée à... Poste de C. R. S. assurant la sécurité sur une plage. Officier de C. R. S.*

♦ **2.** N. m. (Plus cour.). Fonctionnaire de police appartenant à une compagnie républicaine de sécurité. *Un cordon de C. R. S. Des C. R. S.* « *Dans la rue, des patrouilles de C. R. S. ratissent le trottoir* » (*l'Express*, 23 oct. 1972, p. 97).

REM. On rencontre la graphie *C. r. s.;* on écrit en général *C. R. S.* Cf. aussi la graphie plaisante : *céhéresse* (→ Briffer, cit. 3, Duvert).

1 (...) la grande grève des mineurs à laquelle je participais quotidiennement, à Carmaux. Lorsque les C. R. S. furent envoyés pour occuper la centrale de la mine, que nous leur avons reprise d'assaut, au prix de nombreux blessés.
Roger GARAUDY, *Parole d'homme*, p. 108-109 (1975).

1. CRU [kʀy] n. m. — 1307; de *crû*, p. p. de *croître*.

♦ **1.** Vx. Quantité dont un végétal a crû. *Le cru d'un arbre pendant une période donnée.* ⇒ **Croissance, poussée.**

♦ **2.** Vieilli ou régional. Ce qui croît dans une région (avec une connotation de qualité). — Par métonymie. La région elle-même.

1 (...) après ce qui lui vient de son cru, rien ne lui paraît de meilleur goût que le gibier et les truffes que cet ami lui envoie. LA BRUYÈRE, *les Caractères*, III, 75.

Cour. Vignoble. *Les grands crus de France, de Bourgogne, du Bordelais. Les vins du cru, du terroir lui-même. Les vins* de grand cru.*

2 Le commerce classe les vins bordelais en six ou sept grandes appellations avec plusieurs douzaines de sous-régions, des centaines de noms de communes, des millions de noms de châteaux, de crus ou de domaines ou clos (...) La classification est peut-être un peu touffue, mais les vins sont si bons!
DEMANGEON, *Géographie économique et humaine de la France*, t. I, III, XV, p. 335.

Bouilleur de cru. ⇒ **Bouilleur.**

♦ **3.** (1573). Loc. DE SON CRU, DE SON PROPRE CRU : de sa production, de son invention propre. ⇒ **Personnel.** *Raconter une histoire, faire une réflexion de son cru. Le tout de mon cru.*

3 (...) employer de l'argent à des perruques, lorsque l'on peut porter des cheveux de son cru, qui ne coûtent rien. MOLIÈRE, *l'Avare*, I, 4.
4 Coras lui dit : La pièce est de mon cru. RACINE, *Poésies diverses*, 5.
5 Même si les nouvelles du journal ne sont pas passionnantes, elles valent bien ce que Maurice Ezzelin raconterait de son cru.
J. ROMAINS, *les Hommes de bonne volonté*, t. II, I, p. 7.

Du même cru : de la même qualité. *Nous souhaitons trouver d'autres livres du même cru.*

HOM. 2. Cru, crue. — Formes des v. **croire** et **croître**.

2. CRU, UE [kʀy] adj. — V. 1165; du lat. *crudus* « saignant ». → Cruor.

♦ **1.** Qui n'est pas cuit (aliment). *Radis, oignons, légumes, fruits crus. Aliments qui se mangent crus.* ⇒ **Croque au sel** (à la); **crudité.** *Viande rouge crue.* → Tartare. *Bifteck presque cru.* ⇒ **Bleu, saignant.** *Poissons crus, mangés crus.*

1 (...) il *(le rat)* avait
Mangé le lard et la chair toute crue (...)
Clément MAROT, *Épîtres*, I, 6, « Le lion et le rat ».
2 (...) préparer les viandes qu'auparavant ils dévoraient crues.
ROUSSEAU, *De l'inégalité parmi les hommes*, II, *in* LITTRÉ.

Loc. fig. *Vouloir avaler, manger qqn tout cru,* être furieux contre lui. — *Avaler qqch. tout cru,* croire naïvement ce qui est dit.

N. m. *Préférez-vous du cru ou du cuit au dîner? — Le Cru et le Cuit,* ouvrage de Cl. Levi-Strauss (1965).

♦ **2.** ⓐ (1260). Qui n'a pas subi la préparation nécessaire (matière première). ⇒ **Brut.** *Chanvre, cuir crus. Métal cru,* non purifié. *Toile, soie crue.* ⇒ **Écru.** *Briques, faïences crues,* séchées, mais non cuites. — N. m. *Travailler sur le cru,* sur la matière brute.

ⓑ Méd. *Humeurs crues,* qui n'ont pas atteint le degré de coction. — Spécialt. *Eau crue :* eau trop chargée de sels pour dissoudre le savon et cuire les légumes.

3 L'eau que je buvais était un peu crue et difficile à passer, comme sont la plupart des eaux des montagnes. ROUSSEAU, *les Confessions*, VI.

ⓒ Qui n'est pas altéré (choses).

3.1 Ce serpent pour lécher le bol de tous les côtés répandait sur les herbes crues le paraphe de son corps qui battait le sol comme le galop d'un cheval.
Jacques LAURENT, *les Bêtises*, p. 172.

ⓓ Régional (France : Est et Nord, etc.; Belgique, Suisse, Canada). Humide et froid (temps, atmosphère). *Un temps cru. Il fait un peu cru, ce matin.* — D'un lieu (Suisse). *Un appartement cru.*

N. m. *Le cru du matin.*

♦ **3.** Que rien n'atténue. ⇒ **Brutal.** *Parfums, sons crus.* — Spécialt. *Lumière* (→ Beau, cit. 31). *Éclairer de manière crue.* ⇒ **Crûment.** *Couleur crue,* qui tranche violemment sur le reste. ⇒ **Criard, vif** (→ aussi Blafard, cit. 3). *Ombre crue,* qui se détache net, sans dégradé, sans nuances.

4 Imagine ce qu'il y a de plus impétueux dans le désordre, de plus insaisissable dans la vitesse, de plus rayonnant dans les couleurs crues frappées de soleil.
E. FROMENTIN, *Une année dans le Sahel*, p. 280.
5 Le vert universel de la campagne n'est ni cru, ni monotone; il est nuancé par les divers degrés de maturité des feuillages et des herbes, par les diverses épaisseurs et les changements perpétuels de la buée et des nuages.
TAINE, *Philosophie de l'art*, t. I, III, I, III, p. 273.
6 Et maintenant, comme s'il avait plu,
Les ébéniers luisaient au soleil cru.
Francis JAMMES, *De l'angélus de l'aube...*, « Le vieux village », p. 65.

♦ **4.** (xvᵉ). Vieilli. Exprimé sans ménagement. *Réponse, explication crue.* ⇒ **Brutal, désobligeant, franc.** *Dire la chose toute crue,* sans ménagement. *Voici la vérité crue, toute crue,* pure, sans atténuation. *Répondre de manière un peu trop crue.* ⇒ **Crûment.**

7 Je te vois accablé d'un chagrin si profond
Que j'excuse aisément ta réponse un peu crue. CORNEILLE, *la Veuve*, III, 3.

Mod. *Employer le mot, le terme cru. Faire une description crue, d'un réalisme très cru.*

8 Accepter dans l'occasion le mot cru, rejeter le mot sale. Éviter ces deux écueils : le mot impropre, le mot malpropre.
HUGO, *Post-Scriptum de ma vie, L'esprit*, III.

Qui choque les bienséances. ⇒ **Choquant, graveleux, grivois, leste, libre, licencieux, salé.** *Histoires, plaisanteries crues.*

9 (...) j'ai exprimé en termes vifs des sentiments auxquels le monde pardonne à une femme de céder, mais dont il n'excuse jamais l'expression toute crue.
F. MAURIAC, *la Pharisienne*, p. 45.

N. m. *Il est d'un cru épouvantable.*

Adv. ⇒ **Crûment.** *Parler cru,* sans détour. *Je vous le dis tout cru, je ne mâche pas mes mots.*

♦ **5.** Loc. adv. À CRU : en portant sur la chose même. *Construction à cru* ou *qui porte à cru,* qui repose sur le sol, sans fondation. *Monter à cru,* sans selle. ⇒ **Poil** (à). *Lumière qui tombe à cru,* sans être tamisée.

10 Monsieur le Prince a mandé (...) aux dames que leurs transparents seraient mille fois plus beaux si elles voulaient les mettre à cru sur leurs belles peaux (...)
Mᵐᵉ DE SÉVIGNÉ, 595, 5 nov. 1676.
10.1 *(De)* vieilles vestes posées à cru sur le torse.
Th. GAUTIER, *Constantinople*, p. 107.
11 Il avait froid aux os et froid au cœur. La lampe du wagon vacillait tristement dans son hublot et lui versait à cru sa morne clarté.
Léon BLOY, *le Désespéré*, III, p. 118.
12 Aubin, enragé de grimper aux arbres, de monter à cru le cheval de Jobeau (...)
Hervé BAZIN, *Cri de la chouette*, p. 230 (1972).

Fig. Sans préparation. ⇒ **Froid** (à). *Dire qqch. à cru.*

CONTR. **Cuit.** — **Adouci, déguisé, doux, neutre, noble, tamisé, voilé.**
DÉR. **Crûment.**
HOM. 1. Cru, crue. — Formes des v. **croire** et **croître**.

CRUAUTÉ [kʀyote] n. f. — V. 1150; *cruiauté, cruëlté, crualté,* v. 1220; du lat. *crudelitas,* avec infl. de mots comme *loyauté,* de *crudelis.* → Cruel.

♦ **1.** Tendance à faire souffrir. ⇒ **Barbarie, dureté, férocité, inhumanité, méchanceté, sadisme, sauvagerie.** *La cruauté trouve sa satisfaction dans la vue de la souffrance. Exercer sa cruauté sur des innocents, sur des animaux. Affreuse, horrible, odieuse cruauté. Cruauté impitoyable.* ⇒ **Brutalité;** *froide, raffinée. La cruauté de Néron, d'Hérode. La cruauté d'un despote, d'un tyran.* ⇒ **Tyrannie.** *La cruauté des bourreaux. Traiter qqn avec cruauté. Cruauté envers soi-même.* ⇒ **Masochisme.** *Avoir la cruauté de brutaliser un enfant* (⇒ **Cœur, courage**). *Pousser la cruauté jusqu'à sa dernière limite.*

1 Les marques de sa cruauté
Parurent avec l'aube : on vit un étalage
De corps sanglants et de carnage. LA FONTAINE, *Fables*, XI, 3.
1.1 (...) assurément si vous êtes le plus fort, et que par d'atroces principes de cruauté vous n'aimiez à jouir que par la douleur, dans la vue d'augmenter vos sensations, vous arriverez insensiblement à les produire sur l'objet qui vous sert, au degré de violence capable de lui ravir le jour. SADE, *Justine...*, t. I, p. 197.
2 (...) ce principe qu'on avait oublié depuis Louvois, maintenant lentement avoué, que la cruauté est une force et constitue dans les choses humaines un avantage dont on n'a pas à se priver.
RENAN, *Dialogues et fragments philosophiques*, p. 109.
2.1 Les femmes sont bien plus raffinées et complexes que vous le pensez (...) En incomparables virtuoses, en suprêmes artistes de la douleur qu'elles sont, elles préfèrent le spectacle de la souffrance à celui de la mort, les larmes au sang. Et c'est une chose admirablement amphibologique où chacun trouve son compte, car cha-

cun peut tirer des conclusions très différentes, exalter la pitié de la femme ou maudire sa cruauté, pour des raisons pareillement irréfutables, et selon que nous sommes, dans le moment, prédisposés à lui devoir de la reconnaissance ou de la haine (...)   O. MIRBEAU, le Jardin des supplices, p. 25-26.

3   (...) la cruauté est un reste de servitude : car elle atteste que la barbarie du régime oppresseur est encore présente en nous.   JAURÈS, Hist. socialiste..., t. I, p. 305.

4   Et le crime des crimes, qui est la cruauté, il en débrouille aussi les racines, avec un saint effroi : il touche, il voit que la cruauté et la luxure se tiennent comme deux sœurs monstrueuses, unies par le même os de désir.   André SUARÈS, Trois hommes, « Dostoïevski », v, p. 262.

4.1   La cruauté est l'une des formes de la violence organisée. Elle n'est pas forcément érotique, mais elle peut dériver vers d'autres formes de la violence que la transgression organise. Comme la cruauté, l'érotisme est médité. La cruauté et l'érotisme s'ordonnent dans l'esprit que possède la résolution d'aller au-delà des limites de l'interdit. Cette résolution n'est pas générale, mais toujours il est possible de glisser d'un domaine à l'autre.   Georges BATAILLE, l'Érotisme, p. 88 (1957).

4.2   La guerre qui différait des violences animales développa une cruauté dont les animaux sont incapables. En particulier le combat, souvent suivi du massacre des adversaires, préludait banalement au supplice des prisonniers. Cette cruauté est l'aspect spécifiquement humain de la guerre.   Georges BATAILLE, l'Érotisme, p. 86 (1957).

(Calque de l'anglais des États-Unis *mental cruelty*). *Cruauté mentale*, qui s'exerce sur le plan psychologique. *Elle accuse son mari de cruauté mentale.*

Théâtre de la cruauté : forme de théâtre définie par Antonin Artaud, appelant auteur, comédien et spectateur à la libération de leurs instincts élémentaires.

4.3   C'est pourquoi je propose un théâtre de la cruauté. — Avec cette manie de tout rabaisser qui nous appartient aujourd'hui à tous, « cruauté », quand j'ai prononcé ce mot, a tout de suite voulu dire « sang » pour tout le monde. Mais « théâtre de la cruauté » veut dire théâtre difficile et cruel d'abord pour moi-même. Et, sur le plan de la représentation, il ne s'agit pas de cette cruauté que nous pouvons exercer les uns contre les autres en nous dépeçant mutuellement les corps, en sciant nos anatomies personnelles, ou, tels des empereurs assyriens, en nous adressant par la poste des sacs d'oreilles humaines, de nez ou de narines bien découpés, mais de celle beaucoup plus terrible et nécessaire que les choses peuvent exercer contre nous (...)
Nous ne sommes pas libres. Et le ciel peut encore nous tomber sur la tête. Et le théâtre est fait pour nous apprendre d'abord cela.   A. ARTAUD, le Théâtre et son double, Idées/Gallimard, p. 121 (1936).

Caractère de ce qui trahit cette tendance. *La cruauté d'un geste, d'un acte. La cruauté d'un visage* (⇒ **Bestialité**).

5   Dans cet homme jeune, de cheveux très noirs, énergique, entraîné aux exercices du corps, le pli de la bouche et tout le bas de la figure d'une admirable cruauté, trahissaient ce qu'on appelle « une belle morsure ».   M. BARRÈS, Leurs figures, p. 138.

Par exagér. *Il eut la cruauté d'abandonner son ami dans le malheur.*

Spécialt (vieilli). En parlant d'une femme, d'une « cruelle » (II., 2.) qui fait souffrir ceux qui l'aiment. ⇒ **Indifférence, insensibilité, rigueur.**

6   (...) elle n'avait pas voix au chapitre dans la circonstance et même elle devait partager ostensiblement la mutine cruauté de ses compagnes.   G. SAND, la Mare au diable, Appendice II, p. 154.

7   Cette femme avait toute la cruauté des idoles, et la vanité glaciale des marbres dans un musée.   André SUARÈS, Trois hommes, « Ibsen », VI, p. 150.

En parlant d'un écrivain, d'un artiste, et, par ext., d'un journal satirique sans indulgence. ⇒ **Méchanceté.** *La cruauté de ce dessinateur satiriste est redoutable.*

Par ext. Férocité (d'un animal). *La cruauté du tigre.* ⇒ **Cruel** (I., 1., REM.).

8   Nous avons renchéri sur la cruauté des bêtes féroces, qui ne se font point de mal sans raisons sensibles.   FRANCE, les Opinions de J. Coignard, Œ., t. VIII, p. 428.

♦ **2.** (Choses). Caractère de ce qui est inexorablement nuisible. ⇒ **Dureté, horreur, hostilité, inclémence, rigueur, rudesse, sévérité.** *La cruauté du sort, du destin, de la fortune. La cruauté aveugle de la mort. La cruauté d'une affliction.* — *Éprouver la cruauté d'une perte.*

9   (...) c'est une sorte de douleur dont je n'avais jamais senti la cruauté (...)   Mme DE SÉVIGNÉ, 613, 15 juin 1677.

10   J'admire la patience qui peut souffrir la cruauté de cette pensée.   Mme DE SÉVIGNÉ, 620, 30 juin 1677.

11   Je plains Gusman, son sort a trop de cruauté.   VOLTAIRE, Alsire, v, 2.

12   (...) il va falloir attendre (...) être sombre et seul, en révolte outrée et sans espoir contre la cruauté stupide de la mort (...)   LOTI, Figures et Choses..., p. 12.

13   *(Le)* courage et *(le)* dévouement des légionnaires sous le feu, au milieu d'une nature hostile jusqu'à la cruauté.   P. MAC ORLAN, la Bandera, VI, p. 74.

♦ **3.** Littér. *(Une, des cruautés).* Action cruelle. ⇒ **Atrocité.** *Commettre des cruautés sans nombre. Cruautés néroniennes. Ils supportèrent les cruautés du tyran.* ⇒ **Excès.** *Endurer les cruautés de qqn jusqu'au bout.* → Boire le calice* jusqu'à la lie. *C'est une injustice et une cruauté.*

14   (...) je prendrais plaisir à (...) exercer sur lui toutes les cruautés que je pourrais imaginer.   MOLIÈRE, la Princesse d'Élide, III, 5.

15   Par crainte de faire souffrir, et par défaut de volonté, de quelles cruautés l'on devient capable !   GIDE, Journal, Dimanche 18 févr. 1912.

Par exagér. Acte rigoureux, trop sévère. ⇒ **Injustice, rigueur, sévérité.** « *Vous refusez de me voir ; quelle cruauté !* » (Littré).

Spécialt. Vx. *La cruauté d'une femme, d'une maîtresse.* ⇒ **Cruel** (cit. 14 et *supra*). ⇒ **Rigueur.**

16   Me faudra-t-il combattre encor vos cruautés ?
Je vous offre mon bras. Puis-je espérer encore
Que vous accepterez un cœur qui vous adore ?   RACINE, Andromaque, I, 4.

Fig. *Les cruautés du sort.*

17   Que nos plaisirs passés augmentent nos supplices !
Qu'il est dur d'éprouver après tant de délices
Les cruautés du sort !   LA FONTAINE, Psyché, II.

CONTR. **Bénignité, bienfaisance, bienveillance, bonté, charité, clémence, débonnaireté, douceur, faveur, indulgence, miséricorde, pitié, sensibilité, tendresse.**

CRUCHADE [kRyʃad] n. f. — 1823 ; mot dial. du Sud-Ouest, probablt du gascon *cruchi* « cuire sur la braise », de l'idée de « rendre croquant, croustillant », probablt du francique *krussjan* « crisser », comme l'anc. franç. *cruissir, croissir.*

♦ Régional. Bouillie de maïs.

À ce compte-là j'aurais pu aussi rester à tourner la cruchade dans une vieille casserole, à Carneilhan (...)   COLETTE, Julie de Carneilhan, p. 106.

CRUCHE [kRyʃ] n. f. — XIIIe ; *cruie*, XIIe ; du francique *kruka.*

A. ♦ **1.** Récipient, souvent de grès ou de terre, à col étroit, à large panse, à deux anses. ⇒ **Cruchette, cruchon, vase.** *Cruche vernissée de brun, de vert. Cruche en forme de femme assise.* ⇒ **Jacqueline.** *Cruche de métal ciselé.* ⇒ **Buire** ; (régional) **bue** (→ Chœur, cit. 12). *Porter, remplir sa cruche à la fontaine. Vider entre amis une cruche de vin.* — *La Cruche cassée,* tableau de Greuze.

1   Il l'avale *(le vin)* d'un trait et, chacun l'imitant,
La cruche au large ventre est vide en un instant.   BOILEAU, le Lutrin, I.

2   Jusqu'à le couvert de campagne, ces verres propres, cette fraîche assiettée de beurre demi-sel, cette cruche à cidre, qui aidaient à l'intimité de cette table éclairée par une lampe un peu usée (...)   HUYSMANS, Là-bas, v, p. 57.

3   Maintenant, va puiser l'eau fraîche dans la cour,
Et veille sur surtout la cruche, à ton retour,
Garde longtemps, glacée et lentement fondue,
Une vapeur légère à ses flancs suspendue.   Albert SAMAIN, Aux flancs du vase, « Le repas préparé ».

4   Il but à la cruche, en laissant couler de haut un mince filet d'eau qu'il avalait par d'habiles contractions du gosier.   P. MAC ORLAN, la Bandera, VII, p. 85.

4.1   Pas d'autre mot qui sonne comme cruche. Grâce à cet U qui s'ouvre en son milieu, cruche est plus creux que creux et l'est à sa façon. C'est un creux entouré d'une terre fragile : rugueuse et fêlable à merci (...) La cruche est faite de la matière la plus commune ; souvent de terre cuite. Elle n'a pas les formes emphatiques, l'emphase des amphores. C'est un simple vase, un peu compliqué par une anse ; une panse renflée ; un col large — et souvent le bec un peu camus des canards. Un objet de basse-cour. Un objet domestique.   Francis PONGE, Pièces, p. 94-95.

Régional (Suisse). Bouillotte. *Préparer une bonne cruche.*

♦ **2.** Par métonymie. Le contenu d'une cruche. ⇒ **Cruchée.** *Boire une cruche d'eau. Verser une cruche d'huile.*

5   Une cruche de vin de Falerne se vendait cent deniers romains.   MONTESQUIEU, l'Esprit des lois, VII, 2.

♦ **3.** Fam. Par compar. *Être bête, ignorant comme une cruche.* ⇒ **Âne** (cf. Bête comme un balai, comme chou, comme ses pieds...). → ci-dessous, B.

6   Cornes cela ? Vous me prenez pour cruche ;
Ce sont oreilles que Dieu fit.   LA FONTAINE, Fables, V, 4.

♦ **4.** Prov. *Tant va la cruche à l'eau qu'à la fin elle se casse :* à s'exposer sans cesse à un danger, on finit par le subir.

7   (...) il faut que je décharge mon cœur, et qu'en valet fidèle je vous dise ce que je dois. Sachez, Monsieur, que tant va la cruche à l'eau, qu'enfin elle se casse (...)   MOLIÈRE, Dom Juan, V, 2.

8   — Ah ! voilà notre imbécile avec ses vieux proverbes ! Eh bien, pédant, que dit la sagesse des nations ? *Tant va la cruche à l'eau qu'à la fin...* — Elle s'emplit.   BEAUMARCHAIS, le Mariage de Figaro, I, 11.

9   Tant va la cruche à l'eau qu'à la fin elle casse. Elle périt par usage prolongé. Non par usure : par accident. C'est-à-dire, si l'on préfère, par usure de ses chances de survie. C'est un ustensile qui périt par une sorte particulière d'usure : l'usure de ses chances de survie. Ainsi la cruche, qui a un caractère un peu simple et plutôt gai, périt par usage prolongé.   Francis PONGE, Pièces, p. 95.

B. (1633). Fig. (de A., 3.). Personne niaise, ignorante et bête. ⇒ **Imbécile.** *Ce type est une cruche. Quelle cruche !* ⇒ **Cruchon, 2.** — En appellatif. *Pauvre cruche.*

Adj. *Elle est un peu cruche.* « *Des enfants si cruches* » (Zola, *in* T. L. F.). *Avoir l'air cruche.*

DÉR. **Cruchée, crucherie, cruchette, cruchon.**

CRUCHÉE [kRyʃe] n. f. — V. 1220 ; de *cruche.*

♦ Vx. Contenu d'une cruche. ⇒ **Cruche, A., 2.** *Une cruchée d'eau, de vin, d'huile.*

CRUCHERIE [kRyʃRi] n. f. — 1897 ; de *cruche.*

♦ Fam. et vieilli. Propos ou acte stupide. ⇒ **Cruche** (A., 3.) ; et aussi **ânerie, bêtise, ineptie.** « *Tomber dans la crucherie sentimentale* » (Bloy, *la Femme pauvre*, p. 55).

CRUCHETTE [kʀyʃɛt] n. f. — Mil. XIVe ; de *cruche*.

♦ Rare. Petite cruche. ⇒ **Cruchon**. — Par métonymie. Son contenu. *Une cruchette d'eau, de vin.*

CRUCHON [kʀyʃɔ̃] n. m. — Fin XIIIe ; de *cruche*.

♦ **1.** [a] Petite cruche. ⇒ **Cruchette**. *Un cruchon de grès.* — Par métonymie. Son contenu. *Boire un cruchon d'eau, de vin, de bière.* Ellipt. *Boire, vider, prendre un cruchon :* prendre une boisson alcoolisée.

1 Devant l'auberge « Zum Wilden Mann » on vidait des cruchons du petit vin blanc du pays, des cruchons curieusement armoriés d'une crosse d'évêque entourée de sept points rouges.   B. CENDRARS, l'Or, p. 12.

[b] Bouteille de terre ou de grès qu'on remplit d'eau chaude et qu'on glisse dans le lit pour le chauffer. ⇒ **Bouillotte**. *Placer un cruchon entre les draps.* — Par métonymie. L'eau contenue dans le cruchon. *Tout le cruchon s'est répandu dans le lit.*

2 (...) je n'avais aucun moyen de chauffer ma mansarde. Ma mère me glissait chaque soir un cruchon dans mon lit (...)
                    G. DUHAMEL, Chronique des Pasquier, III, p. 168.

♦ **2.** Fam. Cruche (B.). ⇒ **Bêta, nigaud, sot.**

3 Le bât blessait malgré tout Marthe sur la question non résolue des qualités mentales de La Godille (...) Elle y avait trouvé une parade, quand on lui rapportait que Ferrier le traitait de cruchon : « C'était son copain, non ? »
                    René FALLET, Y a-t-il un docteur dans la salle ?, p. 340.

CRUCI- Élément, du lat. *crux, crucis* « croix », entrant dans la composition de mots savants. ⇒ **Cruciforme, cruciverbiste.**

CRUCIAL, ALE, AUX [kʀysjal, o] adj. — 1560, Paré ; du lat. *crux, crucis* (→ Cruci-), et suff. *-al*.

♦ **1.** Didact. Fait en croix. *Ferrements cruciaux.* — *Incision cruciale.* — *Forme cruciale.* ⇒ **Cruciforme.**

0.1 Autour de la statue s'agitait, se démenait, se convulsionnait un groupe de vieux fakirs, zébrés de bandes d'ocre, couverts d'incisions cruciales qui laissaient échapper leur sang goutte à goutte.   J. VERNE, le Tour du monde en 80 jours, p. 90.

0.2 Jérusalem, circulaire et de plan crucial, est située au centre d'un monde circulaire, coupé en croix par quatre mers, avec les quatre vents cardinaux et les astres qui tournent autour.   A. LEROI-GOURHAN, le Geste et la Parole, t. II, p. 174.

♦ **2.** Philos. *Expérience cruciale* (du lat. *experimentum crucis*, de F. Bacon, « expérience de la croix », par allus. aux poteaux indicateurs des carrefours), qui permet de confirmer ou de rejeter une hypothèse, sert de critère*. ⇒ **Épreuve, contre-épreuve, expérience, pierre** (de touche).

1 Pour Bacon, l'expérience cruciale est celle qui permet de reconnaître une cause spécifique entre plusieurs autres qui semblent produire toutes ensemble un effet.
                    A. THÉRIVE, Querelles de langage, t. II, p. 145.

♦ **3.** 1911 ; de l'angl. *crutial* « décisif », dans *crutial instances* (1830), trad. de F. Bacon *instantia crucis* « épreuve, exemple de la croix » (1620). — Le sens 2. Fondamental*, très important*. ⇒ **Capital, critique, décisif.** *Année, question cruciale. Le, un point crucial.* ⇒ **Délicat, hic.** *L'affaire est cruciale pour nous.*

2 A noter que le *Nouveau Larousse illustré*, ni le *Littré*, ne portaient l'acception scolastique de *crucial* et que le *Larousse du XXe siècle* a cru devoir l'introduire, preuve de l'évidente fortune du mot (...) De *démonstratif*, le sens a, en effet, passé à *fondamental*, et même à *très important*, évolution que ne consigne encore aucun dictionnaire.   A. THÉRIVE, Querelles de langage, t. II, p. 146.

CONTR. Insignifiant.

CRUCIFÈRE [kʀysifɛʀ] adj. — 1690 ; lat. *crucifer* « ce qui porte une croix », de *crux, crucis*, et *ferre* (→ -fère).

♦ **1.** Qui porte une croix. — (Choses). Archit. *Chapiteau crucifère*, surmonté d'une croix. — (Personnes). Relig. *« Le Christ crucifère, qui s'en vient vers toi »* (P. Claudel, *Corona Benignitatis*, 1915, *in* T. L. F.). — N. ⇒ **Porte-croix.**

Rappelez-vous la Passion de Jésus. De longues heures, Jésus a porté sa croix. Puis c'est sa croix qui l'a porté. Alors le voile du temple s'est déchiré et le soleil s'est éteint. Lorsque le symbole dévore la chose symbolisée, lorsque le crucifère devient crucifié, lorsqu'une inversion maligne bouleverse la phorie, la fin des temps est proche. Parce qu'alors, le symbole n'étant plus lesté par rien devient maître du ciel.   M. TOURNIER, le Roi des Aulnes, p. 301.

♦ **2.** (1762). Bot. Qui a une fleur à pétales en croix. *Plantes crucifères.* ⇒ **Crucifères.**

CRUCIFÈRES [kʀysifɛʀ] ou **CRUCIFÉRACÉES** [kʀysifeʀase] n. f. pl. — 1762, *crucifères* ; *cruciféracées*, XXe (*Cruciférinées* au XIXe) ; du lat. *crucifer*, de *cruci-*, *-fère*, et *-acées*.

♦ Bot. Famille de plantes dicotylédones dialypétales comprenant des herbes annuelles dont les fleurs ont quatre pétales disposés en croix : le fruit est une capsule dite silique*. Ex. : Alliaire, alysse ou alysson, cameline, cardamine, chou, cochléaria, crambé, cresson, giroflée, ibéride, julienne, lunaire, matthiole, monnoyère (monnaie du pape), moutarde, navet, passerage, pastel, radis, raifort, roquette, rose de Jéricho, thlaspi, tourette, vélar (sisymbre, herbe aux chantres). *Propriétés antiscorbutiques des cruciféracées.*

Il pouvait se rencontrer quelque utile plante qu'il ne fallait point dédaigner, et le jeune naturaliste fut servi à souhait, car il découvrit (...) de nombreux échantillons de crucifères, appartenant au genre chou, qu'il serait certainement possible de « civiliser » par la transplantation ; c'étaient du cresson, du raifort, des raves et enfin de petites tiges rameuses, légèrement velues, hautes d'un mètre, qui produisaient des graines presque brunes *(du tabac).*
                    J. VERNE, l'Île mystérieuse, t. I, p. 330-331.

Au sing. *Une crucifère, une cruciféracée :* une plante (individu), une espèce de cette famille. *« On a combiné ainsi le chou (...) et le radis (...) pour créer une crucifère synthétique »* (Guénot, Jean Rostand, *Introduction à la génétique*, 1936, *in* T. L. F.).

CRUCIFIANT, ANTE [kʀysifjɑ̃, ɑ̃t] adj. ⇒ **Crucifier.**

CRUCIFIÉ, ÉE [kʀysifje] adj. ⇒ **Crucifier.**

CRUCIFIEMENT [kʀysifimɑ̃] n. m. — V. 1175 ; de *crucifier*.

♦ **1.** Action de crucifier, supplice de la croix. *Le crucifiement de saint Pierre.* — Absolt. *Le Crucifiement :* l'élévation du Christ en croix. ⇒ **Crucifixion.** — Par ext. Tableau qui représente cette scène. *Le crucifiement de Grunewald.*

♦ **2.** Relig. Pratique mortifiante, douleur, épreuve, poussée à l'extrême. ⇒ **Martyre, mortification, supplice.** *Le crucifiement de la chair, de la volonté.*

(Sainte Thérèse) porte (...) la chasteté jusqu'au continuel crucifiement de sa chair (...)   FLÉCHIER, Panégyrique de sainte Thérèse, *in* LITTRÉ.

Tourment, douleur morale intense. *« Les angoisses secrètes, le crucifiement journalier qu'elles éprouvent »* (Goncourt, *Journal*, *in* T. L. F.).

CRUCIFIER [kʀysifje] v. tr. — V. 1119 ; du lat. ecclés. *crucifigere* « fixer sur la croix », de *crux, crucis* « croix », d'après les verbes en *-fier*.

♦ **1.** Attacher (un condamné) sur la croix pour l'y faire mourir. ⇒ **Croix** (mettre en). *Jésus fut crucifié sur le Calvaire* (cit. 1).

1 Lorsqu'ils furent arrivés au lieu appelé Calvaire, ils l'y crucifièrent, ainsi que les malfaiteurs, l'un à droite, l'autre à gauche. Et Jésus disait : « Père, pardonnez-leur, car ils ne savent pas ce qu'ils font. »
                    BIBLE (CRAMPON), Évangile selon saint Luc, XXIII, 33-34.

2 Portant sa croix, il sortit vers le lieu dit du « Crâne », — ce qui se dit en hébreu Golgotha, — où ils le crucifièrent, et deux autres avec lui, un de chaque côté et Jésus au milieu.   BIBLE (CRAMPON), Évangile selon saint Jean, XIX, 17-18.

2.1 Ils tirent sur les cordes, ahanent, poussent, arrachent de terre à demi la formidable croix qui semble peser, malgré leurs efforts, un étrange poids de marbre. Ils font leur travail, ces rudes ouvriers. Ça n'est pas de leur faute s'ils crucifient des brigands ou un dieu. Ça ne les regarde pas, vous comprenez, et ce qui leur importe c'est que l'ouvrage soit bien faite et la croix bien plantée. La famille doit être nourrie.   J. CAU, le Chevalier, la Mort et le Diable, p. 86-87.

♦ **2.** Relig. Faire souffrir intensément. ⇒ **Martyriser, mortifier, supplicier, torturer.** *Crucifier sa chair, son cœur. Une terrible maladie le crucifie.* — Au passif. *Être crucifié dans son amour, dans ses enfants.*

3 Il faut renoncer à tout, tout crucifier pour le suivre.
                    BOSSUET, Hist., II, 11, *in* LITTRÉ.

4 Nous devons crucifier en nous le vieil homme.   BOSSUET, Pénitence, 3.

Absolument :

5 Elle est menée par une autre voie, par celle qui crucifie davantage.
                    BOSSUET, Oraison funèbre d'Anne de Gonzague.

▶ **SE CRUCIFIER** v. pron.

♦ **1.** Par métaphore. *Se crucifier sur la croix du sacrifice.* — Par anal. Disposer son corps en forme de croix. *Se crucifier sur le sol.*

♦ **2.** Fig. (Relig.). Se faire souffrir intensément. ⇒ **Mortifier** (se), **torturer** (se).

▶ **CRUCIFIANT, ANTE** p. prés. et adj.

Fig. Qui mortifie, qui torture. *Pratiques crucifiantes. Vivre des heures crucifiantes.* ⇒ **Suppliciant.**

6 Ôtez à la morale les maximes crucifiantes, la violence, l'humilité.
                    MASSILLON, Mot. de Convers., 31, *in* LITTRÉ, Dict., art. *Crucifiant*.

6.1 Les obscurités et les douleurs intérieures que l'âme éprouve dans sa vie intime d'amour divin sont seulement assez crucifiantes pour pouvoir servir de prix, de monnaie, si j'ose dire, pour l'achat de l'amour divin, notre bien suprême.
                    CLAUDEL, Journal, févr. 1933.

▶ **CRUCIFIÉ, ÉE** p. p. adj. et n.

♦ **1.** Mis en croix. *Adorer le Dieu crucifié.*

7 Jésus crucifié, qui a été le scandale du monde, et qui a paru ignorance et folie

aux philosophes du siècle, pour confondre l'arrogance humaine, est devenu le plus haut point de notre sagesse.
BOSSUET, Panégyrique de saint Bernard, Préambule.

N. *Un crucifié, une crucifiée* : supplicié, suppliciée mis(e) en croix.
N. m. Spécialt. *Le Crucifié, le Divin Crucifié* : Jésus-Christ.

8   Il n'est pas triste. Ce sentiment de femme qui rêve au haut de la tour en filant sa quenouille lui est inconnu. S'il l'éprouve, nul ne le sait. Les prêtres du Crucifié lui ont appris que chacun allait le trajet de sa vie en projetant sur la terre l'ombre noire de la mort.   J. CAU, le Chevalier, la Mort et le Diable, p. 128.

Fig. Personne qui souffre atrocement.

♦ **2.** Par anal. Disposé en forme de croix (connotant la douleur). *« Deux blessés couchés, crucifiés par terre »* (H. Barbusse, *le Feu*, 1916, *in* T.L.F.).

♦ **3.** Fig. Supplicié, torturé. ⇒ **Martyrisé.** *Chair crucifiée.* ⇒ **Mortifié.**

(XXᵉ). Littér. Qui dénote une torture morale violente. *Attitude crucifiée, visage crucifié,* douloureux. *Parler d'une voix crucifiée.* — *Crucifié de* : torturé par. *Crucifié d'angoisse, de désespoir, de remords...*

DÉR. Crucifiement. — (Du lat.) V. **Crucifix, crucifixion.**

CRUCIFIX [kʀysifi] n. m. — XIIᵉ, *crecifis ; crocefis* « le Crucifié, le Christ », 1170 ; lat. ecclés. *crucifixus,* p. p. de *crucifigere.* → Crucifier.

♦ **1.** Croix sur laquelle est figuré Jésus crucifié. ⇒ **Christ** (2.). *Baiser, s'agenouiller devant le crucifix. Présenter le crucifix à un mourant. Orner le crucifix d'une branche de gui. Le crucifix,* poème de Lamartine. *Un crucifix de bois sculpté, d'argent, d'émail, de pierre, d'ivoire...*

1   Madame demande le crucifix sur lequel elle avait vu expirer la reine, sa belle-mère, comme pour recueillir les impressions de constance que cette âme vraiment chrétienne y avait laissées avec les derniers soupirs.
BOSSUET, Oraison funèbre d'Henriette d'Angleterre.

2   Le prêtre se releva pour prendre le crucifix, alors elle allongea le cou comme quelqu'un qui a soif, et, collant ses lèvres sur le corps de l'Homme-Dieu, elle y déposa de toute sa force expirante le plus grand baiser d'amour qu'elle eût jamais donné.
FLAUBERT, Mᵐᵉ Bovary, III, VIII.

3   Au mur nu *(de cette cellule)* un crucifix sans valeur, fleuri de buis sec, et c'était tout.   HUYSMANS, Là-bas, XVII, p. 228.

Loc. Vieilli. *Mangeur de crucifix* : faux dévot, bigot. — *Cracher sur le crucifix* : renier sa foi.

♦ **2.** (1866). Argot. *Crucifix à ressort* : couteau à cran d'arrêt ; pistolet.

CRUCIFIXION [kʀysifiksjɔ̃] n. f. — V. 1500 ; lat. ecclés. *crucifixio, -ionis,* de *crucifigere.* → Crucifier.

♦ **1.** Action de crucifier. Spécialt. Crucifiement* du Christ. — Par ext. Sa représentation en peinture, en sculpture.

1   (...) il sollicitait la musique religieuse, les proses désolées des psaumes, les crucifixions des Primitifs (...)   HUYSMANS, En route, p. 153.

2   A San Rocco *(à Venise),* les ciels du Tintoret croulent sur moi en cataractes fauves et, soudain, hallucinante, la gigantesque Crucifixion qui coupe les jambes et le souffle. Le Christ cloué dans un envol inouï. Un larron que l'on force et couche sur la croix et l'autre larron est déjà pantelant sur son châssis de bois que les hommes à gros mollets de danseurs et aux échines musculeuses de colosses hissent et s'efforcent avec peine de dresser comme on érige une colonne de marbre.
J. CAU, le Chevalier, la Mort et le Diable, p. 86.

♦ **2.** Fig. et rare. ⇒ **Crucifiement** (2.).

3   La routine ou le scrupule, le laisser-aller de la démagogie à la petite semaine ou l'introspection qui, analysant chaque geste, d'avance le paralyse : dans son existence actuelle, comment concilier ces humeurs, ces facilités, ces crucifixions de l'esprit, à la fois cruelles et anodines ?
Alain BOSQUET, les Bonnes Intentions, p. 144.

CRUCIFORME [kʀysifɔʀm] adj. — 1754 ; *crucifère,* 1694 ; de *cruci-,* et *forme.*

♦ Didact. En forme de croix. ⇒ **Crucial.** *Plan cruciforme d'une église. Tournevis cruciforme,* pourvu d'une extrémité en forme de croix qui permet de serrer et de desserrer des vis dont la tête présente deux fentes perpendiculaires. *Vis à têtes cruciformes,* et, ellipt., *vis cruciformes,* ces vis.

Anat. *Ligaments cruciformes des articulations des phalanges ; de l'articulation du genou.*

CRUCINUMÉRISTE [kʀysinymeʀist] n. — 1973 ; de *crucinuméro* (ital. *numero* « nombre »), et suff. *-iste* ; d'après *cruciverbiste.*

♦ Didact. Amateur de « nombres croisés » (jeu analogue aux mots croisés).

CRUCIVERBISTE [kʀysivɛʀbist] n. — 1955 ; de *cruci-,* et du rad. du lat. *verbum* « mot ».

♦ **1.** Didact. (assez cour.). Amateur de mots croisés. ⇒ **Mots-croisiste.**

1   Dans toutes les grilles, un Bic¹ a précédé le mien, un Bic fortiche, d'ailleurs. Dès

la promenade, je vais me mettre en quête de cette cruciverbiste : ces filles-là, en général, je m'en fais de bonnes potes.   A. SARRAZIN, la Cavale, p. 340.
1. Stylo à bille.

♦ **2.** Auteur de grilles de mots croisés. *« Aujourd'hui on trouve des grilles partout. La plupart des journaux ont leur cruciverbiste (auteur) attitré pour satisfaire l'appétit des cruciverbistes (amateurs) »* (L. Bernard, in *le Monde,* cité par Y. Lavoinne, *la Presse,* Larousse 1976, p. 134).

♦ **3.** Adj. *Passion cruciverbiste.*

2   — Et tu t'appelles comment ? (...)
— Je ne sais plus très bien... Je ne vole plus, je nage... Et vous-même, mademoiselle : Hélène ? (...)
— Non, LN en deux lettres. Je suis d'origine cruciverbiste (...)
— Cruciverbiste ?   R. QUENEAU, le Vol d'Icare, p. 30.

CRUDE AMMONIAC [kʀydamɔnjak ; kʀudamɔnjak] n. m. — 1888 ; mot angl. « ammoniaque crue ».

♦ Techn. (anglic.). Résidu du gaz d'éclairage, employé comme engrais.

CRUDITÉ [kʀydite] n. f. — 1398, « caractère indigeste », puis (1577) « état de ce qui n'est pas mûr » ; lat. *cruditas* « indigestion », de *crudus.* → Cru.

♦ **1.** Vx (sens étym.). Caractère indigeste de certains aliments crus. *Crudité des fruits verts.* — Par ext. Aigreur d'estomac provenant d'une mauvaise digestion. *Avoir des crudités.*

♦ **2.** (1596). Mod. État de ce qui est cru* (1.), non cuit. — (1834). Cour. (au plur.). Légumes consommés crus (naturels ou en salade). *Manger des crudités comme hors-d'œuvre. Une assiette de crudités.*

1   Son goût allait d'abord aux crudités, aux crevettes et aux coquillages.
J. ROMAINS, les Hommes de bonne volonté, t. IV, XX, p. 230.

♦ **3.** Caractère d'une eau chargée de sels. ⇒ 2. **Cru.**

♦ **4.** (1754). Fig. Caractère de ce qui est cru (2. Cru, 3.), que rien n'atténue. *La crudité d'un son.* — *La crudité des couleurs, des ombres, de la lumière.* ⇒ **Brutalité.**

1.1   (...) cette grande lumière devient presque de la crudité : en un mot, c'est un effet extraordinaire, qui est sous nos yeux, plutôt qu'un objet naturel.
E. DELACROIX, Journal, 29 juil. 1854.

2   Le ciel gardait son aspect campagnard, sa crudité des vacances, tandis que la ville s'assombrissait, prenait son air morose, frileux et pauvre de la semaine de Toussaint.   Valery LARBAUD, Amants, heureux amants, p. 184.

♦ **5.** (XVIIIᵉ). Caractère de ce qui est cru* (2. Cru, 4.), exprimé sans ménagement. *La crudité d'une description, d'une expression, d'une explication, d'un récit.* ⇒ **Brutalité, réalisme.** *Parler avec crudité* : appeler les choses par leur nom.

3   Ne pouviez-vous exprimer les même vérités en les énonçant avec moins de crudité ?   CHATEAUBRIAND, Mémoires d'outre-tombe, t. VI, p. 145.

4   Cela était dit en sabir avec une crudité sauvage que le français ne peut traduire.
LOTI, Aziyadé, Salonique, XVII, p. 26.

5   Michel-Ange décrit avec une crudité singulière d'expressions, ses angoisses d'amour (...)   R. ROLLAND, Michel-Ange, p. 68.

Vieilli. *(Une, des crudités).* Ce qui est cru (spécialt, mot, parole). *Récit plein de crudités.* ⇒ **Inconvenance.** *Dire des crudités.*

CONTR. Douceur. — Délicatesse, réserve.

CRUE [kʀy] n. f. — XIIIᵉ, *creue* ; p. p. fém. du verbe *croître.*

♦ **1.** Élévation du niveau dans un cours d'eau, un lac ; niveau maximum (d'un cours d'eau). *Crue annuelle. La crue des eaux.* ⇒ **Montée.** *Crue d'un fleuve, d'une rivière. Les crues périodiques du Nil.* — (Sans compl.). *La crue a provoqué une inondation*. Rivière en crue. Alluvionnement* causé par les crues* (⇒ **Alluvion**).

1   Montez à travers Blois cet escalier de rues
Que n'inonde jamais la Loire au temps des crues (...)
HUGO, les Feuilles d'automne, II.

1.1   (...) les cases de ce village, à l'époque des crues, sont inondées durant un mois et demi. On a de l'eau jusqu'à mi-cuisse.   GIDE, Voyage au Congo, in Souvenirs, Pl., p. 709.

2   Une crue est toujours une crise dans la vie des cours d'eau ; les chiffres en indiquant l'ordre de grandeur peuvent surprendre, même pour des rivières réputées tranquilles (...) Les niveaux au-dessus de l'étiage ne sont pas seulement en rapport avec les débits, mais aussi avec les conditions du lit, et avec son profil en long (...) La rapidité plus ou moins grande de la montée dépend des mêmes facteurs (...) Le plus haut niveau peut être comparé à une onde, dont la crête avance vers l'aval (...) La fréquence est naturellement moins grande pour les crues les plus fortes (...)
E. DE MARTONNE, Traité de géographie physique, t. I, p. 470.

3   Laissant derrière moi le quartier détruit, je franchis derechef — en sens inverse — le pont sur la rivière grossie par la crue.
A. ROBBE-GRILLET, Souvenirs du triangle d'or, p. 63.

♦ **2.** (1651). Vx ou littér. Croissance*, développement. *La crue d'un enfant.* — Bot. *La crue d'une plante, d'un arbre.* — Fig. *La crue rapide d'une ville.* ⇒ **Essor.**

♦ **3.** Fin. (Vx). Augmentation. *Crue de la taille* : augmentation de cet impôt. — (1325). Supplément de prix établi par ceux qui estimaient la valeur de meubles vendus aux enchères et cela en sus de la prisée.

CONTR. Assèchement, baisse, diminution, étiage, retrait.
DÉR. Décrue.
HOM. Cru (adj.) — Cru (n. m.) — Formes des v. croire et croître.

CRUEL, ELLE [kʀyɛl] adj. et n. — xᵉ; du lat. *crudelis*, de *crudus* (→ Cru), au fig. «qui aime le sang».

★ **I.** Adj. **A.** (Animés; l'épithète est en général placée après le nom).

◆ **1.** Qui prend plaisir à faire souffrir, à voir souffrir. ⇒ **Barbare** (littér.), **dur, farouche, féroce, impitoyable, implacable, inexorable, inhumain, maupiteux** (vx), **méchant, sadique, sanguinaire, sauvage**; → Altéré, buveur de, ivre de sang*. *Homme cruel.* ⇒ **Boucher, bourreau, brute, cannibale, despote, exterminateur, monstre, ogre, persécuteur, tigre, tortionnaire, tyran, vampire.** *Être insensible* et cruel* (cf. Sans cœur, sans entrailles). *Parents cruels.* ⇒ **Dénaturé, indigne.** *Une mère cruelle.* ⇒ **Marâtre.** *Despote, tyran cruel. Être cruel envers soi-même.* ⇒ **Masochiste.** *Peuple cruel; peuplade, tribu, horde cruelle.* ⇒ **Sauvage.** *Homme perfide, sournois et cruel. Cruel et brutal.* ⇒ **Brutal, forcené, furibond, violent.** *Enfant cruel* (cf. Cet âge est sans pitié). *Être cruel avec, envers soi-même.* ⇒ **Masochiste.** *Être cruel avec les animaux. Il est cruel envers les innocents. Esprit, instinct cruel. Âme cruelle. La misère l'a rendu cruel.*

1 Valérien ne fut cruel qu'aux chrétiens. BOSSUET, Hist., I, 10, *in* LITTRÉ.
2 J'ai mendié la mort chez des peuples cruels (...) RACINE, Andromaque, II, 2.
3 Tu mettrais l'univers entier dans ta ruelle,
Femme impure! L'ennui rend ton âme cruelle.
BAUDELAIRE, Spleen et Idéal, XXVI.
4 C'est la certitude qu'ils tiennent la vérité qui rend les hommes cruels.
FRANCE, Les dieux ont soif, p. 11.

Qui tue sans nécessité. *Bête cruelle. Le tigre est cruel.* — REM. La cruauté de la bête féroce qui tue sans nécessité apparente est un concept subjectif (vision unilatérale du rapport homme-bête) ou anthropomorphique.

Fig. *Ses ennemis les plus cruels.* ⇒ **Acharné.**

◆ **2.** Qui dénote de la cruauté; qui témoigne de la cruauté des hommes. *Action, parole cruelle. Ordre cruel. Colère, haine, rigueur, sévérité cruelle. Joie cruelle.* ⇒ **Mauvais.** *Air, aspect cruel. Mine, apparence cruelle. Visage, œil cruel. Lèvres cruelles. Rire, sourire cruel. Un mot cruel.* ⇒ **Féroce.** — *Régime cruel, tyrannie cruelle.* ⇒ **Tyrannique.** — *Bataille, guerre cruelle.* ⇒ **Acharné, sanglant.** — *Cette décision est inutilement cruelle. C'est très cruel de sa part.*

5 La bataille sans doute allait être cruelle (...) RACINE, la Thébaïde, III, 4.
6 La Révolution, qui semblait, n'est-ce pas, devoir le protéger, s'est montrée pour lui le plus cruel des régimes. HUYSMANS, Là-bas, XX, p. 286.
7 Il est dur; il a l'air cruel; il semble jouir de la catastrophe, tant il se soucie peu de l'amortir. André SUARÈS, Trois hommes, « Ibsen », V, p. 136.
8 Il aperçut tout de suite son chef direct : un visage gras, orné de deux yeux d'oiseau de proie, ronds et cruels. P. MAC ORLAN, la Bandera, XIX, p. 235.
8.1 Ses yeux étaient redevenus durs, sa voix haletante, sa bouche impérieusement cruelle et sensuelle (...) Il me sembla que le Buddha lui-même tordait, maintenant, dans un mauvais soleil, une face ricanante de bourreau (...)
O. MIRBEAU, le Jardin des supplices, p. 174.

◆ **3.** Littér. Qui fait souffrir par sa dureté, sa sévérité. ⇒ **Dur, implacable, inflexible, inexorable, intolérant, rigide, sévère.** *Père cruel. Lois cruelles.* ⇒ **Draconien.** — Vieilli. *Cruel à qqn.*

9 C'est cette vertu même, à nos désirs cruelle,
Que vous louiez alors en blasphémant contre elle (...)
CORNEILLE, Polyeucte, II, 2.
10 La volonté pure n'a rien d'humain; elle est cruelle comme le glaive, et sourde comme la mécanique. André SUARÈS, Trois hommes, « Ibsen », V, p. 138.

N. f. pl. Loc. *En faire voir de cruelles à qqn*, être extrêmement dur avec lui (cf. De dures, de sévères).

◆ **4.** (Personnes). Sans indulgence, impitoyable (en parlant d'un écrivain, d'un critique, d'un artiste). *Un satiriste cruel.* — Par métonymie. *Une plume, une palette cruelle.*

◆ **5.** (Choses personnifiées). Qui fait souffrir en manifestant une sorte d'hostilité. *Destin, sort cruel.* ⇒ **Implacable, inexorable.** *Fortune cruelle. La mort est cruelle et aveugle. Adieu, monde cruel!*

11 O Mort, lui disait-il, que tu me sembles belle!
Viens, viens finir ma fortune cruelle. LA FONTAINE, Fables, I, 16.
12 Les Dieux depuis un temps me sont cruels et sourds. RACINE, Iphigénie, II, 2.
13 On s'aperçoit un jour qu'elle *(la vie)* est souvent dure et parfois injuste et cruelle.
FRANCE, le Petit Pierre, p. 154.
13.1 La violence, qui n'est pas en elle-même cruelle, est dans la transgression le fait d'un être qui l'organise. Georges BATAILLE, l'Érotisme, p. 88.

◆ **6.** (Personnes). Indifférent*, insensible*. ⇒ **Dur.** — Par métonymie. Se dit des signes extérieurs qui manifestent cette indifférence. *Comportement cruel. Désinvolture cruelle.*

◆ **7.** Spécialt (vieilli ou stylistique, par plais.; langue class.). *Femme, maîtresse cruelle*, celle qui fait souffrir celui qui l'aime, par son insensibilité ou ses rigueurs. ⇒ **Dur, indifférent, insensible.** — cidessous, II., 2. : *une cruelle. Beauté cruelle.* — Par plais. *Elle n'est guère cruelle* : elle est peu farouche.

14 (...) Tant de jeunes filles qui, pendant des mois entiers, résistent à leur penchant,

cachent leur amour et paraissent non seulement insensibles mais encore cruelles à un amant qui leur plaît? SAINT-FOIX, Oracle, sc. 7, *in* LITTRÉ.
15 Si elle vous nomme audacieux, vous l'appellerez cruelle. Les femmes aiment beaucoup qu'on les appelle cruelles. BEAUMARCHAIS, le Barbier de Séville, IV, 5.

B. (Choses; l'épithète est placée avant ou après le nom). Qui fait souffrir, qui est l'occasion d'une souffrance. ⇒ **Affligeant, affreux, atroce, douloureux, dur, épouvantable, insupportable, pénible.** *Un cruel supplice, une cruelle mort, une mort cruelle, très cruelle. Une peine, une perte cruelle. Subir des pertes cruelles* (⇒ **Hécatombe**). *Un malheur cruel. Douleur cruelle.* ⇒ **Aigu, atroce.** *Une tâche cruelle à accomplir. Un cruel moment, une cruelle époque. Un cruel hiver.* ⇒ **Rigoureux, rude.** *Un contretemps, un ennui cruel.* ⇒ **Ennuyeux, fâcheux, grave, malheureux, triste.** *Un choix cruel. Être (plongé) dans un cruel embarras. Affront cruel.* ⇒ **Amer, âpre, cinglant, cuisant.** *De cruels reproches. Une cruelle situation. Une séparation cruelle. Des souvenirs cruels.*

16 Viens me venger. — De quoi? — D'un affront si cruel,
Qu'à l'honneur de tous deux il porte un coup mortel (...)
CORNEILLE, le Cid, I, 5.
17 Tant sa douleur de tête était encor cruelle ! MOLIÈRE, Tartuffe, I, 4.
18 (...) l'hiver est plus cruel ici qu'en nul autre lieu.
Mᵐᵉ DE SÉVIGNÉ, 1314, 19 janv. 1691.
19 Durant le triste cours d'une absence cruelle (...) RACINE, la Thébaïde, II, 1.
20 Dans l'état cruel où vous m'avez réduit, je passe les jours à déguiser mes peines, et les nuits à m'y livrer (...) LACLOS, les Liaisons dangereuses, XXXVI.
21 (...) tout cruel qu'est cet exil, il m'a encore mieux fait sentir la force du lien qui m'attache à un pays où vous êtes. STENDHAL, Souvenirs d'égotisme, p. 266.
22 (...) la cruelle extase de son désir inassouvi (...)
PROUST, les Plaisirs et les Jours, p. 54.

★ **II.** N. ◆ **1.** Rare. Personne qui fait souffrir. *Un cruel. Une cruelle. Les cruels.*

◆ **2.** Spécialt (vieilli; langue class.). *Une cruelle* : une femme insensible à l'amour qu'on lui porte.

23 Hé bien! va donc disposer la cruelle
A revoir un amant qui ne vient que pour elle. RACINE, Andromaque, I, 1.

Loc. (Vieilli). Le sujet désigne un homme. *Ne pas trouver, ne pas rencontrer de cruelles* : séduire toutes les femmes. — Au masc. (vx). *Faire le cruel* : affecter l'indifférence à l'égard des femmes.

24 (...) il est dur de faire le cruel avec de beaux yeux qui cherchent les vôtres.
MARIVAUX, le Paysan parvenu, II, p. 97.
25 (...) lui que les princesses accueillaient le sourire aux lèvres, pour qui les duchesses se pâmaient d'amour, et qui n'avait jamais rencontré de cruelle.
Th. GAUTIER, le Capitaine Fracasse, t. I, p. 297.

CONTR. Bénin, bienveillant, bienfaisant, bon, clément, débonnaire, doux, humain, indulgent, miséricordieux, pitoyable, sensible, tendre.
DÉR. Cruellement. — (Du lat.) V. Cruauté.

CRUELLEMENT [kʀyɛlmɑ̃] adv. — V. 1150; de *cruel*.

◆ **1.** D'une manière cruelle. ⇒ **Férocement, méchamment.** *Traiter qqn cruellement.* ⇒ **Brutalement.** *Faire mourir qqn cruellement, à petit feu.* ⇒ **Sadiquement.** *Battre un enfant cruellement.*

◆ **2.** D'une façon douloureuse, pénible. ⇒ **Douloureusement, durement, péniblement.** *Souffrir cruellement.* ⇒ **Affreusement, atrocement.** *Être cruellement éprouvé.* — Par exagér. *Être cruellement embarrassé.* ⇒ **Extrêmement, terriblement.**

1 (...) il est impossible de n'être pas sensiblement touchée de voir finir si cruellement une personne qu'on a toujours aimée (...)
Mᵐᵉ DE SÉVIGNÉ, 290, 27 juin 1672.
2 (...) Viens, viens, j'ai trop cruellement pensé à toi dans les tortures de l'absence (...) FRANCE, le Lys rouge, XXVI, p. 195.
CONTR. Doucement, humainement, tendrement.

CRUENTÉ, ÉE [kʀyɑ̃te] adj. — 1878; *cruenter* «ensanglanter», XIVᵉ; du lat. *cruentus* «sanglant», de *cruor* «sang».

◆ Méd. Saignant, qui a perdu son revêtement cutané. *Plaie cruentée*, imprégnée de sang, à vif.

CRUISER [kʀuzœʀ] n. m. — 1879; mot angl. «croiseur».

◆ Anglic. Petit yacht prévu pour la mer.

En effet, l'adepte du *dériveur* léger du 1943, du petit *cruiser* de 1948 s'intéresse toujours à quelque chose de plus grand, et si ses moyens le lui ont permis, possède maintenant un bateau de 7 à 9 m. Jean GIORDAN, le Yachting, p. 21.

CRÛMENT [kʀymɑ̃] adv. — 1559, *cruement*; de *cru*.

◆ **1.** D'une manière crue* (→ 2. Cru, 4.), sèche et dure, sans ménagement, sans détours. ⇒ **Brutalement, durement, net** (tout), **nuement, rudement, sèchement.** *Il lui a dit cela tout crûment. Annoncer trop crûment une mauvaise nouvelle. Décrire crûment une scène scabreuse.*

1 (...) les deux amies se disaient crûment leurs moindres pensées sans prendre de détours dans l'expression (...) BALZAC, la Cousine Bette, Pl., t. VI, p. 278.

◆ **2.** *Éclairer crûment*, d'une lumière crue (→ 2. Cru, 3.).

2   La lumière qui s'épandait par le haut de l'abat-jour l'éclairait crûment (...)
                                                    MARTIN DU GARD, les Thibault, t. V, p. 144.
CONTR. Doucement, précautionneusement, progressivement.

CRUOR [kʀyɔʀ] n. m. — 1765 ; mot lat. « sang ». → Cru.
Physiologie.

♦ **1.** (Opposé à *sérum*). Partie solide du sang* qui se coagule (globules). — Caillot* formé par les globules et la fibrine.

♦ **2.** Liquide rouge, riche en globules, que l'on obtient en exprimant
le caillot.
CONTR. Sérum.

CRURAL, ALE, AUX [kʀyʀal, o] adj. — 1560, Paré ; lat. *crura-
lis*, de *crus, cruris* « jambe ».

♦ Anat. Qui appartient à la cuisse*. *Artère crurale ; arcade crurale.*
⇒ **Fémoral.** *Biceps* crural* : fléchisseur de la jambe sur la cuisse.
Nerf crural, et, n. m., *le crural* : nerf issu du plexus lombaire.
— REM. Ce mot est didact. ; son emploi hors de ce registre est recher-
ché.
   Oscar Molinier pressait le pas tant qu'il pouvait et faisait effort pour suivre Profi-
tendieu, mais il était beaucoup plus court que lui, et de moindre développement
crural (...)   GIDE, les Faux-monnayeurs, I, II, *in* Romans, Pl., p. 938.

CRUSTACÉ, ÉE [kʀystase] adj. et n. m. — 1713 ; lat. sav. *crus-
taceus*, de *crusta* « croûte ».

♦ **1.** Adj. Vx. Qui est recouvert d'une enveloppe dure. — Spécialt.
Animaux crustacés (→ *infra*, 2.).

♦ **2.** N. m. plur. Mod. Zool. LES CRUSTACÉS : classe d'animaux
arthropodes, ovipares, antennifères, au corps formé de segments
munis chacun d'une paire d'appendices, à respiration branchiale, à
carapace chitineuse. *Le corps des crustacés se compose d'une* tête
(2 paires d'antennes, 2 de mâchoires, 1 de mandibules), *d'un* thorax
(1 à 5 paires de pattes mâchoires, 2 à 40 paires de pattes ambulatoires), *parfois réunis en un* céphalothorax, *et d'un* abdomen *parfois terminé par un* appendice (⇒ **Urogastre, uropode**). *Métamorphoses des crustacés* (⇒ **Nauplius, zoé**). *Crustacés fossiles.* ⇒ **Trilobites.**
Classification des crustacés :
I. ENTOMOSTRACÉS. — Branchiopodes : conchostracés *(Estheria)* ;
cladocères *(Daphnie* ou *puce d'eau)*; notostracés *(Apus* ou *ape)* ;
anostracés *(Artémie).* — Ostracodes *(Cypris).* — Copépodes
(Cyclops, harpacticus, lernée). — Brianchioures *(Argulus).* — Cirripèdes *(Anatife*, balane*, coronule, pouce-pied, sacculine).*
II. MALACOSTRACÉS. — Phyllocarides *(Nebalia).* — Syncarides
(Bathynella). — Hoplocarides *(Squille*).* — Péracarides : mysida-
cés, cumacés, tanaïdacés, isopodes *(Armadillo, aselle, cloporte*),*
amphipodes *(Caprelle, cyame, gammare, talitre).* — Eucarides :
a) Euphausiacés (krill*) ; b) Décapodes : macroures *(Crevette* ;
homard*, écrevisse*, langoustine ; langouste*, cigale de mer)*, anomoures *(Galatée*, pagure* ou *bernard-l'hermite)*, brachyoures ou
crabes *(Carcinus, maia, porcellane, portunus).*
REM. On divise également les décapodes en deux sous-ordres, les
Natantia ou nageurs, comprenant les crevettes, et les *Reptantia* ou
marcheurs : écrevisse, homard, langouste, crabe, etc.
Au sing. *Un crustacé :* un animal (individu) ou un groupe d'animaux
de cette classe.
Cour. (au sing. ou au plur.). Se dit des crustacés aquatiques comestibles (crabes, crevettes, écrevisses, homards, langoustes). *Assiette de
crustacés. Utiliser un casse-noix pour briser la carapace d'un crustacé.*

CRUZEIRO [kʀuzeʀo] n. m. — 1942 ; mot port., de *cruz* « croix ».

♦ Unité monétaire du Brésil. *Des cruzeiros.*

CRYANESTHÉSIE [kʀijanɛstezi] n. f. — xxᵉ ; de *cry(o)-*, et *anesthésie.*

♦ Didact. (méd.). Anesthésie par le froid. ⇒ **Cryochirurgie.** *Cryanesthésie à la neige carbonique dans le traitement de certains angio-
mes.*

CRYO- Élément, du grec *kruos* « froid », entrant dans la composition de mots scientifiques et techniques. ⇒ **Cryanesthésie, cryocautère, cryochirurgie, cryogène, cryogénie, cryogéniste, cryolithe, cryologie, cryoluminescence, cryométrie, cryophore, cryoplanation, cryopompage, cryoscopie, cryostat, cryosynérèse, cryothérapie, cryoturbation** ; et aussi **frigo-, frigori-.**
REM. De nombreux autres composés se rencontrent en sciences et en
technique (ex. : *cryocâble, cryoalternateur, in la Recherche*, n° 98,
p. 228 ; *cryoconcentration, in le Monde*, 23 févr. 1977, p. 20).

CRYOCÂBLE [kʀijokabl] n. m. ⇒ **Cryogénique.**

CRYOCAUTÈRE [kʀijokotɛʀ ; kʀijokotɛʀ] n. m. — xxᵉ ; de *cryo-*,
et *cautère.*

♦ Méd. Appareil employé en cryothérapie à des applications de
neige carbonique.

CRYOCHIRURGIE [kʀijoʃiʀyʀʒi] n. f. — xxᵉ ; de *cryo-*, et *chirurgie.*

♦ Didact. (méd.). Partie de la chirurgie qui procède à des anesthé-
sies par le froid. ⇒ **Cryanesthésie.**

CRYOGÈNE [kʀijoʒɛn] adj. — 1903, in *Rev. gén. des sc.*, n° 8,
p. 471 ; de *cryo-*, et *-gène.*

♦ **1.** Phys. Qui produit du froid. *Mélange cryogène*, d'eau et d'un
sel soluble. ⇒ **Réfrigérant.**

♦ **2.** Méd. *Zones cryogènes :* zones cutanées sensibles au froid et
qui répercutent celui-ci dans l'organisme profond.
DÉR. Cryogénique.

CRYOGÉNIE [kʀijoʒeni] n. f. — xxᵉ ; de *cryo-*, et *-génie.*

♦ Phys. Production des basses températures.
DÉR. Cryogéniste.

CRYOGÉNIQUE [kʀijoʒenik] adj. — Av. 1970 ; de *cryogène.*

♦ Phys. Qui concerne la production du froid. ⇒ **Cryogène.** *Machine,
fluide, liquide cryogénique. Centre d'études cryogéniques.* « Un
ensemble cryogénique composé d'ammoniac et de méthane solides »
(*Sciences et Avenir*, avr. 1980, p. 75).
Câble cryogénique, à supraconducteur réfrigéré (*cryocâble*
[kʀijokabl] n. m.).

CRYOGÉNISTE [kʀijoʒenist] n. — V. 1970 ; de *cryogénie*, et
suff. *-iste.*

♦ Phys. Spécialiste du travail aux très basses températures.

CRYOLITHE [kʀijolit] n. f. — 1808 ; de *cryo-*, et *-lithe.*

♦ Chim., minér. Fluorure naturel d'aluminium et de sodium, très
fusible. *Cryolithe en filons de l'Alaska, du Danemark, du Groen-
land, de l'Oural. Aluminium tiré du cryolithe.*

CRYOLOGIE [kʀijoloʒi] n. f. — V. 1870 ; de *cryo-*, et *-logie.*

♦ Didact. Science du froid. ⇒ **Cryogénie.**

CRYOLUMINESCENCE [kʀijolyminesɑ̃s] n. f. — 1905, in *Rev.
gén. des sc.*, n° 15, p. 687 ; de *cryo-*, et *luminescence.*

♦ Chim., phys. Production de lumière qu'on constate lorsqu'on
refroidit brusquement certains corps en les plongeant dans l'air
liquide. ⇒ **Frigoluminescence.**

CRYOMÉTRIE [kʀijometʀi] n. f. — V. 1900 ; de *cryo-*, et *-métrie.*

♦ Phys. Mesure des températures de congélation. ⇒ **Cryoscopie.**
DÉR. Cryométrique.

CRYOMÉTRIQUE [kʀijometʀik] adj. — xxᵉ ; de *cryométrie.*

♦ Phys. Relatif à la cryométrie.

CRYONIQUE [kʀijonik] adj. et n. f. — 1981 ; angl. des États-Unis,
cryonic, cryonics, de *cryo-*. → Cryo-.

♦ Didact. (Anglic.). Relatif à la conservation des cadavres par le
froid. — N. f. Technique de conservation des cadavres par le froid.
⇒ **Cryosynérèse.**
   En 1970 se crée la société cryonique de Californie. Ses promoteurs proposent de
perfuser au diméthyle sulfonique puis de surgeler toute personne venant à mourir
de maladie en attendant que la médecine ait fait des progrès (...) Pendant 11 ans,
un détective privé devenu avocat combattra la cryonique. Il a gagné en juin dernier *(1981)* : tous les cadavres étaient à l'état de décomposition.
               Libération, « L'immortalité, c'est pas au point... », 26 sept. 1981.
REM. D'autres mots de la même famille : *cryoniser*, v. tr. (angl. *to cryo-
nize)* et *cryonisation*, n. f., sont attestés. — « *Les familles des onze
"cryonisés"* » (*Libération*, « L'immortalité, c'est pas au point... »,
26 sept. 1981).

CRYOPHORE [kʀijɔfɔʀ] n. m. — 1865, ex. ci-dessous ; de *cryo-*, et *-phore*.

♦ Techn. Instrument permettant d'obtenir la congélation d'un liquide par vaporisation partielle. « *Le cryophore est un tube de verre en forme d'U renversé se terminant par deux ballons* », in *Année sc. et industr.*, 1865 (1866), p. 26.

CRYOPLANATION [kʀijɔplanɑsjɔ̃] n. f. — xxᵉ ; de *cryo-*, et dér. du lat. *planare* « aplanir ».

♦ Géogr. Variété de cryoturbation dans laquelle le sol s'aplanit.

En climat périglaciaire, le résultat final des actions du gel est une fragmentation intense, allant parfois jusqu'à la fine poussière ; une démolition des reliefs, d'autant plus rapide que la roche est plus fissurée ; souvent un empâtement des points bas, par la solifluxion. Au total, les pentes s'adoucissent ; c'est la *cryoplanation*.
V. ROMANOVSKY et A. CAILLEUX, la Glace et les Glaciers, p. 91.

CRYOPOMPAGE [kʀijɔpɔ̃paʒ] n. m. — 1971 ; de *cryo-*, et *pompage*.

♦ Techn. Pompage par très basse température, provoquant un vide profond.

CRYOSCOPIE [kʀijɔskɔpi] n. f. — 1888 ; de *cryo-*, et *scopie*.

♦ Didact. (phys.). Partie de la physique qui étudie les lois de la congélation des solutions étendues. ⇒ **Cryométrie**. *La cryoscopie a été étudiée par Raoult.*

DÉR. Cryoscopique.

CRYOSCOPIQUE [kʀijɔskɔpik] adj. — 1903, in *Rev. gén. des sc.*, nº 2, p. 98 ; de *cryoscopie*.

♦ Phys. Relatif à la cryoscopie.

CRYOSTAT [kʀijɔsta] n. m. — 1903, in *Rev. gén. des sc.*, nº 2, p. 112 ; de *cryo-*, et *-stat*. → Rhéostat.

♦ Didact. (phys.). Appareil permettant de maintenir des températures basses et constantes à l'aide d'un gaz liquéfié.

(...) travailler sur les gaz liquéfiés exige (...) que l'opérateur ait à sa disposition des quantités suffisantes et non point seulement quelques centimètres cubes de liquide ; il est indispensable de pouvoir préparer et conserver plusieurs litres de gaz liquéfiés en étude ; et cela pendant plusieurs heures, sans que la température de la matière varie sensiblement. Les récipients nécessaires, stabilisateurs de température, sont ce qu'on appelle des *cryostats*. Les températures réalisées dans les cryostats du laboratoire de Leyde sont comprises entre 0º et − 272º.
Roger SIMONET, le Froid, p. 60.

CRYOSYNÉRÈSE [kʀijosineʀɛz] n. f. — 1954 ; de *cryo-*, et *synérèse*.

♦ Biol. Mécanisme de la congélation des êtres vivants à basse température. *Cryosynérèse cytonucléoplasmique.*

CRYOTHÉRAPIE [kʀijoteʀapi] n. f. — 1907 ; de *cryo-*, et *-thérapie*.

♦ Méd. Traitement, thérapeutique par le froid. *La cryothérapie se fait au moyen de douches froides, d'enveloppements humides, de vessies de glace..., d'acide carbonique neigeux*, etc.

Alors, elle put lire sur un portique taillé à l'antique dans la glace millénaire cette pancarte énorme : SILENCE. ICI CRYOTHÉRAPIE.
Jean CAYROL, Histoire de la mer, p. 156.

CRYOTURBATION [kʀijotyʀbɑsjɔ̃] n. f. — 1952 ; de *cryo-*, et lat. *turbare*. → Perturbation.

♦ Géol. Modification du sol sous l'effet du gel, par solifluxion*.

CRYPT- ⇒ Crypto-.

CRYPTAGE [kʀiptaʒ] n. m. — xxᵉ ; de *crypt(o)-*, et suff. *-age*.

♦ Inform. Moyen par lequel un message est rendu inintelligible lors de sa transmission depuis l'ordinateur jusqu'au terminal, à tout intercepteur qui ne dispose pas du décodeur approprié. ⇒ **Cryptophonie**.

CONTR. Décryptage.

CRYPTE [kʀipt] n. f. — xivᵉ, *cripte* ; lat. *crypta* « souterrain ». → Grotte.

★ **I.** Cour. Caveau souterrain servant de sépulcre dans certaines églises. ⇒ **Cimetière** (souterrain), **hypogée**. *La crypte de la basilique de Saint-Denis contient les restes des derniers Bourbons. Visiter une crypte. Le silence et l'obscurité d'une crypte.* « *Il avait cher-*

ché les âmes des anciens morts dans les cryptes... » (→ Recommençant, cit.).

Chapelle souterraine (souvent plus ancienne que l'église sous laquelle elle se trouve).

(...) l'angoisse vous reprenait si (...) l'on atteignait les ruines isolées de la chapelle et si l'on pénétrait, en dessous, par une porte de cave, dans une crypte. Celle-là datait du onzième siècle. Petite, trapue, elle élançait sous une voûte en cintre des colonnes massives à chapiteaux sculptés de losanges (...)
HUYSMANS, Là-bas, VIII, p. 115.

Derrière la façade intacte de la cathédrale s'étendait la nef, éventrée comme celle des églises espagnoles de la guerre civile, mais emplie des ruines cosmogoniques des tremblements de terre. Au milieu, l'escalier d'une crypte. Et la crypte à peine plus haute que ma tête, avec des cierges qui semblaient fichés dans la terre, un crucifix invisible, et un seul Indien qui priait en tenant par la main un enfant aussi petit que celui que j'avais vu errer entre les lueurs du sanctuaire du marché.
MALRAUX, Antimémoires, Folio, p. 74-75.

Par ext. Local souterrain (généralement secret), d'un édifice. *Crypte d'un château.*

Figuré :

La salle bouillonnante pleine de cris, de sanglots, d'éclats de rires, n'est plus qu'une crypte silencieuse peuplée d'ombres ?
BERNANOS, les Grands Cimetières sous la lune, p. 145.

Par métaphore. *La crypte, les cryptes de l'âme, de la mémoire.*

★ **II.** Didact. ♦ **1.** Anat. Cavité de forme irrégulière à la surface d'un organe. ⇒ **Follicule.** *Cryptes amygdaliennes, stomatifères.* « *Les requins* (ont la) *peau couverte de* (...) *cryptes sensorielles* (qui) *leur permet*(tent) *de détecter de très loin les effluves et les mouvements de tout ce qui pourrait devenir une proie* » (le Figaro, 14 juil. 1973).

♦ **2.** (1845, Bescherelle). Zool. (Vx). Insecte *(Hyménoptères)* parasite des œufs d'autres insectes ou du corps des pucerons.

DÉR. Cryptuaire.

CRYPTESTHÉSIE [kʀiptɛstezi] n. f. — 1922, Richet ; de *crypt(o)-*, et *-esthésie*.

♦ Didact. Perception de choses cachées, par une relation sujet-objet parapsychique (cf. Sixième sens). ⇒ aussi **Métapsychique.**

DÉR. Cryptesthésique.

CRYPTESTHÉSIQUE [kʀiptɛstezik] adj. — V. 1950 ; de *cryptesthésie*.

♦ Didact. De la cryptesthésie. « *La théorie cryptesthésique de Richet* » (Amadou, *Parapsychologie, in* T. L. F.).

CRYPTIQUE [kʀiptik] adj. — 1576, Ramus ; repris au xxᵉ ; lat. *crypticus*, du grec *kruptos* « caché ». → Crypte, crypto-.

★ **I.** Didact. ♦ **1.** Qui vit, se trouve dans les grottes. « *Palais cryptique* » (Gautier). — Par plaisanterie :

On peut dire beaucoup de mal de cette profession *(poinçonneur de métro)* excessivement rudimentaire et cryptique (...)
Jacques PERRET, Bâtons dans les roues, p. 139.

♦ **2.** Anat. Qui a rapport aux cryptes (II., 1.) des muqueuses. *Angine cryptique.*

★ **II.** Didact. ou littér. Caché*, secret*. ⇒ **Occulte.**

Léonard *(de Vinci)* était enfant naturel obsédé par le phantasme d'un vautour. La fanatique investigation qui fait apparaître ce vautour dans la Sainte Anne nous enseigne bien peu de ce qui nous contraint après quatre cents ans, à chercher là cette figure cryptique. MALRAUX, les Voix du silence, p. 416.

(...) espérant (...) la révélation de cette volonté de Laure qu'elle avait voulue cryptique à dessein (...)
Marcel BRION, la Rose de cire, p. 204.

CRYPTO [kʀipto] n. — V. 1950 ; de *crypto-*.

♦ Polit. Cryptocommuniste.

Ce Beigbeder n'est pas si sot que de croire le président Truman homme à se décider sur l'avis d'un écrivain français, fût-il prix Nobel, — d'un écrivain qui aurait pris ses informations chez un « crypto » de l'espèce Beigbeder !
F. MAURIAC, Bloc-notes 1952-1957, p. 9.

CRYPTO- Élément, du grec *kruptos* « caché », entrant dans la composition de nombreux termes didactiques, notamment de sciences naturelles et, plus récemment, de termes politiques. (Voir à l'ordre alphabétique). — Var. : *crypt-*.

CRYPTOBIOTE [kʀiptobjɔt] ou **CRYPTOBIOTIQUE** [kʀiptobjɔtik] adj. — xxᵉ ; de *crypto-*, et *-biot(ique)*.

♦ Biol. Qui est à l'état latent. *État cryptobiotique.*

CRYPTOBRANCHE [kʀiptobʀɑ̃ʃ] adj. — 1834, Landais ; de *crypto-*, et *-branche*, de *branchie*.

♦ Didact. (zool.). Se dit d'un animal dont les branchies sont dissimulées. *Larve cryptobranche.*

CRYPTOCAPITALISME [kʀiptokapitalism] n. m. — V. 1960 ; de
crypto-, et *capitalisme.*

♦ Polit. Forme non avouée de capitalisme.

CRYPTOCOMMUNISME [kʀiptokɔmynism] n. m. — V. 1960 ;
de *crypto-*, et *communisme.*

♦ Polit. Sympathie cachée ou non explicite pour le communisme,
sans adhésion au Parti.

CRYPTOCOMMUNISTE [kʀiptokɔmynist] adj. et n. — 1949 ;
de *crypto-*, et *communiste.*

♦ Polit. Partisan occulte du communisme. *Être (un) cryptocommuniste.* ⇒ **Crypto.**
(...) on accusait Dubreuilh tantôt d'être un cryptocommuniste, tantôt un suppôt de
Wall Street, il n'avait guère que des ennemis (...)
S. DE BEAUVOIR, les Mandarins, p. 470 (1954).

CRYPTO-ÉMOTIF, IVE [kʀiptoemɔtif, iv] adj. et n. — 1946 ; de
crypto-, et *émotif.*

♦ Psychol. (Personnes). Qui cache ses émotions. *« Crypto-émotifs
ou émotifs inhibés »* (Mounier, *in* T. L. F.). — N. *Un crypto-émotif,
une crypto-émotive.*

CRYPTOGAME [kʀiptɔgam] adj. et n. m. ou f. — 1771 ; lat. sc.,
de *crypto-*, et *-game.*
Botanique.

♦ **1.** Adj. Se dit des plantes qui ont les organes de la fructification
peu apparents. *Les mousses, les fougères sont des plantes cryptogames.*

♦ **2.** N. m. ou f. *Les cryptogames :* un des deux embranchements du
règne végétal (opposé à *phanérogames*). ⇒ **Botanique.** *Cryptogames
vasculaires :* fougères, équisétinées, lycopodinées. ⇒ **Ptéridophy-
tes.** *Cryptogames cellulaires :* algues, champignons, cyanophytes,
bactéries. ⇒ **Thallophytes** (cit.). — *Reproduction des cryptogames.*
⇒ **Fructification ; spore.** *Les cryptogames se reproduisent en deux
temps :* des sporanges*, tombent les spores dont la germination
engendre une plantule nommée prothalle* *(haplophase) ;* le
prothalle forme un œuf d'où naît la plante *(diplophase).*
Par plais. sur l'étymologie du mot, en emploi d'auteur. → Bernard-
l'hermite, cit. 2, Queneau.
DÉR. Cryptogamie, cryptogamique, cryptogamiste.
COMP. Anticryptogamique.

CRYPTOGAMIE [kʀiptɔgami] n. f. — 1771 ; de *cryptogame.*
Botanique.

♦ **1.** Rare. Caractère des plantes cryptogames. ⇒ **Cryptogame.**
Étude des cryptogames.

♦ **2.** Vx. Classe des plantes cryptogames dans le système de Linné.

CRYPTOGAMIQUE [kʀiptɔgamik] adj. — 1811 ; de *cryptogame.*

♦ **1.** Didact. (vx, bot.). Des plantes cryptogames.
Mod., méd. *Maladies cryptogamiques :* toutes les affections para-
sitaires des végétaux provoquées par les champignons. *Produits
contre les affections cryptogamiques.* ⇒ **Anticryptogamique.**

♦ **2.** Fig. et didact. Qui pousse vite (comme un champignon).
« Croissance cryptogamique » (Morano, *in* T. L. F.).
Non, cependant, que l'odeur ou le magnétisme du corps métallique enterré vînt
flatter le nez des bêtes, mais parce qu'à la longue, autour de cet objet incongru
enseveli, la terre se dépensait en une espèce de floraison cryptogamique dont la
senteur affleurait à la surface du sol.   Pierre GASCAR, les Bêtes, p. 194.

COMP. Anticryptogamique.

CRYPTOGAMISTE [kʀiptɔgamist] n. — 1898 ; de *cryptogame.*

♦ Didact. (bot.). Personne qui s'occupe de l'étude des cryptogames,
et, spécialt, des champignons.

CRYPTOGÉNÉTIQUE [kʀiptoʒenetik] adj. — 1909, *in* D.D.L. ;
de *crypto-*, et *génétique.*

♦ Méd. D'origine inconnue. *Maladie, trouble cryptogénétique.*

CRYPTOGRAMME [kʀiptɔgʀam] n. m. — 1846 ; de *crypto-*,
et *-gramme.*

♦ Ce qui est écrit en caractères secrets, en code, en langage chiffré*. ⇒ **Cryptographie.** *Chiffrer un cryptogramme.* ⇒ **Cryptographier.** *Déchiffrer ou décrypter un cryptogramme.*
Puisqu'il voulait que l'histoire fût un cryptogramme, il s'agissait de lire les lignes
et d'en pénétrer les combinaisons.   Léon BLOY, le Désespéré, II, p. 101.   1
On en est encore au jus de citron, à l'École de guerre ? Mes félicitations ! Vous ne   2
connaissez pas la nouvelle technique : le surcodage en lettres ? Des cryptogrammes anodins. L'air de rien. Mais le fin du fin.
Régis DEBRAY, l'Indésirable, p. 309.
Fig. Phénomène, événement difficile à comprendre.

CRYPTOGRAPHE [kʀiptɔgʀaf] n. — 1845 ; de *cryptographie.*
Didactique, technique.

♦ **1.** Personne qui connaît la cryptographie, qui l'utilise.

♦ **2.** N. m. Instrument permettant d'écrire ou de lire un texte cryptographique.

CRYPTOGRAPHIE [kʀiptɔgʀafi] n. f. — 1624 ; de *crypto-*, et
-graphie.

♦ Didact. et cour. Code graphique déchiffrable par l'émetteur et le
destinataire seulement. ⇒ **Écriture** (chiffrée) ; **cryptogramme.** *Procédés de cryptographie :* signes conventionnels, modification de
l'ordre, de la disposition des lettres dans les mots ; remplacement
des lettres par d'autres, par des chiffres (⇒ **Chiffre**). *Moyens qui en
cryptographie permettent d'établir ou de traduire le texte secret.*
⇒ **Clef, code, grille.** *Spécialiste de la cryptographie.* ⇒ **Cryptographe ; décrypteur.** *Le surchiffrement, moyen de protection supplémentaire utilisé en cryptographie.*
DÉR. Cryptographe, cryptographier, cryptographique.
COMP. Décrypter.

CRYPTOGRAPHIER [kʀiptɔgʀafje] v. intr. — xxᵉ ; de *cryptographie.*

♦ Didact. Écrire en cryptogramme. — P. p. adj. *Texte cryptographié.*

CRYPTOGRAPHIQUE [kʀiptɔgʀafik] adj. — 1752 ; de *cryptographie.*

♦ Didact. et cour. Qui se rapporte à la cryptographie*, qui utilise la
cryptographie. *Message, document cryptographique.*
Par ext. Très obscur. ⇒ **Hermétique.**
(...) dans un langage plus que cryptographique mêlé de termes de science et de
représentations idiosyncrasiques.
VALÉRY, Correspondance avec Gide, p. 264, *in* T. L. F.

CRYPTOLOGIE [kʀiptɔlɔʒi] n. f. — xxᵉ, probablt antérieur ; *cryp-
tologique*, 1866 ; de *crypto-*, et *-logie.*
Didactique.

♦ **1.** Étude, science des cryptogrammes.

♦ **2.** Étude, science des phénomènes cachés. *Cryptologie et hermé-
neutique.*

CRYPTOMÈRE [kʀiptomɛʀ] ou **CRYPTOMERIA**
[kʀiptomeʀja] n. m. — 1845, *cryptomérie*, n. f. ; *cryptoméria*, 1890 ;
lat. bot. *cryptomeria*, 1821 ; du grec *kryptos* (→ Crypto-), et *meros* «partie ».

♦ Bot. (et relativement cour.). Grand arbre de la famille des conifères à fût élancé, à feuillage d'un beau vert. *« Les verts mordorés
des cryptomerias »* (Goncourt, *in* T. L. F.). *Le cryptomère (ou cryptomeria, cryptoméria) est au Japon un arbre à forte valeur symbolique.*
Cryptomérias du temps de Charlemagne, dont la verdure s'oxyde (...)
Paul MORAND, Rien que la Terre, p. 37.
Adj. D'un vert analogue au feuillage de cet arbre. *« Velours cryptomeria »* (Proust).

CRYPTON [kʀiptɔ̃] n. m. ⇒ **Krypton.**

CRYPTONYME [kʀiptɔnim] adj. et n. m. — 1842 ; de *crypto-*,
et *-nyme.*

♦ Didact. Dont le nom est caché. *Œuvre cryptonyme.*
N. m. Nom déguisé ou emprunté. ⇒ **Anagramme, pseudonyme.** *Voltaire est le cryptonyme de Arouet.*

CRYPTOPHONIE [kʀiptɔfoni] n. f. — 1973 ; de *crypto-*, et *-phonie.*

♦ Techn. Procédé destiné à rendre inintelligible une communication
radio ou téléphonique si l'on ne dispose pas du décodeur approprié.
⇒ **Cryptage.**

CRYPTOPHYTE [kʀiptɔfit] n. f. — 1866; de *crypto-*, et *-phyte*.

♦ Bot. Plante enfouie durant l'hiver. *Une cryptophyte peut être une géophyte (dans la terre), une hélophyte (dans la vase), une hydrophyte (dans l'eau).*

CRYPTOPSYCHIE [kʀiptopsiʃi] n. f. — 1907; de *crypto-*, et *psychie*.

♦ Didact. et rare. Ensemble des phénomènes psychiques inconscients. ⇒ **Inconscient** (n. m.).

CRYPTORCHIDIE [kʀiptɔʀkidi] n. f. — 1904, in *Rev. gén. des sc.*, n° 4, p. 169; *cryptorchide*, 1904, in *Rev. gén. des sc.*, n° 4, p. 169; de *crypto-*, et *or, orkhis* «testicule». → Orchite.

♦ Pathol. Absence des testicules dans les bourses, par rétention des glandes dans l'abdomen. ⇒ **Anorchidie.** *Opération chirurgicale de la cryptorchidie.* ⇒ **Orchidopexie.**

CRYPTUAIRE [kʀiptɥɛʀ] adj. — 1957; de *crypte*.

♦ Didact. et rare. Souterrain, caché, secret. ⇒ **Cryptique.**

Publicitairement, l'hydratation des profondeurs est donc une opération nécessaire. Et pourtant l'infiltration d'un corps opaque apparaît peu facile à l'eau : on imagine qu'elle est trop volatile, trop légère, trop impatiente pour atteindre raisonnablement ces zones cryptuaires où s'élabore la beauté.
R. BARTHES, Mythologies, p. 84.

Cs [seɛs] Symbole chimique du cæsium*.

CSAR ou **CZAR** [ksaʀ] n. m. ⇒ **Tsar.**

CSARDAS ou **CZARDAS** [ksaʀdas] n. f. — 1885; mot hongrois emprunté graphiquement et modifié phonétiquement.

♦ Danse nationale de la Hongrie. — Mus. Pièce composée d'un andante et d'un allegro sur une mesure à 2 ou 4 temps et qui constitue la musique sur laquelle on danse la csardas. *Composer, jouer une csardas. Csardas de Brahms.*

Et il (*Liszt*) improvisa une *csardas* endiablée de son pays, fermant les yeux, laissant courir ses doigts, plaquant les accords, changeant de rythmes (...)
B. CENDRARS, Bourlinguer, p. 397.

CTÉNAIRES [ktenɛʀ] ou **CTÉNOPHORES** [ktenɔfɔʀ] n. m. pl. — xxᵉ; lat. sc. *ctenaria*, Haeckel, fin xıxᵉ (1878); lat. sc. *ctenophora*, Eschscholtz, 1829; désignant antérieurement un ordre de diptères; du grec *kteis, ktenos* «peigne», et *-phore*.

♦ Didact. (zool.). Embranchement d'animaux diplo-blastiques pélagiques transparents, à symétrie bilatérale, dépourvus de cnidoblastes (→ Cnidaires), mais munis de colloblastes (cellules spéciales par lesquelles ils capturent leurs proies) et de palettes ciliées servant à leur locomotion (→ Cœlentérés, cit.). *Les cténaires possèdent un statocyste très complexe.* — Au sing. *Un cténaire. Le béroé est un cténaire.*

CTÉNOÏDE [ktenɔid] adj. — xxᵉ; du grec *ktenôdês*, de *kteis, kteinos* «peigne».

♦ Sc. nat. *Écaille cténoïde :* écaille de poisson, à bord denticulé (→ 3. Cycloïde, cit.).

CTÉNOPHORES [ktenɔfɔʀ] n. m. pl. ⇒ **Cténaires** (→ Béroé, cit.).

Cu [sey] Symbole chimique du cuivre*.

CUADRILLA [kwadʀilja; kwadʀija] n. f. — 1858, *in* Petiot; mot esp., parfois francisé en *quadrille**.

♦ Tauromachie. ⇒ **Quadrille** (cit. 1).

CUBAGE [kybaʒ] n. m. — 1783; de *cuber*.

♦ **1.** Techn. Évaluation d'un volume; action de cuber. *Procéder au cubage d'un lot de bois. Cubage des bois en grume*, avec l'écorce et l'aubier.

♦ **2.** Cour. Volume évalué; le chiffre de ce volume (en unités cubiques). *Relever le cubage d'eau utilisée au compteur. Le cubage d'air de cette pièce est insuffisant pour trois personnes.* — Par métonymie. *Cubage d'air :* volume (d'un local).

CUBAIN, AINE [kybɛ̃, ɛn] adj. et n. — 1866; de *Cuba*.

♦ Qui se rapporte à Cuba ou à ses habitants. *Le régime cubain.*

L'économie cubaine. La littérature, la musique cubaine. ⇒ aussi **Caraïbe.**

N. *(Un, une Cubaine).* Personne qui habite Cuba.

COMP. **Afro-cubain.**

CUBATURE [kybatyʀ] n. f. — 1714; lat. sc. *cubatura*, de *cubare*.

♦ Géom. Transformation (d'un volume) en un cube; évaluation du côté du cube d'un volume.

CUBE [kyb] n. m. et adj. — xıııᵉ, adj.; n. m., v. 1360; lat. *cubus*, du grec *kubos* «dé à jouer».

♦ **1.** Géom. et cour. Solide à six faces carrées égales. ⇒ **Hexaèdre** (régulier). *Le cube est un parallélépipède rectangle dont toutes les arêtes* sont égales. Côtés ou arêtes, angles droits, sommets, faces d'un cube. Volume d'un cube :* produit de trois facteurs égaux à la mesure de l'arête. *En forme de cube.* ⇒ **Cubique.**

Quand nous regardons un cube, par exemple, il est certain que tous les côtés que nous en voyons ne font presque jamais de projection ou d'image d'égale grandeur.
MALEBRANCHE, De la recherche de la vérité, I, 7. [1]

Un cube est un solide dont la base, la hauteur et la profondeur sont égales.
CONDILLAC, la Langue des calculs, I, 6. [2]

Chacun peut savoir ce que c'est qu'un cube, par des définitions, arêtes égales, angles égaux, faces égales.
ALAIN, 81 chapitres, *in* les Passions et la Sagesse, Pl., p. 1089. [2.1]

Cour. Objet cubique ou parallélépipède (souvent, immeuble). → Parallélépipède, cit. 2.

(...) ces brutes ignares qui abattent les tendres vieilles demeures et dressent à leur place des blocs de ciment, ces cubes hideux, sans vie, où dans le désespoir glacé, sépulcral, qui filtre des éclairages indirects, des tubes de néon, flottent de sinistres objets de cabinets de dentiste, de salles d'opération (...)
N. SARRAUTE, le Planétarium, p. 18. [2.2]

Jeu de cubes : ensemble de cubes en bois avec lesquels les enfants font des constructions. — Ensemble de cubes dont chaque face est recouverte d'un morceau d'image qu'on peut recomposer.

Cet Être Suprême n'a pas pris des cubes, des petits dés pour en former la terre.
VOLTAIRE, Dialogues, 25. [3]

(1978). *Cube de Rubik* (dit aussi *cube hongrois, cube magique*, et, par anglic., *Rubik's cube*) : cube à cinquante-quatre facettes de diverses couleurs, mobiles.

♦ **2.** Par métonymie. Volume évalué. *Calculer le cube d'un matériau.* ⇒ **Cubage.** — *Cube d'air :* volume d'un local.

Fig. et rare. Quantité importante. *Un cube d'ignorance, de bêtise.*

♦ **3.** Adj. Par métonymie et par appos. (en parlant d'une mesure). Qui exprime le volume d'un corps, pour le distinguer de la mesure linéaire correspondante; il s'écrit « ³ » (suscrit) et se lit «cube» [kyb]. *Mètre cube* (m^3), *décimètre cube* (dm^3), *centimètre cube* (cm^3)... *Le centimètre cube évalue le volume d'un cube qui aurait un centimètre d'arête. Salle de 120* m^3. ⇒ **Cubage.** *Seringue de 5* cm^3.

Spécialt, mécan. (en parlant de la cylindrée* d'un moteur). *Cylindrée de 1 500* cm^3, 1 500 centimètres cubes. — N. *Un gros cube :* voiture, et, plus cour., moto de forte cylindrée. «*Si un motard a des ennuis sur la route, on s'arrête. Même si c'est un gros cube ou une petite moto, on se soutient*» (Interview d'un motard, in *le Nouvel Obs.*, 16 oct. 1978, p. 82).

♦ **4.** Math. *Cube d'un nombre :* produit de trois facteurs égaux à ce nombre. ⇒ **Puissance.** *Le cube de 2 est 8 ;* a^3 *est le cube de a. Élever un nombre au cube, à la puissance trois,* le multiplier deux fois par lui-même. ⇒ **Cuber.** *Retrouver un nombre dont on a le cube.* ⇒ **Cubique** (racine).

Par métaphore. *Avoir le cube de qqch.*

♦ **5.** (1867). Argot des écoles. Élève qui redouble la deuxième année préparatoire à une grande école. *Carrés, cubes et bicarrés* (cit.).

Argot. *Faire (à qqn) une tête au cube :* le frapper (→ Une tête au carré*; une grosse* tête).

CONTR. (Du sens 4.) **Racine** (cubique).
DÉR. **Cubature, cuber, cubicité, cubisme.**
COMP. **Archicube.**
HOM. Formes du v. **cuber.**

CUBÈBE [kybɛb] n. m. — V. 1245; lat. médiéval *cubeba*, de l'arabe *kubbâba*.

♦ Arbuste grimpant voisin du poivrier (*Pipéracées*), dont les fruits contiennent un principe médicinal (n. sc. : *piper cuba*). — Par métonymie. Fruit du cubèbe. *Graine du cubèbe employée dans le traitement de la blennorragie.*

En appos. *Poivre cubèbe :* fruit du cubèbe.

(...) des navires chargés (...) de cannelle, de gaingal, de cubèbes, de girofle et autres épices (...)   Jean D'ORMESSON, la Gloire de l'Empire, t. II, p. 513.
DÉR. Cubébine.

CUBÉBINE [kybebin] n. f. — XIXᵉ ; de *cubèbe*.

♦ Chim. Substance cristallisable qu'on extrait du cubèbe. — REM. On trouve aussi le n. m. *cubébin* [kybebɛ̃], même sens.

CUBER [kybe] v. — 1549 ; de *cube*.

★ **I.** V. tr. ♦ **1.** Techn. Évaluer, mesurer (un volume) en unités cubiques*. ⇒ **Jauger.** *Cuber des bois de construction.*

♦ **2.** Math. Élever au cube, à la puissance trois. ⇒ **Cube** (4.). *Cuber un nombre, un binôme.*

♦ **3.** Fig. et rare. Augmenter considérablement. *Il a cubé sa fortune.*

★ **II.** V. intr. ♦ **1.** Avoir le volume de (suivi d'un nombre et d'une unité). *Cette citerne cube 200 litres. Une «chambre qui cubait 400 mètres»* (Giraudoux, *Juliette au pays des hommes*, p. 205).
(...) des files de sapins cubant leurs deux mètres de bois d'œuvre et laissant découvrir de beaux grands toits d'ardoise agrafée.
    Hervé BAZIN, Cri de la chouette, p. 74.

♦ **2.** Fam. Représenter une grande quantité. ⇒ **Chiffrer.** *Si vous évaluez les frais, vous verrez que ça cube. Ça va finir par cuber.*
CONTR. Extraire (la racine cubique).
DÉR. Cubage.
HOM. V. Cube.

CUBICITÉ [kybisite] n. f. — Av. 1973, in *la Clé des mots* ; de *cube*.

♦ Didact. Qualité de ce qui est cubique.

CUBICULAIRE [kybikylɛʀ] n. m. — XIIIᵉ ; lat. *cubicularius* «valet de chambre».

♦ Antiq. À Rome, Valet de chambre, notamment dans la maison impériale.

CUBILOT [kybilo] n. m. — 1841 ; p.-ê. altér. de l'angl. *cupilo, cupelow*, var. dial. (Sheffield) de *cupola* «four à coupole» de même orig. que le franç. *coupole* ; la «coupole», qui conduisait à la cheminée, a disparu dans les fours modernes.

♦ Techn. Fourneau à creuset de métal pour la préparation de la fonte de seconde fusion.
La fonte court sur le sol de l'usine dans des moules en sable où elle se fige. Une partie du métal reçoit dans cette opération une forme définitive ; une autre partie subit dans un fourneau en forme de cuve, dit cubilot ou four à la Wilkinson, du nom de l'inventeur anglais, une seconde fusion, une sorte de raffinage.
    L. SIMONIN, le Creusot et les Mines de Saône-et-Loire, in le Tour du monde, t. I, 1867, p. 183.

CUBIQUE [kybik] adj. et n. f. — V. 1360 ; lat. *cubicus*, grec *kubikos*, de *kubos*. → Cube.

♦ **1.** Du cube. *Forme cubique d'une caisse. Maison cubique.* — Figuré :
1 (...) ce calme profond qui dénote à l'observateur une puissance quelconque, la royauté que donne l'argent, le pouvoir tribunitien du bourgmestre, la conscience de l'art, ou la force cubique de l'ignorance heureuse.
    BALZAC, Séraphîta, Pl., t. X, p. 487.
2 *(Un couloir)* qui donne accès (...) à une salle cubique, pauvrement éclairée par une ampoule nue qui pend au bout de son fil.
    A. ROBBE-GRILLET, Projet pour une révolution à New-York, p. 148.
Minér. *Système cubique* : ensemble des formes de cristaux dérivées du cube (le réseau cristallin possède 4 axes ternaires). ⇒ **Cristal.** *Cristal cubique.*
N. f. *Une cubique* : courbe plane ou gauche du troisième degré.

♦ **2.** Arithm. et alg. *Racine cubique d'un nombre* : nombre qui, élevé au cube* (à la puissance 3), donne ce nombre. *La racine cubique de 8 est 2 ; la racine cubique de a est* $\sqrt[3]{a}$. ⇒ **Racine.** *Extraire la racine cubique d'un nombre.*
Équation cubique (ou *équation du troisième degré*), dans laquelle l'inconnue est à la puissance 3.

CUBISME [kybism] n. m. — 1908 ; de *cube*, et *-isme* ; attribué parfois à une boutade de Matisse parlant d'un tableau de Braque, parfois à la critique. ⇒ ci-dessous, cit.

♦ École de peinture, florissante de 1910 à 1930, qui se proposait de représenter les objets décomposés en éléments géométriques simples (rappelant le cube) sans restituer leur perspective. *Le cubisme est surtout connu par les toiles de Picasso, de Braque, de Juan Gris.* Par ext. Art qui s'inspire du cubisme. *Le cubisme littéraire de Pierre Albert-Birot.*

1 Braque avoue «quand nous avons fait du Cubisme, nous n'avions aucune intention de faire du Cubisme, mais d'exprimer ce qui était en nous». Et Picasso s'exprime dans le même sens. Mais, si proches l'un de l'autre qu'ils aient été, si ressemblants à certains égards, ce qui les unit demeure moins important que ce qui les divise. Leurs voies s'écartent de plus en plus au fur et à mesure qu'ils feront du Cubisme une aventure personnelle. Le terme, Cubisme, étant d'ailleurs né d'une manière toute fortuite sous la plume du critique d'art de Gil Blas, Louis Vauxcelles, qui avait écrit en effet que «Braque méprise les formes, réduit tout, sites, figures et maisons romaines, à des schémas géométriques, à des cubes». Le mot avait fait fortune et, l'année suivante, les toiles présentées au Salon des Indépendants étaient définies bizarreries cubiques.
    U. APOLLONIO, Matérialiser l'espace, in Braque, p. 4.

2 Dans le cubisme initial l'objet prédomine, puis progressivement prend le dessus et dans la dernière phase du cubisme, en 1912-1913, Braque et Picasso procèdent à une synthèse de toutes les données issues de l'analyse des formes. Mais le monde extérieur n'est pas pour autant renié.
    Dora VALLIER, l'Art abstrait, p. 33-34.
DÉR. Cubiste.

CUBISTE [kybist] adj. et n. — V. 1910, peint. ; n. m., archéol., 1871 ; de *cubisme*.

♦ Qui a rapport au cubisme*. *Peinture, toile cubiste. Mouvement cubiste.*
1 *(Picasso dispose)* l'objet, dans ses toiles cubistes (...) selon un processus, où les lois de la consistance et de la résistance matérielle sont déterminantes et où le découpage, le dépliage des éléments apparents des solides sont coordonnés dans l'intention d'enlever à la surface plane de la toile la tricherie consistant à faire croire qu'elle possède une profondeur réelle.   Tristan TZARA, Picasso.
N. *(Un, une cubiste).* Adepte du cubisme ; peintre qui appartient au cubisme. — Par ext. Artiste qui s'inspire des principes cubistes. *Un cubiste littéraire.*
2 L'apport le plus personnel des Cubistes a été de confondre la notion de mouvement avec celle de déplacement. En écartant les contours de la forme classique (...) en juxtaposant et en superposant sur la surface plate du tableau des fragments d'un réel démonté, les Cubistes ont cru avoir introduit positivement un facteur nouveau qu'ils ont baptisé comme une dimension.
    Pierre FRANCASTEL, Art et Technique, p. 165.
3 Les cubistes ne rejettent nullement la réalité, objets et êtres sont présents dans le tableau cubiste, seulement leurs formes, au lieu d'être reprises à la lettre, sont analysées, et ce qui confère à la composition un aspect abstrait c'est l'analyse elle-même de plus en plus poussée d'une toile à l'autre.
    Dora VALLIER, l'Art abstrait, p. 33.

CUBITAL, ALE, AUX [kybital, o] adj. et n. m. — 1478 ; lat. *cubitalis* «haut d'une coudée», de *cubitus* «coude» ; pris comme adj. de *coude*.

♦ **1.** Anat. Qui appartient au cubitus* ou au coude. — *Nerf cubital, artère cubitale. Os cubital.* ⇒ **Cubitus ; ulnaire.** *Muscles cubitaux.*
N. m. *Le cubital* : muscle, nerf ou os du coude.

♦ **2.** Zool. *Nervure cubitale*, de l'aile des hyménoptères, qui traverse l'aile du radius à l'extrémité.

CUBITIÈRE [kybitjɛʀ] n. f. — 1845 ; de *cubitus* «coude».

♦ Techn. Pièce des anciennes armures qui protégeait le coude (⇒ **Coudière**).
(...) des genouillères et des cubitières jaillissait une pointe d'acier recourbé en façon de serre d'aigle, et le bout des pédieux s'allongeait en griffe.
    Th. GAUTIER, le Capitaine Fracasse, t. II, p. 175.

CUBITO- Élément, du lat. *cubitus* «coude», entrant dans la composition de nombreux termes d'anatomie. ⇒ **Cubito-carpien, cubito-digital, cubito-palmaire, cubito-phalangien, cubito-radial.**

CUBITO-CARPIEN, IENNE [kybitokaʀpjɛ̃, jɛn] adj. — 1845 ; de *cubito-, carpe*, et suff. *-ien*.

♦ Anat. Qui appartient au cubitus* et au carpe*. *Muscle, ligament cubito-carpien.*

CUBITO-DIGITAL, ALE, AUX [kybitodiʒital, o] adj. — 1842 ; de *cubito-*, et *digital*. → Doigt.

♦ Anat. Qui appartient au cubitus* et au doigt. *Douleur cubito-digitale.*

CUBITO-PALMAIRE [kybitopalmɛʀ] adj. — 1842 ; de *cubito-*, et *palmaire*. → Paume.

♦ Anat. Qui appartient au cubitus* et à la paume de la main. — Spécialt. *Artère cubito-palmaire.*

CUBITO-PHALANGIEN, IENNE [kybitofalɑ̃ʒjɛ̃, jɛn] adj. et n. m. — XIXᵉ ; de *cubito-, phalange*, et suff. *-ien*.

♦ Anat. Se dit du muscle fléchisseur sur l'avant-bras du cheval. — N. m. *Le cubito-phalangien.*

CUBITO-RADIAL, ALE, AUX [kybitoʀadjal, o] adj. — 1842; de *cubito-*, et *radial*.

♦ Anat. Qui appartient au cubitus* et au radius*. — Au plur. *Cubito-radiaux*.

CUBITUS [kybitys] n. m. — 1541; mot lat., «coude».

♦ Anat. Le plus gros des deux os de l'avant-bras, dont l'extrémité supérieure s'articule avec l'humérus au niveau du coude. ⇒ **Radius**. *Fracture du cubitus. Apophyse saillante de l'extrémité du cubitus.* ⇒ **Olécrane.**

La situation du radius est oblique, et celle du cubitus droite.
Ambroise PARÉ, IV, 26, *in* LITTRÉ.

DÉR. Cubital, cubitière.
COMP. V. Cubito-.

CUBOÏDE [kyboid] n. m. et adj. — 1708; *cyboïde*, A. Paré, XVIᵉ; du grec *kuboeidês*, de *kubos*. → Cube.
Anatomie.

♦ **1.** Os de la première rangée du tarse situé du côté externe du cou-de-pied, en avant du calcanéum.

♦ **2.** Adj. (1869). Cour. Qui a la forme d'un cube. ⇒ **Cubique** (1.).

CUBOMÉDUSE [kybomedyz] n. f. — XXᵉ; du grec *kubos* (→ Cube), et *méduse*.

♦ Didact. (zool.). Ancien groupe de méduses acalèphes, de forme plus ou moins cubique, dotées de quatre tentacules.

CUCUBALE [kykybal] n. m. — Déb. XVIIIᵉ; p.-ê. altér. de *cucube*; lat. *cucubalus*.

♦ Bot. Plante dicotylédone *(Caryophyllées)* du groupe des silénées, vivace, à tige souvent grimpante, à fleurs blanches, à fruit charnu, noir et luisant (baie), qui croît dans les lieux humides, les haies; il est parfois assimilé à la silène*.

CUCUL [kyky] adj. — XXᵉ; redoublement de *cul*.

♦ **1.** Fam. Niais, un peu ridicule. *Il est cucul, ce film. Cucul la praline*, ou (renforcement plaisant), *cucul la praloche*. — On écrit parfois *cucu*.

1 Tous les regards s'étaient tournés vers lui et le public se mit à rire gaiement, du reste sans hostilité. On le trouvait simplement cornichon, cucul la rainette, ratapoil et rantanplan.
M. AYMÉ, Travelingue, p. 225.

2 Balzac et Proust resteront des amis intimes. J'estimai Corydon *(de Gide)* cucul.
Jean-Louis BORY, Ma moitié d'orange, p. 59.

N. *Quel cucul! Va donc, pauvre cucu! Quelle cucul, cette fille!*

♦ **2.** Fam. (enfantin). Derrière, cul. *« Il a encore bobo à son cucul! »* (H. Bazin, *in* Colin). *Attention, si tu continues, tu vas avoir pan-pan cucul!*

DÉR. Cucuterie.

CUCULLE [kykyl] n. f. — 1308; lat. ecclés. *cuculla*.
Didactique.

♦ **1.** Capuchon de moine (→ Cilice, cit. 3).

— Je vais pour vous — merci!
Dire mon chapelet jusqu'au grain majuscule
— Bonne chance! Mes vœux suivent votre cuculle!
Edmond ROSTAND, Cyrano de Bergerac, III, 7.

♦ **2.** Ancien vêtement de moine couvrant à la fois la tête et le corps. ⇒ 1. **Coule.**

♦ **3.** Scapulaire de chartreux.

CUCUMÈRE [kykymɛʀ] n. m. — Déb. XIVᵉ, *cucumer*; mot lat., «concombre».

♦ Didact. (latinisme). Concombre (Huysmans, *la Cathédrale, in* T. L. F.).

CUCURBITACÉES [kykyʀbitase] n. f. pl. — 1805; de l'adj. *cucurbitacé*, 1721 (→ REM. 2.); du lat. sc. *cucurbita* «courge».

♦ Bot. Famille de plantes phanérogames angiospermes, classe des dicotylédones gamopétales, comprenant des herbes annuelles ou vivaces, rampantes ou volubiles, dont le fruit est une péponide ou pépon*, et qui croissent dans les régions chaudes. *Types principaux de cucurbitacées.* ⇒ **Bryone, calebasse, coloquinte, concombre** (cornichon...), **courge** (gourde, citrouille, potiron), **luffa, melon, momordique** (ecbalium, élatérion), **pastèque.**

REM. 1. On rencontre la forme *un cucurbitacé*, n. m., substantivation de l'adj.

2. L'adj. *cucurbitacé, ée* est antérieur au n. f. (1721, Trévoux), mais n'est guère usité.
Au sing. *Une cucurbitacée.*

CUCURBITE [kykyʀbit] n. f. — XIVᵉ; lat. *cucurbita* «courge».
Didactique.

♦ **1.** Partie inférieure de l'alambic, à panse renflée, dans laquelle on met les matières à distiller.

1 Bosse-de-Nage *(un singe)* se crut obligé de revêtir un habit noir et de couronner son crâne, semblable à une cucurbite malintentionnée, d'un chapeau belge.
A. JARRY, Gestes et Opinions du Dʳ Faustroll, Pl., p. 695.

♦ **2.** Minér. Pierre argileuse de la forme d'un concombre.

♦ **3.** Fruit des cucurbitacées. ⇒ **Cucumère, pépon.**

2 (...) leur fruit, qui n'est ni celui du lierre, ni une cucurbite, ressemble exactement au fruit bien connu de l'asclépias (...)
Émile BURNOUF, la Science des religions, p. 247.

CUCURBITÉ, ÉE, ÉES [kykyʀbite] adj. et n. f. pl. — 1814; dér. sav. du lat. *cucurbita* «courge», et suff. *-é*.
Didactique.

♦ **1.** Adj. Semblable à la courge. ⇒ **Cucurbitacées.**

♦ **2.** N. f. pl. *(Les cucurbitées).* ⇒ **Cucurbitacées.**

CUCURBITIN ou **CUCURBITAIN** [kykyʀbitɛ̃] n. m. — 1752, *cucurbitin; cucurbitain*, 1762; *cubitius*, XIVᵉ; du lat. *cucurbita* (→ Cucurbitacées), et suff. *-ain*.

♦ Zool., méd. Chacun des derniers anneaux du strobile d'un ténia qui, bourré d'œufs, a la forme d'un pépin de citrouille et est rejeté hors de l'intestin.

CUCUTERIE [kykytʀi] n. f. — V. 1920; de *cucul*.

♦ Fam. Niaiserie ridicule. *La cucuterie de sa conversation.* — *(Une, des cucuteries).* Paroles niaises et ridicules.

1 On a dans les oreilles les cucuteries que se chuchotent les amants.
J. DUTOURD, les Horreurs de l'amour, p. 629.

Chose ridicule.

2 Pas de villas croquignolettes (...) pas de cucuteries à pergola choisies sur catalogue ni de chalet normand pour retraités coquets.
Jacques PERRET, Bâtons dans les roues, p. 111.

CUEILLAGE [kœjaʒ] n. m. — 1343, *quellage*; de *cueillir*.

♦ **1.** Rare. Action de cueillir (des fruits). ⇒ **Cueille, cueillette.**

♦ **2.** Techn. ⓐ Opération de verrerie* qui consiste à prendre avec la canne le verre pâteux en fusion pour souffler dedans (⇒ **Cueilleur**, 2.).

ⓑ Bonneterie. Prise (du fil) par le bec de l'aiguille. *Les mouvements « nécessaires au cueillage, à l'amenage (...) du fil »* (Ch. Martin, *la Laine*, p. 93).

CUEILLAISON [kœjɛzɔ̃] n. f. — 1832; *quieuson*, 1260; *ceulison*, XVᵉ; de *cueillir*.
Littéraire.

♦ **1.** Action de cueillir. ⇒ **Cueillage, cueille, cueillette.** — Fig. *« La cueillaison d'un rêve... »* (→ Cueillir, cit. 10, Mallarmé).

♦ **2.** Par métonymie. Époque où l'on cueille (les fruits). ⇒ **Cueillette** (cour.). *Pendant la cueillaison des pêches.*

CUEILLE [kœj] n. f. — 1530; *cueil*, XVᵉ; de *cueillir*.

♦ Vx ou régional. Action de cueillir. ⇒ **Cueillage, cueillaison, cueillette.** *La cueille des fruits* (→ Crépitation, cit. 1, Sand).

CUEILLE-FRUITS [kœjfʀɥi] n. m. invar. — XIXᵉ; de *cueillir*, et *fruits*.

♦ Agric. Instrument pour cueillir des fruits inaccessibles. ⇒ **Cueilloir.**
Il y avait, pour attraper les figues hautes du jardin de B., un long cueille-fruits, fait d'un bambou et d'un entonnoir de fer (...)
R. BARTHES, Fragments d'un discours amoureux, p. 257.

CUEILLETTE [kœjɛt] n. f. — XIIIᵉ, *cueilloite* «impôt»; du lat. *collecta*, p. p. subst. de *colligere* (→ Cueillir), d'après *cueillir*.

♦ **1.** Action de cueillir. ⇒ **Cueillage, cueillaison, cueille.** *Faire une cueillette, la cueillette de...* — Spécialt. Récolte*. *La cueillette des cerises, des pommes, des oranges, des olives. Cueillette manuelle, mécanique du coton.*

1 Les Californiens ont mis au point une technique minutieuse de la cueillette *(des agrumes)*. Le cueilleur porte des gants de coton afin de ne pas égratigner les fruits avec ses ongles. Il se sert d'un sécateur spécialement étudié qui tranche le pédoncule au ras du fruit (...) Il met les fruits dans un sac de toile, fortement cousu et renforcé de cuir, qu'il porte en bandoulière sur le côté gauche.
Paul ROBERT, les Agrumes dans le monde, p. 207.

Par métonymie. Les fleurs ou les fruits que l'on a cueillis. *Une belle cueillette.*

2 Depuis huit jours il court les bois et les collines, pour la cueillette de ses plantes. Ce soir, il est rentré, chargé d'herbes, de fleurs. Il en avait plein les épaules. Ça embaumait.
H. BOSCO, le Jardin d'Hyacinthe, p. 278.

♦ **2.** Action de rassembler (des objets que l'on trouve çà et là). ⇒ **Collecte, ramassage.** *La cueillette des chiffons.* — Loc. Vieilli. *Faire la cueillette,* la quête, une collecte au profit de déshérités. — Vieilli. *Voleur à la cueillette.* → À la tire*. — Fig. *La cueillette des idées. Une cueillette de sentiments.*

♦ **3.** Mar. *Navire chargé à la cueillette, en cueillette,* dont la cargaison est composée de marchandises appartenant à divers affréteurs.

3 Les affrètements partiels sont de beaucoup les plus fréquents. Ils sont quelquefois faits *à cueillette* (...) c'est dans le cas où l'armateur d'un *tramp* ne veut pas s'engager d'une façon ferme envers un affréteur, sans savoir s'il trouvera de quoi compléter le chargement de son navire ; il est donc convenu que le contrat sera résilié si, dans un certain délai, l'armateur ne trouve pas une cargaison suffisante pour remplir les trois quarts du navire.
Léon LACOUR, Précis de droit maritime, n° 209.

♦ **4.** Sociol. Ramassage des produits végétaux comestibles (dans les groupes humains qui ignorent la culture). *Ils vivent de pêche, de chasse et de cueillette.*

CUEILLEUR, EUSE [kœjœʀ, øz] n. — 1303 ; «percepteur», 1272 ; de *cueillir.*

♦ **1.** Personne qui cueille (→ Cueillette, cit. 1). *Des cueilleuses de fruits, de lavande.*

1 Feuillage, fleurs, bourgeons, vous vous êtes laissé prendre. Je ne connais pas vos morts, citadins cueilleurs de muguets, je connais les miens.
Violette LEDUC, la Folie en tête, p. 12.

2 (...) dans l'autre cartouche ovale on pouvait voir représenté un champ de tabac dont les larges feuilles dissimulaient jusqu'à mi-corps des hommes en manches de chemise et coiffés d'un vaste chapeau, occupés sans doute à la cueillette, le champ de tabac limité, au fond, par une colline sur laquelle poussaient plusieurs palmiers semblables à ceux qui étaient représentés sur le blason : il en compta cinq (un isolé sur la gauche, les quatre autres groupés en bouquet sur la droite), et huit cueilleurs dans le champ de tabac (ou plutôt, à y bien regarder, sept cueilleurs seulement, le buste courbé, les bras tendus ou à moitié repliés...)...
Claude SIMON, le Palace, p. 137.

♦ **2.** Techn. Ouvrier verrier qui pratique l'opération de cueillage* (2.).

N. f. *Cueilleuse :* machine qui permet de détacher mécaniquement les capsules du cotonnier.

CUEILLI, IE [kœji] p. p. et adj. ⇒ **Cueillir.**

CUEILLIR [kœjiʀ] v. tr. — *Je cueille, nous cueillons ; je cueillais, nous cueillions ; je cueillis ; je cueillerai ; que je cueille, que nous cueillions ; que je cueillisse ; cueillant ; cueilli.* — V. 980, «prendre quelqu'un» ; «accueillir, recueillir», 1080 ; du lat. *colligere* «recueillir, rassembler», de *col- (cum),* et *legere* «ramasser».

♦ **1.** Détacher (une partie d'un végétal) de la tige. *Cueillir une fleur, un fruit, une feuille* (→ Bleuet, cit. 1). *Cueillir des fleurs. Cueillir des marguerites, des pâquerettes.* — *Cueillir les fruits.* ⇒ **Cueille, cueillage, cueillaison, cueillette** (faire la) ; **défruiter, récolter, vendanger** (le raisin). *Cueillir un fruit sur l'arbre.* ⇒ **Détacher.** *Cueillir quelques grains sur une grappe.* ⇒ **Picoter.** *Cueillir les grappes qui restent après la vendange.* ⇒ **Grappiller.** *Saison où l'on cueille les fruits.* ⇒ **Cueillaison** (2.).

1 Qui ne les eût à ce vêpre *(soir)* cueillies *(ces fleurs)*...
RONSARD, Amours diverses, II.

2 Tiens, ma bien-aimée, prends cette branche fleurie de citronnier que j'ai cueillie dans la forêt ; tu la mettras, la nuit, près de ton lit.
BERNARDIN DE SAINT-PIERRE, Paul et Virginie, p. 60.

3 Je veux aussi y cueillir de la menthe pour embaumer mon linge (...)
G. SAND, François le Champi, X, p. 90.

Par métonymie. *Cueillir un bouquet :* cueillir des fleurs pour en faire un bouquet.

4 Et j'ai coupé la branche au hêtre
Et cueilli en passant à l'automne qui dort
Le bouquet des trois feuilles d'or.
Mathurin RÉGNIER, Jeux rustiques et divins, «Odelette», II.

Loc. *Cueillir des pâquerettes, des marguerites, cueillir les fraises...* : s'attarder, musarder (cf. Aller aux fraises).
Par ext. *Cueillir des coquillages.* ⇒ **Récolter.**

♦ **2.** Par métaphore ou fig. (littér.). Prendre. ⇒ **Moissonner, ramasser, récolter, recueillir** (plus cour.). *Cueillir des anecdotes.* ⇒ **Collecter.** *Cueillir un baiser,* le prendre avec douceur (cf. Voler un baiser). — Vx. *Cueillir une femme,* la séduire, obtenir ses faveurs. — Par méta-

phore. *Cueillir la palme au martyre. Cueillir des lauriers :* remporter des succès éclatants. ⇒ **Illustrer (s').** *Cueillir les roses de la vie,* les plaisirs (→ Attendre, cit. 34). — *Cueillir des applaudissements. Cueillir le jour qui passe.* ⇒ **Carpe diem.**

5 Donc, si vous me croyez, mignonne,
Tandis que votre âge fleuronne
En sa plus verte nouveauté,
Cueillez, cueillez votre jeunesse (...)
RONSARD, À Cassandre.

6 C'est le fruit que j'attends des lauriers qui m'attendent ;
Heureux si mon destin, encore un peu plus doux,
Me les faisait cueillir sans m'éloigner de vous.
CORNEILLE, Pompée, IV, 3.

7 Mes sens sont altérés, toutes mes facultés sont troublées par ce baiser mortel (...) C'est du poison que j'ai cueilli sur tes lèvres (...)
ROUSSEAU, Julie ou la Nouvelle Héloïse, I, Lettre XIV.

8 L'amour est une fleur délicieuse, mais il faut avoir le courage d'aller la cueillir sur les bords d'un précipice affreux.
STENDHAL, De l'amour, p. 128.

9 Cherchez les effets et les causes,
Nous disent les rêveurs moroses.
Des mots ! Des mots ! Cueillons les roses.
Th. DE BANVILLE, in P. LAROUSSE.

10 Ma songerie, aimant à me martyriser,
S'enivrait savamment du parfum de tristesse
Que même sans regret et sans déboire laisse
La cueillaison d'un rêve au cœur qui l'a cueilli.
MALLARMÉ, Apparition, Pl., p. 30.

11 Je les cueille toutes maintenant dans mon souvenir, ces pensées (...)
PROUST, les Plaisirs et les Jours, p. 146.

12 Sois satisfait des fleurs, des fruits, même des feuilles,
Si c'est dans ton jardin à toi que tu les cueilles !
Edmond ROSTAND, Cyrano de Bergerac, II, 8.

13 Et pourtant, que de fois, sur le point de cueillir une joie, m'en suis-je soudain détourné comme aurait pu faire un ascète.
GIDE, Nouvelles nourritures, III, I, p. 258.

♦ **3.** (1878). Fig., fam. (Personnes). *Cueillir qqn,* le prendre* aisément au passage. *Cueillir un ami à la gare,* l'y accueillir alors qu'il ne s'y attend pas. *Cueillir qqn au vol,* l'arrêter au moment où il passe. — Spécialt. *Cueillir un voleur,* l'arrêter par surprise. ⇒ **Pincer, piquer** (→ Bénéficier, cit. 3). *Se faire cueillir.*

13.1 (...) tu serais cause qu'on nous cueillerait.
Louise MICHEL, la Misère, t. III, p. 693.

13.2 Parlant d'un jeune voleur qu'il ramène encadré, le flic ose dire : — J'viens de l'cueillir su' le macadam !
Jean GENET, Pompes funèbres, p. 37.

13.3 — Et on a fait vite, dit le caporal. Il s'agissait pas de traîner : ceux du vingt-huitième, sur notre flanc gauche, qui ont trop attendu, ils se sont laissé cueillir comme des gamins. — Maintenant, de toute façon, dit le soldat, ça va bien revenir au même. Un jour ou l'autre, on sera ramassés.
A. ROBBE-GRILLET, Dans le labyrinthe, p. 176-177.

(1904, in Petiot). Boxe. *Cueillir un adversaire,* l'atteindre d'un coup qui le surprend.

(Choses). Le sujet désigne un projectile, un coup. *La balle l'a cueilli à l'épaule.*

♦ **4.** Techn. [a] Mar. *Cueillir un cordage,* le ramasser en le roulant sur lui-même.

[b] Techn. *Cueillir les fils :* couper le fil dont on fait les épingles. — *Cueillir la soie :* boucler la soie placée sur les platines. — *Cueillir du plâtre,* en détacher une petite partie. — *Cueillir du verre fondu.* ⇒ **Cueillage** (2.), **cueilleur** (2.).

13.4 Lorsque la température élevée du four l'eut réduite à l'état liquide ou plutôt à l'état pâteux, Cyrus Smith « cueillit » avec sa canne une certaine quantité de cette pâte ; il la tourna et la retourna sur une plaque de métal préalablement disposée, de manière à lui donner la forme convenable pour le soufflage ; puis il passa la canne à Harbert en lui disant de souffler par l'autre extrémité. « Comme pour faire des bulles de savon ? demanda le jeune garçon. — Exactement », répondit l'ingénieur.
J. VERNE, l'Île mystérieuse, t. I, p. 419.

▶ **CUEILLI, IE** p. p. adj.
Détaché (en parlant d'un végétal). *Des roses cueillies.*

14 (...) de petits paniers d'osier remplis de *mirtilles* noires, fraîches cueillies.
Alphonse DAUDET, Contes du lundi, « Alsace, Alsace ! ».

CONTR. Laisser. — Disperser, éparpiller. — Filer (un cordage). — Dédaigner, gaspiller, repousser.
DÉR. Cueillage, cueillaison, cueille, cueilleur, cueilloir.
COMP. Accueillir, recueillir. — Cueille-fruits.

CUEILLOIR [kœjwaʀ] n. m. — 1322 ; de *cueillir.*
Technique (agriculture).

♦ **1.** Instrument consistant en un long bâton armé de cisailles pour couper les fruits des hautes branches. ⇒ **Cueille-fruits.**

♦ **2.** Corbeille de cueillette. *Mettre des fruits dans un cueilloir.*

CUESTA [kwɛsta] n. f. — 1925 ; mot esp. «côte».

♦ Géogr. Plateau structural à double pente asymétrique. ⇒ 2. **Côte.** *Des cuestas.*

CUFAT ou CUFFAT [kyfa] n. m. — 1855 ; du lat. *cupa* «tonneau, cuve» ; mot du Nord de la France.

♦ Techn. (mines). Tonneau en acier accroché à un câble, utilisé pour la remontée des déblais ou pour la circulation du personnel dans un fonçage de puits de mine.

Deux grands procédés sont utilisés *(pour la remontée au jour)* : la remontée par cages et la remontée par skips[1] (ce dernier procédé sous sa forme actuelle est extrêmement récent, mais il est une évolution naturelle de l'utilisation des *cuffats*).
Michel CAZIN, les Mines, p. 105.

1. Bennes sur plan incliné.

REM. On écrit aussi *cuffa*.

CUI-CUI [kɥikɥi] onomat. et n. m. invar. — 1856, *coui-coui*; *cuic*, 1869; onomatopée.

♦ Bruit imitant le pépiement de l'oiseau.

1 Le piaf allait se planquer derrière le rideau. On l'appelait, il répondait : cui-cui.
Jean FERNIOT, Pierrot et Aline, p. 35.

N. m. invar. Pépiement (d'oiseau).

2 Pour beaucoup moins cher (...) vous pouvez avoir un petit oiseau modeste (...) il vous dira d'honnêtes cui-cui sans génie, mais purs comme la rosée, vrais comme le jour (...) C'est un fait que le manque de cui-cui authentiques se fait durement sentir dans le monde moderne, monstrueuse volière encombrée d'oiseaux braillards et funestes.
Jacques PERRET, Bâtons dans les roues, p. 271.

Loc. verb. *Faire cui-cui* : pépier, chanter, crier (en parlant d'un oiseau). — Par analogie :

3 De temps à autre le chien de Meussieu Exossé aboie ; les poules de Mme Caumerse coassent ; une auto fait coicoin, la bicyclette du facteur cuicui et la brouette du jardinier cuicui. Ces bruits divers et discrets donnent à la verdure des platanes un charme que seuls les esprits distingués peuvent apprécier.
R. QUENEAU, le Chiendent, Folio, p. 330-331.

Var. (onomat.) : *cuic*. « *Quand il dit "Cuic!", le moineau croit avoir tout dit* » (J. Renard, *Journal*, 10 avr. 1907).

CUIDER [kɥide] v. tr. — V. 1050; du lat. *cogitare*. → (fam.) Cogiter.

♦ Vx. Littér. ou par plais. Penser*, croire*.

Tel, comme dit Merlin, cuide *(croit)* engeigner *(tromper)* autrui,
Qui souvent s'engeigne soi-même.   LA FONTAINE, Fables, IV, 11.

▶ **SE CUIDER** v. pron.
Se croire, penser être.

CUILLER ou **CUILLÈRE** [kɥijɛʀ] n. f. — XIe, *culier*; *coller*, n. m., v. 1150, et *cuillier*, n. f., v. 1160; du lat. *cochlearium*, de *cochlea* «ustensile à manger les escargots».

♦ **1.** Ustensile de table ou de cuisine formé d'un manche et d'une partie creuse, et qui sert à transvaser ou à porter à la bouche les aliments liquides ou peu consistants. *Manche, cuilleron*, dos de la cuiller. Cuiller de vermeil, d'argent, de ruolz, d'étain, de fer, de bois, d'os, d'ivoire. Cuiller ciselée. Cuiller à filet*. Cuiller et fourchette assorties.* ⇒ **1. Couvert.** *Cuillère-fourchette* : ustensile à double fonction. — *Cuiller à bouche,* ou *cuiller à soupe. Cuiller à dessert,* ou *à entremets. Cuiller à café, à moka* ou *petite cuiller. Cuiller à œuf. Cuiller pour servir le poisson.* ⇒ **Truelle.** *Cuiller à salade,* en bois, en os, en matière plastique. *Cuiller à moutarde. Cuiller à sel. Cuiller pour servir les confitures.* ⇒ **Palette.** *Cuiller à punch, à sauce,* à cuilleron transversal. *Cuiller à manche long,* pour bocal. *Grande cuiller.* ⇒ **Poche.** *Cuiller à pot.* ⇒ **2. Louche, pochon.** *Grande cuiller à trous pour écumer.* ⇒ **Écumoire.** — *Tourner la sauce dans la casserole avec une cuiller en bois. Faire fondre le sucre avec la cuiller. Étaler la pâte d'un gâteau avec une cuiller.* ⇒ **Biscuit** (à la cuiller).

1 On a inventé aux tables une grande cu(e)illère pour la commodité du service : il la prend ; la plonge dans le plat, l'emplit, la porte à sa bouche (...)
LA BRUYÈRE, les Caractères, XI, 7.

2 Le bruit des cuillers sonnant sur la faïence éclaira le début du repas.
G. DUHAMEL, Chronique des Pasquier, III p. 12.

3 (...) Pauline (...) remuait avec une cuiller de bois des morceaux de viande qui crépitaient dans la casserole.
J. CHARDONNE, les Destinées sentimentales, II, II, p. 228.

3.1 (...) Elle s'y connaît aussi en cuillères de bois parce que son sabotier de mari en fait encore de temps en temps. Et il le taille, dit-il, à la mesure de la bouche de chacun. Et chacun retrouve sa cuillère personnelle à la vue, sans autre marque. C'est peut-être difficile à croire, mais il reconnaît sa propre bouche dessus. Ces cuillères, vers mes six ans, on peut encore les acheter, dans les foires et marchés, aux boisseliers ambulants. Les menuisiers, les sabotiers, les tourneurs en fabriquent à leurs moments perdus. Les plus pâtres les font avec un couteau en gardant les bêtes.
P.-J. HÉLIAS, le Cheval d'orgueil, p. 450.

3.2 (...) accrocher au mur la cuillère de mes trop rares repas, las de voir traîner par terre (en l'absence de tout autre mobilier qu'une chaise de bois sans barreaux) cet ustensile censé demeurer à l'abri des souillures.
La cuillère en question du reste assez incommode pour manger, car elle a été percée, au milieu de sa partie creuse, d'un trou circulaire où je peux presque passer le doigt, ce qui facilitera son accrochage ; mais une petite perforation à l'extrémité du manche aurait présenté le même avantage, sans les inconvénients de la solution adoptée.
A. ROBBE-GRILLET, Souvenirs du triangle d'or, p. 134.

Au plur. *(Cuillères).* Instrument à percussion formé de deux cuillers réunies par le manche au moyen d'une articulation à ressort. *Jouer des cuillères.*

Par métonymie. Contenu d'une cuiller. ⇒ **Cuillerée.** *Prenez une cuiller à café de cette potion matin et soir.* — Fam. (lang. enfantin). *Une cuillère pour maman, une cuillère pour papa.* ⇒ **Cuillerée.**

Si monsieur veut bien avaler une cuiller pour maman une cuiller pour papa (...)   3.3
Tony DUVERT, Paysage de fantaisie, p. 186.

♦ **2.** [a] Techn. Ustensile de forme analogue à la cuiller (1.). *Cuiller de verrier, de plombier, d'ajusteur.* ⇒ **Casse.** *Cuiller de forgeron.* ⇒ **Gouge.** *Cuiller utilisée dans le raffinage du sucre.* ⇒ **Pucheux.** *Cuiller de glacier,* pour mouler les boules de glace. *Cuiller de pharmacien.* ⇒ **Spatule.** *Cuiller de chirurgien,* servant à cureter. — *Cuiller pour nettoyer l'âme d'un canon.* ⇒ **Curette.** — Vx. *Cuiller à boulets rouges* : outil avec lequel on transportait les boulets du fourneau à la pièce.

(1866). Pêche. Appât métallique tournant ou ondulant. *Pêcher à la cuiller.*

Les Indiens accroupis sur leur garrot, parmi les touffes de plumes blanches, les retenaient avec la cuiller du harpon, tandis que, dans les tours, des hommes cachés jusqu'aux épaules promenaient, au bord des grands arcs tendus, des quenouilles en fer garnies d'étoupes allumées.   3.4
FLAUBERT, Salammbô, Pl., t. I, p. 881.

[b] (1878). Fam. Aujourd'hui seult dans la loc. *(se) serrer la cuiller.* Main. ⇒ **2. Louche, pince.**

Je leur serre la cuiller à tous et je m'éloigne.   3.5
SAN-ANTONIO, le Secret de Polichinelle, p. 90.

[c] Partie d'objet dont la forme évoque une cuiller. *Ciseaux à cuiller* : ciseaux courbes. — Bot. *Herbe aux cuillers.* ⇒ **Cochléaria.**

Les cuillers arrondies du bec de la spatule paraissent propres à ramasser les coquillages.   4
BUFFON, in LITTRÉ.

Méd. *Cuillers d'un forceps* : extrémité évasée et concave des branches du forceps.

Cuiller de tube lance-torpilles : extrémité évidée de la partie inférieure du tube, qui permet de soutenir et diriger la torpille à sa sortie. *Cuiller d'une grenade* : pièce qui maintient la goupille* d'une grenade.

La cuiller appuie contre le creux de sa paume et il savoure cette pression avec une exaltation secrète, en entretenant pour lui-même un inutile suspense.   4.1
Régis DEBRAY, l'Indésirable, p. 41.

[d] Loc. **CUILLER À POT** : sabre court, recourbé (comme une louche ?) [in J. Perret, *le Vent dans les voiles,* cité par J. Cellard, *le Monde,* 7 sept. 1981].

(Techn. anc.). Grand compositeur de typographie (E. Boutmy, 1883, cité par J. Cellard, *le Monde,* 7 sept. 1981).

[e] *En cuiller* : en forme de cuiller. *Pétales, feuilles en cuiller.*

♦ **3.** Loc. fam., vx. *Avaler, rendre, verser sa cuiller (au magasin)* : mourir. — Mod. *Faire une chose en deux coups, en trois coups de cuiller à pot** (cit. 13), la faire très vite, en tour de main. — *Être à ramasser à la petite cuiller* : être en piteux état.

Tu es engagé pour combien de temps? — Trois ans. — Eh bien! ma canaille, tu n'y vas pas, comme on dit, avec le dos de la cuiller.   5
P. MAC ORLAN, la Bandera, IX, p. 106.

Ne pas y aller avec le dos de la cuiller : agir sans modération.

DÉR. Cuillerée, cuilleron.

CUILLERÉE [kɥijʀe ; kɥijeʀe] n. f. — 1393; de *cuiller.*

♦ La quantité contenue dans une cuiller. ⇒ **Cuiller** (1., par métonymie). *Prendre une cuillerée de sirop. Cuillerée à dessert, à soupe, à café. Boire par petites cuillerées* (→ Assiette, cit. 15). — *Une cuillerée pour papa, pour maman,* formule d'encouragement à manger, adressée aux jeunes enfants (syn. : *une cuiller pour papa...*).

CUILLERON [kɥijʀɔ̃] n. m. — 1352, *culleron*; de *cuiller.*

♦ **1.** Techn. Coupe ovale ou ronde qui est au bout du manche d'une cuiller, pour prendre le liquide, la poudre, etc. *Cuilleron plat d'une truelle à poisson. Cuilleron transversal,* perpendiculaire au manche.

♦ **2.** Zool. Enveloppe protectrice de l'organe stabilisateur de certains diptères (mouches). — On dit aussi *aileron.*

CUIR [kɥiʀ] n. m. — 1080, *quir,* in *Chanson de Roland*; du lat. *corium* «peau».

★ **I.** ♦ **1.** Vx (langue class.) ou par plais. La peau de l'homme.

(...) ils ont la tête rasée jusqu'au cuir (...)   1
LA BRUYÈRE, les Caractères de Théophraste, De l'épargne sordide.

Donc, il dit à ses damnés, à ceux qui avaient le cuir plus dur que les autres : « Allez me nettoyer la route ».   2
BALZAC, le Médecin de campagne, Pl., t. VIII, p. 457.

Il était de stature moyenne, nerveux, brun de poil et de cuir.   3
G. DUHAMEL, le Temps de la recherche, III, p. 29.

Loc. *Entre cuir et peau* : sous la peau. *Entre cuir et chair* : entre peau et chair. *S'enfoncer une épine entre cuir et chair.* Fig. *Jurer entre cuir et chair,* sourdement (→ Dans sa barbe).

(1800). Mod. *Le cuir chevelu* : la peau du crâne qui porte les cheveux. *Affection du cuir chevelu* (⇒ **Alopécie, pelade, teigne**).

Fig. *Tanner* le cuir à qqn,* le battre.

4   (...) depuis trente ans que je reçois des coups, je devrais avoir le cuir tanné.
G. DUHAMEL, Chronique des Pasquier, VII, p. 82.

♦ **2.** (V. 1160). Peau (d'un animal); spécialt, peau épaisse. *Le cuir épais et dur du mulet. Le cuir de l'hippopotame, du rhinocéros, de l'éléphant.*

5   (...) la couleur faisait penser bizarrement au cuir d'un chameau de Tartarie, à l'époque de la mue du poil (...)   Léon BLOY, la Femme pauvre, II, XV, p. 244.

♦ **3.** Cour. Peau des animaux séparée de la chair, tannée et préparée pour différents usages. ⇒ **Peau; mégisserie, pelleterie, tannerie.** *Aspect d'un cuir.* ⇒ **Grain.** *Cuir grenu. Cuir lisse. Cuir souple. Cuir fort. Cuir dur, racorni*.* ⇒ **Coriace.** *Côté chair, côté fleur du cuir. Qui a l'aspect du cuir.* ⇒ **Alutacé.**
Variétés de cuirs. Cuir de bœuf, de buffle, de vache. ⇒ **Croupon, vachette.** *Cuir de veau.* ⇒ **Box-calf, vélin.** *Cuir de cheval.* ⇒ **Chagrin.** *Cuir de chèvre* (⇒ **Maroquin**), *de mouton* (⇒ **Basane**). *Cuir de reptiles.* ⇒ **Crocodile, lézard, serpent.** *Cuir de mollèterie,* ou *cuir d'œuvre,* pour empeignes de chaussures. *Cuir de poule, cuir souple pour la ganterie. Préparation des cuirs. Cuir brut, cru*,* ou *cuir vert,* mis au tannage. ⇒ **Tanner; tan.** *Cuir corroyé.* ⇒ **Corroyage; corroyer.** *Apprêter le cuir.* ⇒ **Chamoiser, chevaler, chromer, drayer, écharner, fouler, gaufrer, greneler, lisser, vernir.** *Cuirs spéciaux. Cuir parcheminé. Cuir plaqué. Cuir en croûte*. Cuir suédé.* ⇒ **Chamois, daim.** *Cuir bouilli* (propre et fig. ⇒ **Bouilli**). *Cuir jusé. Cuir en huile,* traité à l'huile végétale, non teint. *Cuir grainé,* imprimé. *Cuir de Russie,* traité à l'huile de bouleau (⇒ **Dioggot**). *Cuir de Valachie,* préparé dans un passement d'orge. *Cuir de Hongrie* (⇒ **Hongroyer**). *Cuir de Transylvanie,* préparé à la farine de seigle. *Cuir de Cordoue.*

5.1   Cette agonie qu'on appelle l'existence, si elle n'était pas meublée d'objets sensuels et parfaitement inutiles, ne mériterait pas qu'on la prolonge. De surcroît, l'art de la reliure, insiste Matri, est un art olfactif : un constant plaisir de la narine, qui doit déceler sans effort le vélin ivoire du demi-veau ou le chagrin du cuir de Russie, encore que parfois les gardes de soie en atténuent le parfum.
Alain BOSQUET, les Bonnes Intentions, p. 205-206.

Personnes qui travaillent le cuir. ⇒ **Corroyeur, coupeur, fouleur, mégissier, tanneur; bourrelier, cordonnier, sellier.** *Billot pour battre le cuir. Refendage du cuir. Coudre du cuir avec une alène. Coudre, clouer le cuir. Teindre, cirer du cuir* (→ Cirage, cit. 1). *Cuir repoussé. L'industrie du cuir. Vente du cuir.* ⇒ **Maroquinerie.**
Objets de cuir, en cuir. Chaussures, semelle de cuir, tout cuir. Blouson, manteau, veste de cuir. Gants de cuir. Manchettes en cuir. ⇒ **Crispin.** *Bandes, lanières en cuir.* ⇒ **Bandoulière, baudrier, bourdalou, brayer, ceinture, courroie, cravache, guide, lanière, trépointe.** *Cartouchière, porte-monnaie en cuir. Livre relié en cuir* (→ Couvrir, cit. 41). *Tablier de cuir des forgerons.*

6   Une ceinture marocaine de cuir jaune ornée de broderies de couleurs vives serrait à la taille leurs petites robes très courtes, inspirées des modes européennes.
P. MAC ORLAN, la Bandera, VII, p. 77.

Par métonymie. Porter un cuir, un vêtement de cuir. « "Dépouiller" les gosses de leurs "cuirs" » (le Nouvel Obs., 16 oct. 1978, p. 79).

Spécialt. Cuir à rasoir : bande de cuir pour donner le fil aux rasoirs.

Absolument :

6.1   Alidor... repassant son rasoir sur sa main : Savez-vous où il met son cuir ?
E. LABICHE, Deux merles blancs, II, 8.

Argot de sport. ⇒ **Ballon.**
Rond de cuir. ⇒ **Rond-de-cuir.**

♦ **4.** Par anal. *Cuir de poisson. Carpe cuir :* type de carpe sans écaille. — *Cuir de requin.* ⇒ **Galuchat.** — Fig. *Cuir fossile.* ⇒ **Asbeste.** — *Cuir des Vosges :* sorte de carton. — *Cuir de laine :* étoffe de laine croisée très résistante. — *Cuir artificiel* ou *reconstitué :* toile enduite de cellulose. — On dit aussi *faux cuir,* ou *similicuir.*

★ **II.** (1783). Fig. et fam. Faute de langage qui consiste à lier les mots de façon incorrecte (ex. : *les chemins de fer[z] anglais* [lɛʃ(ə)mɛ̃dfɛrzɑ̃glɛ]). *Faire un cuir. Parler sans (avec des) cuirs.*

7   (...) ces mots français que nous sommes si fiers de prononcer exactement ne sont eux-mêmes que des « cuirs » faits par des bouches gauloises qui prononçaient de travers le latin ou le saxon, notre langue n'étant que la prononciation défectueuse de quelques autres.   PROUST, À la recherche du temps perdu, t. IX, p. 176.

DÉR. Cuirasse, cuirot, curée. — V. Coriace.
COMP. Simili-cuir.
HOM. Formes du v. **cuire.**

CUIRASSE [kɥiʀas] n. f. — 1417; *curasse, cuirace,* XIIIᵉ; d'une langue romane (anc. provençal *coirassa,* ital. *corazza,* catalan *cuyrasse,* etc.); du lat. *coriaceus,* d'après *cuir,* les premières cuirasses pouvant avoir été en cuir.

♦ **1.** Partie d'une armure* protégeant le buste. ⇒ **Corselet, cotte.** *Cuirasse antique.* ⇒ **Cataphracte.** *Cuirasse des chevaliers, des hommes d'armes. Cavalier portant la cuirasse.* ⇒ **Cuirassier** (dér.). *Corps* de cuirasse. Le devant* (⇒ **Plastron**), *le dos* (⇒ **Dossière**) *de la cuirasse. Support de lance fixé à la cuirasse.* ⇒ **Faucre.**

Vx. *Endosser, ceindre la cuirasse :* prendre le parti des armes

(→ Armet, cit. 1). *S'armer d'une cuirasse.* ⇒ **Cuirasser** (se cuirasser; → Armer, cit. 10).

1   Amazan s'arme d'une cuirasse d'acier damasquinée d'or (...)
VOLTAIRE, la Princesse de Babylone, 11.

1.1   Dès la fin du XIᵉ siècle, la cuirasse est déjà devenue si complexe qu'elle vaut le prix d'une bonne exploitation agricole, et les perfectionnements de l'armement sont à la source du développement constant de la métallurgie du fer.
Georges DUBY, Guerriers et Paysans, p. 190.

1.2   Dans la forêt allemande, quel est le songe qui le hante et dont la respiration est rythmée par le cliquetis, toujours le même et apaisant, des plaques de la cuirasse qui bougent. Le bruit mou des sabots sur la mousse et l'humus, le cliquetis des plaques et des harnachements.
J. CAU, le Chevalier, la Mort et le Diable, p. 11.

Par métaphore :

1.3   J'étais loin d'être dans les eaux de Lenoir; ses sophismes glissaient sur la cuirasse épaisse de mon Sens commun. — Voyons, mon ami, lui dis-je, abuseriez-vous de vos droits d'amphitryon jusqu'à vouloir insinuer que cette BÛCHE, par exemple, n'est pas de la matière ?
VILLIERS DE L'ISLE-ADAM, Tribulat Bonhomet, p. 102.

Loc. *Le défaut de la cuirasse :* l'intervalle entre le bord de la cuirasse et les autres pièces qui s'y joignent. — Fig. L'endroit faible, le côté sensible de qqn ou de qqch. *Chercher, trouver le défaut de la cuirasse.* ⇒ **Défaut** (→ Talon* d'Achille).

Fig. et littér. Ce qui recouvre comme une cuirasse (concret).

♦ **2.** Fig. Défense*, protection*. ⇒ **Égide** (littér.), **rempart.** *Revêtir une cuirasse de froideur, d'indifférence. La cuirasse de la justice* (→ Bouclier, cit. 6).

2   (...) sa douleur portait cuirasse (...)
A. DE MUSSET, la Confession d'un enfant du siècle, p. 108.

3   Si l'on regarde au fond de ce solitaire, sous une triple cuirasse de froideur indulgente, d'ordre poussé jusqu'aux minuties et de politesse, il y a, d'abord, l'amour ardent de la vie, et l'instinct de la domination.
André SUARÈS, Trois hommes, « Ibsen », II, p. 90.

4   Les insultes devraient glisser sur ma peau comme une cuirasse. Mais non, je suis toujours vulnérable.   G. DUHAMEL, Chronique des Pasquier, VII, p. 82.

♦ **3.** Vx. Corsage féminin descendant jusqu'aux hanches.

♦ **4.** Zool. et cour. Tégument protecteur (de certains animaux). ⇒ **Carapace,** 1. **test.** *Cuirasse écailleuse des poissons dits cuirassés.*

5   Perchés dans les arbres voisins (...) de grands coqs combattants de la Malaisie, aux cuirasses damasquinées, surveillaient le manège des paons, et, sournois, attendaient l'heure du festin.   O. MIRBEAU, le Jardin des supplices, p. 215.

♦ **5.** Revêtement d'acier qui protège les navires de guerre, les blindés, contre l'effet des projectiles. ⇒ **Blindage.** *Tourelle revêtue d'une cuirasse.* ⇒ **Coupole.**

DÉR. Cuirassement, cuirasser, cuirassier.
HOM. Formes du v. **cuirasser.**

CUIRASSÉ, ÉE [kɥiʀase] adj. et n. m. — D. i.; p. p. de *cuirasser.*

♦ **1.** Revêtu d'une cuirasse. *Hommes d'armes, soldats cuirassés.*
Par anal. Doté d'un revêtement de protection.

♦ **2.** (1859). Muni d'un blindage. ⇒ **Blindé.** *Auto-mitrailleuse cuirassée.* — *Division cuirassée,* comportant des engins cuirassés. — *Navire, croiseur cuirassé* (→ ci-dessous Cuirassé, n. m.). *Frégate cuirassée. Flotte cuirassée.*
N. m. (1867). *(Un, des cuirassés).* Ancien navire de guerre de gros tonnage, fortement blindé* et armé d'artillerie lourde. ⇒ **Bâtiment** (de ligne), **navire** (de ligne). *Coupoles d'un cuirassé. Tourelles quadruples de cuirassé. Cuirassé lourd* (⇒ **Dreadnought**), *moyen* (⇒ **Monitor**). *Cuirassé de poche. La Mutinerie du cuirassé Potemkine* (1905), film d'Eisenstein (1925). — *Les cuirassés ont disparu en 1960.*

1   Pour la flotte, on se demande s'il convient que les nouveaux cuirassés aient tous des plaques de 61 centimètres, comme le garde-côte *l'Inflexible* (...)
L. FIGUIER, l'Année scientifique et industrielle 1876, p. 148 (1875).

2   Le *Deerhound* est mouillé près des grands cuirassés turcs, qui sont postés là comme des chiens de garde, à l'intention de la Russie.
LOTI, Aziyadé, Azraël, XXIX, p. 114.

♦ **3.** Zool. Doté d'un tégument protecteur. *Poisson cuirassé.* ⇒ **Ganoïde.** — N. m. *Un cuirassé.* ⇒ **Loricaire.**

♦ **4.** Fig. Armé d'une forte protection. ⇒ **Bardé, blindé, endurci, protégé.** *Cuirassé contre* (qqn, qqch.). *Cuirassé contre les passions, les injustices du sort.* ⇒ **Indifférent.** *Cuirassé contre ses ennemis.* — *Cuirassé par* (qqn, qqch.). *Il est cuirassé par son éducation, par ses parents.* — *Cuirassé de* (qqch.). *Cuirassé d'indifférence.*

3   (...) il était bien sûr d'échapper à tout cela, enfoui qu'il était dans ses livres et dans ses cahiers, cuirassé par son orgueil et armé par son ambition.
Valery LARBAUD, Fermina Marquez, XVII, p. 208.

4   Un homme sorti de si bas, et qui avait dû essuyer tant d'avanies jusqu'au jour de sa fortune, était cuirassé contre les humiliations (...)
R. ROLLAND, les Musiciens d'autrefois, p. III.

CUIRASSEMENT [kɥiʀasmɑ̃] n. m. — 1876; de *cuirasser.*

♦ Action de cuirasser un navire, un ouvrage fortifié. — Par métonymie. La cuirasse elle-même.

CUIRASSER [kɥiʀase] v. tr. — 1636 ; de *cuirasse*.

♦ **1.** Armer, revêtir d'une cuirasse. ⇒ **Armer, barder, blinder, matelasser.**

♦ **2.** Mettre un revêtement de protection à (qqch.). *Cuirasser une barricade.* ⇒ **Renforcer.** — Spécialt. *Cuirasser un navire,* le protéger par un revêtement d'acier. ⇒ **Blinder.** — Poét. *Le givre cuirasse les carreaux de la fenêtre.*

♦ **3.** Abstrait. Endurcir, rendre insensible. *Cuirasser ses enfants par une éducation rigoureuse. Cuirasser son penchant à l'émotivité.*

▶ **SE CUIRASSER** v. pron.

(Personnes). Se revêtir d'une cuirasse. — Fig. *Se cuirasser contre* (qqch.) : se protéger contre (qqch.), se rendre insensible à (qqch.). ⇒ **Aguerrir** (s'), **endurcir** (s'), **fortifier** (se) ; **garde** (se mettre en). *Se cuirasser contre les affronts, les calomnies, les injures. Se cuirasser contre l'adversité, les passions, les émotions...*

Quand on ne peut se soustraire à la douleur, on fait en sorte de se cuirasser contre elle.　　　　G. DUHAMEL, Récits des temps de guerre, IV, p. 74.

DÉR. Cuirassement.
HOM. V. Cuirasse.

CUIRASSIER [kɥiʀasje] n. m. — 1577, *cuirachier* ; de *cuirasse.*

♦ Anciennt. Cavalier protégé par une cuirasse. — Spécialt. Soldat d'un régiment de grosse cavalerie. *Casque de cuirassier. Une charge de cuirassiers.*

Par ext. *Le cinquième cuirassiers,* régiment de cuirassiers. — Mod. (précédé d'un ordinal : *le premier, deuxième... cuirassiers*). Régiment blindé.

CUIRE [kɥiʀ] v. — Conjug. *conduire.* — V. 880 ; du lat. pop. *cocere,* lat. class. *coquere.*

★ **I.** V. tr. ♦ **1.** Rendre (une substance comestible) propre à l'alimentation, par le feu, par la chaleur. ⇒ **Cuisson.** *Cuire de la viande, des légumes, des fruits, de la pâtisserie. Cuire le pain,* le faire en cuisant la pâte. Absolt. *Le boulanger cuit deux fois par jour,* fait deux fournées de pain dans la journée. — *Cuire des aliments sur un fourneau, une cuisinière, un réchaud. Cuire qqch. au feu de bois à la crémaillère, dans la braise, dans la cendre. Cuire de la viande, des légumes dans une marmite norvégienne. Cuire de la viande au four, au gril, à la broche, au bain-marie. Cuire qqch. à feu doux, à petit feu. Ustensiles pour cuire les aliments ; art de les préparer, de les faire cuire.* ⇒ **Cuisine.** *Cuire à l'eau en faisant bouillir* (⇒ **Bouillir**)*, sans faire bouillir* (⇒ **Infuser**). *Cuire dans plusieurs eaux,* en changeant l'eau de cuisson. *Cuire dans un récipient fermé, et à feu doux.* ⇒ **Braiser, étouffée** (cuire à l')*, étuvée* (cuire à l'). *Cuire avec une matière grasse.* ⇒ **Frire.** *Cuire dans le beurre, l'huile... Cuire au lard. Cuire à sec.* ⇒ **Griller, rôtir, rissoler.** — *(À cuire). Salade à cuire, fruits à cuire,* qui ne peuvent être consommés que cuits. *Chocolat à cuire,* qui doit être utilisé pour préparer la boisson du même nom, pour la pâtisserie (opposé à *à croquer*).

1 Ils les cuisent et apprêtent à diverses sauces.　　　MONTAIGNE, Essais, I, 106.
2 « J'ai vu, dit-il, un chou plus grand qu'une maison. »
　— Et moi, dit l'autre, un pot aussi grand qu'une église. »
　Le premier se moquant, l'autre reprit : «Tout doux :
　On le fit pour cuire vos choux ».　　　　LA FONTAINE, Fables, IX, 1.
3 Embrochez la bête, cuisez la bête, j'ai faim, moi !
　　　　　　　　　　　　　　　A. JARRY, Ubu roi, IV, 6, p. 14.

Par ext. Transformer (une substance non alimentaire) par l'action du feu et dans un but déterminé. ⇒ **Calciner.** *Cuire une poterie.* ⇒ **Cuit** (terre cuite). *Cuire la porcelaine.* ⇒ **Biscuiter.** *Cuire le plâtre, la chaux, des briques. Cuire du fil, de la soie.*

4 (...) le seul matériau du pays est l'argile, qu'on cuit ou qu'on sèche au soleil.
　　　　　　　　　　　　DANIEL-ROPS, le Peuple de la Bible, I, 1.
5 Je dépense beaucoup dans cette nouvelle Fabrique et dans l'ancienne où j'ai remplacé les fours au feu de bois par des fours au mazout pour cuire le bleu.
　　　　　　　　　J. CHARDONNE, les Destinées sentimentales, III, p. 407.

Loc. (1611). Fig. et fam. **ÊTRE DUR À CUIRE** : opposer une grande résistance. — N. (1829). *Un dur à cuire, une dure à cuire.* ⇒ **Dur.**

6 Notre colonel, qui était ce qu'on nomme un *dur à cuire,* voulut prendre sa revanche.　　A. DE VIGNY, Servitude et Grandeur militaires, III, VIII, p. 244.
7 (...) Michaud (...) un homme de ceux que les troupiers appellent soldatesquement des *durs à cuire,* surnom fourni par la cuisine du bivouac, où il s'est plus d'une fois trouvé des haricots réfractaires.　　BALZAC, les Paysans, Pl., t. VIII, p. 133.

♦ **2.** (Le sujet désigne la source de chaleur ou ce qui permet de cuire). Opérer la cuisson de (qqch.). *Ce four cuit bien la pâtisserie.* — Vx. *Fruits que le soleil a cuits.*

8 — C'est une eau que vous supposez contaminée ?
　— Non... non...
　— Alors quoi ? Elle vous paraît trop dure ? trop lourde ? Elle ne dissout pas le savon ? Elle cuit mal les légumes ?
　　　　　J. ROMAINS, les Hommes de bonne volonté, t. V, XI, p. 84.

♦ **3.** Par ext. (Fam.). Faire chauffer en exposant à une source de chaleur (soleil, etc.). *Cuire ses jambes, son dos au soleil.* — Les

rayons du soleil le cuisaient. — Au p. p. *Peau cuite par le soleil.* — Pron. *Se cuire au soleil.* ⇒ **Bronzer, dorer, rôtir** (se).

★ **II.** V. intr. ♦ **1.** Devenir propre à l'alimentation par l'action du feu. *Les pâtes doivent cuire dans beaucoup d'eau. Mettre des pâtes à cuire. Laisser cuire vingt minutes. Viande qui cuit dans son jus. Le ragoût cuit doucement, à petit feu.* ⇒ **Frissonner, mijoter, mitonner.** *Cuire à gros bouillons.* ⇒ **Bouillir.** *La viande a cuit trop fort, trop longtemps.* — *Faire cuire qqch. Faire cuire à feu vif dans un corps gras* (⇒ **Blondir, rissoler**)*. Faites-le cuire deux fois.* ⇒ **Recuire.** *Trop cuire.* ⇒ **Attacher, brûler, cramer, renverser.** *Aliment qui cuit bien,* facile à cuire. ⇒ **Cuisant.** *Ces lentilles cuisent bien.*

9 (...) je me charge de vous le faire cuire sous la cendre sans goût de fumée.
　　　　　　　　　G. SAND, la Mare au diable, VIII, p. 70.
10 (...) certaines volailles qui ne cuisent bien qu'au bois vert (...)
　　　　　　　　　　Léon BLOY, la Femme pauvre, I, p. 100.

Par ext. *Porcelaine qui cuit.*

♦ **2.** Être exposé à une grande chaleur. Fam. (Personnes). *Cuire dans son jus,* et, absolt, *cuire* : avoir très chaud. *Ouvrez les fenêtres, on cuit là-dedans !* ⇒ **Étouffer.** Loc. *Laisser qqn cuire dans son jus,* se désintéresser de lui et de ses ennuis ; ne pas l'aider.

11 Paris cuisait au feu d'un dimanche d'août.
　　　　　　　　MARTIN DU GARD, les Thibault, t. III, p. 9.

Spécialt et iron. *Faire cuire qqn,* lui faire subir le supplice du feu. ⇒ **Brûler.**

12 Je vais te faire cuire à petit feu.　　A. JARRY, Ubu roi, IV, 4, p. 128.

♦ **3.** Sujet n. de chose : partie du corps, etc. *(Cuire à qqn).* Produire une sensation d'échauffement, de brûlure. ⇒ **Brûler.** *Les mains lui cuisent d'avoir pétri des boules de neige. Les joues me cuisent.* ⇒ **1. Feu** (être en). *Les yeux me cuisent.* ⇒ **Piquer.** *Cette écorchure est à vif et me cuit.* ⇒ **Cuisant.** — (Absolt). *Ça cuit.* Prov. *Trop gratter cuit, trop parler nuit.* ⇒ **Gratter.**

Loc. (1660). **EN CUIRE (à qqn)** : causer des souffrances morales, des ennuis (à qqn). *Il vous en cuira si vous agissez de la sorte. Il pourrait vous en cuire, il vous en cuira* : vous vous en repentirez.

13 On n'est sage qu'après qu'il en a cuit de ne pas l'être.
　　　　　　　　　R. ROLLAND, l'Âme enchantée, t. II, p. 33.
14 Fais à ta tête, Père Ubu, il t'en cuira.　A. JARRY, Ubu roi, III, 1, p. 80.
14.1 Je ne cause pas avec la figuration. Qu'on m'amène un flic avec du galon. Vous oubliez que je suis la fille du plus grand maquignon de tout le Limousin. À Paris aussi, j'ai des relations très haut placées, il pourrait vous en cuire.
　　　　　　　　　A. BLONDIN, Monsieur Jadis, p. 144.

▶ **CUIT, CUITE** p. p. adj. et n.

♦ **1.** Qui a subi la cuisson afin d'être consommé. *Artichauts cuits. Aliment cuit à point, bien cuit. Baguette bien cuite. Aliment trop cuit* (⇒ **Attaché, brûlé, calciné, collant, cramé, roussi**)*, peu cuit, dur, ferme. Viande peu cuite* (⇒ **Bleu, rose, saignant**)*, cuite à point* (⇒ **1. Point** [à])*, bien cuite, trop cuite. Légumes cuits au beurre. Viande cuite au four. Acheter des aliments tout cuits.*

VIN CUIT, épaissi par évaporation d'une partie du moût. *Vin cuit servi comme apéritif.*

15 (...) il courut au logis
　De la cigogne son hôtesse,
　Loua, très fort la politesse,
　Trouva le dîner cuit à point.　　　LA FONTAINE, Fables, I, 18.
16 (...) des étouffoirs, qui nécessitaient les copieuses rasades des bières et des jus fermentés de mûres, des vins secs ou tannés et cuits (...)
　　　　　　　　　　HUYSMANS, Là-bas, VIII, p. 117.
17 *(Des)* truffes noires, que l'on mange cuites sous la cendre de bois.
　　　　　　　J. CHARDONNE, les Destinées sentimentales, I, I, p. 37.

N. m. *Le cuit* (opposé à *cru*). — *Le Cru et le Cuit* (1964), ouvrage de Cl. Levi-Strauss dans lequel l'auteur tente d'expliciter la structure et la signification de mythes relatifs au domaine de la nourriture préparée, montrant qu'ils sont construits sur des systèmes d'opposition.

♦ **2.** Loc. (XVIe). Fig., vx. *Être cuit* : être ruiné. — (1675). Mod. *Être cuit* : être pris, vaincu, battu. → **Fait, fichu, refait** ; et aussi Être bon (1. Bon, I., C., 1.). *C'est cuit, on ne gagnera plus* : c'est fini, sans espoir. — Par métaphore. *Les carottes* sont cuites.*

17.1 Tu vois bien : tu crèves de ne pas avoir cette femme et tu crèverais de l'avoir. Tu es cuit. Je m'étais déjà dit cela. De plus, il paraissait plutôt réjoui.
　　　　　　　Maurice CLAVEL, le Tiers des étoiles, p. 248-249.

N. m. *C'est du tout cuit* : c'est facile, c'est réussi d'avance (→ C'est dans la poche*). — Adj. (Vieilli). *C'est tout cuit* : c'est simple, facile. — *Elle ne te tombera pas toute cuite dans tes bras,* pas facilement.

Loc. *Avoir son pain cuit* : avoir ce qu'il faut pour vivre aisément le reste de sa vie.

18 Vente, grêle, gèle, j'ai mon pain cuit (...)　　　　VILLON, Ballades.

♦ **3.** Brûlé* (par le soleil, le froid). *Avoir le visage cuit. Mains cuites par la neige. Pierres, plantes cuites.* ⇒ **Griller.**

19 Les visages bruns, cuits par le soleil, les visages émaciés par la fatigue ruisselaient de sueur sous le bonnet à passepoils rouges.
　　　　　　　　　P. MAC ORLAN, la Bandera, VI, p. 66.

20 Les légionnaires (...) connaissaient par expérience la monotonie affreuse de l'existence quotidienne d'un poste cuit comme une brique dans un four (...)
P. MAC ORLAN, la Bandera, VIII, p. 90.

Loc. Fig., vx. *Un homme cuit et recuit*, endurci.

♦ **4.** Qui a subi la cuisson pour un usage particulier. *Terre cuite.* ⇒ **Terre** (→ Aviser, cit. 6). — *Soie cuite*, lors de l'opération du décreusage (⇒ **Décreuser**).

21 Pour une porcelaine dure, cuite à une température très élevée et dont l'émail, comme chez nous, est profondément incorporé à la pâte, la difficulté est grande.
J. CHARDONNE, les Destinées sentimentales, III, III, p. 410.

Peint. *Tons cuits, couleurs cuites d'un tableau*, chauds, chaleureux. — Vx (argot des peintres). Travaillé.

21.1 (...) Dupré, qui allume familièrement une pipe, se met à décrocher ses tableaux, et me les fait passer sous les yeux, sans me dissimuler ses admirations pour ses enfants, me disant de celui-ci : «Oh! c'est un des plus cuits!».
Ed. et J. DE GONCOURT, Journal, 10 juil. 1866.

♦ **5.** (1606). Fam. et vieilli. *Être cuit* : être ivre. ⇒ **Saoul; cuite.**

CONTR. V. **Refroidir.** — (Du p. p.) **Cru, incuit.**
DÉR. **Cuisage, cuisant, cuiseur, cuisine, cuite.**
COMP. **Biscuit.** — **Recuire, surcuire.**
HOM. V. **Cuir** (n. m.), **cuisant** (adj.), **cuite** (n. f.), formes du v. **cuiter** (se).

CUIROT [kчiʀo] n. m. — 1518, «morceau de cuir»; de *cuir.*

♦ Techn. Peau de mouton séchée et délainée.

Quant aux peaux délainées, elles sont accrochées dans des séchoirs à air chaud et deviennent les cuirots qui seront tannés dans les mégisseries locales.
Charles MARTIN, la Laine, p. 28.

CUISAGE [kчizaʒ] n. m. — XIVᵉ; de *cuire.*

♦ Techn. Réduction du bois en charbon.

CUISAMMENT [kчizamã] adv. — V. 1200, *cuysamment;* de *cuisant.*

♦ Rare. D'une manière cuisante. *Se ressentir cuisamment d'une erreur. Regretter qqch. cuisamment.*

CUISANT, ANTE [kчizã, ãt] adj. — XIIᵉ; p. prés. de *cuire.*

★ **I.** ♦ **1.** (Concret). Qui produit une sensation douloureuse analogue à celle d'une brûlure. *Une blessure cuisante. Une claque, une fessée cuisante. Piment, poivre cuisant. Saveur cuisante.* ⇒ **Aigre, piquant.** — Par ext. *Un froid cuisant.* ⇒ **Âpre, mordant.**

1 Le marchand à sa peau devait faire fortune :
Elle garantirait des froids les plus cuisants (...) LA FONTAINE, Fables, v, 20.

2 (...) désormais, au lieu de tremper mes flèches dans le vinaigre, je les tremperai dans l'huile : la blessure sera moins cuisante, mais plus sûrement mortelle (...)
SAINTE-BEUVE, Proudhon, p. 85.

♦ **2.** (Abstrait). Qui provoque une douleur, une peine très vive. *Un chagrin, un désir cuisant. Des regrets, des remords cuisants. Une déception, une blessure cuisante.* ⇒ **Aigu, brûlant, douloureux,** 1. **fort, vif.** *Remarque, réflexion cuisante.* ⇒ **Blessant, caustique, cinglant, virulent.** *Cette équipe de foot-ball a subi une défaite cuisante.*

3 Je sens au fond du cœur mille remords cuisants (...) CORNEILLE, Cinna, III, 2.

4 Amour, que sous ton empire
Je souffre des maux cuisants (...) MOLIÈRE, le Grand Divertissement royal.

5 L'amour est la cause de nos maux les plus cuisants. FRANCE, Thaïs, p. 62.

6 (...) un soulagement d'autant plus vif que ses angoisses de la veille avaient été plus cuisantes.
COURTELINE, Messieurs les ronds-de-cuir, VI, 2ᵉ tableau, p. 234.

7 (...) une de ces blessures dont (...) on garde toute sa vie le cuisant souvenir.
Louis MADELIN, l'Avènement de l'Empire, XVII, p. 93.

★ **II.** (1690; «qui sert à cuire», 1324). Régional. Qui cuit facilement. *Des haricots cuisants.*

CONTR. **Adoucissant, doux.**
DÉR. **Cuisamment.**
HOM. V. **Cuire.**

CUISEUR [kчizœʀ] n. m. — 1270; de *cuire.*
Technique.

♦ **1.** Ouvrier qui surveille la cuisson (des briques, du ciment, du vin, du sucre, etc.).
REM. Dans ce sens, le fém. *cuiseuse* est virtuel.

♦ **2.** (1917, *in* D.D.L.). Récipient où l'on fait cuire (des aliments) en grande quantité. ⇒ **Autocuiseur.** *Cuiseur électrique.* «*Cuiseur à saucisse de 1,5 KW*» (*la Vie du rail*, 25 janv. 1976, p. 7). *Cuiseur*

employé en agriculture pour la préparation de l'alimentation des animaux.
COMP. **Autocuiseur.**

CUISINAGE [kчizinaʒ] n. m. — XXᵉ; de *cuisiner.*

♦ Fam. Action de cuisiner (fig.), de faire avouer (qqn).

CUISINE [kчizin] n. f. — 1155; du lat. *cocina*, altér. de *coquina*, de *coquere* «cuire».

♦ **1.** Pièce dans laquelle on prépare et fait cuire les aliments pour les repas. *Cuisine carrelée. Cuisine peinte. Cuisine au sous-sol. Cuisine d'appartement. Cuisine de restaurant, de cantine. Cuisine de la marine.* ⇒ **Coquerie, coqueron.**

Spécialt. Cette pièce, dans un local d'habitation. *Cuisine équipée. Éléments de cuisine* (placards, etc.). *Évier, garde-manger, réfrigérateur d'une cuisine. Fourneau* de cuisine.* ⇒ **Cuisinière.** — En appos. *Bloc* cuisine. Table, buffet, chaises... de cuisine. Armoire tournante pour passer les plats de la cuisine à la salle à manger.* ⇒ 2. **Tour** (3.). *Monte-charge de cuisine.* ⇒ **Monte-plat.** *Pièce attenante à la cuisine et réservée aux mêmes usages.* ⇒ **Arrière-cuisine** (régional), **office, souillarde.** *Faire livrer, apporter des provisions à la cuisine. Manger à la cuisine avec les domestiques. Faire rapporter un plat à la cuisine.*

1 (...) ces grandes cuisines d'hôtellerie où le feu s'allume de bonne heure, avec ces frissonnements de sarments (...)
Alphonse DAUDET, Contes du lundi, «Alsace! Alsace!».

2 Qu'elle était spacieuse et claire, cette vieille cuisine provençale, avec le manteau profond de sa cheminée, suspendu au-dessus du feu comme un large éteignoir, et son plafond traversé par de grosses solives apparentes!
Edmond JALOUX, Fumées dans la campagne, v, p. 40.

3 À droite de l'entrée, une petite porte desservait la cuisine et ses dépendances.
J. ROMAINS, les Hommes de bonne volonté, t. II, VI, p. 63.

4 Une petite cuisine, à gauche. D'une merveilleuse propreté : toute peinte, ripolinée; le fourneau à gaz en émail, des placards rangés; sur chaque porte et sur chaque tiroir, une étiquette.
H. BOSCO, Un rameau de la nuit, p. 92.

4.1 (...) le mets n'est plus un produit réifié, dont la préparation est chez nous, pudiquement éloignée dans le temps et dans l'espace (repas élaborés à l'avance derrière la cloison d'une cuisine, pièce secrète où tout est permis, pourvu que le produit n'en sorte que composé, orné, embaumé, fardé).
R. BARTHES, l'Empire des signes, p. 22.

Cuisine-salle à manger (L. Daudet, 1934, *in* D.D.L.). — *Un trois-pièces cuisine* : un appartement de trois pièces comportant en plus une cuisine.

Régional (Belgique). *Cuisine-cave* : cuisine à mi-hauteur, en sous-sol.

Au plur. (En parlant d'une résidence importante). *Les cuisines d'un château, d'un palais, d'un hôtel, d'un grand restaurant.*

4.2 C'est pour des mensonges, de honteuses aumônes, pour des chiffons inutiles... pour la desserte des cuisines que leur charité jette à la faim comme on jette un os à un chien (...) c'est pour ça,.. pour ça que tu t'obstines à ne pas te plaindre, à ne pas prendre ce qui est à toi (...) O. MIRBEAU, les Mauvais Bergers, p. 22 et 24.

De cuisine : utilisé dans une cuisine, ou (plus souvent), pour faire la cuisine (→ ci-dessous au sens 2, *infra* cit. 6). *Fille de cuisine.* — Loc. *Latin de cuisine*, parlé par des ignorants, fautif.

Par ext. *Cuisine portative.* — *Cuisine roulante* (ou *roulante**) : fourneau sur roues utilisé par la troupe en campagne ou par certains campeurs. — *Cuisine de poupée.*

4.3 Pierrot : Dans l'étable on avait arrangé une cuisine roulante, chacun se débrouillait pour bouffer et dormir, en bons Français.
Jean FERNIOT, Pierrot et Aline, p. 131.

♦ **2.** Préparation des aliments; art d'apprêter les aliments de façon qu'ils soient propres à la consommation et agréables au goût; spécialt, style culinaire. ⇒ **Culinaire** (art), **gastrologie, gastronomie.** *Cuisine bourgeoise*, familiale, régionale. Cuisine macrobiotique, cuisine végétarienne. La cuisine française, chinoise, grecque, italienne*, etc. : les caractères généraux des cuisines nationales. *La cuisine des grands restaurants. La grande cuisine. Cuisine de femmes*, de chefs qui sont des femmes. *Personne qui sait bien faire la cuisine.* ⇒ **Cordon** (cordon-bleu). *Personne qui juge, apprécie la bonne cuisine.* ⇒ **Gastronome.**

5 Qu'importe qu'elle manque aux lois de Vaugelas,
Pourvu qu'à la cuisine elle ne manque pas?
(...) Malherbe et Balzac, si savants en beaux mots,
En cuisine peut-être auraient été des sots.
MOLIÈRE, les Femmes savantes, II, 7.

6 La cuisine est le plus ancien des arts, car Adam naquit à jeun, et le nouveau-né, à peine entré dans ce monde, pousse des cris qui ne se calment que sur le sein de sa nourrice. A. BRILLAT-SAVARIN, Physiologie du goût, t. II, p. 80.

6.1 (...) la cuisine; elle le devient (*un sous-système comme la mode*) en perdant son ancien statut de production locale, artisanale et familiale, qualitative, faite de recettes transmises oralement (nouvelle activité formalisée, spécialisée, matière à des traités et à des guides «gastronomiques», à une hiérarchie des lieux, des mets, prétexte d'une ritualisation mondaine.
Henri LEFEBVRE, la Vie quotidienne dans le monde moderne, p. 189-190.

Loc. (Av. 1972, *le Nouveau Guide*, de Gault et Millaut). *La nouvelle cuisine* : style de cuisine, lancé en France dans les années 1960-1970, et caractérisé par l'invention des associations d'éléments inattendus, des cuissons faibles, des sauces courtes et la légèreté des préparations.

... DE CUISINE : utilisé pour faire la cuisine, pour préparer les aliments (peut être compris, dans certains cas, comme relevant du sens 1 de *cuisine*). — *Accessoires, instruments de cuisine.* ⇒ **Boîte** (boîte à épices*), **bouilloire, bouillotte, broche, couronne** (d'office), **couvert** (en bois), **égouttoir, épluchoir, fouet, gril, grille-pain, moulin** (à café), **moussoir, ouvre-boîte, presse-agrumes, presse-citron, tranchoir, trépied.** *Couteaux de cuisine.* ⇒ **Couperet, coutelas, lardoire.** *Ustensiles de cuisine.* ⇒ **Artichautière, bassine, brûloir, calebasse, casserole, cassolette, chape, chaudron, chenêt, cocotte, coquetier, coquille, couteau, cuiller, écumoire, égrugeoir, entonnoir, faitout, fourchette, friteuse, gaufrier, hache-viande, hachoir, hâtelet, lèchefrite,** 2. **louche, marmite, mixeur, mortier, moule, moulin** (à légumes), **œufrier, panier, passe-purée, passoire, plat, pocheuse, poêle, poêlon, poissonnière, pot, presse-purée, presse-viande, râpe, réchaud, rôtissoire, saucier, terrine, timbale, tourtière, turbotière.** *Batterie de cuisine.* ⇒ **Batterie.** *Livre, recette de cuisine.*

Opérations de cuisine. ⇒ **Arroser, assaisonner, barder, blanchir, braiser, brider, confire, crever** (faire), **cuire, débourber, découper, dégorger, dessaler, dresser, échauder, écumer, émincer, endauber, enrober, entrelarder, épépiner, épicer, éplucher, faisander, farcir, flamber, fouetter, fourrer, fraiser, fricasser, fricoter, frire, garnir, glacer, gratiner, griller, habiller, larder, lier, mariner, mouiller, paner, parer, parfumer, persiller, piquer, revenir** (faire), **rôtir, saisir, saupoudrer, sauter** (faire), **suer** (faire), **trousser, vider.** *Aromates, épices, fines herbes, champignons, quenelles, etc. utilisés en cuisine. Sel de cuisine :* sel gris ou gros sel*.

(XVIIIe). Spécialt. La préparation des aliments consommés immédiatement (à l'exclusion de la pâtisserie, confiserie, des conserves).

♦ **3.** Fig. et fam. Manœuvre, intrigue louche. ⇒ **Fricotage, grenouillage, magouille.** *La cuisine électorale.* — (1883). *Cuisine parlementaire.*

6.2 Du diable si l'on sait ce qui va sortir de tout ça! conclut Massot. Ah! la sale cuisine! Vous allez voir. ZOLA, Paris, t. II, p. 29.

6.3 Vous savez comme nous tous, que l'on ne peut rien augurer de la cuisine des cantonales. F. MAURIAC, le Nouveau Bloc-notes 1958-1960, p. 52.

Spécialt et péj. Suite d'opérations, pour obtenir un résultat. *Cuisine journalistique :* manière d'apprêter l'information pour satisfaire au goût du lecteur. *Cuisine scolaire, du bac :* mode de préparation étroit aux examens.

♦ **4.** (V. 1170). Aliments préparés qu'on sert aux repas. ⇒ **Chère, manger** (fam.), **mets, ordinaire, repas, table; menu;** (fam.) **bouffe, bouffetance, croûte, cuistance, frichti, fricot, mangeaille, popote, tambouille.** *Préparer la cuisine. Amateur de bonne cuisine.* ⇒ **Gourmet.** *Cuisine saine, soignée, fine, légère. Cuisine sans sel. Cuisine de régime. Cuisine minceur. Grosse cuisine; cuisine grasse, lourde. Mauvaise cuisine.* ⇒ (fam.) **Ragougnasse.** *Cuisine de gargote. Cuisine bourgeoise. Cuisine de restaurant, d'auberge, de cantine. Surveiller la cuisine. Une bonne odeur de cuisine,* d'aliments en cours de préparation.

7 Je fume comme la chaumine
Où se prépare la cuisine
Pour le retour du laboureur.
BAUDELAIRE, les Fleurs du mal, Spleen et Idéal, « La pipe ».

Cuisine française, chinoise, japonaise, ensemble des plats de ces traditions culinaires.

8 C'est à leur intervention *(des dames françaises)* qu'est due la prééminence indiscutable qu'a toujours eue en Europe la cuisine française et qu'elle a principalement acquise par une quantité immense de préparations recherchées, légères et friandes (...) A. BRILLAT-SAVARIN, Physiologie du goût, t. II, p. 101.

♦ **5.** Personnel qui travaille à la cuisine. ⇒ **Cuisinier, cuistot** et aussi **chef** (de cuisine), **coq, queux** (maître).

DÉR. Cuisiner, cuisinette, cuisinier, cuisinière, cuistance.
COMP. Arrière-cuisine.
HOM. Formes du v. cuisiner.

CUISINÉ, ÉE [kɥizine] p. p. adj. ⇒ **Cuisiner.**

CUISINER [kɥizine] v. — XIIIe; de *cuisine.*

★ **I.** V. intr. Faire la cuisine. *Elle cuisine bien. Vous avez ce qu'il faut pour cuisiner.*

1 De la maison venait une odeur exquise de thym, de céleri, d'aubergine. On cuisinait. H. BOSCO, le Jardin d'Hyacinthe, Les Borisols, V, p. 49.

1.1 (...) la nourriture japonaise est peu cuisinée, les aliments arrivent naturels sur la table; la seule opération qu'ils aient vraiment subie, c'est d'être découpés, que sur l'assemblage mouvant et comme inspiré d'éléments dont l'ordre de prélèvement n'est fixé par aucun protocole (vous pouvez alterner une gorgée de soupe, une bouchée de riz, une pincée de légumes) : tout le faire de la nourriture étant dans la composition, en composant vos prises, vous faites vous-même ce que vous mangez (...) R. BARTHES, l'Empire des signes, p. 22.

★ **II.** V. tr. ♦ **1.** Préparer (des aliments) par la cuisine*. ⇒ **Accommoder, apprêter.** *Cuisiner des plats compliqués.*

2 Le dîner, de même que le déjeuner et le souper, toujours composés de choses

exquises, étaient cuisinés avec cette science qui distingue les gouvernantes de curé entre toutes les cuisinières. BALZAC, les Paysans, Pl., t. VIII, p. 208.

Pron. *Se cuisiner des petits plats.*

♦ **2.** Par métaphore ou fig. Combiner*, trafiquer.

3 (...) les décadents qui cuisinent des hachis de mots ! HUYSMANS, Là-bas, II, p. 20.

Spécialt. *Cuisiner un article, un fait divers.* ⇒ **Cuisine** (3.).
Pron. *Affaires, coups qui se cuisinent en secret.*

♦ **3.** (1881). *Cuisiner qqn,* l'interroger, chercher à obtenir de lui des aveux par tous les moyens. ⇒ **Cuisinage.** *Cuisiner les complices d'un accusé. Se faire cuisiner par la police.*

4 Pendant ces quinze jours, on enquête, on cherche partout. On le questionne, on le cuisine : sans résultat. MARTIN DU GARD, Jean Barois, II, p. 226.

4.1 (...) si, véritablement, Lampieur avait participé d'une façon quelconque au crime, des soupçons se seraient portés sur lui. On l'aurait fait venir au commissariat. On lui aurait au moins demandé de fournir l'emploi de son temps lors de cette fameuse nuit. On l'aurait cuisiné. On l'aurait fait parler (...) Francis CARCO, l'Homme traqué, p. 123.

▶ **CUISINÉ, ÉE** p. p. adj.

♦ **1.** Préparé selon les règles de la cuisine* (3.). *Des crudités et des plats cuisinés. Des plats cuisinés à réchauffer.*

♦ **2.** Fig. et fam. Interrogé dans le but d'obtenir des aveux. *Détenu cuisiné par les policiers.*

5 Lord Yarmouth, *cuisiné* (...) par Lucchesini, trahit, au cours de libations trop capiteuses (...) le secret de la négociation autour duquel, depuis trois mois, rôdait le représentant de la Prusse (...) Louis MADELIN, Talleyrand, XVI, p. 171.

DÉR. Cuisinage.
REM. Le T. L. F. signale le dér. *cuisinement,* n. m. attesté au XVIe s., puis chez Cotgrave (1611) et chez les Goncourt, aujourd'hui à peu près inusité.

HOM. V. Cuisine, cuisinier.

CUISINETTE [kɥizinɛt] n. f. — 1936; repris 1973; de *cuisine.*

♦ Partie d'une pièce utilisée comme cuisine (recomm. off. pour remplacer l'anglic. *kitchenette**). *Cuisinette ou coin cuisine.*

Avant de s'approcher de lui, elle pénétrait dans la cuisinette où de l'eau chantait sur le réchaud électrique. G. SIMENON, Trois chambres à Manhattan, 1946, cité par WEBER, Franç. mod. (1963), in D. D. L., II, 10.

(V. 1950; cour. en Suisse romande, où *kitchenette** n'est pas utilisé). Petite cuisine moderne.

CUISINIER, IÈRE [kɥizinje, jɛR] n. — V. 1200, *quisinier,* de *cuisine.*

♦ **1.** Personne qui a pour fonction de faire la cuisine. ⇒ **Bonne, chef, hâteur** (vx), **queux** (maître), **rôtisseur, saucier;** (fam.) **cuistancier, cuistot.** *Métier de cuisinier. Bonnet, costume de cuisinier. Tablier de cuisinière. Les comptes de la cuisinière. Vatel, célèbre cuisinier du siècle de Louis XIV. Habile cuisinier.* ⇒ **Cordon-bleu.** *Grand, célèbre cuisinier. Mauvais cuisinier.* ⇒ **Empoisonneur, fricasseur, gargotier.** *Aide-cuisinier.* ⇒ **Gâte-sauce, marmiton, valet** (de cuisine, vx). *Cuisinier de la marine.* ⇒ **Coq** (maître coq). — Par appos. *Chef cuisinier.*

1 Un jour le cuisinier, ayant trop bu d'un coup,
Prit pour oison le cygne, et le tenant au cou,
Il allait l'égorger, puis le mettre en potage. LA FONTAINE, Fables, III, 12.

2 Le grand cuisinier se reconnaît mieux à la perfection d'une pièce de bœuf, que dis-je? à l'assaisonnement d'une salade, qu'à la richesse de ses entremets. A. MAUROIS, les Discours du Dr O'Grady, VIII, p. 89.

3 Le cocher-valet de chambre Étienne, et la cuisinière, sa femme, recevaient pour le couple deux mille cinq cents francs de gages annuels. J. ROMAINS, les Hommes de bonne volonté, t. III, XI, p. 145.

4 Elle dit en anglais à Louise d'aller à la cuisine faire des biscuits selon la recette d'une tante américaine que les cuisinières ne pouvaient réussir et dont le secret était transmis de mère à fille. J. CHARDONNE, les Destinées sentimentales, II, V, p. 320.

REM. En français actuel, le masc. *cuisinier* s'applique professionnellement à tous les échelons de la cuisine *(un cuisinier de gargote; un grand cuisinier); cuisinière,* n. f., concerne, du fait du rôle social traditionnel de la femme, notamment celles qui font la cuisine pour autrui. *Ils sont très riches : ils ont une cuisinière et une bonne.*

Par ext. Personne qui sait faire la cuisine. *Elle est très bonne cuisinière. Il est médiocre cuisinier.*

Fig., péj. (symbolisant l'ignorance). *Une écriture,* (1835) *un roman de cuisinière.* — REM. Cet emploi reflète le mépris bourgeois pour certaines fonctions à la fois domestiques, salariées et féminines (→ Concierge).

♦ **2.** (1881). Vx. Secrétaire de rédaction dans un journal.

♦ **3.** N. m. (1690). Livre de cuisine. *Le cuisinier français. Le Parfait Cuisinier.*

HOM. (Du masc.) Formes du v. **cuisiner.** — (Du fém.) **Cuisinière.**

CUISINIÈRE [kɥizinjɛʀ] n. f. — 1892 ; «rôtissoire», 1771 ; de *cuisine.*

♦ Fourneau de cuisine servant à chauffer, à cuire les aliments. *Cuisinière à charbon, à gaz* (⇒ **Gazinière**). *Cuisinière électrique. Cuisinière en fonte, émaillée. Four, foyer, bain-marie d'une cuisinière.*

HOM. V. **Cuisinier.**

CUISSAGE [kɥisaʒ] n. m. — XVIᵉ ; de *cuisse.*

♦ *Féod. Droit de cuissage* : droit qu'avait le seigneur de mettre la jambe dans le lit de la mariée la première nuit après les noces, et, dans certaines localités, de passer cette première nuit avec elle. *Le droit de cuissage ne pouvait être racheté qu'à prix d'argent.* — On dit aussi *droit de jambage.*

M. le comte Adhémar du Rut est rentré pour quelques jours en son château, afin de se reposer des fatigues de la saison balnéaire. Il exercera son droit de cuissage, mardi, jeudi et samedi courants. Les jeunes gens sont admis (...) *Après avoir attentivement lu ce fragment du Petit Écho de X..., Narcense en fit usage et le jeta dans le trou.* R. QUENEAU, le Chiendent, Folio, p. 243 et 246.

CUISSARD [kɥisaʀ] n. m. — 1571 ; de *cuisse.*

★ **I.** ♦ **1.** Partie de l'armure qui couvrait la cuisse. ⇒ **Cuissière, cuissot.**

L'aïeul Jean avait rêvé à Marignan que son cuissard était défait et qu'il ne pouvait l'agrafer. GIRAUDOUX, Églantine, p. 225.

♦ **2.** (1906, escr., *in* Petiot). Garniture de protection de la cuisse. ⇒ aussi **Cuissière.** *Cuissard de coureur cycliste.*

♦ **3.** (1863). Prothèse adaptée au moignon d'une cuisse amputée pour fixer une jambe artificielle.

★ **II.** Fig., techn. Tube de jonction des bouilleurs au corps principal d'une chaudière à bouilleurs.

CUISSARDES [kɥisaʀd] n. f. pl. — XXᵉ (1922, *in* D. D. L.) ; de *cuisse* (cf. *guêtre cuissarde,* 1894, *in* D. D. L.), et suff. *-ard, -arde.*

♦ Bottes qui emboîtent la cuisse jusqu'à l'aine. *Cuissardes de pêcheur, d'égoutier.* — Adj. (1922). *Botte(s) cuissarde(s).*

(...) *ils enfilent des cuissardes, des cirés canaris, des suroîts, par-dessus les vêtements qu'ils n'avaient pas ôtés pour dormir.*
Pierre ACCOCE, le Polonais, p. 176.

CUISSE [kɥis] n. f. — V. 1100, *quisse,* du lat. *coxa* «hanche».

♦ **1.** Partie du corps qui s'articule à la hanche et va jusqu'au genou. ⇒ **Jambe** (→ Faire, tailler une basane*). *Arcade de la cuisse.* ⇒ **Crural, fémoral.** *L'aine sépare la cuisse de l'abdomen. Os de la cuisse.* ⇒ **Fémur.** *Muscles de la cuisse.* ⇒ **Adducteur, biceps, crural, quadriceps, triceps, vaste** ; **pectiné** (muscle). *Nerfs de la cuisse.* ⇒ **Crural, sciatique.** *Entre-deux des cuisses.* ⇒ **Entre-cuisse.** *Cuisse musclée d'athlète, de coureur cycliste.* — *Jarretière qui fixe le bas sur la cuisse. Vêtement qui recouvre la cuisse, qui arrive à mi-cuisse.*

1   *La longueur de la cuisse, calculée du bord supérieur du pubis à l'interligne du genou, est normalement inférieure de deux centimètres à la longueur de la jambe, prise de l'interligne du genou à la plante du pied.*
A. BINET, les Formes de la femme, p. 29.

2   *Les pans de sa chemise flottaient sur ses cuisses, qui étaient grasses, blanches et duvetées de blond.* MARTIN DU GARD, les Thibault, t. VII, p. 90.

3   (...) *je faisais corps avec l'âne ; sa chaleur se glissait tout le long de mes cuisses et passait dans mes reins ; le jeu du moindre de ses muscles était sensible aux miens.* H. BOSCO, l'Âne Culotte, p. 47.

3.1   *Ses longues jambes sont découvertes jusqu'en haut des cuisses, la jupe déjà courte s'étant un peu retroussée dans la culbute, ce qui met à nu et bien en valeur leurs lignes plaisantes.*
A. ROBBE-GRILLET, Projet pour une révolution à New York, p. 26.

3.2   (...) *il pressait allègrement sa cuisse durcie par la pratique du cheval, contre la cuisse moelleuse de Béatrice, qui accepta l'hommage avec un rire charmant.*
Salvador DALI, Visages cachés, p. 38.

Par métonymie. *La cuisse du pantalon* : partie du pantalon qui couvre la cuisse. *Faire une reprise à la cuisse.*

(Animaux). *Cuisse du cheval, du mouton.* ⇒ **Gigot.** *Cuisse du bœuf.* ⇒ **Culotte, quasi.** *Cuisse du veau.* ⇒ **Cuisseau.** *Cuisse du cochon.* ⇒ **Jambon.** *Cuisse de chevreuil.* ⇒ **Cuissot, gigue.** *Cuisses de grenouille.*

Spécialt. La partie d'une volaille qui correspond à une patte. *Cuisse de poulet, de perdrix.* ⇒ **Pilon.** *L'aile* ou *la cuisse.* — Loc. fig. Vx. *Tirer cuisse ou aile de qqch.,* en tirer parti, de quelque manière que ce soit.

♦ **2.** Loc. *Se croire sorti de la cuisse de Jupiter* (par allus. à Bacchus, enfermé dans la cuisse de Jupiter) : se croire de très haute

naissance, et, par ext., être très orgueilleux. — Fam. *Se taper* (ou *se claquer*) *sur les cuisses* : manifester ostensiblement sa joie.

4   *Ni vous ni moi ne sortons de la cuisse de Jupiter, peut-être ?*
BERNANOS, la Joie, in Œ. roman., Pl., p. 617.

Fam. (en parlant d'une femme, de la sexualité). ⇒ **Cul, fesse.** *Montrer ses cuisses* : s'exhiber (notamment, sur scène, dans un mauvais spectacle). — *Arriver par les cuisses* : obtenir qqch. (une situation sociale...) en se servant de relations sexuelles. — *Avoir la cuisse légère, accueillante, hospitalière* : avoir facilement des relations sexuelles.

Loc. (vulg.). *Ouvrir les cuisses* : accepter un rapport sexuel ; faire l'amour. *Serrer les cuisses* : refuser les rapports sexuels. — *Histoires de cuisse.* ⇒ **Cul, fesse.** *Il y a de la cuisse,* des femmes (dans un contexte érotique). ⇒ (plus cour.) **Fesse.**

♦ **3.** Bot. *Cuisse de...* ⇒ **Cuisse-de-nymphe,** et aussi **cuisse-madame.** — Régional (en appos.). *Vin cuisse de bergère* : vin rouge, faible de couleur.

DÉR. **Cuissage, cuissard, cuissardes, cuisseau, cuissettes, cuissière, cuissot.**
COMP. **Cuisse-de-nymphe, cuisse-madame.** — **Sous-cuisse.**

CUISSEAU [kɥiso] n. m. — 1651 ; de *cuisse.*

♦ Techn. (bouch.). Partie du veau dépecé, du dessous de la queue au rognon.

HOM. **Cuissot.**

CUISSE-DE-NYMPHE [kɥisdənɛ̃f] n. f. — XVIIIᵉ ; de *cuisse, de,* et *nymphe.*

♦ Variété de rose blanche teintée de rose. Appos. *Rosier cuisse-de-nymphe* (→ Chèvrefeuille, cit. 2). — Adj. invar. *Rose pâle. Des teintes cuisse-de-nymphe.* — Loc. adj. (vx ou par plais.). *Cuisse-de-nymphe émue* : d'un rose incarnadin. — Parfois écrit sans tirets :

(...) *ce quatrième porte un pantalon collant cuisse de nymphe émue, un gilet de velours et des bagues à tous les doigts* (...) ARAGON, Anicet, 2, p. 28.

CUISSE-MADAME [kɥismadam] n. f. — 1611, *cuissedame* ; de *cuisse,* et *madame.*

♦ Variété de poire de forme allongée et de couleur fauve. *Des cuisses-madame.*

La cuisse-madame, je vois encore sa forme aussi suave que son nom (...)
COLETTE, Flore et Pomone, in Gigi, p. 174.

CUISSETTES [kɥisɛt] n. f. pl. — XXᵉ ; de *cuisse,* et suff. dimin. *-ette.*

♦ Régional (Suisse). Culottes courtes de sport, sans poche ni braguette (à la différence du *short**). *Cuissettes de gymnastique.*

Le temps d'enfiler ses cuissettes et ses espadrilles, et le voilà à la cuisine.
G. CLAVIEN, les Moineaux de l'Arvêche, p. 85.

CUISSIÈRE [kɥisjɛʀ] n. f. — 1280 ; de *cuisse.*

♦ **1.** Vx. Cuissard* (I., 1.) d'armure. ⇒ **Cuissot.**

♦ **2.** (1831, *in* D. D. L.). Garniture de peau qui recouvre et protège la cuisse gauche du tambour.

♦ **3.** (1930). Par ext. *Cuissière de hockeyeur* (sur glace). ⇒ aussi **Cuissard.**

CUISSON [kɥisɔ̃] n. f. — 1256, «brûlure» ; du lat. *coctio, onis,* de *coquere,* avec infl. de *cuire**.

♦ **1.** (XVᵉ). Action de cuire ; préparation des aliments par le feu, la chaleur. ⇒ **Caléfaction, coction ; cuire.** *Cette viande demande une cuisson prolongée. Cuisson à l'anglaise*. Cuisson des sucres, des sirops.* ⇒ **Cuite.** *La cuisson du pain par le boulanger. Cuisson de la charcuterie. Cuisson de la bière* (houblonnage). *Cuisson rapide, lente. Degré de cuisson.*

0.1   *Pencroff, qui connaissait cinquante-deux manières d'accommoder les œufs, n'avait pas le choix en ce moment. Il dut se contenter de les introduire dans les cendres chaudes, et de les laisser durcir à petit feu. En quelques minutes, la cuisson fut opérée, et le marin invita le reporter à prendre sa part du souper. Tel fut le premier repas des naufragés sur cette côte inconnue.*
J. VERNE, l'Île mystérieuse, t. I, p. 61.

Table, surface de cuisson d'un fourneau. Plaque de cuisson d'une cuisinière électrique.

♦ **2.** Techn. **a** Préparation de certaines substances par le feu. *Cuisson industrielle. Cuisson des briques, des poteries, de la porcelaine.*

1   (...) *il n'aurait pu expliquer à un profane* (...) *quelle économie lui procurerait l'emploi de condensateurs pour la force motrice, ni les inconvénients du foyer Cressemann ou les avantages d'un four à mazout pour la cuisson du bleu.*
J. CHARDONNE, les Destinées sentimentales, III, III, p. 391.

b Préparation des cocons de vers à soie pour la filature.

cure est située à côté de l'église. — Vieilli. Territoire sur lequel le curé exerce son ministère. ⇒ **Paroisse.**

DÉR. V. **Curial** (II.).

CURÉ [kyʀe] n. m. — 1259 ; du lat. ecclés. *curatus* « chargé d'une paroisse », de *curare* « prendre soin ».

♦ **1.** Prêtre catholique placé à la tête d'une paroisse. *Le curé et ses paroissiens* (⇒ **Ouaille**). *L'abbé* X, curé de telle paroisse. Prêtre chargé d'aider le curé.* ⇒ **Vicaire.** *Résidence du curé.* ⇒ **Cure, presbytère.** *Revenu d'un curé.* ⇒ **Casuel.** *Curé chargé d'une paroisse annexe.* ⇒ **Desservant.** *Curé de grande paroisse. Le curé de la cathédrale. Curé archiprêtre*. Curé doyen. Curé de village. Curé de campagne. Tiens, c'est la bicyclette du curé, de Monsieur le curé.* — *Le Curé de Tours ; le Curé de village,* romans de Balzac. *Le Journal d'un curé de campagne,* roman de Bernanos (1936).

1   Un mort s'en allait tristement
     S'emparer de son dernier gîte ;
     Un curé s'en allait gaiement
     Enterrer ce mort au plus vite.   LA FONTAINE, Fables, VII, 11.
2   (...) néanmoins il se conduisit avec une aménité digne, où se trahissait l'indépendance souveraine que l'Église accorde aux curés dans leurs paroisses.
                                         BALZAC, le Curé de village, Pl., t. VIII, p. 261.
3   Tu sais qu'en sus du curé ou du desservant, des vicaires, du clergé en pied, il y a dans chaque église des prêtres adjoints ou suppléants, ce sont ceux-là.
                                                  HUYSMANS, Là-bas, XIV, p. 195.
3.1 Le curé fut secoué au fond de sa stalle, comme par la commotion d'une décharge électrique ; et chose inexplicable, miraculeuse, l'orgue poussa un cri de détresse, qui parcourut la voûte, et vint mourir dans le chœur, au-dessus des diacres et des chantres consternés.
     — J'ai forniqué ! répéta l'abbé Jules, de toutes ses forces.
                                         O. MIRBEAU, l'Abbé Jules, 10/18, p. 67 (1888).
4   Mais elle n'avait pas de peine à concevoir que, dans l'enseignement comme dans l'Église, il y a, fort au-dessous des évêques et des curés de paroisses mondaines, les desservants de campagne.
                                 J. ROMAINS, les Hommes de bonne volonté, t. III, VII, p. 119.
5   Un curé y vieillit aussi qu'on a oublié la vers la fin de sa vie, y élève des abeilles. Il s'appelle l'abbé Vergélian. C'est un bon prêtre ; mais il a peu de paroissiens à sa messe du dimanche. Pourtant, c'est une bonne messe, bien dite, sur un ton paisible, affectueux, avec des gestes paternels.
                                 H. BOSCO, le Jardin d'Hyacinthe, Les Borisols, I, p. 20.

Appellatif. *Bonjour, Monsieur le curé !*
Le curé de (qqn), de la paroisse à laquelle appartient un fidèle. *Mon curé chez les riches, chez les pauvres,* romans de C. Vautel.
Loc. Fig. et vieilli. *C'est Gros-Jean qui en remontre à son curé,* en parlant d'un ignorant prétentieux qui veut conseiller qqn de plus instruit ou plus habile que lui.
Avoir affaire au curé et aux paroissiens : avoir affaire à plusieurs parties ensemble.

♦ **2.** Fam (emploi souvent péj. ou iron.). Prêtre catholique. *Les curés.* ⇒ **Clergé.** *Il veut se faire curé,* devenir prêtre. — Par plais. *Apprenti curé :* séminariste. *Petit curé.* ⇒ **Curaillon, cureton.**

6   Vous savez que l'ordination confère aux curés un caractère indélébile, qui les suit jusqu'en enfer.   Ch. PÉGUY, la République..., p. 36.
7   — Vous ne croyez pas à l'enfer ?
                                         R. QUENEAU, les Derniers Jours, p. 188.
8   L'Abbé Riquet est communiste. Ça se dit tout bas, puis tout haut. C'est un « bruit » qui fait du bruit. D'un étage à l'autre des lits, on commente la nouvelle. Les communistes se montrent un brin méfiants, voire jaloux. Un curé communiste, ça ne peut être bon teint. « Z'êtes communiste, l'Abbé ? » interrogent-ils. L'Abbé devient tout rouge !... C'est la couleur du Saint-Esprit, du Sacré-Cœur... des martyrs... c'est la couleur du sang et de l'amour.
     Il blague, mais ça sonne sérieux.   R. JAVELET, Camarade curé, p. 167.

Fam. *Les curés :* le clergé catholique ; par ext., les personnes dévotes
Loc. fig., fam. *Manger, bouffer du curé :* être anticlérical. *Un mangeur de curé.*
Adj. (invar.). Fam. ⒜ *Avoir l'air curé.*

9   Jacques s'étonnait de son apparence si curé après tant d'années (...)
                                         R. QUENEAU, Loin de Rueil, p. 72.

⒝ *Il est complètement curé.* ⇒ **Clérical.**

♦ **3.** *De curé* (dans des syntagmes). *Une maison de curé :* un presbytère. *Jardin de curé :* petit jardin clos. *Fleurs de curé,* caractéristiques des jardins de curé (roses, lis, œillets...). — *Poire de curé.*

DÉR. **Curaille, curaillon, cureton.**
HOM. **Curée, curer.**

CURE-DENT ou **CURE-DENTS** [kyʀdɑ̃] n. m. — 1416 ; de *curer* et *dent(s)*.

♦ **1.** Petit instrument pour se curer (cit. 2) les dents. *Cure-dent d'argent, de bois, de matière plastique. Cure-dents disposés dans un petit pot sur une table de restaurant. Pochette de cure-dents.*
Loc. fam. Vieilli. *Inviter qqn en cure-dents,* l'inviter après le repas.
Ah ! vous arrivez tard, dit Mme Verdurin à un fidèle qu'elle n'avait invité qu'en cure-dents (...)   PROUST, Du côté de chez Swann, Pl., t. I, p. 264.

♦ **2.** En franç. d'Afrique. « Bâtonnet de bois tendre utilisé pour se frotter et se brosser les dents et non pour les curer » (IFA).

♦ **3.** Argot milit. Baïonnette.

CURÉE [kyʀe] n. f. — XVIᵉ ; *curiée,* v. 1160 ; de *cuir.*

♦ **1.** Vén. Portion de la bête que l'on donne aux chiens de chasse après qu'elle est prise. *Curée de cerf, de lièvre. Donner la curée aux chiens. Mettre les chiens en curée. Jeter à la curée. Curée chaude,* donnée aux chiens aussitôt qu'ils ont pris la bête. *Curée froide,* donnée une fois rentrés à la maison. *Faire curée :* manger la bête sans permission (se dit des chiens).

1   La riche proie une fois saisie, il s'est trouvé force chiens à la curée (...)
                                         CHATEAUBRIAND, t. V, p. 232.
2   Suivrons-nous le chasseur sur les monts escarpés ?
     La biche le regarde ; elle pleure et supplie ;
     Sa bruyère l'attend ; ses faons sont nouveaux-nés (...)
     Il (le chasseur) se baisse, il l'égorge, il jette à la curée
     Sur les chiens en sueur son cœur encor vivant.   A. DE MUSSET, la Nuit de mai.
2.1 Il a été impossible de rien organiser pour ce soir, expliquait M. de Combelot au petit groupe formé par Rougon et ses amis. Demain, après la chasse à courre, il y aura une curée froide aux flambeaux.
                                 ZOLA, Son Excellence Eugène Rougon, t. I, p. 201.
3   Et la curée déferla d'une seule nappe, dans un cliquetis de mâchoires enragées, un enchevêtrement de pattes raidies, d'échines arquées et frémissantes. Des mâtins, d'un seul coup de gosier, engloutissaient des blocs de chair énormes. On en voyait qui s'affrontaient à deux, leurs gueules rivées par des cordes d'entrailles.
                                 M. GENEVOIX, Forêt voisine, XII, p. 174.

Par ext. Le fait de donner la curée ; le moment où on la donne. *La curée se fit devant le château.* (→ Nappe, cit. 5). *Sonner la curée.*

♦ **2.** (XVIᵉ). Ruée sur qqch., dispute âpre et violente pour qqch. (places, butin...) laissé disponible à l'occasion d'un événement. *La curée des places, des honneurs... Se ruer à la curée. Être âpre* (cit. 19) *à la curée,* avide. *La Curée,* roman de Zola (1874). — Le fait de s'acharner contre qqn, lorsqu'il est en difficulté, en mauvaise posture. ⇒ **Hallali.**

4   C'était tout un remaniement du Saint-Empire, donnant prétexte à une curée où les deux principales puissances intéressées, Autriche et Prusse, s'affrontaient.
                                 Louis MADELIN, le Consulat, XVIII, p. 287.
5   Nous entendons le duc de Bade qui offre le pavois au dominateur prussien et l'acclamation de triomphe et les gros rires de la horde en liesse, prête à la curée, avide de butin.   Georges LECOMTE, Ma traversée, p. 471.

HOM. **Curé, curer.**

CURE-MÔLE [kyʀmol] n. m. — 1795 ; de *curer,* et *môle.*

♦ Bateau ponté muni d'un dispositif propre à curer les ports. ⇒ **Drague.** *Des cure-môles.* « Notre marine marchande (...) a pour charge d'immatriculer tout ce qui navigue, de la barcasse au curemôle et au paquebot privé... » (*l'Express,* 24-30 juil. 1967).

CURE-ONGLES [kyʀɔ̃gl] n. m. invar. — 1893 ; de *curer,* et *ongle.*

♦ Instrument pour se curer le dessous des ongles. *Des cure-ongles. Se servir d'une lime à ongles, d'une allumette comme cure-ongles.*

CURE-OREILLE ou **CURE-OREILLES** [kyʀɔʀej] n. m. — 1416 ; de *curer,* et *oreille.*

♦ Instrument, petite spatule, pour se nettoyer l'intérieur de l'oreille. *Des cure-oreilles.*

CURE-PIED [kyʀpje] n. m. — D. i. ; de *curer,* et *pied.*

♦ Techn. Instrument de maréchal-ferrant servant à nettoyer les pieds des chevaux. *Des cure-pieds.*

CURE-PIPE ou **CURE-PIPES** [kyʀpip] n. m. — 1802 ; de *curer* et *pipe.*

♦ Instrument servant à gratter, à nettoyer le fourneau d'une pipe. *Des cure-pipes.*

CURER [kyʀe] v. tr. — Déb. XIIᵉ ; lat. *curare* « prendre soin de », de *cura* « soin ». → Cure.

♦ **1.** ⒜ Nettoyer (qqch.) en raclant. ⇒ **Nettoyer, racler.** *Curer un fossé, un étang, un canal. Curer un puits, un égout. Curer une citerne.* Agric. *Curer une charrue :* nettoyer le soc de la terre qui s'y est attachée.

⒝ Spécialt. *Curer ses dents, ses ongles.*
1   (...) le mouchoir s'attardant ensuite une seconde à curer le creux de chaque narine.   J. ROMAINS, les Hommes de bonne volonté, t. II, I, p. 5.

⒞ Régional. *Curer une casserole, un chaudron.* ⇒ **Écurer, récurer.**

⒟ Techn. *Curer un bois,* le débarrasser des branches mortes ou cassées, des souches malvenues.
Curer une vigne en pied, retrancher du cep le bois inutile.

⒠ Absolt. *Outil qui sert à curer.* ⇒ **Curette.** *Elle passe son temps à gratter, à curer.* ⇒ **Récurer.**

♦ **2.** Enlever (ce qui salit) en grattant. *Curer de la boue, de la vase.*

♦ **3.** Se curer (et compl.) : se nettoyer (une partie du corps). *Se curer les dents :* retirer au moyen d'un cure-dent, ou d'un objet analogue, les fragments de nourriture logés dans les dents. — *Se curer les oreilles :* retirer le cérumen sécrété dans le conduit de l'oreille externe. *Se curer les ongles.* Fam. *Se curer le nez.*

2   (...) et il se curait les dents avec un cure-dents dont le seul mérite était d'être en or, ou parfois, quand il se croyait soudain à l'abri de chacun des trois cents regards, avec sa main entière, d'or aussi et de pierreries.
                 GIRAUDOUX, Siegfried et le Limousin, p. 221.

CONTR. Encrasser, salir.
DÉR. Curage, curandier, cureter, curette, cureur, curure.
COMP. Écurer, récurer. — Cure-dent, cure-môle, cure-ongle, cure-oreille, cure-pied, cure-pipe.
HOM. Curé, curée.

CURETAGE [kyʀtaʒ] n. m. — Fin XIXᵉ, écrit *curettage ;* de cureter.

♦ **1.** Méd. Opération qui consiste à nettoyer avec une curette une cavité naturelle (utérus, cavité articulaire), ou pathologique (abcès), ou une plaie infectée. — Cour. Nettoyage de l'utérus après une fausse couche.

L'avortement pratiqué par une commère avait mal tourné. Le chirurgien de l'hôpital avait fait le curetage sans anesthésier la jeune fille, pour la punir «d'avoir attenté à sa santé».   Roger VAILLAND, 325 000 francs, p. 65.

♦ **2.** Élimination de bâtiments vétustes et sans intérêt archéologique, dans une ville.

CURETER [kyʀte] v. tr. — Conjug. *jeter.* — Fin XIXᵉ ; de curer.

♦ Méd. Faire le curetage de (un organe, une personne).
DÉR. Curetage.

CURETON, ONNE [kyʀtõ, ɔn] n. m. et adj. — 1916 ; en argot des prisons, 1798, «détenu qui disait le bénédicité» ; dimin. de curé.

♦ **1.** N. m. Vieilli. Jeune prêtre. ⇒ Curaillon. — Péj., mod. Prêtre.

1   Faut qu'il aille rudement mal, le copain, pour qu'ils aient fait venir un cureton.
                 SARTRE, le Sursis, p. 249 (1945).

♦ **2.** Adj. Religieux ; propre aux «curés».

2   Là-dessus, l'abbé nous dit quels illustrés pouvaient être lus avec profit par un enfant chrétien. C'étaient *Pierrot, Guignol,* ainsi que *Lisette* (en note : ces trois-là édités 1 rue Gazon... maison curetonne et archi-curetonne...).
                 CAVANNA, les Ritals, p. 194.

CURETTE [kyʀɛt] n. f. — 1415 ; de curer.

♦ **1.** Outil formé d'un manche muni à l'une de ses extrémités d'un tranchant (racle) et servant à curer, à racler, à nettoyer. ⇒ Racle, raclette. *Curette d'agriculteur, de menuisier, de tonnelier* (petite spatule).

♦ **2.** Chir. Petite cuillère à long manche servant à nettoyer l'intérieur d'une cavité (⇒ Curetage) ou à creuser un os ou un cartilage.

CUREUR [kyʀœʀ] n. m. — XIIIᵉ ; de curer.

♦ Techn. *Cureur de :* personne qui fait le curage d'un lieu où passent, stagnent des eaux. *Cureur de citerne, d'égouts, de puits, de canal.* — REM. Le fém. *cureuse* est virtuel.

CURIAL, ALE, AUX [kyʀjal, o] adj. — V. 1428 ; subst., «courtisan», XIIIᵉ ; lat. *curialis,* de *curia.* → 1. Curie.

★ **I.** Antiq. rom. Qui est relatif à la curie (I.) romaine. *Chaire curiale. Loi curiale.*

★ **II.** (Avec infl. de *cure, curé*). Rare. Relatif à la cure ou au curé. *Conseil curial :* conseil paroissial. — *Maison curiale :* presbytère.

1. CURIE [kyʀi] n. f. — 1538, R. Estienne ; lat. *curia.*

★ **I.** Antiq. rom. Division de la tribu chez les Romains. *Romulus partagea le peuple romain en trois tribus, et chaque tribu en dix curies. Assemblée des curies.* ⇒ Comice. *Le curion, chef de curie. Voter par curies,* en appelant seulement les habitants de la ville de Rome.

(...) le peuple chercha toujours à faire par curies les assemblées qu'on avait coutume de faire par centuries, et à faire par tribus les assemblées qui se faisaient par curies (...)   MONTESQUIEU, l'Esprit des lois, XI, 14.

Sénat de Rome, et, par ext., sénat des villes municipales (soumises ou alliées à Rome).
Lieu où s'assemblait la curie.

★ **II.** (1845 ; ital. *curia*). Ensemble des administrations qui constituent la Cour de Rome, le gouvernement pontifical. *La curie romaine,* et, absolt, *la curie. Cardinal de curie.*

Curie diocésaine, épiscopale : organisme administratif et judiciaire d'un évêché catholique.
DÉR. (Du lat.) V. Curial.
HOM. 2. Curie, curry.

2. CURIE [kyʀi] n. m. — 1910, *Congrès de radiologie* de Bruxelles ; de *Curie* (Pierre et Marie), physiciens français, première moitié XXᵉ.

♦ Phys. nucl. Ancienne unité de radioactivité (symb. *Ci*). *Le curie équivaut à l'activité nucléaire d'une substance radioactive dans laquelle le nombre de désintégrations par seconde est* $3,7 \times 10^{10}$*, soit* $3,710^{10}$ *becquerels.* ⇒ Microcurie, millicurie. *Le becquerel a remplacé le curie en 1975.*

Aussi le *Congrès international de radiologie,* tenu à Bruxelles en septembre 1910 sous la présidence d'honneur de Mᵐᵉ CURIE et de RUTHERFORD, a-t-il décidé la création d'une unité de mesure radioactive qu'il a appelée le *curie.*
                 Augustin BOUTARIC, la Vie des atomes, p. 192.

REM. Le nom propre *Curie* a plusieurs dérivés en physique : outre *curiethérapie*, curium*,* on peut signaler *curiepuncture* [kyʀipõktyʀ], n. f. (une thérapie à l'aide d'aiguilles) ; *curietest* [kyʀitɛst], n. m. (appareil de mesure de la radioactivité des préparations radioactives). Il sert en outre à former le syntagme *point de Curie* (température au-dessus de laquelle un corps ferromagnétique devient paramagnétique).

COMP. Curiethérapie. — Microcurie, millicurie.
HOM. 1. Curie, curry.

CURIETHÉRAPIE [kyʀiteʀapi] n. f. — 1920 ; de *Curie,* n. pr. (→ 2. Curie), et *-thérapie.*

♦ Méd. Traitement médical par la radioactivité (radium, thorium, éléments artificiels). ⇒ Radiumthérapie. *Curiethérapie employée dans la lutte contre le cancer.*

CURIEUSEMENT [kyʀjøzmã] adv. — 1559 ; *curiusement* «soigneusement», v. 1160 ; de *curieux.*

♦ **1.** Rare. Avec curiosité. ⇒ Soigneusement. *Il nous a interrogés curieusement.*

(...) que sert-il... de chercher curieusement tous les défauts de sa condition?
         GUEZ DE BALZAC, VII, Lettre 26, *in* LITTRÉ.

De manière indiscrète, curieuse et à la fois étrange. «*Les gens ils me fixaient curieusement*» (Céline, *Mort à crédit,* p. 678, *in* T. L. F.).

♦ **2.** (XVIIIᵉ). Cour. D'une manière curieuse, étrange, bizarre (II.). ⇒ Bizarrement, étrangement. *Elle a curieusement disparu. Chose curieusement faite.*

Spécialt, vieilli (en parlant d'une œuvre d'art). *Un bibelot curieusement travaillé.*

Adv. de phrase, antéposé. *Curieusement, très curieusement, il est parti sans nous dire un seul mot.*

CURIEUX, EUSE [kyʀjø, øz] adj. et n. — XIIᵉ ; du lat. *curiosus* «qui a soin de», de *cura* «soin». → Cure.

★ **I.** Sens actif. (Personnes). *Curieux de... ; curieux.* ♦ **1.** Vx. **ⓐ** Qui a soin, souci de qqch. ⇒ Intéressé (par). *Il n'en est pas curieux :* il n'en a cure*. *Être curieux de qqn,* s'y intéresser (parfois, érotiquement).
Être curieux des pauvres, se préoccuper de leur misère.

ⓑ Vx. *Être curieux de qqch.,* le rechercher.

1   (...) elle n'est curieuse que d'une propreté fort simple, et n'aime point les superbes habits (...)   MOLIÈRE, l'Avare, II, 5.

N'être pas curieux de... : ne pas y tenir, ne pas vouloir. *N'être pas curieux que...* (même sens). — REM. Cet emploi archaïque était, semble-t-il, populaire au XIXᵉ siècle.

1.1   (...) elle n'est pas curieuse de recevoir la nuit des gens qu'on n'connaît pas.
         Henri MONNIER, Scènes populaires, t. I, p. 63.

N. m. (souvent au plur.). *Les curieux.* → ci-dessous, sens 5.

♦ **2.** Vieilli. Qui recherche avec intérêt (des objets). *Il est curieux de tableaux, de vieux livres. Elle est curieuse de fleurs.*

N. m. (Mod. et littér.). Personne désireuse de posséder des œuvres d'art, des objets de collection. ⇒ Amateur, collectionneur. *Le cabinet, les collections d'un curieux. C'est un curieux et un connaisseur. Bibliothèque des chercheurs et des curieux. Amateurs et curieux.*

♦ **3.** Mod. et littér. (en bonne part). CURIEUX DE... (et subst. ou inf.) : qui est désireux de voir et de savoir. *Être curieux de qqch., de nouvelles, des choses littéraires, de littérature. Être curieux de tout.* — Plus cour. (avec l'infinitif). *Curieux de connaître, d'apprendre.* ⇒ Avide ; anxieux, désireux. *Je suis curieux de voir la fin de cette affaire. Je serais curieux de savoir...*

2   (...) et lorsqu'on est trop curieux des choses qui se pratiquaient aux siècles passés, on demeure ordinairement fort ignorant de celles qui se pratiquent en celui-ci.
         DESCARTES, Discours de la méthode, I.

3 Que les gens du monde et les ignorants, curieux de connaître des jouissances exceptionnelles, sachent donc bien qu'ils ne trouveront dans le haschisch rien de miraculeux, absolument rien que le naturel excessif.
BAUDELAIRE, les Paradis artificiels, « Poème du haschisch », III.

4 Peu à peu, la foule s'écoulait, innombrable, curieuse d'elle-même et se regardant passer.
Pierre LOUŸS, Aphrodite, II, p. 29.

5 (...) badaud insatiable et curieux de tout, assoiffé de musique, de théâtre, de lectures, je voulais tout voir, tout entendre, tout lire.
Georges LECOMTE, Ma traversée, p. 141.

5.1 Nous nous y rendons, curieux de voir si ces messieurs d'hier y viendront et si le même scandale s'y reproduira. GIDE, Voyage au Congo, in Souvenirs, Pl., p. 719.

(Sans compl.). *Un homme curieux. Un chercheur, un observateur curieux. — Il n'est pas curieux,* il n'a posé aucune question. — Par métonymie. *Regard curieux.* ⇒ **Avide** (cit. 20). *Esprit curieux,* qui ne néglige aucune occasion de s'instruire.

6 (...) son intelligence était si curieuse qu'il m'adressait à chaque moment des questions.
FLAUBERT, la Tentation de saint Antoine, I, p. 5.

N. (rare au fém.). Personne désireuse de connaître, de savoir. *Un philosophe, un savant mais surtout un curieux.*

♦ **4.** Cour. (en mauvaise part). Sans compl. Qui cherche à connaître ce qui ne le regarde pas. ⇒ **Indiscret.** *Vous êtes trop curieux. Assez curieux pour écouter aux portes.*

7 Les femmes sont curieuses ; fassent le ciel et la morale qu'elles contentent leurs curiosités d'une manière plus légitime qu'Ève leur grand-mère, et n'aillent pas faire des questions au serpent.
Th. GAUTIER, Mˡˡᵉ de Maupin, Préface, éd. critique MATORÉ, p. 24.

REM. Dans ce sens, l'adj. est en général postposé, pour éviter l'ambiguïté avec le sens II, 2. Cf. *C'est un garçon curieux* (plein de curiosité) ; *c'est un curieux garçon* (bizarre).

N. Personne indiscrète. *Petite curieuse.* ⇒ **Fouille-au-pot** (vx), **fouinard.**

♦ **5.** N. m. (Souvent au plur.). Personne qui s'intéresse à qqch. par simple curiosité. ⇒ **Fouineur, fureteur ; badaud.** *La foule des curieux et des curieuses. Un attroupement de curieux. Scène qui attire les curieux* (→ Béer, cit. 12). *Écarter, éloigner les curieux.*

8 (...) les curieux sont aussi des amoureux, et les amoureux peuvent avoir leurs illusions.
SAINTE-BEUVE, Correspondance, t. II, p. 21.

9 (...) moi qui suis un curieux, un fureteur, j'en ai connu, et qui n'étaient pas des mythes. PROUST, À la recherche du temps perdu, t. XII, p. 116.

♦ **6.** N. m. Argot . Juge d'instruction. — Commissaire de police (av. 1900, Goron, *l'Amour à Paris,* t. 3, p. 1765). — *Le grand curieux :* le président d'une cour d'assises. — N. f. (Vx). *La curieuse :* la police.

10 (...) la lutte a pour objet le secret gardé par ceux-ci *(les prévenus)* contre la curiosité du juge, si bien nommé *le curieux* dans l'argot des prisons (...)
BALZAC, Splendeur et misères des courtisanes, Pl., t. V, p. 937.

Vx. *Un curieux :* un voyeur.

♦ **7.** N. f. Argot. vx. *Les curieuses :* les oreilles.

10.1 Ah ! bon, je comprends, se confia-t-il in petto. Des curieuses *(oreilles)* se maquillaient de la toison des poteaux (se cachaient sous les arbres)... Allons, voilà encore que je parle argot (...) Paul D'IVOI, le Docteur Mystère, p. 380.
REM. L'« argot » de Paul d'Ivoi semble artificiel et livresque.

★ **II.** (1559). Sens passif. — REM. Dans ce sens, l'adj. épithète est souvent antéposé, notamment s'il peut y avoir une ambiguïté avec le sens I. ♦ **1.** (Choses). Qui pique la curiosité ; qui attire et retient l'attention. ⇒ **Amusant, attachant, bizarre, drôle, étonnant, étrange, incompréhensible, original, singulier, surprenant, unique** (fam.). *C'est une chose curieuse. Ce qui est curieux, c'est que... Le curieux de l'affaire, c'est que...* ⇒ **Piquant, plaisant.** *Par une curieuse coïncidence... Spectacle curieux.* — (Choses concrètes). *Bibelot curieux. Des pièces curieuses ont enrichi sa collection.* ⇒ **Rare.** *Un travail curieux. — Une curieuse nouvelle. Une théorie nouvelle et curieuse.* ⇒ **Intéressant.**

10.2 Il serait curieux de demander au plus averti et au plus sensible des lecteurs de révéler sincèrement ce qu'il perçoit. N. SARRAUTE, l'Ère de soupçon, p. 110, in T. L. F.

♦ **2.** (Personnes ; œuvres humaines). Original. ⇒ **Bizarre, étrange.** *Un homme curieux, très curieux.* (Antéposé, pour éliminer l'ambiguïté avec le sens I). *C'est une curieuse fille, un curieux type. — Un texte, un roman, un essai assez curieux.*

11 À la première lecture, le livre *(l'Adolescent,* de Dostoïevski) ne m'avait pas paru si extraordinaire, mais plus compliqué que complexe, plus touffu que rempli, et, somme toute, plus curieux qu'intéressant. GIDE, Journal, mai 1903.

Loc. fig. *Faire la bête curieuse* (→ Bête, cit. 18). *Ne me regardez pas comme une bête curieuse.*

CONTR. **Incurieux, indifférent, insouciant. — Discret, réservé. — Banal, commun, ordinaire, quelconque, vulgaire.**
DÉR. **Curieusement.**

CURIOLOGIQUE [kyrjɔlɔʒik] ou (mieux) KYRIOLOGIQUE [kirjɔlɔʒik] adj. — 1755, Encyclopédie, art. *Écriture,* d'après l'ouvrage de Warburton ; grec *kyriologikos* (Saint Clément d'Alexandrie), de *kyrios* « régulier, exact », et *logos* « parole » ; l'angl. *curiologic* est attesté en 1669.

♦ Didact. *Écriture kyriologique* ou *curiologique :* forme d'écriture

hiéroglyphique où les signifiés sont représentés par leur image ou par celle d'un élément (et non par symbole). ⇒ **Synecdoque.**
L'écriture véritable a commencé *(selon Warburton)* lorsqu'on s'est mis à représenter, non plus la chose elle-même, mais un des éléments qui la constituent, ou bien une des circonstances habituelles qui la marquent, ou bien une autre chose à quoi elle ressemble. De là trois techniques : l'écriture curiologique des Égyptiens (...) qui utilise « la principale circonstance d'un sujet pour tenir lieu de tout » (un arc pour une bataille, une échelle pour le siège des cités)...
Michel FOUCAULT, les Mots et les Choses, I, IV, 6, p. 127.

CURION [kyrjɔ̃] n. m. — 1721 ; du lat. *curio, onis,* de *curia.* → Curie (I.).

♦ Antiq. rom. Magistrat ou prêtre qui commandait une curie. *Les curions présidaient aux curionies* [kyrjɔni ; n. f.], *sacrifices annuels des curies.*

CURIOS [kyrjo] n. m. pl. — 1926, cit. 1 ; mot angl., de *curiosity* « curiosité, objet curieux à vendre » (cf. *Curiosity shop*), de même orig. que le franç. *curiosité.*

♦ Anglic. Curiosité (II, 1.).

1 Chacun sait qui vous avez vu l'heure d'avant, quels « curios » vous avez achetés, et le prix. Paul MORAND, Rien que la Terre, p. 60.

2 (...) dans toutes les civilisations l'aurore scientifique débute dans le bric-à-brac des « curios ». A. LEROI-GOURHAN, le Geste et la Parole, t. II, p. 214.
REM. Claudel emploie le nom au singulier (en le citant comme mot anglais) :

3 (...) le goût du « bibelot », du « curio », comme disent les Anglais, de la nouveauté dans l'étrange et dans le baroque. C'est à lui que nous devons les charmantes contre-rimes de Toulet.
CLAUDEL, Poésie française et Extrême-Orient, in Œ. en prose, Pl., p. 1041 (déc. 1937).

CURIOSA [kyrjoza] n. f. pl. — D. i. (probabl. XIXᵉ) ; mot lat., fém. plur., « choses curieuses », de *curiosus.* → Curieux.

♦ Bibliophilie. Publications (livres, illustrations, etc.) de nature libre, libertine ou érotique, destinées aux « curieux » (au sens I, 2).

CURIOSITÉ [kyrjozite] n. f. — V. 1190, *curioseté,* au sens I, 1 ; lat. *curiositas* « soin », de *curiosus.* → Curieux.

★ **I.** ♦ **1.** Vx. Soin, souci de qqch. *Avoir de la curiosité pour... La curiosité de qqn.*

1 (...) de rendre un cœur content, de combler une âme de joie, de prévenir d'extrêmes besoins ou d'y remédier, leur curiosité ne s'étend point jusque-là.
LA BRUYÈRE, les Caractères, IX, 4.

♦ **2.** (XIIIᵉ ; *curiositeiz*). Mod. Tendance qui porte à apprendre, à connaître des choses nouvelles. ⇒ **Appétit, avidité, soif** (de connaître). *Avoir de la curiosité pour qqn, pour qqch.* ⇒ **Intérêt.** *Inspirer de la curiosité. Attirer, éveiller, exciter la curiosité de qqn* (→ Maniéré, cit. 4). *Fournir un aliment à la curiosité. Contenter, satisfaire, rassasier, assouvir sa curiosité. Réprimer, contenir sa curiosité. Observer avec une curiosité mêlée d'inquiétude, de jalousie. Cela excite, pique, redouble sa curiosité.* — (Avec un adj. précisant le caractère de la curiosité). *Une curiosité légitime, louable. Une vive curiosité. Vaine, futile curiosité.* — (Précisant la nature de la curiosité). *Curiosité littéraire, scientifique.* — Spécialt. *Curiosité amoureuse :* désir d'avoir des expériences amoureuses (→ ci-dessous, cit. 12). — (Avec un compl. désignant la personne curieuse). *La curiosité du chercheur, du savant* (→ ci-dessous, cit. 11). *La curiosité de l'enfant* (→ cit. 10). *La curiosité de qqn pour, à l'égard de qqch., quant à qqch.* — *La curiosité de son esprit.* — (Désignant l'objet de la curiosité). *La curiosité de qqch* (→ ci-dessous, cit. 13). *N'avez-vous pas la curiosité de savoir ce qui est arrivé ?*

2 Il y a diverses sortes de curiosité : l'une d'intérêt qui nous porte à désirer d'apprendre ce qui nous peut être utile ; et l'autre d'orgueil, qui vient du désir de savoir ce que les autres ignorent. LA ROCHEFOUCAULD, Maximes, 173.

3 (...) la maladie principale de l'homme est la curiosité inquiète des choses qu'il ne peut savoir (...) PASCAL, Pensées, I, 18.

4 Curiosité n'est que vanité. Le plus souvent on ne veut savoir que pour en parler (...) PASCAL, Pensées, II, 152.

5 La faiblesse humaine est d'avoir
Des curiosités d'apprendre
Ce qu'on ne voudrait pas savoir. MOLIÈRE, Amphitryon, II, 3.

6 Nous le suivîmes (...) par la seule curiosité de voir une chose si extraordinaire.
FÉNELON, Télémaque, V.

7 Elle médita sur les livres, elle compara les méthodes, elle augmenta démesurément la portée de son intelligence et l'étendue de son instruction, elle ouvrit ainsi la porte de son âme à la Curiosité.
BALZAC, le Curé de village, Pl., t. VIII, p. 565.

8 L'amour, après tout, n'est qu'une curiosité supérieure, un appétit de l'inconnu qui vous pousse dans l'orage, poitrine ouverte et tête en avant.
FLAUBERT, Correspondance, t. I, p. 156.

9 (...) la curiosité excite le désir plus encore que le souvenir du plaisir.
FRANCE, la Rôtisserie de la reine Pédauque, Œ., t. VIII, p. 239.

10 L'art d'enseigner n'est que l'art d'éveiller la curiosité des jeunes âmes pour la satisfaire ensuite, et la curiosité n'est vive et saine que dans les esprits heureux.
FRANCE, le Crime de S. Bonnard, Œ., t. II, p. 430.

11 L'insatiable curiosité du fureteur de sciences cherchait à crocheter les portes du mystère. R. ROLLAND, le Voyage intérieur, p. 100.

12 La curiosité amoureuse est comme celle qu'excitent en nous les noms de pays; toujours déçue, elle renaît et reste toujours insatiable.
PROUST, À la recherche du temps perdu, t. XI, p. 177.

13 (...) la curiosité douloureuse, inlassable, que j'avais des lieux où Albertine avait vécu, de ce qu'elle avait pu faire tel soir, des sourires, des regards qu'elle avait eus, des mots qu'elle avait dits, des baisers qu'elle avait reçus!
PROUST, À la recherche du temps perdu, t. XII, p. 228.

14 (...) la curiosité avide avec laquelle je fouillais du regard le troupeau bourgeois et paysan qui se pressait à l'offrande. F. MAURIAC, la Pharisienne, XII, p. 178.

15 Toute l'éducation moderne nous enseigne au contraire l'excellence de la curiosité. La science (...) Après tout qu'est-elle, sinon une longue et systématique curiosité?
A. MAUROIS, Terre promise, XXX, p. 216.

♦ **3.** (V. 1268, Br. Latini). En mauvaise part. Désir de connaître les secrets, les affaires d'autrui. ⇒ **Indiscrétion.** — *La curiosité de qqn, sa curiosité. Sa curiosité le pousse à écouter aux portes. Sa curiosité fut punie. Le démon de la curiosité.* Loc. prov. *La curiosité est un vilain défaut.*

16 J'ai été tenté un moment de lui envoyer mon coup de fusil, qui, quoique de petit plomb seulement, lui aurait donné une leçon suffisante sur les dangers de la curiosité (...) LACLOS, les Liaisons dangereuses, I, XXI.

Au plur. *Des curiosités :* besoins de savoir une chose particulière. *Avoir des curiosités malsaines.*

17 (...) peu à peu les curiosités qu'excitait en lui sa jalousie furent neutralisées par la peur des tortures nouvelles qu'il s'infligerait en les satisfaisant.
PROUST, À la recherche du temps perdu, t. II, p. 202.

18 (...) des curiosités qui sont l'infâme volupté de la plupart des gens du monde.
PROUST, les Plaisirs et les Jours, p. 119.

La curiosité des passants, du public. La curiosité de la foule (⇒ **Curieux,** I., 5.).

19 Aline se taisait, marchant un peu éloignée de lui, gênée par la curiosité des rares passants qui regardaient ce couple étrange traverser le jardin dans le crépuscule.
J. CHARDONNE, les Destinées sentimentales, III, V, p. 468.

19.1 La représentation commence par un jeu de déshabillage à la mode du Seu-Tchouan. L'actrice est une jeune Japonaise que les habitués ne connaissent pas encore; elle excite par conséquent la curiosité du public.
A. ROBBE-GRILLET, la Maison de rendez-vous, p. 99.

♦ **4.** Vx. Goût, passion d'amateur pour certaines choses rares, pour des objets de collection. *Avoir la curiosité des tableaux, des vieux livres.* — (Sans complément) :

20 La curiosité n'est pas un goût pour ce qui est bon ou ce qui est beau, mais ce qui est rare, unique, pour ce qu'on a et que les autres n'ont point (...) Ce n'est pas un amusement, mais une passion (...) LA BRUYÈRE, les Caractères, XIII, 2.

Vieilli. *Objets de curiosité,* de collection. ⇒ **Curios** (anglic.).

21 (...) la boutique était égayée par de menus objets de curiosité, poignards, buires, hanaps, figulines, gaudrons de cuivre et plats hispano-arabes à reflets métalliques.
FRANCE, le Crime de S. Bonnard, Œ., t. II, p. 326.

REM. Dans ce contexte, *curiosité* est plus archaïque que *curieux.*

★ **II.** (xvᵉ). ♦ **1.** *(Une, des curiosités).* Chose curieuse (II.); spécialt, objet recherché par les curieux, les amateurs. ⇒ **Nouveauté, rareté; bibelot, curios** (anglic.). *Magasin de curiosités. Curiosités d'une collection, d'un musée. Cet objet n'est pas beau, ce n'est qu'une curiosité. Amateur* de curiosités.*

22 (...) j'ai pris le goût déplorable des tatouages; aussi ai-je désiré emporter comme curiosité, comme bibelot, un spécimen du travail des tatoueurs japonais (...)
LOTI, Mᵐᵉ Chrysanthème, LII, p. 237.

Collectif. « *La rue de la curiosité* » (Goncourt, *Madame Gervaisais,* p. 35).

Par ext. (surtout au plur.). *Visiter les curiosités d'une ville. Curiosités naturelles :* sites remarquables (exploitables par le tourisme).

23 Sartre refusa catégoriquement de faire halte à Lérida pour y contempler une montagne de sel. «Les beautés naturelles, soit, déclara-t-il, mais pas les curiosités naturelles, non!» S. DE BEAUVOIR, la Force de l'âge, p. 89.

♦ **2.** Littér. [a] Vx. Caractère de ce qui éveille l'intérêt. *Je voudrais le voir, l'entendre pour la curiosité du fait.*

[b] Caractère curieux, insolite, étrange (de qqch.).

24 Et rien, rien dans le livre de la curiosité, de l'originalité, de la particularité des milieux où la vie de la femme-auteur s'est passée.
Ed. et J. DE GONCOURT, Journal, p. 665 (1887), in T. L. F.

CONTR. Incuriosité, indifférence, inertie, insouciance. — Discrétion, réserve. — Banalité.

CURISTE [kyʀist] n. — 1899; de *cure* (I., 2.).

♦ Personne qui fait une cure thermale (⇒ aussi **Baigneur, buveur,** 3.)

Auriez-vous l'obligeance, Monsieur, de me garder ceci un instant?
Elle montre le tricot, le livre qu'elle vient de déposer sur sa chaise. Elle tient à la main le verre de « curiste », dans son étui de raphia. C'est l'heure d'aller boire (...)
Roger VERCEL, l'Île des revenants, p. 92.

CURIUM [kyʀjɔm] n. m. — 1945; de *Curie,* n. pr., et suff. *-ium.*

♦ Sc. Élément radioactif (n° at. 96) découvert dans les produits de transformation de l'uranium. Symb. *Cm.*

CURLING [kœʀliŋ] n. m. — 1792; répandu fin xixᵉ; mot angl., de *to curl* «enrouler».

♦ Anglic. Sport d'hiver qui consiste à faire glisser un palet (de pierre polie ou de fonte) sur la glace.

Jeu pratiqué dans les pays nordiques, qui s'apparente à la fois au tir sur glace et au jeu de boules : il consiste à atteindre un objectif en décrivant une légère courbe (*to curl :* boucler). Né sur les lacs gelés d'Écosse, au xviᵉ siècle, il se pratiquait vers la fin du xviiiᵉ siècle avec des pierres pesant jusqu'à 52 kg (...) Le curling se joue sur des pistes de glace artificielle. Les équipes comportent 4 joueurs qui ont le droit de tirer 2 fois. Lorsqu'un joueur a lancé la pierre, ses coéquipiers « balaient » la glace devant l'engin pour prolonger ou corriger le tir.
Encyclopédie Alpha, art. *Curling.*

(1956). Piste où l'on pratique ce sport. *Un beau curling. Des curlings.*

CUROPALATE [kyʀɔpalat] n. m. — 1845; lat. *curopalates* «maréchal du palais».

♦ Hist. Chef de la garde palatine, dans l'Empire byzantin (première dignité impériale sous la dynastie justinienne; plus tard, titre honorifique).

CURRICULUM VITÆ [kyʀikylɔmvite] n. m. — 1900; mots lat., «course de la vie», de *currere* «courir» et *vita* «vie».

♦ Ensemble des indications relatives à l'état civil, aux capacités, aux diplômes et aux activités passées d'une personne. *Établir son curriculum vitæ.*

Dès mon arrivée, j'avais écrit une vingtaine de lettres rédigées avec soin, en réponse aux offres d'emploi publiées par *France-Soir.* Mais je ne devais pas être le seul à offrir mes talents sur le marché du travail car depuis, rien de rien, aucune nouvelle de mes futurs employeurs. Il est vrai que mon curriculum vitæ n'est pas tout à fait du genre «engageant» dans un pays de vieille civilisation!
Bernard MOITESSIER, Cap Horn à la voile, p. 32.

Par ext. Le document fournissant l'ensemble de ces indications. *Les candidats doivent joindre à leur demande d'emploi un curriculum vitæ. Les curriculums vitæ* (ou invar. : *les curriculum vitæ*) *de tous les candidats.*

Ellipt. **CURRICULUM.** [a] Curriculum vitæ. *Des curriculums.*

[b] Anglic. Cours d'études. ⇒ **Cursus, programme** (*in* Dict. du savoir moderne, *la Pédagogie,* p. 204, 213). *Des curricula* (didact.) ou *des curriculums.*

CURRY [kyʀi] n. m. — 1602, *caril,* mot malabar (→ Cari); la forme *curry* est reprise à l'angl., 1820.

♦ Assaisonnement indien composé de froment, de curcuma, de piment et d'autres épices pulvérisées. *Riz au curry.* — (1821, *in* Höfler). Par métonymie. *Un curry d'agneau, de volaille :* agneau, volaille au curry. *Un curry à l'indienne.*

Après notre déjeuner, je fais le tour de notre camp et je m'aperçois que nos gens n'ont pas été oubliés dans la royale hospitalité : Musulmans et Hindous se livrent à un banquet féérique de pilau et de curry, envoyés par le roi.
Louis ROUSSELET, l'Inde des Rajahs, *in* le Tour du monde, 1873, t. I, p. 155. [1]

Var. anc. : *cari*, carry, cary, karry* (le Tour du monde, 1868, 2, p. 183), *kari.*

On a confectionné des curries et une cuisine soi-disant orientale, encore plus impossible que l'autre (...) Paul MORAND, Bouddha vivant, p. 88. [2]

HOM. 1. et 2. **Curie.**

CURSEUR [kyʀsœʀ] n. m. — 1562; *courseur* «messager», 1372; lat. *cursor,* de *cursum,* supin de *currere* «courir».

♦ **1.** Techn. Petit index qui glisse dans une coulisse (pratiquée sur une règle, un compas, une hausse de pointage, un rhéostat, un potentiomètre...). *Pousser, faire glisser le curseur. La position du curseur.*

♦ **2.** (1776). Astron. Fil qui traverse le champ d'un micromètre et sert à mesurer le diamètre apparent d'un astre.

♦ **3.** Marque mobile sur un écran de visualisation, indiquant la position de l'opération à effectuer. *Déplacer, arrêter le curseur.*

CURSIF, IVE [kyʀsif, iv] adj. — 1532; lat. médiéval *cursivus,* du supin de *currere* «courir».

♦ **1.** Didact. Qui est tracé à main courante. *Écriture cursive. Caractères cursifs. Lettres cursives.* — N. f. *La cursive.* ⇒ **Anglaise.** *Écrire en cursive.*

On appelle cursive toute écriture représentant une forme rapide d'une écriture plus lente.
L'alphabet paraît bien être une cursive par rapport à une pictographie. Par la suite, il a pris soit des formes monumentales, soit des formes plus cursives, plus rapides. Lorsqu'une forme monumentale, éventuellement une forme livresque, et une forme courante coexistent on dit généralement que la forme courante est la cursive des autres.
Mais, historiquement, il faut distinguer suivant que l'une a précédé l'autre. Pour le grec et le latin la minuscule, ou cursive, a précédé la majuscule, ou onciale (...)
M. COHEN, l'Écriture, Les tracés, p. 94 et 95. [1]

♦ **2.** Fig., littér. ou didact. Bref, rapide. *Style cursif* (→ Caractère, cit. 29). *Lecture cursive* (→ En diagonale).

Une autre attention est la création cursive de significations le long d'un temps.
VALÉRY, Cahiers, t. II, Pl., p. 254. [2]

DÉR. **Cursivement.**

CURSIVEMENT [kyʀsivmɑ̃] adv. — xvᵉ ; de *cursif*.
Didactique.

♦ **1.** En écriture cursive. *Texte transcrit cursivement.*

♦ **2.** Littér. ou didact. Rapidement. *Texte cursivement déchiffré.*

CURSUS [kyʀsys] n. m. invar. — Mil. xxᵉ, d'abord en méd. ; mot. lat.
«cours», de *currere* «courir».

♦ Didact. Ensemble des études dans une matière. ⇒ **Cours.** *Cursus
des études médicales. Des cursus universitaires.* ⇒ **Curriculum.**
(...) la formation du psychanalyste est des plus longues qui soient. Dans l'hypothèse
où il est médecin, il faut additionner les sept ans (minimum) de *cursus* médical,
les trois ans de formation spécialisée de neuropsychiatrie (...) et trois à cinq ans
de psychanalyse dite «didactique» à laquelle il faut ajouter l'obligation d'un «contrôle» (des premières thérapies effectuées).
                    C. KOUPERNIK, Un traitement d'exception, *in* la Nef, n° 31, p. 159.

CURSUS HONORUM [kyʀsysɔnɔʀɔm] n. m. — 1900 ; mots lat.,
«carrière (*cursus* «cours») des honneurs».
Didactique.

♦ **1.** Antiq. rom. À Rome, Suite ordonnée de magistratures que
devait parcourir l'homme qui faisait une carrière politique. *Auguste
modifia le cursus honorum de la République.*

♦ **2.** Mod. Suite, progression de titres. « *Le cursus honorum était
jadis en sens inverse : on quittait le plan pour l'Élysée ou pour
Matignon* (l'administration du plan pour les services de la présidence de la République ou du Premier ministre)» (*l'Express,*
25 sept. 1972, p. 105). « *Elle a suivi le " cursus honorum" universitaire normalement* » (*Sciences et Avenir,* mai 1980, p. 29).

CURULE [kyʀyl] adj. — xivᵉ ; lat. *curulis.*

♦ **1.** Antiq. rom. *Chaise curule :* siège d'ivoire réservé aux premiers
magistrats de Rome. *Magistrats, édiles curules,* qui avaient droit
à la chaise curule.
Chaise curule, comme ils l'appellent, c'est-à-dire qui se porte sur un chariot par
la ville.   AMYOT, Marius, 6, *in* LITTRÉ.

♦ **2.** Didact. (d'un siège). Qui a la forme du siège curule romain.
« *Un fauteuil curule* » (Goncourt, 1859).

CURURE [kyʀyʀ] n. f. — 1348 ; *cureure,* jusqu'au xviiiᵉ ; de *curer.*

♦ Techn. Ce que l'on retire d'un étang, d'un fossé que l'on cure
(boues). *Les curures sont riches en azote.*
L'opinion qui prévalut longtemps dans les milieux viticoles était que les vignes
ne devaient être que peu fumées. On leur apportait néanmoins d'assez fortes doses
d'humus et d'éléments nutritifs sous forme de curures de fossés, de terreau et
même parfois de fumier (...)   Louis LEVADOUX, la Vigne et sa culture, p. 98.

CURVATIF, IVE [kyʀvatif, iv] adj. — 1856, dér. sav. du supin du
lat. *curvare* «courber».

♦ Didact. et rare. Qui tend à se courber. — Bot. *Feuilles curvatives,*
dont les bords s'enroulent.

CURVE [kyʀv] adj. — Fin xivᵉ, Oresme ; du lat. *curvus* «courbe».

♦ Littér. (latinisme archaïsant). Courbe («*la curve flûte*», Moréas,
in T. L. F.).

CURVI- Élément, du lat. *curvus* «courbe», entrant dans la composition de termes didactiques. ⇒ **Curvigraphe, curviligne, curvimètre.**

CURVIGRAPHE [kyʀvigʀaf] n. m. — 1832 — l'instrument a été
inventé en 1811 ; de *curvi-,* et *graphe.*

♦ Techn. Instrument pour tracer des courbes.

CURVILIGNE [kyʀviliɲ] adj. — 1613 ; de *curvi-,* et *ligne.*

♦ **1.** Didact. (assez courant). Qui est formé par des lignes courbes.
⇒ **Arrondi, cintré, incurvé.** *Polygone curviligne. Angle curviligne.
Mouvement curviligne.* ⇒ **Centrifuge, centripète.**
1 J'ai déjà décrit ce miroir cassé, sans cadre et mal fixé par trois pitons branlants,
que, contre tous usages, on a laissé au mur de ma prison (le mur de gauche, en
regardant la porte). Il est placé si haut que je dois monter sur la chaise (en bois
tourné, laqué de blanc) pour apercevoir, interrompu par le bord inférieur curviligne et coupant, le haut de mon visage (...)
                    A. ROBBE-GRILLET, Souvenirs du triangle d'or, p. 126.

♦ **2.** Didact. Qui se rapporte à la courbe, aux lignes courbes.

Qui prononcera donc entre la géométrie rectiligne et la géométrie curviligne ? 2
                    BALZAC, Séraphîta, Pl., t. X, p. 550.

CURVIMÈTRE [kyʀvimɛtʀ] n. m. — 1874 ; de *curvi-,* et *mètre.*

♦ Techn. Instrument servant à mesurer la longueur des lignes courbes tracées sur un graphique, une carte.

CUSCUTE [kyskyt] n. f. — V. 1256 ; lat. médiéval *cuscuta* ; de
l'arabe *kŭšŭt* ; du grec.

♦ Bot. Plante dicotylédone (*Cuscutacées*) herbacée, volubile,
dépourvue de chlorophylle et parasite d'autres végétaux (luzerne,
céréales). *La cuscute cause de grands dommages aux luzernières.*
Une clairière, à la cuscute rongeuse, parasite, méchante, choléra des bonnes luzer-
nes, étend sa barbe de filaments.   J. RENARD, Poil de carotte, p. 52.

CUSPIDE [kyspid] n. f. — 1839 ; lat. *cuspis, idis* «pointe».
Didact. (sc. naturelles).

★ **I.** ♦ **1.** Anat., bot. Pointe aiguë et allongée. *Valvule à deux*
(⇒ **Bicuspide**), *à trois cuspides* (⇒ **Tricuspide**).

♦ **2.** Anat. Éminence des molaires et des prémolaires, sur la face
triturante en contact avec la dent opposée. *Prémolaire pourvue de
deux cuspides* (⇒ **Bicuspide**). *Cuspides et sillons des molaires.*

★ **II.** Astrol. Endroit central d'une «maison» (où ses caractéristiques sont les plus nettes).

DÉR. Cuspidé, cuspidien.

CUSPIDÉ, ÉE [kyspide] adj. — xixᵉ ; de *cuspide.*

♦ Bot. Muni d'une cuspide (1.). *Feuille cuspidée de l'ananas,
de l'aloès.*

CUSPIDIEN, IENNE [kyspidjɛ̃, jɛn] adj. — xxᵉ ; de *cuspide.*

♦ Anat. D'une cuspide dentaire. *Érosion cuspidienne.*

1. CUSTODE [kystɔd] n. m. — V. 980 ; *custod* «gardien», xiiᵉ ; du
lat. *custos, -odis,* «gardien».

♦ **1.** Vx. Gardien de musée ou de monument.

♦ **2.** (1293). Relig. Dans certains ordres religieux, moine qui remplace le provincial.

2. CUSTODE [kystɔd] n. f. — V. 1370 ; lat. *custodia* «garde», de
custos. → 1. Custode.

★ **I.** Relig. (t. technique).

♦ **1.** Relig. Tenture qui, dans certaines églises, orne les côtés du
maître-autel.

♦ **2.** Relig. Voile qui couvre le saint ciboire. ⇒ **Pavillon.**

♦ **3.** Relig. Boîte où le prêtre enferme l'hostie pour l'exposer,
la transporter.
Au masculin :
Thérèse de Jésus comme un custode resplendissant où les saintes espèces se conservaient inaltérées d'une communion à l'autre.   CLAUDEL, Journal, 3 juin 1910.
(xviᵉ). Fig., vx. *Sous la custode :* en secret.

★ **II.** Techn. (autom.). Panneau latéral arrière de la carrosserie
(d'une automobile). *Glaces de custode. — Baie de custode :* chacun
des panneaux vitrés fixés de part et d'autre d'une vitre ouvrante.

CUSTODI-NOS [kystɔdinos] n. m. invar. — 1576 ; mots lat. «garde
(*custodi*)-nous ».

♦ Vx. Celui qui gardait temporairement un bénéfice ou un office
ou qui n'ayant que le titre de confidentiaire, laissait les fruits à la
personne dont il était le prête-nom.

CUSTOM [kœstɔm] n. m. et f. invar. — V. 1974 ; d'après l'anglo-
amér. *custom motorcycle* «moto sur mesure», de *custom* «clientèle,
pratique» (xviᵉ), anc. franç. *custum* (→ Coutume, costume) ayant pris
en antéposition le sens «fait, arrangé sur commande ou sur mesure» ;
custom car, 1968, Oxford *Supplément.*

♦ Anglic. Moto adaptée spécialement en fonction des goûts de la
clientèle. *Un custom monté en chopper*.*
C'est un lutteur poids lourd, ou, si vous préférez, une formidable masse de muscles enveloppée de chrome et de filets dorés. Les chiffres de reprises à partir de
60 km/h vous le diront ; sur ce terrain, elle met tous les autres custom d'accord.
                    Moto-Revue, 6 mai 1981, p. 21.

Appos. *Modèle, adaptation custom. Une moto custom.* — N. f. *Une custom.*

Voiture custom ; n. f., une custom : automobile carrossée spécialement (voiture ancienne, etc.).

CUTANÉ, ÉE [kytane] adj. — 1546 ; du lat. *cutis* « peau », suff. *-ané.*

♦ **1.** Anat. et cour. Qui appartient à la peau. ⇒ **Dermique, épidermique.** *Tissus cutanés racornis.* ⇒ **Corne.**

(Le tatouage des Maoris) donne au système cutané un surcroît d'épaisseur qui permet à la peau de résister aux intempéries des saisons et aux incessantes piqûres des moustiques.
J. Verne, les Enfants du capitaine Grant, t. III, p. 103, *in* T.L.F.

♦ **2.** Qui se manifeste, fonctionne au niveau de la peau. *Respiration cutanée. Circulation cutanée. Sensibilité cutanée.*
Pathol. *Affection, maladie cutanée.* → cour. Maladie de peau*. ⇒ **Dermatose.** *Symptôme, éruption, plaie cutanée.*

COMP. Sous-cutané.

CUTI [kyti] n. f. — D. i. (attesté 1946, *in* T. L. F.). ; abrév. de *cutiréaction.*

♦ Fam. Cuti-réaction. *Faire une cuti à un enfant. Cuti positive, négative.*
Loc. *Virer sa cuti :* avoir une cuti-réaction positive pour la première fois. Fig. S'émanciper, devenir adulte. → Être majeur et vacciné*. *T'as pas encore viré ta cuti, petit morpion ?*
Changer totalement d'opinion, d'attitude. *Il était au P. C., mais il a viré sa cuti après le coup de Prague.* — Spécialt. Devenir homosexuel.

CUTICOLE [kytikɔl] adj. — xxᵉ ; dér. sav. du lat. *cutis* « peau », et suff. *-cole.*

♦ Biol., méd. *Parasite cuticole,* qui se développe sous la peau.

CUTICULE [kytikyl] n. f. — 1532 ; lat. *cuticula* « petite peau », de *cutis* « peau ». → Cuti.

♦ **1.** Zool. Membrane externe de certains animaux (insectes, crustacés), qui contient de la chitine.

♦ **2.** Bot. Pellicule, riche en cutine, qui revêt la tige et les feuilles des plantes (⇒ **Cutine**).

♦ **3.** Anat. Couche très mince de peau, membrane ou pellicule qui recouvre une structure anatomique. *Cuticule de l'émail dentaire, du poil.*

CUTINE [kytin] n. f. — 1878 ; dér. sav. du lat. *cutis,* « peau ».

♦ Bot. Substance provenant de la transformation de la membrane cellulosique des cellules et qui constitue la cuticule.

CUTI-RÉACTION [kytiʀeaksjõ] n. f. — 1907 ; du lat. *cutis* « peau », et *réaction.*

♦ Méd. et cour. Réaction cutanée inflammatoire provoquée par l'introduction dans la peau d'un produit (végétal ou animal, toxine bactérienne) auquel un sujet peut être sensibilisé et qui sert à déceler certaines maladies (la tuberculose, par ex.). *Des cuti-réactions.* ⇒ fam. **Cuti.**

La cuti-réaction pratiquée avec la tuberculose révèle l'existence d'un foyer tuberculeux latent ou en activité (...)
M. Garnier et J. Delamare, Dict. des termes techniques de médecine, art. *Cuti-réaction.*

DÉR. Cuti.

1. CUTTER [kœtœʀ ; kytɛʀ] n. m. — 1777 ; mot angl., littéralt « ce qui coupe (*to cut* "couper") l'eau ».

♦ Vx. Cotre.

(...) un petit cutter formidablement armé s'approcha du bâtiment marchand, se donnant comme garde-côte (...)
Dumas, les Trois Mousquetaires, t. II, p. 565 (1844).

2. CUTTER [kœtœʀ ; kytɛʀ] n. m. — 1979 ; *cutteur,* 1971 ; angl. *cutter* « celui, ce qui coupe » (1671), de *to cut* « couper ».

♦ Techn., anglic. Instrument où est insérée une lame qui peut trancher très précisément le papier, le carton, etc.

CUVAGE [kyvaʒ] n. m. ou CUVAISON [kyvɛzõ] n. f. — xiiiᵉ, *cuvage ; cuvaison,* 1843 ; de *cuver* (cf. *cuvaige,* xiiᵉ) ; de *cuve.* Techn. (viticulture).

♦ **1.** Séjour et fermentation du moût de raisin dans les cuves.

⇒ **Vinification ; cuver.** *Claie pour immerger le marc pendant le cuvage.*

Le cuvage est une des phases les plus importantes dans la fabrication des vins rouges ; pour les vins blancs, le moût est immédiatement extrait par pression, et il fermente isolément.
Pendant le cuvage, les rafles, les pellicules et les pépins des grains de raisin macèrent dans le moût en lui abandonnant les principes immédiats solubles qu'ils renferment.
Omnium agricole, Cuvage.

Opération de cidrerie, séjour de la pulpe de pomme en cuve avant le pressage.

♦ **2.** Par métonymie. Ensemble de cuves, de tonneaux ; lieu (cave, hangar...) où ils se trouvent.

Pendant que Gaspard était chez Artona, Madozet entrait dans son cuvage, où depuis quelque temps, il faisait des séances tellement longues, qu'elles avaient éveillé l'attention du quartier Saint-Antoine.
Il n'est pas rare de voir les Auvergnats s'attabler dans les caves et s'y réunir pour jouir ensemble de la douce atmosphère du sous-sol et aussi, parfois, pour échapper à des recherches matrimoniales qui viennent trop souvent troubler le doux tête-à-tête des amis de tonneau (...) Le cuvage de M. Madozet prenait jour sur l'impasse (...)
Louise Michel, la Misère, t. I, p. 190-191.

CUVE [kyv] n. f. — xiᵉ ; *cuvhe,* xiiᵉ ; du lat. *cupa.* → Coupe.

♦ **1.** Grand récipient (de bois ou de maçonnerie, de béton, de métal...) utilisé pour la fermentation du raisin, la conservation du vin. *Les douves d'une cuve en bois. Cercler une cuve. Cuve émaillée. Retirer le moût des cuves. Ensemble des cuves.* ⇒ **Cuvage, cuvaison.** *Cépages, viticulture de cuve :* production de raisin destiné à faire du vin. — *Cuve close :* cuve métallique fermée.

Parmi les rires et les chants, de jeunes hommes, pieds nus, jambes nues, foulaient les raisins dans les cuves.
Gide, Feuillets d'automne, *in* Journal, 1939-1949, Pl., p. 1108.
Les cuves les plus généreuses ont leur lie.
Hugo, Quatre-vingt-treize, II, III, I, 5.

Par métaphore. « *Toute une humanité en travail, la cuve énorme où fermentait le vin de l'avenir* » (Zola, *Paris,* t. II, p. 154, *in* T. L. F.).

Par métonymie. Contenu d'une cuve. ⇒ **Cuvée.**
Loc. *Fond de cuve. Fosse à fond de cuve,* à parements verticaux.

♦ **2.** Grand récipient de forme analogue. ⇒ **Bassine ; bac, citerne.** *Cuve portative. Cuve fixe. Porter, transporter une cuve. Cuve à mazout, à pétrole. La cuve est vide. Cuve à lisier* (agric.). — *Cuve à usage professionnel. Cuve de brasseur.* ⇒ **Brassin.** *Cuve-matière :* chaudière munie d'un agitateur où se fait le premier mélange de malt *(des cuves-matières). Cuve filtrante. — Cuve à teinture. —* Loc. *Tanner, teindre en cuve, à la cuve.*
Cuve de papetier. Papier de cuve, à la cuve, fait à la main.
Photogr. *Cuve à laver ; cuve à développement.* — En gravure. *Cuve à morsure* (bains d'acide). — Chim. *Cuve à eau, à mercure.* — Phys. *Cuve électrolytique,* contenant un électrolyte de faible conductivité servant à déterminer la répartition des champs électriques dans les lentilles électrostatiques ou électroniques. — *Cuve-filtre.*
Cuve de... (suivi d'un nom d'action précisant la nature de l'opération qui s'y fait). *Cuve de décantation, d'épuration, de fermentation, de stockage.*
Spécialt. Cuve de stockage, de transport, à bord d'un véhicule, d'un navire.
Récipient intégré à un dispositif. *Cuve d'un réfrigérateur. La cuve d'un lave-vaisselle.*
Partie creuse (d'un dispositif). *La cuve d'un haut-fourneau. Cuve monobloc. Four à cuve. — Cuve de carburateur :* partie du carburateur qui reçoit l'essence et dans laquelle le débit en est réglé.
Par métaphore. « *Cette cuve immense de la mer...* » (Baudelaire, *Poèmes en prose,* p. 169, *in* T. L. F.).

♦ **3.** *Cuve baptismale.* ⇒ **Fonts-baptismaux.** *Cuve funéraire :* sarcophage de pierre.

♦ **4.** Techn., archéol. Lame de fer frettée servant à la construction des pièces d'artillerie (xivᵉ-xvᵉ siècles).

♦ **5.** Vx. Habitacle d'un avion (Malraux, l'*Espoir, in* T. L. F.). ⇒ **Cockpit.**

DÉR. Cuvage ou cuvaison, cuveau, cuvée, cuveler, cuver, cuvette, cuvier.
COMP. Décuver, encuver.

CUVEAU [kyvo] n. m. — xiiᵉ, *cuvel ;* de *cuve.*

♦ Techn. ou régional. Petite cuve. *Cuveau à lessive ; cuveau de vendange.* ⇒ aussi **Comporte, hotte.**

(...) quelqu'un débitait un conte, vingt fois ressassé, d'amante avide, de mari berné, de séducteur caché dans un cuveau, ou de marchands retors se dupant l'un l'autre.
M. Yourcenar, l'Œuvre au noir, p. 24.

DÉR. (De *cuvel*) Cuvelle.

CUVÉE [kyve] n. f. — V. 1220 ; de *cuve.*

♦ **1.** Contenu d'une cuve. Spécialt. Quantité de vin qui se fait à la fois dans une cuve. *Ces tonneaux sont de la même cuvée. Vin de* *la première, de la seconde cuvée. Tête de cuvée.* — Par métonymie. Le vin de la cuve, et, spécialt, sous l'angle de sa qualité. *Une excellente, une médiocre cuvée. Cuvée réservée.*

Loc. fig. et fam. *Un buveur de première cuvée* : un ivrogne. — *Prendre une cuvée* : s'enivrer.

♦ **2.** Produit d'une vigne. *La totalité de la cuvée.*

♦ **3.** Fig. *De... cuvée. Choses de la même cuvée*, de même origine, de même nature. *Chose de la dernière cuvée*, la plus récente. — Spécialt (sous l'angle de sa qualité). *Chose de première, de seconde cuvée. Bons résultats aux examens de la cuvée 1980.*

(..) les jeunes gens, constatant le fait accompli sans savoir ce qui l'a précédé, croyaient que c'était une Guermantes d'une moins bonne cuvée, d'une moins bonne année, une Guermantes déclassée.
PROUST, le Temps retrouvé, Pl., t. III, p. 1004.

CUVELAGE [kyvlaʒ] n. m. — 1756 ; de *cuveler*.
Technique.

♦ **1.** Action de boiser un puits de mine.
Par métonymie. Dispositif étanche qui renforce les parois d'un puits de mine, des galeries. ⇒ **Revêtement.**

Souvarine (...) constata une déformation très grave de la cinquième passe du cuvelage. Les pièces de bois faisaient ventre, en dehors des cadres ; plusieurs même étaient sorties de leur épaulement. ZOLA, Germinal, VII, II, p. 184.

♦ **2.** Action d'introduire dans un puits artésien le tube qui en garnit les parois. ⇒ **Tubage.**
Par métonymie. Ensemble des tubes d'acier que l'on descend dans les puits de pétrole pour en consolider les parois.

CUVELER [kyvle] v. tr. — Conjug. *appeler.* — 1758 ; «laver du linge», XIᵉ ; de *cuve.*

♦ Techn. Garnir d'un cuvelage. *Cuveler les parois d'un puits de mine.* — *Cuveler un puits de pétrole.* ⇒ **Tuber.**

▶ **CUVELÉ, ÉE** p. p. adj. *Parois cuvelées d'un puits.*

DÉR. Cuvelage, cuvellement.

CUVELLE [kyvɛl] n. f. — D. i. ; de *cuvel*, var. de *cuveau.*

♦ Régional (Belgique). Cuveau, bassine. — (Utilisée dans un jeu) :

1   Ailleurs, le jeu de la cuvelle passionne la curiosité publique.
C. LEMONNIER, la Belgique, p. 40 (1888).

En cuvelle : en forme de cuvelle.

2   Ma maison !... La douce et vieille maison de Stanworth Street, sentant bon l'excellente cuisine d'Elfrida, et la fraîche amertume des lauriers-tin en cuvelle de mon jardinet (...) Jean RAY, les Derniers Contes de Canterbury, p. 62.

CUVELLEMENT [kyvɛlmã] n. m. — 1776 ; de *cuveler.*

♦ Vx. ⇒ **Cuvelage,** 1. *Le cuvellement d'un puits.*

CUVER [kyve] v. — 1373 ; de *cuve.*

♦ **1.** V. intr. Techn. (vitic.) Séjourner dans la cuve pendant la fermentation (en parlant du produit de la vendange). ⇒ **Cuvage.** *Le vin cuve. Faire cuver le vin.*

♦ **2.** V. tr. Cour. *Cuver son vin* : dissiper son ivresse en dormant, en se reposant. ⇒ **Digérer.**

1   Tandis que Monsieur dort, et cuve vos bouteilles !
RACINE, les Plaideurs, III, 1, variante.

2   C'est à coups de crosses de fusil que l'on calmait les combattants avant de les emmener cuver leur vin dans les locaux disciplinaires.
P. MAC ORLAN, la Bandera, VI, p. 75.

Absolt. *Il dort encore ; il cuve.*

2.1   T'as besoin d'aller cuver, François. T'es présentement fin saoul.
G. CHEVALLIER, Clochemerle, p. 185.

Par métaphore. *Cuver (son vin)* : se calmer, revenir à la raison. *Il faut qu'il cuve son vin.* — Fig. Laisser calmer, refroidir (un sentiment). *On le laissa cuver sa colère, sa douleur.*

3   Le gros homme, affalé sur une chaise, les mains sur les cuisses, cuvait encore sa colère. MARTIN DU GARD, les Thibault, t. I, p. 223.

(Sujet n. de chose) :

4   Le jardin saoulé d'odeurs cuve sa journée de soleil.
MARTIN DU GARD, les Thibault, t. IV, p. 19.

♦ **3.** V. tr. Fig. et vx. *Cuver quelque chose* : entretenir en soi (un sentiment, une sensation...). *Cuver une vengeance.* ⇒ **Couver.**

DÉR. Cuvage ou cuvaison ; cuveur.

CUVETTE [kyvɛt] n. f. — V. 1200 ; de *cuve.*

♦ **1.** (1680). Récipient portatif large, peu profond, à bords évasés, qui sert principalement à la toilette (⇒ **Bassinet, bidet, lavabo;** et aussi **évier**). *Cuvette de porcelaine, de faïence. Cuvette en alumi-*

nium, de plastique. Cuvette émaillée. Un broc et une cuvette assortis.

1   Sera-t-il dieu, table ou cuvette ?   LA FONTAINE, Fables, IX, 6 (→ Ciseau, cit. 2).

Par métonymie. Le contenu d'une cuvette. *Jeter une pleine cuvette d'eau sale.*

Par anal. *En cuvette* : en creux. *Matelas en cuvette.* — Loc. *Faire la cuvette* : former une courbe ; en creux. ⇒ **Creuser** (se).

Spécialt. *La cuvette des cabinets*.* Absolt. *La cuvette.* — Partie d'un lavabo où coule l'eau. — *Cuvette de photographe.* ⇒ **Cuve.**

♦ **2.** Techn. Partie creuse faisant office de réceptacle. — Archit. *Cuvette réceptrice* : entonnoir où affluent les eaux d'un toit pour s'écouler par un tuyau. — *La cuvette d'un canal*, lit de ce canal. *La cuvette d'un aqueduc*.* — Petit fossé d'irrigation au pied d'un arbre.

♦ **3.** (1835). Phys. Petit récipient rempli de mercure où plonge un baromètre. — Par ext. Renflement de la partie inférieure du tube d'un baromètre.

Mar. *Cuvette du compas* : récipient qui contient aiguille aimantée, rose des vents et liquide amortisseur d'un compas de navire.

♦ **4.** Techn. (Partie creuse, incurvée). **a** Plaque de métal incurvée qui recouvre en arrière le mouvement d'une montre.

b *Cuvette de percussion d'une culasse de fusil...*

c (Cordonnerie). Surface creuse sous le talon, destinée à recevoir le dessous de l'emboîtage de la chaussure.

d Mus. *Cuvette d'une harpe*, partie inférieure où se trouvent les pédales. *Cuvette de résonnance.* ⇒ **Caisse.**

e Électricité :

2   (...) la cathode qui, au lieu d'être une simple calotte sphérique ou hémisphérique de métal quelconque, devient un ensemble formé d'une cuvette parabolique au foyer de laquelle se trouve un filament producteur de thermoélectrons (...)
Gilbert SIMONDON, Du mode d'existence des objets techniques, p. 33.

♦ **5.** (Fin XIXᵉ). Géogr. Dépression fermée de tous côtés, de dimension relativement réduite. ⇒ **Bassin** (cit. 9) ; **chott, creux, dépression.**

3   Bâti au fond d'une cuvette, au confluent du Salat et d'un autre torrent plus modeste, le ruisseau d'Esbins, le village bruissait de toutes ses eaux courantes (...)
Raymond ABELLIO, Ma dernière mémoire, t. I, p. 80.

Ski (fam.). *Les bosses et les cuvettes* (ou *creux*) *d'une pente neigeuse.*

4   C'est tout un art, qui s'acquiert avec le temps, que de façonner une trace régulière et dépourvue d'à-coups, utilisant judicieusement les bosses et les cuvettes, évitant les pentes raides ou avalancheuses.
F. GAZIER, les Sports de la montagne, p. 99.

CONTR. Bosse.

CUVEUR, EUSE [kyvœʀ, øz] n. — 1867, cit. ; de *cuver*, au sens 2.

♦ Personne qui cuve (son vin, et, fig., un sentiment).

Et l'atelier Langibout possédait encore les deux types du *cuveur* et du *rêveur* dans le peintre Vivarais et le sculpteur Romanet.
Ed. et J. DE GONCOURT, Manette Salomon, p. 23.

CUVIER [kyvje] n. m. — V. 1200 ; de *cuve.*

♦ **1.** Vx ou régional. Cuve où l'on fait la lessive. *Le charrier*{*} d'un cuvier. La farce du cuvier* (XVᵉ siècle).

Au fond du cuvier, où l'on sème,
Parmi l'eau, la cendre du four,
Que tout mon linge de bohème
Repose durant tout un jour (...)
Gaston COUTÉ, la Chanson d'un gas qu'a mal tourné, «Jour de lessive».

♦ **2.** Récipient destiné à recevoir le contenu du panier des vendangeurs. Par métonymie. Endroit où se trouvent cuves et pressoirs. ⇒ **Cellier.**

♦ **3.** Techn. Cuve où l'on trempe l'acier ; où l'on lave le kaolin ; où la pâte à papier diluée est brassée.

CV Symbole du cheval* fiscal.

C. V. [seve] Abréviation de *curriculum vitæ.*

Cx [seiks] n. m. — Phys. Coefficient de traînée, de résistance à l'avancement, en aérodynamique.

CYAN [sjã] n. m. et adj. — 1960 ; angl. *cyan*, du grec *kuanos* «bleu sombre».

♦ Techn. Arts et techniques graphiques (photographie, imprimerie, etc.). L'une des trois couleurs monochromatiques fondamentales utilisées dans la reproduction des images polychromes, donnant à l'œil l'impression d'un bleu violacé profond. *Le cyan, le jaune et le magenta.*

CYAN-, CYANO- Élément, du grec *kuanos* «bleu sombre», entrant dans la composition de termes scientifiques, et, spécialt, de chimie. ⇒ **Cyanamide, cyanhydrique, cyanine, cyanite, cyanocobalamine, cyanogène, cyanophycées, cyanose**; et aussi **cyanure**. — REM. De très nombreux autres termes techniques de chimie sont formés avec cet élément (*acide cyanacétique; cyananthrène*, n. m., «matière colorante bleue»; *cyanate*, n. m.; *cyanoalcool*, n. m.).

CYANAMIDE [sjanamid] n. f. — 1851; de *cyan(o)-*, et *amide*.

♦ Chim. Corps dérivant de l'ammoniac par substitution du groupe CN à un atome d'hydrogène. Spécialt. *Cyanamide calcique*, engrais artificiel.

CYANHYDRIQUE [sjanidʀik] adj. — 1840; de *cyan(o)-*, et *hydrique*.

♦ Chim. *Acide cyanhydrique* : liquide de formule $H - C \equiv N$, préparé industriellement, mais se rencontrant dans certains produits naturels (amandes amères). ⇒ **Prussique** (acide prussique; vx). *Sels de l'acide cyanhydrique. L'acide cyanhydrique, liquide incolore, est un poison violent* (⇒ **Cyanure**).

CYANINE [sjanin] n. f. — 1866; de *cyan(o)-*, et *-ine*.

♦ **1.** Chim. Matière colorante utilisée comme sensibilisateur en photographie.

♦ **2.** Biol. Pigment cuprique respiratoire de certains invertébrés. Bot. Pigment du bleuet, du chrysanthème et de certaines algues.

CYANIQUE [sjanik] adj. — 1815; de *cyan(o)-*, et *-ique*.

♦ **1.** Chim. *Acide cyanique*, de formule HNCO.

♦ **2.** Techn. D'une teinte bleue qui tend au vert. *Azur, bleu cyanique*.
COMP. Isocyanique.

CYANITE [sjanit] n. m. — 1792; de l'all. *Cyanit, kyanit*, du grec *kuanos*. → Cyano-.

♦ Chim. Silicate naturel d'aluminium. Syn. : *disthène*.

CYANOCOBALAMINE [sjanokɔbalamin] n. f. — xxᵉ; de *cyano-, cobal(t)*, et *amine*.

♦ Chim., biol. Vitamine B_{12} qui joue un rôle essentiel dans la formation des globules rouges.

CYANOGÈNE [sjanɔʒɛn] n. m. — 1815, Gay-Lussac; de *cyano-*, et *-gène*.

♦ Chim. Gaz incolore, d'odeur vive et pénétrante, toxique, composé d'azote et de carbone. *Le cyanogène* $(NC - CN)$ *a été obtenu en décomposant le cyanure* de mercure par la chaleur. A partir du cyanogène on obtient l'acide cyanhydrique ou acide prussique*.
DÉR. Cyanure.

CYANOPHYCÉES [sjanofise] n. f. pl. — 1885; de *cyano-*, et grec *phukos* «algue».

♦ Bot. Ordre de plantes thallophytes (*Protophytes*); algue bleue possédant en général de la chlorophylle associée à un pigment bleu. — Au sing. *Une cyanophycée*.

CYANOPHYTIQUE [sjanofitik] adj. — xxᵉ; de *cyano-, phyt(o)-*, et *-ique*.

♦ Bot. Relatif aux algues bleues. *Flore cyanophytique*, d'algues bleues. — Var. : *cyanophycique* (de *phukos*).

CYANOSE [sjanoz] n. f. — 1814, Nysten, in D.D.L.; du grec *kyanos* «bleu» (→ Cyano-), et *-ose*.

♦ **1.** Méd. Coloration bleue, quelquefois noirâtre ou livide de la peau, produite par différentes affections, en particulier par des troubles circulatoires (→ Cyanodermie, cyanopathie). — Spécialt. Maladie bleue.

♦ **2.** (1832). Minér. Sulfate de cuivre hydraté de couleur bleue. — Syn. mod. : *chalcanthite*.
DÉR. Cyanoser, cyanotique.
COMP. Acrocyanose.

CYANOSER [sjanoze] v. tr. — 1835, *cyanosé*; le v. semble postérieur; de *cyanose*.

♦ Didact. Marquer, colorer de cyanose, d'un bleu noirâtre (la peau, les chairs humaines).

Elle (*la mourante*) avait les yeux clos et sa bouche entrouverte produisait à chaque respiration un bruit sifflant et bref. Au-dessus de sa face étrécie, décharnée et légèrement cyanosée par le début d'asphyxie, ses abondants cheveux blancs la coiffaient (...)   M. DRUON, Rendez-vous aux enfers, I, VI, p. 47. [1]

▶ **CYANOSÉ, ÉE** p. p. adj.
Qui est coloré de cyanose. *Visage cyanosé.* — Qui est atteint de cyanose. *Malade cyanosé.*

Ailleurs, le curieux d'art croit reconnaître un château en viande ainsi qu'une pièce montée, avec des hommes et des femmes en viande, vêtus de viande, penchés à de petites fenêtres coupées en pleine viande, et la bastille autant que ses habitants a les tons rutilants et cyanosés du bœuf à l'étal.
A. PIEYRE DE MANDIARGUES, la Marge, p. 132. [2]

Mᵐᵉ Rezeau n'a pas vraiment perdu connaissance, mais elle est incapable de parler : cyanosée, les yeux exorbités par l'anxiété, elle ouvre la bouche comme un poisson hors de l'eau (...)   Hervé BAZIN, Cri de la chouette, p. 267. [3]

CYANOTIQUE [sjanɔtik] adj. — 1863; Littré; de *cyanose*.

♦ Pathol. Qui est relatif à la cyanose; qui a les caractères de la cyanose. ⇒ **Cyanoser**, p. p. adj.

(...) le visage est le plus souvent cyanotique, c'est-à-dire que peau et muqueuses prennent une teinte violacée en rapport avec la faible oxygénation du sang (...)
Jacques GUILLERME, la Vie en haute altitude, p. 62.

CYANURATION [sjanyʀɑsjɔ̃] n. f. — 1907; de *cyanurer*.

♦ Chim. Extraction de l'or par dissolution dans une solution de cyanure de potassium, par réduction du produit avec du zinc et filtrage.

CYANURE [sjanyʀ] n. m. — 1815; de *cyano(gène)*, et suff. *-ure*.

♦ Chim. Sel de l'acide cyanhydrique. *Cyanure de potassium, de zinc, d'or, de mercure. Tous les cyanures sont toxiques.* — Spécialt. *Cyanure de mercure.*

On use... du cyanure contre l'aménorrhée et les scrofules, du chlorure de sodium et d'or contre les vieux ulcères!   HUYSMANS, Là-bas, VII, p. 101. [1]

On est venu m'apporter un énorme «goliath» que j'ai le plus grand mal à faire entrer dans mon flacon de cyanure, si large que soit son embouchure.
GIDE, Voyage au Congo, in Souvenirs, Pl., p. 770. [2]

Cour. Préparation au cyanure de potassium, poison violent. *Avaler une pastille de cyanure.*

Tous deux, et plusieurs centres clefs révolutionnaires portaient du cyanure dans la boucle plate de leur ceinture, qui s'ouvrait comme une boîte.
MALRAUX, la Condition humaine, p. 172. [3]

DÉR. Cyanurer.

CYANURER [sjanyʀe] v. tr. — 1846, *cyanuré*; de *cyanure*.

♦ Chim. Effectuer la cyanuration de.

▶ **CYANURÉ, ÉE** p. p. adj.
Qui a subi la cyanuration; à l'état de cyanure. — Qui contient un cyanure. *Produit cyanuré.*
DÉR. Cyanuration.

CYATHE [sjat] n. m. — V. 1314; lat. *cyathus* «mesure de capacité», du grec *kuathos*.

♦ Archéol. Petit vase qui servait à puiser le vin dans le cratère pour le verser dans les coupes. Par ext. Mesure de capacité, à Athènes et à Rome.

CYBERNÉTICIEN, IENNE [sibɛʀnetisjɛ̃, jɛn] n. et adj. — V. 1950; de *cybernétique*.

♦ Spécialiste de la cybernétique.

CYBERNÉTIQUE [sibɛʀnetik] n. f. — V. 1945; angl. *cybernetics*, du grec (→ ci-après); «science du gouvernement», 1836, Ampère; grec *kubernêtiké*, de *kubernaô*. → Gouverner.

♦ Science constituée par l'ensemble des théories groupant les études relatives aux communications et à la régulation dans l'être vivant et la machine (⇒ **Automatique**, II.). «*L'emploi du terme cybernétique doit être limité à la science des mécanismes régulateurs et servomécanismes, tandis que télétechnique comprendrait tout ce qui relève de la technique des télécommunications et de la théorie de l'information*». (Comité consultatif du langage sc. de l'Académie des Sciences, in Sciences, nov.-déc. 1959). — *Application de la cybernétique au moyen de l'électronique* (⇒ **Bionique, électronique**; asservissement, autorégulation, commande, information, ordinateur, régulation, rétroaction, servomécanisme, signal, système).

Dans le groupe de Wiener, physiologistes et mathématiciens étaient gênés par [1]

l'absence d'un vocabulaire qui leur permît de bien s'entendre. Ils n'avaient même pas de terme qui exprimât l'unité essentielle des problèmes de communication et de contrôle dans les machines et chez les êtres vivants, cette unité dont ils s'étaient mutuellement persuadés. Tous les mots proposés mettaient trop l'accent du côté de la machine ou trop du côté de la vie ; alors qu'on devait, au contraire, exprimer la dualité de la nouvelle science (...)
Qu'il évoque le pilote d'un bateau, les gouvernes d'une machine, le « governor » de Watt, ce vocable a donc été remarquablement choisi. Quelque jour lointain il retrouvera peut-être même son acception grecque de « gouvernement », car l'homéostat d'Ashby porte la promesse de « machines à gouverner ».
La définition de la « cybernétique » ressort donc du nom lui-même : la science du gouvernement, du « self-gouvernement » pourrait-on dire.
P. DE LATIL, la Pensée artificielle, I, p. 23.

2 (...) ceux des logiciens qui, dépassant les problèmes de pure formalisation, s'interrogent sur les relations entre les structures logiques et les activités du sujet s'orientent naturellement dans la direction des systèmes autorégulateurs qui sont susceptibles de rendre compte de l'autocorrection propre aux mécanismes logiques. Or, la cybernétique, susceptible de fournir de tels modèles, est une synthèse des théories de l'information ou communication et du guidage ou régulation.
J. PIAGET, Épistémologie des sciences de l'homme, p. 352.

Adj. *Moyens cybernétiques.*

3 Il y a un mécanomorphisme de l'animal et de l'homme comme il y a un zoomorphisme de l'homme, et les frontières ne sont ni nettes, ni stables. On peut, dans une certaine mesure, expliquer l'humain par le mécanique et l'animal, mais c'est une dangereuse illusion que de voir le mécanique et l'animal à travers le prisme déformant de l'anthropomorphisme. Le rêve cybernétique s'évanouit devant l'épreuve du langage. C'est donc maintenant aux linguistes de dire leur mot.
Robert ESCARPIT, Théorie générale de l'information et de la communication, p. 77.

DÉR. **Cybernéticien, cybernétisation, cybernétiser.**

CYBERNÉTISATION [sibɛʁnetizasjɔ̃] n. f. — V. 1960 ; de *cybernétiser* — attesté, semble-t-il, plus tard — ou de *cybernétique*.

♦ Didact. Application de la cybernétique à (une science, une technique). ⇒ aussi **Automatisation, informatisation.**

1 Un tel mouvement rejoint en fait tous les courants tendant à une mathématisation et surtout à une cybernétisation des sciences s'intéressant à la vie organique mentale ou sociale. J. PIAGET, Épistémologie des sciences de l'homme, p. 123.
2 Nous n'avons plus seulement devant nous le découpage et l'agencement du quotidien, mais sa programmation. La société bureaucratique de consommation dirigée, sûre de ses capacités, fière de ses victoires, approche de son but. Sa finalité, mi-consciente mi-inconsciente jusqu'ici, transparaît : la cybernétisation de la société par le biais du quotidien.
Henri LEFEBVRE, la Vie quotidienne dans le monde moderne, p. 125.

CYBERNÉTISER [sibɛʁnetize] v. tr. — V. 1970 ; de *cybernétique*.

♦ Rare. Mettre en application la cybernétique.

▶ **CYBERNÉTISÉ, ÉE** p. p. adj.
Qui subit une application de la cybernétique.

(...) est-ce que l'usine cybernétisée nous conduit à une aliénation croissante de l'homme comme l'imaginaient déjà, avant la cybernétique d'ailleurs, Huxley ou Orwell ? Est-ce qu'il n'y aura plus de joies que pour des robots drogués ?
Roger GARAUDY, Parole d'homme, 1975, p. 181.

DÉR. **Cybernétisation.**

CYBISTIQUE [sibistik] n. f. — 1757 ; du grec *kubistekê*, de *kubistein* « plonger tête en avant ».

♦ Didact. Danse ou exercice gymnique de l'antiquité grecque, comportant des culbutes effectuées tête en avant.

Par certains côtés, ce divertissement rappelait la cybistique des anciens, sorte de danse militaire dont les coryphées manœuvraient au milieu de pointes d'épée et de poignards, et il est possible que la tradition en ait été léguée aux peuples de l'Asie centrale ; mais cette cybistique tartare était rendue plus bizarre encore par ces feux de couleurs qui serpentaient au-dessus des ballerines, dont tout le paillon se piquait de points ignés. J. VERNE, Michel Strogoff, p. 340.

CYCADÉES [sikade] ou CYCADALES [sikadal] n. f. pl. — 1836, *cycadées* ; *cycadales*, fin XIXᵉ ; de *cycas*.

♦ Bot. Ordre de plantes phanérogames gymnospermes des régions tropicales et dont le type principal est le cycas*. On a dit aussi *cycadinées* [sikadine], *cycadoïdées* [sikadoide], et on emploie encore *cycadacées* [sikadase]. — Au sing. *Une cycadée, une cycadale.*

CYCAS [sikɑs] n. m. — 1803 ; mot lat., du grec *koikos* « palmier d'Égypte ».

♦ Bot. Plante phanérogame gymnosperme (*Cycadées*), arbre ou arbuste exotique, à port de palmier, qu'on cultive en serre comme ornemental. *Le tronc du cycas renferme une moelle riche en fécule ; on l'appelle couramment* arbre à pain.

Excursion à Thérézopolis au Camp dos Antes, la plus haute cime de la Serra dos Orgãos (le Champ des Tapirs, ainsi nommé parce que ces animaux paissaient dans l'épaisse prairie parsemée de cycas nains que l'on trouve au sommet).
CLAUDEL, Journal, 31 août 1918.

DÉR. **Cycadées ou cycadales.**

CYCLABLE [siklabl] adj.— 1893, *in* Petiot ; de *cycler*, et -*able*.

♦ Réservé aux cyclistes (bicyclettes et vélomoteurs). *Piste cyclable*

d'une route. *Trottoir cyclable.* — REM. Ce qualificatif a été précédé par *véloçable* (1870, *in* Petiot).

L'être humain adulte en est venu, quoique plus lentement que son compagnon quadrupède, à laisser le passage libre aux véhicules rapides. L'homme à pied ne grouille plus par bancs sur les trottoirs cyclables (...)
A. JARRY, Spéculations, « Les piétons écraseurs », Œ. compl., t. VII, p. 38.

CYCLADIQUE [sikladik] adj. — Attesté mil. XXᵉ ; de *Cyclades*, grec *Kyklades*, nom d'un archipel de la mer Égée.

♦ Didact. Des îles Cyclades. — *Art cycladique,* de la civilisation ancienne (âge de bronze) des Cyclades. *Une idole cycladique.*
N. m. Civilisation ancienne des Cyclades. *Le cycladique ancien date du IIIᵉ millénaire.*

CYCLAMATE [siklamat] n. m. — 1957 ; de 2. *cyclo-*, et suff. de *sulfamate*.

♦ Chim. *Cyclamate de sodium* (cyclohexylsulfamate de sodium) : édulcorant de synthèse (→ Saccharine). *« L'utilisation des cyclamates dans les boissons et aliments(...) a été interdite aux États-Unis (parce qu'on les croit cancérigènes) »* (*Science et vie,* n° 698, nov. 1975, p. 44).

CYCLAMEN [siklamɛn] n. m. — XIVᵉ, *ciclamen* ; mot lat. ; du grec *kuklaminos*.

♦ **1.** Bot. et cour. Plante dicotylédone (*Primulacées*) herbacée, vivace, à rhizome tubéreux, dont les fleurs, très décoratives, portées par un pédoncule recourbé en crosse, ont un parfum agréable et une couleur d'un rose mauve caractéristique. (Il y a aussi des cyclamens blancs). *Le cyclamen, fleur de montagne.*

Il arrivait que le teint de ses joues atteignît le rose violacé du cyclamen, et parfois même, quand elle était congestionnée ou fiévreuse, et donnant alors l'idée d'une complexion maladive qui rabaissait mon désir à quelque chose de plus sensuel et faisait exprimer à son regard quelque chose de plus pervers et de plus malsain, la sombre pourpre de certaines roses d'un rouge presque noir.
PROUST, À l'ombre des jeunes filles en fleurs, Folio, p. 622-623.

Fleur de cyclamen. *Un bouquet de cyclamens.*

♦ **2.** (1894, *in* D. D. L.). Par métonymie. *Une robe couleur de cyclamen,* ou, ellipt., *une robe cyclamen,* d'un rose mauve. — N. m. (1924, *in* D. D. L.). *Le cyclamen,* cette couleur.

♦ **3.** Parfum tiré du cyclamen.

CYCLANE [siklan] n. m. — 1946 ; de *cycl(ique),* et suff. -*ane.* → Propane.

♦ Chim. Hydrocarbure cyclique saturé. — Syn. : *cycloalcane.*
DÉR. **Cyclanique.**

CYCLANIQUE [siklanik] adj. — XXᵉ ; de *cyclane.*

♦ Chim. Des cyclanes. *Carbures cyclaniques.*

CYCLAS [siklɑs] n. f. — 1896 ; *cyclade,* 1798 ; mot lat., du grec *kuklas.*

♦ Antiq. Robe arrondie que portaient les Grecques et les Romaines.

1. CYCLE [sikl] n. m. — 1534 ; lat. *cyclus,* du grec *kuklos.*

★ **I.** Abstrait. ♦ **1.** Astron., chron. Période d'un nombre déterminé d'années à la fin de laquelle certains phénomènes astronomiques se produisent dans le même ordre. ⇒ **Cercle, révolution.** *Cycle solaire :* période de vingt-huit ans, à la fin de laquelle les dates des différents jours de l'année reviennent aux mêmes jours de la semaine. *Cycle lunaire* ou *métonien* (du nom de l'astronome Méton), dit aussi « nombre d'or » : période de dix-neuf ans, qui ramène les lunaisons dans le même ordre. *Études des cycles.* ⇒ **Chronologie ;** et aussi **comput, épacte.**

1 Le premier de ces astronomes *(Méton)* se rendit célèbre par le cycle de dix-neuf années correspondantes à deux cent trente-cinq lunaisons qu'il introduit dans le calendrier. LAPLACE, Exposition du système du monde, V, 2, *in* LITTRÉ.

♦ **2.** (XIXᵉ). Cour. Suite de phénomènes ou de métamorphoses se renouvelant dans un ordre immuable sans solution de continuité (→ L'éternel retour). *Le cycle des saisons, des heures. Le cycle liturgique. Les phases d'un cycle.*

2 (...) ce qui se déploie en lui, c'est une vision du mouvement de l'année. Le rythme processionnel des quatre saisons (...) mais (...) Le cycle imperturbable de l'année ne doit pas nous enseigner une sérénité paresseuse. Aucune récolte ne lève toute seule. J. ROMAINS, les Hommes de bonne volonté, t. IV, XXIII, p. 254.

2.1 L'histoire des religions nous montre sur de nombreux exemples cette collusion du cycle lunaire et du cycle végétal. C'est ce qui explique la très fréquente confusion sous le vocable de « Grande-Mère », de la terre et de la lune, toutes deux représentant directement ou indirectement la maîtrise des germes et de leur croissance.
Gilbert DURAND, les Structures anthropologiques de l'imaginaire, p. 340-341.

Écon. Alternance de périodes de croissance et de périodes de crise. *Cycle économique. Cycle des crises.* — *Cycle historique.*

Math. (alg.). Permutation* dans laquelle certains éléments subissent une permutation circulaire, les autres restant invariants.

Sc. Série de changements subis par un système, qui le ramène à son état primitif. ⇒ **Boucle.** *Les cycles d'un phénomène périodique. La fréquence d'un courant alternatif se mesure en hertz*, cycles par seconde. Cycle biogéochimique,* qui assure la régénération des ressources de la biosphère. Spécialt. *Cycle de l'azote*, de l'eau, du carbone*.*

Cycle de Carnot : cycle réversible idéal des transformations dans une machine thermique. — (1884). *Cycle d'un moteur à explosion,* à quatre temps (admission, compression, combustion, échappement) ou à deux temps. *Cycle de Bethe :* série de réactions nucléaires de l'atome de carbone (expliquant par ex. les hautes températures des étoiles).

Biol. *Cycles physiologiques. Cycle génital, menstruel* ou *œstrien :* déroulement régulier et continuel des phénomènes physiologiques sexuels chez la femme et chez le mammifère femelle. ⇒ **Formation, ménopause, menstrues, ovulation, période, puberté, règle** (règles).

3 Le cycle génital a été comparé à un film, mais à un film tournant au ralenti. En effet, tandis que le rythme de la circulation est très accéléré (...) celui des fonctions génitales de la femme va nécessiter une longue période de vingt-huit jours. Les cycles sexuels commencent à la puberté pour se poursuivre jusqu'à la fin de la vie génitale (...) La durée du cycle est à peu près constante pour chaque espèce animale, mais varie d'une espèce à l'autre.
A. BINET, la Vie sexuelle de la femme, III, I, p. 90-91.

Géol. *Cycle des phénomènes géologiques,* comportant la sédimentation, puis l'émersion du continent et son érosion.

4 *L'histoire géologique de notre planète n'est pas autre chose que l'histoire de ces cycles successifs.* Chaque grand cycle correspond à une division de premier ordre dans la succession des temps géologiques.
Émile HAUG, Traité de géologie, t. I, I, p. 17-18.

Géogr. *Cycle d'érosion* (d'une région émergée), comprenant les stades dits de *jeunesse,* de *maturité,* de *sénilité.*

5 Si la réduction à l'état de pénéplaine représente le terme final de l'érosion normale, il est intéressant d'embrasser l'ensemble des transformations qui y conduisent. C'est encore à W. M. Davis qu'on doit l'expression de *cycle d'érosion* pour le désigner, expression qui a fait fortune.
E. DE MARTONNE, Traité de géographie physique, t. II, IV, p. 605.

♦ **3.** Littér. Série de poèmes épiques ou romanesques se déroulant autour d'un même sujet et où l'on retrouve plus ou moins les mêmes personnages. *Le cycle épique troyen. Les grands cycles narratifs du moyen âge : cycle antique, cycle arthurien, cycle carolingien, cycle breton* (ou *armoricain*).*

6 Wagner a bien emprunté au cycle français de la Table Ronde et du Graal maints thèmes de ses drames (...) DANIEL-ROPS, le Peuple de la Bible, III, p. 278.

♦ **4.** (1902). Admin., cour. *Cycle d'études.* (En France). *Premier cycle* (6e, 5e, 4e, 3e), *second cycle* (jusqu'au baccalauréat), dans l'enseignement secondaire. — *Premier cycle* (1re et 2e années universitaires), *second cycle* (3e et 4e années universitaires), *troisième cycle* (doctorat), dans l'enseignement supérieur. *Faire un troisième cycle. Doctorat, thèse de 3e cycle ;* ellipt *elle a eu son 3e cycle.*

★ **II.** (Concret). *Cycle floral :* ensemble des pièces florales de même nature disposées autour de la tige. *Cycle des pétales.*

DÉR. **Cyclique.**
COMP. **Recycler.**

2. CYCLE [sikl] n. m. — 1887 ; angl. *cycle,* du grec *kuklos* (→ 1. Cycle).

♦ Véhicule à deux (ou plus rarement trois, quatre) roues, mû par la pression des pieds sur des pédales (⇒ **Bicyclette, célérifère, vélocipède**) ou par un moteur (⇒ **Motocycle**). *Cycle à trois* (⇒ **Tricycle**), *à quatre roues* (⇒ **Quadricycle**). *Cycle à deux places.* ⇒ **Tandem.** *Cycle à trois places* (ou *triplette*). *Magasin réparateur de cycles.* — *Cycles à moteur.* ⇒ **Motocycle ; autocycle, cycle-car, cyclomoteur, motocyclette, scooter, side-car, vélomoteur** (→ Un deux roues). *Cycle poussant une voiturette.* ⇒ **Triporteur.** *Fabricant de cycles. Réparateur et marchand de cycles.* ⇒ **Vélociste.**

(...) je voulus rendre ma bicyclette, mais le magasin de cycles qui me l'avait donnée en location n'existait pas encore. M. AYMÉ, le Passe-muraille, p. 115.

DÉR. **Cycler, cyclisme, cycliste.**
COMP. **Cycle-car, partie-cycle.** — V. 3. **Cyclo-.**

-CYCLE Élément de certains mots savants (mais souvent du langage courant), du grec *kuklos* « cercle ». ⇒ **Autocycle, bicycle, bicyclette, épicycle, hémicycle, motocycle, motocyclette, quadricycle, tricycle.**

CYCLE-CAR [siklǝkaʀ] n. m. — 1914, in D.D.L. ; *cyclecar,* 1913 ; de 2. *cycle,* et angl. *car.*

♦ Vx. Voiturette à pédales. *Cycle-car à trois ou quatre roues.* ⇒ **Tricycle, quadricycle.**

CYCLER [sikle] v. intr. — 1892, in Petiot ; de 2. *cycle.*

♦ Vx. Pédaler ; aller en cycle, à bicyclette.

Le bon pédard que cycler vanne
Affronte toute excursion
Grâce à cette précaution :
Il met dans le train sa bécane :
Tatane !   A. JARRY, Texte en relation avec l'Almanach illustré, Pl., p. 624.

DÉR. **Cyclable.**

CYCLICITÉ [siklisite] n. — 1976, → cit. ; de *cyclique.*

♦ Didact. Caractère d'un phénomène cyclique. « *La cyclicité des fluctuations glaciaires, interglaciaires* » (la Recherche, juil.-août 1980, p. 795).

(...) en trike de Copala (langue mixtèque de l'État d'Oaxaca, Mexique), la réduplication du prédicat (itérative, intensive ou durative) suppose l'application des règles de sandhi tonal (Hollenbach, *Reduplication*), alors qu'elle devrait, en vertu du principe de cyclicité, précéder toutes les règles de la composante phonologique, puisqu'elle appartient à la composante syntaxique.
Claude HAGÈGE, Grammaire générative, Réflexions critiques, p. 90.

CYCLIQUE [siklik] adj. — 1679 ; *écrivain cyclique,* 1578 ; de 1. *cycle.*

♦ **1.** Relatif à un cycle astronomique, chronologique. *Année cyclique.*

La lune est (...) à la fois mesure du temps et promesse explicite de l'éternel retour. L'histoire des religions souligne le rôle immense que joue la lune dans l'élaboration des mythes cycliques. Mythes du déluge, du renouveau, liturgies de la naissance et de la croissance, mythes de la décrépitude de l'humanité s'inspirent toujours des phases lunaires.
Gilbert DURAND, les Structures anthropologiques de l'imaginaire, p. 337.

♦ **2.** Cour. Qui se reproduit à intervalles réguliers. ⇒ **Périodique.** *Phénomènes cycliques. Crise cyclique.* Méd. (vx). *Folie cyclique.* — N. *Un, une cyclique :* malade dont les crises ont lieu à intervalles réguliers.

♦ **3.** Didact. Qui manifeste un cycle, fonctionne selon un, des cycles.
Sc. Relatif à un système ramené à son état primitif après avoir subi une série de changements.
Qui se développe selon un processus invariable. *Maladie cyclique,* dont on peut prévoir chaque étape.
Math. *Courbe cyclique,* obtenue en coupant une courbe du second degré par une sphère.
Chim. *Série cyclique :* ensemble des composés organiques dont la molécule contient au moins une chaîne fermée (opposé à *acyclique*). ⇒ 2. **Cyclo-.** *Composé cyclique à deux chaînes fermées* (⇒ **Bicyclique**). *Hydrocarbure cyclique saturé.* ⇒ **Cyclane.**

♦ **4.** Littér. D'un cycle littéraire. *Poèmes cycliques. Personnages cycliques,* qui réapparaissent dans un cycle littéraire. — N. m. plur. *Les cycliques :* auteurs ayant écrit après Homère sur la guerre de Troie ou sur les légendes de Thèbes.
Mus. *Œuvre cyclique,* où un thème reparaît dans chaque mouvement.

Ce morceau de musique qui dure depuis un certain temps, ou même depuis le début de la soirée, est une sorte de rengaine à répétitions cycliques, où l'on reconnaît toujours les mêmes passages à intervalles réguliers.
A. ROBBE-GRILLET, la Maison de rendez-vous, p. 64.

CONTR. **Acyclique.**
DÉR. **Cyclicité, cycliser.**
COMP. **Acyclique, alicyclique, anticyclique.**

CYCLISATION [siklizasjɔ̃] n. f. — 1906, in Rev. gén. des sc., no 18, p. 836 ; de *cycliser.*

♦ Chim. Action de cycliser. *Cyclisation d'un composé chimique.*

CYCLISER [siklize] v. tr. — 1907, in Rev. gén. des sc., no 3, p. 122 ; de *cyclique* (3.).

♦ Chim. Transformer, dans un composé chimique, une chaîne ouverte en chaîne fermée.
Pron. *Molécule qui se cyclise.*

DÉR. **Cyclisation.**

CYCLISME [siklism] n. m. — 1886, in Petiot ; de 2. *cycle.*

♦ **1.** Pratique de la bicyclette, du tandem. ⇒ **Vélocipédie** (vx). — *Le cyclisme, facteur de développement du tourisme.* ⇒ **Cyclotourisme.**

Par extension :

Le soleil alors prélève un plus grand tribut. Il la force (l'eau) à un cyclisme perpétuel, il la traite comme un écureuil dans sa roue.
F. PONGE, le Parti pris des choses, p. 62.

♦ **2.** Sport de la bicyclette. *Cyclisme professionnel,* comportant *courses sur route* (avec compétition par équipes et « *luttes contre la montre** ») et *courses sur pistes* (⇒ **Vélodrome**), avec épreuves de *vitesse*, de *fond* (endurance), de *demi-fond*, derrière *entraîneur* et à *l'américaine*. *Les professionnels du cyclisme.* ⇒ **Champion, coureur, cycliste, routier, stayer.**

CYCLISTE [siklist] adj. et n. — 1883, n. ; adj., 1902 ; de 2. *cycle.*

♦ **1.** Adj. Qui concerne le cyclisme. *Sport cycliste. Courses, coureurs, champions cyclistes. Les grands coureurs cyclistes, les «géants» de la route. Dossard, maillot de coureur cycliste. Le peloton* des coureurs cyclistes.*

♦ **2.** N. *Un, une cycliste :* personne qui va à bicyclette. ⇒ **Bicycliste** (vx). *Être renversé par un cycliste. Une jeune cycliste. Cyclistes roulant coude à coude, roue à roue. Chandail de cycliste.*

1 (...) le piéton court moins de risques que le cycliste ou le chauffeur ; il s'expose à une simple chute de sa hauteur et non à une projection hors d'un appareil de vitesse, ni au bas de cet appareil précieux.
A. JARRY, le Piéton écraseur, Œ. compl., t. VII, p. 39.

2 J'ai vu les fétiches du musée de Nuremberg justifier leur très vieux rire par les dernières fumées qui filtraient de l'amas des ruines où une cycliste chargée de lilas cahotait dans le chant des camionneurs noirs (...)
MALRAUX, les Voix du silence, p. 623.

Spécialt. Un cycliste : un agent (de police), un livreur, un soldat (vx) à bicyclette. — *Sport.* Coureur.

Appos. ou adj. Un chandail cycliste, de cycliste.

3 Quelquefois il pleuvait et nous nous abritions sous des capes cyclistes, en ciré jaune..
S. DE BEAUVOIR, la Force de l'âge, p. 566.

CYCLITE [siklit] n. f. — 1865 ; du grec *kuklos* «cercle», et suff. -*ite.*

♦ *Méd.* Inflammation du corps ciliaire de l'œil, le plus souvent associée à l'inflammation de l'iris.

CYCLO [siklo] n. m. — V. 1960 ; de *cyclomoteur.*

♦ *Fam.* Abrév. de cyclomoteur. *Des cyclos.*

1. CYCLO-, CYCL- Élément, du grec *kuklos* «cercle», entrant dans la composition de termes didactiques. ⇒ **Cyclométrie, cycloptère, cyclorama, cyclostome, cyclotron ; épicycloïde.**

2. CYCLO-, CYCL- (De *cyclique*). Préfixe servant à former des mots de chimie, et indiquant la présence dans une molécule d'une chaîne fermée d'atomes. ⇒ **Cyclamate, cyclane, cyclohexane, cyclohexène, cyclopropane ;** aussi le suff. -**ane.** — On peut signaler aussi *cycloalcane* (⇒ **Cyclane**) ; *cyclopentane,* n. m. ; *cyclopentadiène,* n. m. (hydrocarbure C_5H_6) ; *cyclophosphamide,* n. m.

3. CYCLO- (De 2. *cycle*). Élément entrant dans la formation de termes désignant un cycle (2. Cycle) ou un rapport au cycle. ⇒ **Cyclo-cross, cyclomoteur, cyclopousse, cyclorameur, cyclotourisme.**

CYCLO-CROSS [siklokʀɔs] n. m. — 1927, *in* Petiot ; de 3. *cyclo-,* et *cross (country).* → **Moto-cross.**

♦ Épreuve de cyclisme en terrain accidenté. *Le gagnant du cyclo-cross.*

Le sentier, bourré d'ornières comme le sont de rails de tramway les rues de Marseille, orné de flaques d'eau croupie, était un parcours idéal de cyclo-cross.
René FALLET, le Triporteur, p. 110.

CYCLOGENÈSE [siklozənɛz] n. f. — xxᵉ ; de *cyclo(ne),* et *genèse.*

♦ *Didact.* (météor.). Processus de la formation d'un cyclone. ⇒ **Dépression.**

CYCLOHEXANE [sikloɛgzan] n. m. — 1905, in *Rev. gén. des sc.,* nᵒ 19, p. 845 ; de 2. *cyclo-,* et *hexane.*

♦ *Chim.* Cyclane de formule C_6H_{12}. Syn. : *hexaméthylène. On obtient le cyclohexane par hydrogénation catalytique du benzène. « L'usine (...) fut rasée par une gigantesque déflagration à la suite d'une fuite de cyclohexane »* (la Recherche, nov. 1979, p. 1147).

On peut également partir du benzène, que l'on hydrogène en cyclohexane (...)
Jean VÈNE, Caoutchoucs et Textiles synthétiques, p. 82.

REM. On peut aussi signaler les comp. *cyclohexanol,* n. m. (alcool dérivé du cyclohexane) et *cyclohexanone,* n. m. (cétone).
DÉR. Cyclohexanique.

CYCLOHEXANIQUE [sikloɛgzanik] adj. — 1936 ; de *cyclo-hexane.*

♦ *Chim.* Du cyclohexane. *Chaîne cyclohexanique.*

CYCLOHEXÈNE [sikloɛgzɛn] n. m. — 1903, in *Rev. gén. des sc.,* nᵒ 2, p. 109 ; de 2. *cyclo-,* et *hexène.*

♦ *Chim.* Carbure éthylénique à chaîne fermée, de formule C_6H_{10}.
Mais on peut aussi partir du cyclohexène, extrait du pétrole brut et qui fournit, par hydratation catalytique, le cyclohexanol.
Jean VÈNE, Caoutchoucs et Textiles synthétiques, p. 82.

CYCLOÏDAL, ALE, AUX [sikloidal, o] adj. — 1701 ; de 1. *cycloïde.*

♦ *Géom.* Qui appartient à la cycloïde. *Courbe cycloïdale. Pendules cycloïdaux,* dont le mobile décrit un arc de cycloïde.

1. CYCLOÏDE [sikloid] n. f. — 1638 ; adapt. du grec *kukloeidês* «circulaire», de *kuklos* (→ 1. Cycle, 1. cyclo-), et -*eidês* (→ -oïde).

♦ *Géom.* Courbe décrite par l'entière révolution d'un point appartenant à la circonférence d'un cercle qui roule sans glisser sur une droite fixe. ⇒ **Roulette** (de Pascal), **trochoïde.**

La nuit, un point brillant sur une roue de bicyclette, je le vois décrire une cycloïde (...)
SARTRE, Situations I, p. 240.
DÉR. Cycloïdal.

2. CYCLOÏDE [sikloid] n. — 1930 ; all. *zykloid,* Kretschmer, grec *kukloeidês.* → 1. Cycloïde.

♦ *Psychiatrie* (rare). Malade atteint de cycloïdie. ⇒ **Cyclique.** *Le cycloïde est un cyclothymique chez lequel l'alternance excitation-dépression a pris un caractère pathologique.*

Kretschmer a décrit les formules complexes du schizoïde et du cycloïde (...) La vie sexuelle du cycloïde, bien adapté à la vie et aux hommes, est d'ordinaire sans incidents (...) bien fondue dans l'affectivité générale. Jamais, chez lui, la sexualité n'apparaît comme un corps étranger, ainsi qu'elle le fait chez le schizoïde.
E. MOUNIER, la Relation sexuelle, vue d'ensemble, tiré du «Traité du caractère» (1948), *in* Dʳ WILLY, la Sexualité, t. I, p. 33-40.
Adj. *Tempérament cycloïde.*
DÉR. Cycloïdie.

3. CYCLOÏDE [sikloid] adj. — 1900, Encycl. Berthelot, art. *Poisson ; cycloïdes* «poissons à écailles circulaires», Agassiz, v. 1840 ; grec *kukloeidês.* → 1. Cycloïde.

♦ *Sc. nat.* Se dit de l'écaille de certains poissons, dont le bord postérieur libre est lisse (opposé à *cténoïde*).

Si le bord externe de l'écaille est lisse et arrondi, l'écaille est dite *cycloïde ;* s'il est denticulé comme un peigne, elle est dite *cténoïde.* Sans en faire une loi absolue, on peut dire que les Malacoptérygiens ont en général des écailles cycloïdes et les Acanthoptérygiens des écailles cténoïdes. Les poissons à écailles cycloïdes ont, le mucus aidant, des téguments lisses, alors que les poissons à écailles cténoïdes sont plus ou moins rugueux au toucher. C'est l'impression que donnent par exemple la Perche et les *Gobius.* R. et M.-L. BAUCHOT, les Poissons, p. 27.

CYCLOÏDIE [sikloidi] n. f. — 1946 ; de 2. *cycloïde.*

♦ *Psychiatrie* (rare). Cyclothymie aiguë, tendance à la psychose maniaco-dépressive.
DÉR. Cycloïdique.

CYCLOÏDIQUE [sikloidik] adj. — Mil. xxᵉ ; de *cycloïdie.*

♦ *Psychiatrie.* De la cycloïdie.

CYCLOMÉTRIE [siklometʀi] n. f. — 1948 ; de 1. *cyclo-,* et -*métrie* (→ -mètre).

♦ *Sc.* (rare). Mesure des courbes, des cercles.

CYCLOMOTEUR [siklomɔtœʀ] n. m. — 1939, in Petiot ; de 3. *cyclo-,* et *moteur.*

♦ Bicyclette à moteur (moins de 50 cm³). ⇒ 3. **Cyclo-, vélomoteur.** *« Tout cyclomoteur doit porter une plaque indiquant le nom et le domicile de son propriétaire »* (le Monde, 29 août 1973). — REM. Le mot, plutôt de l'usage administratif, est assez répandu, sans être courant comme *vélomoteur* ou certains noms de marque (*mobylette*, etc.).
DÉR. Cyclo, cyclomotoriste.

CYCLOMOTORISTE [siklomɔtɔrist] n. — V. 1950 ; de *cyclomoteur.*

♦ Admin. Personne qui roule en cyclomoteur. *Les motocyclistes et les cyclomotoristes.*

CYCLONAGE [siklonaʒ] n. m. — 1973; de *cyclone*, 3., et suff. *-age.*

♦ Techn. Opération de séparation des différentes fractions d'un mélange par utilisation de la force centrifuge. *« Dans ce qui a traversé la grille, les verres seront séparés du reste par un cyclonage, c'est-à-dire par un tourbillon, pour être ensuite pulvérisés puis séparés par flottation dans un liquide de densité appropriée »* (*Science et Vie*, n° 319, sept. 1973).

CYCLONAL, ALE, AUX [siklonal, o] adj. — 1863; de *cyclone.* Météorologie.

♦ **1.** D'un cyclone (zone de basses pressions). *Aire cyclonale.*

♦ **2.** Cyclonique. *Pluies cyclonales.*

CONTR. **Anticyclonal.**

CYCLONE [siklon] n. m. — 1860; mot angl., du grec *kuklos* « cercle ».

♦ **1.** Météor. et cour. Tempête caractérisée par le mouvement giratoire convergent et ascendant du vent autour d'une zone de basse pression où il a été attiré violemment d'une zone de haute pression. ⇒ **Tempête; ouragan, tornade;** → Perturbation, cit. 1. *Cyclone à très court rayon.* ⇒ **Trombe.** *Déchirure du ciel bleu, dite « œil de la tempête », au centre du cyclone. La marche du cyclone.* → 2. Marche, cit. 24. *Cyclone tropical :* cyclone très violent, qui se forme sur les mers tropicales. ⇒ **Hurricane, typhon.**

0.1   Or, les tremblements de terre (...) de ces jours-ci — et les cyclones qui s'ensuivirent — ayant aggravé — vu sa nature sensitive — l'affaissement nerveux dont il souffrait, il dut s'aliter, le 2 du courant, se jugeant au plus mal.
VILLIERS DE L'ISLE-ADAM , Tribulat Bonhomet, p. 181 (1887).

1   La force du vent est d'autant plus grande que le « gradient » ou différence des deux pressions (la haute et la basse) est plus élevé. Si le « gradient » est très fort, le mouvement tourbillonnaire du vent autour de la basse pression qui l'attire peut être d'une grande violence : c'est alors un « cyclone », dans le sens vulgaire du mot. Ainsi s'expliquent les *« tornades »* d'Afrique, les *« hurricanes »* de l'Amérique Centrale et des Antilles, les *« typhons »* de l'Extrême-Orient, les *« bourrasques »* de l'Atlantique et de l'Europe Occidentale.
Quelquefois la dépression atteint un chiffre si bas qu'elle fait ventouse, jouant le rôle d'un véritable aspirateur, soulevant en spirales l'eau de la mer, le sable des continents, tandis que le vent de l'anticyclone (haute pression) qu'elle a attiré tourne autour avec une telle violence qu'il enlève le toit des maisons et fauche les arbres... Un cyclone, en 1927, a saccagé *Tamatave* à Madagascar, coulant les bateaux dans la rade.
BARON, Géogr. générale, chap. XII, p. 177.

Par métonymie. La zone de basse pression elle-même. Syn. : *aire cyclonale* (⇒ **Cyclonal**) ou *minimum* (opposé à : *zone de haute pression, anticyclone, aire anticyclonale* ou *maximum*). *Différence de pression entre le cyclone et l'anticyclone.* ⇒ **Gradient** (→ ci-dessus, cit. 1).

2   On connaissait dans la zone tropicale des tourbillons atmosphériques très violents, appelés cyclones dans le nord de l'Océan Indien, et dont le passage est marqué par une forte baisse du baromètre. Par analogie, on a donné le nom d'*aires cyclonales* (on dit aussi *cyclones*) aux régions de basses pressions enveloppées par des isobares concentriques. On a forgé l'expression d'*aire anticyclonale* ou *anticyclone*, pour désigner les régions de hautes pressions enveloppées également par des isobares fermées.   E. DE MARTONNE, Traité de géographie physique, t. I, III, p. 158.

3   Suivant le mot heureux de Teisserenc de Bort, le temps est réglé par la position des « centres d'action de l'atmosphère », c'est-à-dire des minima barométriques, ou cyclones, et des maxima, ou anticyclones. Leurs déplacements constants dans la zone tempérée sont la cause des changements que nous constatons journellement dans l'état du ciel.
E. DE MARTONNE, Traité de géographie physique, t. I, V, p. 206.

♦ **2.** Cour. Bourrasque en tourbillon, vent très violent. ⇒ **Tornade, tourbillon.** *Être pris par un cyclone à l'entrée de la rue.*

Par compar. ou par métaphore. *Cette personne est un cyclone,* elle bouleverse tout, étourdit tout le monde. *Arriver comme un cyclone, en cyclone.* ⇒ **Tourbillon** (en), **trombe** (en), **vent** (en coup de vent).

4   Elle allait à grandes phrases lui reprocher son inconséquence. Et que serait-ce quand elle apprendrait qu'il désirait partir !... Il préférait ne pas imaginer la scène. Cyclone de hurlements et de gestes !... Que cette agitation, ce bruit lui répugnaient !   H. TROYAT, le Vivier, p. 216.

Vie bouleversée par un cyclone, par une catastrophe soudaine et terrible.

♦ **3.** Techn. Appareil à pièces mobiles (souvent de forme cylindroconique) qui entraîne violemment dans un fluide des déchets, des particules (grains), etc. ; spécialt, appareil de lavage des fines de charbon. *Séparateur à cyclones.* — Appos. *Foyer cyclone,* où les particules combustibles sont entraînées dans un mouvement giratoire rapide. — REM. Dans ce sens, on emploie en techn. un dérivé *cycloner* (v. tr.).

CONTR. **Calme; anticyclone, maximum.**
DÉR. **Cyclonage, cyclonal, cyclonique.**
COMP. **Anticyclone, cyclonomie.**

CYCLONIQUE [siklonik] adj. — 1875; de *cyclone.*

♦ Météor. Qui accompagne un cyclone (tempête). *Pluies cycloniques.*
Cette fois, il approchait, j'ouvrais les bras pour le recevoir, quand un vent cyclonique le chassa de côté vers une porte entr'ouverte.
Henri MICHAUX, Ailleurs, p. 239.
Fig. *« L'alcoolique avait des fureurs cycloniques »* (Henri Calet, *la Belle Lurette*, p. 166).

CYCLONOMIE [siklonɔmi] n. f. — 1863, ex. ci-dessous; de *cyclone,* et *-nomie.*

♦ Sc. (météor.). Vx. Étude des cyclones; théorie des cyclones. *« Manuel de cyclonomie, extrait de l'Étude de M. Bridet, sur les ouragans de l'hémisphère austral (...), 1863 »* (in *Année sc. et industr.* 1864, p. 219 [1863]).

CYCLOPE [siklɔp] n. m. — XVᵉ; *ciclope*, 1372; lat. *cyclops;* grec *kuklôps,* de *kuklos* « cercle », et *ops* « œil ».

♦ **1.** Dans la mythologie grecque, Géant monstrueux n'ayant qu'un œil au milieu du front. *Les cyclopes, dans les récits mythologiques, mènent la vie pastorale et se nourrissent de chair humaine* (→ Anthropophage, cit.). *Les cyclopes, forgerons de Vulcain. Ulysse crevant l'œil du cyclope Polyphème. Le cyclope Polyphème amoureux de la nymphe Galatée. Les plaintes du cyclope,* poème de Leconte de Lisle.

1   Apollon (...) indigné de ce que Jupiter par ses foudres troublait le ciel (...) voulut s'en venger sur les Cyclopes qui forgeaient les foudres, et il les perça de ses flèches. Aussitôt le mont Etna cessa de vomir des tourbillons de flamme ; on n'entendit plus les coups des terribles marteaux (...)   FÉNELON, Télémaque, 2ᵉ livre.

♦ **2.** Méd. Monstre à œil unique (⇒ **Cyclopie, cyclopien**). — (1732). ⇒ **Borgne.**

2   Pontchartrain, ce détestable cyclope (...)   SAINT-SIMON, Mémoires (*in* Hatzfeld).

♦ **3.** Cour. Personne qui forge un travail considérable. ⇒ **Titan.** *Travail de cyclopes :* œuvre gigantesque (⇒ **Cyclopéen**).

Poét., vx. *C'est l'antre des cyclopes,* se dit d'une forge, d'une usine métallurgique. — Par ext. (poét.). Forgeron.

♦ **4.** (1801). Zool. Petit crustacé d'eau douce, à l'œil unique très apparent (*Copépodes*). On dit aussi *cyclops* [siklɔps].

DÉR. **Cyclopéen.**

CYCLOPÉEN, ENNE [siklɔpeɛ̃, ɛn] adj. — 1808; de *cyclope.*

♦ **1.** Didact. Qui se rapporte aux cyclopes. *Légendes cyclopéennes.* — *Murs cyclopéens, constructions cyclopéennes :* enceintes et monuments remontant à l'époque mycénienne et faits de blocs de pierre si énormes que la tradition les attribuait aux cyclopes. ⇒ **Pélasgique.** *Les portes des Lionnes, à Mycènes, monument cyclopéen.*

1   Toute la base du monument est en pierres géantes, d'aspect cyclopéen, et fut construite par le roi David, pour honorer magnifiquement le tombeau du père des Hébreux (...)   LOTI, Jérusalem, III, p. 26.

♦ **2.** (1823). Littér. Énorme, gigantesque. *Un travail cyclopéen.*

2   On avait l'impression de pénétrer dans les entrailles d'un formidable massif, d'un enchevêtrement de monts cyclopéens.   VAN DER MEERSCH, l'Élu, p. 205.

CONTR. **Insignifiant, minime, minuscule, puéril.**

CYCLOPIE [siklɔpi] n. f. — 1832, I. Geoffroy Saint-Hilaire; de *Cyclope,* géant de la mythol. grecque pourvu d'un seul œil.

♦ Didact. (tératologie). Malformation congénitale avec fusion des deux orbites et existence d'un œil unique.

DÉR. **Cyclopien.**

CYCLOPIEN, IENNE [siklɔpjɛ̃, jɛn] adj. et n. — 1863; de *cyclopie.*

♦ Didact. (tératologie). Affecté de cyclopie. *Monstre cyclopien.*

CYCLO-POUSSE ou **CYCLOPOUSSE** [siklopus] n. m. — 1966; de 3. *cyclo-,* et *pousse.* → Pousse-pousse.

♦ Pousse-pousse tiré par un cycliste. ⇒ **Vélopousse.** *« La colonne des cyclopousses »* (*l'Express,* 5 janv. 1980, p. 92).
Il connaissait Phnom Penh, ses larges avenues : Mao, de Gaulle, Nehru... Son trafic vibrant de klaxons, engorgé de cyclo-pousses, noyé dans une fumée grasse.
Claude COURCHAY, La vie finira bien par commencer, p. 199.

CYCLOPROPANE [siklopʀopan] n. m. — D. i. (XXᵉ); de 2. *cyclo-,* et *propane.*

♦ Chim. Hydrocarbure cyclanique gazeux, C_3H_6, employé comme anesthésique dans les interventions de courte durée. Syn. : *triméthylène*.

CYCLOPTÈRE [siklɔptɛʀ] n. m. — D. i. ; de 1. *cyclo-*, et *-ptère*.

♦ Zool. Poisson téléostéen *(Cycloptéridés)* au squelette peu ossifié, à peau nue, à disque adhésif ventral, vivant dans les mers froides (n. sc. : *Cyclopeus lumpus*. ⇒ **Lump**). Syn. vieillis : *mollet, poule de mer* (le mâle surveille la ponte).

CYCLORAMA [siklɔʀama] n. m. — V. 1960 ; de 1. *cyclo-*, et *-(o)rama*.

♦ Techn. (théâtre, cin., télév.). Toile de fond semi-circulaire ou semi-elliptique enveloppant un décor, sur laquelle on fait des projections lumineuses pour obtenir des effets spéciaux. *« Devant un cyclorama gris foncé, sur lequel se refléteront incendies, éclairs et fumées »* (le *Nouvel Obs.*, 14 nov. 1977).

CYCLORAMEUR [siklɔʀamœʀ] n. m. — 1936 ; de 3. *cyclo-*, et 1. *rameur*.

♦ Tricycle d'enfant, dirigé avec les pieds et mû par la force des bras.

CYCLOSTOME [siklɔstɔm] n. m. — 1801 ; de 1. *cyclo-*, et lat. sc. *stoma* «bouche».
Zoologie.

♦ **1.** Mollusque gastéropode prosobranche, sous-ordre des monocardes, chez lequel la cavité palléale est transformée en poumon. *Le cyclostome vit sur terre et dans les lieux humides.*

♦ **2.** N. m. pl. **CYCLOSTOMES** : sous-classe de poissons dont le corps allongé n'est pas soutenu par un squelette cartilagineux et recouvert d'une peau molle sans écailles, et qui possèdent une bouche circulaire en entonnoir formant ventouse. ⇒ **Agnathes**. *Types principaux* : lamproie (lampetra, pétromyzon), myxine. *Les cyclostomes sont les poissons les moins organisés. — Au sing. Un cyclostome.*

♦ **3.** N. m. pl. *Cyclostomes* : ordre de Bryozoaires marins dont la zoécie a un opercule lisse. — *Au sing. Un cyclostome.*

CYCLOTHYME [siklɔtim] n. — 1953 ; de *cyclothymique*.

♦ Méd. (vieilli). Personne atteinte de cyclothymie. ⇒ **Cyclothymique**.
Le cyclothyme est un extraverti *(Jung)* tourné vers l'extérieur, vibrant à l'unisson avec l'ambiance ; Bleuler a appelé syntonie cet accord affectif du sujet et de son milieu humain. Jean DELAY, la Psycho-physiologie humaine, p. 80.

CYCLOTHYMIE [siklɔtimi] n. f. — 1909 ; mot all. (1882), du grec *kuklos*, et *thumos* «état d'esprit».

♦ Méd., psychol. Anomalie ou constitution psychique qui fait alterner les périodes d'excitation (instabilité, euphorie) et de dépression (apathie, mélancolie).
Il est probable enfin qu'Alexis se situe plus près de la cyclothymie — et peut-être de la schizothymie ou de la schizoïdie — que de la paranoïa coutumière chez les puissants et les chefs d'empire. Jean D'ORMESSON, la Gloire de l'Empire, t. II, p. 523.
DÉR. Cyclothymique.

CYCLOTHYMIQUE [siklɔtimik] adj. — 1909 ; de *cyclothymie*.
Médecine, psychologie.

♦ **1.** De la cyclothymie. *État cyclothymique*.

♦ **2.** Atteint de cyclothymie. *Il est cyclothymique.* REM. Ce terme de médecine tend à se répandre dans l'usage courant au sens de « qui est d'humeur instable ». — N. *Un, une cyclothymique.*
Il a dû vous expliquer, sans doute, que je suis un cyclothymique, donc assez fréquemment sujet à des dépressions (...) Geneviève DORMANN, Saint Jules, p. 193.
DÉR. Cyclothyme.

CYCLOTOURISME [siklɔtuʀism] n. m. — 1893, in Petiot ; *cyclotourisme*, 1890 ; de 3. *cyclo-*, et *tourisme*.

♦ Didact. Tourisme à bicyclette. *La Fédération française de cyclotourisme. Faire du cyclotourisme.*

CYCLOTOURISTE [siklɔtuʀist] n. — 1893, in Petiot ; *cyclo-touriste*, 1890 ; de 3. *cyclo-*, et *touriste*.

♦ Didact. Personne qui pratique le tourisme à bicyclette. *« Une bicyclette de cyclotouriste à pneus ballons »* (Michel Déon, le Jeune Homme vert, p. 145). — Adj. *Épreuve cyclotouriste.*

CYCLOTRON [siklɔtʀɔ̃ ; siklɔtʀõ] n. m. — V. 1930 ; de 1. *cyclo-*, et *(élec)tron*.

♦ Phys. nucl. Accélérateur circulaire de particules lourdes dans lequel le champ magnétique et la fréquence du champ électrique alternatif sont fixes. ⇒ aussi **Synchrocyclotron**.
Le principe du cyclotron se ramène à celui de la balançoire : en donnant une série de petites impulsions, il est possible à un enfant d'envoyer très haut un homme de 80 kilos. C'est aussi par une série de petites impulsions ne mettant chacune en jeu qu'un voltage très modéré que le cyclotron parvient à imprimer à des particules une énergie correspondant à plus de 20 millions de volts. S'il est balançoire, il est d'ailleurs aussi fronde, car, en faisant tourner les particules avec une vitesse toujours accrue, il les oblige finalement à se ruer sur la cible à transmuer avec une rapidité de milliers de kilomètres à la seconde.
Pierre ROUSSEAU, Hist. de l'atome, VII, p. 136.
COMP. Synchrocyclotron.

CYCNOÏDE [siknɔid] adj. — 1866 ; dér. sav., du lat. *cycnus* (→ Cygne), et *-oïde*.

♦ Didact. Qui évoque les allures d'un cygne. — On dit aussi *cycniforme* [siknifɔʀm] adj. (1913).

CYGNE [siɲ] n. m. — Mil. XIIIe ; réfection de *cisne*, v. 1170, du lat. pop. *cicinus*, d'après le lat. class. *cygnus*, var. de *cycnus*, grec *kuknos*.

♦ **1.** Oiseau palmipède *(Anatidés)*, de grande taille, migrateur, remarquable par la blancheur éclatante et soyeuse de son plumage (exception faite d'une espèce d'Australie dite *cygne noir*), par la longueur de son cou flexible, par la grâce majestueuse de sa nage. *Cygne domestique* ou *cygne commun. Cygne tuberculé* : cygne domestique, au bec orangé surmonté d'un tubercule oblong. — *Cygne sauvage. Cygne chanteur* ou *à bec noir* : cygne sauvage, à bec noir, jaune à la base, sans caroncule *(cygne de Bewick). Cygne trompette d'Amérique* (buccinator). *Cygne nain de Sibérie. Le passage des cygnes. Qui a l'allure du cygne.* ⇒ **Cycnoïde**. — Myth. *Le chant du cygne* : le chant d'une douceur merveilleuse que, d'après une tradition fabuleuse, le cygne exhale au moment de mourir (→ ci-dessous, 2., e et cit. 10, Buffon).

Spécialt. Le mâle adulte de cette espèce. *Jupiter se transforma en cygne pour séduire Léda.*

Littér. Mus. *Le Chevalier au Cygne*, de Lohengrin. *Le Cygne*, titre d'un poème de Baudelaire, d'un poème de Sully Prudhomme, d'une page musicale de Saint-Saëns. *Le Lac des cygnes*, ballet romantique de Tchaïkovski.

Les grâces de la figure, la beauté de la forme répondent, dans le cygne, à la douceur du naturel ; il plaît à tous les yeux, il décore, embellit tous les lieux qu'il fréquente ; on l'aime, on l'applaudit, on l'admire. Il nage si vite, qu'un homme, marchant rapidement au rivage, a grand'peine à le suivre. Il vit très longtemps, jusqu'à trois cents ans, a-t-on dit, mais sans doute avec exagération. [0.1]
BUFFON, Hist. nat. des animaux, le Cygne.

Lui *(Byron)* qui, rassasié de la grandeur humaine, [1]
Comme un cygne, à son chant sentant sa mort prochaine,
Sur terre autour de lui cherchait pour qui mourir (...)
A. DE MUSSET, Poésies nouvelles, Lettre à Lamartine.

(...) le chant du cygne, un chant merveilleux tout trempé de pleurs, montant jusqu'aux sommités les plus inaccessibles de la gamme, et redescendant l'échelle des notes jusqu'au dernier degré (...) Th. GAUTIER, le Nid de rossignols, p. 251. [2]

(Je vis) Un cygne qui s'était évadé de sa cage, [3]
Et, de ses pieds palmés frottant le pavé sec,
Sur le sol raboteux traînait son blanc plumage.
BAUDELAIRE, les Fleurs du mal, « Le cygne ».

Sans bruit, sous le miroir des lacs profonds et calmes, [4]
Le cygne chasse l'onde avec ses larges palmes,
Et glisse. Le duvet de ses flancs est pareil
A des neiges d'avril qui croulent au soleil (...)
SULLY PRUDHOMME, les Solitudes, « Le cygne ».

Et voici que les beaux cygnes, l'un après l'autre, troublés par ce bruit, au profond de leurs sommeils, se détiraient onduleusement la tête de dessous leurs pâles ailes d'argent (...) et les purs cols de neige de deux ou trois chanteurs étaient traversés ou brisés avant l'envolée radieuse des autres oiseaux-poètes. Alors l'âme des cygnes expirants s'exhalait, oublieuse du bon docteur, en un chant d'immortel espoir, de délivrance et d'amour, vers des Cieux inconnus. [5]
VILLIERS DE L'ISLE-ADAM, Tribulat Bonhomet, p. 16-17.

Rien n'est beau comme de les voir côtoyer le lac et parler aux cygnes, tandis que le jeune Louis-Pilate leur jette des pierres... déjà ! [6]
— Je voudrais bien savoir pourquoi on appelle ces volatiles des cygnes ? demande M. Isidor-Joseph Tarabustin.
À quoi l'ami répond avec un grincement.
— Ce sont des oies qui ont le cou trop long, voilà tout... Toujours l'amour du mensonge. O. MIRBEAU, les Vingt et un Jours d'un neurasthénique, p. 82.

Et je ne chante pas comme le cygne chante [7]
Quand il atteint le jour à jamais dévolu
ARAGON, le Voyage de Hollande et autres poèmes, p. 91.

Par ext. *Duvet de cygne*, dont on garnit les coussins, les édredons. *Plumes de cygne*, dont on se sert comme poil de pinceau. — Ellipt. *Du cygne* : duvet, peau ou plumes de cygne. *Manteau garni de cygne.*

C'étaient des pantoufles en satin rose, bordées de cygne. Quand elle s'asseyait sur ses genoux, sa jambe, alors trop courte, pendait en l'air, et la mignarde chaussure, qui n'avait pas de quartier, tenait seulement par les orteils à son pied nu. [8]
FLAUBERT, Mme Bovary, III, V.

Par compar. (littér.). *Une blancheur de cygne :* une blancheur éclatante. — *Un cou de cygne :* un cou long, étroit, blanc, flexible et gracieux. *« Edith au cou de cygne »,* maîtresse d'Harold, roi d'Angleterre. — Hippol. *Encolure de cheval en col de cygne.*

♦ **2.** Par métaphore ou compar., vieilli ou littér. **a** (Idée d'innocence). *Une candeur de cygne. Être blanc comme cygne :* n'avoir rien à se reprocher.

9 (...) il *(Luxembourg)* est sorti de la Bastille plus blanc qu'un cygne (...)
Mᵐᵉ DE SÉVIGNÉ, 811, 18 mai 1680.

b Vx. *Avoir la lenteur, la puissance d'un cygne,* de la majesté, de la force.

c Loc. Vx. *Faire un cygne d'un oison :* s'attacher une personne qui n'en est pas digne. *Être bête comme un cygne.* ⇒ **Oie.**

d Littér. Surnom donné à différents artistes (auteur, compositeur, orateur) à cause de la douceur mélodieuse de leur style. *Le cygne de Mantoue :* Virgile. *Le cygne d'Ionie :* Homère. *Le cygne de Dircée :* Pindare. *Le cygne de Cambrai :* Fénelon.

e Loc. fig. *Chant du cygne :* dernier chef-d'œuvre avant un silence définitif (→ ci-dessus, 1.).

10 Les anciens ne s'étaient pas contentés de faire du cygne un chantre merveilleux : seul entre tous les êtres qui frémissent à l'aspect de leur destruction, il chantait encore au moment de son agonie, et préludait par des sons harmonieux à son dernier soupir. Nulle fiction en histoire naturelle, nulle fable chez les anciens, n'a été plus célébrée, plus répétée, plus accréditée. Les cygnes, sans doute, ne chantent point leur mort ; mais toujours, en parlant du dernier essor et des derniers élans d'un beau génie près de s'éteindre, on rappellera avec sentiment cette expression touchante : C'est le chant du cygne !
BUFFON, Hist. nat. des animaux, Le Cygne.

♦ **3.** Loc. techn. COL DE CYGNE : tuyau ou tube recourbé. — BEC DE CYGNE : robinet dont la forme évoque un *bec de cygne.* (On dit aussi *col de cygne,* dans ce sens.) — Chir. *Bec de cygne :* pince de la forme d'un bec de cygne.

♦ **4.** Astron. *Constellation du Cygne,* constellation boréale.

HOM. Signe. — Formes du verbe **signer.**

CYLINDRAGE [silɛ̃dRaʒ] n. m. — 1765 ; de *cylindrer.*

♦ Techn. Passage sous un cylindre ou entre deux cylindres. *Le cylindrage d'une étoffe. Cylindrage à froid d'une étoffe.* ⇒ **Calandrage.**
Compression par un rouleau. *Le cylindrage du macadam.*

CYLINDRAXE ou **CYLINDRE-AXE** [silɛ̃dRaks] n. m. — 1863 ; de *cylindr(e),* et *axe.*

♦ Anat. (Vx). Axone.
La cellule nerveuse (ou *neurone*) comprend un corps ou centre cellulaire, l'ancienne cellule nerveuse, analogue aux cellules des autres organes et pourvu comme elles d'un noyau. De ce corps cellulaire partent des fibres nerveuses en nombre variable ; l'une souvent très longue et peu ramifiée est le *cylindraxe* ou *axone* (...) Paul CHAUCHARD, le Système nerveux et ses inconnues, p. 15.

CYLINDRE [silɛ̃dR] n. m. — V. 1380 ; lat. *cylindrus,* grec *kylindros.*

♦ **1.** Géom. Solide engendré par une droite qui se déplace parallèlement à elle-même en s'appuyant sur une courbe (dite directrice). *Cylindre de révolution,* dont la directrice est un cercle. *Cylindre droit. Cylindre oblique. Directrice, génératrice d'un cylindre. Bases circulaires d'un cylindre. Diamètre du cylindre.* ⇒ **Calibre.** *Aire latérale du cylindre* ($2\pi Rh$). *Volume du cylindre* ($\pi R^2 h$). ⇒ **Cylindrée.** *Volume déterminé par deux plans qui passent par l'axe du cylindre.* ⇒ **Onglet.**

♦ **2.** Techn. et cour. Rouleau (de bois, de pierre, de métal...) employé pour soumettre certains corps à une pression uniforme. ⇒ **Meule, rouleau ; cylindrage, cylindrer.** *Cylindre pour briser les mottes d'un champ.* ⇒ **Brise-mottes.** *Cylindre compresseur.* ⇒ **Compresseur.** *Cylindre de laminoir.* ⇒ **Laminoir.** *Cylindre de travail. Broyeur* à cylindres. Cylindre à fouler, à moirer, à imprimer les étoffes.* ⇒ **Calandre.** *Cylindre à broyer les chiffons dans une papeterie. Cylindre défibreur, raffineur, refroidisseur, sécheur* (fabrication de papier).

1 Il écoute le bruit des courroies et des cylindres broyeurs qui triturent la pâte humide, puis il traverse de grands ateliers silencieux.
J. CHARDONNE, les Destinées sentimentales, II, III, p. 268.

Archéol. Petit rouleau de pierre, de bois, de bronze, gravé, servant de sceau, dont l'ornementation est parfois remarquable (⇒ **Cylindre-sceau**).

1.1 De cette époque *(archaïque)* datent de nombreux cylindres ou des empreintes sur bouchons de jarre, qui figurent soit des défilés d'animaux, soit des emblèmes ou des hiéroglyphes, et qui sont en étroit rapport avec certaines classes de cylindres élamites ou sumériens. G. CONTENAU et V. CHAPOT, l'Art antique, p. 20.

♦ **3.** (Av. 1900). Techn., cour. **a** Enveloppe cylindrique de métal dans laquelle se meut le piston d'une machine à vapeur, d'un moteur à explosion. *Machine à plusieurs cylindres.* ⇒ **Compound.** *Moteurs à un, deux cylindres* (⇒ **Monocylindre, bicylindre**), *à cylindres opposés. Cylindres à plat* (⇒ **Flat-four, flat-twin**), *en ligne,*

en V... — (1903, in *Rev. gén. des sc.,* nᵒ 18, p. 942). *Cylindres inclinés. Cylindre culbuté. Chemise, soupapes d'un cylindre. Rectification d'un cylindre.* ⇒ **Alésage.** *Volume des cylindres d'un moteur.* ⇒ **Cylindrée.**

1.2 J'aurais peut-être surpris l'amour paresseux, sourd, profond, rythmé et qui ne finit pas du piston d'acier gris luisant et du cylindre huileux.
Henri CALET, la Belle Lurette, p. 181.

(1914 ; n. m., 1903). Fam. *Un n cylindres :* un moteur de n cylindres. — *Une six cylindres :* une automobile à six cylindres. *Une quatre cylindres* (fam. *une quatre pattes*) : une moto à quatre cylindres.

1.3 (...) le S.T. 19, sans soupape, allait changer les séries pour des avantages peu certains par rapport au M. 14 de la Société des Moteurs actuellement en cours et qui n'avait que 50 chevaux de moins que le quatorze cylindres américain.
Pierre HAMP, la Peine des hommes (Moteurs), p. 9.

1.4 Il y a des gens qui croient qu'il suffit de penser qu'on a un moteur à la place du cœur, des cylindres dans les poumons, un delco à la place du foie, des vilebrequins dans les entrailles et un carburateur dans l'estomac. Mais ça c'est idiot, c'est une plaisanterie. J.-M. G. LE CLÉZIO, les Géants, p. 187.

b (Autres mécanismes). *Le cylindre d'une pompe.* ⇒ **Corps** (de pompe). — *Le cylindre d'une machine à écrire.*

1.5 *(Le)* type assis derrière la Remington, celui-ci retirant d'un coup sec la feuille engagée, introduisant une autre feuille, faisant tourner le cylindre, le réglant, puis commençant à taper (...) Claude SIMON, le Palace, p. 170.

♦ **4.** Objet plus ou moins long et épais, de forme arrondie. *Cylindre d'assemblage.* ⇒ **Manchon.** *Cylindres pour enrouler certaines choses.* ⇒ **Bobine, canette, tambour.** *Cylindre de chronomètre. Cylindre de revolver.* ⇒ **Barillet ;** aussi **bâton, bâtonnet, boudin, canon, cartouche, colonne, coussinet, mandrin, rondin, tambour, tige, tube.**

(1878). Ancienn. Cylindre servant de support à un enregistrement. *Phonographe à cylindres.* — *Le cylindre d'un orgue de barbarie, d'une boîte à musique.*

Vx. Rouleau (de cheveux).

1.6 Son cylindre sur la nuque donnait à sa mine éveillée, à son regard hardi une badauderie affectée. Louise MICHEL, la Misère, t. I, p. 152.

Mus. Tube (des instruments à vent et à piston).

(1842). *Bureau à cylindre :* bureau sur lequel s'adapte un couvercle cylindrique.

2 Elle resta un moment immobile, puis, sans bruit, souleva le cylindre du bureau, prit des lettres, des photographies.
J. CHARDONNE, les Destinées sentimentales, II, v, p. 326.

♦ **5.** (Formes naturelles). Bot. Région centrale de la tige et de la racine ou d'un tronc.

Biol., méd. Masse microscopique de substance protéique, qui se forme dans les tubes urinifères et en prend la forme. *Cylindres urinaires. Cylindres amorphes. Cylindres épithéliaux, hématiques, leucocytaires, granuleux* (pouvant avoir un rôle pathologique). *Cylindres muqueux* (ou *cylindroïdes*), *amorphes. Présence de cylindres dans les urines* (cylindrurie).

3 (...) en prenant connaissance des résultats de l'analyse. Un peu d'albumine et des cylindres, ce ne serait rien (...) Hervé BAZIN, Qui j'ose aimer, VII, p. 64.

DÉR. Cylindrée, cylindrer, cylindrique, cylindroïde.
COMP. Cylindraxe, cylindre-sceau. — Bicylindre, bloc-cylindres, hémicylindrique. — V. Cylindro-.

CYLINDRÉE [silɛ̃dRe] n. f. — 1886 ; de *cylindre.*

♦ Techn. et cour. Volume des cylindres d'un moteur à explosion (demi-produit de l'alésage au carré par π, par la course et par le nombre de cylindres). *Voiture de 1 500 cm³ de cylindrée* (ellipt : *une 1 500*). ⇒ **Cube.** — Par métonymie. *Une petite, une grosse cylindrée :* voiture, moto de petite, grosse puissance.

HOM. Cylindrer.

CYLINDRER [silɛ̃dRe] v. tr. — 1765 ; de *cylindre.*

♦ **1.** Donner la forme d'un cylindre à (quelque chose). *Tour à charioter pour cylindrer une pièce extérieurement. Cylindrer du linge empesé, de la dentelle.* ⇒ **Tuyauter.** *Cylindrer du papier,* le mettre en rouleau.

♦ **2.** Faire passer sous un rouleau. *Cylindrer du linge,* pour le fouler, le lustrer. ⇒ **Calandrer.** *Nappe cylindrée.* — Par ext. *Cylindrer une route.* ⇒ **Rouleau** (passer le).

▶ **CYLINDRÉ, ÉE** p. p. adj.

♦ **1.** Qui a reçu la forme d'un cylindre. ⇒ **Cylindrique.** *Pièce cylindrée.* — Qui est passé sous un rouleau. *Macadam cylindré.*

♦ **2.** (V. 1960). Argot. Loufoque, dingue. ⇒ **Cintré.**

« Y vont peut-être être tous fous, mais en attendant, c'est toi qu'es cylindrée, ma fille », pensé-je (...) A. SARRAZIN, la Cavale, p. 359.

DÉR. Cylindrage, cylindreur.
HOM. Cylindrée.

CYLINDRE-SCEAU [silɛ̃dRəso] n. m. — xxᵉ ; de *cylindre,* et *sceau.*

♦ Archéol. Petit cylindre de bronze gravé servant de sceau et agissant par roulement (dans les civilisations anciennes du Moyen Orient). Plur. *Des cylindres-sceaux.*

À l'époque kassite, les *cylindres-sceaux* changent de caractère et tendent de plus en plus vers la clarté et la simplicité qui sont caractéristiques de l'art babylonien (...)   G. CONTENAU et V. CHAPOT, l'Art antique, p. 74.

CYLINDREUR, EUSE [silɛ̃dRœR, øz] n. — 1817 ; de *cylindrer.*

♦ Techn. Personne qui cylindre un objet ; ouvrier, ouvrière chargé(e) d'un cylindrage.

CYLINDRICITÉ [silɛ̃dRisite] n. f. — xxᵉ ; de *cylindrique.*

♦ Didact. Forme cylindrique.

CYLINDRIQUE [silɛ̃dRik] adj. — 1956 ; de *cylindre.*

♦ Qui a la forme d'un cylindre (bobine, tambour, tube...). ⇒ **Cylindrer,** p. p. adj., 1. **rond, tubulaire.** *Colonne cylindrique ; rouleau cylindrique.* — Géom. *Surface cylindrique,* engendrée par une génératrice parallèle à une direction fixe qui s'appuie sur une courbe plane *(directrice).*

DÉR. Cylindricité.

CYLINDRO- Élément de mots composés, tiré de *cylindre.* ⇒ **Cylindro-conique, cylindro-ogival ;** et aussi **cylindraxe.**

CYLINDRO-CONIQUE [silɛ̃dRokɔnik] adj. — 1869 ; de *cylindro-,* et *conique.*

♦ Didact. Qui tient du cylindre et du cône. *Des obus cylindro-coniques.*

Ce jour-là donc, en présence de tout le personnel de la colonie, maître Jup et Top compris, les quatre canons furent successivement essayés. On les chargea avec du pyroxile *(sic),* en tenant compte de sa puissance explosive, qui, on l'a dit, est quadruple de celle de la poudre ordinaire ; le projectile qu'ils devaient lancer était cylindro-conique.   J. VERNE, l'Île mystérieuse, t. II, p. 664.

CYLINDROÏDE [silɛ̃dRɔid] adj. et n. m. — 1709 ; adj., 1801 ; grec *kulindroeidês,* de *kulindros* (→ Cylindre), et *-eidês* (→ -oïde).

Didactique.

♦ **1.** Adj. Qui ressemble au cylindre. — Anat. *Patte cylindroïde du cheval.* — *Protubérances cylindroïdes.* — N. *Les cylindroïdes.*

♦ **2.** N. m. Géom. Solide qui ressemble au cylindre mais dont les bases sont des ellipses.

CYLINDROME [silɛ̃dRom] n. m. — D. i. ; de *cylindr(o)-,* et *-ome.*

♦ Méd. Épithélioma, tumeur épithéliale formée de cordons cellulaires cylindriques. *Cylindrome cutané du cuir chevelu* (tumeur bénigne). *Cylindrome bronchique, nasal, salivaire.*

CYLINDRO-OGIVAL, ALE, AUX [silɛ̃dRoɔʒival, o] adj. — D. i. ; de *cylindro-,* et *ogival.*

♦ Didact., techn. En forme de cylindre surmonté d'une ogive (forme caractéristique des projectiles des armes à canon rayé).

CYMAISE [simɛz] n. f. ⇒ **Cimaise.**

CYMBALAIRE [sɛ̃balɛR] n. f. — 1762 ; *cinbalaire,* xvᵉ ; bas lat. *cymbalaria,* lat. class. *cymbalaris,* de *cymbalium.*

♦ Bot. Variété de linaire *(Scrofulariacées)* aux feuilles rondes et lobées. *Les cymbalaires poussent souvent sur de vieilles murailles.*

CYMBALE [sɛ̃bal] n. f. — V. 1154 ; lat. *cymbalum,* grec *kumbalon* ; var. anc. *cybale,* fin xvIᵉ.

♦ **1.** Chacun des deux disques de cuivre ou de bronze, légèrement coniques au centre, qui composent un instrument de musique à percussion. *Une cymbale. Une paire de cymbales. Les cymbales font partie de la batterie*. Frapper les cymbales l'une contre l'autre. Coup de cymbales. Son vibrant des cymbales.* → Prêtresse, cit. 1. — *Cymbales antiques* (de petit diamètre).

Les cymbales de cuivre et la conque aux bruits sourds (...)
Vibrant, grondant, sifflant, résonnant dans la plaine (...)
                              LECONTE DE LISLE, Poèmes antiques, « Cunacépa », VI.

Cymbale suspendue, cymbale charleston, faisant partie de la percussion des orchestres de danse, de jazz.

♦ **2.** Mus. Un des jeux de l'orgue.

REM. A. Billy emploie le composé *cymbaliforme* («un chaperon cymbaliforme», *Sur les bords de la Veule,* p. 169). Au fig., J. Renard écrit à propos de Heredia : «sa poésie du cymbalisme» (Journal, 14 janv. 1898).

DÉR. Cymbaler, cymbalette, cymbalier ou **cymbaliste.**

CYMBALER [sɛ̃bale] v. intr. — 1838 ; de *cymbale.*

♦ Rare. Jouer des cymbales.

CYMBALETTE [sɛ̃balɛt] n. f. — xvIᵉ ; de *cymbale.*

♦ Vx. Petite cymbale.

Au bas de ce vestement nompareil pendoient franges vermeillettes avec petits tintinables et cymbalettes armonieusement sonnans quand elle marchoit.
                              LEMAIRE DE BELGES, Illustrations, I, 24 (1509).

CYMBALIER [sɛ̃balje] n. m. ou **CYMBALISTE** [sɛ̃balist] n. — 1671, *cymbalier ; cymbaliste,* 1845 ; de *cymbale.*

♦ Mus. Musicien qui joue des cymbales. *Il, elle est cymbaliste dans un ensemble de percussions.*

CYMBALUM [sɛ̃balɔm] ou **CZIMBALUM** [tʃimbalɔm] n. m. — 1887 ; hongrois *czimbalom,* du lat. *cymbalum,* par une langue romane ; cf. ital. *cembalo.*

♦ Instrument à cordes d'acier tendues, frappées par de petits maillets, utilisé dans la musique populaire hongroise.

(...) quant au cymbalum, il donne envie de se jeter dans l'East River comme dans le Danube.   Paul MORAND, New-York, p. 212.

CYME [sim] n. f. — 1771 ; lat. *cyma* «tendron de chou».

♦ Bot. Mode d'inflorescence où des pédoncules nés d'un même endroit de la tige se ramifient selon une loi définie, pour donner des fleurs (ex : *myosotis*). *Cyme triflore, cyme multiflore.*

DÉR. Cymeux.
HOM. Cime.

CYMÈNE [simɛn] n. m. — D. i. ; du lat. *cyma,* et suff. *-ène.*

♦ Chim. Paraméthylisopropylbenzène, de formule $CH_3 — C_6H_4 — CH (CH_3)_2$. *Le cymène, qui peut s'extraire d'essences de fruits* (ombellifères) *possède des propriétés pharmaceutiques (antirhumatismales).*

CYMEUX, EUSE [simø, øz] adj. — 1803 ; de *cyme.*

♦ Bot. Dont les fleurs sont disposées en cyme.

CYMOPHANE [simɔfan] n. f. — 1792 ; du grec *kuma* «vague», et *-phane.*

♦ Minér. Aluminate naturel de béryllium. Syn. : *chrysobéryl.*

CYMRIQUE [simRik] adj. et n. ⇒ **Kymrique.**

CYN- ⇒ Cyno-.

CYNANTHROPIE [sinɑ̃tRɔpi] n. f. — xxᵉ ; de *cyn(o)-,* et *-anthropie.*

♦ Psychiatrie. Délire dans lequel le malade croit être transformé en chien. ⇒ **Lycanthropie.**

CYNÉGÉTIQUE [sineʒetik] adj. et n. f. — 1750 ; grec *kunêgetikos,* de *kunêgetein* «chasser avec une meute», de *kunes* «chien», et *agein* «mener».

♦ Didact. Qui se rapporte à la chasse. *Exercices cynégétiques. Gestion cynégétique du gibier.* — Par ext. *Société cynégétique. Traité, auteur cynégétique.*

(...) ces messieurs *(les Tarasconnais)* en avaient fait leur grand justicier cynégétique et le prenaient pour arbitre dans toutes leurs discussions.   [1]
                              Alphonse DAUDET, Tartarin de Tarascon, II, p. 20.

(...) trois cors de chasse, fixés non loin de la harpe, lançaient avec entrain une assourdissante sonnerie. D'infimes refroidissements donnèrent ensuite un échantillon des principales fanfares cynégétiques, dont la dernière fut un hallali plein de gaîté.   [2]   Raymond ROUSSEL, Impressions d'Afrique, p. 60.

N. f. *La cynégétique :* l'art de la chasse. *Traité de cynégétique.*

CYNIPIDÉS [sinipide] n. m. pl. — 1890 ; de *cynips.*

♦ Zool. Famille d'insectes hyménoptères (⇒ **Cynips**).

CYNIPS [sinips] n. m. — 1748; lat. mod., du grec *kuôn, kunos,* «chien», et *ips* «insecte rongeur».

♦ Zool. Insecte hyménoptère *(Cynipidés)* qui forme sur les feuilles de chêne des galles sphériques atteignant la taille d'une grosse cerise et connues sous le nom de *galle du Levant* ou *noix de galle.* — *Le cynips gallicole*, parasite de l'églantier et du rosier* (⇒ **Bédegar**).

(...) des petits cynips, ces insectes qui se chargent de tout dans le mariage du figuier (...) GIRAUDOUX, Juliette au pays des hommes, p. 43.

DÉR. Cynipidés.

CYNIQUE [sinik] adj. et n. — 1375, au sens II, 1; lat. *cynicus* «du chien», du grec *kunikos,* qui a les sens I et II.

★ **I.** (1552, *à la cynique* «comme des chiens»). Rare ou didact. Qui appartient au chien. — Spécialt. Relatif aux muscles spécifiques du chien (muscles de la tête). — (1752). Méd. *Spasme cynique :* mouvement des muscles de la face (s'applique à l'homme, en ce sens). ⇒ **Sardonique** (rire sardonique).

★ **II.** ♦ **1.** Hist. philos. Qui appartient à l'école philosophique d'Antisthène et de Diogène qui prétendait revenir à la nature en méprisant les conventions sociales, l'opinion publique et la morale communément admise. *L'école cynique. Philosophe cynique,* à qui l'on reprochait d'être mordant et sans pudeur, comme les chiens. — N. (rare au fém.). *Les cyniques.*

1 Socrate s'éloignait du cynique; il épargnait les personnes, et blâmait les mœurs qui étaient mauvaises. LA BRUYÈRE, les Caractères, XII, 66.

2 Les railleries, les satires, les invectives furent leurs armes, et ils ne ménagèrent personne; voilà le caractère d'esprit qui était commun à tous les cyniques. CONDILLAC, Hist. ancienne, III, 18.

♦ **2.** (1674). Cour. Qui exprime sans ménagement des opinions contraires à la morale reçue, aux bienséances morales. ⇒ **Audacieux, brutal, effronté, immoral, impudent, insolent, monstrueux** (→ Sans foi ni loi). *Un individu cynique. Une attitude cynique et provocante. Langage, écrit cynique* (→ Alarmer, cit. 3). *Mœurs cyniques. Spectacle cynique.* ⇒ **Choquant.**

3 Les trois lettres sur le gouvernement sont d'un style dur, cynique, et plus insolent que rigoureux. VOLTAIRE, Lettre à Damilaville, 19 sept. 1766.

4 Ma sotte et maussade timidité que je ne pouvais vaincre, ayant pour principe la crainte de manquer aux bienséances, je pris, pour m'enhardir, le parti de les fouler aux pieds. Je me fis cynique et caustique par honte; j'affectai de mépriser la politesse que je ne savais pas pratiquer. ROUSSEAU, les Confessions, VIII.

5 Mais l'homme qui pense, s'il a de l'énergie et de la nouveauté dans ses saillies, vous l'appelez cynique. STENDHAL, le Rouge et le Noir, II, IX, p. 295.

N. *C'est un, c'est une cynique.*

Par ext. *Un gouvernement cynique. Une société cynique.*

6 Mais non, à la fin, la créature humaine est née égoïste, abusive, vile. Regardez donc autour de vous et voyez! une lutte incessante, une société cynique et féroce, les pauvres, les humbles, hués, pillés par les bourgeois enrichis, par les viandards! HUYSMANS, Là-bas, XX, p. 283.

(Vieilli). Sur le plan sexuel. ⇒ **Inconvenant, obscène.**

CONTR. Conformiste. — Décent, modeste, pudique, scrupuleux, timide.
DÉR. Cyniquement.

CYNIQUEMENT [sinikmɑ̃] adv. — 1537; de *cynique.*

♦ D'une manière cynique. *Il avoue cyniquement son vol.*

1 Il avoue cyniquement que, lorsque l'on ne peut pas gagner suffisamment sur la marchandise, *on se rattrape en truquant les poids.* GIDE, Voyage au Congo, *in* Souvenirs, Pl., p. 756.

2 — Je ne sais pas, c'est la plus chère que je voudrais, dit Suzanne.
— Vous ne pensez qu'à ça, dit M. Jo.
Et ce disant, il rit un peu cyniquement. M. DURAS, Un barrage contre le Pacifique, p. 127.

CYNISME [sinism] n. m. — V. 1740; bas lat. *cynismus,* grec *kunismos,* de *kunikos.* → Cynique.

♦ **1.** Cour. Mépris des convenances, de l'opinion, de la morale qui pousse à l'effronterie ou à l'impudence. ⇒ **Audace, brutalité, effronterie, immoralité, impudence, inconvenance, insolence, licence, obscénité.** *Le cynisme d'une attitude, d'une conduite, d'un langage. Le cynisme des mœurs. Le cynisme de son entourage le choque* (cit. 10).

1 Les gestes rendaient les images sensibles; tout était appelé par son nom, avec le cynisme des chiens, dans une pompe obscène et impie de juremens et de blasphèmes. CHATEAUBRIAND, Mémoires d'outre-tombe, t. II, p. 16.

2 Cynos signifie chien; cynisme, acte de chien. P.-L. COURIER, Pamphlets politiques, Pl., p. 154.

3 Je ne parle même pas de son cynisme, de son dandysme, de son affectation d'immoralité, et autres griefs que lui ont fournis les manuels de littérature. J. ROMAINS, les Hommes de bonne volonté, t. III, II, p. 43.

4 On observe chez lui *(le Russe),* dans le même individu, la coexistence de l'humilité et de l'orgueil, de l'idéalisme et du cynisme, de la sainteté et du vice, et le passage se fait sans transition avec des retours singuliers. André SIEGFRIED, l'Âme des peuples, VI, III, p. 15.

♦ **2.** (1775). Philos. Philosophie cynique; doctrine des philosophes cyniques. — REM. Cet emploi est resté exceptionnel, à cause du sens 1.

CONTR. Conformisme. — Bienséance, décence, idéalisme, modestie, pudeur, pudicité, respect, retenue, scrupule, timidité.

CYNO [sino] n. m. ⇒ **Cynocéphale.**

CYNO- Élément, du grec *kuôn, kunos* «chien», entrant dans la composition de termes didactiques et spécialt de sc. nat. ⇒ **Cynanthropie, cynégétique, cynocéphale, cynodrome, cynoglosse, cynographie, cynophagie, cynophile, cynophobie, cynorexie, cynorhodon, cynosure, cynotechnique**; et aussi **cynique, cynisme.**

CYNOCÉPHALE [sinosefal] adj. et n. — 1372; lat. *cynocephalus,* grec *kunokephalos* «à la tête de chien». → Cyno- et -céphale.

♦ **1.** Adj. Qui a une tête de chien. *Singe cynocéphale. Un dieu cynocéphale* (→ Amour, cit. 44.2).

Berthe se cramponnait à son seigneur comme un bébé cynocéphale à sa mère. 1
Claude COURCHAY, La vie finira bien par commencer, p. 230.

N. m. *Un cynocéphale. Le cynocéphale Anubis :* dieu égyptien à tête de chacal.

Anubis, les oreilles droites, bondissait autour de moi, jappant, et fouillant de son 2
museau les touffes des tamarins. Merci, bon Cynocéphale, merci!
FLAUBERT, la Tentation de saint Antoine, Pl., t. I, p. 157.

♦ **2.** N. m. Zool. Genre de singe à museau fortement allongé comme celui d'un chien. ⇒ **Papion.** *Les mauvais instincts du cynocéphale.* → Orang-outan, cit. 2. — *Principaux cynocéphales.* ⇒ **Babouin, drill, hamadryas, mandrill, 1. tartarin** (vx).

(...) entre deux acolytes bien semblables à des cynocéphales de Tanit, la tête du 3
roi géant carbonisait devant la fournaise de la lune. A. JARRY, Gestes et Opinions du Dr Faustroll, Pl., p. 681.

Abrév. : *cyno,* n. m. (cour., en franç. d'Afrique). *Une troupe de cynos.*

CYNODONTE [sinodɔ̃t] n. m. — D. i.; de *cyn(o)-,* et -odonte.

♦ Zool., paléont. Reptile thérapside (fossile) du trias, dont la dentition, la structure crânienne, etc. annoncent les mammifères. *Les « thériens (groupe de mammifères) qui ont évolué à partir des reptiles mammaliens cynodontes »* (la Recherche, févr. 1980, p. 149).

CYNODROME [sinodʀom] n. m. — V. 1938; de *cyno-,* et -drome.

♦ Piste aménagée pour les courses de lévriers.

CYNOGLOSSE [sinoglos] n. f. — xve; lat. sc., d'orig. grecque. → Cyno-, et glosse.

♦ Bot. Plante dicotylédone *(Borraginées),* annuelle ou bisannuelle, vénéneuse, à odeur désagréable, à belles fleurs, appelée vulgairement *langue de chien. Cynoglosse officinale,* utilisée en médecine. *Cynoglosse cultivée comme plante ornementale.*

CYNOMORPHE [sinomɔʀf] adj. — Mil. xxe; de *cyno-,* et -morphe.

♦ Qui a la forme, l'apparence du chien. *« Les singes cynomorphes »* (Sciences et Avenir, les Origines de l'homme, 1980, p. 80). — N. m. pl. Super-famille de singes catarrhiniens arboricoles pourvus d'une queue.

CYNOPHAGIE [sinofaʒi] n. f. — 1876; de *cyno-,* et -phagie.

♦ Didact. et rare. Usage de la viande de chien.

CYNOPHILE [sinofil] adj. et n. — 1846; de *cyno-,* et -phile.

♦ **1.** Didact. Qui aime les chiens, s'intéresse aux races canines. ⇒ **Cynotechnique.** *Il est cynophile. Un cynophile.*

♦ **2.** (1977). Milit. *Groupe cynophile,* chargé du dressage de chiens.
DÉR. Cynophilie.

CYNOPHILIE [sinofili] n. f. — xxe; de *cynophile.*
Didactique.

♦ **1.** Rare. Intérêt porté aux chiens.

♦ **2.** (1977). Milit. Services, fonction de l'emploi (dressage, gestion) des chiens dans l'armée, la police. ⇒ **Cynotechnique.**

CYNOPHOBIE [sinofɔbi] n. f. — xxe; de *cyno-,* et *phobie.*

♦ Psychol. Crainte maladive, phobie des chiens.

CYNOREXIE [sinɔʀɛksi] n. f. — xxᵉ ; de cyn(o)-, et grec orexis « appétit ».

♦ Vétér. Boulimie du chien. *Cynorexie comme symptôme de gastrite chronique ou de gastralgie.*

CYNORHODON ou **CYNORRHODON** [sinɔʀɔdɔ̃] n. m. — 1688 ; grec kunorodon, proprt « rose *(rodon)* de chien *(kuôn kunos* ; → Cyno-)», c.-à-d. « plante contre les morsures de chien ».

♦ Bot. Fruit rouge des rosiers et des églantiers (qui est en fait le réceptacle), appelé familièrement *gratte-cul.* « *Le cynorrhodon, c'est le gratte-cul de nos 10 ans, ce poil à gratter que l'on allait cueillir sur l'églantier pour le glisser dans le dos des copains. C'est aussi une infusion délassante et une confiture bourrée de vitamines C* » *(l'Express,* 25 août 1979, p. 101).

CYNOSURE [sinozyʀ] n. f. — xviᵉ ; lat. bot. cynosura, grec kunosoura « queue *(oura)* de chien *(kuôn kunos* ; → Cyno-)», à cause de la forme des épis.

♦ Bot. Graminée fourragère des pays tempérés, appelée communément *queue-de-chien.*

CYNOTECHNIQUE [sinotɛknik] adj. — xxᵉ ; de cyno-, et technique.

♦ Didact. Qui se rapporte à l'utilisation des chiens. ⇒ **Cynégétique, cynophile.** *Cellule cynotechnique de l'armée.* ⇒ **Cynophilie.**

CYNTHIA [sɛ̃tja] ou **CYNTHIE** [sɛ̃ti] n. f. — Fin xixᵉ ; lat. sc. cynthia, d'après le surnom de Diane, déesse du *Cynthe* (grec Kunthos), montagne de Délos.

♦ Zool. Animal marin à tunique cartilagineuse et opaque.

CYON [sjɔ̃] n. m. — Fin xixᵉ ; grec kuôn « chien ». → Cyno-.

♦ Zool. Chien sauvage d'Asie.
HOM. Scion.

CYPÉRACÉES [sipeʀase] n. f. pl. — Fin xviiiᵉ ; du lat. cyperos, grec kupeiros « souchet », et suff. -acées.

♦ Bot. Famille de plantes phanérogames angiospermes, classe des monocotylédones comprenant des herbes vivaces ou annuelles à rhizome traçant et ayant beaucoup d'analogie avec les graminées. *Les cypéracées croissent dans les lieux humides. Types principaux de cypéracées.* ⇒ **Carex** (ou **laiche**), **linaigrette, papyrus, scirpe, souchet.** — Au sing. *Une cypéracée.*

CYPHO-SCOLIOSE [sifoskɔljoz] n. f. — 1833 ; de cyphose, et scoliose.

♦ Méd. Déformation de la colonne vertébrale, associant des traits de la cyphose et de la scoliose.

CYPHOSE [sifoz] n. f. — 1752 ; grec kuphôsis « courbure », de kuphos « courbe ».

♦ Méd. Déviation de la colonne vertébrale avec convexité postérieure. ⇒ **Bosse, gibbosité.**
COMP. Cypho-scoliose.

CYPRE [sipʀ] n. m. — xiiᵉ ; lat. cypros, grec kupros « henné ».

♦ Bot. Plante orientale à très forte odeur, dont on tire le henné.

CYPRÉE [sipʀe] n. f. — 1892 ; lat. sc. cypraea, du grec Kupris, l'un des noms d'Aphrodite. → Cypris.

♦ Zool. Mollusque gastéropode *(Cypréidés)* couramment appelé *porcelaine* à cause de la beauté de sa coquille.
DÉR. Cypréidés.

CYPRÉIDÉS [sipʀeide] n. m. pl. — xixᵉ ; de cyprée.

♦ Zool. Famille de mollusques gastéropodes dont le type principal est la cyprée. — Au sing. *Un cypréidé.*

CYPRÈS [sipʀɛ] n. m. — V. 1170 ; bas lat. cypressus, lat. cupressus, du grec kuparissos.

♦ **1.** Arbre de la famille des Conifères *(Cupressinés)* à feuillage vert sombre, à forme droite et élancée. *Fruit du cyprès.* ⇒ **Galbule.** *Le cyprès est un arbre fastigié. Un bois de cyprès.* ⇒ **Cyprière.** *Rangée, allée de cyprès. Le bois du cyprès est dur et d'un grain fin. Le cyprès, arbre funéraire qu'on plante auprès des tombes, dans les cimetières.* — *Cyprès commun,* cultivé en Europe et notamment dans le Midi méditerranéen, comprenant le *cyprès pyramidal* et le *cyprès horizontal* selon la forme de ses rameaux. — *Cyprès funèbre* (Chine). — *Cyprès chauve. Petit cyprès.* ⇒ **Santoline.**

Un maigre cyprès, pointant dans le ciel comme un fil sombre, mais qui, de loin, ressemble à une aigrette sur un turban.   1
E. FROMENTIN, Une année dans le Sahel, p. 10.
(...) les cyprès élevaient leurs quenouilles noires (...)   2
FRANCE, le Lys rouge, V, III, p. 86.
Sur leurs pentes austères, les cyprès dressaient leurs campaniles muets (...)   3
Edmond JALOUX, Fumées dans la campagne, XXII, p. 187.
Cette ombre bleue parmi les cyprès et les saules du cimetière, est-ce le ciel ou le lac ou les montagnes ? J. CHARDONNE, les Destinées sentimentales, II, I, p. 212.   4
Les énormes cyprès, comme de grandes ombres noires et bienveillantes, se dressent dans le ciel gris et veillent sur les stèles (...)   4.1
J. GREEN, Journal, 28 oct. 1976, La terre est si belle, p. 65.
Par compar. *Beau, grand, long, majestueux comme un cyprès. Une immobilité de cyprès.*

Fig., poét. (vx). *Cyprès* (opposé à *laurier*), symbole de la mort, du deuil, de la tristesse. — Loc. *Changer les lauriers en cyprès* : changer la victoire en deuil.

J'irai sous mes cyprès accabler ses lauriers.   CORNEILLE, le Cid, IV, 2.   5

♦ **2.** Par métonymie. Bois de cyprès. *Meuble, charpente en cyprès.*
DÉR. V. Cyprière.

CYPRIEN, IENNE [sipʀijɛ̃, jɛn] adj. et n. ⇒ **Cypriote.**

CYPRIÈRE [sipʀijɛʀ] n. f. — 1744 ; du rad. de cyprès, et suff. -ière.

♦ Rare. Bois planté de cyprès.

L'eau noire des cyprières comme un miroir funèbre (Edgar Poe).   1
CLAUDEL, Journal, 8 avril 1928.
Sur la médaille de ciel monta la fusée noire d'un cyprès, puis deux, puis trois, puis toute une cyprière.   J. GIONO, Naissance de l'Odyssée, p. 128.   2

CYPRIN [sipʀɛ̃] n. m. — 1783 ; lat. cyprinus, grec kuprinos « carpe ».
Zoologie.

♦ **1.** Poisson de la famille des Cyprinidés.

♦ **2.** *Cyprin doré* ou *cyprin* : poisson physostome (famille des Cyprinidés) scientifiquement appelé *Carassius.* ⇒ **Carassin ;** et cour. **poisson** (rouge). *Cyprins vivant dans des bassins, des aquariums.* — *Cyprin à queue de voile, cyprin télescope* (variétés obtenues par sélection).

Il montra l'aquarium où les cyprins noirs, mous et dentelés comme des oriflammes, montaient et descendaient au hasard.   1
MALRAUX, la Condition humaine, p. 37.
Il faut, une fois pour toutes, réduire au silence goujons et ablettes, cyprins de toutes sortes, rachitiques, qui ne feraient pas de mal même à un hameçon et qui se laissent attraper par des retraités somnolents.   2
Jean CAYROL, Histoire de la mer, p. 60 (1973).
DÉR. Cyprinidés.

1. CYPRINE [sipʀin] n. f. — 1824 ; lat. cyprium « cuivre », par anal. de couleur.

♦ Minér. Pierre précieuse de couleur bleue. — Par métonymie. Cette couleur.

2. CYPRINE [sipʀin] n. f. — V. 1970 ? ; du lat. Cypris, du grec Kupris, surnom d'Aphrodite, et -ine.

♦ Didact. Sécrétion vaginale.
Une agitation trouble l'écoulement de la cyprine eau fluide transparente.
Monique WITTIG, le Corps lesbien, 1973, p. 20.

CYPRINIDÉS [sipʀinide] n. m. pl. — 1825, cyprinide ; de cyprin, et suff. -idés.

♦ Zool. Famille de poissons physostomes, vivant surtout en eau douce (ablette, barbeau, bouvière, brême, carassin, carpe, cyprin, gardon, goujon, ide, tanche, vairon, vandoise). — Au sing. *Un cyprinidé.* (⇒ **Cyprin**).

CYPRIOTE [sipʀijɔt] adj. et n. — 1843 ; du lat. Cyprus « Chypre ».

♦ Qui se rapporte à l'île de Chypre ou à ses habitants (on dit aussi *chypriote,* ou *cyprien*)
N. *Un, une Cypriote :* habitant de l'île de Chypre (on dit aussi *Chypriote*).

CYPRIPÈDE [sipʀipɛd] ou **CYPRIPEDIUM** [sipʀipedjɔm] n. m. — 1735 ; lat. sc. *cypripedium* «pied de Vénus», de *Cypris*, surnom de Vénus, et *pes, pedis* «pied», «pied de Vénus».

♦ Bot. Orchidée appelée *sabot-de-Vénus* ou *sabot-de-la-Vierge* à cause de la forme du labelle de sa fleur (en conque et d'un jaune lumineux).

1. CYPRIS [sipʀis] n. f. — 1846 ; mot lat. d'orig. grecque, l'un des surnoms d'Aphrodite.

♦ Didact. ou littér. (vx). Jeune femme d'une grande beauté.

2. CYPRIS [sipʀis] n. f. — 1806 ; lat. sc. *cypris*, grec *Kupris* → Cyprée.

Zoologie.

♦ **1.** Crustacé malacostracé *(Ostracodes)* vivant en eau douce ou salée.

♦ **2.** Stade du développement des crustacés cirripèdes (qui les fait ressembler à l'ostracode appelé *cypris*). — Appos. *Larve cypris* (M. Caullery).

CYRARD [siʀaʀ] n. m. — D. i. ; de *(Saint-) Cyr*, et suff. *-ard*.

♦ Argot de l'école. Élève de l'école militaire de Saint-Cyr (⇒ **Bazard** ; → Piston, cit. 2.1 ; x, cit. 8).

(...) il ne traitait les officiers supérieurs que de vieilles badernes (...) les cyrards de crétins pas aidés.   Vladimir VOLKOFF, le Retournement, p. 122-123.

CYRÉNAÏQUE [siʀenaik] adj. et n. — 1726, n. m. pl. ; lat. *cyrenaicus*, du grec *kurênaikos* «de Cyrène».

♦ **1.** (1834). Didact. Relatif à l'ancienne ville grecque de Cyrène (en Afrique) ou à ses habitants.
N. *Un, une Cyrénaïque* : habitant de Cyrène.

♦ **2.** Hist. philos. *École cyrénaïque*, fondée par Aristippe, disciple de Socrate et précurseur de l'épicurisme, pour lequel il n'y a pas d'autre bonheur que le plaisir sensuel de l'instant (→ Cynisme, épicurisme, scepticisme, stoïcisme). N. m. *Les cyrénaïques.*

DÉR. **Cyrénaïsme.**

CYRÉNAÏSME [siʀenaism] n. m. — 1829 ; de *cyrénaïque*, 2.

♦ Philos. Doctrine de l'école cyrénaïque (2.).

CYRILLIQUE [siʀi(l)lik] adj. — 1832 ; de *Saint-Cyrille*.

♦ *Alphabet cyrillique* : l'alphabet slave, attribué à saint Cyrille de Salonique. *Lettres cyrilliques. Le russe, l'ukrainien, le bulgare, le serbe s'écrivent en caractères cyrilliques.* — Var. anc. : *cyrillien, ienne* [siʀiljɛ̃, ɛn].

CYRTOMÈTRE [siʀtɔmɛtʀ] n. m. — xixe ; du grec *kurtos* «cage», et *-mètre*.

♦ Méd. Instrument de mesure du thorax.

CYST-, CYSTI-, CYSTO-, -CYSTE Éléments, du grec *kustis* «vessie» (organe et sac), «objet creux», entrant dans la composition de termes scientifiques, et, spécialt, de médecine (ex. : *aérocyste, blastocyste, tricocyste*).

CYSTALGIE [sistalʒi] n. f. — 1926 ; de *cyst-*, et *-algie*.

♦ Méd. Névralgie de la vessie.

CYSTECTASIE [sistɛktazi] n. f. — xxe ; de *cyst-*, et grec *ektasis* «extension».

♦ Méd. Dilatation de la vessie.

CYSTECTOMIE [sistɛktɔmi] n. f. — 1617, *cystotomie* ; de *cyst-*, et *-ectomie*.

♦ Méd., chir. Ablation de la vessie (partielle ou totale).

CYSTÉINE [sistein] n. f. — 1900 ; all. *Cysteïn*.

♦ Biochim. Aminoacide non indispensable, qui entre dans la composition de nombreuses protéines, et a des utilisations pharmaceutiques. *La cystéine donne par oxydation la cystine.*

CYSTHÉPATIQUE [sistepatik] adj. — xixe ; de *cyst-*, et *hépatique*.

♦ Méd. Relatif à la vésicule biliaire. ⇒ **Cystique.**

CYSTI- ⇒ Cyst-.

CYSTICERCOSE [sistisɛʀkoz] n. f. — 1910 ; de *cysticerque*, et *-ose, qu* devenant *c* devant *o*.

♦ Méd. Infection causée par la présence de cysticerques.

CYSTICERQUE [sistisɛʀk] n. m. — 1812 ; de *cysti-*, et grec *kerkos* «queue».

♦ Zool. Ténia à son dernier stade larvaire, formant une vésicule de 1 cm de diamètre contenant le scolex du futur ver. (On dit aussi *cystoïde*). « Les bactéries les plus sensibles sont (...) les salmonelles et le pseudomanas aeruginosas. Ajoutons que dans le cas de la viande, la congélation détruit les larves de ténia ou cysticerques » (le Monde, 23 févr. 1977).

COMP. **Cysticercose.**

CYSTINE [sistin] n. f. — 1834 ; de *cyst-*, et suff. *-ine*.

♦ Biochim. Acide aminé soufré constituant la forme oxydée de la cystéine, présent dans de nombreuses protéines (surtout les scléroprotéines : kératine de la peau, des cheveux et des ongles).

DÉR. **Cystinurie.**

CYSTINURIE [sistinyʀi] n. f. — 1905, in *Rev. gén. des sc.*, no 5, p. 191 ; de *cystine*, et *-urie*.

Médecine.

♦ **1.** Vx. Présence (anormale pour un taux élevé) de cystine dans l'urine.

♦ **2.** Mod. Élimination accrue de cystine (trouble métabolique congénital).

CYSTIQUE [sistik] adj. — V. 1560 ; de *cyst-*, et suff. *-ique*.

♦ **1.** Anat. Relatif à la vésicule biliaire (⇒ **Cysthépatique**), ou, moins cour., à la vessie. *Bile cystique*, provenant de la vésicule biliaire et conduite de la vésicule biliaire au duodénum par le canal cholédoque. *Calculs cystiques.*

♦ **2.** Zool. *Ver cystique* : forme larvaire du ténia (cénure, cysticerque).

CYSTITE [sistit] n. f. — 1803 ; *cystitis*, 1795 ; de *cyst-*, et suff. *-ite*.

♦ Méd. (assez cour.). Inflammation aiguë et chronique de la vessie. *La cystite est parfois accompagnée de prostatite.*

CYSTO- ⇒ Cyst-.

CYSTOCÈLE [sistɔsɛl] n. f. — xixe ; de *cysto-*, et grec *kêlê* «hernie».

♦ Méd. Hernie de la vessie.

CYSTOGRAPHIE [sistɔgʀafi] n. f. — V. 1950 ; de *cysto-*, et *(radio)graphie*.

♦ Méd. Radiographie de la vessie.

CYSTOÏDE [sistɔid] adj. — 1834 ; de *cyst-*, et suff. *-oïde*.

♦ **1.** Méd. Qui ressemble à une vessie. *Tumeurs cystoïdes.*

♦ **2.** Zool. *Ver cystoïde*, et, n. m., *un cystoïde*. ⇒ **Cysticerque.**

CYSTOLITHE [sistɔlit] n. m. — xixe ; de *cysto-*, et *-lithe*.

♦ Méd. Calcul de la vessie. ⇒ **Pierre** (B., 8.).

CYSTOPLÉGIE [sistɔpleʒi] n. f. — xxe ; de *cysto-*, et *-plégie*.

♦ Méd. Paralysie de la vessie.

CYSTOSCOPE [sistɔskɔp] n. m. — 1842 ; de *cysto-*, et *-scope.*

♦ Méd. Instrument qui permet de regarder dans la vessie après cathétérisme de l'urètre.
DÉR. Cystoscopie.

CYSTOSCOPIE [sistɔskɔpi] n. f. — 1846 ; de *cystoscope.*

♦ Méd. Examen de la vessie au cystoscope.
DÉR. Cystoscopique.

CYSTOSCOPIQUE [sistɔskɔpik] adj. — xxᵉ ; de *cystoscopie.*

♦ Méd. Relatif à la cystoscopie.

CYSTOSTOMIE [sistɔstɔmi] n. f. — 1901, Garnier et Delamare, *in* D. D. L. ; de *cysto-*, grec *stoma* « bouche », et suff. *-ie.*

♦ Méd. Abouchement de la vessie à la peau (avec la paroi abdominale, etc.).

CYSTOTOME [sistotom] n. m. — 1834 ; de *cysto-*, et *-tome.*

♦ Méd. Instrument servant à pratiquer la cystotomie.

CYSTOTOMIE [sistotɔmi] n. f. — 1617 ; de *cysto-*, et *-tomie.*

♦ Méd., chir. Incision de la vessie.

CYSTOZOÏDE [sistozɔid] n. m. — xxᵉ ; de *cysto-* « vessie », et *-zoïde.* → Spermatozoïde.

♦ Didact. (zool.). Polype excréteur d'une cormidie (axe d'une colonie), composé de cellules ciliées à grosses vacuoles contenant les produits d'excrétion, et d'un filament en hélice contenant des nématocystes.

CYT-, CYTO- Élément, du grec *kutos* « cavité, cellule », entrant dans la composition de termes scientifiques, et, spécialt, de biologie. Voir à l'ordre alphab. — REM. Cet élément est très productif dans la biologie contemporaine (ex. : *cytoarchitectonie*, n. f. ; *cytochimie*, n. f. ; *cytomégalique*, adj. ; *cytostatique*, adj. ; *cytotropisme*, n. m.).

CYTE [sit] n. f. — xxᵉ ; grec *kutos.* → Cyt-.

♦ Biol. Cellule mère des produits sexuels.

-CYTE Élément, du grec *kutos* « cavité, cellule » (⇒ Cyt-). Ex. : *lymphocyte, mastocyte, mélanocyte, normocyte.*

CYTHÉRÉE [siteʀe] n. f. — 1806 ; de *Cythère.*

♦ Zool. Crustacé *(Branchiopodes).* « *De précieuses espèces de cythérées et de vénus* » (J. Verne, *Vingt mille lieues sous les mers*, t. I, p. 110).

CYTHÉRÉEN, ENNE [siteʀeɛ̃, ɛn] adj. et n. — 1855 ; de l'île de *Cythère.*
Didactique.

♦ **1.** Qui se rapporte à l'île de Cythère ou à ses habitants.
N. *Un Cythéréen, une Cythéréenne :* habitant de Cythère.

♦ **2.** Littér. et vx. Qui se rapporte aux plaisirs de l'amour. *Chants cythéréens.*

CYTISE [sitiz] n. m. — 1507, *cythison ;* lat. *cytisus*, grec *kutisos.*

♦ Bot. et cour. Plante dicotylédone *(Légumineuses-papilionacées)* arbrisseau vivace aux fleurs en grappes jaunes. *Le cytise laburnum (aubour, faux ébénier) est ornemental et fournit un bois d'ébénisterie.* (On l'appelle vulgairement *faux acacia, faux ébénier*). *Le cytise scoparius est appelé* genêt à balai.

1   *(Partout)* Où le chevreau lascif mord le cytise en fleurs (...)
                                        HUGO, les Feuilles d'automne, 38.
2   (...) cytises étincelants comme de l'or au milieu des noirs buissons de myrte.
                                        G. SAND, Elle et lui, X, p. 226.
3   Un cytise, dans une encoignure, balance avec ravissement ses grappes d'or.
                                        G. DUHAMEL, Inventaire de l'abîme, I, p. 10.
4   Promenade à Ambléon, les bois remplis de cytise. Les beaux frênes sous la lune d'où pend une espèce de trophée vaporeux.   CLAUDEL, Journal, 19 mai 1937.
Fleurs de cette plante. *Un bouquet de cytises.*

CYTO- ⇒ Cyt-.

CYTOBIOLOGIE [sitobjɔlɔʒi] n. f. — 1970 ; de *cyto-*, et *biologie.*

♦ Didact. Biologie cellulaire. ⇒ **Cytologie.**

CYTOBLASTE [sitoblast] n. m. — xxᵉ ; de *cyto-*, et *-blaste.*

♦ Biol. Vieilli. Nucléus ou noyau de la cellule végétale.

Schleiden insiste... sur le rôle du noyau qui, d'après lui, constitue pour ainsi dire le germe de la cellule (cytoblaste).
                    Jean ROSTAND, Esquisse d'une histoire de la biologie, p. 137.

CYTOCHROME [sitokʀom] n. m. — V. 1970 ; de *cyto-*, et *-chrome.*

♦ Chim., biol. Pigment cellulaire (chromoprotéine) renfermant du fer, proche de l'hémoglobine, et jouant un rôle dans les processus d'oxydation (respiration) cellulaire des végétaux et des animaux.

CYTOCIDE [sitosid] adj. — 1927 ; de *cyto-*, et *-cide.*

♦ Biochim. (Rare). Qui tue les cellules.

CYTODE [sitɔd] n. m. — 1906, in *Rev. gén. des sc.*, nº 10, p. 463 ; de *cyt-*, et *-ode.*

♦ Biol., vieilli. Plastide sans noyau.

CYTODIAGNOSTIC [sitodjagnɔstik] n. m. — 1900, Widal et Ravant ; de *cyto-*, et *diagnostic.*

♦ Méd., biol. Diagnostic établi après examen au microscope de frottis ou de cellules provenant de liquides organiques.

CYTOGAMIE [sitogami] n. f. — 1931 ; de *cyto-*, et *-gamie.*

♦ Biol. Mélange de cellules (mâles et femelles) lors de la copulation ou de la conjugaison. *Cytogamie chez certains crustacés, certains champignons.*

CYTOGÉNÉTICIEN, IENNE [sitoʒenetisjɛ̃, jɛn] n. — xxᵉ ; de *cytogénétique.*

♦ Biol. Spécialiste de cytogénétique, des études sur la modification du patrimoine génétique de la cellule.

CYTOGÉNÉTIQUE [sitoʒenetik] n. f. — 1855 ; sens mod. v. 1950 ; de *cyto-*, et *génétique.*

♦ Biol. Partie de la génétique appliquée aux chromosomes (à l'état normal et pathologique). *La cytogénétique moderne s'est développée par l'étude de la trisomie 21 (mongolisme).*
DÉR. Cytogénéticien.

CYTOLOGIE [sitɔlɔʒi] n. f. — 1890, P. Larousse, *Deuxième Suppl. ;* de *cyto-*, et *-logie.*

♦ Didact. (biol.). Partie de la biologie générale qui étudie la cellule vivante sous tous ses aspects (structure, propriétés, activité, évolution). *Cytologie descriptive. Cytologie expérimentale. Cytologie statistique.*
DÉR. Cytologique, cytologiste ou cytologue.

CYTOLOGIQUE [sitɔlɔʒik] adj. — 1898, in *l'Année biol.*, XIX, p. 574 ; trad. de l'ital. ; de *cytologie.*

♦ Biol. Relatif à la cytologie. *Examen cytologique. Méthodes cytologiques.*
DÉR. Cytologiquement.

CYTOLOGIQUEMENT [sitɔlɔʒikmɑ̃] adv. — 1922 ; de *cytologique.*

♦ Biol. Du point de vue de la cytologie.

CYTOLOGISTE [sitɔlɔʒist] ou **CYTOLOGUE** [sitɔlɔg] n. — 1897, *cytologiste ; cytologue* 1860 ; de *cytologie.*

♦ Didact. (biol.). Spécialiste de la cytologie. *Une excellente cytologiste.*

(...) la prodigieuse architecture de la cellule reproductrice, telle que nous la révèlent aujourd'hui tout ensemble l'observation des cytologistes et l'expérimentation des généticiens (...)   Jean ROSTAND, Esquisse d'une histoire de la biologie, p. 78.

CYTOLYSE [sitɔliz] n. f. — 1905 ; de *cyto-*, et *-lyse*.

♦ Biol. Destruction d'une cellule vivante par dissolution des éléments dont elle est formée.

CYTOPATHOGÉNICITÉ [sitopatoʒenisite] n. f. — Mil., xxᵉ ; de *cyto-, pathogène*, et suff. *-icité*.

♦ Biol. « Aptitude, pour un type cellulaire en culture, à servir de support à la croissance d'un virus donné » (J. Verne et S. Hébert). *Spectre de cytopathogénicité.*

CYTOPATHOLOGIE [sitopatolɔʒi] n. f. — xxᵉ ; de *cyto-*, et *pathologie*.

♦ Didact. Étude des maladies cellulaires.

CYTOPHOTOMÉTRIE [sitofotometʀi] n. f. — 1936 ; de *cyto-*, et *photométrie*.

♦ Biol. (vieilli). Mesure de l'absorption d'un rayonnement lumineux par des structures cellulaires, en vue de l'étude de leur composition chimique.

CYTOPHYLAXIE [sitofilaksi] n. f. — 1916 ; de *cyto-*, et *(pro) phylaxie*.

♦ Biol., méd. (vieilli). Méthodes de protection des cellules par l'utilisation de certaines solutions salines.

CYTOPHYSIOLOGIE [sitofizjolɔʒi] n. f. — xxᵉ ; de *cyto-*, et *physiologie*.

♦ Didact. Étude physiologique de la cellule.
DÉR. **Cytophysiologiste.**

CYTOPHYSIOLOGISTE [sitofizjolɔʒist] n. — xxᵉ ; de *cytophysiologie*.

♦ Didact. Spécialiste de cytophysiologie.

CYTOPLASIQUE [sitoplazik] adj. — V. 1970 ; de *cyto-*, et *-plasique*.

♦ Biol. Qui se rapporte à la formation des cellules (⇒ **Cytopoïèse**).

CYTOPLASME [sitoplasm] n. m. — 1878 ; de *cyto-*, et *(proto) plasme*.

♦ Biol. Protoplasme de la cellule à l'exclusion du noyau, de structure très complexe, comprenant le cytoplasme fondamental et les organites (mitochondries, vacuoles, granulations).

L'ensemble des données fournies par la science de l'hérédité a permis d'attribuer aux chromosomes, situés dans le noyau de la cellule, une importance primordiale quant au déterminisme et à la transmission des caractères organiques. Mais le cytoplasme de l'ovule n'en a pas moins son rôle, et qui est multiple.
En premier lieu, il constitue le milieu nécessaire à la croissance et à la multiplication des gènes, ainsi qu'à la manifestation de leurs effets. De plus, il présente une organisation et des propriétés fort complexes, qui sont l'œuvre des gènes maternels. De cette organisation et de ces propriétés peuvent dépendre, non seulement le mode de développement embryonnaire et certains caractères de l'embryon, mais encore certains caractères de l'organisme adulte, qui présentent alors un type d'hérédité très particulière.
Jean ROSTAND, Idées nouvelles de la génétique, p. 107.
DÉR. **Cytoplasmique.**

CYTOPLASMIQUE [sitoplasmik] adj. — Fin xixᵉ ; de *cytoplasme*.

♦ Biol. Du cytoplasme ; contenu dans du cytoplasme.

Cette prédétermination cytoplasmique n'est point continue comme la prédétermination nucléaire, elle se reconstitue à chaque ontogenèse.
Jean ROSTAND, Esquisse d'une histoire de la biologie, p. 221 (note).

CYTOPOÏÈSE [sitopɔjez] n. f. — xxᵉ ; de *cyto-*, et grec *poïêsis* « formation ».

♦ Biol. (vieilli). Formation des cellules (⇒ **Cytoplasique**).

CYTOSINE [sitozin] n. f. — 1903, in *Rev. gén. des sc.*, nᵒ 16, p. 844 ; de *cyto-, -s-* de liaison, et *-ine*.

♦ Chim., biol. Base pyrimidique qui entre dans la composition des acides nucléiques (l'une des quatre bases, notée C, complémentaire de la guanine). → Adénine, cit.

CYTOSTOME [sitostom] n. m. — Déb. xxᵉ ; t. créé en all. *Zytostom*, av. 1888. → Cyto-, et -stome.

♦ Zool. Ouverture de la membrane protoplasmique servant à l'ingestion des aliments, chez certains organismes unicellulaires. *Ciliés sans cytostome.* ⇒ **Astome.**

CYTOTHÈQUE [sitotɛk] n. f. — 1967 ; de *cyto-*, et *-thèque*.

♦ Zool. Enveloppe extérieure du thorax d'une chrysalide.

CYTOTHÉRAPIE [sitoteʀapi] n. f. — xxᵉ ; de *cyto-* « cellule », et *-thérapie* « cure ».

♦ Méd. Thérapeutique où l'on emploie des émulsions de cellules.

CYTOTOXICITÉ [sitotɔksisite] n. f. — Av. 1970 ; de *cytotoxique*.

♦ Biol. Action destructrice d'une substance sur des cellules. *Étude de la cytotoxicité* (→ Cytotoxique, cit.). « Le rejet des greffes (...) se réalise par destruction directe d'une cellule-cible au contact d'une cellule immunitaire dite effectrice (...) Cette destruction de cellules s'appelle cytotoxicité » (la Recherche, sept. 1979, p. 826).

CYTOTOXINE [sitotɔksin] n. f. — 1903, in *Rev. gén. des sc.*, nᵒ 622, p. 11 ; de *cyto-*, et *toxine*.
Biologie. Médecine.

♦ **1.** Substance des sérums préparés qui provoquerait une lyse cellulaire.

♦ **2.** Toxine produite par la cellule.
DÉR. **Cytotoxique.**

CYTOTOXIQUE [sitotɔksik] adj. — 1904, in *Rev. gén. des sc.*, nᵒ 5, p. 274 ; de *cytotoxine*, d'après *toxique*.

♦ Biol. Se dit d'une substance susceptible de détruire telle ou telle espèce de cellule. — Se dit aussi de l'action toxique (d'une substance) sur une espèce de cellule. *Action cytotoxique, d'ordre cytotoxique.*

La culture de tissus a permis d'étudier les anticorps cytotoxiques (...) le sérum cytotoxique pour le rein de rat est sans action sur les autres tissus de rat en culture. Il est également sans action sur les cultures de reins provenant d'autres animaux. Il existe donc une étroite spécificité de la cytotoxicité.
Jean VERNE et SIMONE HÉBERT, la Culture de tissus, p. 99.
DÉR. **Cytotoxicité.**

CZAR [tzaʀ], **CZAREVITCH** [tsaʀevitʃ], **CZARINE** [tsaʀin] n. ⇒ Tsar, tsarévitch, tsarine.

CZIMBALUM [tʃimbalɔm] n. m. ⇒ **Cymbalum.**

D

D [de] nom masculin.

★ **I.** Quatrième lettre et troisième consonne de l'alphabet : *D* (majuscule) ou *d* (minuscule). *Le d représente une occlusive dentale sonore* [d] *qui s'assourdit en liaison : un grand homme* [œ̃gʀɑ̃tɔm]. *Le d se prononce à la fin de certains mots d'origine étrangère :* caïd, raid, David [kaid, ʀɛd, david] *et n'est pas prononcé à la fin des autres mots :* grand, laid [gʀɑ̃, lɛ]. — *La forme matérielle de la lettre. Écrire un d minuscule. Ses d sont mal formés. Le son d.*

★ **II.** Abréviations et symboles. ♦ **1.** Abréviation de certains mots dont il est l'initiale : *Dame,* dans N.-D., *Dom,* dans le nom d'un religieux bénédictin *(D. Béranger)* ou d'un grand seigneur espagnol *(D. Juan).* — Fam. *Système D :* le système des gens *débrouillards,* qui savent toujours se tirer d'affaire.

♦ **2.** Sc. (chim.). *D :* symbole du *deutérium.*

Géom. *D* (majuscule) : abrév. de *droit* (désigne l'angle droit). — *d* (minuscule) : abrév. de *déci-.*

Méd., biol. *Vitamine D.* → Minéraliser, cit.

Météor. *Couche D :* partie de l'ionosphère au-dessus de 60 000 m et au-dessous de 80 000 m.

♦ **3.** Mus. Ancien nom de la note *ré.* — *d* (au-dessus de la portée) : doucement (indication de mouvement ; ital. *dolce*).

★ **III.** Chiffre de la numération romaine, représentant le nombre cinq cents ; cinq mille s'il est surmonté d'un trait (D̄), cinquante mille, de deux traits (D̿).

1. D' Prép. élidée. ⇒ 1. **De.**

2. D' Article indéfini élidé, article partitif élidé. ⇒ 2. **De.**

DA ou (vx) **DÀ** [da] interj. — xvie ; contraction de *dea* (xve), qui paraît être une altér. de *diva* (xiie) ; *dis va,* double impératif.

♦ Vx ou plais. Particule que l'on place après *oui* pour en renforcer le sens. *Oui-da !* : oui bien sûr.

> 1   La dévote Caliste
> De son mari a fait un Jean :
> Oui-dà, un Janséniste.   SCARRON, *in* Trévoux, Dict.

REM. On trouve aussi (rarement) les formes *nenni-da* (opposé à *oui-da*), *oh da !* et *da* employé seul comme terme d'affirmation ou de renforcement d'une affirmation.

> 2   Il la fouetta comme une petite fille, et dit à son gendre : « Dà, dà, la voilà corrigée ! »   Ed. et J. DE GONCOURT, Journal, 22 sept. 1862.

DAB ou **DABE** [dab] n. m. — 1827 ; «père, roi, maître», 1628 ; orig. obscure, on a évoqué le lat. *dabo* «je donnerai», par l'italien.

♦ Argot. Père. ⇒ **Daron, pater, vieux.** — Vx. *Grand-dab (dabe), beau-dab :* grand-père, beau-père.

> 1   Je n'ai plus qu'à te redemander de promptes nouvelles. Je cherche ta main de grand-dab, par-dessus la Manche, pour te la serrer.
>   Germain NOUVEAU, Lettre à Jean Richepin, Pl., p. 819.

> 2   Mais moi, ça me faisait du bien de parler de tout, du dab, de la mère, des musettes et des pépées (...)   P. MAC ORLAN, la Bandera, VI, p. 72.

> 3   Le Miquel, il me plaisait bien aussi, ce trapu au front bas, dont je distinguais les tiffes raides comme crin, mais brillantinés au maximum. Il devait y avoir des bûcherons et des charbonniers chez ses grands-dabs, des hommes de bois !
>   Albert SIMONIN, Touchez pas au grisbi, p. 192.

Par ext. (au plur.). *Les dabs* ou *les dabes :* les parents. ⇒ **Vieux.** — Au fém. *Dabe.* ⇒ **Dabesse.**

DÉR. Dabesse, dabuche. — V. aussi Doche.

D. A. B. [deabe] n. m. — Abrév. de *distributeur automatique de billets.*

DABBIEH [dabjɛ] n. f. ⇒ **Dahabieh.**

DABESSE [dabɛs] n. f. — 1872 ; de dab.

♦ Argot (rare). Mère. ⇒ **Daron** (daronne), **doche, mater, vieux** (vieille). — Vx. Femme du patron. — *Belle-dabesse :* belle-mère.

REM. On rencontre aussi la var. *dabuche* [dabyʃ] et l'emploi de *dabe* au féminin.

> Je trouvai mon dab, en plein boum, les boules à la main, qui me dit de m'en remettre à la belle dabesse.   Jeanne CORDELIER, la Passagère, p. 22.

D'ABORD [dabɔʀ] loc. adv. ⇒ **Abord.**

DABUCHE [dabyʃ] n. f. — Argot (rare). ⇒ **Dabesse.**

DA CAPO [dakapo] loc. adv. — 1705 ; loc. ital. «depuis le commencement», de *capo* «tête ; début».

♦ Mus. Locution indiquant qu'il faut reprendre le morceau depuis le début (abrév. : *D. C.*). *Reprise da capo.* — N. m. Reprise. *Ne pas oublier le da capo. Des da capo.*

D'ACCORD [dakɔʀ] loc. adv. ⇒ **Accord.** — Abrév. fam. : *d'ac.*

1. DACE [das] adj. et n. — Av. 1740 ; lat. *Dacius.*

♦ Hist. Qui se rapporte à la Dacie (nom de la région correspondant à l'actuelle Roumanie avant la colonisation romaine) ou à ses habitants. ⇒ aussi **Dacique.** *Le peuple dace.* — N. *Un, une Dace :* un habitant, une habitante de la Dacie. *Les Daces.*

HOM. 2. Dace.

2. DACE [das] n. f. — Attesté, dans l'usage courant, du xvie au xviiie, avec au xvie les var. *dache, dasse ;* lat. médiéval *datio* «contribution, impôt» (en lat. class. «action de donner»), de *dare* «donner».

♦ Hist. (Anciennt). Impôt, taxe, contribution ; spécialt, impôt perçu sur le transport des marchandises d'un pays à un autre.

HOM. 1. Dace.

DACHE (À) [adaʃ] loc. adv. — 1866 ; orig. incert., peut-être déformation mal expliquée de *diache* «diable», régionalement bien attesté ; *Dache* est traité comme un nom propre, et l'absence d'article (à *Dache, chez Dache* et non *au Dache, chez le Dache*) s'expliquerait par l'attraction d'autres locutions, la plus fréquente dans le même emploi étant : *à, chez Plumepatte* «au diable».

♦ Argot. Au diable. *C'est à Dache,* très loin. *Envoyer qqn* (plus rarement, *qqch.*) *à Dache,* l'envoyer promener.

> (...) c'est promis, je l'enverrai à dache, tout ce fatras (...)
>   Jeanne CORDELIER, la Passagère, p. 334.

DACIQUE [dasik] adj. — 1740, *Domitien Dacique, in* Trévoux ; lat. *dacicus* «des Daces, relatif aux Daces». → 1. Dace.

♦ Relatif aux Daces, à la Dacie. *Guerres daciques,* menées par Trajan (101-107 après J.-C.), auquel elles valurent le surnom de *Dacius* «vainqueur des Daces», et qui firent de la Dacie une province romaine.

DACITE [dasit] n. f. — 1866; en all., Stacke, 1878; de *Dacie*, nom ancien de la Roumanie. → 1. Dace.

♦ Minér. Roche microlithique composée de quartz et de feldspaths. «*Un type de lave, la dacite, recueillie sur le mont japonais Hazuna*» (*Science et Vie*, 1967, n° 588, p. 60).

DACRON [dakʀɔ̃] n. m. — 1951; nom déposé.

♦ Fibre textile synthétique, polyester (fabriquée sous licence américaine). ⇒ **Tergal.**

Je l'aurais aimée, même fossilisée, même squelette, même ventrue et obèse (...) en soutien-gorge sans pinces ni fermeture, ancré sur ruban et bretelles stretch (...) en dacron, en style débardeur, en alliage léger, pulvérulente, siliceuse, sédimentaire ... Je l'aime! Jean CAYROL, Histoire d'un désert, p. 75.

DACRYO- Élément, du grec *dakruon* «larme», entrant dans la composition de mots savants. Voir ci-après à l'ordre alphabétique.

DACRYOCYSTITE [dakʀijosistit] n. f. — 1845; de *dacryo-, cyst-*, et suff. *-ite.*

♦ Méd. Inflammation du sac lacrymal.

DACRYOGÈNE [dakʀijoʒɛn] adj. — Mil. xxᵉ; de *dacryo-*, et *-gène.*

♦ Méd. (physiol.). Rare. Qui produit la sécrétion des larmes. ⇒ **Lacrymogène.**

DACTYL-, DACTYLO- Élément, du grec *daktulos* «doigt», entrant dans la composition de termes didactiques et courants. Voir à l'ordre alphabétique.

1. DACTYLE [daktil] n. m. — V. 1370; lat. *dactylus*; grec *daktulos* «doigt».

♦ Didact. Pied formé d'une syllabe longue suivie de deux brèves (par comparaison avec les doigts, qui ont une grande phalange et deux petites), dans la prosodie grecque et latine. ⇒ **Dactylique.**

DÉR. **Dactylique.**

2. DACTYLE [daktil] n. m. — xviᵉ; lat. *dactylus*, du grec *daktulos.* → 1. Dactyle.

♦ Bot. Plante monocotylédone *(Graminacées),* herbacée, vivace, qui croît dans les endroits incultes et dont une variété, le *dactyle pelotonné* ou *aggloméré,* est une plante fourragère.

3. DACTYLE [daktil] n. m. ⇒ **Dactylopodite.**

-DACTYLE Élément, du grec *daktulos* «doigt», entrant dans la composition de termes didactiques (de biologie, notamment). ⇒ **Adactyle, artiodactyle, brachydactyle, décadactyle, didactyle, isodactyle, isodactylie, macrodactyle, macrodactylie, pentadactyle, polydactyle, polydactylie, ptérodactyle, syndactyle, syndactylie, tétradactyle, tridactyle.**

DACTYLÉ, ÉE [daktile] adj. — xxᵉ; dér. sav. du grec *daktulos.* → Dactyl-.

♦ Sc. nat. Qui porte des prolongements en forme de doigts.

DACTYLIQUE [daktilik] adj. — 1466; de 1. *dactyle.*

♦ Didact. Qui se rapporte au dactyle, dans la prosodie grecque et latine. *Hexamètre dactylique :* hexamètre formé uniquement de dactyles, sauf le dernier pied qui est un spondée; hexamètre dont le dernier pied est un dactyle.

DACTYLITE [daktilit] n. f. — 1956; de *dactyl-*, et suff. *-ite.*

♦ Méd. Inflammation du doigt.

DACTYLO [daktilo] n. ⇒ **Dactylographe.** — N. f. ⇒ **Dactylographie.**

DACTYLO- ⇒ **Dactyl-.**

DACTYLOGRAMME [daktilogʀam] n. m. — xxᵉ; de *dactylo-*, et *-gramme.*

♦ **1.** Didact. Empreinte digitale, utilisée comme moyen d'identification par le procédé dit *dactyloscopie*. Dactylogrammes portés sur une fiche anthropométrique.*

♦ **2.** Dactylographie, manuscrit dactylographié (syn. : *tapuscrit*). → Manuscrit, cit. 7.

DACTYLOGRAPHE [daktilogʀaf] (vx) ou **DACTYLO** [daktilo] n. — 1832, «clavier pour sourds-muets et aveugles»; «machine à écrire», 1873; sens actuel à la fin du xixᵉ; *dactylo*, 1923; de *dactylo-*, et *-graphe.*

♦ **1.** Personne (géneralt, femme) dont la profession est d'écrire ou de transcrire des textes, des lettres, des documents, en se servant de la machine à écrire. *Dactylo tapant une lettre à la machine. Dactylo qui connaît la sténo(graphie).* ⇒ **Sténodactylo, sténodactylographe.** *Dactylographe travaillant avec une machine à dicter.* ⇒ **Audiotypiste.** *Une bonne dactylo, une dactylo rapide. Le métier de dactylo est différent de celui de compositeur, de claviste d'imprimerie.*

Une dactylographe peut produire une copie médiocre ou une copie admirable : cela dépend de sa frappe, des soins qu'elle donne à sa machine, de la symétrie des titres, de la mise en page, de l'attention avec laquelle elle se relit.   A. MAUROIS, Un art de vivre, III, 3, p. 116.   [1]

Adj. *Secrétaire* dactylographe.* — En attribut. *Êtes-vous dactylo? Il, elle est dactylo.*

REM. 1. Le mot est rare au masculin, surtout comme substantif : *c'est un excellent dactylo* est à peine acceptable.
2. En composition : *dactylo-facturière*, n. f. (*le Nouvel Obs.,* 15 juin 1981, p. 68).

♦ **2.** N. m. Régional (Canada). Machine à écrire (emploi critiqué au Québec, et qui tend à disparaître).

Puis il s'est redressé, un pied sur le dactylographe qui en gémit, l'autre sur la couverture.   Jacques GODBOUT, D'amour P. Q., p. 112.   [2]

DÉR. **Dactylographie.**
COMP. **Sténodactylographe.** — **Dactylo-facturière** (V. ci-dessus, REM. 2.).

DACTYLOGRAPHIE [daktilogʀafi] n. f. — 1832; de *dactylographe.*

♦ **1.** Vx. Art de converser par le toucher avec les sourds-muets aveugles.

♦ **2.** (1900). Mod. Technique, métier d'une personne (⇒ **Dactylographe**) qui écrit mécaniquement en frappant sur les touches d'une machine *(machine à écrire),* qui tape à la machine. *Dactylographie combinée avec la sténographie.* ⇒ **Sténodactylographie, sténotypie.** — Par abrév. *Apprendre la dactylo.*

♦ **3.** (V. 1927). Didact. Texte dactylographié. ⇒ **Dactylogramme.**

J'ai aujourd'hui sous les yeux la dactylographie d'une conférence de presse faite par l'ethnarque Makarios sur le comportement des autorités militaires britanniques à Chypre (...)   F. MAURIAC, Bloc-notes 1952-1957, p. 350.

DÉR. **Dactylographier, dactylographique.**
COMP. **Sténodactylographie.**

DACTYLOGRAPHIER [daktilogʀafje] v. tr. — 1907; de *dactylographie.*

♦ Didact. Écrire en dactylographie. ⇒ **Taper** (cour.). *Dactylographier une lettre. Faire dactylographier sa thèse.*

▶ **DACTYLOGRAPHIÉ, ÉE** p. p. adj.
Écrit en dactylographie, tapé à la machine. *Texte dactylographié.* ⇒ **Dactylogramme, tapuscrit.** *Passage bien, mal dactylographié.*

CONTR. (Du p. p. adj.) **Manuscrit.**

DACTYLOGRAPHIQUE [daktilogʀafik] adj. — 1832; de *dactylographie.*

♦ **1.** Vx. Qui se rapporte à l'art de converser par le toucher avec les sourds-muets aveugles.

♦ **2.** (1900). Mod. et didact. Qui se rapporte à la dactylographie (2.). *Exercices dactylographiques.*

DACTYLOLALIE [daktilɔlali] n. f. — 1808; de *dactylo-*, et *-lalie*.

♦ Vx. ⇒ **Dactylologie.**

DÉR. Dactylolalique.

DACTYLOLALIQUE [daktilɔlalik] adj. — XIXᵉ; de *dactylolalie*.

♦ Vx. Qui a rapport à la dactylolalie; dactylologique.

DACTYLOLOGIE [daktilɔlɔʒi] n. f. — 1797; de *dactylo-*, et *-logie*.

♦ Didact. Langage digital inventé par l'abbé de l'Épée, à l'usage des sourds-muets. — On trouve aussi *dactylolalie* (vx) et *dactylophasie*.

DÉR. Dactylologique.

DACTYLOLOGIQUE [daktilɔlɔʒik] adj. — XVIIIᵉ; de *dactylologie*.

♦ Didact. Qui a rapport à la dactylologie. Syn. (vx) : *dactylolalique, dactylophasique*.

DACTYLOMANCIE [daktilɔmɑ̃si] n. f. — 1795, Sade, *in* D. D. L.; *dactyliomancie*, 1721; de *dactylo-*, et *-mancie*.

♦ Didact. Divination, prédiction au moyen d'un anneau (de doigt), d'une bague.

DACTYLOPHASIE [daktilɔfazi] n. f. — XXᵉ; de *dactylo-*, et *-phasie*.

♦ Vx. ⇒ **Dactylologie.**

DÉR. Dactylophasique.

DACTYLOPHASIQUE [daktilɔfazik] adj. — XXᵉ; de *dactylophasie*.

♦ Vx. Dactylologique.

DACTYLOPODITE [daktilɔpɔdit] n. m. — 1893; de *dactylo-*, grec *podos* «pied», et suff. *-ite*.

♦ Zool. Article terminal de la patte des crustacés, pouvant prendre la forme d'une griffe ou d'une pince. — REM. On dit aussi, par abréviation, *dactyle*.

DACTYLOPTÈRE [daktilɔptɛʀ] n. m. — 1808; de *dactylo-*, et *-ptère* «aile».

♦ Zool. Poisson volant *(Triglidés)*, commun dans la Méditerranée, et appelé *hirondelle de mer. Le dactyloptère se sert de ses nageoires pectorales très vastes pour sauter au-dessus de l'eau* (1 m). *L'exocet* et le dactyloptère sont tous deux des poissons volants.*

Les performances des Dactyloptères, autres poissons volants cousins des Grondins, sont plus modestes. Plus lourds, nantis de pectorales plus amples mais beaucoup moins longues, ils les agitent fortement pour un résultat médiocre.
R. et M.-L. BAUCHOT, les Poissons, p. 22.

DACTYLOSCOPIE [daktilɔskɔpi] n. f. — 1906; de *dactylo-*, et *-scopie*.

♦ Didact. (admin.). Procédé d'identification par les empreintes digitales (⇒ **Dactylogramme**) utilisé surtout en anthropométrie judiciaire.

DÉR. Dactyloscopique.

DACTYLOSCOPIQUE [daktilɔskɔpik] adj. — 1945; de *dactyloscopie*.

♦ Didact. (admin.). De la dactyloscopie.

L'Identité judiciaire a pris les photos mais n'a pu relever d'empreintes digitales sauf celles de la victime, bien entendu! Elles ne correspondent à aucune fiche dactyloscopique.
G. SIMENON, Pietr-le-Letton, p. 37.

DACTYLOTYPE [daktilɔtip] n. f. — Déb. XXᵉ; de *dactylo-*, et *-type*.

♦ Vx. Machine à écrire.

DACTYLOZOÏDE [daktilɔzɔid] n. m. — 1897; de *dactylo-*, et *-zoïde*.

♦ Zool. Individu défenseur dans une colonie d'hydrozoaires, polype sans bouche mais muni de tentacules porteurs de nématocystes.

DADA [dada] n. m. — 1508; onomat., p.-ê. de *dia*.

★ I. ♦ **1.** Cheval (langage enfantin). *Un dada, des dadas. Être, se mettre à dada,* à cheval.

Un bâton entre les jambes qu'il appelait son dada.   1
FURETIÈRE, le Roman bourgeois, I, 108.

♦ **2.** (1776; trad. angl. *hobby horse*). Sujet favori, idée à laquelle on revient sans cesse. ⇒ **Hobby, manie, marotte; idée** (fixe), **toquade.** *Il garde le même dada depuis dix ans.* — (Avec un ou plusieurs termes définissant la nature du sujet favori). *Dada musical.*

REM. Le mot s'est d'abord employé, et s'emploie encore, avec des verbes ou dans des constructions où la métaphore du «cheval» est sentie : *enfourcher un, son dada. Le voilà parti sur son dada* (→ ci-dessous, cit. 2 et 3.1).

«Voilà Hector à cheval sur son dada, dit-il. Au chapitre des jeunes filles, il est inépuisable».   2
Marcel PRÉVOST, les Demi-vierges, I, III, p. 19.

Un des dadas de Teste, non le moins chimérique, fut de vouloir conserver l'art — *Ars* — tout en exterminant les illusions d'artiste et d'auteur.   3
VALÉRY, M. Teste, p. 120.

(...) il se mettait à parler avec chaleur sans s'arrêter, comme sans voir les sourires que son enthousiasme excitait chez ses admirateurs qui l'invitaient souvent à dîner pour le servir à ceux qui ne le connaissaient pas encore : «Vous verrez, nous le mettrons sur un de ses dadas, et quand il est parti, vous verrez, c'est extraordinaire.» Et en effet il partait.   PROUST, Jean Santeuil, Pl., p. 275.   3.1

(...) Laborde passait, à juste titre, pour le plus incisif et le plus savoureux illustrateur de sa génération. Mac Orlan, qui a toujours eu ses dadas, l'agaçait quelquefois, en lui rebattant les oreilles du nom de Grosoz dont les dessins publiés à Berlin commençaient d'être répandus à Paris.   3.2
Francis CARCO, Nostalgie de Paris, p. 238.

★ **II.** N. propre; sans article et avec la majuscule. Dénomination adoptée par un mouvement artistique et littéraire révolutionnaire, en 1916. *Le surréalisme est issu de Dada.*

On apprend dans les journaux que les nègres Krou appellent la queue d'une vache sainte : DADA. Le cube et la mère en une certaine contrée d'Italie : DADA. Un cheval en bois, la nourrice, double affirmation en russe et en roumain : DADA. Des savants journalistes y voient un art pour les bébés (...) On ne construit pas sur un mot la sensibilité; toute construction converge à la perfection qui ennuie, idée stagnante d'un marécage doré, relatif produit humain.   3.3
Tristan TZARA, Manifeste DADA, 1918, *in* DADA, Réimpression..., p. 54.

DADA naquit d'une révolte qui était commune à toutes les adolescences, qui exigeait une adhésion complète de l'individu aux nécessités profondes de sa nature, sans égards pour l'histoire, la logique ou la morale ambiantes, Honneur, Patrie, Morale, Famille, Art, Religion, Liberté, Fraternité (...) autant de notions (...) dont il ne subsistait que de squelettiques conventions.   4
Tristan TZARA, le Surréalisme et l'Après-guerre, p. 17.

L'honneur s'achète et se vend comme le cul. Le cul, le cul représente la vie comme les pommes frites, et vous tous qui êtes sérieux, vous sentirez plus mauvais que la merde de vache.   4.1
DADA lui ne sent rien, il n'est rien, rien, rien.
Francis PICABIA, Manifeste cannibale Dada, Bulletin Dada nᵒ 6, 1920, *in* DADA, Réimpression..., p. 113.

C'est en glissant un coupe-papier au hasard dans les pages d'un Larousse que fut trouvé le mot DADA. Il fut adopté (...) pour sa parfaite insignifiance. Il était en lui-même un manifeste.   5
René LACOTE, Tristan Tzara, p. 16.

Adj. *Mouvement dada. Manifestes dada.*

Machine à chavirer l'esprit, selon Aragon, le surréalisme s'est forgé d'abord dans le mouvement «dada» dont il faut noter les origines romantiques, et le dandysme anémié.   6
CAMUS, l'Homme révolté, Pl., p. 500.

Par métonymie. *Un, une dada :* membre du mouvement dada. ⇒ **Dadaïste.** *Les dadas et les surréalistes.*

DÉR. Dadaïsme, dadaïste.

DADAIS [dadɛ] n. m. — 1640, *in* D. D. L.; mot onomatopéique *dadée* «enfantillage», XVIᵉ. → Dadin.

♦ Garçon niais et de maintien gauche. ⇒ **Ballot, dandin, niais, nigaud, sot.**

Nous avons le fils du gentilhomme de notre village qui est le plus grand maliterne et le plus sot dadais que j'aie jamais vu.   1
MOLIÈRE, le Bourgeois gentilhomme, III, 12.

Plus cour. : *grand dadais.*

Si Marcel *(maître à danser en vogue au XVIIIᵉ s.)* rencontrait un homme placé comme l'Antinoüs (...) «Allons donc, grand dadais, lui dirait-il, est-ce qu'on se tient comme cela?»   2
DIDEROT, Essai sur la peinture, IV, p. 1170.

DADAÏSME [dadaism] n. m. — 1916; de *Dada*.

♦ École, mouvement dada; sensibilité particulière à l'école dadaïste. *Dadaïsme poétique, pictural.*

Le Dadaïsme. Pour introduire l'idée de folie passagère en mal de scandale et de publicité d'un isme nouveau— si banal, avec le manque de sérieux inné à ces sortes de manifestations, les journalistes nommèrent Dadaïsme ce que l'intensité d'un art nouveau leur rendit impossible compréhension et puissance de s'élever à l'abstraction, la magie d'une parole (DADA), les ayant mis, (par sa simplicité de ne rien signifier) devant la porte d'un monde présent, vraiment trop forte éruption pour leur habitude de se tirer facilement d'affaire.
Note au Manifeste DADA, 1918, *in* DADA, Réimpression..., p. 54.

DADAÏSTE [dadaist] adj. et n. — 1918; de *Dada*.

♦ Qui se rapporte au mouvement dada. *Poésie dadaïste. La spontanéité dadaïste.*

N. *Un, une dadaïste :* membre de l'école dada. (On dit aussi *dada*).

(La révolte des romantiques) s'enracine à un niveau profond, mais du Cleveland de l'abbé Prévost jusqu'aux dadaïstes, en passant par les frénétiques de 1830, Baudelaire et les décadents de 1880, plus d'un siècle de révolte s'assouvit à bon compte dans les audaces de «l'excentricité».   CAMUS, l'Homme révolté, Pl., p. 462.

DADIN [dadɛ̃] n. m. — Mil. xxᵉ; probablt mot régional *dadin* « dadais ». → Nigaud.

♦ Régional. Fou, gros oiseau marin.

Le bateau est entouré de dadins, qu'on appelle aussi des fous, palmipèdes de la taille des goélands, dont le plumage est fauve en dessus, blanc bordé de gris en dessous.
J.-R. BLOCH, Sur un cargo, p. 215.

DAGENAN [dagenã] n. m. — V. 1938; nom pharmaceutique allemand, déposé (Specia).

♦ Pharm. Sulfamide puissant, spécifique contre la pneumonie.

DAGORNE [dagɔʀn] n. f. — 1611; de *dag(ue)*, et *(c)orne*.
Vieux ou régional.

♦ **1.** Vache qui n'a plus qu'une corne.

♦ **2.** Péj. Femme vieille, laide, méchante.

DAGUE [dag] n. f. — 1229, « poignard »; provençal *daga*, p.-ê. du lat. pop. *daca* « épée dace » ou (P. Guiraud), d'un gallo-roman *deacua*, de l'adj. *accuus* « pointu, aiguisé » (→ Aigu), avec préfixe intensif *de-* (→ 2. Dé-).

♦ **1.** Épée courte ou long poignard que l'on portait au côté droit et dont la lame aiguë et plate pouvait pénétrer au défaut de la cuirasse ou à travers les cottes de maille. ⇒ **Couteau, épée, poignard.** *Dague de miséricorde*, et, ellipt. *miséricorde* : dague dont on achevait l'adversaire terrassé, s'il n'implorait miséricorde.

1 Aod (...) fit faire une dague à deux tranchants, qui avait une garde de la longueur de la paume de la main, et il la mit sous sa casaque à son côté droit (...)
BIBLE (SACY), Livre des Juges, III, 16.

2 Je le garde *(mon nom)*, secret et fatal pour un autre
Qui doit un jour sentir, sous mon genou vainqueur,
Mon nom à son oreille et ma dague à son cœur.
HUGO, Hernani, I, 2.

2.1 (...) la dague, spécialement destinée à percer les cottes de mailles ou les joints des armures (...) doit avoir une lame de trente à quarante centimètres dont la partie percutante, très aiguë, est de section carrée ou losangique. Cet idéal fonctionnel a été atteint entre le XIVᵉ et le XVIIIᵉ siècle en Europe, dans le Proche-Orient et au Japon.
A. LEROI-GOURHAN, le Geste et la Parole, t. II, p. 130.

Loc. (vx). *Fin comme une dague de plomb* : lourd d'esprit.

3 Panurge était (...) fin à dorer comme une dague de plomb.
RABELAIS, Pantagruel, XVI.

♦ **2.** Techn. Lame de fer emmanchée par les deux bouts, avec laquelle les relieurs raclent les peaux.

♦ **3.** Vén. Ⓐ Défense (du sanglier). *Les dagues puissantes d'un vieux solitaire.*

Ⓑ (XVIᵉ). *Dagues de cerf, de daim*, premiers bois en forme de petites cornes pointues que portent ces animaux vers la seconde année. *Petit cerf avant la pousse des dagues.* ⇒ **Hère.** *Petit cerf après la pousse des dagues.* ⇒ **Daguet** (ou dagard).

4 Les autres hères, comme lui, s'éloignèrent dès la fin de la nuit, tourmentés par la pousse de leurs bois. Déjà, sur la tête du Brèche-Pied, les dagues s'allongeaient hors des bosses, moins faites encore que celle du Rouge, mais jaillissant d'un jet courbe et nerveux sous la mollesse duveteuse de la peau qui les gainait.
M. GENEVOIX, la Dernière Harde, VII, p. 50.

DÉR. Dagorne, daguer, daguet ou dagard, daguette. — V. aussi **Dail.**

DAGUER [dage] v. — V. 1572; de *dague*.
Techn. (t. de chasse).

★ **I.** V. tr. ♦ **1.** Frapper à coups de dague. *Daguer un sanglier.*

Mes deux frères aînés sont morts à la guerre, mon cousin germain de Loynes en daguant un cerf, dans notre forêt de Dampierre (...)
BERNANOS, Dialogues des carmélites, in Œ. roman., Pl., p. 1594.

♦ **2.** (1694). Saillir (la femelle), en parlant du cerf, du daim. — Intr. *Cerf en train de daguer.*

★ **II.** V. intr. Voler de toutes ses forces, en parlant d'un faucon.

▶ **SE DAGUER** v. pron.
(De I.). Régional. Se battre à coups de cornes, en parlant des chèvres.

DAGUERRÉOTYPE [dageʀeɔtip; dagɛʀeɔtip] n. m. — 1838; de *Daguerre*, nom de l'inventeur, et *-type*.

♦ Procédé primitif de la photographie, par lequel l'image de l'objet était fixée sur une plaque métallique. ⇒ **Photographie.** « *Le charme cruel et surprenant du daguerréotype* » (Baudelaire).

1 C'est à Paris que le daguerréotype a pris naissance (...) et si maintenant son succès est devenu européen, l'admirable invention de Daguerre ne cesse pas pour cela d'être cultivée à Paris.
Ch. PAUL DE KOCK, la Grande Ville, t. I, p. 193.

2 Or, ce changement du rapport de l'homme avec la terre, que nous entrevoyons, sera aussi éclatant dans un siècle, que l'est pour nous le passage du daguerréotype au cinéma.
MALRAUX, l'Homme précaire et la Littérature, p. 214-215.

Par métonymie. L'instrument employé pour obtenir cette image. *Restaurer un daguerréotype.* — Atelier de daguerréotypie.

3 Au rez-de-chaussée, le café-billard; au premier, la salle de danse; au second, la salle d'escrime et de boxe; au troisième le daguerréotype, instrument de patience qui s'adresse aux esprits fatigués, et qui, détruisant les illusions, oppose à chaque figure le miroir de la vérité.
NERVAL, les Nuits d'octobre, « Pantin », Pl., p. 109.

Plus cour. Image obtenue par daguerréotype. *Collection de daguerréotypes.*

4 (...) une belle commode à dessus de marbre portait sa pendule sous globe de verre, deux chandeliers en cuivre, une boîte incrustée de coquillages, des daguerréotypes très orgueilleux, notamment celui d'un vieil homme en militaire avec dolman à brandebourgs, poing sur la hanche et moustaches en cornes de taureau (...)
J. GIONO, le Hussard sur le toit, p. 108.

5 Nicéphore Niepce engloutit sa fortune pour inventer le moteur à combustion interne et, sur ses vieux jours, s'amuse à fixer à l'aide d'essence de lavande les images dessinées par le soleil sur un écran imprégné de bitume de Judée. Après sa mort, son associé Daguerre perfectionne le truc par une plaque de métal couverte d'iodure d'argent, que l'on développe en l'exposant à des vapeurs de mercure. En 1839, il expose ses premiers daguerréotypes : une galerie du Louvre, les ponts de la Seine... Niepce ne sera pas le père du moteur à combustion interne, il sera le grand-père de la photographie.
Jean DUCHÉ, Histoire du monde, IV, p. 32.

DÉR. Daguerréotyper, daguerréotypie.

DAGUERRÉOTYPER [dageʀeɔtipe; dagɛʀeɔtipe] v. tr. — Mil. XIXᵉ; de *daguerréotype*.

♦ Vx. Reproduire en image, par le procédé du daguerréotype.

▶ **DAGUERRÉOTYPÉ, ÉE** p. p. adj. (1839, Gautier). *Épreuve daguerréotypée. Portrait daguerréotypé.*

Je regrette de ne pouvoir t'envoyer mon épreuve daguerréotypée de ce dernier qui est à Schoubra; quelque peintre t'en donnerait le dessin.
NERVAL, Lettre à Th. Gautier, 2 mai 1843, Pl., p. 871.

DÉR. Daguerréotypeur.

DAGUERRÉOTYPEUR [dageʀeɔtipœʀ; dagɛʀeɔtipœʀ] n. m. — 1842, Balzac, *lettre à Mᵐᵉ Hanska*; de *daguerréotyper*.

♦ Vx. Personne qui reproduit une image par daguerréotypie. ⇒ **Photographe.** — REM. Le fém. est virtuel.

Nous voici bien loin de notre humble besogne de daguerréotypeur littéraire.
Th. GAUTIER, Constantinople, p. 308.

DAGUERRÉOTYPIE [dageʀeɔtipi; dagɛʀeɔtipi] n. f. — 1839; de *daguerréotype*.

♦ Vx. Photographie au moyen du daguerréotype. — Par métonymie (rare). Image obtenue par ce procédé. ⇒ **Daguerréotype.**

DAGUERRIEN, IENNE [dagɛʀjɛ̃, jɛn] adj. — 1841; du nom propre *Daguerre*. → Daguerréotype.

♦ Didact. Qui se rapporte au daguerréotype et à la daguerréotypie.

DAGUET [dagɛ] ou (vx) **DAGARD** [dagaʀ] n. m. — 1655, *daguet*; *dagard*, XVIᵉ; de *dague* (3.).

♦ Vén. Jeune cerf ou jeune daim, généralement dans sa deuxième année, qui pousse son premier bois (⇒ **Dague**, 3.).

Le faon ne porte ce nom que jusqu'à six mois environ, alors les bosses commencent à paraître, et il prend le nom de hère jusqu'à ce que ces bosses allongées en dagues lui fassent prendre le nom de daguet.
BUFFON, Hist. nat. des animaux, Le cerf, in LITTRÉ.

DAGUETTE [dagɛt] n. f. — Av. 1466; de *dague*, 1.

♦ Didact. (archéol.). Petite dague. ⇒ aussi **Dail.**

DAHABIEH [daabjɛ] n. f. — 1869; *dhahbia*, 1787; *dahabi*, n. m., 1848; arabe égyptien *dahabiyya*, même sens, littéralement « la dorée », de *dahab* « or ».

♦ Didact. Grande barque à voile triangulaire, employée pour le transport des voyageurs sur le Nil. *Des dahabiehs et des felouques.* — REM. On rencontre les var. *dabbieh* (cf. cit.), et *dahabîyé* (Barrès, 1908, in T. L. F.).

Védrine ne voyait dans cet argent du chef-d'œuvre que trois mois de flâne, en dabbieh, sur le Nil.
Alphonse DAUDET, l'Immortel, p. 178.

DAHIR [daiʀ] n. m. — 1929; mot arabe.

♦ Décret du sultan du Maroc. *Dahir interdisant de vendre des boissons alcooliques aux musulmans marocains.*

1 Sa Majesté le Sultan a signé les Dahirs réorganisant les nouvelles juridictions et promulguant les nouveaux codes de l'Empire.
L. H. LYAUTEY, Paroles d'action, p. 95.

2 I... ramène à ses proportions exactes une fortune dont le souverain n'a pas l'administration, qu'un dahir peut lui enlever à chaque instant et sur les revenus de laquelle il doit faire vivre trente personnes.
F. MAURIAC, Bloc-notes 1952-1957, p. 88.

DAHLIA [dalja] n. m. — 1804 ; de *Dahl*, nom du botaniste suédois qui, en 1789, rapporta cette plante du Mexique.

♦ Plante ornementale dicotylédone *(Composées)* vivace, aux grosses racines charnues, produisant des fleurs simples ou doubles aux couleurs riches et variées. *Les racines du dahlia renferment de l'inuline. Dahlia-glaive*, à feuilles en forme de glaives. — Plus cour. Fleur de cette plante. *Une gerbe de dahlias.*

1 L'ameublement, les rideaux et les tapisseries de ce petit salon étaient d'un rouge sombre : des vases d'albâtre sur la cheminée. Dans l'ombre, une toile dans le style des élèves de Rembrandt ; de mauvais dahlias violets dans une coupe, sur le piano.
VILLIERS DE L'ISLE-ADAM, Tribulat Bonhomet, p. 71.

2 Le copal montait au-dessus du village, des églises de sucre, et d'une tache de dahlias-glaives éclatante comme un tesson de verre rouge.
MALRAUX, Antimémoires, éd. Folio, p. 79.

DAHOMÉEN, ENNE [daɔmeɛ̃, ɛn] adj. et n. — 1870 ; *dahoman, -mien*, 1796 ; de *Dahomey*, région historique d'Afrique.

♦ Qui se rapporte au Dahomey (aujourd'hui Bénin, d'où l'adj. *béninois, oise*) ou à ses habitants. *Les ethnies dahoméennes.*

N. (Ancienn). *Un Dahoméen, une Dahoméenne* : un habitant, une habitante du Dahomey (Bénin), ou une personne qui en est originaire. Syn. mod. : *Béninois, oise.*

DAHU [day] n. m. — Attesté XIXe dans diverses régions, avec la var. *daru* ; notamment : *chasse au dahû*, Berry, et *darue* «chasse de nuit aux oiseaux», Mons, 1812 ; aussi, par croisement avec *garou* : *darou* «être imaginaire qu'on fait craindre aux innocents», Bresse ; Wartburg rattache ces termes, comme *daru* et *dalu* «niais, stupide» à une forme hypothétique **darrutu.*

♦ Animal imaginaire à l'affût duquel on poste une personne crédule qu'on veut mystifier. Syn. plus rare : *daru* [daʀy]. *La chasse au dahu. Le dahu passe pour être tantôt un oiseau, tantôt un quadrupède dont deux pattes* (latérales ou antérieures) *sont beaucoup plus courtes que les deux autres : surpris par un coup de sifflet du chasseur, l'animal se retourne et perd l'équilibre.* — REM. Dans la tradition populaire, le chasseur revenu bredouille après une nuit d'attente, se voyait attribué le sobriquet de *daru* ou *dahu.*

N'empêche que depuis qu'il est mort, Ramos a pris dans mon souvenir toute sa véritable importance et l'espèce de majesté que je n'avais pas voulu lui accorder sans réserve du temps que nous courions ensemble dans la montagne, tantôt excités par la chasse aux dahus, tantôt gibiers nous-mêmes...
Jacques PERRET, Bande à part, p. 145.

DAÏER [daje] v. tr. — Attesté XIXe ; *dallier* «railler», XVe, Nord-Est de la France ; de l'allemand *dahlen* «badiner».

♦ Régional (Lorraine). Provoquer (qqn) pendant la veillée, par la porte ou la fenêtre, en lançant des sornettes ou des propos satiriques, pour s'attirer des répliques de l'intérieur. Dér. : *daïe* [daj] n.f.

On assistait là à une de ces séances plaisantes, comme on voit aux veillées lorraines, où les filles et les garçons échangent des facéties et des bouts rimés. C'était une véritable séance de *daïe*, où François *daïait* la religieuse. Tous ces paysans étaient enchantés (...)
M. BARRÈS, la Colline inspirée, p. 91.

DAIGNER [deɲe ; dɛɲe] v. tr. — V. 880, *degnier* ; *deignier*, XIIe ; du lat. *dignari* «juger digne».

♦ Vouloir bien accepter de (faire qqch.), soit en faveur d'une personne qu'on n'en paraît pas indigne, soit parce qu'on ne juge pas cette chose indigne de soi. ⇒ **Condescendre** (à), **consentir** (à) ; → Affabilité, cit. 2 ; associer, cit. 4 et 8 ; auparavant, cit. 6 ; bonté, cit. 11. *Le président, le directeur-général a daigné nous recevoir.* — Iron. *Quand est-ce que tu vas daigner m'écouter ? L'employé a finalement daigné s'occuper de moi* (→ ci-dessous, cit. 6 et 9). — En négation. *Ne pas daigner* (et l'inf.) : refuser de (faire qqch.), par indifférence, par fierté ou par mépris (→ ci-dessous, cit. 8). *Il ne daigne pas répondre à la calomnie. Il ne daigne rien faire.* — Absolt (rare). «*Ne sais-tu pas que tu seras ma femme le jour où tu daigneras ?* » (Toulet, *le Mariage de Don Quichotte*, 1902, in T. L. F.). « *Roi ne puis, duc ne daigne, Rohan suis* », devise des Rohan.

1 À répondre à cela je ne daigne descendre.				MOLIÈRE, les Femmes savantes, I, 2.

2 Qu'un peuple tout entier, tant de fois triomphant,
N'eût daigné conspirer que la mort d'un enfant ?				RACINE, Andromaque, I, 2.

3 Daigne-t-elle sur nous tourner au moins la vue ?
Quel orgueil !				RACINE, Andromaque, III, 6.

4 Vos pleurs pour Xipharès auraient daigné couler ?				RACINE, Mithridate, II, 6.

5 Daigne, daigne, mon Dieu, sur Mathan et sur elle
Répandre cet esprit d'imprudence et d'erreur (...)				RACINE, Athalie, I, 2.

6 Cette personne si dédaigneuse daigna me jeter un second regard qui valait tout au moins le premier (...)				ROUSSEAU, les Confessions, I, 3.

7 Sire, on *(la Reine)* m'a dit toute la bonté, toute la pitié qu'on daignait avoir (...)				A. DE MUSSET, Carmosine, III, 9.

8 (...) ne daignant rien voir ni rien entendre, il poursuivit sa marche monotone et féroce.				FRANCE, l'Anneau d'améthyste, XXII, Œ., t. XII, p. 255.

Nous dûmes patienter presque trois heures d'horloge avant que les officiers préposés à ces divers services daignassent se déranger.				9
G. DUHAMEL, Scènes de la vie future, I, p. 32.

Spécialt. Dans une formule de respect :

[a] (Adressée à une haute autorité : demande, prière). *Que votre Majesté daigne s'asseoir. Seigneur, daignez écouter ma prière* (→ Apaiser, cit. 8 et ci-dessus, cit. 5).

[b] (Adressée à une femme). *Daignez agréer (Madame) mes hommages.*

[c] (Adressée à un correspondant). *Daignez agréer, M..., l'expression (l'hommage...) de mes sentiments... Daignez recevoir, M..., mes salutations respectueuses.*

CONTR. et COMP. **Dédaigner.**

DAIL n. m. ou **DAILLE** [daj] n. f. — XVe ; lat. vulg. *daculum*, p.-ê. dimin. de *daca*. → Dague.

♦ **1.** Régional. Faux à manche court.

♦ **2.** (XVIe). Rare. Mollusque dont la coquille est semblable à une faux (en zool. : *pholade*).

DAIM [dɛ̃] n. m. — V. 1170 ; forme en concurrence avec *dain* ; du bas lat. *damus*, du lat. class. *dama*.

♦ **1.** Mammifère ruminant ongulé *(Cervidés)* de taille moyenne ou petite, caractérisé par l'aplatissement de ses andouillers supérieurs et sa robe tachetée. *Les bois du daim.* ⇒ **Andouiller, dague, perche.** *Cri du daim.* ⇒ **Bramement ; bramée.** *Daim qui brame. Femelle du daim.* ⇒ **Daine.** *Petit du daim.* ⇒ **Daneau, faon.** *Jeune daim qui pousse son premier bois.* ⇒ **Daguet.** *Jeune daim de cinq ans qui possède ses palmatures** (dit *paumier*). *Chasse au daim.*

Le premier *(chasseur)*, de son arc, avait mis bas un daim.				1
LA FONTAINE, Fables, VIII, 27.

Je suis comme le daim, au guet sur le rocher,				2
Qui geint de peur, palpite et dans l'herbe s'enfonce,
Parce qu'il sent venir la flèche de l'archer.				LECONTE DE LISLE, Poèmes barbares, «la Vigne de Naboth», III, p. 35.

Mais deux daims, superbes à voir, étaient restés sur le champ de bataille. Le				2.1
crâne baissé, cornes contre cornes, les jambes de l'arrière-train puissamment arc-boutées, ils se faisaient tête.				J. VERNE, le Pays des fourrures, t. I, p. 75.

Par métonymie. Viande de cet animal.

♦ **2.** [a] Ancienn. Peau préparée de cet animal.

[b] Mod. Cuir suédé (veau retourné). *Souliers, gants, veste, sac en peau de daim*, ou, ellipt., *en daim, de daim.* ⇒ **Suède.** *Usine où l'on travaille les peaux de daim.* ⇒ **Chamoiserie.**

(...) il fit tomber son soulier de daim gris (...)				2.2
MONTHERLANT, Pitié pour les femmes, p. 99.

♦ **3.** Comm. *Corne de daim* : bois de daim, utilisé comme matière première dans la fabrication de menus objets (boutons, manches de couteaux, etc.).

♦ **4.** Fig. (en parlant d'un homme). Vx. Bellâtre. *Un jeune, un vieux daim.*

Fam. Imbécile. *C'est un daim. Quel vieux daim !* — Vx. *Daim huppé* : personne riche et stupide.

(...) Adèle est une petite gueuse ? Vous êtes un vieux daim et une poire.				3
COURTELINE, Boubouroche, II, 4.

DÉR. **Daine** ou **dine** ; **daneau.**

DAÏMIO [daimjo] n. m. — 1870 ; mot japonais, littéralt «grand nom».

♦ Membre de l'aristocratie militaire qui, du IXe siècle à la révolution de 1868, domina au Japon. — REM. Écrit aussi *daimyo*, et, par les spécialistes, *daimyō*.

DAINE [dɛn] ou **DINE** [din] n. f. — V. 1320, *deyme* ; de *daim.*

♦ Vén. Femelle du daim.

DAÏQUIRI [dajkiʀi] n. m. — 1954, répandu v. 1973 ; mot amér., du nom d'un quartier de El Caney, à Cuba.

♦ Cocktail fait de rhum blanc, de citron vert et de sucre.

Je serais volontiers allée dîner au Relais-Plazza, marmonna Lucile en marchant. J'aurais pris un daïquiri glacé avec le barman et commandé un hamburger avec une salade.				F. SAGAN, la Chamade, p. 193.

DAÏRA [dajʀa] n. f. — Mil. XXe ; mot arabe déjà enregistré en franç. (Bescherelle, 1846) pour désigner la suite d'Abd-el-Kader, puis (Larousse) comme syn. de *dovar*, arabe *dawwar* ; du verbe *dara* «aller en cercle».

♦ En Algérie, Section, comité local, circonscription ; spécialt (1962), circonscription territoriale correspondant en général aux anciennes sous-préfectures. «*Aïn-Témouchent : une daïra pilote*» (El Moud-

jahid, 23 janv. 1973, p. 2). — Plur. *Daïrate* [dajʀat]. *« (...) les commissions de recours au niveau de la wilaya et des dairate (...) »* (*El Moudjahid,* 23 janv. 1973, p. 6). — Plur. francisé (barbarisme en arabe) : *des daïras.*

DAIS [dɛ] n. m. — xvɪᵉ, *dois ; deis* «table», v. 1165 ; du lat. *discus* «disque» ou «plateau pour disposer les mets», d'où, par ext., «table», «estrade» et «tenture au-dessus de l'estrade». → Disque.

◆ **1.** Ouvrage (de bois, de pierre, de tissu), fixé ou soutenu de manière qu'il s'étend comme un plafond au-dessus d'un trône, d'un autel, d'une chaire, de la place où doit siéger un personnage éminent. ⇒ **Baldaquin, ciel.** *Dais de bois sculpté, doré, de velours, de drap d'or. Dais fixé au mur. Petit dais de pierre ou de bois, en avancée au-dessus d'une statue.* ⇒ **Chapiteau.** *Dais surmontant un lit.* ⇒ **Ciel** (de lit). *Bande de bois, de métal découpé, d'étoffe passementée..., retombant autour d'un dais.* ⇒ **Gouttière, lambrequin.**

1   La chaire a pour dais un élégant clocher terminé en pointe comme une mitre (...)
           CHATEAUBRIAND, Mémoires d'outre-tombe, t. VI, p. 20.

2   (...) un dais seigneurial coiffé de plumes, historié d'armoiries dont il eût été difficile de déchiffrer le blason, et surmontant un fauteuil en forme de trône (...)
           Th. GAUTIER, le Capitaine Fracasse, t. II, XVI, p. 177.

3   Le trône du sultan, orné de plusieurs soleils, placé sous un dais rouge et or.
           LOTI, Aziyadé, II, XII, «Solitude», p. 53.

Loc. fig. Vx. *Être sous le dais :* être sur le trône, régner.

◆ **2.** Liturgie. Étoffe tendue, soutenue par de petis montants, sous laquelle on porte parfois le saint sacrement, particulièrement dans les processions. *Porter le dais le Jeudi Saint* (⇒ **Porte-dais**). *Tenir les cordons du dais.*

4   (...) deux encenseurs se retournaient à chaque pas vers le saint sacrement que portait, sous un dais de velours ponceau tenu par quatre fabriciens. M. le curé, dans sa belle chasuble.
           FLAUBERT, Trois contes, «Un cœur simple», V.

5   Sous un petit dais de velours rouge, marchait le prêtre, portant l'hostie et les saintes huiles.
           Alphonse DAUDET, le Petit Chose, I, ɪ, p. 24.

◆ **3.** Par anal. Archit. Voûte saillante au-dessus d'une statue.

◆ **4.** Fig. et littér. Abri, voûte. *Dais de feuillage.*

6   La fleur dort sur sa tige, et la nature même
     Sous le dais de la nuit se recueille et s'endort.
           LAMARTINE, Méditations..., «Ischia», II, 2.

HOM. Dès, dey.

DAL [dal] n. m. ⇒ 2. **Dalle.**

DALAÏ-LAMA [dalailama] n. m. — 1762, Académie ; *dalaé-lama,* 1692 ; mot mongol, de *dalaï* «océan» et *lama* (→ 2. Lama), mot tibétain.

◆ ⇒ 2. **Lama.**

DALBERGIE [dalbɛʀʒi] n. f. — 1786 ; lat. des naturalistes *dalbergia,* nom donné par Linné à cette plante, en l'honneur des frères *Dalberg.*

◆ Bot. Plante dicotylédone (*Légumineuses-papilionacées*), arbre ou arbrisseau grimpant, exotique, au bois odorant et violacé, très estimé dans l'ébénisterie de luxe. *Bois de dalbergie.* ⇒ **Palissandre.** Syn. : *bois royal, bois de rose des Anglais, bois de trac, bois de Sainte-Lucie, ébène* du Sénégal. Gomme laque de dalbergie.*

DALE [dal] n. m. ⇒ 2. **Dalle.**

DALEAU [dalo] n. m. ⇒ **Dalot.**

DALLAGE [dalaʒ] n. m. — 1831 ; de *daller.*

◆ **1.** Action de daller. *Faire le dallage d'une église.*

◆ **2.** Ensemble des dalles d'un pavement. *Dallage incrusté de mosaïques.* — Par ext. ⇒ **Pavement.**

1. DALLE [dal] n. f. — 1331, «évier» ; mot normand, de l'anc. scandinave *daela* «gouttière».

★ I. ◆ **1.** Tablette peu épaisse (de pierre dure, de marbre...) destinée au pavement du sol, au revêtement. *Dalles d'église, de trottoir, de vestibule, de cuisine, du foyer.* — *Dalle funèbre, funéraire* ou *tumulaire :* pierre recouvrant une tombe.

1   Chaque dalle de cette église est une dalle funéraire, et on a conscience que ce sol où l'on marche est plein d'ossements.
           LOTI, Figures et Choses..., «Messe de Minuit», p. 95.

2   Le maître des cérémonies s'inclina de nouveau, faisant sonner sous sa canne les dalles du parvis.
           MARTIN DU GARD, les Thibault, t. IV, p. 274.

Par métonymie. *La dalle :* le dallage. *La dalle d'un couloir.*
Par métaphore. Hortic. *Une dalle de fleurs, de pelouse.* ⇒ **Massif.**

◆ **2.** Géol. Grande plaque de roche lisse.

---

3   Près du gîte d'étape, à peine sorties du sol, de belles grandes dalles de granit gris.
           GIDE, Voyage au Congo, in Souvenirs, Pl., p. 812.

Alpin. Plaque de roche lisse difficile à franchir.

◆ **3.** Cuis. Tranche de poisson. *Une dalle de colin.* ⇒ **Darne.**

◆ **4.** Techn. Plaque (de béton armé, de ciment...) servant de plancher ou de couverture. Appos. *Plancher-dalle.* — *Dalle de verre.* Phys. Plaque, élément plat.

4   Si l'on pouvait découvrir un moyen pour augmenter le rendement de la transformation d'énergie qui s'opère sur la dalle de l'anticathode, on améliorerait toutes les caractéristiques du tube de Coolidge, en supprimant ou diminuant le plus important des antagonismes qui subsistent dans ce fonctionnement.
           G. SIMONDON, Du mode d'existence des objets techniques, p. 38.

◆ **5.** (All. *Thaler*). Vx. Ancienne pièce de cinq francs. — Par ext. Argot anc. *De la dalle :* de l'argent.

★ II. ◆ **1.** Auget en bois, en métal, servant de conduit à un liquide. ⇒ **Dalot.**
Spécialt (mar.). Gouttière sur le pont d'un navire destinée à conduire l'eau vers les dalots.
Techn. Dans l'industrie sucrière, conduit ouvert ou bassin dans lequel passe le sucre (qui, à cause de sa consistance, ne peut s'écouler dans un conduit fermé).
Loc. (sylv.). *Dalle humide :* couloir de flottage.

◆ **2.** (xvᵉ). Par anal. Fam. Gorge, gosier (dans quelques loc.). *Se mouiller, se rincer la dalle.* ⇒ **Boire.** — (1881). *Avoir la dalle en pente :* aimer à boire.
Avoir la dalle : avoir faim. → Avoir la dent*.

DÉR. (De I.) **Daller.** — (De II.) **Daleau** ou **dalot.**
COMP. (De II., 2.) **Casse-dalle.**
HOM. 2. **Dalle.**

2. DALLE, DALE ou **DAL (QUE)** [kədal] loc. — 1884 ; *dail,* 1829 en argot, p.-ê. de *daye dan daye* (1644), refrain de chanson. → Tralala, lanlaire, etc.

◆ Pop. ou fam. Rien. *N'y voir, n'y entraver que dalle :* n'y rien voir, n'y rien comprendre. → Que couic*, que pouic*. *J'y pige que dalle à ce truc. On y a gagné que dalle ! Travailler pour que dalle,* pour rien, sans rien gagner. — Interj. (exprimant qu'on se désintéresse de qqch., qu'on refuse...). *Que dalle !*

1   Le synonyme populaire de *rien,* qui signifiait à l'origine «quelque chose», est aujourd'hui *dalle,* employé exclusivement, pendant longtemps, sous la forme restrictive : *je (n') y vois que dalle,* — la dalle étant le symbole plaisant de l'objet invisible, comme la tringle de l'objet introuvable.
           A. DAUZAT, l'Argot de la guerre, V, p. 133.

2   Pierrot, il entrave plus que dalle. Loin de le calmer, les précisions l'ahurissent. Les mots savants surtout, qui lui filent un complexe d'infériorité.
           Albert SIMONIN, Hotu soit qui mal y pense, p. 41.

3   Qu'à son rapport à lui je ne comprends que dalle. Que je tiens à n'y rien comprendre ; à l'énigme ; sans histoire.
           Hélène CIXOUS, Souffles, p. 88.

HOM. 1. **Dalle.**

DALLER [dale] v. tr. — 1319 ; de 1. *dalle.*

◆ Revêtir de dalles. ⇒ **Carreler, paver.** *Daller une salle.* — P. p. adj. (plus cour.). *Cuisine, salle dallée. Entrée dallée de grès. Terrasse dallée d'ardoise.*

DÉR. Dallage, dalleur.

DALLEUR [dalœʀ] n. m. — 1877 ; de *daller.*

◆ Techn. Ouvrier qui pose les dalles. *Faire venir un dalleur pour réparer un pavement.* — REM. Le féminin *dalleuse* est virtuel.

DALMATE [dalmat] adj. et n. — 1721 ; lat. *dalmatius.*

◆ **1.** Qui se rapporte à la Dalmatie (région naturelle à l'ouest des Balkans, le long de l'Adriatique) ou à ses habitants. *La côte dalmate est la partie la plus touristique de la Yougoslavie. L'économie dalmate. Folklore dalmate. La guzla, instrument dalmate.*
N. *Un, une Dalmate :* un habitant, une habitante de la Dalmatie, ou une personne qui en est originaire.
N. m. (Ling.). Ensemble des parlers romans représentés autrefois en Dalmatie. — Adj. *Les parlers dalmates ont disparu entre 1600* (pour le *ragusain*) *et 1900* (pour le parler de l'île de Veglia).

◆ **2.** Géogr. Se dit d'une côte, d'un littoral rappelant les caractéristiques de la côte dalmate. *Le Chili méridional présente une côte dalmate.*

DALMATIEN [dalmasjɛ̃] n. m. — 1961 ; *chien de Dalmatie,* 1831 ; de l'anglo-amér. *dalmatian,* de *Dalmatia* «Dalmatie».

◆ Chien à poil ras, de taille moyenne, à robe blanche tachetée de noir ou de brun, autrefois nommé *petit danois, chien de Dalmatie.*

DALMATIQUE [dalmatik] n. f. — XIIe, au sens 2 ; lat. ecclés. *dalmatica* «blouse faite en laine de Dalmatie» puis «tunique à la mode dalmate», sens 1 ; de *dalmatius.* → Dalmate.

♦ **1.** Anciennt. Riche tunique à manches amples et courtes, costume d'apparat des empereurs romains, des Romains de haut rang, puis de certains souverains et grands personnages.

1 Retournés à Venise, nous faisions la connaissance d'une patricienne vêtue d'une dalmatique brodée, quand j'entendis la sonnette.
FRANCE, le Crime de S. Bonnard, IV, Œ., t. II, p. 443.

2 Le vicomte est en doge ? — Oui... grande dalmatique ! (...)
Edmond ROSTAND, l'Aiglon, IV, 3.

♦ **2.** Liturgie. Chasuble réservée aux diacres et aux sous-diacres. Ornement de soie porté par l'évêque sous la chasuble. *La «dalmatique impériale» ou «chasuble de saint Léon III»,* conservée à Rome

3 Elle n'était que dans la soie, le satin, le velours, les draps d'or et d'argent. Elle brodait des chasubles, des étoles, des manipules, des chapes, des dalmatiques (...)
ZOLA, le Rêve, III.

4 Les enfants de chœur apparaissaient les premiers. Vêtus d'une soutane rouge et d'un capuchon d'hermine, ils tenaient dans leurs mains un luminaire plus haut qu'eux (...) Derrière eux suivaient les diacres habillés de la dalmatique, puis venaient les officiants en chape et enfin Monseigneur portant la capa-magna soulevée par deux caudataires.
Georges BORGEAUD, le Préau, *in* Littératures de langue franç. hors de France, p. 605.

DALOT ou **DALEAU** [dalo] n. m. — 1382 ; de 1. *dalle,* II.
Technique.

♦ **1.** Mar. Trou dans la paroi d'un navire, au-dessus de la flottaison, pour l'écoulement des eaux. — REM. L'orthographe *daleau* est rare.

Sauf le lent dégoulinement des dalots, aucun bruit ne sortait du navire.
H. BOSCO, Un rameau de la nuit, p. 56.

♦ **2.** Petit aqueduc en maçonnerie pratiqué dans les remblais des routes, des chemins de fer, pour l'écoulement des eaux. ⇒ **Canal.** *Radier*, mauge** (ou *maugère*) *de dalot.*

DALTON [daltɔn] n. m. — D. i. (XXe) ; attesté 1938, en angl. ; de *Dalton,* n. propre. → Daltonisme.

♦ Phys., biochim. Unité de masse égale au seizième de la masse d'un atome d'oxygène. «(...) *une protéine (poids moléculaire : 45 000 daltons) qui porte un groupe actif oxydable non encore identifié»* (*la Recherche,* déc. 1974, p. 1039).

DALTONIEN, IENNE [daltɔnjɛ̃, jɛn] adj. et n. — 1827 ; de *Dalton.* → Daltonisme.

♦ Méd. Atteint de daltonisme.

N. *Un daltonien, une daltonienne :* une personne atteinte de daltonisme. *Daltonien total :* personne qui ne distingue aucune des trois couleurs fondamentales.

DALTONISME [daltɔnism] n. m. — 1841 ; de (John) *Dalton,* nom du physicien (1766-1844) qui, le premier, étudia cette affection, et suff. *-isme.*

♦ Méd. Anomalie de la vue (dyschromatopsie) qui consiste dans l'absence de perception de certaines couleurs ou dans la confusion de certaines couleurs entre elles. *Daltonisme total.* ⇒ **Achromatopsie.** *Daltonisme portant sur le rouge :* anérythropsie. *Daltonisme portant sur le vert :* achloropsie. *Daltonisme portant sur le bleu :* acyanopsie, tritanopie.

1. DAM [dɑ̃], cour. mais fautif [dam] n. m. — 842, *Serments de Strasbourg ;* du lat. *damnum ;* le sens 2, du lat. ecclés. *damnum.* → Damner.

♦ **1.** Vx. ⇒ **Dommage, préjudice.** — Mod. et littér. *À mon propre dam, au dam, au grand dam de... :* à mon, son... détriment.

1 (...) j'entends bien qu'il y aura toujours des gens pour jouir de certains privilèges et pour en jouir au grand dam et à la colère des non-nantis.
G. DUHAMEL, Manuel du protestataire, IV, p. 131.

2 Or il a si bien gardé son secret que Clotilde elle-même (ne le sais-je pas pour mon propre dam?) n'en a jamais levé le voile.
H. BOSCO, Un rameau de la nuit, VI, p. 308.

♦ **2.** (1579). Théol. Châtiment des réprouvés, qui consiste à être éternellement privé de la vue de Dieu. ⇒ **Damnation.** *Peine(s) du dam,* qui correspondent à la damnation. *La peine et le dam.*

3 Qu'est-ce que c'est que ce pur amour qui accepterait l'Enfer à condition qu'on reste uni à la volonté de Dieu? Il y a là une contradiction dans les termes. On resterait uni à la volonté d'un Dieu injuste et méchant. Tout se tient dans l'Enfer et l'on ne peut séparer la peine du dam.
CLAUDEL, Cahier VIII, 20 avr. 1938, *in* Journal, Pl., t. II, p. 232.

CONTR. Avantage. — Béatitude.
DÉR. Dommage.
HOM. Dans, dent.

2. DAM [dam] interj. ⇒ 4. **Dame.**

DAMAGE [damaʒ] n. m. — 1838 ; de 2. *damer.*

♦ Techn. Action de damer (le sol) ; résultat de cette action. Spécialt. *Damage de la neige. Le damage d'une pente, d'une piste de ski.*

DAMALISQUE [damalisk] n. m. — 1929 ; *damalis,* 1846 ; *damaliscus,* 1902 ; lat. sav. *damaliscus,* du grec *damalis* «génisse».

♦ Zool. Genre d'antilopidés du Nord-Est de l'Afrique équatoriale, aux cornes en forme de lyre, qui comporte cinq espèces.

DAMAN [damɑ̃] n. m. — 1765 ; mot arabe.

♦ Zool. (Cour. en Afrique). Mammifère ongulé *(Hyraciens)* scientifiquement appelé *hyrax,* ayant l'apparence d'une marmotte et vivant par petites bandes dans les régions escarpées ou forestières de l'Afrique et de l'Asie Mineure.

(...) vous ne mangerez pas le chameau, le lièvre et le daman, qui ruminent, mais qui n'ont pas la corne fendue : vous les regarderez comme impurs.
BIBLE (SEGOND), Deutéronome, 14, 7.

En Afrique. *Daman des rochers :* «petit mammifère acaude au pelage long et brun, à la silhouette ramassée» *(Procavia capensis)* [I. F. A.].

DAMARA [damaʀa] n. m. — 1723 ; p.-ê. var. de *damavar,* orig. inconnue.

♦ Vx. Taffetas à fleur provenant des Indes.

DAMAS [dama] n. m. — 1532, «étoffe» ; de *Damas,* ville de Syrie.
Nom donné à divers objets primitivement de Damas.

♦ **1.** Étoffe tissée de façon que les dessins qu'elle présente à l'endroit en satin sur fond de taffetas apparaissent à l'envers en taffetas sur fond de satin. *Damas de deux couleurs. Damas broché. Ornements d'église en damas. Meubles tendus de damas* (→ Baldaquin, cit. 2). *Rideaux* (cit. 1) *en damas vert.*

1 Ils déroulèrent (...) des damas d'un blanc satiné, d'autres d'un vert de prairie, d'autres d'un rouge à éblouir (...)
BERNARDIN DE SAINT-PIERRE, Paul et Virginie, p. 74.

2 Souvent, sur le velours et le damas soyeux,
On voit les plus hâtifs des convives joyeux
S'asseoir au banquet avant l'heure.
HUGO, Odes, V, 20.

2.1 Beaucreau ayant, de son côté, emporté un stock d'étoffes destinées à Ballesteros, s'était servi d'un souple damas écarlate pour poser deux larges rideaux se rejoignant au milieu de l'estrade ou s'écartant jusqu'aux montants.
Raymond ROUSSEL, Impressions d'Afrique, p. 299-300.

Par anal. Tout tissu dont les dessins brillants sur fond mat à l'endroit se retrouvent mats sur fond brillant à l'envers. *Damas de laine. Linge de table en damas.* ⇒ **Damassé** (linge).

2.2 (...) les doigts du vieux rencontrent avec surprise non pas le bois de la table, mais une serviette fraîche, une des belles serviettes de damas toutes neuves, encore raidie par l'apprêt.
BERNANOS, Monsieur Ouine, *in* Œ. roman., Pl., p. 1435.

♦ **2.** Techn. Acier d'alliage, d'une trempe supérieure, et qui présente, après décapage, un beau moiré métallique au milieu duquel les métaux alliés, devenus visibles, font courir, par contraste, des dessins variés. ⇒ **Damassé** (acier). — Par ext. Tout acier moiré. (1732). Par métonymie. Littér., archéol. Sabre à lame de damas.

3 Certes, le vieux Omar, pacha de Négrepont,
Pour elle eût tout donné (...)
Et ses bosses espingoles,
Et son courbe damas (...)
HUGO, les Orientales, XXI, «Lazzara».

4 De plus, trempé dans les neiges, comme un damas dans les eaux de Syrie, il avait une santé de fer.
J. VERNE, Michel Strogoff, p. 37.

♦ **3.** Arbor. Prunus d'une variété utilisée comme porte-greffe.
DÉR. Damasser.

DAMASCÈNE [damasɛn] adj. et n. — 1870, *in* P. Larousse ; lat. *damascenus,* de *Damascus* «Damas».

♦ Didact. De Damas, capitale de la Syrie. (Comparer avec *damasquin*). *Saint Jean Damascène.*

DAMASQUIN, INE [damaskɛ̃, in] adj. et n. — V. 1405, n. ; ital. *damschino,* de *Damasco* «Damas».

♦ **1.** Didact. ou littér. Qui se rapporte à Damas ou à ses habitants.

— N. *Un Damasquin, une Damasquine :* un habitant, une habitante de Damas.

> Je vous fus présenté Madame, dans la salle
> De marbre frais et sombre où vous passiez les jours
> Au bruit de ces jets d'eau monotones des cours
> Damasquines ; l'or blanc cerclait votre bras pâle.
> Germain NOUVEAU, Sonnets du Liban, « Set Ohaëdat », in Œ. compl., Pl., p. 545.

♦ **2.** N. f. Techn. *Une damasquine :* un dessin, une décoration de métal réservée en relief sur une surface métallique. — Étoffe de soie multicolore à dessin tissé. (Syn. : *damasquin*, n. m.).

DAMASQUINAGE [damaskinaʒ] n. m. — 1611 ; de *damasquiner*.

♦ **1.** Art de damasquiner. *Damasquinage à l'or.* ⇒ **Azziminia.** *Damasquinage d'une épée, d'un poignard.* (On dit aussi *damasquinerie*).

♦ **2.** Travail, aspect de ce qui est damasquiné. *Un riche damasquinage.* (On dit aussi *damasquinerie, damasquinure.* À distinguer de *damasquine*).

DAMASQUINE [damaskin] n. f. ⇒ **Damasquin,** 2.

DAMASQUINER [damaskine] v. tr. — 1537 ; de *à la damasquine,* « à la manière de Damas », le damasquinage étant originaire de cette ville.

♦ Traiter (une surface de fer, d'acier, de bronze...) en incrustant un ou des filets d'or, d'argent, de cuivre formant un dessin. *Damasquiner une arme.*

1 Tout, jusqu'au cheval blanc qu'il élève au sérail,
(...) Jusqu'au frein que l'or damasquine !
HUGO, les Orientales, XXI, « Lazzara ».

▶ **DAMASQUINÉ, ÉE** p. p. adj.

(Plus cour.) Se dit d'un métal, d'un objet incrusté d'or, d'argent... formant un dessin. *Couteau, pistolet damasquiné* (→ Armer, cit. 10). — *Bronze damasquiné d'or, d'argent ; damasquiné en or, en argent.*

Par métaphore :

2 L'esprit seul, un esprit brillant, damasquiné et affilé comme une épée, allumait parfois dans ce regard vitrifié les éclairs de ce glaive qui tourne dont parle la Bible.
BARBEY D'AUREVILLY, les Diaboliques, « Le dessous de cartes... »

Par anal. Orné de dessins faisant penser à un damasquinage.

3 C'est un lieu que j'aime (...) je ne m'y sens jamais entièrement perdu devant le velours des tourteaux, l'anthracite des moules, l'éclat damasquiné des maquereaux et des raies déployées comme des cerfs-volants.
A. BLONDIN, Un singe en hiver, p. 58.

DÉR. Damasquinage ou **damasquinerie** ou **damasquinure ; damasquineur.**

DAMASQUINERIE [damaskinʀi] n. f. — 1571 ; de *damasquiner*.

♦ ⇒ **Damasquinage.**

DAMASQUINEUR [damaskinœʀ] n. m. — 1558 ; de *damasquiner*.

♦ Techn. Ouvrier dont le métier est de damasquiner. — REM. Le fém. *damasquineuse* est virtuel.

DAMASQUINURE [damaskinyʀ] n. f. — 1611 ; de *damasquiner*.

♦ Techn. ⇒ **Damasquinage** (2.).

DAMASSER [damase] v. tr. — 1386 ; de *damas*.

♦ Fabriquer en façon de damas (étoffe, acier).

▶ **DAMASSÉ, ÉE** p. p. adj. et n. (plus cour.).

♦ **1.** Tissé comme le damas. *Étoffe, nappe... damassée.*

1 La table était couverte d'une nappe de cette toile damassée inventée sous Henri IV par les frères Graindorge, habiles manufacturiers qui ont donné leur nom à ces épais tissus si connus des ménagères.
BALZAC, le Médecin de campagne, Pl., t. VIII, p. 432.

N. m. Étoffe damassée. *Un beau damassé. C'est du damassé.*

♦ **2.** *Acier damassé,* travaillé en damas (2.) ; moiré et présentant l'aspect du damas.

▶ **SE DAMASSER** v. pron.

Littér. Prendre l'apparence d'un tissu damassé.

2 La chambre entière se damasse, joue de son satin sous son taffetas (...)
Hélène CIXOUS, Souffles, p. 16.

CONTR. Uni.
DÉR. Damasserie, damasseur, damassure.

DAMASSERIE [damasʀi] n. f. — 1870 ; de *damasser*.

♦ Techn. Fabrique de linge damassé.

DAMASSEUR, EUSE [damasœʀ, øz] n. — 1800 ; de *damasser*.

♦ Techn. Ouvrier, ouvrière dont le métier est de damasser.

DAMASSURE [damasyʀ] n. f. — 1556 ; de *damasser*.

♦ Techn. Travail du damassé. Dessin d'un tissu damassé. *La damassure du linge de table figure généralement une guirlande de fleurs.*

1. DAME [dam] n. f. — V. 1050 ; lat. *domina* « maîtresse ».

★ **I.** ♦ **1.** Féod. Titre donné à une femme détentrice d'un droit de souveraineté ou de suzeraineté. *Notre sire le roi et notre dame la reine. Haute et puissante dame. La dame de...,* suivi du lieu dont elle est suzeraine. *La Dame de Monsoreau,* roman d'A. Dumas.

Loc. Ancien ou par archaïsme. *La dame de céans, du logis,* « *notre dame* » : la châtelaine, et, par ext., la maîtresse de maison (→ Céans, cit. 3). — *Le chevalier et sa dame, la dame de ses pensées,* celle qui régnait sur son cœur et dont il portait les couleurs. ⇒ **Ami(e), maîtresse** (→ Cependant, cit. 4 ; chevalier, cit. 4). — Mod. et par plais. *La dame de ses pensées.* ⇒ **Dulcinée.**

Par anal. Littér. *Les dames des prairies, des bois :* les fées, maîtresses souveraines de la nature. *La Dame du lac* (dans les romans de la Table ronde) : la fée Viviane, dont le domaine se cachait au fond d'un lac enchanté. — *La dame blanche :* fantôme féminin de plusieurs traditions nordiques. *La Dame blanche,* opéra-comique de Boieldieu.

Relig. *La Dame du Ciel :* la sainte Vierge, reine spirituelle de la chrétienté et du paradis. ⇒ **Notre-Dame.**

1 Las ! Je suis seul, sans compagnie !
Adieu ma Dame, ma liesse !
Ch. D'ORLÉANS, Ballade, LVII, « Sur la mort de sa dame ».

2 Loué soit-il *(le Fils de Dieu),* et No(s)tre Dame,
Et Loys, le bon roy *(roi)* de France !   VILLON, Testament, VII.

3 Dame du Ciel, régente terrienne *(de la terre)*
Emperiere *(impératrice)* des infernaux palus (...)
Les biens de vous, ma Dame et ma Maîtresse,
Sont trop plus gran(d)s que *(je)* ne suis pécheresse.
VILLON, le Testament, « Ballade » (Prière de la mère de Villon à Notre-Dame).

4 Je n'eus pas besoin qu'on m'en dit davantage, pour me déterminer à établir Violante dame souveraine de mes pensées.   A. R. LESAGE, Gil Blas, V, I, p. 324.

5 Déjà il baissait sa visière et se recommandait à la dame de ses pensées, lorsque le son d'un cor se faisait entendre.
CHATEAUBRIAND, le Génie du christianisme, t. II, IV, V, IV.

6 Perinis *(le page de la reine),* beau doux ami, dit Tristan, retourne en hâte vers ta dame. Dis-lui que je lui envoie salut et amour, que je n'ai pas failli à la loyauté que je lui dois, qu'elle m'est chère par-dessus toutes les femmes (...)
J. BÉDIER, Tristan et Iseut, XVII, p. 184.

7 Dame *(la reine Guenièvre),* c'est vous qui me fîtes votre ami, si votre bouche ne mentit. Le jour que je pris congé de vous, je vous dis que je serais votre chevalier où que je fusse et vous me répondîtes que vous le vouliez bien. Et je vous dis encore : *Adieu, dame !* Et vous répliquâtes : *Adieu, beau doux ami !* Et jamais plus ce mot ne m'est sorti du cœur.
J. BOULENGER, les Amours de Lancelot du lac, p. 219.

8 La dame des pensées est toujours présente à l'esprit, ou aux sens, de celui qui médite, réfléchit, compose, exprime. Elle suscite en lui le rythme créateur.
Léon DAUDET, la Femme et l'Amour, II, p. 41.

♦ **2.** Vx ou hist. Femme de haute naissance. *Une noble dame, une dame de haut parage.* — *Les dames de la cour. Dame de qualité*.* — *La Ballade des Dames du temps jadis,* de Villon. — Hist. *Les Dames de France :* les filles du roi de France. — Loc. *Dame du palais :* femme de haute naissance remplissant une charge honorifique auprès d'une princesse royale (syn. : *dame d'atour, dame d'honneur*).

9 Ci entrez, vous, dames de haut parage (...)
Fleurs de beauté à céleste visage (...)
RABELAIS, Gargantua, LIV, Inscription mise sur la grande porte de Thélème, p. 176.

10 Les dames du palais ont dans une grande sujétion. Le Roi (...) veut que la Reine en soit toujours entourée. Mme de Richelieu, quoiqu'elle ne serve plus à table, est toujours au dîner de la Reine, avec quatre dames, qui sont de garde tour à tour.
Mme DE SÉVIGNÉ, 367, 5 janv. 1674.

Vx (largement attesté au XIXe). Femme d'un certain rang social.

10.1 (...) sa femme qui a voulu faire la dame, au lieu de faire un métier et d'en faire faire un à ses filles.   E. DELACROIX, Journal, 8 juin 1854.

Mod. **GRANDE DAME** : femme de haute naissance, de la noblesse. *Faire la grande dame :* affecter de grands airs. *Agir en grande dame,* avec noblesse, distinction, générosité. — Par ext. (mod.). *Une grande dame de la chanson, du théâtre,* une artiste exceptionnelle. *C'est vraiment une grande dame* (équivalent masculin : *un grand monsieur*).

11 (...) ce que faisant, elle restait grande dame quand même, grande dame jusqu'au bout des ongles, et imposante à tous.   LOTI, les Désenchantées, II, p. 26.

12 Être grande dame, c'est jouer à la grande dame, c'est-à-dire, pour une part, jouer la simplicité.   PROUST, À la recherche du temps perdu, t. VII, p. 91.

Loc. *La première dame de France :* l'épouse du président de la République française.

♦ **3.** Vieilli. Femme mariée (opposé à *demoiselle*). *Est-ce une dame ou une jeune fille ?*

Dr. (précédant un nom propre). *Le sieur X contre la dame Y.* ⇒ **Madame.**

Pop. Épouse, femme. ⇒ **Bourgeois**(e). *Venez-donc avec votre dame. C'est la dame à monsieur Paul.* — REM. Cet emploi est normal dans certains usages régionaux ; il était moins populaire au XIXᵉ s. que de nos jours.

12.1 Plusieurs de ces messieurs étaient avec leurs dames. La femme du proviseur, la jolie blonde, vêtue d'une toilette bleu ciel du plus piquant effet, causa une grosse émotion (...)   ZOLA, Son Excellence Eugène Rougon, t. II, p. 90.

12.2 Puis nous allâmes dîner, avec nos « dames », chez Jean Galtier-Boissière où René Lefèvre, que je n'avais pas revu depuis le temps de la zone libre, à Nice, s'annait en voiture.   Francis CARCO, Ombres vivantes, p. 207.

12.3 — Et qui c'est, qu'on invitera à ma noce ? demande-t-elle.
— J'y ai déjà pensé, répondit Sidonie. Y aura moi, turellement ; et puis Dominique, Eulalie et Clovis ; et puis Saturnin en face.
          R. QUENEAU, le Chiendent, p. 233-234.

Vx (langue class.). *Dame,* suivi d'un n. propre, employé par courtoisie pour les petites commerçantes, les domestiques ou salariées occupant dans la maison un rang un peu élevé (intendante, gouvernante, duègne). Cf. *Dame Claude,* in *l'Avare,* de Molière ; le personnage de *Dame Pluche,* dans *On ne badine pas avec l'amour,* de Musset. — Fig. et par plais. *Dame Belette,* dans La Fontaine (→ Belette, cit.).—

13 Il jugea qu'à son appétit
Dame baleine était trop grosse.
Dame fourmi trouva le ciron trop petit (...)   LA FONTAINE, Fables, I, 7.

Par allégorie. *Dame,* suivi d'un n. de valeur abstrait. *Dame fortune, dame justice, dame nature.*

♦ **4.** Relig. Religieuse de certaines congrégations ; chanoinesse. *Les dames de Remiremont, de Fontevrault, du Sacré-Cœur.* — Loc. *Dame de chœur :* religieuse qui a le droit de siéger au chœur (par oppos. à *sœur converse*). → Professe.

14 Ainsi, au couvent comme ailleurs, il y avait une aristocratie et une démocratie. Les *dames de chœur* vivaient en patriciennes. Elles avaient des robes blanches et du linge fin. Les converses travaillaient comme des prolétaires, et leur vêtement sombre était plus grossier.   G. SAND, Histoire de ma vie, III, XII, t. III, p. 155.

15 Quinze ans après, en 1655. Le parc du couvent que les Dames de la Croix occupaient à Paris.   Edmond ROSTAND, Cyrano de Bergerac, Décor du 5ᵉ acte.

15.1 C'est une fois veuve que Mᵐᵉ de Miramion s'engage dans la confrérie des Dames de la Charité, que sainte Jeanne de Chantal fonde la Visitation, que Louise de Marillac administre les œuvres de saint Vincent, c'est une fois veuve que Mᵐᵉ de la Fayette écrira, que Mᵐᵉ de Sévigné connaîtra la renommée, que d'autres voyageront, administreront leurs biens, acquerront cette autonomie que la vie leur a refusée jusque-là. La mise en garde de Bossuet souligne bien que l'état de veuve est un état enviable.   F. MALLET-JORIS, Jeanne Guyon, p. 127.

♦ **5.** Mod. Personne adulte du sexe féminin (dans un usage de bon ton). ⇒ **Femme.** *Un monsieur et une dame. Ce n'est pas à dire devant les dames. Se montrer galant envers les dames. Être empressé auprès des dames. Plaire aux dames. Être le cavalier d'une dame,* à la danse, dans un cortège. *Que veut cette dame ? Une dame âgée.* — Fam. (à un enfant) ou par plais. *Dis bonjour à la dame !* Allus. littér. *La Dame aux Camélias* (A. Dumas fils). *Ces dames au chapeau vert,* roman de Germaine Acremant.

16 Pour les dames on sait mon respect en tous lieux (...)   MOLIÈRE, les Femmes savantes, III, 2.

17 Rien ne pèse tant qu'un secret :
Le porter loin est difficile aux dames ;
Et je sais même sur ce fait
Bon nombre d'hommes qui sont femmes.   LA FONTAINE, Fables, VIII, 6.

18 Je me rappelai heureusement une maxime de feu mon grand-père, qui avait coutume de dire que tout est permis aux dames, et que tout ce qui vient d'elles est grâce et faveur.   FRANCE, le Crime de S. Bonnard, II, Œ., t. II, p. 358.

19 (...) vous excuserez un vieillard déshabitué du monde, peu fait au langage des dames et désolé de son erreur.   FRANCE, le Crime de S. Bonnard, IV, Œ., t. II, p. 457.

19.1 Songez-donc ! une dame américaine catholique et qui nous invite à déjeuner, Mounier et moi (...)   F. MAURIAC, Bloc-notes 1952-1957, p. 15.

Loc. *Les belles dames :* les femmes élégantes de la haute société. → fam. Du beau linge*. — REM. Attesté avec un redoublement ironique (vieilli) : « *Les robes inédites des belles dadames, qui rendirent (...) d'autres belles dadames vertes de jalousie* » (*Marianne,* 5 juil. 1939, p. 8). — *C'est une dame, une vraie dame,* une femme distinguée. — *Dame de fer*.*

Loc. Vx. *Les dames de la Halle :* les vendeuses des Halles à Paris. — Vieilli. *Dame de comptoir.* ⇒ **Caissière.** *Dame de vestiaire, de lavabo ;* (fam. et mod.) *dame pipi,* préposée à l'entretien et à la surveillance des toilettes publiques (variante : « *Elle a pu trouver du boulot comme madame pipi dans une brasserie* » È. Ajar [R. Gary], *l'Angoisse du roi Salomon,* p. 219.

19.2 Deux couples se précipitèrent vers le buffet, bousculant Madeleine, aussi indifférents à la maîtresse de maison que si elle avait été la dame-pipi de cette assemblée hétéroclite.   Michel DÉON, les Vingt ans du jeune homme vert, p. 325.

Dame de chœur : choriste figurant dans un ballet. *Dame d'œuvres, dame de charité, dame patronnesse :* femme du monde qui se consacre à des œuvres de bienfaisance, qui patronne les fêtes de charité. — *Dame de compagnie* (ou de bienfaisance). ⇒ **Compagnie.**

REM. Cet emploi est issu du sens 2 : selon les époques, il implique l'extension d'un terme honorifique ou l'assimilation, par courtoisie, des femmes à celles de la haute société : il reflète toujours une hiérarchie sociale appartenant au passé, d'où ses connotations souvent ironiques (→ ci-dessus, cit. 12.1 et divers emplois spéciaux). Cependant, dans

les inscriptions publiques, *Dames,* plutôt que *Femmes* est encore souvent opposé à *Hommes* (lui-même souvent remplacé par : *Messieurs*).

♦ **6.** Fam. ou pop. En appellatif, s'adressant à une « dame », aux sens 3 ou 4, indifféremment. — (Précédé d'un adj.). *Oui, ma bonne dame. Eh, dites-donc, ma brave dame, ce n'est pas votre tour ! Bonjour, ma petite dame !*

Pop. (Au pluriel, en appellatif, coordonné avec *Messieurs*). *Bonjour, Messieurs* (pop. *Monsieur, M'sieu) Dames ! Ces messieurs dames désirent ?* — Les formules standard correspondantes sont : *Messieurs, Mesdames ; Madame, Monsieur* (→ Madame) ; *ces messieurs et ces dames.*

♦ **7.** (Dans quelques expressions ; en parlant de femmes « de petite vertu »). *Dame galante, de petite vertu.* Allus. littér. *La Vie des Dames galantes,* de Brantôme. *Les Dames du bois de Boulogne* (film de R. Bresson). — (Dans le langage des maisons closes). *Ces dames au salon !*

★ **II.** Fig. ♦ **1.** (XVIᵉ). Une des pièces maîtresses dans certains jeux. — (Échecs). Deuxième pièce en importance (après le roi) qui se déplace d'un nombre indéterminé de cases selon les directions perpendiculaires et diagonales de l'échiquier. ⇒ **Reine.** *Faire échec à la dame. Aller à dame :* transformer un pion en dame en le poussant jusqu'à la dernière ligne de cases de l'échiquier.

20 (...) souvent, avec des pions qu'on ménage bien, on va à dame, et l'on gagne la partie (...)   LA BRUYÈRE, les Caractères, VIII, 64.

21 C'était un peu comme une partie d'échecs : il poussait un pion, déplaçait un cavalier, une dame, un événement.   P. MAC ORLAN, la Bandera, V, p. 64.

(Tric-trac). Rondelle avec laquelle on joue. ⇒ **Pion.**

♦ **2.** *Jeu de dames,* qui se joue à deux, avec quarante pions sur un damier de cent cases. *Avoir une dame, faire une dame, aller à dame :* avoir transformé un pion qui, ayant traversé victorieusement le damier, a été doublé pour le distinguer des autres et qui peut avancer, reculer, prendre en diagonale à toute distance. ⇒ **Damer, damier** (dér.). *Jouer aux dames, faire une partie de dames. Déplacer une dame.* → Pion, cit. 4. *Prendre, souffler une dame. Dame damée.*

♦ **3.** Cartes. Chacune des quatre cartes où est figurée une reine. *Judith, dame de cœur ; Rachel, dame de carreau ; Argine, dame de trèfle ; Pallas, dame de pique. Abattre une dame. Le roi l'emporte sur la dame, qui l'emporte sur le valet. Un carré de dames.* — Spécialt (belote). *Avoir la dame et le roi d'atout.* ⇒ **Belote, rebelote.** — Loc. *Courtiser, peloter la dame de pique :* aimer les cartes. — Fig. ⇒ **Pique.**

22 Je prends avec la dame... L'as, le roi, le valet, le dix, et c'est trois pour moi. À vous de faire, monsieur Brun.   PAGNOL, Marius, III, 6.

★ **III.** *Dame blanche :* libellule.

23 À l'ouest dormaient debout les quenouilles des roseaux, serrées comme les lances d'une armée, d'où montait à intervalles réguliers la note flûtée d'une rainette. Une dame blanche le frôla de son aile, se posa sur un cyprès, et tourna vers lui sa face hallucinée.   M. TOURNIER, Vendredi..., p. 165.

Dame des marais, dame au long bec. ⇒ **Bécasse.** — *Dame d'onze heures.* ⇒ **Dame-d'onze-heures.**

★ **IV.** Interj. ⇒ 4. **Dame.**

CONTR. Cavalier, chevalier, serviteur, sujet, vassal ; roturier ; célibataire, demoiselle, fille (vieille, vieille) ; convers (sœur converse) ; homme, monsieur, sieur.
DÉR. 1. Damer, damaret, damette, damier.
COMP. Belle-dame, bonne-dame, dame-blanche, dame-d'onze-heures. — Madame, Notre-Dame.

2. DAME [dam] n. f. — 1734 ; emplois métaphoriques de 1. *dame.*

♦ **1.** (1743). Techn. Hie de paveur (l'ouvrier la prend par les deux anses pour la soulever, comme un danseur soulève sa danseuse). ⇒ aussi **Demoiselle** ; 2. **damer.** *Dame à manche incliné.* ⇒ **Batte.**

(...) il a écouté son cœur qui battait dans son oreille, comme si on damait la cave à la dame de fonte, au fond de la maison.   J. GIONO, le Grand Troupeau, I, in Œ. roman., Pl., t. I, p. 553.

Pop. *Aller à dame :* tomber.

♦ **2.** (1878). Mar. Creux, encoche pratiquée sur le bord d'une embarcation pour y encastrer l'aviron ; appareil (ferrure sur pivot) servant à retenir ce dernier. ⇒ **Tolet.** *Dame de nage. Remplacer la dame par des tolets.*

♦ **3.** Fam. Bouteille ou contenu (alcool) d'une bouteille. *Dame blanche :* bouteille de vin blanc. — *Dame-Jeanne* (voir ce mot). — *Dame verte :* absinthe.

DÉR. (Du sens 1) 2. Damer.
COMP. (Du sens 3) Dame-jeanne.

3. DAME [dam] n. f. — 1270 ; *dam, damp* au XVᵉ ; néerl. *dam* « digue ». Cf. Amsterdam, Rotterdam.

Changer d'avis d'une minute à l'autre. D'ici à ce qu'il arrive, nous avons le temps. De vous à moi*.

37 (...) il y a grande différence de vous à nous (...)
MOLIÈRE, George Dandin, I, 4.

b (Introduisant une évaluation, une mesure). *Avancer d'un pas. Retarder de cinq minutes. Dépasser de cent coudées.* — (Reliant deux noms). *Un salaire de quinze mille francs. Bijou d'un sou. Pain de cent grammes. Bouteille d'un litre. Enfant de cinq ans.*

38 Il appela le garçon, paya avec un billet de cent dollars.
MALRAUX, la Condition humaine, I, p. 185.

39 Le prix est le plus souvent marqué par un complément introduit à l'aide des prépositions **de** et **à** : *un canif de treize sous* (...)
F. BRUNOT, la Pensée et la Langue, IV, XVI, v, p. 665.

c (Dans une approximation large). *DE... À...* *Elle pouvait avoir de quarante à quarante-cinq ans. Il mesure de 1 m 65 à 1 m 70.* ⇒ **Entre.** — REM. Dans une approximation plus restreinte on dira : *Elle pouvait avoir quarante ou quarante et un ans.* ⇒ **Environ.**

♦ **6.** (Introduisant un n. de personne). Agent, auteur (à la voix passive). *Être aimé de sa femme. Se faire détester* ou *respecter de tout le monde.* ⇒ **Par.**

40 C'est un méchant moyen de se faire aimer de quelqu'un que de lui faire violence.
MOLIÈRE, le Malade imaginaire, II, 6.

41 Un mérite attaqué de beaucoup d'ennemis (...)
MOLIÈRE, les Femmes savantes, IV, 4.

42 (...) je suis salué des gens que je rencontre (...)   MOLIÈRE, Dom Juan, III, 1.
Chose comprise, connue, entendue, sue, vue de qqn. Aspect ignoré de tous. Elle est aujourd'hui oubliée de tous. — *Être entouré de bons amis. Commissaire accompagné d'agents.* — (Choses). *Livres accompagnés de disques.*

B. (Reliant un nom, un pronom ou un adj. à un nom, et marquant des relations d'origine — comme en A., mais avec une valeur très atténuée —, d'appartenance ou de détermination). — REM. Dans ces emplois, *de* a une valeur moins analysable qu'en A., et sa fonction syntactique prime, comme en II., ci-dessous.

♦ **1.** (Origine ; introduisant un nom de personne). *Le système de ce philosophe, de Kant. La méthode de X...* (souvent remplacé par l'apposition : *la méthode X...*). *Les œuvres de Valéry. Œuvres romanesques de Giono* (⇒ aussi **Par**).

(Dans un nom de famille). *Monsieur de l'Ile.* — REM. Dans cet emploi, *de* marque étymologiquement la provenance locale. → ci-dessus, *infra* cit. 9.

(Noms de choses). *Porcelaine de Chine,* venant de Chine, originaire de Chine. → ci-dessus, I., 1. (Dans un syntagme lexicalisé, un nom composé). *Pomme de terre.*

♦ **2.** (Appartenance, dépendance). *Le fils de Pierre,* son fils (cf. pop : *le fils à Pierre*). ⇒ **À.** *La veuve de Pierre. La famille de notre ami. Le représentant d'un tel. Les défenseurs d'une communauté.*

43 (...) un gentilhomme qui est créature de Monsieur le Maréchal.
CORNEILLE, Lettres.

44 Elle me paraissait plutôt quelque fille de pauvres gens (...)
MAUPASSANT, les Sœurs Rondoli, Pl., t. II, p. 155.

(Chose appartenant à qqn). *Les livres, la voiture de Pierre. Le style de Flaubert. Les réactions de la foule.* — (Chose d'une chose). *Le cadre d'un tableau. Les lois d'un pays. L'esprit de clan.*

45 Il lira seulement l'histoire de ma vie.   CORNEILLE, le Cid., I, 3.

46 Ils firent quelques pas sur le sable du jardin.
MALRAUX, la Condition humaine, I, p. 185.

♦ **3.** (Qualité, détermination). *La couleur du ciel. La longueur d'une rue. Le prix d'une maison. La valeur d'une idée. La bonté de Pierre. L'amour de Pierre,* qu'il ressent pour qqn (peut vouloir dire : l'amour qu'on ressent pour lui ; → ci-dessous, II, 1.).

47 (...) l'admiration de tant d'hommes parfaits (...)
N'est pas grande vertu si l'on ne les imite (...)   CORNEILLE, Nicomède, III, 3.

48 Dans le monde on n'entend que plaintes de l'Amour ;
On m'impute partout mille fautes commises (...)   MOLIÈRE, Psyché, Prologue.

(Matière). *Des gants de cuir. Du pâté de foie. Banc de marbre. Un sac de papier,* fait en papier (peut vouloir dire : contenant du papier). ⇒ **En.** *Cours d'eau. Nuage de poussière. Tas de sable.* — Fig. *Cœur de pierre. Cheveux d'or.* (Introduit par le verbe *être*). *Ces gants sont de cuir, et non de matière plastique.* ⇒ **En.** — Fig. *On n'est pas de bois*.*

49 Que d'une serge honnête elle ait son vêtement (...)
MOLIÈRE, l'École des maris, I, 2.

50 Une cheminée haute dont les jambages étaient de bois grossièrement cannelé (...)
LAMARTINE, Raphaël, 14.

51 C'est ainsi que *de,* qui marque l'origine, et *en* finissent par se rejoindre dans les compléments de matière : *une toiture de zinc, une toiture en zinc ;* qu'on dit **pendre à** *un gibet* et **dépendre d'***une volonté étrangère.*
F. BRUNOT, la Pensée et la Langue, III, XI, sect. A, III, p. 415 (note).

(Dans un nom composé, où *de* a perdu sa valeur sémantique). *Chemin de fer.*

(Genre, espèce). *Objet de luxe. Un couteau de cuisine. Une robe de bal.*

(De l'hébreu par la Bible : *«Dieu de majesté».* Le déterminant peut toujours être remplacé par l'adjectif correspondant). *Regard de pitié. Paroles de haine,* haineuses. — Littér. *Un ciel de douceur. « La fée au chapeau de clarté »* (Mallarmé).

52 Il eût fallu à Madame Fenigan un cœur de pitié ou de pardon.
Alphonse DAUDET, la Petite Paroisse, p. 198, in GREVISSE.

53 Jean-Paul évoqua, dans une visage creux, des yeux d'ardeur et de passion.
F. MAURIAC, l'Enfant chargé de chaînes, IV, in GREVISSE.

54 On n'apercevait, par intervalles, qu'une bête rampante ou quelque hulotte sur ses ailes de silence.   ROSNY aîné, la Guerre du feu, III, 20, in BRUNOT.

(Contenu). *Un verre d'eau. Une cuillerée de soupe. Paquet de cigarettes.*

(Après un collectif). *Assemblée d'hommes. Troupeau de moutons. Collection de timbres. Recueil de poèmes.*

55 Il assiste chaque jour à quelques assemblées de créanciers (...)
LA BRUYÈRE, les Caractères, XI, 125.

56 (...) les peuples, en tant qu'ils ne sont que des collections d'individus (...)
PROUST, À la recherche du temps perdu, t. X, p. 236.

Fig. *Lettre d'injures.*

(Contenant). *De* et déterminant (article, etc.). **a** (Exprimant l'idée de totalité de l'assemblée). *Les hommes de l'assemblée. Les membres d'un jury. Les moutons d'un troupeau. Les chapitres du livre, de ce livre, de son livre.* Par ext. *L'eau du verre. Toutes les cigarettes du paquet sont fumées.*

57 Il fallait voir comme son souffle orageux faisait moutonner toutes les têtes de l'assemblée !   HUGO, Littérature et Philosophie mêlées, p. 107.

b (Exprimant l'idée de partie d'un ensemble). *La moitié d'une somme. La plupart des hommes. Un de nous, plusieurs d'entre nous. Des deux choisissez. C'est le seul de ses amis qui lui soit fidèle. De tout ce qu'il a entrepris rien n'a réussi.* ⇒ **Entre, parmi.** *Être de...* : faire partie de... *Il est de mes amis.* — *Un des... plus** (et adj.). *C'est un des hommes les plus efficaces,* et, ellipt., *c'est un des plus efficaces ; il est des plus efficaces.*

58 Sganarelle, *en robe de médecin, avec un chapeau des plus pointus.*
MOLIÈRE, le Médecin malgré lui, Jeu de scène, II, 2.

59 (...) l'on nous assembla un jour, trois de nous autres, avec un médecin de dehors, pour une consultation (...)   MOLIÈRE, l'Amour médecin, II, 3.

60 Nous t'avons élu pour nous dire qui a raison, de ma fille ou de moi.
MOLIÈRE, l'Avare, I, 5.

61 Léandre est de la troupe, et votre père aussi (...)   MOLIÈRE, l'Étourdi, v, 9.

62 Les choses nombrables partageables se divisent en parties égales ou inégales. Le total à partager se construit avec *de* : **de tous,** *j'en ai élevé deux ;* **de toutes les misères** *parisiennes, les plus difficiles à découvrir (...) sont celles des gens honnêtes* (BALZAC, Env. hist. cont., 135) ; **de tout** *ce qu'il m'a fallu sacrifier,* **de tant d'ambitions** *foudroyées, ce que je pleure, c'est vous* (DAUDET, Pet. par., 23). Le développement de ce complément est très grand. On dit par analogie : **de lui** ou **de sa femme,** *on ne sait qui mourra le premier.*
F. BRUNOT, la Pensée et la Langue, I, IV, X, p. 129.

Vx (après un verbe). *Un, quelques-uns parmi...*

62.1 Voici la cinquantième que je fais cette École : j'y ai vu vos Pères, et même de vos Grands-pères ;   RESTIF DE LA BRETONNE, la Vie de mon Père, p. 44.

Spécialt., dans la construction du superlatif relatif : *Le plus travailleur des deux. La meilleure de toutes. Le moins bon de l'année.*

63 L'astronomie, cette micrographie d'en haut, est la plus magnifique des sciences (...)   HUGO, Post-scriptum de ma vie, p. 70.

64 De toutes les écoles que j'ai fréquentées, c'est l'école buissonnière qui m'a paru la meilleure (...)   FRANCE, le Petit Pierre, VIII, p. 38.

De, entre deux noms répétés (le plus souvent le second au pluriel), pour souligner la perfection, l'excellence. *C'est l'as des as. Le saint des saints. Le Cantique des cantiques. Voilà le fin du fin.* ⇒ **Entre, parmi.** — REM. Lorsque ce tour est imité de la Bible (*le Cantique des cantiques, le Roi des Rois*) il adopte un tour syntactique hébreu qui correspond à un intensif («le Cantique [chant], le roi... suprême»).

65 (...) Aristote, le philosophe des philosophes (...)
MOLIÈRE, le Mariage forcé, 4, note.

♦ **4.** (Après un adj.). Limitation. *Être rouge de figure* : avoir seulement la figure rouge. *Large d'épaules. Être dur d'oreille. Être simple d'esprit. Souffrir de l'estomac.*

66 (...) un homme noir, et d'habit et de mine (...)   MOLIÈRE, le Misanthrope, IV, 4.

67 (...) Caritidès, Français de nation, Grec de profession (...)
MOLIÈRE, les Fâcheux, III, 2.

68 (...) quelqu'un même des laquais cria tout haut qu'elles étaient plus chastes des oreilles que de tout le reste du corps.
MOLIÈRE, Critique de l'École des femmes, 3.

69 Quand la caractérisation ne peut pas être appliquée dans toute son extension, qu'elle ne convient pas absolument et de tous points de vue, on indique dans quelle mesure, sous quel rapport elle convient : *Belle* est général, *belle* **de taille** indique que la qualité ne porte que sur une partie de la personne considérée (...) Cette construction est fort ancienne. Le *de* qui figure est au sens de hérédité, au sens de *quant à...* — Cf. *une tapisserie passée* **de ton ;** — *une aiguière jolie* **de forme.**
F. BRUNOT, la Pensée et la Langue, IV, XVII, A, I, p. 677.

★ **II.** (La fonction grammaticale primant le sens ; après un verbe, un adjectif ou un nom).

♦ **1.** Pour introduire l'objet d'une action, la destination.

Après les verbes transitifs indirects. *Se souvenir de qqn. Douter de la vérité. Il s'agit de vous. Parler de tout.* — REM. Ne pas confondre cette construction avec : *lire de tout, manger de tout* où *de* est article partitif.

70 Il semblait toutefois parler d'affection.   CORNEILLE, la Suivante, III, 6.

71 Il s'agit de Pompée (...)   CORNEILLE, Pompée, I, 1.
72 *(Les dames)* Se plaignent justement des larcins de vos yeux (...)
                                                        MOLIÈRE, l'Étourdi, V, 8.
73 Ajax s'était vanté d'échapper de la mer.   RACINE, Remarque sur l'Odyssée.

Après ⇒ les verbes transitifs employés indirectement. *Penser du mal de qqn.* ⇒ **Propos** (à propos de), **sujet** (au sujet de). *Chapitre qui traite de la mode,* et, ellipt., (dans des titres d'ouvrages, de parties d'ouvrage) *De la mode* (La Bruyère) ; *De l'Allemagne,* ouvrage de Mᵐᵉ de Staël ; *De l'Amour,* ouvrage de Stendhal.

74 Un autre auteur (...) trouverait d'abord cent belles choses à dire de Votre Altesse
    Royale (...)   MOLIÈRE, Épître à Madeleine.
75 On vous aura forgé cent sots contes de lui.   MOLIÈRE, Tartuffe, V, 3.

Introduisant le complément de nom. *La taille des arbres. La pensée de la mort. L'amour des arts. Soif de célébrité. Abus de confiance. Le Système des beaux-arts,* essai d'Alain. *Le Système de la mode,* ouvrage de R. Barthes. *Vendeur de journaux. Allumeur* (cit. 3) *de réverbères.*

76 La crainte de Yahweh (l'Éternel) est le commencement de la sagesse,
                                            BIBLE (CRAMPON), Proverbes, I, 7.
77 Si l'amour des grandeurs, la soif de commander (...)   RACINE, Athalie, III, 3.
78 Le bombardement des villes est exclu par le gouvernement espagnol.
                                                      MALRAUX, l'Espoir, p. 478.

Après un adjectif. *Être avide de richesses. Être incapable de quoi que ce soit. Amoureux de la première venue.*

79 (...) d'un tel sonnet peu de gens sont capables (...)
    Je soutiens qu'on ne peut en faire de meilleur (...)
                                          MOLIÈRE, les Femmes savantes, III, 3.
80 J'estimais fort l'éloquence et j'étais amoureux de la poésie (...)
                                      DESCARTES, Discours de la méthode, I.

Après un adverbe, introduisant le complément. — (Manière). *Indépendamment de ...* — (Quantité). *Beaucoup de, peu de, trop de...* — REM. Comparer : *beaucoup de mal, de chance, de gens* et *bien du mal, de la chance, des gens.* ⇒ 2. **De.**

♦ **2.** (En apposition, après le nom). *La ville de Paris. Ce maladroit d'Un Tel* (ou *de Un Tel*), *Ce cochon de Morin,* conte de Maupassant. *Cet amour d'enfant. Le mot de liberté* (ou : *le mot liberté*).

81 Ah ! si mon fou de frère en pouvait faire autant.   CORNEILLE, Mélite, III, 5.
82 Notre grand flandrin de Vicomte (...)   MOLIÈRE, le Misanthrope, V, 4.
83 *(Notre mère)* Que du nom de savante on honore en tous lieux (...)
                                          MOLIÈRE, les Femmes savantes, I, 1.
84 Ah ! le chien de temps, il gèle à pierre fendre (...)   A. JARRY, Ubu Roi, IV, 5.
84.1 (...) visiter désespérément cette saleté de banlieue dans cette putain de voiture.
                                      Geneviève DORMANN, la Fanfaronne, p. 46.

♦ **3.** (En attribut avec les v. *traiter, qualifier*). *Il qualifie ce journal de tendancieux. Traiter qqn de menteur.*

85 Hélas ! ne traitez point ceci de raillerie (...)   MOLIÈRE, le Dépit amoureux, IV, 1.
86 (...) on s'en vient de hauteur
    Me traiter de faquin (...)   MOLIÈRE, l'Étourdi, I, 8.

Fam. *Comme* de juste, comme de vrai, comme de bien entendu* (comme il est juste, vrai, bien entendu).

(Emphatique). *Le ciel est d'un bleu ! Il est d'une force, d'une audace extraordinaire.*

87 La tente-abri était d'un lourd !
              Alphonse DAUDET, Tartarin de Tarascon, «Chez les Teurs», VII.
88 Ce petit tableau que Louise a découvert, la robe est d'un réussi !
                                                ZOLA, Mᵐᵉ Neigeon, 68.
88.1 Il but une partie de sa citronnade ; il trouvait ça d'un mauvais.
                                      R. QUENEAU, Pierrot mon ami, p. 168.

(Vieilli ou régional). *Être de, que de :* être à la place de. *Si j'étais de vous... Si j'étais que de vous...*

89 (...) si j'étais que des médecins, je me vengerais de son impertinence (...)
                                      MOLIÈRE, le Malade imaginaire, III, 3.
90 Si j'étais de Philippe, je montrerais moins de patience.
                                      Francis AMBRIÈRE, la Gal. dram., p. 199.

♦ **4.** (Devant un infinitif) — Devant un infinitif sujet. *Il est ennuyeux de rester chez soi ; mais c'est folie de partir* (cf. vx. *C'est folie que de partir*) ; *c'est folie que de partir. C'est à nous d'y aller* (ou *c'est à nous à y aller*). *Sa joie, c'est de danser.*

91 Je remets à ton choix de parler ou te taire (...)   CORNEILLE, le Menteur, I, 6.
92 Votre dessein est-il d'aller du côté de la ville ?   MOLIÈRE, Dom Juan, III, 3.
93 On hésite souvent entre la construction directe et l'indirecte : *il fait bon vivre* et : *il fait bon de vivre* (...)   F. BRUNOT, la Pensée et la Langue, II, IX, XVIII, p. 347.
93.1 Mais en politique, avoir raison, c'est empêcher le mal. Ce n'est pas de voir clair.
                          F. MAURIAC, le Nouveau Bloc-notes 1958-1960, p. 30.

Devant un infinitif compl. d'objet d'un verbe trans. *Cessez de parler. Nous vous prions de revenir. Il craint d'échouer dans cette entreprise. J'aime mieux agir ainsi que d'agir selon vos conseils* (ou *qu'agir selon vos conseils*).

94 Ne te tiens-tu pas fort de ma poltronnerie
    Pour m'empêcher d'entrer chez nous ?   MOLIÈRE, Amphitryon, I, 2.
95 Lopez proposait d'emporter les bustes à Madrid (...)
                                                  MALRAUX, l'Espoir, p. 644.
96 Plutôt mourir que d'y renoncer.   M. AYMÉ, les Contes du chat perché, p. 46.

Devant un infinitif à valeur active (de narration). *Et les enfants de sauter et de crier* (se mirent à sauter et à crier). *Et lui de répondre...* (Ces tournures commencent par *et*).

Et grenouilles de se plaindre ;   97
Et Jupin de leur dire (...)   LA FONTAINE, Fables, III, 4.
Et l'ivrogne de se diriger vers la porte et de sortir.   MALRAUX, l'Espoir, p. 650.   98

♦ **5.** (Devant un participe passé, un adjectif ou un adverbe).

Selon A. BLINKENBERG (*Le probl. de l'accord en fr. mod.,* p. 116), le *de* dans   99
cent hommes de tués, a eu, à l'origine, une valeur partitive (donc : *un homme de TUÉS,* suivant le sens primitif) ; puis le dernier terme étant regardé comme le prédicat de *homme(s),* s'est accordé avec lui : *cent hommes de TUÉS, un homme de TUÉ,* et le *de* est devenu un simple indice de la valeur prédicative du terme qu'il introduit.   GREVISSE, le Bon Usage, p. 779, note.

🅰 (Emploi facultatif). *Nous avons trois jours de libres* (ou *trois jours libres*). *Voici une lettre de terminée* (ou : *une lettre terminée*). *Encore un carreau de cassé* (ou : *un carreau cassé*).

(...) il y a déjà deux mailles de rompues.   100
                                      MOLIÈRE, le Bourgeois gentilhomme, II, 5.
Il y avait eu six mille barbares de tués.   FLAUBERT, Salammbô, p. 246.   101

Fam. *Et de deux, et de trois...*

🅱 (Emplois obligatoires). — Avec *en. En voici une de terminée. Il y en a deux de cassés.*

Avec *ne... que. Il n'y a de beau que le vrai. Cette pièce n'a de comique que la situation des personnages.*

Devant un adverbe. *Cinq minutes de plus.*

Après un pronom indéfini. *Quoi de neuf ? Rien de nouveau. Ils ont cela de bien.*

(...) ils ont cela de mauvais, qu'ils s'émancipent un peu trop (...)   102
                                                  MOLIÈRE, le Sicilien, 13.
La médecine n'a de certain que les espoirs trompeurs qu'elle nous donne.   103
                                              J. RENARD, Journal, 15 févr. 1901.
Il n'y a de divin que la pitié.   Léon BLOY, le Désespéré, p. 28.   104

♦ **6.** Fam. (Devant un nom). — REM. Cet usage, souvent considéré comme incorrect, est propre au langage parlé qui, en brisant la ligne mélodique habituelle, insiste sur le propos mis (syntaxiquement et psychologiquement) en avant.

Après un pronom. (Possessif). *C'est le mien, de bouquin :* c'est mon bouquin. — (Démonstratif). *Elle a choisi celle-ci, de robe :* cette robe est celle qu'elle a choisie. — En corrélation avec *en. Il en a retenu une, de candidature ;* (avec plur.) *il en a retenu plusieurs, de candidatures.* (→ ci-dessous, cit. 106 ; et aussi un, cit. 19 et *supra*).

(...) nous cherchions la nôtre d'affiche, l'affiche qui devait annoncer à Paris la   105
publication d'EN 18 (...)   Ed. et J. DE GONCOURT, Journal, 2 déc. 1851.
(...) ma montre elle marche plus (...) t'en avais une de montre toi ?   105.1
                                  Tony DUVERT, Paysage de fantaisie, p. 67.

Après un adjectif en emploi nominal : *... sa dernière, de chemise. ... pas la plus moche, de fille.*

Il admire l'œuvre d'art en détail tout en pensant qu'il faudra bientôt en refaire   106
une autre, d'œuvre d'art, pour la prochaine, de guerre, car fallait pas compter y couper, à une prochaine autre.   R. QUENEAU, le Dimanche de la vie, p. 83.

CONTR. À.
DÉR. **Davantage, deçà, dedans, dehors, delà, depuis, dessous, dessus, devers, dorénavant...** — V. 2. De, des et du.

2. DE [də], **DU** [dy] (pour *de le*), **DE LA** [dəla], **DES** [de] (pour *de les*) art. dit « partitif ». — XIIIᵉ ; de la prép. *de* associée, dans certains cas, à l'article défini. — REM. Phonét. : Voir ci-dessus, 1. De.
Article précédant les noms de choses qu'on ne peut compter.

♦ **1.** Devant un nom concret. *Manger du pain. Manger des épinards. Fumer du tabac blond. Consommer de la bière. Filer de la laine. Couper du bois.*
Buvant de l'eau dans un vieux pot à bière (...)   1
                                                  VOLTAIRE, le Pauvre Diable.

REM. Ne pas confondre : *manger des épinards* et *manger des gâteaux* (art. indéfini. → Des, III.). — Cependant, dans l'expression *manger des gâteaux que j'ai apportés, des* représente l'article partitif.

♦ **2.** Devant un nom concret nombrable auquel on donne la valeur d'une espèce. *Manger du lapin. Pêcher de la sardine. Il y a de la fraise dans ce bois. On trouve en lui du collégien.*
(...) dans tous les cœurs il est toujours de l'homme.   2
                                              MOLIÈRE, le Misanthrope, V, 4.
Dans tout ancien professeur, il y a de l'apôtre.   Paul BOURGET, le Tribun, p. 32.   3

Fam. (devant des noms désignant des personnes réelles) :
(...) on n'avait pas une clientèle bien passionnante, du boutiquier du quartier, de   3.1
l'employé, du facteur, pas grand-chose d'intéressant (...)
                                          R. QUENEAU, Loin de Rueil, p. 217.

♦ **3.** Devant un nom abstrait. *Éprouver de la répulsion. Avoir du courage. Faire de la publicité. Faire de la moto, du vélo. Jouer de la musique,* et, par ext., *jouer du Rameau. C'est du Valéry.* — *Avoir bien de la chance, bien des déceptions.* — (Avec *en* ; fam.) *Il en a, des remords. Tu en as perdu du temps.*

Il n'y a là que de la musique écrite ?   MOLIÈRE, le Malade imaginaire, II, 5.   4
Nul n'aura de l'esprit hors nous et nos amis (...)   5
                                          MOLIÈRE, les Femmes savantes, III, 2.
(...) je (...) n'aurai de l'attachement que pour vous.   6
                                          MOLIÈRE, George Dandin, III, 6.

REM. À la forme négative, l'article est omis et seule la préposition reste. *Ne pas manger de (du) pain. Ne pas avoir de (de la) conscience. Elle n'a pas perdu de temps. Vous n'avez pas d'excuses. Il n'a pas pris de précautions.*

♦ **4.** Vx. *De,* devant un adj., remplaçant *du, de la, des. Manger de bonne soupe* (ne pas confondre avec *de* venant de *des,* article indéfini. → Des). Mod. *Manger de la bonne soupe.* Dans des expressions proverbiales figées. *Faites-moi de bonne politique, je vous ferai de bonne finance.*

7 (...) il faut manger de bon gros bœuf, de bon gros porc, de bon fromage de Hollande (...) MOLIÈRE, le Malade imaginaire, III, 10.

8 J'ai le plus grand plaisir, dit-il, à jouer de bonne musique.
G. DUHAMEL, la Musique consolatrice, p. 82.

9 (...) de la bonne encre et du bon papier (...) GIDE, Journal, 4 juin 1949.

1. DE-, DÉ-, DES-, DÉS- Élément, du lat. *dis-* (ou *di-* devant certaines consonnes), indiquant l'éloignement, la négation, la privation, la séparation et entrant dans la formation de nombreux termes. Ex. : *débâillonner, déboisement, décolorer, dénuder, dépourvu, désapprobation, dératiser, désillusion, desserrer...*

REM. Ce préfixe très productif sert à former des mots éphémères (noms et verbes), d'un usage souvent individuel. Ex. : *déblanchir, débleuir, défanatiser, désembrumer, désidentifier* (1973, *in* D.D.L.). Dans un nom : *débretonnisation* (le *Nouvel Obs.,* 2 mars 1981, p. 46).

1 Elle pleure ; ses yeux ne débouffissent pas.
J. RENARD, Nos frères farouches, Ragotte, *in* Œ., t. II, Pl., p. 369.

2 (...) il semble bien qu'un commerçant déchaussé et déchaussetté penché sur ses arpions se met dans une situation inférieure vis-à-vis du client.
R. QUENEAU, le Dimanche de la vie, p. 159.

3 (...) décuitez-le *(dessoûlez-le)* en temps utile, à grands coups de torchon mouillé dans le nez, en lui faisant boire un verre d'Eno's ou de café au vitriol (...)
Boris VIAN, Vercoquin, p. 30-31.

4 Elle écrit : « D'abord des poèmes, pour "désocialiser" le sens des mots ; puis, avec ces mots, des nouvelles. » S. DE BEAUVOIR, la Force de l'âge, p. 439.

5 (...) les cheveux désondulés, à la pointe desquels frissonnaient encore la raclure légère d'un drap, le duvet d'un oreiller (...)
O. MIRBEAU, le Journal d'une femme de chambre, p. 49.

6 Il se leva et dessiégea son épouse sans ménagements.
R. QUENEAU, Loin de Rueil, p. 102.

7 Pour répondre aux exigences de la situation, on cherche des idéologies nouvelles. On comprend qu'il n'est pas possible de vivre sur le fonds américain des années 1950 à 1960 ; désidéologisation, résolution de plus en plus harmonieuse des tensions entre les classes.
Henri LEFEBVRE, la Vie quotidienne dans le monde moderne, p. 183.

2. DE-, DÉ-, DES-, DÉS- Élément, du lat. *de-,* qui a une valeur intensive (achèvement, renforcement de l'action) et entre principalement dans la formation de verbes. Ex. : *débagouler, découper, délaver,* etc.

1. DÉ [de] n. m. — Déb. XIIᵉ ; du lat. *datum* « pion de jeu », p. p. substantivé de *dare* « donner » et « placer, mettre, jeter ».

♦ **1.** Petit cube (os, ivoire, bois...) dont chaque face est marquée de un à six. *Dé à jouer. Jouer aux dés. Dé marqué sur une face seulement.* ⇒ **Farinet.** *Dé à douze faces.* ⇒ **Cochonnet.** *Dé en forme de toupie.* ⇒ **Toton.** *Dé pipé* ou *chargé, dé truqué* (pour qu'il tombe de préférence sur un côté déterminé). — Fig. *Les dés sont pipés :* il y a tricherie. — *Cornet* pour agiter et jeter les dés. Un beau coup de dés. Coup de dés où l'on amène les deux as* (⇒ **Bezet**), *les deux trois* (⇒ **Terne**), *les deux six* (⇒ **Sonnez**). *Coup où chacun des deux dés indique le même point.* ⇒ **Rafle.** *Coup de dés amenant trois faces semblables.* ⇒ **Brelan.**

1 M. de ... fort adonné au jeu, perdit en un seul coup de dés son revenu d'une année ; c'était mille écus.
CHAMFORT, Caractères et Anecdotes, « Belle leçon à un joueur. »

1.1 Fogar, l'aîné de tous, placé derrière parmi les plus grands, portait dans ses bras un immense cube de bois, transformé en dé à jouer par un complet badigeonnage blanc semé de rondelles creuses peintes en noir.
Raymond ROUSSEL, Impressions d'Afrique, p. 17.

Par métonymie. *Les dés :* le jeu, les jeux de dés. ⇒ **Craps, jacquet, momon, passe-dix, poker** (poker dice, corrompu en poker d'as), **quatre-cent-vingt-et-un, trictrac, zanzibar.**

♦ **2.** Fig. COUP DE DÉS : affaire qu'on laisse au hasard. *Jouer sa fortune sur un coup de dés,* la risquer dans une entreprise hasardeuse. *Un coup de dés jamais n'abolira le hasard,* poème de Mallarmé.

2 Non, non, celui qui a mis sa vie entière sur un coup de dé ne doit pas si vite abandonner la chance. A. DE MUSSET, la Nuit vénitienne, 1.

2.1 Toute pensée émet un Coup de Dés.
MALLARMÉ, Un coup de dés..., Pl., p. 477.

2.2 Ils disent, d'un œil faisandé,
Les manches très sacerdotales,
Que ce bas monde de scandale
N'est qu'un faux lancer des mille coups de dé.
Jules LAFORGUE, Poésies, « Pierrots », V.

Loc. *Lancer les dés :* se décider (→ Risquer le coup).

2.3 Alors brusquement, Gavache réalisa que le moment de se jeter à l'eau était arrivé. Merde, il lui fallait frapper tout de suite un grand coup pour persuader ces deux minables. Il décida de lancer les dés.

— J'ai pas le choix, déclara-t-il (...) Pierre GOMBERT, le Prix d'un taxi, p. 91.

Les dés sont jetés (ou : *le dé en est jeté,* ou encore : *les dés en sont jetés*) : la résolution est prise et l'on s'y tiendra quoi qu'il advienne (cf. le lat. *Alea jacta est :* « le sort en est jeté »).

3 Le sort en était jeté, et le dé lancé. Le reste était du destin.
MICHELET, Hist. de la Révolution franç., I, p. 972.

Vx ou littér. TENIR LE DÉ : être maître de qqch. — Spécialt. *Tenir le dé dans la conversation :* se rendre maître de la conversation et garder la parole.

4 Il n'était content d'une visite que lorsqu'il avait tenu le dé (...)
STENDHAL, Lamiel, Appendice.

5 Deux de ces histoires (*Le plus bel amour de Don Juan* et *À un dîner d'athées*) mettent directement en scène un conteur en verve qui tient le dé à une table de dîneurs ou de dîneuses (...)
J. GRACQ, Préface *in* BARBEY D'AUREVILLY, les Diaboliques.

6 Durant tout le repas, M. Venois avait tenu presque constamment le dé de la conversation. Son abondante et facile élocution se ressentait de ses anciens succès oratoires. A. BILLY, Sur les bords de la Veule, p. 32.

♦ **3.** a (1680). Techn. Partie cubique d'un piédestal. — Cube de pierre placé sous un poteau, une colonne.

b Plaque de cuivre adaptée au centre d'une poulie pour recevoir l'axe.

c Cheville, tampon parallélépipédique.

d Cuis. Petit morceau cubique. *Couper des carottes en dés. Dés de lard.*

HOM. D, 2. **dé** (à coudre), **des** (art.).

2. DÉ [de] n. m. — V. 1200, *deel ; dé,* d'après 1. *dé* (1.) ; du lat. pop. *ditale* pour *digitale,* du lat. class. *digitus* « doigt ».

♦ **1.** Petit étui cylindrique (de métal, d'ivoire...) à surface piquetée, destiné à protéger l'extrémité du doigt qui pousse l'aiguille. *Dé à coudre. Dé d'argent. Dé ouvert,* dont se servent les tailleurs.

Leurs ménages étaient tout leur docte entretien,
Et leurs livres un dé, du fil et des aiguilles,
Dont elles travaillaient au trousseau de leurs filles.
MOLIÈRE, les Femmes savantes, II, 7.

♦ **2.** Mar. Plaque de métal piquetée de petits trous fixée sur une paumelle de voilier et servant, comme le dé (1.), à pousser l'aiguille.

♦ **3.** Fig. et fam. DÉ À COUDRE : verre à boire très petit ; son contenu. *Servir à boire dans des dés à coudre. Boire un dé à coudre de cognac.* — Par ext. Espace très petit. *Travailler dans un dé à coudre.*

DÉR. Délot.

HOM. D, 1. **dé** (à jouer), **des** (art.).

DEAD-HEAT [dɛd(h)it] et, pop., [dedɛt] n. m. — 1855 ; attestation isolée, 1841 ; mot angl., de *dead* « morte », et *heat* « course ».

♦ Hippol. Dans une course de chevaux, Arrivée simultanée de deux ou plusieurs concurrents. ⇒ **Ex æquo.** — Ellipt. *Une dead-heat :* épreuve terminée par un *dead-heat.* — Adj. *Chevaux dead-heat.* — Adv. *Une course « qui se termina* dead-heat ». — Par ext. (Cyclisme). Franchissement simultané de la ligne d'arrivée par deux coureurs.

DÉAFFÉRENTATION [deaferɑ̃tɑsjɔ̃] n. f. — 1951, Delay ; → Sommeil, cit. 6.1 ; de 1. *dé-,* et *afférent.*

♦ ⇒ **Désafférentation** ou **désafférentiation.**

DÉALBATION [dealbɑsjɔ̃] n. f. — 1721, Trévoux ; lat. *dealbatio,* du supin de *dealbare* « blanchir », de *de* et *albus* « blanc ».

♦ **1.** Vx. Alchimie. « Changement de couleur noire en couleur blanche, qui arrive par la force du feu à la matière de la pierre philosophale » (Trévoux, 1740). ⇒ **Albification.**

♦ **2.** (1793, Lavoisier). Didact. Passage d'une couleur à la couleur blanche. ⇒ **Blanchiment.**

DEALER [dilœʀ] n. m. — V. 1970 ; s'est dit aussi pour « vendeur (d'une équipe de vente) ; revendeur (représentant d'une marque) » ; mot angl., « vendeur », de *to deal* « traiter, négocier ».

♦ Anglic. Acheteur et revendeur de drogue (souvent pour subvenir à l'usage de quelques personnes et à un usage personnel). *«Autant de maillons* (des cafés) *où l'on peut trouver le* dealer *qui vend du* shit *(...) »* (le *Nouvel Obs.,* 3 mars 1975, p. 42). *Des petits dealers.*

DÉAMBULAGE [deɑ̃bylaʒ] n. m. — 1932 ; de *déambuler.*

♦ Rare. Action de déambuler. ⇒ **Déambulation, déambulement.**

On n'était même plus forcé de les reconnaître, les passants. Pourtant ça m'aurait plu de les arrêter dans leur vague déambulage, une petite seconde (...)
CÉLINE, Voyage au bout de la nuit, p. 315 (1932).

DÉAMBULATEUR, TRICE [deãbylatœʀ, tʀis] n. et adj. — 1950 ; de *déambuler.*

♦ **1.** Rare. Personne qui déambule. ⇒ **Flâneur.**
Vous doutez-vous que je n'avais jamais rencontré Péguy avant de l'avoir croisé dans votre cabinet ? Il en est ainsi de tous les hôtes de la Maison et à plus forte raison de tous les déambulateurs de la Foire. Rappelez-vous que je sors de six ans de travail scientifique où je n'ai eu de pensées que pour ma besogne.
J.-R. BLOCH, Deux hommes se rencontrent, p. 44.
Adj. *Une manie déambulatrice.* ⇒ **Déambulatoire.**

♦ **2.** N. m. Méd. Appareil à pieds, très stable, conçu pour être utilisé comme appui dans la marche par des personnes souffrant de troubles de la locomotion.

DÉAMBULATION [deãbylɑsjõ] n. f. — 1492 ; de *déambuler.*

♦ Littér. ou didact. Action de déambuler. ⇒ **Déambulage, déambulement ; flânerie, marche, promenade.**
1   Enfin, les jambes rompues par cette déambulation d'aveugle, il se laisse glisser à terre, et ferme les yeux.   MARTIN DU GARD, les Thibault, t. VIII, p. 143.
2   Et les voilà maintenant qui traversent l'usine (...)
C'est d'abord un préau immense tout sillonné de rails, encombré d'engins, de débris, couvert de barres d'acier et de machines.
Et puis, ce fut une déambulation dans un tintamarre de plus en plus assourdissant, le long des murs interminables (...)
G. LEROUX, Rouletabille chez Krupp, p. 90-91.
Spécialt (psychiatrie). Tendance à marcher, à errer sans cesse.

1. DÉAMBULATOIRE [deãbylatwaʀ] adj. — xvᵉ, adj., « de la marche » ; du lat. *deambulatorius,* du supin de *deambulare.* → Déambuler.

♦ Vx. Relatif à la promenade ; qui déambule. « *La troupe déambulatoire* » (Gautier, *le Capitaine Fracasse*).

2. DÉAMBULATOIRE [deãbylatwaʀ] n. m. — 1571, comme adj. : *gallerie deambulatoire* ; « lieu de promenade », 1530 ; « parvis, cloître », repris mil. xixᵉ ; lat. *deambulatorium,* neutre de l'adj. → 1. Déambulatoire.

♦ Archit. Galerie qui tourne autour du chœur d'une église, reliant les bas-côtés (⇒ 2. **Carole,** vx ; **promenoir**), ou autour du sanctuaire d'un temple.
1   Nous avons visité, toute jaune et très belle, l'église romane de Paray-le-Monial, sa haute nef voûtée en berceau brisé et le gracieux déambulatoire qu'on appelle « le promenoir des anges ».   S. DE BEAUVOIR, Tout compte fait, p. 261.
2   On la voit de si loin que malgré l'ombre propice du déambulatoire de l'église Saint-Arnoult, je l'ai aperçue (...)   Hervé BAZIN, Cri de la chouette, p. 220.

DÉAMBULEMENT [deãbylmã] n. m. — Déb. xxᵉ ; de *déambuler.*

♦ Rare. Action de déambuler. ⇒ **Déambulage, déambulation.**

DÉAMBULER [deãbyle] v. intr. — V. 1477 ; repris xixᵉ ; lat. *deambulare,* de *de-,* et *ambulare* « aller et venir ». → Ambuler.

♦ Marcher sans but précis, selon sa fantaisie. ⇒ **Ambuler** (littér.), **errer, flâner, promener** (se). *Déambuler à travers les rues. Déambuler toute une journée dans une ville.*
1   Tous les bancs étaient occupés, et des grappes animées d'étudiants déambulaient dans les allées rectilignes, où les hauts ombrages entretenaient un peu de fraîcheur.   MARTIN DU GARD, les Thibault, t. V, p. 110.
2   Nous devisions en déambulant au long des trottoirs de cette ville étrange (...)
G. DUHAMEL, la Pesée des âmes, IX, p. 217.
3   Il déambulait charrié par la foule, parfois stationnaire comme une épave abandonnée par les flots sur la grève, puis de nouveau déambulant, comme repris dans le bouillonnement d'une charge triomphante des vagues.
R. QUENEAU, Pierrot mon ami, p. 21.

▶ **DÉAMBULANT, ANTE** p. prés. adjectif.
Rare. Qui déambule, se promène.
4   Tous les gens qui défilaient dans les couloirs du Paritz... des militaires, des officiers déambulants (...)   CÉLINE, Voyage au bout de la nuit, p. 60.
DÉR. Déambulage, déambulateur, déambulatoire, déambulation, déambulement.

DÉAMINATION [deaminɑsjõ] n. f. ⇒ **Désamination.**

DE AUDITU [deodity] loc. adv. — 1870, P. Larousse ; lat. *de,* et ablatif de *auditus* « ouïe », du supin de *audire* « écouter ».

♦ Au moyen de l'ouïe. *Savoir qqch. de auditu.* → Par ouï-dire*. Il le sait de visu et de auditu. Je ne le sais que de auditu.*
(...) deux américains allaient pouvoir en parler *(de Tombouctou) de visu, de auditu* et même *de olfactu,* à leur retour en Amérique (...)
De visu, parce que leur regard put se porter sur tous les points de ce triangle de

cinq à six kilomètres, que forme la ville ; — *de auditu,* parce que ce jour était un jour de grand marché, et qu'il s'y faisait un bruit effroyable ; — *de olfactu,* parce que le nerf olfactif ne pouvait être que très désagréablement impressionné par les odeurs de la place de Youbou-Kamo, où s'élève la halle aux viandes (...)
J. VERNE, Robur-le-conquérant, XIII, p. 191.

DEB [dɛb] n. f. — 1941 ; mot angl., abrév. de *debutante* « débutante ».

♦ Fam. Anglic. Débutante (2.). — Plur. *Debs* [dɛbs]. *Le bal des debs.*

DÉBÂCHER [debaʃe] v. tr. — 1741 ; de 1. *dé-, bâche,* et suff. verbal.

♦ Enlever la bâche de. *Débâcher une voiture.* — Absolt (ancienn). Débâcher une voiture, au relais de poste « *On débâche* » (Hugo, *in* T. L. F.). — REM. Le T. L. F. atteste les dér. *débâchement,* n. m. (Stendhal) et *débâcheur,* n. m. (Hugo).

DÉBÂCLAGE [debaklaʒ] n. m. — 1415 ; de *débâcler.*

♦ Vx. Action de débâcler* (1. b) un port. *Officier qui préside au débâclage.* ⇒ **Débâcleur.**

DÉBÂCLE [debakl] n. f. — 1690 ; « action de débâcler un port », 1680 ; déverbal de *débâcler.*

♦ **1.** Dans un cours d'eau gelé, Rupture subite de la couche de glace dont les morceaux sont emportés par le courant. (⇒ **Dégel** ; → au Canada, Bouscueil). *Icebergs des débâcles polaires. Crues de débâcles. Amoncellement de glaçons barrant le lit d'une rivière au moment de la débâcle.* ⇒ **Embâcle.**
Les premiers qui s'éloignent du bord avertissent que la glace plie sous eux, qu'elle s'enfonce, qu'ils marchent dans l'eau jusqu'aux genoux ; et bientôt on entend ce frêle appui se fendre avec des craquements effroyables qui se prolongent au loin comme dans une débâcle.   Ph.-P. SÉGUR, Hist. de Napoléon, X, 9.   1
Déjà la débâcle s'était produite dans différents endroits, et quelques glaçons flottants se dirigeaient vers la haute mer.   J. VERNE, Un hivernage dans les glaces, p. 328.   1.1

Par métaphore :
(...) ces premiers craquements, en Russie soviétique, étaient annonciateurs non d'un simple dégel mais d'une débâcle immense (le terme n'offre rien de péjoratif quand il désigne des glaces qui fondent).   1.2
F. MAURIAC, Bloc-notes 1952-1957, p. 242.

♦ **2.** Fig. Désorganisation brusque qui entraîne le désordre, la confusion. *Débâcle des opinions, des mœurs.*
Quel que fût l'intérieur du roi, il est certain que sa décence contenait quelque peu la débâcle des mœurs, à la cour, dans l'église.   2
MICHELET, Louis XIV et le duc de Bourgogne, p. 151, *in* LITTRÉ.
Sous l'action du fléau, les cadres de la société se liquéfient. L'ordre tombe. Il assiste à toutes les déroutes de la morale, à toutes les débâcles de la psychologie, il entend en lui le murmure de ses humeurs, déchirées, en pleine défaite, et qui, dans une vertigineuse déperdition de matière, deviennent lourdes et se métamorphosent peu à peu en charbon.   2.1
A. ARTAUD, le Théâtre et son double, Idées/Gallimard, p. 19-20.

♦ **3.** a Fuite soudaine et massive (d'une armée). *Le front percé, ce fut la débâcle.* ⇒ **Débandade, déroute.** *Retraite qui s'achève en débâcle. Une débâcle générale. La Débâcle,* roman d'E. Zola.
b Effondrement soudain. *C'est la débâcle pour son entreprise.* ⇒ **Faillite, ruine.** *La débâcle d'une fortune. Débâcle financière.* ⇒ **Krach, renversement.**
(...) ils furent tous obligés de fermer (...) Pourtant, au milieu de la débâcle, un moulin avait tenu bon et continuait de virer courageusement (...)   3
Alphonse DAUDET, Lettres de mon moulin, « Le secret de Mᵉ Cornille ».
La débâcle s'est faite si je puis dire d'un seul tenant, et en moins de quelques années.   Ch. PÉGUY, la République..., p. 283.   4

♦ **4.** *Débâcle intestinale,* ou, absolt, *Débâcle.* ⇒ **Colique, diarrhée.**

CONTR. Embâcle. — Réussite, victoire.

DÉBÂCLEMENT [debakləmã] n. m. — 1684, Mᵐᵉ de Sévigné, *in* D.D.L. ; de *débâcler.*

♦ Rare. Fait de débâcler* (2.). *Débâclement d'une rivière.*

DÉBÂCLER [debakle] v. — 1415 ; de 1. *dé-,* et *bâcler.* → Bâcler.

♦ **1.** V. tr. Vx. a Ouvrir (une porte, une fenêtre) en enlevant la bâcle.
b Faire sortir d'un port les navires déchargés pour laisser leur place aux bâtiments qui arrivent. *Débâcler un port.*
c Régional (Canada). Se débarrasser de.

♦ **2.** V. intr. (Le sujet désigne une rivière gelée). Dégeler brusquement, la couche de glace se fractionnant avant d'être emportée par le courant. ⇒ **Débâcle.** *La Néva débâclait.*
CONTR. Bâcler.
DÉR. Débâclage, débâcle, débâclement, débâcleur.

DÉBÂCLEUR [debɑklœʀ] n. m. — 1415 ; de *débâcler*.

♦ Vx. Celui qui supervise le débâclage d'un port. — REM. Le fém. est virtuel.

DÉBAGOULAGE [debagulaʒ] n. m. — 1869, Flaubert ; de *débagouler*.

♦ Suite ininterrompue de paroles.

(Ce morceau) est le type accompli du débagoulage de rhéteur.
J. ROMAINS, les Hommes de bonne volonté, t. IV, p. 249.

DÉBAGOULER [debagule] v. — Déb. XVIᵉ ; de 2. *dé-*, et anc. franç. *bagouler* « se moquer vulgairement ». → Bagou.

♦ **1.** V. intr. Pop. et vx. Vomir.

♦ **2.** V. tr. (1547). Fam. Proférer. *Débagouler des injures.*

1 *On va recommencer à faire les mêmes sottises (...) à débagouler les mêmes inepties !* FLAUBERT, Correspondance, IV, p. 63.

Absolt. *Débagouler sur qqch.* : parler sans s'arrêter, en général de manière péjorative, offensante.

2 *(...) toujours parlant, débagoulant, levant pour des toasts inouïs un verre vide au pied cassé (...)* Ed. et J. DE GONCOURT, Manette Salomon, p. 88.

Par ext. Émettre (des paroles) de manière intarissable et désagréable (→ Bonisseur, cit.). *Débagouler des histoires vulgaires, des injures.*

DÉR. Débagoulage, **débagouleur.**

DÉBAGOULEUR, EUSE [debagulœʀ, øz] n. — 1636 ; de *débagouler.*

♦ Personne qui débagoule (→ Acrobate, cit. 3).

DÉBAGUER [debage] v. tr. — Attesté 1970 ; de 1. *dé-*, *bague*, et suff. verbal.

♦ Ôter la bague de. *Débaguer un cigare. Débaguer un oiseau.* — Au p. p. *Doigt débagué.*

DÉBÂILLONNER [debɑjɔne] v. tr. — Av. 1842, Stendhal ; de 1. *dé-*, et *bâillonner.*

♦ **1.** Débarrasser (qqn) d'un bâillon. *On l'a délivré, débâillonné et détaché.*

♦ **2.** Fig. Rendre la liberté de parole à... *Débâillonner la presse.*

▶ **DÉBÂILLONNÉ, ÉE** p. p. adj.

♦ **1.** Dont on a ôté le bâillon.

♦ **2.** Qui a retrouvé sa liberté de parole.

Si peu que nous sachions ce qui s'y passe aujourd'hui, le même cri de l'esprit à demi débâillonné monte vers nous du fond de la vieille Russie, depuis que Staline n'est plus là. F. MAURIAC, Bloc-notes 1952-1957, p. 295.

CONTR. Bâillonner.

DÉBALLAGE [debalaʒ] n. m. — 1671 ; de *déballer.*

♦ **1.** a Action de déballer. *Le déballage d'une caisse, d'un paquet, d'un colis. Procéder au déballage.*

b Ce qui est déballé. *Range le paquet, tout ce déballage, s'il te plaît !*

Spécialt. Commerce d'objets déballés et exposés pour être vendus. ⇒ **Étalage.** *Vente au déballage,* de caractère occasionnel, accompagnée de publicité (et légale).

Fam. Accumulation d'objets en désordre (quelle qu'en soit la provenance). *Quel déballage !*

♦ **2.** Fam. Aveu, confession sans retenue.

J'ai continué mon déballage, je lui ai expliqué (...) tout, enfin !
MARTIN DU GARD, les Thibault, IV, p. 95.

♦ **3.** Argot. (En parlant d'une femme). Déshabillage.

DÉBALLASTAGE [debalastaʒ] n. m. — 1974 ; de *déballaster.*

♦ Mar. Vidange des ballasts. *Déballastage des citernes d'un pétrolier. Station portuaire de déballastage.* « *Il existe une autre source de pollution des mers par les hydrocarbures (...) le déballastage des citernes et le rinçage des moteurs* » (*Science et Vie,* nᵒ 106, p. 135, 1974).

DÉBALLASTER [debalaste] v. tr. — 1950 ; de 1. *dé-*, *ballast*, et suff. verbal.

♦ Mar. Vidanger les ballasts de (un navire).

DÉR. Déballastage.

DÉBALLER [debale] v. tr. — 1480 ; de 1. *dé-*, 2. *balle*, et suff. verbal.

♦ **1.** a Sortir et étaler (ce qui était dans un contenant : caisse, paquet, colis). ⇒ **Désemballer ; déballage.** *Déballer des marchandises. Ouvrir sa valise et déballer ses affaires. Déballer des livres d'une caisse. Tu ne vas pas tout déballer ?*

1 *Je tracassais quelques instants autour de mes livres et papiers pour les déballer et arranger, plutôt que pour les lire, et cet arrangement, qui devenait pour moi l'œuvre de Pénélope, me donnait le plaisir de muser quelques moments (...)* ROUSSEAU, les Confessions, XII.

2 *En un tour de main, tout cela, déballé, étalé par terre avec une prestesse prodigieuse et un certain art d'arrangement (...)* LOTI, Mᵐᵉ Chrysanthème, II, p. 8.

Spécialt et absolt. Exposer des machandises destinées à être vendues. ⇒ **Étaler.** *Le marchand forain déballe.*

b Sortir ce qui était dans (un contenant). *Déballer une caisse (de livres).* — Vx. *Déballer une charrette, un camion.* ⇒ **Décharger.**

♦ **2.** (Compl. n. de personne). Fam. et vieilli. *Déballer qqn :* faire descendre (qqn) d'un véhicule ; le déposer.

2.1 *Allons, vite, montez dans ma voiture ! Vous nous faites perdre un temps, là !... Je vais aux Halles, je vous déballerai avec mes légumes.* ZOLA, le Ventre de Paris, p. 8.

♦ **3.** Fam. Exposer (ce qui était caché) ; se livrer totalement. ⇒ **Confesser, épancher** (s'), **ouvrir** (s') ; → Vider son sac*. *Déballer ses petits secrets. Déballer toute son histoire, tous ses souvenirs. Tout déballer.* — Absolt : « *Je déballais à n'en plus finir, en mélangeant les faits et les années* » (Geneviève Dormann, *le Bateau du courrier,* p. 29).

3 *Alors Paul s'expliqua, détachant les syllabes, chuchotant, déballant toute la vérité.* COCTEAU, les Enfants terribles.

Loc. fig. Par métaphore. *Déballer sa marchandise :* montrer ce dont on est capable, exposer ce que l'on a à dire.

▶ **SE DÉBALLER** v. pron. (Correspond au sens 3 du transitif). *Besoin, goût de se déballer.*

Argot. Vx. (En parlant d'une femme). Se déshabiller.

▶ **DÉBALLÉ, ÉE** p. p. adj.

♦ **1.** *Marchandise déballée.* — Par ext. *Caisse déballée.*

♦ **2.** Fig. *Secrets, souvenirs déballés.* — Par métonymie. *Apparence, attitude déballée,* d'une personne qui déballe (3.) facilement ses pensées, etc.

4 *Dans Chen-yi, où reparaît le conquérant de Chang-hai ? La Chine s'accorde au disque comme elle s'accorde au cérémonial ; et malgré un côté déballé, le maréchal est manifestement en représentation.* MALRAUX, Antimémoires, Folio, p. 507.

♦ **3.** Fig. et fam. (Personnes). Écœuré, fatigué jusqu'à l'écœurement. *Après ces échecs, il est complètement déballé.*

CONTR. Emballer. — Taire.
DÉR. Déballage, déballeur.

DÉBALLEUR, EUSE [debalœʀ, øz] n. — 1929 ; « marchand ambulant vendant au déballage », 1842 ; de *déballer.*

♦ Techn. Personne qui déballe (qqch.) ; ouvrier, ouvrière qui procède au déballage. ⇒ **Magasinier, manutentionnaire.**

DÉBALLONNAGE [debalɔnaʒ] n. m. — Attesté 1949 ; de *déballonner.*

♦ Fam. Fait de se déballonner.

(...) un luxe qu'ils n'avaient pas eu le temps de s'offrir pendant leur vie : le déballonnage. Tu comprends ? C'est une fête pour eux de pouvoir s'aller remettre à la police. Ça les repose. Jean GENET, Journal du voleur, p. 233.

DÉBALLONNER (SE) [debalɔne] v. pron. — V. 1920 ; « sortir de prison », 1883 ; de 1. *dé-*, et *ballon* « prison » et, pour le sens mod., *(pneu) ballon*, pour remplacer *se dégonfler.*

♦ Fam. et péj. Reculer, par manque de courage, devant une action. ⇒ **Dégonfler** (se).

1 *C'est prêt. Tu vas pas te dégonfler, non ? pasque faut me le dire, si au dernier moment tu te déballonnes (...)* Jean GENET, Querelle de Brest, p. 319.

2 *Maintenant, au fur et à mesure que Noëlle se veut plus proche, c'est plus sûre-*

ment qu'il la perd. Sans remède. Au bout du chemin il y a le renoncement. Je me serai déballonné — pas la peine de travestir le pantin (...)
François NOURISSIER, Allemande, p. 186.

DÉR. Déballonnage.

DÉBALOURDER [debaluʀde] v. tr. — V. 1960 ; de 1. *dé-*, et *balourd*.

♦ Techn. Supprimer le balourd de (une pièce centrée, un élément mécanique tournant).

DÉBANDADE [debɑ̃dad] n. f. — 1559, *desbandade* ; de 2. *débander*.

♦ **1.** Vx ou littér. Action, mouvement, situation d'une troupe qui se débande* (2. Débander). ⇒ **Débandement ; débâcle, fuite, retraite.** *La débandade générale des troupes.*

Cour. Fait de se disperser rapidement en tous sens (personnes). ⇒ **Dispersion, ruée ; course.** *Une débandade d'écoliers après la classe. Ce fut la débandade générale.*

1 Alors ce fut une débandade folle avec des cris et des rires, pour grimper sur la haute falaise (...) LOTI, Pêcheur d'Islande, IV, 6, p. 243.

Loc. **EN DÉBANDADE.**

2 Ils se hâtent, en débandade, tête basse, épuisés, tirant la jambe, inquiets d'être à la traîne. MARTIN DU GARD, les Thibault, t. VII, p. 185.

À LA DÉBANDADE. *Les soldats s'enfuirent à la débandade.*

♦ **2.** Fait de se disperser en désordre, de se défaire (en parlant d'éléments nombreux, de choses abstraites). *La débandade des idées, des convictions.* ⇒ **Débâcle.**

2.1 Ah! cette débandade, chez moi, quand tout devient trop difficile !
Georges BORGEAUD, le Voyage à l'étranger, II, p. 135.

Par métonymie. État de choses (concrètes) répandues en désordre. ⇒ **Confusion, désordre, fatras, fouillis.**

2.2 Beaucoup de boursiers étaient ainsi en train de partir, qui restèrent, debout devant le dieu *(le banquier),* lui faisant une cour d'échines respectueuses, au milieu de la débandade des nappes salies. ZOLA, l'Argent, p. 13 (1891).

Loc. À LA DÉBANDADE : dans le désordre, la confusion d'un abandon général. Vieilli. *Mettre tout à la débandade,* en désordre. *Tout va à la débandade.*

3 (...) tout a été à la débandade, on a jeté l'argent (...)
Mme DE SÉVIGNÉ, 517, 4 juin 1690.

Par ext. Situation de choses concrètes disposées en désordre, comme si elles avaient été lâchées en vrac.

4 On distinguait nettement les masures bâties à la débandade le long de la route (...) ZOLA, la Faute de l'abbé Mouret, p. 379.

CONTR. Discipline, ordre, méthode règle. — (Personnes) Alignement, ordre, rassemblement.

DÉBANDEMENT [debɑ̃dmɑ̃] n. m. — 1555 ; de 2. *débander.*

♦ Milit. et vx. Action de se débander. *Débandement d'une armée.*

1. DÉBANDER [debɑ̃de] v. — Fin XIIe ; de 1. *dé-*, et *bander.*
→ 1. Bande.

★ **I.** V. tr. ♦ **1.** Enlever une bande à (qqch.). *Débander une plaie. Il se débande le bras. On lui débanda les yeux.*

♦ **2.** (V. 1549). Vieilli. Détendre ce qui est bandé. *Débander un ressort.* — Pron. *Se débander :* se détendre, se relâcher. Fig. *Se débander l'esprit :* se détendre en s'accordant du repos.

★ **II.** V. intr. (1690). Cesser d'être en érection.

1 Que c'est triste Venise. Jean n'en finissait pas de débander. Voulant se conforter, il l'embrassa dans le cou.
Claude COURCHAY, La vie finira bien par commencer, p. 64.

2 (...) une fille qui me caresse les cheveux en me disant Jeannot Lapin, ça me fait débander (...) É. AJAR (R. GARY), l'Angoisse du roi Salomon, p. 98.

Fig. Cesser d'être excité, attiré par qqch.
Loc. fig. Fam. *Sans débander :* sans cesser, sans interrompre son effort.

3 (...) on a maintenu la cadence sans débander pendant deux jours (...)
CAVANNA, les Ritals, p. 223.

2. DÉBANDER [debɑ̃de] v. tr. — 1556, v. pron. ; XVIe ; de 1. *dé-*, 2. *bande,* et suff. verbal.

♦ Vx. Mettre (une troupe) en désordre, disperser.

1 (...) ces Prussiens aperçurent la brigade russe ; sans reprendre haleine, ils la chargent, la débandent et lui arrachent deux bataillons.
Ph.-P. SÉGUR, Hist. de Napoléon, XII, 8, *in* LITTRÉ.

▶ SE DÉBANDER v. pron.
Rompre les rangs et se disperser soit pour piller, soit pour fuir. *L'armée se débanda devant l'ennemi.*
Fig. (Sujet n. de chose). Être dispersé, épars.

Des chaises dépaillées se débandaient, parmi des chevalets boiteux. 1.1
ZOLA, l'Œuvre, p. 17 (1886).

▶ **DÉBANDÉ, ÉE** p. p. adj. *Armée, soldats débandés.*

Pendant plusieurs jours de suite des lambeaux d'armées en déroute avaient traversé la ville. Ce n'était point de la troupe, mais des hordes débandées. 2
MAUPASSANT, Boule de suif, p. 7.

CONTR. Aligner, former (se), ordonner, rallier, rassembler.
DÉR. Débandade, débandement.

1. DÉBANQUER [debɑ̃ke] v. tr. — 1701 ; de 1. *dé-*, *banque,* et suff. verbal.

♦ Jeux. Priver (la banque, un joueur) des moyens de poursuivre la partie.

HOM. 2. Débanquer.

2. DÉBANQUER [debɑ̃ke] v. — 1702 ; de 1. *dé-*, *banc,* et suff. verbal avec adaptation graphique.

♦ **1.** V. tr. (Mar.). Dégarnir (un bateau) de ses bancs.

♦ **2.** V. intr. (Pêche). Quitter un banc de pêche.

HOM. 1. Débanquer.

DÉBAPTISER [debatize] v. tr. — 1599 ; d'abord sens relig., XVe ; de 1. *dé-*, et *baptiser.*

♦ Priver (qqn) de son nom pour lui en donner un autre.

Qui diable vous a fait aussi vous aviser,
À quarante et deux ans, de vous débaptiser (...) 1
MOLIÈRE, l'École des femmes, I, 1.

V. pron. *Se débaptiser :* supprimer son nom (pour en prendre un autre).

Par anal. *Débaptiser une rue.* — REM. En ce sens, on note le dérivé *débaptisage* [debatizaʒ] n. m., 1879, *in* D. D. L.

(...) le passage Tocanier fut débaptisé et reçut, avec le nom de Claude Tillier, la dignité de rue. G. DUHAMEL, Inventaire de l'abîme, IV, p. 57. 2

DÉBARBOUILLAGE [debaʀbujaʒ] n. m. — 1588 ; repris fin XIXe ; de *débarbouiller.*

♦ Action de débarbouiller, de se débarbouiller.

Les débarbouillages hâtifs avec le coin d'une serviette. COLETTE, Chéri, p. 28.
Fig. Action d'enlever ce qui salit, barbouille (au fig.), encombre. ⇒ **Nettoyage.** *Un débarbouillage de conscience. Le débarbouillage d'un texte.*

DÉBARBOUILLER [debaʀbuje] v. tr. — 1549 ; de 1. *dé-*, et *barbouiller.*

♦ **1.** Nettoyer pour enlever ce qui salit, ce qui barbouille. ⇒ **Laver.** Spécialt. Laver le visage de (qqn). *Débarbouiller un enfant.* Pron. réfl. *Il est allé se débarbouiller.* (Avec compl. d'obj. interne). *Se débarbouiller la figure.*

Les matins pour se débarbouiller, il tirait un seau d'eau dans lequel il barbotait à la façon des vieux soldats en se frottant vaguement la barbiche. 1
ALAIN-FOURNIER, Le Grand Meaulnes, p. 18.

♦ **2.** Fig. Rendre plus propre, plus net. *Débarbouiller un manuscrit, un texte,* en enlever rapidement les plus grosses imperfections. ⇒ **Nettoyer.**

♦ **3.** Fig. Vx. Faire disparaître (qqch. de gênant), modifier en rendant plus propre, plus net.

Une fille qui met tout en usage pour ne point passer pour la fille d'un bourgeois (...) Votre fille vous fait honneur de chercher à débarbouiller sa naissance, par le commerce des beaux esprits et des gens de qualité. 2
MONTCHESNAY, la Cause des femmes, 1687, *in* GUERARDI, Théâtre italien, II, 6 (*in* T. L. F.).

♦ **4.** (Croisement avec *débrouiller* ; à la forme pron.). Mod. Fam. Se tirer d'affaire, d'embarras, se dégager d'un mauvais pas. ⇒ **Débrouiller** (se), **dépêtrer** (se). *Laissez-le se débarbouiller tout seul.*

▶ **DÉBARBOUILLÉ, ÉE** p. p. adj. *Enfant mal débarbouillé,* sale. — Fig. *Personne mal débarbouillée,* mal dégrossie.

DÉR. Débarbouillette.

DÉBARBOUILLETTE [debaʀbujɛt] n. f. — Probablt fin XIXe ; *débarbouilloir,* n. m., et *débarbouilloire,* n. f., XIXe ; mot canadien, de *débarbouiller.*

♦ Régional (franç. du Canada). Petite serviette de toilette carrée, en tissu-éponge (correspond au *gant de toilette* utilisé en France). Syn. : *carré-éponge.*

DÉBARCADÈRE [debaʀkadɛʀ] n. m. — 1773 ; *débarcadour*, 1687 ; de *débarquer*, d'après *embarcadère**.

♦ **1.** Lieu spécialement aménagé pour l'embarquement et le débarquement (des navires, des passagers...). ⇒ **Appontement, embarcadère, gare** (maritime), **quai**. *Accoster, arriver* (cit. 4) *au débarcadère.*

Devant eux, sur la rivière, un ponton de débarcadère affleurait la berge.
FRANCE, Jocaste, Œ., t. II, XI, p. 109.

♦ **2.** Vx. (1840, *in* D.D.L.). Ch. de fer. Quai de départ et d'arrivée dans les gares de marchandises.

DÉBARDAGE [debaʀdaʒ] n. m. — 1680 ; aussi *débardement*, XVIIe et XVIIIe ; de *débarder*.

♦ Mar. ou techn. Action de débarder ; son résultat. ⇒ **Déchargement ; bardage**. *Débardage des betteraves,* leur transport jusqu'à un chemin carrossable, après l'arrachage.

DÉBARDER [debaʀde] v. tr. — 1522 ; de 1. *dé-, bard,* et suff. verbal « décharger d'un bard ».

♦ **1.** Mar. Décharger (du bois) hors des bateaux ou des trains de flottage et le porter sur le bord. *Débarder un train de bois flotté.* ⇒ **Débarquer.**

Par ext. Décharger à quai (des marchandises).

Iron. ou par plaisanterie.

De la nonagénaire enfouie au capiton du cercueil qu'on débarde, qu'on pousse sous le drap noir du catafalque, je tiens le quart de mes gènes.
Hervé BAZIN, Cri de la chouette, p. 57.

♦ **2.** Techn. Transporter (des bois) hors du taillis où ils ont été coupés. — Transporter (la pierre) hors de la carrière.

CONTR. Charger.
DÉR. Débardage, débardeur.

DÉBARDEUR, EUSE [debaʀdœʀ, øz] n. — 1528 ; de *débarder*.

♦ **1.** Vieilli. Personne qui décharge (et charge) un navire (⇒ **Docker**), un véhicule (⇒ **Porteur**). — Adj. *Ouvrier débardeur.* — REM. Dans ce sens, le fém. est virtuel.

♦ **2.** (1845). Par ext. Vx. Costume de débardeur, à la mode au XIXe siècle, notamment dans les bals costumés.

0.1   Voyez cette femme en débardeur figurant devant une petite vivandière.
Ch. PAUL DE KOCK, la Grande Ville, t. I, p. 381.

(V. 1970). Mod. Tricot court, collant, sans col ni manches et très échancré. *Porter un débardeur sous une veste.*

1   Un moment distraite, Catherine regarde le débardeur vert et groseille.
F. MALLET-JORIS, le Jeu du souterrain, p. 165 (1973).

♦ **3.** *Débardeuse :* femme du peuple de forte stature.

2   Il fallait voir, le samedi soir, à la fermeture des chantiers maritimes, la fine fleur des ouvriers du port en cotte bleue et des débardeuses, qui portaient sur la tête des mouchoirs rouges à pois blancs, se réunir pour festoyer.
Francis CARCO, Brumes, p. 11.

DÉBAROULER [debaʀule] ou **DÉGAROULER** [degaʀule] v. intr. — Attesté fin XIXe (Mâconnais, Lyonnais, Dauphiné), *débarouler ; dégarouler,* av. 1903 (Boulogne) ; de 2. *dé-,* et de mots régionaux (Sud-Est) *barroulô, barulá,* (Ardennes) *carouler* « dégringoler une pente », dér. de variantes de *rouler* avec préfixes dépréciatifs *ba-* et *ca-*.

♦ Régional. Tomber en roulant. ⇒ **Débouler, dégringoler** (sujet nom de personne ou de chose). — Trans. *Dégarouler un escalier.*

1   Mais il nous a échappé quand même. Il a débaroulé toute l'Épaule et rebondi sur le glacier. Plus de quatre cents mètres de chute !
R. FRISON-ROCHE, Premier de cordée, p. 171 (1941).

▶ **SE DÉBAROULER** v. pron.

2   (...) Agnès *(le nom)* a roulé comme une boule de laine des genoux, et le fil s'en débobine, la boule s'échappe, les conséquences (...) Il les voit devant ses yeux, les conséquences, la laine qui se débaroule (...)
ARAGON, Blanche..., II, V, p. 260.

DÉBARQUAGE [debaʀkaʒ] n. m. — 1863 ; de *débarquer*.

♦ Fig. et fam. Fait de « débarquer » (1. Débarquer II., 3.), d'arriver à l'improviste.

C'était, en somme, à l'hôtel, ce « débarquage » des Cambremer que ma grand'mère redoutait si fort autrefois (...)
PROUST, Sodome et Gomorrhe, Pl., t. II, p. 805.

Fait d'être « débarqué » (1. Débarquer I., 2.), renvoyé.

DÉBARQUANT [debaʀkã] n. m. — 1766 ; p. prés. substantivé de *débarquer*.

♦ Vieilli. Personne qui débarque. Fig. Personne qui arrive.

Je ne pouvais pas hier avoir des nouvelles de M. Cranford à moins que ce n'eût été par quelque débarquant d'Angleterre.
Mme DU DEFFAND, Lettre à Walpole, 20 oct. 1766.

DÉBARQUEMENT [debaʀkəmã] n. m. — 1583 ; *désembarquement,* 1542 ; de *débarquer*.

♦ **1.** Mar. Action de débarquer* (1. Débarquer I.), de mettre à terre (des passagers ou des marchandises). ⇒ **Déchargement**. *Le débarquement des passagers a commencé. Les formalités de débarquement. Passerelle de débarquement.*

♦ **2.** (De 1. Débarquer, II.). Action de débarquer (pour des personnes). *Le débarquement des réfugiés, des immigrés. Il fut arrêté à son débarquement* (→ Colonie, cit. 3).

Loc. *Quai de débarquement d'un port* (et, par ext., *d'une gare de chemin de fer*). ⇒ **Débarcadère.**

♦ **3.** Opération militaire consistant à mettre à terre un corps expéditionnaire embarqué et destiné à agir en territoire ennemi. ⇒ **Descente**. *Le débarquement allié sur les côtes normandes. Chaland de débarquement. Troupes de débarquement. Compagnies de débarquement :* marins qui, sur les navires de guerre, sont constitués en compagnies d'infanterie pour opérer des coups de main à terre.

1   L'apparente démonstration de conquête et de débarquement en Angleterre, l'évocation des souvenirs de Guillaume le Conquérant, la découverte du camp de César à Boulogne, le rassemblement subit de neuf cents bâtiments dans ce port, sous la protection d'une flotte de cinq cents voiles, toujours annoncée (...)
A. DE VIGNY, Servitude et Grandeur militaires, III, VI, p. 217.

2   (...) grâce aux « cinq » qui, d'Alger, préparèrent le débarquement américain en Afrique du Nord (...)
Pierre GAXOTTE, Hist. des Français, t. II, p. 558.

CONTR. Embarquement.

1. DÉBARQUER [debaʀke] v. — 1564 ; *désembarquer,* XVIe ; de 1. *dé-,* et *barque*.

★ **I.** V. tr. ♦ **1.** Faire sortir (des personnes, des choses) d'un navire, mettre à terre. ⇒ **Débarquement ; débarcadère**. *Débarquer les passagers, les marchandises. Débarquer une cargaison de bois.* ⇒ **Débarder.** Spécialt. *Débarquer un corps expéditionnaire sur les côtes ennemies.* ⇒ **Débarquement,** 3. — Par ext. *Débarquer les marchandises (d'un wagon).* ⇒ **Décharger.**

♦ **2.** Fam. Se débarrasser de (qqn). ⇒ **Congédier, destituer, écarter, limoger, vider** (fam.). *Il faut le débarquer. Débarquer un ministre. Il s'est fait débarquer.* ⇒ (fam.) **Vider, virer.**

★ **II.** V. intr. ♦ **1.** Quitter un navire, descendre* à terre. *Tous les passagers n'ont pas encore débarqué. Il débarquera à Marseille.* — Spécialt. *L'ennemi n'a pas pu débarquer,* il n'a pu prendre pied.

1   À tous les étrangers qui passent nos frontières, débarquent dans nos ports ou prennent terre sur nos aérodromes, comment ne certes une leçon de français dont la plupart n'ont pas besoin, mais, plus justement, une bonne « leçon de France » ?
G. DUHAMEL, Manuel du protestataire, III, p. 93.

Par ext. *Débarquer d'un train, d'un avion. Il vient de débarquer à Roissy.*

♦ **2.** Mar. Cesser de faire partie de l'équipage d'un navire (se dit d'un marin). *« Un marin débarque lorsqu'il ne fait plus partie du bord »* (Gruss).

♦ **3.** Fam. *Débarquer chez qqn,* arriver* à l'improviste. *Il a débarqué ce matin à la maison.*

♦ **4.** Fig. et fam. Ne pas être au courant de faits récents (comme si l'on rentrait d'un lointain voyage). *Une femme pour mon frère ? Tu débarques, il est marié depuis un an.*

1.1   Les gens m'interrogent d'un air fin : « Vous qui connaissez les dessous des cartes (...) » Mais non. Je débarque, après un mois de vacances.
F. MAURIAC, le Nouveau Bloc-notes 1958-1960, p. 52.

▶ **DÉBARQUÉ, ÉE** p. p. adj. et n.

Qui est sorti d'un navire. *Marchandises débarquées, à quai.* — (Personnes). Fig. Qui vient d'arriver. *Il est tout frais débarqué de sa province.*

2   (...) il veut (...) gouverner les grands : (...) À peine un grand est-il débarqué qu'il l'empoigne et s'en saisit (...)
LA BRUYÈRE, les Caractères, IX, 15.

REM. Cet emploi, non marqué dans la langue classique, serait aujourd'hui familier.

3   Comme il advient tous les ans, Paris, qui s'était endormi au bruit berceur d'une pluie battante, s'était réveillé ce matin-là avec le printemps sur la tête, un printemps gai, charmant, exquis, tout frais débarqué de la nuit sans avoir averti de sa venue, en bon provincial qui arrive du Midi (...)
COURTELINE, Messieurs les ronds-de-cuir, 1er tableau, I, p. 20.

N. *Un débarqué, une débarquée :* personne qui vient de débarquer. Fig. *Un nouveau débarqué :* un nouveau venu. *Une nouvelle débarquée.*

N. m. *Le débarqué.* ⇒ 2. **Débarquer** (n. m.).

CONTR. Embarquement.
DÉR. Débarquage, débarquant, débarquement, 2. **débarquer.**

2. DÉBARQUER ou **DÉBARQUÉ** [debaʀke] n. m. — 1771, Trévoux ; de 1. *débarquer*.

♦ Rare. Action de débarquer, d'arriver quelque part. ⇒ **Arrivée.**

Loc. (plus cour.). *Au débarquer :* au moment du débarquement.

1 Les premiers autocars montaient des basses vallées, amenant leur contingent habituel de touristes d'un jour et ceux-là, au débarquer, se précipitaient sur les magasins de cartes postales et de souvenirs.
R. FRISON-ROCHE, Premier de cordée, p. 90.

2 Je vous prie d'excuser le décousu d'une lettre écrite au débarqué du train (...)
J.-R. BLOCH, Deux hommes se rencontrent, p. 29.

DÉBARRAS [debaʀɑ] n. m. — 1798; déverbal de *débarrasser*.

★ **I.** ♦ **1.** Fam. Fait d'être débarrassé, délivré de ce qui embarrassait (en parlant des personnes ou des choses). ⇒ **Délivrance.** *C'est un débarras pour tout le monde.* — (Surtout précédé de *bon, quel...*) *Les voilà partis, bon débarras ! Ouf, quel débarras !*

1 Si je m'étais noyé, bon débarras pour moi et pour les autres !
CHATEAUBRIAND, Voyage en Amérique, 306.

♦ **2.** Fait de ranger, de mettre de côté des objets encombrants ou qu'on utilise peu (dans des syntagmes comme : *cabinet de débarras* ; → ci-dessous, II.).
Loc. (Franç. du Canada). *Vente*-débarras.*

★ **II.** (1810). Endroit où l'on remise les objets qui encombrent ou dont on se sert peu. ⇒ **Décharge** (vx), **grenier, remise.** *Des placards et des débarras.*

1.1 Une porte de la salle à manger donnait dans la vaste cuisine carrée. Et, au bout de celle-ci, il y avait une petite cour dallée, qui servait de débarras, encombrée de terrines, de tonneaux, d'ustensiles hors d'usage (...)
ZOLA, le Ventre de Paris, t. I, p. 82 (1875).

2 Bien au fond du couloir, un débarras (...) où malles, valises, sacs de cuir, vêtements, souliers et cantines étaient disposés méthodiquement en vue d'un usage commode.
H. BOSCO, Un rameau de la nuit, p. 92.

CONTR. Embarras.

DÉBARRASSER [debaʀɑse] v. tr. — 1584; *débaracée* « délivrée » (après avoir accouché), 1544 ; probablt de 1. *dé-*, et rad. de *embarrasser* pour *désembarrasser*, d'après ital. *sbarazzare* (hypothèse critiquée par P. Guiraud).

♦ Dégager ce qui embarrasse. ⇒ **Enlever, ôter.** *Débarrasser qqch. Débarrasser la voie publique.* ⇒ **Déblayer, dégager, désencombrer, désobstruer.** *Débarrasser le plancher* (⇒ **Balayer, nettoyer**) ; au fig. Partir (⇒ **Plancher,** cit. 3, 4).
Régional (Suisse). Enlever, emporter (qqch.) pour en débarrasser qqn. *Débarrasser du matériel.* — Loc. *A débarrasser* : à emporter. *Débarrasser qqch. de qqch. Débarrasser une pièce, un meuble des objets qui l'encombrent. Débarrasser la table de...* → ci-dessous, cit. 6. — Absolt. *Vous pouvez débarrasser,* enlever le couvert de la table. — *Débarrasser des impuretés.* ⇒ **Filtrer, purger, purifier.** *Débarrasser un minerai de sa gangue. Débarrasser un arbre de ses branches mortes.* ⇒ **Tailler.** *Débarrasser un cheval de son collier.* ⇒ **Déharnacher.** *Débarrasser les mains, les pieds de leurs liens.* ⇒ **Arracher, délivrer, dépêtrer, désempêtrer, désenlacer.**
Délivrer de ce qui gêne. *Débarrasser qqn.* (Fam). *Il m'a bien débarrassé quand il est parti. Débarrasser qqn de qqch. Débarrasser qqn de son chapeau, de son manteau.* Par plais. *Des voleurs l'ont débarrassé de son argent.* ⇒ **Délester, soustraire.** *Débarrasser d'un poids, d'un fardeau, d'une charge.* ⇒ **Décharger, exonérer, soulager.** *Débarrasser qqn d'un souci en le tirant d'affaire* (→ Tirer une épine* du pied). *Cette lettre l'a débarrassé d'une grande inquiétude.* — *Débarrasser qqn de qqn,* le délivrer de qqn que l'on écarte, éloigne, expulse, ou même que l'on fait mourir. *Débarrasser la société des indésirables.* — Passif. *Être débarrassé de qqn par...*

1 (...) il n'est rien d'égal au Fâcheux d'aujourd'hui ;
J'ai cru n'être jamais débarrassé de lui (...)
MOLIÈRE, les Fâcheux, I, 1.

2 Mais je veux de mon doute être débarrassée.
RACINE, Athalie, II, 6.

3 Il souhaitait la mort, disant qu'il n'était bon à rien ; qu'on l'épargnait par compassion de son état, mais qu'il était une charge pour ses parents, et que la plus grande grâce que le bon Dieu pût leur faire, ce serait de les débarrasser de lui.
G. SAND, la Petite Fadette, XXXI, p. 207.

4 Il est évident que je ne puis vous débarrasser de cette tumeur morale, comme je vous débarrasserais d'une tumeur physique, par une opération chirurgicale.
A. MAUROIS, les Discours du docteur O'Grady, XII, p. 120.

5 En le débarrassant de son chapeau et de son pardessus, le valet de chambre, Étienne, lui glissa d'une voix discrète (...)
J. ROMAINS, les Hommes de bonne volonté, t. III, p. 104.

6 Le garçon vient de débarrasser la table des derniers raviers de hors-d'œuvre. La nappe reste vide, sauf les verres, la carafe de chablis, et la corbeille à pain.
J. ROMAINS, les Hommes de bonne volonté, t. IV, p. 43.

▶ **SE DÉBARRASSER** v. pron. *Se débarrasser d'un objet encombrant ou inutile.* ⇒ **Abandonner, balancer, bazarder, colloquer** (1.), **défaire** (se), **jeter, rejeter.** *Lieu où l'on se débarrasse des vieilleries.* ⇒ **Débarras.** *Se débarrasser d'un vêtement.* ⇒ **Ôter, quitter.** *Se débarrasser de ses dettes.* ⇒ **Acquitter** (s'). *Se débarrasser d'une affaire.* ⇒ **Finir** (en), **liquider, vendre.** *Se débarrasser d'un souvenir, d'une idée.* ⇒ **Oublier.** *Se débarrasser d'un secret.* ⇒ **Délivrer** (se). *Se débarrasser d'un joug.* ⇒ **Affranchir** (s'). — *Se débarrasser de qqn :* éloigner, expulser une personne indésirable, ou, par euphémisme, la faire mourir. *Se débarrasser d'un ennemi.*

7 En tournant sa masse d'armes, il se débarrassa de quatorze cavaliers.
FLAUBERT, Trois contes, « La légende de St Julien l'Hospitalier », II, p. 122.

(...) il ne faut pas se débarrasser légèrement de ce qu'on a mis dans son cœur.   8
FRANCE, le Lys rouge, XII, p. 115.

L'on peut juger ici de la peine que nous avons à nous débarrasser d'une idée toute   9
faite.   J. PAULHAN, Entretien sur les faits divers, p. 15.

En un clin d'œil, il se débarrassa de son gilet (...)   10
MARTIN DU GARD, les Thibault, t. II, p. 139.

Même dans les milieux révolutionnaires, on essaye maintenant de se débarrasser   11
de la vieille terminologie humanitaire et libérale de 48 (...)
MARTIN DU GARD, les Thibault, t. V, p. 221.

CONTR. Embarrasser, entraver, gêner.
DÉR. Débarras.

DÉBARRER [debaʀe] v. tr. — 1174 ; de 1. *dé-*, et *barrer*.

♦ **1.** Vx ou régional [a] Ôter la barre (ou les barres) de... *Débarrer une porte, une fenêtre.*
[b] Laisser passer, s'écouler (un flot, etc.).
(...) après le choc des plombs et des mailles de l'épervier, voici la petite roue du moulin qui se presse, en lui, débarre d'autres torrents d'eau glacée. Pas le moment de faire des blagues.   A. JARRY, l'Amour en visites, Pl., t. I, p. 845.

♦ **2.** Techn. (textile). Faire disparaître les irrégularités de (un tissu fini ou teint) par une opération dite *débarrage* (n. m.). *Débarrer une étoffe.*

♦ **3.** Mus. En parlant d'un instrument, Enlever l'âme de. *Débarrer un violon.*

DÉR. Débarreur.

DÉBARREUR, EUSE [debaʀœʀ, øz] n. — 1870 ; de *débarrer*.

♦ Techn. Ouvrier, ouvrière qui débarre* (2.) une étoffe.

DÉBARRICADER [debaʀikade] v. tr. — 1845 ; de 1. *dé-*, et *barricader*.

♦ Enlever la barricade de ; ouvrir en supprimant la barricade. — Par ext. Ouvrir, dégager (ce qu'on avait barricadé).
On n'osa débarricader la sortie qu'en apercevant, par la fente d'un auvent, un mince rayon de jour.   MAUPASSANT, les Contes de la Bécasse, « La peur ».

▶ **SE DÉBARRICADER** v. pron.
Se dégager d'une barricade. — Par ext. Sortir, se dégager d'un lieu où l'on s'était enfermé, barricadé. *Il s'est débarricadé de sa chambre.*

CONTR. Barricader.

DÉBAT [deba] n. m. — XIIIe ; dr., 1283, au plur. ; déverbal de *débattre*.

♦ **1.** Action de débattre une question, de la discuter avec un ou plusieurs interlocuteurs qui allèguent leurs raisons. ⇒ **Contention** (vx), **contestation, démêlé, différend, discussion, dispute, examen, explication, panel** (anglic.), **polémique, table ronde.** *Débat vif, passionné, orageux. Le débat a roulé sur telle question. Soulever un débat. Éclaircir le débat. Entrer dans le vif, dans le cœur du débat :* aborder le point le plus important ou le plus délicat du sujet. *Concéder un point dans un débat. Verser des arguments au débat. Vider un débat. Abandonner le débat. Arbitrer, régler, trancher, clore un débat. Le problème s'est réglé après de nombreux débats.*

Je m'attendais à des débats, à des objections sans nombre ; et je la trouve juste,   1
bonne, généreuse (...)   BEAUMARCHAIS, la Mère coupable, III, 9.

(...) et il eût mal supporté que Denise rouvrît le débat.   2
A. MAUROIS, le Cercle de famille, II, XI, p. 182.

Il s'appliquait à ne pas passionner le débat, à lui garder un tour spéculatif.   3
MARTIN DU GARD, les Thibault, t. V, p. 223.

Quand un homme, ayant suffisamment instruit son jugement, jette courageuse-   4
ment son autorité dans le débat, élève la voix, demande une mesure de justice ou de clémence et se présente ainsi comme l'avocat libre d'une cause difficile et dangereuse, il faut l'écouter respectueusement, il faut le saluer toujours, et l'assister autant qu'on le peut.   G. DUHAMEL, la Défense des lettres, II, VIII, p. 176.

En débat. Mettre une question en débat, en débattre*. *Être en débat sur une question.*

Spécialt. Discussion organisée et dirigée. *Conférence suivie d'un débat. Débat télévisé. Organiser un débat.* — (En deuxième élément, dans des noms composés dont le genre est celui du premier terme) *-DÉBAT* : qui comporte un ou des débats (1., spécialt).*Une conférence-débat, un dîner-débat, une émission-débat. Des conférences-débats.*

♦ **2.** Fig. Combat intérieur, psychologique, d'arguments qui s'opposent. *Un débat intérieur. Débat de conscience.* ⇒ **Cas.** *Débat cornélien,* dans une tragique alternative.

(...) et subitement il se débonda, épandant au hasard des mots, ses plain-   5
tes, avouant l'inconscience de sa conversion, ses débats avec sa chair, son respect humain, son éloignement des pratiques ecclésiales (...)
HUYSMANS, En route, p. 72.

Littér. Genre littéraire du moyen âge dans lequel deux personnages allégoriques s'opposent dans un dialogue sur un thème donné. *Débat de Folie et d'Amour,* œuvre de Louise Labé (1555).

♦ 3. Par ext. ⇒ **Altercation, querelle.** *Il s'éleva un débat entre eux. Apaiser un débat.*

6   Petits princes, videz vos débats entre vous.   LA FONTAINE, Fables, IV, 4.

♦ 4. (Plur.). Discussion* dans une assemblée politique. ⇒ **Séance.** *Débats parlementaires. Débats sur un projet de loi. Débats sur l'amnistie. Ouvrir, reprendre les débats. Diriger les débats* (⇒ **Présider**). *Intervenir dans les débats. Incidents* au cours des débats. Clôturer les débats* (→ **Clôture,** cit. 2). *Le président a résumé les débats. Secrétaire des débats.* — *Lire le compte rendu analytique des débats dans le Journal officiel.*

7   Trois heures plus tôt, il était intervenu avec éclat dans le débat sur la grève des postiers, et sans l'avoir tout à fait prévu.   J. ROMAINS, les Hommes de bonne volonté, t. V, p. 214.

Dr. Procès. Spécialt. Phase du procès «qui débute par les plaidoiries des avocats et les conclusions du Ministère public et qui prend fin par la *clôture des débats* prononcée par le Président avant de rendre le jugement» (Capitant). *Débats d'un procès. Débats d'une affaire civile, criminelle. Débats publics. Toutes les phases des débats sont, en principe, publiques* (cf. Code d'instr. crim., art. 153, 190...). *Débats à huit clos. Les débats dureront plusieurs jours. Suivre les débats.*

DEBATER [debatœʀ] n. m. — 1830, répandu v. 1954 ; mot angl. ; francisé *débatteur,* 1967, rare.

♦ Anglic. Polit., journal. Orateur qui excelle aux débats, aux discussions publiques. «*Debater habile, spécialiste des formules choc...* » (*l'Express,* 10 mars 1979). — La forme française *débatteur* est recommandable : «*C'est le professeur qui le rectifie, le débatteur qui l'obstrue, l'orateur qui le coupe...* » (*le Monde,* 11 févr. 1977, p. 15).

Dans ce camp, le grand *debater* était un jeune inspecteur des finances déjà célèbre, (...) qui nous parlait savamment d' «open market» et de «gold exchange standard».   Raymond ABELLIO, Ma dernière mémoire, t. II, p. 102.

DÉBÂTER [debɑte] v. tr. — 1474 ; de 1. *dé-, bât,* et suff. verbal.

♦ Débarrasser (une bête de somme) de son bât. *Débâter un âne.*

Il en trouva une *(porte),* en effet, qui donnait dans une resserre où ils débâtèrent le mulet. C'était une sellerie ; l'écurie était derrière ; on pouvait y entrer librement. Ils raclèrent dans les mangeoires assez d'avoine et de foin sec pour leur bête.   J. GIONO, le Hussard sur le toit, p. 347.

DÉBÂTIR [debɑtiʀ] v. tr. — XIIIᵉ ; de 1. *dé-,* et *bâtir.*

♦ Démolir, démonter (ce qu'on a bâti).

Fig. ⇒ **Déconstruire.**

Cout. Découdre le bâti de... *Débâtir une jupe.*

1. DÉBATTEMENT [debatmɑ̃] n. m. — 1929 ; de 2. *dé-,* et *battement ;* l'anc. franç. *debatement, debattement* «action de battre, battement (par ex. d'yeux, d'ailes)» vient de *débattre.* → 2. Débattement.

Technique.

♦ 1. Mécan. Amplitude maximale des mouvements d'un ensemble suspendu (châssis d'automobile, wagon...) par rapport à son train de roulement. *Débattement d'une suspension.*

♦ 2. Espace libre pour le réglage de l'élément d'une optique. *Le débattement d'une bague de mise au point.*

2. DÉBATTEMENT [debatmɑ̃] n. m. — Attesté XVIᵉ, *debattement* (in Godefroy) ; de *(se) débattre.*

♦ Rare. Fait de se débattre.

(...) Jean ignorait encore que pour avoir une belle oie rôtie (...) il avait fallu épouvanter une bête, lutter avec elle, lui tordre le cou et faire couler des mares de sang sur l'évier de la cuisine [et quand il entendait des cris et des débattements effrayés dans la cour, il croyait que l'on punissait sans lui faire mal un coq méchant avec les poules)...   PROUST, Jean Santeuil, Pl., p. 282.

DÉBATTEUR [debatœʀ] n. m. ⇒ **Debater.**

DÉBATTRE [debatʀ] v. tr. et pron. — Conjug. *battre.* — XIIᵉ ; v. 1050, «battre fortement» ; de 2. *dé-,* et *battre.*

★ I. V. tr. **♦ 1.** Examiner contradictoirement (qqch.) avec un ou plusieurs interlocuteurs. *Débattre une question.* ⇒ **Agiter, délibérer, démêler, discuter, disputer, examiner, traiter ; conférence, débat.** *Débattre une affaire, un projet. Avoir qqch. à débattre avec qqn. Ils ont débattu la chose entre eux. Débattons d'abord ce point. Débattre les articles d'un compte. Débattre un prix.* ⇒ **Marchander.** *Débattre les conditions d'un pacte, d'un accord.* ⇒ **Négocier, parlementer, traiter** (→ Capitulation, cit. 4). — (Au p. p.). *Problèmes longuement débattus. Tout bien débattu.*

Tout débattu, tout bien pesé,
Les âmes des souris et les âmes des belles
Sont très différentes entre elles.   LA FONTAINE, Fables, IX, 7.   1

J'ignorais que des raisons qu'elle avait eues de me quitter, mais j'acceptais de débattre silencieusement avec elle, dans cette dernière rencontre, premier match du spectacle olympique, le drame qui nous séparait.   GIRAUDOUX, Bella, VI, p. 150.   2

«Que vais-je faire l'an prochain ? Préparer cet examen ? Ou tel autre ? Ou partir pour l'étranger ? Ou entrer dans cette usine ?» Il est naturel que ces questions soient mûrement débattues, mais nécessaire aussi qu'une limite de temps soit fixée, après laquelle une décision devra intervenir.   A. MAUROIS, Un art de vivre, III, p. 95.   3

V. tr. ind. *Débattre de, sur* (qqch.). *Débattre d'une affaire.*
Absolument :

(...) ils apprécient, distinguent, débattent, jugent, critiquent, pèsent le pour et le contre, dégustent une objection, démontrent et concluent (...)   SARTRE, la Mort dans l'âme, II, p. 204.   4

♦ 2. Régional (Suisse). Cuis. Agiter pour mêler (des substances alimentaires). ⇒ **Battre.** *Débattre des œufs, de la farine dans de l'eau.*

★ II. V. pron. SE DÉBATTRE. **♦ 1.** Lutter* en faisant beaucoup d'efforts pour se défendre, résister, se dégager. ⇒ **Agiter** (s'), **démener** (se). *Se débattre comme un beau diable, comme un possédé, comme un forcené. Il s'est longtemps débattu quand on l'a arrêté. Nageur qui se débat contre le courant.*

Je l'ai vu dans leurs mains quelque temps se débattre (...)   RACINE, Andromaque, V, 3.   5

Elle se débattait dans ses bras. Il la couvrait de baisers écumants.   HUGO, Notre-Dame de Paris, XI, I.   6

Je me vois encore dans ma chaire, me débattant comme un beau diable, au milieu des cris, des pleurs, des grognements, des sifflements.   A. DAUDET, le Petit Chose, I, IX, p. 111.   7

(...) Tristan se débattait, ainsi qu'un jeune loup pris au piège.   J. BÉDIER, Tristan et Iseult, I.   8

Je l'ai assommé pour qu'il ne se débatte pas.   GIRAUDOUX, la Folle de Chaillot, I.   9

♦ 2. Fig. *Se débattre contre les difficultés de la vie.* ⇒ **Batailler, battre** (se battre avec). *Se débattre contre la misère, la maladie.* ⇒ **Colleter** (se). *Se débattre au milieu de problèmes insolubles.*

(...) je me débattais contre mon impuissance à rendre dans une langue humaine le charme pénétrant des choses.   LOTI, Madame Chrysanthème, VIII.   10

Il y a des jours où l'on touche au fond des choses, où l'on se débat en vain contre tout ce qui est bas et vil.   A. MAUROIS, le Cercle de famille, p. 122.   11

Moi je me débats au milieu de difficultés humaines qui (...)   G. DUHAMEL, Chronique des Pasquier, VI, Les maîtres, X, p. 364.   12

♦ 3. (Passif). Être débattu. ⇒ **Débattre,** I. *Cette question se débat en ce moment.*

CONTR. Taire (se). — Céder, laisser (se laisser faire, se laisser aller...).
DÉR. Débat, 2. débattement.

DÉBAUCHAGE [deboʃaʒ] n. m. — 1900 ; de *débaucher.*

♦ 1. Vx. Action d'engager (qqn) à quitter un poste, un travail.

♦ 2. Mod. Action de priver qqn de son emploi (ouvriers, employés). ⇒ **Licenciement, renvoi.** *Le débauchage d'employés. De nombreux débauchages ont aggravé le chômage.*

CONTR. Embauchage, embauche.

DÉBAUCHE [deboʃ] n. f. — 1499 ; de *débaucher.*

Usage excessif, jugé condamnable, des plaisirs sensuels.

A. ♦ 1. (*La débauche*). [a] Vx ou relig. Excès, abus des plaisirs sensuels en général, condamnés par un jugement moral et social (lié aux idées dominantes à chaque époque, notamment aux idées religieuses) ; conduite qui en découle. ⇒ **Abus, excès ; corruption, immoralité ; débordement, déportement, dérèglement, désordre** (de la conduite), **inconduite.** — REM. La notion est liée à celles d'excès, de désordre, de faute morale (→ **Vice**) et d'abaissement (→ **Crapule**) autant qu'à celle de plaisir (→ Jouissance ; plaisirs, n. m. pl. ; volupté) au XVIIᵉ siècle, cette notion s'applique surtout aux hommes, et concerne «l'abandonnement au vin, aux femmes, au jeu et aux autres vices» (Furetière, 1690). — *S'adonner, s'abandonner à la débauche. Tomber dans la débauche. Vivre, passer sa vie dans la débauche :* avoir une conduite* désordonnée, relâchée, scandaleuse. *Compagnons de débauche.* — (Qualifié). *Débauche de table* (sens b) ; *la débauche des femmes* (sens c).

Par exagér. Excès (dans quelque domaine que ce soit), écart par rapport à des règles de conduite. «*Un petit rentier* (...) *dont l'unique débauche était d'acheter de la peinture*» (Zola, in T. L. F.).

N.B. Cet exemple atteste le glissement de la notion de «excès moralement condamnable» à «entorse aux principes bourgeois d'économie, etc.», fondé sur la notion commune d'«excès» ; l'extension de sens est attestée dès le XVIIᵉ siècle.

[b] Spécialt et vx. Excès des plaisirs de la table ; intempérance dans la gourmandise (⇒ **Gloutonnerie**) et la boisson (⇒ **Ivrognerie**).

« Repas de débauche » (Dupuis, 1796, *in* T. L. F.). *Partie de débauche.* ⇒ **Beuverie, ripaille, soûlerie.**

REM. Dans ce sens, qui ne survit plus qu'au sens 2 *(une débauche... de table)*, *débauche* implique en général aussi la notion d'excès d'ordre sexuel (ci-dessous, c).

c̲ Spécialt et mod. Excès des plaisirs de la chair ; recherche et pratique de la sexualité sans retenue et au mépris des règles morales de la société. — REM. Cette valeur est la plus vivante du mot ; mais l'évolution des mœurs fait qu'en dehors des contextes de jugement moral explicite (religion, etc.), *débauche*, comme les mots de la même famille, est souvent ironique ou plaisant. ⇒ **Dépravation, dévergondage, dissolution, incontinence, intempérance, libertinage, licence, luxure, orgie, paillardise, polissonnerie, relâchement, ribauderie** (vx). *Débauche effrénée, éhontée. Débauche honteuse.* ⇒ **Stupre, turpitude.** *S'adonner à la débauche. Se plonger, se vautrer, sombrer, tomber dans la débauche.* ⇒ **Boue, fange, ordure.** *Vivre dans la débauche, mener une vie de débauche.* → (loc.) *Rôtir le balai**, *mener une vie de bâton** *de chaise, courir** *les mauvais lieux, faire la noce**. *Un homme perdu de débauche.* ⇒ **Débauché.** *Actes, partie de débauche.* ⇒ **Bacchanale, bamboche, bamboula, bombe, bordée, bringue, foire, godaille, orgie, partie, partouse, ribote, ribouldingue, riole** (vx), **virée.** *Bruyantes scènes de débauche.* ⇒ **Bacchanales, saturnales.** *Lieu de débauche.* ⇒ **Bordel, boucan** (vx), **bousin, lieu** (mauvais lieu, lieu de perdition) ; **prostitution.**

Dr. *Excitation des mineurs à la débauche.* ⇒ **Corruption, prostitution.**

1   Sera puni (...) 1º Quiconque aura attenté aux mœurs en excitant, favorisant ou facilitant habituellement la débauche ou la corruption de la jeunesse de l'un ou de l'autre sexe (...) 2º Quiconque, pour satisfaire les passions d'autrui, aura embauché, entraîné ou détourné, même avec son consentement une femme ou une fille (...) en vue de la débauche (...)   *Code pénal, anc. art. 334-1.*

REM. 1. Les attestations littéraires concernent en général cette valeur sexuelle ; fréquentes dans la langue classique, elles se font plus rares au xxᵉ s., où le mot est assez «marqué».

2   Je sais fort bien que la débauche,
    Tantôt à droit, tantôt à gauche,
    Déshonore infailliblement
    La maîtresse plus que l'amant.   BUSSY-RABUTIN, *Maximes d'amour.*

3   (...) quand la débauche et le dévergondement sont poussés à un certain point de scandale, cet excès fait plus de tort aux hommes qu'aux femmes (...)
                              Mᵐᵉ DE SÉVIGNÉ, 663, 15 oct. 1677.

4   L'avantage de l'amour sur la débauche, c'est la multiplication des plaisirs. Toutes les pensées, tous les goûts, tous les sentiments deviennent réciproques. Dans l'amour, vous avez deux corps et deux âmes ; dans la débauche, vous avez une âme qui se dégoûte de son propre corps.   MONTESQUIEU, *Cahiers, p. 26.*

5   Il entre, dans toute espèce de débauche, beaucoup de froideur d'âme ; elle est un plus réfléchi et volontaire du plaisir.   Joseph JOUBERT, *Pensées, V, XIII, p. 65.*

5.1 J'arrive toute émue, *Dubourg* était seul, dans un état plus indécent encore que la veille. La brutalité, le libertinage, tous les caractères de la débauche éclataient dans ses regards sournois.   SADE, *Justine..., t. I, p. 25 (1791).*

6   Ah ! malheur à celui qui laisse la débauche
    Planter le premier clou sous sa mamelle gauche !
                 A. DE MUSSET, *Premières poésies*, « La coupe et les lèvres », IV, 1.

7   Le grand plaisir du débauché, c'est d'entraîner à la débauche.
                              GIDE, *Si le grain ne meurt, II, II, p. 343.*

8   Je veux remarquer à présent dans les vices une sorte de défi à l'honneur ; et je vois trois vices principaux, l'ivresse, la débauche et la cruauté (...)
                              ALAIN, *les Aventures du cœur, p. 94.*

REM. 2. À l'opposé de *dévergondage**, *débauche* se dit surtout des hommes.

♦ **2.** *(Une, des débauches).* Vieilli. Acte de débauche.

9   (...) tu prétends, ivrogne (...) que j'endure (...) tes insolences et tes débauches ?
                              MOLIÈRE, *le Médecin malgré lui, I, 1.*

10 (...) un père de famille qui a enfin réussi à embarquer pour la Bolivie le fils prodigue de qui les honteuses débauches souillaient de fange les cheveux blancs.
                              COURTELINE, *Messieurs les ronds-de-cuir, 4ᵉ tableau, II, p. 244.*

Fam. et vieilli. Excès de table inaccoutumé. *Faire une petite débauche.* — Vx. Excès, action inaccoutumée.

B. Par métaphore et fig. (⇒ **Orgie,** fig.) ♦ **1.** (Qualifié). Usage excessif et déréglé (de qqch.). ⇒ **Abus, excès, intempérance.** *Une débauche d'esprit, d'imagination. Se livrer à des débauches intellectuelles, verbales.* — Loc. *Faire débauche de...*

11 (...) vous soupez peut-être à l'heure qu'il est chez l'Intendant. Vous n'y faites pas, à mon avis, débauche de sincérité.   Mᵐᵉ DE SÉVIGNÉ, 367, 5 janv. 1674.

(Produits consommés). *Faire une débauche de cigarettes, de cigares.*

♦ **2.** *Une débauche de...* Profusion (de ce qui est surabondant et étalé). ⇒ **Étalage, luxe, profusion, surabondance.** *Une débauche de couleurs, de bons mots, de fleurs.*

12 Débauche de couleurs : toutes les nuances de l'arc-en-ciel.
                              MARTIN DU GARD, *les Thibault, t. IX, p. 188.*

13 C'est une débauche de poésie dramatique, une orgie de beautés sublimes !
                              G. DUHAMEL, *Inventaire de l'abîme, IX, p. 137.*

Littér. (sans compl. en *de*).

13.1 (...) la nourriture elle-même (...) exposée derrière le comptoir avec cette profusion, cette débauche ostentatoire qu'on ne rencontre que chez les pauvres (....)
                              Claude SIMON, *le Palace, éd. de Minuit, p. 21-22.*

Avec un jeu de mots entre les sens A et B :

---

14 Et, bientôt, la grande débauche des phrases avait commencé, accompagnant la grande débauche des principes et suivie de la grande débauche des gestes.
                 Louis MADELIN, *Hist. du Consulat et de l'Empire,*
                              De Brumaire à Marengo, IV, p. 47.

CONTR. **Frugalité, sobriété. — Ascétisme, austérité ; chasteté, continence, décence, innocence, pudeur, retenue, sagesse, vertu. — Modération, pondération. — Insuffisance, parcimonie.**

DÉBAUCHÉ, ÉE [deboʃe] adj. et n. — 1549 ; p. p. de *débaucher*.

Vieilli ou stylistique.

♦ **1.** Adj. Qui vit dans la débauche*. ⇒ **Corrompu, dépravé, dissolu, immoral, pervers, vicieux.** *Ce jeune homme est dissipateur et débauché. Un bohème ivrogne et débauché. Une femme débauchée.* ⇒ **Femme** (femme de mauvaise vie, coquine....), **fille** (fille perdue...). Par ext. (en parlant d'une ville, d'un pays, d'une époque). → ci-dessous, cit. 2.

1   (...) ils entrèrent dans la maison d'une femme débauchée, nommée Rahab, et reposèrent chez elle.   BIBLE (SACY), *Josué, II, 1.*

2   (...) je ne dis pas dans Rome débauchée et sous la licence des empereurs, mais dans Rome disciplinée, sous la sagesse des consuls (...)
                              MOLIÈRE, *Tartuffe, Préface.*

3   (...) tel qui se flatte d'être corrompu et voleur n'est que débauché et fripon ; tel qui se croit vicieux n'est que vil ; tel qui se vante d'être criminel n'est qu'infâme.
                 CHATEAUBRIAND, *Mémoires d'outre-tombe I, p. 225.*

4   (...) l'homme le plus crapuleusement débauché qu'il fût possible de voir, un vrai satyre, moins les pieds de bouc et les oreilles pointues.
                              Th. GAUTIER, *Mˡˡᵉ de Maupin, X, p. 223.*

Par ext. (Sentiments, attitudes). *Appétits débauchés.*

♦ **2.** N. Personne qui s'adonne sans retenue aux plaisirs de la sexualité (avec une idée d'excès, de vice). ⇒ **Débauche.** N. m. *Un débauché.* ⇒ **Bambocheur, cochon, coureur, drille, godailleur, noceur, paillard, polisson, porc, ribaud, roué, ruffian** (vx), **satyre, viveur.** *Mœurs dissolues des débauchés. Alcibiade, Sardanapale, types célèbres de débauchés.* ⇒ **Libertin, libidineux.** *Un débauché honteux, hypocrite ; cynique, impudique.* ⇒ **Putassier.** *Un vieux débauché.* — N. f. *Une débauchée.* ⇒ **Dévergondée.** — REM. L'idée de *débauché* implique le goût gratuit du plaisir, et se distingue nettement de celle de prostitution.

5   (...) ce serait une injustice (...) que de vouloir condamner Olimpe qui est femme de bien, parce qu'il y a eu une Olimpe qui a été une débauchée.
                              MOLIÈRE, *Tartuffe, Préface.*

6   Je connaîtrais un homme qui a des mœurs entre cent mille débauchés.
                              ROUSSEAU, *Émile, IV.*

7   Les débauchés (...) ne disent pas : « Cette femme m'a aimé » ; ils disent : « J'ai eu cette femme » (...)
                 A. DE MUSSET, *la Confession d'un enfant du siècle, V, 4, p. 291.*

Personne condamnée pour ses excès sensuels au nom d'une morale sociale. ⇒ **Sujet** (mauvais). *Ce jeune débauché...* ⇒ **Polisson.**

CONTR. **Ascète, austère. — Chaste, pudique, rangé, sage, sobre, vertueux.**
HOM. **Débaucher.**

DÉBAUCHER [deboʃe] v. tr. — 1195, *desbauchier* «disperser (des gens)» ; v. 1300, (réfl.) «partir» ; 1350, «écarter (qqn)» ; selon le F. E. W., de *des-* (→ 1. *dé-*), et *bauch* «poutre» (même étymon francique que *balcon*), bien que les sens concrets «dégrossir du bois pour en faire des poutres» (→ Ébaucher) et de là «fendre, séparer», qui fonderait «écarter», ne soient pas attestés ; P. Guiraud préfère une dérivation de *bauche* «maison», d'abord «mortier de terre et de paille, mélange boueux» (→ Bauge).

★ **I.** (Opposé à *embaucher* ; xvᵉ ; repris xixᵉ). ♦ **1.** Détourner (qqn) d'un travail, d'une occupation, de ses engagements ; provoquer à la défection, à la grève. *Débaucher un ouvrier, un domestique. Débaucher les soldats d'un régiment.*

1   (...) des vaisseaux qu'il (*le prince d'Orange*) envoyait pour débaucher une partie de la flotte anglaise (...)   Mᵐᵉ DE SÉVIGNÉ, 1074, 20 oct. 1688.

2   (...) cela n'est ni beau ni honnête de nous débaucher (*nos laquais*) comme vous faites.   MOLIÈRE, *les Précieuses ridicules, 15.*

3   (...) dans l'espoir de débaucher quelques éléments intéressants du petit clan et de les agréger à son propre salon (...)   PROUST, *À la recherche du temps perdu, t. IX, p. 185.*

♦ **2.** Renvoyer (qqn) faute de travail. ⇒ **Congédier, licencier, renvoyer.** *Débaucher une partie du personnel.* Absolt. *On débauche dans telle usine.*

♦ **3.** V. intr. Régional. *Il, elle débauche à cinq heures :* il, elle cesse le travail.

★ **II.** (xvᵉ). ♦ **1.** Vieilli ou relig. Détourner (qqn) de ses devoirs, entraîner* à l'inconduite. ⇒ **Corrompre, dépraver, déranger, détourner, dévergonder, dissiper, pervertir, prostituer.** *Débaucher un mineur, une jeune fille.* ⇒ **Débauche** (cit. 1) ; **séduire.** *Le mauvais exemple débauche la jeunesse. Les mauvaises compagnies l'ont débauché.*

4   Femme n'était ni fille dans Florence
    Qui n'employât, pour débaucher le cœur
    Du cavalier, l'une un mot suborneur,
    L'autre un coup d'œil, l'autre quelque autre avance.
                 LA FONTAINE, *Contes, « Le faucon ».*

5 Je n'ai débauché le mari d'aucune femme, je n'ai jamais attiré dans mes filets aucun jeune homme.   G.-T. RAYNAL, Hist. philosophique, XVII, 21, *in* LITTRÉ.

♦ **2.** (XVIIᵉ). Fam. Détourner (qqn) de ses occupations ou de ses habitudes pour un divertissement honnête. *Se faire débaucher pour une partie de cartes. Viens, je te débauche, on va au cinéma.*

6 Je me suis laissé débaucher par M. Félix pour aller demain avec le Roi à Maintenon.   RACINE, Lettre.

▶ **SE DÉBAUCHER** v. pron. (XVIᵉ).

Vieilli. Se livrer à la débauche. *Il s'est débauché très jeune.* ⇒ **Perdre** (se).

▶ **DÉBAUCHÉ, ÉE** p. p. adj. et n. Voir à l'ordre alphab.

CONTR. Embaucher. — Moraliser, redresser.
DÉR. Débauchage, débauche, débauché, débaucheur.
HOM. Débauché, adj. et n.

DÉBAUCHEUR, EUSE [deboʃœʀ, øz] n. — Déb. XVIᵉ; de *débaucher.*

♦ Vx. Personne qui incite à la débauche.

DÉBECTAGE ou **DÉBÉQUETAGE** [debɛktaʒ] n. m. — 1901, *in* Cellard et Rey, *débectage; débequetage,* Bauche, 1929; de *débecter*, débe(c)queter.*

♦ Pop. Action de vomir; vomissement, nausée. ⇒ **Débectance.** — Fig. Dégoût. — REM. On écrit aussi *débecquetage.*

Je la ressentais drôlement cette sensation de débectage, rien qu'à l'idée d'aller m'attabler seul dans un restaurant parmi les branques.   Albert SIMONIN, Touchez pas au grisbi, p. 127.

DÉBECTANCE [debɛktɑ̃s] n. f. — 1901, Bruant; de *débecter.*

♦ Pop. et vx. Dégoût, répugnance. ⇒ **Débectage.**

DÉBECTANT ou **DÉBÉQUETANT, ANTE** [debɛktɑ̃, ɑ̃t] adj. — 1883, «contrariant»; 1901, «nauséeux»; p. prés. de *débecter*, débe(c)queter* (voir graphie cit.).

♦ Fam. Qui dégoûte. ⇒ **Dégoûtant.** — REM. On écrit aussi *débecquetant.*

Et ta mère? lui demanda Julie.
— Remariée, ma chère, rien que pour me vexer. À soixante et onze ans!
— Ça, alors... dit Coco Vatard. C'est débecquetant.   COLETTE, Julie de Carneilhan, p. 83.

DÉBECTER ou **DÉBÉQUETER, DÉBECQUETER** [debɛkte] v. tr. — 1892; «vomir» (sens concret), 1883; de 1. *dé-,* et *bec,* d'après *becqueter* «manger».

Familier.

♦ **1.** Dégoûter. *Ça me débecte, débèquete.*

1 On prend un verre ensemble? proposa Pierrot.
— Merci. J'ai mal au foie, et le vichy-fraise me débecte.   R. QUENEAU, Pierrot mon ami, éd. L. de Poche, p. 176.

♦ **2.** (1914). Vieilli. Rejeter avec répugnance, vomir (au figuré).

2 J'suis dégoûté, v'là c'que j'suis! Les gens, j'les débecte, et j'les r'débecte, tu peux leur dire.   H. BARBUSSE, le Feu, t. I, I, IX, p. 48 (1916).

DÉR. Débectage, débectance, débectant.

DÉBELLATOIRE [debɛllatwaʀ; debɛlatwaʀ] adj. — 1532; bas lat. *debellatorius,* du supin de *debellare* «soumettre par les armes», de *de-,* et *bellare* «faire la guerre», de *bellum* «guerre», cf. l'anc. v. *débeller* (mil. XIVᵉ) «vaincre».

♦ Vx. Victorieux. *Cris débellatoires.*

DÉBENZOLAGE [debɛ̃zɔlaʒ] n. m. — 1922; de *débenzoler.*

♦ Techn. Opération par laquelle on débenzole (le gaz).

DÉBENZOLER [debɛ̃zɔle] v. tr. — 1922; de 1. *dé-,* et *benzol.*

♦ Techn. Traiter (le gaz de houille) pour en enlever le benzol. — P. p. adj. *Gaz débenzolé.*
DÉR. Débenzolage.

DÉBÉQUETAGE [debɛktaʒ] n. m. ⇒ **Débectage.**

DÉBÉQUETANT, ANTE [debɛktɑ̃, ɑ̃t] adj. ⇒ **Débectant.**

DÉBÉQUETER [debɛkte] v. tr. ⇒ **Débecter.**

DÉBÉQUILLER [debekije] v. tr. — 1968; de 1. *dé-,* et *béquille,* 3.

♦ Enlever ou relever la ou les béquilles qui soutiennent (un bateau; un véhicule). *Débéquiller sa moto.*

DÉBET [debɛ] n. m. — 1441; lat. *debet* «il doit».

♦ Fin. Ce qui reste dû après l'arrêté d'un compte. *Les débets. Le débet d'un compte.*

Un refus extrêmement poli du notaire à une nouvelle demande, apprit ce débet à Victurnien (...)   BALZAC, le Cabinet des antiques, Pl., t. IV, p. 389.

Spécialt. Dette envers l'État ou une collectivité publique. *Arrêt de débet de la Cour des comptes,* condamnant le comptable à solder le débet. — *Arrêté de débet d'un ministre,* contre un comptable, un entrepreneur, un fournisseur.

DÉBÊTIR [debetiʀ] v. tr. — Attesté 1869 (Centre de la France); aussi *débétir, débêter; débété,* adj., 1795, *in* D.D.L.; de 1. *dé-, bête,* et suff. verbal.

♦ Rare (ou régional). Rendre moins bête, moins sot.

Elle dit à Gloriette qui compte sa monnaie : «Vous en avez des jolis sous! Il n'y a que ça qui débêtit le monde!»   J. RENARD, Nos frères farouches, Ragotte, *in* Œ., Pl., t. II, p. 330-331.

DÉBIFFER [debife] v. tr. — XIVᵉ; orig. incert., p.-ê. de 1. *dé-,* 1. *biffe,* et suff. verbal, ou de 2. *dé-,* et *biffer* «détruire, anéantir».

♦ Vx. Mettre en mauvais état. — P. p. adj. *Pâle et débiffé.* ⇒ **Défait.**

De cela elle n'a cure; elle s'est présentée amaigrie, débiffée par les docteurs qui la médicamentaient.   CHATEAUBRIAND, Mémoires d'outre-tombe, t. V, IV, I, p. 311.

DÉBILE [debil] adj. et n. — V. 1265, subst.; lat. *debilis* «faible».

♦ **1.** Littér. ou didact. (vieilli). Qui manque de force physique, d'une manière permanente. ⇒ **Cacochyme, déficient, égrotant, faible, fragile, frêle, malingre, rachitique.** *Un enfant débile. Vieillard débile. Une constitution débile. Avoir des jambes débiles. Main débile.*

1 *Debilis,* de *de habilis,* veut dire proprement qui, par une décadence, une dégradation, un déchet, un déclin, a perdu son *habileté,* son aptitude, est devenu inepte ou incapable de remplir ses fonctions. On peut être *faible* par constitution, par un défaut de naissance, ou parce qu'on n'a pas encore acquis assez de force; on n'est proprement *débile* que par la perte de la force qu'on avait.   LAFAYE, Dict. des synonymes, Faible, débile, p. 602.

2 Un corps débile affaiblit l'âme.   ROUSSEAU, Émile, I.

3 (...) les ministres dont la main débile laissa tomber dans le gouffre la couronne de saint Louis (...)   CHATEAUBRIAND, Mémoires d'outre-tombe, t. IV, p. 73.

4 Âme de feu dans un corps débile, volonté de fer, esprit qu'agitait un cœur effréné (...)   Louis MADELIN, Hist. du Consulat et de l'Empire, t. V, XIII (→ Ardeur, cit. 38).

Par anal. *Arbrisseau débile. Plante débile.*

♦ **2.** Littér. ou vx (abstrait). Sans aucune vigueur. ⇒ **Faible; chancelant, impuissant.** *Une volonté débile. Courage débile. Avoir le cerveau, l'esprit débile.*

5 Son courage sans force est un débile appui (...)   CORNEILLE, Horace, IV, 2.

6 (...) ces petits chapeaux *(de vos jeunes muguets)* Qui laissent éventer leurs débiles cerveaux (...)   MOLIÈRE, l'École des maris, I, 1.

7 L'esprit humain est débile; il s'accommode mal de la vérité toute pure; il faut que sa religion, sa morale, ses États, ses poètes, ses artistes, la lui présentent enveloppée de mensonges.   R. ROLLAND, Jésus-Christ, IV, p. 21.

8 (...) ma débile raison s'en laissait imposer par mes désirs.   GIDE, le Retour de l'enfant prodigue, Vᵉ tableau, p. 42.

♦ **3.** (V. 1909). Psychol. Qui est atteint de débilité* mentale (pour un adulte, âge mental entre 7 et 10 ans). — N. *Un débile mental, une débile mentale.* ⇒ aussi **Déficient** (mental), **retardé** (mental). *Débiles légers, moyens. Débiles profonds.* ⇒ **Infirme** (infirmes mentaux). Cour. Atteint d'une insuffisance mentale plus ou moins marquée.

9 (...) un après-midi, une jeune fille de dix-huit ans un peu débile, Claudine, avait été torturée par trois très jeunes hommes (...)   Michèle PERREIN, Entre chienne et louve, p. 209.

♦ **4.** Fam. Imbécile, idiot. ⇒ **Taré.** *Complètement débile, ce mec! Des profs débiles. «Quand tu t'ennuies, tu deviens débile (...)»* (le

Nouvel Obs., 16 oct. 1978, p. 69). — N. Personne débile. *Espèce de débile !* — N. m. Ce qui est débile. « *Cinéma simpliste : ce n'est pas loin d'être débile. Mais c'est du débile américain (...)* » (*l'Express*, 8 déc. 1979, p. 32). — REM. Ce sens est devenu si courant dans la langue parlée (comme en témoigne la suffixation : *débilos* [debilos], in *Actuel*, déc. 1974, p. 54) que les valeurs 1 à 3 sont aujourd'hui stylistiques (didact., littér., etc.).

10 *Débile :* contraire de génial.   Jacques MERLINO, les Jargonautes, p. 196.

CONTR. Énergique, ferme, fort, résolu, robuste, vigoureux.
DÉR. Débilement.

DÉBILEMENT [debilmɑ̃] adv. — Fin XVᵉ ; de *débile*.

♦ Rare. D'une manière débile.

DÉBILITANT, ANTE [debilitɑ̃, ɑ̃t] adj. et n. — D. i. ; p. prés. de *débiliter*.

♦ Qui affaiblit. *Régime débilitant. Température débilitante.*
Fig. ⇒ **Décourageant, démoralisant, déprimant.** *Atmosphère débilitante.*
(...) une fois de plus, mais cette fois définitivement, la profonde métaphysique chrétienne se transformait en une morale sociale de circonstance, qui n'allait pas tarder à se révéler utopique et inopérante quant à son projet, débilitante et niveleuse quant à son résultat (...)
                    Raymond ABELLIO, Ma dernière mémoire, t. II, p. 56.
N. m. Méd. *Un débilitant :* un traitement, un remède qui affaiblit.
CONTR. Analeptique, fortifiant, réconfortant, reconstituant, tonique.

DÉBILITATION [debilitasjɔ̃] n. f. — 1304 ; de *débiliter*.

♦ Didact. Affaiblissement, épuisement, étiolement. *Débilitation de l'organisme. Débilitation intellectuelle, morale.*
Il y avait plus de deux mois que j'allais voir la comtesse, dont la santé ne s'améliorait pas et présentait de plus en plus les symptômes de cette débilitation si commune maintenant, et que les médecins de ce temps énervé ont appelée du nom d'anémie.
                    BARBEY D'AUREVILLY, les Diaboliques, « Le bonheur dans le crime ».

DÉBILITÉ [debilite] n. f. — Déb. XIVᵉ ; lat. *debilitas*, de *debilis*. → Débile.

♦ **1.** Didact. et vx. État d'une personne débile, de ce qui manque « d'énergie vitale ». ⇒ **Adynamie, asthénie, faiblesse, imbécillité** (sens vx), **impuissance.** *Une extrême débilité. Débilité congénitale, constitutionnelle.*
1 Au fait, je souffre ; ma santé est très mauvaise, et ma débilité de poitrine est revenue.   SAINTE-BEUVE, Correspondance, IV, 1200, 27 avr. 1841, p. 81.

♦ **2.** Cour. (Abstrait). Extrême faiblesse. ⇒ **Incapacité,** et aussi **carence.** — Par ext. *Débilité du gouvernement.*
2 La poésie n'est point une débilité de l'esprit.
                    FLAUBERT, Correspondance, II, p. 81.
3 Leur violence théorique *(de ces fonctionnaires)* était la revanche de leur débilité, de leurs rancœurs et de la compression de leur vie.
                    R. ROLLAND, Jean-Christophe, p. 1267.

♦ **3.** (V. 1909, Dupré). Psychol. *Débilité mentale :* insuffisance du développement de l'intelligence, correspondant à un âge mental de sept à dix ans (classiquement située, dans l'échelle des arriérations mentales, entre l'imbécillité et la normalité). *Relative à un repérage psychométrique dans un contexte social déterminé, la débilité mentale ne constitue pas une entité nosologique.* « *Les formes et les degrés de la débilité mentale sont sans limites précises et sans caractères définitifs (...)* » (R. Lafon, *Vocabulaire de psychopédagogie*, p. 218 a).
Par ext. Cour. Faiblesse d'esprit.
Didact. *Débilité motrice :* « retard du développement des fonctions motrices volontaires » (Piéron, 1973).

♦ **4.** Fam. Idiotie, imbécillité. *La débilité de ce bouquin est totale. Ce film est d'une rare débilité.*

CONTR. Énergie, fermeté, force, puissance, verdeur, vigueur.
HOM. Débiliter, v.

DÉBILITER [debilite] v. tr. — 1308 ; lat. *debilitare*, de *debilis*. → Débile.

♦ **1.** Didact. Rendre débile*, très faible ; diminuer la force, la résistance de (qqch., qqn). ⇒ **Affaiblir, casser ; débilité.** *Ce régime lui débilite l'estomac.* — Abstrait :
1 Heureusement, l'excès de la jouissance débilite l'imagination comme le jugement. La souffrance dort alors avec la virilité, et aussi longtemps qu'elle.
                    CAMUS, la Chute, p. 123.
Absolt. *Ce climat débilite.*
Pron. *Les alcooliques se débilitent. Plante qui se débilite.* ⇒ **Étioler (s').**

(...) il y a des eaux qui désencrassent, mais qui en même temps débilitent. La nôtre aurait des aptitudes à désencrasser, tout en tonifiant.   2
                    J. ROMAINS, les Hommes de bonne volonté, t. V, XXII, p. 178.

♦ **2.** Fig. Décourager, démoraliser, déprimer. *Cet endroit le débilite.*
CONTR. Conforter, fortifier, réconforter, restaurer, tonifier, vitaliser, vivifier.
DÉR. Débilitant, débilitation.
HOM. Débilité, n. f.

DÉBILLARDER [debijaʀde] v. tr. — 1752 ; de 1. *dé-*, et *billard*. → 2. Bille.

♦ Techn. Couper (une pièce de bois...) diagonalement, en vue de lui donner une forme adaptée (généralement courbe).
(Serrurerie). *Débillarder un fer,* le cintrer en plan et en élévation.

DÉBINAGE [debinaʒ] n. m. — 1836 ; de 1. *débiner*.

♦ Fam. et vieilli. Action de débiner. ⇒ **Dénigrement, médisance.** *Le débinage de qqn par qqn. Le débinage d'une personne :* le mal qu'elle dit d'autrui, ou, selon les contextes, celui que l'on dit d'elle. « *Partie de débinage* » (A. Daudet).
(...) le débinage de la maison va son train, mêlé aux affaires intimes du pays.   1
                    O. MIRBEAU, le Journal d'une femme de chambre, p. 62.
(...) échanger surtout des potins parisiens et (...) se réfugier dans un perpétuel débinage.   2
                    Raymond ABELLIO, Ma dernière mémoire, t. II, p. 87.
(Un, des débinages). Propos médisants.
(...) le reste, c'est la conversation européenne, les débinages, le bridge (...)   3
                    Paul MORAND, Rien que la Terre, p. 60.

DÉBINE [debin] n. f. — 1803, in D.D.L. ; de 1. ou 2. *débiner* « être dans la misère », attesté 1808, d'orig. obscure.

♦ Fam. Misère. ⇒ **Dèche** (pop.), **pauvreté, purée** (fam.). *Être, tomber dans la débine. Période de débine.*
(...) tous les gosselins en débine (...)   1
                    Louise MICHEL, la Misère, t. III, p. 703 (1881).
Je vous dirai que mon oncle est riche, d'une férocité extrême et d'un esprit obtus.   2
Dans la famille, ils sont tous comme ça ; un autre oncle, non moins riche, féroce et obtus, m'abrite dans un immeuble somptueux, mais il me laisse moisir dans la débine.   R. QUENEAU, le Chiendent, p. 94.

1. DÉBINER [debine] v. — 1790 ; p.-ê. (P. Guiraud) de 1. *dé-*, et régional *biner* « s'accoupler » (aussi *abiner* « accoupler », *rebiner* « faire s'accoupler une seconde fois »), du lat. *bini* « deux » (→ Biner), l'idée première étant de se séparer, de se désolidariser d'un complice en parlant ; ont existé aussi *rembiner* « rétracter, désavouer », et *rebineur* « qui revient sur ce qu'il a dit ». La même idée de désolidarisation apparaît dans l'emploi argotique *débiner le pante* « voler l'homme qu'un autre voleur s'était réservé » (Henri France, 1907, in T. L. F.).

♦ **1.** V. intr. Argot. Vx. Passer aux aveux.

♦ **2.** V. tr. (1821). Fam. Décrier (qqn ; qqch.). ⇒ **Dénigrer ; déblatérer** (sur), **médire.** *Action de débiner qqn.* ⇒ **Débinage.**
Ah ! c'est trop fort !... débiner mes costumes !   0.1
                    E. LABICHE, le Choix d'un gendre, 12.
L'obscur plaisir que j'ai à débiner mon frère quand nous parlons de lui.   0.2
                    J. RENARD, Journal, 18 févr. 1901.
Nous v'là deux à vivre et les copains nous débinent tant qu'ça peut (...)   1
                    Francis CARCO, Jésus-la-Caille, II, VIII, p. 136.
Pron. réciproque.
(...) partout où vous rencontrerez deux Français, vous les trouverez brouillés et se   1.1
débinant mutuellement.   L. H. LYAUTEY, Paroles d'action, p. 261.

♦ **3.** V. tr. (1866). *Débiner (le truc) :* dévoiler (le secret de qqch.). — Au participe passé :
Peuh. Tous leurs trucs sont débinés maintenant. Dans les music-halls, on n'en veut   1.2
plus.   R. QUENEAU, Pierrot mon ami, p. 30.
DÉR. Débinage, débineur. — V. Débine.

2. DÉBINER (SE) [debine] v. pron. — V. 1850 (régional, début XIXᵉ) ; *se biner*, 1771 ; probablt de 2. *dé-*, et *(se) biner*, anc. français *(s'en) bin(n)er* « s'en aller secrètement » (*bignier*, XIIIᵉ), d'orig. inconnue ; mais P. Guiraud ne distingue pas ce verbe de 1. *débiner*.

♦ **1.** Se sauver, s'enfuir, partir. ⇒ **Filer.** *Se débiner au dernier moment. N'essaye pas de te débiner.*
Sur les routes, y a non seulement les troupes, mais tous les civils des patelins, qui   2
ont les foies, et qui se débinent !
                    MARTIN DU GARD, les Thibault, t. VIII, p. 169.
Et débine-toi, si tu ne veux pas être fait comme un rat !   3
                    MARTIN DU GARD, les Thibault, t. VIII, p. 187.
Ce qui m'amuserait, moi, ça serait de savoir comment que tu t'y prends, pour te   4
débiner de chez ta maîtresse.
                    J. ROMAINS, les Hommes de bonne volonté, t. IV, VIII, p. 83.
REM. Parfois sans pronom : « *Oh ! le beau pognon ! (...) sucrons-nous et débinons* » (*l'Épatant*, 1908, p. 43).
C'est pas la peine d'attendre... Vous allez prendre froid... *(Criant de plus en plus.)*   5

Allez, débinez..., débinez..., débinez!... Laissez-moi tout seul... puisque je suis tout seul... Je ne demande rien... à personne... Qu'on me foute la paix...
J. PRÉVERT, Le jour se lève, 1939, in l'Avant-scène, n° 53, p. 35, 1965.

♦ **2.** S'en aller, s'user. *Des chaussettes qui se débinent.*

Abstrait :

6   FRANÇOIS, *hochant la tête avec dérision.* Tu as peut-être les idées larges, mais t'as la tête trop petite... Alors, les idées..., ça se débine de tous les côtés... Tout à l'heure, tu parlais de Françoise et, maintenant, c'est de Clara... Tu mélanges tout..., t'es fatigué.
J. PRÉVERT, Le jour se lève, 1939, in l'Avant-scène, n° 53, p. 26, 1965.

DÉBINEUR, EUSE [debinœʀ, øz] n. — 1875 ; de 1. *débiner.*

♦ Fam. et rare. Personne qui débine* (qqn, qqch.). ⇒ **Dénigreur.**

Ils ne sont pas débineurs. Ils aiment ceux qui ont du talent (...)
J. RENARD, Journal, 23 janv. 1907.

DÉBIRENTIER, IÈRE [debiʀɑ̃tje, jɛʀ] n. — 1663 ; de 2. *débit,* et *rentier.*

♦ Dr. Débiteur d'une rente.

CONTR. **Crédirentier.**

1. DÉBIT [debi] n. m. — 1565 ; déverbal de *débiter.*

♦ **1.** Écoulement continu des marchandises par la vente au détail (→ Afin, cit. 3). *Avoir le débit de sa marchandise. Obtenir le débit d'un produit monopolisé,* obtenir le droit de le vendre. *Article d'un faible débit, d'un bon débit.*

1   Le prompt débit est la coupelle et la plus sûre épreuve d'un livre.
FURETIÈRE, Dict., Factums, in LITTRÉ.

2   On appelle marchand en détail celui qui vend la marchandise dont il fait négoce, à plus petites mesures et à plus petits poids qu'il ne l'a achetée, qui la coupe et qui la divise pour en faire le débit.
SAVARY, Dict. du commerce, 1759, in LITTRÉ.

3   *(Selon J.B. Say)* il ne saurait y avoir de surproduction générale. Lorsqu'il y a engorgement, il ne saurait être que partiel : « C'est toujours parce que d'autres canaux, loin d'être engorgés, sont au contraire dépourvus de plusieurs produits. C'est parce que la production des produits manquants a souffert, que les produits surabondants ne trouvent point de débit. »
René GONNARD, Hist. des doctrines économiques, IV, v, p. 365.

♦ **2.** Par métonymie. Boutique. *Débit de tabac .* endroit où l'on vend du tabac. *Débit de boissons :* endroit où l'on vend des boissons à consommer sur place. ⇒ **Café ; bar, bistro, buvette.** *Licence pour ouvrir un débit de boissons. Réglementation des débits de boissons.*

4   Essayez de confondre un restaurant avec une guinguette, un café avec un caboulot ou un zinc. Ce sont tous des débits, mais qui ne débitent pas exactement les mêmes choses, ou surtout ne les débitent pas aux mêmes gens, ni dans le même cadre, ni pour les mêmes prix.
F. BRUNOT, la Pensée et la Langue, IV, XIII, III, p. 581.

♦ **3.** (1754 ; de 1. *débiter,* 1.). Techn. Opération par laquelle on débite (le bois). ⇒ **Débitage.** *Le débit d'un chêne en planches, poutres, merrains, cerceaux.*

♦ **4.** (1838). Volume de fluide écoulé en un point donné (section d'écoulement) par unité de temps. *Débit horaire. Débit d'une pompe, d'un robinet, d'une source d'eau, de gaz... :* quantité d'eau, de gaz... fournie dans l'unité de temps. *Petit appareil régulateur du débit.* ⇒ **Ajutage.** *Appareil mesurant le débit du gaz.* ⇒ **Gazomètre.** *Débit d'un fleuve,* variable suivant les saisons (⇒ **Crue, étiage, maigre, régime**).

5   Le débit d'un cours d'eau est le volume qui passe pendant l'unité de temps (seconde) par la «section mouillée», c'est-à-dire par la surface qu'enveloppe le «périmètre mouillé» (...) Le périmètre mouillé et la section mouillée varient avec le niveau des eaux. Le plus bas niveau connu est l'étiage, auquel correspond le plus faible débit. Dans la plupart des cours d'eau importants on distingue un *lit mineur* et un *lit majeur,* le premier occupé par les eaux moyennes, le second seulement au moment des crues (...) L'ensemble des opérations conduisant à l'évaluation du débit est ce qu'on appelle le *jaugeage.*
E. DE MARTONNE, Traité de géographie physique, t. I, III, v, III, p. 459.

6   Donnez-moi aussi le chiffre de son débit *(de la source),* le plus exact possible... Vous concevez qu'avec un débit trop réduit, il soit difficile d'envisager des bains... Maintenant je serais bien surpris si dans le voisinage du point où elle sort, il n'y avait pas d'autres jaillissements ou suintements. Une source est rarement seule. Et on a vu dans un même périmètre un débit passer de un à dix par suite d'explorations intelligentes.
J. ROMAINS, les Hommes de bonne volonté, t. V, p. 109.

Physiol. *Débit cardiaque :* quantité de sang expulsée en une minute par chacun des deux ventricules cardiaques.

Par ext. (Hydraulique). *Débit solide :* quantité de matériaux solides qui franchissent une section d'écoulement donnée par unité de temps, dans un cours d'eau.

♦ **5.** Par anal. Quantité fournie (⇒ **Volume**) en un point donné (d'un circuit, d'une chaîne, d'une voie...) par unité de temps. *Débit d'une source électrique.* — (Choses nombrables). *Débit d'une machine, d'une usine,* nombre de pièces produites en une heure, en un jour. *Débit faible, élevé, débit journalier* (d'une voie de circulation, etc.).

Débit maximum d'une voie de communication. ⇒ **Capacité.** *Débit d'informations.* ⇒ **Cadence.**

♦ **6.** (Déb. XVIIe). Fig. Vx. Action de raconter, d'exprimer.

Du débit des nouvelles.   LA BRUYÈRE, les Caractères de Théophraste (Titre).   7

Mod. Manière d'énoncer, de réciter (quant à la rapidité) ; vitesse, rythme d'élocution. ⇒ **Diction, élocution.** *Le débit d'un orateur. Avoir un bon débit, le débit facile, lent, rapide, fatigant, saccadé. Cadencer son débit. Quel débit !* ⇒ **Faconde.**

Le monotone débit des acteurs égalise le texte et le ponce pour ainsi dire.   8
GIDE, Journal 1889-1939, 11 mai 1920.

Il montrait, sans en avoir le parler, le regard sombre et le débit enflammé des   9
méridionaux.   G. DUHAMEL, Temps de la recherche, III, p. 29.

COMP. **Débitmètre.**
HOM. 2. **Débit.**

2. DÉBIT [debi] n. m. — 1675 ; lat. *debitum* «dette», du supin de *debere* «devoir».

♦ Compte des sommes dues par une personne à une autre. *Note de débit. Mettre une dépense au débit de qqn,* la lui faire·supporter. *Je mets cette somme à votre débit.*

C'est vrai, après tout. Je suis un peu son notaire. Il est juste que je mette ces frais-là à son débit. Les dépenses déjà effectuées seulement. Cinquante et cinq, cinquante-cinq.   J. ROMAINS, les Hommes de bonne volonté, t. II, IX, p. 97.

Comptab. Partie d'un compte, à gauche du crédit*, où figurent les sommes remises ou payées à l'ayant compte par celui qui tient le compte. ⇒ **Doit.** *Inscrire, porter au débit. Le débit est tenu dans la colonne de gauche, le crédit dans celle de droite.* — *Différence entre le débit et le crédit.* ⇒ **Balance, solde.**

Comm. Enregistrement immédiat d'une vente. *Faites faire votre débit et passez à la caisse.*

CONTR. **Crédit ; avoir.**
COMP. et DÉR. **Débirentier, 2. débiter.**
HOM. 1. **Débit.**

1. DÉBITABLE [debitabl] adj. — 1863 ; de 1. *débiter.*

♦ Qui peut être découpé en morceaux. *Bois débitable en planches.* — Qui peut être écoulé par la vente au détail. *Marchandise débitable.*

Par métaphore :

(...) encore faut-il que je sois intelligible, que je ne terrifie pas tous les éditeurs sans exception, que je sois débitable, au moins autant qu'un amer nouvellement importé, sur le zinc en cœur de chêne de leurs comptoirs.
Léon BLOY, le Désespéré, p. 100.

HOM. 2. **Débitable.**

2. DÉBITABLE [debitabl] adj. — xxe ; de 2. *débiter.*

♦ Comptab. Qui peut être rendu débiteur. *Compte débitable.*
HOM. 1. **Débitable.**

DÉBITAGE [debitaʒ] n. m. — 1794 ; «vente au détail», 1611 ; de 1. *débiter.*

♦ Techn. Opération par laquelle on débite (du bois, etc.) ⇒ 1. **Débit,** 3. *Le débitage d'un chêne.*

Comme artisan le *(l'Homo sapiens)* disposait d'un outillage varié, approprié au débitage du silex et à un très fin travail des matières osseuses.
A. LEROI-GOURHAN, le Geste et la Parole, t. I, p. 189.

DÉBITANT, ANTE [debitɑ̃, ɑ̃t] n. — 1730 ; p. prés. de 1. *débiter.*

♦ **1.** Vx. Détaillant*. ⇒ 1. **Débiteur, II.** ; et aussi **boutiquier, commerçant** (petit), **marchand.** *Un(e) débitant(e) de...*

♦ **2.** Mod. (Sens restreint). Personne qui tient un débit (de tabac, de boissons). → 1. **Débit,** 2. *Débitant, débitante de tabac, de boissons* (⇒ fam. **Mastroquet**).

1. DÉBITER [debite] v. tr. — V. 1330 ; de 2. *dé-,* et *bitte* «pièce de bois sur laquelle on enroule les câbles d'amarrage», de l'ancien scandinave *biti,* ou plutôt (P. Guiraud), d'un dérivé direct en anc. français (cf. *bit[e]* «pierre de taille», normand, 1508) de l'ancien scandinave *bite* «morceau», de même étymon *biten* «mordre» que *biti.*

★ **I.** ♦ **1.** Découper (du bois, et, par ext., une autre matière) en morceaux prêts à être employés. ⇒ **Couper, découper, diviser, partager.** *Débiter un chêne à la scie, en planches, en poutres, en cerceaux. Débiter des plaques d'ardoises. Débiter un bœuf, un mouton.* — Passif. *Être débité en morceaux.*

(...) Pencroff, brandissant sa hache de charpentier, de s'écrier :   0.1
«Au pont, d'abord ! »
C'était le travail le plus urgent. Des arbres furent choisis, abattus, ébranchés, débités en poutrelles, en madriers et en planches.
J. VERNE, l'Île mystérieuse, t. I, p. 390.

(...) Chènevillot, aidé de ses ouvriers, auxquels les outils ne manquaient pas, abat-   0.2

tit un certain nombre d'arbres dans le Béhuliphruen. Les troncs furent débités en planches, et la construction s'ébaucha sur la place des Trophées (...)
			Raymond ROUSSEL, *Impressions d'Afrique*, p. 293.

1 Comme s'il y avait près d'ici une profonde carrière de viande, qui fût dans toute son épaisseur de la même qualité, du même grain ; le flanc ouvert d'une colline de viande, qu'un carrier aux mains dégoulinantes n'aurait qu'à débiter suivant les dimensions choisies.
			J. ROMAINS, *les Hommes de bonne volonté*, t. IV, VI, p. 44.

♦ **2.** (1464). Écouler (une marchandise) par la vente au détail. ⇒ **Vendre.**

2 Il (...) déclame contre le temps présent (...) De là il se jette sur ce qui se débite au marché, sur la cherté du blé (...)
			LA BRUYÈRE, *les Caractères de Théophraste*, « De l'impertinent ou du diseur de rien ».

3 Suis-je mieux nourri (...) après vingt ans entiers qu'on me débite *(qu'on débite mon livre)* dans la place ?			LA BRUYÈRE, *les Caractères*, XII, 21.

4 Elle tenait un petit estaminet tout près de Lens, une affreuse baraque de planches où l'on débitait du genièvre aux mineurs trop pauvres pour aller ailleurs dans un vrai café.			BERNANOS, *Journal d'un curé de campagne*, II, p. 62.

Fig. *Il débite bien sa marchandise :* il a le don de persuasion, il sait faire valoir ce qu'il dit.

♦ **3.** (XVIIᵉ) Littér. Énoncer en détaillant. ⇒ **Dire, raconter.** *Débiter tout ce que l'on sait sur un sujet* (→ Avoir, cit. 45).

5 Je vous demande pardon si je vous débite avec tant de franchise ma pensée sur les présents que vous m'avez faits.			CORNEILLE, *Lettres.*

6 On vient de débiter, Madame, une nouvelle
Que je ne savais pas (...)			MOLIÈRE, *Tartuffe*, II, 4.

7 (...) il court par toute la ville le débiter *(ce secret)* à qui le veut entendre.
			LA BRUYÈRE, *les Caractères de Théophraste*, « Du débit des nouvelles ».

8 Et je commence à lui débiter, sans le laisser parler, tout ce que la girl avait pu picorer ; vous pensez si, au bout de cinq minutes, il en avait plein le dos.
			A. MAUROIS, *les Discours du Dr O'Grady*, V, p. 55.

Cour. et péj. Dire à la suite (des choses incertaines, inopportunes). ⇒ (fam.) **Débagouler, dégoiser, servir, sortir.** *Débiter des lieux communs* (→ Aplomb, cit. 4). *Débiter des fadaises, des sottises, des bourdes, des âneries, des inepties, des sornettes, des fagots, des fariboles, des mensonges, des blagues, des craques, des coquecigrues.* ⇒ **Conter.** *Débiter des paradoxes, des impertinences, un mauvais compliment. Débiter des calomnies, des méchancetés sur qqn.* ⇒ **Déblatérer** (contre). *Débiter qqch. d'un air avantageux...* ⇒ **Pérorer.**

9 (...) un homme de mon âge a cru légèrement
Ce qu'un homme du tien débite impudemment ?			CORNEILLE, *le Menteur*, V, 3.

10 À table, on ne manque pas, selon la méthode française, de faire beaucoup babiller le petit bonhomme. La vivacité naturelle à son âge, et l'attente d'un applaudissement sûr, lui firent débiter mille sottises (...)			ROUSSEAU, *Émile*, II.

11 Je commençais à débiter mon mensonge en tremblant (...)
			Alphonse DAUDET, *le Petit Chose*, I, III, p. 29.

12 Cela donne d'ailleurs dans le monde une multitude de sujets de conversation et permet de débiter des banalités artistiques qui semblent toujours profondes.
			MAUPASSANT, *les Sœurs Rondoli*, Pl., t. II, p. 157.

Loc. fig. *Débiter son chapelet.* ⇒ **Chapelet.**

Spécialt. Dire en public (un texte déjà étudié). *Débiter sa harangue, sa plaidoirie, son sermon.* ⇒ **Prononcer.** *Débiter une tirade d'une seule haleine. Débiter un texte appris par cœur.* ⇒ **Réciter.** *Débiter avec emphase. Débiter d'une manière monotone.* ⇒ **Déclamer.** ⇒ **Psalmodier.** *Débiter un rôle en sacrifiant certaines parties pour faire valoir les autres.* ⇒ **Déblayer.**

13 (...) je distinguais, par-dessus la grouillante et sombre masse des spectateurs, l'émerveillement de la scène, sur laquelle une divette venait débiter des fadeurs.
			GIDE, *Si le grain ne meurt*, I, 1, p. 18.

Dire d'une manière étudiée, en cherchant l'effet.

14 Phellion fut confondu par cette tirade admirablement bien débitée (...)
			BALZAC, *les Petits Bourgeois*, Pl., t. VII, p. 141.

15 Caillaux débitait cela par petits tronçons agiles, d'une voix gaie, toujours prête à pétiller sous la pression d'une malice intérieure.
			J. ROMAINS, *les Hommes de bonne volonté*, t. III, XVI, p. 209.

Dire mécaniquement et avec volubilité comme un texte appris par cœur.

16 — Comme vous débitez tout cela d'une haleine ! On dirait que c'est une phrase apprise par cœur (...)			Th. GAUTIER, *Mⁱˡᵉ de Maupin*, II, p. 26.

Absolument :

17 Vertu de ma vie, comme vous débitez ! Il semble que vous ayez appris cela par cœur, et vous parlez tout comme un livre.			MOLIÈRE, *Dom Juan*, I, 2.

★ **II.** ♦ **1.** (1848 ; du sens I, 2). Fournir, faire s'écouler (une quantité de fluide dans un temps donné). *Cette fontaine débite mille litres à l'heure.* Par anal. (au p. p.). *Courant débité par une dynamo.*

(1968). Permettre le passage en un temps donné de (une quantité de personnes, de choses). « *Les téléskis débitent 2 600 skieurs à l'heure* » (*le Monde*, 6 janv. 1968).

Absolt. (Fam.). *Ça débite :* le courant, la circulation s'écoule vite.

♦ **2.** (1838). Produire (le sujet désigne une usine, une machine). *Cette usine, cette chaîne débite tant de voitures par jour.* ⇒ **Sortir.**

▶ **SE DÉBITER** v. pron. (valeur passive).
Être débité. *Bois qui se débite facilement. Marchandise qui se débite bien. Voilà des nouvelles qui se débitent.*

Les sourdes accusations de perfidie et d'ingratitude se débitaient avec plus de précaution, et par là même avec plus d'effet.			ROUSSEAU, *les Confessions*, X.			18

Sa phrase s'était débitée en trois tronçons, comme un vers romantique, avec de fortes césures.			J. ROMAINS, *les Hommes de bonne volonté*, t. V, XXIII, p. 204.			19

CONTR. Bloquer. — Garder (pour soi), **rentrer** (fam.), **taire.**
DÉR. 1. Débit, 1. débitable, débitage, débitant, 1. débiteur.
HOM. 2. Débiter.

2. DÉBITER [debite] v. tr. — 1723 ; de 2. *débit.*

♦ **1.** Rendre (qqn) débiteur d'une certaine somme que l'on porte au débit de son compte. *Débiter qqn d'une somme de... Débiter qqn. Débiter un client dans un magasin.*

♦ **2.** Faire figurer au débit. *Débiter un compte de telle somme.* — Mettre au débit la valeur de (qqch.) *Allez faire débiter cet article, puis passez à la caisse.*

CONTR. Créditer.
DÉR. 2. débitable, 3. débiteur.
HOM. 1. Débiter.

1. DÉBITEUR, EUSE [debitœR, φz] n. — 1611 ; de 1. *débiter.*

★ **I.** Péj. et vx. Personne qui débite (des nouvelles, des sottises). *Un débiteur de boniments.* ⇒ **Charlatan.**

(Le duc de la Feuillade) était fort avantageux, fort hardi, grand débiteur de maximes et de morale (...)			SAINT-SIMON, *Mémoires*, *in* LITTRÉ.

★ **II.** (1793) Vx. Commerçant, détaillant. ⇒ **Débitant.**

★ **III.** ♦ **1.** Techn. Ouvrier qui débite (du bois, etc.). *Les débiteurs d'une ardoisière.*

♦ **2.** Techn. *Débiteur*, n. m., ou *débiteuse*, n. f. Appareil qui débite qqch. *Débiteuse pour le sciage du marbre.* — *Débiteur de caméra :* magasin qui débite la pellicule vierge.

HOM. 3. Débiteur. — (Du masc.) 2. Débiteur.

2. DÉBITEUR, TRICE [debitœR, tRis] n. et adj. — 1239 ; lat. *debitor*, fém. *debitrix* ; a remplacé *detteur* encore employé par La Fontaine ; de *debitum*, supin de *debere* « devoir ».

♦ **1.** Personne qui doit qqch. (⇒ **Dette, obligation**) à qqn (⇒ **Créancier**). *Le débiteur d'une obligation de faire ou de ne pas faire. Le débiteur d'une somme d'argent. Le débiteur est obligé de faire l'appoint* (cit. 1). *Être débiteur d'une somme déposée, avancée, du reliquat d'un compte.* ⇒ **Consignataire, dépositaire, emprunteur, reliquataire.** *Débiteur d'une rente.* ⇒ **Débirentier.** *Débiteur avec un autre, avec d'autres.* ⇒ **Codébiteur.** *Extinction de la dette de deux débiteurs mutuels* (→ Compensation, cit. 12 ; confusion, cit. 6). *Caution* d'un débiteur. *Garantie du créancier sur les biens du débiteur. Titre par lequel le débiteur reconnaît sa dette.* ⇒ **Créance, obligation, reconnaissance** (de dette). *Date à laquelle le débiteur doit s'acquitter.* ⇒ **Échéance, terme.** *Dommages et intérêts dus par le débiteur qui n'exécute pas son obligation. Débiteur solvable, insolvable. Déclaration d'insolvabilité faite par un débiteur à ses créanciers.* ⇒ **Banqueroute, banqueroutier, failli, faillite.** *Débiteur qui dépose son bilan. Exécuter un débiteur. Saisie des biens du débiteur. La contrainte par corps ou emprisonnement du débiteur insolvable* (mesure aujourd'hui abolie). *Débiteur qui s'enfuit sans payer ses créanciers.* → (fam.) *Faire un trou à la lune*. *Attestation écrite du créancier reconnaissant qu'un débiteur a acquitté, payé, rendu, restitué, ou remboursé ce dont il était redevable.* ⇒ **Acquit, décharge, quittance, reçu.**

Si un homme est juste et pratique le droit et la justice (...) s'il n'opprime personne, s'il rend au débiteur son gage (...) s'il ne prête pas à usure et ne prend pas d'intérêt (...)			BIBLE (CRAMPON), *Livre d'Ézéchiel*, XVIII, 5, 6, 7, 8.			1

Un créancier avait deux débiteurs : l'un devait cinq cents deniers, et l'autre cinquante. Comme ils n'avaient pas de quoi rendre, il fit remise à tous les deux (...)
			BIBLE (CRAMPON) *Évangile selon saint Luc*, VII, 41, 42.			2

Je suis votre serviteur, et de plus votre débiteur.
— Ah ! Monsieur...
— C'est une chose que je ne cache pas, et je le dis à tout le monde.
			MOLIÈRE, *Dom Juan*, IV, 13.			3

Toute obligation de faire ou de ne pas faire se résout en dommages et intérêts, en cas d'inexécution de la part du débiteur.			Code civil, art. 1142.			4

Le débiteur doit exécuter son obligation à l'époque et de la manière convenues. S'il tarde à le faire, il se trouve, sous certaines conditions, *en demeure*, et cet état de demeure entraîne pour lui diverses conséquences. En outre, s'il persiste dans son refus d'exécuter, la loi donne au créancier le droit et les moyens d'en exiger l'accomplissement : à défaut d'exécution volontaire, le créancier peut s'adresser à la justice, qui constatera son droit ; après quoi l'État mettra la force sociale à sa disposition pour lui procurer l'exécution effective. C'est l'*exécution forcée*.
			M. PLANIOL, *Traité élémentaire de droit civil*, t. II, II, I, p. 64.			5

Pour un gouvernement ancien modèle, tous les citoyens sont des débiteurs à qui l'on fait rendre le plus possible, très brutalement et très impoliment, à grand renfort de percepteurs et d'huissiers.			A. ROBIDA, *le Vingtième Siècle*, p. 320.			5.1

Adj. (Comptab.). *Solde débiteur d'un compte, d'un bilan*.

♦ **2.** Fig. Personne qui a une dette morale. ⇒ **Redevable.** *Je serai toujours votre débiteur pour le bien que vous m'avez fait.*

À l'égard du corps social, chacun de nous est à la fois créancier et débiteur : créan-			6

cier par héritage de tous les efforts accomplis par les vivants qui nous ont précédés sur la terre, débiteur envers ceux qui nous succéderont.
       DANIEL-ROPS, Ce qui meurt..., p. 148.

CONTR. Créancier, créditeur ; consignateur, prêteur.
COMP. Codébiteur.
HOM. (Du masc.) 1. Débiteur, 3. débiteur.

3. DÉBITEUR, EUSE [debitœʀ, øz] n. — 1897, débitrice ; de 2. débiter.

♦ Comm. Dans un magasin, Employé, employée chargé(e) de débiter les clients. « *Dans le langage commercial*, la débitrice *est celle qui est en dette* ; la débiteuse *est l'employée chargée de comptabiliser les achats* » (Dupré).

HOM. 1. Débiteur. — (Du masc.) 2. Débiteur.

DÉBITMÈTRE [debimɛtʀ] n. m. — 1948 ; de 1. débit, et -mètre.

♦ Techn. Instrument pour mesurer le débit.

DÉBLAI [deblɛ] n. m. — 1641 ; desblée, 1265 ; déverbal de déblayer.

♦ **1.** Action de déblayer, et, spécialt, d'enlever les terres, les décombres pour niveler ou abaisser un terrain (⇒ **Terrassement**), pour creuser des fondations, un fossé (⇒ **Excavation**). — Rare. *Le déblai est effectué.* — Cour. *De, en déblai. Travaux de déblai. Endroit d'une route, d'un canal en déblai,* où il a fallu faire un déblai. *Talus en déblai.* ⇒ **Talus.**

♦ **2.** Par métonymie (souvent plur.). Les terres, les décombres enlevés (s'oppose à *remblai*). *Combler un fossé avec le déblai. Enlever les déblais. Amas de déblais sur le côté de la route.* ⇒ **Cavalier.**

1   Le blaireau a plus de facilité qu'un autre pour jeter derrière lui les déblais de son excavation.   BUFFON, Hist. nat. des animaux, Le blaireau, *in* LITTRÉ.

2   Ces déblais et ces remblais, ainsi que leurs transports à des distances déterminées, sont désignés généralement sous le nom de terrassements, (...)
     GIRARD, Inst. mém. sc., *in* LITTRÉ, art. *Terrassement.*

3   Tous ces pauvres débris glorieux nous apparaissent là, trempés de pluie, au milieu des récents déblais, mêlés encore à cette terre qui, pendant des siècles, les avait gardés et cachés.   LOTI, Jérusalem, VI.

♦ **3.** Fig. (vx). Débarras.

DÉBLAIEMENT [deblɛmã] n. m. — 1775 ; desblafviement, 1301 ; de déblayer.

♦ Opération par laquelle on déblaie (⇒ **Déblayer,** 1.) un lieu, un passage. — REM. On écrit aussi *déblayement.*

CONTR. Remblayage.

DÉBLATÉRATION [deblateʀɑsjõ] n. f. — 1870 ; de déblatérer.

♦ Rare. Le fait de déblatérer.

DÉBLATÉRER [deblateʀe] v. intr. — Conjug. céder. — 1798 ; lat. deblaterare « criailler, bavarder », de de-, et blaterare, mot onomatopéique.

♦ Parler longtemps et avec violence (contre qqn, qqch.). ⇒ **Déclamer** (contre), **dénigrer, médire** (de), **vitupérer.** *Déblatérer contre qqn, contre qqch.*

1   Elle donnait cependant à dîner par hasard ; mais elle déblatérait contre le café que personne n'aimait, suivant elle, et dont on n'usait que pour allonger le repas.
     CHATEAUBRIAND, Mémoires d'outre-tombe, t. II, p. 339.

1.1   Puis, Claude déblatéra contre le romantisme ; il préférait ses tas de choux aux guenilles du moyen âge.   ZOLA, le Ventre de Paris, p. 87.

Absolt. *Il ne cesse de déblatérer.*

2   (...) d'obscurs agents anarchistes continuaient à déblatérer dans les cabarets des faubourgs (...)
     Louis MADELIN, Hist. du Consulat et de l'Empire, le Consulat, IX, p. 141.

Transitif. *Déblatérer des injures.*

CONTR. Louer, vanter.
DÉR. Déblatération.

DÉBLAYAGE [deblɛjaʒ] n. m. — 1866 ; de déblayer, 2.

♦ (Surtout au fig.). Action de déblayer. ⇒ **Déblaiement.** *Procéder à un déblayage, au déblayage de gravats. Faire le déblayage de sa correspondance, de ses affaires,* y mettre de l'ordre (→ Amoncellement, cit. 3).

Je suis dans la liquidation et dans le déblayage de nos affaires.
     SAINTE-BEUVE, Proudhon, p. 31.

(1890). Spécialt (théâtre). *Déblayage d'un rôle.* ⇒ **Déblayer,** 2.

DÉBLAYEMENT [deblɛmã] n. m. ⇒ **Déblaiement.**

DÉBLAYER [debleje] v. tr. — Conjug. payer. — 1388 ; desbleer, (1265), desblaver (1311) ; sens primitif « débarrasser la terre du blé », « moissonner » ; sens actuel au xivᵉ ; de des- (→ 1. Dé-), et blé.

♦ **1.** Débarrasser (un endroit) de ce qui encombre ou obstrue. ⇒ **Dégager.** *Déblayer la salle, l'entrée, la porte, le chemin.*

1   Il faudrait des sommes aussi énormes pour déblayer le chenal du golfe que pour s'ouvrir une voie dans l'intérieur des terres.   BALZAC, Séraphîta, I, Pl., t. X, p. 460.

2   J'essayai d'approcher du trou par où j'étais tombé. La neige l'avait obstrué. J'y mis les mains pour en déblayer l'orifice. Je creusai un moment.
     H. BOSCO, Hyacinthe, p. 138.

Faire des travaux de terrassement pour aplanir un terrain.

3   C'est lord Elgin qui a fait ouvrir ce monument et déblayer les terres (...)
     CHATEAUBRIAND, Itinéraire de Paris à Jérusalem, *in* LITTRÉ.

4   Après le déjeuner, tous allèrent assister à l'ouverture des travaux, que vinrent voir aussi tous les vieux de Montégnac (...) Cinq terrassiers rejetaient les bonnes terres au bord des champs, en déblayant un espace de dix-huit pieds, la largeur de chaque chemin.   BALZAC, le Curé de village, IV, Pl., t. VIII, p. 727.

Absolt. *Les terrassiers vont déblayer.*

Loc. fig. *Déblayer le terrain* : faire disparaître les premiers obstacles avant d'entreprendre (une affaire, une discussion). ⇒ **Aplanir, balayer, préparer.**

5   Avec ce qui me reviendra de maman, je n'aurai plus besoin (...) que d'un million. Une fois le terrain déblayé, je m'en tirerai toujours.
     F. MAURIAC, le Nœud de vipères, XVII, p. 208.

5.1   Faites vos questions. Si je puis y répondre, j'essaierai de contenter votre curiosité. Pour simplifier les choses, je vais même déblayer le terrain.
     M. AYMÉ, Travelingue, p. 70.

♦ **2.** *Déblayer sa correspondance, un travail* : préparer, trier.
Spécialt (théâtre). Mettre en valeur les bonnes parties d'un rôle en débitant les autres très vite. *Déblayer un rôle,* ou, absolt, *déblayer. Acteur qui a l'art de déblayer.*
Simplifier en enlevant tout ce qui encombre.

6   L'apologue arabe est tellement déblayé, qu'il n'y a plus rien, qu'une espèce de tension, un mot juste, une situation lapidaire... Brèves sentences, bref éclat.
     Henri MICHAUX, Un barbare en Asie, p. 50.

♦ **3.** V. intr. Fam. (De *déblayer le terrain, le chemin*). ⇒ **Dégager.**

7   LE COMMISSAIRE, *aux agents.* J'ai déjà dit que je ne voulais personne dans l'escalier.
UN DES AGENTS, *à la dame.* Allez !... Allez !... Déblayez !
     J. PRÉVERT, Le jour se lève, 1939, *in* l'Avant-scène, nᵒ 53, p. 13, 1965.

▶ **SE DÉBLAYER** v. pron.
Être déblayé. *Le chemin ne se déblaye pas vite.*

▶ **DÉBLAYÉ, ÉE** p. p. adj. Voir à l'article.

CONTR. Encombrer, engorger, remblayer.
DÉR. Déblai, déblaiement ou déblayement, déblayage, déblayeur.

DÉBLAYEUR, EUSE [deblɛjœʀ, øz] n. et adj. — Av. 1901, Colette ; de déblayer.

♦ **1.** N. Techn. Personne qui déblaye. Spécialt. Ouvrier d'une mine qui déblaye les matériaux. — Adj. *Ouvrier déblayeur.*

♦ **2.** Adj. Littér. « *Un geste déblayeur* » (Duhamel, *in* T. L. F.).

DÉBLOCABLE [deblɔkabl] adj. — 1842 ; de débloquer.

♦ Qui peut être débloqué.

DÉBLOCAGE [deblɔkaʒ] n. m. — 1819 ; de débloquer.

♦ **1.** Action de débloquer (qqch.). *Déblocage des freins. Déblocage des crédits, des salaires.* — (1970). Fig. *Déblocage d'une situation politique, sociale.*
(1951). Psychol. Levée d'inhibitions affectives (opposé à *blocage*).

♦ **2.** Fam. Fait de débloquer (II.).

CONTR. Blocage.

DÉBLOCUS [deblɔkys] n. m. — 1835 ; de 1. dé-, et blocus.

♦ Milit. ⇒ **Débloquement.**

DÉBLOQUEMENT [deblɔkmã] n. m. — 1870 ; de débloquer.

♦ Milit. Action de faire lever le blocus. — REM. On dit aussi *déblocus.*

CONTR. Blocus, investissement, siège.

DÉBLOQUER [deblɔke] v. — Fin xviᵉ ; de 1. dé-, et bloquer.

★ I. V. tr. ♦ **1.** Milit. (vx). Dégager du blocus ennemi. *Débloquer une ville, la place.*

♦ **2.** (1754). Techn. (imprim.). Enlever (une lettre bloquée) pour (la) remplacer par celle qui convient.

♦ **3.** Remettre en marche (une machine, un rouage bloqué*). → Commande, cit. 7.

Par ext. Remettre en circulation, en vente. *Débloquer des marchandises, des denrées. Débloquer un compte en banque,* autoriser le titulaire à en disposer de nouveau. ⇒ **Dégeler.**

(V. 1960). Fig. Lever (les obstacles qui bloquent une situation). « *Le Marché commun a débloqué les problèmes agricoles* » (le Monde, 6 août 1963).

▶ **SE DÉBLOQUER** v. pron.

Se dégager d'un blocage. — Fig. *La situation politique, sociale se débloque,* va pouvoir évoluer.

★ **II.** V. intr. (1915 ; du sens de « ouvrir, lâcher ». Cf. Débloquer les vannes). Fam. Dire des sottises. ⇒ **Divaguer** ; (fam.) **déconner.**

1   Tu débloques, lui dit Boris avec douceur. Il faudra bien que tu saches ce qui en est quand tu reverras les parents.   SARTRE, l'Âge de raison, XIII, p. 235.
2   — Je ne saurais pas, dit Lambert.
    — Ne débloque pas ! dit Henri... c'est normal qu'on rate son coup, la première fois.   S. DE BEAUVOIR, les Mandarins, p. 132.
3   (...) un grand écrivain... Mais quand il a voulu le faire au politique, qu'est-ce qu'il a pu débloquer.   R. QUENEAU, Bâtons, chiffres et lettres, p. 54.

CONTR. Bloquer. — Assiéger, investir. — Geler.
DÉR. Déblocable, déblocage, déblocquement.

DÉBOBINER [debɔbine] v. tr. — 1886 ; de 1. *dé-,* et *bobine.*

♦ Dérouler (ce qui était en bobine). Techn. Démonter les enroulements de (un dispositif électrique). — Pron. *Se débobiner :* se dérouler. — P. p. *Des fils débobinés.*

CONTR. Embobiner.

DÉBOIRE [debwaʀ] n. m. — 1468 ; de 1. *dé-,* et *boire.*

♦ **1.** Vx. Arrière-goût désagréable laissé par une boisson.

1   D'un Auvernat fumeux, qui, mêlé de Lignage,
    Se vendait chez Crenet pour vin de l'Hermitage,
    Et qui, rouge et vermeil, mais fade et doucereux,
    N'avait rien qu'un goût plat, et qu'un déboire affreux.   BOILEAU, Satires, III.
2   Le pauvre enfant, à qui l'on avait fait prendre médecine il n'y avait pas quinze jours, et qui ne l'avait prise qu'avec une peine infinie, en avait encore le déboire à la bouche.   ROUSSEAU, Émile, II.

♦ **2.** (1559). Fig. et mod. (au plur.). Impression pénible laissée par l'issue fâcheuse d'un événement dont on avait espéré mieux, ou par un événement fâcheux et inattendu. ⇒ **Amertume, chagrin, déception, déconvenue, dégoût, déplaisir, désagrément, désillusion, ennui, mortification.** *Affaire qui réserve, qui n'a donné que des déboires. Éprouver, essuyer des déboires.*

Vx ou littér. (au sing.). *Un amer déboire.*

3   Il lui laissa sentir toute l'amertume et tout le déboire de mille événements fâcheux (...)   BOURDALOUE, Pensées, *in* LITTRÉ.
4   Je crois que ce que l'on appelle » expérience », n'est souvent que de la fatigue inavouée, de la résignation, du déboire.   GIDE, Journal, 26 déc. 1921.

Événement fâcheux. ⇒ **Échec, ennui, épreuve.** *Être atteint par des déboires.*

5   Oui, le succès fut nul. Mais j'ai le caractère ainsi fait que je pris plaisir à ma déconvenue. Au fond de tout déboire gît, pour qui sait l'entendre, un « ça t'apprendra » que j'écoutai.   GIDE, Si le grain ne meurt, IX, p. 248.

CONTR. Chance, contentement, joie, réussite, satisfaction, succès.

DÉBOISAGE [debwazaʒ] n. m. — 1905 ; de *déboiser.*

♦ Techn. (mines). Action de déboiser (II.), d'enlever le soutènement d'une taille d'un chantier de mine, pour le récupérer ou réaliser le foudroyage. *Treuil de déboisage :* treuil d'arrachage.

(...) dans toute opération de déboisage, il faut d'abord détruire les assemblages, de façon que ce soit seulement deux bois à la fois qui servent à *l'effondrement de l'un d'entre eux.*   Michel CAZIN, les Mines, p. 80.

CONTR. Boisage.

DÉBOISEMENT [debwazmɑ̃] n. m. — 1803 ; de *déboiser.*

♦ Action de déboiser (I.) ; son résultat. ⇒ **Déforestation.** *Le déboisement à outrance multiplie les torrents* et provoque les éboulements. *Réglementation du déboisement.* ⇒ **Défrichement.**

Par anal. (Fam. ou par plais.). Perte des cheveux. *Un déboisement précoce.*

CONTR. Boisement, reboisement.

DÉBOISER [debwaze] v. tr. — 1803 ; de 1. *dé-,* et *boiser.*

★ **I.** Cour. Dégarnir (un terrain) des bois qui le recouvrent. *Déboiser pour défricher. Déboiser une colline.*

★ **II.** Techn. (mines). Opérer le déboisage* de (une galerie de mines).

▶ **SE DÉBOISER** v. pron.
Perdre ses bois. *Montagnes qui se déboisent.* — Fam. (Personnes). Perdre ses cheveux.

CONTR. Boiser, reboiser.
DÉR. Déboisage, déboisement, déboiseur.

DÉBOISEUR [debwazœʀ] n. m. — xxᵉ ; de *déboiser.*

♦ Techn. (mines). Ouvrier employé au déboisage. — REM. Le fém. *déboiseuse* est virtuel.

DÉBOÎTAGE [debwataʒ] n. m. — 1876 ; de *déboîter.*

♦ Fait de se déboîter (en parlant d'une articulation). ⇒ **Déboîtement,** 1.

DÉBOÎTÉ, ÉE [debwate] p. p. adj. ⇒ **Déboîter.**

DÉBOÎTEMENT [debwatmɑ̃] n. m. — 1530 ; de *déboîter.*

♦ **1.** Déplacement d'un os de son articulation. ⇒ **Entorse, foulure, luxation ; déboîtage.**

♦ **2.** (1869). Action de déboîter (II.). — (1948). Par ext. *Déboîtement d'une automobile* (qui sort d'une file).

DÉBOÎTER [debwate] v. — 1545 ; de 1. *dé-,* et *boîte.*

★ **I.** V. tr. ♦ **1.** Faire sortir de ce qui emboîte. *Déboîter une porte,* la faire sortir de ses gonds. ⇒ **Démonter.** *Déboîter une montre,* sortir le mouvement du boîtier. *Déboîter un livre,* le sortir de son enveloppe protectrice. *Déboîter des tuyaux,* les séparer les uns des autres lorsqu'ils sont emboîtés. ⇒ **Disjoindre.**

♦ **2.** Sortir (un os) de l'articulation. ⇒ **Démancher, désarticuler, disjoindre, disloquer, luxer.** *Chute qui déboîte l'épaule, la hanche, le bras.*

1   Ôtez-moi mes coiffes. Doucement donc, maladroite, comme vous me saboulez la tête avec vos mains pesantes !
    — Je fais, Madame, le plus doucement que je puis.
    — Oui ; mais le plus doucement que vous pouvez est fort rudement pour ma tête, et vous me l'avez déboîtée.   MOLIÈRE, la Comtesse d'Escarbagnas, 2.

★ **II.** V. intr. (1826, milit.). Sortir de sa place (dans une colonne) pour se porter sur le côté.

(1935, *in* Petiot). Par ext. Sortir d'une file (en parlant d'un véhicule). *Mettre son clignotant avant de déboîter. Déboîter pour doubler.*

1.1 La voiture fait un bond en avant, déboîte de la file dans un hurlement de pneus (...)   Roger BORNICHE, le Gringo, p. 312.

Sortir d'un alignement. « *Aucun titre ne doit être couvert par le titre de l'article qui le précède (...) c'est-à-dire qu'un titre sur deux ou trois colonnes, placé sous un article titré sur trois colonnes, doit déboîter au moins d'une colonne* » (Ph. Gaillard, *Technique du journalisme,* p. 111).

▶ **SE DÉBOÎTER** v. pron. (de I.).

♦ **1.** Sortir de son emplacement, de son articulation. ⇒ **Démettre** (se).

2   Il arriva quelque temps après que Darius, étant tombé de son cheval à la chasse, se donna une violente entorse au pied, et que son talon se déboîta (...)   ROLLIN, Hist. ancienne, III, 56, *in* POUGENS.

♦ **2.** *Se déboîter un os :* avoir un os qui sort de l'articulation. *Il s'est déboîté l'épaule.*

▶ **DÉBOÎTÉ, ÉE** p. p. adj.
Qui est sorti de ce qui emboîte. — Spécialt. *Épaule déboîtée.*

CONTR. Emboîter, remboîter, assembler, emmancher, encastrer.
DÉR. Déboîtage, déboîtement.

DÉBONDAGE [debɔ̃daʒ] n. m. — V. 1805 ; de *débonder.*

♦ **1.** Action de débonder (1.).

♦ **2.** Fig. Fait de débonder (2.) son cœur, de donner libre cours à des sentiments longtemps contenus.
REM. On dit aussi *débondement,* n. m.

DÉBONDEMENT [debɔ̃dmɑ̃] n. m. — 1836 ; de *débonder.*

♦ Rare. ⇒ **Débondage.**

DÉBONDER [debɔ̃de] v. — V. 1462, sens fig. ; de 1. *dé-, bonde,* et suff. verbal.

★ **I.** V. tr. ♦ **1.** Techn. Ouvrir en retirant la bonde. ⇒ **Débondonner.**

Débonder une barrique, un réservoir, une pièce d'eau. — Par anal. et fam. *Ce purgatif l'a débondé.*

♦ **2.** *Débonder son cœur :* donner libre cours à des sentiments longtemps contenus. ⇒ **Épancher, ouvrir.** — Absolt et vx (→ cit. 2). *Débonder :* soulager son cœur en parlant, en évoquant librement ce qui pesait sur la conscience. ⇒ **Libérer.**

1 Vois-tu, Charlotte, il faut, comme dit l'autre, que je débonde mon cœur.
MOLIÈRE, Dom Juan, II, 1.

2 Tout à coup il *(le duc d'Orléans)* débonda et nous dit ce que nous eussions voulu ne point entendre (...)
SAINT-SIMON, Mémoires, *in* LITTRÉ.

3 Le petit débonda son cœur. Il dit qu'il était laid. Il dit que ses camarades avaient dit que leur révolution n'était pas pour lui.
R. ROLLAND, Jean-Christophe, p. 1307.

3.1 Je m'abandonnais parfois à des mouvements d'impatience. J'explosais en vulgarités qui débondent.
P. GUTH, le Naïf sous les drapeaux, III, II, p. 93.

★ **II.** V. intr. Se répandre avec abondance et violence (→ ci-dessous, Se débonder, 2.). *Le lac a débondé. L'eau a débondé par une ouverture.*

▶ **SE DÉBONDER** v. pron.

♦ **1.** Perdre sa bonde. *Le tonneau s'est débondé, le vin se répand à flots.*

♦ **2.** Se répandre avec violence. *L'étang s'est débondé cette nuit.* ⇒ **Vider** (se).

4 Que se passe-t-il, alors ? C'est comme si s'ouvrait en moi le soupirail de l'abîme, comme si se débondait en moi tout l'enfer.
GIDE, Journal, 25 mars 1927.

♦ **3.** Fig. *Se débonder le cœur,* ou simplement *se débonder.* → *supra*, Débonder, 2.

5 (...) et subitement, il se débonda, épandant au hasard des mots, ses plaintes, avouant l'inconscience de sa conversion, ses débats avec sa chair, son respect humain, son éloignement des pratiques ecclésiales (...)
HUYSMANS, En route, p. 72.

▶ **DÉBONDÉ, ÉE** p. p. adj.

♦ **1.** Dont on a retiré la bonde. *Réservoir débondé.*

6 Maintenant il le sentait *(son honneur)* baisser de niveau, diminuer en lui comme diminue l'eau dans une baignoire débondée.
M. AYMÉ, Maison basse, p. 34.

♦ **2.** Fig. Qui s'épanche en abondance. *Larmes débondées,* qu'on ne retient plus. — Qui laisse libre cours à ses sentiments.

7 Ces poètes débondés font aimer ceux qui se retiennent, les régulateurs. N'importe quelle idée bien, ils la mettent impudemment en cinq actes.
J. RENARD, Journal, 21 janv. 1898.

DÉR. **Débondage, débondement, débondoir.**

DÉBONDOIR [debɔ̃dwaʀ] n. m. — 1900, Larousse ; de *débonder.*

♦ Techn. Outil de tonnelier servant à débonder. — REM. On a dit aussi *débondonnoir* (attesté 1870 ; de *débondonner*).

DÉBONDONNER [debɔ̃dɔne] v. tr. — 1549, *desbondonner ;* de 1. *dé, bondon,* et suff. verbal.

♦ Techn. Ouvrir en retirant le bondon. ⇒ **Débonder.** *Débondonner un tonneau.*

DÉR. **Débondonnoir** (V. **Débondoir,** REM.).

DÉBONNAIRE [debɔnɛʀ] adj. — 1080, *Chanson de Roland ;* de l'expression *de bonne aire* « de bonne race ».

♦ **1.** Vx. De noble nature, digne de sa race. ⇒ **Généreux.**

♦ **2.** Vieilli ou littér. (Personnes). D'une bonté poussée à l'extrême, un peu faible. *Un prince débonnaire.* ⇒ **Bienveillant, bon, clément, indulgent, paternel.** *La directrice est assez débonnaire.*
N. *Un, une débonnaire. Louis le Débonnaire.*

1 Heureux les débonnaires, car ils hériteront la terre !
BIBLE (SEGOND), Évangile selon saint Matthieu, V, 5.

2 (...) il vous devait suffire
Que votre premier roi fût débonnaire et doux (...)
LA FONTAINE, Fables, III, 4.

3 Je hais de tout mon cœur les esprits colériques,
Et porte grand amour aux hommes pacifiques ;
Je ne suis point battant, de peur d'être battu,
Et l'humeur débonnaire est ma grande vertu.
MOLIÈRE, Sganarelle, 17.

4 (...) d'ordinaire débonnaire, il *(Samson)* avait des colères terribles (...)
DANIEL-ROPS, le Peuple de la Bible, II, III, p. 153.

Il a un air très débonnaire, mais il ne faut pas s'y fier. Humeur débonnaire. ⇒ **Doux, patient.**

Spécialt. Vieilli. Qui tolère, supporte l'infidélité d'un conjoint. *Une épouse débonnaire. Mari débonnaire.* ⇒ **Accommodant, complaisant, facile, tolérant.**

5 *(Il faut)* N'imiter pas ces gens un peu trop débonnaires
(qui) De leurs femmes toujours vont citant les galants (...)
MOLIÈRE, l'École des femmes, IV, 8.

(Choses abstraites). *Une politique, une religion débonnaire.*

CONTR. Autoritaire, bourru, cruel, despotique, dur, impitoyable, intransigeant, jaloux, méchant, querelleur, redoutable, sévère, susceptible, terrible, tyrannique.
DÉR. **Débonnairement, débonnaireté.**

DÉBONNAIREMENT [debɔnɛʀmɑ̃] adv. — 1167 ; de *débonnaire.*

♦ Littér. D'une manière débonnaire. ⇒ **Bienveillamment, indulgemment.**

DÉBONNAIRETÉ [debɔnɛʀte] n. f. — V. 1170 ; de *débonnaire.*

♦ Littér. Caractère d'une personne débonnaire, de ce qui est débonnaire. ⇒ **Bénignité, bienveillance, bonté, faiblesse.**

1 Mais quoi ! s'écriait-il tout à coup en marchant d'un pas convulsif, souffrirai-je comme si j'étais un homme de rien, un va-nu-pieds, qu'elle se moque de moi avec son amant ! Faudra-t-il que tout Verrières fasse des gorges chaudes sur ma débonnaireté ?
STENDHAL, le Rouge et le Noir, XXI, p. 125.

2 Sitôt que le peuple sera désarmé, il faudra encore acclamer la débonnaireté du lion ; mais dès le lendemain, on pourra déjà insinuer que cette révolution que l'on croyait si pure n'a pas été sans mélange de crimes (...)
CAMUS, Actuelles I, *in* Essais, Pl., p. 1547.

3 En fait, il y a bien des personnes (...) qui (...) attachent une idée de naïve complaisance au rôle qu'il *(Joseph)* joua dans la nativité. Cette impression de débonnaireté un peu simplette se trouve encore aggravée par l'habitude de superposer à la personne du saint celle de l'autre Joseph qui se déroba aux avances de la femme de Putiphar.
M. AYMÉ, le Vin de Paris, « La grâce », p. 87.

REM. On trouve chez Goncourt (*Journal*, t. V, p. 74) la var. *débonnarité.*

CONTR. Cruauté, intransigeance, jalousie, méchanceté, sévérité, susceptibilité, tyrannie.

DÉBORD [debɔʀ] n. m. — 1556, *desbord ;* déverbal de *déborder.*

♦ **1.** Régional. Action de déborder ; résultat de cette action. *Le débord d'une rivière, d'un ruisseau.* ⇒ **Crue.** — Méd. et vx. *Débord de bile, d'humeurs.* ⇒ **Écoulement.**

♦ **2.** Liséré qui dépasse le bord dans la doublure d'un vêtement. ⇒ **Passepoil.**

♦ **3.** Techn. Partie (d'une médaille, d'une pièce de monnaie) qui va de la légende à la circonférence.

♦ **4.** Techn. Partie (d'une route) qui borde le pavé.

1 (...) un passant, sur le débord, allonge une ombre démesurée (...)
A. ARNOUX, Suite variée, p. 87.

♦ **5.** Fig. et littér. Débordement* (de). *Un débord de chagrin, de tendresse.*

2 S'ils me voient comme ça, à la mort, ils auront le débord de la pitié et ils arrangeront.
J. GIONO, Solitude de la pitié, Pl., t. I, p. 498.

DÉBORDANT, ANTE [debɔʀdɑ̃, ɑ̃t] adj. ⇒ **Déborder** (cit. 18 à 20).

DÉBORDÉ, ÉE [debɔʀde] p. p. adj. ⇒ **Déborder.**

DÉBORDEMENT [debɔʀdəmɑ̃] n. m. — XVᵉ ; de *déborder.*

♦ **1.** Action de déborder ; résultat de cette action. *Le débordement d'un torrent, d'un fleuve.* ⇒ **Crue, débord, inondation.**

1 (...) lorsque le débordement du Nil montait à douze coudées, la fertilité était fort grande (...)
ROLLIN, Hist. ancienne, *in* LITTRÉ.

Le débordement d'un liquide, d'un trop-plein.

2 Mais sitôt seul, tout éclatait ! c'était le brusque débordement d'un liquide laissé trop longtemps sur le feu.
COURTELINE, Messieurs les ronds-de-cuir, 3ᵉ tableau, II, p. 104.

Méd. *Débordement de bile, d'humeurs.*

♦ **2.** Fait de se répandre en abondance. *Le débordement de ses protestations, de sa colère. Un débordement de paroles, d'injures, de protestations, de compliments.* ⇒ **Bordée** (fam.), **déluge, flot, flux, pluie, profusion, torrent.** *Débordement de joie, d'enthousiasme.* ⇒ **Effusion, explosion.** *Débordement de vie, de sève.* ⇒ **Exubérance, surabondance.** *Débordement d'immoralité, d'excès, des instincts.* ⇒ **Déchaînement, libertinage, licence.** — Plur. Excès, débauche. *Tomber dans des débordements... Les débordements de Messaline.*

3 Pour ses débordements j'en ai chassé Julie (...)
CORNEILLE, Cinna, V, 2.

4 (...) du corps tout usé la traînante langueur
Dans le débordement de cette plénitude
Souvent trouve un trésor de nouvelle vigueur.
CORNEILLE, l'Imitation de J.-C., IV, 241.

5 (...) c'est un débordement de louanges en sa faveur, qui inonde les cours et la chapelle (...)
LA BRUYÈRE, les Caractères, VIII, 32.

6 La morale sous le *Directoire* eut plutôt à combattre la corruption des mœurs que celle des doctrines ; il y eut débordement.
CHATEAUBRIAND, Mémoires d'outre-tombe, t. IV, p. 115.

7 Elle ne se retenait plus, lancée dans un débordement d'injures, d'infamies, jusqu'à ne pouvoir bégayer à la fin que des mots « lâche... menteur... lâche... »
Alphonse DAUDET, Sapho, XII.

8 Jean Blaise (...) vint dans l'atelier (...) embrasser le juré avec un débordement de mâle tendresse.
FRANCE, Les dieux ont soif, p. 99.

9   En somme, je ne me suis jamais soucié des grands problèmes que dans les intervalles de mes petits *débordements*. Et combien de fois, planté sur le trottoir, au cœur d'une discussion passionnée avec des amis, j'ai perdu le fil du raisonnement qu'on m'exposait parce qu'une ravageuse, au même moment, traversait la rue.
                                            CAMUS, la Chute, p. 71.

♦ **3.** Milit. Action de déborder. *Débordement des armées ennemies sur un pays.* ⇒ **Irruption; déferlement, envahissement.** — *Débordement d'une armée par les ailes. Manœuvre de débordement et d'encerclement* (cf. Mouvement tournant).

(1904, *in* Petiot). Par anal. (Sports). Contournement d'un adversaire destiné à percer sa ligne de défense.

CONTR. Endiguement, maintien, refoulement, retrait.

DÉBORDER [debɔʀde] v. — XIIIᵉ; de 1. *dé-*, *bord*, et suff. verbal.

★ **I.** V. intr. ♦ **1.** (En parlant du contenant). Répandre une partie de son contenu (liquide) par-dessus bord. *Vasque, vase qui déborde. Verre plein à déborder.*

Loc. *La coupe déborde* : la mesure est à son comble. *Quand le vase est plein, il faut qu'il déborde. C'est la goutte d'eau qui fait déborder le vase,* la petite chose pénible qui vient s'ajouter au reste et qui fait qu'on ne supporte plus l'ensemble. ⇒ **Combler** (combler la mesure), **pousser** (à bout).

1   L'entrée soudaine de cet homme fut pour Julien la goutte d'eau qui fait déborder le vase.
                    STENDHAL, le Rouge et le Noir, I, X, p. 60.

Métaphore. *Cœur qui déborde,* qui éprouve le besoin de s'épancher.

2   Mon cœur est trop rempli pour ne pas déborder.
                    LAMARTINE, *in* P. LAROUSSE.

3   (...) le silence est pénible lorsque le cœur déborde (...)
                    GIDE, Pages de journal, 30 oct. 1939.

Déborder de... : être plein*, rempli* de... ⇒ **Fourmiller, regorger, surabonder.** — (Concret). *En été, Paris déborde d'étrangers. Train qui déborde de voyageurs, de marchandises.*

(Abstrait). En parlant d'un sentiment, d'un principe qui s'exprime dans le comportement. *Elle déborde de bonne volonté, cette petite. Déborder de vie, d'esprit. Cœur qui déborde de tendresse, de joie, de reconnaissance.*

4   Il avait reporté sur cet enfant le besoin de dévouement dont son cœur débordait.
                    R. ROLLAND, Vie de Beethoven, p. 54.

5   (...) répandre sur nous cette douce chaleur humaine dont leur cœur débordait.
                    G. DUHAMEL, Inventaire de l'abîme, VI, p. 89.

♦ **2.** (En parlant du contenu) Se répandre par-dessus le bord. ⇒ **Couler** (cit. 7), **échapper** (s'), **répandre** (se). *L'eau a débordé du vase. Les eaux du fleuve ont débordé. Fleuve, rivière qui déborde à l'époque des crues,* qui sort de son lit. *Torrent qui déborde à la fonte des neiges. Les pluies ont fait déborder l'étang. Le trop-plein déborde. Attention! ça va déborder!*

Fig. *Faire déborder qqn* : le pousser à bout au point de le faire sortir de lui-même. ⇒ **Déborder en injures, en imprécations.** ⇒ **Déchaîner** (se), **éclater, exploser, répandre** (se). — *Après s'être longtemps contenu, il déborda. La colère lui déborde du cœur.* — *Sa bile a débordé* : il s'est emporté. — *Chez lui, la force, la sève débordent.*

6   Et la pitié si tendre, qu'il avait déjà éprouvée à voir les rides et les cheveux blancs de sa mère, déborda comme un flot de son cœur très jeune; il répondit à son appel par tout ce qu'on peut donner d'étreintes et d'embrassements désolés.
                    LOTI, Ramuntcho, II, VII, p. 254.

7   Et sa joie, qui de son cœur déborde, pleure (...)
                    GIDE, le Retour de l'enfant prodigue, I.

Par anal. *Les spectateurs débordent* (du trottoir) *sur la chaussée. L'ennemi déborde sur nous de tous les points de la frontière.* ⇒ **Déferler, déverser** (se), **envahir, irruption** (faire irruption).

8   De là vient que Paris voit chez lui de tout temps
  Les auteurs à grands flots déborder tous les ans (...)   BOILEAU, Satires, IX.

9   La foule s'épaississait à tout moment, et, comme une eau qui dépasse son niveau, commençait à monter le long des murs, à s'enfler autour des piliers, à déborder sur les entablements, sur les corniches (...)   HUGO, Notre-Dame de Paris, I, 1.

♦ **3.** Mar. *Embarcation, chaloupe qui déborde,* qui se détache du bord, prend le large.

9.1   Mais à l'instant où l'on détachait les amarres, apparut Alcide Jolivet, tout courant. Le steamboat avait déjà débordé, la passerelle était même retirée sur le quai (...)   J. VERNE, Michel Strogoff, p. 111.

★ **II.** V. tr. ♦ **1.** **a** (1636). Concret. Dépasser (le bord), aller au-delà de... *La ville a débordé son enceinte primitive.* ⇒ **Franchir.**

10   Peu à peu, le flot des maisons toujours poussé du cœur de la ville au dehors, déborde, ronge, use et efface cette enceinte.
                    HUGO, Notre-Dame de Paris, III, II.

Être en saillie, en avancée sur (qqch.). *Pierre qui déborde une autre. Maison qui déborde les autres,* qui dépasse l'alignement. Absolt. *La terrasse du café déborde, déborde sur le trottoir.*

b Abstrait. *Déborder le cadre de la question, le domaine de...* ⇒ **Dépasser.**

11   Quand tout à coup l'on se met à penser à ce lâche rongement de l'oubli, le cœur fond dans un désespoir qui déborde soudain le cas particulier, qui se répand jusqu'aux limites (...)
                J. ROMAINS, les Hommes de bonne volonté, t. III, XXIII, p. 320.

Pour son Paris à lui, le piéton Haverkamp nourrit une sorte de passion remuante qui, comme toutes les passions, déborde le métier et l'intérêt.   12
          J. ROMAINS, les Hommes de bonne volonté, t. V, XVIII, p. 133.

Absolt ou intrans. Ne pas rester dans un cadre. *Déborder de son rôle, de sa mission.* ⇒ **Sortir** (de).

(...) de ce bureau, cette main blême, aux longs doigts maigres, tiendra, six ans, sans fatigue le filet où se jetteront les conspirateurs avant qu'ils n'aient pu achever de nouer leur trame. Mais il débordera de son rôle, nous le verrons, à tout instant (...)   Louis MADELIN, Hist. du Consulat et de l'Empire,   13
              Avènement de l'Empire, X, p. 147.

c Milit. *Déborder le front ennemi, l'aile droite, gauche.* ⇒ **Contourner, dépasser, encercler, tourner.**

Déjà, à sa gauche et à sa droite, il (*Napoléon*) voyait le prince Eugène et Poniatowski déborder la ville ennemie (*Moscou*)...   14
          Ph.-P. SÉGUR, Hist. de Napoléon, VIII, 4, *in* LITTRÉ.

Par métaphore :

La monarchie sera débordée et emportée par le torrent des lois démocratiques, ou le monarque par le mouvement des factions.   14.1
          CHATEAUBRIAND, Mémoires d'outre-tombe, t. V, p. 267.

(En parlant d'un chef de parti). *Ses propres troupes l'ont débordé,* sont allées plus loin qu'il n'en avait l'intention. — *Vague de popularité, d'opinion qui déborde tout.*

Et malgré tout, ce mouvement continuait à s'enfler, à s'étendre, à tout déborder.   15
     Louis MADELIN, Hist. du Consulat et de l'Empire, le Consulat, VII, p. 93.

(1900, *in* Petiot). Sports. Dépasser l'adversaire par l'extérieur. — (Jeux de ballon). Contourner un adversaire pour percer sa ligne de défense.

Les blancs surprennent l'adversaire, débordent l'adversaire par de longs coups de pied; l'arrière même est dépassé, la balle passe la ligne (...)   15.1
          Jean PRÉVOST, Plaisirs des sports, p. 136.

♦ **2.** Détacher du bord. *Déborder un drap, une couverture,* les tirer du bord du lit, de dessous le matelas. — Mar. *Déborder les avirons,* les ôter des tolets*. *Déborder une chaloupe,* la mettre à la mer. *Déborder une embarcation,* l'éloigner du bord du navire ou du quai où elle est accostée. — Absolt. *Déborde, débordez!* Ordre de déborder donné à l'équipage d'une embarcation.

♦ **3.** (1680). Dégarnir de sa bordure. *Déborder une jupe, un tapis, un rideau.* — *Déborder un lit,* tirer les draps, les couvertures de dessous les bords du matelas. — Par métonymie. *Déborder un malade, un enfant.* — Pron. *Se déborder en dormant.*

Chaque élève s'est glissé dans ses draps, comme dans un étui, en se faisant tout petit, afin de ne pas se déborder.   16
     J. RENARD, Poil de Carotte, « Les joues rouges », p. 145.

Ils replient les dix doigts sur le drap tiré jusqu'au cou la bouille enchantée puis ils dorment et se débordent surtout à présent que l'été vient.   16.1
     Tony DUVERT, Paysage de fantaisie, p. 69.

Mar. *Déborder un navire,* le dégarnir de ses bordages. *Déborder une voile,* larguer les écoutes.

▶ **DÉBORDANT, ANTE** adj.

♦ **1.** Concret. Qui déborde. ⇒ **Plein, rempli.** *Casserole débordante de lait bouillant.*

♦ **2.** Abstrait (plus cour.). *Cœur débordant de joie.* ⇒ **Gonflé.** *Joie débordante.* ⇒ **Expansif, exubérant, exultant. Enthousiasme débordant. Être débordant de vie, de santé.* ⇒ **Pétulant, vif.** *Activité débordante,* que rien n'arrête, qui fait face à tout. *Nature débordante,* qui se répand en gestes et en paroles.

Autant je me sens expansif, fluide, abondant et débordant dans les douleurs fictives, autant les vraies restent dans mon cœur âcres et dures.   17
          FLAUBERT, Correspondance, I, p. 94.

(...) le flot de vie débordante, la fièvre de joie qui fait tourbillonner ces mondes.   18
          R. ROLLAND, Musiciens d'aujourd'hui, p. 130.

Cet individualisme n'était pas abondant et débordant, mais obstiné, replié.   19
          R. ROLLAND, Jean-Christophe, p. 981.

♦ **3.** Par exagér. *Une femme aux appas débordants.* ⇒ **Plantureux.**

(*Rubens*) peint du même style une Madeleine débordante et une Sirène potelée (...)   20
          TAINE, Philosophie de l'art, t. II, III, II, III, p. 52.

♦ **4.** Milit. *Mouvement débordant, attaque débordante.* ⇒ **Débordement.**

▶ **DÉBORDÉ, ÉE** p. p. adj.

♦ **1.** Rare. Dont l'eau est sortie. *Fleuve débordé.*

Quand un fleuve débordé s'avance, on peut élever les digues pour arrêter sa marche (...)   21
     RENAN, l'Avenir de la science, Œ. compl., t. III, XVII, p. 1018.

♦ **2.** Fig. et cour. (Personnes). Submergé* (par les occupations, le travail...). *Être débordé de travail, de requêtes, de visites.* — Absolt. *Être débordé* (cf. Ne savoir où donner de la tête). — Adj. *Homme d'affaires, infirmière, professeur débordé(e),* surchargé(e) de travail. *Je n'en peux plus, je suis débordé.*

Il jouait le monsieur débordé de besogne, qui repassera une autre fois n'ayant pas le temps de flâner.   22
     COURTELINE, Messieurs les ronds-de-cuir, 2ᵉ tableau, III, p. 84.

Évidemment si le sergent de Bol était plus puissant, moins débordé, ce serait à lui de veiller à tout et d'empêcher les exactions.   22.1
     GIDE, Voyage au Congo, *in* Souvenirs, Pl., p. 844.

♦ **3.** Vieilli. (Contenu). Répandu par-dessus bord. *Eau débordée.*

23 De même qu'une eau débordée ne fait pas partout les mêmes ravages (...)
BOSSUET, Oraison funèbre de Henriette-Marie de France.

♦ **4.** Milit. Dépassé. *Ligne débordée par l'ennemi.* Par anal. *Être débordé par ses propres troupes.* ⇒ **Dépassé.** — Fig. *Être débordé par les événements.*

♦ **5.** Détaché du bord. *Couverture débordée, drap débordé.* — *Lit débordé.* — Par métonymie. *Malade débordé.*

♦ **6.** Dont les écoutes sont larguées.

24 *Joshua court presque vent arrière (...) artimon bien débordé et foc bordé plat (...)*
Bernard MOITESSIER, *Cap Horn à la voile*, p. 207.

CONTR. (De déborder) **Aborder, amarrer, border, contenir, engloutir, engouffrer, reborder, rentrer, retrait** (être en). — (De débordant) **Maigre, squelettique, vide.** — **Canalisé, contenu, discipliné, enchaîné, endigué, réservé...**
DÉR. **Débord, débordement.**

DÉBOSQUAGE [debɔskaʒ] n. m. — Fin XIXᵉ ; de 1. *dé-*, et rad. *bosc-* (→ Bois, bosquet). — REM. *Débosquer* («sortir d'un bois», 1611) n'est pas attesté dans le sens correspondant, mais il existe des formes régionales *déboquer* «tirer du bois hors des taillis», *débouscá* «enlever le bois qu'on a coupé dans une forêt»...

♦ Techn. Transport du bois qui a été coupé dans la forêt.

DÉBOSSELER [debɔsle] v. tr. — Conjug. *bosseler*. — Déb. XVIIIᵉ ; 1807, techn. ; de 1. *dé-*, et *bosseler*.

♦ Techn. Supprimer les bosses de ; aplanir. *Débosseler une pièce d'argenterie, le capot d'une voiture accidentée.*
Pron. *Se débosseler :* perdre sa bosse, ses bosses.
CONTR. **Bosseler.**

DÉBOTTÉ ou DÉBOTTER [debɔte] n. m. ⇒ **Débotter.**

DÉBOTTELER [debɔtle] v. tr. — Conjug. *botteler* (→ Appeler). — 1918, Genevoix ; de 1. *dé-*, et *botteler*.

♦ Agric. Défaire, délier les bottes de... *Débotteler la paille.* — Absolt. *Il faut débotteler.*

DÉBOTTER [debɔte] v. tr. — Fin XIIᵉ ; de 1. *dé-*, et *botte.*

♦ Retirer les bottes de (qqn). ⇒ **Déchausser.**

1 Deux demoiselles masquées et un nain masqué (...) le vinrent déshabiller sans savoir de lui s'il avait envie de se coucher (...) le nain le déchaussa ou débotta et puis le déshabilla. SCARRON, le Roman comique, I, IX, p. 35.
N. m. *Le débotter.* → *infra*, Débotté.

▶ **SE DÉBOTTER** v. pron.
Quitter ses bottes.

2 Il *(l'évêque d'Autun)* m'a conté qu'il passa une fois à Langeron et qu'il ne voulait pas se débotter seulement : il y fut six semaines.
Mᵐᵉ DE SÉVIGNÉ, 723, 20 juil. 1679.
3 Encore tout poudreux et sans me débotter. BOILEAU, Épîtres, VI.
4 Ce héros *(Bonaparte)* gouvernait à cheval, organisait en poste, et fonda en se débottant un empire qui dure encore. P.-L. COURIER, *in* LITTRÉ.

▶ **DÉBOTTÉ, ÉE** p. p. adj.
Qui a quitté ses bottes.
N. m. (vx) *Le débotté* ou *le débotter :* le moment où l'on se débotte. *Le débotté du roi.*

5 Au vrai, je vois que la grande affaire de ce siècle-ci c'est le débotté et le petit coucher. P.-L. COURIER, Lettres, *in* LITTRÉ.
(1701). Loc. mod. *Au débotté :* au moment où l'on arrive. *Prendre, surprendre, saisir qqn au débotté,* à l'improviste. *Il m'a reçu au débotté,* en arrivant.
6 Alors faire l'amour au débotté, quand nous revenons l'un et l'autre d'une autre vie, moi, je ne peux pas. François Marie BANIER, la Tête la première, p. 182.
CONTR. **Botter.**

1. DÉBOUCHAGE [debuʃaʒ] n. m. — 1850 ; de 1. *déboucher.*

♦ **1.** (→ Déboucher, 1.). Action de déboucher, d'ôter ce qui bouche, obstrue (qqch.). *Débouchage d'un conduit, d'un évier.* « (...) j'avais cassé l'aiguille de débouchage du réchaud à l'intérieur du gicleur » (Bernard Moitessier, *Cap Horn à la voile*, p. 32). — REM. On dit aussi *débouchement.*

♦ **2.** (→ Déboucher, 2.). Action de déboucher*, d'ôter le bouchon de (qqch.). *Le débouchage d'une bouteille, d'un flacon. Un débouchage difficile.*
CONTR. **Bouchage.**

2. DÉBOUCHAGE [debuʃaʒ] n. m. — 1844, Mérimée ; de 2. *déboucher.*

♦ Rare. Fait de déboucher (dans, sur qqch.). « *Débouchage de l'arc entre la tour et la nef* » (Mérimée, *Correspondance générale*, IV, 186, *in* D.D.L.). — Syn. : 2. *débouchement.* ⇒ aussi **Débouché.**

DÉBOUCHÉ [debuʃe] n. m. — 1723, Savary ; p. p. de 2. *déboucher.*

♦ **1.** (Déb. XVIIIᵉ). Issue* qui permet de passer d'un lieu resserré dans un lieu plus ouvert. *Le débouché d'une vallée, d'un défilé. Tendre une embuscade à l'ennemi au débouché d'une gorge. Débouché d'un canal, d'une pièce d'eau, où les eaux peuvent s'écouler.* ⇒ **Déversoir.**

1 On tend les trappes pour les loups à l'entrée des passes, au débouché d'un fourré (...) CHATEAUBRIAND, Voyage en Amérique, *in* LITTRÉ.
2 Des torrents d'eau s'écoulaient en tourbillonnant comme au débouché d'une écluse (...) CHATEAUBRIAND, les Natchez, *in* LITTRÉ.
3 Menez-moi (...) au point où les eaux se répandent sur les communaux.
Il est d'autant plus utile que madame y aille (...) que, par le conseil de monsieur le curé, feu monsieur Graslin est devenu propriétaire, au débouché de cette gorge, de trois cents arpents sur lesquels les eaux laissent un limon qui a fini par produire de la bonne terre sur une certaine étendue.
BALZAC, le Curé de village, IV, t. VIII, p. 675.
4 La partie la plus large de la rue du Tourniquet était à son débouché dans la rue de la Tixanderie, où elle n'avait que cinq pieds de largeur.
BALZAC, Une double famille, Pl., t. I, p. 925.
4.1 L'autobus Jardin des Plantes-Batignolles, coincé à l'arrêt dans une file de voitures, fit une longue station au débouché de la rue de Clichy.
M. AYMÉ, Maison basse, p. 258.

Spécialt. *Débouché d'un pont :* intervalle entre les culées, par lequel débouchent les eaux.

♦ **2.** (1723). Voie, port, qui assure l'écoulement d'un produit.
5 Le Transsaharien serait le débouché des pays du Niger et du Soudan.
Albert DEMANGEON, Géographie économique et humaine de la France, p. 58.
6 (...) le port de *Dantzig*, destiné à être le débouché économique de la Pologne, était constitué en *ville libre* (...)
MALET et ISAAC, Hist. contemporaine, la Grande Guerre, Les traités de paix, p. 741.

Écon. et cour. Moyen d'écouler un produit, d'assurer son exportation, sa vente. *Marchandises qui se vendent bien, grâce à leurs nombreux débouchés, qui se vendent mal faute de débouchés.* ⇒ **Écoulement, exportation.** *Cette invention lui ouvre un nouveau débouché. Sa production ne trouve pas de débouchés. La « théorie des débouchés »,* de Jean-Baptiste Say.

7 Il faut qu'ils *(les producteurs)* trouvent ce qu'en terme de commerce on appelle des débouchés, des moyens d'effectuer l'échange des produits qu'ils ont créés contre ceux dont ils ont besoin.
Jean-Baptiste SAY, Cours d'économie politique pratique, 1840, *in* LITTRÉ.
8 Il est bon de remarquer qu'un produit créé offre, *dès cet instant,* un débouché à d'autres produits pour tout le montant de sa valeur ; car tout produit n'est créé que pour être consommé (...) Du moment qu'il existe, il cherche donc un autre produit avec lequel il puisse s'échanger (...) On voit que le seul fait de la formation d'un produit, ouvre, dès l'instant même, un débouché à d'autres produits.
Jean-Baptiste SAY, *in* P. GEMAHLING, les Grands Économistes, La théorie des débouchés, p. 168.
9 Bien plus ! les économistes estiment que, étant donné l'engorgement dans une branche quelconque de la production, le remède le plus efficace qu'on puisse apporter à ce mal c'est précisément de pousser à un accroissement proportionnel dans les autres branches de la production. La crise résultant de l'abondance ne peut se guérir que par l'abondance elle-même (...) : *similia similibus.* Ainsi tous les producteurs se trouvent intéressés à ce que la production soit aussi abondante et aussi variée que possible. Cette théorie est connue sous le nom de *loi des débouchés.* C'est J.-B. Say qui l'a formulée le premier et il s'en montrait très fier, disant « qu'elle changerait la politique du monde ». On peut l'exprimer de la façon suivante : *chaque produit trouve d'autant plus de débouchés qu'il y a une plus grande variété et abondance d'autres produits.*
Ch. GIDE, Cours d'économie politique, II, I, IV, La surproduction et la loi des débouchés, t. I, p. 217.
10 Say a surtout attaché son nom à la fameuse « loi des débouchés », qu'il expose dans le chapitre XV du premier livre de son *Traité.* L'analyse, dit-il, des faits les plus connus et les plus constants montre ceci : l'entrepreneur, qui crée des valeurs, ne peut espérer les faire payer, que si d'autres hommes ont des moyens d'acquisition. Or ceux-ci, « en quoi consistent-ils ? En d'autres valeurs, d'autres produits, fruits de leur industrie, de leurs capitaux, de leurs terres ; d'où il résulte, quoique au premier aperçu cela semble un paradoxe, que c'est la production qui ouvre des débouchés aux produits ». Ce qu'on énonce souvent d'une manière plus brève : les produits s'échangent contre les produits.
R. GONNARD, Hist. des doctrines économiques, IV, L'école libérale..., p. 364.

♦ **3.** Par métonymie. Lieu où une industrie, un pays trouve des débouchés pour ses produits (⇒ **Marché**). *Créer, ouvrir des débouchés. Ce pays constitue un débouché considérable pour l'industrie automobile.*

11 Les Açores, Madère, les Canaries, l'Espagne, le Portugal offrent un débouché avantageux aux grains et aux bois de la Pennsylvanie, qu'ils achètent avec des vins et des piastres (...)
G.-J. RAYNAL, Hist. philosophique..., XVIII, V, *in* LITTRÉ.
12 Regrettant les désastres coloniaux de la France et son déclin économique, Chaptal pouvait écrire en 1818 : « La perte de nos plus belles colonies nous a privés à la fois de débouchés considérables et de moyens d'échange pour notre commerce avec l'étranger. »
Albert DEMANGEON, Géographie économique et humaine de la France, t. I, III, Le commerce extérieur et l'empire colonial, p. 60.

♦ **4.** (XVIIIᵉ). Fig. *Débouchés offerts par une carrière,* perspectives qu'elle ouvre, situations qu'elle peut donner. *Débouchés offerts par les études supérieures. Les débouchés sont assez minces. Crise des débouchés.*

13   De là, il *(M. Peletier)* devint conseiller d'État, qui est le débouché ordinaire des prévôts des marchands.   SAINT-SIMON, *Mémoires*, t. I, XXX.

CONTR. Barrière, cul-de-sac, impasse.

1. DÉBOUCHEMENT [debuʃmɑ̃] n. m. — 1740 ; de 1. *déboucher.*

♦ Rare. Action de déboucher (un passage, un conduit). ⇒ **Désobstruction** ; 1. **débouchage.**

2. DÉBOUCHEMENT [debuʃmɑ̃] n. m. — 1844, Mérimée ; de 2. *déboucher.*

♦ Rare. Syn. de 2. *débouchage.*

1. DÉBOUCHER [debuʃe] v. tr. — XVIᵉ ; *debochier*, XIIIᵉ ; de 1. *dé-*, et *boucher.*

♦ **1.** Débarrasser (qqch.) de ce qui bouche, obstrue. ⇒ **Dégager, désengorger, désobstruer.** Vx. *Déboucher un chemin, un passage, une voie.* Mod. *Déboucher un conduit, un tuyau, une pipe, un lavabo* (⇒ **Débouchement**). — Méd. *Déboucher un conduit naturel.* ⇒ **Désopiler.**

1   (...) j'attends que tous ces Messieurs aient débouché la porte, pour présenter là mon visage.
Têtebleu ! quelle foule ! Je n'ai garde de m'y aller frotter, et j'aime mieux entrer des derniers.   MOLIÈRE, *l'Impromptu de Versailles*, 3.

2   Je voudrais que vous eussiez été saignée (...) cela vous eût débouché les veines, cela eût donné du jeu et de l'espace à votre sang (...)
     Mᵐᵉ DE SÉVIGNÉ, 1160, 6 avr. 1689.

3   Le voyage, l'exercice, des eaux qui lavent le sang et qui débouchent les canaux rétablissent presque toujours la machine.
     VOLTAIRE, Lettre à Damilaville, 2 avr. 1764.

♦ **2.** Débarrasser (un contenant) de son bouchon. ⇒ **Ouvrir** ; **décapsuler** ; **débouchage.** *Déboucher une carafe, un flacon. Déboucher une bouteille de vin avec un tire-bouchon.*

4   Il déboucha la première bouteille, la renifla, remplit le verre que la patronne avait préparé pour Haverkamp.   J. ROMAINS, *les Hommes de bonne volonté*, t. V, p. 80.

♦ **3.** Fig. *Déboucher qqn,* lui ouvrir l'esprit. « *Déboucher l'esprit d'un sot* » (Chamfort, *Maximes et Pensées*, 1794, *in* T. L. F.).

▶ **SE DÉBOUCHER** v. pron.
Cesser d'être bouché. *L'évier se débouche petit à petit.*

CONTR. Boucher, condamner, engorger, fermer, murer, obstruer, reboucher.
DÉR. 1. Débouchage, 1. débouchement, 1. déboucheur, débouchoir.

2. DÉBOUCHER [debuʃe] v. intr. — 1640 ; de 1. *dé-*, et *bouche.*

♦ **1.** (Sujet n. animé : personnes, animaux ; ou véhicules...). Passer d'un lieu resserré dans un lieu plus ouvert. **DÉBOUCHER DE..., DANS..., SUR...** *Déboucher d'une passe, d'une gorge, d'un défilé dans la plaine, d'un sous-bois dans une clairière* (cit. 2). *Déboucher d'une petite rue dans une grande artère* (→ Charrette, cit. 2). — *Le gibier débouche de la forêt.* ⇒ **Débucher.** — *Bateau qui débouche d'un canal.* ⇒ **Débouquer.** Milit. *Armée qui débouche sur l'ennemi* (→ Attaquer, cit. 4).

1   Le 15 novembre on débouche sur Arcole : le jeune général passe le pont qui l'a rendu fameux ; dix mille hommes restent sur la place.
     CHATEAUBRIAND, *Mémoires d'outre-tombe*, t. III, p. 88.

2   Vers trois heures, en débouchant d'une gorge haute qui nous avait tenus longtemps enfermés, nous nous trouvons dominer tout à coup des immensités inattendues.
     LOTI, *Jérusalem*, III, p. 18.

3   (...) on s'attend, à chaque pas, à déboucher sur un décor de vieilles pierres, sur quelque château entouré d'ifs taillés en boulingrins.
     M. BARRÈS, *la Colline inspirée*, p. 218.

4   Soudain, en juillet 1918, la victoire changea de camp. Débouchant de la forêt de Villers-Cotterets, des centaines de chars Renault (...) ouvrirent une brèche dans la forteresse allemande et déterminèrent le premier reflux des armées de Ludendorff.   A. MAUROIS, *Terre promise*, p. 183.

♦ **2.** (Le sujet désigne un cours, une voie d'eau). ⇒ **Jeter** (se). *La Marne débouche dans la Seine, la Seine dans la Manche.* — *Canal qui débouche dans une rivière.*

♦ **3.** (Le sujet désigne une voie, un passage). Aboutir à un lieu ouvert ou à une artère plus large. ⇒ **Donner** (sur), **tomber** (dans). *La rue débouche sur une avenue, sur une place.*

5   *(La rue)* débouchait sur une place immense, où mille lumières éparses vacillaient dans le brouillard confus de la nuit.   HUGO, *Notre-Dame de Paris*, II, p. 104.

Par extension :

6   Son itinéraire débouche dans les larges voies du quartier des Invalides.
     J. ROMAINS, *les Hommes de bonne volonté*, t. V, p. 136.

♦ **4.** (V. 1954). Fig. Aboutir, mener à, ouvrir (sur). ⇒ **Parvenir.** « *Là où la lutte pour l'indépendance a débouché sur une révolution sociale* » *(le Monde,* 27 avr. 1963). « *Les problèmes de stratégie vont déboucher dans la métaphysique* » *(Vie et Langage,* oct. 1969).

7   (...) ces interminables discussions, ces réunions qui ne débouchent sur rien, où l'on

n'a pas pu dire ce qu'il y avait à dire, qui vous reviennent en tête le soir, vous empêchant de dormir et vous recommencez tout depuis le début (...)
     Régis DEBRAY, *l'Indésirable*, p. 88-89.

CONTR. Enfiler, engager (s'), engouffrer (s'). — Bloquer (être bloqué).
DÉR. 2. Débouchage, débouché, 2. débouchement, 2. déboucheur.

1. DÉBOUCHEUR, EUSE [debuʃœʀ, øz] n. — 1870, n. m., « celui qui débouche » ; de 1. *déboucher.*

♦ **1.** Personne qui débouche (qqch.). *Une déboucheuse de bouteilles.*

♦ **2.** N. m. Produit utilisé pour déboucher un conduit. *Acheter un déboucheur pour évier.* — En appos. *Produit déboucheur.*

(...) ils achètent n'importe quoi (...) pour la seule satisfaction de voir le marchand de couleurs faire l'article à propos d'un déboucheur de lavabos (...) d'un décapeur de bouilloires (...)   Christine DE RIVOYRE, *les Sultans*, p. 36.

2. DÉBOUCHEUR, EUSE [debuʃœʀ, øz] n. — 1935, en sports (cyclisme) ; de 2. *déboucher.*

♦ Rare. Personne qui débouche (2. Déboucher), sort d'un lieu.

DÉBOUCHOIR [debuʃwaʀ] n. m. — 1754 ; de 1. *déboucher.*

♦ Instrument qui sert à déboucher (1. Déboucher). *Débouchoir à ventouse.* — Techn. (agric.). Bâton avec lequel on décrasse le soc d'une charrue. — Outil de lapidaire.

DÉBOUCLER [debukle] v. tr. — Mil. XIIᵉ, *desboucler* « enlever la bosse du bouclier » ; de 1. *dé-*, 1. *boucle*, et suff. verbal.

★ **I.** ♦ **1.** Ouvrir en détachant l'ardillon d'une boucle. ⇒ **Dégrafer.** *Déboucler son ceinturon, ses souliers.* — Pron. *Ma ceinture s'est débouclée.*

Geste classique, ils débouclèrent le ceinturon ; leur baïonnette heurta la chaise de fer.   P. MAC ORLAN, *la Bandera*, VII, p. 78.

♦ **2.** Libérer de la boucle, des boucles qui entravent. *Déboucler une jument, un porc.*

(1836). Fig. et fam. *Déboucler un prisonnier,* lui rendre la liberté. ⇒ **Libérer.**

★ **II.** (1704 ; de 1. *dé-*, et *boucler*, II.). Défaire les boucles de cheveux de (qqn). ⇒ **Défriser.** *La pluie l'avait toute débouclée.* — Pron. Sa chevelure se déboucle.

▶ **DÉBOUCLÉ, ÉE** p. p. adj.
(De I.). Détaché. *Ceinture débouclée.* — (De II.). Défrisé. *Chevelure débouclée.*

CONTR. Boucler.

DÉBOUILLI [debuji] n. m. ⇒ **Débouillissage.**

DÉBOUILLIR [debujiʀ] v. tr. — Conjug. *bouillir.* — 1669 au p. p. ; de 2. *dé-*, et *bouillir.*

♦ Techn. Faire bouillir dans une eau additionnée de certains ingrédients des échantillons d'un tissu dont on veut éprouver la teinture, ou des étoffes auxquelles on veut rendre leur première blancheur.

Ils font, comme nous, débouillir la chaîne à fond, mais ils ne cuisent la trame qu'à demi (...)   G. Th. F. RAYNAL, *Hist. philosophique...*, t. V, *in* LITTRÉ.

▶ **DÉBOUILLI, IE** p. p. adj. *Tissu débouilli.* — N. m. (1669). *Le débouilli.* ⇒ **Débouillissage.**

DÉR. Débouilli, débouillissage.

DÉBOUILLISSAGE [debujisaʒ] ou DÉBOUILLI [debuji] n. m. — 1819, *débouillissage* ; *débouilli*, 1669 ; de *débouillir.*

♦ Techn. Opération qui consiste à débouillir*. *Mettre un tissu au débouillissage,* ou *au débouilli.*

DÉBOULÉ [debule] n. m. ⇒ **Débouler.**

DÉBOULÉE [debule] n. f. ⇒ **Débouler**, p. p., 4.

DÉBOULER [debule] v. intr. — 1793 ; de 2. *dé-*, et *bouler.*

Sujet n. animé : personnes, animaux, véhicules...

♦ **1.** Fam. et vx. Partir sur le champ. ⇒ **Déguerpir.**

1   *(Le magistrat de Worms)* assure avoir notifié à M. Condé et compagnie de débouler grand train sans trompettes.
     A. F. LE MAIRE, *Lettres bougrement patriotiques du véritable père Duchesne*, 272ᵉ lettre.

♦ **2.** Fam. Tomber de haut en bas et rouler comme une boule. ⇒ **Débarouler ; dégringoler.** *Le chien déboula de la colline.*

Choses :

2 Les ordures déboulèrent de la boîte métallique et churent en trombe dans la poubelle, coquilles d'œufs, trognons, papiers graisseux, épluchures.
R. QUENEAU, *Loin de Rueil*, p. 9.

Par ext. Descendre précipitamment. *Débouler du premier étage.* — *Trans. Débouler l'escalier.* — *Par métaphore. Débouler sur (qqn),* se précipiter sur. *Fig. et fam. Ça déboule !* : ça va vite. — *Absolt.* Arriver précipitamment. *« Les Parisiens débouleront par milliers* (à Reims)» *(Actuel,* déc. 1974, p. 55).

♦ **3.** Chasse. Fuir précipitamment après avoir surgi à l'improviste. *Subst.* (loc. adv.). *Au débouler :* à la sortie du gîte, du terrier. *Tuer un lapin au débouler.* — On écrit aussi *au déboulé ;* → ci-dessous.

♦ **4.** Fam. (Cf. dial. *débouler* «sortir de terre, percer»). Commencer à changer, à s'épanouir (en parlant d'une jeune fille). → Partir.

3 Marie, au physique, a été une petite fille assez quelconque (...) À dix ans, elle était maigre comme un chat ; à dix-sept, elle n'avait pas encore, comme on dit, déboulé.
J. DUTOURD, *Pluche*, VII, p. 68.

♦ **5.** Sports. Aller à très vive allure (dans une épreuve de vitesse, un sprint final, une attaque).

▶ **DÉBOULÉ, ÉE** p. p. et nom.

★ **I.** P. p. adj. *Un quidam déboulé de je ne sais où. Des escaliers déboulés à toute allure.*

★ **II.** N. ♦ **1.** N. m. (Chasse). *Le déboulé d'un lapin. Tirer un lièvre au déboulé,* au débouler, quand il déboule (→ ci-dessus, 3.).

♦ **2.** N. m. Danse. Mouvement tournant, par une série de pivotements sur les pointes ou les demi-pointes.

♦ **3.** N. m. Sports. Course, charge rapide et puissante. — (1872, *in* Petiot ; hippisme). Épreuve de courte distance, où la vitesse compte dès le départ.

♦ **4.** N. f. Chute de qqch. qui s'effondre en roulant.

4 Le feu de bois. Toute cette fête, toute cette vie. Puis cette agonie, puis cette mort, cette déboulée des bûches.   J. RENARD, *Journal*, 30 sept. 1897.

REM. On trouve chez Céline un composé *débouliner* formé sur *débouler* et *dégouliner.*

5 Ils attendent l'heure de la marée que ça resiffle aux Wharfs Poplar, que le barouf reprenne, détonne, que les bennes culbutent (...) alors c'est la trombe sur les soutes ! et ça débouline de partout ! (...)   CÉLINE, *Guignol's band,* p. 53, 1951.

DÉR. **Débouleur.**

DÉBOULEUR, EUSE [debulœʀ, øz] n. — xxᵉ ; de *débouler.*

♦ Sports. Celui qui déboule vite. *Un bon débouleur.*

DÉBOULONNAGE [debulɔnaʒ] ou **DÉBOULONNEMENT** [debulɔnmɑ̃] n. m. — 1873, *déboulonnage ; déboulonnement,* 1877 ; de *déboulonner.*

♦ Action de déboulonner* (1. et 2.) ; état de ce qui est déboulonné.

DÉBOULONNER [debulɔne] v. tr. — 1867 ; de 1. *dé-,* et *boulonner.*

♦ **1.** Démonter (ce qui était boulonné). *Déboulonner une statue. La colonne Vendôme fut déboulonnée par la Commune.*

♦ **2.** Fam. (Compl. n. de personne ou de groupe). Détruire le prestige, la légende de (qqn), comme si l'on faisait tomber sa statue ; déposséder de sa place, de son poste. ⇒ **Démolir, renverser.** *« Déboulonner les idoles »* (A. Gill, *in* D.D.L.). *Il s'est fait déboulonner aux dernières élections.* ⇒ **Blackbouler, vider.**

1 Les Henri Rondeaux recevaient le *Triboulet,* journal humoristique ultra, créé pour déboulonner Jules Ferry ; cette feuille était pleine d'immondes dessins dont tout l'esprit consistait à instrumenter en trompe le nez du «Tonkinois», ce qui faisait la joie de mon cousin Robert.   GIDE, *Si le grain ne meurt,* IV, p. 99.

2 (...) une élite nouvelle (...) s'attelait à la tâche de déboulonner une féodalité (...).
Claude LÉVI-STRAUSS, *Tristes tropiques,* p. 9.

▶ **DÉBOULONNÉ, ÉE** p. p. adj.
Démonté. *Statue déboulonnée.* — Figuré :

3 S'il avait été un écrivain célèbre au lieu d'être le second personnage d'une République déboulonnée, peut-être s'en fût-il tiré lui aussi.
F. MAURIAC, *le Nouveau Bloc-notes 1958-1960,* p. 165.

CONTR. **Boulonner, relever.** — **Appuyer, soutenir.** — **Réélire.**
DÉR. **Déboulonnage, déboulonnement.**

DÉBOUQUEMENT [debukmɑ̃] n. m. — 1505 ; de *débouquer.*

♦ **1.** Mar. Action de débouquer.

♦ **2.** Par métonymie. La passe, le canal par où l'on débouque. ⇒ **Bouque.** *Archipel aux nombreux débouquements.* Extrémité (d'un canal, d'une passe).

DÉBOUQUER [debuke] v. intr. — 1586 ; de 1. *dé-, bouque,* et suff. verbal.

♦ Mar. Sortir d'une bouque*, de l'embouchure d'un canal.

1 La saison qui nous contraignait de regagner le Petit Goave pour débouquer avant le 10 septembre à cause du mauvais temps (...)
LE COMTE D'ESTRÉES, *in* Augustin JAL, *Glossaire nautique.*

N. m. *Le débouquer :* le fait de débouquer, la sortie du chenal.

2 (...) malgré l'approche du mauvais temps dont les premiers effets se faisaient déjà violemment sentir au débouquer (...)   B. CENDRARS, *Bourlinguer,* I, p. 11.

CONTR. **Embouquer.**
DÉR. **Débouquement.**

DÉBOURBAGE [debuʀbaʒ] n. m. — 1838 ; de *débourber.*

♦ Action de débourber. — Spécialt (techn.). Action de débourber un minerai. *Débourbage mécanique.* — (Œnologie). *Débourbage du moût de raisin,* clarification.

DÉBOURBER [debuʀbe] v. tr. — 1564 ; de 1. *dé-, bourbe,* et suff. verbal.

♦ **1.** Techn. [a] Débarrasser (qqch., un passage, un lieu) de sa bourbe. *Débourber un étang, un canal.* ⇒ **Curer, désenvaser, draguer.** *Débourber un minerai.*

[b] *Débourber le vin,* le soutirer après qu'il a déposé sa lie. ⇒ **Décanter.**

[c] *Débourber un poisson,* le faire vivre quelque temps dans l'eau claire pour lui faire perdre son goût de bourbe. ⇒ **Dégorger** (faire dégorger).

♦ **2.** Vieilli. Retirer de la bourbe. *Débourber un tombereau.* ⇒ **Désembourber.**

Fig. et vieilli. Tirer (qqn) d'un mauvais pas. ⇒ **Débarbouiller, débrouiller.** — Pron. *Il s'est débourbé tout seul.*

1 Ce fut ainsi que l'ennemi de Pont-Chartrain *(Colbert)* débourba son fils par une sorte de nécessité (...)   SAINT-SIMON, *Mémoires, in* LITTRÉ.

▶ **DÉBOURBÉ, ÉE** p. p. adj. (Par métaphore) :

2 L'homme de l'espace dont c'est le jour natal sera un milliard de fois moins lumineux et révélera un milliard de fois moins de choses cachées que l'homme granité, reclus et recouché de Lascaux, au dur membre débourbé de la mort.
René CHAR, *les Matinaux,* p. 200.

CONTR. **Embourber, envaser.**
DÉR. **Débourbage, débourbeur.**

DÉBOURBEUR [debuʀbœʀ] n. m. — 1870, «ouvrier» ; de *débourber.*

♦ Techn. Appareil qui enlève la bourbe d'un minerai, la boue d'une racine.

DÉBOURGEOISÉ, ÉE [debuʀʒwaze] adj. — 1834 ; de *débourgeoiser* «défaire des manières bourgeoises», 1700 ; de 1. *dé-,* et *bourgeois.*

♦ Rare. Qui a perdu ses habitudes bourgeoises.

Nous sommes des Rezeau débourgeoisés qui n'ont aucune envie de réintégrer la caste.   Hervé BAZIN, *Cri de la chouette,* p. 11.

CONTR. **Embourgeoisé.**

DÉBOURRAGE [debuʀaʒ] n. m. — 1858, *Année sc. et industr.,* 3ᵉ année, p. 257 (sens 2) ; de *débourrer* (I.).
Techn. Action de débourrer* (I.).

♦ **1.** Opération qui consiste à enlever avant le tannage et le chamoisage les poils adhérant encore aux peaux. *Débourrage des peaux.*

♦ **2.** Nettoyage des cardes. *Débourrage mécanique des cardes.*
Par métonymie. Déchets provenant du travail de la laine.

♦ **3.** Équit. Action de débourrer (un cheval, des chevaux). ⇒ **Dégrossissage.** *Chevaux de débourrage et de dressage.*

Éducation du cheval de selle (...).
1° *Le débourrage.* — C'est la première période de l'éducation du cheval. Il a pour but d'acclimater à son nouveau milieu et à son nouveau métier le jeune cheval sortant du pré ; de le mettre progressivement en condition de travail, tout en le laissant se développer physiquement ; de former son caractère et de lui donner les premières notions des aides. Il comprend : le dressage à la selle et la leçon du montoir ; la recherche du calme ; la recherche du mouvement en avant ; un dressage élémentaire aux jambes et aux rênes.
Henri AUBLET, *l'Équitation,* p. 98.

DÉBOURREMENT [debuʀmɑ̃] n. m. — V. 1890 ; de *débourrer* (II.).

♦ Arbor. Action de débourrer (des plantes arbustives, et, spécialt, la vigne). → Débourrer, cit. 2.

DÉBOURRER [debuʀe] v. — 1209, v. pron. ; rare jusqu'au xvııᵉ ; de 1. dé-, et *bourrer*.

★ **I.** V. tr. ♦ **1.** Débarrasser de la bourre, du poil. *Débourrer le cuir*, le débarrasser de son poil en le trempant dans une préparation qui dilate les pores. ⇒ **Dépiler, ébourrer.**

0.1 Elle *débourre* les cocos, casse les noix pour extraire l'amande qui deviendra coprah (...) Bernard MOITESSIER, Cap Horn à la voile, p. 151.

♦ **2.** [a] Débarrasser de ce qui bourre. *Débourrer une pipe*, en ôter le tabac. *Débourrer une banquette.* — Passif et p. p. :

0.2 Jamais un point ne manquait aux gants de M. Henry ; ses pipes étaient toujours débourrées (...) Éd. et J. DE GONCOURT, Sœur Philomène, p. 65.

[b] Vulg. Évacuer (des excréments). → ci-dessous, II., 3.

Par métaphore :

1 C'est mon ancêtre ! Si je la connais un peu la langue et pas d'hier comme tant et tant ! Je le dis tout de suite ! dans les finesses !
J'ai débourré tous mes «effets», mes «litotes» et mes «pertinences» dedans mes couches... CÉLINE, Guignol's band, 1951, p. 376-377.

♦ **3.** Nettoyer (les cardes) en enlevant la bourre.

♦ **4.** (1754). Fig. [a] (Équit.). Commencer à dresser (un jeune cheval). ⇒ **Débourrage.**

[b] Par ext. (Personnes). ⇒ **Dégourdir, dégrossir, déniaiser, dessaler.**

★ **II.** V. intr. ♦ **1.** Arbor. Sortir de la «bourre», éclore, en parlant des bourgeons qui s'ouvrent pour former des rameaux.

2 Au printemps, lorsque les premières feuilles commencent à sortir, on dit que la vigne *débourre*. L'époque du débourrement diffère, non seulement d'après les caractères et de la saison, mais aussi suivant les variétés ou *cépages ;* les unes sont à débourrement hâtif, les autres à débourrement plus ou moins tardif. En outre, la taille opérée hâtivement fait avancer le débourrement, tandis qu'une taille tardive le retarde. Omnium agricole, Vigne, p. 780.

♦ **2.** (À propos du bétail). Changer de pelage.

2.1 Les bœufs ont encore leur pelage d'hiver, mais commencent à débourrer.
R. FRISON-ROCHE, Peuples chasseurs de l'Arctique, p. 370.

♦ **3.** Argot. Aller à la selle (→ *supra*, I., 2., b). ⇒ **Chier ;** → Chiotte, cit. 3.

3 C'est un voluptueux. Il connaît tous les cafés de Paris qui ont des W.-C. avec un siège :
— Pour bien débourrer, faut que j'soye assis, dit-il.
Il fait des kilomètres, portant précieusement dans ses flancs l'envie de chier, qu'il déposera avec gravité dans les cabinets tapissés de mosaïque mauve du Terminus-Saint-Lazare. Jean GENET, Notre-Dame des fleurs, p. 58, 1948.

♦ **4.** Pop. (en emplois négatifs ; d'après *se bourrer*). *Ne pas débourrer :* ne pas dessoûler. *Il n'a pas débourré de la semaine.*

▶ **SE DÉBOURRER** v. pron. (au sens I, 1). *Ce coussin commence à se débourrer*, à se vider de sa bourre.

▶ **DÉBOURRÉ, ÉE** p. p. adj. *Coussin débourré. Pipe débourrée — Cheval débourré.*

CONTR. **Bourrer, rembourrer.**
DÉR. **Débourrage, débourrement, débourreur.**

DÉBOURREUR, EUSE [debuʀœʀ, øz] adj. et n. — Av. 1870, Alcan, *in* P. Larousse ; de *débourrer*.

Technique.

♦ **1.** Adj. Qui enlève la bourre. *Tarare débourreur.*

♦ **2.** N. [a] Ouvrier, ouvrière qui débourre (1.) le cuir, qui débourre (3.) les cardes.

[b] N. m. Mécanisme qui enlève la bourre.

DÉBOURS [debuʀ] n. m. — 1599 ; de *débourser*.

♦ (Au plur.) *Les débours :* l'argent déboursé. ⇒ **Déboursé** (n. m. : p. p. de *débourser*), **déboursement.** Par ext. Dépense, frais.

HOM. Formes du v. **débourrer.**

DÉBOURSEMENT [debuʀsəmɑ̃] n. m. — 1508 ; de *débourser*.

♦ Action de débourser. *Le déboursement d'une somme* (⇒ **Débours**).

DÉBOURSER [debuʀse] v. tr. — xıııᵉ ; de 1 dé-, bourse, et suff. verbal.

♦ Tirer de sa bourse, de son portefeuille, et, par ext., de son avoir (une somme d'argent). ⇒ **Dépenser ; boursiller** (vx), **décaisser, payer, verser ;** et, fam., **aligner, casquer, cracher, lâcher.** *Obtenir une chose sans rien débourser, sans débourser un sou.* → Sans bourse* (1. Bourse) délier, gratis, à l'œil*. — Absolt. *Faire qqch. sans débourser.*

1 Car aux faveurs d'une belle il eut part
Sans débourser (...)
LA FONTAINE, Contes, «À femme avare galant escroc», II, 9.

Les soixante pistoles qu'il a déboursées pour moi. BOSSUET, Lettre, *in* LITTRÉ. 2

▶ **DÉBOURSÉ, ÉE** p. p. adj. *Argent déboursé.*
N. m. plur. ⇒ **Débours, dépense, frais.** *Faire le total de ses déboursés. Rentrer dans ses déboursés.*
CONTR. **Empocher** (fam.), **encaisser, ramasser** (fam.), **rembourser, toucher.**
DÉR. **Débours, déboursement.**

DÉBOURSÉS [debuʀse] n. m. pl. ⇒ **Débourser.**

DÉBOUSSOLÉ, ÉE [debusɔle] adj. — 1920 ; de 1. dé-, bous-sole, et -é.

♦ Désorienté. *Il est déboussolé depuis que sa femme l'a abandonné.* — Adj. «*Le réquisitoire (...) parle de patriotisme déboussolé et dévoyé*» (*le Monde*, 8 janv. 1963).

Frank se sent rétrograder dans cet espace et ce temps déboussolés où il errait jadis, sans complices ni filières, avant qu'Armando ne le hisse au sommet de la pyramide, grâce en partie à sa «qualité» de ressortissant étranger (...)
Régis DEBRAY, l'Indésirable, p. 86 (1975).

DÉR. **Déboussoler.**

DÉBOUSSOLER [debusɔle] v. tr. — 1961 ; de *déboussolé.*

♦ Désorienter (qqn), faire qu'il ne sache plus où il en est. *Cette situation semble le déboussoler totalement.*

DEBOUT [d(ə)bu] adv. — 1530 ; *de bot, de but*, 1155 ; «bout à bout», 1190 ; de *de*, et *bout.*

♦ **1.** (Choses). Verticalement* ; sur l'un des bouts. ⇒ **Aplomb** (d'), **droit.** *Mettre, dresser un meuble debout. Cette chaise ne tient pas debout*, elle n'est pas stable. — (Avec un n., en fonction d'adj.). *Une table, un tonneau debout.*

Une espèce de petit balcon vers le haut, en saillie et soutenu en dessous par deux chevrons et deux poutres debout (...) DIDEROT, Salon de 1767. 1

Gravure. *Le bois se grave debout*, à contre-fil.

Loc. *Mettre debout :* dresser, redresser. (Abstrait). *Mettre une affaire debout*, la mettre sur pied, l'organiser.

Mar. (vx). *Debout les avirons !* (pour rendre les honneurs).

Loc. fig. *Tenir debout* (→ ci-dessous, 2. et 3.).

♦ **2.** (Personnes). Sur ses pieds (opposé à *assis* [cit. 36], *couché*). *Il est là, debout, devant moi. Se tenir debout. Rester debout les bras* (cit. 5) *ballants.* → Planté comme une borne*. *Se mettre debout.* ⇒ **Lever** (se) ; **dresser** (se). *Ne restez pas debout :* asseyez-vous. *Laisser qqn debout*, ne pas le faire asseoir. *L'astasie*, trouble caractérisé par l'impossibilité de rester debout.* (Avec un verbe exprimant une action, habituellement accompli en position assise). *Manger debout. Voyager debout dans le train. Pédaler debout sur sa bicyclette.* ⇒ **Danseuse** (en).

(Construit avec un subst.). *Les personnes debout.* — Par métonymie. *Place debout dans un autobus. Faire une station debout prolongée lui est insupportable.*

(...) debout et assis *(au parterre comme aux meilleures places)*, on peut donner un mauvais jugement (...) MOLIÈRE, la Critique de l'École des femmes, 5. 2

Il faut que je reste là cloué sur une chaise ou debout, planté comme un piquet, sans remuer ni pied ni patte, n'osant courir, ni sauter, ni chanter, ni crier, ni gesticuler quand j'en ai envie (...) ROUSSEAU, les Confessions, XII. 3

Il avait toujours aimé s'étendre pour causer. «Debout ou couché», disait-il : «la position assise est pour les fonctionnaires.»
MARTIN DU GARD, les Thibault, t. V, p. 174. 4

Dès qu'il fut parti et qu'on sut que son absence durerait un peu, les gens debout, leur verre de porto à la main, se rapprochèrent les uns des autres, firent cercle et se communiquèrent promptement leurs réflexions. J. ROMAINS, les Hommes de bonne volonté, t. V, p. 191. 5

Elle se mit debout avec effort, et, appuyée au bras de Bernard, gagna la pièce qu'elle occupait au-dessus du grand salon. F. MAURIAC, Thérèse Desqueyroux, p. 173. 6

Tout debout (intensif).

(...) deux indigènes creusaient un trou très profond et peu large, ce qui nous laissa supposer qu'on ensevelit les morts verticalement, tout debout. GIDE, Voyage au Congo, in Souvenirs, Pl., p. 784. 6.1

Interj. *Debout ! :* ordre par lequel on invite qqn à se lever, à partir, à se mettre en route. *Debout ! là-dedans :* levez-vous ! (formule militaire). *Allons, debout ! Debout, et partons.* — Mar. (dans divers commandements). *Debout au quart !*, cri de matelot pour appeler la relève.

Debout ! les régiments sont là dans les casernes,
Sacs au dos, abrutis de vin et de fureur,
N'attendant qu'un bandit pour faire un empereur. HUGO, les Châtiments, I, Nox. 7

Debout ! Qu'il vous souvienne des Vikings ! Assez dormi dans la vase ! Réveillez-vous : il n'est que temps ; vous n'avez que trop vécu en carrassins, sous le varech et le sable. André SUARÈS, Trois hommes, Ibsen, III, p. 102. 8

Spécial. (personnes). Levé (alors qu'on devrait ou pourrait être couché). *Rester debout toute la nuit. Passer la nuit debout.* ⇒ **Veiller.**

Madeleine ne s'épargna pas et passa trois nuits debout au chevet de sa belle-mère, qui rendit l'esprit entre ses bras. G. SAND, François le Champi, IV, p. 48. 9

Être debout dès le matin : se lever tôt. ⇒ **Lever.** *Vous êtes déjà debout !*

10   Malgré l'heure matinale, Si-Chériff et son frère étaient debout pour recevoir nos adieux (...)   E. FROMENTIN, Un été dans le Sahara, I, p. 83.

Guéri (→ ci-dessous, 3.). *Il va mieux, il est debout. Il s'est remis debout rapidement.* ⇒ **Guérir, rétablir** (se) ; → Pied (il est sur pied).

11   Monsieur, je suis ravi de vous trouver debout et de voir que vous vous portez mieux.   MOLIÈRE, le Malade imaginaire, II, 2.

12   Mieux vaut goujat debout qu'empereur enterré.
                                    LA FONTAINE, Contes, « La matrone d'Éphèse », VI.

Par métaphore. En valeur d'adj. Dressé, fort. *« Un style debout »* (Valéry, *in* T. L. F.). *Un peuple debout contre l'envahisseur.* — Allusion hist. (interjection) :

13   Les Allemands ont envahi une tranchée et brisé toute résistance ; nos soldats gisent à terre, mais soudain de cet amas de blessés et de cadavres, quelqu'un se soulève et saisissant à portée de sa main un sac de grenades, s'écrie : « Debout, les morts ! » À cet appel les blessés se redressent. Ils chassent l'envahisseur. Le mot sublime avait fait une résurrection.   M. BARRÈS, l'Écho de Paris, 18 nov. 1915, *in* GUERLAC.

14   Debout ! les damnés de la terre !
     Debout ! les forçats de la faim !   Eugène POTTIER, L'Internationale.

Loc. **DORMIR DEBOUT, TOUT DEBOUT** : éprouver un violent besoin de dormir au point de s'assoupir sans être couché. *Allez donc vous coucher, vous dormez debout.*

Fig. *Conte, histoire à dormir debout :* histoire ennuyeuse ou extravagante.

TENIR DEBOUT (métaphore du sens 2 ou du sens 1 : choses). → aussi 3. *Argument qui ne tient pas debout,* qui ne respecte pas les règles de la logique. *Projet qui ne tient pas debout,* qui est illogique, irréalisable, peu réaliste. *Thèse, théorie qui ne tient pas debout,* qui est insoutenable, qui ne résiste pas à l'examen.

15   *L'Histoire universelle* de Bossuet n'a plus, dans l'état actuel des études historiques, aucune partie qui tienne debout (...)
                                    RENAN, Questions contemporaines, *in* Œ. compl., t. I, p. 96.

16   Si l'on considère tout cela sous le jour des affaires, sous le jour commercial, votre projet ne tient pas debout.
                                    G. DUHAMEL, Chronique des Pasquier, V, Le désert de Bièvres, V, p. 72.

16.1 Ça ne tient pas debout, cette histoire, c'est rocambolesque, c'est du Grand-Guignol... « Tss... tss... tu perds la tête, je t'assure, c'est une simple coïncidence, je t'en réponds (...) »   N. SARRAUTE, le Planétarium, p. 270.

Tomber, retomber debout : se tirer avec bonheur d'une situation dangereuse ou critique. → Pied (retomber sur ses pieds).

Mourir debout, en pleine activité, dans l'exercice de ses fonctions.

17   Il crut qu'un évêque plus qu'un empereur devait mourir debout et dans l'exercice de sa charge (...)   FLÉCHIER, Panégyrique, I, p. 312.

♦ **3.** *Être (tenir) debout, être (tenir) encore debout :* se dresser, être en bon état (mur, construction) ; résister à la destruction. ⇒ **Dresser** (se). *Cette muraille est, tient toujours debout.*

18   Ils vivent cependant, et leur temple est debout.   RACINE, Athalie, II, 5.

18.1 (...) il ne reste pas beaucoup de maisons debout ... plus ? moins qu'à Berlin ? pareil je dirais, mais plus chaud, plus en flammes, et des flammes en tourbillons... plus hautes... plus dansantes... vertes... roses... entre les murs...
                                    CÉLINE, Rigodon, p. 161.

(Personnes). *Ne pas tenir debout :* être privé de force physique, être malade. *Ce vieillard ne tient pas debout.* — Être ivre. *Après quelques verres je ne tiens plus debout.*

18.2 C'est une femme toujours couchée, une femme qui ne tient pas debout.
                                    J. RENARD, Journal, 3 mars 1899.

Fig. *Cette vieille institution tient encore debout. Ne rien laisser debout :* tout détruire.

19   Le veau d'or est toujours debout ;
     On encense
     Sa puissance
     D'un bout du monde à l'autre bout.   J. BARBIER et M. CARRÉ, Faust, II, 4.

♦ **4.** (Animaux). Dressé, et, spécialt, dressé sur ses pattes de derrière. Blason. Animal ainsi représenté.

Chasse. *Mettre une bête debout,* la forcer à se lancer.

(Arbres). *Vente du bois debout,* sur pied, l'acheteur se chargeant de l'abattage et de l'enlevage (opposé à *façonné*). — REM. *Bois debout* signifie aussi « coupé perpendiculairement au sens des fibres ».

♦ **5.** Mar. (En parlant d'un navire). [a] *Debout au vent, debout au courant, debout à la lame,* face à eux. ⇒ **Bout** (I., 1. : bout au vent, à la lame...) ; → ci-dessous, Vent debout. *Faire route debout au courant. Navire qui se place debout à la lame.* — Vieilli. *Aborder* (un navire) *debout au corps,* le heurter avec sa proue, l'éperonner. *Aller, courir debout à la terre,* se diriger vers le rivage.

[b] En valeur d'adj. *Vent debout,* de face. *Navire qui a le vent debout. Mer debout,* dont les vagues se présentent face à l'étrave du navire.

Par anal. *Coureur cycliste qui a le vent debout et qui pédale en danseuse.*

[c] Loc. adv. et adj. **VENT DEBOUT** : avec l'étrave tournée dans la direction d'où vient le vent. *Virer de bord vent debout*

(s'oppose à *virer vent arrière,* ou *lof** pour *lof*). *Placer le bateau vent debout ; se mettre vent debout pour mouiller.*

Aviat. (même sens). *Atterrissage vent debout.*

19.1 Sur les quatre-vingt-dix milles que mesurait le périmètre de l'île, la côte sud en comptait une vingtaine depuis le port jusqu'au promontoire. De là, nécessité d'enlever ces vingt milles au plus près, car le vent était absolument debout.
                                    J. VERNE, l'Île mystérieuse, t. II, p. 573, 1874.

20   Nous avions vent debout, une brise fraîche qui augmentait toujours, comme si ce pays eût soufflé de toutes ses forces contre nous pour nous éloigner de lui.
                                    LOTI, Mᵐᵉ Chrysanthème, I, p. 2.

♦ **6.** Adj. invar. Dr. *Magistrature debout :* le ministère public, qui parle debout (par oppos. à *magistrature assise*). ⇒ **Parquet.**

21   Le désespoir de sa vie était qu'affligé d'un zézaiement un peu enfantin, il n'avait pu, dans la magistrature debout, remplir son mérite, car il se piquait d'être un grand orateur.   ZOLA, Paris, t. I, p. 79.

Par une analogie plaisante. *« Mais cette place, il ne la cherchait que dans ce qu'il appelait le* commerce debout, *sa santé s'opposant à toute occupation assise »* (Alphonse Daudet, *Fromont jeune et Risler aîné,* p. 17).

CONTR. Assis, couché. — Malade. — Détruit, mort, renversé, ruiné.
COMP. Passe-debout.

DÉBOUTÉ [debute] n. m. — 1690 ; p. p. substantivé de *débouter.*

♦ Dr. Acte par lequel un plaideur est déclaré mal fondé en sa demande. ⇒ **Rejet.** *Jugement de débouté. Débouté d'opposition.*

DÉBOUTEMENT [debutmã] n. m. — 1846 ; de *débouter.*

♦ Dr. Action de rejeter la demande (de quelqu'un).

DÉBOUTER [debute] v. tr. — 1549 ; « repousser, chasser », XIIᵉ ; de 2. *dé-,* et *bouter.*

♦ Dr. Rejeter par jugement, par arrêt, la prétention de (un demandeur). *Débouter un demandeur. Débouter qqn de sa demande. Le tribunal l'a débouté de sa demande. Débouter un plaideur de son appel.*

DÉR. Débouté, déboutement.

DÉBOUTONNAGE [debutɔnaʒ] n. m. — 1904 ; sens 1 ; sens 3, 1878, Goncourt (aussi *déboutonnement,* 1875) ; de *déboutonner.*

♦ **1.** Action de déboutonner*, de se déboutonner. *Le déboutonnage d'une veste, d'un manteau.*

Cette invitation malencontreuse m'empêcha de vérifier pleinement l'hypothèse audacieuse de Mangiapan, qui était mon voisin, en classe, et qui prétendait que les enfants sortaient du nombril de leur mère. Cette idée m'avait d'abord paru absurde : mais un soir, après un assez long examen de mon nombril, je constatai qu'il avait vraiment l'air d'une boutonnière, avec, au centre, une sorte de petit bouton : j'en conclus qu'un déboutonnage était possible, et que Mangiapan avait dit vrai.   PAGNOL, la Gloire de mon père, t. I, p. 66-67.

♦ **2.** (1974). Techn. Destruction des points de soudure.

♦ **3.** Fig. Action de se déboutonner (2.), de s'exprimer librement.

CONTR. Boutonnage.

DÉBOUTONNER [debutɔne] v. tr. — V. 1360, Froissart ; de 1. *dé-,* et *boutonner.*

♦ **1.** Ouvrir (un vêtement) en dégageant les boutons de la boutonnière. ⇒ **Défaire,** et aussi **dégrafer.** *Déboutonner son pardessus, ses vêtements, pour se déshabiller. Son gilet est déboutonné.*

1   Avec une adresse de femme de chambre, et une vivacité d'homme pressé, il déboutonnait, dénouait, dégrafait, délaçait sans repos.
                                    MAUPASSANT, les Sœurs Rondoli, p. 145.

2   Il déboucla son ceinturon, déboutonna sa vareuse.
                                    P. MAC ORLAN, la Bandera, VI, p. 76.

♦ **2.** Escr. *Déboutonner un fleuret,* en ôter le bouton, en vue de s'en servir comme d'une arme dans un assaut réel, un duel, etc.

▶ **SE DÉBOUTONNER** v. pron.

♦ **1.** (Réfl.). Défaire les boutons de ses vêtements.

3   Ce beau seigneur, tantôt qu'on a dîné,
     A mangé comme un diable et s'est déboutonné.   SCARRON, Jodelet, III, 2.

Par métaphore, jouant sur le sens 2 :

3.1 Barrès se retient trop. Il (...) mourra sous une conviction rentrée, étouffera de civilisation comme d'autres d'un manque d'air (...) Barrès, mon ami, déboutonnez-vous ; vous sentez le concentré. On étouffe chez vous. Aérez !
                                    J. RENARD, Journal, 4 nov. 1889.

(Sens passif). En parlant d'un vêtement. *Mon gilet s'est déboutonné.*

♦ **2.** (Av. 1611). Réfl. et fig. Parler* librement, sans réserve ; dire tout ce que l'on pense (de qqn ou de qqch.). ⇒ **Abandonner** (s'), **ouvrir** (s'). *Déboutonnez-vous ! :* laissez-vous aller, parlez librement.

4   Suivit un autre tête-à-tête où le duc se déboutonna sur tous ceux qui avaient part aux affaires.   SAINT-SIMON, Mémoires, 305, 224.

4.1 Montaigne se déboutonne sans cesse et il fait cette chose qui nous le fait aimer qui est de se contredire avec une grâce et une insouciance irrésistibles.
J. GREEN, Journal, 18 déc. 1976, La terre est si belle, p. 87.

▶ **DÉBOUTONNÉ, ÉE** p. p. adj.

♦ **1.** Dont on a dégagé les boutons de la boutonnière. *Vêtement déboutonné.*

5 Le roi, tout déboutonné, se leva de son prie-Dieu (...)
SAINT-SIMON, Mémoires, 91, 195.

Loc. fig. *Manger à ventre déboutonné,* avec excès, à satiété. *Rire à ventre déboutonné,* sans retenue.

♦ **2.** Fig. Très libre, sans réserve (paroles, propos...). ⇒ **Débridé.**

6 (...) l'heure des vanteries qui arrive si vite dans les dîners d'hommes, d'abord décente, — puis indécente bientôt, — puis déboutonnée, — enfin chemise levée et sans vergogne, amena les anecdotes, et chacun raconta la sienne (...)
BARBEY D'AUREVILLY, les Diaboliques, « À un dîner d'athées ».

♦ **3.** Escr. *Fleuret déboutonné,* dont on a enlevé le bouton.

CONTR. Boutonner.

DÉBRAGUETTER [debRagete] v. tr. — 1535, *desbraguetter ;* de 1. *dé-, braguette,* et suff. verbal.

♦ Fam. Ouvrir la braguette de.

Pronominal :

Prisonnière, la main de Louise avait pris, malgré elle, la mesure de l'homme : le salaud s'était débraguetté, ça n'était pas ce qu'elle voulait. C'était trop brutal, trop vulgaire. Jacques LANZMANN, les Transsibériennes, p. 15.

CONTR. Rebraguetter.

DÉBRAILLÉ, ÉE [debRaje] adj. — V. 1508 ; de 1. *dé-,* et anc. franç. *braiel* « ceinture ». → Braie.

♦ **1.** Dont les vêtements sont en désordre, ouverts ou mal fermés. ⇒ **Négligé.** *Il est tout débraillé. Poitrine débraillée.* — Par métonymie. *Robe débraillée. Tenue, mise débraillée.*

1 Toujours débraillée et décoiffée. ROUSSEAU, les Confessions, II.
2 Un brave Belge, débraillé, coiffé d'un képi, faisait, avec un arrosoir, des huit sur le dallage poussiéreux. MARTIN DU GARD, les Thibault, t. VI, p. 50.

N. m. *Le débraillé de sa tenue, de ses manières.* ⇒ **Débraillement, désordre, laisser-aller, liberté, négligé.** *Le débraillé artistique. Se mettre en débraillé.*

♦ **2.** Fig. D'une liberté d'allures excessive ; sans tenue. *Des manières débraillées. Vie, mœurs débraillées.* ⇒ **Libre.** *Avoir un air débraillé. Le genre débraillé.* ⇒ **Bohème.** *Allure débraillée.*

3 Le gilet de piqué, surchargé de broderies saillantes, ouvert, boutonné par un seul bouton sur le haut du ventre, donnait à ce personnage un air d'autant plus débraillé que ses cheveux noirs, frisés en tire-bouchons, lui cachaient le front et descendaient le long des joues. BALZAC, Une ténébreuse affaire, Pl., t. VII, p. 459.
4 (...) les gens débraillés qui croient faire preuve d'indépendance.
BAUDELAIRE, Curiosités esthétiques, XIII.
5 (...) le jour d'un grand match de rugby est un jour de licence, où l'on a le droit de redevenir celui qu'on est resté, profondément, sous le vernis de la maturité et de la réussite sociale : un jeune Méridional débraillé.
Jean-Louis CURTIS, le Roseau pensant, p. 15.

Conversation débraillée, libre, sans retenue.

CONTR. Correct, décent, distingué, modeste, recherché, réservé.

DÉBRAILLEMENT [debRajmã] n. m. — 1694 ; de *débrailler.*

♦ Action de se débrailler ; fait d'être débraillé. ⇒ **Débraillé** (n. m.). — REM. Syn. (rare) : *débraillage* [debRajaʒ] n. m.

DÉBRAILLER [debRaje] v. tr. — 1680 ; de *débraillé.*

♦ Vx. Ouvrir, retrousser (un vêtement), le vêtement de (qqn).

▶ **SE DÉBRAILLER** v. pron. Mod.

ⓐ Se découvrir d'une manière indécente, en ouvrant, en retroussant ses vêtements. *Se débrailler en public.* ⇒ **Déshabiller** (se).

ⓑ Fig. *La conversation se débraille,* elle perd toute retenue, toute décence.

DÉR. Débraillement.

DÉBRANCHEMENT [debRãʃmã] n. m. — 1890 ; de *débrancher.*

♦ Action de débrancher (des wagons, un appareil électrique).

CONTR. Branchement.

DÉBRANCHER [debRãʃe] v. tr. — 1611 ; *ébrancher,* XIIIᵉ ; *desbranchier,* 1409 ; de 1. *dé-,* et *branche* (sens 1) ou *brancher* (autres sens).

♦ **1.** Vx. Faire descendre (un oiseau) d'une branche, d'un perchoir.

♦ **2.** (1890). Séparer et trier (les wagons d'une rame de chemin de fer).

♦ **3.** Électr. Couper le courant de (un circuit). ⇒ **Couper.** — Cour.

Arrêter (un appareil électrique) en supprimant son branchement. *Débrancher un fer à repasser. Débrancher une prise.*

♦ **4.** (V. 1960 ; d'après *brancher,* II., 4. ; compl. n. de personne). Fam. Faire cesser d'être branché*. Cesse de lui parler, tu le débranches.* — Pron. *Se débrancher.* ⇒ **Décrocher.**

Les clichés s'enclenchaient entrelardés de « Moi, je », et Jean se débrancha. 1
Claude COURCHAY, La vie finira bien par commencer, p. 23.

Intrans. (même sens).

Quand les gens parlent le français trop vite, elle n'a pas le temps de traduire dans sa tête, alors elle débranche et se contente de faire oui de la tête. 2
Henri LOPES, Tribaliques, in Littératures de langue franç. hors de France, p. 146.

CONTR. Accrocher, brancher.

DÉR. Débranchement.

DÉBRAYAGE [debRejaʒ] n. m. — 1860 ; *désembrayage,* 1838 ; de *débrayer.*

♦ **1.** Fait de débrayer. *Manette, pédale de débrayage.*

♦ **2.** (1952). Cessation du travail ; mouvement de grève. *Débrayage du personnel.*

DÉR. Auto-débrayage.

DÉBRAYER [debReje] v. — 1865 ; *désembrayer,* 1838 ; de 1. *dés-,* et *embrayer.*

★ **I.** V. tr. Techn. Séparer (une pièce mobile) de l'arbre moteur. — Absolt. Interrompre la liaison entre une pièce, un mécanisme et l'arbre moteur. — Cour. Interrompre la liaison entre le moteur et les roues d'une automobile. *Débrayer, passer les vitesses et embrayer.*

★ **II.** V. intr. (1937). Fam. Arrêter le travail (dans une usine, un atelier), notamment pour manifester, protester. ⇒ **Grève** (faire, se mettre en). *Les ouvriers ont débrayé. Plusieurs ateliers ont débrayé.*

▶ **DÉBRAYÉ, ÉE** p. p. adj.

(De I.). Qui n'est plus en contact avec la pièce correspondante (dans un mécanisme de transmission). *« (...) la position du point mort, c'est-à-dire les deux frictions débrayées »* (*Année sc. et industr.,* 1896, p. 289 [1895]). — Par métaphore :

L'esprit débrayé de l'acte, donne aussitôt une indéfinité incohérente.
VALÉRY, Cahiers, t. II, Pl., p. 739.

DÉR. Débrayage.

DÉBRIDÉ, ÉE [debRide] p. p. adj. ⇒ **Débrider.**

DÉBRIDEMENT [debRidmã] n. m. — 1604 ; de *débrider.*

♦ **1.** Action de débrider. *Le débridement d'un cheval.* — Par anal. *Le débridement d'une plaie.*

♦ **2.** (1659). Fig. Déchaînement, laisser-aller. *Se refuser à tout débridement.*

(...) quantité de poétereaux, s'imaginant flatteusement que la poésie de Jammes consistait dans sa négligence et dans sa forme abandonnée, ont résolu d'être poètes simplement en ne se contraignant point. 1
Je dirais volontiers, généralisant un peu ma pensée, que tous les exemples de débridement sont funestes. GIDE, Feuillets, in Journal 1889-1939, Pl., p. 723.
Au déchaînement des forces de la matière correspond le débridement des instincts de violence : et cette rencontre n'est pas due au hasard, car une mystérieuse correspondance lie l'univers de la créature et celui de la création. 2
DANIEL-ROPS, Ce qui meurt et ce qui naît, I, p. 2.

Le débridement des mœurs, de la moralité.

Vous faites sans doute allusion au... (il chercha le mot juste) au débridement des mœurs ? Mais ce n'est qu'une apparence ! On monte en épingle tel ou tel désordre très circonscrit, alors que la masse de la population, croyez-moi, demeure parfaitement saine. Jean-Louis CURTIS, le Roseau pensant, p. 34. 3

DÉBRIDER [debRide] v. tr. — 1534 ; v. pron., fig., 1463 ; de 1. *dé-,* et *brider.*

♦ **1.** Enlever la bride à (un cheval, une bête de somme).

Nous mîmes donc pied à terre. Nous débridâmes nos chevaux pour les laisser paître, et nous nous couchâmes sur l'herbe. A. R. LESAGE, Gil Blas, VI, II. 1

Absolt. *Il est temps de débrider. Faire un long trajet sans débrider,* sans ôter la bride à sa monture.

Michel Strogoff, arrivé à Oubinsk, laissa son cheval reposer pendant toute la nuit, car il voulait, dans la journée suivante, enlever sans débrider les cent verstes qui se développent entre Oubinsk et Ikoulskoë. 1.1
J. VERNE, Michel Strogoff, p. 225-226.

Fig. et vx. Cesser de faire un travail, prendre du repos. *Il faut débrider après un tel effort.*

Sans débrider : sans interruption, sans arrêt. *Travailler huit heures sans débrider* (→ D'arrache-pied ; (fam.) sans débander*). *Dormir toute une nuit sans débrider.*

2   Il avait dormi sans débrider jusqu'à neuf heures.   Ed. ABOUT, *in* P. LAROUSSE.

♦ **2.** Par anal. Dégager (qqch.) de ce qui le serre comme une bride. **Chir.** *Débrider un organe* : sectionner la bride qui étrangle cet organe. *Débrider une hernie. Débrider une plaie. Débrider un abcès,* en vue de permettre l'écoulement du pus. ⇒ **Inciser, ouvrir** (→ Chirurgien, cit. 2).

3   Il avait fallu débrider la plaie, extraire le projectile.
                              FLAUBERT, l'Éducation sentimentale, III, I.

3.1 Cyrus Smith l'approuva complètement, et il fut décidé qu'on panserait les deux plaies sans essayer de les fermer par une coaptation immédiate. Fort heureusement, il ne sembla pas qu'elles eussent besoin d'être débridées.
                              J. VERNE, l'Île mystérieuse, p. 688, 1874.

Loc. fig. *Débrider la plaie, l'abcès.* → Crever l'abcès*.

4   (...) il nous faudrait porter le fer dans cette plaie, débrider l'abcès, évacuer l'humeur malfaisante.   G. DUHAMEL, le Voyage de P. Périot, II, p. 42.

Cuis. *Débrider une volaille* : couper les fils dont on l'a entourée pour la faire cuire.

Fig. *Débrider les yeux de qqn,* les dessiller, les ouvrir.

Donner libre cours à (qqch.).

4.1 (...) les événements qu'il déclencha, ou plus exactement débrida (...)
                              Claude SIMON, le Vent, p. 11.

Pron. Se donner libre cours, se laisser aller.

4.2 J'avais remarqué, à la campagne, et Montaigne l'explique mieux que moi, comme l'imagination se débride et s'éreinte à l'aveuglette si on ne la fixe pas sur quelque objet.   COCTEAU, Journal d'un inconnu, p. 21.

▶ **DÉBRIDÉ, ÉE** p. p. adj. (1466).

♦ **1.** Dont on a ôté la bride. *Cheval débridé.*

Par métaphore. Sans contrainte (→ Lâcher).

4.3 Lui, au fond, n'avait eu contre le mariage que ses anciennes préventions d'artiste débridé dans la vie.   ZOLA, l'Œuvre, p. 291.

♦ **2. Chir.** *Organe débridé.* — **Fig.** *Abcès, plaie débridée* : situation difficile et pénible à laquelle on a mis un terme.

♦ **3. Fig. et cour.** ⇒ **Déchaîné, effréné.** *Imagination débridée. Langue débridée,* sans retenue. *Une plume agile* (cit. 7) *et débridée. Instincts, appétits débridés.*

5   (...) molles et longues inflexions de la chair vivante et ployante, fureur de l'élan, impétuosité des convoitises, magnifique étalage de la sensualité débridée, triomphante (...)   TAINE, Philosophie de l'art, t. II, V, I, 1, p. 230.

6   Il les sentait hors d'eux, dans cet instant débridé de la défense personnelle, où l'on ne cesse d'obéir aux chefs.   ZOLA, Germinal, t. II, p. 34.

CONTR. (De débrider). **Brider. — Arrêter** (s'), **cesser. — Enchaîner, lier. —** (De débridé) **Contenu, discipliné, modéré, retenu.**
DÉR. Débridement.

1. DÉBRINGUER [debʀɛ̃ge] v. tr. — 1807 ; de 2. *dé-*, 1. *bringue* «pièce, morceau», et suff. verbal.

♦ **Fam. et régional.** Abîmer, briser, mettre en pièces. ⇒ **Déglinguer.** *Cet enfant ne peut s'empêcher de débringuer ses jouets.*

▶ **SE DÉBRINGUER** v. pron.
S'abîmer. *Ma voiture se débringue à vue d'œil. — Sa santé se débringue un peu plus chaque jour,* se détériore.

▶ **DÉBRINGUÉ, ÉE** p. p. adj.
Abîmé, en pièces. *Jouets complètement débringués.* — Débraillé. *Allure débringuée.*

2. DÉBRINGUER (SE) [debʀɛ̃ge] v. pron. — Var. régionales attestées fin XIXᵉ, Isère ; de 1. *dé-,* et 1. *bringue* «morceau de bois, entrave». → Embringuer.

♦ **Fam. et régional.** Se dégager, se débarrasser (de qqch. qui emprisonne, entrave).

(...) il n'avais plus qu'à (...) me débringuer de mon armure qui commençait à m'oppresser.   M. AYMÉ, le Nain, p. 214 (1934), *in* T. L. F.

CONTR. V. **Embringuer.**

DÉBRIS [debʀi] n. m. — 1549 ; de l'anc. v. *débriser* (XIIᵉ-XVIIᵉ), de 2. *dé-,* et *briser.* → Briser.

★ **I. Vx.** Action de briser, de détruire. ⇒ **Bris.** *Le débris du temps.*

★ **II. Mod.** ♦ **1.** (Rare au sing.). Reste d'un objet brisé, d'une chose en partie détruite. ⇒ **Fragment, morceau.** *Les débris d'un vase. Des débris de vaisselle. Débris de bouteille.* ⇒ **Tesson.** *Débris de meubles. Débris de vêtement.* ⇒ **Lambeau.** *Débris de bois.* ⇒ **Copeau, sciure.** *Débris de métal, de vieilles machines.* ⇒ **Ferraille.** *Débris de maçonnerie.* ⇒ **Blocage, plâtras.** *Débris de végétaux. Débris d'animaux, de coquillages.* ⇒ **Falun, fossile.** *Débris de poteries recueillis lors de fouilles archéologiques. Les kjökkenmöddings*, amas de débris ménagers de l'âge de pierre.*

Spécialt. Déchet, détritus. ⇒ **Ordure, rebut, résidu, rognure.** *Des débris jonchent le sol. Ramasser, balayer des débris. Mettre des débris au rebut, aux ordures.*

1   Dans les rues latérales s'ouvrent de petites boutiques à demi obscures, d'où vien-

nent des relents de légumes écrasés, de fruits fermentés. D'un peu plus loin viennent des odeurs de viande, de sang, de graisse, de tripes. D'un peu partout, des odeurs de débris, de balayures (...)   J. ROMAINS (→ Crasse, cit. 4).

Restes. *Les débris d'un repas, d'un plat* : restes de ce qui est en partie consommé. ⇒ **Relief, rogaton.**

2   (...) des Bédouins mangeant avec leurs doigts (...) déchiquetant, à belles dents blanches, d'immondes débris de poulets.   LOTI Jérusalem, XVI, p. 195.

Épave. *Débris d'un navire naufragé.* ⇒ **Bris, carcasse.**

3   Tout à coup elle aperçut les débris d'un navire qui venait de faire naufrage (...)
                              FÉNELON, Télémaque, I (→ Blanc, cit. 3).

4   Quand dans l'éternité leur sort sera plongé,
     Les insensés en vain s'attacheront aux heures,
     Comme aux débris épars d'un vaisseau submergé.
                              HUGO, Odes et Ballades, II, 10, p. 40.

Littér. Restes (d'un corps après la mort). *Débris* (du corps) *humain.* ⇒ **Cendre, os, ossement, poussière, reste ; relique.**

5   L'ange rassemblera les débris de nos corps ;
     Il les ira citer au fond de leur asile.   LA FONTAINE, Odes, VI, 8.

6   Au pied de la chapelle, sur l'un des côtés, l'on a rangé les restes du cimetière : car la haine et la destruction ont ici porté une main si avide, que les tombes mêmes en ont été ôtées, et que les seuls débris y sont les restes de restes, les reliques de la mort, et non pas même de la vie.   André SUARÈS, Trois hommes, Pascal, I, p. 19.

Vieilli. Décombre, ruine, vestige. *Les débris d'un édifice en ruine.*

7   Quoi ! ces monuments chéris
     Histoire de notre gloire
     S'écrouleraient en débris !   BÉRANGER, la Gaule poétique.

8   Il ferait volontiers de la terre un débris
     Et dans un bâillement avalerait le monde (...)
                              BAUDELAIRE, les Fleurs du mal, « Au lecteur ».

(En parlant de personnes). Vx ou par plais. → le sens 3 (le vers de l'abbé Delille, aujourd'hui comique, ne l'était nullement dans la langue classique).

9   (...) Telle jadis Carthage
     Vit sur ses murs détruits Marius malheureux
     Et ces deux grands débris se consolaient entre eux.
                              Abbé DELILLE, les Jardins, IV.

10   On disputait chez Madame de Luxembourg sur ce vers de l'abbé Delille : « Et ces deux grands débris se consolaient entre eux. »
     On annonce le bailli de Breteuil et madame de la Reynière : « Le vers est bon », dit la maréchale.   CHAMFORT, Caractères et anecdotes, p. 193.

♦ **2.** (Au plur.) **Littér.** Ce qui reste de qqch. ⇒ **Reste.** *Les débris d'un État, d'un royaume, d'une institution.*

11   (Il) fondait sur trente États son trône florissant,
     Dont le débris est même un empire puissant ?   RACINE, Mithridate, III, 1.

12   J'ai resté plus d'un an en Italie, où je n'ai vu que le débris de cette ancienne Italie si fameuse autrefois.   MONTESQUIEU, Lettres persanes, 113.

Les débris d'une armée : ce qui reste de cette armée après la défaite.

13   Il va recueillir au delà du Rhin les débris d'une armée défaite (...) La nuit sauve le reste de son armée.   BOSSUET, Oraison funèbre du prince de Condé.

14   Ce prince (*Valérius*), après avoir mis le feu à ses vaisseaux, retourna par terre en Macédoine, emmenant avec lui les tristes débris de ses troupes presque entièrement désarmées et dépouillées.   ROLLIN, Hist. ancienne, Œ., t. VIII, p. 109, *in* LITTRÉ.

Les débris d'une fortune. Réunir les débris de sa fortune. Les débris d'un héritage.

♦ **3. Fam. et péj.** *Un vieux débris* : une personne très âgée.

15   Vous êtes dur, vous alors, dit Gabriel. Il a quand même du chagrin, ce vieux débris.   R. QUENEAU, Zazie dans le métro, Folio, p. 176 (1959).

DÉBROCHAGE [debʀɔʃaʒ] n. m. — 1842 ; de *débrocher.*

♦ **Techn.** Action de débrocher (qqch.).

DÉBROCHER [debʀɔʃe] v. tr. — Fin XIVᵉ ; de 1. *dé-,* et *broche.*

♦ **1.** Retirer de la broche (une volaille, une viande).

1   Ce fut là sans doute que Quenu prit l'amour de la cuisine. Plus tard, après avoir essayé de tous les métiers, il revint fatalement aux bêtes qu'on débroche, aux jus qui forcent à se lécher les doigts.   ZOLA, le Ventre de Paris, t. I, p. 67.

Absolument :

2   Il restait des heures, tout rouge des clartés dansantes de la flambée, un peu abêti, riant vaguement aux grosses bêtes qui cuisaient, et il ne se réveillait que lorsqu'on débrochait. Les volailles tombaient dans les plats ; les broches sôrtaient des ventres, toutes fumantes ; les ventres se vidaient, laissant couler le jus par les trous du derrière et de la gorge, emplissant la boutique d'une odeur forte de rôti.   ZOLA, le Ventre de Paris, t. I, p. 67.

♦ **2.** (1842, de *brocher*). **Techn.** Défaire la brochure de (un livre). — Au p. p. (1889). *Livre débroché.*

CONTR. Embrocher. — Rebrocher.
DÉR. Débrochage.

DÉBRONZÉ, ÉE [debʀɔ̃ze] adj. — 1900 ; de 1. *dé-,* et *bronzé.*

♦ **1.** Dont le bronze est parti. ⇒ **Dédoré.**

Et sur la cheminée, entre deux lampes débronzées, entre des photographies pâlies, cette agaçante pendule, qui rendait les heures plus longues (...)
                              O. MIRBEAU, le Journal d'une femme de chambre, p. 332.

♦ 2. Qui a perdu son bronzage, son hâle. *Les vacanciers sont débronzés après quinze jours de pluie.*

CONTR. Bronzé.
HOM. Débronzer.

DÉBRONZER [debRõze] v. — 1936; de 1. *dé-*, et *bronzer.*

♦ 1. V. tr. Faire perdre le bronze de, et, par ext., faire perdre le brillant de. ⇒ **Dédorer.** *Débronzer une lampe.*

♦ 2. V. intr. Perdre son bronzage. *Débronzer rapidement au retour des vacances.*

CONTR. Bronzer.
HOM. Débronzé.

DÉBROUILLABLE [debRujabl] adj. — 1852; de *débrouiller.*

♦ Qui peut être débrouillé. *Intrigue facilement débrouillable.*

CONTR. Indébrouillable.

DÉBROUILLAGE [debRujaʒ] n. m. — 1855; de *débrouiller.*

♦ 1. Action de se débrouiller; résultat de cette action.

1 Il *(le Latin)* se plaît à discuter ces principes plus que les réalités : il aime la politique dans l'absolu, quitte ensuite à se fier, pour les intérêts matériels (qui ne lui sont nullement indifférents) à l'opportunisme le plus cynique, au débrouillage le plus artiste. André SIEGFRIED, l'Âme des peuples, II, II, p. 39.

♦ 2. Débrouillement.

2 Assomption. Excursion manquée vers la Gavea, terrible débrouillage dans la forêt vierge. CLAUDEL, Journal, 29 août 1918.

DÉBROUILLAMINI [debRujamini] n. m. — 1890; de *débrouiller,* d'après *embrouillamini.*

♦ Littér. Action de débrouiller un embrouillamini. ⇒ **Débrouillement.**

Le jour où je voudrai recommencer d'écrire dans ce cahier des notes vraiment sincères, il me faudra d'abord un tel travail de débrouillamini dans ma cervelle encombrée, que j'attends, pour remuer toute cette poussière (...) GIDE (...) Journal, nov. 1890.

DÉBROUILLARD, ARDE [debRujaR, aRd] adj. et n. — 1872; de *débrouiller.*

♦ Fam. Qui sait se débrouiller, se tirer facilement d'affaire. ⇒ **Adroit, futé, habile, malin, resquilleur, roublard; coule** (à la coule). *C'est un garçon débrouillard* (→ régional Débrouille).

1 Très instruit, très pratique, « très débrouillard » pour employer un mot de la langue militaire française, c'était un tempérament superbe, car, tout en restant maître de lui, quelles que fussent les circonstances, il remplissait au plus haut degré ces trois conditions dont l'ensemble détermine l'énergie humaine : activité d'esprit et de corps, impétuosité des désirs, puissance de la volonté. J. VERNE, l'Île mystérieuse, p. 13, 1874.

2 (...) son honneur, à lui, c'était d'être plus beau que les autres, plus leste et plus fort, plus *débrouillard* aussi. LOTI, Mon frère Yves, XXVI, p. 83.

3 Nous voudrions surtout trouver quelques collaboratrices débrouillardes. BERNANOS, Un mauvais rêve, in Œ. roman., Pl., p. 989.

N. *C'est un débrouillard, une débrouillarde, adepte du système D*.*

CONTR. Embarrassé, empoté, gauche, maladroit.
DÉR. Débrouillardise.

DÉBROUILLARDISE [debRujaRdiz] n. f. — 1902, *in* D.D.L.; de *débrouillard.*

♦ Qualité d'une personne débrouillarde. ⇒ **D** (système D), **débrouille.** *Allons, un peu de débrouillardise, c'est très faisable !*

Marcou aime bien Albert, sa bonne humeur rouspéteuse, sa gouaille et sa débrouillardise d'ouvrier parisien. Roger IKOR, À travers nos déserts, p. 441.

REM. La forme *débrouillardisme*, n. m. (1919), n'a pas vécu.

DÉBROUILLE [debRuj] n. f. et adj. — 1855; de *débrouiller.*
Familier.

♦ 1. N. f. Art et pratique de se tirer d'affaire, de se débrouiller. ⇒ **Débrouillardise.** *Système débrouille.* ⇒ **D** (système D).

♦ 2. Adj. Régional (Suisse). Débrouillard. *Il est débrouille.*

DÉBROUILLÉ, ÉE [debRuje] p. p. adj. ⇒ **Débrouiller.**

DÉBROUILLEMENT [debRujmã] n. m. — 1611; de *débrouiller.*

♦ Action de débrouiller, de démêler. *Le débrouillement d'une intrigue compliquée, d'un imbroglio.*

Vous le voyez, Monsieur le chevalier, je m'occupe toujours du débrouillement de vos affaires. Louise MICHEL, la Misère, t. I, p. 210.

DÉBROUILLER [debRuje] v. tr. — 1549; de 1. *dé-*, et *brouiller.*

♦ 1. Démêler (ce qui est embrouillé). ⇒ **Démêler, distinguer, ordonner, ranger; ordre** (mettre, remettre en ordre), **séparer, trier.** *Débrouiller les fils d'un écheveau.* ⇒ **Dévider.** *Débrouiller des papiers, des titres. Débrouiller des comptes. Débrouiller une signature.* ⇒ **Déchiffrer, lire.**

♦ 2. (Abstrait). Tirer de la confusion. ⇒ **Débarrasser, défricher, dégager, démêler, éclaircir, élucider, expliquer, tirer** (une affaire au clair)... → Chaos, cit. 3. *Débrouiller un cas compliqué. Débrouiller une intrigue.* ⇒ **Dénouer.** *Débrouiller ses idées. Débrouiller un sujet, une question, les abords d'un problème. Débrouiller un argument* (→ Argutie, cit. 1).

1 Villon sut le premier dans ces siècles grossiers,
Débrouiller l'art confus de nos vieux romanciers. BOILEAU, l'Art poétique, I.

2 Il débrouillera tout ce mélange de passion et de raison, il séparera l'une d'avec l'autre. BOURDALOUE, le Jugement dernier, 1er avertissement, p. 80.

3 S'il veut débrouiller l'antiquité de sa noblesse qui remonte aux temps les plus reculés, il enverra chercher un bénédictin (...) VOLTAIRE, Jeannot et Colin.

4 Durant ce temps, j'ébauchai, je dévorai mon *Traité de l'harmonie;* mais il était si long, si diffus, si mal arrangé, que je sentis qu'il me fallait un temps considérable pour l'étudier et le débrouiller. ROUSSEAU, les Confessions, V.

5 Je m'en aperçus à merveille, et cet art de lire dans l'esprit des gens et de débrouiller leurs sentiments secrets est un talent que j'ai toujours eu et qui m'a quelquefois bien servi. MARIVAUX, le Paysan parvenu, p. 94.

6 J'aime passionnément le mystère, parce que j'ai toujours l'espoir de le débrouiller. BAUDELAIRE, Spleen de Paris, XLVII.

7 (...) aider un homme à débrouiller l'écheveau de sa vie intérieure (...) F. MAURIAC, la Pharisienne, p. 68.

Fam. (Compl. n. de personne). *Débrouiller qqn,* lui apprendre à se tirer d'affaire, l'aider à devenir plus habile dans les difficultés. — *Débrouiller un élève,* lui apprendre les rudiments.

▶ SE DÉBROUILLER v. pron. (Déb. XVIIe, en parlant du temps.)

♦ 1. (Choses). S'éclaircir.

7.1 Le jour ne se débrouillait pas, sale et triste, un de ces petits jours d'hiver lugubres (...) ZOLA, l'Œuvre, p. 475.

S'ordonner. *Confusion, désordre qui se débrouille.* ⇒ **Démêler** (se).

8 Insensiblement ce grand mouvement s'apaise, ce chaos se débrouille, chaque chose vient se mettre à sa place, mais lentement, et après une longue et confuse agitation. ROUSSEAU, les Confessions, III.

♦ 2. (Personnes). Se tirer (d'une situation confuse ou compliquée) en (y) mettant de l'ordre. *Se débrouiller au milieu de difficultés sans nombre. Se débrouiller parmi les embûches.*

9 (...) je sentais que je n'apprendrais jamais rien, qu'entre la multiplicité entremêlée des détails réels et des faits mensongers je n'arriverais jamais à me débrouiller. PROUST, À la recherche du temps perdu, t. IX, p. 173.

10 (...) il avait eu plusieurs fois l'occasion de montrer qu'il se débrouillait assez bien parmi les dialectes slaves; mais il connaissait aussi les choses d'Asie Mineure et d'Espagne. MARTIN DU GARD, les Thibault, t. V, p. 31.

Absolt et fam. Se comporter habilement, se tirer d'affaire, d'embarras. ⇒ **Débarbouiller** (se), **démerder** (se), **sortir** (s'en sortir). *Apprendre à se débrouiller tout seul* (→ Cellule, cit. 11). *Il sait se débrouiller.* ⇒ **Défendre** (se). → Affecter, cit. 2. *Il est arrivé à se débrouiller. Débrouillez-vous. Débrouille-toi tout seul. Que chacun se débrouille avec ce qu'il a.* ⇒ **Arranger** (s'). *Voilà ce qu'il y a à faire : à vous de vous débrouiller.*

11 Je trouve beaucoup plus beau de se débrouiller tout seul. G. DUHAMEL, Chronique des Pasquier, Vue de la terre promise, III, p. 119.

11.1 (...) on nous renvoie parmi vous avec la seule consigne, comme on dit, de nous débrouiller, d'agir pour le mieux. BERNANOS, Monsieur Ouine, in Œ. roman, Pl., p. 1486.

Se débrouiller avec (qqn, qqch.) : trouver un accord, un compromis avec. ⇒ **Arranger** (s'). *Se débrouiller avec l'administration, les autorités.* ⇒ aussi **Démêlé** (avoir un).

12 Eh bien! que l'homme se débrouille avec sa conscience, en ce qui touche certains problèmes. G. DUHAMEL, Scènes de la vie future, V, p. 86.

▶ DÉBROUILLÉ, ÉE p. p. adj. *C'est un garçon assez débrouillé.* ⇒ **Débrouillard, dégrossi.**

13 Debout derrière l'instituteur, elle assistait au supplice (...) « Quels sont les quatre points cardinaux ? »
La petite fille ne connaissait que cela. Elle tenta de les souffler à l'enfant du bout des lèvres (...) C'était une petite fille débrouillée. GIRAUDOUX, les Aventures de Jérôme Bardini, p. 166.

CONTR. Brouiller, confondre, embrouiller, emmêler, mêler, obscurcir; désordre (mettre du désordre).
DÉR. Débrouillable, débrouillage, débrouillard, débrouille, débrouillement, débrouilleur.

DÉBROUILLEUR, EUSE [debRujœR, øz] n. et adj. — 1648; de *débrouiller.*

♦ Rare. Personne ou chose qui débrouille, aide à débrouiller. — Adjectif :

Il y a la parole qu'on prend pour se tirer d'affaire, écran de fumée, ou se tirer au clair, me raconte (...) c'est parce que mon hypothèse de travail *débrouilleur* est que, d'un cas particulier, on peut tirer quelques leçons, qui le dépasseront, heureusement. Claude ROY, Nous, p. 386.

DÉBROUSSAGE [debʀusaʒ] n. m. — 1897; de *débrousser*.

♦ Action de débrousser. ⇒ **Débroussement.**

DÉBROUSSAILLAGE [debʀusajaʒ] n. m. ⇒ **Débroussaillement.**

DÉBROUSSAILLANT, ANTE [debʀusajɑ̃, ɑ̃t] adj. et n. m. — D. i. (mil. xxᵉ); p. prés. de *débroussailler*.

♦ Techn. (agric.) Se dit d'un agent chimique destructif des plantes ligneuses, destiné au débroussaillement. *Produit débroussaillant.* N. m. *Un débroussaillant.*

DÉBROUSSAILLEMENT [debʀusajmɑ̃] n. m. — 1877; de *débroussailler*.

♦ **1.** Action de débroussailler; son résultat.

♦ **2.** Fig. Débrouillement, dégrossissage. — REM. Dans ce sens on dit aussi *débroussaillage*, n. m.

DÉBROUSSAILLER [debʀusaje] v. tr. — 1876, *Journal officiel*; de 1. *dé-*, et *broussaille*.

♦ **1.** Arracher, enlever les broussailles (d'un terrain...). ⇒ **Défricher, dégager, éclaircir, essarter.** *Débroussailler un chemin de terre.*

1 Avant que d'attaquer enfin ce réduit central, il nous en faut débroussailler les approches. A. MAUROIS, Un art de vivre, p. 50.

♦ **2.** Fig. ⇒ **Débrouiller, dégrossir.**

2 En professeur habile et expérimenté (...) M. Cherbonneau s'est fait un devoir de leur aplanir la route; il l'a débroussaillée pour ainsi dire, et débarrassée de ses épines. Journal officiel, 18 mars 1876.

CONTR. **Embroussailler.**
DÉR. **Débroussaillant, débroussaillement, débroussailleur.**

DÉBROUSSAILLEUR, EUSE [debʀusajœʀ, øz] n. — Av. 1877, n. m., *in* Littré, *Supplément*; de *débroussailler*. Technique.

♦ **1.** Ouvrier forestier chargé de débroussailler (le féminin est virtuel).

♦ **2.** N. f. (xxᵉ). Machine à débroussailler.

DÉBROUSSE [debʀus] n. f. — 1897; de *débrousser*.

♦ Rare. Lieu débroussé.

DÉBROUSSEMENT [debʀusmɑ̃] n. m. — 1932; de *débrousser*.

♦ Action de débrousser. ⇒ **Débroussage.**

DÉBROUSSER [debʀuse] v. tr. — 1889; de 1. *dé-*, et *brousse*, d'après *débroussailler*.

♦ Défricher (la brousse, les plantes de la brousse). « *La partie du champ que nous débroussions* » (O. Bhêly-Quénum). *Débrousser une plantation en Afrique noire.*

Là-bas, nous débroussions les mauvaises herbes, coupions les arbustes inutiles. Je revois encore les lames tranchantes des machettes s'abattre furieusement (...)
O. BHÊLY-QUÉNUM, Un piège sans fin, *in* Pages africaines, t. II.

DÉR. **Débroussage, débrousse, débroussement, débrousseur.**

DÉBROUSSEUR, EUSE [debʀusœʀ, øz] n. — 1898; de *débrousser*.

♦ Personne (n. m. et f.), chose, machine (n. m.) servant au débroussage. *Le feu est un grand débrousseur.*

DÉBRUTIR [debʀytiʀ] v. tr. — 1680; de 1. *dé-*, et *brut*.

♦ Techn. Enlever les parties brutes de. ⇒ **Dégrossir**; polir. *Débrutir un diamant.* ⇒ **Ébruter.** *Débrutir du marbre.*

REM. En joaillerie, on emploie aussi le v. tr. *débruter* [debʀyte] et son dérivé *débrutage* [debʀytaʒ].

DÉR. **Débrutissement.**

DÉBRUTISSEMENT [debʀytismɑ̃] n. m. — xixᵉ; de *débrutir*.

♦ Techn. Action de débrutir; son résultat.

DÉBUCHER [debyʃe] v. — V. 1130, *desbuschier*; *débusquer* au xviᵉ; de *dé*, et *bûche*. → Embusquer.

♦ **1.** V. intr. (Chasse). Sortir du bois, du taillis (en parlant des gros animaux, du gros gibier). ⇒ **Déboucher.** *Le cerf a débuché. Le loup a débuché.*

(...) J'appuie, et sonne fort.
Mon cerf débuche, et passe une assez longue plaine (...)
MOLIÈRE, les Fâcheux, II, 6.

Je connais une passée à la Croix-de-la-Brosse... j'y cours! et je me dis : « Toi, j'en mangerai!»... mais pas du tout! v'là mon galopin qui débuche au carrefour des Trois-Poteaux... v'là qui se rembuche à la Croix-de-la-Brosse... v'là qui redébuche aux Trois-Poteaux!...
E. LABICHE, Deux merles blancs, I, 4.

N. m. (1740). *Le débucher* (ou *débuché*) : la sonnerie de trompe annonçant que la bête sort du bois (→ Chasse, cit. 3).

♦ **2.** V. tr. (1636; personnes, xiiiᵉ). Faire sortir (une bête) du bois. ⇒ **Débusquer.** *Débucher le cerf.*

D'autres fois, pour débucher les lièvres, on battait du tambour (...)
FLAUBERT, Trois contes, « la Légende de saint Julien l'Hospitalier », I, p. 107.

Fig. et littér. Chasser, déloger. *Débucher l'ennemi de la place.* ⇒ **Débusquer.**

Son père? Pensait-on que la mort de son père pouvait l'atteindre dans cette vie toute neuve qu'il s'était faite, le débucher de son refuge, changer quoi que ce fût aux motifs qui avaient exigé sa disparition?
MARTIN DU GARD, les Thibault, t. IV, p. 50.

▶ **DÉBUCHÉ, ÉE** p. p. adj. et n. m. *Bête débuchée.* — N. m. *Le débuché* (ou *le débucher*). → supra, 1.

CONTR. **Embûcher, rembucher** (se).
DÉR. **Débusquer.**

DÉBUDGÉTISATION [debydʒetizasjɔ̃] n. f. — 1953; de *débudgétiser*.

♦ Écon. Transfert de charges supportées par le budget de l'État à un organisme disposant de ressources propres. « *La débudgétisation, ajoute-t-il* (Edgar Faure), *constitue un progrès par rapport à la budgétisation* » (*Combat*, 6 nov. 1953).

CONTR. **Budgétisation.**

DÉBUDGÉTISER [debydʒetize] v. tr. — 1953; de 1. *dé-*, et *budget*.

♦ Écon. Opérer la débudgétisation de. « *Certaines catégories de sommes débudgétisées n'ont fait que glisser des caisses de l'État dans d'autres caisses publiques* » (*le Monde*, 15 déc. 1966).

DÉR. **Débudgétisation.**

DÉBUSQUAGE [debyskaʒ] ou **DÉBUSQUEMENT** [debyskəmɑ̃] n. m. — xxᵉ, *débusquage*; *débusquement* 1636; de *débusquer*.

♦ Action de débusquer; résultat de cette action.

Entendez par malfaiteur tout musulman traqué ou affolé par le débusquage des paras et qui cherchait à se terrer n'importe où, sachant que, s'il était pris, il serait torturé.
F. MAURIAC, Bloc-notes 1952-1957, p. 339.

DÉBUSQUER [debyske] v. — 1556; doublet de *débucher*, refait d'après *embusquer*.

★ **I.** V. tr. ♦ **1.** Chasser (le gibier) du bois où il est réfugié. ⇒ **Débucher.** — Par ext. *Débusquer un lièvre de son terrier.* ⇒ **Bouquer** (faire bouquer).

Un jour, j'étais de patrouille, dans une vigne, j'avais à vingt pas de moi un vieux gentilhomme chasseur qui frappait avec le bout de son fusil sur les ceps, comme pour débusquer un lièvre, puis il regardait vivement autour de lui dans l'espoir de voir partir un *patriote*; chacun était là avec ses mœurs.
CHATEAUBRIAND, Mémoires d'outre-tombe, t. II, p. 48.

♦ **2.** (Compl. n. de personne). Déloger (qqn) de sa position, de son refuge. ⇒ **Chasser, déloger, sortir** (faire sortir). *Débusquer l'ennemi.*

Moi-même, le soleil brûlant à fendre ou fondre ma tête, je me fis débusquer de tous les parasols, comme à chien pisseux.
Maurice CLAVEL, le Tiers des étoiles, p. 200.

(1640). Fig. et fam. Déposséder (qqn) d'un poste, d'une situation avantageuse. ⇒ **Vider** (fam.).

★ **II.** V. intr. ♦ **1.** Sortir du bois, d'un lieu couvert, d'un refuge (gibier). *Le lièvre a brusquement débusqué.*

♦ **2.** (Personnes). Littér. Apparaître brusquement.

▶ **DÉBUSQUÉ, ÉE** p. p. adj. *Lièvre débusqué de son gîte.*

Les chasseurs partirent. Le sanglier débusqué fila, suivi des chiens hurleurs, à travers des broussailles (...)
MAUPASSANT, Contes de la Bécasse, p. 212.

Tandis que sa mère s'occupait de le livrer à l'instituteur rouge, le petit lièvre débusqué de son gîte, désespérait de s'y tapir encore; il clignait des yeux dans la lumière aveuglante des grandes personnes.
F. MAURIAC, le Sagouin, II, p. 80.

CONTR. **Embusquer.**
DÉR. **Débusquage, débusquement.**

DÉBUT [deby] n. m. — 1642; déverbal de *débuter*.

♦ **1.** Lang. class. Premier coup, dans certains jeux, pour déterminer celui qui doit jouer le premier. *Faire un beau début.* — REM. Ce sens originel est senti aujourd'hui comme une spécialisation du sens 2 ou 3.

♦ **2.** (1674, Boileau ; généralt au plur.). *Les débuts,* premiers pas d'un acteur. ⇒ **Essai.** *Faire ses débuts au théâtre. Un rôle de début. C'est son premier, son second début. Il a terminé ses débuts.*

1 Pour le théâtre ayant quitté l'aiguille,
À mon début
Craignant quelque rebut (...)   BÉRANGER, Bonne fille, *in* LITTRÉ.

Spécialt. Le premier ouvrage d'un auteur. *Livre de début.* La Thébaïde, *début de Racine.*

2 Les amours-propres alarmés, les envies surprises par le début heureux d'un auteur, se coalisent et guettent la seconde publication du poète, pour prendre une éclatante revanche.   CHATEAUBRIAND, Mémoires d'outre-tombe, t. III, p. 8.

♦ **3.** (1690). Première tentative (dans une activité quelconque) ; activité commençante (de qqn). *Le début d'une carrière, d'une activité...* ⇒ **Apprentissage, balbutiement, commencement, entrée, essai, premier** (premiers pas, premières armes...) ; **a.b.c., b.a.-ba.** *Il en est à son début.* ⇒ **Débuter.** *Il n'en est plus à ses débuts. Au début de son apprentissage, il lui a fallu beaucoup travailler. Il a réalisé ce que le début laissait prévoir. Appointements de début. Aider qqn à ses débuts. Faciliter le début de qqn.* → *Lui mettre le pied à l'étrier**.

3 Après avoir à ses débuts abordé le théâtre, pour lequel il ne se jugeait ni assez recommandé ni assez mûr, il s'était jeté dans le journalisme.   E. FROMENTIN, Dominique, X.

4 Un bon condisciple alsacien, M. Kl., dont je vois souvent le nom cité pour les services qu'il rend à ses compatriotes à Paris, voulut bien me faciliter les débuts.   RENAN, Souvenirs d'enfance..., V, p. 212.

4.1 On comprend que le fils ait tenu à conserver précieusement ce curieux témoignage des humbles débuts d'une des plus puissantes organisations du monde !...   G. LEROUX, Rouletabille chez Krupp, p. 124.

Manière dont on commence à se comporter dans le monde. *Faire son début dans le monde.* ⇒ **Entrée.**

♦ **4.** (1664). Littér. Façon de commencer une œuvre, un poème.

5 Ah ! le joli début !   MOLIÈRE, les Femmes savantes, III, 2.

6 Que le début *(du poème)* soit simple et n'ait rien d'affecté.   BOILEAU, l'Art poétique, III.

♦ **5.** Commencement, premiers moments (de qqch.). ⇒ **Commencement ; départ, origine, prémices, principe ;** poét. **berceau.** *Le début de la vie.* ⇒ **Seuil.** *Le début du jour.* ⇒ **Aube, aurore, matin.** *Le début de la semaine, du mois, de l'année. Au début du siècle. Du début jusqu'à la fin. Dès le début du XIXᵉ siècle. Le début d'une action. Les débuts d'une science. Le début d'un livre. Le début d'un discours.* ⇒ **Entrée** (en matière), **exorde.** *Le début d'une lettre. Formule de début.* ⇒ **Initial.** *Le début d'un raisonnement, d'un argument.* ⇒ **Prémisse, principe.** *Le début de la guerre. Au début des hostilités. Le début d'une réunion.* ⇒ **Ouverture.** *Dans les débuts :* au commencement, initialement.

7 (...) une crainte qu'elle avait eue dès le début de leurs relations (...)   J. ROMAINS, les Hommes de bonne volonté, t. V, p. 269.

8 (...) quand la gloutonnerie du début a fait place à un appétit de bon ton.   J. ROMAINS, les Hommes de bonne volonté, t. V, p. 112.

9 Si le gaulois a complètement disparu depuis le début du moyen âge (...)   A. DAUZAT (→ Breton, cit. 2).

10 Avant le début des hostilités, il avait déjà été fort entamé par la déconfiture d'un sieur Vaneken (...)   A. MAUROIS, Bernard Quesnay, XXXIII, p. 227.

11 Au début d'un amour, chacun a mille choses à découvrir en l'autre.   A. MAUROIS, Un art de vivre, p. 76.

(Loc.). Absolt. *(Au début). Au début, tout allait bien* (→ Banque, cit. 3 ; arrêter, cit. 25 ; assister, cit. 7).

12 Nous ignorons presque toujours les infiniment petits qui sont à l'origine de nos actions ; c'est toujours l'exemple de l'avalanche, que déclenche au début la moindre pierre.   Edmond JALOUX, l'Alcyone, p. 29.

(Dès le début). Dès le début, il se mit courageusement au travail.

13 Sammécaud lui trouva dès le début quelque chose non pas de froid, mais de réticent et de préoccupé.   J. ROMAINS, les Hommes de bonne volonté, t. V, XXVIII, p. 305.

♦ **6. UN DÉBUT DE... :** un commencement de... (le complément désigne un processus, une chose qui évolue). *Un début de pneumonie, de crise. Un début de haine, de passion. Faire de la gymnastique pour combattre un début de sclérose. Il a un petit début de ventre.*

CONTR. Clôture, conclusion, consommation, dénouement, fin, retraite, terme.

DÉBUTANT, ANTE [debytɑ̃, ɑ̃t] adj. — 1767, au théâtre ; p. prés. de *débuter.*

♦ **1.** (1782). Qui débute. *Un professeur débutant.* ⇒ **Commençant.** N. Personne qui débute. ⇒ **Apprenti, néophyte, nouveau** (I., 3.), **novice ;** fam. **bizut, bleu.** *Il faut aider les débutants. La timidité, l'émotion d'un débutant. Ce n'est qu'un débutant.*

1 (...) comme un débutant, arrivé à la onzième heure.   SAINTE-BEUVE, Correspondance, I, p. 318.

2 (...) Même parmi les débutants, il flaire tout de suite qui il a affaire.   J. ROMAINS, les Hommes de bonne volonté, t. IV, XXII, p. 242.

♦ **2.** N. f. (1930 ; de l'angl. des États-Unis *debutante* lui-même du

franç.). *Débutante :* jeune fille qui sort pour la première fois dans la haute société. ⇒ **Deb** (fam.). *Présentation des débutantes. Bal des débutantes* (ou *des debs*).

3 La haute société américaine (...) très formaliste (...) bridgeuse, donneuse de grandes réceptions pour «débutantes» avec laquais poudrés, d'immenses dîners avec du caviar gris et de la tortue verte (...)   Paul MORAND, New York, p. 221.

4 Le bal des Débutantes, en 1966, au Palais des Beaux-Arts, à Bruxelles, doit être ton triomphe. Cent cinquante jeunes filles vêtues de blanc, portant une rose d'argent à la ceinture et un diadème de perles dans les cheveux, les plus beaux noms de la noblesse de Belgique et du Luxembourg, acclament, dès son arrivée, le fils du mineur de Sicile (...)   P. GUTH, Lettre ouverte aux idoles, Adamo, p. 41.

DÉBUTER [debyte] v. — 1547, p.-ê. «déplacer» ; 1549, «écarter la boule» ; *débuter* «pousser» (→ Débouter) ; de 1. *dé-,* et *but*).

★ **I.** V. intr. ♦ **1.** (1640). Vx (lang. class.). Jouer le premier coup, dans certains jeux. *Être le premier à débuter.*

♦ **2.** Faire ses premiers essais, commencer à paraître (théâtre, cinéma...). *Acteur qui débute. Il a fort bien débuté. Il a d'abord débuté au théâtre avant guerre.*

1 Elle aspire à débuter dans le tragique.   MARMONTEL, Mém. d'un père pour servir à l'instruction de ses enfants, 4.

Spécialt. Donner son premier ouvrage, en parlant d'un écrivain.

♦ **3.** (1665). Faire ses premiers pas dans une carrière, une activité. ⇒ **Commencer ; premier** (faire ses premiers pas, ses premières armes...). *Débuter au barreau. Débuter dans la vie comme employé de bureau. Débuter à trois mille francs par mois. Débuter avec aisance, avec difficulté. Vous travaillerez ici pour débuter. Débuter dans les sciences, dans les lettres.*

2 Je la passai *(l'année)* hélas !... au collège où je débutais sans le moindre brio (...)   LOTI, Figures et choses..., Vacances de Pâques, I, p. 27.

3 Il avait débuté jadis, à la succursale de Chartres, comme infime gratte-papier.   J. ROMAINS, les Hommes de bonne volonté, t. III, IV, p. 54.

Spécialt. *Débuter dans le monde :* faire son entrée dans le monde. — *Débuter dans la vie.*

4 (...) Quoi ? débuter d'abord par le mariage !   MOLIÈRE, les Précieuses ridicules, 4.

5 Dans le crime il suffit qu'une fois on débute ;
Une chute toujours attire une autre chute.   BOILEAU, Satires, X.

♦ **4.** (Choses). Commencer. *Discours qui débute par une citation. Livre qui débute par une longue introduction.*

6 Le motif en notes détachées, par lequel débute l'allégro *(de la 4ᵉ symphonie)* ...   H. BERLIOZ, Beethoven, p. 31 (→ Canevas, cit. 2).

7 Il est admis aujourd'hui que le capitalisme a débuté sous la forme commerciale, avant de se constituer sous la forme industrielle.   GONNARD, Histoire des doctrines économiques, p. 52 (→ Capitalisme, cit. 1).

★ **II.** V. tr. (1649, Cyrano de Bergerac).

♦ **1.** Vx (ou considéré comme incorrect). Commencer. *«Je ne sais par lequel débuter mes admirations»* (Cyrano).

Sports. *Débuter un match, une partie.*

♦ **2.** Techn. Commencer (une opération technique).

CONTR. Achever, clore, clôturer, conclure, dénouer, finir, retirer (se), **terminer.** — **Expert ; ancien, vétéran.**
DÉR. Début, débutant.

DÉCA [deka] n. m. Abrév. de *décaféiné.* ⇒ **Décaféiner.**

DÉCA- Élément, du grec *deka* «dix», entrant dans la composition de termes didactiques et indiquant une multiplication par *dix* de la chose désignée dans la seconde partie du terme. ⇒ **Décade, décadi, décaèdre, décagone, décagramme, décalitre, décalogue, décamètre, décapodes, décastère, décasthène, décasyllabe.**

DEÇÀ [dəsa] adv. et loc. prép. — V. 1130, *de ça ;* de *de,* et *çà.*

♦ **1.** Vx. De ce côté-ci (opposé à *delà*).

1 Delà j'aperçois les prairies (...)
Deçà je vois les pampres verts.   RACINE, Poésies diverses, 11 et 15.

Loc. adv. *Aller, courir deçà et delà, deçà, delà,* de côté et d'autre, sans direction précise.

2 Cours deçà, cours delà (...)   CORNEILLE, l'Imitation de J.-C., I, 590.

3 (...) mais vous êtes, parmi les gens que j'ai rencontrés deçà et delà dans le monde, ou de ceux avec lesquels je puis trouver du plaisir à vivre et à échanger mes impressions.   LOTI, Aziyadé, I, X, p. 17.

Jambe deçà, jambe delà : à califourchon.

Prép. *La Provence est deçà les Alpes, en deçà des Alpes.*

♦ **2.** Loc. prép. Mod. **EN DEÇÀ DE... :** de ce côté-ci de. — Vx. *Au deçà de.*
Ni en deçà, ni au delà : nulle part, d'aucun côté.

4 Plaisante justice qu'une rivière borne ! Vérité au deçà des Pyrénées, erreur au delà.   PASCAL, Pensées, V, 294.

5 Merci, cher comte, je ne veux de rivale ni au delà ni en deçà de la tombe.   BALZAC, le Lys dans la vallée, Pl., t. VIII, p. 1031.

Fig. *Être en deçà de la vérité. Rester en deçà de la vérité :* ne pas exagérer. ⇒ **Dessous** (en dessous de).
Loc. adv. **EN DEÇÀ.** *Le projectile tomba en deçà,* avant d'avoir atteint l'objectif.
CONTR. Delà (au delà de).

DÉCABOSSER [dekabɔse] v. tr. — 1945 ; de 1. *dé-,* et *cabosser.*

♦ Redresser (ce qui était cabossé) ; supprimer les bosses de...
René décabossait au maillet des casques qui venaient du front.
Georges NAVEL, Travaux, p. 40.
CONTR. Cabosser.

DÉCACHETABLE [dekaʃtabl] adj. — 1842 ; de *décacheter.*

♦ Qui peut être décacheté.
CONTR. Indécachetable.

DÉCACHETAGE [dekaʃtaʒ] n. m. — 1854 ; de *décacheter.*

♦ Action de décacheter ; résultat de cette action. *Le décachetage d'une lettre.*
CONTR. Cachetage.

DÉCACHETER [dekaʃte] v. tr. — Conjug. *cacheter.* — 1544 ; de 1. *dé-,* et *cacheter.*

♦ Ouvrir (ce qui est cacheté). *Décacheter une lettre, un billet, un paquet.* ⇒ **Ouvrir.** *Action de décacheter.* ⇒ **Décachetage.**
1 Les prêtres *(païens)* n'étaient pas scrupuleux jusqu'au point de n'oser décacheter les billets qu'on leur apportait ; il fallait qu'on les laissât sur l'autel.
FONTENELLE, Hist. des oracles, I, 14.
2 Et dans son fauteuil au coin de son feu, décachetant des lettres que lui adressaient chaque jour les grands personnages du pays, Marie avait l'agréable sentiment qu'il ne ferait que ce qu'il voudrait, qu'il était tout à fait maître de ses actes.
PROUST, Jean Santeuil, Pl., p. 586.
3 C'est un drôle de type, mon concierge, vous savez. Il lit toutes mes lettres ; il les décachette et les recachette.   R. QUENEAU, le Chiendent, p. 130.

▶ **SE DÉCACHETER** v. pron.
S'ouvrir. *Votre lettre s'est décachetée en route.*
CONTR. Cacheter, fermer, sceller.
DÉR. Décachetable, décachetage.

DÉCACORDE [dekakɔʀd] n. m. — 1370 ; de *déca-,* et *corde.*

♦ Mus. Instrument à dix cordes, de forme triangulaire. — Adj. *Lyre décacorde.*
Je chanterai vers toi sur la harpe décacorde.
CLAUDEL, Journal, s.d., Pl., t. I, p. 135.

DÉCADACTYLE [dekadaktil] adj. — XXᵉ ; de *déca-,* et *dactyle.*

♦ Didact. Qui a dix doigts.

DÉCADAIRE [dekadɛʀ] adj. — 1793 ; de *décade.*

♦ Qui se rapporte aux décades du calendrier républicain. *Mois décadaire. journal décadaire,* qui paraissait chaque décade. La Décade philosophique, *journal décadaire de l'an II.*

DÉCADE [dekad] n. f. — Mil. XIVᵉ ; lat. *decas, adis,* du grec *dekas* «groupe de dix, dizaine».

Série de dix. ⇒ **Déca-,** dizaine.
★ **I.** ♦ **1.** Période de dix jours. *Les mois grecs étaient divisés en décades. La décade républicaine :* espace de dix jours qui remplaçait la semaine, dans le calendrier républicain de 1793. ⇒ **Décadaire, décadi.** *Les dix jours de la décade républicaine* (⇒ **Calendrier**). *La Décade philosophique :* journal politique et littéraire créé en l'an II.
1 Le soir même, la *Décade* plaisantait, en termes acerbes, la nouvelle religion d'État (...)   Louis MADELIN, la Révolution, XXXIII, p. 364.
2 Vous entrez dans la décade majeure.
G. DUHAMEL, Chronique des Pasquier, La nuit de la St-Jean, II, p. 259.
♦ **2.** (Souvent sous l'infl. de l'angl.). Emploi critiqué. Période de dix ans. ⇒ **Décennie.** *La dernière décade du XIXᵉ siècle.*
2.1 (...) il y a des femmes qu'à chaque décade on retrouve en une nouvelle incarnation, ayant de nouvelles amours, parfois alors qu'on les croyait mortes, faisant le désespoir d'une jeune femme que pour elle abandonne son mari.
PROUST, le Temps retrouvé, Pl., t. III, p. 1015.
3 En ce temps, (je parle de la dernière décade du XIXᵉ siècle) certaines villes étaient peuplées de retraités et de rentiers.
G. DUHAMEL, Inventaire de l'abîme, VI, p. 86.
4 *Décade* (...) désigne un groupe de dix vers ou de dix livres et, dans le temps, un espace de dix jours, sens qu'il a pris en particulier dans le calendrier révolutionnaire. Ce dernier sens est si connu — les fumeurs n'ont pas oublié le temps proche

encore où ils touchaient leurs décades — qu'il est préférable, pour éviter l'équivoque, de ne pas le prendre comme on le fait couramment aujourd'hui, au sens de dix années.   René GEORGIN, Pour un meilleur français, p. 54.

★ **II.** Chacune des parties d'un ouvrage composé de dix livres ou chapitres. *Les Décades,* de Tite-Live (cf. *le Décaméron,* de Boccace).
5 Je travaillai sur la langue grecque et sur la neuvième décade de Tite-Live.
RETZ, Mémoires, IV, 286.
DÉR. Décadaire, décadi.

DÉCADENASSER [dekadnase] v. tr. — 1845 ; de 1. *dé-,* et *cadenasser.*

♦ Ouvrir en enlevant le cadenas. ⇒ **Déverrouiller.** *Décadenasser une porte.*
1 Venez boire le coup, les gars, dit Papadakis en décadenassant le capot pour descendre dans sa cambuse (...)   B. CENDRARS, Bourlinguer, p. 176.
Par métaphore :
2 Ces barrières fermées entre tous les êtres, et que le temps pousse une à une, lorsque la sympathie, les goûts pareils, une même culture intellectuelle et des relations constantes les ont décadenassées peu à peu, semblaient ne pas exister entre lui et moi,   MAUPASSANT, Un portrait, Pl., t. II, p. 1052.
CONTR. Cadenasser.

DÉCADENCE [dekadɑ̃s] n. f. — 1413 ; lat. médiéval *decadentia,* de 2. *dé-,* et *cadens,* p. prés. de *cadere* «tomber». → Caduc.

♦ **1.** Vx. Dégradation (d'une construction). *La décadence d'un palais.* Loc. *En décadence :* en ruine. *Cette maison tombe en décadence.*
1 Les plus fermes bâtiments tombent enfin en décadence.
DESCARTES, Traité du monde, 3, in LITTRÉ.

♦ **2.** (1468). Mod. Acheminement vers la ruine, la dégradation. ⇒ **Abaissement, affaiblissement, affaissement, chute, déchéance, déclin, décrépitude, dégénérescence, dégradation, dégringolade, descente, détérioration, écroulement, fin, perte, ruine.** *La décadence d'un État, d'un empire. Considérations sur les causes de la grandeur des Romains et de leur décadence,* ouvrage de Montesquieu. *Grandeur et décadence de César Birotteau,* roman de Balzac. *La décadence des arts, des lettres. Tomber en décadence.* ⇒ **Baisser, déchoir, périr, tomber.** *Être en décadence. Génie en décadence.* ⇒ **Couchant** (à son couchant). *Présenter des signes, des symptômes de décadence* (⇒ **Bercer,** cit. 8). — Par métonymie. Moment de l'histoire où a lieu cette dégradation (politique, sociale, morale, artistique...). *Vivre en pleine décadence, dans une complète décadence.*
2 Nous, l'État le plus mûr et le plus avancé, nous montrons de nombreux symptômes de décadence.   CHATEAUBRIAND, Mémoires d'outre-tombe, t. VI, p. 316.
3 (...) chaque école poétique a ses phases, son cours, sa croissance, sa décadence.
SAINTE-BEUVE, Correspondance, I, p. 148.
4 La décrépitude et la décadence de l'Inde brahmanique, l'usure de ses monuments surhumains, la tombée en poussière de ses rites et de ses fêtes, m'apparaissent irrémédiables, en cette décevante minute, de même que l'amoindrissement de sa race superbe.   LOTI, l'Inde (sans les Anglais), IV, IV, p. 173.
5 J'affirme qu'un peuple soumis pendant un demi-siècle au régime actuel des cinémas américains s'achemine vers la pire décadence.
G. DUHAMEL, Scènes de la vie future, III, p. 59.
6 (...) au contraire d'un consentement résigné au spectacle de la décadence, une confiance profonde dans l'homme et dans le monde où il agit.
DANIEL-ROPS, Ce qui meurt et ce qui naît, I, p. 5.
Hist. Les derniers siècles de l'Empire romain. *Les Romains de la décadence. Les poètes de la décadence.*
7 D'autres croient en rhéteurs, parce que les auteurs auxquels ils ont voué un culte ont été de cette opinion : sorte de religion classique, littéraire. Ils croient au christianisme comme les sophistes de la décadence croyaient au paganisme.
RENAN, Souvenirs d'enfance..., Appendice, p. 285.
CONTR. Avancement, croissance, épanouissement, grandeur, montée, progrès, triomphe.
DÉR. Décadent.

DÉCADENT, ENTE [dekadɑ̃, ɑ̃t] adj. et n. — 1516 ; de *décadence.*

♦ **1.** Qui est en décadence. *Période, époque décadente. Art décadent. Monarchie décadente. Peuple décadent.*
1 De cette civilisation décadente, Cléopâtre sera la fleur suprême, attirante et empoisonnée.   DANIEL-ROPS, le Peuple de la Bible, IV, III, p. 317.
1.1 De tout temps, les époques de vieillissement ont confondu la plénitude et le bourrage. Toute politique décadente multiplie sans fin le nombre des lois.
Raymond ABELLIO, Ma dernière mémoire, t. II, p. 16.
Qui appartient à la décadence de l'Empire romain. *Les Romains décadents.*

♦ **2.** (1885). Se dit de l'école littéraire pessimiste qui prépara le Symbolisme. *L'école décadente. Les poètes décadents,* représentants du *décadentisme**.
2 Il y eut, vers 1880, toute une série de cénacles de jeunes (...) C'est dans ces milieux littéraires qu'apparaît l'esprit «décadent». *Décadent* est un mot nouveau, peut-être créé à la lecture d'un sonnet où Verlaine, évoquant des images de la décadence romaine, disait sa «langueur», son dégoût de l'action, sa certitude que

rien, dans la vie, ne valait la peine qu'on la vécût. Jules Laforgue, dès le début de 1882, emploie ce mot pour caractériser, avec éloges, l'esprit des jeunes.
MARTINO, Parnasse et Symbolisme, VIII, p. 144.

N. (Av. 1872, Gautier, *in* T.L.F.). Personne qui appartient à une période décadente et qui en présente les caractères. — V. 1875. Adepte de l'école décadente. « *Le Décadent* », *revue du mouvement décadent* (1886-1889).

3   Il reste des décadents attardés qui s'obstinent à peindre avec des mots.
FRANCE, in LAROUSSE, Deuxième Suppl.

4   Les Décadents paraissent se soucier fort peu des questions de forme et d'art. Poètes, ils acceptent d'abord les rythmes traditionnels et ne revendiquent que le droit au néologisme : « à des besoins nouveaux correspondent des idées nouvelles, subtiles et nuancées à l'infini. De là la nécessité de créer des vocables inouïs pour exprimer une telle complexité de sentiments et de sensations physiologiques. »
MARTINO, Parnasse et Symbolisme, p. 145.

CONTR. Archaïque (1.).
DÉR. Décadentisme ou **décadisme**.

DÉCADENTISME [dekadɑ̃tism] n. m. — 1885, *in* D.D.L. ; de *décadent*.

♦ Littér. Caractère de l'esprit décadent.
1   (...) toutes les affectations du décadentisme (...)
A. ARTAUD, Bilboquet, in Œ. compl., t. I, p. 238.
2   (...) vous n'êtes qu'un pauvre snob du décadentisme et de la pourriture (...)
MONTHERLANT, Pitié pour les femmes, p. 215.

Spécialt. Doctrine de l'école littéraire décadente.
3   Quoique très philistin au point de vue littéraire, je puis cependant assurer que le magisme répond à une réaction contre les doctrines matérialistes en science, de même que le symbolisme, la psychologie, le décadentisme, répondent à une réaction nécessaire contre le positivisme, dont est issue l'école naturaliste.
PAPUS, in J. HURET, Enquête sur l'évolution littéraire,
1891 (in D.D.L., II, 1).

REM. On a dit dans le même sens *décadisme* [dekadism], n. m.
DÉR. Décadentiste.

DÉCADENTISTE [dekadɑ̃tist] n. m. — 1891 ; de *décadentisme*.

♦ Membre de l'école décadente ; partisan du décadentisme.
Les symbolistes, les décadentistes, enfin les gens qui se posent, d'avance, pour nos successeurs, me semblent être presque tous des poètes.
Ed. DE GONCOURT, in J. HURET,
Enquête sur l'évolution littéraire, 1891 (in D.D.L., II, 1).
REM. On a dit dans le même sens *décadiste* [dekadist], n. m. et adj.

DÉCADI [dekadi] n. m. — 1793 ; de *déca-*, et *-di*, d'après *lundi, mardi, etc.*

♦ Hist. Dixième jour de la décade républicaine. *Le décadi était un jour chômé.*

DÉCADISME [dekadism] n. m. ⇒ **Décadentisme.**

DÉCADISTE [dekadist] n. m. et adj. ⇒ **Décadentiste.**

DÉCADRER [dekadʀe] v. tr. — 1774 ; de 1. *dé-*, *cadre*, et suff. verbal.

♦ **1.** Enlever (un tableau, une toile, etc.) de son cadre. — Syn. : *désencadrer*.
(...) la pluie tombant sur nos tapisseries comme dans la rue, et nous faisant relever, toute une nuit, pour décadrer des dessins et les sauver d'un déluge.
Ed. et J. DE GONCOURT, Journal, 31 oct. 1865.

♦ **2.** V. pron. Spécialt (cinéma). *Se décadrer :* sortir du plan, du champ ; ne plus être cadré.

DÉCAÈDRE [dekaɛdʀ] adj. et n. — 1783 ; de *déca-*, et *-èdre*.

♦ **1.** Adj. Qui a dix faces.
♦ **2.** N. m. Solide de dix faces. *Un décaèdre.*

DÉCAFÉINER [dekafeine] v. tr. — 1911 ; de 1. *dé-*, et *caféine*.

♦ Traiter (le café) pour en enlever la caféine. *Décaféiner totalement ou partiellement du café.*

▶ **DÉCAFÉINÉ, ÉE** p. p. adj. et n. m.
Dont on a enlevé la caféine. *Café décaféiné.*
N. m. Café (boisson) préparé à partir de café sans caféine. *Du décaféiné. Un décaféiné. Une tasse de décaféiné.* — Abrév. fam. : *déca.*
N. m. *Boire, prendre un déca.*

DÉCAGONAL, ALE, AUX [dekagɔnal, o] adj. — 1801 ; de *décagone*.

♦ Didact. (géom.). Qui a la forme d'un décagone. *Figure décagonale. Prismes décagonaux.*

DÉCAGONE [dekagon ; dekagɔn] n. m. — 1652 ; de *déca-*, et *-gone*.

♦ Géom. Polygone qui a dix angles et dix côtés. *Un décagone régulier,* qui a ses angles et ses côtés respectivement égaux. — Adj. *Bassin décagone.*
Fortif. Place munie de dix bastions.
DÉR. Décagonal.

DÉCAGRAMME [dekagʀam] n. m. — 1795 ; de *déca-*, et *gramme*.

♦ Didact. et rare. Poids de dix grammes. Abrév. : *dag.*

DÉCAISSAGE [dekɛsaʒ] n. m. — 1870 ; de *décaisser*.

♦ Action de décaisser ; résultat de cette action (on dit aussi *décaissement*).

DÉCAISSEMENT [dekɛsmɑ̃] n. m. — 1877 ; de *décaisser*.

♦ Décaissage. — Spécialt (banque). *Décaissement de fonds.* (⇒ **Décaisser,** 2.). *D'importants décaissements.*
CONTR. Encaissement.

DÉCAISSER [dekese] v. tr. — 1680 ; de 1. *dé-*, et *caisse*.

♦ **1.** Retirer (qqch.) d'une caisse. *Décaisser des marchandises.* ⇒ **Déballer.** *Décaisser des oranges.*
♦ **2.** Banque. Tirer d'une caisse (une somme d'argent). ⇒ **Payer.**
CONTR. Emballer, encaisser.
DÉR. Décaissage, décaissement.

DÉCALAGE [dekalaʒ] n. m. — 1845 ; de *décaler*.

♦ **1.** Action d'enlever les cales (de qqch. : roue, véhicule) ; résultat de cette action. *Le décalage d'un wagon.*
♦ **2.** Le fait de décaler (2.) dans l'espace, le temps ; écart temporel ou spatial. *Décalage de l'heure. Un décalage horaire de cinq heures entre deux villes. Le décalage (horaire) l'a fatigué, après son voyage en avion. Décalage en avant, en arrière. Décalage des lignes de départ, dans les courses en couloirs comportant une partie en virage.* — Par métonymie. Course de vitesse avec lignes de départ décalées.
♦ **3.** Fig. Manque de correspondance, défaut d'adaptation entre deux choses, deux faits. ⇒ **Écart ; avance, retard ; désaccord, rupture.**
1   En même temps que l'échelle des continents et des pays se modifiait, il se produisait un décalage du centre de gravité mondial.
André SIEGFRIED, l'Âme des peuples, I, II, p. 17.
2   (...) comme les transformations techniques vont plus vite que l'adaptation de la tradition à ces conditions nouvelles, il y a décalage entre l'idéologie des pères de la constitution et la chaîne d'assemblage de Ford.
André SIEGFRIED, l'Âme des peuples, VII, III, p. 177.
3   Le décalage qu'entraîne ce renversement dans la marche des idées s'accompagne d'un embarras de terminologie.   L. BRUNSCHVICG, Descartes, p. 35.
4   Mais qu'elle soit ou non spontanée, habituelle, naïve, la puissance des mots révèle en tous cas un décalage, et comme une rupture des rapports qui jouent à l'intérieur du langage entre le mot et le sens, entre le signe et l'idée.
J. PAULHAN, les Fleurs de Tarbes, p. 70.
CONTR. Accord, adaptation, concordance, conformité.

DÉCALAMINAGE [dekalaminaʒ] n. m. — 1929 ; de *décalaminer*.

♦ Techn. Action de décalaminer ; son résultat.

DÉCALAMINER [dekalamine] v. tr. — 1929 ; de 1. *dé-*, et *calamine*.

♦ Techn. Enlever la calamine déposée sur les parois des cylindres et des pistons, etc.
(...) 50 heures de travail à l'ébarbeuse pour décalaminer, sur les deux faces, toutes les tôles de la coque.   Bernard MOITESSIER, Cap Horn à la voile, p. 44.
DÉR. Décalaminage.

DÉCALCIFIANT, ANTE [dekalsifjɑ̃, ɑ̃t] adj. — 1913 ; p. prés. de *décalcifier*.

♦ Qui décalcifie. *Régime décalcifiant.*
CONTR. Calcifiant.

DÉCALCIFICATION [dekalsifikasjɔ̃] n. f. — 1873 ; de *décalcifier*.

♦ **1.** Mod. et cour. Diminution de la quantité de calcium (d'un tissu, d'un organe, d'un organisme). *Décalcification des os* ou *décalcification osseuse. Faire de la décalcification.*

1   Et encore, si vous voyiez les fractures du bassin, poursuivit Don Santiago. C'est curieux, ses os ont la friabilité du verre, il fait une décalcification comme j'en ai vu rarement, il tombe en miettes. Il a quarante-neuf ans, n'est-ce pas ?
     Joseph PEYRÉ, Sang et Lumières, 1892, éd. L. de poche, p. 219.

2   Elle a maigri, elle a mauvaise mine. L'autre jour, elle a eu un saignement de gencives. Je crois qu'elle se décalcifie.
    — Non ?
     Martial n'avait jamais pensé à cet effet de l'amour malheureux : la décalcification !
     Jean-Louis CURTIS, le Roseau pensant, p. 315.

♦ **2.** Géol., minér. Diminution de la proportion de calcaire (d'une roche).

DÉCALCIFIER [dekalsifje] v. tr. — 1911 ; au p. p., 1873 ; de 1. *dé-,* et *calcifier.*

♦ Priver d'une partie de son calcium. *L'abus de citron décalcifie l'organisme.* — Pron. *Roche, organisme qui se décalcifie.*

P. p. adj. *Décalcifié :* qui a perdu son calcium. *Os, roches décalcifiés.*

DÉR. Décalcifiant, décalcification.

DÉCALCOMANIE [dekalkɔmani] n. f. — 1840 ; de *décalquer,* et *-manie.*

♦ Procédé par lequel on transporte sur une surface à décorer des images dessinées sur un support de papier. — Par métonymie. L'image que l'on transporte ; cette image une fois appliquée sur la surface à décorer.

1   (...) elle avait tant aimé, enfant, les mystérieuses décalcomanies que Germaine lui achetait (...)   F. MALLET-JORIS, le Jeu du souterrain, p. 176.

2   Bernard fume assis près du pont il a sa lampe de poche décorée de dragons en décalcomanie.   Tony DUVERT, Paysage de fantaisie, p. 129.

DÉCALER [dekale] v. tr. — 1845 ; de 1. *dé-,* et 2. *caler,* sens 1 ; selon P. Guiraud, le sens 2 vient de 2. *dé-,* et 1. *caler.*

♦ **1.** Enlever la cale, les cales (de qqch.). *Décaler un meuble.*

Techn. Retirer un appareil de sa cale. *Décaler le piston de sa tige.*

♦ **2.** Déplacer un peu de la position normale. ⇒ **Avancer, reculer, retarder ; changer.** — Espace. *Décaler toutes les choses d'une rangée, en avant, en arrière.* — Temps. *Décaler l'heure,* par rapport à un méridien donné. *Décaler un horaire. Décaler tous les trains d'une heure.*

▶ **DÉCALÉ, ÉE** p. p. adj. *Meuble décalé. Temps décalé.* — Sports. *Départ décalé* (course en couloirs).

DÉR. Décalage.

DÉCALITRE [dekalitʀ] n. m. — 1795 ; de *déca-,* et *litre.*

♦ Didact. Mesure de capacité qui vaut dix litres. Abrév. : *dal.* — Par ext. Récipient contenant un décalitre. *Un double décalitre.* — Son contenu. *Un décalitre d'avoine.*

DÉCALOGUE [dekalɔg] n. m. — 1455 ; lat. *decalogus,* grec *dekalogos ;* de *deka-* « dix », et *logos* « loi ».

♦ Les dix commandements gravés sur des tables, que Dieu donna à Moïse sur le Sinaï. ⇒ **Loi** (de Moïse). *Les préceptes du décalogue.*

1   Ceux dont l'intelligence et le corps sont élus, à moins d'imprévu détraquant, se laissent aller dans la gravitation de leurs actes autour de leur synthèse intérieure, et ne désobéissent à aucune prescription du Décalogue, respectant en Dieu soi.
     A. JARRY, Jours et Nuits, Pl., p. 814.

2   Quel est le texte que Dieu a remis à Moïse, ce décalogue gravé sur les tables de la Loi ? C'est un traité de morale, le plus simple, le plus naturel qui soit.
     DANIEL-ROPS, le Peuple de la Bible, II, II, p. 113.

Fig. L'ensemble des lois concernant un domaine. *Décalogue moral, politique.*

DÉCALOTTER [dekalɔte] v. — 1791 ; de 1. *dé-,* et *calotte.*

♦ **1.** V. tr. Oter la calotte de (qqch.). *Décalotter un dôme.* Enlever la calotte crânienne de (qqn).

1   Garnero n'avait pas la tête emportée. Un obus l'avait décalotté. Il gisait là comme un enfant mais tout rouge de sang.   B. CENDRARS, la Main coupée, p. 83.

♦ **2.** Fam. (par métaphore). Enlever le bouchon de (une bouteille). ⇒ **Ouvrir.**

2   Nous décalottâmes deux, trois bouteilles.   B. CENDRARS, Bourlinguer, p. 200.

♦ **3.** a V. intr. (Déb. XIXᵉ). Méd. et cour. Découvrir le gland en faisant glisser le prépuce vers la base de la verge.

b V. tr. « *(...) son gland était complètement recouvert. Il le déca-*

---

lotta pour pisser » (Apollinaire, *les Exploits d'un jeune Don Juan,* p. 39, *in* Cellard et Rey).

▶ **SE DÉCALOTTER** v. pron.

♦ **1.** Rare. Enlever sa calotte. *Évêque qui se décalotte.*

♦ **2.** Méd. et cour. Se découvrir le gland.

DÉCALQUAGE [dekalkaʒ] n. m. — 1870 ; de *décalquer.*

♦ **1.** Action de décalquer ; son résultat. ⇒ **Calque, décalque ; copie, impression ; décalcomanie.**

♦ **2.** Fig. ⇒ **Imitation, reproduction.**

DÉCALQUE [dekalk] n. m. — 1837 ; de *décalquer.*

♦ **1.** Reproduction par décalquage.

♦ **2.** Fig. ⇒ **Imitation, reproduction.**

Lorsqu'il s'efforce de donner un décalque musical d'une œuvre littéraire, l'artiste poursuit une chimère.   Henri LICHTENBERGER, Richard Wagner, p. 130 (1898).

DÉCALQUER [dekalke] v. tr. — 1691 ; de 1. *dé-,* et *calquer.*

♦ **1.** Reporter le calque de (qqch., dessin, tableau) sur une surface (papier, toile, bois, pierre, étoffe). ⇒ **Imprimer.**

♦ **2.** Fig. ⇒ **Imiter, reproduire.**

▶ **DÉCALQUÉ, ÉE** passif, p. p. adj. *Dessin décalqué.* « *Cachet décalqué au papier carbone* » (Vercel, *in* T. L. F.). — *Ce roman est décalqué sur une nouvelle peu connue de X.*

DÉR. Décalquage, décalque.

DÉCALVANT, ANTE [dekalvɑ̃, ɑ̃t] adj. — 1855 ; de 2. *dé-,* et lat. *calvus* « chauve ».

♦ Rare. Qui rend chauve.

DÉR. Décalvation.

DÉCALVATION [dekalvɑsjɔ̃] n. f. — XIXᵉ ; de *décalvant.*

♦ Rare. Chute des cheveux. ⇒ **Alopécie, calvitie.**

DÉCAMBRURE [dekɑ̃bʀyʀ] n. f. — 1981, F Magazine, juil.-août, p. 13 ; de 1. *dé-,* et *cambrure.*

♦ Effacement de la cambrure des reins, par une bascule du bassin vers l'avant.

DÉCAMÈTRE [dekamɛtʀ] n. m. — 1795 ; de *déca-,* et *mètre.*

♦ Mesure de longueur valant dix mètres. — Abrév. : *dam.*

(...) sur chaque surface stérile (...) des faubourgs sans ville, des cheminées (...) parallèles à la route et fonctionnant à l'air, des courroies de transmission qui reliaient deux pignons dans deux bâtiments séparés de vingt décamètres.
     GIRAUDOUX, Siegfried et le Limousin, p. 75-76.
Décamètre d'arpenteur : chaîne d'arpenteur de dix mètres de longueur.

DÉR. Décamétrique.

DÉCAMÉTRIQUE [dekametʀik] adj. — Mil. XXᵉ ; de *décamètre.*

♦ Didact. Qui se rapporte au décamètre ; qui est mesuré au décamètre.

DÉCAMIRED [dekamiʀɛd] n. m. — Av. 1976 ; mot angl., de *deca-* « déca- », et *mired.* → Mired.

♦ Photogr. Unité de température de couleur, égale à dix mireds.

Quand il convient de déterminer avec précision le filtre à employer, on peut transformer les différentes températures de couleur (...) en décamireds (...) et on calcule le coefficient de filtre à l'aide de la formule :
décamireds *(film)* − décamireds *(source lumin.)* = décamireds *(filtre).*
     Gérard BETTON, la Photomacrographie, p. 110 (1976).

DÉCAMPEMENT [dekɑ̃pmɑ̃] n. m. — 1611 ; de *décamper.*

♦ Vx. Action de décamper ; résultat de cette action.

CONTR. Campement.

DÉCAMPER [dekɑ̃pe] v. intr. — V. 1550 ; *descamper,* 1516 ; de 1. *dé-,* et *camper.*

♦ **1.** Vx ou par plais. Lever le camp. *L'armée décampa pendant la nuit. L'ennemi dut décamper précipitamment. L'ennemi était décampé, avait décampé quand nous arrivâmes* (Académie).

Le Parthe a décampé, pressé par d'autres guerres.   CORNEILLE, Rodogune, I, 4.   1

2   Les Russes ne l'attendirent pas, ils décampèrent (...)   VOLTAIRE, Charles XII, 4.

♦ **2.** S'en aller précipitamment. ⇒ **Décaniller** (fam.), **déguerpir, déloger, détaler, enfuir** (s'), **escamper** (vx), **fuir, partir, retirer** (se), **sauver** (se), **sortir**; → Plier bagage*, ficher le camp*, prendre le large*, quitter la place*. *Dès qu'il m'a vu, il a décampé. S'empresser de décamper. Décampez d'ici!* Vieilli. Partir (sans idée de fuite, → ci-dessus cit. 4).

3   Décampez au plus vite, il nous vient compagnie.
         LA CHAUSSÉE, la Gouvernante, III, 3, *in* LITTRÉ.

4   Monsieur d'Hauteserre décampait au lever du soleil, il allait surveiller ses ouvriers (...)   BALZAC, Une ténébreuse affaire, I, Pl., t. VII, p. 493.

5   Il faut vous dire, Monsieur, que Jacques, à quatorze ans, avait déjà fait une fugue : il avait décampé, un beau matin, entraînant avec lui un camarade, et on les a retrouvés, trois jours après, sur la route de Toulon.
         MARTIN DU GARD, les Thibault, t. III, p. 277.

CONTR. Camper. — Demeurer, installer (s'), **rester.**
DÉR. Décampement.

DÉCAN [dekã] n. m. — 1796; lat. *decanus* «génie qui préside à dix degrés du zodiaque»; de *decem* «dix».

♦ **1.** Astron. (vx) ou astrol. Chacune des trois dizaines de degrés comptées par chaque signe du zodiaque. *Le premier décan du Scorpion. Les décans.*

♦ **2.** Spécialt. Astre ou dieu secondaire correspondant à un tiers d'un signe zodiacal, dans l'ancienne Égypte.

DÉCANAL, ALE, AUX [dekanal, o] adj. — 1476; du lat. *deacanus.* → Décanat.

♦ Didact. Relatif au doyen, au décanat. *Arrêté décanal.*

DÉCANAT [dekana] n. m. — 1650; du lat. ecclés. *decanatus* «charge de doyen», de *decanus*, même sens (→ Doyen); de *decem* «dix».

♦ Didact. Dignité, fonction de doyen. *Le décanat d'une faculté. Le décanat d'une église cathédrale. Être promu au décanat.*

(...) une haute place au dix-huitième siècle, aujourd'hui tombée presque à rien, où une personnalité de valeur reste inutile et enterrée avec le seul avenir du décanat de la Rote qui mène au cardinalat.
         Ed. et J. DE GONCOURT, Madame Gervaisais, p. 82.

Par ext. Exercice de cette fonction. *Son décanat a duré cinq ans. Pendant son décanat...*
Ensemble des services administratifs placés sous l'autorité d'un doyen et, spécialt, d'un doyen de faculté. *Votre demande doit être déposée auprès du décanat dans les trois jours.* — Siège (bureaux, etc.) de ces services. *Le décanat se trouve au deuxième étage, au fond de la galerie.*

DÉCANILLER [dekanije] v. intr. — 1792; orig. incert. On a proposé une dérivation du lyonnais *canille* «jambe», dimin. de *canne*, même sens (mais Wartburg voit dans ce suffixe *-ille* une influence de *décaniller*). Les régionalismes *déquenailler, décanailler* «s'en aller, quitter la place» et *se deichonilla* «se déprendre; s'enfuir» (en parlant d'un chien et d'une chienne accouplés) suggéreraient le rattachement de ce «mot bas» (Brunot) au lat. *canis* «chien» (→ Canaille). Enfin P. Guiraud propose une base *canille, de *nille «niche» et préfixe *ca-* indiquant un creux, d'après le v. *niller* «nicher» (du lat. *nidiculare*).

Familier.

♦ **1.** Bouger, déménager (d'un endroit).

1   Vous les faites inutilement décaniller d'un département dans un autre.
         MARAT, Convention Nationale, 24 oct. 1792, *in* BRUNOT, Hist. de la langue franç., t. X, I, p. 225.

2   Quant à Edmond il n'avait pas décanillé de Paris, sous le prétexte de l'hôpital.
         ARAGON, les Beaux Quartiers, p. 296.

Spécialt. Se lever, sortir (du lit).

3   (...) comme j'le ferais décaniller du pajot, si seulement j'étais là.
         H. BARBUSSE, le Feu, t. II, p. 13, *in* CELLARD et REY.

Absolt. Se lever et partir. *Décaniller de bonne heure.*

Mathurin aussitôt se leva, comme un matelot dont le quart est fini :
Allons, Jérémie, faut décaniller.
L'autre se mit en mouvement avec plus de peine, prit son aplomb en s'appuyant à la table; puis il gagna la porte et l'ouvrit pendant que son compagnon éteignait la lampe.   MAUPASSANT, Contes du jour et de la nuit, p. 76.

V. tr. Faire lever (qqn), sortir (qqn) du lit.

4   Je le décanille... je le décampe de son grillage... Je le vire tel quel, en kimono...
         CÉLINE, Mort à crédit, p. 755, *in* CELLARD et REY.

♦ **2.** (Fin XVIIIe). Partir, s'en aller (généralement contre sa volonté et précipitamment). ⇒ **Enfuir** (s'); **décamper, déguerpir.**

5   Elle priait la compagnie de décaniller et plus vite que ça.
         Louise MICHEL, la Misère, t. I, p. 76.

6   Vous êtes bien mignons, leur dis-je. Amusez-vous bien. Mais, Kupka, pas de blague, hein? Il faut que ta femme décanille demain matin avant la diane! (...)
         B. CENDRARS, la Main coupée, p. 65.

♦ **3.** Fig. Mourir. ⇒ **Partir.**

7   Comme nous apprenions coup sur coup plusieurs morts, elle ne manqua pas de dire : «Crois-tu qu'on décanille, hein?».   J. RENARD, Journal, 12 mars 1885.

DÉCANTAGE [dekãtaʒ] n. m. — 1838; de *décanter*.

♦ **1.** Techn. Action de décanter; résultat de cette action. ⇒ **Décantation.** — Techn. Séparation de l'eau (qui contient argile ou kaolin) du sable dans une terre à céramique.

♦ **2.** Fig. Action de décanter (fig.), de tirer au clair (ex. de Colette, M. Bloch, *in* T. L. F.).

DÉCANTATION [dekãtasjõ] n. f. — 1680; du lat. des alchimistes *decanthatio*, du supin de *decanthare.* → Décanter.

♦ **1.** Action de décanter; son résultat. ⇒ **Décantage; clarification; centrifugation; lavage** (d'un minerai). *Le principe de la décantation est utilisé dans la distillation des betteraves. Bassin de décantation.* ⇒ **Décanteur.**

♦ **2.** Fig. Action de décanter (fig.), de tirer au clair. *La décantation d'une idée.* ⇒ **Éclaircissement.**

DÉCANTER [dekãte] v. — 1701; lat. des alchimistes *decanthare*, de *de-*, et *canthus* «bec de cruche».

★ I. V. tr. ♦ **1.** Séparer par gravité (un liquide) des matières solides ou liquides en suspension, qu'on laisse déposer. ⇒ **Clarifier, épurer, purifier, transvaser.** *Pour décanter un liquide, on laisse d'abord déposer les matières en suspension, puis on fait écouler le liquide. Décanter du vin, du sirop.* — Absolt. *Ne pas décanter. Ampoule à décanter.*

♦ **2.** Fig. *Décanter ses idées :* se donner un temps de réflexion pour comprendre plus clairement une question. ⇒ **Éclaircir; clair** (tirer au clair). — Absolt. *Il connaît bien le sujet mais il a besoin de décanter.*

★ II. V. intr. Se clarifier par séparation, au repos, de ses composants liquides et solides. *Mettre du vin à décanter.*

(...) le Gigondas décantait dans de hautes carafes.   0.1
         R. SABATIER, les Enfants de l'été, p. 304.

Par métaphore au fig. : «(...) que mon œuvre décante avant que je la relise» (Claudel à André Gide, *in* T. L. F.).

▶ **SE DÉCANTER** v. pron.

Devenir plus clair, plus limpide. *L'eau polluée se décante dans un décanteur*.* — Fig. :

Peu à peu ses réflexions se décantaient.   1
         J. ROMAINS, les Hommes de bonne volonté, t. II, XII, p. 122.

▶ **DÉCANTÉ, ÉE** p. p. adj.

Rendu plus clair, plus limpide. *Eau décantée.* — Fig. :

Ainsi décantés, réduits à des schèmes bien nets, les événements s'enchaînaient avec   2
une logique impressionnante.   MARTIN DU GARD, les Thibault, t. VIII, p. 258.

Par sa discrétion même, ce langage décanté m'a semblé particulièrement convenir à la lenteur pensive et scrupuleuse d'Alexis (...)   3
         M. YOURCENAR, Alexis, Préface, p. 14.

CONTR. Mélanger.
DÉR. Décantage, décanteur.

DÉCANTEUR, EUSE [dekãtœʀ, øz] n. — 1873, n. m.; de *décanter.*

♦ Techn. Appareil servant à décanter. — N. m. *Décanteur industriel.* — N. f. (XXe). *Déshydrater des boues à l'aide de décanteuses.*

DÉCANTONNEMENT [dekãtɔnmã] n. m. — Attesté XXe; de *décantonner.*

♦ Régional ou chasse. Fait de décantonner «(...) *augmentation de la distance de fuite des animaux, décantonnements trop fréquents de ceux-ci* (dans les parcs nationaux fréquentés par les touristes)» (*la Recherche*, oct. 1979, p. 1035).

DÉCANTONNER [dekãtɔne] v. intr. — Attesté XXe; «quitter un endroit précipitamment», attesté fin XIXe (Yonne); de 1. *dé-*, et *canton.*

♦ Régional ou chasse. Quitter son habitat normal, sa portion de bois, etc. (en parlant du gibier). — Au p. p. *Gibier décantonné.*

Par métaphore (au p. p.) :

Je vous dis, c'est une veuve récente, décantonnée et qui ne sait plus où s'installer.
Claude MICHELET, *Des grives aux loups*, p. 38.

DÉR. Décantonnement.

DÉCANULATION [dekanylɑsjɔ̃] n. f. — Av. 1970 (*in* Manuila) de 1. *dé-*, *canule*, et suff. *-ation.*

♦ Méd. Action de retirer une canule mise en place lors d'une trachéotomie (au moment où la respiration est redevenue normale).

DÉCAPAGE [dekapaʒ] n. m. — 1768; de *décaper.*

♦ **1.** Action de décaper; son résultat. *Décapage chimique, mécanique* (aux abrasifs) *d'une surface.* ⇒ **Ponçage.** *Eaux de décapage* (on dit aussi *décapement*, n. m.).

♦ **2.** Mines. Enlèvement des terrains qui recouvrent un gisement de faible profondeur (on dit aussi *découverture*).

Trav. publ. ⇒ **Décapement.**

DÉCAPANT [dekapɑ̃] adj. et n. m. — Attesté xxᵉ; p. prés. de *décaper.*

♦ **1.** Qui décape. *Produit décapant.* ⇒ **Décapeur.**

Par métaphore. *Un vin « trouble et décapant »* (A. Arnoux), acide. N. m. (1929). Substance chimique propre à décaper. *Un décapant puissant. Décapant mécanique.* ⇒ **Abrasif.** — Plais., par métaphore :

Le vinaigre est le seul luxe de Mme Rezeau, dont l'estomac aime les décapants.
Hervé BAZIN, *la Mort du petit cheval*, p. 256.

♦ **2.** Par métaphore et fig. Qui supprime les vieilles habitudes, qui renouvelle. *Une action tonique, décapante.*

DÉCAPELAGE [dekaplaʒ] n. m. — xvᵢᵢᵢᵉ; de *décapeler.*

♦ Mar. Action de décapeler; fait de se décapeler; son résultat.

DÉCAPELER [dekaple] v. — Conjug. *appeler.* — 1783; de 1. *dé-*, et *capeler.*

Marine.

♦ **1.** V. tr. Défaire le capelage de (un cordage, un espar). *Décapeler un cordage, une manœuvre. Décapeler un mât.* Au p. p. *Mât décapelé*, dégarni de ses cordages.

Par ext. Argot des marins. Ouvrir (un vêtement). *Il ne pleut plus, on peut décapeler les cirés.*

♦ **2.** V. intr. (D'un cordage, d'un lien...). Se dégager en passant par dessus la tête de l'élément auquel il est fixé. — (Avec un compl. ind. en *de*). *« La chaîne de l'ancre (...) fit décapeler de la bitte le manchon de fer (...) »* (Dumont d'Urville, *in* T. L. F.).

CONTR. Capeler.
DÉR. Décapelage.

DÉCAPEMENT [dekapmɑ̃] n. m. — 1885, «blanchiment (d'un cuir)», 1693; de *décaper.*

♦ Techn. Fait de décaper, d'être décapé. ⇒ **Décapage.** *Décapement d'une chaussée*, fait d'en gratter la surface, pour la préparer à un nouveau revêtement.

DÉCAPEPTIDE [dekapɛptid] n. m. — Mil. xxᵉ; de *déca-*, et *peptide.*

♦ Biochim. Polypeptide formé de dix acides aminés. *Décapeptide cyclique.*

1. DÉCAPER [dekape] v. tr. — 1742, attesté (→ Décapement); xvᵢᵉ, *deschaper* «ôter la chape»; de 1. *dé-*, et 1. *cape.*

♦ **1.** Mettre à nu (une surface métallique) en enlevant les dépôts d'oxydes, de sels, les corps gras qui la couvrent. ⇒ **Dérocher, poncer.** *Ouvrier qui décape* (les métaux). ⇒ **Décapeur.** — Pron. *Fer qui se décape dans un bain d'acide sulfurique.*

Par métaphore :

1 (...) mon intention n'était vraiment que de faire des exercices, le résultat, c'est peut-être de décaper la littérature de ses rouilles diverses, de ses croûtes.
R. QUENEAU, *Bâtons, chiffres et lettres*, p. 43.

♦ **2.** Par ext. Nettoyer (une surface) en en enlevant la ou les couches superficielles de matière. *Décaper des boiseries peintes, un parquet sale.* ⇒ **Frotter, nettoyer.** — En emploi absolu :

Le premier shampooing ne mousse jamais. Il glisse sur les cheveux encore gras. Il ne sert qu'à décaper.   P. GUTH, *le Mariage du naïf*, XII, p. 115.   2

(1898). Spécialt. *Décaper une chaussée*, en nettoyer la surface pour un nouveau revêtement. — Chasse. Dépouiller (un animal) de sa peau.

♦ **3.** Fig. Dégager, rendre plus net.

Une lueur froide et minérale décapait les contours des arêtes de pierre dure.   3
J. GRACQ, *le Rivage des Syrtes*, p. 352.

Décaper (qqn) de (un sentiment, une idée, etc.), le débarrasser de (ce qui embarrasse, empêche de fonctionner aisément...).

DÉR. Décapage, décapant, décapement, décapeur, décapeuse.

2. DÉCAPER [dekape] v. intr. — 1755; de 1. *dé-*, *cap*, et suff. verbal.

♦ Mar. Vx. Manœuvrer en vue de s'éloigner d'un ou de plusieurs caps (→ Prendre la haute mer*).

DÉCAPEUR [dekapœʀ] adj. et n. m. — 1845; de 1. *décaper.*

♦ Qui décape. ⇒ **Décapant.** — N. m. Techn. Ouvrier qui décape les métaux. — REM. Le fém. *décapeuse* est virtuel.

DÉCAPEUSE [dekapøz] n. f. — 1931; de 1. *décaper.*

♦ Techn. Engin de terrassement qui racle les surfaces, emmagasine les matériaux enlevés et les répand au point de déchargement. *Décapeuse tractée. Décapeuse automotrice.* — Recomm. off. pour *scraper.*

1. DÉCAPITALISER [dekapitalize] v. tr. — 1846; de 1. *dé-*, *capitale*, et suff. *-iser.*

♦ Didact. Retirer à (une ville) le statut de capitale.

Jamais l'idée de décapitaliser Rome n'est venue à un empereur.
Ferdinand LOT, *la Fin du monde antique...*, p. 41.

2. DÉCAPITALISER [dekapitalize] v. tr. — 1870; de 1. *dé-*, et *capitaliser.*

♦ **1.** Retirer la valeur de capital à (des intérêts, des valeurs).

♦ **2.** Écon., fin. Retirer tout ou partie du capital investi dans une entreprise. *« Décapitaliser l'entreprise sans la décapiter »* (*le Monde*, 4 janv. 1963).

DÉCAPITATION [dekapitɑsjɔ̃] n. f. — 1392; de *décapiter.*

♦ **1.** Action de décapiter; son résultat. ⇒ **Exécution** (capitale). *Être condamné à la décapitation.*

Par les décalages moraux qu'ils provoquent, les crimes font naître des féeries (...) la clémence d'une neige qui tombe afin de protéger la fuite d'un voleur (...) les découvertes grandioses du hasard, dont la décapitation d'un homme est le but (...).
Jean GENET, *Journal du voleur*, p. 209-210.

♦ **2.** (De *décapiter*, 2.) *La décapitation d'un arbre, d'un clou.* ⇒ **Étêtage, étêtement.**

♦ **3.** Fig. (De *décapiter*, 3.). Destruction, extermination (de qqch. d'essentiel). *L'action des services de police a permis l'arrestation des principaux responsables et la décapitation de cette dangereuse organisation.*

DÉCAPITER [dekapite] v. tr. — V. 1320; du lat. médiéval *decapitare* «enlever la tête, l'extrémité supérieure de», de *de-* (→ 1. Dé-), et rad. *capit-*, de *caput* «tête».

♦ **1.** Trancher la tête de (qqn), et, spécial, exécuter par décapitation. ⇒ **Décoller; couper** (la tête). *Décapiter un condamné à l'épée, au sabre, à la hache, à la guillotine* (⇒ **Guillotiner**). *Condamner qqn à être décapité. Le tyran décapitait, faisait décapiter tous les captifs.* — *Faire sauter, voler les têtes de...*

On bandait les yeux de ceux qu'on décapitait pour crimes de trahison envers le roi et l'État (...)   1
SAINT-FOIX, *Essai sur l'histoire de Paris, Œuvres*, t. IV, p. 217, *in* POUGENS.

(Sujet n. de chose) :

(...) nous lui mettrions le cou sur un rail, de manière à ce que le premier train le   2
décapitât.   ZOLA, *la Bête humaine*, p. 365.

♦ **2.** Par anal. *Décapiter un arbre*, lui enlever la partie supérieure. ⇒ **Découronner, écimer, étêter.** — *Décapiter un clou, une épingle.*

(...) on ne cesse de commettre sur soi une espèce de saccage, comme un homme qui se promènerait dans son jardin en décapitant tout ce qui lève la tête, les tiges les plus assurées de croître.   3
J. ROMAINS, *les Hommes de bonne volonté*, t. II, II, p. 13.

♦ **3.** Fig. Détruire ce qui est à la tête, l'élément essentiel de (qqch.). ⇒ **Abattre, détruire, exterminer, tuer.**

Être un homme corrosif, avoir en soi une volonté d'acier, une haine de diamant,   4 une curiosité ardente de la catastrophe, et ne rien brûler, ne rien décapiter, ne rien exterminer.   Hugo, l'Homme qui rit, II, I, X.

5 Car ils diminuent d'autant ce que je nommerai le total de *civisme* dans le monde, et même ils décapitent le civisme et ils découronnent la liberté dans le monde (...)
                                    Ch. Péguy, la République..., p. 324.

▶ **DÉCAPITÉ, ÉE** p. p. adj. et n.

♦ **1.** Dont on a tranché la tête. *Cadavre décapité. Statue décapitée.* — N. *Un décapité, une décapitée :* personne dont on a tranché la tête.

6 Ici l'on ne pouvait admettre aucun des subterfuges employés pour le classique *décapité parlant ;* nul système de glaces n'existait sous la table, que Jenn maniait au hasard sans précautions suspectes. Le barnum, d'ailleurs, marcha jusqu'au bord de l'estrade et tendit la plate-forme ronde au premier spectateur désireux de la prendre.   Raymond Roussel, Impressions d'Afrique, p. 90.

♦ **2.** Par anal. Étêté, écimé. *Arbre décapité.*

♦ **3.** Fig. Privé de ce qui est capital, essentiel (pour qqch.). *Institutions décapitées.*

DÉR. Décapitation.

DÉCAPODES [dekapɔd] adj. et n. m. pl. — 1804, Hatzfeld ; de *déca-*, et *-pode*.
Zoologie.

★ **I.** Adj. Qui a cinq paires de pattes, dix pattes. *Mollusque décapode. Crustacés décapodes :* décapodes (II., 2.).

(...) chez les Arthropodes comme chez les Vertébrés l'organe le plus antérieur de la locomotion peut intervenir, à des degrés variés, dans la capture et la préparation alimentaire. Le fait est particulièrement net chez les Crustacés décapodes, comme le crabe, chez qui la première paire de pattes, évoluée en pinces, assure la préhension et le morcellement des proies.
                    A. Leroi-Gourhan, le Geste et la Parole, t. I, p. 49-50.

★ **II.** N. m. pl. ♦ **1.** Sous-ordre de mollusques céphalopodes dibranchiaux possédant huit bras disposés en couronne autour de la bouche et deux autres bras plus longs (tentacules) servant d'organes de préhension. *Principaux types de décapodes.* ⇒ **Calmar, seiche...** — Au sing. *Un décapode.*

♦ **2.** Ordre de crustacés malacostracés, caractérisés par trois paires de pattes-mâchoires et cinq paires de pattes ambulatoires ; les anneaux de l'abdomen portent en outre deux fausses paires de pattes. *On divise l'ordre des décapodes en deux sous-ordres, les Natantia (ou nageurs) et les Reptantia (ou marcheurs), et en trois divisions (⇒ Anomoures, brachyoures, macroures). Principaux types de décapodes :* crabe, crevette, écrevisse, galatée, gébie, homard, langouste, nephrops ou langoustine, pagure ou bernard-l'ermite. — Au sing. *Un décapode.*

DÉCAPOLE [dekapɔl] n. f. — 1803 ; grec *dekapolis*, de *deka* « dix », et *polis* « ville ».

♦ Hist. Association, groupe de dix villes. *La Décapole alsacienne.*

DÉCAPOTABLE [dekapɔtabl] adj. et n. f. — 1927, subst. ; de *décapoter*.

♦ Adj. Qui peut être décapoté (en parlant d'un véhicule). *Voiture, cabriolet décapotable. Rouler en voiture décapotable.*

J'aimais sa voiture : c'était une lourde américaine décapotable qui correspondait plus à sa publicité qu'à ses goûts (...) Tous les trois devant (...) soumis au même plaisir de la vitesse et du vent, peut-être à une même mort.
                    F. Sagan, Bonjour tristesse, p. 142.

N. f. *Une décapotable. Rouler en décapotable.*

DÉCAPOTER [dekapɔte] v. tr. — 1929 ; « ôter un vêtement », 1894 (Canada) ; de 1. *dé-*, capote, et suff. verbal.

♦ Enlever ou ouvrir la capote (et, par ext., le toit mobile) de. *Décapoter sa voiture.* ⇒ **Découvrir.** — Pron. *Cette voiture se décapote facilement.* — Au p. p. *Rouler en voiture décapotée.* ⇒ **Découvert.** *Sa décapotable n'est jamais décapotée.*

CONTR. 1. Capoter.
DÉR. Décapotable.

DÉCAPSIDATION [dekapsidasjɔ̃] n. f. — 1976 ; de 1. *dé-*, capside, et suff. *-ation*.

♦ Biol. Libération de l'acide nucléique qui constitue le matériel génétique du virus, après la pénétration de celui-ci dans la cellule parasitée. ⇒ **Décapsider** (se). *Dans la décapsidation, la particule virale quitte son enveloppe protéique, la* capside.

DÉCAPSIDER (SE) [dekapside] v. pron. — 1979, *la Recherche*, oct., p. 955 ; de 1. *dé-*, capside, et suff. verbal.

♦ Biol. Quitter sa capside, son enveloppe protéique (en parlant d'un virus). ⇒ **Décapsidation.**

DÉCAPSULAGE [dekapsylaʒ] n. m. — 1929 ; de *décapsuler.*

♦ Action de décapsuler (une bouteille).

CONTR. Capsulage.

DÉCAPSULATION [dekapsylasjɔ̃] n. f. — 1904, in *Rev. gén. des sc.*, n° 1, p. 37 ; de *décapsuler*, ou de 1. *dé-*, et *capsule*.

♦ Chir. Résection de la capsule d'un organe, et, spécialt, du rein. *Opération d'Edebohls.* Syn. *Décapsulation totale* ou *décortication du rein.* Opération qui consiste à séparer le rein de sa capsule propre par une sorte de décortication. Elle est préconisée par quelques auteurs dans le traitement du mal de Bright, de certaines formes d'anurie et d'hypertension artérielle.
                    M. Garnier et J. Delamare, Dict. des termes techniques de médecine.

DÉCAPSULER [dekapsyle] v. tr. — 1929 ; p. p., 1903 ; de 1. *dé-*, capsule, et suff. verbal.

♦ **1.** Enlever la capsule de. ⇒ **Ouvrir.** *Décapsuler une bouteille, une canette de bière, etc.* ⇒ **Décapsulage.**

(...) il décapsula la bouteille et but une longue rasade au goulot (...)
                    Michel Déon, la Corrida, p. 25.

♦ **2.** (Probablt déb. XXᵉ → Décapsulation). Chir. Enlever la capsule de (un organe) par décapsulation.

DÉR. Décapsulage, décapsulation, décapsuleur.

DÉCAPSULEUR [dekapsylœʀ] n. m. — 1929 ; de *décapsuler*, 1.

♦ Ouvre-bouteilles pour enlever les capsules.

(...) alors je déjeunerai sur des plateaux amarrés et délicats, je manierai le décapsuleur de poupée, le tube de moutarde miniature et le sixième de savonnette « avec les compliments d'Air France » qu'oncle ne manque jamais de me rapporter, en souvenir.   A. Sarrazin, la Traversière, p. 225.

DÉCAPUCHONNER [dekapyʃɔne] v. tr. — 1611 ; de 1. *dé-*, et *capuchon* ; *se descapluchonner* « ôter son capuchon ; cesser d'être moine », de *capeluche*, est attesté en 1566.

♦ **1.** Enlever le capuchon, la capuche de (qqn, qqch.). *Décapuchonner un enfant trop couvert. Décapuchonner un faucon pour le lâcher.* ⇒ **Déchaperonner.** — *Décapuchonner un stylo.*

Mignon aime l'élégance du geste qui mêle les dés. Il goûte aussi la grâce des doigts qui roulent une cigarette, qui décapuchonnent un stylo.   [1]
                    Jean Genet, Notre-Dame des fleurs, p. 58.

Mais voilà : dès qu'ils *(les hommes)* décapuchonnent leur stylo, ça les prend, ça   [2] les reprend, ils n'ont plus qu'un mot à la plume, le Désir (...)
                    Annie Leclerc, Parole de femme, p. 147.

♦ **2.** (1789, *in* D. D. L., pron., 1566). Rare. Faire quitter les ordres à (un religieux). ⇒ **Défroquer.**

CONTR. Capuchonner, encapuchonner.

DÉCARBONATATION [dekaʀbɔnatasjɔ̃] n. f. — 1888 ; de *décarbonater*.

♦ Chim. Action de décarbonater (un composé) ; son résultat. *La décarbonatation des eaux industrielles.*

DÉCARBONATER [dekaʀbɔnate] v. tr. — 1856 ; *décarbonaté*, 1834 ; de 1. *dé-*, carbonate, et suff. verbal.

♦ Chim. Retirer l'acide carbonique de (un composé). *Décarbonater de la chaux.*

DÉR. Décarbonatation.

DÉCARBONISER [dekaʀbɔnize] v. tr. — 1856 ; de 1. *dé-*, carbone, et suff. *-iser.*

♦ Techn. (vx). Priver (une substance) du carbone qu'elle renferme. ⇒ **Décarburer.** — Pron. *Le sang se décarbonise dans les poumons.*

DÉCARBOXYLASE [dekaʀbɔksilaz] n. f. — XXᵉ ; de 1. *dé-*, carboxyle, et *-ase.*

♦ Biol., chim. Enzyme agissant par décarboxylation et activant la décomposition d'un acide organique, en libérant le gaz carbonique.

DÉCARBOXYLATION [dekaʀbɔksilasjɔ̃] n. f. — XXᵉ ; de *décarboxyler.*

♦ Chim. Perte du groupement carboxyle. «(Les) *amines résultant de la décarboxylation des acides aminés* » (*le Monde*, 23 févr. 1977, p. 19).

DÉCHRISTIANISER [dekʀistjanize] v. tr. — 1792; *descristianer*, 1174; de 1. *dé-*, et *christianiser*.

♦ Éloigner du christianisme (un pays, un groupe humain). *Déchristianiser un peuple pour lui imposer une nouvelle idéologie.* Absolt. *« (...) à qui déchristianisera le plus vite »* (F. Mauriac, *Journal*, 1940, *in* T. L. F.).

0.1 Pourquoi ne pas faire des concessions plus larges à l'Italie par la peur de déchristianiser la France? PROUST, le Temps retrouvé, Pl., t. III, p. 761.

REM. Le n. m. *déchristianisateur* [dekʀistjanizatœʀ] est attesté.

▶ **SE DÉCHRISTIANISER** v. pron.

S'éloigner du christianisme. *Nations qui se déchristianisent.*

1 Vous dites que le pays continue de se déchristianiser? Entendons-nous : il est vrai que les habitudes chrétiennes, les mœurs chrétiennes n'apparaissent presque plus dans ce stupide monde motorisé (...) Il est trop vrai que les paroisses meurent une à une (...) F. MAURIAC, Bloc-notes 1952-1957, p. 268.

2 — Qu'est-ce que vous croyiez? demanda l'abbé, l'air peu commode. — Eh bien, on entend dire de tous côtés que la pratique religieuse est en régression, que l'Occident se déchristianise de plus en plus... On lit des articles là-dessus, même dans la presse catholique. Jean-Louis CURTIS, le Roseau pensant, p. 256.

▶ **DÉCHRISTIANISÉ, ÉE** p. p. adj.

Qui cesse, a cessé d'être chrétien (d'une collectivité). *Pays, monde déchristianisé.* *« On est de gauche et athée, de droite et croyant. Quelques provinces seulement (... sont) de droite sans être particulièrement chrétiennes, ou de gauche sans être parfaitement déchristianisées »* (*l'Express*, 21 mars 1981, p. 148).

3 Marx a réintroduit dans le monde déchristianisé la faute et le châtiment, mais en face de l'histoire. Le marxisme, sous un de ses aspects, est une doctrine de culpabilité quant à l'homme, d'innocence quant à l'histoire. CAMUS, l'Homme révolté, p. 644.

CONTR. Christianiser.
DÉR. Déchristianisation. — V. REM. *infra* cit. 0.1.

DÉCHRONOLOGIE [dekʀɔnɔlɔʒi] n. f. — 1958; de 1. *dé-*, et *chronologie*.

♦ Didact. Présentation qui ne tient pas compte de l'ordre chonologique. *Opérer une déchronologie dans le montage d'un film.* ⇒ **Flash-back**, retour (en arrière), **rétrospective.**

1 (...) il faut louer l'ingéniosité de l'adaptation *(dans The killing, de Stanley Kubrick)* qui, adoptant systématiquement la déchronologie des actions, sait nous intéresser à une intrigue qui, par ailleurs, ne sort pas des sentiers battus. J.-L. GODARD, Cahiers du cinéma, nº 80, févr. 1958, *in* Collection des cahiers, p. 110.

2 Dans ce phénomène, la déchronologie joue un rôle capital. Libérés de l'ordre chronologique qui les aurait liés à un ensemble par une seule de leurs facettes, les événements sont rapprochés et, de toutes les manières, mis en *présence* dans une sorte d'éternel *présent* où l'ordre de signification chronologique est remplacé par ce que l'on pourrait qualifier *un ordre de signification morphologique.* Jean RICARDOU, *in* Claude SIMON, la Route des Flandres, p. 289.

DÉCHU, UE [deʃy] p. p. adj. ⇒ **Déchoir.**

DÉCI [desi] n. m. — 1941; abrév. de *décilitre*.

♦ Décilitre. Spécialt (en Suisse et dans les régions de France avoisinantes). Mesure d'un décilitre de boisson, et, spécialt, de vin blanc (Suisse).

1 Oh! Jean-Baptiste, viens boire trois décis. R. FRISON-ROCHE, Premier de cordée, p. 86 (1941).

2 Il buvait ses trois décis devant les cafés pour ne pas avoir à se séparer d'elle *(sa bête, son mulet).* Maurice ZERMATTEN, l'Été de la saint Martin, p. 185.

DÉCI- Préfixe, tiré du lat. *decimus* «dixième», qui entre dans la composition de plusieurs termes servant à désigner la dixième partie de certaines unités de mesure. ⇒ **Déciare, décibel, décigrade, décigramme, décilitre, décimètre, décistère, décisthène.** — REM. Il est noté par *d* dans les symboles correspondants. Ex. : *dg*, pour *décigramme*.

DÉCIARE [desjaʀ] n. m. — 1793, dans un rapport à la Convention; de *déci-*, et *are*.

♦ Rare. Dixième partie d'un are (symb. *da*).

DÉCIBEL [desibɛl] n. m. — 1932; de *déci-*, et *bel*.

♦ **1.** Phys. Unité, égale au dixième du bel, servant à exprimer le rapport de deux puissances (acoustiques, électriques, etc.), notamment d'une puissance donnée par rapport à une puissance de référence (symb. *dB*).

0.1 Un décibel pris à divers niveaux représente (...) une valeur relative identique, *mais cette valeur n'est pas constante en valeur absolue;* un décibel correspond à un rapport de puissance d'un à 1,259 (...)
Comme les pressions acoustiques (ou les intensités, les voltages électriques, etc.) varient, dans le meilleur des cas, comme la racine carrée des puissances correspondantes, le décibel est également le vingtième du logarithme décimal du rapport des pressions acoustiques (ou des intensités, des voltages électriques, etc.) correspondantes. Un décibel correspond à un rapport de pression (de voltage, etc.) d'un à 1,122. René CHOCHOLLE, le Bruit, p. 19-20.

Décibels A, B, C... (symb. *dB A, dB B, dB C...*) valeurs (dites aussi *décibels pondérés*) lues sur un sonomètre, relativement à des courbes de pondération normalisées A, B, C correspondant sensiblement aux lignes isosoniques de 40, 70, et 100 phones. *« La normalisation internationale demande de ne se référer qu'aux dB A dans tous les cas »* (René Chocholle, *in* Piéron, 1973). *« (...) un travailleur ne doit pas être exposé pendant huit heures consécutives à plus de 90 dB A (...) À titre de repère, 90 dB A est le bruit du marteau piqueur le mieux insonorisé; 120 dB A est le seuil de la douleur »* (*l'Express*, 5 mai 1979, p. 121).

♦ **2.** Cour. Unité de puissance sonore (correspondant en général au décibel A, ci-dessus).

1 Quand le bruit atteignit environ 135 décibels, ou quelque chose de cet ordre, Besson sentit qu'il allait glisser dans un trou profond. J.-M. G. LE CLÉZIO, le Déluge, p. 108.

2 Dès mon arrivée, je me suis abandonné à ces turbulences et à ces outrances, à ce ruissellement de décibels et de radiances qui semblaient mettre la vie à vif. Régis DEBRAY, l'Indésirable, p. 129.

REM. Alors que *bel* appartient à l'usage scientifique, *décibel*, devenu le type de l'unité de bruit, est entré dans la langue courante en perdant toute valeur précise (→ cit. 2, ci-dessus; cf. aussi le dérivé fantaisiste *décibélité*, n. f., «bruit correspondant à un nombre élevé de décibels»).

3 Les deux roues motorisées accrurent la décibélité de leur vacarme (...) R. QUENEAU, Zazie dans le métro, éd. Folio, p. 108.

DÉCIDABILITÉ [desidabilite] n. f. — V. 1957; de *décidable*.

♦ Log. Caractère d'un système décidable.

DÉCIDABLE [desidabl] adj. — Attesté 1957; de *décider*, p.-ê. d'après l'angl. *decidable* (1942, Carnap).

♦ Log. Se dit d'un système hypothético-déductif dont on peut déterminer par un procédé effectif (méthode de décision) qu'une proposition quelconque est démontrable (syn. : *résoluble*). — Par ext. Se dit des propositions elles-mêmes.

Toute une théorie de psychologie allemande (la *Denkpsychologie* de Wurzburg [*sic*]) a même tenté au début de ce siècle, pendant qu'A. Binet s'occupait des mêmes problèmes à Paris, de faire rendre à l'introspection son *maximum* d'information en utilisant une méthode d'introspection provoquée et en centrant l'introspection sur des questions bien délimitées et décidables : le rôle de l'image dans la pensée et les différences entre un jugement et une association d'idées, etc. J. PIAGET, Épistémologie des sciences de l'homme, p. 137.

CONTR. Indécidable.
DÉR. Décidabilité.

DÉCIDÉ, ÉE [deside] adj. — 1725; p. p. du verbe *décider*.

♦ **1.** (Personnes). Qui n'hésite pas pour prendre un parti. ⇒ **Audacieux, brave, courageux, crâne, déterminé, ferme, hardi, résolu, volontaire.** *Un homme décidé. Un gaillard bien décidé. C'est un caractère décidé.*

1 Antoine de Bourbon, roi de Navarre, père du plus intrépide et du plus ferme de tous les hommes, fut le plus faible et le moins décidé (...) VOLTAIRE, la Henriade, II, note 13.

Par ext. *Caractère décidé. Un air décidé.* ⇒ **Convaincu, net, tranchant.** *Une allure décidée.*

♦ **2.** Qui n'est pas douteux. ⇒ **Arrêté, certain, déclaré, délibéré, évident, franc, manifeste, net.** *Un goût décidé pour les mathématiques.*

2 J'ai eu toute ma vie un goût décidé pour les ouvrages des anciens (...) MONTESQUIEU, Pensées, Des anciens.

Arrêté par décision. *C'est une chose décidée, c'est chose décidée.* ⇒ **Entendu, fixé, réglé, résolu, vu** (c'est tout vu). ⇒ aussi **Décider** (III.).

CONTR. Chancelant, craintif, faible, flottant, hésitant, incertain, indécidé, indécis, indéterminé, irrésolu, perplexe, vacillant, vague.
DÉR. Décidément.

DÉCIDÉMENT [desidemã] adv. — 1762; de *décidé*.

★ **I.** Vx (langue class.). D'une manière décidée. ⇒ **Résolument.**

1 (...) croyant reconnaître dans *Rodin* quelques bons principes, je m'engageai décidément chez lui. SADE, Justine..., t. I, p. 116.

★ **II.** Mod. D'une manière certaine, décisive, définitive. *On se sent décidément mieux lorsqu'on a fini de travailler.*

2 (...) le siècle de la philosophie décidément allait régénérer le monde. SAINTE-BEUVE, Causeries du lundi, 17 janv. 1852, Grimm.

(Adv. de phrase). En définitive, manifestement. *Décidément, je n'ai pas de chance. Décidément ce garçon est idiot.* ⇒ **Beau** (bel et bien).

3 Décidément rien n'est beau comme la noblesse de l'âme; beau, non, il faudrait dire : sublime. GIDE, Journal, 23 juin 1891.

DÉCIDER [deside] v. tr. — 1403; du lat. *decidere* «trancher», de *de-* intensif, et *cædere* «tailler, abattre en coupant».

★ **I.** V. tr. dir. *(Décider qqch.).* ♦ **1.** Vx ou didact. Dr. Porter un jugement sur, donner une conclusion définitive à (un point en litige). ⇒ **Arrêter, conclure, décréter, déterminer, dire, fixer, juger, ordonner, prononcer, régler, résoudre, trancher.** *Décider un point de droit, une question, une affaire, un différend. Décider ce qui est important ou secondaire. Argument qui décide une question en suspens.* ⇒ **Vider.** *Le tribunal a décidé... Le Concile a décidé ce point de dogme. Contrevenir à ce qui était décidé. Dieu décide la vie des hommes de toute éternité.* ⇒ **Prédestiner.**
Décider qqch. après délibération, en dernier ressort. Décider ce qui convient. Décider si... → ci-dessous, cit. 4. — (Rare; avec un sujet n. de chose, → ci-dessous, cit. 3).

1 On pouvait nier sans hérésie un fait que le Pape avait décidé.
RACINE, Port-Royal, I.

2 (...) quels sont les plus assujettissants et les plus pénibles *(des devoirs réciproques du souverain et de ses sujets),* je ne le déciderai pas.
LA BRUYÈRE, les Caractères, X, 28.

3 Ce que décident ici-bas les plus petites choses, ce que les objets et les circonstances en apparence les moins importants amènent de changements dans notre fortune, il n'y a pas, à mon sens, de plus profond abîme pour la pensée.
A. DE MUSSET, la Confession d'un enfant du siècle, II, 1.

4 Tout juge qui saura cause de récusation en sa personne sera tenu de la déclarer à la chambre, qui décidera s'il doit s'abstenir. Code de procédure civile, art. 380.

5 (...) c'est lui *(le lecteur)* dont le sentiment admettra ou rejettera certains faits, décidera ce qui est histoire et ce qui ne l'est point.
VALÉRY, Regards sur le monde actuel, Avant-propos.

6 L'acte fondamental d'une vie est de décider ce qui est important et ce qui ne l'est pas.
MONTHERLANT, les Olympiques, p. 318, *in* T. L. F.

Absolt. *Décider à tort et à travers, à la légère, par le sort*. Aimer à décider* (→ Académie, cit. 1).

7 Quand l'eau courbe un bâton, ma raison le redresse :
La raison décide en maîtresse. LA FONTAINE, Fables, VII, 18.

8 (...) la foule décide bien moins par ce qu'elle voit que par ce qu'on lui dit être le jugement de la foule. MICHELET, la Femme, p. 45.

9 Mon tourment est plus profond encore; il veut également de ce que je ne puis décider avec assurance : le bien est ici, de ce côté, le mal est là.
GIDE, Journal 1939-1949, 12 janv. 1941.

♦ **2.** Arrêter, déterminer (ce qu'on doit faire). ⇒ **Décision** (prendre une décision); **arrêter, choisir, fixer, résoudre.** *Que décidez-vous? Décider la perte de qqn. Exécuter ce qu'on a décidé. Décider un plan, un programme d'action, de travail. Décider un mariage.*

10 L'autorité s'exerce. Elle ne défère point. Elle seule discute son droit, limite son domaine et décide son action. Pierre LOUŸS, les Aventures du roi Pausole, V.

10.1 Tenir un agenda : écrire pour chaque jour ce que je devrai faire dans la semaine, c'est diriger sagement ses heures. On décide ses actions soi-même; on est sûr, les ayant résolues d'avance et sans gêne, de ne point dépendre chaque matin de l'atmosphère. GIDE, Paludes, *in* Romans, Pl., p. 96.

11 Jerphanion s'interroge, moins sur ce qu'il va décider que sur le retentissement intérieur de la décision, sur l'indice dont elle marquera son destin.
J. ROMAINS, les Hommes de bonne volonté, t. IV, XV, p. 157.

12 Quand les chirurgiens ont décidé l'amputation, ils n'attendent pas un mois pour prendre le couteau.
G. DUHAMEL, Chronique des Pasquier, la Passion de J. Pasquier, VIII, p. 429.

DÉCIDER QUE... suivi de l'indicatif (ou du conditionnel). *Il décide qu'il n'ira pas travailler; il a décidé qu'il n'irait pas travailler.*

13 À combien d'enfants serait utile la loi qui déciderait que c'est le ventre qui anoblit!
LA BRUYÈRE, les Caractères, XIV, 11.

14 L'assemblée décidait que l'échafaud serait dressé de nouveau sur la place de la Révolution. FRANCE, Les dieux ont soif, p. 343.

15 Musgrave décida avec courage que les travailleurs n'auraient pas de repos et se contenteraient de prendre, tout en coltinant, un léger repas sur le pouce.
A. MAUROIS, les Discours du Dr O'Grady, VII.

DÉCIDER QUE et subj. (emploi critiqué mais attesté, surtout au passif). *J'ai décidé qu'on y aille.*

DÉCIDER suivi d'une interrog. indir. *Je n'ai pas décidé si je reste, qui j'emmène, lequel je prends.*

♦ **3.** Absolt. Prendre une décision, les décisions; être en mesure de décider. *Délibérer, décider et exécuter. Je vous laisse décider pour moi. C'est moi (toi, lui, elle) qui décide. C'est nous qui déciderons en dernier ressort. Qui est-ce qui décide, ici?* ⇒ **Commander.**

15.1 C'est moi qui mène la barque, c'est moi qui décide.
F. MAURIAC, la Pharisienne, p. 41.

★ **II.** V. tr. ind. ♦ **1.** Décider de qqch. (Sujet n. de personne). Disposer en maître, par son jugement sur son jugement. ⇒ **Arrêter, disposer, fixer, ordonner.** *Le chef de l'État décide de la paix et de la guerre. Peuple qui décide de son statut politique* (⇒ **Autodétermination**). *Cet événement a décidé de son sort. Lui seul décide de sa fortune. L'arbitre décidera de la régularité des coups.* ⇒ **Arbitrer, juger.** *Décider de tout.*

16 (...) ces gens qui décident toujours et parlent hardiment de toutes choses sans s'y connaître (...) MOLIÈRE, Critique de l'École des femmes, 5.

(Sujet n. de chose). Déterminer, être la cause principale. *Le hasard décide de tout.*

17 Trois degrés d'élévation du pôle renversent toute la jurisprudence, un méridien décide de la vérité; en peu d'années de possession, les lois fondamentales changent, le droit a ses époques, l'entrée de Saturne au Lion nous marque l'origine d'un tel crime. PASCAL, Pensées, V, 294 (→ Climat, cit. 3).

18 Sa sacrée Majesté le Hasard décide de tout.
VOLTAIRE, Lettres, à M. Mariott, 26 févr. 1767.

19 L'occasion, le désir de s'avancer, décident de l'état qu'on choisit.
ROUSSEAU, Julie ou la Nouvelle Héloïse, V, Lettre II.

20 Il y a des progrès qui s'accomplissent obscurément et qui pourtant décident de l'avenir d'une classe et transforment une société.
FUSTEL DE COULANGES, la Cité antique, IV, VII.

21 La guerre n'est point un art, et le hasard décide seul du sort des batailles.
FRANCE, Les dieux ont soif, p. 203.

22 N'avez-vous pas remarqué (...) que les actions les plus décisives de notre vie, je veux dire : celles qui risquent le plus de décider de tout notre avenir, sont le plus souvent des actions inconsidérées? GIDE, les Faux-monnayeurs, III, XV, p. 460.

Décider de, suivi de l'inf. : prendre la résolution de, la détermination de. *Ils ont décidé de travailler. Décidons de nous retrouver ce soir.*

23 La voilà arrivée dans la cohue de ce grand magasin sans qu'elle se soit aperçu du moment où elle décidait d'y venir.
J. ROMAINS, les Hommes de bonne volonté, t. IV, XVII, p. 191.

24 J'ai décidé de rire dorénavant le moins possible, à cause de mes rides.
MONTHERLANT, les Jeunes Filles, p. 149.

En décider : trancher, prendre une décision définitive sur. *Nous en déciderons plus tard.*

♦ **2.** *Décider sur :* trancher, se prononcer sur. *Décider sur un point litigieux. Décider hardiment sur la valeur d'une œuvre.*

24.1 Je conseille à ces messieurs de ne plus décider si légèrement sur les ouvrages des anciens. RACINE, Iphigénie, Préface.

★ **III.** V. tr. dir. *(Décider qqn).* ♦ **1.** (Avec un compl. second en *à*). *Décider qqn à qqch., à l'action, au départ.* — (Suivi de l'inf.). *Décider qqn à faire qqch. Nous l'avons enfin décidé à venir.*

25 Il n'y a que cette raison-là qui puisse me décider à te quitter, répondit Landry (...)
G. SAND, la Petite Fadette, XXXII, p. 212.

26 Aussi comme je ne voulais pour rien partir seul ce voyage d'Italie, je décidai à m'accompagner mon ami Paul Pavilly.
MAUPASSANT, les Sœurs Rondoli, I, Pl., p. 135.

27 Il est difficile de décider trois propriétaires mitoyens à vendre (...)
J. ROMAINS, les Hommes de bonne volonté, t. V, XXII, p. 182.

REM. L'emploi au passif peut résulter de la transformation de cet emploi trans. ou du pronominal (→ Se décider, ci-dessous, B., 2.). *Être décidé à partir* (s'être décidé ou avoir été décidé par qqn).

28 Eh bien!... si je savais qu'il existe quelque part une société secrète de gens qui aient en gros le même but que moi, et décidés à tout, je ferais des pieds et des mains pour y entrer. J. ROMAINS, les Hommes de bonne volonté, t. IV, X, p. 100.

Être décidé à ce que (et subj.). *«Je suis bien décidé à ce qu'il m'entende»* (Hanse).

♦ **2.** *Décider qqn,* l'amener à faire qqch., à agir, à se déterminer. *Il faudra d'abord le décider. Il sera difficile à décider.*

29 Mais il ne se donnerait la peine de décider son client que si l'on pouvait marcher à coup sûr. C'était à prendre ou à laisser.
J. ROMAINS, les Hommes de bonne volonté, t. V, XXII, p. 180.

▶ **SE DÉCIDER** v. pron.

A. (Passif). Être tranché, résolu. *La question s'est décidée après une longue discussion.*

B. (Réfléchi). ♦ **1.** Prendre une décision. *Ne pas oser se décider* (→ Se tâter le pouls*). *Se décider à la légère.* ⇒ **Hasarder** (se). *Il faut bien se décider.* ⇒ **Finir** (en finir); → Franchir le pas* (1. Pas), sauter le fossé*. *Se décider après avoir longtemps hésité. Allons, décidez-vous!*

30 Les protestants sont généralement mieux instruits que les catholiques. Cela doit être : la doctrine des uns exige la discussion, celle des autres la soumission. Le catholique doit adopter la décision qu'on lui donne; le protestant doit apprendre à se décider. ROUSSEAU, les Confessions, II.

31 Il faut se décider, agir et se taire. B. CONSTANT, Journal intime, p. 177.

♦ **2.** *Se décider à :* prendre la décision de. ⇒ **Résoudre** (se résoudre à); **parti** (prendre le parti de...), **solution** (adopter telle solution). *Il se décide à faire ce travail.*

32 Même mon insomnie m'apparaissait, cette nuit, comme une forme de perplexité, une difficulté de me décider à dormir.
GIDE, Journal, Neuchâtel, janv. 1912, p. 358.

33 Puis, comme s'il se ressaisissait, Philip se recula, toussa légèrement, et se décida enfin à partir. MARTIN DU GARD, les Thibault, t. III, p. 138.

Par anal. *Cette voiture ne se décide pas à partir.* (Aux temps comp. et au passif → ci-dessus, III., 1.).

♦ **3.** *Se décider pour :* donner la préférence à, prendre parti pour (qqn, qqch.). ⇒ **Opter** (pour), **prononcer** (se prononcer pour). *Se décider pour tel ou tel parti.*

34 Il n'a encore choisi aucune *(photo).* Il écarte de nouveau le paquet. Entre deux doigts, il en pince une, au hasard, comme un enfant qui a longtemps hésité se décide brusquement pour un des nombreux gâteaux d'une pâtisserie (...)
J. ROMAINS, les Hommes de bonne volonté, t. II, p. 189.

C. (Récipr.). *Ils se sont décidés mutuellement.*

▶ **DÉCIDÉ, ÉE** p. p. adj. ⇒ **Décidé**, adj, et ci-dessus, III., 1.

CONTR. Atermoyer, balancer, barguigner, délibérer, flotter, hésiter, tâter (se), tergiverser, vaciller.

DÉR. Décidable, décideur.

DÉCIDEUR [desidœʀ] n. m. et adj. — 1969 ; de *décider*, probablt d'après l'angl. *decider*.

♦ Didact. (Théorie de la décision). Celui qui décide. *Les stratégies possibles du décideur.* — Cour. Polit., admin. Personne physique ou morale ayant le pouvoir de décision (en matière d'environnement, d'aménagement du territoire). *Les « vrais problèmes sont ailleurs (...) dans la sphère des "décideurs" (banquiers et promoteurs) »* (*le Nouvel Obs.*, 28 août 1972).
Adj. *Organisme décideur.* — Le fém. *décideuse* est virtuel.

DÉCIDUALE [desidɥal] adj. et n. f. — 1929, adj. ; du lat. sav. *decidualis* « relatif à la caduque », de *decidua* « caduque », de *deciduus* « qui tombe ».

♦ Anat. *Membrane déciduale*, ou, n. f., *la déciduale :* la membrane caduque. ⇒ **Caduc,** 4., a. — On trouve aussi la forme *décidue,* n. f. (1970).

DÉCIGRADE [desiɡʀad] n. m. — 1922 ; de *déci-,* et *grade.*

♦ Didact. Dixième partie du grade. Symb. *dgr.*

DÉCIGRAMME [desiɡʀam] n. m. — 1795 ; de *déci-,* et *gramme.*

♦ Dixième partie du gramme. Symb. *dg.*

DÉCILAGE [desilaʒ] n. m. — 1951 ; de *décile.*

♦ Didact. (statist.). Division d'un ensemble ordonné de données statistiques en dix classes d'effectif égal (→ Décile, 2.). — Calcul des déciles (1.). → Centilage.

DÉCILE [desil] n. m. — 1947 ; du rad. du lat. *decem* « dix », probablt par l'angl. *decile,* 1882.

♦ **1.** Chacune des neuf valeurs de la variable au-dessous desquelles se classent respectivement 10 %, 20 %,... 90 % des éléments d'une distribution statistique. *Le cinquième décile se confond avec la médiane.*

♦ **2.** Chacune des classes résultant de la division, en dix classes d'effectif égal, d'un ensemble statistique ordonné. → Centile, quartile.
DÉR. Décilage.

DÉCILITRE [desilitʀ] n. m. — 1795 ; de *déci-,* et *litre.*

♦ Dixième partie d'un litre. Symb. *dl*
DÉR. V. Déci.

DÉCIMAL, ALE, AUX [desimal, o] adj. et n. f. — 1520, « qui concerne un sur dix » ; dér. sav. du lat. *decimus* « dixième » ; fin XIIIᵉ, « soumis à la dîme » ; lat. médiéval *decimalis* « qui possède le droit de lever la dîme », de *decimus.*

♦ **1.** Qui procède par dix ; qui a pour base le nombre dix. *Numération décimale,* dans laquelle les unités vont en croissant ou en décroissant de dix en dix (⇒ **Numération**). *Nombre décimal,* composé d'une partie entière et d'une partie décimale. *5,25 est un nombre décimal. Calcul décimal. Fraction décimale,* dont le dénominateur est une puissance de dix. *Logarithmes* décimaux. Système décimal :* système de poids et mesures dans lequel les multiples et les sous-multiples des unités sont des puissances décimales de ces unités. ⇒ **Métrique** (système métrique).
N. f. *Une décimale :* chacun des chiffres placés après la virgule, dans un nombre décimal. *3,25 a deux décimales ; 2 est la première décimale, 5 la seconde* (ou *deuxième*) *décimale.* — REM. Au Canada (comme dans les pays anglo-saxons), les *décimales* suivent le point (3.25 ; $ 10,000.30).

♦ **2.** Méd. homéopathique. Se dit d'une préparation où le rapport entre les quantités de médicament et d'excipient utilisé est de 1/10ᵉ. *Dilution, trituration décimale.* ⇒ **Dilution, trituration.**
N. f. *Une décimale :* une dilution, une trituration décimale.
Par ext. *Procédé, méthode décimale,* qui applique dans la préparation du remède la méthode de dilution ou de trituration décimale.
DÉR. Décimaliser, décimalité. — V. Décimalisation.

DÉCIMALE [desimal] n. f. ⇒ **Décimal.**

DÉCIMALISATION [desimalizasjɔ̃] n. f. — 1897 ; *Année sc. et industr.* 1898, p. 21 ; repris mil. XXᵉ, sous l'influence de l'angl. ; de *décimal* ou *décimaliser.*

♦ Didact. Action de décimaliser ; son résultat.

DÉCIMALISER [desimalize] v. tr. — 1907 ; repris mil. XXᵉ, sous l'influence de l'angl. *to decimalize ;* de *décimal.*

♦ Didact. Appliquer le système décimal à (une mesure, un ensemble de mesures). *« 50 à 75 % du commerce* (britannique) *seront décimalisés dès lundi »* (*le Monde,* 9 févr. 1971).
DÉR. Décimalisation.

DÉCIMALITÉ [desimalite] n. f. — 1877 ; de *décimal.*

♦ Didact. Caractère décimal (d'un système).

DÉCIMATEUR [desimatœʀ] n. m. — 1542 ; du lat. pop. *decimator,* du supin de *decimare.* → Décimer.

♦ Hist. Personne qui percevait la dîme dans une paroisse et devait participer aux frais d'entretien de celle-ci. — Rare. Personne qui décime.

DÉCIMATION [desimasjɔ̃] n. f. — XVIᵉ ; « dîme », XIIᵉ ; lat. *decimatio,* du supin de *decimare.* → Décimer.

♦ **1.** Antiq. rom. Action de décimer (1.) ; son résultat. *Ville condamnée à la décimation.*

♦ **2.** Par ext. Action de décimer (2.) ; son résultat.
Par la décimation et la dissociation des régiments, des unités, par la disparition de la discipline qui le cimentait, tout un *ordre militaire* est complètement désagrégé. Jean RICARDOU, Un ordre dans la débâcle, *in* Claude SIMON, la Route des Flandres, p. 282.

1. DÉCIME [desim] n. f. — XVᵉ ; « dîme », XIIIᵉ ; lat. *decima (pars)* « dixième (partie) », de *decem* « dix ».

♦ Hist. Sous l'Ancien Régime, Taxe perçue par le roi sur les revenus du clergé. *Les receveurs et contrôleurs des décimes.*
Clément IV accordait à saint Louis une décime sur le clergé (...) VOLTAIRE, Essai sur les mœurs, 58.
REM. On rencontre ce mot au masculin, chez les historiens, depuis le XIXᵉ s. (cf. T. L. F.).

2. DÉCIME [desim] n. m. — 1795 ; lat. *decimus* « dixième », de *decem* « dix ».

♦ **1.** Vx. Dixième partie du franc. *Un décime vaut dix centimes.*

♦ **2.** (XIXᵉ ; cf. le sens initial « dîme »). Dr. fisc. Majoration d'un décime par franc, sur un impôt, une amende fiscale. *Le principal et les décimes. Décime de guerre. Décime sur les spectacles. Double décime.*

DÉCIMER [desime] v. tr. — XVᵉ ; lat. *decimare* « mettre à mort une personne sur dix », de *decem* « dix ».

♦ **1.** Antiq. rom. Mettre à mort une personne sur dix, désignée par le sort. *Décimer une armée. Décimer les habitants d'une ville conquise.*
Comme il n'était pas possible de faire mourir tous les coupables on les décimait par le sort, et celui dont le nom était tiré le dixième était mis à mort. ROLLIN, Histoire ancienne, XI, 2, 477, *in* LITTRÉ. [1]

♦ **2.** (1793). Cour. Faire périr un grand nombre de personnes dans (une population, un groupe, un lieu...). ⇒ **Anéantir, détruire, exterminer, faucher, tuer.** *L'épidémie a décimé cette ville. Les guerres modernes déciment les populations civiles.* — Pron. *Ces tribus se sont décimées au cours de guerres continuelles.* — P. p. adj. *Armées décimées par l'attaque ennemie* (→ ci-dessous, cit. 3).
Si du moins au hasard il *(le malheur)* décimait les hommes, Ou si sa main tombait sur tous tant que nous sommes, Avec d'égales lois ! LAMARTINE, Méditations, I, 7, « Désespoir ». [2]
Que cette noblesse française était étrange ! Tantôt fidèle, dévouée, prête à verser son sang, décimée à Crécy, décimée à Poitiers, décimée à Azincourt ; tantôt insoumise et dressée contre l'État. J. BAINVILLE, Hist. de France, VII, p. 121. [3]
De quoi sont composés ces régiments qui, dans les rues de Moscou, ont sauvagement décimé, par leurs fusillades, le prolétariat révolutionnaire ! MARTIN DU GARD, les Thibault, t. V, p. 86. [4]
Le Père qui dirige l'importante mission de Liranga, malade, a dû quitter son poste le mois dernier pour aller se faire soigner à Brazzaville emmenant avec lui les enfants les plus malades de cette contrée que décime la maladie du sommeil. GIDE, Voyage au Congo, *in* Souvenirs, Pl., p. 707. [5]
DÉR. Décimation.

DÉCIMÈTRE [desimɛtʀ] n. m. — 1793 ; de *déci-,* et *mètre.*

♦ **1.** Dixième partie d'un mètre (abrév. : dm). *Décimètre carré :* superficie équivalent à un carré de 1 décimètre de côté (abrév. : dm²). — *Décimètre cube :* volume équivalent à un cube ayant un décimètre d'arête (abrév. : dm³).

♦ **2.** Règle graduée en centimètres et en millimètres. *Tracer une* *figure à l'aide d'un décimètre. Double décimètre :* cette règle d'une longueur de 2 décimètres.

DÉR. **Décimétrique.**
COMP. **Double-décimètre.**

DÉCIMÉTRIQUE [desimetʀik] adj. — 1836 ; de *décimètre.*

♦ Didact. (sc.). Dont la longueur est de l'ordre du décimètre. *Ondes décimétriques.*

DÉCIMO ou **DECIMO** [desimo] adv. — 1863 ; lat. *decimo (loco)* « en dixième (lieu)», ablatif de *decimus* «dixième ».

♦ Didact. Dixièmement.

DÉCINTRAGE [desɛ̃tʀaʒ] ou **DÉCINTREMENT** [desɛ̃tʀəmɑ̃] n. m. — 1863, *décintrage ; décintrement,* 1798 ; de *décintrer.*

♦ Techn. Action de décintrer ; son résultat. *Décintrage d'une arcade. Décintrement d'une voûte.*

DÉCINTRER [desɛ̃tʀe] v. tr. — 1680 ; de 1. *dé-,* et *cintrer.*

♦ Archit. *Décintrer une voûte, un arc,* les dégarnir des cintres qui ont servi à leur construction.

DÉR. **Décintrage** ou **décintrement.**

DÉCISIF, IVE [desizif, iv] adj. — 1413 ; du lat. *decisivus,* de *decisum,* supin de *decidere.* → Décider.

♦ **1.** (Choses). Qui décide. ⇒ **Capital, déterminant, important, prépondérant, principal.**
Dr. *Jugement décisif* (⇒ **Décisoire**). *La pièce décisive d'un procès. Le point décisif d'un litige. Arrêt décisif.*

1   Un arrêt aussi favorable et aussi décisif que celui-ci (...)
     BOURDALOUE, le Mystère de la Passion de J.-C., I, p. 247.

Cour. Qui résout une difficulté, indique une solution ; qui entraîne la conviction, tranche un débat. ⇒ **Concluant, convaincant, irréfutable, péremptoire.** *Apporter une preuve décisive dans une discussion. Un argument décisif. L'expérience décisive qui assoit une hypothèse.* ⇒ **Crucial.**
Qui conduit à un résultat définitif, capital. *Bataille* (cit. 8) *décisive,* qui met fin au combat (→ Combat, cit. 1). *Frapper le coup décisif,* le coup qui décide de la victoire. ⇒ **Définitif, dernier.** *Intervention décisive. Appoint* (cit. 4) *décisif. Avoir une influence décisive sur la vie de qqn. Prendre des mesures décisives* (→ Abîme, cit. 20). *Vivre des heures décisives. Le moment* décisif approche.*

2   Le comte : Gardez-vous bien de lui parler de la lettre. — Bartholo : Avant l'instant décisif ? elle perdrait tout son effet (...)
     BEAUMARCHAIS, Le Barbier de Séville, III, 2.
3   La compagnie, par ses nombreuses maisons en province, eut une influence décisive sur l'éducation du clergé français (...)
     RENAN, Souvenirs d'enfance..., IV, p. 158.
4   Or, à l'heure la plus décisive de sa vie, Jenny s'était cachée d'elle (...)
     MARTIN DU GARD, les Thibault, t. VIII, p. 63.

Mots décisifs (→ Appartenir, cit. 28).

♦ **2.** (Personnes). Vx. Qui décide hardiment, avec un air d'autorité, d'importance. ⇒ **Affirmatif, décidé, dogmatique, important, magistral, péremptoire, tranchant.**

5   *(Ils)* sont (...) vifs, hardis et décisifs avec ceux qui ne savent rien.
     LA BRUYÈRE, les Caractères, IX, 50.

Par ext. Qui annonce la décision, l'autorité. *Ton décisif.*

6   Si j'étais plus sûr de moi-même, j'aurais pris avec vous un ton dogmatique et décisif ; mais je suis homme ignorant, sujet à l'erreur : que pouvais-je faire ?
     ROUSSEAU, *in* P. LAROUSSE.

CONTR. **Accessoire, dérisoire, négligeable, secondaire.** — **Hésitant, indécis.**
DÉR. **Décisivement.**

DÉCISION [desizjɔ̃] n. f. — 1314 ; lat. *decisio,* de *decisum,* supin de *decidere.* → Décider.

♦ **1.** Action de décider (I., 1.), de juger un point litigieux ; son résultat. ⇒ **Arrêt, conclusion, décret, délibération, édit, jugement, juger** (bien jugé), **ordonnance, règlement, résolution, sentence, ukase, verdict.** *Soumettre un cas de conscience, une question délicate à la décision de qqn. La décision appartient à l'arbitre.* ⇒ **Arbitrage.** *L'arbitrage a la décision,* le pouvoir de décider.

♦ **2.** Jugement qui apporte une solution. *Décision judiciaire :* résultat du délibéré d'un tribunal sur un procès qu'il doit juger ; ordonnance rendue par un magistrat. *Les décisions des tribunaux* (⇒ **Jurisprudence**). *Rendre des décisions dans un débat judiciaire. Prendre une décision qui annule une décision antérieure* (⇒ **Cassation ; déjuger**).
Décision administrative. ⇒ **Décret ; arrêté.** *Décision ministérielle, préfectorale.* — *Décision de rejet.* ⇒ **Rejet.** *Décision exécutoire.*

⇒ **Exécutoire.** *Motifs d'une décision. Décision motivée. Le bien-fondé d'une décision. Les Décisions de Justinien* ou *les cinquante décisions.*
Les décisions d'un Concile. ⇒ **Article, canon...**

1   Ne voulant d'autre règle de la foi que les décisions du concile de Nicée.
     FLÉCHIER, Hist. de Théodore, III, 50, *in* LITTRÉ.

Les décisions d'une Assemblée législative. ⇒ **Loi, règlement.**
Les décisions des dieux païens. ⇒ **Oracle.**

Spécialt, techn. (milit.). Document relatant des ordres. ⇒ **Rapport** (réponse au rapport).

♦ **3.** Fin de la délibération dans un acte volontaire qui entraîne le choix de l'action. ⇒ **Choix, conclusion, détermination, parti, résolution.** *Prendre une décision.* ⇒ **Décider.** *Incapacité de prendre une décision* (⇒ **Aboulie,** cit. 1). *Prendre la décision de ne plus fumer. Argument, événement qui emporte la décision.* ⇒ **Certitude, conviction.** *Consulter avant d'arrêter sa décision. Justifier, motiver sa décision. Décision réfléchie. Décision irrévocable. Sa décision est bien arrêtée.* → *Il est à cheval* là-dessus. Prendre une décision à la légère.* ⇒ **Caprice.** *Décision hasardeuse. Une décision s'impose. Ne pas hésiter à prendre une décision énergique* (→ Faire le saut*, sauter* le pas, le fossé, ne faire ni une* ni deux, couper, trancher dans le vif*). *S'en tenir à sa décision. Forcer une décision. Obliger qqn à prendre une décision* (→ Mettre au pied du mur* ; arracher, cit. 36). *Peser* (cit. 24) *sur la décision d'autrui.*

2   (...) car on sentait que, la décision prise, tous devaient concourir à son exécution, que plus la position devenait périlleuse, plus il y fallait de courage (...)
     Ph. P. SÉGUR, Hist. de Napoléon, VI, 2, *in* LITTRÉ.
2.1   Généralement, dès qu'il avait pris une décision, la décision contraire lui paraissait à partir de ce moment comme infiniment préférable.
     PROUST, Jean Santeuil, Pl., p. 412.
3   À ce moment, il se rend compte que sa décision est prise ; que demain matin rien ne pourra l'empêcher de se lever de bonne heure, de soigner sa toilette, d'aller chez le commissaire. Mais il veut savoir pourquoi il faut y aller.
     J. ROMAINS, les Hommes de bonne volonté, t. II, p. 125.
4   Vous n'avez qu'à écouter, qu'à recevoir mes ordres, — à vous conformer à mes décisions irrévocables.
     F. MAURIAC, Thérèse Desqueyroux, IX, p. 162.
5   Tout geste est une décision. Respirer, c'est opter.
     G. DUHAMEL, Récits des temps de guerre, II, p. 10.

Aviat. *Hauteur de décision :* hauteur à laquelle le pilote doit obligatoirement voir le sol pour être autorisé à atterrir. *Vitesse de décision :* vitesse au sol au-dessus de laquelle le décollage doit obligatoirement être poursuivi.

Cybern. Choix du comportement optimal en fonction des informations disponibles. *Théorie de la décision et théorie des jeux.* ⇒ **Stratégie.** *Organes de décision :* ensemble des circuits d'un calculateur où s'élaborent les choix.

(1957, *in* Blanché). Log. *Problème de la décision :* question de la décidabilité d'un système.

5.1   Et surtout il existe un système d'opérations portant non pas sur la connaissance des structures, mais sur le réglage des forces à disposition, et la théorie des jeux lui a donné un statut sous le nom de «décision» : c'est la volonté, dont l'explication n'a cessé de faire problème et d'intéresser la dialectique chez les psychologues.
     J. PIAGET, Épistémologie des sciences de l'homme, p. 328.

♦ **4.** Résultat final d'une affaire. ⇒ **Solution.** *Attendre la décision. Se battre jusqu'à une décision.*

Et plus d'une année se passe sans amener la «décision».
6   PROUST, À la recherche du temps perdu, t. XII, p. 190.

Milit. Issue d'un combat, d'une guerre.

♦ **5.** Qualité du caractère d'une personne, qui consiste à ne pas s'attarder inutilement dans la délibération et à ne pas changer sans motif ce qu'on a décidé. ⇒ **Audace, caractère, courage, énergie, fermeté, hardiesse, volonté.** *Agir avec décision. Faire preuve d'un esprit de décision. Il a de la décision. Un air, un ton de décision* (⇒ **Décidé, décisif**).

7   M. de la Rochefoucauld était doux, complaisant, agréable, insinuant ; et il n'avait pas cet air de décision et d'autorité qu'avait M. de Montausier.
     SEGRAIS, Mémoires, t. II, p. 49, *in* LITTRÉ.
8   L'Assemblée semblait avoir perdu toute vertu de décision, et ses décrets étaient purement négatifs.
     JAURÈS, Hist. socialiste..., t. IV, p. 131.
9   Me sentir regardé, jugé, admiré, stimulait toutes mes facultés, exaltait mon audace, mon esprit de décision, le sentiment de ma puissance, donnait à ma volonté un élan irrésistible.
     MARTIN DU GARD, les Thibault, t. IX, p. 250.

CONTR. **Atermoiement, délibération, hésitation, incertitude, indécision, indétermination, irrésolution, perplexité, tergiversation, vacillation.**
DÉR. **Décisionnaire, décisionnel.**
COMP. **Indécision.** — **Macrodécision.**

DÉCISIONNAIRE [desizjɔnɛʀ] adj. — XVIIIᵉ, Montesquieu ; de *décision.*

♦ Rare (un ex. chez Valéry). Qui décide avec autorité.

DÉCISIONNEL, ELLE [desizjɔnɛl] adj. — 1964 ; de *décision,* d'après l'angl. *decisional,* 1883.

♦ Didact. De décision. *La fonction décisionnelle. « Les usines (...)*

dépendent souvent de centres décisionnels installés à Paris ou à l'étranger » (*l'Express,* 14 févr. 1981, p. 64).

Cybern. *Analyse d'une activité complexe en unités décisionnelles discrètes. Charge décisionnelle :* nombre total de décisions à prendre par seconde, dans une situation et pour un opérateur donnés.

DÉCISIVEMENT [desizivmã] adv. — XVIe ; de *décisif*.

Rare. D'une manière décisive. *Juger décisivement de qqch.*

DÉCISOIRE [desizwaʀ] adj. — 1380 ; du lat. médiéval *decisorius,* du supin de *decidere.* → Décider.

♦ **1.** Dr. Qui décide, entraîne la décision dans un procès. *Serment décisoire :* serment déféré par l'une des parties à l'adversaire pour en faire dépendre la solution du litige.

Le serment judiciaire est de deux espèces : 1° Celui qu'une partie défère à l'autre pour en faire dépendre le jugement de la cause : il est appelé décisoire (...)
     Code civil, art. 1357, 1°.

♦ **2.** Philos. Qui résulte d'une libre décision de l'esprit.

♦ **3.** Log. *Compréhension décisoire :* ensemble des caractères constituant la définition d'un concept.

DÉCISTÈRE [desistɛʀ] n. m. — 1795 ; de *déci-*, et *stère*.

♦ Didact. Dixième partie du stère. Symb. *dst.*

DÉCISTHÈNE [desistɛn] n. m. — Déb. XXe ; de *déci-*, et *sthène*.

♦ Didact. Dixième partie d'un sthène. Symb. *dsn.*

DÉCIVILISER [desivilize] v. tr. — 1792 ; de 1. *dé-*, et *civiliser*.

♦ Littér. Faire cesser d'être civilisé (qqn, une communauté). — Pron. *Peuple qui se décivilise.*

Il faudrait d'abord étudier comment la colonisation travaille à déciviliser le colonisateur, à l'abrutir au sens propre du mot, à le dégrader (...)
     Aimé CÉSAIRE, Discours sur le colonialisme, p. 11.

CONTR. Civiliser.

DÉCIZE [desiz] n. f. — 1838, *decise* « courant descendant, fil de l'eau » ; terme franco-provençal (nombreuses variantes attestées — Suisse, Lyonnais, Dauphiné — aux sens de « descente, descente d'un cours d'eau »...) ; lat. *descensa*, de *descendere.* → Descendre.

Régional.

♦ **1.** Descente (du Rhône) en bateau. — *À la décize* (A. Arnoux, *in* T. L. F.) : en aval.

♦ **2.** (1845). Bateau à fond plat, en usage sur la Loire.

DECK [dɛk] n. m. — 1925 ; angl. *deck*, même sens, d'abord « couverture, revêtement, toit », emprunt au moyen néerlandais *dec.*

♦ Mar. (vx). Anglic. Pont (d'un bateau).

(...) le 8 novembre, quand le *Columbia* appareille, il est en train d'installer sa cahute sur le pont (...) Comme il se dresse sur la pointe des pieds et fait un effort, son pantalon se tend et il perd un bouton de sa brayette. C'est un bouton de cuivre qui roule sur le deck. Aussitôt un affreux chien jaune se précipite et le lui rapporte.
     B. CENDRARS, l'Or, éd. Grasset, p. 59-61.

DÉCLAMATEUR, TRICE [deklamatœʀ, tʀis] n. et adj. — 1519 ; lat. *declamator* « celui qui s'exerce à la parole », du supin de *declamare.* → Déclamer.

♦ **1.** N. m. Antiq. rom. Rhéteur qui composait et déclamait des exercices oratoires (⇒ **Déclamation**).

1 Les noms de déclamateurs et de sophistes n'avaient point alors l'acception défavorable qu'on y attacha depuis.
     DIDEROT, Règne de Claude et Néron, I, 1, *in* LITTRÉ.

♦ **2.** Vx. Personne qui récite (un discours, des vers) en déclamant. *C'est un excellent déclamateur. Une brillante déclamatrice.* — Adj. :

2 (...) et, s'il *(le prédicateur)* s'écarte de ces lieux communs il n'est plus populaire, il est abstrait ou déclamateur, il ne prêche plus l'Évangile.
     LA BRUYÈRE, les Caractères, XV, 26.

Mod. et péj. Orateur, écrivain emphatique, qui débite ou écrit des choses banales. ⇒ **Phraseur ;** → Orateur, cit. 3. *Style de déclamateur :* style ampoulé, boursouflé. *Déclamateur ennuyeux, ridicule* (→ Arrêter, cit. 24).

3 (...) Faisons taire
Cet ennuyeux déclamateur.
Il cherche de grands mots, et vient ici se faire,
Au lieu d'arbitre, accusateur.   LA FONTAINE, Fables, X, 1.

---

4 (...) ceux-ci le virent *(Danton)* avec surprise, ôter le masque du violent, du furieux, du déclamateur, et montrer le politique.
     MICHELET, Hist. de la Révolution franç., II, p. 85.

DÉCLAMATION [deklamasjɔ̃] n. f. — 1375 ; lat. *declamatio* « exercice de la parole », du supin de *declamare.* → Déclamer.

♦ **1.** Antiq. rom. Exercice d'éloquence que les rhéteurs romains composaient et débitaient.

1 Déclamation est un mot connu dans Horace (...) on appelait ainsi des compositions par lesquelles on s'exerçait à l'éloquence.
     ROLLIN, Œuvres, t. XI, 2, p. 692, *in* LITTRÉ.

♦ **2.** Mod. Art de déclamer. ⇒ **Éloquence, oratoire** (art oratoire), **rhétorique.** *Déclamation oratoire, théâtrale. Professeur de chant et de déclamation. Conservatoire de musique et de déclamation. Avoir une bonne déclamation. Déclamation froide, fausse, exagérée, outrée. Déclamation proche du chant.* ⇒ **Récitatif.**

2 (...) certaine habitude de déclamation qui fait que l'on dirait qu'ils chantent (...)
     MOLIÈRE, Monsieur de Pourceaugnac, II, 10.

3 La déclamation exige d'articuler parfaitement, de prononcer clairement et de dire juste.
     Louis JOUVET, Réflexions du comédien, p. 145.

♦ **3.** Emploi de phrases pompeuses, emphatiques (semblables à celles que déclame un acteur). *Tomber dans la déclamation. Discours plein de déclamations.* ⇒ **Enflure ; emphase.** *Déclamation de place publique.* — Par métonymie. Phrase, discours emphatique, redondant.

4 (...) ils ont contracté du barreau certaine habitude de déclamation (...)
     MOLIÈRE, Monsieur de Pourceaugnac, II, 10.

5 Ennemi de l'enflure et des grands airs, il *(Girardin)* a aidé à désabuser de bien des déclamations en vogue (...)   SAINTE-BEUVE, Causeries du lundi, t. I, p. 17.

6 Il entama ensuite de longues déclamations sur la gravité de mes nouveaux devoirs (...)   Alphonse DAUDET, le Petit Chose, V, p. 57.

7 À côté de Gœthe (...) Musset *(est)* un collégien sous la fenêtre de sa belle. Je ne parle pas de Lamartine dont la redondante déclamation est ennuyeuse (...)
     Léon DAUDET, la Femme et l'Amour, II, p. 52.

CONTR. Naturel, simplicité, sobriété (d'un discours).

DÉCLAMATOIRE [deklamatwaʀ] adj. — 1549 ; du lat. *declamatorius* « relatif à l'exercice de la parole », de *declamator.* → Déclamateur.

♦ **1.** Didact. et rare. Qui se rapporte à la déclamation (2.)

0.1 Après l'achèvement de cette séance inattendue, la tragédienne Adinolfa voulut expérimenter au point de vue déclamatoire l'acoustique de la place des Trophées (...) elle monta sur la scène et récita des vers italiens accompagnés d'une impressionnante mimique.   Raymond ROUSSEL, Impressions d'Afrique, p. 304.

♦ **2.** Cour. Pompeux, emphatique. *Ton, style déclamatoire.*

0.2 Flaubert avait lu à ses amis la première version de *La Tentation de saint Antoine.* Ils l'avaient jugée mauvaise et déclamatoire.
     MALRAUX, l'Homme précaire et la Littérature, p. 136.

Nom masculin :

1 (...) peut-être que dans ce que j'ai admiré comme haute poésie et observation pour ainsi dire idéale, il y a du faux, du déclamatoire : revoyons donc cela.
     SAINTE-BEUVE, Correspondance, I, p. 355.

(Des personnes). Littér. ⇒ **Déclamateur.**

2 Il était raisonneur, sophiste, déclamatoire, surtout impertinent. Mais il n'avait pas les insolences des soudards de l'Empire et des régicides apostats de 93.
     BARBEY D'AUREVILLY, les Diaboliques, « À un dîner d'athées ».

CONTR. Discret, naturel, simple, sobre.

DÉCLAMER [deklame] v. — 1542 ; lat. *declamare*, de *de-* intensif, et *clamare.* → Clamer.

♦ **1.** V. tr. — Vx. Réciter à haute voix en marquant, par les intonations qu'exige le sens, l'accent grammatical et l'accent oratoire. *Déclamer des vers.* ⇒ **Dire, réciter, scander.** *Déclamer un poème. Déclamer des prières, des psaumes.* ⇒ **Psalmodier ; chanter.** — Mod. (péj.). Réciter, dire, de manière artificielle et pompeuse. ⇒ **Débiter.**

1 Quel supplice que celui d'entendre déclamer pompeusement un froid discours (...)
     LA BRUYÈRE, les Caractères, I, 7.

2 Souvent elle le priait de lui dire des vers ; Léon les déclamait d'une voix traînante et qu'il faisait expirer soigneusement aux passages d'amour.
     FLAUBERT, Mme Bovary, II, IV.

Absolt. *S'exercer à déclamer.*

3 Oubliant qu'il était malade, coiffé d'un bonnet blanc, vêtu d'un spencer ouaté, il déclamait à tue-tête ; puis, laissant échapper son cahier, il disait d'une voix qu'on entendait à peine : « Je n'en puis plus ; je sens une griffe de fer dans le côté. »
     CHATEAUBRIAND, Mémoires d'outre-tombe, t. II, p. 237.

4 Il *(Fénelon)* a voulu se hausser à la grande éloquence, et il déclame.
     Gustave LANSON, l'Art de la prose.

♦ **2.** Littér. **DÉCLAMER CONTRE...** : parler avec violence contre (qqn ou qqch.). ⇒ **Crier, déblatérer, invectiver.** *Déclamer contre le gouvernement, contre son directeur. Déclamer contre l'injustice, contre les abus d'un régime. Déclamer contre la sottise de qqn.*

5 (...) son malheur *(de la cour)* est grand de voir que (...)
Vous autres beaux esprits vous déclamiez contre elle.
     MOLIÈRE, les Femmes savantes, IV, 3.

6 Tandis que vous déclamez contre la fortune et ma négligence, vous voyez que je

m'informe adroitement de tout ce qui peut assurer notre correspondance et prévenir nos perplexités. ROUSSEAU, Julie ou la Nouvelle Héloïse, I, XX.

DÉCLAMER SUR : parler de (qqch., qqn) avec emphase. *Déclamer sur le patriotisme.*

CONTR. Bafouiller, murmurer. — Encenser.

DÉR. Déclamateur, déclamation, déclamatoire.

DÉCLANCHEMENT [deklãʃmã] n. m. ⇒ **Déclenchement.**

DÉCLANCHER [deklãʃe] v. ⇒ **Déclencher.**

DÉCLARABLE [deklarabl] adj. — 1842 ; de *déclarer.*

♦ Admin. Qui peut ou doit être déclaré. *Objet déclarable en douane.*

DÉCLARANT, ANTE [deklarã, ãt] p. prés., adj. et n. ⇒ **Déclarer.**

DÉCLARATIF, IVE [deklaratif, iv] adj. et n. m. — XIVᵉ ; lat. *declarativus* «qui fait voir, qui manifeste», du supin de *declarare.* → Déclarer.

♦ **1.** Dr. Qui donne déclaration de qqch. *Jugement déclaratif d'absence. Acte, titre déclaratif.*

On oppose déclaratif à attributif : le partage entre héritiers est déclaratif de propriété, c'est-à-dire que le droit de chaque copartageant ne dérive pas de l'acte de partage, mais lui est antérieur. LITTRÉ, Dict., art. *Déclaratif.*

♦ **2.** (XIXᵉ). Ling. ⓐ *Verbes déclaratifs,* «qui énoncent une simple communication *(dire, expliquer...),* par opposition à ceux qui expriment une disposition d'esprit du sujet parlant *(croire, vouloir...)»* (J. Marouzeau, *Lexique de la terminologie linguistique*).

N. m. *Un déclaratif :* un verbe déclaratif. *Proposition infinitive régie par un déclaratif, en latin.*

ⓑ *Phrase déclarative.* ⇒ **Assertif.**

DÉCLARATION [deklarasjõ] n. f. — 1290 ; lat. *declaratio,* du supin de *declarare.* → Déclarer.

♦ **1.** Action de déclarer ; discours ou écrit par lequel on déclare qqch. ⇒ **Déclarer ; affirmation, annonce, assurance, aveu, promesse, révélation.** *Faire une déclaration à qqn sur, à propos de qqch. Suivant sa propre déclaration,* suivant ce qu'il a dit lui-même. ⇒ **Dire, parole.** *Faire une déclaration publique, solennelle, sous serment.* — *Les déclarations de qqn. Sensationnelles déclarations d'un témoin.* ⇒ **Révélation.**

1 Je lui ai fait ma déclaration que je ne pouvais être son ami (...)
LA ROCHEFOUCAULD, Mémoires, *in* LITTRÉ.

2 Si Bloch nous avait fait des professions de foi méchamment antimilitaristes une fois qu'il avait été reconnu «bon», il avait eu préalablement les déclarations les plus chauvines quand il se croyait réformé pour myopie.
PROUST, À la recherche du temps perdu, t. XIV, p. 62.

3 (...) Eugène Spuller (...) avait eu le courage de prononcer son fameux discours sur «l'esprit nouveau» pour répondre loyalement aux déclarations conciliantes du Pape Léon XIII et pour dire que, victorieuse, n'ayant plus rien à craindre pour sa longévité, la République se devait à elle-même de faire une politique de concorde (...) Georges LECOMTE, Ma traversée, p. 181.

Déclaration de (qqch.), faite au sujet de (qqch.). ⇒ **Protestation.** *Déclaration d'amitié* (cit. 25), *d'amour* (→ ci-dessous, 2.). Théol. *La déclaration de ses péchés par le croyant.* ⇒ **Confession.** — Loc. cour. *Déclaration de principes*.* ⇒ **Manifeste, proclamation, profession** (de foi). *«Déclaration des droits de l'homme et du citoyen»* (1791). ⇒ aussi ci-dessous, 3.

♦ **2.** (1660). Aveu qu'on fait à une personne de l'amour qu'on éprouve pour elle. *Elle lui a fait une véritable déclaration. Faire une déclaration à qqn ; faire sa déclaration ; faire des déclarations enflammées.*

4 La déclaration est tout à fait galante (...) MOLIÈRE, Tartuffe, III, 3.

5 Mais, mon Dieu ! c'est bien pis qu'une phrase, c'est une déclaration que vous me faites là. Avertissez au moins : est-ce une déclaration, ou un compliment de bonne année ? A. DE MUSSET, Il faut qu'une porte soit ouverte ou fermée.

6 Il se torturait à découvrir par quel moyen lui *faire sa déclaration ;* et, toujours hésitant entre la crainte de lui déplaire et la honte d'être si pusillanime, il en pleurait de découragement et de désirs. FLAUBERT, Mᵐᵉ Bovary, II, IV.

6.1 D'où l'importance des déclarations ; je veux sans cesse arracher à l'autre la formule de son sentiment, et je lui dis sans cesse de mon côté que je l'aime : rien n'est laissé à la suggestion, à la divination : pour qu'une chose soit sue, il faut qu'elle soit dite ; mais aussi, dès qu'elle est dite, très provisoirement, elle est vraie.
R. BARTHES, Fragments d'un discours amoureux, p. 254.

♦ **3.** Dr. Affirmation orale ou écrite par laquelle on déclare l'existence d'une situation de fait ou de droit. *Déclaration émanant d'un tribunal. Déclaration d'absence. Déclaration d'adjudication. Déclaration de faillite*. Déclaration de la Cour des comptes. Déclaration du jury.* ⇒ **Verdict.** *Déclaration d'utilité publique.* (⇒ **Expropriation**). — Admin. *Déclaration ministérielle,* par laquelle le Premier ministre (naguère, le président du Conseil) désigné par le président de la République indique les lignes générales de son programme devant l'Assemblée nationale. *Déclaration d'intention**

du gouvernement. — *Déclaration émanant de particuliers. Déclarations de command.* ⇒ **Command.** *Déclarations d'état civil* (décès, naissance ; → Accouchement, cit. 1). *Déclaration de changement de domicile. Déclaration de succession*. Déclaration d'expédition.* — *Déclaration d'accident,* adressée après un accident à l'organisme d'assurances qualifié. — *Déclaration en douane* : formalité obligatoire permettant à l'administration des douanes de déterminer les droits de douane applicables à toute marchandise tarifée. ⇒ **Permischef.** Dr. mar. Déclaration faite au bureau des douanes par le capitaine d'un navire dès l'arrivée au port, des marchandises se trouvant à bord.

7 (...) avez-vous rempli et signé la déclaration concernant les objets que vous comptez soumettre à la douane ? G. DUHAMEL, Scènes de la vie future, I, p. 34.

Déclaration fiscale, faite par le contribuable en vue de permettre l'assiette et le recouvrement d'un impôt. *Déclaration, déclaration d'impôts* (même sens). *Faire, rédiger sa déclaration (d'impôts).*

7.1 Est-ce vrai que ton père a rentré une fois trente bouteilles d'eau-de-vie, sans déclaration ? GIRAUDOUX, Provinciales, p. 102.

8 Aujourd'hui, Descartes passerait son précieux temps à répondre aux odieux questionnaires de la Sécurité sociale ou à remplir les absurdes feuilles de «déclarations» qu'exige l'hydre fiscale.
G. DUHAMEL, Manuel du protestataire, III, p. 91.

8.1 (...) Avez-vous calculé combien le fait d'être mariée allège votre déclaration d'impôts, Madame ? Sacha GUITRY, Ils étaient neuf célibataires, p. 164.

Déclarations de témoins. Signer sa déclaration. — *Les déclarations de qqn* (aveux, accusations). → ci-dessus, 1.

9 (...) je dirais, dans l'intérêt d'un tiers, tout ce que je sais de lui, et il sortirait blanc comme neige de ma déclaration.
CHATEAUBRIAND, Mémoires d'outre-tombe, Appendice, t. V, p. 454.

10 J'ai été témoin de la scène (...) l'agent s'était mépris : il n'avait pas été insulté (...) L'agent maintint le marchand en état d'arrestation et m'invita à le suivre au commissariat (...) Je réitérai ma déclaration devant le commissaire.
FRANCE, Crainquebille, III.

Donner à ses créanciers une déclaration de son bien, de son avoir. ⇒ **Énonciation, énumération, état** (détaillé).

Déclaration des droits : document précédant une Constitution qui énonce les droits et les libertés reconnus aux citoyens (→ aussi ci-dessus, 1.). *Déclaration universelle des droits de l'homme.*

Déclaration de guerre, des hostilités : action de déclarer la guerre, commencement des hostilités, dont un pays prend l'initiative.

COMP. Contre-déclaration.

DÉCLARATOIRE [deklaratwar] adj. — 1483 ; dér. savant de *déclarer.*

♦ Dr. Qui déclare juridiquement. *Acte, sentence déclaratoire.*

DÉCLARER [deklare] v. tr. — V. 1250 ; lat. *declarare,* de *de-* intensif, et *clarare* «rendre clair», de *clarus.* → Clair.

♦ **1.** Faire connaître (un sentiment, une volonté, une vérité) d'une façon expresse, manifeste. ⇒ **Affirmer, annoncer, avouer, découvrir, dénoncer, dévoiler, dire, exprimer, indiquer, manifester, montrer, porter** (à la connaissance), **proclamer, professer, publier, reconnaître, révéler, signaler, signifier.** *Déclarer ses sentiments, ses intentions à qqn.* ⇒ **Confier.** — (1661). Spécialt. *Déclarer son amour, sa passion à qqn.* → Déclaration, cit. 6 (et ci-dessous, cit. 5). — *Déclarer son goût pour qqch. Déclarer son ignorance. Il le déclare tout net. Confirmer ce qu'on a déclaré. Revenir sur ce qu'on a déclaré.* ⇒ **Rétracter** (se). *Il le déclare formellement.*

(Avec attribut). *Déclarer qqch. bon.* ⇒ **Préconiser.** *Déclarer qqn perdu. Déclarer coupable un accusé.* ⇒ **Condamner.** *Déclarer une loi injuste, inique, sans valeur... Déclarer la séance ouverte,* l'ouvrir. *Déclarer qqn coupable* (⇒ **Dénoncer**), *coupable* (cit. 2) *de haute trahison. Déclarer qqn en faillite. Déclarer qqn son héritier...* ⇒ **Nommer ;** — *Porter,* coucher sur son testament*.

DÉCLARER QUE... (avec l'indicatif). *Il a déclaré que c'était sûr, certain, décidé.* ⇒ **Assurer, prétendre, promettre.** *Je déclare que je n'accepterai aucun compromis. Je déclare que c'est faux.* ⇒ **Protester** (que...) ; **nier.** — *Déclarer à qqn que... Je lui ai déclaré que j'en avais assez.* — *L'arrêt déclare que...* ⇒ **Porter.**

1 (...) je vous déclare, pour moi, que ce n'est point moi qui me veux battre (...)
MOLIÈRE, Dom Juan, V, 3.

2 Son testament, où il déclare à Dieu le fond de son cœur. RACINE, Port-Royal.

3 Divers articles que je reprends et sur lesquels je vais vous déclarer quelques-unes de mes pensées.
BOURDALOUE, Dim. oct. du St Sacr., Dominic., t. II, p. 301, *in* LITTRÉ.

4 Le malheureux déclara formellement qu'il était las de chasser la casquette (...)
Alphonse DAUDET, Tartarin de Tarascon, IX.

5 (...) le jour où Lucien oserait lui déclarer un amour qu'elle voyait distinctement sous toutes ses timidités. Paul BOURGET, Un divorce, IV, p. 141.

6 Comme il avait déclaré délicieux les premiers de ces chastes rendez-vous, il aurait eu mauvaise grâce à se dérober aux suivants.
J. ROMAINS, les Hommes de bonne volonté, t. V, XX, p. 148.

♦ **2.** Faire connaître (à une autorité) l'existence de (une chose, une personne, un fait). *Déclarer des marchandises à la douane :* signaler les marchandises tarifées que l'on passe afin de payer les droits. *Vous n'avez rien à déclarer ? Rien à déclarer ?*

Certificat par lequel on déclare vrai un fait, une situation. ⇒ **Attester, certifier.** *Employeur qui déclare ses employés* (à la Sécurité sociale). — *Déclarer ses revenus* (au fisc). ⇒ **Déclaration.** — *Déclarer une naissance, un décès. Déclarer un enfant à la mairie.*

◆ **3.** (1668). *Déclarer la guerre à un pays,* lui faire savoir qu'on commence les hostilités contre lui. — Par anal. *Le fisc a déclaré la guerre aux fraudeurs.*

◆ **4.** V. intr. *Déclarer forfait*.*

▶ **SE DÉCLARER** v. pron.

◆ **1.** (Sujet n. de personne). Donner son avis. *Il ne veut pas se déclarer sur ce point.* ⇒ **Compromettre** (se), **expliquer** (s').

◆ **2.** (Sujet n. de personne ; avec un attribut). S'avouer, se signaler comme. *Se déclarer satisfait. Se déclarer l'auteur d'une action.* ⇒ **Reconnaître** (se).

◆ **3.** (Sujet n. de chose). Commencer à se manifester. ⇒ **Apparaître, déclencher** (se), **survenir.** *L'orage, la pluie, l'incendie se déclarent.* — (1676). Spécialt. *La maladie s'est déclarée très vite.*

7   (...) nous vous parlions de torticolis (...) mais le lendemain cela se déclara pour un rhumatisme.   Mme DE SÉVIGNÉ, 501, 9 févr. 1676.

8   Il *(le sirocco)* mit néanmoins plus de deux heures à se déclarer dans toute sa violence.   E. FROMENTIN, Un été dans le Sahara, I, p. 85.

9   Une maladie du corps se déclare bien, sans cause visible, chez quelqu'un qui nous paraissait en parfaite santé.
J. ROMAINS, les Hommes de bonne volonté, t. II, XIV, p. 155.

◆ **4.** (Sujet n. de personne). Se prononcer, prendre parti pour, contre (qqn, qqch.). *Se déclarer pour tel candidat, en faveur de tel candidat. Se déclarer violemment contre qqch.*

10   Son grand zèle pour vous vient de se déclarer :
Il ne va pas à moins qu'à vous déshonorer (...)   MOLIÈRE, Tartuffe, III, 5.

11   Je sentis contre moi mon cœur se déclarer (...)   RACINE, Iphigénie, II, 1.

Absolt. *Ne pas hésiter à se déclarer.*

12   On attendait que les chefs de l'armée se déclarassent.   FÉNELON, Télémaque, XV.

(Sujet n. de chose). *La victoire se déclara pour les alliés. Le ciel se déclare en notre faveur.*

◆ **5.** Spécialt. Déclarer son amour, faire sa déclaration. *Un amoureux timide qui n'ose pas se déclarer.*

▶ **DÉCLARANT, ANTE** p. prés., adj. et n.
Témoin déclarant. — N. Personne qui fait une déclaration, notamment à un officier d'état civil. *Le déclarant, la déclarante.*

▶ **DÉCLARÉ, ÉE** p. p. adj. (1558).
(Rare, sauf dans quelques syntagmes). Qui se veut tel, s'est fait connaître comme tel. *Être l'ennemi déclaré de qqn.* ⇒ **Juré** (I., 2.). *Un athée déclaré* (→ Athée, cit. 13). *Mener une guerre déclarée contre qqn.* → **Franc, ouvert** (guerre ouverte).

13   Après mille ans et plus de guerre déclarée,
Des loups firent la paix avecque les brebis.   LA FONTAINE, Fables, III, 13.

14   Combien d'âmes saintes et prédestinées ont souffert là-dessus les mêmes attaques que les plus déclarés impies.
BOURDALOUE, Sermon du 15e Dimanche après la Pentecôte, t. III, p. 451, *in* LITTRÉ.

CONTR. **Garder** (pour soi), **taire.**
DÉR. **Déclaratoire.**

DÉCLASSANT, ANTE [deklɑsɑ̃, ɑ̃t], DÉCLASSÉ, ÉE [deklɑse] adj. ⇒ **Déclasser.**

DÉCLASSEMENT [deklɑsmɑ̃] n. m. — 1836 ; de *déclasser.*

◆ **1.** Action de déclasser (I.) ; son résultat. — Péj. ⇒ **Déchéance.**

1   (...) quelqu'un qui choisissait ses fréquentations en dehors de la caste où il était né, en dehors de sa « classe » sociale, subissait à ses yeux un fâcheux déclassement.
PROUST, À la recherche du temps perdu, t. I, p. 34.

2   (...) déclassement, dernier cercle de l'enfer bourgeois, damnation sans recours !...
BERNANOS, Un crime, *in* Œ. roman., Pl., p. 869.

Spécialt. *Déclassement d'un voyageur.*
(1884, *in* Petiot). Sports. Mise hors de course, ou rétrogradation (d'un concurrent, d'une équipe), pour infraction au règlement.
(Choses). *Le déclassement d'un hôtel trop vétuste.*
Dr. admin. Décision administrative par laquelle un bien ou un objet quitte la catégorie juridique soumise à un régime particulier, pour retomber dans le droit commun. — Mar. Acte par lequel un bâtiment est rayé de la catégorie à laquelle il appartenait, et, spécialt, de la catégorie des bâtiments de combat.

◆ **2.** (De *déclasser,* II.). Choses. *Le déclassement de ses papiers, de ses livres.* ⇒ **Changement, déplacement, dérangement.**

CONTR. **Classement, reclassement, surclassement.**

DÉCLASSER [deklɑse] v. tr. — 1813, « retirer de l'inscription maritime » ; de 1. *dé-,* et *classer.*

★ **I.** ◆ **1.** (Personnes). Faire sortir (qqn) de la classe sociale, de la

catégorie où il était placé, et, spécialt, pour une classe, une catégorie inférieure. Absolt. *De telles fréquentations déclassent.*

Mar. *Déclasser un marin,* le rayer des contrôles de sa classe.

Spécialt (transports). *Déclasser un voyageur,* le faire passer dans une classe différente de celle qu'il avait d'abord choisie (cour., dans une classe inférieure).

(1903, *in* Petiot). Sports. Faire rétrograder (un concurrent) dans le classement final d'une épreuve (pour pénaliser) ; mettre (un concurrent) hors de course.

◆ **2.** (Choses). Faire passer (qqch.) dans une catégorie inférieure. *Déclasser un hôtel trop vétuste. Déclasser un monument* (qui avait été classé monument historique).

Mar. *Déclasser un bâtiment,* le rayer des listes de la flotte de combat.

★ **II.** (De *classer*). Déranger (des objets classés). ⇒ **Changer, déplacer.** *Déclasser des papiers, des livres, des fiches.*

▶ **SE DÉCLASSER** v. pron.
Sortir de sa classe, et, spécialt (péj.), de sa classe sociale d'origine. ⇒ **Déchoir.** *Se déclasser par de mauvaises fréquentations.*

1   Apprenez que tout ce qui se classe empeste la mort. Il faut se déclasser, Tirésias, sortir du rang. C'est le signe des chefs-d'œuvre et des héros. Un déclassé, voilà ce qui étonne et ce qui règne.   COCTEAU, la Machine infernale, p. 150.

Changer de classe (cour., aller dans une classe inférieure) au cours d'un voyage. *Devant l'affluence en deuxième classe, il avait décidé de se déclasser, et d'aller en première.*

▶ **DÉCLASSANT, ANTE** p. prés. et adj. (1918).
Rare. Qui déclasse.

1.1   (...) Saint-Loup demanda si ce cercle était le cercle de la rue Royale, lequel était jugé « déclassant » par la famille de Saint-Loup (...)
PROUST, À l'ombre des jeunes filles en fleurs, Pl., t. I, p. 772.

▶ **DÉCLASSÉ, ÉE** p. p. adj. et n. (1834).
◆ **1.** Qui n'appartient plus à sa classe sociale, mais à une classe inférieure. ⇒ **Déchu.** — N. (1856). Cour. *Un déclassé, une déclassée.* → Charlatanisme, cit. 1.

2   (...) que Ramuntcho, jusqu'ici ignorant et libre, ne saurait plus atteindre les dangereuses régions de vertige où s'était élevée l'intelligence de son père, mais plutôt qu'il languirait en dessous comme un déclassé.   LOTI, Ramuntcho, I, 1, p. 19.

3   On ne se connaît pas, on ne se salue pas, on n'existe pour personne. Une maison de déclassés, voilà ce que c'est, où les bonnes manières finissent de se perdre.
M. AYMÉ, Maison basse, p. 201.

4   Je me penche sur ces déclassés, ces marginaux, pour retrouver, à travers eux, l'image fuyante de mon père.   Patrick MODIANO, Boulevard de ceinture, p. 76.

◆ **2.** Sports. Qu'on a déclassé. Qui est en compétition avec d'autres d'une classe inférieure. *Athlète, club déclassé.*

◆ **3.** Transports. Dont on a modifié la classe. *Billet, wagon déclassé. Place d'avion déclassée.*

◆ **4.** Qu'on a déclassé (2.). *Monument, hôtel déclassé. Ville déclassée.*

◆ **5.** Qu'on a dérangé, déplacé. *Fiches, livres déclassés.*

CONTR. **Classer, reclasser.**
DÉR. **Déclassement.**

DÉCLAVETER [deklavte] v. tr. — Conjug. *claveter.* → Jeter. — 1611 ; repris fin XIXe (1894, *in* D. D. L.) ; de 1. *dé-,* et *claveter.*

◆ Techn. Défaire, ouvrir (qqch.) en enlevant les clavettes, en défaisant un clavetage.

CONTR. **Claveter.**

DÉCLENCHE [deklɑ̃ʃ] n. f. — 1870 ; déverbal de *déclencher.*

◆ Techn. Appareil servant à séparer deux pièces d'une machine pour permettre le libre mouvement de l'une d'elles. ⇒ **Déclencher,** 2.

DÉCLENCHEMENT [deklɑ̃ʃmɑ̃] n. m. — 1863 ; de *déclencher.*

◆ **1.** Action de déclencher ; son résultat (⇒ **Animalité,** cit. 2). *Le déclenchement du chien d'un fusil armé. Mécanisme de déclenchement.* ⇒ **Déclencheur, déclic.**

1   Le premier (...) vient d'appuyer au passage sur le bouton de la minuterie (n'y avait-il pas de bouton au rez-de-chaussée, puisque la montée s'est effectuée dans le noir ?) ; mais le déclenchement du système n'a fait entendre qu'un simple déclic ; le mouvement d'horlogerie, trop atténué, est couvert par le bruit des grosses chaussures à clous (...)   A. ROBBE-GRILLET, Dans le labyrinthe, p. 101.

◆ **2.** Le fait de se déclencher. *Le déclenchement des hostilités. Le déclenchement d'une guerre, d'une grève.*

2　L'histoire nous autorise-t-elle à croire qu'on peut prévoir, qu'on peut fixer par avance le déclenchement d'une révolution?
　　　　　　　　　　　MARTIN DU GARD, les Thibault, t. V, p. 81.

REM. Attesté dans la graphie critiquée *déclanchement :*

3　Le fait que l'Europe passait de l'amour pour la France à la haine pour la France, c'était simplement, d'après Lemançon, un «déclanchement».
　　　　　　　　　　　GIRAUDOUX, Juliette au pays des hommes, p. 134.

DÉCLENCHER [deklɑ̃ʃe] v. tr. — 1732; *déclanquer,* dial., v. 1625; de 1. *dé-,* et *clenche.*

◆ **1.** Vx. Ouvrir (une porte) en soulevant la clenche.

◆ **2.** Techn. Manœuvrer la déclenche d'un assemblage pour séparer deux pièces liées d'une machine. ⇒ **Décliquer.**

Spécialt, cour. Déterminer par l'intermédiaire d'un mécanisme relativement simple la production d'un phénomène plus complexe. *Déclencher la sonnerie d'une horloge.*

◆ **3.** (1899). Mettre en mouvement, déterminer brusquement (une action, un phénomène, un processus). ⇒ **Branle** (mettre en branle), **déchaîner, déterminer, entraîner, provoquer.** *Déclencher une avalanche* (cit. 7). *Déclencher qqch. par sa seule présence* (→ Catalyser, fig.). *Légère imprudence qui déclenche une maladie grave.*

1　(...) son fils aîné souffrait d'une telle angoisse nerveuse que toute punition, tout reproche déclenchaient en lui une crise dangereuse.
　　　　　　　　　　　A. MAUROIS, À la recherche de Marcel Proust, I, p. 18.

2　Il est dangereux de déclencher ainsi dans un enfant concentré et passionné le mécanisme des comparaisons : cela les mène loin, les tourne en jalousie et en haine (...)　　　　A. THIBAUDET, Gustave Flaubert, p. 17.
Déclencher l'offensive. ⇒ **Commencer, lancer.** *Déclencher une guerre.* ⇒ **Provoquer.** *Déclencher une révolution. Déclencher une campagne de presse.*

3　Il se propose de déclencher ou de faire déclencher contre son rival une campagne de presse.
　　　　　　　　　　　G. DUHAMEL, Chronique des Pasquier, la Passion de Joseph Pasquier, VI, p. 399.

4　(...) il savait, par expérience, que, s'il est facile de déclencher une révolution, il est difficile de l'arrêter dans ses excès (...)
　　　　　　　　　　　Louis MADELIN, Histoire du Consulat et de l'Empire, Ascension de Bonaparte, XV, p. 219.

5　— Renaudin, dit-il, a déclenché un mouvement qui l'embarrassera bien dans deux jours. L'enthousiasme ne dure pas.　　A. MAUROIS, Bernard Quesnay, XV, p. 96.

▶ **SE DÉCLENCHER** v. pron. (sens passif).

Vx. S'ouvrir. *Porte qui se déclenche.* — Techn. et cour. *Mécanisme qui se déclenche.*

Fig. *La guerre s'est déclenchée en Europe.*

6　D'ailleurs, ce «Mon Dieu! que la vie est triste!» est chez moi non pas une rengaine... non, pas du tout... mais une espèce de jugement tout préparé, de sentence rituelle, qui, lorsqu'elle a ses raisons, intervient soudain, se déclenche.
　　　　　　　　　　　J. ROMAINS, les Hommes de bonne volonté, t. IV, VII, p. 56.

REM. La graphie critiquée *déclancher* (H. Bordeaux, G. Duhamel, La Varende, in P. Dupré, *Encyclopédie du bon français dans l'usage contemporain*) semble relativement rare.

CONTR. Enclencher. — Arrêter.
DÉR. Déclenche, déclenchement, déclencheur.

DÉCLENCHEUR, EUSE [deklɑ̃ʃœʀ, øz] n. — 1893 (cit. 1); de *déclencher.*

◆ **1.** N. m. Techn. Pièce ou organe destiné à séparer des pièces enclenchées (⇒ **Déclenche**) ou à déclencher un mécanisme. ⇒ **Déclic.**

1　Deux manettes placées à l'extérieur (...) actionnent l'obturateur et le déclencheur de plaque.
　　　　　　　　　　　L. FIGUIER, l'Année scientifique et industrielle 1894, p. 47 (1893).

◆ **2.** Personne, chose qui déclenche (3.) un processus.

2　Dans le monde animal, le déclencheur de la mécanique sexuelle n'est pas un individu détaillé, mais seulement une forme, un fétiche coloré (ainsi démarre l'Imaginaire). Dans l'image fascinante, ce qui m'impressionne (tel un papier sensible), ce n'est pas l'addition de ses détails, c'est telle ou telle inflexion.
　　　　　　　　　　　R. BARTHES, Fragments d'un discours amoureux, p. 226.

DÉCLÉRICALISATION [dekleʀikalizɑsjɔ̃] n. f. — 1927; de *décléricaliser.*

◆ Rare. Action de décléricaliser; son résultat.

DÉCLÉRICALISER [dekleʀikalize] v. tr. — 1873; de 1. *dé-,* et *clérical.*

◆ **1.** Rare. Rendre moins clérical. *Décléricaliser l'enseignement.* — Pron. *Mouvement qui se décléricalise.*

◆ **2.** (V. 1966). Relig. Confier (une paroisse, un organisme) à des laïcs, quant aux services qui ne relèvent pas strictement du clergé. *Décléricaliser un patronage.*

DÉR. Décléricalisation.

DÉCLIC [deklik] n. m. — 1510, *desclic;* de l'anc. verbe *descliquer, décliquer,* de *de-,* et *cliquer* «faire un bruit sec, un clic».

◆ **1.** Techn. Mécanisme simple de déclenchement. ⇒ **Crochet, ressort.** *Faire jouer un déclic. Levier à déclic. Chronomètre à déclic. Le déclic à pince d'une sonnette.*

0.1　Les rois ne touchent pas aux portes.
Ils ne connaissent pas ce bonheur : pousser devant soi avec douceur ou rudesse l'un de ces grands panneaux familiers, se retourner vers lui pour le remettre en place, — tenir dans ses bras une porte (...)
D'une main amicale il la retient encore, avant de la repousser décidément et s'enclore, — ce dont le déclic du ressort puissant mais bien huilé agréablement l'assure.　　　　Francis PONGE, le Parti pris des choses, p. 44.

Par compar. *Comme par, comme sur, comme sous un déclic...* (→ ci-dessous, 4.).

1　Tout le monde se tait. Satisfait, le capitaine continue sa revue. À mesure qu'il approche, les corps se redressent, comme sous un déclic; les bras gauches tombent bien raides et les yeux pas rassurés regardent intelligemment dans le vague (...)
　　　　　　　　　　　R. DORGELÈS, les Croix de bois, IV, p. 70.

Par métaphore :

1.1　(...) mieux vaudrait pour lui qu'il n'ait pas plus de capacité de souffrance qu'un appareil photographique, qu'on puisse à tout moment et aussi souvent que l'on voudrait enlever le couvercle, retirer la bobine impressionnée, la jeter et la remplacer par une vierge, et qu'il recommence à fonctionner, armement et déclic, avec la même mécanique et neuve indifférence (...)　　Claude SIMON, le Vent, p. 50.

À propos d'un mécanisme biologique :

1.2　À peine l'insecte s'est-il enfoncé dans cette belle fleur cordiforme qu'un déclic referme sur lui une partie de la corolle. Le voilà prisonnier pour un instant du réceptacle le plus capiteusement féminin qui soit.
　　　　　　　　　　　M. TOURNIER, Vendredi..., p. 119.

◆ **2.** Par métonymie. Bruit sec produit par ce qui se déclenche (→ Borborygme, cit. 2; déclenchement, cit. 1).

2　Le claquement de la grille, le déclic des battants vitrés, le vrombissement qui suivait la mise en marche, tous ces bruits si connus, — qui, depuis toujours, s'enchaînaient dans le même ordre, et qui, de nouveau, après un siècle d'oubli, pénétraient en lui, un à un, — plongèrent Jacques en plein passé.
　　　　　　　　　　　MARTIN DU GARD, les Thibault, t. IV, p. 145.

3　Il monte la marche, pousse un peu plus le battant, se glisse dans l'ouverture et referme la porte derrière soi, sans la faire claquer, mais en laissant entendre néanmoins avec netteté le déclic du pêne qui reprend sa place.
　　　　　　　　　　　A. ROBBE-GRILLET, Dans le labyrinthe, p. 46.

◆ **3.** Fam. Déclenchement soudain d'un processus psychologique. *Les célèbres déclics de Sherlock Holmes.*

◆ **4.** Loc. adv. *D'un déclic :* soudainement, comme par l'action d'un ressort. «*(...) se levant d'un déclic*» (R. Dorgelès, *Tout est à vendre,* p. 194).

DÉR. Décliquer.

DÉCLIMATER [deklimate] v. tr. — D. i. (XVIIIᵉ); de 1. *dé-, climat,* et suff. verbal. → Acclimater.

◆ ⇒ **Désacclimater.** — REM. Une variante *déclimatiser* (attestée en 1794) s'est employée dans le même sens.

DÉCLIN [deklɛ̃] n. m. — 1080, *Chanson de Roland;* déverbal de *décliner.*

◆ **1.** État de ce qui diminue, commence à régresser. ⇒ **Abaissement, affaiblissement, baisse, décadence, décroissance, diminution, fin.** *Le déclin des jours à l'automne. Un déclin sensible, insensible. Le déclin du jour.* ⇒ **Agonie, crépuscule, soir.** — *Le soleil est à son déclin, sur son déclin.* ⇒ **Couchant.**

1　Au déclin tranquille du jour, ils commencèrent à traîner le pas sur la grande allée du parc.　　　　　　FRANCE, l'Anneau d'améthyste, p. 15.

Le déclin d'une maladie. ⇒ **Décours.**

2　Les femmes du pays précipitent le déclin de leur beauté par des artifices qu'elles croient servir à les rendre belles (...)　　LA BRUYÈRE, les Caractères, VIII, 74.
Le déclin de la vie. ⇒ **Penchant, vieillesse.** *Déclin de l'intelligence.* ⇒ **Déchéance, dégénérescence, étiolement.** *Le déclin de l'amour, le déclin de la beauté.*

3　Le commencement et le déclin de l'amour se font sentir par l'embarras où l'on est de se trouver seuls.　　　　LA BRUYÈRE, les Caractères, IV, 33.

(Après une préposition). *Aller, être, toucher à son déclin* (littér.) : décliner. *Au déclin de l'âge. Dans le déclin de... — Aller vers son déclin. — Sur son déclin.* Vieilli. *La fièvre est sur son déclin.* Mod. *Une passion sur son déclin.*

4　Je me vis déjà sur le déclin de l'âge, en proie à des maux douloureux, et croyant approcher du terme de ma carrière.　　ROUSSEAU, les Confessions, IX.

5　(...) dans le déclin de l'amour, comme dans le déclin de la vie, personne ne se peut résoudre de prévenir les dégoûts qui restent à éprouver; on vit encore pour les maux, mais on ne vit plus pour les plaisirs.
　　　　　　　　　　　LA ROCHEFOUCAULD, Réflexions diverses, 9.

6　On ne peut demander à un peuple très prolifique d'avoir les mêmes égards pour la vie humaine et le même respect de l'individu qu'une race sur le déclin.
　　　　　　　　　　　GIDE, Journal, 26 oct. 1915.

Le déclin et la chute de l'Empire romain. ⇒ **Décadence.** *Le Déclin du Moyen Âge,* ouvrage de J. Huizinga (1967).

7 (...) sur le déclin de ces royaumes (...)   PASCAL, Pensées, XI, 722.

♦ **2.** Astron. La dernière phase (de la lune), le dernier quartier. ⇒ **Décours.**

CONTR. Accroissement, aube, croissance, élévation, essor, fleur, force, gloire, jeunesse, montée, naissance, progrès, renaissance.

DÉCLINABLE [deklinabl] adj. — XIVᵉ ; bas lat. *declinabilis,* même sens, de *declinare.* → Décliner.

♦ Gramm. Susceptible d'être décliné (I., B.).

CONTR. Indéclinable.

DÉCLINAISON [deklinɛzɔ̃] n. f. — V. 1220 ; de *décliner* (comparer à *déclination*).

♦ **1.** Hist. de la philos. Déviation spontanée des atomes (→ Clinamen), dans la philosophie d'Épicure.

♦ **2.** Astron. Arc de méridien céleste compris entre un astre et l'équateur céleste. *La déclinaison d'un astre. Cercle de déclinaison d'un astre :* méridien qui passe par cet astre. *Déclinaison boréale. Déclinaison australe. La déclinaison et l'ascension* droite :* les deux coordonnées équatoriales d'un astre.

0.1 Le 5 mai, Jasper Hobson annonça à ses compagnons que l'île Victoria venait de franchir le Cercle polaire. Elle rentrait enfin dans cette zone du sphéroïde terrestre que le soleil n'abandonne jamais, même pendant sa plus grande déclinaison australe.   J. VERNE, le Pays des fourrures, t. II, p. 246-247.

0.2 (...) la déclinaison du soleil change de signe « mine de rien » (...) entre le 20 et le 21 mars. Et si l'on a continué à soustraire la déclinaison (...) alors qu'il eût fallu l'ajouter (...) on peut tout simplement se retrouver sur un caillou que l'on croyait laisser prudemment à une vingtaine de milles sous le vent (...)   Bernard MOITESSIER, Cap Horn à la voile, p. 116.

♦ **3.** Didact. *Déclinaison magnétique* ou *déclinaison :* angle existant, en un lieu et un temps donnés, entre la direction du Nord géographique et celle du Nord magnétique. ⇒ **Magnétisme.** *La déclinaison magnétique est produite par l'action du magnétisme terrestre sur l'aiguille de la boussole.*

♦ **4.** Gramm. Ensemble des formes (⇒ **Désinence, paradigme**) que prennent les noms, pronoms, et adjectifs des langues à flexion, suivant les nombres, les genres et les cas. *Les cinq déclinaisons latines. Les noms de la seconde déclinaison.*

1 (...) les Latins avant placé les nuances de la déclinaison et de la conjugaison dans les finales des mots, nos ancêtres, qui avaient leurs articles, leurs pronoms et leurs verbes auxiliaires, tronquèrent ces finales qui leur étaient inutiles, et qui défiguraient le mot à leurs yeux.   RIVAROL, Disc. sur l'universalité de la langue franç.

2 Le français a perdu sa déclinaison et cependant, il continue d'employer des ablatifs absolus.   Michel BRÉAL, Essai de sémantique, p. 53.

DÉCLINANT, ANTE [deklinɑ̃, ɑ̃t] p. prés. et adj. ⇒ **Décliner.**

DÉCLINATEUR [deklinatœʀ] n. m. ⇒ **Déclinatoire** (2.).

DÉCLINATION [deklinɑsjɔ̃] n. f. — XIIIᵉ (astron.) ; *déclination,* lat. *declinatio,* du supin de *declinare.* → Décliner ; comparer à *déclinaison.*

Rare.

♦ **1.** Action de décliner.

♦ **2.** Vx. Pente.

DÉCLINATOIRE [deklinatwaʀ] adj. et n. — XIVᵉ ; dér. sav. de *décliner.*

♦ **1.** Dr. Se dit d'un moyen allégué par l'une des parties, pour contester la compétence d'une juridiction et faire renvoyer la cause devant une autre juridiction. *Exceptions, moyens, fins déclinatoires.* — N. m. *Élever, présenter, faire signifier un déclinatoire. Accueillir, rejeter un déclinatoire* (→ Compétence, cit. 1).

Ces bons théologiens n'auraient rien eu à opposer au déclinatoire des arminiens, s'ils avaient rompu avec les églises de Hollande (...)   BOSSUET, Hist. des variations, IV, 73.

♦ **2.** N. m. (1701, « boussole »). Appareil servant à mesurer la déclinaison d'un astre. — Boussole d'arpenteur qui sert à orienter un plan par rapport à la direction nord-sud. — Syn. : *déclinateur.*

DÉCLINEMENT [deklinmɑ̃] n. m. — XVIᵉ ; de *décliner.*

♦ Syn. de *déclination.*

DÉCLINER [dekline] v. — 1080, *Chanson de Roland,* au sens II, 2 ; lat. *declinare* « détourner, incliner », d'où « changer les formes des mots par des flexions », de *de-* marquant la séparation, et *clinare* « pencher ». → Incliner.

★ **I.** V. tr. **A.** ♦ **1.** (V. 1397). Dr. Écarter (une juridiction, la compétence d'un tribunal). *Décliner la compétence d'un juge.* ⇒ **Déclinatoire** (1.) ; **renvoi** (demande en renvoi).

Charles Iᵉʳ déclina la compétence de la cour, et, la tête couverte, parla en roi.   CHATEAUBRIAND, Stuarts, 221, *in* LITTRÉ.   1

♦ **2.** (V. 1350). Cour. Ne pas accepter, refuser. *Décliner une invitation, un honneur.* ⇒ **Écarter, éloigner, éviter, repousser.** *Je décline votre offre.* — *Décliner toute responsabilité.* ⇒ **Rejeter.**

B. (1236 ; du sens spécial de *declinare*). Gramm. Faire passer (un nom, un pronom, un adjectif) par toutes ses désinences, suivant les nombres, les genres et les cas. *Décliner rosa, dominus...* Absolt. *Apprendre à, savoir décliner en latin.*

Pron. *Cet adjectif se décline sur la troisième déclinaison,* il se transforme suivant les formes de cette déclinaison.

C. (V. 1100, « dire, réciter »). Énoncer officiellement. *Décliner ses noms, prénoms, titres et qualités.* ⇒ **Dire, énoncer.** *Décliner son état civil.*

J'aimerais mieux encor qu'il déclinât son nom,   2
Et dît : Je suis Oreste ou bien Agamemnon.   BOILEAU, l'Art poétique, III.

★ **II.** V. intr. ♦ **1.** (XIIᵉ). Vieilli. (Emploi général). S'écarter d'une direction donnée, d'un point fixe. *Décliner vers la droite, la gauche.*

♦ **2.** Philos. S'écarter de la verticale, en parlant des atomes dans la philosophie d'Épicure. ⇒ **Déclinaison ; clinamen.**

Astron. S'éloigner de l'équateur de la sphère céleste, en parlant des astres.

Phys. S'écarter du nord géographique (méridien terrestre), en parlant de l'aiguille aimantée. *La boussole décline d'un angle donné en un lieu donné.*

♦ **3.** Cour. (temporel). Être à son déclin, pencher vers sa fin. ⇒ **Baisser, décroître, diminuer, tomber.** *Le jour décline. Le soleil décline à l'horizon, sur l'horizon.* ⇒ **Disparaître.** *L'année déclinait.* ⇒ **Achever** (s'), **finir, terminer** (se).

Le jour, si bref en cette saison, commença à décliner.   3
          M. BARRÈS, Leurs figures, p. 373.

Toute la pente est tapissée d'arbres et colorée d'un vert plus âpre, à mesure que l'année décline.   E. FROMENTIN, Une année dans le Sahel, p. 13.   4

La belle saison décline. Les jours qui suivent s'effeuillent sous les vents désolés d'automne ou s'endorment au bruit des pluies.   5
          Francis JAMMES, Clara d'Ellébeuse, IV.

♦ **4.** (V. 1200). S'affaiblir. *Les forces du malade déclinent chaque jour.* ⇒ **Affaiblir, décroître.** *Son état va en déclinant.* ⇒ **Empirer.** Par ext. *Le malade décline à vue d'œil.* ⇒ **Dépérir, languir** (→ Coffre, cit. 3). *Elle déclinait doucement.* ⇒ **Étioler** (s').

Il supporta toutes ces pertes avec un courage apparent ; mais son cœur ne cessa de saigner en dedans tout le reste de sa vie, et sa santé ne fit plus que décliner.   6
          ROUSSEAU, les Confessions, XI.

On avait espéré merveille du changement d'air pour me rendre les forces nécessaires à la vie d'un soldat ; mais ma santé, au lieu de se rétablir, déclina.   7
          CHATEAUBRIAND, Mémoires d'outre-tombe, t. II, p. 77.

D'instant en instant, Jean Valjean déclinait. Il baissait ; il se rapprochait de l'horizon sombre. Son souffle était devenu intermittent ; un peu de râle l'entrecoupait.   8
          HUGO, les Misérables, V, IX, V.

Sa vie décline, elle est sur son déclin. ⇒ **Vieillir.**

Mais depuis qu'ayant passé l'âge mûr, je décline vers la vieillesse, je sens que ces mêmes souvenirs renaissent, tandis que les autres s'effacent, et se gravent dans ma mémoire avec des traits dont le charme et la force augmentent de jour en jour (...)   ROUSSEAU, les Confessions, I.   9

M. de Lagrange est jeune, et je suis presque vieux ; son ardeur est naissante, et la mienne décline.   D'ALEMBERT, Lettre au roi de Prusse, 11 juil. 1766.   10

Tes jours, sombres et courts comme les jours d'automne,
Déclinent (...)   LAMARTINE, Premières méditations poétiques, « le Vallon ».   11

Vieilli. Faiblir, s'affaiblir. *Le génie de cet auteur commence à décliner.* ⇒ **Déchoir, dégénérer, faiblir.**

Empire qui décline. ⇒ **Effondrer** (s'), **péricliter, tomber...**

(...) à son tour, leur puissance décline (...)   RACINE, Britannicus, V, 3.   12

▶ **DÉCLINANT, ANTE** p. prés. et adj. (1690).

♦ **1.** Techn. *Cadran solaire déclinant,* qui ne regarde pas directement un des points cardinaux. — *Plan déclinant,* qui fait un angle avec le méridien.

♦ **2.** Fig. et cour. Qui est sur son déclin. *Puissance déclinante. Force déclinante.*

(...) de tempérament ferme encore, mais de race appauvrie déjà et déclinante.   13
          Émile FAGUET, XVIIᵉ siècle, Saint-Simon, III.

▶ **DÉCLINÉ, ÉE** p. p. adj.

♦ **1.** Dr. *Juridiction déclinée.* — Cour. *Offre déclinée.*

♦ **2.** Gramm. *Nom, adjectif décliné.*

♦ **3.** (Concret). Qui penche. — Bot. *Étamine déclinée,* qui penche vers la base de la fleur.

Zool. *Nageoire déclinée,* dont les osselets vont en décroissant. — *Terrain décliné,* en pente.

CONTR. Accepter (une invitation). — **Accroître** (s'), **croître, élever** (s'), **fortifier** (se), **monter, progresser.** — **Rajeunir.**
DÉR. Déclin, déclinable, déclinaison, déclinateur, déclinement.

DÉCLIQUER [deklike] v. tr. — XIVᵉ, «faire partir une arme à feu»; repris en 1838; de 1. *dé-*, et anc. franç. *clique* «loquet, targette; détente» (→ Cliquet).

♦ Techn. Faire jouer le déclic d'un appareil. ⇒ **Déclencher.**
DÉR. Déclic.

DÉCLIQUETAGE [deklikta3] n. m. — 1869, *Année sc. et industr.* 1870, p. 334; de *décliqueter.*

♦ Techn. Action de décliqueter; son résultat.

DÉCLIQUETER [deklikte] v. tr. — Conjug. *jeter.* — 1754; de 1. *dé-*, et *cliquet.*

♦ Techn. Dégager le cliquet d'un engrenage en vue de permettre le mouvement en sens inverse. — Pron. *L'engrenage s'est décliqueté.*
DÉR. Décliquetage.

DÉCLIVE [dekliv] adj. et n. f. — 1492, *declifz*; du lat. *declivis* «qui est en pente», de *de-*, et *clivus* «pente».
Didactique.

♦ **1.** Adj. Qui présente un plan incliné. *La partie déclive d'un terrain. Terres déclives,* en pente. *La partie déclive d'un toit.* ⇒ **Pente.** *Être en position déclive.*

1 Avant de prendre quelque repos, il voulait savoir si ce cône pourrait être tourné à sa base, pour le cas où ses flancs, trop déclives, le rendraient inaccessible jusqu'à son sommet.   J. VERNE, l'Île mystérieuse, t. I, p. 127.

2 Je me sens décharmé de toute la planète, sauf de Venise, sauf de Saint-Marc, mosquée dont le pavement déclive et boursouflé ressemble à des tapis de prière juxtaposés.   Paul MORAND, Venises, p. 9.

♦ **2.** Anat., méd. Qui indique le point le plus bas (d'un organe, d'une partie du corps, d'une lésion).

♦ **3.** N. f. Loc. *En déclive :* en pente. *Voie en déclive.*

DÉCLIVITÉ [deklivite] n. f. — 1487; lat. *declivitas,* de *declivis.* → Déclive.

♦ **1.** Cour. État de ce qui est en pente. *La déclivité d'un terrain.* ⇒ **Inclinaison, penchant, pente.** *Les déclivités de la montagne. La déclivité d'une route, d'une voie de chemin de fer.* ⇒ **Pente, rampe.** *Déclivité d'une rivière.*

1 Les parties supérieures de l'eau d'une rivière, et éloignées des bords, peuvent couler par la seule cause de la déclivité, quelque petite qu'elle soit (...)   FONTENELLE, Guglielmini, in LITTRÉ.

2 L'ingénieur s'approcha alors et reconnut que les parois du déversoir, dans sa partie supérieure, n'accusaient pas une pente de plus de 30 à 35°. Elles étaient donc praticables, et, pourvu que leur déclivité ne s'accrût pas, il serait facile de les descendre jusqu'au niveau même de la mer.   J. VERNE, l'Île mystérieuse, t. I, p. 233-234.

♦ **2.** *(Une, des déclivités).* Pente. *Une déclivité dangereuse.*

3 Le lac de l'Esclave est l'un des plus vastes qui se rencontre dans la région située au delà du soixante et unième parallèle (...) Toute la contrée environnante s'abaisse en longues déclivités vers un centre commun, large dépression du sol, qui est occupée par le lac.   J. VERNE, le Pays des fourrures, t. I, p. 36-37.

DÉCLOCHARDISATION [deklɔʃardizasjɔ̃] n. f. — 1959, *in* P. Gilbert; de 1. *dé-*, et *clochardisation.*

♦ Processus inverse de la clochardisation.

DÉCLOISONNEMENT [deklwazɔnmɑ̃] n. m. — 1963; de *décloisonner.*

♦ Action de décloisonner (surtout au sens 2); son résultat.
CONTR. Cloisonnement.

DÉCLOISONNER [deklwazɔne] v. tr. — 1869; de 1. *dé-*, et *cloisonner,* ou de *cloison,* et suff. verbal.

♦ **1.** Vx. Enlever les cloisons de; enlever (ce qui sépare, partage un lieu).

♦ **2.** (1963). Mod. et fig. Supprimer les cloisons (4.) administratives, économiques, psychologiques de... «(...) *décloisonner les différents ordres d'enseignement*» (le Monde, 5 sept. 1963).
CONTR. Cloisonner.
DÉR. Décloisonnement.

DÉCLOÎTRER [deklwatRe] v. tr. — Fin XVIᵉ, *descloitrer*; de 1. *dé-*, et *cloîtrer.*

♦ Relig. Retirer du cloître. — Pron. *Se décloîtrer :* quitter un ordre religieux.
CONTR. Cloîtrer.

DÉCLORE [deklɔR] v. tr. — Conjug. *clore* (3ᵉ pers. du sing. : *il déclôt*; Acad. : *il déclot*). — 1080, *desclore, Chanson de Roland;* de 1. *dé-*, et *clore.*

♦ **1.** Vieilli. Enlever la clôture de. *Déclore un champ, un jardin.* — Absolt. Dr. *Droit de déclore :* droit d'ouvrir la clôture qui ferme un terrain lorsqu'il n'y a pas d'autre chemin praticable.

♦ **2.** Vx ou littér. Ouvrir.

Mignonne, allons voir si la rose
Qui ce matin avait déclose
Sa robe de pourpre au soleil,
A point perdu, cette vêprée,
Les plis de sa robe pourprée
Et son teint au vôtre pareil.   RONSARD, «À Cassandre».

▶ **DÉCLOS, OSE** p. p. adj. *Fleur déclose. Bouche, lèvres décloses.* Fig., rare. *(...) qu'Antigone soit toute déclose par la mort*» (Barrès, *in* T. L. F.).
CONTR. Clore.

DÉCLOUAGE [deklua3] ou **DÉCLOUEMENT** [deklumɑ̃] n. m. — 1894, *déclouage; déclouement,* 1888; de *déclouer.*

♦ Action de déclouer, son résultat (les deux formes sont attestées chez Goncourt, *in* T. L. F.).

DÉCLOUER [deklue] v. tr. — XIIᵉ, *desclauer;* de 1. *dé-*, et *clouer.*

♦ Défaire (ce qui est cloué). *Déclouer une planche. Déclouer une caisse.* ⇒ **Ouvrir.** — Par ext. *Déclouer un tableau,* le décrocher. Pron. (sens passif). *Tableau qui s'est décloué,* qui s'est décroché.

▶ **DÉCLOUÉ, ÉE** p. p. adj.
Qui n'est plus cloué.

Bosse-de-Nage rentrait avec onze voitures à décors combles, posées de champ, de toiles non déclouées.   A. JARRY, Gestes et opinions du docteur Faustroll, pataphysicien, in Œ. compl., Pl., t. I, p. 712.

CONTR. Clouer.
DÉR. Déclouage ou déclouement.

DÉCOCHAGE [dekɔʃa3] n. m. — 1929; de 2. *décocher.*

♦ Techn. Démoulage (d'une pièce de fonderie) par destruction du moule. *Sable de décochage.*

DÉCOCHEMENT [dekɔʃmɑ̃] n. m. — 1550; de 1. *décocher.*

♦ Action de 1. décocher (propre et fig.) — Spécialt, techn. (textile). «Décalage des points de liage dans le sens chaîne-trame» (J.-C. Desjeux et J. Duflos, *les Plastiques renforcés,* p. 34).

1. DÉCOCHER [dekɔʃe] v. tr. — XIIIᵉ; de 1. *dé-*, *coche* «entaille», et suff. verbal.

♦ **1.** Lancer, avec un arc, une arme de trait. *Décocher une flèche.*

1 (...) un arc bandé dont toute la disposition tend à décocher le trait.   BOSSUET, Traité de la connaissance de Dieu..., III, 11.

2 Il fendit l'air comme une flèche décochée avec violence.   A. R. LESAGE, le Diable boiteux, III, p. 34.

Par ext. Lancer par une brusque détente. *Décocher un trait, un javelot. Décocher un coup à qqn.*
Envoyer brusquement.

2.1 Pierre sort un peu de la ligne d'attaque, décoche un coup d'arrêt en plein nez, si parfait, si juste, qu'il néglige de poursuivre son avantage et se retire comme pour en jouir.   Jean PRÉVOST, Plaisirs des sports, p. 73.

(1785, in D. D. L.). *Décocher (qqn) à (qqn) :* envoyer auprès de (qqn).

♦ **2.** (Abstrait). Envoyer, lancer avec brusquerie à l'adresse de qqn. *Décocher un trait de satire, une épigramme, un mot d'esprit. On lui décocha force critiques. Décocher un regard, une œillade, un sourire. Décocher un compliment.*

3 (...) la Soubrette (...) voyant un beau seigneur si bien nippé, lui avait décoché une œillade incendiaire et un sourire vainqueur.   Th. GAUTIER, le Capitaine Fracasse, t. I, III, p. 91.

4 Conversations littéraires, conversations où il arrive que, en riant, on décoche quelques fléchettes qui amusent sans faire grand mal.   Georges LECOMTE, Ma traversée, p. 257.

5 Jean-Paul baissa le front, sans répondre. Il décocha vers Antoine un coup d'œil en dessous, suivi d'un regard hésitant Daniel qui s'en allait (...)
MARTIN DU GARD, les Thibault, t. IX, p. 82.

DÉR. **Décochement, 1. décocheur.**

2. DÉCOCHER [dekɔʃe] v. tr. — 1929 ; de 1. *dé-*, et *coche* ; cf. Descocheter « ôter le sabot de la coche ».

♦ Techn. Démouler en détruisant le moule (⇒ **Décochage**).

DÉR. **Décochage, 2. décocheur.**

1. DÉCOCHEUR [dekɔʃœʀ] n. m. — XVIᵉ ; de 1. *décocher*.

♦ Vx. Archer.

2. DÉCOCHEUR, EUSE [dekɔʃœʀ, øz] n. — Mil. xxᵉ ; de 2. *décocher*.

♦ **1.** N. Ouvrier, ouvrière qui fait le décochage*.

♦ **2.** N. f. *Décocheuse :* machine servant à sortir une pièce de fonderie du moule où elle a été coulée.

DÉCOCONNER [dekɔkɔne] v. intr. — 1842 ; sans doute antérieur : *décoconage*, 1767 ; de 1. *dé-*, et *cocon*.

♦ Techn. Détacher (le cocon de ver à soie) de son support. « *Alors, seulement, pour l'éleveur exténué par le ramassage incessant de la feuille survient la récompense : le bombyx repu consent à "monter à la bruyère" pour y tisser le précieux cocon. Quelques jours plus tard, on "décoconne" — c'est le mot — avec les voisins et les amis* » (*l'Express*, nᵒ 1463, 21 juil. 1979, p. 56).

DÉCOCTÉ [dekɔkte] n. m. — 1863 ; de *décoction*.

♦ Techn. Produit d'une décoction (2.).

DÉCOCTION [dekɔksjɔ̃] n. f. — 1256 ; bas latin *decoctio*, de *decoquere* « réduire par la cuisson », de *de-* intensif, et *coquere* « cuire ».

♦ **1.** Techn. Action de faire bouillir dans un liquide (une substance) pour en extraire les principes solubles. ⇒ **Digestion, infusion, macération.** *La décoction s'emploie dans la préparation des bières de fermentation basse.*

♦ **2.** Par métonymie. Liquide résultant de cette opération. ⇒ **Aposème, décocté, tisane.** *Boire une décoction. Le racinage, décoction d'écorce de noyer servant à la teinture.*

1 Effectivement, la décoction du café cru est une boisson insignifiante (...)
BRILLAT-SAVARIN, Physiologie du goût, t. I, p. 135.

2 D'abord ils lui appliquent sur la tête un formidable coup de bâton pour l'assomme. (Il faut qu'un homme reste en dehors de sa maladie. Ensuite vient le traitement. Il y a dans leur pharmacie des décoctions de quantités de plantes. Bien sûr ! Comme partout.
Henri MICHAUX, Ailleurs, p. 38.

Par anal. (péj.). Breuvage composé, peu appétissant.

♦ **3.** Fig. et fam. *Une décoction de coups de bâton* (→ Dégelée). — (Abstrait). *Une bonne décoction de Kant.*

DÉR. **Décocté.**

DÉCODAGE [dekɔdaʒ] n. m. — 1959 ; de *décoder*.

♦ Didact. Action de décoder. ⇒ **Déchiffrage, décryptage.** *Le décodage d'un cryptogramme, de signaux, d'une phrase.*

Si l'inconscient (...) reflète (...) les grandes peurs et les grandes émotions des millénaires au cours desquels s'est accompli son évolution phylogénétique, le décodage de ces signaux ne peut nous révéler rien d'autre que nous ne puissions sans doute, que nous ne pourrons en tout cas, bientôt expliquer rationnellement.
R. HELD, le Processus de guérison, *in* la Nef, nᵒ 31, p. 18.

Biol. Déchiffrement et exécution du « programme génétique » par une cellule.
Ling. et sémiol. Action d'interpréter le sens, les signes de (un message) selon son code. *Décodage d'un panneau de signalisation routière. Le décodage des symboles culturels.*

CONTR. **Codage, encodage.**

DÉCODER [dekɔde] v. tr. — 1959 ; de 1. *dé-*, et *code*, d'après l'angl. *to decode*, 1896.

Didactique.

♦ **1.** Traduire (dans un autre code, en langage clair) un message formulé en code. *Décoder un cryptogramme.* ⇒ **Déchiffrer, décrypter.**

♦ **2.** Analyser le contenu d'un message (selon le code partagé par l'émetteur et le récepteur). « *La tâche essentielle de ce convertisseur est de décoder les signaux et de les recomposer dans un code iden-*

tifiable par le perforateur de cartes qui lui est connecté » (*Science et Vie*, nᵒ 588, p. 56-57).

Le signe tracé vous avait l'air de ces choses qu'écrivent sur les murs les vagabonds, les voleurs, pour se donner entre eux des renseignements sur les gens du voisinage ou les coups à faire, qu'ils sont seuls à décoder.
ARAGON, Blanche..., III, I, p. 363.

Spécialt (ling.). Analyser ou saisir intuitivement le sens d'un énoncé (en langue naturelle). ⇒ **Comprendre.**

CONTR. **Coder, encoder.**
DÉR. **Décodage, décodeur.**

DÉCODEUR [dekɔdœʀ] n. m. — V. 1968 ; de *décoder*.

♦ Didact. Système fonctionnel (appareil ou personne) effectuant un décodage. *Décodeur stéréophonique.* — Ling. *Le locuteur est l'émetteur et l'encodeur du message, l'auditeur son récepteur-décodeur.* — REM. Le fém. *décodeuse* est virtuel.

CONTR. **Encodeur.**

DÉCOFFRAGE [dekɔfʀaʒ] n. m. — 1948 ; de *décoffrer*.

♦ Techn. Action de décoffrer (⇒ **Démoulage**).

DÉCOFFRER [dekɔfʀe] v. tr. — 1948 ; « sortir d'un coffre », XIIᵉ ; de 1. *dé-*, et *coffrer*.

♦ Techn. Enlever (un ciment, un béton...) de son coffrage.

CONTR. **Coffrer.**
DÉR. **Décoffrage.**

DÉCOHÉRENCE [dekɔeʀɑ̃s] n. f. — 1907 ; de 1. *dé-*, et *cohérence*.

♦ Didact. Suppression de la cohérence (de qqch.). → Décohérer, cit.

DÉCOHÉRER [dekɔeʀe] v. tr. — 1897 ; *Année sc. et industr.* 1898, p. 50 ; de 1. *dé-*, et *cohérer*.

♦ Didact. Faire cesser la cohésion de, rendre moins ou non cohérent.

La veille est essentiellement due à la pluralité d'excitations ou plutôt à la pluralité des genres d'excitations. Lorsque des excitations cessent d'appartenir au même genre il y a une sorte de réveil — par concurrence — par décohérence (...) Compare un système Branly — indépendance des ondes, de la cohérence et du système à marteau qui décohère la limaille.
VALÉRY, Cahiers, Pl., t. II, p. 26-27.

DÉCOHÉSION [dekɔezjɔ̃] n. f. — Mil. xxᵉ (attesté 1961, cit.) ; de 1. *dé-*, et *cohésion*.

♦ Techn. Absence de cohésion.

(Pour la fabrication de plaques pare-balles), il est nécessaire que le renforcement soit orienté, très dense et très cohérent, tandis que la résine doit au contraire avoir peu de cohésion (...) et peu d'affinité pour le renforcement ; ainsi, par (...) décohésion des couches, le stratifié peut absorber au maximum le choc d'un impact.
J.-C. DESJEUX et J. DUFLOS, les Plastiques renforcés, p. 12.

DÉCOIFFAGE [dekwafaʒ] n. m. — 1891 ; de *décoiffer*.

♦ **1.** Action de décoiffer qqn. ⇒ **Décoiffement.**

♦ **2.** Techn. Le fait de décoiffer qqch. — Spécialt. Action d'ôter la coiffe de la fusée d'un projectile.

DÉCOIFFEMENT [dekwafmɑ̃] n. m. — 1671 ; de *décoiffer*.

♦ Action de décoiffer (qqn). ⇒ **Décoiffage.**

DÉCOIFFER [dekwafe] v. tr. — XIIIᵉ ; de 1. *dé-*, et *coiffer*.

♦ **1.** Rare (compl. n. de personne). Enlever la coiffure de (qqn), priver de sa coiffure. *Décoiffer un enfant.*

♦ **2.** (Compl. n. de chose). *Décoiffer une bouteille.* ⇒ **Déboucher.** *Décoiffer un pot. Décoiffer un stylo.*

1 Puis je décoiffai la pointe d'or adoucie d'un de mes stylographes (...)
COLETTE, la Naissance du jour, p. 228.

Décoiffer qqch. de qqch. (le second compl. désignant ce qui coiffe, bouche...).

2 (...) Ensuite, Maria débarrassa un pot de confiture de son couvercle de papier, décoiffa les fromages de leurs cloches pansues (...)   H. TROYAT, le Vivier, p. 65.

Spécialt. *Décoiffer une fusée,* en enlever la coiffe.

♦ **3.** Cour. (compl. n. de personne). Déranger la coiffure, l'ordonnance des cheveux de (qqn). *Décoiffer qqn avec les doigts.* — *Le vent l'a décoiffée.* ⇒ **Dépeigner.**

♦ **4.** Fam. (compl. n. de personne). Contrarier. ⇒ **Défriser.**

2.1 Ce qui le décoiffait le plus était la dimension réduite de son « rival ».
René FALLET, Y a-t-il un docteur dans la salle?, p. 330.

♦ **5.** Emploi absolu (lang. de la publicité). Déranger, mettre en mouvement (comme un grand vent qui décoiffe). « *La publicité qui "décoiffe"* » (*le Point*, 16 janv. 1984).

▶ **SE DÉCOIFFER** v. pron.

♦ **1.** Rare Enlever sa coiffure. *Elle s'est décoiffée en entrant.* ⇒ **Découvrir** (se).

♦ **2.** Déranger sa coiffure. ⇒ **Dépeigner** (se). *Il se décoiffe sans cesse en se grattant la tête, en fourrageant dans ses cheveux.*

♦ **3.** Fig. et fam. (vx). *Se décoiffer d'une idée,* s'en débarrasser, cesser d'en être coiffé.

▶ **DÉCOIFFÉ, ÉE** p. p. adj.

♦ **1.** Rare. Qui n'a plus sa coiffure. *Elle était sortie avec un chapeau, elle est revenue décoiffée.*

♦ **2.** Par ext. *Bouteille décoiffée.*

♦ **3.** Cour. Dont la chevelure, la coiffure est en désordre. *Elle était toute décoiffée.*

3 (...) elle n'avait pas l'air d'une femme, elle était quelque chose d'informe, d'innommable, un monstre affreux, toute décoiffée, quelques mèches tristes, elle le savait, pendaient dans son cou, elle n'avait pas osé lever la main pour les rentrer sous son chapeau (...) N. SARRAUTE, le Planétarium, p. 200.

CONTR. Coiffer, peigner.
DÉR. Décoiffage, décoiffement.

DÉCOINCEMENT [dekwɛ̃smã] ou DÉCOINÇAGE [dekwɛ̃saʒ] n. m. — 1870, *décoincement; décoinçage,* 1931; de *décoincer.*

♦ Action de décoincer (2.); son résultat.

CONTR. Coinçage ou coincement.

DÉCOINCER [dekwɛ̃se] v. tr. — Conjug. *coincer.* → Placer. — 1859; de 1. *dé-,* et *coincer.*

♦ **1.** Techn. Enlever le coin qui assujettit (une pièce), dégager du coin qui assujettit, fixe. *Décoincer un rail pour le changer.* — Pron. :

1 Les rails tendent constamment à se décoincer; cela résulte de l'élasticité de la voie, de la forme des coins et de la trépidation de la voie.
Presse scientifique, 1861, t. III, p. 229, *in* LITTRÉ.

♦ **2.** Cour. Dégager (ce qui est coincé, bloqué). ⇒ **Débloquer.** *Essayez donc de décoincer ce tiroir.*

2 (...) Wagner pour décoincer les tourelles et serrer un garrot, Wagner sur Smolensk qui brûlait. Vous prétendiez que cette guerre était faite par wagnérisme.
Edmonde CHARLES-ROUX, Elle, Adrienne, p. 209.

CONTR. Coincer.
DÉR. Décoincement ou décoinçage.

DÉCOLÉRER [dekɔleʀe] v. intr. — Conjug. *céder.* — 1836; subst. *un decholeré* « celui qui n'est plus en colère », XVIᵉ; de 1. *dé-,* et *colère.*

♦ Cesser d'être en colère. ⇒ **Calmer** (se). Ne s'emploie guère que négativement. *Ne pas décolérer. Il n'a pas décoléré de la journée.*

1 La conversation s'échauffait. On en vint au corps législatif, qu'on traita très-mal. Logre ne décolérait pas. Florent retrouvait en lui le beau crieur du pavillon de la marée, la mâchoire en avant, les mains jetant les mots dans le vide, l'attitude ramassée et aboyante (...) ZOLA, le Ventre de Paris, 1875, t. I, p. 169.

2 Dans son solide visage auvergnat, ses yeux étaient injectés de sang : pendant une ou deux heures, il ne décolérait pas. S. DE BEAUVOIR, la Force de l'âge, p. 544.

Fig. et littér. (sujet n. de chose) :

3 (...) le vent d'est s'était acharné après nous, et la mer ne décolérait pas.
Alphonse DAUDET, Lettres de mon moulin, p. 85.

DÉCOLLABLE [dekɔlabl] adj. — 1912; proposé par R. de Radonvilliers, 1845; de 2. *décoller.*

♦ Qu'on peut décoller. *Timbre décollable. Vignette pharmaceutique facilement décollable.*

CONTR. Indécollable.

DÉCOLLAGE [dekɔlaʒ] n. m. — 1847; de 2. *décoller.*

★ **I.** Action de décoller (2. Décoller, I.). ⇒ **Décollement.** *Le décollage d'une affiche. Décollage soigneux, brutal* (arrachage).

★ **II.** (1910, *in* Petiot; de 2. *décoller,* III., B.). Action de décoller, de quitter le sol. *Le décollage d'un avion, d'un hélicoptère, d'une fusée.* ⇒ **Envol.** *Avion à décollage et atterrissage courts* (Adac), *verticaux* (Adav). *Défaillance de l'avion au décollage. Se présenter à l'aéroport une heure avant le décollage.* ⇒ **Départ.**

(1963; d'après l'amér. *take off*). Écon. Démarrage économique; fait de décoller (→ 2. Décoller, III., B., 2.). « *La région du Bas-Rhône vient d'amorcer son décollage économique* » (*Entreprise,* 27 juin 1970).

CONTR. Recollage. — Atterrissage; appontage.

DÉCOLLATION [dekɔlasjɔ̃] n. f. — 1227; du lat. jurid. *decollatio,* de *decollare,* de *de-,* et *collum* « cou ».

♦ **1.** Vx ou littér. Didact. Action de couper la tête, décapitation. *Le supplice de la décollation.*

Une tapisserie de la décollation de saint Jean-Baptiste. 1
Mᵐᵉ DE SÉVIGNÉ, Lettres, 587, *in* LITTRÉ.

Et je lui vouai ce culte que je garde encore peut-être huit ans après sa décollation. Durant le temps qui va du meurtre à la mort, Pilorge devint plus grand que moi. Pensant aussi à sa vie tranchée, à son corps pourrissant, c'est quand je pus dire : « Pauvr' môme », que je l'aimai. Jean GENET, Journal du voleur, p. 159. 1.1

Chir. Opération qui consiste à sectionner le cou d'un fœtus mort pour rendre son extraction possible.

♦ **2.** Fait d'être décapité.

Entre deux gares, sans explications, le train ralentit, puis s'immobilise. Des têtes 2 surgissent brusquement par les portières; celles de droite doivent aussitôt rentrer dans leur coquille, sous peine de décollation, car un train en sens inverse passe (...) R. QUENEAU, le Chiendent, p. 24.

♦ **3.** Rare et littér. (emploi d'auteur). Coupure, section résultant de la décapitation.

(...) un petit saxe sans tête qui devait être à l'origine un ange musicien était devenu 3 par l'agrandissement des ombres portées, par le vif éclat que la lumière donnait aux brisures de sa décollation (...) J. GIONO, le Hussard sur le toit, p. 142.

REM. L'homonyme *décollation,* de 2. *décoller,* est attesté isolément au sens de « décollement » (emploi métaphorique) : « *cette décollation d'une glu subtile* » (Jean Genet, Miracle de la rose, p. 139).

DÉCOLLÉ, ÉE [dekɔle] adj. ⇒ **Décoller.**

DÉCOLLEMENT [dekɔlmã] n. m. — 1635, *décolemant;* de 2. *décoller.*

♦ Action de décoller (2. Décoller, I.); état de ce qui est décollé. *Le décollement d'une affiche.*

Méd. Séparation d'un organe, ou d'une partie d'organe (des régions anatomiques qui lui sont normalement adhérentes). *Décollement de la rétine* (cour.) : soulèvement de la rétine, repoussée vers le corps vitré. — *Décollement des épiphyses des os longs.* — *Décollement du placenta :* séparation de la muqueuse utérine lors de l'accouchement.

CONTR. Adhérence, collage.

1. DÉCOLLER [dekɔle] v. tr. — Xᵉ; du lat. *decollare,* de *collum* « cou ».

♦ Vx. ⇒ **Décapiter.**

(Le czar Pierre) avait décollé de sa propre main son fils aîné.
LAMBERTI, cité par VOLTAIRE, Hist. de l'Empire de Russie..., II, 10.

Spécialt (pêche). Trancher la tête des morues.

DÉR. Décollation, décolleur.
HOM. 2. Décoller.

2. DÉCOLLER [dekɔle] v. — 1382; de 1. *dé-,* et *coller.*

★ **I.** V. tr. dir. ♦ **1.** Détacher, séparer (ce qui était collé) sans déchirer. *Décoller un timbre, une affiche. Je n'arrive pas à décoller ces deux feuilles.* ⇒ **Décollement.** *Ne tire pas comme ça, au lieu de le décoller, tu vas l'arracher.*

♦ **2.** (Jeu de billard). *Décoller une bille,* la détacher de la bande contre laquelle elle se trouvait.

♦ **3.** Fam. *Ne pas décoller* (qqn) : importuner, « coller », ne pas lâcher. *Il ne nous a pas décollés une minute.*

(1896, *in* Petiot). Sports. *Décoller* (un concurrent), prendre de l'avance sur lui. ⇒ **Distancer, lâcher.** *Se faire décoller.*

▶ **SE DÉCOLLER** v. pron.
Se détacher. *Affiche qui se décolle.* — Par comparaison :

Réveil rapide. Les rêves tournent court. Ou se décollent et oscillent, comme 1 l'emplâtre d'affiches que le vent détache d'un mur.
J. ROMAINS, les Hommes de bonne volonté, t. III, p. 226.

Méd. Ne plus adhérer. *La rétine s'est décollée. Greffe, bourgeon qui se décolle.*

Par anal. *Ne pas* (ou *plus*) *pouvoir se décoller de* (qqch.), être incapable de s'en séparer. — Fam. *Ne pas pouvoir se décoller de* (qqn d'importun), ne pas réussir à s'en débarrasser. ⇒ **Dépêtrer** (se).

Pop. Ne plus être « à la colle ». ⇒ **Casser, rompre.**

On se rencontre... on se colle, c'est bien... On se quitte... on se décolle... c'est bien 1.1 aussi. O. MIRBEAU, le Journal d'une femme de chambre, p. 386.

★ **II.** V. tr. ind. (avec *de...*). ♦ **1.** Fam. S'en aller, partir (s'emploie surtout négativement). *Il ne décolle pas d'ici. Pas moyen de le faire décoller* (→ ci-dessus, I., 3.).

♦ **2.** Se détacher de... (au propre et au fig.). *L'avion décolle de la piste* (→ ci-dessous, III., B.). — Spécialt (ski). *Décoller du tremplin dans une épreuve de saut.* — Trans. *Décoller une bosse.* ⇒ **Bosse.** — Absolument :

1.2   Son élan reçu d'une première pente, le skieur arrive sur une plate-forme — le tremplin proprement dit — à l'extrémité de laquelle il donne, en décollant, une détente des jarrets qui le portera plus ou moins loin en contrebas sur la pente d'atterrissage.   Jean DAUVEN, Technique du sport, Le ski, p. 120.

Sports. Se détacher des autres concurrents dans une course, etc., prendre de l'avance. *Le cycliste a décollé du peloton* (→ ci-dessus, I., 3.).

Fig. *Décoller de la réalité :* quitter le réel pour l'imaginaire.

★ **III.** V. intr. **A.** Fam. Maigrir. *Ce qu'il a décollé depuis sa maladie !*

B. ♦ **1.** (1910, in Petiot). Quitter le sol, en parlant d'un avion (opposé à *atterrir*). ⇒ **Envoler** (s') ; **décollage** (II.). *L'avion de New York vient de décoller. Le pilote prend la piste pour décoller.*

2   Et comme un aviateur qui a jusque-là péniblement roulé à terre, « décollant » brusquement, je m'élevais lentement vers les hauteurs silencieuses du souvenir.   PROUST, À la recherche du temps perdu, t. XIV, p. 200.

3   — Paré, le mitrailleur ? — Paré. — Alors on y va. Et je décolle.   SAINT-EXUPÉRY, Pilote de guerre, IV, p. 39.

Par anal. Ski (→ ci-dessus, II., 2.).

(En parlant d'un autre type de véhicule). Rare. *Train, bateau qui décolle*, qui part.

♦ **2.** (1962 ; d'après l'angl. *to take off*). Fig. Écon. Prendre son essor économique ; sortir d'une phase de stagnation, du sous-développement. « *Un plan capable de faire "décoller"* » les économies africaines » (R. Dumont). — Par ext. *Discipline, science qui décolle. La télévision en couleurs a décollé dans les années 70.*

▶ **DÉCOLLÉ, ÉE** p. p. adj.

Détaché. *Affiches décollées*, qui ne sont plus collées ou qui sont mal collées.

Fig. *Oreilles décollées*, qui s'écartent de la tête (cf. En feuille de chou).

4   Parmi les trois acolytes, de même style, se distingue un rouquin efflanqué, aux oreilles décollées ( )   Georges LECOMTE, Ma traversée, p. 477.

CONTR. Coller, réunir. — Adhérer (faire). **— Atterrir, poser** (se). **— Rester.**
DÉR. Décollable, décollage, décollement, décolloir.
HOM. 1. Décoller.

DÉCOLLETAGE [dekɔltaʒ] n. m. — 1835, au sens 2 ; de *décolleter.*

♦ **1.** (1849). Action de décolleter (une robe), de se décolleter ; partie décolletée d'une robe. ⇒ **Décolleter** (p. p. adj.). *Décolletage en V. Un décolletage carré.*

1   On sentait qu'elle était avec le public en désaccord aussi profond sur la beauté de sa toilette que sur celle de sa personne, car il était visible qu'elle mettait sous sa haute protection l'espèce de canne qu'elle tenait à la main, son gigantesque éventail, ses cheveux bouffant dans le dos, son décolletage excessif (...)   PROUST, Jean Santeuil, Pl., p. 741.

2   (...) la dentelle qui bornait le décolletage de sa robe.   COLETTE, la Fin de Chéri, p. 55.

♦ **2.** Agric. Opération par laquelle on décollette (2.). *Décolletage des racines cultivées*, section de leur partie supérieure, juste au-dessous du collet*. *Décolletage à la machine* (décolleteuse).

♦ **3.** (1900). Techn. Travail des pièces métalliques tournées à partir de barres métalliques (ou de couronnes de fil) et pouvant comporter des perçages, des filetages, des taraudages.

DÉCOLLETER [dekɔlte] v. tr. — Conjug. *jeter.* — 1700, au p. p. ; de 1. *dé-*, et *collet*, dimin. de *col.*

♦ **1.** Couper (un vêtement) de manière qu'il dégage le cou. ⇒ **Échancrer.** *Décolleter une robe, un corsage.*

(Le sujet désigne un vêtement). Laisser le cou, la gorge, les épaules à nu. *Cette robe la décollette trop.*

♦ **2.** (1835). Agric. Couper la partie supérieure de (racines alimentaires) pour empêcher le développement du bourgeon. *Décolleter des carottes, des betteraves.*

♦ **3.** (1873, in D.D.L.). Techn. Travailler par décolletage* (3.). *Décolleter un boulon*, en creuser le pas de vis. *Tour à décolleter.*

▶ **SE DÉCOLLETER** v. pron.
Porter un vêtement laissant le cou découvert, en parlant d'une femme. *Elle se décollette trop.*

▶ **DÉCOLLETÉ, ÉE** p. p. adj. et n. m.

A. ♦ **1.** Adj. (Vêtements). Qui laisse voir le cou et une partie de la gorge, du dos. *Robe décolletée devant, dans le dos* (opposé à *montant*). — Par anal. *Soulier décolleté*, qui dégage le cou de pied.

1   Elle a une robe d'intérieur, très décolletée, qui découvre sa nuque fine et ses épaules rondes et pâles (...)   Edmond JALOUX, Fumées dans la campagne, XIV, p. 115.

(Personnes). *Femme décolletée, trop décolletée.*

1.1   (...) une femme en cire... une vertu décolletée... pour son salon de coiffure, et tournant sur pivot...   E. LABICHE, Un monsieur qui a brûlé une dame, 17.

2   Celles qui m'entouraient, entièrement décolletées (leur chair apparaissait des deux côtés d'une sinueuse branche de mimosa ou sous les larges pétales d'une rose)...   PROUST, À la recherche du temps perdu, t. VIII, p. 55.

Fig. et vx. *Propos décolletés*, très libres, licencieux.

2.1   En voilà une dont la tournure est équivoque et les manières tant soit peu décolletées.   Ch. PAUL DE KOCK, la Grande Ville, t. I, p. 396 (éd. 1842).

♦ **2.** N. m. (1849). Bords d'un vêtement par où passe la tête, lorsqu'ils dégagent le cou et une partie de la gorge, du dos. ⇒ **Décolletage.** *Décolleté plongeant ; décolleté carré ; décolleté bateau ; décolleté en pointe.* — *Être en grand décolleté*, en robe de soirée décolletée.

3   Le décolleté laissait voir la naissance d'une gorge abondante et agréable.   J. ROMAINS, les Hommes de bonne volonté, t. III, XI, p. 147.

(1922). Par ext. Partie de la gorge laissée nue par le décolleté. *Elle a un beau décolleté. Un décolleté opulent.*

(1894). Soulier décolleté. *Des décolletés en daim noir.*

B. Adj. Chir. dent. « Se dit d'un appareil de prothèse mobile dont la plaque-base laisse partiellement libres les collets des dents » (*Dict. odonto-stomatologique, Suppl.*, n° 18).

C. Techn. *Pièces décolletées au tour.*

DÉR. Décolletage, décolleteur.

DÉCOLLETEUR, EUSE [dekɔltœr, øz] n. — 1881 ; de *décolleter.*

Technique.

♦ **1.** Ouvrier, ouvrière qui fait du décolletage* (3.).

♦ **2.** N. f. Machine à décolleter les racines. *Une décolleteuse-arracheuse. Décolleteuse-récupératrice*, récoltant les feuilles et les collets.
Machine servant au décolletage* (3.).

DÉCOLLEUR [dekɔlœr] n. m. — XIIIe ; de 1. *décoller* « couper le col, le cou ».

♦ Vx. Bourreau. — (1732). Mod. Pêcheur chargé de couper la tête des morues et de les vider.

REM. L'homonyme *décolleur, euse*, adj. et n. « (personne) qui décolle », de 2. *décoller*, est virtuel.

DÉCOLLOIR [dekɔlwar] n. m. — XXe ; de 2. *décoller.*

♦ Techn. Lame de bois qui sépare une forme de bois et la matière à travailler.

DÉCOLONISABLE [dekɔlɔnizabl] adj. — 1845, attestation isolée, J.-B. Richard de Radonvilliers ; de *décoloniser.*

♦ Rare. Qui peut être décolonisé.

DÉCOLONISANT, ANTE [dekɔlɔnizɑ̃, ɑ̃t] adj. ⇒ **Décoloniser.**

DÉCOLONISATEUR, TRICE [dekɔlɔnizatœr, tris] adj. et n. — 1964 ; néologisme proposé en 1845 par J.-B. Richard de Radonvilliers ; de *décoloniser.*

♦ Qui décolonise. *Politique, action décolonisatrice*, de décolonisation. *Les décolonisateurs.*

DÉCOLONISATION [dekɔlɔnizasjɔ̃] n. f. — 1836, Fonfrède, in D.D.L., repris 1952 ; de 1. *dé-*, et *colonisation.*

♦ Cessation pour un pays de l'état de colonie, processus par lequel une colonie devient indépendante.

1   Je vous épargne l'analyse mille fois recommencée du phénomène de décolonisation qui a affecté tous les empires (...)   F. MAURIAC, le Nouveau Bloc-notes 1958-1960, p. 391.

2   Pour moi, l'histoire du siècle était depuis quarante ans celle de la montée communiste, et de la substitution de l'Amérique à l'Europe. Pour lui (*Nehru*), c'était celle de la décolonisation et d'abord, de la libération de l'Asie.   MALRAUX, Antimémoires, Folio, 1972, p. 202-203.

(1963). Par ext. Libération de groupes humains ou de secteurs socio-économiques dont l'exploitation est comparée à celle de la colonisation.

CONTR. **Colonisation.**

DÉCOLONISER [dekɔlɔnize] v. tr. — V. 1955; *décolonisant* et *décolonisé*, adj., avaient été proposés comme néologismes par J.-B. Richard de Radonvilliers, 1845; de 1. *dé-*, et *coloniser*.

♦ Permettre, effectuer la décolonisation de (un pays colonisé). *Décoloniser un territoire, un pays pour qu'il accède à l'indépendance.* — Absolument :

1 Une fois libre, la France s'était intéressée à la Libération de ses filleules, décolonisant de Cao Bang au cap Bon.
Claude COURCHAY, La vie finira bien par commencer, p. 7.

Par ext. Rendre indépendant (un groupe humain, un secteur socio-économique considéré comme colonisé). *Décoloniser la province,* lui rendre une sorte d'autonomie par rapport à Paris. «*Il faut décoloniser la femme*» (Françoise Parturier, 14 avril 1970, in *les Mots dans le vent*).

▶ **DÉCOLONISÉ, ÉE** p. p. adj. et n.
Qui n'est plus colonisé, qui a accédé à l'indépendance. *Les pays décolonisés d'Afrique.*

2 Aujourd'hui, la plupart des États fraîchement décolonisés se ruinent en armements sans trop savoir pourquoi, probablement parce qu'ils y voient le principal et coûteux attribut de leur indépendance.
Gaston BOUTHOUL, Sociologie de la politique, p. 121.

N. *Un décolonisé, une décolonisée,* personne dont le pays est décolonisé. *Les nouveaux décolonisés font entendre leur voix.*

CONTR. **Coloniser.**
DÉR. **Décolonisable, décolonisateur.**

DÉCOLORANT, ANTE [dekɔlɔʀɑ̃ ɑ̃t] adj. et n. m. — 1792; p. prés. de *décolorer*.

♦ **1.** Adj. Qui décolore. *Substance décolorante. Action décolorante de l'eau oxygénée.*

♦ **2.** N. m. (1890). *Un décolorant :* une substance décolorante. *Le noir animal, l'eau de Javel, l'anhydride sulfureux sont des décolorants.*

Techn. (coiffure). Produit chimique à base d'eau oxygénée intervenant en plus ou moins grande proportion, selon le degré de décoloration à obtenir.

DÉCOLORATION [dekɔlɔʀasjɔ̃] n. f. — V. 1370; du lat. *decoloratio,* du supin de *decolorare*. → Décolorer.

♦ **1.** Action de décolorer, de se décolorer; fait d'avoir perdu sa couleur. *La décoloration d'une étoffe exposée au soleil. Décoloration de la peau, des végétaux.* ⇒ **Chlorose, étiolement.** *Décoloration des cheveux, du système pileux.* ⇒ **Canitie.**

D(*oumic*) a bien la plus sale tête de pion rabougri et obtus que j'aie jamais vue. Immense quantité de vieillards à tous les stades de la décoloration.
CLAUDEL, Journal, 30 nov. 1933.

Par ext. Techn. (coiffure). Opération consistant à éclaircir les pigments colorants par oxydation. *Décoloration suivie d'une teinture. Se faire faire une décoloration. Décoloration de mèches prises sur la masse de la chevelure.* ⇒ **Balayage.**

♦ **2.** Fig. et rare. *La décoloration d'un style.* ⇒ **Affadissement, altération.**

DÉCOLORER [dekɔlɔʀe] v. tr. — 1080, *Chanson de Roland;* du lat. *decolorare,* de *color*. → Couleur.

♦ **1.** Altérer, effacer la couleur de. *Décolorer une étoffe. Le soleil a décoloré les rideaux.*

♦ **2.** Spécialt. *Décolorer les cheveux,* leur enlever leur couleur naturelle. — Par métonymie (le compl. désigne la personne). *Se faire décolorer.* ⇒ **Décoloration.**

♦ **3.** Fig. Enlever ou atténuer la beauté, le brillant de (qqch.). *Décolorer le style.*

1 Sainte-Beuve avait eu à batailler pour empêcher Sénancour de faire à son texte des retouches qui l'auraient décoloré.
A. BILLY, Sainte-Beuve, sa vie et son temps, p. 230.

▶ **SE DÉCOLORER** v. pron.

♦ **1.** Perdre sa couleur. ⇒ **Déteindre.** *Son teint s'est décoloré* ⇒ **Faner** (se), **flétrir** (se).

♦ **2.** (Personnes). Décolorer ses cheveux. *Il s'est décoloré avec de l'eau oxygénée.* ⇒ **Blondir.** — (Passif) *Il se décolore avec l'âge.* ⇒ **Blanchir.**

♦ **3.** Perdre ses couleurs. *Le ciel, la lumière se décolore peu à peu.*

Le crépuscule commença à balayer la mer. Et le ciel, lentement, se décolora. 1.1
L'ouest seul resta rouge encore. Il s'effaçait.
M. DURAS, Moderato cantabile, p. 18.

Par métaphore :

(...) quand le soleil du moyen âge est tout à fait couché, quand le génie gothique 2
s'est à jamais éteint à l'horizon de l'art, l'architecture se va ternissant, se décolorant, s'effaçant de plus en plus. HUGO, Notre-Dame de Paris, V, 2.

Tous les événements de l'existence qui, autrefois, resplendissaient à mes yeux 3
comme des aurores, me semblent se décolorer.
MAUPASSANT, les Sœurs Rondoli, «Suicides», p. 261.

Fig. S'altérer* en perdant ses couleurs (fig.), son attrait. ⇒ **Affadir** (s'), **effacer** (s'), **ternir** (se). *Son style s'est singulièrement décoloré.*

▶ **DÉCOLORÉ, ÉE** p. p. adj.

♦ **1.** Qui a perdu sa couleur. *Étoffe décolorée.* ⇒ **Déteint, passé.** *Bleu décoloré.* ⇒ **Pâle.** *Lèvres décolorées.* ⇒ **Blafard, blême, pâle.**

Elle a un caraco rouge à pois blancs, décoloré par la sueur sous les bras. 4
J. GIONO, Colline, p. 160.

Spécialt. *Cheveux décolorés,* qui ont subi une décoloration. — N. (rare). *Un décoloré, une décolorée :* une personne dont les cheveux sont décolorés.

♦ **2.** Par métaphore ou fig. ⇒ **Morne, plat, terne.** *Un style décoloré.*

Oui vraiment, depuis longtemps je n'avais traversé suite de jours plus mornes et 5
décolorés, moins profitables. GIDE, Journal, 23 févr. 1930.

La nature aussi avait pris cet aspect décoloré et plat, cette maigreur de décor 6
que donne le malheur aux paysages les plus saints, aux soirées les plus riches en relief.
GIRAUDOUX, les Aventures de Jérôme Bardini, Stéphy, p. 145.

CONTR. **Colorer, teindre, teinter.** — **Colorant.** — **Brillant, frais, vif, vigoureux.**
DÉR. **Décolorant.** — V. **Décoloration.**

DÉCOMBINAISON [dekɔ̃binɛzɔ̃] n. f. — 1855; de 1. *dé-*, et *combinaison,* ou d'un verbe *décombiner*.

♦ Didact. Séparation (d'éléments en combinaison).

La vie (...) est une combinaison et une décombinaison perpétuelle, combinaison
des substances qui entrent, décombinaison des substances qui sortent.
É. LITTRÉ, De la science de la vie dans ses rapports avec la chimie,
in Revue des Deux-Mondes, 1er janv. 1855, p. 75.

DÉCOMBRE [dekɔ̃bʀ] n. m. (rare au sing.). — 1572; «action de décombrer», 1404; de *décombrer*.

★ **I.** Au plur. *Décombres.* ♦ **1.** Amas de matériaux provenant d'un édifice détruit. ⇒ **Déblai, débris, gravats, ruine.** *Décharger les décombres.* ⇒ **Décharge.** *Enterrer qqn, qqch. sous les décombres. Plante qui croît dans les décombres.* ⇒ **Rudéral.** *Un amas, un monceau de décombres* (→ Cloaque, cit. 2).

(...) en se glissant à travers les décombres (...) VOLTAIRE, Candide, 5. 1

Voilà un homme dont la maison tombe en ruine; il l'a démolie pour en bâtir une 2
autre. Les décombres gisent sur son champ, et il attend des pierres nouvelles pour son édifice nouveau. A. DE MUSSET, la Confession d'un enfant du siècle, I, II.

Jean Tournier était occupé, avec une équipe de jeunes gens, ces derniers matins, 3
à extraire les cadavres et les blessés de dessous les décombres d'un pâté de maisons (...) GIDE, Journal, 1er janv. 1943.

♦ **2.** Fig. et littér. Résidus, ruines. *Les décombres d'un mouvement littéraire, d'une civilisation.*

★ **II.** Au sing. (avec une valeur stylistique). Rare. Démolition; fait de s'effondrer. ⇒ **Décombrement** (2.).

Braoum! Vraoum!... C'est le grand décombre!... Toute la rue qui s'effondre au 4
bord de l'eau!... C'est Orléans qui s'écroule et le tonnerre au Grand Café!... Un guéridon vogue et fend l'air! (...) Tout un mobilier qui bascule, jaillit des croisées, s'éparpille en pluie de feu!... CÉLINE, Guignol's band, p. 7.

DÉCOMBREMENT [dekɔ̃bʀəmɑ̃] n. m. — Av. 1105, «action de débarrasser»; de *décombrer*.

♦ **1.** Vx. Action de décombrer.

♦ **2.** (Attesté XVIIe-XVIIIe). Techn. et vx. Démolition ⇒ **Décombre(s).**

DÉCOMBRER [dekɔ̃bʀe] v. tr. — XIIe; de l'anc. franç. *combre* «barrage de rivière» (n. f. selon Godefroy, attesté au masc. *in* du Cange), d'un mot gaulois **comboros* «abattis (d'arbres)», ou (P. Guiraud) doublet de *comble*. → Encombrer.

♦ Vx. Débarrasser de ce qui encombre. ⇒ **Débarrasser, désencombrer.**

CONTR. **Encombrer.**
DÉR. **Décombre, décombrement.**

DÉCOMBRES [dekɔ̃bʀ] n. m. pl. ⇒ **Décombre.**

DÉCOMMANDE [dekɔmɑ̃d] n. f. — V. 1900, J. Renard, *in* T.L.F.; déverbal de *décommander.*

♦ Rare. Fait de se décommander.

DÉCOMMANDER [dekɔmɑ̃de] v. tr. — 1832; «annuler un ordre», vers 1330; de 1. *dé-,* et *commander.*

♦ **1.** Annuler la commande de (une marchandise). *Décommander une robe, une voiture.*

♦ **2.** Différer ou supprimer (une invitation que l'on avait faite). *Décommander un repas, un lunch, un bal. Décommander un rendez-vous.* — Par ext. *Décommander qqn, décommander des invités.* ⇒ **Contremander.**

▶ **SE DÉCOMMANDER** v. pron.
Faire savoir qu'on ne viendra pas à un rendez-vous, qu'on n'ira pas chez qqn comme convenu.

1   Costals téléphone pour se décommander.
                       MONTHERLANT, le Démon du bien, p. 106.
2   (...) ils ne peuvent plus se quitter, c'est si rare, de tels moments... Mais que faites-vous maintenant?... Si je me décommandais?... Oh oui, je vous en prie... Tant pis, après tout, on ne vit qu'une fois (...)   N. SARRAUTE, le Planétarium, p. 163.
Se décommander de (un dîner, un bal, un rendez-vous).

CONTR. **Commander, maintenir.**
DÉR. **Décommande.**

DÉCOMMETTRE [dekɔmɛtʀ] v. tr. — Conjug. *commettre.* — 1870, *in* P. Larousse; de 1. *dé-,* et *commettre.*

♦ Mar. Détordre* (un cordage) pour en séparer les torons. — Au p. p. *Bout décommis.* — Pron. *Se décommettre :* se détordre, en parlant d'un cordage. *L'aussière s'est décommise sur un mètre.*

CONTR. **Commettre** (I., 5.).

DE COMMODO ET INCOMMODO [dekɔmɔdɔɛtinkɔmɔdo] loc. adj. — 1753; formule latine, «quant aux avantages et aux inconvénients».

♦ Dr. Se dit d'une enquête destinée à déterminer les avantages et les inconvénients d'un projet soumis à l'administration.

DÉCOMMUNISER [dekɔmynize] v. tr. — 1966, *in* D.D.L.; de 1. *dé-,* et *communiser.*

♦ Faire cesser d'être communiste, rendre moins ou non communiste. «*Tito décommunise son régime*» (*le Provençal,* 1966).

DÉCOMPENSATION [dekɔ̃pɑ̃sɑsjɔ̃] n. f. — 1926; de 1. *dé-,* et *compensation.*

♦ **1.** Méd. Faillite des mécanismes régulateurs, à la suite de laquelle les troubles dus à une maladie provoquent des perturbations très graves dans l'organisme (ces perturbations étant normalement compensées). *Décompensation d'un diabète, d'une maladie cardiaque.*

♦ **2.** Non technique. (Rare). Action de décompenser, fait de se décompenser.

DÉR. **Décompenser.**

DÉCOMPENSÉ, ÉE [dekɔ̃pɑ̃se] adj. — 1953; de 1. *dé-,* et *compensé.*

♦ Méd. Se dit d'une affection organique dont les mécanismes physiologiques de compensation* ne suffisent plus à contrebalancer les effets. *Diabète décompensé. Cardiopathie décompensée.*

CONTR. **Compensé.**

DÉCOMPENSER [dekɔ̃pɑ̃se] v. intr. — D. i. (mil. xxᵉ); de *décompensation,* et *compenser.*

♦ **1.** Méd. Être dans un état de rupture d'équilibre, de faillite des mécanismes régulateurs (décompensation).

♦ **2.** Non technique. (Rare). Cesser de compenser, de s'équilibrer, par une décompensation.

▶ **SE DÉCOMPENSER** v. pron. (même sens).

DÉCOMPLÉTER [dekɔ̃plete] v. tr. — Conjug. *compléter.* (→ Céder). — 1779; de 1. *dé-,* et *compléter.*

♦ Rare. Rendre incomplet. ⇒ **Dépareiller, désassortir.** *La perte de cette pièce a décomplété sa collection.*

▶ **SE DÉCOMPLÉTER** v. pron. (passif). *Avec le temps sa collection s'est décomplétée.*

▶ **DÉCOMPLÉTÉ, ÉE** p. p. adj. *Collection décomplétée.*

(...) le socialisme brouillé qu'il avait puisé çà et là dans un Fourier décomplété et dans des lambeaux de papiers déclamatoires (...)
            Ed. et J. DE GONCOURT, Manette Salomon, p. 93 (1867).

DÉCOMPLEXER [dekɔ̃plɛkse] v. tr. — 1962; de 1. *dé-,* et *complexer.*

♦ Fam. Libérer (qqn) de ses complexes, de ses inhibitions (au sens courant de «complexe d'infériorité»). ⇒ **Décontracter** (fig.), **défouler.** *Être décomplexé :* cesser d'avoir des complexes, d'être inhibé.
Fig. Libérer d'une gêne. «*Cette marocanisation (...) décomplexe l'économie marocaine*» (*le Monde,* 30 nov. 1962).

▶ **SE DÉCOMPLEXER** v. pron. *Ce n'est pas sa vie professionnelle qui lui permettra de se décomplexer.*

▶ **DÉCOMPLEXÉ, ÉE** p. p. adj.
Libéré de ses complexes. *Personne décomplexée.* — Par ext. À l'aise. ⇒ **Décontracté.**

CONTR. **Complexer.** — (Du p. p. adj.) **Complexé.**

DÉCOMPLIQUER [dekɔ̃plike] v. tr. — 1845; de 1. *dé-,* et *compliquer.*

♦ Rare. Rendre moins compliqué. ⇒ **Simplifier.** — REM. Le mot est utilisé par Gide, qui l'emploie avec deux compl. (*décompliquer qqch. de qqch.*) et pronominalement.

DÉCOMPOSABLE [dekɔ̃pozabl] adj. — 1790; de *décomposer.*

♦ Qui peut être décomposé*.

CONTR. **Indécomposable, inséparable, monolithique, simple.**

DÉCOMPOSER [dekɔ̃poze] v. tr. — V. 1516; de 1. *dé-,* et *composer.*

A. ♦ **1.** Diviser, séparer en éléments. ⇒ **Désagréger, dissocier, diviser, résoudre, séparer.** *Décomposer un sel. Décomposer de l'eau par électrolyse.* — *Le prisme décompose la lumière solaire.* — Pron. *La lumière blanche se décompose en couleurs fondamentales.*

1   (...) un rayon de lumière blanche, en traversant un prisme transparent, se décompose dans une infinité de couleurs.
         LAPLACE, Exposition du système du monde, IV, 17.
2   Il ne manquait à l'appel que l'oncle Jules, qui, dans une furie inverse, s'acharnait depuis six semaines à décomposer l'ion.   GIRAUDOUX, Bella, VI, p. 154.
Mécan. *Décomposer une force, un mouvement en ses composantes.* (1754). Math., géom. *Décomposer un produit en ses facteurs. Décomposer un polygone en triangles. Décomposer une équation en équations partielles pour la résoudre.* — *Décomposer un compte.*
Techn. (typogr.). Distribuer*.

♦ **2.** Diviser, analyser en ses éléments. ⇒ **Analyser, dissocier, diviser, réduire, résoudre, scinder, séparer; dépecer, désosser, disséquer** (fig.). *Décomposer un texte en phrases, en propositions grammaticales. Décomposer un mot. Décomposer une phrase musicale. Décomposer les idées* (→ Chaîne, cit. 35), *un raisonnement. Décomposer un problème pour le résoudre.*

3   Le physiologiste et le médecin, aussi bien que le physicien et le chimiste, quand ils se trouveront en face des questions complexes, devront donc décomposer le problème total en des problèmes partiels de plus en plus simples et de mieux en mieux définis.   Cl. BERNARD, Introd. à l'étude de la médecine expérimentale, II, I.
4   Vous parlez d'or quand vous rappelez au philosophe qu'après avoir décomposé l'univers il est tenu de le recomposer.
         Julien BENDA, Lettre à Mélisande, IV, p. 34.

♦ **3.** Effectuer (un mouvement, une action complexe) en détachant les éléments. *Décomposer un pas de danse, un mouvement de gymnastique.* — *Décomposer les changements de vitesse, à moto.* — Absolt. *Bien décomposer pour éviter les à-coups.*

5   Je la vis soudain pâlir, fermer les yeux, tomber à genoux puis en arrière, puis glisser, encore un peu inhabile de ces gestes suprêmes, décomposant sa chute, l'inscrivant au ralenti dans nos yeux.   GIRAUDOUX, Bella, VIII, p. 208.
5.1   L'empereur, ainsi costumé en cantatrice, monta sur la scène, et cette fois Carmichaël, en donnant sa leçon, décomposa lentement les divers mouvements de bras qui lui étaient familiers, tout en habituant son élève à marcher avec aisance en chassant d'un adroit coup de pied la longue traîne embarrassante.
         Raymond ROUSSEL, Impressions d'Afrique, p. 325.

B. ♦ **1.** Altérer chimiquement (une substance organique). ⇒ **Altérer, corrompre, désorganiser, gâter, putréfier.** *La chaleur décompose les matières animales.* — Pron. *Cadavre qui se décompose.* ⇒ **Pourrir.** *Gibier qui commence à se décomposer.* ⇒ **Faisander, mortifier.**
Fig. ⇒ **Détruire, dissoudre.** *L'anarchie décompose une société.*

6   Tout ce que nous laissons derrière nous, au long de la vie, se décompose lentement, et c'est là un poison qui intoxique notre présent.
         Edmond JALOUX, le Jeune Homme au masque, VIII, p. 135.

♦ **2.** (1752). Altérer passagèrement (les traits du visage). ⇒ **Altérer,** troubler. *La souffrance décomposait ses traits.* — Pron. *Son visage se décomposa de terreur.* ⇒ **Convulser** (se), **tordre** (se).

7   (...) une pâleur profonde envahit son visage dont les traits se décomposèrent.
Paul BOURGET, Un divorce, IV, p. 159.

8   Des rires décomposaient ces figures de Landais.   F. MAURIAC, Génitrix, IX, p. 109.

▶ **DÉCOMPOSANT, ANTE** p. prés. et adj.
Qui décompose. *Chaleur décomposante.*

▶ **DÉCOMPOSÉ, ÉE** p. p. adj.

♦ **1.** Divisé, séparé en éléments. *Eau décomposée en hydrogène et oxygène. Lumière décomposée par le prisme.* — Analysé, dissocié. *Produit décomposé en facteurs.*

♦ **2.** Altéré, corrompu, pourri. *Cadavre décomposé.*

8.1   (...) si rien ne meurt, si rien ne se détruit, si rien ne se perd dans la Nature, si toutes les parties décomposées d'un corps quelconque n'attendent que la dissolution, pour reparaître aussitôt sous des formes nouvelles, quelle indifférence n'y aura-t-il pas dans l'action du meurtre, et comment osera-t-on y trouver du mal?
SADE, Justine..., t. I, p. 129.

9   Alors, ô ma beauté! dites à la vermine
Qui vous mangera de baisers,
Que j'ai gardé la forme et l'essence divine
De mes amours décomposés!
BAUDELAIRE, les Fleurs du mal, XXIX, « Une charogne ».

♦ **3.** Altéré. *Traits décomposés par la douleur, la frayeur...*

10   Debout devant une glace, il contemplait son visage, si décomposé, qu'il ne le reconnaissait pas.   ZOLA, Germinal, II, v, p. 60.

CONTR. **Assembler, combiner, composer, rassembler, synthétiser, unir. — Conserver, maintenir.**

DÉR. **Décomposable, décomposeur, décomposition.**

DÉCOMPOSEUR [dekɔ̃pozœʀ] n. m. — Mil. xxᵉ; de *décomposer.*

♦ Organisme, constituant le dernier maillon dans une chaîne alimentaire, qui assure la minéralisation (⇒ **Minéralisateur**) ou la transformation en humus de la matière organique (provenant des cadavres, des excréments et des débris végétaux) dont cet organisme se nourrit. ⇒ **Saprophage.**

DÉCOMPOSITION [dekɔ̃pozisjɔ̃] n. f. — 1694; de *décomposer,* d'après *composition.*

A. ♦ **1.** Résolution, séparation (d'un corps, etc.) en ses éléments. ⇒ **Division.** *Décomposition chimique d'une substance, d'un composé. La chaleur, l'électricité, la lumière, les chocs sont des causes de décomposition. Décomposition incomplète.* ⇒ **Dissociation.** *La décomposition de la lumière par le prisme.*

♦ **2.** Analyse. *La décomposition d'une idée, d'un raisonnement. Décomposition d'un produit en ses facteurs. Décomposition d'un nombre en facteurs* premiers. *Décomposition d'une mesure musicale, d'un pas de danse. Décomposition d'un bilan, d'une comptabilité.* ⇒ **Décompte.**

B. ♦ **1.** Désorganisation, altération (d'une substance organique), ordinairement suivie de putréfaction. ⇒ **Altération, corruption, désorganisation, gangrène, moisissure, pourriture, putréfaction.** *La décomposition de la viande, du gibier.* ⇒ **Faisandage.** *Début de décomposition des fruits.* ⇒ **Blettissement.** *Décomposition des débris végétaux par des micro-organismes.* ⇒ **Biodégradation.**

1   On craint alors les pertes sanglantes des femmes dans leurs indispositions ou leurs couches et, par-dessus tout, la décomposition du cadavre, l'image la plus parlante de la dissolution suprême et inévitable, du triomphe des énergies de destruction qui sapent aussi dangereusement l'existence biologique que la santé du monde et de la société.   Roger CAILLOIS, l'Homme et le Sacré, p. 67.

Loc. *En décomposition, en cours de décomposition. Cadavre en décomposition.*

♦ **2.** Fait de se décomposer (fig.). *La décomposition d'une société.* ⇒ **Agonie, décadence, désagrégation, dissolution, mort.**

2   Cette révolution-là, elle porterait dans l'œuf son germe de décomposition.
MARTIN DU GARD, les Thibault, t. V, p. 105.

♦ **3.** (1824). Par ext. *Décomposition des traits du visage.* ⇒ **Altération, convulsion, trouble.**

CONTR. **Assemblage, combinaison, composition, synthèse, union. — Conservation, fraîcheur.**

DÉCOMPRESSER [dekɔ̃pʀese] v. tr. — 1966; de 1. *dé-,* et *compresser.*

♦ Cesser de compresser, faire cesser ou diminuer la compression de. ⇒ aussi **Décomprimer.**

(...) il se peut que la psycho-chimie (...) permette de décompresser le paléocéphale, le cerveau ancien. L'homme pourrait mieux gouverner et mieux utiliser son intelligence.   L. PAUWELS, in Planète, nº 4, févr. 1969, p. 14.

Spécialt. Réduire la compression de (un gaz). ⇒ **Décomprimer, détendre.** — (Le plus souvent, à propos de moteurs à explosion, et en emploi absolu). «*Soudain, Geoffrey décompressa. La plaine s'étendait*

devant eux, ils survolèrent une belle rivière.» (Daniel Odier, *l'Année du lièvre,* p. 247).

Par métaphore et absolt. (Fam.). Faire succéder une période de détente à une période de tension nerveuse; adopter un rythme de travail plus calme. *Décompresse un peu.*

CONTR. **Compresser, comprimer.**

DÉCOMPRESSEUR [dekɔ̃pʀesœʀ] n. m. — 1904, in D.D.L.; de 1. *dé-,* et *compresseur.*

♦ Techn. Appareil ramenant à la pression normale un gaz comprimé. — Spécialt. Dans un moteur à explosion, Soupape supprimant la compression dans les cylindres.

DÉCOMPRESSION [dekɔ̃pʀesjɔ̃; dekɔ̃pʀesjɔ̃] n. f. — 1868; de 1. *dé-,* et *compression.*

♦ **1.** Action de décomprimer; cessation ou diminution de la compression (d'un gaz). *La décompression lente, soudaine d'un gaz.* ⇒ **Détente, dilatation, expansion.** *Soupape, robinet de décompression.* ⇒ **Décompresseur.**

Par métaphore. *Une politique de décompression,* de détente. ⇒ **Décompresser** (fam.).

♦ **2.** Diminution ou suppression de la pression exercée sur un organisme par l'air, un gaz ou un liquide. *Accidents physiologiques provoqués par la décompression* (céphalées, vomissements, syncopes...). ⇒ **Aéro-embolisme, caisson** (maladie des caissons), **dysbarisme.**

1   Il est reconnu que les accidents qui résultent du travail des ouvriers dans l'air comprimé, tiennent à la subite *décompression* qui arrive lorsque l'ouvrier, remontant à la surface libre de l'air, reçoit l'impression du retour à la pression normale.
L. FIGUIER, l'Année scientifique et industrielle 1873, p. 305 (1872).

Spécialt. Réduction progressive de la pression, dans un caisson où travaille un sujet, pour éviter un retour trop brutal à la pression atmosphérique normale. *Chambre de décompression,* à l'usage des plongeurs, des scaphandriers qui remontent en surface. *Tables de décompression,* fournissant les données physiques et physiologiques nécessaires aux opérations de décompression.

2   Nous disposons des tables de décompression les plus récentes et nous en avons déduit une courbe dite de sécurité, qui donne pour chaque profondeur la durée limite des plongées ne nécessitant pas d'arrêt aux fastidieux « paliers ».
J.-Y. COUSTEAU et F. DUMAS, le Monde du silence, p. 202-203.

♦ **3.** Méd. Technique destinée à réduire une pression anormale sur un organe. *Décompression cardiaque,* par évacuation d'un épanchement de sang du péricarde.

CONTR. **Compression.**

DÉCOMPRIMER [dekɔ̃pʀime] v. tr. — 1864; *Revue des cours sc.,* t. I, p. 92; de 1. *dé-,* et *comprimer.*

♦ **1.** Faire cesser ou diminuer la compression de (un gaz). ⇒ **Décompresser.** *Décomprimer de l'air.*

♦ **2.** Méd. Réaliser la décompression de (un organe).

CONTR. **Compresser, comprimer.**

DÉCOMPTE [dekɔ̃t] n. m. — Fin xiiiᵉ; déverbal de *décompter.*

♦ **1.** Ce qu'il y a à déduire sur une somme qu'on paie. ⇒ **Déduction, réduction.** *Mille francs de décompte. Faire le décompte :* rabattre sur une certaine somme, calculer ce qu'il y a à rabattre.

1   Le président a fait son décompte, et lui a prouvé qu'en vivant sobrement il en aurait encore de reste *(de l'argent)* à son arrivée.
VOLTAIRE, Lettre à d'Argental, 9 mars 1763.

♦ **2.** Littér. Mécompte. *Trouver, éprouver du décompte :* en rabattre*.* ⇒ **Déception, désillusion.**

1.1   Quel décompte! J'ai écrit seulement vingt pages en deux mois.
FLAUBERT, Correspondance, 1853, p. 384, in T.L.F.

♦ **3.** Décomposition (d'une somme, d'un tout...) en ses éléments. ⇒ **Compte** (2.), **dénombrement.** — Figuré :

Il *(le vers libre)* vient de la poésie populaire, qui, immémorialement, ne s'est pas astreinte à la rime, ni au décompte syllabique.
A. THIBAUDET, Hist. de la littérature franç. de 1789 à nos jours, p. 486.

DÉCOMPTER [dekɔ̃te] v. — xiiᵉ; de 1. *dé-,* et *compter.*

★ **I.** V. tr. ♦ **1.** Déduire, rabattre (qqch., une somme) d'une somme. ⇒ **Déduire, retrancher, soustraire.** *Il y a tant à décompter.* — Au p. p. *Les sommes décomptées.*

♦ **2.** Fig. et absolt (à l'inf.). Rabattre de l'opinion qu'on avait de qqch. *Trouver à décompter. Il faudra bien en décompter.* ⇒ **Rabattre** (en), **revenir** (en).

Je le croyais comme toi, Fierdrap; mais il faut décompter.
BARBEY D'AUREVILLY, le Chevalier des Touches, p. 38.

♦ 3. (1944 ; de *décompte*, 3., ou par analogie avec *dénombrer ; descompter* a eu ce sens aux xiiie-xve). Décomposer (une somme, un tout...) en ses éléments. ⇒ **Compter, dénombrer.** *Décompter des suffrages.*

Au p. p. *Années décomptées pour le calcul d'une retraite.*

★ **II.** V. intr. Techn. (le sujet désigne une horloge). Sonner en désaccord avec l'heure qu'indiquent les aiguilles. *Pendule qui décompte.*

CONTR. Ajouter, remettre.
DÉR. Décompte.

DÉCONCENTRATION [dekɔ̃sãtʀasjɔ̃] n. f. — 1907 ; de 1. *dé-*, et *concentration.*

♦ 1. Admin. Système dans lequel le pouvoir de décision est exercé par des agents et organismes locaux, résidant sur place mais soumis à l'autorité centrale (à la différence de la *décentralisation**). *Le régime administratif français résulte d'un compromis entre centralisation, déconcentration et décentralisation.*

1   Cette *déconcentration*, palliatif de défense, aboutira forcément à une nouvelle impasse : le département, la grande ville, veulent décider eux-mêmes, et n'être pas soumis à un fonctionnaire central, fût-il installé chez eux.
     Planète, no 4, févr. 1969, Pourquoi les régions ?, p. 30.

♦ 2. Didact. Action de déconcentrer, 2. (spécialt, une zone urbaine) ; résultat de cette action. *Déconcentration urbaine.*

♦ 3. Chim. Diminution de la concentration (d'une substance liquide ou solide). *Déconcentration d'un remède homéopathique.* ⇒ **Dilution.**

2   Les triturations et les dilutions sont obtenues à partir des teintures mères et des drogues naturelles animales, végétales ou minérales par déconcentration. La déconcentration d'une substance aboutit à une trituration si elle est solide ; à une dilution si elle est liquide ou en suspension.
     Pierre VANNIER, l'Homéopathie, p. 117-118.

CONTR. Centralisation, concentration.

DÉCONCENTRER [dekɔ̃sãtʀe] v. tr. — Mil. xxe ; *déconcentré*, adj., 1835, Lamartine ; de 1. *dé-*, et *concentrer.*

♦ 1. Provoquer la déconcentration* administrative de... ⇒ **Décentraliser.** — Absolument :

(...) l'administration centrale se défend :
— Vous voulez, dit-elle aux grandes villes et aux départements, que les décisions ne soient plus prises à Paris ? Fort bien : nous allons « déconcentrer ».
Et il y a quelques semaines, une série de textes sont parus, transférant en province la signature d'un certain nombre de dépenses ou de décisions. Mais les signataires seront toujours des fonctionnaires relevant de l'administration centrale (...) C'est toujours l'administration centrale qui décide.
     Planète, no 4, févr. 1969, Pourquoi les régions ?, p. 30.

♦ 2. Diminuer la concentration (1.) de... *Déconcentrer une zone urbaine saturée.* ⇒ **Déconcentration** (2.).

♦ 3. Chim. Diminuer la concentration (2.) de (une substance). *Déconcentrer une solution.*

♦ 4. Cesser de concentrer (son attention). *Déconcentrer son attention.*

▶ **SE DÉCONCENTRER** v. pron.
Cesser de se concentrer. *Amener l'esprit à se détendre, se déconcentrer.*

▶ **DÉCONCENTRÉ, ÉE** p. p. adj.

♦ 1. Qui a subi une déconcentration. *Administration déconcentrée.* — *Zone urbaine déconcentrée.*

♦ 2. Qui est (ou s'est) déconcentré. *Joueur déconcentré.*

CONTR. Centraliser, concentrer.

DÉCONCERTEMENT [dekɔ̃sɛʀtəmã] n. m. — V. 1700, Saint-Simon, *in* F. e. w. ; de *déconcerté.*

♦ Littér. Fait d'être déconcerté.

1   Je regardais vivre et agir cette femme, qui m'intéressait comme spectateur, et qui cachait les déportements du vice le plus impudent sous les déconcertements les plus charmants de l'innocence.
     BARBEY D'AUREVILLY, les Diaboliques, « À un dîner d'athées ».

2   Je dois l'avouer : l'ayant lu deux fois *(ce roman)*, je me trouve dans un tel déconcertement que je ne vois plus bien ce que je pourrais en dire.
     P.-H. SIMON, *in* le Monde, 15 nov. 1967.

DÉCONCERTER [dekɔ̃sɛʀte] v. tr. — Fin xve ; de 1. *dé-*, et *concerter.*

♦ 1. Vx. Troubler en dérangeant l'accord, le concert des parties.

1   Tu dis, et ta voix déconcerte
L'ordre éternel des éléments.   RACINE, Poésies diverses, 21.

2   Il montrait (...) combien la transpiration, facilitée ou diminuée, déconcerte ou rétablit toute la machine du corps.   FÉNELON, Télémaque, XIII.

♦ 2. Littér. Empêcher la réalisation de (un projet). *Déconcerter les projets, les plans, les ruses de qqn.* ⇒ **Déjouer.**

---

3   Ainsi tout déconcerte nos projets, tout trompe notre attente, tout trahit des feux que le ciel eût dû couronner !
     ROUSSEAU, Julie ou la Nouvelle Héloïse, I, Lettre LIII.

4   Carlos baissa les stores *(de la voiture)* et fut mené d'un train à déconcerter toute espèce de poursuite.
     BALZAC, Splendeurs et Misères des courtisanes, Pl., t. V, p. 810.

REM. Dans les exemples récents, cet emploi peut être senti comme une métaphore du sens courant 3.

4.1   Patrick a une petite fiancée peu attirante : je n'ai fait l'amour avec elle que pour brouiller les cartes et déconcerter la fatalité.
     Jacques LAURENT, les Bêtises, p. 565.

Fig. ⇒ **Déranger, troubler.**

5   Je vous aimais d'une affection dont aucune espérance de plaisir charnel ne venait déconcerter la sagacité sensible.   PROUST, les Plaisirs et les Jours, p. 34.

Empêcher (qqn) de réaliser des projets. *Ce contretemps l'a déconcerté dans ses tentatives.*

♦ 3. (1671 ; un emploi du xve s. est ambigu). Cour. Faire perdre contenance à (qqn) ; jeter (qqn) dans l'incertitude de ce qu'il faut faire, dire ou penser. ⇒ **Confondre, déconfire, décontenancer, déférer, démonter, démoraliser, dépayser, dérouter, désarçonner, désorienter, embarrasser, embrouiller, inquiéter, interdire, intimider, surprendre, troubler** (→ Assommer, cit. 18.3). *Ses caprices me déconcertent et me désespèrent. Les railleries de son interlocuteur le déconcertèrent. Cette nouvelle l'a déconcerté.* ⇒ **Asseoir** (fam.). *Il se laisse déconcerter facilement.* — Pron. *Il se déconcerta, perdit contenance, rougit...* (cf. Vider les étriers).

6   (...) cette gêne extrême et l'inaptitude que je me sens me trouble, me déconcerte ; et je serais bien plus à mon aise devant un monarque d'Asie que devant un bambin qu'il faut faire babiller.   ROUSSEAU, Rêveries..., 9e promenade.

7   Je n'étais pas l'homme timide, et plutôt honteux que modeste, qui n'osait ni se présenter ni parler ; qu'un mot badin déconcertait, qu'un regard de femme faisait rougir.   ROUSSEAU, les Confessions, IX.

8   On est brave en présence de tout, et l'on se déconcerte en présence de la justice. Pourquoi ? c'est que la justice de l'homme n'est que crépusculaire, et que le juge s'y meut à tâtons.   HUGO, l'Homme qui rit, II, IV, VII.

9   Moreau continuait à être dans l'ignorance la plus grande ; l'attaque qui se produisait à sa gauche le déconcerta (...)
     Louis MADELIN, Hist. du Consulat et de l'Empire, Le Consulat, IV, p. 54.

▶ **DÉCONCERTANT, ANTE** p. prés. et adj.

♦ 1. Vx ou didact. Qui dérange un accord.

9.1   Il s'agit de savoir, aujourd'hui qu'on les porte sur le théâtre (...) il s'agit de savoir si nous reconnaîtrons leurs voix déconcertantes à travers les intonations concertées des acteurs.   GIDE, Dostoïevski, p. 52.

♦ 2. (1835). Qui déconcerte (3.). ⇒ **Déroutant, embarrassant, inquiétant, surprenant.** *Attitude déconcertante.* ⇒ **Bizarre, étonnant, imprévu, inattendu, troublant.** *Nouvelles contradictoires et déconcertantes.*

10   (...) de subites volte-face, de déconcertantes surprises.
     Paul BOURGET, Un divorce, III, p. 104.

11   On y retrouve Mirabeau tout entier, avec sa complexité déconcertante et presque indéfinissable, menaçant et tendre, autoritaire et ironique, brusque et câlin.
     Louis BARTHOU, Mirabeau, p. 42.

▶ **DÉCONCERTÉ, ÉE** p. p. adj.

♦ 1. Vx. Dont l'accord, le concert est troublé (au propre et au fig.).

12   Le concert étant ainsi déconcerté, l'hôte fit ouvrir la porte.
     SCARRON, le Roman comique, XV.

♦ 2. Mod. ⇒ **Confus, dépaysé, désorienté, interdit, pantois, penaud, surpris, troublé.** *Il avait l'air tout déconcerté ; il était tout déconcerté.*

13   Déconcerté par le sourire complice et le clignement d'œil qu'Antoine lui décochait, il hésita une seconde.   MARTIN DU GARD, les Thibault, t. IX, p. 33.

CONTR. Encourager, enhardir, raffermir, rassurer. — (Du p. prés.) Encourageant, rassurant. — (Du p. p. adj.) Hardi, sûr (de soi)...
DÉR. (Du p. p. adj.) Déconcertement.

DÉCONDITIONNEMENT [dekɔ̃disjɔnmã] n. m. — 1951, Piéron, art. *Réflexe (conditionné) ;* de 1. *dé-*, et *conditionnement.*

♦ 1. Didact. (physiol.). Méthode permettant de supprimer un réflexe conditionné par la répétition du stimulus conditionnel seul, en l'absence du stimulus normal auquel il avait été associé dans le conditionnement.

♦ 2. Cour. Action de déconditionner* ; son résultat.

(...) bien avant la psychologie des profondeurs, les sages et les ascètes indiens ont été amenés à explorer les zones obscures de l'inconscient (...) Ce n'est pas (...) cette anticipation pragmatique de certaines techniques psychologiques modernes qui est précieuse : c'est son utilisation en vue du « déconditionnement » de l'homme.
     Mircea ELIADE, le Yoga, p. 9 (1954).

CONTR. Conditionnement.

DÉCONDITIONNER [dekɔ̃disjɔne] v. tr. — 1904 ; de 1. *dé-*, et *conditionner.*

♦ Soustraire aux effets d'un conditionnement* psychologique.

«*Déconditionner l'opinion américaine*» (*le Nouvel Obs.*, 7 févr. 1968). ⇒ aussi **Déshabituer.**

▶ **SE DÉCONDITIONNER** v. pron.
Se défaire d'un conditionnement, d'une accoutumance, d'une habitude. *Le besoin de se déconditionner.*

▶ **DÉCONDITIONNÉ, ÉE** p. p. adj. «*Une oreille déconditionnée des écoutes ordinaires*» (P. Schaeffer, *la Musique concrète*, p. 38).

CONTR. Conditionner, intoxiquer.

DÉCONFÈS, ESSE [dekɔ̃fɛ, ɛs] adj. et n. — 1080, *Chanson de Roland*; de 1. *dé-*, et *confès*.

♦ Relig. Vx. Sans confession. *Communier déconfès.* — Spécialt. *Mourir déconfès.*

Tout homme qui mourait sans donner une partie de ses biens à l'Église, ce qui s'appelait mourir *déconfès* (...) MONTESQUIEU, l'Esprit des lois, XXVIII, 41.

N. Personne qui ne s'est pas confessée, et, spécialt, qui est morte sans s'être confessée.

DÉCONFIRE [dekɔ̃fiʀ] v. tr. — 1080, *Chanson de Roland*; de 1. *dé-*, et *confire* «préparer».

♦ **1.** (XIIᵉ). Vx. Défaire dans une bataille, un combat.

1   On vous avait trompé de même sur les quatre cents hommes pris en débarquant en Corse; c'est bien, par tous les diables, au milieu de la terre ferme qu'ils ont été déconfits. VOLTAIRE, Lettre à M. Vernes, 13 nov. 1768.
1.1 Dégainant son braquemart pour la seconde fois de la journée, Joachim d'Auge (...) occit deux cent seize personnes, hommes, femmes, enfants et autres (...) Pour sortir de la ville, il fallut également déconfire des archers. R. QUENEAU, les Fleurs bleues, p. 36.

♦ **2.** Fig. et vx. ⇒ **Déconcerter, décontenancer, embarrasser, interdire.** *Déconfire un contradicteur en lui rivant son clou.*

▶ **DÉCONFIT, ITE** p. p. adj.

♦ **1.** Vx. Battu, défait. — Fig. et familier :
2   Ah! si tu m'entreprends deux jours de cette sorte, Mon cœur est déconfit, et je me tiens pour morte (...) CORNEILLE, la Suite du Menteur, 2.

♦ **2.** Mod. ⇒ **Déconcerté, décontenancé, honteux, interdit, penaud...** *Air déconfit, mine déconfite. Rester tout déconfit.*
3   M. de Luxembourg est entièrement déconfit : ce n'est pas un homme, ni un petit homme, ce n'est pas même une femme, c'est une petite femmelette. Mᵐᵉ DE SÉVIGNÉ, Lettres, 777, 31 janv. 1680.

CONTR. Encourager, enhardir, rassurer. — (Du p. p. adj.) **Hardi, sûr** (de soi), **triomphant.**
DÉR. Déconfiture.

DÉCONFITURE [dekɔ̃fityʀ] n. f. — XIIᵉ; de *déconfire*.

♦ **1.** Vx. Défaite complète. ⇒ **Carnage, déroute, destruction, extermination.** *Une grande déconfiture.*
1   Un chat nommé Rodilardus Faisait des rats telle déconfiture Que l'on n'en voyait presque plus (...) LA FONTAINE, Fables, II, 2.

♦ **2.** Fam. Échec*, défaite morale. ⇒ **Chute, faillite, ruine.** *Entreprise qui tourne à la déconfiture. La déconfiture d'un parti politique, d'une faction. La déconfiture de qqn.*
2   Léon Daudet et Souday prennent inopinément ma défense, et cette maladroite attaque de Henri Béraud tourne à sa déconfiture. GIDE, Journal, mai 1923.

♦ **3.** Fam. Ruine financière entière. ⇒ **Banqueroute, faillite, insolvabilité, ruine.** *La déconfiture d'un banquier, d'un négociant, d'un commerçant. — Être, tomber en déconfiture, en complète déconfiture.*
3   (...) ce n'est pas que beaucoup de gens ne se ruinassent; mais cela ne s'appelait point banqueroute; on disait *déconfiture*; ce mot est plus doux à l'oreille. VOLTAIRE, Dict. philosophique, Banqueroute (→ Banqueroute, cit. 1).
4   Avant le début des hostilités, il avait déjà été fort entamé par la déconfiture d'un sieur Vanekem, par la baisse du change roumain (...) A. MAUROIS, Bernard Quesnay, XXXIII, p. 227.

Dr. Situation d'un débiteur notoirement hors d'état de payer ses créanciers (s'emploie pour les non-commerçants qui ne sont pas soumis à la procédure de faillite).
5   Les créanciers personnels de la femme ne peuvent, sans son consentement, demander la séparation des biens. Néanmoins, en cas de faillite ou de déconfiture du mari, ils peuvent exercer les droits de leur débitrice (...) Code civil, ancien art. 1446.

CONTR. Succès, triomphe, victoire.

DÉCONFORT [dekɔ̃fɔʀ] n. m. — V. 1165; déverbal de *déconforter*.

♦ Vx ou littér. Découragement, désespoir.

DÉCONFORTER [dekɔ̃fɔʀte] v. — V. 1050; de 1. *dé-*, et *conforter.*

♦ Vx ou littér. Décourager. — Pron. *Se déconforter.*

CONTR. Conforter, réconforter.
DÉR. Déconfort.

DÉCONGÉLATION [dekɔ̃ʒelasjɔ̃] n. f. — 1893, cit.; de 1. *dé-*, et *congélation.*

♦ **1.** Changement d'état physique d'un corps congelé, quand il est ramené à des températures supérieures à son point de congélation*. *Décongélation d'un terrain aquifère, après fonçage d'un puits avec congélation.*
Dès lors le choix s'imposait d'une machine réfrigérante de tout repos, car le moindre arrêt dans son fonctionnement, en produisant la décongélation plus ou moins complète du terrain (...) L. FIGUIER, l'Année scientifique et industrielle 1894, p. 206 (1893).

♦ **2.** Action de décongeler. *Décongélation d'aliments.*

CONTR. Congélation.

DÉCONGELER [dekɔ̃ʒle] v. tr. — Conjug. *geler* (→ Bouger). — 1907; de 1. *dé-*, et *congeler.*

♦ Ramener (un corps congelé) à une température supérieure à 0 °C. *Décongeler de la viande, des aliments surgelés.* ⇒ **Décongélation.**

CONTR. Congeler, frigorifier.

DÉCONGESTIF [dekɔ̃ʒɛstif] adj. et n. m. — 1928; de 1. *dé-*, et *congestif.*

♦ Méd. Qui atténue ou fait disparaître une congestion. — N. m. *Un décongestif.*

DÉCONGESTION [dekɔ̃ʒɛstjɔ̃] n. f. — 1944; de 1. *dé-*, et *congestion.*

♦ **1.** Action de décongestionner*; son résultat.

♦ **2.** Fig. Dégagement. *La décongestion d'une rue par l'établissement d'un sens unique. La décongestion d'une zone urbaine, d'une région.* ⇒ **Déconcentration, désencombrement.**
REM. On dit aussi *décongestionnement*.*

CONTR. Encombrement, engorgement.

DÉCONGESTIONNANT, ANTE [dekɔ̃ʒɛstjɔnɑ̃, ɑ̃t] adj. et n. m. — 1908; p. prés. de *décongestionner.*

♦ Méd. Propre à décongestionner (1.). *Compresses décongestionnantes.* — N. m. *Un décongestionnant efficace.*

DÉCONGESTIONNEMENT [dekɔ̃ʒɛstjɔnmɑ̃] n. m. — 1925; de *décongestionner.*

♦ Fait de décongestionner. ⇒ **Décongestion.** «*Décongestionnement du centre des villes*» (Le Corbusier, 1925, *in* D.D.L.).

DÉCONGESTIONNER [dekɔ̃ʒɛstjɔne] v. tr. — 1874, Flaubert; de 1. *dé-*, et *congestionner.*

♦ **1.** Méd. Faire cesser la congestion de. *Décongestionner les poumons.*

♦ **2.** Fig. Dégager*, désencombrer. *Décongestionner une rue en établissant un sens unique.*
(1899). Abstrait. *Décongestionner une zone urbaine, une région.* ⇒ **Déconcentrer.**
Deux cents mètres plus loin, déjà, une auto était renversée au bord du trottoir, une femme assise par terre, les gens autour d'elle et un agent qui s'efforçait de décongestionner l'avenue en attendant l'ambulance. G. SIMENON, Feux rouges, p. 11.

▶ **DÉCONGESTIONNÉ, ÉE** p. p. adj.
Qui n'est plus congestionné. *Poumons décongestionnés.* — Fig. Dégagé, désencombré. *Rue, carrefour décongestionnés.*

CONTR. Congestionner.
DÉR. Décongestionnant, décongestionnement.

DÉCONNAGE [dekɔnaʒ] n. m. — 1896; de *déconner.*

♦ Fam. Action de déconner; propos de celui qui déconne, dit des bêtises. ⇒ **Connerie.**
Ils n'ont rien d'autre à foutre qu'à me juger? Pourtant, ils ont l'air plutôt sérieux. Il n'écoutait pas un mot de leurs déconnages. J. CAU, la Pitié de Dieu, p. 130.

REM. On écrit parfois *déconage*. «*(...) fini aussi les peintres cubistes et les déconages de poètes*» (M. Aymé, *le Chemin des écoliers*, p. 99).

DÉCONNANT, ANTE [dekɔnɑ̃, ɑ̃t] adj. — D. i. (probablt déb. xxᵉ); de *déconner*.
Familier.

♦ **1.** (Personnes). Qui déconne, dit ou fait des bêtises, des incongruités. « *Le fin fond de la Critique... toute là debout, hagarde, déconnante... l'écume !* » (Céline, *Guignol's band*, p. 375).

♦ **2.** (Choses). Inepte, absurde. *Des histoires complètement déconnantes.*

DÉCONNECTER [dekɔnɛkte] v. tr. — 1943; de 1. *dé-*, et *connecter*.

♦ **1.** Électr. Supprimer la connexion* de (qqch.) dans un circuit électrique. — Spécialt. Démonter (un raccord d'appareil qui met en connexion). ⇒ **Débrancher.**
Il y a une demi-heure, les six hommes du groupe de protection ont occupé la petite centrale électrique du quartier, sans même avoir à dégainer leur revolver, et ont déconnecté le transformateur.   Régis DEBRAY, l'Indésirable, p. 27 (1975).

♦ **2.** (1968). Par ext. Fig. Séparer* « *Peut-on (...) continuer à envisager l'enseignement en lui-même et le déconnecter du monde (...) où l'on a à gagner sa vie* » (*le Monde*, 17 déc. 1968).

▶ **DÉCONNECTÉ, ÉE** p. p. adj.
Fig. *Se sentir déconnecté :* ne plus être concerné, intéressé. ⇒ **Détaché.** « *Depuis qu'il est au chômage, il est complètement déconnecté* » (Jacques Merlino, *les Jargonautes*, p. 196). — REM. On rencontre, au sens propre, la variante *déconnexé*.

CONTR. Connecter, relier. — (Du p. p.) Branché.
DÉR. Déconnection ou déconnexion.

DÉCONNECTION ou **DÉCONNEXION** [dekɔnɛksjɔ̃] n. f. — 1951, *déconnection; déconnexion*, 1954; *déconnection* p.-ê. d'après l'angl. *to disconnect*; de *déconnecter*.

♦ **1.** Physiol., méd. Suppression de certaines voies normales de liaison ou de communication de l'organisme (vaisseaux, nerfs), par un procédé chirurgical ou au moyen de médicaments qui bloquent la transmission des impulsions nerveuses. *Déconnection neuro-végétative* (par paralysie pharmaco-dynamique des centres nerveux). — REM. La graphie *déconnection* est critiquée.
1 Dans la psychochirurgie, il y a déconnection du lobe préfrontal avec ce centre *(du sommeil)*. On peut sous narcose légère obtenir qu'un sujet révèle ce qu'il tenait à garder caché volontairement ou non, propriété également utilisée en psychiatrie *(narco-analyse)*. Paul CHAUCHARD, le Système nerveux et ses inconnues, p. 103.

♦ **2.** Électr. Action de déconnecter* (1.); son résultat.

♦ **3.** Fig. Séparation* de choses qui étaient liées pour fonctionner ensemble.
2 (...) quoiqu'à ce moment il perçût avec netteté quelque chose qui se cassait en lui, ou plutôt, dit-il plus tard, comme une déconnection, une rupture (...) Claude SIMON, le Vent, p. 189.
Fait de ne plus être concerné, intéressé par qqch. ⇒ **Détachement.**
3 (...) il m'est arrivé, accoudé au comptoir, de rester de longues minutes silencieux et le regard perdu ou même de claquer des doigts et de changer de physionomie sous l'effet d'une agitation intérieure, et j'ai appris à ne plus corriger ces moments de déconnection parce qu'ils confirmaient les spectateurs dans la certitude que la part téméraire et insolite de ma vie était ailleurs (...) Jacques LAURENT, les Bêtises, p. 403.

DÉCONNER [dekɔne] v. tr. — 1883; de 1. *dé-*, *con*, et suffixe verbal; le sens initial érotique est vx ou très rare; le passage de ce sens au sens 1 n'est pas clair (métaphore de « sortir du vagin » ou croisement avec le sens fam. de *con* « imbécile »).
Familier.

♦ **1.** Dire des absurdités, des « conneries ». ⇒ **Débloquer** (5.). *Arrêtez de déconner ! Faut pas déconner ! :* il ne faut pas exagérer, dire de bêtises. *Sans déconner, il est drôlement fort,* sans blague*. *Tu déconnes ! :* tu te trompes (ou tu mens).
1 Ce que je pouvais déconner, pardon : dire des bêtises quand j'étais môme. R. QUENEAU, Loin de Rueil, p. 147.
2 Quand pourra-t-on passer une soirée sans parler politique?
— On n'a pas parlé : on a déconné.
— On a déconné sur la politique. S. DE BEAUVOIR, les Mandarins, p. 467.

♦ **2.** Agir de manière gratuite et plus ou moins absurde. « *Finalement vous tirez* (volez à la tire) *pourquoi? (...) on fait ça pour déconner...* » (Interview, in *Libération*, 13 mars 1978, p. 20).

DÉR. Déconnage, déconnant.
COMP. Déconophone.

DÉCONNEXÉ, ÉE [dekɔnɛkse] adj. — xxᵉ; de 1. *dé-*, et *connexe*, d'après *déconnexion*.

♦ Rare. Sans connexion. « *Comme sous l'effet d'un stupéfiant, Gonzague recevait successives et déconnexées toutes ces perceptions* » (Cecil Saint-Laurent, *la Bourgeoise*, p. 335).

DÉCONNEXION [dekɔnɛksjɔ̃] n. f. ⇒ **Déconnection.**

DÉCONOPHONE [dekɔnofɔn] n. m. — Av. 1934; le récit de Vercel (cit. 1) se passe en 1918; de *déconner*, et *-phone*, d'après *téléphone*, etc., désignant un appareil.

♦ Fam. et plais. « Appareil » à déconner, c'est-à-dire : ce qui énonce des conneries, suite de conneries. *Voilà le déconophone qui se met en marche :* il commence à dire des conneries, des bêtises.
1 Amène-toi fumer une pipe dehors. Pas la peine d'entrer : le déconophone fonctionne à pleins tuyaux, là-dedans ! Roger VERCEL, Capitaine Conan, IV, p. 78.
2 « C'est moi, ton copain? dit Maillat de sa voix taquine...
— Tu déconnes.
— C'est moi ton copain, Alexandre?
— Ferme ton déconophone, dit Alexandre. Je veux dormir, moi ». Robert MERLE, Week-end à Zuydcoote, p. 180 (1949).

DÉCONSEILLER [dekɔ̃seje] v. tr. — xIIᵉ, au p. p., « désemparé »; de 1. *dé-*, et *conseiller*.

♦ **1.** (*Déconseiller à qqn qqch., de faire qqch.*). Conseiller de ne pas faire. ⇒ **Détourner, dissuader; contre-indiquer.** *Il me l'a déconseillé.*
(Sujet abstrait). *La prudence le (lui) déconseillait...*
(Sujet n. de chose). Dissuader.
1 J'erre un instant sur le boulevard Montparnasse, me fais conduire au cinéma Édouard VII, mais, à l'entrée, les photos du film me déconseillent d'entrer. GIDE, Journal, 6 sept. 1936.

♦ **2.** Rare. (*Déconseiller qqn*). Dérouter, détourner d'un projet.
2 Les médiocres se laissent déconseiller par l'obstacle spécieux; les forts, non. Périr est leur peut-être, conquérir est leur certitude. HUGO, les Travailleurs de la mer, II, II, IV.
3 (...) l'œil intéressé de la comtesse expertisait le salon. Il y régnait une modestie décourageante (...) chaises de reps vert (...) console d'acajou (...) tapis en chenilles de laine (...) tout déconseillait la comtesse, qui sentait le cœur lui manquer. GIDE, les Caves du Vatican, III, 3, *in* Romans, Pl., p. 765.

▶ **DÉCONSEILLÉ, ÉE** p. p. adj. *C'est tout à fait déconseillé,* contre-indiqué.
Substantivement, au sens « personne privée de conseil » (exemple isolé) :
4 Pauvres abandonnées,
pauvres déconseillées,
nous avons perdu notre bon père (...) J. GIONO, Présentation de Pan, I, *in* Œ. roman., t. I, Pl., p. 763.

CONTR. Conseiller, engager, recommander.

DÉCONSIDÉRATION [dekɔ̃sideʀasjɔ̃] n. f. — 1792; de *déconsidérer*.

♦ Littér. Fait de déconsidérer; perte de la considération. ⇒ **Discrédit, mépris, mésestime.** *La déconsidération de qqn pour, à l'égard de (qqn, qqch.). Jeter la déconsidération sur qqn. Tomber dans la déconsidération.*
1 Mais non, je ne veux pas ébruiter cela encore; ce serait risquer de jeter sur Chrysanthème une déconsidération anticipée et injuste (...) LOTI, Mᵐᵉ Chrysanthème, III, p. 21.
2 (...) des employés amateurs sacrifiant à leur coupable fainéantise la dignité de leurs fonctions, jusqu'à laisser choir dans la déconsidération publique et dans le mépris sarcastique de la foule l'antique prestige des administrations de l'État. COURTELINE, Messieurs les ronds-de-cuir, 1ᵉʳ tableau, II, p. 35.
La déconsidération de qqn, de qqch., que subit qqn, qqch. de la part de qqn.
3 Le mépris, la déconsidération de cet événement *(l'accouchement)* qui représente pour la femme le moment d'une épreuve extrême et cruciale de sa vie, n'est autre que le mépris de la femme en général. Annie LECLERC, Parole de femme, p. 93.

CONTR. Considération, estime, faveur.

DÉCONSIDÉRER [dekɔ̃sideʀe] v. tr. — 1790, cit.; de 1. *dé-*, et *considérer*.

♦ Priver (qqn, qqch.) de la considération. ⇒ **Couler** (fam.), **discréditer, nuire** (à la réputation), **perdre** (de réputation). *Déconsidérer qqn par la médisance, la calomnie. Ce scandale l'a déconsidéré.* — (Compl. n. de chose). *Déconsidérer un journal. Il est complètement déconsidéré auprès de ses amis.*
Le mot de « considération » semble n'avoir point de place *(dans le langage politique révolutionnaire)*... En revanche « déconsidérer » est commun.
(En note) « *Déconsidérer l'Assemblée Nationale* ». C. DESMOULINS, les Révolutions de France et de Brabant, n° 48, 1790, *in* F. BRUNOT, Hist. de la langue franç., IX, II, p. 806.

▶ **SE DÉCONSIDÉRER** v. pron.
Agir de manière telle que l'on se prive de la considération des autres. *Il se déconsidère par sa mauvaise conduite.* ⇒ **Avilir** (s'). — (Choses). *Journal qui se déconsidère par son manque de sérieux.* ⇒ **Discréditer** (se).

▶ **DÉCONSIDÉRÉ, ÉE** p. p. adj. *Personne déconsidérée.* ⟹ **Méprisé.** *Journal, entreprise déconsidérés.* ⟹ **Discrédité.**

CONTR. Considérer, élever (au pinacle...), estimer, vanter.
DÉR. Déconsidération.

DÉCONSIGNER [dekɔ̃siɲe] v. tr. — 1870 ; de 1. *dé-*, et *consigner.*

♦ **1.** Affranchir de la consignation. *Déconsigner des troupes.*

♦ **2.** (1900). Retirer de la consigne. *Déconsigner une valise.* ⟹ **Consigne** (3.).

♦ **3.** (Mil. xxᵉ). Rembourser le prix de la consigne (d'un emballage). *Déconsigner une bouteille.*

CONTR. Consigner.

DÉCONSTITUTIONNALISER [dekɔ̃stitysjɔnalize] v. tr. — 1841 ; de 1. *dé-*, et *constitutionnaliser.*

♦ Didact. Faire perdre son caractère constitutionnel à. *Déconstitutionnaliser un texte législatif.*

CONTR. Constitutionnaliser.

DÉCONSTRUCTION [dekɔ̃stryksjɔ̃] n. f. — D. i. (mil. xxᵉ) ; de *déconstruire*, d'après *construction.*

♦ Didact. (philos.). Fait de déconstruire.

(...) la situation du texte saussurien que nous ne traitons pour le moment (...) que comme un index, très voyant dans une situation donnée (...) Notre justification serait la suivante : cet index et quelques autres (d'une manière générale le traitement du concept d'écriture) nous donnent déjà le moyen assuré d'entamer la déconstruction de *la plus grande totalité* — le concept d'épistémé et la métaphysique logocentrique — dans laquelle se sont produites (...) toutes les méthodes occidentales d'analyse, d'explication, de lecture ou d'interprétation.
J. DERRIDA, De la grammatologie, p. 68.

DÉCONSTRUIRE [dekɔ̃stryir] v. tr. — 1835 ; « défaire », 1798 ; de 1. *dé-*, et *construire.*

♦ **1.** Philos. Défaire par l'analyse une construction de concepts, un système.

M. Villemain, dans la Préface du *Dictionnaire de l'Académie* (édition de 1835), parlant des langues qui se constituent, se transforment et périssent selon les lois qui règlent la vie des choses humaines, écrit la phrase suivante : « Dans une contrée de l'immobile Orient où nulle invasion n'a pénétré, où nulle barbarie n'a prévalu, une langue parvenue à sa perfection s'est déconstruite et altérée d'elle-même (...) » *Déconstruire* manque au *Dictionnaire de l'Académie ;* il est pas admis par l'usage (...) et toutefois ici (...) c'est le seul terme propre.
Arsène DARMESTETER, la Vie des mots, p. 116.

♦ **2.** (1981). Littér. *Déconstruire qqn,* briser la personnalité qu'il s'était construite. ⟹ **Abattre.**

DÉR. Déconstruction.

DÉCONTAMINATION [dekɔ̃taminasjɔ̃] n. f. — 1952 ; de 1. *dé-*, et *contamination.*

♦ Didact. ou techn. Action de décontaminer ; son résultat. — Élimination ou atténuation des effets d'une contamination (radioactive, chimique...). *Indice de décontamination d'une substance radioactive.*

CONTR. Contamination, pollution.

DÉCONTAMINER [dekɔ̃tamine] v. tr. — 1952 ; de 1. *dé-*, et *contaminer.*

♦ Didact. ou techn. Éliminer ou atténuer les effets d'une contamination* sur (qqn., qqch.). *Décontaminer les victimes d'une irradiation accidentelle. Décontaminer une rivière polluée par des agents chimiques.* ⟹ **Dépolluer.**

CONTR. Contaminer, polluer.

DÉCONTENANCÉ, ÉE [dekɔ̃tnɑ̃se] p. p. adj. ⟹ **Décontenancer.**

DÉCONTENANCEMENT [dekɔ̃tnɑ̃smɑ̃] n. m. — 1676 ; de *décontenancer.*

♦ Action de se décontenancer ; son résultat.

DÉCONTENANCER [dekɔ̃tnɑ̃se] v. tr. — Conjug. *placer.* — xvⁱᵉ ; au p. p., 1549 ; de 1. *dé-*, et *contenance.*

♦ Faire perdre contenance à (qqn). ⟹ **Déconcerter, démonter ; embarrasser, intimider ;** fam. **asseoir** (1.). *Votre froideur l'a décontenancé. Il décontenance ses adversaires par son aplomb.* — (Au passif.) *Il est tout décontenancé. Je ne me laisserai pas décontenancer* (→ Redire, cit. 5).

1 Il y eut un rire éclatant des écoliers qui décontenança le pauvre garçon, si bien qu'il ne savait s'il fallait garder sa casquette à la main, la laisser par terre ou la mettre sur sa tête. FLAUBERT, Mᵐᵉ Bovary, I, I.

Ces derniers mots achevèrent de décontenancer Frédéric. Son trouble, que l'on voyait, pensait-il, allait confirmer les soupçons (...) 2
FLAUBERT, l'Éducation sentimentale, II, IV.

Or, Villeneuve, à cette heure, errait, démoralisé, presque « désespéré » — il écrira le mot tout à l'heure. C'était (...) un brave soldat au feu, mais le moindre incident malheureux, la moindre difficulté, la moindre crainte, — parfois imaginaire, — le décontenançaient. Louis MADELIN, Hist. du Consulat 3
et de l'Empire, Avènement de l'Empire, XIX, p. 245.

▶ **SE DÉCONTENANCER** v. pron.

♦ **1.** Perdre contenance. ⟹ **Troubler** (se). *Il se décontenance facilement, c'est un timide.*

♦ **2.** (Avec un sujet abstrait, et allusion au sens I, 2 de *contenance*). Se décomposer, se démonter.

Nous avons vu comment chacune de ces velléités contradictoires s'épuise et pour ainsi dire se déprécie, se décontenance par son expression même et par sa manifestation, pour laisser place précisément à la velléité contraire (...) 3.1
GIDE, Dostoïevski, p. 141.

▶ **DÉCONTENANCÉ, ÉE** p. p. adj. ⟹ **Déconcerté, déconfit...**

S'il faut agir je ne sais que faire ; s'il faut parler, je ne sais que dire ; si l'on me regarde, je suis décontenancé. ROUSSEAU, les Confessions, I. 4

Le nouveau s'était redressé, vexé, un pli barrant son petit front têtu. Mais, tout de suite décontenancé par l'attitude railleuse de l'ancien, il détourna la tête et rougit. R. DORGELÈS, les Croix de bois, I, p. 10. 5

CONTR. Encourager, enhardir, rassurer. — (Du p. p. adj.) **Hardi, sûr** (de soi).
DÉR. Décontenancement.

DÉCONTRACTANT, ANTE [dekɔ̃traktɑ̃, ɑ̃t] adj. et n. m. — 1965 ; p. prés. de *décontracter.*

♦ Qui apaise, détend. « (...) *une bande magnétique qui susurre des paroles décontractantes* » (*l'Express,* 10 mai 1965, in Gilbert, 1971). — N. m. « *(...) sur une étagère, il y a la collection de drogues (...) calmants, euphorisants, décontractants* » (Christine de Rivoyre, *les Sultans,* p. 92).

DÉCONTRACTÉ, ÉE [dekɔ̃trakte] adj. — 1924 ; p. p. de *décontracter.*

♦ **1.** (1924, in Petiot). Relâché (muscle).

♦ **2.** (V. 1955). Détendu. ⟹ **Souple.** *Corps décontracté. Restez décontracté.*

♦ **3.** Fig. et fam. Insouciant, sans crainte ni angoisse. ⟹ **Décomplexé.** *Un style de play-boy décontracté.* — Péj. Sans-gêne. — Libre, détendu, dégagé. Qui marque de l'aisance, de la désinvolture. *Allure, tenue décontractée. Mode décontractée. Conduite décontractée* (d'une voiture). — Abrév. fam. : *décontracte* [dekɔ̃trakt].

CONTR. Contracté, soucieux, tendu. — Contraint, embarrassé, guindé.
DÉR. Décontraction (3.).

DÉCONTRACTER [dekɔ̃trakte] v. tr. — 1860 ; de 1. *dé-*, et *contracter.*

♦ **1.** Faire cesser la contraction musculaire de... ⟹ **Détendre, relâcher.** *Décontracter ses muscles.*

Puis on monta le long d'agrès (...) Il feignit une fatigue, décontracta ses bras et dégringola de sa corde. A. JARRY, les Jours et les Nuits, II, II, Pl., t. I, p. 772.

♦ **2.** Fig. et fam. *Décontracter qqn,* l'aider à se détendre.

▶ **SE DÉCONTRACTER** v. pron.

(1942, in Petiot). Se détendre. ⟹ **Relaxer** (se), anglic. *Son visage se décontracte. Décontractez-vous pour bien exécuter ce mouvement. Se décontracter avant une épreuve, un examen.* — Devenir (plus) décontracté.

CONTR. Contracter, crisper, raidir, tendre.
DÉR. Décontractant, décontracté, décontraction.

DÉCONTRACTION [dekɔ̃traksjɔ̃] n. f. — 1892 ; de *décontracter.*

♦ **1.** Relâchement du muscle, succédant à la contraction. ⟹ **Relâchement.**

C'est à une qualité subtile de cris, c'est à des revendications désespérées de l'âme que nous prédispose une émission sept et douze fois répétée. Et ce souffle nous le localisons, nous le répartissons dans des états de contraction et de décontraction combinés. Nous nous servons de notre corps comme d'un crible où passent la volonté et le relâchement de la volonté. A. ARTAUD, le Théâtre et son double, Idées/Gallimard, p. 202.

♦ **2.** (1945). Détente du corps. ⟹ **Relaxation** (anglicisme).

♦ **3.** (1963 ; de *décontracté*). Fig. Souplesse dans le comportement. ⟹ **Désinvolture ; décontracté** (2.). « *Faire prendre pour de la décontraction voulue ce qui n'est que laisser-aller, impuissance* » (*la Semaine radio-télévision,* 27 janv. 1968). — Loc. *Faire qqch. en décontraction,* avec souplesse, aisance.

CONTR. Contraction. — Contrainte.
COMP. Autodécontraction.

DÉCONVENTIONNER [dekɔ̃vɑ̃sjɔne] v. tr. — 1963, *in* Blochwitz ; de 1. *dé-*, et *conventionner*.

♦ Faire cesser d'être conventionné (un médecin). — Au p. p. *Médecin déconventionné*.

DÉCONVENUE [dekɔ̃vny] n. f. — 1822 ; *desconvenue* «malheur, insuccès», v. 1178 ; de 1. *dé-*, et *convenu*, p. p. de *convenir*.

♦ Désappointement causé par un insuccès, une mésaventure, une erreur. ⇒ **Déception, dépit, désappointement, désillusion, humiliation.** *Éprouver une grande déconvenue. Amère, cuisante, terrible déconvenue. De petites déconvenues.*

1 Joseph sut dissimuler son amère déconvenue au public : ses intimes, seuls, connurent son vif dépit dont ils devaient nous faire parvenir les échos.
  Louis MADELIN, Hist. du Consulat et de l'Empire, Le Consulat, IV, xv, p. 243.
2 Il avait peur que ce rendez-vous lui échappât comme les autres ; et il lui sembla qu'il serait d'autant moins ridicule qu'il aurait eu moins de hâte à courir à sa déconvenue. J. ROMAINS, les Hommes de bonne volonté, t. II, p. 103.

CONTR. Réussite, succès, triomphe.

DÉCOORDINATION [dekɔɔrdinasjɔ̃] n. f. — 1912, cit. ; de 1. *dé-*, et *coordination*.

♦ Didact. Absence ou perte de coordination.

Si la théorie matérialiste était vraie et si la folie consistait dans une décoordination de nos cellules nerveuses, elle serait caractérisée par l'irruption du hasard.
  CLAUDEL, Journal, mai-juin 1912.

CONTR. Coordination.

DÉCOQUILLER [dekɔkije] v. tr. — xxe ; de 1. *dé-*, *coquille*, et suff. verbal.

♦ Retirer (un mollusque) de sa coquille.

Le Cardium edule décoquillé est employé comme amorce par les marins du Portel, de Gravelines, etc. (...) Louis LAMBERT, les Coquillages comestibles, p. 87.

DÉCOR [dekɔr] n. m. — 1603 ; *décore* «honneur, bienséance», xvie ; déverbal de *décorer*.

♦ **1.** Ce qui sert à décorer un édifice, un intérieur, etc. *Peintures, sculptures, boiseries, tentures formant un décor.* ⇒ **Décoration, ornement.** *Un décor somptueux. Décor simple, sobre, classique. Boudoir avec décor Louis XV, Louis XVI.*
Ensemble des arts et techniques qui concourent à la décoration. ⇒ **Décoratif** (arts décoratifs). *Les arts du décor. L'histoire du décor.*

♦ **2.** Plus cour. Représentation ou évocation du lieu où se passe l'action (théâtre, cinéma, télévision). ⇒ **Décoration** (I., 3.). *Décors de théâtre.* ⇒ **Scène, scénographie, théâtre.** *Décor figuré, en trompe-l'œil, panoramique.* ⇒ **Toile** (de fond). *Décor praticable.* ⇒ **Praticable.** *Montant* (⇒ **portant**), *châssis, toile d'un décor. Décor sur châssis.* ⇒ **Ferme.** *La coulisse* est derrière les décors. Peintre de décors. Créateur, installateur de décors.* ⇒ **Accessoiriste, décorateur.** *Changement de décors* (→ Perpétuel, cit. 5). *Décors d'une comédie, d'un opéra, d'un ballet. Décors d'un film. Mettre en scène sans décors ou en décor naturel. Jouer dans les décors.*

1 La richesse des costumes et l'éclat des décors étouffent le drame qui ne veut pour parure que la grandeur de l'action et la vérité des caractères.
  FRANCE, le Petit Pierre, X, p. 66.
2 La tendance moderne, en matière de décoration théâtrale, l'incline vers une simplification artistique, aussi bien dans le métier pictural que dans le choix des éléments dont se compose un décor. L'idée de tableau interprété par l'intelligence l'emporte sur l'idée d'image photographique, et celle d'impression sur celle de description. On cherche à évoquer, à suggérer, plutôt qu'à représenter.
  Jacques COPEAU, in Encycl. franç. (DE MONZIE), 17-64-1.
3 *(Adolphe Appia)* proscrit le décor en trompe-l'œil, peint à plat et purement pittoresque, pour lui substituer un décor construit, à trois dimensions, purement praticable, autrement dit purement dramatique ou dynamique. Les principales réformes de la scène contemporaine sont parties de là.
  Jacques COPEAU, in Encycl. franç. (DE MONZIE), 17-64-4.
4 (...) ce costume de la pièce qu'est le décor (...)
  Louis JOUVET, Réflexions du comédien, p. 189.
5 C'est dans cet atelier *(le studio)* que sont édifiés les décors où se déroule l'action du film.
Les prises de vues et de sons dites « en extérieur » sont destinées aux scènes qui exigent un décor qu'il serait trop difficile ou trop coûteux de reconstituer au studio.
  René CLAIR, in Encycl. franç. (DE MONZIE), 17-88-10.
Loc. *Faire décor* : ne jouer qu'un rôle décoratif de toile de fond.
5.1 (...) comme dans les toiles de certains vieux peintres les objets se mettent eux-mêmes à parler. La lumière au lieu de faire décor prend les apparences d'un véritable langage et les choses de la scène toutes bourdonnantes de signification s'ordonnent, montrent des figures.
  A. ARTAUD, le Théâtre et son double, Idées/Gallimard, p. 182 (1938).
Loc. fig. *Changement de décor* : changement de circonstances, évolution brusque d'une situation (syn. vx : *changement de décoration* ; → Décoration, cit. 5.1). — *L'envers du décor* : ce qui est caché derrière une apparence trompeuse.

♦ **3.** Par ext. Aspect extérieur du milieu dans lequel se produit un phénomène, vit un être, considéré sous son aspect extérieur et accidentel. ⇒ **Ambiance, apparence, atmosphère, cadre, décoration ; milieu, toile** (de fond). *Un décor de verdure, de montagnes.* ⇒ **Paysage.**

6 (...) ces toilettes n'étaient pas un décor quelconque, remplaçable à volonté, mais une réalité donnée et poétique (...)
  PROUST, À la recherche du temps perdu, t. XI, p. 39.
7 C'était la première fois aussi qu'il avait à la voir descendre d'un train, s'avancer vers lui parmi d'autres voyageurs, dans le décor d'une gare.
  J. ROMAINS, les Hommes de bonne volonté, t. V, p. 195.
8 (...) la musique forme, à ses pensées *(de Sosthène)*, une sorte de toile de fond, un décor sonore et harmonieux (...)
  G. DUHAMEL, Manuel du protestataire, VI, p. 157.
9 (...) jusqu'à ce qu'une poigne profonde arrache de l'ombre, à l'improviste, tout le décor d'un drame où elle tenait son rôle, où je tenais le mien, et que j'avais complètement oublié. COCTEAU, la Difficulté d'être, p. 194.
(1908, in Petiot). Loc. fam. (le suj. désigne un véhicule). *Entrer dans le décor, dans les décors* (attesté 1919) : quitter accidentellement la route (→ Aller dans les platanes).

DÉCORABLE [dekɔrabl] adj. — 1870, *in* P. Larousse ; de *décorer*. Rare.

♦ **1.** (Choses). Qu'on peut décorer. *Avec ses murs nus et ses vastes proportions, la pièce était facilement décorable.*

♦ **2.** (Personnes). Qui peut être décoré. *Un ancien combattant décorable.*

DÉCORATEUR, TRICE [dekɔratœr, tris] n. — xvie ; dér. sav. de *décorer*.

♦ **1.** Personne qui fait des travaux de décoration. *Décorateur d'intérieurs, d'appartements.* ⇒ **Ensemblier.** *Le décorateur, la décoratrice de qqn* : la personne qui fait des travaux de décoration pour qqn. — Appos. *Peintre* (cit. 1) *décorateur, tapissier décorateur.*

1 (...) son décorateur avait raison, tout dépend de l'ambiance, tant de choses entrent en jeu... ce beau chêne, ce mur, ce rideau, ces meubles, ces bibelots (...)
  N. SARRAUTE, le Planétarium, p. 11.

♦ **2.** Personne qui exécute ou dirige l'exécution des décors, pour un spectacle. *Une décoratrice de théâtre, de cinéma. Ce décorateur travaille pour tel metteur en scène, tel scénographe.*

2 Le *décorateur* — encore un mot impropre auquel on devrait substituer le mot «architecte», employé dans les studios allemands — exécute, après lecture du scénario, les maquettes des décors et, après entente avec le réalisateur, dirige la construction de ces décors. Il a sous ses ordres divers corps de métiers : machinistes, charpentiers, peintres, tapissiers, serruriers.
  René CLAIR, in Encycl. franç. (DE MONZIE), 17-88-11.

DÉCORATIF, IVE [dekɔratif, iv] adj. — 1478 ; dér. sav. de *décorer*.

♦ **1.** Destiné à décorer. *Peinture décorative.* ⇒ **Ornemental.** *Motifs décoratifs.*
ARTS DÉCORATIFS : arts appliqués aux choses utilitaires, aussi nommés *arts appliqués, arts industriels* (par exemple : ameublement, costume, orfèvrerie, céramique, tapisserie, mosaïque). ⇒ **Design, esthétique** (industrielle). *L'école, le musée des Arts décoratifs* (fam. : les Arts déco [lɛzardeko]). *Style Art déco* : style à la mode dans les années suivant l'exposition d'arts décoratifs de 1925.

♦ **2.** Qui décore bien. *Ce vase est d'un bel effet décoratif. Un bas-relief, un tableau décoratif. Style décoratif. Tableau traité dans une intention décorative.* ⇒ **Décoration** (I., 2.).
Qui forme un décor, un élément de décor.

1 (...) la population la plus colorée, bigarrée, drapée, pavoisée, miroitante, soyeuse et décorative, de tout ce rivage oriental. MAUPASSANT, la Vie errante, p. 148.

♦ **3.** Fam. Se dit d'une personne qui a une belle prestance, qui relève l'éclat d'une réunion. *Un personnage, un invité décoratif.*

2 Ils accueillent plus volontiers les personnages décoratifs (...)
  F. MAURIAC, Bloc-notes 1952-1957, p. 34.

♦ **4.** Péj. Agréable, mais accessoire, gratuit, peu important. *Jouer, en société, un rôle purement décoratif.*

CONTR. Enlaidissant, laid. — Insignifiant.
DÉR. Décorativement.

DÉCORATION [dekɔrasjɔ̃] n. f. — 1463 ; «honneur», 1393 ; bas lat. *decoratio*, de *decorare*. → Décorer.

★ **I.** ♦ **1.** Action de décorer (un lieu, un espace). ⇒ **Embellissement, ornementation.** *Cet architecte a été chargé de la décoration du palais. L'ensemblier qui a effectué la décoration de son appartement.*

1 (...) faire servir Dieu et la religion à la politique, c'est-à-dire à l'ordre et à la décoration de ce monde (...) LA BRUYÈRE, les Caractères, XVI, 3.
Art de décorer. *Connaître les règles de la décoration. Arts de la décoration, les arts décoratifs.*

♦ **2.** (1549). Ensemble de ce qui décore, de ce qui sert à décorer.

⇒ **Ornement.** *Décoration architecturale.* ⇒ **Architecture.** *Décoration sculpturale.* ⇒ **Sculpture ; mannequinage.** *Divers éléments de décoration.* ⇒ **Ameublement, mosaïque, orfèvrerie, peinture, tapisserie...** *Décoration intérieure, extérieure. Décoration d'une église, d'un appartement. Décoration en pierre, en stuc... Décoration en relief.* ⇒ **Bosse** (II., 3.).

2   On changeait *(chez le roi Crésus)* la décoration des jardins comme on change une décoration de scène.   FÉNELON, Œuvres, t. XIX, p. 32, *in* LITTRÉ.

3   Une décoration du Second Empire subsistait encore au plafond et aux murs.   J. ROMAINS, les Hommes de bonne volonté, t. V, p. 238.

Arts. Aspect formel d'une œuvre d'art (par oppos. à son contenu iconographique).

♦ **3.** (1674). Vx. ⇒ **Décor** (2.). *Décoration scénique. Décoration de théâtre.*

4   La décoration représente un lieu champêtre fort agréable.   MOLIÈRE, 1er Prologue du Malade imaginaire.

5   Dans cent ans le monde subsistera encore en son entier : ce sera le même théâtre et les mêmes décorations, ce ne seront plus les mêmes acteurs.   LA BRUYÈRE, les Caractères, VIII, 99.

Loc. fig. Vx. *Changement de décoration,* de décor.

5.1   Changement de décoration : Mlle Émilie me reçoit avec toute l'aisance, toute l'amitié, tout le naturel des plus beaux jours de notre goût mutuel.   STENDHAL, Journal (1813), Pl., p. 1257.

Par ext. Littér. Aspect extérieur dans lequel se produit un phénomène, dans lequel on vit. ⇒ **Décor** (3.).

♦ **4.** Fig. et vx. ⇒ **Ornement, parure ;** et aussi **apparat, décorum.**

6   Ne négligez point une certaine décoration publique ; qu'elle soit noble, imposante, et que la magnificence soit dans les hommes plus que dans les choses. On ne saurait croire à quel point le cœur du peuple suit ses yeux, et combien la majesté du cérémonial lui en impose.   ROUSSEAU, le Gouvernement de Pologne, III.

7   Les ténèbres et la lumière, les saisons, la marche des astres (...) varient les décorations du monde (...)   CHATEAUBRIAND, le Génie du christianisme, I, V, II.

★ **II.** (1740). Insigne d'un ordre honorifique. ⇒ **Banane** (fam.), **chaîne, cordon, crachat** (fam.), **croix, étoile, médaille, palme, plaque, rosette, ruban.** *Obtenir, recevoir une décoration. Procéder à une remise de décorations. Porter une décoration en sautoir, à la boutonnière. Poitrine chamarrée, constellée, couverte de décorations* (cf. fam. Batterie de cuisine, panoplie). *Décoration d'un ordre* de chevalerie. Décorations anciennes, en France :* ordre de Saint-Michel, du Saint-Esprit, de Saint-Lazare, de Saint-Hubert, de Saint-Louis, du Mérite militaire, de la Couronne de fer, de la Réunion. *Décorations françaises modernes :* Légion d'honneur, Médaille militaire, Croix de guerre, Croix de la Libération, Médaille de la Résistance... *Anciennes décorations coloniales françaises :* Dragon de l'Annam, Nichan-Iftikhar, Nichan-el-Anouar, Ouissam-alaouite. *Décorations civiles :* Palmes académiques, Mérite agricole... — *Le port illicite de décorations est puni par l'article 259 du Code pénal.*

8   (...) il allait considérer les magasins de décorations. Il examinait tous ces emblèmes de formes diverses, de couleurs variées. Il aurait voulu les posséder tous, dans une cérémonie publique (...) marcher en tête d'un cortège, la poitrine étincelante, zébrée de brochettes alignées l'une sur l'autre (...)   MAUPASSANT, les Sœurs Rondoli, Décoré !, p. 276.

8.1   Oui, je porte ma décoration. Il faut avoir le courage de ses faiblesses.   J. RENARD, Journal, 9 déc. 1901.

9   Les obus et les décorations tombent au hasard, sur le juste et l'injuste (...)   A. MAUROIS, les Discours du Dr O'Grady, XI, p. 108.

10   (...) du vieux portier — et dont on aurait arraché galons et décorations, c'est-à-dire non pas les officielles rocailleuses et minérales croix de diamants ou d'or constellant ostensiblement la tunique jaune safran, mais celles que le général portait à l'intérieur (...)   Claude SIMON, le Palace, p. 26.

DÉCORATIVEMENT [dekɔʀativmɑ̃] adv. — 1874, *in* Littré, Suppl. ; de *décoratif.*

♦ D'une manière décorative (surtout au sens 2). — Plais. et péj. « *Sortir décorativement de la lutte...* » (A. Breton, *in* T. L. F.).

DÉCORDER [dekɔʀde] v. tr. — 1549 ; *descorder* « tirer une flèche », v. 1170 ; de 1. *dé-,* et *corder.*

♦ **1.** Techn. Défaire (une corde) en séparant les brins tordus ensemble. ⇒ **Décommettre.** *Décorder un câble.*

♦ **2.** Détacher la corde qui attache, lie (qqch. ; un animal). *Décorder une malle, des bestiaux.*

▶ **SE DÉCORDER** v. pron. (1904).

Alpin. Se détacher de la cordée (opposé à *s'encorder*).

(...) si Warfield avait été normal on aurait pu se décorder, utiliser tour à tour la corde d'attache pour faire le rappel.   R. FRISON-ROCHE, Premier de cordée, p. 61 (1941).

▶ **DÉCORDÉ, ÉE** p. p. adj. *Malle décordée.* — Alpin. Détaché de la cordée. *Alpiniste décordé.*

CONTR. Corder.

DÉCORER [dekɔʀe] v. tr. — XIVe ; « honorer », v. 1350 ; du lat. *decorare,* de *decus, decoris* « ornement », de *decere* « convenir ». → **Décorum ;** décent.

♦ **1.** Pourvoir d'accessoires destinés à embellir, à rendre plus agréable. ⇒ **Agrémenter, embellir, enjoliver, orner, parer.** *Décorer un édifice, un appartement avec..., de...*

1   Segonzac ne décore sa « salle » (...) vaste comme une grange, que de trophées rustiques, faux et râteaux croisés, fourches à deux dents en bois poli, couronnes d'épis, et fouets à manches rouges (...)   COLETTE, la Naissance du jour, p. 107.

(Le sujet désigne ce qui décore). Agrémenter, embellir (un lieu). *Tableaux, sculptures, tapisseries qui décorent un palais, un salon.* Fig. et littér. (Vieilli). ⇒ **Orner.**

2   Le cygne décore, embellit tous les lieux qu'il fréquente (...)   BUFFON, Hist. nat. des oiseaux, Le cygne.

3   La grâce décorait son front et ses discours (...)   André CHÉNIER, Odes, La jeune captive.

4   On se sent une estime infinie pour l'immoralité parce qu'elle n'a pas cessé d'être, et que le temps l'a décorée de rides.   CHATEAUBRIAND, Mémoires d'outre-tombe, t. II, p. 221.

♦ **2.** *Décorer qqn, qqch. de qqch. :* couvrir d'une apparence trompeuse et séduisante. ⇒ **Honorer, orner, parer, revêtir.** *Il décore sa cruauté du nom de justice.*

5   (...) une de ces gentilshommières (...) que les villageois décorent du nom de château.   Th. GAUTIER, le Capitaine Fracasse, t. I, p. 1 (cf. Château, cit. 4).

♦ **3.** Attribuer, remettre à (qqn) une décoration, l'insigne d'un ordre, d'une distinction honorifique. ⇒ **Conférer.** *Décorer d'une médaille.* ⇒ **Médailler.** *Décorer de la Croix de guerre, de la Médaille militaire.* — Absolt. *Il va être décoré* (de la Légion d'honneur).

6   (...) c'est à Elchingen que, pour la première fois, l'Empereur, détachant de sa poitrine sa croix de la Légion d'honneur, en décora un soldat.   Louis MADELIN, Hist. du Consulat et de l'Empire, Avènement de l'Empire, V, XII, p. 278.

6.1   Nous aimons bien qu'un ministre nous décore, même si nous n'avons aucun titre à cela, mais après cela s'il décore d'autres personnes qui n'y ont pas de titres, nous voudrions volontiers l'arrêter et l'empêcher d'abaisser follement par là le prix de ce qu'il nous a donné.   PROUST, Jean Santeuil, Pl., p. 739-740.

▶ **SE DÉCORER** v. pron.

(Passif). *Pièce, salle qui se décore facilement,* que l'on peut décorer... *Pièce qui se décore de...,* qui est décorée de...

(Personnes). S'attribuer un, des titres. *Se décorer de titres qu'on ne possède pas.*

▶ **DÉCORÉ, ÉE** p. p. adj. et n.

♦ **1.** (Choses, lieux). Agrémenté, orné. *Appartement décoré par un artiste. Galerie décorée d'œuvres d'art. Colonnettes décorées de reliefs.* — Fig. Littér. et vx. *Visage décoré par la grâce.*

♦ **2.** Péj. Couvert d'une apparence trompeuse. *Cruauté décorée du nom de justice. Une baraque décorée du nom d'hôtel.* ⇒ **Paré.**

♦ **3.** (Personnes). À qui l'on a attribué, remis une décoration ; qui porte une, des décorations. *Militaire décoré de la Croix de guerre.* — Absolt (en parlant de la Légion d'honneur). *Un monsieur décoré.*

7   M. Sacrement n'avait, depuis son enfance, qu'une idée en tête, être décoré. (...) il souffrait d'une façon continue de n'avoir point le droit de montrer sur sa redingote un petit ruban de couleur. Les gens décorés qu'il rencontrait sur le boulevard lui portaient un coup au cœur (...)
Et il allait lentement, inspectant les vêtements, l'œil exercé à distinguer le petit point rouge. Quand il arrivait au bout de sa promenade, il s'étonnait toujours des chiffres : « Huit officiers et dix-sept chevaliers. Tant que ça ! C'est stupide de prodiguer les croix d'une pareille façon ».   MAUPASSANT, les Sœurs Rondoli, Décoré !, p. 273.

CONTR. Dégrader, déparer, détériorer, enlaidir.
DÉR. Décor, décorable, décorateur, décoratif.

DÉCORNER [dekɔʀne] v. tr. — XVIe ; de 1. *dé-,* et *corne.*

♦ **1.** Rare. Dégarnir de ses cornes. ⇒ **Écorner** (1.). — Loc. cour. (1832, *in* D. D. L.). *(Il fait) un vent à décorner les bœufs,* très fort. *Donner un coup à décorner un bœuf,* un coup violent. — (Dans un autre contexte ; stylistique) :

J'ai été tirée de mes rêveries obsessionnelles par Raymonde qui commentait les films de son mari de sa voix à décorner les bœufs.   Benoîte et Flora GROULT, Il était deux fois, p. 404.

♦ **2.** (1759). Redresser (ce qui est corné). *Décorner la page d'un livre, une carte à jouer.* — Au p. p. *Page décornée.*

DÉCORTICAGE [dekɔʀtikaʒ] n. m. — 1870 ; de *décortiquer.*

♦ **1.** Opération par laquelle on dégage (un grain, une graine) de son enveloppe. ⇒ **Décortication**; et aussi **écorçage**. *Le décorticage du riz, des amandes. — Par ext. Le décorticage d'un crustacé.*

♦ **2.** Fig. *Le décorticage d'un texte.* ⇒ **Épluchage.**

DÉCORTICATION [dekɔrtikasjɔ̃] n. f. — 1747 ; du lat. *decorticatio*, du supin de *decorticare*. → Décortiquer.

♦ **1.** Action de décortiquer, de dépouiller de son écorce. ⇒ **Décorticage**. *Décortication d'un arbre à la raclette. Décortication annulaire.*

Quand le lin a roui, on lui fait subir une sorte de décortication qui ne laisse subsister que la fibre textile.   RENAN, Souvenirs d'enfance..., Le broyeur de lin, p. 39.

♦ **2.** Techn. (méd.). Opération par laquelle on sépare un organe de son enveloppe fibreuse. *Décortication du cœur, du rein.*

Spécialt, sc. (zool., etc.). Ablation totale ou partielle du cortex cérébral (d'un animal, aux fins d'expérience). ⇒ aussi **Décérébration.**

DÉCORTIQUER [dekɔrtike] v. tr. — 1826 ; du lat. *decorticare*, de *cortex, corticis* « écorce ».

♦ **1.** Dépouiller (une tige, une racine) de son écorce ; séparer (un fruit, une graine) de son enveloppe. ⇒ **Décorticage, décortication.** *Décortiquer un arbre pour détruire ses parasites. Décortiquer du riz, du café; des amandes, des noix. — (1898). Par ext.* Dépouiller (un crustacé) de sa carapace. *Décortiquer des écrevisses.*

♦ **2.** Méd. Priver du cortex. *Décortiquer un animal.* ⇒ aussi **Décérébrer.**

♦ **3.** (1893). Fig. Analyser* à fond, minutieusement (pour expliquer, interpréter). ⇒ **Éplucher.** *Décortiquer un texte. Décortiquer le discours d'un homme politique.* S'appliquer à « décortiquer l'univers » (J. Renard, *Journal*, 28 mars 1893).

On lui soumettait des textes qu'il décortiquait en se jouant. Il épluchait les fautes des copistes, écalait les interpolations (...)
HUYSMANS, l'Oblat, t. I, p. 63, *in* T. L. F.

▶ **DÉCORTIQUÉ, ÉE** p. p. adj.

♦ **1.** Qu'on a dépouillé de son écorce. *Arachides décortiquées* (opposé à *en cosses*). *— Par ext. Acheter des crevettes décortiquées.*

♦ **2.** Physiol. Qui a subi une ablation (totale ou partielle) du cortex* (1.). *Chien, chat décortiqué* (→ Décérébration, cit.).

♦ **3.** Fig. *Texte décortiqué*, analysé minutieusement, dans tous ses détails.

DÉR. Décorticage, décortiqueur ou **décortiqueuse.**

DÉCORTIQUEUR, EUSE [dekɔrtikœr, øz] n. — 1870 ; fém., 1874 (*Année sc. et industr.*, 1875, p. 419); de *décortiquer*.

♦ Techn. Machine à décortiquer*(1.).

DÉCORUM [dekɔrɔm] n. m. — 1587 ; lat. *decorum*, de *decere* « convenir ». → Décor.

♦ **1.** Ensemble des règles qu'il convient d'observer pour tenir son rang dans une bonne société. ⇒ **Bienséance, cérémonial, convenance, protocole.** *Des décorums. Garder, observer le décorum. Être soucieux des lois, des règles du décorum. Ignorer le décorum. Blesser le décorum.*

1   (...) elle dépouilla nécessairement ce décorum que toute femme, même la plus naturelle, garde en ses paroles, dans ses regards, dans son maintien quand elle est en présence du monde ou de sa famille, et qui n'est plus de mise en déshabillé.
BALZAC, le Lys dans la vallée, Pl., t. VIII, p. 932.

1.1   Je suis arrivé en retard étant donné les quartiers lointains où j'ai dormi. Ai été directement (il était 9 h 20) vous attendre devant l'Odéon. Espère que ce sera bien passé. N'étant pas repassé chez moi, étais d'ailleurs fort sale et ç'aurait manqué de décorum.   A. JARRY, Correspondance (à Lugné-Poe), Pl., p. 1058.

2   Ici, pour le décorum, il faut se séparer de nos femmes.
LOTI, Mme Chrysanthème, XII, p. 84.

♦ **2.** (1889). Apparat officiel. ⇒ **Étiquette.** *Décorum royal.*

3   (...) le maître, qui, au fond, détestant pour lui la contrainte des cérémonies, a le mépris des pompes et des parades, ce maître voudra cependant (...) faire régner l'étiquette et le décorum, endosser sa soie et l'hermine, instituer autour de lui des officiers de cour et des « archi-dignitaires ».   Louis MADELIN,
Hist. du Consulat et de l'Empire, Avènement de l'Empire, VIII, p. 109.

♦ **3.** (1835). Péj. Décor très soigné, pompeux. *Entretenir autour de soi un certain décorum.*

4   Ils contournaient une succession de petites collines toutes plus gentilles les unes que les autres. Chaque détour les emmenait dans des perspectives où il n'était question que de pins espacés autour de bosquets rutilants en un décorum que le premier venu aurait trouvé royal.   J. GIONO, le Hussard sur le toit, p. 265.

CONTR. Grossièreté, impertinence, insolence, laisser-aller, rusticité, sans-gêne.

DÉCOTE [dekɔt] n. f. — 1953 ; de 1. *dé-*, et *cote*.

♦ **1.** Fisc. Exonération appliquée à une contribution.

♦ **2.** (1969). Fin. Évaluation (d'une monnaie, d'une valeur boursière) inférieure au cours de référence.

DÉCOUCHAGE [dekuʃaʒ] n. m. — 1862 ; de *découcher*.

♦ Action, fait de découcher.

1   (...) ce que la pédante Mme Bloch appelait ses découchages en cuisine (...)
PROUST, Sodome et Gomorrhe, Pl., t. II, p. 844.

2   (...) au lieu de t'embrasser comme j'avais envie de le faire, je t'ai fait une scène ridicule et conventionnelle dont je n'avais pas du tout envie. Genre empoignade conjugale, dépit amoureux, accusations de découchage, appel à « la morale la plus élémentaire ».   Régis DEBRAY, l'Indésirable, p. 124.

DÉCOUCHER [dekuʃe] v. intr. — 1579 ; « se lever », pron., 1190 ; de 1. *dé-*, et *coucher*.

♦ **1.** Vx. Quitter son lit, se lever (cf. A. Dumas père, *in* T. L. F.).

♦ **2.** Coucher hors de chez soi ; rester absent une nuit entière. *Il a découché cette nuit.*

1   Lui-même se marie le matin, l'oublie le soir, et découche la nuit de ses noces (...)
LA BRUYÈRE, les Caractères, XI, 7.

2   Lantier n'était pas rentré. Pour la première fois, il découchait.
ZOLA, l'Assommoir, I, 1, p. 1.

Vx. *Découcher d'avec qqn :* cesser de coucher avec qqn.

DÉR. Découchage.

DÉCOUDRE [dekudr] v. tr. — Conjug. *coudre*. — 1175 ; de 1. *dé-*, et *coudre*.

♦ **1.** Défaire (ce qui est cousu). *Découdre une doublure, un bouton, une manche. Découdre un bâti* (⇒ **Débâtir**), *un faufilage* (⇒ **Défaufiler**), *une piqûre* (⇒ **Dépiquer**). *Découdre une bordure de dentelle. Découdre un soulier.*

1   Elle connaissait si bien les places où elle avait cousu ses louis, qu'elle les décousit avec une promptitude qui tenait de la magie.   BALZAC, *in* P. LAROUSSE.

1.1   Elle décousait la doublure d'une robe, dont les bribes s'éparpillaient autour d'elle (...)   FLAUBERT, Mme Bovary, III, II.

Absolument :

2   (...) ayant passé la plus grande partie de la nuit à coudre et à découdre, il se coucha (...)   SCARRON, le Roman comique, II, IX.

Loc. (Vx). *Ne pas oser découdre les lèvres :* ne pas oser parler.

♦ **2.** Mar. *Découdre le bordage d'un navire*, le déclouer*.

♦ **3.** (1678). Vén. (le sujet désigne un cerf, un sanglier, etc.). Déchirer le ventre par une blessure en long. *Cerf qui découd un chien.*

3   Le sanglier, rappelant les restes de sa vie,
Vient à lui, le découd, meurt vengé sur son corps (...)
LA FONTAINE, Fables, VIII, 27.

Fam. (Personnes). *Il s'est fait découdre*, blesser. ⇒ **Charcuter, couper** (*infra* cit. 4).

♦ **4.** V. intr. (XVIe). EN DÉCOUDRE : se battre, lutter. *Voici l'ennemi, il faut en découdre. Il est toujours prêt à en découdre*, à se battre, à en venir aux mains*. *En découdre avec qqn.*

▶ **SE DÉCOUDRE** v. pron.
Se détacher naturellement par les coutures. *Cette doublure se découd.*

▶ **DÉCOUSU, UE** p. p. adj.

♦ **1.** (XIIIe). Dont la couture a été défaite. *Ourlet décousu.*

4   Que ce mot tapisserie n'éveille en votre imagination aucune idée de luxe inopportun. Celle-ci était usée, élimée, passée de ton ; les lés décousus faisaient cent hiatus et ne tenaient plus que par quelques fils à la force de l'habitude.
Th. GAUTIER, le Capitaine Fracasse, I, 1, p. 10.

4.1   Tous les insignes distinctifs de son costume ont été décousus : non seulement ceux du col, mais aussi les galons sur les manches et sur le calot, laissant voir à l'emplacement qu'ils occupaient une petite surface de drap neuf, plus moelleuse (...)
A. ROBBE-GRILLET, Dans le labyrinthe, p. 98.

Vén. Dont le ventre est ouvert. *Animal décousu.*

♦ **2.** (1577, *in* D. D. L.). Fig. Qui est sans suite, sans liaison, sans logique. ⇒ **Désordonné, illogique, incohérent, inconséquent, sautillant.** *Travailler d'une façon décousue. Conversation décousue* (cf. À bâtons rompus ; passer du coq à l'âne ; n'aller que par sauts et par bonds). *Propos décousus*, sans ordre, sans plan suivi. *Style décousu.*

5   (...) tu as la bonté de lire jusqu'au bout mes indéchiffrables barbouillages, mes rêvasseries sans queue ni tête : si décousues et si absurdes qu'elles soient, elles t'offrent toujours de l'intérêt, parce qu'elles viennent de moi, et ce qui est moi, quand même cela est mauvais, n'est pas sans quelque prix pour toi.
Th. GAUTIER, Mlle de Maupin, VI, p. 123.

5.1   (...) mais, à peine lancé, un doute le prend, si bien qu'il préfère se limiter, par prudence, à une succession de phrases inachevées, c'est-à-dire sans lien apparent, pour la plupart inachevées, en outre façon très obscures non plus interlocuteur où lui-même d'ailleurs s'embrouille davantage à chaque mot. L'autre ne (...)
A. ROBBE-GRILLET, Dans le labyrinthe, p. 150-151.

N. m. *Le décousu d'un style, d'un discours.* ⇒ **Désordre, incohérence.**

6   (...) le décousu et l'absurdité de la rédaction indiquent quelque chose de plus que la difficulté d'exprimer sa pensée.
MÉRIMÉE, Hist. du règne de Pierre le Grand, p. 292.

7   Leur affectation d'immoralité m'empêcha de voir le décousu de leur philosophie.
RENAN, Souvenirs d'enfance..., III, 1, p. 119.

8   Il y a dans toute l'œuvre *(de Mahler)* un mélange de rigueur pédante et d'incohérence; du décousu, des arrêts brusques qui coupent le développement, des idées parasites qui l'interrompent sans raison musicale, des interruptions de vie.
R. ROLLAND, Musiciens d'aujourd'hui, p. 189.

CONTR. Coudre. — Bâtir, faufiler, piquer. — (Du p. p.) **Cousu.** — Cohérent, conséquent, lié, logique, suivi.
DÉR. (Du p. p.) **Décousure.**

DÉCOULEMENT [dekulmã] n. m. — 1519; de *découler.*

♦ **1.** Vx ou littér. Action de découler. ⇒ **Flux.**

♦ **2.** Fig. (Rare et didact.). *Le découlement naturel des effets.*

DÉCOULER [dekule] v. intr. — V. 1180; de 2. *dé-*, et *couler.*

♦ **1.** Vx ou littér. Couler peu à peu en s'échappant. ⇒ **Couler, écouler** (s'). *Le sang découle de la plaie. La sueur découle de son front.*
— Figuré :

1   (...) la raillerie, l'injure, l'insulte leur découlent des lèvres comme leur salive.
LA BRUYÈRE, les Caractères, V, 27.

2   Tout cela ne vaut pas le poison qui découle
De tes yeux, de tes yeux verts (...)   BAUDELAIRE, les Fleurs du mal, « Le poison ».
Par ext. ⇒ **Dégoutter.**

3   (...) mon front à large goutte
Découlait de sueur (...)   LAMARTINE, Jocelyn, IX, 338.

3.1   Elle s'arrêta. De livide, elle était devenue pourpre. La sueur lui découlait des tempes. Elle s'enrouait. Était-ce le coup de la honte?... Elle saisit fébrilement une carafe sur la commode (...)
BARBEY D'AUREVILLY, les Diaboliques, « La vengeance d'une femme ».

♦ **2.** Cour. S'ensuivre par développement naturel. ⇒ **Déduire** (se), **dériver, émaner, procéder, provenir, résulter, venir** (de). *Conséquences*, effets qui découlent d'une cause, d'un principe. Les résultats qui en découlent... Maux qui découlent de la guerre. La règle découle d'elle-même.*

4   Les règles constitutives de cette monarchie furent très simples, et il ne fut pas nécessaire de les chercher longtemps; elles découlèrent des règles mêmes du culte.
FUSTEL DE COULANGES, la Cité antique, IX, 2, p. 206.

CONTR. Remonter (à la source). — Amener, causer, donner (lieu à), entraîner, occasionner, provoquer, susciter.
DÉR. **Découlement.**

DÉCOUPAGE [dekupaʒ] n. m. — 1497, *décoppaige*; de *découper.*

♦ **1.** Action de découper. *Découpage d'une volaille, d'un gâteau par qqn. Découpage de la viande.* ⇒ **Débitage, dépeçage, équarrissage.** — *Découpage d'une étoffe, d'un tissu pour la confection d'un vêtement.* ⇒ **Coupe.** *Découpage du caoutchouc, du cuir. Découpage d'une image en carton. — Découpage des tôles à la cisaille, au burin. Découpage au chalumeau; à la presse. Découpage d'un flan de métal au moyen d'une matrice tranchante. Découpage des formes, des clichés* (en typographie).
REM. Les emplois absolus *(le découpage),* selon les contextes, appartiennent à l'usage technique.

♦ **2.** Image, figure destinée à être découpée. *Acheter des découpages à un enfant.* — Par métonymie. Figure découpée. *Faire des découpages.*

♦ **3.** (1917; au théâtre, 1891). Cinéma. Division du scénario en scènes (⇒ **Séquence**) numérotées. — Par métonymie. Le scénario ainsi détaillé. *Établir le découpage d'après un synopsis.*

♦ **4.** Admin. *Découpage électoral :* division (d'un État, d'une région) en circonscriptions électorales. *Les partis d'opposition sont défavorisés par le découpage électoral.*

DÉCOUPE [dekup] n. f. — 1868; de *découper.*

♦ Action de découper*. — Spécialt. (cout.). Taille décorative pratiquée dans un vêtement. *La découpe d'un chemisier. Blue-jean bicolore à découpes.*

DÉCOUPER [dekupe] v. tr. — V. 1150, *descolper* « couper, tailler, déchirer »; de 2. *dé-*, et *couper.*

♦ **1.** Diviser en morceaux en coupant ou en détachant (une pièce de viande qu'on sert à table). ⇒ **Couper, tailler.** *Découper un gigot, un rôti. Découper un perdreau, un poulet, un lapin,* en détacher les membres. ⇒ **Démembrer.** *Découper une aile de poulet.* ⇒ **Détacher, lever.** — Absolt. *Savoir découper. Couteau, fourchette à découper.* — Par anal. *Découper un gâteau, une tarte.*

1   Mon parrain découpait lui-même les grosses pièces et servait en faisant parvenir les parts à ses invités, vieil usage, suivi autrefois dans les meilleures maisons.
FRANCE, la Vie en fleur, XXII, p. 248.

Le boucher découpe la viande de boucherie, découpe un demi-bœuf. ⇒ **Débiter, dépecer.** *Découper une bête abattue.* ⇒ **Équarrir.** *Découper malproprement de la chair.* ⇒ **Charcuter, déchiqueter.** — Par ext. *Découper un tronc d'arbre.* — Par métaphore ou fig. ⇒ **Diviser, morceler, partager.**

2   (...) avançant leurs pattes crochues, toutes les royales araignées découpèrent l'Europe, et de la pourpre de César se firent un habit d'Arlequin.
A. DE MUSSET, la Confession d'un enfant du siècle, I, II.

3   Car la douleur, le doute, et même le feu d'une cheminée, découpent le temps à leur fantaisie.   COCTEAU, Thomas l'imposteur, p. 151.

♦ **2.** Couper régulièrement (une matière) suivant un contour, un tracé. *Découper une étoffe avec des ciseaux, découper une jupe.* ⇒ **Couper.** *Découper l'encolure d'un habit.* ⇒ **Échancrer.** *Découper sur un patron.* ⇒ **Patronner.** — *Découper du carton, du papier. Découper l'intérieur d'un objet.* ⇒ **Évider.** *Découper une pièce de bois, de métal suivant un profil donné.* ⇒ **Chantourner.** *Fer à découper le cuir. Scie à découper.* — Absolt. *Découper à l'emporte-pièce.*
Fig. *La mer a découpé la côte en dents de scie.*

♦ **3.** Détacher avec des ciseaux (un contour, des figures sur une toile, sur du papier). *Découper les personnages d'une image. Découper une figurine de carton.* — Absolt. *Planche à découper. Découper des fleurs pour les appliquer sur un fond. Découper un article dans un journal. Découper une citation. Découper un bon-réclame, des tickets d'alimentation.*

4   Il s'était interrompu de découper avec les ciseaux maternels des maximes dans une édition populaire d'Épictète.   F. MAURIAC, Génitrix, II, p. 16.

♦ **4.** Fig. Donner à voir avec netteté, comme un découpage. ⇒ **Détacher, profiler** (→ ci-dessous, Se découper). *Les montagnes découpent leurs cimes sur l'horizon.*

5   À l'horizon, les Alpilles découpent leurs crêtes fines (...)
Alphonse DAUDET, Lettres de mon moulin, « Installation », p. 9.

6   Les brouillards du soir voilèrent avec douceur le disque rouge du soleil couchant. Un étroit nuage y découpa, comme dans une estampe japonaise, une bande noire aux contours précis.'   A. MAUROIS, les Discours du Dr O'Grady, IV, p. 41.

▶ **SE DÉCOUPER** v. pron.

♦ **1.** Être découpé. *Cette volaille est tendre, elle se découpe facilement.*

♦ **2.** *Se découper sur :* se détacher* avec des contours nets (sur).

7   Tout y était silencieux et frémissant comme est la campagne à midi. Les feuillages immobiles se découpaient nettement sur le fond bleu du ciel (...)
BALZAC, le Lys dans la vallée, Pl., t. VIII, p. 815.

8   (...) à l'extrémité de cette immense campagne stérile, l'arête vaporeuse du Djebel-Amour se découpait sur un ciel d'une extraordinaire transparence.
E. FROMENTIN, Un été dans le Sahara, III, p. 228.

9   Le rivage effiloché se découpe sur du bleu cru.
MARTIN DU GARD, les Thibault, t. IV, p. 11.

▶ **DÉCOUPÉ, ÉE** p. p. adj.

♦ **1.** Qu'on a découpé (1. et 2.). *Volaille découpée. Frange découpée, figure découpée dans du carton.*
Qui présente des éléments à angles vifs, des découpures. *Côtes découpées. Clocher* (cit. 1) *découpé à jour.*
Bot. ⇒ **Dentelé, sinué.** *Feuille d'acanthe découpée,* dont les bords irréguliers présentent des formes aiguës, en dents de scie.
Blason. *Pièces découpées en feuilles d'acanthe.*

♦ **2.** (XVIᵉ, « extrait »). Qu'on a découpé (3.), détaché aux ciseaux. *Article découpé.* ⇒ **Découpure.** *Papiers découpés et collés.* ⇒ **Collage.**

♦ **3.** Dont le contour tranche sur le fond. *Silhouettes découpées sur l'horizon.*

10   À l'avant, dans cette blancheur brouillée qui l'environne, il distingue une silhouette, des épaules, un casque, découpés en ombres chinoises, sous les vastes plans noirs des ailes (...)   MARTIN DU GARD, les Thibault, t. VIII, p. 148.

CONTR. Ligaturer, rassembler, réunir. — (Du p. p.) Entier, plein, uni.
DÉR. **Découpage, découpe, découpeur, découpoir, découpure.**
COMP. (Du p. p.). **Prédécoupé.**

DÉCOUPEUR, EUSE [dekupœR, øz] n. — V. 1268, *decauperes*; de *découper.*
Technique.

★ **I.** ♦ **1.** Ouvrier, ouvrière qui découpe. *Découpeur de bois de placage.*

♦ **2.** Cinéma. Technicien chargé du découpage des scénarios.

★ **II.** N. f. (1754). Machine à découper le bois, les tissus, à diviser la laine. *Découpeuse à bois :* scie à découper.

DÉCOUPLAGE [dekuplaʒ] n. m. — Mil. XXᵉ; de 1. *dé-*, et *couplage.*

♦ Techn. Élimination d'un couplage parasite (entre deux signaux, deux émissions radioélectriques). *« Fonction de découplage »* d'un *blindage électrostatique à l'intérieur d'une triode* (cf. Gilbert Simondon, *Du monde d'existence des objets techniques*, p. 28)).

DÉCOUPLE [dekupl] n. m. — 1561 ; déverbal de *découpler*.

♦ T. de chasse. Action de découpler les chiens. — REM. On dit aussi *découpler*, n. m. — *Sonner le découple* ou *le découpler*.

DÉCOUPLER [dekuple] v. tr. — V. 1160 ; de 1. *dé-*, et *coupler*. → Couple.

♦ Détacher (des chiens couplés) pour qu'ils courent après la bête. *Le veneur découpla les chiens.* — Absolt. *Dès qu'on fut arrivé, on découpla.*

Fig. Rare. Lancer à la poursuite de qqn ou de qqch. *Découpler des agents après un évadé.*

▶ **DÉCOUPLÉ, ÉE** p. p. adj.

♦ **1.** Vén. Débarrassé de la couple* (I., 1.). *Chiens découplés.*

♦ **2.** Fig. **a** Vx. Qui a de l'aisance dans les mouvements.

1 Or, rien n'est plus commun que de voir des enfants adroits et découplés avoir dans les membres la même agilité que peut avoir un homme. ROUSSEAU, Émile, II.

b (1690). Mod. Qui a un corps souple, agile, une belle taille. *Un jeune homme, un athlète bien découplé. Grande jeune fille bien découplée* (cf. fam. Bien bâtie, bien roulée).

2 Comme tous les hommes, triés pour la cavalerie d'élite, sa taille, belle et svelte encore, pouvait faire dire du garde qu'il était bien découplé. BALZAC, les Paysans, Pl., t. VIII, p. 85.

3 L'abbé Mionnet était un garçon robuste, d'assez haute taille, bien découplé, en dépit d'une sorte de gaucherie que lui donnait, sous la soutane, la carrure même de ses épaules. J. ROMAINS, les Hommes de bonne volonté, t. III, XI, p. 153.

CONTR. **Apparier, coupler.** — (Du p. p.) **Lourd.**
DÉR. **Découple.**

DÉCOUPOIR [dekupwaʀ] n. m. — 1754 ; de *découper*.
Technique.

♦ **1.** Instrument qui sert à découper. *Découpoir à main.*

♦ **2.** Taillant d'une machine à découper.

DÉCOUPURE [dekupyʀ] n. f. — 1379, *decopure* ; de *découper*.

♦ **1.** Rare. Action de découper, de tailler (une étoffe, de la toile, du papier...) ; (plus cour.) résultat de cette action. ⇒ **Coupure, découpage.** *La découpure d'une étoffe par le tailleur.* ⇒ **Découpe ; coupe.** *Une découpure fine, élégante, gracieuse. Faire de la découpure.* *Ce qui tombe quand on découpe qqch.* ⇒ **Chute, rognure.**

1 La vie n'est belle que de loin. Au fond elle ne nous réserve rien plus que ce que contient la plus ennuyeuse journée de classe. En la passant médiocrement, nous avons vécu la vie d'avance : comme *(dans)* une étroite découpure d'étoffe on peut se figurer toute l'étoffe, puisqu'elle n'est que la répétition des mêmes fils et des mêmes laines pareillement entrecroisés. PROUST, Jean Santeuil, Pl., p. 854.

♦ **2.** Cour. État, forme de ce qui est découpé ; bord découpé. *Découpure d'une guirlande, d'une broderie, d'une dentelle.* ⇒ **Feston.** *Découpure de pierre.* ⇒ **Crénelure, dentelure, redan** (→ Campanile, cit. 1 ; clocher, cit. 3).

2 Elle *(la grille du tombeau)* se compose de hautes plaques de marbre mises debout, si finement ajourées que l'on dirait d'immenses découpures d'ivoire (...) LOTI, l'Inde (sans les Anglais), VI, III, p. 380.

Bot. *Découpure d'une feuille :* petites incisions du bord d'une feuille. Par anal. Sinuosité. *Les découpures d'une côte rocheuse.*

DÉCOURAGEANT, ANTE [dekuʀaʒɑ̃, ɑ̃t] adj. — 1763 ; p. prés. de *décourager*.

♦ **1.** Propre à décourager, à rebuter. ⇒ **Affligeant, décevant, démoralisant, désespérant.** *Obstacle décourageant. Nouvelle décourageante.*

Iron. *Il est d'une douceur décourageante ; il est d'un calme décourageant,* parfait, immuable.

♦ **2.** (En parlant des personnes). *Enfant décourageant par son inertie. Vous êtes décourageant.*

(...) il est décourageant de voir combien de gens instruits, quand vous analysez une œuvre d'art, vous reprochent d'attribuer à l'auteur des intentions qu'il n'a jamais eues (...) A. THIBAUDET, Gustave Flaubert, p. 219.

CONTR. **Encourageant, réconfortant.**

DÉCOURAGEMENT [dekuʀaʒmɑ̃] n. m. — XIIᵉ, *descoragement* ; de *décourager*.

♦ **1.** État d'une personne découragée ; perte du courage, de l'énergie. ⇒ **Abattement, accablement, cafard, démoralisation, désenchantement, écœurement, lassitude.** *Le comble du découragement.* ⇒ **Désespoir.** *Un vif désappointement qui engendre le découragement. Être en proie au découragement. Abandonner, renoncer par*

découragement (→ Jeter le manche après la cognée*). *Se laisser aller au découragement. Il n'a jamais connu le découragement.*

1 (...) c'était un chant d'une volupté triste, d'une langueur exténuée, exprimant la fatigue du corps et le découragement de la passion ; on y pouvait deviner aussi l'ennui lumineux de l'éternel azur, l'indéfinissable accablement des pays chauds. Th. GAUTIER, le Roman de la momie, I, p. 49.

2 (...) pleines *(ses lettres)* d'une amertume qui signifie presque découragement. STROWSKI, Montaigne..., p. 113.

3 (...) cette crise de lassitude n'était pas une crise de découragement. Louis BARTHOU, Mirabeau, p. 205.

♦ **2.** Rare. Fait de décourager (qqn).

CONTR. **Courage, énergie, espérance.** — **Encouragement, réconfort.**

DÉCOURAGER [dekuʀaʒe] v. tr. — Conjug. *bouger.* — V. 1165, *descoragier* ; de 1. *dé-*, *courage*, et suff. verbal. → Courage.

♦ **1.** Rendre (qqn) sans courage, sans énergie, ni envie d'action. ⇒ **Abattre, accabler, briser** (le courage), **dégoûter, démonter, démoraliser, désenchanter, désespérer, écœurer, lasser, rebuter.** *Décourager qqn. Nouvelle qui décourage* (→ Couper, briser bras* et jambes). *Cet échec l'a déçu* (⇒ **Décevoir**) *et découragé.*

1 Le nom de bataille perdue impose aux vaincus et les décourage. VOLTAIRE, le Siècle de Louis XIV, 21.

♦ **2.** *Décourager qqn de,* lui ôter l'envie, le désir de. *Décourager qqn d'une entreprise hasardeuse.* ⇒ **Détourner, dissuader.** *Vous m'avez découragé de travailler.*

(Sans complément second en *de*) :

2 (...) ils découragent par mille contradictions les poètes et les musiciens (...) LA BRUYÈRE, les Caractères, I, 49.

3 Surtout c'est parce que l'Amérique, malgré la vive curiosité qu'elle soulève à l'heure actuelle, décourage le voyageur. Elle exigerait du touriste une fortune à dissiper. G. DUHAMEL, Scènes de la vie future, XV, p. 229.

4 Note que je le crois très capable de ne pas décourager les néophytes qui se présenteraient avec cet état d'esprit. J. ROMAINS, les Hommes de bonne volonté, t. IV, X, p. 111.

♦ **3.** Diminuer, arrêter l'élan, le développement de (qqch.). *Décourager un projet. Ces complications découragent les meilleures volontés. Décourager le zèle de qqn.* ⇒ **Refroidir.**

5 Froid et hautain, il décourageait la *familiarité* l'ayant en horreur. Louis MADELIN, Talleyrand, V, 40, p. 437.

▶ **SE DÉCOURAGER** v. pron.
Perdre courage. *Il se décourage au premier obstacle, à la première difficulté.* ⇒ **Effrayer** (s'), **lasser** (se).

6 L'humanité n'est pas différente de moi, c'est-à-dire qu'elle se décourage et se ranime avec une grande facilité. G. SAND, *in* P. LAROUSSE.

7 On ne veut pas croire qu'un homme tel que Beethoven se soit découragé en présence de toutes ces complications que lui apportait le Destin. Éd. HERRIOT, la Vie de Beethoven, p. 305.

▶ **DÉCOURAGÉ, ÉE** p. p. et adj.

♦ **1.** Qui a perdu tout courage. *Une armée découragée. Être découragé.* ⇒ **Abattu, las, triste.** *S'asseoir découragé sur un banc* (→ Aventure, cit. 30).

♦ **2.** Qui exprime le découragement. *Attitude découragée.*

8 Il dépeignit l'ininterrompu défilé des lésés et des mécontents, leurs attitudes découragées, leurs figures navrées et navrantes. COURTELINE, Messieurs les ronds-de-cuir, 3ᵉ tableau, III, p. 114.

CONTR. **Animer, électriser, encourager, raffermir** (le courage), **ranimer, réconforter.** — (Du p. p.) **Gai.**
DÉR. **Décourageant, découragement, décourageur.**

DÉCOURAGEUR, EUSE [dekuʀaʒœʀ, øz] n. et adj. — 1874, A. Daudet ; de *décourager*.

♦ Rare. (Personne) qui décourage. « *Le métier de décourageur est triste...* » (Renan, *in* T. L. F.). — REM. Le fém., virtuel, n'est pas attesté dans notre documentation. — Le T. L. F. signale la var. *décourageateur, trice,* chez les Goncourt et Léon Daudet. Aussi *découragateur* (Ed. et J. de Goncourt, *Manette Salomon,* p. 350).

DÉCOURONNEMENT [dekuʀɔnmɑ̃] n. m. — 1863 ; de *découronner*.

♦ Rare. Action de découronner.

DÉCOURONNER [dekuʀɔne] v. tr. — V. 1190, *descoroner* ; de 1. *dé-*, *couronne*, et suff. verbal.
Littéraire ou style soutenu.

♦ **1.** Rare. Priver de la couronne (un souverain, un noble). *La révolution découronna le roi.* ⇒ **Détrôner.** — Fig. Littér. ⇒ **Décapiter, détruire ; déshonorer.**

1 De quel droit viennent-ils découronner nos gloires ? HUGO, Odes, III, 7.

2 (...) ils décapitent le civisme et ils découronnent la liberté dans le monde (...) Ch. PÉGUY, la République..., p. 324.

♦ **2.** Fig. Dépouiller (qqch.) de ce qui couronne ; enlever le sommet, la cime de.

3   Les colons auraient voulu s'avancer jusqu'à la plaine sur laquelle s'était abattu le cône supérieur du mont Franklin, mais les laves leur barraient alors le passage (...) Le volcan, découronné, n'était plus reconnaissable. Une sorte de table rase le terminait et remplaçait l'ancien cratère.
                          J. VERNE, l'Île mystérieuse, t. II, p. 848.

▶ **DÉCOURONNÉ, ÉE** p. p. adj. *Arbre découronné par la tempête* : arbre dont les branches ont été arrachées par le vent. — *L'âge a découronné cet édifice.* — *Front découronné.*

CONTR. Couronner.
DÉR. Découronnement.

DÉCOURS [dekuʀ] n. m. — XIIᵉ ; du lat. *decursus* «course sur une pente», francisé d'après *cours.*

♦ **1.** Astron. Période de décroissance* (de la lune).

♦ **2.** Méd. Période de déclin* (d'une maladie). ⇒ **Déclin.** *Phase de décours d'une maladie. Dans le décours, en décours.*

  J'étais fiévreux, bien que le mal fût dans le décours.
            G. DUHAMEL, la Pesée des âmes, VIII, p. 190.

DÉCOUSU, UE [dekuzy] p. p. adj. ⇒ **Découdre.**

DÉCOUSURE [dekuzyʀ] n. f. — 1611 ; du p. p. de *découdre.*

♦ **1.** Vx. Partie décousue d'une étoffe, d'un vêtement. *La décousure d'une manche.*

♦ **2.** Vén. Blessure, plaie faite à un chien par le sanglier, le cerf. ⇒ **Dentée.**

1. DÉCOUVERT, ERTE [dekuvɛʀ, ɛʀt] p. p. adj. ⇒ **Découvrir.**

2. DÉCOUVERT [dekuvɛʀ] n. m. — Fin XIIIᵉ ; p. p. de *découvrir.*

★ **I.** ♦ **1.** Rare. Terrain découvert. *Atteindre un découvert.*

♦ **2.** Loc. adv. À **DÉCOUVERT** : dans une position qui n'est pas couverte, dissimulée ou protégée. *Se trouver à découvert dans la campagne* (→ En rase campagne* ; à ciel* ouvert ; en plein champ* ; en plein vent*). — *Mettre qqch. à découvert*, l'exposer à la vue. *Vêtement qui laisse le cou à découvert. La mer laisse le rivage à découvert.* — *Combattre à découvert,* en étant exposé aux coups de l'ennemi (→ Mire, cit. 3).

1   À découvert, en plein boulevard, il mit un genou en terre, épaula son arme, tira, tua le chef d'escadron, et se retourna en disant : *En voilà encore un qui ne nous fera plus de mal.*   HUGO, les Misérables, V, I, XIII.

2   Les tubes du chauffage central y rampent à découvert et y répandent une chaleur douceâtre.   G. DUHAMEL, le Voyage de P. Périot, III, p. 45.

  Fig. ⇒ **Clairement, franchement, ouvertement.** *Agir à découvert,* sans dissimulation ni artifice. *Montrer son cœur à découvert.*

★ **II.** ♦ **1.** (1690). Comm. Ensemble des avances consenties par une banque, une maison de commerce, à ses clients, le plus souvent sans exiger de garanties immédiates. *Crédit à découvert. Le découvert d'une caisse, d'un compte.* — *Être à découvert :* n'avoir pas la contrepartie des avances faites. *Compte à découvert :* compte qui n'est pas suffisamment approvisionné*.

3   (...) l'angoisse qu'ils éprouvent en voyant toutes les entreprises privées vivre à crédit, c'est-à-dire grâce à l'argent que les banques reçoivent, en dépôt, des simples particuliers, ce qui, effectivement, traduit un curieux déséquilibre de la machine économique.
            G. DUHAMEL, Manuel du protestaire, II, p. 76.

Découvert du Trésor : ensemble des créances envers des services, les budgets... que le Trésor doit prendre en charge. ⇒ **Déficit.**

♦ **2.** Techn. (bourse). Situation d'un agent qui vend des valeurs sans les posséder, ou qui achète des marchandises à des tiers sans en fournir immédiatement le prix. *Vendre à découvert. Vendeur à découvert.*

4   (...) pouvoir rester vendeur à découvert, avec la certitude de toujours payer ses différences, jusqu'au jour où la baisse fatale lui donnerait la victoire.
      ZOLA, l'Argent, X, p. 347-8 (Charpentier), *in* D. D. L., II, 16.

♦ **3.** Techn. (assurances). Excédent de la valeur d'une chose assurée sur la valeur couverte par l'assurance.

CONTR. Couvert (à).

DÉCOUVERTE [dekuvɛʀt] n. f. — 1209, *descoverte* ; du p. p. de *découvrir.*

★ **I.** ♦ **1.** Action de découvrir (ce qui était ignoré, inconnu). — REM. Le compl. peut désigner une chose concrète ou abstraite. *La découverte de qqch. par qqn.* ⇒ **Découvrir.** *La découverte d'un trésor. Découverte d'une mine. Découverte de ruines, de manuscrits antiques. Découverte d'une relique. La découverte de l'Amérique par Christophe Colomb. Voyage de découverte.* ⇒ **Explora-**

tion, recherche, reconnaissance. *La découverte d'une planète par un astronome.*

Brusque découverte. ⇒ **Illumination, trait** (de lumière, de génie), **trouvaille.** *Découverte et invention** (→ ci-dessous, cit. 5). — Par anal. *La découverte d'un secret, d'un complot, d'une intrigue* (→ Mise au jour*). *Il s'imagine avoir fait une importante découverte alors qu'il n'a trouvé que la pie* au nid.* — Vieilli. *Faire la découverte de qqch. La découverte des propriétés d'une substance.* — Littér. *(Faire) la découverte que...* (→ ci-dessous, cit. 4).

1   (...) la découverte que l'oncle a faite du secret de notre mariage (...)
          MOLIÈRE, les Fourberies de Scapin, I, 2.

2   Quelque découverte que l'on ait faite dans le pays de l'amour-propre, il y reste encore bien des terres inconnues.   LA ROCHEFOUCAULD, Maximes, 3.

3   La feinte *(fiction)* est un pays plein de terres désertes ;
    Tous les jours nos auteurs y font des découvertes.   LA FONTAINE, Fables, III, 1.

4   Ce que j'appelle cristallisation, c'est l'opération de l'esprit qui tire de tout ce qui se présente la découverte que l'objet aimé a de nouvelles perfections (...)
           STENDHAL, De l'amour, II, p. 43-45.

Absolt. *Découverte et invention.*

5   (...) la *découverte* est proprement une conquête de l'esprit humain ; l'*invention* est une production. On *découvre* ce qui est, et c'est l'observation qui joue le principal rôle dans la *découverte* (...)
  C'est surtout dans les sciences, là où il s'agit d'étudier ce qui est, que se font les *découvertes* ; c'est surtout en industrie, en mécanique, et dans les arts, là où il s'agit de créer ou d'imaginer des engins, des instruments ou des procédés nouveaux, que les *inventions* ont lieu.   LAFAYE, Dict. des synonymes, Découverte.

Par métonymie. Chose découverte. *Il nous a montré sa découverte, sa dernière découverte. Cette pièce archéologique est sa plus belle découverte.* — (Personnes, dans le domaine des arts, du spectacle, du sport). *Ce pianiste, une récente découverte...* ⇒ **Révélation.**

Loc. adv. À LA DÉCOUVERTE : avec le dessein d'explorer, de découvrir. *Aller, partir à la découverte de qqch.,* et, absolt, *à la découverte* (→ À l'aventure*). *Envoyer qqn à la découverte. Éclaireur allant à la découverte. Se lancer à la découverte de gisements miniers.* — Fig. *Aller à la découverte de nouveaux thèmes d'inspiration.*

♦ **2.** Spécialt. Action de faire connaître un objet, un phénomène caché ou ignoré (mais préexistant) ; ce qui est ainsi révélé. *La découverte scientifique. Une découverte. La découverte de la radioactivité.*

6   (...) Platon, voyant que les mathématiciens de Sicile appliquaient leurs découvertes aux machines, leur reprocha de dégrader la science (...)
      TAINE, Philosophie de l'art, t. II, IV, I, 2, p. 100.

7   Il me semble parfois qu'entre la recherche et la découverte, il s'est formé une relation comparable à celle qui s'institue entre la drogue et l'intoxiqué.
          VALÉRY, l'Idée fixe, p. 25.

8   Les plus importantes découvertes scientifiques sont le résultat de la patiente observation de petits faits subsidiaires, si particuliers, si menus, inclinant si imperceptiblement les balances — que l'on ne consentait pas jusqu'alors à en tenir compte.
         GIDE, Pages de journal (1929-1932), p. 82.

9   Toutes ces belles découvertes qui sont en train de modifier si profondément la démarche, le rythme et le cadre de la vie humaine (...)
        G. DUHAMEL, Manuel du protestataire, V, p. 135.

10   Qui donc oserait penser que ces belles inventions de l'intelligence, que ces découvertes dont les plus hauts esprits se déclarent si fiers, vont ruiner les sociétés humaines après les avoir enrichies, vont les asservir après les avoir abusées par des promesses de franchise ?   G. DUHAMEL, le Temps de la recherche, IX, p. 121.

11   En ce moment même, l'histoire inaugure par une période d'activité intense, par ce qu'on a appelé «les grandes découvertes», une nouvelle phase de la conquête du monde sensible. L'homme se considère comme un nouveau créateur. Le quinzième et le seizième siècles jouent, proportions gardées, un rôle analogue à celui qu'assumeront plus tard le dix-neuvième et le vingtième : l'empire qu'il assoit sur les choses, sur la nature, remplit l'homme d'un singulier vertige.
        DANIEL-ROPS, Ce qui meurt..., II, p. 55.

★ **II.** (1870). Techn. Élément d'arrière-plan en trompe-l'œil (d'un décor scénique, cinématographique). — Syn., au théâtre : *pantalon. Le tournage en décors réels a supplanté les procédés des découvertes, agrandissements photographiques ou maquettes, et des transparences*.*

12   Il y eut un sacré remue-ménage sur le plateau. Les deux « dépliants » se déplaçaient dangereusement avec une découverte en forme, de cinq mètres de long, peinte sur carton, qui représentait la Grande Bleue.
      Armand LANOUX, le Commandant Watrin, p. 406.

DÉCOUVERTURE [dekuvɛʀtyʀ] n. f. — 1863, «action d'enlever la couverture d'un édifice» ; *descouverture* «révélation, découverte», XIVᵉ ; de *découvrir*, d'après *couverture.*

♦ Mines. Décapage*.

DÉCOUVRABLE [dekuvʀabl] adj. — 1902 ; de *découvrir* (I., A., 1.).

♦ Se dit d'un véhicule qui peut être découvert, dont on peut ouvrir le toit. ⇒ **Décapotable ; toit** (à toit ouvrant). — REM. Le mot est générique par rapport à ces deux termes : un véhicule qualifié de *découvrable* peut être *décapotable* ou à *toit ouvrant.*

DÉCOUVREUR, EUSE [dekuvʀœʀ, øz] n. — XVIᵉ ; «éclaireur, explorateur», XIIIᵉ ; de *découvrir.*

♦ Personne qui découvre. ⇒ **Inventeur, savant.** *Un découvreur génial. Un découvreur de mondes.* ⇒ **Explorateur.**

(...) et si le Découvreur *(Colomb)* réussit dans sa merveilleuse entreprise, ne vat-il pas rapporter l'or d'Ophir, qui permettra de se retourner vers Jérusalem, afin d'y délivrer le Saint-Sépulcre ? ARAGON, le Fou d'Elsa, p. 343-344.

REM. Le fém. semble rare.

DÉCOUVRIR [dekuvʀiʀ] v. — Conjug. *couvrir.* — Déb. XIIe, *descouvrir ;* bas lat. *discooperire,* de *dis-,* et *cooperire.* → Couvrir.

★ **I.** V. tr. **A.** (Concret). ♦ **1.** Dégarnir (qqch.) de ce qui couvre. ⇒ **Dégager.** *Découvrir un plat, un vase, un panier en enlevant, en soulevant le couvercle.* ⇒ **Ouvrir.** *Découvrir une voiture en rabattant la capote.* ⇒ **Décapoter.** *Découvrir des marchandises en soulevant une bâche. Découvrir des ruines par des fouilles* (→ Archéologue, cit. 1 ; argile, cit. 3). *Découvrir les racines d'un arbre en le déchaussant. Découvrir un os en le dépouillant de la chair qui l'entoure. Découvrir une statue de son voile.* ⇒ **Dévoiler.** *Découvrir son front, sa tête.*

1 S'il s'assied, vous le voyez (...) abaisser son chapeau sur ses yeux pour ne voir personne, ou le relever ensuite, et découvrir son front par fierté et par audace. LA BRUYÈRE, les Caractères, VI, 83.

Loc. fig. (rejoignant le sens B., 4.). *Découvrir le pot** (cit. 6 et 7) *aux roses.*

♦ **2.** Laisser voir ; montrer.

2 Brigitte poussa un soupir, et, écartant le drap qui la couvrait, comme oppressée d'un poids importun, découvrit son sein blanc et nu. A. DE MUSSET, la Confession d'un enfant du siècle, V, VI.

3 Le courant d'air, soulevant la pèlerine, découvrit un bras en écharpe. MARTIN DU GARD, les Thibault, III, p. 109.

4 Le marquis avait un veston noir, avec un gilet très peu ouvert qui découvrait le haut d'une cravate-plastron bariolée, prise dans un faux col double. J. ROMAINS, les Hommes de bonne volonté, t. III, XI, p. 147.

5 (...) les jambes dont elle était fière et qu'elle découvrait beaucoup malgré les robes demi-longues dont l'affublait déjà notre belle-mère. F. MAURIAC, la Pharisienne, p. 21.

Par anal. *Les nuages se dissipent et découvrent le soleil. Sourire qui découvre de belles dents* (→ Croc, cit. 2 et 3).

6 Un jeune homme et une jeune fille aux figures sombres, aux yeux constellés, riant et découvrant des mâchoires superbes. COCTEAU, le Grand Écart, I, p. 14.

♦ **3.** (1681). *La mer découvre (le rivage) :* elle baisse, se retire, et laisse le rivage à sec (→ ci-dessous, II., v. intr.).

♦ **4.** Priver de ce qui protège. ⇒ **Exposer.** *Découvrir une frontière. Recul de l'infanterie qui découvre l'artillerie. Le général découvrit son flanc droit.* — Fig. *Découvrir le flanc aux attaques.* ⇒ **Prêter** (le flanc). — Par anal. (aux échecs). Dégager les pièces qui en protègent une autre. *Découvrir imprudemment son roi.*

B. (Abstrait). ♦ **1.** (XIIe). Faire connaître (ce qui est caché). ⇒ **Apprendre, confier, déclarer, dénoncer, dévoiler, dire, divulguer, exposer, laisser** (voir), **mettre** (au jour), **montrer, publier, révéler ;** → (littér.) Lever le voile* sur... — (Le sujet fait connaître ce qu'il cachait). ⇒ **Avouer, dire, exprimer.** *Ils ont découvert leur secret. Découvrir ses projets, ses plans à un ami. Découvrir imprudemment ses buts. Découvrir ce qu'on voulait cacher.* ⇒ **Trahir** (se). — *Découvrir son cœur, ses secrets.* ⇒ **Avouer, confesser ; confier** (se), **livrer** (se), **ouvrir** (s'). *Découvrir ses secrets à qqn.* — (Le sujet fait connaître ce qui est caché par d'autres). ⇒ **Révéler** (→ Percer* à jour). *Découvrir un complot à la police* (→ Auteur, cit. 42). — (Sujet nom de chose). Contribuer à faire connaître. *Un seul geste a découvert ses intentions.*

7 Il cherche vos besoins au fond de votre cœur ;
Il vous épargne la pudeur
De les lui découvrir vous-même. LA FONTAINE, Fables, VIII, 11.

8 (...) il faut vous découvrir mon cœur (...) MOLIÈRE, l'Avare, IV, 3.

9 (...) il n'est pas vrai que tout découvre Dieu et il n'est pas vrai que tout cache Dieu. PASCAL, Pensées, VIII, 557 (cf. Condition, cit. 6).

10 Un geste la découvre *(la nature),* un rien la fait paraître (...) BOILEAU, l'Art poétique, III.

11 (...) À Calchas, je vais tout découvrir. RACINE, Iphigénie, IV, 11.

12 Tu vois, Gil Blas, ajouta-t-il, que je te découvre mon cœur. Comme j'ai lieu de penser que tu m'es tout dévoué, je t'ai choisi pour mon confident. A.-R. LESAGE, Gil Blas, t. II, XI, VIII.

13 Il ne faut présenter au monde que ce qui est beau ; ce n'est pas mentir à Dieu que de ne découvrir de sa vie que ce qui peut porter nos pareils à des sentiments nobles et généreux. CHATEAUBRIAND, Mémoires d'outre-tombe, t. II, p. 279.

14 Il faut savoir gré à M. Félix Weingartner, quand il dirige la sixième symphonie, de nous en découvrir toute la puissance (on dirait presque : tout le panthéisme) (...) Éd. HERRIOT, la Vie de Beethoven, p. 181.

15 Vous avez retourné des âmes comme on retourne la terre, leur découvrant à elles-mêmes leurs joyaux. MONTHERLANT, les Jeunes Filles, p. 15.

Découvrir son jeu (fig.) : laisser connaître ses intentions.

♦ **2.** (XVIe). Apercevoir, voir d'un lieu (ce qu'on ne verrait pas d'un autre). ⇒ **Apercevoir** (cit. 1), **discerner, remarquer, repérer.** *Du haut de la colline, on découvre la mer* (→ Arriver, cit. 10). — Commencer d'apercevoir, apercevoir tout à coup. *Découvrir qqch. du premier coup d'œil, d'un coup, d'un clin d'œil. Découvrir dans une foule la personne que l'on cherche* (→ Cher, cit. 14). *On découvre le clocher de très loin. On découvrit à l'horizon les navires ennemis. La vigie découvrit la terre.*

(...) nous nous arrêtâmes sur une hauteur d'où l'on découvrait toute la ville (...) 16
FRANCE, la Rôtisserie de la reine Pédauque, Œuvres, t. VIII, p. 238.

On ne découvrait d'ailleurs au total qu'un modeste clocher d'église et quelques toits. J. ROMAINS, les Hommes de bonne volonté, t. V, X, p. 77. 17

Découvrir un détail, un caractère visible à qqch.

Pasteur découvrait, aux cristaux de l'acide tartrique et aux tartrates, de petites facettes qui avaient échappé à tous (...) En retournant, si l'on peut dire, un phénomène sur toutes ses faces, il avait vu ce que nul, avant lui, n'avait su voir. Il se révélait, à 26 ans, par le coup d'œil, un observateur hors pair. 18
Henri MONDOR, Pasteur, p. 29.

♦ **3.** (1614). Arriver à connaître (ce qui était resté caché ou ignoré). ⇒ **Trouver.** *Chercher à découvrir le mystère.* ⇒ **Deviner, pénétrer ; jour** (percer, mettre au jour). *Découvrir un trésor, une mine, une source.* ⇒ **Découverte.** *Découvrir le siège d'un mal, la cause d'une maladie.* ⇒ **Dégoter** (fam.), **dénicher** (fam.), **recruter.** *Découvrir un logement à force de recherches. Découvrir une œuvre d'art chez un brocanteur, un antiquaire. Découvrir une idée nouvelle, dans un livre. Découvrir un vol, un scandale. Découvrir une erreur.* ⇒ **Constater.** *Découvrir l'innocence d'un accusé.* ⇒ **Reconnaître.** *Découvrir une qualité, un caractère à qqch., à qqn. Découvrir que...* ⇒ **Comprendre, trouver.**

Établir, par une démarche scientifique, l'existence de (qqch.) et faire connaître (un phénomène, un être qui était caché ou ignoré). ⇒ **Découverte** (cit. 5). *Découvrir une loi naturelle. Découvrir un remède, un vaccin. Découvrir un microbe, un virus au microscope ; un astéroïde au télescope, par la photographie. Découvrir qqch. par l'observation*, par le calcul*. Découvrir un théorème. Faire de longues recherches pour découvrir une propriété.* ⇒ **Chercher, sonder, tâtonner.** — Fig. *Découvrir un bon sujet de roman. Découvrir les aspects nouveaux d'une question.* ⇒ **Envisager.**

À mesure qu'on a plus de lumière, on découvre plus de grandeur et plus de bassesse dans l'homme. PASCAL, Pensées, VII, 443. 19

(...) j'ai découvert que tout le malheur des hommes vient d'une seule chose, qui est de ne savoir pas demeurer en repos, dans une chambre. PASCAL, Pensées, II, 139. 20

Il est clair qu'en ce moment on découvre la nature ; les écailles tombent des yeux ; on vient de comprendre, presque tout d'un coup, tout le dehors sensible, ses proportions, sa structure, sa couleur. TAINE, Philosophie de l'art, t. II, III, II, p. 18. 21

Il fallait ses lumières transcendantes de martyr et d'ascète pour découvrir ce qui échappait si complètement à ceux qui dirigeaient ma conscience (...) RENAN, Souvenirs d'enfance..., IV, II. 22

(...) tous tant que nous sommes, nous ne découvrons que notre propre pensée dans la pensée d'autrui (...) FRANCE, Thaïs, p. 110. 23

Absolument :

Découvrir ou créer, n'est-ce pas même chose ? Inventer, c'est trouver, en bon français. On trouve ce qu'on invente, on découvre ce qu'on crée, ce qu'on rêve, ce qu'on pêche dans le vivier du songe. R. ROLLAND, l'Âme enchantée, L'été, t. II, p. 50. 24

Il semblait avoir découvert que le plus sûr moyen de ne jamais dire de bêtises est de ne point parler du tout. GIDE, Si le grain ne meurt, X, 1, p. 272. 25

Il n'arrive pas à beaucoup d'hommes de retrouver dans le réel, à portée de leur regard, ce monde que la plupart ne découvrent qu'en eux-mêmes quand ils ont le courage et la patience de se souvenir. F. MAURIAC, le Nœud de vipères, I, 1. 26

Vous allez bientôt découvrir pourquoi j'insiste sur cette particularité. MARTIN DU GARD, les Thibault, t. II, p. 164. 27

♦ **4.** Parvenir à connaître (ce qui était délibérément caché ou qqn qui se cachait). ⇒ **Surprendre.** *Découvrir un secret.* ⇒ **Deviner.** *Découvrir les véritables raisons.* ⇒ **Dégager, démasquer ; doigt** (mettre le doigt sur). *Découvrir la vérité. Découvrir un sentiment, une pensée dans les yeux de qqn.* ⇒ **Lire.** *Découvrir un complot, une machination, les dessous d'une intrigue.* ⇒ **Éventer ; dénoncer.** — Passif. *Craindre, éviter d'être découvert.*

D'autres ne disent pas précisément une chose qui leur a été confiée ; mais ils parlent et agissent de manière qu'on la découvre de soi-même. LA BRUYÈRE, les Caractères, V, 81. 28

Je n'osais bouger de peur d'être aperçue (...) lorsque le maître s'approche du buisson qui me recèle ; mon bonnet me trahit... Il l'aperçoit... — Jasmin, dit-il à son valet, nous sommes découverts... Une fille a vu nos mystères... SADE, Justine, t. I, p. 67. 28.1

(...) quand on a découvert le souffleur, les mœurs des acteurs, les ficelles de l'intrigue, on a envie de s'en aller. A. MAUROIS, Climats, II, XXI, p. 267. 29

Il est monté jusqu'au petit local de l'escalier J ; a découvert les papiers d'identité de Leheudry dans un tiroir de la table (...) J. ROMAINS, les Hommes de bonne volonté, t. III, V, p. 81. 30

(Métaphore du sens I.). *Découvrir le pot** (cit. 6 et 7) aux roses.

★ **II.** V. intr. (Fin XVIIe). Cesser d'être couvert par la mer, à marée basse (→ ci-dessus, I., A., 3.).

Trois heures plus tard, à mer basse, la plus grande partie des sables, formant le lit du canal, avait découvert. Il ne restait entre l'îlot et la côte qu'un chenal étroit qu'il serait aisé sans doute de franchir. J. VERNE, l'Ile mystérieuse, t. I, p. 35. 30.1

▶ **SE DÉCOUVRIR** v. pron.

♦ **1.** Enlever ce dont on est couvert (spécialt, les vêtements). *Se découvrir quand vient l'été. Se découvrir d'un manteau.* — Prov. *En avril*, ne te découvre pas d'un fil. — Le malade s'est découvert en dormant. Elle se découvre trop les épaules.* ⇒ **Décolleter** (se), **dénuder** (se), **déshabiller** (se), **dévêtir** (se), **montrer.**

♦ **2.** Ôter son chapeau, sa coiffure. *Se découvrir en entrant dans une église.* ⇒ **Saluer** (→ Chapeau, cit. 2).

31 Louis XIV se découvrait même pour une femme de chambre, et les *Mémoires* de Saint-Simon citent tel duc qui, saluant toujours, ne pouvant traverser les cours de Versailles que le chapeau à la main.
    TAINE, Philosophie de l'art, t. I, II, VII, p. 88.

♦ **3.** (Temps). Devenir plus clair, moins couvert. *Le ciel se découvre.* ⇒ **Dégager** (se), **éclaircir** (s'), **éclairer** (s').

♦ **4.** ⇒ **Exposer** (s'). *Cette armée se découvre trop.* — (1686, *in* Petiot). T. d'escrime. Se mettre imparfaitement en garde. *Se découvrir imprudemment.* — Boxe. Ouvrir sa garde*. — Figuré :

32 (...) il arrive presque toujours que celui qui s'en sert *(de la finesse)* pour se couvrir en un endroit, se découvre en un autre.   LA ROCHEFOUCAULD, Maximes, 125.

♦ **5.** Se manifester clairement au grand jour. *Le secret se découvrit enfin.* — (Sujet n. de personne). Déclarer sa pensée. *Il se découvrit à ses amis.* ⇒ **Confier** (se). — (En mauvaise part). Se trahir. *Ses noirs desseins se découvrirent.*

33 Il est juste qu'un Dieu si pur ne se découvre qu'à ceux dont le cœur est purifié.
    PASCAL, Pensées, XII, 737.

34 J'aime un esprit aisé qui se montre, qui s'ouvre,
Et qui plaît d'autant plus, que plus il se découvre.
    BOILEAU, Épîtres, IX, *in* LITTRÉ.

35 Je vais, par mon pouvoir diabolique, enlever les toits des maisons et je veux que malgré les ténèbres de la nuit, le dedans se découvre sans voile à vos yeux.
    A.-R. LESAGE, le Diable boiteux, III.

36 (...) la petite Fadette (...) exigea de lui un si grand secret qu'ils passèrent environ un an avant que la chose se découvrît.   G. SAND, la Petite Fadette, XXIV, p. 175.

37 (...) un simple artifice qui permettait plus d'abandon, m'autorisait à me découvrir un peu plus moi-même (...)
    E. FROMENTIN, Un été dans le Sahara, Préface (→ Autoriser, cit. 12).

♦ **6.** Être aperçu, vu ou visible. *Les lumières de la ville se découvrent de loin.*

38 (...) tous deux penchés sur des bleus, des épures, des vues cavalières, où se découvrait, entre des frondaisons fougueuses, une suite d'édifices plus ou moins déconcertants.   J. ROMAINS, les Hommes de bonne volonté, t. V, XXVII, p. 282.

♦ **7.** Être trouvé, connu, inventé après une recherche. *La solution ne se découvrit qu'après de longues recherches.*

39 Si une fatale invention venait à se découvrir, elle serait bientôt prohibée par le droit des gens, et le consentement unanime des nations ensevelirait cette découverte.   MONTESQUIEU, Lettres persanes, 106, *in* LITTRÉ.

Se découvrir soi-même. ⇒ **Connaître** (se).

40 Quand on est enfant on se *découvre*, on découvre lentement l'espace de son corps (...) On se tord et on se trouve ou on se retrouve, et on s'étonne ! On touche son talon, on saisit son pied droit avec sa main gauche (...)   VALÉRY, M. Teste, p. 31.

41 On ne lit jamais un livre. On se lit à travers les livres, soit pour se découvrir, soit pour se contrôler.   R. ROLLAND, le Voyage intérieur, p. 43.

42 La terre nous en apprend plus long sur nous que tous les livres. Parce qu'elle nous résiste. L'homme se découvre quand il se mesure avec l'obstacle.
    SAINT-EXUPÉRY, Terre des hommes, p. 9.

▶ **DÉCOUVERT, ERTE** p. p. et adj.

♦ **1.** **[a]** Qui n'est pas couvert (par une pièce d'habillement). *Femme aux épaules découvertes. Avoir la tête découverte.* — Spécialt. Sans coiffure, sans chapeau.

43 Ils ne savent pas que c'est une femme découverte et non une femme nue qui est indécente.   DIDEROT, Salon de 1765, Œuvres, t. XIII, p. 18, *in* LITTRÉ.

44 Ceux qui assisteront aux audiences, se tiendront découverts, dans le respect et le silence (...)   Code de procédure civile, art. 88.

45 (...) ces femmes en robe collante, aux joues découvertes, aux beaux yeux fixes, accoutumées aux hardiesses du regard, semblent toutes singulières dans ce monde universellement voilé.   E. FROMENTIN, Une année dans le Sahel, p. 31.

Dans plusieurs pays islamiques, les femmes ne sortent pas à visage découvert. — Fig. *À visage découvert :* sans masque, sans voile, sans détour. ⇒ **Franchement, ouvertement.**

46 L'athéisme, qui marche à visage découvert chez les papistes, est obligé de se cacher sous tout pays où, la raison permettant de croire en Dieu, la seule excuse des incrédules leur est ôtée.   ROUSSEAU, Julie ou la Nouvelle Héloïse, v, Lettre v.

47 Ce jour-là, j'ai vu pour la première fois à visage découvert, ma vieille ennemie la solitude, avec qui je fais mon ménage aujourd'hui. Nous nous connaissons : elle m'a asséné tous les coups imaginables, et il n'y a plus de place où frapper.
    F. MAURIAC, la Pharisienne, p. 144.

Par métonymie. *Chaussures découvertes,* qui découvrent le pied. ⇒ **Décolleté.**

47.1 Ils portaient des souliers découverts, en cuir jaune ou marron, dont les lacets, aussi larges que des rubans, étaient noués par une ganse qui ressemblait à un papillon.
    PAGNOL, le Temps des secrets, p. 365.

[b] (Plus généralt). Qui n'est pas couvert. *Front largement découvert,* dégarni de cheveux. *Coin de ciel découvert.* ⇒ **Éclaircie.** *Allée découverte,* dont les arbres ne se rejoignent pas par le haut. *Terrain découvert, devant un édifice.* ⇒ **Esplanade.** *Lieu découvert.* ⇒ **Déboisé, dénudé.**

48 La marte fuit les pays habités et les lieux découverts.   BUFFON, Marte, *in* LITTRÉ.

♦ **2.** ⇒ **Exposé.** *Place découverte, sans couverture*. Artillerie découverte par le recul de l'infanterie.*
Par ext. *Compte découvert.*

♦ **3.** ⇒ **Révélé, manifesté.** *Secret découvert par un bavard. Projets, plans découverts à un confident.*

♦ **4.** ⇒ **Aperçu.** *Point de vue découvert d'un sommet. Navire découvert à l'horizon.*

♦ **5.** ⇒ **Trouvé.** *Meurtrier découvert par la police. Remède récemment découvert.* ⇒ **Inventé.**

49 Croire tout découvert est une erreur profonde ;
C'est prendre l'horizon pour les bornes du monde.
    A. LEMIERRE, Utilité des découvertes.

♦ **6.** N. m. *Un découvert.* — *À découvert.* ⇒ 2. **Découvert.**

CONTR. Couvrir. — Abriter, cacher, celer, dissimuler, masquer, receler, voiler. — Garantir, protéger. — Copier, imiter, plagier.
DÉR. Découvert, découverte, découverture, découvrable, découvreur.

DÉCRAMPONNER [dekʀɑ̃pɔne] v. tr. — Av. 1614 ; de 1. *dé-,* et *cramponner.*

♦ **1.** Techn. Enlever les crampons de (qqch.). *Décramponner une poutre.*

♦ **2.** Fam. Faire lâcher prise à (qqn) ; se débarrasser de (qqn).

(...) essayant de filer en douce, de décramponner leur grand-mère qui se glissait toujours au dernier moment dans la voiture (...)
    Hervé BAZIN, Cri de la chouette, p. 230.

DÉCRAPOUILLER (SE) [dekʀapuje] v. pron. — Mil. xxᵉ ; de 1. *dé-, cra(sseux),* et *pouiller* (de *pouilleux*).

♦ Fam. Se laver, se décrasser.

En attendant, si vous permettez je vais me décrapouiller un peu : on est parti comme des dingues et on a marché toute la matinée. Quelle chaleur !
    A. SARRAZIN, la Traversière, p. 47 (1966).

DÉCRASSAGE [dekʀasaʒ] ou **DÉCRASSEMENT** [dekʀasmɑ̃] n. m. — V. 1900, *décrassage ; décrassement,* fin xvIIIᵉ ; de *décrasser.*

♦ Action de décrasser.

DÉCRASSER [dekʀase] v. tr. — 1476 ; de 1. *dé-,* et *crasse.*

♦ **1.** Débarrasser de la crasse, de sa crasse. ⇒ **Laver, nettoyer.** *Décrasser la tête, les mains d'un enfant. Se décrasser la peau.* — *Décrasser du linge,* en ôter la crasse dans une première eau. *Décrasser une bougie de voiture.* — Figuré :

1 (...) notre âge est si lamentable, que je me plonge avec délices dans l'antiquité. Cela me décrasse des temps modernes.   FLAUBERT, Correspondance, III, p. 169.

Fam. (Arts). *Décrasser sa (la) palette :* supprimer ou diminuer les noirs (ombres, etc.).

♦ **2.** (1680). Fig. et fam. Débarrasser (qqn) de son ignorance, de sa grossièreté en lui donnant une certaine instruction. ⇒ **Dégrossir, polir.** *On le mit à l'école pour le décrasser. Il commence à se décrasser un peu.*

(1690). Vieilli. Tirer qqn de sa basse condition, de son abjection.

2 Mais lisons-les, continuai-je en les tirant de ma poche ; voyons un peu de quelle façon on y décrasse le vilain.   A.-R. LESAGE, Gil Blas, XII, VI.

Pron. Se défaire de manières considérées comme mauvaises ou grossières.

3 (...) fais un effort pour sortir de toi-même ou au moins acquérir le vernis qui fasse oublier le milieu d'où je t'ai tiré... tu n'imagines pas à quel point tu as besoin de te décrasser.   M. AYMÉ, Travelingue, p. 139.

4 (...) c'était un Marseillais *sans accent,* un de ces provinciaux dont la famille bourgeoise à force de s'appliquer à se corriger, à se décrasser du parler local considéré comme vulgaire, parvient à cette sorte de ton dévitalisé, décoloré, «qui ne se fait pas remarquer», recommandé dans les bons usages.
    Raymond ABELLIO, Ma dernière mémoire, t. II, p. 21.

CONTR. Encrasser, salir.
DÉR. Décrassage ou décrassement, décrassoir.

DÉCRASSOIR [dekʀaswaʀ] n. m. — 1861 ; de *décrasser.*

♦ **1.** Vx. Peigne à dents fines et serrées destiné à décrasser la tête.

♦ **2.** Techn. Petite brosse qui sert à décrasser les peignes.

DÉCRÉDITEMENT [dekʀeditmɑ̃] n. m. — xvIIᵉ ; de *décréditer.*

♦ Vieilli. Action de décréditer. *« Le décréditement du genre humain »* (La Bruyère).

DÉCRÉDITER [dekʀedite] v. tr. — 1572 ; de 1. *dé-, crédit,* et suff. verbal.

♦ **1.** Vx. Priver (qqn) du crédit* ; faire perdre l'honneur, la considération. ⇒ **Avilir, dénigrer, déprécier, discréditer, noircir.** *Décréditer un homme politique, un auteur. Ce procédé l'aura décrédité. Se décréditer auprès de qqn.*

1 (...) celui qui n'observerait pas les bienséances (...) se décréditerait au point qu'il deviendrait incapable de faire aucun bien.   MONTESQUIEU, l'Esprit des lois, IV, 2.

2   Cette édition me paraissait nécessaire pour constater ceux des livres portant mon nom qui étaient véritablement de moi, et mettre le public en état de les distinguer de ces écrits pseudonymes que mes ennemis me prêtaient pour me décréditer et m'avilir.   ROUSSEAU, les Confessions, XII.

Par ext. *Décréditer une doctrine, une opinion.*

3   Ces élégances de la langue post-classique furent, sous l'influence du romantisme, décréditées, et la langue se tourna vers la précision (...)
    F. BRUNOT, la Pensée et la Langue, I, IX.

♦ **2.** (1707). Priver (qqn) du crédit financier, commercial. *La mauvaise foi décrédite un commerçant.*

CONTR. Accréditer.
DÉR. Décréditement.

DÉCRÉMENT [dekRemɑ̃] n. m. — 1899, Poincaré ; angl. *decrement*, du lat. *decrementum*, de *decrescere* «décroître».

♦ Sc. (math.). Diminution de la valeur d'une fonction pour un accroissement donné de la variable.
Inform. Mesure de l'amortissement d'un signal.

CONTR. Incrément.

DÉCRÊPAGE [dekRepaʒ] n. m. — 1960 ; de *décrêper.*

♦ Action de décrêper les cheveux.

1   Le *défrisage* ou mieux le *décrêpage* est l'opération inverse de l'indéfrisable. Cette opération est délicate à réaliser car généralement effectuée sur les cheveux très résistants de noirs ou de mulâtres.
    Charles BOURGEOIS, la Chimie de la beauté, p. 92.
Traitement capillaire consistant à rendre lisses des cheveux crépus.

2   Éleony l'étonna, une Amérique prospère et bourgeoise, mais en négatif, all black, avec des pages de publicité pour perruques et décrêpages.
    Claude COURCHAY, La vie finira bien par commencer, 1972, p. 103.

DÉCRÊPELER [dekReple ; dekReple] v. tr. — 1930, cit. ; de 1. *dé-*, et *crêpelé.*

♦ Défaire la crêpelure de (cheveux). ⇒ **Décrêper.**

(...) cette fameuse Mᵐᵉ Sarah J. Walker, morte en 1919, qui gagna vingt-cinq millions en inventant une préparation à décrêpeler les cheveux.
    Paul MORAND, New-York, p. 233.

DÉCRÊPER [dekRepe] v. tr. — 1842 ; de 1. *dé-*, et *crêper.*

♦ **1.** Rendre lisses (des cheveux crépus), faire un décrêpage. ⇒ **Décrêpeler.** — P. p. adj. «*(...) une panthère noire, couverte de bijoux en or, le cheveu court et décrêpé*» (Michel Déon, *les Gens de la nuit*, p. 187).

♦ **2.** Lisser (des cheveux crêpés).

CONTR. Crêper.
DÉR. Décrêpage.

DÉCRÉPIR [dekRepiR] v. tr. — 1796, *in* D. D. L. ; de 1. *dé-*, et *crépir.*

♦ **1.** Techn. Dégarnir du crépi. *Décrépir un mur lézardé, fissuré.* — Pron. *Ce mur se décrépit.* — Au p. p. *Façade décrépie.* — REM. Ne pas confondre avec *décrépit*, 2. (une maison peut être à la fois *décrépie* et *décrépite*).

♦ **2.** Pron. et fig. S'altérer, se dégrader.

DÉR. Décrépissage.
HOM. (Du p. p.) Décrépit.

DÉCRÉPISSAGE [dekRepisaʒ] n. m. — 1857 ; de *décrépir.*

♦ Techn. Action de décrépir. *Le décrépissage d'un mur.*

DÉCRÉPIT, ITE [dekRepi, it] adj. — V. 1192, *descrepie* ; lat. *decrepitus*, même sens, p.-ê. de *de-* (→ 2. Dé-), et *crepitus*, p. p. de *crepare* «craquer, se fendre avec bruit», d'où «se fendre, se rompre, crever», à propos de choses (bois, portes, étoffes) et sans doute, à basse époque, d'êtres vivants.

♦ **1.** (Personnes). Qui est dans la décrépitude, dans une extrême déchéance physique. ⇒ **Usé, vieux.** *Un vieillard décrépit et cassé. Une vieille décrépite. Je ne suis pas encore décrépit !*

1   Un lion décrépit, goutteux, n'en pouvant plus,
Voulait que l'on trouvât remède à la vieillesse.   LA FONTAINE, Fables, VIII, 3.

2   En dépit des hommes, je saurai goûter encore le charme de la société, et je vivrai décrépit avec moi dans un autre âge, comme je vivrais avec un moins vieux ami.
    ROUSSEAU, Rêveries..., 1ʳᵉ promenade.

3   Ses cheveux blanchissaient sur son front décrépit (...)
    HUGO, la Légende des siècles, La vision de Dante, LIV, XV.

N. ⇒ **Vieillard, vieux.**

4   Les paladins à la vieille contèrent
Leur aventure, et conseil demandèrent.
La décrépite alors se recueillit (...)   VOLTAIRE, la Pucelle, VIII.

♦ **2.** (Choses). *Maison décrépite*, qui menace ruine. — REM. Ne pas confondre avec *décrépi.* → Décrépir.

DÉR. Décrépitude.
HOM. Décrépi (p. p. de *décrépir*).

DÉCRÉPITATION [dekRepitasjɔ̃] n. f. — 1641 ; de 2. *dé-*, et *crépitation*, ou de *décrépiter* (attesté postérieurement).

♦ Sc. nat. Éclatement ou fendillement de cristaux sous l'effet de la chaleur (par dilatation de l'eau contenue en eux) ; bruit qui en résulte.

DÉCRÉPITER [dekRepite] v. — 1660 ; de 2. *dé-*, et *crépiter.*
Sciences naturelles.

♦ **1.** V. intr. Crépiter*, pétiller par l'action du feu. *Le sel de cuisine décrépite lorsqu'on le jette sur le feu.*

♦ **2.** V. tr. Vx. Calciner (un sel) jusqu'à ce qu'il ne crépite plus.

DÉR. V. Décrépitation.

DÉCRÉPITUDE [dekRepityd] n. f. — V. 1387 ; de *décrépit.*

♦ **1.** Vieilli. État de déchéance, de grand affaiblissement physique, qui provient d'une extrême vieillesse. ⇒ **Sénilité ; caducité** (cit. 1). *Il est tombé dans la décrépitude et le gâtisme.*

Mes sentiments pour vous ne se ressentent point de ma décrépitude.   1
    VOLTAIRE, Lettre à Chabanon, 8 janv. 1776, *in* LITTRÉ.

♦ **2.** (1836). Mod. ⇒ **Décadence, vieillesse.** *Décrépitude morale. Décrépitude des mœurs. Décrépitude d'une nation, d'une civilisation.* ⇒ **Agonie.**

On ne sort de l'assoupissement des trop longs attachements que par le dépit et   2
le chagrin de se voir toujours attaché ; enfin de toutes les décrépitudes, celle de l'amour est la plus insupportable.
    LA ROCHEFOUCAULD, Réflexions diverses, 9, De l'amour et de la vie.

Mais on prend pour des *conspirations* ce qui n'est que le malaise de tous, le produit   3
du siècle, la lutte de l'ancienne société avec la nouvelle, le combat de la décrépitude des vieilles institutions contre l'énergie des jeunes générations (...)
    CHATEAUBRIAND, Mémoires d'outre-tombe, t. V, p. 126.

La décrépitude et la décadence de l'Inde brahmanique, l'usure de ses monuments   4
surhumains, la tombée en poussière de ses rites et de ses fêtes, m'apparaissent irrémédiables, en cette décevante minute, de même que l'amoindrissement de sa race superbe.   LOTI, l'Inde (sans les Anglais), IV, IV, p. 173.

CONTR. Jeunesse, verdeur, vigueur.

DECRESCENDO [dekReʃɛndo] adv. et n. m. — XVIIIᵉ ; ital. *decrescendo* «en décroissant», de *decrescere.*

♦ Mus. En diminuant progressivement l'intensité d'un son. ⇒ **Diminuendo.** — N. m. *Un decrescendo.* — REM. Le plur. normalisé est *des decrescendos* ; on trouve *des decrescendi*, à l'italienne (cf. A. Cortot, *in* T. L. F.).

Et cela se continue par une kyrielle de mots dits en decrescendo rapide, vite, vite ; une prière basque dégoisée à perdre haleine, commencée très fort, puis mourante pour finir.   LOTI, Ramuntcho, I, XVI, p. 142.

Fig. et fam. En décroissant. *Sa réputation, son talent va decrescendo.*

CONTR. Crescendo.

DÉCRET [dekRɛ] n. m. — V. 1170 ; lat. *decretum* «décision, sentence», p. p. de *decernere.* → Décerner.

♦ **1.** Relig. Acte de l'autorité ecclésiastique. ⇒ **Bulle.** — Spécialt (au moyen âge). Décision rendue par les théologiens de Sorbonne. ⇒ **Sentence.**

Les théologiens ne donnent des décrets ni en Angleterre, ni en Prusse ; aussi les   1
Anglais et les Prussiens nous ont bien battus.
    VOLTAIRE, Lettre à Marmontel, 1ᵉʳ janv. 1768.

Recueil d'anciens canons des conciles, des constitutions des Papes et des sentences des Pères formant la base de l'élaboration du Droit canon. ⇒ **Décrétale.** *Le Décret de Gratien. École du Décret. Les commentaires du Décret.*

♦ **2.** (1789). Cour. Décision écrite émanant du pouvoir exécutif dans le cadre tracé par la constitution, et soumis au contreseing ministériel. ⇒ **Arrêté ; ordonnance.** *Le décret est un écrit qui porte des considérants* (motifs) *avec visas, un dispositif* formé le plus souvent *de plusieurs articles, la date, la signature, un ou plusieurs contreseings. Faire passer* (cit. 24) *un décret.*

Traditionnellement, le décret est un acte du chef de l'État. Sous la Restauration   2
et le Gouvernement de Juillet, il s'est appelé «ordonnance» ; sous la République de 1848 «arrêté». Aujourd'hui, il peut émaner également du chef du Gouvernement.   Marcel PRÉLOT, Précis de droit constitutionnel, IV, 449.

Décret présidentiel, contresigné par le président du Conseil et par un ministre, au moins. — *Décret pris par le président du Conseil*, contresigné par le ou les ministres des départements intéressés. *Décret pris en Conseil des ministres*, signé par tous les membres du gouvernement. *Décrets réglementaires. Décrets individuels* (relatifs à des situations particulières). *Décret pris après consultation du Conseil d'État.*

Décret portant règlement d'administration publique. ⇒ **Règlement.** *Décret de nomination. Décret de naturalisation. Le décret est publié au Journal officiel.* — *Décret de grâce.* — *Décrets ratifiant un traité.*

3 Toute congrégation religieuse peut obtenir la reconnaissance légale par décret rendu sur avis conforme du Conseil d'État (...)
Loi du 8 avr. 1942 modifiant l'art. 13 de la loi du 1er juil. 1901.

4 Il est certain qu'en France, en dépit de décrets et de circulaires absurdes, tout va plutôt mieux qu'ailleurs. A. MAUROIS, les Discours du Dr O'Grady, XVII, p. 187.

5 Il voudrait être le chef qui dicte des plans, rature et redresse les projets, indique au crayon bleu des tracés impératifs ; celui qui promulgue les décrets et les ordonnances, qui parle au nom de l'utilité publique ; celui qui démolit les masures, met les rues à l'alignement, joint l'un à l'autre deux tronçons d'avenues qui, par-dessus un labyrinthe de plâtras, se faisaient vainement signe depuis un siècle.
J. ROMAINS, les Hommes de bonne volonté, t. V, XVIII, p. 137.

♦ **3.** Littér. Décision, volonté d'une puissance supérieure. *Les divins décrets, les décrets de la Providence.* ⇒ **Arrêt, décision, dessein, jugement, loi, ordre, volonté.** *Se soumettre, se conformer aux décrets de la Providence.*

6 (...) l'obligation du travail et la nécessité de la mort tiennent le même rang dans les divins décrets (...) BOURDALOUE, Dim. de la Septuag., I, p. 352, *in* LITTRÉ.

7 Il s'était soumis aux décrets de la Providence.
Antoine HAMILTON, Mém. du comte de Grammont, VI.

Les décrets du sort, du destin. Les décrets de la nature.

8 (...) les sages mouches à miel. Si économes, si sobres, si prévoyantes d'habitude, obéissaient à une sorte de folie fatale, à une impulsion machinale, à une loi de l'espèce, à un décret de la nature, à cette force qui pour tous les êtres est cachée dans le temps qui s'écoule. MAETERLINCK, la Vie des abeilles, I, VI, p. 47.

Les décrets de la mode, du bon goût.

DÉR. Décréter.
COMP. Décret-loi.

DÉCRÉTALE [dekRetal] n. f. — V. 1260 ; lat. ecclés. *decretalis,* de *decretum.* → Décret.

♦ Hist. des relig. Lettre du pape écrite en réponse à des consultations sur des questions disciplinaires et d'administration.

Au plur. **DÉCRÉTALES** : recueil de ces lettres. *Les Clémentines, recueil des décrétales de Clément V, publiées par Jean XXII.*

(...) nos sacrées Décrétales et leurs corollaires : ce beau *Sixième,* ces belles *Clémentines,* ces belles *Extravagantes.* Ô livres déifiques !
RABELAIS, le Quart livre, LIII.

DÉCRÉTER [dekRete] v. tr. — Conjug. *céder.* — 1382 ; de *décret.*

♦ **1.** Vx. Lancer un décret contre (qqn). ⇒ **Décret** (1.).

1 Ainsi en décrétant le cardinal de Bouillon et en donnant ordre qu'on le mît dans les prisons (...) VOLTAIRE, le Siècle de Louis XIV, 38.

Par extension :

2 (...) l'on décrète aussi contre les femmes. MOLIÈRE, Tartuffe, V, 4.

♦ **2.** Dr., admin. Ordonner par un décret. ⇒ **Décider, ordonner, régler.** *Décréter une nomination. Décréter la mobilisation.*

♦ **3.** Cour. Décider avec autorité. *Décréter qu'on fera qqch. Il décréta qu'ils ne partiraient pas.*

3 Il décrétait le temps qu'il fera demain. Il auscultait le vent ; il tâtait le pouls à la marée. HUGO, les Travailleurs de la mer, I, V, 1.

4 Clotilde décréta qu'il fallait veiller, pour pouvoir au premier appel courir chercher un prêtre (...) MARTIN DU GARD, les Thibault, t. III, p. 266.

Pron. (passif) :

5 Celle-ci *(la France)* avait compris, par une si rude leçon, — l'ennemi une fois repoussé, — que la paix ne se décrète pas, qu'elle se conquiert et s'impose.
Louis MADELIN, Hist. du Consulat et de l'Empire, De Brumaire à Marengo, V, p. 69.

▶ **DÉCRÉTÉ, ÉE** p. p. adj.

Qui est l'objet d'un décret (1.).

6 Carnot, décrété d'arrestation, fut averti à temps et put s'évader par une poterne du Luxembourg (...) Louis MADELIN, Hist. du Consulat et de l'Empire, Ascension de Bonaparte, XII, p. 174.

DÉCRET-LOI [dekRElwa] n. m. — 1924 ; de *décret,* et *loi.*

♦ Décret pris par un gouvernement et qui a la force juridique d'une loi. *Les décrets-lois de la IIIe République.* ⇒ **Ordonnance.**

DÉCREUSAGE [dekRøzaʒ] ou **DÉCREUSEMENT** [dekRøzmã] n. m. — 1791, *décreusage ; décreusement,* 1700 ; de *décreuser.*

♦ Techn. Action de décreuser ; résultat de cette action. — REM. On dit aussi *décruage, décrûment, décrusage.*

DÉCREUSER [dekRøze] v. tr. — 1690 ; du provençal (Dauphiné) *descreusa,* de 1. *dé-,* et *cru* « non préparé ». → Décruer.

♦ Techn. Lessiver un fil textile brut (dit *cru, écru*) avant tissage, teinture. — Spécialt. Lessiver le fil de soie grège pour le dépouiller de sa gaine de séricine (grès). — On dit aussi *décruer, décruser. Soie décreusée* (opposé à *soie grège* ou *crue*).

DÉR. Décreusage ou **décreusement.**

DÉCRI [dekRi] n. m. — XVe ; de *décrier.*

♦ Rare et vieilli. Action de décrier (qqn, qqch.). *Le décri de qqn, de qqch. par qqn.*

Perte de réputation, d'estime. ⇒ **Défaveur, dépréciation, discrédit.** *Tomber dans le décri.*

(...) le décri universel où tombe nécessairement tout ce qu'ils exposent au grand jour de l'impression (...) LA BRUYÈRE, Disc. de réception à l'Académie, Préface.

CONTR. Apologie, appréciation, estime, réputation (bonne).

DÉCRIER [dekRije] v. tr. — XIIIe ; de 1. *dé-* et *crier.*

♦ Littér. Attaquer, rabaisser (qqn) dans sa réputation ⇒ **Calomnier, dénigrer, discréditer, déprécier, médire** (sur), **vilipender.** *Décrier la conduite de qqn. Décrier qqn par vengeance.*

1 (...) si je faisais une comédie qui décriât les hypocrites (...)
MOLIÈRE, Tartuffe, 1er placet.

2 (...) toujours prêt dans la concurrence à trahir l'un, à supplanter l'autre, à décrier celui-ci, à perdre celui-là (...)
BOURDALOUE, Sermon de l'Épiphanie, X, p. 127, *in* LITTRÉ.

3 Il m'ôtait même, autant qu'il était en lui, la ressource du métier que je m'étais choisi, en me décriant comme un mauvais copiste (...)
ROUSSEAU, les Confessions, IX.

4 À l'heure actuelle Mirabeau ne remuerait personne, bien que sa corruption ne lui nuirait point : car présentement nul n'est décrié pour ses vices ; on n'est diffamé que par ses vertus. CHATEAUBRIAND, Mémoires d'outre-tombe, t. VI, p. 268.

Décrier l'œuvre de qqn. ⇒ **Critiquer, déprécier.**

5 Il y a des esprits naturellement si chagrins, que c'est assez pour eux qu'un ouvrage réussisse pour qu'ils le décrient. A. R. LESAGE, le Diable boiteux, XVI, p. 178.

Décrier une marchandise, un article. — Loc. fig. *Décrier sa marchandise :* se faire tort dans ses affaires par la mauvaise opinion que l'on donne de soi.

▶ **SE DÉCRIER** v. pron.

Vx. Attirer sur soi le décri. ⇒ **Discréditer** (se).

6 On se décrie beaucoup plus auprès de nous par les moindres infidélités qu'on nous fait, que par les plus grandes qu'on fait aux autres.
LA ROCHEFOUCAULD, Maximes, 360.

▶ **DÉCRIÉ, ÉE** p. p. adj.

Cour. Contesté et critiqué ; rabaissé dans sa réputation.

7 Dans la langue littéraire, les métaphores ont été tour à tour en faveur ou décriées. F. BRUNOT, la Pensée et la Langue, I, II, VIII, p. 78.

8 Cet homme de génie *(Zola),* décrié injustement par ceux qui ne l'ont jamais lu (...) G. DUHAMEL, Défense des lettres, III, p. 260.

9 Institution très discutée au début et même très décriée.
Georges LECOMTE, Ma traversée, p. 106.

CONTR. Apprécier, célébrer, exalter, louer, prôner, vanter.
DÉR. Décri.

DÉCRIMINALISATION [dekRiminalizasjõ] n. f. — Attesté 1975 ; dér. sav. de 1. *dé-,* et lat. *criminalis* « criminel ». → Criminaliser.

♦ Dr. Fait de ne plus considérer (une infraction) comme criminelle, de soustraire à la juridiction criminelle. *La « décriminalisation de fait* (aux États-Unis) *de l'usage du cannabis (...) » (le Nouvel Obs.,* 25 oct. 1981, p. 116).

DÉCRIRE [dekRiR] v. tr. — Conjug. *écrire.* — 1119, *descrire* ; du lat. *describere* (de *de-,* préfixe à valeur intensive et *scribere,* → Écrire), d'après *écrire.*

★ **I.** Représenter dans son ensemble, par écrit ou oralement. ⇒ **Dépeindre, expliquer, exposer, peindre, raconter, représenter, retracer ; description.** *Personne qui décrit :* descripteur. *Décrire une plante, un animal. Décrire et classer* des espèces. Décrire une œuvre d'art. Décrire un paysage. Décrire une aventure. Décrire avec exagération ses propres aventures. On ne saurait décrire cette merveille. Décrire fidèlement la réalité. Décrire qqch. en général, à grands traits*, dans le détail, minutieusement.* ⇒ **Détailler.**

1 Journée délicieuse. J'en gâterai le plaisir en la décrivant.
STENDHAL, Journal, p. 209.

2 En décrivant ce qui est, le poète se dégrade et descend au rang de professeur ; en racontant le possible, il reste fidèle à sa fonction ; il est une âme collective qui interroge, qui pleure, qui espère et qui devine quelquefois.
BAUDELAIRE, l'Art romantique, XIX, I, Victor Hugo.

3 Et de ce tableau, que je copie sur nature, mais auquel il manquera la grandeur, l'éclat et le silence, et que je voudrais décrire avec des signes de flammes et des mots dits tout bas (...) E. FROMENTIN, Un été dans le Sahara, p. 28.

3.1 Tel nom lu dans un livre autrefois, contient entre ses syllabes le vent rapide et le soleil brillant qu'il faisait quand nous le lisions. De sorte que la littérature qui se contente de « décrire les choses », d'en donner seulement un misérable relevé de lignes et de surfaces, est celle qui, tout en s'appelant réaliste, est la plus éloignée

de la réalité, celle qui nous appauvrit et nous attriste le plus, car elle coupe brusquement toute communication de notre moi présent avec le passé, dont les choses gardaient l'essence, et l'avenir, où elles nous incitent à la goûter de nouveau.
PROUST, le Temps retrouvé, Pl., t. III, p. 885.

3.2 Je vais décrire l'endroit, ça c'est sans importance. Le sommet, très plat, d'une montagne, non, d'une colline, mais si sauvage, si sauvage (...)
S. BECKETT, Textes pour rien, p. 115.

Décrire ses sentiments. ⇒ **Analyser.** *Comment décrire sa fureur? Décrire un caractère.*

4 (...) ce sont les caractères ou les mœurs de ce siècle que je décris.
LA BRUYÈRE, les Caractères, t. I, p. 106.

5 Michel-Ange décrit, avec une crudité singulière d'expressions, ses angoisses d'amour (...) R. ROLLAND, Vie de Michel-Ange, p. 68.

Absolt. *L'art de décrire. Romancier qui décrit trop,* qui abuse de la description*.

REM. *Décrire* s'oppose en logique à *définir.* On *définit* un concept, une idée générale ; on *décrit* une personne ou une chose concrète. → Définir.

★ **II.** Tracer ou suivre (une ligne courbe, un cercle). → Boucle, cit. 6 ; cercle, cit. 3 et 4. *L'oiseau décrit des cercles dans l'air. Orbe que décrit une planète. La route décrit une ellipse autour de la forêt. La trajectoire que décrit un projectile.*

6 Telles, quand une bombe ardente, meurtrière,
Décrit dans un ciel noir sa courbe incendiaire (...) HUGO, Odes, III, 6, 8.

▶ **SE DÉCRIRE** v. pron.
Être décrit (I.). *Un tel spectacle ne se décrit pas.*

7 Encore un coup, le vrai bonheur ne se décrit pas, il se sent, et se sent d'autant mieux qu'il peut le moins se décrire, parce qu'il ne résulte pas d'un recueil de faits, mais qu'il est un état permanent. ROUSSEAU, les Confessions, VI.

▶ **DÉCRIT, ITE** p. p. adj.

◆ **1.** *Paysage bien décrit* (par un auteur, etc.).

◆ **2.** *Courbe décrite* (par un mobile ; par une ligne, etc.).

8 Toute peinture hollandaise est concave ; je veux dire qu'elle se compose de courbes décrites autour d'un point déterminé par l'intérêt, d'ombres circulaires autour d'une lumière dominante. E. FROMENTIN, les Maîtres d'autrefois, Hollande, 2.

HOM. (Du p. p.) **Décri.**

DÉCRISPATION [dekʀispɑsjɔ̃] n. f. — 1946, Mounier ; de 1. *dé-,* et *crispation,* ou de *décrisper.*

◆ **1.** Méd. État de décontraction (physique, psychique).

◆ **2.** Polit. Fait de détendre (les rapports politiques ou sociaux) ; état qui en résulte. « *J'ai donc fait ce qui dépendait de moi pour que cette décrispation de la politique française puisse avoir lieu* » (V. Giscard d'Estaing, in *le Monde,* avr. 1976).

REM. Le mot, répandu par la radio et la télévision, est devenu un tic du langage politique vers 1976-1980.

DÉCRISPER [dekʀispe] v. tr. — 1790, in D.D.L. ; de 1. *dé-,* et *crisper.*

◆ **1.** Décontracter (les muscles). « *Il (Rroû) décrispe ses muscles* » (Genevoix, *Rroû,* 1931). — Par métaphore. « *Cela décrispait l'âme (...)* » (René Fallet, *Y a-t-il un docteur dans la salle?,* p. 43). Pron. Se décontracter. « *Il fit un effort pour se décrisper dans un sourire mondain* » (Christine Arnothy, *Toutes les chances plus une,* p. 327).

◆ **2.** Polit. Rendre (une relation, un rapport politique, social) moins crispé. ⇒ **Détendre, apaiser.** « *La France "décrispe" sa position* » (*le Monde,* 4 oct. 1974).

DÉR. V. **Décrispation.**

DÉCRISTALLISATION [dekʀistalizɑsjɔ̃] n. f. — 1925 ; au fig., fin XIXᵉ ; de 1. *dé-,* et *cristallisation.*

◆ Didact. ou littér. Phénomène inverse de la cristallisation. (1893 ; Mérimée emploie *se décristalliser,* en 1856). Correspond au sens stendhalien de *cristallisation* (→ Cristallisation, cit. 4 et 5) :

On parle sans cesse de la brusque cristallisation de l'amour. La lente *décristallisation,* dont je n'entends jamais parler, est un phénomène psychologique qui m'intéresse bien davantage. GIDE, les Faux-monnayeurs, I, VIII, Pl., p. 988.

DÉCROCHAGE [dekʀɔʃaʒ] n. m. — 1884 ; de *décrocher.*

◆ **1.** Action, fait de décrocher (I., 1.). *Levier de décrochage.*

◆ **2.** Milit. (De *décrocher,* II., 1.). Mouvement de repli, de recul. ⇒ **Désengagement.**

1 Depuis que les stratèges improvisés ont inventé la guerre droite, la guerre de mouvement, la guérilla, le harcèlement, le décrochage, le repli sur des positions préparées (...)
Boris VIAN, Textes et Chansons, « Lettre sur les truqueurs de la guerre », p. 139.
Par ext. Fait d'interrompre une activité, une relation.

Fait de « décrocher », de ne plus porter attention à qqch.

◆ **3.** (V. 1955). Techn. (radio.). Interruption d'une retransmission radiophonique, télévisée. *Station régionale qui diffuse, en décrochage, les actualités de la province* (qui cesse de retransmettre les programmes nationaux pour diffuser sa propre émission). ⇒ **Décrocher** (II., 3.). — Aviat. Chute de la portance, due à un décollement d'air à l'extrados*. — Autom. Perte subite et totale de l'adhérence d'un pneu sur la route. — (1969). Astron. Abandon d'une orbite (par un vaisseau spatial). *Décrochage de l'orbite lunaire.*

1.1 Maintenant, il volait seul. Un jour de vent, il lui prit fantaisie de faire un décrochage. Rien de sorcier : cabrer l'appareil en réduisant le moteur. L'avion pique du nez, reprend de la vitesse. On remet les gaz. C'est quand même chouette de tomber en plein ciel. Claude COURCHAY, La vie finira bien par commencer, p. 190.

◆ **4.** Par métaphore, didact. Séparation, interruption d'un rapport.

2 (...) le discours lui-même ne sait plus sur quoi s'appuyer et s'appliquer. En regardant d'un peu près, on s'aperçoit que le décrochage des signifiants et des signifiés n'est pas un phénomène partiel, local ou localisé.
Henri LEFEBVRE, la Vie quotidienne dans le monde moderne, p. 224.

DÉCROCHEMENT [dekʀɔʃmɑ̃] n. m. — 1636 ; de *décrocher.*

◆ État de ce qui est décroché ; forme de ce qui est en retrait. — Géol. Écart entre deux terrains qui ne sont plus au même niveau. — Loc. *En décrochement :* en présentant un décrochement, en retrait par rapport à un alignement.

En remontant la rue du Fg.-St.-Honoré. Les hautes falaises des maisons à balcons en décrochement et perspective dans la pluie et dans la brume, avec ça et là ces tranches crayeuses. CLAUDEL, Journal, 13 déc. 1938, Pl., t. II, p. 252.

DÉCROCHER [dekʀɔʃe] v. — V. 1120 ; de 1. *dé-,* et *croc.*

★ **I.** V. tr. ◆ **1.** Détacher (une chose qui était accrochée). *Décrocher une casserole, des rideaux.* ⇒ **Dépendre.** *Décrocher un wagon d'un autre, un tableau d'un clou.*

1 René décrocha le châle noir et le mit sur les épaules d'Hélène.
FRANCE, Jocaste, Œ., t. II, XI, p. 109.

Spécialt. *Décrocher le récepteur téléphonique* (opposé à *raccrocher*). — Absolt. « *Un déclic... On a décroché* » (N. Sarraute). Loc. *Décrocher la timbale :* atteindre le prix au jeu du mât de cocagne. — (1719). Remporter la victoire dans une épreuve sportive, et, fig., atteindre un but difficile.

2 (...) le bonheur, ça n'est pas une timbale qu'on décroche (...)
MARTIN DU GARD, les Thibault, t. V, p. 206.

◆ **2.** Fig. et fam. ⇒ **Atteindre, obtenir ;** et aussi (fam.) **dégoter, dénicher.** *Représentant qui décroche une commande. Il a fini par décrocher une bonne situation.*

3 Il s'agit de l'emmener dîner. Nous décrochons cela sans trop de difficultés, mais au chagrin marqué de ses deux cousines. GIDE, Journal, avr. 1905.

◆ **3.** Fig. Détacher, séparer. — Fin. Dissocier une valeur d'une autre. *Décrocher le dollar de l'or.* — (1905, in Petiot). Sports. Distancer. *Cycliste qui décroche le peloton dans une échappée.* ⇒ **Décoller.** — Astron. Faire quitter son orbite à (un vaisseau spatial).

◆ **4.** Fig. (Fam. et vx.). Tuer. ⇒ **Descendre** (cf. Mérimée, in T. L. F.). — Renverser une personne au pouvoir (cf. Duhamel, in T. L. F.).

★ **II.** V. intr. ◆ **1.** Milit. Rompre le contact ; se retirer. ⇒ **Reculer, replier** (se).

3.1 Le régiment se repliait, laissant en ligne ses bataillons sans prévenir ! Il se maîtrisa, se tourna vers le chasseur. — Nous avons le temps de décrocher dans la nuit, dit Gondamini. — Il n'est pas question de décrocher, coupa le commandant.
Armand LANOUX, le Commandant Watrin, 1956, p. 233.

Par ext. (Fam.). Abandonner ou suspendre une activité ; renoncer à poursuivre un effort. ⇒ **Dételer.**

3.2 La scène officielle est connue : c'est le 6 février à Alger, les tomates lancées à la tête du président du Conseil, sa débandade... et la suite. La longue route navrante qui s'est décidée, à cet instant-là (...) le 7 février, Camus, écœuré, désespéré, avait décroché. Françoise GIROUD, Si je mens, p. 168.

◆ **2.** *Décrocher de :* se détacher de ; se désolidariser de. *Décrocher d'un parti politique.*

◆ **3.** (1954). Radio. En parlant d'un émetteur, Interrompre un relai pour diffuser ses propres émissions ; faire un décrochage*.

◆ **4.** Aviat. En parlant d'un avion, Perdre la portance nécessaire à la sustentation.

▶ **SE DÉCROCHER** v. pron.

◆ **1.** Se détacher. *Le tableau risque de se décrocher.* — Loc. fam. (faux pron.). *Bâiller à se décrocher la mâchoire.*

◆ **2.** Fig. et fam. *Réussir à se décrocher d'un engagement.* ⇒ **Dégager** (se) ; **défaire** (se).

4 D'année en année, ma vie littéraire, remplie par les travaux indiqués au commencement de ce chapitre, se compliquait et s'alourdissait. Cependant, au début d'un printemps, je réussis à me « décrocher » de toutes obligations pour aller vivre quelques semaines en Espagne (...) Georges LECOMTE, Ma traversée, p. 300.

▶ **DÉCROCHÉ, ÉE** p. p. adj. et n. m.

◆ **1.** Qui a été décroché (aux divers sens du verbe).

5 (...) punaisées sur les murs (mais pas exactement à la place des gravures galantes décrochées, de sorte que les rectangles clairs étaient nettement visibles)... deux photographies (...)   Claude SIMON, le Palace, éd. de Minuit, p. 15.

♦ **2.** Qui est en retrait, forme un décrochement*. *« Des " maisons " à étages décrochés »* (P. Morand, *in* T. L. F.).

N. m. Imprim. *Un décroché :* un titre, un texte, etc. qui « mord » sur une composition.

CONTR. Accrocher, raccrocher. — Attacher, pendre.
DÉR. Décrochage, décrochement, décrocheur. — Décrochez-moi-ça.

DÉCROCHEUR, EUSE [dekrɔʃœʀ, øz] n. — 1873, Corbière ; de *décrocher.*

♦ **1.** Rare. Personne qui décroche (qqch.). — Fig. *« Beau décrocheur d'étoiles »* (Corbière, *les Amours jaunes*).
Décrocheur, décrocheuse de prix.

♦ **2.** N. m. Techn. (alpin.). Appareil permettant de décrocher facilement la corde, lors d'une descente en rappel.

DÉCROCHEZ-MOI-ÇA [dekrɔʃemwasa] n. m. invar. — 1842 ; de *décrocher, moi,* et *ça.*

♦ Fam. Vêtement d'occasion. — Par ext. Boutique de fripier. *S'habiller au décrochez-moi-ça.*

1 Quelques pauvres costumes, les oripeaux du « décrochez-moi-ça », de vieilles vestes de débardeur couleur de raisin de Corinthe usé, sautaient au milieu des paletots et des redingotes.   Ed. et J. DE GONCOURT, Manette Salomon, p. 178.
2 (...) sa mince silhouette, son corps mince et droit habillé de choses chères, portées comme si elles avaient été achetées au décrochez-moi-ça (...)
                                          Claude SIMON, le Vent, p. 62.

DÉCROIRE [dekrwaʀ] v. tr. — Conjug. *croire.* — Déb. XIIIᵉ, *descreïre* « ne pas croire » ; emploi mod., XVIᵉ ; de 1. *dé-,* et *croire.*

♦ Littér. (employé en coord. avec *croire*). Cesser de croire (qqch.). — REM. N'est attesté dans l'usage mod. qu'en emploi absolu (cf. Mérimée, Giono, *in* T. L. F.).
Or, le sage leur dit que l'opiniâtreté du travail de l'âme et de l'esprit s'exerçant sur des matières intérieures en lesquelles nulle expérience sensible ne peut intervenir, conduit à parcourir un cercle dont le sens importe peu, et qu'à chaque instant l'athée est en voie de croire *s'il est en mouvement ;* et le croyant, en voie de dé-croire, *s'il est en mouvement.*   VALÉRY, Cahiers, t. II, Pl., p. 653.

DÉCROISEMENT [dekrwazmɑ̃] n. m. — 1836 ; de *décroiser.*

♦ Action de décroiser ; résultat de cette action. *Le décroisement des fils d'un métier.*

DÉCROISER [dekrwaze] v. tr. — 1548, *descroiser* ; de 1. *dé-,* et *croiser.*

♦ Faire cesser d'être croisé. *Décroiser les bras, les jambes. Décroiser les fils d'un métier.*

CONTR. Croiser.
DÉR. Décroisement.

DÉCROISSANCE [dekrwasɑ̃s] n. f. — V. 1265 ; de *décroître,* d'après *croissance.*

♦ État de ce qui décroît. ⇒ **Déclin, décrue, diminution.** *La décroissance des revenus. La décroissance de la natalité. La fièvre est en décroissance.*

Écon. Politique économique visant à réduire le taux de croissance du Produit national brut. *La nécessité « de consommer moins d'énergie et de matières premières fait apparaître un nouvel objectif prioritaire : la décroissance »* (Sciences et Avenir, févr. 1974, p. 179).

Spécialt (phys. nucl.). *(Loi de) décroissance radioactive :* affaiblissement de l'activité des radioéléments avec le temps.

CONTR. Croissance. — Accroissement, augmentation.

DÉCROISSANT, ANTE [dekrwasɑ̃, ɑ̃t] adj. ⇒ **Décroître.**

DÉCROISSEMENT [dekrwasmɑ̃] n. m. — V. 1210, *descroissement* ; de *décroître.*

♦ Rare. Mouvement de ce qui décroît. ⇒ **Diminution.** *Lè décroissement d'une rivière.* ⇒ **Baisse, décrue.** *Le décroissement des jours. Décroissement de la lune.* ⇒ **Décours, décroît.** — Fig. *Le décroissement d'une influence.*
La décroissance, étant précisément le contraire de la croissance, s'applique particulièrement aux êtres vivants ou à ce qui leur est comparé : la décroissance d'un

empire. Décroissement, n'impliquant pas en soi cette particularité, se dit de tout ce qui diminue : le décroissement de la rivière, des jours, de la vie humaine.
                                          E. LITTRÉ, Dict., Décroissement.

CONTR. Augmentation, croissance, progression.

DÉCROÎT [dekrwa] n. m. — V. 1174, *decreis* « décadence » ; déverbal de *décroître.*

♦ **1.** (1583). Astron. Décroissement de la lune, lorsqu'elle entre dans son dernier quartier. *La lune est dans son décroît, sur son décroît.*

♦ **2.** (1664). Agric. Diminution du bétail qui a été donné par bail à cheptel.

DÉCROÎTRE [dekrwatʀ] v. intr. — Conjug. *croître,* sauf *décru* (sans accent circonflexe). — 1160, *descroistre* ; du lat. pop. *discrescere,* var. de *decrescere,* d'après *croître.*

♦ Diminuer progressivement. ⇒ **Baisser, diminuer.** *Le niveau de la rivière décroît lentement. Les eaux ont décru. Les jours commencent à décroître. Ses forces décroissent chaque jour.* ⇒ **Affaiblir (s'), amoindrir (s') ; perdre** (ses forces). *La fièvre décroît.* ⇒ **Tomber.** *Son, lumière qui décroît.* — *Son émotion commence à décroître.*

1 Je sens à tes regards décroître ma colère.   CORNEILLE, Médée, III, 3.
2 Il la regarde s'éloigner. La silhouette décroît et devient douteuse en s'enfonçant dans l'agitation de la rue.
                          J. ROMAINS, les Hommes de bonne volonté, t. IV, XVIII, p. 202.
3 J'entends encore ce bruit décevant, qui croît, fait naître l'espoir d'un arrêt, puis continue, décroît et s'éloigne.   A. MAUROIS, Climats, II, XX, p. 253.

▶ **DÉCROISSANT, ANTE** p. prés. et adj. (1276).
Qui décroît. *Aller décroissant. Courbe décroissante. Par ordre décroissant. Vitesse, intensité décroissante. Bruit décroissant des vagues.*

P. présent :
La moto était allée et venue, plusieurs fois, sillonnant à faible allure les rues avoisinantes, s'approchant, s'éloignant, s'approchant de nouveau, mais son intensité maximum décroissant bientôt, à chaque passage, la machine explorant des voies de plus en plus reculées.   A. ROBBE-GRILLET, Dans le labyrinthe, p. 199.

Adjectif :
(...) des hauts, des bas, d'amplitude décroissante.
                          A. MAUROIS, Bernard Quesnay, XXV, p. 162.

Écon. *Frais décroissants.* — Math. *Fonction* décroissante.*

▶ **DÉCRU, UE** p. p. adj.
Les eaux sont décrues (exprime statiquement le résultat, à la différence de *ont décru*). — N. f. ⇒ **Décrue.**

CONTR. Accroître (s'), augmenter, croître, grandir, grossir, progresser.
DÉR. Décroissance, décroissement, décroît, décrue.

DÉCROTTAGE [dekrɔtaʒ] n. m. — 1845 ; de *décrotter.*

♦ Action de décrotter ; son résultat. *Procéder au décrottage d'une paire de bottes.* — Spécialt (bâtiment). Enlèvement d'un enduit, de parties de plâtre ou de mortier excédentaires.

(...) il se disait que sous la patine de leur culture aromatique et affinée les d'Argenti n'avaient pas besoin de se laver. Adversaires du savon, « de toute la civilisation américaine du perpétuel décrottage » pensait encore Mathieu (...) ils étaient au-dessus de tout parfum puisqu'ils conservaient l'odeur du passé (...)
                          Marie-Claire BLAIS, Une liaison parisienne, p. 30.

DÉCROTTER [dekrɔte] v. tr. — V. 1300 ; de 1. *dé-,* et *crotte* « boue ».

♦ **1.** Vieilli. Nettoyer en ôtant la boue. *Décrotter des chaussures, des vêtements.* ⇒ **Brosser, décrasser.** — *Se faire décrotter.*

♦ **2.** (1680). Fig. et fam. (Vieilli). *Décrotter qqn,* le débarrasser de ses manières grossières, de sa rusticité, de son ignorance. ⇒ **Décrasser, dégrossir.** *Ce rustre aurait besoin d'être décrotté, de se décrotter.*

♦ **3.** (1807). Pop. et vx. Manger jusqu'à l'os. ⇒ **Nettoyer.** Manger, consommer beaucoup.
REM. Le sens fig. (2.) est le seul en usage aujourd'hui ; encore est-il assez marqué (régional ou stylistique).

CONTR. Crotter, salir.
DÉR. Décrottage, décrotteur, décrottoir.

DÉCROTTEUR, EUSE [dekrɔtœʀ, øz] n. — 1611 ; *descroteur,* fig., « celui qui dit rapidement », 1534 ; de *décrotter.*

♦ **1.** Vx. Personne qui fait métier de décrotter les chaussures. ⇒ **Cireur.**

Antoine est installé devant la boutique du marchand de vin, avec sa boîte de décrotteur devant lui (...)   LABICHE, la Chasse aux corbeaux, I, 1.

♦ **2.** N. m. Agric. Machine pour nettoyer les racines, les tubercules.

DÉCROTTOIR [dekʀɔtwaʀ] n. m. — 1899; *descrotouer* «brosse», 1483; de *décrotter.*

♦ Lame de fer servant à décrotter les chaussures, à enlever la boue collée aux semelles. ⇒ **Gratte-pieds.**

(...) ils ne sont pas au bas de l'escalier C qu'on les entend crier merde! parce que leur pied a buté dans un décrottoir.
J. ROMAINS, les Hommes de bonne volonté, t. IV, XIX, p. 212.

DÉCROÛTER [dekʀute] v. tr. — 1530, *décroûter le pain*; de 1. *dé-, croûte,* et suff. verbal.

♦ **1.** Enlever (ce qui forme croûte, une croûte).

Absolt (hortic.). Rompre la croûte de terre pour aérer les racines des plantes. *La griffe, le cultivateur servent à décroûter.*

♦ **2.** Débarrasser (un objet) de sa croûte, d'une croûte.

Techn. (joaill.). *Décroûter un diamant,* enlever la gangue.

♦ **3.** Vén. Se dit du cerf qui frotte sa tête pour la nettoyer, après la chute des bois.

DÉCRUAGE [dekʀyaʒ] n. m. — 1793; de *décruer.* ⇒ **Décreusage.**

DÉCRUE [dekʀy] n. f. — XVIᵉ, repris XIXᵉ; p. p. substantivé de *décroître.*

♦ **1.** Baisse du niveau des eaux (après une crue). *Attendre la décrue pour traverser un fleuve. La décrue a été d'un mètre en deux jours.*

♦ **2.** Fig. Décroissance, décroissement. ⇒ **Baisse, diminution.**

(...) l'appauvrissement du sang, la décrue progressive de la vitalité française.
R. ROLLAND, Jean-Christophe, p. 983.

DÉCRUER [dekʀye] v. tr. — 1614; de 1. *dé-,* et *cru.*

♦ Techn. Lessiver (le fil). ⇒ **Décreuser.**

DÉR. Décruage, décrûment.

DÉCRÛMENT [dekʀymã] n. m. — 1800; *décruement,* 1723; de *décruer.*

♦ Techn. ⇒ **Décreusage.**

DÉCRUSAGE [dekʀyzaʒ] n. m. — 1845; de *décruser.*

♦ Techn. Action de décruser. — Syn. : *décreusage.*

DÉCRUSER [dekʀyze] v. tr. — XVIIᵉ, *décreuser*; provençal mod. *decruza,* même mot que *décruer.*

♦ Techn. Lessiver (des cocons) pour en dévider la soie plus facilement. ⇒ **Décreuser.**

DÉR. Décrusage.

DÉCRUSTER [dekʀyste] v. tr. — 1918; de 1. *dé-,* et rad. de *incruster.*

♦ Rare. Dégager (ce qui était incrusté). ⇒ **Désincruster.** « *L'inondation (...) qui décrusta nos incrustés de leurs coquilles* » (R. Rolland, *Liluli, in* D. D. L.).

DÉCRYPTAGE [dekʀiptaʒ] ou **DÉCRYPTEMENT** [dekʀiptəmã] n. m. — 1962, *décryptage*; *décryptement,* 1929; de *décrypter.*

♦ Action de décrypter. *Le décryptage, le décryptement d'un message.* ⇒ **Décodage.**

Les décrypteurs distinguent couramment entre diverses sortes de langages chiffrés, assez différents pour que la pratique du décryptement y doive varier dans une assez grande mesure (...) Passons aux règles du décryptement.
J. PAULHAN, les Figures ou la Rhétorique décryptée, *in* Cahiers du Sud, nᵒ 295, p. 362-363 et suivantes, *in* D. D. L., II, 7.

DÉCRYPTER [dekʀipte] v. tr. — 1929; de 1. *dé-,* et grec *kruptos* «caché».

♦ Traduire (des messages chiffrés dont on ne possède pas la clef). Restituer le sens d'un texte obscur. ⇒ **Déchiffrer, décoder.** *Décrypter un message chiffré, une phrase en code.* — Par ext. *Tenter de décrypter une écriture inconnue, un texte incompréhensible.* — Au p. p. *Message mal décrypté.*

DÉR. Décryptage ou décryptement, décrypteur.

DÉCRYPTEUR, EUSE [dekʀiptœʀ, øz] n. — 1929; de *décrypter.*

♦ Didact. Personne qui décrypte (un message, un texte). → Décryptage, cit. — Appos. « *(...) même les télex reçus (...) étaient filtrés par des spécialistes décrypteurs* » (Daniel Odier, *l'Année du lièvre,* p. 237).

C'est presque un axiome parmi les décrypteurs d'écritures nouvelles qu'un texte dont la langue est suffisamment connue par ailleurs ne peut résister longtemps aux efforts des chercheurs.
Jean BOTTÉRO, Encycl. Pl., l'Histoire et ses méthodes, p. 160.

DECTIQUE [dɛktik] n. m. — XIXᵉ; grec *dêktikos* «qui mord».

♦ Zool. Insecte orthoptère sauteur *(Locustidés),* assez commun dans les blés mûrs.

DÉÇU [desy] adj. ⇒ **Décevoir** (p. p.).

DÉCUBITUS [dekybitys] n. m. — 1747; lat. *decubitus,* du supin de *decumbere* «se mettre au lit», de *de-,* et *-cumbere.* → Succomber.

♦ Didact. Position du corps reposant sur un plan horizontal. *Décubitus dorsal. Décubitus ventral. Décubitus latéral. Décubitus en chien de fusil. Le décubitus a une grande influence sur tous les organes.* — *Être en décubitus.*

DÉCUIRASSER [dekɥiʀase] v. tr. — Av. 1755; de 1. *dé-,* et *cuirasser.*

♦ Rare. Débarrasser de sa cuirasse*. *Décuirasser un navire de guerre.*

CONTR. Cuirasser. — Blinder.

DÉCUIRE [dekɥiʀ] v. tr. — Déb. XIIIᵉ, *décuit* «cru»; de 1. *dé-,* et *cuire.*

♦ Techn. (cuis.). Abaisser le régime de cuisson de (un sirop, une confiture...) en ajoutant de l'eau.

DÉCUITER [dekɥite] v. intr. — XXᵉ; de 1. *dé-,* et *cuite.*

♦ Fam. Sortir de l'ivresse. ⇒ **Débourrer, dessoûler.** « *(...) dès midi, l'est noir comme une cheminée. Il décuite juste pour la soupe du soir* » (Claude Michelet, *Des grives aux loups,* p. 251).

DÉCUIVRAGE [dekɥivʀaʒ] n. m. — Mil. XXᵉ; de *décuivrer.*

♦ Techn. Action de décuivrer; son résultat.

DÉCUIVRER [dekɥivʀe] v. tr. — Mil. XXᵉ; de 1. *dé-,* et *cuivre.*

♦ Techn. Débarrasser (une surface) du cuivrage, d'un dépôt de cuivre (par dissolution, électrolyse).

DÉR. Décuivrage.

DE CUJUS [dekyʒys; dekujus] n. m. — XVIIIᵉ; premiers mots de la locution juridique latine *de cujus successione agitur* «celui (ou celle) dont la succession est en cause».

♦ Dr. Personne dont la succession est ouverte. *La volonté du de cujus,* du testateur.

(...) en résumé six mois de tergiversations à s'assurer d'abord que le de cujus était dans son bon sens et les experts hésitaient tant ils choses se présentaient bizarrement mais les témoins surtout la bonne ont pu certifier qu'il était sain d'esprit, ensuite le testament mentionnait comme légataire un neveu qui était mort en laissant lui-même un neveu décédé aussi dans l'intervalle (...)
Robert PINGET, Passacaille, p. 64-65.

DÉCULASSER [dekylase] v. tr. — 1842; loc. pop. *triple canon déculassé,* 1793; de 1. *dé-, culasse,* et suff. verbal.

♦ Techn. Enlever la culasse* de (une arme à feu). *Déculasser un fusil.* — Au p. p. *Arme déculassée.*

CONTR. Culasser.

DÉCULOTTAGE [dekylɔtaʒ] n. m. — 1890; de 1. *déculotter.*

♦ Action de déculotter, de se déculotter.

Toujours vifs au déculottage, elles (...) croient les soldats, et vifs à pousser de l'avant, sans prendre conseil ni demander la permission.
G. CHEVALLIER, Clochemerle, éd. Ferenczi et Fils, p. 186.

Défiance envers, à l'égard de, vis-à-vis de soi-même : manque de confiance en soi.

9 (...) au jugement que je fais de moi-même je tâche toujours de pencher vers le côté de la défiance plutôt que vers celui de la présomption (...)
DESCARTES, Discours de la méthode, I.

Prov. *Défiance est mère de sûreté.* ⇒ **Méfiance, prudence.**

CONTR. **Confiance.** — **Abandon, assurance, crédulité, croyance, foi, imprudence, sécurité, tranquillité.** — **Présomption.**

DÉFIANT, ANTE [defjã, ãt] adj. — XVIe ; de 2. *défier* (se).

♦ **1.** Qui se défie, qui est porté à se défier d'autrui. ⇒ **Circonspect, méfiant, ombrageux, soupçonneux.** *Mari défiant.* ⇒ **Jaloux.** *Caractère, individu défiant,* sombre, fermé.

1 *(Les rois sont)* défiants, par l'expérience continuelle qu'ils ont de l'artifice des hommes corrompus dont ils sont environnés (...)
FÉNELON, Télémaque, XI.

2 (...) tout jaloux, tout défiant qu'il est, je suis plus difficile à surprendre que lui.
A. R. LESAGE, le Diable boiteux, X.

3 C'est d'ailleurs le propre de l'amour de nous rendre à la fois plus défiants et plus crédules (...)
PROUST, À la recherche du temps perdu, t. IX, p. 296 (→ Crédule, cit. 7).

(Avec un compl.). *Être défiant envers, à l'égard, vis-à-vis de qqn. Défiant de soi, de soi-même.*

♦ **2.** Qui témoigne de la défiance. *Air défiant. Un comportement défiant.*

4 Et les soins défiants, les verrous et les grilles
Ne font pas la vertu des femmes ni des filles.
MOLIÈRE, l'École des maris, I, 2.

CONTR. **Assuré, communicatif, confiant, crédule, naïf, tranquille.**

DÉFIBRAGE [defibraʒ] n. m. — 1876 ; de *défibrer.*

♦ Techn. Action de défibrer ; son résultat.

DÉFIBRER [defibre] v. tr. — 1876 ; de 1. *dé-,* et *fibre.*

♦ Techn. Dépouiller de ses fibres. *Défibrer la canne à sucre. Défibrer le bois pour faire du papier.*

DÉR. **Défibrage, défibreur.**

DÉFIBREUR, EUSE [defibrœr, øz] n. — 1877 ; de *défibrer.*
Technique.

♦ **1.** Ouvrier, ouvrière dont le travail consiste à défibrer le bois.

♦ **2.** N. m. Machine à défibrer le bois. « *Les rondins sont (....) pressés fortement contre* (les moules) *dans une machine appelée* défibreur » (Que sais-je ?, n° 404, p. 116). — Machine qui permet d'obtenir, à partir de rondins, la fibre d'emballage.

DÉFIBRILLATEUR [defibrijatœr] n. m. — 1960 ; de *défibriller.*

♦ Méd. Appareil électrique servant à réaliser une défibrillation*.

DÉFIBRILLATION [defibrijasjõ] n. f. — V. 1960 ; de 1. *dé-,* et *fibrillation.*

♦ Méd. Intervention visant à rétablir un rythme cardiaque normal chez un patient atteint de fibrillation*. Défibrillation par chocs électriques au moyen d'un défibrillateur.

DÉR. V. **Défibriller.**

DÉFIBRILLER [defibrije] v. tr. — 1967 ; de 1. *dé-, fibrille,* et suff. verbal, d'après *défibrillation.*

♦ Méd. Faire cesser la fibrillation de...

(Il faut)... pouvoir « défibriller » le cœur et lui rendre des battements corrects. Cela est possible en lui envoyant un choc électrique bref. Cette véritable électrocution, à l'aide d'un « défibrillateur électrique », le remet le plus souvent sur la bonne voie (...)
Cl. D'ALLAINES, la Chirurgie du cœur, p. 89.

DÉR. **Défibrillateur.**

DÉFIBRINATION [defibrinasjõ] n. f. — 1874, in *Année sc. et industr.* 1875, p. 321 ; de *défibriner.*

♦ Méd. Action de défibriner.

DÉFIBRINER [defibrine] v. tr. — 1870 ; p. p., 1845 ; de 1. *dé-,* et *fibrine.*

♦ Méd. Priver de fibrine ou de fibrinogène un liquide organique (surtout le sang). — Au p. p. *Du sang défibriné.*

Lors de la boucherie, quand Joseph, le boucher du village, plante son couteau dans le cou du porc, recueillez ce sang, brassez-le bien pour le défibriner.
Jean FOLLONIER, Valais d'autrefois, p. 39.

DÉR. **Défibrination.**

DÉFICELER [defisle] v. tr. — Conjug. *ficeler* (→ Appeler). — 1705 ; de 1. *dé-,* et *ficeler.*

♦ Dégager (un objet) des ficelles qui le tiennent. *Déficeler un paquet.* ⇒ **Déballer, défaire, dépaqueter.** — Au p. p. *Colis déficelé.*

« Voyons donc, ce service gothique dont on m'a tant parlé dans mon enfance », s'écria-t-il, et il fait sonner l'argenterie, et il déficelle le linge (...)
Ed. et J. DE GONCOURT, Journal, 21 sept. 1856.

CONTR. **Attacher, ficeler.**

DÉFICIENCE [defisjãs] n. f. — 1907 ; de *déficient.*

♦ **1.** Insuffisance organique. *Déficience cardiaque, glandulaire.* Insuffisance d'une fonction. — (Fonction physique). *Déficience sensorielle, visuelle, sexuelle...* — (Fonction mentale). *Déficience psychique, intellectuelle.*

♦ **2.** Par ext. Faiblesse, insuffisance. ⇒ **Limite** ; et aussi **carence, défaillance.**

Proust n'est nullement aveugle aux déficiences des Guermantes.
A. MAUROIS, À la recherche de M. Proust, IX, IV, p. 297.

DÉFICIENT, ENTE [defisjã, ãt] adj. et n. — 1290, *deficiens* ; du lat. *deficiens,* p. prés. de *deficere* « manquer », de *de-,* et *facere* « faire ».

♦ **1.** Qui présente une déficience. *Organisme déficient. Intelligence déficiente.* ⇒ **Faible, insuffisant.** — (Personnes). *Cet enfant est déficient.* ⇒ **Arriéré, débile.** — N. Personne qui présente une déficience mentale, sensorielle ou motrice. *Un déficient moteur, sensoriel, mental. Une déficiente motrice.*

♦ **2.** Insuffisant. *Une argumentation déficiente.* ⇒ **Faible, médiocre.** — Philos. *Cause déficiente,* qui agit par son absence. *La causalité exercée par le mal est déficiente.* — Math. *Nombre déficient* : nombre dont la somme des parties aliquotes est inférieure au nombre lui-même. *10 est un nombre déficient* (1 + 2 + 5 = 8).

Vx. *Récolte déficiente.* ⇒ **Déficitaire.**

DÉR. **Déficience.**

DÉFICIT [defisit] n. m. — 1771 ; sens lat., 1560 ; mot lat., « (la chose) manque », 3e pers. du sing. du présent de l'indicatif de *deficere.* → Déficient.

♦ **1.** Vx. Mot latin employé dans les inventaires, pour signaler qu'un article manquait. *Une paire de chaussures : déficit.* — Par ext. L'article manquant.

♦ **2.** Fin. et cour. Ce qui manque pour compléter une quantité donnée de numéraire, ou pour balancer un compte. ⇒ **Dette, manque, perte.** *Déficit de caisse. Un déficit de plusieurs millions. Déficit d'un compte. Déficit budgétaire* : ce qui manque aux recettes pour équilibrer les dépenses. ⇒ **Budget.** *Combler le déficit par un emprunt, des impôts. Les déficits s'accroissent en période de crise* (cit. 8). *L'État est en déficit.* — *Déficit d'exploitation* : perte effective subie par un contribuable et dont il est tenu compte pour l'établissement de l'assiette de l'impôt sur le revenu.

1 Je vis cependant au premier coup d'œil qu'il ne serait pas difficile de balancer ce déficit entre la recette et la dépense ordinaire (...) le dernier état (...) annonçait un déficit de 24 millions de la recette à la dépense ordinaire (...)
NECKER, Compte rendu au Roi, janv. 1781, p. 6, in LITTRÉ.

2 Quand il y a déficit budgétaire, cela veut dire que les recettes budgétaires de *bonne qualité* ne suffisent pas à payer les dépenses : un équilibre nominal a été atteint par des procédés (emprunts, inflation, etc.) que la science des finances réprouve.
L. TROTABAS, Précis de science et de législation financière, Introd., 18, p. 14.

♦ **3.** Écon. Écart entre une quantité réelle et celle, supérieure, qui avait été prévue ou qui est nécessaire. *Récolte de blé en déficit,* insuffisante pour la consommation.

Sc. Manque qui déséquilibre. *Déficit hormonal. Déficit psychologique.* ⇒ **Déficience.**

Fig. ⇒ **Insuffisance, manque.**

2.1 Dans mon agenda il y a deux parties : sur une feuille j'écris ce que je ferai, et sur la feuille d'en face, chaque soir, j'écris ce que j'ai fait. Ensuite je compare ; je soustrais, et ce que je n'ai pas fait, le déficit, devient ce que j'aurais dû faire. Je le récris pour le mois de décembre et cela me donne des idées morales.
GIDE, Paludes, in Romans, Pl., p. 96.

3 Il est des jours où l'on se sent particulièrement *loin de compte ;* en retard ; en dette ; en déficit.
GIDE, Journal, 20 oct. 1929.

CONTR. **Excédent, excès.** — **Bénéfice.** — **Abondance.**
DÉR. **Déficitaire.**

DÉFICITAIRE [defisitɛʀ] adj. — 1909; admis Académie, 1932; de *déficit*.

♦ **1.** Qui se solde par un déficit. *Budget déficitaire.*

♦ **2.** Insuffisant. *Récolte déficitaire.* — Par ext. *Année déficitaire en blé, en vin.*

CONTR. Bénéficiaire.

1. DÉFIER [defje] v. tr. — 1080; de 1. *dé-*, et *fier*.

♦ **1.** Hist. (féod.). Aviser (qqn) que l'on renonce à la foi jurée à son égard. *Défier son suzerain, son frère d'armes.*

1 Je défiai le preux Roland et Olivier, et tous leurs compagnons. Charles et ses nobles barons entendirent mon défi. Je me suis vengé, mais ce ne fut pas trahison.
    J. BÉDIER, la Chanson de Roland, CCLXXV, p. 287.

♦ **2.** Inviter (qqn) à venir se mesurer comme adversaire. ⇒ **Provoquer; défi** (2.). *Défier qqn en combat singulier, en champ clos.* — *Défier un adversaire à la boxe, aux échecs. Défier ses camarades à la course, à courir* (cit. 7). *Défier des amis à boire, à qui boira le plus. Champions, rivaux, qui se défient. Défier un champion pour son titre.* ⇒ **Challenger.**

2 Je te défie en vers, prose, grec et latin.   MOLIÈRE, les Femmes savantes, III, 3.

3 Il ne tarda pas à rejoindre celui qui l'avait défié, et de son premier coup de lance il le tua.   J. BOULENGER, les Amours de Lancelot du Lac, XX, p. 199.

Fig. et littér. *Un teint qui défie le lis et la rose.* ⇒ **Comparaison** (soutenir la), **rivaliser** (avec).

♦ **3.** DÉFIER QQN DE... : mettre (qqn) au défi, en demeure de faire qqch., en laissant entendre qu'on le croit incapable. *Je vous défie de deviner cette énigme. Je le défie de faire mieux. Je le défie de se tirer de ce mauvais pas. Voilà une pièce unique, je défie quiconque de trouver la pareille.* — (Compl. n. de chose). *Je défie son orgueil, sa méchanceté, sa douceur, sa patience..., d'arriver à un tel résultat.*

4 On voudrait, à quelque prix que ce soit, ternir la beauté de son action; mais j'en défie la plus fine jalousie.   Mᵐᵉ DE SÉVIGNÉ, Lettres, 433, 21 août 1675.

5 Je défiais ses yeux de me troubler jamais.   RACINE, Andromaque, I, 1.

6 Je la défie de fournir un signalement qui tienne debout; en tout cas un signalement que la précision du mien ne flanquera pas par terre.
    J. ROMAINS, les Hommes de bonne volonté, t. II, XII, p. 126.

REM. Il ne faut pas confondre *défier à* (→ ci-dessus, 2.) avec *défier de*. *Je le défie à courir* : je lui propose de se mesurer avec moi à la course. *Je le défie de courir* : je le déclare incapable de courir.

(Sans compl. second). *Il ne faut pas défier les fous* (de faire leurs folies). *Il est imprudent de défier les gens à tout propos.*

7 Mon oncle, il ne faut jurer de rien, et encore moins défier personne.
    A. DE MUSSET, Comédies et proverbes, « Il ne faut jurer de rien », 4.

♦ **4.** (Sujet n. de chose). N'être aucunement menacé par (qqch. qui pourrait s'exercer contre). *Prix qui défient toute concurrence* (d'en faire de plus avantageux). — *Raisonnement, conclusion qui défient toute logique* (d'arriver à les justifier). *Conduite irréprochable qui défie la critique* (de trouver à s'exercer). ⇒ **Désarmer.** — *Monument qui défie le temps, les siècles* (de parvenir à le détruire).

8 Ce qui devait tenir contre les vents et défier la durée même des siècles (...)
    MASSILLON, Petits Carême, Inconstance, *in* LITTRÉ.

9 Toujours est-il qu'elle était vertueuse; sa réputation défiait la calomnie.
    BARBEY D'AUREVILLY, le Dessous de cartes, p. 33.

♦ **5.** Refuser de se laisser intimider par..., d'obéir à..., de se soumettre à... (qqch., une force, etc.). ⇒ **Affronter, braver, dresser** (se dresser contre). *Défier l'autorité, l'opinion, le sort, le danger, la mort.*

10 Je m'en vais défier les vents au milieu de l'océan.
    VOLTAIRE, Lettres, *in* LITTRÉ.

11 Et ils s'imaginaient une vie exclusivement amoureuse, assez féconde pour remplir les plus vastes solitudes, excédant toutes joies, défiant toutes les misères (...)
    FLAUBERT, l'Éducation sentimentale, Pl., t. II, IV, p. 303.

12 (...) il faut défier l'avenir si l'on ne veut pas être réduit à le redouter.
    G. DUHAMEL, Récits des temps de guerre, t. I, II, p. 184.

(Compl. n. de personne). *Défier qqn du regard.*

♦ **6.** Mar. Conjurer par une manœuvre. *Défier la lame, l'embardée, un abordage.* — *Défier une embarcation d'une lame,* l'en mettre à couvert.

▶ **SE DÉFIER** v. pron. récipr.

(Au sens 3.). Se mettre au défi. — (Au sens 4.). S'affronter (mutuellement) en refusant d'obéir, de céder, etc. *Ils se sont défiés.*

CONTR. Consacrer (se), **vouer** (se). — **Céder** (à), **plier** (devant), **reculer** (devant).
DÉR. Défi.

2. DÉFIER (SE) [defje] v. pron. — XVIᵉ; de 1. *dé-*, et *fier*, d'après le lat. *diffidere*, d'où *difier* (XIIᵉ), de *dis-*, et *fidere* « avoir foi en ».

♦ Littér. Avoir peu de confiance en; être, se mettre en garde contre (qqn ou qqch). — REM. Le verbe courant, non marqué, est *se méfier*. ⇒ **Garde** (être sur ses gardes); **garder** (se), **méfier** (se). — « *Ne vous y frottez pas! C'est un individu dont il faut se défier !* » Je me défie

de ses caresses, de ses protestations d'amitié, de ses bonnes résolutions. — *Se défier de son propre cœur.* ⇒ **Appréhender, craindre...**

REM. *Se méfier* et *se défier* ne diffèrent que par les préfixes. Littré (à l'art. *Méfier*) observe que la nuance qui les sépare est très petite et que, dans le fait, l'usage les emploie l'un pour l'autre, ce qui n'est plus exact. L'usage actuel de *se méfier* est beaucoup plus étendu. *Se défier* ne s'emploie guère hors de la langue littéraire.

1 Il est plus honteux de se défier de ses amis que d'en être trompé.
    LA ROCHEFOUCAULD, Maximes, 84.

2 Défions-nous du sort, et prenons garde à nous
Après le gain d'une bataille.   LA FONTAINE, Fables, VII, 13.

3 Tous les animaux se défient de l'homme, et n'ont pas tort : mais sont-ils sûrs une fois qu'il ne leur veut pas nuire, leur confiance devient si grande qu'il faut être plus que barbare pour en abuser.   ROUSSEAU, Confessions, VI.

4 Il faut qu'il se défie de moi, pensa-t-il, et que cette fille qu'il aime tant le porte à me craindre et à me détester.   G. SAND, la Petite Fadette, XXVII, p. 180.

5 Les femmes se défient trop des hommes en général et pas assez en particulier (...)
    FLAUBERT, Correspondance, t. II, p. 142.

6 (...) ceux-là se défient des richesses, parce qu'elles les rendent sensible aux flatteries et sourd aux malheureux; ils se défient des plaisirs, parce qu'ils obscurcissent et éteignent enfin la lumière de l'intelligence.
    ALAIN, Propos sur le bonheur, p. 98.

Se défier de soi-même : avoir peu de confiance en soi, en ses capacités. ⇒ **Douter.** *Je me défie de mes premiers mouvements.*

7 Le silence est le parti le plus sûr de celui qui se défie de soi-même.
    LA ROUCHEFOUCAULD, Maximes, 79.

CONTR. Compter (sur), **confier** (se), **fier** (se), **reposer** (se reposer sur).
DÉR. Défiance, défiant.

DÉFIGER [defiʒe] v. tr. — Conjug. *figer* (→ Bouger). — 1856; de 1. *dé-*, et *figer*.

♦ **1.** Techn. (cuis.). Ramener à l'état liquide ce qui est figé. *Défiger de l'huile, une sauce, du jus.*

♦ **2.** Fig. et rare. ⇒ **Dégeler, dégourdir, dérider.** *Défiger un timide.* ⇒ **Aise** (mettre à l'), **apprivoiser.** « *Constance (...) essaya de défiger ses traits* » (H. Bazin, *in* T. L. F.).

CONTR. Figer. — Engourdir, geler, glacer. — Paralyser.

DÉFIGURATION [defigyʀɑsjɔ̃] n. f. — 1866; *deffiguration*, fin XIIIᵉ; « état de ce qui est défiguré », 1260; de *défigurer*.

♦ Rare. Action de défigurer (qqn). — État qui en résulte. ⇒ **Défigurement.**

Gwynplaine ne songeait à sa défiguration qu'avec reconnaissance. Il était béni dans ce stigmate. Il le sentait avec joie imperdable et éternel.
    HUGO, l'Homme qui rit, t. XII, p. 322.

DÉFIGUREMENT [defigyʀmɑ̃] n. m. — 1886; de *défigurer*.

♦ **1.** État d'une personne défigurée. ⇒ **Défiguration.**

Défigurement bizarre et triste, qui faisait conjecturer la fantasmatique juxtaposition d'une moitié de vieux visage à la cassure inférieure de quelque sublime chapiteau humain.   Léon BLOY, le Désespéré, p. 153.

♦ **2.** Action de défigurer la réalité; état de ce qui est défiguré. *Le défigurement d'un texte traduit.*

DÉFIGURER [defigyʀe] v. tr. — 1119; de 1. *dé-*, *figure* « forme », et suff. verbal.

♦ **1.** Rendre méconnaissable en altérant la forme, l'aspect. ⇒ **Abîmer, altérer, changer, contrefaire, décomposer, enlaidir, gâter.** *Défigurer le visage de qqn* (on dira plutôt aujourd'hui *défigurer qqn*). — Passif et p. p. *Corps défiguré par la maladie, par l'âge.* ⇒ **Difforme, laid.** *Visage défiguré par les larmes, par un rictus.*

1 (...) de ces larmes désagréables qui défigurent un visage (...)
    MOLIÈRE, Scapin, I, 2.

2 (...) ce héros expiré
N'a laissé dans mes bras qu'un corps défiguré.   RACINE, Phèdre, V, 6.

3 *(Charles XII)* avait (...) le bas du visage désagréable, trop souvent défiguré par un rire fréquent qui ne partait que des lèvres (...)
    VOLTAIRE, Hist. de Charles XII, VIII.

(Compl. n. de personne; d'après *figure* « visage »). Abîmer le visage de (cf. fam. Abîmer le portrait). *Défigurer qqn au vitriol.* ⇒ **Vitrioler.** *Les Gueules cassées, anciens combattants qu'une blessure a défigurés.* — Plus cour. au passif et au p. p. *Défiguré par la petite vérole* (→ Masque, cit. 24).

4 J'en ai vu certaines *(des victimes du bombardement)*... défigurées par de hideuses blessures, sans plus qu'une moitié de visage
    GIDE, Journal, 3 mars 1943.

(Sujet n. de chose; compl. n. de personne). Altérer l'apparence du visage. *La peine et l'amour l'avaient défiguré* (→ Méconnaissable, cit. 1).

(Compl. n. de chose). *Défigurer une œuvre d'art en la retouchant. Défigurer un monument antique en le restaurant maladroitement. La tempête, l'orage ont défiguré le parc.*

Au passif :

5 Notre malheureux jardin est défiguré par l'automne : on n'ose même plus le regarder.   G. DUHAMEL, Chronique des Pasquier, III, t. II, p. 147.

♦ **2.** Donner une reproduction ou description fausse de (qqch.). ⇒ **Dénaturer, transformer.** *Défigurer la réalité d'une manière grotesque. Défigurer les faits, la vérité.* ⇒ **Altérer, caricaturer, travestir.** *Défigurer la pensée, les intentions de qqn.* ⇒ **Fausser.** *Défigurer une histoire en l'enjolivant.* ⇒ **Broder.** *Défigurer une légende. Défigurer un personnage historique,* en le présentant sous un faux jour. — Rare (ambigu). *Défigurer qqn,* lui attribuer en mal un caractère qu'il n'a pas.

6 (...) la Samaritaine ne fut point déshonorée; quelle douleur de la voir défigurée par des prédicateurs indignes !   Mᵐᵉ DE SÉVIGNÉ, Lettres, 1157, 28 mars 1689.

7 Quelques-uns de ceux qui ont lu un ouvrage en rapportent certains traits dont ils n'ont pas compris le sens (...) et ces traits ainsi corrompus et défigurés (...) ils les exposent à la censure (...)   LA BRUYÈRE, les Caractères, I, 22.

8 (...) quand, entraîné par le plaisir d'écrire, j'ajoutais à des choses réelles des ornements inventés, j'avais plus de tort encore, parce que orner la vérité par des fables, c'est en effet la défigurer.   ROUSSEAU, Rêveries, 4ᵉ promenade.

▶ **DÉFIGURÉ, ÉE** p. p. adj. *Visage, corps défiguré* (→ ci-dessus, cit. 2). —*Accidentés défigurés. La chirurgie esthétique réparatrice peut rendre un visage normal aux personnes défigurées.* — (Choses). *Œuvre défigurée,* modifiée jusqu'à être méconnaissable. — *Histoire, légende défigurée,* travestie, modifiée, rendue fausse (→ ci-dessus, cit. 6 et 7).

CONTR. **Arranger, embellir, reproduire, respecter, restituer.**
DÉR. **Défiguration, défigurement.**

DÉFILADE [defilad] n. f. — 1845 ; de 2. *défiler,* puis de 1. *défiler.* Rare.

♦ **1.** (De 2. *défiler*). Action de défiler, d'aller à la file. ⇒ **Défilé.** Par ext. Cortège qui défile. ⇒ **Cavalcade.**

♦ **2.** (De 1. *défiler*). Action de se défiler, de s'enfuir. — Par ext. Fuite. ⇒ **Défilage** (3.).

C'était alors une bousculade, une défilade rapide d'ombres fuyantes devant nos réseaux de fils de fer ; une déroute de godillots, de rires, de chutes (...)   B. CENDRARS, l'Homme foudroyé, p. 18.

1. DÉFILAGE [defilaʒ] n. m. — 1784 ; de 1. *défiler.*

♦ **1.** (1784). Techn. Action de défiler ce qui est enfilé. *La charpie est obtenue par le défilage de la toile. Défilage des chiffons pour en faire de la pâte à papier.*

♦ **2.** (De 1. *défiler,* pron.). Fam. Dérobade. ⇒ **Défilade,** 2. (au fig.).

(...) pendant tout ce temps, j'oscillais entre mon nationalisme théorique d'avant l'armée et ma pratique de défilage, de lâchage, me défendant minute par minute (...) ou sortant un livre de ma poche aussitôt que je pouvais.   DRIEU LA ROCHELLE, la Comédie de Charleroi, p. 35.

2. DÉFILAGE [defilaʒ] n. m. — 1772 ; de 2. *défiler.*

♦ Rare. Allées et venues incessantes de gens qui défilent.

Apprenez-moi le défilage des gens de votre voisinage.   Mᵐᵉ DU DEFFAND, Correspondance, mars 1772, in D. D. L., II, 3.

DÉFILÉ [defile] n. m. — 1643 ; de 2. *défiler.*

♦ **1.** Couloir naturel encaissé, resserré (étymologiquement : tel qu'on n'y peut passer qu'à la file). ⇒ **Couloir, passage.** *Défilé en cul-de-sac,* sans issue. *Le fleuve a creusé un défilé dans la roche.* ⇒ **Canyon, gorge.** *Défilé entre deux montagnes. Cluse, col en défilé, formant un défilé. S'engager dans un défilé. Attendre, surprendre l'ennemi, dresser une embuscade à l'entrée, aux portes, au seuil, à la sortie, au débouché d'un défilé. Citadelle, fort qui commande, surveille un défilé. Le Défilé des Thermopyles.*

1 El-Kantara — le pont — garde le défilé et pour ainsi dire l'unique porte par où l'on puisse, du Tell, pénétrer dans le Sahara.   E. FROMENTIN, Un été dans le Sahara, I, p. 4.

2 Enfin, un soir, entre la Montagne-d'Argent et la Montagne-de-Plomb, au milieu de grosses roches, à l'entrée d'un défilé, ils surprirent un corps de vélites (...)   FLAUBERT, Salammbô, XIV, p. 304.

Passage maritime étroit. ⇒ **Bras** (de mer), **canal, détroit, fjord, grau.**

Par métaphore :

3 (...) on les fait passer par un défilé bien étroit, je veux dire entre la vie et leur argent.   MONTESQUIEU, Lettres persanes, XCIX.

♦ **2.** (1669). Manœuvre des troupes qui défilent. ⇒ **2. Défiler.** *Le défilé du 14 juillet à Paris. Aller à la revue*, à la parade* pour voir le défilé. La musique marche en tête du défilé. Défilé de troupes, de cavaliers, de chars d'assaut. Défilé naval. Défilé spectaculaire.*

4 Le 20 octobre *(1805),* Napoléon, placé au pied du Michelsberg, assista au défilé des 30 000 hommes restés à Mack et qui, avec le feld-maréchal et un énorme état-major, tombaient ainsi, sans plus de coups férir, entre ses mains.   Louis MADELIN, Hist. du Consulat et de l'Empire, Avènement de l'Empire, XXII, p. 280.

♦ **3.** Suite de personnes, de voitures en mouvement et disposées en colonne, en file. ⇒ **Colonne, cortège, file.** *Le défilé des troupes montant vers la ligne de feu. Un défilé interminable de réfugiés. Défilé d'anciens combattants, de manifestants. Défilé de cavaliers à une parade, à un carnaval.* ⇒ **Cavalcade.** *Défilé de masques.* ⇒ **Mascarade.** *Défilé religieux.* ⇒ **Procession.** *Défilé aux flambeaux.* ⇒ **Retraite.** — (1925). *Le défilé des mannequins à une présentation de collection de couture.* —*Arriver à un mariage, à un enterrement pour le défilé,* pour le moment où les assistants défilent devant la famille afin de lui présenter leurs félicitations ou leurs condoléances. — *Le défilé du cortège,* dans une noce.

5 Les jeunes mariés venaient d'abord, puis les parents, puis les invités, puis les pauvres du pays, et les gamins qui tournaient autour du défilé, comme des mouches, passaient entre les rangs, grimpaient aux branches pour mieux voir.   MAUPASSANT, Contes de la Bécasse, « Farce normande ».

♦ **4.** Par ext. ⇒ **Procession, succession.** *Un défilé ininterrompu de visiteurs, de quémandeurs. Un défilé de voitures à la sortie de l'autoroute.* ⇒ **Carrousel** (fig.).

6 (...) il dépeignit l'ininterrompu défilé des lésés et des mécontents, leurs attitudes découragées, leurs figures navrées et navrantes.   COURTELINE, Messieurs les ronds-de-cuir, III, III, p. 114.

♦ **5.** (Abstrait). ⇒ **Chapelet, cortège, succession, théorie.** *Le défilé des générations.*

7 Venise (...) évoque d'un seul coup dans l'esprit un éclatant défilé de souvenirs magnifiques et tout un horizon de songes enchanteurs.   MAUPASSANT, la Vie errante, p. 245.

HOM. 1. **Défiler,** 2. **défiler.**

1. DÉFILEMENT [defilmã] n. m. — 1785 ; de 1. *défiler* (3.).

♦ Milit. Possibilité de se mettre à couvert (en étant protégé par un accident de terrain, une construction) ; protection, mise à couvert.

Avec de grandes demi-lunes, des fronts en ligne droite et un bon défilement, on doit tenir un certain temps.   P.-L. COURIER, in LITTRÉ.

2. DÉFILEMENT [defilmã] n. m. — 1921 ; « défilé* (de troupes) », 1832 ; de 2. *défiler** (3.).

♦ Techn. Passage, déroulement continu. *Le défilement d'une bande enregistrée. Vitesse de défilement d'un film à la projection, à la prise de vues.*

1. DÉFILER [defile] v. tr. — XIIIᵉ ; de 1. *dé-, fil,* et suff. verbal.

♦ **1.** Détacher, défaire (une chose enfilée). ⇒ **Désenfiler.** *Défiler un collier.* — Pron. *Une perle s'est défilée.*

1 J'ai songé cette nuit de perles défilées (...)   MOLIÈRE, le Dépit amoureux, V, 6.

Fig. *Défiler son chapelet** : raconter à la suite, énumérer.

♦ **2.** Techn. Défaire fil à fil. ⇒ **Effiler, effilocher.** *Défiler des chiffons,* pour en faire de la pâte à papier.

♦ **3.** Milit. Disposer (des troupes, un ouvrage) de manière à les soustraire à l'enfilade du feu ennemi.

▶ **SE DÉFILER** v. pron.

♦ **1.** Cesser d'être enfilé, sortir du fil. *Perles qui se défilent.*

♦ **2.** a Vieilli. *Troupes qui se défilent,* qui se mettent à l'abri du feu ennemi. ⇒ **1. Défilement.**

b (1860). Fam. Se cacher ou se récuser au moment critique. ⇒ **Caner, dérober** (se) ; **enfuir** (s'). *Je comptais sur eux : ils se sont tous défilés.* ⇒ **Claquer** (dans les mains).

2 Sans doute, ils se « défileront » par la suite, nieront avoir rien vu.   GIDE, Voyage au Congo, in Souvenirs, Pl., p. 743.

CONTR. **Enfiler.** — **Exposer.** — **Payer** (de sa personne). — **Tisser.**
DÉR. **Défilade,** 1. **défilage,** 1. **défilement, défileuse.** — V. **Défilocher.**
HOM. **Défilé,** 2. **défiler.**

2. DÉFILER [defile] v. intr. — 1648 ; de 2. *dé-,* et *file.*

♦ **1.** Marcher en file. *Défiler à la queue leu leu, en file indienne, un par un, deux par deux.*

1 (...) quand ils émigrent *(les bisons du Missouri),* leur troupe met plusieurs jours à défiler.   CHATEAUBRIAND, Voyage en Amérique, Bisons.

2 (...) tous les ouvriers défilaient devant lui, un après l'un, silencieux, le dos courbé.   MARTIN DU GARD, les Thibault, t. V, p. 67.

Passer en colonne devant un chef militaire. ⇒ **Défilé** (2.). *La troupe a défilé après avoir été passée en revue par son chef. Défiler au pas, drapeau en tête, musique en tête, par compagnies.* — Par ext. *Régiment qui défile en allant à l'exercice.*

3 Sur la place, le bataillon de jeunes était rangé (...) On n'entendait, sous la musique entraînante, que la cadence mécanique du régiment en marche. Le regard volontaire de ceux qui défilaient semblait vouloir dominer tous ces gosses muets qui présentaient les armes.   R. DORGELÈS, les Croix de bois, XI, p. 237.

3.1 Les rues sont pleines de troupes en armes, qui défilent en scandant des chants rythmés, aux intonations basses, plus nostalgiques que joyeuses.   A. ROBBE-GRILLET, Dans le labyrinthe, p. 211-212.

Par anal. Passer solennellement, l'un derrière l'autre, devant des spectateurs. *Défiler comme à la parade. Cortège, cavalcade qui défilent.*

♦ **2.** Se succéder sans interruption. *Les visiteurs avaient défilé toute la journée.* — (Choses). *Le paysage défile aux fenêtres du train.* ⇒ **Dérouler** (se).

4 Le taxi roulait à vive allure vers la gare ; les quais déjà déserts, le pont noir et luisant, la place du Carrousel, défilèrent au rythme accéléré d'un film d'aventures (...)
MARTIN DU GARD, les Thibault, t. IV, p. 43.

Fig. *Souvenirs, visions qui défilent dans la mémoire.*

5 — Et de longs corbillards, sans tambours ni musique,
Défilent lentement dans mon âme (...)
BAUDELAIRE, les Fleurs du mal, LXXVIII, « Spleen ».

6 C'est cette existence fangeuse, ce sont ces heures misérables qui défilent aujourd'hui devant mes yeux, quand je fredonne le refrain de la négresse (...)
Alphonse DAUDET, le Petit Chose, II, XII, p. 339.

♦ **3.** (1932). Passer de manière continue. ⇒ 2. **Défilement.** *Faire défiler une bande magnétique devant une tête de lecture.*

CONTR. Disperser (se), égailler (s'), mêler (se).
DÉR. Défilade, 2. défilage, défilé, 2. défilement.
HOM. Défilé, 1. défiler.

DÉFILEUSE [defilØz] n. f. — 1846 ; de 1. *défiler.*

♦ Techn. Machine qui fait le défilage.

DÉFILOCHAGE [defilɔʃaʒ] n. m. — 1865 ; de *défilocher.*

♦ Techn. ⇒ **Effilochage.**

DÉFILOCHER [defilɔʃe] v. tr. — 1890 ; de 1. *dé-*, et *filoche* « bout de fil » (→ Fil), ou de 1. *défiler*, et suffixe *-ocher.*

♦ Techn. ⇒ **Effilocher.**
DÉR. Défilochage.

DÉFINI, IE [defini] adj. et n. m. — XVIIᵉ ; de *définir.*

♦ **1.** Qui est défini. ⇒ **Définir** (1.). *Mot bien défini, mal défini. Les termes définis dans ce glossaire.*

Et en effet on peut tout prouver si les mots dont on se sert ne sont pas clairement définis. A. MAUROIS, Un art de vivre, p. 18.

N. m. Logique. LE DÉFINI : le concept, la notion (représenté[e] par un mot), qui est défini(e) dans une définition. *« La définition doit s'appliquer à tout le défini et au seul défini »* (Goblot).

♦ **2.** Qui est défini. ⇒ **Définir** (2.). *Les caractères définis d'un type humain.*

♦ **3.** ⇒ **Déterminé, précis.** *Avoir une tâche bien définie à remplir. Aller vers un but défini* (→ Commande, cit. 31). *Dans des proportions définies.*

Gram. *Article défini,* qui se rapporte (en principe) à un objet particulier, déterminé (masc. : *le ;* fém. : *la ;* plur. : *les*). *Passé défini.* ⇒ **Parfait, passé** (simple).

CONTR. Indéfini, indéterminé.

DÉFINIR [definiʀ] v. tr. — Fin XIIᵉ ; lat. *definire*, de *de-*, et *finire* « finir ».

♦ **1.** Déterminer par une formule précise (⇒ **Définition**) l'ensemble des caractères qui appartiennent à un concept. — REM. On *définit* un concept, une idée générale. On *décrit* un objet concret, une classe (→ Décrire). *Définir un mot*, indiquer sa signification ; donner ses significations par une définition de type lexicographique. *Chercher dans un dictionnaire comment est défini un mot, une expression.* ⇒ **Déterminer** (le sens), **expliquer** (→ Artisan, cit. 10, caricature, cit. 1). *Définir clairement et distinctement un mot, un terme, une expression. Définir qqch. par le genre prochain et la différence spécifique. Définir un mot à l'aide de son contexte.*

1 La dissimulation n'est pas aisée à bien définir : si l'on se contente d'en faire une simple description, l'on peut dire (....)
LA BRUYÈRE, les Caractères de Théophraste, De la dissimulation.

2 (...) il n'y a rien de plus faible que le discours de ceux qui veulent définir ces mots primitifs (espace, temps, mouvement, nombre, égalité...). Quelle nécessité y-a-t-il, par exemple, d'expliquer ce qu'on entend par le mot *homme ?* (...) pour définir l'être, il faudrait dire *c'est,* et ainsi employer le mot défini dans sa définition.
PASCAL, l'Esprit géométrique, I.

3 Mais ces mots primitifs (*être, faire,* etc.) sont en très petit nombre, et ne sauraient autoriser, pour les autres, le défaut de méthode qui consiste à définir un premier terme par un second, et le second à son tour par le premier (...)
HATZFELD, Dict., Introd., XV.

4 Les nuances de sens ou d'emploi qui distinguent les synonymes les uns des autres apparaissent bien plus clairement quand on les oppose et les compare que quand on se borne à les définir isolément. Gaston PARIS,
Extrait du Journal des Savants, oct. et nov. 1890, Compte rendu Dict., p. 23.

♦ **2.** Par ext. Caractériser (une chose, une personne particulière). → Ordre, cit. 5. *Une sensation difficile à définir.* ⇒ **Indéfinissable.**

Ne formez pas l'idée de votre tristesse. Ne la définissez pas. La tristesse est déjà 5
une faiblesse. A. MAUROIS, le Cercle de famille, II, III, p. 143.

Il l'a vite définie : une paresseuse.

Quel moyen de vous définir (...) il faudrait (...) vous confronter avec vos pareils, 6
pour porter de vous un jugement sain et raisonnable.
LA BRUYÈRE, les Caractères, IX, 20.

♦ **3.** Préciser l'idée de. ⇒ **Déterminer, expliquer, fixer, indiquer, préciser.** *Il faudra le faire, dans des conditions qui restent à définir. Définir un but, les conditions d'un travail. Il lui est difficile de définir ce qu'il ressent. Cela est malaisé à définir* (→ Attitude, cit. 29 ; artiste, cit. 14). *Demander au gouvernement de définir sa position.*

La mémoire a donc bien ses degrés successifs et distincts de tension ou de vita- 7
lité, malaisés à définir, sans doute, mais que le peintre de l'âme ne peut pas troubler entre eux impunément. H. BERGSON, Matière et mémoire, p. 186.

Théol. Déterminer le sens de (un point de dogme). ⇒ **Décider, fixer, trancher.** *Les conciles ont défini que... Définir un dogme. Définir ex cathedra.* ⇒ **Définition.**

Il est vrai qu'on ne définit expressément à Nicée que ce qui était expressément 8
révoqué en doute, qui était la divinité du Fils de Dieu.
BOSSUET, Hist. des variations, 1ᵉʳ avertissement, paragr. 30, in LITTRÉ.

♦ **4.** Rare. (Concret). Fixer les limites de. ⇒ **Circonscrire, déterminer.** *Définir un lieu, un terrain, une surface.*

▶ **SE DÉFINIR** v. pron.

(Passif). Être défini. *Terme qui se définit malaisément.*

(Réfléchi). Donner une définition de soi-même. ⇒ **Caractériser** (se).

Ils s'expliquaient indéfiniment l'un à l'autre, ou plutôt ils essayaient de se définir, 9
c'est-à-dire de ressembler à l'image qu'ils traçaient d'eux-mêmes.
Edmond JALOUX, le Dernier Jour de la création, VIII, p. 91.

(Recipr.). *« Celui qui rêve et ce qu'il rêve se définissent réciproquement — c'est un cercle vicieux »* (Paul Valéry).

DÉR. Défini, définissable, définissant, définisseur.

DÉFINISSABLE [definisabl] adj. — Fin XVIIᵉ ; de *définir.*

♦ Que l'on peut définir. *Les mots « primitifs » ne sont pas définissables. Éprouver un sentiment très définissable.*

CONTR. Indéfinissable.

DÉFINISSANT [definisã] n. m. — V. 1951 ; de *définir.*
Didactique.

♦ **1.** Second membre d'une définition (1., philos. ou ling.) ; énoncé servant à définir. *Un définissant du mot traité ici* (définissant) *est « énoncé servant à définir ». Équivalence entre le définissant et le défini.*

♦ **2.** Ling. Unité lexicale qui fait partie d'une définition. ⇒ **Définisseur** (2.). *Les définissants du mot* définissant *sont ici « unité lexicale », « faire partie », et « définition ».*

DÉFINISSEUR [definisœʀ] n. m. — 1771, Voltaire, « celui qui a la manie des définitions ».
Didactique.

♦ **1.** Personne qui définit. *Le lexicographe est un définisseur.*

♦ **2.** Mot d'une définition, qui sert à définir. ⇒ **Définissant.**

DÉFINITEUR [definitœʀ] n. m. — 1646, *definiteur ; diffinitour,* 1347 ; lat. ecclés. *definitor,* du supin de *definire.* → Définir.

♦ Relig. Dans certains ordres, Celui qui est délégué aux chapitres de son ordre pour assister le général ou le provincial dans l'administration de l'ordre.

(...) il parvint, malgré des concurrents très jaloux, à être élu définiteur de sa province, ou, comme on dit, un des grands colliers de l'ordre.
ROUSSEAU, les Confessions, V.

DÉFINITIF, IVE [definitif, iv] adj. — XIIᵉ ; lat. *definitivus* « de la définition » en lat. class., et en bas lat. « limité, défini », du supin de *definire.* → Définir.

♦ **1.** Qui est fixé de manière qu'il n'y ait plus à revenir sur la chose. ⇒ **Déterminé, fixe, invariable, irrémédiable, irrévocable.** *Succès définitif.* ⇒ **Décisif.** *Les résultats définitifs d'un examen. Édition définitive d'une œuvre. Être nommé à un poste à titre définitif. Sa résolution est définitive. Leur séparation est définitive,* c'est un fait accompli (→ Brouille, cit. 1 ; cicatrice, cit. 5). ⇒ aussi **Irréparable.**

Ce n'est jamais qu'à cause d'un état d'esprit qui n'est pas destiné à durer qu'on 1
prend des résolutions définitives.
PROUST, À la recherche du temps perdu, t. III, p. 188.

Cette opinion, chez sa mère et chez les bourgeoises de son entourage, était défi- 2
nitive et entière. Valery LARBAUD, Fermina Marquez, IX, p. 74.

Dr. *Jugement définitif,* qui statue sur le fond.

Par ext. Qui résout totalement un problème. *On a publié un article définitif sur cette question.*

N. m. Fam. *Le définitif :* ce qui ne sera plus changé (par oppos. à *provisoire*). *Faire du définitif.*

♦ **2.** Loc. adv. EN DÉFINITIVE : après tout, tout bien considéré. ⇒ **Après** (cit. 82 à 88), **décidément, définitivement, finalement ;** → En dernière analyse*, au bout du compte*, tout compte fait ; en un mot*, pour conclure, pour finir, pour terminer... *En définitive, il ne viendra pas. Que choisissez-vous en définitive ?*

3 Ces énormes batailles de Napoléon sont au-delà de la gloire ; l'œil ne peut embrasser ces champs de carnage qui, en définitive, n'amènent aucun résultat proportionné à leurs calamités.
                          CHATEAUBRIAND, Mémoires d'outre-tombe, t. III, p. 175.

4 Créer, en définitive, est la seule joie digne de l'homme et cette joie coûte beaucoup de peine.   G. DUHAMEL, Chronique des Pasquier, III, t. II, p. 88.

CONTR. (Du 1.) **Momentané, provisoire.** — (De *en définitive*) **Commencer** (pour commencer), **momentanément, provisoirement.**
DÉR. Définitivement.

DÉFINITION [definisjɔ̃] n. f. — V. 1160, *definicion ;* lat. *definitio,* du supin de *definire.* → Définir.

♦ **1.** Log. Proposition dont le premier membre est le terme à définir, le second étant composé de termes connus qui permettent de
déterminer les caractères du premier *(définition en compréhension*
ou *intensionnelle),* ou de déterminer la classe d'objets qu'il désigne
(définition en extension ou *extensionnelle). Définition exacte, juste,*
correcte, claire, distincte ; fausse ; confuse, obscure, incomplète,
imparfaite. Compléter une définition par une description. Défini-
tion caractéristique, par genre prochain et différence spécifique.
Une définition perd en extension ce qu'elle gagne en compréhen-
sion. — *Définition logique, terminologique. Définition « de mots »,*
« de choses ».

1 J'entends corner sans cesse à mes oreilles : *L'homme est un animal raisonnable.*
Qui vous a passé cette définition ?   LA BRUYÈRE, les Caractères, XII, 119.

2 Il *(Leibniz)* pose des définitions exactes qui le privent de l'agréable liberté d'abuser des termes dans les occasions.   FONTENELLE, Éloge de Leibniz.

3 Une définition exacte doit s'appliquer au mot défini, à l'exclusion de tous les
autres, et rendre raison de toutes ses acceptions.
                                         HATZFELD, Dict., Introd., XIII.

4 La définition est un jugement qui a pour sujet et pour attribut deux concepts équivalents (...) La condition générale de toute définition est que le défini et la définition aient même extension, c'est-à-dire soient attributs des mêmes jugements vir-
tuels ; elle doit être *caractéristique,* convenir à tout le défini et au seul défini, *omni*
et soli definito.   Edmond GOBLOT, Traité de logique, IV, 73.

REM. La plupart de ces exemples ne distinguent pas la définition logique (ci-dessus) de la définition de dictionnaire (ci-dessous). L'exemple
suivant étend le concept :

5 (...) il n'est de définitions précises qu'*instrumentales* (c'est-à-dire qui se réduisent
à des actes, comme de montrer un objet ou d'accomplir une opération). Il est
impossible de s'assurer que des sens uniques, uniformes et constants, correspondent à des mots comme *raison, univers, cause, matière,* ou *idée.* Il en résulte le
plus souvent que tout effort pour préciser la signification de tels termes aboutit à
introduire sous un même nom, un nouvel objet de pensée *qui s'oppose au primitif*
dans la mesure où il est nouveau.   VALÉRY, Variété, V, p. 272.

Math., sc. Convention logique établissant les caractères d'un concept. ⇒ **Hypothèse, principe, règle.** *Seules les définitions mathéma-*
tiques et logiques sont créatrices de concept. Cette proposition est
vraie par définition, par suite des conventions logiques qui ont été
initialement acceptées. *Par définition, vous avez raison.*

6 On juge que le résultat obtenu est nécessaire parce qu'on est convaincu qu'on a
opéré selon les règles qui sont : 1º les conventions logiques, c'est-à-dire les définitions et les hypothèses ; 2º les propositions générales antérieurement démontrées.
                          Edmond GOBLOT, Traité de logique, XI, 166.

Ling. Action de définir (une unité du lexique : mot, expression). *Pro-*
céder à la définition d'un mot, d'une expression ; d'un terme dans
une terminologie. *Définition d'un terme mathématique* (cit. 0.3). —
Ensemble formé par le terme défini (sujet) et le prédicat définissant. ⇒ **Définissant, 2.** — Spécialt. Le prédicat seul ; formule brève
correspondant à un concept reconnaissable, et capable d'en susciter
l'élaboration. *Définition d'un mot, d'un mot dans un sens* (ellipt.,
d'un sens). La définition est une périphrase synonymique du défini.

7 Les définitions des dictionnaires sont des définitions de choses, car le mot, dans
ce cas est une chose, un fait d'expérience, un donné. La tâche du lexicographe est
de constater l'usage ou les usages, d'enregistrer avec exactitude le sens que donnent à un mot ceux qui le prononcent et ceux qui l'entendent, en un temps, en
un lieu et en un milieu donnés... Cependant lorsqu'un dictionnaire fait autorité,
il fixe, précise et unifie l'usage. Un bon dictionnaire améliore une langue ; il
diminue l'indétermination, en ralentit l'évolution, en élimine les variétés dialectales. Ses définitions ont, dans une certaine mesure, le caractère de conventions
acceptées.   Edmond GOBLOT, Traité de logique, IV, 81.

8 On formerait, sur un cadran, le mot auquel on s'intéresse et l'appareil donnerait,
à haute voix, la définition et les explications.
                          G. DUHAMEL, Cri des profondeurs, III, p. 53.

Math. *Ensemble* (ou *domaine) de définition d'une fonction :*
ensemble des éléments qui admettent une image* par cette fonction.

♦ **2.** Action de caractériser. ⇒ **Description.**

9 On le voit, la nation française est particulièrement difficile à définir d'une façon

---

simple ; et c'est là même un élément assez important de sa définition que cette
propriété d'être difficile à définir.
                          VALÉRY, Regards sur le monde actuel, p. 116.

♦ **3.** Action de préciser (une idée), de déterminer.

(1561). Théol. Action de déterminer un point de dogme ; résultat de
cette action. *Les définitions des conciles. Définition ex cathedra*
d'un dogme, formulée par le Pape parlant en tant que Pasteur de
l'Église catholique romaine, sur un point de dogme ou de morale
(⇒ **Infaillibilité**).

♦ **4.** (1953). Nombre fixe de lignes, par lesquelles l'image télévisée
est analysée. *La précision de l'image augmente avec le nombre de*
lignes de sa définition.

DÉR. Définitionnel.

DÉFINITIONNEL, ELLE [definisjɔnɛl] adj. — V. 1970 ; de *défi-*
nition.

Didactique.

♦ **1.** Qui se rapporte à la définition. *La structure définitionnelle.*

♦ **2.** Qui constitue une définition. ⇒ **Définitoire.** *Énoncé définition-*
nel.

DÉFINITIVEMENT [definitivmã] adv. — 1558 ; de *définitif.*

♦ **1.** D'une manière définitive. ⇒ **Invariablement, irrémédiablement,**
irrévocablement ; fois (une fois pour toutes, une bonne fois). *Il est*
parti définitivement. ⇒ **Toujours** (pour toujours).

♦ **2.** Pour en finir. *Définitivement, que voulez-vous en faire ?*
⇒ **Décidément, définitive** (en).

1 Cela parut drôle, et l'on pensa définitivement qu'elle devait être sa *bonne amie.*
                          FLAUBERT, Mᵐᵉ Bovary, II, IV, p. 66.

2 La *Léopoldine* devait mouiller en grande rade devant le Pors-Even, et n'appareiller définitivement que le soir (...)   LOTI, Pêcheur d'Islande, V, II, p. 274.

DÉFINITOIRE [definitwaR] adj. — V. 1961 ; n. m., «lieu où
s'assemblent les définiteurs», 1680 ; du lat. relig. mod. *definitorium,* du
lat. class. *definitor,* du supin de *definire ;* sens mod. de *défini,* d'après
l'italien *definitario,* B. Croce.

♦ Didact. Qui sert à définir, qui constitue une définition (→ Définitionnel). *Exemple, citation définitoire.*

DÉFISCALISATION [defiskalizɑsjɔ̃] n. f. — D. i. ; attesté 1984
(cit.) dans notre documentation ; de *défiscaliser.*

♦ Didact. (dr., admin., etc.). Fait de défiscaliser ; état de ce que l'on
a défiscalisé. *« Pour le juriste bruxellois Michael Van Notten,*
pionnier des zones franches en Belgique, celles-ci se reconnaissent
d'abord au critère de la défiscalisation : " L'intérêt de ces zones, dit-
il, c'est qu'elles permettent de faire la démonstration du caractère
anti-économique de l'impôt sur les sociétés, grand fauteur de chô-
mage. En fait, elles mettent en question toute la structure fiscale
(...) " » (*l'Express,* 27 janv. 1984, p. 39).

DÉFISCALISER [defiskalize] v. tr. — D. i. (xxᵉ) ; de 1. *dé-,*
et *fiscaliser.*

♦ Didact. (admin., dr., etc.). Faire sortir de la compétence de l'administration fiscale ; libérer de tout prélèvement fiscal. — Instituer,
proclamer zone franche (une ville, une région...).

DÉFLAGRANT, ANTE [deflagRã, ãt] adj. — 1870 ; de *déflagrer.*

♦ **1.** Techn. Qui déflagre. *Matière déflagrantes.*

♦ **2.** Fig. Qui provoque un effet de choc.

(...) trouvant trop lent sur eux et leurs semblables le travail déflagrant de la musique, de la littérature ou des couleurs *(ils)* lui préfèrent des agents plus rapides,
comme la cocaïne, le trafic des bêtes fauves et les complots.
                          J. GIRAUDOUX, Siegfried et le Limousin, p. 158.

DÉFLAGRATEUR [deflagRatœR] n. m. — 1846 ; de *déflagrer.*

♦ Techn. Appareil destiné à mettre le feu à des matières déflagrantes.

DÉFLAGRATION [deflagRɑsjɔ̃] n. f. — 1691 ; lat. *deflagratio* du
supin de *deflagrare.* → Déflagrer.

♦ **1.** Didact. Combustion vive d'un corps ; propagation rapide d'une
flamme par conductibilité thermique. ⇒ **Combustion.**

0.1 (...) dans le moteur à carburation préalable, l'échauffement du mélange carburé
dans le cylindre au moment de la compression est inessentiel ou même nuisible,
puisqu'il risque de produire la détonation au lieu de produire la déflagration (com-

bustion à onde explosive progressive), ce qui limite le taux de compression admissible pour un type donné de carburant (...)
Gilbert SIMONDON, Du mode d'existence des objets techniques, p. 44.

♦ **2.** Cour. Explosion accompagnée d'une projection de matières enflammées. ⇒ **Détonation, explosion.**

1 (...) que l'univers finirait par une déflagration générale.
DIDEROT, Opinions des anc. philosophes, Pythagorisme.

2 La déflagration a fait sauter une porte-fenêtre de la chambre où je dormais, et défoncé une grande et épaisse glace du salon.
GIDE, Journal, 6 janv. 1943, p. 71.

♦ **3.** Par ext. ⇒ **Bruit, éclatement, explosion, fracas.**

3 Les mauvais jazz, le fracas des horribles klaxons et des trompes stridentes, la pétarade abjecte des motocyclettes, la muflerie des «échappements libres», les déflagrations de pneus qui crèvent, les clameurs des phonos ou des appareils de radio de mauvaise qualité munis d'amplificateurs brutalement maniés, tout ce vacarme enfin qui oblige tympans et gosiers à des efforts épuisants pour peu qu'on veuille échanger quelque propos dans un endroit public, ne sont pas pour raffiner les oreilles.
Initiation à la musique, p. 121.

(Av. 1791). Par métaphore. Manifestation soudaine, qui a un grand retentissement.

4 Pourquoi a-t-il *(le christianisme)* possédé cette puissance formidable de déflagration qui a changé le cours de l'Histoire et qui a modifié dans les profondeurs l'homme lui-même?
F. MAURIAC, Bloc-notes 1952-1957, p. 16.

DÉR. Déflagrer.
COMP. (Du rad.) **Antidéflagrant.**

DÉFLAGRER [deflagʀe] v. intr. — 1870; du lat. *deflagrare* «se consumer entièrement», de *de-* intensif et *flagrare* «brûler», sens d'après *déflagration.*

♦ Chim., techn. S'enflammer en explosant.
Par métaphore. (Rare). Se manifester brutalement.
DÉR. Déflagrant, déflagrateur.

1. DÉFLATION [deflɑsjɔ̃] n. f. — 1909; de l'all. *Deflation* (Walther, 1891); du lat. *deflare* «enlever en soufflant».

♦ Géol. Ablation éolienne des matériaux meubles et secs (→ Corrosion, érosion). *Rôle de la déflation dans le relief désertique. Cuvettes de déflation,* où se déposent les matériaux transportés par le vent.

2. DÉFLATION [deflɑsjɔ̃] n. f. — V. 1920 (1909, selon T.L.F.); angl. *deflation,* même sens, au propre «dégonflement» de *inflation.* → Inflation.

♦ Écon. et cour. Freinage ou résorption totale de l'inflation (par des mesures visant à la diminution de la masse monétaire, à la réduction de la demande par rapport à l'offre, etc.). *La déflation est un facteur de récession économique.*

1 (...) le reflux aux banques des instruments de crédit ayant servi à soutenir l'essor antérieur, pendant la guerre et pendant le boom, c'était de la déflation de crédit (...)
André SIEGFRIED, les États-Unis d'aujourd'hui, 1927, p. 230.

2 Au lieu de réduire la crise, la politique de déflation menée par les gouvernements issus du 6 février faisait partout baisser les salaires et croître le chômage.
R. ABELLIO, les Militants, p. 232.

CONTR. Inflation.
DÉR. Déflationniste.

DÉFLATIONNISTE [deflɑsjɔnist] n. et adj. — 1947, *in* D.D.L.; de 2. *déflation.*
Économie.

♦ **1.** N. m. Partisan ou théoricien de la déflation économique. → Anti-inflationniste. *Déflationnistes et inflationnistes.*

♦ **2.** Adj. Qui se rapporte ou tend à la déflation économique. *Théories déflationnistes en matière d'économie. Système d'échanges à tendance déflationniste.*

CONTR. Inflationniste.

DÉFLÉCHIR [defleʃiʀ] v. — Av. 1778; *desflechier* «détourner», XIIIᵉ; de 2. *dé-* et *fléchir,* cf. le lat. *deflectere.* → Déflecteur.
Didactique.

♦ **1.** V. tr. Modifier la direction de. ⇒ **Dévier.** — P. p. adj. *Faisceau de particules défléchi.*

♦ **2.** V. intr. Changer de direction.

DÉFLECTEUR [deflɛktœʀ] n. m. — 1890; du lat. *deflectere* «fléchir», de *de-,* et *flectere* «ployer, fléchir».

♦ **1.** Mar. Appareil servant à déterminer la déviation des compas des navires.

♦ **2.** (1921). Techn. Appareil servant à changer la direction d'un courant gazeux, d'un flux d'électrons, etc.

♦ **3.** (Mil. xxᵉ). Cour. Petit volet orientable d'une vitre de portière d'automobile, servant à aérer.
C'était plus impitoyable que de rouler dans une voiture sur une autoroute, et d'entendre le bruit du vent à 155 kilomètres à l'heure dans les déflecteurs.
J.-M. G. LE CLÉZIO, les Géants, p. 260.

DÉFLEGMATEUR [deflɛgmatœʀ] n. m. — 1931; adj., 1888; de *déflegmer.*

♦ Techn. Partie de l'alambic où s'effectue la déflegmation.

DÉFLEGMATION [deflɛgmɑsjɔ̃] n. f. — Av. 1741; de *déflegmer.*

♦ Chim. Action de déflegmer; son résultat. — Spécialt. Distillation des moûts en fermentation.

DÉFLEGMER [deflɛgme] v. tr. — 1700; p. p. adj., 1641; de 1. *dé-,* et *flegme.*

♦ Chim. Rectifier (un alcool) en retirant les flegmes*. ⇒ **Rectifier.**
DÉR. Déflegmateur, déflegmation.

DÉFLEURAISON [deflœʀɛzɔ̃] n. f. — 1744; de *défleurir,* d'après la finale de *floraison.*

♦ Littér. et bot. Action de défleurir, de perdre ses fleurs (végétal); moment où les fleurs d'un arbre se fanent et tombent. ⇒ **Défloraison.**

DÉFLEURIR [deflœʀiʀ] v. — XIVᵉ; de 1. *dé-,* et *fleurir.*
Littéraire.

♦ **1.** V. intr. Perdre ses fleurs. ⇒ **Faner** (se), **flétrir** (se).

1 Pendant une bouffée de silence, épaisse comme une brume, je viens d'entendre choir sur la table voisine les pétales d'une rose qui n'attendait, elle aussi, que d'être seule pour défleurir.
COLETTE, l'Étoile Vesper, p. 40.

♦ **2.** V. tr. Enlever les fleurs de (une plante). ⇒ **Déflorer** (1.). *La gelée a défleuri les pêchers.*

2 L'hiver a défleuri la lande et le courtil.
Tout est mort. Sur la roche uniformément grise
Où la lame sans fin de l'Atlantique brise,
Le pétale fané pend au dernier pistil.
J. M. DE HÉRÉDIA, Trophées, «Brise marine», p. 148.

Par anal. Enlever le velouté de (un fruit). *Défleurir des pêches en les manipulant.*

♦ **3.** Fig. Enlever la fraîcheur, la candeur, le charme, l'attrait de... ⇒ **Déflorer, défraîchir, flétrir.**

▶ **SE DÉFLEURIR** v. pron. Fig. :

3 Mais cette première nuance, si l'on n'y prend garde, s'épuise dans une courte durée et se défleurit.
SAINTE-BEUVE, Volupté, XV, p. 145.

▶ **DÉFLEURI, IE** p. p. adj.
Littér. Qui a perdu ses fleurs. *Bouquet défleuri. Haie défleurie.*

4 (...) je venais de reconnaître, aux feuilles découpées et brillantes qui s'avançaient sur le seuil, un buisson d'aubépines défleuries, hélas, depuis la fin du printemps.
PROUST, À la recherche du temps perdu, t. V, p. 191.

4.1 Le petit pavillon avec la fenêtre juste pour que l'œil passe et voie la rivière rapide, au-dessus de l'autre fleuve que fait l'air d'avril, les forêts qui, dit-on, sont remplies de singes, les cerisiers à peine défleuris.
CLAUDEL, Journal, avr. 1923.

Figuré :

5 (....) sa vie attristée et défleurie n'a pas peu contribué à sa mort.
CHATEAUBRIAND, Mémoires d'outre-tombe, t. IV, p. 327.

CONTR. Refleurir.
DÉR. Défleuraison.

DÉFLEURISSANT, ANTE [deflœʀisɑ̃, ɑ̃t] adj. — 1940; p. prés. de *défleurir* (2.).

♦ Littér. et rare. Qui enlève, détruit les fleurs. *Une gelée défleurissante.* — Qui défraîchit, flétrit. ⇒ **Flétrissant.**

J'aimerais, parents, que vous n'écrasiez pas sous des railleries défleurissantes un rêve qui a sa pudeur, et son romantisme.
COLETTE, De ma fenêtre, 25 déc. 1940, p. 50.

DÉFLEXION [deflɛksjɔ̃] n. f. — 1754; *deflection* «mouvement tournant», XVIᵉ; du bas lat. *deflexio,* de *deflexum,* supin de *deflectere* «détourner». → Déflecteur.
Didactique et technique.

♦ **1.** Phys. Déviation d'un faisceau lumineux ou d'un autre rayonnement. ⇒ **Diffraction, dispersion.**

♦ **2.** (1863). Méd. Position du fœtus en extension, à l'accouchement.

♦ **3.** Méd. Dans un électrocardiogramme, Déviation du tracé par rapport à la ligne isoélectrique.

♦ **4.** Psychan. Détournement inconscient de l'attention.

♦ **5.** Aviat. Changement de direction des filets d'air derrière un empennage.

DÉFLOCULATION [deflɔkylasjɔ̃] n. f. — Mil. xxᵉ ; de 1. *dé-*, et *floculation.*

♦ Didact. Dispersion, par divers moyens physiques ou chimiques, des particules formées au cours d'une floculation*.

DÉFLORAISON [deflɔʀɛzɔ̃] n. f. — 1771 ; de *déflorer* d'après *floraison.*

♦ Littér. et bot. Chute des fleurs. — Saison où s'effectue cette chute. ⇒ **Défleuraison.**

DÉFLORATEUR [deflɔʀatœʀ] adj. et n. m. — Déb. xixᵉ ; de *déflorer.*

♦ Rare. Qui déflore, cherche à déflorer.

1 Qui pouvait résister à l'esprit déflorateur de Louis XVIII, lui qui disait qu'on n'a de véritables passions que dans l'âge mûr...
    BALZAC, le Lys dans la vallée, Pl., t. VIII, p. 986.

2 C'est le début de la saison des guerres, les paysannes de la brousse craignent la venue des grands babouins déflorateurs des filles pubères.
    P. GRAINVILLE, les Flamboyants, p. 13.

DÉFLORATION [deflɔʀasjɔ̃] n. f. — 1314 ; lat. *defloratio*, du supin de *deflorare.* → Déflorer.

♦ Action de déflorer (une fille vierge). ⇒ **Dépucelage** (fam.). Rupture de l'hymen.

Il y a à Paris, dans le monde, des professionnels de la défloration, des hommes à l'affût de l'innocence (...)   Marcel PRÉVOST, les Demi-vierges, I, III, p. 29.

DÉFLORER [deflɔʀe] v. tr. — Déb. xiiiᵉ ; lat. *deflorare* «ôter la fleur de», de *de-*, et *flos, floris* «fleur».

♦ **1.** Vx. Dépouiller de ses fleurs (une plante). ⇒ **Défleurir.**

♦ **2.** Vieilli ou littér. *Déflorer une jeune fille*, lui faire perdre sa virginité. ⇒ **Dépuceler** (fam.).

1 (...) en attendant qu'il *(le conquérant barbare)* déflore ou qu'il sacrifie sur l'autel la fille du bon-homme dont il dévore la subsistance ( )
    VOLTAIRE, Dialogues, XXIX, 12.

♦ **3.** Fig. Enlever la fraîcheur, la nouveauté de (qqch.). ⇒ **Gâter.** *Déflorer un sujet,* en le traitant d'une manière maladroite ou incomplète.

2 Je craignais de déflorer les moments heureux que j'ai rencontrés, en les décrivant, en les anatomisant.   STENDHAL, Souvenirs d'égotisme, p. 3.

▶ **DÉFLORÉ, ÉE** p. p. adj. *Plante déflorée.* — *Fille déflorée.* Par métaphore. «*Phèdre demeure le moins défloré des rôles*» (Mauriac, *in* T. L. F.).

DÉR. Défloraison, déflorateur.

DÉFLORESCENCE [deflɔʀesɑ̃s] n. f. — D. i. ; du lat. *deflorescere* «perdre ses fleurs», de *flos, floris* «fleur».

♦ Méd. Disparition des lésions cutanées au stade final d'une maladie éruptive.

DÉFLUENT [deflyɑ̃] n. m. — V. 1956 ; p. prés. de *défluer* «couler vers le bas» (vx), lat. *defluere*, d'après *affluent, confluent.*

♦ Géogr. Bras formé par diffluence* d'un cours d'eau. *Les défluents d'un delta.*

DÉFLUER [deflye] v. tr. — 1732 ; «couler» au xivᵉ ; de 1. *dé-*, et *fluer* «couler».

♦ Astron. S'écarter (d'un astre, d'une planète ; en parlant d'un corps céleste).

DÉFLUVIATION [deflyvjasjɔ̃] n. f. — V. 1956 ; de 1. *dé-*, et radical du latin *fluvius* «fleuve» ; cf. *fluvio-.*

♦ Géogr. Changement de lit d'un fleuve, ou d'un défluent deltaïque, dans la plaine de niveau* de base. *Défluent formé par défluviation, à la suite d'une crue.* ⇒ **Diffluence, divagation.**

DÉFOCALISATION [defɔkalizasjɔ̃] n. f. — D. i. ; de *défocaliser.*

♦ Sc. Action de défocaliser (un rayonnement) ; fait d'être défocalisé, de se défocaliser, pour un rayonnement. *La défocalisation d'un faisceau.* «*Vient enfin l'effet peut-être le plus fâcheux de tous : la défocalisation thermique. Il provient de ce que l'air s'échauffe au passage du rayon. De ce fait son indice de réfraction change et le*

faisceau tend à diverger. Pour cet effet ce sont les faibles longueurs d'onde qui sont avantagées car elles échauffent moins l'air. Mais dans tous les cas cette défocalisation va fixer une limite à la puissance qu'un laser peut délivrer» (*Sciences et Avenir*, n° 407, janv. 1981, p. 20).

DÉFOCALISER [defɔkalize] v. tr. — D. i. ; de 1. *dé-*, et *focaliser.*

♦ Sc. Faire diverger (un rayonnement : lumière, faisceaux d'électrons...). — Au p. p. *Faisceau défocalisé.*

Pron. «*L'onde initialement émise (...) se trouve déformée à mesure qu'elle se propage dans l'atmosphère. De ce fait, le faisceau se défocalise et l'énergie est beaucoup moins concentrée à l'arrivée*» (*Sciences et Avenir*, n° 407, janv. 1981, p. 21.)

DÉFOLIANT [defɔljɑ̃] adj. et n. m. — V. 1966 ; angl. des États-Unis *défoliant* — de *to defoliate* — et de *défolier*.

♦ Didact. — Adj. Qui provoque la défoliation. — N.m. Produit chimique destiné à la défoliation. ⇒ aussi **Herbicide.** *Territoires dévastés par les défoliants et le napalm.*

1 Au Vietnam, ces mêmes Américains avec leur napalm, leurs défoliants, n'ont pas agi autrement qu'ils avaient agi en 1945, en Allemagne ou au Japon, mais comme là-bas ils n'étaient plus nos alliés, nous le leur avons reproché.
    Michèle PERREIN, Entre chienne et louve, p. 196.

2 Les ingrédients utilisés avaient des noms savants et barbares (...) mais ils étaient en général connus du grand public sous le nom simple et pudique de défoliants.
    Pierre BOULLE, les Oreilles de Jungle, p. 120.

DÉFOLIATION [defɔljasjɔ̃] n. f. — 1801, Fourcroy ; de 1. *dé-*, et *foliation.*

♦ **1.** Bot. Chute prématurée des feuilles d'un arbre. ⇒ **Défeuillaison.**

♦ **2.** (V. 1966, angl. des États-Unis *defoliation*, de *to defoliate*). → Défolier). Destruction artificielle massive des feuilles d'arbres et des surfaces végétales (au moyen de défoliants).

DÉFOLIER [defɔlje] v. tr. — Conjug. *méfier.* — V. 1966 ; du lat. *defoliare* «défeuiller», d'après l'angl. des États-Unis *to defoliate* de même origine.

♦ Provoquer la défoliation (2.) de... — Absolt. «*On débarquait, on bombardait, on défoliait*» (*l'Express*, 27 mars 1967).

DÉFONÇAGE [defɔ̃saʒ] n. m. — 1797 ; de *défoncer.*

♦ **1.** Action de défoncer ; son résultat. *Le défonçage d'un tonneau.*

♦ **2.** (1863). Agric. Labour à grande profondeur (40 à 60 cm).

DÉFONCE [defɔ̃s] n. f. — V. 1972 ; déverbal de *se défoncer.*

♦ Fam. (argot de la drogue). Ivresse éprouvée après l'absorption de certains hallucinogènes (→ Voyage). «*L'hôpital se trouve loin des quartiers où somnolent, entre deux défonces, les drogués*» (le *Nouvel Obs.*, 22 oct. 1973). *Être en pleine défonce.*

«Moi, ça m'arrive *(de fumer du H)*. Mais ce n'est plus de la défonce. Juste un joint les jours de déprime.»   Cecil SAINT-LAURENT, la Bourgeoise, p. 195.

DÉFONCÉ, ÉE [defɔ̃se] adj. et n. — Fin xviᵉ ; p. p. de *défoncer.*

♦ **1.** Brisé, abîmé par enfoncement.

1 (...) un divan qui n'est peut-être qu'un sommier défoncé, mais que recouvre une étoffe suffisamment orientale.
    J. ROMAINS, les Hommes de bonne volonté, t. V, XXI, p. 165.

♦ **2.** Qui présente de grandes inégalités, de larges trous. *Route, chaussée défoncée. Terrain défoncé.*

♦ **3.** Personnes (fam. ; de *défoncer*, 5.). Qui est sous l'effet d'hallucinogènes. ⇒ **Stoned** (anglic.).

N. m. et f. :

2 Tu ne décollais pas d'avec ce mec du Living Theater et toute sa bande de défoncés qui me regardaient danser avec des airs méprisants.
    Jeanne CORDELIER, la Passagère, p. 49.

DÉFONCEMENT [defɔ̃smɑ̃] n. m. — 1653 ; de *défoncer.*

♦ **1.** Action de défoncer. ⇒ **Défonçage** (1. et 2.).

♦ **2.** Forme de ce qui est défoncé. ⇒ **Enfoncement.**

Plus loin, un défoncement de terrain, marais ou rivière, qu'abritent quelques arbres énormes d'essence inconnue.
    GIDE, Voyage au Congo, in Souvenirs, Pl., p. 701.

DÉFONCER [defɔ̃se] v. tr. — Conjug. *placer.* — xivᵉ ; de 1. *dé*, et *foncer.*

◆ **1.** Techn. Enlever le fond de (une caisse, un tonneau). *Défoncer une caisse à coups de marteau.*

1   Elle fit défoncer trois muids de vin.   Mme DE SÉVIGNÉ, Lettres, 291, *in* LITTRÉ.

◆ **2.** Cour. Briser, abîmer par enfoncement. ⇒ **Briser, détériorer, éventrer.** *Défoncer une chaise, un fauteuil, un sommier.* — *Défoncer un chapeau d'un coup de poing.* — *Défoncer une porte.* ⇒ **Enfoncer.**

2   Projetée à toute volée d'une extrémité à l'autre de la pièce, la lourde masse de fer en venait heurter la porte, qu'elle défonçait peu à peu (...)
                              COURTELINE, Messieurs les ronds-de-cuir, V^e tableau, I, p. 165.

◆ **3.** *Défoncer un terrain,* le labourer profondément. ⇒ **Labourer.**

Par anal. Creuser. *La pluie a défoncé la route.* — Passif. *La terre, le sol est défoncé.* ⇒ **Défoncé.**

3   (...) un terrain vague, devant la palissade duquel on était passé bien des fois, est défoncé par les excavateurs (...)
                              J. ROMAINS, les Hommes de bonne volonté, t. V, XVIII, p. 132.

Mar. Crever le fond de (une voile). *Le vent a défoncé la voile.*

Milit. Culbuter (une troupe). ⇒ **Culbuter, enfoncer.**

4   Ney accourut ; il lança tout sur le flanc de cette colonne russe ; Doumerc et sa cavalerie, qui la défoncèrent, lui prirent deux mille hommes (...)
                              Ph. P. SÉGUR, Hist. de Napoléon, XI, 8.

Pron. *Se défoncer,* être défoncé. *Fauteuil qui commence à se défoncer.* ⇒ **Effondrer** (s').

◆ **4.** Mécan. Façonner à la défonceuse (une pièce de bois).

◆ **5.** (V. 1960, argot de la drogue). Fam. Provoquer chez (qqn) l'état hallucinatoire recherché (en parlant d'un hallucinogène). ⇒ **Défonce.** *Le H ne me défonce pas.*

▶ **SE DÉFONCER** v. pron. (du sens 5).

Familier.

◆ **1.** Atteindre en se droguant un état d'ivresse hallucinatoire (ou un état comparable, par d'autres moyens). → Shooter (se). *« Plus graves sont l'arrivée de jeunes toxicomanes qui se défoncent avec n'importe quoi — détachants vendus dans le commerce, barbituriques, sirops, éther aussi — et l'apparition de la violence »* (le Nouvel Obs., 22 oct. 1973).

5   Tu as la déprime, tu te défonces, après tu as encore plus la déprime.
                              Cecil SAINT-LAURENT, la Bourgeoise, p. 197.

◆ **2.** Par ext. **a** Se donner avec intensité à une tâche, une entreprise physique, etc. (pour obtenir un résultat). *Il s'est défoncé pour finir le travail à temps.*

6   Je dois me défoncer si je veux que le père Raymond me négocie ma première rencontre.
                              Joseph JOFFO, Baby-foot, p. 122.

b S'amuser. ⇒ **Éclater** (s') *« On n'a pas du plaisir : on prend son pied. On ne rigole pas : on se défonce. »* (J. Merlino, *les Jargonautes,* p. 63).

DÉR. Défonce, défoncé, défonçage, défoncement, défonceuse.

DÉFONCEUSE [defõsøz] n. f. — 1855 *in* D.D.L. ; de *défoncer.*

◆ **1.** Agric. Puissante charrue employée pour le défoncement des terres.

◆ **2.** Mécan. Machine-outil servant à l'usinage des pièces en bois.

◆ **3.** Trav. publ. *Défonceuse portée :* engin de terrassement muni de dents massives, destiné à défoncer profondément le sol. (Recomm. off. pour *ripper*). — *Défonceuse tractée* (recomm. off. pour *dragline*).

DÉFORCER [defɔRse] v. tr. — Conjug. *placer.* — 1360, *déforcir* ; de 1. *dé-, force* et suff. verbal.

◆ Régional (Belgique). Ôter les forces morales. ⇒ **Affaiblir, déprimer, ébranler.**

1   L'auteur a eu un mérite certain à exhumer des textes peu connus, mais la passion a parfois déforcé le jugement.
                              H. HASQUIN, Historiographie et politique, p. 105 (1981).

▶ **SE DÉFORCER** v. pron.

Un président d'Assises (...) se déforce et court au cas de cassation en sortant de   2
son devoir de réserve et de sérénité.
                              F. KIESEL, *in* Pourquoi pas ? 26 nov. 1981, p. 48.

▶ **DÉFORCÉ, ÉE** p. p. adj.
Découragé.
CONTR. Renforcer.

DÉFORESTATION [defɔREstasjõ] n. f. — 1877 ; angl. des États-Unis *deforestation,* de *de-,* et *forest* «forêt».

◆ Techn. Action de détruire une forêt ; son résultat. ⇒ **Déboisement.**
CONTR. Afforestation, reforestation.

DÉFORMABILITÉ [defɔRmabilite] n. f. — 1898 ; de *déformable.*

◆ Techn. Aptitude à se déformer (plus ou moins). — Spécialt. Aptitude d'une forme déterminée à s'altérer pour diminuer l'impact d'un choc éventuel. *« Des constructions qui ont besoin de déformabilité »* (l'Année sc. et industr., 1899, p. 319 [1898]). *« De nouveaux critères (...) en sécurité passive : (...) de la résistance des parechocs à la déformabilité des parties AV. et AR. (...) chaque détail a été conçu pour réduire au maximum les conséquences d'accidents »* (le Point, n° 403, 9 juin 1980, publicité).

DÉFORMABLE [defɔRmabl] adj. — 1875 ; proposé par Richard de Radonvilliers en 1845 ; de *déformer.*

◆ Qui peut être déformé. *La mécanique des solides déformables.*
CONTR. Indéformable.
DÉR. Déformabilité.

DÉFORMANT, ANTE [defɔRmã, ãt] adj. — Mil. xxe ; p. prés. de *déformer.*

◆ **1.** Qui déforme (1.). *Les miroirs déformants des parcs d'attraction, des fêtes foraines. Verres déformants.*

Les glaces déformantes reflètent en long et en large les passants.   1
                              S. DE BEAUVOIR, Voyage en Amérique, p. 30.
Comment oserais-je me regarder si je ne portais pas soit un masque, soit des lunettes déformantes ?   Michel LEIRIS, l'Âge d'homme, p. 182.   2

◆ **2.** Mod. Qui produit on peut produire des déformations. *Rhumatismes déformants.*

◆ **3.** Fig. Qui altère (qqch.). *Une vision déformante des faits, du réel.* ⇒ **Déformateur.**

DÉFORMATEUR, TRICE [defɔRmatœR, tRis] adj. — 1846 ; de *déformer,* d'après *formateur.*

◆ Littér. Qui déforme (2.). *Une interprétation déformatrice.* ⇒ **Déformant** (3.).

(...) Jean Lorrain, dont on connaît l'esprit spirituellement pervers, diabolique et   1
déformateur.   Georges LECOMTE, Ma traversée, p. 262.
Ajouterai-je que la manière de saisir le réel lui-même, en dépit de toutes les   2
résolutions préalables, déformatrice, et, selon les chances de l'heure, mutilatrice ou transfiguratrice ?   G. DUHAMEL, Inventaire de l'abîme, II, p. 21.
N. :
C'est un déformateur, si c'est bien là le conventionnel nom du peintre qui   3
fait ce qui Est et non — forme soufflée dont il se dégangue — ce qui est conventionnel.
                              A. JARRY, Critique d'art, « Filiger », *in* Œ. compl., t. VII, p. 167 (1894).

DÉFORMATION [defɔRmasjõ] n. f. — 1374 ; du lat. *deformatio,* du supin de *deformare.* → Déformer.

◆ **1.** Action de déformer, de se déformer. Altération de la forme.

Il eût été vain que l'Europe dominât la terre, si elle n'avait suscité la peinture par   0.1
laquelle les artistes l'ont opérée de la cataracte, et qui lui a révélé le «pouvoir de formation» d'œuvres dont elle attribuait la «déformation» à l'impuissance et à la maladresse.   MALRAUX, la Métamorphose des Dieux, p. 21.

Méd. Modification anormale et non congénitale de la forme (d'une partie du corps ou d'un organe). ⇒ **Difformité, infirmité.** — Par ext. *Déformation du visage.* ⇒ **Contorsion, grimace.**

(...) l'indication d'un pli qui s'annonce, l'esquisse d'une grimace possible, enfin une   1
déformation préférée où se contournerait plutôt la nature.
                              H. BERGSON, le Rire, I, III, p. 20.

Techn. *Déformation des corps soumis à des forces. Résistance aux déformations* (→ Corps, cit. 2).

Souvarine (...) constata une déformation très grave de la cinquième passe du cuve-   2
lage. Les pièces de bois faisaient ventre, en dehors des cadres ; plusieurs même étaient sorties de leur épaulement.   ZOLA, Germinal, t. II, VII, II, p. 184.

◆ **2.** Abstrait. Altération de la nature de (qqn, qqch.). *Votre compte rendu est une déformation de la pensée de l'auteur.*

(Personnes). Modification dans la façon d'être ou de penser, due à une cause extérieure. — Loc. *Déformation professionnelle :* habitude, manières de penser prises dans l'exercice d'une profession, et abusivement appliquées à la vie courante.

(...) je ne crois pas, comme Rousseau, que l'homme naturel soit toujours bon, ni   3 que tout le mal soit le résultat de déformations et déviations ultérieurement apportées par la civilisation, la société (....)   GIDE, Journal, 4 nov. 1929.

CONTR. Formation, redressement.

DÉFORMER [defɔʀme] v. tr. — V. 1220, *desformer* ; lat. *deformare*, de *de-*, et *forma*. → Forme.

♦ **1.** Altérer la forme* de. ⇒ **Altérer, changer, transformer.** *Déformer une pièce de bois, de fer.* ⇒ **Bistourner, contourner, courber, distordre, gauchir, tordre.** *Prisme, miroir qui déforme les images* (⇒ **Anamorphose**). *Déformer un vêtement, des chaussures.* ⇒ **Avachir.** *Déformer un chapeau.* ⇒ **Bosseler.** — *Déformer son visage par des grimaces, des contorsions. Dessin qui déforme les traits.* ⇒ **Caricaturer, enlaidir.**

1 Toute passion où il entre de la colère déforme et enlaidit les traits (...)
          Jules LEMAITRE, les Rois, p. 150.
2 (...) l'éclairage oblique qui tombait sur lui le déformait comme il eût fait un caricaturiste   Edmond JALOUX, le Dernier Jour de la création, IX, p. 105.
3 Le beau visage d'adolescent était déformé par la graisse.
          P. MAC ORLAN, la Bandera, XX, p. 254.

♦ **2.** Abstrait. Altérer en changeant. *Déformer un fait, un événement en le racontant.* ⇒ **Défigurer, dénaturer, fausser, mutiler, travestir.** *Déformer la pensée de quelqu'un en l'interprétant.* ⇒ **Trahir.** *Mots qui déforment la pensée. Science qui déforme l'esprit. Lectures qui déforment le goût.* ⇒ **Corrompre, dépraver, gâter.**

4 Les mauvais jours, je peine sur mon écriture, et sa malformation déforme à son tour mes pensées.   GIDE, Journal, 5 févr. 1902.
5 Mais j'ai si peur de tout fausser en «exprimant». Vous ne trouvez pas que les mots déforment tout ? Ils sont tellement plus immobiles et plus solides que les sentiments.   A. MAUROIS, le Cercle de famille, III, v, p. 253.
6 Les êtres que nous connaissons le mieux, comme nous les déformons dès qu'ils ne sont plus là !   F. MAURIAC, Thérèse Desqueyroux, IX, p. 160.

Absolt. *Un enseignement qui déforme plus qu'il ne forme.*

▶ **SE DÉFORMER** v. pron.
Être déformé, perdre sa forme. *Cette poutre se déforme sous le poids qu'elle supporte. Vêtement qui se déforme par l'usage.* ⇒ **Avachir (s').** — Fig. *Pensée qui se déforme sous l'influence de lectures, d'études trop spécialisées.*

7 J'avais peur, si je le couvais plus longtemps, de voir le sujet foisonner, se déformer (...)   GIDE, Journal, 16 mars 1907.

▶ **DÉFORMÉ, ÉE** p. p. et adj.

♦ **1.** (Choses). Dont la forme est altérée. *Vêtement déformé.* ⇒ **Avachi, défraîchi, fatigué, usé** (→ Conception, cit. 3).

8 Il était seul, le front collé contre la vitre, les poings enfoncés dans les poches d'un veston déformé et taché.   F. MAURIAC, l'Enfant chargé de chaînes, p. 51.

Corps déformé par la vieillesse (→ Braie, cit. 2).

9 Figure-toi une momie qui aurait été regonflée par des clowns pour faire un numéro de cirque ! Une vieille juive égyptienne et pour le moins centenaire, déformée par la graisse et la goutte (...)   MARTIN DU GARD, les Thibault, t. II, p. 88.

♦ **2.** (Personnes). Dont la nature est altérée. *Il est complètement déformé par son métier.* ⇒ **Déformation** (professionnelle).

CONTR. Former, reformer, redresser.
DÉR. Déformable, déformant, déformateur.

DÉFOULEMENT [defulmɑ̃] n. m. — 1946 ; de 1. *dé-*, et *(re)foulement** (2. et 3.) ; «foulage, reflux», XVᵉ, de *défouler.*

♦ Psychan. Accession libératrice à la conscience de représentations (liées à une pulsion) maintenues jusque-là dans l'inconscient. → Abréaction, catharsis, décharge.

Cour. Fait de se défouler.

1 Le théâtre, c'est une gigantesque entreprise de défoulement : de l'auteur qui fait parler ses personnages comme il n'a jamais osé le faire lui-même ; des acteurs qui jouent enfin à pleine voix un rôle qu'ils n'auront jamais le courage d'assumer dans la vie ; des spectateurs qui viennent écouter ce qu'ils ne veulent pas, ce qu'ils ne peuvent pas, dire chez eux (...)   Pierre DANINOS, Un certain Monsieur Blot, p. 93.
2 Mai 68 (...) Elle n'était pas près de l'oublier (...) quelle rigolade (...) naturellement elle y avait cru comme en 14 ! Oh ! elle n'était pas la seule (...) ils y avaient tous cru ! Un mois de grand défoulement collectif.   Jacqueline MONSIGNY, le Miroir aux pingouins, p. 310.

CONTR. Refoulement.
DÉR. Défouler.

DÉFOULER [defule] v. tr. — 1958 ; «maltraiter, opprimer», 1080 ; de 1. *dé-*, et *fouler*, d'après *défoulement.*

♦ Fam. (Choses). Permettre, favoriser le défoulement de (qqn). *« Je voudrais voir un jour analyser l'automobile en tant qu'instrument à défouler les citadins emprisonnés »* (*Elle*, 31 mars 1958).

▶ **SE DÉFOULER** v. pron.
Donner libre cours à des impulsions ordinairement réprimées. Faire une dépense d'énergie vitale. *Se défouler en allant courir au bois.*

Se défouler sur, contre, au détriment de (qqn, qqch.) : libérer sur (qqn, qqch.) son agressivité.

Que les députés aient voulu se venger du référendum, qui crée chez eux un réel sentiment de frustration ; que longtemps contraints par la rigueur procédurière et oratoire de M. Debré, ils se soient en quelque sorte «défoulés» au détriment de M. Pompidou.   Jacques FAUVET, le Monde, 20 avr. 1962.

▶ **DÉFOULÉ, ÉE** p. p. adj.
(Personnes). Qui s'est défoulé.

DÉFOURAILLER [defuʀaje] v. — XVIIIᵉ ; de 1. *dé-*, et *fourailler*, dér. de *four* («mettre au four») avec infl. de *fourrer.*
Argot.

♦ **1.** Vx. Sortir ; Spécialt. Sortir (de prison). — Filer, s'esquiver. — Fig. Sortir (d'une mauvaise situation).
T'as eu de la chance d'en défourailler !   Louise MICHEL, la Misère, t. III, p. 549.

♦ **2.** V. tr. (vieilli). Tirer, sortir (qqch., une arme) de sa poche. — (1928). *Défourailler sa saccagne* (*in* Esnault).

♦ **3.** V. intr. (1950, *défourailler dedans*). Mod. Sortir une arme à feu et tirer. *Fais gaffe, i va défourailler !* → aussi Enfourailler (*être enfouraillé*, armé).

DÉFOURNAGE [defuʀnaʒ] ou DÉFOURNEMENT [defuʀnəmɑ̃] n. m. — 1876, *défournage* ; *défournement*, 1845 ; de *défourner.*

♦ Techn. Action de défourner. *Le défournage des briques.* — Résultat de cette action.

DÉFOURNEMENT [defuʀnəmɑ̃] n. m. ⇒ Défournage.

DÉFOURNER [defuʀne] v. tr. — 1456, *desforner* ; de 1. *dé-*, *four* et suff. verbal.

♦ Techn. Tirer d'un four. *Défourner du pain, des poteries de terre.*
Absolt. Sortir le pain du four.

Angélo demanda où il pourrait acheter du pain. On lui dit d'aller un peu sur la gauche vers les cyprès. Il y avait là, paraît-il, un boulanger qui avait essayé de faire un four de campagne (...)
— Vous tombez à pic, dit-il, on va défourner. Quant à vous dire ce que ça sera, je n'en sais rien ; peut-être du pain, peut-être de la galette (...)
          J. GIONO, le Hussard sur le toit, p. 179.

CONTR. Enfourner.
DÉR. Défournage ou défournement, défourneur.

DÉFOURNEUR, EUSE [defuʀnœʀ, øz] n. — 1905, in *Rev. gén. des sc.*, nº 13, p. 617 ; de *défourner.*
Technique.

♦ **1.** N. (1929). Ouvrier, ouvrière qui sort (une matière quelconque) du four (→ Enfourneur).
Les deux vivants travaillaient à la tuilerie ; l'un était enfourneur et l'autre défourneur.   A. ARNOUX, Suite variée, p. 78.

♦ **2.** N. f. Machine servant à défourner.

DÉFOURRER [defuʀe] v. tr. — 1845 ; attestation isolée au XIIᵉ ; de 1. *dé-*, et *fourrer.*

♦ Rare. Enlever la fourrure de (un vêtement, etc.).

DÉFRAI [defʀɛ] n. m. — 1403 ; de *défrayer.*

♦ Fin. (vx). Action de défrayer*. ⇒ **Défraiement.**

DÉFRAÎCHIR [defʀɛʃiʀ] v. tr. — 1856 ; de 1. *dé-*, et *frais, fraîche.*

♦ Rare. Dépouiller de sa fraîcheur. ⇒ **Faner, flétrir.** *Le temps a défraîchi cette robe. Le soleil a défraîchi la couleur de ce papier.* — *Défraîchir une étoffe.* ⇒ **Décatir.** — Fig. *L'âge a défraîchi son visage.*

▶ **SE DÉFRAÎCHIR** v. pron. (Plus cour. que le trans.).
Perdre sa fraîcheur (couleur, étoffe, vêtement). *Ce vêtement se défraîchira très vite.*

▶ **DÉFRAÎCHI, IE** p. p. et adj. *Vêtement défraîchi.* ⇒ **Déformé, élimé, fripé, usé.**

1 Il s'aperçut qu'il avait gardé à son chapeau le crêpe de l'enterrement de Jacques, un peu défraîchi   GIRAUDOUX, Bella, IX, p. 212.

Fleurs défraîchies. Couleur défraîchie. ⇒ **Passé.** — *Visage défraîchi.* ⇒ **Fatigué, flétri, vieilli.** *Beauté défraîchie.*

2 Ces deux jeunes femmes, quoiqu'un peu fatiguées et pâlies, étaient charmantes encore à la lumière du jour. Elles semblèrent à Sigognac les plus rayonnantes du

monde, bien qu'un observateur méticuleux eût pu trouver à reprendre à leur élégance un peu fripée et défraîchie (...)
Th. GAUTIER, Capitaine Fracasse, t. I, II, p. 53.
CONTR. Rafraîchir.

DÉFRAIEMENT [defʀɛmɑ̃] n. m. — Mil. xɪvᵉ, desffrayement; de défrayer.

♦ Action de défrayer (Arnoux, qui écrit défraîment, in T. L. F.).
(...) deux ou trois engagements lui avaient valu jadis des défraiements convenables : voyage en classe touriste et séjour payé dans des hôtels de bon standing.
René MASSON, Drugstore, p. 176-177.

DÉFRANCHI, IE [defʀɑ̃ʃi] adj. — xɪxᵉ, disfranki, disfranchi; de 1. dé-, et franc «assuré».

♦ Régional (Belgique). Qui a perdu son assurance, est intimidé. Il s'est senti tout défranchi quand on l'a interpellé.
CONTR. — V. Affranchir.

DÉFRAPPER [defʀape] v. tr. — 1906; de 1. dé-, et frapper.

♦ Mar. (vx). Détacher (un cordage) de son point d'attache.

DÉFRAYER [defʀeje] v. tr. — Conjug. payer. — 1378, deffroyer; de 1. dé-, et anc. franç. frayer «faire les frais».

♦ **1.** Décharger (qqn) de ses frais. ⇒ **Payer** (la dépense de...). Sa société le défraie de ses dépenses pendant tout son voyage. Être défrayé de tout (→ Bail, cit. 7).
1 Il fallut bien avouer l'état de mes finances. On y pourvut : la Merceret se chargea de me défrayer; et, pour regagner d'un côté ce qu'elle dépensait de l'autre, à ma prière on décida qu'elle enverrait devant son petit bagage, et que nous irions à pied à petites journées. Ainsi fut fait.   ROUSSEAU, les Confessions, IV.
(Sans compl. second). Défrayer qqn, lui rembourser ses frais. ⇒ **Entretenir.**
Défrayer (qqch.) : payer les frais correspondant à (qqch.). Défrayer un voyage, un séjour (Balzac, Renan, Zola, in T. L. F.). — Par pléonasme. Défrayer des frais, des dépenses. «Trois mille francs (...) défrayaient toutes ses dépenses» (Balzac).
Pron. (passif). Se défrayer : être payé, défrayé. — (Réfl.). Payer ses frais.

♦ **2.** Fig. Défrayer la conversation, en faire tous les frais, soit par la part qu'on y prend, soit parce qu'on en est l'objet. — (1640, in D.D.L. II., 19). Défrayer la compagnie de bons mots, l'amuser par des plaisanteries.
2 Ils pensaient tous qu'il était là pour défrayer la compagnie de bons mots.
MOLIÈRE, la Critique de l'École des femmes, 2.
Par ext. Être le sujet essentiel et unique de. Défrayer la chronique. ⇒ **Alimenter.**
3 Une douzaine de personnages et de scènes évangéliques ou mythologiques ont défrayé toute la grande peinture (...)
TAINE, Philosophie de l'art, t. II, v, I, I, p. 227.
4 (...) des aventures à défrayer un roman picaresque.
Ed. et J. de GONCOURT, Journal, p. 24.
DÉR. Défrai, défraiement.

DÉFRICHAGE [defʀiʃaʒ] ou **DÉFRICHEMENT** [defʀiʃmɑ̃] n. m. — 1519, défrichage; défrichement, 1486; de défricher.

♦ **1.** Action de défricher; résultat de cette action. Le défrichement des forêts, des terres boisées. Le défrichement des landes, des terres incultes. Défrichement superficiel. Défrichement profond. Labour de défrichement.
Ces barbares eux-mêmes, nés dans un climat tempéré, ne pouvaient soutenir les travaux pénibles d'un défrichement sous un ciel brûlant et malsain.
G. T. RAYNAL, Hist. philosophique, XI, 1.

♦ **2.** (Un, des défrichements). Terrain défriché. ⇒ **Arrachis, défrichis, essart.**

♦ **3.** Action de défricher (fig.); éclaircissement, première étude. Le défrichage, le défrichement d'un sujet difficile.

DÉFRICHEMENT [defʀiʃmɑ̃] n. m. ⇒ **Défrichage.**

DÉFRICHER [defʀiʃe] v. tr. — 1356, deffricher; de 1. dé-, et friche.

♦ **1.** Transformer en terre cultivable (une terre en friche) en détruisant la végétation spontanée. Spécialt. Défricher une forêt, en détruire les arbres. ⇒ **Déboiser.** Défricher une lande, la transformer en terre labourable. ⇒ **Débroussailler, essarter.** Défricher un coin de terre inculte, une garrigue.
1 L'homme qui les gouvernait (les bœufs) avait à défricher un coin naguère abandonné au pâturage et rempli de souches séculaires, travail d'athlète auquel suffisaient à peine son énergie, sa jeunesse et ses huit animaux quasi indomptés.
G. SAND, la Mare au diable, II, p. 20.

♦ **2.** Par métaphore ou fig. Rendre moins confus, moins obscur en parcourant (un domaine, un sujet). ⇒ **Déblayer, débrouiller, dégrossir, démêler, éclaircir.** Défricher le champ de la science. Défricher un terrain, un domaine entièrement neuf. Il faut d'abord défricher le terrain. ⇒ **Préparer.**
2 Qui sait si je n'aurais pas mieux donné ma mesure en me consacrant aux maladies nerveuses et mentales? C'est un terrain où il reste encore tant à défricher (...)
MARTIN DU GARD, les Thibault, t. III, p. 192.
Littér. et vx. Éclairer (qqn qui est d'une ignorance grossière).
3 Elle est dans une parfaite ignorance; nous nous faisons un jeu de la défricher généralement sur tout.   Mᵐᵉ DE SÉVIGNÉ, Lettres, 491, 12 janv. 1676.
CONTR. — V. Friche (laisser, mettre en friche).
DÉR. Défrichage, défrichement, défricheur, défrichis.

DÉFRICHEUR, EUSE [defʀiʃœʀ, øz] n. — 1541, deffricheur; de défricher.

A. ♦ **1.** Personne qui défriche (un terrain en friche). Défricheur de forêts.

♦ **2.** Personne qui défriche (fig.). ⇒ **Pionnier.** Les défricheurs de l'inconnu.

B. N. f. (Techn.). Charrue à soc très tranchant pour effectuer les défrichements.
Tu manieras la pioche, la pelle et la défricheuse.
R. SABATIER, les Enfants de l'été, p. 181.

DÉFRICHIS [defʀiʃi] n. m. — 1833, Balzac; de défricher.

♦ Vx. Terre défrichée.

DÉFRIMER [defʀime] v. tr. — 1895, Esnault.; de 2. dé-, et frimer (I., 1.).

♦ Argot. Dévisager, regarder attentivement (qqn), fixer avec insolence.
1 C'est le gardien. Ancien truand, je vous le répète, ça se voit à sa frime rapiécée comme une vieille chambre à air, à son naze écrasé, à ses étiquettes en haillons et, plus encore, à son regard en virgule.
Je le défrime complaisamment.   SAN ANTONIO, le Secret de Polichinelle, p. 36.
2 Ces messieurs-dames me défriment, mais sans marquer la moindre stupeur, avec seulement une curiosité un peu méprisante.
SAN ANTONIO, Ne mangez pas la consigne, p. 206.

DÉFRINGUER [defʀɛ̃ge] v. tr. — 1883; de 1. dé-, et fringuer.

♦ Argot. fam. Déshabiller. Pron. :
1 Ayant dépouillé tous ses vêtements, Milou tourna sa nudité à l'endroit et dit : «Tu te défringues?»   M. AYMÉ, Travelingue, p. 84.
2 C't en tôle. Le soir on devait se défringuer, enlever même la liquette devant l'agâfe pour lui faire voir qu'on ne passait rien en loucedé (ni cordelettes, limes ou lames).
Jean GENET, Notre-Dame des Fleurs, p. 61.

DÉFRIPEMENT [defʀipmɑ̃] n. m. — xxᵉ; de défriper.

♦ Rare. Action de défriper.

DÉFRIPER [defʀipe] v. tr. — 1660, defripper; de 1. dé-, et friper.

♦ Remettre en état (ce qui était fripé). ⇒ **Déchiffonner, défroisser.** Défriper un vêtement en le repassant. — Fig. :
Quelques plongeons dans la solitude me sont aussi indispensables, chaque jour, que le sommeil des nuits. Je m'y défripe.   GIDE, Journal, 8 août 1905.
CONTR. Friper.
DÉR. Défripement.

DÉFRISEMENT [defʀizmɑ̃] n. m. — 1836; de défriser.

♦ Rare. Action de défriser (1. et 2.).
REM. Le T. L. F. mentionne la forme défrisage, avec des exemples tirés de publicités, ainsi que l'adj. défrisant (aussi : un défrisant, n. m.).

DÉFRISER [defʀize] v. tr. — xvɪɪᵉ; de 1. dé-, et friser.

♦ **1.** Défaire la frisure de. Le temps humide défrise les cheveux. Elle est toute défrisée. Le coiffeur lui a défrisé les cheveux (naturellement frisés).
1 (...) afin que vous ne vous amusiez plus à faire cent petites boucles sur vos oreilles, qui sont défrisées en un moment (...)
Mᵐᵉ DE SÉVIGNÉ, Lettres, 36, in LITTRÉ.
2 Il passa un pantalon blanc, des chaussettes fines, un habit vert (...) puis, s'étant fait friser, se défrisa, pour donner à sa chevelure plus d'élégance naturelle.
FLAUBERT, Madame Bovary, III, I.
Techn. Aplatir les pages de (un livre), avant reliure.

♦ 2. (1839). Fam. Décevoir, désappointer (qqn), en parlant d'un fait, d'une action. *Son échec l'a défrisé. Ça vous défrise?*

CONTR. Friser.
DÉR. Défrisement.

DÉFROISSABLE [defʀwasabl] adj. — Attesté 1964 ; de *défroisser.*

♦ Qui peut être aisément défroissé. *Tissu défroissable.*

DÉFROISSER [defʀwase] v. tr. — 1935 ; de 1. *dé-,* et *froisser.*

♦ Remettre en état (ce qui est froissé). ⇒ **Déchiffonner, défriper.**

1 (...) fouillant rageusement dans son sac, finissant par en sortir une lettre, une enveloppe toute chiffonnée qu'elle défroissa, aplatit de deux tapes tandis qu'une fine poussière de tabac blond s'échappait des plis (...)
Claude SIMON, le Vent, 1957, p. 67.

▶ **SE DÉFROISSER** v. pron.

(Vêtements, étoffes, etc.). *Cette robe ne se défroissera jamais.*
Se remettre en état (d'un organe froissé).

2 Il se sentait apaisé. Bientôt ses deux images n'en feraient plus qu'une, ses côtes se défroisseraient, son genou s'assouplirait.
Claude COURCHAY, La vie finira bien par commencer, p. 84.

CONTR. Froisser.
DÉR. Défroissable.

DÉFRONCER [defʀõse] v. tr. — Conjug. *froncer.* → Placer. — XIIIᵉ ; de 1. *dé-* et *froncer.*

♦ Défaire (ce qui était froncé). — Par anal. Effacer (les rides du front), détendre (les traits du visage). *Défroncer les sourcils, ou le sourcil.* — Fig. Reprendre un visage serein.

Le corps abandonné qu'il fallait sauver et qui, par cela même se laissait prendre à pleins bras, ce visage insensible qui cependant ne défronçait pas ses sourcils me touchèrent au-delà de ce qui pourra jamais me toucher.
J. GIONO, le Hussard sur le toit, p. 357.

CONTR. Froncer.

DÉFROQUE [defʀɔk] n. f. — 1611 ; *defroc,* 1540 ; déverbal de *défroquer.*

♦ 1. Vx ou relig. Objets et vieux habits qu'un religieux laisse en mourant. *La défroque d'un moine appartient au Père abbé.*

♦ 2. Mod. Vieux vêtements qu'on abandonne lorsqu'on les juge hors d'usage. ⇒ **Frusques, guenille, haillon, hardes.**

1 C'est un bienfait, après avoir été si longtemps son esclave, son prisonnier, que nous puissions enfin le rejeter, le dépouiller, nous évader de lui, l'abandonner au bord du chemin, comme une défroque !
MARTIN DU GARD, les Thibault, t. IV, p. 137.

Péj. Vieux vêtements ou habillement bizarre (qui ont été ou non portés par un autre). *Qu'est-ce que c'est que cette défroque?*

2 (...) Dostoïevski ne peut vêtir l'habit de tout le monde sans paraître porter une défroque, et s'être glissé dans le vêtement d'autrui.
André SUARÈS, Trois hommes, « Dostoïevski », I, p. 202.

Par métaphore. Attitude, apparence peu sincère. *La défroque romantique.*

DÉFROQUER [defʀɔke] v. — XVᵉ ; de 1. *dé-,* et *froc.*

★ **I.** V. tr. Faire quitter le froc, l'habit ecclésiastique à un religieux.

1 Il semble que la réforme aboutisse à défroquer quelques moines (...)
BOSSUET, Hist. des variations..., 2.

★ **II.** V. intr. Abandonner le froc, l'état ecclésiastique.

1.1 Et je comprenais cet homme qui, étant dans les ordres, défroqua parce que sa cellule, au lieu d'ouvrir, comme il s'y attendait, sur un vaste paysage, donnait sur un mur.
CAMUS, la Chute, p. 32.

▶ **SE DÉFROQUER** v. pron.

(1563 ; du sens I). Abandonner l'état ecclésiastique. *Luther se défroqua.*

▶ **DÉFROQUÉ, ÉE** p. p. adj.

(Du sens I). Qui a abandonné l'état de moine ou de prêtre. *Moine, prêtre défroqué.* ⇒ **Apostat.**

2 Nous avons l'impression qu'il y a des dangers beaucoup plus urgents pour l'humanité que la présence des Sœurs dans tel hôpital, ou de quelques prêtres mal défroqués dans une institution libre.
J. ROMAINS, les Hommes de bonne volonté, t. IV, X, p. 114.

N. m. *Un défroqué.*

3 (...) il lui avait avoué qu'il ne croyait plus, qu'il voulait quitter la soutane et faire son droit. « Mon pauvre enfant ! » s'était écrié *(son père).* « Il faut que tu restes ! Je ne veux pas être le père d'un défroqué ! »
A. BILLY, Sur les bords de la Veule, p. 117.

Fig. et par plais. (aussi féminin) :

4 (...) tandis que dans le monde politique et artistique on la tenait pour une créature mal définie, une sorte de défroquée du faubourg Saint-Germain qui fréquente les sous-secrétaires d'État et les étoiles, dans ce même faubourg Saint-Germain, si on

donnait une belle soirée, on disait : « Est-ce même la peine d'inviter Oriane? Elle ne viendra pas. Enfin pour la forme, mais il ne faut pas se faire d'illusions. »
PROUST, le Temps retrouvé, Pl., t. III, p. 959.

DÉR. Défroque.

DÉFRUITEMENT [defʀɥitmã] n. m. — Déb. xxᵉ ; de *défruiter.*

♦ Techn., agric. Action de défruiter ; son résultat.

DÉFRUITER [defʀɥite] v. tr. — 1803 ; *se deffruicter* « perdre ses fruits », 1232 ; de 1. *dé* et *fruit.*

♦ 1. Rare. Dépouiller de ses fruits (⇒ **Cueillir**). *Défruiter un arbre.*

♦ 2. (Av. 1902). Techn. Enlever le goût du fruit à. *Défruiter de l'huile d'olive.*

DÉR. Défruitement.

DÉFUBLER [defyble] v. — XIIᵉ ; de 1. *dé-* et *(af)fubler.*

♦ Vx. Désaffubler. — P. p. adj. *Défublé, ée.*

(...) l'hypocrisie de société si énorme, qu'on serait curieux d'assister à l'immédiate détente après la pose officielle, de saisir le vrai des accents, des natures, les rapports réels de ces êtres, tout à coup libérés et défublés, dans ce coupé filant à travers le Paris désert entre les reflets de ses lanternes.
Alphonse DAUDET, l'Immortel, p. 218.

DÉFUNT, UNTE [defœ̃, œ̃t] adj. et n. — 1243, *defuns ;* du lat. *defunctus,* p. p. de *defungi* « accomplir sa vie », de *de-* et *fungi* « accomplir ».

♦ 1. Littér. (antéposé). Qui est mort. ⇒ **Décédé, mort.** *Sa défunte mère. Le défunt M. X...*

1 De ta défunte mère est-ce là la leçon ?
RACINE, les Plaideurs, I, 4.

Plus rare (le déterminant étant absent ou postposé). *Défunt M. X... Défunt son frère.* ⇒ **Feu** (→ Contenter, cit. 14).

REM. Cet emploi a été familier ; il est aujourd'hui régional ou archaïque.

2 — Non, monsieur. J'en ai eu du temps de défunt mon homme ; mais depuis sa mort j'ai été si malheureuse que j'ai été forcée de les vendre.
BALZAC, le Médecin de campagne, Pl., t. VIII, p. 325.

2.1 Si défunt mon mari, M. Badoulard, vivait encore, ça ne se passerait pas comme ça...
H. MONNIER, Scènes populaires, t. I, p. 288.

N. m. et f. *Un défunt. Les enfants du défunt. Prière pour les défunts* (→ De profundis). *Aller sur la tombe d'une défunte.*

3 Ma fille, lui dit-il, c'est trop verser de larmes :
Qu'a besoin le défunt que vous noyiez vos charmes?
Puisqu'il est des vivants, ne songez plus aux morts.
LA FONTAINE, Fables, VI, 21 (→ Autre, cit. 137 ; Bien, cit. 31).

4 Les vivants sont pressés de jeter le défunt à l'Éternité et de se débarrasser de son cadavre.
CHATEAUBRIAND, Mémoires d'outre-tombe, t. II, p. 133.

♦ 2. Littér. Fig. ⇒ **Passé, révolu.** *Des amours défunts.*

5 Le beau valet de cœur et la dame de pique
Causent sinistrement de leurs amours défunts.
BAUDELAIRE, les Fleurs du mal, « Spleen et idéal », LXXV.

Fam. (Choses concrètes). Hors d'usage. → Mort (fig. et fam.).

(Lieux, etc.). Qui a été, mais n'est plus. ⇒ **Ancien.** *« La défunte barrière de Paris »* (Colette, *in* T. L. F.). *La défunte gare Montparnasse, les défuntes Halles de Baltard.*

♦ 3. (Attribut). Mort. *Il est défunt.*

CONTR. Vif, vivant. — Actuel, présent.
DÉR. Défunter.

DÉFUNTER [defœ̃te] v. intr. — 1739 ; de *défunt ; defunctee* « défunte », XIIᵉ ; du lat. *defunctus.*

♦ Vx, régional (rural) ou par plais. Mourir. ⇒ **Périr, trépasser.**

— Tâchez de lui faire avaler ça, c'est pratiquement sans saveur...
— Et les résultats?
— En quelques heures, l'intéressé défunte d'un arrêt du cœur.
SAN ANTONIO, le Secret de Polichinelle, p. 116.

Par archaïsme : *défuncter* (Rostand, *Cyrano,* II, 9).

DÉGAGEMENT [degaʒmã] n. m. — 1465 ; de *dégager.*

♦ 1. Action de dégager (ce qui est en gage) ; résultat de cette action. ⇒ **Dégager.** *Dégagement d'effets déposés au mont-de-piété. Le dégagement a déjà été effectué.*

Fig. *Dégagement d'une parole, d'une promesse :* action de tenir parole, d'accomplir la promesse, ou d'obtenir que la parole, la promesse soient rendues.

(1958). Polit. Pour un État, Fait de se libérer d'engagements contractés envers un autre État. → Désengagement. *« Le terme "dégagement" confirme la volonté du chef de l'État de sortir (...) d'une situation qui empêche la France d'assumer ses autres missions »* (le Monde, 7 août 1961).

♦ 2. Action de faire sortir, de libérer (qqn ou qqch.). *Le dégage-*

ment des blessés ensevelis sous les décombres. — Escr. Action de dégager le fer du fer adverse. — Méd. Dans un accouchement, Ensemble des processus qui permettent le passage du fœtus au niveau du détroit inférieur et de l'orifice vulvaire.

♦ **3.** Action de dégager de ce qui embarrasse, de ce qui obstrue. — (Le compl. désigne une voie, un espace). *Dégagement de la voie publique.* ⇒ **Déblaiement.** — (Le compl. désigne l'obstacle). *Le dégagement d'un camion renversé, d'un navire échoué.*

Sports. Action de dégager la balle loin des buts. *Dégagement par les arrières, par le gardien. Dégagement en touche* (au rugby).

Ski. Mouvement d'appel en flexion, suivi d'une extension vive, au passage d'une bosse, de manière à ne pas décoller. ⇒ aussi **Optracken.**

1   Lorsque la bosse a un profil tel que le décollement est inévitable (...) le skieur fait alors soit un *dégagement,* soit un *op-xacken,* deux mouvements utilisés en compétition.   Jean FRANCO, le Ski, p. 22.

Action d'écarter les parties du corps qui risquent de heurter la barre, lors d'un saut.

♦ **4.** Le fait de pouvoir passer, communiquer (dans : *de dégagement*). *Porte, escalier, sortie de dégagement.* — Ch. de fer. *Voie de dégagement* : voie de garage*. — *Autoroute*, route de dégagement.*

♦ **5.** Par métonymie. Partie d'un appartement qui sert de passage, de communication d'une pièce à une autre. ⇒ **Corridor, couloir.** *Cette maison manque de dégagements. Ouvrir un dégagement en abattant une cloison.* ⇒ **Issue.** — (Dans un autre lieu qu'un appartement). *Dégagement d'un théâtre.*

Espace libre. *Il y a un grand dégagement devant notre maison.*

Techn. *Dégagement d'un véhicule au-dessus du sol* (→ Garde au sol).

♦ **6.** Par ext. Action de se dégager (en parlant d'un fluide). ⇒ **Émanation, production, sortie.** *Dégagement de gaz carbonique. Dégagement de vapeur. Dégagement de chaleur.* — *Tuyau, conduite de dégagement.* ⇒ **Échappement.**

Par métaphore :

2   (...) comme le gaz sulfureux empêche le départ de la fermentation du vin dans la cuve, l'air de la Sorbonne, le gaz érudit empêchait tout dégagement de féminité (...)   J. ROMAINS, les Hommes de bonne volonté, t. IV, XV, p. 148.

CONTR. Engagement ; dépendance ; contrainte ; cul-de-sac, impasse ; absorption.
COMP. Contre-dégagement.

DÉGAGER [degaʒe] v. tr. — Conjug. *bouger.* — XIIe ; de 1. dé-, et gage. → Gage.

★ **I.** ♦ **1.** Retirer (ce qui avait été donné en gage, en hypothèque, en nantissement). *Dégager sa montre du mont-de-piété. Il a dégagé ses bijoux. Dégager des terres de toute hypothèque*.*

1   Nous devions tantôt le dégager *(un bijou) ;*
Et, contre mon avis, vous avez fait la chose.   J.-F. REGNARD, le Joueur, V, 7.

Fig. *Dégager sa parole* : tenir* sa parole, ou, plus souvent, la retirer après l'avoir imprudemment engagée. *Dégager sa responsabilité,* faire savoir qu'on ne se tient pas pour responsable, qu'on désapprouve (→ Tirer son épingle* du jeu).

2   (...) je ne prétends pas qu'un impuissant courroux
Dégage ma parole et m'acquitte envers vous.   RACINE, Britannicus, I, 3.

3   Je reviens dégager mes serments et les tiens (...)   VOLTAIRE, Zaïre, I, 4.

♦ **2.** *Dégager* (qqch., qqn) *de* (qqch.) : libérer (ce qui est engagé, retenu) en enlevant de ce qui enveloppe, retient. *Dégager un blessé des décombres.* ⇒ **Délivrer, tirer.** *Dégager un minéral de sa gangue.* ⇒ **Extraire.** *Dégager un liquide, un mélange de ses impuretés.* ⇒ **Épurer, filtrer, purger, purifier.** *Dégager une vis de son logement.* ⇒ **Dévisser.** *Dégager l'épée de son fourreau.* ⇒ **Dégainer.** *Dégager sa main d'une étreinte.* ⇒ **Enlever, ôter, retirer.** *Dégager des liens, des chaînes.* ⇒ **Délier, désenchaîner, désenlacer** (→ Chaînon, cit. 1). *Dégager l'ardillon de la boucle d'une courroie* (⇒ **Déboucler**), *un bouton de sa boutonnière* (⇒ **Déboutonner**). ⇒ aussi **Défaire.**

4   (...) la Grise qui s'ennuyait fort de ce voyage, donna un coup de reins, dégagea les rênes, rompit les sangles et, lâchant, par manière d'acquit, une demi-douzaine de ruades plus haut que sa tête, partit à travers les taillis (...)   G. SAND, la Mare au diable, VII, p. 63.

5   (...) j'essayai de dégager ma main de celle de mon père ; lui, croyant que j'avais glissé, me serra plus fort.   Alphonse DAUDET, le Petit Chose, I, II, p. 18.

6   Nous apprenons comment on dégage la truffe sans la meurtrir (...)   COLETTE, la Paix chez les bêtes, « La petite truie de M. Rouzade ».

7   (...) d'un mouvement des épaules, il dégage bien son cou de l'enfoncement des vêtements.   J. ROMAINS, les Hommes de bonne volonté, t. II, II, p. 22.

Escr. *Dégager le fer,* et, absolt, *dégager* : ôter son arme de celle de son adversaire et la passer à droite ou à gauche de celle-ci. — Danse. Faire glisser un pied sur le sol après avoir libéré la jambe correspondante du poids du corps. *Dégagez !*

Par ext. (le sujet désigne un vêtement, une garniture). Rendre plus libre, donner de l'aisance à (une partie du corps). *Encolure qui*

---

dégage la tête. Cet habit dégage bien les épaules, la taille, il les fait ressortir.

8   L'habit de cour, si favorable aux jeunes personnes, marquait sa jolie taille, dégageait sa poitrine et ses épaules, et rendait son teint encore plus éblouissant par le deuil qu'on portait alors.   ROUSSEAU, les Confessions, III.

♦ **3.** Tirer d'une position critique ou embarrassante. ⇒ **Délivrer, sortir.** *Dégager une armée encerclée, une ville investie* (⇒ **Débloquer**). *Dégager qqn d'une foule hostile.* — *Dégager un navire dans un combat,* se porter à son secours et lui permettre de se retirer.

9   Jusqu'à ce que ma main de ses fers le dégage.   CORNEILLE, Nicomède, V, 6.

10   Ce grand voyage de M. le Prince et de M. de Turenne pour aller dégager M. de Luxembourg (...)   Mme DE SÉVIGNÉ, 282, in LITTRÉ.

11   (...) on dégagea Philoclès des mains de ces trois hommes (...)   FÉNELON, Télémaque, XI.

♦ **4.** Débarrasser (un lieu, un espace) de ce qui encombre. *Dégager la table, pour qu'on puisse écrire. Dégagez la voie publique.* ⇒ **Déblayer, désencombrer.** — *Dégager une surface, le sol de ce qui recouvre.* ⇒ **Découvrir, dénuder, dépouiller.** *Dégager un arbre de ses branches inutiles.* ⇒ **Élaguer, tailler.** *Dégager une allée de ses herbes* (⇒ **Désherber**), *un jardin des broussailles qui l'encombrent* (⇒ **Débroussailler**).

Fam. (sujet n. de personne). *Il va falloir que tu dégages la piste.* — Absolt. *Allons, dégagez !* : partez, circulez.

♦ **5.** (1900, *in* Petiot). Sports. Renvoyer (la balle) le plus loin possible des buts. — Absolt. *Arrière qui dégage.*

♦ **6.** Intrans. Fam. [a] Avoir du punch, de la vitalité. « *Un art qui dégage* » (le Nouvel Obs., n° 991, 4-10 nov. 1983, p. 64). « *Un rien désinvolte, une crinière sauvage en mouvement, une allure saine presque fruitée : c'est Caroline Berg... Du punch, elle en a, elle dégage* » (Elle, in Lire, sept. 1982).

[b] (En emploi impersonnel). *Ça dégage* : ça arrache. « *Bette Midler dans " Divine Madness ", ça dégage !* » (P. de Nussac, in *Signature,* n° 133, 1981).

★ **II.** ♦ **1.** *Dégager* (qqn) *de* (qqch.) : soustraire (qqn) à (une obligation, à un lien moral quelconque). ⇒ **Affranchir, libérer.** *Dégager qqn de sa parole, de sa promesse,* lui rendre sa parole, sa promesse. *Dégager qqn d'une charge, d'une dette, d'une obligation.* ⇒ **Décharger, dégrever, dispenser, exonérer, soustraire.** — *Dégager son esprit de toute préoccupation, de tout préjugé.*

12   D'un serment solennel qui peut nous dégager ?   CORNEILLE, Horace, I, 2.

13   Quand nous sommes las d'aimer, nous sommes bien aises qu'on nous devienne infidèle, pour nous dégager de notre fidélité.

       LA ROCHEFOUCAULD, Maximes, 581.

♦ **2.** Isoler (un élément, un aspect) d'un ensemble, rendre manifeste. ⇒ **Extraire, tirer** (→ Mettre en évidence). *Dégager la conclusion d'un exposé, d'un rapport. Dégager la morale des faits* (→ Contingent, cit. 3). *Dégager les idées essentielles.*

14   (...) ce qui le fait artiste, c'est l'habitude de dégager dans les objets le caractère essentiel et les traits saillants ; les autres hommes ne voient que des portions, il saisit l'ensemble et l'esprit.   TAINE, Philosophie de l'art, t. I, I, II, III, p. 59.

15   (...) dégager, avec le plus de clarté possible, les causes et les effets.   J. BAINVILLE, Hist. de France, Avant-propos, p. 7.

16   Les idées s'offraient presque toujours à l'état brut : il fallait les dégager péniblement de la gangue.   R. ROLLAND, Jean-Christophe, p. 384.

17   C'est l'expérience qui dégagera les lois, répondait-il, la connaissance des lois ne précède jamais l'expérience.   SAINT-EXUPÉRY, Vol de nuit, XI, p. 100.

⇒ **Distinguer, isoler, séparer.** *Dégager la vérité ; dégager la vérité de l'erreur.*

18   Il (Socrate) dégageait la morale de la religion ; avant lui, on ne concevait le devoir que comme un arrêt des anciens dieux ; il montra que le principe du devoir est dans l'âme de l'homme.   FUSTEL DE COULANGES, la Cité antique, V, I, p. 420.

Math. *Dégager une inconnue* : faire les opérations nécessaires pour isoler l'inconnue dans l'un des membres de l'équation, l'autre membre contenant la valeur de l'inconnue.

♦ **3.** Laisser échapper (un fluide, une émanation). ⇒ **Émettre, exhaler, produire, répandre ; dégagement, émanation.** *Effluves, parfums que dégage une fleur.* ⇒ **Sentir.** *Charogne qui dégage une odeur nauséabonde* (→ Carcasse, cit. 2).

19   (...) des rangées d'arbustes plantés autour du bassin dégageant leurs parfums faibles et doux.   Th. GAUTIER, le Roman de la momie, IV, p. 87.

Par métaphore :

20   Les chefs-d'œuvre, parfois même sans que la volonté de leurs auteurs y ait part (...) dégagent continuellement, mystérieusement, divinement, et répandent, pour ainsi dire, dans l'air autour d'eux, une moralité pénétrante et saine.   HUGO, Post-scriptum de ma vie, L'esprit, « Tas de pierres », I.

21   (...) tous ces effluves du passé que dégagent ici les pierres (...)   LOTI, Jérusalem, X, p. 128.

Chim. Mettre en liberté. *Réaction qui dégage du gaz carbonique.* Par anal. *L'eau dégage de la vapeur, de la buée.*

L'eau dégageait quelques bulles.

22   J. ROMAINS, les Hommes de bonne volonté, t. V, X, p. 80.

▶ **SE DÉGAGER.** v. pron.

A. (Réfléchi ; personnes, êtres vivants). Libérer son corps de ce qui l'enveloppe, le retient. ⇒ **Délivrer (se), dépêtrer (se), tirer (se).** *Se* *dégager de ses liens, d'une étreinte. Faire des efforts pour se dégager.*

(1900, in Petiot). Spécialt. Rugby. Échapper à la pression de l'attaquant.

Fig. Se libérer (d'une obligation). *Se dégager d'une promesse.* — Se libérer (d'une contrainte morale). *Se dégager d'habitudes paralysantes.*

23 Mon père m'a dit, Monsieur, que vous vous étiez venu dégager de la parole que vous aviez donnée. MOLIÈRE, le Mariage forcé, 9.

24 L'on voit des gens brusques (...) qui (...) vous expédient, pour ainsi dire, en peu de paroles, et ne songent qu'à se dégager de vous.
LA BRUYÈRE, les Caractères, v, 26.

25 Corinne comprit sa pensée ; et, l'interrompant aussitôt, en se dégageant doucement de ses bras (...) Mme DE STAEL, Corinne, VIII, 1.

26 (...) il éperonna son cheval pour se dégager et voulut frapper de son bâton les mains du laboureur pour lui faire lâcher prise (...)
G. SAND, la Mare au diable, XIV, p. 123.

27 — Non, mademoiselle Gaud, répondit-il à la fin en se dégageant avec une aisance de fauve. LOTI, Pêcheur d'Islande, I, XI, p. 122.

28 (...) une place assiégée qui se doit, de temps à autre, *dégager* par des *sorties* violentes (...)
Louis MADELIN, Hist. du Consulat et de l'Empire, Ascension de Bonaparte, I, p. 6.

29 Il est beaucoup plus facile pour ceux-ci de se dégager des routines où les a maintenus toute leur carrière, qu'à un esprit neuf de ne s'y engager pas du tout.
GIDE, Journal, 25 oct. 1916.

30 (...) une imagination si abondante qu'elle ruisselle *(chez Gœthe et Beethoven)* en improvisations, une personnalité si forte qu'elle se dégage des enseignements du passé. Ed. HERRIOT, la Vie de Beethoven, p. 294.

Régional (Centre, Suisse). *Se dégager :* se dépêcher.

B. ♦ 1. (Passif ; choses). Devenir libéré de ce qui entrave. *La rue se dégage peu à peu. Le ciel se dégage,* les nuages, le brouillard s'en vont. ⇒ **Découvrir** (se), **éclaircir** (s'). *Ma tête, mon nez se dégage.*

31 La lune se dégagea aussi des vapeurs qui la couvraient (...)
G. SAND (→ Couvrir, cit. 18).

32 À ces mots, Séraphîta se passa les mains sur le front, et quand elle se dégagea la figure, Wilfrid fut étonné de la religieuse et sainte expression qui s'y était répandue. BALZAC, Séraphîta, Pl., t. X, p. 479.

♦ 2. Sortir d'un corps. ⇒ **Émaner, exhaler** (s'), **jaillir, répandre** (se), **sortir.** *Émanations, vapeurs qui se dégagent d'un corps. De l'oxygène se dégage.* — *Il s'en dégage une forte odeur.*

Fig. *Rumeur qui se dégage de la foule.* — *Une sorte de poésie se dégage de ce paysage, de cet être....* (→ Chercher, cit. 25). *Un grand charme* (cit. 15) *se dégage de sa personne.*

33 Cependant le calme s'était peu à peu rétabli. Il ne restait plus que cette légère rumeur qui se dégage toujours du silence de la foule
HUGO, Notre-Dame de Paris, I, 1.

34 Comme de la mer unie malgré ses vagues, il se dégage de cette plaine un sentiment de solitude (...)
Alphonse DAUDET, Lettres de mon moulin, « En Camargue ».

35 Une sorte de poésie se dégageait de tout son être, qui venait, je crois, de ce qu'il se sentait faible et cherchait à se faire aimer.
GIDE, Si le grain ne meurt, I, III, p. 86.

♦ 3. Se faire jour. *La vérité se dégage peu à peu.* ⇒ **Manifester** (se). *Il se dégage de l'étude des faits que...* ⇒ **Ressortir, résulter.** *L'impression qui s'en dégage est bonne.*

▶ **DÉGAGÉ, ÉE** p. p. adj.

♦ 1. Qui n'est plus en gage. *Terre dégagée de toute hypothèque.*

♦ 2. Qui n'est pas ou plus recouvert, encombré. ⇒ **Débarrassé, libre.** *Route dégagée. Accès dégagé. Entrée dégagée.* — *Roue dégagée de l'ornière.* — *Avoir le cou dégagé.* ⇒ **Décolleté.** *Nuque dégagée. Front dégagé.* — *Armée dégagée d'une position périlleuse.*

Par ext. *Horizons dégagés. Une vue dégagée,* qui offre un large champ visuel libre.

35.1 (...) j'ai aperçu d'un seul coup la scène : deux personnages immobilisés dans des attitudes dramatiques (...) Il est aisé de les apercevoir, dans un halo de lumière bleue (...) et dans une perspective brusquement dégagée, juste à cet endroit.
A. ROBBE-GRILLET, la Maison de rendez-vous, p. 25-26.

Fig. (avec un compl. en de). *Travail dégagé de toute ambition, de toute préoccupation matérielle* (→ Art, cit. 83). *Âme dégagée des liens terrestres* (→ Choc, cit. 13).

36 Un instinct de vie si pur, une âme si dégagée des liens qui l'enserrent dès sa naissance, que le mot liberté reprenait un sens à sa vue.
GIRAUDOUX, Aventures de J. Bardini, p. 193.

♦ 3. Qui a de la liberté, de l'aisance. *Une taille svelte et dégagée. Démarche vive, dégagée.* ⇒ **Alerte.**

Qui dénote des manières libres, du sans-gêne. ⇒ **Cavalier, désinvolte, léger, libre.** *Un air dégagé. Allures, manières dégagées. Propos dégagés. Parler d'un ton dégagé.*

37 (...) comme la petite Fadette disait cela d'un ton assez fier et dégagé, le père Barbeau en fut inquiet. SAND, la Petite Fadette, XXXVI, p. 233.

▶ **DÉGAGÉ** n. m. (Danse) : « Déplacement d'une jambe qui s'écarte du pied de position (...) en glissant sur le sol » (M. Bourgat, *Techn. de la danse*). — Escrime. Action de dégager le fer (on dit aussi *dégagement*).

38 *(Hauteclaire)* avait des coups irrésistibles (...) Elle avait, entre autres, un dégagé

de quarte en tierce qui ressemblait à de la magie. Ce n'était plus là une épée qui vous frappait, c'était une balle !
BARBEY D'AUREVILLY, les Diaboliques, « Le bonheur dans le crime ».

CONTR. Engager, hypothéquer. — Embarrasser, encombrer ; attacher, envelopper, enfoncer, fixer, lier, renfermer. — Confondre, mélanger. — Absorber. — Couvert, embarrassé, engagé ; enfoncé, gauche, gêné.
DÉR. Dégagement.

DÉGAINE [degɛn] n. f. — 1611 ; « action de dégainer », XVIe ; déverbal de *dégainer.*

♦ Fam. Tournure ou attitude ridicule ; allure extérieure bizarre, comique. ⇒ fam. **Gueule,** fig. *Il, elle a une drôle de dégaine. Quelle dégaine !*

1 (...) pourvu que l'effet total, la posture du personnage, sa dégaine monacale, épiscopale ou royale soit fidèlement reproduite.
SAINTE-BEUVE, Correspondance, Lettre 52, 12 sept. 1828.

2 — Son mari ! Ah ! elle est bonne, celle-là ! (...) Le mari à madame ! comme si on avait des maris avec cette dégaine ! ZOLA, l'Assommoir, t. I, p. 129.

Rare ; en parlant d'un animal, d'un vêtement. *On a vu les singes du zoo, quelle dégaine ils ont ! Son vieux frac avait une dégaine incroyable.*

REM. Le mot peut impliquer une bizarrerie sans ridicule, voire sympathique.

DÉGAINER [degene] v. tr. — XIIIe, *deswainer ;* de 1. *dé-,* et *gaine.*
→ Gaine.

♦ 1. Tirer (une arme blanche) de son fourreau, de sa gaine. *Dégainer un sabre, un poignard, une épée* (cf. Mettre flamberge au vent ; → coutelas, cit. 1).

1 C'est l'heure de la mort. Le supplice est au terme.
Voici le carrefour funèbre et le pavé.
Un sombre Éthiopien dégaine d'un poing ferme
Le sabre grêle et long tant de fois éprouvé.
LECONTE DE LISLE, Poèmes tragiques, « Apothéose de Mouça-Al-Kébyr, p. 15.

Absolt. Mettre l'épée à la main pour se battre. ⇒ **Battre** (se). *Il fallut dégainer. Ferrailleur aimant à dégainer.*

2 Vous êtes de l'humeur de ces amis d'épée
Que l'on trouve toujours plus prompts à dégainer
Qu'à tirer un teston, s'il fallait le donner. MOLIÈRE, l'Étourdi, III, 4.

Par ext. Sortir son pistolet de l'étui. ⇒ (argot) **Défourailler.**

♦ 2. Fam. Sortir (un objet) de son étui. *Dégainer ses lunettes, son chapelet.* — REM. Cet emploi, étymologique, est senti aujourd'hui comme un fig. plaisant du sens 1.

Par anal. (sexuel) :

3 (...) sous prétexte de lui montrer des photos de peintures rupestres il l'avait entraînée au bordj dans sa chambre où sans préavis il avait dégainé. Cela avait été court et brutal. Il avait un sexe énorme.
Jacques LAURENT, les Bêtises, p. 375.

♦ 3. N. m. (vx). *Être brave jusqu'au dégainer* (Mme de Sévigné, IV, 221), jusqu'au moment de se battre.

CONTR. Rengainer.
DÉR. Dégaine.

DÉGALONNER [degalɔne] v. tr. — XIIIe ; au p. p. ; de 1. *dé-, galon* et suff. verbal.

♦ Enlever le ou les galons de (un tissu, un vêtement). — Rare. Enlever ses galons à (quelqu'un).

DÉGANTER [degɑ̃te] v. tr. — 1330 ; de 1. *dé-, gant* et suff. verbal.

♦ Retirer les gants de. *Déganter sa main droite.*

1 (...) ces mains de jeune fille qui m'enfermaient dans leur étau par je ne sais quel pouvoir — celui que leur attribuais — se mirent à déganter mes propres mains longues et parfaites. P. KLOSSOWSKI, la Révocation de l'Édit de Nantes, p. 17.

▶ **SE DÉGANTER** v. pron.
Enlever ses gants.

2 (...) quand tu te dégantais pour la collation (...)
ROUSSEAU, Julie ou la Nouvelle Héloïse, Lettre XXXIV.

▶ **DÉGANTÉ, ÉE** p. p. adj. *Une main dégantée.*

DÉGARNIR [degaʀniʀ] v. tr. — 1080 ; de 1. *dé-,* et *garnir.*

♦ 1. Dépouiller totalement ou en partie, de ce qui remplit, garnit. ⇒ **Débarrasser, dépouiller, dépourvoir.** *Dégarnir un appartement,* le vider de son contenu. ⇒ **Démeubler ; déménager.** *Dégarnir une cheminée.* — *Dégarnir une place (forte),* en retirer une partie de la garnison*. *Dégarnir le centre d'une armée pour renforcer l'aile.* — Arbor. Enlever des branches inutiles. ⇒ **Émonder, tailler.**
Mar. *Dégarnir un mât, une vergue,* en ôter les agrès.
Dégarnir un compte en banque. ⇒ **Vider.**

♦ **2.** Spécialt. Dépouiller des garnitures. *Dégarnir une robe, un chapeau.*

▶ **SE DÉGARNIR** v. pron.

♦ **1.** Perdre une partie de ce qui garnit. *Après le spectacle, la salle se dégarnit rapidement.* ⇒ **Vider** (se). *Cet arbre se dégarnit,* il perd ses feuilles. — *Les rayons du magasin se dégarnissent.* ⇒ **Désassortir** (se).

1 Chaque matin il fallait que nos soldats allassent au loin chercher la nourriture du soir et du lendemain ; et, comme les environs de Moscou se dégarnissaient de plus en plus, on s'écartait tous les jours davantage.
Ph. P. SÉGUR, Hist. de Napoléon, VII, 10, *in* LITTRÉ.

Spécialt. *Ses tempes se dégarnissent,* perdent leurs cheveux. — (Sujet n. de personne) :

1.1 Lilian, se redressant à demi, toucha du bout de ses doigts les cheveux châtains de Robert :
— Vous commencez à vous dégarnir, mon ami. Faites attention : vous n'avez que trente ans à peine. La calvitie vous ira très mal !
GIDE, les Faux-Monnayeurs, *in* Romans, Pl., p. 967.

♦ **2.** Se démunir d'argent comptant. *La caisse se dégarnit.*

▶ **DÉGARNI, IE** p. p. adj. ⇒ **Dépourvu.** *Table dégarnie. Pays dégarni de troupes. Salle dégarnie de spectateurs.*

(1798, *in* D. D. L.). Spécialt. *Front dégarni, tempes dégarnies.*

2 Son front dégarni et ses tempes grisonnantes (...)
J. ROMAINS, les Hommes de bonne volonté, t. III, XVIII, p. 249.

3 (...) l'on pouvait voir à présent le sommet de son crâne légèrement dégarni par une tonsure que les cheveux ne dissimulaient plus.
Claude SIMON, le Palace, 10/18, p. 77.

CONTR. Garnir, munir, pourvoir. — Peupler (se), remplir (se).
DÉR. Dégarnissage, dégarnissement.

DÉGARNISSAGE [degaʀnisaʒ] n. m. — 1933 ; de *dégarnir.*

♦ Action de dégarnir.

DÉGARNISSEMENT [degaʀnismã] n. m. — XIIᵉ ; repris mil. XVIIIᵉ ; de *dégarnir.*

♦ **1.** Action, fait de dégarnir, de se dégarnir.

♦ **2.** Archit. Le fait de supprimer le jointement d'un mur.

DÉGAROULER [degaʀule] v. intr. ⇒ **Débarouler.**

DÉGASOLINAGE [degazolinaʒ] n. m. ; **DÉGASOLINER** [degazoline] v. ⇒ **Dégazolinage ; dégazoliner.**

DÉGÂT [dega] n. m. — V. 1207, *degast ;* de l'anc. v. *degaster* « dévaster » ; de 2. *dé-,* et *gâter.* → Gâter.

♦ **1.** (Au sing.). Vieilli. Dommage important.

1 *(les paysans)* forcés de souffrir le dégât que le gibier fait dans leurs champs, sans oser se défendre (...) ROUSSEAU, les Confessions, XI.

1.1 (...) les cadavres des singes furent transportés dans le bois, où on les enterra ; puis les colons s'employèrent à réparer le désordre causé par les intrus, — désordre et non dégât, car s'ils avaient bouleversé le mobilier des chambres, du moins n'avaient-ils rien brisé. J. VERNE, l'Île mystérieuse, t. I, p. 386.

1.2 Plus tard, on aperçut les poutres et les planches de la maison, qui avaient glissé sous l'île, flottant au large du rivage, comme les épaves d'un navire naufragé. Ce fut le dernier dégât produit par la tempête, dégât qui dans une certaine proportion compromettait encore la solidité de l'île, puisqu'il permettait aux flots de la ronger à l'intérieur. J. VERNE, le Pays des fourrures, t. II, p. 286.

♦ **2.** N. m. pl. DÉGÂTS : dommages résultant d'une cause violente. ⇒ **Dégradation, destruction, détérioration, dommage ; méfait, ravage, ruine.** *Dégâts causés par la tempête, l'orage. La gelée, la grêle ont fait de grands dégâts dans les vignobles. Dégâts accumulés par une grande calamité*. *Pillage avec dégâts.* ⇒ **Déprédation.** *Le gibier, les oiseaux font des dégâts dans les cultures* (→ An, cit. 3). *Marchandises ayant subi des dégâts.* ⇒ **Avarie, perte.** *Être responsable des dégâts. Constater, estimer les dégâts. Faire évaluer les dégâts. Payer les dégâts. Réparation, restauration des dégâts.*

2 Le lendemain matin, Achmet et moi, nous constatons les dégâts ; ils étaient relativement minimes, et le mal pouvait aisément se réparer.
LOTI, Aziyadé, III, Eyoub à deux, LIII, p. 153.

3 Le mal qui est dans le monde vient presque toujours de l'ignorance, et la bonne volonté peut faire autant de dégâts que la méchanceté, si elle n'est pas éclairée.
CAMUS, la Peste, p. 150.

3.1 (...) les dégâts — façades criblées d'éclats, églises incendiées, magasins pillés, glaces étoilées par les balles — se trouvaient au contraire en plus grand nombre dans son cœur même. Claude SIMON, le Palace, 10/18, p. 75.

Fam. *Il y a du dégât.* ⇒ **Casse.**

♦ **3.** Loc. *Limiter les dégâts :* faire en sorte qu'une situation compromise n'ait pas d'issue dramatique (échec, scandale, rupture, perte, etc.). ⇒ **Pire** (éviter le).

4 Pourquoi hésiter puisqu'ils savent tout (...) il s'agit de limiter les dégâts, de sauver ce qui peut encore être sauvé, il vaut mieux se dépêcher (...)
N. SARRAUTE, le Planétarium, p. 204.

Fam. *Les dégâts :* les graves inconvénients. *Bonjour les dégâts !* (dans un slogan antialcoolique).

CONTR. Réparation.

DÉGAUCHIR [degoʃiʀ] v. tr. — 1397, *desgauchir ;* de 1. *dé-,* et *gauchir.*

♦ **1.** Techn. Rendre unie, droite (la surface d'une pierre, d'une pièce de menuiserie ou de charpente). ⇒ **Aplanir, raboter, redresser.** *Dégauchir une poutre. Dégauchir une planche au rabot.* P. p. *Planche dégauchie.*

1 (...) le pic et la pioche achevèrent le dessin ogival des cinq fenêtres, de la vaste baie, des œils-de-bœuf et de la porte, ils en dégauchirent les encadrements, dont les profils furent assez capricieusement arrêtés (...)
J. VERNE, l'Île mystérieuse, t. I, p. 246.

Par métaphore. Littéraire :

2 La quête d'un frère signifie presque toujours la recherche d'un être, notre égal, à qui nous désirons offrir des transcendances dont nous finissons à peine de dégauchir les signes. René CHAR, les Matinaux, p. 203.

♦ **2.** (1801). Fig. Corriger la gaucherie de (qqn). ⇒ **Corriger, dégourdir, dégrossir.** *Dégauchir un jeune homme. Il commence à se dégauchir :* il devient moins gauche.

♦ **3.** Argot, fam. Trouver (qqch.) après l'avoir recherché (souvent avec l'idée de prendre).

3 Le temps d'un aller-retour chez la grande Paulette, celui de dégauchir, dans l'appartement qu'il connaît mal encore, une cache insoupçonnable, sans doute quelques minutes de mieux pour changer de linge et de costard.
Albert SIMONIN, Hotu soit qui mal y pense, p. 36.

CONTR. Gauchir.
DÉR. Dégauchissement ou dégauchissage, dégauchisseuse.

DÉGAUCHISSAGE [degoʃisaʒ] n. m. — 1838 ; de *dégauchir.* ⇒ **Dégauchissement.**

DÉGAUCHISSEMENT [degoʃismã] n. m. — 1513, *degochissement ;* de *dégauchir.*

♦ Techn. Action de dégauchir.

DÉGAUCHISSEUSE [degoʃisøz] n. f. — 1888 ; de *dégauchir.*

♦ Techn. Machine servant à dégauchir ; raboteuse* mécanique.

DÉGAZAGE [degɑzaʒ] n. m. — 1929 ; de *dégazer.*
Technique.

♦ **1.** Extraction des gaz contenus (dans une substance, un espace). *Dégazage d'une eau. Dégazage d'une galerie de mine grisouteuse.*

Les eaux utilisées dans les chaudières *(des centrales thermiques)* sont traitées pour éviter les incrustations, les corrosions et les dépôts de silice (...) L'eau, retour du condenseur, doit être séparée de l'oxygène qu'elle aurait pu absorber, notamment dans les zones où sa pression est inférieure à celle de l'atmosphère et donc où des rentrées d'air sont possibles. Ce dégazage s'effectue dans le condenseur grâce aux pompes à vide et surtout au dégazeur (...)
M. CHASSELOUP et L. LEMAÎTRE, les Centrales thermiques, p. 81-83.

♦ **2.** Extraction des hydrocarbures gazeux ou volatils contenus (dans un produit pétrolier).

♦ **3.** Nettoyage des citernes et des soutes de (un pétrolier), pour éliminer les résidus d'hydrocarbures.

DÉGAZER [degɑze] v. — 1838 ; de 1. *dé-,* et *gaz.*

★ **I.** V. tr. (Chim.). Expulser les gaz contenus dans (un liquide, un solide).

★ **II.** V. intr. (V. 1971). Procéder au dégazage (3.). *Pétrolier surpris en train de dégazer en mer.*

DÉR. Dégazage.

DÉGAZOLINAGE ou **DÉGASOLINAGE** [degazolinaʒ] n. m. — 1948, *dégazolinage ; dégasolinage,* 1961 ; de *dégazoliner.*

♦ Techn. Traitement destiné à extraire d'un gaz naturel humide les hydrocarbures condensables qu'il contient. *Dégazolinage par le froid.*

DÉGAZOLINER ou **DÉGASOLINER** [degazoline] v. tr. — 1948, *dégazoliner ; dégasoliner,* 1961 ; de 1. *dé-,* et *gazoline, gasoline.*

♦ Techn. Traiter par dégazolinage (un gaz naturel humide). P. p. adj. *Gaz sec, dégazoliné, expédié sur des centres de consommation.*

DÉR. Dégazolinage ou **dégasolinage.**

DÉGAZONNAGE [degazɔnaʒ] ou **DÉGAZONNEMENT** [degazɔnmã] n. m. — 1922, *dégazonnage*; *dégazonnement*, 1863; de *dégazonner.*

♦ Action de dégazonner.

DÉGAZONNER [degazɔne] v. tr. — 1863; de 1. *dé-*, et *gazon.*

♦ Enlever le gazon de. *Dégazonner une pelouse.*

CONTR. Gazonner.

DÉR. **Dégazonnage** ou **dégazonnement.**

DÉGEL [deʒɛl] n. m. — 1265; de *dégeler.*

♦ **1.** Fonte naturelle de la glace et de la neige, lorsque la température s'élève. ⇒ **Fonte, liquéfaction.** *Le dégel est venu tout à coup. Brusque dégel d'un cours d'eau.* ⇒ **Débâcle.**

1   Elle m'a appris que vers quatre heures le vent avait soufflé un peu. Il avait apporté l'odeur de la forêt. Il était chaud, humide.
— Cela annonce le dégel, dit-elle. Dès que la neige aura fondu je partirai.
                     H. Bosco, Hyacinthe, p. 173.

1.1   Au mois de mai, le dégel se fit rapidement. La neige qui couvrait le rivage fondait de tous côtés et formait une boue épaisse, qui rendait la côte presque inabordable. Les petites bruyères, roses et pâles, se montraient timidement à travers les restes de neige et semblaient sourire à ce peu de chaleur. Le thermomètre remonta enfin au-dessus de zéro.   J. Verne, Un hivernage dans les glaces, p. 328.

Barrière de dégel. ⇒ **Barrière** (I., 1., a).

♦ **2.** (1834). Fig. Détente, adoucissement.

2   Je me rappelle ce dégel de tout mon être sous ton regard, ces émotions jaillissantes, ces sources délivrées.   F. Mauriac, le Nœud de vipères, I, III, p. 38.

♦ **3.** Reprise de l'activité (politique, économique, sociale) après une période de stagnation.

♦ **4.** Fait de dégeler (I., 3.). → **Déblocage.**

3   Car, quelle possibilité de dégel entre les délégués officiels du G. P. R. A. et des porte-parole à qui toute initiative paraît être interdite?   F. Mauriac, le Nouveau Bloc-notes 1958-1960, p. 350.

CONTR. **Gel; congélation.**

DÉGELÉE [deʒle] n. f. — 1790, *in* D. D. L., au sens 2.; de *dégeler.*
Familier.

♦ Fam. Volée (de coups). *Une dégelée de coups de bâton.* — Absolt. *Il a reçu une sévère dégelée.*

1   «Comment s'appelle ton maître, Simon?
— J'sais pas, moi!»
Dégelée de claques sur les fesses nues. Hurlements. Du geste, Yankel écarta sa femme.   Roger Ikor, les fils d'Avrom, «Les eaux mêlées», p. 371.

Mitraillade, fusillade. Recevoir une dégelée.

2   Les Allemands séduits par la facilité se remettaient à tirer. Et comment. Quelle dégelée de balles. C'est si facile de déchirer un centimètre de chair avec une tonne d'acier.   Drieu La Rochelle, La Comédie de Charleroi, p. 77.

Donner une dégelée à (qqn) : infliger une défaite écrasante à (qqn). ⇒ **Déconfiture.**

DÉGÈLEMENT [deʒɛlmã] n. m. — xixᵉ; de *dégeler.*

♦ Rare. Action de dégeler. ⇒ **Dégel.**

DÉGELER [deʒle] v. — Conjug. *geler.* — 1213, *desgeler*; de 1. *dé-*, et *geler.*

★ **I.** V. tr. ♦ **1.** Faire fondre (ce qui est gelé ou figé). *Le vent du sud a dégelé la rivière.*

0.1   Ils traversèrent les Tuileries (...) Le bassin des Tuileries n'était qu'à demi dégelé. Mais entre les blocs de glace l'eau était bleue comme au printemps.   Proust, Jean Santeuil, Pl., p. 888.

Figuré :

1   (...) ces jeunes déesses eussent sans nulle doute fait fondre la neige et dégelé la nature aux feux de leurs prunelles.   Th. Gautier, Capitaine Fracasse, t. I, VII, p. 231.

Fam. ⇒ **Ranimer, réchauffer.** *Je n'arrive pas à me dégeler les pieds.*

♦ **2.** *Dégeler qqn; dégeler une assemblée,* lui faire abandonner sa froideur, sa réserve. ⇒ **Dérider.**

2   Ma mère l'irritait beaucoup par les constants efforts qu'elle faisait pour le dégeler (...)   Gide, Si le grain ne meurt, I, II, p. 41.

3   Un tour à l'œil? proposa Petit-Pouce. Ça dégèlerait le public, ça encouragerait les philosophes (...) une fois embrayée, la soirée n'aurait plus qu'à rouler de séance en séance jusque vers le minuit (...)   R. Queneau, Pierrot mon ami, p. 10.

Dégeler l'atmosphère d'une réunion, la détendre, la réchauffer.

Pron. *Se dégeler :* sortir de sa réserve, de sa timidité. *Il s'est vite dégelé.*

♦ **3.** Débloquer, remettre en circulation, en mouvement. *Dégeler des crédits, des dossiers en souffrance.*

♦ **4.** (1963, *in* D. D. L.). Détendre, débloquer (une situation politique, sociale, psychologique).

★ **II.** V. intr. Cesser d'être gelé. *Le lac commence à dégeler. Faire dégeler un produit congelé.* — Impers. *Il dégèle. Ça commence à dégeler.*

CONTR. **Congeler, geler.** — **Figer, bloquer.**

DÉR. **Dégel, dégelée, dégèlement.**

DÉGÉNÉRATIF, IVE [deʒeneʀatif, iv] adj. — 1877; de *dégénérer.*

♦ Didact. Qui se rapporte à la dégénérescence; qui entraîne une dégénérescence. *Lésion dégénérative. Processus dégénératifs qui aboutissent à la destruction de l'organisme.*

1   Le corps est détruit plus rapidement par une maladie dégénérative pendant la jeunesse que pendant la vieillesse.   Alexis Carrel, l'Homme, cet inconnu, VII, IV, p. 297.

2   Ces troubles, au point de vue étiologique, relèvent de processus vasculaires (avant tout athérome, accessoirement hypertension) et de processus dits dégénératifs. Moins souvent, on rencontre chez le vieillard des processus inflammatoires et tumoraux.   Léon Binet, Gérontologie et gériatrie, p. 43.

Par extension :

3   Al. Hamilton dans le Fédéraliste remarque que déjà de ce temps on attribuait au climat américain une influence dégénérative. «Dans ce pays même les chiens n'aboient plus. (C'est d'ailleurs parfaitement exact). Ni les coqs ne chantent.»   Claudel, Journal, 18 janv. 1933.

DÉGÉNÉRATION [deʒeneʀasjɔ̃] n. f. — xvᵉ, rare au déb. xviiiᵉ; bas lat. *degeneratio* «dégénération, dégénérescence», du supin du lat. *degenerare.* → Dégénérer.

♦ Vx. Le fait de perdre les qualités naturelles de sa race; état qui en résulte. ⇒ **Dégénérescence.**

DÉGÉNÉRER [deʒeneʀe] v. intr. — Conjug. *céder.* — 1361; lat. *degenerare,* de *de-*, et *genus, generis* «race».

♦ **1.** Littér. Perdre les qualités naturelles de sa race, de son espèce. ⇒ **Abâtardir** (s'). *Cette espèce animale, cette race a dégénéré. Le blé dégénère dans un mauvais terrain. Graines qui dégénèrent.* ⇒ **Biser** (1.); **détériorer** (se).

1   On eut soin d'empêcher qu'une indigne maîtresse
Ne fît en ses enfants dégénérer son sang.   La Fontaine, Fables, VIII, 24.

2   Les mariages entre parents qui peuvent affaiblir les faibles et les faire dégénérer, fortifient, au contraire, les forts.   Michelet, la Femme, p. 228.

3   (...) il semble, à regarder les vitraux, les statues des cathédrales, les peintures primitives, que la race humaine ait dégénéré et que le sang humain se soit appauvri : saints étiques, martyrs disloqués, vierges à la poitrine plate, aux pieds trop longs (...)   Taine, Philosophie de l'art, t. II, V, III, V, p. 303.

Vx. (Personnes). Avoir moins de valeur, de vertu... que ceux dont on est issu. ⇒ **Déchoir, forligner.** *Son fils a dégénéré. Dégénérer de (ses ancêtres, leurs qualités...).*

4   Viens, tu fais ton devoir, et le fils dégénère
Qui survit un moment à l'honneur de son père.   Corneille, le Cid, II, 2.

5   (...) ne point dégénérer de leurs vertus, si nous voulons être estimés leurs véritables descendants.   Molière, Dom Juan, IV, 4.

6   On ne suit pas toujours ses aïeux ni son père :
Le peu de soin, le temps, tout fait qu'on dégénère.   La Fontaine (→ Cultiver, cit. 8).

Perdre ses qualités. ⇒ **Appauvrir** (s'), **avilir** (s'), **baisser, décliner, dégrader** (se), **perdre, pervertir** (se), **tomber.** *Cet auteur, cet artiste a bien dégénéré.* — *On a vu dégénérer les mœurs et les arts.*

7   C'est le sort ordinaire des choses humaines, quand elles sont parvenues à leur plus grande perfection, d'en déchoir bientôt et d'aller toujours après en dégénérant.   Charles Rollin, Hist. ancienne, XXV, III, *in* Littré.

8   Tout est bien sortant des mains de l'Auteur des choses, tout dégénère entre les mains de l'homme.   Rousseau, Émile, I.

♦ **2.** Cour. *Dégénérer en :* se transformer (en ce qui est pis). ⇒ **Tourner.** *Dispute qui dégénère en rire. Pratiques qui dégénèrent en abus. Liberté dégénérant en licence. Sa bonté dégénère en faiblesse.*

9   Il y a de bonnes qualités qui dégénèrent en défauts quand elles sont naturelles, et d'autres qui ne sont jamais parfaites quand elles sont acquises (...)   La Rochefoucauld, Maximes, 365.

10   Pour empêcher la pitié de dégénérer en faiblesse, il faut donc la généraliser et l'étendre sur tout le genre humain.   Rousseau, Émile, IV.

11   (...) on devient vulgaire par les souffrances vulgaires : les soucis d'un trône perdu dégénèrent en tracasseries de ménage.   Chateaubriand, Mémoires d'outre-tombe, t. VI, p. 67.

Absolt. *Ils sont déjà en froid; il ne faudrait pas que cela dégénère.* ⇒ **Aggraver** (s').

11.1   Son équipage, d'abord méfiant, descendait plus volontiers à terre, et se mêlait aux montagnards dans les jeux de cartes et de dés, et, le samedi soir, dans les beuveries, qui plusieurs fois dégénérèrent.   Joseph Joubert, l'Homme de sable, p. 59.

Se changer en une maladie plus grave. *Son rhume dégénère en bronchite.*

▶ **DÉGÉNÉRÉ, ÉE** p. p. adj.

♦ **1.** (1753, *in* D.D.L.). Vx. Qui a perdu les qualités de sa race, de son espèce. Qui est atteint de dégénérescence. *Animal dégénéré.* ⇒ **Abâtardi ; bâtard.** — *Races dégénérées.* — *Mœurs dégénérées.*

♦ **2.** Méd. Qui est atteint d'anomalies congénitales graves, notamment psychiques, intellectuelles. — Par ext. Fam. *Il est un peu dégénéré.* ⇒ **Taré** (fam.).

♦ **3.** N. (1891). Vx ou péj. *Un, une dégénéré(e).* ⇒ **Débile, idiot, imbécile** (psychol. et cour.).

Au point de vue clinique, la classe des dégénérés comprend (...) les *idiots,* les *imbéciles,* les *débiles,* à lésions cérébrales bien marquées et dont les facultés intellectuelles et morales se sont développées d'une façon insuffisante ; puis les *dégénérés à lésions cérébrales peu appréciables* (...)
Ces *dégénérés,* qu'on a appelés *supérieurs* (...) présentent des stigmates de deux ordres, physiques et psychiques (...)
P. POIRÉ, Dict. des sciences, art. Dégénérescence.

CONTR. **Améliorer, fortifier, régénérer. — Fleurir, progresser.**
DÉR. **Dégénératif, dégénération, dégénérescence.**

DÉGÉNÉRESCENCE [deʒeneʀesɑ̃s] n. f. — 1796 ; de *dégénérer,* d'après les mots en *-ence,* lat. *-entia,* avec infixe inchoatif *-esc-.* → Recrudescence.

♦ **1.** Le fait de dégénérer (1.), de perdre les qualités de sa race. ⇒ **Abâtardissement.**

♦ **2.** Fig. Perte des qualités, état de ce qui se dégrade. *La dégénérescence de la moralité publique.* ⇒ **Déclin, dégradation.**

Ces qualités se cachent généralement sous l'aspect de la dégénérescence. Cette dégénérescence vient de l'éducation, de l'oisiveté, du manque de responsabilité et de discipline morale. Alexis CARREL, l'Homme, cet inconnu, VIII, VI, p. 360.

♦ **3.** (1857). Méd. Modification pathologique (d'un tissu, d'un organe) avec perturbations de leurs fonctions. *Dégénérescence calcaire, colloïde, graisseuse, pigmentaire.*

♦ **4.** Vx. *Dégénérescence mentale.* ⇒ **Idiotie, imbécillité.**

CONTR. **Amélioration, progrès.**
DÉR. **Dégénérescent.**

DÉGÉNÉRESCENT, ENTE [deʒeneʀesɑ̃, ɑ̃t] adj. — 1834 ; de *dégénérescence.*

♦ Didact. Qui est atteint de dégénérescence. *Un tissu dégénérescent.* — Qui ressortit à la dégénérescence.

DÉGERMAGE [deʒeʀmaʒ] n. m. — 1932 ; de *dégermer.*

♦ Techn. Action de dégermer.

DÉGERMER [deʒeʀme] v. tr. — 1874 ; de 1. *dé-,* et *germe.*

♦ Techn. Enlever le germe de. *Dégermer des pommes de terre.* — Spécialt. Dans les brasseries, Enlever le germe de l'orge. *Dégermer de l'orge.* — Au p. p. *Malt dégermé.*

DÉR. **Dégermage, dégermeur, dégermeuse.**

DÉGERMEUR [deʒeʀmœʀ] n. m. ⇒ **Dégermeuse.**

DÉGERMEUSE [deʒeʀmøz] n. f. — 1934, *in* T.L.F. ; de *dégermer.*

♦ Techn. (brasserie). Machine à dégermer l'orge. — REM. La documentation atteste également *dégermeur,* n. m., dans ce sens.

DÉGINGANDAGE [deʒɛ̃gɑ̃daʒ] ou **DÉGINGANDEMENT** [deʒɛ̃gɑ̃dmɑ̃] n. m. — 1887, *dégingandage ; dégingandement,* 1867, Goncourt ; de *dégingander (se).*

♦ Rare. Le fait de se dégingander ; allure dégingandée.

DÉGINGANDÉ, ÉE [deʒɛ̃gɑ̃de] adj. — 1690 ; av. 1596, en parlant d'un chariot disloqué ; de *déhingander* «disloquer», 1546 ; de 1. *dé-* et anc. franç. *hinguer* «se diriger», mot d'orig. germanique, cf. moy. néerl. *henge* «gond», par croisement avec *ginguer* «danser la gigue, gigoter».

♦ **1.** Qui a quelque chose de disproportionné dans sa haute taille ; quelque chose de disloqué dans la démarche, les mouvements. *Un grand diable, un grand escogriffe tout dégingandé.*

Il était maigre, dégingandé, la figure longue, salie de quelques rares poils de barbe, avec les cheveux jaunes et la pâleur anémique de toute la famille.
ZOLA, Germinal, t. I, I, II, p. 15.

Je le revois si bien ! un peu dégingandé, comme un enfant grandi trop vite, flexible, délicat (...) GIDE, Si le grain ne meurt I, VIII, p. 218.
Par ext. *Démarche dégingandée.*

♦ **2.** Vieilli. Qui se laisse aller, manque de tenue ou a une allure très libre. — Par ext. *Un pas, une démarche dégingandée* (Proust, *in* T.L.F.). — Par métaphore. *Une vie dégingandée* (Constant, *in* T.L.F.).

♦ **3.** Vx (langue class.). Décousu, désordonné.
CONTR. **Râblé, tassé, trapu.**

DÉGINGANDER (SE) [deʒɛ̃gɑ̃de] v. pron. — Fin XVIIIᵉ-déb. XIXᵉ ; de *dégingandé.*

♦ Vieilli. Prendre une allure dégingandée (Zola, *in* T.L.F.). — Par ext. Prendre une allure libre. *« Les couples s'échauffèrent (...) la danse se déginganda »* (Huysmans, *in* T.L.F.).
DÉR. **Dégingandage** ou **dégingandement.**

DÉGÎTER [deʒite] v. tr. — 1611 ; de 1. *dé-, gîte,* et suff. verbal.

♦ Chasse. Faire sortir (un animal) de son gîte.

DÉGIVRAGE [deʒivʀaʒ] n. m. — 1949 ; de *dégivrer.*

♦ Action de dégivrer. *Le dégivrage d'une vitre. Réfrigérateur à dégivrage automatique. Dégivrage électrique de la vitre arrière d'une voiture. Commande de dégivrage.*

DÉGIVRER [deʒivʀe] v. tr. — 1948 ; de 1. *dé-,* et *givre.*

♦ Enlever le givre de... *Dégivrer un réfrigérateur. Dégivrer une glace d'automobile, les ailes d'un avion.*
DÉR. **Dégivrage, dégivreur.**

DÉGIVREUR [deʒivʀœʀ] n. m. — 1943, *in* D.D.L. ; de *dégivrer.*

♦ Appareil pour enlever le givre. *Dégivreur automatique d'un réfrigérateur.* — Aéron. *Dégivreur thermique, pneumatique.*

DÉGLAÇAGE [deglasaʒ] ou **DÉGLACEMENT** [deglasmɑ̃] n. m. — 1890, *déglaçage ; déglacement,* 1870 ; de *déglacer.*

♦ Techn. ou rare. Action de déglacer.

DÉGLACEMENT [deglasmɑ̃] n. m. ⇒ **Déglaçage.**

DÉGLACER [deglase] v. tr. — Conjug. *glacer* → Placer. — 1442 ; de 1. *dé-,* et *glace.*

♦ **1.** Rare. Faire fondre la glace, le verglas. *Déglacer une route.* (1550). Fig. et fam. ⇒ **Réchauffer.** *Déglacer ses pieds, ses mains en les exposant au feu. Se déglacer.*

♦ **2.** (1906). Techn. *Déglacer du papier,* en enlever le lustre.

♦ **3.** Cuis. Mouiller et réchauffer la pellicule laissée au fond de (un récipient) par une cuisson au gras (pour préparer une sauce). *Déglacer une sauteuse, le fond d'une casserole.* — Absolt. *On déglace du bouillon.*
CONTR. **Glacer.**
DÉR. **Déglaçage** ou **déglacement.**

DÉGLACIATION [deglasjasjɔ̃] n. f. — 1956 ; de *dé-,* et *glaciation.*

♦ Géogr. Phase de récession d'un appareil glaciaire.
CONTR. **Englacement.**

DÉGLINGUAGE [deglɛ̃gaʒ] n. m. — 1944 ; de *déglinguer.*

♦ Fam. Action de déglinguer, de se déglinguer. *Le déglinguage d'une montre, d'un mécanisme.* — On trouve l'orth. *déglingage.*

(...) je pense alors aux injections de benzine, à mes tentatives de déglingage, à ce que je disais à Rolande : « Si ça ne va pas comme je veux, je mets la patte en porte-à-faux, je me fais filer dessus un bon coup de tabouret (...) »
A. SARRAZIN, l'Astragale, p. 94.

Var. morphologique : *la déglingue* [deglɛ̃g] n. f. *« L'art de la déglingue : Le cas Charles Bukowski ne s'arrange pas. Le plus glorieux pochard vivant de la Californie continue de nous raconter sa longue dérive d'épave (...) Bukowski donne ses lettres de noblesse à la plus totale déglingue jamais recensée. Un exploit loufoque et triste, un exploit quand même »* (l'Express, nº 1699, 27 janv. 1984, p. 80.)

Ce n'était pas grave de risquer sa peau quand elle était intacte : on ne risquait que

la foudre. C'est propre, la foudre ! Tandis que maintenant, pour nous tous, c'est plus ou moins la déglingue... Notre tour est passé.
G. CESBRON, Don Juan en automne, p. 203.

DÉGLINGUER [deglɛ̃ge] v. tr. — 1842 ; altér. de *déclinquer*, de *clin*.

♦ Fam. ⇒ **Démolir, désarticuler, disloquer.** *Tu as encore déglingué le réveil !*

▶ **SE DÉGLINGUER** v. pron.
0.1   Il faut bien reconnaître, d'ailleurs, que le livre n'est pas un objet particulièrement bien inventé : il attire la poussière, il se déglingue facilement, il est fragile et pas pratique, et ça en tient de la place une bibliothèque.
R. QUENEAU, Bâtons, chiffres et lettres, p. 92.

▶ **DÉGLINGUÉ, ÉE** p. p. adj. *Sa voiture est toute déglinguée. Il a laissé tomber sa montre ; le mécanisme est tout déglingué.* ⇒ **Casser.**
1   (...) le chevron — le montant de la porte, comme d'ailleurs son châssis lui-même — décoloré par la pluie, grisâtre, et, pour ainsi dire feuilleté, comme de la cendre de cigare, le châssis, lui, à moitié déglingué (...)
Claude SIMON, la Route des Flandres, p. 212.

DÉR. Déglinguage.

DÉGLUEMENT [deglymɑ̃] n. m. — XIXᵉ ; de *dégluer*.

♦ Rare. Action de dégluer ; son résultat.

DÉGLUER [deglye] v. tr. — 1538 ; *desgluer*, 1213 ; de 1. *dé-*, et *glu*.

♦ Littér. ou techn. Enlever (qqch.) de la glu ; ôter la glu de. *Dégluer un bâton. Les oisillons se dégluèrent.* — Par anal. *Se dégluer les yeux*, les débarrasser de la chassie qui colle les paupières.

▶ **SE DÉGLUER** v. pron.
(1960). Se tirer de (une situation embarrassante, accaparante). → Dépêtrer (se), et, fam., dépatouiller (se).

CONTR. Engluer.
DÉR. Dégluement.

DÉGLUTINATION [deglytinɑsjɔ̃] n. f. — 1951 ; de 1. *dé-*, et *(ag)glutination*.

♦ Ling. Séparation d'éléments d'une même forme (ex. : *la griotte* pour l'*agriotte*).

CONTR. Agglutination.

DÉGLUTINER [deglytine] v. tr. — 1834 ; lat. tardif *deglutinare*.

♦ **1.** Techn. Dégluer (un oiseau). — Débarrasser (qqch.) de ce qui englue.

♦ **2.** Rare. Déglutir (R. Rolland, *in* T. L. F.).

DÉGLUTIR [deglytiʀ] v. tr. et intr. — 1832 ; déb. XVᵉ « avaler » ; bas lat. *deglutire* « avaler » de *glutire* (ou *gluttire*), de *glutus* ou *gluttus* « gosier ».

♦ Didact. Faire franchir l'isthme du gosier à (la salive, les aliments). ⇒ **Avaler.** *Déglutir qqch. avec difficulté. Action de déglutir.* ⇒ **Déglutition.**
Je vois très bien entre ses mandibules la petite baie qu'il vient de cueillir, brillante et noire comme son œil vif. Il renverse le cou, la déglutit avec effort ; son gosier se gonfle au passage tandis que, la tête de côté, il continue de me regarder ; d'un seul œil, pareil à une baie de sureau. M. GENEVOIX, Forêt voisine, I, p. 11.

DÉGLUTITION [deglytisjɔ̃] n. f. — 1561, Paré ; du bas lat. *deglutire* « avaler ». → Déglutir.

♦ Didact. Action de déglutir ; mouvement par lequel on déglutit. *Mouvement péristaltique de l'œsophage pendant la déglutition.*
À la fois machinal et volontaire, l'acte de *déglutition* marque le deuxième temps de la digestion, c'est-à-dire le passage des aliments de la bouche dans l'estomac par le canal œsophagien... D'abord pressé entre le dos de la langue et la voûte du palais, le bol alimentaire glisse ensuite en arrière pour franchir l'isthme du gosier, où il échappe au contrôle de la volonté.
VALLERY-RADOT, Notre corps, p. 89.

DÉGOBILLAGE [degɔbijaʒ] n. m. — 1809 ; de *dégobiller*.

♦ Fam. Action de dégobiller, de vomir. — Ensemble des matières vomies.
Fig. et péj. ⇒ **Verbiage.**

DÉGOBILLER [degɔbije] v. tr. et intr. — 1611 ; de 1. *dé-*, et *gober*, suffixe *-iller*.

♦ Fam. ⇒ **Vomir** ; vulg. **dégueuler.** *Dégobiller son repas. Il va tout dégobiller.* — Absolt. *Dégobiller.*

On dégobille l'un devant l'autre et le matin on se revoit avec des figures de déterrés (...) FLAUBERT, Correspondance, t. I, p. 224.   1
Sada Yacco dans *la Dame aux camélias* du Japon.   2
Du réalisme qui ne passerait pas à Paris. Les derniers hoquets d'une poitrinaire. Elle « dégobille » presque (...) J. RENARD, Journal, 2 nov. 1901.
Figuré :
(...) remâchement de salopes facéties dégobillées par d'innumérables générations de gueules identiques, parodies éculées depuis deux mille ans, on n'imagine rien de plus. Léon BLOY, le Désespéré, p. 138.   3

DÉR. Dégobillage, dégobillis.

DÉGOBILLIS [degɔbiji] n. m. — 1634 ; de *dégobiller*.

♦ Rare. Vomi. ⇒ **Dégueulis.**

DÉGOISADE [degwazad] n. f. — 1853, *in* D. D. L. ; de *dégoiser*.

♦ Vx. Discours dégoisé. *« Une dégoisade de maximes... pédantesques »* (Baudelaire).

DÉGOISEMENT [degwazmɑ̃] n. m. — 1842, « chant d'oiseau » ; de *dégoiser*.

♦ (1877, Goncourt). Fam. et péj. Rare. Action de dégoiser ; phrases dégoisées. ⇒ **Dégoisade.**

DÉGOISER [degwaze] v. — XIVᵉ ; « chanter », fin XIIIᵉ ; de 1. *dé-*, et *gosier*.
Familier et péjoratif.

♦ **1.** V. intr. Parler. *Il n'a pas fini de dégoiser.*
Peste ! Madame la Nourrice, comme vous dégoisez ! Taisez-vous, je vous prie (...) MOLIÈRE, le Médecin malgré lui, II, 1.   1

♦ **2.** V. tr. Débiter ; réciter, chanter (péj.). *Dégoiser d'interminables discours* (→ Bonisseur, cit.). *Qu'est-ce qu'il dégoise ?* ⇒ **Dire.**
Avec une précipitation forcenée, en quelques minutes, elles dégoisèrent les injures qu'elles avaient mis deux heures à chanter.
M. BARRÈS, la Colline inspirée, XI, p. 183.   2
On donnait quelques tours à la clef et le charmant vocalisateur dégoisait un air aussi varié qu'il était triste. J. GREEN, Vers l'invisible, 1958-1967, 4 mai 1959.   3
Raconter des bobards*.
(... *les clients*) se sont mis en colère, ils voulaient tout casser. D'un comique. — Vous dites que vous avez fini par les servir. — Après les avoir calmés (...) après avoir insinué que par faveur insigne (...) parce que c'était eux (...) Enfin, vous voyez ce qu'on dégoise aux clients un peu benêts.
R. QUENEAU, les Fleurs bleues, p. 129.   4

DÉR. Dégoisade, dégoisement.

DÉGOMMAGE [degɔmaʒ] n. m. — 1767, techn. ; de *dégommer*.

♦ **1.** Techn. Action de dégommer.

♦ **2.** (1842). Fam. et vieilli. Destitution.

DÉGOMMER [degɔme] v. tr. — 1653 ; de 1. *dé-*, et *gomme*.

♦ **1.** Techn. Débarrasser (une chose) de la gomme dont elle est enduite. *Dégommer un timbre. Dégommer une enveloppe.* — Spécialt. Ôter l'enduit gommeux des cocons de vers à soie.

♦ **2.** (1832, Jacquemont, *Correspondance*, t. II, p. 325). Fam. Destituer d'un emploi. ⇒ **Limoger.** Faire perdre une place. *Se faire dégommer.* ⇒ **Vider** (familier).
Mesnilgrand (...) qui devait mourir dans l'obscurité de la vie privée, après avoir manqué la grande gloire historique pour laquelle il était né (...) Mesnilgrand, le chef d'escadron « dégommé », comme disent les gens qui déshonorent tout, avec leur bas vocabulaire.
BARBEY D'AUREVILLY, les Diaboliques, « À un dîner d'athées ».   1
Là, viennent le Président du Tribunal, des juges, un sous-préfet dégommé, le commandant de gendarmerie (...) Ed. et J. DE GONCOURT, Journal, t. VI, p. 26.   2
Surpasser, supplanter.
Aussi traversa-t-il brillamment les éliminatoires et challenger dégomma le champion. R. QUENEAU, Loin de Rueil, p. 61.   3

♦ **3.** Pron. (vx.). Vieillir, perdre de sa fraîcheur.
Je me rouille, je me dégomme.   4
LABICHE, Deux Papas très bien, 1844, I, 1, *in* D. D. L., II, 5.

DÉR. Dégommage.

DÉGONDER [degɔ̃de] v. tr. — 1606 ; *desgonter*, 1514 ; de 1. *dé-*, *gond* et suff. verbal.

♦ Rare. Enlever les gonds de (une porte...).
Les autans de la mer qui dégondent les portes et écrasent les treilles. J. GIONO, Naissance de l'Odyssée, p. 127.   1
Pron. :
Alors Lucien prend ses cahiers en vrac, deux ou trois livres et il fiche le camp (...) À force de la claquer, la porte de l'appartement finira par se dégonder. François NOURISSIER, Allemande, p. 228.   2

DÉGONFLAGE [degɔ̃flaʒ] n. m. — 1887; de *dégonfler*.

♦ **1.** Action de dégonfler. *Le dégonflage d'un pneu, d'un ballon.*
Fig. *« Les automobilistes n'ont évidemment aucune raison de déplorer ce dégonflage rapide des prix »* (*l'Auto-Journal,* mai 1967).

♦ **2.** (1929). Fam. Fait de se dégonfler (2.).

1   Il y en a qui font les malins, qui se donnent des airs de vouloir entrer, mais au dernier moment, c'est le dégonflage.   M. AYMÉ, le Passe-muraille, p. 198.
2   (...) la conscience moderne dont la moindre ressource est de cautionner l'infidélité à soi-même et aux autres. Elle est sans rivale pour justifier toutes trahisons et dégonflages.   Jacques PERRET, Bâtons dans les roues, p. 235.

DÉGONFLARD, ARDE [degɔ̃flaʀ, aʀd] n. — 1932; de *dégonflé*.

♦ Fam. Personne dégonflée, lâche.

1   « Impossible ici, affirma Cruc après un long silence. »
— Cruc, dit Mangemanche, vous êtes un dégonflard. »
Boris VIAN, l'Automne à Pékin, p. 64-65.
Var. : *dégonfleur, euse.*
2   Olivier avança dans sa direction en roulant des épaules comme un vrai boxeur : Mais approche, approche donc, dégonfleur !
R. SABATIER, les Allumettes suédoises, p. 200.

DÉGONFLE [degɔ̃fl] n. f. — 1940; déverbal de *(se) dégonfler*.

♦ Fam. Le fait de se dérober, d'user de faux-fuyants.

DÉGONFLEMENT [degɔ̃fləmɑ̃] n. m. — 1790; de *dégonfler*.

♦ Le fait de perdre l'air, de se dégonfler; son résultat. *Le dégonflement d'un pneu.*
Par ext. Le fait de perdre de son volume, de ses dimensions... *Le dégonflement d'une ville surpeuplée.*
Fig. Le fait de retrouver de justes proportions, de quitter toute prétention.

Que lisaient-ils en moi? Ma forfanterie leur semblait sans avenir. Il y avait quelque chose d'excessif en moi, qui leur annonçait le dégonflement.
DRIEU LA ROCHELLE, la Comédie de Charleroi, p. 44.

DÉGONFLER [degɔ̃fle] v. — 1558, *se desconfler*; de 1. *dé-,* et *gonfler.*

★ **I.** V. tr. Faire cesser d'être gonflé. *Dégonfler un ballon.* → Crever.
Fig. Dénoncer (des prétentions exagérées). *« Dégonfler le " bluff " officiel »* (*l'Humanité,* 18 sept. 1963). — *Rabaisser, minimiser (la portée de qqch.). « Dégonfler » l'importance de la convention salariale »* (*la Croix,* 7 janv. 1970). — Spécialt. *Dégonfler les prix,* les faire baisser.

★ **II.** V. intr. Cesser d'être gonflé. *Avec les compresses, sa paupière a dégonflé.*

0.1   Votre nez dérougira tout seul en cinq minutes, et vos yeux dégonfleront en même temps.   J. DUTOURD, Mémoires de Mary Watson, p. 184.

▶ **SE DÉGONFLER** v. pron.

♦ **1.** *Pneu qui se dégonfle. La tuméfaction se dégonfle.* — Fig. *Il avait besoin de se dégonfler le cœur.*

1   Le père alors posait ses coudes sur sa chaise,
Son cœur plein de sanglots se dégonflait à l'aise (...)
HUGO, les Chants du crépuscule, V, IV.

♦ **2.** Fam. Manquer de courage, d'énergie au moment d'agir. ⇒ **Flancher, mollir; peur** (avoir); **dégonflard, dégonfle.**

2   Je fis exprès de prendre mon temps. Je sais ce que je vaux à poil (...) je ne fis rien pour dissimuler quoi que ce soit. Je suppose qu'ils attendaient que je me dégonfle.   Boris VIAN, J'irai cracher sur vos tombes, p. 37.

▶ **DÉGONFLÉ, ÉE** p. p. adj.

♦ **1.** Pneu dégonflé. ⇒ **Plat** (à plat); **crevé...**

♦ **2.** (Personnes). Fam. Lâche, peureux. *Il est vraiment dégonflé, ce type !* — N. *C'est un dégonflé. Va donc, dégonflé, minable !*

3   Fais comme tu veux, avait répondu sèchement Frioulat. On est toujours libre de se dégonfler. Tu ne feras plus partie de la bande, voilà tout. Vaincu, Antoine était resté. Il n'avait pas envie de passer pour un dégonflé.
M. AYMÉ, le Passe-muraille, p. 188.

CONTR. Gonfler, regonfler. — Enfler.
DÉR. Dégonflage, dégonflard (ou dégonfleur), dégonfle, dégonflement.

DÉGORGEAGE [degɔʀʒaʒ] n. m. — 1869; de *dégorger.*
Technique.

♦ **1.** Action de débarrasser (un tissu) des impuretés, avant de teindre. ⇒ **Dégorgement.**

♦ **2.** Œnologie. Action de dégorger (des bouteilles de vin mousseux).

DÉGORGEMENT [degɔʀʒəmɑ̃] n. m. — 1548; de dégorger.
Action de dégorger, fait de se dégorger; résultat de cette action.

♦ **1.** Écoulement d'un liquide, des humeurs qui engorgent (un organe, etc.). ⇒ **Écoulement, épanchement, évacuation.** *Dégorgement d'un organe par ponction. Dégorgement de la bile. Dégorgement de l'estomac.* ⇒ **Vomissement.**

♦ **2.** Le fait de vider, de se vider. *Dégorgement d'une gouttière, d'un canal, d'un égout.*

1   En cinglant toujours à l'ouest, nous parvînmes à l'extrémité du dégorgement de cette immense écluse *(barre du Nil).*
CHATEAUBRIAND, Itinéraire de Paris à Jérusalem, III, 61.

Fig. Écoulement, évacuation (comparée à un flot); sortie* en masse.
2   Le dégorgement de cette foule par un étroit passage devint presque impossible.
Ph. P. SÉGUR, Hist. de Napoléon, XII, 3.

♦ **3.** (1690). Techn. Traitement par lequel on débarrasse (certaines matières premières) des impuretés. *Dégorgement des laines, des cuirs.* — Opération consistant à ôter le dépôt des vins préparés suivant la méthode champenoise. ⇒ **Dégorgeage.**

CONTR. Engorgement.

DÉGORGEOIR [degɔʀʒwaʀ] n. m. — 1505, *desgorgeoirs;* de *dégorger.*

♦ **1.** Issue par laquelle un trop-plein se dégorge. *Le dégorgeoir d'un étang. Dégorgeoir d'une gouttière.* ⇒ **Gargouille.**
(1788). Fig. et littéraire :
Vous a-t-on ouvert ces portes de la mort, et en avez-vous vu les dégorgeoirs ténébreux ?   BERNARDIN DE SAINT-PIERRE, Études de la nature, IV, « Livre de Job. »

♦ **2.** Techn. Appareil servant à retirer les matières qui encombrent un conduit.
Instrument servant à dégager la lumière d'un canon. — Outil de forgeron servant à couper et à façonner les pièces à chaud. — Ciseau à bois servant à dégager les mortaises.

♦ **3.** Pêche. Appareil destiné à retirer l'hameçon de la gorge d'un poisson.

♦ **4.** Techn. Endroit où l'on met à dégorger qqch. — Spécialt. Bassin aménagé pour faire dégorger les huîtres, afin qu'elles ne contiennent ni sable ni vase.

♦ **5.** Techn. Dispositif de lavage des étoffes.

DÉGORGER [degɔʀʒe] v. — Conjug. *bouger.* — 1501; pron., 1299; « dire, exprimer, chanter, parler » en anc. franç.; de 1. *dé-, gorge,* et suff. verbal.

★ **I.** V. tr. ♦ **1.** Faire sortir de soi (un liquide, etc.) en parlant d'un contenant, d'un espace. ⇒ **Déverser, évacuer.** *Égout qui dégorge de l'eau sale.*

1   (...) si tu n'as pas vu le four Martin dégorger son flot de métal en délire, ô mon ami, tu ne connais pas toutes les tristesses du monde, toutes les dimensions de l'homme.   G. DUHAMEL, Scènes de la vie future, VIII, p. 135.
Par métaphore :
1.1   Quand tombe le soir, à cette heure du crépuscule, la terre harassée dégorge une vapeur tiède et grasse, une espèce de sueur qu'il faut toute la nuit pour dissoudre.
BERNANOS, Monsieur Ouine, p. 211.

Fig. *Dégorger des injures.* ⇒ **Débagouler, lancer.**
La rue dégorge une foule dense.

2   La place du Palais, encombrée de peuple, offrait aux curieux des fenêtres l'aspect d'une mer, dans laquelle cinq ou six rues (...) dégorgeaient à chaque instant de nouveaux flots de têtes.   HUGO, Notre-Dame de Paris, I, 1.

♦ **2.** (1611). Vider de son trop-plein; déboucher pour permettre de se vider. *Dégorger un évier, un égout.* ⇒ **Purger.**

♦ **3.** Techn. Débarrasser (qqch.) des matières étrangères. ⇒ **Laver, nettoyer, purifier.** *Dégorger du cuir.* — Cuis. Faire tremper (de la viande, des abats) pour débarrasser du sang, des impuretés. — Œnologie. Débarrasser (un vin mousseux) de ses impuretés. ⇒ **Dégorgement, dégorgeur.**

★ **II.** V. intr. (XVIᵉ). ♦ **1.** Déborder, répandre son contenu de liquide. ⇒ **Déverser** (se). *L'égout dégorge dans ce collecteur.*
Fig. :
3   La fureur d'Hérodias dégorgea en un torrent d'injures populacières et sanglantes.
FLAUBERT, Trois contes, « Hérodias ».

♦ **2.** Rendre un liquide. (Surtout en emploi factitif). *Faire dégorger des sangsues.* — (Dans une préparation culinaire). *Faire dégorger des concombres,* leur faire rendre l'eau qu'ils contiennent.

▶ **SE DÉGORGER** v. pron.
Épancher ses eaux : *Rivière qui se dégorge dans un fleuve. Réservoir qui se dégorge dans un bassin.* ⇒ **Vider** (se).
Par métaphore :
3.1   C'était un coup d'œil magnifique que le spectacle de cette foule impatiente qui se pressait autour de l'enceinte réservée, inondait la place entière, se dégorgeait dans

les rues environnantes, et tapissait les maisons de la place du rez-de-chaussée aux pignons d'ardoises.   J. VERNE, Un drame dans les airs, p. 178.

Méd. *Jambes qui commencent à se dégorger*, à cesser d'être enflées. ⇒ **Désenfler** (se).

Fig. ⇒ **Épancher** (s').

4 Tout à coup elle trembla de tout son corps, couvrit sa relique de baisers furieux, et se dégorgea en sanglots comme si son cœur venait de crever.
                    HUGO, Notre-Dame de Paris, VI, III.

CONTR. Absorber, boucher, engorger, gorger, obstruer, remplir.
DÉR. Dégorgeable, dégorgement, dégorgeoir, dégorgeur.
COMP. Engorger.

DÉGORGEUR, EUSE [degɔʀʒœʀ, øz] n. — 1860 in D.D.L. ; un ex. au fig. en 1555 ; de *dégorger.*

♦ **Techn.** (œnologie). Personne qui effectue le dégorgement des vins mousseux. — En appos. *Ouvrier dégorgeur.*

DÉGOSILLER [degozije] v. tr. — 1876 ; « vomir », fin XVIᵉ ; de 1. *dé-, gosier,* suff. *-iller ;* → Dégoiser, s'égosiller.

♦ **Fam.** et **vx.** Émettre de son gosier ; dire, chanter (péj. ; Huysmans, Bruant, in T. L. F.).

DÉGOTER ou DÉGOTTER [degote] v. — Déb. XVIIᵉ ; « déplacer la pierre appelée *go* » ; celtique *gal* « caillou » ; → Galet.

★ **I.** V. tr. ♦ **1.** Jeux (vx). Déplacer l'objet qui sert de but à l'aide d'une balle, d'un palet. *Dégoter la bille de l'adversaire.*

♦ **2.** (1579). **Fam.** et **vx.** Déposséder (qqn) du poste qu'il occupe. ⇒ **Chasser, renvoyer, supplanter ;** et fam., **dégommer, vider.** *Il a dégoté son chef de service. Être dégoté par quelqu'un.*

1 J'ai peur que M. le duc de Praslin n'aime pas mon impératrice de Russie ; j'ai peur qu'on ne la dégote (...)   VOLTAIRE, Lettre à d'Argental, 13 août 1763.

Fam. et **vieilli.** Dépasser, surclasser. *Il a dégoté tous ses concurrents.*

♦ **3.** **Mod.** et **fam.** ⇒ **Découvrir, trouver.** *Impossible de le dégoter nulle part. Où avez-vous dégoté ce bouquin ?*

2 — J'sais y tâter, déclarait-il, et c'est bien rare si je ne dégote pas la combine.   Francis CARCO, Jésus-la-Caille, II, VIII, p. 134.

★ **II.** V. intr. **Fam.** ou **pop.** Avoir tel air, telle allure. *Elle dégotte bien, mal.* ⇒ **Marquer.**

3 Ce ne sont pas des gens très chics, me dit Albertine en ricanant d'un air de mépris. Le petit vieux, teint, qui a des gants jaunes, il en a une touche, hein, il dégotte bien (...)   PROUST, À l'ombre des jeunes filles en fleurs, 1918, éd. Folio, p. 547.

Absolt. Avoir bon air, faire impression.

4 Il dégote, Crouïa-Bey. Il a des yeux de braise, un front de penseur, des mains de pianiste, une taille de guêpe, une barbe de sapeur, des lèvres de corail, un thorax de taureau, ah ! qu'il est beau ! ah ! qu'il est beau !
Il a pas mal tapé dans l'œil à Léonie.   R. QUENEAU, Pierrot mon ami, p. 31.

DÉGOUDRONNER [degudʀone] v. tr. — 1870 ; de 1. *dé-,* et *goudronner.*

♦ **Techn.** Enlever le goudron de.

CONTR. Goudronner.

DÉGOULINADE [degulinad] n. f. — 1938 ; de *dégouliner.*

♦ **Fam.** Liquide qui dégouline, coule lentement ; sa trace. *Il y a des dégoulinades sur les murs.*

(...) une femme sans âge, le torse nu, tondue, le visage et le crâne barbouillés de peinture rouge. Des types la retenaient par ses deux bras qu'ils tordaient en arrière, l'offrant à la foule comme du gibier crevé, une dérisoire statue de victoire, dont le mouvement, l'élan animal faisait saillir deux seins très blancs sous les dégoulinades de minium.   François NOURISSIER, Allemande, p. 362.

DÉGOULINAGE [degulinaʒ] n. m. ⇒ Dégoulinement.

DÉGOULINANT, ANTE [degulinɑ̃, ɑ̃t] adj. et n. f. — Attesté XXᵉ, antérieur comme n. f. ; p. prés. de *dégouliner.*

♦ **1.** Adj. Qui dégouline. *Des vêtements dégoulinants.*

♦ **2.** N. f. (1885, D. D. L.). Pendule, montre.

(...) la pendule située face à l'aréopage, au-dessus du public, indique 13 heures 55. Bien cette dégoulinante, ainsi le Président n'a pas besoin de gesticuler vers sa montre lorsque les avocats n'en finissent plus de parler.   A. SARRAZIN, la Cavale, p. 373.

DÉGOULINEMENT [degulinmɑ̃] ou DÉGOULINAGE [degulinaʒ] n. m. — 1884, *dégoulinement ; dégoulinage,* 1880 ; de *dégouliner.*

♦ Le fait de dégouliner.

Sauf le lent dégoulinement des dalots, aucun bruit ne sortait du navire.   H. BOSCO, Un rameau de la nuit, p. 56.

Par métonymie. ⇒ **Dégoulinade.**

DÉGOULINER [deguline] v. intr. — 1737 ; mot dial. de l'ouest ; de 1. *dé-,* et *goule.* → Gueule.

♦ Couler lentement, goutte à goutte (⇒ **Dégoutteler**) ou en filet. *La pluie dégouline du toit. La sueur dégouline de son visage.*

À la pluie qui frappe le visage, qui dégouline dans le cou, qui traverse les vêtements à l'endroit des bras d'abord, et au-dessus des genoux.   J. ROMAINS, les Hommes de bonne volonté, t. V, XXVIII, p. 314.

Trans. (le compl. désigne ce qui coule). « *Je dégoulinais la sueur* » (Céline, *in* T. L. F.).

DÉR. Dégoulinade, dégoulinage ou dégoulinement, dégoulinant.

DÉGOUPILLER [degupije] v. tr. — 1749 ; de 1. *dé-,* et *goupille.*

♦ Enlever la goupille de... — (1933). Spécialt. *Dégoupiller une grenade.* Au p. p. *Grenade dégoupillée.*

1 Il soupesa sa première grenade, dégoupillée.   MALRAUX, la Condition humaine, p. 88.

2 Il y avait encore au P. C. quelques grenades défensives. Un téléphoniste en tenait une, mais ne savait pas s'en servir. Soubeyrie la dégoupilla, la lança (...) L'explosion fut énorme (...)   Armand LANOUX, le Commandant Watrin, p. 216.

CONTR. Goupiller.

DÉGOURDI [deguʀdi] n. m. — 1844 ; p. p. de *dégourdir.*

♦ **Techn.** Cuisson légère pour enlever l'excès d'eau dans une pâte de porcelaine. *Cuire en dégourdi.*

Par métonymie. Poterie soumise à cette cuisson.

DÉGOURDIR [deguʀdiʀ] v. tr. — XIIᵉ ; de 1. *dé,* et *gourd.*

♦ **1.** Faire sortir de l'engourdissement. (Le compl. désigne une partie du corps). *Dégourdir ses jambes,* en prenant de l'exercice. ⇒ **Dérouiller.** *Dégourdir ses doigts, ses mains,* en les réchauffant.

1 Quand nos doigts engourdis de froid ne pouvaient plus tenir la plume, la flamme de la lampe était le seul foyer où nous pouvions les dégourdir.   MARMONT, Mémoires, I.

2 (...) ne vous conviendrait-il point de descendre et de mettre votre bras sur le mien pour faire quelques pas ? Cela vous réchauffera les pieds et dégourdira les jambes.   Th. GAUTIER, Capitaine Fracasse, t. II, XV, p. 152.

Fig. *Dégourdir sa langue :* parler.

♦ **2.** Par ext. (vx ou régional). *Dégourdir, faire dégourdir de l'eau,* la chauffer légèrement.

3 Toutes les fois qu'Émile aura soif, je veux qu'on lui donne à boire ; je veux qu'on lui donne de l'eau pure et sans aucune préparation, pas même de la faire dégourdir, fût-il tout en nage, et fût-on dans le cœur de l'hiver.   ROUSSEAU, Émile, II.

Techn. Faire cuire (une poterie) au dégourdi*.

♦ **3.** **Fig.** Débarrasser (qqn) de sa timidité, de sa gêne. *Dégourdir un collégien de sa gaucherie.* ⇒ **Dégauchir, délurer, déniaiser, dessaler.**

4 C'est un nigaud qui est frais émoulu de la province, vous me le dégourdirez, cousin (...)   F. DANCOURT, Vend. de Suresne, sc. 12, in LITTRÉ.

5 J'eus bientôt fait connaissance avec des jeunes gens qui me dégourdirent, et m'aidèrent à manger mes ducats.   A.-R. LESAGE, Gil Blas, V, I, p. 279.

▶ **SE DÉGOURDIR** v. pron.

♦ **1.** Éliminer l'engourdissement de (son propre corps ; faux pron. : une partie du corps). *Se dégourdir (les jambes) en marchant.* ⇒ **Dérouiller** (se). *Il faut vous dégourdir un peu.* ⇒ **Désencroûter** (se), secouer (se).

6 Te voilà sur tes pieds droit comme une statue. Dégourdis-toi. Courage ! allons, qu'on s'évertue.   RACINE, les Plaideurs, III, 3.

7 En voyant Sigognac marcher à côté de la charrette, Isabelle se plaignit d'être mal assise et voulut descendre pour se dégourdir un peu les jambes (...)   Th. GAUTIER, Capitaine Fracasse, t. I, II, p. 70.

♦ **2.** Se déniaiser. *Ce garçon commence à se dégourdir un peu.*

8 Justement, il allait avoir seize ans vers la fin d'août, il était temps, pour lui, de se dégourdir un peu.   Valery LARBAUD, Fermina Marquez, XVII, p. 205.

▶ **DÉGOURDI, IE** p. p. et adj.

♦ **1.** Libéré de son engourdissement. *Doigts dégourdis.* — *Eau dégourdie,* légèrement chauffée. — Par métaphore :

9 (...) il y a pourtant sous l'eau à peine dégourdie du style d'intéressantes observations, de savoureuses gloses (...)   HUYSMANS, En route, p. 166.

♦ **2.** (Personnes). Qui n'est pas gêné pour agir ; qui est habile et actif. *Un gosse dégourdi. Il n'est pas très dégourdi.* ⇒ **Malin.**

10 Landry s'en aperçut très bien ; car depuis que la petite Fadette s'en mêlait, il était singulièrement dégourdi d'esprit. G. SAND, la Petite Fadette, XXI, p. 151.

C'est un dégourdi. — Iron. *En voilà un dégourdi ! Quelle dégourdie !*

CONTR. Engourdir, geler. — **Engourdi, gauche, lourd, maladroit, niais, timide.**
DÉR. Dégourdissement.

DÉGOURDISSEMENT [deguʀdismɑ̃] n. m. — 1552, Rabelais ; de *dégourdir*.

♦ Action de dégourdir (1.) ; son résultat. *Le dégourdissement des doigts.* — « *Le dégourdissement du vin* » (Baudelaire), causé par le vin.

CONTR. Engourdissement.

DÉGOÛT [degu] n. m. — 1560 ; déverbal de *dégoûter*.

♦ **1.** Manque de goût, d'appétit, entraînant une réaction de répugnance. ⇒ **Anorexie, écœurement, inappétence.** *Le dégoût de qqn pour qqch., son dégoût pour... Avoir du dégoût pour qqch. Le cœur* (cit. 14) *bondit, se soulève de dégoût. Vaincre, surmonter son dégoût. Manger jusqu'au dégoût.* ⇒ **Indigestion, satiété** (à), **soûl** (tout son soûl). *Avoir des haut-le-cœur, des nausées de dégoût. Il a un véritable dégoût pour la viande.* ⇒ **Phobie.** *Grimace de dégoût. Moue de dégoût* (→ Berk, fi, pouah).

1 Le soir, elle eut un grand dégoût,
Et ne put au souper toucher à rien du tout. MOLIÈRE, Tartuffe, I, 4.

2 Ce sont les mets les plus savoureux qui excitent le dégoût des mauvais estomacs. Edmond JALOUX, le Dernier Jour de la création, V, p. 57.

3 Ivich porta la coupe à ses lèvres et fit une grimace de dégoût :
— Que c'est mauvais, dit-elle en reposant son verre. SARTRE, les Chemins de la liberté, l'Âge de raison, XI, p. 185.

♦ **2.** (1636). Aversion morale, intellectuelle, éprouvée (pour quelque chose). ⇒ **Aversion, éloignement, exécration, horreur, répugnance, répulsion.** *Objet de dégoût.* ⇒ **Rebut.** *Avoir du dégoût pour qqch.* ⇒ **Abhorrer, exécrer.** *Faire un travail sans dégoût,* sans déplaisir. *Ce travail fastidieux lui inspire du dégoût. Le dégoût du travail, de travailler.*

4 C'est donc là le dégoût qu'apporte l'hyménée ?
Je te suis odieuse après m'être donnée ! CORNEILLE, Polyeucte, IV, 3.

5 (...) un goût suivi d'un prompt dégoût (...) VOLTAIRE (→ Amour, cit. 12).

6 (...) l'assujettissement d'un emploi pour lequel je ne me sentais que du dégoût. ROUSSEAU, les Confessions, VIII.

7 Cela fait frissonner d'horreur, ou soulever le cœur de dégoût à celui qui a le moindre sentiment de l'élégance, de la noblesse, de la grâce. DIDEROT, Salon de 1767.

8 Les objets (...) qui se rapportent aux plus violents désirs dont se puissent émouvoir la chair et le sang ne sauraient être considérés avec indifférence, et, dès qu'ils n'inspirent pas la volupté, ils soulèvent le dégoût. FRANCE, le Mannequin d'osier, p. 300.

8.1 Je ne réponds pas d'avoir du goût, mais j'ai le dégoût très sûr. J. RENARD, Journal, 19 mars 1901.

9 Le désir et le dégoût sont les deux colonnes du temple du Vivre. VALÉRY, Suite, p. 90.

10 Pour marquer le dégoût, la honte, on se sert de : *J'ai honte, il est honteux, c'est dégoûtant, ignoble, répugnant :* **C'est dégoûtant** *qu'une femme dans ces conditions* **ait** *une pension de veuve.* BRUNOT, la Pensée et la Langue, III, XII, section IV, X, p. 556.

♦ **3.** Absence complète d'attrait pour qqch. ; fait de se désintéresser par lassitude. ⇒ **Désenchantement, écœurement, lassitude, spleen.** *Éprouver un immense, un insurmontable, un profond dégoût de tout, pour tout.* — Loc. littér. *Prendre sa vie en dégoût.*

11 Le démon de Stagyre, ou, ce qui revient au même, le mal de René, c'est le dégoût de la vie, l'inaction et l'abus du rêve, un sentiment orgueilleux d'isolement, de se croire méconnu, de mépriser le monde et les voies tracées, de les juger indignes de soi, de s'estimer le plus désolé des hommes, et à la fois d'aimer sa tristesse ; le dernier terme de ce mal serait le suicide. SAINTE-BEUVE, Causeries du lundi, 1ᵉʳ oct. 1849, t. I, p. 18.

12 Un dégoût profond de la vie avait relâché la lèvre inférieure, qui tombait morose avec une sorte de moue boudeuse. Th. GAUTIER, le Capitaine Fracasse, t. II, XI, p. 75.

13 — Ah ! Seigneur ! donnez-moi la force et le courage
De contempler mon cœur et mon corps sans dégoût ! BAUDELAIRE, les Fleurs du mal, « Un voyage à Cythère ».

♦ **4.** Vx (langue class.). Cessation du goût, du plaisir que procure quelque chose.

14 Je m'étonne (...) que des modernes aient témoigné (...) tant de dégoût pour ce grand poète (*Euripide*) (...) RACINE, Iphigénie, Préface.

15 Les amours meurent par le dégoût, et l'oubli les enterre. LA BRUYÈRE, les Caractères, IV, 32.

♦ **5.** Aversion, répugnance (physique ou morale) pour qqn. ⇒ **Haine, horreur.** *Elle a un dégoût instinctif, physique pour cet homme.*

16 Les enfants n'aiment pas la vieillesse. L'aspect de la nature défaillante est hideuse à leurs yeux. Leur répugnance que j'aperçois me navre ; et j'aime mieux m'abstenir de les caresser que de leur donner de la gêne ou du dégoût. ROUSSEAU, Rêveries, 9ᵉ promenade.

17 Mais la compensation qu'il exigerait était facile à prévoir. Germaine y répugnait,

moins par fierté pour Gurau, ou par dégoût physique pour Marquis, que par fierté, souci d'indépendance. J. ROMAINS, les Hommes de bonne volonté, t. IV, XI, p. 117.

Le dégoût de soi. ⇒ **Mépris ; haine, honte.**

18 Je sentis, en m'éveillant le lendemain, un si profond dégoût de moi-même, je me trouvai si avili, si dégradé à mes propres yeux (...) A. DE MUSSET, Confession d'un enfant du siècle, II, I.

19 Un dégoût, une haine atroce de moi-même (...) GIDE, Journal, 20 sept. 1916.

♦ **6.** (*Un dégoût, les dégoûts*). Sentiment de répugnance ou de lassitude. *Être abreuvé de dégoût. Essuyer bien des dégoûts.* ⇒ **Humiliation** (→ Aridité, cit. 4). — Vx. *Le dégoût de* (et inf.) : le sentiment de lassitude, d'écœurement que l'on éprouve à...

20 (...) le dégoût de n'être pas assez admirés de ceux qui nous connaissent trop (...) LA ROCHEFOUCAULD (→ Connaissance, cit. 29).

21 C'est dans l'absolue ignorance de notre raison d'être qu'est la racine de notre tristesse et de nos dégoûts. FRANCE, Jardin d'Épicure, p. 51.

22 Ibsen a éprouvé le dégoût de n'être pas à son rang ; son orgueil a grandi dans l'humiliation. André SUARÈS, Trois hommes, « Ibsen », II, p. 87.

CONTR. Goût. — **Appétence, appétit, attrait, contentement, délectation, désir, engouement, envie, jouissance, plaisir, satisfaction, volupté.** — **Consolation, encouragement.**

DÉGOÛTAMMENT [degutamɑ̃] adv. — 1790 ; de *dégoûtant*

♦ D'une manière dégoûtante (concret ou abstrait). *Il mange dégoûtamment.* ⇒ **Salement.**

Elle m'a écouté pendant des jours et des jours, à m'étaler et me raconter dégoûtamment (...) CÉLINE, Voyage au bout de la nuit, p. 211.

DÉGOÛTANT, ANTE [degutɑ̃, ɑ̃t] adj. — 1642 ; de *dégoûter*.

♦ **1.** Qui inspire du dégoût, de la répugnance par son aspect physique. ⇒ **Déplaisant, écœurant, fétide, ignoble, immonde, infect, innommable, laid, malpropre, nauséabond, puant, repoussant, répugnant, sale, sordide ;** fam. **dégeulasse.** *Un plat dégoûtant, une nourriture dégoûtante.* ⇒ **Immangeable.** *Le logement est d'une saleté dégoûtante. Immondices dégoûtantes. Malpropreté dégoûtante. Des manières dégoûtantes. Plaie dégoûtante. C'est dégoûtant !* (→ Assez, cit. 49). — Fam. *Sale dégoûtant :* très sale.

1 Voilà une malade qui n'est pas tant dégoûtante, et je tiens qu'un homme bien sain s'en accommoderait assez. MOLIÈRE, le Médecin malgré lui, II, 4.

2 Le duc de la Feuillade avait une physionomie si spirituelle qu'elle réparait sa laideur et les bourgeons dégoûtants de son visage. SAINT-SIMON, Mémoires, 99, 55.

3 Je suis vieux, malade, et dégoûtant, mais je ne suis point du tout dégoûté (...) VOLTAIRE, Lettre à Mᵐᵉ de Sᵗ Julien, 30 sept. 1768.

4 Quoi ! Monsieur Longuemare, vous mettez des grenouilles dans vos poches ? Mais c'est dégoûtant ! FRANCE, Jocaste, p. 3.

5 Ovide, dit Lahrier, c'est dégoûtant ici ; un coup de balai, s'il vous plait, et videz-moi donc cette cuvette. COURTELINE, Messieurs les ronds-de-cuir, IVᵉ tableau, I, p. 132.

♦ **2.** Qui inspire un dégoût moral. ⇒ **Abject, affreux, honteux, horrible, ignoble, insupportable, laid, odieux, révoltant.** *Commettre une action dégoûtante.* — Spécialt. Qui choque par un contenu sexuel non toléré. *Raconter des histoires dégoûtantes.* ⇒ **Cochon, grossier, grivois, licencieux, obscène, sale.** — REM. Cet emploi est souvent plus ou moins antiphrastique ou tout au moins ambigu. → Horreur.

6 Ne concevez-vous point ce que, dès qu'on l'entend,
Un tel mot (*mariage*) à l'esprit offre de dégoûtant ? MOLIÈRE, les Femmes savantes, I, 1.

N. *Vous êtes un dégoûtant, un vieux dégoûtant.*

♦ **3.** Fam. Ennuyeux, fastidieux ; décourageant. ⇒ **Écœurant.** *Ce métier est dégoûtant.* — Très mauvais. *Quel temps dégoûtant.* ⇒ (fam.) **Dégueulasse.**

CONTR. Appétissant, désirable, propre, ragoûtant. — **Louable.** — **Agréable. Correct, propre** (fig.), **sérieux.**
DÉR. Dégoûtamment.
HOM. Dégouttant.

DÉGOÛTATION [degutasjɔ̃] n. f. — Av. 1850 ; de *dégoûter*.
Familier.

♦ **1.** Dégoût, répugnance.

C'est ainsi qu'on entendit M. de la Hourmerie pousser l'un sur l'autre plusieurs « Pouah ! » significatifs, et essuyer bruyamment, de sa botte, les crachats semés par le plancher en signe de dégoûtation (...) COURTELINE, Messieurs les ronds-de-cuir, IIIᵉ tableau, II, p. 104.

♦ **2.** Chose qui dégoûte, par son extrême saleté. *Nettoyez votre chambre : c'est une dégoûtation.*
Fig. Ce qui inspire du dégoût moral.

DÉGOÛTER [degute] v. tr. — 1538 ; de 1. *dé-, goût,* et suff. verbal.

♦ **1.** Vx. Ôter l'appétit à (quelqu'un).

1 Les mets les plus exquis le dégoûtent. FÉNELON, Télémaque, III.

Mod. Inspirer de la répugnance à (qqn). ⇒ **Affadir** (le cœur), **écœurer, répugner** (→ fam. Débecqueter). *Le lait le dégoûte.*

♦ **2.** Inspirer de la répugnance à... par son aspect. ⇒ **Rebuter.** *La saleté de cet homme dégoûte son entourage.*

2 — J'ai quelques infirmités sur mon corps qui pourraient la dégoûter. — (...) Une honnête femme ne se dégoûte jamais de son mari.   MOLIÈRE, le Mariage forcé, 8.

Absolument :

3 (...) il commence à avoir honte de se trouver assis, dans une assemblée publique (...) auprès d'un homme mal habillé, sale, et qui dégoûte,   LA BRUYÈRE, les Caractères de Théophraste, Des grands d'une république.

♦ **3.** Inspirer de l'aversion à (qqn...) par sa laideur morale. ⇒ **Éloigner, répugner, révolter, soulever** (de dégoût). *Ses mensonges continuels et sa lâcheté ont dégoûté ses amis. Ce livre, ce film me dégoûte, il est abject, répugnant.*

4 (...) gens que nous voulons fuir justement parce qu'ils nous dégoûtent.   G. DUHAMEL (→ Courbette, cit. 4).

♦ **4.** Vx ou littér. Lasser, inspirer un ennui extrême à. *Tout le dégoûte. L'existence le dégoûte.* ⇒ **Déplaire, ennuyer, peser.** — Fatiguer, lasser. *Cette inaction me dégoûte.* — REM. Dans ce type de contexte, le mot est compris aujourd'hui dans un sens plus fort qu'en français classique. → ci-dessus, 3.

5 Les princes et les rois jouent quelquefois. Ils ne sont pas toujours sur leurs trônes ; ils s'y ennuient : la grandeur a besoin d'être quittée pour être sentie. La continuité dégoûte en tout ; le froid est agréable pour se chauffer.   PASCAL, Pensées, VI, 355.

♦ **5.** DÉGOÛTER DE [a] Vx. Priver de tout attrait, de toute estime pour (qqch.). ⇒ **Détourner** (de), **éloigner.**

6 La plupart des amis dégoûtent de l'amitié et la plupart des dévots dégoûtent de la dévotion.   LA ROCHEFOUCAULD, Maximes, 427.

7 Les grandes passions usées dégoûtent des autres ; la paix de l'âme qui leur succède est le seul sentiment qui s'accroît par la jouissance.   ROUSSEAU, Julie ou la Nouvelle Héloïse, VI, Lettre VIII.

[b] Mod. Ôter l'envie de... *Elle a fini par me dégoûter du homard.* — (1756, *in* D.D.L.). Loc. Par plais. *Si vous n'aimez pas ça, n'en dégoûtez pas les autres !*

7.1 — Auguste de Châtillon, dis-je, était l'auteur de *La Levrette en pal'tot...* — Oui. L'amant d'Adèle Hugo, dit *Le Canard enchaîné* de l'époque. L'hymne sedang de Mayrena a été composé, sur des paroles de Mac Nab, chansonnier du *Chat Noir,* par Charles de Sivry, le beau-frère de Verlaine ! Si ça ne vous plaît pas, n'en dégoûtez pas les autres !   MALRAUX, Antimémoires, Folio, p. 406.

8 Enfin c'était des travaux à dégoûter du travail, des chefs-d'œuvre accumulés à faire prendre en haine les arts et à tuer l'enthousiasme.   BALZAC, La peau de chagrin, Pl., t. IX, p. 28.

▶ **SE DÉGOÛTER** v. pron.

Prendre en dégoût. *Se dégoûter d'un mets.*

9 — N'était-ce point satiété? dit Blazius, car d'ambroisie même on se dégoûte (...)   Th. GAUTIER, Capitaine Fracasse, t. I, VIII, p. 266.

Fig. *Se dégoûter de soi-même.* ⇒ **Honte** (avoir honte de soi).

10 (...) dans la débauche, vous avez une âme qui se dégoûte de son propre corps.   MONTESQUIEU, Cahiers, p. 26.

Se dégoûter de quelqu'un ou de quelque chose. ⇒ **Assez** (en avoir assez de...), **lasser** (se), **prendre** (en aversion, en grippe, etc.). *Se dégoûter de faire qqch.*

11 (...) comme les hommes ne se dégoûtent point du vice, il ne faut pas aussi se lasser de leur reprocher (...)   LA BRUYÈRE, les Caractères, Introduction.

12 Je pèche souvent par orgueil, comme il arrive aux gens de petite origine qui se dégoûtent du milieu où ils sont nés.   COLETTE, la Naissance du jour, p. 181.

▶ **DÉGOÛTÉ, ÉE** p. p. et adj. (V. 1380).

♦ **1.** *Dégoûté de,* qui n'a pas ou plus de goût pour.

13 C'est la viande, et je sais que vous vous en dites dégoûté, et que vous ne vivez plus que de mauvais herbages. Mais il n'importe, vous vous forcerez et, quand même vous y auriez de la répugnance, vous n'en ferez rien paraître.   G. SAND, la Petite Fadette, XXXIX, p. 248.

Dégoûté des autres, de soi-même. Dégoûté de la vie, de tout. ⇒ **Aigri, blasé, déçu** (par), **désenchanté, fatigué, las, lassé, rassasié, revenu** (de tout).

14 Me voilà tout à fait dégoûté de mon mariage (...)   MOLIÈRE, le Mariage forcé, 7.

15 (...) ennuyé de moi, dégoûté des autres, abîmé de dettes et léger d'argent (...)   BEAUMARCHAIS, le Barbier de Séville, I, 2.

16 J'étais au désespoir, ou pour mieux dire profondément dégoûté de la vie de Paris, de moi surtout.   STENDHAL, Souvenirs d'égotisme, p. 63.

17 (...) un mort vaut mieux qu'un vivant dégoûté de vivre.   A. DE MUSSET, Confession d'un enfant du siècle, II, v, p. 135.

18 Elle était aussi dégoûtée de lui qu'il était fatigué d'elle.   FLAUBERT, Mme Bovary, III, VI, p. 185.

♦ **2.** Qui éprouve du dégoût. ⇒ **Écœuré.**

19 (...) l'horrible spectacle que peut donner à un homme dégoûté la foule humaine qui s'amuse.   MAUPASSANT, La vie errante, I, p. 4.

♦ **3.** Qui éprouve facilement du dégoût (spécialt, pour la nourriture). ⇒ **Délicat, difficile.** — Iron. *Vous êtes bien dégoûté !* — Dans le même sens (antiphrase) : *Pas dégoûté.*

N. *Faire le dégoûté :* se montrer difficile (sans raison).

20 (...) et ceux qui autrefois firent les dégoûtés, ont bien changé d'avis.   P.-L. COURIER, I, 118.

Il n'est pas dégoûté : il se contente de n'importe quoi en fait de nourriture. — Fig. Il est sans scrupules, sans délicatesse.

CONTR. **Affriander, affrioler, appâter, attacher, attirer, charmer, encourager, plaire, tenter.** — **Envie** (avoir envie de), **supporter, tolérer, vouloir** (de).
DÉR. Dégoût, dégoûtant, dégoûtation.
HOM. Dégoutter.

DÉGOUTTANT, ANTE adj. ⇒ Dégoutter, p. prés.

DÉGOUTTELER [degutle] v. intr. — XIIIe ; dimin. de *dégoutter.*

♦ Rare, littér. Couler goutte à goutte. ⇒ **Dégouliner.**

1 Des linges, imbibés d'un parfum gras qui dégouttelait sur les dalles, enveloppaient ses mains (...)   FLAUBERT, Salammbô, Pl., t. I, p. 846.

Au p. prés. :

2 Au pied de l'île, les varechs dégouttelants s'épandaient comme des chevelures de femmes antiques le long d'un grand tombeau.   FLAUBERT, Par les champs et par les grèves, 1885, *in* T. L. F.

DÉGOUTTER [degute] v. intr. — V. 1120 ; de 2. *dé-,* et *goutter.*

♦ **1.** Rare. Couler* goutte à goutte. *Liquide qui dégoutte. Dégoutter de... Son front dégouttait de pluie, de sueur. La sueur lui dégoutte du front.* ⇒ **Dégouliner, suinter, tomber.** *La pluie dégoutte de ses cheveux.* ⇒ **Ruisseler.** *Le sang dégoutte de la blessure.*

1 Ne vois-tu pas le sang, lequel dégoutte à force, Des nymphes qui vivaient dessous la dure écorce?   RONSARD, Élégies, XXX (→ Bûcheron, cit. 1).

2 (...) il manie les viandes, les remanie, démembre, déchire (...) le jus et les sauces lui dégouttent du menton et de la barbe (...)   LA BRUYÈRE, les Caractères, XI, 121.

♦ **2.** Laisser tomber goutte à goutte. *Cheveux qui dégouttent de pluie. Son front dégoutte de sueur.*

3 Voyez, voyez le sang dont ce poignard dégoutte (...)   J. DE ROTROU, Venceslas, IV, 6.

Par métaphore :

4 Un seul arbre, un peuplier à jeunes feuilles vernissées, recueillait la clarté lunaire et dégouttait d'autant de lueurs qu'une cascade.   COLETTE, la Chatte, p. 8.

♦ **3** Trans. (littér.). *Dégoutter le sang, la sueur.* ⇒ **Suer.** — Fig. :

5 (...) ils *(les favoris)* dégouttent l'orgueil, l'arrogance, la présomption.   LA BRUYÈRE, les Caractères, VIII, 61.

6 À la gloire des armes il voulut ajouter celle de la civilisation. Car ce peuple assyrien, dont le nom seul dégoutte le sang, a laissé un art souvent magnifique, dont les fouilles ont retrouvé d'innombrables spécimens.   DANIEL-ROPS, le Peuple de la Bible, III, 3, p. 249.

▶ **DÉGOUTTANT, ANTE** [degutɑ̃, ɑ̃t] p. prés. et adj.

Qui dégoutte. *Vêtement dégouttant de pluie.* ⇒ **Ruisselant, trempé ; dégoulinant.**

7 M. Ballanche, tout dégouttant de pluie, disait avec sa placidité inaltérable : «Je suis comme un poisson dans l'eau».   CHATEAUBRIAND, Mémoires d'outre-tombe, t. II, p. 352.

Fig. :

8 Le fils tout dégouttant du meurtre de son père.   CORNEILLE, Cinna, I, 3.

Absolt. ⇒ **Mouillé.**

9 On jeta le matelas sur le carrelage mouillé. Puis, au commandement d'Antoine, ils reprirent les quatre coins du drap, hissèrent péniblement le malade hors de la baignoire et le déposèrent tout dégouttant sur le matelas.   MARTIN du GARD, les Thibault, t. IV, p. 165.

CONTR. Couler (à flots).
DÉR. Dégoutteler.
HOM. Dégoûter. — (Du p. prés.) Dégoûtant.

DÉGRADABLE [degradabl] adj. — 1950 ; de *(se) dégrader.*

♦ Qui est capable de se dégrader. — Spécialt. Susceptible de se destructurer sous l'action d'agents biologiques présents dans la nature (d'une substance). ⇒ **Biodégradable.**

Cette usine qui envoie du gaz sulfureux dans l'atmosphère ou des produits nocifs non dégradables dans la rivière, cette voiture qui consomme de l'oxygène, le font en toute ingénuité et toute impunité.   A. SAUVY, Croissance zéro?, 1973, p. 211.

COMP. Biodégradable.

DÉGRADANT, ANTE [degradɑ̃, ɑ̃t] adj. ⇒ Dégrader (cit. 12, 13).

DÉGRADATEUR [degradatœr] n. m. — 1878 ; de 2. *dégrader.*

♦ Photogr. Cache servant à obtenir des images dégradées.

1. DÉGRADATION [degradasjɔ̃] n. f. — 1486, «dégradation ecclésiastique»; bas lat. *degradatio,* du supin de *degradare.* → 1. Dégrader.

♦ **1.** Destitution infamante d'un grade, d'une dignité. ⇒ 4. **Casse,** 1. *Dégradation d'un membre de la Légion d'honneur. Dégradation civique* (→ Arbitraire, cit. 9).

1 La dégradation civique consiste : 1° Dans la destitution et l'exclusion des condamnés de toutes fonctions, emplois ou offices publics ; 2° Dans la privation du droit

de vote, d'élection, d'éligibilité, et en général de tous les droits civiques et politiques, et du droit de porter aucune décoration ; 3° Dans l'incapacité d'être juré-expert (...) etc.   Code pénal, art. 34.

2   Rien n'attriste plus profondément qu'une dégradation imméritée et de laquelle il est impossible de se relever.   BALZAC, Une ténébreuse affaire, Pl., t. VII, p. 457.

Dégradation militaire, sanction entraînant, outre les déchéances attachées à la dégradation civique, la privation du grade, ainsi que la déchéance personnelle (supprimée en France en 1965). *La capitulation en rase campagne entraîne la dégradation militaire* (→ Capitulation, cit. 2).

Dégradation ecclésiastique, qui dépose un clerc, le prive de son habit ecclésiastique et le rejette dans la vie séculière.

♦ **2.** (1539). Rare. Le fait d'abaisser moralement, de se dégrader. ⇒ **Abaissement, avilissement, déchéance.**

3   La division du travail a produit la dégradation du travailleur.   PROUDHON, *in* P. LAROUSSE.

♦ **3.** (1680). Détérioration (d'un édifice, d'une propriété, d'un site). ⇒ **Dégât, délabrement, destruction, dommage, endommagement, mutilation, profanation.** *La dégradation d'un bâtiment. La dégradation des murs d'une propriété. Dégradation légère.* ⇒ **Égratignure** (fig.). *Dégradations causées par le temps, la vétusté.*

4   Je pensai pleurer en voyant la dégradation de cette terre (...)   Mᵐᵉ DE SÉVIGNÉ, Lettres, 814, 27 mai 1680.

5   Rome (...) présente le triste aspect de la misère et de la dégradation.   Mᵐᵉ DE STAEL, Corinne, IV, 4.

6   La vie, telle qu'elle est, telle qu'elle va, porte en elle comme une loi fatale de dégradation. De même qu'un marbre pur se ternit, qu'une eau se décompose, que le corps humain le plus beau se marque de rides et se voûte, tout ce qui est de la vie tend vers la destruction. C'est là cet irréversible dont parle Péguy, qui se marque dans le domaine des sentiments comme dans celui des organismes, et qui fait apparaître partout l'inéluctable présence de la mort.   DANIEL-ROPS, Ce qui meurt... VI, p. 237.

Dr. *Dégradation de monuments :* délit correctionnel qui consiste à détériorer volontairement des édifices, des monuments publics, des statues... ⇒ **Destruction, mutilation.** *Locataire responsable des dégradations faites dans l'appartement qu'il occupe.*
Dégradation de l'environnement, son altération. ⇒ **Nuisance, pollution.**

Géogr. Processus naturel ou provoqué, destructeur de l'équilibre d'un sol entre profil, végétation et milieu. ⇒ **Appauvrissement, érosion.**

♦ **4.** Détérioration graduelle (d'une situation politique, économique ou sociale). *La dégradation du climat international.*

♦ **5.** Phys. *Dégradation de l'énergie :* transformation de l'énergie en formes de moins en moins utilisables (moins aptes à fournir du travail mécanique). *Dégradations énergétiques.* → Regradation, cit. *Dégradation de l'énergie mécanique en énergie calorifique.* ⇒ aussi **Entropie.**

CONTR. Réhabilitation. — Amélioration, conversion, épanouissement, sanctification. — Réfection, réparation ; entretien. — Régénération.
COMP. Biodégradation.
HOM. 2. Dégradation.

2. DÉGRADATION [degRadɑsjɔ̃] n. f. — 1660 ; de 2. *dégrader,* et ital. *digradazione.*

♦ **1.** Affaiblissement graduel, continu (de la lumière, des couleurs). ⇒ **Diminution.** *Dégradation insensible de la lumière, des tons.*

1   Leur dégradation *(des objets représentés)* dans l'espace de l'air
Par les tons différents de l'obscur et du clair (...)   MOLIÈRE, la Gloire du Val de Grâce, 165.

2   (...) les diverses dégradations de couleur fondue, qui changent sa teinte générale en un relief, et donnent aux yeux la sensation de son épaisseur.   TAINE, Philosophie de l'art, t. I, II, VI, III, p. 270.

3   Il faut que Léonard découvre la dégradation insensible de la lumière, pour que le recul aérien fasse émerger leurs rondeurs fuyantes et enveloppe leurs contours dans la douceur du clair-obscur.   TAINE, Philosophie de l'art, t. II, V, IV, V, p. 339.

4   Notre regard, le regard moderne, sait voir la gamme infinie des nuances. Il distingue toutes les unions de couleurs entre elles, toutes les dégradations qu'elles subissent, toutes leurs modifications sous l'influence des voisinages, de la lumière, des ombres, des heures du jour.   MAUPASSANT, la Vie errante, « Vers Kairouan », p. 240.

5   (...) la plaisance du modelé *(chez Raphaël)* vient surtout d'une horreur de la brusquerie, d'un besoin d'arrondir sans les dissimuler les contours ; la perfection est alors d'obtenir une insensible dégradation du clair au moins clair et à l'obscur.   GIDE, Journal, Feuilles de route, 16 déc. 1895.

♦ **2.** Fig. Passage progressif, continu.

6   Entre l'Europe continentale et l'Asie, le passage est moins net. L'Occident proprement dit, c'est l'Europe occidentale et centrale, après quoi, vers l'Est, il y a une dégra-

---

dation par paliers : les fuseaux horaires divisent assez exactement le continent en bandes de civilisation.   André SIEGFRIED, l'Âme des peuples, Conclusion, II, p. 203.

HOM. 1. Dégradation.

DÉGRADÉ [degrade] n. m. — XIVᵉ ; de 2. *dégrader.*

♦ **1.** Affaiblissement ou modification progressive d'une couleur, d'un éclairage. *Des effets de dégradé.*
(Il) avait ménagé par des ampoules, sous la longue tonnelle qui menait à la terrasse sur le Mein, un tunnel coloré par lequel vous étiez conduit, avec de savants dégradés de lumière, jusqu'à la pleine lune. Ainsi la transition entre le jour et la nuit paraissait toute naturelle.   GIRAUDOUX, les Aventures de J. Bardini, p. 58.

♦ **2.** (XXᵉ). Cin. Procédé par lequel on fait varier l'intensité lumineuse de l'image.

HOM. 1. 2. Dégrader, (et p. p.).

1. DÉGRADER [degrade] v. tr. — XIIᵉ ; bas lat. *degradare,* de *de-,* et *gradus* « degré ».

♦ **1.** Destituer (qqn) d'une manière infamante, de sa dignité, et mod., de son grade. *Dégrader civiquement quelqu'un. Dégrader un ecclésiastique.* ⇒ **Dégradation.** — Anciennt. *Dégrader publiquement un officier.*

1   (...) *(Rome)* vous dégraderait peut-être dès demain
Du titre glorieux de citoyen romain.   CORNEILLE, Nicomède, I, 2.

2   *(Ils)* le dégraderaient de sa qualité de docteur de la grâce.   RACINE, Port-royal.

♦ **2.** Fig. et littér. Faire perdre sa dignité, son honneur à (qqn). ⇒ **Abaisser, avilir, déchoir, déshonorer, rabaisser.** — Affaiblir, diminuer la valeur de (quelque chose).

2.1   (...) si dans la première école, à quelques écarts près, *Juliette* a servi la Nature, elle en oublie les loix dans la seconde ; elle y corrompt entièrement ses mœurs ; le triomphe qu'elle voit obtenir au vice dégrade totalement son âme ; elle sent que, née pour le crime, au moins doit-elle aller au grand et renoncer à languir dans un état subalterne, qui, en lui faisant faire les mêmes fautes, en l'avilissant également, ne lui rapporte pas, à beaucoup près, le même profit.   SADE, Justine, t. I, p. 14.

3   Je dégradais mon intelligence en laissant s'atrophier en moi les qualités délicates de la vie affective.   M. BARRÈS, Leurs figures, p. 341.

♦ **3.** Rabaisser (qqch.), en diminuer les qualités réellement ou en esprit. ⇒ **Déformer, rabaisser, ridiculiser.**

4   (...) nos arlequins de toute espèce imitent le beau pour le dégrader (...)   ROUSSEAU, Émile, II (→ Arlequin, cit. 3).

♦ **4.** Détériorer (un édifice, une propriété, un objet). ⇒ **Abîmer** (fig.), **défoncer, délabrer, détruire, ébrécher, endommager, mutiler, profaner, ruiner.** *Dégrader légèrement un meuble.* ⇒ **Égratigner** (fig.). *Dégrader un bâtiment. Le temps dégrade les plus solides constructions.*

5   Quiconque aura détruit, abattu, mutilé ou dégradé des monuments, statues et autres objets destinés à l'utilité ou à la décoration publique (...) sera puni d'un emprisonnement (...) et d'une amende (...)   Code pénal, art. 257.

(Sujet n. de choses). Eau courante qui dégrade un mur. ⇒ **Dégravoyer.**

Géol. ⇒ **Affouiller, éroder, ronger, saper.** *Les eaux dégradent les pentes.*

6   Les eaux dégradent toujours les rochers et mettent chez vous un peu de terre meuble ; j'en ai profité, car tout le long de la vallée ce qui est en dessous du chemin vous appartient. Le chemin sert de démarcation.   BALZAC, le Curé de village, Pl., t. VIII, p. 672.

▶ **SE DÉGRADER** v. pron.

♦ **1.** (Personnes). Déchoir, s'avilir. *Il se dégrade en acceptant ce compromis.*
Perdre ses qualités physiques, intellectuelles ou morales. ⇒ **Baisser, tomber.**

7   (...) elle se dégradait à mes yeux en se partageant (...)   ROUSSEAU, les Confessions, V.

8   Les corps (parlements, académies, assemblées) ont beau se dégrader, ils se soutiennent par leur masse (...)   CHAMFORT (→ Corps, cit. 40).

9   Comme c'est triste de voir les êtres qu'on chérit se dégrader peu à peu !   FLAUBERT, Correspondance, IV, p. 54.

10   (...) en acceptant tu t'abaisses et, tranchons le mot, tu te dégrades.   FLAUBERT, Correspondance, III, p. 174.

♦ **2.** (Choses). Perdre sa valeur, ses qualités.

11   La volupté partout s'insinue ; mes plus belles vertus se dégradent et même l'expression de mon désespoir est émoussée.   GIDE, Journal, 1ᵉʳ sept. 1905.

Phys. *L'énergie se dégrade selon le principe de Carnot.* ⇒ **1. Dégradation** (5.).

Chim., biol. Perdre les caractères d'une matière chimique, se déstructurer.

♦ **3.** Cour. Devenir négatif, mauvais (d'une situation). ⇒ **Aggraver** (s'). *Les relations entre ces deux pays se dégradent rapidement.*

▶ **DÉGRADANT, ANTE** (1792) p. prés. et adj.
Qui abaisse moralement. *Action, conduite dégradante.*

12   (...) avec tout ce qu'une semblable déchéance comporte de dégradant (...)   Paul BOURGET, Un divorce, V, p. 167.

13 Mais ce respect de l'homme n'entraînait pas la prosternation dégradante devant la médiocrité de l'individu, devant la bêtise ou l'ignorance (...)
SAINT-EXUPÉRY, *Pilote de guerre*, XXVI, p. 224.

▶ **DÉGRADÉ, ÉE** p. p. et adj. *Officier dégradé. — Mur dégradé. — Homme dégradé* (→ Avili, cit. 27).

14 (...) elles *(les femmes)* se dévouent à des êtres souffrants, dégradés, criminels, qu'elles veulent consoler, relever, racheter (...)
BALZAC, *Séraphîta*, Pl., t. X, p. 480.

CONTR. Réhabiliter. — Améliorer, convertir, ennoblir, épanouir, sanctifier. — Refaire, relever, réparer; entretenir.
HOM. Dégradé, 2. dégrader.

2. DÉGRADER [degʀade] v. tr. — 1651; ital. *digradare*, de *di-* (lat. *de-*) et *grado* « degré ».

♦ Affaiblir, diminuer progressivement (un ton, une couleur). ⇒ **Fondre.**

1 Ils emploient, avec un art qu'on ne se lasse point d'admirer, les teintes, les demi-teintes et toutes les diminutions de couleurs nécessaires pour dégrader la couleur des objets.
Charles ROLLIN, Œ., XI, 1, p. 13, *in* LITTRÉ.

▶ **SE DÉGRADER** v. pron. « *Le bleu profond du zénith se dégrade en rose...* » (Barrès, *in* T. L. F.).

▶ **DÉGRADÉ, ÉE** p. p. et adj. *Tons dégradés.*

1.1 La lumière dégradée sur les jambes du Christ depuis les genoux.
E. DELACROIX, *Journal 1850-1854*, 12 août 1850.

2 (...) Otto Venius, après sept ans passés en Italie, en rapporte les nobles et purs types antiques, le beau coloris vénitien, les tons fondus et doucement dégradés, les ombres pénétrées de lumière (...) TAINE, *Philosophie de l'art*, t. II, III, II, II, p. 37.

DÉR. Dégradateur, 2. dégradation.
HOM. Dégradé, 1. dégrader.

DÉGRAFÉ, ÉE [degʀafe] adj. et n. f. ⇒ **Dégrafer.**

DÉGRAFER [degʀafe] v. tr. — 1564; de 1. *dé-*, et *agrafer*.

♦ Défaire, détacher (ce qui est agrafé). → Déboutonner, cit. 1. *Dégrafer une robe, une jupe, un corsage.* — Par métonymie. *Dégrafer quelqu'un.*

1 Il dégrafa son manteau, et l'abattit sur elles comme un filet.
FLAUBERT, *Trois contes*, « la Légende de Saint Julien l'Hospitalier ».

2 (...) il entreprend de dégrafer son corsage.
J. ROMAINS, *les Hommes de bonne volonté*, t. IV, XII, p. 135.

▶ **SE DÉGRAFER** v. pron.
Se défaire. *Sa robe s'est dégrafée.* — Défaire soi-même les agrafes de ses vêtements. ⇒ **Déshabiller** (se).

▶ **DÉGRAFÉ, ÉE** p. p. et adj. *Corsage dégrafé.* — N. f. (1890, *in* D. D. L.). Vx. *Une dégrafée :* une femme galante.

3 (...) c'est une espèce d'évaporée comme vous dites, ce que vous appelez une dégrafée (...) PROUST, À la recherche du temps perdu, t. VIII, p. 154.

CONTR. Agrafer, attacher.

1. DÉGRAINER [degʀɛne] v. — 1350; de 1. *dé-*, et *graine*.
Régional.

♦ **1.** V. intr. Perdre ses grains, ses graines. *Épi, grappe qui dégraine.*

♦ **2.** V. tr. (1768; le pron. au fig. fin XIIIᵉ). Égrener. — Pron. *Se dégrainer.*

HOM. 2. Dégrainer.

2. DÉGRAINER ou DÉGRÈNER [degʀɛne] v. tr. — 1649; altér. probable de *graignier* « grogner, grincer des dents », préfixe 2. *dé-*.

♦ Argot. Calomnier.

Cette concurrence déloyale rendit Dur-à-Cuire fou furieux. « Il dégraine mes poulains ! » braillait-il en rentrant dîner.
Roland DORGELÈS, *Tout est à vendre*, p. 457.

HOM. 1. Dégrainer.

DÉGRAISSAGE [degʀɛsaʒ] n. m. — 1754; de *dégraisser*.

♦ **1.** Techn. Action de dégraisser; son résultat. *Le dégraissage d'un vêtement.* ⇒ **Nettoyage.** — Spécialt. Action d'enlever par le lavage la graisse de la laine brute.

(...) les opérations préliminaires, qui eurent pour but de débarrasser la laine de cette substance huileuse et grasse dont elle est imprégnée et qu'on nomme le suint. Ce dégraissage se fit dans des cuves (...) J. VERNE, *l'Île mystérieuse*, t. II, p. 450.

♦ **2.** (1974). Fam. Allègement des frais (d'une entreprise...), notamment par le licenciement du personnel; licenciements importants. ⇒ **Dégraisser, 6.** « *(...) des firmes (...) seront contraintes, pour rester compétitives, d'alléger leurs effectifs et de pratiquer ce qu'on désigne du mot horrible de "dégraissage"* » (*le Nouvel Obs.*, 12 août 1978).

DÉGRAISSANT, ANTE [degʀɛsɑ̃, ɑ̃t] adj. et n. m. — 1864, *Revue des cours sc.*, t. I, p. 611; de *dégraisser.*

♦ Qui dégraisse. — Spécialt. Qui enlève les taches de graisse ou la graisse. ⇒ **Détachant.**

DÉGRAISSEMENT [degʀɛsmɑ̃] n. m. — 1752; de *dégraisser.*

♦ Rare. Action, fait de dégraisser. ⇒ **Dégraissage.**
Fig. « Dégraissage » (2.). « *Le "dégraissement des structures" — les licenciements, en jargon technocratique* » (*l'Express*, 6 août 1973, p. 12).

DÉGRAISSER [degʀɛse; degʀɛse] v. tr. — XIIIᵉ; de 1. *dé-*, et *graisser.*

♦ **1.** Ôter la graisse de (un animal de boucherie). *Dégraisser un bœuf, un mouton, un porc.* ⇒ **Délarder.**

♦ **2.** Agric. (Sujet n. de chose). Dépouiller (une terre) de ses principes fertiles, de l'humus. *Les ravines ont dégraissé ce champ.* ⇒ **Délaver.**
Fam. et vx. *Dégraisser une province,* l'appauvrir, par de lourds impôts, d'un excédent présumé de biens.

1 (...) tant cette province a été dégraissée.
Mᵐᵉ DE SÉVIGNÉ, *Lettres*, 517, 22 mars 1676.

2 Vous savez (...) que le parlement aime un peu à dégraisser tout fermier du roi.
VOLTAIRE, *Lettre à Tabareau*, juil. 1770.

♦ **3.** Techn. *Dégraisser une pièce de bois,* en amener les faces aux cotes voulues. ⇒ **Démaigrir.**

♦ **4.** Cour. Débarrasser (qqch.) de la couche de graisse qui recouvre. *Dégraisser un bouillon, une sauce.* — Par ext. *Dégraisser une marmite, le pot-au-feu,* dans lesquels a cuit un aliment gras. — Par anal. *Dégraisser le vin,* faire disparaître par quelque produit le défaut qu'il contracte en tournant à la graisse.

♦ **5.** Nettoyer (ce qui est enduit de graisse, taché par la graisse). ⇒ **Laver, nettoyer.** *Dégraisser un vêtement. Donner un costume à dégraisser* (⇒ **Dégraissage, 1.** — **Détacher**). — Spécialt. *Dégraisser une étoffe au moyen de la terre à foulon.* ⇒ **Terrer.** — *Dégraisser ses cheveux,* en se lavant la tête.

3 Tous les ouvrages de bonneterie en laine seront foulés à la main, dégraissés avec du savon vert (...) É. LITTRÉ, *Dict.*, Fouler (Règlement, 8 mai 1734).

♦ **6.** (1974). Absolt. Alléger les frais, effectuer des économies (notamment en licenciant le personnel). ⇒ **Dégraissage, 2.** « *(...) il faut encore ajouter Pompey (Meurthe-et-Moselle), qui va elle aussi dégraisser : trois mille licenciements en perspective...* » (*le Nouvel Obs.*, 11 déc. 1978).
Rare. Trans. *Dégraisser les effectifs.*

CONTR. Graisser; tacher.
DÉR. Dégraissage, dégraisseur, dégraissoir, dégras.

DÉGRAISSEUR, EUSE [degʀɛsœʀ, øz] n. — 1532; de *dégraisser.*

♦ Techn. Personne dont le métier est de dégraisser les vêtements. ⇒ **Teinturier.**

DÉGRAISSOIR [degʀɛswaʀ] n. m. — 1752; de *dégraisser.*
Technique.

♦ **1.** Appareil servant à dégraisser la laine.

♦ **2.** (1838). Appareil servant à dégraisser les boyaux.

DÉGRAS [degʀɑ] n. m. — 1723; de *dégraisser*, avec influence de *gras.*

♦ Techn. Matière grasse extraite des peaux chamoisées, mêlée aux débris de peau, et dont les corroyeurs se servent pour apprêter les cuirs.

DÉGRAVELER [degʀavle] ou DÉGRAVER [degʀave] v. tr. — Conjug. : *je dégravelle, nous dégravelons.* — 1754; de 1. *dé-*, et *gravelle.*

♦ Techn. Débarrasser (un tuyau, une conduite) des sédiments calcaires déposés par l'eau sur les parois.

DÉGRAVER [degʀave] v. tr. — Attesté XXᵉ; de 1. *dé-*, et *graver.*

♦ Techn. Effacer (une gravure) par polissage de la plaque. Absolt :

Là, c'est la malléabilité du métal qui joue le rôle prédominant. Cette propriété permet encore de dégraver, c'est-à-dire d'effacer une gravure et de repolir la plaque pour en recevoir une nouvelle.
Gaston COHEN, le Cuivre et le Nickel, p. 29.

CONTR. Graver.

DÉGRAVOIEMENT [degravwamã] n. m. — 1694, Corneille; de *dégravoyer.*

♦ Techn., didact. Action de l'eau qui sape une construction ou enlève les graviers.

DÉGRAVOYER [degravwaje] v. tr. — Conjug. *noyer.* — 1694; de 1. *dé-,* et de l'anc. franç. *gravois.* → Gravat.
Technique, didactique.

♦ **1.** Déchausser (un mur, une construction), en parlant de l'eau courante. ⇒ **Dégrader, saper.**

♦ **2.** (1845). Débarrasser (le lit d'un cours d'eau) des graviers qui l'encombrent.

DÉR. Dégravoiement.

DEGRÉ [dəgʀe] n. m. — Fin xɪᵉ, *degret;* probablt du lat. pop. *degradus,* de *de-* et *gradus* «pas, marche, degré, échelle»; cf. anc. franç. *gré, greis.*

★ **I.** (xɪɪᵉ; «escalier», xɪᵉ). Concret. ♦ **1.** Littér. Marche d'un escalier. ⇒ **Marche.** *Degré de pierre, de marbre, de bois. Les degrés d'un escalier, d'un perron. Degrés d'un édifice, d'un temple, d'un palais. Monter, gravir, descendre les degrés d'une église.*

1 De l'auguste chapelle ils montent les degrés. BOILEAU, le Lutrin, ɪɪɪ.
2 Je gravis d'un pas lourd les degrés de mon escalier.
FRANCE, le Crime de S. Bonnard, p. 279.

Par ext. Vx. ⇒ **Escalier, perron.**

3 Il descend du Palais, et trouvant au bas du grand degré un carrosse (...)
LA BRUYÈRE, les Caractères, xɪ, 7.

♦ **2.** Les degrés d'une échelle. ⇒ **Échelon.** *Les degrés d'un escabeau, d'un marchepied. Les degrés d'un autel, d'un trône. Degrés d'un amphithéâtre.* ⇒ **Gradin, rang, rangée.** *Degrés d'une étagère.* ⇒ **Étage, rayon.**
Fig. et littér. *Monter, gravir les degrés du trône.*

★ **II.** (Abstrait). Chacun des états, dans une série d'états réels ou possibles (dans un système organisé, et sans idée de hiérarchie, de valeur).

♦ **1.** (V. 1220). Proximité relative dans la parenté. *Degrés de parenté.* ⇒ **Génération, parenté;** → Moins, cit. 42. *Le fils et le père sont parents au premier degré; le petit-fils et le grand-père, au second degré... Degré de parenté proche, éloigné. Parent à un degré successible*. Degré prohibé :* degré de parenté empêchant le mariage (→ Empêchement).

4 La proximité de parenté s'établit par le nombre de générations; chaque génération s'appelle un degré. Code civil, art. 735.
5 En ligne collatérale, les degrés se comptent par les générations, depuis l'un des parents jusques et non compris l'auteur commun, jusqu'à celui-ci jusqu'à l'autre parent. Ainsi, deux frères sont au deuxième degré; l'oncle et le neveu sont au troisième degré; les cousins germains au quatrième; ainsi de suite.
Code civil, art. 738.
6 (*L'Église*) a fini par déclarer empêchements *dirimants* de mariage tous les degrés d'affinité correspondant aux degrés de parenté où le mariage est défendu.
CHATEAUBRIAND, le Génie du christianisme, ɪ, 1, 10.

♦ **2.** Vx. Grade, diplôme de l'enseignement. *Prendre, avoir tous ses degrés.*
7 Mais quoi! j'entends déjà plus d'un fier scolastique
Qui (...)
Curieux, me demande où j'ai pris mes degrés (...) BOILEAU, Épîtres, xɪɪ.
Mod. (angl. *degree*).
7.1 À l'Université de Princeton pour recevoir le degré de Docteur honoris causa, encore un! (...) Je reçois le degré en même temps que le physicien Millikan.
CLAUDEL, Journal, 18 juin 1928.

♦ **3.** Gramm. *Degré de comparaison ou de signification :* les trois formes de l'adjectif. ⇒ **Positif; comparatif, superlatif.**

♦ **4.** Math. Exposant de la puissance à laquelle une variable se trouve élevée, dans un monôme. *Le degré d'un polynôme est le degré d'un monôme composant du plus haut degré. Équation du premier, du second degré,* dont l'inconnue est à la première, à la seconde puissance. *Polynôme du troisième degré en X.*

♦ **5.** Techn. *Degré de fin d'une monnaie.* ⇒ **Titre.**

♦ **6.** (1834). Méd. *Brûlure du premier, second, troisième degré,* qui atteint l'épiderme, le derme. *Brûlé au second degré.*

★ **III.** (Unité). ♦ **1.** (1265). La 180ᵉ partie de l'angle plat, ou la 360ᵉ partie de la circonférence. (Symb. : *d* ou °). *Angle de 360 degrés, ou angle plein. Angle de 180 degrés, ou angle plat. Angle de 90 degrés, ou angle droit. Degré d'ampleur d'un arc.*

⇒ **Amplitude.** *Les sous-multiples du degré.* ⇒ **Minute, seconde.** *90 degrés équivalent à 100 grades*.*

8 Si je veux mesurer un angle de soixante degrés, je décris du sommet de cet angle, non pas un arc, mais un cercle entier; car avec les enfants il ne faut jamais rien sous-entendre. ROUSSEAU, Émile, ɪɪ.

Géogr. *La longitude et la latitude d'un point à la surface de la terre s'évaluent en degrés.* ⇒ **Latitude, longitude.** *Un arc de méridien vaut un degré, quand l'angle au centre vaut un degré* (⇒ **Coordonnées**).

9 (...) on ne voit rien de juste ou d'injuste qui ne change de qualité en changeant de climat. Trois degrés d'élévation du pôle renversent toute la jurisprudence; un méridien décide de la vérité (...) Plaisante justice qu'une rivière borne! Vérité au deçà des Pyrénées, erreur au delà. PASCAL, Pensées, v, 294.
9.1 (...) il était midi à l'île Lincoln, quand il était déjà cinq heures du soir à Washington. Or, le soleil, dans son mouvement apparent autour de la terre, parcourt un degré par quatre minutes, soit 15° par heure. 15° multipliés par cinq heures donnaient 75°. J. VERNE, l'Île mystérieuse, t. I, p. 188.

♦ **2.** (xvɪɪᵉ). Mus. Son de l'échelle diatonique par rapport aux autres (⇒ **Dominante, médiante, sensible, tonique**). *Les degrés de la gamme*.* ⇒ **Note.** *Degré conjoint :* intervalle d'un seul degré entre deux notes, sur la portée. *Degré disjoint :* intervalle de plusieurs degrés entre deux notes. *Accroissement progressif, de degré en degré.* ⇒ **Gradation.**

10 (...) alors pour assurer la justesse de cette finale, on la marque deux fois, en séparant cette répétition par une troisième note, que l'on baisse d'un degré en manière de note sensible (...) ROUSSEAU, Dict. de musique.
11 (...) le chant du cygne, un chant merveilleux tout trempé de pleurs, montant jusqu'aux sommités les plus inaccessibles de la gamme, et redescendant l'échelle des notes jusqu'au dernier degré (...) Th. GAUTIER, Fortunia, « Le nid de rossignols ».

♦ **3.** (1685). Sc. Chacune des divisions d'une échelle de mesure. *Diviser en degrés.* ⇒ **Graduer.** *Degrés d'un baromètre.* — Cour. Division d'une échelle de température. *Degré Réaumur, degré Fahrenheit.* — (En France, au Canada, 1975). Absolt. *Degré :* degré centigrade, Celsius (symb. : °C), centième de la différence entre la température de la glace fondante (0°) et celle de l'eau bouillante (100°). *La température a baissé d'un degré. Le thermomètre marque trente degrés à l'ombre. Les degrés Celsius correspondent à (degrés Fahrenheit - 32) 5/9. — Degré absolu, degré Kelvin.* ⇒ **Kelvin.**

12 (...) c'est ainsi qu'une demi-once de sel volatil d'urine et trois onces de vinaigre, en fermentant, font baisser le thermomètre de neuf à dix degrés.
VOLTAIRE, Essai sur la nature du feu, ɪɪ, ɪɪɪ, 1.
13 De l'eau passe par une série de degrés quand de froide elle devient tiède, puis brûlante. Le thermomètre les marque. Le langage les exprime à sa façon et avec ses moyens. BRUNOT, la Pensée et la Langue, ɪv, xvɪɪ, ɪɪ, p. 682.

Degré en alcool d'un liquide. Degré de concentration d'un alcool : pourcentage d'alcool pur (nombre de cm³ d'alcool pur par 100 cm³ de mélange). ⇒ **Poids, titre.** *Alcool à 90 degrés. Vin de 11, de 12 degrés. Degré alcoolique d'une liqueur.* — *Degré acétique :* pourcentage d'acide acétique contenu dans un vinaigre. — Absolt. *Vinaigre à sept degrés* (7°). — *Degré hydrométrique*.* — *Degré Gay-Lussac :* nombre de litres de chlore que peut dégager 1 litre d'eau de Javel ou de chlorure de chaux. — *Degré Baumé* (° Bé) : unité servant à évaluer la concentration des lessives de potasse, de soude. *Potasse à 45° Bé.*

Fig. « *Le degré zéro* de l'écriture* », titre d'un essai de R. Barthes.

★ **IV.** (Abstrait). Chacune des positions dans une hiérarchie, un système de valeurs.

♦ **1.** (V. 1120). Niveau, position dans un ensemble social hiérarchisé. ⇒ **Échelon.** *Les degrés de l'échelle sociale.* ⇒ **Classe, niveau, position, rang.** *Le plus bas degré, le plus haut degré de la hiérarchie sociale.*

14 Au plus bas degré, il y a les humbles, les *humiliores,* la plèbe des petites gens (...)
CARCOPINO (→ Classe, cit. 4).

Par ext. État intermédiaire. ⇒ **Gradation, nuance.**

15 Il est des degrés entre les pauvres comme entre les riches; on peut aller depuis l'homme qui se couvre l'hiver avec son chien, jusqu'à celui qui grelotte dans ses haillons taillardés. CHATEAUBRIAND, Mémoires d'outre-tombe, t. ɪɪ, p. 85.

Les degrés, à l'intérieur d'une profession. ⇒ **Échelon, grade.** *Sa réclamation devra passer par tous les degrés hiérarchiques. Il a passé par tous les degrés* (→ Rang : sortir du rang).

16 (*Maupertuis*) était arrivé par les degrés, de maréchal des logis des mousquetaires, jusqu'à les commander en chef (...) SAINT-SIMON, Mémoires, ɪ, 23.
17 Tous ces artisans qui franchissent, s'ils valent, les trois degrés d'apprentis, de compagnons, de maîtres, s'affinent dans leurs états, se muent en de véritables artistes. HUYSMANS, Là-bas, vɪɪɪ, p. 120.

Degré de juridiction : place d'un tribunal dans la hiérarchie. → aussi ci-dessus II., 2. (grade, diplôme).

♦ **2.** (Fig. de I., 1.). Chaque niveau par lequel on accède à ce qu'il y a de meilleur. Cf. *Les degrés de la gloire, de la fortune, des honneurs. Parvenir au plus haut degré de la célébrité, de son art; à un degré éminent de gloire.* ⇒ **Cime, comble, culminant** (au point culminant), **faîte, sommet, summum; éclat, épanouissement, maturité, plénitude.**

18 (...) à venir vous féliciter du haut degré de gloire où vous êtes monté.
MOLIÈRE, le Bourgeois gentilhomme, v, 3.
19 Mᵐᵉ de Lavardin met au premier degré de toutes ses louanges, la force héroïque que vous eûtes de partir (...) Mᵐᵉ SÉVIGNÉ, Lettres, 1133, 4 févr. 1689.

20 Tout ce qui est mort et négation dans les philosophes, Dostoïevski l'a surpassé; mais telle est sa grandeur, qu'il monte d'un degré encore. Il porte à la rédemption l'accablement de nos fatalités.
André SUARÈS, Trois hommes, « Dostoïevski », v, p. 265.

♦ **3.** (xviᵉ). État, dans une évolution. ⇒ **Stade.** *Le dernier degré de la perfection. Les trois degrés de l'humilité. Un extrême, un suprême degré de sagesse. Le dernier, le plus bas degré de l'abjection, de l'avilissement. À un si haut degré.* ⇒ **Point.** *Au même degré que...* ⇒ **Comme.** — *Cette ville avait passé* (cit. 33) *par tous les degrés de la barbarie.*

21 Deux choses vous vont faire voir l'éminent degré de sa vertu (...)
BOSSUET, Oraison funèbre de Marie-Thérèse d'Autriche, *in* LITTRÉ.

22 Ainsi que la vertu, le crime a ses degrés (...)   RACINE, Phèdre, IV, 2.

23 Les stoïques posent : Tous ceux qui ne sont point au haut degré de sagesse sont également fous et vicieux, comme ceux qui sont à deux doigts dans l'eau.
PASCAL, Pensées, VI, 360.

24 (...) je suis très bon enfant jusqu'à un certain degré, jusqu'à une frontière (celle de ma liberté).   FLAUBERT, Correspondance, II, p. 125.

25 Chaque souffrance n'est-elle pas fatalement un degré de plus vers la perfection?
MARTIN DU GARD, les Thibault, t. II, p. 239.

Par anal. *Les degrés de la connaissance, du savoir.*

26 Dès qu'ils sont parvenus à un certain degré de culture et qu'ils ont le sentiment de leurs vertus, de leurs espoirs, les hommes supportent mal les restrictions qui leur sont imposées par le tyran national ou par la domination étrangère (...)
G. DUHAMEL, Scènes de la vie future, IV, p. 69.

⇒ **Transition.**

27 Mais dans l'art dangereux de rimer et d'écrire,
Il n'est point de degrés du médiocre au pire.   BOILEAU, l'Art poétique, IV.

Intensité relative d'un sentiment, d'une faculté de l'esprit. ⇒ **Point.** *Il est intelligent au plus haut degré. Un tel degré de passion est rare. Le dernier degré de l'insolence. Être heureux au suprême degré. Émotion qui atteint son plus haut degré, le degré le plus élevé.* ⇒ **Paroxysme.**

28 Le désespoir a des degrés remontants. De l'accablement on monte à l'abattement, de l'abattement à l'affliction, de l'affliction à la mélancolie.
HUGO, les Travailleurs de la mer, III, I, 1.

29 Au degré d'exaltation où il était parvenu, l'idée chez lui primait tout le reste, à un tel point que le corps ne comptait plus.
RENAN, Vie de Jésus, XVIII, *in* Œ. compl., t. IV, p. 275.

30 Un monde, où les sentiments sont portés au dernier degré de l'acuité et de l'ardeur, semble l'enfer de la souffrance et le paradis des fous.
André SUARÈS, Trois hommes, « Dostoïevski », III, p. 221.

31 D'ailleurs, pour juger une réaction comme celle-là, il faudrait commencer par pouvoir mesurer le degré de convoitise.   MARTIN DU GARD, les Thibault, t. IX, p. 85.

Loc. adv. **PAR DEGRÉ** ou **PAR DEGRÉS.** ⇒ **Graduellement, progressivement, successivement; échelon** (par), **étape** (par), **fur** (au fur et à mesure), **palier** (par), **pied** (pied à pied), **proche** (de proche en proche). *S'avancer par degrés vers un but.* ⇒ **Acheminer** (s'). *Parvenir par degrés à tel état. Augmenter par degrés* (⇒ **Plus** : de plus en plus). *Diminuer par degrés* (⇒ **Moins** : de moins en moins).

32 (...) pour monter peu à peu comme par degrés jusques à la connaissance des plus composés (...)   DESCARTES, Discours de la méthode, II.

33 L'amour qui croît peu à peu et par degrés ressemble trop à l'amitié pour être une passion violente.   LA BRUYÈRE, les Caractères, IV, 13.

34 Lorsqu'un grand changement s'opère dans la condition humaine, il amène par degrés un changement correspondant dans les conceptions humaines.
TAINE, Philosophie de l'art, t. II, III, II, II, p. 22.

♦ **4.** Niveau d'interprétation. *Au premier degré,* qui doit être compris à la lettre. *Au second degré,* qui présente deux niveaux d'interprétation, la deuxième incluant un commentaire (généralement sur le mode de la dérision) de la première.

35 De ma place, au café, de l'autre côté de la vitre, je vois Coluche qui est là, figé, laborieusement farfelu. Je le trouve idiot au second degré : idiot de jouer l'idiot (...) je ne ris d'aucun théâtre, fût-il décroché, je n'accepte aucun clin d'œil.
R. BARTHES, Fragments d'un discours amoureux, p. 106.

Loc. *Le deuxième degré :* l'appréciation d'une œuvre, d'un spectacle, etc. à un autre niveau — incluant distanciation, jugement sur le jugement social — que la relation directe et normale. → Kitsch.

36 C'est le produit d'un monde où les références ont envahi le réel au point que toute distance est impossible. Rien n'est connoté quand tout est connoté. Alors renaît la fraîcheur du regard. Bref, c'est la fin du deuxième degré, annoncée depuis quelque temps déjà par Coluche, prophète plouc en salopette, l'homme qui fit rire à la fois les racistes et les antiracistes, celui qui eut la suprême élégance d'assumer la vulgarité des autres (...)
« À bas le deuxième degré! » (badge édité par « Actuel »). « Je suis un spectateur naïf. Surtout, je ne crois pas à l'existence de degrés... Toutes les images sont littérales et doivent être prises littéralement. » C'est Gilles Deleuze qui parle du cinéma (...).
« Le concept de deuxième degré, c'est une manière de ne pas avouer qu'on aime le premier, dit Gilles Millet. Il faut la crise des idéologies pour qu'on ose aimer le deuxième degré à cause du premier ».
Alain SCHIFFRES, *in* le Nouvel Obs., 4 nov. 1983, p. 64.

DÉGRÉEMENT [degremɑ̃] n. m. — 1771 ; de *dégréer.*

♦ Mar. Action de dégréer ; son résultat.

DÉGRÉER [degree] v. tr. — 1672 ; *désagréer,* 1557 ; de 1. *dé-,* et *gréer.*

♦ Mar. Dégarnir (un navire) de ses agrès (mâts supérieurs, vergues, manœuvres dormantes et courantes).
CONTR. Gréer.
DÉR. Dégréement.

DÉGRÈNER [degrene] v. tr. ⇒ 2. **Dégrainer.**

DÉGRESSIF, IVE [degresif, iv] adj. — 1903 ; du lat. *degressus,* de *degredi* « descendre », de *dé-* et *gradi* « marcher, avancer ».

♦ Qui va en diminuant. *Mouvement dégressif. Tarif, taux dégressif.* — Fisc. *Impôt dégressif,* dont le taux s'atténue à la base.

(...) souvent on fixe comme taux normal de l'impôt une proportion qui est appliquée aux grosses fortunes sans majoration ni atténuation, puis on taxe les revenus moyens à des taux inférieurs, décroissant jusqu'à ce qu'on arrive aux revenus minimes qui sont tout à fait exempts. C'est le système appelé impôt *dégressif.* Il ne diffère de l'impôt progressif que par le nom, si l'échelle des taux admis comporte des écarts étendus : dire qu'on taxe les petits revenus proportionnellement moins que les gros, au lieu de taxer les gros plus que les petits, est un simple jeu de mots.   C. COLSON, Cours d'économie politique, t. V, p. 253.

REM. À la différence de *dégression, dégressivité,* cet adj. est entré dans la langue banale, sinon courante.
CONTR. Progressif.
DÉR. Dégression, dégressivité.

DÉGRESSION [degresjɔ̃, degresjõ] n. f. — 1907 ; de *dégressif.*

♦ Dr., admin. Diminution graduelle. — (1929). Spécialt. *Dégression de l'impôt :* caractère d'un impôt dont le taux diminue en même temps que les ressources des contribuables.

DÉGRESSIVITÉ [degresivite] n. f. — 1941 ; de *dégressif.*

♦ Admin. Caractère de ce qui est dégressif. *La dégressivité d'un impôt.*

DÉGRÈVEMENT [degrevmɑ̃] n. m. — 1733 ; de *dégrever.*

♦ Action de dégrever. *Loi portant dégrèvement d'impôt. Accorder, prononcer un dégrèvement.* ⇒ **Décharge, réduction, remise.**

Mais quelle qu'en soit la base ou la forme, un dégrèvement qui soustrait à l'impôt, en totalité ou pour une fraction appréciable de leur montant, les très petits revenus entre lesquels se répartit la plus forte part du revenu national, entraîne une diminution considérable de la matière imposable.
C. COLSON, Cours d'économie politique, t. V, p. 250.

DÉGREVER [degrave] v. tr. — Conjug. *geler.* — 1319, *degraver* « décharger »; repris 1792 ; de 1. *dé-,* et *grever.*

♦ Décharger ce qui grève ; alléger, atténuer la charge fiscale. *Dégrever un contribuable.* ⇒ **Décharger, exempter, exonérer.** *Dégrever les revenus modestes. Dégrever une industrie, un produit.*

Et le bien qu'il a fait ne tient pas seulement dans tant de lois excellentes qui ont dégrevé les pauvres de tant d'impôts sans faire courir aucun risque au budget (...)   PROUST, Jean Santeuil, Pl., p. 587.   1

Il n'y a pas de réformes sociales à faire ; elles sont impossibles. Le paysan veut être dégrevé, l'ouvrier veut des retraites. Or, on ne pourrait pas établir les retraites sans grever le paysan. Alors?   J. RENARD, Journal, 14 août 1907.   2
CONTR. Alourdir, frapper, grever.
DÉR. Dégrèvement.

DÉGRIFFER [degrife] v. tr. — 1965 ; de 1. *dé-, griffe* et suff. verbal.

♦ Enlever à (un vêtement, des chaussures, un accessoire...) la griffe* d'un couturier, et le commercialiser à un prix moins élevé.
Au p. p. (plus cour.). *Articles dégriffés. Chaussures dégriffées. Robe dégriffée.* — N. m. (Collectif). *Du dégriffé. S'habiller en dégriffé. Boutique de dégriffé* (→ Dégriffeur).
DÉR. Dégriffeur.

DÉGRIFFEUR, EUSE [degrifœr, øz] n. — 1950 ; de *dégriffer.*

♦ Commerçant tenant une boutique spécialisée dans les articles dégriffés.

DÉGRIMER [degrime] v. tr. — 1923, Radiguet, *in* T.L.F. ; de 1. *dé-,* et *grimer.*

♦ Enlever le grimage de. *Dégrimer un comédien.* ⇒ **Démaquiller.**

DÉGRINGOLADE [degrɛ̃golad] n. f. — 1804 ; de *dégringoler.*

♦ Fam. 🅐 (Concret). Action de dégringoler ; son résultat. ⇒ **Chute, culbute.** — Ensemble de choses tombant en cascade.

1 Et il y a, çà et là, des retombées de fleurs, comme des dégringolades de bouquets ou de grappes roses, depuis le haut des arbres jusque par terre.
LOTI, l'Inde (sans les Anglais), III, X, p. 102.

b (Abstrait). *La dégringolade d'une entreprise.* ⇒ **Décadence, ruine.** *La dégringolade des cours en Bourse.* ⇒ **Chute.** — Déchéance (morale, etc.) rapide.

2 (...) une dégringolade française de quinze années (...)
Léon BLOY, le Désespéré, 1886 p. 20.

DÉGRINGOLANT, ANTE [degrɛ̃gɔlɑ̃, ɑ̃t] adj. — xxᵉ ; p. prés. de *dégringoler.*

♦ Qui dégringole, menace de s'écrouler. ⇒ **Croulant.**

(...) un cimetière de machines, des gazomètres défoncés, des pyramides dégringolantes de tonneaux de goudron éventrés (...) B. CENDRARS, Bourlinguer, p. 306.

DÉGRINGOLÉE [degrɛ̃gɔle] n. f. — 1870, P. Larousse ; de *dégringoler.*

♦ Rare (un ex. de Taine, *in* G. L. L. F.). Ensemble de choses, d'êtres vivants qui dégringolent.

DÉGRINGOLER [degrɛ̃gɔle] v. — 1662, *desgringueler*, 1595 ; de 1. *dé-*, et anc. franç. *gringoler* (1583), de *gringole* «colline», du moyen néerl. *crinc* «courbure».

★ **I.** V. intr. ♦ **1.** **a** (Concret). Descendre précipitamment. ⇒ **Rouler, tomber; débouler** (fam.), **dévaler.** *Dégringoler d'un toit, d'une pente. Il a dégringolé dans l'escalier.* ⇒ **Culbuter; cascade** (faire la cascade). — Tomber (choses). *Sa voiture a dégringolé dans le ravin. La toiture a dégringolé.* ⇒ **Affaisser** (s'), **ébouler** (s'), **écrouler** (s'). *L'eau dégringole en cascade.* — Fam. *Le baromètre dégringole,* baisse brutalement.

0.1 (...) nous examinons longuement des entonnoirs de fourmis-lions, où nous faisons dégringoler de petites fourmis en pâture.
GIDE, Voyage au Congo, in Souvenir, Pl., p. 759.

b (Abstrait). *Entreprise qui dégringole.* ⇒ **Cabriole** (faire la cabriole), **culbute** (faire la culbute).

1 Les affaires sont dans le marasme, la Bourse dégringole (...)
SARTRE, le Sursis, p. 236.

(Personnes). ⇒ **Déchoir.**

2 Tous ceux qui se regardent comme au-dessus du niveau humain dégringolent au-dessous.
FLAUBERT, Correspondance, t. IV, p. 269.

Fam. et vx. Mourir.

♦ **2.** (Choses). S'étendre en pente raide. ⇒ **Descendre, dévaler.**

3 Un joli bois de pins tout étincelant de lumière dégringole devant moi jusqu'au bas de la côte. Alphonse DAUDET, Lettres de mon moulin, « Installation ».

♦ **3.** (D'un son). Tomber rapidement dans le grave.

★ **II.** V. tr. (Personnes). Descendre très rapidement. *Dégringoler une pente.*

4 Il respira un grand coup, et, lestement, dégringola l'escalier.
MARTIN DU GARD, les Thibault, t. III, p. 212.

5 Heureusement, il arrive qu'un gamin dégringole les étages quatre à quatre, en faisant chanter la paume de sa main sur la rampe juste un peu grasse.
J. ROMAINS, les Hommes de bonne volonté, t. V, XIX, p. 143.

CONTR. **Grimper, monter, remonter.**
DÉR. **Dégringolade, dégringolant, dégringolée.**

DÉGRIPPANT [degripɑ̃] n. m. — D. i. ; p. prés. de *dégripper,* substantivé.

♦ Substance capable de dégripper. *Une bombe de dégrippant pour serrure.* — Fig. : « *Enfin, le scrutin à la proportionnelle intégrale va jouer son rôle traditionnel de dégrippant électoral* » (*Libération,* 2 févr. 1984).

DÉGRIPPER [degripe] v. tr. — D. i. (mil. xxᵉ) ; de 1. *dé-*, et *gripper* (II., 2.).

♦ Remédier aux effets du grippage ; faire cesser le grippage de (un mécanisme).

1 Pierre-Edouard (...) repartit vers la faucheuse. Il lui consacra sa journée, la dégrippa au pétrole. Claude MICHELET, Des grives aux loups, p. 220.

Par métaphore :

2 Le levier avec lequel soulever le monde, le coin à enfoncer dans ce désordre nommé ordre, c'était dans ce mécanisme-là qu'il fallait l'enfoncer. Le communisme c'était cela, d'abord : dégripper la mécanique, le piège à mort, la misère qui engendre les fuyards de la misère, qui à leur tour engendrent l'aristocratie, qui à son tour engendre le mépris, qui accroît enfin la misère pour pouvoir «régner innocemment ». Claude ROY, Nous, p. 108.

DÉR. **Dégrippant.**

DÉGRISEMENT [degrizmɑ̃] n. m. — 1823 ; de *dégriser.*

♦ Action de dégriser ; fait de se dégriser. — (Dégriser, 1.). *Un dégri-*

sement pénible, difficile, suivi d'une gueule de bois — (Dégriser, 2.). *Un dégrisement brusque, soudain, subit, total après de longues illusions.* — État d'une personne dégrisée.

DÉGRISER [degrize] v. tr. — 1771 ; se *dégriser* «dissiper une illusion», 1580 ; de 1. *dé-*, et *griser.*

♦ **1.** Tirer (qqn) de l'état d'ivresse. ⇒ **Désenivrer ;** → pop. Dessouler. *L'air frais l'a dégrisé.*

1 Ah! ah! notre ami, cela vous contrarie et vous dégrise un peu !
BEAUMARCHAIS, le Barbier de Séville, II, 14.

2 Il était dégrisé, assurément ; car il regardait profond et ses yeux étaient clairs.
LOTI, Mon frère Yves, LXVI, p. 156.

♦ **2.** Fig. Détruire les illusions, les espérances, l'enthousiasme, l'exaltation (de qqn). ⇒ **Désillusionner.** *Le charme est rompu, le voilà tout dégrisé.*

3 Le jeune marchand drapier, en se réveillant, se trouve tout dégrisé de son courage de la veille. NERVAL, la Bohème galante, « La main enchantée », p. 24.

▶ **SE DÉGRISER** v. pron.
Cesser d'être gris, ivre.

CONTR. **Enivrer, griser.**
DÉR. **Dégrisement.**

DÉGROSSAGE [degrosaʒ] n. m. — xviiiᵉ ; de *dégrosser.*

♦ Techn. Action de dégrosser un lingot ; résultat de cette action. ⇒ **Étirage.**

DÉGROSSER [degrose] v. tr. — 1611 ; *desgrosser* «débrouiller le sens de», xivᵉ ; de 1. *dé-*, et *gros.*

♦ **1.** Vx. Dégrossir.

♦ **2.** (1680). Techn. *Dégrosser un lingot d'or, d'argent,* le faire passer par la filière. ⇒ **Amincir, étirer.**

DÉR. **Dégrossage.**

DÉGROSSIR [degrosir] v. tr. — 1611 ; de 1. *dé-*, et *gros*, d'après *grossir.*

♦ **1.** Donner une première façon à (ce que l'on travaille par enlèvement de matière); enlever le plus gros de ce qui doit être soustrait à (l'objet que l'on façonne). ⇒ **Dégraisser, délarder, démaigrir.** *Dégrossir une poutre, une pièce de bois. Dégrossir une pièce de métal. Dégrossir un diamant.* ⇒ **Débrutir.** *Dégrossir le cuir.* ⇒ **Corroyer.** *Dégrossir un bloc de pierre, de marbre.*

1 Le peintre a couvert sa toile de figures, avant que le statuaire ait dégrossi son bloc de marbre. DIDEROT, Observations sur la sculpture.

2 Le réalisable est un bloc qu'il faut dégrossir, et dont les rêveurs commencent le modèle. HUGO, Notre-Dame de Paris, V, II.

♦ **2.** Fig. Donner les éléments essentiels de... ⇒ **Ébaucher.** *Dégrossir un roman, un discours,* en jeter les premiers éléments sur le papier. *Dégrossir un travail, un ouvrage.* ⇒ **Débrouiller.**

3 Tout le faix des marches et des ordres de subsistances portait sur Puységur, qui même dégrossissait les projets. SAINT-SIMON, Mémoires, 26, 42.

♦ **3.** Fam. *Dégrossir quelqu'un,* lui donner des rudiments de formation, de savoir-vivre. ⇒ **Décrasser, dégauchir, désencroûter.** *Dégrossir un élève.* ⇒ **Débrouiller ; commencer.**

▶ **SE DÉGROSSIR** v. pron.
Fig. Devenir moins grossier, plus raffiné... ⇒ **Civiliser** (se).

4 Quand une nation se dégrossit, elle est d'abord émerveillée de voir l'aurore ouvrir de ses doigts de rose les portes de l'Orient (...) VOLTAIRE (→ Aurore, cit. 20).

▶ **DÉGROSSI, IE** p. p. adj.

♦ **1.** *Pièce de bois dégrossie.* — Fig. *Travail déjà dégrossi.*

5 (...) la partie théorique, par quoi s'ouvre le livre, est pâteuse, pesante, mal dégrossie, sans presque aucun rapport avec le récit qui la suit. GIDE, Journal, 10 sept. 1922.

♦ **2.** Rare. Qui a reçu des rudiments. — Cour. (Loc.). **MAL DÉGROSSI** : grossier. *Individu mal dégrossi* (⇒ **Grossier, ignorant, rustre, sauvage**). — N. *Un mal dégrossi.*

6 (...) de petits rustres mal dégrossis, brutaux et canailles, aux voix rauques (...) SARTRE, l'Âge de raison, IX, p. 134.

CONTR. (De *dégrossir*) **Fignoler, finir.** — **Abêtir.** — (Du p. p.) **Brut.**
DÉR. **Dégrossissage** ou **dégrossissement.**

DÉGROSSISSAGE [degrosisaʒ] ou DÉGROSSISSEMENT [degrosismɑ̃] n. m. — 1799, *dégrossissage* ; *dégrossissement*, 1578 ; de *dégrossir.*

♦ Action de dégrossir ; résultat de cette action. — Techn. Début de l'étirage au laminoir (⇒ **Dégrosser**).

DÉGROUILLER (SE) [degʀuje] v. pron. — 1900 : de 2. *dé-*, et (se) *grouiller*.

♦ Fam. (lang. des écoliers). Se dépêcher. ⇒ **Grouiller** (se). *Allons, dégrouille-toi,* et, absolt, *dégrouille !*

Par ici, dégrouille-toi ! — Maurice m'attrape par la manche et m'arrache à la cohue.   Joseph JOFFO, Un sac de billes, p. 43.

DÉGROUPEMENT [degʀupmã] n. m. — V. 1950, *Lexis* ; de *dégrouper*.

♦ Action de dégrouper ; son résultat.

DÉGROUPER [degʀupe] v. tr. — 1935, techn. ; de 1. *dé-*, *groupe* et suff. verbal, ou de *grouper*.

♦ Didact. Diviser (des choses, des personnes groupées) en plusieurs ensembles.

Absolt (techn.). Répartir (ce qui était groupé).

Spécialt (ling.). Répartir (un ensemble d'emplois) en plusieurs entrées de dictionnaire.

DÉR. **Dégroupement.**

DÉGUENILLÉ, ÉE [deg(ə)nije] adj. — 1671, Mme de Sévigné ; de 2. *dé-*, et *guenille*.

♦ Qui est revêtu de vêtements en lambeaux, en guenilles. ⇒ **Dépenaillé, haillonneux, loqueteux.** *Un mendiant, un va-nu-pieds déguenillé.*

1 Les rois d'Espagne n'avaient jamais eu de gardes que quelques méchants lanciers déguenillés qui ne les suivaient pas.   SAINT-SIMON, Mémoires, 126, 140.
2 L'un d'eux, très jeune, déguenillé comme un clochard, était attablé (...)   MARTIN DU GARD, les Thibault, t. VI, p. 36.

N. (*Un déguenillé, une déguenillée*). *Une troupe de déguenillés.* ⇒ **clochard, misérable.**

3 (...) cette vénérable populace des déguenillés et des ignorants.   HUGO, Shakespeare, II, IV, VI.

DÉGUERPIR [degɛʀpiʀ] v. — XIIe ; de 2. *dé-*, et anc. franç. *guerpir*, du francique *werpjan* « jeter ».

A. V. tr. (Ancienn). Dr. Abandonner la propriété, la possession de (un bien immeuble) pour se soustraire à une charge, à une servitude. ⇒ **Délaisser.** *Déguerpir un héritage.*

B. V. intr. ♦ **1.** Dr. (vx). Abandonner la propriété ou la possession de qqch., de ses biens. *Faire déguerpir un locataire. L'occupant a déguerpi.*

1 Il ne manquerait pas de me faire querelle ;
Ce serait tous les jours procédure nouvelle,
Et je serais encor contraint de déguerpir.   J.-F. REGNARD, le Légataire universel, IV, 6.

♦ **2.** Mod. et cour. Abandonner* précipitamment la place, s'en aller* en fuyant. ⇒ **Décamper, enfuir** (s'), **filer, fuir, quitter** (la place), **retirer** (se), **sauver** (se) ; **camp** (ficher le camp ; lever le camp), **escampette** (prendre la poudre d'escampette), **pied** (lever le pied). *Faire déguerpir quelqu'un.* ⇒ **Chasser.** *L'ennemi a déguerpi à la nuit tombante.* ⇒ **Échapper** (s'). *Recevoir l'ordre de déguerpir au plus vite.*

2 Les septembriseurs, ayant changé de nom et de quartier, s'étaient faits marchands de pommes cuites au coin des bornes ; mais ils étaient souvent obligés de déguerpir, parce que le peuple, qui les reconnaissait, renversait leur échoppe et les voulait assommer.   CHATEAUBRIAND, Mémoires d'outre-tombe, t. II, p. 175.
3 L'ordre a été reçu tout à coup, fort inopinément, de déguerpir ; de partir sans rien emporter que le plus strict nécessaire (...)   GIDE, Journal, 10 mai 1943.

CONTR. **Demeurer, installer** (s'), **rester.**
DÉR. **Déguerpissement.**

DÉGUERPISSEMENT [degɛʀpismã] n. m. — 1308, *dégarpissement* ; de *déguerpir*.

♦ **1.** Dr. Abandon volontaire ou forcé d'une propriété, d'un héritage ; sommation de déguerpir. ⇒ **Délaissement.**

♦ **2.** Rare. Action de déguerpir.

DÉGUEULANDO [degœlãdo] adv. et n. m. — D. i. ; de *dégueuler*, sur le modèle des termes de musique empr. à l'ital. (ex. : *glissando*).

♦ Fam. En détonant vers le grave. — N. m. *Un dégueulando de trombone.* ⇒ **Glissando.**

1 Jacques a choisi *Dans vos yeux,* un tango à dégueulandos dont elle raffole.   Roger IKOR, À travers nos déserts, p. 88.
2 Mais le vieux phono, sur un dégueulando, s'arrête.   Hervé BAZIN, les Bienheureux de la désolation, p. 33.

DÉGUEULASSE [degœlas] adj. — 1867, *dégueulas* ; de *dégueuler*.

♦ **1.** Fam. a̲ Sale, répugnant. ⇒ **Dégoûtant.** *Ces cabinets sont dégueulasses ! Nettoie un peu ce peigne, il est dégueulasse !*

b̲ *Très mauvais.* ⇒ **Infect.**

Plan d'ensemble sur les hommes, leur gamelle à la main. 0.1
ROLAND. Elle n'est pas mangeable.
GASPARD. En effet, ça m'a l'air ignoble.
MONSEIGNEUR. C'est simplement dégueulasse.
Roland jette sa soupe dans les tinettes.
    J. BECKER et J. GIOVANNI, Dialogue du film *Le Trou,* in *L'Avant-Scène,* n° 13, p. 10, 1962.

♦ **2.** Par ext. (Fam.). Très désagréable, contrariant. ⇒ **Dégoûtant.** *Un temps dégueulasse : un très sale temps. C'est un travail dégueulasse,* très mal fait, très mauvais. *Un plat dégueulasse,* très mauvais. *Un matériel dégueulasse.* ⇒ **Pourri.**

C'est dégueulasse. Le dernier cheval[1] a complètement bousillé ce rabot. 1
    Boris VIAN, l'Équarrissage pour tous, I, p. 225.
1 C'est l'équarrisseur qui parle.
Je ne prendrais plus leurs comprimés dégueulasses, c'était décidé ! Quand la dame 2
viendrait je ferais semblant d'avaler le comprimé mais je ne l'avalerais pas (...)
    Marie CARDINAL, les Mots pour le dire, p. 27.

Fam. *C'est pas dégueulasse :* c'est très bon, très réussi (→ C'est pas cochon*).

♦ **3.** Inacceptable et infâme (moralement) ⇒ **Ignoble, infect, moche.** *C'est dégueulasse, ce qu'il a fait là. Un article, un livre dégueulasse* (ambigu avec le sens 2).

(Personnes).

— Quand t'étais jeune, t'étais sûrement pareil ..., aussi dégueulasse que main- 2.1
tenant ...
VALENTIN. Dégueulasse..., moi ?... Dégueulasse !... Et pourquoi pas..., après tout ?...
Ça a ses avantages. *(Reprenant de l'assurance et visiblement heureux de voir souffrir l'autre.)* Toi, tu n'es pas dégueulasse..., tu es honnête..., tu es simple..., tu es
confiant... *(Se retournant vers lui.)* C'est joli, la confiance !
    J. PRÉVERT, Dialogue du film *Le jour se lève,* in *L'Avant-Scène,* n° 53, p. 38.

N. *C'est un, une dégueulasse.* ⇒ **Salaud, salope.**

Vous parlez, mademoiselle, d'un dégueulasse que ce mousquetaire-là. 3
    P. MAC ORLAN, la Bandera, p. 10.

Abrév. fam. (dans toutes les acceptions). *Dégueu* [degφ]. *C'est pas dégueu ! « Ce qui est " dégueu ", c'est pas les tricheurs : " C'est les mecs qui se cachent pour pas qu'on copie sur eux "* » (le *Nouvel Obs.,* n° 866, 15-21 juin 81, p. 55).

DÉR. **Dégueulasser, dégueulasserie.**

DÉGUEULASSER [degœlase] v. tr. — 1963, *in* D.D.L. ; de *dégueulasse.*

♦ Fam. Salir énormément. *Tu as dégueulassé tes chaussures, en marchant dans cette boue.*

Pron. :

C'est que si on tombe, on va se dégueulasser. 1
    Georges CONCHON, l'Amour en face, p. 224.

Figuré :

Notre amour, tu le salis, Marthe, tu le dégueulasses ! 2
    René FALLET, Y a-t-il un docteur dans la salle ?, p. 164.

DÉGUEULASSERIE [degœlasʀi] n. f. — 1920 ; de *dégueulasse.*

♦ Fam. Caractère de ce qui est dégueulasse ; saleté physique ou ignominie morale.

(...) dégoûtés de l'Europe, de la grande dégueulasserie dont vous n'avez pas choisi 1
d'être les témoins.   Aimé CÉSAIRE, Disc. sur le colonialisme, p. 69.

(Une, des dégueulasseries). Parole ou acte ignoble ; chose répugnante.

(...) il aurait pu dresser la liste de toutes les veuleries, toutes les dégueulasseries, 2
les malhonnêtetés dont Joël s'était glorifié.   Gabriel BARRAULT, la Foire aux crabes, p. 170.

DÉGUEULATOIRE [degœlatwaʀ] adj. — 1920 ; de *dégueuler.*

♦ Fam. et vulg. Qui fait dégueuler, donne envie de vomir. ⇒ **Vomitif.** *Cette mixture est passablement dégueulatoire !*

DÉGUEULEMENT [degœlmã] n. m. — 1863 ; de *dégueuler.*

♦ **1.** Pop. et vx. Action de dégueuler. ⇒ **Dégobillage.**

♦ **2.** Techn. (charpente). ⇒ **Arêtier,** cit.

DÉGUEULER [degœle] v. tr. — 1680 ; *desgueuler* « parler », 1482 ; de 1. *dé-*, *gueule* et suff. verbal.

♦ **1.** Fam. et vulg. ⇒ **Vomir ; dégobiller.** *Dégueuler son repas.*

On m'a dit de prendre du chocolat le matin. Mais, sauf votre respect, je le 1

dégueulais. Ça n'est pas propre d'abord. Et puis, dans ces conditions-là, ça ne profite pas.
J. ROMAINS, les Copains, II, p. 91.

Absolument :

2 Tu vas encore rentrer rond comme une soucoupe. Tu vas dégueuler dans l'escalier comme avant-hier. M. AYMÉ, le Vin de Paris, « La bonne peinture », p. 205.
3 *(Le nain)* tituba jusqu'à la cuisine et, sur le carreau, dégueula. Après les premiers jets, Théo le guida jusqu'aux cabinets. Bien malade, le nabot. L'estomac vidé, il se jeta sur son lit (...) R. QUENEAU, le Chiendent, p. 404.
Fig. *C'est à dégueuler* : c'est très mauvais, infect, dégueulasse*. ⇒ **Chier** (à).

♦ **2.** Fig. et vieilli. *Dégueuler des injures contre quelqu'un.* ⇒ **Débagouler, vomir.**

DÉR. Dégueulasse, dégueulatoire, dégueulement, dégueulis.

DÉGUEULIS [degœli] n. m. — 1790, in D.D.L. ; de *dégueuler* « vomir ».

♦ Vulg. Ce qui est vomi ; vomissure. *Un, des dégueulis d'ivrogne.*

1 Je ne m'installe pas à côté de vous, expliqua-t-il, parce que je sens le dégueulis. J'en ai mis plein mes élégants souliers à boucles. Boris VIAN, l'Automne à Pékin, p. 146.
2 Sur les motifs fastidieux du tapis, la banane composait une tache ignoble ; malgré mes coups de pied, elle existait encore (...) elle ressemblait à un excrément pâle, à du dégueulis de pékinois. Jacques LAURENT, les Bêtises, p. 93.

Par comparaison :

3 Blackpool, un vrai dégueulis de lumières criardes (...) n'était plus à la mode depuis vingt ans. Michel DÉON, les Poneys sauvages, p. 27.

DÉGUISEMENT [degizmã] n. m. — Fin XIIᵉ ; de *déguiser*.

♦ **1.** Action de déguiser, fait de se déguiser. ⇒ **Travestissement.**

♦ **2.** Ce qui sert à déguiser quelqu'un. *Vêtements qui déguisent. Un déguisement de carnaval*, de bal* masqué, de mascarade*.* ⇒ **Accoutrement, costume, masque, travesti, travestissement.** *Il est méconnaissable sous un tel déguisement.*

1 Ne vois-tu pas à mon déguisement, que je veux être inconnu ? BEAUMARCHAIS, le Barbier de Séville, I, 2.
2 (...) il ne reconnaissait jamais les femmes ; il disait que chaque robe nouvelle est un autre déguisement et qu'elles n'ont jamais fini de se travestir. F. MAURIAC, le Mal, VIII, p. 118.

♦ **3.** Fig. (vx ou littér.). Action de cacher, de modifier pour tromper ; ce qui cache ou modifie pour tromper. ⇒ **Artifice, camouflage, couverture, dissimulation, fard, feinte, feintise, masque, travestissement.** *Le déguisement de la pensée. Parler sans déguisement,* ouvertement, simplement, à visage découvert, franchement. *Déguisement de la vérité.*

3 Il n'est point de déguisement qui puisse longtemps cacher l'amour où il est, ni le feindre où il n'est pas. LA ROCHEFOUCAULD, Maximes, 70.
4 Au milieu des déguisements et des artifices qui règnent parmi les hommes, il n'y a que l'attention et la vigilance qui nous puissent sauver des surprises. BOSSUET, Politique tirée de l'Écriture, V, II, 2.
5 (...) il ne savait point discerner les hommes droits et simples qui agissent sans déguisement (...) FÉNELON, Télémaque, III.
6 Il n'y a pas de déguisement sans coquetterie et il faut autant de soins, autant de vigilance, pour s'enlaidir à toute heure que pour se parer. COLETTE, la Vagabonde, II, p. 122.

CONTR. Franchise, parler (franc-parler), simplicité, sincérité, vérité.

DÉGUISER [degize] v. tr. — 1155 ; de 1. *dé-*, et *guise* « manière d'être ».

♦ **1.** Vêtir, recouvrir (qqn, qqch.) de manière à rendre méconnaissable. ⇒ **Accoutrer, affubler.** *Déguiser un homme en femme.* ⇒ **Travestir.** *Déguiser des enfants, le jour du carnaval.*

1 Supposez un original qui s'habille aujourd'hui à la mode d'autrefois : notre attention est appelée alors sur le costume, nous le distinguons absolument de la personne, nous disons que la personne se déguise (comme si tout vêtement ne déguisait pas), et le côté risible de la mode passe de l'ombre à la lumière. H. BERGSON, le Rire, p. 30.
2 Dès que je vis que ma mère me laisserait y aller, dès que j'eus cette fête en perspective, l'idée de devoir me déguiser me mit la tête à l'envers. GIDE, Si le grain ne meurt, I, III, p. 88.

♦ **2.** Modifier pour tromper. ⇒ **Cacher, camoufler, changer, dissimuler, farder, habiller, maquiller.** *Déguiser son visage* (→ Cosmétique, cit. 1). *Déguiser sa voix.* ⇒ **Contrefaire, dénaturer.** *Déguiser son écriture. Déguiser son embarras.* ⇒ **Change** (donner le change), **contenance** (se donner une contenance).

3 *(Elle veut)* (...) du voile pompeux d'une haute sagesse De ses attraits usés déguiser la faiblesse. MOLIÈRE, Tartuffe, I, 1.
4 J'ai des secrets pour déguiser ton visage et ta voix. MOLIÈRE, les Fourberies de Scapin, I, 5.
5 Seigneur, je ne vous puis déguiser ma surprise. RACINE, Mithridate, III, 1.
6 De toutes parts, des montagnes de schiste s'élèvent en amphithéâtre, elles déguisent leurs flancs rougeâtres sous des forêts de chênes (...) BALZAC, les Chouans, I, Pl., t. VII, p. 772.

♦ **3.** (Abstrait). Littér. Cacher sous des apparences trompeuses ; taire ou modifier pour tromper*. *Déguiser la vérité.* ⇒ **Arranger, cou-**

---

vrir (→ cit. 26), **enrober, farder, masquer, voiler.** *Déguiser ses sentiments, ses désirs.* ⇒ **Taire** (→ Cruel, cit. 1). *Déguiser sa pensée.* ⇒ **Envelopper** (sa pensée). → Autoriser, cit. 5. *Déguiser ses défauts* (→ Confesser, cit. 10). *Déguiser ses erreurs, ses fautes* (⇒ **Pallier**). *Ne rien déguiser.* ⇒ **Cacher, celer** ; → Prétendre, cit. 18.

Vx. Dissimuler.

7 Je ne puis déguiser que j'ai peine à vous suivre. CORNEILLE, Polyeucte, II, 6.
8 Nos vertus ne sont le plus souvent que des vices déguisés. LA ROCHEFOUCAULD, Réflexions morales, Exergue.
9 Ils ne se servent de la pensée que pour autoriser leurs injustices, et n'emploient les paroles que pour déguiser leurs pensées. VOLTAIRE, Dial. du chapon et de la poularde.
N. B. La formule « La parole a été donnée à l'homme pour déguiser sa pensée » est attribuée à Talleyrand (cf. GUERLAC, Citations, p. 222, n. 6).
10 Elle avait là-dessus une simplicité de cœur, une franchise plus éloquente que des ergoteries, et qui souvent embarrassait jusqu'à son confesseur, car elle ne lui déguisait rien. ROUSSEAU, les Confessions, VI.
11 Et que lui voulez-vous ! répondit Germain sans chercher à déguiser sa colère. G. SAND, la Mare au diable, XIV, p. 119.
12 (...) des paroles empreintes d'une feinte indifférence sous laquelle je tâchai de déguiser mon énervement. PROUST, À la recherche du temps perdu, t. XI, p. 111.
13 Elle souriait, conquise par cet air d'enfant avide qui ne sait déguiser ses désirs. MARTIN DU GARD, les Thibault, t. II, p. 167.

Absolt (vieilli). *Parle sans déguiser.* ⇒ **Dissimuler.**

14 Le renard étant proche : Or çà, lui dit le Sire, Que sens-tu ? dis-le moi : parle sans déguiser. LA FONTAINE, Fables, VII, 7.
15 *(On sait tout)* Et vouloir déguiser est un soin inutile. MOLIÈRE, le Dépit amoureux, III, 9.

▶ **SE DÉGUISER** v. pron.

Cour. S'habiller de manière à être méconnaissable. ⇒ **Travestir** (se). *Se déguiser en mousquetaire, en gentleman-cambrioleur.*

16 (...) je m'étais déguisé en clochard, et on me voyait errer dans les galeries avec mes loques et ma musette. J. ROMAINS, les Hommes de bonne volonté, t. II, XVIII, p. 206.

Loc. (Par plais.). *Se déguiser en cerf.* ⇒ **Enfuir** (s'). *Se déguiser en courant d'air*.* *Se déguiser à qqn* (vieilli). ⇒ **Cacher, dissimuler** (se).

17 Nous sommes si accoutumés à nous déguiser aux autres, qu'enfin nous nous déguisons à nous-mêmes. LA ROCHEFOUCAULD, Maximes, 119.

▶ **DÉGUISÉ, ÉE** p. p. et adjectif.

♦ **1.** Revêtu d'un déguisement. *Un homme déguisé en femme* (⇒ **Travesti**). *Déguisé de la sorte, personne ne le reconnaîtra* (→ Connaître, cit. 46).

Figuré :

18 J'ai cru que notre mariage n'était qu'un adultère déguisé. MOLIÈRE, Dom Juan, I, 3.
19 Ce qui paraît générosité n'est souvent qu'une ambition déguisée (...) LA ROCHEFOUCAULD, Maximes, 246.
20 *(La Rochefoucauld)* est comme un Philinte vieilli, retiré, ne se souciant plus d'aller dans le monde promener ses railleries déguisées en compliments (...) Émile FAGUET, Études littéraires, XVIIᵉ s., La Rochefoucauld, III, p. 208.

♦ **2.** FRUITS DÉGUISÉS, préparés au sucre, fourrés aux amandes (dattes, pruneaux, cerises, etc.). *Fruits déguisés servis comme petits fours.*

CONTR. (Du sens 3.) Avouer, confesser, dire, montrer, reconnaître.
DÉR. Déguisement.

DÉGURGITER [degyrʒite] v. tr. — 1839 ; de 1. *dé-*, et *(in)gurgiter*.

♦ Rendre intacts (les aliments avalés). ⇒ **Vomir.** → Régurgiter.

(...) je vis un avaleur de poissons rouges et de grenouilles. Spectacle on ne peut plus pénible (...) Le voici qui fait le tour de la piste, dégurgitant tour à tour grenouilles ou poissons, tout l'aquarium qu'il avait avalé. GIDE, Ainsi soit-il, in Souvenirs, Pl., p. 1186.

Fig. *Il dégurgite tout ce qu'il a appris, à son oral d'examen.*

CONTR. Ingurgiter.

DÉGUSTATEUR, TRICE [degystatœr, tris] n. m. — 1793 ; du rad. de *dégustation.*

♦ Personne qui déguste (qqch.) — Spécialt. Personne dont le métier est de déguster les vins.

Un dégustateur de bordeaux qui dit d'un vin *qu'il fait la queue de paon dans la bouche* s'égale à plus d'un poète (...) VALÉRY, Regards sur le monde actuel, p. 261.

Dégustateur de tabac.

DÉGUSTATION [degystasjɔ̃] n. f. — 1519 ; lat. *degustatio*, du supin de *degustare.* → Déguster.

♦ Action de déguster (qqch.). *Dégustation de coquillages, d'huîtres. La dégustation d'un foie gras par un gastronome.*

Certes, la langue joue un grand rôle dans le mécanisme de la dégustation. BRILLAT-SAVARIN, Physiologie du goût, II, 7, t. I, p. 50.

Dégustation aveugle, à l'aveugle : dégustation d'un produit sans que le consommateur soit informé de son origine. *« Chaque participant peut apporter une ou deux bouteilles achetées chez son caviste, dans un supermarché ou à la propriété. Pour ne pas être influencé par le prix ou l'étiquette, on entoure la bouteille d'une feuille de papier sur laquelle on marque un numéro. Chacun note les vins en les goûtant. On appelle ça une "dégustation à l'aveugle". Les trois ou quatre vins qui ont obtenu le plus de points sont regoûtés, à découvert, en tenant compte cette fois de leur prix »* (*Cosmopolitan*, nº 121, déc. 1983, p. 56).

Spécialt. Le fait de juger en goûtant (les vins, les tabacs). ⇒ **Dégustateur.**

DÉGUSTER [degyste] v. tr. — 1802 ; lat. *degustare*, de *de*- et *gustare* « goûter », de *gustus*. → Goût.

♦ **1.** Goûter (du vin, une liqueur, du tabac...) pour juger de la qualité.

♦ **2.** Apprécier (une boisson, un aliment). ⇒ **Savourer.** Boire ou manger avec grand plaisir. *Déguster un bon vin, un vieil alcool. Déguster des friandises.*

1 — Je viens déguster... — Des coquillages ?...
PAGNOL, Marius, I, 4 (→ Coquillage, cit. 2).

Absolument :

2 Haverkamp, dégusta, par gorgées espacées.
J. ROMAINS, les Hommes de bonne volonté, t. V, X, p. 81.

Par métaphore ou fig. ⇒ **Apprécier ; délecter** (se), **régaler** (se régaler avec).

3 Alors à bout de forces, il se laissait tomber dans un grand fauteuil, et, le corps abandonné, la paupière à demi-close, il dégustait son péché par petits coups...
Alphonse DAUDET, Lettres de mon moulin, « Élix. R. P. Gaucher ».

4 Je me rappelle même une interview, plus tard, du ministre Thomson, que j'ai dégustée dans le train qui m'amenait de Saint-Étienne...
J. ROMAINS, les Hommes de bonne volonté, t. III, II, p. 36.

5 Pour le moment, il dégustait comme un plat fin cette liberté spécieuse qu'il venait de retrouver (...)
P. MAC ORLAN, la Bandera, XIX, p. 229.

♦ **3.** (1916). Fam. *Déguster des coups,* et, absolt, *Déguster. Qu'est-ce qu'on a dégusté !* ⇒ **Subir, supporter.**

6 Ah pardon ! dit le soldat, qu'est-ce qu'ils dégustent ! Il était tout excité. C'était un match. Le plus fort gagnait, forcément.
Robert MERLE, Week-end à Zuydcoote, p. 149.

▶ **SE DÉGUSTER** v. pron.

(Sens passif). Être dégusté, apprécié. *Le vin se déguste mieux après le fromage.*

DÉR. Dégustateur.

DÉHALAGE [deala3] n. m. — XXᵉ ; de *déhaler.*

♦ Techn. Action de déhaler, de se déhaler. *Le déhalage d'une embarcation, d'un canot.*

DÉHALER [deale] v. tr. — 1529 ; de 1. *dé*- et *haler.*

♦ Techn. (navigation). Déplacer (un navire) au moyen de ses amarres. *Déhaler un navire hors d'une passe.*

1 Il y eut un raclement et l'étrave de l'embarcation se souleva avant de s'immobiliser. Les hommes sautèrent dans le déferlement et entreprirent de déhaler la chaloupe hors de portée de la marée montante.
M. TOURNIER, Vendredi ou les limbes du Pacifique, p. 235.

▶ **SE DÉHALER** v. pron.

♦ **1.** S'éloigner, se retirer d'une position dangereuse, en parlant d'un navire.

2 Après, ils amenèrent des embarcations pour mouiller des ancres, essayer de se déhaler, en réunissant toutes leurs forces sur des amarres — une rude manœuvre qui dura dix heures d'affilée (...)
LOTI, Pêcheur d'Islande, I, XII, p. 129.

♦ **2.** (1883 ; Corbière, *in* D.D.L.). Fig. (argot mar.). Avancer, marcher (personnes).

DÉR. Déhalage.

DÉHÂLER [deale] v. tr. — 1690, deshaler ; de 1. *dé*- et *hâle* ou *hâler.*

♦ Rare. Faire disparaître le hâle de.... (le teint, la peau, une partie du corps, qqn). ⇒ **Débrunir.**

DÉHANCHEMENT [deã∫mã] n. m. — 1693 ; de se *déhancher.*

♦ **1.** Mouvement d'une personne qui se déhanche.

Le Primauguet filait très vite et se secouait dans sa course, avec ce déhanchement souple et vigoureux des grands coureurs. LOTI, Mon frère Yves, XC, p. 216.

♦ **2.** Position d'un corps qui se déhanche (2.). *Le déhanchement d'une statue.* ⇒ **Hanché.**

DÉHANCHER [deã∫e] v. tr. — 1555 ; de 1. *dé*-, et *hanche.*

♦ **1.** Rare. Disloquer, déboîter les hanches de (quelqu'un).

♦ **2.** Porter (qqch.) en l'appuyant sur la hanche.
0.1 Une petite bonne qui déhanche une bassine pleine de linge, s'enfuit en tournant la tête quand je lui demande où se trouve une trattoria.
Michel DÉON, Tout l'amour du monde, p. 259.

▶ **SE DÉHANCHER** v. pron.

♦ **1.** Se déboîter* la hanche (le sujet désigne un cheval).

♦ **2.** Cour. (Personnes). Se balancer sur ses hanches, en marchant. ⇒ **Dandiner** (se), **tortiller** (se). *Se déhancher avec affectation.*
1 C'est un diable d'homme assez bizarre, grand, sec, à nez crochu, sanglé, botté, coiffé haut, qui se déhanche en marchant avec des airs d'acrobate et une certaine mine de mauvais sujet. E. FROMENTIN, Un été dans le Sahara, p. 92.
Fig. et vx. Se donner du mal avec affectation. ⇒ **Démener** (se).

♦ **3.** Faire reposer le poids du corps sur une hanche (l'autre étant légèrement fléchie).

▶ **DÉHANCHÉ, ÉE** p. p. adj.

♦ **1.** *Cheval déhanché,* dont la hanche est déplacée, abaissée à la suite d'une fracture de l'os iliaque.

♦ **2.** (Personnes). Qui ne semble pas d'aplomb sur ses hanches ; qui se balance sur ses hanches avec affectation.

Figuré :
2 La raison va toujours et torte, et boiteuse, et déhanchée.
MONTAIGNE, les Essais, II, 12.

♦ **3.** Qui se déhanche (3.).
3 Son corps est légèrement déhanché, reposant davantage sur la jambe droite, la gauche un peu fléchie et le genou ramené en avant par-dessus l'autre genou.
A. ROBBE-GRILLET, la Maison de Rendez-vous, p. 139.

CONTR. (De *se déhancher*) Raidir (se). — (Du p. p.) **Raide.**
DÉR. Déhanchement.

DÉHARNACHER [deaʀna∫e] v. tr. — 1380, *desharnaquier ; desharnechier* « ôter les cordes qui serraient les voiles sur les vergues », v. 1155 ; de 1. *dé*-, et *harnacher.*

♦ Ôter le harnais de (un cheval).

▶ **SE DÉHARNACHER** v. pron.

(1845). Fig. et fam. Se débarrasser de vêtements ou d'accessoires encombrants ou gênants.
CONTR. Harnacher.

DÉHISCENCE [deisãs] n. f. — 1798 ; → le suivant.

♦ **1.** Bot. Ouverture d'organes déhiscents.
1 C'est l'époque de la déhiscence, comme dirait M. Bonnier : le fruit s'ouvre et les graines sautent. G. DUHAMEL, Chronique des Pasquier, t. III, p. 221.

♦ **2.** Par métaphore. Littér. et rare. Séparation.
2 (...) l'âge où l'adolescent doit se détacher par une sorte de déhiscence (...) de cette communauté caduque qui fut la forme infantile de ses rapports familiaux.
E. MOUNIER, Traité du caractère, p. 103.
CONTR. Indéhiscence.

DÉHISCENT, ENTE [deisã, ãt] adj. — 1798 ; lat. bot. *dehiscens,* de *dehiscere* « s'ouvrir », de *de*- et *hiscere,* de *hiare* « se fendre ».

♦ Bot. Se dit des organes clos (anthères, fruits) qui s'ouvrent d'eux-mêmes pour livrer passage à leur contenu. *Les valves, pièces du péricarpe des fruits déhiscents. Le colchique, l'iris, le pavot, le tabac ont des fruits déhiscents.*

CONTR. Indéhiscent.
DÉR. Déhiscence.

DÉHONTÉ, ÉE [deõte] adj. — V. 1175 ; de 1. *dé*-, et *honte.*

♦ Vx. Éhonté, impudent. ⇒ **Éhonté.**
Quoi, la fortune publique sera entre les mains de fripons déhontés qui n'ont pas plus d'ordre que les dissipateurs-escrocs ?
MARAT, l'Ami du peuple, 2 déc. 1791, *in* D.D.L. II, 11.

DEHORS [dəɔʀ] prép., adv. et n. m. — XIIᵉ ; altér. de *defors,* Xᵉ ; du lat. pop. *deforis,* de *foris* (→ Fors), d'après *hors.*

★ **I.** ♦ **1.** Prép. de lieu. Vx. À l'extérieur de, hors de... *Dehors la maison* — Mod. *En dehors de... :* à l'extérieur de... (*Dehors* est à la fois adverbe et préposition jusqu'au XVIIᵉ s. → Dedans, 1., REM.).
1 À proprement parler, Dieu n'est ni dedans, ni dehors le monde,
FÉNELON, Traité de l'existence de Dieu, II, 5.

♦ **2.** Adv. de lieu. Mod. À l'extérieur ; hors du lieu, de la chose dont il s'agit. ⇒ **Extérieurement ; ailleurs, delà, loin,** et les préf. ex-,

extra-. *Aller dehors.* ⇒ **Sortir.** *Il fait meilleur chez soi que dehors. Rester, coucher dehors,* à l'extérieur, en plein air, à la belle étoile... *Je serai dehors toute la journée,* hors de chez moi (⇒ **Absent**). *Mettre quelqu'un dehors,* le faire sortir. — Loc. *Il fait un temps à ne pas mettre un chien dehors,* un temps exécrable. — *Qui conduit dehors.* ⇒ **Déférent.** *Qui sort, qui avance dehors.* ⇒ **Saillant.**

2 L'honneur est comme une île escarpée et sans bords
On n'y peut plus rentrer dès qu'on en est dehors.
                                        BOILEAU, Satires, X.

3 Ô Ciel ! que l'heure de manger
Pour être mis dehors est une maudite heure !
                                        MOLIÈRE, Amphitryon, III, 6.

4 Dehors il pleut, ici il ne pleut pas ; dehors il fait froid, ici il n'y a pas une miette de vent ; dehors il y a des tas de monde, ici il n'y a personne ; dehors il n'y a même pas la lune, ici il y a ma chandelle (...)   HUGO, les Misérables, IV, VI, II.

Fig. *Mettre, jeter, ficher, flanquer, foutre qqn dehors.* ⇒ **Chasser, congédier, renvoyer ; porte** (mettre à la porte). *On l'a mis dehors et il cherche un nouvel emploi. Mettre dehors un employé indélicat.*

5 Écoutez, Toinette, si vous fâchez jamais mon mari, je vous mettrai dehors.
                                        MOLIÈRE, le Malade imaginaire, I, 6.

Mar. *Au large*, en pleine mer. La mer est grosse dehors* (Académie). — Loc. *Toutes voiles* dehors.*

♦ **3.** Loc. adv. **LÀ-DEHORS** (vx) : à l'extérieur de ce lieu.

6 (...) voulez-vous vous en aller là-dehors, petit fripon ?... là-dehors, en termes de personnes de qualité, veut dire l'antichambre.
                                        MOLIÈRE, la Comtesse Escarbagnas, 2.

DE DEHORS : de l'extérieur. *Il vient de dehors. La fenêtre s'ouvre de dehors en dedans. On l'appela de dehors.*

7 Mais on peut être vu de quelqu'un de dehors.   MOLIÈRE, l'École des maris, III, 2.

PAR DEHORS : par l'extérieur. *Il est passé par dehors. Faire le tour par-dehors* (Académie), *par dehors* (Littré).

EN DEHORS : vers l'extérieur ; vers le côté extérieur. *Marcher les pieds en dehors. Ne pas se pencher en dehors !*

8 (...) il *(le poète)* se penche en dehors, pour voir au-dessous passer la foule.
                                        André SUARÈS, Trois hommes, « Ibsen », II, p. 83.

9 Il marchait en traînant un peu les semelles ; les jambes molles, les pieds en dehors.
                                        J. ROMAINS, les Hommes de bonne volonté, t. II, IV, p. 30.

Fig. (Vx). *Être en dehors, tout en dehors :* être d'un caractère ouvert, n'avoir rien de caché (⇒ **Franc, ouvert**).

10 Le comte Raimond mettait en dehors toute son âme.
                                        Mme DE STAËL, Corinne, XII, 1.

AU DEHORS : à l'extérieur. (REM. Le trait d'union n'est employé que par Académie, huitième éd. L'usage reste libre.) ⇒ **Extérieurement, loin...** *Le récipient se brisa et le contenu se répandit au dehors.* — *Capitaux placés au dehors,* à l'étranger.

10.1 La maison du seigneur, seule un peu plus ornée,
Se présente au dehors de murs environnée.
                                        BOILEAU, Épîtres, VI.

Fig. Dans l'apparence extérieure. *Il est grossier au dedans comme au dehors.*

10.2 Homme auguste au dedans, ferme au dehors, ayant
En lui toute la gloire et toute la patrie.
                                        HUGO, la Légende des siècles, XVIII, I, p. 120.

♦ **4.** Loc. prép. **AU DEHORS DE...** (rare) : à l'extérieur de. *Au dehors de ce pays.*
EN DEHORS DE : hors de, à l'extérieur de. *En dehors de la ville. Tout ce qui se trouve en dehors de cette limite ne fait pas partie de la commune.* — Fig. :

11 (...) à l'époque où j'aimais Gilberte, je croyais encore que l'Amour existait réellement en dehors de nous (...)
                                        PROUST, À la recherche du temps perdu, t. II, p. 246.

Fig. *En dehors de cela, on peut encore dire que...* ⇒ **Outre** (en outre). — *Tout ceci est en dehors de la question, en dehors du sujet.* ⇒ **Côté** (à côté de). *Cela s'est fait en dehors de moi,* sans que j'en sois informé, sans que j'y participe. *Se tenir en dehors d'un débat.* ⇒ **Écart** (à l'écart). *Ceci est en dehors de notre compétence, de notre pouvoir, de notre action* (⇒ **Dépasser**).

★ **II.** N. m. (XVIe). ♦ **1.** *Le dehors :* la partie extérieure, l'aspect extérieur d'une personne ou d'une chose. ⇒ **Extérieur.** *Le dehors de cette boîte, de ce récipient.*

12 (...) ce fond *(de verre)* astucieusement grossi pour le dehors, rétréci pour le dedans (...)   J. ROMAINS, les Hommes de bonne volonté, t. IV, XVIII, p. 197.

Par anal. L'extérieur, par rapport à un lieu (ville, pays). *Les ennemis du dehors. Les affaires du dehors :* les affaires extérieures.

13 Les combats du dehors coûtaient moins aux Juifs que ceux du dedans (...)
                                        BOSSUET, Hist. universelle, II, 21.

Du dehors : de l'extérieur. *Il vient du dehors* (⇒ **Étranger**). *Idée du dehors* (⇒ **Adventice**).

Manège. *La jambe, la rêne du dehors :* la jambe, la rêne qui sont à l'extérieur par rapport au centre du manège. — Patinage. *Courbe décrite lorsque l'on patine sur la carre* extérieure d'une lame.

♦ **2.** Par ext. *Le dehors,* et, plus souvent, *Les dehors :* l'apparence extérieure. ⇒ **Air, apparence, aspect, figure, forme** (extérieure), **surface.** *Un dehors aimable, gracieux. Un édifice aux dehors agréables. Cacher quelque chose sous des dehors trompeurs. Ses dehors rugueux, bourrus, cachent une grande sensibilité. Sous un dehors de douceur...* ⇒ **Masque.** *Il ne faut pas juger quelqu'un sur ses dehors* (→ L'habit* ne fait pas le moine).

14 Et quoique le dehors soit sans émotion.
Le dedans n'est que trouble et que sédition.
                                        CORNEILLE, Polyeucte, II, 2.

15 Souvent ces dehors froids cachent des cœurs sensibles.
                                        COLLIN D'HARLEVILLE, Optimiste, II, 10.

16 Montcornet a les dehors d'un héros de l'antiquité. Ses bras sont gros et nerveux, sa poitrine est large et sonore (...)
                                        BALZAC, les Paysans, Pl., t. VIII, p. 23.

17 (...) assez pervers pour affecter les dehors d'une tendresse qu'il n'éprouvait pas.
                                        FRANCE, le Petit Pierre, XXXIV, p. 238.

18 Madame Brigitte « qui comme tous les êtres vraiment saints, dissimulait tant de bonté sous des dehors austères » (...)
                                        F. MAURIAC, la Pharisienne, p. 34.

19 (...) force est aux gens de nous juger, non point tant sur nos véritables pensées et nos sentiments qui ne se voient pas, que sur notre dehors et nos actes (...)
                                        J. PAULHAN, Entretien sur des faits divers, p. 68.

(Vx). *Garder, sauver les dehors :* sauver les apparences, en parlant d'une personne.

20 Ils n'y vont que par nécessité, que par respect humain, que pour garder quelques dehors.
                                        BOURDALOUE, Dimanche oct. du Saint-Sacrement.

(Vx). *Avoir du dehors,* une apparence extérieure prometteuse. ⇒ **Vernis.**

21 (...) celui-là *(le peuple)* a un bon fond, et n'a point de dehors ; ceux-ci *(les grands)* n'ont que des dehors et qu'une simple superficie.
                                        LA BRUYÈRE, les Caractères, IX, 25.

♦ **3.** Fortif. *Les dehors d'une place :* les fortifications extérieures.

♦ **4.** Mouvement en dehors. — Patinage. Mouvement semi-circulaire vers l'extérieur.

CONTR. **Dans, dedans, intérieurement.** — **Fond, intérieur.**
DÉR. et COMP. V. **Bout-dehors, hors.**

DÉHOTTER [dehɔte] v. intr. et tr. — 1906 ; de 1. *dé-, hotte* et suff. verbal.

♦ **1.** V. intr. Partir précipitamment.

1 Mais au Thibet ! qu'on part, grand-père !... Mais au Thibet ! c'est entendu !... On l'a dit cent fois...! Maintenant c'est la bonne !... aussitôt qu'on décroche la prime ! Pop ! On fout le camp ! On déhotte !   CÉLINE, le Pont de Londres, p. 76.

♦ **2.** V. tr. Chasser.

2 On se prélassait là jusqu'à la nuit... à moins qu'un orage, une ondée nous déhotte.
                                        A. BOUDARD, les Combattants du petit bonheur, p. 26, in Cellard et Rey.

DÉHOUILLEMENT [deujmɑ̃] n. m. — 1863 ; de *déhouiller.*

♦ Techn. Action de déhouiller.

DÉHOUILLER [deuje] v. tr. — 1870 ; de 1. *dé-,* et *houille.*

♦ Techn. Enlever la houille de. *Déhouiller une couche, un filon.*
DÉR. **Déhouillement.**

DÉHOUSSABLE [deusabl] adj. — Mil XXe ; de 1. *dé-, housser,* suff.-able.

♦ Dont on peut enlever la housse, les housses. *Canapé convertible* et déhoussable.*

DÉICIDE [deisid] n. et adj. — 1585 ; lat. chrét. *deicida,* de *deus* « dieu », d'après *homicida.* → Homicide.
Didactique.

♦ **1.** N. m. Meurtre de Dieu. — Spécialt. Crucifixion du Christ.

1 C'était le plus grand de tous les crimes, crime jusqu'alors inouï, c'est-à-dire le déicide.
                                        BOSSUET, Hist. universelle, II, 21.

Par ext. Suppression, destruction d'un culte, d'une religion.

2 La plupart des révolutions prennent leur forme et leur originalité dans un meurtre. Toutes, ou presque, ont été homicides. Mais quelques-unes ont, de surcroît, pratiqué le régicide et le déicide.
                                        CAMUS, l'Homme révolté, III, p. 138.

♦ **2.** N. et adj. Meurtrier de Dieu. *Être traité comme un déicide. Peuple déicide.*

3 Nous consentons à être traités, nous et toute notre postérité, comme des déicides.
                                        BOURDALOUE, Exhortation sur le jugement du peuple contre J.-C.

Par ext. Destructeur de la religion, de la foi.

DÉICOLE [deikɔl] adj. — Av. 1778 ; du lat. *deus* « dieu », et *colere* « honorer, adorer ».

♦ Littér. ou didact. Qui rend un culte à une divinité. *Peuple déicole.*

DÉICTIQUE [deiktik] adj. et n. m. — 1908 ; formation sav., du grec *deiktikos* « démonstratif », de *deixis.* → Deixis.

♦ Log., ling. Qui sert à montrer, à désigner un objet singulier. *« Ceci »* est un mot déictique. — Par ext. Tout élément d'un énoncé qui renvoie à la situation (spatiale, temporelle, etc.) ou au sujet parlant. (Ex. : démonstratifs, pronoms personnels, adv. de lieu, de temps). — N. m. *Les déictiques dépendent de l'instance du discours, de l'énonciation ; ils « embrayent » l'énoncé sur la situation*

(→ Embrayeur). *Situation de l'énonciation liée à un déictique.* ⇒ **Deixis.**

DÉIFICATION [deifikasjɔ̃] n. f. — 1375 ; lat. *deificatio,* du supin de *deificare.* → Déifier.

♦ **1.** Action de déifier (qqn, un animal) ; son résultat. *La déification des empereurs romains.*

♦ **2.** Par ext. Action de vénérer (quelqu'un ou quelque chose).

La déification d'un des hommes les plus couverts de sang que l'Histoire ait connus (...) c'est cela votre crime (...)   F. MAURIAC, Bloc-notes 1952-1957, p. 253.

DÉIFIER [deifje] v. tr. — 1265 ; lat. *deificare,* de *deus* « dieu » et *facere* « faire ».

♦ **1.** Considérer (qqn) comme Dieu, comme un dieu. ⇒ **Diviniser.** *Les Romains déifièrent la plupart de leurs empereurs. Déifier un homme, une idole. Action de déifier.* ⇒ **Déification.**

♦ **2.** Faire de (qqch., qqn) l'objet d'un culte. ⇒ **Adorer, élever, exalter, honorer, idolâtrer, vénérer.** *Déifier l'argent, la richesse ; le pouvoir, la gloire.*

1   Le poison abominable de la flatterie la plus insigne, qui le déifia *(Louis XIV)* au sein même du christianisme.   SAINT-SIMON, Mémoires, XII, 22.
2   J'ai bien vu un philosophe déifier aussi la gloire et diviniser ce fléau de Dieu.   CHATEAUBRIAND, Mémoires d'outre-tombe, t. III, p. 290.
3   Impossible d'aimer la créature sans la déifier. Elle devient l'unique nécessaire ; elle occupe la place de Dieu : le ciel de sa présence ; l'enfer de son absence.   F. MAURIAC, Souffrances et bonheur du chrétien, p. 26.

DÉISME [deism] n. m. — 1662 ; du lat. *deus* (→ Dieu), d'après *déiste.*

♦ Attitude philosophique de ceux qui admettent l'existence d'une divinité*, sans accepter de religion révélée ni de dogme.

(...) ils *(les hommes)* prennent lieu de blasphémer la religion chrétienne, parce qu'ils la connaissent mal. Ils s'imaginent qu'elle consiste simplement en l'adoration d'un Dieu considéré comme grand et puissant et éternel ; ce qui est proprement le déisme, presque aussi éloigné de la religion chrétienne que l'athéisme, qui y est tout à fait contraire.   PASCAL, Pensées, VIII, 556 (→ Athéisme, cit. 1).

CONTR. **Athéisme.** — **Théisme ; dogme.**

DÉISTE [deist] n. — 1564 ; dér. sav. du lat. *deus* (→ Dieu), suff. *-iste.*

♦ Personne qui professe le déisme.

1   Le déiste seul peut faire tête à l'athée, le superstitieux n'est pas de sa force.   DIDEROT, Pensées philosophiques, 13.

Adj. *De nombreux philosophes français du XVIIIᵉ siècle étaient déistes, et non pas athées.*

2   De ces premières vérités, je déduisais facilement les autres, et Rosalie déiste était bientôt chrétienne.   SADE, Justine, t. I, p. 122-123.

DÉITÉ [deite] n. f. — 1119, *déïtet* ; lat. chrét. *deitas* ; de *deus.*

♦ Littér. Divinité* mythique ; dieu ou déesse. *Les déités grecques. Les déités infernales.* — Par ext. *Faire de l'argent, de la gloire une déité.* ⇒ **Idole.**

1   Les Grecs, et les Latins ensuite, ont fait régner les fausses déités ; les poètes ont fait cent diverses théologies (...)   PASCAL, Pensées, IX, 613.
2   L'idée qu'il *(Gœthe)* donne de soi est bien celle d'une puissance de revêtir une étonnante quantité d'aspects. L'inépuisable est dans sa nature, et c'est pourquoi, au lendemain de sa mort, aussitôt il se place parmi les déités et les héros de la Fable Intellectuelle, parmi ceux dont les noms sont devenus symboles.   VALÉRY, Variété IV, p. 99.
3   (...) rien de plus antispirituel que la loi érigée en déité.   DANIEL-ROPS, Ce qui meurt..., V, p. 196.

DEIXIS [deiksis] n. f. — Mil. XXᵉ ; *deixis,* all. ; mot grec « fait de montrer ».

♦ Ling., sémiotique. Système de référence aux coordonnées spatio-temporelles, par le geste ou par le langage (⇒ **Déictique**). *L'expression de la source du discours et de sa cible (1ᵉ et 2ᵉ personne : deixis personnelle), celle du temps, du lieu... font partie de la deixis.*

DÉJÀ [deʒa] adv. de temps. — 1265, *des ja* ; de *dès-,* et anc. franç. *ja* « tout de suite », du lat. *jam.* → Jadis, jamais.

♦ **1.** Dès l'heure présente, dès maintenant. *Il a déjà fini son travail. Il est déjà quatre heures : le temps passe vite. Vous êtes déjà là ? Je ne vous attendais pas si tôt. Il a déjà oublié sa leçon.*

Dès lors, dès ce temps (en parlant du passé ou de l'avenir). *Il était déjà marié à ce moment-là. Il est déjà venu hier. Quand il arriva, son ami était déjà parti. Quand vous lirez cette lettre, je serai déjà loin. Dans deux jours, il aura déjà reçu ma lettre. Il l'aurait déjà reçue, si... Déjà en 1900...*

1   Ses enfants étaient déjà forts.   LA FONTAINE, Fables, II, 7.

Le cheval s'aperçut qu'il avait fait folie ;
Mais il n'était plus temps : déjà son écurie
Était prête et toute bâtie.   LA FONTAINE, Fables, IV, 13.   2

Ce siècle avait deux ans. Rome remplaçait Sparte,
Déjà Napoléon perçait sous Bonaparte (...)   HUGO, les Feuilles d'automne, I.   3

Depuis longtemps déjà l'Empire romain agonisait.
   J. BAINVILLE, Hist. de France, I, p. 19.   4

Il a déjà très bien conscience de sa supériorité d'homme.
   MARTIN DU GARD, les Thibault, t. VIII, p. 246.   5

Loc. adv. *Dores* et déjà.* → 2. Or, cit. 4.

Fam. *Déjà et d'une :* d'abord (→ D'abord et d'une).

♦ **2.** ⇒ **Auparavant, avant.** *Je l'ai déjà rencontré ce matin. Je vous ai déjà dit cela, je ne le répéterai pas. Tout cela, c'est du déjà-vu*.* ⇒ **Déjà-vu.**

Je vous ai déjà dit que je la répudie.   RACINE, Britannicus, II, 3.   6

On vous a déjà reproché de dire (...) un cul d'artichaut (...)
   VOLTAIRE, Disc. aux Velches.   7

♦ **3.** Fam. Pour renforcer une constatation. *C'est déjà bien beau, c'est déjà beaucoup si...,* ce n'est pas si mal. *J'avais déjà trop de travail :* j'avais trop de travail comme cela.

Monsieur est assez fort, sans qu'à son aide on passe ;
Je n'ai déjà que trop d'un si rude assaillant (...)   8
   MOLIÈRE, les Femmes savantes, IV, 3.

S'emploie familièrement, en fin de phrase, pour réitérer une question dont on a oublié la réponse. *Comment vous appelez-vous déjà ?*

Merde, et qu'est-ce qu'elle a mis à la fin, déjà ? Oh ! la la !... Est-ce que j'écris,   9
moi ? JAMAIS.   Geneviève DORMANN, le Bateau du courrier, p. 154.

CONTR. **Après, dorénavant, ensuite.** — **Pas encore.**
COMP. **Déjà-vu.**

DÉJANTER [deʒɑ̃te] v. tr. — 1611, « enlever la jante de », repris v. 1945 ; de 1. *dé-,* et *jante.*

♦ Techn. Faire sortir (un pneu) de la jante. — Pron. *Son pneu s'est déjanté.* — P. p. adj. *Pneu déjanté.*

DÉJAUGEAGE [deʒoʒaʒ] n. m. — 1932 ; de *déjauger.*

♦ Techn. Action de déjauger.

Avec une hélice bien adaptée, un bon centrage et une puissance d'à peu près 100 ch à la tonne, le déjaugeage est rapide et la vitesse peut atteindre 50 km/h.
   J. GIORDAN, le Yachting, p. 92.

DÉJAUGER [deʒoʒe] v. — Conjug. *jauger.* → Bouger. — 1834 ; de 1. *dé-, jauge* et suff. verbal.

★ **I.** V. intr. ♦ **1.** Mar. S'élever sur l'eau au-dessus de la ligne de flottaison (navires).

♦ **2.** Aviat. Lors du décollage, Diminuer le poids apparent de l'avion en vue de réduire les efforts qui s'exercent sur les roues. *Un hydravion déjauge progressivement au décollage.*

★ **II.** V. tr. Soulever (un navire, la partie immergée d'un navire, d'un hydravion) hors de l'eau. *Le brise-glace déjauge sa proue, son avant d'un, de deux mètres en abordant la glace.* — *Déjauger la partie de la coque où il y a une avarie.*
Pron. *« Le navire se déjaugea d'une dizaine de centimètres par l'avant »* (Charcot, *la Mer du Groënland, in* T. L. F.).
Passif et p. p. *Le navire est déjaugé d'un mètre. « L'avant se trouvait déjaugé après le passage d'un rouleau de houle »* (Peisson, *in* T. L. F.).

DÉR. **Déjaugeage.**

DÉJAUNIR [deʒoniʀ] v. — Après 1950, *in* G. L. L. F. ; de 1. *dé-,* et *jaune, jaunir.*

♦ **1.** V. tr. Enlever la teinte jaune, brune de (un linge, un tissu). ⇒ **Blanchir.**

♦ **2.** V. intr. Devenir moins jaune, plus blanc.

DÉJÀ-VU [deʒavy] n. m. invar. — 1908, R. Rolland ; de *déjà,* et *vu,* p. p. de *voir.*

♦ **1.** Fam. Ce qui n'est pas nouveau ; ce qui est banal. *Sentiment, impression de déjà-vu.*

Quand avais-je éprouvé à ce point le sentiment d'assister à un spectacle dont les convives allaient disparaître à l'aube ? (...) je me répétais : quand ai-je éprouvé ce sentiment d'assister à un spectacle condamné, avec ce sentiment de « déjà » vu ? C'était à l'hôtel de Beauharnais, devenu ministère de la Coopération, et dont les cariatides de Bonaparte soutiennent le fronton.   MALRAUX, Antimémoires, Folio, p. 217.

♦ **2.** Psychol. *Impression, illusion de* (ou *du*) *déjà-vu* (ou *déjà vu*) : impression d'avoir déjà été spectateur de ce qui se passe actuellement devant soi. — (Syn. : *fausse reconnaissance, paramnésie de certitude). L'illusion de déjà-vu est généralement associée à d'autres *impressions psycho-sensorielles dans le sentiment global de revivre une situation (dit parfois impression de déjà-vécu ; déjà-vu est aussi employé dans ce sens). Impression de déjà-vu fréquente ou prolongée, observée dans certains troubles mentaux (psychasthénie...).*

DÉJECTION [deʒɛksjɔ̃] n. f. — 1538 ; «abjection», fin XIIᵉ ; lat. médical *dejectio* «action de jeter dehors», du supin de *dejicere*, de *de-*, et *jacere* «jeter». → Jeter.

♦ **1.** Didact. Rare. Évacuation des matières fécales par l'intestin. Plur. Plus cour. Les matières évacuées. ⇒ **Excrément, fèces.**

1 (...) une bile noire et recuite était mêlée dans ses déjections.
LA BRUYÈRE, les Caractères de Théophraste, «D'un homme incommode».

Par métaphore ou par analogie. Rebut, déchet.

♦ **2.** Géol. Matières rejetées par les volcans. ⇒ **Projection** (volcanique) ; **volcan.**

2 Les déjections volcaniques à la surface des terres, sous forme de *coulées de laves,* de *bombes,* de *cendres,* représentent un apport de matériaux qui se chiffre annuellement par milliers de kilomètres cubes. J. LEUBA, Introd. à la géologie, p. 46.

Géogr. *Cône de déjection,* ou *de déjections :* cône alluvionnaire déposé par un torrent.

3 Surell y distinguait *(dans le torrent)* trois parties (...) : le *bassin de réception,* le *canal d'écoulement* et le *cône de déjections (...)* Après un orage, on peut voir la masse des eaux déboucher dans la grande vallée voisine à la surface du cône de déjections, entraînant boues, pierrailles, parfois de gros blocs immenses, des troncs d'arbre (...) : c'est ce qu'on appelle une *lave* dans les Alpes françaises (*Mure* en pays germanique). La pente diminuant, l'élan impétueux du torrent se ralentit vite, et les matériaux charriés s'arrêtent sur place. Leur masse peut enterrer routes ou chemins de fer, parfois même des maisons. C'est leur accumulation qui forme le cône de déjections. E. DE MARTONNE, Traité de géographie physique, t. II, p. 550.

DÉJETER [deʒ(ə)te] v. tr. — Conjug. *jeter.* — V. 1050, «jeter à terre» ; sens mod. 1660 ; de 2. *dé-,* et *jeter.*

♦ Écarter de sa direction naturelle, de sa position normale. ⇒ **Contourner, courber, déformer, dévier.** *Le vent a déjeté tous les arbres.* Pron. *Sa colonne vertébrale, sa taille s'est déjetée.*

▶ **DÉJETÉ, ÉE** p. p. adj.

♦ **1.** *Porte, marche déjetée, mur déjeté.* ⇒ **Fausser, gauchir, gondoler.** *« La maison, quoique déjetée, était encore habitable ».* → Disjoindre, cit., J. Verne.

1 Ils montèrent deux étages par un large escalier à rampe de bois, dont les marches déjetées pendaient tout à fait du côté opposé au mur, et semblaient prêtes à tomber. STENDHAL, le Rouge et le Noir, XXV, p. 168.

2 (...) le vent se lève, chassant des nuages de ténèbres, on l'entend siffler partout à travers la vieille maison de bois toute déjetée. LOTI, Suprêmes Visions d'Orient, p. 159.

♦ **2.** (Personnes, mil. XXᵉ). Qui est déformé, abîmé, diminué physiquement (âge, maladie, travail, soucis, etc.). *Je l'ai trouvé bien déjeté.* ⇒ **Décati.**

3 Et surtout cet aspect de bête déjetée par les fatigues du métier, éclopée, écroulée, bonne uniquement pour l'abattoir. ZOLA, Paris, t. I, p. 18.

♦ **3.** Régional (Belgique). Fam. En désordre. *C'est déjeté, chez eux !*

CONTR. (De déjeter) **Redresser.** — (Du p. p.) **Droit ; forme** (en), **sémillant ; ordonné, soigné.**
DÉR. Déjettement.

DÉJETTEMENT [deʒɛtmã] n. m. — XXᵉ ; de *déjeter.*

♦ Action de se déjeter ; résultat de cette action.

1. DÉJEUNER [deʒøne ; deʒœne] v. intr. — Fin XIIᵉ, *desjeûner* «rompre le jeûne», du lat. pop. **disjunare,* d'abord **disjejunare,* de *dis-,* et du bas lat. *jejunare,* du lat. class. *jejunus* «à jeun». → Dîner, jeun (à).

♦ **1.** Prendre le «petit-déjeuner» (→ 2. Déjeuner, 1 ; 1. petit-déjeuner [n.]), le déjeuner du matin. *Il est parti travailler sans déjeuner.* ⇒ **2. Petit-déjeuner** (v.).

1 Du reste, déjeunons, messieurs, et buvons frais. BOILEAU, le Lutrin, IV.

2 Tenez ! mon oncle, ou je me trompe, ou vous n'avez pas déjeuné. Vous êtes resté le cœur à jeun sur cette maudite lettre de change ; avalons-la de compagnie ! je vais demander le chocolat. (Il sonne. On sert le déjeuner.) A. DE MUSSET, Il ne faut jurer de rien, I, 1.

♦ **2.** (A remplacé *dîner*). Prendre le repas du milieu de la journée. *Nous avons déjeuné au restaurant. Inviter qqn à déjeuner. Les Espagnols déjeunent tard. Déjeuner sur le pouce*. — Déjeuner d'une omelette et d'une salade. — Déjeuner avec un ami.*

3 Il filait comme un chien à la cuisine, friand des restes du garde-manger ; déjeunait sur le pouce d'une carcasse, d'une tranche de confit froid, ou encore d'une grappe de raisin et d'une croûte frottée d'ail ; son seul bon repas de la journée ! F. MAURIAC, Thérèse Desqueyroux, VI, p. 100.

2. DÉJEUNER [deʒøne ; deʒœne] n. m. — XIIᵉ ; de 1. *déjeuner,* verbe.

♦ **1.** Vieilli ou régional (Nord, Belgique). Repas du matin que l'on prend au lever (dans un usage où *dîner* correspond à *déjeuner,* 2.).

1 Et qu'au retour tantôt un ample déjeuner
Longtemps nous tienne à table et s'unisse au dîner. BOILEAU, le Lutrin, IV.

1.1 On nous donne à déjeuner, entre neuf et dix heures, toujours une volaille au riz, des fruits crus, ou des compotes, du thé, du café, ou du chocolat ; à une heure on sert le dîner (...) SADE, Justine, t. I, p. 166 (1791).

PETIT DÉJEUNER (pour distinguer du sens 2) : ce même repas appelé *premier déjeuner* à la fin du XIXᵉ siècle (Larousse, 1868), par opposition à *second déjeuner,* ou *déjeuner à la fourchette* (1846). → ci-dessous, 2. ⇒ **1. Petit-déjeuner.**

♦ **2.** Repas du milieu du jour (*déjeuner* a remplacé *dîner,* comme *dîner* a remplacé *souper*). *Déjeuner d'affaires. Déjeuner buffet.* ⇒ **Lunch.** *Déjeuner sur l'herbe.* ⇒ **Pique-nique.** — (V. 1940). En composition. *Déjeuner accompagné d'une manifestation. Déjeuner-concert, déjeuner-spectacle. Déjeuner-débat, -conférence, -colloque.*

2 (...) les trois hommes sentaient régner entre eux une atmosphère d'excitation mentale (...) Au lieu d'une séparation qui ne pouvait que la rompre, un déjeuner en commun, dans un salon particulier, y ajouterait encore. Clair-obscur aimable d'un salon d'entresol ; deux lampes allumées au mur ; la nappe, les couverts espacés ; l'odeur des plats (...) J. ROMAINS, les Hommes de bonne volonté, t. V, p. 92.

3 On a critiqué longtemps l'usage, aujourd'hui triomphant, d'appeler *déjeuner* l'ancien *dîner* (servi au milieu de la journée). L'histoire des mœurs explique ce changement de la façon la plus simple : il n'y a pas eu substitution de nom, à Paris : c'est l'heure du dîner qui, du XVIᵉ au XIXᵉ siècle s'est déplacée peu à peu, de onze heures à midi (Louis XIV), à deux et trois heures (Louis XV), cinq heures (Napoléon Iᵉʳ, heure conservée dans les casernes), six heures (Louis-Philippe), sept heures (fin du XIXᵉ s.), suivant en cela le *souper* qui s'était avancé assez tard dans la nuit, à l'exemple de la *cena* romaine quelques siècles auparavant. A. DAUZAT, Étude linguistique franç., p. 12.

♦ **3.** Les mets du déjeuner (surtout au sens 2). ⇒ **Repas.** *Un bon déjeuner, arrosé de vins fins. Mon déjeuner ne passe* (cit. 23) *pas.*

4 Quel déjeuner ! Le diable m'emporte ! tu vis comme un prince.
Eh ! que voulez-vous ! quand on meurt de faim, il faut bien tâcher de se distraire. A. DE MUSSET, Il ne faut jurer de rien, I, 1.

♦ **4.** (1749). Ensemble formé par la tasse et la soucoupe assorti (pour le *petit-déjeuner*). *Acheter un déjeuner de porcelaine.*

♦ **5.** Fig. *Déjeuner de soleil :* étoffe dont la couleur passe vite, et, par anal., ce qui ne dure pas longtemps (objet, sentiment, résolution, entreprise).

5 Ce que je comprends mal,
C'est ce bonapartisme aigu d'un libéral.
C'est vrai, républicain (...)
(...) Mon rouge, que j'ai cru solidement vermeil,
A déteint (...) — (Le duc, *ironique*). Ce fut un déjeuner de soleil. Edmond ROSTAND, l'Aiglon, I, 10.

COMP. 1. Petit-déjeuner.

DÉJOINDRE [deʒwɛ̃dʀ] v. tr. — Conjug. *joindre.* — XIIᵉ ; de 1. *dé-,* et *joindre.*

♦ Vx. ⇒ **Disjoindre.**

DÉJOUER [deʒwe] v. tr. — 1121, *se déjuër* «se réjouir» ; de 1. *dé-,* et *jouer.*

♦ Faire échouer (le jeu, les manœuvres de quelqu'un). ⇒ **Confondre, contrebattre, contrecarrer, dépister.** *Déjouer une intrigue, un complot.* — Par ext. *Déjouer la malveillance, les intrigues de qqn.* — *Déjouer la surveillance des ennemis.* ⇒ **Tromper.** *Déjouer les plans, les manœuvres, les combinaisons d'un adversaire. Déjouer les attaques d'un interlocuteur en le déconcertant.*

1 Félicité invariablement déjouait leurs astuces ; et ils s'en allaient pleins de considération pour elle. FLAUBERT, Trois contes, «Un cœur simple», II.

2 Ce double calcul est doublement déjoué. Ch. PÉGUY, la République..., p. 275.

3 Le hasard déjoua toute précaution. MARTIN DU GARD, les Thibault, t. IV, p. 145.

4 J'étais à la fois honteux de me sentir joué et fier de sentir que je déjouais la ruse. A. MAUROIS, Climats, I, IX, p. 76.

5 (...) tout leur montrer, cela vaut mieux, ils auront peut-être pitié, un peu honte de voir cela exhibé, ils détourneront les yeux, ils essaieront eux-mêmes de masquer cela, de l'oublier (...) c'est le seul moyen de déjouer ce tour cruel que lui a joué un sort facétieux (...) N. SARRAUTE, le Planétarium, p. 204.

CONTR. Appuyer, seconder, soutenir.

DÉJUCHER [deʒyʃe] v. — V. 1190, *desjochier* ; de 1. *dé-,* et *jucher.*
Techn. (agriculture).

♦ **1.** V. intr. Quitter le juchoir (le sujet désigne une poule).

♦ **2.** V. tr. *Déjucher une poule,* lui faire quitter le juchoir.

DÉJUGER (SE) [deʒyʒe] v. pron. — Conjug. *juger*. → *Bouger*. — 1845 ; *déjuger qqn* «condamner», 1120 ; de 1. *dé-*, et *juger*.

♦ Revenir sur le jugement qu'on avait exprimé, sur le parti qu'on avait pris. ⇒ **Changer** (d'avis), **revenir** (sur). *Il s'est déjugé et a annulé sa décision pour en prendre une contraire. Il passe son temps à se déjuger, c'est une girouette*.

C'est un coup perfidement monté, avec adresse. Les chefs ont été trompés. Ils ne veulent pas se déjuger.   Georges LECOMTE, Ma traversée, p. 345.

CONTR. Persévérer, persister.

DE JURE [deʒyRe] loc. adj. et adv. — Fin XIXᵉ ; mots lat. signifiant «de droit».

♦ Dr. *Présomption juris et de jure* : présomption légale à laquelle on ne peut rien opposer. ⇒ **Irréfragable**. — *Reconnaissance** de jure d'un gouvernement* (opposé à *de facto*).

CONTR. De facto.

DELÀ [d(ə)la] prép. et adv. — V. 1165 ; de *de*, et *là*.

★ I. Prép. de lieu. ♦ 1. Vx (langue class.). Plus loin que.

1 Ce qui s'appelle delà les monts la furie française, a plus d'une fois réussi (...)
     GUEZ DE BALZAC, 5ᵉ disc. sur la cour.

2 Porter delà les mers ses hautes destinées (...)   CORNEILLE, le Cid, II, 5.

De delà (vieilli).

3 Un (...) charlatan arrive ici de delà les monts (...)
     LA BRUYÈRE, les Caractères, XII, 21.

♦ 2. Mod. **PAR DELÀ**. *Par delà les mers. Par delà son comportement social on devine un autre aspect de sa personnalité. Par delà le bien et le mal* (trad. de Nietzsche).

4 (...) être artiste ou romancier consiste à posséder la lampe de mineur qui permet à l'homme d'aller par delà sa conscience claire chercher les trésors obscurs de sa mémoire et de ses possibilités.   A. THIBAUDET, Gustave Flaubert, p. 82.

5 Où tout est amour, tout est vie ! Par delà le néant de tous les objets éphémères, c'est là-dessus enfin que notre foi ou notre espoir se fonde.
     André SUARÈS, Trois hommes, «Dostoïevski», III, p. 272.

6 Il existe une sorte d'ethnographie spirituelle qui s'entrecroise à travers les «races» les mieux définies, les familles d'esprit unies par des liens secrets et qui se retrouvent avec constance par delà les temps, par delà les lieux.
     H. FOCILLON, la Vie des formes, p. 29.

★ II. Adv. de lieu.

REM. 1. *Delà* ne s'emploie jamais seul, mais dans des locutions.
2. L'Académie écrit *au-delà*, et *par-delà* avec un trait d'union. La plupart des écrivains l'omettent et l'usage reste très libre. Cependant on maintient le trait d'union dans le nom : *l'au-delà*.

♦ 1. Littér. et vieilli. **DEÇÀ, DELÀ** : ici et plus loin. ⇒ **Deçà**.

7 (...) les fils vous retournent le champ,
Deçà, delà, partout (...)   LA FONTAINE, Fables, V, 9.

De côté et d'autre. ⇒ **Deçà** (cit. 2 et 3). *Courir deçà et delà*, de-ci, de-là. ⇒ **Ci, ici, là**.

8 (...) ces peuples vagabonds qui erraient deçà et delà sur des chariots sans avoir de demeure fixe.   BOSSUET, Hist. universelle, II, 20.

♦ 2. Loc. adv. **PAR-DELÀ** ou **PAR DELÀ** : de l'autre côté. *Contournez le champ et attendez-nous par delà*.
EN DELÀ : un peu plus loin, à l'extérieur. ⇒ **Dehors**. *Restez sur la ligne de départ et ne vous mettez pas en delà* (contr. : *en deçà*).

♦ 3. Cour. **AU DELÀ** : plus loin. *Orléans est près de Paris ; Châteauroux est au delà*.

9 Plaisante justice qu'une rivière borne. Vérité au deçà des Pyrénées, erreur au delà.
     PASCAL, Pensées, V, 294.

10 Autant le toucher concentre ses opérations autour de l'homme, autant la vue étend les siennes au delà (...)   ROUSSEAU, Émile, II.

11 Au delà s'élève une double rangée de collines dorées (...)
     E. FROMENTIN, Un été dans le Sahara, I, p. 5.

12 (...) on avait conscience (...) de la *courbure* de la terre, qui seule empêchait de voir au delà.   LOTI, Mon frère Yves, XI, p. 52.

Fig. Encore plus loin. *Il est médecin, mais sa compétence s'étend au delà*.

13 (...) c'est (*la chimie*) une science qui domine au moins tout le système solaire, et qui très probablement s'étend au delà.
     E. RENAN, Lettre à Berthelot, août 1863.

Encore plus, mieux. ⇒ **Davantage, plus**. *Nous pourrons vous prêter un million et au delà*.

14 Il y a dans l'art un point de perfection (...) celui qui ne le sent pas, et qui aime en deçà ou au delà, a le goût défectueux.   LA BRUYÈRE, les Caractères, I, 10.

L'au-delà. ⇒ **Au-delà**. — Littér. *L'au-delà de...*

15 La pure lumière de l'au-delà des troupeaux humains et de leurs combats (...)
     R. ROLLAND, Beethoven, p. 59.

16 L'homme s'est plus souvent lié à l'au-delà qu'il croit connaître, qu'à celui qu'il sait ignorer.   MALRAUX, les Voix du silence, I, III, p. 193.

Loc. prép. **AU DELÀ DE**. *L'Islande est au delà de l'Écosse. S'en aller au delà des mers. Vous n'irez pas au delà de la frontière sans papiers*.

17 Se peut-il rien de plus plaisant, qu'un homme ait droit de me tuer parce qu'il demeure au delà de l'eau, et que son prince a querelle contre le mien, quoique je n'en aie aucune avec lui ?   PASCAL, Pensées, V, 294 (→ Assassin, cit. 7).

18 Il va recueillir au delà du Rhin les débris d'une armée défaite (...)
     BOSSUET, Oraison funèbre du prince de Condé.

Fig. *Être au delà, aller au delà de...* ⇒ **Dépasser, exagérer, excéder, outrepasser, surpasser** ; et aussi préf. **trans-, tré-, ultra-**. *C'est aller au delà de mes désirs : je ne vous en demande pas tant. Ce que je vais vous dire est au delà de tout ce que vous pouvez imaginer, de toute imagination. C'est au delà de ma compétence*.

19 (...) sa paix, sa résignation (...) sont au delà de tout ce que l'on voit (...)
     Mᵐᵉ DE SÉVIGNÉ, 1089, 17 nov. 1688.

20 L'hyperbole exprime au delà de la vérité (...)   LA BRUYÈRE, les Caractères, I, 55.

21 (...) ils apercevaient les bus et motorbus (...) nombreux au delà de toute vraisemblance (...)   J. ROMAINS, les Hommes de bonne volonté, t. V, XXVI, p. 252.

⇒ **Dessus** (au-dessus de), **plus**. *Ne fumez pas au delà de dix cigarettes par jour. N'achetez pas au delà de telle somme*.
Au delà de telle quantité, quand on a dépassé cette quantité.

22 (...) charger son valet de fardeaux au delà de ce qu'il en peut porter (...)
     LA BRUYÈRE, les Caractères de Théophraste, «De l'impudent...»

CONTR. Deçà. — **Dans** (à l'intérieur), **près** (plus près). — **Selon**. — **Moins**.
HOM. De-là (de-ci, de-là). — **De là**.

DÉLABIALISATION [delabjalizasjɔ̃] n. f. — V. 1900 ; de *délabialiser*.

♦ Phonét. Action de délabialiser, de se délabialiser.

DÉLABIALISER [delabjalize] v. tr. — V. 1900 ; de 1. *dé-*, et *labialiser*.

♦ Phonét. Ôter le caractère labial à (un phonème). — Pron. *Se délabialiser* : devenir non labial.

CONTR. Labialiser.
DÉR. Délabialisation.

DÉLABREMENT [delabRəmɑ̃] n. m. — 1689 ; de *délabrer*.

♦ 1. État de ce qui est délabré. ⇒ **Ruine ; dégradation, vétusté**. *Le délabrement d'un édifice. Le toit est dans un état de grand délabrement*.

1 (...) mais, aux Indes, la désuétude des villes, le délabrement des sanctuaires n'arrêtent point le cours des rites sacrés : les dieux continuent d'être servis, même au milieu des régions les plus délaissées (...)   LOTI, l'Inde (sans les Anglais), V, X, p. 325.

2 Le château restait, depuis cinq ans, dans un état de délabrement tel, qu'il avait fallu l'aménager à grands frais pour que le gouvernement consulaire y pût venir loger.   Louis MADELIN, Hist. du Consulat et de l'Empire, De Brum. à Marengo, XV, p. 199.

♦ 2. Fig. Mauvais état. *Le délabrement de la santé de qqn.* ⇒ **Affaiblissement, décrépitude, dépérissement, épuisement**. *Le délabrement progressif d'un sentiment.* ⇒ **Étiolement**.

3 Éprouveriez-vous enfin ce célèbre délabrement que donne aux hommes l'amour ?
     GIRAUDOUX, Amphitryon 38, II, 3.

Le délabrement des affaires, d'une institution, d'un système. ⇒ **Effondrement**.

4 (...) des papiers me seront très utiles dans le délabrement des affaires de M. le duc de Virtemberg.   VOLTAIRE, Lettre à Damilaville, 2 nov. 1767.

CONTR. Affermissement, épanouissement, force, prospérité, robustesse, solidité.

DÉLABRER [delabRe] v. tr. — 1561, p. p. ; provençal *deslabrar* «déchirer», pour *délabeler*, de 2. *dé-*, et anc. franç. *label*, du francique **labba* «chiffon, haillon».

♦ 1. Mettre (une chose) en mauvais état par usure, vétusté ou défaut d'entretien. ⇒ **Abîmer, dégrader, détériorer**. *Le temps a délabré cet édifice. Délabrer une tapisserie. À force de la surmener, ils ont fini par délabrer complètement cette machine.* ⇒ **Démolir**. *Délabrer des vêtements.* ⇒ **Déchirer ; lambeau** (mettre en lambeaux).

♦ 2. Fig. ⇒ **Gâter, ruiner**. *Délabrer sa santé par des excès. Délabrer un sentiment*.

1 (...) j'en étais à ce point excédé que je ne sais plus trop si mon exaspération n'avait pas à la fin délabré tout l'amour que j'avais pour elle.
     GIDE, Si le grain ne meurt, II, II, p. 363.

▶ **SE DÉLABRER** v. pron. Plus courant.

Devenir en mauvais état. ⇒ **Ruine** (menacer ruine ; tomber en ruine). *La maison se délabre. Son matériel se délabre tout doucement.* — Fig. *Santé qui se délabre.* ⇒ **Débiliter** (se). — Faux pron. *Se délabrer la santé en travaillant trop. Se délabrer l'estomac par une nourriture malsaine*.

2 (...) ma poitrine est en mauvais état, ma santé se délabre au point que, toute chose cessante, il faut que j'aille voir et consulter Tronchin.
     ROUSSEAU, les Confessions, IX.

▶ **DÉLABRÉ, ÉE** p. p. adj.

♦ **1.** Qui est en ruine, en mauvais état. *Maison délabrée. Vêtements délabrés*, déchirés et usés.

3 Des deux côtés du canal on voit les palais de Vénitiens, grands et un peu délabrés comme la magnificence italienne (...)   Mme DE STAËL, *Corinne*, XV, 7.

4 (...) pauvre manoir délabré, effondré, tombant en ruine au milieu du silence et de l'oubli, nid à rats, perchoir de hiboux, hospice d'araignées, près de s'écrouler sur son maître désastreux qui l'avait quitté au dernier moment, pour ne pas être écrasé sous sa chute.   Th. GAUTIER, *le Capitaine Fracasse*, t. I, v, p. 123.

5 (...) une vieille femme dont les vêtements délabrés étaient en parfaite harmonie avec la maison.   BALZAC, *l'Initié*, Pl., t. VII, p. 343.

Par ext. (Personnes). Vieilli. *Être tout délabré* : avoir des vêtements en lambeaux.

6 Délabrés, s'il en est au monde,
Transis de froid, mourant de faim (...)   SCARRON, *Virgile travesti*, IV.

♦ **2.** Fig. *Fortune délabrée. Santé délabrée.*

7 Sans moi vos affaires, (...) étaient fort délabrées (...)
                    MOLIÈRE, *George Dandin*, I, 4.

8 Oui, pour le moment, ils sont tous bien (...) Moi seul, mon cher Félix, suis délabré comme une vieille tour qui va tomber.
                    BALZAC, *le Lys dans la vallée*, t. VIII, p. 953.

9 Mais ses rares cheveux blancs, ses membres débiles et surtout la pâleur extraordinaire de son visage accusaient un tempérament délabré.
                    FLAUBERT, *l'Éducation sentimentale*, I, III, Pl., t. II, p. 51.

CONTR. Ferme, neuf, robuste, solide.
DÉR. Délabrement.

DÉLABYRINTHER [delabiʀɛte] v. tr. — 1897 ; de 1. *dé-*, *labyrinthe* et suff. verbal.

♦ Littér. Débrouiller, éclaircir.

Ces personnages *(des « Tricheurs » de Steve Passeur)* à qui nous avons affaire et qui nous délabyrinthent nos sentiments (...)
                    A. ARTAUD, *Lettre à J. Paulhan*, 29 janv. 1932, t. III, p. 276.

DÉLACER [delase] v. tr. — Conjug. *lacer*. → Placer. — 1080 ; de 1. *dé-*, et *lacer*.

♦ **1.** Desserrer ou retirer (une chose lacée). *Délacer un corset qui serre trop. Délacer un vêtement pour l'enlever. Délacer ses chaussures avant de les ôter.* ⇒ **Dénouer.**

1 Cependant les héros, assis dans les broussailles,
S'aident à délacer leurs capuchons de mailles,
                    HUGO, *la Légende des siècles*, X, Mariage de Roland.

2 Humilité attendrie et attendrissante de pataud qui n'a oncques su délacer un corset sans en embrouiller les cordons, toucher, sans s'y larder le pouce, à une boucle de jarretelle.   COURTELINE, *Boubouroche*, I, 30.

♦ **2.** Desserrer le corset, le corsage de (qqn). ⇒ **Déboutonner,** cit. 1. — Par ext. *Délacer une femme* (⇒ **Déshabiller**), et, pron., *se délacer.*

3 Voulez-vous que l'on vous délace ?
                    MOLIÈRE, *la Critique de l'École des femmes*, 3.

CONTR. Lacer.

DÉLAI [delɛ] n. m. — V. 1165 ; de l'anc. franç. *deslaier* « différer », de *des-* (2. *dé-*) et *laier* « laisser ».

♦ **1.** Temps accordé pour faire quelque chose. *Travail exécuté dans un délai fixé.* ⇒ **Temps.**

1 Un de mes amis a un frère de soixante-douze ans. Ce frère est triste parce qu'il lui paraît que, d'après le barème des délais réglementaires, il devrait être grand-officier depuis deux ans.   MONTHERLANT, *Pitié pour les femmes*, p. 253.

Inform. *Délai d'attente* : temps de réponse maximal d'une unité.

Temps nécessaire à l'exécution de qqch. *Délai d'allumage de combustibles.*

♦ **2.** Prolongation de temps accordée pour faire quelque chose. ⇒ **Prolongation, répit, sursis.** *Se donner un délai pour décider d'une chose ; s'accorder des délais par paresse, par lâcheté, pour ne pas agir tout de suite.* ⇒ **Lanterner** (fam.), **reculer, remettre, renvoyer, retarder, traîner** (faire traîner) ; **marge** (se donner de la marge, laisser de la marge).

2 (...) tous ces longs délais avec lesquels j'ai reculé mon mariage (...)
                    MOLIÈRE, *les Amants magnifiques*, IV, 4.

3 Mais l'indolence, la négligence, et les délais dans les petits devoirs à remplir, m'ont plus fait de tort que de grands vices.   ROUSSEAU, *les Confessions*, X.

SANS DÉLAI : sur le champ, tout de suite, sans attendre ; sans retard. ⇒ **Immédiatement, incessamment.** *Immédiatement et sans délai.*

4 Il faut l'attaquer sans ambages, sans délai, délibérément (...)
                    GIDE, *Journal*, mars 1906.

♦ **3.** Dr. et cour. Temps à l'expiration duquel une personne sera tenue de faire une certaine chose. ⇒ **Atermoiement, crédit, moratorium, remise, retardement, surséance, sursis, suspension.** *Marchandises à payer dans un délai de 30 jours ; à livrer dans un délai de trois mois. Délai de livraison. Demander, obtenir un délai pour payer. Donner, accorder, consentir, impartir un délai.* ⇒ **Proroger, reporter, surseoir, suspendre.** *Opération, sentence... accordant un délai.* ⇒ **Dilatoire, moratoire.** *Agir dans les délais, en temps utile*. Délais supplémentaires. Reculer les délais. Jours comptés dans les*

---

délais accordés par la loi : jours* utiles. Expiration d'un délai. ⇒ **Échéance, terme ;** et aussi **préfixion.** *Dont le délai est expiré*, qui a perdu toute valeur ou tout pouvoir. ⇒ **Forclos, forclusion ; périmé, suranné.** *Demander un délai supplémentaire, la prolongation d'un délai. Sans délai.* ⇒ **Déport** (sans déport) — Cour. *À bref délai :* dans un avenir proche.

Dr. *Délai de grâce*, accordé par le créancier au débiteur. *Délai d'ajournement*, donné au défenseur pour comparaître en justice. — *Délai de préavis* ou *délai-congé* : délai que doivent respecter employeur et employé entre la dénonciation d'un contrat et sa cessation effective. — *Délai franc*, qui ne comprend ni le jour du point de départ ni le jour d'expiration. *Assignation à trois jours francs.* — *Délai de viduité*.* — *Délai de garde* à vue.*

5 (...) demandèrent un délai, non comme une faveur, mais comme un droit.
                    MÉRIMÉE, *Hist. du règne de Pierre le Grand*, p. 119.

6 Dans les cas qui requerront célérité, le président pourra par ordonnance rendue sur requête, permettre d'assigner à bref délai.   *Code de procédure civile*, art. 72.

7 Le jour de la signification et celui de l'échéance ne sont point comptés dans le délai fixé pour tous les actes faits à personne ou à domicile.
                    Code de procédure civile, art. 1033.

HOM. Délais.

DÉLAINAGE [delɛnaʒ] n. m. — 1886 ; de *délainer*.

♦ Techn. Opération consistant à enlever la laine des peaux de moutons, de chèvres. *L'industrie mazamétaine du délainage.*

DÉLAINER [delɛne] v. tr. — 1886 ; « retirer la laine d'une greffe », 1863 ; *deslané* « privé de sa laine », 1226 ; de 1. *dé-*, et *laine.*

♦ Techn. Enlever la laine de (une peau de mouton, de chèvre), de sorte qu'elle soit utilisable par l'industrie textile.

DÉR. Délainage, délaineur.

DÉLAINEUR, EUSE [delɛnœʀ, øz] n. — 1955 ; de *délainer.*

♦ Techn. Ouvrier, ouvrière qui enlève la laine des peaux, avec un couteau à deux manches.

DÉLAISSEMENT [delɛsmã] n. m. — 1274 ; de *délaisser.*

♦ **1.** Rare ou littér. Action de délaisser, fait d'être délaissé. ⇒ **Abandon, désertion.**

1 Jésus au milieu de ce délaissement universel et de ses amis choisis pour veiller avec lui, les trouvant dormant, s'en fâche à cause du péril où ils exposent, non lui, mais eux-mêmes (...)   PASCAL, *Pensées*, VII, 553.

Abstrait :

1.1 Le creux des joues avides, le pli douloureux des lèvres marque encore l'entêtement et la ruse, et dans le délaissement même de toute espérance (...) l'amour inflexible de la vie.   BERNANOS, *Monsieur Ouine*, in Œ. roman., Pl., p. 1479.

Dr. Abandon (d'un bien, d'un droit). ⇒ **Cession, déguerpissement, renonciation.** *Le délaissement d'un héritage. Le délaissement d'une terre hypothéquée.* — Dr. mar. Acte par lequel l'armateur abandonne à l'assureur un navire endommagé devenu impropre à la navigation.

♦ **2.** État de ce qui est abandonné, délaissé, sans appui ni secours.
REM. *Délaissement s'applique plus spécialement aux personnes ; abandon à la fois aux personnes et aux choses.* ⇒ **Déréliction, isolement.** *Il est dans un état de délaissement complet, dans un grand délaissement.*

2 Lui dont la main invisible prépare la nourriture aux petits corbeaux mêmes qui l'invoquent dans leur délaissement.   MASSILLON, *Petit Carême*, « Aumône ».

3 Tous les objets prennent une signification désolante, jettent à l'âme, au cœur, une impression horrible d'isolement, de délaissement.
                    MAUPASSANT, *les Sœurs Rondoli*, III, p. 60.

Relig. Mystique. État de l'âme qui se croit abandonnée, privée de la grâce de Dieu.

CONTR. Aide, appui, assistance, secours, soutien. — Revendication.

DÉLAISSER [delese] v. tr. — Déb. XIIe ; de 2. *dé-*, et *laisser.*

♦ **1.** Laisser (qqn) dans l'isolement, sans secours ou sans affection. ⇒ **Abandonner.** *Délaisser quelqu'un en se séparant de lui, en partant.* ⇒ **Lâcher** (fam.), **laisser, quitter.** *Délaisser quelqu'un en ne s'en occupant pas.* ⇒ **Désintéresser** (se), **négliger.** *Ceux qu'on délaisse.*

1 Vous me délaissez, mon Dieu, mais je ne vous délaisserai point.
                    BOURDALOUE, *Exhortation sur la prière de J.-C.*

2 Il en avait bien assez de savoir qu'il y avait une personne pour laquelle Landry le délaissait et qui avait toutes ses pensées, au point qu'il les cachait à son besson, et que celui-ci n'en recevait point la confidence.
                    G. SAND, *la Petite Fadette*, XXVII, p. 180.

♦ **2.** Abandonner (une activité). *Délaisser un travail ennuyeux. Délaisser les sciences pour les lettres.* ⇒ **Déserter.**

3 Vous allez délaisser ce qui est éphémère et fragile, pour aborder enfin le durable, l'éternel !   MARTIN DU GARD, *les Thibault*, t. IV, p. 138.

♦ **3.** Dr. Renoncer à la possession de (une chose). ⇒ **Renoncer.**

Délaisser un héritage. ⇒ **Déguerpir.** *Délaisser une marchandise.* (⇒ **Délaissement**).

▶ **DÉLAISSÉ, ÉE** p. p. adj.

♦ **1.** (Personnes). Laissé sans secours, sans affection. *Enfant délaissé, épouse délaissée. Il est délaissé de tous ses amis. Mourir délaissé.* ⇒ **Abandonné** (cit. 16).

4   (...) les amants délaissés n'ont qu'à chercher qui les plaigne.
                               MARIVAUX, Heureux stratagème, I, 4.

5   La jeune Norah s'en va, faisant claquer la porte de la maison sur un mari ridicule et trois enfants délaissés.   André SUARÈS, Trois hommes, « Ibsen », VI, p. 154.

Fig. **Délaissé de** *(qqch.)* : abandonné par...

6   Et, délaissé de ma tristesse, je mourrai.
             Francis JAMMES, le Poète et sa femme, « Ne me console pas »... p. 168.

Dont on ne s'occupe pas, qu'on néglige (cf. Livré à soi-même.)

7   Elle se souvenait d'avoir été une enfant malheureuse et délaissée, et ses propres enfants furent stylés de bonne heure à être affables et compatissants pour ceux qui n'étaient ni riches ni choyés.   G. SAND, la Petite Fadette, XL, p. 253.

8   (...) au hasard ou sans doute à la Providence qui sait toujours aplanir les voies au génie délaissé.   BALZAC, Louis Lambert, Pl., t. X, p. 354.

♦ **2.** (Choses). Abandonné. *Une profession un peu délaissée. Vieilles coutumes délaissées par la jeunesse.*

CONTR. Conserver, garder. — Aider, assister, entourer, secourir, soutenir.
DÉR. Délaissement, délaisseur.

DÉLAISSEUR, EUSE [delɛsœʀ, φz] adj. et n. — XVᵉ ; de *délaisser*.

♦ Rare. Littér. Qui délaisse, abandonne (quelqu'un).

(...) les demandes d'argent fréquentes d'une maîtresse quittée ne vous donnent pas plus une idée complète de sa vie que des feuilles de température élevée ne donneraient de sa maladie. Mais les secondes seraient tout de même un signe qu'elle est malade, et les premières fournissent une présomption (...) que la délaissée ou délaisseuse n'a pas dû trouver grand'chose comme riche protecteur.
            PROUST, Le côté de Guermantes, Pl., t. II, p. 349.

DÉLAITAGE [delɛtaʒ] ou **DÉLAITEMENT** [delɛtmã] n. m. — 1836, *délaitage* ; *délaitement*, 1842 ; de *délaiter*.

♦ Action de délaiter ; son résultat. *Le délaitage du beurre.*

DÉLAITER [delete] v. tr. — 1826 ; de 1. *dé-*, et *lait*.

♦ Techn. Débarrasser (le beurre) du petit lait.

DÉR. Délaitage ou délaitement, délaiteuse.

DÉLAITEUSE [deletφz] n. f. — 1890, P. Larousse, *Deuxième suppl.* ; de *délaiter*.

♦ Techn. Machine qui sert à délaiter le beurre.

DÉLANGER [delãʒe] v. tr. — D. i. ; de 1. *dé-*, et *langer*.

♦ Enlever les langes de (un bébé). ⇒ **Démailloter.**

Philippe revint au berceau. — Ne le pourrait-on délanger que je le voie mieux ? demanda-t-il.   Maurice DRUON, la Loi des mâles, p. 121.

DÉLARDEMENT [delaʀdəmã] n. m. — 1676 ; de *délarder*.

♦ Techn. Action de délarder (1. et 2.) ; son résultat.

DÉLARDER [delaʀde] v. tr. — 1690 ; de 1. *dé-*, et *lard*.

♦ **1.** Enlever le lard de... — Spécialt. Enlever le lard de (un porc). ⇒ **Dégraisser.** — Cuis. Dégarnir (un morceau lardé, ou piqué) de ses lardons*.

♦ **2.** Techn. Diminuer l'épaisseur de ; enlever l'arête vive de (⇒ **Dégraisser,** 3 ; **démaigrir**). *Délarder une pierre,* l'amincir avec le marteau. *Délarder une pièce de bois, une marche d'escalier,* la tailler obliquement pour en abattre les arêtes.

CONTR. Larder.
DÉR. Délardement.

DÉLASSANT, ANTE [delasã, ãt] adj. — V. 1860 ; p. prés. de *délasser*.

♦ Qui délasse le corps ou l'esprit. *Un exercice délassant, une promenade délassante.* ⇒ **Reposant.** *Une lecture délassante.* ⇒ **Amusant, distrayant, récréatif.**

DÉLASSEMENT [delasmã] n. m. — 1475 ; de *délasser*.

♦ **1.** Le fait de se délasser (physiquement ou intellectuellement). ⇒ **Détente, loisirs, pause, récréation, relâchement, repos.** *Avoir besoin de délassement. Le délassement du corps et de l'esprit. Les*

changements nous procurent du délassement. Accorder un instant de délassement à des travailleurs, à des écoliers.

1   (...) j'achevai ce travail tout en en faisant d'autres, et trouvant toujours qu'un changement d'ouvrage est un véritable délassement.   ROUSSEAU, les Confessions, IX.

2   Il feignait de les accueillir *(ses rêveries)* comme un simple délassement de l'esprit.   J. ROMAINS, les Hommes de bonne volonté, t. V, p. 83.

♦ **2.** Ce qui délasse. ⇒ **Amusement, distraction, divertissement.** — *(Le délassement de qqn). Son grand délassement est de collectionner les timbres.* — *(Un, des délassements). La lecture, la musique sont des délassements.*

3   La comédie fut toujours le délassement des grands hommes, le divertissement des gens polis et l'amusement du peuple.   SAINT-ÉVREMOND, De la comédie italienne.

CONTR. Fatigue. — Travail.

DÉLASSER [delɑse] v. tr. — XIVᵉ, rare jusqu'au XVIᵉ ; de 1. *dé-, las* et suff. verbal. → Lasser.

♦ Tirer de l'état de lassitude, de fatigue. ⇒ **Détendre, reposer.** *Délasser le corps, les membres, en s'étendant, en prenant un bain. Écouter de la musique délasse l'esprit.* — *Délasser qqn. Sa gaieté nous délasse.* ⇒ **Changer, distraire, divertir.**

1   (...) puissé-je (...) délasser Votre Majesté des fatigues de ses conquêtes...
                         MOLIÈRE, Tartuffe, 2ᵉ placet au Roi.

2   Mais que des sujets différents se succèdent, même sans interruption, l'un me délasse de l'autre, et sans avoir besoin de relâche, je les suis plus aisément.
                         ROUSSEAU, les Confessions, VI,

3   (...) la rêverie me délasse et m'amuse, la réflexion me fatigue et m'attriste ; penser fut toujours pour moi une occupation pénible et sans charme.
                       ROUSSEAU, Rêveries, VIIᵉ promenade.

4   Lorsque je suis fatigué, ta vue me délasse.
                  BERNARDIN de SAINT-PIERRE, Paul et Virginie, p. 59.

Absolt. *La lecture délasse.*

5   — Il ne faut point détourner l'esprit ailleurs, sinon pour le délasser, mais dans le temps où cela est à propos, le délasser quand il le faut, et non autrement ; car qui délasse hors de propos, il lasse (...)   PASCAL, Pensées, I, 24.

6   (...) et, quand on arrivait du dehors, la fraîcheur de l'escalier délassait.
             FLAUBERT, l'Éducation sentimentale, II, VI, Pl., t. II, p. 287.

▶ **SE DÉLASSER** v. pron.

(Personnes). Se reposer en se distrayant. *Partir en vacances pour se délasser.*

7   J'entends parler le monde ; et des gens se délassent
    À venir débiter les choses qui se passent   MOLIÈRE, l'École des femmes, I, 1.

8   Un pacha visite son harem. À tout le moins un marchand de Bagdad, les pierreries plein ses poches, vient se délasser dans un palais peuplé de femmes de divers climats.   J. ROMAINS, les Hommes de bonne volonté, t. V, VII, p. 61.

▶ **DÉLASSÉ, ÉE** p. p. adj.

Qui n'a plus de lassitude. ⇒ **Dispos, reposé.** *Délassé par un long sommeil.*

9   Tout à coup, semblable au voyageur délassé par un bain, Minna n'eut plus que la mémoire de ses vives douleurs (...)   BALZAC, Séraphîta, Pl., t. X, p. 466.

CONTR. Fatiguer, lasser.
DÉR. Délassant, délassement.

DÉLATEUR, TRICE [delatœʀ, tʀis] n. — 1539 ; lat. *delator*, de *delatus*, p. p. de *deferre* « dénoncer ».

♦ Personne qui dénonce, fait une délation* pour des motifs méprisables. ⇒ **Accusateur, dénonciateur, espion, sycophante** (littér.), **traître** ; (scol.) **cafeteur, capon, rapporteur** ; (argot, puis fam.) **donneur** (et donneuse), **mouchard, mouton.** *Les délateurs sont utilisés par les régimes tyranniques* (→ Abjection, cit. 1).

1   (...) on ne fait point déposer les témoins en secret, ce serait en faire des délateurs (...)   VOLTAIRE, Dialogues, XXIV, 15.

2   Cet attendrissement se changea bientôt en colère contre les vils délateurs qui n'avaient vu que le mal d'un sentiment criminel, mais involontaire, sans croire, sans imaginer même la sincère honnêteté de cœur qui le rachetait.
                       ROUSSEAU, les Confessions, IX.

2.1   Et voilà ce qu'il avait fait, lui, ministre, pour l'honneur et pour le salut du pays, pendant que d'immondes délateurs essayaient vainement de salir son nom, en l'inscrivant sur une liste d'infamie, œuvre inventée des plus basses manœuvres politiques.   ZOLA, Paris, t. II, p. 39.

Adj. *Une attitude, une pratique délatrice.*

3   Son art de tronquer les textes de ses adversaires, sa manie délatrice quand sa religion ou son général sont persiflés (...) ses ivresses de vengeance quand sa vanité d'homme de lettres est piquée (...) sa mesquinerie quand il est à court de raison, tout cela existe : mais tout cela coexiste avec une réalité profonde (...) : Mauriac est honnête, presque toujours sincère, et fort intelligent.
                Jean-François REVEL, *in* L'Express, 19-25 juin 1967.

DÉLATION [delasjõ] n. f. — 1549 ; lat. *delatio* ; de *delatus*, p. p. de *deferre*. → Délateur.

♦ Dénonciation inspirée par des motifs méprisables. ⇒ **Calomnie, dénonciation, médisance** ; **rapportage** (scol.) *Faire une délation.* ⇒ **Dénoncer, donner** (argot, puis fam.), **trahir, vendre.** *Se faire l'auteur d'une délation pour une somme d'argent.*

1 Celui-ci, après avoir été libelliste ordurier, est devenu espion gagé, aussi infâme
   dans ses délations qu'il était méprisable avant ce joli métier.
                          CHAMFORT, Lettre de Mirabeau à Chamfort, IX, p. 338.

2 Deux courtisanes, séduites par de l'argent et des promesses se chargent de la délation (...)   DIDEROT, Essai sur les règnes de Claude et de Néron, I, 25.

3 Ce que vous appelez, avec raison peut-être, notre dictature hygiéniste et morali-
   satrice a développé, chez nous, comme font toutes les dictatures, un ignoble esprit
   de délation et de discorde.   G. DUHAMEL, Scènes de la vie future, V, p. 83.

REM. Comme *délateur*, le mot, sans être du registre littéraire, appartient
plutôt au style écrit et soutenu.

DÉLATTER [delate] v. tr. — 1412, *deslater*; de 2. *dé-*, et *latter*.

♦ Ôter les lattes de (un toit, un plafond). — Pron. *Se délatter :*
perdre ses lattes.

DÉLAVAGE [delavaʒ] n. m. — 1818; de *délaver*.

♦ Techn. Action de délaver; fait de devenir délavé. *Le délavage de
ses chandails.* — Par métaphore :

La confession (...) est devenue, dans le coulage et le délavage actuel du christianisme, un vulnéraire si parfaitement incolore et neutre que sa force thérapeutique
sur les âmes doit, en général, être à peu près nulle.
                          Léon BLOY, le Désespéré, 1886, p. 152.

DÉLAVÉ, ÉE [delave] adj. — XVIᵉ; p. p. de *délaver*. → Délaver.

♦ **1.** Dont la couleur est ou semble trop étendue d'eau. ⇒ **Décoloré,
fade, pâle.** *Le ciel est d'un bleu délavé — Ciel délavé,* d'un
bleu délavé.

1 (...) son vêtement de drap noir qui faisait ressortir la pâleur anormale de son visage
   et le bleu délavé de ses yeux froids.
                          Edmond JALOUX, les Visiteurs, XXXI, p. 237.

2 (...) une flamme d'amusement tremblait dans ses yeux délavés.
                          SARTRE, le Sursis, p. 81.

3 Du temps que ce vêtement était à la pointe de la mode, une firme américaine vantait le bleu délavé de ses jeans : it fades, fades and fades.
                          R. BARTHES, Fragments d'un discours amoureux, p. 129.

♦ **2.** Techn. (joaill.). *Pierre délavée,* dont la couleur est pâle.

♦ **3.** Par métaphore ou fig. Littér. Qui paraît amolli, affaibli.

4 (...) la théorie des Idées *(de Platon)* marque la victoire des mots plus généraux
   que les objets et plus près de la patrie idéale dont ce monde n'est qu'une
   copie délavée.   CAMUS, l'Homme révolté, *in* Essais, Pl., p. 1676.

♦ **4.** Qui a été trempé, imbibé d'eau. *Viande délavée,* qui a cuit
dans trop d'eau. *Foin délavé,* qui a été détrempé par la pluie.
Terre délavée.

CONTR. **Concentré, vif.**

DÉLAVER [delave] v. tr. — V. 1585; «salir», XIIIᵉ; «purifier», 1398;
de 2. *dé-*, et *laver.*

♦ **1.** Enlever ou éclaircir avec de l'eau (une couleur étendue sur du
papier). ⇒ **Laver.**

♦ **2.** (Sujet en général n. de chose). Imbiber d'eau. ⇒ **Détremper.** *La
neige délave le sol. L'inondation a délavé les terres.* — Pron.
Se délaver.

Les poulettes, au fond, il en avait sa claque (...) Et puis, cette peinture qu'elles se
fourrent sur la bouche, les joues, les yeux, et qui se délave sous les baisers, laissant paraître une peau flasque, granuleuse, grise.
                          Roger IKOR, les Fils d'Avrom, «Les eaux mêlées», p. 481.

CONTR. **Intensifier.**
DÉR. **Délavage, délavé, délavure.**

DÉLAVURE [delavyʀ] n. f. — XXᵉ; de *délaver.*

♦ Rare. Matière, couleur délavée.

J'aime ce paysage où les délavures de la terre coulent à travers l'herbe des tons
ocreux.   GIDE, Journal, 30 janv. 1906, p. 197.

DÉLAYAGE [delɛjaʒ] n. m. — 1832; de *délayer.*

♦ **1.** Action de délayer. — On dit aussi *délayement* (1549). *Délayage
de la farine.* — État de ce qui est délayé; ce qui est délayé. *Un
délayage léger.*

♦ **2.** (1870). Fig. et fam. Le fait d'exposer trop longuement; exposé
délayé. *Faire du délayage. Il n'y a que du délayage, dans ce devoir
de littérature.* ⇒ **Longueurs, remplissage, verbiage.**

CONTR. **Brièveté, concision, laconisme.**

DÉLAYANT, ANTE [delɛjɑ̃, ɑ̃t] adj. — 1752, *in* Trévoux; p. prés.
de *délayer.*

♦ Méd. (vieilli). Qui rend le sang moins épais. *Médicament délayant,*
et, n. m., *un délayant.*

DÉLAYER [deleje] v. tr. — Conjug. *payer.* — XIIIᵉ; du lat. pop. *deli-
care*, de *deliquare* «clarifier», «transvaser»; de *de-*, et *liquare* «liquéfier».

♦ **1.** Détremper* (une substance) dans un liquide. ⇒ **Diluer, dissoudre, étendre, fondre.** *Délayer de la farine dans de l'eau, du lait,
pour faire une pâte. Délayer du lait en poudre, du cacao. Ustensile à délayer.* ⇒ **Moussoir.** *Délayer une substance à chaud, à froid.
Délayer en tournant, en versant le liquide peu à peu pour éviter
la formation de grumeaux*.* — *Délayer de la chaux* (⇒ **Couler),
du plâtre, du mortier (⇒ **Gâcher).** *Délayer une substance dans un
liquide qui la précipite.* ⇒ **Léviger.** — *Délayer de la peinture avec
de l'eau, de l'huile, de l'essence.*

1 *(Les unaus)* passent ainsi plusieurs semaines sans pouvoir délayer par aucune boisson cette nourriture aride
                          BUFFON, Hist. nat. des animaux, L'unau et l'aï, t. III, p. 444.

2 Le godet dans lequel M. Sucre délaie son encre est en lui-même un vrai bijou.
                          LOTI, Mᵐᵉ Chrysanthème, XXXIII, p. 154.

♦ **2.** (1766). Fig. *Délayer une pensée, une idée, un discours,* l'exposer trop longuement, de manière diffuse. ⇒ **Noyer, paraphraser**
(cf. fam. Allonger la sauce, mettre de la sauce).

3 Descartes a délayé cette pensée *(l'incrédulité est la source de la sagesse)* (...)
                          VOLTAIRE, le Philosophe ignorant, V.

▶ **DÉLAYÉ, ÉE** p. p. adj.

♦ **1.** *Cacao délayé (dans du lait).*

♦ **2.** Fig. ⇒ **Diffus, prolixe.** *Pensée délayée.* — N. m. *C'est du délayé.*

CONTR. (De délayer) **Épaissir.** — (Du p. p.) **Concis, dense.**
DÉR. **Délayage, délayant.**

DELCO [dɛlko] n. m. — V. 1950; marque déposée : initiales de la
Dayton Engineering Laboratories Company.

♦ Système d'allumage (⇒ **Allumeur)** d'un moteur à explosion, utilisant une bobine d'induction; cette bobine. — Abusivt. Allumeur
(d'un moteur d'automobile).

Bon, quand on a réussi à transformer la peau du corps en carapace de métal, il
faut transformer l'intérieur de son corps, et ça c'est vraiment le plus difficile de
tout (...) Il y a des gens qui croient qu'il suffit de penser qu'on a un moteur à la
place du cœur, des cylindres dans les poumons, un delco à la place du foie, des
vilebrequins dans les entrailles et un carburateur dans l'estomac.
                          J.-M. G. LE CLÉZIO, les Géants, 1973, p. 187.

DELEATUR [deleatyʀ] n. m. invar. — 1797; mot lat. «qu'il soit
effacé», 3ᵉ pers. du subjonctif présent passif de *delere* «effacer».

♦ Typogr. Signe ressemblant à un delta grec minuscule (δ) et servant à indiquer sur les épreuves d'imprimerie qu'il faut supprimer
quelque chose. *Des deleatur. Mettre un deleatur dans la marge en
face d'un mot à retrancher.* — Fig. :

Robespierre fut l'effrayant correcteur d'épreuves de la Révolution. Il y mit son
deleatur. Cet immense exemplaire du progrès, revu par lui, garde encore la lueur
de sa prunelle sinistre.   HUGO, Post-scriptum de ma vie, «Tas de pierres», V.

DÉR. **Déléaturer.**

DÉLÉATURER [deleatyʀe] v. tr. — 1914; de *deleatur*, p.-ê.
d'après *raturer.*

♦ Rare. Supprimer, annuler par un deleatur.

1 Mais je vais, si vous le permettez, profiter de ce délai pour vous donner connaissance de la préface que j'avais écrite pour les *Caves,* et que j'ai déléaturée sur
   épreuves.   GIDE, Journal, 12 juil. 1914.

Déléaturer, tiré de *deleatur* (signe d'imprimerie), paraît signifier *supprimer, tenir
pour nul.* Il contient une métaphore, prétentieuse.
                          A. THÉRIVE, Querelles de langage, III, p. 200.

DÉLÉBILE [delebil] adj. — 1819; lat. *delebilis* «destructible», de
delere «détruire; effacer, biffer». → Deleatur.

♦ Rare. Qui peut s'effacer. ⇒ **Effaçable.** *Encre délébile.*

Il ne reste que (...) deux accents délébiles que boit le plâtre (...)
                          A. ARNOUX, Suite variée, p. 186.

CONTR. **Indélébile** (plus cour.), **ineffaçable.**

DÉLECTABLE [delɛktabl] adj. — 1170; lat. *delectabilis*, de *delec-
tare* (→ Délecter); a remplacé l'anc. franç. *délitable.*

♦ (Style soutenu). Qui délecte, qui est très agréable*. ⇒ **Délicieux,
exquis.** *Mets délectable.* ⇒ **Délicat, friand, savoureux.** *Vin délectable* (cf. fam. C'est du velours. Un vrai velours!). *Séjour, lieu
délectable.* — (Sentiments, émotions) :

1 Chaque frémissement de l'airain portait à mon âme naïve la délectable mélancolie des souvenirs de ma première enfance.   CHATEAUBRIAND, René, p. 171.

Délectable pour, à quelqu'un.

2 Nous avions souffert tout le jour du soleil, et la fraîcheur du soir nous était délectable.   GIDE, Journal, 9 avr. 1896.

CONTR. **Mauvais; dégoûtant.**
DÉR. **Délectablement.**

DÉLECTABLEMENT [delɛktabləmɑ̃] adv. — V. 1370 ; de *délectable*.

♦ Littér. D'une manière délectable. ⇒ **Délicatement, exquisément.**

DÉLECTATION [delɛktasjɔ̃] n. f. — V. 1120 ; du lat. *delectatio*, du supin de *delectare*. → Délecter.

♦ **1.** (Style soutenu). Plaisir (sensible ou intellectuel) que l'on savoure. ⇒ **Délice, jouissance, volupté.** *Déguster un mets, une boisson avec délectation. Éprouver de la délectation à souffrir* (masochisme), *à faire souffrir* (sadisme). *Délectation malsaine, triste, morbide...*

1 (...) une délectation infinie l'envahissait, plaisir tout mêlé d'amertume comme ces vins mal faits qui sentent la résine.   FLAUBERT, Mᵐᵉ Bovary, III, XI, p. 219.

2 (...) je ne me suis moqué de personne aussi cruellement que de moi-même, ni avec autant de délectation.   FRANCE, la Vie en fleur, XV, p. 190.

♦ **2.** Théol. Plaisir qu'on prend à faire quelque chose. *Délectation de la grâce* (⇒ **Ravissement**). *Délectation de la nature.* — Loc. *Délectation morose :* sentiment agréable qu'éprouve celui qui se complaît dans une tentation. ⇒ **Complaisance.**

3 (...) l'empire de la raison et de la justice n'est non plus tyrannique que celui de la délectation.   PASCAL, Pensées, V, 325.

4 La concupiscence dont l'humanité déchue est pétrie, ne peut être vaincue que par une délectation plus puissante (...) la délectation victorieuse de la grâce.   F. MAURIAC, Souffrances et Bonheur du chrétien, p. 78.

5 Que Lamennais ait conseillé Sainte-Beuve pour la conduite de sa vie, qu'il l'ait encouragé à se débarrasser de cette délectation morose et de cette complaisance dans l'inquiétude amoureuse comme dans l'incertitude philosophique (...)   A. BILLY, Sainte-Beuve..., 19, p. 137.

(Par contresens avec le sens 1). *Délectation morose,* triste. « *Cultivant le malheur, y trouvant une délectation morose* » (E. Triolet, *in* T. L. F.).

CONTR. Dégoût.

DÉLECTER [delɛkte] v. tr. et pron. — 1340 ; lat. *delectare* fréquentatif de *delicere,* de *de-,* et *lacere* « attirer », d'abord « faire tomber dans un piège » (→ Lacs) ; a remplacé l'anc. franç. *delitier, deliter,* v. 1120.

♦ Vx. ou littér. Remplir d'un plaisir qu'on savoure avec délices. ⇒ **Charmer, flatter, régaler, réjouir.** *Cette musique délecte le cœur et les sens.* — *Délecter quelqu'un.*

1 Un théologien ne doit pas appliquer son étude à délecter les oreilles en jasant   CALVIN, Institution de la religion chrétienne, 105.

2 Confusément j'apercevais bien que ce qui délectait ainsi mon jeune précepteur, c'était le spectacle même du jeu de la vie (...)   E. FROMENTIN, Dominique, III, p. 54.

Absolument :

2.1 On n'estime ici bas, mon enfant, que ce qui rapporte ou ce qui délecte ; et de quel profit peut nous être la vertu des femmes !   SADE, Justine..., t. I, p. 22.

▶ **SE DÉLECTER** v. pron. (V. 1361).

Cour. *Se délecter (à qqch., de qqch.) :* prendre un très grand plaisir (à qqch.). ⇒ **Goûter, jouir** (de), **plaire** (se), **régaler** (se), **réjouir** (se), **savourer.** *Se délecter à la lecture d'un livre. Se délecter de qqch. Je me suis délecté à l'écouter parler.*

3 (...) et volontiers *(je)* me délecte à lire les beaux Dialogues de Platon (...)   RABELAIS, Pantagruel, II, 8.

4 C'était pour lui l'heure vraiment douce de la journée, où se pouvaient gaver, délecter tout à l'aise, de belle prose administrative, ses instincts de rond-de-cuir endurci.   COURTELINE, Messieurs les ronds-de-cuir, IIIᵉ tableau, I, p. 91.

5 Quand je rêve — je rêve peu — je me délecte assez souvent de ce dont ma veille sagement se prive.   COLETTE, l'Étoile Vesper, p. 160.

CONTR. Dégoûter. — Détester, répugner.

DÉLÉGANT, ANTE [delegɑ̃, ɑ̃t] n. — 1846 ; lat. *delegans,* p. prés. de *delegare* « déléguer ».

♦ Dr. Personne qui délègue* (opposé à *délégataire*).

DÉLÉGATAIRE [delegatɛʀ] n. — 1831 ; attestation isolée, 1605 ; de *déléguer,* d'après *légataire.*

♦ Dr. Personne à qui l'on délègue (une chose). — Opposé à *délégant, délégateur.*

DÉLÉGATEUR, TRICE [delegatœʀ, tʀis] n. — XIVᵉ ; du bas lat. *delegator,* du supin de *delegare.* → Déléguer.

♦ Dr. Personne qui fait une délégation. ⇒ **Délégant** (opposé à *délégataire*).

DÉLÉGATION [delegasjɔ̃] n. f. — XIIIᵉ ; de *delegatio* « procuration », du supin de *delegare.* → Déléguer.

★ **I.** ♦ **1.** Commission qui donne à quelqu'un le droit d'agir au nom d'un autre. ⇒ **Mandat, procuration, représentation.** *Personne qui agit par délégation, en vertu d'une délégation.* ⇒ **Délégué.**

Délégation faite par un délégué : subdélégation. — (Enseignement). Emploi de maître auxiliaire, non titulaire.

0.1 Quelques leçons particulières, une délégation au lycée Victor Duruy m'assuraient mon pain quotidien (...)   S. DE BEAUVOIR, la Force de l'âge, p. 16.

♦ **2.** Acte par lequel on délègue quelqu'un.

♦ **3.** (1878). Plus cour. Ensemble des personnes déléguées. *Délégation d'étudiants au ministère. Délégation ouvrière d'un syndicat. Faire partie d'une délégation. Réunir, envoyer une délégation. Recevoir une délégation. Président d'une délégation.* — Fig. ⇒ **Envoyé ; message.**

1 Il lui a semblé que, pendant ces quelques heures, toutes les questions de la vie, toutes les choses de l'univers, toutes les probabilités de l'avenir lui envoyaient pêle-mêle des délégations.   J. ROMAINS, les Hommes de bonne volonté, t. I, VI, p. 66.

Spécial. Assemblée délibérante composée de délégués. — Hist. *Délégations financières de l'Algérie.* — *Délégation spéciale* (XXᵉ) : commission administrative chargée d'administrer temporairement une commune. — *Délégation (générale) :* organisme gaulliste en France occupée.
Organisme chargé de l'étude de questions scientifiques, techniques. *La Délégation à l'aménagement du territoire et à l'action régionale* (DATAR).

★ **II.** *Délégation de* (et n. de chose). ♦ **1.** Attribution, transmission pour un objet déterminé. *Délégation de pouvoir à quelqu'un.*

♦ **2.** Dr. civ. Opération par laquelle une personne (⇒ **Délégué**) fait ou s'oblige à faire une prestation à une autre (⇒ **Délégataire**) qui l'accepte sur l'ordre d'une troisième (⇒ **Délégant**). *Délégation d'une créance.*

2 Il en jouissait *(de rentes)* avant le payement et délégation qu'il en a faite à mon grand-père.   CORNEILLE, Lettre.

3 La délégation par laquelle un débiteur donne au créancier un autre débiteur qui s'oblige envers le créancier, n'opère point de novation, si le créancier n'a expressément déclaré qu'il entendait décharger son débiteur qui a fait la délégation.   Code civil, art. 1275.

Par ext. Acte par lequel on transmet une créance ; titre de cette créance. *Délégation de cent mille francs.*

Par anal. Faculté qu'ont les militaires et marins de faire toucher une partie de leur solde par leur famille. *Délégation de solde.*

COMP. Subdélégation.

DÉLÉGUÉ, ÉE [delege] n. et adj. — XIVᵉ, adj. ; v. 1534, n. ; p. p. de *déléguer.* → Déléguer.

♦ **1.** Personne qui a commission de représenter les intérêts d'une personne, d'un groupe, avec éventuellement pouvoir d'agir. ⇒ **Commissaire, émissaire, envoyé, mandataire, représentant.** *Nommer, désigner un délégué. Un délégué, une déléguée à un congrès international. Délégué du personnel. Délégué syndical. Recevoir les délégués d'un syndicat.* — Spécialt (hist. ou vx). *Délégué du peuple* à une assemblée. ⇒ **Député, parlementaire.**

1 (...) le député d'Orléans est exactement le délégué d'Orléans à soutenir les intérêts orléanais *contre* les *délégués* des autres circonscriptions, qui eux-mêmes en font autant.   Ch. PÉGUY, Œ. compl., t. I, p. 387.

2 Les communistes sont disciplinés. Ils obéissaient aux secrétaires de cellule, ils obéissent aux délégués militaires.   MALRAUX, l'Espoir, « Romano », p. 546.

3 Mais le sens du tête-à-tête se déformait en même temps que la personne mouvante de Victor. Le maître d'hôtel devenait délégué du personnel de l'office, puis le délégué du personnel ouvrier, puis le délégué du gouvernement, le délégué d'un syndicat, le délégué d'un groupe d'initiales qui dansaient sur les grands murs nus de la salle à manger.   M. AYMÉ, Travelingue, p. 15.

♦ **2.** Personne chargée d'exercer une fonction administrative à la place d'un titulaire. — (1966). *Délégué militaire départemental,* chargé de représenter le général commandant la division militaire, dans l'exercice de certaines fonctions (remplace l'ancien commandant de subdivision).

(Enseignement). *Délégué(e) cantonal(e),* chargé(e) de la surveillance des écoles du premier degré. *Délégués ministériels, rectoraux,* nommés à titre provisoire (par le ministre, un recteur) à un poste d'enseignement.

CONTR. Commettant ; mandant, titulaire.
COMP. Subdélégué.

DÉLÉGUER [delege] v. tr. — 1330 ; lat. *delegare,* de *de-* intensif et *legare* « députer ; léguer ». → Léguer.

★ **I.** *Déléguer (qqn)* ♦ **1.** Charger (qqn) d'une fonction, d'une mission en transmettant totalement ou partiellement son pouvoir. ⇒ **Commettre, députer, envoyer, mandater.** *Personne qui délègue* (⇒ **Délégant**). *Déléguer un représentant à une assemblée. Les ouvriers délèguent un des leurs pour présenter leurs revendications auprès du directeur de l'usine. Tribunal qui délègue un juge pour enquêter. Déléguer qqn lorsqu'on est soi-même délégué :* subdéléguer.

♦ **2.** Charger (qqn) d'accomplir envers un autre une obligation qu'il avait envers vous. *Déléguer un débiteur.* ⇒ **Délégation** (cit. 2).

★ **II.** *Déléguer (qqch.) :* transmettre, confier (une autorité, un pouvoir) pour un objet déterminé. *Déléguer son autorité, son pouvoir, sa compétence... à qqn.* — Spécialt. *Déléguer sa solde.*

1 Quant à l'argent, Yves n'en a pas ; il en oublie même l'usage et la valeur, comme il arrive souvent aux marins — car il *délègue* à sa femme, à Brest, *sa solde et ses chevrons,* tout ce qu'il gagne.   LOTI, Mon frère Yves, LXXXIII, p. 197.

2 (...) la notion anglo-saxonne de l'État, expression de la communauté, de l'État agent et serviteur du citoyen, qui lui a délégué ses pouvoirs !
André SIEGFRIED, l'Âme des peuples, II, II, p. 38.

CONTR. Représenter.
DÉR. Délégataire. — V. aussi **Délégué.**

DÉLESTAGE [delɛstaʒ] n. m. — 1681 ; de *délester.*

♦ **1.** Action de délester. — Mar. Action de décharger un bâtiment de son lest. — Par ext. Action d'alléger la charge (d'un véhicule...).

♦ **2.** (xxᵉ). Techn. Suppression momentanée de la fourniture de courant électrique à un secteur du réseau. *Opérer un délestage pour pondérer la production d'une centrale. Délestages dus à un mouvement de grève.*

♦ **3.** Fait de limiter momentanément l'accès à une voie routière, d'y limiter la circulation (en la détournant). *Adopter un itinéraire de délestage.*

DÉLESTER [delɛste] v. tr. — 1681 ; *delaster,* 1593 ; de 1. *dé-, lest* et suff. verbal.

♦ **1.** Décharger de son lest. ⇒ **Alléger.** *Délester un navire, un aérostat, une fusée spatiale.* — Au p. p. :

1 Cependant, le ballon, délesté de lourds objets, tels que munitions, armes, provisions, s'était relevé dans les couches supérieures de l'atmosphère, à une hauteur de quatre mille cinq cents pieds.   J. VERNE, l'Île mystérieuse, t. I, p. 4.

♦ **2.** Rare. Débarrasser (qqn) d'un fardeau. ⇒ **Décharger.**

2 Elle portait un panier de bûches. Il s'empressa de la délester.
MARTIN DU GARD, les Thibault, t. IV, p. 106.

Pron. (Fin XIXᵉ). Fam. *Se délester* (d'un fardeau matériel, d'une charge morale).

(1870). Fig. et iron. ⇒ **Voler.** *Son fils l'a délesté d'une partie de sa fortune. Il s'est fait délester de son portefeuille.*

♦ **3.** (xxᵉ). Électr. Opérer une coupure de courant momentanée dans certains secteurs d'un réseau.

CONTR. Charger, lester.
DÉR. Délestage.

DÉLÉTÈRE [deletɛʀ] adj. — 1370 ; du gr. *dêlêtêrios* « nuisible », de *dêlein* « détruire ». → Délétion.

♦ **1.** Qui met la santé, la vie en danger. *Action délétère d'une substance.* — Cour. *Gaz délétère.* ⇒ **Asphyxiant, irrespirable, nocif, nuisible, toxique.** *Miasmes délétères qui intoxiquent, empoisonnent.*

1 Un soir, nous fûmes surpris par une vague de gaz délétère que le vent du nord-est apportait des lignes allemandes.   G. DUHAMEL, la Pesée des âmes, VIII, p. 210.

2 Il put s'enfuir, à travers des pluies de feu. Mais sa femme, s'étant retournée pour voir l'atroce spectacle, fut asphyxiée par les gaz délétères ; les efflorescences salines le recouvrirent.   DANIEL-ROPS, le Peuple de la Bible, I, I, p. 27.

Par métaphore :

2.1 C'est amusant d'observer comme il essaie de se soulever, de lever la tête le plus haut possible, hors de ce qui se dégage, sécrété par nous, de cette couche de gaz délétère qui émane de notre présence immobile, de notre silence.
N. SARRAUTE, Vous les entendez ? p. 139.

Par métonymie. (Vx). *Plantes délétères.*

♦ **2.** (1863). Fig. et littér. Qui est capable de corrompre. ⇒ **Corrupteur, néfaste, nuisible.** *Action délétère d'un individu sur un autre. Doctrine, maxime délétère.*

3 Retenons seulement que cette indécence, réelle ou imaginaire, est une trace du passage de Vintras et de son action délétère sur la paix publique.
M. BARRÈS, la Colline inspirée, X, p. 171.

CONTR. Salubre, sain, vivifiant.

DÉLÉTION [delesjɔ̃] n. f. — xxᵉ ; angl. *deletion,* du lat. *deletio* « destruction », du supin de *delere,* d'orig. grecque. → Délétère.

♦ Biol. Double rupture d'un chromosome avec perte d'un élément, constituant une cause de mutation ; perte (de cet élément).

On a ainsi identifié diverses mutations comme dues à : 1. la substitution d'une seule paire de nucléotides à une autre ;
2. La délétion ou l'addition d'une ou plusieurs paires de nucléotides (...)
Jacques MONOD, le Hasard et la Nécessité (1970), p. 147.

DÉLIAGE [deljaʒ] n. m. — 1870, *Petit Larousse* ; de *délier.*

♦ Rare. Action de délier ; son résultat. ⇒ **Déliement.**

DÉLIAISON [deljɛzɔ̃] n. f. — 1842 ; « action de délier », fin XVIᵉ ; « d'analyser », v. 1570, Ronsard ; de 1. *dé-* et *liaison.*

♦ Mar. Jeu entre certaines pièces d'un navire (bordages, notamment).

DÉLIBÉRANT ANTE [delibeʀɑ̃, ɑ̃t] adj. ⇒ **Délibérer** (cit. 12 et *supra*).

DÉLIBÉRATIF, IVE [deliberatif, iv] adj. — V. 1327 ; du lat. *deliberativus,* du supin de *deliberare.* → Délibérer.

♦ **1.** Qui a qualité pour voter, pour décider dans une délibération (opposé à *consultatif,* qui donne son avis). ⇒ **Décisif.** *Avoir voix délibérative dans une assemblée.*

Il s'éleva une dispute dans ce bureau entre le premier et le second ordre, qui y prétendait la voix délibérative, le premier ne lui voulut reconnaître que la consultative.   SAINT-SIMON., 78, 7.

♦ **2.** Qui a pour objet la délibération. — Rhét. *Genre délibératif :* genre d'éloquence qui expose le pour et le contre.

CONTR. Consultatif.

DÉLIBÉRATION [deliberasjɔ̃] n. f. — 1280 ; du lat. *deliberatio,* du supin de *deliberare.* → Délibérer.

♦ **1.** Action de délibérer avec d'autres personnes. ⇒ **Conseil, débat, discussion, examen.** *Se réunir pour une délibération. Délibération entre amis. Délibération d'une assemblée, d'un jury... Délibération longue, difficile, orageuse. Délibération publique, secrète. L'ordre du jour appelle cette délibération. Salle des délibérations.* — *Donner son avis, partager l'avis des autres, opiner lors d'une délibération. Voter en fin de délibération. Avoir voix prépondérante dans une délibération. Délibération par laquelle une assemblée se refuse à examiner une question.* ⇒ **Question** (question préalable). *Clôture d'une délibération. Après délibération, il a été convenu, décidé que... Mettre une question en délibération.*

1 (...) après une longue délibération, nous sommes convenus qu'il achètera un petit vaisseau tout équipé (...)   A. R. LESAGE, le Diable boiteux, XV, p. 162.

2 Après la délibération commune, que va-t-il sortir des urnes ?
GAMBETTA, Disc. de Belleville, 25 avr. 1876.

3 Les financiers français (...) mènent la banque, le commerce et l'industrie, créent le mythe de l'opinion publique et participent secrètement aux délibérations du Gouvernement qui a besoin d'eux pour maintenir la valeur de la monnaie et la confiance des capitalistes.   A. MAUROIS, le Cercle de famille, II, IX, p. 117.

4 Quand tous ceux qu'on attendait furent là, deux valets fermèrent les portes assez ostensiblement. On sentit que le secret de la délibération serait gardé.
J. ROMAINS, les Hommes de bonne volonté, t. V, XXII, p. 171.

♦ **2.** Résultat de la délibération. ⇒ **Décision, résolution.** *Les délibérations prises par l'assemblée.*

♦ **3.** Examen conscient et réfléchi avant de décider s'il faut accomplir ou non un acte conçu comme possible. ⇒ **Réflexion.** *Décision prise après mûre délibération* (⇒ **Décision,** 2.). *Sans délibération :* à l'étourdie. ⇒ **Indélibéré.**

5 (...) par une pure délibération de notre raison, et non point par le mouvement d'une aveugle colère.   MOLIÈRE, Dom Juan, III, 4.

6 Nous ne mettons jamais en délibération si nous voulons être heureux ou non (...)
BOSSUET, Traité du libre arbitre, 2.

7 (...) comme tous les gens qui ne sont pas amoureux, il s'imaginait qu'on choisit la personne qu'on aime après mille délibérations et d'après les qualités et convenances diverses.   PROUST, À la recherche du temps perdu, t. IX, p. 124.

DÉLIBÉRATOIRE [deliberatwaʀ] adj. — 1863 ; de *délibérer.*

♦ Didact. Relatif à la délibération. *Examen délibératoire.*

DÉLIBÉRÉMENT [deliberemɑ̃] adv. — 1381 ; de *délibéré.*

♦ **1.** Après avoir délibéré, réfléchi. ⇒ **Consciemment, intentionnellement, volontairement.** *C'est délibérément que nous acceptons cette responsabilité.*

1 J'ai donc renoncé délibérément à l'usage du style historique, et j'ai tenu à exposer toujours les faits dans une langue simple et familière (...)
Ch. SEIGNOBOS, Hist. sincère de la nation franç., Introduction, p. 9.

♦ **2.** De manière décidée, sans hésitation. ⇒ **Résolument.** *Répondre délibérément à une remontrance.*

2 (...) Il faut l'attaquer sans ambages, sans délai, délibérément (...)
GIDE, Journal, mars 1906.

CONTR. Involontairement. — Timidement.

DÉLIBÉRER [delibeʀe] v. — Conjug. *céder.* — XIIIᵉ ; du lat. *deliberare,* de *de-,* et *libra* « poids ; balance ».
Peser le pour et le contre, étudier en vue d'une décision à prendre.

★ **I.** (Avec d'autres personnes, à plusieurs). ♦ **1.** V. intr. (Sujet n. de personne au plur. ou n. collectif). Discuter en vue d'une décision à prendre ; étudier, examiner (à plusieurs). ⇒ **Concerter** (se), **conseil** (tenir conseil), **consulter** (se), **débattre.** *Délibérer ensemble sur un sujet, une question. Délibérer secrètement, à l'écart.* ⇒ **Conciliabule** (tenir un). *Les membres du jury se retirent pour délibérer. Les juges délibèrent à huis clos. Assemblée qui délibère* (⇒ **Concile, congrès, conseil...**). *Séance pendant laquelle une assemblée délibère d'une question. L'assemblée, poursuivant ses travaux, a délibéré toute la journée.*

1 L'affaire est d'importance, et, bien considérée,
Mérite en plein conseil d'être délibérée. CORNEILLE, le Cid, II, 8.

2 Ne faut-il que délibérer,
La cour en conseillers foisonne;
Est-il besoin d'exécuter,
L'on ne rencontre plus personne. LA FONTAINE, Fables, II, 2.

3 (...) ils délibèrent ensemble, ils se communiquent leurs pensées, ils se concilient (...) MONTESQUIEU, l'Esprit des lois, VI, IV.

♦ **2.** V. tr. ind. **DÉLIBÉRER DE, SUR (qqch.)** : décider ou tenter de décider par un débat, une délibération. ⇒ **Discuter, examiner.** *Délibérer d'une affaire. Délibérer ensemble sur un sujet, une question.*

4 Les chefs des familles délibéraient entre eux des affaires publiques. ROUSSEAU, le Contrat social, III, 5.

5 J'ai délibéré avec eux sur les façons de vous encercler, de vous écraser, disons le mot. J. ROMAINS, les Hommes de bonne volonté, t. II, XX, p. 217.

DÉLIBÉRER DE (et inf.), **SI** (et interrogation indirecte) : s'interroger en pesant le pour et le contre.

6 *(Le peuple)* s'est assemblé pour délibérer à qui des citoyens il donnera la commission de (...) LA BRUYÈRE, les Caractères de Théophraste, « Des grands d'une république ».

6.1 Assis seul auprès de la porte de sa maison, il délibérait déjà s'il sacrifierait sa vie pour sauver celle de sa femme qu'il aimait beaucoup. A. GALLAND, les Mille et une Nuits, t. I, p. 23.

7 (...) aux Tuileries, le gouvernement délibérait de fuir. Louis MADELIN, Talleyrand, III, XXVI, p. 273.

★ **II.** (Avec soi-même). ♦ **1.** V. intr. Littér. ⇒ **Calculer, étudier, examiner, penser, réfléchir.** *Il a longuement délibéré avant d'accepter.*

8 (...) celui qui peut choisir, s'il ne voit pas tout d'abord, doit délibérer. BOSSUET, Traité du libre arbitre, 2.

9 Je délibérais aux croisées des chemins. ROUSSEAU, les Confessions, IV.

Le devoir vous commande d'agir et vous délibérez! ⇒ **Hésiter, tergiverser.** *Sans délibérer* : sans hésiter, immédiatement, résolument.

10 Blanchet jura que si elle ne mettait pas ce champi à la porte sans délibérer, il se promettait de l'assommer et de le moudre comme grain. G. SAND, François le Champi, IX, p. 79.

♦ **2.** V. tr. Vx. Prendre la décision de... ⇒ **Décider, résoudre.**

11 (...) le hasard a fait ce que la prudence des pères avait délibéré. MOLIÈRE, les Fourberies de Scapin, III, 8.

▶ **DÉLIBÉRANT, ANTE** p. prés. adj. (1960).
Qui est chargé de délibérer (opposé à *consultatif*). *Assemblée délibérante.*

12 Une assemblée délibérante qui discute les dangers d'une nation, quand il faut la faire agir, ne vous semble-t-elle donc pas ridicule? BALZAC, le Médecin de campagne, Pl., t. VIII, p. 444.

▶ **DÉLIBÉRÉ, ÉE** p. p. adj. et n. m.

♦ **1.** Adj. (Réalités psychiques). Qui a délibéré, qui a été délibéré. ⇒ **Conscient, intentionnel, pesé, réfléchi, volontaire, voulu.** *Volonté délibérée. De propos délibéré* : exprès, à dessein (→ Délibérément).

13 Il y a bien des nuances de l'action faite *sans le vouloir* à l'action faite *de propos délibéré,* avec *préméditation.* La langue de la morale et celle du droit distinguent avec soin parmi les *desseins* et les *intentions.* BRUNOT, la Pensée et la Langue, V, XXIII, IV, p. 851.

14 Ne sois jamais insolent que par volonté délibérée, et seulement à l'égard d'un homme plus puissant que toi. ALAIN, Propos sur le bonheur, p. 245.

15 (...) le lent et minutieux travail *(de recherche dans sa mémoire)* s'accomplit. On aurait tort de croire qu'il est involontaire, automatique. Il est, au contraire, tout à fait délibéré. G. DUHAMEL, Inventaire de l'abîme, V, p. 70.

♦ **2.** (Personnes). Vieilli. Qui a de la décision, de la résolution. *Personne délibérée,* qui agit librement et sans hésitation. ⇒ **Décidé, déterminé, résolu.** *Il est très délibéré.*

16 Je trouve plaisant que Mme de Bagnols, qui a laissé ce petit garçon enfant, le retrouve un homme de guerre, tout accoutumé, tout délibéré, tout hardi (...) Mme DE SÉVIGNÉ, Lettres, 1182, 5 juin 1689.

Mod. *Avoir un air délibéré. Marcher d'un pas délibéré; avoir des manières délibérées.* ⇒ **Aisé, assuré, libre.**

17 *Giton* a (...) la démarche ferme et délibérée. LA BRUYÈRE, les Caractères, VI, p. 83.

18 (...) puis, faisant appel à tout mon courage, j'entrai dans notre chambre d'un air délibéré. Alphonse DAUDET, le Petit Chose, II, XV, p. 373.

♦ **3.** N. m. (1655). Dr. Délibération d'un tribunal avant le prononcé de la décision. *Mettre une affaire en délibéré. Délibéré à huis clos.*

19 Le délibéré ne fut pas long; mais notre impatience nous fit entrer dans le parquet des huissiers. SAINT-SIMON, Mémoires, 36, 162.

(1690). Le jugement lui-même.

CONTR. Agir. — (Du p. p.). **Automatique, impulsif, inconscient, indélibéré, involontaire, spontané; contraint, emprunté, gauche, malaisé.**
DÉR. Délibératoire. — (De délibéré) **Délibérément.**

DÉLICAT, ATE [delika, at] adj. — 1492; *deliquat,* 1454; lat. *delicatus* (→ Délié), de *deliciae* (→ Délices); doublet savant de l'anc. franç. *delgié, dougié* « délicat, mince, svelte ».

★ **I.** (Choses). ♦ **1.** Littér. Qui plaît par la qualité, la douceur, la finesse. — (Concret). *Peau douce, délicate* (→ Aréole, cit. 1). *Formes souples et délicates* (→ Beauté, cit. 13). *Cou* (cit. 4) *blanc, délicat. Parfums délicats. Repas délicat. Chère délicate.* ⇒ **Fin, friand, recherché, savoureux, succulent.** *Mets délicats. Nourriture délicate. Ils ne savent pas apprécier les morceaux délicats* (cf. Des perles aux pourceaux).

(...) une longe de veau (...) blanche, délicate, et qui sous les dents est une vraie pâte d'amande (...) MOLIÈRE, le Bourgeois gentilhomme, IV, 1. 1

(...) ce qui est *délicat* n'a rien de grossier, est fin. Il fallait à Apicius des mets *exquis* et recherchés avec soin; il faut à certains estomacs débiles des mets *délicats,* tendres, légers. LAFAYE, Dict. des synonymes, Agréable... délicat. 2

Dessin délicat. Couleur délicate. ⇒ **Beau, harmonieux, joli.** — (Contenus psychiques). *Plaisir délicat.* ⇒ **Raffiné.**

Les hommes n'aiment point à vous admirer, ils veulent plaire; ils cherchent moins à être instruits, et même réjouis, qu'à être goûtés et applaudis; et le plaisir le plus délicat est de faire celui d'autrui. LA BRUYÈRE, les Caractères, V, 16. 3

(À la fois dans ce sens et au sens 4).

On sentait qu'elle ne s'habillait pas seulement pour la commodité ou la parure de son corps; elle était entourée de sa toilette comme de l'appareil délicat et spiritualisé d'une civilisation. PROUST, À la recherche du temps perdu, t. IV, p. 27. 4

♦ **2.** (XVIe). Concret. Que sa finesse rend sensible aux moindres influences extérieures. ⇒ **Fin, fragile, sensible, tendre.** *Peau délicate* (→ Bouton, cit. 6). *Mains délicates. — Teint délicat. — Articulations, attaches* (cit. 10) *délicates.* ⇒ **Fin, frêle, mince, ténu.** *Tissu délicat comme une toile d'araignée.* ⇒ **Aérien, arachnéen, éthéré, vaporeux.** *Plante, fleur délicate* (→ Coton, cit. 5; carmin, cit.).

Devant *(avant)* que d'un hiver la tempête et l'orage 5
À leur teint délicat pussent faire dommage (...) MALHERBE, Larmes de St Pierre.

Spécialt. *Santé délicate* (→ Complexion, cit. 3). *Tempérament délicat.* ⇒ **Douillet.** — (Personnes). De santé fragile. *Enfant délicat.* ⇒ **Chétif, débile, faible, fluet, frêle, malingre.**

(...) Ma fille est délicate : 6
Vos griffes la pourront blesser
Quand vous voudrez la caresser. LA FONTAINE, Fables, IV, 1.

Je le revois si bien! un peu dégingandé, comme un enfant grandi trop vite, flexible, délicat (...) GIDE, Si le grain ne meurt, VIII, p. 218. 7

♦ **3.** (1580). Abstrait. Dont la finesse, la subtilité, la complexité... rend l'appréciation, la compréhension ou l'exécution difficile. ⇒ **Difficile, embarrassant, malaisé.** *Problème délicat, question délicate.* ⇒ **Complexe, compliqué, subtil.** *La nuance est si délicate qu'elle risque de vous échapper. S'engager dans une entreprise délicate.* ⇒ **Dangereux, périlleux, scabreux.** *Affaire délicate à traiter* (→ Arrêter, cit. 63). *Être dans une situation délicate.* ⇒ **Embarrassant** (→ Sur un terrain* brûlant, glissant; sur des charbons* ardents; dans ses petits souliers*). *Voilà le point délicat. Je n'ose pas lui en parler : c'est bien délicat. Toucher la corde* délicate. Opération chirurgicale délicate* (→ Clinique, cit. 2).

— Parlez-moi, je vous prie, avec sincérité, 8
— Monsieur, cette matière est toujours délicate (...) MOLIÈRE, le Misanthrope I, 2.

Il était délicat autrefois de se marier; c'était un long établissement, une affaire sérieuse (...) LA BRUYÈRE, les Caractères, XIV, 34. 9

Le roi Louis-Philippe, malgré ses rares qualités, son admirable bon sens, sa haute et philosophique humanité, eut constamment à lutter contre la position délicate que lui créaient ses origines. RENAN, Questions contemporaines, *in* Œ. compl., t. I, p. 50. 10

Qu'il est délicat de toucher à ce sujet et qu'il faudrait ici user de périphrases! F. MAURIAC, la Pharisienne, X, p. 148. 11

L'amitié entre homme et femme est délicate, c'est encore une manière d'amour. La jalousie s'y déguise. COCTEAU, la Difficulté d'être, XII, p. 84. 12

♦ **4.** (1580). Dont l'exécution, la réalisation par son adresse, sa finesse, fait apprécier les moindres nuances. ⇒ **Élégant, gracieux, joli, mignon, soigné.** *Travail, ouvrage délicat,* fini avec soin. ⇒ **Fignolé.** *Tableau trop délicat.* ⇒ **Léché** (fam.). *Gravure délicate* (→ Ciselure, cit. 2). *Bijou délicat. Miniature délicate. Dentelle délicate.* — Par ext. ⇒ **Élégant, léger.** *Exécution délicate. Le toucher délicat d'un pianiste. La touche délicate d'un peintre. Avoir le ciseau, le pinceau délicat.* ⇒ **Adroit, habile.**
Expression délicate. Tour délicat. Un style délicat. Ironie délicate (⇒ **Attique,** cit. 8).

D'un pinceau délicat l'artifice agréable 13
Du plus affreux objet fait un objet aimable. BOILEAU, l'Art poétique, III.

(...) Raton, avec sa patte, 14
D'une manière délicate,
Écarte un peu la cendre (...) LA FONTAINE, Fables, IX, 17.

À coup sûr, Honoré était content. Il disait, sur les poètes de la Renaissance, des choses qu'il avait studieusement préparées, et qu'il croyait délicates. Il citait des références, dictait des notes bibliographiques. J. ROMAINS, les Hommes de bonne volonté, t. IV, p. 146. 15

♦ **5.** Par ext. Qui dénote de la délicatesse (morale). ⇒ **Gentil, prévenant** (→ ci-dessous, II, 3.). *C'est une attention* (cit. 45), *une pensée délicate de sa part. Il s'y est pris d'une manière très délicate.*

⇒ **Tact.** *Une louange délicate.* ⇒ **Discret.** *Délicate bonté* (cit. 7). *Ce procédé n'est guère délicat.*

16   La simplicité affectée est une imposture délicate.
            La ROCHEFOUCAULD, Maximes, 289.

17   Les seuls portraits délicats de Juifs non conventionnels sont le Swann de Proust et le Justin Weill de Duhamel.
            A. MAUROIS, Études littéraires, J. de Lacretelle, p. 229.

★ **II.** (Personnes). ♦ **1.** Qui apprécie les moindres nuances ; qui est doué d'une grande sensibilité. *Esprit délicat.* ⇒ **Délié, fin, pénétrant, raffiné, sensible, subtil.** *Lecteur délicat* (→ Audience, cit. 6). *Goûts délicats.* ⇒ **Raffiné.** *Des sens délicats. Une oreille délicate.*

18   Tant plus le chemin est long dans l'amour, tant plus un esprit délicat sent le plaisir.
            PASCAL, Disc. sur les passions de l'amour, p. 133.

19   (...) ceux dont la tête est ferme, le goût délicat et le sens exquis (...)
            BUFFON, Disc. sur le style, p. 13.

20   Les esprits délicats sont tous des esprits nés sublimes, mais qui n'ont pas pu prendre l'essor, parce que ou des organes trop faibles, ou une santé trop variée, ou de trop molles habitudes ont retenu leurs élans.   Joseph JOUBERT, Pensées, IV, X.

21   Le peuple, qui a un instinct très délicat du comique, en rira.
            RENAN, l'Avenir de la science, in Œ. compl., t. III, p. 992.

22   Les *Souvenirs de Banville* furent une de mes plus grandes déconvenues littéraires. J'aime jusqu'à l'excès cet esprit délicat, perspicace et charmant, plein de poétique malice.   GIDE, Feuillets, in Journal 1889-1939, Pl., p. 714.

♦ **2.** Que sa grande sensibilité rend difficile à contenter. ⇒ **Exigeant.** *Il ne faut pas être si délicat.* ⇒ **Difficile.** *Elle est très délicate sur la nourriture.* — *Un esprit délicat,* facile à offenser.

23   J'ai l'esprit délicat plus qu'on ne peut penser,
    Et le moindre scrupule a de quoi m'offenser,
    Quand il s'agit d'aimer.   MOLIÈRE, le Dépit amoureux, II, 2.

♦ **3.** Qui est doué d'une grande sensibilité morale. *Il est peu délicat en affaires. Un ami délicat et réservé. Il ne faut pas être trop délicat.* ⇒ **Chatouilleux, ombrageux, susceptible.** *Une conscience délicate.* ⇒ **Probe, scrupuleux.**

24   Saint Louis nous apparaît à tous les moments de sa vie comme une de ces natures à la fois énergiques et délicates, chez qui la conscience domine l'intérêt, qui ne se dirigent que par la loi morale, qui se font de bien faire une habitude constante, à tel point que bien faire devient pour eux un besoin.
            FUSTEL DE COULANGES, Leçons à l'impératrice..., p. 170.

25   D'ailleurs ce temps n'a été perdu d'aucune façon. Sammécaud en a profité pour laisser Marie, après son émotion de l'autre mois, reprendre haleine, pour lui montrer qu'il savait être un soupirant délicat, soumis sans impatience au tendre jeu des délais.   J. ROMAINS, les Hommes de bonne volonté, t. IV, p. 125.

♦ **4.** N. *Un délicat, une délicate.* Personne difficile à contenter. (S'emploie souvent avec un sens iron. et péj.). *Un délicat qui ne se satisfait de rien* (⇒ **Blasé**). *Faire le délicat, la délicate.* ⇒ **Dégoûter ; difficile** (→ Faire la petite, la fine bouche*).

26   Les délicats sont malheureux :
    Rien ne saurait les satisfaire.   LA FONTAINE, Fables, II, 1.

27   Nous vivons dans un siècle où il nous faut faire, nous, les discrets et les délicats, contre fortune bon cœur.   SAINTE-BEUVE, Correspondance, I, p. 328.

CONTR. Grossier. — **Mauvais ; désagréable, exécrable ; laid, insensible ; dur, rugueux ; fort, musculeux, résistant, robuste, vigoureux.** — **Aisé, facile, simple.** — **Ébauché, grossier, informe.** — **Lourd ; inélégant, maladroit.** — **Épais, désagréable, dur, indélicat.** — **Balourd, banal, béotien, brutal, grossier, lourd, stupide. Facile** (à contenter), **simple.** — **Bas, matériel, vulgaire.** — **Fourbe, mauvais, méchant.**

DÉR. Délicatement, délicatesse.

COMP. Indélicat.

DÉLICATEMENT [delikatmã] adv. — 1373 ; de *délicat.*
D'une manière délicate.

♦ **1.** (Correspond à *délicat,* I., 1., 2.). D'une manière délicate. ⇒ **Agréablement, délicieusement, exquisément.** *Parfum qui chatouille délicatement l'odorat. Mets délicatement accommodés.* ⇒ **Savoureusement.**

1   On y mangeait délicatement.
            Antoine HAMILTON, Mém. du comte de Grammont, 6.

♦ **2.** (Correspond à *délicat,* I., 4.). Avec finesse et précision. *Bijou délicatement ciselé.* ⇒ **Élégamment, finement, gracieusement, joliment ; adroitement, habilement.** *Pensée délicatement exprimée.* ⇒ **Ingénieusement, subtilement.** *Écrire délicatement.*

2   (...) il faut exprimer le vrai pour écrire naturellement, fortement, délicatement.
            LA BRUYÈRE, les Caractères, I, 14.

D'une manière raffinée, recherchée. ⇒ **Élégamment, subtilement.**

3   (...) en fait d'amour, on fait très délicatement des choses fort grossières (...)
            MARIVAUX, la Vie de Marianne, I, p. 34.

♦ **3.** (Correspond à *délicat,* I., 5.). Littér. Avec délicatesse morale. *Il a délicatement refusé cette faveur.*

♦ **4.** Avec douceur et légèreté, sans appuyer. ⇒ **Légèrement.** *Saisir délicatement un papillon par les ailes. Effleurer délicatement* (→ Chat, cit. 10). *Toucher délicatement. Saisir délicatement entre le pouce et l'index.* — *Effleurer délicatement un sujet,* avec tact.

Je touche délicatement à des matières délicates.   4
            D'ALEMBERT, Lettre à Voltaire, 3 mars 1766.

CONTR. **Grossièrement.** — **Lourdement, maladroitement.** — **Indélicatement.**

DÉLICATESSE [delikatɛs] n. f. — 1539 ; de *délicat,* p.-ê. d'après l'ital. *delicatezza,* de *delicato* « délicat ».

★ **I.** ♦ **1.** Littér. Qualité de ce qui est agréable aux sens ; finesse exquise. ⇒ **Délicat ; agrément, douceur, finesse, recherche, suavité.** *La délicatesse d'un parfum. La délicatesse d'un mets.* ⇒ **Succulence.** *La délicatesse d'un repas* (→ Coteau, cit. 2). — (1668). Par ext. Au plur. Vx. *Les délicatesses :* les mets délicats (⇒ **Friandise**). Voir ci-dessous le sens III.

1   (...) ni table bien servie, ni consommés exquis, ni orges mondés perpétuels, ni les autres délicatesses qu'il faudrait pour une autre femme (...)
            MOLIÈRE, l'Avare, II, 5.

2   Son penchant pour les délicatesses de la table et du vêtement faisait la joie de M. Fellaire, qui était un connaisseur.   FRANCE, in Œ. compl., t. II, p. 23.

Beauté fine, élégance. *La délicatesse d'un coloris. Délicatesse des traits d'un visage.* ⇒ **Beauté, joliesse, mignardise.**

3   Elle croit voir (...) dans la délicatesse de ces traits la délicatesse de l'esprit.
            BOSSUET, Sermon pour la profession de Mᶦˡᵉ de la Vallière.

♦ **2.** Caractère de ce qui est délicat (I., 2.), fin, ténu. ⇒ **Finesse, ténuité, transparence.** *La délicatesse et la blancheur de sa peau. Délicatesse d'un tissu, d'un voile, de la gaze. Délicatesse d'une toile d'araignée.*

4   Cette peau a toute la délicatesse qu'il faut pour être transparente.
            FÉNELON, Traité de l'existence de Dieu, I, 2, in HATZFELD.

Par ext. ⇒ **Fragilité.** *Les instruments de précision sont d'une grande délicatesse. La délicatesse d'un organe. La délicatesse d'une plante. La délicatesse de sa santé requiert de constantes précautions. La délicatesse d'un enfant.* ⇒ **Débilité, faiblesse** (vx).

5   (...) j'approuve fort vos soupers et vos fêtes ; mais ce petit dérèglement s'accommode-t-il avec votre délicatesse ?   Mᵐᵉ DE SÉVIGNÉ, Lettres, 840, 10 août 1680.

Vx. ⇒ **Mollesse.** *Élever un enfant avec trop de délicatesse* (cf. Dans du coton ; comme un coq en pâte).

6   (...) si chacun, idolâtre de sa santé, ne veut avoir égard qu'à sa délicatesse ou, pour mieux dire, qu'à sa mollesse.
            BOURDALOUE, 1ᵉʳ Sermon sur la purification de la Vierge.

♦ **3.** Vieilli. (Correspond à *délicat,* I., 3.). Caractère de ce qui est difficile à apprécier, à comprendre, à exécuter. ⇒ **Complexité, difficulté, subtilité.** *Cette affaire est d'une délicatesse qui commande la plus grande prudence, la plus grande circonspection.*

7   (...) des personnes qui soient capables de sentir les délicatesses d'un art (...)
            MOLIÈRE, le Bourgeois gentilhomme, I, 1.

8   Ce texte a des délicatesses bien difficiles à rendre, et notre maudit patois me fait donner au diable.
            P.-L. COURIER, Lettre à M. de Sainte-Croix, 27 nov. 1807, in Œ. compl, Pl., p. 757.

♦ **4.** Mod. (Correspond à *délicat,* I., 4.). Finesse et soin dans l'exécution. ⇒ **Adresse, dextérité, élégance, habileté, raffinement, soin.** *Travail remarquable par la délicatesse de l'exécution, de la touche. Manier le pinceau avec délicatesse. Tableau peint avec délicatesse.* ⇒ **Amour, attention, soin.**

9   On comptait (...) plus de quatorze mille cuirasses travaillées avec tout l'art et toute la délicatesse possible.
            Charles ROLLIN, Hist. ancienne, in Œ., t. V, p. 187 (in LITTRÉ).

Légèreté et précision dans la prise, le toucher. *Saisir un objet fragile avec délicatesse.* ⇒ **Délicatement.**

10   Philippe la prit dans ses bras avec cette délicatesse qui révèle la force, et elle en ressentit une douceur étrange.   FRANCE, Les dieux ont soif, p. 260.

★ **II.** ♦ **1.** Aptitude à sentir, à juger finement. ⇒ **Sensibilité.** *Délicatesse de goût. Grande délicatesse d'oreille. Délicatesse d'esprit, de jugement.*

11   L'un n'avait en l'esprit nulle délicatesse (...)   LA FONTAINE, Fables, VII, 5.

12   La délicatesse cache sous le voile des paroles ce qu'il y a dans les choses de rebutant (...)   VAUVENARGUES, in LAFAYE.

13   (...) il reste vrai que le savant chez lui *(Littré)* ne tient pas toujours compte des délicatesses de l'homme de goût : il appuie trop (...)
            SAINTE-BEUVE, Correspondance, II, p. 144.

Qualité de ce qui est senti, pensé, fait ou exprimé d'une manière délicate. ⇒ **Élégance, finesse.** *Délicatesse d'une pensée* (→ Contraster, cit. 1). *La délicatesse du goût attique*. Délicatesse du langage, du style.*

14   (...) il est naturel aux hommes de ne point convenir de la beauté ou de la délicatesse d'un trait de morale qui les peint (...)
            LA BRUYÈRE, Discours sur Théophraste.

15   Ce ne sont pas des saillies, et ce n'est pas même proprement de la finesse : mais c'est une délicatesse exquise, qui ne frappe jamais, qui plaît toujours.
            ROUSSEAU, les Confessions, X.

♦ **2.** (Correspond à *délicat,* II., 1., 3.). Sensibilité morale dans les relations avec autrui, juste appréciation de ce qui peut choquer, peiner. ⇒ **Discrétion, tact ; scrupule.** *La délicatesse de qqn, sa délicatesse. Délicatesse dans les rapports, de manières... User de délicatesse et de ménagements. Agir, se taire par délicatesse.* ⇒ **Pudeur, tact.** *Manque de délicatesse. Fausse délicatesse. Heurter, choquer* (cit. 9) *la délicatesse de quelqu'un.*

16 — Sire, dit le renard, vous êtes trop bon roi ;
Vos scrupules font voir trop de délicatesse (...)   LA FONTAINE, Fables, VII, 1.

17 Comme toutes les personnes généreuses, elle éprouvait de sublimes délicatesses de sentiment qu'elle prenait pour des remords.
BALZAC, la Recherche de l'absolu, Pl., t. IX, p. 564.

18 (...) une espèce de délicatesse morale qui empêche d'exprimer les sentiments trop profonds et qu'on trouve tout naturels.
PROUST, À la recherche du temps perdu, t. XIV, p. 63.

19 Tu ne cédais pas à un scrupule, tu n'obéissais pas à un sentiment de délicatesse envers moi (...)   F. MAURIAC, le Nœud de vipères, I, I, p. 19.

20 Sa délicatesse de cœur, la justesse de son esprit et une gravité naturelle l'aidaient à ne pas baptiser trop longtemps amitiés les familiarités de hasard et à préserver son intimité des intrusions malapprises.   Henri MONDOR, Pasteur, I, p. 21.

20.1 Je souffrirai donc avec l'autre, mais sans appuyer, sans me perdre. Cette conduite, à la fois très affective et très surveillée, très amoureuse et très policée, on peut lui donner un nom : c'est la délicatesse : elle est comme la forme «saine» (civilisée, artistique) de la compassion (Até est la déesse de l'égarement, mais Platon parle de la délicatesse d'Até : son pied est ailé, il touche légèrement).
R. BARTHES, Fragments d'un discours amoureux, p. 70.

Par ext. (d'une action, d'une pensée qui témoigne de cette sensibilité morale). *La délicatesse de ses manières, de ses procédés.*

21 (...) la délicatesse raffinée de ses propres manières (...) par sa réserve et son exquise discrétion.   GIDE, Journal, Fès, oct. 1943.

Ironiquement :

22 Faisne, qui a des délicatesses de buffle, entra dans la turne en grognant, s'ébroua, secoua sa capote trempée, fit voler ses sabots contre la muraille et me dit sans détour (...)   G. DUHAMEL, Récits des temps de guerre, V, XLVI, p. 260.

(Une, des délicatesses). Attention délicate. ⇒ **Amabilité ; gentillesse, prévenance.**

23 Elle avait des attentions, des petits soins, des délicatesses pour moi, et même une certaine tendresse brusque qui ne me déplaisait point.
MAUPASSANT, les Sœurs Rondoli, III, p. 74.

♦ **3. Rare.** Caractère d'une personne difficile à contenter, à cause de son extrême sensibilité. Facilité à s'offenser, à prendre ombrage. ⇒ **Susceptibilité.** *Délicatesse ridicule* (→ Aveugle, cit. 19).

24 (...) je ne vois rien de si ridicule que cette délicatesse d'honneur qui prend tout en mauvaise part (...)   MOLIÈRE, la Critique de l'École des femmes, 3.

25 Cette délicatesse qui vous rend si facile à être blessé est une véritable imperfection.   FÉNELON, Dialogue des morts, 17.

Loc. (Vx ou iron.). *Être en délicatesse avec quelqu'un,* avoir à se plaindre de lui. ⇒ **Froid** (être en froid).

★ **III. DÉLICATESSES** n. f. pl. (calque de l'all. *Delikatessen*). Rare. (Seulement dans un contexte germanique, américain, etc.). Produits alimentaires de luxe (notamment, charcuteries).

25.1 Et, éclatant d'un gros rire, il montra la table immense couverte déjà de «délicatesses» les plus appréciées des palais teutons, et des pyramides de fruits, de gâteaux et de sucreries !   G. LEROUX, Rouletabille chez Krupp, p. 195.

REM. Dans ce sens, on emploie plutôt le germanisme (employé aussi en angl., notamment aux États-Unis) : *(des) delikatessen.*

26 Les termes délicatessen et délicatesse(s), utilisés dans les raisons sociales pour désigner des restaurants, des commerces, ainsi que l'ensemble des produits vendus dans ces commerces, sont remplacés par les termes génériques français appropriés.
Office de la Langue française, Avis de normalisation, 19 déc. 1980, *in* Gazette officielle du Québec, 24 janv. 1981, p. 593.

CONTR. Grossièreté. — Laideur. — Force, résistance, robustesse, vigueur. — Facilité, simplicité. — Lourdeur, maladresse. — Indélicatesse. — Balourdise, brutalité, grossièreté, vulgarité. — Bassesse, endurcissement, malhonnêteté, méchanceté.

DÉLICE [delis] n. — 1120 ; du lat. *delicium,* neutre sing. tiré de *deliciae.*

★ **I.** N. m. (lat. *delicium*). Littér. Plaisir vif et délicat. ⇒ **Bonheur, félicité, joie, jouissance.** *Quel délice de vivre ici ! Jouir avec délice de qqch.* ⇒ **Savourer.**

1 Cette fois, ce fut un délice.
COURTELINE, Messieurs les ronds-de-cuir, IIe tableau, III, p. 83.

2 Toute sensibilité très vive peut, suivant que l'organisme est robuste ou débile, devenir, je le crois, cause de délice ou de gêne.   GIDE, la Symphonie pastorale, p. 54.

Par ext. Plus cour. Chose très agréable, pleine de charme. *Cette musique est un délice. Cette lecture est un vrai délice.* → aussi 1. Physique, cit. 2. — *Ce rôti est un délice, un vrai délice.* ⇒ **Régal.**

3 À cette heure-là, en été, manger des mûres est un délice.
H. BOSCO, un Rameau de la nuit, I, p. 9.

4 Et ils le regagnaient avec une hâte impudique qui était pour Marie un délice tout nouveau.   J. ROMAINS, les Hommes de bonne volonté, t. V, XXVI, p. 264.

★ **II. DÉLICES** n. f. pl. (lat. *deliciæ*). Littér. ou style soutenu. Plaisir qui ravit, transporte. ⇒ **Blandice** (cit. 1), **charme, jouissance, plaisir.** *Délices de l'esprit, des sens. Les délices de l'amour, de la volupté. Goûter aux délices de la vie. Boire qqch. avec délices. Un instant de délices.* — Loc. (Vx). *L'étude fait toutes ses délices. Mettre ses délices à voyager. — Les délices de la campagne. Les délices de l'été.* — Loc. mod. *Lieu de délices.* ⇒ **Eden, eldorado, élysée, paradis.** *Jardin de délices.*

5 Il *(Dieu)* mit devant le jardin de délices des Chérubins (...)
BIBLE (→ Chérubin, cit. 1).

6 Viens, enivrons-nous d'amour jusqu'au matin,
Livrons-nous aux délices de la volupté.   BIBLE (CRAMPON), Proverbes, VII, 18.

7 Vous qui, pour peindre la volupté, n'imaginez jamais que d'heureux amants nageaient dans le sein des délices (...)   ROUSSEAU, Émile, V.

8 (...) après avoir fait les délices des sociétés les plus aimables, il mourut de douleur sur un vil grabat (...)   ROUSSEAU, les Confessions, V.

9 O temps, suspends ton vol ! et vous, heures propices,
Suspendez votre cours !
Laissez-nous savourer les rapides délices
Des plus beaux de nos jours !   LAMARTINE, « Le lac ».

10 L'imagination m'apportait des délices infinies.   G. DE NERVAL, Aurélia, I, 1.

11 (...) les délices de la famille, les plus vraies de toutes.
BALZAC, le Médecin de campagne, Pl., t. VIII, p. 485.

12 (...) je regardais avec délices les étoiles enveloppées d'ouate, un peu pâlies dans le firmament sombre et blanchâtre.   MAUPASSANT, la Vie errante, p. 17.

13 (...) Thaïs était son péché, et il médita longtemps, selon les règles de l'ascétisme, sur la laideur épouvantable des délices charnelles (...)   FRANCE, Thaïs, I, p. 14.

Faire ses délices de qqch., y prendre un grand plaisir. *Faire les délices de qqn,* lui plaire beaucoup.

Loc. *Les délices de Capoue :* délices où l'on s'amollit (→ Amollir, cit. 5), par allus. aux quartiers d'hiver qu'Annibal prit à Capoue après la victoire de Cannes et qui amollirent son armée. — *Les Délices du genre humain :* surnom de l'empereur Titus.

REM. Après certaines expressions *(un, de, un des, le plus grand des...),* suivi du complément *délices,* l'adjectif ou le participe se rapportant à *délices* se met au masculin par euphonie : *«Un de mes plus grands délices»* (Rousseau, *Rêveries...,* in Grevisse, n° 255).

CONTR. Douleur, horreur, malheur, supplice. — Calice, cruauté, poison.

DÉLICIEUSEMENT [delisjøzmã] adv. — V. 1265 ; de *délicieux.*

♦ **1. Littér.** D'une manière délicieuse (1.). *Il fait délicieusement bon. Être délicieusement ému.*

1 Ils rentrèrent par les rues propres et vides, et trouvèrent prêt le déjeuner que Jean avait commandé et qu'ils mangèrent délicieusement (...)
PROUST, Jean Santeuil, Pl., p. 857.

♦ **2.** (1674). Plus cour. D'une manière charmante. *Jouer délicieusement du piano.*

2 ... cette petite porte (...) en bois sombre, en chêne massif, délicieusement arrondie, polie par le temps (...) C'est cet arrondi surtout qui l'avait fascinée, c'était intime, mystérieux (...)   N. SARRAUTE, le Planétarium, p. 9.

CONTR. Affreusement, horriblement. — Désagréablement.

DÉLICIEUX, EUSE [delisjø, øz] adj. — V. 1121, *delicius ; deliciouse,* déb. XIIIe ; lat. *deliciosus,* de *deliciae* «délices».

♦ **1.** Qui est extrêmement agréable, procure des délices*. ⇒ **Agréable, exquis.** *Impression, sensation délicieuse.* ⇒ **Divin, merveilleux.** *Séjour délicieux. Respirer un air délicieux. Civilisation délicieuse et raffinée* (→ Civiliser, cit. 4). *Conversation délicieuse. Rêverie délicieuse* (→ Agitation, cit. 1).

1 Il y a de bons mariages, mais il n'y en a point de délicieux.
LA ROCHEFOUCAULD, Maximes, 113.

2 Hélas ! des chemins si délicieux ne pouvaient mener qu'aux abîmes.
GIDE, les Faux-monnayeurs, I, VIII, p. 90.

3 Il s'abandonnait à un bien-être délicieux et vide ; il marchait auprès d'elle sans rien désirer d'autre.   MARTIN DU GARD, les Thibault, t. II, p. 259.

4 Comme il avait déclaré délicieux les premiers de ces chastes rendez-vous, il aurait eu mauvaise grâce à se dérober aux suivants.
J. ROMAINS, les Hommes de bonne volonté, t. V, p. 148.

(1695). Par ext. ⇒ **Charmant.** *Robe, toilette délicieuse. — Ce morceau de musique est délicieux.*

5 Quand ses doigts touchaient les cordes une délicieuse musique y passait, beaucoup plus douce que le bruit des sources, ou que les phrases du vent dans les arbres ou que les mouvements des avoines.   Pierre LOUŸS, Aphrodite, II, VII, p. 134.

6 Marie n'en finit pas de s'étonner du petit salon de la garçonnière. Elle trouve tout délicieux.   J. ROMAINS, les Hommes de bonne volonté, t. IV, p. 132.

(Personnes). Délicat et charmant. *Cette petite est délicieuse.*

♦ **2. Spécialt.** Très agréable au goût, aux sens. ⇒ **Délectable, délicat, exquis.** *Mets, fruits délicieux. Un délicieux parfum.*

7 Les trois quarts de l'univers peuvent trouver délicieuse l'odeur d'une rose, sans que cela puisse servir de preuve, ni pour condamner le quart qui pourrait la trouver mauvaise, ni pour démontrer que cette odeur soit véritablement agréable.
SADE, Justine..., t. I, p. 189-190.

CONTR. Affreux, exécrable, horrible, mauvais, médiocre. — Amer, fade, insipide. — Déplaisant.

DÉR. — Délicieusement.

DÉLICOTER [delikɔte] v. tr. — 1678 ; de 1. *dé-* et *licou,* altéré d'après des formes dialectales.

♦ **Vx.** Débarrasser (un cheval, un âne) de son licou (surtout attesté comme pronominal).

DÉLICTUEUX, EUSE [deliktɥø, øz] adj. — 1863 ; de *délit,* sur le lat. *delictum.* → Délit.

♦ **Dr.** Qui a le caractère d'un délit. ⇒ **Délit.** *Fait délictueux* (⇒ **Criminel,** cit. 12). *Intention délictueuse.*

REM. On dit aussi *délictuel, elle* [deliktɥel] (mil. xxe).

Le terme aberration est assez souvent pris en mauvaise part. On l'entend d'un écart de la normale qui se dirige vers le pire, et qui est un symptôme d'altération

et de désagrégation des facultés mentales, qu'il se manifeste par des perversions du goût, des propos délirants, des pratiques étranges, parfois délictuelles.
       VALÉRY, Monsieur Teste, p. 113.

1. DÉLIÉ, ÉE [delje] adj. et n. m. — 1181; adapt. du lat. *delicatus* avec infl. de *délier*. → Délicat.

◆ **1.** Littér. Qui est d'une grande minceur, d'une grande finesse. ⇒ **Fin, grêle, menu, mince.** *Fil délié. Trait de plume délié. Écriture déliée. Un son délié. Formes déliées. Taille déliée.* ⇒ **Aérien** (cit. 1), **élancé, mince, souple, svelte.**

1   Les joueurs étaient de jeunes enfants de huit à douze ans, agréables de visage et déliés de tournure (...)   E. FROMENTIN, Une année dans le Sahel, p. 219.

N. m. :

1.1   Elle venait de lire dans un magazine que la beauté des femmes se mesure au délié de leurs genoux.   Michel DÉON, Tout l'amour du monde, p. 134.

Fig. (Vieilli). ⇒ **Impalpable, léger, ténu.** *Des idées déliées.*

2   Elle *(l'âme qui a oublié Dieu)* dit : je suis une vapeur, je suis un souffle, je suis un air délié ou un feu subtil.
       BOSSUET, Sermon pour la profession de Mlle La Vallière.

3   (...) cette erreur est si déliée que, pour peu qu'on s'en éloigne, on se trouve dans la vérité.   PASCAL, les Provinciales, 3.

4   (...) ces idées légères, déliées, sans consistance (...) qui, comme la feuille du métal battu, ne prennent de l'éclat qu'en perdant de la solidité.
       BUFFON, Disc. sur le style, p. 20.

N. m. (1706). Cour. *Un délié* : la partie fine et déliée d'une lettre (par oppos. aux *pleins*). — Fig. :

5   *(La plume de Voltaire...)* est trop fine ; il ne réussit que les « déliés ».
       GIDE, Journal, 9 juil. 1923.

◆ **2.** (1580). Fig. *Un esprit délié*, qui a beaucoup de pénétration. ⇒ **Fin, pénétrant, subtil.** *Analyse déliée.*

6   (...) peintre incomplet, il n'eût su tout rendre, mais plume habile, déliée et pénétrante, il trouvait moyen d'atteindre et de fixer les impressions intérieures les plus fugitives et les plus contradictoires.   B. CONSTANT, Adolphe, Introduction, p. 6.

Vx. (Personnes). ⇒ **Habile, souple, subtil.**

7   (...) métaphysicien assez délié pour vouloir réconcilier la théologie avec la métaphysique.   VOLTAIRE, le Siècle de Louis XIV, 34.

CONTR. Épais, gros, lourd, massif.
HOM. Formes du v. délier.

2. DÉLIÉ, ÉE [delje] adj. et n. m. — 1611; p. p. de *délier*.

◆ **1.** Qui n'est plus lié. *Cordons déliés.*

◆ **2.** Fig. Qui a une grande agilité. *Ce pianiste a les doigts déliés.* — N. m. *Avoir un bon délié.* — (1673). *Avoir la langue déliée* : avoir une grande facilité d'élocution, être bavard.

CONTR. Lié. — Embarrassé, malhabile.
HOM. Délier.

DÉLIEMENT [delimã] n. m. — 1596; théol., 1190; de *délier*.

◆ **1.** Rare. Action de délier ; son résultat. ⇒ **Déliage.**

◆ **2.** Fig. Détachement moral.

1   Il semblait que tout ce qu'elle y avait ressenti avait été un ébranlement de sa sensibilité, une secousse physique, une choc vibrant de la musique sur son tempérament musical, et en même temps une espèce de dénouement, de déliement de sa nature comprimée.   Ed. et J. DE GONCOURT, Mme Gervaisais, p. 115.

2   Au-dessus de nous deux, qui avons voulu
Le nœud, le déliement, une énergie s'accumula entre deux hauts flancs sombres
       Yves BONNEFOY, Poèmes, « Les nuées », p. 290.

DÉLIER [delje] v. tr. — V. 1160; de 1. *dé-*, et *lier*.

◆ **1.** Dégager (qqch., qqn) de ce qui lie ; défaire (ce qui est lié). ⇒ **Défaire, détacher.** *Délier un fagot, une gerbe. Délier les mains d'un prisonnier.* ⇒ **Libérer.** — Par ext. *Délier qqn ; un animal. Délier un chien.* ⇒ **Désenchaîner** (→ Chien, cit. 19). *Délier des bœufs. Délier un prisonnier ligoté.* ⇒ **Déligoter.**

0.1   M. de Corville répondit de la prisonnière, on la délia (...)
       SADE, Justine..., t. I, p. 19.

1   C'était l'heure de délier les bœufs, parce qu'ils avaient fait leur demi-journée ; et Landry, en les reconduisant au pacage, regardait toujours courir la petite Fadette, (...)   G. SAND, la Petite Fadette, XXI, p. 146.

Par ext. Pron. *Se délier d'une étreinte.* — Au p. p. *Âme déliée du corps* (→ Attacher, cit. 18).

2   Déliées de toute adhérence humaine, deux âmes s'élèvent sans effort jusqu'à la dernière cime de l'amour, s'étreignent subtilement en Dieu.
       MARTIN DU GARD, Jean Barois, V, p. 37.

◆ **2.** Défaire le nœud de ; défaire (un lien). ⇒ **Dénouer.** *Délier une corde, des rubans.* — Fig. *N'être pas digne de délier le cordon* des *souliers de qqn.*

Loc. (1690). *Sans bourse délier* : sans rien payer. ⇒ **Gratis; œil** (à l'œil, pop.).

3   Je vois ce que c'est : le maraud voudrait me payer mes cent écus sans bourse délier (...)   BEAUMARCHAIS, le Barbier de Séville, II, 7.

◆ **3.** (1656). Loc. fig. *Délier la langue de qqn,* le faire parler

---

(→ Calomniateur, cit. 2). *Le vin, la promenade lui a délié la langue* (→ Avouer, cit. 21). — Pron. *Les langues se délient.*

4   Mais les langues se délient étrangement et racontent facilement une faute quand on n'a plus à craindre la rancune de la coupable.
       PROUST, À la recherche du temps perdu, t. XIII, p. 94.

Fam. (Au p. p.). *Avoir la langue bien déliée,* la langue bien pendue, la parole facile. — Par anal. :

5   La partie graduellement s'échauffe, à mesure que les bras et les jarrets se délient, dans une ivresse de mouvement et de vitesse.   LOTI, Ramuntcho, I, IV, p. 57.

Fig. et littér. Rendre plus fin, plus subtil. ⇒ **Affiner, aiguiser** (cit. 12). *Délier l'intelligence, l'esprit.*

◆ **4.** Libérer (qqn) d'un engagement, d'une obligation. ⇒ **Affranchir, dégager, délivrer, libérer, relever.** *Délier qqn d'une promesse.* ⇒ **Rendre** (sa parole) → Abri, cit. 12. — Pron. *Se délier d'un contrat.* ⇒ **Annuler, casser, renoncer, résoudre.** *Se délier d'un serment.* ⇒ **Reprendre** (sa parole). — *Se délier de qqn.* ⇒ **Détacher** (se).

6   Mais, à mesure que se serrait davantage l'intimité de leur vie, un détachement intérieur se faisait qui le déliait de lui.   FLAUBERT, Mme Bovary, I, VII, p. 31.

Théol. ⇒ **Absoudre.** *Délier un fidèle d'un péché.* — Absolt. *Le pouvoir de délier.* ⇒ **Clef** (cit. 8 et *supra*).

Annuler (ce qui liait : engagement...). *Un engagement qu'on ne peut délier,* indissoluble.

▶ **SE DÉLIER** v. pron. Voir à l'article.

▶ **DÉLIÉ, ÉE** p. p. adj. Voir à l'article.

CONTR. Lier ; attacher..., obliger.
DÉR. Déliage, 2. délié, déliement.
HOM. 1. et 2. Délié.

DÉLIGNAGE [deliɲaʒ] n. m. — 1920, *Larousse du xxe s.* ; de *déligner*.

◆ Techn. Opération qui consiste à déligner (une pièce, une planche).

DÉLIGNER [deliɲe] v. tr. — V. 1930 (?); de 1. *dé-*, lat. *lignum* « bois » et suff. verbal.

◆ Techn. Scier (une pièce de bois) à plat, de manière à éliminer les inégalités (flaches) et à obtenir des faces parallèles. *Déligner une pièce brute.* — Au p. p. *Planches délignées* (J.-C. Reggiani, *Industries et Commerce du bois,* p. 91).

DÉR. Délignage, déligneuse, délignure.

DÉLIGNEUSE [deliɲøz] n. f. — Mil. xxe ; de *déligner*.

◆ Techn. Machine à déligner (scie circulaire multiple).

DÉLIGNIFIANT, ANTE [deliɲifjã, ãt] adj. — xxe ; de *délignifier*.

◆ Techn. Qui délignifie. — N. m. *Un délignifiant.*

DÉLIGNIFICATION [deliɲifikɑsjõ] n. f. — xxe ; de *délignifier*.

◆ Techn. Action de délignifier (le bois) ; son résultat. *Degré de délignification d'une pâte à papier* (mesuré par *l'indice de délignification*).

Les *pâtes à la soude* emploient comme agent de délignification la soude ou un mélange de soude et de sulfure de sodium, celui-ci agissant comme réserve de soude.   Jean-Claude REGGIANI, Industries et Commerce du bois, p. 117.

DÉLIGNIFIER [deliɲifje] v. tr. — 1960; de 1. *dé-*, et *lignifié*.

◆ Techn. Traiter (le bois, les fibres végétales lignifiées) en supprimant la lignine.

DÉR. Délignifiant, délignification.

DÉLIGNURE [deliɲyʀ] n. f. — Mil. xxe ; de *déligner*.

◆ Techn. Déchet de bois résultant du délignage (dosses, pièces avec flaches). — Par ext. Bois de scierie de récupération. « *Les délignures de feuillus sont récupérées surtout pour la fabrication des panneaux agglomérés* » (la Recherche, nov. 1974, p. 1001).

On a pu maintenir les importations (...) en utilisant en papeterie des quantités de plus en plus grandes de délignures et de bois feuillus.
       Jean-Claude REGGIANI, Industries et Commerce du bois, p. 24.

DÉLIGOTER [deligɔte] v. tr. — 1883; de 1. *dé-*, et *ligoter*.

◆ Rare. Délier ce qui était lié, ligoté. ⇒ **Délier.**

(...) le bifton pour Zizi et Roland est contenu dans un morceau de plastique ligoté de fil (...) Mes yeux suivent attentivement les débats ; ma main déligote les lettres, tout au fond de ma poche (...)   A. SARRAZIN, la Cavale, p. 300.

DÉLIMITABLE [delimitabl] adj. — 1938; Gracq, in T.L.F.; de *délimiter.*

♦ Que l'on peut délimiter (au propre et au figuré).

La science commence par contre sitôt que l'on convient de délimiter un problème de façon à subordonner sa solution à des constatations accessibles à tous et vérifiables par tous, en le dissociant des questions d'évaluations ou de convictions. Cela ne signifie pas que l'on sache d'avance ce que seront ces problèmes délimitables, car seule l'expérience montre si l'entreprise réussit. Mais cela signifie que l'on s'efforce de chercher une délimitation en vue d'un accord possible des esprits.
J. PIAGET, Épistémologie des sciences de l'homme, p. 40.

DÉLIMITATION [delimitasjɔ̃] n. f. — 1773; du lat. *delimitatio*, de *delimitare*. → Délimiter.

♦ **1.** Action de délimiter. *Délimitation des frontières. Délimitation de champs.* ⇒ **Bornage.**

♦ **2.** Ce qui délimite. ⇒ **Limite; frontière.** *Une délimitation mal tracée, imprécise.* — Fig. *Délimitation d'un sujet d'avec un autre.*

La délimitation de ce que les journaux doivent donner à leurs lecteurs et de ce qu'ils ne doivent pas leur donner, de ce qu'ils doivent même refuser, doit coïncider exactement avec la délimitation réelle, de ce qui est vrai d'avec ce qui est faux (...)
Ch. PÉGUY, Lettre du provincial, I, I, 5 janv. 1900, p. 13.

DÉLIMITER [delimite] v. tr. — 1773; du lat. *delimitare*, de *de-*, et *limitare*. → Limiter.

♦ **1.** Déterminer en traçant les limites. ⇒ **Borner, limiter, marquer.** *Délimiter la frontière entre deux états.*

♦ **2.** (Sujet n. de chose). Former la limite de. *Bornes, haies, clôtures qui délimitent une propriété.*

♦ **3.** (1863). Abstrait. Caractériser en fixant les limites. ⇒ **Définir, fixer.** *Délimiter les attributions, les pouvoirs d'un envoyé. Délimiter son sujet.* ⇒ **Circonscrire, restreindre; borner** (se), **cantonner** (se).

Et Durtal se butait, mis au pied du mur, contre des théories confuses, des postulations incertaines, difficiles à se figurer, malaisées à délimiter, impossibles à clore. Il ne parvenait pas à se définir ce qu'il sentait (...)
HUYSMANS, Là-bas, t. I, p. 10, in T.L.F.

Par ext. ⇒ **Classer, distinguer.** *Délimiter des catégories pour effectuer un classement.*

▶ **DÉLIMITANT, ANTE** p. prés. adj.
Qui sert à délimiter.

▶ **DÉLIMITÉ, ÉE** p. p. adj. *« Un district mal délimité »* (J. Verne).

CONTR. Élargir; déborder.
DÉR. Délimitable, délimiteur.

DÉLIMITEUR [delimitœR] n. m. — 1968; de *délimiter*.

♦ Inform. Caractère (I.) qui limite une suite de caractères et qui n'en est pas membre.

DÉLINÉAMENT [delineamɑ̃] n. m. — 1560, attestation isolée; 1835, Lamartine; de *délinéer*, d'après *linéament*.

♦ Didact. Contour, ligne, tracé.

Les délinéaments de notre main. LAMARTINE, Voyage en Orient, t. I, p. 204.
DÉR. Délinéamenter.

DÉLINÉAMENTER [delineamɑ̃te] v. tr. — 1928; de *délinéament*. → Délinéer.

♦ Didact. Tracer les contours, les linéaments de (qqch.). ⇒ **Dessiner.** — Au p. p. *Une figure nettement délinéamentée.*

(...) un hôtel inconnu, où quand on arrive, touriste sans protection et sans prestige, chaque habitué qui rentre dans sa chambre (...) chaque bonne qui passe dans les couloirs étrangement délinéamentés (...) jettent sur vous un regard où on ne lit rien de ce qu'on aurait voulu. PROUST, Sodome et Gomorrhe, Pl., t. II, p. 764.

DÉLINÉATION [delineasjɔ̃] n. f. — Fin xvᵉ, *delineacion*; lat. *delineatio* « tracé, esquisse » du supin de *delineare*. → Délinéer.

♦ Didact. Action de délinéer; le tracé résultant de cette action (ex. de Proust, Huysmans par métaphore, in T.L.F.).

DÉLINÉER [delinee] v. tr. — 1846; lat. *delineare* « esquisser », de *de-*, et *linea* « ligne ».

♦ Didact. Tracer d'un trait le contour de (un objet).

(...) elle portait, sous les fourrures qu'il enleva (...) une robe d'étoffe épaisse et souple qui la délinéait, serrait ses bras, fuselait sa taille, accentuait le ressaut des hanches, tendait sur le corset bombé. HUYSMANS, Là-bas, t. II, p. 41, in T.L.F.
DÉR. Délinéament.

DÉLINQUANCE [delɛ̃kɑ̃s] n. f. — 1926; de *délinquant*.

♦ **1.** Conduite caractérisée par des délits répétés, considérée surtout sous son aspect social. ⇒ **Criminalité.** *Rapport de la délinquance et de l'alcoolisme. Délinquance juvénile.* — État de délinquant.

♦ **2.** Rare. Acte d'un délinquant.

Mais ce bistrot, ces maigres délinquances, les échanges sournois et impunis (...) rien de tout cela ne pouvait le satisfaire une seconde, ni l'apaiser.
Michel DE SAINT-PIERRE, les Nouveaux Aristocrates, p. 109.

DÉLINQUANT, ANTE [delɛ̃kɑ̃, ɑ̃t] n. et adj. — 1375; p. prés. du v. *délinquer* (xivᵉ, « commettre un délit »; vieilli dès le xviiᵉ, encore employé par Chateaubriand et repris comme archaïsme par quelques auteurs); lat. *delinquere* « commettre une faute », de *de-*, et *linquere* « laisser, abandonner ».

♦ Dr. et cour. Personne contrevenant à une règle de droit pénal, qui s'expose, de ce fait, à des poursuites. ⇒ **Coupable.** *Délinquant primaire :* personne qui commet un premier délit (opposé à *récidiviste*). *Les jeunes délinquants* (⇒ **Mino**, argot fam.).

Elle *(la classification des délinquants)* divise les délinquants en cinq catégories. Elle distingue cinq types de malfaiteurs : 1° C'est (...) le *criminel-né* (...); 2° *L'aliéné délinquant* (...) 3° Le *délinquant passionnel* (...); 4° Le *délinquant d'occasion* (...); 5° Le *délinquant d'habitude* (...)
DONNEDIEU DE VABRES, Précis de droit criminel, n° 173.

Adj. *Ordonnance du 2 février 1945 relative à l'enfance délinquante.*
DÉR. Délinquance.

DÉLIQUESCENCE [delikesɑ̃s] n. f. — 1757; de *déliquescent*.

♦ **1.** Didact. Propriété qu'ont certaines substances solides de se liquéfier lentement par absorption progressive de l'humidité atmosphérique. ⇒ **Liquéfaction.** — État qui en résulte.

♦ **2.** (1877). Fig. et cour. Décadence complète; perte de force, de la cohésion. ⇒ **Décomposition, décrépitude, ruine.** *Tomber en déliquescence. Régime, société en déliquescence.*

Sturel qui voyait se faire cette déliquescence, en prenait une arrogance sous laquelle pourtant il demeurait inquiet. M. BARRÈS, Leurs figures, p. 213. [1]
(...) à qui s'adresse ce journal? A une petite mafia d'intellectuels mondains? Je te répète que ce n'est pas sérieux. Que peuvent penser de ce journal les dirigeants chinois ou cubains? « Déliquescence de l'Occident bourgeois » (...) Et ils auront raison. Jean-Louis CURTIS, le Roseau pensant, p. 299. [2]

DÉLIQUESCENT, ENTE [delikesɑ̃, ɑ̃t] adj. — 1773; lat. *deliquescens*, de *deliquescere* « se liquéfier », de *de-*, et *liquescere*, de *liquere* « être liquide ». → Liquide.

♦ **1.** Didact. Qui peut fondre par déliquescence. *Sel déliquescent.*

♦ **2.** [a] (1874). Fig. et cour. ⇒ **Décadent.** *Mœurs déliquescentes. Auteur déliquescent.*

Toutes ces chinoiseries de forme, toutes ces subtilités de mandarin déliquescent me semblent bien vaines. PROUST, À la recherche du temps perdu, t. III, p. 60.

[b] Fam. Personnes. ⇒ **Décrépit, gâteux, ramolli.** *Il est bien déliquescent.*
DÉR. Déliquescence.

DÉLIQUIUM [delikɥijɔm] n. m. — 1764; mot lat., de *deliquere*. → Déliquescent.

♦ Didact. Liquide provenant de la dissolution de certaines substances par l'action de l'humidité de l'air. ⇒ **Déliquescence.**

DÉLIRANT, ANTE [deliRɑ̃, ɑ̃t] adj. — 1789; p. prés. de *délirer*.

♦ **1.** Didact. Qui présente les caractères du délire. *Fièvre délirante. Conceptions, idées délirantes,* celles qu'ont les malades en délire. ⇒ **Désordonné, extravagant.** — Par ext. *Un malade délirant.* — N. *Un délirant, une délirante.*

♦ **2.** Cour. Qui manque de mesure, très exubérant. *Cet écrivain a une imagination délirante.* ⇒ **Déréglé, effréné, extravagant, fou.** *Amour délirant* (→ Couver, cit. 4). *Joie délirante.*

(...) les explosions d'une joie presque délirante (...) [1]
Louis MADELIN, Hist. du Consulat et de l'Empire, De Brumaire à Marengo.
Un public délirant, délirant d'enthousiasme.

Les Français s'étonnent de l'accueil délirant fait à leur grand homme partout dans le monde. F. MAURIAC, le Nouveau Bloc-notes 1958-1960. [2]

♦ **3.** Totalement déraisonnable et excessif. *Exiger cela, c'est délirant !*

(...) sans recourir à cette hypothèse de notre mauvaise foi, dont vos astronomes se servent pour expliquer le mauvais temps et vos ménagères le prix délirant de la langouste. GIRAUDOUX, Siegfried et le Limousin. [3]

(1830, *in* D. D. L.). Fam. (intensif). Extrême. ⇒ **Fou, insensé** (en intensif). *Un truc délirant, fabuleux. Un film totalement délirant.*

4   — Comment trouvez-vous ma robe, Anatole ?
      — Délirante.
      Henri MONNIER, Scènes populaires, la Grande Dame, sc. 4, éd. 1835, t. I, p. 210.

DÉLIRE [deliʀ] n. m. — 1537 ; *deslere*, 1478 ; lat. *delirium*, de *delirus*, adj. « fou, extravagant », dér. de *delirare*. → Délirer.

♦ **1.** Méd. et cour. État d'une personne caractérisé par une perte du rapport normal au réel et un verbalisme qui en est le symptôme. — Cet état, en tant qu'il est entraîné par une cause pathologique : fièvre, intoxication, etc. (⇒ **Delirium**). *Le malade est en plein délire, en délire.* ⇒ **Délirer.** *Sortir du délire. Dans son délire, il a prononcé plusieurs fois ce nom. Délire accompagné d'hallucinations.*

1   La petite Fadette, en lui touchant le pouls, avait reconnu d'abord que la fièvre n'était pas forte, que s'il avait un peu de délire, c'est que son esprit était plus malade et plus affaibli que son corps.   G. SAND, la Petite Fadette, XXXIX, p. 247.

2   Lui, Jean, fut pris du tremblement de la grande fièvre ; mais il continua de vivre, avec des alternatives de chaud délire et d'accablement extrême (...)
      LOTI, Matelot, XLIX, p. 190.

3   (...) s'il eut cet éclair de lucidité, pouvait-il encore faire la distinction entre le réel et ces incohérentes visions qui peuplaient son délire ?
      MARTIN DU GARD, les Thibault, t. IV, p. 149.

État psychique d'une personne qui émet des idées fausses, en opposition avec la réalité ou l'évidence, généralement centrées sur un thème personnel. ⇒ **Confusion** (mentale), et (cour., sans contenu scientifique précis), **divagation, égarement.** *Avoir le délire, accès de délire.*

Méd. *Délire onirique. Délire alcoolique. Délire de persécution* (cit. 6), *de grandeur* (mégalomanie). *Délire hallucinatoire. Délire métabolique*. Délire collectif ; délire inducteur, délire induit. Délire d'interprétation*.*

4   Il a diagnostiqué un état confusionnel, avec délire onirique, qui normalement doit se résorber en deux ou trois mois, peut-être moins.
      A. MAUROIS, le Cercle de famille, II, p. 215.

Cour. Par ext. *C'est du délire :* c'est de la folie, c'est déraisonnable.

♦ **2.** (Av. 1709). Littér. Agitation, exaltation causée par les émotions, les passions, les sensations violentes. ⇒ **Enthousiasme, excitation, exultation, frénésie, surexcitation, transport.** *Le délire de l'âme, de l'imagination, de l'esprit, des sens. Délire de l'ambition, de l'amour, de la colère, du désespoir. Porter la passion jusqu'au délire.*

5   Je sais fort bien distinguer en vous l'empire que le cœur a su prendre, du délire d'une imagination échauffée ; et je vois cent fois plus de passion dans la contrainte où vous êtes que dans vos premiers emportements.
      ROUSSEAU, Julie ou la Nouvelle Héloïse, Lettre XI, p. 27.

6   Ce refus de tutoiement, cette façon brusque de briser un lien si tendre, et sur lequel il comptait encore, portèrent jusqu'au délire le transport d'amour de Julien.
      STENDHAL, le Rouge et le Noir, XXX, p. 216.

7   (...) cet amour paternel allait jusqu'au délire.
      BALZAC, l'Initié, Pl., t. VII, p. 379.

8   Songez surtout que je vous adore avec un emportement, une frénésie, un délire qu'aucune femme ne m'a jamais inspirés.
      Th. GAUTIER, le Capitaine Fracasse, t. II, XVI, p. 208.

9   Elle entrait dans quelque chose de merveilleux où tout serait passion, extase, délire (...)   FLAUBERT, Mᵐᵉ Bovary, II, IX, p. 106.

Vieilli. *Délire poétique.* ⇒ **Inspiration.**

♦ **3.** Enthousiasme exubérant, qui passe la mesure. *Quand il apparut sur scène, ce fut du délire.* — Loc. *En délire.* ⇒ **Délirant.** *Une foule en délire.*

10   Si j'agite ma main vers des enfants, en traversant un des nombreux villages, c'est un délire, des trépignements frénétiques, une sorte d'enthousiasme joyeux.
      GIDE, Voyage au Congo, *in* Souvenirs, Pl., p. 715.

CONTR. Lucidité, sens (bon sens).

DÉLIRER [deliʀe] v. intr. — Déb. XVIᵉ ; lat. *delirare*, proprt « sortir du sillon » ; de *de* « hors de », et *lira* « sillon ».

♦ **1.** (1870). Avoir le délire, être en délire. ⇒ **Divaguer, extravaguer ;** → Battre* la campagne. *Le malade délire. Délirer de fièvre.* — Par ext. Péj. et fam. *Il délire !* ⇒ **Dérailler, déraisonner.**

Figuré :

1   L'ancienne école savait délirer avec sobriété ; elle portait dans l'absurde même les règles du bon sens.   RENAN, Souvenirs d'enfance..., V, 1.

♦ **2.** (1772). Être en proie à une émotion qui trouble l'esprit. *Délirer de joie ; de colère, de rage...*

2   Je demeurais haletant, si grisé de sensations, que le trouble de cette ivresse fit

---

délirer mes sens. Je ne savais plus vraiment si je respirais de la musique, ou si j'entendais des parfums, ou si je dormais dans les étoiles.
      MAUPASSANT, la Vie errante, II, p. 18.

DÉR. Délirant.

DELIRIUM [deliʀjɔm] ou **DELIRIUM TREMENS** [deliʀjɔmtʀemɛ̃s] n. m. — 1819 ; en angl., 1813 ; mots latins, « délire tremblant ».

♦ Méd. Délire aigu accompagné d'agitation et de tremblement et qui est particulier aux alcooliques.

Le médecin dit que *(G. Nouveau)* a eu un accès de delirium tremens causé par l'abus des liqueurs et surtout de l'absinthe (...) Vous ne savez pas combien il faut peu pour se procurer ces mauvaises liqueurs, qui sont d'autant plus pernicieuses qu'elles sont meilleur marché.
      Mᵐᵉ DELANNOY, Lettre à Laurence Manuel, 30 juin 1891, *in* G. Nouveau, Pl., p. 883.

DÉLISSAGE [delisaʒ] n. m. — 1761 ; de *délisser.*

♦ Techn. Tri et découpage des chiffons pour fabriquer la pâte à papier.

DÉLISSER [delise] v. tr. et intr. — 1765 ; de 1. *dé-*, et *lisser.*

♦ **1.** Rare. Défaire (ce qui est lissé). *Délisser des cheveux.*

♦ **2.** Techn. Trier les vieux papiers, les chiffons destinés à la fabrication du papier ; en défaire les plis, les coutures.

DÉR. Délissage.

1. DÉLIT [deli] n. m. — 1330, *délict ;* lat. *delictum,* supin de *delinquere.* → Délinquant.

★ **I.** Cour. Action illicite. ⇒ **Faute, forfait.** *Commettre un délit. Grave, léger délit. Délit contre la société, contre la morale.* ⇒ **Manquement.** *Délit puni par la loi* (→ ci-dessous, II.). *Délit, faute causant un dommage à autrui* (→ ci-dessous, III.).

1   Le terme *délit* est communément usité comme synonyme d'infraction (...) Il comporte, aussi, une acception plus étroite ; il désigne alors l'infraction de moyenne importance, celle qui est frappée par la loi de peines *correctionnelles* (...) Inversement, le terme *délit,* pris dans un sens plus large, s'applique au *délit* ou *quasi-délit* civil. Il vise alors l'acte (...) qui cause à autrui un *dommage.* Le délit, ou quasi-délit civil (...) entraîne des réparations (...) tandis que le délit, au sens pénal du mot, a pour sanction l'infliction d'une peine ou d'une mesure de sûreté.
      DONNEDIEU DE VABRES, Précis de droit criminel, n° 62.

★ **II.** Dr. pén. et cour. ♦ **1.** (Sens large). *Délit* ou *délit pénal :* toute infraction à la loi, punie par elle. ⇒ **Contravention, crime, infraction.** *Être coupable de délit.* ⇒ **Délinquant.** *Acte constituant un délit.* ⇒ **Délictueux.** *Délit réitéré.* ⇒ **Récidive.** *Aider à commettre un délit.* (⇒ **Complicité**). *Principe de la légalité des délits et des peines* (Code pénal, art. 4).

2   (...) la peine n'est pas toujours proportionnée au délit.
      P.-L. COURIER, Pamphlets littéraires, *in* Œ. compl., Pl., p. 250.

3   (...) dans beaucoup de villes grecques, la loi punissait le célibat comme un délit.
      FUSTEL DE COULANGES, la Cité antique, I, II, III, p. 51.

Le délit est généralement constitué par un acte positif (ex. : vol, homicide) ; *on l'appelle dans ce cas* délit de commission. *Délit d'omission,* constitué par une simple abstention. *Le défaut de déclaration de naissance* (délit proprement dit, → 2.), *le défaut de dénonciation d'un acte d'espionnage* (crime) *constituent des délits d'omission. Délit de commission par omission :* délit dont la définition légale est celle d'un délit de commission et qui consiste exceptionnellement dans une abstention (cf. Obligation de secours).

4   (...) sera puni (...) quiconque, pouvant empêcher par son action immédiate, sans risque pour lui ou pour les tiers, soit un fait qualifié crime, soit un délit contre l'intégrité corporelle de la personne, s'abstient volontairement de le faire.
      Code pénal, art. 63 (Ord. 25 juin 1945).

Délit intentionnel : infraction qui suppose l'intention délictueuse. *Délit d'imprudence :* infraction qui implique faute d'imprudence, de négligence, sans intention délictueuse. *Délit matériel :* infraction réputée consommée seulement en cas d'un résultat dommageable. *Le délit matériel est puni en dehors de l'intention délictueuse. Délit prétérintentionnel* (ou *præter intentionnel*) : infraction où le résultat dépasse l'intention du coupable (ex. : coups et blessures entraînant la mort). *Délit formel,* consommé avant que le résultat visé soit atteint (empoisonnement non suivi d'effet...). *Délit manqué :* infraction menée jusqu'au bout (par oppos. à *tentative**) mais qui n'atteint pas son but (coup de fusil manqué...). *Délit manqué par le fait de l'agent. Délit impossible.*

Délit simple : infraction constituée par un seul fait matériel. *Délit complexe :* infraction formée d'actes matériels différents (ex. : escroquerie) ; aussi : infraction qui, par sa nature même, comporte une autre ou plusieurs autres infractions (ex. : meurtre d'un chef d'État, délit de droit commun qui porte en soi un délit politique). *Délit connexe :* infraction qui se rattache à une autre infraction par un lien matériel ou moral.
Délit instantané (meurtre, vol). *Délit continu* ou *successif* (séquestration arbitraire, recel). *Délit continué :* infraction formée d'une

série de délits similaires (vols répétés). *Délit d'habitude, délit collectif*, formé de faits similaires, dont chacun ne constitue pas un délit. *Délit permanent :* infraction donnant naissance à un état de fait permanent et prohibé.
Délit de droit commun. Délit politique. Délit politique pur : infraction portant atteinte exclusivement à l'ordre politique. *Délit électoral :* acte destiné à fausser les résultats d'une élection. *Délit de presse.* — *Délit international :* infraction qui a lieu dans plusieurs états (ex. : traite des femmes), ou qui se commet dans des lieux ne relevant pas de la souveraineté d'un État (ex. : piraterie). — *Délit militaire :* infraction relevant de la justice militaire, et, spécial, infraction au devoir, à la discipline militaire. *Délit mixte,* que les civils sont susceptibles de commettre. — *Délit maritime :* infraction relative à la police maritime. — *Délit de chasse, de pêche, forestier, rural.*
Délit d'audience : infraction commise à l'audience.

(1835 ; lat. *corpus delicti*). **LE CORPS DU DÉLIT :** le fait matériel qui constitue le délit, indépendamment des circonstances, et, par ext., l'objet qui constitue le délit et sert à le constater. *Confiscation du corps du délit* (Code pénal, art. 11).

4.1 (...) on a affaire à des crimes parfaits ayant abouti à la destruction totale du « corps du délit » par le feu, la terre ou l'eau. Si l'on ajoute à cela que les assassinats les plus accomplis sont ceux qu'on a pu maquiller en décès normaux, on a une vision vague de la société effrayante où nous vivons.
                                        M. TOURNIER, le Roi des Aulnes, p. 57.

FLAGRANT DÉLIT : infraction qui est en train ou qui vient de se commettre. *Être pris en flagrant délit.* → Police, cit. 7. *Flagrant délit d'adultère* (→ Adultère, cit. 6). — Fig. et cour. *Prendre quelqu'un en flagrant délit*, prendre sur le fait, en parlant d'un acte blâmable ou regrettable.

5 (...) les gens qu'on honore ne sont que des fripons qui ont eu le bonheur de n'être pas pris en flagrant délit.   STENDHAL, le Rouge et le Noir, II, XLIV, p. 498.
6 D'ailleurs, dans ses peintures Allory ne risquait guère d'être pris en flagrant délit d'inexactitude.   J. ROMAINS, les Hommes de bonne volonté, t. III, XVIII, p. 242.

♦ **2.** (Sens restreint). *Délit* ou *délit correctionnel :* « infraction que les lois punissent de peines correctionnelles » (Code pénal, art. 1), par oppos. à *contravention* ou à *crime.* ⇒ **Correctionnel** (cit.). — REM. La plupart des expressions citées ci-dessus (→ 1.) s'appliquent selon le contexte à toute infraction ou au *délit correctionnel* seulement. — *Transformation légale d'un crime en délit.* ⇒ **Correctionnaliser.** *Criminaliser* un délit,* en faire légalement un crime. — *La jurisprudence a eu parfois recours à la théorie des délits-contraventions* (infraction frappée de peines correctionnelles mais punie en dehors de toute recherche d'intention, comme les contraventions).

★ **III.** Dr. civ. *Délit* ou *délit civil :* fait illicite, ayant le caractère de faute et d'où naît un dommage. *Tout délit entraîne réparation* (Code civil, art. 1382).

7 (...) un fait peut fort bien constituer un délit civil sans être un délit criminel. Il suffit pour cela que, étant dommageable et illicite, il ne soit *frappé d'aucune peine par les lois répressives.*
                        M. PLANIOL, Traité élémentaire de droit civil, t. II, n° 820, p. 288.

Spécialt. Délit civil ayant le caractère d'une faute intentionnelle (par oppos. à *quasi-délits*).

8 Le Code civil n'a défini nulle part ce qu'il entendait par « délits » (...) dans l'antiquité, le délit (...) était un fait illicite, générateur d'obligations, qui avait pour caractère distinctif d'être *prévu par une loi spéciale* (...) la conception fondamentale, qui est celle de faits *défendus par la loi*, n'a pas changé (...) (...) nous exigeons une condition, l'intention de nuire, que les Romains n'avaient pas connue (...) les dommages causés sans intention de nuire forment aujourd'hui la classe des *quasi-délits*.
                        M. PLANIOL, Traité élémentaire de droit civil, t. II, n°s 814-815, p. 285-286.

DÉR. V. **Délictueux.**
COMP. **Quasi-délit.**
HOM. 2. **Délit.**

2. DÉLIT [deli] n. m. — 1694 ; de *déliter.*

♦ **1.** Techn. Position (d'une pierre) dans un sens différent de celui du lit.

♦ **2.** (1754). Géol. Fente, joint, veine dans une pierre suivant le sens de ses couches de stratification. *Les délits d'un bloc d'ardoise.*

HOM. 1. **Délit.**

DÉLITAGE [delita3] ou DÉLITEMENT [delitmã] n. m. — 1846 ; de *déliter.*

Technique.

♦ **1.** Action de changer la litière des vers à soie.

♦ **2.** (1818). Action de déliter les pierres. — On dit aussi *délitation* [delitasjõ] n. f.

DÉLITER [delite] v. tr. — 1567, pron. ; de 1. *dé-*, et *lit.*

Technique.

♦ **1.** Maçonnerie. Poser (une pierre) en délit.

♦ **2.** Diviser (une pierre) dans le sens des couches de stratification.

⇒ **Cliver.** *Déliter un bloc d'ardoise. La moye, couche tendre qui permet de déliter la pierre. L'érosion a délité ces roches.*

Fig. ⇒ **Déraciner, désagréger.**

1 Elle aurait vu des amis, peut-être même été parfois au théâtre. Il n'en faut pas plus pour déliter une idée fixe.   G. DUHAMEL, Cri des profondeurs, VII, p. 140.

♦ **3.** (1796). *Déliter les vers à soie :* changer les feuilles de mûrier qui servent de litière aux vers à soie.

▶ **SE DÉLITER** v. pron.

♦ **1.** Se fendre dans le sens du lit de carrière.

1.1 C'est en effet un pays hérissé de grandes et larges pierres, qui pourraient être une sorte de produits (...) Mais *(ces)* carrières, si faciles à fouiller, ne font en se délitant, qu'augmenter chaque année l'aridité du sol.
                        RESTIF DE LA BRETONNE, la Vie de mon père, p. 135.

♦ **2.** Didact. Se désagréger en absorbant l'humidité. *La chaux se délite.* — Fig. et littér. ⇒ **Décomposer** (se), **déraciner** (se), **désagréger** (se).

2 Dans des sujets où les mots se délitent, où les expressions s'émiettent, elle parvient à se faire comprendre (...)   HUYSMANS, En route, p. 89.
3 Et maintenant que le cénacle de ses fidèles s'est délité sous l'action du temps, de la misère et de la mort, maintenant qu'il est seul, démuni de tout et de tous, il construit encore : il bâtit avec ses rêves.
                        M. BARRÈS, la Colline inspirée, p. 258.
4 Cependant, la fortune privée s'amenuise, les fondations se délitent et ne peuvent plus tenir contre d'incessantes secousses.
                        G. DUHAMEL, Manuel du protestataire, III, p. 104.

▶ **DÉLITÉ, ÉE** p. p. adj. *Rocher délité,* clivé. *Les roches délitées sont dangereuses à l'escalade.*

DÉR. 2. **Délit, délitage, délitescent.**

1. DÉLITESCENCE [delitesãs] n. f. — 1503 ; lat. *delitescere* « se cacher » de *de-*, et *latescere,* dér. de *latere* « se cacher ».

♦ Méd. Disparition rapide (d'une tumeur, d'une éruption...), sans qu'elle se reproduise sur un autre point du corps (comme dans la *métastase*).

2. DÉLITESCENCE [delitesãs] n. f. — 1846 ; de *délitescent ;* → Déliter.

♦ Didact. Processus par lequel une substance se délite. ⇒ **Désagrégation.** *Délitescence de la chaux.*

DÉLITESCENT, ENTE [delitesã, ãt] adj. — 1890 ; de *déliter.*

♦ Didact. Qui a la propriété de se déliter.

DÉR. 2. **Délitescence.**

DÉLIVRANCE [delivRãs] n. f. — Déb. XIIe, « accouchement » ; sens I., 1., v. 1170 ; de *délivrer.*

★ **I.** ♦ **1.** Action de délivrer ; résultat de cette action. ⇒ **Libération.** *La délivrance d'un prisonnier. Rançon pour la délivrance d'un captif.* ⇒ **Rachat.** *Délivrance d'une ville investie, d'un pays occupé.*

1 Daniel prie pour la délivrance du peuple de la captivité de leurs ennemis (...)
                        PASCAL, Pensées, X, 692.
2 Elle fait avec le duc de Lorraine une entreprise pour la délivrance du roi son seigneur (...)   BOSSUET, Oraison funèbre d'Henriette-Anne d'Angleterre.
3 Ma mère allait tous les ans passer six semaines à Saint-Malo, au temps de Pâques ; elle attendait ce moment comme celui de sa délivrance, car elle détestait Combourg.   CHATEAUBRIAND, in P. LAROUSSE.

♦ **2.** (Fin XIIe). Fig. Fin (d'une gêne, d'un mal, d'un tourment) ; impression agréable qui en résulte. ⇒ **Affranchissement, allégement, débarras.** *La délivrance (de qqn) d'un mal, d'une peine.* ⇒ **Soulagement.** *La mort sera sa délivrance* (→ Appréhension, cit. 9).

4 À chaque attaque, il se tient prêt et il attend le moment de sa délivrance.
                        BOSSUET, Oraison funèbre de Michel Le Tellier.
5 Mon premier sentiment, une fois la résolution bien prise et mes réponses dépêchées, fut une expansion d'allégement infini et de délivrance.
                        SAINTE-BEUVE, Volupté, XXI, p. 218.
6 À quoi bon reprendre ce travail ? C'est qu'à mon insu, sans doute, j'y trouvais un soulagement, une délivrance.
                        F. MAURIAC, le Nœud de vipères, II, XII, p. 139.
7 Tu ne peux imaginer cette délivrance après l'aveu, après le pardon (...) Il suffisait à Thérèse d'avoir résolu de tout dire pour déjà connaître, en effet, une sorte de desserrement délicieux.   F. MAURIAC, Thérèse Desqueyroux, II, p. 30.

♦ **3.** Méd. ou zootechn. Phase de l'accouchement correspondant à l'expulsion du placenta, après la sortie du fœtus. — (Concret). *Le placenta et les membranes fœtales expulsés* (⇒ **Arrière-faix, délivre**).

8 (...) la délivrance *(est ainsi appelée)* parce qu'étant hors, la femme est entièrement délivrée.   Ambroise PARÉ, XVIII, 18, in LITTRÉ (→ Arrière-faix, cit. 1).
9 Je m'occupais de l'enfant, en attendant le moment de pratiquer la délivrance.
                        G. DUHAMEL, Biographie de mes fantômes, XII, p. 228.

Par ext. ⇒ **Accouchement.** *Une heureuse, une rapide délivrance.*

10 J'étais encore dans le salon voisin à attendre sa délivrance, lorsque ma belle-mère

vint me dire : venez embrasser votre femme et la sauver du désespoir ; votre enfant est mort en naissant. MARMONTEL, *Mémoires*, X.

11 Quand approcha le temps de sa délivrance, elle partit pour Paris avec son mari et s'installa dans un appartement meublé (...) A. MAUROIS, *Lélia*, II, 1, p. 73.

★ **II.** (Fin XIIIᵉ). Action de délivrer, de remettre (qqch. à qqn). ⇒ **Livraison, remise.** *La délivrance d'un certificat, d'un passeport à qqn. Délivrance de titres, de pièces, de fonds. Délivrance d'un legs* (cf. Code civil, art. 1004). *Délivrance de marchandises consignées. Délivrance à l'adjudicataire des coupes de bois vendues* (cf. Code forestier, art. 58).

12 La délivrance est le transport de la chose vendue en la puissance et possession de l'acheteur. Code civil, art. 1604.

CONTR. (Du sens I, 1) **Arrestation, asservissement, captivité, détention, emprisonnement, esclavage, incarcération, réclusion, servitude, soumission.**

DÉLIVRE [delivʀ] n. m. — 1606, «arrière-faix»; autre sens, 1305; de *délivrer*.

♦ Méd. (vieilli). Le placenta et les membranes fœtales expulsés après la sortie du fœtus. ⇒ **Arrière-faix** (cit. 2), **placenta; délivrance.**

DÉLIVRER [delivʀe] v. tr. — XIᵉ; bas lat. *deliberare*, de *de-* et lat. class. *liberare* «mettre en liberté» (→ Libérer), d'après *livrer*.

★ **I.** ♦ **1.** Rendre (qqn, une collectivité) libre. ⇒ **Libérer.** *Délivrer un prisonnier, un esclave. Délivrer un captif en payant une rançon.* ⇒ **Racheter.** — Par ext. *Délivrer un peuple, un pays.*

1 (...) il avait coutume de délivrer à la fête celui des prisonniers que le peuple lui demandait. BIBLE (SACY), Évangile selon saint Marc, XV, 6.

2 C'est pour délivrer les peuples, pour leur donner la vraie paix, la Liberté, qu'elle *(la Révolution)* frappa les tyrans. MICHELET, Hist. de la Révolution franç., Préf. de 1847, p. 2.

3 Mais qu'est-ce que délivrer ? Si je délivre, dans un désert, un homme qui n'éprouve rien, que signifie sa liberté ? Il n'est de liberté que de «quelqu'un» qui va quelque part. Délivrer cet homme serait lui enseigner la soif, et tracer une route vers un puits. Alors seulement se proposeraient à lui des démarches qui ne manqueraient plus de signification. Délivrer une pierre ne signifie rien s'il n'est point de pesanteur. Car la pierre, une fois libre, n'ira nulle part. SAINT-EXUPÉRY, Pilote de guerre, XXVI, p. 221.

♦ **2.** *Délivrer qqn de...*, le dégager de (pour le libérer). *Délivrer un captif de ses chaînes.* — *Délivrer une nation de ses oppresseurs, d'un régime tyrannique, de l'occupation étrangère.* ⇒ **Libérer** (plus cour.). — Fig. Rendre libre en écartant, en supprimant. ⇒ **Débarrasser, libérer.** *Délivrer qqn d'un importun, d'un rival. Délivrer qqn d'une maladie* (⇒ **Guérir**), *d'un péril ; d'une obligation ; d'une crainte).* — Relig. *Délivre (délivrez)-nous du mal* (prière du Notre Père).

4 Délivrez-moi, Monsieur, de la criaillerie (...) MOLIÈRE, Tartuffe, V, 7.

5 Nous implorons la miséricorde de Dieu, non afin qu'il nous laisse en paix dans nos vices, mais afin qu'il nous en délivre. PASCAL, Pensées, VII, 553.

6 *(La Restauration)* délivra la pensée comprimée par Bonaparte : l'esprit, comme une cariatide déchargée de l'architecture qui lui courbait le front, releva la tête. CHATEAUBRIAND, Mémoires d'outre-tombe, t. IV, p. 98.

7 (...) la faiblesse me délivra de ma colère (...) A. DE MUSSET, Confession d'un enfant du siècle.

8 (...) moi l'étrange humain qui, en attendant que la mort me délivre, vis les volets clos, ne sais rien du monde (...) PROUST, À la recherche du temps perdu, t. X, p. 152.

♦ **3.** Littér. (Compl. n. de chose). Mettre au jour, faire apparaître. ⇒ **Extérioriser.**

9 Léopold a trouvé le bonheur, son bonheur. Ce n'est plus de construire des châteaux, c'est de délivrer le chant qui sommeille dans son cœur. M. BARRÈS, la Colline inspirée, XVI, p. 265.

10 Si cette religion, si cette culture, si cette échelle des valeurs, si cette forme d'activité et non telles autres favorisent dans l'homme cette plénitude, délivrent en lui un grand seigneur qui s'ignorait, c'est que cette échelle des valeurs, cette culture, cette forme d'activité, sont la vérité de l'homme. SAINT-EXUPÉRY, in MAUROIS, Études littéraires, t. II, p. 278.

★ **II.** (XIIIᵉ). Comm., admin. Remettre (qqch.) à qqn. ⇒ **Livrer, remettre.** *Délivrer un brevet, un certificat, un reçu à qqn. Délivrer des papiers, des titres, des fonds. Délivrer au porteur. Délivrer des marchandises consignées.*

11 Le vendeur n'est pas tenu de délivrer la chose, si l'acheteur n'en paye pas le prix, et que le vendeur ne lui ait pas accordé un délai pour le payement. Code civil, art. 1612.

Fam. et vx. ⇒ **Appliquer, dispenser.** *Délivrer des coups de poing, de bâton.*

▶ **SE DÉLIVRER** v. pron.

♦ **1.** (Au sens 1). ⇒ **Affranchir** (s'), **débarrasser** (se), **dégager** (se), **libérer** (se). *Se délivrer d'un joug insupportable. Se délivrer de ses liens. Se délivrer d'un ennemi. Se délivrer d'un fardeau. Se délivrer d'une situation délicate, embarrassante. Se délivrer d'une obsession, de préjugés, d'erreurs... Se délivrer d'un désir en l'assouvissant.*

12 Celui qui un beau jour sait renoncer fermement (...) à une grande autorité (...) à une grande fortune, se délivre en un moment de bien des peines, de bien des veilles, et quelquefois de bien des crimes. LA BRUYÈRE, les Caractères, VIII, 98.

(...) le cri, enivré, presque douloureux de joie, de l'âme immortelle, qui se délivre de la dépouille du corps et tend les bras vers Dieu ! 13
R. ROLLAND, Voyage musical au pays du passé, p. 74.

Et quel lecteur, s'il a le moindre souci d'exactitude, s'y délivrerait de la hantise — de l'influence — des mots et des phrases. 14
J. PAULHAN, les Fleurs de Tarbes, p. 116.

Il faut nous délivrer de la pitié, de la jalousie, enfin de toutes les passions artificielles, et nous abandonner à un égoïsme sain. 15
A. MAUROIS, le Cercle de famille, I, XV, p. 87.

Juliette pleure sans vraiment réussir à former des larmes. Elle suffoque, sans arriver à se délivrer par un sanglot. Une angoisse, qui est tout ensemble douleur, joie démesurée et désespoir, la tient serrée du haut au bas de son corps. 16
J. ROMAINS, les Hommes de bonne volonté, t. IV, XVII, p. 188.

♦ **2.** (Au sens II). Comm., admin. (Passif). Être délivré. *Le bureau où se délivrent les passeports.*

▶ **DÉLIVRÉ, ÉE** p. p. adj. *Prisonnier délivré. Pays délivré.* — Libéré (d'un état psychique qui opprime. → Se délivrer, 1.). *Se sentir délivré.*

(...) de ces idées obsédantes dont je n'arrivais que rarement, et pour un temps très court, à me sentir délivré. G. DUHAMEL, Cri des profondeurs, XI, p. 216. 17

CONTR. **Arrêter, asservir, détenir, écrouer, emprisonner, enchaîner, enfermer, incarcérer, lier, maîtriser, obséder, soumettre, subjuguer. — Conquérir, conserver, garder.**
DÉR. **Délivrance, délivre, délivreur.**

DÉLIVREUR [delivʀœʀ] n. m. — 1734; «libérateur, défenseur», en anc. franç. de *délivrer*.

★ **I.** Rare. Personne qui délivre (qqch.). ⇒ **Livreur.** — Manège. Domestique chargé de donner l'avoine aux chevaux.

REM. L'emploi ancien (avec un fém. *délivreuse*) est virtuel, à côté de *libérateur, trice.*

★ **II.** Techn. Dans les machines à carder, Appareil distribuant la matière à travailler. *Délivreurs supérieur, inférieur :* cylindres qui se trouvent placés à la sortie de tout dispositif d'étirage. — Appos. *Cylindres délivreurs* ou *étireurs.*

DÉLOCALISATION [delɔkalizasjɔ̃] n. f. — 1863; de *délocaliser.*

♦ **1.** Perte du caractère local, localisé. *« (...) le télé-travail, ou travail à distance, qui pourrait constituer une véritable révolution sociale. Les outils télématiques sont déjà au point. On pense que la délocalisation des activités de bureau touchera un nombre croissant de salariés »* (*Dossiers et Documents du Monde, Suppl.,* sept. 1983, La micro-informatique).

♦ **2.** Phys. [a] État d'un électron qui, dans une molécule ou un ion, dépend de plus de deux atomes. — État d'une charge électrique qui peut se manifester sur deux ou plus de deux atomes.

[b] Le fait de mettre (un électron, une charge) dans cet état.

DÉLOCALISER [delɔkalize] v. tr. — 1863; de 1. *dé-* et *localiser.* Didactique.

♦ **1.** Faire perdre son caractère local, limité à (qqch.); étendre dans l'espace.

Un instrument a un certain angle de diffusion, une certaine force de diffusion par rapport à sa location géographique. Location au sens anglais du terme. Si l'on désincarne le son, il y a avantage et risque. Il est possible de délocaliser l'instrument, de le faire se promener dans l'espace et lui donner une dimension immatérielle. Pierre BOULEZ, in Libération, 14 mars 1984.

♦ **2.** Phys. Mettre (un électron) en état de délocalisation (2.).

▶ **DÉLOCALISÉ, ÉE** p. p. adj.
Qui a perdu son caractère localisé. *Électrons délocalisés.* « *L'intervention de formes d'énergie "délocalisées" (gradient de protons, énergie électrostatique) ne rend pas nécessairement un contact direct entre les transporteurs d'électrons et les enzymes responsables de la synthèse de ATP* » (la Recherche, avril 1978, p. 337). « *Dans le secteur des composants ou de l'électronique grand public, les tâches de soudure ou de câblage sont entre les "mains" de robots. Le montage est "délocalisé", renvoyé en Asie du Sud-Est ou au Mexique, systématiquement sous-traité* » (les Nouvelles, nᵒ 2921, 8-14 mars 1984, p. 16).

DÉR. **Délocalisation.**

DÉLOCUTEUR, TRICE [delɔkytœʀ, tʀis] n. — V. 1970; de *locuteur*, d'après 2. *délocutif.*

♦ Ling. Personne dont on parle, dont il est question dans le discours (correspond à la 3e pers. grammaticale). S'oppose à *locuteur* (1re pers.) et à *interlocuteur* (2e pers.).

DÉR. Délocution.

1. DÉLOCUTIF, IVE [delɔkytif, iv] adj. — V. 1930; du lat. *de-*, et *locut(ion)*, suff. *-if*, d'après *dénominatif*.

♦ Ling. Se dit des verbes impliquant une activité de discours. — N. m. *« Le délocutif, selon les exemples qu'en donne Benveniste, est (...) pour nous un dérivé dont la base est un mot autonyme dans un syntagme qu'il forme avec un verbe métalinguistique (dire* merci, *dire* tu, *dire (crier)* bis *et à laquelle s'adjoignent des affixes verbaux :* remercier, tutoyer, bisser *(...) »* (J. Rey-Debove, *Benveniste et l'autonymie : les verbes délocutifs*, p. 248).

2. DÉLOCUTIF [delɔkytif] n. m. — xxe; du lat. *de* «au sujet de», et thème *locut-* de *loqui* «parler». → Locution.

♦ Ling. Troisième personne (du discours). ⇒ **Délocuteur.**

DÉLOCUTION [delɔkysjɔ̃] n. f. — V. 1970; de *délocuteur*.

♦ Ling. Activité linguistique qui consiste à parler de (qqn).

La philologie active (celle des forces du langage) comprendrait donc deux linguistiques obligées : celle de l'interlocution (parler à un autre) et celle de la délocution (parler de quelqu'un).
     R. BARTHES, Fragments d'un discours amoureux (1977), p. 218.

DÉLOGEMENT [delɔʒmɑ̃] n. m. — 1538; sens milit., fin xive; de *déloger*.

♦ **1.** Vx. Action de déménager. ⇒ **Déménagement.**

Le jour de notre délogement, qui était donc il y a eu mardi huit jours, il n'a jamais pu porter que quatre chaises; encore il suait.
     Ed. et J. DE GONCOURT, la Femme au XVIIIe siècle, t. II, p. 10.

♦ **2.** Rare. Action de déloger (2.).

♦ **3.** Techn. Déplacement latéral d'un pneu sans chambre sur la jante.

DÉLOGER [delɔʒe] v. — Conjug. *loger*. → Bouger. — 1230; *deslogier*, fin xiie; de 1. *dé-*, et *loger*.

★ **I.** V. intr. ♦ **1.** Vx. Sortir de son logement.

1   Mon père, si matin qui vous fait déloger?   RACINE, les Plaideurs, I, 4.

♦ **2.** Vieilli. Quitter brusquement son logement, sa place, pour aller s'établir ailleurs. ⇒ **Abandonner** (un lieu), **déguerpir, déménager, partir, sortir; bagage** (plier bagage). *Il lui faudra déloger à la fin du mois, on lui donne son bail. Délogez de là!* ⇒ **Décamper.**

2   Rien n'est si simple et si nécessaire, madame, que de déloger de votre maison, quand vous n'approuvez pas que j'y reste.   ROUSSEAU, les Confessions, IX.

3   — (...) Délogez à l'instant.
— Délogez! Ah! fi! que c'est mal parler!
     BEAUMARCHAIS, le Barbier de Séville, II, 13.

♦ **3.** Régional (Belgique). Découcher.

♦ **4.** Fig. Partir; aller (s'en aller). *Mal qui ne veut pas déloger.*

4   (...) elle sent chaque jour
Déloger quelques ris, quelques jeux, puis l'amour.   LA FONTAINE, Fables, VII, 5.

5   Il attendit (...) que son âme délogeât de son corps pour passer dans un autre.
     DIDEROT, Opinions des anciens philosophes, Sarrasins (→ Attendre, cit. 53).

6   (...) les jugements se forment en moi et, une fois établis, après deux ou trois secousses ou épreuves, ils sont affermis et ne délogent plus.
     SAINTE-BEUVE, Correspondance, I, p. 353.

Fig. et fam. *Déloger sans trompette* (→ Bagage, cit. 10), *sans tambour* ni trompette : se retirer secrètement, sans faire de bruit. ⇒ **Esquiver** (s').

7   Ô là, Madame la belette,
Que je vous déloge sans trompette,
Ou je vais avertir tous les rats du pays.   LA FONTAINE, Fables, VII, 16.

★ **II.** V. tr. (1657). ♦ **1.** Mod. Faire sortir (qqn) du lieu qu'il occupe. ⇒ **Chasser, expulser, vider** (fam.). *Déloger quelqu'un de chez lui. Déloger un locataire.*

8   La veille de son arrivée, on me déloge de la chambre de faveur que j'occupais, contiguë à celle de Mme d'Épinay; on la prépare pour M. Grimm (...)
     ROUSSEAU, les Confessions, IX.

8.1   Il avait fait des pieds et des mains pour obtenir une bonne chambre et je le trouvai en train de donner de l'argent à un camarade qu'il délogeait.
     DRIEU LA ROCHELLE, la Comédie de Charleroi, p. 137.

♦ **2.** Faire sortir par la force. ⇒ **Chasser.** *Déloger l'ennemi de ses positions. Déloger un lièvre de son terrier.* ⇒ **Débusquer.** — Figuré :

C'est qu'ils se placent dans la discussion sur un autre terrain, plus exactement sur un autre plan, aucune argumentation ne les en délogera.
     SIEGFRIED, l'Âme des peuples, IV, II, p. 92.   9

♦ **3.** T. de jeu. ⇒ **Déplacer.** *Déloger une boule, une bille...*

CONTR. Loger, établir, installer. — Demeurer, rester, séjourner.
DÉR. Délogement.

DÉLOQUER [delɔke] v. tr. — xixe; de 1. *dé-*, et *loque(s)*.

♦ Argot. Déshabiller (qqn). — Pron. (1941). *Se déloquer* : se déshabiller, se dévêtir.

Je rampe à l'abri du parasol et je commence à me déloquer. Lorsque mes fringues sont en tas, elles ressemblent à un paquet de tripes à la mode de Caen.
     SAN-ANTONIO, Au suivant de ces messieurs, p. 97.

DÉLOQUETÉ, ÉE [delɔk(ə)te] adj. — 1455; de 2. *dé-*, et *loqueté*, de *loques*.

♦ Vx. En loques. — Par métaphore, littéraire :

Puis, tout d'un coup, cette brume se déchira et laissa voir de gros nuages bas, déchiquetés, déloquetés, véritables haillons de vapeur,
     J. VERNE, le Pays des fourrures, I, IX, p. 111.

DÉLOT [delo] n. m. — 1530; dimin. de 2. *dé*.

♦ Techn. Doigtier de cuir de calfat ou de dentellière.

DÉLOVER [delɔve] v. tr. — 1845; de 1. *dé-*, et *lover*.

♦ Mar. Défaire, dérouler (ce qui était lové). *Délover un câble, un cordage.* — Au p. p. *Câbles délovés.*

DÉLOYAL, ALE, AUX [delwajal, o] adj. — xve; *desleal, desloial*, v. 1175; de 1. *dé-*, et *loyal*.

♦ **1.** (Personnes). Littér. ou style soutenu. Qui n'est pas loyal. ⇒ **Faux, félon, fourbe, hypocrite, malhonnête, perfide, traître, trompeur.** *Caractère, esprit déloyal, âme déloyale. Être déloyal dans ses promesses.* ⇒ **Parole** (manquer à sa parole, avoir deux paroles). *Contradicteur déloyal.* ⇒ **Captieux, chicaneur.** *Ami déloyal.* ⇒ **Infidèle.** *Être déloyal envers un parti.* ⇒ **Renégat, traître.**

1   Un ami déloyal peut trahir ton dessein ( )   CORNEILLE, Cinna, I, 1.

Substantif :

2   Va, déloyal, va-t'en, je te le dis!
Je suis bien sotte et bien de mon pays
De te garder sous la foi de mariage!
     LA FONTAINE, Contes et Nouvelles, II, v. 146.

3   J'ai appris de vos nouvelles, déloyale! J'ai appris de me rendre compte de vos perfidies (...)   A. R. LESAGE, Turcaret, II, 3.

♦ **2.** (Choses : actions...). Qui dénote un manque de loyauté, de bonne foi. *Conduite déloyale. Acte déloyal à l'égard d'un ami...* ⇒ **Indélicat.** *Procédé déloyal.* ⇒ **Oblique, tortueux.** *Concurrence déloyale. Argumentation déloyale.* ⇒ **Captieux, chicaneur; chicanerie.**

4   Ce Monsieur Loyal porte un air bien déloyal!   MOLIÈRE, Tartuffe, V, 4.

(Boxe). *Coups déloyaux* : ceux qui atteignent l'adversaire au-dessous de la ceinture, et qui sont interdits par les règlements (coups bas).

CONTR. Loyal; chic, droit, fidèle, franc, honnête, probe, sincère.
DÉR. Déloyalement.

DÉLOYALEMENT [delwajalmɑ̃] adv. — 1487; *desloiaument*, fin xiie; *desleialment*, 1170; de *déloyal*.

♦ Rare. D'une manière déloyale. ⇒ **Perfidement.** *Agir déloyalement.*

CONTR. Loyalement.

DÉLOYAUTÉ [delwajote] n. f. — xive; *desleauté*, xiie; de 1. *dé-*, et *loyauté*.

Style soutenu.

♦ **1.** Manque de loyauté. ⇒ **Fausseté, félonie, foi** (mauvaise foi), **fourberie, hypocrisie, malhonnêteté, perfidie, traîtrise.** *Faire acte de déloyauté. La déloyauté de qqn. Il est d'une incroyable déloyauté, sa déloyauté est incroyable.*

1   Et sa mort va laisser à la postérité
L'infâme souvenir de ta déloyauté.   CORNEILLE, Cinna, IV, 6.

2   Et sa déloyauté va paraître trop noire (...)   MOLIÈRE, Tartuffe, V, 5.

Par ext. *Déloyauté d'un procédé* : déloyauté dont un procédé est marqué.

♦ **2.** (Une, des déloyautés). Action déloyale. *Faire d'horribles déloyautés.* ⇒ **Félonie, fourberie.** *C'est une déloyauté.* ⇒ **Trahison.**

3   Et tes déloyautés ont survécu ta vie.   ROTROU, Antigone, III, 2.

CONTR. Loyauté; droiture, fidélité, foi (bonne foi), franchise, honnêteté, probité, sincérité.

-DELPHE Élément, du grec *delphos* «matrice», entrant dans la composition de quelques mots savants : *didelphe, monodelphe, ornithodelphe,* etc.

DELPHINIDÉS [dɛlfinide] n. m. pl. — 1846 ; dér. sav. du lat. *delphinus* «dauphin», suff. *-idés.*

♦ Zool. Famille de Cétacés (groupe des *Denticètes* ou *Odontocètes**), munis de dents et dépourvus de fanons. *Genres principaux :* dauphin, delphinaptère *(Beluga),* delphinorhynque, globicéphale, marsouin, épaulard, inia. — Au sing. *Un delphinidé.*

DELPHINIUM [dɛlfinjɔm] n. m. — 1694 ; du grec *delphinion* «dauphinelle».

♦ Bot. ⇒ **Dauphinelle, pied-d'alouette.**

DELTA [dɛlta] n. m. — XIIIᵉ, *delta du Nil* ; de *delta,* nom de la quatrième lettre grecque.

★ **I.** ♦ **1.** Quatrième lettre de l'alphabet grec, ainsi figurée : Δ (majuscule) ; δ (minuscule). *En forme de delta.* ⇒ **Deltoïde, triangulaire.** — *En delta :* en forme de delta majuscule. *Avion à ailes en delta* (→ ci-dessous, Aile delta).

♦ **2.** Appos. ou adj. (Objets en forme de delta). AILE DELTA. **a** Aile (d'avion) en forme de delta majuscule. Syn. : *aile en delta.* « *La* navette *(spatiale) sera dotée d'ailes. Mais celles-ci seront du type delta (...) ce qui confère à l'engin une certaine ressemblance avec un avion supersonique* » *(le Monde,* 13 déc. 1972, p. 21).

b Engin utilisé pour le vol libre. ⇒ **Aile** (libre), **deltaplane.**

♦ **3.** Adj. invar. Phys. *Rayon delta.* — Méd. *Onde delta,* caractéristique du sommeil profond.

★ **II.** ♦ **1.** Vx. Objet en forme de delta.

1 Quant à la grande dame, elle est morte (...), avec la poudre, les mouches, les mules à talons, les corsets busqués ornés d'un delta de nœuds en rubans.
BALZAC, Autre étude de femme, *in* D.D.L., II, 16.

Spécialt. *Delta mystique :* triangle se détachant sur un fond de rayons et au milieu duquel figure l'œil de dieu ou son nom en caractères hébraïques. *Le delta, dans les églises catholiques, symbolise la Trinité.*

♦ **2.** Géogr. et cour. Dépôt d'alluvions émergeant à l'embouchure d'un fleuve et le divisant en bras de plus en plus ramifiés. *Le delta a sa pointe en amont. Le delta du Nil, du Mississipi. La Camargue ou delta du Rhône. D'un delta.* ⇒ **Deltaïque.**

2 Un delta n'est en fait pas autre chose qu'un cône de déjection bâti dans l'eau (...) Un grand fleuve débouchant par un estuaire doit d'abord le combler avant de bâtir un delta (...) Le golfe une fois entièrement comblé, le fleuve se jette directement dans la mer. A partir de ce moment commence la formation du delta proprement dit. DE MARTONNE, Traité de géographie physique, t. II, XV, p. 993.
DÉR. Deltacisme, deltaïque. — V. aussi Deltoïde.
COMP. Deltacortisone, deltaplane.

DELTACISME [dɛltasism] n. m. — 1933 ; dér. sav. de *delta* (Δ), lettre grecque.

♦ Méd. Vice de prononciation portant sur les lettres *d* et *t.*

DELTACORTISONE [dɛltakɔrtizɔn] n. f. — 1959 ; de *delta,* et *cortisone.*

♦ Chim. et méd. Dérivé de la cortisone possédant une activité anti-inflammatoire plus puissante (appelé aussi *prednisone*).

DELTAÏQUE [dɛltaik] adj. — 1851 ; de *delta.*

♦ Géogr. Qui a rapport à un delta. *Plaine deltaïque. Le riz, culture deltaïque.*

DELTAPLANE [dɛltaplan] n. m. — 1974 ; d'abord *aile delta,* marque déposée ; de *(aile) delta,* et *-plane.*

♦ Engin utilisé pour le vol libre, formé d'une toile synthétique tendue sur une armature tubulaire triangulaire et pouvant supporter une personne. ⇒ **Aile** (libre), **delta** (aile delta). « *Les planeurs ultra-légers, dont la forme* "deltaplane" *est la plus répandue en Europe* » *(Sciences et Avenir,* août 1978, p. 14). — On écrit aussi *delta-plane.*
Sport pratiqué avec un deltaplane. ⇒ **Vol** (vol libre).
Gaétane Chouilloux plongeait au Racing (...) et partageait des étés au gré des invitations, entre la planche à voile et le deltaplane.
Geneviève DORMANN, Fleur de péché, p. 199-200.

DELTOÏDE [dɛltɔid] adj. et n. — 1560, grec *deltoeidês* «en forme de delta» de *delta,* et → *-oïde.*

♦ Anat. (et cour.). Se dit du muscle triangulaire de l'épaule, qui relie l'humérus à la clavicule et à l'omoplate, qui éloigne le bras du thorax, latéralement, en avant et en arrière. *Le muscle deltoïde* ou, n. m., *le deltoïde,* muscle élévateur du bras.
(...) la tête s'abandonne sur l'épaule droite et une large brûlure ronge l'autre épaule elle entame le deltoïde et met à nu la pointe de la clavicule (...)
Tony DUVERT, Paysage de fantaisie, p. 61.
DÉR. Deltoïdien.

DELTOÏDIEN, IENNE [dɛltɔidjɛ̃, jɛn] adj. — 1846 ; de *deltoïde.*

♦ Anat. Qui se rapporte au muscle deltoïde. *Artère deltoïdienne. Ligament deltoïdien.*

DÉLUGE [delyʒ] n. m. — 1175 ; du lat. *diluvium* «inondation», dér. de *diluere* (→ Diluer), de *dis-,* et *luere* «baigner».

♦ **1.** Cataclysme consistant en une précipitation continue de pluies submergeant tout ou partie de la surface d'une planète. *La Terre a connu plusieurs déluges. Du déluge.* ⇒ **Diluvien.**

1 Des êtres vivants sans nombre ont été victimes de ces catastrophes ; les uns, habitants de la terre sèche, se sont vus engloutis par des déluges, les autres, qui peuplaient le sein des eaux, ont été mis à sec avec le fond des mers subitement relevé.
Georges CUVIER, Disc. sur les révolutions de la surface du globe, *in* LITTRÉ.

Spécialt. *Déluges historiques,* ceux qui, suivant la Genèse ou certaines mythologies, auraient dévasté la Terre après l'apparition de l'homme. *Le déluge de Deucalion, d'Ogygès...*

Absolt. *Le déluge,* celui qui est rapporté par la Bible (→ ci-dessous, cit. 2). *Le déluge de Noé* (⇒ **Arche,** cit. 1). *La colombe, l'arc-en-ciel du déluge. Le Déluge,* poème de Vigny. *Avant le déluge* (⇒ **Antédiluvien**).

2 Le déluge fut quarante jours sur la terre ; les eaux grossirent et soulevèrent l'arche, et elle s'éleva au-dessus de la terre. Les eaux crûrent et devinrent extrêmement grosses sur la terre, et l'arche flotta sur les eaux. Les eaux, ayant grossi de plus en plus, couvrirent toutes les hautes montagnes qui sont sous le ciel tout entier. Les eaux s'élevèrent de quinze coudées au-dessus des montagnes qu'elles recouvraient. BIBLE (CRAMPON), Genèse, VII, 17 à 20.

3 Jupiter (...) fit tomber sur la Grèce un effroyable déluge d'eau. Un seul homme échappa au cataclysme, Deucalion, sage roi de Thessalie (...)
H. AUBERT, Légendes mythologiques, p. 151.

4 C'est au cours de ces trois périodes, d'Obeid, d'Ourouk et de Jemdet-Nasr, qu'on a situé le « Déluge » dont les religions et les légendes ont propagé le souvenir chez bien des peuples (...) les Mésopotamiens ont, eux aussi, gardé la mémoire d'un pareil cataclysme qui aurait dévasté toute la contrée ; un seul couple aurait échappé, à qui les dieux, par la suite, accordèrent l'immortalité (... J. de Morgan) voyait dans les récits multiples du déluge le souvenir des pluies torrentielles et des inondations qui, à la fin des temps quaternaires, suivirent la période glaciaire et détruisirent la vie sur des espaces considérables (...)
CONTENAU, Hist. de l'Orient ancien, L'Asie occidentale ancienne, p. 168-169.

5 Le déluge n'a pas réussi : il est resté un homme.
Henri BECQUE cité par Louis JOUVET, Réflexions du comédien, p. 88.

Loc. fig. *Remonter au déluge :* être d'avant le déluge, être très ancien. ⇒ **Désuet, suranné** (être) ; **antédiluvien.**

Passer au déluge : abréger (allusion au mot de Dandin à l'Intimé, dans *les Plaideurs,* de Racine).

6 Je finis. — Ah ! — Avant la naissance du monde...
Avocat, ah ! passons au déluge. RACINE, les Plaideurs, III, 3.

Après moi (nous) *le déluge !* (parole attribuée par les uns à Mᵐᵉ de Pompadour, par d'autres à Mᵐᵉ du Barry devant les troubles politiques qui devaient aboutir à la Révolution), se dit d'une catastrophe postérieure à sa propre mort, dont on se moque ; par ext., se dit lorsqu'on profite du présent, sans souci du lendemain.

♦ **2.** Pluie très abondante, torrentielle. ⇒ **Averse, cataracte, trombe ; diluvien.** *C'est un déluge, un vrai déluge.*

7 Ils filaient très vite dans une espèce de nuage d'eau dont les grosses gouttes salées leur fouettaient la figure. Ils se tenaient tête baissée sous ce déluge, serrés les uns contre les autres, comme font les moutons sous l'orage.
LOTI, Mon frère Yves, III, p. 17.

8 Au bout de six jours de déluge, la pluie diminua d'intensité et le ciel lentement souleva ses nuages au-dessus du plat pays. H. BOSCO, Malicroix, p. 51.

Par anal. Littér. *Un déluge de larmes, de sang...* ⇒ **Flot, pluie, torrent.** *Déluge de fleurs, de feux, de flèches, d'envahisseurs,* en parlant de personnes, de choses qui semblent tomber de tous les côtés à la fois. ⇒ **Avalanche** (cit. 8). *Déluge de paroles, de louanges, de compliments.* ⇒ **Abondance, averse, déferlement, flux.** *Un déluge de maux, d'iniquités. Un déluge d'injures.* ⇒ **Bordée, débordement.** *Noyer quelqu'un sous, dans un déluge de... Faire pleuvoir sur quelqu'un un déluge de...*

9 Que le courroux du ciel allumé par mes vœux
Fasse pleuvoir sur elle un déluge de feux ! CORNEILLE, Horace, IV, 6.

10 (...) ce déluge de barbares qui ravageait la Grèce (...)
MOLIÈRE, les Amants magnifiques, I, 1.

11 (...) puisque j'ai eu la faiblesse de publier ces *Caractères,* quelle digue élèverai-je contre ce déluge d'explications qui inonde la ville (...)
LA BRUYÈRE, Disc. à l'Académie, Préface.

12 Un déluge de sang français qu'elle avait fait verser.
MASSILLON, Oraison funèbre de Louis XIV, *in* LITTRÉ.

13 (...) il y a depuis longtemps un déluge de pareils livres.
VOLTAIRE, Lettre à Mᵐᵉ du Deffand, 26 déc. 1768.

DÉLURÉ, ÉE [delyʀe] adj. — 1790; forme dialectale de *déleurré*, «qui ne se laisse plus prendre au leurre»; de 1. *dé-*, et *leurre*.

♦ Qui a l'esprit vif et avisé, qui est habile à se tirer d'embarras. ⇒ **Dégourdi, éveillé, malin.** *Un gamin vif et déluré. Il n'est pas très déluré. Des filles délurées.*

1 Une petite provinciale délurée, avec son air de bourgeoise alerte, sa candeur trompeuse de pensionnaire, son sourire qui ne dit rien, et ses bonnes petites passions adroites, mais tenaces, doit montrer mille fois plus de ruse, de souplesse, d'invention féminine que toutes les Parisiennes réunies, pour arriver à satisfaire ses goûts, ou ses vices, sans éveiller aucun soupçon, aucun potin, aucun scandale dans la petite ville qui la regarde avec tous ses yeux et toutes ses fenêtres.
MAUPASSANT, Toine, «La chambre 11», p. 100.

2 Je ne sais quoi de positif dans leurs propos, de déluré dans leur allure, me rencognait dans ma timidité, qui s'était entre-temps beaucoup accrue.
GIDE, Si le grain ne meurt, I, IV, p. 109.

Air déluré. ⇒ **Dégagé, éveillé, fripon, malin, vif.** *Mine, allure délurée. Voix délurée.*

N. m. (rare). «*L'aplomb, le déluré...*» (Huysmans *in* T. L. F.).

REM. Selon les contextes, le mot peut entraîner une péjoration. ⇒ **Effronté.**

CONTR. **Empoté, endormi, engourdi, gourde** (fam.), **niais, simple.**

DÉLURER [delyʀe] v. tr. — 1787; dial. pour *déleurrer* «détromper»; de 1. *dé-*, et *leurre*.

♦ Rare. Rendre vif, éveillé, malin, débrouillard, et, péj., rendre effronté. ⇒ **Dégourdir, déniaiser, dévergonder, enhardir.** *Délurer un niais.* — Pron. *Elle s'est vite délurée.* — Passif et p. p. *Il a été déluré, bien déluré.* ⇒ **Déluré.**

CONTR. **Abêtir, alourdir, engourdir, épaissir.**

DÉLUSION [delyzjɔ̃] n. f. — 1946; angl. *delusion*; le mot est attesté au XVIe (1547, Budé) du lat. *delusio*, de *deludere* «tromper».

♦ Psychol. Affirmation fausse faite pour tromper, mais à laquelle le sujet se laisse prendre. — Erreur fondée sur une perception. *Délusion assertive*.

DÉLUSOIRE [delyzwaʀ] adj. — 1411, repris au XIXe (V. Cousin, 1847); du lat. *delusus*, de *deludere* «tromper», suff. *-oire*.

♦ Didact. Qui induit en erreur. «*Des certitudes aveugles et délusoires*» (Mounier *in* T. L. F.).

DÉLUSTRAGE [delystʀaʒ] n. m. — XXe; de *délustrer*.

♦ Techn. Opération consistant à délustrer un tissu, un vêtement.

DÉLUSTRER [delystʀe] v. tr. — 1680; de 1. *dé-*, et *lustre*.

♦ Techn. Ôter le lustre, l'aspect lustré de (un tissu).

1 Il voyait en profil perdu, presque de trois quarts de dos, la belle joue pâle et ronde, encastrée dans le bandeau noir que la promenade de l'après-midi avait délustré (...)
Ph. HÉRIAT, Famille Boussardel, p. 167.

2 (...) pourquoi ne fait-il pas porter plus souvent ses costumes au teinturier pour les faire détacher, nettoyer, délustrer, presser, repasser?
N. SARRAUTE, le Planétarium, p. 170.

Au p. p. *Étoffes délustrées.*

DÉR. **Délustrage.**

DÉLUTAGE [delytaʒ] n. m. — 1835, *in* D. D. L.; de *déluter*.

♦ Techn. Action de déluter.

DÉLUTER [delyte] v. tr. — 1666; de 1. *dé-*, et *lut*.

♦ Techn. Ôter le lut de. *Déluter un vase.*

Les pêcheurs qui n'étaient pas partis rentraient les rames. Déjà, dans les sentines, on délutait de vieilles cruches.
J. GIONO, Naissance de l'Odyssée, Pl., t. I, p. 105.

Par ext. Ôter le coke de. *Déluter des cornues.*

DÉR. **Délutage, déluteur.**

DÉLUTEUR [delytœʀ] n. m. — 1877, Littré, *Suppl.*; de *déluter*.

♦ Techn. Ouvrier chargé du délutage. — REM. Le fém. *déluteuse* est virtuel.

DÉMACLAGE [demaklaʒ] n. m. — 1870; de *démacler*.

♦ Techn. Action de démacler.

DÉMACLER [demakle] v. tr. — 1791; de 2. *dé-*, et *macler*.

♦ Techn. (vieilli). Remuer (le verre fondu) avec un outil de fer.

DÉR. **Démaclage.**

DÉMAGNÉTISATION [demaɲetizasjɔ̃] n. f. — 1870; de *démagnétiser*.

Sciences.

♦ **1.** Action de démagnétiser.

♦ **2.** (V. 1945). Dispositif de protection individuelle des navires contre les mines magnétiques.

CONTR. **Aimantation.**

DÉMAGNÉTISER [demaɲetize] v. tr. — 1870; de 1. *dé-*, et *magnétiser*.

♦ Sc. Détruire l'aimantation de. — Fig. «*Mes compagnons actuels me démagnétisent*» (Amiel, *in* T. L. F.).

CONTR. **Aimanter, magnétiser.**
DÉR. **Démagnétisation.**

DÉMAGOGIE [demagɔʒi] n. f. — 1791; *démagogisme*, n. m., 1796; du grec *dêmagôgia* de *démagôgos*. → Démagogue.

♦ **1.** Cour. Politique par laquelle on flatte, excite, exploite les passions de la multitude. — Par ext. Attitude démagogique en politique. *La démagogie de l'opposition, du gouvernement. Faire preuve de démagogie. C'est de la démagogie! C'est une mesure de pure démagogie.*

♦ **2.** Didact. État politique dans lequel la multitude commande au pouvoir. ⇒ **Ochlocratie.**

1 Un des moyens qui réussissent le mieux parmi les innombrables moyens heureux de l'éternelle démagogie consiste à lancer le populaire, préalablement entraîné, sur une minorité habilement circonscrite (...)
Ch. PÉGUY, la République,... p. 101.

2 La démocratie n'a pas d'ennemie plus redoutable que la démagogie.
Alfred CROISET, Démocraties antiques, p. 335.

3 (...) la démagogie, comme aurait dit Aristote, cette forme «pervertie» de la démocratie.
Robert COHEN, Athènes, une démocratie, XII, p. 230.

4 La démagogie s'introduit quand, faute de commune mesure, le principe d'égalité s'abâtardit en principe d'identité. Alors le soldat refuse le salut au capitaine, car le soldat, en saluant le capitaine, honorerait un individu, et non la nation.
SAINT-EXUPÉRY, Pilote de guerre, XXVI, p. 223.

DÉR. **Démagogique.**

DÉMAGOGIQUE [demagɔʒik] adj. — 1790; du grec *dêmagôgikos*, de *démagôgos*. → Démagogue.

♦ Qui appartient à la démagogie, relève de la démagogie. *Politique, discours, mesure démagogique.*

Ils sont les bénéficiaires d'un suffrage; on comprend, à la rigueur, qu'ils succombent à la tentation électorale, à la psychose démagogique, au désir de conserver à tout prix leur mandat, car il n'y a rien de plus triste, de plus lamentable qu'un représentant congédié.
G. DUHAMEL, Manuel du protestataire, I, p. 24.

DÉMAGOGUE [demagɔg] n. — 1790, n. m.; 1361-1688, sens grec; du grec *dêmagôgos* «meneur de peuple, chef d'un parti populaire», de *dêmos* «peuple» et *agôgos* (→ -agogue).

♦ **1.** Hist. (dans l'ancienne Grèce). Chef d'un parti populaire.

1 (...) je voudrais qu'il me fût permis d'employer le terme de démagogues; c'était dans Athènes et dans les États populaires de la Grèce certains orateurs qui se rendaient tout-puissants sur la populace en la flattant (...)
BOSSUET, Hist. des variations, V, § 18.

♦ **2.** Politicien qui flatte la multitude pour gagner et exploiter sa faveur. *Politique, éloquence de démagogue. Le démagogue se plie aux caprices de la foule* (→ Caprice, cit. 6). *Le démagogue est le pire ennemi de la démocratie.*

2 Mais ce fut à la publication des *Lettres de la Montagne* que j'eus le premier signe de sa mauvaise volonté pour moi. On fit courir dans Genève une lettre à Mme Saladin, qui lui était attribuée, et dans laquelle il parlait de cet ouvrage comme des clameurs séditieuses d'un démagogue effréné.
ROUSSEAU, les Confessions, XII.

3 De temps en temps les partis remettent des semelles neuves à leurs vieilles injures. En 1832, le mot *bousingot* faisait l'intérim entre le mot *jacobin* qui était éculé, et le mot *démagogue* alors presque inusité et qui a fait depuis un si excellent service.
HUGO, les Misérables, V, III, II.

♦ **3.** Adj. Qui fait preuve de démagogie. *Orateur, politicien démagogue. Il est trop démagogue.*

Abrév. fam. *Démago* (adj. et n.). *« Quel démago, il vient faire une heure de pub devant les grévistes »* (*Actuel*, déc. 1974, p. 25).

DÉR. V. Démagogie, démagogique.

1. DÉMAIGRIR [demegʀiʀ] v. — 1680 ; de 2. *dé-*, et *maigrir*.

★ I. V. tr. Techn. Rendre moins épais. ⇒ **Amincir, dégraisser, dégrossir**. *Démaigrir une poutre*.

★ II. V. intr. Didact. Perdre de la matière. *« Suivant les circonstances, une plage peut perdre plus de sédiments qu'elle n'en reçoit et elle démaigrit, ou en recevoir plus qu'elle n'en perd et elle engraisse »* (*la Recherche*, janv. 1983, p. 20-21).

DÉR. Démaigrissement.

2. DÉMAIGRIR [demegʀiʀ] v. intr. — 1798 ; de 1. *dé-*, et *maigrir*.

♦ Vx. Devenir moins maigre.

DÉMAIGRISSEMENT [demegʀismɑ̃] n. m. — 1676 ; de 1. *démaigrir*.

♦ **1.** Techn. Action de démaigrir (I.) ; son résultat. ⇒ **Amincissement**. — Partie ainsi enlevée au bois, à la pierre.

♦ **2.** Géogr. Perte de sable qu'une plage subit par l'action des courants marins. ⇒ 1. **Démaigrir**, II.

DÉMAILLAGE [demajaʒ] n. m. — 1907 ; de *démailler*.

♦ Action de démailler ; fait de se démailler ; son résultat. *Le démaillage d'un bas.*

DÉMAILLER [demaje] v. tr. — 1080 ; de 1. *dé-*, et *maille*.

♦ **1.** Défaire en rompant les mailles. — Pron. *Son bas s'est démaillé.* ⇒ **Filer**.

♦ **2.** (1907). Mar. Défaire (une chaîne) en séparant les maillons.

Il lui demanda de se préparer à prendre la remorque, de démailler sa chaîne, afin d'y mailler le câble d'acier qu'il lui enverrait sitôt qu'il serait sur lui.
Roger VERCEL, Remorques, p. 71.

♦ **3.** Pêche. Dégager (le poisson) d'un filet.

DÉR. Démaillage.

DÉMAILLOTER [demajote] v. tr. — 1276 ; de 1. *dé-*, et *maillot*.

♦ **1.** Débarrasser (un enfant) du maillot. — Pron. *Ce marmot se démaillote à force de gigoter.*

Deschartres *(le médecin de la famille)* qui prit alors sa retraite, vint voir le nouveau-né. Raide et gourmé, il démaillota l'enfant et le regarda dans tous les sens « pour voir s'il n'y avait rien à critiquer ».   A. MAUROIS, Lélia, II, I, p. 73.

♦ **2.** Dégager (de ce qui est comparé à un maillot). *Démailloter une momie de ses bandelettes.* — Par métaphore. Dégager (de ce qui couvre, entoure).

CONTR. Emmailloter.

DEMAIN [d(ə)mɛ̃] adv. de t. et n. m. — XIIᵉ ; du lat. *de mane* « à partir du matin ». → aussi Lendemain ; après-demain.

★ I. Le jour suivant immédiatement celui où l'on parle, ou celui où est censée parler la personne dont on rapporte les paroles.

♦ **1.** Adv. *« Je dois le voir demain »* m'a-t-il dit lundi dernier. *Demain matin, demain après-midi, demain soir. Demain dans la matinée, dans l'après-midi, dans la soirée, à midi, à telle heure, à la première heure, à l'aube, de bonne heure.*

1 Ces blés sont mûrs, dit-il, allez chez nos amis
   Les prier que chacun, apportant sa faucille,
   Nous vienne aider demain dès la pointe du jour.   LA FONTAINE, Fables, IV, 22.

2 S'il ne meurt aujourd'hui, je puis l'aimer demain.   RACINE, Andromaque, IV, 3.

3 Différez-le *(votre hymen)* d'un jour ; demain vous serez maître.   RACINE, Andromaque, IV, 5.

4 Hâtons-nous aujourd'hui de jouir de la vie ;
   Qui sait si nous serons demain ?   RACINE, Athalie, II, 9.

5 Demain, dès l'aube, à l'heure où blanchit la campagne,
   Je partirai (...)   HUGO, les Contemplations, IV, XIV.

5.1 Écoute. Qu'est-ce que tu fais demain ?
   Le lendemain, jeudi, les lycéens sont libres (...)
   Demain, dit Olivier, je vais à onze heures et demie à la gare Saint-Lazare, pour l'arrivée du train de Dieppe, à la rencontre de mon oncle Édouard, qui revient d'Angleterre. L'après-midi, huit heures, j'irai retrouver Dhurmer au Louvre.
   GIDE, les Faux-monnayeurs, in Romans, Pl., p. 957.

Demain on rase gratis (inscription de l'enseigne d'un barbier), se dit pour souligner l'inanité d'un espoir, d'une promesse.

6 Le livre qui sera beau et qu'on louera est le livre qui n'est pas encore paru. Celui qui paraît est infailliblement détestable. Celui de demain sera superbe ; mais c'est

toujours aujourd'hui. Il en est de cette critique comme de ce barbier qui avait pour enseigne ces mots écrits en gros caractères : ICI L'ON RASERA GRATIS DEMAIN.
Th. GAUTIER, Mˡˡᵉ de Maupin, Préface, éd. critique MATORÉ, p. 44.
(1790, *in* D.D.L.). *Demain il fera jour :* rien ne presse d'agir aujourd'hui.

6.1 — Ne te reproche rien, ami, répondit Michel Strogoff, qui passa sa main sur ses yeux. Avec toi pour guide, je puis agir encore. Prends donc quelques heures de repos. Que Nadia se repose aussi. Demain, il fera jour !
   J. VERNE, Michel Strogoff, L. de Poche, p. 368.

7 Lillas, dit-elle sitôt qu'elle me vit, je ne fais plus rien de la journée. Demain il fera jour !   MÉRIMÉE, Carmen, III.

Loc. fam. *Ce n'est pas, c'est pas demain la veille :* ce n'est pas pour bientôt.

7.1 Ce n'est pas demain la veille du jour où j'admettrai que les devoirs d'un père passent après ceux du citoyen.   H. BAZIN, Cri de la Chouette, p. 136.

♦ **2.** Nominal (n. m.). *Demain est jour férié. Vous avez demain, tout demain, pour réfléchir.*

8 Qui a vécu un seul jour, a vécu un siècle (...) rien ne ressemble mieux à aujourd'hui que demain.   LA BRUYÈRE, les Caractères, XVI, 32.

8.1 (...) à l'enfant on a beau avoir appris que Demain est un jour comme Aujourd'hui était un jour, comme Hier était un jour, il attend chaque demain comme quelque chose de tout nouveau qui n'est en rien de l'espèce d'aujourd'hui ou d'hier, comme un monde mystérieux où il trouvera sans doute le bonheur.
   PROUST, Jean Santeuil, Pl., p. 249.

Avec une préposition. — (Avec *à*). À DEMAIN, nous nous reverrons demain. *Au revoir, à demain, à demain soir !* — Loc. *« À demain les affaires sérieuses. »* (allusion aux paroles d'Archias, tyran de Thèbes, écartant sans le lire, au cours d'un festin, le message qui l'avertissait du complot où il allait trouver la mort quelques instants plus tard).

Prov. *Ne remettons pas à demain ce que nous pouvons faire aujourd'hui.* — *Jusqu'à demain. Réfléchissez jusqu'à demain. Restez avec nous jusqu'à demain. D'ici à demain.* Ellipt. *D'ici demain. D'ici (à) demain le temps peut changer, la réponse peut venir...*
(Avec *pour*). POUR DEMAIN. *Ce sera fait, c'est pour demain. Laissons cela pour demain. Voilà votre programme pour demain.*
(Avec *de*). À DATER, À PARTIR DE DEMAIN. *Le programme change à partir de demain.*

DE DEMAIN EN HUIT, EN QUINZE, ou (plus cour.), *demain en huit, en quinze :* dans huit, dans quinze jours à dater de demain.

9 Je compte que ce ne sera que de demain en huit que je vous verrai (...)
   Mᵐᵉ DE MAINTENON, Lettre au cardinal de Noailles, 5 janv. 1706, in LITTRÉ.

DÈS DEMAIN. *Nous partirons dès demain.*

10 — Eh ! mon Dieu ! MM. les prédicateurs, que feriez-vous donc sans le vice ? — Vous seriez réduits, dès demain, à la mendicité, si l'on devenait vertueux aujourd'hui.   Th. GAUTIER, Mˡˡᵉ de Maupin, Préface, éd. critique Matoré, p. 5.

Loc. Vx. *La veille de demain :* aujourd'hui (pour rappeler que le lendemain est un grand jour).

11 *(Rosette)*, Adieu. — *(Arlequin, qui doit se marier avec elle le lendemain) :* Ma bonne amie, n'oubliez pas que c'est aujourd'hui la veille de demain !
   FLORIAN, Jumeaux de Bergame, 3, in LITTRÉ.

★ II. Par ext. Dans un avenir plus ou moins proche (par oppos. à *aujourd'hui, à présent*). ⇒ **Futur**.

♦ **1.** Adv. Plus tard.

12 Aujourd'hui dans le trône, et demain dans la boue (...)
   CORNEILLE, Polyeucte, IV, 3.

13 L'homme aujourd'hui sème la cause,
   Demain Dieu fait mûrir l'effet.   HUGO, les Chants du crépuscule, V, II.

♦ **2.** Nominal. ⇒ **Avenir** (l'). *Le monde de demain.* ⇒ **Futur**. N. m. Littér. *Un demain vengeur.* → ci-dessous cit. 18, 20.

14 Vivez, si m'en croyez, n'attendez à demain ;
   Cueillez dès aujourd'hui les roses de la vie.
   RONSARD, Sonnets pour Hélène, Livre II, XXIV.

15 Oh ! demain, c'est la grande chose !
   De quoi demain sera-t-il fait ?   HUGO, les Chants du crépuscule, V, II.

16 Puisque je ne peux pas voir demain, j'aurais voulu voir hier.
   FLAUBERT, Correspondance, II, p. 130.

17 (...) nous vivons dans l'attente de ce que Demain (...) apportera (...)
   FRANCE, le Lys rouge (→ Attente, cit. 11).

18 Ce qui lui reste d'avenir, n'est plus qu'un demain fulgurant (...)
   MARTIN DU GARD, les Thibault, t. VIII, p. 92.

19 Le mouvement syndicaliste est la plus grande force d'aujourd'hui, et de demain.
   J. ROMAINS, les Hommes de bonne volonté, t. V, XIV, p. 236.

20 O joies ! O gloires ! O grandeurs jamais abolies d'une France qui regarde déjà vers les demains prestigieux !   M. AYMÉ, le Vin de Paris, p. 213.

CONTR. Aujourd'hui. — Présent. — Hier. — Passé.
COMP. Après-demain, lendemain.

DÉMANCHEMENT [demɑ̃ʃmɑ̃] n. m. — 1511 ; de 1. *démancher*.

♦ Rare. Action de démancher (1. Démancher) ; son résultat.

1. DÉMANCHER [demɑ̃ʃe] v. — 1549 ; au p. p. *desmangié*, XIIIᵉ ; de 1. *dé-*, et *manche*.

♦ **1.** V. tr. Séparer de son manche. *Démancher une hache.* — Au p. p. *Outil démanché.*

♦ **2.** (Av. 1559). Fam. ⇒ **Disloquer**. *Il a encore démanché ce meuble.* — Au p. p. *Ce fauteuil est tout démanché.*

♦ **3.** V. intr. (1798). Mus. En jouant d'un instrument à cordes pourvu d'un manche, retirer la main gauche du manche, pour en porter le pouce sur la touche, de manière à tirer les sons les plus aigus. N. m. (du p. p.). *Le démanché :* le jeu dans lequel on démanche.

▶ **SE DÉMANCHER** v. pron.

♦ **1.** (Passif). *Balai qui se démanche.*

♦ **2.** (Réfléchi). Fam. *Se démancher le bras, l'épaule.* ⇒ **Casser, démettre** (se). — Fig. *Entreprise qui se démanche,* qui branle dans le manche. ⇒ **Désorganiser** (se).

♦ **3.** (1808). Se donner beaucoup de mal pour organiser quelque chose. ⇒ **Quatre** (se mettre en quatre), **remuer** (se). *Il se démanche pour nous faire plaisir.*

CONTR. (Du sens 1) **Emmancher.**
DÉR. **Démanchement.**
HOM. 2, **Démancher.**

2. DÉMANCHER [demãʃe] v. intr. — 1833, *in* D. D. L. ; de 1. *dé-*, et *manche*, n. f.

♦ Mar., rare. Sortir d'une *manche,* ou bras de mer. ⇒ **Débouquer.** *Voilier qui démanche.* — Spécialt, plus cour. en marine. Sortir de la Manche.

CONTR. **Embouquer, emmancher.**
HOM. 1. **Démancher.**

DEMANDABLE [d(ə)mɑ̃dabl] adj. — 1870 ; de *demander*.

♦ Rare. Qui peut être demandé.

DEMANDANT, ANTE [d(ə)mɑ̃dɑ̃, ɑ̃t] adj. ⇒ **Demander,** p. prés.

DEMANDE [d(ə)mɑ̃d] n. f. — 1190 ; de *demander*.

★ **I.** ♦ **1.** Action de demander, de faire connaître à quelqu'un ce qu'on désire obtenir de lui. ⇒ **Désir, souhait.**

1 Quand il s'agit de demandes, l'expression de la volonté varie extrêmement. D'abord suivant le rapport entre les individus (...) Un supérieur parle généralement (...) d'un tout autre ton qu'un égal ou un inférieur (...) Le milieu social, l'époque, changent le caractère des demandes (... *Mais*) en réalité, c'est l'état d'âme de celui qui parle qui détermine sa façon de demander. Sa nature, son éducation, dans une même situation et pour un même objet, lui font choisir ou les formes qui respectent sa dignité, ou celles qui trahissent sa platitude, celles qui montrent son adresse ou celles qui témoignent de sa résolution.
F. BRUNOT, la Pensée et la Langue, III, XII, VI, p. 568.

Humble demande. ⇒ **Imploration, prière, quête, requête, supplique.** *Demande impérative.* ⇒ **Commandement, exigence, mandement, ordre, sommation.** *Demande faite avec insistance.* ⇒ **Réclamation, revendication.** *Demande individuelle, collective. A la demande générale...* — *Demande d'argent de secours.* ⇒ **Appel** (de fonds). *Demande d'emploi.* ⇒ **Candidature.** *Les demandes et les offres d'emploi*. Demande de pension. Demande d'admission à un poste, à un rang.* — *Demande justifiée. Sa demande est inadmissible, irrecevable.* — *Faire demande* (vx). *Faire, adresser, exposer, exprimer, formuler, présenter une demande.* ⇒ **Demander.** *Démarche pour appuyer la demande de quelqu'un. Harceler, importuner, obséder quelqu'un par ses demandes.*

Accorder, exaucer, satisfaire une demande. Donner satisfaction, répondre favorablement à une demande. Repousser, rejeter une demande. Obtenir satisfaction après une demande. ⇒ **Obtention.** *Sa demande a été acceptée, honorée.* — *Faire quelque chose sur la demande de quelqu'un. Être nommé, mis à la retraite sur sa demande. Renseignements sur demande.*

2 Sur le point de partir, Rome, Seigneur, me mande
Que je vous fasse encor pour elle une demande.
Elle a nourri vingt ans un prince votre fils ;
(...) Donnez ordre qu'il règne : elle vous en conjure (...)
CORNEILLE, Nicomède, II, 3.

3 (...) importuner *(le Ciel)* par nos souhaits aveugles et nos demandes inconsidérées !
MOLIÈRE, Dom Juan, IV, 4.

4 Saint Jean de Damas a défini ainsi la prière (...) la demande qu'on a faite à Dieu des choses convenables.
BOSSUET, Études d'oraison funèbre, IV, 11.

5 Qu'ils signifient à tous les gouvernements que leur première volonté, leur première demande, avant le bien-être, presque avant le pain quotidien, c'est la paix ; la paix humaine et désarmée.
J. ROMAINS, les Hommes de bonne volonté, t. IV, XXIII, p. 257.

(1835). Par ext. Écrit exprimant une demande. ⇒ **Pétition, placet.** *Rédiger, adresser, poster une demande. Les demandes d'emploi seront envoyées à telle adresse. J'ai reçu sa demande au courrier d'hier. Dossier des demandes. Apostiller une demande.*

♦ **2.** (V. 1190). *Demande en mariage :* démarche par laquelle on demande une jeune fille en mariage à ses parents. *Son père,*

son oncle est venu faire la demande en mariage, et, absolt, *la demande.*

♦ **3.** Comm. ⇒ **Commande.** *Livrer sur demande.* L'ensemble des commandes : la quantité des produits ou services demandée par les acheteurs. *Il y a eu une grosse demande de charbon cet hiver.*

(1778). Écon. La quantité d'un produit ou d'un service que des acheteurs sont disposés à prendre à un prix donné. *La demande est l'expression des besoins des acheteurs. La loi de l'offre et de la demande.* ⇒ **Offre.** *Relations entre la demande, l'offre et le prix. Courbe de la demande.*

6 L'offre et la demande constituent l'état du marché. On a dû entendre par demande la volonté jointe au pouvoir d'acheter.
MALTHUS, Trad. des principes d'économie politique, t. I, p. 62.

7 (...) qu'entendre par demande ? La quantité demandée est indéterminée ; puisqu'elle dépend (...) de la valeur d'échange, du prix de l'objet (...)
Charles GIDE, Cours d'économie politique, II, IV, p. 350.

♦ **4.** Dr. Action par laquelle on s'adresse à un tribunal pour faire reconnaître l'existence d'un droit. *Qui concerne une demande.* ⇒ **Demandeur, rogatoire.** *Former une demande en divorce ; en dommages-intérêts... Demande en désaveu de paternité.* — *Demande en introduction d'instance,* donnant ouverture à un procès nouveau. — *Demande principale,* portant sur le fond du litige. *Demande accessoire,* conséquence de la demande principale. *Demande subsidiaire,* formée à titre éventuel au cas où la demande principale ne serait pas reçue. *Demande alternative,* tendant à deux fins dont l'une exclura l'autre. *Demande reconventionnelle,* introduite au cours du procès par le défendeur et tendant à faire reconnaître un droit atténuant ou annulant la demande principale. *Demande en garantie,* formée par le défendeur contre un tiers pour que celui-ci prenne ses lieu et place en raison d'une obligation de garantie. *Demande en intervention,* formée en cours d'instance par un tiers pour intervenir dans un débat. *Demande additionnelle,* introduite par le demandeur et modifiant sa demande primitive. *Demande provisoire* ou *provisionnelle,* formée en cours d'instance pour ordonner des mesures provisoires. *Demande incidente,* formée en cours d'instance à propos d'une question préalable ou de détail. *Demande préjudicielle,* demande incidente sur des questions de forme ou de procédure ; aussi : demande dont la solution doit intervenir avant que le tribunal statue sur une autre demande. — *Demande connexe :* demande dont la solution est de nature à influer sur la solution d'une autre soumise à un tribunal différent. — *Demande nouvelle,* distincte d'une autre demande pendante entre les mêmes parties. *Demande indéterminée,* dont l'objet n'est pas évaluable en argent. — *Demande en renvoi,* que le défendeur forme pour obtenir son renvoi devant un autre tribunal.

8 Aucune demande principale introductive d'instance entre parties capables de transiger (...) ne sera reçue dans les tribunaux de première instance, que le défendeur n'ait été préalablement appelé en conciliation devant le juge de paix ou que les parties n'y aient volontairement comparu.　　Code de procédure civile, art. 48.

Par ext. Acte contenant la teneur de la demande en justice. *La demande se présente sous la forme d'une assignation* (⇒ **Ajournement,** 1., assignation, 2.) *ou d'une requête* (⇒ **Requête, réquisition**). ⇒ aussi **Conclusion.**

♦ **5.** Ce qui fait l'objet d'une demande. *On lui a accordé sa demande.*

Dr. Prétention exprimée par l'action en justice (→ ci-dessus, 4.). *Statuer sur la demande.*

♦ **6.** Cartes (bridge). Annonce par laquelle on s'engage à réaliser un contrat.

★ **II.** (1673). Vieilli. Action de demander, de chercher à savoir. ⇒ **Interrogation, question.** *Livre, catéchisme par demandes et réponses. Une demande embarrassante, indiscrète. Ne savoir comment répondre à une demande.* — Prov. (vx). *A sotte demande, point de réponse.* — Iron. *La belle demande !* : se dit d'une question sotte ou inutile (→ Quelle question ! cela va sans dire !).

9 (...) Croyez-vous que l'habit m'aille bien ? — Belle demande !
MOLIÈRE, le Bourgeois gentilhomme, II, 5.

CONTR. **Réponse, défense ; acceptation, refus.** — **Offre.** — **Opposition.**

DEMANDER [d(ə)mɑ̃de] v. tr. — 1080 ; du lat. *demandare* «confier», de *de-* et *mandare* «mander, solliciter» en lat. pop. → Mander.

★ **I.** ♦ **1.** Faire connaître à quelqu'un (ce qu'on désire obtenir de lui) ; exprimer (un désir, un souhait) de manière à en provoquer la réalisation. *Demander qqch. à qqn ; demander qqch.* Adresser (une demande...). *Demander une chose que l'on désire, que l'on cherche, que l'on souhaite, que l'on veut. Demander une faveur..., avec humilité.* ⇒ **Implorer, prier, supplier ; quémander, quêter, solliciter.** *Demander son dû avec force, insistance.* ⇒ **Prétendre** (à), **réclamer, requérir, revendiquer.** *Demander qqch. à cor* et à cri. Demander qqch. impérativement.* ⇒ **Commander, enjoindre, exiger, imposer, ordonner, mander, prescrire, sommer.** *Demander oralement qqch. à qqn.* ⇒ **Dire** (de faire qqch.). *Demander quelque chose par écrit.* ⇒ **Adresser** (une pétition...), **pétitionner.** — *Demander à* *qqn son amitié, sa protection. Demander aide, assistance, secours. Demander de l'argent.* ⇒ **Appeler** (I., 6., b). *Demander une faveur.* ⇒ **Solliciter.** *Demander un emploi, un poste.* ⇒ **Briguer, postuler ; présenter** (sa candidature). *Demander à Dieu.* ⇒ **Prier.** — Loc. *Demander grâce ; vengeance.* ⇒ **Crier.** *Demander l'aumône*, la charité, du pain.* ⇒ **Mendier.** — Absolt. *Il demande de porte en porte* (Académie). — *Demander un délai, un sursis, du temps. Demander la permission* (cit. 1), *l'autorisation de faire quelque chose.* — Loc. *Demander conseil*. Demander pardon** (cit. 7). ⇒ **Excuser** (s'). — *Demander réparation. Demander raison*, demander compte* d'un affront* (cit. 4). *Demander la tête d'un coupable,* l'application de la peine de mort. *S'enfuir sans demander son reste*.* — *Demander un renseignement, une information.* → ci-dessous II., 1.

1   Je demande sa tête, et crains de l'obtenir (...)
                                        CORNEILLE, le Cid, III, 3.
2   Toutes les dignités que tu m'as demandées,
    Je te les ai sur l'heure et sans peine accordées (...)
                                        CORNEILLE, Cinna, V, 1.
3   Vous avez entendu ce que je vous demande,
    Madame : je le veux, et je vous le commande.
                                        RACINE, Iphigénie, III, 1.
4   Pressez : demandez tout, pour ne rien obtenir. RACINE, Andromaque, I, 1.
5   On demande à Dieu les choses ; on demande aux saints des prières (...)
                                        BOSSUET, Hist. des variations, XIII, 28.
6   — Monsieur, répondit le mendiant, je vous demande de l'argent et non pas des conseils. VOLTAIRE, Dict. philosophique, Amour-propre (→ Aumône, cit. 7).
7   La société a le droit de demander compte à tout agent public de son administration.
                                        Déclaration des droits de l'homme, art. 15.
8   Mais je demande en vain quelques moments encore (...)
                                        LAMARTINE, Premières méditations, « Le lac ».
9   Et j'aurai jusqu'au bout fait mon temps sur la terre,
    N'osant rien demander et n'ayant rien reçu (...) ARVERS, Sonnet.
10 J'accepte de grand cœur pour jeudi votre bonne invitation en vous demandant seulement la permission de ne venir qu'après 5 heures.
                                        SAINTE-BEUVE, Correspondance, 335, 27 nov. 1833, t. I, p. 403.
11 Gardez-vous de demander du temps ; le malheur n'en accorde jamais.
                                        Louis BARTHOU, Mirabeau, p. 185.
12 (...) un service amusant à rendre ne saurait être ennuyeux à demander.
                                        GIDE, les Faux-monnayeurs, p. 11.
13 (...) il a une manière bien à lui pour demander et obtenir toutes sortes de menus services (...) G. DUHAMEL, Chronique des Pasquier, III, XIII, p. 158.

    Spécialt. Indiquer (ce que l'on veut gagner). *Il demande tant de l'heure, tant par mois.*

    Par ext. et fam. Avoir envie de. ⇒ **Désirer, rechercher, souhaiter, vouloir.** *C'est tout ce que je demande. Il ne demande que ça.*

14 Tant mieux, morbleu ! tant mieux, c'est ce que je demande (...)
                                        MOLIÈRE, le Misanthrope, I, 1.

    Absolt. *Il demande sans cesse, il n'est jamais satisfait. Demander sans espoir d'obtenir.*

15 Demandez, et l'on vous donnera ; cherchez, et vous trouverez : frappez, et l'on vous ouvrira. BIBLE (SEGOND), Évangile selon saint Matthieu, VII, 7.
16 J'eus pourtant besoin de tout, mais réfractaire au « quiconque demande reçoit », je ne demandais pas. COLETTE, l'Étoile Vesper, p. 195.
17 Qu'est le mal de demander en vain au prix de la douleur de se refuser ?
                                        COLETTE, l'Étoile Vesper, p. 208.

    Littér. ou style soutenu. **DEMANDER À** (et inf.). *Il demande à s'en aller.*

    REM. *Demander à...* s'emploie avec l'infinitif quand les deux verbes ont le même sujet. *Demander à parler, à sortir.*

18 Un domestique accourt, l'avertit qu'à la porte
    Deux hommes demandaient à le voir promptement. LA FONTAINE, Fables, I, 14.
19 (...) Philoclès demanda au roi à se retirer auprès de Salente (...)
                                        FÉNELON, Télémaque, XIV.
20 M. de Charlus demanda à s'asseoir sur un fauteuil (...)
                                        PROUST, À la recherche du temps perdu, t. XIV, p. 206.

    Ne demander qu'à : désirer uniquement. *Il ne demande qu'à s'amuser.*

21 M. le duc de Chaulnes a écrit au maréchal d'Estrées, qui ne demande pas mieux qu'à nous faire plaisir (...) Mme DE SÉVIGNÉ, Lettres, 1222, 5 oct. 1689.
22 M. Thibault ne demandait qu'à se laisser convaincre.
                                        MARTIN DU GARD, les Thibault, t. III, p. 176.

    Demander de... avec l'infinitif s'emploie la plupart du temps lorsque *demander* a un objet indirect, même si *demander* et l'infinitif complément ont le même sujet (→ ci-dessus, *Demander à*). *Il me demanda de s'en aller* s'emploie de préférence à *Il me demanda à s'en aller.*

23 (...) j'ai écrit à ma mère jeudi dernier, pour lui demander de finir mes études à Paris. ALAIN-FOURNIER, le Grand Meaulnes, II, X, p. 194.

    Mais, dans le même sens (rare) :

24 *(Il)* m'a demandé à voir ce que j'écrivais. GIDE, l'École des femmes, p. 75.

    Lorsque *demander* et son complément ont deux sujets distincts, la construction avec *de...* s'impose. *Je lui demandais de s'en aller.* ⇒ **Commander, enjoindre, ordonner, sommer.**

25 (...) ils me demandèrent comme une grâce de monter tous deux ensemble au moulin, pour parler au grand-père (...)
                                        Alphonse DAUDET, Lettres de mon moulin, « le Secret de Me Cornille ».
26 Mais vous ne pouvez tout de même pas demander aux gens de faire hara-kiri.
                                        J. ROMAINS, les Hommes de bonne volonté, t. II, XII, p. 119.
27 Cette fois je vous demande de me répondre.
                                        MONTHERLANT, les Jeunes Filles, p. 11.
28 Je ne t'ai pas demandé de venir. SARTRE, Huis clos, 5.

    DEMANDER QUE... suivi du subj. *Je demande que vous m'écoutiez.* (Faute fréquente : *demander à ce que...*).

Tel qu'il est, tous les Grecs demandent qu'il périsse. 29
Le fils d'Agamemnon vient hâter son supplice. RACINE, Andromaque, I, 4.
Je leur demanderais volontiers *(aux prédicateurs)* qu'au milieu de leur course 30
impétueuse, ils voulussent plusieurs fois reprendre haleine (...)
                                        LA BRUYÈRE, les Caractères, XV, 5.

Loc. **NE PAS DEMANDER MIEUX QUE...,** consentir volontiers ; être content, ravi. *Il m'a dit de venir, je ne demande pas mieux. Je ne demande pas mieux que d'aller le voir.* On dit aussi, avec un seul *que* jouant double rôle : *Je ne demande pas mieux qu'il vienne* (construction logique : *Que qu'il vienne*).

Je puis avoir des illusions. Je ne demanderais pas mieux qu'on m'en dépouille. 31
                                        BERNANOS, le Dialogue des Carmélites, II, 1.

Fam. *Il ne demande que ça :* il ne demande pas mieux.

♦ **2.** (V. 1283). Dr. Faire une demande en justice. ⇒ **Requérir.** *Demander le divorce pour cause d'adultère* (→ Adultère, cit. 2 et 3). *Demander des dommages-intérêts.* — *Demander acte* d'une déclaration,* la faire constater légalement.

♦ **3.** Prier de donner, d'apporter (qqch.). ⇒ **Réclamer, vouloir.** *Demander un article à un commerçant* (⇒ **Commander**). *Demander son chapeau et ses gants. Demander sa voiture. Demander l'addition, la note au restaurant, à l'hôtel. On demande beaucoup cet article* (→ ci-dessous, *Demandé*). *Le policier lui demanda ses papiers.*

♦ **4.** Faire venir, faire chercher (qqn). *Demander un médecin, un prêtre.* ⇒ **Venir** (faire venir). *Le général demande des renforts.* — *Demander un ouvrier, un commis...,* faire savoir qu'on en a besoin. *On demande un livreur.* ⇒ **Engager.**
Chercher (qqn) pour le voir, lui parler. *Descendez, on vous demande. On vous demande au parloir. Qui demandez-vous ?*

— Gardes, que me veut-on ? — Pauline vous demande. 32
                                        CORNEILLE, Polyeucte, IV, 1.
Qu'est-ce que vous me voulez, mon papa ? Ma belle-maman m'a dit que vous me 33
demandez. MOLIÈRE, le Malade imaginaire, II, 8.

Demander après quelqu'un. ⇒ **Après** (*infra* cit. 54).

Spécialt. Vieilli. *Demander une jeune fille,* la demander en mariage.

(Il) Rencontra bergère à son gré : 34
Il la demande en mariage. LA FONTAINE, Fables, IV, 1.
Si le financier manque son coup, les courtisans disent de lui : « C'est un bourgeois, 35
un homme de rien, un malotru » ; s'il réussit, ils lui demandent sa fille.
                                        LA BRUYÈRE, les Caractères, VI, 7.

Loc. mod. *Demander la main de* (une jeune fille) : demander en mariage.

(...) elle avait formellement demandé la main de Madeleine pour son fils, 36
qui, avant six mois, serait de retour. LOTI, Matelot, XLI, p. 160.

♦ **5.** *Demander qqch. de qqn* (ou *à qqn*) : faire connaître (ce qu'on attend de quelqu'un). ⇒ **Attendre** (de), **compter** (sur). *Demander beaucoup de quelqu'un. L'Église demande aux hommes, demande des hommes l'observance de ses commandements. Demander à quelqu'un plus qu'il n'en peut faire.* — Fam. *Il ne faut pas lui en demander trop :* on ne peut pas exiger beaucoup de lui. — *On ne lui demande qu'un peu de patience.*

♦ **6.** (Sujet et compl. n. de chose). Avoir pour condition de succès, de réalisation. ⇒ **Commander, exiger, imposer, nécessiter, réclamer, requérir, vouloir.** *Faire ce que demande l'honneur, la vertu. Cette proposition demande réflexion. Son état demande des soins, du repos. Cette lecture demande un grand effort d'attention. Ce verbe demande une préposition.* ⇒ **Appeler** (→ Aimer, cit. 50). *Cette plante demande de l'eau, du soleil. Cette sonate demande une exécution impeccable. Le voyage demande trois heures.* ⇒ **Prendre.** — *Demander à* (et inf.).

Quelques dehors civils que l'usage demande. MOLIÈRE, le Misanthrope, I, 1. 37
(...) il demande des hommes un plus grand et un plus rare succès que les louan- 38
ges (...) LA BRUYÈRE, les Caractères, I, 34.
Toutes les affaires qui demandent de la réputation de probité (...) 39
                                        FÉNELON, Télémaque, XV.
Pour obtenir moins de l'humanité, il faut lui demander plus. 40
                                        RENAN, Vie de Jésus, in Œ. compl., t. IV, XIX, p. 282.
La nouvelle, sans doute, demande à être confirmée. 41
                                        FRANCE, le Mannequin d'osier, p. 325.
— Mais lentement on se résigne. On ne demandait pourtant pas beaucoup de la 42
vie. On apprend à en demander moins encore... toujours moins.
                                        GIDE, les Faux-monnayeurs, III, VI, p. 354.
Les femmes fidèles sont celles qui attendent du printemps, des lectures, des par- 43
fums, des tremblements de terre, les révélations que les autres demandent aux amants. GIRAUDOUX, Amphitryon 38, I, 5.
L'architecture, c'est le monde qui demande à devenir une Cité ! 44
                                        CLAUDEL, Feuilles de saints, « L'architecte », p. 59.
(...) les couleurs même se taisent et demandent à être regardées plus attentive- 45
ment qu'ailleurs (...) Valery LARBAUD, Amants, heureux amants, I, p. 12.

★ **II.** Interroger. ♦ **1.** Mod. Essayer de savoir, de connaître (en interrogeant qqn). *Demander son chemin, sa route à un passant. Demander son heure à qqn. Je vous demande comment vous vous appelez. Il lui a demandé si elle viendrait. Demander des nouvelles. Demander un avis, un conseil. Je ne vous demande pas votre avis. Demander le sens d'un texte, la réponse à un problème.*

46 Il appelle la Mort. Elle vient sans tarder,
Lui demande ce qu'il faut faire. LA FONTAINE, Fables, I, 16.

47 Demande-lui s'il veut venir souper avec moi. MOLIÈRE, Dom Juan, III, 5.

48 Pourquoi donc me donner un semblable conseil ?
Pourquoi m'en demander sur un sujet pareil ? MOLIÈRE, Tartuffe, II, 4.

49 L'on demande s'il faut aimer. Cela ne se doit pas demander : on le doit sentir.
L'on ne délibère point là-dessus, l'on y est porté, et l'on a le plaisir de se tromper
quand on consulte. PASCAL, Disc. sur les passions de l'amour, p. 122.

50 Si vous demandiez de Théodote s'il est auteur ou plagiaire (...) je vous donnerais
ses ouvrages, et je vous dirais : « Lisez, et jugez ».
LA BRUYÈRE, les Caractères, VIII, 61.

51 J'étais perdu et condamné selon toute apparence à chercher mon chemin toute la
nuit. Quant à le demander, il m'eût fallu pour cela rencontrer un visage humain
et je désespérais d'en voir un seul. FRANCE, le Crime de S. Bonnard, p. 306.

52 (...) on entendait (...) sa voix qui commençait à être changée et haletante, demander à ce factionnaire où était Jean Berny (...) LOTI, Matelot, LII, p. 208.

Fam. *Je ne te demande pas l'heure qu'il est :* mêle-toi de ce qui
te regarde.

♦ 2. (1080). Vx. *Demander une question.* ⇒ **Poser.**

53 Si vous ne répondez à cette question, je la demanderai à la petite personne qui
est avec nous. Mme DE SÉVIGNÉ, Lettres, 487, 3 janv. 1676.

♦ 3. Loc. (1812, *in* D.D.L.). Fam. *Je vous demande ; je vous le
demande ; je vous demande un peu... !* marque l'étonnement, la
réprobation. *Peut-on admettre un tel procédé ? Je vous le
demande ?,* certainement pas. — *Demandez-moi pourquoi,* se dit
ironiquement d'une chose dont on ne saurait rien dire.

▶ **SE DEMANDER** v. pron.

♦ 1. Être l'objet d'une prière. *Un tel service ne se demande qu'à
un ami.*

♦ 2. Être l'objet d'une question. — Loc. (1754, *in* D.D.L.). *Est-ce que
cela se demande ? Cela ne se demande pas :* c'est évident, cela va
de soi.
Se faire réciproquement une question. *Ils se demandèrent mutuellement leurs noms.*
Se poser une question à soi-même. *Je me demande ce qu'il va faire.
Je me demande quand et pourquoi il est parti, où il est.* ⇒ **Chercher.** *Il se demande si cela vaut la peine.* ⇒ **Délibérer, hésiter, réfléchir ; tâter** (se). *On se demande pourquoi il a agi ainsi.* ⇒ **Ignorer.**
On se demande comment cette explosion a pu se produire.

54 Perplexe, il se demandait s'il allait les accompagner (...)
ALAIN-FOURNIER, le Grand Meaulnes, I, XV, p. 90.

55 On vit tant que l'on ne se demande pas si l'on vit (...)
Edmond JALOUX, le Dernier Jour de la création, VIII, p. 96.

▶ **DEMANDANT, ANTE** p. prés. adj.

Qui demande. — Spécialt (infl. de l'angl. *demanding*). Qui demande,
requiert de l'affection, de l'amour. ⇒ aussi **Demandeur.**

56 Bien que je fusse consentante, tout ce qu'il y a de plus consentante, demandante,
et cela pendant près de cinq ans, tout homme qui s'efforça de coucher avec moi
ne put y parvenir (certains durent abandonner la partie) qu'en me violant.
Annie LECLERC, Parole de femme, p. 67.

57 Si c'était pas la passion, il serait beaucoup moins demandant.
É. AJAR (R. GARY), l'Angoisse du roi Salomon, p. 242.

▶ **DEMANDÉ, ÉE** p. p. adj. *Faveur demandée avec insistance.* —
Spécialt, comm. Qui fait l'objet d'une forte demande. *Cet article est
très demandé.* ⇒ **Mode** (à la mode), **vogue** (en vogue). — Par ext.
Cet artisan, ce décorateur est très demandé (⇒ **Couru**).

CONTR. Obtenir, prendre, recevoir. — Accepter, accorder, donner, satisfaire ; décli-
ner, refuser. — Contremander, décommander. — Répondre.
DÉR. Demandable, demande, demandeur.
COMP. Redemander.

DEMANDEUR, EUSE [d(ə)mɑ̃dœʀ, øz] n. — V. 1254, *deman-
deor ; de demander.*

♦ 1. Vx. Personne qui demande (quelque chose), qui demande fréquemment. *Un demandeur exigeant, infatigable.* ⇒ **Quémandeur,
solliciteur.** *Une demandeuse de conseils. Un demandeur d'argent.
Venir en demandeur.* ⇒ **Solliciteur.**

Adj. Qui demande, requiert, sollicite. → Demandant. *Je ne suis pas
demandeur, dans cette affaire.* — Spécialt. Qui demande (une gratification psychologique).

0.1 Observez bien telle réunion : vous y verrez ce sujet affolé (discrètement, mondai-
nement) par cet autre, poussé à établir avec lui une relation plus chaleureuse, plus
demandeuse, plus flatteuse (...)
R. BARTHES, Fragments d'un discours amoureux, p. 35.

1 (...) la vue d'un demandeur lui donne des convulsions. MOLIÈRE, l'Avare, II, 4.

♦ 2. Dr. (fém. demanderesse) [d(ə)mɑ̃dʀɛs]). Plaideur qui,
ayant saisi un tribunal de ses prétentions à l'encontre d'un adversaire, a l'initiative du procès. ⇒ **Demande, 4.** *Demandeur en appel.* ⇒ **Appel-
lant.** *Les codemandeurs d'une demande collective. Demandeur principal. Défaut du demandeur.* ⇒ **Défaut, 2.** (défaut-congé).

Le défendeur qui aura constitué avoué pourra (...) prendre défaut contre le demandeur qui ne comparaîtrait pas. Code de procédure civile, art. 154. 2
CONTR. Défendeur, intimé.

DÉMANGEAISON [demɑ̃ʒɛzɔ̃] n. f. — 1492 ; de *démanger.*

♦ 1. Sensation qu'on éprouve au niveau de l'épiderme, et qui incite
à se gratter. ⇒ **Irritation, picotement, prurit.** *Démangeaison agréable.* ⇒ **Chatouillement, titillation.** *Affections cutanées, maladies de
la peau qui causent de vives démangeaisons* (⇒ **Prurigineux**). *Animaux, végétaux dont le contact produit une démangeaison.* ⇒ **Urti-
cant.**

(...) il frappera aussi d'une gale et d'une démangeaison incurables la partie du 1
corps par laquelle la nature rejette ce qui lui est resté de sa nourriture.
BIBLE (SACY), Deutéronome, XXVIII, 27.
(...) mais se grattant soudain, parce qu'elle aurait une démangeaison (...) 2
J. ROMAINS, les Hommes de bonne volonté, t. IV, XV, p. 149.

♦ 2. (1762). Fig. et fam. *Avoir une démangeaison de* (et inf.). ⇒ **Envie.**
(avoir envie de...). *Avoir une grande démangeaison d'écrire, de
parler. Il avait des démangeaisons de l'interroger* (→ Attacher,
cit. 107 ; chacun, cit. 11). *La démangeaison du jeu.* ⇒ **Désir, fureur,
manie, passion.**

(Je disais) Qu'il faut qu'un galant homme ait toujours grand 3
Sur les démangeaisons qui nous prennent d'écrire (...)
MOLIÈRE, le Misanthrope, I, 2.
Quelquefois, se posant comme expérimentée, elle disait du mal de l'amour avec 4
un rire sceptique qui donnait des démangeaisons de la gifler.
FLAUBERT, l'Éducation sentimentale, II, II, Pl., t. II, p. 179.
(...) cette démangeaison de parler qui vide parfois le cœur des gens solitaires (...) 5
ZOLA, la Terre, t. II, p. 5.

DÉMANGER [demɑ̃ʒe] v. — Conjug. *bouger.* — Fin XIIIe ; « ronger »
(vermine, corrosif, maladie), 1227 ; de 2. *dé-,* et *manger.*
(Sujet n. de chose).

★ I. V. intr. ♦ 1. Faire ressentir une démangeaison (à qqn). ⇒ **Picoter, piquer.** *Gratter un bouton, une plaie qui démange. Démanger
à qqn. Sa plaie, sa main, le bras, la jambe lui démange.*
Quand sous le corselet la crasse lui démange (...) 1
Mathurin RÉGNIER, Satires, X.

♦ 2. Par métaphore. *Le poing, la main lui démange,* il a grande
envie de frapper, de se battre.
À cette audace étrange, 2
J'ai peine à me tenir, et la main me démange. MOLIÈRE, Tartuffe, V, 4.
Celui-là, par exemple, quand elle *(la mule)* le sentait derrière elle, son sabot lui 3
démangeait (...)
Alphonse DAUDET, Lettres de mon moulin, « La mule du pape ».
La langue lui démange : il a grande envie de parler.
Ah ! dit Ursule à qui la langue démangeait d'avoir à répandre cette nouvelle (...) 4
BALZAC, le Curé de village, Pl., t. VIII, p. 616.
Le dos lui démange : il fait ce qu'il faut pour qu'on soit tenté de
le frapper, il agit comme s'il désirait être battu.
Lorsque le dos pourra te démanger (...) MOLIÈRE, Amphitryon, III, 6. 5
Causer une envie irrépressible. *Ça me démange de lui dire son fait.*
... elle devait croire que j'en mourrais d'envie au fond de l'avoir cet appartement... 5.1
que ça me démangeait, ce besoin... N. SARRAUTE, le Planétarium, p. 118.

★ II. V. tr. ♦ 1. Causer une, des démangeaisons à (qqn). *Sa plaie,
sa main le démange.* — Loc. *Gratter quelqu'un où ça le démange :*
dire ce qui lui est agréable.

♦ 2. Fig. Donner à (qqn) une envie irrépressible de... *L'envie de le
gifler démangeait Jeanne.* — Loc. *La main, la langue... le démange*
(→ ci-dessus : *lui* démange).

▶ **SE DÉMANGER** v. pron.
Il le gratte par où il se démange. MOLIÈRE, le Bourgeois gentilhomme, III, 4. 6
DÉR. Démangeaison.

DÉMANTÈLEMENT [demɑ̃tɛlmɑ̃] n. m. — 1576, *desmantelle-
ment ; de démanteler.*

♦ Action de démanteler ; son résultat.

(Raufeisen) fut surpris par l'importance de l'artillerie qui prit les vieux murs à
partie. Au lieu d'ouvrir une brèche limitée, facile à encadrer, elle se livra à un
démantèlement en règle de la citadelle, faisant basculer les remparts par pans
entiers (...)
M. TOURNIER, le Roi des Aulnes, p. 386.

DÉMANTELER [demɑ̃tle] v. tr. — Conjug. *geler.* — 1563 ; de
1. *dé-,* et *manteler,* anc. franç. (→ Manteau).

♦ 1. Démolir les murailles, les fortifications de (une ville, une place
forte). ⇒ **Abattre, démolir, raser.** *Démanteler un fort.*
Il permit aux habitants (...) de demeurer dans la ville après l'avoir démantelée, et 1
de cultiver les terres, à conditions de payer un tribut aux Carthaginois.
Charles ROLLIN, Hist. ancienne, t. I, p. 256, *in* LITTRÉ.
Par ext. *Le temps a démantelé ces murs.* ⇒ **Ruiner.**

2   Des oves, des chicorées et des volutes surchargeaient la corniche toute démante-lée par l'infiltration des eaux pluviales.   Th. GAUTIER, Fortunio..., « Omphale ».

♦ **2.** (1846). Fig. Abattre, détruire. *Démanteler un empire, une institution.* ⇒ **Abolir, désorganiser.**

3   Il voulait rétablir et réorganiser les grandes monarchies qu'avaient démantelées les guerres de Napoléon (...)   VILLEMAIN, *in* LITTRÉ.

▶ **DÉMANTELÉ, ÉE** p. p. adj. *Fortifications démantelées. — Un empire démantelé.*

CONTR. Consolider, fortifier, reconstruire.
DÉR. Démantèlement.

DÉMANTIBULER [demɑ̃tibyle] v. tr. — 1611, *desmandibuler,* d'après *démanteler;* altér. de *démandibulé,* 1552; de 1. *dé-,* et *mandibule.*
Familier.

♦ **1.** Vx. Démettre (la mâchoire). ⇒ **Décrocher.** — (Faux pron.). *Crier à se démantibuler la mâchoire.*

♦ **2.** (1640). Mod. Mettre en pièces; démolir de manière à rendre inutilisable. ⇒ **Briser, casser, déglinguer, démonter, détraquer, disloquer, rompre.** *Démantibuler un meuble, une machine.*

▶ **DÉMANTIBULÉ, ÉE** p. p. adj.
(Plus cour. que l'actif). Démoli, mis en pièces. *Cette valise est toute démantibulée.* ⇒ **Déglingué, détraqué.**

1   Des charpentes abattues, des bancs boiteux, des stalles démantibulées, des tronçons de saints roulés et poussés contre les murs, servaient de gradins aux spectateurs crottés, poudreux, soûls, suants, en carmagnole percée, la pique sur l'épaule ou les bras nus croisés.
     CHATEAUBRIAND, Mémoires d'outre-tombe, t. II, p. 16.

2   Ce bar-ci était plutôt d'aspect miteux, avec seulement de vieilles autos à moitié démantibulées en stationnement, et il avait d'autant plus envie d'y entrer.
     G. SIMENON, Feux rouges, p. 27.

CONTR. Arranger, consolider, remettre (en place), **réparer.**

DÉMAQUILLAGE [demakijaʒ] n. m. — 1913, Colette; de *démaquiller.*

♦ Action de démaquiller (qqn), de se démaquiller. *Démaquillage du soir au lait démaquillant.*

DÉMAQUILLANT, ANTE [demakijɑ̃, ɑ̃t] adj. et n. m. — 1950; de *démaquiller.*

♦ Qui sert à démaquiller. *Lait démaquillant, crème démaquillante.* — N. m. *Les démaquillants. Démaquillant pour les yeux.*

Toutes les odeurs s'y mêlaient : poudre de riz, parfums violents, démaquillants, sueur aussi.   Guy DES CARS, Une certaine dame, p. 123.

DÉMAQUILLER [demakije] v. tr. — 1837, argot « défaire »; av. 1892, théâtre; de 1. *dé-,* et *maquiller.*

♦ Enlever le maquillage, le fard de (qqn, le visage, une partie du visage). *Démaquiller un acteur. Démaquiller ses yeux. Coton à démaquiller.* — Pron. (1890, *in* D. D. L.). *Se démaquiller chaque soir avant de se coucher.* — Faux pron. *Se démaquiller le visage.*

DÉR. Démaquillage, démaquillant.

DÉMARCAGE [demaʀkaʒ] n. m. ⇒ **Démarquage.**

DÉMARCATIF, IVE [demaʀkatif, iv] adj. — 1863; de *démarcation.*

♦ Didact. Qui sert à limiter; qui sert de démarcation. *Un chemin démarcatif.*

DÉMARCATION [demaʀkasjɔ̃] n. f. — 1700; p.-ê. espagnol *demarcación,* de *demarcar* « marquer ». → Démarquer.

♦ **1.** Action de marquer, de limiter; résultat de cette action. ⇒ **Délimitation, frontière, limitation, marque, séparation.** *La démarcation de deux régions aux termes d'un accord, par un accord. Une nouvelle démarcation entre...* — *Ligne de démarcation :* frontière tracée sur une carte pour séparer deux territoires, deux propriétés.

1   Dans le premier plan de la plage, le peintre avait su habituer les yeux à ne pas reconnaître de frontière fixe, de démarcation absolue, entre la terre et l'océan.
     PROUST, À la recherche du temps perdu, t. V, p. 89.

2   (...) elle assignait, comme ligne de démarcation entre les armées, l'ancienne frontière franco-hollandaise d'avant 1814, elle préjugeait par là des limites du futur État.   Louis MADELIN, Talleyrand, V, XXXVIII, p. 413.

La ligne de démarcation, qui, de 1940 à 1942, délimitait en France la zone occupée par les Allemands et la zone libre.

3   J'ai écrit à une grande école privée, dans l'intérieur, en deçà de la ligne de démarcation, naturellement. Ils ont dû se livrer à une enquête.
     G. DUHAMEL, Cri des profondeurs, VII, p. 124.

3.1   (...) la ligne de démarcation avait toujours eu pour *(Gustin)* des charmes et (...) cette nuit-là, le personnel de l'échelon fournissait une patrouille qui devait effectuer une ronde dans le no man's land entre les postes français et allemands.
     Jacques LAURENT, les Bêtises, p. 47.

♦ **2.** Ce qui sépare nettement deux choses. ⇒ **Limite.** *Tracer une démarcation, une ligne de démarcation entre la philosophie et la psychologie. La démarcation des partis politiques. Cette ligne de démarcation entre l'être et le non-être* (→ Résistance, cit. 23).

4   On voit par tout ce qui précède, sans qu'il soit besoin d'y insister, qu'aucune ligne de démarcation précise, pour peu qu'on s'attache aux idées et non aux formes, ne sépare une proposition d'une phrase (...)
     F. BRUNOT, la Pensée et la Langue, I, X, p. 28.

5   C'est une arête étroite, sur laquelle mon esprit se promène. Cette ligne de démarcation entre l'être et le non-être, je m'applique à la tracer partout.
     GIDE, les Faux-monnayeurs, III, VII, p. 366.

DÉR. Démarcatif.

DÉMARCHAGE [demaʀʃaʒ] n. m. — 1934; de *démarcher* (postérieur) ou de *démarche.*

♦ Recherche de clients à domicile. ⇒ **Démarcheur; porte** (à porte).

Après avoir échoué à donner des leçons, les plus besogneux, dont je faisais partie, s'essayèrent aux expédients classiques du démarchage à domicile, le soir, dans les quartiers populaires : placement d'assurances sur la vie ou démonstration de tourne-disques (...)   R. ABELLIO, Ma dernière mémoire, t. I, p. 79.

DÉMARCHE [demaʀʃ] n. f. — XVᵉ; de l'anc. v. *démarcher* « fouler aux pieds », v. 1120, de 2. *dé-* (intensif) et *marcher* (→ Marcher).

★ **I.** ♦ **1.** *(La démarche).* Manière de marcher. ⇒ **Air, allure, marche, pas, port.** *Démarche aérienne, aisée, assurée* (cit. 66), *athlétique, chancelante, compassée, dégagée, dégingandée, digne, embarrassée, fière, légère, lente, lourde, majestueuse, mesurée; démarche modeste, noble, ondulante, timide* (→ Baisser, cit. 15; cadencer, cit. 5; claudicant, cit. 2; 1. samba, cit.). *Compasser sa démarche. — Théorie de la démarche,* ouvrage de Balzac.

1   Et, comparant sa démarche engourdie, son souffle hâtif, ses efforts pour être encore alerte, aux foulées élastiques de son fils, il quitta brusquement le bras de celui-ci, et ne put retenir ce cri d'envie (...)
     MARTIN DU GARD, les Thibault, t. II, p. 278.

2   (...) la démarche féminine se distingue de celle de l'homme par des pas plus courts et des phases d'appui plus longues (...)
     A. BINET, les Formes de la femme, p. 66.

Spécialt. Méd. *Démarche ataxique* (⇒ **Ataxie**). — *Démarche de canard.* ⇒ **Dandinement** (→ Marcher en canard*). *Démarche de l'ivresse.* ⇒ **Titubation.**

♦ **2.** (Abstrait). Manière d'agir. ⇒ **Attitude, comportement, conduite.**

3   (...) nous montrer l'allure, la démarche, les comportements, les frissons de cette humanité si constante dans sa nature et si variable dans ses apparences.
     G. DUHAMEL, Inventaire de l'abîme, XV, p. 223.

Spécialt. Manière dont l'esprit développe son activité. *Les démarches de la pensée, du raisonnement, de l'intelligence.* ⇒ **Chemin, cheminement, pensée** (forme de pensée).

4   La dernière démarche de la raison est de reconnaître qu'il y a une infinité de choses qui la surpassent; elle n'est que faible, si elle ne va jusqu'à connaître cela.
     PASCAL, Pensées, IV, 267.

5   Le moi sait justifier toutes ses démarches, parce qu'au fond il n'en justifie aucune : aveugle et brutal, il ne s'en soucie point; clairvoyant et dans la pleine possession de son génie, il en sait le ridicule (...)
     André SUARÈS, Trois hommes, « Ibsen », VII, p. 163.

★ **II.** (1671). *Une, des démarches.* Tentative auprès de qqn pour réussir une entreprise, pour mener à bien une affaire, un projet. ⇒ **Approche, demande, requête, sollicitation.** *Faire des démarches. Faire de nombreuses démarches.* ⇒ **Démener** (se). *Démarche gratuite, intéressée. Démarches occultes, sinueuses...* ⇒ **Agissement, bassesse, brigue, combinaison, complaisance** (acte de complaisance), **intrigue, tractation.** *Démarche comminatoire*. Démarche maladroite.* ⇒ **Clerc** (pas de clerc), **gaffe.** *Tenter une dernière démarche auprès de... Entreprendre les démarches nécessaires pour obtenir qqch.* (→ Convocation, cit. 12).

6   Des démarches par vous faites légèrement.   MOLIÈRE, Tartuffe, V, 1.

7   Le père, timide, emprunté dans la vie, effaré à l'idée des démarches à faire pour se procurer un permis (...)   Alphonse DAUDET, Contes du Lundi, « Les Mères ».

8   Quoique sa démarche auprès du vieux prêtre (...) ne fût en aucune façon compromettante, elle la hasardait pourtant à l'insu de tout son entourage, notamment de son mari.   Paul BOURGET, Un divorce, I, p. 6.

9   La démarche que je tente auprès de vous est de mon initiative pure.
     J. ROMAINS, les Hommes de bonne volonté, t. II, XX, p. 215.

DÉR. Démarcher, démarcheur.

DÉMARCHER [demaʀʃe] v. tr. — Mil. XXᵉ; de *démarche.*

♦ Effectuer le démarchage pour un produit. *Démarcher qqch. chez qqn, démarcher un client.* Au passif : « *Les réseaux de ventes traditionnels n'ont pas résisté longtemps à la pugnacité de ces firmes. Les forces de ventes directes devenaient trop coûteuses. Elles ont donc été concentrées sur les clients les plus importants. Les autres? Ils seront désormais démarchés par des concession-*

naires indépendants et par un bataillon impressionnant de revendeurs » (*l'Express,* 16 sept. 1983, p. 138).

Ce hobereau décati recueillait pour *L'Opportun* la publicité mondaine. C'est lui qui démarchait les avocats, les actrices, les étoiles de cinéma, les chanteuses, les maisons de rendez-vous.   André CAYATTE, les Marchands d'ombre, p. 151.

DÉMARCHEUR, EUSE [demaʀʃœʀ, φz] n. — 1911 ; de *démarche* (*démarcher* est postérieur).

♦ Personne chargée de faire des démarches. Employé d'une maison financière, chargé de placer des valeurs.

(1955). Vendeur qui sollicite la clientèle à domicile (⇒ **Démarchage**).

(...) tirant un sandwich d'une serviette de démarcheur ou de représentant (...)
                                                    Claude SIMON, le Vent, p. 44.

DÉMARIAGE [demaʀjaʒ] n. m. — xvᵉ, *desmariage* ; de *démarier.*

♦ **1.** Vx. Action de (se) démarier. ⇒ **Divorce.**

♦ **2.** (1800). Agric. Action d'éclaircir un semis afin d'obtenir un meilleur rendement. *Le démariage des betteraves.*

DÉMARIER [demaʀje] v. tr. — V. 1220, *desmarier* ; de 1. *dé-,* et *marier.*

♦ **1.** Vx. Séparer juridiquement (deux époux). — Pron. *Se démarier.* ⇒ **Divorcer, séparer** (se).

1   (...) elle prend le parti de se démarier, plutôt que de passer le reste de sa vie avec un homme qu'elle hait autant qu'elle l'avait aimé (...)
                                    Mᵐᵉ DE SÉVIGNÉ, Lettres, 891, 23 janv. 1682.

Moderne (ironique) :

2   (Méphistophélès) — (...) les gens se convertissent, se pervertissent, retournent à confesse pour se marier, pour écrire un livre (...) Et ils se marient, se démarient, se remarient, tant que l'Église perd la tête entre les annulations, les unions mixtes ; les vraies et les fausses mariées.   VALÉRY, Mon Faust, p. 60-61.

♦ **2.** (1873). Agric. Éclaircir (un semis) en arrachant une partie des plants. *Démarier des betteraves.*

CONTR. Marier, remarier.
DÉR. Démariage, démarieuse.

DÉMARIEUSE [demaʀjφz] n. f. — 1922 ; de *démarier.*

♦ Agric. Machine agricole pour démarier* (2.) les betteraves.

DÉMARQUAGE ou DÉMARCAGE [demaʀkaʒ] n. m. — 1877, *démarquage* ; *démarcage,* 1870 ; de *démarquer.*

♦ **1.** Action de démarquer (I., 2.) ; son résultat. *Le livre n'est qu'un démarquage servile.*

(...) dans une lettre à sa mère, Michel-Charles avait hasardé un poème en prose de son cru (...) ce morceau d'éloquence romantique n'était encore que démarquage d'écolier.   M. YOURCENAR, Archives du Nord, p. 141.

♦ **2.** ⇒ **Démarque.**

♦ **3.** Sports. Action de démarquer (I., 4.), de se démarquer.

DÉMARQUE [demaʀk] n. f. — 1732, jeu ; de *démarquer.*

♦ **1.** Jeux. Partie où l'un des joueurs diminue le nombre de ses points d'une quantité égale à celle des points marqués par l'adversaire.

♦ **2.** (1898). Comm. Le fait de démarquer des marchandises, pour les vendre plus rapidement. → Réduction.

Démarque inconnue : dans un lieu de vente, Différence entre les stocks existants et le stock théorique, par suite d'erreurs, de vols...

DÉMARQUER [demaʀke] v. — 1553 ; de 1. *dé-,* et *marque.*

★ **I.** V. tr. ♦ **1.** Priver (qqch.) de sa marque, de ses marques. *Démarquer du linge,* en découdre la marque. *Démarquer de l'argenterie,* en faire disparaître la marque gravée.

♦ **2.** (1866). Fig. Reproduire (comme si l'on supprimait la marque d'origine). ⇒ **Copier, plagier.**

1   Busard ne se contente de démarquer le talent des autres ou, plus simplement, de les dépouiller en bloc, sans discernement et sans choix, car il est incapable même d'apercevoir le talent.   Léon BLOY, le Désespéré, p. 202.

Par ext. *Démarquer un auteur étranger.*

♦ **3.** Comm. Baisser le prix de (un article) ; enlever la marque du fabricant, du créateur sur (un article) pour le vendre moins cher. ⇒ **Solder ; dégriffer.** *Démarquer des articles pour les solder.*

♦ **4.** (1909, *in* Petiot). Sports. Libérer (un joueur) du marquage adverse. — Au participe passé :

2   Enfin l'avant, démarqué pour un instant, change de pied ; balancée par le genou

comme au bout d'un levier, sa grosse chaussure jette brusquement sa force vive à la balle, qui file raide (...)   Jean PRÉVOST, Plaisirs des sports, p. 140.

Pron. (1909). *Se démarquer :* se libérer du marquage adverse.

♦ **5.** V. pron. (1963 ; du sens précédent). Cour. *Se démarquer de qqn,* prendre ses distances par rapport à lui, tenter de s'en distinguer avantageusement. «*Assurant ici la continuité, s'efforçant là de "se démarquer" de son prédécesseur*» (*le Monde,* 9 nov. 1963).

3   Dès l'enfance, il voulait se singulariser, se démarquer de sa famille d'émigrés. Quand ses frères et ses sœurs travaillaient dans les champs, lui, debout devant un morceau de miroir, nouait une cravate ou une écharpe, joliment, autour de son cou.   Michèle PERREIN, le Buveur de Garonne, p. 75.

4   On est plus féroce encore lorsqu'on se heurte à un copain, car on fait alors l'impossible pour s'en démarquer, pour le rejeter, pour nier tout lien avec lui.
                                    Philippe BERNERT, S. D. E. C. E. Service 7, p. 290.

★ **II.** V. intr. Se dit d'un cheval dont les dents sont trop usées pour qu'on puisse connaître son âge. *Jument qui commence à démarquer.*

CONTR. Marquer.
DÉR. Démarquage, démarque, démarqueur.

DÉMARQUEUR, EUSE [demaʀkœʀ, φz] n. — 1867 ; de *démarquer,* I., 2.

♦ Copiste, plagiaire.

Son talent (...) est, surtout, une incontestable dextérité de copiste et de démarqueur.   Léon BLOY, le Désespéré, IV, p. 193.

DÉMARRAGE [demaʀaʒ] n. m. — 1702 ; de *démarrer.*

♦ **1.** Mar. Vx. Action de démarrer, d'enlever les amarres. *Démarrage d'un navire.*

♦ **2.** Cour. Le fait de démarrer, de partir (véhicule). — (1904, *in* Petiot). *Le démarrage d'une voiture. Démarrage en trombe. Démarrage en côte.* — Sports (d'un coureur). *Un démarrage foudroyant. Double démarrage :* nouvelle accélération suivant un démarrage.

♦ **3.** (Mil. xxᵉ). Fig. ⇒ **Départ, réussite ; décollage.** *Le démarrage d'une entreprise, d'une campagne électorale.* «*Grâce au démarrage foudroyant du "miracle allemand"*» (*l'Express,* 3 oct. 1966).

CONTR. Amarrage ; arrêt.

DÉMARRER [demaʀe] v. — 1491, v. pron. ; «rompre ses amarres (d'un navire)» ; de 1. *dé-,* et anc. franç. *marrer,* ou de *amarrer** par substitution de préfixe.

★ **I.** V. tr. ♦ **1.** (1572). Mar. Larguer les amarres de (un navire) ; faire cesser d'être amarré. ⇒ **Désamarrer.** *Démarrer une embarcation.*

0.1   Alors enfin revint Hubert, couvert de feuilles et de vase. Nous démarrâmes le canot plat et, le poussant avec des gaules au travers des tiges froissées, dans l'horrible clarté d'avant l'aube, nous recueillîmes nos victuailles.
                                            GIDE, Paludes, *in* Romans, Pl., p. 135.

♦ **2.** Rare. Faire démarrer (au sens II, 2 ci-dessous). *Démarrer le moteur d'une voiture. Il n'a pas réussi à démarrer sa voiture.* — Pron. (passif). *Cette moto se démarre au kick.*

♦ **3.** Fam. ⇒ **Commencer, entreprendre.** *Démarrer un travail.*

★ **II.** V. intr. ♦ **1.** (1546). Mar. Vx. Rompre ses amarres. *Le navire a démarré sous la violence du vent.* — Par ext. Quitter le port (navire). ⇒ **Partir.** *Le bateau a démarré par beau temps.*

1   On nous fait coucher ce soir à bord, pour démarrer demain au lever du soleil.
                                    VOLTAIRE, Amabed, 1ʳᵉ lettre après sa captivité.

2   (...) les oscillations s'amplifièrent : il y eut partout un brusque silence : le paquebot venait de démarrer, le paquebot s'éloignait dans la nuit !
                                    MARTIN DU GARD, les Thibault, t. IV, p. 262.

Par analogie :

2.1   C'était *(la cloche)* le signal pour la station d'aérocabs de la tour Saint-Jacques. Un de ces véhicules démarra et fut en une minute au sommet du restaurant.
                                    A. ROBIDA, le Vingtième Siècle, p. 95 (1883).

♦ **2.** (Fin xixᵉ). Cour. Commencer à fonctionner (moteur ; véhicule à moteur). *Ce moteur démarre mal, démarre au quart de tour. La voiture ne veut pas démarrer.* ⇒ 1. **Partir** (I., 2.). — Commencer à rouler (véhicule). *La voiture a démarré en trombe.*

3   Des portières claquèrent brutalement. Le train démarra doucement avec ses six cents hommes.   P. MAC ORLAN, la Bandera, VIII, p. 99.

(1905, *in* Petiot). Par métonymie (en parlant du conducteur). Faire fonctionner un moteur, faire partir un véhicule. *Allez, démarre !*

(1895, *in* Petiot). Sports. Accélérer brusquement pour distancer ses concurrents. ⇒ **Démarrage.**

♦ **3.** (1933). Fig. Se mettre à marcher, réussir. *Son affaire commence à démarrer. Ça démarre lentement.* ⇒ **Partir.**

(Sujet n. de personne). *Il a vraiment démarré quand un héritage lui a permis de disposer de capitaux propres.* — (En tour factitif). *Faire démarrer qqn. C'est son père qui l'a fait démarrer en se portant caution pour un gros prêt.*

3.1   Ils me vêtirent et me donnèrent de l'argent. Je savais à quoi l'argent devait servir, il devait servir à me faire démarrer. Quand je l'aurais dépensé je devrais m'en procurer d'autre, si je voulais continuer.   S. BECKETT, Nouvelles, p. 71.

♦ **4.** (1622). Fig. (Personnes). *Ne démarrez pas d'ici* : ne quittez pas cette place, ne bougez pas.

4 Il n'y eut pas un ouvrier de la ville que je pusse faire démarrer de l'antichambre ou de l'escalier. P.-L. COURIER, Lettres, I, 108.

Ne pas vouloir démarrer d'une idée, d'un projet, s'entêter dans cette idée, ne pas vouloir en démordre. ⇒ **Démordre.**

CONTR. Amarrer. — Demeurer, rester ; arrêter (s'), mouiller, stopper.

DÉR. Démarrage, démarreur.

DÉMARREUR [demaRœR] n. m. — 1908 ; de *démarrer.*

♦ Appareil servant à mettre en marche un moteur (à explosion ou à réaction). *Appuyer sur le démarreur. Démarreur pour appareil électrique, pour moteurs d'auto, de locomotive, d'avion.*

Spécialt (d'une automobile) :

1 J'ai laissé au bord du trottoir ma vieille Hotchkiss (...) Quand j'actionne la tirette du démarreur, rien ne bouge : les accus sont à plat, sans doute vidés par le brouillard. M. TOURNIER, le Roi des Aulnes, p. 71.

Tout dispositif actionnant un mécanisme.

2 (...) il appuya sur un autre bouton et les bobines *(du magnétophone)* s'arrêtèrent. Alors, il tourna à fond le bouton de la puissance ; il hésita ; il appuya sur le démarreur. J.-M. G. LE CLÉZIO, le Déluge, I, p. 50.

DÉMASCLAGE [demasklaʒ] n. m. — 1870 ; de *démascler.*

♦ Techn. Action de démascler ; son résultat.

DÉMASCLER [demaskle] v. tr. — 1876 ; du provençal *desmascla,* proprt «émasculer».

♦ Techn. Enlever (du chêne-liège) la première écorce, ou liège mâle, qui est sans valeur.

DÉR. Démasclage, démascleur.

DÉMASCLEUR [demasklœR] n. m. — Fin XIXᵉ ; de *démascler.*

♦ Régional (Sud-Ouest de la France) et techn. Ouvrier qui récolte le liège. ⇒ **Liégeur.** — REM. Le fém. *démascleuse* est virtuel.

DÉMASCULINISATION [demaskylinizasjõ] n. f. — Mil. XXᵉ ; de *démasculiniser.*

♦ Biol., méd. Dévirilisation.

DÉMASCULINISER [demaskylinize] v. tr. — Mil. XXᵉ ; de 1. *dé-, masculin,* et suff. verbal.

♦ Biol. Déviriliser.

DÉR. Démasculinisation.

DÉMASQUABLE [demaskabl] adj. — 1922, en chim., *in* T. L. F. ; de *démasquer.*

♦ **1.** Qui peut être démasqué.

♦ **2.** Chim. *Corps gras démasquables.*

DÉMASQUEMENT [demaskəmã] n. m. — 1888, Goncourt ; de *démasquer.*

♦ Rare. Action de démasquer, de se démasquer.

DÉMASQUER [demaske] v. tr. — 1554 ; de 1. *dé-,* et *masque.*

♦ **1.** Rare. Enlever le masque* couvrant le visage de (qqn).

♦ **2.** (1680). Fig. et cour. Faire connaître (qqn) pour ce qu'il est, sous ses apparences trompeuses. ⇒ **Arracher** (le masque), **confondre, découvrir, dévoiler, montrer** ; **masque** (ôter, lever le masque). *Il a été démasqué.* ⇒ aussi **Brûler** (fam.). *Démasquer un hypocrite, un imposteur, un malfaiteur.*

1 Si l'on ne démasque l'imposteur, la crédulité sera séduite. MASSILLON, Av. disp., *in* LITTRÉ.

2 J'ai le droit, moi, de démasquer les misérables qui me calomnient. Marcel PRÉVOST, les Demi-vierges, III, I, p. 59.

3 (...) on l'avait laissé libre, dans le désir de suivre «l'intrigue» et peut-être de démasquer Moreau. Louis MADELIN, Hist. du Consulat et de l'Empire, Avènement de l'Empire, III, p. 33.

4 Quelques mois lui semblaient encore nécessaires pour démasquer un terrible bandit et le livrer à la justice. P. MAC ORLAN, la Bandera, XVI, p. 199.

Littér. (En parlant de choses). *Démasquer le mensonge, le vice, l'hypocrisie.*

5 Nous pouvons aisément, malgré tant d'artifices,
Dans ses fausses vertus démasquer tous ses vices.
M.-J. DE CHÉNIER, Tibère, IV, 3, *in* LITTRÉ.

♦ **3.** Milit. *Démasquer une batterie* : découvrir une batterie et la mettre en état de tirer.

Fig. Cour. *Démasquer ses batteries* * : dévoiler, mettre à nu ses desseins, ses intentions secrètes. → Abattre ses cartes* ; dévoiler son jeu*.

▶ **SE DÉMASQUER** v. pron.

Ôter son masque.

5.1 Il sera assez bon enfant pour te payer même à souper, sans que tu te sois démasquée *(dans un bal masqué).* Ch. PAUL DE KOCK, la Grande Ville, t. I, p. 380 (éd. 1842).

Fig. Découvrir ses desseins.

6 (...) s'ils ne l'ont pas fait, c'est uniquement parce qu'ils ont trouvé plus habile, vis-à-vis des autres puissances, de ne se démasquer qu'au dernier moment (...) MARTIN DU GARD, les Thibault, t. V, p. 132.

▶ **DÉMASQUÉ, ÉE** p. p. adj. *Hypocrite, menteur démasqué. — Fourberie démasquée.*

CONTR. Masquer. — Cacher, couvrir, dissimuler, protéger, voiler.

DÉR. Démasquable, démasquement.

DÉMASTIQUAGE ou DÉMASTICAGE [demastikaʒ] n. m. — 1863 ; de *démastiquer.*

♦ Techn. Action de démastiquer. *Le démastiquage des vitres.*

DÉMASTIQUER [demastike] v. tr. — 1699 ; de 1. *dé-,* et *mastic.*

♦ Techn. Débarrasser (qqch. ; spécialt, un châssis de fenêtre) du mastic. *Couteau à démastiquer.*

DÉR. Démastiquage.

DÉMÂTAGE [demataʒ] n. m. — 1783 ; de *démâter.*

♦ Mar. Action de démâter ; fait d'être démâté.

DÉMÂTER [demate] v. — 1479, *desmaster* ; de 1. *dé-,* et *mât.*

♦ **1.** V. tr. Mar. Enlever les mâts de (un navire). — Abattre, rompre les mâts. *Démâter un navire à coups de canon.* — Au p. p. (plus cour.). *Navire démâté, désemparé.*

À la hauteur du Maelström, 26 avril, le navire (...) aperçut des signaux de détresse que lui faisait une goélette sous le vent. Cette goélette, démâtée de son mât de misaine, courait vers le gouffre, à sec de toile.
• J. VERNE, Un hivernage dans les glaces, p. 224.

♦ **2.** V. intr. Perdre ses mâts. *Ce navire a démâté dans la tempête.*

CONTR. Mâter.

DÉR. Démâtage.

DÉMATÉRIALISATION [demateRjalizasjõ] n. f. — 1869 ; «spiritualisation de qqn», Goncourt, 1862 ; de *dématérialiser.*

♦ **1.** Littér. Action de rendre immatériel, fait de devenir immatériel.

♦ **2.** (Av. 1927, G. Leroux). Phys. Disparition des particules matérielles (d'un corps) accompagnée d'apparition d'énergie.

Tandis que les autres peuples s'attardent encore à des travaux sur la découverte récente de la dématérialisation de la matière, ici on travaille à la rematérialisation ! G. LEROUX, Rouletabille chez Krupp, p. 171.

♦ **3.** Littér. Spiritualiser ; donner une apparence immatérielle à...

DÉMATÉRIALISER [demateRjalize] v. tr. — 1808 ; «séparer une essence des matières grossières», 1803 ; «civiliser, rendre moins grossier», 1759 ; de 1. *dé-, matériel,* et suff. *-iser,* ou de 1. *dé-,* et *matérialiser.*

♦ **1.** Rendre immatériel. — Par ext. Donner un aspect irréel à. *La brume dématérialisait le paysage.* Au p. p. :

1 Une seule fois un des palais de Gabriel me fit arrêter longuement ; c'est que, la nuit étant venue, ses colonnes dématérialisées par le clair de lune avaient l'air découpées dans du carton (...) PROUST, À l'ombre des jeunes filles en fleurs, Pl., t. I, p. 489.

♦ **2.** Littér. Rendre spirituel en éliminant les éléments purement matériels. *Verlaine a «dématérialisé la poésie»* (Thibaudet).

♦ **3.** Phys. nucl. Détruire les particules matérielles de (un corps). ⇒ **Dématérialisation.** — Au p. p. adj. *Ville dématérialisée par une explosion atomique.* ⇒ **Désatomiser** (p. p.).

▶ **DÉMATÉRIALISÉ** p. p. adj.

Qui n'a plus d'existence matérielle.

2 Il *(Hugo)* croyait à l'immortalité des âmes, à leurs migrations successives, à une échelle continue allant de la chose inanimée à Dieu, de la matière à l'idéal. Pour-

quoi ne pas admettre que flottaient dans l'espace des êtres dématérialisés, cherchant à s'exprimer ?   A. MAUROIS, Olympio, VIII, III.

DÉR. Dématérialisation.

D'EMBLÉE [dɑ̃ble] loc. adv. ⇒ **Emblée.**

DÈME [dɛm] n. m. — 1808 ; du grec *dêmos* « peuple ».

♦ Antiq. grecque. Division territoriale et unité administrative de la Grèce antique ; ensemble des citoyens qui se rattachaient politiquement, militairement et religieusement à cette division, à cette unité. *Les dèmes ruraux coïncidaient avec le territoire de la cité, les dèmes des grandes villes* (Athènes notamment) *correspondaient à un quartier.*

Voyez à quoi se passe la vie d'un Athénien. Un jour il est appelé à l'assemblée de son dème (...)   FUSTEL DE COULANGES, la Cité antique, p. 395 (→ Athénien, cit. 2).

DÉMÉCHAGE [demeʃaʒ] n. m. — Mil. xxᵉ ; de 1. *dé-*, et 1. *mèche*.

♦ Méd. Enlèvement d'une mèche (→ 1. Mèche, 2.). *Déméchage d'une plaie. Déméchage d'une dent infectée.*

REM. Le v. *démécher* semble plus rare.

DÉMÊLAGE [demɛlaʒ] n. m. — 1836 ; de *démêler*.

♦ **1.** Action de démêler ; son résultat. *Le démêlage d'un écheveau.*

♦ **2.** Techn. Le fait d'orienter les fibres textiles.

♦ **3.** Techn. Mélange d'eau chaude et de malt (brasserie).

DÉMÊLÉ [demele] n. m. — 1474 ; de *démêler*.

♦ Vx ou littér. (au sing.). Affaire compliquée dans laquelle chacun veut avoir raison. ⇒ **Altercation, contestation, débat, discussion, dispute, litige, maille** (avoir maille à partir), **querelle ;** → Coup, cit. 15. *Ils ont eu un démêlé à propos d'héritage.*

1   Nous n'aurons jamais aucun démêlé ensemble.   MOLIÈRE, le Mariage forcé, 2.

Mod. et cour. Au plur. **DÉMÊLÉS** : difficultés dues à une opposition entre des personnes.

2   Elle a gardé une méfiance maladive de la justice, avec qui elle a eu, autrefois, des démêlés.   F. MAURIAC, le Nœud de vipères, II, XII, p. 141.

CONTR. Accord, entente.

DÉMÊLEMENT [demɛlmɑ̃] n. m. — 1606, *demeslement ;* de *démêler.*

♦ **1.** Vx. Action de démêler ; son résultat. *Le démêlement des cheveux.* ⇒ **Démêlage.**

♦ **2.** Fig. et littér. Dénouement (d'une intrigue). — Action de débrouiller (ce qui est confus). *Le démêlement de notions absconses.*

DÉMÊLER [demele] v. tr. — xiiᵉ ; de 1. *dé-*, et *mêler.*

♦ **1.** Séparer (ce qui est mêlé, mélangé). ⇒ **Séparer, trier.** *Démêler le bon grain d'avec le mauvais.* ⇒ **Cribler.** *Démêler des cheveux.* ⇒ **Coiffer, peigner.** *Peigne à démêler.* ⇒ **Démêloir.** *Démêler les fils d'un écheveau.* ⇒ **Désentortiller, dévider.** *Démêler de la laine en la cardant. Démêler le fil d'une ligne de pêcheur.*

1   Me voyant au bord de l'eau, il arrivait à travers pré (...) m'aidait à démêler ma ligne quand elle se trouvait prise dans les ronces (...)   G. DUHAMEL, Inventaire de l'abîme, XII, p. 177.

Spécialt. *Démêler les pieds d'un cheval,* quand ils se trouvent pris dans les traits.

♦ **2.** (Abstrait). Débrouiller, éclaircir (une chose compliquée) ; mettre de l'ordre dans... ⇒ **Comprendre, défricher, expliquer.** *Démêler une affaire délicate, un point d'histoire, une difficulté. Démêler un malentendu, une intrigue, les fils d'une intrigue. Démêler l'écheveau des mobiles qui ont fait agir quelqu'un* (→ Correction, cit. 3). *Démêler ses idées. Démêler le sens d'un message.* ⇒ **Déchiffrer** (→ Clef, cit. 19).

2   Vous avez bien d'autres affaires
A démêler que les débats
Du lapin et de la belette.   LA FONTAINE, Fables, VIII, 4.

3   (...) mais les hommes appliqués veulent porter en ces matières quelque raison et démêler les confusions où s'embrouillent les esprits superficiels.   RENAN, Discours et Conférences, in Œ. compl., t. I, p. 893.

4   Dans ma première enfance, les Français avaient un sentiment du ridicule qu'ils ont perdu depuis, sous l'empire de causes que je ne saurais démêler.   FRANCE, le Petit Pierre, XI, p. 72.

Mettre en ordre. *Démêler ses affaires avant de partir en voyage.* ⇒ **Classer, ordonner.**

5   La Marbeuf (...) démêle ses affaires pour s'aller établir à Paris.   Mᵐᵉ DE SÉVIGNÉ, Lettres, 467, 13 nov. 1675.

♦ **3.** Vx. *Démêler qqch. de, d'avec qqch.* ⇒ **Discerner, distinguer,**

séparer... *Démêler le vrai d'avec le faux, le vrai du faux, le tien du mien.*

Démêlez la vertu d'avec ses apparences (...)   MOLIÈRE, Tartuffe, V, 1.   6

Comment démêler la vérité dans le chaos des plaidoiries ?   7
    MARMONTEL, Œuvres, t. V, p. 11 (→ Avocat, cit. 8).

(...) j'ai été tellement agité, ballotté, tiraillé par les passions d'autrui, que (...)   8
j'aurais peine à démêler ce qu'il y a du mien dans ma propre conduite (...)
    ROUSSEAU, Rêveries..., 10ᵉ promenade.

♦ **4.** Vx (langue class.). Comprendre (qqch. d'obscur, d'embrouillé). ⇒ **Deviner, pénétrer ; comprendre.** *Démêler le caractère de quelqu'un. Il n'est pas facile à démêler.*

Où puis-je rencontrer quelque clarté fidèle,   9
Pour démêler ce que je vois ?   MOLIÈRE, Amphitryon, I, 2.

Sa voix avait pris de l'âpreté, et on y démêlait l'accent agité et impérieux des   10
passions.   CHATEAUBRIAND, in Pierre LAROUSSE.

Vén. *Démêler les voies de la bête,* discerner les traces récentes des anciennes.

♦ **5.** Littér. AVOIR À DÉMÊLER (avec), à discuter, à débattre. ⇒ **Démêlé ; contester ; maille** (avoir maille à partir) ; **quereller.** *Il ne veut rien avoir à démêler avec lui. Avoir quelque chose à démêler avec la justice.*

Nous et nos adversaires n'avons rien à démêler sur cette matière.   11
    BOSSUET, Réfutation du catéchisme de P. Ferry..., in LITTRÉ.

(...) l'art n'a rien à démêler avec l'artiste, tant pis s'il n'aime pas le rouge, le vert   12
ou le jaune, toutes les couleurs sont belles, il s'agit de les peindre.
    FLAUBERT, Correspondance, II, p. 128.

▶ **SE DÉMÊLER** v. pron.

♦ **1.** (Passif). Être démêlé. *Laine qui se démêle bien.*
Être éclairci. *Les difficultés se démêlent peu à peu.*

♦ **2.** (Réfléchi). Vieilli. Se tirer d'une difficulté. ⇒ **Débrouiller** (se), **dégager** (se), **dépêtrer** (se), **sortir** (se), **tirer** (se). *Se démêler d'un mauvais pas. Un embarras dont on ne peut se démêler.* ⇒ **Inextricable.**

J'ai bien envie d'apprendre comme il *(le marquis de Grignan)* se démêlera de tous   13
les devoirs de la cour et de Paris (...)
    Mᵐᵉ DE SÉVIGNÉ, Lettres, 1248, 1ᵉʳ janv. 1690.

(...) et parmi mes confrères que je vois se mêler de beaucoup de petits commer-   14
ces, je sais tirer adroitement mon épingle du jeu, et me démêler prudemment de
toutes les galanteries qui sentent tant soit peu l'échelle (...)
    MOLIÈRE, l'Avare, II, 1.

(...) il fallait la maturité de César pour se démêler de tant d'intrigues (...)   15
    VOLTAIRE, Remarques sur les Pensées de Pascal, XLIX.

CONTR. Brouiller, compliquer, confondre, embrouiller, emmêler, enchevêtrer, mélanger, mêler. — (Du p. p.) **Indémêlé.**
DÉR. Démêlage, démêlé, démêlement, démêleur, démêloir, démêlure.

DÉMÊLEUR, EUSE [demɛlœʀ, øz] n. — 1803 ; de *démêler.*

♦ **1.** Techn. Personne qui effectue le démêlage de la laine.

♦ **2.** Fig. (Rare). Celui, celle qui s'y entend à démêler une affaire embrouillée.

DÉMÊLOIR [demɛlwaʀ] n. m. — 1711 ; de *démêler.*

♦ Vx. Peigne à grosses dents servant à démêler les cheveux. — (1802). Instrument servant à démêler.

Loc. fam. (vieilli ; de *démêler*, fig.). *Vous voulez un démêloir ?* : exprimez-vous plus clairement (Courteline, in T. L. F.).

DÉMÊLURE n. f. ou DÉMÊLURES [demelyʀ] n. f. pl. — V. 1900, *démêlure ; démêlures,* 1877 ; de *démêler.*

♦ Petite touffe de cheveux enlevée par le peigne, le démêloir.

(...) il arrêta et retint une seconde un petit nœud de démêlure d'un beau blond chaud qui avait dû tomber d'une fenêtre (...)
    G. DUHAMEL, le Voyage de Patrice Périot, III, p. 67.

DÉMEMBREMENT [demɑ̃bʀəmɑ̃] n. m. — V. 1260 ; de *démembrer.*

♦ **1.** Rare. Action de démembrer ; résultat de cette action. ⇒ **Arrachement, écartèlement.** *Le démembrement d'un animal tué à la chasse.*

♦ **2.** Fig. et cour. ⇒ **Division, lotissement, morcellement, partage, séparation.** *Le démembrement d'une province, d'une commune.* — (Au moyen âge). *Démembrement d'un fief.* — *Le démembrement d'une propriété. Démembrement des grands domaines.* — *Le démembrement de l'Empire romain.*

Ils se réunirent pour prévenir le démembrement de la monarchie.
    VOLTAIRE, le Siècle de Louis XIV, XVII.

♦ **3.** La portion démembrée. *Cette propriété est un démembrement de l'ancienne commune.*

CONTR. Rassemblement, remembrement, unification.

DÉMEMBRER [demãbʀe] v. tr. — 1080, desmembrer ; de 1. dé-, et *membre.*

♦ **1.** Arracher les membres de (un corps humain ou animal). ⇒ **Dépecer, disloquer, écarteler.** *Démembrer un animal. Démembrer un supplicié.*

1 On écorche, on taille, on démembre
Messire loup. Le monarque en soupa,
Et de sa peau s'enveloppa.   LA FONTAINE, Fables, VIII, 3.
2 Écorcher, démembrer un pauvre animal sans défense (...)
                                             ROUSSEAU, Émile, II.

♦ **2.** (Fin XIIᵉ). Fig. Diviser les parties de (un tout). ⇒ **Découper, diviser, morceler, partager, séparer.** *Démembrer un domaine, une grande propriété. — Démembrer un royaume, un empire.* — Pron. *Se démembrer.*

3 La paix, qui fut le célèbre traité de Verdun, démembra l'Empire (843). Étrange partage (...)   J. BAINVILLE, Hist. de France, III, p. 39.

(Abstrait). *Démembrer le pouvoir, l'autorité.*

▶ **DÉMEMBRÉ, ÉE** p. p. adj. *Corps démembré. — Domaine, pays démembré.*

CONTR. Rassembler, remembrer, unifier.
DÉR. Démembrement.

DÉMÉNAGEABLE [demenaʒabl] adj. — 1876, Vallès ; de *déménager.*

♦ Qui peut être déménagé. *Une énorme armoire à peine déménageable.* ⇒ **Transportable.**

DÉMÉNAGEMENT [demenaʒmã] n. m. — 1611 ; de *déménager.*

♦ Action de déménager ; résultat de cette action. *Faire son déménagement. Entreprise de déménagement. Cadre, fourgon, voiture, camion de déménagement. Déménagement à la cloche de bois.*

1 Les rues sont encombrées de camions de déménagement.
                                             GIDE, Journal, 19 déc. 1949.
2 Elles avaient la passion des chambards domestiques et des déménagements.
   G. DUHAMEL, Biographie de mes fantômes, VII, p. 114. (→ Chambard, cit.).
3 D'ailleurs une des poésies, un des mystères des enfances parisiennes, ce sont ces déplacements, ces déménagements d'un quartier à l'autre, avec les changements de point de vue qui en résultent ; des subversions d'habitudes, d'autres séries de hasards.   J. ROMAINS, les Hommes de bonne volonté, t. III, IV, p. 55.

Prov. *Trois déménagements valent un incendie.*

Spécialt. *Le déménagement d'un meuble,* le fait de le changer de place, de le transporter. ⇒ **Transport.**

Par métonymie. Le mobilier déménagé. *Votre déménagement est arrivé.*

CONTR. Emménagement, installation.

DÉMÉNAGER [demenaʒe] v. — Conjug. *bouger.* — 1611 ; desmanagier «porter hors de la maison», 1262 ; de 1. dé-, et *ménage.*

♦ **1.** V. tr. Transporter (les meubles, un meuble) d'un logement dans un autre. *Déménager tous ses meubles. Déménager ses livres, ses tableaux.* — (1764). *Déménager toute la maison.* ⇒ **Vider.**

1 (...) des huissiers déménagent la maison de monsieur et de madame (...)
                                   VOLTAIRE, Jeannot et Colin.

Changer de place (des objets) à l'intérieur d'un logement. *J'ai déménagé la bibliothèque au (dans le) salon.*

♦ **2.** V. intr. (1668). Changer de logement. *Nous déménageons à la fin de l'année. Ils ont déménagé cet été.* ⇒ **Partir.**

2 (...) il me l'a confiée *(sa malle)* pour une semaine en me disant qu'il déménageait, et resterait sans domicile fixe, en attendant d'avoir trouvé un gîte à sa convenance.   J. ROMAINS, les Hommes de bonne volonté, t. II, II, p. 22.

Déménager à la cloche (ou, plus rare, *à la sonnette) de bois :* abandonner en cachette, furtivement, son logement (→ Mettre la clef* sous la porte).

♦ **3.** Fam. *Faire déménager qqn,* le faire sortir du lieu où il est. ⇒ **Chasser.** *Il vous faut déménager.* ⇒ **Partir ; aller** (s'en aller), **déguerpir.**

3 Quoi ! tu continueras à me faire enrager ?
Aujourd'hui d'avec moi songe à déménager.
                      HAUTEROCHE, Crispin musicien, I, II, in LITTRÉ.

♦ **4.** Fam. (en emploi impersonnel). S'en aller rapidement (en parlant de choses). ⇒ **Ficher** (le camp), **filer.** *Ça déménage, ici, le whisky, avec tous ces soiffards !*

«Qu'est-ce qu'on prend comme platras sur la gueule ¹ !
— Tiens ! Chez vous aussi ?
— Qu'est-ce que ça déménage !
— Je ne sais pas comment vous faites, mais moi, je trouve que c'est calme.»
        Boris VIAN, l'Équarrissage pour tous, in Théâtre, XVII, p. 257-258.
1. La scène se passe à Arromanches, pendant le débarquement allié.

♦ **5.** (Abstrait ; d'abord trans. : *déménager la tête,* 1798). Déraisonner, devenir fou. *Non, mais, tu déménages !*

Je vois qu'ils croient que je déménage... Ils se font des signes. — Suivez-nous jeune homme !... Suivez-vous !... Montez tout doucement... doucement avec nous...
                                   CÉLINE, Guignol's band, p. 296.

CONTR. Demeurer, emménager, installer (s'), rester.
DÉR. Déménageable, déménagement, déménageur, déménageuse.

DÉMÉNAGEUR [demenaʒœʀ] n. m. — 1852 ; de *déménager.*

♦ Celui dont le métier est de faire des déménagements. *Il a une carrure de déménageur.* — REM. Le fém. *déménageuse* est virtuel (et, en l'état de la société, stylistique).

Ton argent ne suffisant pas, je m'arrangeais pour en gagner d'autre, en faisant n'importe quoi. Je me suis fait homme de peine. J'ai servi des marchands de grains et des déménageurs.   Léon BLOY, le Désespéré, 1886, p. 259.

DÉMÉNAGEUSE [demenaʒøz] n. f. — 1881, de *déménager.*

♦ Régional (Suisse). Fourgon, camion de déménagement.

(...) des hommes en cotte bleue déchargeaient une déménageuse.
                   Guy DE POURTALÈS, la Pêche miraculeuse, p. 228.

DÉMENCE [demãs] n. f. — 1381 ; du lat. *dementia,* de *demens.* → Dément.

♦ **1.** Dr. et cour. Ensemble des troubles mentaux graves. ⇒ **Aliénation, folie, maboulisme** (vieilli). *Sombrer dans la démence. Être en démence.*

1 Le majeur qui est dans un état habituel d'imbécillité, de démence ou de fureur, doit être interdit, même lorsque cet état présente des intervalles lucides.
                                   Code civil, ancien art. 489.
N.B. La terminologie de cet article est abandonnée ; le code actuel (décret de 1975) parle de trouble mental.
2 La vanité de l'auteur dramatique a quelque chose de la démence de ce fou de Corinthe, convaincu que le soleil était uniquement pour l'éclairer — lui seul.
                       Ed. et J. DE GONCOURT, Journal, p. 266.

♦ **2.** (1704). Cour. Conduite extravagante. ⇒ **Aberration, délire, égarement, folie.** *C'est de la démence, de la pure démence d'agir ainsi.*

3 (...) le siècle de Louis XV est une orgie de taverne, où la démence s'accouple au vice.
           HUGO, Littérature et Philosophies mêlées, 1823-1824, Idées au hasard, VII.
Par métonymie. *Une démence : un acte dément.*

♦ **3.** Psychiatrie. Déchéance progressive et irréversible des activités psychiques, mentales, due à des causes neurologiques. *Démence sénile, traumatique.*
Démence précoce : ensemble de troubles mentaux très graves qui altèrent la structure mentale, entre la puberté et la maturité (hébéphrénie, *démence paranoïde,* schizophrénie).

CONTR. Équilibre, raison.

DÉMENER (SE) [demne] v. pron. — Conjug. *mener.* → Lever. — V. 1130 ; *demener* «agiter», 1080 ; de 2. dé-, et *mener.*

♦ **1.** S'agiter violemment. ⇒ **Agiter** (s'), **débattre** (se), **remuer** (se). *Se démener comme un possédé, comme un beau diable.* Loc. *Se démener comme un diable dans un bénitier.*

1 Tandis que le moine se démène pour se débarrasser du chien (...)
                           DIDEROT, Salon de 1765, in LITTRÉ.
2 La petite Fadette dansait très bien ; il l'avait vue gambiller dans les champs ou sur le bord des chemins, avec des pâtours, et elle s'y démenait comme un petit diable, si vivement qu'on avait peine à la suivre en mesure.
                       G. SAND, la Petite Fadette, XIV, p. 102.

♦ **2.** (V. 1530). Fig. S'agiter, se donner beaucoup de peine pour parvenir à un résultat. ⇒ **Agiter** (s'), **dépenser** (se), **donner** (se donner de la peine, du mal). *Se démener pour réussir. Se démener pour achever un travail à la date promise.*

3 Ils se démenaient tous, changeant, chavirant l'arrimage.
                       LOTI, Pêcheur d'Islande, II, XII, p. 128.
Se démener contre... ⇒ **Battre** (se), **colleter** (se), **lutter.** *Se démener contre la misère. Se démener contre mille difficultés* (→ Être aux prises* avec).

CONTR. Calmer (se), immobiliser (s') ; tranquille (rester, demeurer, se tenir tranquille). — **Désintéresser** (se).

DÉMENT, ENTE [demã, ãt] adj. et n. — XVᵉ ; rare jusqu'au XIXᵉ (1863) ; du lat. *demens,* de *de-,* et *mens* «esprit».

♦ **1.** Dr. et cour. Qui est dans un état de démence. ⇒ **Aliéné, fou.** — N. *Un dément, une démente.*

1 Et on croit sentir pénétrer en son âme un souffle de déraison, une émanation contagieuse et terrifiante de ce dément malfaisant *(un homme devenu fou).*
MAUPASSANT, la Vie errante, « Tunis ».

2 D'un sensible, elle *(l'automobile)* fait un nerveux et d'un nerveux un dément.
G. DUHAMEL, Scènes de la vie future, VI, p. 98.

Les déments sont juridiquement des incapables majeurs. — Qui est un signe de démence. *Tenir des propos déments.*

♦ **2.** (Fin XVᵉ, attestation isolée ; rare av. XIXᵉ). Déraisonnable, extravagant, insensé.

3 L'idée qu'il pouvait s'assouplir, plier, changer dans une mesure quelconque, cette idée me paraissait démente.
G. DUHAMEL, Chronique des Pasquier, VIII, IV, p. 322.

Quel monde ! c'est dément. ⇒ **Fou.**

Par ext. (intensif). Excessif ou extrême. ⇒ **Dingue, formidable, terrible.** *Un film complètement dément,* bizarre mais remarquable. *Une soirée démente.* — REM. Emploi à la mode, très courant dans la langue parlée, souvent commenté avec ironie ; s'inscrit dans la série des termes désignant la folie et utilisés en intensifs *(fou, dingue...).*

♦ **3.** (1863). Psychiatrie. Atteint de démence (3.). — N. *Un dément, une démente. Les déments.*

DÉR. **Démentiel.**

DÉMENTI [demãti] n. m. — XVᵉ ; p. p. de *démentir.*

♦ Action de démentir ; ce qui dément qqch. *Donner, infliger un démenti formel à qqn.* ⇒ **Contradiction, dénégation, déni, désaveu.** *Recevoir, opposer un démenti. Son témoignage reste sans démenti* (⇒ **Infirmation ;** → Croyance, cit. 14 ; contradictoire, cit. 2).

(1863). Ce qui va à l'encontre de, est en opposition avec (qqch.). *Sa conduite donne un démenti à ses déclarations.*

1 (...) on voit un livre (...) qui donne hautement un démenti à tous ces augustes témoignages.
MOLIÈRE, Tartuffe, 1ᵉʳ placet au roi.

2 Aussi la nature donne-t-elle à chaque pas des démentis à toutes vos lois (...)
BALZAC, Séraphîta, Pl., t. X, p. 551.

3 C'est ainsi qu'un athée qui tient à la vie se fait tuer pour ne pas donner un démenti à l'idée qu'on a de sa bravoure.
PROUST, À la recherche du temps perdu, t. XII, p. 228.

4 (...) c'était un démenti donné à toute ma vie, un soufflet appliqué à mes convictions si ardemment républicaines !
COURTELINE, Messieurs les ronds-de-cuir, IIᵉ tableau, II, p. 75.

Fig. (vx). *Avoir, recevoir le démenti de quelque chose :* subir l'affront d'un échec. ⇒ **Affront, désagrément, honte.**

5 Les choses étaient trop avancées pour qu'on voulût en avoir le démenti.
ROUSSEAU, les Confessions, II.

CONTR. **Affirmation, appui, attestation, confession, confirmation, croyance, ratification, sanction, soutien.**

DÉMENTIEL, ELLE [demãsjɛl] adj. — 1883 ; de *dément, démence.*

♦ **1.** Admin. De la démence (1.).

♦ **2.** Psychol. De la démence (3.) ; relatif aux déments (3.).

Par ext. (sens courant, non technique) :

Les scènes d'orgie démentielle se déroulaient à bord presque sans interruption. Les péchés les plus révoltants y furent consommés avec fureur, mais aussi avec une recherche attentive et savante dans la perversité.
M. AYMÉ, le Vin de Paris, « La fosse aux péchés », p. 133.

♦ **3.** (1966). Fam. Excessif jusqu'à l'absurdité. ⇒ **Fou.** *C'est un projet complètement démentiel. Un programme d'examen, un travail démentiel.*

DÉMENTIR [demãtiʀ] v. tr. — Conjug. *mentir.* → Partir. — 1080 ; de 1. *dé-,* et *mentir.*

♦ **1.** Contredire (qqn) en prétendant qu'il n'a pas dit la vérité. ⇒ **Contredire, dédire, désavouer.** *Ne pas oser démentir qqn. Démentir formellement un témoin.*

1 Comme le public est le juge absolu (...) il y aurait de l'impertinence à moi de le démentir (...)
MOLIÈRE, les Précieuses ridicules, Préface.

2 N'allez pas nous démentir, Bazile, en disant qu'il n'est pas votre élève, vous gâteriez tout.
BEAUMARCHAIS, le Barbier de Séville, III, 11.

3 Laissez-moi faire, ne démentez rien de ce que je dirai et signez tout ce que je vous présenterai.
G. SAND, François le Champi, XX, p. 146.

♦ **2.** Prétendre (un fait, une chose) contraire à la vérité. ⇒ **Infirmer, inscrire** (s'inscrire en faux), **nier, opposer** (s'opposer à). *Démentir un bruit, une nouvelle, un témoignage, un écrit. Démentir formellement une proposition. Démentir sa signature.*

4 C'est, lui répondis-je, l'Écriture sainte, les papes et les conciles, que vous ne pouvez démentir, et qui sont tous dans la voie unique de l'Évangile.
PASCAL, les Provinciales, V.

5 Et bientôt, démentant le faux bruit de sa mort,
Mithridate lui-même arrive dans le port.
RACINE, Mithridate, I, 4.

♦ **3.** (1580). Contredire par sa conduite, par ses actes. ⇒ **Contradiction** (être en contradiction avec soi-même).

---

6 (...) la honte d'être si peu conséquent à moi-même, de démentir si tôt et si haut mes propres maximes (...)
ROUSSEAU, les Confessions, VIII (→ Conséquent, cit. 1).

(Choses). Aller à l'encontre de... ⇒ **Contredire, décevoir, infirmer.** *Cet argument le démentait. Cette découverte dément ses hypothèses, ses prétentions* (→ Chaton, cit. 3). — Littér. Décevoir, tromper.

7 L'événement n'a point démenti mon attente. RACINE, Mithridate, V, 1.

8 (...) il se fit apporter des vins de Rhodes et de Lesbos ; il goûta de tous les deux, dit qu'ils ne démentaient point leur terroir (...)
LA BRUYÈRE, Disc. sur Théophraste.

9 (...) cette fille avait des traits d'une excessive douceur et que ne démentait pas la belle nuance grise de ses yeux. BALZAC, le Curé de village, Pl., t. VIII, p. 724.

10 Mais tout sembla d'abord démentir son espoir.
J. M. DE HÉRÉDIA, les Trophées, « Conquérants de l'or », II.

11 (...) il n'y a pas un de ces livres qui n'en démente un autre, en sorte que, quand on les connaît tous, on ne sait que penser.
FRANCE, le Crime de S. Bonnard, p. 440.

▶ **SE DÉMENTIR** v. pron.

♦ **1.** Personnes. (Réfl.). Se contredire soi-même. — N'être pas conséquent avec soi-même.

(Récipr.). Se contredire l'un l'autre.

11.1 Il était environ cinq heures du soir lorsque nous entrâmes dans la forêt. Saint-Florent ne s'était pas encore un instant démenti, toujours même honnêteté, toujours même désir de me prouver ses sentiments. SADE, Justine..., t. I, p. 62.

Figuré :

12 Tout se soutient dans cet homme ; rien encore ne se dément dans cette grandeur qu'il a acquise (...)
LA BRUYÈRE, les Caractères, VI, 21.

♦ **2.** (V. 1175). Choses. Cesser. *Son courage ne s'est pas démenti un seul instant* (→ Inébranlable). *Patience qui ne se dément pas* (→ Constant).

13 Madame, dit-il à ma tante, qui l'accompagnait avec moi, je vous remercie encore une fois d'un intérêt qui ne s'est pas démenti pendant quatre années.
E. FROMENTIN, Dominique, IV, p. 63.

▶ **DÉMENTI, IE** p. p. adj. *Témoins démentis. Nouvelles complètement démenties* (par les faits).

CONTR. **Affirmer, appuyer, attester, avérer, certifier, confirmer, corroborer, ratifier, sanctionner, soutenir.**
DÉR. **Démenti,** n. m.
HOM. (Du p. p.) **Démenti.**

DÉMERDARD, ARDE [demɛʀdaʀ, aʀd] n. et adj. — 1916 ; de *se démerder.*

♦ Fam. Personne qui se démerde, se tire habilement d'affaire. ⇒ **Débrouillard, malin.** *Il y arrivera bien, c'est un démerdard.* — Adj. ⇒ **Démerdeur.** *Il nous faut des gens démerdards et pas des empotés comme vous ! Il est pas démerdard, ce grand godichon.*

1 Bah ! dit-il. Bah ! Bah ! les démerdards s'en tireront toujours.
SARTRE, la Mort dans l'âme, 1949, p. 72.

2 Je vais coucher chez une copine démerdarde qui dès le lendemain me trouve une place. R. QUENEAU, Loin de Rueil, p. 217.

DÉMERDE [demɛʀd] n. f. et adj. — D. i. ; déverbal de *(se) démerder.*

Familier.

♦ **1.** Attitude de celui, de celle qui se démerde. « *Il a un sens de la démerde et du bricolage très poussé* » (Magazine littéraire, déc. 1974, p. 34). — Par appos. *Système démerde.* → Système D.

1 Ils n'avaient qu'à se débrouiller. Moi je me débrouille bien. Tout ça, c'était démerde et compagnie (...)
François NOURISSIER, Une histoire française, p. 100.

♦ **2.** Adj. *Il, elle est démerde.*

2 Il y avait, entre autres : « Soit pour sa mise en liberté médicale, soit pour son transfert à Fresnes. »
Cette fois, un silence respectueux s'établit : larguer une détenue, passe encore, mais l'envoyer à Fresnes ! Bigre ! Il faut que je sois vachement bas... ou vachement démerde.
A. SARRAZIN, la Cavale, p. 54.

DÉMERDER (SE) [demɛʀde] v. pron. — V. 1900 ; de 1. *dé-, merde* « embarras, ennuis, difficultés », et suff. verbal.

♦ Fam. Se débrouiller, se tirer habilement d'embarras. *Laisse-le se démerder tout seul. Ça ne me regarde pas, démerdez-vous !* — (Laudatif). *Il se démerde bien :* il s'en tire, s'en sort bien, il réussit facilement.

1 (...) il était temps qu'il se démerde pour gagner sa croûte, car il ne lui restait pas grands fonds en poche (...) R. QUENEAU, Pierrot mon ami, p. 123.

2 Il tendit les deux pains à Alexandre (...)
— Tu es un mec, l'abbé.
— Oui, dit Pierson de sa voix suave et chuchotée, je dois dire que je ne me suis pas mal démerdé. Robert MERLE, Week-end à Zuydcoote, 1949, p. 41.

DÉR. **Démerdard, démerde, démerdeur.**

DÉMERDEUR, EUSE [demɛʀdœʀ, øz] adj. — 1912 ; « avocat défenseur », in Esnault, 1899 ; de *se démerder.*

♦ Fam. et vieilli. Habile, débrouillard. ⇒ **Démerdard.**

DÉMÉRITE [demeʀit] n. m. — XIIIᵉ-XIVᵉ ; de *démériter*, ou de 1. *dé-*, et *mérite*.

♦ Littér. Ce qui fait que l'on démérite, que l'on attire sur soi la désapprobation, le blâme... *Où est son démérite dans cette affaire?* ⇒ **Faute, tort.** *Faire à qqn un démérite* (de qqch.). *Il a le démérite d'avoir agi ainsi.* ⇒ **Désavantage.**

1 Enfin, M. Guy Patin ne se donne pas pour dévot, et un air de dévotion, qui n'était pas un démérite à ses yeux, devait être bien sincère et même bien aimable.
FONTENELLE, Dodart, Éloge des Académies.

2 Le critique, depuis Sainte-Beuve, constate dans l'écrivain, à la naissance même de l'œuvre, un phénomène tel qu'il entraîne inévitablement le mérite ou le démérite.
J. PAULHAN, les Fleurs de Tarbes, p. 52.

Spécialt, théol. *Le mérite et le démérite :* le pouvoir que détient l'homme de mériter des sanctions (châtiment ou récompense) pour les actes libres qu'il accomplit.

Par ext. (Choses). Défaut.

3 (...) Marceline et Turandot discutent des mérites ou démérites des machines à laver. R. QUENEAU, Zazie dans le métro, Folio, p. 41.

CONTR. Avantage, mérite, qualité.

DÉMÉRITER [demeʀite] v. intr. — XIIIᵉ ; de 1. *dé-*, et *mérite*.

♦ **1.** (1636). Agir de manière à encourir le blâme, la désapprobation (de qqn). Vx. *Démériter de qqn,* perdre son estime, sa bienveillance. Mod. *Démériter auprès de qqn, aux yeux de qqn.* — Absolt. *Il n'a jamais démérité. En quoi a-t-il démérité?*

♦ **2.** (1524). Théol. Agir de manière à encourir un châtiment divin, et, spécialt, la perte de la grâce. *Le pouvoir de mériter et de démériter.*

1 Dieu a donné aux hommes le libre arbitre, pour pouvoir démériter s'ils le veulent.
FÉNELON, Œ., t. III, p. 333, *in* LITTRÉ.

2 (...) l'atome à qui Dieu aura donné la pensée peut mériter ou démériter (...)
VOLTAIRE, le Philosophe ignorant, XXIX.

CONTR. Mériter.
DÉR. Déméritoire. — V. Démérite.

DÉMÉRITOIRE [demeʀitwaʀ] adj. — V. 1460 ; de *démériter*.

♦ Vx. Qui suscite la désapprobation. *Un acte déméritoire.*

CONTR. Méritoire.

DÉMERSAL, ALE, AUX [demɛʀsal,o] adj. — 1954 ; angl. *demersal*, 1899 ; du lat. *demersus*, de *demergere* «plonger, enfoncer».

♦ Didact. (zool.). Qui ne flotte pas mais tombe au fond des eaux (opposé à *pélagique*). ⇒ aussi **Benthique.**

(Chez les sardines, les maquereaux, les thons...) Les œufs sont toujours en nombre considérable ; une fois fécondés, ils sont abandonnés par les adultes et flottent au gré des courants. Ce sont des œufs pélagiques.
On qualifie au contraire de démersaux les œufs qui, plus denses que l'eau, tombent au fond : on les rencontre surtout parmi les poissons des eaux douces et les poissons littoraux. R. et M.-L. BAUCHOT, les Poissons, p. 91.

Se dit des espèces qui vivent sur le fond de la mer ou au voisinage du fond. *La plie est un poisson démersal.*

DÉMESURE [dem(ə)zyʀ] n. f. — V. 1131 ; rare entre XVIIᵉ (1606) et déb. XIXᵉ (1826) ; de 1. *dé-*, et *mesure.*

♦ Manque de mesure, exagération des sentiments ou des attitudes. ⇒ **Excès ; exagération, outrance.**

(...) quand une fortune sans précédent aura, chez lui *(Bonaparte)*, surexcité, avec le génie, l'orgueil et l'ambition, et lui aura comme *imposé*, très précisément, cette *démesure* qui répugne tant à un Talleyrand.
Louis MADELIN, Talleyrand, II, IX, p. 103.

CONTR. Mesure ; modération, pondération.

DÉMESURÉ, ÉE [dem(ə)zyʀe] adj. — 1080 ; de 1. *dé-*, et *mesuré.*

♦ **1.** Qui excède la mesure ordinaire. ⇒ **Immense, incommensurable.** *Un homme d'une taille démesurée.* ⇒ **Énorme** (→ argot Maous). — *Un empire démesuré.* ⇒ **Colossal, gigantesque.** *Objet d'une grandeur démesurée.*

1 Le Muphty revient, avec son turban de cérémonie qui est d'une grosseur démesurée.
MOLIÈRE, le Bourgeois gentilhomme, IV, variante de la cérémonie turque.

2 Je vis deux yeux bleus, démesurés de grandeur, admirables de forme (...)
A. DE VIGNY, Servitude et Grandeur militaires, I, VI, p. 89.

3 L'Empire de Charles-Quint était démesuré.
J. BAINVILLE, Hist. de France, VIII, p. 139.

♦ **2.** (Abstrait). D'une très grande importance, intensité ; très grand. ⇒ **Énorme, exagéré, excessif, exorbitant, extraordinaire, gigantesque, illimité, immense, immodéré, infini, monumental.** *Un orgueil démesuré. Une ambition démesurée. Des prétentions démesurées.*

4 Notre appétit n'est démesuré que parce que nous voulons lui donner d'autres règles que celles de la nature (...) ROUSSEAU, Émile, II.

5 Julien fut saisi d'une envie démesurée de purger la terre d'un de ses plus lâches coquins (...) STENDHAL, le Rouge et le Noir, II, XXIII, p. 388.

---

6 Une religion praticable (...) à quoi tout un peuple se plie sans sacrifice démesuré, qui n'exige pas l'impossible, n'assassine pas la nature, ne détourne pas le pauvre bétail de ses abreuvoirs, ni du fumier qui tient chaud.
F. MAURIAC, Souffrances et Bonheur du chrétien, p. 24.

CONTR. Contenu, limité, **mesuré, modéré, moyen, ordinaire, petit, proportionné, raisonnable.**
DÉR. Démesurément.
HOM. Démesurer.

DÉMESURÉMENT [dem(ə)zyʀemɑ̃] adv. — 1080 ; de *démesuré.*

♦ D'une manière démesurée. ⇒ **Énormément, immensément.**

1 (...) les bougies démesurément longues dont on se sert en Norvège.
BALZAC, Séraphîta, Pl., t. X, p. 476.

2 Elle s'exagérait démesurément mes bonnes qualités (...)
FRANCE, le Petit Pierre, I, p. 11.

DÉMESURER [dem(ə)zyʀe] v. tr. — XVᵉ, *démesurer sa voix ;* sens fig., XIIIᵉ ; de 1. *dé-*, et *mesurer.*

♦ Rare et littér. Faire paraître plus important que nature.

1 Vous pourrez peut-être voir, assis auprès des roses trémières, un jeune homme très brun, maigre, avec un peu de barbe, ce qui démesure ses yeux déjà très larges et très rêveurs. J. GIONO, Un roi sans divertissement, p. 9.

2 Quand je ne suis pas là *(Manuelle)* met une *(de mes lettres)* sous mon oreiller avant de s'endormir ou elle l'emmène dans son cartable, pour lui tenir chaud pendant ces interminables heures de classe qui démesurent sa journée.
Benoîte et Flora GROULT, Il était deux fois..., p. 263-264.

HOM. Démesuré.

DÉMÉTHANISATION [demetanizɑsjɔ̃] n. f. — Mil. XXᵉ, *in* G. L. L. F. ; de *déméthaniser.*

♦ Techn. Opération d'extraction du méthane des hydrocarbures liquides (raffinage) et gazeux (traitement du gaz naturel).

DÉMÉTHANISER [demetanize] v. tr. — Mil. XXᵉ, *in* G. L. L. F. ; de 1. *dé-*, et *méthane.*

♦ Techn. Extraire le méthane de (un hydrocarbure).

DÉR. Déméthanisation.

1. DÉMETTRE [demɛtʀ] v. tr. — Conjug. *mettre.* — 1538 ; « ôter, emporter », XIIIᵉ ; de 1. *dé-*, et *mettre.*

♦ Déplacer (un os, une articulation). ⇒ **Disloquer, luxer.** *Démettre la mâchoire.* ⇒ **Démantibuler.** *Démettre un bras, un poignet, l'épaule.*

1 Il lui a démis le poignet. Mᵐᵉ DE SÉVIGNÉ, Lettres, 77, *in* LITTRÉ.

V. pron. (V. 1560). Plus courant :

2 *(Harcourt)* s'était démis une hanche d'une chute qu'il fit du rempart de Luxembourg en bas (...) SAINT-SIMON, Mémoires, t. II, IX.

3 L'amante éperdue sauta par la fenêtre et se démit le pied (...)
VOLTAIRE, les Deux Consolés.

HOM. 2. Démettre.

2. DÉMETTRE [demɛtʀ] v. tr. — V. 1220, *demettre ;* pron., 1155 ; du lat. *dimittere* «congédier, renvoyer de», de *di(s)-*, et *mittere* «mettre».

♦ **1.** Littér. ou admin. Retirer (qqn) d'un emploi, d'un poste, d'une charge. ⇒ **Casser, chasser, déplacer, destituer, renvoyer ; congé** (donner congé). *Démettre qqn de son emploi, de ses fonctions.*

4 Il fut démis *(de la royauté)*, et l'on tomba d'accord
Qu'à peu de gens convient le diadème. LA FONTAINE, Fables, VI, 6.

♦ **2.** (1835). Dr. ⇒ **Débouter.** *Démettre qqn de son appel.*

▶ **SE DÉMETTRE** v. pron.

Cour. Quitter ses fonctions (volontairement ou sous la contrainte). ⇒ **Abandonner, abdiquer, défaire** (se), **démissionner, partir, quitter, retirer** (se) ; → Rendre son tablier*. *Se démettre de ses fonctions. Obliger, forcer qqn à se démettre de son emploi.*

5 (...) vous savez qu'il *(le cardinal de Retz)* a voulu se démettre de son chapeau de cardinal. Le pape ne l'a pas voulu (...)
Mᵐᵉ DE SÉVIGNÉ, Lettres, 695, 27 juin 1678.

6 Il *(Sylla)* osa se démettre de la dictature pour vivre en simple particulier, et il termina ses jours dans son lit. Charles ROLLIN, Traité des études, 3ᵉ partie, I.

7 J'accepterai tout ce que vous voudrez, sauf de me démettre de ce qui est ma fonction d'homme (...) MARTIN DU GARD, les Thibault, t. V, p. 230.

Se soumettre ou se démettre : céder ou abandonner.

8 Quand la France aura fait entendre sa voix souveraine, croyez-le bien, messieurs, il faudra se soumettre ou se démettre. GAMBETTA, Disc. à Lille, 15 août 1877.

9 (...) Gambetta, interprète de la majorité des Français, rugira son retentissant et fameux dilemme à l'adresse du héros de Malakoff, du vainqueur de Magenta : «Se soumettre ou se démettre». Georges LECOMTE, Ma traversée, p. 31.

Fig. *Se démettre de son droit.* ⇒ **Abandonner, renoncer** (à).

10 (...) s'il arrivait que l'un cédât son droit à l'autre, afin que la cession fût valable, celui qui se démettait de son droit ôtait son soulier, et le donnait à son parent (...)
BIBLE (SACY), Ruth, IV, 7.

▶ **DÉMIS, ISE** p. p. adj. ⇒ **Démis.**

CONTR. Remettre, replacer. — Accepter, garder, maintenir ; demeurer, rester.
DÉR. Démis, démission.
HOM. 1. Démettre.

DÉMEUBLEMENT [demœbləmã] n. m. — 1636 ; de *démeubler.*

♦ Vx. Action de démeubler ; son résultat.

DÉMEUBLER [demœble] v. tr. — 1515 ; *desmobler* «dépouiller de ses biens», XIIIᵉ ; de 1. *dé-*, et *meuble.*

♦ Rare. Enlever les meubles de (une pièce, une maison). ⇒ **Déménager, vider.**

1 Il veut rentrer chez lui ; il y trouve des huissiers qui démeublaient sa maison de la part de ses créanciers.
VOLTAIRE, Memnon.

▶ **DÉMEUBLÉ, ÉE** p. p. adj. *Appartement démeublé. Cette pièce est démeublée.* ⇒ **Vide.**

Fam. et vieilli. *Bouche, mâchoire démeublée,* dégarnie de dents.

2 En regardant les joues creuses et les lèvres enfoncées de ce vieil homme, le nouveau venu comprit que, dégarnies de leurs dents, ses mâchoires démeublées nécessitaient ce broiement préalable d'une miche transformée en rond de cuir.
Georges LECOMTE, Ma traversée, p. 120.

CONTR. Garnir, meubler, remeubler.
DÉR. Démeublement.

DEMEURANT, ANTE [d(ə)mœrã, ãt] p. prés., adj. et n. — XIIᵉ, *demorant* ; de *demeurer.*

♦ **1.** P. prés. Qui demeure, qui réside à tel endroit. ⇒ **Habitant, résidant, vivant.** *Monsieur un tel, demeurant à Paris.*

♦ **2.** N. m. Vieilli. Ce qui demeure, ce qui reste. ⇒ **Reste.**

Une fleur de tant de mérite
Aurait terni le demeurant.
MALHERBE, Sonnet à Rabelais.

(Personnes). *Les demeurants d'une autre génération :* les survivants.

DEMEURANT (AU) [od(ə)mœrã] loc. adv. — V. 1464, cit. 1 ; de *au,* et *demeurer,* au p. prés.

♦ Littér. ou didact. Pour ce qui reste (à dire) ; en ce qui concerne le reste ; tout bien considéré. ⇒ **Ailleurs** (d'ailleurs), **fond** (au fond), **reste** (au reste, pour le reste), **somme** (en somme), **tout** (après tout). *Au demeurant, c'est un homme aimable.*

1 Et du fait du roy d'Angleterre ne leur challoit, au demourant, comme il en allast
COMMYNES, I, 2, in LITTRÉ.

2 J'avais un jour un valet de Gascogne,
Gourmand, ivrogne, et assuré menteur,
Pipeur, larron, jureur, blasphémateur,
Sentant la hart de cent pas à la ronde,
Au demeurant le meilleur fils du monde (...)
MAROT, Épître, I, 14.

3 (...) malfaisant, pipeur, buveur, batteur de pavés, ribleur s'il en était à Paris ; au demeurant, le meilleur fils du monde (...)
RABELAIS, Pantagruel, 16.

4 Mᵐᵉ Clot, bonne femme au demeurant, était bien la vieille la plus grognon que je connus de ma vie.
ROUSSEAU, les Confessions, I.

5 Au demeurant rien de moins apprêté, de plus spontané, de plus naïf.
GIDE, Journal, 13 mai 1931.

DEMEURE [d(ə)mœr] n. f. — XIIᵉ ; de *demeurer.*

★ **I.** ♦ **1.** Vx. Le fait de demeurer (I., 2.), de tarder à faire quelque chose. ⇒ **Délai, retard.** *Faire une chose sans demeure,* sans retard. *Sans plus longue demeure.*

1 Voyons donc ce que c'est, sans plus longue demeure. CORNEILLE, Mélite, III, 4.

Loc. mod. *Il y a péril en la demeure :* le moindre retard peut entraîner de graves inconvénients..., il y a danger à attendre. *N'allez pas si vite, il n'y a pas péril en la demeure.*

1.1 L'auscultation met les nerfs à l'épreuve. Pendant tout le temps qu'elle dure, on scrute du regard la physionomie du médecin. Quand on le connaît, on apprend à interpréter ses airs soucieux qui ne signifient pas forcément qu'il y ait péril en la demeure.
Jacques LAURENT, les Bêtises, p. 559.

♦ **2.** (XIIIᵉ). Dr. EN DEMEURE : responsable du retard dans l'exécution de son obligation.

2 Le débiteur est constitué en demeure, soit par une sommation ou par autre acte équivalent, soit par l'effet de la convention, lorsqu'elle porte que, sans qu'il soit besoin d'acte et par la seule échéance du terme, le débiteur sera en demeure.
Code civil, art. 1139.

Par ext. Obligation faite à qqn de mettre fin à son retard. Loc. *Mise en demeure :* sommation, commandement. *Mettre (qqn) en demeure de...,* le sommer d'exécuter sans tarder son obligation.

3 C'est (...) au créancier qui, en principe, met le débiteur en demeure, et non l'arrivée du terme. De là le brocard : «Dies non interpellat pro homine». Tant que le créancier garde le silence, on peut croire que le retard qui se produit ne lui cause aucun préjudice et qu'il autorise tacitement le débiteur à attendre.
M. PLANIOL, Traité élémentaire de droit civil, t. II, nᵒ 168.

Par ext. et cour. *Mettre qqn en demeure d'exécuter ses engagements.* ⇒ **Enjoindre, ordonner, signifier, sommer.** *C'est une véritable mise en demeure.* ⇒ **Exigence, ultimatum.**

4 (les Gens de lettres) s'alarmèrent ou plutôt cabalèrent en exigeant qu'on mît l'artiste en demeure de livrer son œuvre «fin courant».
Georges LECOMTE, Ma traversée, p. 220.

Se mettre en demeure de faire qqch., se placer dans les conditions nécessaires pour le faire. ⇒ **Arranger** (s'arranger à), **faire** (faire en sorte de), **préparer** (se préparer à).

5 S'accoutumer à écrire comme on parle et comme on pense, n'est-ce pas déjà se mettre en demeure de bien penser ?
SAINTE-BEUVE, Causeries du lundi, 12 nov. 1849, t. I, p. 92.

★ **II.** ♦ **1.** (Mil. XVIᵉ). Vieilli ou littér. Lieu construit dans lequel on vit. ⇒ **Domicile, foyer, gîte, habitation, logement, logis, maison, résidence, séjour.** *Établir sa demeure en province. Choisir* (cit. 20) *une demeure. Il a fait ici sa demeure.*

Mod. Maison (généralement belle ou importante). *Une demeure seigneuriale.* ⇒ **Château.**

6 Le choix d'une demeure aux humains inconnue
Assurait leur félicité.
LA FONTAINE, Fables, XII, 15.

7 La Renommée enfin commença de se plaindre
Que l'on ne lui trouvait jamais
De demeure fixe et certaine.
LA FONTAINE, Fables, VI, 20.

8 Où fait-il sa demeure ? — Au pied de cette roche.
CORNEILLE, Œdipe, III, 1.

9 Cet hôtel de Mouhy (...) cet hôtel de Lyon (...) les agréables demeures que voilà !
MOLIÈRE, la Comtesse d'Escarbagnas, 2.

10 Dans ces maisons éparses et champêtres je plaçais en idée notre commune demeure.
ROUSSEAU, in LAFAYE, Dict. des synonymes, Maison, demeure.

11 Il s'arrêta devant une demeure, d'un type londonien banal, rigoureusement semblable à ses voisines, avec double vérandah et portique d'entrée (...)
J. ROMAINS, les Hommes de bonne volonté, t. V, XXVI, p. 255.

12 Des celliers aux mansardes, elle avait exploré, pièce par pièce, les profondeurs de la vieille demeure (...)
H. BOSCO, le Mas Théotime, II, p. 53.

Par anal. Abri, retraite d'un animal. *La demeure souterraine du blaireau. La demeure du cerf.* ⇒ **Chambre, reposée.**

♦ **2.** Fig. et littér. *La dernière demeure.* ⇒ **Tombeau.** *Accompagner, conduire qqn jusqu'à sa dernière demeure.*
La céleste demeure ; les demeures éternelles. ⇒ **Ciel, paradis.** — *La sombre demeure.* ⇒ **Enfer.** — *Demeure sacrée* (→ Bétyle).

★ **III.** Loc. adv. (Fin XVIIᵉ). À DEMEURE : d'une manière fixe, stable. ⇒ **Permanence** (en permanence). *Être nommé à demeure, dans un poste. S'installer à demeure à la campagne.*

13 Quand je retrouvais dans la poussière des bibliothèques d'Italie les chefs-d'œuvre de l'antiquité grecque, je n'étais pas à demeure dans ces bibliothèques.
P.-L. COURIER, Œuvres, I, 250, in LITTRÉ.

14 Tant qu'on fut dans les alizés de l'hémisphère nord, il put se tenir à demeure sur le pont, assis à l'ombre, respirant la bonne brise, s'intéressant à la manœuvre et causant avec ses amis.
LOTI, Matelot, XLVI, p. 172.

Dr. *À perpétuelle demeure.* ⇒ **Définitivement.**

15 Le propriétaire est censé avoir attaché à son fonds des effets mobiliers à perpétuelle demeure, quand ils y sont scellés en plâtre ou à chaux ou à ciment, ou lorsqu'ils ne peuvent être détachés sans être fracturés et détériorés, ou sans briser ou détériorer la partie du fonds à laquelle ils sont attachés.
Code civil, art. 525.

DEMEURÉ, ÉE [d(ə)mœre] adj. ⇒ **Demeurer** (cit. 40 à 42).

DEMEURER [d(ə)mœre] v. intr. — XIIᵉ, *demorer, demourer* ; lat. *demorari* «tarder», d'où «séjourner, habiter», de *de-*, et *morari,* de *mora* «retard, délai». → Moratoire.

★ **I.** (Avec l'auxiliaire *avoir*). ♦ **1.** Vx ou littér. S'arrêter, rester en un lieu. ⇒ **Rester.**

DEMEURER, RESTER. L'idée commune à ces deux mots est de ne pas s'en aller ; et la différence consiste en ce que demeurer ne présente que cette idée simple et générale de ne pas quitter le lieu où l'on est ; et que rester a de plus l'idée accessoire de laisser aller les autres.
É. LITTRÉ, Dict., art. Demeurer.

Demeurer chez soi : ne pas sortir, se montrer casanier, et aussi, ne pas quitter son pays. — Mod. (Littéraire ou régional) *Il ne peut pas demeurer en place :* il bouge, il voyage continuellement, il est toujours en mouvement. — *Demeurer en repos ; demeurer dans sa chambre.* ⇒ **Tenir** (se). — Rare. *Demeurer avec soi-même.*

2 (...) j'ai découvert que tout le malheur des hommes vient d'une seule chose, qui est de ne savoir pas demeurer en repos dans une chambre.
PASCAL, Pensées, II, 139.

3 Demeurez au logis, ou changez de climat (...) LA FONTAINE, Fables, I, 8.

4 Il s'en allait, et moi je restais (...) parmi les personnes qui demeurent (...)
MARIVAUX, la Vie de Marianne, V (→ Aller, cit. 103).

♦ **2.** Vieilli ou littér. Mettre du temps (à faire qqch.). ⇒ **Rester, tarder.** *Demeurer longtemps à table, à sa toilette.* ⇒ **Attarder** (s'). *Demeurer une heure à écrire. Il n'a demeuré qu'une heure à faire cela.* On dit aussi dans ce sens : *Il n'est demeuré qu'une heure...*

5 (...) je n'ai demeuré qu'un quart d'heure à le faire.
MOLIÈRE, le Misanthrope, I, 2.

Rester (longtemps). *Demeurer longtemps en voyage, en route.*

♦ **3.** Habiter, faire sa demeure. ⇒ **Être, gîter, habiter, loger, nicher, percher** (fam.), **résider, séjourner, tenir** (se), **vivre.** *Nous avons* *demeuré à Paris pendant plusieurs années. Demeurer à la campagne. Il demeure dans la grand-rue. Il demeure dans une avenue, sur une avenue, avenue de Paris, boulevard de la République. Demeurer rue Molière, numéro 12, au numéro 12. Aller demeurer avec qqn, chez qqn.*

6 DEMEURER, LOGER. Ces deux mots sont synonymes dans le sens où ils signifient la résidence; mais demeurer se dit par rapport au lieu topographique où l'on habite, et loger par rapport à l'édifice où l'on se retire. On demeure à Paris, on loge au Louvre, à l'hôtel, etc. (Guizot). LITTRÉ, *Dict.*, art. *Demeurer.*

7 — Êtes-vous de ce village? — Oui, Monsieur. — Et vous y demeurez? (...) vous n'êtes pas née pour demeurer dans un village. Vous méritez (...) une meilleure fortune (...) MOLIÈRE, Dom Juan, II, 2.

8 Pourquoi me tuez-vous? — Eh quoi? ne demeurez-vous pas de l'autre côté de l'eau? PASCAL, Pensées (→ Assassin, cit. 7).

9 (...) nous y avons demeuré paisiblement et agréablement pendant sept ans, jusqu'à mon délogement pour l'Ermitage. ROUSSEAU, les Confessions, VIII.

10 Cette ville *(Milan)* où je croyais ne pouvoir demeurer sans mourir, je ne puis la quitter sans me sentir arracher l'âme. STENDHAL, Souvenirs d'égotisme, p. 6.

11 Elle a une parente très bonne, qui lui offre de venir demeurer avec elle, et qui la soignera bien (...) G. SAND, la Petite Fadette, XXIX, p. 194.

REM. Sans être forcément archaïque ou littéraire, cet emploi est marqué par rapport à *habiter, loger*, etc. Il peut être senti comme régional ou populaire.

★ **II.** (Avec l'auxiliaire *être*). ♦ **1.** Vieilli ou littér. S'arrêter, rester (en un lieu, en un certain endroit). ⇒ **Rester.** *Demeurer à son poste. Demeurez ici. Demeurer à la même place.* ⇒ **Stationner.** *On l'a retenu, il est demeuré plus longtemps qu'il ne pensait. Demeurez là jusqu'à ce soir.* ⇒ **Attendre.**

12 Si tu veux demeurer, je vais quitter ce lieu. MOLIÈRE, Mélicerte, I, 1.

13 Il était demeuré là jusqu'à la nuit noire, absorbé dans une contemplation dont l'ivresse inondait son âme d'une joie presque surhumaine. BOURGET, Un divorce, III, p. 118.

Il est demeuré en arrière. — Fig. *Demeurer en arrière; demeurer en reste :* rester débiteur de qqn. *Ne pas demeurer en reste avec qqn,* lui rendre la pareille.

14 Hélas! nous y sentions surtout certain besoin de ne pas demeurer en reste, en arrière, à l'écart (...) GIDE, Journal, 10 févr. 1929.

Vx. *Demeurer sur la place :* être tué, terrassé par l'ennemi. Impers. *Il est demeuré dix mille hommes sur la place.*

15 Il y demeura quelque cinq cents hommes sur la place. D'ABLANCOURT, Arrien, I, 10.

Demeurer en chemin. ⇒ **Arrêter** (s'). Fig. *Demeurer en chemin :* ne pas faire de progrès, ne pas poursuivre ce qui avait été décidé. *Ne demeurez pas en si beau chemin.*

16 C'est une chose si délicate que la réputation de ces Messieurs *(les officiers)* qu'ils aiment mieux passer le but que de demeurer en chemin. Mᵐᵉ DE SÉVIGNÉ, Lettres, 634, 6 août 1677.

Fig., mod. EN DEMEURER LÀ : ne pas donner suite à une affaire (→ En rester là). *En demeurer là d'un projet,* ne pas le poursuivre davantage. *Reprendre sa lecture au point où l'on en était demeuré.* — (Choses). *L'affaire n'en demeurera pas là,* elle aura des suites, des conséquences. *Les choses en demeurèrent là,* n'allèrent pas plus loin.

17 Cette affaire, venue au point où la voilà,
N'est pas assurément pour en demeurer là (...) MOLIÈRE, le Dépit amoureux, IV, 1.

18 Je vis bien que le roi n'était pas persuadé, mais je crus qu'il n'y avait qu'à en demeurer là. Mᵐᵉ DE MAINTENON, Lettre au cardinal de Noailles, 25 mai 1698.

Loc. (où *demeurer* tend à être remplacé par *rester*). *Demeurer sur la bonne bouche :* ne plus prendre de nourriture, après une chose qui laisse un goût agréable, et, au fig., rester sur une bonne impression.
Demeurer sur son appétit. ⇒ **Appétit** (supra cit. 18). *Demeurer sur sa soif*. Demeurer sur sa crainte.*

♦ **2.** (Choses). Continuer d'exister. ⇒ **Durer** (I., 3.), **maintenir** (se), **persévérer, persister, rester, subsister, survivre, tenir.** *Les paroles s'envolent, les écrits demeurent. La cicatrice de sa blessure demeure toujours.* — Impers. *Il lui en est demeuré une cicatrice au visage.* — *Ce bâtiment est provisoire, il n'est pas fait pour demeurer. Ce qui demeure d'un ancien monument.* ⇒ **Ruine, vestige.** *Rien ne demeure plus de ce qui est passé. Il n'y demeurera pas un épi* (→ Épi). *Image, impression qui demeure dans la mémoire.*

19 Tout passe. — L'art robuste (...) Les dieux eux-mêmes meurent.
Seul a l'éternité : Mais les vers souverains
Le buste Demeurent
Survit à la cité (...) Plus fort que les airains.
Th. GAUTIER, Émaux et Camées, «L'Art».

20 Quand je vous livre mon poème, Le meilleur demeure en moi-même,
Mon cœur ne le reconnaît plus : Mes vrais vers ne seront pas lus.
SULLY-PRUDHOMME, Stances et Poèmes, «Au lecteur».

21 Ce sont de ces heures divines qui demeurent au fond de notre mémoire comme un trésor pour nous enchanter. M. BARRÈS, Un jardin sur l'Oronte, p. 1.

22 Rien ne demeure plus des jours de grandes vacances qu'empourpraient les agonies solaires de l'Automne. Francis JAMMES, Almaïde d'Étremont, I.

23 Pourquoi certaines images demeurent-elles pour nous aussi nettes qu'au moment de la vision, alors que d'autres, en apparence plus importantes, s'estompent puis s'effacent si vite? A. MAUROIS, Climats, I, II, p. 19.

Pièce qui demeure au théâtre, qui continue à être jouée. *Ce film est demeuré un mois sur, à l'écran.* ⇒ **Tenir.** — Absolt (vx) :

24 (...) il est arrivé de cette pièce ce qui arrivera toujours des ouvrages qui auront quelque bonté. Les critiques se sont évanouies; la pièce est demeurée. RACINE, Britannicus, 2ᵉ préface.

(Personnes). *Demeurer dans...* ⇒ **Persister; persévérer...** *Demeurer dans sa conviction, dans son erreur...* ⇒ **Continuer** (à croire...); **entretenir, garder...** *Demeurer dans un état de péché.*

25 (...) jusques à quand demeurerez-vous *dans votre impureté?* BIBLE (SACY), Jérémie, XIII, 27.

26 Eh bien! puisque vous ne voulez pas m'écouter, demeurez dans votre pensée, et faites ce qu'il vous plaira. MOLIÈRE, le Bourgeois gentilhomme, III, 10.

Spécialt. *Demeurer éternellement.* ⇒ **Survivre.**

27 L'Écriture dit que le Christ demeure éternellement, et celui-ci dit qu'il mourra. PASCAL, Pensées, VIII, 573.

28 Vous qui passez, venez à lui, car il demeure. HUGO, les Contemplations, III, IV.

♦ **3.** Continuer à être (dans un état, une situation). (Personnes). *Ils sont demeurés à l'état sauvage. Vous ne pouvez demeurer en cet état. Demeurer sans secours* (→ Abandonné, cit. 16). *Demeurer les bras croisés.*

(Avec un adjectif attribut). *Demeurer étranger à la politique. Il préfère demeurer inconnu, obscur. Chacun demeure libre d'agir à sa fantaisie. Demeurer attaché, fidèle à ses habitudes. Demeurer silencieux.* ⇒ **Garder** (le silence). *Demeurer confus, interdit, stupide, bouche bée, interloqué; immobile, froid, impassible, neutre; ferme, inébranlable. Il demeure garant de sa probité. Demeurer responsable de ses actes.*

29 Car qui pensera demeurer neutre sera pyrrhonien par excellence. PASCAL, Pensées, VII, 434.

30 (...) *il demeura stupide* comme le Cinna de Corneille. P.-L. COURIER, Lettre à M. Chlewaski, 8 janv. 1799.

31 Les hommes naissent et demeurent libres et égaux en droits. Déclaration des droits de l'homme, art. 1ᵉʳ.

32 (...) sa pensée semblait loin et sa figure calme demeurait impassible. MAUPASSANT, Contes, «L'auberge», p. 106.

33 En tout cas, si j'étais resté en Bretagne, je serais toujours demeuré étranger à cette vanité que le monde a aimée, encouragée, je veux dire à une certaine habileté dans l'art d'amener le cliquetis des mots et des idées. RENAN, Souvenirs d'enfance..., III, I, p. 117.

34 Même depuis sa maladie, qui l'avait à demi paralysé, l'ardeur et la confiance de Pasteur demeuraient impassibles. Henri MONDOR, Pasteur, VIII, p. 135.

Demeurer court. ⇒ **Court** (cit. 23). *Demeurer d'accord* avec (qqn).*

(Choses). *Après la pluie, le terrain demeura longtemps inondé. Ce remède est demeuré inefficace. Votre raisonnement demeure obscur. Le temps demeura mauvais toute la matinée. La question demeure indécise. Son appartement est demeuré vide durant son absence.*

35 Votre concierge, voyant que les chambres demeuraient vides, en a meublé quelqu'une et l'a louée. RACINE, Lettre, 3 oct. 1692.

36 (...) les sciences, séparées des lettres, demeurent machinales et brutes (...) FRANCE, la Vie en fleur, VI, p. 77.

37 Et l'Agora demeura vide, comme une plage après la marée. Pierre LOUŸS, Aphrodite, IV, III, p. 203.

38 C'est que Poirier était pour des raisons qui me sont toujours demeurées obscures, le plus «chahuté» de tous les professeurs. G. DUHAMEL, Biographie de mes fantômes, X, p. 204.

♦ **4.** (Choses). DEMEURER À (qqn) : rester la propriété, l'acquisition de (qqn). *Cette maison lui est demeurée de ses parents. Ce titre seul lui demeure. La victoire demeura au camp ennemi.* — Impers. *Il ne lui est rien demeuré de sa fortune.* ⇒ **Conserver, garder.**

39 Ecbatane est du moins sous mon obéissance :
C'est tout ce qui demeure aux enfants de Cyrus (...) VOLTAIRE, les Scythes, II, 4.

▶ DEMEURÉ, ÉE p. p. adj. et n.
Intellectuellement retardé. ⇒ **Arriéré, attardé; innocent, simple** (d'esprit).

40 (...) c'est un cas pour un médecin, cela a quelque chose de pathologique, c'est une espèce d'«innocente», de crétine, de «demeurée» comme dans les mélodrames ou comme dans *l'Arlésienne.* PROUST, À la recherche du temps perdu, t. VIII, p. 128.

41 Au bout de quelques jours, les élèves, voyant qu'il n'était pas méchant, se dégelèrent et consentirent à lui parler, comme on parle à un copain un peu demeuré. Claude COURCHAY, La vie finira bien par commencer, p. 26.

Fam. Inintelligent.

42 Est-elle tout à fait sotte? Ou un peu demeurée? Ou paralysée de timidité? S. DE BEAUVOIR, les Mandarins, p. 276.

CONTR. Aller (s'en aller), décamper, déguerpir, démarrer, filer, partir, retirer (se), sortir; vite (faire vite); dépêcher (se). — Changer, quitter. — Disparaître.
DÉR. Demeurant, demeure.

DEMI, IE [d(ə)mi] adj., n. et adv. — Fin XIᵉ; du lat. pop. *dimedius,* lat. class. *dimidius,* de *dis-,* et *medius,* refait sur *medius.*

★ **I.** Adj. Qui est la moitié d'un tout.

♦ **1.** Devant le nom qu'il qualifie, et auquel il se rattache par un trait d'union, *demi* est toujours invariable. ⇒ **Hémi-, mi-, semi- ; moitié.**

Faites un trait tous les demi-centimètres. Un demi-verre d'eau. Parler à demi-voix, à demi-mot. Demi-pomme, demi-tartine. ⇒ **Demi-.**

1 Que ferez-vous de moi? je ne saurais fournir
Au plus qu'une demi-bouchée.
Laissez-moi carpe devenir (...) LA FONTAINE, Fables, V, 3.

2 (...) une demi-douzaine de consommateurs commentaient les nouvelles du quartier (...) MARTIN DU GARD, les Thibault, t. VI, p. 284.

Par ext. Qui est incomplet, imparfait.

3 Je n'aime ni les demi-vengeances, ni les demi-fripons.
VOLTAIRE, l'Écossaise, II, 3 (éd. 1760).

4 En certains cas judiciaires, les demi-certitudes ne suffisent pas aux magistrats.
BALZAC, le Curé de village, Pl., t. VIII, p. 585. (→ Demi-certitude, cit.).

5 (...) une sorte de demi-conscience rudimentaire et collective (...)
Edmond JALOUX, Fumées dans la campagne (→ Conscience, cit. 10; et aussi demi-conscience, cit.).

6 Je préfère une certitude horrible, faite d'abîmes et de négations, à vos demi-vérités (...) André SUARÈS, Trois hommes, « Pascal », II, p. 41.

♦ **2.** ET DEMI. Après le nom, auquel il se rattache par *et, demi* ajoute la moitié de ce qu'exprime ce nom (qu'on ne répète pas) et s'accorde en genre. *Une douzaine et demie* (une douzaine et une demi-douzaine). *Trois douzaines et demie. Un centimètre et demi. Tous les centimètres et demi. Une tonne et demie. Un jour et demi. Attendre une heure et demie. Il est une heure et demie. Huit heures et demie. Minuit, midi et demi.* — REM. Dans l'usage actuel on rencontre *midi, minuit* et *demie* bien que ces noms soient du masculin, par analogie avec les autres heures.

7 Nous levâmes le camp, et nous cheminâmes pendant une heure et demie avec une peine excessive dans une arène blanche et fine.
CHATEAUBRIAND, Mémoires d'outre-tombe, t. II, p. 373.

8 Il est minuit et demi. G. DUHAMEL, les Tribulations de l'espérance, p. 407.

9 Viens déjeuner chez les parents, à midi et demie (...)
G. DUHAMEL, Chronique des Pasquier, VI, I, p. 268.

10 À minuit et demie je vis s'avancer en rampant une forme allongée.
GIDE, Paludes, p. 146.

Fig. (vx). Plus grand encore. Prov. *À trompeur, trompeur* et demi.*

10.1 A Tartufe, Tartufe et demi, il n'y a pas de crime en politique, il n'y a que des sottises. F. MAURIAC, le Nouveau Bloc-notes 1958-1960, p. 39.

★ **II.** Adv. (XIIIe). Devant un adj., un p. p., ou un n. exprimant une qualité, et auquel il est rattaché par un trait d'union, *demi* est toujours invariable. À moitié. ⇒ **Mi-;** → ci-dessous, IV., À demi. *Boîte demi-pleine, demi-remplie. Enfants demi-nus. Un être demi-femme, demi-poisson.*

11 Un amateur de jardinage,
Demi-bourgeois, demi-manant (...) LA FONTAINE, Fables, IV, 4.

12 Le quai de la Mergellina, où les lazzaroni demi-nus se cuisent et donnent à leur peau une patine de bronze. Th. GAUTIER, Avatar, I.

Par ext. À peu de chose près. ⇒ **Presque.**

13 La volatile malheureuse (...)
(...) Traînant l'aile et tirant le pié,
Demi-morte et demi-boiteuse,
Droit au logis s'en retourna. LA FONTAINE, Fables, IX, 2.

14 Fussiez-vous demi-pourris dans le tombeau, il vous ressuscitera.
BOSSUET, II, Pénitence, 2.

15 (...) j'aperçus les réverbères agités, dont la lumière demi-éteinte vacillait comme la petite lampe de ma vie.
CHATEAUBRIAND, Mémoires d'outre-tombe, t. VI, p. 258.

★ **III.** Nom. ♦ **1.** N. (V. 1190, n. f.; n. m., 1690). La moitié d'une unité. ⇒ **Moitié.** *Un demi ou 0,5 ou 1/2. Trois demis. On ne peut additionner les tiers avec les demis.* — La moitié d'un objet. *Vous prenez un pain? — Non, un demi seulement. Vous prenez une baguette, ou une demie?*

♦ **2.** N. m. (1900). Verre de bière (qui contenait à l'origine un demi-litre); contenu de ce verre. *Prendre, boire un demi. Un demi panaché*. Des demis.*

15.1 Je boirais bien un autre demi, mais pas panaché, un vrai demi de vraie bière.
R. QUENEAU, Zazie dans le métro, Folio, p. 51.

♦ **3.** N. m. (1900, *in* Petiot). Sports (jeux de ballon). Joueur placé en position intermédiaire (entre les avants et les arrières), et participant à la fois à l'attaque et à la défense. *Demi gauche, demi droite; demi-aile* (ou *demi aile;* → Sweater, cit. 1). *Demi central.* ⇒ **Demi-centre.** *Au football, la ligne des demis* (ou *milieu de terrain,* ou *entrejeu*) *se compose de deux ou trois joueurs selon le système de jeu.* — (Au rugby). *Demi d'ouverture*. Demi de mêlée,* placé entre la mêlée et le demi d'ouverture. *Le demi de mêlée introduit le ballon dans la mêlée.*

15.2 (...) le demi d'ouverture trouve un trou dans l'adversaire, s'y jette et passe la balle; la ligne arrière file en échelle derrière lui (...)
Jean PRÉVOST, Plaisirs des sports, p. 128.

♦ **4.** N. f. (Av. 1450). Une demi-heure (après une heure quelconque). *Nous partirons à la demie, à la demie passée.*

15.3 (...) la haute horloge flamande de l'escalier qui, régulièrement, carillonnait l'heure, la demie et les quarts (...) MAUPASSANT, Fort comme la mort, II, VI, p. 317.

15.4 Il faut aussi que la demie de sept heures ait sonné au clocher bulbeux (...)
COLETTE, la Naissance du jour, p. 196.

★ **IV.** Loc. adv. (1534). À DEMI : à moitié. Devant un adj. ou un p. p. ⇒ **Mi-, semi-** — REM. *À demi* n'est pas suivi de trait d'union. (Ne pas confondre avec l'adjectif *demi : parler à demi-mot*). *À demi nu. À demi couvert. Porte à demi peinte. Maison à demi détruite.*

(...) une vieille embarcation de la douane, à demi pontée (...) 16
Alphonse DAUDET, Lettres de mon moulin, « Les douaniers ».

Une lourde porte de bois, arrondie dans le haut et cloutée comme une porte de presbytère, était à demi ouverte. 17
ALAIN-FOURNIER, le Grand Meaulnes, XIII, p. 76.

Par ext. ⇒ **Partiellement, presque.** *Être à demi sourd; à demi mort. Travail à demi terminé. — Êtes-vous satisfait? — À demi.*

Un terrain couvert ou plutôt à demi couvert de genièvres (...) 18
BUFFON, Expériences sur les végétaux, 2e mémoire.

Il existe une classe à demi vertueuse, à demi vicieuse, à demi savante, ignorante à demi, qui sera toujours le désespoir des gouvernements. 19
BALZAC, le Médecin de campagne, Pl., t. VIII, p. 369.

Brave qui n'est pas bon n'est brave qu'à demi. 20
HUGO, la Légende des siècles, XVII, « L'aigle du casque ».

Après un verbe. *Ouvrir un tiroir à demi. Tirer un rideau à demi. Je ne l'estime qu'à demi.*

(...) on ne pouvait ni l'estimer, ni le craindre, ni l'aimer, ni le haïr à demi (...) 21
BOSSUET, Oraison funèbre de Michel le Tellier (→ Aimer, cit. 17).

Il fermait à demi les yeux (...) GIDE, les Faux-monnayeurs, I, XV, p. 180. 22

La jeune femme (...) puis son époux, s'excusent en passant devant vous (...) refer- 22.1
ment à demi la portière qui était restée grande ouverte depuis tout à l'heure, puis se hâtent. Michel BUTOR, la Modification, p. 20.

Par ext. *Faire quelque chose à demi.* ⇒ **Imparfaitement.**

Ceux qui font les révolutions à demi ne font que creuser leurs tombeaux. 23
SAINT-JUST, *in* MICHELET, Hist. de la Révolution franç., t. II, p. 780.

Lorsqu'on sent que l'on ne sera pas tout entier à son ouvrage, il vaut mieux s'absen- 24
ter et marcher, agir, pour ne pas s'y mettre à demi.
A. DE VIGNY, Journal d'un poète, p. 166.

CONTR. Un, une. — Complet, entier, parfait, total. — Complètement, entièrement, totalement; parfaitement. — Entier (n. m.), **entièreté, totalité.**

DEMI- Élément, de l'adjectif *demi,* qui désigne la division par deux *(demi-douzaine)* ou le caractère incomplet, imparfait *(une demi-conscience).* ⇒ **Semi-.**

N. B. *Demi-* est invariable. *Demi-* est un élément très productif qui sert à former de nombreuses unités de discours.

♦ **1.** Servant à former des substantifs; outre les citations ci-dessous et les composés traités à l'ordre alphabétique, on peut noter *demi-justice* (Babeuf, 1795, *in* D. D. L.), *demi-liberté* (1792, *ibid.*), *demi-lueur* (1770, Mercier, *ibid.*), *demi-misère* (Balzac, Daudet, *ibid.*), *demi-obscurité* (Restif de La Bretonne, 1769, *in* D. D. L.), *demi-peinture* (Balzac), *demi-sacrifice* (Balzac), *demi-sauvagerie, demi-science, demi-ténèbres* (Balzac), *demi-unité, demi-vertu* (1862, *in* D. D. L., vx « demi-mondaine »).

(...) j'aurais feint d'incliner dans le sens d'une demi-approbation pour voir jus- 1
qu'où serait allée la dame. F. MAURIAC, Bloc-notes 1952-1957, p. 13.

Je les ai vite acculés à des attitudes évasives, à des silences significatifs, à des 2
demi-aveux. MARTIN DU GARD, les Thibault, t. IX, XV, Épilogue, p. 145.

Le demi-brouillard des soirs d'automne baignait les rues et collait aux vitres 3
de l'auto. Ph. HÉRIAT, les Enfants gâtés, p. 61.

La nuit, très courte à cette époque, mais éclairée de cette demi-clarté de la lune 3.1
qui se tamise à travers les nuages, rendait la route praticable.
J. VERNE, Michel Strogoff, p. 215.

C'est le moment des demi-confidences. Mais il faut se dépêcher d'en profiter. Elle 4
m'y préparait en m'interrogeant (...) CÉLINE, Voyage au bout de la nuit, p. 199.

Leur demi-courbette *(aux garçons)* était également éloignée de la platitude et de 4.1
la hauteur. Ils donnaient à leur visage des plis intermédiaires entre le sourire sottement épanoui et la froideur.
Paul GUTH, le Naïf sous les drapeaux, I, I, p. 11.

La supériorité intellectuelle de Costals sur Solange, son égoïsme, ses bizarreries, 5
l'écart d'âge entre eux, leurs façons si différentes de comprendre la vie, la demi-frigidité de Solange : ces circonstances étaient un peu les mêmes qui avaient assombri son propre mariage. MONTHERLANT, le Démon du bien, p. 80.

Au milieu de sa demi-friponnerie comme négociant, M. Casimir Périer (...) savait 5.1
vouloir. STENDHAL, Vie de Henry Brulard, II, 265, *in* D. D. L., II, 2.

Florent, qui avait une belle main, préparait des modèles, des bandes de papier, 5.2
sur lesquelles il écrivait, en gros et en demi-gros, des mots très longs, tenant toute la ligne. ZOLA, le Ventre de Paris, t. I, p. 208.

L'ensemble du dessin grêle que projette la mouche ne se situe pas dans la zone 5.3
la plus vivement éclairée du plafond, mais dans une frange de demi-lumière, large d'un à deux centimètres, bordant toute la périphérie du cercle, à la limite de l'ombre. A. ROBBE-GRILLET, Dans le labyrinthe, p. 79.

Ajoutez que nous vivons, dans une lutte perpétuelle, dans une perpétuelle angoisse, 6
entre le demi-luxe éphémère des places et la détresse des lendemains de chômage (...)
Octave MIRBEAU, le Journal d'une femme de chambre, p. 279.

(...) une petite maison de demi-luxe, à tarifs modérés (...) 7
J. ROMAINS, les Hommes de bonne volonté, t. XXIV, p. 227.

Nous verrons bien si la nation se dressera, folle de colère, ou si elle consentira à 8
redevenir cette demi-morte en proie aux homoncules, et si elle cédera de nouveau à la torpeur du désespoir. F. MAURIAC, Bloc-notes 1952-1957, p. 143.

(...) maison à galeries autour d'un petit jardin de bananiers, portes à demi-persien- 8.1
nes battantes, ventilateurs de plafond.
MALRAUX, Antimémoires, Folio, p. 162.

(...) la grosse Voisin beige (...) suivait, et ses phares, en demi-puissance posaient 9
sur les yeux des chiens d'étranges reflets d'or (...)
M. DRUON, la Chute des corps, I, III, p. 30.

La plus importante partie de la fortune de Jacqueline (...) avait été engloutie (...) 10
Jacqueline avait craint que cette demi-ruine n'eût des répercussions pénibles sur son ménage. M. DRUON, la Chute des corps, IV, VIII, p. 339.

11   Entendons-nous, ajoutai-je pour donner une demi-satisfaction à ses idées morales (...) je ne veux pas dire qu'une jeune fille puisse tout faire...
      PROUST, À la recherche du temps perdu, Pl., t. I, p. 941.

12   La Chambre, détendue par ses hurlements de l'heure précédente (...) avait fait une espèce de demi-silence (...)   M. DRUON, la Chute des corps, III, XV, p. 290.

12.1   Les gouvernements avaient voulu concilier les partisans d'Hitler et ses adversaires, les partisans des blindés et leurs adversaires. Alors, on a mis un demi-soldat dans un demi-char, pour livrer un demi-combat.
      MALRAUX, Antimémoires, Folio, p. 140.

Spécialt (avec un nom désignant des personnes). *Un demi-artiste, un demi-écrivain* : une personne qui n'est pas vraiment, pas complètement artiste, écrivain... — *Demi-camarade* (Balzac), *demi-crétin* (Topffer, *in* D. D. L.), *demi-docteur* (Mercier), *demi-fripon* (→ *Demi*, cit. 3), *demi-garçon* (Balzac, « demi-célibataire »), *demi-gens de qualité* (1691, Regnard), *demi-militaire, demi-ministre, demi-poète.*

12.2   Ces demi-artistes sont d'ailleurs charmants.
      BALZAC, la Cousine Bette, XVII, p. 249, *in* D. D. L., II, 2.

13   (...) un garçon d'une quinzaine d'années, un de ces demi-idiots de village qui louchent un peu (...)   J. CAU, la Pitié de Dieu, p. 206.

14   J'ai peut-être aussi (...) une certaine tendresse pour les demi-ratés.
      J. ROMAINS, les Hommes de bonne volonté, t. XXIII, p. 246.

15   Même avec un nom, une femme sans homme, c'est une demi-ratée, une espèce d'épave (...)   S. DE BEAUVOIR, les Belles Images, p. 201.

Sc., techn. *Demi-chromosome* (1897), *demi-fuseau* (biol., id.).

REM. Dans les composés scientifiques, *demi-* a souvent été remplacé plus tard par *semi-*. Ex. : *demi-conducteur*, n. m. (1890, *Année sc. et industr.* 1891, p. 157).

♦ **2.** Servant à former des adj. *Pâte demi-feuilletée* » (1750, *in* D. D. L.). « *Filasses demi-rouies* » (J. Lourd, *le Lin*, p. 118).

16   La matière de choix pour la gibeleterie est le cristal dont la fusion se fait encore en creuset demi-fermé.   F. MEYER et P. GRIVET, le Verre, p. 72.

DEMIARD [dəmjaʀ] n. m. — D. i. ; moy. franç. *demion* « 1/2 pinte »; dial. (Normandie) « 1/4 de litre » (Eure), « 1/4 de chopine » (Bray, Caux, Havre), du lat. *dimidius* « demi ».

♦ Mod. Régional (Canada). Mesure de capacité pour les liquides, valant la moitié d'une chopine* ou le quart d'une pinte* (soit 0,284 litre). *Un demiard de crème.*

DEMI-BAS [d(ə)miba] n. m. invar. — Fin XVIᵉ ; de *demi-*, et *bas*.

♦ Vieilli. Bas qui ne monte que jusqu'à mi-jambe ; chaussette montante. ⇒ **Chaussette, mi-bas.** *Porter des demi-bas.*

DEMI-BASTION [d(ə)mibastjõ] n. m. — 1669, *in* D. D. L. ; de *demi-*, et *bastion*.

♦ Fortif. Ouvrage analogue au bastion, mais composé d'une seule face et d'un seul flanc. *Des demi-bastions.*

DEMI-BERLINE [d(ə)mibɛʀlin] n. f. ⇒ **Berline.**

DEMI-BOSSE [d(ə)mibɔs] n. f. — 1505 ; de *demi-*, et *bosse*.

♦ Didact. (arts). Sculpture en bas-relief très saillante mais qui n'est pas détachée du fond. *Des demi-bosses.*

Avec un bas-relief consacré à Diane et peut-être deux figures de naïades sculptées en demi-bosse, on obtiendrait un admirable lieu de retraite.
      NERVAL, la Bohème galante, Promenades et souvenirs, « Le divan », p. 244-245, *in* D. D. L., II, 3.

1. DEMI-BOTTE [d(ə)mibɔt] n. f. — 1690 ; de *demi-*, et *botte*.

♦ Escrime. Botte non poussée à fond. *Des demi-bottes.*

2. DEMI-BOTTE [d(ə)mibɔt] n. f. — Fin XIXᵉ ; de *demi-*, et *botte*.

♦ Botte qui ne monte que jusqu'à mi-jambe. ⇒ **Bottine.** *Demi-bottes de cuir, à revers.*

1   Des demi-bottes en cuir ouvragé, et assez fortes de semelles, comme si elles eussent été choisies en prévision d'un long voyage, chaussaient ses pieds, qui étaient petits.   J. VERNE, Michel Strogoff, p. 59.

2   La tête à l'abri sous une capuche de toile cirée, les pieds au sec dans des demi-bottes de caoutchouc, elle laisse bravement se mouiller le reste qui sent la vache et le caillé (...)   Hervé BAZIN, Cri de la chouette, p. 152.

DEMI-BOUTEILLE [d(ə)mibutɛj] n. f. — 1816 ; de *demi-*, et *bouteille*.

♦ Petite bouteille contenant environ 37 cl. ⇒ **Fillette** (pop.). *Des demi-bouteilles de bourgogne, de bordeaux.* — (Souvent abrégé en *une demie* suivi du cru, de la marque). *Une demie Vichy, une demie Château-Margaux.*

DEMI-BRIGADE [d(ə)mibʀigad] n. f. — 1793 ; de *demi-*, et *brigade*.

♦ **1.** Hist. Régiment français des premières guerres de la Révolution.

♦ **2.** Mod. Réunion de deux ou trois bataillons sous les ordres d'un colonel. *Demi-brigade de parachutistes. Des demi-brigades.*

DEMI-CANAPÉ [d(ə)mikanape] n. m. — 1763, voir cit. ; de *demi-*, et *canapé*.

♦ Hist., techn. Meuble de repos, sorte de canapé court. *Des demi-canapés.*

Avant 1763 est apparu le demi-canapé, qui bientôt s'appellera marquise. Dès ses origines, il offre un trait particulier : son dossier, garni ou foncé de canne, revient en avant rejoindre le massif de raccordement de la ceinture avec chacun des deux pieds corniers.   Guillaume JANNEAU, le Mobilier Français, p. 67.

DEMI-CANON [d(ə)mikanõ] n. m. — Mil. XVIᵉ, Monluc ; de *demi-*, et *canon*.

♦ Hist. Courte pièce d'artillerie. *Des demi-canons.*

1. DEMI-CASTOR [d(ə)mikastɔʀ] n. m. — 1690, Furetière, art. *Castor* ; de *demi-*, et *castor*.

♦ Hist., techn. Tissu feutré où le poil de castor n'était employé qu'en dorure. *Des demi-castors.* Chapeau de feutre en poil de castor, mélangé à d'autres poils ou à de la laine.

2. DEMI-CASTOR [d(ə)mikastɔʀ] n. m. — 1784 ; Regnard, « fille de petite vertu », 1695 ; de *demi-*, et *castor* (dans la série *castor fin, castor* et *demi-castor*, d'orig. obscure).

♦ Fam. et vx (encore employé au XIXᵉ et au début du XXᵉ). Fille galante. *Des demi-castors.*

1   La duchesse hésitait encore, par peur d'une scène de M. de Guermantes, devant Balthy et Mistinguett, qu'elle trouvait adorables, mais avait décidément Rachel pour amie. Les nouvelles générations en concluaient que la duchesse de Guermantes, malgré son nom, devait être quelque demi-castor qui n'avait jamais été tout à fait du gratin.   PROUST, le Temps retrouvé, Pl., t. III, p. 993.

2   Je crois qu'une définition du mot est presque inutile, tant il s'est acclimaté dans l'argot de Paris.
Le demi-castor est une femme qui, souvent a été du monde, qui a toujours l'air d'en être et qui, en réalité, n'est plus qu'une industrielle ou une industrieuse de l'amour, comme il vous plaira.   GORON, l'Amour à Paris, t. I, p. 446.

DEMI-CENT [d(ə)misã] n. m. — 1648, Scarron ; de *demi-*, et *cent*.

♦ Vx. Moitié d'une centaine. « *Ce demi-cent de gamins* » (Frappié, *in* T. L. F.). *Des demi-cents.*
HOM. **Demi-sang.**

DEMI-CENTRE [d(ə)misãtʀ] n. m. — 1902, *in* Petiot ; de *demi-*, et *centre*.

♦ Sports (football). Joueur placé au milieu du terrain (⇒ **Demi**) et dans son axe, dont le rôle est d'organiser la défense et de fournir la balle aux avants. *Jouer demi-centre. Elle est demi-centre dans l'équipe du lycée.* — Ellipt. *C'est un excellent demi.*

DEMI-CERCLE [d(ə)misɛʀkl] n. m. — 1538 ; *demy cercle*, v. 1327 ; de *demi-*, et *cercle*.

♦ **1.** Moitié d'un cercle limitée par un diamètre ; surface limitée par cette courbe et le diamètre. *Le demi-cercle mesure 180 degrés. En forme de demi-cercle.* ⇒ **Demi-circulaire.** *Couper, tailler en demi-cercle. Espace en forme de demi-cercle.* ⇒ **Demi-lune.**

1   Tout le reste *(du disque de la lune)* était obscur et ténébreux, et un petit demi-cercle recevait seulement (...) un ravissant éclat par les rayons du soleil.   BOSSUET, Traité de la concupiscence, 22.

2   Adoum, qui s'y connaît, nous montre sur une aire de sable des traces de lion, toutes fraîches ; on voit que le fauve s'est couché là ; ces demi-cercles ont été tracés par sa queue.   GIDE, Voyage au Congo, *in* Souvenirs, Pl., p. 846.

♦ **2.** Instrument en forme de demi-cercle servant à mesurer les angles. ⇒ **Graphomètre, rapporteur.**

DEMI-CERTITUDE [d(ə)misɛʀtityd] n. f. — 1841 ; de *demi-*, et *certitude*.

♦ Certitude qui n'est pas absolue, sur laquelle on ne peut se fonder entièrement. *Il ne peut organiser ce programme avec des demi-certitudes. Se contenter de demi-certitudes. Ce n'est déjà plus un doute, mais une demi-certitude.*

Malgré les sondages de la police, l'Instruction s'était arrêtée sur le seuil de l'hypothèse sans oser pénétrer le mystère, elle y trouvait tant de dangers ! En certains cas judiciaires, les demi-certitudes ne suffisent pas aux magistrats.   BALZAC, le Curé de village, Pl., t. VIII, p. 585.

DEMI-CHAÎNE [d(ə)miʃɛn] n. f. — 1870, P. Larousse ; de *demi-*, et *chaîne*.

♦ Technique (textile). Torsion du fil inférieure à celle des fils de chaîne. *Des demi-chaînes.*

DEMI-CIRCULAIRE [d(ə)misiʀkylɛʀ] adj. — 1690 ; de *demi-*, et *circulaire*.

♦ En forme de demi-cercle. ⇒ **Arciforme, arqué, courbé, semi-cir-culaire.** *Allée demi-circulaire. Salle, amphithéâtre demi-circulaire.* — Spécialt, anat. *Canaux demi-circulaitres :* les trois conduits de l'oreille interne. ⇒ **Semi-circulaire.**

DEMI-CLEF [d(ə)mikle] n. f. — 1694 ; de *demi-*, et *clef*.

♦ Mar. Nœud dans lequel le brin libre du cordage passe sous le brin tendu autour de l'objet amarré. *Des demi-clefs. Demi-clef gansée. Un tour mort et deux demi-clefs. Deux demi-clefs à capeler* (ou *nœud de cabestan**).

REM. La graphie *demi-clé* est attestée chez Bescherelle (1845).

(...) Pencroff montrait une corde qui amarrait le câble sur la bitte même, pour l'empêcher de déraper.
« Comment, ce n'est pas vous ? demanda Gédéon Spilett.
— Non ! j'en jurerais. Ceci est un nœud plat, et j'ai l'habitude de faire deux demi-clefs. »
J. VERNE, l'Île mystérieuse, t. II, p. 674.

DEMI-CLOISON [d(ə)miklwazɔ̃] n. f. — 1805, en hist. nat. ; de *demi-*, et *cloison*.

♦ Cloison (séparation) incomplète. — Cloison à mi-hauteur. *Des demi-cloisons.*

DEMI-COLONNE [d(ə)mikɔlɔn] n. f. — 1690 ; de *demi-*, et *colonne*.

♦ Archit. Colonne engagée de la moitié de son diamètre. *Façade ornée de demi-colonnes.* — Imprim. Moitié d'une colonne (en largeur).

DEMI-COMMODE [d(ə)mikɔmɔd] n. f. — XVIIIᵉ ; de *demi-*, et *commode*.

♦ Arts décoratifs (mobilier). Petite commode fabriquée et disposée avec une autre avec laquelle elle forme la paire. *Une paire de demi-commodes Louis XVI.*

DEMI-CONFIDENCE [d(ə)mikɔ̃fidɑ̃s] n. f. — 1812 ; de *demi-*, et *confidence*.

♦ Confidence partielle (Stendhal, in T. L. F.). *Faire des demi-confidences à qqn.*

DEMI-CONSCIENCE [d(ə)mikɔsjɑ̃s] n. f. — Attesté 1884 : *«dans la demi-conscience du réveil...»* (Année sc. et industr., 1885, p. 415) ; de *demi-*, et *conscience*.

♦ Conscience partielle, imparfaite. ⇒ **Subconscience.** *Des demi-consciences.*

Au bout de quelques minutes, le cœur et la poitrine immobilisés, Fogar conservait encore une demi-conscience de rêve accompagnée d'une sorte d'activité presque machinale. Il essayait dès lors de se mettre debout, mais après quelques pas, faits à la manière des automates, il retombait sur le sol faute d'équilibre.
Raymond ROUSSEL, Impressions d'Afrique, p. 349.

DEMI-COURONNE [d(ə)mikuʀɔn] n. f. — 1723, Savary ; de *demi-*, et *couronne*, trad. de l'angl. *half crown*.

♦ Pièce britannique valant la moitié d'une couronne. *Deux demi-couronnes en argent.*

DEMI-DEUIL [d(ə)midœj] n. m. — 1758 ; de *demi-*, et *deuil*.

♦ **1.** Deuil moins sévère qui suit le grand deuil, ou que l'on prend lorsque le défunt est un parent éloigné. *Les couleurs de demi-deuil sont : noir, blanc, gris, violet, mauve. «Ce gris, d'un demi-deuil éternel»* (→ Gris, cit. 20.1, Rodenbach). *Des demi-deuils.* — Appos. *Robe demi-deuil.*

C'était un cimetière modèle (...) Il y avait justement quelques pies pour attrister le lieu ; le deuil, le demi-deuil était confié à des oiseaux. Aucun monument, aucune fleur.
GIRAUDOUX, les Aventures de J. Bardini, p. 99-100.

♦ **2.** (1909 ; côtelette de veau en demi-deuil, 1758). Cuis. *Poularde demi-deuil,* servie avec une sauce blanche aux truffes.

DEMI-DIEU [d(ə)midjø] n. m. — XIIIᵉ ; de *demi-*, et *dieu* (cf. lat. *semideus*).

♦ **1.** Personnage mythologique issu d'une mortelle et d'un dieu, d'une déesse et d'un mortel, ou divinisé pour ses exploits. ⇒ **Héros.** *Hercule était un demi-dieu. Les demi-dieux et les héros.*

Sa louve reposait comme celle de marbre
Qu'adoraient les Romains, et dont les flancs velus
Couvaient les demi-dieux Rémus et Romulus.
A. DE VIGNY, «la Mort du loup», I.

♦ **2.** Littér. Homme exceptionnel par sa valeur, ou par l'adoration dont il est l'objet.

Je voudrais m'en tenir à l'antique sagesse,
Qui du sobre Épicure a fait un demi-dieu.
A. DE MUSSET, Poésies nouvelles, «L'espoir en Dieu».

DEMI-DOUBLE [d(ə)midubl] adj. — 1903 ; n. m. chez Saint-Simon (1740), «dégagement au fond d'un corridor» ; de *demi-*, et *double*.

♦ **1.** Liturgie. *Rite demi-double,* intermédiaire entre le rite simple et le rite double (Huysmans, in T. L. F.).

♦ **2.** (1930, in T. L. F.). Techn. Se dit d'un verre, d'une vitre d'épaisseur intermédiaire entre celle du verre simple et du verre double. *Des verres demi-doubles.*

DEMI-DOUZAINE [d(ə)miduzɛn] n. f. — 1456, *demye douzaine,* Villon ; de *demi-*, et *douzaine*.

♦ Moitié d'une douzaine ou six unités. *Trois demi-douzaines d'huîtres.* — Approximativement six éléments (personnes ou choses) de même nature. *Une demi-douzaine d'amis, de consommateurs* (→ Demi, cit. 2).

DEMI-DROITE [d(ə)midʀwat] n. f. — 1922 ; de *demi-*, et *droite*.

♦ Géom. Portion de droite limitée à un point appelé origine. *La demi-droite o.x. Des demi-droites.*

DEMI-DUR, DURE [d(ə)midyʀ] adj. — 1905 ; de *demi-*, et *dur*.

♦ Techn. Intermédiaire entre doux et dur. *Aciers demi-durs.*
Littér. «*Flocons* (de neige) *demi-durs* » (J. Romains, in T. L. F.).

DEMIE [d(ə)mi] n. f. ⇒ **Demi.**

DEMI-ÉCHEC [d(ə)mieʃɛk] n. m. — 1950, in D.D.L. ; de *demi-*, et *échec*.

♦ Échec presque total, quasi-échec. *Leur propagande est un demi-échec. Des demi-échecs.*

Les difficultés financières, liées au demi-succès ou, si vous préférez, au demi-échec électoral, auraient été aisément dominées, pour peu que nos directeurs eussent consenti au régime de la liberté surveillée.
F. MAURIAC, Bloc-notes 1952-1957, p. 216.

REM. Le mot est un quasi-synonyme de *demi-réussite, demi-succès,* mais les connotations sont inverses.

DÉMIELLER [demjele] v. tr. — 1771 ; de 1. *dé-*, et *miel*.

♦ **1.** Enlever le miel de (la cire).

♦ **2.** V. pron. (1916). Fam. (par euphém.). *Se démieller.* ⇒ **Démerder** (se).

DEMI-ENTIER, IÈRE [d(ə)miɑ̃tje, jɛʀ] adj. — XXᵉ ; de *demi-*, et *entier*.

♦ Sc. Se dit d'un nombre, d'une valeur égale à la somme d'un nombre entier et de la fraction un demi.

DEMI-ESPACE [d(ə)miɛspas] n. f. — XXᵉ ; de *demi-*, et *espace*.

♦ Géom. Région de l'espace déterminée par un plan. *Des demi-espaces.*

DEMI-FIN, -FINE [d(ə)mifɛ̃, fin] adj. et n. — 1834 ; de *demi-*, et *fin*.

♦ **1.** Intermédiaire entre gros et fin. ⇒ **Mi-fin.** *Petits pois demi-fins. Aiguilles demi-fines.* — Techn. Qui contient la moitié de son poids d'alliage. *Bijouterie demi-fine.*

♦ **2.** N. m. (1870). Alliage d'or. *Bracelet en demi-fin.*

DEMI-FINALE [d(ə)mifinal] n. f. — 1898 ; de *demi-*, et *finale*.

♦ Sports. Avant-dernière épreuve (d'une coupe, d'un match, d'une compétition). *Notre équipe a remporté les quarts de finale et la demi-finale. Des demi-finales.*

DÉR. **Demi-finaliste.**

DEMI-FINALISTE [d(ə)mifinalist] n. — 1907, *in* Petiot ; de *demi-finale.*

♦ Sports. Personne, équipe admise à participer à une demi-finale. *Les demi-finalistes d'un tournoi de tennis.*

DEMI-FINI, IE [d(ə)mifini] adj. — xxᵉ ; de *demi-*, et *fini.*

♦ Rare (écon.). ⇒ **Semi-fini.** — N. m. *« Exportation au stade du demi-fini »* (Vasseur *et al., Industrie de l'alimentation,* p. 114).

DEMI-FOND [d(ə)mifɔ̃] n. m. — 1897 ; de *demi-*, et *fond.*

♦ Sports. *Course de demi-fond :* course de moyenne distance (entre 800 et 3 000 m), par opposition aux courses de fond (5 000 m, 10 000 m, marathon, etc.) et aux courses de vitesse (100 m, 200 m, 400 m, etc.). → Fond, grand fond.

DEMI-FORTUNE [d(ə)mifɔʀtyn] n. f. — 1750 ; de *demi-*, et *fortune,* par métaphore.

♦ Vx. Calèche tirée par un seul cheval (*in* Balzac, Flaubert). *Des demi-fortunes.*

DEMI-FRANC [d(ə)mifʀɑ̃] n. m. — xxᵉ ; de *demi-*, et *franc.*

♦ Valeur de la moitié d'un franc ; pièce de cette valeur. *Des demi-francs.*

DEMI-FRÈRE [d(ə)mifʀɛʀ] n. m. — 1350 ; de *demi-*, et *frère.*

♦ Frère par le père ou la mère seulement. *Demi-frère de même père.* ⇒ **Consanguin** (frère consanguin). *Demi-frère de même mère.* ⇒ **Utérin** (frère utérin). — *Elle a deux demi-frères.*

Il m'a dit un jour doucement : « Si tu mourais je perdrais tant qu'il faudrait bien que je te ressuscite. Nous ne sommes que demi-frères. Chacun n'a qu'une moitié de l'âme que nous sommes. »   H. BOSCO, Un rameau de la nuit, p. 309.

DEMI-GROS [d(ə)migʀo] n. m. invar. — 1754 ; de *demi-*, et *gros.*

♦ Commerce intermédiaire entre la vente en gros et la vente au détail. *Maison qui fait du demi-gros.*

DÉR. **Demi-grossiste.**

DEMI-GROSSISTE [d(ə)migʀosist] n. — 1955 ; de *demi-gros.*

♦ Comm. Commerçant qui fait le demi-gros. *Des demi-grossistes.*

DEMI-GUÊTRE [d(ə)migɛtʀ] n. f. — 1856 ; de *demi-*, et *guêtre.*

♦ Vieilli. Guêtre qui s'arrête au-dessus de la cheville. *Porter des demi-guêtres sur des chaussures de ville.*

DEMI-HEURE [d(ə)mijœʀ ; dəmjœʀ] n. f. — 1610, *in* D.D.L. ; *demie hure,* v. 1120 ; de *demi-*, et *heure.*

♦ Moitié d'une heure ou trente minutes. *Attendez une demi-heure. Il passe un autobus toutes les demi-heures. Horloge qui sonne les demi-heures.* ⇒ **Demi** (la demie). *De demi-heure en demi-heure. Une grande demi-heure d'attente.*

(...) le premier cri des hommes de quart marquant les demi-heures de la nuit.   LOTI, Mon frère Yves, VI, p. 31.

DEMI-INTELLECTUEL, ELLE [d(ə)miɛ̃telɛktɥɛl] n. — xxᵉ ; de *demi-*, et *intellectuel.*

♦ Littér. Personne qui a des goûts, des prétentions d'intellectuel sans en être un. *Des demi-intellectuels.*

Les vacances du salarié épris de belles choses en 1955, les vacances du demi-intellectuel pauvre, mais désireux quand même de s'enrichir l'âme (...)   Jean DUTOURD, les Horreurs de l'amour, p. 361.

DEMI-JOUR [d(ə)miʒuʀ] n. m. — Avant 1704 ; de *demi-*, et *jour.*

♦ Clarté faible comme celle de l'aube ou du crépuscule. ⇒ **Crépuscule, pénombre** (→ aussi Demi-obscurité). *Demi-jour d'un sous-bois, d'un intérieur. Des demi-jours* (on trouve aussi, invar., *des demi-jour*).

1   Les brumes qui traînaient sur les vagues se déchirèrent, tout l'obscur bouleversement des flots s'étala à perte de vue dans un demi-jour crépusculaire (...)   HUGO, Quatre-vingt-treize, I, II, VII.

2   Un demi-jour rougeâtre tombant de haut ne formait plus qu'une sorte de brouil-

lard lumineux, composé de la fine poussière odorante et des impalpables vapeurs du bal.   E. FROMENTIN, Dominique, p. 184.

Figuré :

(...) les vérités qu'il contient (*le cœur*) sont du nombre de celles qui demandent le demi-jour et la perspective.   CHATEAUBRIAND, le Génie du christianisme, t. II, III, 1.

3

DEMI-JOURNÉE [d(ə)miʒuʀne] n. f. — 1395, *demy journee* ; de *demi-*, et *journée.*

♦ Moitié d'une journée, matinée ou après-midi. *Ce travail sera fait dans la demi-journée.* — (1859, *in* D.D.L.). *Avoir un emploi à demi-journée.* ⇒ **Mi-temps.** — *Faire des demi-journées de couture à domicile.*

(...) je ne suis pas allé ce matin à l'usine. Parfaitement. Ça me tarabustait. J'ai préféré perdre ma demi-journée.   J. ROMAINS, les Hommes de bonne volonté, t. IV, III, p. 20.

DEMI-LIEUE [d(ə)miljø] n. f. — Mil. XIIᵉ, *demie liue* ; de *demi-*, et *lieue.*

♦ Vx. Moitié d'une lieue. *À une demi-lieue, à demi-lieue de... Des demi-lieues.*

DÉMILITARISATION [demilitaʀizasjɔ̃] n. f. — Fin XIXᵉ ; de *démilitariser.*

♦ Action de démilitariser. *La démilitarisation d'un pays.* ⇒ **Désarmement.**

CONTR. **Armement, militarisation.**

DÉMILITARISER [demilitaʀize] v. tr. — 1871 ; de 1. *dé-*, et *militariser.*

♦ Priver (une collectivité, un pays, une zone) de sa force militaire. ⇒ **Désarmer.** *« Le Traité de Versailles avait démilitarisé la rive gauche du Rhin »* (J. Bainville).

CONTR. **Militariser ; armer.**
DÉR. **Démilitarisation.**

DEMI-LITRE [d(ə)militʀ] n. m. — 1795 ; de *demi-*, et *litre.*

♦ Moitié d'un litre. *Il boit des demi-litres d'eau.*

DEMI-LONG, -LONGUE [d(ə)milɔ̃, lɔ̃g] adj. — 1863 ; de *demi-*, et *long.*

♦ Entre long et court (d'un vêtement). *Jupe demi-longue. Vêtements demi-longs.*

DEMI-LONGUEUR [d(ə)milɔ̃gœʀ] n. f. — 1829, *in* D.D.L. ; de *demi-*, et *longueur.*

♦ Sports. *(Gagner) d'une demi-longueur,* de la moitié de la longueur du cheval, du bateau, etc., dans une course. *Des demi-longueurs.*

DEMI-LUNE [d(ə)milyn] n. f. — 1553 ; de *demi-*, et *lune.*

♦ **1.** Fortif. Ouvrage extérieur, autrefois demi-circulaire, aujourd'hui triangulaire, destiné à couvrir la contrescarpe et le fossé. ⇒ **Ravelin.** *Des demi-lunes.*

— Te souvient-il, vicomte, de cette demi-lune que nous emportâmes sur les ennemis au siège d'Arras ?
— Que veux-tu dire avec ta demi-lune ? C'était bien une lune tout entière.   MOLIÈRE, les Précieuses ridicules, 11.

1

♦ **2.** Espace en forme de demi-cercle devant un bâtiment, une entrée, au carrefour de plusieurs chemins.
Dans un jardin, Espace de forme demi-circulaire, orné de statues, de jets d'eau, etc.

Toute cette demi-lune est pleine de pots d'orangers, dont plusieurs viennent de Provence : voilà ce que notre parterre de houx n'avait jamais cru pouvoir devenir.   Mᵐᵉ DE SÉVIGNÉ, Lettre à Mᵐᵉ de Grignan, 29 mai 1689, in D.D.L., II, 14.

2

♦ **3.** (En parlant de la lune elle-même).
La belle demi-lune, comme une coupe au-dessus du fleuve, verse sur les eaux sa clarté.   GIDE, Voyage au Congo, in Souvenirs, Pl., p. 713.

3

Par métaphore :

(...) cette robe à fleurs violettes et jaunes dont le fond noir n'était pas exactement noir mais de ce vert sombre que prennent ces sortes de tissus bon marché en se fanant, et sous chaque aisselle deux larges demi-lunes couleur d'encre (...)   Claude SIMON, le Vent, p. 76.

4

♦ **4.** Adj. invar. Demi-circulaire (meubles). *Table, commode demi-lune.*

DEMI-MAL [d(ə)mimal] n. m. — 1773, *in* D.D.L.; de *demi-*, et *mal*.

♦ Inconvénient moins grave que celui qu'on prévoyait. — *Est-il blessé? — Non, il n'y a que demi-mal* (inusité au pluriel).

DEMI-MESURE [d(ə)mim(ə)zyʀ] n. f. — 1768; de *demi-*, et *mesure*.

♦ **1.** Techn. Moitié d'une mesure. *Des demi-mesures de graines.*

♦ **2.** (1800). Cour. Moyen insuffisant, provisoire, transitoire. ⇒ **Compromis.** *La situation actuelle nous oblige à prendre des demi-mesures dépourvues d'efficacité.*

1   (...) les ruses, les mensonges, les trahisons, les demi-mesures qui dans le danger de la patrie sont l'équivalent de la trahison.
                                        JAURÈS, Hist. socialiste..., t. IV, p. 150.

♦ **3.** Ce qui est incomplet, insuffisant. *C'est tout ou rien : il a horreur des demi-mesures.*

2   Mon âge n'est plus celui des demi-mesures et des demi-attachements, il me faut le bonheur à pleins bords ou le désespoir à pleins bords.
                                        MONTHERLANT, les Jeunes Filles, p. 156.

♦ **4.** (Mil. xxᵉ). Confection de costumes d'hommes d'après les mesures principales. *La demi-mesure et le sur-mesure. S'habiller en demi-mesure.*

DEMI-MÉTAL [d(ə)mimetal] n. m. — 1690; de *demi-*, et *métal*.

♦ Chim. Substance qui possède les propriétés métalliques à l'exception de la ductilité et de la fixité. *Des demi-métaux.*

DEMI-MONDAINE [d(ə)mimɔ̃dɛn] n. f. — 1866; de *demi-*, et *mondaine*.

♦ Femme de mœurs légères, qui participe à la vie mondaine. ⇒ **Courtisane; demi-castor** (vx); fam. **biche, cocotte, poule.** — On emploie plus rarement *demi-mondain*, adj. «qui appartient au demi-monde», et *demi-mondain*, n. m. «des comités de... mondains, de demi-mondains» (R. Rolland).
— Est-ce que des hommes vous suivent?
— Très souvent. Il est facile de me prendre pour une demi-mondaine.
                                        J. RENARD, Journal, 11 avr. 1900.

DEMI-MONDE [d(ə)mimɔ̃d] n. m. — 1789, *in* D.D.L.; de *demi-*, et *monde*.

♦ Société de femmes légères, de mœurs équivoques, et de ceux qui les fréquentent. *Les demi-mondes.*

1   Lui *(Gavarni)* et Balzac, ils se mirent à peindre et silhouetter dans tous les sens la société, à tous ses étages, le monde, le demi-monde et toutes les espèces de mondes (...)
                                        SAINTE-BEUVE, Nouveaux lundis, t. VI, «Gavarni», I.

2   Il avait eu, chez les femmes du demi-monde, des aventures rapides dues à sa renommée, à son esprit amusant, à sa taille d'athlète élégant et à sa figure énergique et brune.
                                        MAUPASSANT, Fort comme la mort, éd. 1889, p. 21.

DEMI-MORT, -MORTE [d(ə)mimɔʀ, mɔʀt] adj. — 1549; *à demimort*, 1538; de *demi-*, et *mort*.

♦ Littér. À moitié mort, très mal en point. *Ils sont demi-morts de froid.* — REM. Ne pas confondre avec la loc. adv. *à demi* devant l'adj. *mort : ils sont à demi morts de froid.*

(...) Et, sur le couple pâle et déjà demi-mort,
Fait tomber à deux mains l'effroyable tonnerre.   BOILEAU, le Lutrin, V.

DEMI-MOT [d(ə)mimo] n. m. — 1654; de *demi-*, et *mot*.

♦ **1.** Littér. (en gén. au plur.). Mot choisi dans le dessein d'atténuer une expression trop brutale (⇒ **Euphémisme**) ou de dissimuler sa pensée à quelque partie de son auditoire.

1   Après avoir cherché des demi-mots pour mitiger l'annonce fatale, il finit cependant par lui tout dire.   STENDHAL, la Chartreuse de Parme, Pl., t. II, p. 358.

1.1 Il y a de bons et de mauvais chefs — qu'ils soient sortis du rang, ou qu'ils aient de l'éducation : je suis un bon chef, c'est-à-dire un fin démagogue. Comprenez mes demi-mots.   DRIEU LA ROCHELLE, la Comédie de Charleroi, p. 167.

♦ **2.** Loc. adv. (1538). Cour. *À demi-mot* [ad(ə)mimo] : sans qu'il soit nécessaire de tout exprimer. *Il a l'esprit vif et entend à demi-mot. Comprendre une lettre à demi-mot* (→ Lire entre les lignes*).

2   J'entends à demi-mot où va la raillerie.   MOLIÈRE, Sganarelle, 6.

DEMI-MUID [d(ə)mimɥi] n. m. — xvᵉ; de *demi-*, et *muid*.

♦ Futaille dont la contenance est la moitié de celle du muid (⇒ **Muid**). *Des demi-muids.*

DEMI-MUR [d(ə)mimyʀ] n. m. — Av. 1973; de *demi-*, et *mur*.

♦ Techn. Élément de construction préfabriquée correspondant à une section de mur dont l'une des faces seulement est finie. *Des demi-murs.*

DÉMINAGE [deminaʒ] n. m. — V. 1945; de *déminer*.

♦ Opération par laquelle on démine un terrain. *Le déminage des plages après la fin de la guerre.*

DÉMINER [demine] v. tr. — Mil. xxᵉ; de 1. *dé-*, et *miner*.

♦ Débarrasser (un terrain, une zone, une partie de la mer) des mines qui en interdisent l'accès.
DÉR. **Déminage, démineur.**

DÉMINÉRALISANT, ANTE [demineʀalizɑ̃, ɑ̃t] adj. — xxᵉ; p. prés. de *déminéraliser*.

♦ Qui déminéralise. *Les acides sont déminéralisants.* — N. m. *Un déminéralisant.*

DÉMINÉRALISATION [demineʀalizasjɔ̃] n. f. — 1890, *in* D.D.L.; dér. de 1. *dé-*, et *minéralisation*, ou de *déminéraliser*.

♦ **1.** Méd. Élimination excessive des substances minérales nécessaires à l'organisme (chez les vieillards, certains malades). *Déminéralisation par élimination du calcium.* ⇒ **Décalcification.**

Retournez-vous sur votre oreiller et dormez, ce qui sera excellent contre la déminéralisation de vos cellules nerveuses.
                                        PROUST, le Côté de Guermantes, I, 1920, p. 81, *in* T.L.F.

♦ **2.** (1956). Techn. Élimination des sels minéraux contenus dans l'eau (au moyen d'échangeurs d'ions).

DÉMINÉRALISER [demineʀalize] v. tr. — Fin xixᵉ; de 1. *dé-*, et *minéraliser*.

♦ **1.** Méd. Faire perdre les sels minéraux à (l'organisme). Absolt. *Le citron déminéralise.* — Pron. *Son organisme se déminéralise; il se déminéralise.*

♦ **2.** (1966). Éliminer de l'eau les sels minéraux.

▶ **DÉMINÉRALISÉ, ÉE** p. p. adj.
Qui a perdu les sels minéraux essentiels. — Qui a été soumis à un traitement de déminéralisation. *Eau déminéralisée pour les fers à repasser à vapeur.*

DÉR. **Déminéralisant.** — V. **Déminéralisation.**

DÉMINEUR [deminœʀ] n. m. — V. 1945; de *déminer*.

♦ Technicien du déminage. — REM. Le fém. *démineuse* est virtuel.

L'autre rive était en effet plate pendant vingt kilomètres, jusqu'aux montagnes d'où étaient arrivés le lendemain de l'accident les parents du démineur.
                                        M. DURAS, les Petits Chevaux de Tarquinia, p. 10.

DE MINIMIS NON CURAT PRÆTOR [deminimisnɔnkyʀatpʀetɔʀ] Locution latine signifiant : «le préteur ne s'occupe pas des petites choses». On l'emploie, parfois ironiquement, pour faire entendre qu'un grand personnage n'a pas le temps de s'intéresser aux menus détails, qu'il doit en être déchargé par ses subordonnés.

DEMI-PÂTE [d(ə)mipɑt] n. f. — xviiiᵉ; de *demi-*, et *pâte*.

♦ ⇒ **Pâte** (B., 1.; *supra* cit. 10). *Des demi-pâtes.*

Les hommes de Daniel : ils étaient préparés très heurtés (...)
Pour les achever, passé sur le premier un ton *vert à demi-pâte,* sur l'autre un ton *gris violet.*   E. DELACROIX, Journal 1850-1854, 5 mai 1851.

DEMI-PAUSE [d(ə)mipoz] n. f. — 1705; de *demi-*, et *pause*.

♦ Mus. Silence équivalant à la moitié d'une pause (égal à une blanche) ou deux temps, représenté par un petit trait sur la troisième ligne de la portée. *La demi-pause a la durée de deux soupirs. Des demi-pauses.*

DEMI-PENSION [d(ə)mipɑ̃sjɔ̃] n. f. — 1690, Furetière; de *demi-*, et *pension*.

♦ **1.** Pension partielle, dans laquelle on ne prend qu'un repas. *Prendre une demi-pension dans un restaurant.* — Par métonymie. Somme versée pour cet hébergement. Établissement qui pratique ce type d'hébergement. *Des demi-pensions.*

♦ **2.** *Demi-pension dans un établissement scolaire :* pension qui ne comporte que le repas de midi (opposé à *externat, internat*). — Ce que paye un demi-pensionnaire. *Mille francs de demi-pension par semaine.*

DÉR. Demi-pensionnaire.

DEMI-PENSIONNAIRE [d(ə)mipɑ̃sjɔnɛʀ] n. — 1798 ; de *demi-pension*, d'après *pensionnaire.*

♦ Élève qui prend le repas de midi dans un établissement scolaire. *Les demi-pensionnaires n'ont pas le droit de sortir entre le déjeuner et les cours de l'après-midi.*

CONTR. Externe, interne.

DEMI-PIÈCE [d(ə)mipjɛs] n. f. — 1723, *in* D. D. L. ; de *demi-*, et *pièce.*

♦ **1.** La moitié d'une pièce d'étoffe sortant de la fabrique. *Des demi-pièces.*

♦ **2.** Fût de vin d'environ 110 litres.

DEMI-PIQUE [d(ə)mipik] n. f. — 1606 ; de *demi-*, et *pique.*

♦ Hist. milit. Pique à manche court (utilisée dans l'infanterie au XVIIᵉ siècle). *Des demi-piques.*

DEMI-PIROUETTE [d(ə)mipiʀwɛt] n. f. — 1690, Furetière, art. *Pirouette* ; de *demi-*, et *pirouette.*

♦ Équit. Figure de haute école consistant en un demi-tour sur les hanches. *La demi-pirouette, comme la pirouette, appartient à l'équitation supérieure. Des demi-pirouettes.*

Dans la pirouette comme dans la demi-pirouette, les deux antérieurs et le postérieur extérieur tournent autour du postérieur intérieur qui forme pivot. Ce postérieur doit se poser dans sa trace chaque fois qu'il s'est élevé.
Henri AUBLET, l'Équitation, p. 96.

DEMI-PLACE [d(ə)miplas] n. f. — 1840, *in* D. D. L. ; de *demi-*, et *place.*

♦ Place que l'on paie moitié prix dans les transports, les spectacles... et dont bénéficient certaines catégories de personnes. ⇒ **Demi-tarif.** *Les enfants paient demi-place dans les trains. Prenez deux demi-places et une place entière.*

LEDINGER. — Il avait déchiré des papiers, m'a-t-on dit ?
WALDORF. — Rien d'important. Sa carte d'entrée gratuite dans les musées allemands, ses permis de demi-place pour l'Opéra et pour le canotage sur les lacs bavarois.
GIRAUDOUX, Siegfried et le Limousin, IV, 2.

DEMI-PLAN [d(ə)miplɑ̃] n. m. — 1922 ; de *demi-*, et *plan.*

♦ Géom. Portion de plan située d'un même côté d'une droite de ce plan. *Des demi-plans.*

DEMI-POINTE [d(ə)mipwɛ̃t] n. f. — 1935, Encycl. De Monzie ; de *demi-*, et *pointe.*

♦ Chorégr. Position du pied soulevé reposant sur les phalanges à plat, comme lorsqu'on marche sur la pointe des pieds (alors que dans les *pointes,* les phalanges sont verticales). *Faire des demi-pointes.*

DEMI-PORTE [d(ə)mipɔʀt] n. f. — 1882, *in* D. D. L. ; de *demi-*, et *porte.*

♦ L'une des deux parties d'une porte formée de deux panneaux verticaux autonomes. *Des demi-portes battantes.*

DEMI-PORTION [d(ə)mipɔʀsjɔ̃] n. f. — 1915 ; de *demi-*, et *portion.*

♦ Fam. et péj. Personne petite, insignifiante (qui n'aurait droit qu'à la moitié d'une portion au repas). *Bande de demi-portions !*

(...) ils ont entouré brusquement le gamin qu'ils appelaient Lulu une demi-portion il a crié les autres cognaient dessus à toute volée (...)
Tony DUVERT, Paysage de fantaisie, p. 71.

DEMI-PRODUIT [d(ə)mipʀɔdɥi] n. m. — 1929, *in* D. D. L. ; de *demi-*, et *produit.*

♦ Écon. Produit qui doit subir un nouveau traitement avant d'être utilisé ; produit semi-fini. *Les demi-produits et les produits finis.*

DEMI-QUART [d(ə)mikaʀ] n. m. — 1606, *demy-quart* ; de *demi-*, et *quart.*

♦ **1.** Moitié d'un quart, ou 62,5 g (demi-quart de la livre). *Des demi-quarts de beurre.*

♦ **2.** Vx. Moitié d'un quart (d'heure). — Moitié d'un quart (de cercle).

Mar. Moitié d'un quart, d'un rhumb ; soixante-quatrième partie d'un tour complet d'horizon (soit 5°37'15").

Je n'estime pas à moins de six à sept mille milles la distance parcourue par le ballon, et, pour peu que le vent ait varié d'un demi-quart, il a dû nous porter soit sur l'archipel de Mendana, soit sur les Pomotou (...)
J. VERNE, l'Île mystérieuse, t. I, p. 109.

DEMI-QUEUE [d(ə)mikø] n. f. — 1606 ; de *demi-*, et *queue.*

♦ **1.** (1606). Tonneau dont la capacité est de la moitié d'une queue. *Des demi-queues.*

♦ **2.** (1929). En appos. *Piano demi-queue,* de grandeur intermédiaire entre le piano à queue et le piano quart-de-queue. N. m. *Jouer sur un demi-queue.*

Il tenait trop à ses instruments... Il en rachetait même encore d'autres... des pianos surtout... Le dernier un Pleyel, un parfait demi-queue au prix fort, un modèle galbé de chez Maxon, une fantaisie.
CÉLINE, Guignol's band, p. 184.

DEMI-RELIURE [d(ə)miʀəljyʀ] n. f. — 1829, Balzac ; de *demi-*, et *reliure.*

♦ Reliure où seul le dos du livre est en peau, les plats étant recouverts de papier ou de tissu (parfois à l'exception des coins). *Des demi-reliures.* — Opposé à *reliure pleine.*

Vous m'obligerez beaucoup de presser cette demi-reliure et j'espère que vous ne me ferez pas trop attendre mon Voltaire.
BALZAC, Correspondance, 1829, p. 386, *in* T. L. F.

DEMI-ROND [d(ə)miʀɔ̃] n. m. — 1846, Bescherelle ; de *demi-*, et *rond* (adj.).

♦ Couteau de corroyeur à lame en forme de demi-cercle. *Des demi-ronds.*

DEMI-ROND, -RONDE [d(ə)miʀɔ̃, ʀɔ̃d] adj. — 1771 ; de *demi-*, et *rond* (adj.).

♦ Rare. Demi-circulaire.

DEMI-RONDE [d(ə)miʀɔ̃d] n. f. — 1764 ; de *demi-*, et *rond* (adj.).

♦ Techn. Lime dont une face est plate et l'autre arrondie. *Des demi-rondes.*

DÉMIS, ISE [demi, iz] adj. — 1580, « détruit » ; p. p. de *démettre.*

♦ Déplacé, luxé (os, articulation). *Remettre en place un poignet démis.*

DEMI-SAISON [d(ə)misɛzɔ̃] n. f. — 1842 ; de *demi-*, et *saison.*

♦ (Surtout dans la loc. : *de demi-saison*). Période tempérée entre le froid de l'hiver et la chaleur de l'été ; automne, printemps. *Des demi-saisons. Vêtement de demi-saison,* ni trop léger, ni trop chaud.

Elle était vêtue d'une robe de velours bleu, sous un mantelet de demi-saison. [1]
Louise MICHEL, la Misère, t. III, p. 674.

Son complet de demi-saison lui avait pesé soudain aux épaules, et le tailleur était venu (...) [2]
GIRAUDOUX, Provinciales, p. 158.

DEMI-SANG [d(ə)misɑ̃] n. m. — 1836 ; de *demi-*, et *sang.*

♦ Cheval issu de reproducteurs dont un seul est de pur sang, ou de deux demi-sang (contr. : *pur-sang*). — En appos. ou précédé de *de* sans article. *Cheval demi-sang, de demi-sang. Des demi-sangs* ou, invar., *des demi-sang.*

Les chevaux dormaient, étendus sur leur paille tressée, calmes tous quatre, les deux pur-sang, le demi-sang, et le cob.
GIRAUDOUX, Églantine, p. 119.

HOM. Demi-cent.

DEMI-SAVANT [d(ə)misavɑ̃] n. m. — 1668 ; de *demi-*, et *savant.*

♦ Homme qui se dit savant mais dont la culture scientifique n'est pas celle d'un savant. ⇒ aussi **Demi-intellectuel.** *Des demi-savants autodidactes.*

(...) je m'étonne qu'il y en ait d'assez hardis pour braver l'ignorance de la multitude et la censure dangereuse des demi-savants qui corrompent quelquefois le jugement du public.
A. R. LESAGE, Gil Blas, VII, VI.

DEMI-SAVOIR [d(ə)misavwaʀ] n. m. — 1762 ; de *demi-*, et *savoir.*

♦ Savoir imparfait, insuffisant. *Des demi-savoirs.*

Il n'y a que le demi-savoir et la fausse sagesse qui, prolongeant nos vues jusqu'à la mort, et pas au-delà, en font pour nous le pire des maux.
ROUSSEAU, Émile, II, p. 65.

DEMI-SEC [d(ə)misɛk] adj. — xxe ; de *demi-*, et *sec*.

♦ Se dit d'un vin plus sucré qu'un vin sec, mais moins qu'un vin doux. *Champagne demi-sec. Blanc demi-sec.* — N. m. *Une bouteille de demi-sec. Des demi-secs.*

DEMI-SEL [d(ə)misɛl] adj. et n. m. invar. — 1842, *porc au demi-sel ;* comp. de *demi-*, et *sel*.

★ **I.** Adj. Qui n'est que légèrement salé. *Beurre demi-sel* (opposé à *beurre doux* et à *beurre salé*).

1 Jusqu'à ce couvert de campagne, ces verres propres, cette fraîche assiettée de beurre demi-sel, cette cruche à cidre, qui aidaient à l'intimité de cette table éclairée par une lampe (...)   HUYSMANS, Là-bas, v, p. 57.
Fromage demi-sel et, subst. (1929), *un demi-sel :* fromage gras et frais légèrement salé.

★ **II.** N. m. invar. (1894, «homme qui exerce un métier régulier mais vit aussi de proxénétisme» ; de *(beurre) demi-sel*, proprt «ni salé, ni pas salé»). Argot. et péj. Homme, garçon qui affecte d'être du milieu sans se comporter comme le milieu l'exige ; faux souteneur. *Des demi-sel.*

2 Robinson, je me disais encore... je l'ai pris longtemps pour un gars d'aventure, mais c'est rien qu'un demi-sel...   CÉLINE, Voyage au bout de la nuit, p. 355.
3 Et là-bas, eux, comment imagineraient-ils la Huchette, le poste de secours improvisé dans le cloître de Saint-Séverin, le curé avec ses allures d'aumônier baroudeur, les petits gars à tête de demi-sel qui font le tri des armes «prises à l'ennemi»?
                                              François NOURISSIER, Allemande, p. 275.

DEMI-SIÈCLE [d(ə)misjɛkl] n. m. — 1616, *in* D.D.L. ; de *demi-*, et *siècle*.

♦ Moitié d'un siècle. *Trois demi-siècles ou un siècle et demi.*

DEMI-SŒUR [d(ə)misœR] n. f. — 1424, *demie-sœur ;* de *demi-*, et *sœur*.

♦ Sœur par le père ou la mère seulement (⇒ **Demi-frère**), opposé à *sœur* (sœur germaine). *Il a deux demi-sœurs.*

DEMI-SOLDE [d(ə)misɔld] n. — 1779, *in* D.D.L. ; de *demi-*, et *solde*.

♦ **1.** N. f. Solde réduite d'un militaire en non-activité. *Des demi-soldes.*

1 En 1830, il avait cru de son devoir de priver le gouvernement de sa vaillante lance et s'était retiré à la demi-solde.   Louise MICHEL, la Misère, t. I, p. 235.

♦ **2.** N. m. invar. *Un demi-solde :* militaire qui touche une demi-solde. *Des demi-solde :* des militaires en demi-solde. — REM. Le plur. régulier serait plus normal.
(1815, *in* D.D.L.). Spécialt. Soldat de l'Empire, mis en disponibilité sous la Restauration.
Par anal. Personne arbitrairement exclue d'un groupe, d'un mouvement.

2 Quand cette paix boiteuse eut été signée, quand M. de Pressensé fut devenu un demi-solde du dreyfusisme, il perdit complètement le nord.
                                              Ch. PÉGUY, l'Argent, p. 1234, *in* T.L.F.

DEMI-SOMMEIL [d(ə)misɔmɛj] n. m. — 1697, Bossuet ; de *demi-*, et *sommeil*.

♦ État intermédiaire entre le sommeil et l'état de veille. ⇒ **Somnolence.** *Toute la matinée il a été dans un état de demi-sommeil.* ⇒ **Ensommeillé.** *Des demi-sommeils.*

Après cette résolution, la fatigue sembla un instant le dominer. Un demi-sommeil le gagna et il laissa tomber sur le plancher sa pipe éteinte. Le bruit qu'elle fit en tombant le réveilla tout à fait.   G. LEROUX, Rouletabille chez Krupp, p. 98.

DEMI-SOUPIR [d(ə)misupiR] n. m. — 1611 ; de *demi-*, et *soupir*.

♦ Mus. Silence dont la durée est égale à la moitié d'un soupir (soit un demi-temps), et qui est représenté par un signe en forme de sept sur la troisième ligne de la portée. *Des demi-soupirs.*

DEMI-SOURIRE [d(ə)misuRiR] n. m. — xxe ; de *demi-*, et *sourire*.

♦ Sourire léger, petit sourire (→ Errant, cit. 10). *Des demi-sourires.*

DÉMISSION [demisjõ] n. f. — 1338 ; lat. *demissio* «action d'abaisser», de *demissum*, supin de *demittere*, de *de-*, et *mittere* «mettre», pour servir de dér. à *démettre*.

♦ **1.** Acte par lequel on se démet d'une fonction, d'une charge, d'une dignité ; rupture, par le salarié, de son contrat de travail. *Fonctionnaire qui donne sa démission. Donner sa démission d'un emploi. Je foutrai ma démission* (→ Polichinelle, cit. 6). *Accepter, recevoir la démission de qqn. Refuser une démission. Démission volontaire. Démission forcée. Démission individuelle. Démis-*

sion collective d'une assemblée, d'un conseil... *Démission d'un souverain.* ⇒ **Abdication.** — *Démission!*, cri hostile à l'adresse d'un homme politique, d'un responsable. — *Démission d'office*, euphémisme employé dans certains cas pour désigner la révocation d'agents du service public.

1 Après sa démission du protectorat, il *(Richard Cromwell)* voyagea en France (...)
                                              VOLTAIRE, le Siècle de Louis XIV, VI.

♦ **2.** (1338). Fig. Acte par lequel on renonce à qqch. ⇒ **Abandon, abdication, renonciation, résignation.**

2 Lorsque les hommes renoncent à considérer leur destin personnel comme quelque chose dont ils sont comptables, les destins du siècle fléchissent et mènent le monde aux faillites. Car cette démission en annonce d'autres et les permet.
                                              DANIEL-ROPS, Ce qui meurt..., I, p. 8.
Attitude de fuite devant les difficultés ; soumission passive.
Donner sa démission : renoncer à... ; s'avouer vaincu.

3 Mais le propre du Français n'est-il pas de ne jamais donner de démission absolue et de recommencer toujours ?
                                              SAINTE-BEUVE, Causeries du lundi, 2 janv. 1854, t. IX, p. 308.
4 Après ces années données à la douleur et à l'abattement, vous faites bien de vous reprendre : à votre âge, on ne donne pas ainsi sa démission de toute activité dans la vie.   SAINTE-BEUVE, Correspondance, 508, 18 déc. 1835, t. I, p. 558.

CONTR. **Adhésion, arrivée, engagement, entrée** (en fonctions), **exercice, maintien, résolution.**
DÉR. **Démissionnaire, démissionner.**

DÉMISSIONNAIRE [demisjɔnɛR] n. et adj. — Av. 1752 ; de *démission*.

♦ **1.** N. Cour. Personne qui vient de donner sa démission. — Adj. *Ministre démissionnaire.* — *Démissionnaire d'office*, qui a été révoqué, contraint de démissionner.
Fig. (Personne) qui fuit devant les difficultés.

♦ **2.** Vx. (Personne) qui bénéficie d'une renonciation. *Héritier démissionnaire.*

DÉMISSIONNER [demisjone] v. intr. — 1793, Babeuf, *in* Littré, Suppl. ; de *démission*.

♦ **1.** Donner sa démission. ⇒ **Abandonner, résigner** (ses fonctions), **retirer** (se). *Il a démissionné de son poste.*

1 Elle *(l'Angleterre)* avait (...) favorisé, par haine du gouvernement français, les évêques qui avaient refusé de démissionner lors du Concordat.
                                              Louis MADELIN, Hist. du Consulat et de l'Empire, le Consulat, XVII, p. 281.
Trans. Iron. *On l'a démissionné*, renvoyé.

2 En octobre, le jovial Khrouchtchev fut démissionné, les travaillistes prirent le pouvoir (...)   Claude COURCHAY, La vie finira bien par commencer, p. 17.

♦ **2.** Fig. et fam. Renoncer à qqch. ⇒ **Abandonner, abdiquer, renoncer, résigner** (se) ; → fam. Laisser tomber*. *Si je ne réussis pas du premier coup, je démissionne.*

3 Ce pays aurait démissionné, selon vous, s'en serait remis à un homme, lâchement, honteusement.   F. MAURIAC, le Nouveau Bloc-notes 1958-1960, p. 203.

CONTR. **Adhérer, arriver, engager** (s'), **entrer** (en fonctions), **exercer. — Continuer, poursuivre.**

DEMI-SUCCÈS [d(ə)misyksɛ] n. m. invar. — 1767, *in* D.D.L. ; de *demi-*, et *succès*.

♦ Succès incertain, peu satisfaisant. *Demi-succès électoral* (→ Demi-échec, cit.).

(...) quel moyen aurait son œuvre d'arriver jusqu'au public et d'obtenir ce demi-succès de vente si nécessaire à la subsistance de l'auteur ?
                                              Léon BLOY, le Désespéré, p. 224.

DEMI-TARIF [d(ə)mitaRif] n. m. — 1890, *in* D.D.L. ; de *demi-*, et *tarif*.

♦ Tarif réduit de moitié. *Place* (⇒ **Demi-place**), *billet, abonnement à demi-tarif.* — Adj. *Billets demi-tarif.* — Adv. *Payer demi-tarif.* Billet, place... à demi-tarif. *Des demi-tarifs.*

DEMI-TASSE [d(ə)mitɑs] n. f. — 1799, *in* D.D.L. ; de *demi-*, et *tasse*.

♦ Tasse à café de petite taille. Par ext. Son contenu. *Une demi-tasse de café turc. Des demi-tasses.*

DEMI-TEINTE [d(ə)mitɛ̃t] n. f. — 1651 ; de *demi-*, et *teinte*.

♦ **1.** Teinte qui n'est ni claire ni foncée. *Peinture exécutée en demi-teintes.*

1 Ils emploient avec un art qu'on ne se lasse point d'admirer les teintes, les demi-teintes et toutes les diminutions de couleurs nécessaires pour dégrader la couleur des objets.   Charles ROLLIN, Hist. ancienne, XI, p. 130.
Par métaphore :

2 Nier l'existence des sentiments tièdes parce qu'ils sont tièdes, c'est nier le soleil

tant qu'il n'est pas à midi. La vérité est tout autant dans les demi-teintes que dans les tons tranchés.   FLAUBERT, Correspondance, 1846, p. 417, *in* T. L. F.

♦ **2.** Mus. Sonorité adoucie. *Chanter en demi-teinte.*

3   Le marchand d'habits qui donnait la mode et avait mis un chapeau de paille, effrayé de la résonance, chantait en demi-teinte.
                              GIRAUDOUX, Simon le pathétique, p. 116.

♦ **3.** Fig. Ton adouci, manière discrète (dans l'écriture, le style, les manières). *Un style feutré, tout en demi-teintes. Pratiquer la demi-teinte.*

DEMI-TIGE [d(ə)mitiʒ] n. f. — 1732 ; de *demi-*, et *tige*.

♦ Arbor. Arbre fruitier dont on a arrêté la croissance. *Des demi-tiges.*

DEMI-TON [d(ə)mitɔ̃] n. m. — 1627 ; de *demi-*, et *ton*.

♦ **1.** Mus. Le plus petit intervalle entre deux degrés conjoints. *Des demi-tons. Il y a un demi-ton entre mi et fa, si et do. Demi-ton diatonique* (formé par deux notes portant des noms différents), *chromatique* (formé par deux notes portant le même nom). *Il y a un demi-ton diatonique* (4 comas) *entre ré dièse et mi, un demi-ton chromatique* (5 comas) *entre mi bémol et mi. Signe d'altération qui hausse une note d'un demi-ton* (⇒ **Dièse**), *qui abaisse une note d'un demi-ton* (⇒ **Bémol**).

L'appel commença en tons et demi-tons, comme une gamme chromatique (...)
                              P. MAC ORLAN, la Bandera, XIII, p. 159.

♦ **2.** Peint. ⇒ **Demi-teinte.**

DEMI-TOUR [d(ə)mituʀ] n. m. — 1536 ; de *demi-*, et *tour*, n. m.

♦ **1.** Milit., cour. Moitié d'un tour que l'on fait sur soi-même. *Des demi-tours. Demi-tour à droite ; demi-tour, droite ! Exécuter un demi-tour.* ⇒ **Retourner** (se) ; → Tourner les talons*, faire volte-face.

1   Il salua, exécuta un demi-tour rapide et remonta vers Bou Jeloud dont il apercevait le drapeau.   P. MAC ORLAN, la Bandera, XV, p. 184.

♦ **2.** Par ext. *Faire demi-tour* : retourner sur ses pas, sur son chemin. *Arrivés à la frontière, ils durent faire demi-tour* (⇒ **Retourner, revenir**).

2   Il était encore temps de faire demi-tour. Il hésita. Finalement, il traversa la rue et pénétra sous la voûte.   MARTIN DU GARD, les Thibault, t. V, p. 164.

DÉMIURGE [demjyʀʒ] n. m. — 1803, Boiste ; *dêmi-ourgos*, 1791 ; *Demiourgon*, Rabelais, 1546 ; lat. *dimiurgus*, du grec *dêmiourgos* « qui travaille pour le public, artisan », en partic. « artisan de l'univers », de *dêmios* « commun, public », de *dêmos* « peuple », et *ergon* « création ».

♦ **1.** Philos. anc. Le dieu architecte de l'univers, pour les Platoniciens et leurs émules.

1   D'Acharamoth sortit le Démiurge, fabricateur des mondes, des cieux et du Diable. Il habite bien plus bas que le Plérôme, sans même l'apercevoir, tellement qu'il se croit le vrai Dieu, et répète par la bouche de ses prophètes : « Il n'y a d'autre Dieu que moi ! » Puis il fit l'homme, et lui jeta dans l'âme la semence immatérielle, qui était l'Église, reflet de l'autre Église placée dans le Plérôme.
                              FLAUBERT, la Tentation de saint Antoine, p. 99.
Pour les gnostiques, Être émanant de l'Être suprême, parfois considéré comme malfaisant.

♦ **2.** Littér. Créateur (d'une œuvre), animateur (d'un monde). *Le démiurge de la Comédie Humaine.*

2   (...) le démiurge ne s'est pas occupé de la durée et de la résistance de ses œuvres tant que du plaisir de les faire.
Le plus grand artiste ne peut sculpter que dans un marbre qui est destructible (...)
                              VALÉRY, Suite, p. 140.

DÉR. **Démiurgie, démiurgique.**

DÉMIURGIE [demjyʀʒi] n. f. — 1951, Malraux ; de *démiurge*.

♦ Didact. Activité propre au démiurge. Pouvoir créateur du démiurge (2.).

Toute grande œuvre nous atteint en tant que démiurgie ; un grand artiste n'est pas autonome parce qu'original, il est original parce qu'autonome : d'où sa part de solitude.   MALRAUX, les Voix du silence, p. 459.

DÉMIURGIQUE [demjyʀʒik] adj. — 1831, Chateaubriand ; de *démiurge*.

♦ Didact. Du démiurge, propre au démiurge.

1   La Grèce du divin n'avait connu le portrait qu'épisodiquement ; représenter un individu semblait travail d'artisan, comparé au pouvoir démiurgique de révéler les dieux de la cité.   MALRAUX, la Métamorphose des Dieux, p. 102.

2   Aujourd'hui comme jadis, et parfois plus fermement, les couleurs « en un certain ordre assemblées » sont inséparables du pouvoir démiurgique — au sens précis de ce mot — de l'art. C'est à lui que les grands peintres soumettent leur vie, non au désir de rivaliser avec les décorateurs ou les grands couturiers.
                              MALRAUX, les Voix du silence, p. 614.
N. m. *Le démiurgique* : la création par un démiurge.

3   C'est vrai que j'ai ma nostalgie du démiurgique, une raison d'aimer la vie d'une

manière quasi mystique, de l'aimer envers et contre le fatras qui la transforme souvent en une somme nulle de jours nuls (...)   Yanny HUREAUX, la Prof, p. 161.

DEMI-VIERGE [d(ə)mivjɛʀʒ] n. f. — 1894, M. Prévost ; de *demi-*, et *vierge*.

♦ Vx. Jeune fille de mœurs très libres qui n'est vierge qu'au sens strictement physiologique du mot. *Des demi-vierges.*

REM. Le mot est lié à un état ancien de l'idéologie et des mœurs. Il n'est plus en usage, sauf en emploi stylistique (ironique, etc.) ou par référence implicite ou explicite au roman de Marcel Prévost : → cit. ci-dessous.

Les robes de tulle blanc, bleu, rose ou mauve tendre que vous allez voir tout à l'heure, au balcon des loges, revêtent si peu de corps tout à fait intacts ! Il y a tant de demi-vierges parmi ces vierges !
                              Marcel PRÉVOST, les Demi-vierges, I, III, p. 21.

DEMI-VIRGINITÉ [d(ə)miviʀʒinite] n. f. — 1911, G. Rozet, *in* D. D. L. ; de *demi* et *virginité*, sur *demi-vierge*.

♦ Littér. (par allus. à M. Prévost). État de demi-vierge. *Des demi-virginités.*

DEMI-VOIX (À) [ad(ə)mivwɑ] loc. adv. — 1772, *in* D. D. L. ; de *demi-*, et *voix*.

♦ Vieilli (*à mi-voix* tend à s'y substituer à partir de 1900). À voix basse. ⇒ **Mi-voix** (à). *Parler à demi-voix. Elle lui raconta une histoire à demi-voix.*

Restez là, causez à demi-voix.   ZOLA, Paris, t. I, p. 139.

DEMI-VOLTE [d(ə)mivɔlt] n. f. — 1678 ; de *demi-*, et *volte*.

♦ Équit. Mouvement dans lequel le cheval opère un demi-tour suivi d'une oblique. *Des demi-voltes. La demi-volte consiste à « décrire un demi-cercle d'un diamètre égal à celui de la volte et prendre une direction diagonale pour rentrer sur la piste en changeant de main »* (H. Aublet, *l'Équitation*). *Demi-volte renversée* : oblique suivie d'un demi-tour.

DEMI-WATT [d(ə)miwat] n. — xxᵉ ; de *demi-*, et *watt*.

♦ **1.** N. m. Moitié d'un watt. *Des demi-watts.*

♦ **2.** N. f. Techn. Lampe électrique à atmosphère gazeuse, ne consommant en principe que 0,5 watt par bougie.

DÉMIXTION [demikstjɔ̃] n. f. — 1928 ; de 1. *dé-*, et *mixtion*.

♦ Phys., chim. Séparation des phases (d'un mélange). *« (La) tendance* (du méthanol) *à la démixtion aux faibles teneurs* (< 10 %), *ce qui signifie qu'à basse température et en présence d'eau, on observe une séparation en deux phases »* (Sciences et Avenir, sept. 1983, nᵒ 39).

DÉMO- Élément tiré du grec *dêmos* « peuple » (→ Démocrate, démocratie), avec le sens qu'il a dans *démographie*. — Ex. : *démo-économique* [demoekɔnɔmik] adj. (didact.) : qui concerne à la fois les phénomènes démographiques et économiques.

Dans l'ordre démo-économique, la composition de la population active par secteurs et branches (...) s'est modifiée.   J.-P. COURTHÉOUX, Politique des revenus, p. 56.

DÉMOBILISABLE [demɔbilizabl] adj. — Av. 1922 ; de *démobiliser*.

♦ Qui doit être officiellement démobilisé. *Soldat démobilisable.*

Je regrette, *sir*, mais je suis démobilisable avec le troisième échelon et j'ai mon ordre de transport en poche : je dois me présenter demain à Montreuil-sur-Mer (...)
                              A. MAUROIS, les Discours du Dr O'Grady, XVII, p. 185.

CONTR. **Mobilisable.**

DÉMOBILISATEUR, TRICE [demɔbilizatœʀ, tʀis] adj. — xxᵉ ; de *démobiliser*, *démobilisation*.

♦ **1.** Milit. Où l'on procède à la démobilisation.

1   De là, on l'avait dès juillet 40 envoyé au centre démobilisateur où Geoffroy avait produit un certificat de travail agricole (...)
                              ARAGON, Blanche..., I, VII, p. 119.

♦ **2.** (V. 1963). Fig. Qui est propre à démobiliser. *Ce mot d'ordre a eu un effet démobilisateur sur les masses.*

2   J'ai été en effet atterré, en relisant quelques classiques du jeune âge, par la nocivité démobilisatrice des contes de Perrault, tels que certains parents rétrogrades les racontent encore aux enfants du siècle d'Edgar Faure, d'Alain Krivine et de Gérard Nicoud.   Robert BEAUVAIS, le Français kiskose, p. 30.

DÉMOBILISATION [demɔbilizasjɔ̃] n. f. — 1870 ; de *démobiliser*.

♦ **1.** Action de démobiliser. *Procéder à la démobilisation générale.* Résultat de cette action. *Une démobilisation complète.*

♦ **2.** (V. 1962). Fig. (polit.). Fait de démobiliser (les masses, l'opinion) ; effet qui en résulte. *Cette politique risque d'entraîner la démobilisation de nos militants.*

CONTR. **Mobilisation.**

DÉMOBILISER [demɔbilize] v. tr. — Av. 1870 ; en dr. « convertir en bien immeuble », 1826 ; de 1. *dé-*, et *mobiliser*.

♦ **1.** (1870). Rendre à la vie civile (des troupes mobilisées). *Démobiliser une partie des troupes. Les soldats sont démobilisés à la cessation des hostilités.* — Au p. p. *Soldats démobilisés.* N. m. (le fém. est virtuel). *Un démobilisé.*

En Angleterre, votre faiblesse, c'est que, si l'on vous ordonne de démobiliser les hommes par classes, vous le ferez.
A. MAUROIS, les Discours du Dʳ O'Grady, XVII, p. 188.

Absolt. *La France démobilise.*

♦ **2.** (1963, *in* D. D. L.). Fig. Polit. Priver (les militants, les masses) de toute combativité, cesser ou empêcher de mobiliser pour la défense d'une cause.

CONTR. **Appeler, mobiliser.**

DÉR. **Démobilisable, démobilisateur, démobilisation.**

DÉMOCRATE [demɔkʀat] n. et adj. — V. 1550, comme t. d'Antiq. (didact.), diffusé en 1789 ; attestation isolée, 1785 ; de *démocratie*, sur le modèle d'*aristocrate*.

♦ **1.** Partisan de la démocratie, de ses principes et de ses institutions. *Un démocrate convaincu. Ce n'est pas un démocrate, mais un démagogue. Une grande démocrate.*

1   Vous êtes des démocrates et des hommes de la France moderne, mais vous ressemblez comme deux gouttes d'eau à la noblesse imprudente et généreuse qui se faisait battre à Poitiers et à Azincourt. Toujours le faux point d'honneur.
SAINTE-BEUVE, Correspondance, II, p. 306.

Figuré :

2   (...) c'est pour d'autres raisons que je me fâche parfois contre la mort ; elle est égalitaire à un degré qui m'irrite ; c'est une démocrate qui nous traite à coups de dynamite ; elle devrait au moins attendre, prendre notre heure, se mettre à notre disposition.
RENAN, Souvenirs d'enfance..., VI, v, p. 266.

Adj. Partisan de la démocratie. *Un esprit démocrate* (⇒ **Égalitaire, républicain**).

3   Je n'ai pas (...) accueilli dans mon château J.-J. Rousseau, philosophe démocrate et libre penseur.
VILLEMAIN, Littérature franç., XVIIIᵉ s., II, 2, *in* LITTRÉ.

♦ **2.** (1870). Aux États-Unis. *Le Parti démocrate* (déb. XIXᵉ), l'un des deux grands partis politiques américains (opposé à *parti républicain*). *Candidat, sénateur, électeur démocrate.* — N. (1825, *in* D. D. L.). Membre, électeur de ce parti. *Les démocrates et les républicains.* — Loc. adv. *Voter démocrate.*

CONTR. **Aristocrate** (cit. 4 et 5), **monarchiste ; antidémocrate ; fasciste.**
COMP. **Antidémocrate, démocrate-chrétien, démocrate-socialiste, social-démocrate.**

DÉMOCRATE-CHRÉTIEN, IENNE [demɔkʀatkʀetjɛ̃, jɛn] n. et adj. — 1901 ; *le Démocrate chrétien*, titre d'une revue catholique de Gérando, 1848 ; de *démocrate*, et *chrétien*.

♦ Membre, partisan de la démocratie chrétienne. *Un démocrate-chrétien. Les démocrates-chrétiens.*

Adj. De la démocratie chrétienne. *Idées démocrates-chrétiennes ; principes démocrates-chrétiens. Parti démocrate-chrétien. Le parti démocrate-chrétien, en Belgique.* ⇒ **Social-chrétien.** *La CDU* (en français : Union chrétienne-démocrate), *parti démocrate-chrétien de l'Allemagne fédérale. Le parti démocrate-chrétien italien* (Partito della Democrazia cristiana, abrév. : *P. D. C.*). *Le M. R. P. était un parti démocrate-chrétien.*

1   Mais nous reparlerons de cet homme extraordinaire, de ce démocrate-chrétien (*le maire de Florence*) qui est démocrate et qui est chrétien à chaque instant de sa vie privée et publique et qui, si frêle, est le doux qui possède la terre.
F. MAURIAC, Bloc-notes 1952-1957, p. 187.

2   Une conversation de trois quarts d'heure avec ce jeune Milanais m'éclaire mieux la situation politique de l'Italie aujourd'hui, que n'eussent fait des volumes. Ses démocrates-chrétiens semblent valoir les nôtres bien qu'ils soient d'un autre style.
F. MAURIAC, Bloc-notes 1952-1957, p. 233.

Abrév. : *démo-chrétien*, adj. et n.

DÉMOCRATE-SOCIALISTE [demɔkʀatsɔsjalist] n. et adj. — 1848 ; de *démocrate*, et *socialiste*.

♦ Vx (Hist.). Démocrate de tendance socialiste, de 1848 à 1870 (cf. cit. de Labiche, Vallès, etc., *in* D. D. L.). *Les démocrates-socialistes.* — Abrév. : *démo-soc* (1848, *in* D. D. L.) adj. et n.

DÉMOCRATIE [demɔkʀasi] n. f. — 1370, en parlant de l'Antiquité ; repris dans l'usage mod. en 1791 (mais *démocrate* est anté-

rieur) ; du grec *dêmokratia*, de *dêmos* « peuple », et *kratein* « commander ». → -crate, -cratie.

♦ **1.** ⓐ Régime et doctrine politique de l'Antiquité (grecque ; latine) où la souveraineté appartient aux citoyens (⇒ **Cité**). *La démocratie antique excluait les non-citoyens et notamment les esclaves et les femmes.*

ⓑ Doctrine politique d'après laquelle la souveraineté doit appartenir à l'ensemble des citoyens, au peuple ; organisation politique (souvent la république, notamment la république parlementaire ou tout parlementarisme) dans laquelle les citoyens exercent cette souveraineté. *La démocratie place l'origine du pouvoir politique dans la volonté collective des citoyens. La démocratie repose sur le respect de la liberté et de l'égalité des citoyens. La démocratie peut dégénérer en démagogie.* — *De la démocratie en Amérique,* ouvrage d'A. de Tocqueville (1840). *De la démocratie en France,* ouvrage de Guizot (1849).* — *Démocratie directe,* où le peuple exerce directement sa souveraineté (ci-dessous, cit. 7). *Démocratie représentative,* où le peuple élit des représentants. ⇒ **Suffrage** (→ *infra*, cit. 4). *Démocratie parlementaire. Démocratie présidentielle. Démocratie libérale. Démocratie socialiste.* — *Démocratie populaire :* régime de parti unique, dans les pays communistes. — (1901). *Démocratie chrétienne :* dans une démocratie, régime ou parti d'inspiration chrétienne, généralement de tendance réformiste ou conservatrice (portant ce nom ou d'autres noms). ⇒ **Démocrate-chrétien.**

1   Lorsque, dans la république, le peuple en corps a la souveraine puissance, c'est une démocratie (...) Le peuple, dans la démocratie, est à certains égards le monarque ; à certains autres, il est le sujet. MONTESQUIEU, l'Esprit des lois, II, II.

2   Le grand vice de la démocratie n'est certainement pas la tyrannie et la cruauté (...) Le véritable vice d'une république civilisée est dans la fable turque du dragon à plusieurs têtes et du dragon à plusieurs queues. La multitude des têtes se nuit, et la multitude des queues obéit à une seule tête qui veut tout dévorer.
VOLTAIRE, Dict. philosophique, Démocratie.

3   Le souverain peut, en premier lieu, commettre le dépôt du gouvernement à tout le peuple ou à la grande partie du peuple, en sorte qu'il y ait plus de citoyens magistrats que de citoyens simples particuliers. On donne à cette forme de gouvernement le nom de *démocratie.* ROUSSEAU, Du contrat social, III, III.

4   On entend par démocratie et par peuple la famille française *tout entière*, la nation dans sa généralité la plus complète (...) La démocratie est l'égalité, c'est-à-dire la participation à droit égal, à titre égal à la délibération des lois et au gouvernement de la nation. La démocratie a dit à tout Français en âge de raison, en condition d'intelligence et de moralité appréciables : tu participeras au droit, à l'exercice du droit social (...)
Par quel procédé les citoyens participent-ils tous à titre égal au gouvernement et aux lois ? Par le suffrage universel (...) Le suffrage universel est donc la démocratie elle-même (...)
LAMARTINE, Le passé, le présent, l'avenir de la république, II, IV, *in* PRÉLOT, Précis de droit constitutionnel, nᵒ 134.

5   Partout on a vu des divers incidents de la vie des peuples tourner au profit de la démocratie (...)
Le développement graduel de l'égalité des conditions est (...) un fait providentiel, (...) il est universel, il est durable (...)
A. DE TOCQUEVILLE, De la démocratie en Amérique, p. 9.

6   Législatrice, source des constitutions justes ; Démocratie, toi dont le dogme fondamental est que tout bien vient du peuple, et que, partout où il n'y a pas de peuple pour nourrir et inspirer le génie, il n'y a rien, apprends-nous à extraire le diamant des foules impures. RENAN, Souvenirs d'enfance..., II, I, p. 65.

7   Au-dessus même du Sénat il y avait *(à Athènes)* l'assemblée du peuple. C'était le vrai souverain. Mais de même que dans les monarchies bien constituées le monarque s'entoure de précautions contre ses propres caprices et ses erreurs, la démocratie avait aussi des règles invariables auxquelles elle se soumettait (...)
L'assemblée était convoquée par les prytanes ou les stratèges (...) Le peuple était assis sur des bancs de pierre (...) Les orateurs montaient à la tribune (...) Tout homme pouvait parler, sans distinction de fortune et de profession (...)
FUSTEL DE COULANGES, la Cité antique, IV, XI, p. 390.

8   On comprend donc que l'humanité ne soit venue à la démocratie que sur le tard (...) De toutes les conceptions politiques c'est en effet la plus éloignée de la nature, la seule qui transcende, en intention au moins, les conditions de la « société close ». Elle attribue à l'homme des droits inviolables. Ces droits, pour rester inviolés, exigent de la part de tous une fidélité inaltérable au devoir. Elle prend donc pour matière un homme idéal, respectueux des autres comme de lui-même, s'insérant dans des obligations qu'il tient pour absolues, coïncidant si bien avec cet absolu qu'on ne peut plus dire si c'est le devoir qui confère le droit ou le droit qui impose le devoir. Le citoyen ainsi défini est à la fois « législateur et sujet », pour parler comme Kant. L'ensemble des citoyens, c'est-à-dire le peuple, est donc souverain. Telle est la démocratie théorique.
H. BERGSON, les Deux Sources de la morale et de la religion, p. 299.

8.1   À la Libération, le triomphe de l'homme extraordinaire, de ce démocrate-chrétien, le naufrage définitif du nationalisme « intégral », tout parut annoncer la formation d'un grand parti travailliste français à la fois socialiste et chrétien.
F. MAURIAC, Bloc-notes 1952-1957, p. 55.

8.2   Tout et n'importe quoi plutôt que le Front Populaire, amorce d'une démocratie populaire. F. MAURIAC, le Nouveau Bloc-notes 1958-1960, p. 298.

8.3   Une certaine démocratie (libérale) semble l'aboutissement et l'épanouissement de la société sur-répressive. Les contraintes ne se perçoivent plus et ne se vivent pas comme telles. Elles sont ou admises et justifiées, ou interprétées comme conditions de la liberté (intérieure). Cette démocratie garde en réserve la violence et ne laisse intervenir qu'en dernière instance et en suprême recours la force. Elle compte bien plutôt sur l'autorépression dans la quotidienneté organisée.
H. LEFEBVRE, la Vie quotidienne dans le monde moderne, p. 273.

♦ **2.** *(Une, des démocraties).* État, pays pourvu d'institutions démocratiques ; état organisé suivant les principes de la démocratie. *Les démocraties libérales. Démocratie autoritaire, représentative.* — *Les démocraties populaires d'Europe centrale.* Quasi syn. : *les pays de l'Est, les pays communistes* (dans le discours des autres pays). *Les démocraties populaires se réclament de la doctrine marxiste.*

9   — (...) vous ne croyez tout de même pas que vous serez aidés par les démocra-

ties? (...) — J'ai vu les démocraties intervenir contre à peu près tout, sauf contre les fascismes.   MALRAUX, l'Espoir, I, III, III.

10   À son retour de Prague, on l'avait convié à l'École de cadres du Parti pour donner un cycle de conférences sur «les problèmes actuels de la construction du socialisme dans les démocraties populaires».   Régis DEBRAY, l'Indésirable, p. 72.

♦ **3.** L'ensemble des démocrates. *La démocratie a triomphé aux dernières élections.*

CONTR. Aristocratie, monarchie, oligarchie.
DÉR. V. Démocrate, démocratiser.

DÉMOCRATIQUE [demɔkʀatik] adj. — 1370, en parlant de l'Antiquité; appliqué à la politique moderne au XVIIIᵉ; du grec *dêmokratikos.* → Démocratie.

♦ **1.** Qui appartient à la démocratie (doctrine ou organisation politique), qu'il s'agisse de la démocratie antique ou des formes modernes de la démocratie. *Principes, théories démocratiques.* ⇒ **Égalitaire.** *Gouvernement, régime démocratique* (→ Aristocratique, cit. 2). *Institutions démocratiques. République démocratique. Les pays démocratiques.*

1   Les grenouilles, se lassant
     De l'état démocratique,
     Par leurs clameurs firent tant
     Que Jupin les soumit au pouvoir monarchique.   LA FONTAINE, Fables, III, 4.

2   J'aurais voulu naître dans un pays où le souverain et le peuple ne pussent avoir qu'un seul et même intérêt, afin que tous les mouvements de la machine ne tendissent jamais qu'au bonheur commun; ce qui ne pouvant se faire, à moins que le peuple et le souverain ne soient une même personne, il s'ensuit que j'aurais voulu naître sous un gouvernement démocratique, sagement tempéré.
                    ROUSSEAU, Disc. sur l'inégalité.

3   La démocratie (...) a plus que tout autre système, besoin d'élites. Dans un régime autoritaire, les rouages de l'État sont si parfaitement assemblés que l'insuffisance d'un des éléments a peu d'importance. En régime démocratique, le lien est plus lâche. Pour que tout marche, il faut que chacun apporte son effort (...)
                    DANIEL-ROPS, Ce qui meurt..., III, p. 101.

♦ **2.** Conforme à la démocratie; aux intérêts du peuple. *Esprit démocratique. Loi démocratique. — La théorie du centralisme démocratique.*

♦ **3.** Rare. Du peuple; qui n'est pas de l'aristocratie. ⇒ **Commun, plébéien, populaire.**

4   En somme, les poètes classiques usaient d'une langue démocratique, celle de tout le monde.   M. AYMÉ, le Confort intellectuel, II, p. 22.

♦ **4.** (Au Canada). *Le Nouveau Parti démocratique* (1961; succédant au P.S.D., 1932, sigle de *Parti social démocratique*). Parti de tendance socialiste. — Abrév. : *N.P.D.,* n. m.

CONTR. Aristocratique, monarchique, oligarchique; antidémocratique; fasciste.
DÉR. Démocratiquement.
COMP. Antidémocratique.

DÉMOCRATIQUEMENT [demɔkʀatikmɑ̃] adv. — 1568; de *démocratique.*

♦ D'une façon démocratique; selon les principes de la démocratie. *Un président démocratiquement élu au suffrage universel.*

DÉMOCRATISATION [demɔkʀatizasjɔ̃] n. f. — 1797; de *démocratiser.*

♦ **1.** Action de démocratiser, de conduire à la démocratie; résultat de cette action. *La démocratisation des institutions d'un pays. Une démocratisation imparfaite, lente.*

La démocratisation et la fausse démocratisation n'ont conduit qu'à donner aux peuples souverains ou faussement souverains les vices des capitaines.
                    Ch. PÉGUY, la République..., p. 30.

♦ **2.** Action de mettre (qqch.) à la portée de tous; résultat de cette action. *La démocratisation de l'enseignement, d'un sport.*

DÉMOCRATISER [demɔkʀatize] v. tr. — Av. 1382, «être en démocratie»; au sens actuel, 1792; du rad. de *démocratie,* et *-iser.*

♦ **1.** Introduire la démocratie dans; rendre démocratique, plus démocratique. *Après la mort du dictateur, le nouveau régime veut démocratiser le pays.* — V. pron. *Se démocratiser* : devenir démocratique. *Ce régime se démocratise.*

♦ **2.** Rendre démocratique, populaire, accessible à tous. *Démocratiser l'enseignement.* ⇒ **Vulgariser** (vieilli). — Pron. *Se démocratiser* : devenir accessible à tous. *Ce sport s'est démocratisé.*

DÉR. Démocratisation.

DÉMODÉ, ÉE [demode] p. p. adj. — 1827; de *démoder.*

♦ Qui n'est plus à la mode. *Vêtement, objet démodé.* ⇒ **Ancien, antédiluvien, antique, désuet, passé, suranné, vieillot, vieux** (→ Passé de mode*). *Une musique complètement démodée.*

1   (...) la forme des locomotives anglaises, impeccables et démodées comme des vieilles filles de bonne maison (...)
                    J. ROMAINS, les Hommes de bonne volonté, t. V, XX, p. 248.

Ce nom de Mélanie, que j'ai tout de suite amputé comme je viens de dire, a je   2
ne sais quoi de vieillot, de démodé qui devait faire distingué, «genre second empire» dans le milieu des Chantavoine.
                    G. DUHAMEL, Cri des profondeurs, III, p. 48.

Théories, procédés démodés. ⇒ **Archaïque, arriéré, dépassé, obsolète, périmé, retard** (en retard), **usé.**

Le libéralisme fait désormais figure, auprès des gens avancés ou qualifiés tels, de   3
doctrine démodée (...)   André SIEGFRIED, l'Âme des peuples, I, II, p. 12.
Il paraît que le cautère est tout à fait démodé. Pourquoi? Il garde encore des vertus dans certains cas rares.   G. DUHAMEL, Biographie de mes fantômes, X, p. 185.   4

(Personnes). *Il est démodé dans son comportement, ses idées.* ⇒ **Jeu** (vieux jeu), **réactionnaire, traditionaliste.**

Le moyen d'avoir raison dans l'avenir est, à certaines heures, de savoir se résigner   5
à être démodé.   RENAN, Disc. et conférences, p. 906.
Le sentiment amoureux est démodé, mais ce démodé ne peut même pas être récupéré comme spectacle : l'amour choit hors du temps intéressant; aucun sens historique, polémique, ne peut lui être donné; c'est en cela qu'il est obscène.   6
                    R. BARTHES, Fragments d'un discours amoureux, p. 210.

N. m. *Le démodé. La mode du démodé.* ⇒ **Rétro.**

CONTR. Mode (à la mode). — Avancé, avant-garde (d').

DÉMODÉCIE [demodesi] n. f. — XXᵉ; de *démodex.*

♦ Infestation par le démodex.

DÉMODER [demɔde] v. tr. — 1856, La Châtre; de 1. *dé-, mode,* et suff. verbal.

♦ Rare. Mettre hors de mode, rendre démodé.

Mais quel piètre coco que le sieur Musset! Ce livre Lui, fait pour le réhabiliter,   1
le démode encore plus que Elle et Lui! Quant à moi j'en ressors blanc comme neige (...)   FLAUBERT, Correspondance, 1860, p. 344, *in* T. L. F.

▶ **SE DÉMODER** v. pron.

Cour. Passer de mode, n'être plus à la mode. *Les vêtements de ligne classique se démodent moins que les autres. Style, idée qui se démode.*

L'amour mis en lettres, pieusement noué d'un fil d'or, embaumé dans le bois de   2
santal, n'est pas à l'abri du péril de se démoder (...)
                    COLETTE, l'Étoile Vesper, p. 185.

DÉR. Démodé.

DÉMODEX [demɔdɛks] n. m. — 1865, Littré-Robin; lat. sc. *demodex,* créé par le biologiste britannique R. Owen en 1843, à partir du grec *dêmos* «graisse», et du grec tardif *déx* «ver du bois».

♦ Petit acarien au corps mou d'une longueur de trois à quatre dixièmes de millimètres, qui vit dans l'orifice des follicules pilo-sébacés de la face.

DÉR. Démodécie.

DÉMODULATEUR [demɔdylatœʀ] n. m. — 1953; de 1. *dé-,* et *modulateur.*

♦ Techn. (radio, électronique). Dispositif qui permet de reconstituer le signal original d'une onde porteuse modulé par ce signal. *«Un démodulateur incorporé transforme les ondes hertziennes en signaux de télévision»* (*Sciences et Avenir,* nº 375, mai 1978, p. 34). *Modulateur démodulateur.* ⇒ **Modem.**

CONTR. Modulateur.

DÉMODULATION [demɔdylasjɔ̃] n. f. — V. 1930; de 1. *dé-,* et *modulation.*

♦ Techn. (radio). Reconstitution d'un signal qui modulait une onde porteuse.

CONTR. Modulation (3.).

DÉMODULER [demɔdyle] v. tr. — Mil. XXᵉ (attesté, 1953); de 1. *dé-,* et *moduler.*

♦ Radio, électronique. Reconstituer le signal original d'une onde porteuse modulée par ce signal.

CONTR. Moduler (3.).
COMP. Démodulomètre.

DÉMODULOMÈTRE [demɔdylomɛtʀ] n. m. — Attesté 1973; de *démoduler,* d'après *modulomètre.*

♦ Radio, électronique. Dispositif servant à mesurer les qualités de modulation de fréquence ou d'amplitude en partant d'un courant modulé (s'oppose à *modulomètre*).

DÉMOGRAPHE [demɔgʀaf] n. — 1861; de *démographie.*

♦ Spécialiste de la démographie. *Elle est sociologue et démographe.*

En 1972, il n'a pas été encore possible de faire admettre, même à certains démo-graphes, que le vieillissement n'a jusqu'ici résulté en rien de l'allongement de la vie, mais seulement de la baisse de la natalité.

A. SAUVY, Croissance zéro?, p. 227.

DÉMOGRAPHIE [demɔgʀafi] n. f. — 1855, Guillard, ci-dessous, 1.; du grec *dêmos* «peuple», et *-graphie.*

♦ **1.** Étude statistique des collectivités humaines. *Éléments de sta-tistique humaine, ou Démographie comparée,* ouvrage de Guillard (1855). *La démographie est une des bases de l'anthropologie, elle étudie l'état et les mouvements de la population.* ⇒ **Population.** *Tables de mortalité, natalité, nuptialité...; tables de profession, de migration, de consommation... données par la démographie. Démographie pure, qui cherche à tirer des lois générales à partir des phénomènes observés. — Démographie quantitative :* étude des structures d'une population (âge, sexe, profession) et de ses mouve-ments (natalité, mortalité, migration), d'après des données numéri-ques, statistiques. — *Démographie qualitative :* étude des caracté-ristiques d'une collectivité d'après ces mêmes données.

1   (...) ces phénomènes si captivants et si emmêlés de la démographie, et qui s'appel-lent : la natalité, la nuptialité, la mortalité, etc.
Jean BRUNHES, la Géographie humaine, t. I, p. 90.

♦ **2.** Par métonymie. État (quantitatif) d'une population.

2   L'idée que l'on peut se faire de la démographie de ce Japon primitif est celle d'une population à laquelle les abondantes pêcheries de son littoral maritime valu-rent de bonne heure une densité relativement forte.
VIDAL DE LA BLACHE, Principes de géographie humaine, 1921, p. 67, *in* T.L.F.

♦ **3.** Par ext. Étude (et état) d'une population animale, en éthologie.

DÉR. Démographe, démographique.

DÉMOGRAPHIQUE [demɔgʀafik] adj. — 1861; du rad. de *démographie.*

♦ **1.** Qui appartient à la démographie; qui est envisagé sous l'aspect de la démographie. *Phénomène démographique. Bilan démographique.*

La France a, par sa propre vitalité, regagné 1 273 000 Français (de 1946 à 1949)... *(Ce phénomène)* est une conséquence de ce que les démographes appellent la *récu-pération démographique,* caractéristique des périodes d'après-guerre.
Paul REBOUD et Henri GUITTON, Précis d'économie politique, t. I, n° 135.

♦ **2.** De la population (du point de vue du nombre). *Poussée démo-graphique.*

DEMOISELLE [d(ə)mwazɛl] n. f. — V. 1100, *damisele; domnizelle,* Eulalie, IXᵉ; du lat. pop. *domnicella,* de *domina* «dame».

★ **I.** (Déb. XIIIᵉ). Anciennt. Jusqu'au XVIIIᵉ siècle, Jeune fille noble ou femme mariée de petite noblesse. ⇒ **Dame.**

1   (...) Philippe qui demeurait avec sa demoiselle de mère.
FROISSART, II, II, 101, *in* LITTRÉ.

2   Ah! qu'une femme Demoiselle est une étrange affaire (...)
MOLIÈRE, George Dandin, I, 1.

3   (...) dire de celui-ci qu'il n'est pas homme de qualité; de celle-là qu'il n'est pas demoiselle (...)
LA BRUYÈRE, les Caractères, VIII, 20.

4   (...) toi qui as tant gémi d'être née demoiselle (...)
ROUSSEAU, Julie ou la Nouvelle Héloïse, IV, lettre 13.

(Déb. XIXᵉ). Jeune fille de la bourgeoisie, fille de famille.

5   Il avait fait à l'École une autre connaissance, celle de M. de Cisy, enfant de grande famille et qui semblait une demoiselle, à la gentillesse de ses manières.
FLAUBERT, l'Éducation sentimentale, I, III.

★ **II.** (1690). Mod. ♦ **1.** Femme célibataire. *Rester demoiselle.* ⇒ **Fille.** — REM. On emploie couramment *demoiselle* pour les fem-mes célibataires d'un certain âge afin d'éviter le terme désobligeant de *vieille fille* d'ailleurs de moins en moins employé. *La pension est diri-gée par deux demoiselles* (→ Vieille fille*).

6   (...) maintenant, ce qu'on me présentait, c'était une religion d'indienne et de cali-cot, une piété musquée enrubannée, une dévotion de petites bougies et de petits pots de fleurs, une théologie de demoiselle (...)
RENAN, Souvenirs d'enfance..., III, III, p. 133.

7   M. de Montech avait épousé, aux alentours de 1865, une demoiselle qui n'était pas très jolie, qui était roturière, et pour comble fille d'épicier.
J. ROMAINS, les Hommes de bonne volonté, t. III, XI, p. 143.

(Avec un démonstratif, pour former un appellatif). Courtois ou iron. Jeune fille (de la bourgeoisie). *Que boiront ces demoiselles? Quand ces demoiselles voudront bien m'écouter... Ces demoiselles se croient tout permis. — Et que veut la petite demoiselle? Un teint de demoiselle.*

Loc. Vieilli. *Nom de demoiselle,* de jeune fille.

Suivi d'un nom propre, introduit le nom de jeune fille. «*Une dame Pons, née demoiselle Lempoumas*» (J. Romains, *Knock,* II, 5, p. 12, *in* T.L.F.).

Dr. Titre donné à une femme célibataire. «*J'ai l'honneur de vous informer que la demoiselle Heninghem, garde-barrière à Honde-*

zeele, se plaint des faits suivants » (Maurois, *les Silences du colo-nel Bramble,* 1918, p. 178, *in* T.L.F.).

Régional. *Votre demoiselle :* votre fille. ⇒ **Mademoiselle.**

Spécialt (vieilli ou iron.). Jeune fille ayant des manières bourgeoises affectées. *Manières de demoiselle. Faire la demoiselle.*

♦ **2.** (XIXᵉ). DEMOISELLE D'HONNEUR : jeune fille attachée à la per-sonne d'une souveraine. Par anal. Jeune fille, petite fille qui accom-pagne la mariée. *Les demoiselles d'honneur et les garçons d'hon-neur ouvrent le cortège derrière les mariés.*

DEMOISELLE DE COMPAGNIE : jeune fille, femme célibataire atta-chée au service d'une dame.

8   Elle allait et venait, habituellement escortée par une bonne assez élégante, et dont le visage et la tournure accusaient plutôt la confidente et la demoiselle de compa-gnie que la domestique. BAUDELAIRE, la Fanfarlo, *in* Essais et Nouvelles.

♦ **3.** (1825). Dans des syntagmes. Personne (mariée ou non) attachée à un établissement (→ Dame). *Demoiselle de magasin. Demoiselle du comptoir. — (1905, in D.D.L.). Les demoiselles du téléphone. Première demoiselle :* vendeuse responsable d'un rayon.

8.1   (...) Hortense, entrée comme demoiselle de comptoir, chez un confiseur de la rue des Martyrs (...) ZOLA, Paris, t. I, p. 173.

8.2   Les Danaïdes de l'invisible qui sans cesse vident, remplissent, se transmettent les urnes des sons; les ironiques Furies qui, au moment que nous murmurions une confidence à une amie, avec l'espoir que personne ne nous entendait, nous crient cruellement : «J'écoute»; les servantes toujours irritées du Mystère, les ombrageu-ses prêtresses de l'Invisible, les Demoiselles du téléphone!
PROUST, le Côté de Guermantes, éd. Folio, p. 160.

★ **III.** Fig. ♦ **1.** (1665). Libellule (ou insecte analogue). Var. : *damoiselle.*

9   La verte demoiselle aux ailes bigarrées (...) HUGO, Odes, IV, 17.

10 Les lézards t'intéressent, les demoiselles aussi qui, plantées sur le cou l'une de l'autre, volent de brindilles en brindilles et se posent, l'une toute droite et raide, l'autre en ligne brisée, le bout de sa queue dans l'eau.
J. RENARD, Journal, 31 juil. 1889.

♦ **2.** *Demoiselle de Numidie.* ⇒ **Grue** (oiseau).

♦ **3.** (1630). Techn. Outil de paveur. ⇒ **Dame, hie.**

♦ **4.** Techn. Pièce de bois tourné qui sert à ouvrir les doigts des gants neufs.

♦ **5.** (1870). Régional. Bouteille de vin. ⇒ **Fillette.**

♦ **6.** Géol. Pilier formé par l'érosion. *Demoiselle coiffée :* pilier sur-monté d'un bloc de pierre.

CONTR. Paysanne, roturière; dame. — Femme (mariée).

DÉMOLIR [demɔliʀ] v. tr. — 1458; lat. *demoliri* «mettre à bas, des-cendre», de *de-,* et *moliri* «construire», de *moles* «masse, construc-tion».

★ **I.** (Compl. n. de chose). ♦ **1.** (1458). Défaire (une construction) en abattant élément par élément. ⇒ **Abattre, démanteler, détruire, raser, renverser;** → Mettre à bas*. *Démolir un mur, un bâtiment, un ouvrage fortifié. On a démoli l'édifice, il n'en reste que ces décombres. Démolir un vieux quartier pour dégager un édifice his-torique, pour faire de nouvelles constructions. Démolir des maisons pour l'alignement d'une route. — Démolir un château de sable.*

1   On démolit ce temple, et ces autels chéris. VOLTAIRE, Alzire, II, 4.

2   Je visite, dans tous les pays du monde, des villes qui ont été construites depuis une dizaine d'années et qu'il est grand temps de démolir parce qu'elles ne sont pas appropriées à la civilisation de l'heure.
G. DUHAMEL, Manuel du protestataire, IV, p. 108.

3   Il voudrait être (...) celui qui démolit les masures, met les rues à l'alignement, joint l'un à l'autre deux tronçons d'avenues qui, par-dessus un labyrinthe de plâ-tras, se faisaient vainement signe depuis un siècle.
J. ROMAINS, les Hommes de bonne volonté, t. V, XVIII, p. 137.

Détruire (une construction, un ensemble de constructions). *Les bombardements ont complètement démoli ce quartier.*

♦ **2.** (Abstrait). Détruire entièrement. *Démolir une idée; une doc-trine, un système, une argumentation. Démolir l'autorité, l'influence, le crédit de qqn.* ⇒ **Détruire, éreinter, saper, suppri-mer.** *Démolir les anciennes institutions.* ⇒ **Abolir; table** (faire table rase).

4   La science avait démoli sa foi; le dogme s'était évanoui en lui.
HUGO, Quatre-vingt-treize, II, I, II.

5   (...) c'était tout un système qui était plus qu'à réformer : — à démolir (...)
Louis MADELIN, Hist. du Consulat et de l'Empire, Ascension de Bonaparte, IV, p. 53.

6   Démolir ce qui a été si péniblement édifié par les hommes : la paix, les lois, cela me paraît absurde (...)
A. MAUROIS, le Cercle de famille, III, IV, p. 249.

♦ **3.** Mettre (qqch.) en pièces; rendre inutilisable. ⇒ **Abîmer, bri-ser, casser, démonter, détériorer, détraquer;** fam. **bigorner, bousiller, déglinguer.** *Démolir un meuble. Démolir une voiture, un appareil de radio, une installation électrique... Cet enfant démolit tous ses jouets. Objet qui se démolit.*

7 C'est impossible ; nous démolirions toute sa table.
                    A. MAUROIS, Bernard Quesnay, XIX, p. 121.

Mettre en mauvais état. ⇒ **Esquinter** (fam.).

8 Ils m'ont démoli l'estomac (...)   MARTIN DU GARD, les Thibault, t. III, p. 124.

★ **II.** (Compl. n. de personne). ♦ **1.** (En parlant d'une chose). Fatiguer, épuiser physiquement. *Ce traitement l'a démoli. Évènement, épreuve, chagrin qui démolit.* ⇒ **Épuiser, tuer** (fig.) ; → fam. Mettre à plat*. — Pron. *Il s'est démoli.*

9 Figurez-vous, mes chéries, que je suis obligée de rentrer à Paris (...) Oui, Billy m'a téléphoné ce matin ; il n'est pas très bien ; la chaleur et le travail combinés l'ont démoli (...)   A. MAUROIS, Terre promise, XXI, p. 144.

(1801, *in* D.D.L.). Fam. Mettre hors de combat, en frappant. ⇒ **Terrasser** ; **battre** ; → fam. Abîmer* le portrait, arranger*, casser la gueule* à, rentrer dedans*. *Démolir qqn dans une rixe. Se faire démolir. « Je vais te démolir, numérote tes os »* (Zola, *l'Assommoir, in* T.L.F.).

♦ **2.** Ruiner le crédit, la réputation, l'influence de (qqn). ⇒ **Perdre, ruiner.** *Démolir un concurrent par des moyens malhonnêtes. Démolir en critiquant, en calomniant, en tendant des pièges.*

10 Elle *(la Gironde)* avait l'air toute-puissante, et ne pouvait rien, et elle excitait l'envie, au moyen de laquelle Robespierre la démolissait chaque jour.
                    MICHELET, Hist. de la Révolution franç., I, p. 898.

▶ **DÉMOLI, IE** p. p. adj.

♦ **1.** Détruit. *Ville entièrement démolie par la guerre. À moitié démoli.* ⇒ **Endommagé** ; **ruine** (en ruines).

♦ **2.** Abîmé, hors d'usage. *Rien ne marche, tout est démoli dans cette maison.*

♦ **3.** Fig. *Santé démolie par les excès.* ⇒ **Délabré.**

♦ **4.** Fig. Ruiné. *Une réputation, une autorité démolie.*

CONTR. **Bâtir, construire, édifier, reconstruire, refaire ; créer, élaborer, fonder. — Arranger, réparer. — Aider, soutenir.**
DÉR. **Démolissage, démolisseur.**

DÉMOLISSAGE [demɔlisaʒ] n. m. — 1882, Goncourt ; du rad. du p. prés. de *démolir.*

♦ Action de démolir (surtout II.). *Le démolissage d'un écrivain dans un article.* — REM. La variante *démolissement* (→ Prospérer, cit. 2, au fig.). est rare.

DÉMOLISSEUR, EUSE [demɔlisœʀ, øz] adj. et n. — 1547 ; rare jusqu'au XVIIIᵉ ; du rad. du p. prés. de *démolir.*

♦ **1.** Personne qui démolit un bâtiment. *Les démolisseurs abattent le mur à la pioche. Vieux immeubles qui tombent sous le pic des démolisseurs.*

1 Une équipe de démolisseurs, attendue huit jours plus tôt, avait fait faux bond.
                    J. ROMAINS, les Hommes de bonne volonté, t. V, XXVII, p. 272.

2 Toutes fenêtres béantes, elles *(les maisons)* montrent, avec impudeur et désespoir, l'intérieur des chambres vides où l'on voit la place des meubles, l'encoignure des lits, la tache à rebours des cadres. On entend, dans la substructure, besogner les démolisseurs.   G. DUHAMEL, Inventaire de l'abîme, I, p. 13.

En appos. *Ouvrier démolisseur.*

♦ **2.** Abstrait. (Personne) qui démolit une idée, une doctrine... ⇒ **Destructeur, fossoyeur.** Péj. Personne qui se plaît à tout critiquer avec violence. ⇒ **Critique.** *Ce n'est qu'un démolisseur qui n'a aucun esprit de synthèse.*

3 Je suis grand démolisseur (...)
                    VOLTAIRE, Lettre à Mᵐᵉ du Deffand, 1ᵉʳ juin 1770.

4 (...) contrairement à ce qu'espéraient peut-être en effet les démolisseurs de l'ancien monde ou la plupart de ces démolisseurs et les promoteurs et les introducteurs du monde moderne, tout est allé aux seules puissances de force qui fussent demeurées, aux puissances d'argent.   Ch. PÉGUY, la République..., p. 207.

CONTR. **Constructeur, pionnier. — Animateur, bâtisseur, conservateur, créateur, promoteur.**

DÉMOLITION [demɔlisjɔ̃] n. f. — XIVᵉ ; lat. *demolitio* « action de mettre à bas », du supin de *demoliri.* → Démolir.

♦ **1.** (1367). Action de démolir (une construction, un ensemble de constructions). *La démolition d'un vieux quartier. Chantier de démolition. Entreprise de démolitions. Travaux de démolition. Maison en démolition* (→ Construction, cit. 2.1).

1 La maison de la vieille Mᵐᵉ Stumpf, située au Petit-Bâle, dans le misérable quartier de la Erlenstrasse (...) est une bicoque branlante, vouée à la démolition.
                    MARTIN DU GARD, les Thibault, t. VIII, p. 113.

Par métaphore. Destruction.

2 Pas de vide dans le cœur humain. De certaines démolitions se font, et il est bon qu'elles se fassent, mais à la condition d'être suivies de reconstructions.
                    HUGO, les Misérables, II, VI, XI.

3 Toute synthèse nouvelle sort d'une analyse critique préliminaire : une phase de démolition la précède et la prépare.   Ed. LE ROY, la Logique de l'invention, *in* Revue de métaphysique et de morale, mars 1905.

♦ **2.** Plur. Matériaux des constructions démolies. ⇒ **Décombre(s),**

éboulis, gravats, ruine(s). *Cadavres retrouvés sous les démolitions. Déblayer une place des démolitions, afin de reconstruire.*

4 (...) en abattant un vieux logis on en réserve ordinairement les démolitions pour servir à en bâtir un nouveau (...)   DESCARTES, Disc. de la méthode, IIIᵉ partie.

♦ **3.** Destruction physique ou morale (de qqn).

CONTR. **Construction, reconstruction. — Synthèse.**

DÉMON [demɔ̃] n. m. — 1546, *daemon ; demoygne,* déb. XIVᵉ ; du lat. impérial *dæmon* « esprit, génie », en lat. chrét. « esprit impur, diable », du grec *daimôn* « esprit, génie ». → ci-dessous, I., b. La forme *demoygne* est issue du lat. *dæmonium,* grec *daimonion.*

★ **I.** ♦ **1.** **ⓐ** (Déb. XIVᵉ). Être surnaturel, divinité, génie bon ou mauvais qui présidait à la destinée d'un homme, d'une collectivité, et l'inspirait. ⇒ **Dieu, esprit, génie ; mythologie** (djinn, lamie, lutin, monstre...).

1 Que l'honneur de mon prince est cher aux destinées !
Que le démon est grand qui lui sert de support !
                    MALHERBE, Sonnet à Mgr le Dauphin.

2 Ô ciel ! Quel bon démon devers moi vous envoie,
Madame (...)   CORNEILLE, Héraclius, V, 2.

3 Un plus puissant démon veille sur vos années.   CORNEILLE, Cinna, II, 1.

4 (...) les trois Furies, les trois Parques, les mauvais démons, la roue d'Ixion, le vautour de Prométhée sont des chimères absurdes (...)
                    VOLTAIRE, Dialogues, XXIII.

5 Si le démon gardien de Raphaël lui avait expliqué (non pas montré) ce que devait tenter plus tard Van Gogh (...)   MALRAUX, les Voix du silence, I, V.

ⓑ (1552 ; grec *daimôn*). *Démon* ou, didact., *daimôn :* génie, voix qui, selon Socrate, lui dictait toutes ses résolutions.

6 On ne convient pas de ce qu'était ce génie appelé ordinairement le démon de Socrate, d'un mot grec qui signifie quelque chose qui tient du divin, conçu comme une voix secrète.   Charles ROLLIN, Hist. ancienne, IV, 359.

7 Socrate avait son Daimôn. Descartes se donne un Diable pour les besoins de son raisonnement (...) Dans le récit qu'il nous a laissé des songes de la fameuse Nuit du 10 novembre 1619, figure aussi un Génie « qui lui prédit ces songes avant qu'il ne se mette au lit » et un mauvais Génie auquel il attribue une douleur qui l'éveille et le dessein de le séduire.   VALÉRY, Variété V, p. 236.

Par ext. *Le démon de qqn,* son génie protecteur. *Il a confiance en son démon familier.*

8 Houel et Jeanfin avaient un démon familier qui leur donnait toujours des as quand ils jouaient aux cartes.   VOLTAIRE, Philosophie de l'histoire, III, 148, *in* LITTRÉ.

♦ **2.** Vx ou littér. Puissance, force spirituelle, inspiration. *C'est son mauvais démon, son démon familier.*

9 Tous les jours de ses vers, qu'à grand bruit il récite,
Il met chez lui voisins, parents, amis, en fuite ;
Car, lorsque son démon commence à l'agiter,
Tout, jusqu'à sa servante, est prêt à déserter.   BOILEAU, Satires, VIII.

10 Celui qu'un vrai démon presse, enflamme, domine,
Ignore un tel supplice, il pense, il imagine (...)
                    A. CHÉNIER, Poèmes, « L'invention ».

11 « Levez-vous vite, orages désirés, qui devez emporter René dans les espaces d'une autre vie ». Ainsi disant, je marchais à grands pas, le visage enflammé, le vent sifflant dans ma chevelure, ne sentant ni pluie ni frimas, enchanté, tourmenté, et comme possédé par le démon de mon cœur.   CHATEAUBRIAND, René.

★ **II.** (XIIIᵉ). Dans la terminologie judaïque et chrétienne.

♦ **1.** Ange déchu, révolté contre Dieu, et dans lequel repose l'esprit du mal. — REM. *Démon* a fait double emploi dès le XIIIᵉ s. avec *diable.* Mais peu à peu *démon* s'est spécialisé dans les emplois sérieux (théologiques, philosophiques...) au détriment de *diable* qui entre dans beaucoup d'expressions figurées et familières. ⇒ **Diable, génie** (du mal), **incube, succube.** *Évocation des démons par la magie, l'occultisme.* ⇒ **Magie, occultisme** (→ Apparition, cit. 11). *Troupe de démons. Démons hideux, grimaçants, gesticulants...* (→ Aspect, cit. 2). *Conjurer* (cit. 4) *les démons.*

12 Alors on lui présenta un possédé aveugle et muet, et il le guérit, en sorte qu'il commença de parler et de voir (...) mais les pharisiens, entendant cela, dirent : Cet homme ne chasse les démons que par Béelzébub, prince des démons. Mais Jésus, connaissant leurs pensées, leur dit : Tout royaume divisé contre lui-même sera détruit (...) Et si Satan chasse Satan, il est divisé contre lui-même ; comment donc son royaume subsistera-t-il ?
                    BIBLE (SACY), Évangile selon saint Matthieu, XII, 22-24-25-26.

13 (...) il y a des démons de plusieurs espèces ; et cette différence (...) vient des différentes espèces de péchés où ces esprits de ténèbres ont coutume de nous porter.
                    BOURDALOUE, Sermon pour le dimanche, « Sur l'impureté ».

14 (...) des démons, ayant pris des figures d'Éthiopiens ou d'animaux, erraient autour des solitaires, afin de les induire en tentation.   FRANCE, Thaïs, p. 5.

15 Toi qui, forte comme un troupeau
De démons, vins, folle et parée (...)
                    BAUDELAIRE, les Fleurs du mal, Spleen et idéal, XXI.

16 (...) le démon Asmodée, amoureux terrible de Sara, est l'Aesma-Daeva des Perses, le diable de la luxure (...)   DANIEL-ROPS, le Peuple de la Bible, IV, I, p. 277.

♦ **2.** *Le démon :* Satan, prince des démons, chef des anges révoltés contre Dieu. *Le démon, appelé aussi Béelzébuth, Lucifer. Désignations du démon :* l'adversaire, l'esprit malin, le malin, l'esprit du mal, le maudit, le mauvais, le prince des ténèbres, le prince de ce monde, le roi des enfers, le séducteur, le tentateur, l'esprit immonde, l'esprit impur. *Le démon, inspirateur du péché. Les ruses, la malice, la fourberie du démon. Tentations, séductions que le démon fait subir aux hommes pour les inciter au mal. Le* *démon tenta Ève sous la forme du serpent. Saint Michel terrassant le démon. Craindre, redouter, fuir le démon. Évoquer le démon. Évocation du démon (Méphistophélès) par Faust. « Eh bien, pauvre démon ! Fais-moi voir tes merveilles ! »* (Berlioz, la Damnation de Faust). *Signer un pacte* (cit. 5) *avec le démon. Être inspiré, obsédé par le démon. Être habité, possédé du démon.* ⇒ **Démoniaque, énergumène.** *Cérémonie par laquelle on chasse le démon d'un lieu, d'une personne.* ⇒ **Conjuration, exorcisme.** *L'exorciste, clerc des ordres mineurs, dont le rôle est de conjurer le démon. Culte du démon.* ⇒ **Magie** (magie noire), **messe** (messe noire).

17 Vil esclave toujours sous le joug du péché,
    Au démon qu'il redoute il demeure attaché (...)
                                            BOILEAU, Épître, XII.
18 Qu'il devait venir un libérateur qui écraserait la tête au démon, qui devait délivrer son peuple de ses péchés, *ex omnibus iniquitatibus.*
                                            PASCAL, Pensées, XI, 736.
19 Ce Démon, ce glorieux Lucifer, n'est-ce pas le même qui, avec tous les charmes de la séduction et sous un air de vague ennui, se glissant encore sous l'arbre d'Éden, a pris sa revanche en plus d'un endroit des scènes troublantes de Chateaubriand ?
                                            SAINTE-BEUVE, Causeries du lundi, 27 mai 1850, t. II, p. 157.
20 (...) j'espérais, à force de travail, arriver à reconstruire notre fortune ; mais le démon s'en mêle !   Alphonse DAUDET, le Petit Chose, I, IV, p. 42.
21 Je suis esclave de l'Époux infernal, celui qui a perdu les vierges folles. C'est bien ce démon-là. Ce n'est pas un spectre, ce n'est pas un fantôme.
                                            RIMBAUD, Une saison en enfer, «Délires I».
22 La culture positive de Vincent le retenait de croire au surnaturel ; ce qui donnait au démon de grands avantages.   GIDE, les Faux-monnayeurs, I, XVI, p. 183.

Fig. *Un vacarme de démon* (La Fontaine, VI, 3). *Démons domestiques* (→ Attentif, cit. 15).

Loc. fig. *Avoir de l'esprit comme un démon :* avoir un esprit vif et malicieux, avoir beaucoup d'esprit. — *Faire le démon :* être actif, turbulent, bruyant, tapageur (vieilli).

23 Le maréchal de Créquy fait toujours le démon dans Trèves.
                                            Mᵐᵉ DE SÉVIGNÉ, Lettres, 440, 4 sept. 1675.
24 Il a de l'esprit comme un démon.   MOLIÈRE, les Précieuses ridicules, 11.

Le démon de..., suscité par... (→ aussi 4., au fig.).

♦ **3.** (1653). Personne qui a les attributs d'un démon : personne néfaste, méchante, dangereuse, rusée... ou simplement espiègle. *Cette femme est un vrai démon* (⇒ **Furie, harpie**). *Ce visage d'ange pourrait bien cacher un démon.* — Par ext. *Ce garçon est un petit démon,* il est très espiègle, très turbulent. ⇒ **Diable.**

♦ **4.** (1694). LE DÉMON DE, personnification d'une mauvaise tentation, d'un défaut (le compl. désignant la cause qui pousse à mal faire). *Le démon de la chair* (→ Concupiscence). *Le démon du jeu ; le démon de la curiosité, de l'envie, de la jalousie, de la vengeance.* — *Le démon de midi* (Bible, *Psaumes,* XC) : tentation de nature affective et sexuelle qui s'empare des humains vers le milieu de leur vie. *Le Démon de midi,* roman de Paul Bourget (1914). — Fam. *Elle a pris un nouvel amant à cinquante ans : c'est le démon de midi.*

25 Dans cet être charmant et bon *(Charlotte Corday),* il y eut cette sinistre puissance : *le démon de la solitude.*
                                            MICHELET, Hist. de la Révolution franç., II, p. 654.
26 Si vous vous êtes pris vivement aux choses de la société, si l'ambition vous a une fois mordu le cœur, si le démon littéraire vous a irrité et piqué, si les autres passions factices et secondaires se sont logées en vous et vous ont inoculé leur fièvre, vous êtes moins propre en effet à la solitude, au commerce avec la nature.
                                            SAINTE-BEUVE, Chateaubriand..., t. I, IV, p. 110.
27 (...) c'est qu'à certains moments de notre existence (en particulier au temps de l'adolescence et à celui du Démon de Midi) nous nous trouvons en état de réceptivité (...)   A. MAUROIS, Études littéraires, t. I, Proust, IV, p. 131.
28 (...) les hommes valent moins que des chiens, quand le démon de la chair les tourmente.   P. MAC ORLAN, la Bandera, XVI, p. 196.
29 Figurez-vous que la vérité, c'est qu'elle ne voulait plus de moi. Elle avait son démon de midi. Elle voulait un autre homme.
                                            L. PAUWELS, l'Amour monstre, p. 49.
30 Voilà encore un problème, un drame auquel l'homme échappe. Pour lui le vieillissement n'est pas un handicap et le démon de midi n'est qu'un bon diable auquel il peut obéir sans déchoir. Le beau-frère de Pasquale a cinquante-deux ans. Il fornique avec une starlette de vingt-deux ans qu'il se prépare à épouser.
                                            Benoîte et Flora GROULT, Journal à quatre mains, p. 88.

DÉR. Démone, démonerie, démonial, démonicole, démonique, démonisme, démoniste, démonographe, démonographie, démonolâtre, démonolâtrie, démonologie, démonologue, démonomane, démonomanie, démonopathie. — REM. *Démoniaque, démonialité,* etc. viennent directement de dérivés latins.

DÉMONE [demɔn] n. f. — Déb. XIXᵉ ; de *démon.*

♦ Littér. Démon, génie femelle. ⇒ **Déesse, diablesse.**

1 Quoi qu'il en soit, la chaste image de Charlotte, en faisant pénétrer au fond de mon âme quelques rayons d'une lumière vraie, dissipa d'abord une nuée de fantômes : ma démone, comme un mauvais génie, se replongea dans l'abîme ; elle attendit l'effet du temps pour renouveler ses apparitions.
                                            CHATEAUBRIAND, Mémoires d'outre-tombe, t. II, p. 103.
2 (...) l'accent de ce mot, dans la bouche du naturaliste, raconte assez qu'Elle est la démone révérée de ce logis.
                                            COLETTE, la Paix chez les bêtes, « Le naturaliste et la chatte », p. 140.

REM. Cette forme est peu usitée. On dira plutôt : *cette fille est un véritable démon.*

Adjectif (rare) :

3 Et c'est la riposte immédiate ! Bafouages, brimades, férocités, tractations démones... pour que je crève hagard, englouti, sous les opprobres...
                                            CÉLINE, Guignol's band, p. 28.

DÉMONERIE [demɔnʀi] n. f. — 1588 ; de *démon,* et *-erie.*

♦ Vx. Agissement de démon. ⇒ **Diablerie** (mod.).

DÉMONÉTISATION [demɔnetizɑsjɔ̃] n. f. — 1793 ; de *démonétiser.*

♦ **1.** Action de démonétiser ; fait d'être démonétisé.

♦ **2.** Fig. Discrédit.

1 (...) dans ces six cents jeunes gens, il existe des exceptions, des hommes forts qui résistent à leur démonétisation, et j'en connais (...)
                                            BALZAC, le Curé de village, Pl., t. IX, p. 698.
2 En politique, la démonétisation, si j'ose appliquer à des hommes ce terme barbare, désigne les vrais responsables.   F. MAURIAC, Bloc-notes 1952-1957, p. 242.

DÉMONÉTISER [demɔnetize] v. tr. — 1793 ; dér. de 1. *dé-,* du rad. du lat. *moneta* «monnaie», et *-iser.*

♦ **1.** Retirer (une monnaie) de la circulation. *Démonétiser les pièces d'or.*

♦ **2.** Fig. *Démonétiser qqn.* ⇒ **Déprécier, discréditer.**

▶ **DÉMONÉTISÉ, ÉE** p. p. adj.

♦ **1.** Se dit d'une monnaie (par ext., d'un timbre) qui n'a plus cours, qui est hors de circulation. *Le louis est démonétisé.*

♦ **2.** Fig. Qui a perdu sa valeur, son pouvoir d'échange. *Une théorie complètement démonétisée.*

Toute la tradition chrétienne étant réputée tenir dans les tomes appareillés du sublime évêque (...) qu'avait-on besoin d'autre autorité et que pouvait tenter, après cela, l'esprit humain démonétisé.   Léon BLOY, le Désespéré, p. 143.

CONTR. Mettre (en circulation).
DÉR. Démonétisation.

DÉMONIAL, IALE, IAUX [demɔnjal, jo] adj. — 1279 ; de *démon,* et *-(i)al.*

♦ Didact. (théol., etc.). Qui appartient au démon, aux démons. ⇒ **Diabolique.**

DÉMONIALITÉ [demɔnjalite] n. f. — 1876 ; lat. théol. *dæmonialitas* «commerce charnel avec le démon», de *daemon.* → Démon.

♦ Didact. (théol.). Œuvre démoniaque ; relation avec le démon (en partic., relation charnelle).

En rendant à l'humaine malice ce que l'on attribuait au malin, la démonialité est une œuvre de chair qui consiste à s'exalter l'imagination, en fixant son désir sur un être mort, absent ou inexistant. Si une femme s'hypnotise la pensée sur Alcibiade, la sensation qui en résulte constitue ce que le Moyen Âge appelait commerce avec un démon incube (...)
                                            Joséphin PÉLADAN, le Vice suprême, 1884, p. 66, *in* T. L. F.

DÉMONIAQUE [demɔnjak] adj. et n. — V. 1230 ; *démoniacle,* XIIIᵉ, encore *in* d'Aubigné ; lat. ecclés. *dæmoniacus,* de *daemon.* → Démon.

♦ **1.** Didact. (théol.). Du démon. ⇒ **Démonial.**

♦ **2.** Digne du démon, d'un démon, qui évoque l'image traditionnelle du démon (méchanceté habile poussée à l'extrême, etc.). *Personne démoniaque. Sourire démoniaque.* ⇒ **Diabolique, méphistophélique, satanique.** *Fureur démoniaque. Danse démoniaque,* frénétique. ⇒ **Infernal.**

1 J'aime l'allure poétique, à sauts et à gambades ; c'est un art, comme dit Platon, léger, volage, démoniaque.   MONTAIGNE, Essais, IV, 136, *in* LITTRÉ.

♦ **3.** Adj. et n. (Didact.). Possédé du démon. ⇒ **Énergumène, possédé.** *Exorciser un démoniaque.*

2 (...) un roi qui s'entretient tout seul avec son capitaine des gardes parle un peu plus humainement, et ne prend guère ce ton de démoniaque.
                                            MOLIÈRE, l'Impromptu de Versailles, 1.
3 Ainsi j'appelle miraculeuse la guérison d'une maladie, faite par l'attouchement d'une sainte relique ; la guérison d'un démoniaque, faite par l'invocation du nom de Jésus, etc. (...)   PASCAL, Pensées, XIII, Appendice, II.

CONTR. Angélique, céleste, divin.
DÉR. Démoniaquement.
COMP. Antidémoniaque.

DÉMONIAQUEMENT [demɔnjakmɑ̃] adv. — 1943 ; de *démoniaque.*

♦ Littér. D'une manière démoniaque.

(...) avec quelles paroles flatteuses, quel art de colorer l'horrible vérité, de rendre aimables les plus révoltantes situations, d'en nimber et transfigurer les acteurs, tout en nous amenant démoniaquement à nous faire oublier, sinon approuver (cela s'est vu) le caractère véritable de ces odieuses pratiques (...)
                                            M. AYMÉ, le Passe-muraille, p. 50.

DÉMONICOLE [demɔnikɔl] adj. et n. — 1846, Bescherelle ; de *démon*, et *-cole*.

♦ Didact. et rare. Qui adore le démon.

DÉMONIQUE [demɔnik] adj. — 1422 ; de *démon*, et *-ique*.

♦ Philos. Relatif à un démon ; dû à un démon. ⇒ **Démonial.**

DÉMONISME [demɔnism] n. m. — Av. 1784 ; de *démon*, et *-isme*.

♦ Didact. Croyance aux démons (I.), aux génies.

DÉMONISTE [demɔnist] adj. et n. — 1745, *in* D. D. L. ; de *démon*, et *-iste*.

♦ Didact. (Personne) qui croit à l'existence des démons.

DÉMONOGRAPHE [demɔnɔgʀaf] n. m. — 1625 ; dér. de *démon*, et *-graphe*.

♦ Didact. Auteur d'ouvrages sur les démons.
On distinguait parmi les auteurs une classe de démonographes.
VOLTAIRE, le Siècle de Louis XIV, XXXI.

DÉMONOGRAPHIE [demɔnɔgʀafi] n. f. — 1829, *in* D. D. L. ; de *démon*, et *-graphie*.

♦ Didact. Étude de la nature et de l'influence supposées des démons. — Syn. : *démonologie*.

DÉMONOLÂTRE [demɔnɔlɑtʀ] adj. et n. — 1838 ; de *démon*, et *-lâtre*.

♦ Didact. ⇒ **Démonicole.**

DÉMONOLÂTRIE [demɔnɔlɑtʀi] n. f. — 1838 ; de *démon*, et *-lâtrie*.

♦ Vieilli, rare. Culte des démons.

DÉMONOLOGIE [demɔnɔlɔʒi] n. f. — 1600 ; de *démon*, et *-logie*.

♦ Didact. Étude du démon, des démons (sciences occultes, mythologies et religions).
Une jeune dame instruite de démonologie, qui jouait aussi bien que feu monsieur François Villon en la diablerie St Maixant (...)
D'AUBIGNÉ, la Confession de Mᵐᵉ de Sancy, I, 6, *in* LITTRÉ.

DÉMONOLOGUE [demɔnɔlɔg] n. m. — 1832 ; de *démon*, et *-logue*.

♦ Théol. Spécialiste de démologie.

DÉMONOMANE [demɔnɔman] n. — 1863, Littré ; de *démon*, et *-mane*.

♦ Psychol. Personne qui se croit possédée du démon (→ Criminel, cit. 10).

DÉMONOMANIE [demɔnɔmani] n. f. — 1580, «recherche enragée du diable» ; sens moderne, 1625 ; de *démon*, et *-manie*.

♦ Didact. (psychol.). Vieilli. Délire dans lequel le malade se croit possédé par les démons.

DÉMONOPATHIE [demɔnɔpati] n. f. — 1898, *Nouveau Larousse illustré* ; de *démon*, et *-pathie*.

♦ Psychiatrie. Délire dans lequel le malade se croit possédé par le diable, ou croit avoir des contacts avec le diable. ⇒ **Démonomanie.**

DÉMONSTRATEUR, TRICE [demɔ̃stʀatœʀ, tʀis] n. — 1606 ; lat. *demonstrator*, du supin de *demonstrare*. → Démontrer.

♦ **1.** Personne qui démontre, enseigne un procédé, le fonctionnement d'un mécanisme. — Figuré :

1   L'art n'est donc pas un démonstrateur invincible et le sentiment n'est pas toujours satisfait par la meilleure des définitions.
G. SAND, François le Champi, Avant-propos, p. 11.

♦ **2.** (xxᵉ). Comm. Vendeur, vendeuse ou démarcheur, démarcheuse qui montre comment fonctionne ce qu'il ou elle vend (aspirateurs, etc.), et, par ext., personne chargée de lancer une marque, un produit, dans les grands magasins.

2   (...) avec sa voix de phonographe et son sourire de démonstrateur qui s'excuse de vous déranger (...)
Claude SIMON, le Vent, p. 22.

Techn. Dans l'industrie, Personne chargée d'appliquer à titre d'exemple les normes exigées des ouvriers.

3   Si les gestes de l'ouvrier étaient vicieux, trop lents, c'était au démonstrateur à lui faire sa leçon de choses. Le temps d'exécution du démonstrateur ou de l'ouvrier le plus habile, le mieux entraîné, servait de base. C'était l'application bien connue du système Taylor. Inhumain, absurde (...)
Georges NAVEL, Travaux, p. 62.

♦ **3.** Adj. Rare. *Un exemple démonstrateur.* ⇒ **Démonstratif.**

DÉMONSTRATIF, IVE [demɔ̃stʀatif, iv] adj. — V. 1327, *in* D. D. L. ; lat. *demonstrativus*, du supin de *demonstrare*. → Démontrer.

♦ **1.** Qui démontre, qui sert à démontrer. ⇒ **Apodictique.** *Argument démonstratif. Preuve, raison démonstrative.* ⇒ **Convaincant.** *Expérience démonstrative* (→ Crucial, cit. 2). *Cela est démonstratif, irréfutable, probant.*

1   (...) par raisons démonstratives et convaincantes (...)
MOLIÈRE, le Mariage forcé, 4.

2   Et ainsi, notre proposition est dans une force infinie, quand il y a le fini à hasarder à un jeu où il y a pareils hasards de gain que de perte, et l'infini à gagner. Cela est démonstratif ; et si les hommes sont capables de quelque vérité, celle-là l'est.
PASCAL, Pensées, III, 233.

♦ **2.** (1393). Qui sert à montrer. Rhét. *Genre démonstratif :* celui des trois genres d'éloquence qui a pour objet la louange ou le blâme.
Gramm. (Cour.). *Adjectif démonstratif,* qui sert à montrer la personne ou la chose désignée par le nom auquel il est joint. ⇒ 1. **Ce, cet, cette, ces.**

3   Les démonstratifs montrent l'être ou l'objet, c'est là leur sens essentiel : **cette** maison me plaît ; j'aime **ce** ciel un peu gris ; — arrêtons-nous, asseyons-nous sur **ces** roches.
F. BRUNOT, la Pensée et la Langue, I, v, v, p. 143.

Pronom démonstratif, qui désigne un être ou un objet, ou représente un nom, une idée. ⇒ 2. **Ce ; celui, celle, ceux, celles ; celui-ci ; ceci ; ceux-ci, celles-ci ; celui-là, celle-là, cela ; ça ; ceux-là, celles-là.** — N. m. *Les démonstratifs sont des déictiques*.*

♦ **3.** (1789). Personnes. Qui manifeste vivement les sentiments qu'elle éprouve ou veut paraître éprouver. ⇒ **Communicatif, expansif, exubérant, franc, ouvert ; démonstration.** *Une personne démonstrative. Cet enfant est peu démonstratif.* Par ext. *Geste démonstratif.* ⇒ **Expressif.**

4   Il *(Hamida)* a la démarche ouverte, la parole expansive, le geste démonstratif, la voix goguenarde, et toujours comme un sourire irrésistible dans le regard.
E. FROMENTIN, Une année dans le Sahel, p. 139.

CONTR. Fermé, froid, renfermé, réservé, taciturne.
COMP. Démonstrativement.

DÉMONSTRATION [demɔ̃stʀasjɔ̃] n. f. — Déb. XIIIᵉ ; auparavant *demostraison* ; lat. *demonstratio*, du supin de *demonstrare*. → Démontrer.

♦ **1.** (V. 1155). Opération mentale qui établit une vérité (preuve, induction), la vérité de (qqch.). *Démonstration claire, irréfutable.* ⇒ **Preuve.** *La démonstration de qqch. par qqn. La démonstration de qqn,* faite par qqn. *Sa démonstration était très convaincante.*
Log. (opposé à *preuve*). Raisonnement déductif destiné à établir la vérité d'une proposition à partir de prémisses considérées comme vraies. ⇒ **Déduction ; raisonnement ; conclusion, prémisse, syllogisme.** *La logique est l'instrument de la démonstration. Démonstration mathématique* ou déduction constructive. *Principes de la démonstration.* ⇒ **Axiome, définition, hypothèse, postulat, principe.** *Démonstration d'un théorème. Démonstration analytique directe ; analytique indirecte* ou *démonstration par l'absurde* (→ Conséquence, cit. 10). *Démonstration a priori, a posteriori. Démonstration synthétique. Les corollaires, les lemmes, les conclusions d'une démonstration. La démonstration, dans les sciences expérimentales,* ou la vérification d'une hypothèse (⇒ **Induction, investigation**). *Démonstration d'une loi.*

1   Ces longues chaînes de raisons toutes simples et faciles, dont les géomètres *(mathématiciens)* ont coutume de se servir pour parvenir à leurs plus difficiles démonstrations (...)
DESCARTES, Disc. de la méthode, II.

2   Car il ne faut pas se méconnaître : nous sommes automate autant qu'esprit ; et de là vient que l'instrument par lequel la persuasion se fait n'est pas la seule démonstration.
PASCAL, Pensées, IV, 252.

3   (...) au lieu de nous faire trouver les démonstrations, on nous dicte (...) au lieu de nous apprendre à raisonner, le maître raisonne pour nous et n'exerce que notre mémoire.
ROUSSEAU, Émile, II.

4   Je n'y vois rien à répondre, en effet, sinon que l'art est une démonstration dont la nature est la preuve ; que le fait préexistant de cette preuve est toujours là pour justifier et contredire la démonstration et qu'on n'en peut pas faire de bonne si on n'examine pas la preuve avec amour et religion.
G. SAND, François le Champi (→ Démonstrateur, cit. 1).

5   (...) je me suis moi-même à la longue convaincu que les plus graves arguments et les démonstrations les mieux conduites avaient bien peu d'effet, sans le secours de ces détails insignifiants en apparence ; et que, par contre, des raisons médiocres, convenablement suspendues à des paroles pleines de tact, ou dorées comme des couronnes, séduisent pour longtemps les oreilles.
VALÉRY, Eupalinos, p. 20 (→ Convaincre, cit. 6).

6   (...) aucun savant digne de ce nom ne confond la vision d'une vérité avec la démonstration d'une vérité et n'accepte l'intuition sans qu'elle ait fait ses preuves.
RIBOT, *in* Julien BENDA, Lettre à Mélisande, p. 67.

6.1   Ce procédé est la démonstration par récurrence. On établit d'abord un théorème

pour n = 1, il montre ensuite que s'il est vrai de n − 1, il est vrai de n et on en conclut qu'il est vrai pour tous les nombres entiers.
Henri POINCARÉ, la Science et l'Hypothèse, p. 19.

Par ext. Ce qui sert à démontrer. ⇒ **Preuve ; argument, justification.** *Les faits sont la meilleure démonstration de ce que j'avance.*

♦ **2.** Action de montrer, d'expliquer par des expériences faites sous les yeux de l'assistance les données d'une science. ⇒ **Expérience, exposition, leçon.** *Démonstration publique. Les démonstrations d'un professeur. Faire une démonstration. — La démonstration de qqch. Faire la démonstration d'un appareil, d'une invention.*

7 — De cette façon donc, un homme (...) est sûr de tuer son homme (...) — Sans doute. N'en vîtes-vous pas la démonstration ?
MOLIÈRE, le Bourgeois gentilhomme, II, 2.

8 Quand la Société d'agriculture de Melun sollicita de Pasteur une démonstration publique de sa vaccination anticharbonneuse, l'intention, chez quelques-uns, n'était peut-être pas sans malice ou perfidie. Henri MONDOR, Pasteur, VIII, p. 141.

Action de montrer au public en quoi consiste une activité, un sport. *Une démonstration d'aïkido.*

Spécialt. Démonstration faite par un vendeur pour montrer le fonctionnement d'un appareil, les qualités d'un produit. ⇒ **Démonstrateur,** 2. *Démonstration d'un camelot. Le vendeur m'a fait la démonstration d'un nouvel appareil électrique.*

♦ **3.** Marques, signes extérieurs volontaires qui manifestent très visiblement les dispositions, les intentions, les sentiments... ⇒ **Démonstratif ; étalage, manifestation, marque, protestation, témoignage,** et aussi **expression.** *Des démonstrations de joie, d'amitié. Les caresses, démonstration d'affection. Démonstrations d'intérêt, de fidélité, de zèle. Démonstrations hostiles. De fausses démonstrations.*

9 Je ne puis croire qu'il y ait du venin dans son cœur, avec toutes les démonstrations qu'il nous fait (...) Mᵐᵉ DE SÉVIGNÉ, Lettres, 117, 28 nov. 1670.

10 Nous le saluâmes avec toutes les démonstrations d'un profond respect (...)
A. R. LESAGE, Gil Blas, VII, XIV.

11 Tout cet étalage de fierté et de noblesse dans son procédé n'était donc qu'une vaine démonstration qui ne signifiait rien (...)
MARIVAUX, la Vie de Marianne, VIII, p. 388.

12 La mère Liébard, en apercevant sa maîtresse, prodigua les démonstrations de joie.
FLAUBERT, Trois contes, « Un cœur simple », II.

♦ **4.** Manœuvre de forces armées destinée à intimider l'ennemi ou à lui donner le change. *Démonstration terrestre, aérienne, navale.*

DÉMONSTRATIVEMENT [demõstRativmã] adv. — 1282 ; de *démonstratif.*

♦ D'une manière démonstrative et convaincante. *Prouver démonstrativement qqch.*

D'ailleurs, il fréquente don Alexo Segiar, don Antonio Centellés et don Fernand de Gamboa : cela seul prouve démonstrativement son libertinage.
A. R. LESAGE, Gil Blas, IV, II.

DÉMONTABLE [demõtabl] adj. — 1870 ; de *démonter.*

♦ **1.** Qui peut être démonté ; qui est fabriqué de manière à pouvoir être démonté et remonté facilement. *Jouet démontable. Meuble démontable. Pièces anatomiques démontables.* ⇒ **Clastique.**

1 Il *(Talou)* avait distingué surtout certain chemin de fer qui le ravissait par son merveilleux roulement dû à un complexe réseau de rails facilement démontables. C'est de cette amusante invention qu'était issu en partie le projet dont Sirdah venait nous exposer le détail. Raymond ROUSSEL, Impressions d'Afrique, p. 421.

2 Un troisième administrateur reçoit un coffre-fort démontable (...)
GIDE, Voyage au Congo, in Souvenirs, Pl., p. 854.

♦ **2.** Abstrait. Qui peut être décomposé analytiquement.

CONTR. **Indémontable.**

DÉMONTAGE [demõtaʒ] n. m. — 1838 ; de *démonter* (II.).

♦ **1.** Action de démonter (II., 1.). *Le démontage d'une serrure, d'une arme, d'une montre, d'une roue de secours. Démontage facile, difficile.*

♦ **2.** Abstrait. *Le démontage de l'énigme par l'astucieux détective, à la fin d'un roman policier.*

(...) les intéressants travaux de leurs astucieux démontages *(de Duranty et Stendhal)* s'exerçaient, pour tout dire, sur des cervelles agitées par des passions qui ne l'émouvaient plus *(des Esseintes).*
HUYSMANS, À rebours, 1884, p. 252, in T. L. F.

CONTR. **Remontage.**

DÉMONTANT, ANTE [demõtã, ãt] adj. — 1893 ; p. prés. de *démonter,* I., 2.

♦ Fam. Qui décontenance, démonte (par son attitude, son langage, son caractère insolite...). *Vous êtes réellement démontant de cynisme !* ⇒ **Déconcertant, déroutant.**

(...) la Comptabilité, reléguée, celle-ci, en paria, à l'autre bout de la maison, sans qu'il lui fût possible de comprendre pourquoi, de trouver l'ombre d'un prétexte à un ostracisme démontant (...) COURTELINE, Messieurs les ronds-de-cuir, V, III.

DÉMONTÉ, ÉE [demõte] adj. ⇒ **Démonter.**

DÉMONTE-PNEU [demõt(ə)pnø] n. m. — 1901, Jarry, in D.D.L. ; comp. de *démonter,* et de *pneu.*

♦ Levier destiné à retirer un pneumatique de sa jante. *Des démonte-pneus.*

DÉMONTER [demõte] v. tr. — Fin XIIᵉ, *desmonter* ; de 1. *dé-,* et *monter.*

★ **I.** ♦ **1.** Équit. Jeter (qqn) à bas de sa monture. ⇒ **Désarçonner, renverser, vider** (les étriers). *Le cheval démonta son cavalier.*

Absolt ou intrans. Vx :

1 Je ne démonte pas volontiers quand je suis à cheval, car c'est l'assiette en laquelle je me trouve le mieux (...) MONTAIGNE, Essais, I, 48 (→ 1. Assiette, cit. 2).

Par ext. Priver de monture (un, des cavaliers). *Démonter un régiment de cavalerie.*

Chasse. *Démonter un oiseau,* lui casser une aile ou les ailes.

♦ **2.** (1502). Étonner (qqn) au point de faire perdre l'assurance. ⇒ **Déconcerter, décontenancer, démoraliser, interloquer, renverser, troubler.** *Cette objection le démonta* (⇒ **Démontant**). *Il ne s'est pas laissé démonter.*

2 L'aplomb de ce petit me démontait. GIDE, les Faux-monnayeurs, III, XV, p. 458.

★ **II.** ♦ **1.** Défaire (un tout, un assemblage) en séparant les éléments. ⇒ **Débâtir, défaire, désassembler, désunir, disjoindre ; démontage.** *Démonter un échafaudage, une machine, un mécanisme, un moteur. Démonter un meuble. Démonter une pendule, une serrure, la culasse d'une arme à feu. Démonter une tente, un chapiteau.* Séparer (qqch.) de son point d'attache. *Démonter une porte, la roue d'une voiture.* — Techn. Séparer de sa monture. *Démonter la pierre d'une bague.*

3 (...) j'ai besoin de quelques petits diamants qui en ornent la boîte ; je l'ai prise pour les envoyer démonter à Paris (...) MARIVAUX, la Surprise de l'amour, II, 7.

♦ **2.** Par métaphore ou fig. (abstrait) :

4 Douter, c'est examiner, c'est démonter et remonter les idées comme des rouages, sans prévention et sans précipitation (...) ALAIN, Propos, p. 21.

5 (...) il avait eu, en route, non pas une panne, mais des « emmerdements de carburation » qui l'avaient amené à démonter plusieurs fois « son gicleur et le reste » (...)
J. ROMAINS, les Hommes de bonne volonté, t. V, XXVII, p. 283.

▶ **SE DÉMONTER** v. pron.

♦ **1.** (Correspond au sens I, 2 du transitif). Personnes. Être décontenancé, perdre son sang-froid. ⇒ **Affoler** (s'), **perdre** (contenance, la tête...). *Il se démonte devant l'examinateur. Il ne se démonte pas pour si peu.*

♦ **2.** (Sens II). *Cette mécanique se démonte.* ⇒ **Démontable** — Par ext. ⇒ **Déranger** (se), **détraquer** (se). — Fig. :

6 (...) les vieilles cervelles se démontent comme les jeunes.
MOLIÈRE, le Malade imaginaire, 1ᵉʳ intermède.

7 (...) il n'y avait point d'âme plus ferme, plus résolue, point de tête qui se démontât plus difficilement (...) MARIVAUX, le Paysan parvenu, p. 96.

(Faux pron.). *Se démonter l'épaule. Bâiller à se démonter la mâchoire.* ⇒ **Décrocher.**

▶ **DÉMONTÉ, ÉE** passif et p. p. adj.

♦ **1.** (Sens I, 1). Passif. *Être démonté.* — P. p. adj. *Cavalier démonté :* cavalier jeté à bas ou privé de sa monture.

8 (...) les chevaliers bien armés ne couraient guère d'autre risque que d'être démontés (...) VOLTAIRE, Essai sur les mœurs, LI.

9 (...) la cavalerie du czar, presque toute démontée, ne pouvait plus être d'aucun secours, à moins qu'elle ne combattît à pied.
VOLTAIRE, Hist. de l'Empire de Russie sous Pierre le Grand, II, 1.

♦ **2.** (Sens II, 1). Dont on a séparé, démonté les éléments, les pièces. *Machine démontée. Horloge démontée.*

10 *(Elle)* étale au grand jour, démontés, les rouages les plus intimes de son organisme mental, comme un horloger les pièces de la pendule qu'il nettoie.
GIDE, les Faux-monnayeurs, II, V, p. 262.

♦ **3.** (Sens I, 2). Personnes. ⇒ **Déconcerté, décontenancé, troublé.** *Candidat démonté.*

11 L'imprévoyant, dit Valéry, est moins accablé et démonté par l'événement catastrophique, que le prévoyant. GIDE, Journal, 16 juin 1932.

11.1 (...) il y a des grands hommes alors qu'on en est encore à chercher les enfants grands ou sublimes.
L'enfant toussa. M. Deane fut légèrement démonté. Il savait trop qu'une fluxion de poitrine chez un enfant balance largement le talent à l'aquarelle chez un homme. GIRAUDOUX, les Aventures de J. Bardini, p. 177.

♦ **4.** Se dit des flots, de la mer... *Mer démontée,* bouleversée par la tempête. ⇒ **Agité, houleux.**

12 (...) bientôt le vent s'éleva, et une bourrasque survenant força le chalutier à fuir. Il gagna les côtes d'Angleterre ; mais la mer démontée battait les falaises, se ruait contre la terre, rendait impossible l'entrée des ports.
MAUPASSANT, les Contes de la bécasse, « En mer ».

13   (...) les chocs rythmés, et de plus en plus durs et violents, de cette mer démontée contre la coque.   VALÉRY, Autres rhumbs, p. 24 (→ Choc, cit. 5).

CONTR. Monter ; remonter. — Encourager, enhardir, raffermir, rassurer. — (Du p. p. adj.) Calme, impassible.
DÉR. Démontable, démontage, démontant, démonteur.
COMP. Démonte-pneu.

DÉMONTEUR, EUSE [demɔ̃tœʀ, øz] adj. — 1877, fém. ; masc., 1907 ; de *démonter*.

♦ Celui, celle qui démonte (qqch.). — N. f. Techn. Ouvrière des tréfileries.

DÉMONTRABILITÉ [demɔ̃tʀabilite] n. f. — 1863 ; de *démontrable*.

♦ Didact. Caractère de ce qui est démontrable.

DÉMONTRABLE [demɔ̃tʀabl] adj. — V. 1273, *demonstrable* ; de *démontrer*, et *-able*.

♦ Qui peut être démontré. *Proposition démontrable.*

CONTR. Indémontrable.
DÉR. Démontrabilité.

DÉMONTRER [demɔ̃tʀe] v. tr. — Au Xᵉ, *demonstrer ; demustrer*, v. 1175 «montrer» ; sens mod. au XVIᵉ ; lat. *demonstrare* «montrer, démontrer», de *de-*, et *monstrare*. → Montrer.

♦ **1.** Vx. ⓐ Enseigner (qqch.) en montrant. *Démontrer l'anatomie.* — Absolt. Faire un exposé.

ⓑ *Démontrer qqn*, l'enseigner.

♦ **2.** Mod. Établir la vérité de (qqch., une proposition) d'une manière évidente et rigoureuse, par une déduction logique. ⇒ **Établir, prouver ; démonstration.** *Démontrer une proposition, un théorème. Vouloir démontrer une vérité évidente* (→ Enfoncer une porte* ouverte). *Vérité qui n'a pas besoin d'être démontrée.* ⇒ **Axiome** (cit. 2). *Démontrer qqch. par l'analyse* (cit. 5), *par la synthèse*. *Démontrer qqch. par des arguments convaincants, des preuves indiscutables.* ⇒ **Convaincre** ; cf. Faire toucher du doigt. *Démontrer une proposition mathématiquement, avec rigueur. Tout démontrer.* → Ordre, cit. 5. *Il nous l'a démontré par A + B,* rigoureusement.

Exposé qui démontre la fausseté d'une allégation.

1   Le cœur sent qu'il y a trois dimensions dans l'espace, et que les nombres sont infinis, et la raison démontre ensuite qu'il n'y a point deux nombres carrés dont l'un soit double de l'autre.   PASCAL, Pensées, IV, 282.

Pron. (passif). *Se démontrer.*

2   Le Mathématicien vous dira que l'infini des Nombres existe et ne se démontre pas.   BALZAC, Séraphîta, Pl., t. X, p. 547.

3   On prouve par des témoignages, par des actes, par des preuves, en un mot ; on démontre par des arguments. Un fait se prouve, mais il ne se démontre pas. Une proposition se démontre ; mais elle se prouve aussi, quand les arguments sont considérés comme des preuves.   É. LITTRÉ, Dict., art. *Démontrer.*

Log. Prouver par démonstration (déduction).

Loc. *Ce qu'il fallait démontrer* (abrév. : *C. Q. F. D.*), se dit à la fin d'une démonstration, après la proposition dont il s'agissait d'établir la vérité.

♦ **3.** (V. 1175). Fournir une preuve de (qqch.), faire ressortir. ⇒ **Déceler, établir, indiquer, montrer, prouver, ressortir** (faire ressortir), **révéler, témoigner.** *Action qui démontre la bonté. Ces faits démontrent la nécessité d'une réforme.* ⇒ **Enseigner, justifier.**

4   Laurence tomba dans l'abattement intérieur qui doit mortifier l'âme de toutes les personnes d'action et de pensée, quand l'inutilité de l'action et de la pensée leur est démontrée.   BALZAC, Une ténébreuse affaire, Pl., t. VII, p. 592.

♦ **4.** Faire la démonstration de (qqch.) à une assistance. ⇒ **Démonstration** (2.).

4.1   Il démontrait à la ronde, le jeu des soupapes et des valves, du guide-rope, des baromètres, des lois du lest, des pesanteurs.   CÉLINE, Mort à crédit, 1936, p. 458, *in* T. L. F.

▶ **DÉMONTRÉ, ÉE** p. p. adj.

Dont la vérité est établie d'une manière évidente et rigoureuse. *C'est un fait démontré,* établi, certain.

CONTR. (Du p. p.). Indémontré.
DÉR. Démontrable, démontreur.

DÉMONTREUR, EUSE [demɔ̃tʀœʀ, øz] n. — 1764, Voltaire ; de *démontrer*.

♦ Vx. Personne qui démontre.

DÉMORALISANT, ANTE [demɔʀalizɑ̃, ɑ̃t] adj. — 1863, *in* D. D. L. ; p. prés. de *démoraliser*.

Qui démoralise.

♦ **1.** Littér. Qui rend immoral. *Influence démoralisante et corruptrice*.

1   Je me doutais bien que ces exploiteurs de la plus basse sensualité et de la lubricité ameuteraient contre moi, au nom de la liberté de penser ou d'écrire, tous ceux qui se refusent à voir le péril de ses abus, qui veulent se donner l'élégance et s'en faire sans discernement les champions malgré les démoralisants excès qu'elle a parfois sous certaines plumes (...)   Georges LECOMTE, Ma traversée, p. 366.

2   Le roi se sépare du peuple de toute la hauteur de son opulence et de son orgueil. «Son cœur s'élève au-dessus de ses frères. L'abondance de l'or, l'augmentation de la puissance, entraînent leurs conséquences ordinaires, démoralisantes.»   DANIEL-ROPS, le Peuple de la Bible, III, II, p. 207.

♦ **2.** (XXᵉ). Cour. Qui est de nature à démoraliser (2.). *Un échec démoralisant.* ⇒ **Décourageant, déprimant.** *C'est un peu démoralisant, à la fin.*

CONTR. Moralisateur. — Encourageant, réconfortant.

DÉMORALISATEUR, TRICE [demɔʀalizatœʀ, tʀis] adj. et n. — 1797, *démoraliseur*, Brunot, H. L. F., t. IX, p. 835 ; de *démoraliser*.

♦ **1.** (1796). Littér. Personne qui corrompt, rend immoral. *Influence démoralisatrice.* ⇒ **Corrupteur, subversif.**

♦ **2.** (Choses). Qui fait perdre courage, qui tend à décourager. *Propos démoralisateurs. Propagande démoralisatrice.* ⇒ **Défaitiste.**

DÉMORALISATION [demɔʀalizasjɔ̃] n. f. — 1796, selon Bloch ; de *démoraliser*.

♦ **1.** Action de démoraliser* ; résultat de cette action ; perte de sens moral. *Démoralisation d'une société.* ⇒ **Corruption.**

1   Le charme de la vie la plus élégante, la plus raffinée, la plus exquise, c'est l'apparence, mais la réalité, c'est, au fond, la démoralisation de la conscience sacrifiée aux «droits» de l'esprit et aux appels du plaisir.   Louis MADELIN, Talleyrand, V, XL, p. 436.

2   (...) toutes ces pratiques odieuses, qui manifestent la démoralisation d'une société, n'étaient pas imaginables dans le monde où nous vivions.   G. DUHAMEL, le Temps de la recherche, XI, p. 147 (→ Appartement, cit. 6).

2.1   Chez l'homme de l'esprit peut se produire une sorte de démoralisation à l'égard des choses de l'esprit — une absence de piété, une brusquerie et une légèreté à leur égard.   VALÉRY, Cahiers, t. II, Pl., p. 1385.

♦ **2.** (1831). Action de donner mauvais moral, d'enlever le courage. *La démoralisation d'une armée.* ⇒ **Découragement ;** → Défaitiste (cit. 1).

3   Certains historiens sont allés jusqu'à admettre que les Prophètes avaient été payés par l'ennemi pour tenir ce langage de démoralisation.   DANIEL-ROPS, le Peuple de la Bible, III, II, p. 226.

3.1   Participation à une entreprise de démoralisation de l'armée ayant pour objet de nuire à la défense nationale.   F. MAURIAC, le Nouveau Bloc-notes 1958-1960, p. 41.

CONTR. Moralisation ; édification. — Exaltation, exhortation.

DÉMORALISER [demɔʀalize] v. tr. — 1795 ; de 1. *dé-*, *moral*, et *-iser*.

♦ **1.** (1795). Vx ou littér. Ôter le sens moral ; rendre immoral. ⇒ **Corrompre.** *Les mauvais exemples démoralisent les faibles.*

1   Celui qui démoralise un peuple peut être, est même certainement l'auteur direct et la cause épuisante des désastres qui peuvent arriver à ce peuple.   Ch. PÉGUY, la République..., p. 302.

2   (...) il avait la passion de l'influence et se flattait de démoraliser avec méthode.   F. MAURIAC, le Désert de l'amour, I, p. 9.

♦ **2.** (1829). Mod. Enlever la confiance, le courage, le moral à (qqn, un groupe). ⇒ **Abattre, déconcerter, décourager, démonter, désorienter.** *Les échecs l'ont démoralisé. Propagande défaitiste qui démoralise l'armée, la nation.*

3   En intervenant, presque à la dernière heure, avec des forces toutes fraîches, les États-Unis contribuaient à la chute de l'Allemagne. Ils la démoralisaient surtout en lui retirant l'espoir de vaincre.   J. BAINVILLE, Hist. de France, XXII, p. 560.

3.1   Alleg a été torturé ou il ne l'a pas été. S'il l'a été dans les conditions qu'il décrit, ne reprochez pas à la victime mais aux bourreaux, de démoraliser l'armée.   F. MAURIAC, le Nouveau Bloc-notes 1958-1960, p. 41.

Au participe passé :

Ressorti de là tout démoralisé de fatigue et de tristesse.

4   GIDE, Journal, 17 janv. 1907.

5   Or, Villeneuve, à cette heure, errait démoralisé, presque désespéré (...)   Louis MADELIN, Hist. du Consulat et de l'Empire, Avènement de l'Empire, XIX, p. 245 (→ Décontenancer, cit. 3).

V. pron. (1837). Se décourager.

5.1   (...) nous n'osons congédier déjà ceux-ci *(les porteurs)*, qui cependant se démoralisent et s'encouragent à l'insoumission.   GIDE, Voyage au Congo, *in* Souvenirs, Pl., p. 755.

▶ **DÉMORALISÉ, ÉE** p. p. adj.

♦ **1.** Vx. Qui n'a plus de sens moral.

♦ **2.** Mod. Qui n'a plus de courage, de confiance. ⇒ **Abattu, découragé, déprimé** (→ ci-dessus, cit. 4, 5).

CONTR. Moraliser. — Édifier. — Exhorter, gonfler (fam.), **remonter** (le moral).
DÉR. Démoralisant, démoralisateur, démoralisation.

DÉMORDRE [demɔRdR] v. intr. et tr. ind. — 1559; de 1. *dé-*, et *mordre*.

♦ **1.** V. intr. (1559). Vx. Lâcher prise après avoir mordu.

1 Au lieu de démordre, elle *(la belette)* suce le sang de l'endroit entamé (...)
BUFFON, Hist. nat. des animaux, « Du rat », *in* HATZFELD.

REM. Le verbe s'est employé au fig. comme transitif (« lâcher »). *Démordre une opinion* (→ Opiniâtreté, cit. 1, Montaigne).

♦ **2.** V. tr. ind. (1580). Mod. **DÉMORDRE DE** (surtout nég.) : se départir (d'une ligne de conduite), renoncer à (une opinion). ⇒ **Abandonner, dédire (se), démarrer, désister (se), renoncer.** *Ne pas démordre de son avis. Vous ne l'en ferez pas démordre. Ne pas vouloir en démordre. Démordre de ses principes.* ⇒ **Déroger** (à). *Il n'en démordra pas* : il est très entêté.

2 (...) je ne suis point homme à démordre jamais d'une partie de mes prétentions.
MOLIÈRE, George Dandin, I, 4.

3 (...) homme capable de faire une sottise plutôt que de démordre de son sentiment.
A. R. LESAGE, Gil Blas, XII, IV.

4 (...) toute mon éloquence fut inutile. Il baissa la tête sur son estomac, et, gardant un morne silence, quelque chose que je pusse faire et dire, il me fit juger qu'il n'en démordrait point. A. R. LESAGE, Gil Blas, X, XI.

5 (...) il prit sur-le-champ la résolution de s'enfuir la nuit suivante, et rien ne put l'en faire démordre (...) ROUSSEAU, les Confessions, III.

6 Eussiez-vous avancé par hasard la plus grande sottise du monde, n'en démordez pas pour un diable, et faites-vous plutôt assommer.
A. DE MUSSET, Barberine, I, 4.

7 Un rôle qui vous est échu par hasard, et qu'on joue jusqu'à la mort, par vanité, pour qu'il ne soit pas dit qu'on vous en a fait démordre.
J. ROMAINS, les Hommes de bonne volonté, t. III, p. 31.

8 Aussi un homme qui a pour profession de rechercher la vérité dans les écritures ou dans les intestins, est-il en quelque sorte impitoyable. Les généraux, les juges peuvent venir avec leurs belles robes. Il leur parle de ce qu'il sait et vous pouvez être sûr qu'il ne démordra pas. PROUST, Jean Santeuil, Pl., p. 650.

CONTR. Mordre. — Entêter (s').

DÉMORPHINISATION [demɔRfinizasjɔ̃] n. f. — 1907, *in Rev. gén. des sc.*, n° 1, p. 36; de 1. *dé-*, *morphine*, et *-isation*.

♦ Méd. Désintoxication* des morphinomanes par réduction progressive des doses de morphine.

DÉMOSCOPIE [demɔskɔpi] n. f. — Mil. xxᵉ; du grec *dêmos* « population », et *-scopie*.

♦ Didact. et rare. Sondage de l'opinion publique.

DÉMOSTHÈNE [demɔstεn] n. m. — 1759; du nom de *Démosthène*, orateur athénien (385-322 av. J.-C.).

♦ Vx. Orateur politique. *Un de nos démosthènes a déclaré...*

DÉR. Démosthénien ou démosthénique.

DÉMOSTHÉNIEN, IENNE [demɔstenjε̃, jεn] ou (vx) **DÉMOSTHÉNIQUE** [demɔstenik] adj. — 1571, *démosthénien*; *démosthénique*, v. 1715; de *démosthène*.

♦ **1.** Didact. Qui est propre, qui se rapporte à Démosthène, à son éloquence. *La rhétorique démosthénienne.*

♦ **2.** Vx. Relatif à l'éloquence politique.

DÉMOTIQUE [demɔtik] adj. et n. — 1371, adj. « démocratique »; grec *dêmotikos* « populaire », de *dêmos* « peuple ».

♦ Didact. Ling. (rare). Commun, vulgaire, courant, en parlant d'une langue, d'un usage linguistique (opposé à *savant*, à *littéraire*, etc.). *Usage démotique et usage lettré.* — Spécialt :

a (Av. 1822). Se dit de la langue parlée et de l'écriture cursive vulgaire des anciens Égyptiens (simplification de l'écriture hiératique*). *Écriture démotique.* ⇒ **Phonétiquement**, cit., Champollion.
N. m. *Le démotique* : la langue de l'Égypte ancienne précédant le copte.

b Relatif au grec courant, parlé. — N. f. *La démotique* : le grec moderne dans son usage courant.

(...) je fis un voyage en Grèce. Sur le bateau, je me mis à étudier le grec moderne, à parler avec des Grecs de la lutte entre la cathaverousa et la démotique, entre la langue qui s'efforce de ne différer que le moins possible du grec ancien et la langue réellement parlée. La question est d'ailleurs maintenant réglée : la démotique a triomphé. R. QUENEAU, Bâtons, chiffres et lettres, p. 16.

REM. Noter la différence de genre selon qu'on parle de l'égyptien ancien *(le démotique)* ou du grec moderne *(la démotique)*.

DÉMOTIVATION [demɔtivasjɔ̃] n. f. — Mil. xxᵉ; de *démotiver*, d'après *motivation*.

♦ Action de démotiver (qqn); fait d'être démotivé. « (Hôpitaux publics) : *revenus insuffisants pour des horaires écrasants, tracas-*

series administratives, budgets de plus en plus serrés et démotivation à tous les niveaux » (*le Point*, n° 585, 5 déc. 1983). *Lutter contre la démotivation du personnel.*

DÉMOTIVÉ, ÉE [demɔtive] adj. — xxᵉ; de 1. *dé-*, et *motivé*.

♦ Ling. Se dit d'un terme complexe (dérivé, composé) qui n'a plus de motivation* (dont les éléments et leur sens ne sont plus perçus : ex. : *courage*, de *cœur*), ou d'un mot qui devient homonyme d'un autre auquel il n'est plus raccroché par le sens.

DÉMOTIVER [demɔtive] v. tr. — Mil. xxᵉ; de 1. *dé-*, et *motiver*.

♦ Faire perdre à (qqn) toute motivation, toute envie de continuer un travail, une action. *Ces refus réitérés ont fini par le démotiver.*

▶ **DÉMOTIVÉ, ÉE** p. p. adj.
Qui a perdu toute motivation. *Les élèves apparaissent démotivés en cette fin d'année.*

CONTR. Motiver.
DÉR. Démotivation.

DÉMOTORISATION [demɔtɔrizasjɔ̃] n. f. — 1971; de 1. *dé-*, et *motorisation*.

♦ Didact. Le fait de renoncer volontairement à posséder une voiture particulière. « *Le taux de " démotorisation " — rapport entre ceux qui suppriment leur voiture et ceux qui sont ou ont été motorisés — est en moyenne de 12,3 % pour l'ensemble de la population* (française) » (*le Monde*, 19 juin 1971).

CONTR. Motorisation.

DÉMOUCHETER [demuʃte] v. tr. — 1838; de 1. *dé-*, et *moucheter*.

♦ Escr. Dégarnir (un fleuret) de sa mouche. — Au p. p. *Fleuret démoucheté.* — Par métaphore :

Une fois la main faite, emporté par sa nature, Nachette poussa le jeu à outrance, démoucheta ses plaisanteries et tâta les épidermes avec des brutalités, comme s'il eût voulu toucher dans chacun le fond de sa patience et le point de sa sensibilité, reconnaître les forts et monter sur les faibles.
Ed. et J. DE GONCOURT, Charles Demailly, p. 12.

DÉMOULAGE [demulaʒ] n. m. — 1838; de *démouler*, et *-age*.

♦ Action de démouler. *Le démoulage d'un gâteau.*

DÉMOULER [demule] v. tr. — 1765; *desmollé* « abîmer, déformer », XIIIᵉ; *demouller* « abîmer, disloquer », 1534, Rabelais; de 1. *dé-*, et *moule*.

♦ (1765). Retirer (qqch.) du moule. *Démouler une statue en plâtre.* — *Démouler un gâteau.*

CONTR. Mouler.
DÉR. Démoulage, démouleur.

DÉMOULEUR [demulœR] n. m. — 1973; de *démouler*.

♦ Techn. Dispositif permettant de démouler. *Démouleur automatique de glaçons.*

DÉMOUSTICATION [demustikasjɔ̃] n. f. — 1963; de *démoustiquer*.

♦ Didact., admin. Élimination des moustiques et de leurs larves. *La démoustication de la côte du Languedoc.*

DÉMOUSTIQUER [demustike] v. tr. — V. 1960; de 1. *dé-*, *moustique*, et suff. verbal.

♦ Didact., admin. Débarrasser (un lieu) des moustiques. *Démoustiquer un littoral lagunaire.*

DÉR. Démoustication.

DÉMUCILAGINATION [demysilaʒinasjɔ̃] n. f. — 1949; de *démucilaginer*, et *-ation*.

♦ Didact. Élimination des mucilages (de l'huile brute).

DÉMUCILAGINER [demysilaʒine] v. tr. — 1961, sans doute antérieur (→ Démucilagination); de 1. *dé-*, et *mucilage*.

♦ Didact. Éliminer les mucilages de...

DÉR. **Démucilagination.**

DÉMULTIPLEXEUR [demyltiplɛksœʀ] n. m. — V. 1965; de 1. *dé-*, et *multiplexeur*.

♦ Techn. Appareil capable de séparer des signaux distincts, transmis au préalable par un multiplexeur*, pour les répartir sur les voies auxquelles ils sont destinés.

DÉMULTIPLICATEUR, TRICE [demyltiplikatœʀ, tʀis] n. m. et adj. — 1896, *in* D.D.L.; du rad. de *démultiplier, démultiplication*, et *-ateur*.

♦ **1.** (1896). Mécan. Système de transmission qui assure une réduction de vitesse avec une augmentation de force. *Moteur à démultiplicateur.* — Adj. (1905). *Organe démultiplicateur.*

♦ **2.** Fig. Qui démultiplie. *Des actions démultiplicatrices.*

DÉMULTIPLICATION [demyltiplikasjõ] n. f. — 1927; du rad. de *démultiplier*, et *-ation*, sur *multiplication*.

Action, fait de démultiplier.

♦ **1.** Mécan. Rapport de réduction de vitesse, dans la transmission d'un mouvement (→ Braquet, cit. 1). *Démultiplication des pignons d'une boîte de vitesses.*

♦ **2.** Fig. Fait de démultiplier (2.); son résultat. *« On compte aujourd'hui quatre pouvoirs en Corse, qui se neutralisent, se surveillent et se menacent. L'objectif de cette démultiplication, c'est de noyer le poisson »* (le *Nouvel Obs.*, nº 988, 14 oct. 1983).

DÉMULTIPLIER [demyltiplije] v. tr. — 1901, *in* D.D.L.; de 1. *dé-*, et *multiplier*.

♦ **1.** Mécan. Assurer une réduction de vitesse* dans la transmission de (un mouvement). *Boîte de vitesses démultipliant le mouvement de rotation.*

♦ **2.** Fig. Appliquer de manière partielle à une pluralité d'objets (une action qu'on subdivise); multiplier les effets de.

1 Pour opérer, le ministre doit démultiplier son pouvoir de décision en le confiant, par voie de délégation, à des responsables administratifs ou à des collaborateurs personnels dans lesquels il a confiance.
BELORGEY, Gouvernement et Administration franç., 1967, p. 89, *in* T.L.F.

▶ **DÉMULTIPLIÉ, ÉE** p. p. adj. *Pignons démultipliés.* — Figuré :

2 Vous serez amenée à donner votre avis sur la pluie et le beau temps. Le moindre de vos aveux sera repris en chaîne par des journaux et vous vous sentirez démultipliée à un nombre infini d'exemplaires.
Michel DÉON, Tout l'amour du monde, p. 113.

DÉR. **Démultiplicateur, démultiplication.**

DÉMUNI, IE [demyni] adj. — 1611; p. p. de *démunir*.

♦ **1.** Vx. Qui n'a plus de munitions, de troupes. *Place démunie.*

♦ **2.** Mod. (Personnes). *Démuni d'argent.* ⇒ **Court** (à). Absolt et rare. *J'étais complètement démuni.* ⇒ (cour., fam.) **Fauché.**

♦ **3.** (Personnes). Vulnérable, privé de force, de défenses.

Oui, il en a assez... Assez de se sentir glisser, s'accrochant à des points d'appui qui cèdent, assez de ces quêtes misérables qui le laissent plus inassouvi, plus démuni qu'avant. Quitter tout cela. Changer de peau. Changer de vie.
N. SARRAUTE, le Planétarium, p. 288.

DÉMUNIR [demyniʀ] v. tr. — 1564; de 1. *dé-*, et *munir*.

♦ **1.** (1696). Vx. Enlever des munitions de (un lieu). *Démunir une place forte.* — Par ext. Priver (une place forte) de ses troupes, de ses effectifs. *« Ils démunissaient la cité »* (Barrès, *Cahiers*).

♦ **2.** (1564). Mod. Dépouiller de (une chose essentielle ou nécessaire). ⇒ **Dégarnir, dénantir, dépouiller; dépourvoir, enlever, ôter.** *Démunir qqn, qqch. de qqch.*

La vie nous appauvrit (...) nous démunit de nos richesses les plus pures.
MAURIAC, Journal, I, 1934, p. 90, *in* T.L.F.

(Sans compl. ind.). *Démunir qqn,* le priver de force. *Se laisser démunir.*

▶ **SE DÉMUNIR** v. pron. ⇒ **Dessaisir** (se), **perdre, priver** (se). *Se*

démunir de son argent. ⇒ **Appauvrir** (se), **dénuer** (se). — (Sans compl. ind.). *Je ne veux pas me démunir.* — Au p. p. ⇒ **Démuni.**

CONTR. **Munir.** — **Acquérir, approvisionner.**

DÉMURER [demyʀe] v. tr. — xIIIᵉ; « sortir des murs », fin xIIᵉ; de 1. *dé-*, et *murer*, ou de 1. *dé-, mur*, et suff. verbal.

♦ Rare. Faire cesser d'être muré. *Démurer une ouverture, une fenêtre condamnée* (⇒ **Ouvrir**).

V. pron. *Se démurer.* — Figuré :

(...) il plaide, il se démure, il bouge, pour la première fois de sa vie.
Hervé BAZIN, Au nom du fils, p. 105.

DÉMUSELER [demyzle] v. tr. — Av. 1791; de 1. *dé-*, et *museler*.

♦ **1.** (1821). Dégager, libérer (un animal) de sa muselière. *Démuseler un chien de garde après l'avoir attaché.*
Par anal. *Démuseler un canon,* enlever ce qui l'obstrue pour le rendre utilisable.
(Av. 1791). Fig. Rendre libre. ⇒ **Débâillonner.**

Nous (les Jésuites) détruirons progrès, lois, vertus, droits, talents,
Nous nous ferons un fort avec tous ces décombres,
Et pour nous y garder, comme des dogues sombres,
Nous démuselèrons les préjugés hurlants. HUGO, les Châtiments, p. 59.

♦ **2.** Intrans. (1878). Pop. et vx. Se remettre à parler.

CONTR. **Museler.**

DÉMUTISATION [demytizasjõ] n. f. — 1895; de *démutiser*.

♦ Action de démutiser (qqn).

DÉMUTISER [demytize] v. tr. — 1895, *in* D.D.L.; de 1. *dé-*, du latin *mutus* « muet », et *-iser*.

♦ Didact. Apprendre à (un sourd-muet) à être conscient de ses cordes vocales jusqu'à ce qu'il parvienne à la maîtrise de ses émissions sonores.

DÉR. **Démutisation.**

DÉMYÉLINISATION [demjelinizasjõ] n. f. — 1946; de 1. *dé-*, *myéline*, et *-isation*.

♦ Biol., méd. Destruction de la myéline qui enveloppe la fibre nerveuse.

DÉMYSTIFIANT, ANTE [demistifjã, ãt] adj. — V. 1960; p. prés. de *démystifier*.

♦ Qui démystifie. *Analyse démystifiante.*

CONTR. **Mystifiant.**

DÉMYSTIFICATEUR, TRICE [demistifikatœʀ, tʀis] adj. et n. m. — V. 1960; de *démystifier*, d'après *mystificateur*.

♦ Personne qui démystifie.

J'ai élevé pour vous tout un troupeau de démystificateurs. Ils vous démystifieront.
IONESCO, Tueur sans gages, III (→ Démystifier, cit. 3).

CONTR. **Mystificateur.**

DÉMYSTIFICATION [demistifikasjõ] n. f. — 1948, *in* D.D.L.; de *démystifier*.

♦ Opération par laquelle une mystification collective est dévoilée, et ses victimes détrompées. → Démythification.

La démystification, pour employer un mot qui commence à s'user (...)
R. BARTHES, Mythologies, Préface.

CONTR. **Mystification.**

DÉMYSTIFIER [demistifje] v. tr. — 1948; de 1. *dé-*, et *mystifier*.

♦ **1.** (1957). Priver (qqch.) de son pouvoir mystificateur. ⇒ **Démythifier** (cit. 1).

À mesure que dans les grands États la politique se démystifie et que le recours à la force paraît plus hasardeux et plus désastreux, la mentalité féminine plus matérialiste, moins sujette aux impulsions meurtrières (...) moins portée à s'enivrer d'idéologie, se montrerait plus adéquate aux formes nouvelles d'une action politique pacifique. Gaston BOUTHOUL, Sociologie de la politique, p. 53.

♦ **2.** (1948). Détromper (qqn).

(...) comme l'écrivain s'adresse à la liberté de son lecteur et comme chaque conscience mystifiée (...) tend à persévérer dans son état, nous ne pourrons sauvegarder la littérature que si nous prenons à tâche de démystifier notre public.
SARTRE, Situations II, 1948, p. 306.

Peuple, tu es mystifié. Tu seras démystifié... (Voix de la foule) À bas la mystification... — J'ai élevé pour vous tout un troupeau de démystificateurs. Ils vous démystifieront. Mais il faut mystifier pour démystifier. Il nous faut une mystification nouvelle... (Voix de la foule) Vive la mystification des démystificateurs...

Vive la nouvelle mystification! — Je vous promets de tout changer... Les anciennes mystifications n'ont pas résisté à l'analyse psychologique, à l'analyse sociologique. La nouvelle sera invulnérable. IONESCO, Tueur sans gages, III.

Pronominal :

4 Pour Ausonius, le grec et le latin sont des œillères confortables. Peut-on sans cesse se démystifier? Il parcourt, dans ce cabinet où les mains pieuses de sa mère n'ont rien dérangé, des registres, des plans, des brochures diverses.
Alain BOSQUET, les Bonnes Intentions, p. 42.

DÉR. Démystifiant, démystificateur, démystification.

DÉMYTHIFICATEUR, TRICE [demitifikatœR, tRis] adj. — xxe; de démythifier, et -ateur.

♦ Qui démythifie. « Le roman d'espionnage le plus cruellement démythificateur qu'on ait jamais lu » (le Nouvel Obs., 31 oct. 1977, p. 25).

DÉMYTHIFICATION [demitifikasjɔ̃] n. f. — 1963; de démythifier.

♦ Action de démythifier; résultat de cette action. → Démystification. « Et si la démythification conduisait au pessimisme? » (l'Express, 19 févr. 1973).

DÉMYTHIFIER [demitifje] v. tr. — 1959, in D.D.L.; de 1. dé-, mythe, et -ifier.

♦ Supprimer en tant que mythe. Démythifier une notion, un personnage. — S'emploie, par souci étymologique, au sens de démystifier.

1 En lisant tantôt « en direct », tantôt en filigrane (...) les significations cachées de ce qu'il entend ou de ce qu'il voit, l'analyste peut (...) démystifier ou démythifier, sans doute et le plus souvent les deux à la fois, ce qui fait peur au patient dans l'actualité et qui précisément n'est plus justifié aujourd'hui.
R. HELD, le Processus de guérison, in la Nef, nº 31, p. 22.

2 (...) la psychanalyse, la psychosomatique ont démythifié, d'une façon à mon avis bénéfique, le personnage du médecin.
C. KOUPERNIK, Un traitement d'exception, in la Nef, nº 31, p. 156.

3 (...) ils étaient assez cyniques pour trouver drôle de démythifier les vedettes dont ils avaient sans doute collectionné les photos quelques années plus tôt.
Gabriel BARRAULT, la Foire aux crabes, p. 345.

Au p. p. « Démythifiée par sa diffusion de plus en plus large, la machine électronique... » (le Monde, 3 oct. 1970).

DÉR. Démythificateur, démythification.

DÉNAIRE [denɛR] adj. et n. m. — 1505; lat. class. denarius «qui contient le nombre dix»; n. m. en lat. chrét. «le nombre dix», de deni «dix par dix».

Didactique et rare.

♦ **1.** Adj. (1505). Qui a pour base le nombre dix. ⇒ Décimal.

♦ **2.** N. m. (1611). Sc. occultes. Le dénaire : le nombre dix.

DÉNANTIR [denɑ̃tiR] v. tr. — 1528, desnanti; repris xixe; de 1. dé-, et nantir.

♦ Dr. Enlever (à qqn) ce dont il est nanti. ⇒ Démunir, dépouiller. Dénantir un créancier.
Littér. Enlever à qqn une chose qu'il possède.

▶ SE DÉNANTIR v. pron.
Abandonner des nantissements, des gages. ⇒ Démunir (se). — Par ext. Se dénantir de tout ce qu'on possède.
CONTR. Nantir.

DÉNASALISATION [denazalizasjɔ̃] n. f. — 1906; de dénasaliser, et -ation.

♦ Phonét. Perte pour un phonème de son caractère nasal; passage d'un phonème nasal au phonème oral correspondant. Ex. : plein et en plein air.
CONTR. Nasalisation.

DÉNASALISER [denazalize] v. tr. — 1838; dénasaler, 1819, Boiste; de 1. dé-, nasal, et suff. -iser.

♦ Phonét. Rendre (un phonème nasal) oral. — Pron. Se dénasaliser : perdre son caractère nasal. On, un se dénasalisent en français du Sud devant une voyelle (on a est prononcé [ɔna]; un âne est prononcé [ynan]).
CONTR. Nasaliser.
DÉR. Dénasalisation.

DÉNATALITÉ [denatalite] n. f. — 1918; de 1. dé-, et natalité.

♦ Didact. Diminution des naissances. ⇒ Dépopulation.

Si l'on veut enrayer la dénatalité, il est indispensable de donner aux jeunes le désir d'avoir des enfants.
M. HUBER, H. BUNLE et F. BOVERAT, la Population de la France, p. 231.

CONTR. Natalité, repopulation.

DÉNATIONALISATION [denasjɔnalizasjɔ̃] n. f. — 1854; de dénationaliser.

♦ **1.** (1854). Littér. ou vieilli. Action de dépouiller du caractère national. Acte de dénationalisation.

1 J'ai souvent exprimé ma pensée au sujet du protectionnisme intellectuel. Je crois qu'il présente un grave danger; mais j'estime que toute prétention à la dénationalisation de l'intelligence en présente un non moins grand.
GIDE, Dostoïevski, p. 224.

♦ **2.** (1923). Mod. Action de dénationaliser (une entreprise). → Désétatisation.

2 Il est fâcheux que la remise en ordre du secteur nationalisé ait pris en France, comme en Grande-Bretagne, un aspect politique. Cette circonstance risque, en effet, de conduire à des solutions hâtives et peu viables. La « dénationalisation » des transports routiers et de la production sidérurgique en Grande-Bretagne pourrait bien, à cet égard, constituer un premier pas vers une situation dans laquelle le statut d'un secteur économique varierait au gré des oscillations de l'opinion.
G.-L. CAMPION, in J. ROMEUF, Dict. des sciences économiques, art. Entreprise.

CONTR. Nationalisation.

DÉNATIONALISER [denasjɔnalize] v. tr. — Fin xviiie; de 1. dé-, et nationaliser.

♦ **1.** (1808). Vieilli. Faire perdre le caractère national à (qqch.).

1 (...) leur mandat (aux Italiens) était d'empêcher les Slaves de descendre sur l'Adriatique; le fascisme s'en chargeait, privant Trieste d'arrière-pays, dénationalisant les villes, faute de pouvoir atteindre en profondeur les campagnes, mettant des chemises noires aux Croates et des bottes aux Slovènes.
Paul MORAND, Venise, p. 154-155.

Pron. Se dénationaliser : perdre sa nationalité, son caractère national propre.

2 Je suis frappé combien le caractère du Français se dénationalise à l'étranger, et combien vite et naturellement le pays qu'il habite, déteint sur lui et jusqu'au fond de son être.
Ed. et J. DE GONCOURT, Journal, t. III, p. 93.

♦ **2.** (1954). Restituer à la propriété privée (une entreprise nationalisée). → Désétatiser.
CONTR. Nationaliser.
DÉR. Dénationalisation.

DÉNATTER [denate] v. tr. — 1771; desnater, 1606; de 1. dé-, natte, et suff. verbal.

♦ Défaire les nattes de. Dénatter ses cheveux. — Défaire une natte de cheveux. —.Pron. Ses cheveux se sont dénattés.
CONTR. Natter.

DÉNATURALISATION [denatyRalizasjɔ̃] n. f. — 1834, Landais; du rad. de dénaturaliser.

♦ Techn., didact. ou littér. Action de dénaturaliser.

DÉNATURALISER [denatyRalize] v. tr. — 1578, «faire changer de naturel»; sens mod., 1743; de 1. dé-, et naturaliser.

♦ **1.** Priver (qqn) des droits acquis par naturalisation.

♦ **2.** Rare. Changer la vraie nature de (qqch.). ⇒ Dénaturer.

▶ DÉNATURALISÉ, ÉE p. p. adj.
Qui a perdu ses habitudes naturelles, les mœurs de ses origines.
CONTR. Naturaliser.
DÉR. Dénaturalisation.

DÉNATURANT, ANTE [denatyRɑ̃, ɑ̃t] p. prés. adj. et n. m. — 1873; p. prés. de dénaturer.

♦ **1.** Adj. Qui dénature. Produit dénaturant.

(...) elle (Albertine) savait que je n'aimais proposer à mon attention que ce qui m'était encore obscur, et pouvoir, au cours de ces exécutions successives, rejoindre les unes aux autres, grâce à la lumière croissante, mais hélas! dénaturante et étrangère de mon intelligence, les lignes fragmentaires et interrompues de la construction, d'abord presque ensevelie dans la brume.
PROUST, la Prisonnière, 1922, p. 371, in T.L.F.

♦ **2.** N. m. Un dénaturant : substance qui a la propriété de dénaturer d'autres substances.
Spécialt, chim. et phys. nucl. Isotope non fissile ajouté à une matière fissile pour réduire les risques de réaction en chaîne incontrôlée.

DÉNATURATEUR [denatyRatœR] n. m. — 1902, in D.D.L.; de dénaturer.

♦ Techn. Employé chargé de la dénaturation des alcools pour le compte des contributions indirectes. — REM. Le fém. *dénaturatrice* est virtuel.

DÉNATURATION [denatyʀɑsjɔ̃] n. f. — 1847 ; de *dénaturer*.

♦ **1.** Action de dénaturer (une substance), d'en changer les caractéristiques.

1 Ils *(les morts)* ne sont jamais utiles à la patrie, mais l'abolition de ta vie sert à ceux qui manœuvrent l'idole : c'est la dénaturation des hommes (même principe que que le blé). J. GIONO, les Vraies Richesses, p. 219.

2 L'abondant été de l'homme
Que celui qui suivit l'établissement par ses soins des premières dénaturations
En faisant la part de l'aveuglement. René CHAR, le Marteau sans maître, p. 85.

♦ **2.** Techn. *La dénaturation de l'alcool, du sel, du sucre...*, opération par laquelle on ajoute à ces produits des substances qui les rendent impropres à l'alimentation afin de les réserver à des usages industriels.

♦ **3.** Sc. Opération par laquelle on incorpore à un mélange fissile des isotopes non fissiles (dénaturants*) pour ralentir la fission. — Traitement thermique opéré sur des résidus de la fission, destiné à en réduire l'activité.

DÉNATURER [denatyʀe] v. tr. — Après 1174, *desnaturer* ; de 1. *dé-, nature*, et suff. verbal.

♦ **1.** Changer, altérer la nature de (qqch.). ⇒ **Altérer, changer, corroder, corrompre, empoisonner, falsifier, gâter, transformer, vicier.** *Dénaturer du vin.* ⇒ **Frelater, sophistiquer.** *Dénaturer une substance chimique.*

1 Sous le nom de matières volcaniques, je n'entends pas comprendre toutes les matières rejetées par l'explosion des volcans, mais seulement celles qui ont été produites ou dénaturées par l'action de leurs feux (...) BUFFON, Hist. nat. des minéraux, t. III, p. 66.

2 Ce qui sent comme ça c'est un fût plein, que le printemps moisi dénature et qui de vin tourne en vinaigre. COLETTE, l'Étoile Vesper, p. 14.

Techn. Faire subir la dénaturation (2.) à (qqch.) ; rendre impropre à la consommation pour l'homme. *Dénaturer de l'alcool, du sel.* ⇒ **Dénaturation ;** → Betterave, cit. 1.

Par ext. *Dénaturer un objet volé*, pour qu'on ne puisse le reconnaître. ⇒ **Défigurer, déguiser, maquiller, transformer.**

♦ **2.** (Abstrait). Changer la nature de ; donner une fausse apparence à. *Dénaturer un fait, un événement,* en dissimuler, en changer certaines circonstances, certaines conditions essentielles à sa nature. ⇒ **Déformer, fausser.** *Dénaturer la pensée, les paroles, les écrits de qqn,* par une fausse interprétation. ⇒ **Calomnier, contorsionner, contrefaire, défigurer, déformer, détourner** (de son sens), **estropier, fausser, pervertir, travestir, tronquer.** *Dénaturer un texte,* en altérer le sens, lui donner une signification qu'il n'a pas. ⇒ **Forcer, torturer ; violence** (faire violence à un texte). — Faire perdre le caractère naturel (de qqn, de qqch.). *Dénaturer l'âme, le caractère de qqn.* ⇒ **Dépraver, pervertir.**

3 J'aurai dénaturé cet heureux naturel (...) J.-F. DUCIS, le Roi Lear, II, 4, *in* LITTRÉ.

4 Qui n'a pas entendu, en se demandant s'il rêve, une parole glisser au fond de son être et tout y dénaturer, comme une fiole de poison versée dans la fontaine ? M. BARRÈS, Un jardin sur l'Oronte, p. 218.

5 Une lueur trouble et malheureuse dénaturait son regard toujours si net. G. DUHAMEL, Chronique des Pasquier, II, p. 286.

♦ **3.** Sc. Traiter (un mélange fissile) par dénaturation.

▶ **SE DÉNATURER** v. pron.

Perdre sa nature, son caractère naturel. *Des faits qui se dénaturent en passant de bouche en bouche.* — (En parlant des personnes). Perdre, par des actions mauvaises, son caractère de personne humaine. ⇒ **Dépraver** (se).

6 Parmi ceux-là *(les soldats qui s'endurcirent aux excès),* quelques vagabonds se vengèrent de leurs maux jusque sur les personnes ; au milieu de cette nature ingrate, ils se dénaturèrent. Ph. P. SÉGUR, Hist. de Napoléon, IV, 4, *in* LITTRÉ.

▶ **DÉNATURÉ, ÉE** p. p. adj.

♦ **1.** Qui a subi la dénaturation. *Alcool, sel, sucre dénaturé.* — Profondément modifié par un mélange.

7 C'est à qui réalisera le mélange le plus baroque, les liquides les plus dénaturés. COLETTE, Claudine à l'école, p. 250, *in* T. L. F.

♦ **2.** Altéré jusqu'à perdre les caractères considérés comme naturels, chez l'homme. *Goûts dénaturés.* ⇒ **Dépravé, pervers.**

Mœurs dénaturées : dépravations (notamment sexuelles ; cf. Contre nature).

8 L'élégant historien du coucou a essayé de justifier les procédés singuliers et presque dénaturés de l'oiseau. Charles BONNET, Contemplation de la nature, Ve partie, 6.

♦ **3.** (Personnes). *Parents dénaturés,* qui négligent de remplir leurs devoirs à l'égard de leurs enfants. ⇒ **Cruel.** *Mère dénaturée.* ⇒ **Marâtre.**

Enfant dénaturé. ⇒ **Ingrat, monstre.**

9 L'amour étouffe en vous la voix de la nature :
Et je pourrais aimer des fils dénaturés ! CORNEILLE, Rodogune, IV, 3.

10 Il y a des occasions où un fils qui manque de respect à son père, peut, en quelque sorte, être excusé ; mais si, dans quelque occasion que ce fût, un enfant était assez dénaturé pour manquer à sa mère, à celle qui l'a porté dans son sein, qui l'a nourri de son lait, qui durant des années, s'est oubliée pour ne s'occuper que de lui, on devrait se hâter d'étouffer ce misérable, comme un monstre indigne de voir le jour. ROUSSEAU, *in* RICARD, l'Amour, les Femmes et le Mariage.

11 L'abandon de ses enfants la fit regarder comme une mère dénaturée, et les femmes d'une réputation irréprochable répétèrent avec satisfaction que l'oubli de la vertu la plus essentielle à leur sexe s'étendait bientôt sur toutes les autres. B. CONSTANT, Adolphe, V, p. 43.

♦ **4.** Fig. *Vérité dénaturée. Fait dénaturé.* ⇒ **Faux.**

12 Qui ne sait d'ailleurs comment les alarmes se propagent, comment la vérité même dénaturée par les craintes exagérées, par les échos d'une grande ville (...) MIRABEAU, Collect., t. I, p. 263, *in* LITTRÉ.

CONTR. Conserver. — Respecter. — (Du p. p. adj.) **Naturel.**
DÉR. Dénaturant, dénaturateur, dénaturation.

DÉNAZIFICATION [denazifikɑsjɔ̃] n. f. — V. 1945 ; de *dénazifier*.

♦ Action de dénazifier.

DÉNAZIFIER [denazifje] v. tr. — V. 1945 ; de 1. *dé-, nazi,* et suff. verbal.

♦ Débarrasser des influences nazies ; épurer des éléments nazis (spécialt, l'administration, l'armée, etc.), en Allemagne, après la Seconde Guerre mondiale. — Faire paraître non nazi ; laver des soupçons d'activités nazies ou de sympathies pour le nazisme, après la défaite du Troisième Reich.

1 — Je suis un simple soldat, et je vais te tuer parce que tu n'as rien fait de mal, parce que je n'ai rien à te reprocher. Tu comprends ?
— Votre allemand est excellent.
— Dans six mois, on va vous dénazifier. Des dossiers, des témoignages, des chiffons de papier (...) Alain BOSQUET, les Bonnes Intentions, p. 34.

2 Il a dénazifié, en échange de pots-de-vin généreux, quelques barons autrichiens et quelques gros propriétaires de Hongrie. Il a pris sous sa protection magnanime des SS qui n'ont jamais cru en Hitler. Alain BOSQUET, les Bonnes Intentions, p. 85.

DÉR. Dénazification.

DENCHÉ ou DANCHÉ, ÉE [dɑ̃ʃe] adj. — V. 1234, *dancié* ; lat. vulg. *denticatus* «aigu, strident», lat. *denticulatus* «dentelé», dér. de *dens, dentis.* → Dent.

♦ Blason. Qui a le bord dentelé*. *Croix denchée. Chef denché.*

DÉR. Denchure.

DENCHURE [dɑ̃ʃyʀ] n. f. — 1898, *Nouveau Larousse illustré* ; de *denché*.

♦ Blason. Filet denché de l'écu.

DENDRIFUGE [dɑ̃dʀifyʒ] adj. — D. i. ; de 1. *dendri(te)*, et *-fuge.*

♦ Didact. Qui s'éloigne des dendrites.

1. DENDRITE [dɑ̃dʀit] n. f. — 1578, *dendride* ; *dendrite*, 1732 ; grec *dendritês* «qui concerne les arbres», de *dendron* «arbre». → Dendro-.

♦ **1.** (1732). Minér. Arborisation ramifiée formée sur certaines roches calcaires, sur des métaux fondus, par des particules de bioxyde de manganèse qui ont pris l'empreinte de mousses, de fougères. ⇒ **Arborisation.**

♦ **2.** (1897). Anat. Prolongement du cytoplasme de la cellule nerveuse, en général plus court que l'axone* (⇒ **Neurone**).

(...) la cellule nerveuse présente un noyau, mais sa haute différenciation motive une structure assez spéciale. Elle présente deux sortes de prolongements ; l'un court, épais, ramifié (prolongements protoplasmiques ou dendrites), l'autre grêle forme une longue fibre appelée axone ou cylindraxe. P. VALLERY-RADOT, Notre corps..., p. 115.

DÉR. Dendrifuge, dendritique.
HOM. 2. Dendrite.

2. DENDRITE [dɑ̃dʀit] n. m. — D. i. (attesté mil. XXe) ; du grec *dendritês.* → 1. Dendrite.

♦ Didact. Ascète chrétien des premiers siècles (Égypte, Palestine ou Syrie), qui choisissait de vivre dans un arbre, pour se livrer à la méditation. ⇒ aussi **Stylite.** *«Pour la nouvelle version des Hommes ivres de Dieu, il est retourné dans le désert (...) Il a suivi à la trace les athlètes de l'exil, les hommes qui préféraient le désert au monde, les anachorètes d'Égypte, de Palestine et de Syrie : reclus, brouteurs, stationnaires, stylites et dendrites. Volontaires en tout* *genre des ascèses suprêmes* » (*Libération*, 30 sept. 1983 ; à propos du livre de Jacques Lacarrière, *les Hommes ivres de Dieu*).

HOM. 1. **Dendrite.**

DENDRITIQUE [dãdʀitik] adj. — 1830, Beudant ; de 1. *dendrite**.

♦ **1.** Sc. (minér., anat.). Qui présente des dendrites. *Cellules dendritiques. Épines dendritiques du cortex.* — (En comp.). *Synapse axodendritique*, entre axone et dendrite. *Synapse dendro-dendritique*, entre deux dendrites.

♦ **2.** Hydrol. Se dit d'un réseau fluvial régulièrement ramifié et très dense.

DENDRO- Élément tiré du grec *dendron* « arbre », entrant dans la composition de termes scientifiques. ⇒ **-dendron.**

DENDROBIE [dãdʀɔbi] n. f. — 1842 ; de *dendro-*, et *-bie*, du grec *bios* « vie ».

♦ Bot. Plante monocotylédone (*Orchidées*) herbacée, épiphyte, originaire des Indes, cultivée en serre chaude pour la valeur ornementale de ses fleurs.

DENDROCHRONOLOGIE [dãdʀɔkʀɔnɔlɔʒi] n. f. — Mil. xxᵉ (1959, *in* T. L. F.) ; de *dendro-*, et *chronologie*.

♦ Didact. Méthode de datation par observation des couches concentriques des troncs d'arbres. « *On sait aujourd'hui, par des études de stratigraphie et de dendrochronologie que ces pieux* (d'un village néolithique) *ne sont pas tous contemporains, mais qu'ils appartiennent à des maisons successives construites en ce point* » (*la Recherche*, nº 113, juillet-août 1980, p. 780).

DENDROGRAPHE [dãdʀɔgʀaf] n. — 1870, *in* Larousse ; de *dendro-*, et *-graphe*.

♦ Didact. et vx. Personne qui écrit des études, des traités sur les arbres.

DENDROGRAPHIE [dãdʀɔgʀafi] n. f. — 1863, Littré ; de *dendro-*, et *-graphie*.

♦ Didact. et vx. Traité, étude sur les arbres. ⇒ **Dendrologie.**

DENDROLITHE [dãdʀɔlit] n. m. — D. i. ; de *dendro-*, et *-lithe*.

♦ Didact. Arbre ou arbrisseau pétrifié.

DENDROLOGIE [dãdʀɔlɔʒi] n. f. — 1641 ; de *dendro-*, et *-logie*.

♦ Partie de la botanique qui étudie les arbres, les plantes lignifiées.
(...) la dendrologie, c'est-à-dire (...) l'examen des troncs d'arbres, dont les cercles concentriques annuels traduisent, par la variation de leur épaisseur, la plus ou moins grande vitalité de la plante, c'est-à-dire ses réactions aux influences climatiques.   Georges DUBY, Guerriers et Paysans, p. 16.

DÉR. **Dendrologiste.**

DENDROLOGISTE [dãdʀɔlɔʒist] n. — 1899, *Année sc. et industr.* 1900, p. 131 ; de *dendrologie*.

♦ Didact. Botaniste spécialiste des arbres. — Syn. (vx) : *dendrographe*.

DENDROMÈTRE [dãdʀɔmɛtʀ] n. m. — 1776 ; de *dendro-*, et *-mètre*.

♦ Didact. Instrument servant à mesurer la grosseur et la hauteur des troncs d'arbres.
Plusieurs fois, dans mes rêves, j'ai inventé le dendromètre, appareil à mesurer les arbres sur pied.   J. RENARD, Journal, 24 juin 1899.

DENDROMÉTRIE [dãdʀɔmetʀi] n. f. — 1868, *in* Littré ; de *dendro-*, et *-métrie*.

♦ Didact. (techn.). Technique de la mesure des arbres sur pied ou en grumes, et de l'évaluation de leur cubage en bois utile.

DÉR. **Dendrométrique.**

DENDROMÉTRIQUE [dãdʀɔmetʀik] adj. — 1877, Littré, *Suppl.* ; de *dendrométrie*.

♦ Didact. Qui se rapporte à la dendrométrie ; qui concerne le dendromètre.

-DENDRON Élément de mots scientifiques, tiré du grec *dendron* « arbre ». → Dendro-. Ex. : *rhododendron, sidérodendron*.

DENDROPHAGE [dãdʀɔfaʒ] adj. et n. m. — 1819, *in* D.D.L. ; de *dendro-*, et *-phage*.

♦ Zool. (Insecte) qui ronge les arbres.

DENDROPHILE [dãdʀɔfil] n. m — D. i. ; de *dendro-*, et *-phile*.

♦ Zool. Insecte coléoptère (*Histéridés* ou *Escarbots*) qui vit surtout dans les excréments de pigeons, dans les nids de fourmis.

DENDROPHILIE [dãdʀɔfili] n. f. — Mil. xxᵉ ; de *dendro-*, et *-philie*.

♦ Méd. Attirance morbide pour les arbres (interprétés en psychanalyse comme des symboles phalliques).

DÉNÉBULATEUR [denebylatœʀ] n. m. — 1973 ; de *dénébuler*, et *-ateur*.

♦ Didact. Appareil utilisé pour dissiper le brouillard sur un aéroport.

DÉNÉBULATION [denebylasjõ] n. f. — 1960 ; de *dénébuler*.

♦ Didact. Action de dissiper le brouillard (sur un aéroport) ; résultat de cette action. — REM. On dit aussi *dénébulisation*, 1967.

DÉNÉBULER [denebyle] ou **DÉNÉBULISER** [denebylize] v. tr. — 1973, *dénébuler* ; *dénébuliser*, 1959 ; de 1. *dé-*, lat. *nebula* « brouillard », et suff. verbal.

♦ Techn. Dissiper artificiellement le brouillard de..., en particulier sur un aéroport. — Absolt. « *Même s'il y avait de la brume, l'utilisation d'une machine à dénébuliser doit permettre de suivre les courses de ski dans les meilleures conditions de visibilité* » (*Revue municipale de Grenoble*, juin 1966).

DÉR. **Dénébulateur, dénébulation.**

DÉNÉGATEUR, TRICE [denegatœʀ, tʀis] adj. et n. — 1787 ; lat. *denegator*, du supin de *denegare*. → Dénier.

♦ Didact. Qui dénie. *Une action dénégatrice.* ⇒ **Dénégatoire.** — N. Personne qui fait une dénégation.

DÉNÉGATION [denegasjõ] n. f. — V. 1390 ; lat. *denegatio* « dénégation, reniement », du supin de *denegare*. → Dénier.

♦ **1.** (1796). Cour. Action de dénier (qqch.) ; résultat de cette action ; paroles de déni. ⇒ **Contestation, démenti, déni, désaveu, négation, refus** (de reconnaître). → Crédule, cit. 7. *Malgré ses dénégations, on le crut coupable. Signe, geste, parole de dénégation.*
(...) malgré ses dénégations, je sentais qu'elle avait l'impression d'être prisonnière (...)   PROUST, À la recherche du temps perdu, t. XII, p. 233. [1]
Mr. Pitkin bat des paupières et remue la tête en signe de dénégation.
                    G. DUHAMEL, Scènes de la vie future, IV, p. 69. [2]

♦ **2.** (V. 1390). Dr. Refus de reconnaître l'exactitude d'une affirmation de l'adversaire, au cours d'une instance. ⇒ **Déni, inscription** (de faux). *Dénégation formelle, nette, équivoque. Dénégation de responsabilité.* — *Dénégation d'écriture* : refus du défendeur de reconnaître l'auteur d'une écriture, d'une signature d'un acte sous seing privé, que le demandeur lui attribue. *Persister dans ses dénégations.*

♦ **3.** (1967). Psychan. Refus de reconnaître comme sien un désir, un sentiment jusque-là refoulé, mais que le sujet parvient à formuler. — (Au sens 1). Fait d'exprimer (qqch.) en le déniant ; expression par le langage de ce qui est nié. *La dénégation freudienne.*

CONTR. **Attestation, aveu, confession, reconnaissance.**
DÉR. **Dénégatoire.**

DÉNÉGATOIRE [denegatwaʀ] adj. — 1846 ; du rad. de *dénégation*.

♦ Dr. Qui a le caractère de la dénégation. ⇒ **Dénégateur.**

CONTR. **Approbatif.**

DÉNEIGEMENT [denɛʒmã] n. m. — 1951 ; de *déneiger*.

♦ **1.** Régional ou géogr. Fonte naturelle de la neige.
Dans les Alpes, l'économie pastorale repose tout entière sur le déneigement périodique des alpages.   Charles-Pierre PÉGUY, la Neige, p. 111. [1]
Occasionnellement, la pluie peut, en plein hiver, provoquer un déneigement tout à fait hors saison : ce sont les « moulens » du Queyras.
                    Charles-Pierre PÉGUY, la Neige, p. 70. [2]

♦ **2.** Cour. Action de débarrasser (une piste, une route, une voie ferrée) de la neige ; résultat de cette action. *Le déneigement d'une route au chasse-neige.*

DÉNEIGER [deneʒe] v. — Conjug. *neiger* (→ Bouger). — 1558 ; de 1. *dé-*, *neige*, et suff. verbal.

♦ **1.** V. impers. (1558). Régional. Fondre (en parlant de la neige). *Il déneige tard en altitude.*

♦ **2.** V. tr. (1930). Débarrasser (un lieu, en particulier une voie de communication) de la neige. *Déneiger une route, une piste avec le chasse-neige.*

▶ **DÉNEIGÉ, ÉE** p. p. adj.

Où la neige a fondu ; où la neige a été enlevée. *Pente déneigée par plaques, où l'on ne peut plus skier. Le chasse-neige est passé ce matin, la route est déneigée.*

On fera ça dès juin, dès que ce sera déneigé, car pour ce qui est du verglas, j'en ai soupé ! FRISON-ROCHE, Premier de cordée, p. 217.

CONTR. (Du p. p.) **Enneigé.**
DÉR. **Déneigement, déneigeuse.**

DÉNEIGEUSE [deneʒøz] n. f. — xxe (1975, in *la Clé des mots*) ; de *déneiger.*

♦ Machine utilisée pour faire fondre la neige.

DÉNERVER [denɛrve] v. tr. — xxe ; au xve, « enlever les nerfs (tendons) de (qqn) » ; fig. « affaiblir, énerver » ; de 1. *dé-*, *nerf*, et suff. verbal.

♦ Techn. Enlever les parties dures (tendons, nerfs), à l'exception des os (⇒ **Désosser**) de (une pièce de boucherie).

DENGUE [dɛ̃g] n. f. — 1829, *in* D.D.L. ; angl. *dengue*, du swahili *dinga, denga* « attaque subite semblable à une crampe ».

♦ Méd. Maladie infectieuse virale des régions tropicales, subtropicales et méditerranéennes, transmise par la piqûre des moustiques, caractérisée par un état fébrile soudain, des douleurs musculaires et articulaires donnant une démarche raide d'apparence affectée.

HOM. **Dingue.**

DÉNI [deni] n. m. — Mil. XIIIe ; déverbal de *dénier.*

♦ **1.** Vx ou littér. Action de dénier. ⇒ **Dénégation ; démenti, refus** (de reconnaître). → Assaut, cit. 21.

1 Le déni que fait le ministre d'avoir consenti au port des armes.
BOSSUET, Hist. des variations, v, 29.

2 (...) il exprime ses plus injustifiables dénis avec (...) une telle conviction, qu'il les rend presque supportables et obtient crédit. GIDE, Journal, 2 oct. 1915.

♦ **2.** DÉNI DE JUSTICE a (1667). Dr. Refus de la part d'un juge de remplir un acte de sa fonction, malgré deux réquisitions successives des intéressés. *Voie de recours contre le déni de justice.* ⇒ **Prise** (prise à partie).

3 Le juge qui refusera de juger, sous prétexte du silence, de l'obscurité ou de l'insuffisance de la loi, pourra être poursuivi comme coupable de déni de justice.
Code civil, art. 4.

4 Les juges peuvent être pris à partie (...) s'il y a déni de justice (...)
Code de procédure civile, art. 505.

b (1823). Cour. Refus de rendre justice à qqn, d'être juste, équitable envers lui. ⇒ **Injustice ; incompréhension.**

5 Évidemment je souffre du déni de certains. Oui, cette obstination dans le refus, la volontaire incompréhension, la haine, m'est parfois extrêmement douloureuse.
GIDE, Journal, 19 sept. 1934.

6 La mort l'obsède (F. Mauriac), il ne pense qu'à elle, lorsque ne l'agace pas tel déni, tel oubli des jeunes générations littéraires, préférant à tout Francis Ponge, dont il reconnaît que le travail de nettoyage du langage s'imposait.
Claude MAURIAC, le Temps immobile, p. 517.

♦ **3.** Psychan. (Laplanche et Pontalis, pour traduire *Verleugnung* chez Freud). *Déni (de la réalité)* : refus de reconnaître une réalité dont la perception est traumatisante pour le sujet. ⇒ **Scotomisation.**

CONTR. **Acceptation, attestation, aveu, reconnaissance.**

DÉNIAISEMENT [denjɛzmã] n. m. — 1636 ; de *déniaiser.*

♦ Action de déniaiser ; fait d'être déniaisé.

DÉNIAISER [denjeze] v. tr. — 1549 ; de 1. *dé-*, *niais*, et suff. verbal.

♦ **1.** Rendre (qqn) moins niais, moins gauche. ⇒ **Débrouiller, dégourdir, dégrossir.** *Ce voyage l'a un peu déniaisé.* — Pron. *Il s'est bien déniaisé depuis qu'il travaille.* ⇒ **Apprendre.**

1 Afin de me déniaiser, je suis résolu de voir un peu le monde.
VOITURE, Lettres, 30.

Un oncle, que j'ai le plus grand intérêt à ménager, m'envoie, du fond de sa Bretagne, un petit campagnard à déniaiser et à former (...)
LABICHE, Deux merles blancs, II, 6. 1.1

♦ **2.** Fam. *Déniaiser un jeune homme, une jeune fille*, lui faire perdre son innocence. ⇒ **Délurer, dessaler.** — (1558). Vieilli. Faire perdre sa virginité à (un jeune homme, une jeune fille).

▶ **DÉNIAISÉ, ÉE** p. p. adj.

Devenu moins niais ; qui a acquis une expérience (notamment érotique).

La Merceret, plus jeune et moins déniaisée que la Giraud, ne m'a jamais fait des agaceries aussi vives ; mais elle imitait mes tons, mes accents, redisait mes mots, avait pour moi les attentions que j'aurais dû avoir pour elle (...)
ROUSSEAU, les Confessions, IV. 2

(...) je n'ai pas encore mis le pied dehors, je ne connais rien ; j'attends que je sois déniaisée, que ma mise et mon air soient en harmonie avec ce monde (...)
BALZAC, Mémoires de deux jeunes mariées, Pl., t. I, p. 142. 3

Elle découvrait les amusements de la ville, et les joies du ménage n'étaient plus qu'un souvenir : l'amour, la coquetterie, les restaurants des Halles, Montmartre, les facilités de la vie de château et d'hôtel pendant les vacances. Déniaisée ; plus de timidité ni de faiblesse de caractère.
Valery LARBAUD, Amants, heureux amants, p. 128. 4

Attends ! Laisse-moi te parler ! Pendant que tu te reposais ainsi dans la paresse de ton éternité, sur tes procédés de l'An I, l'esprit de l'homme, déniaisé par toi-même ! (...) a fini par s'attaquer aux dessous de la Création (...)
VALÉRY, Mon Faust, p. 54. 5

Je ne fus pas blessé de cette mise au point. À vingt-deux ans, peu déniaisé, retenu par des timidités ou des dégoûts, militaire depuis longtemps, ne connaissant guère que le bordel, j'avais le sentiment de mon infériorité comme amant, ce qui se paye.
DRIEU LA ROCHELLE, la Comédie de Charleroi, p. 180. 6

DÉR. **Déniaisement, déniaiseur.**

DÉNIAISEUR, EUSE [denjɛzœr, øz] n. — 1582 ; de *déniaiser.*

♦ Rare. Personne qui déniaise.

Que les exigences de l'honnêteté et de l'intelligence aient été colonisées à des fins égoïstes par l'hypocrisie d'une société médiocre et cupide, c'est là un malheur que Marx, déniaiseur incomparable, a dénoncé avec une force inconnue avant lui.
CAMUS, l'Homme révolté, p. 605. 1

(...) les niaises disparues comme les déniaiseuses pour céder la place à ce que tous les garçons appellent « une fille » sans plus.
Hervé BAZIN, Au nom du fils, p. 175-176. 2

1. DÉNICHER [deniʃe] v. tr. et intr. — V. 1131, *desnichier* ; de 1. *dé-*, et *nicher* « faire son nid ».

★ **I.** V. tr. ♦ **1.** (Déb. XIIIe). Enlever d'un nid (les oiseaux, leurs œufs). *Dénicher des oiseaux. Dénicher une couvée. Dénicher les œufs.*

O quantes fois aux arbres grimpé j'ai,
Pour dénicher ou la pie ou le geai (...)
MAROT, Églogue au Roi (sous les noms de Pan et de Robin). 1

Oui-da, dit François, en riant ; et puis tu monteras aussi sur le grand cormier pour dénicher les croquabeilles ?
G. SAND, François le Champi, v, p. 58. 2

Par ext. (incorrect). *Aller dénicher des nids.*

(1775). Par métaphore, à propos d'une jeune fille sévèrement gardée. ⇒ **Enlever.**

Joli oiseau, ma foi ! difficile à dénicher (...)
BEAUMARCHAIS, le Barbier de Séville, I, 4. 3

♦ **2.** (Fin XVIIe). Cour. Découvrir à force de recherches. ⇒ **Découvrir, trouver.** *Dénicher un ami dans la foule. Comment m'avez-vous déniché ? Dénicher un objet rare. Dénicher un appartement, un bon restaurant, une situation. Dénicher un livre précieux chez un bouquiniste.*

Je dénichai et lus en cachette des articles de médecine beaucoup plus propres à m'égarer qu'à m'instruire.
G. DUHAMEL, Récits des temps de guerre, II, p. 186. 4

♦ **3.** Fig. *Dénicher qqn de* (quelque part) : forcer qqn à sortir de... ⇒ **Chasser, débusquer.** *Dénicher l'ennemi d'un bois. Dénicher le voleur de sa cachette.*

★ **II.** V. intr. ♦ **1.** (1704). Rare. Abandonner son nid. ⇒ **Partir.** *Les hirondelles ont déniché dès les premiers froids.*

Par métaphore. *Les oiseaux ont déniché*, en parlant de personnes qui sont parties, qui ont quitté l'endroit où l'on s'attendait à les trouver. ⇒ **Envoler** (s'), **évader** (s').

♦ **2.** Fig., vx. Se retirer avec précipitation de quelque lieu. ⇒ **Enfuir** (s'), **évader** (s'), **partir, retirer** (se), **sauver** (se). *Dès la première attaque, les ennemis ont déniché. Dénichons vite ! Dénicher sans tambour ni trompette.*

(...) vous dénicherez à l'instant de la ville. MOLIÈRE, l'École des femmes, v, 4. 5

CONTR. **Nicher ; demeurer, rester ; cacher** (se), **embusquer** (s').
DÉR. **Dénicheur.**

2. DÉNICHER [deniʃe] v. tr. — Av. 1692 ; de 1. *dé-*, 1. *niche*, et suff. verbal.

♦ Vx. Enlever (une statue) de sa niche.

DÉNICHEUR, EUSE [deniʃœʀ, øz] n., fém. rare. — 1623 ; var. régionale *dénicheux*, 1604, *in* D. D. L. ; de 1. *dénicher*.

♦ **1.** (1628). Personne, enfant qui enlève les oiseaux de leur nid.

(...) bien avant que les feuilles trempées d'eau aient fait sous son pas cet affreux bruit de suçoirs, bien avant que la haute et fine silhouette — ah! si jeune : on dirait d'un de ces dénicheurs de nids barbouillés de mûres, un compagnon des anciens dimanches, des beaux dimanches! (...)
BERNANOS, *Monsieur Ouine*, p. 148.

♦ **2.** (1690). Fig. *Dénicheur, dénicheuse de...* : personne qui sait découvrir (des objets rares). *Dénicheur d'antiquités, de bibelots, de livres rares.*

DÉNICKELER [denikle] v. tr. — Déb. xxᵉ ; de 1. *dé-*, *nickel*, et suff. verbal.

♦ Techn. Enlever le revêtement de nickel de... — REM. Le substantif correspondant est *dénickelage* [deniklaʒ] n. m.

DÉNICOTINISATION [denikɔtinizɑsjɔ̃] n. f. — 1905 ; de 1. *dé-*, *nicotiniser*, et suff. *-ation*.

♦ Didact. Procédé permettant de réduire la teneur en nicotine du tabac.

DÉNICOTINISER [denikɔtinize] v. tr. — 1878 ; de 1. *dé-*, *nicotine*, et *-iser*.

♦ Retirer en partie ou en totalité la nicotine* de.

▶ **DÉNICOTINISÉ, ÉE** p. p. adj. (1878). *Tabac dénicotinisé.*

1　(...) Albalat s'installait sur une banquette et roulait, en nous attendant, une cigarette, non de tabac même dénicotinisé, mais de feuilles d'aubépine (...)
Francis CARCO, *Ombres vivantes*, p. 231, Gallimard (1952).

2　— J'aurais tant voulu qu'elle *(la salle à manger)* ressemble à la vôtre, dis-je à Zézette.
— Ah oui? dit Basile. Doux et rêveur.
Il m'offrit, en guise de consolation, une Gauloise dénicotinisée.
Violette LEDUC, *Folie en tête*, p. 447.

DÉR. Dénicotinisation.

DENIER [dənje] n. m. — V. 1175 ; *dener*, v. 1110 ; lat. *denarius*, de *deni* « dix par dix ». → Dénaire.

♦ **1.** Ancienne monnaie romaine, d'argent, valant dix as, puis seize. — *Le denier de César. Les trente deniers de Judas.*

1　Et ils lui présentèrent un denier. Et il leur dit : « De qui cette image et l'inscription ? — De César », lui dirent-ils.
BIBLE (CRAMPON), Évangile selon saint Matthieu, XXII, 19-20
(→ Rendre, cit. 3).

2　(...) il *(Judas)* vend pour trente deniers celui qui devait être la rédemption du monde entier.　BOURDALOUE, *Passion de J.-C.*, IIIᵉ sermon.

♦ **2.** Ancienne monnaie française, valant la deux cent quarantième partie de la livre. ⇒ **Liard, livre, sou.**

3　(...) Douze sols huit deniers : le compte est juste.
MOLIÈRE, *le Bourgeois gentilhomme*, III, 4.

4　Le denier, qui était la deux-cent-quarantième partie d'une livre d'argent de douze onces (...)　VOLTAIRE, *Essai sur les mœurs*, XIX.

5　Pour vous résumer notre situation par des chiffres, plus significatifs que mes discours, la Commune possède aujourd'hui deux cents arpents de bois (...) Dans quinze ans d'ici, elle aura pour cent mille francs de bois à abattre, et pourra payer ses contributions sans qu'il en coûte un denier aux habitants (...)
BALZAC, *le Médecin de campagne*, Pl., t. VIII, p. 356.

Le denier tournois valait le tiers d'un liard et le douzième d'un sou. Quart de denier. ⇒ **Pite.** *Denier d'argent. Denier d'or.*

Fam., vx. *N'avoir pas un denier* : n'avoir pas d'argent. ⇒ **Rond, sou** (il n'a pas le rond, pas le sou).

(1349). Anciennt (suivi d'un nombre). Intérêt* (d'une somme d'argent, d'un capital). *Argent placé au denier 20*, dont l'intérêt est égal au vingtième du capital, c'est-à-dire à 5 %.

6　(...) vingt pistoles rapportent par année dix-huit livres six sols huit deniers, à les placer qu'au denier douze.　MOLIÈRE, *l'Avare*, I, 4.

7　(...) les rentes, qui étaient au denier dix, tombèrent au denier vingt.
MONTESQUIEU, *l'Esprit des lois*, XXII, VI.

♦ **3.** (xvᵉ ; *denier à Dieu* « légère contribution pour des œuvres de charité »). Somme versée en tribut.

Hist. relig. *Denier de Saint-Pierre* : à Rome, tribut que l'on payait le jour de la fête de Saint-Pierre-aux-Liens. — Mod. Argent recueilli par l'Église catholique parmi les fidèles, pour subvenir aux besoins du pape.

7.1　Puisqu'il ne pouvait accepter la subvention du royaume d'Italie, l'idée vraiment touchante du denier de Saint-Pierre aurait dû sauver le Saint-Siège de tout souci matériel, à la condition que ce denier fût en réalité le sou du catholique.
ZOLA, *Rome*, p. 271.

(1906). *Denier du culte* : somme d'argent versée chaque année par les catholiques au curé de leur paroisse pour subvenir aux besoins du culte. *Chaque évêque collecte et répartit le denier du culte de son diocèse.*

Loc. (1689). Vx. *Le denier de la veuve* : l'aumône modeste que fait un pauvre.

Vx. *Denier de confession* : offrande que les pénitents versaient autrefois à leur confesseur.

(1648). Vieilli. *Denier à Dieu* : arrhes versées pour un marché, une location verbale. ⇒ **Arrhes.** Vx. Gratification donnée au concierge d'un immeuble par un nouveau locataire.

♦ **4.** (1273). Plur. Somme d'argent indéterminée (souvent avec un possessif). ⇒ **Argent.** *Acheter une chose avec ses propres deniers, de ses propres deniers* (→ Attributaire, cit.), avec son propre argent. *Je l'ai payé de mes deniers. — Les deniers publics :* les revenus de l'État. ⇒ **Caisse.** *Malversation dans le maniement des deniers publics.* ⇒ **Concussion, péculat.**

8　Les Phocéens ouvrirent les yeux, et nommèrent des commissaires pour faire rendre compte à tous ceux qui avaient touché les deniers publics (...)
ROLLIN, *Hist. ancienne*, t. VI, p. 43, *in* POUGENS.

♦ **5.** (1870). Dans le commerce de la soie, Poids de 0,05 g ; unité de finesse du fil, de la fibre. *On classe les fils de soie d'après le nombre de deniers pour 450 mètres* (nombre de grammes par 9 000 m). *Bas de trente deniers.*

DÉNIER [denje] v. tr. — 1160 ; de 2. *dé-*, et *nier*, d'après le lat. *denegare*. → Dénégateur, dénégation.

♦ **1.** (1160). Vx. Refuser de reconnaître comme vrai (un fait, une assertion). ⇒ **Contester, nier.** *Dénier les faits les plus évidents. Dénier un crime. Dénier une dette.*

Mod. Refuser de reconnaître comme sien (un acte critiqué). *Il dénie sa faute. Elle dénie sa responsabilité.*

1　Qu'il approuve sa mort, c'est ce que je dénie.　CORNEILLE, *Cinna*, II, 1.

2　Il mène avec lui des témoins (...) afin qu'il ne prenne pas un jour envie à ses débiteurs de lui dénier sa dette.
LA BRUYÈRE, *les Caractères de Théophraste, De la défiance*.

3　Les faits (...) seront (...) déniés ou reconnus dans les trois jours ; sinon ils pourront être tenus pour confessés ou avérés.　Code de procédure civile, art. 252.

♦ **2.** (1160). Refuser d'accorder (ce que la justice, l'équité, l'honnêteté,... commande). ⇒ **Refuser.** *Dénier qqch. à qqn. Vous ne pouvez lui dénier le droit de...*

4　Puis-je, sans étouffer la voix de la nature,
Dénier mon secours aux tourments qu'il endure ?
CORNEILLE, *la Place royale*, 6.

5　(...) en Basse-Bretagne, à laquelle Dieu avait dénié les vignes.
VOLTAIRE, *l'Ingénu*, IV.

6　(...) nous ne voulons donc pas dénier aux artistes le droit de sonder les plaies de la société et de les mettre à nu sous nos yeux (...)
G. SAND, *la Mare au diable*, I, p. 13.

CONTR. Accorder, allouer, attester, attribuer, avouer, concéder, confesser, confirmer, donner.
COMP. Indéniable.
DÉR. Déni.

DÉNIGRANT, ANTE [denigʀɑ̃, ɑ̃t] p. prés. adj. — 1747 ; p. prés. de *dénigrer*.

♦ Qui dénigre (choses), est porté à dénigrer. ⇒ **Dénigreur.** *Ces dames sont bien dénigrantes* (Académie). — *Ton, langage dénigrant.*

(...) ne vous laissez pas atteindre par le scepticisme dénigrant et stérile (...)
PASTEUR, *Disc. du 27 déc. 1892* (jour de son jubilé).

N. Rare. *Un dénigrant, une dénigrante.*

CONTR. Apologétique, laudatif.

DÉNIGREMENT [denigʀəmɑ̃] n. m. — 1527 ; *denigracion*, 1399 ; *denigration*, 1314 ; de *dénigrer*.

♦ Action de dénigrer ; résultat de cette action. ⇒ **Attaque, critique, médisance.** *Esprit de dénigrement. Dénigrement systématique.*

1　(...) la malveillance et le dénigrement sont les deux caractères de l'esprit français ; la moquerie et la calomnie, le résultat certain d'une confidence.
CHATEAUBRIAND, *Mémoires d'outre-tombe*, t. II, p. 104.

2　Mais le dénigrement de ceux que nous aimons toujours nous en détache quelque peu. Il ne faut pas toucher aux idoles ; la dorure en reste aux mains.
FLAUBERT, *Mᵐᵉ Bovary*, III, VI, p. 180.

3　Combien n'est-il pas plus flatteur de voir un critique, par rancune ou dépit, se forcer au dénigrement, que, par camaraderie, à l'indulgence.
GIDE, *Journal*, 1ᵉʳ oct. 1927.

PAR DÉNIGREMENT. *Ce mot ne s'emploie plus aujourd'hui que par dénigrement,* péjorativement. ⇒ **Péjoration.**

Rare. *(Un, des dénigrements).* Parole de dénigrement.

4　De tels dénigrements, au lieu de m'accabler, m'exaltent et même plus profondément que des louanges.　GIDE, *Journal*, 23 nov. 1912.

CONTR. Admiration, apologie, approbation, éloge, exaltation, louange.

DÉNIGRER [denigʀe] v. tr. — 1358 ; lat. *denigrare* « noircir » au fig., de *de-*, et *nigrare* « rendre noir », de *niger* « noir ».

♦ S'efforcer de « noircir », de diminuer, de mépriser (qqn, qqch.), en disant du mal, en attaquant, en niant les qualités. ⇒ **Attaquer,**

calomnier, clabauder (contre), **critiquer, débiner** (fam.), **déblatérer** (contre), **décrier, déprécier, déprier, discréditer, médire** (de), **noircir, rabaisser**. *Dénigrer ses amis. Dénigrer les médecins, les avocats* (cit. 19). *Ils cherchent à discréditer le régime en dénigrant ses représentants. Dénigrer l'ouvrage, la conduite de qqn* (→ Apporter, cit. 19).

1 J'ai loué des sots, j'ai dénigré les talents (...) VOLTAIRE, l'Écossaise, I, 1.
Absolt. *Il ne sait que dénigrer.*

2 Sur quelque sujet que se portât la conversation, l'esprit de Valéry et de Cocteau ne s'efforçait que de dénigrer ; ils faisaient assaut d'incompréhension, de déni. GIDE, Journal, 3 nov. 1920.

CONTR. Admirer, approuver, exalter, louer, préconiser, prôner, vanter.
DÉR. Dénigrant, dénigrement, dénigreur.

DÉNIGREUR, EUSE [denigʀœʀ, øz] adj. et n. — 1781 ; de *dénigrer*, et *-eur*.

♦ Rare. Personne qui dénigre. ⇒ **Contempteur, détracteur.**

1 Sur l'abbé Giraud, qui s'était fait dénigreur de son métier, et qui avait coutume de dire de tous les livres qu'il lisait : C'est absurde ! Il va laissant tomber sa signature partout. RIVAROL, Rivaroliana, II.

2 (...) je me mets en route pour les visites traditionnelles, pas du tout obligatoires contrairement à ce que prétendent certains dénigreurs, mais qu'il est poli et bien naturel de rendre (...) Georges LECOMTE, Ma traversée, p. 522.
Adj. *Esprit dénigreur.*

CONTR. Admirateur, apologiste, approbateur, louangeur.

DENIM [dənim] n. m. — Av. 1973 ; mot angl. des États-Unis, du nom de la ville française de *Nîmes*.

♦ Anglic. Toile servant à fabriquer les blue-jeans*.

Elle choisit un tee-shirt, une salopette de travail en denim bleu, puis des sandales de tennis et des chaussettes rouges. J.-M. G. LE CLÉZIO, Désert, p. 311.

DÉNITRIFIANT, ANTE [denitʀifjɑ̃, ɑ̃t] adj. — 1898, *Année sc. et industr.*, 1899, p. 228 ; p. prés. de *dénitrifier*.

♦ Sc. Qui absorbe l'azote.

DÉNITRIFICATEUR, TRICE [denitʀifikatœʀ, tʀis] adj. — 1865, *Rev. des cours sc.*, t. II, p. 711 ; de *dénitrifier*.

♦ Sc. Qui cause la dénitrification.

DÉNITRIFICATION [denitʀifikɑsjɔ̃] n. f. — 1897, *Année sc. et industr.*, 1898, p. 259 ; de 1. *dé-*, et *nitrification*.

♦ Sc. Phénomène par lequel une substance se dénitrifie. Décomposition des substances azotées dans le sol (par l'action bactérienne).

DÉNITRIFIER [denitʀifje] v. tr. — Conjug. *prier*. — 1908, sans doute antérieur (→ les dér.) ; de 1. *dé-*, et *nitrifier*.

♦ Sc. Retirer l'azote de (une substance, un sol). ⇒ aussi **Dénitrification.**

DÉR. Dénitrifiant, dénitrificateur.

DÉNIVELÉE [denivle] n. f. ou **DÉNIVELÉ** [denivle] n. m. — 1950 ; de *déniveler*.

♦ Techn. Différence de niveau, d'altitude entre deux points (spécialt, arme et objectif). ⇒ **Dénivellation** (2.). — Alpinisme, ski. « *Les remontées mécaniques partiraient de l'altitude 1 450 vers les sommets, soit 1 200 mètres de dénivelée* » (*le Monde*, 2 mars 1966). *Une progression de trois cents mètres de dénivelée dans l'heure.*

DÉNIVELER [denivle] v. tr. — Conjug. *appeler*. — 1847 ; de 1. *dé-*, et *niveler*.

♦ Faire cesser d'être de niveau. *Déniveler un terrain, un jardin.*

▶ **DÉNIVELÉ, ÉE** p. p. adj.
Qui n'est pas du même niveau.

(...) ses quatre roues *(du véhicule)*, écartées de huit à neuf pieds à l'extrémité de chaque essieu, lui assurent un certain équilibre sur des routes cahoteuses et trop souvent dénivelées. J. VERNE, Michel Strogoff, 1876, p. 120.

CONTR. Niveler.
DÉR. Dénivellation, dénivelée.

DÉNIVELLATION [denivɛl(l)ɑsjɔ̃] n. f. ou **DÉNIVELLEMENT** [denivɛlmɑ̃] n. m. — 1845 ; de *déniveler*.

♦ **1.** Rare. Action de déniveler ; son résultat. *La dénivellation d'une route.*

♦ **2.** Plus cour. *(Une, des dénivellations).* Différence de niveau

(⇒ **Dénivelée**). *Les dénivellations (dénivellements*, rare) *d'une région montagneuse.* ⇒ **Inégalité.**

1 En ce moment, à cent pieds en arrière du canot, se leva une monstrueuse lame, couronnée nettement par une crête blanche. Au-devant d'elle, la dénivellation de la surface liquide formait comme une sorte de gouffre. Toutes les petites ondulations intermédiaires, écrasées par le vent, avaient disparu. J. VERNE, le Pays des fourrures, t. I, p. 114.

2 Près des paupières et des cils, il y avait une zone curieuse, une sorte de dénivellation ombreuse, qui ne reposait pas sur de l'os. J.-M. G. LE CLÉZIO, la Fièvre, p. 50.

Fig. *Des dénivellations sociales.*

DÉNOIRCIR [denwaʀsiʀ] v. tr. — XIVe ; 1771, au pron. ; de 1. *dé-*, et *noircir*.

♦ Rare. Rendre moins noir.

CONTR. Noircir.

DÉNOISEUR [denwazœʀ] n. m. — 1955, *Dict. des métiers* ; de 1. *dé-*, *noix*, et *-eur*.

♦ Techn. Ouvrier qui dénoyaute les pruneaux.

DÉNOMBRABLE [denɔ̃bʀabl] adj. — XIIIe, *desnombrable* « innombrable » ; de *dénombrer*.

♦ Qu'on peut dénombrer, compter. ⇒ **Nombrable.** — Math., log. *Ensemble dénombrable*, dont les éléments peuvent être mis en correspondance biunivoque* avec les éléments de l'ensemble des nombres entiers. *L'ensemble des points d'une droite n'est pas dénombrable.*

CONTR. Indénombrable, innombrable.

DÉNOMBREMENT [denɔ̃bʀəmɑ̃] n. m. — 1329 ; de *dénombrer*.

♦ Action de dénombrer (des personnes, des choses) ; résultat de cette action. ⇒ **Compte, détail, énumération, inventaire, recensement, statistique.** *Faire un dénombrement exact. Le dénombrement des faits de la vie sociale.* ⇒ **Statistique.** *Dénombrement des citoyens, à Rome.* ⇒ **Cens** (→ Classe, cit. 2). *Dénombrement des habitants d'un pays, d'une population. Méthodes de dénombrement en statistiques.*

1 Et le dernier *(précepte était)*, de faire partout des dénombrements si entiers et des revues si générales, que je fusse assuré de ne rien omettre. DESCARTES, Disc. de la méthode, II.

2 Le nom de ce panégyriste semble gémir sous le poids des titres dont il est accablé (...) Quand (...) on l'a un peu écouté, l'on reconnaît qu'il manque au dénombrement de ses qualités celle de mauvais prédicateur. LA BRUYÈRE, les Caractères, XV, 18.

3 (...) il est prouvé qu'elle *(la France)* ne contient qu'environ vingt millions d'âmes tout au plus par le dénombrement des feux assez exactement donné en 1751. VOLTAIRE, Dialogues, XXIV, 1er entretien.

Spécialt, log. Énonciation dans les prémisses de données dont dépend la conclusion. *Dénombrement imparfait :* raisonnement par lequel on suppose énoncer tous les cas possibles par une alternative, alors qu'un ou plusieurs cas sont omis.

DÉNOMBRER [denɔ̃bʀe] v. tr. — Av. 1150 ; lat. *dinumerare* « calculer, dénombrer ».

♦ Énoncer en les comptant chaque partie d'un tout, d'un ensemble (de personnes, de choses). ⇒ **Compte** (faire le) ; **compter, détailler, énumérer, inventorier, recenser.** *Dénombrer les habitants d'une ville, d'un pays. Dénombrer les causes d'un phénomène.*

1 (...) Démétrius (...) les dénombra comme dans un marché l'on compte les esclaves. MONTESQUIEU, l'Esprit des lois, III, 3.

2 Le déterminisme auquel il semble que notre esprit, non plus que notre corps, ne puisse échapper est si subtil, répond à des causes si diverses, si multiples et si ténues, qu'il paraît enfantin de chercher à les dénombrer, et plus encore à les réduire. GIDE, Feuillets, in Journal 1889-1939, Pl., p. 813.

2.1 (...) la quantité d'enfants est inimaginable. Je tâche de les dénombrer ; à cent quatre-vingts je m'arrête, pris de vertige : ils sont trop ! GIDE, Voyage au Congo, in Souvenirs, Pl., p. 768.

3 L'idée qu'on puisse dénombrer les hommes, en faire un recensement leur paraîtra toujours *(à ces nomades)* attentatoire à la personne et à sa dignité. Ils ne veulent pas servir un maître. DANIEL-ROPS, le Peuple de la Bible, I, II, p. 42.

DÉR. Dénombrable, dénombrement.

DÉNOMINATEUR [denɔminatœʀ] n. m. — 1484 ; lat. *denominator* « celui qui nomme », du supin de *denominare*. → Dénommer.

♦ Arithm. Celui des deux termes d'une fraction* qui indique en combien de parties l'unité a été divisée (⇒ **Numérateur**). *Numérateur et dénominateur. Réduire des fractions au même dénominateur.*

1 Tout numérateur est un dividende, et tout *dénominateur* est un diviseur (...) CONDILLAC, la Langue des calculs, I, 7, in LITTRÉ.

2 L'écolier, qui sait qu'on va lui dicter une fraction, tire une barre, avant de savoir ce que seront le numérateur et le dénominateur (...) H. BERGSON, l'Évolution créatrice, p. 149.

DÉNOMINATEUR COMMUN, celui que l'on obtient en réduisant plusieurs fractions au même dénominateur, correspondant au plus petit commun multiple* des dénominateurs des fractions. *Chercher le plus petit dénominateur commun* (abrév. : *P.P.D.C*) *à plusieurs fractions.*

(1964). Fig. Élément commun à des faits différents, des personnes différentes, conçu soit comme un utile réducteur de différences permettant un regroupement, soit comme le caractère de banalité commun à tous.

3   Je pense qu'il existe entre les hommes, bien plus souvent qu'on ne le croit, un dénominateur commun. C'est comme sur le tableau noir. Vous écrivez de gros nombres fractionnaires qui semblent inconciliables, et puis, par éliminations successives, on arrive à trouver ce dénominateur commun, petit chiffre bien simple que rien ne laissait prévoir sous ces complications touffues.
L.-H. LYAUTEY, Paroles d'action, p. 179.

4   Il lui semblait maintenant l'avoir en quelque sorte dévoyé en le réduisant imprudemment à un triste et commun dénominateur humain.
M. AYMÉ, Travelingue, p. 190.

5   Il se passe dans la société ce qui se passe dans une classe, à l'école : le commun dénominateur est toujours à l'indice du plus bête ; dans une association, amicale ou autre, c'est toujours le plus riche qui est dépouillé, le plus généreux qui perd, le plus vivant qui s'étiole.
Jean-Louis CURTIS, le Roseau pensant, p. 155.

CONTR. Numérateur.

DÉNOMINATIF, IVE [denominatif, iv] adj. et n. — 1464 ; bas lat. *denominativus* « dérivé », du supin de *denominare*. → Dénommer.

Grammaire.

♦ **1.** Qui sert à nommer, à désigner. *Terme, mot dénominatif.* — N. m. *Un dénominatif.*

♦ **2.** Qui est formé à partir d'un nom, en parlant d'un mot. *Verbe dénominatif.* — N. m. *Dénominatifs et déverbaux*.*

(*Le suffixe latin* -ātum), par ses origines, se rattache (...) aux verbes dénominatifs latins en -*āre*, qui eux-mêmes remontent en grande partie aux substantifs féminins en -*a* (→ *plantāre : planta,* grec *tīmāō : tīmā,* etc.) (...)
F. DE SAUSSURE, Cours de linguistique générale, p. 294.

DÉNOMINATION [denominasjɔ̃] n. f. — 1375, *denominacion* ; lat. *denominatio* « désignation », du supin de *denominare*. → Dénommer.

♦ Désignation d'une personne ou d'une chose par un nom. → Reconnaître, cit. 8.1. — Nom affecté à une chose. ⇒ **Appellation, désignation, nom** (→ Casbah, cit. 1.). *Comprendre plusieurs objets différents sous une même dénomination.*

1   Il faut donner une dénomination nouvelle aux départements ; je ne pense pas qu'il puisse exister une opération plus grande, plus importante (...).
MIRABEAU, Collection, t. III, p. 230, in LITTRÉ.

1.1   (...) pour les rivières, les golfes, les caps, les promontoires, que nous apercevons du haut de cette montagne, choisissons des dénominations qui rappellent plutôt leur configuration particulière.
J. VERNE, l'Île mystérieuse, t. I, p. 142.

1.2   Qu'on les appelle de ce nom d'Ourals, qui est d'origine tartare, ou de celui de Poyas, suivant la dénomination russe, ils sont justement nommés, puisque ces deux noms signifient ceinture dans les deux langues.
J. VERNE, Michel Strogoff, p. 132.

2   Les conférences *intra muros* devinrent ainsi des cours. Cependant, comme à Saint-Sulpice rien ne change, les anciennes dénominations restèrent. Le séminaire n'a pas de *professeurs ;* tous les membres de la congrégation ont le titre uniforme de *directeur.*
RENAN, Souvenirs d'enfance..., IV, p. 157.

Dénomination commune : désignation d'une préparation pharmaceutique par un nom adopté d'un commun accord par les autorités compétentes nationales et internationales (distincte de la *marque déposée*).

DÉNOMMER [denome] v. tr. — 1170 ; lat. *denominare,* de *de-,* et *nominare.* → Nommer.

♦ **1.** Dr. Nommer (une personne) dans un acte. ⇒ **Nommer ; indiquer.** *Témoin dénommé dans un acte d'accusation.*

1   Les actes de l'état civil énonceront l'année, le jour et l'heure où ils seront reçus, les prénoms et nom de l'officier de l'état civil, les prénoms, noms, professions et domiciles de tous ceux qui y seront dénommés.
Code civil, art. 34.

♦ **2.** (Mil. XIIIᵉ). Donner un nom à (une personne, une chose, une classe d'individus). ⇒ **Appeler, désigner, étiqueter, nommer, qualifier.** *Dénommer qqn du nom de...*

Par ext. Renvoyer à (un objet, une classe d'objets) par le sens. ⇒ **Désigner.**

2   Les clartés ordinaires ne me suffisent plus quand le sens des mots n'est pas aussi clair que leur son, c'est-à-dire quand ils n'offrent pas à ma pensée des objets aussi transparents pour eux-mêmes que les termes qui les dénomment.
Joseph JOUBERT, Pensées, « L'auteur peint par lui-même ».

DÉNONCER [denɔ̃se] v. tr. — Conjug. *placer.* — 1174, *denuntier ; denoncier,* 1260 ; lat. class. *denuntiare* « faire savoir », de *de-,* intensif, et *nuntiare* « apprendre ».

♦ **1.** Vx. Faire savoir officiellement (qqch.). ⇒ **Annoncer, notifier, proclamer, publier, signifier.** *Dénoncer la guerre.* ⇒ **Déclarer.**

1   (...) il (*Robert II de la Marck*) s'y raccommoda *(avec la France),* puis s'outrecuida jusqu'à dénoncer la guerre à l'Empereur (...)
SAINT-SIMON, Mémoires, t. II, XLIII.

Dénoncer à qqn que...

2   Lorsque le roi Henri VIII (...) commença d'ébranler l'autorité de l'Église, les sages lui dénoncèrent qu'en remuant ce seul point, il mettait tout en péril, et qu'il donnait, contre son dessein, une licence effrénée aux âges suivants.
BOSSUET, Oraison funèbre d'Henriette-Anne d'Angleterre.

Mod. Dr. Donner avis de (un acte de procédure) à de tierces personnes qui n'y ont pas été parties. *Le désaveu sera dénoncé aux parties de l'instance principale* (Code de procédure civile, art. 356). *Le saisissant sera tenu de dénoncer la saisie-arrêt ou opposition au débiteur saisi* (Code de procédure civile, art. 563).

♦ **2.** Cour. Annoncer la rupture de ; la fin de (un accord). ⇒ **Annuler, rompre.** *Dénoncer la fin de l'armistice,* et, ellipt., *dénoncer l'armistice :* annoncer la reprise des hostilités. — *Dénoncer un traité, un contrat, une convention.*

3   (...) je crois que j'aimerais encore mieux dénoncer le contrat et retourner dans le néant (...)
G. DUHAMEL, Cri des profondeurs, II, p. 35.

♦ **3.** [a] (Compl. n. de personne). Signaler (qqn) comme coupable. ⇒ **Accuser, cafarder, nommer, trahir, vendre ;** (fam. ou argot). **balancer, balanstiquer, brûler, caponner, donner, fourguer, griller, moucharder ;** et aussi **affaler** (s'), **allonger** (s'), **croquer** (en croquer) ; scol. **cafeter, rapporter ;** → casser, manger le morceau*, se mettre à table*. *Dénoncer qqn à la police. Dénoncer ses complices. Dénoncer un suspect.*

4   (*D'où vient que*) vous ne songez à l'aller dénoncer
Que lorsque son honneur l'oblige à vous chasser ?
MOLIÈRE, Tartuffe, V, 7.

5   Puzzini ameute sa clique, me dénonce au ministre, arme l'autorité pour me persécuter.
P.-L. COURIER, Lettres, II, 44.

6   — Vous demandez pourquoi je parle ? je ne suis ni dénoncé, ni poursuivi, ni traqué, dites-vous. Si ! je suis dénoncé ! si ! je suis poursuivi ! si ! je suis traqué ! Par qui ? par moi. C'est moi qui me barre à moi-même le passage, et je me traîne, et je me pousse, et je m'arrête, et je m'exécute, et quand on se tient soi-même, on est bien tenu.
HUGO, les Misérables, Vᵉ partie, IV, I.

7   Il (*le marquis de Mirabeau, père de Mirabeau*) dénonce dans le rentier « un oisif qui jouit ».
Louis BARTHOU, Mirabeau, p. 12.

[b] (1260). Compl. n. de chose. Faire connaître publiquement une chose pour que l'opinion la condamne. *Dénoncer un crime, les malversations, les méfaits de qqn. Dénoncer un scandale, des abus. Dénoncer le vice. Dénoncer une criante injustice.*

8   (...) c'est pour les avoir connus qu'il pouvait dénoncer avec tant de force les abus de l'organisation judiciaire et en préconiser les remèdes avec une si précise clairvoyance.
Louis BARTHOU, Mirabeau, p. 154.

9   L'homme peut s'autoriser à dénoncer l'injustice totale du monde et revendiquer alors une justice totale qu'il sera seul à créer. Mais il ne peut affirmer la laideur totale du monde.
CAMUS, l'Homme révolté, IV, p. 319.

Dénoncer les défauts, les travers, les ridicules,...

10   J'ai dénoncé déjà cet enfantin besoin de mon esprit de combler avec du mystère tout l'espace et le temps qui ne m'étaient pas familiers.
GIDE, Si le grain ne meurt, I, V, p. 125.

11   À la campagne, un homme cultivé sait qu'on le moque pour ce qu'il a de supérieur ; mais rien ne l'avertit de ses vrais ridicules que nul ne lui dénonce.
F. MAURIAC, la Province, p. 28.

♦ **4.** Littér. (Sujet et compl. n. de chose). Faire connaître, révéler (qqch.). ⇒ **Annoncer, connaître** (faire connaître), **dénoter, dévoiler, indiquer, montrer, révéler, trahir.** *Tout dans cette maison dénonce la richesse.* ⇒ **Sentir.** *Ce trait dénonce beaucoup d'à-propos.*

12   (...) tout chez Gabrielle Darras dénonçait une personne de la haute bourgeoisie française (...)
Paul BOURGET, Un divorce, I, p. 3.

13   Ses corrections *(de Montaigne)* le dénoncent comme sensible à la beauté du mot, à la physionomie de l'image et du son.
Gustave LANSON, l'Art de la prose, p. 54.

14   Il est intéressant de noter, dans les conversations que nous avons avec nos proches, les mots qui reviennent le plus souvent sur leurs lèvres et qui, si nous les examinons avec soin, dénoncent toujours un tour d'esprit que nous avons avantage à connaître.
G. DUHAMEL, Discours aux nuages, p. 19.

▶ **SE DÉNONCER** v. pron.

Se reconnaître coupable. ⇒ **Livrer** (se), **rendre** (se).

15   Qu'est-ce qu'un pénitent ? c'est un coupable qui se reconnaît coupable, qui se dénonce lui-même comme coupable, qui vient, en qualité de coupable, réclamer la miséricorde de son juge, et demander grâce.
BOURDALOUE, Pensées, « Sacrements de pénitence ».

Se dénoncer les uns les autres. ⇒ **Trahir** (se).

16   (...) quand les partis en sont à se dénoncer et à se soupçonner ainsi, ils n'ont plus qu'à se décimer au plus vite et à se tuer les uns les autres.
JAURÈS, Hist. socialiste..., t. VII, p. 354.

▶ **DÉNONCÉ, ÉE** p. p. adj.

♦ **1.** Dr. Rompu. *Contrat dénoncé.*

♦ **2.** Signalé comme condamnable. *Personne dénoncée à la police. Abus dénoncés et abus secrets.*

CONTR. Cacher, taire. — Observer ; confirmer (un accord). **— Défendre.**
DÉR. Dénonciateur, dénonciation.

DÉNONCIATEUR, TRICE [denɔ̃sjatœʀ, tʀis] n. et adj. — 1328 ; bas lat. *denuntiator* « celui qui annonce », du supin de *denuntiare.* → Dénoncer.

♦ **1.** N. Personne qui dénonce à la justice, qui accuse. ⇒ **Accusateur, délateur, indicateur, sycophante** (littér.); fam. ou argot. **balance, cafard, cafardeur, capon, casserole** (4.), **donneur** (et **donneuse**), **mouchard, mouche, mouton, salope**; scol. **cafeteur, rapporteur.** *Ce dénonciateur n'est qu'un menteur.* ⇒ **Calomniateur.**

1 En tout état de cause, un dénonciateur qui se cache joue un rôle odieux, bas, lâche (...)
ROUSSEAU, Dialogue, v.

2 «Je sais que vous avez rencontré Marthe qui sort d'ici», disait la duchesse en souriant comme si elle découvrait un complot. L'autre s'étonnait : Comment pouvait-on le savoir? Le dénonciateur riant, elle comprenait, et tout le monde s'amusait beaucoup de l'avoir intriguée.
PROUST, Jean Santeuil, Pl., p. 661.

Personne qui attaque en révélant. *Le dénonciateur des injustices.*

♦ **2.** Adj. Qui contient, qui constitue une dénonciation. *Lettre dénonciatrice.*

DÉNONCIATION [denɔ̃sjasjɔ̃] n. f. — V. 1260, in D.D.L.; lat. *denuntiatio* «annonce, déclaration», du supin de *denuntiare.* → Dénoncer.

★ **I.** ♦ **1.** Vx. Action de dénoncer (1), de faire savoir officiellement (qqch.). ⇒ **Avis, notification, proclamation, publication, signification.**

0.1 Cérémonie de la «commination», ou de la dénonciation de la colère céleste au commencement du carême.
CHATEAUBRIAND, le Génie du christianisme, t. II, p. 293, in T.L.F.

Dr. *Dénonciation de désaveu, de saisie, de protêt*.* ⇒ **Dénoncer.**

♦ **2.** Annonce de la fin (d'un accord), de la rupture de (un traité). ⇒ **Annulation, rupture.** *Dénonciation d'un traité, d'un armistice.*

♦ **3.** Signification extrajudiciaire (d'un acte) à une personne qui y a intérêt.

★ **II.** Action de dénoncer (une mauvaise action); par ext., action de dénoncer (qqn). *La dénonciation de ses complices par l'accusé.* — *La dénonciation, les dénonciations de l'accusé,* faite(s) par lui. *Il a été arrêté sur dénonciation de ses complices.* ⇒ **Accusation, cafardage, délation, trahison; balançage** (argot.), **mouchardage** (fam.), **rapportage** (scol.). *De fausses dénonciations. Dénonciations calomnieuses* (cit.).

1 On m'a parlé d'un homme de Nancy, qu'on dit fourré à la Bastille, sur la dénonciation d'un jésuite (...)
VOLTAIRE, Lettre à Boisgelin, 3074, mars 1767.

2 Marat ne mentait pas, mais sa mémoire encombrée de dénonciations, affaiblie par la maladie, avait des défaillances singulières.
JAURÈS, Hist. socialiste..., t. VIII, p. 166.

3 La dénonciation seule ne constitue pas une présomption suffisante pour décerner cette ordonnance *(le mandat d'amener)* contre un individu ayant domicile.
Code d'instruction criminelle, art. 40.

4 Ils multipliaient frénétiquement les dénonciations : «Il est un autre droit que nous revendiquons, écrivait Brasillach, c'est d'indiquer ceux qui trahissent».
S. DE BEAUVOIR, la Force de l'âge, p. 487.

Par métonymie. Document qui dénonce.

CONTR. **Complicité**
COMP. **Contre-dénonciation.**

DÉNOTATIF, IVE [denotatif, iv] adj. — xxᵉ; de *dénotation,* probablt d'après l'angl. *denotative,* de *(to) denote,* même orig. que *dénoter*.*

♦ **1.** Ling. Relatif à la dénotation. *Fonction dénotative du langage.* ⇒ **Cognitif** (fonction cognitive).

♦ **2.** Ethnol. *Terme dénotatif :* terme qui désigne une seule catégorie de parents formant une unité homogène sous le rapport de la génération, du sexe et des liens généalogiques. Ex. : *père, sœur.*

DÉNOTATION [denotasjɔ̃] n. f. — V. 1420, in D.D.L., Langlois; lat. impérial *denotatio* «indication», du supin du lat. *denotare.* → Dénoter.

♦ **1.** Le fait de dénoter; ce qui dénote.

♦ **2.** Log. Désignation en extension*; classe des objets possédant les mêmes caractéristiques et auxquels peut renvoyer un concept (opposé à *connotation*). — REM. On oppose parfois la *dénotation* («cheval», «le cheval», «les chevaux») à la *désignation* spécifique dans le discours («ce cheval», «ces chevaux», «les chevaux qui...»).

♦ **3.** (V. 1960). Ling. Élément invariant et non subjectif de signification et qu'on peut analyser hors du discours (s'oppose à *connotation*).

DÉR. **Dénotatif.**

DÉNOTER [denote] v. tr. — V. 1160; lat. *denotare* «désigner, faire connaître», de *de-,* et *notare,* de *nota.* → Note, noter.

♦ **1.** (1350). Sujet n. de chose. Indiquer, désigner par quelque caractéristique. ⇒ **Annoncer, dénoncer, désigner, indiquer, marquer, montrer, signifier, supposer.** *Symptômes qui dénotent une maladie. Signes, gestes qui dénotent un grand trouble. Ce trait dénote un esprit faux. Visage qui dénote la force de caractère, l'énergie.*

1 (...) toutes les choses qui dénotent quelque imperfection (...)
DESCARTES, Méditations, 3.

2 (...) il parle avec cet accent qui dénote l'intégrité morale conservée tout entière.
SAINTE-BEUVE, Causeries du lundi, 8 avr. 1850, t. II, p. 41.

3 Toutes ces peintures, par le style du dessin, la hardiesse du trait, l'éclat de la couleur, dénotaient de la façon la plus évidente, pour un œil exercé, la plus belle période de l'art égyptien.
Th. GAUTIER, le Roman de la momie, Prologue, p. 37.

Compl. n. de personne. *Des paroles qui dénotent un intellectuel.*
Dénoter que (et l'indicatif) :

4 Ses cheveux courts, son chemisier bien coupé, sa large jupe à plis creux, son allure sportive, sa voix hardie dénotaient qu'elle avait grandi très loin de Saint-Thomas-d'Aquin.
S. DE BEAUVOIR, Mémoires d'une jeune fille rangée, p. 152.

♦ **2.** (1375). Log. Désigner en extension*. ⇒ **Dénotation.**

♦ **3.** V. tr. et intr. (V. 1960). Ling. Signifier par le renvoi à une réalité univoque (opposé à *connoter*). «Communiste» *dénote l'appartenance à un parti ou à des opinions bien définies ; le mot peut connoter selon les contextes des contenus opposés, positifs ou négatifs.*

▶ **SE DÉNOTER** v. pron.
Se révéler, se signaler. *Se dénoter par qqch. Se dénoter en qqn.*

DÉNOUABLE [denwabl] adj. — 1855, Bescherelle; de *dénouer.*

♦ Rare. Qui peut être dénoué. *Un ruban facilement dénouable.*

DÉNOUEMENT ou DÉNOÛMENT [denumɑ̃] n. m. — 1580, Montaigne, *desnouement de la langue; de dénouer.*

♦ **1.** Rare. Action de dénouer*; résultat de cette action. *Le dénouement d'une corde.*

♦ **2.** (1636). Littér. et cour. Ce qui termine, dénoue une intrigue, une action au théâtre (→ Le nœud* de l'action). ⇒ **Achèvement, conclusion, fin, solution, terme.** *Le dénouement résout les complications de l'action dramatique. Démêler le nœud de l'action par un dénouement imprévu. Péripétie* qui amène le dénouement.*

1 (...) ne trouveriez-vous pas qu'il fût aussi beau de dire, l'exposition du sujet, que la protase, le nœud, que l'épitase, et le dénouement que la péripétie?
MOLIÈRE, la Critique de l'École des femmes, 6.

2 De pareils dénouements sont toujours froids et vicieux, parce qu'ils n'ont point ce qu'on appelle la péripétie, qui n'excitent aucune surprise (...)
VOLTAIRE, Commentaires sur Corneille, Remarques sur le Menteur, v, 6.

3 Si Corneille a manqué à son art dans les détails, il a rempli le grand projet de tenir les esprits en suspens, et d'arranger tellement les événements, que personne ne peut deviner le dénouement de cette tragédie.
VOLTAIRE, Commentaires sur Corneille, Remarques sur Rodogune, IV, 5.

4 S'il est une chose évidente, c'est qu'un plan quelconque, digne du nom de plan, doit avoir été soigneusement élaboré en vue du dénouement, avant que la plume attaque le papier.
BAUDELAIRE, Trad. E. POE, Hist. grotesques et sérieuses, «La genèse d'un poème», in Pl., t. II.

♦ **3.** Cour. Ce qui dénoue une affaire difficile; la manière dont elle se termine. *Un heureux dénouement.* ⇒ **Résultat.** *Brusquer le dénouement d'une intrigue. Dénouement catastrophique, inattendu.* ⇒ **Événement.** *Le dénouement d'une aventure, d'une destinée* (→ Cinquante, cit. 2). *Jusqu'au, avant le dénouement...*

5 (...) nous attendons le dénouement de nos destinées et de notre séparation, sur quoi je vous ai mandé mes sentiments.
Mᵐᵉ DE SÉVIGNÉ, Lettres, 911, 9 avr. 1683.

6 Enfin, il y a quelques jours, l'usine Bouchet semblait condamnée à suspendre ses paiements à la fin du mois. Dénouement assez tragique, sous son apparente banalité, si tu penses que M. Pascal a soixante-huit ans, qu'il a travaillé pendant toute sa vie (...)
A. MAUROIS, Bernard Quesnay, XXXIII, p. 228.

CONTR. **Commencement, début, exposition, nœud.**

DÉNOUER [denwe] v. tr. — V. 1170, *desnoer; de 1. dé-,* et *nouer.*

♦ **1.** (V. 1170). Défaire (un nœud, une chose nouée). ⇒ **Délier, détacher** (→ Déboutonner, cit. 1). *Dénouer une corde, une ficelle, un ruban* (→ Cordelière, cit.). *Dénouer les fils d'un écheveau.* ⇒ **Débrouiller, démêler.** *Dénouer sa ceinture.* ⇒ **Desserrer.** *Dénouer les lacets d'une chaussure. Ellipt. Dénouer qqch. Dénouer ses chaussures.* ⇒ **Délacer.**

1 Jean dit devant tout le monde : Pour moi, je vous baptise dans l'eau; mais il en vient un autre qui est plus puissant que moi, et à qui je ne suis pas digne de dénouer les cordons des souliers. C'est celui-là qui vous baptisera dans le Saint-Esprit et dans le feu.
BIBLE (SACY), Évangile selon saint Luc, III, 16.

2 (...) il dénoua la longe qui pendait à l'arçon pour attacher François par les menottes à son cheval. Puis il se mit en selle.
M. BARRÈS, la Colline inspirée, XIII, p. 208.

Dénouer ses cheveux. ⇒ **Défaire.**

3 (...) elle dénouait le beau torrent de ses cheveux, au soir, dans sa chambre solitaire.
M. BARRÈS, Leurs figures, p. 333.

♦ **2.** Fig. et vx. Délier. Loc. *Dénouer la langue* (de qqn) : faire parler (qqn qui désirait se taire). ⇒ **Délier.** *Dénouer sa langue.* ⇒ **Parler.**

4 Enfin il dénoua sa langue
Et fit cette belle harangue (...)
SCARRON, Virgile travesti, VI.

5 Non, pour louer un roi que tout l'univers loue,
Ma langue n'attend pas que l'argent la dénoue (...)
BOILEAU, Satires, IX.

Fig. Rendre plus souple, développer les parties du corps par un exercice approprié. ⇒ **Assouplir, dégager, désengourdir, développer.** *La culture physique, l'exercice, la marche dénouent le corps. Dénouer ses membres.*

6 (...) cela *(l'exercice)* lui dénoue le corps (...)
Mme DE SÉVIGNÉ, Lettres, 647, 4 sept. 1677.

Fig. et vieilli. *Dénouer le style.*

7 Il *(Ronsard)* n'avait pas tort, ce me semble, de tenter quelque nouvelle route pour enrichir notre langue, pour enhardir notre poésie, et pour dénouer notre versification naissante. FÉNELON, Lettre à l'Académie, 1716, v, Projet de poétique.

Dénouer l'atmosphère : détendre l'atmosphère.
Dénouer sa pensée, la développer, la laisser se dérouler spontanément.

♦ **3.** (1549). Démêler, éclaircir (une difficulté, une intrigue). ⇒ **Démêler, éclaircir, résoudre.** *Dénouer la trame d'une situation compliquée.* Spécialt. Démêler en mettant fin à un récit. *Dénouer une intrigue. Dénouer une action dramatique.*

8 Une intrigue nette et facile à nouer et à dénouer ; des caractères simples ; des incidents qui naissent d'eux-mêmes ; des tableaux variés (...)
MARMONTEL, Éléments de littérature, Œ. compl., t. IX, p. 50, in POUGENS.

Mettre fin à (une suite d'événements).

9 (...) mais elle joue un si grand rôle dans le drame qui dénoua cette double existence, qu'il convient de réserver son portrait au moment de son entrée dans cette Scène. BALZAC, le Cousin Pons, Pl., t. VI, p. 540.

10 Le ton qu'il avait pris ne pouvait être soutenu plus de quelques mois ; il était temps que la mort vînt dénouer une situation tendue à l'excès, enlever aux impossibilités d'une voie sans issue (...) RENAN, Vie de Jésus, XIX, p. 285.

11 J'admirais l'impuissance de l'esprit, du raisonnement et du cœur à opérer la moindre conversion, à résoudre une seule de ces difficultés, qu'ensuite la vie, sans qu'on sache seulement comment elle s'y est prise, dénoue si aisément.
PROUST, À la recherche du temps perdu, t. III, p. 103.

▶ **SE DÉNOUER** v. pron.

♦ **1.** Être dénoué. *Lacet qui se dénoue. — Cheveux qui se dénouent.*

12 Les beaux cheveux se sont dénoués. Un ruban d'épaule de la chemise a glissé. J. ROMAINS, les Hommes de bonne volonté, t. IV, XII, p. 136.

♦ **2.** Fig. *Devant cet argument irrésistible, sa langue se dénoua.*

13 (...) ses gens ont des mains ;
Et bien que sur ce point elle les désavoue,
Avec un tel secret leur langue se dénoue (...) CORNEILLE, le Menteur, IV, 1.
Corps qui se dénoue, qui se développe. *Enfant qui se dénoue.* ⇒ **Grandir, transformer.**

14 Que leur corps se dénoue, et se désengourdisse (...)
Mathurin RÉGNIER, Satires, I.

15 Il ne ressemblait pas aux autres enfants de campagne, qui sont trapus et comme tassés à cet âge-là et qui ne font mine de se dénouer et de devenir quelque chose que deux ou trois ans plus tard. G. SAND, François le Champi, VII, p. 70.

♦ **3.** ⇒ **Séparer** (se). *Les couples se dénouent à la fin de la danse.*

16 Les danses s'interrompirent, les couples se dénouaient (...)
Edmond JALOUX, le Jeune Homme au masque, I, p. 1.

♦ **4.** S'éclaircir, se démêler. *Le nœud de l'intrigue se dénoue au cinquième acte.* ⇒ **Aboutir, finir.** *Les complications se dénouent.*

17 Il faut que ses acteurs *(de la comédie)* badinent noblement ;
Que son nœud bien formé se dénoue aisément (...) BOILEAU, l'Art poétique, III.

18 J'ai eu lieu d'admirer plus d'une fois comment se noue et se dénoue la trame de nos destinées, et de combien de fils déliés et fragiles le tissu en est composé (...)
MARMONTEL, Mémoires, II, in LITTRÉ.

19 La passion, comme le drame, vit de combat et se dénoue par la mort.
André SUARÈS, Trois hommes, « Dostoïevski », IV, p. 239.

CONTR. Nouer, renouer ; attacher, lier. — Replier (se). — Enlacer (s').
DÉR. Dénouable, dénouement.

DÉNOYAGE [denwajaʒ] n. m. — xxe ; de dénoyer.

♦ Techn. Action de dénoyer.

DÉNOYAUTAGE [denwajotaʒ] n. m. — 1929 ; de dénoyauter.

♦ Action de dénoyauter. *Le dénoyautage des cerises.* — REM. On dit aussi *énoyautage.*

DÉNOYAUTER [denwajote] v. tr. — 1922 ; de 1. dé-, noyau, et suff. verbal -er (-t- euphonique).

♦ Séparer (un fruit) de son noyau. ⇒ **Énucléer.** *Dénoyauter des prunes pour en faire des confitures.* — Au p. p. *Fruits dénoyautés.*

DÉR. Dénoyautage, dénoyauteur.

DÉNOYAUTEUR, EUSE [denwajotœʀ, øz] n. — 1929 ; de dénoyauter.

♦ **1.** N. m. et f. Appareil, machine à dénoyauter.

Voilà le dénoyauteur à cerises, c'est si bien fait que tu vois même pas le trou dans la cerise. CAVANNA, les Ritals, p. 170.

♦ **2.** N. Ouvrier, ouvrière chargé(e) de dénoyauter les fruits.

DÉNOYER [denwaje] v. tr. — xxe ; de 1. dé-, et noyer.

♦ Techn. Dégager (une galerie, une mine noyée).

CONTR. Ennoyer, noyer.
DÉR. Dénoyage.

DENRÉE [dɑ̃ʀe] n. f. — V. 1260, danree ; denerée, v. 1160 ; dér. anc. de denier, dener «marchandise de la valeur d'un denier», et -ée.

♦ **1.** Vx. Marchandise. ⇒ **Article, marchandise, produit** (→ Argent, cit. 13).

Il *(Bottari)* quitte Gênes au milieu de l'hiver 1847. Son intention est de gagner Reggio d'Émilia où quelque chose se trame... Il colporte des livres défendus... C'est une denrée facile à placer. J. GIONO, Voyage en Italie, 1953, p. 73, in T. L. F.

0.1

♦ **2.** (Surtout au plur.). Produit comestible servant à l'alimentation de l'homme ou du bétail. ⇒ **Aliment, comestible, subsistance, vivres.** *Cette épicerie vend les denrées de consommation courante. Le prix, la cherté des denrées. Le transport des denrées. Conservation des denrées périssables. Falsification des denrées. Fournir, fourniture en denrées.* ⇒ **Ravitailler, ravitaillement ; annone** (antiq.). *Une denrée rare, chère.*

La hausse des denrées tenait peut-être pour une part à leur rareté, mais elle tenait surtout à la baisse énorme, au discrédit toujours croissant de l'assignat.
JAURÈS, Hist. socialiste..., t. VIII, p. 227.

1

Loc. *Denrées alimentaires :* les denrées destinées à l'alimentation de l'homme. ⇒ **Provision.**
Denrées coloniales (ancienn), *exotiques* (⇒ **Épice**). → Cité, cit. 10.

Les îles françaises fournissent à leur métropole des sucres, du café, du coton, de l'indigo, d'autres denrées, dont elle consomme une partie, et verse l'autre chez l'étranger. G.-T. RAYNAL, Hist. philosophique, XIII, 55.

2

♦ **3.** Fig., vieilli ou littér. (en gén. au sing.). *C'est chère denrée :* il en coûte beaucoup (cf. La Fontaine, VIII, 18 : *C'est chère denrée qu'un protecteur*). — Produit considéré quant à sa valeur. *Une denrée rare :* une chose, une qualité précieuse qui se rencontre rarement. *Une telle conscience est aujourd'hui denrée rare.*

DENSE [dɑ̃s] adj. — V. 1390 ; lat. densus «épais».

♦ **1.** (V. 1390). Qui est compact, épais. *Brouillard dense.* ⇒ **Épais, fort, impénétrable.** *Le feuillage dense des arbres.* ⇒ **Abondant, feuillu, plein, serré, tassé, touffu.** *Cheveux très denses* (→ Brosse, cit. 3).

Grâce à cette allure si chaude, il s'échappe à l'avant-creuset, à l'époque des coulées, une fumée extrêmement dense. GRUNER, in Comptes rendus de l'Académie des sciences, t. LXXXII, p. 560.

1

Le son de ce moteur lointain devenait de plus en plus dense. Il mûrissait.
SAINT-EXUPÉRY, Vol de nuit, III, p. 35.

2

Population dense (⇒ **Densité**). *La foule était très dense sur la place.* ⇒ **Compact, nombreux.** — *Un tir dense.* ⇒ **Nourri.**

♦ **2.** (1671). Phys. Qui a une masse importante relativement au volume. ⇒ **Lourd ; densité.** *L'eau est plus dense que l'air. La vapeur d'eau est moins dense que l'air. Le platine, métal très dense.*

L'on peut démontrer que l'or, qui est la matière la plus dense, contient beaucoup plus de vide que de plein. BUFFON, Œ. compl., t. IV, p. 52.

3

En passant d'un milieu dense dans un autre, la lumière s'y réfracte, de manière que les sinus d'incidence et de réfraction soient en raison constante.
LAPLACE, Exposition du système du monde, IV, 17, in LITTRÉ.

4

♦ **3.** (1855). Abstrait. Qui renferme beaucoup d'éléments en peu de place (paroles, écrits). *Discours dense. Un style dense.* ⇒ **Concis, condensé, dru, plein ; ramassé, sobre.**
Une vie dense, riche en événements.

Littér. *Une joie dense,* très intense.

CONTR. Clair, clairsemé, dilaté, éclairci, léger, rare, raréfié.
DÉR. et COMP. Densément, densifier, densiflore, densimètre.
HOM. Danse.

DENSÉMENT [dɑ̃semɑ̃] adv. — 1872 ; de dense, et -ment.

♦ Rare. D'une manière dense. *Un pays densément peuplé.*

DENSIFICATION [dɑ̃sifikasjɔ̃] n. f. — 1937 ; de densifier.

★ **I.** Techn. Action de densifier (le bois). → Densifier, cit. 1.

La *densification* est basée sur un principe entièrement différent *(par rapport à la lamellation).* Il s'agit ici d'améliorer certaines qualités du bois en augmentant sa densité par compression latérale : on écrase le bois sous une presse-moule, c'est-à-dire en empêchant le fluage latéral des éléments (...)
Jean-Claude REGGIANI, Industries et Commerce du bois, p. 111.

★ **II.** (1973). Démogr., géogr. Augmentation de la densité (de la population, de l'habitat).

DENSIFIER [dɑ̃sifje] v. tr. — 1896 ; de dense, et -ifier.

★ **I.** Techn. Augmenter la densité de (un bois) en le soumettant à de grandes pressions sur toute sa surface. — Au p. p. *Hêtre densifié.*

1   Cette technique 'de densification demande des presses de grande puissance ; elle exige en effet des pressions de l'ordre de 100 à 200 kg/cm² réparties sur toute la surface du bloc à densifier.
       Jean-Claude REGGIANI, Industries et Commerce du bois, p. 112.

★ **II.** V. intr. et tr. (1970). Démogr., géogr. Augmenter en densité. « *Le tissu urbain n'est pas encore densifié* » (*l'Express*, 13 avr. 1970).

▶ **SE DENSIFIER** v. pron.
Devenir plus dense. — Figuré et par plaisanterie :

2   Elle se densifiait dans ses chemisiers en vichy mauve ou marron ; on eût cru qu'elle allait éclater comme une prune trop mûre.
       Vladimir VOLKOFF, le Retournement, p. 137.

DÉR. Densification.

DENSIFLORE [dɑ̃siflɔʀ] adj. — 1855, Bescherelle ; de *dense*, et *-flore*.

♦ Bot. Se dit d'une plante qui porte des fleurs nombreuses et rapprochées.

DENSIMÈTRE [dɑ̃simɛtʀ] n. m. — 1865 ; de *dense*, et *-mètre*.

♦ Phys. Instrument de mesure des densités des liquides. ⇒ **Aréomètre.**

Spécialt. *Densimètre nucléaire* : appareil utilisant une source de rayonnement ionisant pour déterminer la densité d'un milieu, en mesurant l'absorption ou la diffusion du rayonnement.

DÉR. Densimétrie.
COMP. Lacto-densimètre.

DENSIMÉTRIE [dɑ̃simetʀi] n. f. — 1877 ; de *densimètre*.

♦ Didact. Technique des mesures de densité.

DÉR. Densimétrique.

DENSIMÉTRIQUE [dɑ̃simetʀik] adj. — 1877 ; de *densimétrie*.

♦ Didact. Qui se rapporte à la densimétrie.

DENSITÉ [dɑ̃site] n. f. — V. 1390, *dempsité* ; lat. *densitas* « épaisseur », de *densus*. → Dense.

♦ **1.** Qualité de ce qui est dense, épais et serré. ⇒ **Compacité, concentration, épaisseur, force.** *La densité d'un brouillard, d'une fumée. La densité du feuillage d'un arbre.* — *La densité d'un bois, d'une forêt :* la distance relative entre les arbres.

(xxᵉ). *Densité de population :* nombre moyen d'habitants par unité de surface (par km²). *Une très forte, une faible densité... Densité rurale, urbaine.*

1   La moyenne étant 76 pour la France entière, les densités calculées pour les autres départements (celui de la Seine mis à part) s'échelonnent entre 360 (Rhône) et 12 (Basses-Alpes).
       HUBER, BUNLE et BOVERAT, la Population de la France, p. 25.

Nombre de moyens de communication par unité de surface ou de longueur. *La densité des rames de métro.*

Artill. *Densité d'un tir.*

♦ **2.** (1703). Phys. *Densité absolue d'un corps :* rapport de la masse d'un certain volume de ce corps à son volume (on dit aussi *masse volumique*). — *Densité relative d'un corps,* rapport de la masse d'un certain volume de ce corps à la masse d'un même volume d'eau à 4 °C. *Densité moyenne d'un corps non homogène. Densité d'un métal, d'un liquide. Mesure de la densité d'un solide ou d'un liquide par la méthode du flacon. Flacon à densité.* — *Appareil servant à mesurer la densité d'un liquide.* ⇒ **Aréomètre, densimètre ; acidimètre, alcoomètre, hydromètre, pèse-acide, pèse-esprit, pèse-sel...** *Mesurer la densité de l'huile* (⇒ **Oléomètre**), *du lait* (⇒ **Lacto-densimètre**). — Par anal. *Densité gazeuse,* d'un gaz ou d'une vapeur (par rapport à l'air, à l'oxygène ou à l'hydrogène). *Appareil servant à mesurer la densité d'un gaz.* ⇒ **Aéromètre.**

2   L'air est compressible ; sa température étant supposée constante, sa densité est proportionnelle au poids qui le comprime et, par conséquent, à la hauteur du baromètre.
       LAPLACE, Exposition du système du monde, I, 16.

3   La densité de l'or est telle qu'on l'a cru longtemps le corps le plus pesant de la nature ; on sait aujourd'hui qu'il ne tient que le second rang, et qu'il cède la première place au platine.
       A. F. DE FOURCROY, Systèmes des connaissances chimiques..., t. VI, p. 351.

4   Le lac, vu de haut, a la densité du mercure, son éclat mort.
       MARTIN DU GARD, les Thibault, t. VIII, p. 95.

♦ **3.** Électr. *Densité de courant :* intensité de courant traversant une surface unitaire. — *Densité de choc* ou *densité neutronique :* nombre de neutrons qui frappent la matière par cm³ par seconde. *Densité électronique :* nombre d'électrons libres par unité de volume.

Phys., photogr. *Densité optique,* caractérisant le noircissement de la plaque photographique.

Écon. *Densité de valeurs :* évaluation des risques de réassurance*, d'après les risques antérieurement couverts dans une zone ou un territoire déterminé.

♦ **4.** Fig. et littér. Caractère de ce qui est riche par rapport à l'expression. *La densité d'un style, d'une œuvre, d'un récit.* ⇒ **Concision.** *Un film d'une rare densité d'émotions.* — *Densité d'une composition picturale.* — *Un personnage, un sentiment sans densité. Une vie, un instant d'une grande densité* (⇒ **Intensité**).

CONTR. Légèreté, rareté.
COMP. Surdensité.

DENT [dɑ̃] n. f. — 1100, masc. ou fém. ; du lat. *dens, dentis.*

★ **I.** ♦ **1.** (Chez l'homme). Un des organes annexes de la bouche, de couleur blanchâtre, durs et calcaires, de consistance pierreuse, implantés sur le bord libre des deux maxillaires supérieur et inférieur, et servant à la mastication des aliments. ⇒ fam. ou argot. **Chaille, chocotte,** 2. **croc, crochet, domino, quenotte, ratiche ;** (molaire) **tabouret ;** et les éléments **-odonte, odont-.** *Mâcher*, mastiquer, mordre*, mordiller, déchirer, déchiqueter avec les dents. Chez l'homme, le nombre des dents s'élève à 32, soit 16 pour chaque mâchoire* (⇒ **Mâchoire**). *Avoir toutes ses dents. Ensemble des dents.* ⇒ **Dentition, denture.** *Différentes sortes de dents.* ⇒ **Canine, incisive, molaire, prémolaire.** *Dent molaire.* ⇒ **Mâchelière.** *Dents de l'œil* ou *œillères des mâchoires :* les canines du maxillaire supérieur. *Les dents, par le bulbe dentaire, s'implantent verticalement dans les alvéoles des maxillaires.* ⇒ **Alvéole ; gencive.** *Les dents du haut. Les dents du bas. Dents antagonistes. Position des dents lors de l'occlusion des maxillaires.* ⇒ **Articulé** (dentaire) ; **engrènement** (dentaire). *Parties d'une dent.* ⇒ **Collet, couronne, racine ; cément, émail, ivoire** (ou dentine) ; **pulpe** (dentaire). *Tissu de liaison entre la dent et le maxillaire.* ⇒ **Parodonte.** — *Développement des dents. Enfant qui fait, met, perce, pousse ses dents* (⇒ **Pousse ; pousser**). *Dent qui perce* (cit. 16), *qui pousse. Dents de lait* ou *dents temporaires :* les premières dents des enfants, destinées à tomber vers l'âge de sept ans. *Dents de remplacement, dents permanentes,* ou *seconde dentition. Dents de sagesse :* les quatre troisièmes molaires qui apparaissent généralement entre dix-neuf et trente ans. → 2. Neuf, cit. 3 ; rajeunir, cit. 6. — (Expression cour. chez les dentistes). *Dent de six ans :* la première molaire. — *Usure et chute des dents. Faire ses dents,* se dit d'un enfant dont les dents commencent à pousser. *Perdre ses dents* (⇒ **Brèche-dent,** vx). *Bouche sans dents.* ⇒ **Anodonte** (didact.) ; **édenté.**

1   Par leurs caractères extérieurs, les dents ont beaucoup d'analogie avec les os et pendant longtemps elles ont été décrites avec le squelette. Mais (...) nous savons aujourd'hui, par leur développement, qu'elles dérivent de la muqueuse buccale et qu'elles constituent au même titre que les ongles et les poils.
       L. TESTUT, Traité d'anatomie humaine, Anat. ; t. IV, p. 52.

Aspect des dents. Avoir des dents bien plantées (cit. 7), *bien rangées* (→ Meubler : bouche bien meublée). *Dents blanches, éclatantes* (→ poét. Perle). *Des petites dents ; des dents d'enfant.* ⇒ **Quenotte** (fam.). *Avoir de belles dents. Se laver les dents. Pâte servant à nettoyer les dents.* ⇒ **Dentifrice, opiat.** *Brosse à dents.* ⇒ **Brosse.** *Verre à dents.* ⇒ **Verre.** *Se nettoyer, se curer les dents.* ⇒ **Cure-dent.**

2   Je suis assez adroit ; j'ai bon air, bonne mine,
   Les dents belles surtout, et la taille fort fine.
       MOLIÈRE, le Misanthrope, III, 1.

3   Les dents courtes, mais éclatantes, brillaient aux lueurs flottantes de la torche comme des écailles de nacre aux bords de la mer sous la moire de l'eau frappée du soleil.
       LAMARTINE, Graziella, Épisode XII, p. 38.

4   On voyait luire ses petits yeux devenus couleur de braise et, dans ses mâchoires ouvertes tout à coup par ce large accès de gaieté, je vis briller des dents pareilles à des crocs de carnassiers.
       E. FROMENTIN, Un été dans le Sahara, p. 175.

5   (...) et, quand elle parlait, l'éclair de ses dents avait une douceur ardente.
       FRANCE, le Lys rouge, XI, p. 109.

6   (...) ses lèvres un peu fortes, mais bien dessinées et laissant voir des dents plus blanches que des amandes sans leur peau.
       MÉRIMÉE, Carmen, II.

6.1   Dents dignes d'habiter le palais de sa bouche.
       J. RENARD, Journal, 11 juin 1904.

Avoir de mauvaises dents, de vilaines dents (→ Baguette, cit. 4), *des dents jaunes recouvertes de tartre*.* — *Maladie des dents.* ⇒ **Odontologie ; carie, pyorrhée.** *Des dents gâtées, cariées, malades. Une dent creuse. Fragment de dent cariée, implanté dans la gencive.* ⇒ **Chicot.** *Dent qui branle, qui se déchausse.* ⇒ **Déchausser.** *Dents qui chevauchent.* ⇒ **Surdent.** *L'amorphisme* des dents, déformation d'origine syphilitique. Souffrir des dents. Le mal de dent.* ⇒ **Odontalgie.** *Un mal de dents, une rage de dents. Agacement des dents.* — *Soin des dents.* ⇒ **Dentiste, dentisterie.** *Se faire soigner les dents. Combler une dent avec un amalgame*, avec du métal coulé.* ⇒ **Obturation ; incrustation, inlay,** et aussi **onlay** (cit.). *Obturation d'une dent cariée.* ⇒ **Aurification, plombage.** *Désinfectant des dents cariées.* ⇒ **Créosote.** *Se faire arracher*, extraire* une dent.* ⇒ **Extraction.** *Instrument chirurgical servant à extraire une dent.* ⇒ **Davier.** *Faire remplacer des dents absentes par des dents artificielles, des fausses dents.* ⇒ **Appareil** (II., 3.), **prothèse ; bridge, couronne, dentier, jacket** (anglic.), **jaquette** (II., 2.). *Se faire mettre une fausse dent,* et, absolt, *se faire mettre une dent. Dent* *artificielle en ivoire.* ⇒ **Osanore** (vx). *Dent en or, en argent, en céramique, en résine. Dent sur pivot. Soin des anomalies de développement, des malformations des dents.* ⇒ **Orthodontie, orthopédie** (dento-faciale).

7 (...) une grande créature maigre, jaune, qui (...) montrait de longues et vilaines dents (...)   SAINT-SIMON (→ Baguette, cit. 4).

8 (...) de cette lèvre calleuse, sur laquelle une de ces dents empiétait comme la défense d'un éléphant (...)   HUGO, Notre-Dame de Paris, I, v.

8.1 — Voyez-vous cela, Nab, riposta Pencroff. J'aurais, sans m'en être aperçu, depuis tantôt cinq ou six mois, un grain de plomb dans la mâchoire! Mais où se serait-il caché? ajouta le marin, en ouvrant la bouche de façon à montrer les magnifiques trente-deux dents qui la garnissaient. Regarde bien, Nab, et si tu trouves une dent creuse dans ce râtelier-là, je te permets de lui en arracher une demi-douzaine!   J. VERNE, l'Île mystérieuse, t. I, p. 301.

♦ **2.** (Autres mammifères). *Les dents d'un chien, du loup.* ⇒ **Croc, crochet; canine. Dents de sanglier.** ⇒ **Broche.** — *Dents d'éléphant, dents d'hippo* (cour. en franç. d'Afrique). ⇒ **Défense; ivoire.** *Mammifères munis de dents incisives et dépourvus de canines.* ⇒ **Rongeur. Dents incisives médianes du poulain.** ⇒ **Pince.** — *Dents carnassières, propres aux carnivores.* ⇒ **Carnassier** (infra cit. 1).
(Autres animaux). *Dent à venin d'un serpent.* ⇒ **Crochet** (à venin). *Dents des reptiles.* ⇒ **Aglyphe. Mollusques privés de dents.** ⇒ **Anodonte. Dents des poissons sélaciens. Dent fossile de poisson.** ⇒ **Glossopètre.** *Pierre provenant de la pétrification des dents fossiles de poissons.* ⇒ **Crapaudine.** — Zool. *Tige calcaire de la mâchoire de l'oursin.*
Loc. fig. **Dent de...** (et nom d'animal), pour désigner des plantes, des objets. *Dent de loup.* ⇒ **Dent-de-loup.** — *Dent de brebis :* la gesse; variété de maïs, plat et blanchâtre. — (1864). *Dent de cheval :* topaze d'un bleu verdâtre. — *Dent de chien :* érythrone (plante).
(1690). Techn. *Dent de chien :* ciseau de sculpteur à deux pointes. — *Dent de lion.* ⇒ **Dent-de-lion.** — (1754). *Dent de rat :* galon de passementerie figurant de petites dentelures.
REM. Toutes ces expressions sont parfois traitées comme des mots comp., écrits avec des tirets (pluriel : *des dents-de-* subst. au sing.).

♦ **3.** Loc. métaphorique et fig. (Dents humaines). *Serrer les dents,* en pressant la mâchoire inférieure contre la mâchoire supérieure. → Penduler, cit. 1. *Serrer les dents de rage, de colère...* (→ Corde, cit. 7). *Résolu, il serra les dents et s'élança.*

9 De rage contre lui-même, il tordit ses bras musculeux qui craquèrent; il se souleva à demi, serrant ses dents, qu'on entendit crisser, et puis retomba, la tête sur les planches dures.   LOTI, Mon frère Yves, VI, p. 29.

Ne pas desserrer les dents : se taire obstinément. *On ne peut lui faire desserrer les dents.* ⇒ **Desserrer.**
Grincer, crisser, craquer des dents. Cela fait grincer les dents. ⇒ **Frissonner, trembler.** *Grincements de dents, de peur, d'effroi, de rage.*

10 Les anges viendront séparer les méchants d'avec les justes, et ils les jetteront dans la fournaise ardente, où il y aura des pleurs et des grincements de dents.   BIBLE (SEGOND), Évangile selon saint Matthieu, XIII, 50.

11 Riez et blasphémez dans vos heures oisives.
Moi, je ferai passer vos bouches convulsives
Du rire au grincement de dents!   HUGO, Odes et Ballades, VIII.

12 *(Il)* grince des dents aux instruments mal accordés, aux orgues fausses, aux voix qui crient.   R. ROLLAND, Musiciens d'autrefois, p. 208.

Agacer les dents de qqn.

13 Pourquoi dites-vous ce proverbe dans le pays d'Israël : les pères ont mangé des raisins verts, et les dents des enfants en ont été agacées?   BIBLE (SEGOND), Ézéchiel, XVIII, 2.

Prov. *Œil pour œil, dent pour dent.* → Œil (cit. 49, 50).
Claquer des dents de froid, de peur, de fièvre, d'émotion. ⇒ **Claquer** (cit. 4).

14 Ses dents claquent, tout son corps tremble. Oh! qu'il fait froid sous le gros édredon rouge!   Jérôme et Jean THARAUD, l'Ombre de la croix, VIII, p. 195.

15 Il était parvenu à une telle tension nerveuse qu'il claquait des dents.   MARTIN DU GARD, les Thibault, t. IV, p. 180.

15.1 Je claquais un peu des dents, mais il faisait froid.   Maurice CLAVEL, le Tiers des étoiles, p. 38.

Faire tant, si bien (cit. 107) *des pieds et des dents que...,* de tels efforts que... ⇒ **Main, pied.**

16 Il fit tant, de pieds et de dents,
Qu'en peu de jours il eut au fond de l'hermitage
Le vivre et le couvert; que faut-il davantage?   LA FONTAINE, Fables, VII, 3.

Se casser les dents sur qqch. ⇒ **Casser.** — *C'est vouloir prendre la lune avec les dents,* vouloir tenter l'impossible.
Avoir, garder une dent contre qqn, de l'animosité, du ressentiment. → Orage, cit. 14. *Il a une dent de lait contre lui,* une vieille rancune.

17 C'est que vous avez, mon frère, une dent de lait contre lui.   MOLIÈRE, le Malade imaginaire, III, 3.

18 (...) un homme *(le dentiste)* contre lequel — c'est le cas de le dire — j'avais une dent.   H. BERGSON, les Deux Sources de la morale et de la religion, p. 159.

Avoir la dent dure : être très sévère, dur dans la critique.

Vx. *Avoir la faim aux dents :* avoir très faim (→ ci-dessous, *supra* cit. 27.1 : avoir la dent).

19 Les assiégés, la faim aux dents, allaient être obligés de leur demander grâce.   MICHELET, Hist. de la Révolution franç., t. II, p. 761.

Avoir les dents longues, aiguisées, acérées : avoir très faim, et, au fig., être avide d'argent, d'honneur, avoir de grandes prétentions.

20 (...) l'on a le temps d'avoir les dents longues, lorsqu'on attend, pour vivre, le trépas de quelqu'un.   MOLIÈRE, le Médecin malgré lui, II, 1.

Vieilli. *Il n'y en a pas pour sa dent creuse :* il y en a très peu. — Mod. *Avoir une dent creuse :* avoir faim (→ ci-dessous, cit. 27.1 : avoir la dent).
À BELLES DENTS. *Mordre à belles dents, à pleines dents* (→ Beau, cit. 24). — Fig. *Déchirer qqn à belles dents.* ⇒ **Calomnier, critiquer, médire.**
Manger de toutes ses dents, avec appétit. *Rire de toutes ses dents,* en découvrant toutes ses dents.
DU BOUT DES DENTS : sans mordre franchement, sans plaisir. ⇒ **Bout** (cit. 6, 6.1 et *supra*).
COUP DE DENT. *Ne pas perdre un coup de dent :* manger avidement.

21 (...) le roussin d'Arcadie
Craignit qu'en perdant un moment
Il ne perdit un coup de dent.   LA FONTAINE, Fables, VIII, 17.

21.1 Une nuée de prêtres, de gentlemen, de dames, de paysans s'était abattue sur le buffet et dévorait toutes les provisions (...) Chapelets fabuleux et invraisemblables (...) pendus au cou de prêtres très affairés qui ne perdaient pas un coup de dent (...)   Claude MAURIAC, le Temps immobile, p. 121.

Donner un coup de dent. ⇒ **Coup** (cit. 17); **mordre.** Fig. *Donner un coup de dent à qqn.* ⇒ **Trait** (lancer un trait, une médisance*).
SOUS LA DENT. *Aliment qui croque sous la dent* (→ Croquer, cit. 2). *N'avoir rien à se mettre sous la dent :* n'avoir rien à manger. *Il mange tout ce qui lui tombe sous la dent.* — Fig. *Il lit tout ce qui lui tombe sous la dent.* ⇒ **Main.** — *Tomber sous la dent de qqn,* s'exposer à ses critiques malveillantes.

Figuré :

21.2 Nous continuons à vivre sur les plus vieilles superstitions, les hypothèses les plus enfantines. Et comment pourrait-il être autrement? Nous n'avons rien d'autre à nous mettre sous la dent, à moins de clore notre imagination — ce qui est impossible.   DRIEU LA ROCHELLE, la Comédie de Charleroi, p. 21.

ENTRE LES DENTS. *Tenir un cigare entre les dents.* Loc. *L'homme au couteau* entre les dents. — *Grommeler, murmurer, parler, répondre entre ses dents,* peu distinctement, sans ouvrir la bouche.

22 Et toutes deux, très mal contentes,
Disaient entre leurs dents : «Maudit coq, tu mourras».   LA FONTAINE, Fables, v, 6.

23 La nuit, il ne dormait pas; je l'entendais marmotter entre ses dents (...)   Alphonse DAUDET, le Petit Chose, 1e partie, IV, p. 38.

(V. 1550). JUSQU'AUX DENTS. *Être armé jusqu'aux dents* (⇒ **Armer,** cit. 18). → *De pied en cap*. *Savant* jusqu'aux dents.*

24 (...) ces rats qui, les livres rongeant(s),
Se font savants jusques aux dents.   LA FONTAINE, Fables, VIII, 9.

SUR LES DENTS. *Être sur les dents :* être accablé, épuisé, harassé de fatigue. (P.-ê. du cheval fatigué, qui appuie ses dents sur le mors). *Mettre qqn sur les dents.* ⇒ **Épuiser, harasser.** — Par ext. *Être sur les dents :* être très occupé, surmené.

25 Ils ont des pieds qui vont chercher de la boue dans tous les quartiers de la ville (...) et la pauvre Françoise est presque sur les dents, à frotter les planchers que vos biaux maîtres viennent crotter régulièrement tous les jours.   MOLIÈRE, le Bourgeois gentilhomme, III, 3.

25.1 Mais deux ou trois hommages, après les débauches de la veille, l'avaient mis sur les dents, je fus congédiée.   SADE, Justine..., I, 213.

26 Nous sommes tous sur les dents; car il n'y a guère de troupes fraîches pour chaque nouvelle bataille, et il faut toujours donner, comme dans cette campagne de 1814.   SAINTE-BEUVE, Correspondance, 114, 8 mars 1830, t. I, p. 182.

27 La chasse s'activait : les agents de Desmarets étaient sur les dents, mais on pensait bien que, sous l'effet des plus terribles menaces, toutes les portes se fermeraient devant l'homme pourchassé.   Louis MADELIN, Hist. du Consulat et de l'Empire, Avènement de l'Empire, v, p. 51.

Vx. *Être guéri du mal de dents :* être mort.
Mentir comme un arracheur (cit. 2) *de dents* (→ Mentir, cit. 7).
Fam. AVOIR LA DENT : avoir faim (→ ci-dessus cit. 19 : avoir la faim aux dents). → Avoir les crocs*, les crochets*.

27.1 Vous dînez ici? — Je veux, répondit Pierrot. J'ai une de ces dents.   R. QUENEAU, Pierrot mon ami, Folio, p. 141.

(Dents animales). *Prendre le mors* aux dents.* — *Montrer les dents* (comme pour mordre) : menacer.
Quand les poules auront des dents :* jamais. *Il se décidera à faire son travail quand les poules auront des dents.*
Se faire les dents : aiguiser ses dents, en parlant des rongeurs. — Fig. S'aguerrir.

27.2 Jean se sentait dissoudre dans ce milieu non acide. Rien pour faire les dents.
Rien qui vous cogne au cœur.   Claude COURCHAY, La vie finira bien par commencer, p. 35.

★ **II.** Objet pointu ou forme pointue. ♦ **1.** Découpure pointue; saillant de cette découpure. ⇒ **Indentation; dentelé.**
Archit. *Découpure saillante.* ⇒ **Feston; denticule.**
Bot. *Les dents d'une feuille.* ⇒ **Cuspide.** *Feuille à trois dents ou tridentée.*
Broderie. *Dents d'une broderie.*

♦ **2.** Techn. *Gros clou** servant à fixer une charpente.
Cour. *Chacun des éléments allongés et pointus d'un instrument, d'une pièce de mécanisme. Les dents d'une herse, d'un rateau,*

d'une griffe, d'un cultivateur. Dents à soc. Les dents d'une fourche. ⇒ **Fourchon.** *Fourche à trois dents.* ⇒ **Trident.** *Les dents d'une fourchette. — Les dents d'une scie. Lame de couteau en dents de scie. Les dents d'une lime. Dents d'une roue. Mettre des dents à une roue.* ⇒ **Endenter.** *Dents d'un engrenage, d'un pignon.* ⇒ **Alluchon; came; cran; dentier** (3.), **denture.** *Dents d'une crémaillère, d'un cric, d'un croc.* ⇒ **Cran.** *Dents d'une clef. Fermoir à dents. — Les dents d'un peigne*, d'un démêloir.*

Loc. **EN DENTS DE SCIE** : en présentant des pointes aiguës et des creux. ⇒ **Scie.** — Électr. *Courant* ou *tension en dents de scie :* forme d'onde périodique* utilisée pour le balayage* (3.) horizontal des tubes de télévision.

Par anal. (zool., biol.). *Dent de l'œuf :* formation cornée de l'épiderme de certaines larves d'amphibiens, qui favorise leur éclosion, provoquant la déchirure des enveloppes de l'œuf.

27.3 Enfin dans l'éclosion mécanique il existe, à l'extrémité du museau de la larve ayant achevé son développement, un petit denticule formé par la couche cornée de l'épiderme, la dent de l'œuf. Jean GUIBÉ, les Batraciens, p. 76.

Dents labiales : excroissances cornées des lèvres des têtards.

27.4 (...) lèvres charnues molles sur lesquelles apparaissent des denticules cornés, les dents labiales dont la disposition est variable, selon les genres. Jean GUIBÉ, les Batraciens, p. 79.

♦ **3.** (1786, *in* D.D.L.). Géogr. Sommet (d'une montagne) formant une découpure aiguë. ⇒ **Aiguille, crête, pic.** *Les dents d'une chaîne de montagnes. La Dent du Midi. Montagne qui se découpe en dents de scie.*

28 On y note des aiguilles aussi hardies que la Dent Parachée dressant ses calcaires à 3 712 mètres (...) VIDAL DE LA BLACHE, Géographie universelle, VI, p. 188.

29 (...) alors apparaissent les vraies crêtes alpines en dent de scie, avec leurs brèches et leurs «gendarmes». Les pics alpins en forme de pyramide sont dus au recoupement de trois ou même quatre cirques affrontés. DE MARTONNE, Traité de géographie physique, p. 904.

Découpure aiguë d'une côte (⇒ **Indentation**).

30 Les morsures éternelles de la vague non moins que ses caresses ont cisaillé tout le bord, en dents de scie. André SUARÈS, Trois hommes, « Ibsen », I, p. 69.

DÉR. Dental, denté, dentée, dentelle, dentier, dentifère, dentifié, dentimètre, dentine, dentiste, dentome, dentu, denture.
COMP. Adenter, brèche-dent, cure-dent, dent-de-lion, dent-de-loup. — Édenté, édenter, endenter, indentation, indenté, redent (ou redan), surdent, trident.

1. DENTAIRE [dɑ̃tɛʀ] adj. — 1541 ; lat. *dentarius* « qui concerne les dents », de *dens, dentis.* → Dent.

♦ Qui est relatif aux dents. *Abcès, fluxion dentaire. Carie dentaire. Greffe dentaire. Arcade dentaire. Nerf dentaire.* ⇒ **Dental.** *Canal* dentaire. — Os dentaire* (ou *alvéolaire*) : partie du maxillaire qui se développe avec les dents (opposé à *os basal*). — (1844). *Formule dentaire :* formule schématisant la disposition des dents, selon les espèces. — *Syndrome dentaire :* ensemble des phénomènes qui accompagnent l'arthrite alvéolo-dentaire. *Follicules dentaires,* ou *sacs dentaires :* organes dont la fonction est de sécréter les dents. *Papille dentaire. Pulpe dentaire :* partie interne d'une dent (chambre pulpaire) contenant les vaisseaux et les nerfs assurant la sensibilité de la dent. *Bulbe dentaire :* renflement à la base du follicule (⇒ **Bulbaire**). — *Plaque dentaire :* pellicule acide qui attaque l'émail des dents et est cause de carie dentaire. — *Chirurgie dentaire. L'art dentaire. Les soins dentaires. Appareils dentaires. Prothèse* dentaire. — École dentaire,* où l'on forme les dentistes. *Études dentaires.* Ellipt. *Faire dentaire.*

COMP. Radiculo-dentaire.

2. DENTAIRE [dɑ̃tɛʀ] n. f. — 1572 ; lat. *dentaria* «jusquiame», de *dens, dentis,* la plante étant utilisée contre les maux de dents.

♦ Plante herbacée, vivace, à tige souterraine, qui croît dans les bois des régions montagneuses *(Cruciféracées).*

DENTAL, ALE, AUX [dɑ̃tal, o] adj. — 1534 ; de *dent,* et *-al.*

♦ **1.** (1534). Vx. Qui est relatif aux dents. ⇒ **Dentaire.** *Nerfs dentaux.*

♦ **2.** (1690). *Consonnes dentales,* qui se prononcent en appliquant la langue sur les incisives supérieures. *D* [d], *T* [t], *N* [n] *sont des consonnes dentales,* ou, n. f., *des dentales.*

(...) un mélange de doux défi, de dignité, de désir décent, de tous ces noms qui débutent par des dentales... GIRAUDOUX, les Aventures de Jérôme Bardini, Première disparition, p. 21.

COMP. Labiodental.
HOM. Dentale.

DENTALE [dɑ̃tal] ou DENTALIUM [dɑ̃taljɔm] n. m. — 1744, *dentale ; dentalium,* 1735 ; du lat. *dens, dentis* «dent», en raison de la forme pointue de la coquille de ce mollusque.

♦ Didact. (zool.). Mollusque à coquille en forme de cornet vivant dans la vase ou le sable des bords de mer.
HOM. Dental.

DENT-DE-LION [dɑ̃dəljɔ̃] n. f. — 1596 ; calque du lat. médiéval *dens leonis* «dent *(dens)* du lion *(leo, leonis)*». Cf. angl. *dandelion.*

♦ Pissenlit (à cause des feuilles dentées). *Les dents-de-lion.*

DENT-DE-LOUP [dɑ̃dlu] n. f. — 1676, «sorte de clou», de *dent, de,* et *loup.*

♦ **1.** Techn. Pièce mécanique dentée, permettant d'accoupler deux axes par l'extrémité. *Des dents-de-loup.*

♦ **2.** Crochet permettant de suspendre de la charcuterie ou des pièces de viande.

(...) tout en haut, tombant d'une barre à dents de loup, des colliers de saucisses, de saucissons, de cervelas, pendaient, symétriques, semblables à des cordons et à des glands de tentures riches. ZOLA, le Ventre de Paris, t. I, p. 56.

♦ **3.** Arts. Motif ornemental à découpures (→ Dents de scie*).

♦ **4.** Culin. [a] Croûton de pain de mie frit, de forme pointue.

[b] Biscuit léger, croquant, semé de cumin ou d'anis.

1. DENTÉ, ÉE [dɑ̃te] adj. — V. 1120 ; de *dent.*

♦ **1.** (V. 1120). Sc. nat. Pourvu de dents (opposé à *édenté*). *Mâchoire dentée.*

♦ **2.** (Mil. XIIIᵉ). Fig. Dont le bord présente des saillies pointues, aiguës. *Roue dentée. Feuille dentée.*

HOM. 2. Denté, dentée.

2. DENTÉ [dɑ̃te] n. m. — 1808, Boiste ; de *dent.*

♦ Poisson osseux rappelant la daurade, et commun dans la Méditerranée. *Le denté est pourvu de dents qui en font un redoutable carnassier.*

HOM. 1. Denté, dentée.

DENTÉE [dɑ̃te] n. f. — Fin XIIᵉ, «coup sur les dents» ; de *dent,* et *-ée.*

♦ (Av. 1560). Vén. Coup de dent donné par le chien au gibier. — Coup des défenses du sanglier (⇒ **Décousure**).

Il s'agissait aussi de nous peindre le monstre, qui est un sanglier très redoutable ; un de ces solitaires qui ne se fient qu'à leurs défenses, et dont la dure dentée découd les chevaux et blesse les mâtins «au coffre du corps». VALÉRY, Variété, p. 87.

Par ext. Quantité de nourriture qu'un animal peut saisir d'un coup de dent.
HOM. 1. Denté, 2. denté.

DENTELAIRE [dɑ̃tlɛʀ] n. f. — 1744 ; lat. sc. *dentelaria,* nom donné par Linné à la *Plumbago europea ;* du lat. *dens, dentis.* → Dent.

♦ Plante des rocailles, à fleurs violettes, bleues, roses ou blanches *(Plombaginacées),* dont la racine était utilisée contre le mal de dents.

DENTELÉ, ÉE [dɑ̃tle] adj. ⇒ Denteler.

DENTELER [dɑ̃tle] v. tr. — Conjug. *appeler.* — 1584 ; adj., 1545 ; de *dentele* «petite dent» (→ Dentelle), et *-er.*

♦ (1584). Découper le bord de (qqch.) en forme de petites dents. ⇒ **Découper ; créneler.** *Machine à denteler.* — Pron. *Se denteler.*

(...) ici le roc s'est dentelé comme une scie, là ses tables trop droites ne souffrent ni le séjour de la neige, ni les sublimes aigrettes des sapins du nord (...) BALZAC, Séraphîta, Pl., t. X, p. 458.   1

Par ext. Découper.

Les chemins (...) décrivent nécessairement des courbes immenses autour des golfes qui dentellent la côte. G. SAND, Correspondance, t. IV, 1812-76, p. 241, *in* T.L.F.   1.1

▶ **DENTELÉ, ÉE** p. p. adj. (1545).

♦ **1.** Qui présente des dents, des indentations. *Côte dentelée. Chaîne (cit. 26) dentelée* (→ Crête, cit. 5). *Roc dentelé. Mur dentelé,* dont le sommet est garni de créneaux. ⇒ **Crénelé.** — *Lame au tranchant dentelé.* ⇒ **Brettelé.** *Médaille, pièce de monnaie dentelée.* — Bot. *Feuille dentelée* ou *dentée.*
Blason. *Pièces dentelées.* ⇒ **Denché.**
Par ext. Découpé. *Côte dentelée.*

♦ **2.** Anat. *Muscle dentelé,* qui s'attache aux côtes. — N. m. *Le grand dentelé :* le muscle abaisseur de l'omoplate. *Le grand den-*

*telé, le petit dentelé postérieur inférieur, le petit dentelé posté-
rieur supérieur.*

2 Sous les flancs bien enveloppés et d'une mollesse toute féminine, on devine les
   dentelés et les côtes, comme aux flancs d'un jeune garçon (...)
                                   Th. GAUTIER, Mlle de Maupin, IV, p. 66.

♦ **3.** Orné de dentelles.

3 (...) désormais tout le monde devrait se contenter de deux services à chaque repas
   et (...) pour le costume, personne ne porterait plus d'étoffes dentelées, ni d'écarlate,
   ni de vair, ni de gris, ni de zibeline (...)
                       FARAL, la Vie quotidienne au temps de saint Louis, p. 180, *in* T. L. F.

CONTR. Lisse, régulier.

DENTELET [dɑ̃tlɛ] n. m. — 1611, «petite dent»; de *dentele* «petite
dent». → Dentelle (étymologie).

♦ (1690). Petit cube de pierre dans lequel on taille les denticules.

DENTELLE [dɑ̃tɛl] n. f. — V. 1380; au sens actuel, 1549; de *dent*,
et *-elle*.

♦ **1.** Tissu très ajouré sans trame ni chaîne, orné de dessins opaques
variés, et qui présente généralement un bord en forme de dents.
Dentelle de lin, de coton, de soie, de nylon. Réseau, fond ou *champ
d'une dentelle,* la partie uniforme, par opposition aux *ornements.
Dentelle sans fond à larges mailles.* ⇒ **Guipure.** *Dentelle au mètre.
Entre-deux de dentelle. Dentelle étroite pour border. Col, jabot,
robe de dentelle. Mantille en dentelle. Éventail de dentelle. Volant
de dentelle. Parements* (cit. 2) *de dentelle. Empiècements, incrustations de dentelle dans la lingerie, le linge de maison. Poser,
coudre, monter une dentelle.* ⇒ **Striquer.** *Dentelle froncée, plissée,
tuyautée. Rangs, rangées de dentelle qui chevauchent. Ouvrages,
tissus rappelant la dentelle.* ⇒ **Broderie, filet, macramé.**

Par ext. *Mouchoir de dentelle,* bordé de dentelle. *Porter des dentelles,* des garnitures en dentelle.

1   (...) des dentelles sur tout l'habit (...)   MOLIÈRE, Tartuffe, 2e Placet.
1.1 En effet, Madame de Boves, n'ayant guère dans son porte-monnaie que l'argent
     de sa voiture, faisait sortir des cartons toutes sortes de dentelles, pour le plaisir de
     les voir et de les toucher (...) Le comptoir débordait, elle plongeait les mains dans
     ce flot montant de guipures, de malines, de valenciennes, de chantilly, les doigts
     tremblant de désir, le visage peu à peu chauffé d'une joie sensuelle.
                                   ZOLA, Au Bonheur des Dames, t. I, p. 132-133.
2   Un excès de dentelles peut-être aux draps et aux oreillers, un excès de bagues étin-
     celantes aux mains délicates, abandonnées sur la couverture de satin (...)
                                   LOTI, les Désenchantées, I, II, p. 13.
3   Elle est vêtue d'une robe de soie noire, assez décolletée, avec des manches mi-lon-
     gues, des dentelles, des guipures, des diamants.
                                   J. ROMAINS, les Hommes de bonne volonté, t. V, VIII, p. 65.
4   Mais soudain ce regard glissa jusqu'à la saillie de l'épaule, dont la chair nue,
     fraîche et grasse, palpitait sous les mailles de la dentelle comme un animal pris
     dans un filet (...)   MARTIN DU GARD, les Thibault, t. I, p. 47.

Loc. *La guerre en dentelles,* telle qu'on la faisait au XVIIe ou au
XVIIIe siècle, avec des officiers vêtus de dentelles et se rendant
force politesses.

4.1 Nous avons à gagner une partie considérable. Il serait idiot de la perdre pour avoir
     sacrifié à des élégances dignes de la guerre en dentelles.
                                   J. ROMAINS, les Hommes de bonne volonté, t. XXII, p. 93.

Fabrication de la dentelle.
Dentelle à la main. — Dentelle à l'aiguille ou *point. La dentelle à
l'aiguille s'exécute comme une broderie, en laissant libre le tissu
sous-jacent. Fil de trace, lacets, brides, jours; gaze, rempli, satiné,
brode, picot, engrelure d'une dentelle à l'aiguille. Variétés de dentelle à l'aiguille :* point coupé, point russe, point de Venise, point
Renaissance, point de France, d'Angleterre, d'Argentan,... point
d'Alençon. ⇒ **Vélin.** — *Dentelle aux fuseaux. La dentelle aux
fuseaux se fait avec un petit métier portatif* (⇒ **Carreau, tambour),**
*des fuseaux, un carton troué selon le dessin à obtenir. Trico-
ter de la dentelle avec des fuseaux. Points de dentelle au fuseau :*
point de grille, de toile; point filet, point réseau ou torchon; point
d'esprit, point de mariage; point de Binche, de Dieppe, du Puy,
de Tulle, de Malines, de Bruxelles, de Bruges, de Valenciennes, de
Milan... *Variétés de dentelle au fuseau :* blonde, bisette, Chantilly,
gueuse, lacis, Malines, mignonnette, torchon belge, Valenciennes.
*Dentelle au crochet, au tricot. — Dentelle à la machine. Calais,
centre industriel de la dentelle à la machine. — Dentelle à la
mécanique. Application d'ornements sur du tulle pour obtenir la
dentelle. — Dentelle fabriquée en une seule opération par la mécanique Jacquard à l'aide de machines ou mécanillières.*
Par ext. *Dentelle chimique* (ou *broderie* chimique)* : textile brodé
mécaniquement soumis à l'action d'un corps caustique qui libère la
broderie pour en faire de la dentelle.

♦ **2.** [a] Ce qui rappelle la dentelle par l'aspect ajouré, la finesse, la
légèreté. *Dentelle de papier,* pour l'emballage de la confiserie. *Une
petite spirale* (cit. 3) *en dentelle de papier. Dentelle de feuilles. —
*(V. 1530). *Dentelle de pierre :* appareil de pierres taillées à jours.
*La dentelle de pierre des flèches de clochers dans le gothique fla-
mand, allemand.*

5   L'architecture élégante et raffinée fait de la pierre une dentelle, et festonne ses
     églises de pinacles, de trèfles, de meneaux entrelacés et contournés, en sorte
     que l'édifice évidé, fleuronné, doré, est une prodigieuse et romanesque orfèvrerie,

œuvre de la fantaisie plutôt que de la foi, moins propre à exciter la piété que
l'éblouissement.   TAINE, Philosophie de l'art, t. II, III, II, I, p. 5.
6   (...) ils ont traversé les bois, les futaies de chênes sous lesquelles s'étend à l'infini
     la dentelle rousse des fougères.   LOTI, Ramuntcho, I, VI, p. 78.

En appos. *Crêpes dentelle,* très fines ; *bas dentelle :* bas dont le tissage rappelle la dentelle.

Spécialt. Vignette utilisée en typographie. — Partie d'une pierre
précieuse taillée en rose autour d'une facette large. — *Dentelle de
mer, de Vénus :* variétés de polypier*.

Relig. Dessin poussé sur or ou à froid, qui ressemble à de la dentelle. *Reliure à dentelle.*

Loc. fam. *Travailler, faire dans la dentelle :* travailler avec raffinement, délicatesse (le plus souvent en tournure négative : *ne pas faire
dans la dentelle).* « *Colin Higgins n'œuvre pas dans la dentelle.
Transposé à l'écran, ce gros succès de Broadway n'a rien perdu de
sa lourdeur* » (*Télérama,* 11 janv. 1984, n° 1774).

[b] Surface subdivisée ou découpée (de manière involontaire, accidentelle). *La corrosion avait complètement rongé le dessous de la
carrosserie : ce n'était plus de la tôle, c'était de la dentelle.*

DÉR. Dentellerie, dentellier.

DENTELLERIE [dɑ̃tɛlʀi] n. f. — Av. 1870; de *dentelle.*

♦ **1.** Vx, rare. Fabrication, commerce de la dentelle.

♦ **2.** Par ext. Ouvrage en dentelle. *Vendre de la dentellerie.*

DENTELLIER, IÈRE [dɑ̃təlje, jɛʀ; dɑ̃tɛlje, jɛʀ] n. et adj. — 1647,
n. f. ; de *dentelle.*

♦ **1.** Personne qui fait de la dentelle (rare au masc.). *La Dentellière,*
tableau de Vermeer.

♦ **2.** N. f. (1700). Machine à confectionner la dentelle.

♦ **3.** Adj. (1864). *Industrie dentellière,* de la dentelle.

DENTELURE [dɑ̃tlyʀ] n. f. — 1467; du rad. de *dentele* «petite
dent», et *-ure.*
REM. L'emploi au sing. est possible, mais rare.

♦ **1.** Découpures en forme de dents. — (V. 1530). Archit. Ouvrage
dentelé (⇒ **Crénelure).**

1   Le plein cintre rapprocha ses pointes, s'incurva en fer à cheval, l'arc brisé s'allon-
     gea, se rétrécit, se raccourcit ou s'évasa, se chargea de stalactites, d'alvéoles
     comme une ruche à miel, s'échancra plus ou moins de festons et de dentelures.
                                   Élie FAURE, Hist. de l'art, p. 259, *in* T. L. F.

♦ **2.** Découpures naturelles. *Les dentelures d'une côte.*
Bot. Dents fines des bords d'une feuille.

♦ **3.** Sommet en dents de scie. *Les dentelures d'une chaîne de montagnes.*

2   (...) les montagnes libyques découpaient sur le ciel pur leurs dentelures
     calcaires (...)   Th. GAUTIER, le Roman de la momie, II, p. 70.

DENTICULE [dɑ̃tikyl] n. m. — 1545; lat. impérial *denticulus* «petite
dent», et terme d'architecture, dér. (dimin.) de *dens, dentis.* → Dent.

♦ **1.** Bot. Dent très petite.
Par ext. (Zool., anat.). Petite formation cornée semblable à une dent
(→ Dent, cit. 27.3).

♦ **2.** (1545). Archit. Ornement en forme de dent. *Les denticules
d'une corniche ionique, d'une corniche corinthienne.*

♦ **3.** (1864). Méd. Petite dent surnuméraire, accolée à une dent normale ou située entre deux dents.

DÉR. Denticulé.

DENTICULÉ, ÉE [dɑ̃tikyle] adj. — 1690, blason; de *denticule.*

♦ (1848). Archit. Qui est garni de denticules. *Galerie denticulée*
(→ Château, cit. 1). *Pignon denticulé.*

(...) le pignon denticulé en marches d'escalier (...)
                                   Th. GAUTIER, la Toison d'or, III.

DENTIER [dɑ̃tje] n. m. — 1574, «rangée de dents»; «mâchoire»,
av. 1589; sens actuel, 1624; de *dent,* et suff. *-ier.*

♦ **1.** (1574). Vx. Rangée de dents.

♦ **2.** (1624). Mod. Appareil amovible formé d'une série de dents artificielles destinées à suppléer aux dents naturelles et que l'on porte
dans la bouche. ⇒ **Prothèse, râtelier.** *Porter un dentier. Mettre,
enlever son dentier.*

♦ **3.** (1857). Techn. Ensemble des dents (d'une machine); pièce
mécanique qui supporte des dents. ⇒ **Denture** (3.).

(...) et l'on huile les engrenages du dentier, et l'on resserre par-ci par-là un
écrou (...)   B. CENDRARS, Bourlinguer, p. 165.

DENTIFÈRE [dɑ̃tifɛʀ] adj. — 1846, *Dict. d'hist. nat.*, art. *Mollusque*; de *dent*, et *-fère*.

◆ Didact. Qui porte des dents. *Os dentifère.*

DENTIFIÉ, ÉE [dɑ̃tifje] adj. — Mil. xxᵉ; de *dent*, et *-ifié* (→ *-fier*).

◆ Didact. Qui a ou prend l'aspect, la consistance d'une dent. *« Tumeur dentifiée de la région angulaire droite de la mandibule, chez une jeune fille de 21 ans »* (*l'Information dentaire*, nº 13, 28 mars 1968, p. 1373).

DENTIFORME [dɑ̃tifɔʀm] adj. — 1564; repris déb. xxᵉ; de *dent*, et *-forme*.

◆ Didact. Qui a la forme d'une dent. *Vertèbre dentiforme* (Rabelais, *in* T. L. F.).

DENTIFRICE [dɑ̃tifʀis] n. m. — 1575; *dentfrice*, 1495; lat. impérial *dentifricium*; de *dens, dentis* «dent», et *fricare* «frotter».

◆ Préparation, le plus souvent pâteuse, propre à nettoyer et à blanchir les dents. *Tube de dentifrice. Dentifrice au fluor, à la chlorophylle. Dentifrice antipyorrhéique.* — Adj. (1834). *Pâte, poudre, savon, eau dentifrice.*

REM. Avant le xixᵉ s., le mot relève du vocabulaire médical.

Dentifrice (...) Il y en a de secs dont quelques-uns sont en façon d'opiate ou de poudres sèches grossièrement pulvérisées, comme coraux, pierre ponce, du sel, de l'alun, coquilles d'œufs, d'escargots et d'escrevisses, corne de cerf, os de sèche, ou de racines cuittes avec alun (...) D'autres sont humides tirez par distillation d'herbes desséchantes et de médicaments astringents.
                                     FURETIÈRE, Dictionnaire, art. *Dentifrice* (1690).

DENTIMÈTRE [dɑ̃timɛtʀ] n. m. — xxᵉ; de *dent*, et *-mètre*.

◆ Chir. dent. Instrument pour mesurer le périmètre de la dent au niveau du collet.

DENTINAIRE [dɑ̃tinɛʀ] adj. — xxᵉ; de *dentine*.

◆ Didact. (anat.). Qui concerne la dentine. *Canalicules dentinaires* ou *canalicules de Tomes* (de sir Jones Tomes, odontologiste anglais du xixᵉ siècle).

La pénétration des fibres nerveuses dans la dentine est très controversée. Certains la nient; d'autres l'admettent, mais tous les dentistes savent que la cocaïne, qui agirait vraisemblablement sur les extrémités nerveuses de l'ivoire, s'il y en avait, n'agit nullement sur la sensibilité dentinaire.   P.-L. ROUSSEAU, les Dents, p. 23.

DENTINE [dɑ̃tin] n. f. — 1586; repris 1855, répandu déb. xxᵉ; de *dent*, et *-ine*.

◆ Anat. Ivoire des dents. *« La structure de la dentine est semblable à celle de l'émail avec ses cloisons, gaine et espaces interprismatiques »* (P.-L. Rousseau, *les Dents*).

DÉR. **Dentinaire.**

DENTIROSTRES [dɑ̃tiʀɔstʀ] n. m. pl. — 1806; lat. *dens, dentis* «dent», et *-rostre*, du lat. *rostrum* «bec».

◆ Zool. Sous-ordre de passereaux présentant une échancrure au niveau de la mandibule supérieure du bec. — *Principaux dentirostres :* bergeronnette, corneille, corbeau, étourneau, fauvette, geai, grive, merle, mésange, pie, roitelet, rossignol.

DENTISTE [dɑ̃tist] n. — 1735; de *dent*, et *-iste*.

◆ **1.** N. m. Anciennt. Praticien qui soigne les dents. ⇒ **Dent, dentaire, prothèse.** *Les barbiers-chirurgiens ont fait longtemps office de dentistes* (→ **Arracheur*** de dents).

◆ **2.** N. m. et f. Mod. Praticien diplômé légalement autorisé à soigner les dents, à effectuer des interventions chirurgicales dentaires, et à traiter les maladies de la bouche et des mâchoires (⇒ **Stomatologiste**). ⇒ **Odontalgiste, odontologiste, orthodontiste;** → péj. Arracheur* de dents. *Aller chez son, sa dentiste. C'est une excellente dentiste. Elle est dentiste, elle est chirurgien dentiste. Cabinet de dentiste. Équipement, appareils, instruments du dentiste. Cautère, crachoir, curette, davier, élévateur, fauteuil, fraise, pulvérisateur, réflecteur, roulette, tour de dentiste. Boîtier* portant les appareils du dentiste.*

Par appos. En Suisse : *médecin dentiste;* en France : *chirurgien dentiste.*

Nul ne peut exercer la profession de dentiste s'il n'est muni d'un diplôme de docteur en médecine ou de chirurgien dentiste.   Loi du 30 nov. 1893, art. 2.

Législ. *Dentiste conseil :* chirurgien dentiste habilité à l'expertise dentaire par le conseil de l'ordre des chirurgiens dentistes. *Le dentiste conseil décide de la prise en charge, par la caisse de Sécurité sociale intéressée, des travaux de prothèse dentaire entrepris pour les assurés sociaux cotisant à cette caisse.*

DÉR. **Dentisterie.**

DENTISTERIE [dɑ̃tistəʀi] n. f. — 1889; de *dentiste*, et *-erie*.

◆ Didact. Étude et pratique médico-chirurgicale des soins dentaires. Syn. : *médecine dentaire, odonto-stomatologie.*

DENTITION [dɑ̃tisjɔ̃] n. f. — 1754; lat. *dentitio*.

◆ **1.** (1754). Didact. Formation et éruption des dents, depuis la première enfance jusqu'à la fin de l'adolescence. *Dentition lactéale* ou *temporaire. Dentition définitive* ou *permanente.*

La deuxième dentition comprend trente-deux dents (...) La chronologie de l'éruption des dents permanentes est résumée dans le tableau synoptique suivant (...) Nous remarquons, dans ce tableau, l'apparition tardive de la dent de sagesse (...)   L. TESTUT, Traité d'anatomie, t. IV, p. 94.   1

◆ **2.** (1864). Cour. Ensemble des dents. ⇒ **Denture.** — REM. Cet emploi a longtemps été considéré comme une «faute» (Littré). L'Académie, 8ᵉ éd., l'accepte.

La femme de l'apothicaire les croquait *(ces petits pains...)* héroïquement, malgré sa détestable dentition (...)   FLAUBERT, Mᵐᵉ Bovary, III, VII, p. 190.   2

DENTO- Premier élément de mots didactiques, tiré de *dent*. Ex. : *dento-cutané*, adj. (xxᵉ) : relatif à une dent et à la peau. *Douleur dento-cutanée.* — *Dento-dentaire*, adj. (xxᵉ) : relatif à l'effet d'une dent sur une autre dent. *Synalgie dento-dentaire.* — *Dento-facial*, adj. (xxᵉ) : de l'appareil dentaire et de la face. *Orthopédie dento-faciale.*

DENTOME [dɑ̃tom; dɑ̃tɔm] n. m. — xxᵉ; de *dent*, et *-ome*.

◆ Pathol. Tumeur bénigne constituée par les tissus de la dent (ivoire, émail, cément).

DENTU, UE [dɑ̃ty] adj. — V. 1179; de *dent*.

◆ Vx. Pourvu de dents.

L'horrible Thémis, dentue et vorace.   HUGO, *in* G. L. L. F.

DENTURE [dɑ̃tyʀ] n. f. — 1276; de *dent*, et suff. *-ure*.

◆ **1.** Littér. et didact. Ensemble des dents (d'une personne, d'un animal). ⇒ **Dentition.** — REM. *Dentition*, longtemps condamné par les puristes dans cette acception, est devenu plus courant que *denture.*

Sa bouche, grande et d'un rouge vif, laissait luire par éclairs blancs une denture qui eût fait honneur à un jeune loup.   Th. GAUTIER, le Capitaine Fracasse, t. I, II, p. 37.   1

L'un d'eux fait une fluxion et nous lui soignons sa denture.   G. DUHAMEL, Lieu d'asile, p. 105.   2

Pas un muscle ne tressaille sur son visage de chair brune. Les lèvres s'épanouissent, découvrent une denture puissante, aurifiée.   Pierre MOUSTIERS, la Mort du pantin, p. 59.   3

Spécialt, anat. Nombre et disposition des dents.

◆ **2.** (xxᵉ). Chir. dent. Appareillage dentaire. *Denture faite de dents séparées.* ⇒ **Dentier** (2.).

◆ **3.** (1752). Techn. Ensemble des dents d'une roue dentée.

DÉNUCLÉARISATION [denykleaʀizasjɔ̃] n. f. — V. 1957; de *dénucléariser.*

◆ Didact. Action de dénucléariser*; son résultat. ⇒ **Désatomisation.** *« Un traité sur l'internationalisation et la dénucléarisation de l'espace et des corps célestes »* (le Figaro, 22 déc. 1966).

DÉNUCLÉARISER [denykleaʀize] v. tr. — V. 1957; de 1. *dé-, nucléaire*, et suff. *-iser.*

◆ Didact. Diminuer ou interdire la fabrication et le stockage des armes nucléaires dans (un pays, une région). ⇒ **Désatomiser.** *« Empêcher la prolifération des armes (nucléaires) et "dénucléariser" les grandes puissances elles-mêmes »* (le Monde, 21 janv. 1965). — P. p. adj. *« Une zone "dénucléarisée" »* (le Monde, 5 févr. 1963).

DÉR. **Dénucléarisation.**

DÉNUDATION [denydasjɔ̃] n. f. — 1374; bas lat. *denudatio.*

◆ **1.** Action de dénuder (qqn, qqch.); résultat de cette action. Méd. Action de mettre à nu un organe, un tissu, une dent, par incision ou par opération; état qui en résulte. *La dénudation d'un vaisseau en vue d'un cathétérisme.*
État d'un arbre dépouillé de son écorce, de son feuillage.

♦ **2.** Par métaphore ou fig. (en parlant d'une œuvre littéraire ou artistique). Action de dépouiller, de rendre plus nu (simple, pauvre); résultat de cette action (Hugo, Bourget, R. Rolland, *in* T. L. F.).

♦ **3.** Espace, lieu dénudé.

Le sommet, très plat, d'une montagne, non, d'une colline, mais si sauvage, si sauvage, assez. Bourbe, bruyère à hauteur de genou, imperceptibles sentiers de brebis, dénudations profondes.   S. BECKETT, Textes pour rien, p. 115.

DÉNUDEMENT [denydmɑ̃] n. m. — 1916, Daudet; de *dénuder.*

♦ **1.** Littér. Action de dénuder; résultat de cette action. ⇒ **Dénudation.**

♦ **2.** ⇒ **Dénudation,** 2. — REM. Il semble que cette forme soit plus répandue dans la langue littéraire contemporaine (G. Bataille, Cassou, *in* T. L. F.).

DÉNUDER [denyde] v. tr. — Av. 1150; lat. class. *denudare* « dépouiller, priver de », de *de-,* et *nudare* « mettre à nu », dér. de *nudus.* → Nu.

♦ **1.** (Sujet n. de personne). Mettre à nu ; dépouiller (qqch.) de ce qui recouvre, revêt. ⇒ **Découvrir, dépouiller.**
Spécialt, chir. *Dénuder un os,* enlever la chair qui le recouvre. — *Dénuder un sol,* enlever ou faire mourir la végétation qui le recouvre.
Techn. *Dénuder un câble électrique,* enlever son ou ses enveloppe(s).
(Sujet n. de chose). *Le gel dénude le sol.*
Par analogie :

1   Le flux et le reflux, comme avec un rabot,
      Dénude à chaque coup l'étrave et l'étambot (...)
                         HUGO, la Légende des siècles, LVIII, I.

(1844). Mettre nu (qqn); déshabiller complètement. *Dénuder son corps.* ⇒ **Déshabiller, dévêtir.**

♦ **2.** (Sujet n. de chose : vêtement, etc.). Ne plus couvrir le corps de (qqn); laisser apparente la chair de (une partie du corps). *Robe qui dénude le dos.*
Par métaphore :

2   Le bonheur qui prend élan sur la misère, je n'en veux pas. Une richesse qui prive un autre, je n'en veux pas. Si mon vêtement dénude autrui, j'irai nu.
                         GIDE, les Nouvelles Nourritures, p. 58.

♦ **3.** Littér. Dévoiler, ne plus cacher. *Dénuder un aspect caché de sa personnalité.* ⇒ **Révéler.**

▶ **SE DÉNUDER** v. pron.

♦ **1.** (Choses). Se dépouiller de ce qui recouvrait. *Sol qui se dénude. Cet arbre se dénude,* perd ses feuilles, ou son écorce.

♦ **2.** (Personnes). Se déshabiller, se dévêtir complètement.

♦ **3.** Fam. et vx. Perdre ses cheveux. *Il commence à se dénuder.* ⇒ **Dégarnir.**

▶ **DÉNUDÉ, ÉE** p. p. adj.

♦ **1.** Mis à nu. — Chir. *Os dénudé.* ⇒ **Décharné.** — *Arbre dénudé,* dépouillé de son feuillage ou de son écorce. — *Sol dénudé, colline dénudée.* — Techn. *Câble électrique dénudé,* dépouillé de son enveloppe protectrice.

♦ **2.** (Personnes). ⇒ **Nu.**

♦ **3.** *Crâne dénudé.* ⇒ **Chauve, dégarni.**

3   Son crâne dénudé, ceint d'une couronne de cheveux blancs, se colorait de rose.
                         FRANCE, le Petit Pierre, XXII, p. 153.

CONTR. Couvrir, recouvrir; garnir.

DÉNUÉ, ÉE [denye] p. p. adj. — 1370; p. p. de *dénuer.*

♦ **1.** DÉNUÉ DE. ⇒ **Démuni, dépouillé, dépourvu, nu, pauvre, privé** (de). *Être dénué de tout.* ⇒ **Manquer.** *Dénué de ressources. Dénué de tous ses biens.*

1   (...) il ne s'est jamais vu si dénué d'argent (...)
                         LA BRUYÈRE, les Caractères de Théophraste, « De la dissimulation ».
2   Ses jambes aussi dénuées de mollets que les pattes échassières d'un héron.
                         Th. GAUTIER, le Capitaine Fracasse, p. 114, *in* T. L. F.

(Abstrait). *Dénué de bon sens, d'intelligence, d'esprit, d'imagination, d'amour-propre,... Style dénué de recherche. Projet dénué de raison* (→ Amour-propre, cit. 9; assertion, cit. 1). *Ouvrage dénué d'intérêt.*

3   (...) tout en repoussant cette opinion, comme dénuée de fondement (...)
                         FRANCE, le Crime de S. Bonnard, p. 388.
4   Il ne savait pas qu'une grande âme n'est jamais seule, que si dénuée qu'elle soit d'amis que la fortune, elle finit toujours par les créer, qu'elle rayonne autour d'elle l'amour dont elle est pleine (...)   R. ROLLAND, Jean-Christophe, v, p. 243.
5   (...) je me tiens là, devant mon Dieu, plus dénué et plus dépouillé de mérites, plus désarmé que personne au monde.   F. MAURIAC, la Pharisienne, XIV, p. 230.

♦ **2.** Absolt. Littér. (Personnes). Pauvre, misérable. ⇒ **Pauvre** (→ Bride, cit. 5).

Cet hospice, destiné aux vieillards indigents du canton, à ses malades, aux femmes dénuées au moment de leurs couches et aux enfants trouvés, devait porter le nom d'hospice des Tascherons (...)   BALZAC, le Curé de village, Pl., t. VIII, p. 768.   6

♦ **3.** Littér. *Dénué de :* dépouillé de (végétation). *Un paysage dénué d'arbres.* ⇒ **Dénudé.**

DÉNUEMENT ou (vx) DÉNÛMENT [denymɑ̃] n. m. — 1374, *desnuement; de dénuer.*

♦ **1.** (Av. 1704). État d'une personne qui est dénuée du nécessaire. ⇒ **Besoin, disette, misère, pauvreté.** *Être dans un grand dénuement* (→ Crever, cit. 17; blottissement, cit.). — REM. L'orthographe *dénuement* était inusitée au XIXe s. (Littré écrit *dénûment,* qu'on trouve encore au XXe s.).

1   (*Le serf*) vit dans le dénûment, dans le silence, dans la stagnation, dans la fièvre, dans la fétidité, dans l'abjection, dans le fumier (...)
                         HUGO, Post-scriptum de ma vie, Promontorium somnii, III.
2   Mais ne plus posséder d'argent, ce n'est qu'une des étapes du dénûment.
                         COLETTE, la Naissance du jour, p. 158.

Par ext. État de ce qui est dénudé. *Le dénuement d'une pièce, d'un logement :* l'état misérable de cette pièce, de ce logement.

♦ **2.** (XVe). Fig. *Un grand dénuement moral.*

3   (...) la dureté de l'homme que je suis, le dénûment affreux de son cœur, ce don qu'il détient d'inspirer la haine et de créer autour de soi le désert, rien de tout cela ne prévaut contre l'espérance.
                         F. MAURIAC, le Nœud de vipères, 1932, p. 162, *in* T. L. F.

CONTR. Abondance, profusion, richesse.

DÉNUER [denye] v. tr. — Av. 1150; du lat. *denudare* (→ Dénuder); de *de-,* et *nudare.*

♦ Priver, dépouiller (qqn) des choses nécessaires. ⇒ **Dépouiller, priver.** — REM. *Dénuer* est rare à la forme active.

▶ **SE DÉNUER** v. pron.

Littér. Se priver (de). *Il s'est dénué de tout au profit des pauvres. Se dénuer pour sa famille.* ⇒ **Appauvrir** (s'), **sacrifier** (se). — Figuré :

Partout où j'ai, comme un mouton,
Qui laisse sa laine au buisson,
Senti se dénuer mon âme (...)
                         A. DE MUSSET, Poésies nouvelles, « Nuit de décembre ».

CONTR. Approvisionner, assortir, enrichir, fournir, garnir, munir, nantir, pourvoir.
DÉR. Dénuement, dénué.

DÉNUTRI, IE [denytʀi] adj. — 1961; de *dénutrition.*

♦ Méd. Qui est atteint de dénutrition. *Un malade dénutri.* — N. *Un, une dénutri(e).*

DÉNUTRITION [denytʀisjɔ̃] n. f. — 1859, *in* D. D. L.; de 1. *dé-,* et *nutrition.*

♦ Didact. Ensemble de troubles caractérisant une insuffisance, une carence importante d'éléments nutritifs, avec excès de la désassimilation sur l'assimilation. ⇒ **Malnutrition.** *Les maladies de la dénutrition, dans les pays pauvres. Dénutrition des nouveau-nés.* ⇒ **Athrepsie.**

DÉR. Dénutri.

DÉODAR [deɔdaʀ] ou DÉODORA [deɔdɔʀa] n. m. — 1874; mot hindi *dê'odâr, dêwdâr,* du sanskrit *deva-dāra* « arbre divin » (*deodora,* en lat. sav.).

♦ Cèdre de l'Himalaya à grandes feuilles piquantes.

Le jeune naturaliste reconnut plus particulièrement des «déodars», essences très nombreuses dans la zone himalayenne, et qui répandaient un agréable arôme !
                         J. VERNE, l'Île mystérieuse, t. I, p. 43.

En appos. *Cèdre déodora* (Goncourt, *in* T. L. F.).

DÉODORANT [deɔdɔʀɑ̃] n. m. et adj. — 1955, *in* Höfler; angl. *deodorant.*

♦ Anglic. Désodorisant* pour la toilette des personnes. *Les déodorants freinent la sécrétion de la sueur et atténuent son odeur caractéristique, due à des fermentations bactériennes. Déodorant corporel. Déodorant sans alcool. Déodorant en bâton, en vaporisateur.* — Adj. *Savon déodorant, stick déodorant.*

DÉODORISER [deɔdɔʀize] v. tr. — V. 1880, au p. p.; de 1. *dé-*, lat. *odor*, et *-iser*.

◆ Vieilli. ⇒ **Désodoriser.**

DÉR. Déodorant.

DEO GRATIAS [deogʀasjas] — (1458). Mots latins signifiant « Grâces (soient rendues) à Dieu ». — (1870). En dehors des prières liturgiques, ils s'emploient (fam.) pour exprimer le contentement, le soulagement en certaines circonstances. *Le voilà enfin parti, Deo gratias !*

DE OLFACTU [deɔlfakty] loc. adv. — 1873, J. Verne; lat. *de*, et ablatif de *olfactus* « action de flairer », du supin de *olfacere* « flairer, sentir ».

◆ Par plais. Au moyen de l'odorat. → De auditu (cit.), de visu.

DE OMNI RE SCIBILI, ET QUIBUSDAM ALIIS [deɔmniʀesibili ɛt kɥibysdamaliis] — Mots latins signifiant « De toute chose que l'on peut savoir, et de quelques autres ». La première partie de cet adage était la devise de Pic de La Mirandole. — La locution est parfois appliquée, ironiquement, aux personnes qui se piquent de tout savoir.

DÉONTOLOGIE [deɔ̃tɔlɔʒi] n. f. — 1823, *in* D.D.L.; angl. *deontology*, terme créé par J. Bentham, du grec *deon, deontos* « devoir », et *logos* « discours ».

◆ Didact. Théorie des devoirs, en morale.

0.1 Pour Aristote, il existe assurément une *déontologie*; il y a des choses qu'il « faut » faire, il ne faut les faire que parce qu'elles sont requises pour atteindre une certaine fin. GILSON, l'Esprit de la philosophie médiévale, p. 150.

Spécialt. Ensemble des règles et des devoirs régissant une profession. *Déontologie médicale :* ensemble des règles et des devoirs professionnels du médecin.

1 Cottard qui d'habitude, par *déontologie*, s'abstenait de critiquer ses confrères, ne put s'empêcher de s'écrier (...) PROUST, À la recherche du temps perdu, t. X, p. 144.

2 (...) les syndicats s'attribuent le privilège de réprimander et même de flétrir ceux de leurs membres qui sont jugés coupables de fautes contre la déontologie, contre la probité professionnelle, contre l'honneur médical. G. DUHAMEL, Défense des lettres, VII, p. 172.

3 Pour quelques jours de survie, ma mère avait risqué d'affreuses souffrances. Sur quoi donc se fonde cette féroce déontologie qui exige la réanimation à tout prix? Sous prétexte de respecter la vie, les médecins s'arrogent le droit d'infliger à des êtres humains n'importe quelle torture et toutes les déchéances : c'est ce qu'ils appellent faire leur devoir. S. DE BEAUVOIR, Tout compte fait, p. 111.

DÉR. Déontologique, déontologiste ou **déontologue.**

DÉONTOLOGIQUE [deɔ̃tɔlɔʒik] adj. — 1834, *in* D.D.L., trad. de J. Bentham; de *déontologie*.

◆ Didact. Qui appartient à la déontologie (notamment médicale ou pharmaceutique). *Code déontologique des médecins, des pharmaciens.*

Les recherches sur l'homme aussi se heurtent à des limites scientifiques, auxquelles s'ajoutent nécessairement des scrupules déontologiques car, évidemment, l'expérimentation est exclue là où elle risquerait de blesser ou de mutiler des personnes humaines. Paul FRAISSE, la Psychologie expérimentale, p. 7.

DÉONTOLOGISTE [deɔ̃tɔlɔʒist] ou **DÉONTOLOGUE** [deɔ̃tɔlɔg] n. — 1834, trad. de J. Bentham; de *déontologie*.

◆ Didact. et vieilli. Spécialiste de déontologie.

DÉPAILLAGE [depɑjaʒ] n. m. — 1864; de *dépailler*.

◆ Action de dépailler; son résultat.

DÉPAILLER [depɑje] v. tr. — 1758, « épuiser les champs »; sens moderne, 1862; au p. p., 1834; de 1. *dé-*, *paille*, et suff. verbal *-er*.

◆ Dégarnir de sa paille. — Pron. *Cette chaise se dépaille.* — P. p. (1834). *Siège dépaillé.*

Toi! dépaille la chaise! Sa fille ne comprenait point. Il empoigna la chaise et d'un coup de talon il en fit une chaise dépaillée. Sa jambe passa au travers. HUGO, les Misérables, t. I, p. 892, *in* T.L.F.

CONTR. Empailler, pailler, rempailler.
DÉR. Dépaillage.

DÉPAISSANCE [depɛsɑ̃s] n. f. — 1790; du rad. du p. prés. de *paître*, d'après le lat. class. *depascere* « paître », et *-ance*.

◆ Vx. Lieu où l'on fait paître le bétail. ⇒ **Pâture, pâtis.** — (1835). Action de faire paître le bétail.

(...) chaque année, donc, un tiers seulement de l'aire cultivée était abandonné à la jachère et livré, semble-t-il, à la dépaissance du bétail. Georges DUBY, Guerriers et Paysans, p. 36.

(1832). Var. : *dépaiscence.*

DÉPALISSAGE [depalisaʒ] n. m. — 1583; de *dépalisser*.

◆ Techn. Action de dépalisser un arbre ou un arbuste.

DÉPALISSER [depalise] v. tr. — 1690; « effeuiller une haie vive », 1599; de 1. *dé-*, et *palisser*.

◆ Techn. Détacher de leur support les branches de (un arbre, un arbuste en espalier).
DÉR. Dépalissage.

DÉPANNAGE [depanaʒ] n. m. — 1918; de *dépanner*.

◆ **1.** (1918). Réparation de ce qui était en panne. *Le dépannage d'une voiture par le garagiste.* — Par ext. Déplacer (un véhicule en panne) pour réparer. *Dépannage par remorquage. Voiture de dépannage.* ⇒ **Dépanneuse.** *Équipe de dépannage.*

◆ **2.** (1964). Action de tirer d'embarras (qqn) en rendant un service. ⇒ **Dépanner**, 2.

Spécialt (banque). *Retrait de dépannage :* retrait d'argent dans une succursale de banque autre que celle où l'on a un compte.

DÉPANNEAUTER [depanote] v. tr. — 1864; de 1. *dé-*, et *panneauter* (1845), de *panneau*.

◆ Techn. (hortic.). Dégarnir (une couche) en enlevant les panneaux qui protègent.

DÉPANNER [depane] v. tr. — 1922; de 1. *dé-*, panne, et suff. verbal *-er*.

◆ **1.** (1922). Réparer (un mécanisme en panne). *Dépanner un appareil de télévision. Faire dépanner sa voiture.*

1 Le conducteur s'arrête et lui propose de le mener jusqu'à un prochain téléphone pour qu'on vienne le dépanner. J. GREEN, Journal, 16 juin 1978, La terre est si belle, p. 304.

Cour. Remorquer (un véhicule en panne) pour le réparer. *Voiture équipée pour dépanner les véhicules.* ⇒ **Dépanneuse.**

◆ **2.** (1941). Fig. et fam. Tirer (qqn) d'embarras. *Il a des ennuis, nous tâcherons de le dépanner.* — Aider (qqn) en lui prêtant de l'argent.

(Sujet n. de chose). *Voilà toujours cent francs, cela vous dépannera.*

2 Nous, nous en reviendrions aux rutabagas, toujours prêts à nous dépanner, ou mieux encore aux fèves qui pendant des siècles nous tinrent lieu de pommes de terre. Jacques PERRET, Bâtons dans les roues, p. 70.

DÉR. Dépannage, dépanneur, dépanneuse.

DÉPANNEUR, EUSE [depanœʀ, øz] n. et adj. — 1916; de *dépanner*.

◆ **1.** N. Professionnel (mécanicien, électricien, etc.) chargé de dépanner. — REM. Rare au fém. — Spécialt. Dépanneur d'automobiles.

◆ **2.** Adj. Qui dépanne.

DÉPANNEUSE [depanøz] n. f. — 1929; de *dépanner*.

◆ Voiture de dépannage qui peut remorquer, en les soulevant, ou en les chargeant, les automobiles en panne. — *Dépanneuse lourde :* véhicule lourd de dépannage.

Quand elle *(la voiture des pompiers)* eut disparu dans son coin, ce fut au tour de deux dépanneuses de se diriger vers l'endroit du sinistre. J.-M. G. LE CLÉZIO, le Déluge, p. 178.

DÉPAPILLOTER [depapijɔte] v. tr. — 1868, Goncourt, « disperser »; de 1. *dé-*, et *papilloter*.

◆ Débarrasser des papillotes, ou du papier (froissé, tortillé) qui en tient lieu. *Dépapilloter une mèche de cheveux. Dépapilloter une côtelette, un bonbon.* ⇒ **Dépiauter.**

Elle dépapillota une croquette de chocolat, la mit entre ses dents, et l'offrit ainsi à Antoine, qui, souriant, se prêta au jeu. MARTIN DU GARD, les Thibault, t. III, III, XIII, p. 72.

DÉPAQUETAGE [depaktaʒ] n. m. — 1811; de *dépaqueter*.

◆ Rare. Action de dépaqueter; résultat de cette action.

DÉPAQUETER [depakte] v. tr. — Conjug. *jeter*. — 1487, *despacqueter*; de 1. *dé-*, paquet, et suff. verbal *-er*.

◆ *Défaire* (un paquet). ⇒ **Défaire, déplier** ; et aussi **ouvrir**. *Dépaqueter un colis.* — Retirer (ce qui est empaqueté). *Dépaqueter des marchandises.* ⇒ **Déballer.**

(...) Louise dépaquetait lentement, avec des ménagements infinis, un ustensile sans doute très fragile, qui apparut à nos yeux sous l'aspect de quelque plaque épaisse et massive, protégée par un couvercle de métal épousant exactement sa forme rectangulaire.　Raymond ROUSSEL, Impressions d'Afrique, p. 198.

CONTR. **Empaqueter.**
DÉR. **Dépaquetage.**

DÉPARAFFINAGE [depaʀafinaʒ] n. m. — 1932, *in* D.D.L. ; de *déparaffiner.*

◆ Techn. Extraction de la paraffine du pétrole brut.

DÉPARAFFINER [depaʀafine] v. tr. — Mil. xxᵉ ; de 1. *dé-, paraffine,* et suff. verbal *-er.*

◆ Techn. Débarrasser (le pétrole brut) de sa paraffine.

DÉR. **Déparaffinage.**

DÉPARASITAGE [depaʀazitaʒ] n. m. — V. 1970 ; de *déparasiter.*

◆ Techn. Opération par laquelle on déparasite.

DÉPARASITER [depaʀazite] v. tr. — Av. 1970 ; de 1. *dé-,* et *parasiter.*

◆ Didact., techn. Débarrasser des parasites (un objet, un individu, un local).

DÉR. **Déparasitage.**

DÉPAREILLAGE [depaʀɛjaʒ] n. m. — Fin xixᵉ ; de *dépareiller.*

◆ Rare. Action de dépareiller ; résultat de cette action.

En grelottant dans la cour, Sengle avait entrevu les malades, derrière des fenêtres, jouant aux dames et aux cartes et lisant des livres mêlés, dépareillages de romans ou approbations de Mgr l'Archevêque de Tours.
A. JARRY, les Jours et les Nuits, p. 777.

DÉPAREILLER [depaʀeje] v. tr. — V. 1200, *despareiller* ; *désappareiller,* 1606 ; *deparoillor,* 1680 ; de 1. *dé-, pareil,* et suff. verbal *-er.*

◆ Rare. Rendre incomplet (un ensemble, une série de choses assorties ou semblables). ⇒ **Déparier ; désassortir.** *Dépareiller un service de table* (→ Couper, cit. 25.3).

1　Cette dame, apparemment si sensible au plaisir de la propriété, venait de faire une scène abominable, pendant le dîner, à un domestique qui avait cassé un verre à pied et *dépareillé une de ses douzaines* (...)
STENDHAL, le Rouge et le Noir, I, XXII, p. 142.

2　Sa collection de vieux généraux, de vieux amiraux, de vieux ambassadeurs, était dépareillée par la mort. Beaucoup de beaux spécimens manquaient tout à fait, n'ayant pas été remplacés dans leurs cadres.
A. MAUROIS, Climats, II, XVII, p. 231.

▶ **DÉPAREILLÉ, ÉE** p. p. adj. (1718 avec sens mod.).

◆ **1.** Qui n'est pas complet (en parlant d'une collection, d'une série) ; qui est composé d'éléments qui ne sont pas assortis. *Collection dépareillée.* ⇒ **Incomplet.** *Service de verres dépareillé.*

3　Ils couperaient en deux une tapisserie plutôt que d'en laisser le bénéfice à un seul. Ils aiment mieux que tout soit dépareillé mais qu'aucun lot ne l'emporte sur l'autre.　F. MAURIAC, le Nœud de vipères, II, XVIII, p. 216.

◆ **2.** Qui n'est plus avec les autres objets qui formaient une paire, une collection. *Un gant dépareillé. Un chandelier dépareillé. Un volume dépareillé des œuvres complètes de Hugo.*

Régional (Centre de la France ; Canada). Exceptionnel, unique en son genre.

◆ **3.** Par métaphore et fig. (littér.). Amputé, diminué.

4　J'étais un peu de ces natures-là, premièrement infirmes, implorantes et dépareillées au milieu d'une sorte de richesse qu'elles ont ; j'avais hâte de m'attacher et de m'appuyer.　SAINTE-BEUVE, Volupté, XXII, p. 234.

5　Nous avions toujours pensé que, sans lui, elle serait dépareillée, perdue, qu'elle ne saurait plus vivre.　G. DUHAMEL, Chronique des Pasquier, X, VI, p. 386.

CONTR. 2. **Appareiller, apparier, assortir.**
DÉR. **Dépareillage.**

DÉPARER [depaʀe] v. tr. — V. 1173, *desparer* ; de 1. *dé-,* et *parer.*

◆ **1.** (V. 1050). Vx. Dépouiller de ce qui pare. *Déparer un autel.*

◆ **2.** (Av. 1678). Sujet n. de chose. Mod. Rendre moins agréable ; nuire à la beauté, au bon effet de. ⇒ **Enlaidir.** *Cette construction dépare le quartier. Ces restaurations ont déparé la façade.* ⇒ **Déshonorer.** — *Cette robe la dépare.*

1　Vous lui reprochez de se mettre mal ; je le crois bien : toute parure lui nuit, tout ce qui la cache la dépare. C'est dans l'abandon du négligé qu'elle est vraiment ravissante.　LACLOS, les Liaisons dangereuses, Lettre VI.

Fig. Rendre imparfait, mauvais. ⇒ **Gâter.** — (Surtout en emploi néga-

tif). *Ses imperfections déparent son œuvre. Cette pièce ne déparerait pas sa collection. Défaut qui ne dépare pas un caractère.*

Hé bien ! ce neveu-là est bon à montrer ; il ne dépare point la famille.　MARIVAUX, les Fausses Confidences, I, 4.　2

(...) d'enfantines boutades qui ne déparent point ce bel ouvrage (...)
GIDE, Journal, 19 juin 1910.　3

CONTR. **Agrémenter, avantager, décorer, embellir, orner, parer.** — **Cadrer, convenir.**

DÉPARIER [depaʀje] v. tr. — 1393 ; *despariier,* v. 1370 ; de 1. *dé-,* et l'anc. v. *parier* « apparier », rac. *paire.*

Vieux ou littéraire.

◆ **1.** (1609). Rare. Ôter l'une des deux choses qui forment une paire. ⇒ **Dépareiller.** *Déparier des gants, des souliers.*

◆ **2.** (1694). Techn. Séparer un couple d'animaux. *Déparier des pigeons.* — On dit plutôt *désapparier* (Académie).

Au participe passé :

(...) il résout le problème de la gémellité dépariée — le sort du jumeau restant après la disparition ou la mort de son frère — qui est le sujet de tout le dernier tiers du roman — en posant que l'apôtre Thomas-le-Didyme (Thomas-le-Jumeau) est jumeau absolu, jumeau divin, n'ayant pour frère jumeau que Dieu lui-même dans la personne du Christ.　M. TOURNIER, le Vent Paraclet, p. 253-254.

CONTR. 2. **Appareiller, apparier, assortir.**

DÉPARLER [depaʀle] v. intr. — 1867 ; de 1. *dé-,* et *parler.* Le mot existe dès le xiiᵉ, aux sens de « médire de, blâmer », comme transitif.

◆ **1.** Vieilli. (En gén. à la forme négative). S'arrêter de parler.

◆ **2.** Vieilli ou régional. Parler à tort et à travers, sans discernement ; divaguer.

Le bon Dieu n'a rien à voir là-dedans.　1
— Ne déparle pas, mon fi. Ne mets pas de sacrilège dans ta bouche (...)
— Je ne déparle pas, maman. Il y a les affaires du ciel et les affaires de la terre. Ça fait deux (...)　Jacques ROUMAIN, Gouverneurs de la rosée, II, p. 34.
REM. La scène se passe à Haïti.

Deux cas cliniques qui présentaient (...) de graves perturbations du langage. L'un des enfants « déparlait », et ne se faisait pas entendre.　2
Françoise DOLTO, la Psychanalyse, 1956, I, 224, *in* D.D.L., II, 3.

DÉPARQUER [depaʀke] v. tr. — 1838 ; intr. « partir, décamper », v. 1470 (de *parc* « camp ») ; de 1. *dé-,* et *parquer.*

◆ Rare. Faire cesser d'être parqué. *Déparquer des bestiaux.*

1. DÉPART [depaʀ] n. m. — 1213 ; déverbal de *départir.*

◆ **1.** (1213). Action, fait de partir*. *Départ en voyage. Fixer son départ, l'heure du départ. Avancer, hâter, retarder, ajourner son départ* (→ Différer, cit. 23). *Le départ approche. Préparatifs de départ. À son départ. Dès son départ... Avant, après notre départ. Brusque départ. Départ d'un avion* (⇒ **Décollage, envol**), *d'un bateau* (⇒ **Appareillage, démarrage, partance**). *Départ d'une fusée* (⇒ **Lancement**). *Horaire des départs. Tableau des départs et des arrivées* (dans une gare, un aéroport). *Départ d'oiseaux migrateurs. Départ du courrier, des marchandises* (⇒ **Envoi, expédition**). *Départ des volontaires pour le front. Le « Chant du Départ ». Donner le signal du départ.*

Dans l'ombre de la nuit cache bien ton départ.　CORNEILLE, le Cid, III, 4.　1
Je puis d'une heure encor retarder son départ (...)　VOLTAIRE, Brutus, III, 6.　2
Il s'est apprivoisé pas à pas, jour à jour ;　3
Il boude à mon départ, il saute à mon retour (...)
LAMARTINE, Jocelyn, IIIᵉ époque.
C'est au départ de la classe que le cafard geint, siffle, grogne (...)　4
P. MAC ORLAN, le Quai des brumes, IV, p. 59.

Loc. *Être sur le départ,* prêt à partir. — Loc. fam. *Départ en fanfare,* bruyant, spectaculaire.

Spécialt. Math. *Ensemble de départ* (ou source) *d'une application, d'une fonction.*

◆ **2.** Spécialt (en sports). *Starter* qui donne le départ* (→ Course, cit. 7). *Les coureurs s'alignent pour le départ.* — Loc. verb. *Prendre le départ.* Fig. ⇒ **Démarrer.** « *Prendre le départ pour une course à la puissance sidérurgique* » (Guillain, 1969). *Faire ou prendre un bon* (*mauvais*) *départ.* « *À peine lancée en librairie, Modesty Blaise a pris un départ foudroyant* » (l'Express, 23 août 1965). — *Avoir un bon départ, un départ rapide, en trombe. Manquer le départ.* — *Blocs de départ, cales de départ.* ⇒ **Starting-block** (anglic.). — *Ligne de départ. Signal de départ.*

(...) ils s'échauffent, prennent enfin place au départ. Eux et le starter jouent à se narguer.　Jean PRÉVOST, Plaisirs des sports, p. 105.　4.1

Faux départ (en sports et au fig.) : départ raté, l'un des concurrents ayant devancé le signal.

Balist. *Départ des coups* : sortie des projectiles. Absolt. *Les départs* : les détonations des coups qui partent (⇒ **Décharge**).

◆ **3.** (1890). Le lieu d'où l'on part. *On se donne rendez-vous au départ ou à l'arrivée ? Le départ des grandes lignes, dans une* gare*. ⇒ aussi **Embarquement.** — Spécialt. Sports. Ligne de départ (→ ci-dessus). *Les coureurs se présentent au départ. Où est le départ ?*

♦ **4.** (1793). Le fait de quitter un lieu, une situation. *Son départ de la société est proche. Depuis le départ du directeur financier, les affaires vont mal. Exiger le départ d'un fonctionnaire, d'un employé.* ⇒ **Démission ; congédiement, exil, licenciement, limogeage, vidage** (fam.). *Départ à la retraite, en retraite.*

5 Demain elle entendra ce peuple furieux
Me venir demander son départ à ses yeux.   RACINE, Bérénice, III, 1.

♦ **5.** Fig. Commencement (d'une action, d'un processus, d'une série, d'un mouvement...). ⇒ **Commencement, début, origine** (→ Activité, cit. 2). *Budget de départ. L'entreprise a pris un bon départ.* — Loc. *Point de départ d'une intrigue, d'un complot. Point de départ d'un sujet à développer, d'une ligne de conduite.*

6 Les vrais hommes de progrès sont ceux qui ont pour point de départ un respect profond du passé.   RENAN, Souvenirs d'enfance..., Préface, p. 20.

7 La candeur, l'innocence, la grâce, le rire paraissaient à Fontranges des qualités d'aînés, l'aboutissant de la vie, et non son départ.
        GIRAUDOUX, Bella, V, p. 107.

Loc. *Au départ :* au début. *Nous n'avions pas prévu cela au départ.* — *De départ :* initial. *L'idée de départ. Les conditions de départ.* Spécialt. Techn. *Signal de départ :* signal sonore ou visuel indiquant le commencement d'un enregistrement. ⇒ **Top** (top départ). — Comm. *Prix de départ d'une marchandise.*

Archit. *Départ d'escalier.*

Comptab. *Départ d'un compte :* date d'ouverture de ce compte.

CONTR. Arrivée, retour, venue. — Aboutissement, fin, issue, résultat, terme.

2. DÉPART [depaʀ] n. m. — V. 1222 ; de *départir* « partager ».

♦ **1.** (V. 1222). Vx. Action de mettre à part (une chose). *Le départ du bon et du mauvais.* ⇒ **Tri, triage.**

Chim. anc. Opération par laquelle on isole les métaux d'un alliage.

♦ **2.** (1819). Loc. mod. FAIRE LE DÉPART ENTRE (deux choses abstraites) : séparer*, distinguer* nettement. ⇒ aussi **Départager.** *Il faut faire le départ entre ces deux points de vue.*

DÉPARTAGEANT, ANTE [depaʀtaʒã, ãt] adj. — Mil. xxᵉ ; de *départager.*

♦ Qui départage.

DÉPARTAGER [depaʀtaʒe] v. tr. — Conjug. *partager.* → Bouger. — 1690 ; de 1. *dé-*, et *partager.*

♦ **1.** (1690). Séparer (un groupe) en deux parties inégales ; répartir (les voix, les suffrages) de manière à dégager une majorité. *Départager les votes. La voix du président a départagé l'assemblée. Nommer un surarbitre pour départager les arbitres.*

♦ **2.** Par ext. Choisir entre (deux opinions, deux méthodes, deux camps). ⇒ **Arbitrer.** *Venez nous départager.*

1 C'est en effet une question de savoir si le Congrès ainsi constitué avait le droit de départager les intérêts.   Ch. PÉGUY, la République..., p. 13.

1.1 (...) une alternative comme celle qui va, après-demain faire hésiter tant de Français, sera un pari : l'événement seul nous départagera de ces semaines qui vont venir.   F. MAURIAC, le Nouveau Bloc-notes 1958-1960, p. 107.

(V. 1793). Faire cesser d'être à égalité. *Question subsidiaire pour départager les gagnants d'un concours.*

♦ **3.** Littéralt. Faire le départ entre, séparer. ⇒ **Départ** (faire le), **partager, séparer.**

2 (...) un *(jeu)* surtout, que nous jouons à quatre (...) avec un ballon de médiocre grosseur qu'il s'agit de ne point laisser retomber en deçà d'un filet haut tendu qui départage les deux camps.   GIDE, Journal, 3 janv. 1930.

3 Selon la tradition, d'un certain protestantisme, pareil « service » comprend le devoir, le goût d'évangéliser, le besoin de juger, de départager les bons et les méchants, de faire la leçon.
        André SIEGFRIED, l'Âme des peuples, VII, IV, p. 180.

DÉR. Départageant.

DÉPARTEMENT [depaʀtəmã] n. m. — V. 1180 ; « action de partager » jusqu'au xvıᵉ ; de *départir*, et suff. 2. *-ment* (*-ement* sous l'influence de la première conjug.).

♦ **1.** (1680). Chacune des parties de l'administration des affaires de l'État dont s'occupe un ministre. *Département ministériel.* ⇒ **Ministère.** *Département de l'Intérieur, de la Défense nationale, des Affaires étrangères...*

1 Il n'y avait pas, à proprement parler, de *Conseil des Ministres.* Chacun de ces ministres, responsables envers l'Empereur seul, étaient aux yeux de Napoléon, un commis très supérieur, soumis aux ordres du maître et enfermé dans l'administration d'un *département.*   Louis MADELIN, Hist. du Consulat et de l'Empire,
        Vers l'Empire d'Occident, III, p. 33.

(En Suisse). Subdivision du pouvoir exécutif, fédéral ou cantonal. — (Au Canada). Grand service de l'administration. — *Département d'État (Department of State) :* ministère des Affaires étrangères des

États-Unis ; au Canada, Ministère provisoire créé pour un besoin particulier.

♦ **2.** (1765). Sens le plus cour. en France. Division administrative du territoire français placée sous l'autorité du préfet* qu'assiste un conseil général. *Le département de la Seine, des Pyrénées-Atlantiques. Les quatre-vingt-quinze départements de la France métropolitaine. Les quatre départements de la Guadeloupe, de la Martinique, de la Réunion, de la Guyane (Départements d'Outre-Mer ou D. O. M.). Chef-lieu du département.* ⇒ **Préfecture.** *Subdivisions du département.* ⇒ **Arrondissement** (cit. 5), **canton, commune.** *Budget du département. Le préfet, organe du pouvoir central dans le département. Le préfet, le conseil général, la commission départementale, organes du département, personne morale. Commun à plusieurs départements.* ⇒ **Interdépartemental.**

2 Le département a actuellement encore, en France, un double aspect. C'est un compartiment pour la gestion des services généraux. C'est un centre pour la gestion des services départementaux. Il y existe donc des agents du pouvoir central pour la gestion des services généraux et des autorités pour la gestion des services propres du département (...) Le préfet est ainsi à la fois agent du pouvoir central et autorité départementale (...)
        Louis ROLLAND, Précis de droit administratif, nᵒ 207.

3 On a reconnu, aujourd'hui que les communications sont faciles, que le cadre départemental est trop petit. On est donc amené à souhaiter, pour le traitement des faits économiques et sociaux, des cadres plus vastes que ceux des départements, qui parfois disjoignent ce que la géographie rapproche.
        Albert DEMANGEON, la France économique et humaine, p. 848.

Par ext. La province, par opposition à la capitale. *Le vote des départements.*

Mar. Chef-lieu de préfecture ou d'arrondissement maritime.

♦ **3.** Par anal. (semble constituer un anglic., notamment dans l'Université). Unité administrative responsable d'un certain type de documents, dans une grande bibliothèque. *Département des imprimés, des cartes et plans, des estampes. Le département des manuscrits de la Bibliothèque nationale.*
Division (d'une administration) placée sous l'autorité d'un haut fonctionnaire. *Le département des antiquités au musée du Louvre.* Section d'enseignement, dans une université. *Département de littérature française, de mathématiques. Les départements et les instituts d'une université.*

REM. Dans la plupart des cas, le mot peut être remplacé par *service, section, direction, bureau.*

Par ext. Part de compétence, de responsabilité. *Ceci est, n'est pas de votre département,* de votre domaine*.

♦ **4.** Rare. Élément résultant d'une division, d'un partage. « *Les divers départements de l'écorce grise* (du cerveau) » (Taine, De l'intelligence, in T. L. F.).

DÉR. Départemental.

DÉPARTEMENTAL, ALE, AUX [depaʀtəmãtal, o] adj. — 1790 ; de *département.*

♦ Qui appartient au département (2.). *Budget départemental. Commission départementale. Archives départementales.*

Route départementale. — N. f. *Une petite départementale.* « *Sa route, c'était "la 8", la départementale nᵒ 8* » (Edmonde Charles-Roux, Elle, Adrienne, p. 305).

DÉR. Départementaliser.

DÉPARTEMENTALISATION [depaʀtəmãtalizasjõ] n. f. — 1930 ; de *départementaliser.*

♦ Admin. Transformation en département d'un territoire (notamment d'un territoire d'outre-mer). — Action de départementaliser (2.).

DÉPARTEMENTALISER [depaʀtəmãtalize] v. tr. — Mil. xxᵉ ; de *départemental*, d'après *étatiser, nationaliser.*

♦ **1.** Admin. Donner à (une ancienne colonie, un territoire) le statut de département* (2.).

♦ **2.** (1972). Admin. Attribuer aux départements une compétence qui relevait antérieurement de l'État ou d'une autre collectivité publique.

DÉR. Départementalisation.

DÉPARTICULARISER [depaʀtikylaʀize] v. tr. — 1951, Malraux ; de 1. *dé-*, et *particulariser.*

♦ Rare. Ôter les particularités de.

Il *(Vermeer)* semble toujours désindividualiser ses modèles, comme départiculariser l'univers : pour obtenir, non des types, mais une abstraction sensible qui fait penser à celle de certaines Korés.   MALRAUX, les Voix du silence, p. 474.

DÉPARTIE [depaʀti] n. f. — V. 1050 ; de *départir* (1100).

♦ Vx ou régional. Action de se séparer. ⇒ **Départ.**

Inquiète de ce qui allait suivre, la sollicitude de la baronne avait sans doute fait à sa fille quelque signe de furtive départie, et elle avait disparu.
                                   BARBEY D'AUREVILLY, les Diaboliques, « Le dessous de cartes ».

DÉPARTIR [depaʀtiʀ] v. tr. — Conjug. *partir.* — V. 1050 ; de 2. *dé-*, et *partir*, au sens de « séparer ; partager ». → Avoir maille* à partir.

★ **I. ♦ 1.** (V. 1100). Vx. Séparer (une chose d'une autre). ⇒ **Départ** (faire le départ).

♦ **2.** (1177). Littér. (Vieilli, sauf au p. p. et aux temps comp.). Attribuer en partage (une tâche, une faveur). ⇒ **Accorder, distribuer, impartir.** *Dieu départ ses grâces avec équité* (Académie). *La tâche qui lui fut départie.* ⇒ **Confier.**

1   *(Départir)* se rapporte au point de départ, à la personne qui distribue, et la représente comme supérieure, comme laissant tomber ses dons d'un lieu élevé. On ne le dit guère qu'en parlant des grâces et des faveurs de Dieu, du ciel, de la nature (...)   LAFAYE, Dict. des synonymes, Départir, repartir.
2   Dieu, ne voulant pas départir la vérité aux Grecs, leur donna la poésie.
                                   Joseph JOUBERT, Pensées, XVII, XXIV.
3   De tous les dons que le ciel leur avait départis, un cœur sensible est le seul qu'ils me interdisent (...)   ROUSSEAU, les Confessions, I.
4   Je n'ai pas connu d'homme qui eût pu être plus aimé des femmes. Il portait en lui un trésor infini d'amour. Il sentait le don supérieur qui lui avait été départi ; puis, avec une sorte de fureur, il s'ingéniait à s'anéantir lui-même.
                                   RENAN, Souvenirs d'enfance..., IV, II, p. 172.
5   Qu'il est étrange, dans ces commencements de la vie où un peu de bonheur nous est départi, qu'aucune voix ne nous avertisse : « Aussi vieux que tu vives, tu n'auras pas d'autre joie au monde que ces quelques heures. »
                                   F. MAURIAC, le Nœud de vipères, I, III, p. 39.
6   L'homme à qui fut départie la tâche surhumaine d'avertir Israël en ce dernier instant fut Jérémie.   DANIEL-ROPS, le Peuple de la Bible, III, III, p. 257.
6.1 Qui sait si chacun de nous n'aspire au privilège de tuer tous ses semblables ? Mais ce privilège est départi à très peu de gens et jamais entier : cette restriction explique à elle seule pourquoi la terre est encore peuplée. Assassins indirects, nous constituons une masse inerte, une multitude d'objets en face des véritables sujets du Temps, en face des grands criminels qui ont abouti.
                                   E. M. CIORAN, Précis de décomposition, p. 148.

Dr. *Départir des causes :* partager des procès et les documents qui s'y rapportent, entre des juges.

★ **II. SE DÉPARTIR** v. pron. (Après 1350).

(Plus cour. que le tour transitif direct). Se séparer de, s'écarter de, abandonner (surtout une attitude). ⇒ **Abandonner, désister** (se), **détourner** (se), **dévier, écarter** (s'), **renoncer.** *Se départir d'un droit, d'une prétention, d'un devoir. Ne pas se départir d'une opinion. Se départir de son calme, de sa réserve, de son silence* ⇒ **Sortir** (de). *Pourquoi voulez-vous qu'il s'en départe?* (Académie).

7   Ne vous départez point d'une si noble audace (...)   CORNEILLE, Nicomède, I, 3.
8   Si quelques principes faux l'ont égarée, combien n'en avait-elle pas d'admirables dont elle ne se départait jamais !   ROUSSEAU, les Confessions, V.
9   (...) une sorte de bonhomie cordiale, dont elle ne se départait point, décourageait l'ironie.   GIDE, Si le grain ne meurt, I, X, p. 279.
10   Je m'étais dressé un emploi du temps, à quoi je me soumettais strictement, car je trouvais la plus grande satisfaction dans sa rigueur même, et quelque fierté à ne m'en point départir.   GIDE, Si le grain ne meurt, I, VIII, p. 214.
11   Sans regarder Jacques, sans se départir de son impassibilité, il accorda (...)
                                   MARTIN DU GARD, les Thibault, t. V, p. 144.
12   *(La femme)* se départant de son mutisme, posant le seau disant (...)
                                   Claude SIMON, le Vent, p. 50.

REM. *Départir* est parfois conjugué comme *finir.* Malgré de nombreuses citations littéraires (cf. Grevisse, *le Bon Usage,* n° 673), cet emploi, selon J. Hanse, n'est pas un exemple à suivre.

CONTR. Conserver, garder.
DÉR. 1. Départ, 2. départ, département, départie, départiteur.

DÉPARTITEUR [depaʀtitœʀ] n. m. — 1870 ; de *départir.*

♦ Celui qui départit. — REM. Le fém. *départitrice* est virtuel. — Dr. Juriste chargé de compléter un tribunal lorsqu'il n'est pas possible d'avoir une majorité. En appos. *Juge départiteur.*

DÉPASSANT, ANTE [depasɑ̃, ɑ̃t] p. prés., adj. et n. m. — 1886 ; p. prés. de *dépasser.*

♦ **1.** Adj. Rare. Qui dépasse.
— Si j'étais réactionnaire (...) vous me verriez aussi ardent que vous-même, à toutes les passes d'armes et à tous les genres de tournois. C'est, au contraire, parce que je suis le plus dépassant des progressistes, le pionnier de l'extrême avenir, que je condamne ces pratiques surannées.   Léon BLOY, le Désespéré, p. 214.

♦ **2.** N. m. Ce qui dépasse. — (1922). Cour. Ornement qui dépasse la partie du vêtement à laquelle il est adapté.

DÉPASSEMENT [depasmɑ̃] n. m. — 1856 ; de *dépasser.*

♦ **1.** (1894). Admin. Action de dépasser. *Le dépassement des automobiles en marche est interdit dans cette agglomération.* — Absolt. Cour. *Dépassement dangereux. Dépassement interdit.*

♦ **2.** (1865). Comptab. Excédent de dépenses sur un budget, un devis, un compte. *Dépassement de crédit.* — Fait de dépasser (un budget, une somme allouée) par les dépenses.

♦ **3.** (1910). Action de se dépasser* (v. pron., 2.). ⇒ **Épanouissement, progrès.**

L'idée de dépassement, d'accomplissement, ou, pour les chrétiens, de rédemption, correspond, sur le plan de l'histoire, à ce que nous avons nommé valeurs de civilisation (...) il *(l'homme)* sait qu'il existe des intérêts supérieurs auxquels son intérêt personnel doit céder le pas, des réalités supérieures auxquelles il peut participer et que, de cette participation, procède sa vraie grandeur.
                                   DANIEL-ROPS, Ce qui meurt..., V, p. 165.

COMP. **Non-dépassement.**

DÉPASSER [depase] v. tr. — XIIᵉ ; de 2. *dé-*, et *passer.*

★ **I.** Aller au delà de (qqn, qqch.).

♦ **1.** Laisser en arrière, derrière soi en allant plus vite. ⇒ **Devancer, distancer, doubler, gagner** (de vitesse), **gratter** (fam.), **passer.** *Il nous dépassa à moitié chemin. Dépasser un véhicule.* — Absolt. *Il est interdit de dépasser sur ce pont.* — *Dépasser qqn à la course, en marchant. Il nous a dépassés sans nous voir.*

L'empereur s'était arrêté à Lyadi, à quatre lieues du champ de bataille ; la nuit venue, il apprend que Mortier, qu'il croit derrière lui, l'a dépassé.   1
                                   Ph. P. SÉGUR, Hist. de Napoléon, X, 6, *in* LITTRÉ.
L'équipage doucement en dépasse un autre, sans que s'altère l'harmonie du trot.   2
                                   J. ROMAINS, les Hommes de bonne volonté, t. III, XII, p. 167.

♦ **2.** (1691). Aller plus loin que (qqch., un lieu). *Dépasser la ligne d'arrivée, le but. Dépasser l'endroit où il fallait s'arrêter. Dépasser un cap* (cit. 6 et *supra*).

(...) celui qui dépasse le but en est aussi loin que celui dont le trait n'y arrive pas (...)   BALZAC, Massimilla Doni, Pl., t. X, p. 316.   3

♦ **3.** (1385). Sujet n. de chose. Aller plus loin en quantité ; être plus long, plus haut, plus grand que... *Sa jupe dépasse un peu sous son manteau,* ou, absolt, *elle dépasse,* elle est trop longue, plus longue. *Maison qui dépasse l'alignement.* ⇒ **Déborder, mordre** (sur), **saillir, sortir** (de). *Balcon qui dépasse.* ⇒ **Surplomber.** *Objet qui dépasse d'une poche* (→ Chanteau, cit.).

La foule s'épaississait à tout moment, et, comme une eau qui dépasse son niveau, commençait à monter le long des murs, à s'enfler autour des piliers, à déborder sur les entablements, sur les corniches (...)   HUGO, Notre-Dame de Paris, I, I   4
La mortalité a dépassé les prévisions les plus pessimistes.   4.1
                                   GIDE, Voyage au Congo, *in* Souvenirs, Pl., p. 819.

La renommée de cet orateur ne dépasse pas l'enceinte de cette assemblée.

Sa réputation viennoise ne dépasse pas un petit îlot de dilettanti.   5
                                   Éd. HERRIOT, la Vie de Beethoven, p. 189.

Dépasser tel prix, tel poids, telle vitesse, telle durée, tel âge... ⇒ **Plus.** *La facture ne dépassera pas mille francs.* ⇒ **Excéder.** *Un entretien qui dépasse dix minutes.*

La tradition orale s'efface vite, ne dépasse jamais le siècle (...)   6
                                   M. BARRÈS, la Colline inspirée, I, IV, p. 17.
En résumé, ses revenus industriels strictement calculés ne tombaient guère au-dessous du million et le dépassaient le plus souvent.   7
                                   J. ROMAINS, les Hommes de bonne volonté, t. III, XIII, p. 180.

(D'une personne). *Dépasser trente ans, la trentaine.* — Loc. (1825). *Dépasser qqn de la tête,* être plus grand que lui de la hauteur de la tête. — Fig. *Il le dépasse de cent coudées** (→ le sens 4).

♦ **4.** (1803). Fig. Être plus, faire plus (qu'un autre) dans un domaine. ⇒ **Devancer, emporter** (l'emporter sur), **surpasser ;** → Faire la pige* à... *Avantage qui permet de dépasser ses concurrents. Cet élève dépasse en intelligence tous ses camarades.* ⇒ **Supérieur.** *Dépasser qqn en violence, en cruauté...* ⇒ **Enchérir** (sur). *Dépasser qqn de beaucoup, de loin...*

Le don de faire des êtres humains manque à ce génie *(Hugo).* S'il avait eu ce don-là, Hugo aurait dépassé Shakespeare.   FLAUBERT, Correspondance, IV, p. 185.   8
Être ainsi dépassé par soi-même et voir son œuvre grandir plus haut que soi, c'est une des plus fortes émotions de la conscience humaine.   9
                                   JAURÈS, Hist. socialiste..., t. IV, p. 378.

♦ **5.** (Fin XVIIIᵉ). Aller au delà de (certaines limites). ⇒ **Excéder, outrepasser.** *Dépasser les instructions reçues. Dépasser son pouvoir, ses droits* (→ Abus, cit. 5). — (1803). *Dépasser ses attributions en empiétant sur celles d'autrui. Dépasser les bornes, les limites de la bienséance.* ⇒ **Franchir, passer, sortir ; exagérer, oublier** (s'). *Cela dépasse la mesure.* ⇒ **Comble** (c'est un comble).

(...) l'un craignait que le droit ne l'entraînât trop loin, l'autre que le devoir ne dépassât les bornes.   CHATEAUBRIAND, Mémoires d'outre-tombe, t. V, p. 248.   10
Il y a une mesure pour tout : dès qu'on en sort, on la dépasse.   11
                                   J. RENARD, Journal, 1ᵉʳ mars 1893.
(...) dans la plupart des pays d'Europe, le désordre a dépassé le point de contrôle possible (...)   A. MAUROIS, le Cercle de famille, III, IV, p. 247.   12

Aller au delà de (ce qui était attendu, prévu, normal). *Les mots ont dépassé sa pensée. Le prix dépasse mes prévisions. Le succès a dépassé notre attente. La réalité dépasse les pronostics.* — Loc. *La réalité dépasse la fiction,* est encore plus curieuse, invraisemblable, imprévisible.

13   Le joug du « Grand-Singe-Noir » fut une chose vraiment terrible, dépassant mes prévisions les plus pessimistes.   LOTI, Figures et Choses..., p. 32.

Aller au delà de (ce qui est possible, imaginable). *Cela dépasse mes forces, mes moyens, ma compétence, ma compréhension, mon intelligence, mon imagination. Incapacité de comprendre ce qui nous dépasse* (→ Comprendre, cit. 32). — Absolt. *Cela me dépasse :* c'est trop difficile pour moi ; ou bien, je ne peux l'imaginer, l'admettre. ⇒ **Dérouter, étonner** (→ N'être pas à la hauteur*).

14   Le désintéressement, l'incapacité pratique de ces braves gens, dépassaient toute imagination.   RENAN, Souvenirs d'enfance..., II, III, p. 81.

15   C'est presque toujours par vanité qu'on montre ses limites — en cherchant à les dépasser (...)   GIDE, Journal, 27 juil. 1922.

Aller au delà de (un cas individuel). ⇒ **Déborder.**

16   Ma vérité personnelle ne m'a jamais intéressé que dans la mesure où je sens qu'elle me surmonte et me dépasse.   G. DUHAMEL, Inventaire de l'abîme, II, p. 26.

♦ **6.** (Passif). *Être dépassé par les événements* (⇒ **Dépassé,** 3.).

▶ **SE DÉPASSER** v. pron.

♦ **1.** *Se dépasser l'un l'autre. Les coureurs cherchent à se dépasser.*

♦ **2.** (1864). Se surpasser. *Cet élève s'est dépassé dans ses réponses.*

♦ **3.** *Se dépasser soi-même :* faire effort pour sortir de soi-même, vers une transcendance.

17   Se dépasser ! Se dépasser ! La libre fièvre du jeu ! Se sentir augmenter comme un ballon qu'on gonfle. Battre son record ; avancer de dix centimètres le jalon vers la totale perfection humaine (...)   MONTHERLANT, la Relève du matin, p. 220.

18   Les plus grands efforts de l'homme pour se dépasser sont vains si, au-delà de soi-même, c'est encore soi qu'il recherche et non une réalité supérieure auprès de laquelle la plus haute réalisation humaine n'est que faiblesse.
  DANIEL-ROPS, Ce qui meurt..., v, p. 191.

▶ **DÉPASSÉ, ÉE** p. p. adj.

♦ **1.** Qu'un rival a dépassé, dont le but a été mieux atteint, mieux réalisé qu'un autre. *Vous êtes dépassé dans ce domaine.* ⇒ **Battu.**

19   Je me souviens des quolibets lancés avant la révolution (...) contre ce malheureux et virginal vicomte Sosthène de La Rochefoucauld qui allongea les robes des danseuses de l'Opéra, et appliqua de ses mains patriciennes un pudique emplâtre sur le milieu de toutes les statues. — M. le vicomte Sosthène de La Rochefoucauld est dépassé de bien loin.   Th. GAUTIER, Préface de Mlle de Maupin, p. 4.

♦ **2.** Qu'on a abandonné, parce qu'on a trouvé mieux depuis. *Idée, théorie dépassée.* ⇒ **Démodé, périmé, vieilli.**

♦ **3.** Fam. et cour. Qui ne peut plus maîtriser la situation. ⇒ **Débordé.** *Il est complètement dépassé. Être dépassé par les événements. Un chef dépassé par ses troupes. En temps de révolution, les chefs de partis sont promptement dépassés* (Académie).

★ **II.** ♦ **1.** (1690). Techn. Faire sortir (ce qui a été passé). *Dépasser un ruban, un lacet passé dans une coulisse.*

♦ **2.** Mar. *Dépasser un câble,* le repasser en sens inverse. *Dépasser les mâts,* les amener sur le pont.

20   Le pilote prit ses précautions par avance. Il fit serrer toutes les voiles de la goélette et amener les vergues sur le pont. Les mâts de flèche furent dépassés.
  J. VERNE, le Tour du monde en 80 jours, p. 178.

CONTR. V. **Atteindre, égaler ; inférieur** (être). — **Observer** (les règles). — **Correspondre, répondre.** — **Enfiler.** — **Passer.**
DÉR. **Dépassant, dépassement.**

DÉPASSIONNER [depasjɔne] v. tr. — 1550 ; de 1. *dé-*, et *passionner.*

♦ **1.** (1550). Vx. Éteindre la passion de (qqn). — Pron. (1804). Littér. *Se dépassionner :* ne plus avoir de passion, se détacher.

1   Là, un comble de passion sans cesse se dépassionne de tout et de soi, passionné d'une beauté unique, et d'une seule vérité, l'une ou l'autre étant la perfection.
  André SUARÈS, Trois hommes, I, « Pascal », III, p. 52.

♦ **2.** (1838). Mod. Ôter le caractère passionné de (une discussion, un débat, une question, etc.). *Il faut dépassionner et dépolitiser nos discussions. Dépassionner le débat. « Les efforts* (du Premier ministre turc) *pour " dépassionner" le problème de Chypre »* (le Monde, 14 oct. 1965). — Pron. *Ces questions se sont dépassionnées.* — Absolument :

2   Le ministre de l'Éducation nationale disait : « Avant tout, il faut dépassionner », mais c'était justement d'une passion croissante que se nourrissait la révolution en marche.   Jean-Louis CURTIS, l'Horizon dérobé, p. 300.

DÉPATOUILLER (SE) [depatuje] v. pron. — 1640, *se despatoüiller ;* de 1. *dé-,* et *patouiller.*

Familier.

♦ **1.** Rare. Se dépêtrer d'un bourbier.

♦ **2.** (1936). Fig. Se débrouiller, se tirer d'une situation embarrassante.

Mon cher Jacques, vous ne vous dépatouillerez jamais dans ce pays. Vous êtes dans une impasse sociale.
  J. DE LA VARENDE, la Dernière Fête, 1953, p. 321, *in* T. L. F.

DÉPATRIER [depatʀije] v. tr. — 1855 ; régional, « expatrier » ; de 1. *dé-, patrie,* et suff. verbal *-er.*

♦ Littér. Priver (qqn) de patrie, en faire un sans-patrie. — Pron. (1936) :

1   Non, non, poursuivit Jacques : L'homme peut s'expatrier, mais il ne peut pas se dépatrier.   MARTIN DU GARD, les Thibault, t. V, II, p. 24.

Au p. p. *Des exilés dépatriés.* — Nom :

2   (...) c'était un grand contentement pour ces deux dépatriés de trouver en ces pauvres ménages, si modestes, si gênés qu'ils fussent, un coin de tendresse et de vie familiale.   Alphonse DAUDET, Fromont jeune et Risler aîné, p. 27.

DÉPATTER (SE) [depate] v. pron. — 1655 ; mot dialectal du Centre de la France ; de 1. *dé-, patte,* et suff. verbal *-er.*

♦ Régional. Enlever la terre de ses chaussures (Genevoix, *in* T. L. F.).

DÉPAVAGE [depavaʒ] n. m. — 1832, V. Jacquemont, *Correspondance,* t. II, p. 313 ; de *dépaver.*

♦ Action de dépaver. *Dépavage d'une rue.*
CONTR. **Pavage.**

DÉPAVER [depave] v. tr. — 1355 ; de 1. *dé-,* et *paver.*

♦ Dégarnir de pavés. *Dépaver une rue, un trottoir. Les soldats dépavaient la chaussée* (→ Épaulement, cit. 1).

À Paris, le bruit se répand qu'une armée arrive par l'égout Montmartre, que des dragons vont forcer les barrières. On recommande de dépaver les rues, de monter les pavés au cinquième étage, pour les jeter sur les satellites du tyran (...)
  CHATEAUBRIAND, Mémoires d'outre-tombe, t. I, 1848, p. 213, *in* T. L. F.

CONTR. **Paver.**
DÉR. **Dépavage, dépaveur.**

DÉPAVEUR [depavœʀ] n. m. — 1866 ; de *dépaver.*

♦ Techn. Ouvrier chargé de dépaver. — REM. Le fém. *dépaveuse* est virtuel.

La rue Joubert elle-même ne serait pas des plus bruyantes. Mais la chaussée d'Antin est à trente mètres. Toutes les espèces de chahut s'y donnent rendez-vous dès le petit jour. Voilà que les autobus, les camions, les taxis ne suffisent pas. Depuis la veille les paveurs ou les dépaveurs s'y sont établis.
  J. ROMAINS, les Hommes de bonne volonté, XXVII, p. 22.

DÉPAYSANT, ANTE [depeizɑ̃, ɑ̃t] adj. — D. i. (attesté xxe) ; p. prés. de *dépayser.*

♦ **1.** Qui dépayse, fait changer de lieu.

♦ **2.** Plus cour. Qui met mal à l'aise par un changement de décor, d'habitudes.

D'abord le petit village de Chennevières, perdu autrefois en plein champ, inaccessible de Vémars autrement que par un chemin de vieux poiriers (ou un grand détour), lieu de promenade dépaysante, quasi exotique, aujourd'hui violé par l'autoroute qui en effleure les premières maisons et en écorne les jardins.
  Claude MAURIAC, le Temps immobile, p. 218-219.

DÉPAYSEMENT [depeizmɑ̃] n. m. — Après 1550 ; de *dépayser.*

♦ **1.** Vx. Action d'exiler. ⇒ **Exil.**

Cette chaleur et ce soleil, qui persistaient toujours, malgré la saison d'automne, lui donnaient l'impression d'un dépaysement extrême.
  LOTI, Pêcheur d'Islande, II, IX, p. 111.

2   Ce dépaysement d'un genre nouveau, ce dépaysement sur terre et pour une durée relativement très longue, lui causait une oppressante mélancolie ; il n'avait pas prévu cet exil, et jamais ses impressions de solitude n'avaient été pareilles.   LOTI, Matelot, XXX, p. 118.

♦ **2.** Mod. État d'une personne dépaysée.

♦ **3.** (1834). Changement agréable et volontaire de décor, de milieu, d'habitudes. *Rechercher le dépaysement.*

DÉPAYSER [depeize] v. tr. — V. 1200 ; de 1. *dé-, pays,* et suff. verbal *-er.*

♦ **1.** Vx. Faire changer (qqn) de pays, de lieu, de milieu. ⇒ **Déraciner, exiler.**

1   (...) on ne les dépayserait pas impunément *(ces paysans),* c'est qu'ils aiment ce sol arrosé de leurs sueurs, c'est que le vrai paysan meurt de nostalgie sous le harnais du soldat, loin du champ qui l'a vu naître.   G. SAND, la Mare au diable, II, p. 24.

Par anal. *Dépayser qqn,* en changeant ses habitudes, ses relations. — Pron. *Se dépayser. Il se dépaise en voyageant.* — Par métaphore :

2   On cherche se à dépayser en lisant, et les ouvriers sont aussi curieux des princes que les princes des ouvriers.
  PROUST, À la recherche du temps perdu, t. XV, p. 34.

♦ **2.** (1690). Mod. Mettre mal à l'aise par changement de décor, de milieu, d'habitudes. ⇒ **Déconcerter, dérouter, désorienter.**

3 Le quartier des gares le dépaysera encore plus que l'autre, surtout au-dessus de la gare de l'Est ; malgré les trams et le métro.
J. ROMAINS, les Hommes de bonne volonté, t. II, IX, p. 94.

▶ **DÉPAYSÉ, ÉE** p. p. adj.
Mal à l'aise, par changement de décor, de milieu, d'habitudes. ⇒ **Perdu.** *Étranger dépaysé dans une ville inconnue. Se sentir, se trouver dépaysé dans une société où l'on ne connaît personne, devant un sujet sur lequel on est incompétent. Avoir l'air dépaysé.*

4 Au milieu de ces hommes simples, nous ne nous trouvions pas dépaysés.
LAMARTINE, Graziella, Épisode VI, p. 27.

5 Ici, maintenant, au milieu de ces réalités pauvres, je me trouvais, comme lui sans doute, dépaysé et mal à l'aise. LOTI, Mon frère Yves, LX, p. 143.

6 Je me sens toujours très dépaysé dans ce Paris où tout est nouveau pour moi.
MARTIN DU GARD, Jean Barois, Iʳᵉ partie, p. 41.

CONTR. Rapatrier. — Conduire, guider, orienter. — Assuré, désinvolte, naturel. — Aise (à l'aise).
DÉR. Dépaysant, dépaysement.

DÉPEÇAGE [depəsaʒ] ou **DÉPÈCEMENT** [depɛsmɑ̃] n. m. — 1842, *dépeçage* ; *dépècement*, 1160 ; de *dépecer*, et *-age*, 2. *-ment*.

♦ **1.** (1842). Action de dépecer, de découper (un animal). *Dépeçage d'un mouton.*

1 Le voici (*l'hippopotame*) enfin sur la rive et l'on procède au dépeçage (...) Le lent morcelage, l'émiettement progressif de cette masse dure deux bonnes heures. Morceau par morceau, tout est vidé.
GIDE, le Retour du Tchad, in Souvenirs, Pl., p. 904.

♦ **2.** Rare. Action de mettre en pièces (un objet).

♦ **3.** (1844). Fig. Morcellement, division.

2 Après le dépeçage : à l'Angleterre la mer du Nord avec toutes les installations portuaires s'il en reste, à la France la Rhénanie, à la Russie une moitié suffisante pour un État-tampon. Alain BOSQUET, les Bonnes Intentions, p. 32.

REM. Le mot *dépècement* est vieilli sauf dans l'expression *dépècement d'un pays, d'un État.* → Démembrement.

DÉPECER [depəse] v. tr. — Conjug. *placer* et : *je dépèce ; nous dépeçons.* — V. 1100 ; de 2. *dé-*, *pièce* (voyelle radicale atone dans le dérivé), et suff. verbal *-er*. → Dépiécer.

♦ **1.** (1595). Mettre en pièces, couper en quartiers, en morceaux (un animal, et, par ext., une personne, un cadavre). ⇒ **Couper, débiter, découper, démembrer, diviser, morceler, partager, tailler** (en pièces). *Boucher qui dépèce un bœuf. Lion qui dépèce sa proie à coups de dents.* ⇒ **Déchirer.** *Dépecer un animal en quartiers.*

1 (...) Nous sommes quatre à partager la proie.
Puis en autant de parts le cerf il dépeça (...) LA FONTAINE, Fables, I, 6.

2 (...) couchés sur le ventre, ils tiraient à eux les morceaux de viande, et se rassasiaient appuyés sur les coudes, dans la pose pacifique des lions lorsqu'ils dépècent leur proie. FLAUBERT, Salammbô, I, p. 3.

Dépecer un cadavre, le couper en morceaux. — Au p. p. :

2.1 L'enquête sur la femme dépecée à Bruxelles, dont les débris avaient été retrouvés dans des valises abandonnées rue Bel-Air et rue Américaine, avait progressé (...) le journal commentait que «cette particularité (*un nævus*) devait permettre à toute personne qui aurait connu la disparue d'établir son identité même si la tête ne devait jamais être découverte (...) Pierre MERTENS, les Bons Offices, p. 24.

♦ **2.** (V. 1100). Par ext. Rare. Mettre en pièces (qqch.). ⇒ **Casser, démolir.** — Spécialt. *Dépecer un bateau.* ⇒ **Démembrer.** — (1606). Fig. Diviser, morceler. *Dépecer un territoire.* ⇒ **Démembrer.**

3 On avait à dépecer le colosse abattu ; chacun entendant en arracher un important morceau, ce serait évidemment là une cause de conflits qui, s'ajoutant aux vieilles compétitions, diviseraient les vainqueurs (...)
Louis MADELIN, Talleyrand, IV, XXVIII, p. 299.

♦ **3.** (Fin XVIIIᵉ). Par ext. Analyser minutieusement. ⇒ **Disséquer, éplucher** (fam.). *Les critiques ont dépecé son ouvrage.*

4 Graun avait envoyé à Telmann une longue lettre, où il dépeçait les récitatifs de Castor et Pollux. Il en blâmait le manque de naturel, les intonations fausses.
R. ROLLAND, Voyage musical au pays du passé, p. 132.

CONTR. Assembler, joindre, rassembler, réunir.
DÉR. Dépeçage ou dépècement, dépeceur, dépeçoir.

DÉPECEUR, EUSE [depəsœʀ, øz] n. — XIIIᵉ ; de *dépecer.*

♦ **1.** Personne qui dépèce.
(1804). Personne qui découpe la viande dans un repas.
Fig. et littér. *Le dépeceur d'un pays.*

♦ **2.** N. m. Techn. Ouvrier qui démolit de vieux bateaux afin de récupérer des pièces. — Par ext. *Dépeceur de voitures.*

DÉPÊCHE [depɛʃ] n. f. — 1464, «lettre patente» ; de *dépêcher.*

♦ **1.** (1671). Lettre concernant les affaires publiques. *Une dépêche diplomatique*. *La dépêche d'Ems. — Dépêche en clair, chiffrée.*

1 Il a bien des affaires, à cause des dépêches qu'il faut écrire partout, à cause de la guerre. Mᵐᵉ DE SÉVIGNÉ, Lettres, 123, in LITTRÉ.

2 (...) il m'emmène à son ambassade, et m'établit courrier de dépêches.
BEAUMARCHAIS, le Mariage de Figaro, I, 2.

♦ **2.** (1690). Communication officielle ou privée transmise par voie rapide. ⇒ **Avis, correspondance, lettre, message, missive.** *Conseil* *des dépêches. Service des dépêches. Sac de dépêches. Anciens porteurs de dépêches.* ⇒ **Courrier, estafette.** *Intercepter une dépêche. Distribution à domicile des dépêches.* ⇒ **Factage.** — (1800). *Dépêche télégraphique,* et, absolt, *dépêche.* ⇒ **Câble, câblogramme, pneumatique, télégramme, télex.**

2.1 — Mon Dieu ! murmura la comtesse, pourvu que ce ne soit pas une mauvaise nouvelle !
Elle frissonnait encore de cette terreur que laisse si longtemps en nous la mort d'un être aimé trouvée dans une dépêche. Elle ne pouvait maintenant déchirer la bande collée pour ouvrir le petit papier bleu, sans sentir trembler ses doigts et s'émouvoir son âme, et croire que de ces plis si longs à défaire allait sortir un chagrin qui ferait de nouveau couler ses larmes.
MAUPASSANT, Fort comme la mort, p. 176.

3 (...) eh bien, encore aujourd'hui, quand je reçois une dépêche, je ne peux pas l'ouvrir sans un frisson de terreur.
Alphonse DAUDET, le Petit Chose, I, III, p. 35.

4 La dépêche de Clotilde, reçue à un moment où elle n'était pas vaillante, lui avait causé un premier choc (...) MARTIN DU GARD, les Thibault, t. IV, p. 193.

Dépêche militaire.

5 Dix jours après l'arrivée du renfort, le planton au poste de T. S. F. apporta une dépêche chiffrée au commandant Luis Weller.
P. MAC ORLAN, la Bandera, XIII, p. 154.

Dépêche de presse, d'agence. Cette dépêche vient de tomber. Bureau, salle des dépêches (d'un journal).* — Par métonymie. L'information elle-même.

6 On lui a offert, ici, en 17, un modeste emploi de journaliste dans une feuille du cru. Son principal travail consiste à mettre en français les dépêches d'agence.
J. ROMAINS, les Hommes de bonne volonté, La douceur de vivre, 1939, p. 90.

DÉPÊCHEMENT [depɛʃmɑ̃] n. m. — 1848, Chateaubriand ; de *dépêcher.*

♦ Rare. Action de dépêcher (qqn, qqch.).

DÉPÊCHER [depeʃe] v. tr. — Déb. XIIIᵉ ; *despescher*, v. 1462 ; de 1. *dé-*, et *empêcher.*

♦ **1.** (Fin XVᵉ). Vx. Envoyer (qqn) en hâte pour porter un message. ⇒ **Envoyer, expédier.** *Dépêcher un courrier, un messager. Il m'a dépêché auprès de vous pour avoir votre réponse.*

1 Ajoutez à cela les courses de ce même laquais dont je vous ai parlé, que mon fils dépêche quatre fois par jour et avec qui, quand il revient, il a toujours de fort longs entretiens. MARIVAUX, Vie de Marianne, IV.

Fig. Vieilli ou littér. Se débarrasser rapidement de qqn, en finir avec lui. ⇒ **Expédier** (fam.). *«Il a dépêché ses visiteurs»* (Académie). — Loc. fam. (V. 1462). *Dépêcher qqn dans l'autre monde.* ⇒ **Tuer.** Pron. (Rare). → ci-dessous, cit. 3.1.

2 ( ) il n'est pas de ces médecins qui marchandent les maladies : c'est un homme expéditif, expédif, qui aime à dépêcher ses malades (...)
MOLIÈRE, Monsieur de Pourceaugnac, I, 5.

3 (...) une vieille tante qu'un grand médecin dépêcha dans l'autre monde (...)
VOLTAIRE, Aux quarante écus, p.

3.1 (...) car, veux-tu me le dire, pourquoi serait-il revenu là sinon pour elle ? Parce qu'il me semble que pour se dépêcher soi-même dans l'autre monde cela peut aussi bien se faire n'importe où, comme on dépose une ordure derrière le premier buisson venu, parce que je ne pense pas qu'il soit très nécessaire dans ces moments-là de disposer d'un confort spécial (...).
Claude SIMON, la Route des Flandres, p. 193.

♦ **2.** (V. 1490). Littér. ou style soutenu. Faire promptement, hâter l'exécution de (une chose). ⇒ **Activer, bâcler, expédier, hâter, presser.** *Dépêcher son travail. Dépêcher son repas.* — *Dépêchez ce que vous avez à faire.* — Absolt (ou intrans.). *Dépêchez : hâtez-vous. Allons, dépêchons !* (syn. marqué de : *se dépêcher*).

4 — Dépêchez. — Faites tôt, et hâtez nos plaisirs.
MOLIÈRE, les Femmes savantes, III, 1.

5 Je dépêchais mes devoirs avec une sorte de verve endiablée, trouvant du talent dans le désarroi de mes nerfs trop vibrants.
Paul BOURGET, le Disciple, IV, II, p. 139.

Loc. fam. Vx. *À dépêche compagnon :* trop vite et avec négligence. *Travailler à dépêche compagnon.*

▶ **SE DÉPÊCHER** v. pron.
(V. 1490). Mod et cour. Se hâter, faire vite. ⇒ **Empresser** (s'), **hâter** (se), **presser** (se) ; **diligence** (faire), **vite** (faire vite) ; fam. **décarcasser** (se), **grouiller** (se), **manier** (se). *Se dépêcher de faire qqch. Il s'est dépêché d'en finir. Dépêchez-vous.* — REM. Le pronominal, seul usage courant du verbe en français contemporain, est relativement détaché du verbe transitif.

6 (...) en se dépêchant trop, on ne fait rien qui vaille.
VOLTAIRE, Lettre à d'Argental, 18 oct. 1776.

7 Et, leste comme un perdreau, elle trotte, elle se dépêche.
Alphonse DAUDET, Contes du lundi, «Les mères».

CONTR. Empêcher. — Arrêter, garder, retenir. — Ralentir, retarder. — Lambiner, traîner.
DÉR. Dépêche, dépêchement.

DÉPEÇOIR [depəswaʀ] n. m. — 1753, «couteau utilisé dans la fabrication des chandelles» ; de *dépecer*, et *-oir.*

♦ (Av. 1870). Techn. Couteau à dépecer. — Instrument servant à l'étirage des peaux, en ganterie.

DÉPEIGNER [depeɲe] v. tr. — XIVᵉ, *despignier*; repris fin XIXᵉ; de 1. *dé-*, et *peigner*.

♦ Décoiffer (2.), déranger l'arrangement des cheveux de (qqn). *Le vent la dépeignait.* — Pron. *Se dépeigner.*

▶ DÉPEIGNÉ, ÉE p. p. adj.

♦ **1.** (En parlant des cheveux). Dont l'arrangement est dérangé.

1   (...) des saules laissant tomber leurs feuillages sur l'eau comme une femme aux cheveux dépeignés.   A. MAUROIS, Climats, I, v, p. 45.

2   Partout des tignasses dépeignées et des pantoufles.   J. ROMAINS, les Hommes de bonne volonté, t. III, p. 47.

♦ **2.** (Personnes). Dont les cheveux sont en désordre. *Je suis toute dépeignée.*

CONTR. Peigner.

1. DÉPEINDRE [depɛ̃dR] v. tr. — Conjug. *peindre.* — V. 1212, «peindre»; du lat. *depingere* «peindre», de *de-* intensif, et *pingere* «peindre», adapté d'après *peindre.*

♦ **1.** (Av. 1216). Vx ou littér. Représenter par des couleurs.

1   En attendant cette peinture, où je prétends vous le dépeindre *(Trissotin)* de toutes ses couleurs (...)   MOLIÈRE, les Femmes savantes, IV, 4.

1.1   (...) à l'instar des premiers architectes et maîtres verriers de l'âge gothique, elle *(une lanterne)* substituait à l'opacité des murs d'impalpables irisations, de surnaturelles apparitions multicolores, où des légendes étaient dépeintes comme dans un vitrail vacillant et momentané.   PROUST, Du côté de chez Swann, Pl., t. I, p. 9.

♦ **2.** (V. 1550). Cour. Décrire et représenter par le discours. ⇒ **Brosser, décrire, peindre, représenter.** *Dépeindre qqn tel qu'il est. Il est bien tel qu'on me l'a dépeint. Dépeindre un caractère, une passion. Dépeindre une scène.* ⇒ **Raconter.**

2   (...) dépeindre l'amour comme un aveugle (...)   PASCAL (→ Amour, cit. 44).

3   (...) on *dépeint* (...) avec une exactitude rigoureuse, trait pour trait; car ce verbe marque un rapport à quelque chose d'où part l'action et qui sert de modèle. On *dépeint* en faisant le portrait fidèle, en rassemblant tous les traits qui caractérisent de manière qu'il ne soit plus possible de confondre avec autre chose, et qu'on reconnaisse infailliblement.   LAFAYE, Dict. des synonymes, Peindre, dépeindre.

2. DÉPEINDRE [depɛ̃dR] v. tr. — Conjug. *peindre.* — D. i.; de 1. *dé-* négatif, et *peindre.*

♦ Techn. Rare. Enlever la peinture de (qqch.). *Dépeindre et poncer qqch. avant de repeindre.*

DÉPELOTONNER [dep(ə)lɔtɔne] v. tr. — 1848; de 1. *dé-*, et *pelotonner.*

♦ Rare. Défaire (un peloton, une pelote). *Dépelotonner de la laine, du fil.*

CONTR. Empelotonner.

DÉPENAILLÉ, ÉE [dep(ə)nɑje] adj. — 1546; de 2. *dé-*, et du moy. franç. *penaille* «tas de loques», dér. anc. de *pane* «chiffon».

♦ **1.** Fam. Qui est en lambeaux, en loques. ⇒ **Délabré, déloqueté** (→ Antique, cit. 4). *Livre dépenaillé. Vêtement dépenaillé.*

0.1   En ce moment, une pauvre mendiante, tenant un enfant à la main, pieds nus dans la boue, coiffée d'un chapeau dépenaillé auquel pendait une plume lamentable, un châle en loques sur ses haillons, s'approcha de Mʳ Fogg et lui demanda l'aumône.   J. VERNE, le Tour du monde en 80 jours, p. 27.

1   À la tristesse morne de la rue Vaneau, la Direction Générale des Dons et Legs ajoute la noire tristesse de sa façade sans un relief et de son drapeau dépenaillé, tourné à la loque déteinte.   COURTELINE, Messieurs les ronds-de-cuir, 1ᵉʳ tableau, II, p. 27.

(1611). Personnes. Qui est en haillons. ⇒ **Déguenillé.** — (1798). Dont la mise est tout à fait négligée, en désordre. ⇒ **Débraillé.** *Pâle et dépenaillé.*

2   Il était tout dépenaillé, pieds nus, jambes nues, la chemise en lambeaux, mais propre comme une chatte.   LOTI, Aziyadé, «Salonique», VII, p. 13.

3   Il lui arrivait d'attendre ici Robert quand il avait huit ou neuf ans. C'était alors son chemin au retour de l'école. Il surgissait avec une bande de gamins comme lui dépenaillés. C'est drôle, les gosses, ils ont toujours un bout de peau dénudé, les vêtements à la guenille.   François NOURISSIER, la Crève, p. 65.

♦ **2.** Fig. En mauvais état. *Fortune dépenaillée.*

CONTR. Luxueux, neuf, soigné.
DÉR. Dépenaillement.

DÉPENAILLEMENT [dep(ə)nɑjmɑ̃] n. m. — 1734; de *dépenaillé*, et 2. *-ment.*

♦ Vieilli. Fam. État d'une personne, d'une chose dépenaillée.

DÉPÉNALISER [depenalize] v. tr. — Mil. XXᵉ; de 1. *dé-*, *pénal*, et *-iser.*

♦ Dr. Supprimer le caractère pénal de (une infraction, par ext., une activité, etc.) *Je veux qu'on le* (le haschish) *dépénalise : il est inadmissible que des gosses soient condamnés, voire enfermés, parce qu'ils fument»* (Cl. Olivenstein, *Il n'y a pas de drogués heureux*, p. 290).

DÉPENDAGE [depɑ̃daʒ] n. m. — 1898, *Nouveau Larousse illustré*; de 2. *dépendre*, et *-age.*

♦ Rare ou techn. Action de dépendre.
Opération qui consiste à désolidariser les maillons dans lesquels passent les fils de chaîne des arcades qui les soutiennent (dans le tissage au métier Jacquard).

DÉPENDAMMENT [depɑ̃damɑ̃] adv. — 1671; de *dépendant*, et 1. *-ment.*

♦ Rare. D'une manière dépendante. *Agir dépendamment de qqn.*

CONTR. (Plus cour.) **Indépendamment.**

DÉPENDANCE [depɑ̃dɑ̃s] n. f. — 1361, *in* D.D.L.; de 1. *dépendre*, et suff. *-ance.*

♦ **1.** (1370). Rapport qui fait qu'une chose dépend* d'une autre. *Rapport de dépendance, la dépendance entre deux choses, d'une chose et d'une autre.* ⇒ **Causalité, conséquence, corrélation, enchaînement, interdépendance, liaison, rapport, solidarité.** *Dépendances réciproques dans un système, un réseau, une structure.*

1   (...) les événements y ont une telle dépendance l'un de l'autre, que la tragédie n'aurait pas été complète si je ne l'eusse poussée jusqu'au terme où je la fais finir.   CORNEILLE, Examen de Pompée.

2   Décomposer les idées, noter leurs dépendances, former leur chaîne de telle façon qu'aucun anneau ne manque (...)   TAINE (→ Chaîne, cit. 35).

3   Tout se tient et je sens, entre tous les faits que m'offre la vie, des dépendances si subtiles qu'il me semble toujours qu'on n'en saurait changer un seul sans modifier tout l'ensemble.   GIDE, les Faux-monnayeurs, I, XI, p. 116.

♦ **2.** Accessoire* (d'une chose principale). *Les dépendances d'un empire,* les terres qui en relèvent, en dehors du territoire métropolitain. *Carthage et ses dépendances.*

4   Il lui demanda de lui rendre Tyr et Sidon, qui étaient des dépendances de la Syrie, dont il était roi (...)   Charles ROLLIN, Hist. ancienne, Œ., t. VII, p. 270, *in* POUGENS.

(1474). Terre, bâtiment dépendant d'un domaine, d'un bien immeuble. *Maison vendue avec toutes ses circonstances* et *dépendances. Une terre et ses dépendances.* ⇒ **Aboutissant, appartenance** (cit. 2), **attenances** (vx), **tenant.** *Ce bois est une dépendance du domaine. Dépendance d'une maison de commerce.* ⇒ **Succursale.** *Dépendances d'un hôtel, d'un château.* ⇒ **Annexe, communs.**

5   (...) immeuble composé d'un vaste bâtiment, de nombreuses dépendances et de plusieurs hectares de terrain (...)   J. ROMAINS (→ Composer, cit. 29).

Féod. *Le fief* servant, *dépendance du fief* dominant. ⇒ **Fief, mouvance, tenure.**

Fig. ⇒ **Appendice, complément, conséquence, effet, épisode, suite.**

6   Nous pouvons connaître très certainement beaucoup de choses, dont toutefois nous n'entendons pas toutes les dépendances ni toutes les suites.   BOSSUET, Traité du libre arbitre, IV.

Par plaisanterie :

7   Je veux une nourrice très forte : mon enfant est énorme (...) Donnez-moi, s'il vous plaît, une grosse nourrice (...) avec toutes ses dépendances.
Et notre homme accompagne cette phrase d'un geste significatif, en arrondissant ses bras devant sa poitrine.   Ch. Paul DE KOCK, la Grande Ville, t. I, p. 9 (éd. 1842).

♦ **3.** Fait, pour une personne, d'être sous l'autorité, l'influence de qqn, de dépendre (de qqn ou de qqch.). ⇒ **Asservissement, assujettissement, attachement, captivité, chaîne, esclavage, obédience, obéissance, oppression, servage, servitude, soumission, subordination, sujétion, vassalité** (→ Chose, cit. 18). *Une étroite dépendance. Dépendance de droit, de fait. La dépendance du serf. Dépendance de l'employé, du subordonné. Dépendance des animaux.* ⇒ **Domesticité.** *Le tribut, signe de dépendance. S'affranchir de la dépendance.*

7.1   Il est faux que l'égalité soit une loi de la nature. La nature n'a rien fait d'égal. Sa loi souveraine est la subordination et la dépendance.   VAUVENARGUES, Maximes, 227.

8   Il y a deux sortes de dépendance : celle des choses, qui est de la nature; celle des hommes, qui est de la société.   ROUSSEAU, Émile, II.

8.1   (...) l'entraînement d'une âme soumise, la résignation de la faiblesse (...) la dépendance volontaire d'une créature sensible et timide vers celle qui lui impose de la confiance et du respect.   Ch. NODIER, Jean Sbogar, VIII.

9   L'indépendance fut toujours mon désir et la dépendance ma destinée.   A. DE VIGNY, Journal d'un poète, p. 98.

10   Par la simple *dépendance*, on est en tutelle, on ne peut rien résoudre, rien entreprendre sans avoir le consentement d'une certaine personne (...)   LAFAYE, Dict. des synonymes, Subordination, dépendance.

Loc. DANS, SOUS LA DÉPENDANCE DE... *Mettre, tenir dans la dépendance.* ⇒ **Asservir** (cit. 1). *Être dans la dépendance, sous la dépen-*

d'incarcération. ⇒ **Mandat** (→ Arrêt, cit. 6). *Conduire un prévenu au dépôt.* « *Tout ce joli monde a été conduit au dépôt* » (automatisme d'écriture journalistique par lequel se terminaient très souvent, autrefois, les articles de la rubrique *faits divers* annonçant l'arrestation de malfaiteurs).

14.1 Le jour même, Ganimard, muni d'un mandat d'arrêt, conduisait au dépôt le sieur Harlington, citoyen américain, inculpé de recel et de complicité de vol.
M. LEBLANC, L'Aiguille creuse, p. 54.

Admin. (Vx). *Dépôt de mendicité :* établissement public dans lequel les pauvres sont nourris et logés.

15 Toute personne qui aura été trouvée mendiant dans un lieu pour lequel il existera un établissement public organisé afin d'obvier à la mendicité (...) sera, après l'expiration de sa peine, conduite au dépôt de mendicité.   Code pénal, art. 274.

★ **II.** ◆ **1.** Particules solides qui se déposent au fond d'un liquide impur au repos. ⇒ **Boue, effrondrille, vase.** *Un dépôt se forme dans un liquide où se fait une précipitation chimique.* ⇒ **Précipité.** *Élimination du dépôt d'un liquide* (⇒ **Clarification, décantation, filtrage**). *Dépôt dans une chaudière.* ⇒ **Incrustation, tartre.** *Dépôt de marc de café. Dépôt des vins.* ⇒ **Croûte, lie, tartre.** *Il s'est formé un dépôt. — Il y a du dépôt.*

Par anal. *Dépôt de poussière, de boue. Dépôt de calamine sur une bougie.*

◆ **2.** [a] Géol. et cour. Couche de matières minérales laissée à la surface du globe par les eaux, l'érosion... ⇒ **Lit.** *Dépôt sédimentaire.* ⇒ **Alluvion** (cit. 1), **sédiment.** *Dépôt laissé par le courant, la crue d'une rivière.* ⇒ **Agglomération, allaise, limon.** *La caillasse*, dépôt tertiaire. Dépôt marin utilisé comme engrais.* ⇒ **Falun.** *Colmater un bas-fond par un dépôt de limon.*

16 *(La sédimentation marine)* se traduit toujours par la formation d'un *dépôt* ou *sédiment,* qui vient tapisser le fond de la mer. De même, la sédimentation continentale (...) se manifeste par la formation de dépôts recouvrant les plaines, encombrant le lit des cours d'eau, encroûtant les pentes des montagnes, ou tapissant le fond des lacs.   Émile HAUG, Traité de géologie, t. I, p. 12.

[b] Phys. *Dépôt actif :* substance solide radioactive qui se dépose sur les corps soumis à un rayonnement radioactif.

[c] Techn. Couche mince déposée par électrolyse sur un métal pour le protéger. *Dépôt électrolytique de cuivre.*

[d] Méd. Amas qui se forme dans les tissus. ⇒ **Abcès, concrétion, tumeur.** *Dépôt purulent. — Dépôt calcaire dans l'organisme.* ⇒ **Calcification.**

CONTR. Retrait.

DÉPOTAGE [depotaʒ] ou **DÉPOTEMENT** [depotmã] n. m. — 1836, *dépotage ; dépotement,* 1838 ; de *dépoter.*

◆ Action de dépoter ; résultat de cette action. *Le dépotage d'une plante.* — Fig. (argot de métier) :

Les croque-morts appellent d'une terrible expression, une exhumation : un dépotage.   Ed. et J. DE GONCOURT, Journal, 30 mars 1866.

Techn. *Dépotage d'un liquide.* — Action qui consiste à sortir les marchandises d'un conteneur.

DÉPOTER [depote] v. tr. — 1690 ; de 1. *dé-, pot,* et suff. verbal *-er.*

◆ **1.** (1690). Ôter (une plante) d'un pot pour la replanter. ⇒ **Transplanter.** *Dépoter un géranium.*

◆ **2.** (1765). Changer (un liquide) de vase. *Dépoter du vin.* ⇒ **Transvaser.** Techn. Transférer la cargaison de (un camion, un wagon) dans une citerne. *Dépoter un camion-citerne.*

◆ **3.** Argot fam. Déposer (qqn) en un lieu, après l'avoir emmené.

CONTR. Empoter.

DÉR. Dépotage ou dépotement, dépoteyer, dépotoir.

DÉPOTEYER [depoteje] v. tr. — 1842 ; de *dépoter,* et *-eyer (-oyer).*

◆ Régional (Normandie). Vendre (du cidre) au détail, en pot.

DÉPOTOIR [depotwar] n. m. — 1836 ; proprt « vase destiné à dépoter les liquides » ; de *dépoter,* et suff. *-oir.*

◆ **1.** (1849). Lieu destiné à recevoir les matières de vidange. ⇒ **Vidoir.** — Techn. Usine où l'on traite les matières excrémentielles provenant des vidanges. *Engrais, ammoniac extraits dans un dépotoir.*

◆ **2.** Par ext. Lieu où l'on dépose des ordures. ⇒ **Voirie.** *Le dépotoir municipal.*

Lucas se souvenait d'un terrain vague que toute la rue utilisait comme dépotoir.   P. MAC ORLAN, la Bandera, XVIII, p. 220.

Fig. et fam. Endroit destiné aux objets de rebut. *Cette pièce sert de dépotoir. Vous prenez ma table pour un dépotoir.*

Fig. et péj. *Cette classe est un dépotoir, recueille les plus mauvais éléments.*

DÉPÔT-VENTE [depovãt] n. m. ⇒ **Dépôt** (I., 3.).

DÉPOUDRER [depudʀe] v. tr. — 1740 ; « débarrasser de la poudre (poussière) », 1394 ; de 1. *dé-, poudre,* et suff. verbal.

◆ Vieilli ou rare. Enlever la poudre (3.) de... (le compl. désigne les cheveux, la peau). *Dépoudrer une perruque.* — Par ext. *Dépoudrer qqn.* — Pron. *Se dépoudrer.* ⇒ **Démaquiller** (mod.).

DÉPOUILLE [depuj] n. f. — V. 1170, *despuille ;* déverbal de *dépouiller.*

★ **I.** ◆ **1.** (1573). Peau enlevée à un animal. *La dépouille d'un lion. Se vêtir de la dépouille d'une bête.*

(...) son piano recouvert d'une toile cirée semblable à la dépouille écailleuse d'un pachyderme (...)   MARTIN DU GARD, les Thibault, t. III, p. 104.   1

Spécialt. Peau que les serpents et certains insectes perdent lors de leur mue.

Par anal. Centre de l'épi de maïs dont on a détaché les grains.

Vêtement qu'on porte ou qu'on vient de quitter. (Après 1970). Mod. (Pop.). Fait d'obliger qqn, sous la menace, à se défaire d'un vêtement qu'il porte. « *Tout ce qu'il y a c'est des bagarres et des dépouilles* » (*le Nouvel Obs.,* n° 727, 16 oct. 1978).

◆ **2.** (1550). *Dépouille, dépouille mortelle :* le corps humain après la mort. ⇒ **Cadavre.** *La dépouille du défunt a été incinérée.*

(...) le cri, enivré, presque douloureux de joie, de l'âme immortelle, qui se délivre de la dépouille du corps et tend les bras vers Dieu !   R. ROLLAND, Voyage musical au pays du passé, p. 74.   2

(...) j'éprouvais devant ce qui restait de Marie tout ce que signifie le mot « dépouille ». J'avais le sentiment irrésistible d'un départ, d'une absence.   F. MAURIAC, le Nœud de vipères, I, IX, p. 113.   3

◆ **3.** Loc. (Techn.). *Forme de dépouille :* taille donnée à la dent qui doit recevoir la couronne.

★ **II.** (En gén. au plur.). **DÉPOUILLES.** [a] Littér. ou vieilli. Ce qu'on enlève à l'ennemi sur le champ de bataille. ⇒ **Trophée.** *Les dépouilles d'un ennemi tué. Recueillir les dépouilles.* — Loc. *Dépouilles opimes** (cit.).

(...) ensuite venaient les étendards, les timbales, les drapeaux gagnés à ces deux batailles, portés par les officiers et par les soldats qui les avaient pris : toutes ces dépouilles étaient suivies des plus belles troupes du czar.   VOLTAIRE, Hist. de Charles XII, V.   4

Sous le nom de « Place des Trophées », il venait de fonder à Ejur une vaste esplanade quadrangulaire, afin d'accrocher, sur le tronc des sycomores plantés en bordure, maintes dépouilles provenant d'ennemis redoutables qui, pleins d'acharnement, s'étaient efforcés de lui barrer le chemin du pouvoir.   Raymond ROUSSEL, Impressions d'Afrique, p. 239.   4.1

(Av. 1350). ⇒ **Butin.** *Emporter de riches dépouilles* (→ Avare, cit. 8).

Ô apôtres de Jésus-Christ, c'est vous qui êtes les vainqueurs du monde ; et voilà qu'on met à vos pieds les dépouilles du monde vaincu, ainsi qu'un trophée magnifique qu'on érige à votre victoire.   BOSSUET, 2e sermon pour la Pentecôte, I.   5

(Pour traduire l'anglais *Spoil system*). *Système des dépouilles :* aux États-Unis, Pratique qui consiste à se partager, après une victoire électorale, les principaux postes administratifs, aux dépens du parti vaincu.

[b] *La, les dépouilles de qqn,* ce dont on s'est emparé à son détriment.

Il est assez de geais à deux pieds comme lui
Qui se parent souvent des dépouilles d'autrui,
Et que l'on nomme plagiaires.   LA FONTAINE, Fables, IV, 9.   6

[c] Succession (d'une personne). *S'arracher les dépouilles d'un mourant,* se disputer les dignités, les fonctions, les biens qui lui appartiennent encore (→ Approprier, cit. 7).

Va, perds tous malheureux : leur dépouille est à toi.   RACINE, Esther, II, 1.   7

Par anal. ⇒ **Laisser** (laissé pour compte), **reste.**

Au milieu du salon, un laquais renfrogné achevait d'établir une grande table à manger, qu'il changea plus tard en table de travail, au moyen d'un immense tapis vert tout taché d'encre, dépouille de quelque ministère.   STENDHAL, le Rouge et le Noir, II, XXI, p. 372.   8

[d] Ce qui reste (d'une civilisation disparue). « *Profiter des dépouilles des peuples dégénérés* » (Delacroix, *Journal,* 1854, p. 274, *in* T. L. F.).

[e] Fig. Poét. Branches d'arbres coupées. Feuilles mortes.

De la dépouille de nos bois
L'automne avait jonché la terre (...)   MILLEVOYE, Chute des feuilles.   9

(...) sept pouces de terre végétale que la dépouille annuelle des arbres, les engrais apportés par le pacage des bestiaux (...) devaient enrichir constamment.   BALZAC, le Curé de village, Pl., t. VIII, p. 730.   10

DÉPOUILLEMENT [depujmã] n. m. — Fin XIIe ; *despoillement,* de *dépouiller.*

◆ **1.** Techn. (Vén., etc.). Action d'enlever la peau (d'un animal). ⇒ **Écorchement.** *Le dépouillement d'un cerf, d'un sanglier.* — Fait de perdre sa peau (pour un animal). *Le dépouillement d'un ver à soie.* ⇒ aussi **Mue.**

♦ **2.** Par anal. Action d'enlever ou de perdre quelque chose.
(En parlant d'un arbre). Fait de perdre son feuillage.
(Fin xiiᵉ). Vx. Fait d'enlever un vêtement.

♦ **3.** Fig. [a] Action de priver qqn de ses biens (rare) ; état d'une personne dépouillée de ses biens. ⇒ **Privation.** *Être dans un dépouillement total.*

1   (...) un dépouillement entier de tous préjugés.
                        BUFFON, Hist. nat. des animaux, 9, *in* LITTRÉ.
Dépouillement volontaire par ascèse. ⇒ **Détachement, renoncement.**
Vivre dans le dépouillement (→ Bassesse, cit. 6).

2   Elle *(sainte Thérèse)* porte (...) la pauvreté jusqu'à l'entier dépouillement des biens et du désir de les posséder (...)
                 FLÉCHIER, Panégyrique de sainte Thérèse, *in* LITTRÉ.

[b] Cour. Fait d'être débarrassé du superflu, des ornements ⇒ **Simplicité.** *Le dépouillement d'une œuvre, d'un style. Un style d'un grand dépouillement. Un dépouillement absolu, ascétique, sévère.*

♦ **4.** (1723). Examen (de documents). ⇒ **Analyse, examen.** *Le dépouillement des textes, d'un ouvrage, d'une correspondance, d'un rapport. Le dépouillement des pièces d'un dossier, des articles d'un compte.* — *Dépouillement des votes d'un scrutin** : ensemble des opérations ayant pour but l'établissement des résultats du scrutin. *Procéder au dépouillement du scrutin.*

3   La première *(source)* est fournie par le dépouillement des auteurs classiques. En effet, quand on se lit la plume à la main et dans une intention lexicographique, on ne tarde pas à recueillir un certain nombre de mots qui ne sont pas dans le Dictionnaire de l'Académie.   LITTRÉ, Dict., Préface, VII.

DÉPOUILLER [depuje] v. tr. — V. 1135 ; *despoiller,* lat. class. *despoliare.*

★ **I.** ♦ **1.** (xiiiᵉ ; « quitter sa vieille peau »). Enlever la peau de (un animal). ⇒ **Dépiauter, écorcher.** *Dépouiller un lièvre, une anguille.*

0.1   Il commençait de dépouiller l'agneau, poussant très loin son poing entre la peau et la chair (...)   Pierre GASCAR, les Bêtes, p. 44.

(Sujet n. de chose). *Gangrène qui dépouille l'os* (des chairs). ⇒ **Dénuder.**

Par anal. *Dépouiller le maïs,* en détacher les grains.

♦ **2.** Dégarnir (qqn, qqch.) de ce qui couvre. ⇒ **Dégager, dégarnir, dénuder ;** et aussi **enlever, retirer** (à). *Dépouiller quelqu'un de ses vêtements.* ⇒ **Déshabiller, dévêtir** (→ ci-dessous, pop.). *Dépouiller une peau de la bourre, du poil* (⇒ **Ébourrer, peler, raser**). *Dépouiller qqch. de ce qui couronne* (⇒ **Découronner**), *de ce qui enveloppe* (⇒ **Défaire, désenvelopper, développer**). — *Dépouiller un poisson de ses écailles* (⇒ **Écailler**), *une viande de ses os* (⇒ **Désosser**). *Dépouiller un arbre de ses branches* (⇒ **Ébrancher**), *de son écorce* (⇒ **Écorcer**), *de ses fruits* (⇒ **Défruiter**), *de ses fleurs* (⇒ **Défleurir**). *L'automne dépouille les arbres de leurs feuilles* (⇒ **Defeuiller**). — Relig. *Dépouiller les autels,* enlever les nappes qui les recouvrent.

1   Tantôt, comme une abeille ardente à son ouvrage,
     Elle s'en va de fleurs dépouiller le rivage (...)   BOILEAU, l'Art poétique, II.

2   Graziella avait dépouillé ses vêtements de lourde laine, sa soubreveste galonnée (...)   LAMARTINE, Graziella, IV, XXX, p. 150.

3   Les petits bois ombreux frissonnent sous le vent qui les dépouille et répondent aux mouvements d'un grand ciel nuageux.
            M. BARRÈS, la Colline inspirée, XIV, p. 220.

(Après 1970). Pop. Obliger (qqn), sous la menace, à se défaire d'un vêtement qu'il porte. ⇒ **Dépouille** (pop.). *« Quand tu te fais dépouiller alors hop, t'es bien obligé de rechercher les coupables »* (le *Nouvel Obs.,* nᵒ 727, 16 oct. 1978). — REM. Cet emploi croise les sens 2 et 3.

♦ **3.** (Déb. xiiiᵉ). Déposséder (qqn) en lui enlevant ce qu'il a. ⇒ **Démunir, dénantir, spolier.** *Des voleurs dépouillèrent le voyageur.* ⇒ **Dérober** (à), **dévaliser, gruger, voler ;** (fam.) **nettoyer, plumer, tondre...** (→ 2. Caler, cit. 6). *Le fisc dépouille le contribuable. Dépouiller qqn du nécessaire.* ⇒ **Dénuer, dépourvoir, priver ;** misère (réduire à la misère) ; → Aumône, cit. 4. *Dépouiller qqn de son emploi* (⇒ **Évincer**), *de son grade* (⇒ **Dégrader**), *de ses droits.* ⇒ **Déposséder, déshériter, exproprier...** *Dépouiller qqn de son prestige, de sa gloire.*

4   Participe à ma gloire au lieu de la souiller.
     Tâche à t'en revêtir, non à m'en dépouiller.   CORNEILLE, Horace, IV, 7.

5   (...) la mort change de nature pour les chrétiens, puisque, au lieu qu'elle semblait être faite pour nous dépouiller de tout, elle commence (...) à nous revêtir (...)
         BOSSUET, Oraison funèbre de la duchesse d'Orléans.

6   On le dépouilla de son riche bénéfice pour le faire évêque de Zamora, petit diocèse de quatre mille écus de rente ; c'était en quelque sorte devenir d'évêque meunier.
         A. R. LESAGE, le Bachelier de Salamanque, p. 73.

Absolt. *Dépouiller qqn,* le priver de ses biens, de ses revenus. ⇒ **Priver, spolier.**

7   (...) Jacques ne voudrait pas dépouiller les enfants de sa sœur pour les siens, puisqu'il les aime quasi autant les uns que les autres.
         G. SAND, la Mare au diable, IV, p. 36.

7.1   Ah ça ! que voulez-vous dire ? demanda Fix.

Je veux dire que c'est de la pure indélicatesse. Autant dépouiller Mʳ Fogg, et lui prendre l'argent dans la poche !
         J. VERNE, le Tour du monde en 80 jours, p. 156.

(Compl. n. de chose). *L'ennemi dépouilla la région.* ⇒ **Dévaster, piller.** *Dépouiller un magasin, une vitrine, un musée.* ⇒ **Vider.** *Dépouiller une église de ses richesses.*

8   (...) il fit dépouiller les églises du Kremlin de tout ce qui pouvait servir de trophée à la grande armée.   Ph.-P. SÉGUR, Hist. de Napoléon, VIII, 10, *in* LITTRÉ.

Arts, littér. Ôter tout ornement pour rendre l'expression plus simple. ⇒ **Dépouillement** (3., b). *Dépouiller son style.* → ci-dessous, Dépouillé, 4.

Fig. Enlever à (qqch.) un de ses caractères, son contexte. *Dépouiller une monnaie de sa valeur.* ⇒ **Démonétiser.** *Dépouiller une démarche de tout artifice.* ⇒ **Dégager.** *Dépouiller une citation de son contexte.* ⇒ **Isoler.**

9   Je souffre toujours en vous voyant user de la science monstrueuse avec laquelle vous dépouillez toutes les choses humaines des propriétés que leur donnent le temps, l'espace (...)   BALZAC, Séraphîta, Pl., t. X, p. 481.

10   (...) une intelligence qui dépouillait toujours les choses de leur valeur secrète, de tout ce qui était, en somme, le véritable sens, la beauté de l'univers !
         MARTIN DU GARD, les Thibault, t. II, p. 69.

♦ **4.** (1690). Analyser, examiner (un document). *Dépouiller les pièces d'un dossier, un compte. Dépouiller une documentation. Dépouiller son courrier. Dépouiller un livre,* et, par ext., *un auteur,* le lire en prenant des notes.

11   Je dépouillai en moins de quinze jours, la plume à la main, deux cents pages de cette *Physiologie* de Beaunis emportée dans ma malle (...)
         Paul BOURGET, le Disciple, p. 254.

Dépouiller un scrutin : faire le compte des suffrages après le vote. *Les scrutateurs dépouillent les bulletins.*

★ **II.** (xiiᵉ, fig.). ♦ **1.** Littér. (Avec un complément d'objet qui désigne la chose enlevée). Abandonner, ôter (ce qui couvre). ⇒ **Abandonner, arracher, enlever, ôter, quitter, perdre, retirer.** *Dépouiller ses vêtements.* — *Le ver à soie dépouille sa première enveloppe.*

12   (...) comme un insecte dépouille sa dernière enveloppe larvaire pour se montrer dans sa forme parfaite (...)
         G. DUHAMEL, Chronique des Pasquier, III, XV, p. 187.

♦ **2.** Fig. et littér. ⇒ **Renoncer** (à). *Dépouiller l'orgueil, la suffisance* (→ Auréole, cit. 5).

13   Non, il faut à tes yeux dépouiller l'artifice.   RACINE, Esther, II, 1.

14   (...) je me surprends encore tous les jours à dépouiller quelque ancienne idée, quelque prétendue impression de ma jeunesse, pour rentrer dans la vérité des choses et de moi-même.   GUIZOT, *in* HENRIOT, les Romantiques, p. 425.

15   Dépouiller de plus en plus la matière, revêtir de plus en plus l'esprit, telle est la loi.   HUGO, Post-scriptum de ma vie, De la vie et de la mort.

(Sujet n. de chose).

16   L'Art y dépouilla *(dans les Flandres)* toute idéalité pour reproduire uniquement la Forme.   BALZAC, la Recherche de l'absolu, Pl., t. IX, p. 477.

Loc. Relig. *Dépouiller le vieil homme :* se défaire des inclinations de la nature corrompue. — Par anal. et le plus souvent par plais. Renoncer à ses mauvaises habitudes. *Vous savez que j'ai dépouillé le vieil homme, je ne fume plus.*

17   N'usez point de mensonges les uns envers les autres ; dépouillez le vieil homme avec ses œuvres,
     Revêtez-vous du nouveau (...)
         BIBLE (SACY), Épître de saint Paul aux Colossiens, III, 9-10.

17.1   Bielinski rencontre soudainement Hegel. Dans sa chambre, à minuit, sous le choc de la révélation, il fond en larmes comme Pascal, et dépouille d'un seul coup le vieil homme.   CAMUS, l'Homme révolté, p. 558-559.

▶ **SE DÉPOUILLER** v. pron.

♦ **1.** Perdre sa dépouille. *Les serpents se dépouillent tous les ans.* ⇒ **Muer.**

♦ **2.** Ôter, enlever (ce qui couvre). *Se dépouiller de ses vêtements.*

18   Les nations ne jettent pas à l'écart leurs antiques mœurs comme on se dépouille d'un vieil habit.
         CHATEAUBRIAND, le Génie du christianisme, III, I, VIII.

19   (...) tandis qu'autour d'eux les Cariens, les Lydiens, et en général tous leurs voisins barbares, avaient honte de paraître nus, ils *(les Grecs)* se dépouillaient sans difficulté de leurs habits pour lutter et courir.
         TAINE, Philosophie de l'art, t. I, II, V, p. 70.

Perdre. *Les arbres se dépouillent de leur feuillage.* ⇒ **Perdre.** Par anal. *Temps qui se dépouillent.* ⇒ (fam.) **Déplumer** (se).

Absolument :

20   Revenant le long des haies à peine tracées, la pluie m'a surpris ; je me suis réfugié sous un hêtre : ses dernières feuilles tombaient comme mes années ; sa cime se dépouillait comme ma tête (...)
         CHATEAUBRIAND, Mémoires d'outre-tombe, t. II, p. 295.

♦ **3.** Se défaire (de), abandonner. *Se dépouiller de sa fortune, de ses biens. Se dépouiller en faveur de qqn.* ⇒ **Appauvrir** (s'), **priver** (se). *Se dépouiller de tout* (cf. Donner jusqu'à sa chemise).

21   (...) amasser du bien avec de grands travaux, et élever une fille avec beaucoup de soin et de tendresse, pour se dépouiller de l'un et de l'autre entre les mains d'un homme qui ne nous touche de rien ?   MOLIÈRE, l'Amour médecin, I, 5.

Fig. ⇒ **Abandonner, défaire** (se défaire de), **renoncer** (à). *Se dépouiller de tout sentiment de haine. Se dépouiller de ses erreurs, de ses* *préjugés. Ne jamais se dépouiller de sa réserve.* ⇒ **Départir** (se). *Se dépouiller d'un droit, du pouvoir* (⇒ **Abdiquer**).

22 César, se dépouillant du pouvoir souverain,
Nous ôtait tout prétexte à lui percer le sein.   CORNEILLE, Cinna, III, 4.

23 (...) me dépouiller au plus tôt de toutes sortes de vanités (...)
     MOLIÈRE, Dom Juan, v, 3.

24 Je cherche à me dépouiller de mes affections et à n'être qu'un froid philosophe.
     STENDHAL, De l'amour, p. 126.

25 (...) mon sentiment se dépouilla presque aussitôt de ce qu'il avait d'abord pu avoir de charnel, et de lui-même, s'épura pour ainsi dire, de sorte qu'il ne restait plus en moi, comme il advient souvent dès lors, qu'une charité très ardente.
     GIDE, Journal, 2 août 1930.

Littér. « *Se dépouiller de soi-même* » (Proust).

25.1 (...) comme vous reconnaîtrez facilement, même dans une circonstance tragique, à certains gestes, à certains tics professionnels, que le forgeron n'a pas pu dépouiller le forgeron. Sans doute c'est bien de la vanité, et même absurde, à nous que de dire que nous aurions voulu pouvoir nous dépouiller de nous-même.
     PROUST, Jean Santeuil, Pl., p. 642.

♦ **4.** Rare. (En parlant d'un liquide). Perdre sa force, sa couleur, ses impuretés.

26 Les gouvernements sont comme les vins qui se dépouillent et s'adoucissent avec le temps.   FRANCE, les Opinions de Jérôme Coignard, Œ., t. VIII, p. 358.

▶ **DÉPOUILLÉ, ÉE** p. p. adj.

♦ **1.** Dont on a enlevé la peau. *Bœuf tué et dépouillé.*

♦ **2.** *Dépouillé de ses vêtements. Tête dépouillée.* ⇒ **Chauve.** *Arbre dépouillé de ses feuilles.* ⇒ **Chenu.**

27 Les arbres entièrement dépouillés, j'embrassais mieux l'étendue du parc.
     E. FROMENTIN, Dominique, III, p. 52.

28 Le bel arbre, maintenant dépouillé de ses feuilles, déployait, nue et noire sous le ciel, sa puissante et fine membrure.
     FRANCE, l'Anneau d'améthyste, Œ., t. XII, p. 268.

♦ **3.** *Voyageur dépouillé par les brigands. Dépouillé de tout bien, de tout honneur, de tout pouvoir.*

29 La royauté fut donc conservée; mais, dépouillée de sa puissance, elle ne fut plus qu'un sacerdoce.   FUSTEL DE COULANGES, la Cité antique, IV, III, p. 284.

30 D'autres encore, et ce sont les plus nombreux, assurés qu'ils sont d'être finalement dépouillés par le fisc ou par l'inflation, se bornent à gagner le strict nécessaire.
     G. DUHAMEL, Manuel du protestataire, II, p. 72.

31 Si je l'avais voulu, vous seriez aujourd'hui dépouillés de tout, sauf de la maison et des terres.   F. MAURIAC, le Nœud de vipères, I, I, p. 12.

Fig. *Démarche dépouillée d'artifice. Esprit dépouillé de craintes, de préjugés.*

32 (...) je me tiens là, devant mon Dieu, plus dénué et plus dépouillé de mérites, plus désarmé que personne au monde.   F. MAURIAC, la Pharisienne, XIV, p. 230.

33 (...) ce pauvre être si façonné, si maniéré, était devenu terriblement dépouillé et simple.   F. MAURIAC, le Nœud de vipères, II, XIX, p. 230.

♦ **4.** *Style dépouillé :* style sans aucun ornement. ⇒ **Sévère, sobre.**

34 C'était aussi dépouillé qu'un constat, aussi morne qu'un exposé de M. Couve (...)
     GIDE, Si le grain ne meurt, VIII, I, p. 213.

♦ **5.** *Vin dépouillé,* débarrassé des particules solides en suspension, décanté. — Vin qui a perdu de sa richesse en alcool.

35 Voilà le style que je goûte comme je goûte les bordeaux très vieux ou qui, sans être vieux, sont très dépouillés (...)   F. MAURIAC, Bloc-notes 1952-1957, p. 127.

CONTR. **Couvrir, enfouir, vêtir. — Acquérir, donner, enrichir, prendre, remettre, rendre, réparer, restituer.**
DÉR. Dépouille, dépouillement, dépouilleur.

DÉPOUILLEUR, EUSE [depujœʀ, øz] n. — XIVᵉ, *despoulleur;* de *dépouiller.*

♦ **1.** Rare. Personne qui dépouille quelqu'un.

(...) les esclaves en fuite, les dépouilleurs de cadavres, les brigands de la voie Salaria, les éclopés du pont Sublicius, toute la vermine des galetas de Suburre n'avait pas de dévotion plus chère!
     FLAUBERT, la Tentation de saint Antoine, p. 171.

♦ **2.** (1888, Goncourt). Personne qui dépouille (des documents).

DÉPOURVOIR [depuʀvwaʀ] v. tr. — Conjug. *pourvoir.* — Fin XIIᵉ, *desporveüt,* adj.; *despourvoir,* av. 1558; de 1. *dé-,* et *pourvoir.*

♦ Rare. Priver* du nécessaire. ⇒ **Démunir, dépouiller.** *Dépourvoir quelqu'un de son patrimoine, de ses titres, de sa charge.* — REM. *Dépourvoir* ne s'emploie guère qu'à l'infinitif, et aux temps composés. Pron. *Se dépourvoir :* se priver du nécessaire.

▶ **DÉPOURVU, UE** p. p. adj. (Courant).

♦ **1.** *Dépourvu de :* qui n'a pas de. ⇒ **Manquer; sans.** *Être dépourvu de...* ⇒ **Sans.** *Fleur dépourvue de corolle. Dépourvu d'ornement.* ⇒ **Nu.** *Dépourvu de sens.* ⇒ **Vide.** *Dépourvu de dons, de biens, d'affections.* ⇒ **Déshérité** (de la vie). *Acte dépourvu de méchanceté, d'arrière-pensées* (cit. 4). ⇒ **Exempt, pur.** *Dépourvu d'intelligence, de qualités.* ⇒ **Dénué.** *Dépourvu d'argent, de ressources,* ou, absolt, *Dépourvu.* ⇒ **Désargenté, impécunieux, pauvre, sou** (sans le). — *Être dépourvu de...* ⇒ **Manquer** (de). — Vx. *Être dépourvu* (sans compl.), dans le besoin.

La cigale, ayant chanté
Tout l'été,
Se trouva fort dépourvue
Quand la bise fut venue.   LA FONTAINE, Fables, I, 1. 1

C'est tenir un propos de sens bien dépourvu.   MOLIÈRE, Tartuffe, V, 3. 2

Leurs ouvrages (*des Anglais*), qu'on ne lit pas sans fruit, sont trop souvent dépourvus de charmes, et le lecteur y trouve toujours la peine que l'écrivain ne s'est pas donnée (...)   RIVAROL, Dict. universel de la langue franç., p. 19. 3

Les yeux du limaçon terrestre, connu sous le nom d'escargot, sont placés au sommet de ses grandes cornes; les petites en sont dépourvues (...)
     Charles BONNET, Contemplation de la nature, III, 21, note 5, *in* LITTRÉ. 4

L'éducation scolaire trace chez nous une distinction profonde, sous le rapport de la valeur personnelle, entre ceux qui l'ont reçue et ceux qui en sont dépourvus.
     RENAN, Vie de Jésus, II, p. 9. 5

N'être pas dépourvu de : avoir, posséder (un certain caractère). *Personne non dépourvue d'orgueil.*

♦ **2.** Loc. adv. (1559). **AU DÉPOURVU.** ⓐ Vx. Dans un moment où l'on est dépourvu des ressources nécessaires. *Prendre qqn au dépourvu.* ⇒ **Court** (à, de).

ⓑ Par ext. Sans que les gens soient préparés, avertis. ⇒ **Improviste** (à l'). *Votre question me prend tout à fait au dépourvu.*

Il (*l'enfant*) me fera peut-être, au dépourvu, des questions scabreuses (...)
     ROUSSEAU, Émile, III. 6

Ce fut justement à propos de dictionnaire qu'il (*Th. Gautier*) ajouta « *que l'écrivain qui ne savait pas tout dire,* celui qu'une idée si étrange, si subtile qu'on la supposât, si imprévue, tombant comme une pierre de la lune, *prenait au dépourvu et sans matériel pour lui donner corps, n'était pas un écrivain.* »
     BAUDELAIRE, Curiosités esthétiques, l'Art romantique, Théophile Gautier, III. 7

CONTR. **Pourvoir. — Doter, douer, enrichir, garnir, munir, nantir.** — (Du p. p.) **Abondant, assorti, riche.**

DÉPOUSSIÉRAGE [depusjeʀaʒ] n. m. — 1908 ; de *dépoussiérer.*

♦ Opération par laquelle on dépoussière (un lieu, un objet). — Techn. *Dépoussiérage des fumées d'usine.*

DÉPOUSSIÉRER [depusjeʀe] v. tr. — 1908 ; de 1. *dé-, poussière,* et *-er.*

♦ Débarrasser de sa poussière (un lieu, une pièce, une chose) par des moyens mécaniques. *Dépoussiérer un appartement, un tapis.*

Ils (...) commencèrent à garnir les chaises des Musiciens au moyen d'éléments décoratifs. Le Chuiche les dépliait, soufflait dessus pour les dépoussiérer (...)
     Boris VIAN, l'Écume des jours, XVIII, p. 64. 1

Au participe passé :

(...) l'étroite bande de parquet brillant qui ramène depuis la commode vers la table, joignant les deux larges ronds dépoussiérés, s'incurve légèrement pour passer plus près de la cheminée.   A. ROBBE-GRILLET, Dans le labyrinthe, p. 18-19. 2

Fig. Renouveler, remettre à neuf. « *La réforme engagée est destinée à dépoussiérer la radio régionale* » (*le Monde,* 21 nov. 1969).

CONTR. **Empoussiérer.**
DÉR. Dépoussiérage, dépoussiéreur.

DÉPOUSSIÉREUR [depusjeʀœʀ] n. m. — 1927 ; de *dépoussiérer,* et *-eur.*

♦ Techn. Appareil ou dispositif qui absorbe les poussières, notamment à l'intérieur des machines. *Le dépoussiéreur de la bande magnétique d'un magnétophone. Dépoussiéreurs centrifuges (hydrauliques, mécaniques, électrostatiques) d'une centrale thermique.*
En appos. *Appareil dépoussiéreur.*

DÉPRAVANT, ANTE [depʀavɑ̃, ɑ̃t] adj. — Av. 1836, Armand Carrel, *in* LITTRÉ ; p. prés. de *dépraver.*

♦ Littér. Qui déprave.

Les domestiques apprennent le vice chez leurs maîtres (...) Entrés purs et naïfs — il y en a — dans le métier, ils sont vite pourris, au contact des habitudes dépravantes.   O. MIRBEAU, le Journal d'une femme de chambre, p. 279.

DÉPRAVATEUR, TRICE [depʀavatœʀ, tʀis] adj. et n. — 1551 ; bas lat. *depravator,* du supin de *depravare.* → Dépraver.

♦ Littér. Qui déprave, incite à la dépravation. *Esprit, genre dépravateur; influences dépravatrices.* — N. *Un dépravateur, une dépravatrice* (Sainte-Beuve, *in* T. L. F. ; Barbey d'Aurevilly, *in* G. L. L. F.)
REM. Le mot semble inusité au XXᵉ s.

DÉPRAVATION [depʀavasjɔ̃] n. f. — XVᵉ ; lat. class. *depravatio,* du supin de *depravare.* → Dépraver.

♦ **1.** Attitude dénuée de sens moral et de sensibilité morale. État d'une personne dépravée, de ce qui est dépravé. ⇒ **Avilissement.** — REM. Le mot implique un jugement négatif concernant l'écart par rapport à une norme morale reçue. *Une dépravation précoce, profonde. Dépravation due à une influence mauvaise.* ⇒ **Contamination, corruption.** *Goût de la dépravation.* ⇒ **Perversité, vice.** — (1532). *Dépra-*

vation des mœurs : abaissement de la moralité. ⇒ **Débauche, luxure.**
— Spécialt. *Dépravations sexuelles.* ⇒ **Perversion ; bestialité, inversion, onanisme.** « *Les plus cruelles pratiques de la dépravation* »
(Milosz).

1   Les vices partent d'une dépravation du cœur.
                                        LA BRUYÈRE, les Caractères, XII, 47.

2   Une si étrange dépravation qui nous fait voir d'un côté combien notre orgueil nous
    enfle, et de l'autre combien notre sensualité nous ravilit (...)
                                        BOSSUET, Traité de la connaissance de Dieu, V, 6.

2.1 (...) un peu méchante, aucuns principes, ne voyant de mal à rien, et cependant pas
    assez de dépravation dans le cœur pour en avoir éteint la sensibilité ; orgueilleuse,
    libertine ; telle était Madame de Lorsange.   SADE, Justine... I, p. 7.

2.2 Il n'y eut rien qu'il ne me dit, rien qu'il ne me tenta, rien que la perfide imagination, la
    dureté de son caractère et la dépravation de ses mœurs ne lui fit entreprendre.
                                        SADE, Justine..., p. 27.

3   Et ce qu'elle savait, ces dépravations du plaisir qu'on lui avait inoculés, Jean les
    apprenait à son tour pour les passer à d'autres.
                                        Alphonse DAUDET, Sapho, IV, p. 22.

4   Mallet du Pan est suspect quand, ennemi de la Révolution, il parle de « Sodome
    et Gomorrhe » (...) Mais le commissaire Picquenard est une tout autre autorité, qui
    commente en dix pages cette affirmation : « Il est impossible de se faire une idée
    de la dépravation publique » (...) Les journaux — peu suspects de puritanisme —
    se plaignent que des livres obscènes, « lecture favorite de nos jeunes filles », répandent d'étranges vices. Un rapport de prairial an VII dit quels vices en des termes si brutaux qu'on ne les saurait même traduire. Tous concluent : « Il n'y a plus de mœurs ! ».
                                        Louis MADELIN, la Révolution, XLIV, p. 494.

♦ **2.** Vieilli. Déviation contraire à la nature, à la norme sociale (sans
jugement moral). *Dépravation du jugement, du goût.* ⇒ **Altération.**
Une dépravation intellectuelle, esthétique. ⇒ **Perversion.**

5   (...) si elle est entêtée de ce magot, franchement je ne puis excuser cette dépravation de goût.   A. R. LESAGE, Gil Blas, IV, VIII.

Didact. *Dépravation sensorielle* : attirance vers ce qui normalement
répugne. *Dépravation de l'odorat. Dépravation de l'appétit, du
goût.* ⇒ **Malacie, pica.**

CONTR. Amélioration, épuration, sublimation.

DÉPRAVER [depʀave] v. tr. — 1212 ; lat. *depravare* « tordre, corrompre » ; de *de-*, et *pravus* « difforme ; mauvais ».

♦ **1.** (1580, Montaigne, *in* G. L. L. F.). Sujet n. de personne ou de chose.
Amener (qqn) à désirer le mal, à s'y complaire. ⇒ **Pervertir ; dépravation.** *Dépraver un adolescent, l'adolescence. Il essaie de dépraver
ses camarades, ses disciples.* ⇒ **Corrompre.** *Les mauvais exemples
l'ont dépravé. Qui déprave.* ⇒ **Débaucher.** *Selon
J. J. Rousseau, la société déprave l'homme, qui est naturellement
bon.* ⇒ **Avilir.** Pron. (réfl. → ci-dessous, cit. 1, 3 ; passif → cit. 4 ;
récipr. → cit. 2).

1   (...) tant de gens parlent d'amour, et si peu savent aimer, que la plupart prennent
    pour ses pures et douces lois les viles maximes d'un commerce abject, qui, bientôt assouvi de lui-même, a recours aux monstres de l'imagination et se déprave
    pour se soutenir.   ROUSSEAU, Julie ou la Nouvelle Héloïse, I, lettre L.

2   (...) le maître et l'esclave se dépravent mutuellement.   ROUSSEAU, Émile, II.

3   (...) l'homme se déprave dès qu'il a dans le cœur une seule pensée qu'il est constamment forcé de dissimuler.   B. CONSTANT, Adolphe, IX, p. 85.

4   Nous avons, nous *(Français)*, le privilège d'entrer dans le vice sans nous y perdre,
    sans que le sens se déprave, sans que le courage s'énerve, sans être entièrement
    dégradés.   MICHELET, Extraits historiques, p. 19.

Par ext. Rendre (une habitude, une pratique, une coutume) moralement mauvaise. *Dépraver les mœurs d'une classe sociale. Dépraver une institution.* ⇒ **Dégrader, profaner, ravaler.**

5   Plus voluptueuse que tendre, tu veux être et la femme et la maîtresse. Avec l'âme
    d'Héloïse et les sens de sainte Thérèse, tu te livres à des égarements sanctionnés
    par les lois ; en un mot, tu dépraves l'institution du mariage.
                                        BALZAC, Mémoires de deux jeunes mariées, Pl., t. I, p. 310.

♦ **2.** Vx. ou littér. (Sujet n. de chose). Altérer, faire dévier de la
norme. *Dépraver le jugement, le goût.* ⇒ **Altérer, corrompre, fausser, gâter, pervertir, vicier.** — *Dépraver le goût, l'odorat de qqn*
(→ ci-dessous, Dépravé, 2.).

♦ **3.** Par anal. Didact. et vx. (Sujet n. de personne). *Dépraver un texte,*
le corrompre, le reproduire de manière défectueuse.

▶ **DÉPRAVÉ, ÉE** p. p. adj. (Semble plus cour. que le verbe).

♦ **1.** Vieilli. Corrompu moralement. *Siècle dépravé. Mœurs dépravées. Avoir des goûts dépravés.* ⇒ **Pervers.** *Conscience dépravée.*
⇒ **Amoral, immoral, vénal.**

Homme dépravé, nature dépravée. ⇒ **Bas, vicieux, vil.**

6   Dans cette vie notre raison vacillante se met souvent du parti de notre cœur
    dépravé.   BOSSUET, Sermons, Jugement dernier, II.

7   C'est dans les siècles les plus dépravés qu'on aime le plus les leçons de la morale la plus
    parfaite. Cela dispense de les pratiquer ; et l'on contente à peu de frais, par une
    lecture oisive, un reste de goût pour la vertu.
                                        ROUSSEAU, Julie ou la Nouvelle Héloïse, t. I, XIX.

8   (...) l'homme, même le plus dépravé par les préjugés du monde aime à entendre
    parler du bonheur que donnent la nature et la vertu.
                                        BERNARDIN DE SAINT-PIERRE, Paul et Virginie, p. 15.

9   (...) dans cette ignorance des goûts dépravés, je serais aussi heureux que l'homme
    primitif rêvé par Jean-Jacques.
                                        G. SAND, François le Champi, Avant-propos, p. 13.

N. *(Un, une dépravée).* Vx. Personne dénuée de sens moral, de sen-

sibilité éthique. — Mod. Personne qui a des goûts dépravés, notamment dans le domaine sensuel, érotique.

♦ **2.** Anormal (en parlant d'un goût). ⇒ **Perverti.** *Avoir le goût, le
jugement dépravé. Avoir les sens dépravés.* ⇒ **Dépravation** (sensorielle).

10 Le goût dépravé dans les aliments est de choisir ceux qui dégoûtent les autres hommes ; c'est une espèce de maladie. Le goût dépravé dans les arts est de se plaire
    à des sujets qui révoltent les esprits bien faits, de préférer le burlesque au noble,
    le précieux et l'affecté au beau simple et naturel : c'est une maladie de l'esprit.
                                        VOLTAIRE, Dict. philosophique, Goût.

REM. L'exemple suivant joue sur les deux valeurs : l'écart par rapport
à la nature correspond à une corruption morale :

11 (...) j'ose presque assurer que l'état de réflexion est un état contre nature, et que
    l'homme qui médite est un animal dépravé.   ROUSSEAU, De l'inégalité, I.

CONTR. Améliorer, assainir, édifier, élever, épurer, purifier, sublimer. — (Du p. p.)
Droit, honnête, intègre, juste, normal, probe, pur, sain, vertueux.
DÉR. Dépravant.

DÉPRÉCATIF, IVE [depʀekatif, iv] adj. — 1370 ; bas lat. *deprecativus,* du supin de *deprecari.* → Déprécation.

♦ Didact. Qui a le caractère d'une déprécation. — Syn. : *déprécatoire. Formule déprécative.*

DÉPRÉCATION [depʀekɑsjɔ̃] n. f. — Av. 1150, *deprecaciun ;* lat. *deprecatio* « prière pour détourner un malheur », du supin de *deprecari,* de *de-,* et *precari* « prier, supplier », de *prex, precis* « prière ».
Didactique.

♦ **1.** Relig. Prière faite avec soumission pour obtenir le pardon
d'une faute.

♦ **2.** Rhét. Supplication adressée brusquement dans un discours à
une puissance divine ou humaine dont on attend une faveur.
⇒ **Obsécration.**

REM. La paronymie avec *imprécation,* beaucoup plus courant, fait que
le mot n'est guère compris.

DÉPRÉCATOIRE [depʀekatwaʀ] adj. — 1458 ; lat. *deprecatorius,* du supin de *deprecari.* → Déprécation.

♦ Didact. Qui prie, supplie avec soumission. ⇒ **Déprécatif.**

L'ancien jardinier s'approcha de moi et me dit à l'oreille du ton bourru et déprécatoire d'un vieux serviteur intimidé, qui n'ignore pas qu'il se fera renvoyer pour
avoir transmis un message pareil (...)
                                        M. YOURCENAR, le Coup de grâce, p. 246.

DÉPRÉCIATEUR, TRICE [depʀesjatœʀ, tʀis] n. et adj. — 1705 ; de *déprécier,* et *-ateur.*

♦ Personne qui déprécie (I., 2.). ⇒ **Contempteur, détracteur.**

Adj. *Sa critique est trop dépréciatrice.*

(...) un jugement et sentiment de dépréciation de la vie — (qui est à la base de
toutes les mystiques) un jugement non moins dépréciateur des définitions, propositions, affirmations, démonstrations et traditions que donnent les religions (...)
                                        VALÉRY, Cahiers, Pl., t. II, p. 556.

DÉPRÉCIATIF, IVE [depʀesjatif, iv] adj. — 1830 ; de *déprécier.*

♦ **1.** (1830). Écon. Vieilli. Qui tend à faire perdre de sa valeur à
qqch., qui tend à faire baisser le niveau de vie.

1   (...) des manufactures dépréciatives, qui réduisent le salaire de l'ouvrier et
    l'envoient mourir de faim quand il plaît au fabricant de le faire employer.
                                        Charles FOURIER, le Nouveau Monde industriel, p. 8, 1830, *in* T. L. F.

♦ **2.** Ling. Qui déprécie ce qui est désigné. ⇒ **Péjoratif.** *Terme
dépréciatif. Mot employé dans un sens dépréciatif. Valeur dépréciative du suffixe -ard.* (→ -ard, cit. 2 ; attabler, cit. 1).

2   (...) si le terme de mise en scène a pris avec l'usage ce sens dépréciatif, c'est
    affaire à notre conception européenne du théâtre qui donne le pas au langage arti-
    culé sur tous les autres moyens de représentation.
                                        A. ARTAUD, le Théâtre et son double, Œ. compl., t. IV, p. 127.

DÉPRÉCIATION [depʀesjɑsjɔ̃] n. f. — 1711 ; de *déprécier.*
Action de déprécier, de se déprécier ; état de ce qui est déprécié.

♦ **1.** (Au sens de *déprécier,* I., 1.). *La dépréciation des marchandises, de l'or, de l'argent.* ⇒ **Avilissement, baisse.** — Comptab. Diminution de valeur d'un élément de l'actif. *Dépréciation des immeubles, des valeurs mobilières...* — Écon. *Dépréciation du signe monétaire,* lorsque son pouvoir d'achat diminue. ⇒ **Chute, dévalorisation.**
*Dépréciation des assignats** (cit. 2). *L'inflation* entraîne la dépréciation de la monnaie et conduit à la dévaluation.*

1   La dépréciation de la monnaie métallique continue d'un fait démontré par tous
    les documents historiques, tout au moins depuis un millier d'années. Cette dépré-
    ciation est même énorme. La valeur de l'argent était environ *neuf* fois plus grande
    au temps de Charlemagne qu'au début du XXᵉ siècle ; elle était encore *six* fois

plus grande à la veille de la découverte de l'Amérique ; elle était environ *trois* fois plus grande à l'époque de la Révolution française.
Charles GIDE, Cours d'économie politique, t. I, p. 436.

2 (...) certains phénomènes considérés comme fâcheux et auxquels on attribue d'ordinaire une cause unique : la dépréciation du papier-monnaie. Ces phénomènes sont : *la hausse générale des prix et parfois le dédoublement des prix ; la prime de l'or ; la perte au change et la disparition de la monnaie métallique.*
REBOUD et GUITTON, Précis d'économie politique, t. I, p. 662.

♦ **2.** Fig. Fait de déprécier (I., 2.), de se déprécier (2.), d'être déprécié. ⇒ **Affaiblissement, altération** (→ Déperdition, cit. 2). *Les discours de cet orateur subissent une dépréciation à la lecture.*

CONTR. **Appréciation, augmentation, hausse, revalorisation.**

DÉPRÉCIER [depʀesje] v. tr. — 1762, Académie ; lat. *depretiare*, de *de-*, et *pretium* «prix».

♦ **1.** Rare ou écon. Diminuer la valeur, le prix de... *Déprécier une marchandise.* ⇒ **Avilir.** *Déprécier en dégradant, en détériorant. Les facteurs qui contribuent à déprécier une monnaie.*
Fig. *Défauts qui déprécient un caractère, une institution, un ouvrage.* ⇒ **Abîmer, tort** (faire tort à). *Déprécier le mérite de qqn.* ⇒ **Ternir.** *Déprécier entièrement qqn.* ⇒ **Détruire.**

1 (...) il y a cent moyens pour un État, tous également sûrs, de déshonorer sûrement, de déprécier un enseignement de l'État, de l'avilir, de le diminuer, de l'affamer, de l'exténuer et ainsi et enfin de le tuer.
Ch. PÉGUY, la République..., p. 215.

2 Elle *(la science)* déprécie nos images naïves, et jusqu'à notre faculté d'imaginer, qui est dérivée de nos expériences et habitudes corporelles.
VALÉRY, Rhumbs, p. 130.

♦ **2.** Cour. Exprimer un jugement négatif sur la valeur de (qqch., qqn) ; chercher à déconsidérer (qqch., qqn). ⇒ **Critiquer, débiner** (fam.), **décréditer, décrier, dénigrer, dépriser, détracter** (vx), **diminuer, discréditer, méconnaître, méjuger, mépriser, mésestimer, péjorer, rabaisser, ravaler.** *Déprécier qqn par incompréhension, ignorance, jalousie, rivalité. Déprécier un produit, une réalisation, l'œuvre, les méthodes d'un confrère.*

3 Jusqu'ici, lorsqu'on avait voulu déprécier un ouvrage quelconque, ou le déconsidérer aux yeux de l'abonné patriarcal et naïf, on avait fait des citations fausses ou perfidement isolées (...)
Th. GAUTIER, Préface de Mlle de Maupin, p. 43, éd. critique MATORÉ.

4 Ah ! Dupont, qu'il est doux de tout déprécier !
Pour un esprit mort-né, convaincu d'impuissance,
Qu'il est doux d'être un sot et d'en tirer vengeance !
A. DE MUSSET, Poésies nouvelles, «Dupont et Durand».

5 Les enfants ont toujours une tendance soit à déprécier, soit à exalter leurs parents (...)
PROUST, À la recherche du temps perdu, t. V, p. 11.

6 (...) en l'écoutant *(il)* croyait voir l'envers de la vie. Les joies mondaines, la richesse, la gloire même, devenaient méprisables et insupportables. Elle remuait en lui tant de pensées, qu'il ne lui en voulait pas de déprécier les choses qu'il estimait le plus.
Valery LARBAUD, Fermina Marquez, XII, p. 130.

▶ **SE DÉPRÉCIER** v. pron. (1864, Littré).

♦ **1.** Perdre de sa valeur. *Cet article se déprécie en ce moment.* ⇒ **Baisser, diminuer.** — Spécialt. (Opposé à *s'apprécier*). *Monnaie qui se déprécie,* dont le pouvoir d'achat baisse. (⇒ **Dépréciation ; dévaloriser**).

7 (...) dire que dans un pays le papier-monnaie s'est déprécié par rapport : aux *marchandises* en général, au *métal-or*, aux *monnaies étrangères*, c'est simplement affirmer que dans ce pays : 1° le niveau général des prix s'est élevé ; 2° le métal-or fait prime ; 3° le papier-monnaie subit une perte au change avec les bonnes monnaies étrangères.
REBOUD et GUITTON, Précis d'économie politique, t. I, p. 664.

Figuré. *« Mes punitions à force d'être prodiguées, se déprécièrent »* (Alphonse Daudet).

♦ **2.** Émettre sur soi-même (réfl.) ou émettre réciproquement (récipr.) des jugements défavorables. *Il a la manie de se déprécier. Ils se déprécient réciproquement.*

7.1 «Je suis son Félix, ma parole !» pensa Martial, vexé que l'on eût admis si promptement, et sans protestation, l'aveu de son inaptitude. Il se dit qu'avec des gens comme Hubert, il ne fallait jamais se déprécier, ni feindre de se déprécier ; ils vous croient sur parole.
Jean-Louis CURTIS, le Roseau pensant, p. 44.

CONTR. **Augmenter, relever, revaloriser, valoriser ; apprécier.** — **Admirer, approuver, célébrer, estimer, exalter, louer, magnifier, prôner, rehausser, surestimer, vanter.**
DÉR. **Dépréciateur, dépréciatif, dépréciation.**

DÉPRÉDATEUR, TRICE [depʀedatœʀ, tʀis] adj. et n. — xve (xive, selon Hatzfeld) ; bas lat. *prædator*, du supin de *prædari*. → Déprédation.

♦ Personne qui commet des déprédations. *Déprédateurs des deniers publics.*

1 Je sais bien qu'il y a de fameux déprédateurs qui redoutent la vertu éclairée ; je sais que des fripons murmurent contre le bonheur public (...)
VOLTAIRE, Lettre à M. Devaines, 4269, 11 janv. 1776.

Adj. *Ministre déprédateur.*

2 L'histoire, ainsi que les nations déprédatrices et conquérantes, semble avoir pris pour règle d'équité le mot de Brennus : *Væ victis (malheur aux vaincus).*
MARMONTEL, Éléments de littérature, t. IV, I, II, in LITTRÉ.

Par ext. (Personne, animal). Qui cause des dégats. *Insecte dépré-*

dateur (ne pas confondre avec *prédateur**). — *Tourisme déprédateur.*

CONTR. **Bienfaiteur, conservateur, protecteur, rénovateur, restaurateur.** — **Honnête, intègre.**

DÉPRÉDATIF, IVE [depʀedatif, iv] adj. — 1270, rare av. xixe ; bas lat. **præpdativus* ou du thème du p. p. de *prædari* «piller, dépouiller» (cf. anc. franç. *dépréder*, xive) de *prædare* «piller», de *præda* «butin, proie». → Déprédateur, déprédation.

♦ Didact. Qui constitue une déprédation (3.).

Malgré le constant recours à l'exploitation déprédative de la nature sauvage, malgré l'appoint considérable des produits de l'élevage et des jardins, la productivité dérisoire du travail agricole explique la présence permanente de la disette.
Georges DUBY, Guerriers et Paysans, p. 39.

DÉPRÉDATION [depʀedasjɔ̃] n. f. — 1308 ; bas lat. *prædatio*, du supin de *prædari*, cf. l'anc. verbe *dépréder* (1361) ; de *de-*, et *præda* «proie».

♦ **1.** (1308). Vol ou pillage accompagné de dégât. *Déprédations commises par des émeutiers, des corsaires* (⇒ **Course**), *des armées d'invasion.* ⇒ **Dévastation, saccage.**

0.1 Ils s'y livrèrent donc à leur instinct de déprédation, saccageant, brûlant, faisant le mal pour le mal.
J. VERNE, l'Île mystérieuse, t. II, p. 717.

(1950). Dommage matériel causé aux biens d'autrui, aux biens publics. ⇒ **Dégradation, destruction, détérioration ; vandalisme.** *Les déprédations causées par les touristes, les émeutiers, les délinquants.*

1 *Déprédations* pour désigner l'incendie d'autobus ou le bris de bancs municipaux *(par des émeutiers)* a dû subir l'influence de *dégradations*, mot purement administratif qui signifie *détériorations*, et qui à l'origine était du vocabulaire des maçons.
A. THÉRIVE, Querelles de langage, t. III, p. 208.

1.1 La plaque bleue réglementaire, dont l'émail a sauté en larges éclats, comme si des gamins s'étaient acharnés à la prendre pour cible avec de gros cailloux ; seul le mot «Rue» est encore lisible, et, plus loin, les deux lettres «...na...» suivies d'un jambage interrompu par les franges concentriques du trou suivant. Le nom originel devait d'ailleurs être très court. Les déprédations sont assez anciennes, car le métal mis à nu est déjà profondément attaqué par la rouille.
A. ROBBE-GRILLET, Dans le labyrinthe, p. 52-53.

Par ext. Dégât commis par un animal.

♦ **2.** Exaction, acte malhonnête commis dans l'administration, la gestion de qqch. ⇒ **Détournement, dilapidation, gaspillage, malversation, prévarication.** *Déprédation des biens de l'État, d'un pupille.*

2 Les plus grandes déprédations dans les finances étaient son ouvrage *(à Mazarin).* Il s'était approprié en souverain plusieurs branches des revenus de l'État. Il avait traité en son nom et à son profit des munitions des armées.
VOLTAIRE, le Siècle de Louis XIV, XXV.

3 (...) *déprédations* suppose non seulement dégâts, mais pillage, enlèvement de butin : à preuve que le terme s'applique classiquement aux *malversations* de fonctionnaires, aux *prévarications* de ministres, etc.
A. THÉRIVE, Querelles de langage, t. III, p. 208.

♦ **3.** (xviiie). Didact. Exploitation de la nature sans souci de pourvoir au renouvellement de ce qu'on détruit (plantes ou animaux). ⇒ aussi **Pollution ; nuisance.**

4 La déprédation peut être imposée par le manque de civilisation ... Les vrais sauvages, en effet, ceux qui ignorent l'agriculture et l'élevage, ne peuvent vivre que de la chasse et de la pêche et de la cueillette des fruits (...) *La déprédation peut être imposée par la nature.* Elle est normale pour les peuples, quel que soit le degré de civilisation, qui habitent la forêt équatoriale où l'exploitation méthodique du sol suppose la disparition méthodique de cette forêt (...) C'est ainsi que, dans la forêt équatoriale de l'Amazonie, la déprédation est le fait même de la colonisation blanche qui «saigne» les plantes à caoutchouc sans aucune précaution et sans se soucier de conserver les espèces.
E. BARON, Géographie générale, XXVI, p. 381-382.

CONTR. **Amélioration, apport, conservation, enrichissement, protection, rénovation, restauration.**
DÉR. V. **Déprédateur.**

DÉPRENDRE (SE) [depʀɑ̃dʀ] v. — xive ; 1170, *desprix* «dénué, misérable» ; *soi desprendre*, 1403, «s'écarter» ; de 1. *dé-* et *prendre*.

♦ **1.** V. pron. Littér. (Abstrait). *Se déprendre* : se dégager (de ce qui retient ou immobilise). ⇒ **Dégager** (se), **détacher** (se), **dépêtrer** (se) vx en emploi concret. *Se déprendre d'une personne, d'une habitude, des liens d'un attachement. Fait de se déprendre de qqch.* ⇒ **Déprise.**

1 (...) cette concupiscence qui lie l'âme au corps par des liens si tendres et si violents, dont on a tant de peine à se déprendre (...)
BOSSUET, Traité de la concupiscence, 4.

2 (...) le couple de Tristan et d'Iseut, rivé dès l'abord d'un lien mystérieusement indissoluble, battu par tous les orages et y résistant, essayant vainement de se déprendre et finalement emporté dans un dernier et éternel embrassement (...)
Gaston PARIS, Préface, in J. BÉDIER, Tristan et Iseut.

3 (...) peut-être mieux que moi ma mère lui garda-t-elle un amour indulgent : car de ceux qu'elle avait élus, elle ne savait pas se déprendre.
R. ROLLAND, le Voyage intérieur, L'arbre, p. 135.

4 (...) j'eus un rêve étrange, qui commençait par la reviviscence d'un souvenir. Une

femme, ma seule vraie passion charnelle, dont j'avais mis quelques années à me déprendre et que je croyais oubliée.
Maurice CLAVEL, le Tiers des étoiles, p. 207.

Rare. (Sujet n. de chose : sentiment, etc. ; compl. n. de personne).

5 (...) sans que je me sente changé, cet amour de la montagne se déprend de moi comme un flot reculant sur le sable.
Claude LÉVI-STRAUSS, Tristes tropiques, p. 305.

♦ **2.** V. tr. a (Rare). Séparer (des éléments pris ensembles, un élément d'un autre). *Déprendre qqch. de qqch.* ⇒ **Détacher.**

b Régional (Canada). Concret. Défaire, dégager.

6 Mathieu a les mains toutes crevassées. Il faut souvent plonger le bras dans l'eau pour déprendre une chaîne enroulée dans l'herbe ou sur un corps mort.
Jean-Yves SOUCY, Un dieu chasseur, p. 108.

CONTR. Attacher (s'). — **Éprendre** (s'), **prendre** (se).
DÉR. Déprise.

DÉPRESSEUR [depʀɛsœʀ] n. m. — 1491, *in* Godefroy, « qui abaisse » (fig.), *dépresseur des orgueilleux;* rare avant 1879, adj. ; du lat. *depressus* « abaissé », de *deprimere.* → Déprimer.

♦ **1.** Techn. Produit utilisé dans le traitement des minerais par flottation, pour accroître leur aptitude à flotter. — REM. On dit aussi *déprimant.*

♦ **2.** Psychol., pharm. Substance qui diminue une activité mentale ou psychique. ⇒ **Dépressif.** *Dépresseurs de la vigilance :* les hypnotiques. *Dépresseurs de l'humeur :* les tranquillisants. *Dépresseurs neurocirculatoires* (cit.).

Dans le groupe des *psycholeptiques,* rentrent toutes les substances qui dépriment l'activité mentale sans préjuger si cette chute du tonus psychologique est due à une diminution de la vigilance (...) ou à une sédation de la tension émotionnelle. Ce vaste groupe se subdivise en sous-groupes dont les deux principaux sont les dépresseurs de la vigilance et les dépresseurs de l'humeur.
Jean DELAY, Introd. à la médecine psychosomatique,
Notes et observations, p. 65.

Adj. *Médicament dépresseur, anti-dépresseur*.

♦ **3.** Anat., physiol. Muscle ou nerf dont la fonction est de déprimer. *Dépresseur vésical.* — Appos. (1879). *Nerf dépresseur.*

♦ **4.** Chir. Instrument servant à refouler ou à abaisser un organe au cours d'une intervention chirurgicale.

COMP. Antidépresseur, immuno-dépresseur.

DÉPRESSIF, IVE [depʀesif, iv] adj. — 1468, « qui anéantit » ; rare av. 1856, La Châtre : « qui affaiblit » ; du rad. de *dépression,* et *-if.*

♦ **1.** Vx. Qui enfonce, déprime.

♦ **2.** Fig. et didact. Qui abat. *Fièvre dépressive. Émotions dépressives ou asthéniques*. Un climat dépressif.*

♦ **3.** Psychol. et cour. Relatif à la dépression. *États dépressifs cycliques.* ⇒ **Cyclothymie.** *Psychose maniaque* dépressive* (ou *maniaco-dépressive*). Psychotrope soignant les états dépressifs.* ⇒ **Antidépresseur.**
(Personnes). Qui est sujet à des « dépressions nerveuses ». *Il est un peu dépressif. Un maniaque dépressif.*
N. *Un dépressif, une dépressive.* ⇒ **Déprimé.**

(...) tous les dépressifs de la planète, minés par les épreuves morales et physiques de cette chienne de vie!
Catherine PAYSAN, l'Empire du taureau, p. 236.

♦ **4.** (Anglic.). Écon. Relatif à la dépression (4.) économique. *« Toute une série d'effets dépressifs en cascade tels que : exportation d'aliments et de médicaments de qualité et importation d'ersatz de mauvaise qualité »* (la Recherche, sept. 1983, p. 1047).

CONTR. Exaltant, remontant, stimulant.
COMP. Maniaco-dépressif.

DÉPRESSION [depʀɛsjɔ̃] n. f. — 1314 ; lat. *depressio* « enfoncement », de *depressus,* p. p. de *deprimere* « presser de haut en bas ». → Déprimer.

♦ **1.** (1314). Abaissement, enfoncement (produit par une pression de haut en bas ou par une autre cause). ⇒ **Affaissement.** *Dépression d'un plancher.* — Par ext. Enfoncement, concavité. ⇒ **Creux.** Anat. *Dépression du crâne, d'un os, d'un organe.*
Géogr. Partie effondrée de la surface du globe, située au-dessous du niveau de la mer et généralement occupée par elle. ⇒ **Bassin, cañon** (océanographie), **cuvette, fosse.** *Dépression sèche, fermée. Sédimentation d'une dépression océanique* (⇒ **Géosynclinal**).

1 Ces dépressions ont toujours été de profondeur inégale, ce qui a permis (...) de distinguer une *zone néritique* ou ensemble des eaux marines qui reposent sur des fonds de moins de 3 000 mètres, une *zone pélagique* qui va de 3 000 à 5 000 mètres de profondeur, et une *zone abyssale,* qui comprend les grandes fosses marines, dépassant 5 000 mètres de fond.
É. BARON, Géographie générale, IX, p. 136.

1.1 En effet, dit Cyrus Smith, c'est un véritable abîme que ce golfe; mais, en tenant compte de l'origine plutonienne de l'île, il n'est pas étonnant que le fond de la mer offre de pareilles dépressions.
J. VERNE, l'Île mystérieuse, t. II, p. 584.

Dépressions de terrain : parties creuses d'un sol inégal. ⇒ **Creux.**

Dépression creusée par un cours d'eau. ⇒ **Vallée.** *Plis et dépressions d'un vallonnement.*

♦ **2.** a Météor. (1877, *Année sc. et industr.,* p. 63). *Dépression (barométrique) :* abaissement de la colonne de mercure dans le baromètre, par suite d'une diminution de la pression atmosphérique. *Dépression atmosphérique. Dépression mobile, dépression cyclonale.* ⇒ **Cyclone.** *Dépression fixe. Ligne des dépressions équatoriales. Dépressions des hautes latitudes.* Absolt. *Une dépression centrée sur le nord des îles Britanniques.* ⇒ **Dépressionnaire** (zone) ; → Redoux, cit.

2 Le long des fronts et notamment du front polaire, les masses d'air tiède et humide qui tourbillonnent en s'élevant au centre des *aires cyclonales,* sont moins pesantes que l'air ambiant et déterminent au-dessous d'elles une zone de faible pression : de là l'habitude que l'on a prise de donner aux aires cyclonales le nom de « dépressions ».
DEMANGEON et PERPILLOU, Géographie générale, XIX, p. 240.

b Mécan. Vide partiel dans un cylindre ou dans la tuyauterie d'un moteur. *Freins à dépression.*

♦ **3.** Méd. et cour. État mental pathologique caractérisé par de la lassitude, du découragement, de la faiblesse, de l'anxiété, de l'angoisse. ⇒ **Breakdown** (anglic.) ; **mélancolie, neurasthénie ; déprime** (fam.). *Affaiblissement qui accompagne l'état de dépression.* ⇒ **Abattement, adynamie, affaiblissement, alanguissement, anémie, apathie, asthénie, langueur, neurasthénie, tristesse.** — *Dépression endogène, réactionnelle. Formes extrêmes de dépression mentale.* ⇒ **Aliénation, coma, prostration, sidération, torpeur.**

2.1 (...) il était en proie presque chaque jour à des crises de dépression mentale, caractérisée non pas positivement par de la divagation, mais par la confession à haute voix, devant des tiers dont il oubliait la présence ou la sévérité, d'opinions qu'il avait l'habitude de cacher, sa germanophilie par exemple.
PROUST, le Temps retrouvé, Pl., t. III, p. 864.

Cour. *Dépression nerveuse* ou *dépression :* crise d'abattement. ⇒ **Déprime** (fam.). *Être sujet à des dépressions.* ⇒ **Dépressif.**

2.2 (...) il a ce ton inquiet et tendre, protecteur, qu'il prend quand elle a ses moments de dépression, ses crises de larmes (...)
N. SARRAUTE, le Planétarium, p. 81.

♦ **4.** (Mil. xxᵉ ; empr. angl.). Anglic. Crise* économique caractérisée par le fléchissement de la consommation, la chute des cours, la dépréciation* des marchandises, le ralentissement des affaires. ⇒ **Baisse, crise** (cit. 7). *La dépression des années 30.*

3 C'est le passage de l'état d'activité à l'état de dépression qui marque le moment de la crise (...)
Charles GIDE, Cours d'économie politique, t. I, p. 221.

4 Et la période de dépression commença (*en 1929*), marquée par les phénomènes ordinaires qui la caractérisent : la baisse des prix de gros, la diminution de la production, la réduction des profits, les faillites, le chômage.
REBOUD et GUITTON, Précis d'économie politique, t. II, p. 711.

CONTR. Élévation, éminence, soulèvement. — Anticyclone, maximum, pression (haute). — **Épanouissement, euphorie, exaltation, excitation, surexcitation.** — **Hausse, prospérité.**
DÉR. Dépressif, dépressionnaire. — V. **Déprimer.**

DÉPRESSIONNAIRE [depʀɛsjɔnɛʀ] adj. — 1941, Demangeon ; de *dépression,* et *-aire.*

♦ Météor. Qui est le siège d'une dépression atmosphérique. *Vaste zone dépressionnaire s'étendant de l'Islande à la Méditerranée orientale.* ⇒ **Cyclonal.**

CONTR. Anticyclonal.

DÉPRESSURISATION [depʀɛsyʀizasjɔ̃] n. f. — 1950 ; de *dépressuriser.*

♦ Aviat., astronaut. Chute (volontaire ou accidentelle) de la pression normale (d'un avion, d'un véhicule spatial).

CONTR. Pressurisation.

DÉPRESSURISER [depʀɛsyʀize] v. tr. — V. 1966 ; de 1. *dé-,* et *pressuriser.*

♦ Aviat., astronaut. Faire perdre la pression normale, obtenue par pressurisation, à (un avion, un véhicule spatial).

CONTR. Pressuriser.
DÉR. Dépressurisation.

DÉPRIMANT, ANTE [depʀimɑ̃, ɑ̃t] adj. et n. — 1787, *in* D.D.L. ; p. prés. de *déprimer.*

♦ **1.** Qui déprime (2.). *Climat déprimant.* ⇒ **Affaiblissant, débilitant.** *Atmosphère morne et déprimante.* ⇒ **Cafardeux** (2.). *Cette ville est plutôt déprimante. Paroles déprimantes.* ⇒ **Démoralisant.**

Il (un homme) est toujours à lui-même son plus grand ennemi, par ses faux jugements, par ses vaines craintes, par son désespoir, par les discours déprimants qu'il se tient à lui-même.
ALAIN, Propos sur le bonheur, p. 199.

♦ **2.** N. m. Techn. ⇒ **Dépresseur,** 1.

DÉPRIME [depʀim] n. f. — 1973 ; déverbal de *déprimer.*

♦ Fam. État de dépression* psychologique. ⇒ **Asthénie, mélanco-**

lie, neurasthénie. « *Si l'on se sent menacé par la " déprime"... » (le Nouvel Obs., 21 avr. 1973*).

1 C'était important de les persuader qu'on attendait leur coup de téléphone. C'est important quand on fait une déprime de sentir qu'il y a quelqu'un qui s'intéresse à vous au bout du fil et attend anxieusement de vos nouvelles. Ça vous donne de l'intérêt.   E. AJAR (R. GARY), l'Angoisse du roi Salomon, p. 77.

2 Aucun rapport avec la déprime insidieuse et somme toute civilisée des amours difficiles ; aucun rapport avec le transissement du sujet abandonné : je ne flippe pas, même dur. C'est net comme une catastrophe : « Je suis un type foutu ! ».
                                    R. BARTHES, Fragments d'un discours amoureux, p. 59.

DÉPRIMER [depʀime] v. tr. — V. 1380, « abattre, affaiblir » ; lat. *deprimere* « presser de haut en bas », de *de-*, et *premere* « presser ».

♦ **1.** (1314). Abaisser ou incurver (par une pression exercée de haut en bas ou par une cause quelconque). ⇒ **Affaisser, enfoncer**. *Le choc lui a déprimé le crâne.*

0.1 (...) avec l'autre main, placée sur l'abdomen, on déprimera avec douceur la paroi antérieure du bas-ventre, ce qui permettra d'apprécier la position exacte de l'utérus, ses dimensions, sa mobilité, sa résistance.
                                    Jean DALSACE, la Stérilité, p. 58.

Pron. Se creuser.

♦ **2.** (V. 1380). Fig. Affaiblir physiquement ou moralement. ⇒ **Décourager ; abattre**. *Ce climat déprime la santé. La fièvre le déprime.* ⇒ **Abattre, affaiblir**. *Déprimer le moral de qqn. Cette nouvelle inattendue l'a brutalement déprimé.* ⇒ **Assommer**. — Pron. *Il se déprime très facilement.* ⇒ **Décourager, démoraliser**.

1 La prison adoucit les esprits exaltés, déprime les plus énergiques.
                                    M. BARRÈS, Leurs figures, p. 168.

2 Les questions d'argent qui m'exaltaient naguère me dépriment aujourd'hui (...)
                                    GIDE, Journal, 18 oct. 1907.

♦ **3.** Vx. Déprécier (quelqu'un).

▶ **DÉPRIMÉ, ÉE** p. p. adj. et nom.

♦ **1.** Incurvé, enfoncé. *Sol déprimé. Front déprimé.*

♦ **2.** (1883). Affaibli. *Santé déprimée. Personne déprimée par la maladie.* — Abattu, découragé. ⇒ **Cafardeux, démoralisé ; mélancolique, triste.** *Moral déprimé. Être déprimé par les soucis.* Spécialt. Atteint de dépression (3.). *Soigner une personne déprimée par des anti-dépresseurs.*

♦ **3.** N. (1897). *Un, une déprimée.* Malade atteint de dépression* (3.). ⇒ **Dépressif**.

CONTR. **Enfler, exhausser, gonfler, soulever, tuméfier.** — **Consoler, élever, exalter, relever, remonter, revigorer, vivifier.**
DÉR. **Déprimant, déprime.** — V. **Dépressif, dépression.**

DÉPRISE [depʀiz] n. f. — 1967 ; de *se déprendre*, d'après *prise*.

♦ Didact. Action de se déprendre (figuré).

J'ai appelé dessaisissement ou déprise le mouvement (l' « aventure de la réflexion » dans le freudisme) auquel me contraint la systématique freudienne ; c'est la nécessité de ce dessaisissement qui justifie le naturalisme freudien.
                                    P. RICŒUR, Une interprétation philosophique de Freud, in la Nef, n° 31, p. 122.

DÉPRISER [depʀize] v. tr. — XIIe-XIIIe ; XIIe, *depreiser ; desprisier*, v. 1175 ; de 1. *dé-*, et *priser*.

♦ (1370). Littér. Apprécier (qqn ou qqch.) au-dessous de son prix, de sa valeur. ⇒ **Déprécier, mésestimer, sous-estimer.** *Dépriser l'œuvre de qqn, dépriser un auteur.* « *L'envie s'efforce de dépriser les belles actions. La grandeur d'âme méprise la vengeance* » (Littré).

1 Je ne prétends pas dépriser Corneille : mon commentaire n'est ni un panégyrique ni une censure (...)
                                    VOLTAIRE, Commentaires sur Corneille, Polyeucte, t. 48, p. 360.

1.1 Je ne dis pas que le « délice sans chemin » ne soit le principe et le but même de l'art des poètes. Je ne déprise pas le don éblouissant que fait notre vie à notre conscience, quand elle jette brusquement dans le brasier mille souvenirs d'un seul coup.   VALÉRY, Variété, p. 72.

2 (...) il (*Gœthe*) dit encore à Eckermann qu'il n'est pas de discours qui vaille un dessin, même tracé au hasard par la main. Ce poète déprise les mots.
                                    VALÉRY, Variété IV, p. 110.

CONTR. **Priser, surestimer.**

DE PROFUNDIS [depʀɔfɔ̃dis] n. m. — Fin XIIe - déb. XIIIe ; lat. ecclés. « des profondeurs ».

♦ Le sixième des sept psaumes de la Pénitence, qui commence par ces mots, et que l'on dit dans les prières pour les morts. *Chanter un De profundis, des De profundis.*

1 (...) se donner dans l'église la comédie de son propre enterrement, se mettre dans un cercueil, et chanter son *De profundis*, ce ne sont pas là des traits d'un cerveau bien organisé.   VOLTAIRE, Essai sur les mœurs, CXXVI.

2 Grands bois, vous m'effrayez comme des cathédrales ;
Vous hurlez comme l'orgue ; et dans nos cœurs maudits,
Chambres d'éternel deuil où vibrent de vieux râles,
Répondent les échos de vos *De profundis.*
                                    BAUDELAIRE, Spleen et Idéal, « Obsession ».

DÉPROGRAMMER [depʀɔgʀame] v. tr. — Mil. XXe ; de 1. *dé-*, et *programmer*, ou *programme* et suff. verbal.

♦ **1.** Supprimer d'un programme (ce qui était prévu). « *Les dirigeants de la télévision tiennent l'abstention pour la meilleure prudence : ils ont "déprogrammé" une émission sur le maréchal Pétain* » (le Nouvel Obs., 13 nov. 1975).

♦ **2.** Enlever (un élément) d'un programme informatique.

DÉPROLÉTARISATION [depʀɔletaʀizɑsjɔ̃] n. f. — XXe ; de *déprolétariser*.

♦ Action de déprolétariser.

DÉPROLÉTARISER [depʀɔletaʀize] v. tr. — XXe ; de 1. *dé-*, et *prolétariser*.

♦ Didact. Faire perdre les caractères du prolétariat à (un milieu, un groupe social). « *Il s'agit d'achever de déprolétariser Paris* » (le Nouvel Obs., 4 déc. 1972).

CONTR. **Prolétariser.**
DÉR. **Déprolétarisation.**

DÉPSYCHIATRISER [depsikjatʀize] v. tr. ⇒ **Psychiatriser.**

DÉPUCELAGE [depyslaʒ] n. m. — 1580, Montaigne ; de *dépuceler*.

♦ Fam. ou par plais. Action de dépuceler (qqn) ; perte du pucelage.

Par métaphore :

Ce roman parle de guerre. C'est l'impression d'un combat, le dépucelage quant à la guerre d'un jeune homme.
                                    VALÉRY, Correspondance (avec Gide), 1896, p. 259, in T. L. F.

DÉPUCELER [depysle] v. tr. — Conjug. *appeler*. — V. 1165 ; de 1. *dé-*, *pucelle*, et *-er*.

♦ Fam. ou par plais. Faire perdre son pucelage, sa virginité à (qqn). ⇒ **Déflorer.**

— Mais tu as gagné une fortune à la roulette ! (...) Et je l'ai dépensée avec une grande dame : une Hongroise avec trois titres, et qui a vraiment dépucelé un roi, jadis.   Alain BOSQUET, les Bonnes Intentions, p. 219.

Fig. et par plais. *Dépuceler une bouteille*, l'ouvrir.

DÉR. **Dépucelage.**

DÉPUCELEUR [depyslœʀ] n. m. — XVIe ; de *dépuceler*.

♦ Fam. ou par plais. Homme qui dépucelle (une, des filles). *Le dépuceleur d'une jeune fille, son dépuceleur.* — Loc. (vx, encore attesté au XIXe : Zola, l'Assommoir). *Dépuceleur de nourrices :* homme vantard et naïf (la nourrice est une mère qui allaite).

Loc. fig. (Vx). *Un dépuceleur de bouteilles :* un grand buveur.

DEPUIS [d(ə)pyi] prép. — V. 1135 ; de *de*, et *puis*.
À partir de.

★ **I.** Temporel. ♦ **1.** (V. 1135). À partir d'une date, d'un moment passé. *Depuis le 15 mars :* à partir du quinze mars jusqu'à aujourd'hui ou jusqu'au moment dont on parle. *Il est parti depuis midi*, à partir de midi (jusqu'au moment où l'on parle). *Depuis le matin jusqu'au soir.* ⇒ **De** (du matin au soir). *Depuis quand êtes-vous là ? Depuis mardi. Depuis le jour où je vous ai rencontré.* — Iron. *Depuis quand est-il permis d'entrer sans frapper ? — Depuis lors :* depuis ce moment-là (dans le passé). — REM. *Depuis* ne s'emploie que pour le passé. On réserve *à partir de, dès, dorénavant* pour le futur.

1 Et depuis quand, Seigneur, entre-t-on dans ces lieux,
Dont l'accès même interdit à nos yeux ?   RACINE, Bajazet, I, 1.

2 Au retour de l'expédition, vous recevrez tout l'arriéré des coups de bâton qui vous sont dus depuis 1789.   P.-L. COURIER, II, 274.

3 Depuis lors, quand il me parla, ce fut toujours du bout des lèvres, depuis un air méprisant.   Alphonse DAUDET, le Petit Chose, I, II, p. 26.

4 (...) *dès* continue à marquer le point de départ dans le futur ou le passé ; *depuis* ne se dit que du passé : *dès* qu'il a paru, *dès* qu'il paraîtra, non : *depuis* qu'il paraîtra (...)   BRUNOT, la Pensée et la Langue, III, XI, C, IV, p. 441.

Adv. *Nous l'avons vu dimanche, mais pas depuis.*

♦ **2.** Pendant la durée passée qui sépare du moment dont on parle. *Depuis vingt ans, depuis quelques jours. On vous cherche depuis dix minutes :* il y a dix minutes qu'on vous cherche. ⇒ **Avoir** (il y a). *Nous ne nous sommes pas vus depuis des siècles, depuis une éternité, depuis un temps infini...* ⇒ **Voilà**. *Depuis combien de temps êtes-vous là ? Depuis une semaine. Depuis longtemps, depuis toujours. Depuis peu.* ⇒ **Dernièrement, récemment.**

5 (...) depuis le temps que je suis en chemin (...)   MOLIÈRE, Amphitryon, I, 2.

6 Il est merveilleux (...) combien vous êtes blanchi depuis deux jours que je ne vous ai pas vu. LA BRUYÈRE, les Caractères de Théophraste, « De la flatterie ».

7 C'est une bonne et honnête fille, qui me sert depuis vingt ans avec l'attachement d'une fille à son père, plutôt que d'une domestique à son maître (...)
ROUSSEAU, Lettres, 426.

8 Ce nom de Swann d'ailleurs, que je connaissais depuis si longtemps (...)
PROUST, À la recherche du temps perdu, t. II, p. 262.

9 Il avait appris, depuis peu, à ne pas négliger ce surcroît d'aisance et de bonne humeur que confèrent une lingerie fine, un col ajusté, un vêtement de bonne coupe. MARTIN DU GARD, les Thibault, t. VI, p. 10.

Emphatique *Depuis le temps que... :* il y a si longtemps... *Vous avez changé depuis le temps que je ne vous ai vu! Depuis le temps que je me fatigue à vous répéter que...*

10 *Depuis* entre (...) dans une foule de locutions : *depuis peu, depuis toujours ... depuis le temps ...* **Depuis que** *j'ai appris ce malheur, je n'ai pas fermé l'œil ;* — **Depuis le temps que** *vous me promettez votre intervention!* (...)
BRUNOT, la Pensée et la Langue, III, XI, C, IV, p. 443.

10.1 — Alors vous êtes venu dans le bateau? dit Sara. Ludi était très content. Depuis le temps qu'il louchait dessus.
M. DURAS, les Petits Chevaux de Tarquinia, p. 82.

♦ **3.** Par ext. (de 1.). À partir d'une époque déterminée, à partir d'un événement passé. *Depuis le moyen âge, depuis la Révolution. Depuis sa maladie, sa mort...* — Ellipt. *Depuis Jésus-Christ.* ⇒ **Après.** *La conception de la peinture a beaucoup évolué depuis Delacroix, depuis Delacroix jusqu'à nos jours.*

11 Le gouvernement provisoire formé depuis l'abdication de Bonaparte (...)
CHATEAUBRIAND, Mémoires d'outre-tombe, t. IV, p. 43.

12 Les plus grands penseurs, depuis Aristote, se sont attaqués à ce petit problème... *(le rire)* H. BERGSON, le Rire, I.

13 (...) une épouvante à la fois atroce et solennelle qu'il ne connaissait plus depuis son enfance (...) MALRAUX, la Condition humaine, in Romans, Pl., p. 168.

♦ **4.** (Loc. conj.). **DEPUIS QUE...** (et indic.). *Nous sommes sans nouvelles depuis qu'il est parti* (moins cour. au passé). *Depuis qu'il a été nommé, on ne le voit plus.*

14 (...) votre fille n'est pas si difficile que cela, et elle s'est apprivoisée depuis qu'elle est chez moi. MOLIÈRE, George Dandin, I, 4.

15 (...) d'autres goûts avaient un peu attiédi l'affection paternelle depuis que je vivais loin de lui. ROUSSEAU, les Confessions, II.

♦ **5.** Adv. *Il est parti après la guerre et nous ne l'avons pas revu depuis.* ⇒ **Suite** (par la suite). *Depuis, nous sommes inquiets.*

16 (...) j'ai connu que notre nature n'était qu'un continuel changement, et je n'ai plus changé depuis ; et si je changeais, je confirmerais mon opinion.
PASCAL, Pensées, VI, 375.

17 J'appelai de l'exil, je tirai de l'armée,
Et ce même Sénèque, et ce même Burrhus,
Qui depuis ... Rome alors estimait leurs vertus. RACINE, Britannicus, IV, 2.

18 Son fils, jeune encore, ardent, impétueux,
Qui depuis ... mais alors il était vertueux (...) VOLTAIRE, la Henriade, VIII.

19 Ces dignes prêtres ont été mes premiers précepteurs spirituels (...) J'ai eu depuis des maîtres autrement brillants et sagaces; je n'en ai pas eu de plus vénérables (...) RENAN, Souvenirs d'enfance..., I, I, p. 29.

★ **II.** Spatial. ♦ **1. DEPUIS... JUSQU'À** : de cet endroit à tel autre. ⇒ **De.** *La route est praticable depuis Paris jusqu'à... Les Pyrénées s'étendent depuis l'Atlantique jusqu'à la Méditerranée.*

20 L'Ariane qui s'étendait depuis le golfe Persique jusqu'à l'Indus (...)
MONTESQUIEU, l'Esprit des lois, XXI, 8.

21 La pauvre et dure Bretagne, l'élément résistant de la France, étend ses champs de quartz et de schiste depuis les ardoisières de Châteaulin près Brest jusqu'aux ardoisières d'Angers. MICHELET, Extraits historiques, p. 81.

22 (...) la courbe de ce corps flexible replié sur soi-même, depuis le moelleux arrondi des épaules jusqu'à la pointe de genou qui fait saillie sous le châle de soie.
MARTIN DU GARD, les Thibault, t. III, p. 166.

Depuis le haut jusqu'en bas, ou *de haut en bas. On l'a mis dans un plâtre depuis les pieds jusqu'à la ceinture.*

23 Il faut juger des femmes depuis la chaussure jusqu'à la coiffure exclusivement, et à peu près comme on mesure le poisson entre queue et tête.
LA BRUYÈRE, les Caractères, III, 5.

24 Imaginez-vous une grande salle tapissée de fusils et de sabres depuis en haut jusqu'en bas (...) : carabines, rifles, tromblons, couteaux (...)
Alphonse DAUDET, Tartarin de Tarascon, I.

♦ **2.** (XXᵉ). **DEPUIS** (employé seul, marque la provenance avec une idée de continuité). ⇒ **De, dès.** (S'emploie en général après des verbes d'énonciation : *dire, crier...* ou de perception : *voir, entendre...*).

25 (...) j'étais d'abord gêné par les cartes postales de Suisse représentant « le mont Blanc *depuis Genève* »; j'ai presque cessé de l'être *depuis* que Barrès s'est permis couramment d'écrire : « *depuis la fenêtre* », ou « *depuis la chambre des Députés* »; et tant d'autre écrivains ensuite. GIDE, Attendu que..., III, p. 45.

26 Nous avons fait le tour de la prairie. La famille, depuis le perron, nous observait.
F. MAURIAC, le Nœud de vipères, V, p. 67.

26.1 Et que les compétitions soient à l'échelle internationale, cela confère au jeu une dignité qui rejaillit même sur ceux qui n'y participent que depuis les gradins d'un stade (...) F. MAURIAC, le Nouveau Bloc-notes 1958-1960, p. 177.

Abusivt (radio, télév.), souvent employé pour *de. Transmis depuis Marseille. Radiodiffusion de tel discours depuis tel poste* (Office de la langue franç.), *le Figaro,* 25 juin 1938).

26.2 Les renseignements qui nous en arrivent par courriers, ceux, notamment, que nous fournit, depuis Paris, notre service du « noyautage des administrations publiques » (...) Ch. DE GAULLE, Mémoires de guerre, 1956, p. 169.

★ **III.** (Attestation isolée v. 1360). Par anal. **DEPUIS... JUSQU'À...**

exprime une succession ininterrompue dans une série. *Depuis le premier jusqu'au dernier, depuis le début jusqu'à la fin. Depuis le plus riche jusqu'au plus pauvre. Il a écrit dans tous les genres, depuis la maxime jusqu'à l'épopée.*

27 (...) remontant depuis le dernier anneau de la chaîne des êtres jusqu'à l'homme (...) CHATEAUBRIAND, le Génie du christianisme, t. I, 1, 9.

28 (...) la forêt varie depuis le vert de l'émeraude jusqu'à la pourpre de la cornaline (...) Th. GAUTIER, Mlle de Maupin, VI, p. 114.

29 On voyait dans la salle d'armes, entre des étendards et des mufles de bêtes fauves, des armes de tous les temps et de toutes les nations, depuis les frondes des Amalécites et les javelots des Garamantes jusqu'aux braquemarts des Sarrasins et aux cottes de mailles des Normands.
FLAUBERT, Trois contes, « La légende de saint Julien l'Hospitalier », I.

30 On ajoute souvent, pour indiquer qu'il n'en manque point : *depuis ... jusqu'à :* **Depuis** *madame Rivals ...* **jusqu'à** *la vieille servante ...* **tout le monde ...** (A. DAUDET, Jack, 245). BRUNOT, la Pensée et la Langue, I, IV, X, p. 127.

Ellipt. Comm. *Costumes depuis 1 000 francs.* (→ À partir de). *Costumes depuis 2 000 jusqu'à 5 000 francs.*

CONTR. À, avant, jusqu'à; auparavant.

DÉPULPAGE [depylpaʒ] n. m. — Mil. XXᵉ; de *dépulper.*

♦ **1.** Action de dépulper (2.).

♦ **2.** Spécialt. *Dépulpage du café.*

DÉPULPER [depylpe] v. tr. — 1869 ; de 1. *dé-, pulpe,* et suff. verbal. Technique.

♦ **1.** Réduire en pulpe (des betteraves, etc.).

♦ **2.** (1948). Ôter la pulpe de (un fruit, etc.).

▶ **DÉPULPÉ, ÉE** p. p. adj.
Dont on a ôté la pulpe. — Spécialt. (En parlant de la pulpe dentaire). *« Une carie (...) externe : celle des dents mortes et dépulpées »* (P.-L. Rousseau, *les Dents,* p. 34).

DÉR. Dépulpage.

DÉPURATEUR [depyʀatœʀ] n. m. — 1793 ; de *dépurer.*

♦ Techn. Appareil servant à purifier (qqch.), à débarrasser des impuretés. *Un dépurateur d'air.*

Avant de s'introduire dans les cornues chauffées, l'air traversait un dépurateur, assez semblable à celui qui est employé dans les usines à gaz et qui consiste en un vase de fonte contenant de la chaux, destinée à absorber l'acide carbonique de l'air, dont la présence nuirait à la réaction.
L. FIGUIER, l'Année scientifique et industrielle 1869, p. 181 (1868).

DÉPURATIF, IVE [depyʀatif, iv] adj. et n. m. — 1792 ; de *dépurer.*

♦ **1.** Qui purifie l'organisme, en favorisant l'élimination des toxines, des déchets organiques. ⇒ **Diaphorétique, diurétique, purgatif, sudorifique.** *Le sirop antiscorbutique est dépuratif. Plantes dépuratives :* bourrache, cresson, douce-amère, fumeterre, marrube, salsepareille etc. — *Remède dépuratif.*

(...) la patronne, faisait bouillir tous les printemps, pour sa famille et celle de ses ouvriers, la tisane dépurative que l'on prenait en commun.
B. CENDRARS, l'Or, in Œ. compl., t. II, p. 139.

N. m. *Un dépuratif. La bourrache est un dépuratif. Prendre un dépuratif.*

♦ **2.** Fig. Qui rend plus pur. *Une lecture dépurative.*

DÉPURATION [depyʀasjɔ̃] n. f. — V. 1275, *depuracien;* de *dépurer.*

♦ Didact. Action de dépurer, son résultat.

DÉPURATOIRE [depyʀatwaʀ] adj. — 1731 ; de *dépurer.*

♦ Qui sert à dépurer. *Machine dépuratoire.* — Méd. Vieilli. *Remède dépuratoire.* ⇒ **Dépuratif.**

DÉPURER [depyʀe] v. tr. — 1226, « s'égoutter »; lat. *depurare* soit « purifier » (de *de-,* et *purare* « purifier » de *purus* « pur »), soit « nettoyer par suppuration » (de *de-,* et *-purare* dans *suppurare,* de *pus, puris* « pus ». → Suppurer).

♦ (XIIIᵉ). Didact. Rendre plus pur, débarrasser (qqch.) des impuretés. ⇒ **Épurer, purifier.** *Dépurer l'organisme, le sang.*

Par métaphore :

Cet amusement n'est donc, au fond, qu'un fortifiant préventif, qui dépure, d'ores et déjà, de toute prédisposition aux émotions trop douloureuses, les tempéraments si tendres de nos Benjamins !
VILLIERS DE L'ISLE-ADAM, Contes cruels, p. 166.

Dépurer un liquide. — Dépurer un métal.

DÉR. Dépurateur, dépuratif, dépuration, dépuratoire.

DÉPUTATION [depytɑsjɔ̃] n. f. — 1433 ; de *député**, d'après le bas lat. *deputatio* « délégation », de *deputare*.

♦ **1.** (Av. 1650). Envoi d'une ou de plusieurs personnes chargées d'un message, d'une mission. ⇒ **Ambassade, délégation, mission.**

1   Un des plus grands inconvénients des grands États, celui de tous qui y rend la liberté le plus difficile à conserver, est que la puissance législative ne peut s'y montrer elle-même, et ne peut agir que par députation. Cela a son mal et son bien, mais le mal l'emporte. Le législateur en corps est impossible à corrompre, mais facile à tromper.
ROUSSEAU, Considérations sur le gouvernement de Pologne, VII.

2   (...) une députation au roi, pour invoquer sa clémence en faveur de ceux qui avaient forcé les portes des prisons.
MIRABEAU, Collection, t. I, p. 282, in LITTRÉ.

(1433). Par métonymie. Les personnes envoyées en députation. *Une députation de six personnes. La députation a été, n'a pas été reçue par le président. Députation solennelle envoyée par une ville grecque de l'Antiquité.* ⇒ **Théorie.**

♦ **2.** (1789). Fonction de député* (spécialt en parlant du mandat parlementaire et représentatif). ⇒ **Mandat.** *Se présenter à la députation. Candidat à la députation. Aspirer à la députation.*

♦ **3.** Rare. Lieu où sont installés les membres d'une députation.

DÉPUTÉ [depyte] n. m. — XIVᵉ, *depputé ;* du bas lat. *deputatus* « représentant de l'autorité » ; sens mod. en 1789.

REM. Le mot reste en général masculin, même en parlant d'une femme ; la tendance à employer le féminin semble toutefois se renforcer. La forme *députée* (qui a servi à désigner, au XIXᵉ s., la femme d'un député) fait l'objet, au Québec, d'une recommandation officielle. On trouve en attribut : *elle est député,* ou en apposition : *Mᵐᵉ X, député de Paris,* et plus rarement *une député(e), une femme député ;* la logique commanderait *députée* (n. f.). La forme proposée ci-dessous (analogique des féminins de subst. en *-e : ministre, Suisse...* et de *doctoresse)* est aberrante :

0.1 (...) ni les places de contre-maîtresse ni le saupoudrage infime de ministresses au gouvernement, de députesses à l'Assemblée nationale, de mairesses dans les villes, n'apparaissent primordiaux.
Michèle PERREIN, Entre chienne et louve, p. 227.

♦ **1.** Personne qui est envoyée (par une nation, une assemblée, un souverain...) pour remplir une mission* particulière. ⇒ **Ambassadeur, délégué, envoyé, légat, mandataire, parlementaire, représentant.** *La mission d'un député.*

1   Le député vint donc, et fit cette harangue :
Romains, et vous, Sénat, assis pour m'écouter (...)   LA FONTAINE, Fables, XI, 7.

2   Puisque les actionnaires se sont réservé en commun le capital hypothéqué de leurs actions et qu'ils ont une caisse particulière et des députés pour veiller à leurs intérêts (...)   G. T. RAYNAL, Hist. philosophique, IV, 27, in LITTRÉ.

♦ **2.** Celui, celle qui est nommé(e) généralement par élection, pour faire partie d'une assemblée délibérante. ⇒ **Représentant.** *Les députés du clergé, de la noblesse et du tiers état aux États généraux.*

3   À la fin de la Législative déjà, les deux tiers des députés n'osaient plus venir siéger. La Convention, elle, comptait théoriquement 749 membres pourvus de 298 suppléants. Sur ces 749, il ne s'en présenta, le 20 septembre, que 371 dont 253 seulement répondirent à l'appel nominal pour l'élection du Président.
Pierre GAXOTTE, Hist. des Français, t. II, XXIII, p. 280.

(1789). En France. Personne élue pour faire partie de l'Assemblée nationale, chambre législative de la nation. ⇒ **Élu, mandataire, parlementaire, représentant** (du peuple). *L'élection d'un député. La Chambre des députés* ou *Assemblée nationale.* ⇒ **Assemblée, chambre.** *Réunion des députés et des sénateurs.* ⇒ **Congrès, parlement.** *Chaque député a un mandat* parlementaire ou représentatif. Le député représente l'ensemble de la nation et non sa circonscription* (cit.). *Les députés siègent à la Chambre, au Palais-Bourbon* (→ Clameur, cit. 2). *L'irresponsabilité*, l'inviolabilité des députés.* ⇒ **Immunité** (parlementaire). *L'indemnité des députés. Suppléant d'un député. Elle est député* (ou, moins cour., *députée) communiste. Député-maire :* député qui est aussi maire. *Député au Conseil de la République.* ⇒ **Sénateur ; conseiller** (de la République).

4   Nos députés n'ont encore fait que détruire. Ils cèdent aujourd'hui à la tentation de placer une déclaration des droits de l'homme à la tête de la constitution (...)
RIVAROL, Politique, I, in Œ., II, p. 137.

5   Exercent seuls le mandat représentatif au sens d'un « pouvoir de vouloir » pour le peuple, les membres de l'Assemblée nationale par qui celui-ci « exerce sa souveraineté » ; mais, en intégrant le Conseil de la République dans le Parlement, la Constitution a fait d'eux *(les conseillers de la République)* des parlementaires avec toutes les conséquences qui, pour les députés, découlent du mandat représentatif.
Marcel PRÉLOT, Précis de droit constitutionnel, n° 308.

REM. Le fém. est attesté dans ce sens dès la fin du XIXᵉ s., mais il ne réfère pas alors à une réalité juridique : les femmes ne sont en France à cette époque ni électrices ni éligibles. Dans la cit. suivante, extraite d'un roman d'anticipation particulièrement misogyne, le mot est

employé avec une intention ironique et polémique (l'auteur tient pour risible l'idée d'une femme députée).

6   Mᵐᵉ de C., députée de Saône-et-Loire, dans une sévère toilette de femme d'État (...)
A. ROBIDA, le Vingtième Siècle, p. 24 (v. 1890).

CONTR. Commettant, mandant ; électeur.

DÉPUTER [depyte] v. tr. — V. 1265, in D. D. L. ; lat. *deputare* « tailler », par ext. « assigner, estimer » ; sens mod. dû à *député.*

♦ **1.** (1328). Vx ou rare. Envoyer (qqn) en mission officielle comme député. ⇒ **Déléguer, envoyer, mandater.** *Députer un ambassadeur. Députer qqn auprès du roi. Députer qqn dans un département. Députer qqn pour obtenir quelque chose.*

1   C'est moi qu'Amphitryon députe vers Alcmène.   MOLIÈRE, Amphitryon, I, 2.

♦ **2.** (1748). Mod. et rare (on emploie *élire).* Envoyer, élire (qqn) à une assemblée délibérante. *Députer des représentants à une assemblée. « Le Tiers députait des nobles... »* (Sieyès, in T. L. F.).

2   L'Assemblée nationale n'avait pas été députée pour faire une révolution, mais pour nous donner une constitution.   RIVAROL, Politique, I, in Œ., II, p. 137.

DÉR. Députation.

DÉQUALIFICATION [dekalifikɑsjɔ̃] n. f. — XXᵉ (attesté 1965 ; in Gilbert, 1971) ; de 1. *dé-,* et *qualification.*

♦ Techn. admin. Baisse ou perte de la qualification professionnelle (de qqn). *« Pierre Joxe avait souligné la déqualification que le déluge d'amendements entraîne pour les hauts fonctionnaires de l'Assemblée actuellement réduits à des travaux de manutention »* (Libération, 27 janv. 1984). *« Les nouvelles technologies pourraient beaucoup. Mais, insérées dans les rapports sociaux actuels, elles contribuent à approfondir la déqualification des femmes ou à les exclure du marché du travail »* (les Nouvelles, n° 2921, 8-14 mars 1984, p. 15).

DÉQUALIFIER [dekalifje] v. tr. — XXᵉ ; de 1. *dé-,* et *qualifier.*

♦ Techn. admin. Faire baisser la qualification de (un travailleur) ou la faire perdre. *« On tend à déqualifier les travailleurs »* (le Nouvel Obs., n° 681, 28 nov. 1977).

DER [dɛʀ] n. — 1920 ; adj., 1835, in Esnault ; abrév. de *dernier.*

♦ Loc. fam. ou pop. *Der des ders :* le dernier des derniers. — Spécialt. *La der des ders :* la guerre après laquelle il n'y en aura plus.

Le Grand Comptoir ne désemplissait pas. À sa clientèle de la nuit, succédait celle du petit jour (...) celle du jour véritable, authentique. On vidait sur un zinc le « der des ders » *(sic),* quitte à en absorber un autre un peu plus loin. Nous passions ainsi du « calva » au petit bordeaux, puis au jus « arrosé », puis au « crème » dans lequel nous plongions des croissants.   Francis CARCO, Nostalgie de Paris, p. 58.

Dix de der : les dix points supplémentaires que donne la dernière levée (belote). *Belote, rebelote et dix* (cit. 4.1) *de der !*

DÉRACINABLE [deʀasinabl] adj. — 1842 ; de *déraciner,* et *-able.*

♦ Qui peut être déraciné. — Fig. Qui peut être arraché de son pays d'origine, de son milieu naturel.

CONTR. Indéracinable.

DÉRACINEMENT [deʀasinmɑ̃] n. m. — Av. 1429 ; de *déraciner.*

♦ **1.** Action de déraciner* (1.) qqch. ; état de ce qui est déraciné. ⇒ **Arrachement.** *Le déracinement des arbres,* et, par ext., *d'un poteau.*

1   Dans les sapinières de la plaine, des déracinements laissaient des places vides ; le sol avait été converti en prairies.
CHATEAUBRIAND, Mémoires d'outre-tombe, t. VI, p. 17.

Fig. *Le déracinement des vices, des abus, des préjugés.* ⇒ **Extirpation.**

♦ **2.** Fig. ou métaphorique. Action de déraciner (2.) ; état des gens déracinés. *Le déracinement d'hommes qu'on a arrachés à leur pays d'origine.* ⇒ **Déportation, exil, expatriation.**

2   Ces déracinements profonds ne vont pas sans d'innombrables meurtrissures, et il y a toujours quelque fibre du passé qui souffre dans les cœurs même les mieux renouvelés.   JAURÈS, Hist. socialiste..., t. VI, p. 374.

CONTR. Enracinement.

DÉRACINER [deʀasine] v. tr. — V. 1245, *desraciner,* in D. D. L. ; par changement de préfixe, de 1. *dé-,* et *(en)raciner.*

♦ **1.** (V. 1200). Arracher (ce qui tient au sol par des racines). ⇒ **Arracher, enlever, extirper.** *Déraciner un arbre, avant de l'abattre. Déraciner une souche.* ⇒ **Essoucher** (→ Creuser, cit. 11).

1   Et *(le vent)* fait si bien qu'il la déracine (...)   LA FONTAINE (→ Arbre, cit. 7).

2   L'hypocrisie, dit ingénieusement saint Augustin, est cette ivraie de l'Évangile que l'on ne peut arracher sans déraciner en même temps le bon grain.
BOURDALOUE, Sermons, VIIᵉ dimanche après la Pentecôte.

3   C'était une grande coupure que la rivière avait faite dans les terres en déracinant deux ou trois vergnes qui étaient restés en travers de l'eau, les racines en l'air.
G. SAND, la Petite Fadette, VIII, p. 53.

(1610, in D.D.L.). Par anal. *Déraciner une dent.* ⇒ **Extraire.** *Déraciner un cor.* ⇒ **Extirper.** — *Déraciner un poteau fiché en terre.* ⇒ **Retirer, sortir, tirer.**

4   (...) aux premiers temps elles *(les pierres tombales, en Turquie)* se tiennent debout, bien droites, mais les siècles, les tremblements de terre, les pluies viennent les déraciner (...)   LOTI, les Désenchantées, II, v, p. 68.

Fig. ou par métaphore. *Déraciner un vice, un abus, une erreur... Déraciner de son cœur les passions, les convoitises, les cupidités* (cit. 4). ⇒ **Arracher, détruire.**

5   Pour produire un repentir sincère, il faut déraciner les inclinations avec violence, s'indigner implacablement contre les faiblesses, s'arracher de vive force à soi-même.   BOSSUET, 2e sermon, Divin. de la relig., 3.

6   Aimer comme j'aimais d'un amour monstrueux, inavouable, et que pourtant l'on ne peut déraciner de son cœur (...)   Th. GAUTIER, Mlle de Maupin, VI, p. 127.

♦ **2.** (V. 1865). Fig. *Déraciner quelqu'un,* l'arracher de son pays d'origine, de son milieu habituel. ⇒ **Déporter, exiler, expatrier.** (Plus cour. au p. p., → ci-dessous, 2.).

▶ **DÉRACINÉ, ÉE** p. p. adj.

♦ **1.** *Arbre déraciné.* — Fig. *Amour, passion, vices déracinés.*

7   Je sais que ton cœur, qui regorge
De vieux amours déracinés (...)
BAUDELAIRE, les Fleurs du mal, « Madrigal triste ».

♦ **2.** Arraché de son pays, de son milieu. *Personne déracinée.* — N. Personne qui a été arrachée de son pays, de son milieu d'origine. *Les Déracinés,* roman de Maurice Barrès.

7.1   (...) avant que le contact avec les blancs et les épidémies subséquentes n'aient *(la tribu indienne)* réduite à une poignée de misérables déracinés.
Claude LÉVI-STRAUSS, Tristes tropiques, p. 27.

(Choses) :

8   Même avant la guerre ils *(les Américains)* aimaient notre pays, notre art, ils payaient fort cher nos chefs-d'œuvre. Beaucoup sont chez eux maintenant. Mais précisément cet art déraciné comme dirait M. Barrès, est tout le contraire de ce qui faisait l'agrément délicieux de la France. Le château expliquait l'église, qui elle-même, parce qu'elle avait été un lieu de pèlerinage, expliquait la chanson de geste.   PROUST, le Temps retrouvé, Pl., t. III, p. 795.

CONTR. Enfoncer, enfouir, enraciner, planter. — **Consolider.** — (Du p. p.) **Indéraciné.**
DÉR. et COMP. Déracinable, déracinement. — **Indéracinable.**

DÉRADE [deRad] n. f. — 1871 ; de dérader.

♦ Mar. Vx et rare. (En parlant d'un navire). Action de dérader, de quitter une rade.

Des écumes de fleurs ont bercé mes dérades (...)
RIMBAUD, Poésies, « Le bateau ivre ».

DÉRADER [deRade] v. intr. — 1529 ; de 1. dé-, et rade.

♦ Mar. Quitter une rade (en parlant d'un navire). — Spécialt. Quitter un mouillage dans une rade mal protégée du gros temps à l'approche d'un coup de vent, d'une tempête. *Les coups de pampero obligeaient fréquemment les cap-horniers mouillés devant Valparaiso à dérader.*

DÉR. Dérade.

DÉRAGER [deRaʒe] v. intr. — Conjug. rager (→ Bouger). — 1870 ; de 1. dé-, et rage.

♦ Littér. Sortir de sa colère (surtout au négatif). ⇒ **Décolérer.**

(...) l'artiste mal placé qui ne dérageait pas et le poursuivait depuis le matin, quitta une table du fond où il se trouvait, accourut de nouveau se plaindre (...)
ZOLA, l'Œuvre, p. 405.

CONTR. Enrager.

DÉRAIDIR [deRɛdiR] v. tr. — 1559, réfl. ; 1604, trans. ; de 1. dé-, et raidir.

♦ **1.** Littér. Faire cesser d'être raide. ⇒ **Assouplir.** *Déraidir ses membres engourdis par le froid.* ⇒ **Dégeler, dégourdir.**

1   Les objets ont perdu leurs angles et le sommeil a déraidi leurs poses. Ils se tassent paresseusement.   COCTEAU, la Difficulté d'être, note, p. 245.

♦ **2.** (1798). Fig. Adoucir, rendre plus malléable. *S'efforcer de déraidir un caractère.* ⇒ **Adoucir.**

▶ **SE DÉRAIDIR** v. pron.

Cesser d'être raide (au sens propre ou figuré).

2   Dans le vestibule, il se déraidit, allant jusqu'à m'aider à mettre ma veste (...)
Hervé BAZIN, Qui j'ose aimer, 13, p. 122.

3   Gêné, compassé dans la première partie de son rôle, il *(M. Guitry)* s'est déraidi

---

subitement au quatrième acte et a joué toute la scène du bal avec un superbe emportement de colère amoureuse.
Alphonse DAUDET, Pages inédites de critique dramatique, 1897, p. 134, in T.L.F.

CONTR. Raidir ; durcir, engourdir, geler.

DÉRAILLEMENT [deRajmã] n. m. — 1839 ; de dérailler, et 2. -ment.

♦ **1.** (1839). Fait de dérailler ; accident de chemin de fer causé par la sortie de voitures, wagons, locomotives... hors des rails de la voie. *Le déraillement a causé cinq morts, a fait quarante blessés.*

Les quatre roues en lamelles noires se trouvaient préservées de tout déraillement par une bordure intérieure qui dépassait un peu leur jante solidement maintenue sur la voie.   Raymond ROUSSEL, Impressions d'Afrique, p. 32.

♦ **2.** (1863). Fig. Action ou fait de dérailler* (2.), de sortir du bon sens. « *Le déraillement presque immédiat des pensées et des sensations. Je déraille. Mes images déraillent.* » (H.-F. Rey).

♦ **3.** Mus. Fait de s'écarter de la ligne mélodique.

DÉRAILLER [deRaje] v. intr. — 1842 ; derayer, 1838 ; 1856, sens fig., La Châtre ; de 1. dé-, rail, et suff. verbal -er.

♦ **1.** Sortir des rails (en parlant d'un wagon, d'un train). *Faire dérailler un train. Les wagons ont déraillé et se sont renversés sur le ballast.*

Par anal. Faire passer la chaîne d'une bicyclette sur un autre pignon, à l'aide du dérailleur*.

♦ **2.** (1858). Fig. et fam. Aller de travers. ⇒ **Dévier.** *Geste qui déraille.*

1   Il avait essayé de boire. Son geste déraillait, cherchait la carafe ailleurs que sur la chaise (...)   COCTEAU, les Enfants terribles, p. 215.

Voix qui déraille. Instrument de musique qui déraille, qui s'écarte de la ligne mélodique.

2   Tous les danseurs s'arrêtent un instant, saluent d'une clameur généreuse le nom de Hoover ou celui de Smith, et se reprennent à gambiller pendant que le jazz déraille, rote, foire, insulte joyeusement à la musique.
G. DUHAMEL, Scènes de la vie future, IX, p. 148.

Fam. S'écarter du bon sens. ⇒ **Déraisonner, divaguer.**

3   N'appelle pas le médecin, je ne déraille pas. Je dis ce que je pense, c'est tout.
S. DE BEAUVOIR, les Belles Images, p. 255.

(1890, Bourget). S'écarter de la norme, de la vie normale.

DÉR. Déraillement, dérailleur.

DÉRAILLEUR [deRajœR] n. m. — 1911, in Petiot ; de dérailler.

♦ **1.** Techn. Dispositif permettant de faire passer la chaîne d'une bicyclette sur un autre pignon, en faisant sortir (« dérailler ») la chaîne du premier pignon (changement de vitesse). *Le levier d'un dérailleur. Dérailleur à trois, quatre vitesses* (→ Bicyclette, cit. 0.2). *Le dérailleur permet de changer de braquet* (cit. 1).

1   Lucien attaque en danseuse le grand virage sous la gare, ce qui lui rappelle ses douze ans, quand il avait exigé un modèle de course, avec dérailleur et porte-bidons parce que Vietto et Antonin Magne étaient ses grands hommes.
François NOURISSIER, Allemande, p. 75.

Ch. de fer. Dispositif permettant de faire passer un wagon d'une voie à l'autre.

♦ **2.** Rare. Celui qui fait dérailler (un train). ⇒ **Saboteur.** — REM. Dans ce sens, le fém. *dérailleuse* est virtuel.

2   (...) le procès de Martuska, le dérailleur de trains qu'on jugeait à Budapest et qui rejetait la responsabilité de ses crimes sur la hypnotisation.
S. DE BEAUVOIR, la Force de l'âge, p. 221.

DÉRAISON [deRezõ] n. f. — V. 1175 ; de 1. dé-, et raison.

♦ (V. 1177). Vx ou littér. Manque de raison dans les paroles ou la conduite. ⇒ **Démence, folie, inconséquence.** *C'est le comble de la déraison.*

1   Qu'est-ce que le péché, sinon une erreur et une déraison ?
FÉNELON, III, p. 317, in LITTRÉ.

2   C'est donc qu'elle est trop jeune ? S'attacher à une jeunesse est déraison pour vous.
G. SAND, la Mare au diable, XVI, p. 132.

3   Ce qu'ils attendaient de la métropole était souvent déraisonnable, mais lorsque je parcourus les quartiers pauvres de la ville — elle n'en a pas beaucoup d'autres — je constatai qu'ils avaient quelque droit à la déraison.
MALRAUX, Antimémoires, Folio, p. 163.

4   (...) ma folie, simple déraison, est plate, voire invisible ; au reste, totalement récupérée par la culture ; elle ne fait pas peur.
R. BARTHES, Fragments d'un discours amoureux, p. 142.

CONTR. Raison, sagesse, sens (bon sens).

DÉRAISONNABLE [deRezonabl] adj. — V. 1371, desraisonnable ; desrenable, XIIIe ; de 1. dé-, et raisonnable.

♦ Cour. Qui n'est pas raisonnable. ⇒ **Absurde, bête, exagéré, excessif, extravagant, fou, inconvenant, insensé, irraisonnable, irrationnel.**

Conduite déraisonnable. ⇒ **Léger, mauvais.** *Idées, arguments déraisonnables.* ⇒ **Cornu.** *Décision déraisonnable.* ⇒ **Arbitraire, illégitime, injuste, irréfléchi.** *Propos déraisonnables.* ⇒ **Insanité.** *Rêver à des choses déraisonnables et vaines. Visionnaire aux idées déraisonnables, extravagantes.* — *Il est, il n'est pas déraisonnable de penser...*

1 Les choses du monde les plus déraisonnables deviennent les plus raisonnables à cause du dérèglement des hommes.   PASCAL, Pensées, V, 320 bis.

2 Et demeurant incapable d'être touché des intérêts d'autrui, il est non seulement rebelle à Dieu, mais encore insociable, intraitable, injuste, déraisonnable envers les autres (...)   BOSSUET, Traité de la concupiscence, XI.

3 (...) les femmes inspirent l'amour, bien qu'il soit déraisonnable de les aimer.   FRANCE, Thaïs, p. 67.

(Personnes). *Il, elle est déraisonnable.* — Vx (avec un compl. → ci-dessus, cit. 2).

CONTR. **Raisonnable ; bon, convenable, intelligent, juste, légitime, logique, modéré, normal, pondéré, rationnel, réfléchi, sensé.**
DÉR. Déraisonnablement.

DÉRAISONNABLEMENT [deʀɛzɔnabləmɑ̃] adv. — 1353 ; *desraisonablement,* v. 1222 ; de *déraisonnable,* et 1. *-ment.*

◆ Littér. D'une manière déraisonnable. *Se conduire déraisonnablement.* ⇒ **Irraisonnablement.**

CONTR. **Raisonnablement.**

DÉRAISONNEMENT [deʀɛzɔnmɑ̃] n. m. — Av. 1755 ; de *déraisonner,* et suff. 2. *-ment.*

◆ **1.** Vx. Action de déraisonner.

◆ **2.** (1813, *in* D.D.L.). Rare. Faux raisonnement.

DÉRAISONNER [deʀɛzɔne] v. intr. — 1740, Académie ; déb. XIIIᵉ, «s'éloigner de la raison», pron. ; de *déraison.*

◆ (1740). Littér. Tenir des propos dépourvus de raison, de bon sens. ⇒ **Battre** (la breloque, la campagne), **délirer, déménager** (fam.), **dérailler, divaguer, extravaguer, perdre** (l'esprit, la raison, le bon sens...), **radoter** (→ argot Débloquer...). *Malade qui déraisonne* (→ Ne plus avoir sa tête*). *Vous déraisonnez !* ⇒ fam. **Déconner.**

Le souci de se montrer intelligent le fait (*R. de Gourmont*) déraisonner sans cesse.   GIDE, Journal, 8 déc. 1907.

CONTR. **Raisonner.**
DÉR. Déraisonnement.

DÉRALINGUAGE [deʀalɛ̃gaʒ] n. m. — 1832, Balzac ; de *déralinguer.*

◆ Mar. Action de déralinguer (un navire).

DÉRALINGUER [deʀalɛ̃ge] v. tr. — 1771 ; de 1. *dé-, ralingue,* et suff. verbal *-er.*

◆ Mar. Dépouiller (un navire) de ses ralingues.

Au p. p. : *Navire déralingué.* — (1853, Gautier). Fig. et vx ou régional. Fatigué, éreinté.

DÉR. Déralinguage.

1. DÉRAMER [deʀame] v. intr. — XXᵉ ; on disait *contre-ramer* ; de 1. *dé-, rame,* et suff. verbal *-er.*

◆ Régional. Manœuvrer les rames à contresens ; propulser un canot en poussant sur les rames au lieu de tirer.

(...) la barque pique droit (...) file vivement sur son erre (...) *(il)* dérame à la perfection, accoste comme sur le feutre.   Hervé BAZIN, Qui j'ose aimer, 3, p. 29.

2. DÉRAMER [deʀame] v. tr. — XXᵉ ; de 1. *dé-, rame* (de papier), et suff. verbal.

◆ Techn. Manipuler (des feuilles de papier en rames) de manière à diminuer leur adhérence, à les rendre séparables. — Au p. p. « *Bourrage* (dans un photocopieur) dû à des feuilles mal déramées ou humides » (*le Monde,* Publicité, 1ᵉʳ févr. 1977).

DÉRANGEMENT [deʀɑ̃ʒmɑ̃] n. m. — 1636 ; de *déranger,* et 2. *-ment.*
Action de déranger* ; état de ce qui est dérangé.

◆ **1.** (Correspond à *déranger,* 1.). Mise en désordre. ⇒ **Bouleversement, bousculade, chambardement** (fam.), **déplacement, désordre, désorganisation, interversion, perturbation, remue-ménage.** *Causer du dérangement dans les papiers, les affaires de qqn.*

1 On peut, sans exagération, affirmer que la moitié des cas où des navires ont coulé bas par gros temps peut être attribuée à un dérangement dans la cargaison ou dans le lest.   BAUDELAIRE, trad. POE, les Aventures d'Arthur Gordon Pym, VI, p. 565.

(...) le désordre *(du grand salon)* en est sérieux et le dérangement des meubles, bousculés par les promenades colères, n'est pas celui que font les causeries de tous les jours (...)   Ed. DE GONCOURT, Journal, 1883, p. 225, *in* T. L. F.   2

◆ **2.** (1835 ; correspond à *déranger,* 2.). Dérèglement (d'un mécanisme, d'une machine, d'une fonction). — Rare. *Le dérangement d'un mécanisme, d'une machine.* ⇒ **Dérèglement.**

Cour. EN DÉRANGEMENT. *Machine en dérangement. Ligne téléphonique en dérangement. La ligne est en dérangement.*

Vieilli. *Dérangement atmosphérique.* ⇒ **Changement** (de temps), **perturbation.**

(...) ce terme d'*inclémence* a son origine dans la colère du ciel qu'on suppose manifestée par l'intempérie, les dérangements, les rigueurs des saisons (...)   VOLTAIRE, Dict. philosophique, Dictionnaire.   3

(1718). En parlant de la santé, de l'équilibre physiologique. *Dérangement du corps, de l'intestin.* ⇒ **Diarrhée, malaise.**

(1716, *in* D.D.L.). Vieilli. (En parlant de l'équilibre mental).*Dérangement d'esprit.* ⇒ **Déséquilibre, désordre, folie, névrose, trouble.**

Une soldatesque en proie à une forme collective de dérangement cérébral.   Claude LÉVI-STRAUSS, Tristes tropiques, p. 15.   3.1

◆ **3.** (*Un, des dérangements*). Ce qui dérange (3.) qqn, introduit un changement dans ses occupations, ses habitudes. ⇒ **Changement, gêne, interruption, trouble.** *Le moindre dérangement lui est insupportable.*

À la ville, le temps était moins réglé. La journée avait des allants et venants et des dérangements imprévus.   4
    E. LITTRÉ, Comment j'ai fait mon «Dictionnaire de la Langue française», p. 27.

Nous sommes lundi. Je tâcherai de l'achever (*ce livre*) pour après-demain matin. Et si vous me laissiez votre adresse, je le ferais déposer chez vous, ce qui vous épargnerait un nouveau dérangement.   5
    J. ROMAINS, les Hommes de bonne volonté, t. II, II, p. 11.

(*Le dérangement*). ⇒ **Ennui, gêne.** *Causer du dérangement à qqn.* — Fig. *Causer du dérangement dans une assemblée, une réunion.* ⇒ **Désordre, trouble.**

(...) je me tais, et voudrais au moins que pour prix de tout le dérangement qu'il *(mon fils)* me fait, il fût content de la place où il est.   6
    Mᵐᵉ DE SÉVIGNÉ, 826, 3 juil. 1680.

◆ **4.** (1694). Vx. État de ce qui est dérangé (2.). Désordre dans les affaires, dans l'état d'une fortune. ⇒ **Perturbation.** — (En parlant de la toilette). *Le dérangement de ses vêtements.* — *Dérangement des traits du visage.* ⇒ **Altération, décomposition.**

Son dessèchement *(de Mᵐᵉ de Monaco)* a été jusqu'à outrager la nature par le dérangement de tous les traits de son visage.   6 1
    Mᵐᵉ DE SÉVIGNÉ, 693, 20 juin 1678.

◆ **5.** Vx (correspond à *déranger,* 4.). *Dérangement de la conduite.* ⇒ **Débauche, déportement, dérèglement, perversion.** — Absolt :

(...) les habits et les équipages commencent le dérangement, la coquetterie l'augmente, le jeu l'achève.   MONTESQUIEU, Lettres persanes, LVI.   7

CONTR. **Arrangement, classement, disposition, ordre, organisation, placement, rangement.** — **Ajustement, assemblage ; règlement.**

DÉRANGER [deʀɑ̃ʒe] v. tr. — Conjug. *ranger* (→ Bouger). — 1100, «sortir des rangs» ; de 1. *dé-,* et *ranger.*

◆ **1.** (1596). Déplacer (qqch., un ensemble de choses) de son emplacement assigné ; mettre en désordre (ce qui était rangé). ⇒ **Bouleverser, bousculer, chambarder** (fam.), **défaire, déplacer, désorganiser, intervertir, perturber.** *Déranger des papiers ; les livres d'une bibliothèque.* ⇒ **Déclasser.** *Tout déranger en fouillant, en farfouillant. Déranger les meubles d'un appartement,* et, par ext., *Déranger une chambre, un appartement.* ⇒ **Déménager.** *Déranger ce qui était classé, assorti, ordonné.* ⇒ **Désassembler, désassortir... *Ne dérangez pas mes affaires.*** ⇒ **Bouger, toucher** (à).

(Il) dérange les fauteuils, dépend lustre et tableaux, (...)   1
    COLLIN D'HARLEVILLE, Malice pour malice, I, 8.

(Le compl. désigne les éléments de la toilette). *Déranger sa coiffure.* ⇒ **Décoiffer, dépeigner.** *La bousculade a dérangé ses vêtements.* ⇒ **Défaire, désajuster.**

◆ **2.** Changer de manière à troubler le fonctionnement, l'action de (qqch.). *Déranger un mécanisme.* ⇒ **Dérégler, détraquer, troubler.** *Déranger un assemblage délicat.* ⇒ **Démolir, disloquer.**

(En parlant des intempéries). *Cet orage a dérangé le temps.* Au p. p. *Le temps est dérangé.* ⇒ **Brouiller, bouleverser, changer, détraquer, gâter, troubler.**

Cour. (En parlant de l'équilibre des facultés mentales). *Cet accident lui a dérangé le cerveau.* ⇒ **Aliéner, déséquilibrer, détraquer, troubler.** *La violence de sa passion lui a dérangé l'esprit.* ⇒ **Affoler.**

C'est bien dommage que son chagrin lui dérange quelquefois l'esprit.   2
    VOLTAIRE, la Princesse de Babylone, V.

(Compl. n. de personne). Troubler l'esprit de (quelqu'un).

La vieille dame que la mort violente de ses garçons avait quelque peu «dérangée», ne m'intéressait guère.   Francis CARCO, Ombres vivantes, p. 195.   2.1

(Le compl. désigne la santé, un élément de l'équilibre physiologique, un organe). *Ce repas lui a dérangé l'estomac. Les abus lui ont dérangé la santé.* ⇒ **Altérer, détraquer.**

◆ **3.** (Av. 1693). Obliger (qqn) à modifier son état, sa situation, ses activités normales. *Déranger quelqu'un,* l'obliger à quitter sa place, son siège. ⇒ **Déplacer.** *Ne la dérangez pas, je vous en prie.* ⇒ **Bouger.** — (1752). Fig., cour. Gêner (qqn) dans son travail, ses occupations. ⇒ **Distraire, embarrasser, ennuyer, gêner, importuner, troubler.** *Excusez-moi de vous déranger ; si je vous dérange.* ⇒ **Couper, interrompre.** *Ne les dérangez pas, je reviendrai tantôt. Vous pouvez fumer ; ça ne me dérange pas. Si cela ne vous dérange pas trop.* — *Ce contretemps a dérangé ses plans, ses habitudes.* ⇒ **Bouleverser, contrarier, contrecarrer, perturber** (→ Arranger, cit. 15). *La fumée de cigarette, la conversation des voisins me dérangent.*

3 Et notre arrivée semble déranger je ne sais quel conciliabule (...)
LOTI, Mme Chrysanthème, XLVI, p. 237.

4 Nous *(Léautaud et Gide)* convenons que «de notre temps» (...) jamais nous n'aurions eu le «culot» de déranger nos aînés pour leur faire lire de maladroits essais et solliciter d'eux des conseils (...) GIDE, Journal, 23 août 1928.

5 J'ai chassé ainsi des canards, le soir, dont je me moquais bien (...) Je les tirais en parlant d'autre chose : ça ne les dérangeait guère (...)
SAINT-EXUPÉRY, Pilote de guerre, XX, p. 159.

6 Cet appui dérangeait la longue habitude que j'ai prise de ne m'appuyer que sur moi-même. COCTEAU, la Difficulté d'être, p. 42.

♦ **4.** Vx. Détourner (qqn) de la bonne voie, du droit chemin ; faire cesser d'être «rangé». ⇒ **Débaucher, dévoyer, pervertir.** *De mauvais camarades l'ont dérangé.*

7 (...) et cette jeune fille qui vous dérange, qui fait que vous manquez à votre parole (...) il se trouve que c'est moi (...)
MARIVAUX, la Vie de Marianne, IV, p. 173.

▶ **SE DÉRANGER** v. pron.

♦ **1.** (En parlant d'un mécanisme). ⇒ **Détraquer** (se).

8 Le moindre atome qui viendrait à se déranger démonterait toute la nature (...)
FÉNELON, Traité de l'existence de Dieu, 18.

9 Il en est du bonheur comme des montres : les moins compliquées sont celles qui se dérangent le moins.
CHAMFORT, Maximes et Pensées, «Sur la philosophie et la morale», III.

♦ **2.** (Personnes). Quitter sa place. — Modifier ses occupations, son travail... *Daigner* (cit. 9) *se déranger. Ne vous dérangez pas pour moi.*

10 (...) je ne me suis pas dérangée pour de l'argent, et si j'ai pris la peine de venir vous soigner, ce n'est pas pour être mal reçue et mal remerciée de vous.
G. SAND, la Petite Fadette, XXXVII, p. 239.

11 De temps à autre, elle se dérangeait pour recevoir ceux qui entraient(...)
FLAUBERT, l'Éducation sentimentale, II, II.

♦ **3.** Vieilli. S'altérer (en parlant de la santé). — (Esprit, facultés). Se troubler, perdre son équilibre mental.

12 On prétend que son esprit *(de Charles-Quint)* se dérangea dans sa solitude de Saint-Just. VOLTAIRE, Essai sur les mœurs, CXXVI.

♦ **4.** (1704). Personnes. Vx. Se détourner de la bonne voie, cesser d'être «rangé». *Sa conduite s'est dérangée. Il s'est dérangé sous l'influence de mauvaises fréquentations.*

13 (...) un jeune gars qui peut se déranger, et, de bon sujet qu'on le croyait, devenir un mauvais garnement. G. SAND, la Mare au diable, XI, p. 93.

▶ **DÉRANGÉ, ÉE** p. p. adj.

♦ **1.** En désordre (concret). *Papiers dérangés.* ⇒ **Désordre** (en). *Chevelure dérangée.*

♦ **2.** Dont le fonctionnement est troublé. *Estomac dérangé.* ⇒ **Embarrassé, malade.** — Spécialt. *Il est dérangé :* il a la diarrhée. (Facultés mentales). *Cerveau dérangé. Il a l'esprit un peu dérangé.* ⇒ **Détraqué, déséquilibré, fou** (→ Avoir une araignée* dans le plafond, au plafond ; yoyoter de la touffe). — Fam. *Il est dérangé,* un peu fou.

♦ **3.** (Personnes). *Être dérangé de ses habitudes, dans ses habitudes.*

14 Entre les amis, les uns vont attendre le cercueil à l'église, en grommelant d'être désheurés et dérangés de leurs habitudes ; les autres poussent le dévouement jusqu'à suivre le convoi au cimetière ; la fosse comblée, tout souvenir est effacé.
CHATEAUBRIAND, Mémoires d'outre-tombe, t. II, p. 133.

♦ **4.** (1694). Vx. *Conduite dérangée.* ⇒ **Débauché, dévoyé.**

15 Jamais il ne fut une telle dissipation : on est quelquefois dérangé ; mais de s'abîmer et de s'enfoncer à perte de vue, c'est ce qui ne devrait point arriver.
Mme DE SÉVIGNÉ, 1260, 1er févr. 1690.

16 (...) comme (...) il devenait dérangé et n'aimait plus le travail (...)
G. SAND, François le Champi, IV, p. 49.

CONTR. Arranger, classer, disposer, ordonner, organiser, placer, ranger. — Ajuster, assembler, coiffer, peigner, régler. — Aller (aller bien), marcher. — Rangé.
DÉR. Dérangement, dérangeur.

DÉRANGEUR, EUSE [deRɑ̃ʒœR, øz] adj. et n. — 1861, Goncourt ; -de *déranger.*

♦ Rare. Personne qui dérange. ⇒ **Importun.** — (En parlant de choses). *«La pluie dérangeuse de rendez-vous»* (Montherlant, *in* T. L. F.).

DÉRAPAGE [deRapaʒ] n. m. — 1832, mar. ; de *déraper.*

★ **I.** ♦ **1.** (1832). Mar. Action de déraper.

♦ **2.** (1894, *in* Petiot). Cour. Fait de déraper ; son résultat. *Dérapage d'un véhicule sur une route mouillée* (→ Aquaplanage). *Faire un dérapage contrôlé. Dérapage suivi d'un tête-à-queue.*

♦ **3.** (1939, *in* Petiot). Ski. Glissement latéral volontaire du skieur. *Dérapage latéral,* le long de la plus grande pente. *Dérapage en biais. Dérapage arrondi* (l'arrière des skis glissant plus que les spatules). *Dérapage en feston.* ⇒ **Feston.** *Dérapage du christiania amont, du christiania arrêt.*

Le dérapage est, à la fois, un mouvement utile en lui-même et le préalable nécessaire à l'étude du christiania.
François GAZIER, les Sports de la montagne, p. 86.

♦ **4.** (1922). Aviat. Virage exécuté avec l'inclinaison suffisante pour que l'avion dérape vers l'extérieur (opposé à *glissement, glissade sur l'aile*).

★ **II.** (1926, en parlant d'un écart psychologique). Fig. Fait de déraper* (II.) ; changement imprévu et incontrôlé d'une situation. *Le dérapage des prix.*

DÉRAPER [deRape] v. intr. — 1687, t. de marine ; du provençal *derapa, derraba* «arracher, déraciner», de *rapar* «saisir».

★ **I.** ♦ **1.** Mar. (En parlant d'une ancre). Quitter prise sur le fond et laisser dériver le navire.

1 — L'ancre est à pic !... s'écria Pencroff.
— Oui, et elle dérape déjà. J. VERNE, l'Île mystérieuse, t. II, p. 636.

(1859). *Navire qui dérape :* navire qui chasse sur son ancre, lorsque celle-ci est arrachée du fond.

Régional (Canada). S'enfuir.

♦ **2.** (1886, *in* Petiot). Cour. Glisser latéralement sur le sol, en parlant des roues (d'une automobile, d'une bicyclette...). ⇒ **Chasser, glisser, patiner, riper.** *Déraper sur un sol glissant. Il a dérapé et fait un tête-à-queue. Ces pneus empêchent de déraper.* ⇒ **Antidérapant.**

Par extension :

2 Au violent piétinement de leurs sabots ferrés sur ces dalles de l'école a succédé, dehors, le bruit étouffé de leurs pas qui mâchent le sable de la cour et dérapent au virage de la petite grille ouverte sur la route.
ALAIN-FOURNIER, le Grand Meaulnes, p. 29.

♦ **3.** (1949, *in* Petiot). Ski. Pratiquer la technique du dérapage.

★ **II.** ♦ **1.** Par métaphore ou fig. Effectuer un mouvement imprévu, incontrôlé (dans le domaine intellectuel, psychique). *La conversation a dérapé.* — (Personnes). S'écarter brusquement de la norme, de l'habitude (*le Monde,* 1966, *in* P. Gilbert). *Il dérape complètement.* ⇒ **Dérailler.** — (Avec des compl.). *Déraper de... à..., vers...*

♦ **2.** (V. 1965). Fig. Échapper au contrôle des dirigeants, surtout en économie, s'écarter des prévisions, des normes établies. *L'économie dérape. Personne qui dérape.*

CONTR. Accrocher (s'), ancrer, tenir.
DÉR. Dérapage.
COMP. Antidérapant.

DÉRASEMENT [deRɑzmɑ̃] n. m. — 1870 ; de *déraser.*

♦ Action de déraser ; son résultat.

DÉRASER [deRɑze] v. tr. — 1870 ; *desraser* «raser», 1527 ; de 2. *dé-,* et *raser.*

♦ Techn. Abaisser le niveau, enlever le sommet de. *Déraser un mur.*

DÉR. Dérasement.

DÉRATÉ, ÉE [deRate] adj. et n. — XVIe ; p. p. de *dérater.*

♦ **1.** *Chien dératé,* privé de sa rate (pour qu'il coure, croyait-on, plus vite).

♦ **2.** (1735, *in* D. D. L.) Vx. Alerte, vif. — (1803). Rapide à la course.

♦ **3.** N. (1750, *in* D. D. L.). Mod. *Courir comme un, une dératé(e) :* courir très vite. — Avec un autre verbe que *courir :*

Je les regardais l'un et l'autre assis sur la même banquette, écrivant comme des dératés (...) Qui suis-je lorsque je m'en souviens ? Une sentinelle aux portes de la littérature. Violette LEDUC, Folie en tête, p. 45.

DÉRATER [deRate] v. tr. — 1535 ; de 1. *dé-, rate,* et *-er.*

♦ **1.** Rare. Enlever la rate* à (une personne, un animal). *Dérater un chien,* pour le rendre, croyait-on, plus rapide à la course. Fig. et par plais. Rendre plus rapide.

Une... deux... trois... quinze courses !... et celle de mademoiselle... seize !... et douze ce matin... vingt-huit... C'est à dérater un facteur !
E. LABICHE, les Petites Mains, II, 11.

♦ **2.** Pron. (réfl.) *Se dérater :* courir le plus vite possible. — REM. Céline emploie *se dérater* et *dérater,* v. intr. : «se décarcasser».

DÉRATIONALISATION [deʀasjɔnalizasjɔ̃] n. f. — 1929; de *dérationaliser.*

♦ Action de dérationaliser. *Essai sur la dérationalisation,* de R. Aron et A. Dandieu (1929).

DÉRATIONALISER [deʀasjɔnalize] v. tr. — 1926, H. Bremond; de 1. *dé-, rationnel,* et *-iser,* d'après *rationaliser.*

♦ Didact. Rendre moins ou non rationnel.

DÉR. Dérationalisation.

DÉRATISATION [deʀatizasjɔ̃] n. f. — 1906; de *dératiser.*

♦ Action de dératiser; son résultat. *La dératisation d'une ville.*

DÉRATISER [deʀatize] v. tr. — 1907; de 1. *dé-, rat,* et *-iser.*

♦ Débarrasser (un lieu) des rats qui l'infestent. *Dératiser un navire.*
Ainsi ma concierge m'apprit qu'on dératisait Paris. Si c'est une bonne chose, ce n'est pas un joli mot. Qu'en pense notre maître Abel Hermant? J'espère qu'il ne souffrira pas qu'on «dépanthérise» la jungle, ni qu'on «délionnise» l'Atlas. C'est laid, un mot mal bâti.   COLETTE, De ma fenêtre, 24 avr. 1941, p. 107.

DÉR. Dératisation.

DÉRAYER [deʀeje] v. intr. et tr. — Conjug. *payer.* — 1836, *in* D.D.L., probablt antérieur dans les langues régionales (→ Dérayure); de l'anc. franç. *rayer* «tracer un sillon, labourer» (→ 1. Enrayer), et préf. 2. *dé-* à sens intensif, ou indiquant la séparation. — REM. Préfixe 1. *dé-* dans *desrayé* «sans culture», 1253.
Agriculture.

♦ **1.** Tracer le dernier sillon de (un champ), le séparant du champ voisin.

♦ **2.** Quitter le sillon (au cours d'un labour); s'arrêter de labourer. «*Jean enraya (...) à la place où il avait dérayé la veille*» (Zola, *in* T.L.F.).

DÉR. V. Dérayure.

DÉRAYURE [deʀejyʀ] n. f. — 1680, *deraiüre*; de 2. *dé-,* et *raie* «sillon», ou d'une var. ancienne de *dérayer.* → 1. Enrayure.

♦ Agric. Sillon ou raie qui sépare deux champs labourés et qui sert aussi à l'écoulement des eaux superficielles. — Dernier sillon tracé au cours d'un labour.

DERBOUKA [dɛʀbuka] n. f. ⇒ **Darbouka.**

DERBY [dɛʀbi] n. m. — 1829; mot angl., du nom de lord *Derby* qui organisa cette course de chevaux en 1780.

♦ **1.** (1829). Grande course de chevaux qui a lieu chaque année à Epsom, en Angleterre. *Le derby d'Epsom.*
Hier, toute la société était occupée de son fameux Derby. C'est une course de chevaux (...) dont l'institution remonte à plus d'un siècle; le Parlement même prend vacances pour y assister : un député a réclamé et demandé de continuer les séances; les votants ont rejeté la proposition, et les députés, comme les autres, sont venus sur le terrain donner le triste spectacle de paris scandaleux.
    Ernest MICHEL, Le Tour du monde en deux cent quarante jours. Le Canada et les États-Unis, p. 1314 (1881).
(1836). *Derby français :* course de chevaux qui a lieu en France, à Chantilly. — (1891). Par anal. *Derby de la route :* course cycliste Bordeaux-Paris.

♦ **2.** (1899). Voiture hippomobile légère, à quatre roues, dont la caisse est à claire-voie.

♦ **3.** (1894, *in* Petiot). Chaussure dont les quartiers (I., B., 2.) sont lacés. *Des derbys.*

♦ **4.** (1914, en angl.). Football. *Derby local :* rencontre entre deux villes voisines.

DERCH, DERCHE [dɛʀʃ] ou **DERGE** [dɛʀʒ] n. m. — 1906, *in* Esnault; de *derr,* abrév. de *derrière,* parfois suffixe en *jo* (d'où *derjo, dergeot*).

♦ **1.** Argot. Derrière. ⇒ 2. **Derrière** (3.), **cul.**
1   Les trucs américains je les ai là. Et il se frappe le derche.
    R. QUENEAU, Zazie dans le métro, 1959, p. 40, éd. Folio.
2   (...) Ils veulent tout le pognon!... Puis ils veulent plus rien! Ils veulent tous partir! La berlue! Ils ont le feu au derge! Ils ont le feu au pèze!
    CÉLINE, Guignol's band, p. 80.
Anus. → Rondelle, cit. 3.

♦ **2.** (1910, *in* Esnault). Loc. fig. *Faux derche :* hypocrite, «faux cul».
3   Je n'en sais rien, me répond l'autre faux derche, visiblement agacé et indiscutablement mal à l'aise.   Martin ROLLAND, la Rouquine, p. 207.
REM. On connaît, au sens de «derrière», les variantes *dargeot* et *dar-*

gif : «*Le dargeot dans son fauteuil pivotant (...)*» (San-Antonio, *Au suivant de ces messieurs,* p. 54). «*(...) plantant le dard acéré d'une astuce grammaticale dans le dargif d'un analphabète professionnel*» (San-Antonio, *J'ai essayé : on peut!,* p. 16).

DÉRÉALISANT, ANTE [deʀealizɑ̃, ɑ̃t] adj. — Mil. xxᵉ; p. prés. de *déréaliser.*

♦ Didact. (psychol., psychiatrie, psychan.). Qui tend à rompre les rapports normaux avec le réel.
Et le vierge papier que la blancheur défend demeure la phrase clef de tout écrivain, de tout poète qui, comme Mallarmé, demeurant tout d'abord fasciné par l'appel du vide, du «blanc», du manque — de la castration — transpose dans la filiation mortuaire cette déréalisante fascination de la négativité pour *écrire.*   J. GILLIBERT, la Création littéraire, *in* la Nef, nº 31, p. 89.   1
Elle *(la consommation quotidienne)* est personnalisante (choix des objets, rangement, classement, liberté combinatoire) et déréalisante (se perdant au milieu des choses, glissant sur la pente de l'accumulation des objets, sans désir et même sans besoin). Henri LEFEBVRE, la Vie quotidienne dans le monde moderne, p. 266, 1968.   2

DÉRÉALISATION [deʀealizasjɔ̃] n. f. — 1910, cit. 1; de *déréaliser.*

♦ Psychiatrie. Impression d'irréalité produite sur un malade mental par le monde extérieur. *La déréalisation accompagne souvent la dépersonnalisation.*
Si je crains de vous offenser, et si je rêve de vous, je vous offense en rêve. La même idée se réalise, au lieu de provoquer (comme en veille) sa compression, sa déréalisation.   VALÉRY, Cahiers, Pl., t. II, p. 66 (Cahiers IV, 1910).   1
REM. On trouve dans un sens voisin la forme *déréalité,* n. f. ⇒ aussi **Déréel.**
DÉRÉALITÉ. Sentiment d'absence, retrait de réalité éprouvé par le sujet amoureux, face au monde.   R. BARTHES, Fragments d'un discours amoureux, p. 103.   2

DÉRÉALISER [deʀealize] v. tr. — 1587, attestation isolée; repris mil. xxᵉ (1957); de 1. *dé-, réel,* et suff. *-iser,* d'après *réaliser.*

♦ Didact. Faire perdre le caractère réel, les rapports normaux avec le réel.
Le jeu, en déréalisant notre vie, achevait de nous convaincre qu'elle ne nous contenait pas.   S. DE BEAUVOIR, la Force de l'âge, p. 24.   1
La double transposition (...) déréalisait radicalement le spectacle, supprimant le gênant décalage entre le monde imaginaire et celui-ci.   S. DE BEAUVOIR, Tout compte fait, p. 217.   2

DÉR. Déréalisant, déréalisation.

DERECHEF [dəʀəʃɛf] adv. — 1138, *de rechief;* comp. de *de, re-,* et *chef* au sens de «bout, fin».

♦ Vx ou littér. Une seconde fois; encore une fois. ⇒ **Nouveau** (de nouveau). → Arrondissement, cit. 6.
(...) notre étourdie
Aveuglément se va fourrer
Chez une autre belette aux oiseaux ennemie
La voilà derechef en danger de sa vie.   LA FONTAINE, Fables, II, 5.   1
Très abattu au lendemain même de Marengo, l'opposition de gauche, derechef, se reformait dans les Assemblées.
    Louis MADELIN, Hist. du Consulat et de l'Empire, le Consulat, III, p. 38.   2
Michel attira derechef mon attention sur les singularités du panneau (...)
    Émile HENRIOT, le Diable à l'hôtel, XX, p. 136.   3
Et derechef il marche dans la neige le long des rues désertes, au pied des hautes façades plates qui se succèdent, sans une variante, indéfiniment.
    A. ROBBE-GRILLET, Dans le labyrinthe, p. 22.   4

DÉRÉEL, ELLE [deʀeɛl] adj. — Av. 1939 (trad. de l'all. Bleuler, 1857-1939); de 1. *dé-,* et *réel.*

♦ Psychopath., didact. Qui est détaché du réel (pensée), n'est plus en accord avec lui. *Pensée déréelle* ou *déréistique* (all. *dereistisch*). ⇒ **Autistique; déréalisation, déréaliser.**
(...) perte du contact avec la réalité qui nous mène en pleine pathologie (...) Le délire, les hallucinations en sont les manifestations les plus fréquentes et les plus caractéristiques. La pensée est déréelle, c'est-à-dire qu'elle perd toute relation avec le monde tel que nous le connaissons.
Cependant, on trouve des exemples de pensée déréelle non pathologique (...) Le rêve (...) en relève. Le jeu s'y apparente.
    François CLOUTIER, la Santé mentale, p. 54.   1
Le monde n'est pas «irréel» (je pourrais alors le parler : il y a des arts de l'irréel, et des plus grands), mais déréel : le réel en a fui, nulle part, en sorte que je n'ai plus aucun sens (aucun paradigme) à ma disposition (...)
    R. BARTHES, Fragments d'un discours amoureux, p. 106.   2

DÉRÉGLAGE [deʀeglaʒ] n. m. — 1905, *in Rev. gén. des sc.,* nº 11, p. 493; de *dérégler.*

♦ (Appareil, machine...). Fait de dérégler, de se dérégler. — Fig. *Le déréglage de l'esprit, du raisonnement.*

DÉRÈGLEMENT [deʀɛɡləmɑ̃] n. m. — Fin XIIIe, *in* D. D. L.; *desriglement*, 1458; *desreiglement*, 1538; de *dérégler*, et 2. *-ment.*
État de ce qui est déréglé.

♦ **1.** (1640). Désordre, dérangement du fonctionnement. ⇒ **Bouleversement, dérangement, détraquement.** *Le dérèglement d'une machine, d'un mécanisme, d'une horloge. — Le dérèglement du pouls, de l'estomac, de l'appétit.* ⇒ **Dérangement.**

1 (...) je suis chez notre abbé, qui a depuis deux jours un petit dérèglement qui lui donne de l'émotion. Je n'en suis pas encore en peine; mais j'aimerais mieux qu'il se portât tout à fait bien. Mme DE SÉVIGNÉ, 253, 1er mars 1672.
Le dérèglement du temps, des saisons. — Le dérèglement de l'esprit. ⇒ **Déséquilibre, névrose.** *Dérèglement de l'imagination.* ⇒ **Écart, égarement, emballement, emportement, excès, extravagance.** *Dérèglement du jugement*.* ⇒ **Aberration, manque** (de jugement).

2 Le plus grand dérèglement de l'esprit, c'est de croire les choses parce qu'on veut qu'elles soient, et non parce qu'on a vu qu'elles sont en effet.
BOSSUET, Traité de la connaissance de Dieu, I, n° XVI.

3 L'amour est un dérèglement d'esprit qui nous entraîne vers un objet, et nous y attache malgré nous : c'est une maladie qui nous vient comme la rage aux animaux.
A. R. LESAGE, Gil Blas, II, VII.

4 Je me défends bien, d'ordinaire, contre les dérèglements de l'imagination.
G. DUHAMEL, Cri des profondeurs, VI, p. 103.

Allusion littéraire :

4.1 Le poète se fait voyant par un long, immense et raisonné dérèglement de tous les sens. RIMBAUD, Lettre à Paul Demeny, 15 mai 1871.

♦ **2.** (XVIe). Vieilli. Le fait de s'écarter des règles de la morale, de l'équilibre et de la mesure (personnes, activités, contenus psychiques...). ⇒ **Abandon** (des mœurs), **débauche, désordre, dissolution, égarement, libertinage, licence, vice.** *Vivre dans le dérèglement. Le dérèglement des mœurs, de la conduite. Le dérèglement des passions.* (→ ci-dessous, cit. 6, 9).
Vieilli (*Un, des dérèglements*). Acte qui témoigne d'une vie déréglée. *Les dérèglements de la jeunesse.* ⇒ **Écart** (de conduite), **erreur** (de jeunesse). *Dérèglements du vice.* ⇒ **Perversion** (→ Apparent, cit. 5; → ci-dessous, cit. 5, 7, 8).

5 (...) corriger désormais par une austère conduite tous les dérèglements criminels où m'a porté le feu d'une aveugle jeunesse. MOLIÈRE, Dom Juan, V, 3.

6 Ceux qui sont dans le dérèglement disent à ceux qui sont dans l'ordre que ce sont eux qui s'éloignent de la nature (...) PASCAL, Pensées, VI, 383.

7 Personne n'ignore les dérèglements de ce prince *(Henri VIII)*, ni l'aveuglement où il tomba par ses malheureuses amours, ni combien il répandit de sang depuis qu'il s'y fut abandonné (...) BOSSUET, Hist. des Variations, VII, 1.

8 (...) il y a bien des libertins qui, après avoir scandalisé le monde par leurs dérèglements, s'enferment dans les cloîtres pour en faire une rigoureuse pénitence : je souhaite que nos deux moines soient de ces libertins-là.
A. R. LESAGE, Gil Blas, X, VI.

9 Les hommes très âgés, les jeunes femmes qui l'avaient appris d'eux, me dirent que si ces vieilles dames n'étaient pas reçues, c'était à cause du dérèglement extraordinaire de leur conduite (...)
PROUST, le Côté de Guermantes, Pl., p. 197.

CONTR. Règle; arrangement, mesure, ordre, organisation, rangement, réforme.

DÉRÉGLEMENTATION [deʀeɡləmɑ̃tasjɔ̃] n. f. — V. 1980; de 1. *dé-,* et *réglementation.*

♦ Didact. Fait de laisser (un domaine, un secteur) sans réglementation (alors que le domaine ou celui dont il dépendait était réglementé). *« Dans les grands pays industrialisés, on constate déjà les effets de cette mutation* (dans la communication) *: des processus de déréglementation apparaissent et se manifestent avec vigueur, en particulier aux États-Unis et en Grande-Bretagne »* (*Sciences et Avenir,* oct. 1983, p. 16). *« Des secteurs très éprouvés par la déréglementation, comme l'aéronautique »* (*le Matin de Paris,* 31 janv. 1984).

DÉRÉGLEMENTER [deʀeɡləmɑ̃te] v. tr. — V. 1980; de 1. *dé-,* et *réglementer.*

♦ Didact. Faire cesser d'être réglementé.

DÉRÉGLER [deʀeɡle] v. tr. — Conjug. *régler* (→ Céder). — 1636; *desruiller*, 1342; *desreigler,* v. 1280; de 1. *dé-,* et *régler.*

♦ **1.** (1636). Faire que (qqch.) ne soit plus réglé; mettre en désordre. ⇒ **Bouleverser, déranger, détraquer, troubler.** *L'orage a déréglé le temps. Sa vie irrégulière lui a déréglé l'estomac.* — *Dérégler un mécanisme délicat, une montre, une horloge.*

1 Le mouvement le plus violent que pût avoir un vaisseau ne la déréglait point *(une certaine clepsydre),* au lieu qu'il dérègle infailliblement les autres horloges.
FONTENELLE, Amontons, *in* LITTRÉ.

Figuré :

2 C'est vrai, les poisons de la fatigue ont vite fait de dérégler la fragile mécanique de l'âme. G. DUHAMEL, Défense des lettres, IV, p. 148.

♦ **2.** (1690). Fig. Troubler l'ordre moral, la discipline de. — Relig. *Dérégler un monastère, un couvent,* faire que la règle n'y soit pas observée strictement. — Prov. *Il ne faut qu'un mauvais moine pour*

dérégler tout le couvent. — Vieilli. *Dérégler sa vie, sa conduite, ses mœurs.* ⇒ **Débaucher** (se), **déranger** (se).

3 (...) dont les métiers ne serviraient qu'à dérégler les mœurs (...)
FÉNELON, Télémaque, XII.

▶ **SE DÉRÉGLER** v. pron.

♦ **1.** N'être plus réglé. S'altérer. *La pendule s'est déréglée. Le temps s'est déréglé.*

4 La saison se dérègle; on voit une espèce de déluge au milieu de l'été (...)
FÉNELON, t. XXI, p. 132, *in* LITTRÉ.

♦ **2.** Vx. Adopter une conduite déréglée (2.). *Les jeunes gens se dérèglent facilement.* ⇒ **Débaucher** (se), **égarer** (s').

5 Les victorieux se dérèglent pendant ce temps de confusion (...)
FÉNELON, Télémaque, V.

▶ **DÉRÉGLÉ, ÉE** p. p. adj.

♦ **1.** (1694). Dont l'ordre, le fonctionnement a été troublé. *Machine, mécanisme déréglé. Pendule déréglée. — Pouls déréglé.* ⇒ **Irrégulier.** — *Appétit, estomac déréglé.* ⇒ **Dérangé.**

6 Le gourmand trouve des bornes dans son appétit, quelque déréglé qu'il soit (...)
BOSSUET, Traité de la concupiscence, 9.

Figuré :

7 Elle disciplinait ma vie mal réglée, ou plutôt déréglée et portée sans mesure à tous les excès contraires du travail acharné ou de la pure inertie.
E. FROMENTIN, Dominique, XIII, p. 198.

♦ **2.** Qui est hors de la règle, de l'équilibre (intellectuel, moral, etc.) tel que les références sociales du locuteur l'impliquent. *Vie déréglée* (→ Vie de bohème*). *Mœurs déréglées.* ⇒ **Débauché, désordonné, immoral, irrégulier, libertin, vicieux.** — (Des personnes). Qui a des mœurs déréglées.

8 La jeunesse romaine déjà presque généralement déréglée et corrompue par le luxe et la licence que les richesses et les nouvelles conquêtes avaient introduites à Rome (...)
ROLLIN, Hist. ancienne, Œ., t. I, p. 568, *in* LITTRÉ.
Esprit déréglé. ⇒ **Déséquilibré, détraqué** (→ Agitation, cit. 6).

♦ **3.** Excessif, démesuré. *Ambition, imagination déréglée. — Appétit déréglé.* ⇒ **Démesuré, excessif, immodéré.**

9 Saint Augustin enseigne que, quand l'Écriture nous exhorte à résister aux démons, elle entend que nous devons résister à nos passions et à nos appétits déréglés.
FRANCE, la Rôtisserie de la reine Pédauque, Œ., t. VIII, p. 213.

10 (...) cette exubérance fastueuse et déréglée de création musicale (...)
R. ROLLAND, Musiciens d'autrefois, p. 6.

CONTR. Régler. — Arranger, disposer, ordonner, organiser, ranger. — (Du p. p.) **Ordonné, raisonnable, réglé, sage.**
DÉR. Déréglage, dérèglement.
COMP. V. Indéréglable.

DÉRÉISTIQUE [deʀeistik] adj. — XXe; de l'all. *dereistisch,* Bleuler, du lat. *de re* « en s'éloignant de la réalité », et suff. d'orig. grecque *-istisch.*

♦ Psychiatrie. Se dit du mode de pensée dominé par l'imagination, la fantaisie, fréquent chez les schizophrènes. (Mode de pensée dit *déréisme* [deʀeism] n. m.). ⇒ **Déréel.**

Si jamais un certain idéal cartésien était atteint, c'est-à-dire si la nature entière se bornait à ce qui est explicable par des rapports mathématiques, nous contemplerions alors l'univers avec le terrible sentiment d'aliénation, le sentiment déréistique absolu qu'éprouve l'enfant voué à la schizophrénie lorsqu'il regarde sa mère.
F. MALLET-JORIS, Jeanne Guyon, p. 539-540.

DERELICT [deʀelikt] n. m. — 1909; mot angl., du lat. *derelicta* « chose abandonnée ».

♦ Dr. mar. Épave qui flotte sur l'eau, et qui appartient à son inventeur.

DÉRÉLICTION [deʀeliksjɔ̃] n. f. — Déb. XVIe, « abandon »; lat. *derelictio,* du supin de *derelinquere,* de *de-,* et *relinquere* « laisser en arrière. »

♦ (1606). Relig. ou littér. État de l'être humain qui se sent abandonné, isolé, privé de tout secours (divin ou non). ⇒ **Abandon, délaissement, solitude.**

1 Cette déréliction ressemble à celle que Notre-Seigneur ressentit à sa passion.
Saint François DE SALES, Lettres, 506, *in* HUGUET.

2 Sur les routes du Croissant fertile, il marchait de nouveau, le peuple de la Promesse, comme aux jours d'Abraham, non plus dans la foi et l'espérance, mais dans la misère et la déréliction.
DANIEL-ROPS, le Peuple de la Bible, III, III, p. 262.

3 Ô fils de la femme humiliée dans votre sueur et dans votre âme
Voici l'instant dérisoire où l'extrême déréliction devient
Pour vous une oasis et c'est comme la main protégeant une flamme
Au creux du cachot vacillant à peine et sur soi-même qui revient.
ARAGON, le Fou d'Elsa, p. 223.

4 Un statut indécis, une trêve d'un quart de siècle qui n'est pas la paix, c'est Trieste, sorte de pendu oublié au haut de l'ogive adriatique, dans un interminable hiver diplomatique. Paul MORAND, Venises, p. 214.

5 J'ai vu un père de famille nombreuse entouré de sa femme et des amis de sa femme, de ses enfants et des amis de ses enfants, couler tout à coup entre la poire

et le fromage dans des abîmes de déréliction : quelqu'un venait de s'éveiller en lui qui se demandait ce qu'il faisait là avec tous ces étrangers.
M. TOURNIER, le Vent Paraclet, p. 173.

CONTR. Aide, consolation, secours, soutien.

DÉRELIER [dəʀəlje] v. tr. — 1870 ; de 1. dé-, et relier.

♦ Défaire la reliure de (un livre), pour restaurer, relier autrement, etc.

DÉRÉPRIMER [deʀepʀime] v. tr. — V. 1970 ; de 1. dé-, et réprimer.

♦ Biol. Cesser de « réprimer », d'inhiber l'action de... ; rendre actif. *Certains corps dits cancérigènes ne font que déréprimer les virus.*

DÉRESPONSABILISATION [deʀɛspɔ̃sabilizasjɔ̃] n. f. — 1977, in *l'Express* ; de déresponsabiliser.

♦ Action de déresponsabiliser.

DÉRESPONSABILISER [deʀɛspɔ̃sabilize] v. tr. — V. 1960 ; de 1. dé-, responsable, et suff. -iser.

♦ Enlever à (qqn) ses responsabilités.
— (...) c'est épouvantable d'employer ce vocabulaire, mais je suis corrompue, moi aussi contaminée —, et que l'on puisse, d'autre part, vouloir tout transférer à l'État, toutes les initiatives, c'est-à-dire déresponsabiliser.
F. GIROUD, Si je mens, p. 195.

DÉR. Déresponsabilisation.

DERGE [dɛʀʒ], **DERGEOT** [dɛʀʒo] n. m. ⇒ Derch.

DÉRIDAGE [deʀidaʒ] n. m. — 1972 ; de dérider.

♦ Chir. Traitement esthétique chirurgical qui consiste à retendre la peau du visage pour faire disparaître les rides et autres traces de vieillissement (peut remplacer l'anglicisme *lifting*).

DÉRIDER [deʀide] v. tr. — 1538 ; de 1. dé-, et rider.

♦ **1.** (1538). Effacer, faire disparaître les rides de... *Crème, pommade pour dérider le visage.*
Par métaphore. (Vieilli). *Dérider le front de qqn,* le rendre moins soucieux.
1 J'aime mieux Arioste et ses fables comiques,
Que les auteurs toujours froids et mélancoliques,
Qui dans leur sombre humeur se croiraient faire affront
Si les Grâces jamais leur déridaient le front. BOILEAU, l'Art poétique, III.
2 L'autorité absolue qu'exerce un homme le contraint à une perpétuelle réserve. Il ne peut dérider son front devant ses inférieurs, sans leur laisser prendre une familiarité qui porte atteinte à son pouvoir.
A. DE VIGNY, Servitude et Grandeur militaires, I, III, p. 56.

♦ **2.** (1572). Mod. (de dérider le front). Rendre moins soucieux, moins triste (comme si on enlevait les rides du front). ⇒ **Amuser, consoler, distraire, égayer, réjouir, sourire** (faire sourire). *Il est impossible de le dérider. Elle est difficile à dérider ; rien ne la déride.*
2.1 Ils pensent forcément à ce qu'ils viennent de laisser jusqu'à demain, seulement jusqu'à demain, et aussi à ce qui les attend ce soir, qui les déride ou les rend encore plus soucieux. A. BRETON, Nadja, p. 64.

▶ **SE DÉRIDER** v. pron.

♦ **1.** Perdre ses rides. *La peau se déride.* — Par analogie :
2.2 Il fallait que la petite goélette se maintînt dans une moyenne de neuf milles à l'heure, et le vent mollissait toujours ! C'était une brise irrégulière, des bouffées capricieuses venant de la côte. Elles laissaient et la mer se déridait aussitôt après leur passage. J. VERNE, le Tour du monde en 80 jours, p. 183.

♦ **2.** Fig. Cesser d'être triste, soucieux, tendu. — Spécialt. Commencer à sourire, à rire. *Il ne s'est pas déridé de la soirée.*
3 Alors il n'était point de lecteur si sauvage
Qui ne se déridât en lisant mon ouvrage (...) BOILEAU, Épîtres, X.

CONTR. Assombrir (s'), attrister, chagriner, contrister, ennuyer.
DÉR. Déridage, dérideur.

DÉRIDEUR, EUSE [deʀidœʀ, øz] adj. — 1860 ; de dérider.

♦ Littér., rare. Qui déride. « *Ce charme dérideur de fronts* » (Goncourt).

DÉRISION [deʀizjɔ̃] n. f. — 1262, « moquerie, raillerie » ; bas lat. derisio, de derisum, supin de deridere « se moquer de ». → Dérider.

♦ **1.** Mépris qui incite à rire, à se moquer de (qqn, qqch.). ⇒ **Dédain, ironie, mépris, moquerie, persiflage, plaisanterie, raillerie, risée, sarcasme ; satire.** *Dire qqch. par dérision. Rire, gestes de dérision. Objet de dérision.*
(1657). TOURNER EN DÉRISION : se moquer d'une manière méprisante de (qqn, qqch.). ⇒ **Moquer** (se), **railler.** *Tourner un livre en dérision par une contrefaçon ingénieuse.*
1 Et tout le peuple même avec dérision,
Observant la rougeur qui couvrait mon visage (...) RACINE, Esther, III, 1.
2 Voyez comment, pour multiplier ses plaisanteries, cet homme *(Molière)* trouble tout l'ordre de la société ; avec quel scandale il renverse tous les rapports les plus sacrés sur lesquels elle est fondée, comment il tourne en dérision les respectables droits des pères sur leurs enfants, des maris sur leurs femmes, des maîtres sur leurs serviteurs ! ROUSSEAU, Lettre à d'Alembert.
3 Le ton dominant de l'institution était la dérision de toute sensiblerie et l'exaltation des plus rudes vertus. Valery LARBAUD, Fermina Marquez, I, p. 10.
4 Je crois avoir déclaré que, pour les intellectuels, je n'ai que mépris et dérision. G. DUHAMEL, Cri des profondeurs, IV, p. 71.

♦ **2.** (1806). Chose insignifiante, dérisoire. *Dix francs ! c'est une dérision. C'est une dérision que de vous offrir un tel cadeau* (⇒ **Dérisoire**).

CONTR. Admiration, considération, déférence, estime, exaltation, respect, révérence.

DÉRISOIRE [deʀizwaʀ] adj. — V. 1327, in D.D.L. ; bas lat. derisorius, du supin de deridere « se moquer de ». → Dérision, dérider.

♦ **1.** (Av. 1473). Vx. Qui est dit ou fait par dérision ; ⇒ **Dédaigneux, ironique, méprisant, moqueur, railleur.** *Une proposition dérisoire. Ton dérisoire.*

♦ **2.** (1791). Mod. Qui si si insuffisant que cela semble une moquerie. ⇒ **Insignifiant, minime, négligeable, pauvre, petit, piètre, ridicule, vain.** *Un salaire dérisoire. Ses vastes projets n'ont abouti qu'à des résultats dérisoires* (→ C'est une montagne* qui accouche d'une souris). *Vendre quelque chose à un prix dérisoire.*
1 Ce brusque rappel aux réalités dérisoires du lendemain écrasa ma douleur sous une sensation unique de petitesse, et m'atteignit en plein désespoir comme un coup de férule. E. FROMENTIN, Dominique, p. 119.
1.1 Nous étions en pleine savane ; les quelques arbres rabougris qui la parsèment ne fournissaient qu'une ombre dérisoire (...) GIDE, Voyage au Congo, p. 774.

♦ **3.** (Personnes). Qui paraît ridicule par son insignifiance, sa faiblesse.
2 Une pitié lui venait au cœur devant ce dérisoire ennemi, ce bout de fillette maigrichonne, mouillée de pluie sous ses guenilles. M. GENEVOIX, Raboliot, V, p. 130.
3 Aucune objection, aucun adversaire ne lui semblait négligeable ou dérisoire. Henri MONDOR, Pasteur, Avant-propos, p. 9.
3.1 Conscient que je ne puis me séparer de mon temps, j'ai décidé de faire corps avec lui. C'est pourquoi je ne fais tant de cas de l'individu que parce qu'il m'apparaît dérisoire et humilié. CAMUS, le Mythe de Sisyphe, Pl., p. 165.

CONTR. Admiratif, déférent, respectueux, révérencieux. — Capital, énorme, grand, important, précieux.
DÉR. Dérisoirement.

DÉRISOIREMENT [deʀizwaʀmɑ̃] adv. — 1460 ; de dérisoire.

♦ Littér. D'une manière dérisoire (2.).

DÉRIVABLE [deʀivabl] adj. — 1904 ; de 1. dériver, et -able.

♦ Qui peut être dérivé. — Math. *Fonction dérivable en un point,* qui admet une dérivée en ce point. *Fonction dérivable sur un intervalle de son domaine de définition.*

DÉRIVATIF, IVE [deʀivatif, iv] adj. et n. m. — XVe ; bas lat. derivativus « qui dérive, dérivé », du supin de derivare. → 1. Dériver.

♦ **1.** Qui opère une dérivation*. Méd. anc. Révulsif. *Remède dérivatif. Saignée dérivative.* — Subst. *Le sinapisme, dérivatif efficace.* — Ling. Qui est formé par dérivation. *Verbe dérivatif.*

♦ **2.** N. m. (1810). Cour. Ce qui permet de détourner l'esprit de ses préoccupations. ⇒ **Détente, distraction, divertissement.** *Un dérivatif à l'ennui. Chercher un dérivatif.*
1 Pourquoi avez-vous pris comme dérivatif à votre douleur la culture des muscles, qui tuera en vous ce qui seul peut vous sauver ? LOTI, Aziyadé, XL, p. 135.
2 Je suis une âme en peine, une femme de trente ans, nerveuse, malheureuse, qui n'a pas les dérivatifs des hommes : passades, voyages, affaires, vanité, ambition. MONTHERLANT, les Jeunes Filles, p. 156.
3 (...) les besoins religieux de l'homme nouveau trouveront un dérivatif : un dérivatif social. MARTIN DU GARD, les Thibault, t. V, p. 119.

1. DÉRIVATION [deʀivasjɔ̃] n. f. — 1314, in D.D.L. ; lat. derivatio « action de détourner les eaux » en lat. class., et « dérivation (des mots) » en lat. impérial ; de derivatum, supin de derivare. → 1. Dériver.

♦ **1.** [a] (1690). Action de dériver* (un cours d'eau). ⇒ **Détour, détournement.** *Barrage* pour la dérivation des eaux. Dérivation d'une rivière pour permettre le tracé d'une route, d'une voie ferrée. Dérivation d'un cours d'eau en vue de capter une partie de la force qu'il peut fournir.* ⇒ **Bief.** — (Sans compl.). *Canal de dérivation.* — *Partie dérivée (d'un cours d'eau).* ⇒ **Canal.**
1 Cette mise de la terre pour l'eau exige des efforts continus. Elle repose sur toute une organisation matérielle, sur l'entretien des dérivations, des rigoles et des canaux, sur un règlement délicat de distribution de l'eau (...)
DEMANGEON, Géographie économique et humaine de la France, t. I, p. 100.

1.1 (...) quand je me suis engagé dans le boyau, je croyais que c'était le déversoir de la fabrique. Eh bien! non! C'était une dérivation du petit collecteur des Minimes.
Pierre GASCAR, les Bêtes, p. 111.

b Action de dériver (de son cours naturel) l'écoulement de (un flux quelconque). — Spécialt. Action de dériver la circulation routière aux heures de pointe. *Dérivations prévues pour prévenir les embouteillages.* — Par ext. Voie de circulation secondaire vers laquelle sont dérivées les voitures aux heures de pointe ou pour cause de travaux. *Emprunter une dérivation pour éviter un bouchon*

c Psychol. (Abstrait). Détournement de forces psychiques de leur voie naturelle.

1.2 Quand une force primitivement destinée à être dépensée pour la production d'un certain phénomène reste inutilisée parce que ce phénomène est devenu impossible, il se produit des dérivations, c'est-à-dire que cette force se dépense en produisant d'autres phénomènes non prévus et inutiles.
Pierre JANET, les Obsessions et la Psychasthénie, I, 555,
in FOULQUIÉ, Dict. de la langue philosophique, art. *Dérivation.*

1.3 Le refoulement des mimiques expressives, possible sur les muscles qui sont soumis à l'action de la volonté, est impossible sur les organes viscéraux et tout se passe alors comme si le barrage opposé à la libération normale de la décharge émotionnelle vers le système neuro-musculaire de la vie de relation avait pour corollaire une dérivation d'autant plus puissante vers le système neuro-viscéral de la vie végétative.
Jean DELAY, Introd. à la médecine psychosomatique, II,
De l'émotion à la lésion, p. 26.

♦ **2.** (1559). Gramm. Action de créer des termes nouveaux par divers moyens. ⇒ **Étymologie ; formation** (des mots) ; → Parasynthétique, cit. — *Dérivation propre :* procédé de formation de mots nouveaux par modification (addition, suppression ou remplacement) d'un morphème (suffixe) par rapport à une base (radical). ⇒ **Radical, suffixe.** *Dérivation régressive,* par suppression de suffixe (ex. : chant, de chant**er**). ⇒ **Déverbal.** *Dérivation « populaire »* (spontanée dans le système de la langue). *Dérivation savante par l'addition de suffixes latins ou grecs.*

2 La partie détachable, qui s'attache ainsi à un nouveau mot, s'appelle *suffixe ;* le procédé est la *dérivation.* La dérivation repose, comme toute formation de mots en série, sur l'instinct analogique, qui pousse à reproduire un type existant pour avoir un mot semblable. F. BRUNOT, la Pensée et la Langue, I, II, V, p. 60.

3 (*La langue française*) a perdu, au cours des siècles, un grand nombre de mots ; en compensation (...) elle a constamment enrichi son vocabulaire (...) par la création de termes nouveaux. Cette création s'est opérée selon deux procédés principaux : la *dérivation* et la *composition.*
GREVISSE, le Bon Usage, grammaire franç., p. 74-75.

Dérivation impropre, qui se fait sans modification de forme, par changement de catégorie. Le moi, *formé par dérivation impropre du pronom* moi ; le pourquoi, *de l'adverbe* pourquoi ; le devoir, *du verbe* devoir.

Spécialt (en grammaire générative) :

4 Une grammaire permet d'assigner un indicateur syntagmatique aux phrases engendrées au moyen d'une dérivation. Une dérivation consiste en une séquence finie de suites de symboles dont la première est une suite initiale (...) et où chaque suite découle de la précédente par l'application d'une règle.
Nicolas RUWET, Introd. à la grammaire générative, p. 122.

♦ **3.** (1314). Méd. Déviation du sang ou d'un liquide organique hors de leur circuit habituel. *Abcès de dérivation* ou *de fixation,* créé artificiellement pour déplacer les microbes d'un foyer inflammatoire vers une région moins importante.

♦ **4.** (1870). Sc., math. Recherche de la dérivée d'une fonction. — Électr. Communication entre deux points d'un circuit, au moyen d'un second conducteur (montage en parallèle*). ⇒ **Court-circuit, shunt.** *Monter une ligne en dérivation. Circuits en dérivation :* circuits électriques ou magnétiques bifurqués entre lesquels le courant ou le flux magnétique se partage. — Techn. Dédoublement d'un circuit de fluide. — Dispositif permettant d'envoyer un fluide dans une direction déterminée.

♦ **5.** Fig. Action de découler (de qqch.). ⇒ **Émanation, manifestation.** *La politesse du cœur est une dérivation de la charité.*

2. DÉRIVATION [deʀivɑsjɔ̃] n. f. — 1690 ; de 4. *dériver*, 1.

♦ **1.** (1690). Mar. Action de dériver* (4. Dériver), sous la poussée du vent ou d'un courant marin. ⇒ **Dérive, déviation.**

Par anal. Aviat. *Dérivation d'un avion,* dévié de sa direction par les courants atmosphériques.

♦ **2.** (1870). Artill. (En parlant d'un projectile). Action de s'écarter de sa trajectoire sous l'influence de sa rotation ou de la résistance de l'air. *Correction de dérivation* (⇒ **Dérive,** 3.).

DÉRIVE [deʀiv] n. f. — 1628, à la drive « à la dérive » ; subst. verb. de 4. *dériver.*

★ **I.** (Action, processus). ♦ **1.** Mar., aviat. Déviation (d'un navire, d'un avion) par rapport à la route, sous l'effet des vents ou des courants. ⇒ **Dérivation, déviation.** *Angle de dérive. Dérive sur bâbord, sur tribord.* — *Navire en dérive :* navire ayant brisé ses amarres dans un port, ou se trouvant désemparé de ses machines en haute mer et emporté au gré des vents et des courants. *Aller, être en dérive :* être le jouet des flots.

Il avait pris la cape, dérivait obliquement, en crabe, puis, arrivé au bout de son parcours, il remontait sa dérive à petite allure, épaulait la lame à trois quarts du vent et son avant robuste lui frayait une route (...)   **0.1**
Roger VERCEL, Remorques, p. 87.

Par ext. Fait de dériver (en parlant d'objets flottants).

Il était vraiment possible que le déplacement de la banquise ne fût qu'apparent,   **0.2**
et qu'au contraire, l'île Victoria, entraînée par le champ de glace, dérivât vers le détroit. Mais cette dérive, si elle existait, on ne pouvait la constater, on ne pouvait l'estimer, on ne pouvait la relever ni en longitude, ni en latitude.
J. VERNE, le Pays des fourrures, t. II, p. 239.

REM. Cf. dans le même texte : «*(les blocs de glace)* communiquaient à l'île toute la force de dérive qu'elle puisait dans les profondeurs du courant...» (t. II, p. 254).

Cour. À LA DÉRIVE : en dérivant. *Des bois flottant à la dérive.* — Fig. *Entreprise qui va à la dérive.* ⇒ **Val** (à vau-l'eau). *Être, aller à la dérive :* être sans énergie, sans volonté, se laisser conduire par des événements extérieurs.

C'est l'aveu d'une volonté désemparée et à la dérive où ne subsiste plus d'autre force autonome que la force sournoise de la trahison (...)   **1**
JAURÈS, Hist. socialiste..., t. III, p. 221.

Gise, qui se sentait aller à la dérive, se reprend aussitôt : il suffit qu'Antoine   **2**
paraisse pour que se répande autour de lui un peu de son élan vital.
MARTIN DU GARD, les Thibault, t. III, p. 165.

Il dirigeait enfin son propre journal. «Les temps troublés que nous traversions»   **3**
lui avaient permis de réaliser ce rêve. Il profitait du désordre et de la nuit. Dans ce monde qui s'en allait à la dérive, il se sentait parfaitement à l'aise.
Patrick MODIANO, les Boulevards de ceinture, p. 68.

♦ **2.** (XXᵉ ; trad. de l'all. *Drift*). Sc. *Dérive des continents, dérive continentale :* théorie de Wegener, selon laquelle les continents flotteraient à la surface d'une masse visqueuse.

Techn. Phénomènes d'élasticité transversale entraînant des déformations (pneumatiques, etc.).

♦ **3.** Artill. Distance dont il faut déplacer la hausse d'un canon pour corriger la déviation. *Lecture de la dérive sur l'appareil de pointage.*

♦ **4.** Sc. Variation lente et continue (d'une grandeur). — Électr. Variation dans le temps des caractéristiques électriques d'un montage. *Dérive des paramètres.*

Les méthodes de prévisions de fiabilité à partir des dérives des paramètres   **4**
caractéristiques des composants ont été très développées pour l'étude des circuits électroniques. Pierre CHAPOUILLE, la Fiabilité, p. 57.

♦ **5.** Mouvement incontrôlé et passif ; fait d'être, de se laisser entraîner sans réagir (emploi à la mode chez les intellectuels depuis 1970).

Je crois toujours écrire pour des hommes qui me liront plus tard. Non par con-   **5**
fiance dans ce livre, non par obsession de la mort ou de l'Histoire en tant que destin intelligible de l'humanité : par le sentiment violent d'une dérive arbitraire et irremplaçable comme celle des nuées.
MALRAUX, Antimémoires, p. 17, Folio, 1972.

(...) mon père lui-même et parfois Marie-Claude me semblaient lointains, inacces-   **6**
sibles — je m'aperçois, en l'écrivant, que ce n'est pas vrai de Marie-Claude ; mais elle est tellement mêlée à moi, tellement mêlée que je n'en reçois pas, dans ces heures de dérive, plus de secours que de moi-même.
Cl. MAURIAC, le Temps immobile, p. 255.

★ **II.** Par métonymie. (*Une, des dérives :* dispositif de *dérive*). Dispositif qui empêche un navire, un avion de dériver. — (1860, *in* Petiot). Aileron vertical mobile immergé d'un voilier (⇒ **Dériveur**). *Dérive centrale, dérives latérales. Dérive sabre*. Semelle de dérive.* — Gouvernail de direction d'un avion. *Appareil à double, à triple dérive* (⇒ **Empennage**).

Jean aperçoit les dérives de deux Mig 17. C'est Pochentong, l'aéroport.   **7**
Claude COURCHAY, La vie finira bien par commencer, p. 198, 1972.

1. DÉRIVÉ, ÉE [deʀive] adj. ⇒ 1. **Dériver.**

2. DÉRIVÉ [deʀive] n. m. — Fin XVIIIᵉ, selon G. L. L. F. ; du p. p. de 1. *dériver.*

♦ **1.** Mot dérivé. *Les dérivés d'un verbe* (→ Bistrot, cit. 4). 2. Dérivation *est un dérivé de* 4. Dériver. *Les dérivés et les composés d'un verbe.*

♦ **2.** Produit dérivé. *Les dérivés de la houille.* — Spécialt (chim.). Substance préparée en partant d'une autre substance et qui conserve en général la structure de la première.

♦ **3.** Math. *Dérivé d'un ensemble :* ensemble de ses points d'accumulation.

HOM. **Dérivée,** 1., 2., 3. et 4. **dériver.**

DÉRIVÉE [deʀive] n. f. — 1870 ; de *fonction dérivée.* → 1. Dériver.

♦ Math. *Dérivée d'une fonction d'une variable :* limite vers laquelle tend le rapport de l'accroissement de cette fonction à l'accroissement de la variable lorsque celui-ci tend vers zéro. ⇒ **Pente, tangente** (à une courbe), **taux** (d'accroissement). *Dérivées successives, partielles, logarithmiques, géométriques. Transformation d'une courbe en sa dérivée. La dérivée d'une fonction en un point est* *égale à la pente de la tangente au point correspondant de la courbe représentative de cette fonction.*

HOM. Dérivé, 1., 2., 3. et 4. dériver.

DÉRIVEMENT [deʀivmɑ̃] n. m. — XVIᵉ; de 1. *dériver*, 1.

♦ Techn. Fait de couler hors du cours naturel, de franchir les rives (en parlant d'une eau courante).

1. DÉRIVER [deʀive] v. tr. — 1190; lat. *derivare* «détourner un cours d'eau, dériver», de *de-*, et *rivus* «petit cours d'eau».

★ **I.** V. tr. dir. ♦ **1.** Détourner (des eaux) de leur cours naturel, pour leur donner une nouvelle direction. ⇒ **Détourner, dévier.** *Dériver un cours d'eau* (⇒ **Dérivation**). *Dériver les eaux d'une source.* — Pron. *Cours d'eau qui se dérive.* ⇒ **Dérivement.**

Par anal. *Dériver sa mauvaise humeur sur (vers) quelqu'un* (qui n'en est pas l'objet).

0.1 C'est là une attitude de *bouc émissaire* dans laquelle les difficultés internes sont attribuées aux autres que l'on charge ainsi de la responsabilité et sur lesquels on dérive son mécontentement.
H. BARUK, De Freud au néo-paganisme moderne, *in* la Nef, nº 31, p. 143.

♦ **2.** Gramm. Tirer (un mot d'un autre) par dérivation*. *Dériver un mot du grec, du latin. Dériver un adverbe d'un adjectif.*

♦ **3.** Math. *Dériver une fonction,* en calculer la dérivée (→ Dérivée).

♦ **4.** Méd. *Dériver un foyer inflammatoire.* ⇒ 1. **Dérivation,** 3.

★ **II.** DÉRIVER v. intr.; DÉRIVER (de) v. tr. indirect.

♦ **1.** (En parlant d'un cours d'eau). Être détourné de son lit, de son cours naturel. *Eaux d'un fleuve qui dérivent dans un canal.* ⇒ **Écouler** (s').

♦ **2.** Gramm. Avoir son origine dans. Provenir au moyen d'une dérivation. ⇒ **Découler, émaner, origine** (tirer son origine de), **provenir, venir.** *Mot qui dérive de l'arabe, du grec, du latin...* (→ Cardinal, cit. 1). ⇒ 2. **Dérivé.**

♦ **3.** Fig. Découler, provenir, venir (de). *Conséquences qui dérivent d'une hypothèse. Nos malheurs dérivent de la guerre.*

1 Les lois, dans la signification la plus étendue, sont les rapports nécessaires qui dérivent de la nature des choses (...)   MONTESQUIEU, l'Esprit des lois, I, 1.
2 (...) ces froides justices qui font dériver les conséquences des principes (...)
CHATEAUBRIAND, Mémoires d'outre-tombe, t. VI, p. 136.
3 (...) le meilleur des conseils ne vaut pas la moindre imprudence, et n'a jamais épargné une erreur à quelqu'un qu'il ne l'ait jeté dans une autre. Je vous jure qu'il faut se tromper, et que rien d'excellent ne peut dériver de l'expérience d'autrui (...)   VALÉRY, Mon Faust, II, 1.

▶ **DÉRIVÉ, ÉE** p. p. adj.
Qui provient d'une dérivation. *Mot dérivé.* ⇒ 2. **Dérivé.**
Chim. *Corps dérivé :* corps obtenu par la transformation d'un autre. ⇒ 2. **Dérivé,** 2. *Produit dérivé d'un autre.*
Math. *Fonction dérivée. Déduire une fonction dérivée d'une fonction primitive. Ensemble dérivé :* ensemble des points limites d'un ensemble.
Électr. *Courant dérivé :* courant électrique traversant une ou plusieurs dérivations. *Circuit dérivé :* conducteur formant une dérivation.

DÉR. Dérivable, dérive, dérivé, dérivée, dérivement.
HOM. Dérivé, dérivée, 2. dériver, 3. dériver, 4. dériver.

2. DÉRIVER [deʀive] v. tr. — V. 1223, *desriver*; de 1. *dé-*, et *river*.

♦ Techn. (vx). Défaire ce qui est rivé. ⇒ **Dériveter.**
DÉR. Dérivoir.
HOM. Dérivé, dérivée, 1. dériver, 3. dériver, 4. dériver.

3. DÉRIVER [deʀive] v. tr. — XIVᵉ; de 1. *dé-*, et *rive*.

♦ Techn. Écarter (du bois flottant) des rives d'un cours d'eau pour éviter qu'il ne heurte les bords.
HOM. Dérivé, dérivée, 1. dériver, 2. dériver, 4. dériver.

4. DÉRIVER [deʀive] v. intr. — 1578; de l'angl. *to drive*, par croisement avec le précédent.

♦ **1.** Mar. S'écarter de sa direction (en parlant d'un navire). ⇒ **Dérive, dérivation.** → Ancre, cit. 1. — Aviat. (même sens). *Avion qui dérive.*
Par analogie (le sujet ne désigne ni un navire, ni un avion).

0.1 Sa figure est maintenant sévère, on dirait qu'elle me découvre avec horreur, ou avec incrédulité, ou étonnement, ou comme un objet de scandale. Mais ses prunelles commencent à dériver insensiblement, pour aller de nouveau se fixer sur le plafond.   A. ROBBE-GRILLET, la Maison de rendez-vous, p. 187.

♦ **2.** Fig. S'abandonner*, être sans volonté, sans énergie, aller à la dérive*.

---

1 Il faut se pourvoir d'ancres et de lest, c'est-à-dire d'opinions fixes et constantes, garder son lest et rester sur ses ancres, sans dériver.
Joseph JOUBERT, Pensées, IX, XLII.
2 Enfin, je suis détaché. Je ne sais quoi, je ne sais qui m'a détaché, Isa, des amarres sont rompues; je dérive. Quelle force m'entraîne?
F. MAURIAC, le Nœud de vipères, I, XI, p. 135 (→ Amarre, cit. 3).

CONTR. Suivre (sa route).
DÉR. 2. Dérivation, dérive, dériveur.
HOM. Dérivé, dérivée, 1. dériver, 2. dériver, 3. dériver.

DÉRIVETER [deʀivte] v. tr. — Conjug. *jeter.* — 1923; de 1. *dé-, rivet,* et suff. verbal.

♦ Techn. Désassembler en enlevant les rivets; défaire les rivets de.

DÉRIVEUR [deʀivœʀ] n. m. — 1864; de 4. *dériver.*

♦ **1.** (1864). Mar. Voile de mauvais temps.

♦ **2.** (1896). Mar. Voilier muni d'une dérive (opposé à *quillard*). *Dériveur monotype. Dériveur de compétition.*

♦ **3.** Pêche. Bateau qui utilise des filets dérivants. ⇒ **Drifter.** *Les dériveurs actuels sont en acier; ils mesurent environ 40 mètres.*

♦ **4.** Fig. Personne qui «dérive» (4. Dériver, 2.). «*Ces jeunes gens émigrent à Malaga, à Ibiza, ailleurs, un peu partout. (...) D'autres "dériveurs", erraient ainsi en Europe après l'autre guerre, comme Hemingway ou Miller mais c'étaient des individus...*» (Jean Duvignaud, *le Nouvel Obs.,* p. 37, nº 404, 7 août 1972).

DÉRIVOIR [deʀivwaʀ] n. m. — 1771, Trévoux, «instrument d'horloger»; de 2. *dériver,* et *-oir.*

♦ Techn. Outil servant à dériver, à dériveter.

DERM-, DERMO-; DERMAT-, DERMATO- Élément du grec *derma, dermatos* «peau», servant à former de nombreux mots savants en particulier en médecine. ⇒ **Dermalgie, dermatite** et les mots ci-dessous; aussi **-derme.**

DERMALGIE [dɛʀmalʒi] ou DERMATALGIE [dɛʀmatalʒi] n. f. — 1841, *in* D.D.L.; de *derm-, dermat-,* et *-algie.*

♦ Méd. Douleur cutanée sans cause apparente.

DERMATITE [dɛʀmatit] ou DERMITE [dɛʀmit] n. f. — 1823, *dermatite; dermite,* 1838; lat. médical *dermatitis,* grec *derma* et *-itis.* → -ite.

♦ Méd. Inflammation de la peau.

DERMATOGLYPHES [dɛʀmatɔglif] n. m. pl. — XXᵉ; de *dermato-,* et grec *gluphê* «entaille».

♦ Didact. Sillons des doigts et de la paume des mains, qui donnent les empreintes digitales et palmaires. ⇒ **Dactyloscopie.**
Cette méthode, initialement très répandue et qui reçut le nom de *bertillonnage,* a progressivement cédé le pas à la méthode *dactyloscopique* (étude des empreintes digitales, ou dermatoglyphes digitaux) beaucoup plus sûre, que Bertillon utilisa quelque peu, mais dont il n'est pas l'inventeur.
Pierre GRAPIN, l'Anthropologie criminelle, 1973, p. 66.
REM. L'emploi au sing., *le dermatoglyphe* «ensemble des sillons des doigts, de la paume» est rare, mais attesté.

DERMATOGRAPHIE [dɛʀmatɔgʀafi] n. f. — Av. 1924, attestation de *dermatographique;* de *dermato-,* et *-graphie.*

♦ Méd. (anat.). Étude anatomique de la peau.

DERMATOLOGIE [dɛʀmatɔlɔʒi] n. f. — 1832; de *dermato-,* et *-logie.*

♦ Méd. Partie de la médecine qui étudie et soigne les maladies de la peau.
DÉR. Dermatologique, dermatologiste ou dermatologue.

DERMATOLOGIQUE [dɛʀmatɔlɔʒik] adj. — 1845, Bescherelle; de *dermatologie.*

♦ Méd. Qui concerne la dermatologie.

DERMATOLOGISTE [dɛʀmatɔlɔʒist] ou DERMATOLOGUE [dɛʀmatɔlɔg] n. — 1839, *dermatologiste, in* D.D.L.; 1838, *dermatologue, in* D.D.L.; de *dermatologie.*

♦ Méd. Spécialiste de la dermatologie. — Abrév. fam. : *un, une der-*

mato. « *Ce que nous baptisons peau, les dermatos, eux, l'appellent épiderme* » (*Cosmopolitan,* n° 119, oct. 1983, p. 122.)

DERMATOMYCOSE [dɛʀmatomikoz] n. f. — xxᵉ ; de *dermato-,* et *mycose.*

♦ Méd. Infection de la peau causée par des dermatophytes (appelée aussi *dermatophytie*). ⇒ **Teigne.**

DERMATOPHYTE [dɛʀmatofit] n. m. — 1910 ; de *dermato-,* et *-phyte.*

♦ Méd. Champignon microscopique parasite de la couche cornée de l'épiderme, des ongles ou des poils (appelé aussi *champignon des teignes*).

DERMATOPLASTIE [dɛʀmatoplasti] n. f. — xxᵉ ; de *dermato-,* et *-plastie.*

♦ Méd. Opération réparatrice de la peau (surtout par application de greffes cutanées).

DERMATOPTIQUE [dɛʀmatɔptik] adj. — 1968 ; de *dermat(o)-,* et *optique.*

♦ Didact. (psychol. animale). Se dit d'une manifestation de sensibilité à la lumière chez des animaux dépourvus d'organe visuel.

DERMATOSE [dɛʀmatoz] n. f. — 1832, *in* D.D.L. ; lat. médical *dermatosis,* du grec *derma, dermatos* « peau », et suff. 2. *-ose.*

♦ Méd. (Assez cour.). Maladie de la peau. *Station thermale où l'on soigne les dermatoses. Dermatose inflammatoire, parasitaire, psychosomatique.*

DERMATOTROPE [dɛʀmatɔtʀɔp] ou **DERMOTROPE** [dɛʀmotʀɔp] adj. — Mil. xxᵉ, *dermatotrope; dermotrope,* 1948 ; de *dermato-, dermo-,* et *-trope.*

♦ Méd. Qui présente une affinité particulière pour la peau. *Médicament dermatotrope,* qui exerce son action spécifiquement sur la peau. *Virus, microbe dermotrope,* qui provoque des lésions cutanées.

On a cherché à opposer deux races différentes de tréponèmes, l'un dermotrope à affinités cutanées électives, l'autre neurotrope à affinités nerveuses électives.
Jean DELAY, Introd. à la médecine psychosomatique, Notes et observations, p. 45 (1961).

DERMATOVÉNÉROLOGIE [dɛʀmatoveneʀɔlɔʒi] ou **DERMATO-VÉNÉRÉOLOGIE** [dɛʀmatoveneʀeɔlɔʒi] n. f. ⇒ **Vénérologie.**

DERMATOZOAIRE [dɛʀmatozɔɛʀ] n. m. — xxᵉ ; de *dermato-,* et *-zoaire.*

♦ Méd. Parasite animal qui pénètre dans la peau et y provoque des lésions. *Le sarcopte de la gale est un dermatozoaire.*

DERME [dɛʀm] n. m. — 1611 ; grec *derma* « peau ».

♦ 1. Anat. Couche profonde de la peau*, recouverte par l'épiderme et formée de tissu conjonctif. *Partie profonde du derme.* ⇒ **Hypoderme.** *Face superficielle du derme,* hérissée de papilles. *Derme cutané. Couche réticulaire du derme.*

1   Le derme est la partie fondamentale de la peau ; c'est à lui qu'elle doit sa résistance, son élasticité et aussi sa qualité de membrane sensible, puisque c'est dans le derme que se disséminent les appareils terminaux du tact.
L. TESTUT, Traité d'anatomie humaine, t. III, p. 449.

♦ 2. Cour. (et abusif). Peau, épiderme.

2   (...) je recommande (...) à tous les peintres qui n'ont jamais pu rendre le teint frelaté d'une Parisienne, le derme extraordinaire de celle-ci, un derme travaillé à la veloutine, mais sans fard.   HUYSMANS, l'Art moderne, 1883, p. 112, *in* T.L.F.

2.1   Il avait gardé ses chaussettes. Nous les lui arrachâmes hier au fond d'un baquet d'eau tiède dans l'espoir de faciliter le décollage — hélas ! facile à prévoir — du derme.   BERNANOS, Monsieur Ouine, *in* Œ. roman., Pl., p. 1367.

DÉR. Dermique. — V. Derm- ; -derme.

-DERME, -DERMIE Élément du grec *derma* « peau » et servant à former des mots savants, dans lesquels il désigne la peau. ⇒ **Blastoderme, dermeste, échinoderme, ectoderme, épiderme, hypoderme, malacoderme, mésoderme, mycoderme, pachyderme, taxiderme, xéroderme,** etc. ; aussi **derm-.**

DERMESTE [dɛʀmɛst] n. m. — 1775 ; adapt. du lat. sc. *dermestes* « ver qui ronge la peau ou le cuir », grec *dermêstês,* de *derma* « peau » (→ Derme), et *-êstês* « qui mange », de *edein* « manger ».

♦ Zool. Insecte coléoptère *(Dermestidés)* dont les larves vivent de matières animales desséchées. *La larve du dermeste se rencontre dans les fourrures, les laines... Le dermeste du lard.*

DÉR. Dermestidés.

DERMESTIDÉS [dɛʀmɛstide] n. m. pl. — 1846, Bescherelle ; de *dermeste,* et *-idé(s).*

♦ Zool. Famille d'insectes coléoptères clavicornes, au corps velu et couvert d'écailles colorées. *Principaux types de dermestidés :* anthrène, attagène, dermeste. — Au sing. *Un dermestidé.*

DERMIQUE [dɛʀmik] adj. — 1837, *in* D.D.L. ; de *derme,* et suff. *-ique.*

♦ Anat. Du derme. *Tissu dermique.* — Qui agit sur le derme. *Pommade dermique.*

DERMITE [dɛʀmit] n. f. ⇒ **Dermatite.**

DERMO- ⇒ **Derm-.**

DERMOGRAMME [dɛʀmogʀam] n. m. — xxᵉ ; de *dermo-,* et *-gramme.*

♦ Didact. « Étude des empreintes cutanées sur lame » (B. Duperrat, *Précis de dermatologie*). *Pratiquer un dermogramme.*

DERMOGRAPHIE [dɛʀmɔgʀafi] n. f. — 1897, *in* D.D.L. ; de *dermo-,* et *-graphie.*

♦ Méd. Réaction de la peau qui rougit et se tuméfie à l'endroit où l'on exerce un léger frottement avec une pointe émoussée. — REM. On dit aussi *dermographisme,* 1928, *in* T.L.F.

DÉR. Dermographique.

DERMOGRAPHIQUE [dɛʀmɔgʀafik] adj. — 1898, *Année sc. et industr.* 1899, p. 44 ; de *dermographie.*

♦ Méd. De la dermographie. *Crayon dermographique.*

DERMOPUNCTURE ou **DERMOPONCTURE** [dɛʀmopõktyʀ] n. f. — 1974 ; de *dermo-,* et lat. *punctura* « piqûre ». → Acupuncture.

♦ Didact. Méthode thérapeutique dérivée de l'acupuncture*, consistant à utiliser des aiguilles très fines sur les nerfs à fleur de peau.

DERMOTROPE [dɛʀmotʀɔp] adj. ⇒ **Dermatotrope.**

DERNIER, IÈRE [dɛʀnje, jɛʀ] adj. et n. — V. 1215, *derrenier;* de l'anc. franç. *derrain* refait sur *premier;* du lat. pop. *deretranus,* du lat. class. *deretro.* → 1. Derrière.

★ I. ♦ 1. Adj. (v. 1215). (En épithète, avant le nom). Qui vient après tous les autres, après lequel il n'y en a pas d'autre. *Décembre est le douzième et dernier mois de l'année. Dernière semaine de représentation. Dernier train, dernière édition* (de la journée). *Le dernier en date.* — *Être à sa dernière heure* ; *rendre le dernier soupir. Ce sont ses dernières volontés. Conduisez-le à sa dernière demeure*. Les derniers jours de Pompéi.* — Loc. (Exceptionnellement, après le nom). *Le jugement* dernier.* — *Faire une chose pour la dernière fois. Ce fut son dernier chef-d'œuvre, son chant du cygne. Ce n'est pas la première fois et ce ne sera pas la dernière.* — *Lire un livre jusqu'à la dernière page. Les trois derniers chapitres. Mot accentué sur la dernière syllabe. Dernière partie d'un tout, d'une action.* ⇒ **Final.** *Dernière levée d'un jeu de cartes qui donne droit à 10 points* (→ fam. Dix de der*). — *Dépenser jusqu'à son dernier sou.* — *Dernière ressource, dernier moyen, dernière extrémité.* ⇒ **Extrême, ultime.** *Dernière chance, dernière carte, dernier atout. Dernières conditions que propose un gouvernement avant d'ouvrir les hostilités.* ⇒ **Ultimatum.** — *Lancer un dernier appel. Faire un dernier effort.* ⇒ **Suprême.** *Mettre la dernière main* à un travail.* — *Avoir le dernier mot*. Frapper le dernier coup.* ⇒ **Décisif, définitif.** — *En dernière analyse, en dernier ressort ; en dernier lieu.* ⇒ **Ultimo.** *À la dernière minute :* juste avant la fin. *Décision de dernière heure.*

1   La dernière chose qu'on trouve en faisant un ouvrage, est de savoir celle qu'il faut mettre la première.   PASCAL, Pensées, I, 19.

2   Les derniers moments de la vie sont trop précieux pour qu'il soit permis d'en abuser.   ROUSSEAU, Julie ou la Nouvelle Héloïse, VI, lettre XI.

3   Voltaire a enterré le poème épique, le conte, le petit vers, la tragédie. Diderot a inauguré le roman moderne, le drame et la critique d'art. L'un est le dernier esprit de l'ancienne France, l'autre est le premier génie de la France nouvelle.
Ed. et J. DE GONCOURT, Journal, 11 avr. 1858.

4   Valéry s'indignant qu'on attachât plus d'importance aux derniers instants d'une vie qu'à tout le reste (...)   GIDE, Journal, 3 sept. 1948.

5   Il montait dans sa chambre, la dernière bouchée avalée.
F. MAURIAC, le Nœud de vipères, p. 93.

5.1 Tout partenaire d'une scène rêve d'avoir le dernier mot. Parler en dernier, « conclure », c'est donner un destin à tout ce qui s'est dit, c'est maîtriser, posséder, dispenser, asséner le sens ; dans l'espace de la parole, celui qui vient en dernier occupe une place souveraine, tenue, selon un privilège réglé, par les professeurs, les présidents, les juges, les confesseurs.
R. BARTHES, Fragments d'un discours amoureux, p. 247.

5.2 Qu'est-ce qu'un héros ? Celui qui a la dernière réplique.
R. BARTHES, Fragments d'un discours amoureux, p. 248.

Dernière édition. — Ellipt. :

6   (...) le type brandissait des journaux en murmurant : « *Paris-soir,* dernière. Il m'en reste deux, achetez-les. »   SARTRE, le Sursis, p. 9.

(Attribut). *Il est dernier. Il est arrivé bon dernier ; elle est arrivée bonne dernière.* — Spécialt. *Être, rester dernier en classe.* → ci-dessous, *le dernier.*

6.1 Il y avait surtout le fils d'un entrepreneur forain (...) un butor de formes athlétiques (...) qui mettait son orgueil à rester dernier de la classe (...)
GIDE, Si le grain ne meurt, I, IV, p. 113.

Fig. *C'est la dernière pensée qui me serait venue à l'esprit. C'est bien la dernière personne que j'aurais choisie.*

6.2 Votre Clitandre (...) est le dernier des hommes pour qui j'aurais de l'amitié.
MOLIÈRE, le Misanthrope, V, 4.

♦ **2. Nominal.** (Personnes). *Marcher le dernier* (→ Clore, fermer la marche*) ; *c'est le dernier de la file.* ⇒ **Bout** (au bout), **derrière, lambin, queue** (être à la queue), **traînard.** *Il est parmi les cinq derniers. Le dernier arrivé, venu. Les premiers seront les derniers* (allusion biblique). — Prov. *Aux derniers les bons :* ceux qui se servent après les autres sont les mieux servis — *Le dernier des souverains absolus. Le dernier des classiques... Le Dernier des Mohicans,* roman de F. Cooper.

7   (...) Ainsi les derniers seront premiers, et les premiers derniers.
BIBLE (CRAMPON), Évangile selon saint Matthieu, XX, 16.

8   Mais ce champ ne se peut tellement moissonner
Que les derniers venus n'y trouvent à glaner.   LA FONTAINE, Fables, III, 1.

9   Qui de nous des clartés de la voûte azurée
Doit jouir le dernier ?   LA FONTAINE, Fables, XX, 8.

Être le dernier de la classe, le dernier du classement : celui auquel on a décerné la dernière place, selon le mérite. ⇒ **Culot, lanterne** (fam. lanterne rouge), **queue.** — Absolt. *Il est toujours le dernier* (⇒ **Cancre**). *Place de dernier.*

10 Le proviseur avait un sourire ironique mais cordial et inconsciemment respectueux pour ce gros garçon qui se mouvait à travers l'année d'une place de dernier à l'autre, sans perfectionnement, sans erreur, sans hésitation, avec l'invariabilité brute d'une loi de la nature.   PROUST, Jean Santeuil, Pl., p. 259-260.

(1615, *in* D.D.L.). Spécialt. *Le dernier, le petit dernier :* le dernier-né* des enfants. *C'est votre petit dernier ?* — (Choses). *Le dernier des, la dernière des...*

11 Une guerre est toujours la dernière des guerres.
GIRAUDOUX, Amphitryon 38, I, 3.

♦ **3. Loc. adv. EN DERNIER :** à la fin, après tous les autres. *Nous nous occuperons de lui en dernier. Cela vient en dernier.*

★ **II.** (1559). Par exagér. Extrême.

♦ **1.** Le plus haut, le plus grand (dans des loc. plus ou moins archaïques ou littéraires). *Au dernier point, au dernier degré. C'est de la dernière impolitesse. Protester avec la dernière énergie. Derniers outrages*.* — Vx ou littér. *Être du dernier bien avec qqn,* très intime, très lié. — REM. Le superlatif *dernier* a été très employé au XVIIe s. par les Précieuses.

12 Ah ! mon Dieu ! voilà qui est poussé dans le dernier galant.
MOLIÈRE, les Précieuses ridicules, 9.

13 On dit qu'avec Bélise il est du dernier bien.   MOLIÈRE, le Misanthrope, II, 4.

14 Se permettre une réflexion pareille devant une femme « tout à fait du monde » était peut-être du dernier goujat.
J. ROMAINS, les Hommes de bonne volonté, t. V, XXVI, p. 270.

15 Partisans d'une autorité persuasive, ils préconisent leur façon de voir avec la dernière violence.   G. DUHAMEL, Récits des temps de guerre, t. II, VI, p. 27.

Var. : *du dernier mieux :*

15.1 Au nord de la Perse, et chez les peuplades du Caboul, qui vivent dans de très anciens tombeaux, si, ayant reçu, dans quelque sépulcre confortable, un accueil hospitalier et cordial, vous n'êtes pas, au bout de vingt-quatre heures, du dernier mieux avec toute la progéniture de votre hôte, guèbre, parsi ou wahabite, il y a lieu d'espérer qu'on vous arrachera tout bonnement la tête.
VILLIERS DE L'ISLE-ADAM, Contes cruels, p. 10.

♦ **2.** Le plus bas, le pire. *Une marchandise de dernière qualité, de dernier choix, de dernier ordre. Dernier prix d'un objet qui en a plusieurs selon les qualités. C'est notre dernier prix* (dans un marchandage). *C'est bien le dernier de mes soucis.* ⇒ **Moindre.**

Nominal. *Le dernier des hommes :* l'homme le plus méprisable. ⇒ **Vil.** — (1768, *in* D.D.L.). *Le dernier des derniers.*

15.2 Toutes, des femmes que je ne voudrais pas toucher du bout des doigts, de la canaille, de la saloperie ! Cette Normande est la dernière des dernières (...)
ZOLA, le Ventre de Paris, t. I, p. 184.

16 (...) on la traite comme la dernière des dernières.
J. RENARD, Poil de Carotte, p. 17.

16.1 J'étais à peine sur la chaussée que, de la foule qui commençait à s'assembler, un homme sortit, se précipita sur moi, vint m'assurer que j'étais le dernier des derniers et qu'il ne me permettrait pas de frapper un homme qui avait une motocyclette entre les jambes et s'en trouvait, par conséquent, désavantagé.
CAMUS, la Chute, p. 62-63.

Régional (Belgique). Fam. *Le dernier de tout :* le comble, la fin de tout.

★ **III.** (XVe). Qui est le plus proche du moment présent (dans le temps). *Ces derniers temps. L'an dernier, l'année dernière, mercredi dernier.* ⇒ **Passé.** *Nouvelles de la dernière heure. Aux dernières nouvelles on apprenait que...* ⇒ **Récent.** *Le dernier cours de la bourse. La dernière guerre. S'habiller selon la dernière mode ; c'est le dernier cri** (1892). — *C'est son dernier enfant.* — (Nominal). *Jean est son dernier.* — *Oui, répondit ce dernier...,* celui dont on vient de parler.

17 L'Attila, le fléau des rats,
Rendait ces derniers misérables.   LA FONTAINE, Fables, III, 18.

18 (...) toutes les dernières *créations* de vos grands couturiers (...)
LOTI, les Désenchantées, II, IV, p. 57.

19 Bien que son esprit n'ait pas des antennes très sensibles, elle a perçu, dans ces derniers mots, une intention à son adresse (...)
MARTIN DU GARD, les Thibault, t. III, p. 168.

19.1 Une journaliste m'a donné en exemple une femme de mon âge, toujours prête à inaugurer le bistrot, la boîte de nuit, la maison de couture dernier cri (...)
S. DE BEAUVOIR, Tout compte fait, p. 133.

CONTR. Initial, premier. — Futur, prochain.
DÉR. Dernièrement.
COMP. Avant-dernier. — Dernier-né, dernière-née.

DERNIÈREMENT [dɛʀnjɛʀmɑ̃] adv. — 1294 ; de *dernier*, III., et 1. -*ment.*

♦ **1.** Vx. En dernier lieu. ⇒ **Enfin.** *Premièrement, deuxièmement... dernièrement.*

♦ **2.** Depuis peu de temps, ces derniers temps. ⇒ **Récemment.** *Il est venu nous voir tout dernièrement. Dernièrement, il s'est passé quelque chose d'important.*

DERNIER-NÉ [dɛʀnjene], DERNIÈRE-NÉE [dɛʀnjɛʀne] n. — 1691 ; de *dernier*, et *né*.

♦ Enfant qui, dans une famille, est né le dernier. ⇒ **Benjamin, dernier.** *Celui-ci est notre dernier-né. Les derniers-nés sont souvent plus choyés que leurs frères et sœurs* (opposé à : *aîné*).

(...) Poil de Carotte, va fermer les poules !
Elle donne ce petit nom d'amour à son dernier-né, parce qu'il a les cheveux roux et la peau tachée.   J. RENARD, Poil de Carotte, Les poules.

(1694). En parlant d'une chose. Le plus récent, le dernier modèle. *La dernière-née des grandes unités de surface. Le dernier-né des restaurants de la ville.*

DERNY [dɛʀni] n. m. — 1938, *in* Petiot ; du nom de l'inventeur.

♦ Cyclomoteur qui entraîne les coureurs cyclistes, dans certaines courses. *Course derrière derny, dernys.*

DÉROBADE [deʀɔbad] n. f. — 1889, *in* D.D.L. ; à *la dérobade*, 1549 ; de *dérober* et suff. -*ade*.

♦ **1.** (1880, *in* Petiot). Équit. Action de se dérober (en parlant d'un cheval).

♦ **2.** (1905). Cour. Action, fait de s'échapper, de fuir, de reculer devant une obligation, un engagement. ⇒ **Démission, échappatoire, faux-fuyant, pirouette** (fam.), **reculade.**

1 Devant des dérobades concertées, il dut se résigner à choisir des parlementaires peu connus pour la plupart.   Georges LECOMTE, Ma traversée, p. 41.

2 (...) il voulait que j'intercède auprès de Flory, juge ; heureusement Marcel Drouin, que j'allai consulter, le matin même, sur l'opportunité d'une telle démarche, me fit sentir l'incorrection — et je la sentais bien de moi-même ; mais rien ne m'est plus difficile qu'un geste qui peut paraître une dérobade ; c'est pourquoi je me crus tenu d'aller au Palais !   GIDE, Journal, 6 janv. 1911.

DÉROBÉ, ÉE [deʀɔbe] adj. ⇒ **Dérober**, p. p.

DÉROBÉE (À LA) [aladeʀɔbe] loc. adv. ⇒ **Dérober**, p. p. (cit. 30-32 et *supra*).

DÉROBEMENT [deʀɔbmɑ̃] n. m. — V. 1200, « larcin, pillage » ; de *dérober*.

★ **I. ♦ 1.** Méd. Action de se dérober. *Dérobement des jambes.* — Mar. *Dérobement d'un sous-marin,* son immersion par plongée.

♦ **2.** ⇒ **Dérobade** (2.).

Ce dérobement perpétuel rend témoignage à Dieu, à peu près comme les détours de l'animal poursuivi révèlent la présence d'un chasseur qu'on ne voit point.
BERNANOS, l'Imposture, *in* Œ. Roman., Pl., p. 443.

★ **II.** (Mil. XVIIᵉ). Techn. Taille de la pierre, faite en rapportant directement l'épure sur cette pierre.

DÉROBER [deʀɔbe] v. tr. — V. 1165, *desrober;* de 2. *dé-,* et de l'anc. franç. *rober,* francique *raubôn,* all. *rauben,* « dépouiller ».

♦ **1.** (V. 1365). Littér. S'emparer furtivement de (ce qui appartient à autrui). ⇒ **Agripper** (argot), **attraper, barboter** (fam.), **chaparder, chiper, choper** (fam.), **dépouiller** (vx), **détourner, distraire, emparer** (s'emparer de), **emprunter** (iron.), **enlever, escamoter, escroquer, étouffer** (fam.), **faire** (fam.), **faucher** (fam.), **friponner** (vx), **gripper** (vx), **marauder, picorer, piller, piquer** (fam.), **prendre** (furtivement), **rafler** (fam.), **refaire** (fam.), **soustraire, subtiliser, voler; larcin** (faire un larcin). *Dérober un portefeuille, une montre, un bijou, un vêtement à qqn. On lui a dérobé un livre.* (→ Adresse, cit. 13; côté, cit. 30). *Dérober subrepticement de l'argent à un naïf. Dérober une affaire, un marché à quelqu'un.* ⇒ **Souffler.**

1 On ne méprise pas un voleur qui dérobe pour satisfaire sa faim, quand il n'a rien à manger (...)
BIBLE (CRAMPON), Proverbes, VI, 30.

2 Au voleur! au voleur! à l'assassin! au meurtrier! Justice, juste Ciel! je suis perdu, je suis assassiné, on m'a coupé la gorge, on m'a dérobé mon argent.
MOLIÈRE, L'Avare, IV, 7.

Absolument :

3 Elle donnait comme on dérobe,
En se cachant aux yeux de tous.
HUGO, les Contemplations, IV, VI.

♦ **2.** Fig. Obtenir (qqch.) par des moyens peu honnêtes. ⇒ **Extorquer, prendre.** *Dérober un secret.* ⇒ **Surprendre.** *Dérober à qqn le mérite qui lui est dû.* ⇒ **Enlever.** *Dérober un baiser :* embrasser qqn par surprise. ⇒ **Prendre, voler.**

4 Chaque fois que je suis tenté de vous dérober la moindre caresse (...)
ROUSSEAU, Julie ou la Nouvelle Héloïse, I, lettre X.

Dérober les idées, la pensée, les écrits d'un auteur. ⇒ **Approprier** (s'), **copier, emprunter, imiter, plagier.** — *Dérober quelques heures, quelques instants à ses affaires, à son travail, pour faire autre chose.* ⇒ **Distraire, prendre.**

5 Quoi? pour vous confier la douleur qui m'accable,
À peine je dérobe un moment favorable (...)
RACINE, Britannicus, II, 6.

♦ **3.** (Sujet n. de choses). Cacher, empêcher de voir, masquer à la vue (de qqn). ⇒ **Cacher** (cit. 20), **dissimuler, masquer, voiler.** *Un rideau d'arbres lui dérobait le paysage. Les nuages dérobent les sommets enneigés.*

6 (...) mais ensuite une noire tempête déroba le ciel à nos yeux, et nous fûmes enveloppés dans une profonde nuit.
FÉNELON, Télémaque, I.

7 (...) il (le château) était situé au pied d'une montagne, au milieu d'un bois dont les arbres élevés le dérobaient à toute vue.
A. R. LESAGE, Gil Blas, XII, XIII.

8 Ce geste simple et naturel (de la Vénus de Syracuse), plein de pudeur et d'impudicité, qui cache et montre, voile et révèle, attire et dérobe, semble définir toute l'attitude de la femme sur la terre.
MAUPASSANT, la Vie errante, p. 122.

Figuré :

9 C'est un peu simpliste. Encore faut-il reconnaître que le plus grand danger des idées c'est de nous dérober souvent le spectacle des réalités, de nous en retirer le sens.
G. DUHAMEL, Défense des lettres, III, p. 252.

Milit. *Dérober sa marche* (en parlant d'une armée, d'une troupe) : progresser sans que l'ennemi s'en aperçoive. — Fam. (Sujet n. de personne). Partir dans une direction après avoir laissé croire qu'on allait en emprunter une autre. — Fig. Dissimuler les moyens que l'on utilise pour parvenir à ses fins (→ Donner le change*).

♦ **4.** Littér. Cacher ou éloigner de qqn. ⇒ **Enlever, ôter, retirer, soustraire.** *Dérober un criminel à la justice* (→ Bras, cit. 31). — Figuré :

10 (...) l'avantage d'être rencontrée la première ne doit point dérober aux autres les justes prétentions qu'elles ont toutes sur nos cœurs.
MOLIÈRE, Dom Juan, I, 2.

11 Son regard rencontre rarement le mien, que je dérobe.
COLETTE, la Vagabonde, II, p. 89.

12 Elle voulut m'embrasser, mais je dérobai mon front et allai m'asseoir à l'écart, loin de la lampe.
F. MAURIAC, la Pharisienne, XII, p. 195.

▶ **SE DÉROBER** v. pron.

♦ **1.** (XVIᵉ). *Se dérober à :* éviter d'être vu, pris par (qqn). ⇒ **Échapper, soustraire** (se). *Se dérober à, devant un visiteur importun.* ⇒ **Éclipser** (s'), **esquiver** (s'), **fuir, sauver** (se). *Se dérober à ses créanciers. Se dérober aux regards.* ⇒ **Cacher** (se), **dissimuler** (se), **échapper** (à la vue), **réfugier** (se), **retirer** (se); **invisible** (être invisible). *Se dérober aux coups d'un adversaire.* ⇒ **Éviter.**

13 (...) pour me dérober à de semblables coups (...)
MOLIÈRE, Mélicerte, I, 5.

14 Il exige qu'au lieu de se dérober à la police, il aille à sa rencontre, qu'il aille « se jeter à sa tête ».
J. ROMAINS, les Hommes de bonne volonté, t. II, XII, p. 130.

Fig. *Se dérober à son devoir, à ses obligations, à son travail...* ⇒ **Manquer** (à). *Homme lâche qui se dérobe à ses engagements, à* ses devoirs. *Se dérober à la discussion.* ⇒ **Éluder, esquiver, éviter, fuir, reculer** (→ fam. Prendre la tangente*).

15 Je demandais à M (...) pourquoi, en se condamnant à l'obscurité, il se dérobait au bien qu'on pouvait lui faire. «Les hommes, me dit-il, ne peuvent rien faire pour moi qui vaille leur oubli ».
CHAMFORT, Caractères et Anecdotes, Oubli des hommes.

16 Mais je me dérobe au travail, commence à la fois six livres, ne sachant derrière quoi me cacher, pour ne répondre pas encore à l'exigence (...)
GIDE, Journal, mars 1916.

17 Elle avait compris la question et ne s'y dérobait pas; elle semblait même prendre un sauvage plaisir à surmonter toute réticence.
MARTIN DU GARD, les Thibault, t. I, p. 246.

Absolt. Éviter de répondre, de réagir, d'agir; être insaisissable (personnes ou choses).

18 (...) plus le Conseil de la Commune se dérobe, plus les hommes d'action le pressent.
JAURÈS, Hist. socialiste..., t. VII, p. 486.

19 Les plus grands penseurs, depuis Aristote, se sont attaqués à ce petit problème (le rire) qui toujours se dérobe sous l'effort, glisse, s'échappe, se redresse, impertinent défi jeté à la spéculation philosophique.
H. BERGSON, le Rire, I, p. 1.

20 Elle ne se dérobait pas lorsque je faisais allusion aux événements passés (...)
F. MAURIAC, la Pharisienne, XVI, p. 262.

♦ **2.** Sans compl. ⇒ ⓐ S'éloigner, s'écarter de qqn. ⇒ **Dégager** (se), **refuser** (se), **retirer** (se). — Absolt. (Sujet n. de personnes).

21 Il souleva les plis de la cape, et lui prit le bras comme jadis. Elle ne se dérobait pas, ne marquait aucun refus, aucun recul, mais ne parvenait pas à s'abandonner.
J. ROMAINS, les Hommes de bonne volonté, t. IV, XXI, p. 221.

(Sujet nom de chose).

22 (Il) lui prenait doucement la main qui ne se dérobait pas et se réchauffait vite.
J. ROMAINS, les Hommes de bonne volonté, t. V, XXVI, p. 267.

ⓑ (1677). SE DÉROBER SOUS... : ne pas offrir un appui ferme à, faillir à résister à (une poussée, une force d'enfoncement). ⇒ **Manquer.** *Le sol se dérobe sous ses pas.*

23 Tantôt nous montions sur le dos des vagues enflées; tantôt la mer semblait se dérober sous le navire et nous précipiter dans l'abîme.
FÉNELON, Télémaque, IV.

24 (Elle) croyait sentir les tapis, le parquet se dérober sous ses genoux (...)
LOTI, les Désenchantées, III, X, p. 88.

Ses genoux se dérobèrent sous elle, en parlant d'une personne en proie à une forte émotion. ⇒ **Faiblir.**

25 (...) je sentais que mes pieds ne pouvaient se mouvoir, que mes genoux se dérobaient sous moi (...)
FÉNELON, Télémaque, IV.

26 Julien avait raison de s'applaudir de son courage, jamais il ne s'était imposé une contrainte plus pénible. En ouvrant sa porte, il était tellement tremblant que ses genoux se dérobaient sous lui, et il fut forcé de s'appuyer contre le mur.
STENDHAL, le Rouge et le Noir, I, XV, p. 85.

ⓒ (Le sujet désigne un cheval). Manège. Faire un écart pour éviter l'obstacle à franchir. *Se dérober, se dérober devant l'obstacle.* — *Se dérober sous, dessous son cavalier :* essayer de s'échapper de dessous le cavalier.

▶ **DÉROBÉ, ÉE** p. p. adj.

♦ **1.** Pris, volé. *Receler des objets dérobés.* — Fig. *Secret dérobé.*

27 (...) se parer (...) d'un titre dérobé, se vouloir donner pour ce qu'on n'est pas.
MOLIÈRE, le Bourgeois gentilhomme, III, 12.

28 (...) une copie dérobée de ma pièce (...)
MOLIÈRE, les Précieuses ridicules, Préface.

♦ **2.** (1603). *Escalier dérobé, porte dérobée,* qui permet de sortir d'une maison ou d'y entrer sans être vu. ⇒ **Secret.** *S'enfuir par une porte dérobée.*

29 (...) simple grand seigneur, qui tous les jours se sauve
Par un escalier dérobé.
LA FONTAINE, Fables, XII, 7.

♦ **3.** (1864). Agric. *Culture dérobée :* culture de quelques semaines pratiquée dans l'intervalle des cultures principales.

♦ **4.** N. f. *La dérobée,* danse populaire bretonne (Côtes-du-Nord).

♦ **5.** Loc. adv. À LA DÉROBÉE. ⇒ **Cachette** (en), **catimini** (en), **furtivement, secrètement, sournoisement, subrepticement, tapinois** (en). (Cf. argot En douce). *Faire qqch. à la dérobée. Regarder qqn à la dérobée* (opposé à *en face*).

30 Qu'ils étaient charmants, ces regards inquiets et curieux qui se portaient sur nous à la dérobée et se baissaient aussitôt pour éviter les miens!
ROUSSEAU, Julie ou la Nouvelle Héloïse, I, lettre XXXIV.

31 Un soir, à table, je m'avisai de mettre à la dérobée un pincée de poivre sur la part de tarte à la crème réservée à la vieille Mélanie qui raffolait de sucreries.
FRANCE, le Petit Pierre, XVII, p. 107.

32 D'ailleurs, Mionnet, loin de chercher l'occasion de regarder les gens à la dérobée, les considérait le plus souvent bien en face.
J. ROMAINS, les Hommes de bonne volonté, t. III, XI, p. 154.

CONTR. Rendre, respecter (le bien d'autrui), restituer. — Montrer, voir (faire voir, laisser voir). — Livrer. — Affronter, faire.

DÉR. Dérobade, dérobement, dérobeur.

DÉROBEUR, EUSE [deʀɔbœʀ, øz] adj. — xxᵉ ; nom, xiiiᵉ ; de *dérober.*

Vieux ou rare.

♦ **1.** Qui dérobe. ⇒ **Voleur.**

♦ **2.** Qui se dérobe (2., c.). *Cheval dérobeur.*

1. DÉROCHAGE [deʀɔʃaʒ] n. m. — 1838 ; de 2. *dérocher.*

♦ Techn. Action de dérocher un métal.

HOM. 2. Dérochage.

2. DÉROCHAGE [deʀɔʃaʒ] n. m. — 1934, *in* Petiot ; de 1. *dérocher.*

♦ Alpin. Fait de lâcher prise et de tomber (au cours de l'escalade d'une paroi rocheuse). ⇒ **Dévissage.**

HOM. 1. Dérochage.

DÉROCHEMENT [deʀɔʃmã] n. m. — 1890 ; *desrochement* « démolition », 1472 ; de 1. *dérocher.*

♦ Techn. Action de dérocher le lit d'une rivière, un terrain ; résultat de cette action.

1. DÉROCHER [deʀɔʃe] v. — xiiᵉ, *desrochier* ; de *dé-*, indiquant l'éloignement , le mouvement de haut en bas (lat. *de-*), et *roche.*

★ **I.** V. intr. (V. 1180 ; repris déb. xxᵉ). Alpin. et régional (Suisse). Lâcher prise et tomber d'une paroi rocheuse, tomber dans les rochers. ⇒ **Dévisser** (cit. 2, 3). Syn. : *se dérocher* (ci-dessous).

1 À toute vitesse, ils ont décampé, on a cru qu'ils allaient dérocher dans les contours !   Corinna BILLE, le Sabot de Vénus, p. 59.

★ **II.** V. tr. (1671 ; de 1. *dé-*). Techn. Dégager (un chenal, le lit d'une rivière, un terrain) des rochers qui encombrent. ⇒ **Dérochement, dérocheuse.**

▶ **SE DÉROCHER** v. pron. (même sens que dérocher, I.).

2 (...) il dégagerait la corde au risque de se dérocher, ensuite il tâcherait de ramener le client.   R. FRISON-ROCHE, Premier de cordée, p. 65.

DÉR. 2. Dérochage, dérochement, dérocheuse.
HOM. 2. Dérocher.

2. DÉROCHER [deʀɔʃe] v. tr. — 1671 ; de 2. *dé-*, et 2. *rocher.*

♦ Techn. Nettoyer (la surface d'un métal) des corps gras, des oxydes. ⇒ **Décaper ; dérochage.** *Dérocher un métal, un objet au moyen de borax, d'acide sulfurique.*

DÉR. 1. Dérochage.
HOM. 1. Dérocher.

DÉROCHEUSE [deʀɔʃøz] n. f. — 1889, *in Année sc. et industr.* 1890, p. 152 ; de 1. *dérocher.*

♦ Techn. Appareil servant à dérocher (1. Dérocher, II.) un chenal.

DÉROCTAGE [deʀɔktaʒ] n. m. — 1960 ; de 2. *dé-*, et rad. bas lat. *rocc-* « pierre », d'après le franç. régional *rocter* « dégrossir une pierre en en ébauchant la taille », de *roc.*

♦ Techn. Action de briser de gros blocs de pierre (syn. : *préconcassement*). *Déroctage sous-marin.*

DÉRODER [deʀɔde] v. tr. — 1870 ; de 2. *dé-*, et du lat. *rodere* « ronger ».

♦ Arbor. Éclaircir (une forêt) en abattant les arbres qui dépérissent, et en retirant les souches. *Déroder une coupe.*

DÉROGATION [deʀɔgasjɔ̃] n. f. — xiiᵉ-xiiiᵉ, *derogacion* ; lat. *derogatio*, du supin de *derogare.* → Déroger.

♦ Action de déroger (à une loi, à une convention, à une règle). *La dérogation à une loi. Par dérogation aux dispositions prises.* — Plus cour. *(Une, des dérogations).* ⇒ **Infraction, violation.** *La nouvelle loi constitue une dérogation à l'ancienne.* ⇒ **Modification ;** et aussi **abrogation, suppression.** *Cet article renferme une dérogation au principe général.* ⇒ **Exception.** *Une grave dérogation aux lois, à la morale.* ⇒ **Crime, délit, faute.** *Dérogation aux conventions, aux usages.* ⇒ **Atteinte, entorse.**

1 Il arrive que le législateur formule une règle générale sans prévoir les cas exceptionnels qui doivent rester en dehors de la règle. Alors quoique le texte ait en apparence une portée absolue, on pourra lui faire subir des dérogations.
       M. PLANIOL, Traité élémentaire de droit civil, t. I, p. 96 (12ᵉ éd.).

2 On voit tout d'abord les graves conséquences que la dérogation aux lois d'hérédité

commise par la Révolution de Juillet fit peser sur la dynastie qui sortit de cette révolution.   RENAN, Questions contemporaines, Œ., t. I, p. 50.

CONTR. Conformité, observance, observation.

DÉROGATOIRE [deʀɔgatwaʀ] adj. — 1341 ; lat. *derogatorius*, de *derogatum*, supin de *derogare.* → Déroger.

♦ Dr. Qui contient, qui constitue une dérogation. ⇒ **Contraire.** *Acte dérogatoire, clause dérogatoire au droit commun.*

CONTR. Conforme.

DÉROGEANCE [deʀɔʒãs] n. f. — 1460, « action de déroger » (à une loi) ; de *déroger.*

♦ (1666). Ancient. Action qui faisait perdre la qualité de noble ; son résultat. ⇒ **Déroger, 2.**

REM. On rencontre aussi l'adj. *dérogeant, ante* (Chateaubriand, *in* T. L. F.).

DÉROGER [deʀɔʒe] v. tr. ind. — Conjug. *bouger.* — 1370 *desroguer* ; du lat. class. *derogare*, de *de-*, et *rogare.*

♦ **1.** Dr. DÉROGER à : manquer à (l'observation d'une loi, l'application d'une règle, d'une convention). ⇒ **Contrevenir, écarter** (s'), **transgresser, violer.** *Déroger à la loi.* ⇒ **Enfreindre.** *Il a dérogé au contrat, à l'entente.* ⇒ **Rompre.** *Déroger aux droits de quelqu'un.*

1 (...) une loi de Solon, à laquelle on avait un peu dérogé (...)
       LA BRUYÈRE, les Caractères de Théophraste, « Du grand parleur », note.

2 On ne peut déroger, par des conventions particulières, aux lois qui intéressent l'ordre public et les bonnes mœurs.   Code civil, art. 6.

Par ext. Vieilli. Porter atteinte, ne pas se conformer à... ⇒ **Attenter.** *Déroger aux usages.* ⇒ **Dérogation.**

3 (...) des actes conventionnels, qui sortent de l'état de nature et dérogent à la liberté.
       ROUSSEAU, Émile, II.

♦ **2.** Ancienn. *Déroger à noblesse*, et, absolt, *déroger :* perdre les privilèges de la noblesse par l'exercice d'une profession incompatible avec elle. ⇒ **Dérogeance.** *Le métier de verrier ne dérogeait point à noblesse.*

4 Se faire réhabiliter suppose qu'un homme devenu riche, originairement est noble, (...) qu'à la vérité son père a pu déroger ou par la charrue, ou par la houe, ou par la malle, ou par les livrées (...)   LA BRUYÈRE, les Caractères, XIV, 3.

♦ **3.** Faire une chose indigne de la position, du rang social que l'on occupe ; s'écarter de ce à quoi oblige l'honneur, la dignité... *Déroger à son rang, à sa naissance, à ses convictions, à ses principes.* ⇒ **Manquer.** *Déroger à l'honneur par une bassesse.*

Vx. *Déroger de...*

4.1 Très aimée, pour mon malheur, sans jamais pour cela déroger de mes principes, je vous prie de le croire.
       Henri MONNIER, Scènes populaires, La victime du corridor, sc. 7, t. I, p. 269.

Absolt. ⇒ **Abaisser** (s'), **condescendre, déchoir.** *Il croirait déroger en faisant ce métier. Sans déroger.*

5 Il n'y avait plus entre nous d'égalité malgré la naissance ; c'était déroger que de me fréquenter.   ROUSSEAU, les Confessions, I.

6 (...) elle savait très bien voir les *petites gens* sans déroger.
       CHATEAUBRIAND, Mémoires d'outre-tombe, t. II, p. 337.

CONTR. Conformer (se conformer à), obéir (à), observer, respecter, suivre. — Élever (s') ; garder, tenir (son rang).
DÉR. Dérogeance.

DÉROMPRE [deʀɔ̃pʀ] v. tr. — Conjug. *rompre.* — V. 1050 ; de 2. *dé-*, et *rompre.*

Vieux ou technique.

♦ **1.** Vx et techn. (fauconn.). Attaquer en jetant à terre violemment (la proie), en parlant de l'oiseau chasseur.

♦ **2.** Agric. Défoncer le sol de...

♦ **3.** Techn. Traiter (une étoffe) en enlevant une partie de l'apprêt.

DÉROQUER [deʀɔke] v. tr. — 1873 ; forme normanno-picarde de *dérocher*.*

♦ Régional. Défricher (un terrain).

Autour de nous tout se pulvérisait (...) nous n'échapperions pas aux milliers de socs qui « déroquaient » l'espace où nous nous tenions (...)
       Paul VIALAR, La mort est un commencement, « Les morts vivants », 1947, p. 328, *in* T. L. F.

DÉROUGIR [deʀuʒiʀ] v. tr. et intr. — Conjug. *rougir.* — Déb. xiiiᵉ, *desrougir*, intrans. ; 1718, trans. ; de 1. *dé-*, et *rougir.*

♦ **1.** Faire perdre ou perdre la couleur rouge (sujet n. de personne ou de chose). — Au participe passé :

(...) la salle qui leur est réservée, morne et nue, aux carreaux dérougis s'éclairant mal sur une étroite ruelle.   Alphonse DAUDET, l'Immortel, p. 360.

♦ **2.** Fig. et régional (Canada). *Ça ne dérougit pas!*, s'emploie au Canada au plus fort des périodes de pointe qui se prolongent au travail, dans le commerce, le tourisme, etc.

CONTR. **Rougir.**

DÉROUILLAGE [deʀujaʒ] ou DÉROUILLEMENT [deʀujmã] n. m. — 1875, *dérouillage*; *dérouillement*, XVIᵉ; de *dérouiller*, et *-age*; de *dérouiller*, et 2. *-ment.*

♦ **1.** (1636). Action de dérouiller.

♦ **2.** Fig., fam. Action de se dégourdir physiquement ou intellectuellement.

♦ **3.** Fam. Volée de coups. ⇒ **Dérouillée.**

CONTR. **Rouillage.**

DÉROUILLÉE [deʀuje] n. f. — 1926; de *dérouiller*, I., 3. et II.

♦ Très fam. Action de «dérouiller», de battre ou d'être battu. Volée de coups. ⇒ **Coup, volée.** *Prendre, recevoir une dérouillée, la dérouillée.* — Fig. ⇒ **Défaite.** — REM. On dit aussi *dérouille* (1934).

1 Tu le sais, toi, que l'armée française a pris la dérouillée? demanda Pinette en bégayant de colère. T'es dans les confidences de Weygand?
SARTRE, la Mort dans l'âme, p. 48.

2 L'irascible personnage, exaspéré sans doute par la mauvaise volonté, devenue évidente, de son moteur, m'informa que si je désirais ce qu'il appelait une dérouillée, il me l'offrirait de grand cœur.
CAMUS, la Chute, p. 62.

3 Si tu trouves que ce Vierron ne mérite pas une dérouillée, après ce que Jean-Pierre nous a raconté l'autre jour!
Jean-Louis CURTIS, le Roseau pensant, p. 315.

DÉROUILLEMENT [deʀujmã] n. m. ⇒ **Dérouillage.**

DÉROUILLER [deʀuje] v. tr. et intr. — 1195, *desroïllier* «perdre sa rouille»; de 1. *dé-*, et *rouiller*.

★ **I.** V. tr. ♦ **1.** Rare. Débarrasser (qqch.) de la rouille. *Dérouiller un canon de fusil. Dérouiller et polir une plaque de métal.*

♦ **2.** (1616). Fig. et fam. Cour. Rendre plus actif, plus vif (le corps, l'esprit, une faculté physique ou intellectuelle). ⇒ **Dégourdir.** *Dérouiller sa mémoire.* ⇒ **Réveiller.** *L'exercice dérouille le corps.* — Vieilli. *Dérouiller quelqu'un.* ⇒ **Dégrossir, façonner, polir.** *L'usage du monde l'a vite dérouillé.*

♦ **3.** (1924). Fam. ⇒ **Battre.** *Il s'est fait dérouiller. Il l'a drôlement dérouillé.* — Par extension :

1 Tu te fous de moi? C'est bon. Profites-en. À ton arrivée au dépôt, je serai là pour te dérouiller la gueule.   M. AYMÉ, Travelingue, p. 154.

★ **II.** V. intr. ♦ **1.** (1926, *in* Esnault). Pop. Attraper des coups. *Ils ont drôlement dérouillé!*

♦ **2.** (1907). Argot. Faire son premier gain de la journée (en parlant d'une prostituée).

2 Quand je mets cette robe, ma pauvre, je dérouille pas.
A. SARRAZIN, l'Astragale, p. 170.

▶ **SE DÉROUILLER** v. pron.

♦ **1.** (Passif). *Le fer se dérouille par le frottement.*

♦ **2.** (Réfl.). ⇒ **Dégourdir (se).** *Se dérouiller après une longue inaction, en faisant de la gymnastique. Il n'a pas fait de mathématiques depuis longtemps, il aurait besoin de se dérouiller.* — Par ext. ⇒ **Instruire (s'), polir (se).** *C'est un rustre, il doit se dérouiller.* — (Faux pron.). *Se dérouiller les jambes par une petite marche. Se dérouiller l'esprit, la mémoire.*

♦ **3.** (Récipr.). Se battre.

2.1 Ah! ma foi, moi, j'aime mieux rester rouillé, que d'me dérouiller à coups de boulets.   E. CORBIÈRE, la Mer et les Marins, V, 3, *in* D.D.L., II, 13.

▶ **DÉROUILLÉ, ÉE** p. p. adj.

♦ **1.** Débarrassé de sa rouille.

3 Et vois comme le fer, par le feu dérouillé,
Prend une couleur vive au milieu de la flamme.
CORNEILLE, Imitation de Jésus-Christ, II, 4.

♦ **2.** Fig. *Esprit mal dérouillé.* ⇒ **Dégourdi.**

CONTR. **Rouiller.** — **Encrasser, endormir, engourdir.** — **Abêtir, abrutir.**
DÉR. **Dérouillage, dérouillement, dérouillée.**

DÉROULAGE [deʀulaʒ] n. m. — 1870; de *dérouler.*

♦ **1.** Déroulement.

♦ **2.** Techn. Détachage mécanique d'une feuille de bois à la surface d'une pièce cylindrique. *L'industrie du sciage et du déroulage (placages et contreplaqués).*

DÉROULEMENT [deʀulmã] n. m. — 1704, *in* D.D.L.; de *dérouler*, et 2. *-(e)ment.*

♦ **1.** (Concret). Action de dérouler; résultat de cette action. *Déroulement d'un parchemin.* ⇒ **Développement.** *Déroulement d'un câble, d'une pelote de ficelle.* — Par ext. ⇒ **Déploiement.**

1 (...) les feuilles de chênes (...) si vite épanouies que l'œil suivait leur déroulement (...)   M. GENEVOIX (→ Crosse, cit. 4).

(1704). Géom. Action de dérouler une section de cône, de cylindre, ... en surface plane.

♦ **2.** (1805). Fait de se dérouler, de se déployer. *Déroulement des vagues sur la plage; déroulement d'une fumée...*

2 La mer est ton miroir; tu contemples ton âme
Dans le déroulement infini de sa lame (...)
BAUDELAIRE, les Fleurs du mal, « L'homme et la mer ».

(1904, *in* Petiot). Sport. Enchaînement des mouvements successifs de la jambe, du pied, dans la marche ou la course.

♦ **3.** (1799). Abstrait. Fait de se succéder dans le temps. ⇒ **Développement, écoulement, enchaînement, succession, suite.** *Le déroulement des faits, de l'histoire. Le déroulement de l'action dans une pièce de théâtre, un film. Déroulement de la cérémonie... Le déroulement des conséquences.*

3 Il se hâte de tourner quelques feuillets. Il ne parvient pas à lire avec suite, et devine, tant bien que mal, le déroulement des faits.
MARTIN DU GARD, les Thibault, t. IV, p. 18.

CONTR. **Enroulement, enveloppement, repliage, reploiement.**

DÉROULER [deʀule] v. tr. — V. 1389, *desroller*; de 1. *dé-*, et *rouler.*

♦ **1.** (Concret). Défaire, étendre (ce qui était roulé). ⇒ **Déployer, développer, étaler, étendre.** *Dérouler un manuscrit, une pièce d'étoffe. Dérouler une bobine de fil.* ⇒ **Dévider.** *Dérouler un store, une carte, un rouleau de papier.*

1 Là-dessus M. de Solre prend un grand rouleau, et, se faisant aider à le dérouler, l'étend tout le long de la chambre et lui fait voir qu'il remontait et finissait deux de ses branches par des têtes couronnées.
Mᵐᵉ DE SÉVIGNÉ, 1120, 7 janv. 1689.

2 (...) il venait, malgré lui, de penser (...) au chemin de tapis rouge qu'en ce moment sans doute on déroulait sous le velum de l'Exposition des Fleurs (...)
MARTIN DU GARD, les Thibault, t. III, p. 161.

Loc. (au propre et au fig.). *Dérouler le tapis rouge (à, pour qqn),* lui faire honneur.

2.1 En l'honneur de leur départ, nous sommes prêts à dérouler le tapis rouge (...)
MALRAUX, Antimémoires, Folio, p. 441.

Techn. Opérer le déroulage de (un bois).

2.2 On déroule beaucoup de peupliers notamment pour les emballages légers, le contreplaqué, les boîtes à fromage, les allumettes.
J. L. REGGIANI, Industries et Commerce du bois, p. 45.

Géom. *Dérouler une courbe.*

♦ **2.** (Concret; spatial). Sujet n. de choses. Étaler sous le regard (un aspect, une partie de soi). *Fleuve qui déroule ses méandres, ses eaux. Fumée qui déroule sa spirale, ses volutes.*

3 L'incendie, attaquant la frégate amirale,
Déroule autour des mâts son ardente spirale (...)   HUGO, les Orientales, V, v.

(Temporel). Montrer, développer successivement (les différentes parties du tout). *Le film déroule son intrigue. La symphonie déroule ses thèmes, ses mélodies. L'histoire déroule les événements du passé. Dérouler ses souvenirs.* ⇒ **Revoir, revue** (passer en revue). *Dérouler dans sa mémoire.*

4 Je lis ce chœur suave et lumineux qui déroule sa belle mélopée au milieu d'une action violente, le chœur des vieillards Thébains.
FRANCE, le Crime de S. Bonnard, Œ., t. II, p. 491.

5 Quant aux passions humaines, elles déroulent depuis l'origine du monde un tableau régulier et monotone.   Edmond JALOUX, Alcyone, p. 62.

6 (...) je déroule toutes nos paroles, tous nos silences, nos regards, nos gestes, fidèlement enregistrés avec leurs valeurs picturales et musicales (...)
COLETTE, la Vagabonde, III, p. 208.

♦ **3.** V. intr. (1841). Régional. Rouler de haut en bas. *Pierres qui déroulent.*

▶ **SE DÉROULER** v. pron.

♦ **1.** *Rouleau de parchemin, manuscrit qui se déroule. Serpent qui se déroule.*

7 Le boa se déroule et siffle,
Le tigre fait son hurlement (...)   Th. GAUTIER, Poésies, « L'hippopotame ».

♦ **2.** S'étaler, se montrer peu à peu devant les yeux. *Fumée qui se déroule dans l'air.* ⇒ **Onduler, serpenter.** *Le paysage, le panorama se déroulait devant nos yeux.*

8 Je promène au hasard mes regards sur la plaine,
Dont le tableau changeant se déroule à mes pieds.
LAMARTINE, Premières méditations poétiques, « L'isolement ».

9 Devant nous la Seine se déroulait, ondulante, semée d'îles (...)
MAUPASSANT, Contes de la bécasse, p. 164.

♦ **3.** (1798). Temporel. Prendre place dans le temps (en parlant d'une suite ininterrompue d'événements, de pensées). ⇒ **Écouler (s'), passer (se), succéder (se), suivre (se);** *lieu (avoir lieu). Ces événements* *se sont déroulés il y a longtemps. La cérémonie, la manifestation s'est déroulée sans incident. Sa vie s'est déroulée dans le bonheur. Sa pensée, son récit, se déroule avec ordre. Phrase musicale qui se déroule* (→ Arpège, cit.).

10 Plus ce récit se déroulait, plus il semblait attacher nos simples auditeurs.
LAMARTINE, *Graziella*, II, XIV.

11 La vie si courte, si longue, devient parfois insupportable. Elle se déroule, toujours pareille, avec la mort au bout. On ne peut ni l'arrêter, ni la changer, ni la comprendre.
MAUPASSANT, *Au soleil*, p. 9.

12 Toute la cérémonie s'était déroulée sous la surveillance de ce terrorisme intérieur.
J. ROMAINS, *les Hommes de bonne volonté*, t. IV, VII, p. 58.

13 Sa pensée se déroulait comme un monologue (...)
P. MAC ORLAN, *la Bandera*, II, p. 19.

▶ **DÉROULANT, ANTE** p. prés adj.

Rare. Qui se déroule. « *La lame déroulante* » (Chateaubriand).

▶ **DÉROULÉ, ÉE** p. p. adj.

Défait, qui a été étendu. *Tapis déroulé.* — N. m. Sports. ⇒ **Déroulement.**

CONTR. Enrouler, rouler; envelopper, replier. — Arrêter (s'), interrompre (s'). — (Du p. p.) Enroulé, roulé.

DÉR. Déroulage, déroulement, dérouleur, dérouleuse.

DÉROULEUR [deʁulœʁ] n. m. — 1968; de *dérouler.*

♦ Techn. Dispositif permettant l'enroulement et le déroulement d'une bande magnétique en vue de l'écriture ou de la lecture, dans un calculateur électronique. ⇒ **Enregistreur, magnétophone.**

DÉROULEUSE [deʁuløz] n. f. — 1911, *in* D.D.L.; de *dérouler.*
Technique.

♦ **1.** Dispositif sur lequel on enroule et déroule un câble, du fil téléphonique.

♦ **2.** Machine qui effectue le déroulage du bois. ⇒ **Raboteuse.**

DÉROUTAGE [deʁutaʒ] n. m. ⇒ **Déroutement.**

DÉROUTANT, ANTE [deʁutɑ̃, ɑ̃t] adj. — 1846; p. prés. de *dérouter.*

♦ Qui déroute (4.). ⇒ **Déconcertant.** *Une question déroutante, inattendue. Un style déroutant, bizarre.*

CONTR. Banal, prévisible.

DÉROUTE [deʁut] n. f. — 1541, déverbal du vx franç. *desro(u)ter* « disperser » (1155), dér. de *ro(u)te* « bande d'hommes ».

♦ **1.** (1541). Fuite désordonnée de troupes qui ont été battues ou prises de panique. ⇒ **Débâcle, débandade, déconfiture, désarroi.** *Déroute complète, catastrophique, générale. Le recul, le repli s'est transformé en déroute.* — Loc. adv. *En déroute. Mettre l'ennemi en déroute.* ⇒ **Bousculer, ébranler, enfoncer.** *Troupes mises en déroute, battues, écrasées. Soldats en déroute, en pleine déroute.*

1 Restait cette redoutable infanterie de l'armée d'Espagne, dont les gros bataillons serrés (...) demeuraient inébranlables au milieu de tout le reste en déroute (...)
BOSSUET, Oraison funèbre du prince de Condé.

2 Les Suédois (à Poltava) consternés s'ébranlèrent, et le canon ennemi continuant à les écraser, la première ligne se replia sur la seconde, et la seconde s'enfuit. Ce ne fut en cette dernière action, qu'une ligne de dix mille hommes de l'infanterie russe, qui mit en déroute l'armée suédoise (...)
VOLTAIRE, Hist. de Charles XII, IV.

3 C'était un Espagnol de l'armée en déroute (...) HUGO (→ Armée, cit. 7).

4 La Déroute, géante à la face effarée (...) HUGO, les Châtiments, XIII, II.

5 Sans le courage et l'énergie de Gordon, qui commandait l'arrière-garde, cette laborieuse retraite aurait pu se changer en déroute.
MÉRIMÉE, Hist. du règne de Pierre le Grand, p. 81.

6 Pendant plusieurs jours de suite des lambeaux d'armée en déroute avaient traversé la ville. Ce n'était point de la troupe, mais des hordes débandées.
MAUPASSANT, Boule de suif, p. 7.

Par anal. « *Une chambre en déroute* » (Valéry, *in* T.L.F.), en grand désordre.

♦ **2.** (1643). Abstrait. Confusion, mise en désordre. *La déroute des idées, des sentiments.* ⇒ **Confusion, dérangement, désordre, faillite, fuite.** *Mettre la déroute dans les plans de quelqu'un.*

EN DÉROUTE. *Mettre qqn en déroute*, le déconcerter, le décontenancer. ⇒ **Dérouter.** *Il mit son contradicteur en déroute par des arguments irréfutables. Entreprise en déroute.* ⇒ **Banqueroute, débandade** (à la); **déconfiture, faillite, ruine, val** (à vau-l'eau).

7 Votre raisonnement met le mien en déroute (...) J.-F. REGNARD, le Joueur, II, 9.

8 Il y a des déroutes d'idées comme il y a des déroutes d'armées (...)
HUGO, l'Homme qui rit, II, V, IV.

9 (...) mon cœur battait la retraite de mes arguments en déroute.
GIDE, la Symphonie pastorale, p. 145.

10 En une seconde, raison, volonté, tout fut en déroute.
MARTIN DU GARD, les Thibault, t. IV, p. 218.

Ma belle sérénité du mois d'octobre est en déroute. Je vis d'inquiétude et d'appréhension.   G. DUHAMEL, Chronique des Pasquier, t. VI, IX, p. 348. — 11

CONTR. Succès, triomphe, victoire. — Ordre; cohésion... — Prospérité.

DÉROUTÉ, ÉE [deʁute] adj. ⇒ **Dérouter,** p. p.

DÉROUTEMENT [deʁutmɑ̃] ou **DÉROUTAGE** [deʁutaʒ] n. m. — 1870, *déroutement; déroutage*, 1965; de *dérouter*, et 2. *-ment (-age).*

♦ Changement de la route (d'un navire, d'un avion). *Déroutement par suite d'une avarie. Le déroutage d'un avion sur Lyon. Déroutage d'un avion par des pirates de l'air.* ⇒ **Détournement.**

(...) pour centrale que fût cette image *(de Speranza)* elle était chez chacun *(Robinson et Vendredi)* marquée du signe du provisoire, de l'éphémère, condamnée à retourner à bref délai dans le néant d'où l'avait tirée le déroutage accidentel du Whitebird.   M. TOURNIER, Vendredi ..., p. 238-239.

DÉROUTER [deʁute] v. — V. 1270, *soi desrouter*; de 1. *dé-, route*, et suff. verbal *-er.*

★ **I.** V. tr. ♦ **1.** Vx ou littér. Égarer (qqn) de sa route. *Dérouter un voyageur. Dérouter des poursuivants.* ⇒ **Dépister.** — *Dérouter les importuns.* ⇒ **Écarter, éloigner.**

(...) je lui proposai (...) de nous établir dans une solitude agréable, dans quelque petite maison assez éloignée pour dérouter les importuns.   ROUSSEAU, les Confessions, V. — 1

Entourant le pays de la Magie, des îlots minuscules : ce sont des bouées. Dans chaque bouée un mort. Cette ceinture de bouées protège le pays de la Magie, sert d'écoute aux gens du pays, leur signale l'approche d'étrangers. Il ne reste plus ensuite qu'à les dérouter et à les envoyer au loin.
Henri MICHAUX, Ailleurs, p. 129. — 1.1

Spécialt (chasse). *Le cerf, le lièvre a dérouté les chiens*, leur a fait perdre la voie.

♦ **2.** Mod. *Dérouter un navire, un avion*, le faire changer d'itinéraire, de destination (⇒ **Déroutement**). *La compagnie a dérouté tel avion, tel convoi.*

♦ **3.** Abstrait. Mettre hors de la bonne direction; empêcher d'aboutir. ⇒ **Dépister** (2.), **détourner.** *Dérouter les soupçons* (→ Mettre sur une fausse piste*). *Dérouter les recherches.* — Compl. n. de personne. *Cette indication l'a dérouté*, lui a fait perdre le fil, la trace qu'il suivait. ⇒ **Égarer.**

♦ **4.** (1718). Rendre (qqn) incapable de réagir, de se conduire comme il le faudrait. ⇒ **Confondre, déconcerter, décontenancer.** *Dérouter un candidat par des questions inattendues. Ses revers l'ont complètement dérouté* (⇒ **Déroutant**).

Par ext. → **Dépayser.**

La musique déroute ceux qui ne la sentent point.
R. ROLLAND, Musiciens d'autrefois, p. 3. — 2

La fréquentation du monde, si elle ne nous déroute pas (elle nous déroute souvent, car nous nous y heurtons à des êtres masqués [...]) ne saurait que nous confirmer ce que nous savons déjà.   F. MAURIAC, la Province, p. 52. — 3

♦ **5.** Régional (Suisse). Débaucher, dévoyer (qqn).

Il paraît que les gendarmes ont arrêté Louis Morier. Il déroutait les enfants. Lui qui avait l'air si honnête, je n'en reviens pas!
Roger-Louis JUNOD, Une ombre éblouissante, p. 126. — 4

★ **II.** V. intr. ♦ **1.** Vx ou littér. Faire un détour.

♦ **2.** Être en déroute. *L'armée déroute.*

▶ **SE DÉROUTER** v. pron.

♦ **1.** Perdre sa route.

Au milieu de sa course il s'est arrêté, il s'est dérouté, il a quitté son chemin (...)
BOURDALOUE, Pensées, t. II, p. 388, in LITTRÉ. — 5

♦ **2.** Prendre un itinéraire différent de la route normale. *Le cargo s'est dérouté pour porter secours à un yacht qui avait lancé un S.O.S.*

Daubourguet, envoyez un message au peloton d'alerte du quatrième escadron. Qu'il se déroute immédiatement sur Desaix.
Cecil SAINT-LAURENT, les Passagers pour Alger, p. 350. — 6

(...) pas question que je me déroute pour l'éviter, non, tout simplement pas question que moi je me déroute, tout en n'ayant été de ma vie en route pour quelque part, mais tout simplement en route.   S. BECKETT, Têtes-mortes, p. 10. — 7

♦ **3.** Régional. Se débaucher.

▶ **DÉROUTÉ, ÉE** p. p. adj.

♦ **1.** Égaré. *Voyageur dérouté de son chemin.* — Chasse. *Meute déroutée*, qui a perdu la voie du gibier.

♦ **2.** Qui a dû changer d'itinéraire, de destination. *Navire, avion dérouté.*

♦ **3.** Fig. (Personnes). Déconcerté. *Être dérouté par un événement imprévu*, déconcerté.

Et pour quoi faire? demanda M. Sainte-Lucie absolument dérouté, bien qu'il connût son homme.   FRANCE, Jocaste, Œ., t. II, II, p. 158. — 8

Vx. En déroute, en faillite. « *Les marchands de dessins et de gravures déroutés, en pleine crise, menacés de ruine* » (Goncourt, *Journal*, 1856, p. 294, *in* T. L. F.).

CONTR. Suivre (son chemin); **retrouver** (son chemin).
DÉR. Déroutage, déroutant, déroutement.

DERRICK [dɛʀik] n. m. — 1861, *in Année sc. et industr.* 1862, p. 429; mot angl., de *Derrick*, nom du bourreau de la prison de Tyburn, à Londres, vers 1600, devenu synonyme de «gibet».
Anglicisme.

♦ **1.** (1888, *in* Höfler). Appareil de levage* formé d'un bâti vertical généralement métallique. ⇒ **Chèvre, grue.**

♦ **2.** Mar. Mât de charge sur un quai servant à la mise à l'eau des embarcations.

♦ **3.** (1861). Bâti métallique supportant le train de tiges et le trépan servant à forer les puits de pétrole.

1 Bornéo surprend encore : Seria est une ville du pétrole, entourée de villages qui vivent à l'âge de pierre. Trois cents derricks dans la mer, mon cher, avec leur plate-forme à hélicoptères. Des bungalows, naturellement : toutes les villes du pétrole se ressemblent.   MALRAUX, Antimémoires, Folio, p. 395.
2 Plantations de derricks, pompes à balanciers alignées en quinconce, stations collectrices flottantes, services de pompage, réservoirs sont regroupés en isolats, îlots défendus par l'éloignement, l'étendue d'eau d'un lac grand comme une mer intérieure ou celle, désertique, de plaines à cactus plates comme la main.   Régis DEBRAY, l'Indésirable, p. 71.

REM. L'administration française recommande d'employer *tour de forage* ou *tour*.

1. DERRIÈRE [dɛʀjɛʀ] prép. et adv. — 1080, *derere*; bas lat. *deretro*, par agglutination de *de retro*, de *de*, marquant le point de départ, et *retro* «en arrière»; *r* redoublé en première position sous l'infl. de *derrain*. → Dernier.
Du côté opposé au visage d'une personne, à la face ou au côté visible d'une chose.

★ **I.** Prép. ♦ **1.** En arrière, au dos de... ⇒ **Arrière** (en), **dos** (au), **revers** (au); préf. **rétro-**. *Derrière la maison, derrière le mur. Se cacher derrière qqch. Avoir les mains derrière le dos. Cacher qqch. derrière soi. Regarder derrière soi en se retournant ; grâce à un miroir...* (⇒ **Rétroviseur**). — *Il disparut derrière une éminence ; derrière le tournant* (⇒ **Après**). — *Ses yeux brillent derrière ses lunettes. Derrière la grille, la clôture. Derrière les barreaux d'une cage.*

1 Venez, derrière un voile écoutant leurs discours (...)
                                        RACINE, Esther, II, 7.
2 Le soir, derrière vous, j'écoute au piano
   Chanter sur le clavier vos mains harmonieuses,
                      A. DE MUSSET, Poésies nouvelles, « À Ninon ».
3 Je marche! j'ai peur de l'inconnu de derrière la porte, de derrière le rideau, de dans l'armoire (...)   MAUPASSANT, les Sœurs Rondoli, p. 108.
4 (...) coiffé d'un foulard rouge noué derrière la nuque à la manière des pêcheurs du Sud.   P. MAC ORLAN, Quai des brumes, I, p. 19.

Fuir sans regarder derrière soi ; au fig. : à la hâte, précipitamment.

5 (...) partons et courons sans regarder derrière nous.
                                        VOLTAIRE, Candide, XIV.

Fig. *Derrière son apparente cordialité, on devine de la haine* (→ Cordial, cit. 6). *Derrière les apparences* (cit. 27)... ⇒ **Delà** (au delà), **sous** (→ Cacher, cit. 42). — En cachette de. *Faire qqch. derrière le dos de qqn.* — Sous la protection de. *Se protéger derrière des excuses.* — Loc. prép. **DE DERRIÈRE, PAR DERRIÈRE.** *Il sortit de derrière la haie. Il passa par derrière la maison.*

6 Mais Edmond sort brusquement de derrière le kiosque du funiculaire.
   J. ROMAINS, les Hommes de bonne volonté, t. IV, v, p. 38 (→ 2. Cor, cit.).
Bouteille de derrière les fagots, excellente. ⇒ **Fagot.** — Fig. *Pensées, idées de derrière la tête.* ⇒ **Arrière-pensée.**

♦ **2.** À la suite de. ⇒ **Suite.** *Marcher l'un derrière l'autre.* ⇒ **Après.** (→ À la queue*leu leu; en file* indienne). *Les fuyards laissèrent les poursuivants derrière eux. Il resta seul derrière la colonne.* ⇒ **Serre-file; traîne** (à la traîne). — Fig. *Laisser (qqn, qqch.) loin derrière soi.* ⇒ **Dépasser, surpasser.**

7 Au XVᵉ siècle, l'Italie laissait bien loin derrière elle tout le reste de l'Europe (...)
   G. T. RAYNAL, Hist. philosophique, I, Introduction.
Fig. *Il a tous ses partisans derrière lui,* ils le soutiennent, le suivent. *Nous sommes derrière vous* (→ À vos côtés*).

8 (...) la loi du 2 novembre 1789 allait tourner contre la Révolution l'immense majorité du Clergé doublement spolié et, derrière lui, toute une partie notable de la Nation (...)   Louis MADELIN, Talleyrand, I, III, p. 42.
Cette maladie laisse des traces derrière elle. ⇒ **Suite; séquelle** (→ Conter, cit. 4).

Loc. fam. *Être toujours derrière le dos de qqn, derrière qqn,* surveiller tout ce qu'il fait pour le reprendre, vérifier son travail ou pour l'espionner. *Il ne sait rien faire tout seul, il faut toujours être derrière lui.*

8.1 (...) on ne peut pas les laisser seuls un instant, il faut être constamment derrière eux, surveiller chaque geste qu'ils font (...) Seulement voilà on est toujours trop

délicat, elle a si peur de les troubler (...) on se figure que ça les empêche de bien travailler, qu'on soit là toujours sur leur dos (...)
                                        N. SARRAUTE, le Planétarium, p. 13.

Avec une nuance temporelle. Après . *Se lever derrière qqn.* — Rare. À la fin de...

8.2 L'inspecteur Colombin, en habit, avec le plastron qui bâillait sur son poil roux, se versait du champagne derrière un souper finissant.
                      ARAGON, les Beaux Quartiers, 1936, p. 440, *in* T. L. F.

★ **II.** Adv. ♦ **1.** (1080). Du côté opposé à la face, à l'endroit; en arrière. *Vêtement qui se boutonne derrière. Il est resté derrière, loin derrière.*

9 (...) nous demeurâmes un peu derrière (...)   FÉNELON, Télémaque, I.
Mettre, tourner un vêtement sens devant derrière, à l'envers*.

♦ **2.** Loc. adv. (V. 1180). **PAR DERRIÈRE** : par l'arrière, par le côté opposé au visage, à la face... *Attaquer, poignarder quelqu'un par derrière.* ⇒ **Dos** (dans le dos). *Il a dit du mal d'elle par derrière.*

10 (...) j'ai mon haut-de-chausses tout troué par derrière (...)
                                        MOLIÈRE, l'Avare, III, 1.
11 Par derrière, un beau jardin planté s'étendait jusqu'au passage des Piques, toujours désert, dont il était séparé par un mur.
                      MAUPASSANT, les Sœurs Rondoli, « Le mal d'André », p. 141.

Derrière, à la suite.

12 Et nous suivons par derrière, avec des airs détachés.
                      LOTI, Mᵐᵉ Chrysanthème, XII, p. 84.

Fig. En cachette. *Faire qqch. par derrière.*

REM. L'Académie (8ᵉ éd.) écrit *par-derrière*, avec un trait d'union, contrairement à l'usage enregistré par Littré et confirmé par les écrivains (→ Attaquer, cit. 10; cheveu, cit. 24; chauve, cit. 3...).

CONTR. Devant; avant (à l'avant), **endroit** (à l'endroit). — **Milieu** (au milieu). — **Avant** (en avant), **premier** (en premier), **tête** (en tête).
DÉR. 2. Derrière.

2. DERRIÈRE [dɛʀjɛʀ] n. m. — V. 1230; de 1. *derrière.*

♦ **1.** (V. 1230). Le côté opposé au *devant*, la partie postérieure. ⇒ **Arrière, dos, fond.** *Le derrière de la tête :* la nuque. *Le derrière, les derrières d'une maison :* la partie opposée à la façade. *Le derrière d'une église :* l'abside. *Il est logé sur le derrière de l'immeuble,* sur la cour. — Plur. (Vieilli). *Passer par les derrières* (→ ci-dessous, cit. 14). *Le derrière d'une affiche...* ⇒ **Envers, revers, verso.** — *Les roues de derrière.* ⇒ **Arrière.** *Les pattes, le train de derrière. Chien dressé sur ses pattes de derrière :* chien qui fait le beau. — *Au derrière de* (vx) : derrière...

13 (...) là justement au derrière de la tête (...)
                      MOLIÈRE, Les Précieuses ridicules, 11.
14 Un lapin des plus agiles sort par les derrières du terrier.
                      FÉNELON, t. XIX, p. 52, *in* LITTRÉ.

Porte de derrière : porte pratiquée sur le derrière d'un bâtiment; et, fig. ⇒ **Échappatoire; faux-fuyant.**

15 Chacun parlant tout haut devant tant de témoins, il n'y avait plus de porte de derrière.   SAINT-SIMON, 49, 72, *in* LITTRÉ.

♦ **2.** (1734). Vieilli. Au plur. *Les derrières d'une armée :* les derniers corps d'une armée en mouvement; le côté auquel l'armée tourne le dos. ⇒ **Arrière** (infra cit. 4). *Protéger, assurer, ménager ses derrières :* (au fig.) se protéger.

16 L'Empereur ne pourrait venir, avec la Grande Armée retirée d'Allemagne, porter au delà des Pyrénées un coup de massue que s'il s'était rassuré, pour six mois au moins, sur ses derrières (...)   Louis MADELIN, Talleyrand, III, XXI, p. 208.

♦ **3.** (V. 1230). Mod. et cour. Partie du corps (de l'homme et de certains animaux) qui comprend les fesses* et le fondement. ⇒ **Arrière-train, croupe, cul** (fam.), **fessier, fondement, lune, postérieur, séant;** pop. **derch** (derche, derge, derjeot), **pot, popotin.** ⇒ aussi **Anus.** *S'asseoir* (cit. 19), *tomber sur le derrière. Donner à qqn des coups de pied dans le derrière, au derrière. Botter le derrière de, à qqn. Montrer son derrière.*

17 Après ce joli compliment (...)
    Elle lui tourna le derrière
    D'une dédaigneuse manière.   SCARRON, Virgile travesti, IV.
18 (Mᵐᵉ de Castries) aurait passé dans un médiocre anneau : ni derrière, ni gorge, ni menton (...)   SAINT-SIMON, Mémoires, t. I, XXV.
19 M. le baron (...) chasse Candide du château à grands coups de pied dans le derrière (...)   VOLTAIRE, Candide, I.
20 Quand il voyait une jolie femme au teint animé par une course, embellie par une agitation quelconque, il ne manquait pas de se dire qu'en ce moment même elle devait avoir le derrière suant, et cela l'en dégoûtait pour de suite.
                      J. RENARD, Journal, 4 mars 1890.

Loc. *Montrer le derrière :* s'enfuir, se sauver; et aussi : avoir des vêtements en loques, en lambeaux. *Avoir le derrière au vent, le derrière à l'air. Avoir le feu* au derrière. ⇒ **Courir.** *Avoir qqn au derrière :* être poursuivi par qqn. *(En) tomber sur le derrière :* être surpris. *Se taper le derrière par terre :* rire, se moquer de qqch.

Par ext. Anus.

21 Le docteur met son thermomètre dans le derrière de l'Esther qui le trouve bien familier.   M. AYMÉ, le Puits aux images, 1932, p. 46, *in* T. L. F.

Loc. *Péter* (cit. 1.1) *plus haut que son derrière.*

REM. Dans cet emploi, *derrière* est du même registre (légèrement familier) que *fesses*; il peut toujours être remplacé par *cul*, plus marqué en trivialité, mais plus courant, et fait ainsi fonction d'euphémisme.

CONTR. Avant, avers, dessus, devant, endroit, façade, face, front, recto.

DÉRURALISATION [deʀyʀalizɑsjɔ̃] n. f. — 1972; de 1. *dé-*, *rural*, et *-isation*.

♦ Démogr. Dépeuplement progressif des milieux ruraux.

DERVICHE [dɛʀviʃ] n. m. — 1653, *deruiche*; *deruich*, 1622; *deruiz*, 1532; du persan *darwīš* «pauvre».

♦ Religieux musulman appartenant à une confrérie. *Derviche persan, syrien. Derviche tourneur; derviche hurleur. En Afrique du Nord, le derviche est appelé fakir ou faqir.*

1 Crois qu'un bonze modeste, un dervis *(sic)* charitable,
   Trouvent plutôt grâce à ses yeux *(de Dieu)*
   Qu'un janséniste impitoyable,
   Ou qu'un pontife ambitieux.   VOLTAIRE, Pour et contre.

1.1 Un derviche tourneur, les bras étendus, la tête penchée, et d'un style plus primitif encore que celui des bas-reliefs en pain d'épice, effleure des plis de sa jupe volante un lion chimérique.   Th. GAUTIER, Constantinople, p. 115.

2 (...) il était venu aussi des vieux derviches, avec leurs bonnets de mages, qui psalmodiaient en route, à voix haute et lugubre, comme ces cris de loups, les soirs d'hiver dans les bois.   LOTI, les Désenchantées, VI, XLIX, p. 235.

3 Nous étant dressés contre le mur, nous avons pu voir, au centre de la foule, des derviches hurleurs commençant leur extase. Ils tournaient lentement au son d'une musique que faisaient quatre hommes accroupis, mais qu'on n'entendait pas, à cause des cris de la foule; et périodiquement, à la fin d'un couplet des instruments de musique, ils poussaient un hurlement guttural suraigu, auquel la foule répondait par un trépignement enthousiaste.
                          GIDE, le Voyage d'Urien, in Romans, Pl., p. 24.

4 (...) j'avoue que je ne fixerais pas mon regard sur une cuiller d'argent ni sur une mare d'encre, quand on me promettrait de me faire voir par ce moyen de grandes et importantes vérités. Je ne tournerais point non plus comme les derviches, quand quelque grand secret serait à ce prix. Je crois, en d'autre termes, que la raison passe avant la vérité.   ALAIN, Propos, «Raison», 15 oct. 1926.

Spécialt (hist.). *Les Derviches :* les Noirs musulmans qui conquirent le Soudan égyptien entre 1881 et 1885.

DÉR. Dervicherie.

DERVICHERIE [dɛʀviʃʀi] n. f. — 1850, au sens 1, Flaubert, *in* D.D.L.; de *derviche*, et *-erie*.

Vieux.

♦ **1.** Rite, pratique des derviches.

1 Nous attendons le commencement des dervicheries et leur fin pour nous embarquer sur le Nil.   FLAUBERT, Correspondance, 1850, p. 76.

♦ **2.** (1908). Communauté de derviches.

2 Ils ont table ouverte à la dervicherie, tous les derviches au moment des repas viennent manger là.   M. BARRÈS, Cahiers, t. II, 1914-18, p. 59, *in* T. L. F.

1. DES [de] de *de*, prép., et *les*, art. déf. au pluriel.

Article défini pl. contracté : *de les. Revenir des États-Unis.* ⇒ 1. **De.**

2. DES [de] article. — De *de*, article, et *les*.

Article partitif exprimant une partie d'une chose au pluriel. *Manger des pâtes, des épinards.* ⇒ 2. **De.**

3. DES [de] art. indéf. — V. 1150; des précédents, a remplacé *uns, unes.*

Article indéfini, pluriel de *un, une.* ⇒ **Un.**

♦ **1.** Devant un nom commun. *Un livre, des livres. Une personne aimable, des personnes aimables.*

1 (...) vous n'avez pas ici un repas fort savant, et vous y trouverez des incongruités de bonne chère, et des barbarismes de bon goût.
                          MOLIÈRE, le Bourgeois gentilhomme, IV, 1.

2 Il y en avait *(des chiens)* de toutes les formes, de toutes les origines, des grands et des petits, des blancs et des noirs, des rouge, des fauves, des bleus, des gris.   Octave MIRBEAU, Dingo, III.

3 À l'extrémité de la route apparaissent des ambulanciers, qui portent des blessés couchés sur des civières.
                          MALRAUX, les Conquérants, II, in Romans, Pl., p. 87.

Des hommes très beaux : de beaux hommes ou *des beaux hommes.
Il y en avait* de grands, ou *des grands et des petits.*

♦ **2.** Devant un nom propre (qui prend la valeur d'un genre). *Nos voisins sont des Harpagon(s).*

4 Quand un pays a eu des Jeanne d'Arc et des Napoléon, il peut être considéré comme un sol miraculeux.   MAUPASSANT, Sur l'eau, p. 181.

Il a des Gauguin sur ses murs, des tableaux de Gauguin.

♦ **3.** Fam. Devant un nom de nombre (même devant *un*), avec une valeur emphatique. *Il soulève des cinquante kilos comme un rien. Se coucher à des une heure du matin.*

5 (...) les premiers hommes (...) remplissaient des neuf cents ans par leur vie (...)
                          BOSSUET, Oraison funèbre de Mᵐᵉ Yolande de Monterby, t. XII.

---

6 Il y a des endroits où vous avez jusqu'à des un mètre, un mètre cinquante d'eau.
                          J. ROMAINS, les Hommes de bonne volonté, t. VII, p 164.

7 *(L'article)* exprime la surprise, l'envie, l'admiration, dans des locutions comme : *Elle gagne des dix francs par jour et elle se plaint !* Au contraire : *elle s'absentait des cinq ou six jours de suite* contient une désapprobation très nette.
Le tour était déjà classique : *Comme ils voulaient y gagner, ils attendaient des quatre et cinq ans que la vente fût bonne* (SÉV., lett. 722).
                          BRUNOT, la Pensée et la Langue, IV, XIII, IV, p. 584 et note.

REM. 1. *De* remplace généralement *des* devant un adjectif. Il s'élide en *d'* devant une voyelle ou une *h* muette. *D'innombrables exemples.*

8 Au XVIIᵉ siècle, Malherbe et Maupas estimaient qu'on devait dire *de*, quand le nom est précédé d'un adjectif, et Vaugelas considérait cette règle comme essentielle : *il y a d'excellents hommes; il y a des hommes excellents* (...) C'était là probablement une des règles de rigueur dans la bonne compagnie. Mais il s'en faut bien qu'elle fût appliquée par ceux qui écrivaient; on trouve souvent alors *de*, et non *des*, devant le substantif (...) Inversement *des* se rencontre devant un adjectif.
En langue moderne la règle a été maintenue, sauf quelques cas particuliers.
                          BRUNOT, la Pensée et la Langue, I, IV, VI, p. 112.

9 Un adolescent examinait comme des graines, de gros clous à tête large (...)
                          MALRAUX, la Condition humaine, II, in Romans, Pl., p. 228.

10 Le Russe mangeait des petits bonbons au sucre (...)
                          MALRAUX, la Condition humaine, I, in Romans, Pl., p. 173.

2. On maintient *des* devant un adjectif faisant corps avec le mot. *Des grands-pères. Des fines herbes. Des petits esprits.*

3. Si l'adjectif est seul, et le nom représenté par *en*, on met facultativement *des* ou *de*.

11 Les terres de ce petit royaume n'étaient pas de même nature : il y en avait d'arides et de montagneuses (...)   MONTESQUIEU, Lettres persanes, XI.

♦ **4.** Fam. Par ellipse du nom :

12 (...) vous savez, papa, il n'est pas tellement ce qu'il a l'air. Il serait peut-être plus porté que bien des que je le connais.   M. AYMÉ, la Vouivre, p. 102.

DÉR. Desquels, desquelles.
HOM. D, dé.

DES- ou DÉS- préf. ⇒ 1. **Dé-**, 2. **dé-**.

DÈS [dɛ] prép. — 1080; lat. pop. *de ex*, renforcement de *ex* «hors de».

★ **I.** Prép. de temps. ♦ **1.** Immédiatement, à partir d'un moment donné. ⇒ **Depuis; dater** (à dater de), **partir** (à partir de). *Dès cette époque, dès ce moment...* ⇒ **Déjà.** *Dès l'enfance, dès le berceau. Dès hier, dès aujourd'hui. Dès l'origine, dès le commencement, dès le principe, dès le début. Se lever dès l'aube, dès six heures. Dès maintenant, dès à présent.* ⇒ **Désormais.** *Dès son arrivée, il sera au courant,* aussitôt qu'il sera arrivé. *Vous viendrez me voir dès mon retour. Dès son réveil... Dès l'abord.* ⇒ **Abord** (cit. 10), **immédiatement, incontinent.** *Dès avant :* avant* même que...; *dès après :* immédiatement après. *Dès Pâques, dès la Toussaint. Dès cinq ans, il jouait du piano.*

1 Vivez, si m'en croyez, n'attendez à demain;
   Cueillez dès aujourd'hui les roses de la vie.
                          RONSARD, Sonnets pour Hélène, II, XXIV.

2 Peut-être dès demain, dès la nuit, dès ce soir,
   J'en verrais des effets que je ne veux pas voir (...)   CORNEILLE, Polyeucte, V, 1.

3 Agathon remporta le prix dès sa première tragédie.   RACINE, Livres annotés.

4 Je vous en déferai, dès ce moment, sur ma vie.
   — Et quand? — Et dès demain, sans tarder plus longtemps.
                          LA FONTAINE, Fables, IV, 4.

5 C'est donc dès maintenant et sans différer que (...)
                          BOURDALOUE, Pensées, I, p. 103, *in* LITTRÉ.

(Suivi d'un nom propre correspondant à une époque). *Dès Charlemagne...*

Familier :

5.1 (...) les Muselier y mettaient paître leurs vaches dès après les foins et il en résultait toujours quelque dommage pour les Mindeur.   M. AYMÉ, la Vouivre, p. 8.

(xxᵉ). Dans un ordre, une hiérarchie. ⇒ **Partir** (à partir de). *Dès l'assistanat, le professeur est considéré comme un membre du corps universitaire.*

Vx ou régional. *Dès en...* (et p. prés.) *Dès en arrivant, dès son arrivée* (ex. de Daudet et Lemaître *in* T. L. F., qui considère l'emploi comme «incorrect aujourd'hui»).

Cour. *Dès* suivi d'un nom et d'un participe passé le qualifiant. *Dès la nuit tombée, Dès le seuil franchi...*

♦ **2.** Loc. adv. **DÈS LORS :** dès ce moment, aussitôt. *Dès lors, il décida de partir.*

6 Nous vous dûmes dès lors autant et plus qu'à lui.   CORNEILLE, Pompée, III, 2.

Fig. En conséquence. ⇒ **Conséquemment, donc.** *Il a fourni un alibi : dès lors on peut reconnaître son innocence.* — Vx. ou littér. *Dès longtemps :* depuis longtemps.

6.1 (...) il heurta de l'épaule un vieux pauvre, debout dans l'encoignure d'une porte, et sans doute endormi. La surprise le tint immobile un moment, puis il dit : «Que voulez-vous?» — avec colère, et d'un tel accent qu'il eut honte.
Mais l'autre, dès longtemps rompu sans doute à ce genre d'escrime, répondit avec l'admirable à-propos des mendiants, sans se troubler :
«C'est le bon Dieu qui vous envoie, monsieur le curé. *Ave Maria ! Dominus !*»
                          BERNANOS, l'Imposture, in Œ. roman., Pl., p. 451.

Loc. conj. **Dès lors que** : dès l'instant où... ; et, fig., étant donné que..., du moment que... ⇒ **Puisque**.

7 Les grands se font honneur dès lors qu'ils nous font grâce (...)
La Fontaine, Fables, I, 14.

8 Je me passai fort bien de certitude dès lors que j'acquis celle-ci, que l'esprit de l'homme ne peut en avoir.
Gide, les Nouvelles Nourritures, p. 93.

♦ **3.** Loc. conj. **Dès que** : ⇒ **Aussitôt** (que). *Dès que le commandement* (cit. 9) *devient énergique... Dès que l'appétit est satisfait. Dès qu'il paraît. Dès qu'il viendra. Dès que je fus parti.*

9 Dès que vous verrez que la terre
Sera couverte (...)
La Fontaine, Fables, I, 8.

10 Seigneur, vous serez roi dès que vous voudrez l'être.
Voltaire, Brutus, III, 7.

11 (...) seul, j'appartiens à la tristesse, dès que ne m'accapare plus le travail.
Gide, Journal, 5 août 1922.

★ **II.** Prép. de lieu. À partir de..., depuis. *Dès l'entrée, dès la porte ; dès le seuil. Dès Orléans, nous dûmes ralentir. Dès dix mille mètres d'altitude...*

12 Vous savez qu'il tomba malade dès Amboise (...)
Mme de Maintenon, Lettres, 27 oct. 1675, *in* Littré.

13 Dès le seuil, on entendait battre l'horloge.
Marcel Arland, Les plus beaux de nos jours, p. 58, *in* Grevisse, p. 803.

CONTR. Avant, après.
HOM. Dais, dey.

DÉSABONNEMENT [dezabɔnmɑ̃] n. m. — 1856 ; de *désabonner*.

♦ Action de désabonner, de se désabonner.

CONTR. Abonnement.

DÉSABONNER [dezabɔne] v. tr. — 1840, Balzac ; de *dés-* (→ 1. Dé-), et *abonner*.

♦ Faire cesser d'être abonné. *Veuillez me désabonner.* — Pron. *Se désabonner.*

Roosevelt s'était désabonné après avoir lu dans cette publication un conte du pasteur Burke.
Giraudoux, Juliette au pays des hommes, p. 57.

DÉR. Désabonnement.

DÉSABUSÉ, ÉE [dezabyze] adj. ⇒ **Désabuser** p. p.

DÉSABUSEMENT [dezabyzmɑ̃] n. m. — 1674 ; de *désabuser*.

♦ Littér. Action de désabuser, de se désabuser. ⇒ **Désillusionnement, dégoût, éloignement.**

1 Cette Nation, qui s'était, au point que l'on sait, enthousiasmée en 1789 et 1790 pour la « Révolution de la liberté » et pour la conquête des droits politiques, était, sur ce point, arrivée à un désabusement voisin du mépris.
Louis Madelin, Hist. du Consulat et de l'Empire, L'ascension de Bonaparte, I, p. 12.

2 (...) quand les hommes de notre génération sursautaient devant l'injustice, on les persuadait que cela leur passerait. Ainsi de proche en proche la morale de la facilité et du désabusement s'est propagée.
Camus, Actuelles, t. I, Pl., p. 278.

3 Expert en désabusements, criblant de toutes les flèches d'une sagesse dissolue les ferveurs nouvelles, — auprès des courtisanes, dans les lupanars sceptiques ou dans des cirques aux cruautés fastueuses, j'aurais chargé mes raisonnements de vice et de sang, pour dilater la logique jusqu'à des dimensions dont elle n'a jamais rêvé, jusqu'aux dimensions des mondes qui meurent.
E. M. Cioran, Précis de décomposition, p. 28.

4 C'est un garçon de vingt-neuf ans. Il porte barbiche. Il a les lèvres sévères, les rides du désabusement précoce, une nuque et des épaules d'adolescent.
L. Pauwels, l'Amour monstre, p. 34.

DÉSABUSER [dezabyze] v. tr. — XVIe ; de *dés-* (→ 1. Dé-), et *abuser*.

♦ **1.** Tirer (qqn) de l'erreur, de l'illusion qui l'abuse. ⇒ **Détromper ; dessiller, ouvrir** (les yeux) ; **ôter** (l'idée), **tirer** (d'erreur) ; → Ballon, cit. 3.

1 « Élie était un homme comme nous, et sujet aux mêmes passions que nous », dit saint Pierre, pour désabuser les Chrétiens de cette fausse idée qui nous fait rejeter l'exemple des saints, comme disproportionné à notre état. C'étaient des saints, disons-nous, ce n'est pas comme nous.
Pascal, Pensées, XIV, 868.

1.1 Je m'aveuglai tellement sur le peu que m'offrait son cœur, que j'eus quelquefois la faiblesse de croire que je ne lui étais pas indifférente. Mais combien l'excès de ses désordres me désabusait promptement.
Sade, Justine..., t. I, p. 75, 1791.

(Sujet n. de chose) :

2 Il faut que le monde vous désabuse du monde ; ses appas ont assez d'illusions, ses faveurs assez d'inconstance, ses rebuts assez d'amertume.
Bossuet, Sermon pour la profession de Mlle La Vallière.

♦ **2.** Rendre désabusé (2.), détourner (qqn) de qqch. en faisant perdre les illusions. ⇒ **Dégoûter, détourner ; désillusionner.** *Ses échecs l'ont désabusé.*

▶ **SE DÉSABUSER** v. pron.

Vieux. Cesser d'être abusé.

---

3 Surtout, mortels, désabusez-vous de la pensée dont vous vous flattez, qu'après une longue vie la mort vous sera plus douce et plus facile.
Bossuet, Oraison funèbre de Michel Le Tellier.

Mod. Devenir désabusé.

▶ **DÉSABUSÉ, ÉE** p. p. adj.

♦ **1.** (1641). Vx ou littér. Détrompé. *Désabusé d'une erreur, d'une illusion. Esprit désabusé de tout.* ⇒ **Revenir** (revenu de tout).

4 Je vois, je sais, je crois, je suis désabusée (...)
Corneille, Polyeucte, V, 5.

5 De ton espoir frivole es-tu désabusée ?
Racine, Athalie, V, 5.

6 Désabusé des choses d'ici-bas par un spectacle qui lui en met sous les yeux le néant, et qui lui annonce incessamment la même destinée.
Massillon, Petit Carême, « Mort ».

7 (...) on n'est jamais trompé si l'on n'est jamais illusionné.
France, l'Anneau d'améthyste, Œ., t. XII, p. 138.

7.1 Elle (*la terre*) ne sait pas faire pousser le blé sur le granit ni sur le sable. Sa capacité de propagation est prodigieuse, non pas infinie. On le croyait ; Spinoza dit : Dieu ou la Nature. Et Gœthe sent comme Spinoza doctrine. Nous sommes désabusés ; nous savons désormais que nous n'extrairons pas de la terre tous les minerais que nous voudrions.
Emmanuel Berl, le Virage, p. 65.

♦ **2.** (1800). Mod. Qui a perdu ses illusions. ⇒ **Averti, désillusionné.** *Un philosophe désabusé. — Attitude, expression, moue désabusée. Sourire désabusé.* ⇒ **Blasé, découragé, déçu, dégoûté, désenchanté, maussade, mélancolique, triste.**

8 (...) le coup d'œil exact et désabusé du connaisseur à qui on montre un bijou faux (...)
Proust, À la recherche du temps perdu, t. IX, p. 96.

9 Son sourire prenait parfois une expression désabusée, pensive qui prêtait un instant à sa figure poupine la mélancolie de certains bouddhas.
Martin du Gard, les Thibault, t. I, p. 163.

10 Tel est Duhamel, construisant courageusement une morale sur une connaissance désabusée des hommes, de leurs faiblesses et de leur ignorance.
A. Maurois, Études littéraires, t. II, II, p. 90.

N. *C'est un désabusé qui est revenu de tout.* ⇒ **Blasé.**

CONTR. Abuser, illusionner. — **Tromper.** — **Confirmer** (qqn dans son erreur). — (Du p. p.) **Enthousiaste, ignorant, naïf.**
DÉR. Désabusement.

DÉSACCLIMATER [dezaklimate] v. tr. — 1876 ; de *dés-* (→ 1. Dé-), et *acclimater*.

♦ Faire cesser d'être acclimaté. Priver (qqn ou qqch.) des conditions climatiques (et, fig., sociales, morales) auxquelles il est habitué.

Pourquoi les catholiques, spécialement les laïcs, ont-ils si peu de charité envers le prochain ? — D'abord parce que placés dans un état de lutte continuelle, entre les 2 mondes, et ne possédant ni l'un ni l'autre, ils sont dans un état de souffrance et, par conséquent, d'énervement. Ils sont déjà désacclimatés de celui-ci et par conséquent on ne peut leur demander d'y être heureux « comme un poisson dans l'eau ».
Claudel, Journal, oct. 1923.

REM. On trouve aussi les termes *désacclimatiser* (1794), *déclimater* (1803).

CONTR. Acclimater.

DÉSACCORD [dezakɔr] n. m. — V. 1170, *desacort* ; repris XVIIIe ; de *dés-* (→ 1. Dé-), et *accord*. → Accorder.

Manque d'accord.

♦ **1.** (V. 1170). En parlant des personnes. Fait de n'être pas d'accord ; état de personnes qui s'opposent. ⇒ **Brouille, contestation, désunion, différend, discord, discorde, discussion, dispute, dissension, dissentiment, fâcherie, inimitié, malentendu, mésintelligence, mésentente, opposition, querelle, zizanie.** *Un léger désaccord ; un sérieux, un grave désaccord. Brusque désaccord.* ⇒ **Fêlure, rupture.** — *En désaccord. Être, se trouver en désaccord avec qqn sur qqch. Ils sont constamment en désaccord.* ⇒ **Incompatibilité** (d'humeur...). — *Leur désaccord les a amenés à se séparer, à divorcer. Désaccord entre deux partis.* ⇒ **Division, scission, tiraillement** (fig.). *Les membres du jury, de l'assemblée sont en désaccord. Faire cesser un désaccord par un compromis, une convention...*

1 Entre eux deux, un grand orage venait de passer, un long et cruel désaccord, — le seul, il est vrai, depuis leurs mauvais jours lointains.
Loti, Matelot, XXVII, p. 103.

2 Quand ses yeux rencontraient le regard fiévreux de Gise, il sentait entre elle et lui un désaccord si intolérable qu'il simulait aussitôt une excessive froideur (...)
Martin du Gard, les Thibault, t. IV, p. 219.

3 Les lettres du général (*Hugo*) font apparaître l'irrémédiable désaccord, et ses griefs à lui : ce ne sont pas ceux d'un mauvais homme, mais d'un bon vivant excédé par les récriminations, les jérémiades et, s'il faut l'en croire, les injures et même les menaces d'une épouse d'humeur difficile (...)
Émile Henriot, les Romantiques, p. 27.

♦ **2.** (V. 1585). En parlant de choses, concrètes ou abstraites. Fait de ne pas s'accorder, de ne pas aller ensemble. ⇒ **Contradiction, contrariété, contraste, différence, discordance, disparate, dissonance, divorce** (fig.), **incohérence, incompatibilité, opposition.** *Il y a désaccord entre ses opinions et sa conduite.* ⇒ **Inconséquence.** *Désaccord choquant, flagrant entre une théorie et les faits. Leurs vues sont en désaccord sur ce point.* ⇒ **Divergence.** *Désaccord entre les idées... Être en désaccord avec son époque, son milieu.*

4 Le jour où l'homme se méprise, le jour où il se voit méprisé, le moment où la réalité de la vie est en désaccord avec ses espérances, il se tue et rend ainsi hom-

mage à la société devant laquelle il ne veut pas rester déshabillé de ses vertus ou de sa splendeur. BALZAC, Illusions perdues, Pl., t. IV, p. 1013.

5　Il y avait en moi de telles disparates, ma condition d'écolier formait avec mes dispositions morales des désaccords si ridicules que j'évitais comme une humiliation nouvelle toute circonstance de nature à nous rappeler à tous deux ces désaccords.
E. FROMENTIN, Dominique, VIII, p. 123.

6　En désaccord avec son temps — c'est là ce qui donne à l'artiste sa raison d'être.
GIDE, Journal, 6 juil. 1937, p. 1266.

♦ **3.** Spécialt (mus.). Rare. État d'instruments qui ne sont pas accordés. *Piano en désaccord.* ⇒ **Désaccordé, discord.**

REM. On trouve un emploi adj. fig. dans Stendhal. *«J'ai tant lorgné que j'en ai les yeux désaccords»* (*Œ. intimes*, Pl., p. 589).

CONTR. Accord.

DÉSACCORDER [dezakɔʀde] v. tr. — V. 1333; 1262, p. p. substantivé; de *dés-* (→ 1. Dé-), et *accorder.*

♦ **1.** Rare. Mettre en désaccord*. ⇒ **Brouiller, désunir, fâcher, opposer.** *Ce sont les questions d'intérêt matériel qui ont désaccordé ces familles.* — Pron. *Se désaccorder.* ⇒ **Disputer** (se), **quereller** (se), **rompre...**

♦ **2.** (1471). Détruire l'accord de (un instrument de musique). *La chaleur, l'humidité désaccordent les pianos.* — Pron. Perdre son accord. *Ce violon s'est désaccordé.*

♦ **3.** (V. 1333). Rompre l'accord, l'harmonie de (un ensemble de sons, de couleurs...), entre des éléments.

1　Cette draperie rouge (...) blessait l'art et désaccordait le tableau.
DIDEROT, Salon de 1765.

Pronominal :

2　Sur une route sonore s'accorde, puis se désaccorde pour s'accorder encore, le trot de deux chevaux attelés en paire. COLETTE, l'Étoile Vesper, p. 218.

▶ **DÉSACCORDÉ, ÉE** p. p. adj.

♦ **1.** Littér. Dont l'harmonie est rompue. ⇒ **Désuni.** *Des cœurs désaccordés* (Littré).

3　Tout est désaccordé. Plus d'ensemble, plus d'unité, plus de beauté.
DIDEROT, Regrets sur ma vieille robe de chambre.

Fig. Sans harmonie.

4　Comme Paris était morne et déprimant, dans ces semaines désaccordées de la rentrée (...) Valery LARBAUD, Mon plus secret conseil, IX.

♦ **2.** Qui n'est plus accordé (en parlant d'un instrument de musique). *Piano désaccordé.* ⇒ **Faux.** — Par métaphore :

5　Je voudrais retrouver le rythme double et unique qui, de mes journées, se prolonge dans mon Journal. Tout ce que j'ai écrit ici *(sur ce carnet-ci)* me paraît désaccordé. Et je ne sais ce qui sonne le plus faux, de ma vie ou de ce Journal.
Claude MAURIAC, le Temps immobile, p. 138.

CONTR. Accorder, réunir, unir; réconcilier (se). — (Du p. p.) Accordé, harmonieux. — Juste.

DÉSACCOUPLEMENT [dezakupləmã] n. m. — 1636; de *désaccoupler.*

♦ Rare. Action de désaccoupler. — (1951). Mécan. *Le désaccouplement d'un moteur d'avec la transmission.*

DÉSACCOUPLER [dezakuple] v. tr. — Déb. XIIIᵉ; de *dés-* (→ 1. Dé-), et *accoupler.*

♦ **1.** Séparer des choses qui étaient par couples, par paires. *Désaccoupler les chevaux.* ⇒ **Dételer.** *Désaccoupler des chiens de chasse.* ⇒ **Découpler.**

♦ **2.** (1857). Techn. Supprimer la liaison mécanique, électrique de...

▶ **SE DÉSACCOUPLER** v. pron.
Cesser d'être accouplés (en parlant d'animaux).

CONTR. Accoupler, unir.
DÉR. Désaccouplement.

DÉSACCOUTUMANCE [dezakutymãs] n. f. — V. 1260, *desacoustumance*; de *désaccoutumer*, et *-ance.*

♦ Littér. Action de se désaccoutumer; perte d'une accoutumance*. *La désacoutumance à (d')une drogue, au (du) tabac.*

Mon latin s'abâtardit incontinent, duquel depuis par désaccoutumance j'ai perdu tout usage. MONTAIGNE, Essais, I, XXVI.

CONTR. Accoutumance.

DÉSACCOUTUMER [dezakutyme] v. tr. — V. 1200; de *dés-* (→ 1. Dé-), et *accoutumer.*

♦ Faire perdre une coutume, une habitude à (qqn). ⇒ **Déshabituer.** *Il faut le désaccoutumer de mentir, de voler.*

1　(...) le bruit de la rue, dont vous êtes désaccoutumée, et qui vous empêche de dormir. Mᵐᵉ DE SÉVIGNÉ, 334, 11 oct. 1673.

Pron. *Se désaccoutumer de fumer.* ⇒ **Cesser, renoncer** (à). (→ Chaîne, cit. 21).

2　Comme la raison s'accoutume à examiner, elle se désaccoutume de croire (...)
MASSILLON, Panégyrique de saint Thomas.

3　(...) Mademoiselle s'était désaccoutumée de songer à eux. Antoine seul comptait, et les bonnes. MARTIN DU GARD, les Thibault, t. IV, p. 200.

4　(...) qu'un sort clément nous dispense de notre raison! Point d'issue tant que l'intellect demeure attentif aux mouvements du cœur, tant qu'il ne s'en désaccoutume pas! J'aspire aux nuits de l'idiot, à ses souffrances minérales, au bonheur de gémir avec indifférence comme si c'étaient les gémissements d'un autre, à un calvaire où l'on est étranger à soi. E. M. CIORAN, Précis de décomposition, p. 231.

CONTR. Accoutumer, habituer... — Continuer (à...).
DÉR. Désaccoutumance.

DÉSACHALANDAGE [dezaʃalãdaʒ] n. m. — 1846, Bescherelle; de *désachalander.*

♦ Rare. Perte de la clientèle.

DÉSACHALANDER [dezaʃalãde] v. tr. — 1690; de *dés-* (→ 1. Dé-), et *achalander.* → 2. Chaland.

♦ Rare. Faire perdre les chalands, la clientèle à...

DÉR. Désachalandage.

DÉSACIÉRER [dezasjere] v. tr. — 1842, *in* D.D.L.; de *dés-*, (→ 1. Dé-), et *aciérer.*

♦ Techn. Enlever l'aciérage* (2.) de (un produit métallique).

CONTR. Aciérer.

DÉSACRALISATION [desakʀalizasjõ] n. f. — 1934, cit. 1; de *désacraliser.*

♦ Didact. Action de désacraliser; son résultat. *« Le mouvement de la désacralisation de la nature s'est accompagné de la recherche d'un nouveau sacré »* (J. Duquesne).

1　La tradition des *rois Cloche-pied* s'est conservée au Siam et au Cambodge jusqu'au XIXᵉ siècle. Après avoir tracé un sillon (désacralisation du sol par le chef au début d'une campagne agricole), ils devaient aller s'appuyer contre un arbre et se tenir debout sur un seul pied. Marcel GRANET, la Pensée chinoise, p. 73 (1934).

2　Les premiers comprennent les rites de *consécration*, qui introduisent dans le monde du sacré un être ou une chose, et les rites de *désacralisation*, ou d'*expiation*, qui, à l'inverse, rendent une personne ou un objet pur ou impur au monde profane.
Roger CAILLOIS, l'Homme et le Sacré, p. 23.

CONTR. Sacralisation.

DÉSACRALISER [desakʀalize] v. tr. — 1949, *in* D.D.L.; de 1. *dé-*, *sacral*, et *-iser.*

♦ Didact. Dépouiller du caractère sacral, ne plus considérer (qqch., qqn) comme sacré.

1　Il possède seul une sainteté suffisante pour commettre le sacrilège nécessaire qui consiste à désacraliser la récolte, afin que le libre usage en soit permis à ses sujets. Roger CAILLOIS, l'Homme et le Sacré, p. 113.

Au participe passé :

2　L'actualité du problème de la révolte tient seulement au fait que des sociétés entières ont voulu prendre aujourd'hui leur distance par rapport au sacré. Nous vivons dans une histoire désacralisée.
CAMUS, l'Homme révolté, *in* Essais, Pl., p. 431.

Par ext. Dépouiller (qqn, qqch.) du caractère respectable, quasi sacré qu'on lui reconnaissait jusqu'alors. *Désacraliser une profession.*

3　J'ai déchiffré avec curiosité, on le pense bien, le passage de la lettre à maman concernant la villa d'Hadrien, beau lieu aujourd'hui désacralisé par des restaurations indiscrètes ou par de vagues statues de jardin trouvées çà et là et arbitrairement groupées sous des portiques retapés, sans parler d'une buvette et d'un parking à deux pas du grand mur qu'a dessiné Piranèse.
M. YOURCENAR, Archives du Nord, p. 134-135.

4　L'alliance spectaculaire de tant de noblesse et de tant de futilité signifie que l'on croit encore à la contradiction : totalement miraculeuse, chacun de ses termes l'est aussi : elle perdrait évidemment tout son intérêt dans un monde où le travail de l'écrivain serait désacralisé au point de paraître aussi naturel que ses fonctions vestimentaires ou gustatives. R. BARTHES, Mythologies, p. 33 (1957).

CONTR. Sacraliser.
DÉR. Désacralisation.

DÉSACTIVATION [dezaktivasjɔ̃] n. f. — 1904, in *Rev. gén. des sc.*, nº 2, p. 61 ; de *dés*- (→ 1. Dé-), et *activation*.

♦ **1.** Chim. Baisse de l'activité (d'un catalyseur).

♦ **2.** Phys. Diminution de l'activité (d'une substance radioactive).

CONTR. **Activation.**

DÉSACTIVER [dezaktive] v. tr. — 1905, in *Rev. gén. des sc.*, nº 6, p. 291 ; de *dés*- (→ 1. Dé-), et *activer*.

♦ **1.** Chim. Produire la désactivation* de (un corps).

♦ **2.** Phys. Débarrasser (un corps, un lieu) des éléments radioactifs qu'il renferme.

CONTR. **Activer.**

DÉSADAPTATION [dezadaptɑsjɔ̃] n. f. — 1894, *in* D.D.L. ; de *dés*- (→ 1. Dé-), et *adaptation*.

♦ Didact. Perte de l'adaptation. → Désadapter. *Désadaptation sociale, sexuelle.* ⇒ **Désaccoutumance.**

1 L'émotion n'intervient-elle pas précisément, pour James, au moment d'une désadaptation brusque et ne consiste-t-elle pas essentiellement dans l'ensemble de désordres que cette désadaptation amène dans l'organisme.
SARTRE, Esquisse d'une théorie des émotions, 1939, p. 18, *in* T.L.F.

2 (...) des enfants, à l'âge où ils généralisent à outrance, ont plus de peine à dégager les ressemblances entre deux objets (comme une mouche et une abeille) que leurs différences, la prise de conscience renversant ainsi l'ordre du travail effectif et procédant de la périphérie (désadaptations de l'action) au centre (mécanisme intime) et non pas l'inverse.
J. PIAGET, Épistémologie des sciences de l'homme, p. 139.

3 Mon père nous quitta à une heure (nous voici arrivés au 21 mai). Nous restâmes encore quelques instants à la Coupole : moments pénibles où Frédéric fut sujet à l'une de ces baisses soudaines de tension qui lui sont habituelles.
Claude MAURIAC, le Temps immobile, p. 313-314.

CONTR. **Adaptation.**

DÉSADAPTER [dezadapte] v. tr. — 1929 ; de *dés*- (→ 1. Dé-), et *adapter*.

♦ Didact. Faire cesser l'adaptation de. — Pron. *Se désadapter d'un milieu.*

0.1 L'évolution des objets techniques manifeste des phénomènes d'hypertélie qui donnent à chaque objet technique une spécialisation exagérée et le désadaptent par rapport à un changement même léger survenant dans les conditions d'utilisation ou de fabrication.
Gilbert SIMONDON, Du mode d'existence des objets techniques, p. 50.

▶ **DÉSADAPTÉ, ÉE** p. p. adj. et nom (1933).

Didact. (psychol.). Personnes. Qui n'est plus adapté à son milieu, par suite d'une évolution psychologique. ⇒ **Inadapté.** — Adjectif :

1 C'était un garçon solitaire, désadapté, paresseux et vaniteux.
SARTRE, le Sursis, p. 118.

N. *Un désadapté, une désadaptée.*

2 *(La résistance au milieu)* est utile (...) Les novateurs sont souvent des désadaptés, au meilleur sens du terme.   François CLOUTIER, la Santé mentale, p. 60.

CONTR. **Adapter ; adapté.**
DÉR. **Désadaptation.**

DÉSADOPTER [dezadɔpte] v. tr. — xxᵉ ; de *dés*- (→ 1. Dé-), et *adopter*.

♦ Rare. Résilier l'adoption de..., renier (un enfant adoptif). *Désadopter un enfant.*

(...) être assistée comme une petite reine parmi la pauvreté matérielle et mentale la plus complète, être reçue maternellement par la femme qui vous a désadoptée, ça oui ; mais se faire engraisser par un mec qui a trimé toute sa vie (...) ça non, ou alors à charge de revanche.   A. SARRAZIN, la Traversière, p. 248 (1966).

DÉSAÉRATION [dezaeʀɑsjɔ̃] n. f. — 1858, *in* D.D.L. ; de *désaérer*.

♦ Techn. Action de désaérer (un produit, un matériau). *Opération de désaération. Désaération et déshydratation des aliments.*

La désaération permet d'éliminer l'air que le mélange est susceptible de renfermer du fait de sa haute viscosité. La désaération est d'autant plus importante que l'oxygène de l'air inclus peut entraîner des phénomènes d'oxydation pouvant détruire certains principes nutritifs et certaines vitamines.
Guérir, Les aliments de sécurité, oct. 1967.

DÉSAÉRER [dezaeʀe] v. tr. — 1948 ; de *dés*- (→ 1. Dé-), et *aérer*.

♦ Techn. Éliminer l'air de (une substance). *Désaérer du béton.*

▶ **DÉSAÉRÉ, ÉE** p. p. adj. (Cf. anc. franç. *desairié* « égaré », XIVᵉ). Techn. D'où l'air a été retiré. *Béton désaéré.*

DÉR. **Désaération.**

DÉSAFFECTATION [dezafɛktɑsjɔ̃] n. f. — 1876 ; de *désaffecter*.

♦ Dr., admin. Action de désaffecter (un immeuble). *La désaffectation d'une gare, d'un immeuble domanial.*

L'acte d'affectation est essentiellement révocable et peut être rapporté en vertu d'un acte de désaffectation émané de la même autorité.
DALLOZ, Nouveau répertoire, « Domaine de l'État », nº 19.

CONTR. **Affectation.**

DÉSAFFECTÉ, ÉE [dezafɛkte] adj. ⇒ **Désaffecter**, p. p.

DÉSAFFECTER [dezafɛkte] v. tr. — 1876, *in* Littré, *Suppl.* ; de *dés*- (→ 1. Dé-), et *affecter*.

♦ Dr. admin. Faire cesser, changer l'affectation de (un immeuble). *Désaffecter une école, une caserne ; une église, un temple, ...*

▶ **DÉSAFFECTÉ, ÉE** p. p. adj.

Courant.

♦ **1.** Qui n'est plus affecté (à un service public). *Église, école désaffectée.* — Qui a perdu sa destination première. *Salle à manger désaffectée. Baptiser* (cit. 7) *laboratoire une cuisine désaffectée.*

1 (...) tout avait pris un aspect différent : cette table dépliée, au centre de la pièce ; ce service à thé, qui trônait sur le bureau désaffecté, entre la corbeille à pain et le compotier de fruits.   MARTIN DU GARD, les Thibault, t. III, p. 164.

♦ **2.** Démis de sa charge. *« Un chef d'orchestre désaffecté »* (Schaeffer, *Recherches sur la musique concrète*, 1952, p. 71, *in* T.L.F.).

♦ **3.** Qui a perdu sa signification originelle, sa valeur première.

2 (...) beaucoup d'ennemis du christianisme se dévouaient au progrès de la justice sociale en altérant par les erreurs d'un matérialisme désastreux leur idée de celle-ci, et en se laissant égarer par le mythe de la Révolution, sans voir que ce qu'il y avait de juste et de fécond dans leur action dérivait à vrai dire de vérités chrétiennes (mais « affolées ») et de sentiments chrétiens (mais désaffectés).
F. MAURIAC, le Nouveau Bloc-notes 1958-1960, p. 318.

CONTR. **Affecter, consacrer** (une église).
DÉR. **Désaffectation.**

DÉSAFFECTION [dezafɛksjɔ̃] n. f. — 1787, Féraud ; de *dés*- (→ 1. Dé-), et *affection*.

♦ Perte de l'affection, de l'attachement (pour qqn, ou plus souvent, pour qqch.). ⇒ **Détachement.** *La désaffection du peuple pour un régime, d'une personne pour une autre. Une désaffection progressive, rapide.*

1 (...) si les hommes souffrent parfois de la désaffection féminine, ce sont surtout les femmes qui courent bien plus le risque de se voir, à un moment de leur vie, abandonnées et sacrifiées (...)   Georges LECOMTE, Ma traversée, p. 105.

2 Ça te va ? demanda-t-elle, renonçant à comprendre la désaffection d'Antoine pour un cadre qu'il avait entièrement fait à sa convenance.
MARTIN DU GARD, les Thibault, t. VIII, p. 228.

3 Il s'étonna d'être si jaloux, alors qu'il avait cessé d'aimer Delphine depuis tant d'années déjà, de l'aimer d'amour, en tout cas. La jalousie pouvait-elle survivre ainsi à la désaffection ?   Jean-Louis CURTIS, le Roseau pensant, p. 314.

4 À l'égard de mon père, non pas de la désaffection, mais un infranchissable mur d'indifférence, non, ce n'est pas le mot : je le voyais en transparence, et je l'aimais, mais ce mur était insonorisé, nous ne pouvions communiquer.
Claude MAURIAC, le Temps immobile, p. 255.

CONTR. **Affection, amitié, amour.**
DÉR. **Désaffectionner** (se).

DÉSAFFECTIONNER [dezafɛksjɔne] v. tr. — XVIIIᵉ ; de *dés*- (→ 1. Dé-), et *affectionner*.

Vieux ou littéraire.

♦ *Désaffectionner qqn de* (qqn, qqch.) : faire perdre à (qqn) l'affection portée (à qqn ou qqch.).

1 La morgue de la noblesse de cour désaffectionna du trône la noblesse de province, autant que celle-ci désaffectionnait la bourgeoisie, en en froissant toutes les vanités.   BALZAC, Illusions perdues, 1843, p. 39, *in* T.L.F.

▶ **SE DÉSAFFECTIONNER** v. pron. (1824).
Cesser d'avoir de l'attachement pour. *Se désaffectionner de qqn, de qqch.* ⇒ **Détacher** (se).

2 Oh ! ne croyez pas qu'il soit amer de se désaffectionner. Au contraire, vous ne

savez pas comme c'est bon, de sentir qu'on n'aime plus. Je ne sais ce qui est meilleur : se détacher, ou qu'on se détache de vous.
MONTHERLANT, la Reine morte, II, 1, 3.

CONTR. Attacher (et s'attacher).

DÉSAFFÉRENTATION [dɛzafeʀãtasjɔ̃] n. f. — xxᵉ ; de dés- (→ 1. Dé-), afférent, et suff. -ation.

♦ Didact. (psychophysiologie). Rupture du processus afférent ou d'« afférentation » (celui qui se dirige vers les centres nerveux). — REM. On dit aussi déafférentation (attesté 1951. → Sommeil, cit. 6.1).

Un malade timide, angoissé s'allonge sur le divan. Il ne voit pas l'analyste, il le sent derrière lui. Il vit au fond une expérience de désafférentation sensorielle, accentuée par la position couchée et le relâchement musculaire (...)
C. KOUPERNIK, Un traitement d'exception, in la Nef, nᵒ 31, p. 160.

DÉSAFFILIATION [dezafiljasjɔ̃] n. f. — D. i. (xxᵉ) ; de désaffilier.

♦ Action de se désaffilier.

DÉSAFFILIER [dezafilje] v. tr. — 1872 ; de dés- (→ 1. Dé-), et affilier.

♦ Didact. Faire cesser l'affiliation de. Désaffilier qqn d'un parti, d'une organisation. — Pron. Se retirer d'une affiliation. Plusieurs membres se sont désaffiliés, ont démissionné*.

CONTR. Affilier.
DÉR. Désaffiliation.

DÉSAFFLEURER [dezaflœʀe] v. tr. — 1732 ; de dés- (→ 1. Dé-), et affleurer.

♦ Techn. Vx. Faire cesser l'affleurement de...

DÉSAFFUBLER [dezafyble] v. tr. — V. 1170 ; de dés- (→ 1. Dé-), et affubler.

♦ Rare. Enlever à (qqn) ce qui affuble. ⇒ **Défubler** (vx). Désaffubler qqn de ses oripeaux, d'un déguisement. — Pron. Se désaffubler. « Le Petit Chose (...) était en train de se désaffubler » (A. Daudet, in T. L. F.).

DÉSAGRAFER [dezagʀafe] v. tr. — xvⁱⁱᵉ, Scarron ; de dés- (→ 1. Dé-), et agrafer.

♦ Enlever les agrafes de (un vêtement). Ouvrir en défaisant les agrafes. Désagrafer une robe. ⇒ **Dégrafer.**

▶ SE DÉSAGRAFER v. pron.
Ouvrir, ôter un vêtement en le désagrafant.

▶ DÉSAGRAFÉ, ÉE p. p. adj :
(...) le ventre à l'aise, la ceinture désagrafée d'un cran, la serviette au menton (...)
B. CENDRARS, Bourlinguer, p. 262.

DÉSAGRÉABLE [dezagʀeabl] adj. — V. 1275 desagraable ; de dés- (→ 1. Dé-), et agréable.

♦ **1.** Sens actif. (En parlant des personnes). Qui se conduit de manière à choquer, blesser, irriter les autres. Personne désagréable. Il est très désagréable. ⇒ **Acariâtre, acerbe, agaçant, atrabilaire, bourru, brusque, désobligeant, fatigant, hargneux, impoli, insolent, insupportable, intraitable, maussade, mauvais, méchant, mésavenant, odieux, offensant, réfrigérant, rude** ; et aussi **maudit, sale, vilain...** employés avec un substantif (sale gosse,... vilain moineau, etc.). C'est un homme très désagréable (cf. Aimable comme une porte de prison).

(Plus cour.). Avec un compl. introduit par envers, avec. Il est assez désagréable avec, envers ses inférieurs. Elle a été très désagréable avec moi.

REM. 1. Construit avec à, désagréable a la même valeur passive que le sens 2. Il est désagréable à tout le monde. → Antipathique (cf. aussi Personne ne peut le sentir*, le souffrir*). Être désagréable à soi et aux autres.
2. Le sens « qui n'est pas agréé » est signalé comme vieilli par le T. L. F. avec un ex. de Chateaubriand ; ce sens très archaïque serait aujourd'hui senti comme un anglicisme.

(Actes, attitudes..., au sens actif). Des paroles désagréables, désagréables pour, à l'égard de qqn. ⇒ **Blessant, vexant.** — D'une manière désagréable.

1 (...) si le choc de l'objet aperçu la frappe (l'imagination) d'une manière agréable, elle l'aime, elle le préfère, bien que cet objet n'ait en lui aucun agrément réel ; et si cet objet, quoique d'un prix certain aux yeux d'un autre, n'a frappé l'imagination dont il s'agit que d'une manière désagréable, elle s'en éloignera, parce qu'aucun de nos sentiments ne se forme, ne se réalise qu'en raison du produit des différens objets sur l'imagination (...)
SADE, Justine..., t. I, p. 189.

♦ **2.** (En parlant des choses). Qui déplaît, donne du déplaisir.

⇒ **Déplaisant, malplaisant, mauvais, pénible** ; (fam.) **moche, sale** ; iron. **beau, charmant, joli.** Sensation violemment désagréable. ⇒ **Blessant, douloureux, insupportable, intolérable, irritant.** Mener une vie triste et désagréable. ⇒ **Affreux** (par exagér.), **détestable, ennuyeux, fastidieux.** Impression, vision désagréable. Visage désagréable. ⇒ **Disgracieux, ingrat, laid.** Apparence, allure désagréable. ⇒ **Choquant, rebutant, répugnant.** Goût désagréable. ⇒ **Mauvais ; acide, âcre, aigre, âpre, saumâtre ; dégoûtant, écœurant, fade, insipide.** Médecine, potion au goût désagréable. — Par litote. Ce n'est pas désagréable : c'est assez bon. Odeur* désagréable. ⇒ **Fétide, incommodant, nauséabond, putride.** Son désagréable, qui écorche les oreilles. ⇒ **Agaçant, criard, discordant.** Événement, nouvelle désagréable. ⇒ **Contrariant, ennuyeux, fâcheux, gênant, importun, malencontreux, malheureux.** Ceci aura des conséquences désagréables. ⇒ **Regrettable.** Il est désagréable d'avoir à travailler par ce beau temps. Cela est désagréable à s'entendre dire. Cette corvée lui a été bien désagréable. Il se trouvait dans une situation désagréable.

J'eus une sorte de frisson désagréable, un de ces effleurements pénibles qui nous touchent le cœur, comme l'approche d'un lourd chagrin. 2
MAUPASSANT, Un fils.

Cette eau-ci lui parut d'une saveur point trop désagréable (...) 3
J. ROMAINS, les Hommes de bonne volonté, t. V, p. 81.

Impers. Il est, il n'est pas désagréable de... Ce n'est pas désagréable. Avoir pour désagréable ; (vx) avoir désagréable que...

(...) même quand on possède une longue expérience de la malice et de la perfidie 4
humaine, il est toujours désagréable de recevoir des lettres anonymes.
G. DUHAMEL, Chronique des Pasquier, X, IX, p. 434.

N. m. L'agréable et le désagréable.

CONTR. Agréable.
DÉR. Désagréablement.

DÉSAGRÉABLEMENT [dezagʀeabləmã] adv. — Fin xivᵉ ; de désagréable, et 1. -ment.

♦ D'une manière désagréable ; par une impression désagréable. Être désagréablement surpris. Il nous a répondu désagréablement. « Le ton désagréablement superficiel » (J. Gracq, in T. L. F.).

CONTR. Agréablement.

DÉSAGRÉER [dezagʀee] v. tr. ind. — V. 1165 ; de dés- (→ 1. Dé-), et agréer.

Vieux.

♦ **1.** Ne pas agréer ; être désagréable à... ⇒ **Déplaire.** Désagréer à quelqu'un.

Retenez la plus petite parole qui puisse désagréer à Jésus-Christ.
BOSSUET, Seconde exhortation aux Ursulines de Meaux.

♦ **2.** (Langue class.). Désapprouver (qqch.). Désagréer que...

DÉSAGRÉGATION [dezagʀegasjɔ̃] n. f. — 1798 ; de désagréger, et -ation.

♦ **1.** Destruction par séparation des parties agrégées. ⇒ **Dissociation, dissolution, morcellement, pulvérisation.** Désagrégation d'une pierre tendre, friable. — Par ext. Désagrégation d'objets qui tombent en ruines (→ Dépérir, cit. 7).

♦ **2.** Abstrait. ⇒ **Décomposition, désintégration, destruction, dislocation, écroulement, rupture, séparation.** Désagrégation d'une union, d'une association. La désagrégation de l'empire romain (→ Christianisme, cit. 12 ; chute, cit. 11). La désagrégation d'une résistance, d'une force armée.

Il (Louis-Philippe) sentait sous ses pieds une désagrégation redoutable, qui n'était 1
pourtant pas une mise en poussière, la France étant plus France que jamais.
HUGO, les Misérables, IV, I, IV.

De sorte que la modification de mon état sentimental, préparée sans doute obs- 2
curément jour par jour par les désagrégations continues de l'oubli, mais réalisée brusquement dans son ensemble (...)
PROUST, À la recherche du temps perdu, t. XIII, p. 217.

Spécialt. Désagrégation mentale, psychique : trouble de la synthèse mentale ; schizophrénie. ⇒ **Dissociation** (mentale). — Désagrégation de la personnalité, du moi.

CONTR. Agglomération, assemblage, réunion, union. — Renforcement, solidité.

DÉSAGRÉGEABLE [dezagʀeʒabl] adj. — 1868, in Littré ; de désagréger.

♦ Didact. Qui peut être désagrégé.

DÉSAGRÉGEANT, ANTE [dezagʀeʒã, ãt] adj. — D. i. ; p. prés. de désagréger.

♦ Didact. ou techn. Qui disjoint des choses agrégées (propre ou fig.). Substance désagrégeante. — N. m. Un désagrégeant.

DÉSAGRÉGEMENT [dezagʀeʒmɑ̃] n. m — 1846 ; de *désagréger*.

♦ Didact. ou techn. Action de désagréger ; fait de se désagréger.

DÉSAGRÉGER [dezagʀeʒe] v. tr. — Conjug. *céder* et *bouger*. — 1798 ; de *dés-* (→ 1. Dé-), et *agréger*.

♦ **1.** (1798). Décomposer (qqch.) en séparant les parties liées, agrégées. ⇒ **Dissocier, dissoudre, diviser, pulvériser.** *La pluie désagrège les pierres tendres.*

0.1 L'action des pluies n'a pu que très lentement désagréger ces sortes de châteaux forts ou de cathédrales aux murs quasi verticaux et durs comme de la brique (...)   GIDE, Voyage au Congo, *in* Souvenirs, Pl., p. 720.

Pron. *Roche qui se désagrège. Le sucre se désagrège dans l'eau.* ⇒ **Fondre.**

Rare. *Se désagréger de qqch. :* se séparer par désagrégation de...

♦ **2.** (1860). Fig. Décomposer (qqch.) en détruisant la cohésion, l'unité. ⇒ **Décomposer, désunir, disloquer, morceler, séparer** (→ Apparition, cit. 4). *Désagréger les résistances.* ⇒ **Détruire, pulvériser, supprimer.**

1 En Angleterre, une démolition insensible pulvérise et désagrège perpétuellement les lois et les coutumes.   HUGO, l'Homme qui rit, II, IV, VI.
2 Ainsi la force interne de la Révolution désagrégeait les résistances.   JAURÈS, Hist. socialiste..., t. I, p. 340.

(1861). Pron. *Tout le système de défense se désagrège.* ⇒ **Écrouler** (s').

Se désagréger en : dégénérer en.

♦ **3.** Détruire (qqn, qqch.) en le dégradant. « *Des fêtes malsaines désagrègent le peuple et le font populace* » (Hugo, *in* T. L. F.).

▶ **DÉSAGRÉGÉ, ÉE** p. p. adj.

♦ **1.** Décomposé ; dont les parties liées sont séparées. *Roche désagrégée.*

♦ **2.** Fig. Dont la cohésion, l'unité est détruite. *Résistances désagrégées.*

CONTR. Agréger ; agglomérer, cimenter, joindre, réunir. — Renforcer.
DÉR. Désagrégation, désagrégeable, désagrégeant, désagrégement.

DÉSAGRÉMENT [dezagʀemɑ̃] n. m. — 1642, *desagreement* ; de *dés-* (→ 1. Dé-), et *agrément*.

♦ Chose désagréable ; sujet de contrariété. ⇒ **Chagrin, contrariété, déboire, difficulté, ennui, souci.** — *(Le désagrément). Cela peut lui attirer, lui occasionner du désagrément. Il n'en a retiré que du désagrément* (cf. Il s'en est mal trouvé). — *(Un, des désagréments). Je prévois pour vous bien des désagréments* (→ Je vous en souhaite* !). *Quel désagrément ! Un vif désagrément.*

1 Des plaisirs qu'il a fallu acheter bien cher et dont il n'a presque jamais que le désagrément et l'amertume.   MASSILLON, Avent, Mort du péch., *in* LITTRÉ.
2 (...) j'eus le désagrément (...) de voir horriblement mutiler mon ouvrage (...)   ROUSSEAU, les Confessions, X.
3 (...) je n'ai jamais songé à moi-même, et si je me reproche quelque chose, c'est de vous avoir causé du désagrément contre mon gré.   G. SAND, la Petite Fadette, XVIII, p. 123.
4 Les concessions qu'il fallait faire à la cour, à la société, au clergé étaient pires que les petits désagréments que peut nous infliger la démocratie.   RENAN, Souvenirs d'enfance..., Préface, p. 14.

DÉSAILER [dezele] v. tr. — 1877 ; « dépouiller (une graine) de ses ailes », 1873 ; de *dés-* (→ 1. Dé-), et *aile*.

♦ Techn. Rogner ou blesser les ailes de (un oiseau). — Chasse. Toucher (un oiseau) aux ailes de manière telle qu'il ne peut plus voler. *Le perdreau n'avait pas été tué, mais quelques plombs l'avaient désailé* (→ Avoir du plomb* dans l'aile).

DÉSAIMANTATION [dezɛmɑ̃tɑsjɔ̃] n. f. — 1858, *Année sc. et industr.*, t. I, p. 81 ; de *désaimanter*.

♦ Didact., techn. Action de désaimanter (un corps) ; son résultat.

CONTR. Aimantation.

DÉSAIMANTER [dezɛmɑ̃te] v. tr. — 1864 ; de *dés-* (→ 1. Dé-), et *aimanter*.

♦ Didact., techn. Supprimer l'aimantation, le champ magnétique de. — Au p. p. *Une barre de fer désaimantée.*

La communication était-elle établie entre les deux pôles, le courant, partant du pôle positif, traversait le fil, passait dans l'électro-aimant, qui s'aimantait temporairement, et revenait par le sol au pôle négatif. Le courant était-il interrompu, l'électro-aimant se désaimantait aussitôt. Il suffisait donc de placer une plaque de fer doux devant l'électro-aimant, qui, attirée pendant le passage du courant, retombait, quand le courant était interrompu.   J. VERNE, l'Île mystérieuse, t. II, p. 561.

CONTR. Aimanter.
DÉR. Désaimantation.

DÉSAIMER [dezeme] v. tr. — Mil. XIIIᵉ ; de *dés-* (→ 1. Dé-), et *aimer*.

♦ Rare. Cesser d'aimer (qqn). ⇒ **Désamour.** (Ex. de Amiel, J. Bousquet, L. de Vilmorin, *in* T. L. F. ; de Theuriet, *in* G. L. L. F.).

J'envisage la lune et je sais maintenant qu'elle ne viendra pas (...) et que je vais rester céans, seul et nu, et désaimé de tous.   Robert MERLE, En nos vertes années, p. 201.

DÉSAJUSTEMENT [dezaʒystəmɑ̃] n. m. — 1671, « confusion » ; de *désajuster*, et 2. -*ment*.

♦ (1845). Techn. Action de désajuster, de se désajuster ; état de ce qui est désajusté. *Le désajustement d'une roue* (*in* G. L. L. F.). Fig. *Le désajustement de l'économie.*

DÉSAJUSTER [dezaʒyste] v. tr. — 1611 ; de *dés-* (→ 1. Dé-), et *ajuster*.

♦ Déranger, mettre en désordre*(ce qui était ajusté). ⇒ **Déranger.** *Désajuster sa coiffure.* ⇒ **Défaire.** *Désajuster un habillement, une parure.* ⇒ **Désajuster une machine.** ⇒ **Dérégler.** *Désajuster deux pièces.* ⇒ **Démonter.** *Sa coiffure est toute désajustée.* Pron. (passif). *Sa toilette s'est désajustée.*

CONTR. Ajuster.
DÉR. Désajustement.

DÉSALIÉNATION [dezaljenɑsjɔ̃] n. f. — 1960 ; de *désaliéner*, d'après *aliénation*.

♦ Didact. Fin, cessation de l'aliénation* (mentale ou sociale).

1 L'émergence d'individus désaliénés, de formes de relation conduisant à la désaliénation, fût-ce dans des circonstances privilégiées, dans des sortes d'îlots culturels, est un événement de premier plan.   M. PAGÈS, *in* C. ROGERS, le Développement de la personne, Préface, p. 14.
2 Ce que je comprends mal, pour ma part, c'est que l'on puisse, d'une part, demander cette prise de responsabilité à tous les niveaux, la croire bonne et nécessaire à la « désaliénation » (...)   Françoise GIROUD, Si je mens, p. 195.

CONTR. Aliénation.

DÉSALIÉNER [dezaljene] v. tr. — Conjug. *céder*. — 1947, *in* D. D. L. ; de *dés-* (→ 1. Dé-), et *aliéner*.

♦ Didact. Faire cesser l'aliénation de, libérer. *Désaliéner l'homme. Désaliéner le système économique.* — Pron. *Se désaliéner.*

1 Tout mouvement de libération (...) doit d'abord désaliéner l'homme dominé, détruire le système de significations que la rationalité capitaliste instaure dans la conscience du peuple.   Jean ZIEGLER, Main basse sur l'Afrique, p. 196.

▶ **DÉSALIÉNÉ, ÉE** p. p. adj.

2 (...) le scandale rogérien, c'est le scandale d'un homme désaliéné qui s'engage pleinement et qui parle en son nom propre, refusant d'utiliser la protection de son rôle social et de ses connaissances scientifiques.   M. PAGÈS, *in* C. ROGERS, le Développement de la personne, Préface, p. 11.

CONTR. Aliéner.
DÉR. Désaliénation.

DÉSALIGNEMENT [dezaliɲ(ə)mɑ̃] n. m. — 1842 ; de *désaligner*.

♦ Action de désaligner ; perte ou absence d'alignement. *Désalignement des maisons d'une rue.*

(...) le cristal métallique présente des défauts qu'on appelle dislocations. On peut simplifier et considérer la dislocation comme un brusque désalignement des atomes qui se propage à travers toutes les mailles du cristal.   Science et Vie, nº 588, Les monocristaux, p. 83.

(Mil. XXᵉ). Polit. Fait de ne plus se conformer à un système, à une orientation politique donnée (opposé à *alignement*).

(1873). Astronaut. *Désalignement de la poussée :* « défaut d'alignement du centre de gravité d'un véhicule spatial et de la résultante des forces de poussée, provoqué par des déplacements de l'un ou de l'autre » (*Journal officiel*).

CONTR. Alignement.

DÉSALIGNER [dezaliɲe] v. tr. — 1842 ; de *dés-* (→ 1. Dé-), et *aligner*.

♦ Détruire l'alignement de.

▶ **DÉSALIGNÉ, ÉE** p. p. adj.

Qui n'est pas à l'alignement ; qui a perdu l'alignement. *Maisons désalignées d'une rue ancienne. Balustres désalignés par une restauration maladroite.*

CONTR. Aligner.
DÉR. Désalignement.

DÉSALINISATION [desalinizɑsjɔ̃] n. f. — XXᵉ ; de 1. *dé-*, *salin*, et -*isation*, ou d'un verbe *désaliniser*.

♦ Techn. Action d'éliminer le sel (de l'eau de mer). *Une usine de désalinisation.*

DÉSALPE [dezalp] n. f. — 1897 ; déverbal de *désalper.*

♦ Régional (Suisse). Descente de l'alpage à la fin de l'estivage. ⇒ **Désalper.**

Je te donnerai un fromage à la désalpe.
                                        Jean FOLLONIER, les Greniers vides, p. 79.

DÉSALPER [dezalpe] v. intr. — 1640 ; de *dés-* (→ 1. Dé-), et *alper* « conduire le troupeau à l'alpage ».

♦ Régional (Suisse). Descendre de l'alpage à la fin de l'estivage.

CONTR. **Alper.**
DÉR. **Désalpe.**

DÉSALTÉRANT, ANTE [dezalteRã, ãt] adj. — 1762, Rousseau ; p. prés. de *désaltérer.*

♦ Qui désaltère. *Boisson désaltérante* (→ Désaltérer, cit. 8). *Ce n'est pas très désaltérant.*
Fig. *Une fraîcheur désaltérante. « Un vent désaltérant »* (Daudet, Colette, *in* T. L. F.).

DÉSALTÉRER [dezalteRe] v. tr. — Conjug. *céder.* — 1549 ; de *dés-* (→ 1. Dé-), et *altérer.*

♦ Apaiser, satisfaire la soif de (qqn). ⇒ **Abreuver ; apaiser, calmer, étancher** (la soif de...). *Désaltérer un malade, un blessé,* le faire boire. *Ce verre d'eau m'a désaltéré.* Absolt. *Une boisson chaude désaltère souvent mieux qu'une boisson glacée.*

1   (...) que fera(-t-)il si on le presse de la subtilité sophistique de quelque syllogisme : le jambon fait boire, le boire désaltère, par quoi le jambon désaltère ?
                                        MONTAIGNE, Essais, I, XXVI.

Par anal. *La pluie désaltère les plantes.* ⇒ **Arroser.**
Par métaphore. Satisfaire (les désirs, les aspirations de qqn). ⇒ **Combler, soulager.** *Rien ne désaltère sa soif de science,* il est insatiable*.

2   D'illusoires agitations, des joies médiocres, une soif de bonheur qui se renouvelle en vain et ne peut jamais être désaltérée !
                                        MARTIN DU GARD, les Thibault, t. IV, p. 137.

▶ **SE DÉSALTÉRER** v. pron. (1668). ⇒ **Boire.** *Se désaltérer à une source.*

3   Un agneau se désaltérait
Dans le courant d'une onde pure.   LA FONTAINE, Fables, I, 10.
4   Ne sais-tu pas que mon armée ne pouvait en un repas se désaltérer sans faire tarir des rivières ?
                                        FÉNELON, Dialogue des morts anciens (Xerxès, Léonidas), *in* LITTRÉ.
5   (...) mes moyens me permettent de manger à ma faim, de me désaltérer à ma soif, de fumer à ma suffisance et de prêter cent sous (...)
                                        COURTELINE, Boubouroche, Comédie, I, 2.

Par métaphore. Satisfaire ses désirs, ses aspirations.

6   (...) cette âme pleine de dons précieux, ces yeux où l'âme se désaltère comme à une vive source d'amour (...)
                                        BALZAC, Mémoires de deux jeunes mariées, Pl., t. I, p. 169.
7   Voilà trois mois que je lis exclusivement de la métaphysique ! Après tant d'abstractions, vous pouvez penser s'il m'a été doux de me désaltérer dans le réel.
                                        FLAUBERT, Correspondance, IV, p. 237.

▶ **DÉSALTÉRANT, ANTE** p. prés. Voir à l'ordre alphabétique.

8   (...) son vin noir et grossier, mais désaltérant et sain, est du cru de sa vigne.
                                        ROUSSEAU, Émile, III.

▶ **DÉSALTÉRÉ, ÉE** p. p. adj.
Dont la soif est apaisée. — Poétique :

9   Dans son sang inhumain les chiens désaltérés.   RACINE, Athalie, I, 1.

Fig. Dont les aspirations, les désirs sont satisfaits.

CONTR. **Altérer, assoiffer.**

DÉSAMARRAGE [dezamaRaʒ] n. m. — xxᵉ ; de *désamarrer.*

♦ Mar. Action de désamarrer un navire.

DÉSAMARRER [dezamaRe] v. tr. — xivᵉ ; de *dés-* (→ 1. Dé-), et *amarrer.*

♦ Mar. Détacher (un navire) en larguant ses amarres. ⇒ **Démarrer** (I., 1.).

CONTR. **Amarrer.**
DÉR. **Désamarrage.**

DÉSAMBIGUÏSATION [dezãbigɥizasjɔ̃] n. f. — Mil. xxᵉ ; de *désambiguïser,* et -ation.

♦ Ling. et log. Action de désambiguïser. *La désambiguïsation d'une phrase.*

DÉSAMBIGUÏSER [dezãbigɥize] v. tr. — Mil. xxᵉ ; de *dés-* (→ 1. Dé-), *ambigu,* et -iser.

♦ Ling. et log. Faire cesser l'ambiguïté de (un énoncé, un mot) en ne retenant qu'un seul sens. *Contexte qui désambiguïse une phrase, un mot.*

DÉR. **Désambiguïsation.**

DÉSAMIDONNAGE [dezamidɔnaʒ] n. m. — xxᵉ ; de *désamidonner.*

♦ Action de désamidonner.

CONTR. **Amidonnage.**

DÉSAMIDONNER [dezamidɔne] v. tr. — xxᵉ ; de *dés-* (→ 1. Dé-), *amidon,* et suff. verbal.

♦ Techn. Enlever l'amidon de (un tissu de coton, certains articles de lingerie).

CONTR. **Amidonner.**
DÉR. **Désamidonnage.**

DÉSAMINASE [dezaminaz] n. f. — 1960 ; de *désaminer,* et -ase.

♦ Chim., biol. Enzyme qui catalyse une réaction de désamination.

DÉSAMINATION [dezaminasjɔ̃] n. f. — 1960 ; de *désaminer,* et suff. -ation.

♦ Chim., biol. Décomposition d'une amine sous l'influence d'enzymes (désaminases). *La désamination intervient dans le métabolisme des acides aminés.* — REM. On rencontre la var. *déamination :* « *Une déamination oxydative* » (la Recherche, mars 1981, p. 314).

DÉSAMINER [dezamine] v. tr. — 1960 ; de *dés-* (→ 1. Dé-), *(acide) aminé,* et suff. verbal -er.

♦ Chim., biol. Ôter la fonction amine de (un acide aminé).

Les acides aminés sont intéressants pour les levures, soit qu'elles puissent les assimiler tels quels, soit qu'elles se contentent de les désaminer, et de les utiliser ainsi uniquement comme source d'azote.
                                        Jules CARLES, la Chimie du vin, p. 102.

DÉR. **Désaminase, désamination.**

DÉSAMORÇAGE [dezamɔRsaʒ] n. m. — 1863 ; de *désamorcer.*

♦ Action de désamorcer ; fait de se désamorcer. *Le désamorçage de la pompe a entraîné une panne d'alimentation.* — Arrêt du courant dans une dynamo.

CONTR. **Amorçage.**

DÉSAMORCER [dezamɔRse] v. tr. — Conjug. *placer.* — 1863 ; de *dés* (→ 1. Dé-), et *amorcer.*

♦ **1.** Enlever l'amorce de. *Désamorcer un pistolet, une mine.*

♦ **2.** Interrompre le fonctionnement de (ce qui devait être amorcé). *La pompe est désamorcée. Désamorcer un siphon.*

♦ **3.** (xxᵉ). Abstrait. Enlever tout caractère menaçant, neutraliser. *Désamorcer une menace de conflit, un conflit.*

1   (...) donner à une comédie de Goldoni un style purement « italien » (arlequinades, mimes, couleurs vives, demi-masques, ronds de jambe et rhétorique de la prestesse), c'est se tenir quitte du bon marché du contenu social ou historique de l'œuvre, c'est désamorcer la subversion aiguë des rapports civiques, en un mot c'est mystifier.   R. BARTHES, Mythologies, p. 110.
2   La sagesse serait sans doute de désamorcer la polémique en posant par principe que l'homme se déduit à 100 % de son hérédité et à 100 % de son milieu. L'homme passe l'homme, a écrit Pascal.   M. TOURNIER, le Vent Paraclet, p. 240.

CONTR. **Amorcer.**
DÉR. **Désamorçage.**

DÉSAMOUR [dezamuR] n. m. — 1846, Bescherelle ; de *dés-* (→ 1. Dé-), et *amour.*

♦ Littér. Cessation de l'amour.

1   Que l'on appelle cela comme on voudra, la grâce, la baraka, l'aura, l'actuelle majorité l'a perdue. Vis-à-vis de ses représentants, le pays est en état de désamour.
                                        F. GIROUD, *in* l'Express, nº 1119, 18 déc. 1972, p. 49.
2   S'il n'est pas sûr, malgré le dicton, que l'esprit vienne aux filles avec l'amour, il semble s'aiguiser dans le désamour.   Hervé BAZIN, Madame Ex, p. 152.

DÉSANCRER [dezɑ̃kʀe] v. tr. — 1160, *desäancrer*; de *dés-* (→ 1. Dé-), et *ancrer*.

♦ Vx. Lever l'ancre*. *Désancrer une barque.*
Par métaphore. Libérer (qqn) de ce qui retient.

(...) je sens tressaillir en moi quelque chose qui se déplace, voudrait s'élever, quelque chose qu'on aurait désancré à une grande profondeur ; je ne sais ce que c'est, mais cela monte lentement ; j'éprouve la résistance et j'entends la rumeur des distances traversées.   Proust, Du côté de chez Swann, 1913, p. 46, *in* T. L. F.
CONTR. Ancrer.

DÉSANGLER [desɑ̃gle] v. tr. — xxᵉ ; de 1. *dé-*, et *sangler*, ou *sangle*, et suff. verbal.

♦ Techn. Ôter les sangles qui attachent (qqch.).

Deux enfants s'occupent à désangler les patins du blessé, tandis que j'adapte des bonnettes de deux dioptries au viseur et à l'objectif de mon rollei.   M. Tournier, le Roi des Aulnes, p. 117.
CONTR. Sangler.

DÉSANGOISSER [dezɑ̃gwase] v. tr. — 1973, *in* D.D.L. ; de *dés-* (→ 1. Dé-), et *angoisser*.

♦ Supprimer l'angoisse de (qqn).

Mon propos est de déconstruire la dissertation, de désangoisser le lecteur et de renforcer la partie critique de l'écriture en faisant vaciller la notion même du « sujet » d'un livre.   R. Barthes, *in* le Monde, 27 sept. 1973, p. 24, *in* D. D. L.

DÉSANIMATION [dezanimɑsjɔ̃] n. f. — Mil. xxᵉ ; de *dés-* (→ 1. Dé-), et lat. *animus* « âme ».

♦ Psychiatrie. Sentiment de ne plus être soi-même. ⇒ **Dépersonnalisation.**

DÉSANKYLOSER [dezɑ̃kiloze] v. tr. — 1958, Arnoux, *in* T.L.F. ; de *dés-* (→ 1. Dé-), et *ankyloser*.

♦ Supprimer l'ankylose de... *Les mouvements désankylosent les articulations.*
CONTR. Ankyloser.

DÉSANNEXER [dezanɛkse] v. tr. — 1476 ; repris 1861 ; de *dés-* (→ 1. Dé-), et *annexer*.

♦ Séparer (un territoire) de l'État auquel il avait été annexé.
(Mil. xxᵉ). Dr. internat. Restituer à un État (un territoire dont il avait été dépouillé par annexion).

▶ **DÉSANNEXÉ, ÉE** p. p. adj. *Territoire désannexé.*
CONTR. Annexer.
DÉR. Désannexion.

DÉSANNEXION [dezanɛksjɔ̃] n. f. — 1918, *in* D.D.L. ; de *désannexer*.

♦ Dr. internat. Restitution d'un territoire à l'État auquel il était rattaché avant d'être annexé. *La désannexion de l'Alsace-Lorraine.*
CONTR. Annexion.

DÉSANNONCE [dezanɔ̃s] n. f. — D. i. (v. 1980 ?) ; de *désannoncer*, sur *annonce*.

♦ Fait de désannoncer ; annonce qui annule les effets d'une annonce antérieure, qui informe de la suppression ou du report de ce qui était prévu. *Un brouillard très épais régnant actuellement sur l'aéroport, les désannonces de vols se succèdent à intervalles rapprochés.*

DÉSANNONCER [dezanɔ̃se] v. tr. — D. i. (v. 1980 ?) ; de *dés-* (→ 1. Dé-), et *annoncer*.

♦ Porter à la connaissance du public l'annulation de (ce qui avait été annoncé) ; notifier l'infirmation de l'annonce de. *Le soliste étant souffrant, les organisateurs du festival ont dû désannoncer le concert.*
DÉR. Désannonce.

DÉSAPEURER [dezapœʀe] v. tr. — 1879, Huysmans ; de *dés-* (→ 1. Dé-), et *apeurer*.

♦ Rare. Délivrer (qqn) de la peur. — Passif et p. p. *Elle commençait à être désapeurée.*

DÉSAPPAREILLER [dezapaʀeje] v. tr. — D. i. ; fin xiiᵉ, *despareiller* (→ Dépareiller) ; de *dés-* (→ 1. Dé-), et *appareiller*.

♦ Faire cesser d'être appareillé, assorti. ⇒ **Dépareiller.**

DÉSAPPARIER [dezapaʀje] v. tr. — 1808 ; de *dés-* (→ 1. Dé-), et *apparier*.

♦ Séparer (des animaux appariés, les deux éléments d'une paire). ⇒ **Déparier** (2.). Phys. *Désapparier les deux électrons d'une paire.*
CONTR. Apparier.

DÉSAPPOINTANT, ANTE [dezapwɛ̃tɑ̃, ɑ̃t] adj. — D. i. (cit. ci-dessous, 1936) ; p. prés. de *désappointer*.

♦ Qui désappointe, déçoit. ⇒ **Décevant.**

La liturgie de Citeaux bien désappointante. Tout diminué et simplifié. *Samedi-Saint. 3 Proph(éties)* au lieu de 12. En revanche le soir un beau *Salve Regina.*   Claudel, Journal, t. II, Pl., p. 139.

DÉSAPPOINTEMENT [dezapwɛ̃tmɑ̃] n. m. — Av. 1473, « destitution » ; de 1. *désappointer*.

♦ (1783). État d'une personne désappointée. *Cacher son désappointement.* — Sensation éprouvée par une personne désappointée. ⇒ **Déception.** *Cet échec fut pour lui un grand désappointement.* ⇒ **Douche** (fam.).

Mon désappointement politique me donna sans doute l'humeur qui me fit écrire la note satirique contre les quakers.   Chateaubriand, Voyage en Amérique, 314, *in* Littré.   1

Mon premier mouvement en apercevant ces formes blanchâtres vêtues de loques, sans bijoux, et qui ont l'air d'être tout habillées de poussière, a été du désappointement.   E. Fromentin, Un été dans le Sahara, p. 145.   2

Tout le personnel de la colonie fut réuni alors, et la proposition de revenir en arrière lui fut faite.   2.1
La première impression produite par la communication du lieutenant Hobson fut mauvaise. Ces pauvres gens comptaient si bien sur ce rapatriement immédiat à travers l'icefield, que leur désappointement fut presque du désespoir. Mais ils réagirent promptement et se déclarèrent prêts à obéir.   J. Verne, le Pays des fourrures, t. II, p. 194.

Je n'en sentis pas moins, le rideau tombé, un désappointement que ce plaisir que j'avais tant désiré n'eût pas été plus grand (...)   3
   Proust, À la recherche du temps perdu, t. III, p. 31.
(...) de tous les désappointements que peut nous causer une femme le désappointement par le rival est le pire.   A. Maurois, Climats, I, ix, p. 72.   4

CONTR. Contentement, enchantement, satisfaction. — Consolation.

1. DÉSAPPOINTER [dezapwɛ̃te] v. tr. — 1395, « destituer » ; de *dés-* (→ 1. Dé-), et 1. *appointer* ; sens mod. déjà au déb. xviiᵉ selon Bloch, et repris en 1786 à l'angl. *disappointed*, Académie, 1835.

♦ **1.** (1395). Vx. Destituer (qqn) de sa charge (Hugo, *Notre-Dame de Paris, in* T. L. F.).

♦ **2.** (1611). Tromper (qqn) dans son attente, dans ses espérances. ⇒ **Décevoir, défriser, frustrer.** *J'ai craint de le désappointer.*

▶ **DÉSAPPOINTÉ, ÉE** p. p. adj.
Qui n'a pas obtenu ce qu'il attendait ; dont les espérances sont trompées et qui en est déçu. ⇒ **Camus, déçu ; chocolat** (fam.), **chose** (tout chose). *Il s'en retourna tout désappointé.*
Qui montre de la déception. *Mine désappointée.* ⇒ **Allongé.**

Une ou deux fois, pourtant, le chanvreur fit la grimace, fronça le sourcil et se retourna d'un air désappointé vers les matrones attentives.   1
   G. Sand, la Mare au diable, Appendice II, p. 163.
M. de Coantré fut, sinon tout à fait désappointé, du moins décontenancé.   2
   Montherlant, les Célibataires, Pl., p. 892.

CONTR. Contenter, enchanter, satisfaire. — Combler, remplir (l'attente). — **Répondre** (à l'attente).
DÉR. Désappointement.

2. DÉSAPPOINTER [dezapwɛ̃te] v. tr. — 1798 ; de *dés-* (→ 1. Dé-), et 2. *appointer*.
Technique.

♦ **1.** Émousser la pointe de (une aiguille, etc.). ⇒ **Épointer.**

♦ **2.** (1798). *Désappointer une pièce de tissu,* couper les points de fil qui la tiennent en place.

DÉSAPPRENDRE [dezapʀɑ̃dʀ] v. tr. — Conjug. *apprendre.* — Déb. xiiiᵉ ; de *dés-* (→ 1. Dé-), et *apprendre*.

♦ Littér. Oublier (ce qu'on a appris). ⇒ **Oublier.** *Il a désappris tout ce qu'il savait.* Absolt. *On désapprend quand on cesse d'apprendre.*

Je n'obtiens rien, et j'ai désappris d'exiger.   Gide, Journal, 10 avr. 1931.   1

Par anal. *Désapprendre le mal,* en perdre l'habitude.

Antisthène disait que la science la plus difficile était de désapprendre le mal.   2
   Fénelon, Antisthène.

Désapprendre de (et infinitif) :

Sa bouche était finement dessinée, mais il semblait qu'elle eût, depuis longtemps, désappris de sourire.   J. Verne, Michel Strogoff, p. 58 (1876).   3

4 La vie humaine — et à commencer par la leur — ne semblait avoir pour eux aucune espèce d'importance, soit qu'ils aient désappris de l'aimer, soit qu'ils n'aient jamais eu l'occasion de l'apprendre (...)   Claude SIMON, le Palace, p. 27.

CONTR. Apprendre.

DÉSAPPROBATEUR, TRICE [dezapʀɔbatœʀ, tʀis] n. et adj. — 1748 ; de *désapprouver*, d'après *approbateur*.

♦ **1.** N. Rare. Personne qui désapprouve*.

♦ **2.** Adj. (1748). Qui marque la désapprobation. ⇒ **Improbateur, improbatif, objurgateur.** *Air, murmure, ton désapprobateur. Elle lui lança un regard désapprobateur. Remarques désapprobatrices.*

1 Je n'ai point naturellement l'esprit désapprobateur.
                    MONTESQUIEU, l'Esprit des lois, Préface.
2 Là, au milieu des chefs rassemblés, entouré de leurs regards inquiets et qu'il suppose désapprobateurs, il semble vouloir les repousser, de son attitude sévère et d'une voix brusque, cassante et concentrée (...)
                    Ph.-P. SÉGUR, Hist. de Napoléon, VIII, 11.

CONTR. Approbateur, apologétique.

DÉSAPPROBATION [dezapʀɔbasjɔ̃] n. f. — 1787 ; de *dés-* (→ 1. Dé-), et *approbation*.

♦ Action de désapprouver* ; résultat de cette action. ⇒ **Improbation, opposition, réprobation.** *Entraîner la désapprobation.* ⇒ **Déplaire.** *Jugement de désapprobation.* ⇒ **Blâme, objurgation, reproche.** *Murmure de désapprobation. L'assistance manifesta sa désapprobation par des protestations, un bourdonnement général, des huées, des sifflets...*

1 La langue dispose d'une gamme étonnamment riche pour exprimer l'idée d'une vive désapprobation : en haut de l'échelle, des mots savants à foison : *tancer, admonester, semoncer ;* puis, un peu moins prétentieux : *gourmander, chapitrer ;* ensuite, dans la langue de bonne compagnie : *réprimander* ou *reprendre ;* plus bas dans le parler de tous les jours : *blâmer ;* chez le petit bourgeois : *gronder ;* dans la langue « petite fille bien élevée » : *attraper ;* puis, chose étrange, rien dans ce qui est vraiment la langue commune, et c'est sans transition qu'on tombe tout à coup jusqu'au vulgaire *engueuler* (pallié parfois par l'arrangement jugé plaisant *enguirlander*).   MAROUZEAU, Aspects du français, p. 33.
2 (...) quand (...) nous restions silencieux pour lui marquer une désapprobation qui ne pouvait être (...) qu'indirecte et muette, elle nous regardait avec un sourire où je devinais de l'amusement et du défi.   A. MAUROIS, Climats, I, VII, p. 61.
3 La désapprobation, et même la souffrance de sa mère, loin de toucher Jenny, l'aiguillonnaient (...)   MARTIN DU GARD, les Thibault, t. VIII, p. 58.
4 Je voudrais un autre verre de vin, réclama Anne Desbaresdes. On le lui servit dans la désapprobation.   M. DURAS, Moderato cantabile, p. 70.

CONTR. Approbation ; applaudissement.

DÉSAPPROPRIATION [dezapʀɔpʀijasjɔ̃] n. f. — 1615, *in* D.D.L. ; *désappropriement*, 1580 ; de *dés-* (→ 1. Dé-), et *appropriation*. Littéraire ou didactique.

♦ **1.** Fait de renoncer à la propriété (d'un bien) ; fait d'être privé d'un bien.

♦ **2.** (Abstrait). Abandon de la propriété de soi. ⇒ **Dépersonnalisation.**

Si l'Église trouve qu'on ne s'exprime pas correctement, on est tout prêt à se corriger (...) Une âme qui aime dans le véritable esprit de désappropriation ne veut s'approprier ni son langage, ni ses lumières. On ne saurait rien ôter à quiconque ne veut rien avoir en propre.
                    FÉNELON, cité par F. MALLET-JORIS, Jeanne Guyon, Préface, p. 13.

CONTR. Appropriation.

DÉSAPPROPRIER [dezapʀɔpʀije] v. tr. — 1644, *in* D.D.L. ; de *dés-* (→ 1. Dé-), et *approprier*.

♦ Rare. Priver (qqn) de la propriété de qqch. ⇒ **Déposséder, exproprier.**

Il n'y a que la perte, et la perte que Dieu opère lui-même, qui nous désapproprie véritablement.   FÉNELON, Instructions sur divers points de morale, 33.
Par ext. Priver (qqch.) de son usage.
Pron. Renoncer à la propriété de quelque chose.

CONTR. Approprier.

DÉSAPPROUVER [dezapʀuve] v. tr. — 1535 ; de *dés-* (→ 1. Dé-), et *approuver*.

♦ Ne pas approuver ; juger d'une manière défavorable ; trouver mauvais. ⇒ **Blâmer, censurer, condamner, critiquer, désavouer, épiloguer, improuver, juger, réprouver, trouver** (trouver mauvais, trouver à redire...), **vitupérer ; désapprobation** (cit. 1). *Désapprouver un projet, une entreprise, une démarche. La foule désapprouva bruyamment.* ⇒ **Huer, protester, siffler.** *Désapprouver la conduite de qqn. Il ne désapprouve pas que vous veniez,* il l'admet. *Désapprouver qqn, sa façon de faire.* Rare. *Il le désapprouve de boire.* — Pron. *Je me désapprouve moi-même de...*

1 (...) nous désapprouvons dans un temps ce que nous approuvions dans un autre.
          LA ROCHEFOUCAULD, Maximes, 51 (éd. I). (→ Approuver, cit. 11).
2 L'on se donne à Paris, sans se parler, comme un rendez-vous public, mais fort exact, tous les soirs au Cours et aux Tuileries, pour se regarder au visage et se désapprouver les uns les autres.   LA BRUYÈRE, les Caractères, VII, 1.

3 Sa marche *(de la conversation)*, plus rapide que celle de mes idées, me forçant presque toujours de parler avant de penser, m'a souvent suggéré des sottises et des inepties que ma raison désapprouvait et que mon cœur désavouait à mesure qu'elles échappaient de ma bouche, mais qui, précédant mon propre jugement, ne pouvaient plus être réformées par sa censure.
                    ROUSSEAU, Rêveries..., 4e promenade.

4 Désapprouver, c'est ne pas approuver. Improuver, c'est être contre l'approbation ; il exprime donc quelque chose de plus que la désapprobation. Réprouver enchérit sur improuver, et exprime une condamnation profonde, absolue. On désapprouve ce qui ne paraît pas bien ; on improuve ce qui paraît mauvais ; on réprouve ce qui paraît odieux, criminel, détestable.   LITTRÉ, Dict., art. *Désapprouver*.

CONTR. Approuver.
DÉR. V. Désapprobateur.

DÉSAPPROVISIONNEMENT [dezapʀovizjɔnmã] n. m. — 1873 ; de *désapprovisionner*.

♦ Rare. Action de désapprovisionner. — Comm. Action d'enlever en fin de marché les marchandises invendues.

CONTR. Approvisionnement.

DÉSAPPROVISIONNER [dezapʀovizjɔne] v. tr. — 1796, *in* D.D.L. ; de *dés-* (→ 1. Dé-), et *approvisionner*.

♦ **1.** Priver de son approvisionnement.

♦ **2.** *Désapprovisionner une arme à feu,* vider le magasin de ses cartouches.

▶ **DÉSAPPROVISIONNÉ, ÉE** p. p. adj.
Qui n'est pas approvisionné. — Fin. *Compte désapprovisionné.*

CONTR. Approvisionner.
DÉR. Désapprovisionnement.

DÉSARÇONNANT, ANTE [dezaʀsɔnã, ãt] adj. — 1870, *in* P. Larousse, cit. Féval ; p. prés. de *désarçonner*.

♦ Qui désarçonne (fig.). ⇒ **Déconcertant, démontant.** *Vous êtes désarçonnant. Elle est d'une inconscience désarçonnante.*

Ingénieux, ça !... Pas bête du tout ! Regardez-moi cette jolie petite femme qui vous trouve de ces répliques désarçonnantes ! ...
          J. ROMAINS, les Hommes de bonne volonté, t. XII, p. 107.

DÉSARÇONNEMENT [dezaʀsɔnmã] n. m. — D.i. ; de *désarçonner*.

♦ Action de désarçonner.

DÉSARÇONNER [dezaʀsɔne] v. tr. — V. 1210 ; de *dés-* (→ 1. Dé-), *arçon*, et suff. verbal.

♦ **1.** Mettre (qqn, un cavalier) hors des arçons, jeter à bas de la selle. ⇒ **Démonter, renverser, vider.**

Le premier chevalier qui courut contre lui le désarçonna (...)
                    VOLTAIRE, Zadig, XIX.   1

Par métaphore :

L'éloquence est un mors ; si le mors casse, l'auditoire s'emporte, et rue jusqu'à ce qu'il ait désarçonné l'orateur.   HUGO, l'Homme qui rit, II, VIII, VII.   2

♦ **2.** (1668). Fig. Confondre (qqn) dans une discussion, mettre à bout d'arguments. ⇒ **Confondre, déconcerter, démonter, troubler.** *Ces objections l'ont désarçonné.*

Ce dernier trait désarçonna le philosophe (...)   LA FONTAINE, Vie d'Ésope.   3
La Briffe tombait dans mille panneaux que Halay lui tendait tous les jours, et dont il le relevait avec un air de supériorité qui désarçonna l'autre.   4
          SAINT-SIMON, 17, 202, *in* LITTRÉ.

▶ **DÉSARÇONNÉ, ÉE** p. p. adj.

♦ **1.** Jeté à bas de la selle.

♦ **2.** Fig. et cour. Qui est à bout d'arguments, ne sait que dire. ⇒ **Déconcerté, décontenancé.** *Il est resté désarçonné, tout désarçonné.*

DÉR. Désarçonnant, désarçonnement.

DÉSARGENTAGE [dezaʀʒãtaʒ] n. m. — 1898, *in* Nouveau Larousse illustré ; de *désargenter*.

♦ Techn. Action de désargenter. — REM. On trouve aussi *désargentation,* n. f., 1877, Littré, *Suppl.,* au sens de « extraction de l'argent de (un minerai) ».

DÉSARGENTEMENT [dezaʀʒãtmã] n. m. — 1856 ; de *désargenter*.

♦ Fam. et vieilli. Fait d'être désargenté, de se trouver sans argent.

Un dîner à 35 sous, un dîner bourgeois dont le fond est la soupe et le bouilli, et qui est le dîner de la littérature dans les moments de désargentement et de *panne.*
Ed. et J. DE GONCOURT, Journal, t. I, p. 99 (1856).

DÉSARGENTER [dezaʀʒɑ̃te] v. tr. — 1611, au p. p. ; de *dés-* (→ 1. Dé-), et *argenter.*

♦ **1.** (1680). Priver (un objet argenté) de sa couche d'argent. — Surtout au pron. *Les couverts se désargentent à la longue.*
Techn. Retirer l'argent de (un alliage, un minerai).

♦ **2.** Fam., rare. Priver (qqn) de son argent. *Ces dépenses m'ont désargenté.* — Pron. *Il s'est désargenté aux courses.*

▶ **DÉSARGENTÉ, ÉE** p. p. adj. (1611).

♦ **1.** Qui n'a plus d'argenture. *Des couverts désargentés.*

♦ **2.** (1640). Fam. Qui n'a plus d'argent, est démuni d'argent. ⇒ **Démuni, dépourvu ; raide.** *Je suis un peu désargenté en ce moment. Il est complètement désargenté.*

1 (...) Gérard de Nerval revenant d'Italie, absolument désargenté, rapportait pour quatre mille francs de marbres de cheminées (...)
Ed. et J. DE GONCOURT, Journal, t. I, p. 50.

2 Les petits bourgeois désargentés que nous appelions M. et Mᵐᵉ M. Organatique, ce n'était pas vraiment nous : jouant à nous mettre dans leur peau, nous nous distinguions d'eux.
S. DE BEAUVOIR, la Force de l'âge, p. 24.

CONTR. (Du p. p.) **Argenté.**
DÉR. Désargentage, désargentement, désargenture.

DÉSARGENTURE [dezaʀʒɑ̃tyʀ] n. f. — 1870 ; de *désargenter,* et suff. *-ure.*

♦ Techn. Action d'enlever la couche d'argent qui recouvre un objet ; résultat de cette action, état d'un objet désargenté. — REM. On dit aussi *désargentation* (1877).

DÉSARMANT, ANTE [dezaʀmɑ̃, ɑ̃t] adj. — Déb. xxᵉ ? (1910, cit.) ; p. prés. de *désarmer,* II., 2.

♦ Qui enlève toute sévérité, qui pousse à l'indulgence par sa naïveté, sa simplicité. *Une naïveté désarmante. Candeur, franchise désarmante. Des paroles désarmantes.* ⇒ **Déconcertant, touchant.**

Il y a quelque chose de désarmant, de vraiment touchant à voir l'opiniâtreté forcenée *(de Corneille).*
Ch. PÉGUY, Victor-Marie, comte Hugo, Pl., p. 773 (*in* T. L. F.).

DÉSARMEMENT [dezaʀməmɑ̃] n. m. — 1594 ; de *désarmer.*

♦ **1.** (1616). Action de désarmer. *Le désarmement d'une garnison qui capitule. Désarmement d'une forteresse, d'un blockhaus.*
Escrime. *Coup de désarmement,* qui fait sauter l'arme des mains de l'adversaire.

♦ **2.** (1690). Plus cour. Réduction ou suppression des armements. *Désarmement progressif des grandes puissances. Conférences du désarmement, pour le désarmement. Désarmement atomique, nucléaire. Le désarmement d'un pays vaincu.*

1 La garantie qu'il *(le Pacte de Versailles)* se vante d'offrir, c'est le désarmement. Les auteurs de la paix ont raisonné ainsi : la possession d'une force militaire excessive a poussé l'Allemagne à la guerre et à la conquête. Une Allemagne qui n'aura plus le droit de conserver sous les drapeaux qu'une centaine de mille hommes, juste ce qu'il lui faudra pour maintenir l'ordre à l'intérieur, sera pacifique et inoffensive.
J. BAINVILLE, les Conséquences politiques de la paix, p. 39.

2 (...) quand on a décidé que la guerre est un délit, il est logique d'interdire aux États de préparer ce délit en développant leurs armements. Le désarmement est ainsi lié à l'évolution du droit des gens et à la disparition du droit de guerre.
Louis DELBEZ, Manuel de droit international public, p. 255.

3 Le jour où les armes nucléaires seront interdites, où les nations auront l'assurance de pouvoir de nouveau se battre sans courir le risque d'une destruction totale, la troisième guerre mondiale sera aux portes. Nous avons tout à craindre de ce désarmement-là.
F. MAURIAC, le Nouveau Bloc-notes 1958-1960, p. 330.

♦ **3.** Mar. *Désarmement d'un navire :* mise en réserve d'un navire auquel on enlève les appareils de navigation et les approvisionnements. *Désarmement d'un paquebot, d'une escadre. Bassin de désarmement.*

CONTR. **Armement.**

DÉSARMER [dezaʀme] v. tr. — 1080 ; aussi « dépouiller, déshabiller », en anc. franç. ; de *dés-* (→ 1. Dé-), et *armer.*
Enlever, supprimer l'armement de... ⇒ **Désarmement.**

★ I. ♦ **1.** Enlever ses armes à (qqn). — Pron. *L'écuyer aidait le seigneur à se désarmer,* à se débarrasser de son armure.
Contraindre (qqn) à rendre ses armes, enlever par la force ses armes à (qqn). *Désarmer un malfaiteur. Désarmer des soldats* (→ Arme, *supra* cit. 11).
Spécialt. Escrime. *Désarmer son adversaire,* lui faire sauter l'arme des mains.

1 Le petit secrétaire, qui avait deux ou trois ans de salle, me désarma comme un enfant (...)
A. R. LESAGE, Gil Blas, IV, IX.

Enlever l'armement de (un ouvrage fortifié). *Désarmer une forteresse.*

♦ **2.** Limiter ou supprimer les armements, les effectifs militaires de... *Désarmer un pays.* ⇒ **Démilitariser.** « *Pour désarmer l'Allemagne* » (Bainville, 12 mars 1919, l'Allemagne, t. II, p. 20).
Absolt. *Aucun État ne veut désarmer le premier. Convention des grandes puissances pour désarmer.*

♦ **3.** (1674). Mar. *Désarmer un navire,* le garder en réserve, amarré dans un port, après avoir débarqué le personnel, le matériel. ⇒ **Déséquiper.** Absolt. *On désarme dans tous les ports.*
Désarmer les avirons, les rentrer après s'en être servi.

♦ **4.** Faire cesser d'être à la position de l'armement. *Désarmer un fusil, un revolver,* soit en le déchargeant, soit en plaçant le cran de sûreté. *Désarmer une mine,* la rendre inoffensive en ôtant le percuteur. ⇒ **Désamorcer.** — *Désarmer un déclenchement.*

★ II. (xvIIᵉ). Fig. ♦ **1.** Vx ou littér. Supprimer, rendre inefficace (un sentiment hostile). *Désarmer la haine, le ressentiment, la colère, la critique, l'envie, la jalousie* (→ Combattre, cit. 15 ; concilier, cit. 2). *Plaisanterie qui désarme la colère.*

2 Ce mot et ce regard désarment ma colère (...)
MOLIÈRE, l'École des femmes, v, 4.

3 Allez fléchir son cœur, désarmer son courroux ;
Suppliez, gémissez, implorez sa clémence (...)
André CHÉNIER, Élégies, II, v, « Allez, mes vers, allez... », p. 107.

4 (...) il n'y a point de haine qu'on ne désarme à force de douceur et de bons procédés.
ROUSSEAU, les Confessions, IX.

5 J'en sais *(des hommes),* des plus perspicaces, au regard le plus aigu et le plus sévère, que toute femme plaisante aisément désarme : la sévérité ne tient pas devant un joli visage, et l'œil le moins dupe veut être dupé par le charme rieur de la tendre jeunesse.
André SUARÈS, Trois hommes, « Ibsen », III, p. 108.

6 La paix était signée, ils revenaient la main tendue. Leur candeur désarma la rancune de Bernard.
A. MAUROIS, Bernard Quesnay, XVIII, p. 118.

♦ **2.** (1664). Mod. Rendre (qqn) moins sévère, pousser (qqn) à l'indulgence. ⇒ **Adoucir, calmer, fléchir, toucher ; désarmant.** *Pleurs, repentirs qui désarment qqn. Sa candeur, son rire me désarment.* ⇒ **Arme** (*supra* cit. 37 : faire tomber les armes des mains). — Absolt. → ci-dessous, cit. 6.1.

6.1 Point d'injures, beaucoup d'ironie et de gaieté. Les injures révoltent, l'ironie fait rentrer les gens en eux-mêmes, la gaieté désarme.
VOLTAIRE, Lettre à M. d'Argental, 18 mai 1772.

6.2 (...) elle n'a pas la force de se dominer, et puis elle sent qu'il est préférable au contraire de forcer encore grotesquement les traits de cette caricature d'elle-même qu'elle voit en eux pour les amadouer, les désarmer...
N. SARRAUTE, le Planétarium, p. 14.

♦ **3.** Intrans. Céder, cesser (en parlant d'un sentiment hostile, violent). *Une rancune qui ne désarme pas.* ⇒ **Abdiquer, céder.**

7 (...) que ma soif de vengeance désarme devant la peur de te faire du mal (...)
COURTELINE, Boubouroche, Comédie, II, 4.

8 Il vit que le bonheur et l'amour étaient une duperie d'un moment, pour amener le cœur à désarmer et à abdiquer.
R. ROLLAND, Jean-Christophe, « Le matin », III, p. 221.

9 L'esprit de parti ne pouvait si vite désarmer : les habitudes de lutte, d'excommunication, d'ostracisme étaient trop fortes, la langue même trop faite aux outrages et aux anathèmes.
Louis MADELIN, Hist. du Consulat et de l'Empire, « De Brumaire à Marengo », I, p. 19.

10 (...) il avait éveillé dans cette femme une haine qui ne désarmerait jamais.
F. MAURIAC, la Pharisienne, p. 201.

▶ **DÉSARMÉ, ÉE** p. p. adj.

★ I. ♦ **1.** À qui on a enlevé ses armes. *Des soldats désarmés* (→ Débris, cit. 13). — *Les manifestants désarmés.*

♦ **2.** Dont les effectifs militaires, les armements ont été supprimés ou limités. *Pays désarmé* (→ Arme, cit. 30).

11 L'Allemagne vaincue, humiliée, désarmée, amputée, condamnée à payer à la France pendant une génération au moins le tribut des réparations, semblait avoir tout perdu. Elle gardait l'essentiel, la puissance politique, génératrice de toutes les autres.
Pierre GAXOTTE, Hist. des Français, t. II, p. 553.

12 Qu'ils signifient à tous les gouvernements que leur première volonté, leur première demande, avant le bien-être, presque avant le pain quotidien, c'est la paix ; la paix humaine et désarmée.
J. ROMAINS, les Hommes de bonne volonté, t. IV, p. 257.

♦ **3.** Mar. *Navire désarmé. Flotte désarmée,* à l'ancre dans un port.

12.1 Nous arrivâmes à Hambourg sous un ciel plombé. Des centaines de bateaux désarmés encombraient les bras de l'Elbe.
Raymond ABELLIO, Ma dernière mémoire, t. II, p. 119-120.

★ II. Fig. ♦ **1.** Décontenancé, désemparé.

13 J'ai ri, me voilà désarmé.
Alexis PIRON, la Métromanie, III, 7.

14 (...) nous allons voir les oppositions, un instant désarmées, se réveiller en un dernier sursaut (...)
Louis MADELIN, Hist. du Consulat et de l'Empire, « Le Consulat », I, p. 6.

♦ **2.** Sans défense. ⇒ **Faible ; dénué** (cit. 5).

15 Qu'une tyrannie insidieuse ait eu prise pour le corrompre, c'est qu'il était *(le peuple)* corruptible. Elle l'a trouvé faible, désarmé, tout prêt pour la tentation (...)
MICHELET, Hist. de la révolution franç., Préface de 1847.

16 La vie l'épouvantait à présent ; il se sentait faible et désarmé devant elle, et il pleurait, pleurait (...)   Alphonse DAUDET, le Petit Chose, I, v.

CONTR. V. **Armer.**
DÉR. **Désarmant, désarmement.**

DÉSARRIMAGE [dezaʀimaʒ] n. m. — 1836 ; de *désarrimer*.

Technique.

♦ **1.** Déplacement ou glissement (du chargement d'un navire, d'un véhicule de transport). ⇒ **Ripage.** *Le désarrimage de la cargaison. Le désarrimage peut provoquer le chavirement du navire.*

♦ **2.** Action de désarrimer. *Désarrimage d'un bateau à quai. — Désarrimage de deux engins spatiaux.*

DÉSARRIMER [dezaʀime] v. tr. — 1736 ; de *dés-* (→ 1. Dé-), et *arrimer*.

Technique.

♦ **1.** Déranger (les marchandises arrimées). *La tempête risque de désarrimer la cargaison.*

♦ **2.** Faire que (qqch.) ne soit plus arrimé. *Désarrimer une barque.*

CONTR. **Arrimer.**
DÉR. **Désarrimage.**

DÉSARROI [dezaʀwa] n. m. — Av. 1475, *désaroy* ; déverbal de l'anc. franç. *desreer* « mettre en désordre, dérouter », issu, par substitution de suffixe, de *conreer*. → Corroyer, et aussi arroi.

♦ **1.** Vx. Désorganisation complète. ⇒ **Confusion, désordre.** *Ses affaires sont en plein désarroi.*

1   Je trouvai les chemins et les postes en grand désarroi.
SAINT-SIMON, Mémoires, XIV, 153, *in* LITTRÉ.
2   (...) puis, ayant dit bonjour à François, il ne perdit temps pour aller avertir le restant des pratiques que le désarroi du moulin était raccommodé et qu'il y avait un beau meunier à la meule.   G. SAND, François le Champi, XIX, p. 140.
3   Et ces très anciens cimetières où André passait avaient le morne désarroi des champs de bataille au lendemain de la défaite.
LOTI, les Désenchantées, II, V, p. 68.

♦ **2.** (Av. 1558). Mod. Trouble moral. ⇒ **Désordre, trouble.** *Le désarroi d'un candidat malheureux.* ⇒ **Angoisse, détresse, égarement.** *Désarroi des opinions, des doctrines. Désarroi de la conscience, de la volonté. Il essayait de cacher son profond désarroi. Jeter le désarroi dans les esprits. Semer le désarroi. Un état de profond désarroi. — Un, des désarrois. Les Désarrois de l'élève Törless,* roman de Robert Musil (le titre franç. traduit l'allemand *Verwirrung*).

4   Il passa et repassa plusieurs fois devant la maison avec un battement de son cœur et un désarroi de sa volonté dont il eut soudain honte.
Paul BOURGET, Un divorce, III, p. 132.
5   Ces dernières années de guerre, les réflexions qu'il avait été amené à faire pendant les longues insomnies de la clinique, avaient mis un grand désarroi dans la plupart de ses jugements antérieurs.
MARTIN DU GARD, les Thibault, t. VIII, p. 252.
6   Il entendait, nous le savons, « tomber comme la foudre » et plus le projet paraissait invraisemblable, plus, s'il réussissait, la surprise serait grande chez l'ennemi — partant, le désarroi.   Louis MADELIN, Hist. du Consulat et Empire, « De Brumaire à Marengo, XVIII, p. 240.
7   Un admirable poème de Coventry Patmore exprime le désarroi de l'homme qui, après une longue vie de bonheur, se trouve soudain devant le corps inanimé de la femme qui a été pour lui tout l'univers.
A. MAUROIS, Un art de vivre, II, 6, p. 87.

Être en plein désarroi, en grand désarroi. L'ennemi battu est en plein désarroi. ⇒ **Déroute, sauve-qui-peut.** *— Cœur* (cit. 43) *en désarroi.*

CONTR. **Ordre. — Aplomb, assurance, fermeté, sang-froid.**

DÉSARTICULATION [dezaʀtikylasjɔ̃] n. f. — 1813 ; *dearticulation*, 1645 ; de *désarticuler*.

♦ **1.** Action de désarticuler ; résultat de cette action. *La désarticulation d'un membre.*

1   Cette opération *(la désarticulation)* est plus rapide que l'amputation de l'os (...) La désarticulation doit être préférée, parce qu'avec elle, l'os n'étant pas scié, il y a moins de chance d'ostéomyélite.
P. POIRÉ, Dict. des sciences, art. *Désarticulation.*

♦ **2.** Abstrait. Littér. Action de séparer des éléments. *La désarticulation du réel* (Bergson, *les Deux Sources...*, p. 182, *in* T. L. F.). Par ext. Perte de la cohésion (de qqch.).

2   Ainsi non seulement en général Jaurès compte sur la désarticulation budgétaire pour introduire ce qu'il croit être un commencement de réalisation socialiste, mais en particulier il compte sur un coup de bouderie comique (...)
Ch. PÉGUY, la République..., p. 61.

DÉSARTICULER [dezaʀtikyle] v. tr. — 1778, *in* Bloch ; de *dés-* (→ 1. Dé-), et *articuler*.

A. ♦ **1.** Faire sortir (un os) de son articulation. ⇒ **Déboîter, démettre, disloquer.** *Le choc a désarticulé son bras.*

♦ **2.** Chir. Amputer dans l'articulation. *Désarticuler la cuisse.*

B. Abstrait. ♦ **1.** Par métaphore ou fig. Détruire (un assemblage, une articulation d'éléments). *Désarticuler sa phrase, son raisonnement.*

♦ **2.** (Av. 1890). Fig. et littér. Défaire (une construction artificielle) notamment en brisant la cohésion, l'unité. ⇒ **Démonter, disloquer.** *Désarticuler un groupement, un syndicat.*

♦ **3.** Détacher (un élément) d'un ensemble.

▶ **SE DÉSARTICULER** v. pron.

♦ **1.** *L'os de l'épaule s'est désarticulé. — Sa phrase se désarticule à mesure qu'il évolue. — Ce groupement s'est désarticulé en quelques mois.*

♦ **2.** Spécialt (personnes). Plier ses membres en assouplissant ses articulations. *Cet acrobate parvient à se désarticuler complètement.*

▶ **DÉSARTICULÉ, ÉE** p. p. adj.

♦ **1.** Déboîté, démis. *Os désarticulé. Épaule désarticulée.*

♦ **2.** Dont le corps se désarticule. *« Il marche (...) par saccades, comme un pantin désarticulé »* (Martin du Gard).

♦ **3.** Démonté, disloqué (groupes ; choses abstraites). *Un parti désarticulé. « Cette malheureuse gauche désarticulée, divisée... »* (Mauriac, *Nouveau Bloc-notes, in* T. L. F.). *— Des idées désarticulées.*

♦ **4.** Qui procède irrégulièrement. *« Les tirs désarticulés des mitrailleuses... »* (Cendrars, *in* T. L. F.). ⇒ **Saccadé.**

DÉR. **Désarticulation.**

DÉSASSEMBLAGE [dezasɑ̃blaʒ] n. m. — 1846 ; de *désassembler*.

♦ Techn. Action de désassembler ou de se désassembler.

CONTR. **Assemblage.**

DÉSASSEMBLER [dezasɑ̃ble] v. tr. — V. 1168, *desasanbler* « séparer, détacher » ; de *dés-* (→ 1. Dé-), et *assembler*.

♦ **1.** Techn. Défaire (des pièces de charpente ou de menuiserie jointes par un assemblage). ⇒ **Désunir, disjoindre.** *Désassembler les montants d'un meuble.* ⇒ **Démonter.** — Pron. *Les planches du parquet se désassemblent.* ⇒ **Écarter** (s').

♦ **2.** Fig., littér. *« Le sort capricieux qui nous désassembla... »* (Verlaine, *Jadis et Naguère*).

CONTR. **Assembler, monter.**
DÉR. **Désassemblage.**

DÉSASSIMILATEUR, TRICE [dezasimilatœʀ, tʀis] adj. — 1845, Bescherelle ; de *désassimiler*.

♦ Didact. Qui produit un effet de désassimilation.

DÉSASSIMILATION [dezasimilasjɔ̃] n. f. — 1836 ; de *désassimiler*.

♦ **1.** Physiol. Phénomène par lequel les substances organiques complexes assimilées par les cellules d'un organisme vivant se transforment en produits plus simples qui en sont éliminés. *Désassimilation plus rapide que l'assimilation.* ⇒ **Dénutrition.**

Tant de besoins supposent nécessairement un travail de désassimilation considérable. Chaque jour, nous perdons par les urines, par la transpiration et par les poumons, 2.500 gr. d'eau, 25 gr. de sels minéraux, 18 gr. d'azote, et près de 300 gr. de carbone.   P. VALLERY-RADOT, Notre corps..., p. 84.

♦ **2.** Didact. Cessation d'une assimilation.

CONTR. **Assimilation.**

DÉSASSIMILER [dezasimile] v. tr. — 1836 ; de *dés-* (→ 1. Dé-), et *assimiler*.

Didactique.

♦ **1.** Produire la désassimilation de. — Figuré :

On tend bien à désassimiler le complet donné, mais par la tendance à en faire un autre.
— Toute assimilation tend à augmenter nos moyens d'assimilation.
VALÉRY, Cahiers, t. II, Pl., p. 101.

♦ **2.** Priver de ses parties assimilables. *La digestion désassimile les aliments* (P. Larousse).

CONTR. **Assimiler.**
DÉR. **Désassimilateur, désassimilation.**

DÉSASSORTIMENT [dezasɔʀtimɑ̃] n. m. — 1689, Mᵐᵉ de Sévigné ; de *désassortir*.

♦ Rare. État de ce qui est désassorti.

Desassortissement, s. m. Mot forgé par Mᵐᵉ de Sévigné... On dit *Assortiment*. Ainsi, à employer son contraire, il faudrait dire désassortiment. Les dictionnaires ne mettent ni l'un ni l'autre.
     FÉRAUD, Dict. critique de la langue françoise, 1787, *in* D.D.L., II, 10.

CONTR. Assortiment.

DÉSASSORTIR [dezasɔʀtiʀ] v. tr. — 1629 ; de *dés-* (→ 1. Dé-), et *assortir*.

♦ **1.** Priver (un ensemble de choses assorties) d'une partie de ses éléments. ⇒ **Dépareiller.**

♦ **2.** Enlever à (qqn, un établissement) son assortiment de marchandises. *Désassortir un marchand, un magasin.* ⇒ **Dégarnir.**

▶ **DÉSASSORTI, IE** p. p. adj.
(En parlant de choses, d'éléments). Qui ne vont pas ensemble. *Chaussettes désassorties.* — (D'un ensemble). Incomplet. *Service de table désassorti.*

N. m. Littér. *Un désassorti :* un ensemble d'éléments désassortis.

Un assortiment, un désassorti de femmes de tous âges et de toutes vêtures est aggluliné autour de tables en simili-marbre portant deux, trois ou quatre assiettes.
     A. SARRAZIN, la Traversière, p. 80.

CONTR. Assortir.
DÉR. Désassortiment.

DÉSASTRE [dezastʀ] n. m. — 1537 ; ital. *disastro*, préf. péj. *dis-* (adapté en *dés-* en français), et *astro* «astre», tiré de *disastrato* (t. d'astrologie) «né sous une mauvaise étoile».

♦ **1.** (1537). Événement funeste, malheur très grave, et, par ext., dégât, ruine* qui en résulte. ⇒ **Calamité, cataclysme, catastrophe, fléau, malheur.** *Grand, affreux désastre. Mesurer l'étendue d'un désastre. Conjurer* (cit. 5) *un désastre. Un désastre irréparable. Désastre qui frappe une famille, un pays. Cette défaite fut un désastre. Le désastre de Sedan.* — *Poème sur le désastre de Lisbonne* (un terrible tremblement de terre), de Voltaire.

1   D'où vient que les mêmes hommes qui ont un flegme tout prêt pour recevoir indifféremment les plus grands désastres (...) ont une bile intarissable pour les plus petits inconvénients ?   LA BRUYÈRE, les Caractères, XI, 148.

2   Le désastre est l'influence d'un astre qui cesse d'être favorable, c'est un revers, un malheur infligé par la fortune.   É. LITTRÉ, Dict., art. *Désastre.*

3   La guerre, si par malheur elle éclate, sera un événement entièrement nouveau dans le monde par la profondeur et l'étendue du désastre (...)
     J. ROMAINS, les Hommes de bonne volonté, t. IV, XXIII, p. 256.

4   Hitler, alors qu'il eût pu arrêter la guerre avant le désastre total, a voulu le suicide général, la destruction matérielle et politique de la nation allemande.
     CAMUS, l'Homme révolté, III, p. 231.

♦ **2.** Échec complet, entraînant de graves conséquences. ⇒ **Catastrophe.** *Désastre financier, commercial.* ⇒ **Banqueroute, déconfiture, faillite.** *Sa prodigalité le conduira au désastre.* ⇒ **Précipice.** *Nous courons au désastre.* — *Cette année, la campagne des fruits est un désastre. La représentation de cette pièce fut un désastre.* ⇒ **Four.**

Par exagér. *Sa nouvelle coupe de cheveux est un désastre.*

5   Du premier coup il voyait, réparait dans les toilettes de la jeune fille les désastres causés par le goût triste et voyant de Mᵐᵉ Montessuy.
     FRANCE, le Lys rouge, I, p. 20.

6   Tout Paris répéterait demain que tu ne sais plus que faire de l'argent ; que tu prêtes à guichet ouvert (...) Un désastre pour moi.
     J. ROMAINS, les Hommes de bonne volonté, t. IV, XI, p. 121.

CONTR. Aubaine, bénédiction, bonheur, fortune, réussite, succès.

DÉSASTREUSEMENT [dezastʀøzmɑ̃] adv. — V. 1585, Brantôme ; de *désastreux*.

♦ Rare. D'une manière désastreuse.

Désastreusement conseillé par des traîtres, il avait voulu tenter la ridicule et funeste aventure de se mettre à la tête des protestants mécontents du régime.
     J. GREEN, Journal, 18 avr. 1978, La terre est si belle, p. 254.

DÉSASTREUX, EUSE [dezastʀø, øz] adj. — 1557 ; ital. *disastroso*, de *disastro*. → Désastre.

♦ **1.** (1571). Vx. Qui cause un désastre. ⇒ **Catastrophique, funeste.**

1   Ô nuit désastreuse ! ô nuit effroyable ! où retentit tout à coup, comme un éclat de tonnerre, cette étonnante nouvelle : Madame se meurt, Madame est morte !
     BOSSUET, Oraison funèbre d'Henriette-Anne d'Angleterre.

♦ **2.** Mod. Qui constitue un désastre ; par ext. très fâcheux. ⇒ **Funeste, malheureux, mauvais.** — Au sens fort de *désastre*. Littér. *Une mort désastreuse. Événement désastreux.* — Au sens atténué de *désastre* (2.). *Résultat désastreux* (→ Balourdise, cit. 3). *C'est désastreux pour l'avenir.*

2   Cyrus Smith et ses compagnons étaient partis depuis le 11 novembre, et l'on était au 29. Il y avait donc dix-neuf jours que Nab n'avait eu d'autres nouvelles que

---

celles que Top lui avait apportées, nouvelles désastreuses : Ayrton disparu, Harbert grièvement blessé, l'ingénieur, le reporter, le marin, pour ainsi dire, emprisonnés dans le corral !
     J. VERNE, l'Île mystérieuse, t. II, p. 715-716.

CONTR. Avantageux, béni, favorable, heureux, propice, salutaire.
DÉR. Désastreusement.

DÉSATELLISATION [desatelizasjɔ̃] n. f. — V. 1955 ; de 1. *dé-*, et *satellisation*.

♦ Polit. Libération de l'état de satellite* (3.). *« Des pays européens et sud-américains en cours de "désatellisation" »* (le Monde, 28 nov. 1964).

CONTR. Satellisation.

DÉSATOMISATION [dezatɔmizasjɔ̃] n. f. — 1968 ; de *désatomiser*.

♦ Didact. Action de désatomiser* ; son résultat. ⇒ **Dénucléarisation.**

DÉSATOMISER [dezatɔmize] v. tr. — V. 1957 ; de *dés-* (→ 1. Dé-), *atome*, et suff. verbal *-iser*.

♦ Didact. Priver (un pays, une région...) de tout armement atomique. ⇒ **Dénucléariser.**

▶ **DÉSATOMISÉ, ÉE** p. p. adj. (1962, *in* D.D.L.). *« Créer une zone démilitarisée ou, au moins, désatomisée »* (le Monde, 20 mai 1966).

Je ne nie point que l'état d'une Allemagne coupée en deux ne comporte des périls pour le reste du monde. Quant à moi, je n'hésite pas à les préférer. Le jour où les deux tronçons, même «désatomisés», se seront rejoints, ce jour-là, nous aurons raison de trembler.   F. MAURIAC, le Nouveau Bloc-notes 1958-1960, p. 15.

DÉR. Désatomisation.

DÉSATTRISTER [dezatʀiste] v. tr. — 1655, Molière ; de *dés-* (→ 1. Dé-), et *attrister*.

♦ Littér. Faire cesser la tristesse de (qqn). *Son succès l'a désattristé.*

CONTR. Attrister.

DÉSAVANTAGE [dezavɑ̃taʒ] n. m. — 1290 ; de *dés-* (→ 1. Dé-), et *avantage*.

♦ **1.** Condition d'infériorité (en quelque genre que ce soit). ⇒ **Handicap, inconvénient.** *Le désavantage d'une position.* — Élément négatif. *Cette situation présente quelques désavantages.* ⇒ **Désagrément.**

1   Les nouveautés ont ce désavantage qu'on y a moins en spectateur qu'en critique.
     MARMONTEL, Éléments de littérature, Œ., t. X, p. 42.

(Après à...). *Voir (qqn) à son désavantage,* le voir sous un jour défavorable. *Se montrer à son désavantage.*

2   J'aimerais la société comme un autre, si je n'étais sûr de m'y montrer non seulement à mon désavantage, mais tout autre que je ne suis.
     ROUSSEAU, les Confessions, III.

Tourner au désavantage de qqn : désavantager qqn. ⇒ **Détriment, préjudice.** *Le combat tourna à son désavantage ; il eut le dessous*.

3   Le régime de l'École Alsacienne amendait celui du lycée ; mais ces améliorations, pour sages qu'elles fussent, tournaient à mon désavantage.
     GIDE, Si le grain ne meurt, I, IV, p. 110.

♦ **2.** Sports. Pénalisation consistant en une suppression de points.

CONTR. Avantage.
DÉR. Désavantager.

DÉSAVANTAGER [dezavɑ̃taʒe] v. tr. — 1507 ; de *désavantage*.

♦ Faire subir un désavantage à, mettre en désavantage, en état d'infériorité. ⇒ **Handicaper, nuire.** *La position désavantageait nos troupes.*

(1669). Dr. *Désavantager un héritier au profit d'un autre,* le priver d'une partie de son héritage au profit d'un autre. ⇒ **Frustrer, léser.**

DÉSAVANTAGEUSEMENT [dezavɑ̃taʒøzmɑ̃] adv. — 1558 ; de *désavantageux*.

♦ D'une manière désavantageuse. *Traiter désavantageusement qqn.* — Vieilli. *Parler désavantageusement de qqn.* ⇒ **Défavorablement.**

CONTR. Avantageusement.

DÉSAVANTAGEUX, EUSE [dezavɑ̃taʒø, øz] adj. — V. 1496 ; de *dés-* (→ 1. Dé-), et *avantageux*.

♦ Qui cause ou peut causer du désavantage*. ⇒ **Défavorable.** *Position désavantageuse. Clause de contrat désavantageuse pour qqn. Affaire désavantageuse. L'affaire est désavantageuse à..., pour...* —

Vieilli ou littér. (à propos de paroles ; → ci-dessous, cit. 1). *Porter sur qqn un jugement désavantageux.*

1 Je ne sais qui vous a fait passer dans son esprit pour un libertin ; mais il est constant que quelqu'un lui a fait de vous un portrait désavantageux (...)
⠀⠀⠀⠀⠀⠀⠀⠀⠀⠀⠀⠀⠀⠀⠀⠀⠀A. R. LESAGE, Gil Blas, IV, VI.

2 Je sentais plus que jamais, et par une constante expérience, que toute association inégale est toujours désavantageuse au parti faible.
⠀⠀⠀⠀⠀⠀⠀⠀⠀⠀⠀⠀⠀⠀⠀⠀⠀ROUSSEAU, les Confessions, X.

DÉR. Désavantageusement.

DÉSAVEU [dezavø] n. m. — 1283, «refus de se reconnaître dépendant d'un seigneur» ; déverbal de *désavouer,* d'après *aveu.*

♦ **1.** (1637). Parole ou acte par lequel qqn désavoue* ce qu'il a dit ou fait. ⇒ **Dénégation, palinodie, rétractation.** *Désaveu formel. Le désaveu public d'une opinion, d'une doctrine.* ⇒ **Apostasie, reniement.** *Le désaveu d'une opinion par qqn, son désaveu d'une opinion. Le désaveu de qqn* (qu'il fait).

1 Ma fille, il ne faut point rougir d'un si beau feu,
Ni chercher les moyens d'en faire un désaveu.⠀⠀⠀⠀CORNEILLE, le Cid, V, 6.

2 Je n'ai que des ennemis dans «la presse», et les journalistes trouveraient le moyen de tourner cette protestation en désaveu de paroles que je ne puis nier d'avoir dites.⠀⠀⠀⠀⠀⠀⠀⠀⠀⠀⠀⠀⠀⠀GIDE, Journal, 15 mars 1931.

♦ **2.** Le fait de désavouer (qqn, qqch.). *Sa conduite est le désaveu de ses principes. Encourir le désaveu de ses chefs, de l'opinion.* ⇒ **Condamnation.**

3 L'éclatant désaveu d'une telle action.⠀⠀⠀⠀CORNEILLE, Horace, III, 6.

4 C'était, par la plus importante Société d'écrivains, le désaveu formel d'une littérature putride qui nous valait, hors de nos frontières tant de propos calomnieux sur les mœurs de notre Pays.⠀⠀⠀⠀Georges LECOMTE, Ma traversée, p. 366.

♦ **3.** Spécialt. Dr. *Désaveu de paternité :* acte par lequel un mari dénie la paternité de l'enfant né de sa femme. *Action en désaveu* (⇒ **Désavouer**).

5 L'action en désaveu n'est pas admise s'il y a eu réunion de fait entre les époux.
⠀⠀⠀⠀⠀⠀⠀⠀⠀⠀⠀⠀⠀⠀⠀⠀⠀Code civil, art. 313.

(1607). *Désaveu d'un mandataire, d'un officier ministériel :* acte par lequel un mandant déclare que le mandataire n'a pas agi conformément à son mandat. *Demande en désaveu contre un avoué.*

6 Aucunes offres, aucun aveu ou consentement, ne pourront être faits, donnés ou acceptés sans un pouvoir spécial, à peine de désaveu.
⠀⠀⠀⠀⠀⠀⠀⠀⠀⠀⠀⠀⠀⠀Code de procédure civile, art. 352.

CONTR. Aveu. — **Acceptation, approbation, confirmation, consentement, reconnaissance.**

DÉSAVOUABLE [dezavwabl] adj. — XVIᵉ, Marot ; de *désavouer.*

♦ Rare. Qui peut ou doit être désavoué.

DÉSAVOUÉ [dezavwe] n. — 1846, Bescherelle ; p. p. de *désavouer.*

♦ Dr. Personne contre laquelle est dirigée une action en désaveu*.

Si le désaveu est déclaré valable (...) le désavoué sera condamné, envers le demandeur et les autres parties, en tous dommages-intérêts, même puni d'interdiction, ou poursuivi extraordinairement, suivant la gravité du cas et la nature des circonstances.⠀⠀⠀⠀⠀⠀⠀⠀⠀⠀⠀⠀Code de procédure civile, art. 360.

DÉSAVOUER [dezavwe] v. tr. — 1176 ; de *dés-* (→ 1. Dé-), et *avouer.*

♦ **1.** Ne pas vouloir reconnaître pour sien. ⇒ **Nier, renier ;** désaveu. *Désavouer un ouvrage. Désavouer sa signature.*

1 — Le désavouerez-vous, pour n'avoir pas de seing ?
— Pourquoi désavouer un billet de ma main ?⠀⠀MOLIÈRE, le Misanthrope, IV, 3.

2 (...) les paroles qui m'échappent sont celles dont je ne suis plus maître et que je voudrais ressaisir aussitôt ; plus je suis près de les désavouer, plus cassant, net et péremptoire est le ton de ma voix pour les dire, et plus insupportable me devient la moindre contradiction.⠀⠀⠀⠀⠀⠀⠀GIDE, Journal, 18 avr. 1916.

(1176). *Désavouer qqn.* ⇒ **Méconnaître, renier, renoncer.** *Désavouer un enfant. Désavouer qqn pour son parent.* Dr. *Désavouer la paternité d'un enfant,* déclarer qu'on n'en est pas le père.

3 Je le désavouerais pour frère ou pour époux.⠀⠀CORNEILLE, Horace, II, 6.

4 L'enfant conçu pendant le mariage a pour père le mari. Néanmoins, celui-ci pourra désavouer l'enfant, s'il prouve que, pendant le temps qui a couru depuis le trois centième jusqu'au cent quatre-vingtième jour avant la naissance de cet enfant, il était, soit par cause d'éloignement, soit par l'effet de quelque accident, dans l'impossibilité physique de cohabiter avec sa femme.⠀⠀⠀⠀Code civil, art. 312.

♦ **2.** Dénoncer après avoir soutenu (une opinion). ⇒ **Rétracter.** *Désavouer une opinion qu'on avait professée, soutenue. Désavouer les propos qu'on avait tenus. — Désavouer une promesse.* ⇒ **Dédire** (se).

♦ **3.** Déclarer qu'on n'a point autorisé (qqn) à agir comme il l'a fait. *Désavouer un mandataire, un ambassadeur...*

♦ **4.** Refuser son approbation à (ce que qqn dit ou fait). ⇒ **Contredire, désapprouver.** *Désavouer un ami duquel on tient à se désolidariser.*

5 La Reine, qui m'entend, peut me désavouer (...)⠀RACINE, Bérénice, V, 7.

6 Désavoué maintenant par les siens, réprouvé, repoussé, et désespérant, d'autre part, de devenir immédiatement ministre du roi, il s'engageait de plus en plus dans la

voie nouvelle où il cherchait, à plus ou moins longue échéance, une tout autre et plus grande fortune.⠀⠀⠀⠀⠀⠀Louis MADELIN, Talleyrand, I, III, p. 43.

Désavouer la conduite de qqn. ⇒ **Blâmer, condamner, réprouver.** *Désavouer une doctrine. Désavouer un procédé déloyal. Principes que la morale désavoue.*

7 Va faire chez tes Grecs admirer ta fureur :
Va, je le veux, et tu me fais horreur.⠀⠀⠀RACINE, Andromaque, V, 3.

8 C'est vrai, dit Mr. Pitkin, je suis bon citoyen, je répugne à désavouer les lois de mon pays, surtout devant un étranger.
⠀⠀⠀⠀⠀⠀⠀⠀⠀⠀⠀⠀G. DUHAMEL, Scènes de la vie future, V, p. 82.

Pron. *Se désavouer soi-même.* ⇒ **Désapprouver** (cit. 3), **renier** (se).

9 Durant les crises de dépression, que je n'ai que trop connues, pareilles à celles que je traversais alors, je prends honte de moi, me désavoue, me renie, et, comme un chien blessé, longe les murs et vais me cachant.
⠀⠀⠀⠀⠀⠀⠀⠀⠀⠀⠀⠀GIDE, Si le grain ne meurt, III, II, p. 330.

CONTR. V. **Approuver.**

DÉR. Désaveu, désavouable, désavoué.

DÉSAXAGE [dezaksaʒ] n. m. — Mil. XXᵉ ; de *désaxer.*

♦ Techn. Action de désaxer (sens propre) ; le fait d'être désaxé. *Désaxage d'un mécanisme faussé par une chute. Désaxage du corps dans les mouvements d'équilibre.*

Si la descente est trop raide, on prend la pente en biais *(descente en traversée).* Le poids du corps porte alors, sans désaxage du tronc, sur le ski aval, légèrement en retrait.⠀⠀⠀⠀Jean DAUVEN, Technique du sport, Le ski, p. 118.

DÉSAXEMENT [dezaksəmɑ̃] n. m. — 1907 ; de *désaxer,* et 2. *-ment.*

♦ Rare. Action de désaxer ; résultat de cette action.

DÉSAXER [dezakse] v. tr. — Fin XIXᵉ ; de *dés-* (→ 1. Dé-), *axe,* et suff. verbal.

♦ **1.** Techn. Écarter, faire sortir de l'axe. *Désaxer un cylindre.*

♦ **2.** Fig. Cour. Faire sortir de l'état normal, habituel. ⇒ **Déranger, déséquilibrer, diminuer, égarer, perdre.**

1 Au fond, ce qui a désaxé ce gentil Hervé, c'est peut-être une de ces avitaminoses mystérieuses dont nous ne savons presque rien.
⠀⠀⠀⠀⠀⠀⠀⠀⠀⠀G. DUHAMEL, le Voyage de P. Périot, VIII, p. 143.

2 ( ) le paysan tenait à sa terre, un peu comme l'arbre tient au sol, et vous ne l'eussiez pas déplacé sans le désaxer totalement (...)
⠀⠀⠀⠀⠀⠀⠀⠀André SIEGFRIED, l'Âme des peuples, I, I, p. 8.

▶ **DÉSAXÉ, ÉE** p. p. adj.

♦ **1.** Techn. Qui est sorti de l'axe. *Roue désaxée.*

♦ **2.** (1924). Cour. (Personnes). Qui n'est pas dans son état normal. *Elle est un peu désaxée. Il est tout désaxé devant cette situation imprévue. Vie désaxée.*

N. *Un désaxé, une désaxée. C'est un désaxé.* ⇒ **Déséquilibré.**

CONTR. Axer. — **Adapter, affermir, équilibrer, stabiliser.** — (Du p. p. adj.) **Équilibré.**

DÉR. Désaxage, désaxement.

DESCELLEMENT [desɛlmɑ̃] n. m. — 1768 ; de *desceller,* et 2. *-ment.*

♦ Action de desceller. *Descellement d'un cachet, d'une pierre.*

Il a été fort providentiel que vous ne soyez pas venu hier chercher des chevelures de fourneau : *(Mon cher Vallette)* vous avez évité une émotion désagréable qui est échue à Mme Hanotaux : en rentrant à cinq heures elle a trouvé sa porte forcée de fort ingénieux essais de descellement de volets.
⠀⠀⠀⠀⠀⠀A. JARRY, Correspondance, in Œ. compl., Pl., p. 1070.

HOM. Décèlement.

DESCELLER [desele] v. tr. — Déb. XIIIᵉ ; de 1. *dé-,* et *sceller.*

♦ **1.** Défaire (ce qui est scellé), en brisant* le sceau, le cachet. ⇒ **Ouvrir.** *Desceller un acte.*

♦ **2.** (1660). Techn. Arracher, détacher (ce qui est fixé dans un mur, dans de la pierre). ⇒ **Enlever.** *Desceller une grille.*

1 L'encadrement de pavés qui la maintenait *(la grille)* avait été arraché, et elle était comme descellée.⠀⠀⠀⠀HUGO, les Misérables, V, I, XXIV.

2 Je commençai par faire desceller l'écriteau que l'on voyait de loin, sur le boulevard Pereire.⠀⠀⠀⠀G. DUHAMEL, Cri des profondeurs, VIII, p. 145.

CONTR. Sceller.

DÉR. Descellement.

DESCENDANCE [desɑ̃dɑ̃s] n. f. — 1283 ; de *descendre,* et *-ance.*

♦ **1.** Vx. Le fait de descendre (de qqn, d'une famille). ⇒ **Extraction, filiation, généalogie, lignage, maison, origine, parenté, race, souche.** *Une descendance illustre. Ils sont de la même descendance.*

♦ **2.** (1283). Ensemble des descendants* de qqn. ⇒ **Génération,** lignée, postérité, progéniture, semence (en style bibl.). *Une nombreuse descendance.*

1 Vivants de l'heure présente, ils perdaient un peu de leur personnalité éphémère pour se rattacher mieux aux morts couchés sous les dalles et les continuer plus exactement, ne former, avec eux et leur descendance encore à venir, qu'un de ces ensembles résistants et de durée presque indéfinie qu'on appelle une *race.*
LOTI, Ramuntcho, I, III, p. 34.

2 (...) les modifications acquises par l'individu ne sont pas transmissibles à la descendance.   Jean ROSTAND, Esquisse d'une histoire de la biologie, p. 109.

CONTR. Ascendance.

DESCENDANT, ANTE [desɑ̃dɑ̃, ɑ̃t] adj. et n. — V. 1260; p. prés. de *descendre.*

★ **I.** Adj. et n. ♦ **1.** Qui descend, est issu d'un ancêtre. — Dr. et généalogie. *Ligne descendante :* succession de ceux qui sont issus d'un même ancêtre, par opposition à la *ligne ascendante*.

♦ **2.** N. Cour. Personne qui est issue d'un ancêtre. ⇒ **Descendance; arrière-petit-cousin, arrière-petit-fils, arrière-petite-fille, arrière-petits-enfants, enfant, fils, fille, petits-enfants, petit-cousin, petit-fils, petite-fille, petit-neveu, petite-nièce; épigone, rejeton.** *Les descendants d'Abraham* (→ Bédouin, cit.). *Descendants d'un homme illustre. Le mariage est prohibé entre les ascendants et descendants en ligne directe* (→ Allié, cit. 1). *Succession dévolue aux descendants.*

1 Les enfants ou leurs descendants succèdent à leur père et mère, aïeuls, aïeules, ou autres ascendants, sans distinction de sexe ni de primogéniture, et encore qu'ils soient issus de différents mariages.   Code civil, art. 745 (→ Chef, cit. 7).

2 Telles sont les mœurs conjugales de ces deux descendants d'Ève et d'Adam, ces œuvres de vos mains, ô mon Dieu !   BAUDELAIRE, le Spleen de Paris, XI.

N. m. pl. Par ext. Les générations futures. *Travailler pour ses descendants.* ⇒ **Postérité.**

Dans le domaine intellectuel. Personne considérée par rapport à une autre en ce qui concerne ses idées, ses écrits.

3 Certes Dostoïewski ne manque pas aujourd'hui de descendants essoufflés et cyniques, plus intelligents que leur ancêtre.
SARTRE, Situations I, 1947, p. 61, *in* T. L. F.

★ **II.** Adj. ♦ **1.** (XVIᵉ). Dans des expressions. Qui descend. *Marée* descendante,* qui découvre le rivage (opposé à *marée montante*). — Milit. *Garde descendante,* celle qui est relevée (par la garde *montante*). — Anat. *Aorte descendante. Côlon* descendant* (→ Cæcum, cit.). — Ch. de fer. *Voie descendante :* voie où les trains circulent dans le sens inverse du kilométrage de la ligne. *Train descendant :* train qui se rapproche de la ligne de tête.

4 (...) Misard, après avoir fermé la voie montante derrière le train, allait rouvrir la voie descendante, en abattant le levier pour effacer le signal rouge (...)
ZOLA, la Bête humaine, 1890, p. 33, *in* T. L. F.

♦ **2.** Abstrait. Mus. *Gamme descendante :* suite des tons de la gamme du plus élevé au plus bas. — Math. *Progression descendante,* celle dont les termes vont en décroissant. — Astron. *Signes descendants :* signes du zodiaque que le Soleil parcourt du solstice d'été au solstice d'hiver.

CONTR. Ascendant. — Montant.

DESCENDERIE [desɑ̃dʀi] n. f. — 1758; de *descendre,* et *-erie.*

♦ Techn. (mines). Galerie en pente; plan incliné où l'on remonte des matériaux. « *(...) les représentations humaines ne s'introduisent (...) que peu à peu dans les pyramides à textes : au début, on les voit seulement dans la descenderie* » (*Sciences et Avenir,* mai 1980, p. 21).

DESCENDEUR, EUSE [desɑ̃dœʀ, øz] n. — 1913; de *descendre,* et *-eur.*

♦ **1.** (1932, *in* Petiot). Sports. Cycliste ou skieur qui participe à une course de descente; spécialiste de la descente. *C'est une descendeuse. Descendeurs et slalomeurs.*

Cet exercice *(descente et remontée)* est la véritable manière d'apprendre à descendre vite et bien (...) Ceux qui le dédaignent (...) risquent fort de demeurer d'assez piètres descendeurs.
François GAZIER, les Sports de la montagne, « Technique moderne du ski », p. 96.

♦ **2.** N. m. Alpin. Ustensile métallique en alliage léger, qui, dans les descentes en rappel, évite le frottement de la corde contre le corps; appareil permettant de se freiner.

DESCENDRE [desɑ̃dʀ] v. — 1080; lat. *descendere,* de *de-* indiquant le mouvement de haut en bas, et *scandere* « monter ». → Scander.

★ **I.** V. intr. Auxiliaire *être* ou (vx) *avoir*. **A.** Sujet n. d'être animé.
♦ **1.** (V. 1100). Aller du haut vers le bas. *Action de descendre.* ⇒ **Descente.** *Descendre lentement, en marchant. Descendre avec rapidité, en courant, en glissant, en tombant.* ⇒ **Dégringoler, dévaler, jeter** (se jeter à bas), **tomber.** *Descendre d'un arbre, d'un toit.* — *Descendre d'une montagne, d'une colline* (→ Asile, cit. 22).

Descendre en ramasse, en rappel. — Descendre* (d'un étage) *par l'ascenseur, par l'escalier. Descendre de sa chambre. Il n'est pas descendu; faites-le descendre. — Descendre à la cave, dans un puits, dans une mine. — Descendre au fond de la mer.* ⇒ **Couler** (cit. 23), **plonger.** *Descendre avec une échelle. — Descendre au fil de l'eau :* suivre le courant. — *Descendre en parachute. Descendre en vol plané, en piqué.*

1 Aussitôt un autour planant sur les sillons
Descend des airs, fond et se jette
Sur celle qui chantait, quoique près du tombeau.   LA FONTAINE, Fables, VI, 15.

2 Proverbe de l'Enfer : Descends au fond du puits si tu veux voir les étoiles.
GIDE, Journal, juil. 1933.

3 (...) une rue où le double flot des hommes monte et descend ?
André SUARÈS, Trois hommes, « Ibsen », VII, p. 166.

4 Il se voit descendant des gradins supérieurs, traversant l'hémicycle, sans que les centaines d'yeux se détachent de lui.
J. ROMAINS, les Hommes de bonne volonté, t. V, XXIV, p. 231.

Fig. *Descendre du trône :* abdiquer, cesser d'être souverain.

Le Saint-Esprit est descendu sur lui (→ Confirmation, cit. 5). *Jésus-Christ descendit aux Enfers.*

5 Chaque jour vers l'Enfer nous descendons d'un pas (...)
BAUDELAIRE, les Fleurs du mal, « Au lecteur ».

♦ **2.** (1823). Par anal. Aller vers le sud. *Descendre vers le sud. Un Écossais « " descend " à Londres et ouvre un snack-bar* » (*Paris-Match,* 23 mars 1968). *Descendre en ville :* aller vers la ville, en ville.

6 Nous partons demain de Nogent, et nous descendons rapidement jusqu'à Arles et Marseille.   FLAUBERT, Correspondance, 91, 2 avr. 1845.

Descendre en latitude : se rapprocher de l'équateur. — *Le vent descend,* il change de direction et tourne au sud.

♦ **3.** Cesser d'être monté. — (1080). *Descendre de cheval :* mettre pied* à terre. — Cesser d'être dans (un véhicule); en sortir (souvent en allant vers le bas). *Descendre de voiture. Descendre du train en marche.* ⇒ **Sauter.** *Terminus; tous les voyageurs descendent de voiture! Descendre à la station prochaine, dans une ville. Vous descendez à la prochaine ?*

7 Les légionnaires descendirent des camions, par grappes, les jambes molles, le corps lourd.   P. MAC ORLAN, la Bandera, X, p. 113.

8 C'était la première fois aussi qu'il avait à la voir descendre d'un train, s'avancer vers lui parmi d'autres voyageurs, dans le décor d'une gare.
J. ROMAINS, les Hommes de bonne volonté, t. V, XXIII, p. 195.

Descendre à terre : débarquer d'un navire. ⇒ **Aborder, débarquer;** → Attendre, cit. 2.

♦ **4.** Par ext. S'arrêter pour loger. *Descendre chez des parents, des amis.* ⇒ **Loger.** *À quel hôtel descendez-vous ?*

9 À Tarbes, j'aurais voulu héberger à l'hôtel de l'Étoile où Froissart descendit avec messire Espaing de Lyon (...)
CHATEAUBRIAND, Mémoires d'outre-tombe, t. V, p. 157.

♦ **5.** (1559). Spécialt. Faire irruption. ⇒ **Débarquement, descente.** *Les Lombards descendirent en Italie.* ⇒ **Envahir, ruer** (se). — *La police est descendue dans cet hôtel,* pour perquisitionner*, faire une rafle. ⇒ **Descente.**

(1901, *in* Petiot). Sports. *L'équipe adverse descend vers nos buts.*

Loc. *Descendre dans l'arène*. — Descendre dans la rue :* aller manifester. *Descendre sur la place publique,* pour faire triompher ses idées.

10 (...) le clerc ne me paraît manquer à sa fonction que s'il y descend, comme ceux que j'ai nommés, pour y faire triompher une passion réaliste de classe, de race ou de nation.
Julien BENDA, la Trahison des clercs, III, 1, p. 131.

♦ **6.** Loc. métaphorique (au sens 1). *Descendre au tombeau, dans la tombe, au cercueil.* ⇒ **Mourir.**

11 Sire, ainsi ces cheveux blanchis sous le harnais (...)
Descendaient au tombeau tout chargés d'infamie (...)   CORNEILLE, le Cid, II, 8.

12 Tyrans, descendez au cercueil.   M.-J. CHÉNIER, « Chant du départ ».

♦ **7.** Fig. *Descendre dans le détail, jusqu'aux détails :* examiner successivement des choses de moins en moins importantes, générales. *Descendre dans le détail d'une affaire.* ⇒ **Détailler.** — *Descendre dans une question,* l'examiner à fond. ⇒ **Approfondir.**

13 Sa facile bonté, sur son front répandue,
Jusqu'aux moindres secrets est d'abord descendue.   RACINE, Britannicus, V, 3.

14 (...) je cherchai surtout à l'accoutumer de bonne heure aux travaux de l'intelligence, à lui donner ce coup d'œil rapide et sûr qui généralise, et cette patience qui descend jusque dans le moindre détail des spécialités (...)
BALZAC, le Médecin de campagne, Pl., t. VIII, p. 487.

♦ **8.** Fig. Aller vers ce qui est considéré comme le plus bas, le plus profond. *Descendre en soi-même, dans sa conscience.* ⇒ **Entrer, examiner** (en soi-même), **interroger** (s'), **sonder** (se); **introspection, retraite.**

15 Apprends à te connaître et descends en toi-même.   CORNEILLE, Cinna, V, 1.

16 Ce temps de province fut le temps de vie cachée sans lequel il n'existe pas de grand destin : une retraite avant l'action. Un jeune Provincial, rien ne lui détourne de descendre en soi-même.   F. MAURIAC, la Province, p. 34.

Descendre jusqu'à la familiarité. ⇒ **Condescendre, consentir** (à).

17 À répondre à cela je ne daigne descendre (...)   MOLIÈRE, les Femmes savantes, I, 2.

18 Ne serait-il pas à désirer que nos sublimes auteurs daignassent descendre un peu

de leur continuelle élévation, et nous attendrir quelquefois pour la simple humanité souffrante, de peur que, n'ayant de la pitié que pour des héros malheureux, nous n'en ayons jamais pour personne ? ROUSSEAU, Lettre à M. d'Alembert.

S'abaisser. *Descendre jusqu'au mensonge* (→ Calomniateur, cit. 3). *Je ne l'aurais pas cru capable de descendre à une telle bassesse.* ⇒ **Abaisser** (s'), **avilir** (s'), **ravaler** (se).

19 La haine de Michaud le portait à surveiller le régisseur, espionnage auquel il ne serait pas descendu, si le général le lui avait demandé.
BALZAC, les Paysans, Pl., t. VIII, p. 138.

(1665). Quitter un rang, un poste élevé. *Descendre de haut.* ⇒ **Déchoir, dégrader** (se) ; → **Décrire, cit. 2.** *Descendre du premier au dernier rang.* ⇒ **Rétrograder.**

20 Et monté sur le faîte, il aspire à descendre. CORNEILLE (→ Aspirer, cit. 3 et 4).

21 Un homme comme lui, Bonaparte, soldat, chef d'armée, le premier capitaine du monde, vouloir qu'on l'appelle Majesté ! Être Bonaparte et se faire roi ! Il aspire à descendre !
P.-L. COURIER, Lettre à M. N., mai 1804.

22 (...) Lamartine, pendant ses trois mois de dictature oratoire et tribunitienne, n'a fait que descendre du faîte où les circonstances l'avaient élevé.
Émile HENRIOT, les Romantiques, p. 105.

REM. Les emplois métaphoriques et figurés de *descendre* entraînent souvent des connotations négatives.

23 Le mot descendre est, dans le sentiment populaire comme dans la langue poétique et le patois des savants, à jamais compromis avec les idées d'avilissement, de défaite et de trépas. G. DUHAMEL, Chronique des Pasquier, IV, VII, p. 311.

B. Sujet n. de chose. ♦ **1.** (V. 1100). Aller de haut en bas. *Les impuretés d'un liquide descendent au fond du vase.* ⇒ **Déposer** (se). *Les cours d'eau descendent des hauteurs vers l'aval*, vers la mer.* ⇒ **Couler** ; → Cascade, cit. 3. *Astre qui descend sur l'horizon.* ⇒ **Baisser, coucher** (se) ; → Brillant, cit. 4 ; couleur, cit. 4. *L'avion commence à descendre. Faire descendre un bateau sur une rivière.* ⇒ **Avalage.** — *Faire descendre un cordage, une voile.* ⇒ **Affaler, amener.** — *Faire descendre une corde vers soi.* ⇒ **Avaler** I., 1. — Fam. *Mon repas ne descend pas.* ⇒ **Passer.**

24 Sa pomme d'Adam montait et descendait comme un piston dans un cylindre.
P. MAC ORLAN, la Bandera, XVIII, p. 224.

25 (...) son épaule enrichie de muscles montait et descendait comme un sein qui respire.
COLETTE, la Naissance du jour, p. 63.

Le soir, la nuit descend, elle s'établit en paraissant venir du haut (l'horizon restant clair au couchant). ⇒ **Tomber.**

Fig. ⇒ **Émaner, provenir, venir.**

26 Ce fut une journée excellente, une de ces journées de production facile, où l'idée semble descendre dans les mains et se fixer elle-même sur la toile.
MAUPASSANT, Fort comme la mort, p. 114.

27 (...) le ciel un peu vert est limpide comme de l'émeraude pâle et une paix plus grande encore descend avec le crépuscule.
LOTI, Suprêmes visions d'Orient, p. 39.

♦ **2.** (1671, Boileau). S'étendre de haut en bas. *Une robe qui descend à la cheville. Ses cheveux lui descendent jusqu'à la ceinture.* ⇒ **Pendre** ; → Cascade, cit. 5.

28 Son menton sur son sein descend à double étage (...) BOILEAU, le Lutrin, I.

29 (...) un vaste pardessus raglan (...) qui lui descendait presque jusqu'aux pieds (...)
J. ROMAINS, les Hommes de bonne volonté, t. V, XXVII, p. 283.

Par anal. Aller vers le sud. *« Nul ne sait très bien dans la capitale* (Alger) *jusqu'où " descendent" les nouvelles routes goudronnées dans le Sud »* (le Figaro, 8 févr. 1967).

♦ **3.** Aller en pente. ⇒ **Incliner, pencher.** *Colline qui descend en pente douce. La rue descend en cet endroit* (→ Cœur, cit. 141). *Jardin qui descend jusqu'au chemin de halage* (→ Contrebas, cit. 1 ; adosser, cit. 2).

30 Le palais épiscopal de Limoges est assis sur une colline qui borde la Vienne, et ses jardins (...) descendent par étages, en obéissant aux chutes naturelles du terrain.
BALZAC, le Curé de village, Pl., t. VIII, p. 594.

♦ **4.** (1796). Diminuer de niveau. ⇒ **Baisser.** *L'eau commence à descendre.* ⇒ **Décroître.** *La marée, la mer descend.* ⇒ **Retirer** (se). *Le mercure du baromètre,* et, ellipt., *le baromètre descend. Le thermomètre est descendu de quatre degrés depuis hier.*

(1838). Par anal. *Les prix descendent.* ⇒ **Diminuer.** *Taux qui va en descendant.* ⇒ **Dégressif.**

Mus. *Son, gamme qui descend de l'aigu au grave. Descendre d'un ton, d'une quinte. Ma voix ne peut descendre plus bas.* Absolt. *Je ne puis descendre.*

C. Fig. (Sujet n. de personne). Tenir son origine, être issu de. ⇒ **Venir** (de) ; **descendance.** *Il descend des Uns tels par sa mère.*

31 Le sang de ces héros dont tu me fais descendre (...) RACINE, Iphigénie, V, 6.

32 Les Montesquiou descendent d'une ancienne famille, qu'est-ce que ça prouverait, même si c'était prouvé ? Ils descendent tellement qu'ils sont dans le quatorzième dessous. PROUST, À la recherche du temps perdu, t. XII, p. 39.

33 On dit souvent que l'homme descend du Singe. Cette assertion n'a pas de sens précis, car l'Homme ne descend évidemment pas des animaux vivants que nous appelons Singes (...) Jean ROSTAND, l'Homme, VIII, p. 113.

★ **II.** V. tr. Auxiliaire *avoir.* ♦ **1.** Aller en bas, vers le bas de. ⇒ **Descente.** *Descendre un escalier, une rue, une montagne. Descendre le cours de la rivière.* ⇒ **Suivre** ; → Chrétien, cit. 11. *Descendre une rivière en bateau.* ⇒ **Avaler,** I., 2.

34 Ménalque descend son escalier, ouvre sa porte. LA BRUYÈRE (→ Bonnet, cit. 1).

La mort fait ou défait un grand homme ; elle l'arrête au pas qu'il allait descendre, 35 ou au degré qu'il allait monter (...)
CHATEAUBRIAND, Mémoires d'outre-tombe, t. II, p. 292.

(...) j'ai remonté, descendu et remonté le grand canal, vu et revu la place Saint- 36 Marc. CHATEAUBRIAND, Mémoires d'outre-tombe, t. VI, p. 168.

(...) suivi de Morel, il descendit quatre à quatre l'escalier de granit. 37
LOTI, Matelot, XXIX, p. 115.

Figuré :

De tous côtés, les stocks sortaient comme des rats devant l'inondation. Vinrent les 38 ventes d'Anvers. Là, les prix descendirent la pente à toute allure.
A. MAUROIS, Bernard Quesnay, XXI, p. 141.

Mus. *Descendre la gamme,* la parcourir en allant de l'aigu au grave.

Spécialt, autom. *Descendre les vitesses* : rétrograder.

♦ **2.** Porter de haut en bas. *Descendre un tableau,* le décrocher. *Descendre des meubles d'un camion. Palans qui descendent des marchandises à fond de cale. Schlitte* qui descend le bois abattu en montagne.* ⇒ **Transporter.**

Il écoute les camionneurs raconter pour la cinquième fois l'histoire du tonneau 39 qu'ils ont refusé de descendre (...)
J. ROMAINS, les Hommes de bonne volonté, t. IV, I, p. 11.

♦ **3.** (1735). Par ext., fam. Faire descendre (qqn). *Je vous descendrai en ville, à votre porte.* ⇒ **Déposer.**

♦ **4.** Fam. Faire descendre (qqch.) dans le tube digestif. ⇒ **Descente** (III., 4., fig. et fam.) ; **avaler.** *Qu'est-ce qu'il descend comme bière !*

Quand tout est terminé, elle descend son demi-panaché d'un seul élan (...) 39.1
R. QUENEAU, Zazie dans le métro, éd. Folio, p. 51.

Le repas dura longtemps. Personne ne parlait plus. Régnier fumait cigarette sur 39.2 cigarette et descendait méthodiquement une bouteille de gros vin épais.
Henri-François REY, les Pianos mécaniques, p. 241.

♦ **5.** (1832). Faire tomber ; abattre. *Descendre une perdrix en plein vol. La D.C.A. a descendu un avion.*

Fam. *Descendre un flic, un truand d'un coup de revolver.* ⇒ **Tuer.** *Il s'est fait descendre.*

(...) dans un caprice d'artiste, son premier amant l'avait représentée en gamin (...) 39.3 regardant par dessus une barricade, avec un regard effronté et homicide, le regard d'un moutard de quinze ans, enragé et froid, qui cherche un officier pour le descendre. Ed. et J. DE GONCOURT, Manette Salomon, p. 206.

(...) je l'ai connu, le pauvre diable ! C'était un brave homme ; il a été descendu 40 par un boulet à Waterloo. A. DE VIGNY, Servitude et Grandeur militaires, I, VI, p. 94.

En octobre, deux officiers allemands ayant été descendus l'un à Nantes, l'autre à 41 Bordeaux, quatre-vingt-dix-huit Français furent collés au mur.
S. DE BEAUVOIR, la Force de l'âge, p. 512.

(...) la mort tranquille de ce communiste de vingt ans, descendu sur les barrica- 42 des du 19 août 1944, par la balle d'un milicien charmant, orné de sa grâce et de son âge, fait honte à ma vie. Jean GENET, Pompes funèbres, p. 13.

Fig., fam. *Descendre (qqn, qqch.) en flamme(s), descendre (qqn, qqch.),* l'attaquer, le critiquer violemment. *Ce film a été descendu par la critique.*

Rousset, dans le *Nouveau Candide* a essayé de le descendre en flammes, préten- 43 dant que son récit n'était pas un document mais un roman.
S. DE BEAUVOIR, Tout compte fait, p. 147.

CONTR. Grimper, monter. — Dresser (se), élever (s'), lever, relever. — Exhausser, hausser, rehausser. — Embarquer. — Augmenter.

DÉR. Descendance, descendant, descenderie, descendeur, descenseur, descente.

COMP. Redescendre.

DESCENSEUR [desɑ̃sœʀ] n. m. — 1876 ; formation savante, de *descensum,* supin de *descendere* → Descendre, d'après *ascenseur.*

♦ Rare (sauf dans *ascenseur-descenseur*). Ascenseur pouvant être utilisé à la descente. → Alunir, cit. 1.

DESCENSION [desɑ̃sjɔ̃] n. f. — 1857, *Année sc. et industr.* 1858 ; lat. *descensio,* du supin de *descendere.* → Descendre.

♦ Didact., techn. Action de faire descendre.

DÉR. Descensionnel.

DESCENSIONNEL, ELLE [desɑ̃sjɔnɛl] adj. — 1874 ; de *descension.*

♦ Didact. Qui produit un mouvement de haut en bas ; qui tend à descendre.

Il fallait donc, à tout prix, arrêter le mouvement descensionnel, pour empêcher que l'aérostat ne vînt s'engloutir au milieu des flots. Et c'était évidemment à cette urgente opération que s'employaient les passagers de la nacelle. Mais, malgré leurs efforts le ballon s'abaissait toujours (...) J. VERNE, l'Île mystérieuse, t. I, p. 6.

CONTR. Ascensionnel.

DESCENTE [desɑ̃t] n. f. — 1304 ; de *descendre,* sur le modèle de *pente, rente, vente,* correspondant à *pendre, rendre, vendre.*

★ **I.** (De *descendre,* I.). **A.** En parlant des personnes. ♦ **1.** (V. 1376). Action de descendre*, d'aller d'un lieu élevé dans un autre plus bas. *Descente rapide.* ⇒ **Chute, dégringolade.** *Descente lente, pru-*

dente. — (1799, *in* Petiot). *Descente d'une montagne. Descente dans un puits, une mine, un gouffre. Descente en ascenseur, en parachute. Descente en skis.*

1 On lira avec un plaisir mêlé d'horreur le récit de leur descente dans la grotte d'Antiparos (...)   FONTENELLE, Tournefort, *in* LITTRÉ.

2 La descente de ces rapides *(de l'Ohio)* n'est ni dangereuse, ni difficile, la chute moyenne n'étant guère que de quatre à cinq pieds dans l'espace d'un tiers de lieue (...)   CHATEAUBRIAND, Voyage en Amérique, *in* LITTRÉ.

3 (...) la croyance absolue que j'avais à la descente par le tuyau de la cheminée du petit père Noël.   G. SAND, Histoire de ma vie, t. II, p. 155, *in* T.L.F.

4 Finis tout à coup, les sentiers de montagne, les scabreuses descentes, les glissades, sous la nuit plus oppressante des bois.   LOTI, Ramuntcho, II, IX, p. 268.

(1928). Spécialt. *Course de ski contre la montre. Il est meilleur en descente* (en parlant d'un cycliste, d'un skieur). ⇒ **Descendeur.**
Piste de descente. Portes de descente (délimitant une *piste de descente*). *Descente en ligne droite.* ⇒ **Schuss.**
La descente d'Orphée aux Enfers (→ Centaure, cit. 1). *Descente du Saint-Esprit* (→ Commémoration, cit. 1).
À la descente : au moment de descendre, en descendant. *Les autorités l'accueillirent à sa descente d'avion.*

4.1 L'escalier, il n'y fallait pas songer : ça se monte encore ces choses-là, mais à la descente, il y aurait de quoi se rompre cent fois les jambes (...)
                   Alphonse DAUDET, Lettres de mon moulin, «La mule du pape».

5 Oui, c'est ça. J'irai les prendre à leur descente d'omnibus, ou à une sortie de métro.
                   J. ROMAINS, les Hommes de bonne volonté, t. IV, XXI, p. 225.

♦ **2.** (1559). Spécialt. Attaque brusque de troupes débarquées en territoire ennemi. ⇒ **Attaque, coup** (de main), **débarquement, incursion, irruption, raid.** *Descente sur une côte. Le projet de descente en Angleterre de Napoléon.*

6 *(Napoléon)* était aux grands préparatifs de la descente (...) le plan de descente comportait le concours des flottes et de vastes combinaisons maritimes avec lesquelles Napoléon n'était pas familier.
                   Louis MADELIN, Hist. du Consulat et de l'Empire,
                   Avènement de l'Empire, XI, p. 151.

(1900, *in* Petiot). Sports. *Descente (individuelle ou collective) dans le camp adverse.* — Dr. *Descente de justice, de police :* recherche, perquisition, rafle exécutée par les services de police. ⇒ **Transport, visite.** Loc. *Faire une descente.* (1779). *Descente sur les lieux :* mesure d'instruction destinée à faire des constatations matérielles.

7 Sur la requête de la partie la plus diligente, le juge-commissaire rendra une ordonnance qui fixera les lieu, jour et heure de la descente (...)
                   Code de procédure civile, art. 297.

Par ext. Fam. *Faire une descente à la cave,* la vider. *Faire une descente dans une boîte de nuit.*

Action brutale, violente (par anal. avec la *descente* de police).

7.1 — Pourquoi ne faites-vous pas une descente?
— Ça!... on y a pensé, seulement les coups de fusil en l'air, ça fait partir le gibier. Si on rafle dans trois ou quatre boîtes sans mettre la main sur Faugel tout de suite, ou il nous verra, ou on le préviendra.
                   J.-P. MELVILLE, le Doulos, 1963, *in* l'Avant-scène, n° 24, p. 24.

B. En parlant de choses. ♦ **1.** Le fait de descendre, d'aller plus bas. *Descente de la mer qui se retire. Descente d'un ascenseur. Avion qui commence sa descente pour se poser. Descente en vol plané, en piqué. Descente d'un bateau sur une rivière.* ⇒ **Avalage.** *Descente des poissons d'amont en aval.* ⇒ **Avalaison.**

♦ **2.** Méd. Déplacement de haut en bas d'un organe. ⇒ **Chute, prolapsus, ptose.** *Descente de l'utérus, de la vessie.* Pop. *Descente d'organe* (même sens). — Cour. Hernie*.

8 *(Mme de la Vallière)* mourut enfin d'une descente *(d'une hernie)* dans de grandes douleurs (...)   SAINT-SIMON, Mémoires, III, XXVIII.

9 C'est moins en laissant pleurer les enfants qu'en s'empressant pour les apaiser, qu'on leur fait gagner des descentes (...)   ROUSSEAU, Émile, I.

★ **II.** (1690; de *descendre,* II.). Action de déposer (une chose), de porter en bas. *Descente d'un tableau. La descente d'une statue enlevée de son socle. Descente d'une pièce de vin à la cave* (⇒ **Avalage**), *des marchandises dans la cale.*
Descente de croix : représentation de Jésus-Christ qu'on détache de la croix. ⇒ **Déposition.** *La Descente de croix,* de Rubens.

★ **III.** Ce qui descend, va vers le bas. ♦ **1.** (1594). Chemin, pente par laquelle on descend. *Une descente rapide, dangereuse, vertigineuse. Descente douce, insensible. On arrive par une longue descente. Freiner dans les descentes.* ⇒ **Pente.** *Au bas de la descente.*
— Figuré :

10 Il semble que les heures du soir et de la nuit vous attendent au bas de la descente comme une navire illuminé.
                   J. ROMAINS, les Hommes de bonne volonté, t. II, XV, p. 179.

Spécialt, mine. Galerie en pente. ⇒ **Descenderie.**

♦ **2.** (1676). Mar. Passage muni d'échelle qui permet d'aller d'un pont à un autre, au-dessous du pont principal. — Archit. Rampe d'escalier; voûte sous laquelle est logé l'escalier. — (1676). Tuyau d'écoulement des eaux. *La descente reçoit l'eau du chéneau*.* Dans le même sens : *tuyau de descente.* — *Descente d'antenne*.*

♦ **3.** (1837). *Descente de lit :* petit tapis* sur lequel on pose les pieds en descendant du lit. ⇒ **Carpette;** → Asseoir, cit. 23.

♦ **4.** Fig., pop. *Avoir une bonne descente* (de gosier) : ingurgiter, boire beaucoup. ⇒ **Descendre** (II., 4., fam.).
CONTR. Ascension, montée. — Côte.
HOM. Décente (fém. de *décent*).

DÉSCHISTEUR [deʃistœʀ] n. m. — XXe ; de 1. *dé-, schiste,* et *-eur.*

♦ Techn. Appareil automatique, à air soufflé ou à eau, qui débarrasse le charbon du schiste et des impuretés, en utilisant les différences de densité.

DESCRIPTEUR [deskʀiptœʀ] n. m. — 1464; repris 1779; bas lat. *descriptor* «qui décrit», du supin de *describere.* → Décrire.

♦ **1.** (1464). Didact. Celui qui décrit. *Cet écrivain a de grandes qualités de descripteur.* — En appos. *Poètes descripteurs.*

♦ **2.** (1964). Sc., inform. Ensemble de signes, de format* codifié, servant à décrire de manière optimale un fichier, un lexique (⇒ **Mot**). *Descripteurs qui servent à l'analyse* d'un document.* (→ Indexation, cit. 2).

DESCRIPTIBLE [deskʀiptibl] adj. — 1845; du rad. de *description*,* et *-ible.*

♦ Qui peut être décrit. *Aventure qui n'est guère descriptible.*
CONTR. Indescriptible.

DESCRIPTIF, IVE [deskʀiptif, iv] adj. et n. m. — 1464; du lat. *descriptivus* «qui sert à la description», du supin de *describere.* → Décrire.

♦ **1.** (1464). En parlant de choses. Qui décrit, qui évoque concrètement des objets réels. *Style descriptif. Poésie descriptive. Peinture, musique descriptive.* — (1802). En parlant de personnes. *Peintre, musicien, romancier descriptif.*

1 Descriptif : «C'est un roc!... c'est un pic... c'est un cap!
Que dis-je, c'est un cap?... c'est une péninsule!»
                   Edmond ROSTAND, Cyrano de Bergerac, I, 4.

2 Style descriptif : style scientifique. Le contraire même de la poésie.
                   Max JACOB, Conseils à un jeune poète, p. 21.

3 D'autres symphonies encore ont un caractère plus descriptif : elles veulent représenter, par exemple, le mugissement de la terre, ou le sifflement des airs (...)
                   R. ROLLAND, Musiciens d'autrefois, p. 185.

3.1 *(L'action des gestes dans le spectacle de Jean-Louis Barrault)* est sans prolongements parce qu'elle est seulement descriptive, parce qu'elle raconte des faits extérieurs où les âmes n'interviennent pas; parce qu'elle ne touche pas au vif des pensées ni des âmes (...)   A. ARTAUD, le Théâtre et son double, Idées/Gall., p. 215.

♦ **2.** (1799). Spécialt. *Géométrie descriptive :* technique de représentation plane des figures de l'espace, inventée par Monge.

4 La géométrie descriptive est l'art de représenter sur une feuille de dessin qui n'a que deux dimensions, les corps de l'espace qui en ont trois et qui sont susceptibles d'une définition rigoureuse.
                   MONGE, Journal de l'école polytechnique, *in* TATON,
                   la Méthode scientifique de Monge, p. 51.

♦ **3.** Qui s'attache à décrire son objet sur la base de faits observables. — (1801). *Anatomie descriptive.* — *Linguistique descriptive,* qui se borne à la description structurale d'un état de langue (⇒ **Synchronie**), sans référence à son évolution, sans hypothèses intuitives, sans intentions normatives. → Distributionnel (analyse). — Anthrop.
Terme descriptif : terme combinant plusieurs termes élémentaires pour décrire un lien de parenté, comme, en français, «frère de la mère de X...» pour «oncle de X».

♦ **4.** N. m. Techn. Document qui décrit précisément au moyen de plans, schémas et légendes. ⇒ **Plan.**

5 (...) le propriétaire recevra le descriptif, recueil donnant tous les détails techniques de la construction.   Robert BEAUVAIS, le Français kiskose, p. 134.

DÉR. V. **Descriptivisme, descriptiviste.**

DESCRIPTION [deskʀipsjɔ̃] n. f. — V. 1165; lat. *descriptio,* de *descriptum,* supin de *describere.* → Décrire.

♦ **1.** (V. 1165). Action de décrire, énumération des caractères de qqch.; résultat de cette action. *Description orale, écrite. Faire, donner une description de qqch., de qqn. Description exacte, fidèle, précise, détaillée. Description servant à définir* (⇒ **Définir,** cit. 1), à représenter un objet. *Description vague, sommaire, approximative. Description d'un objet, d'un animal, d'une plante, d'un paysage...* ⇒ **Croquis, esquisse, hypotypose, image, peinture, tableau.** *Description d'un organe; description anatomique. Description d'une personne.* ⇒ **Portrait, signalement.** *Description d'un événement.* ⇒ **Aperçu, conte, exposé, histoire, récit.** *Description d'un sentiment, d'une pensée, d'une œuvre.* ⇒ **Analyse.**

1 *(La description)* donne quelque connaissance d'une chose par les accidents qui lui sont propres, et qui la déterminent assez pour en donner quelque idée qui la discerne des autres.   ARNAUD et NICOLE, la Logique de Port-Royal, II, XVI, p. 215.

2 Dans la description d'un tableau, j'indique d'abord le sujet, je passe au principal personnage (...)   DIDEROT, Pensées sur la peinture, Œ., t. XV, p. 202, *in* POUGENS.

3 Tu sais que les belles choses ne souffrent pas de description.
                              FLAUBERT, Correspondance, t. I, p. 90.

Spécialt. Inventaire sommaire.
Description documentaire, scientifique. ⇒ **État, graphique, rapport, statistique, tableau**; et les suff. **-graphie, -logie** (géographie, géologie, monographie, topographie, etc.). *Notice, formulaire, prospectus, recette... donnant la description d'un objet, d'un produit et de son utilisation.*

♦ **2.** Dans une œuvre littéraire, Passage qui évoque la réalité, à un moment déterminé du temps. *Alternance de descriptions et de narrations*. Description vivante, vigoureuse, pittoresque, imagée, colorée, riche, humoristique... Description artificielle, monotone, languissante, pauvre, banale, incolore. Détails, mouvement d'une description.*

4 Les poètes d'à présent (...) demeurent bien aussi court à imiter les riches descriptions de l'un *(Ronsard)* et les délicates inventions de l'autre *(Du Bellay).*
                              MONTAIGNE, Essais, I, 190.

5 Soyez riche et pompeux dans vos descriptions.   BOILEAU, l'Art poétique, III.

6 *(Théophile)* sans choix, sans exactitude, d'une plume libre et inégale (...) charge ses descriptions, s'appesantit sur les détails : il fait une anatomie.
                              LA BRUYÈRE, les Caractères, I, 39.

7 Nous avons défini la description : *Un tableau qui rend visibles les choses matérielles.* En d'autres termes, la description est la peinture animée des objets.
                              Antoine ALBALAT, la Formation du style, V, p. 89.

♦ **3.** (1690). Dr. État de biens saisis ou inventoriés. *Description d'un mobilier.*

8 Le procès-verbal d'apposition contiendra (...) 8° Une description sommaire des effets qui ne sont pas mis sous les scellés (...)
                              Code de procédure civile, art. 914.

♦ **4.** (Mil. xxᵉ). Ling. Représentation structurelle des constituants de la phrase, des morphèmes et des phonèmes.
Gramm. générative. *Description structurale (d'une phrase).*

DESCRIPTIVISME [dɛskʀiptivism] n. m. — Mil. xxᵉ; de *descriptif*, d'après l'angl. *descriptivism* (1926, Bloomfield).

♦ Ling. Linguistique descriptive*. ⇒ **Distributionnel.**

DESCRIPTIVISTE [dɛskʀiptivist] adj. — Mil. xxᵉ; de *descriptif*, et *-iste*, d'après l'angl. *descriptivist.*

♦ Ling. Qui est propre au descriptivisme.
Dans une perspective descriptiviste, on peut, également, ajouter à la recherche des commutations et des types de combinaisons le rapprochement de structures, apparemment semblables, avec d'autres qui révèlent, dans un autre contexte, des différences.
                              Claude HAGÈGE, la Grammaire générative, Réflexions critiques, p. 115.

DESDITS [dedi] ⇒ **Ledit.**
HOM. Dédit.

DÉSÉCHOUAGE [dezeʃwaʒ] n. m. — 1870; de *déséchouer.*

♦ Mar. Action de déséchouer. ⇒ **Renflouage.** — On dit aussi *déséchouement* [dezeʃumɑ̃], n. m. (xxᵉ).

CONTR. Échouage.

DÉSÉCHOUER [dezeʃwe] v. tr. — 1835, Académie; de *dés-* (→ 1. Dé-), et *échouer.*

♦ Mar. Remettre à flot (un navire échoué). ⇒ **Renflouer.**

CONTR. Couler.
DÉR. Déséchouage, déséchouement.

DÉSECTORISATION [desɛktɔʀizazjɔ̃] n. f. — V. 1970; de *désectoriser.*

♦ Didact., admin. Fait de ne plus diviser en secteurs géographiques. « *La " désectorisation" des universités parisiennes* » (l'Express, 31 oct. 1977, p. 128).

CONTR. Sectorisation.

DÉSECTORISER [desɛktɔʀize] v. tr. — V. 1970; de 1. *dé-*, et *sectoriser.*

♦ Didact., admin. Cesser de diviser, de répartir en secteurs géographiques. « *L'arrêté pris par le recteur (...) " désectorisant" les études de droit à Nanterre* » (le Monde, 11 févr. 1977).

CONTR. Sectoriser.
DÉR. Désectorisation.

DÉSÉDUQUER [dezedyke] v. tr. — D. i. (mil. xxᵉ); de *dés-* (→ 1. Dé-), et *éduquer.*

♦ Didact. Faire perdre son éducation à. — Absolument :
Il ne peut y avoir de système éducatif (...) quand l'éducation ne débouche sur aucune activité socialement reconnue. Quand tout, en somme, déséduque.
                              M. BOSQUET, *in* le Nouvel Observateur, p. 52, nº 414, 16 oct. 1972.

CONTR. Éduquer.

DÉSÉGRÉGATION [desegʀegasjɔ̃] n. f. — Av. 1964; de 1. *dé-*, et *ségrégation.*

♦ Didact. Suppression de la ségrégation raciale, de ses effets.
Le Noir est-il vraiment intéressé par la déségrégation ? Certains répondent qu'elle aboutit à isoler davantage l'individu, désormais perdu dans une communauté qu'il ne reconnaît pas pour la sienne et à le rendre plus malheureux encore qu'auparavant. Pour d'autres, cette déségrégation relève d'un certain romantisme, qui n'est plus de mise.   Claude FOHLEN, les Noirs aux États-Unis, p. 97.

CONTR. Ségrégation.
DÉR. Déségrégationner.

DÉSÉGRÉGATIONNER [desegʀegasjɔne] v. tr. — Av. 1972; de *déségrégation.*

♦ Didact. Supprimer la ségrégation de.

DÉSÉLECTRISER [dezelɛktʀize] v. tr. — xxᵉ; de *dés-* (→ 1. Dé-), et *électriser.*

♦ Techn., sc. Faire cesser l'électrisation de.

CONTR. Électriser.

DÉSEMBALLAGE [dezɑ̃balaʒ] n. m. — 1752, Trévoux; de *désemballer.*

♦ Action de désemballer. ⇒ **Dépaquetage.**

CONTR. Emballage.

DÉSEMBALLER [dezɑ̃bale] v. tr. — Déb. xviiᵉ; de *dés-* (→ 1. Dé-), et *emballer.*

♦ Enlever (une marchandise, un objet) d'un colis. ⇒ **Dépaqueter.**

CONTR. Emballer.
DÉR. Désemballage.

DÉSEMBOBINER [dezɑ̃bɔbine] v. tr. — xxᵉ; de *dés-* (→ 1. Dé-), et *embobiner.*

♦ Dérouler (une bobine); défaire (ce qui était enroulé sur une bobine). *Désembobiner du fil.*
Un touilleur *(toueur*)*, ces sortes de remorqueurs qui circulent en embobinant ou en désembobinant sur leur roue à aubes (...) une chaîne sans fin coulée au fond du lit de la Seine (...)   B. CENDRARS, Bourlinguer, p. 314.

CONTR. Embobiner.

DÉSEMBOURBER [dezɑ̃buʀbe] v. tr. — 1690, Furetière; de *dés-* (→ 1. Dé-), et *embourber.*

♦ Faire sortir de la boue. *La charrette « est bien lourde à désembourber »* (Flaubert).
Par métaphore (en gén. pron. réfl.). Se tirer d'embarras.

CONTR. Embourber.

DÉSEMBOURGEOISEMENT [dezɑ̃buʀʒwazmɑ̃] n. m. — xxᵉ; de *désembourgeoiser.*

♦ Fait de se désembourgeoiser.

CONTR. Embourgeoisement.

DÉSEMBOURGEOISER [dezɑ̃buʀʒwaze] v. tr. — 1876, *in* D.D.L.; de *dés-* (→ 1. Dé-), et *embourgeoiser.*

♦ Enlever le caractère bourgeois à (qqn, un groupe humain). *La vie militaire va le désembourgeoiser.* — (1903). Pron. réfl. *Il s'est un peu désembourgeoisé.*

CONTR. Embourgeoiser.
DÉR. Désembourgeoisement.

DÉSEMBOUTEILLER [dezɑ̃buteje] v. tr. — 1965; de *dés-* (→ 1. Dé-), et *embouteiller.*

♦ Faire cesser d'être embouteillé (une route, une ligne téléphonique).
CONTR. Embouteiller (3.).

DÉSEMBRAYAGE [dezãbʀejaʒ] n. m. — 1848, *in* D.D.L.

♦ Vx. ⇒ **Débrayage.**

DÉSEMBRAYER [dezãbʀeje] v. tr. — 1838, *in* D.D.L.

♦ Vx. ⇒ **Débrayer.**

DÉSEMBROUILLER [dezãbʀuje] v. tr. — Av. 1613; de *dés-*
(→ 1. Dé-), et *embrouiller*.

♦ Rendre clair, démêler (ce qui est confus, embrouillé).
⇒ **Débrouiller, démêler.** *Désembrouiller ses idées.*
(1897). Pron. réfl. *Se désembrouiller. La situation se désembrouille.*
CONTR. Embrouiller.

DÉSEMBROUSSAILLER [dezãbʀusaje] v. tr. — Attesté 1924;
de *dés-* (→ 1. Dé-), et *embroussailler*.

♦ ⇒ **Débroussailler.**

Je tins un carnet de route. Quelques pages de ce journal ont paru dans la *Wallonie;* considérablement remaniées, car j'éprouvais déjà le plus grand mal à désembroussailler ma pensée.   GIDE, Si le grain ne meurt, I, IX, p. 242.

DÉSEMBRUNIR (SE) [dezãbʀynir] v. pron. — Fin XIXᵉ; de *dés-*
(→ 1. Dé-), et *embrunir* (XIIᵉ), vx, de *em-*, *brun*, et suff. verbal, d'après
se rembrunir.

♦ Rare. Abandonner une expression triste, sombre. *« Son front se
désembrunit »* (M. Prévost, *in* G.L.L.F.).
CONTR. Rembrunir (se).

DÉSEMBUAGE [dezãbɥaʒ] n. m. — 1970; de *désembuer*.

♦ Action d'éliminer la buée qui recouvre une vitre. *Le désembuage
de la vitre arrière d'une automobile.*

DÉSEMBUER [dezãbɥe] v. tr. — D. i. (mil. XXᵉ); de *dés-* (→ 1. Dé-),
et *embuer*.

♦ Débarrasser (une vitre, etc.) de la buée.
CONTR. Embuer.
DÉR. Désembuage.

DÉSEMMAILLOTER [dezãmajɔte] v. tr. — 1919; de *dés-*
(→ 1. Dé-), et *emmailloter*.

♦ Débarrasser de ce qui emmaillote (qqn). ⇒ **Démailloter.**

(...) tandis que Françoise (...) détachait les étoffes, tirait les rideaux, le jour d'été
qu'elle découvrait semblait aussi mort (...) qu'une somptueuse et millénaire momie
que notre vieille servante n'eût fait que précautionneusement désemmailloter de
tous ses linges (...)   PROUST, À l'ombre des jeunes filles en fleurs, Pl., t. I, p. 955.
CONTR. Emmailloter.

DÉSEMMANCHER [dezãmãʃe] v. tr. — 1752, Trévoux; de *dés-*
(→ 1. Dé-), et *emmancher*.

♦ Enlever le manche (d'un outil). *Désemmancher une pelle.* ⇒ aussi
Démancher.
CONTR. Emmancher.

DÉSEMMÊLER [dezãmele] v. tr. — Fin XIXᵉ; de *dés-* (→ 1. Dé-),
et *emmêler*.

♦ ⇒ **Démêler.**
Les mauvais jours, elles se pressent ensemble, s'enchevêtrent, et j'ai le plus grand
mal à les désemmêler.   GIDE, Journal, 5 févr. 1902.

DÉSEMPALER [dezãpale] v. tr. — XXᵉ; de *dés-* (→ 1. Dé-),
et *empaler*.

♦ Ôter du pal ou de tout autre objet ayant servi à empaler.
Alex désempale le cadavre (...)   J. CAU, la Pitié de Dieu, p. 91.
CONTR. Empaler.

DÉSEMPARER [dezãpaʀe] v. tr. — 1364, «démolir»; de *dés-*
(→ 1. Dé-), et l'anc. v. *emparer* «fortifier». → Emparer (s').

♦ **1.** Vx. *Désemparer une forteresse.* ⇒ **Démanteler.**

♦ **2.** (1497). Mar. Mettre (un navire) hors d'état de servir. *Désemparer un bâtiment ennemi.*

♦ **3.** Littér. et rare. Mettre (qqch.) hors d'état de servir.
Au commencement, c'était toujours entre les repas que la fringale m'assaillait. 0.1
Brusquement en plein atelier ou dans mon bureau, une sensation de vide me creusait le ventre, un tremblement me désemparait les mains et les genoux, une poussée
de sueur me mouillait les tempes, la salive me giclait sous la langue.
    M. TOURNIER, le Roi des Aulnes, p. 75.
*Désemparer qqn, le mettre moralement dans l'impossibilité de se
défendre, lui faire perdre ses moyens. Vos remarques ironiques
l'ont désemparé.* ⇒ **Déconcerter.**

♦ **4.** (1418). Vx. Abandonner (un endroit).
Ils désemparèrent la place et s'enfuirent.   COMMYNES, III, 3, *in* LITTRÉ. 1
Leur opiniâtreté à ne pas désemparer les lieux qui leur conviennent (...)
    BUFFON, Hist. nat. des oiseaux, Moineau. 2

♦ **5.** (1792). Mod. SANS DÉSEMPARER : sans quitter la place où l'on
est; sans s'interrompre (→ D'arrache*-pied; fam. sans débander*).
Ils ont attendu la nuit entière sans désemparer. Le projet fut discuté sans désemparer. ⇒ **Tenant** (séance tenante).
(Le juge de paix) pourra juger sur le lieu même, sans désemparer. 3
    Code de procédure civile, art. 42.

▶ **DÉSEMPARÉ, ÉE** p. p. adj.

♦ **1.** Mar. *Navire désemparé,* qui a subi des avaries l'empêchant
de manœuvrer.
Désemparé de : privé de.
(...) le 11 avril 1933, j'ai intercepté, à 22 h 18, un radio du vapeur grec *Alexandros,* m'informant qu'il se trouvait désemparé de son gouvernail, par une latitude
de 46° 44 nord et une longitude de 6° 50 ouest. Roger VERCEL, Remorques, p. 155. 3.1
REM. Le mot est employé métaphoriquement par Hugo, mais le sens
véritablement figuré (2.) est plus récent.

Nous sommes un pays désemparé qui flotte, 4
Sans boussole, sans mâts, sans ancre, sans pilote,
Sans guide, à la dérive, au gré du vent hautain,
Dans l'ondulation obscure du destin (...)
    HUGO, la Légende des siècles, L, «Élégie des fléaux».

♦ **2.** (XXᵉ). Qui ne sait où il en est, qui ne sait plus que dire, que
faire. ⇒ **Confondu, déconcerté, décontenancé, dérouté.** *Il est tout
désemparé depuis que sa femme est partie.*
Un gouvernement désemparé, qui ne sait répondre aux questions et aux objurga- 5
tions qu'en levant les bras au ciel.
    J. ROMAINS, les Hommes de bonne volonté, t. V, XXIV, p. 231.

DÉSEMPESER [dezãpəze] v. tr. — 1564, *in* D.D.L.; de *dés-*
(→ 1. Dé-), et *empeser*.

♦ Enlever l'empois de (une étoffe, etc.). ⇒ **Désamidonner.** *Désempeser un col.*
Au participe passé :
Un A. B. des meilleurs jours, souple et comme désempesé, pour qui mon amitié
reverdit aussitôt; il reparle de voyage et m'invite à le rejoindre au Maroc en
juin (...)   GIDE, Journal, 22 févr. 1912.
CONTR. Empeser.

DÉSEMPÊTRER [dezãpetʀe] v. tr. — 1846, Bescherelle; de *dés-*
(→ 1. Dé-), et *empêtrer*.

♦ Enlever les entraves, dégager des liens qui retiennent ou embarrassent.
CONTR. Empêtrer.

DÉSEMPIERRER [dezãpjeʀe] v. tr. — D. i. (XXᵉ); de *dés-*
(→ 1. *Dé-),* et *empierrer*.

♦ Rare. Faire cesser d'être empierré; enlever les pierres de (ce qui
était empierré).
Par métaphore :
Donne-moi ta main sans retour, eau incertaine
Que j'ai désempierrée jour après jour
Des rêves qui s'attardent dans la lumière.
    Yves BONNEFOY, Poèmes, Dans le leurre du seuil, «Deux barques», p. 264.
CONTR. Empierrer.

DÉSEMPILER [dezãpile] v. tr. — 1929; de *dés-* (→ 1. Dé-),
et *empiler*.

♦ Techn. Démonter une pile de (qqch. qui avait été empilé). *Désempiler du bois pour en contrôler le séchage. — REM. On dit aussi dépiler* (de 1. *dé-*, *pile*, et suff. verbal).
CONTR. Empiler.

DÉSEMPLIR [dezãpliʀ] v. — V. 1180; de *dés-* (→ 1. Dé-), et *emplir*.

♦ **1.** V. tr. Rare. Vider* en partie. *Désemplir une bouteille trop
pleine.*
(...) c'est encore une de mes raisons d'y aller *(à Paris),* pour désemplir un peu ma 1

tête de moi et de mes maux passés ; les Rochers sont tout propres à les conserver dans la mémoire (...)   Mme DE SÉVIGNÉ, 516, 18 mars 1676.

Pron. (passif). *La salle se désemplit peu à peu.*

2   *Femmes et grands Parleurs* — Plus une tête est vide, plus elle cherche à se désemplir.   MONTESQUIEU, Cahiers, p. 55.

♦ **2.** V. intr. (employé à la forme négative). *Ne pas désemplir :* être constamment plein. — Cour. *Ce magasin ne désemplit pas.*

3   Le couvent que j'ai bâti pour vivre en solitaire ne désemplit pas d'étrangers (...)   VOLTAIRE, Lettre à M. d'Argental, 2952, 3 nov. 1766.

4   Sa boutique ne désemplissait pas. Outre la fillette en jaune qui triomphait dans la vitrine et continuait à attirer sur le trottoir une foule considérable (...)   M. AYMÉ, le Vin de Paris, « La bonne peinture », p. 226.

CONTR. Remplir ; emplir.

DÉSEMPLUMER [dezãplyme] v. tr. — XVIᵉ ; de *dés-* (→ 1. Dé-), et *emplumer.*

♦ Vx. Dépouiller de ses plumes (un chapeau). — Fig. Faire éprouver des pertes d'argent à (qqn). ⇒ **Plumer.**

▶ SE DÉSEMPLUMER v. pron.
(D'une chose garnie de plumes). Perdre ses plumes. — Fig. (Sujet n. de personne). Faire des pertes de fortune. ⇒ **Déplumer** (se).

CONTR. Emplumer.

DÉSEMPOISONNER [dezãpwazɔne] v. tr. — 1846, Bescherelle ; de *dés-* (→ 1. Dé-), et *empoisonner.*

♦ Rare. Guérir (qqn) d'un empoisonnement.

CONTR. Empoisonner.

DÉSEMPOISSONNER [dezãpwasɔne] v. tr. — 1838, Académie ; de *dés-* (→ 1. Dé-), et *empoissonner.*

♦ Enlever, détruire le poisson de (un lieu, une étendue d'eau). *Désempoissonner une rivière.*

CONTR. Empoissonner.

DÉSEMPOUSSIÉRER [dezãpusjeʀe] v. tr. — Attesté 1957 ; de *dés-* (→ 1. Dé-), et *empoussiérer.*

♦ Enlever, nettoyer la poussière de. ⇒ **Dépoussiérer** (au propre et au fig.).
Au participe passé, figuré :
Mais ce que j'attendais surtout de cette Carmen « désempoussiérée » [sic], c'était un Don José qui fût enfin le Navarrais de vingt ans dont Mérimée nous raconte l'histoire.   F. MAURIAC, Bloc-notes 1952-1957, p. 343.

CONTR. Empoussiérer.

DÉSEMPRISONNER [dezãpʀizɔne] v. tr. — V. 1360 ; de *dés-* (→ 1. Dé-), et *emprisonner.*

♦ Rare. Faire sortir de prison (au propre et au fig.). ⇒ **Libérer.**

CONTR. Emprisonner.

DÉSÉNAMOURER [dezenamuʀe] ou DÉSENAMOURER [dezãnamuʀe] v. tr. — 1656, Molière ; de *dés-* (→ 1. Dé-), et *enamourer.*

♦ Vx. Faire cesser l'amour (de qqn).

DÉSENCADREMENT [dezãkadʀəmã] n. m. — V. 1970 ; de *dés-* (→ 1. Dé-), et *encadrement.*

♦ Écon. Fait de cesser de limiter les crédits accordés aux entreprises par les banques. « *Le récent désencadrement du crédit est un premier pas logique vers un renouveau de l'expansion* » (*Paris-Match*, 23 janv. 1971).

CONTR. Encadrement.

DÉSENCADRER [dezãkadʀe] v. tr. — 1870, Goncourt ; de *dés-* (→ 1. Dé-), et *encadrer.*

♦ **1.** Enlever le cadre de. *Désencadrer un tableau, une glace.* ⇒ **Décadrer.**

1   La triste vie dans ce déménagement (...) où tout ce qui était suspendu aux murs a été décroché, à cause des ébranlements du canon, où les dessins désencadrés sont dans les cartons (...)   Ed. et J. DE GONCOURT, Journal, t. IV, p. 136.

2   Vous désencadrerez la glace de l'armoire (...)   GIRAUDOUX, la Folle de Chaillot, I, p. 92.

Au p. p. *Tableau désencadré.*

♦ **2.** Fig. Littér. Priver de son cadre habituel, désorienter.
Au participe passé :

3   (...) elle avait besoin, pour prendre appui, des convenances, et se sentait sans force depuis qu'elle était désencadrée (...)   GIDE, les Faux-monnayeurs, II, 3, in Romans, Pl., p. 1076.

Ma mère se laisse persuader par la famille d'aller passer à Rouen les premiers   4
temps de son deuil. Elle n'eut pas le cœur de me laisser chez M. Vedel ; et c'est ainsi que commença pour moi cette vie irrégulière et désencadrée, cette éducation rompue à laquelle je ne devais que trop prendre goût.   GIDE, Si le grain ne meurt, IV, 1, p. 97.

♦ **3.** Écon. Procéder au désencadrement de (un prêt, le crédit). — Au p. p. *Prêts désencadrés.*

CONTR. Encadrer.

DÉSENCANAILLER [dezãkanaje] v. tr. — 1867 ; de *dés-* (→ 1. Dé-), et *encanailler.*

♦ Vx. Faire perdre les habitudes de la canaille (à qqn), le caractère canaille (à qqch.).

CONTR. Encanailler.

DÉSENCARTER [dezãkaʀte] v. tr. — 1870 ; de *dés-* (→ 1. Dé-), et *encarter.*

♦ Séparer (ce qui était encarté*).

CONTR. Encarter.

DÉSENCHAÎNEMENT [dezãʃɛnmã] n. m. — 1928, Breton ; de *dés-* (→ 1. Dé-), et *enchaînement,* ou de *désenchaîner.*
Rare.

♦ **1.** Action de désenchaîner ; son résultat.

♦ **2.** (Abstrait). Rupture de l'enchaînement logique (d'éléments).
Le secret du théâtre dans l'espace c'est la dissonance, le décalage des timbres, et le désenchaînement dialectique de l'expression.   A. ARTAUD, le Théâtre et son double, Lettre sur le langage [1932], p. 171, Idées/Gall. 1974 (1938).

CONTR. Enchaînement.

DÉSENCHAÎNER [dezãʃene] v. tr. — Av. 1588 ; *déchaîner,* 1558 ; de *dés-* (→ 1. Dé-), et *enchaîner.*

♦ Propre et fig. Débarrasser, délivrer de ses chaînes (*déchaîner* ne se dit plus, dans ce sens).

CONTR. Enchaîner.
DÉR. V. Désenchaînement.

DÉSENCHANTÉ, ÉE [dezãʃãte] adj. ⇒ **Désenchanter.**

DÉSENCHANTEMENT [dezãʃãtmã] n. m. — 1554, Huguet ; de *désenchanter.*

♦ **1.** (1554). Action de désenchanter, de faire cesser le charme de. *Le désenchantement d'un palais enchanté.*

♦ **2.** (1799). Mod. État d'une personne qui a perdu ses illusions, qui a été déçue. ⇒ **Déception, dégoût, désespérance** (cit. 1), **désillusion.** *Désenchantement des gens éprouvés par la vie.*

1   Byron est mort en 1824, à l'heure où les désenchantements et les dégoûts allaient commencer.   CHATEAUBRIAND, in LITTRÉ.

2   (*Certaines perfidies du sort*) nous laissent à l'âme comme une traînée de tristesse, un goût d'amertume, une sensation de désenchantement (...)   MAUPASSANT, Contes de la bécasse, « Menuet ».

3   Et si jadis il semblait que c'était dans le pli d'un regret qu'elle faisait passer devant eux la douceur de leur amour, maintenant le désenchantement dernier, le désespoir irrémédiable, le néant final où elle l'entraînait, il lui semblait que c'était avec la grâce d'un sourire.   PROUST, Jean Santeuil, Pl., p. 817.

CONTR. Charme, enchantement. — Enthousiasme, ferveur, joie.

DÉSENCHANTER [dezãʃãte] v. tr. — V. 1261 ; de *dés-* (→ 1. Dé-), et *enchanter.*

♦ **1.** (V. 1261). Vx ou littér. Rompre l'enchantement, faire cesser le charme de. *Magicien qui a le pouvoir d'enchanter et de désenchanter un lieu.*

0.1 (...) les pleurs et les gémissements de ton mari, que tu traites tous les jours avec tant d'indignité et de barbarie, m'empêchent de dormir nuit et jour. Il y a longtemps que je serais guéri, et que j'aurais recouvré l'usage de la parole, si tu l'avais désenchanté.   A. GALLAND, les Mille et une Nuits, p. 86.

Par extension :

0.2 Il y a ceci à dire sur le péché, c'est qu'il désenchante le monde spirituel.   J. GREEN, Journal, 15 août 1960, Vers l'invisible, p. 218.

♦ **2.** (1800, Chateaubriand). Mod. *Désenchanter qqn,* le faire revenir de ses illusions. ⇒ **Décevoir, dégoûter, désappointer, désillusionner.**

1   (...) avec elle point de déception, point de satiété ! elle ne désenchante pas par des phrases vulgaires ou ridicules (...)   Th. GAUTIER, la Toison d'or, IV.

Désenchanter qqch., lui faire perdre le charme, l'attrait, la poésie...

2   Ne croyons pas toutefois qu'en nous découvrant les bases sur lesquelles reposent les passions, le christianisme ait désenchanté la vie.   CHATEAUBRIAND, Génie du christianisme, t. II, III, I.

3 (...) nous avons tous dans le passé un jour de bonheur qui nous désenchante l'avenir.
　　　　　　　　　　　　　Aloysius BERTRAND, Gaspard de la nuit, p. 9.

▶ **SE DÉSENCHANTER** v. pron. réfl.
Perdre son pouvoir d'enchantement.

3.1 Mort n'est pas le mot. Vivant au contraire, obsédant, et que je n'ai pu tuer qu'en utilisant et publiant ces notes. Aujourd'hui il est bien mort — au point que ce roman *Toutes les femmes sont fatales* qui a tant compté pour moi s'est entièrement désenchanté à mes yeux — quant au fond.
　　　　　　　　　　　　　Claude MAURIAC, le Temps immobile, p. 94.
Faire cesser l'effet d'un charme.

3.2 Nietzsche se désenchantait des philtres wagnériens en écoutant le rire de Carmen.
　　　　　　　　　　　　　G. BAUËR, les Billets de Guermantes, nov. 1938, p. 304.
Perdre son enthousiasme. *Le public s'est désenchanté de cette actrice.*

▶ **DÉSENCHANTÉ, ÉE** p. p. adj.

Plus cour. Dont on a fait cesser l'enchantement. — N. *Les Désenchantées,* roman de Loti.

4 On vit, dans les romans (...) des palais enchantés et désenchantés.
　　　　　　　　　　　　　MONTESQUIEU, l'Esprit des lois, XXVIII, 22.

(1804). En parlant des personnes. Qui a perdu son enthousiasme, ses illusions. ⇒ **Blasé, déçu, dégoûté, désespéré, désillusionné, las.** *Il est désenchanté de tout. C'est une âme désenchantée.* — N. *Un désenchanté.*

5 Vous m'avez délaissé, doux rêves de la vie,
Plaisirs, gloire, bonheur, patrie et liberté
Vous fuyez loin d'un cœur vide et désenchanté.　M.-J. CHÉNIER, « La promenade ».

6 Alexis (...) avait voulu contempler le visage d'un mourant à jamais détaché des réalités vulgaires et où ne pouvait plus flotter qu'un sourire héroïquement contraint, tristement tendre, céleste et désenchanté.　PROUST, les Plaisirs et les Jours, I.

CONTR. **Charmer, émerveiller, enchanter, enthousiasmer; embellir.** — (Du p. p. adj.) **Enthousiaste, joyeux.**
DÉR. **Désenchantement, désenchanteur.**

DÉSENCHANTEUR, ERESSE [dezɑ̃ʃɑ̃tœʀ, ʀɛs] adj. et n. — 1807, adj.; n. 1845, Bescherelle; de *désenchanter.*

♦ **1.** Qui rompt l'enchantement, le charme de. *Un sorcier désenchanteur.*

♦ **2.** Personnes. Qui fait revenir de ses illusions, qui fait perdre son enthousiasme.
Il eut une rapide et désenchanteresse vision de «Bat' d'Af'», de silos, de cailloux cassés sur une route peu ombragée.　A. ALLAIS, Contes et chroniques, p. 67.
CONTR. **Enchanteur.**

DÉSENCLAVEMENT [dezɑ̃klavmɑ̃] n. m. — XXᵉ; de *désenclaver.*

♦ Action de désenclaver; son résultat. — Fig. *Le désenclavement économique d'une région* (par l'ouverture de voies de communication, etc., d'une région mal desservie). *« Paris réagit enfin. En lançant un vaste programme de désenclavement routier »* (l'Express, 14 févr. 1981, p. 63).
CONTR. **Enclavement.**

DÉSENCLAVER [dezɑ̃klave] v. tr. — 1870; de *dés-* → 1. Dé-, et *enclaver.*

♦ Faire cesser d'être enclavé, d'être une enclave. — (V. 1960). Rompre l'isolement de (une région, une ville) par l'amélioration des communications maritimes, aériennes, routières, téléphoniques, etc. — Pron. *« En luttant pour l'énergie bon marché, la Bavière s'est " désenclavée " »* (le Monde, 30 juin 1969).
Les maires des plus petites communes nous réclamaient de partout de nouveaux chemins, des adductions d'eau, des dessertes électriques. On se mit à désenclaver à gros frais des hameaux perdus.
　　　　　　　　　　　　　Raymond ABELLIO, Ma dernière mémoire, t. II, p. 194.
CONTR. **Enclaver.**
DÉR. **Désenclavement.**

DÉSENCLOUER [dezɑ̃klue] v. tr. — V. 1580, D'Aubigné; de *dés-* (→ 1. Dé-), et *enclouer.*

♦ **1.** (V. 1580). Vx. *Désenclouer une pièce :* enlever le clou qui avait été enfoncé dans la lumière d'un canon pour le mettre hors service.

♦ **2.** Techn. Ôter un clou du sabot d'un cheval.
CONTR. **Enclouer.**

DÉSENCOMBREMENT [dezɑ̃kɔ̃bʀəmɑ̃] n. m. — 1845; de *désencombrer.*

♦ Action de désencombrer; son résultat. *« Le désencombrement du logis »* (Flaubert). *Le désencombrement des centraux téléphoniques.*
CONTR. **Encombrement.**

DÉSENCOMBRER [dezɑ̃kɔ̃bʀe] v. tr. — Fin XIIᵉ; de *dés-* (→ 1. Dé-), et *encombrer.*

♦ Faire cesser d'être encombré. *Désencombrer (un lieu) de...*
(...) la nécessité de désencombrer la voie publique des immondices (...)   1
　　　　　　　　　　　　　Léon BLOY, le Désespéré, p. 168.
Figuré :
La photographie put désencombrer la peinture de certaines valeurs adventices.   2
　　　　　　　　　　　　　GIDE, Journal, 10 avr. 1943.
(Compl. n. de personne). *Pouvez-vous me désencombrer de ces papiers, de ces livres?* — Pron. *Se désencombrer (de qqch.).*
Il s'efforça de se tarir, de se désencombrer, de s'évider.   3
　　　　　　　　　　　　　R. QUENEAU, Loin de Rueil, p. 160.

▶ **DÉSENCOMBRÉ, ÉE** p. p. adj.
(...) la table de sapin désencombrée de la vaisselle, nette de taches de couleur.   4
　　　　　　　　　　　　　ZOLA, l'Œuvre, p. 124.
Les rues et les avenues de Tunis sont désencombrées et silencieuses (...)   5
　　　　　　　　　　　　　GIDE, Journal, Tunis, 3 avr. 1943.
CONTR. **Encombrer.**
DÉR. **Désencombrement.**

DÉSENCRASSER [dezɑ̃kʀase] v. tr. — XXᵉ; de *dés-* (→ 1. Dé-), et *encrasser.*

♦ Faire cesser d'être encrassé. ⇒ **Décrasser.** *Désencrasser un conduit.* — Absolt :
(...) il y a des eaux qui désencrassent, mais qui en même temps débilitent. La nôtre aurait des aptitudes à désencrasser tout en tonifiant.   1
　　　　　　　　　　　　　J. ROMAINS, les Hommes de bonne volonté, t. V, XXII, p. 178.

▶ **DÉSENCRASSÉ, ÉE** p. p. adj.
Oui, mon cerveau, comme désencrassé par ce jeûne, fonctionne avec une alacrité singulière.　GIDE, Journal, 2 nov. 1929.   2
CONTR. **Encrasser.**

DÉSENCROÛTER [dezɑ̃kʀute] v. tr. — 1845; de *dés-* (→ 1. Dé-), et *encroûter.*

♦ **1.** Techn. Débarrasser (un tuyau, une conduite, un récipient, etc.) de ses incrustations. *Désencroûter le radiateur d'une voiture.* ⇒ **Détartrer; désincruster.**

♦ **2.** Fig. et rare. Débarrasser (qqn) de ses préjugés, de ses habitudes.
CONTR. **Encroûter.**

DÉSENDETTER (SE) [dezɑ̃dete] v. pron. — XXᵉ; de *dés-* (→ 1. Dé-), et *endetter.*

♦ Réduire la charge de sa dette. — REM. Le transitif est virtuel.
CONTR. **Endetter** (s').

DÉSÉNERVER [dezenɛʀve] v. tr. — 1907; de *dés-* (→ 1. Dé-), et *énerver.*

♦ Faire cesser (qqn) d'être énervé. ⇒ **Calmer.** *L'écoute de la musique me désénerve.* — Pron. *Se désénerver :* cesser d'être énervé.
CONTR. **Énerver** (II.).

DÉSENFILER [dezɑ̃file] v. tr. — 1694; de *dés-* (→ 1. Dé-), et *enfiler.*

♦ Techn. Retirer le fil passé dans (une aiguille, la lisse d'un métier à tisser).
CONTR. **Enfiler.**

DÉSENFLAMMER [dezɑ̃flame] v. tr. — Fin XVIᵉ; de *dés-* (→ 1. Dé-), et *enflammer.*

♦ **1.** Éteindre la flamme de. *Désenflammer un tison.* — Fig. et littér. Éteindre l'amour, la passion de (qqn).

♦ **2.** (Fin XIXᵉ). Méd. Faire cesser l'inflammation de. *Désenflammer une plaie.*
CONTR. **Enflammer.**

DÉSENFLER [dezɑ̃fle] v. — 1138; de *dés-* (→ 1. Dé-), et *enfler.*

★ **I.** V. tr. ♦ **1.** Faire diminuer ou disparaître l'enflure, et, par ext., le volume de (qqch.). *Désenfler un ballon. Les soins ont permis de désenfler l'abcès.* — Pron. *Sa joue s'est désenflée.*

Nul ne sait mieux que lui soigner un cheval, désenfler d'un coup de trocart la bête bourrée de trèfle frais.   BERNANOS, Monsieur Ouine, in Œ. roman., Pl., p. 1376.

♦ **2.** Fig. Réduire l'importance de (un événement, une nouvelle, etc.).

★ **II.** V. intr. Cesser d'être enflé. *Sa joue commence à désenfler.*

REM. *Désenfler* s'emploie avec l'auxiliaire *avoir* pour exprimer l'action, *être* pour exprimer le résultat de l'action.

CONTR. **Enfler.**

DÉSENFOURNER [dezɑ̃fuʀne] v. tr. — XVIᵉ ; de *dés-* (→ 1. Dé-), et *enfourner.*

♦ Rare. Ôter (qqch.) du four. — Absolt. Vider le four. *Il fallut désenfourner à la hâte* (Littré).

CONTR. **Enfourner.**

DÉSENFUMAGE [dezɑ̃fymaʒ] n. m. — XIXᵉ ; de *désenfumer.*

♦ Techn. Élimination de la fumée. *Dispositif de désenfumage.*

CONTR. **Enfumage.**

DÉSENFUMER [dezɑ̃fyme] v. tr. — 1845 ; de *dés-* (→ 1. Dé-), et *enfumer.*

♦ Chasser la fumée de. *Désenfumer une pièce.* — Au p. p. *Pièce à demi désenfumée.*

CONTR. **Enfumer.**
DÉR. **Désenfumage.**

DÉSENGAGEMENT [dezɑ̃gaʒmɑ̃] n. m. — 1465, dr. ; de *désengager.*

♦ Action de désengager, de se désengager. *Politique de désengagement* (d'une alliance). — *Désengagement de capitaux.*

CONTR. **Engagement.**

DÉSENGAGER [dezɑ̃gaʒe] v. tr. — 1462, au p. p. ; de *dés-* (→ 1. Dé-), et *engager.*

♦ **1.** Faire cesser d'être engagé ; retirer (qqn, un groupe humain...) d'un engagement.

1   Se trouver désengagé de la nécessité qui bride les autres.
                                           MONTAIGNE, Essais, II, 232, in LITTRÉ.

Pron. Se libérer de ses engagements (diplomatiques, économiques, politiques, etc.). *Se désengager d'une obligation.*

2   Camus s'est tué en voiture en janvier 60, je crois. Depuis qu'il s'était désengagé, qu'il avait choisi d'être moralement infirmier de la Croix-Rouge plutôt que combattant, il m'avait écrit mais je ne l'avais pas revu.
                                           F. GIROUD, Si je mens, p. 227.

♦ **2.** Vx. Dégager (matériellement). *« Je ne puis désengager mon bras des rênes »* (Chateaubriand, *in* T. L. F.).

CONTR. **Engager.**
DÉR. **Désengagement.**

DÉSENGLUER [dezɑ̃glye] v. tr. — 1627 ; de *dés-* (→ 1. Dé-), et *engluer.*

♦ Rare. Faire cesser d'être englué. *Désengluer un oiseau.* — Fig. Dégager (de ce qui retient). *Désengluer qqn de ses habitudes.* — Pron. *Se désengluer.*
Fig. Se dégager (d'une contrainte, de ce qui retient).

L'homme, l'homme éternel, celui qui avait mis des millions d'années à se désengluer des marais du chaos, à se tenir debout, à prononcer des mots d'amour, l'Homme pensant pouvait regarder son destin en face.
                                           G. CESBRON, Voici le temps des imposteurs, p. 228.

CONTR. **Engluer.**

DÉSENGORGER [dezɑ̃gɔʀʒe] v. tr. — 1872 ; de *dés-* (→ 1. Dé-), et *engorger.*

♦ Techn. Faire cesser d'être engorgé. *Désengorger un tuyau.* — REM. Le dér. *désengorgement* est virtuel.

CONTR. **Engorger.**

DÉSENGOUER (SE) [dezɑ̃gwe] v. pron. — 1857, *in* D. D. L. ; de *dés-* (→ 1. Dé-), et *engouer.*

♦ Perdre l'engouement que l'on a (pour qqn ou qqch.). *Il s'est désengoué du théâtre moderne.*

Bref, les gens du monde s'étaient désengoués de M. de Charlus, non pas pour avoir trop pénétré mais sans avoir pénétré jamais sa rare valeur intellectuelle.
                                           PROUST, le Temps retrouvé, Pl., t. III, p. 766.

CONTR. **Engouer** (s').

DÉSENGOURDIR [dezɑ̃guʀdiʀ] v. tr. — 1553 ; de *dés-* (→ 1. Dé-), et *engourdir.*

♦ Faire cesser l'engourdissement de (qqn). ⇒ **Dégourdir.** *Il se frotta les mains pour les désengourdir.* — Pron. *Il marchait vite pour se désengourdir.*

Il parlait avec netteté. Son esprit se désengourdissait. Lentement, la machine à raisonner s'était mise en branle et elle ne s'arrêtait plus.
                                           F. MAURIAC, le Nœud de vipères, II, XIV, p. 169.

▶ DÉSENGOURDI, IE p. p. adj. *Un membre désengourdi.*

CONTR. **Engourdir, paralyser.**
DÉR. **Désengourdissement.**

DÉSENGOURDISSEMENT [dezɑ̃guʀdismɑ̃] n. m. — 1923, Mauriac, *in* T. L. F. ; de *désengourdir.*

♦ Fait de désengourdir ; cessation de l'engourdissement (de qqn, d'une partie du corps).

CONTR. **Engourdissement.**

DÉSENGRENER [dezɑ̃gʀəne] v. tr. — 1699, v. pron. « se disloquer, sortir des jointures » ; de *dés-* (→ 1. Dé-), et *engrener.*

♦ Techn. Faire cesser d'être engrené. *Désengrener un mécanisme.*

CONTR. **Engrener,** II.

DÉSENIVRER [dezɑ̃nivʀe] v. — 1170 ; de *dés-* (→ 1. Dé-), et *enivrer.*

Rare ou littéraire.

★ **I.** ♦ **1.** V. tr. Faire passer l'ivresse de (qqn). *L'air pur le déseni-vra.* ⇒ **Dégriser, dessoûler** (courant).

♦ **2.** Fig. Tirer d'un état d'exaltation. *Son enthousiasme est tombé, le voilà désenivré.*

(...) se faisant le chauffeur d'une visiteuse du soir, d'un voyageur désenivré qui court après un train fantôme.   Jean CAYROL, Histoire d'un désert, p. 39.

Pron. *Il lui fallut une longue marche pour se désenivrer.*

★ **II.** V. intr. (à la forme négative). Cesser d'être ivre. *Il ne désenivre pas.* ⇒ **Dessouler.**

CONTR. **Enivrer.**

DÉSENLACER [dezɑ̃lase] v. tr. — 1579 ; de *dés-* (→ 1. Dé-), et *enlacer.*

♦ **1.** Vx. Débarrasser des lacs, des liens. *Désenlacer un oiseau.*

♦ **2.** Littér. Faire cesser l'enlacement de.

(...) comme Hercule dut prendre le grand Antée, fils de la Terre, avec des bras enveloppeurs que l'écroulement des cieux n'aurait pu désenlacer.
                                           Léon BLOY, le Désespéré, p. 49.

Pron. *Leurs mains se désenlacèrent.*

CONTR. (Du pron.) **Enlacer** (s').

DÉSENLAIDIR [dezɑ̃lediʀ] v. tr. et intr. — 1826 ; de *dés-* (→ 1. Dé-), et *enlaidir.*

♦ Rendre, devenir moins laid. *Désenlaidir des maisons anciennes.*

CONTR. **Enlaidir.**

DÉSENNEIGER [dezɑ̃neʒe] v. tr. — 1966, *in* P. Gilbert ; de *dés-* (→ 1. Dé-), et *enneiger.*

♦ Techn. Débarrasser (un objet) de la neige qui l'empêche de fonctionner (*déneiger** s'applique aux lieux, aux surfaces). *Désenneiger une porte, une roue bloquée.*

CONTR. **Enneiger.**

DÉSENNUI [dezɑ̃nɥi] n. m. — V. 1500, repris XIXᵉ ; déverbal de *désennuyer,* d'après *ennui.*

♦ Littér. Action de (se) désennuyer. ⇒ **Distraction, divertissement.**

À quel désennui vont-elles? Les unes cherchent ce qu'elles ont déjà aimé, les autres ce qu'elles n'aiment pas encore.
CHATEAUBRIAND, Mémoires d'outre-tombe, III, 13, t. V, p. 130.
CONTR. Ennui.

DÉSENNUYER [dezãnɥije] v. tr. — Se conjugue comme *ennuyer.* — Déb. xvᵉ, *se désennuyer;* de *dés-* (→ 1. Dé-), et *ennuyer.*

♦ (Sujet n. de personne ou de chose). Faire cesser l'ennui. ⇒ **Amuser, changer, délasser, distraire, divertir.** — REM. *Désennuyer* est très faible et garde surtout un aspect négatif. *Désennuyer quelqu'un. Une promenade vous désennuiera de la lecture. Désennuyer qqn de* (et inf.). *Nous ne savons que faire pour le désennuyer.* — Absolt. *Le cinéma désennuie.*

1 Je vous dirai, si vous voulez, pour vous désennuyer, le conte de *Peau d'âne* (...)
MOLIÈRE, le Malade imaginaire, II, 8.
2 Ce qui n'empêchait point Douce et Grâce d'avoir toujours un peu l'œil sur elle, par cet instinct de guet qui se mêle à la domesticité; — espionner désennuie de servir. HUGO, les Travailleurs de la mer, III, I, I.
3 Le roi même aurait été jaloux de la dame de la place Royale *(Marion de Lorme),* chez qui le favori *(Cinq-Mars)* allait se désennuyer trop souvent des exigences de sa charge. Émile HENRIOT, Portraits de femmes, Marion de Lorme, p. 44.

▶ **SE DÉSENNUYER** v. pron.
Dissiper son ennui. ⇒ **Distraire** (se), **divertir** (se). *Faire une partie de cartes pour se désennuyer. Se désennuyer d'une occupation en faisant autre chose.*

4 Afin de se désennuyer, Frédéric changeait de place (...)
FLAUBERT, l'Éducation sentimentale, II, I.
5 (...) cet homme qui touchait au déclin, qui avait parcouru vingt-cinq ans la terre entière sans se désennuyer (...) FRANCE, Jocaste, Œuvres, t. II, p. 20.
6 Menacé par l'ennui qui est le pire ennemi des gens bien depuis la fin du xviiᵉ, il s'engage pour se désennuyer. Jacques LAURENT, les Bêtises, p. 65.
Vx. *Se désennuyer de quelqu'un :* dissiper l'ennui provoqué par l'absence de quelqu'un.
CONTR. Ennuyer.
DÉR. Désennui.

DÉSENORGUEILLIR [dezãnɔʀgœjiʀ] v. tr. — xixᵉ, *in* Littré; de *dés-* (→ 1. Dé-), et *enorgueillir.*

♦ Rare. Rabattre l'orgueil de (qqn). *Les difficultés qu'il a connues l'ont désenorgueilli.*
CONTR. Enorgueillir.

DÉSENRAYAGE [dezãʀɛjaʒ] n. m. — Déb. xxᵉ; de *désenrayer.*

♦ Action de désenrayer (une arme, un mécanisme).
CONTR. Enrayage.

DÉSENRAYER [dezãʀeje] v. tr. — 1694, «ôter la chaîne qui empêche la roue de tourner»; de *dés-* → 1. Dé-, et *enrayer.*

♦ Techn. Réparer (une arme enrayée). *Désenrayer un pistolet.*
CONTR. Enrayer.
DÉR. Désenrayage.

DÉSENRHUMER [dezãʀyme] v. tr. — 1680; de *dés-* (→ 1. Dé-), et *enrhumer.*

♦ Faire cesser le rhume de (qqn). *Ces gouttes m'ont désenrhumé.* — Pron. *Il s'est désenrhumé :* il a cessé d'être enrhumé. — Intrans. (en emploi négatif). *« Je ne désenrhumais pas »* (Goncourt, *Manette Salomon,* p. 51) : j'étais constamment enrhumé.
CONTR. Enrhumer (s').

DÉSENROUER [dezãʀwe] v. tr. — 1580; de *dés-* (→ 1. Dé-), et *enrouer.*

♦ Faire cesser l'enrouement de (qqn). — Pron. *Il s'est désenroué en buvant de l'eau* (Académie).
CONTR. Enrouer (s').

DÉSENSABLEMENT [dezãsabləmã] n. m. — Av. 1870; de *désensabler.*

♦ Action de désensabler; son résultat.
CONTR. Ensablement.

DÉSENSABLER [dezãsable] v. tr. — 1694; de *dés-* (→ 1. Dé-), et *ensabler.*

♦ **1.** Dégager (ce qui était ensablé). *Désensabler une·route, un chalet sur une plage.*

♦ **2.** Débarrasser (un chenal, un port...) du sable qui l'obstrue. *Désensabler un canal.*
CONTR. Ensabler.
DÉR. Désensablement.

DÉSENSEVELIR [dezãsəvliʀ] v. tr. — xvᵉ; de *dés-* (→ 1. Dé-), et *ensevelir.*

♦ Littér. Enlever (un corps) de la sépulture.
CONTR. Ensevelir.

DÉSENSIBILISANT [desãsibilizã] n. m. — 1933; p. prés. de *désensibiliser.*

♦ Méd. Médicament utilisé pour atténuer ou faire disparaître l'intolérance de l'organisme vis-à-vis de certaines substances. *Des désensibilisants généraux.*

DÉSENSIBILISATEUR [desãsibilizatœʀ] n. m. — xxᵉ; de *désensibiliser.*

♦ Didact. Produit qui diminue la sensibilité d'une émulsion photographique.

DÉSENSIBILISATION [desãsibilizasjõ] n. f. — 1925; de *désensibiliser.*
Didact. Action de désensibiliser*; son résultat.

♦ **1.** Photogr. Diminution de la sensibilité (d'une émulsion). *Désensibilisation après exposition.*

♦ **2.** Méd. Suppression de la sensibilisation aux substances qui peuvent provoquer un choc anaphylactique ou une allergie. ⇒ **Accoutumance.** *« Méthode de désensibilisation, c'est-à-dire de tolérance progressivement induite du receveur* (de cœur) *envers les antigènes »* (le Monde, 1ᵉʳ juil. 1967).

♦ **3.** Fig. Action de rendre (qqn) moins sensible à (qqch.). *La désensibilisation de qqn par qqn, par qqch.*
Ce que je crains, c'est un processus de désensibilisation, pour dépasser la sensibilité par l'endurcissement, ou en la tuant, par le dépassement, comme les Brigades rouges. Le fascisme a toujours été une entreprise de désensibilisation.
É. AJAR (R. GARY), l'Angoisse du roi Salomon, p. 22.
CONTR. Sensibilisation.

DÉSENSIBILISER [desãsibilize] v. tr. — 1898, en parlant d'un récepteur radiophonique; de *dés-* (→ 1. Dé-), *sensible,* et suff. verbal.

♦ **1.** Photogr. Diminuer la sensibilité de (un appareil sensible, une émulsion photographique).

♦ **2.** (1926). Méd. Pratiquer une désensibilisation* (2.) sur (un organe, un organisme). — Spécialt. Faire perdre sa sensibilité à (une dent). ⇒ **Dévitaliser.**
Psychiatrie. Faire devenir insensible à l'agression (au moyen d'un agent thérapeutique ou d'une cure psychothérapique).
1 (...) les méthodes de psychanalyse chimique sont devenues à l'ordre du jour et se sont systématisées notamment à la suite de la guerre. Les Américains ont employé la narcose au penthotal dans l'armée dans le but de désensibiliser des sujets troublés par des complexes de frayeur. Henri BARUK, Psychoses et névroses, p. 115.

♦ **3.** Fig. Rendre (qqn) moins sensible à (qqch.). *Désensibiliser l'opinion publique à un problème.*
2 — Tu sais ce que ça veut dire élégiaque?
— Oui.
— Qui est mélancolique et tendre. J'ai un ami qui explique que les étudiants des Brigades rouges ont tué Moro pour se désensibiliser. Tu comprends?
É. AJAR (R. GARY), l'Angoisse du roi Salomon, p. 251.
Pron. *Se désensibiliser à :* devenir insensible à.
CONTR. Sensibiliser.
DÉR. Désensibilisant, désensibilisateur, désensibilisation.

DÉSENSORCELER [dezãsɔʀsəle] v. tr. — Conjug. *appeler.* — 1538; de *dés-* (→ 1. Dé-), et *ensorceler.*

♦ **1.** Faire cesser (qqn) d'être ensorcelé. *Il prétendit qu'on avait jeté un sort sur elle et entreprit de la désensorceler* (Académie). ⇒ **Désenvoûter.**

♦ **2.** Fig. Soustraire (qqn, qqch.) à une forte emprise.
CONTR. Ensorceler, envoûter.
DÉR. Désensorcellement.

DÉSENSORCELLEMENT [dezãsɔʀsɛlmã] n. m. — 1740, Trévoux; de *désensorceler.*

♦ Rare. Action de désensorceler; son résultat. *Croire aux ensorcellements et aux désensorcellements.* ⇒ **Désenvoûtement.**

CONTR. **Ensorcellement.**

DÉSENTASSER [dezɑ̃tase] v. tr. — xvɪᵉ; de *dés-* (→ 1. Dé-), et *entasser.*

♦ Rare. Défaire ce qui est en tas; enlever (qqch.) d'un tas. *Désentasser des vieux journaux.*

CONTR. **Entasser.**

DÉSENTHOUSIASMER [dezɑ̃tuzjasme] v. tr. — Attesté xxᵉ; de *dés-* (→ 1. Dé-), et *enthousiasmer.*

♦ Rare. Faire revenir (qqn) de son enthousiasme. — Pron. Perdre son enthousiame. *« Le plaisir de se désenthousiasmer »* (J. Renard, *Journal*, p. 236).

CONTR. **Enthousiasmer.**

DÉSENTOILAGE [dezɑ̃twalaʒ] n. m. — 1870; de *désentoiler.*

♦ Techn. Action de désentoiler; son résultat. *Le désentoilage d'un tableau.*

CONTR. **Entoilage.**

DÉSENTOILER [dezɑ̃twale] v. tr. — 1864; de *dés-* (→ 1. Dé-), et *entoiler.*

♦ Techn. Enlever la toile, l'entoilage de. *Désentoiler un tableau et le réentoiler avant de le restaurer.*

CONTR. **Entoiler.**
DÉR. **Désentoilage.**

DÉSENTORTILLER [dezɑ̃tɔʀtije] v. tr. — 1611, au p. p.; de *dés-* (→ 1. Dé-), et *entortiller.*

♦ Détortiller. — Fig. Démêler (une situation confuse).

CONTR. **Entortiller.**

DÉSENTRAVER [dezɑ̃tʀave] v. tr. — 1615; de *dés-* (→ 1. Dé-), et *entraver.*

♦ Libérer de ses entraves. *Désentraver un animal.* — Fig. Libérer de contraintes. Au p. p. :

Désentravé, libre du moindre interdit extérieur, c'est de moi que vient l'empêchement, comme s'il fallait qu'il y eût obstacle, en toute circonstance et chez qui que ce fût, lorsque le sexe est en cause.   Claude MAURIAC, le Dîner en ville, p. 231.

CONTR. **Entraver.**

DÉSENTRELACER [dezɑ̃tʀəlase] v. tr. — Conjug. *entrelacer.* → Placer. — xvɪᵉ; de *dés-* (→ 1. Dé-), et *entrelacer.*

♦ Ôter d'un entrelacement; faire cesser l'entrelacement de (plusieurs choses).

CONTR. **Entrelacer.**

DÉSENVASER [dezɑ̃vɑze] v. tr. — 1870; de *dés-* (→ 1. Dé-), et *envaser.*

Technique.

♦ **1.** Débarrasser (qqch.) de la vase. *Désenvaser un bassin.*

♦ **2.** Sortir (qqch., qqn) de la vase. *Désenvaser un bateau.*

CONTR. **Envaser.**

DÉSENVELOPPER [dezɑ̃vlɔpe] v. tr. — 1870; de *dés-* (→ 1. Dé-), et *envelopper.*

♦ Défaire (qqch.) de ce qui (l') enveloppe.

CONTR. **Envelopper.**

DÉSENVENIMER [dezɑ̃vnime] v. tr. — 1553; de *dés-* (→ 1. Dé-), et *envenimer.*

♦ **1.** Faire disparaître le venin de.

♦ **2.** Fig. Rendre moins virulent, moins pénible. *Désenvenimer une querelle.*

CONTR. **Envenimer.**

DÉSENVERGUER [dezɑ̃vɛʀge] v. tr. ⇒ **Déverguer.**

DÉSENVOÛTEMENT [dezɑ̃vutmɑ̃] n. m. — xxᵉ; *desvoultement,* 1370; de *désenvoûter,* ou de *dés-* (→ 1. Dé-), et *envoûtement.*

♦ Opération magique visant à désenvoûter. *Au désenvoûtement peut répondre le « contre-envoûtement ».* ⇒ **Désensorcellement.**
Fig. Le fait d'être désenvoûté (fig.).

CONTR. **Envoûtement.**

DÉSENVOÛTER [dezɑ̃vute] v. tr. — xxᵉ; *desvoulter,* 1370; de *dés-* (→ 1. Dé-), et *envoûter.*

♦ Délivrer de l'envoûtement. *Les moyens de désenvoûter différaient selon les moyens qui avaient servi à envoûter les victimes.* — Fig. (surtout passif et pron.). *Être désenvoûté :* cesser d'être envoûté par qqn, cesser de subir sa domination morale.

D'évidence il cherchait à se désenvoûter.
         Edmonde CHARLES-ROUX, Elle, Adrienne, p. 73.

CONTR. **Envoûter.**
DÉR. **Désenvoûteur.** — V. **Désenvoûtement.**

DÉSENVOÛTEUR, EUSE [dezɑ̃vutœʀ, øz] n. — xxᵉ; de *désenvoûter.*

♦ Personne qui délivre d'un envoûtement. *« On peut considérer le rôle du désenvoûteur comme capital, dans la mesure où il parvient à convaincre la victime d'un envoûtement que nul ne saurait lui nuire par le simple fait de l'esprit »* (l'Express, p. 146, 16 sept. 1974).

DÉSÉPAISSIR [dezepesiʀ] v. tr. — 1572; *despaissir,* xɪvᵉ; de *dés-* (→ 1. Dé-), et *épaissir.*

♦ Rendre moins épais. ⇒ **Éclaircir.** *Désépaissir une sauce. Désépaissir les cheveux.*

CONTR. **Épaissir.**

DÉSÉPAULER [dezepole] v. tr. — 1886; de *dés-* (→ 1. Dé-), et *épauler.*

♦ Techn. Cesser d'épauler (un fusil). — Absolt :

Il faut (...) que, sans désépauler, le tireur puisse faire, à jet continu, emploi de toutes les cartouches enfermées dans le magasin.
      L. FIGUIER, l'Année scientifique et industrielle, 1887, p. 167 (1886).

CONTR. **Épauler.**

DÉSÉPINGLER [dezepɛ̃gle] v. tr. — V. 1900; de *dés-* (→ 1. Dé-), et *épingler.*

♦ Faire cesser d'être épinglé en ôtant l'épingle qui retient (qqch.). *Désépingler une liasse de feuilles.* — Au p. p. *Liasse désépinglée.*

CONTR. **Épingler.**

DÉSÉQUILIBRAGE [dezekilibʀaʒ] n. m. — 1927, in T. L. F.; de *déséquilibrer.*

♦ Techn. Défaut d'équilibrage. *Le déséquilibrage des roues d'une voiture.*

CONTR. **Équilibrage.**

DÉSÉQUILIBRANT, ANTE [dezekilibʀɑ̃, ɑ̃t] adj. — xxᵉ; du p. prés. de *déséquilibrer.*

♦ Qui déséquilibre (au propre et au fig.). *Effet déséquilibrant d'un mouvement brusque. Facteur déséquilibrant dans la vie d'une personne.*

CONTR. **Équilibrant.**

DÉSÉQUILIBRATION [dezekilibʀasjɔ̃] n. f. — 1898; de *déséquilibrer.*

♦ Psychol., physiol. Fait de perdre l'équilibre, un équilibre.

DÉSÉQUILIBRE [dezekilibʀ] n. m. — 1883; de *dés-* (→ 1. Dé-), et *équilibre* ou déverbal de *déséquilibrer.*

♦ **1.** Absence d'équilibre. ⇒ **Instabilité.** *Déséquilibre d'une pièce mécanique, d'un ensemble tournant* ⇒ 2. **Balourd** (n. m.). — Manque d'harmonie, de proportion. *Déséquilibre de forces, de valeurs.*

⇒ **Disparité.** *Il y a déséquilibre entre l'offre et la demande.* ⇒ **Disproportion, inégalité.** *Déséquilibre économique et crise* (cit. 8).

1 S'il *(ce pays, l'Amérique)* accepte, en temps de crise, d'abandonner le fruit de son effort aux pays ruinés, pourra-t-il, voudra-t-il le faire longtemps sans créer un nouveau déséquilibre ? G. DUHAMEL, Manuel du protestataire, I, p. 30.

2 Ce qui m'a le plus frappé, à Paris comme ailleurs, c'est l'espèce d'instabilité, de déséquilibre dont sont atteintes toutes les valeurs, matérielles et morales.
G. DUHAMEL, Récits des temps de guerre, IV, XXVIII, p. 106.

Méd. Trouble de l'équilibre, pendant la marche ou dans la station debout.

♦ **2.** État psychique qui se manifeste par l'impossibilité de mener une vie harmonieuse, par des difficultés d'adaptation, des changements d'attitude immotivés, des réactions asociales. *Déséquilibre de la personnalité. État de déséquilibre. Déséquilibre mental, psychique.* ⇒ **Folie, névrose, psychopathie.** *Déséquilibre émotif.*

3 Je suis partagé entre des tendances qui se contredisent. Un déséquilibre atroce, d'autant plus douloureux que j'ai connu le calme, la foi sereine, le bon feu intérieur (...) MARTIN DU GARD, Jean Barois, I, II, p. 50.
Déséquilibre physiologique, alimentaire. ⇒ aussi **Déséquilibration.**

4 Il est *naturel* que toute grande réforme morale, ce que Nietzsche appellerait toute transmutation de valeurs, soit due à un *déséquilibre* physiologique.
GIDE, Journal, 1889-1939, Feuillets, Pl., p. 665.

CONTR. Équilibre.

DÉSÉQUILIBREMENT [dezekilibRəmã] n. m. — 1886, Zola, *in* D. D. L.; de *déséquilibrer.*

♦ **Littér. et vieilli.** Fait de rendre déséquilibré ; état d'une personne déséquilibrée (mot employé par les Goncourt).

Ce fut alors l'entrée de la papauté dans deux siècles de paix et d'effacement, car les solides monarchies absolues qui s'étaient partagé l'Europe pouvaient se passer d'elle (...) Un déséquilibrement s'était produit dans la possession du peuple.
ZOLA, Rome, p. 25.

DÉSÉQUILIBRER [dezekilibRe] v. tr. — 1860 ; de dés- (→ 1. Dé-), et *équilibrer.*

♦ **1.** Faire cesser l'équilibre de (qqch., qqn). *Il le poussa violemment pour le déséquilibrer.*

1 Il courait à travers la chambre d'hôtel en donnant dans le vide des coups énormes qui le déséquilibraient. SARTRE, le Sursis, p. 84.

1.1 D'un coup de pied imprévu, il poussa sa petite auto dans les jambes du gros menaçant. Il espérait ainsi le déséquilibrer ; ensuite de quoi, il prendrait la fuite. Il avait adopté cette solution rationnelle du fameux problème des deux adversaires de forces disproportionnées. R. QUENEAU, Pierrot mon ami, p. 26.

♦ **2.** Causer le déséquilibre psychique de (qqn). *Cette dernière épreuve l'a complètement déséquilibré.*

▶ **DÉSÉQUILIBRÉ, ÉE** p. p. adj.
Qui n'a pas ou n'a plus son équilibre mental, psychique. *Il est un peu déséquilibré.* ⇒ **1. Fou** (II., 1., cour.) — N. *C'est un déséquilibré, une déséquilibrée.* ⇒ **Névrosé, psychopathe.**

2 (...) les déséquilibrés d'une même espèce sont portés par une secrète attraction à se rechercher les uns les autres. H. BERGSON, le Rire, p. 168.

3 (...) le nombre est fort grand des déséquilibrés, des mélancoliques, des anxieux.
G. DUHAMEL, Manuel du protestataire, III, p. 99.
Un style déséquilibré.

CONTR. Équilibrer.
DÉR. Déséquilibrage, déséquilibrant, déséquilibration, déséquilibre, déséquilibrement.

DÉSÉQUIPER [dezekipe] v. tr. — 1669 ; de dés- (→ 1. Dé-), et *équiper.*

♦ **1.** Mar. (vx). Désarmer (un navire).

♦ **2.** (1873). Enlever l'équipement de (qqn). *Déséquiper un soldat.*

▶ **SE DÉSÉQUIPER** v. pron. :

1 Gilieth ayant posé son fusil au râtelier d'armes, après avoir placé un homme de faction devant la porte, fit un bond, sans se déséquiper, jusqu'à la maison de Kadidja. P. MAC ORLAN, la Bandera, XIII, p. 153.

2 (...) le cheval de Blum encore sellé, même pas attaché, et lui simplement appuyé au mur comme s'il avait eu peur de tomber, avec son mousqueton toujours en bandoulière, sans même avoir le courage de se déséquiper (...)
Claude SIMON, la Route des Flandres, p. 40.

CONTR. Équiper.

1. DÉSERT, ERTE [dezeR, eRt] adj. — 1080, sens mod., et « abandonné » ; jusqu'au XVIIe, en parlant aussi des personnes ; lat. *desertus* « abandonné », p. p. de *deserere* « faire cesser d'être uni », de *de-*, et *serere* « joindre, unir ».

♦ **1.** Sans habitants. *Île, région déserte.* ⇒ **Inhabité.** *Campagne déserte.* ⇒ **Désertique, désolé, sauvage** (→ Anachorète, cit. 2).
— REM. Sauf dans quelques syntagmes (*île déserte*, notamment), cet emploi est archaïque ou littéraire.

1 Cette île (...) est déserte d'hommes. RACINE, Remarques sur l'Odyssée.

C'est un instinct commun à tous les êtres sensibles et souffrants de se réfugier dans les lieux les plus sauvages et les plus déserts (...) 2
BERNARDIN DE SAINT-PIERRE, Paul et Virginie, p. 16.

(...) une roche écartée, un étang désert où le jonc flétri murmurait ! 3
CHATEAUBRIAND, René, p. 193.

Tantôt sur les sommets de ces rochers antiques, 4
Tantôt aux bords déserts de lacs mélancoliques (...)
LAMARTINE, Premières méditations, « L'immortalité ».

À mesure qu'on approche de Port-Royal, le pays se fait plus désert. 5
SUARÈS, Trois hommes, Pascal, I, p. 15.

Par ext. Peu fréquenté. *Quartier retiré, désert et tranquille.* ⇒ **Vide.** *Rue déserte* (→ *Il n'y a pas un chat**).

Et de même qu'un coin désert de Reuilly ne pouvait plus leur donner la détresse de 6
la solitude, de même la foule de la rue Saint-Lazare ou celle de la rue Lafayette, à deux pas de leur maison, gardaient à leurs yeux quelque chose d'invinciblement anonyme. J. ROMAINS, les Hommes de bonne volonté, t. III, p. 319.

♦ **2.** Privé provisoirement de ses occupants. ⇒ **Abandonné, dépeuplé, déserté, dévasté.** *Maison déserte.* ⇒ **Vide.** *Désert de... Une rue déserte de voitures.*

Je ne vois que des tours que la cendre a couvertes, 7
Un fleuve teint de sang, des campagnes désertes. RACINE, Andromaque, I, 2.

(...) Notre-Dame est aujourd'hui déserte, inanimée, morte. On sent qu'il y a quel- 8
que chose de disparu. Ce corps immense est vide ; c'est un squelette ; l'esprit l'a quitté, on en voit la place, et voilà tout. HUGO, Notre-Dame de Paris, IV, III.

Il (le château) était désert, mais non abandonné et nul symptôme de ruine ne s'y 9
faisait remarquer. Le corps était intact, l'âme seule y manquait.
Th. GAUTIER, le Capitaine Fracasse, t. II, XV, p. 169.

(...) nous passons aux chambres froides, salles immenses, désertes, mortelles, que 10
nous traversons au pas de course, entre deux haies de bœufs écorchés (...)
G. DUHAMEL, Scènes de la vie future, VIII.

La rue est déserte : ni voitures sur la chaussée, ni piétons sur les trottoirs. 11
A. ROBBE-GRILLET, Dans le labyrinthe, p. 23.

Littér. (par métonymie). *Un petit matin désert.*

♦ **3.** Fig. et littér. **a** Terne. *Une journée déserte.*

b Sans expression. *Des yeux déserts.*

c *Un cœur désert.* ⇒ **Vide.**

Il y eut un silence dont Mathieu profita pour ensevelir ses souvenirs de la nuit. 12
Quand il sentit que son cœur était désert, il releva la tête (...)
SARTRE, l'Âge de raison, *in* les Chemins de la liberté, t. I, p. 205.

CONTR. Habité, peuplé ; fréquenté, passant, populeux. — Bondé, comble, occupé, plein.
DÉR. Déserter.

2. DÉSERT [dezeR] n. m. — V. 1170 ; bas lat. *desertum*, lat. class. *deserta*, de *desertus.* → 1. Désert.
Lieu sans habitant.

♦ **1.** Géogr. et cour. Zone très sèche, aride et inhabitée. — REM. Ce sens du mot est ancien, et inclus dans le sens 3. *Déserts froids. Déserts chauds. Désert du Sahara, du Kalahari, de Gobi... Sécheresse, brusques variations de température du désert. Infertilité, inhabitabilité, immensité, désolation, silence qui caractérisent le désert. Désert de sable.* ⇒ **Erg.** *Dunes du désert. Désert de pierres, d'escarpements rocheux.* ⇒ **Hamada.** *Vents du désert.* ⇒ **Simoun, sirocco.** *Points d'eau, végétation dans le désert.* ⇒ **Oasis.** *Traverser, passer, franchir un désert. Nomades, bédouins, caravanes de chameaux qui traversent le désert. Vision qui abuse le voyageur franchissant un désert.* ⇒ **Mirage.** *Mourir de soif et d'épuisement dans le désert. — Zones inhabitées rappelant le désert.* ⇒ **Steppe, toundra.** *Saint Jean-Baptiste prêchant dans le désert.*

En ce temps-là parut Jean-Baptiste, prêchant dans le désert de Judée. 1
BIBLE (SEGOND), Évangile selon saint Matthieu, III, 1.

Le spectacle de la mort, partout si auguste et si solennel, semble emprunter au 2
désert une majesté nouvelle. En présence de la mort, l'homme comprend mieux que c'est là le terme inévitable. J. VERNE, l'Étoile du Sud, XIII.

Les sables, les déserts qu'un ciel d'airain calcine (...) 3
HUGO, les Châtiments, V, XI.

(...) un pays plus grand encore et plat, baigné d'une éternelle lumière ; assez vide, 4
assez désolé pour donner l'idée de cette chose surprenante qu'on appelle le désert (...) E. FROMENTIN, Un été dans le Sahara, II, p. 183.

Le désert était, dans les croyances populaires, la demeure des démons. Il existe 5
au monde peu de régions plus désolées, plus abandonnées de Dieu, plus fermées à la vie que la pente rocailleuse qui forme le bord occidental de la mer Morte.
RENAN, Vie de Jésus, VI, Œ., t. IV, p. 156.

« La morne tristesse du désert règne sur cette terre aride... » 6
FRANCE (V. Aride, cit. 3).

Le Sud ! Le désert, les nomades, les terres inexplorées et puis les nègres, tout un 7
monde nouveau, quelque chose comme le commencement d'un univers ! le Sud ! comme cela devient énergique sur la frontière du Sahara.
MAUPASSANT, la Vie errante, p. 95.

Tiens, tu me rappelles Fromentin ou ce pauvre Maupassant, qui a parlé du désert 8
parce qu'il était allé jusqu'à Djelfa, à deux jours de la rue Bab-Azoun et de la place du Gouvernement, à quatre jours de l'avenue de l'Opéra ; — et qui, pour avoir vu près de Bou-Saâda un malheureux chameau en train de crever, s'est cru en plein Sahara, sur l'antique voie des caravanes (...) Le Tidi-Kelt, le désert !
Pierre BENOIT, l'Atlantide, II, p. 43.

Tu sais ce que c'est que le Tanezrouft, le « plateau par excellence », le pays aban- 9
donné, inhabitable, la contrée de la soif et de la faim. Nous étions en cet instant engagés dans la partie de ce désert que Duveyrier appelle Tassili du Sud (...)
Pierre BENOIT, l'Atlantide, XIX, p. 294.

♦ **2.** (Abstrait). Néant, solitude. ⇒ **Vide.** — REM. Cet emploi procède du sens général «lieu sans habitants», mais dans la langue actuelle, il évoque le sens 1, plus courant. *Le désert du monde, de l'âme... Le Désert de l'amour,* roman de F. Mauriac. *Le Désert de Bièvres,* roman de Duhamel.

10 Je ne me plais qu'avec le monde, et tout sans lui m'est un désert et m'ennuie.
BOURDALOUE, Pensées, II, 393, *in* LITTRÉ.

11 J'entre avec une secrète horreur dans ce vaste désert du monde. Ce chaos ne m'offre qu'une solitude affreuse où règne un morne silence.
ROUSSEAU, Julie ou la Nouvelle Héloïse, II, Lettre XIV.

12 La femme belle et vertueuse est le mirage qui peuple de lacs et d'allées de saules notre grand désert moral. RENAN, Souvenirs d'enfance..., Préface, p. 12.

13 Étranger parmi des étrangers, dans une vie étrangère à toute espérance, voilà ce que le solitaire rumine d'être et l'image qu'il se forme de la destinée humaine, quand il s'assied dans l'auberge de la plus noire solitude, qui est le désert des hommes. André SUARÈS, Trois hommes, Ibsen, VII, p. 167.

14 (...) à sa solitude intérieure, il avait ajouté ce désert que crée la soutane autour de l'homme qui la revêt. F. MAURIAC, Thérèse Desqueyroux, VIII, p. 139.

♦ **3.** Vx. Tout lieu inhabité. — Par ext. Vieilli. Lieu peu habité, peu fréquenté.

14.1 Et parfois il me prend des mouvements soudains
De fuir dans un désert l'approche des humains. MOLIÈRE, le Misanthrope, I, 1.

15 Il n'y a rien ici, c'est un désert. Mᵐᵉ DE SÉVIGNÉ, Lettres, 161, *in* LITTRÉ.

16 (...) je ne ferai point un désert de ma maison, parce qu'il s'y passe des choses qui me déplaisent comme à vous. DIDEROT, le Père de famille, III, 7.

17 L'astre de la nuit, ce globe que l'on suppose un monde fini, promenait ses pâles déserts au-dessus des déserts de Rome (...)
CHATEAUBRIAND, Mémoires d'outre-tombe, t. II, p. 251.

Mod. Endroit vide. *Ce pays, ce faubourg est un vrai désert. Paris est un désert pendant les mois d'été.*

18 Paris est une solitude peuplée ; une ville de province est un désert sans solitude.
F. MAURIAC, la Province, p. 7.

Le désert de... : fait d'être désert ; qualité de ce qui est désert.

19 Dans le désert des rues vides ou dans le désert des rues pleines de monde, une femme élégante, femme du monde ou du demi-monde désœuvrée, parfois aussi une ouvrière avait senti qu'il la suivait et avait à demi tourné la tête.
PROUST, Jean Santeuil, Pl., p. 846.

Lieu éloigné de tout. ⇒ **Bled, trou** (cf. Un endroit perdu, un coin retiré).

♦ **4.** Loc. (au sens 1 ou 3). *Prêcher (crier, parler) dans le désert :* parler sans être plus écouté que si l'on était dans un désert (→ ci-dessus, cit. 1).

20 Armando ne se résignait pas à prêcher dans le désert. Les autres n'osaient trop le bousculer, encore moins l'expulser ; sept ans de prison et de travaux forcés, la torture, trente kilos perdus dans l'enfer du camp amazonien le rendaient presque intouchable. Régis DEBRAY, l'Indésirable, p. 64.

Traversée du désert, par allusion à la Bible : longue période d'isolement du pouvoir (pour un homme politique, un parti). «De Gaulle n'a pas oublié les conditions dans lesquelles il a quitté les affaires de l'État en 1946, pour entamer une "traversée du désert" qui allait durer douze ans» (*le Monde,* 30 mars 1969).

21 Je devais le *(de Gaulle)* revoir à Marly, à Colombey, rue de Solférino au temps du R.P.F., puis pendant ce que nous avons appelé «la traversée du désert». On dit qu'il a toujours su qu'il reprendrait le pouvoir.
MALRAUX, Antimémoires, éd. Folio, p. 144.

CONTR. Oasis. — Foule, monde. — Luxuriance, plénitude, richesse.
DÉR. Désertification, désertique.

DÉSERTER [dezɛʀte] v. — XIᵉ ; «rendre un lieu inhabité», v. 1050 ; de 1. *désert.*

♦ **1.** V. tr. Abandonner (un lieu où l'on devrait rester). ⇒ **Abandonner, délaisser, quitter.** *Les paysans désertent les campagnes pour s'installer à la ville.* — Par ext. Ne pas s'acquitter d'une tâche, d'une fonction (rattachée au lieu abandonné). *Déserter son foyer, son poste.* — Absolt et vieilli. *Il lui faudra déserter.* ⇒ **Enfuir** (s'), **partir.**

1 *(Les Romains)* Désertent leur pays pour inonder le nôtre.
RACINE, Mithridate, III, 1.

2 Tout, jusqu'à la servante, est prêt à déserter. BOILEAU, Satires, VIII.

3 (...) il désertait de plus en plus, pour ce métier, l'atelier en plein vent du charpentier, où elle l'avait mis en apprentissage (...) LOTI, RAMUNTCHO, I, 1.

4 Devant une tâche si lourde, comment se défendre d'un mouvement de rancune envers ce frère fugitif, qui, en un pareil moment, désertait son poste ?
MARTIN DU GARD, les Thibault, t. III, p. 273.

V. tr. ind. *Déserter de la maison* (Académie). — Pron. (passif). Devenir désert. *À la tombée de la nuit, toutes les rues se désertaient.*

♦ **2.** (XVIIᵉ ; repris ital.). Absolt ou intrans. (Milit. et cour.). Abandonner l'armée sans permission. ⇒ **Désertion.** *Déserter avec ses effets militaires. Une bonne partie de l'armée a déserté. Déserter à l'intérieur. Déserter à l'ennemi.* ⇒ **Passer** (à l'ennemi), **trahir.**

5 Théodose, averti le matin qu'un bataillon de barbares avait déserté, fut bien aise d'être défait de ces soldats infidèles. FLÉCHIER, Hist. de Théodose, III, 92.

6 *(Le prince d'Auvergne)* déserta aux ennemis comme un cavalier.
SAINT-SIMON, Mémoires, t. II, VI.

7 (...) réfractaires qui, aussitôt un «mauvais numéro» tiré, gagnent les bois, jeunes soldats qui, à peine enrôlés, désertent et rejoignent ces réfractaires (...)
Louis MADELIN, Hist. du Consulat et de l'Empire,
Avènement de l'Empire, XXI, p. 267.

♦ **3.** V. tr. Renier, trahir. *Déserter une cause, une religion, un parti...* ⇒ **Renier, trahir.**

8 Les esprits ont déserté cet aride sol voltairien, sur lequel le soc de l'art s'ébréchait depuis si longtemps pour de maigres moissons.
HUGO, Littérature et philosophie mêlées, But de cette publication.

9 Je comprends qu'on déserte une cause pour savoir ce qu'on éprouvera à en servir une autre. BAUDELAIRE, Journaux intimes, Mon cœur mis à nu, III, Œ., p. 1198.

10 Il était un esprit libre qui entendait, à la fois, ne pas aliéner ses franchises et ne pas déserter la cause du grand peuple laborieux et souffrant (...)
G. DUHAMEL, le Voyage de P. Périot, VII, p. 120.

♦ **4.** V. tr. (Sujet n. de chose). Abandonner. *Les capitaux désertent l'épargne.*

(Sujet n. de personne). Littér. *Déserter qqn.* ⇒ **Négliger, oublier** (→ fam. Lâcher). — Absolt. *Ses amis ont déserté.*

11 Il leur est dur de voir déserter les galants. MOLIÈRE, Tartuffe, I, 1.

12 Durant des semaines et des mois m'habita l'angoisse de la solitude. J'imaginais, j'entendais l'appel désespéré, puis le retombement, de cette âme aimante que tout, sauf Dieu, désertait (...) GIDE, Si le grain ne meurt, I, IX, p. 225.

13 Certains savants aussi se sont jetés dans la bataille politique, mais seulement lorsqu'ils ont senti que le génie de l'invention commençait de les déserter.
G. DUHAMEL, Inventaire de l'abîme, XII, p. 170.

▶ **DÉSERTÉ, ÉE** p. p. adj.
Abandonné, vidé de ses habitants. *Village déserté par ses habitants. Des lieux désertés, sinistres.*

14 (...) je vis en moins de rien
Tout mon camp déserté pour repeupler le sien (...) CORNEILLE, Sertorius, I, 1.

15 Ses honneurs abolis, son palais déserté (...) RACINE, Britannicus, II, 3.

16 J'errais le long d'une maison en vétusté,
M'efforçant de saisir au couloir désert (...)
L'écho des pas de mon père, qui se prolonge. Francis JAMMES, «Sonnet».

CONTR. Rester, revenir. — Rallier, rejoindre. — Défendre, fidèle (être fidèle) ; habiter.
DÉR. Déserteur.

DÉSERTEUR [dezɛʀtœʀ] n. m. — 1243, «celui qui abandonne» ; de *déserter.*

♦ **1.** Vx. Personne qui déserte un endroit, qui abandonne qqn.

♦ **2.** (1680). Mod. Soldat qui déserte ou qui a déserté. ⇒ **Insoumis.** *Déserteur qui passe à l'ennemi.* ⇒ **Transfuge.** *Lois contre les déserteurs. Faire fusiller un déserteur.*

1 Je croirais commettre un crime et mériter la peine de déserteur (...) si j'allais chercher loin de ma patrie dans le malheur une position matérielle meilleure que celle qu'elle peut m'offrir. PASTEUR, *in* H. MONDOR, Pasteur, VI, p. 99.

2 *Désordre dans l'Armée,* en train, écrit-on en frimaire an VIII, de «tomber en dissolution», cette armée que déchirent les mutineries, qu'en masse les réfractaires refusent de rejoindre, qu'abandonnent des milliers de déserteurs (...)
Louis MADELIN, Hist. du Consulat et de l'Empire,
«De Brumaire à Marengo», III, p. 36.

♦ **3.** Personne qui abandonne (une foi, une cause, un corps...). *Les déserteurs de leur cause.* ⇒ **Apostat, renégat, traître** (à).

3 *(Si nous nous donnons la mort)* comme déserteurs de notre charge, nous sommes punis et en celui-ci et en l'autre monde. MONTAIGNE, Essais, II, 26.

4 (...) je veux le faire saisir où je le trouverai, comme déserteur de la médecine (...)
MOLIÈRE, Monsieur de Pourceaugnac, II, 1.

5 Mathan, de nos autels infâme déserteur (...) RACINE, Athalie, I, 1.

6 Combien trouve-t-on de déserteurs de la sévère vertu et combien en trouverez-vous peu de l'amour? Abbé PRÉVOST, Manon Lescaut, I, p. 98.

REM. Les formes fém. *déserteuse* (déb. XXᵉ s.) et *désertrice* (v. 1920) sont inusitées ; on dira d'une femme qu'elle est le *déserteur* d'une cause.

CONTR. Défenseur, fidèle.

DÉSERTIFICATION [dezɛʀtifikasjɔ̃] n. f. — 1960 ; de 2. *désert.*

♦ **1.** Géogr. Transformation d'une région en désert, sous l'action de facteurs climatiques ou humains. «*Au point où nous sommes arrivés, on peut redouter que la dégradation du cadre de vie ne s'accélère sur toute la surface de la terre, jusqu'à la désertification totale*» (*Science et Vie,* nᵒ 106, p. 141, 1974).

♦ **2.** Disparition de toute activité humaine dans une région peu à peu désertée. «*Dans certains secteurs* (du Massif Central) *la désertification est telle qu'elle rend inutile la charge d'entretenir les infrastructures et les équipements de la vie économique et sociale : un seuil est franchi, qui fait le pays mort*» (*le Monde,* 22 mai 1966).

REM. La var. synonymique *désertisation* [dezɛʀtizasjɔ̃] est attestée dans les dictionnaires en 1973.

DÉSERTION [dezɛʀsjɔ̃] n. f. — 1361, «abandon» ; lat. *desertio,* du supin de *deserere.* → 1. Désert.

♦ **1.** Vx. Action de déserter, d'abandonner (qqn, qqch.). *La désertion d'un héritage.* ⇒ **Délaissement.**

♦ **2.** Le fait de déserter, d'abandonner (un lieu). *La désertion des campagnes par les populations.* ⇒ **Abandon.**

♦ 3. (XVIIᵉ). Action de déserter (2.), de quitter l'armée sans autorisation. ⇒ **Insoumission.** *La désertion d'un soldat* (⇒ **Déserteur**). *Désertion en temps de paix, en temps de guerre. Désertion à l'intérieur* (sans passer à l'ennemi); *désertion à l'étranger* (en quittant le pays); *désertion en présence de l'ennemi; désertion à l'ennemi* (en passant dans l'armée ennemie). ⇒ **Trahison.**

1   Une désertion effroyable se mit dans ses troupes (...)
    SAINT-SIMON, Mémoires, IX, 328.

2   Est puni de mort, avec dégradation militaire, tout militaire coupable de désertion à l'ennemi.
    Décret du 9 juin 1857, art. 328.

♦ 4. Action de déserter (une cause, un parti...). ⇒ **Reniement.** *On compte de nombreuses désertions au parti.* ⇒ **Défection.**

3   Dieux! me dit le garde du corps, qui paraissait aussi éperdu que moi de cette infâme désertion, qu'allons-nous faire? Nous ne sommes que deux.
    Abbé PRÉVOST, Manon Lescaut, II, p. 200.

DÉSERTIQUE [dezɛʀtik] adj. — Fin XIXᵉ; de 2. *désert.*

♦ 1. Qui appartient au désert (1.). *Climat désertique. Plante désertique.*

1   (...) le climat désertique nous est apparu comme une sorte de notion limite, vers laquelle tend la dégradation aride de tous les climats (...)
    DE MARTONNE, Géographie physique, t. II, p. 938.

♦ 2. Qui a les caractères du désert. *C'est une région désertique et peu accueillante. Espace désertique.* ⇒ **Aride, inculte, infertile, stérile.**

♦ 3. Vide. *Une salle désertique. Un quartier désertique.* ⇒ **Inhabité.**

2   Elle plongea ses mains dans ses cheveux dénudant ses tempes désertiques.
    S. DE BEAUVOIR, l'Invitée, p. 338.

CONTR. Fertile, riant.

DÉSERTISATION [dezɛʀtizasjɔ̃] n. f. ⇒ **Désertification.**

DÉSESCALADE [dezɛskalad] n. f. — V. 1960; de *dés-* (→ 1. Dé-), et *escalade.*

♦ Opération inverse de l'opération dite escalade*, dans le domaine militaire, diplomatique, social, etc. « *La "désescalade" pourra se définir comme un relâchement progressif des mesures militaires draconiennes précédemment prises. Elle est une forme particulière de "désengagement"* » (la Croix, 3 mai 1970).

CONTR. Escalade.

DÉSESPÉRAMMENT [dezɛspeʀemɑ̃] adv. — XVIIIᵉ, Saint-Simon; de *désespérant.*

♦ Rare. De manière désespérante, qui fait désespérer. *Elle est désespéramment crédule* (→ Désespérément). — Par plais. *Il est désespéramment chanceux, doué, etc. :* sa chance, ses dons font désespérer de soi-même, suscitent l'envie.

DÉSESPÉRANCE [dezɛspeʀɑ̃s] n. f. — V. 1160; inusité aux XVIIᵉ et XVIIIᵉ; repris en 1801, par S. Mercier; de *dés-* (→ 1. Dé-), et *espérance.*

♦ Littér. État d'une personne qui n'a aucune espérance, qui a perdu foi, confiance. ⇒ **Découragement, dégoût, désenchantement, désespoir, lassitude, résignation.** *Attitude de désespérance en face de la vie.* — REM. *Désespérance* est plus abstrait et plus négatif que *désespoir.*

1   Ce fut comme une dénégation de toutes choses du ciel et de la terre, qu'on peut nommer désenchantement, ou, si l'on veut *désespérance;* comme si l'humanité en léthargie avait été crue morte par ceux qui lui tâtaient le pouls.
    A. DE MUSSET, la Confession d'un enfant du siècle, I, II.

2   Oh! l'inoubliable regard de tristesse sans recours, d'infinie résignation à l'infinie désespérance (...)
    LOTI, Suprêmes visions d'Orient, p. 45.

3   (...) elle le regarda avec une pénétrante expression de découragement et de désespérance.
    FRANCE, Jocaste, XI, Œ., t. II, p. 110.

4   Il n'a aucun motif de désespérance et il sait qu'il retrouvera sa vie normale. Mais la fréquentation de la mort, qui rend si précieuse la vie, finit aussi, quelquefois, par en donner le dégoût et, plus souvent, la lassitude.
    G. DUHAMEL, Récits des temps de guerre, I, IX, p. 134.

5   Une fois dehors, il sentit à certains signes qu'il allait être envahi par une forme insidieuse de désespérance, dont il savait la puissance d'amertume, pour l'avoir éprouvée à quelques dates remarquables de sa vie.
    J. ROMAINS, les Hommes de bonne volonté, t. II, XV, p. 180.

CONTR. Confiance, espérance, espoir, foi.

DÉSESPÉRANT, ANTE [dezɛspeʀɑ̃, ɑ̃t] adj. — Fin XVIIᵉ; p. prés. de *désespérer.*

♦ 1. Cour. Qui fait perdre espoir, qui lasse. ⇒ **Décourageant.** *Il n'y a rien à faire, il est d'une obstination désespérante. Cet enfant est désespérant, nous n'en ferons jamais rien.* — Par ext. Qui défie la concurrence. *Il a une chance désespérante.*

♦ 2. Littér. Qui jette dans le désespoir, qui désole. ⇒ **Désolant, navrant.** *Une nouvelle désespérante.*

1   Que d'images effrayantes et désespérantes!
    BOURDALOUE, Exhortation à la charité envers les prisonniers, 2.

Qui apporte la tristesse. *Un paysage, un spectacle désespérant.*

♦ 3. Par ext. Désagréable, fâcheux. *Il fait un temps désespérant,* très mauvais et qui semble ne pas pouvoir changer. *Une lenteur désespérante.*

2   La route était profondément détrempée et l'auto n'avançait qu'avec une désespérante lenteur.   GIDE, Voyage au Congo, in Souvenirs, Pl., p. 738.

CONTR. Consolant, encourageant, réconfortant, réjouissant. — Agréable.

DÉR. Désespéramment.

DÉSESPÉRÉ, ÉE [dezɛspeʀe] adj. ⇒ **Désespérer.**

DÉSESPÉRÉMENT [dezɛspeʀemɑ̃] adv. — Av. 1549; *desespeerement,* v. 1180; de *désespéré.*

♦ 1. Littér. De manière désespérée; avec désespoir. *Il pleurait désespérément. Il se jeta désespérément à genou.* → Prier, cit. 3.

1   On ne pouvait aussi être plus gratuitement, plus continuellement, plus désespérément méchante *(que Mᵐᵉ d'Heudicourt)*   SAINT-SIMON, Mémoires, III, 1.

2   (...) il regrettait désespérément chaque soir les tendresses, les petits soins et les baisers.   MAUPASSANT, les Contes de la Bécasse, « L'aventure de W. Schnaffs ».

Par ext. Cour. *La salle restait désespérément vide,* il n'y avait plus d'espoir qu'elle se remplisse.

♦ 2. Avec acharnement. ⇒ **Follement.** *Il cherchait désespérément à comprendre ce qui se passait. Il lutte désespérément contre la mort.* ⇒ **Farouchement.**

3   Dans le pays nous luttons d'arrache-pied, nous luttons désespérément contre les progrès, contre le maintien de cet empoisonnement *(l'alcoolisme)*
    Ch. PÉGUY, la République..., p. 55.

♦ 3. Exagérément, invariablement. *Le temps restait désespérément pluvieux.*

DÉSESPÉRER [dezɛspeʀe] v. — Conjug. *espérer.* → Céder. — V. 1155; var. *desperer;* de *dés-* → 1. Dé-, et *espérer.*

★ I. ♦ 1. V. tr. ind. **DÉSESPÉRER de :** perdre l'espoir qu'on avait. *Désespérer de quelque chose. Désespérer de sa réussite. Désespérer des efforts de qqn. Le pessimiste désespère de tout.* — *Désespérer de faire quelque chose. Il désespère d'accomplir tout en temps voulu. Nous désespérons de pouvoir jamais y aller.*

1   J'espérais toujours de *(en)* votre salut; mais c'est maintenant que j'en désespère (...)   MOLIÈRE, Dom Juan, V, 4.

2   Dans la plus grande fureur des guerres civiles, jamais on n'a douté de sa parole ni désespéré de sa clémence (...)
    BOSSUET, Oraison funèbre d'Henriette-Anne d'Angleterre.

Il ne désespère pas du résultat; de réussir un jour, il est certain de.

3   (...) je ne désespère pas de lui voir faire en peu de temps (...) un chemin digne de son mérite.   ROUSSEAU, Julie ou la Nouvelle Héloïse, II, Lettre IX.

♦ 2. V. tr. Littér. **DÉSESPÉRER que...** suivi du subjonctif. *Nous commençons à désespérer qu'il aille mieux. Je ne désespère pas qu'il réussisse, qu'il ne réussisse.*

4   Quelque ardeur qu'un chrétien fasse paraître pour la cause de son Dieu, je me défierai toujours, ou plutôt je désespérerai toujours que de la délicatesse des repas, des habits, de l'équipage et du train, il accepte de passer à la rigueur des prisons, des roues et des chevalets (...)
    BOURDALOUE, Petit Carême, I, p. 232, in LITTRÉ.

♦ 3. V. intr. Cesser d'espérer. *Il ne faut pas désespérer, tout s'arrangera.* ⇒ **Décourager** (se); **patience** (perdre patience).

5   Que de sujets de craindre et de désespérer (...)   CORNEILLE, Cinna, IV, 4.

6   Belle Philis, on désespère, / Alors qu'on espère toujours.   MOLIÈRE, le Misanthrope, I, 2.

7   Ainsi, à l'heure où tout semblait perdu, un homme s'était trouvé qui avait dit à Israël de ne pas désespérer.   DANIEL-ROPS, le Peuple de la Bible, IV, I, p. 272.

C'est à désespérer : il n'y a rien à faire, c'est décourageant. *Il est bête à désespérer.*

♦ 4. V. tr. ind. *Désespérer de qqn,* abandonner l'espoir de le voir être ou agir comme on le voudrait.

8   Corrigez votre enfant, et n'en désespérez pas; et ne prenez pas une résolution qui aille à sa mort.   BIBLE (SACY), Proverbes, XIX, 18.

★ II. V. tr. Vieilli. (Sujet n. de chose ou de personne). Réduire (qqn) au désespoir, affliger cruellement. ⇒ **Affliger, chagriner, décourager, tourmenter.** *La mort de ses parents l'a désespéré.* — Mod. Affliger, désoler. *Nous l'avons désespéré en lui apprenant que nous ne viendrions plus.* ⇒ **Décevoir, décourager;** → Assommer, cit. 18.3. *Désespérer qqn par son attitude.* ⇒ **Lasser, rebuter.** — Absolt. *Une telle épreuve a de quoi désespérer.*

9   Ô devoir qui me perd et qui me désespère!   CORNEILLE, Polyeucte, II, 2.

10   (...) elle *(la religion chrétienne)* abaisse infiniment plus que la seule raison ne peut faire, mais sans désespérer (...)   PASCAL, Pensées, VII, 435.

11   (...) elle est d'une adresse à désespérer un diplomate (...)
    BALZAC, la Peau de chagrin, Pl., t. IX, p. 101.

12 Les gens qui m'aiment par intérêt me désespèrent et les gens qui semblent m'aimer de façon désintéressée me déconcertent ou m'assomment.
D. DUHAMEL, le Voyage de P. Périot, III, p. 67.

▶ **SE DÉSESPÉRER** v. pron.

(V. 1175). S'abandonner au désespoir, à un chagrin sans remède. ⇒ **Désoler** (se), **morfondre** (se), **tourmenter** (se); → Donner de la tête* contre les murs, se ronger les sangs*. *Rien n'est perdu, ne vous désespérez pas.*

13 Il acheva de se désespérer
Lorsque la neige, en lui donnant aux joues,
Vint à flocons (...) LA FONTAINE, Contes, L'oraison de Saint Julien.

14 Toutefois j'aurais tort de me désespérer (...) MOLIÈRE, l'Étourdi, I, 2.

15 Landry ne voulut pas écouter cette proposition-là; il ne fit que se désespérer, et s'en retourna à la Priche dans un état qui aurait fait pitié au plus mauvais cœur.
G. SAND, la Petite Fadette, p. 195.

▶ **DÉSESPÉRÉ, ÉE** p. p. adj.

♦ **1.** Qui est livré, réduit au désespoir. *Il est complètement désespéré de cet échec, après cet échec.*

16 (...) elle était désespérée, et des chirurgiens, et de mourir si jeune.
Mme DE SÉVIGNÉ, Lettres, 818, 12 juin 1680.

17 Le Roi, la Reine, Monsieur, toute la cour, tout le peuple, tout est abattu, tout est désespéré. BOSSUET, Oraison funèbre d'Henriette-Anne d'Angleterre.

18 Il faut te dire que j'étais désespéré, oui, dégoûté de tout. Ce qu'on peut être coco, mon vieux, à cet âge-là.
G. DUHAMEL, Chronique des Pasquier, III, XI, p. 138.

19 Un amant, s'il a l'esprit métaphysique, est toujours un amant désespéré; mais il s'attache d'autant plus à cette chair qu'il se sent entraîné avec elle vers l'abîme inéluctable. F. MAURIAC, Souffrances et Bonheur du chrétien, p. 32.

N. *Un désespéré, une désespérée :* celui, celle qui n'a plus d'espoir. *Le Désespéré,* roman de Léon Bloy. — Spécialt. ⇒ **Suicidé.** *On repêcha le corps du désespéré, de la désespérée.*

20 (...) il *(le comte d'Estrées)* est du nombre des désespérés de n'avoir point le bâton.
Mme DE SÉVIGNÉ, Lettres, 422, 2 août 1675.

21 (...) un petit nombre de désespérés qui ne cherchent qu'à périr.
RACINE, Alexandre le Grand, 1re Préface.

22 La naissance est tout, dit-il; ceux qui viennent au monde pauvres et nus sont toujours des désespérés.
A. DE VIGNY, Servitude et Grandeur militaires, III, V, p. 210.

22.1 Ce qu'il est vilain, d'ailleurs. Mais peu importe, car il est mort. Découvrez-vous! Le cadavre baigne dans le sang, dans beaucoup de sang, dans des tonneaux de sang.
Serait-ce un sucide? Quelque jeune désespéré?
R. QUENEAU, le Chiendent, p. 208.

REM. On emploie parfois ce mot pour rendre le sens de l'hispanisme *desperado* (cit. 4).

♦ **2.** Désolé, fâché, navré. *Je suis désespéré de vous avoir fait attendre si longtemps.*

♦ **3.** (1572). Qui exprime le désespoir. ⇒ **Triste.** *Regard, appel désespéré. Chant désespéré.*

23 Les plus désespérés sont les chants les plus beaux,
Et j'en sais d'immortels qui sont de purs sanglots.
A. DE MUSSET, Poésies nouvelles, « La nuit de mai ».

24 Un sanglot désespéré me jaillit du fond des entrailles.
Alphonse DAUDET, le Petit Chose, II, XV, p. 372.

♦ **4.** Extrême; dicté par le danger, par le désespoir. ⇒ **Fou; forcené, suprême.** *C'est un parti désespéré. Une tentative désespérée.*

25 Entreprendre de l'arracher avec violence des mains de G... M..., c'était un parti désespéré, qui n'était propre qu'à me perdre et qui n'avait pas la moindre apparence de succès. Abbé PRÉVOST, Manon Lescaut, II, p. 154.

26 (...) aussi chaque État épouvanté se tenait-il constamment prêt à des mesures désespérées, et la défense était aussi atroce que l'attaque.
A. DE VIGNY, Servitude et Grandeur militaires, I, I, p. 40
(→ aussi Bravade, cit. 4; carnage, cit. 5).

♦ **5.** Qui ne laisse aucune espérance. *La situation des armées est désespérée.*

27 (...) on croit que (...) les choses sont désespérées et qu'il n'y a plus rien à faire.
BOSSUET (→ Athéisme, cit. 3).

28 (...) de me mêler des affaires d'autrui pour de l'argent, de faire souvent réussir les plus désespérées. CHAMFORT, le Marchand de Smyrne, 10, *in* LITTRÉ.

Spécialt, en parlant de la santé. *État désespéré d'un malade. C'est un cas désespéré. Malade désespéré.* ⇒ **Condamné, perdu**; fam. **fichu, foutu.**

29 (...) abandonné des médecins, désespéré, à l'agonie (...)
MOLIÈRE, le Malade imaginaire, III, 10.

30 J'ai forcé la dose, sciemment. Le cas était désespéré (...)
MARTIN DU GARD, les Thibault, t. III, p. 214.

CONTR. Confiance (avoir confiance), **espérer, foi** (avoir foi), **persévérer. — Aise** (être bien aise), **content** (être content de). **— Combler, consoler, encourager, réconforter, réjouir, satisfaire. — Faire** (ne pas s'en faire).

DÉR. (De *désespéré*) **Désespérément.**

DÉSESPOIR [dezɛspwaʀ] n. m. — V. 1160; de *dés-* (→ 1. Dé-), et *espoir.*

♦ **1.** Perte d'un espoir ou de tout espoir; état d'une personne sans espoir. ⇒ **Angoisse, découragement, dégoût, désespérance, détresse.** *Philosophie du désespoir. Lutter contre le désespoir.*

Le désespoir est la plus grande de nos erreurs. 1
VAUVENARGUES, Maximes et réflexions, 523.

La vérité sur la vie, c'est le désespoir. A. DE VIGNY, Journal d'un poète, p. 93. 2

Il faut travailler, sinon par goût, au moins par désespoir, puisque, tout bien vérifié, travailler est moins ennuyeux que s'amuser. 3
BAUDELAIRE, Journaux intimes, Mon cœur mis à nu, XVIII.

Le désespoir est un crime. J. LEMAITRE, les Rois, p. 256. 4

(...) le savant, persuadé que tout autour de nous n'est qu'apparence et duperie, s'enivre de cette mélancolie philosophique et s'oublie dans les délices d'un calme désespoir. FRANCE, le Jardin d'Épicure, p. 105. 5

(...) le désespoir n'est pas seulement péché contre l'adorable bonté divine : les incroyants même conviendront avec moi que c'est un attentat de l'homme contre lui-même et, si je puis dire, un suicide moral. 6
SARTRE, la Mort dans l'âme, II, p. 237.

(...) l'habitude du désespoir est pire que le désespoir lui-même. 7
CAMUS, la Peste, III, p. 200 (→ aussi Abdiquer, cit. 6).

♦ **2.** Loc. *Faire le désespoir de qqn,* le contrarier en lui montrant une impossibilité. — *Le désespoir de (qqn) :* ce que qqn ne peut arriver à faire, à imiter, à réussir. *Ce genre de paysage est le désespoir des peintres.*

Si l'on avait exhumé ce morceau, on en ferait le désespoir des modernes. 8
DIDEROT, le Salon de 1765, Œ, t. XIII, p. 340.

(...) Phryné, désespoir du pinceau d'Apelle et du ciseau de Praxitèle (...) 9
CHATEAUBRIAND, Mémoires d'outre-tombe, t. VI, p. 294.

Quant à la propreté, le poli de ses casseroles faisait le désespoir des autres servantes. FLAUBERT, Trois contes, « Un cœur simple », I. 10

Loc. **DÉSESPOIR DES PEINTRES :** saxifrage* ombreuse, plante à fleurs très délicates.

Une petite fleur blanche tellement imperceptible qu'on l'appelle « Désespoir du peintre ». CLAUDEL, Journal, 8 juil. 1930. 10.1

♦ **3.** Loc. adv. (1835). Dr. (vx). **EN DÉSESPOIR DE CAUSE*** : en étant à bout d'arguments, de raisons. — Cour. *Faire qqch. en désespoir de cause,* comme une dernière tentative et sans espoir de succès.

♦ **4.** (Mil. XVIe). Affliction extrême et sans remède; état de celui qui n'a pas d'espoir. ⇒ **Affliction, chagrin, désolation, détresse** (→ Abattement, cit. 2). *Désespoir extrême. Sombre désespoir. Désespoir calme et froid. Coup, accès de désespoir.* Littér. *Un ouragan* (cit. 3) *de désespoir. La frénésie du désespoir.* → Pierre, cit. 4.1. *Un paroxysme de désespoir.* → ci-dessous, cit. 19.1. *Démonstrations de désespoir; cris, lamentations de désespoir. Se tordre les mains, s'arracher* (cit. 50) *les cheveux de désespoir. Être en proie au désespoir. Plein de remords et de désespoir. Se plonger, se jeter, sombrer dans le désespoir. S'abandonner au désespoir. Pousser, porter, livrer qqn au désespoir; mettre* (→ Persister, cit. 1), *réduire qqn au désespoir. Se suicider par désespoir d'amour.*

Ô rage, ô désespoir, ô vieillesse ennemie! CORNEILLE, le Cid, I, 1. 11

— Que vouliez-vous qu'il fît contre trois? — Qu'il mourût, 12
Ou qu'un beau désespoir alors le secourût. CORNEILLE, Horace, III, 6.

(...) si vous me réduisez au désespoir, je vous avertis qu'une femme en cet état est capable de tout (...) MOLIÈRE, George Dandin, III, 6. 13

Ôtez-la moi, cette vie odieuse et insupportable, car, dans le désespoir où vous me jetez, la mort sera une faveur pour moi. 14
Abbé PRÉVOST, Manon Lescaut, II, p. 195.

Mais, mon enfant, dans aucune circonstance de la vie, il ne faut s'abandonner au désespoir. MÉRIMÉE, Arsène Guillot, I. 15

J'étais en proie à un sombre désespoir. FRANCE, le Petit Pierre, VI, p. 29. 16

(...) elle sent des cris de désespoir et de révolte la traverser tout entière comme ceux qu'on entend sur les vaisseaux qui vont sombrer. 17
PROUST, les Plaisirs et les Jours, p. 134.

Deux régimes de désespoir : le désespoir doux, la résignation active (« Je vous aime comme il faut aimer, dans le désespoir »), et le désespoir violent : un jour, à la suite de je ne sais quel incident, je m'enferme dans ma chambre et j'éclate en sanglots : je suis emporté par une vague puissante, asphyxié de douleur; tout mon corps se raidit et se révulse (...) 17.1
R. BARTHES, Fragments d'un discours amoureux, p. 59.

Un, des désespoirs : moment, accès de désespoir. ⇒ **Déception, désillusion.**

De mille désespoirs mon cœur est assailli. CORNEILLE, la Place royale, II, 3. 18

La Vallière eut des jalousies et des désespoirs inconcevables. 19
Mme DE LA FAYETTE, Hist. d'Henriette-Anne d'Angleterre, III.

Elle se croyait même au début d'une période heureuse et tranquille quand la mort de sa mère vint la frapper en plein cœur. Ce fut, pendant les premiers jours, un de ces désespoirs profonds qui ne laissent place à nulle autre pensée. Elle restait du matin au soir abîmée dans la désolation, cherchant à se rappeler mille choses de la morte, des paroles familières, sa figure d'autrefois, des robes qu'elle avait portées jadis, comme si elle eût amassé au fond de sa mémoire des reliques, et recueilli dans le passé disparu tous les intimes et menus souvenirs dont elle alimenterait ses cruelles rêveries (...) Puis quand elle fut arrivée ainsi à un tel paroxysme de désespoir, qu'elle avait à tout instant des crises de nerfs et des syncopes, toute cette peine accumulée jaillit en larmes, et, jour et nuit, coula de ses yeux. MAUPASSANT, Fort comme la mort, p. 180. 19.1

♦ **5.** Ce qui cause une grande contrariété. *Cet enfant est le désespoir, fait le désespoir de ses parents.*
Être au désespoir : regretter vivement. ⇒ **Contrarié** (être contrarié), **désespéré...** (→ Dégoûté, cit. 16). *Je suis au désespoir de n'avoir pu vous rendre service.*

Monsieur, j'en suis au désespoir. MOLIÈRE, le Malade imaginaire, II, 2. 20

Je vois que toutes ces femmes de bien sont au désespoir de ce qu'on m'a honorée de cette qualité. FONTENELLE, le Jugement de Pluton. 21

CONTR. Confiance, espérance, espoir, foi. — Consolation, contentement, joie, ravissement.

DÉSÉTATISATION [dezetatizɑsjɔ̃] n. f. — V. 1964 ; de *désétatiser*.

♦ Écon., polit. Action de désétatiser ; son résultat (→ Dénationalisation).

CONTR. Étatisation.

DÉSÉTATISER [dezetatize] v. tr. — V. 1966 ; de *dés-* (→ 1. Dé-), et *étatiser*.

♦ Écon., polit. Réduire la part de gestion et de financement de l'État dans (une entreprise, une industrie...). → Dénationaliser.

CONTR. Étatiser, nationaliser.
DÉR. Désétatisation.

DÉSEUROPÉANISATION [dezœʀɔpeanizɑsjɔ̃] n. f. — xxᵉ ; de *dés-* (→ 1. Dé-), et *européanisation*.

♦ Disparition du caractère européen, suppression de l'hégémonie européenne.

(...) il est symptomatique encore que le siège de la nouvelle Société des Nations soit désormais aux États-Unis, symptomatique aussi que la Russie ait déplacé son foyer industriel à l'Est de l'Oural. Il y a là déseuropéanisation d'un monde qui s'asiatise ou s'américanise. André SIEGFRIED, l'Âme des peuples, II, p. 18.
REM. Le verbe *déseuropéaniser* est virtuel.

CONTR. Européanisation.

DÉSEXCITATION [dezɛksitɑsjɔ̃] n. f. — Mil. xxᵉ ; de *désexciter*.

♦ Phys. Processus par lequel un noyau atomique cesse d'être excité. « *Les raies* spectrales *de désexcitation nucléaire* » (*la Recherche*, janv. 1975, p. 34). « *La désexcitation d'un noyau, consécutive à son excitation par choc avec une particule de haute énergie, produit des raies à une énergie de l'ordre du million d'électrons-volts* (MeV) » (*la Recherche*, mai 1981, p. 536).

DÉSEXCITER [dezɛksite] v. tr. — Mil. xxᵉ ; de *dés-* (→ 1. Dé-), et *exciter*, II.

♦ Phys. Provoquer la désexcitation* de (un noyau atomique).

▶ SE DÉSEXCITER v. pron.
Subir la désexcitation. « *L'état excité se désexcite ensuite par émission d'une particule* » (*la Recherche*, déc. 1979, p. 1195).

DÉR. Désexcitation.

DÉSEXUALISATION [desɛksɥalizɑsjɔ̃] n. f. — 1955, ling., *in* D.D.L. ; de *désexualiser*.

♦ Fig. Didact. (psychol., psychan.). Action de désexualiser, de se désexualiser. *Désexualisation et sublimation*.

CONTR. Sexualisation.

DÉSEXUALISER [desɛksɥalize] v. tr. — 1921 ; *désexualisé* (Roucher) « qui a changé de sexe », fin xviiiᵉ ; de 1. *dé-*, et *sexualiser*.

♦ Psychol., psychan. Ôter le caractère sexuel à (un comportement, un sentiment, une interprétation).

1 Il *(Jung)* renonce à parler des questions trop intimes avec ses patients. Il désexualise la notion de *libido* et réduit les fantasmes d'inceste et de castration à une simple expression symbolique inférieure utilisée pour s'exprimer par les tendances supérieures. D. ANZIEU, le Moment de l'apocalypse, *in* La Nef, nᵒ 31, p. 129.

2 Le strip-tease — du moins le strip-tease parisien — est fondé sur une contradiction : désexualiser la femme dans le moment même où on la dénude. R. BARTHES, Mythologies, 1957, p. 146.

Pron. *Se désexualiser* : perdre son caractère sexuel.

3 Il en est de même de toutes les activités *(fonction du réel, art, etc.)* dans la genèse desquelles intervient un fort contingent de sexualité, mais qui se sont ensuite, comme l'a montré Jung, élargies et désexualisées dans l'essentiel. E. MOUNIER, Vue d'ensemble, tiré du « Traité du Caractère » (1948), *in* Dʳ WILLY, la Sexualité, t. I, p. 24.

CONTR. Sexualiser.
DÉR. Désexualisation.

DÉSHABILLAGE [dezabijaʒ] n. m. — 1877 ; de *déshabiller*.

♦ 1. Action de déshabiller, de se déshabiller. *Le déshabillage des mannequins. Un déshabillage rapide, progressif, savant. Déshabillage spectacle.* ⇒ Effeuillage, strip-tease.

♦ 2. Fig. Manière crue de faire apparaître la vérité. *Un déshabillage littéraire impudique.* ⇒ Strip-tease (fig.).

(...) cette nudité, ce déshabillage de tout ce que lui avait apporté sa vie, sa vie heureuse, elle l'acceptait. GIRAUDOUX, les Aventures de Jérôme Bardini, p. 64.

CONTR. Habillage.

DÉSHABILLÉ [dezabije] n. m. ⇒ Déshabiller, p. p. adj., B.

DÉSHABILLER [dezabije] v. tr. — Fin xivᵉ ; de *dés-* (→ 1. Dé-), et *habiller*.

♦ 1. Dépouiller (qqn) de ses vêtements. ⇒ Dévêtir. *Détacher, déboutonner les vêtements de qqn pour le déshabiller.* ⇒ Défaire. *Déshabiller un enfant pour le mettre au lit.*

Deux demoiselles masquées et un nain masqué (...) le vinrent déshabiller sans savoir de lui s'il avait envie de se coucher (...) le nain le déchaussa ou débotta et puis le déshabilla. SCARRON, le Roman comique, I, IX, p. 35. [1]

Pendant ce temps on me déshabille, et je deviens la proie des attouchements les plus impudiques. SADE, Justine..., t. I, p. 131. [1.1]

Absolument :

Cependant la modeste *Octavie* peu faite à de pareils outrages, répand des larmes et se défend. — Déshabillons, déshabillons, dit *Antonin*, on ne peut rien voir comme cela ; il aide à *Séverino* et dans l'instant les attraits de la jeune fille paraissent à nos yeux sans voile. SADE, Justine..., t. I, p. 209. [1.2]

Déshabiller qqn du regard, le déshabiller par la pensée.

(...) Ivich n'était qu'une proie, il la déshabillait d'un regard connaisseur et sensuel (...) SARTRE, l'Âge de raison, XV, p. 259. [2]

Loc. *Déshabiller (saint) Pierre pour habiller (saint) Paul* : contracter une dette pour s'acquitter d'une autre.

♦ 2. Techn. Enlever le revêtement, les accessoires de (qqch.). *Déshabiller un fauteuil. Déshabiller un mur, une chambre*, en ôter la décoration, les meubles. ⇒ Dégarnir.

Dépouiller un animal de sa peau. ⇒ Écorcher. *Déshabiller un lapin, un mouton.*

♦ 3. Fig. Mettre à nu. ⇒ Découvrir, démasquer, étaler, exhiber, montrer.

Où est l'utilité, pour une femme, de déshabiller sa conduite et de la mettre toute nue devant le monde ? COURTELINE, Boubouroche, I, 2, p. 122. [3]

Quelle est l'essentielle fonction du poète comique à l'égard de l'homme ? C'est de le déshabiller. Émile FAGUET, Études littéraires, XVIIᵉ s., Molière, III, p. 282. [4]

(...) cette sorte de désintéressement artistique qui fait que l'écrivain, n'ayant peur ni de terrifier le cerveau moyen ni de contrister tels amis ou tels maîtres, déshabille sa pensée selon le calme impudeur de l'innocence extrême du vice parfait, — ou de la passion. R. DE GOURMONT, le Livre des masques, p. 129. [5]

▶ SE DÉSHABILLER v. pron.
Enlever, retirer ses habits. ⇒ Dévêtir (se) ; et aussi déboutonner (se), déculotter (se), dégrafer (se), délacer (se). *Se déchausser et se déshabiller pour se coucher. Se déshabiller dans une cabine de bain. Déshabillez-vous jusqu'à la ceinture. Déshabillez-vous entièrement, complètement. Se déshabiller pour changer de vêtements.*

Un de mes amis me mena l'autre jour dans la loge où se déshabillait une des principales actrices. MONTESQUIEU, Lettres persanes, XXVIII. [6]

Que pour te déshabiller
Tes bras se fassent prier. BAUDELAIRE, les Fleurs du mal, « Tableaux parisiens », LXXXVIII. [7]

Haverkamp se déshabille avec une certaine méthode, vérifiant l'emplacement du portefeuille, des clefs, de la montre (...) J. ROMAINS, les Hommes de bonne volonté, t. V, VIII, p. 66. [8]

J'ai cinq ans, j'ai mes gants blancs, elle s'habille, se déshabille, se rhabille, nous sortirons, j'aurai pour mère la femme la plus chic de la ville. Violette LEDUC, la Folie en tête, p. 540. [8.1]

Enlever les vêtements destinés à être portés au dehors (manteau, gants, etc.). ⇒ Aise (se mettre à l'aise), découvrir (se), défaire (se). *Déshabillez-vous dans le vestibule. Se déshabiller au vestiaire avant de pénétrer dans une salle de théâtre.*

▶ DÉSHABILLÉ, ÉE p. p. adj. et n. m.

A. Adj. ♦ 1. Dépouillé de ses vêtements. ⇒ Chemise (en), court-vêtu, décolleté, dévêtu, nu. *Il était déjà déshabillé et prêt à se mettre au lit. — Porter une robe très déshabillée*, légère, qui laisse nue une partie du corps. — Dépouillé de ses accessoires. *Une pièce déshabillée.*

♦ 2. Littér. Sans défense.

N'avez-vous donc pas compris quelle immense amitié il fallait que j'eusse pour vous pour me permettre de vous dire tout cela, pour me montrer à vous si nu, si déshabillé, si faible, vous qui m'accusez d'orgueil ? FLAUBERT, Correspondance, p. 335 (1851). [8.2]

B. N. m. (1627). UN DÉSHABILLÉ. ♦ 1. Tenue légère portée par une femme dans l'intimité (surtout dans : *en déshabillé*). *Être en déshabillé, recevoir qqn en déshabillé.* ⇒ Négligé ; cf. En tenue légère, en petite tenue.

Elle paraît ordinairement avec une coiffure plate et négligée, en simple déshabillé (...) LA BRUYÈRE, les Caractères, III, 73. [9]

(...) il est entré dans l'appartement de la dame qu'il a surprise endormie sur un lit de repos dans un galant déshabillé. A. R. LESAGE, le Diable boiteux, IX, p. 98. [10]

Je ne crains rien tant dans le monde qu'une jolie personne en déshabillé ; je la redouterais cent fois moins parée. ROUSSEAU, les Confessions, V. [11]

Arrivée dans ce temple de l'Amour, je choisis le déshabillé le plus galant. Celui-ci est délicieux, il est de mon invention : il ne laisse rien voir, et pourtant fait tout deviner. LACLOS, les Liaisons dangereuses, lettre X. [12]

Fig. Vieilli. Absence d'apprêt. ⇒ Naturel. *En déshabillé* : sans apprêt, sans protocole.

Je l'ai reçu carrément et dans tout le déshabillé franc de ma pensée. FLAUBERT, Correspondance, t. II, p. 172. [13]

♦ 2. Mod. Vêtement féminin d'étoffe légère plus luxueux que le peignoir* ou la robe* de chambre. ⇒ **Saut** (de lit). *Un déshabillé de soie, de dentelle.*

14 Un déshabillé de Chantilly noir, arachnéen, évoquait de scandaleuses nudités.
          A. MAUROIS, Terre promise, VIII, p. 49.

CONTR. **Couvrir, habiller, vêtir.** — **Garnir, recouvrir.** — **Dissimuler.**
DÉR. **Déshabillage, déshabilleur, déshabilloir.**

DÉSHABILLEUR, EUSE [dezabijœʀ, øz] adj. — 1891 ; de *déshabiller.*

♦ Rare. Qui déshabille. «*Un regard déshabilleur*» (Mirbeau, *in* T. L. F.). *Des gestes déshabilleurs.*

N. (⇒ **Habilleur**) :

L'habilleuse entra : Vous avez besoin de moi, mademoiselle ? — Non merci. J'ai mon déshabilleur. À demain, Mauricette.
          Michel DÉON, les Vingt Ans du jeune homme vert, p. 315.

CONTR. **Habilleur.**

DÉSHABILLOIR [dezabijwaʀ] n. m. — 1966, *in* P. Gilbert ; de *(se) déshabiller.*

♦ Rare. Cabine où l'on peut se déshabiller, se changer (dans un magasin, une piscine, sur une plage).

DÉSHABITÉ, ÉE [dezabite] adj. — V. 1160 ; repris au XIXᵉ, Chateaubriand ; de *dés-* (→ 1. Dé-), et *habité*, p. p. de *habiter.*

♦ Littér. Qui a cessé d'être habité (au fig.) :

1 Un jour vient où l'être vrai reparaît, que le temps lentement déshabille de tous ses vêtements d'emprunt ; et, si c'est de ces ornements que l'autre est épris, il ne presse plus contre son cœur qu'une parure déshabitée, qu'un souvenir (...)
          GIDE, les Faux-monnayeurs, I, VIII, *in* Romans, Pl., p. 987.
2 (...) le Rhin déshabité par le courant, ralenti par ce surcroît de chaleur (...)
          Pierre GASCAR, les Bêtes, p. 159.

Fig. *Une tête déshabitée* (Goncourt), vide de pensées.

DÉSHABITER [dezabite] v. tr. — 1547 ; «rendre inhabitable», 1395 ; de *dés-* (→ 1. Dé-), et *habiter.*

Rare.

♦ **1.** Cesser d'habiter (un lieu).

♦ **2.** Fig., littér. Quitter, déserter (une idée, une situation...).

▶ **DÉSHABITÉ, ÉE** p. p. ⇒ **Déshabité**, adj.

CONTR. **Habiter.**

DÉSHABITUER [dezabitɥe] v. tr. — V. 1420, au p. p. ; de *dés-* (→ 1. Dé-), et *habituer.*

♦ Faire perdre une habitude (à qqn). ⇒ **Désaccoutumer.** *Déshabituer qqn de l'alcool. Déshabituer un enfant de manger avec ses doigts.*

▶ **SE DÉSHABITUER** v. pron.

Se défaire d'une habitude. *Se déshabituer des cigarettes, de fumer. N'essayez pas ! Vous ne pourrez plus vous en déshabituer.*

1 L'action violente et hâtive est un alcool. L'intelligence qui y a goûté a bien de la peine ensuite à s'en déshabituer ; et sa croissance normale risque d'en rester forcée et faussée pour toujours.
          R. ROLLAND, Jean-Christophe, X, p. 47.
2 Jacques aurait voulu dire quelque chose, mais sa vie solitaire, les camaraderies politiques, l'avaient déshabitué des épanchements.
          MARTIN DU GARD, les Thibault, t. V, p. 295.
3 Les méfaits du théâtre psychologique venu de Racine nous ont déshabitués de cette action immédiate et violente que le théâtre doit posséder.
          A. ARTAUD, le Théâtre et son double, Le théâtre et la cruauté, p. 29, Idées/Gallimard.

CONTR. **Accoutumer, habituer.**

DÉSHARMONIE [dezaʀmɔni] n. f. — 1790 ; de *dés-* (→ 1. Dé-), et *harmonie.*

♦ Didact. ou littér. État de ce qui manque d'harmonie.

Pour qu'une chose soit comique, disait-il, il faut qu'entre l'effet et la cause il y ait désharmonie.
          H. BERGSON, le Rire, p. 155.

CONTR. **Harmonie.**

DÉSHÉMOGLOBINISER [dezemɔglɔbinize] v. tr. — 1922 ; de *dés-* (→ 1. Dé-), *hémoglobine*, et suff. *-iser.*

♦ Didact. (méd.). Supprimer l'hémoglobine de.

(...) au lieu de déposer la sérosité *(provenant du chancre)* sur une lame avec du sérum, on fait une série de touches avec la lame, recueillant, à chaque touche, une gouttelette de cette sérosité. Cette lame est ensuite séchée à l'air libre, déshémoglobinisée avec le liquide de Ruge, puis traitée par le tanin et le nitrate d'argent ammoniacal.
          J. PAYENNEVILLE, le Péril vénérien, La syphilis, p. 44.

DÉSHERBAGE [dezɛʀbaʒ] n. m. — 1907 ; de *désherber.*

♦ Action de désherber ; son résultat.

On les *(enfants)* a renvoyés dans leurs foyers tout simplement parce qu'ils avaient achevé leur travail, un très léger travail de désherbage.   1
          GIDE, Voyage au Congo, *in* Souvenirs, Pl., p. 809.

REM. On rencontre plus rarement le mot *désherbement :*

Chaque année, après que les eaux se sont retirées, les indigènes doivent procéder   2
aux remblais et aux désherbements.
          GIDE, le Retour du Tchad, I, *in* Souvenirs, Pl., p. 888.

DÉSHERBANT, ANTE [dezɛʀbɑ̃, ɑ̃t] adj. et n. m. — XXᵉ ; p. prés. de *désherber.*

♦ Qui désherbe, fait mourir la mauvaise herbe. *Poudre désherbante.*
N. m. Produit désherbant. ⇒ **Herbicide.**

(...) une maison qui avait une cour pavée, qu'envahissaient herbes, mousses et plantes diverses. Les désherbants ne permettaient pas de s'en débarrasser, en raison des chevelus de racines qui couraient sous les pavés (...)
          ARAGON, Blanche..., III, I, p. 375.

DÉSHERBER [dezɛʀbe] v. tr. — 1837 ; de *dés-* (→ 1. Dé-), *herbe*, et suff. verbal.

♦ Enlever les mauvaises herbes de (un lieu). ⇒ **Sarcler.** *Désherber les allées d'un parc, un champ cultivé.* Absolt. *Jardinier en train de désherber.*

Lorsqu'un officier y venait en visite chacun de nous se penchait le plus possible   1
sur une tombe, la désherbant avec application, avec un air d'urgence (...)
          Pierre GASCAR, le Temps des morts, p. 255.
(...) penchés, courbés, pliés, *en deux* comme le disait ma grand-mère (....) pour   2
tailler, sarcler, biner, choyer, désherber (...)   Ch. PÉGUY, la République..., p. 268.

CONTR. **Enherber.**
DÉR. **Désherbage, désherbant.**

DÉSHÉRENCE [dezeʀɑ̃s] n. f. — 1285 ; de *des-* (→ 1. Dé-), anc. franç. *heir, hoir* «héritier», et suff. *-ence.*

♦ Dr. Absence d'héritiers pour recueillir une succession qui est en conséquence dévolue à l'État. *Succession en déshérence, qui tombe en déshérence.*

M. Santeuil dont la robuste insouciance s'épuisait avec l'âge, sa santé devenant moins bonne et, par suite d'une retraite qui commençait à sonner, ses occupations moins nombreuses, restait aussi songeur le soir, pendant que son fils était au bal et se demandait parfois si après sa mort, sa fortune, l'honneur réputé de son nom bourgeois, loin d'être accrus par son fils ne tomberaient pas en déshérence.
          PROUST, Jean Santeuil, Pl., p. 676.

Fig. *En déshérence :* à l'abandon. «*Ces terres étaient tombées depuis longtemps en déshérence*» (Raymond Abellio, *Ma dernière mémoire*, t. II, p. 67).

DÉSHÉRITEMENT [dezeʀitmɑ̃] n. m. — V. 1160, *deseritement* ; de *déshériter.*

♦ Rare. Action de déshériter (1.) qqn ; son résultat. ⇒ **Exhérédation.**

DÉSHÉRITER [dezeʀite] v. tr. — V. 1140 ; de *dés-* (→ 1. Dé-), et *hériter.*

♦ **1.** Priver (qqn) de la succession sur laquelle il pouvait compter. ⇒ **Exhéréder.** *Père qui déshérite son fils. Menacer un parent de le déshériter.*

— Je te renonce pour mon fils. — Soit. — Je te déshérite.   1
          MOLIÈRE, l'Avare, IV, 5.
Fauste est un dissolu, un prodigue, un libertin, un ingrat, un emporté, qu'*Aurèle,*   2
son oncle, n'a pu haïr ni déshériter.   LA BRUYÈRE, les Caractères, XI, 107.

Par ext. Priver (qqn) d'un héritage, d'une succession.

Vous qui déshéritant le fils de Claudius,   3
Avez nommé César l'heureux Domitius ?   RACINE, Britannicus, I, 1.

Par métaphore. *Déshériter qqn de* (un bien normalement transmis, reçu), l'en priver.

♦ **2.** (Av. 1203). Fig. (Sujet n. de chose : puissance abstraite, etc.). Priver (qqn) des avantages naturels. ⇒ **Désavantager.** *La nature l'a bien déshérité.*

▶ **DÉSHÉRITÉ, ÉE** p. p. adj.

♦ **1.** Privé d'héritage. *Un enfant déshérité.*

♦ **2.** Fig. Désavantagé. *Pays stérile, déshérité par la nature. Il se sent tout à fait déshérité.* ⇒ **Misérable.**

Race dégradée et déshéritée par la loi suprême de Dieu.   4
          BOSSUET, Élévations sur les mystères, 7ᵉ semaine, 2.
(...) il se croit déshérité, trahi, abandonné de tous.   5
          G. DUHAMEL, Chronique des Pasquier, VI, XII, p. 399.

Déshérité de qqch. ⇒ **Frustré, privé.**

Déjà déshérité de toute affection, je ne pouvais rien aimer et la nature m'avait   6
fait aimant !   BALZAC, le Lys dans la vallée, Pl., t. VIII, p. 772.
Le peuple est chez nous déshérité de la vie intellectuelle.   7
          RENAN, l'Avenir de la science, Œuvres, t. III, p. 986.

♦ **3.** N. 🅰 Celui, celle qui est privée d'un héritage. *La déshéritée veut faire un procès à son frère.*

🅱 Fig. Personne désavantagée par la nature, le sort. *Venir en aide aux déshérités.*

8   La vie nous apprend à tous qu'en amour la modestie est facile. Les plus déshérités plaisent quelquefois ; les plus séduisants échouent.
                 A. MAUROIS, Climats, I, III, p. 24.

9   Peu à peu, je me suis dit que pour vivre, pour m'accepter, pour justifier le train-train sans histoire qu'est le mien, il fallait que je mette mon énergie au service des déshérités. Je ne vais pas vite en besogne : il m'a fallu des années.
                 Alain BOSQUET, les Bonnes Intentions, p. 175.

DÉR. Déshéritement.

DÉSHEURER [dezœʀe] v. tr. — Mil. XVIIᵉ, Retz, pron. ; de *dés-* (→ 1. Dé-), et *heure.*

♦ **1.** Vx. Déranger (qqn) de ses heures régulières ; troubler le rythme des occupations de. *En grommelant d'être désheurés et dérangés* (cit. 14) *de leurs habitudes.*

♦ **2.** (Déb. XXᵉ). Techn. Retarder (un train) par rapport à son horaire habituel.

♦ **3.** Pron. Vx ou littér. Modifier ses heures habituelles.

(...) j'ai observé qu'à Paris, dans les émotions populaires, les plus échauffés ne veulent pas ce qu'ils appellent se désheurer.   RETZ, Mémoires, t. II, Pl., p. 93.

▶ **DÉSHEURÉ, ÉE** p. p. adj. (XIXᵉ). Spécialt. *Horloge désheurée,* déréglée, qui ne marque ou ne sonne plus correctement les heures. *Train désheuré,* qui n'arrive pas à l'heure.

Fig. et littér. Déréglé. *Une vie désheurée.*

DÉSHONNÊTE [dezɔnɛt] adj. — Mil. XIIIᵉ ; de *dés-* (→ 1. Dé-), et *honnête.*

♦ Qui est contraire à la pudeur, aux bienséances (dans le domaine de la sexualité). ⇒ **Inconvenant, indécent, obscène.** *Gestes, paroles, pensées déshonnêtes.* ⇒ **Malhonnête, mauvais, vilain** (fam.). *Mot déshonnête* (→ Cul, cit. 15). *Histoire, livre déshonnête.* ⇒ **Grivois, licencieux.** — Vieilli. *Entraîner qqn dans un lieu déshonnête, un endroit mal famé.*

1   Elle peut, tombant sur la tête,
   Montrer quelque endroit déshonnête.   SCARRON, Virgile travesti, 4.

2   (...) enfin, elle crut savoir qu'il avait conduit son fils dans des lieux déshonnêtes.
            FLAUBERT, l'Éducation sentimentale, I, II, p. 46.

N. *L'honnête et le déshonnête.*

CONTR. Convenable, décent, honnête.
DÉR. Déshonnêtement, déshonnêteté.

DÉSHONNÊTEMENT [dezɔnɛtmɑ̃] adv. — V. 1230 ; de *déshonnête.*

♦ Rare. De manière déshonnête.

CONTR. Décemment.

DÉSHONNÊTETÉ [dezɔnɛtte] n. f. — XIVᵉ ; de *déshonnête.*

♦ Vx. Caractère de ce qui est déshonnête. Par ext. Ce qui est déshonnête.

CONTR. Décence.

DÉSHONNEUR [dezɔnœʀ] n. m. — 1080 ; de *dés-* (→ 1. Dé-), et *honneur.*

♦ **1.** *(Le déshonneur).* Perte de l'honneur* ; état d'une personne déshonorée. ⇒ **Honte, ignominie, indignité, infamie, opprobre** (→ Attirer, cit. 39). *Ne pas survivre au déshonneur* (→ Brûler, cit. 15). *Tomber, vivre dans le déshonneur.* ⇒ **Boire** (cit. 35 : avoir toute honte bue) ; **turpitude.** *Il n'y a pas de déshonneur à avouer sa condition.*

1   Mourant sans déshonneur, je mourrai sans regret.   CORNEILLE, le Cid, II, 8.

2   Le déshonneur est dans l'opinion des hommes, l'innocence est en nous (...)
         DIDEROT, Règne de Claude et de Néron, I, 75, *in* LITTRÉ.

3   Je me tue pour échapper au déshonneur.
         J. ROMAINS, les Hommes de bonne volonté, t. II, XVII, p. 201.

Loc. Vx. *Prier, presser qqn de son déshonneur,* lui faire commettre des actes déshonorants pour lui.

♦ **2.** *(Un, des déshonneurs ;* plur. rare). Ce qui cause le déshonneur. *Souffrir un déshonneur. Obtenir réparation d'un déshonneur.* ⇒ **Affront, insulte.** *Il considère que le travail manuel est un déshonneur.*

Loc. Vx. *Faire déshonneur à qqn. Il ne lui fait pas déshonneur :* il l'honore.

CONTR. Gloire, honneur.

DÉSHONORABLE [dezɔnɔʀabl] adj. — 1265 ; de *déshonorer.*

♦ Vx, rare. Qui n'est pas honorable. ⇒ **Déshonorant.** *Une action déshonorable.*

DÉSHONORANT, ANTE [dezɔnɔʀɑ̃, ɑ̃t] adj. — 1748 ; p. prés. de *déshonorer.*

♦ Qui déshonore autrui. *Une remarque, une allusion déshonorante.* ⇒ **Désobligeant, infamant.** — Qui se déshonore. *Une conduite déshonorante.* ⇒ **Avilissant, honteux, ignoble, vilain.**

Ignores-tu qu'il est des tentations déshonorantes qui n'approchèrent jamais d'une âme honnête, qu'il est même honteux de les vaincre, et que se précautionner contre elles est moins s'humilier que s'avilir?
         ROUSSEAU, Julie ou la Nouvelle Héloïse, IV, lettre XIII.

N'avoir rien de déshonorant : être permis, admis dans les usages. *J'aime le confort, cela n'a rien de déshonorant, non?*

CONTR. Digne, édifiant, flatteur, glorieux, honorable.

DÉSHONORER [dezɔnɔʀe] v. tr. — XIIᵉ ; de *dés-* (→ 1. Dé-), et *honorer.*

♦ **1.** Priver (qqn) de l'honneur, porter atteinte à l'honneur de (qqn). ⇒ **Avilir, déconsidérer, déprécier, discréditer, flétrir, salir, souiller.** *Déshonorer qqn par des médisances, des calomnies... Don Gormas déshonora Don Diègue en lui donnant un soufflet.* — Par ext. *Déshonorer la mémoire, le nom de qqn. Déshonorer par sa conduite un groupe dont on fait partie. Il a déshonoré sa famille.* — (Sujet n. d'action). *Cette action l'a déshonoré. Ne tenez pas des discours qui vous déshonorent* (cf. Qui ne sont pas à votre honneur).

1   De la main de ton père un coup irréparable
   Déshonorait du mien la vieillesse honorable (...)
         CORNEILLE, le Cid, III, 4 (variations).

2   (...) je voudrais bien me défaire d'une femme qui me déshonore.
         MOLIÈRE, George Dandin, II, 7.

Absolt. *La trahison déshonore.*

3   Le ridicule déshonore plus que le déshonneur.
         LA ROCHEFOUCAULD, Maximes, 326.

4   (...) ce qui déshonore est funeste : un soufflet ne vous fait physiquement aucun mal, et cependant il vous tue.
         CHATEAUBRIAND, Mémoires d'outre-tombe, t. IV, p. 43.

5   Les honneurs déshonorent.   FLAUBERT, Correspondance, IV, p. 315.

6   La vanité les persuade qu'un échec déshonore (...)
         F. MAURIAC, le Jeune Homme, p. 29.

Déshonorer un groupe, un pays, une nation. Cette intervention militaire, cette répression déshonore ce pays : ce pays s'est déshonoré par...

♦ **2.** (Par référence à la morale sexuelle féminine traditionnelle. → Honneur). *Déshonorer une femme, une jeune fille,* la séduire, abuser d'elle (→ ci-dessous Déshonoré, cit. 21).

7   (...) une vieille tante, qui veut à toute force que la seule approche d'un homme déshonore une fille (...)   MOLIÈRE, le Bourgeois gentilhomme, III, 10.

8   Vous avez froidement, sous vos baisers infâmes,
   Terni, flétri, souillé, déshonoré, brisé
   Diane de Poitiers, comtesse de Brézé !   HUGO, Le roi s'amuse, I, 5.

♦ **3.** Littér. Faire tort à (qqch.). *Ces théories déshonorent la science.* ⇒ **Défigurer, dégrader, déprécier** (cit. 1), **nuire** (à). *Il déshonore son œuvre par des plaisanteries aussi vulgaires.*

9   Chaque chose est ici vraie en partie, fausse en partie. La vérité essentielle n'est pas ainsi : elle est toute pure et toute vraie ; ce mélange la déshonore et l'anéantit.
         PASCAL, Pensées, VI, 385.

10   (...) ces imaginations déshonorent la physique (...)
         VOLTAIRE, Essai sur les mœurs, Introduction, I.

11   Plus un mot ! Sortez, vous dis-je ; allons, oust ! hors d'ici ! quittez ce lieu que vous déshonorez de votre ignoble présence !
         COURTELINE, Messieurs les ronds-de-cuir, 5ᵉ tableau, I, p. 172.

Déshonorer un édifice en altérant sa construction ; déshonorer une peinture, etc. ⇒ **Abîmer, déparer, gâter, mutiler.**

12   (...) quelques gouttes de pluie avaient même déshonoré cette journée d'août.
         Ch. MAURRAS, Anthinéa, p. 140.

13   Au bout du jardin sautelait une étroite rivière, si vive qu'elle emportait, d'un bond, tout ce qui l'eût pu déshonorer (...)   COLETTE, la Naissance du jour, p. 55.

♦ **4.** Arbor. *Déshonorer un arbre,* en couper la cime, la tête. ⇒ **Écimer, étêter.**

14   Les vertus les plus légères, s'il en est de telles, sont attachées comme la feuille au rameau qu'on déshonore en l'en dépouillant.
         DIDEROT, Règne de Claude et de Néron, II, 6, *in* LITTRÉ.

▶ **SE DÉSHONORER** v. pron.

Perdre l'honneur, se couvrir d'opprobre. *Vous vous déshonorez en agissant ainsi.* ⇒ aussi **Prostituer** (se).

15   (...) ceux qui avaient cru se déshonorer de rire à Paris, furent peut-être obligés de rire à Versailles pour se faire honneur.   RACINE, les Plaideurs, Au lecteur.

16 *(Je ne puis consentir)* à me déshonorer en prisant ses ouvrages.
MOLIÈRE, les Femmes savantes, I, 3.
17 (...) les petites gens qui ont de l'honneur valent mieux que les grandes gens qui se déshonorent.
BALZAC, le Cabinet des antiques, Pl., t. IV, p. 422.

▶ **DÉSHONORÉ, ÉE** p. p. adj.

♦ **1.** Qui a perdu l'honneur. *Être déshonoré par une faillite.* — Péj. *Se croire déshonoré de faire qqch.* : répugner à un acte que l'on croit abaissant et qui ne l'est pas.
18 J'ai suivi tes conseils, je meurs déshonorée.
RACINE, Phèdre, III, 3.
19 On a le courage de ses opinions ; de ses mœurs, point. On accepte bien de souffrir ; mais pas d'être déshonoré.
GIDE, Corydon, p. 22.
20 Quand Smith fait faillite, il n'est pas déshonoré.
G. DUHAMEL, Scènes de la vie future, XIV, p. 215.

Spécialt (par euphém.). *Mari déshonoré.* ⇒ **Cocu, trompé.**

Spécialt. *Jeune fille déshonorée.*
21 — (...) j'aimerais mieux me voir morte, que de me voir déshonorée (...) — Je serais assez lâche pour vous déshonorer ?
MOLIÈRE, Dom Juan, II, 2.
21.1 Oh ! Madame, je ne sais plus ni ce que dit, ni ce que fit cet homme ; mais l'état dans lequel je me retrouvai, ne me laissa que trop connaître à quel point j'avais été sa victime. Il était entièrement nuit quand je repris mes sens ; j'étais au pied d'un arbre, hors de toutes les routes, froissée, ensanglantée... déshonorée, Madame.
SADE, Justine..., t. I, p. 63.

♦ **2.** Avili, déprécié.
22 Le bon sens est aujourd'hui clairement déshonoré. Il n'y a pas de quoi se vanter s'il est si bien partagé.
A. MAUROIS, Études littéraires, Valéry, IV, II, t. I, p. 40.
22.1 Cette Conciergerie que je vois tous les jours — restaurée, déshonorée par des constructions annexes, mais massivement présente, avec ces cachots mêmes où... La seule pensée de ce qu'a souffert la reine m'étreint parfois d'une angoisse presque intolérable...
Claude MAURIAC, le Temps immobile, p. 156.

Concret. Abîmé, souillé.
23 À l'intérieur, l'escalier de pierre, bordé d'une magnifique grille de fer forgé, était déshonoré de poussière, de crachats et de feuilles de salade.
FRANCE, Jocaste, Œuvres, t. II, p. 11.

CONTR. Exalter, glorifier, honorer. — Distinguer (se).
DÉR. Déshonorable, déshonorant.

DÉSHUILAGE [dezɥilaʒ] n. m. — V. 1960 ; de *déshuiler.*

♦ Techn. Élimination des hydrocarbures ou des huiles contenus dans un milieu donné.

DÉSHUILER [dezɥile] v. tr. — 1838 ; de *dés-* (→ 1. Dé-), et *huiler.*

♦ Enlever l'huile de. *Déshuiler la laine.* ⇒ **Dégraisser, dessuinter.** — Au p. p. *Soja déshuilé.*

CONTR. Huiler.
DÉR. Déshuilage, déshuileur.

DÉSHUILEUR [dezɥilœʀ] n. m. — xxᵉ ; de *déshuiler.*

♦ Techn. Dans les machines à vapeur, Appareil destiné à séparer l'huile d'avec la vapeur qui l'entraîne.

DÉSHUMANISANT, ANTE [dezymanizɑ̃, ɑ̃t] adj. — V. 1944 ; p. prés. de *déshumaniser.*

♦ Qui déshumanise, enlève le caractère humain (à). *Les effets déshumanisants de l'automatisation.*
Émigré aux États-Unis, Marcuse y découvre un totalitarisme de type nouveau, imposé moins par la terreur que par une certaine rationalité technocratique dont il décrit les effets déshumanisants dans *L'Homme unidimensionnel.*
Roger GARAUDY, Herbert Marcuse, philosophe de la « répression », *in* le Monde, 8 mars 1969.

DÉSHUMANISATION [dezymanizɑsjɔ̃] n. f. — 1936, Martin du Gard (1870, *in* Dauzat, sans référence) ; de *déshumaniser.*

♦ Action de déshumaniser ; son résultat. *Les phénomènes de déshumanisation. La déshumanisation de la justice.*
1 À cette déshumanisation capitaliste, Marcuse n'oppose pas le communisme. Dans son essai, *le Marxisme soviétique*, il voit dans les partis communistes, ramenés par le stalinisme à un nouveau scientisme positiviste, *les héritiers historiques des partis sociaux-démocrates d'avant-guerre.*
Roger GARAUDY, Herbert Marcuse, philosophe de la « répression », *in* le Monde, 8 mars 1969.
2 Derrière moi, le groupe de mes malheureux compagnons s'enfonçait dans la nuit. Leurs voix s'étaient tues depuis longtemps, quand la mienne commençait seulement à se fatiguer de son soliloque. Dès lors je suis avec une horrible fascination le processus de *déshumanisation* dont je sens en moi l'inexorable travail.
M. TOURNIER, Vendredi..., p. 52-53.

CONTR. Humanisation.

DÉSHUMANISER [dezymanize] v. tr. — 1647 ; repris déb. xxᵉ ; de *dés-* (→ 1. Dé-), et *humaniser.*

♦ **1.** Faire perdre le caractère humain, la condition d'homme (à).
1 Son silence même ajoutait à l'exception de son cas, le déshumanisait.
Jean GENET, Pompes funèbres, p. 120.

La réussite du spectacle venait de la parfaite homogénéité du texte (...) avec le jeu des acteurs que leurs mimiques et leurs voix déshumanisaient.
S. DE BEAUVOIR, Tout compte fait, p. 215.

♦ **2.** Détruire en (qqch.) ce qui convient à l'homme. *Déshumaniser la médecine.*

Au p. p. « *Je crois que je mourrai non de vieillesse, mais étouffé par ce monde déshumanisé* » (Mauriac, *in* le Figaro littéraire).
Il acheva son geste en lissant sa chevelure vers l'arrière, jusqu'à la nuque, et par lui je retrouve l'impression étrange : quand, chez un personnage déshumanisé par la gloire, on discerne un geste familier, un trait vulgaire (...)
Jean GENET, Notre-Dame-des-Fleurs, p. 325.

CONTR. Humaniser (2. et 3.).
DÉR. Déshumanisant, déshumanisation.

DÉSHUMIDIFICATEUR [dezymidifikatœʀ] n. m. — Mil. xxᵉ ; de *déshumidifier.*

♦ Techn. Appareil à déshumidifier.
Nous avons passé deux jours et deux nuits à 130 m de fond (...) La première nuit, quand nous grelottions de froid, nous aurions accepté la remontée sans discussion. Maintenant que le déshumidificateur fonctionne, nous nous sentons de taille à passer ici le restant de la semaine.
Science et Vie, nº 594, p. 90.

CONTR. Humidificateur.

DÉSHUMIDIFIER [dezymidifje] v. tr. — Mil. xxᵉ ; de *dés-* (→ 1. Dé-), et *humidifier.*

♦ Techn. Rendre moins humide (un gaz). *Déshumidifier l'air d'une pièce.*

CONTR. Humidifier.
DÉR. Déshumidificateur.

DÉSHYDRASE [dezidʀaz] n. f. — Mil. xxᵉ ; de *dés-* (→ 1. Dé-), *hydro(gène)*, et *-ase*, suff. d'enzyme.

♦ Chim. Enzyme qui transporte de l'hydrogène d'une molécule sur l'autre.
(...) la vitamine P. P. intervient dans la formation de déshydrases (diastases capables d'enlever de l'hydrogène à certains corps chimiques).
Suzanne GALLOT, les Vitamines, p. 77.

DÉSHYDRATANT, ANTE [dezidʀatɑ̃, ɑ̃t] adj. et n. m. — V. 1930 ; p. prés. de *déshydrater.*

Technique, sciences.

♦ **1.** Adj. Qui déshydrate. *Un agent déshydratant.*
(...) la mer de juillet qui sent la crème déshydratante et la gaufre, qui rejette tant d'emballages, de jambes de poupées (...)
Jean CAYROL, Histoire de la mer, p. 180.

♦ **2.** N. m. Milieu, substance qui déshydrate. *Un déshydratant solide.*

DÉSHYDRATATION [dezidʀatasjɔ̃] n. f. — 1844 ; de *déshydrater.*

♦ **1.** Chim., techn. Opération par laquelle on déshydrate ; élimination de l'eau. ⇒ **Dessiccation.** *La déshydratation de l'alcali. La déshydratation de produits alimentaires.*

♦ **2.** Fait de perdre une partie de son eau (se dit d'un organisme, d'un tissu organique) ; état d'un organisme à la suite d'une perte d'eau importante par certains tissus.
Or c'est le sort (...) des naufragés dans les trois ou quatre jours qui suivent la catastrophe. Si l'on ne boit pas, la mort par déshydratation survient en une dizaine de jours suivant une courbe régulière.
Alain BOMBARD, Naufragé volontaire, p. 26.

CONTR. Hydratation.

DÉSHYDRATER [dezidʀate] v. tr. — 1864 ; p. p. dès 1850 ; de *dés-* (→ 1. Dé-), et *hydrater.*

♦ Didact. Enlever l'eau qui entre dans la composition de (un corps). ⇒ **Dessécher, sécher.** *Déshydrater partiellement du gypse pour obtenir du plâtre. Déshydrater des aliments (légumes, fruits) pour en assurer la conservation. Déshydrater du lait pour faire du lait condensé, en poudre.* — *La vieillesse déshydrate les tissus.*

▶ **SE DÉSHYDRATER** v. pron.
Méd. Perdre l'eau nécessaire à l'organisme. *Il s'est déshydraté lors de sa dernière maladie.* — Cour. *Se déshydrater* : ressentir les effets d'un début de déshydratation (notamment la soif).

▶ **DÉSHYDRATÉ, ÉE** p. p. adj.

♦ **1.** Privé de son eau ou d'une partie de son eau. *Légumes déshydratés* (pour la conservation). — *Organisme déshydraté ; peau déshydratée.*

Une odeur de poussière ferrugineuse et déshydratée montait doucement de l'abîme interdit.   R. QUENEAU, Zazie dans le métro, p. 44.

♦ **2.** Fam. Desséché, assoiffé. *Je suis complètement déshydraté.*

CONTR. Hydrater.
DÉR. Déshydratant, déshydratation.

DÉSHYDROCYCLISATION [dezidRɔsiklizɑsjɔ̃] n. f. — V. 1973; de *dés-* (→ 1. Dé-), *hydro-, cycle,* et suff. *-isation.*

♦ Chim. Formation d'un cycle dans une molécule par départ d'hydrogène sans modification du nombre initial des atomes de carbone.

DÉSHYDROGÉNATION [dezidRɔʒenɑsjɔ̃] n. f. — 1839; de *déshydrogéner.*

♦ **1.** Chim. Action de déshydrogéner; son résultat.

♦ **2.** Biochim. Oxydation d'une molécule organique par départ de l'hydrogène, sous l'effet d'enzymes *(déshydrogénases).*

CONTR. Hydrogénation.

DÉSHYDROGÉNER [dezidRɔʒene] v. tr. — 1845; de *dés-* (→ 1. Dé-), et *hydrogéner.*

♦ Chim. Enlever partiellement ou totalement l'hydrogène qui entre dans la composition de (une substance). *Déshydrogéner un corps.*

Le charbon de cornue, c'est-à-dire ce dur graphite qui se trouve dans les cornues des usines à gaz, après que la houille a été déshydrogénée, on eût pu le produire (...)   J. VERNE, L'Île mystérieuse, t. II, p. 559.

CONTR. Hydrogéner.
DÉR. Déshydrogénation.

DÉSHYPOTHÉQUER [dezipɔteke] v. tr. — 1846; de *dés-* (→ 1. Dé-), et *hypothéquer.*

♦ Dr. Faire cesser d'être hypothéqué. *Déshypothéquer une maison.*

CONTR. Hypothéquer.

DÉSIDÉRABILITÉ [dezideRabilite] n. f. — Fin XIXᵉ; *désirabilité,* 1883; du lat. *desiderabilis* «désirable», de *desiderare.* → Désirer.

♦ Écon. Utilité économique. «*Le mot désidérabilité* (conviendrait mieux) *parce qu'il se rattache au latin* desiderium *qui n'exprime rien d'autre que le désir*» (Ch. Gide).

DESIDERATA [dezideRata] n. m. pl. — 1783; plur. du mot lat. neutre *desideratum* «besoin, désir», du supin de *desiderare.* → Désirer.

♦ **1.** Didact. Lacune que présente une science, une institution, un livre, etc. *La neurologie a ses desiderata.*

♦ **2.** Plus cour. (mais littér. ou style soutenu). Choses souhaitées. ⇒ **Désir, souhait.**

Tous les desiderata des âmes les plus sublimes accouraient à cette âme, comme une invasion de fleuves, et sa prière intérieure mugissait comme l'impatience des cataractes.   Léon BLOY, le Désespéré, p. 228.

Par ext. *Veuillez nous faire connaître vos desiderata,* ce dont vous regrettez le défaut, l'absence. ⇒ **Besoin; revendication.**

REM. Le singulier *desideratum* se rencontre dans la langue didactique (1857, *in Année sc. et industr.* 1858, p. 47). Cf. Piaget, *Logique et Connaissance sc.,* Encycl. Pl., p. 7.

DÉSIDÉRATIF, IVE [dezideRatif, iv] adj. et n. m. — 1838; du bas lat. *desiderativus* «qui exprime un désir», de *desideratum,* supin de *desiderare.* → Désirer.

♦ Ling. (Forme) qui exprime l'idée de désir. *Verbe désidératif.*

DESIGN [dizajn] n. m. — 1959, *in* Höfler; mot angl. «dessin, plan, esquisse», d'abord «plan d'ouvrage d'art» (XVIIᵉ), du français *dessin.*

♦ Anglic. Esthétique industrielle appliquée à la recherche de formes nouvelles et adaptées à leur fonction (pour les objets utilitaires, les meubles, l'habitat en général). ⇒ **Stylisme; designer,** n. «*Le nouvel artisanat est l'expression d'une protestation contre l'Establishment. Virtuoses de l'inutile, farouchement opposés au "design", — cet uniforme de la société technologique — les artisans américains sont les hippies de la culture moderne*» (l'Express, 16 oct. 1972, p. 113).

La poule *scrupuleuse*[1] ayant à envelopper le jaune et le blanc de l'œuf — ce qu'il y a au monde de plus fluant, flasque et glaireux — a inventé cette forme d'une pureté impeccable, ce chef-d'œuvre insurpassable de *design,* la coquille de l'œuf.   M. TOURNIER, le Vent Paraclet, p. 185-186.
1. Du latin *scrupulus, i* «petit caillou pointu».

Adj. invar. (1971). D'un esthétisme moderne et fonctionnel. *Des meubles design.*

DÉSIGNABLE [deziɲabl] adj. — XXᵉ (1957, Jankélévitch, *in* T.L.F.); de *désigner.*

♦ Rare. Qui peut être désigné; dénommable.

DÉSIGNATEUR, TRICE [deziɲatœR, tRis] adj. — 1922, Proust; de *désigner.*

REM. Attesté XIXᵉ, comme n. m., «fonctionnaire romain, dans l'Antiquité, etc.»; du lat. *designator* ou *dissignator,* du supin de *designare.* → Désigner.

♦ Didact. ou littér. Qui désigne. *Un regard, un doigt désignateur.*

DÉSIGNATIF, IVE [deziɲatif, iv] adj. — 1611; bas lat. *designativus,* du supin de *designare.* → Désigner.

♦ Qui désigne, sert à désigner.

(...) le nᵒ désignatif du corps *(d'armée)* qui lui est opposé, n'a pas moins de signification.   PROUST, le Côté de Guermantes, Pl., t. II, p. 110.

DÉSIGNATION [deziɲɑsjɔ̃] n. f. — 1355, repris au XVIIᵉ; lat. *designatio* «forme, indication», du supin de *designare.* → Désigner.

♦ **1.** Action de désigner*. *La désignation d'un lieu. Désignation d'une personne par des renseignements précis; par son nom, son titre.* — *Désignation des marchandises sur leur étiquette, sur un connaissement.*

♦ **2.** Action de désigner (une chose, un concept) dans le langage. *Tel mot n'est pas une désignation courante de la chose.* ⇒ **Appellation, dénomination.**

La langue populaire abonde en transpositions (...) A priori pourrait-on dire, telle appellation est destinée à être supplantée, ainsi les *chemins de fer à voie étroite : tacauds, tortillards,* remplacent la lourde désignation administrative.   F. BRUNOT, la Pensée et la Langue, I, II, VIII, p. 78 et note.   1

(...) j'étais intimidé par la facilité avec laquelle Albertine disait le «tram», le «tacot». Je sentais sa maîtrise dans un mode de désignations où j'avais peur qu'elle ne constatât et ne méprisât mon infériorité.   PROUST, À l'ombre des jeunes filles en fleurs, Pl., p. 877.   1.1

Absolt, didact. *Une sémantique de la désignation* (⇒ aussi **Extension, référence**) *et une sémantique de la signification*).

Par ext. Le fait de désigner (une chose) à l'aide de signes autres que linguistiques. *Une désignation de la main, de la tête.*

♦ **3.** Action de choisir, d'élire qqn (pour un emploi, une mission, etc.). ⇒ **Choix, élection, nomination.** *La désignation d'un délégué. La désignation du successeur par les membres d'une assemblée.* ⇒ **Cooptation.** *Désignation d'un héritier.* ⇒ **Institution.** *Désignation de qqn pour telle ou telle mission.* ⇒ **Délégation.**

On a demandé cette désignation par urgence et, si je ne me trompe, vous partirez avec le détachement de demain pour Toulon (...)   LOTI, Matelot, XXXVII, p. 144.   2

Alors, n'ayant ni le désir d'investir ses frères, ni la possibilité de se créer une descendance — fût-elle à demi fictive, — à quoi lui servirait le droit de désignation?   Louis MADELIN, Hist. du Consulat et de l'Empire, Le Consulat, XV, p. 243.   3

CONTR. Révocation.

DESIGNER [dizajnœR; dizajnœR] n. m. — 1952, *in* Höfler; angl. des États-Unis *designer,* de *design.*

♦ Anglic. Spécialiste du design*. ⇒ **Dessinateur, styliste.** «*Il y a deux sortes de personnes : les stylistes et les designers, ou plutôt les créateurs. Les premiers habillent une mécanique, font œuvre de carrossiers; les seconds créent une forme et lui adaptent une mécanique*» (Son Magazine, févr. 1971).

Par ext. Décorateur moderne, qui adopte le style design.

REM. On rencontre aussi un verbe *designer* ou *désigner* au sens de «dessiner dans le style du "design"». «*Il touche à tout, "designant" meubles, sièges, couverts, moquettes, stylos*» (Son Magazine, févr. 1971, p. 20). À moins de le franciser, ce qui crée une homonymie avec *désigner,* ce verbe est mal intégré au système du français.

DÉSIGNER [deziɲe] v. tr. — XIVᵉ, *desinner;* rare jusqu'au XVIᵉ; du lat. *designare,* de *de-, signum* «signe», et suff. verbal.

★ **I.** ♦ **1.** Indiquer (qqn, qqch.) de manière à faire distinguer de tous les autres, par un geste, une marque, un signe. ⇒ **Indiquer, marquer, montrer, signaler.** *Désigner un objet, un endroit en le montrant. Désigner du doigt. Ceci, cela, pronoms servant à désigner une chose concrète ou abstraite. Désigner une suite d'objets.* ⇒ **Énumérer.** *Désigner une personne à une autre par un signe de tête, par des allusions explicites. Désigner qqn, qqch. par un nom, un terme, un mot.* ⇒ **Appeler, dénommer, nommer.**

(...) je pris soin de lui désigner *(au public)* cette seconde augmentation par une marque particulière (...)   LA BRUYÈRE, les Caractères, t. I, p. 105.   1

(...) il ne s'exprimait jamais sur mon compte qu'en termes outrageants, méprisants, sans me désigner autrement que par *ce petit cuistre,* et sans pouvoir cependant articuler aucun tort d'aucune espèce (...)   ROUSSEAU, les Confessions, VIII.   2

XVIIIᵉ siècle, selon laquelle le souverain doit gouverner selon les lumières de la raison. → Despote* éclairé.

♦ **2.** Fig. Autorité tyrannique. *Le despotisme d'un père, d'un mari, d'une mère de famille.* ⇒ **Autoritarisme.**

7 Depuis que tous les sentiments de la nature sont étouffés par l'extrême inégalité, c'est de l'inique despotisme des pères que viennent les vices et les malheurs des enfants (...)
ROUSSEAU, Julie ou la Nouvelle Héloïse, Entretien sur les romans, entre l'éditeur et un homme de lettres.

8 Mon père, seul artisan de sa fortune, est un homme dur, inflexible ; il traite d'ailleurs sa femme et ses enfants comme il se traite lui-même. Je n'ai jamais surpris sur ses lèvres le moindre sourire. Sa main de fer, son visage de bronze, son activité sombre et brusque à la fois, nous comprimaient tous, femme, enfants, commis et domestiques, sous son despotisme sauvage.
BALZAC, le Curé de village, Pl., t. VIII, p. 625.

9 (...) elle sert son vieux maître avec le plus vigilant despotisme.
FRANCE, le Crime de S. Bonnard, Œ., t. II, p. 378.

10 Il a continué de me demander, avec le despotisme de ceux qui se savent aimés uniquement, ma gaieté, ma force, ma vigilance de bergère.
COLETTE, la Paix chez les bêtes, « La chienne jalouse », p. 12.

Fig. (Choses). *Le despotisme d'une mode,* son pouvoir absolu.

11 Laissons même ce mot de vérité qui ferait croire trop aisément que le despotisme de certaines idées est légitime.
GIDE, Journal, 1896, Littérature et morale, Pl., p. 91.

CONTR. **Anarchie** (cit. 4) ; **démocratie, libéralisme, république. — Clémence, faiblesse, tolérance.**

DESQUAMANT [dɛskwamã] n. m. — V. 1965 ; p. prés. de *desquamer.*

♦ Techn. Produit, traitement propre à desquamer l'épiderme pour le renouveler. *Desquamant utilisé dans l'opération du peeling ou du déridage.*

L'esthéticienne applique un desquamant épidermique à base de granulé d'avoine qui ne traumatise pas la peau. Le desquamant pénètre dans la peau grâce à un massage qui dure 20 minutes.   Guérir, oct. 1967, Un visage neuf.

DESQUAMATIF, IVE [dɛskwamatif, iv] adj. — 1904, in *Rev. gén. des sc. ;* de *desquamer.*

♦ Méd. Qui produit, qui perd des squames. *Dermatose desquamative.*

DESQUAMATION [dɛskwamasjõ] n. f. — 1732 ; dér. sav. du lat. *desquamatum,* supin de *desquamare* « ôter l'écaille », de *squama* « écaille ». → Desquamer.

♦ **1.** Méd. Élimination des couches superficielles de l'épiderme sous forme de petites lamelles *(squames).* ⇒ **Exfoliation, pellicule.** *Desquamation consécutive à la rougeole, à l'eczéma, au pityriasis. Desquamation épidermique.*

♦ **2.** Géol. Enlèvement, chute de pellicules ou de minces écailles rocheuses.

DESQUAMER [dɛskwame] v. — 1836 ; lat. *desquamare,* de *de-,* et *squama* « écaille ».

♦ **1.** V. intr. Méd. En parlant de la peau, se détacher par squames, par écailles. ⇒ **Peler.** *Des lambeaux de peau desquament.*
Pron. *La peau se desquame après la scarlatine.*

♦ **2.** V. tr. Débarrasser (l'épiderme) des cellules mortes. *Desquamer la peau du visage.*

DÉR. **Desquamant, desquamatif.**

DESQUELS, DESQUELLES [dekɛl] pron. rel. — Forme plurielle de *duquel, de laquelle.* ⇒ **Lequel.**

DESSABLEMENT [desɑbləmã] n. m. — xxᵉ ; de *dessabler.*

Technique.

♦ **1.** Action de dessabler ; son résultat. — REM. On dit aussi *dessablage* [desɑblaʒ].

♦ **2.** Traitement des eaux usées consistant à en éliminer les matières minérales en suspension.

CONTR. **Ensablement.**

DESSABLER [desɑble] v. tr. — 1765 ; de *dés-* (→ 1. Dé-), et *sable.*

♦ Ôter le sable de. ⇒ **Désensabler.** *Dessabler une allée.*

CONTR. **Ensabler.**
DÉR. **Dessablement.**

DESSAISIR [deseziʀ] v. tr. — V. 1155 ; de *dés-* (→ 1. Dé-), et *saisir.*

♦ **1.** Dr. Priver (qqn, une instance) de ce dont il est saisi. *Dessaisir un tribunal d'une affaire.*

♦ **2.** Admin. et cour. Enlever à (qqn, un groupe) son bien, ses responsabilités. ⇒ **Démunir, déposséder.** *Dessaisir une société de ses propriétés.* — Par ext. (littér.). Déposséder.

▶ SE DESSAISIR v. pron. (V. 1160).
Se déposséder volontairement. *Se dessaisir d'une lettre, d'un gage, d'un titre.* ⇒ **Abandonner, céder, délaisser, démunir** (se), **déposséder** (se), **donner, remettre, renoncer** (à).

(...) pour la validité de la consignation (...) il suffit (...) que le débiteur se soit dessaisi de la chose offerte, en la remettant dans le dépôt indiqué par la loi pour recevoir les consignations (...)   Code civil, art. 1259.   1

Je n'aime point à me dessaisir ; il faut toujours avoir de quoi vivre.   2
CHAMFORT, Caractères et anecdotes, La cassette de Louis XV et Lebel.

Par extension :

Honneur, générosité, bonne foi, c'est déjà s'en dessaisir un peu que de s'en targuer.   GIDE, Pages de journal, 2 juil. 1941.   3

Ai-je le pouvoir Monsieur ? Jusqu'à quel point puis-je m'avancer librement dans la mort (...) ? Même là où je décide d'aller à elle, par une résolution virile et idéale, n'est-ce pas elle encore qui vient à moi, et quand je crois la saisir, elle qui me saisit, me dessaisit, me livre à l'insaisissable ?   4
M. BLANCHOT, l'Espace littéraire, p. 118.

CONTR. **Saisir ; acquérir.**
DÉR. **Dessaisissement.**

DESSAISISSEMENT [desezismã] n. m. — 1609 ; de *dessaisir.*

♦ **1.** Dr. Action de dessaisir, de se dessaisir. *Ordonnance de dessaisissement qui ôte à une juridiction l'affaire dont elle avait été saisie. — Dessaisissement du créancier gagiste. Jugement de dessaisissement à l'égard d'un failli.*

Le jugement déclaratif de la faillite emporte de plein droit, à partir de sa date, dessaisissement pour le failli de l'administration de tous ses biens, même de ceux qui peuvent lui échoir tant qu'il est en état de faillite.   1
Code de commerce, art. 443.

♦ **2.** Littér. Action de se dessaisir (d'un état de conscience). ⇒ **Déprise.**

La cause de ce brutal dessaisissement fut simple, presque cosmique.   2
BERNANOS, l'Imposture, in Œ. roman., Pl., p. 369.

DESSAISONALISATION [desεzɔnalizasjõ] n. f. — V. 1972 ; de *dessaisonaliser.*

♦ Écon., admin., statist. Action de dessaisonaliser ; son résultat (indice corrigé des variations saisonnières).

DESSAISONALISER [desεzɔnalize] v. tr. — 1972 ; de 1. *dé-,* saison, et suff. verbal, d'après l'angl. *deseasonalize.*

♦ Écon., admin., statist. Corriger (des éléments statistiques) pour éliminer les distorsions résultant des variations saisonnières.

DÉR. **Dessaisonalisation.**

DESSAISONNER [desεzɔne] v. tr. — 1502 ; « rendre impropre pour un certain temps », 1226, in F. E. W. ; de *dés-* (→ 1. Dé-), *saison,* et suff. verbal.

Vieux.

♦ **1.** Modifier l'ordre des cultures de (une terre). ⇒ 2. **Dessoler.** *Dessaisonner des terres.*

♦ **2.** (xvıᵉ). Faire apparaître, mûrir hors saison. ⇒ **Forcer.** *Dessaisonner une plante, un fruit.*

▶ DESSAISONNÉ, ÉE p. p. adj.
Fruit, plante dessaisonnée. — Par métaphore :

Voilà le fruit, — à une saison de la vie où je n'accepte que la fleur de tout plaisir et le meilleur de ce qu'il y a de mieux (...) — le fruit dessaisonné que mûrissent ma prompte familiarité (...) et une renommée qui rend des sons fort divers (...)   1
COLETTE, la Naissance du jour, p. 108.
Fig. Hors de saison.

Il n'y a point de pitié dessaisonnée, il n'y a guère de pitié exclusive.   2
COLETTE, De ma fenêtre, 30 janv. 1941, p. 68.

DESSALÉ, ÉE [desale] adj. ⇒ **Dessaler** (p. p.).

DESSALEMENT [desalmã] n. m. ou DESSALAGE [desalaʒ] n. m. — 1764, *dessalement ; dessalage,* 1877 ; cf. Dessalaison, 1845 ; de *dessaler.*

♦ **1.** Action de dessaler ; son résultat. — Géol. *Le dessalement du pétrole brut. Le dessalement des eaux saumâtres ou salées* (→ Dessalure). — Agric. *Le dessalage des terres propres aux cultures par submersion et drainage.*

♦ **2.** Mar. *Dessalage :* action de renverser son bateau, fait de se renverser (pour un bateau).

DESSALER [desale] v. — 1393 ; *dessalé,* 1200 ; de *dés-* (→ 1. Dé-), et *saler.*

★ **I.** V. tr. ♦ **1.** Rendre moins salé ou faire cesser d'être salé. *Dessaler une soupe en y ajoutant de l'eau* (→ Apport, cit. 1). *Dessaler ou faire dessaler du jambon en le faisant tremper. Dessaler de la morue.* — Pron. *L'eau de mer se dessale par distillation.*

♦ **2.** (1880). Fam. (Compl. n. de personne). Rendre moins niais, plus déluré. ⇒ **Dégourdir, déniaiser.** *Son séjour à la ville l'a dessalé.* — Pron. *Il commence à se dessaler.*

★ **II.** V. intr. ♦ **1.** (1680). *Mettre des harengs à dessaler.*

♦ **2.** (1935, argot des plaisanciers ; de l'argot parisien «boire», v. 1830 ; «noyer», 1878 ; cf. Boire la tasse). Se renverser (en parlant d'un bateau) ; renverser son bateau (→ Faire capot*, faire chapeau*).

▶ **DESSALÉ, ÉE,** p. p. adj.

♦ **1.** (1585). Débarrassé de son sel. *Morue dessalée.*

♦ **2.** (Personnes). Qui a perdu sa naïveté. ⇒ **Dégourdi, déluré, déniaisé, égrillard, gaillard.** *Un gamin dessalé. Elle est bien dessalée.*

1 *Moi qui suis dessalé, je ne risque rien.*
    J. ROMAINS, les Hommes de bonne volonté, t. III, p. 9.

N. *C'est un dessalé !* — Spécialt (fém. et vieilli). Femme de mœurs légères.

2 *Vous faites la sournoise ; mais je vous connais il y a longtemps et vous êtes une dessalée.* MOLIÈRE, George Dandin, I, 6.

CONTR. Saler. — **Empoté, naïf, niais ; maladroit.**

DÉR. Dessalement ou **dessalage, dessalure.**

DESSALURE [desalyʀ] n. f. — 1906, in *Rev. gén. des sc.* ; de *dés-* (→ 1. Dé-), et *salure.*

♦ Géol. Dilution de l'eau de mer par un apport naturel d'eau douce. → Dessalement.

DESSANGLER [desɑ̃gle] v. tr. — 1530 ; *descengler,* v. 1165 ; de *dés-* (→ 1. Dé-), *sangle,* et suff. verbal.

♦ Enlever ou détendre les sangles de. *Dessangler un cheval.* — Pron. *Le cheval s'est dessanglé.*

CONTR. Sangler.

DESSAOULER [desule] v. ⇒ **Dessouler.**

DESSÉCHANT, ANTE [deseʃɑ̃, ɑ̃t] adj. — 1555 ; p. prés. de *dessécher.*

♦ **1.** Qui dessèche. *Vent desséchant.* ⇒ **Sec, torride.**

♦ **2.** (1870). Fig. Qui rend insensible. *Des études desséchantes. Une doctrine desséchante.*

Je suis déjà trop porté, monsieur, à aimer le monde. Je compte y renoncer bientôt. La carrière que vous dites m'en ferait une obligation et me dispenserait là-dessus de tout scrupule. Je ne peux pas beaucoup travailler. Si le peu que je travaille est donné à des choses si extérieures — pardon, mais vous, ce n'est pas la même chose — ce sera très desséchant pour moi.
    PROUST, Jean Santeuil, Pl., p. 440.

DESSÉCHEMENT ou **DESSÈCHEMENT** [deseʃmɑ̃] n. m. — 1478 ; de *dessécher.*

♦ **1.** Action de dessécher ; état d'une chose desséchée. *Le dessèchement* (ou *desséchement*) *des feuilles d'arbres. Le dessèchement des végétaux, provoqué par la gelée, la sécheresse.* ⇒ **Brûlure.**

1 *Le degré de desséchement du bois fait beaucoup à sa résistance ; le bois vert casse bien plus difficilement que le bois sec.*
    BUFFON, Hist. nat. des végétaux, t. XII, p. 8.

Dessèchement d'un étang, d'un marais. ⇒ **Assainissement, assèchement, drainage, tarissement.** *Travaux de dessèchement des polders flamands par wateringues.*

2 *S'il s'agit (...) de tourbières et de véritables marais, les canaux de dessèchement creusés assez profondément pour abaisser le niveau de l'eau dans le sol sont nécessaires ; leur réseau doit être calculé de manière à entraîner les eaux dans un canal collecteur qui leur donne un écoulement naturel.*
    Omnium agricole, Assainissement, p. 66.

♦ **2.** Par ext. Vieilli. Maigreur d'une personne desséchée. ⇒ **Amaigrissement, consomption, déshydratation.**

3 *(...) le pauvre Saint-Aubin qui est dans un desséchement dont il ne reviendra pas.*
    Mᵐᵉ DE SÉVIGNÉ, Lettres, 1088, 15 nov. 1688.

♦ **3.** Fig. Perte de la faculté de s'émouvoir, de s'attendrir ; des

facultés de création. *Desséchement de l'esprit, de l'imagination. Desséchement de l'âme, du cœur.* ⇒ **Endurcissement.**

4 *Un desséchement affreux du cœur — fruit de la disgrâce infantile — a entraîné l'oblitération de la conscience.* Louis MADELIN, Talleyrand, V, XL, p. 434.

REM. La graphie avec accent grave est admise par l'Académie, depuis 1878.

CONTR. Verdoiement. — **Inondation.** — **Embonpoint.** — **Fraîcheur ; délicatesse, sensibilité.**

DESSÉCHER [deseʃe] v. tr. — Conjug. *sécher.* → Céder. — 1170, *dessechier,* v. intr. ; de *dés-* (→ 2. Dé-), et *sécher.*

A. (Concret). ♦ **1.** Rendre sec, plus sec (ce qui contient naturellement de l'eau). ⇒ **Sécher.** *Chaleur, vent qui dessèche la végétation.* ⇒ **Brouir, brûler, calciner, détruire, griller, hâler, rôtir.** *Cet arbre se dessèche.* ⇒ **Couronner** (se). *Dessécher des plantes médicinales, des champignons, des châtaignes.* ⇒ **Déshydrater ; dessiccation.** *Le soleil a desséché cette barrique.* ⇒ **Ébarouir.** *Dessécher du bois à l'étuve. Le cuir se dessèche et se racornit. La plaie se dessèche et se ferme.* ⇒ **Cicatriser** (se). *Le froid dessèche la peau.*

1 *La neige ne tombait plus ; mais le froid desséchait la peau des visages et gerçait les lèvres.* P. MAC ORLAN, la Bandera, XVIII, p. 215.

Pron. *La peau se dessèche au soleil. Sa bouche se desséchait d'émotion.*

♦ **2.** Rendre maigre, sec. ⇒ **Amaigrir, consumer, décharner, exténuer.** *Veille, jeûne, maladie qui dessèche le corps.* — Pron. Maigrir. *Le corps se dessèche* (Académie). Fig. et fam. *Se dessécher de chagrin, d'ennui, de langueur.*

2 *Elle n'était pas fille à se dessécher de chagrin, non plus qu'à se fondre dans les larmes (...)* G. SAND, François le Champi, XXII, p. 158.

3 *Quant au Grec, le vent de feu du désert l'avait desséché depuis longtemps, et il ne transpirait non plus qu'une momie.* Th. GAUTIER, le Roman de la momie, Prologue, p. 20.

♦ **3.** Mettre à sec, vider de son eau. ⇒ **Assécher, sécher.** *Dessécher un terrain marécageux.* ⇒ **Assainir, drainer.** *L'été dessèche les étangs, les torrents. Dessécher une citerne en pompant, en faisant écouler l'eau.* ⇒ **Épuiser, tarir, vider.**

4 *Je diminuai le nombre des labours, crainte de trop dessécher la terre.*
    BUFFON, Hist. nat. des minéraux, Introduction, t. VIII, p. 403.

B. (Abstrait). Rendre insensible, faire perdre (à qqn) la fraîcheur, la faculté de s'émouvoir. ⇒ **Appauvrir, racornir, scléroser.** *Dessécher le cœur* de qqn. ⇒ **Endurcir.** *Dessécher l'esprit, l'imagination,* en tarir les sources, la fécondité. *Études qui dessèchent l'âme.* — Pron. Devenir insensible. *Son cœur se dessèche. Il s'est desséché.*

5 *L'égoïsme dessèche le germe de toutes les vertus, l'individualisme ne tarit d'abord que la source des vertus publiques ; mais, à la longue, il attaque et détruit toutes les autres, et va enfin s'absorber dans l'égoïsme.*
    TOCQUEVILLE, la Démocratie en Amérique, III, II, II.

6 *J'ai peur de me dessécher à force de science et pourtant, d'un autre côté, je suis si ignorant que j'en rougis vis-à-vis de moi-même.*
    FLAUBERT, Correspondance, t. I, p. 101.

7 *(...) privilège de cœurs restés simples qui ne se retrouve pas quand on s'est desséché l'âme à force de raisonnements, de théories abstraites et de lectures.*
    Paul BOURGET, le Disciple, p. 184.

8 *Pas d'ironie ! Elle vous dessèche et dessèche la victime ; l'humour est bien différent (...)* Max JACOB, Conseils à un jeune poète, p. 81.

9 *(...) cette intelligence a été un des éléments de sa perversion morale ; elle a, dès les premières années de sa vie, supprimé l'âme et desséché la conscience ; il a été presque trop intelligent en ce sens qu'il n'a conçu la vie que sous l'angle de l'esprit et n'a d'ailleurs jamais jugé le monde qu'au nom de l'intelligence.*
    Louis MADELIN, Talleyrand, V, LX, p. 448.

10 *La réussite, loin de dessécher Louis Pasteur, remuait profondément sa sensibilité.* Henri MONDOR, Pasteur, II, p. 35.

10.1 *(...) j'ai pas un caractère à me dessécher sur place.*
    R. QUENEAU, Pierrot mon ami, p. 22.

▶ **DESSÉCHÉ, ÉE** p. p. adj.

♦ **1.** Dont on a supprimé l'humidité. Très amaigri. *Étang desséché. Arbre desséché. Corps desséché.* ⇒ **Décharné, étique, maigre ; momifié.**

11 *Quand je vous verrai comme vous devez être (...) non pas usée, consumée, dépérie, échauffée, épuisée, desséchée (...).*
    Mᵐᵉ DE SÉVIGNÉ, Lettres, 630, 28 juil. 1677.

12 *La terre se fendait de toutes parts : l'herbe était brûlée ; des exhalaisons chaudes sortaient du flanc des montagnes, et la plupart de leurs ruisseaux étaient desséchés.* BERNARDIN DE SAINT-PIERRE, Paul et Virginie, p. 61.

13 *Cérizet, petit homme, moins sec que desséché (...)* BALZAC, les Petits Bourgeois, t. VII, p. 126.

14 *Desséchées par les cigarettes et la fièvre, ses lèvres étaient brûlantes.* MARTIN DU GARD, les Thibault, t. I, p. 90.

♦ **2.** Dépourvu de sensibilité. ⇒ **Dur, froid, insensible, sec.** *Cœur desséché. Âme desséchée. Un homme d'affaire insensible et desséché.*

15 *Sa sensibilité lui échappait. Nouée la plupart du temps, durcie et desséchée elle crevait de loin en loin et l'abandonnait à des émotions qu'il n'avait plus la maîtrise.* CAMUS, la Peste, p. 212.

CONTR. Verdir, verdoyer. — **Mouiller ; arroser, humidifier, inonder.** — **Attendrir, émouvoir.** — **(Du p. p.) Frais, vert ; gras ; délicat, sensible, tendre.**

DÉR. Desséchant, desséchement.

DESSEIN [desɛ̃] n. m. — V. 1265 ; de *desseigner* (→ Dessiner), d'après l'ital. *disegno* ; employé pour «dessin» jusqu'au XVIIIᵉ. → Dessin, cit. 9, La Bruyère.

♦ **1.** Littér. (ou style soutenu). Idée que l'on forme d'exécuter qqch. ; mode déterminé suivant lequel on se propose de la réaliser. ⇒ **But, conseil** (I., 3., vx), **désir, détermination, disposition, idée, intention, objet, pensée, prétention, propos, proposition, résolution, visée, volonté, vue ; entreprise, plan, programme, projet.** *Avoir des desseins secrets. Concevoir, élaborer, former, nourrir un dessein, le dessein de qqch., de faire qqch. Réaliser un dessein point par point. Le dessein de qqn. Exécuter, accomplir, mener à bien son dessein, ses desseins. Il a de la constance dans ses desseins. Affermir qqn dans ses desseins. Changer de dessein. Cacher ses desseins.* → Cacher son jeu*. *Cela sert mes desseins. Il est l'instrument des desseins de son chef. Arrêter, contrecarrer, prévenir, renverser, ruiner, traverser les desseins d'un ennemi. Découvrir, pénétrer, percer à jour les desseins les plus secrets.* — *Grand dessein* : projet important, susceptible d'entraîner des conséquences importantes dans un secteur de l'activité humaine (surtout au plur.). *Desseins diaboliques, machiavéliques.* ⇒ **Machination.** *Fomenter, méditer, préparer de noirs desseins. Coupables desseins. Dessein de commettre un crime.* ⇒ **Préméditation.**

1 Il doit y avoir une certaine proportion entre les actions et les desseins, si on en veut tirer tous les effets qu'elles peuvent produire.
                                        LA ROCHEFOUCAULD, Maximes, 161.

2 Qui peut de vos desseins révéler le mystère,
   Sinon quelques amis engagés à se taire ?   RACINE, Bajazet, IV, 7.

3 Je suis venu à bout, Dieu merci, de mon dessein (...)   VOLTAIRE, Lettres, 42.

4 (...) les plus machiavéliques desseins se briseront vite contre la volonté pacifique des peuples !   MARTIN DU GARD, les Thibault, t. VI, p. 33.

5 J'ai formé le dessein de vous proposer quelques remarques sur l'usage de la langue française. C'est un objet presque sans limite.
                                        G. DUHAMEL, Disc. aux nuages, p. 14.

Dans ce dessein, dans le dessein de...

6 Dans ce dessein, vous-même, il faut me soutenir (...)   RACINE, Mithridate, II, 6.

7 (...) il en propose le problème *(de la cycloïde)* à toute l'Europe, dans le dessein qu'on ne peut nier, d'humilier tout le monde.
                                        André SUARÈS, Trois hommes, «Pascal», III, p. 56.

Les desseins de Dieu, de la Providence. ⇒ **Arrêt, voie, vue ; prédestination.**

8 Souvent, dans ses desseins, Dieu suit d'étranges voies,
   Lui qui livre Satan aux infernales joies,
   Et mêle aux saintes douleurs.   HUGO, Odes et ballades, Odes, I, II, III.

9 (...) il fallait toujours espérer, les desseins de la Providence étant impénétrables.
                                        CAMUS, la Peste, p. 165.

Dessein sur... Intention quant à l'avenir de qqn ou de qqch. *Les desseins de Dieu sur ses créatures.*

10 Il faut que vous soyez instruit, même avant tous,
    Des grands desseins de Dieu sur son peuple et sur vous. RACINE, Athalie, IV, 2.

Avoir dessein de : projeter de réaliser (une chose). *Avoir dessein d'écrire un roman.*

Avoir des desseins sur (qqn ou qqch.) : avoir des projets concernant qqn ou qqch. Spécialt. *Il a des desseins sur cette jeune fille.* ⇒ **Vue.**

11 Les Grecs ont craint que nous n'eussions des desseins sur leur liberté.
                                        FÉNELON, Télémaque, X.

12 (...) avant qu'elle eût aucun dessein sur le cœur du roi.
                                        VOLTAIRE, le Siècle de Louis XIV, xxv.

13 Ne poursuivrait-il pas quelque dessein ? Un dessein ? Quel dessein ? (...) Que Drot eût un dessein sur moi, n'était-ce pas étrange ?
                                        H. BOSCO, Un rameau de la nuit, p. 166.

Spécialt (vx). *Dessein contre...* ⇒ **Cabale, complot, intrigue.**

14 Peut-elle contre vous former quelques desseins ?   RACINE, Phèdre, I, 1.

♦ **2.** Absolt. Intention arrêtée, but délibéré, déterminé. *Ce n'est pas le hasard, mais un dessein qui a présidé au déroulement de l'affaire.*

15 Plus ces historiens font voir de desseins dans les conquêtes de Rome, plus ils y montrent d'injustice.   BOSSUET, Disc. sur l'hist. universelle, III, 6.

16 Rien, en vérité, dans l'examen objectif de la nature, ne nous oblige à croire qu'une volonté, une intention, un dessein aient présidé à la confection des machines vivantes.   J. ROSTAND, l'Homme, VIII, p. 126.

17 Personne n'est plus dépourvu de desseins, d'arrière-pensées (...) que moi.
                                        COLETTE, la Naissance du jour, p. 177.

Loc. (vx). *Il y a (avait, etc.) du dessein* : la chose est (était) préméditée.

Sans dessein : sans intention, par hasard* ; au hasard (cf. aussi Sans songer à mal ; sans le faire exprès ; à l'aventure).

18 J'écrirai ici mes pensées sans ordre, et non pas peut-être dans une confusion sans dessein : c'est le véritable ordre, et qui marquera toujours mon objet par le désordre même.   PASCAL, Pensées, VI, 373.

Loc. adv. À **DESSEIN** : avec intention ; de propos* délibéré. ⇒ **Exprès.** *Il l'a fait à dessein.*

19 J'ai longtemps (...) tenu ma plaie à l'état vif et presque à dessein.
                                        SAINTE-BEUVE, Correspondance, 21 août 1833 (cf. Cicatriser, cit. 3).

Loc. prép. *À dessein de...* : dans l'intention de, en vue de...

20 C'est peut-être à dessein de vous entretenir (...)   RACINE, Britannicus, IV, 1.

Loc. conj. Vx. *À dessein que...*, suivi du subjonctif :

21 Tu mangeras mon fils ? L'ai-je fait à dessein
    Qu'il assouvisse un jour ta faim ?   LA FONTAINE, Fables, IV, 16.

REM. Littré recommandait la loc. *à ce dessein* pour remplacer la loc. *dans ce but*, qu'il jugeait mauvaise. L'usage ne l'a pas suivi (⇒ **But,** supra cit. 16).

CONTR. Exécution, réalisation.
HOM. Dessin.

DESSELLAGE [desɛlaʒ] n. m. — Attesté XXᵉ ; de *desseller.*

♦ Rare. Action de desseller.

Dans l'obscurité qui tombait, on entendait les craquements de cuir du dessellage.
                                        Joseph PEYRÉ, Sang et Lumières (1935), L. de Poche, p. 192.

DESSELLER [desɛle] v. tr. — XIIᵉ, *desseler* ; de *dés-* (→ 1. Dé-), et *seller.*

♦ Ôter la selle à (un animal). *Desseller un cheval, un âne.* Absolt. :

(...) les bêtes n'ayant pu être dessellées ni déharnachées depuis six jours et présentant probablement de ce fait de larges blessures à la selle provoquées par le frottement et le manque d'aération.
                                        Claude SIMON, la Route des Flandres, p. 259.

CONTR. Seller.
DÉR. Dessellage.
HOM. Desceller.

DESSEMELER [desəm(ə)le] v. tr. — Conjug. *appeler* — 1939, Boiste ; de *dés-* (→ 1. Dé-), et *semelle.*

♦ Enlever la semelle de (une chaussure).

CONTR. Ressemeler.

DESSERRAGE [desɛraʒ] n. m. — 1794 ; de *desserrer.*

♦ Le fait, l'action de desserrer. *Le desserrage d'une vis.* — *Coin de desserrage.*

CONTR. Serrage.

DESSERRE [desɛr] n. f. — XVᵉ, «détente d'une arbalète» ; déverbal de *desserrer.*

♦ Vx. Desserrage. — Loc. (vx). *Arbalète dure à la desserre,* à la détente. Fig. et vieilli. *Il est dur à la desserre* : il n'aime pas donner, prêter. ⇒ (mod.) **Détente** (dur à la).

HOM. Dessert.

DESSERREMENT [desɛrmã] n. m. — Déb. XXᵉ ; de *desserrer.*

♦ **1.** Action de desserrer (⇒ **Desserrage**). État de ce qui est desserré. — Le fait de se desserrer.

La première réaction de Haverkamp est malgré tout de la joie : battements du cœur ; épanouissement de la poitrine ; desserrement des tempes.
                                        J. ROMAINS, les Hommes de bonne volonté, t. V, XIII, p. 95.

♦ **2.** (V. 1965, *in* Gilbert). Fig. Le fait de rendre moins serré, moins concentré (des activités économiques). ⇒ **Déconcentration.** *Le desserrement des entreprises, des activités autour d'une métropole.*

DESSERRER [desɛre] v. tr. — XIIᵉ ; de *dés-* (→ 1. Dé-), et *serrer.*

♦ **1.** Rendre moins serré. ⇒ **Relâcher ; défaire, ouvrir.** *Desserrer sa ceinture d'un cran. Desserrer une vis, un écrou* (en commençant à dévisser*). *Desserrer un étau. Desserrer un nœud coulant. Desserrer sa prise, son étreinte. Desserrer les rangs.*

1 (...) l'infortuné n'avait pas eu le courage de desserrer sa ceinture algérienne, ni de se défubler de son arsenal.   Alphonse DAUDET, Tartarin de Tarascon, II, I.

2 Alors, Jenny, desserrant son étreinte, s'enfuit, sans un mot (...)
                                        MARTIN DU GARD, les Thibault, t. II, p. 285.

Typogr. *Desserrer une forme.*

Par métaphore. *Desserrer un blocus. L'angoisse desserra son étau. Le soulagement desserra son cœur.*

3 (...) la douleur physique et les pénibles soins du traitement étaient les seules diversions (...) où l'étau s'est desserré (...) Usure de la sensibilité (...)   MARTIN DU GARD, les Thibault, t. IX, p. 147.

♦ **2.** (XIIIᵉ ; repris 1656). Loc. *Desserrer les dents* : ouvrir la bouche. *Desserrer les dents d'un homme sans connaissance pour lui faire boire de l'alcool.* ⇒ **Écarter.**

4 Car, lâchant le bâton en desserrant les dents,
   Elle *(la tortue)* tombe, elle crève aux pieds des regardants.
                                        LA FONTAINE, Fables, X, 2.

Fig. *Desserrer les dents de qqn,* le faire parler.

5 (...) quel intérêt assez pressant (...) desserre les dents d'un tel homme ?
                                        BEAUMARCHAIS, la Mère coupable, II, 7.

Ne pas desserrer les dents : ne rien dire. ⇒ **Taire** (se). — REM. Dans ce sens, l'expression a pu comporter d'autres compl. : *desserrer la bouche, le gosier, les lèvres, les mâchoires.*

6   (...) je le chanterai *(un couplet)* sur la Loire, si je puis desserrer mon gosier, qui n'est pas en état de chanter (...)   Mme DE SÉVIGNÉ, 805, 6 mai 1680.

7   Si quelqu'un desserre les dents,
     C'est un sot. J'en conviens. Mais que faut-il donc faire?
     Parler de loin, ou bien se taire.   LA FONTAINE, Fables, X, 1.

8   Il *(Henri II)* ne desserra pas les dents; enveloppé d'obstination sauvage, lié de sa parole (...)   MICHELET, Extraits historiques, p. 188.

9   Chaque fois qu'il desserre les dents, il a l'air de vous faire une grâce.
                                                                 LOTI, les Désenchantés, III, VIII, p. 82.

♦ **3.** Fig. *Desserrer les cordons de la bourse,* (vieilli) *desserrer les bourses :* (faire) débourser.

♦ **4.** Fig. et vieilli. *Desserrer un coup de pied, un soufflet,* etc., le donner avec violence. ⇒ **Lâcher.**

▶ **SE DESSERRER** v. pron.
Devenir moins serré. *Étau, écrou qui se desserre.* — Fig. *Son cœur se desserre.*

CONTR. Serrer.
DÉR. Desserrage, desserre, desserrement.
HOM. Formes du v. desservir.

DESSERT [desɛʀ] n. m. — 1539, aussi «action de desservir la table»; *desserte,* 1393; de 2. *desservir,* à l'indic. présent.

♦ **1.** Vx. Dernier service d'un repas, comportant fromages, pâtisserie, fruit. *Servir un entremets entre le rôti et le dessert.* — *À dessert :* servant pour le dessert. *Assiette, couteau à dessert. Service à dessert.*

Mod. Mets sucré, fruits, pâtisserie servis de nos jours après le fromage (notamment en France). *Prendre du café après le dessert. Je prendrais de la glace comme dessert, au dessert. Ce restaurant a d'excellents desserts.*

1   Un dessert sans fromage est une belle à qui il manque un œil.
                                BRILLAT-SAVARIN, Physiologie du goût, t. I, Aphor., XIV.

2   (...) il l'embrassait à de certaines heures. C'était une habitude parmi les autres, et comme un dessert prévu d'avance, après la monotonie du dîner.
                                                                 FLAUBERT, Mme Bovary, I, VII.

3   Le dessert était servi. Au milieu, il y avait un gâteau de Savoie, en forme de temple (...) Puis, à gauche, un morceau de fromage blanc nageait dans un plat creux tandis que, dans un autre plat, à droite, s'entassaient de grosses fraises meurtries dont le jus coulait.   ZOLA, l'Assommoir, t. I, VII, p. 284.

Loc. *Enfant privé de dessert* (par punition). — *Vin de dessert.*

♦ **2.** Le moment où l'on mange le dessert. *On en était au dessert quand il est arrivé. Boire du champagne au dessert. Il n'a cessé de parler depuis les hors-d'œuvre jusqu'au dessert.*

♦ **3.** Par métaphore (→ aussi la cit. 2, par compar.) ou fig. Morceau de choix, complément agréable. ⇒ **Régal.** *Nous eûmes pour dessert un magnifique duo.* — Achèvement (déplaisant). *On le réprimanda et, pour dessert, on lui annonça la nouvelle de son renvoi.* ⇒ **Couronnement, fin.**

CONTR. Hors-d'œuvre, commencement. — Début, prélude.
COMP. Crème-dessert.
HOM. Desserre. — Formes des v. desserrer et desservir.

1. DESSERTE [desɛʀt] n. f. — XIIe; de 1. *desservir.*
Action de desservir, de faire le service de.

♦ **1.** Vx. Service assuré par un prêtre; fonctions attachées au service d'une cure, d'une chapelle, etc. (⇒ **Desservant**).

♦ **2.** (1838). En parlant d'une voie, d'un moyen de transport. Le fait de desservir une localité. ⇒ **Service.** *Voie, chemin de desserte. Desserte d'un port par voie ferrée. Des trains supplémentaires assureront la desserte des villes d'eaux.*

2. DESSERTE [desɛʀt] n. f. — XIVe; de 2. *desservir.*

♦ **1.** Vx. Plats qui ont été desservis.

♦ **2.** (Fin XIXe). Meuble, buffet, sorte de table où l'on met les plats, les couverts destinés aux différents services, ou qui ont été desservis, ainsi que certains plats prêts à être servis. ⇒ **Crédence, dressoir.** *Une desserte rustique. La desserte est dans l'office.*

(Léon) découpait gravement un melon sur le marbre de la desserte (...) Autour d'eux, la nouvelle salle à manger, avec ses boiseries nues, ses glaces, la longue desserte qui occupait le panneau opposé aux fenêtres, formait un espace désert, lugubre, majestueux.   MARTIN DU GARD, les Thibault, t. V, p. 205.

DESSERTIR [desɛʀtiʀ] v. tr. — XIIe, *dessartir* «défaire»; sens actuel, 1751; de *dés-* (→ 1. Dé-), et *sertir.*

♦ Enlever (une pierre précieuse, etc.) de sa monture. *Dessertir les*

perles d'une bague. *Dessertir un brillant de son chaton, un médaillon de sa monture.* — Au p. p. *Pierre dessertie.*

Dans un mouchoir dénoué, un lot de diamants dessertis.
                                                                 Paul MORAND, Bouddha vivant, p. 86.

CONTR. Sertir; enchâsser.
DÉR. Dessertissage.

DESSERTISSAGE [desɛʀtisaʒ] n. m. — 1870; de *dessertir.*

♦ Techn. Action de dessertir (une pierre).

CONTR. Sertissage.

DESSERVANT [desɛʀvã] n. m. — 1322; rare jusqu'au XVIIIe; p. prés. de 1. *desservir.*

♦ Ecclésiastique qui dessert une cure, une chapelle, une paroisse (⇒ **Curé,** cit. 3 et 4).

(...) on appelait de ce nom *(ministres)* les desservants des églises protestantes (...)   VOLTAIRE, Essai sur les mœurs, CXXXVIII.   1

Voici cinq ans (...) que je suis desservant sans casuel ni supplément de traitement (...)   BALZAC, les Paysans, XI, Pl., t. VIII, p. 184.   2

1. DESSERVIR [desɛʀviʀ] v. tr. — Conjug. *servir.* → Partir. — XIe; lat. *deservire* «servir avec zèle», de *de-* intensif, et *servire.* → Servir.

♦ **1.** Faire le service de (une cure, une chapelle, un sanctuaire...), de l'église, du sanctuaire de (un lieu). *Desservir une, plusieurs paroisses. Desservir une église de campagne. C'est le vicaire qui dessert les hameaux les plus éloignés. Le pasteur dessert cette paroisse depuis longtemps.*

♦ **2.** (1859). Le sujet désigne une voie de communication, un moyen de transport. Faire le service de (un lieu, une localité). *Le chemin de fer ne dessert pas encore ce village.* ⇒ **Passer** (par). *Un omnibus dessert toutes les gares de la ligne.* ⇒ **Arrêter** (s'arrêter à). *Cet autobus dessert la Porte d'Italie.* ⇒ **Aboutir** (à), **aller** (à). *Une ligne aérienne dessert ces deux pays.* ⇒ **Relier, réunir, unir.** *Ce cargo dessert les petits ports de la côte.* ⇒ **Mouiller** (à); **escale** (faire escale). *Un chemin, une route ont été tracés pour desservir le chantier. Couloir qui dessert plusieurs pièces.* ⇒ **Commander.**
Par ext. Assurer un service de distribution dans (un lieu). *Ce bureau de poste dessert plusieurs agglomérations.* — Au p. p. *Région desservie par une compagnie d'électricité, de distribution d'eau.*

La petite vallée du Sausseron, modeste affluent de l'Oise, était, depuis de longues années, desservie par une voie ferrée.
                                          G. DUHAMEL, Manuel du protestataire, IV, p. 136.

♦ **3.** (1890). Par ext. Donner dans, faire communiquer.

Une petite rue privée, desservant des villas, s'enfonçait à droite, séparée de la rue Nansouty par une grille.   J. ROMAINS, les Hommes de bonne volonté, t. IV, p. 170.   2

À droite de l'entrée, une petite porte desservait la cuisine et ses dépendances.
                                J. ROMAINS, les Hommes de bonne volonté, t. II, VI, p. 63.   3

DÉR. 1. Desserte, desservant.
HOM. Formes du v. desserrer; 2. desservir.

2. DESSERVIR [desɛʀviʀ] v. tr. — 1393; de *dés-* (→ 1. Dé-), et *servir.*

♦ **1.** Débarrasser (une table) des plats, des couverts, qui ont été servis. ⇒ **Débarrasser; enlever** (les plats, les couverts); 2. **desserte.** *Desservir la table.* — Absolt. *Desservir à la fin du repas. Vous pouvez desservir.*

Aussitôt qu'on eut desservi, les dames se retirèrent dans leurs chambres (...)
                                                                 SCARRON, le Roman comique, II, VIII.   1

Et le crépuscule de printemps limpide et rose, éclairait leur table familiale, que servait et desservait, depuis des années, la même bonne appelée Miette.
                                                                 LOTI, Matelot, II, p. 7.   2

♦ **2.** (Fin XVe). Rendre un mauvais service, un mauvais office à (qqn). ⇒ **Désobliger, nuire;** → Travailler* contre les intérêts de qqn; jouer un sale tour* à qqn. *Desservir qqn auprès de ses amis. Il l'a desservi par son indiscrétion, par ses bavardages.* — Pron. *Il s'est desservi par sa mauvaise tenue. Ils se sont desservis les uns les autres.* — (Sujet n. de chose). Faire obstacle à l'exécution de (qqch). *Cela desservirait mes intérêts, mes projets.* ⇒ **Contrecarrer, gêner.**

C'est ainsi que le zèle indiscret du peuple a, dans les temps, desservi le mérite et perdu l'innocence (...)
                              DIDEROT, Règnes de Claude et de Néron, I, § 85, *in* LITTRÉ.

(...) Lépine a cru que je le desservais auprès de vous (...)   MARIVAUX, le Legs, XX.   4

Mon ami, la jeunesse est toujours encline à je ne sais quelle promptitude de jugement qui lui fait honneur, mais qui la dessert (...)
                                                       BALZAC, le Lys dans la vallée, Pl., t. VIII, p. 892.   5

CONTR. Servir; mettre (la table). — **Aider, appuyer, assister, seconder, servir.**
DÉR. Dessert, 2. desserte.
HOM. Formes du v. desserrer; 1. desservir.

DESSICCANT [desikã] n. m. — Mil. XXe; de *dessiccation.*

♦ Techn. Substance servant à dessécher les parties aériennes des plantes, en vue de faciliter la récolte.

DESSICCATEUR [desikatœʀ] n. m. — 1878, *Année sc. et industr.* 1879, p. 137 ; «bâtiment où l'on fait sécher les draps», 1817 ; de *dessiccation.*

♦ Techn. Appareil servant à déshydrater une substance, ou à tenir divers produits à l'abri de l'humidité. *« Le dessiccateur à air chaud (...) voilà le régulateur et le bienfaiteur de la culture fruitière commerciale aux États-Unis »* (*Année sc. et industr.* 1894, p. 416 [1893]).

DESSICCATIF, IVE [desikatif, iv] adj. et n. m. — 1314 ; lat. *desiccativus,* de *desiccatum,* supin de *desiccare* «dessécher», de *de-,* et *siccus* «sec». → Dessiccation.

♦ Techn. Qui a la propriété de dessécher. *Produit dessiccatif ; opération dessiccative.* (On dit aussi *siccatif, ive*). — N. m. (1754). Méd. Se dit d'un médicament qui, appliqué sur une plaie, en absorbe le pus ou les sérosités. ⇒ **Siccatif.** *Un dessiccatif. L'acide sulfurique est dessiccatif.*

DESSICCATION [desikasjɔ̃] n. f. — xvie ; attestation isolée, xive ; lat. *desiccatio,* du supin de *desiccare* «dessécher», de *de-,* et *siccus* «sec».

Didactique.

♦ **1.** Action de dessécher (les gaz, les solides) ; opération par laquelle on les prive de l'humidité qu'ils renferment. ⇒ **Déshydratation, lyophilisation.** *La dessiccation des gaz par l'acide sulfurique, le chlorure de calcium, la potasse caustique, en vase clos. Dessiccation des solides par étuvage, séchage* au four... Dessiccation du ciment. Dessiccation des textiles.* ⇒ **Conditionnement.** *Le dessiccateur, l'évaporateur, appareils servant à la dessiccation.* — *La dessiccation d'un cadavre.* ⇒ **Momification.**

Spécialt. *Dessiccation des fruits et légumes pour l'industrie des conserves* (⇒ **Conservation**). *Dessiccation des fruits par séchage au soleil, évaporateurs à claies. Dessiccation du lait* (lait en poudre).

Hélas ! dans la fleur la plus fraîche on peut distinguer les points imperceptibles qui pour l'esprit averti dessinent déjà ce qui sera, par la dessiccation ou la fructification des chairs aujourd'hui en fleur, la forme immuable et déjà prédestinée de la graine. PROUST, À l'ombre des jeunes filles en fleurs, Folio, p. 557.

♦ **2.** (1870). Agric. Perte de l'eau (du sol). *La dessiccation des terres argileuses.*

CONTR. Hydratation, imbibition.
DÉR. Dessiccant, dessiccateur.

DESSILLEMENT [desijmɑ̃] n. m. — 1636 ; de *dessiller.*

♦ Action de se dessiller, en parlant des yeux. — Par ext., fig. ⇒ **Révélation.**

Elle nous sourit à tous de son sourire d'autrefois. Ses yeux humides de larmes annonçaient un dessillement suprême, elle apercevait déjà les joies célestes de la terre promise. BALZAC, le Lys dans la vallée, Pl., t. VIII, p. 1011.

DESSILLER [desije] v. tr. — xiiie, *déciller* ; de 1. *dé-,* et *ciller,* anc. franç. «coudre les paupières d'un oiseau de proie pour le dresser». — REM. On rencontre aussi la graphie *déciller* (→ ci-dessous, cit. 4).

♦ **1.** Vx. Découdre les paupières de (un oiseau de proie), après le dressage.

Par ext. Séparer les paupières qui étaient jointes. *Dessiller les yeux,* les ouvrir.

♦ **2.** Fig. *Dessiller les yeux de qqn, à qqn,* l'amener à voir, à connaître ce qu'il ignorait ou voulait ignorer. ⇒ **Débrider** (les yeux), **œil** (ouvrir les yeux) ; **désabuser, détromper, éclairer.** *Son aveuglement* (cit. 6) *est tel qu'on ne peut lui dessiller les yeux. Ses yeux furent dessillés par son ami* (→ Les écailles* lui tombèrent des yeux).

1   L'on commence à dessiller les yeux du peuple sur les superstitions (...)
VOLTAIRE, le Siècle de Louis XIV, 25.

Rare. *Dessiller qqn sur, à propos de qqch.,* lui dessiller les yeux.

1.1   Je n'ai pas oublié le visage qu'il eut quand je le dessillai sur la fin de son frère.
M. DRUON, la Loi des Mâles, p. 215.

Pron. *Ses yeux se dessillent.*

2   (...) ce ne fut qu'après son départ que, voulant penser à Julie, je fus frappé de ne pouvoir plus penser qu'à Mme d'Houdetot. Alors mes yeux se dessillèrent ; je sentis mon malheur, j'en gémis, mais je n'en prévis pas les suites.
ROUSSEAU, les Confessions, IX.

▶ **DESSILLANT, ANTE** p. prés. et adj. Rare.

3   (...) les excès dans le ridicule doivent être utilisés pour leur valeur dessillante, car, pour ouvrir les yeux sur l'absurdité d'une théorie, ils les ramèneront sur des dangers qui n'ont rien de théorique.
J. LACAN, Écrits, p. 263.

▶ **DESSILLÉ, ÉE** p. p. adj. *Yeux dessillés* (propre et fig.).

4   Penses-tu que rien désormais puisse revêtir, à mes yeux décillés, sa première innocente apparence ?
GIDE, Œdipe, III, p. 20.

DÉR. Dessillement.

DESSIN [desɛ̃] n. m. — xve ; de *dessigner* (→ Dessiner), d'après l'ital. *disegno,* var. de *dessein* qui s'est employé pour *dessin* jusqu'au xviiie ; → ci-dessous, cit. 8 et 9.

♦ **1.** Représentation* ou suggestion des objets, du monde visible ou imaginaire, sur une surface, à l'aide de moyens graphiques ; par ext., œuvre d'art formée d'un ensemble de signes graphiques organisant une surface. ⇒ suff. **-graphie, -graphique ; contour, délinéation, figure, image, ligne, linéaire, tracé, trait.** *Dessin d'imitation ; dessin abstrait, non-figuratif. Composition, proportions, rythme d'un dessin. Lignes de force d'un dessin. Vie, mouvement, rendu d'un dessin. Les masses, les volumes, les plans, le modelé, le relief d'un dessin. Les dessins de Léonard de Vinci ; de Degas. Exposition de dessins de l'école flamande, italienne. Dessins d'enfants.* — *Dessin linéaire, géométral,* reproduisant en projection les objets tels qu'ils sont (→ ci-dessous, 5.), par oppos. au *dessin d'imitation,* qui en représente l'apparence. — *Dessin en perspective*. Dessin en raccourci.* — *Dessin en relief* (⇒ **Anaglyphe**).
Dessin au trait, dessin ombré. Traits, coups de crayon, hachures d'un dessin. Dessin grené, pointillé, poncé (⇒ **Poncif**). *Dessin à un crayon.* ⇒ **Craie, crayon, fusain, plomb** (mine de plomb), **sanguine, sauce.** *Dessin à deux, trois crayons. Dessin aux deux crayons,* au crayon noir et à la sanguine sur papier blanc, ou au crayon noir sur papier teinté avec rehaut de crayon blanc. *Dessin au pinceau, à la plume ; à l'encre de Chine. Dessin lavé.* ⇒ **Lavis ; aquarelle, bistre, gouache, sépia.** *Dessin coloré. Dessin estompé.* ⇒ **Estompe.** — *Dessin griffonné sur un mur.* ⇒ **Graffite** (plur. graffiti). *Dessin gravé.* ⇒ **Gravure, pointe-sèche.** *Dessin imprimé. Tissu à dessins.* ⇒ **Motif.** *Reproduction* d'un dessin. Dessin piqué, découpé* (⇒ **Pochoir**). *Dessin d'après le modèle* (⇒ **Copie**), *d'après la bosse* (plâtre ou figure en ronde bosse), *d'après nature. Dessin à main levée,* exécuté sans l'aide de la règle, du compas... *Dessin à vue,* exécuté sans prendre de mesures. *Dessin rapide, esquissé.* ⇒ **Croquis, ébauche, esquisse, schéma.** *Dessin lâché, à grands traits. Dessin soigné, fignolé, léché.* — *Dessin servant d'ébauche à une tapisserie, une fresque.* ⇒ **Canevas, carton, étude, patron, plan, projet.** *Repérage* de dessins.* — *Genres de dessins.* ⇒ **Illustration ; paysage, vue ; nu, portrait, silhouette ; nature** (morte). *Dessin d'animaux. Dessin comique, humoristique, satirique.* ⇒ **Caricature, charge** ; → ci-dessous 2., b.
Les dessins d'une bande* dessinée. Un dessin pour enfants. Dessin accompagné d'une légende (→ Histoire* sans paroles). *Des dessins publicitaires, des dessins d'affiches.* — *Dessin d'ornement.* ⇒ **Motif, ornement ; arabesque, grecque, méandre.** *Dessin d'encadrement.* ⇒ **Cartouche, vignette.** — *Copier, imiter, démarquer un dessin. Copier un dessin à la chambre* claire* (⇒ **Diagraphe**), en le décalquant, au pantographe). *Calque, décalque d'un dessin. Transmission d'un dessin par bélinographe, par télécopie.* — *Transport d'un dessin sur un nouveau support.* ⇒ **Report.** *Mettre un dessin en carreaux pour le réduire* (⇒ **Graticuler**), *le reproduire, l'agrandir.* ⇒ **Carreau** (II.), **treillis ; carreler, quadriller.** — *Gommer, effacer un dessin. Fixer un dessin* (⇒ **Fixateur, fixatif**). — *Album de dessins. Dessin encadré.*

1   J'ai fini par mêler à mes dessins du crayon, du fusain, de la sépia, du charbon, de la suie und sortes de mixtures bizarres qui arrivent à rendre à peu près ce que j'ai dans l'œil et dans l'esprit. HUGO, Lettre à Baudelaire, 29 avr. 1860.

2   Les beaux dessins sont complets sans être achevés (...) Le grain du papier, sa consistance, sa couleur et presque sa sonorité prêtent le support la qualité d'un milieu. Les instruments qui l'attaquent et qui s'en emparent, la plume, le pinceau, le crayon, le bâton de craie ou de sanguine y tracent des écritures dont l'extrême et charmante diversité nous parle mieux encore que la touche du peintre. La tache, le coup de griffe, le trait, avec sa mélodie de pleins et de déliés, l'accent, la virgule d'ombre ou de clarté (...) éveillent en nous l'émulation d'une fièvre créatrice.
H. FOCILLON, Journal : *Beaux-arts, in* CLARAC, Apprendre à écrire, p. 206.

(1916). **DESSIN ANIMÉ** ou **DESSINS ANIMÉS** : film cinématographique réalisé en partant d'une suite de dessins représentant les phases successives du mouvement d'un corps (⇒ anglic. **Cartoon**). — Branche de l'art, de l'industrie cinématographique relative à ce genre de films. *Histoire du dessin animé.* ⇒ **Animation** (3.).

(1951). Loc. fam. *Faire un dessin à qqn :* expliquer davantage. *Tu veux que je te fasse un dessin ?* (→ Mettre les points sur les i*). — *Avoir besoin d'un dessin,* d'explications.

2.1   Tu vois pas ça, toi, dans ta tête ?... Le cafard ?... T'entends ?... Le cafard ? Faut te faire un dessin ?
CÉLINE, Guignol's band, p. 64.

♦ **2.** *Le dessin.* [a] L'art qui enseigne et utilise la technique, les procédés propres à organiser une surface par des moyens graphiques. *Le dessin est opposé à la peinture* en ce qu'il néglige la couleur ou qu'il la subordonne à la forme.* — *Papier* à dessin.* ⇒ **Bristol, torchon.** — *Carton* à dessin.* — (Domaine scolaire). Cet art en tant que matière enseignée dans les écoles. *Apprendre, savoir le dessin. École, académie de dessin. Professeur, leçon de dessin. Il est doué pour le dessin.*

3   Voici donc comment je désirerais qu'une école de dessin fût conduite. Lorsque l'élève sait dessiner facilement d'après l'estampe et la brosse, je le tiens pendant deux ans devant le modèle académique de l'homme et de la femme. Puis je lui

expose des enfants, des adultes (...) des sujets (...) pris dans toutes les conditions de la société (...) Après la séance de dessin, un habile anatomiste expliquera à mon élève l'écorché (...) DIDEROT, Essai sur la peinture, I, Œ., p. 1148-1149.

4 Le dessin est une lutte entre la nature et l'artiste (...) Il ne s'agit pas pour lui de copier, mais d'interpréter.
BAUDELAIRE, Curiosités esthétiques, Salon de 1846, VII, 13.

5 Je lui disais (à Degas) : « Mais enfin, qu'est-ce donc que vous entendez par le Dessin?
Il répondait par son célèbre axiome : « Le Dessin n'est pas la forme, il est la manière de voir la forme ». (...) Il opposait ce qu'il appelait la « mise en place », c'est-à-dire la représentation conforme des objets, à ce qu'il appelait le « dessin », c'est-à-dire l'altération particulière que la manière de voir et d'exécuter d'un artiste fait subir à cette représentation exacte (...)
VALÉRY, Degas, Danse, Dessin, p. 128.

b Ensemble d'œuvres dessinées. *Histoire du dessin français. Étude sur le dessin expressionniste.* — (Genre). *Le dessin d'humour :* le genre du dessin comique ou satirique, légendé ou non. *Dessin d'humour et bande dessinée sont des genres voisins. Pratiquer le dessin pour enfants, le dessin publicitaire, le dessin d'illustration.*
Les arts du dessin : les arts plastiques (peinture, etc.) quand l'un de leurs éléments est le dessin.

♦ **3.** Les éléments graphiques d'un tableau, d'une tapisserie. *Le dessin et la couleur* (cit. 22). *La pureté du dessin d'Ingres. Le dessin de cette fresque n'en vaut pas la couleur.*

6 Certes on connaissait les Flamands du moyen âge. Mais si l'on admirait leur couleur, on regrettait qu'elle n'eût pas été servie par un dessin digne d'elle.
MALRAUX, les Voix du silence, I, 5, p. 103.

♦ **4.** La façon de dessiner ; le style d'un dessin. *Un dessin habile, mais froid. Le dessin de Michel-Ange.*

7 (...) il y a plusieurs dessins, comme plusieurs couleurs : — exacts ou bêtes, physionomiques et imaginés.
Le premier est négatif, incorrect à force de réalité, naturel, mais saugrenu ; le second est un dessin naturaliste, mais idéalisé, dessin d'un génie qui sait choisir, arranger, corriger, deviner, gourmander la nature ; enfin le troisième, qui est le plus noble et le plus étrange, peut négliger la nature (...)
Le dessin physionomique appartient généralement aux passionnés, comme M. Ingres ; le dessin de création est le privilège du génie. La grande qualité du dessin des artistes suprêmes est la vérité du mouvement, et Delacroix ne viole jamais cette loi naturelle.
BAUDELAIRE, Curiosités esthétiques, Salon de 1846, Eugène Delacroix.

♦ **5.** (*Un, des dessins ; le dessin ;* souvent qualifié). Représentation linéaire, exacte et précise, de la forme des objets, dans le domaine scientifique, technique, industriel. *Dessin graphique. Dessin géométrique. Dessin par projection* (⇒ **Projection, stéréographie**). *Dessin d'une carte géographique* (⇒ **Cartographie, topographie**). — *Dessin industriel :* description graphique complète et précise d'une pièce industrielle. ⇒ **Épure ; coupe, élévation, plan, section ; levé, relevé** (de plan). *Dessin de face, de profil, en élévation. Dessin coté.* ⇒ **Croquis.** *Dessin assisté par ordinateur* (D. A. O.) : dessin industriel automatisé par la conception assistée* par ordinateur. *Échelle d'un dessin. Dessin de machine, d'outil,* etc. — *Bureau de dessin :* annexe du bureau des études, dans une industrie. — *Instruments utilisés pour le dessin industriel ou d'architecture :* crayons, compas, équerre, gomme, pistolet, plume, règle, té, tire-lignes... *Planche, table à dessin. Dessin d'architecture* : représentation linéaire du plan, de la coupe, de l'élévation d'un bâtiment, d'une partie de bâtiment, etc. (⇒ **Élévation, plan ; orthographie, sciographie**). Par ext. ⇒ **Projet.** *Dessin de maquette ; de jardin.*

8 (...) ce parterre, qui est tout fait sur le dessein (*dessin*) de M. Le Nôtre.
Mᵐᵉ DE SÉVIGNÉ, 1225, 12 oct. 1689.

♦ **6.** Grands traits (d'un ouvrage). ⇒ **Canevas, conception, plan, projet** ; et aussi **dessein.** *Le dessin général d'un ouvrage littéraire, musical. Le dessin de l'intrigue.*

9 (...) le jeu de rapport qui se trouve pour le dessein (*dessin*) entre un si grand nombre de poèmes qu'il (*Corneille*) a composés.
LA BRUYÈRE, les Caractères, I, 54.

10 Cet ouvrage (...) est un monument qui éternisera sa honte (*de l'architecte*) ; car l'ouvrage fait voir que l'ouvrier n'a pas su penser avec assez d'étendue pour concevoir le dessein (*dessin*) général de tout son ouvrage.
FÉNELON, Télémaque, XVII.

Mus. *Dessin mélodique :* la disposition générale d'une phrase musicale.

Danse. Figures créées par le jeu des jambes.

♦ **7.** **a** Disposition des ornements (sur certains objets fabriqués). *Les dessins d'une étoffe.* ⇒ **Arabesque** (cit. 8), **brochure, chinure.** *Dessin de fleurs sur un tapis, un papier à tapisser.* ⇒ **Fleurage, ramage.** *Lisage* d'un dessin pour tissu. Dessin de racines sur la couverture d'un livre.* ⇒ **Racinage.**

b Aspect linéaire et décoratif des formes naturelles : contour, figure, forme, ligne. *Le dessin d'un profil. Dessin d'un visage.* ⇒ **Coupe.** *Dessins formés par un dépôt cristallin.* ⇒ **Arborisation, ramification, végétation.** *Dessins géométriques du givre. Le dessin des veines du bois.* ⇒ **Veinure.** *Le dessin sinueux de la ligne d'horizon.*

11 La chaîne dentelée et toujours bleue des montagnes kabyles ferme par un dessin sévère, ce magnifique horizon de quarante lieues.
E. FROMENTIN, Une année dans le Sahel, p. 10.

---

12 Il continue à regarder la petite main sombre ; il s'applique à suivre le dessin des veines jusqu'au poignet mince et musclé (...)
MARTIN DU GARD, les Thibault, t. III, p. 166.

13 À terre, un coin du tapis est relevé, le milieu du tapis forme un pli disgracieux et le dessin usé cache à peine la corde.
J. ROMAINS, les Hommes de bonne volonté, t. V, XXI, p. 165.

14 (...) un nez au dessin généreux (...)
J. ROMAINS, les Hommes de bonne volonté, t. I, X, p. 101.

HOM. Dessein.

DESSINANDIER [desinɑ̃dje] n. m. — 1870 ; de *dessiner,* sur les noms de métiers en *-andier* (*tissandier, taillandier*).

♦ Techn. Ouvrier dessinateur sur toile. — REM. Le fém. ne semble pas attesté.

DESSINATEUR, TRICE [desinatœʀ, tʀis] n. — 1664 ; de *dessiner,* d'après l'ital. *disegnatore,* de *disegnare.* → Dessiner.

♦ **1.** Personne qui pratique habituellement l'art du dessin* ; ou qui y excelle. *Un bon dessinateur ; une dessinatrice expérimentée ; un dessinateur médiocre. Dessinateur humoristique.* ⇒ **Caricaturiste.** *Dessinateur de bandes dessinées* (→ anglic. Cartoonist). *Dessinateur-scénariste. Dessinateur coloriste. Dessinateur calqueur*. Dessinateur illustrateur* de livres. Dessinateur de paysages, de portraits...* (⇒ **Paysagiste, portraitiste**). *Dessinateur animalier. Dessinateur de mode.* ⇒ **Modéliste.** *Dessinateur de publicité* (⇒ **Affichiste**). *Dessinateur et graphiste*.*

♦ **2.** (V. 1778). Spécialt. Peintre chez qui la couleur est subordonnée à la forme, au graphisme, par oppos. à *coloriste. Ce peintre est plutôt dessinateur que coloriste.*

Les purs dessinateurs sont des naturalistes doués d'un sens excellent : mais ils dessinent par raison, tandis que (...) les grands coloristes dessinent par tempérament presque à leur insu (...)
(...) les purs dessinateurs, s'ils voulaient être logiques et fidèles à leur profession de foi, se contenteraient du crayon noir. Néanmoins ils s'appliquent à la couleur avec une ardeur inconcevable, et ne s'aperçoivent point de leurs contradictions (...) Un dessinateur est un coloriste manqué.
BAUDELAIRE, Curiosités esthétiques, Salon de 1846, De quelques dessinateurs.

♦ **3.** (1690). Personne qui fait des dessins industriels ou d'architecture (⇒ **Dessin,** 4.) ; des dessins décoratifs pour tissus, papiers, etc. (⇒ **Dessin,** 6. ; **décorateur, ornemaniste**). *Dessinateur industriel :* technicien intermédiaire entre le créateur (ingénieur, architecte) et le réalisateur. *Dessinateur de fabrique. Dessinateur de jardins.* ⇒ **Jardiniste.** *Dessinateur en tissu, en bijouterie. Dessinateur de meubles, d'objets utilitaires.* → anglic. Designer, n.

(XXᵉ). **DESSINATEUR, DESSINATRICE-CARTOGRAPHE** : spécialiste du dessin en cartographie. *Des dessinateurs-cartographes, des dessinatrices-cartographes.*

♦ **4.** Fig. (littér.). Écrivain qui compose habilement le plan d'ensemble d'une œuvre, qui campe avec adresse des personnages.

DESSINER [desine] v. tr. — 1664 ; *desseigner, dessigner,* 1459 ; de *dessigner,* altér. d'après le lat. *designare,* de *desseigner,* de l'ital. *disegnare,* lui-même du lat. *designare.* → Désigner.

♦ **1.** (1664). Représenter ou suggérer par le dessin. ⇒ **Représenter, reproduire, tracer.** *Dessiner qqch. sur le vif, rapidement.* ⇒ **Crayonner, croquer, délinéer, ébaucher, esquisser.** *Dessiner un nu, un portrait, un paysage... Dessiner une figure d'après la bosse* (cit. 8), *d'après nature. Enfant qui dessine des bonshommes sur ses cahiers. Dessiner des modèles, des projets décoratifs, publicitaires.*

Absolt. *Dessiner au crayon, à la plume, au pinceau ; à main levée, de mémoire. L'art de dessiner.* ⇒ **Dessin** (2.). *Mal dessiner.* ⇒ **Charbonner** (vx), **gribouiller, griffonner.**

(...) il dessine correctement et attrape la ressemblance (...)
A. R. LESAGE, le Diable boiteux, XI.

Je veux parler de la méthode de dessiner de M. G. (*Constantin Guys*). Il dessine de mémoire, et non d'après le modèle, sauf dans les cas (...) où il y a nécessité urgente de prendre des notes immédiates (...) En fait, tous les bons et vrais dessinateurs dessinent d'après l'image décrite dans leur cerveau, et non d'après la nature.
BAUDELAIRE, Curiosités esthétiques, XVI, v.

Philippe de Champagne dessine et suit les traits de ses modèles avec une fidélité rare ; il y met de la conscience ; et, d'un janséniste comme lui, on peut dire que l'exactitude dans le dessin est la pratique d'une vertu.
André SUARÈS, Trois hommes, « Pascal », II, p. 23.

Il y a une immense différence entre voir une chose sans le crayon dans la main, et la voir en la dessinant.
(...) Même l'objet le plus familier à nos yeux devient tout autre si l'on s'applique à le dessiner : on s'aperçoit qu'on (...) ne l'avait jamais véritablement *vu.*
VALÉRY, Degas, Danse, Dessin, p. 57.

Spécialt. Traiter les formes d'un tableau, par oppos. à la couleur. ⇒ **Dessin** (3.). *Ce peintre dessine soigneusement, hardiment.*

Techn., archit. Faire du dessin graphique (⇒ **Dessin,** 4.). *Ingénieur qui dessine à sa table. L'architecte qui a dessiné ce plan, ce jardin... Dessiner un plan.* ⇒ **Dresser, lever.**

♦ **2.** (V. 1800). Fig. Imiter, créer autrement que par des moyens graphiques (une image, une figure sensible à l'œil, à l'oreille, concevable par l'esprit). Littér. Esquisser les grandes lignes de (une œuvre). *Cet écrivain dessine habilement ses intrigues. Dessiner un caractère, un personnage.* — *Dessiner une scène.* Mus. Construire une forme musicale. Danse. Construire les figures de la danse, en suivant les contours rythmiques de la musique.

Par ext. Esquisser, réaliser par un geste la forme de (qqch.).

4.1   Par terre, un congre à la vie dure achevait de mourir, dessinant des spasmes en S.
                                                Pierre HAMP, *Marée*, p. 24.

Donner une idée précise de (qqch. d'observable ou de prévisible).

4.2   Je dessine seulement, sans les apprécier, les traits généraux du débat.
                                                J. PAULHAN, *les Fleurs de Tarbes*, p. 196.

Rendre accessible le contenu de (une notion, un sentiment).

♦ **3.** (1823). Sujet n. de chose. [a] Rendre apparents les contours, le dessin (6.) de (qqch.). ⇒ **Accuser, dévoiler, indiquer, montrer, ressortir** (faire ressortir). *Vêtement qui dessine les formes du corps.* ⇒ **Mouler** (→ Croupe, cit. 5).

[b] Présenter une forme (assimilable à un dessin). ⇒ **Former, offrir, présenter, tracer.** *La côte dessine une suite de courbes* (→ Arabesque, cit. 7; configuration, cit. 1; crête, cit. 5).

5   Sur les corniches des monuments, deux ou trois figures (...) dessinaient leur silhouette grêle sur le bleu calciné et blanchissant qui leur servait de fond.
                                                Th. GAUTIER, *le Roman de la momie*, I, p. 49.

6   (...) on voyait les vergues, les hunes, les grandes voiles blanches dessiner dans l'eau des commencements d'images renversées qui ondulaient.
                                                LOTI, *Mon frère Yves*, XI, p. 50.

7   Ces milliers d'arbres vigoureux qui dessinent une magnificence abondante et légère comme un tissu brodé de l'Inde.   M. BARRÈS, *Leurs figures*, p. 364.

[c] Abstrait. Faire apparaître en traits marqués (le caractère, la personnalité). *Ce trait de caractère le dessine tout entier.* ⇒ **Dépeindre, peindre.**

8   (...) souvent, un premier geste, que l'on fait sans presque y songer, dessine irrémédiablement notre figure et commence à tracer un trait que, par la suite, tous nos efforts ne pourront jamais effacer.
                                                GIDE, *les Faux-monnayeurs*, III, XV, p. 461.

▶ SE DESSINER v. pron.

♦ **1.** Dessiner son propre portrait.

Fig. Se montrer, se faire voir à son avantage. ⇒ **Composer** (cit. 14).

♦ **2.** Paraître avec un contour net. → **Paraître, ressortir; détacher** (se), **dévoiler** (se), **former** (se), **montrer** (se), **profiler** (se), **révéler** (se). *Ombre qui se dessine sur un mur, sur un écran. Arbre, branche qui se dessine sur le ciel. Une ville se dessinait à l'horizon. Un sourire se dessina sur ses lèvres.* ⇒ **Apparaître, paraître** (→ Architecture, cit. 9; caravane, cit. 2).

9   Le sous-chef eut un sursaut et étouffa mal une exclamation; mais sous la moustache de M. Nègre, un demi-sourire se dessina d'une bienveillance rassurante.
                                                COURTELINE, *Messieurs les ronds-de-cuir*, VI, II, p. 236.

10   Sous le voile de ces phrases coupées de tragiques silences, toute la vie intérieure du musicien se dessine.   Éd. HERRIOT, *la Vie de Beethoven*, p. 91.

11   Derrière le décor une pièce n'est plus peinte; elle se dessine. Elle me montre ses fautes de dessin.   COCTEAU, *la Difficulté d'être*, p. 61.

♦ **3.** Acquérir, prendre des contours plus accusés. ⇒ **Développer** (se), **préciser** (se); **forme, tournure** (prendre forme, tournure). *Projets, plans qui commencent à se dessiner. Le péril se dessine.* ⇒ **Approcher; annoncer** (s').

▶ DESSINÉ, ÉE p. p. adj.

♦ **1.** Représenté par des traits exécutés à la main, tracé. *Figure, arabesque bien dessinée. Œuvres dessinées.* ⇒ **Dessin.**

12   (...) une ancienne et admirable broderie d'or, dessinée par un célèbre calligraphe du temps passé (...)   LOTI, *les Désenchantées*, I, III, p. 46.

C'est dessiné, bien dessiné.

Par ext. Orné de dessins. *Étoffe dessinée.*

♦ **2.** Loc. BANDE DESSINÉE. ⇒ **Bande.**

♦ **3.** [a] Construit de façon à donner l'impression d'une figure composée (plus ou moins bien); dont la structure est (plus ou moins) régulière. *Intrigue théâtrale, phrase musicale mal dessinée,* dont le dessin est incorrect (⇒ **Dessin,** 6.).

[b] Naturellement délimité, formé. *Des collines dessinées. Visage bien dessiné,* d'une jolie forme, bien nette. *Des yeux dessinés en amande.*

13   Adieu, bouche de Suzanne, mieux dessinée que la bouche irréelle d'un ange dans un tableau du Pérugin!   G. DUHAMEL, *Chronique des Pasquier*, IX, IV, p. 47.

CONTR. Cacher, enfouir. — Disparaître, évanouir (s'). — Estomper.
DÉR. V. Dessin.

DESSOLEMENT [desɔlmɑ̃] n. m. — 1700; de 2. *dessoler.*

♦ Agric. Action de dessoler (un champ).

---

1. DESSOLER [desɔle] v. tr. — XIIᵉ; de *dés* (→ 1. Dé-), et 1. *sole.*

♦ Techn. Débarrasser de la sole*, de la partie inférieure du sabot. *Dessoler un cheval.*

▶ DESSOLÉ, ÉE p. p. adj. *Mulet dessolé.*

(En parlant d'un chien de chasse). Qui a le dessous des pattes endommagé. *Des chiens dessolés.*
DÉR. Dessolure.
HOM. 2. Dessoler.

2. DESSOLER [desɔle] v. tr. — 1357; de *dés-* (→ 1. Dé-), et rad. de *assoler.*

♦ Agric. Changer l'ordre des cultures, l'assolement de (une terre).

CONTR. Assoler.
DÉR. Dessolement.
HOM. 1. Dessoler.

DESSOLURE [desɔlyʀ] n. f. — XIVᵉ; de 1. *dessoler.*

♦ Techn. Action de dessoler un animal.

DESSOUCHEMENT [desuʃmɑ̃] ou **DESSOUCHAGE** [desuʃaʒ] n. m. — 1795, *dessouchement; dessouchage,* 1905, *in Rev. gén. des sc.,* nᵒ 9, p. 425; de *dessoucher.*

♦ Action de dessoucher. — On dit aussi *essouchement* ou *essouchage.*

DESSOUCHER [desuʃe] v. tr. — 1700; de *dés-* (→ 1. Dé-), *souche,* et suff. verbal.

♦ Débarrasser des souches. *Dessoucher un champ, une clairière, le sol, la terre.* On dit aussi *essoucher.*

DÉR. Dessouchement ou dessouchage.

DESSOUDAGE [desudaʒ] n. m. — D. i.; de *dessouder.*

♦ Action de dessouder.

DESSOUDER [desude] v. tr. — V. 1165; de *dés-* (→ 1. Dé-), et *souder.*

♦ **1.** Ôter la soudure de. *Dessouder des tuyaux.* — Pron. SE DESSOUDER: se défaire, en parlant de ce qui était soudé.

♦ **2.** Argot. Tuer. ⇒ **Buter, descendre.** «... *elle s'est fait dessouder dans une rue merdeuse de Paris.»* (San-Antonio, *Fleur de nave vinaigrette,* p. 127).

Le souffle ténu qui filtrait des lèvres du Rital les rassura. Le gonze, on ne l'avait pas dessoudé.   A. LE BRETON, *Du rififi chez les hommes,* p. 94, 1953.

DÉR. Dessoudage.

DESSOULER, DESSOÛLER ou (vx) **DESSAOULER** [desule] v. — V. 1557; de *dés-* (→ 1. Dé-), et *soûler, saouler.*

Familier.

♦ **1.** V. tr. Tirer (qqn) de l'ivresse. *On l'a dessoulé (dessoûlé) en lui jetant de l'eau à la figure. La peur l'a dessoulé.*

♦ **2.** V. intr. (souvent dans un contexte négatif). Cesser d'être ivre. *Il ne dessoûle pas :* il est toujours ivre. *On a fait une de ces bringues, on n'a pas dessoûlé pendant trois jours.* ⇒ **Débourrer** (pop.).

▶ SE DESSOULER v. pron.
Cesser d'être ivre.

(...) Rabe, la démarche incertaine et la tête malade pour s'être dessoulé trop vite, reprenait son chemin le long des rues (...)
                                                P. MAC ORLAN, *Quai des brumes,* I, p. 15.

CONTR. Soûler.

1. DESSOUS [d(ə)su] prép., adv. — 1080; *desoz,* v. 980; comp. de *de,* prép., et *sous.* — Mot indiquant la position d'une chose sous une autre (opposé à *dessus*).

★ **I.** Prép. de lieu. ♦ **1.** Vx (employé seul). ⇒ **Sous.** — REM. Cet emploi se perpétue de nos jours, avec un sens uniquement concret correspondant à *en dessous de.* «*Chercher dessous la table* » (Académie, Huitième éd.).

1   Me trouvant enfin dessous un toit rustique.   CORNEILLE, *Clitandre,* III, 1.

Fig. (marquant la soumission à une autorité).

2   Je sais qu'il est rangé dessous les lois d'un autre (...)
                                                MOLIÈRE, *le Dépit amoureux,* II, 3.

♦ **2.** Loc. prép. Mod. DE DESSOUS: d'un endroit situé dans une position inférieure par rapport à qqch. *Tirer un objet de dessous un meuble. Sortir de dessous une tente.*

3   (...) Jacques tira de dessous sa veste un énorme cahier rouge (...)
              Alphonse DAUDET, le Petit Chose, I, IV.

4   Jean Tournier était occupé, avec une équipe de jeunes gens, ces derniers matins, à extraire les cadavres et les blessés de dessous les décombres d'un pâté de maisons (...)   GIDE, Journal, 1er janv. 1943.

PAR-DESSOUS : sous qqch. *Passer par-dessous la clôture.*

5   (...) les Derviches le soutiennent par-dessous les bras.
        MOLIÈRE, le Bourgeois gentilhomme, Jeu de scène, Cérémonie turque.

Fig. et fam. *Faire qqch. par-dessous la jambe**, avec désinvolture.

★ **II.** Adv. de lieu. À la face inférieure, dans la partie inférieure. *Le prix du vase est marqué dessous. Cherchons un abri, et mettons nous dessous.*

6   Approchons cette table, et vous mettez dessous.   MOLIÈRE, Tartuffe, IV, 4.

7   L'F en appuyant les dents d'en haut sur la lèvre de dessous : FA.
            MOLIÈRE, le Bourgeois gentilhomme, II, 4.

8   Oh! ne touche pas au feu! s'exclama le «boss». Il faut réunir le bois en pyramide et laisser un peu d'air dessous.   P. MAC ORLAN, Quai des brumes, III, p. 37.

Mar. *Mettre la barre dessous,* la mettre sous le vent (ellipt, dans un commandement : *Dessous !*).

8.1 Coup de vent d'E. N. E. au petit jour... Il faut amener toute la voilure et prendre la cape, à sec de toile et barre dessous pour dériver le moins possible.
          Bernard MOITESSIER, Cap-Horn à la voile, p. 271.

Loc. adv. *Bras dessus bras dessous.* ⇒ **Bras,** cit. 28. *Sens dessus dessous.* ⇒ **Sens.**

PAR-DESSOUS : par la partie inférieure. *Baissez-vous et passez par-dessous. Reprendre un mur par-dessous.* ⇒ **Œuvre** (en sous-œuvre). *Saper un édifice par-dessous.*

EN DESSOUS : sur la face inférieure, dessous et tout contre. *Soulevez ce livre, le billet est en dessous. Qui est placé en dessous.* ⇒ **Sous-jacent.**

9   Une espèce de petit balcon vers le haut, en saillie et soutenu en dessous par deux chevrons et deux poutres debout.   DIDEROT, Salon de 1767, in LITTRÉ, Saillie.

Fam. *L'appartement d'en dessous.* Syn. : *du dessous* (→ 2. Dessous).

Fig. *Rire en dessous,* en dissimulant son rire. ⇒ **Cape** (sous cape). *Regarder en dessous, par en dessous,* sans lever franchement les yeux. ⇒ **Sournois.** *Agir en dessous,* furtivement, subrepticement, hypocritement. — (1808). En valeur d'adj. *Air en dessous,* hypocrite.

10 Son regard en dessous observait tout avec une ombrageuse attention.
              MARMONTEL, Mémoires, IV.

11 Jean-Paul baissa le front, sans répondre. Il décocha vers Antoine un coup d'œil en dessous, suivi d'un regard hésitant Daniel qui s'en allait (...)
            MARTIN DU GARD, les Thibault, t. IX, p. 82.

12 Pinette, le front bas, regardait Longin par en dessous en soufflant et en frappant du pied.   SARTRE, la Mort dans l'âme, p. 48.

En valeur d'adj. *La taille en dessous.* Syn. : *au-dessous* (→ 2. Dessous, 8).

Loc. prép. Inférieur à. *Il a fait un mariage bien en dessous de sa condition* (ou *au-dessous de...*).

CI-DESSOUS : sous ce qu'on vient d'écrire, plus loin, plus bas. ⇒ **Infra.** *Vous trouverez ci-dessous les indications nécessaires. Se reporter au graphique ci-dessous.*

LÀ-DESSOUS : sous cet objet, cette chose. *Le chat s'est caché là-dessous. Venez là-dessous vous abriter de la pluie. Ôtez ce tricot : vous devez avoir trop chaud là-dessous.* — Fig. *Il a offert de m'aider : il y a quelque chose là-dessous,* cela cache, cela dissimule quelque chose.

13 Qu'est-ce que cela veut dire? (...) Je vous prie de me dire ce qu'il y a là-dessous.
           MOLIÈRE, Monsieur de Pourceaugnac, II, 4.

CONTR. Sur ; dessus, haut (en).

2. DESSOUS [d(ə)su] n. m. — Fin XIVe ; de 1. *dessous.*

♦ **1.** Face inférieure (de qqch.) ; ce qui est plus bas (que qqch.). *Le dessous de la langue, des pieds, du genou. Le dessous des yeux, du nez. Le dessous des bras.* ⇒ **Aisselle.** — *Le dessous d'une affiche, d'une étoffe, d'une assiette.* ⇒ **Envers.** *Le dessous d'une fenêtre, d'un appartement. L'étage du dessous.*

14 Puis le dessous du genou a gonflé, la rotule s'est empâtée, le jarret aussi s'est trouvé pris.   RIMBAUD, Correspondance, À Isabelle, 15 juil. 1891.

15 On sentait qu'une multitude de cœurs pensaient à vous, une multitude de cœurs inconnus, chauds comme le dessous d'un édredon.
          G. DUHAMEL, Récits des temps de guerre, IV, IV, p. 21.

Spécialt. L'étage immédiatement inférieur. *Les gens du dessous, de dessous sont bruyants.* Syn. fam. : *d'en dessous* (→ 1. Dessous, II.), *d'au-dessous* (→ ci-dessous, 8.). ⇒ **Bas** (d'en bas). — *Vêtements de dessous,* qui se portent sous ceux que l'on voit. ⇒ **Sous-vêtement** et ci-dessous, 3.

♦ **2.** DESSOUS DE... (Objets qui se placent sous qqch. pour isoler, protéger). *Un dessous de plat, de verre, de carafe, de bouteille...* Voir aussi à l'ordre alphabétique. — REM. Les composés sont traditionnellement considérés comme invariables.

(Nom donné à des choses cachées). *Le dessous des cartes, le dessous du jeu.* ⇒ **Carte** (cit. 10 et 11) ; fig. : la face cachée des choses. *On ne connaît pas souvent le dessous des cartes.* — Par anal.

Les dessous de la politique. ⇒ **Secret.**

♦ **3.** (Fin XIXe). Absolt. Plur. **LES DESSOUS** : vêtements de dessous féminins (soutien-gorge, culotte, porte-jarretelles, chemise, combinaison, etc.). ⇒ **Linge, lingerie.** *Porter des dessous en dentelle.*

16 Les êtres ne sont jamais si simples qu'on le croit. Même parmi les plus futiles, ce n'est pas seulement en lingerie que les femmes ont de curieux dessous.
         Émile HENRIOT, Portraits de femmes, « La jeune captive », p. 218.

16.1 Elle portait d'amples et orageux jupons, volants et autres dessous que je ne saurais nommer. Tout cela se soulevait en moutonnant et froufroutant (...)
             S. BECKETT, Molloy, p. 76.

♦ **4.** Hist. mus. Basse harmonique.

16.2 L'utilisation de la Clarinette à l'orchestre est, comme celle de la Flûte, diverse. D'abord, mélodique, cela va de soi : et rien ne remplace la noble expression du second registre. Mais elle sert aussi bien à des accompagnements, à des dessous de caractère neutre soit avec les Flûtes, soit avec les Hautbois, soit (très souvent) avec un ou deux Bassons, auxquels elle se marie le plus heureusement du monde.
         Charles KOECHLIN, les Instruments à vent, p. 48.

♦ **5.** Peint. *Le dessous* : la première couche de peinture d'une toile.

16.3 Ses places bien assurées, il fuma beaucoup de cigarettes devant sa toile, avec une sorte de recueillement, tourna autour de sa boîte à couleurs, l'ouvrit, la ferma, et à la fin se mit à jeter précipitamment les premiers dessous sur la toile.
         Ed. et J. DE GONCOURT, Manette Salomon, p. 93.

♦ **6.** *Les dessous du théâtre* : étages à plancher mobile disposés sous la scène, servant à entreposer les accessoires. — Loc. fig. *Être, tomber dans le, au troisième, trente-sixième dessous,* aussi bas que possible ; dans une très mauvaise situation. Var. (rare) :

17 Les Montesquiou descendent d'une ancienne famille, qu'est-ce que ça prouverait, même si c'était prouvé? Ils descendent tellement qu'ils sont dans le quatorzième dessous.   PROUST, À la recherche du temps perdu, t. XII, p. 39.

♦ **7.** Fig. *Avoir le dessous* : être dans un état d'infériorité dans une lutte, une discussion... ⇒ **Désavantage.** *Il finira bien par avoir le dessous.* ⇒ **Céder, perdre.**

♦ **8.** Loc. adv. AU-DESSOUS : plus bas. *La colline domine une plaine qui s'étend au-dessous. Il n'y a personne au-dessous.* Fam. *L'appartement d'au-dessous.* Syn. : *du dessous* (→ ci-dessus, 1.).

18 L'écho des petits scandales d'au-dessus, d'au-dessous, d'à-côté, en suinte à travers les murs, ni plus ni moins qu'à travers de simples gilets de flanelle.
         COURTELINE, Boubouroche, Nouvelle, II, p. 39.

Spécialt, pour indiquer une infériorité nombrable. ⇒ **Moins.** *Vous en trouverez à mille francs et au-dessous. Les enfants de dix ans et au-dessous paient demi-place.* — En valeur d'adj. *La taille, la dimension au-dessous.* Syn. : *en dessous* (→ 1. Dessous, II.).

Fig. (en attribut). ⇒ **Inférieur.**

19 (...) jamais il *(Racine)* n'ira plus loin qu'*Alexandre* et qu'*Andromaque. Bajazet* est au-dessous, au sentiment de bien des gens, et au mien, si j'ose me citer.
         Mme DE SÉVIGNÉ, Lettres, 257, 16 mars 1672.

Loc. prép. AU-DESSOUS DE : plus bas que, en bas de (⇒ préf. **Infra-, sous-, sub-**). *La foule se rassemble au-dessous de la fenêtre. Nous sommes logés au-dessous des X. Jupe au-dessous du genou. Cinq degrés au-dessous de zéro.* — *Orléans est au-dessous de Paris.* ⇒ **Sud** (au sud de). *L'Oise se jette dans la Seine au-dessous de Paris.* ⇒ **Aval** (en aval de).

20 (...) Mais plutôt qu'elle considère   Plus de vingt pas au-dessous d'elle ;
Que je me vas désaltérant   Et que, par conséquent, en aucune façon,
Dans le courant,   Je ne puis troubler sa boisson.
               LA FONTAINE, Fables, I, 10.

21 (...) comme au-dessous des océans, pourvu qu'on jette assez la sonde, c'est toujours la solidité immuable de la terre ; et toutes les mers ne sont qu'une robe de rosée sur l'écorce.   André SUARÈS, Trois hommes, «Dostoïevski», V, p. 245.

22 (...) la mer déchaînée, dans les roches, au-dessous de moi, presque à pic (...)
          MARTIN DU GARD, les Thibault, t. II, p. 258.

Spécialt. ⇒ **Moins** (à moins de, de moins de, pour moins de...). *Les femmes ne peuvent se marier au-dessous de quinze ans. On n'a pas racheté les candidats au-dessous de 148 points. Vendre, acheter un objet au-dessous de sa valeur, au-dessous du cours.*

Fig. ⇒ **Inférieur** (inférieur à). *Le sous-lieutenant est au-dessous du lieutenant* (en grade). *Notre condition est au-dessous de la leur.* — *Être au-dessous de sa tâche, de son rôle* : n'être pas capable, pas digne de l'assumer. ⇒ **Ne pas être à la hauteur***. *Mettre une chose, une personne au-dessous d'une autre,* la déclarer inférieure à cette autre. *Il met, il trouve ce roman bien au-dessous du précédent. Ce film est bien au-dessous de ce qu'en dit la critique.*

23 (...) à cause de votre noblesse vous me tenez fort au-dessous de vous (...)
             MOLIÈRE, George Dandin, II, 2.

24 Cela est au-dessous de ma condition (...)   MOLIÈRE, les Précieuses ridicules, 9.

25 Le H. G. *(Hermès Galant* ou *Mercure Galant)* est immédiatement au-dessous de rien.   LA BRUYÈRE, les Caractères, I, 46.

26 Un esprit au-dessous du médiocre (...)   SAINT-SIMON, Mémoires, XII.

ÊTRE AU-DESSOUS DE TOUT : n'être capable de rien, n'avoir aucune valeur. ⇒ **Minable.**

CONTR. Plus, supérieur ; avantage, supériorité.

COMP. Dessous-de-bras, dessous-de-plat, dessous-de-table.

DESSOUS-DE-BRAS [d(ə)sud(ə)bʀɑ] n. m. invar. — 1929 ; de *dessous, de,* et *bras.*

♦ Cercle de tissu imperméable destiné à protéger les vêtements de la transpiration aux aisselles.

DESSOUS-DE-PLAT [d(ə)sudpla] n. m. invar. — 1898; de *dessous, de,* et *plat.*

♦ Support, plateau sur lequel on pose les plats pour éviter de brûler ou de tacher la nappe.

DESSOUS-DE-TABLE [d(ə)sudtabl] n. m. invar. — xxᵉ; de *dessous, de,* et *table.*

♦ Somme d'argent versée secrètement lors d'une transaction. ⇒ **Gratification.** *Ils ont reçu des dessous-de-table.*

DESSUINTAGE [desɥɛ̃taʒ] n. m. — 1803; de *dessuinter.*

♦ Techn. Action de dessuinter. *Le dessuintage de la laine brute.*

DESSUINTER [desɥɛ̃te] v. tr. — 1826; de *dés-* (→ 1. Dé-), et *suint.*

♦ Techn. Débarrasser du suint. ⇒ **Dégraisser, déshuiler.** *Dessuinter de la laine avant de la filer, de la teindre.*

DÉR. Dessuintage, dessuinteuse.

DESSUINTEUSE [desɥɛ̃tøz] n. f. — xxᵉ; de *dessuinter.*

♦ Techn. Machine servant au dessuintage. *Dessuinteuse rectiligne.*

La dessuinteuse est une machine utilisant la propriété du suint d'être soluble dans l'eau douce (...) Charles MARTIN, la Laine, p. 30.

1. DESSUS [d(ə)sy] prép. et adv. — xiᵉ, *desur, desuz;* comp. de *de,* prép., et *sur* ou *sus.*

Mot indiquant la position d'une chose sur une autre (opposé à *dessous*).

★ **I.** Prép. de lieu. ♦ **1.** Vx (employé seul). ⇒ **Sur.**

1 Chaque jour, chaque instant entasse pour ma gloire
Laurier dessus laurier, victoire sur victoire. CORNEILLE, le Cid, I, 3, variante.

♦ **2.** Loc. prép. Mod. DE DESSUS : de la face supérieure (de qqch.). *Ôtez-moi cela de dessus la table. Retirez-vous de dessus ce lit. Il ne lève pas les yeux de dessus son ouvrage.*

2 On en a vu (des maux) qui ont sapé par les fondements de grands empires, et qui les ont fait évanouir de dessus la terre (...) LA BRUYÈRE, les Caractères, X, 7.

3 La nuit vint. Il observa, avec une joie qui lui ôta un poids immense de dessus la poitrine, qu'elle serait fort obscure. STENDHAL, le Rouge et le Noir, I, IX.

PAR-DESSUS : par le dessus, par le haut de qqch. *Porter un manteau par-dessus son costume.* ⇒ **Pardessus.** *Placer des objets les uns par-dessus les autres.* ⇒ **Superposer.** *Regarder par-dessus une clôture. Lire par-dessus l'épaule de qqn. Sauter par-dessus un obstacle. Passer par-dessus le mur. Tomber cul par-dessus tête,* en avant, en culbutant. *Jeter qqn par-dessus bord,* du navire dans la mer.

4 Tout en déchirant le pointillé de sa feuille de timbres, le patron jetait des regards du côté de Quinette par-dessus l'épaule du client. J. ROMAINS, les Hommes de bonne volonté, t. IV, p. 168.

5 Mais il y a entre eux un cri spécial; un certain « o-hau » connu d'eux seuls, qu'ils savent entendre par-dessus les pâtés de maisons. Ils se rejoignent quand ils veulent. J. ROMAINS, les Hommes de bonne volonté, t. IV, p. 144.

Fig. *Par-dessus tout* : spécialement, principalement. ⇒ **Surtout.** *Je vous recommande par-dessus tout d'être prudent.*

Fig. *Il faut passer par-dessus ces inconvénients,* ne pas s'y arrêter.

Fam. *Avoir par-dessus la tête de qqch.,* en avoir assez, trop, en être excédé. *J'en ai par-dessus la tête de toutes ces comédies. — En avoir par-dessus les yeux* (même sens).

5.1 Il ne faudrait pas qu'elle m'embête, après tout (...) J'en ai assez (...) j'en ai par-dessus la tête, de Madame (...) O. MIRBEAU, le Journal d'une femme de chambre, p. 89.

Par-dessus le marché : en plus. — Emphatiquement. *Il est stupide, et par-dessus le marché il l'ignore.*

★ **II.** Adv. de lieu. À la face supérieure (contr. : *dessous*), à la face extérieure (contr. : *dedans*). *Prenez l'enveloppe, l'adresse est marquée dessus. Ce siège est solide, vous pouvez vous asseoir dessus. Couvrez la casserole, placez un couvercle dessus.* — Mar. *Tout dessus* : toutes voiles dehors.

REM. *Dessus* a une acception plus large et plus vague que *dessous.* Ainsi, dans *relevez votre robe pour ne pas marcher dessus,* il y a simple idée de contact, d'écrasement.

6 Lui-même écrit une longue lettre, met de la poudre dessus (...) LA BRUYÈRE, les Caractères, XI, 7.

7 Il l'aida à fermer une valise trop pleine et dut s'agenouiller dessus de tout son poids, tandis qu'elle s'accroupissait sur le tapis pour tourner la clef. MARTIN DU GARD, les Thibault, t. III, p. 99.

8 Les belles pommes rouges que les nègres astiquent en crachant dessus et en frottant ferme avec une loque de laine (...) G. DUHAMEL, Scènes de la vie future, VI, p. 88.

Fam. *Il m'a marché dessus* (sur les pieds). *Sauter, taper, tirer, tomber dessus* (sur qqn).

Ce tour est très commun aujourd'hui : *il m'a sauté dessus; — Et alors, quand nous essayons, avec quatre hommes et un caporal, de désarmer cent cinquante partisans (...) ceux-ci nous refusent leurs fusils et nous tirent dessus.* F. BRUNOT, la Pensée et la Langue, XI, II, p. 412. 9

(...) paraît que la division de cavalerie a ordre de se faire bousiller derrière nous pour les empêcher de nous tomber dessus! MARTIN DU GARD, les Thibault, t. VIII, p. 166. 10

Fig. *Avoir le nez dessus, mettre le nez dessus,* tout près, tout contre. *Vous cherchez votre stylo et vous avez le nez dessus. Il ne s'aperçoit jamais de rien si on ne lui met le nez dessus. — Mettre le doigt dessus :* deviner. *Mettre la main dessus :* saisir (⇒ **Attraper, empoigner, prendre**), et, par ext., trouver. *Impossible de mettre la main dessus, il est introuvable !*

C'est mon coquin de fils qui aura mis la main dessus. DANCOURT, les Bourgeoises à la mode, III, 3. 11

Fam. *Être dessus* : suivre une affaire. *Vous ne réussirez pas à emporter ce marché, il est déjà dessus.*

Loc. adv. *Bras dessus bras dessous.* ⇒ **Bras** (cit. 28).
Sens dessus dessous. ⇒ **Sens.**

PAR-DESSUS : par le haut. *La barrière n'est pas haute, vous pouvez sauter par-dessus. Enfilez un manteau par-dessus.*

EN DESSUS. [a] Sur le dessus. *Tissu écossais en dessus et uni en dessous.* — Fam. *Les voisins d'en dessus,* de l'étage supérieur. Syn. : *du dessus* (→ 2. Dessus).

[b] Plus grand, dans une évaluation nombrable et hiérarchique. *Est-ce que vous auriez ce modèle dans une ou deux tailles en dessus?* Syn. : *au-dessus* (→ 2. Dessus, 6.).

CI-DESSUS : au-dessus de ce qu'on vient d'écrire, plus haut. ⇒ **Supra.** *L'exemple ci-dessus prouve que...* ⇒ **Susdit.** *Voyez ci-dessus ce qui a été dit sur le même sujet.*

LÀ-DESSUS : sur cela. *Écrivez là-dessus. Montez là-dessus.* — Fig. À ce sujet, sur ce sujet. *Il connaît beaucoup de choses là-dessus. Rien à redire là-dessus. Comptez* là-dessus !

(...) j'ai fait là-dessus quelques vers (...) MOLIÈRE, la Comtesse d'Escarbagnas, 1. 12

Les grimaces d'amour ressemblent fort à la vérité; et j'ai vu de grands comédiens là-dessus. MOLIÈRE, le Malade imaginaire, I, 4. 13

Là-dessus, il nous quitta brusquement, alors, sur ce.

(...) et là-dessus vient un berger joyeux avec un bécarre admirable, qui se moque de leur faiblesse. MOLIÈRE, le Sicilien, 2. 14

CONTR. Sous ; dessous ; bas (en).

2. DESSUS [d(ə)sy] n. m. — 1155; de 1. *dessus.*

♦ **1.** Face, partie supérieure (de qqch.). *Le dessus de la main, du pied, de la tête. Le dessus d'une table, d'une armoire. Ranger une valise sur le dessus d'un meuble. Dessus d'un tissu.* ⇒ **Endroit.** *L'étage du dessus.*

Spécialt. L'étage immédiatement supérieur. *Les voisins du dessus, de dessus.* Syn. fam. : *d'en dessus* (→ 1. Dessus, II.), *d'au-dessus* (→ ci-dessous, 6.). ⇒ **Haut** (d'en haut).

Le dessus *(de la viande)* grillé à grand feu, et qui enveloppe la pulpe comme la croûte d'un gâteau. J. ROMAINS, les Hommes de bonne volonté, t. IV, p. 44. 15

Loc. *Le dessus du panier :* ce qu'il y a de meilleur et qui est placé en dessus pour faire valoir le reste (→ La crème, la fleur, le gratin, cit.). ⇒ **Panier** (cit. 6.1).

Je vous donne avec plaisir le dessus de tous les paniers, c'est-à-dire la fleur de mon esprit, de ma tête, de mes yeux, de ma plume, de mon écritoire; et puis le reste va comme il peut. Mᵐᵉ DE SÉVIGNÉ, Lettres, 473, 1ᵉʳ déc. 1675. 16

♦ **2.** DESSUS DE... Ce qui se place sur (qqch.) pour protéger, garnir. *Dessus de plateau, de buffet, de cheminée en tissu.* ⇒ **Napperon ;** et **dessus-de-lit, dessus-de-plat.**

♦ **3.** Par ext. *Dessus d'un théâtre :* étages au-dessus de la scène et dans lesquels peuvent remonter les décors.

♦ **4.** Hist. de la mus. Le registre le plus haut (opposé à *basse*). ⇒ **2. Dessous** (4.). Par métonymie. Personne qui chante le dessus. ⇒ **Soprano, ténor.** — Instrument le plus aigu dans un groupe d'instruments.

(...) les pinsons chantaient le dessus avec les bergères (...) VOLTAIRE, la Princesse de Babylone, 4. 17

♦ **5.** Fig. *Avoir le dessus dans un combat, dans une discussion,* l'emporter. ⇒ **Gagner, triompher, vaincre.** *Prendre le dessus, l'avantage.* ⇒ **Prééminence, supériorité.**

(...) je la reine de Pologne vient à Bourbon ; je crois qu'elle joindra fort agréablement au plaisir de chercher sa santé celui d'avoir le dessus sur la reine de France (...) Mᵐᵉ DE SÉVIGNÉ, Lettres, 561, 24 juil. 1676. 18

Avec plus de raison nous aurions le dessus,
Si mes confrères savaient peindre. LA FONTAINE, Fables, III, 10. 19

Votre frère l'emporte, et Phèdre a le dessus. RACINE, Phèdre, II, 6. 20

Spécialt. *Prendre, reprendre le dessus* (sur une douleur physique ou morale), surmonter sa défaillance. ⇒ **Relever** (se), **remettre** (se). *Ce malade reprend peu à peu le dessus. Il a du mal à reprendre le dessus après une telle déception.*

Quand elle faisait son marché, avec un port de tête qui éloignait les hommages familiers, elle passait pour une veuve qui était en train de reprendre le dessus. M. AYMÉ, Maison basse, p. 149. 20.1

♦ **6.** Loc. adv. **Au-dessus** : plus haut. *Les chambres sont au-dessus.* Fam. *L'appartement d'au-dessus* (→ 2. Dessous, cit. 18). Syn. : *du dessus* (→ ci-dessus, 1.).

Pour indiquer une supériorité nombrable. ⇒ **Plus.** *La température atteint dans ces régions 50° et au-dessus. Délit passible de 20 jours de prison et au-dessus. Deux tailles au-dessus.* — En valeur d'adj. *La taille, la dimension au-dessus.* Syn. : en dessus (→ 1. Dessus, II.).

Fig. ⇒ **Meilleur, mieux.** *Il n'y a rien au-dessus.*

Loc. prép. **Au-dessus de** : plus haut que, en haut de. ⇒ préf. **Super-, sur-, sus-.** *Il y a de gros nuages au-dessus de la ville. L'avion est au-dessus de la mer. Un dais est placé au-dessus du lit.* ⇒ **Surmonter.** *Montagne qui s'élève au-dessus de la mer.* ⇒ **Dominer, surplomber.** *Accrocher un tableau au-dessus de son lit. Coucher au-dessus du salon. Jupe qui remonte au-dessus du genou. Cinq degrés au-dessus de zéro.* — *L'Ain se jette dans le Rhône au-dessus de Lyon.* ⇒ **Amont** (en amont de). *Paris est au-dessus d'Orléans.* ⇒ **Nord** (au nord de).

21 Il est vrai, nous sommes sur les hauts plateaux de Judée, à huit cents mètres environ au-dessus du niveau des mers, déjà dans la région des vents et des nuages.
LOTI, Jérusalem, XII, p. 137.

Au-delà de (un chiffre). ⇒ **Plus** (à plus de, de plus de, pour plus de). *Les enfants au-dessus de quinze ans sont admis. N'achetez pas au-dessus de telle somme. Vendre au-dessus du cours.*

Fig. ⇒ **Supérieur** (à). *Le colonel est au-dessus du capitaine* (en grade). *Personne, chose qui est au-dessus de tout, de tous en autorité, en efficacité, en qualité.* ⇒ **Souverain, suprême ; surpasser.** *Faire un mariage au-dessus de sa condition. Ce travail est au-dessus de notre compétence. Mettre, placer une personne, une œuvre au-dessus d'une autre dans son estime, dans ses jugements.*

22 (...) vous savez bien ce que vous êtes au-dessus des autres ; vous avez de la tête, du jugement (...)
Mme DE SÉVIGNÉ, Lettres, 817, 9 juin 1680.

23 Il se met au-dessus de tous les autres gens ;
Aux conversations même il trouve à reprendre ;
Ce sont propos trop bas pour y daigner descendre ;
Et les deux bras croisés, du haut de son esprit
Il regarde en pitié tout ce que chacun dit.
MOLIÈRE, le Misanthrope, II, 4.

Fam. *Être au-dessus de ses affaires* : avoir un actif supérieur à son passif, des recettes supérieures aux dépenses.

24 C'est pourtant fort simple, mon cher. Ma situation n'a rien d'inquiétant et je suis fort au-dessus de mes affaires, à la condition d'inventorier mes marchandises et mes valeurs au cours d'achat. D'ailleurs, voici mon bilan (...)
A. MAUROIS, Bernard Quesnay, XXIV, p. 156.

Être au-dessus de (qqch.) : dominer une situation, être supérieur à ; mépriser. *Cette personne est au-dessus de l'intérêt, au-dessus d'une telle mesquinerie. Il est au-dessus de tout soupçon. Nous sommes au-dessus des injures, au-dessus de ces considérations. Ces critiques ne le gênent pas, il est de cent coudées au-dessus de tout cela.* → Cela ne l'atteint* pas, ne l'effleure* pas.

25 Elle *(la piété)* nous moralise délicieusement et nous élève au-dessus des misérables soucis de l'utile ; or là où finit l'utile commence le beau, Dieu, l'infini, et l'air pur qui vient de là est la vie. RENAN, Souvenirs d'enfance..., Appendice, p. 274.

26 Dostoïevski était né pour la douleur, et pour s'élever dans la douleur, au-dessus de tout l'égoïsme et de toute la misère morale, où la douleur enferme généralement les natures médiocres. André SUARÈS, Trois hommes, « Dostoïevski », V, p. 259.

27 Nos boys sont d'une obligeance, d'une prévenance, d'un zèle au-dessus de tout éloge (...) GIDE, Voyage au Congo, in Souvenirs, Pl., p. 763.

CONTR. Dessous. — Moins, inférieur. — Désavantage, infériorité.
COMP. Dessus-de-lit, dessus-de-plat, dessus-de-porte.

DESSUS-DE-LIT [d(ə)sydli] n. m. invar. — 1870 ; de 2. *dessus, de,* et *lit.*

♦ Grand morceau d'étoffe, généralement adapté à la forme d'un lit, pour en recouvrir entièrement la literie. ⇒ **Couvre-lit, courtepointe.** *Des dessus-de-lit en toile, en velours, en satin, en tissu molletonné, piqué, broché. Dessus-de-lit en filet. Ôter le dessus-de-lit pour se coucher. Faire le lit et remettre le dessus-de-lit.*

DESSUS-DE-PLAT [d(ə)sydpla] n. m. invar. — xxe ; de 2. *dessus, de,* et *plat.*

♦ Couvercle dont on recouvre un plat. ⇒ **Couvre-plat.** *Des dessus-de-plat.*

DESSUS-DE-PORTE [d(ə)sydpɔrt] n. m. invar. — 1653 ; de 2. *dessus, de,* et *porte.*

♦ Techn. (décor.). Décoration sculptée ou peinte, au-dessus du chambranle d'une porte.

DÉSTABILISATEUR, TRICE [destabilizatœr, tris] adj. — V. 1970 ; de *déstabiliser.*

♦ Qui déstabilise. « *(Des) agissements politiques (et non pas économiques) qui sont à dessein perturbateurs et déstabilisateurs* » (*l'Express,* 14 juil. 1979, p. 65).

DÉSTABILISATION [destabilizasjɔ̃] n. f. — V. 1970 ; de *déstabiliser.*

♦ Modification d'un équilibre politique, économique, qui compromet l'équilibre acquis. « *Rivalités ethniques, crise économique, attentat ; le scénario de la déstabilisation* » (*le Nouvel Obs.,* 26 déc. 1977, p. 34). *La déstabilisation de la situation internationale. Déstabilisation d'une région, d'une zone, d'un pays.*

DÉSTABILISER [destabilize] v. tr. — V. 1970 ; de 1. *dé-,* et *stabiliser.*

♦ Enlever à (un pays, une politique, une économie, etc.) sa stabilité ; rendre (une situation politique, économique) moins stable ou instable. *L'augmentation du prix des matières premières déstabilise l'économie des pays peu développés.* « *Côté Otan, on murmure que le rapt serait le résultat d'un complot international pour déstabiliser l'Alliance atlantique durant la crise polonaise* » (*l'Express,* 24 déc. 1981, p. 50).

DÉR. Déstabilisateur, déstabilisation.

DÉSTALINISATION [destalinizasjɔ̃] n. f. — V. 1956 ; de *déstaliniser,* ou de 1. *dé-, Staline,* et suff. *-isation.*

♦ Opération de politique intérieure du parti communiste d'U. R. S. S. qui rejette les méthodes autoritaires propres à Staline et le culte de la personnalité. *Les premières mesures de déstalinisation ont suivi le vingtième Congrès du parti communiste* (févr. 1956) *et se sont étendues à d'autres pays communistes.*

1 La déstalinisation ne change donc rien pour le chrétien à l'objection fondamentale qu'il oppose au communisme. F. MAURIAC, Bloc-notes 1952-1957, p. 244.

2 Ce pouvoir unique, dont il était (...) question, pendant les années cinquante, s'est plutôt éloigné, en dépit de la déstalinisation. A. SAUVY, Croissance zéro ?, p. 116.

DÉSTALINISER [destalinize] v. — 1956 ; de 1. *dé-, Staline,* et suff. *-iser.*

♦ **1.** V. tr. Pratiquer la déstalinisation de. *Déstaliniser un régime, un pays ; un parti communiste.*

Pron. *Pays qui se déstalinise.*

♦ **2.** V. intr. Cesser d'être stalinien.

Le baromètre est au beau fixe avec l'U. R. S. S. qui déstalinise et envoie ses poètes gesticuler dans nos music-halls. Michel DÉON, les Poneys sauvages, p. 133.

DÉR. — V. **Déstalinisation.**

DESTIN [dɛstɛ̃] n. m. — 1160, « projet » ; déverbal de *destiner.*

♦ **1.** Puissance qui, selon certaines croyances, fixerait de façon irrévocable le cours des événements. ⇒ **Destinée** (1.), **fatalité, fatum** (littér.), **nécessité, prédestination.** *La mythologie grecque faisait du destin une puissance supérieure aux dieux. L'ordre du destin, la loi du destin. Les arrêts du destin. La sibylle*, la pythie* dévoilaient les arrêts du destin. L'oiseau du destin* (⇒ **Fatidique**). *Croyance au destin* (⇒ **Déterminisme, fatalisme**). *Pour les chrétiens, la notion de providence* a remplacé celle de destin* (⇒ **Ciel, dieu, providence**). *Destin aveugle, cruel, impitoyable, irrévocable, rigoureux, sévère, sourd.* — Au plur. *Les destins favorables.*

REM. Lorsqu'il s'agit de la personnification mythologique, on écrit parfois *Destin* avec un D majuscule. *Les filles du Destin* : les Parques.

1 Des arrêts du destin l'ordre est invariable (...)
CORNEILLE, la Conquête de la toison d'or, V, 7.

2 Et l'ordre du destin qui gêne nos pensées
N'est pas toujours écrit dans les choses passées :
Quelquefois l'un se brise où l'autre s'est sauvé,
Et par où l'un périt un autre est conservé. CORNEILLE, Cinna, II, 1.

3 Qu'au livre du Destin les mortels peuvent lire. LA FONTAINE, Fables, II, 13.

4 Le bien nous le faisons ; le mal, c'est la Fortune ;
On a toujours raison, le Destin toujours tort. LA FONTAINE, Fables, VII, 14.

5 Les Destins sont contents : Oronte est malheureux.
LA FONTAINE, Pièces diverses, II, « Élégie pour M. F. ».

6 (...) ne trouves-tu pas, comme moi, quelque chose du Ciel, quelque effet du destin, dans l'aventure inopinée de notre connaissance ?
MOLIÈRE, le Malade imaginaire, I, 4.

7 Hélas ! qui peut savoir le destin qui m'amène ?
L'amour me fait ici chercher une inhumaine.
Mais qui sait ce qu'il doit ordonner de mon sort,
Et si je viens chercher ou la vie ou la mort ? RACINE, Andromaque, I, 1.

8 Je me livre en aveugle au destin qui m'entraîne. RACINE, Andromaque, I, 1.

9 (...) c'est là *(dans Homère)* que parmi les rêveries et les inconséquences, on trouve (...) l'idée du destin qui est maître des dieux, comme les dieux sont les maîtres du monde. VOLTAIRE, Dict. philosophique, Destin.

10 Que l'ombre des Destins, Seigneur, n'oppose plus
À nos belles ardeurs une immuable entrave,
À nos efforts sans fin des coups inattendus ! A. DE VIGNY, les Destinées, I.

11 Les hommes ont inventé le destin, afin de lui attribuer les désordres de l'univers, qu'ils ont pour devoir de gouverner.
R. ROLLAND, Au-dessus de la mêlée, p. 26.

12 *Nolentem trahunt* (...) disaient (...) les Latins. Les destins traînent de force ceux

qui leur résistent : à quoi bon aller contre eux ? Mot d'une sagesse humaine, trop humaine, dont l'autre nom est abdication.   DANIEL-ROPS, Ce qui meurt..., p. 7.

Par anal. Vieilli. (En parlant d'une personne dont dépend entièrement une évolution).

12.1 Bonaparte a été véritablement le destin pendant seize années.
      CHATEAUBRIAND, Mémoires d'outre-tombe, III, I, VII, 5.

♦ **2.** Ensemble des événements contingents (⇒ **Hasard**) ou non (⇒ **Fatalité**) qui composent la vie d'un être humain considérés comme résultant de causes distinctes de sa volonté. ⇒ **Destinée** (2.), **étoile, sort.** *On n'échappe pas à son destin. Suivre son destin. Croire en son destin. C'était son destin ! (→ C'était écrit*, c'était fatal. Cf. arabe Mektoub). Il eut un destin tragique,* une fin (ou une vie) tragique. ⇒ **Existence.** *C'est un tournant du destin. C'est le destin des grands hommes. Prédire, lire le destin de qqn.* ⇒ **Avenir, futur ; aventure** (1.), **horoscope, oracle, prédiction.** *C'est le destin qui nous a réunis.* ⇒ **Chance, hasard.**

13 Mais elle était du monde, où les plus belles choses
   Ont le pire destin.
   Et rose elle a vécu ce que vivent les roses,
   L'espace d'un matin.   MALHERBE, Consolation à Du Périer.

14 Il faut en revenir toujours à son destin,
   C'est-à-dire à la loi par le Ciel établie (...)   LA FONTAINE, Fables, IX, 7.

15 On aura beau chanter les restes magnifiques
   De tous ces destins héroïques
   Qu'un bel art prit plaisir d'élever jusqu'aux cieux (...)
      MOLIÈRE, Appendice à George Dandin, I.

16 J'avais, dès le début, pris la résolution de ne rien demander, de suivre mon destin (...)   G. DUHAMEL, la Pesée des âmes, VII, p. 169.

17 Où est le commencement de nos actes ? Notre destin, quand nous voulons l'isoler, ressemble à ces plantes qu'il est impossible d'arracher avec toutes leurs racines.
      F. MAURIAC, Thérèse Desqueyroux, p. 35.

Par ext. Ce qu'il adviendra de quelque chose. ⇒ **Fortune, sort.** *Le destin d'un ouvrage littéraire. Le destin d'un empire, d'une civilisation. Le destin du monde, de l'univers.* — Poét. *Le destin du combat.* ⇒ **Issue.**

18 Un grand destin commence, un grand destin s'achève,
   L'Empire est prêt à choir et la France s'élève.   CORNEILLE, Attila, I, 2.

19 Je songe quelle était autrefois cette ville,
   Si superbe en remparts, en héros si fertile,
   Maîtresse de l'Asie ; et je regarde enfin
   Quel fut le sort de Troie, et quel est son destin.   RACINE, Andromaque, I, 2.

20 J'ignore du combat quel sera le destin (...)   VOLTAIRE, les Scythes, IV, 7.

21 Pas exactement du fatalisme, non : le sentiment de participer, même par la maladie et la mort, au destin de l'univers.   MARTIN DU GARD, les Thibault, t. IX, p. 225.

21.1 L'univers entier s'évanouira, ayant accompli son destin, comme ici et maintenant s'accomplit le destin des hommes.   R. QUENEAU, les Derniers Jours, p. 233.

Condition heureuse ou malheureuse. ⇒ **Condition, état.**

22 (...) je ne souhaite
   Ni climats ni destins meilleurs.   LA FONTAINE, Fables, VII, 12.

23 Je n'aimais qu'elle au monde, et vivre un jour sans elle
   Me semblait un destin plus affreux que la mort.
      A. DE MUSSET, Poésies nouvelles, « Nuit d'octobre ».

♦ **3.** Le cours de l'existence considéré comme pouvant être modifié par celui qui la vit. ⇒ **Existence, vie.** *Être le maître de son destin. Influencer, modifier son destin. Être responsable de son destin ; décider de son destin. Agir librement sur son destin (*⇒ **Liberté***). Changer* son destin.*

24 (...) elle avait conscience que sa volonté n'avait pas cessé d'agir sur son destin, et que sa réussite était bien son œuvre.
      MARTIN DU GARD, les Thibault, t. V, p. 159.

25 (...) nous tissons notre destin, nous le tirons de nous comme l'araignée sa toile (...)   F. MAURIAC, la Vie de J. Racine, XIV.

26 Jerphanion s'interroge, moins sur ce qu'il va décider que sur le retentissement intérieur de la décision, sur l'indice dont elle marquera son destin.
      J. ROMAINS, les Hommes de bonne volonté, t. IV, XV, p. 157.

27 Ce dont chacun de nous est responsable, ce n'est pas d'un destin anonyme, c'est de son propre destin, reflet temporel de son éternité. Lorsque les hommes renoncent à considérer leur destin personnel comme quelque chose dont ils sont comptables, les destins du siècle fléchissent et mènent le monde aux faillites. Car cette démission en annonce d'autres et les permet.   DANIEL-ROPS, Ce qui meurt..., p. 8.

DÉR. Destinal.
COMP. Antidestin.

DESTINAL, ALE, AUX [dɛstinal, o] adj. — 1867, Baudelaire ; de *destin.*

♦ Philos. Rare. Du destin. *Le jeu, « abrégé destinal »* (Jankélévitch, *in* T. L. F.).

DESTINATAIRE [dɛstinatɛʀ] n. — 1829 ; dér. sav. de *destiner.*

♦ **1.** Personne à qui s'adresse un envoi. *Le destinataire d'un envoi postal, d'un message, d'un télégramme, d'un colis, d'une lettre. L'adresse du destinataire. Destinataire inconnu, parti sans laisser d'adresse. Délivrer, remettre au destinataire.*

1 (...) des paperasses, que le concierge, dès qu'il eut appris le retour de M. de Fontanin à Maisons-Laffitte, chargea Daniel de remettre, en mains propres, à leur destinataire.   MARTIN DU GARD, les Thibault, t. III, p. 49.

À cette époque, la poste restante admettait que le nom du destinataire fût remplacé par des initiales ou des chiffres.
      J. ROMAINS, les Hommes de bonne volonté, t. II, VI, p. 68.   2

Par ext. *Le destinataire d'un cadeau, d'une attention, d'une remarque* (iron.), *d'une gifle.*

♦ **2.** (Mil. xxᵉ). Celui à qui s'adresse un message (au sens sémiotique) et notamment un message linguistique. ⇒ **Allocutaire, auditeur, interlocuteur.**

CONTR. Envoyeur, expéditeur ; destinateur.

DESTINATEUR [dɛstinatœʀ] n. m. — Mil. xxᵉ ; dér. sav. de *destiner, destinataire.*

♦ Ling. L'auteur d'un message (au sens sémiotique) et notamment d'un message linguistique adressé à un destinataire. ⇒ **Émetteur, locuteur.**

CONTR. Destinataire.

DESTINATION [dɛstinasjɔ̃] n. f. — xiiᵉ ; lat. *destinatio,* du supin de *destinare.* → Destiner.

♦ **1.** Ce pour quoi une personne ou une chose est faite. ⇒ **Fin, finalité.** *La destination de l'homme sur la terre,* la fonction attribuée à l'homme (par une entité supérieure, divinité, destin, etc.). ⇒ **Destinée, mission, vocation ; raison** (d'être). — (1690). *La destination d'un édifice.* ⇒ **Affectation.** *Cet appareil n'a pas d'autre destination.* ⇒ **Emploi, usage, utilisation.** *Cet argent n'a pas été employé suivant la destination prévue. Remplir sa destination. Détourner de sa destination un édifice (*⇒ **Désaffecter***). Destination primitive, destination d'origine.*

Les autres constructions avaient subsisté, en se transformant plus ou moins ; la ferme et sa basse-cour gardaient leur destination d'origine.   1
      J. ROMAINS, les Hommes de bonne volonté, t. V, IX, p. 75.

Avec quel argent ? Avec une somme que ces messieurs lui avanceraient sous la forme d'un prêt ordinaire, sans que la destination en fût spécifiée dans le reçu.   2
      J. ROMAINS, les Hommes de bonne volonté, t. V, XII, p. 86.

♦ **2.** Dr. Rapport entre deux choses affectées l'une à l'autre par leur propriétaire. — *Destination du père de famille :* rapport d'utilisation qu'une personne a établi entre deux fonds dont elle est propriétaire, et qui donne naissance à une servitude lorsque les deux fonds viennent à passer aux mains de deux propriétaires différents. *Établissement des servitudes par destination du père de famille* (Code civil, art. 692 à 694). — *Immeuble* par destination* (Code civil, art. 524).

♦ **3.** (1770). Lieu où l'on doit se rendre, lieu où une chose est adressée. ⇒ **But, direction.** *Partir pour une destination lointaine ; inconnue. Se diriger vers telle destination. Répartir, classer les lettres, les imprimés, suivant leur destination.* ⇒ **Router.** *Lieu de destination.* ⇒ **Arrivée.**

Chacun, irrité par la fatigue et la faim, était impatient d'arriver à sa destination.   3
      Ph.-P. SÉGUR, Hist. de Napoléon, IV, 7.

(...) il allait, d'un pas circonflexe, vers une destination peu certaine, à la façon d'un somnambule que menacerait le mal de mer.   4
      Léon BLOY, la Femme pauvre, I, p. 9.

À DESTINATION. *Arriver, parvenir à destination. Être rendu à destination. Adresser, expédier, envoyer, transmettre une lettre à sa destination. Navire, train en partance à destination de Marseille. Voyage à destination de l'Italie.*

CONTR. Départ, origine.

DESTINATOIRE [dɛstinatwaʀ] adj. — 1870 ; dér. sav. de *destiner.*

♦ Dr. Qui règle la destination. *Clause destinatoire.* ⇒ **Destination.**

DESTINÉE [dɛstine] n. f. — V. 1131 ; p. p. subst. de *destiner.*

♦ **1.** ⇒ **Destin** (1.), **fatalité.** *Se soumettre à la destinée. Accuser la destinée. La main de la destinée. Destinée cruelle, irrévocable. C'est la destinée.* — *« Les Destinées »,* poèmes de Vigny.

Mon cœur est à vous, mais la destinée n'est à personne ; elle se moque de nous tous.   1
      VOLTAIRE, Lettre au duc de Richelieu, 8 nov. 1769.

(...) quand les infortunés ne savent à qui s'en prendre de leurs malheurs, ils s'en prennent à la destinée, qu'ils personnifient, et à laquelle ils prêtent des yeux et une intelligence pour les tourmenter à dessein.   2
      ROUSSEAU, Rêveries..., 8ᵉ promenade.

(...) la destinée est derrière nous qui nous écoute et se joue de nos calculs.   3
      B. CONSTANT, Journal intime, p. 175.

(...) il sentait qu'une mystérieuse destinée l'enchaînait ici cette année, et que, partout ailleurs, il traînerait une détresse pire.   4
      MARTIN DU GARD, les Thibault, t. II, p. 190.

♦ **2.** Destin particulier d'un être ⇒ **Destin** (2.), **sort ;** ce à quoi il est destiné (⇒ **Destination, finalité, vocation**). *Il eut une heureuse, une malheureuse destinée. Suivre sa destinée, s'abandonner, aller à sa destinée. Accomplir ses destinées. On ne peut échapper, se dérober à sa destinée. Sa destinée a été déterminée par ce geste. Tenir entre ses mains la destinée de qqn. Sa destinée était de deve-*

nir... (→ Avocat, cit. 17). *La trame* des destinées. —Astre (étoile) de la destinée,* censé(e) influencer la destinée de tel individu. — *La destinée de l'homme, la destinée humaine. La destinée d'un royaume, d'une civilisation, d'un continent* (→ Crise, cit. 12). *Les destinées de l'empire.*

5 (...) les poètes feignent que les destinées ont bien à la vérité été faites et ordonnées par Jupiter, mais que depuis qu'elles ont une fois par lui été établies, il s'est lui-même obligé de les garder (...)
DESCARTES, Méditations, Réponses aux 5es objections.

6 Une méchante destinée conduit quelquefois les personnes.
MOLIÈRE, les Fourberies de Scapin, II, 7.

7 On rencontre sa destinée
Souvent par des chemins qu'on prend pour l'éviter.
LA FONTAINE, Fables, VIII, 16.

8 C'est sa destinée d'être parfaitement aimé.
Mme DE SÉVIGNÉ, Lettres, 496, in LITTRÉ.

9 L'essentiel, pour être le moins mal possible, est de se soumettre à sa destinée.
D'ALEMBERT, Lettre au roi de Prusse, 15 déc. 1780.

10 La providence s'écrit souvent en toutes lettres dans la destinée des grands hommes.
HUGO, Post-scriptum de ma vie, IV.

11 Quelle bizarrerie dans la destinée humaine! et que le hasard est un grand railleur!
Th. GAUTIER, Mlle de Maupin, VII, p. 161.

12 (...) les destinées des nations sont dans la paix et dans la liberté.
FUSTEL DE COULANGES, Questions contemporaines, p. 58.

13 Mon père se faisait de l'âme humaine et de sa destinée une idée sublime; il la croyait faite pour les cieux; cette foi le rendait optimiste.
FRANCE, le Petit Pierre, I.

14 (...) il était décidé à suivre passivement sa destinée, un peu par fatalisme (...)
LOTI, les Désenchantées, V, XXXVI, p. 207.

15 Avez-vous songé que voici des siècles, des milliers de siècles, que notre pauvre humanité accomplit sa destinée sur la terre?
MARTIN DU GARD, les Thibault, t. IV, p. 132.

Par ext. Condition, sort. *La destinée qui était réservée à cette œuvre.*

16 La destinée ordinaire de ceux qui refusent de prêter l'oreille à la vérité est d'être entraînés à leur perte par des prophètes menteurs.
BOSSUET, Disc. sur l'hist. universelle, II, 8, in LITTRÉ.

♦ **3.** (1640). Vie, existence (⇒ **Destin**, 3.). *Finir sa destinée :* mourir. *Trancher la destinée de qqn,* lui ôter la vie. — *Unir sa destinée à qqn,* s'unir à lui, l'épouser. *Ils ont associé leurs destinées. Enchaîner sa destinée à qqn. Leurs destinées se sont croisées, rencontrées.*

17 Sache donc que je touche à l'heureuse journée
Qui doit avec Clarice unir ma destinée (...)
CORNEILLE, le Menteur, IV, 2.

18 Vous pouvez d'un seul mot trancher ma destinée (...)
CORNEILLE, Horace, V, I.

Faire, former, modeler sa destinée. Décider de sa destinée. Changer (cit. 23) *sa destinée, la destinée de quelqu'un.*

19 Vous êtes à l'âge où l'on se décide; plus tard, on subit le joug de la destinée qu'on s'est faite, on gémit dans le tombeau sans pouvoir en soulever la pierre.
LAMENNAIS, Lettre à Sainte-Beuve, in BILLY, Sainte-Beuve, p. 137.

20 Elle eut subitement la révélation que Jacques, avec une froide cruauté d'homme, choisissait sa destinée, tandis que, elle, elle ... Ah, elle ne pouvait rien pour choisir la sienne, pas même pour l'orienter, si peu que ce fût!
MARTIN DU GARD, les Thibault, t. IV, p. 261.

21 (...) pour ce qui ne dépend pas de nous, notre manière d'y réagir est l'expression de notre caractère même; et là encore, nous modelons la destinée.
F. MAURIAC, la Vie de J. Racine, XIV.

DESTINER [dɛstine] v. tr. — 1160; «annoncer», 1155; lat. *destinare* «fixer, affecter».

DESTINER (qqch., qqn) À... ♦ **1.** Vieilli (le sujet désigne une entité supérieure : divinité, «destin»). Fixer la destinée de (qqn). ⇒ **Prédestiner, promettre.** *Le ciel l'a destiné à la gloire.* — *Destiner un jeune homme à une jeune fille,* projeter de l'unir par les liens du mariage à cette jeune fille.

Vx. DESTINER (qqch., qqn) POUR...

1 C'est à ce grand héros que le sort t'a destiné,
C'est pour lui que le ciel te destine aujourd'hui.
CORNEILLE, Andromède, III, 3.

2 Cette persuasion que nous avons trouvé l'être que la nature avait destiné pour nous, ce jour subit répandu sur la vie, et qui nous semble en expliquer le mystère (...)
B. CONSTANT, Adolphe, IV, p. 33.

♦ **2. Cour.** Fixer d'avance (pour être donné en partage à qqn). ⇒ **Assigner, garder, réserver.** *Je vous destine ce poste, cet emploi. J'avais destiné ce cadeau, ce don à mon fils. Je ne sais quel accueil il me destine.* ⇒ **Préparer.** — **Par ext.** *Cette remarque vous était destinée,* était pour vous, vous concernait. *Le coup vous était destiné. Le jury destine ce prix au lauréat de mathématiques.* ⇒ **Attribuer.**

3 Hé bien! filles d'enfer, vos mains sont-elles prêtes? (...)
(...) À qui destinez-vous l'appareil qui vous suit? RACINE, Andromaque, V, 5.

4 Je sais à son retour l'accueil qu'il me destine. RACINE, Bajazet, I, 1.

5 Ce roman (*Télémaque*), que Fénelon avait uniquement destiné pour le duc de Bourgogne (...) D'ALEMBERT, Éloges, Fénelon (→ Copie, cit. 1).

♦ **3.** (Mil. XVIe). Désigner, fixer d'avance (qqch.) pour être employé à un usage. ⇒ **Affecter, appliquer, réserver.** *Je destine cette somme à l'achat d'un costume. L'auteur a destiné ces notes à la publication.* — **Plus cour.** au passif. *Cette poulie est destinée au levage.*

♦ **4.** (1580). Affecter (qqn) à un emploi, à une occupation, à un

---

état. *Son père le destine à la magistrature.* — **Par ext.** *Son talent, son énergie le destinent à une carrière brillante.*

6 (...) bien que leur naissance au trône les destine (...) CORNEILLE, Nicomède, II, 1.

Plus cour. au passif (voir ci-dessous le participe passé).

7 J'étais donc encore destiné à rendre ce devoir funèbre (...)
BOSSUET, Oraison funèbre d'Henriette-Anne d'Angleterre.

▶ **SE DESTINER** v. pron.
Choisir une carrière. *Se destiner au professorat, à la magistrature. Il se destine à la politique, à la carrière des armes.*

8 (...) il continue toujours à s'instruire et paraît se destiner à la diplomatie (...)
SAINTE-BEUVE, Correspondance, 17, 28 juin 1824, t. I, p. 53.

9 Se destiner à la politique, c'est sentir une vocation non seulement de critiquer, mais de gouverner. J. ROMAINS, les Hommes de bonne volonté, t. II, xv, p. 183.

▶ **DESTINÉ, ÉE** p. p. et adj. *Un homme destiné à la gloire, à la fortune.* ⇒ **Appelé.** *Le sort qui nous est destiné,* qui nous attend.

10 Ce Jésus était destiné pour une plus haute mission (....)
BOURDALOUE, Avent, Nativité de J.-C., 713, in LITTRÉ.

11 L'homme et la femme sont destinés l'un pour l'autre, la fin de la nature est qu'ils soient unis par le mariage. ROUSSEAU, Julie ou la Nouvelle Héloïse, IV, Lettre X.

Réception destinée à un visiteur de marque. Poste destiné au protégé du ministre.
Édifice destiné au culte. Marchandises destinées à l'exportation.
Fig. *Une impression qui n'est pas destinée à durer.*
Enfant destiné par son père à la carrière des armes.

DÉR. Destin, destinataire, destinatoire, destinée.

DESTITUABLE [dɛstituabl] adj. — 1560; de *destituer.*

♦ **Admin.** Qu'on peut destituer. *Des fonctionnaires destituables.*
CONTR. Inamovible.

DESTITUER [dɛstitue] v. tr. — 1482; «écarter», 1322; lat. *destituere* «priver de...», de *de-* priv., *statuere* «placer, établir». → Statuer.

♦ **1. Vx.** Priver (qqn) de la jouissance d'un droit, d'un bien. ⇒ **Dépouiller, dépourvoir, priver.**

1 Après avoir clairement désigné une chose, on lui donne un nom que l'on destitue de tout autre sens. PASCAL, De l'esprit géométrique, I.

2 Brillat-Savarin (...) offrait une des rares exceptions à la règle qui destitue de toute haute faculté intellectuelle les gens de haute taille (...)
BALZAC, in CHATEAUBRIAND, Mémoires d'outre-tombe, t. IV, p. 286.

♦ **2. Mod.** Priver (qqn) d'une charge, d'une fonction, d'un emploi. ⇒ **Casser, congédier, démettre, déplacer, déposer, disgracier, licencier, limoger, renvoyer, révoquer;** cf. Relever de ses fonctions, mettre à pied, mettre à la retraite. *Destituer un officier de son commandement.* ⇒ **Dégrader.** *Destituer un souverain.* ⇒ **Détrôner.** *Destituer un employé pour le remplacer*. Destituer un fonctionnaire. Destituer provisoirement qqn.* ⇒ **Suspendre.** *Destituer le tuteur d'un enfant* (⇒ **Destitution**).

3 Il l'avait destitué de tout emploi dans le diocèse (...) RACINE, Port-Royal, 1.

4 (...) le père de notre voisin avait été destitué en 1878 de son capitanat de louveterie (...) GIRAUDOUX, Bella, V, p. 104.

▶ **DESTITUÉ, ÉE** p. p. et adj.
Vx. Dénué, dépourvu, privé. «*Une crainte destituée de fondement*» (Académie, huitième édition).
Magistrat destitué de ses fonctions.

CONTR. Nommer, réintégrer.
DÉR. Destituable.

DESTITUTION [dɛstitysjɔ̃] n. f. — 1316; lat. *destitutio;* du supin de *destituere.* → Destituer.

♦ Action de destituer; le fait d'être destitué. ⇒ **Déposition, disgrâce, licenciement, renvoi, révocation.** *La dégradation civique entraîne la destitution de toutes fonctions* (Code pénal, art. 34; → Dégradation, cit. 1). — **Dr. admin.** Révocation disciplinaire de certains agents au statut spécial (officiers ministériels...). — **Dr. civ.** *Destitution de la tutelle,* par laquelle le conseil de famille décide de priver le tuteur de ses fonctions (Code civil, art. 444, et suivants.).

Plus cour. *Destitution d'un officier.* ⇒ **Cassation** (2.), **dégradation.** *Capitulation* (cit. 2) *en rase campagne, punie de destitution.* — *La destitution d'un confrère, d'un académicien. Annoncer à qqn sa destitution,* qu'il a été destitué.

Même dans les confréries qui sont formées par pure élection, le pouvoir de retrancher les confrères n'appartient qu'aux magistrats, parce qu'il y a de l'honneur dans l'admission et de la note (*du déshonneur*) dans la destitution.
FURETIÈRE, Factums, t. I, p. 202, in LITTRÉ.

CONTR. Nomination. — Avancement, promotion.

DÉSTOCKAGE [destɔkaʒ] n. m. — V. 1966; de *déstocker.*

♦ **Écon.** Mise en vente de produits gardés en stock. «*Cette année, 1 375 000 automobiles auront été produites, en léger retrait par* rapport à l'année précédente, en raison du substantiel mouvement de déstockage intervenu au premier semestre 1965 » (*le Monde*, 1er janv. 1966).

DÉSTOCKER [destɔke] v. tr. et intr. — 1947, *in* D. D. L. ; de 1. *dé-*, et *stocker*.

♦ Écon. Faire diminuer les stocks par leur mise en vente. *Déstocker des marchandises.*

(Des organismes) freinent la baisse des cours en stockant et modèrent la hausse en déstockant.   Jean-Paul COURTHÉOUX, la Politique des revenus, p. 121.

CONTR. Stocker.
DÉR. Déstockage.

DESTRIER [dɛstʀije] n. m. — 1080 ; de l'anc. franç. *destre*, main droite (→ Dextre), le destrier étant conduit de la main droite par l'écuyer, quand le chevalier ne le montait pas.

♦ Didact. (dans un contexte médiéval). Cheval de bataille (par oppos. au *palefroi*).

1 Ça, qu'on selle,
  Écuyer,
  Mon fidèle
  Destrier.   HUGO, Odes et ballades, Ballade XII.

2 L'Empereur étonné, se jetant en arrière,
  Suspend du destrier la marche aventurière.
                          A. DE VIGNY, Poèmes antiques et modernes, « Le cor ».

3 Ils ont laissé mulets et palefrois, ils montent sur les destriers et chevauchent en rangs serrés.   BÉDIER, la Chanson de Roland, LXXIX, p. 79.

DESTROYER [dɛstʀwaje] n. m. — 1893 ; mot angl., de *to destroy* « détruire ».

Anglicisme.

♦ **1.** Vieilli. Contre-torpilleur. *Destroyer d'escadre, d'escorte.*

L'escadre, renforcée à Dakar par le croiseur Primauguet, venait d'appareiller et se dirigeait à toute vitesse vers le sud. Un destroyer anglais, détaché en surveillance, en gardait, de loin, le contact.
                          Ch. DE GAULLE, Mémoires de guerre, p. 102.

♦ **2.** (1941). Vx. Avion de combat à long rayon d'action.

DESTRUCTEUR, TRICE [dɛstʀyktœʀ, tʀis] n. et adj. — 1420 ; a remplacé l'anc. franç. *détruiseur* ; lat. *destructor*, du supin de *destruere*. → Détruire.

♦ **1.** Personne qui détruit. ⇒ **Briseur, démolisseur, dévastateur.** *Un destructeur impitoyable, sanguinaire. Les barbares furent de grands destructeurs.* ⇒ **Vandale.** — *Le destructeur de... Les Romains, destructeurs de Carthage.*

1 Ils avaient fait en chaire le panégyrique des destructeurs nommés conquérants (...)
                          VOLTAIRE, Dialogues, XXVIII, 1, *in* LITTRÉ.

Fig. *Le destructeur des abus, des préjugés :* réformateur. *La destructrice de...*

♦ **2.** Adj. Qui détruit (⇒ **Destructif** ; littér. **annihilateur**). *Fléau destructeur, guerre destructrice.* ⇒ **Meurtrier.** *Système, régime destructeur. Folie destructrice.* ⇒ **Néfaste, nuisible.** — Fig. *Idée, philosophie destructrice, destructrice de la morale.* ⇒ **Subversif ; agressif** (cit. 3), **critique** (cit. 41).

2 La religion mahométane, qui ne parle que de glaive, agit encore sur les hommes avec cet esprit destructeur qui l'a fondée.
                          MONTESQUIEU, l'Esprit des lois, XXIV, IV.

3 (...) mais cet amour est devenu quelque chose d'irrésistible, de destructeur, de plus fort que la mort. Je suis à lui comme une maison qui brûle est au feu.
                          MAUPASSANT, Fort comme la mort, p. 343.

4 *(Pasteur)* n'admirait pas les esprits dégagés qui s'arrogent avec des saillies et d'arbitraires plaidoyers, l'avantage des affirmations destructrices.
                          Henri MONDOR, Pasteur, VII, p. 126.

REM. *Destructeur* se dit de ce qui détruit effectivement ; *destructif* de ce qui a le pouvoir de détruire, que ce pouvoir s'exerce ou non.

CONTR. Constructeur, créateur, édificateur, producteur.
DÉR. Destructibilité.

DESTRUCTIBILITÉ [dɛstʀyktibilite] n. f. — 1739 ; lat. sav. *destructibilitas*, du supin de *destruere*. → Détruire.

♦ Rare. Propriété de ce qui peut être détruit.

CONTR. Indestructibilité.

DESTRUCTIBLE [dɛstʀyktibl] adj. — 1764 ; lat. sav. *destructibilis*, du supin de *destruere*. → Détruire.

♦ Littér. ou style soutenu. Qui peut être détruit. *Matière destructible.*

CONTR. Indestructible.

DESTRUCTIF, IVE [dɛstʀyktif, iv] adj. — 1372 ; rare jusqu'au XVIIe ; bas lat. *destructivus*, du supin de *destruere*. → Détruire.

♦ Qui a la vertu, le pouvoir de détruire (⇒ **Destructeur**, REM. ; littér. **annihilant**). *Le pouvoir destructif d'un explosif. Germe destructif.* ⇒ **Dévastateur.** *Idée, doctrine destructive de la liberté, de toute liberté.*

Cette idée seule est destructive de toute administration.   1
                          VOLTAIRE, Philosophie, II, 303, *in* LITTRÉ.

(...) je ne sais quel ordre apparent, destructif en effet de tout ordre, et qui ne fait   2
qu'ajouter la sanction de l'autorité publique à l'oppression du faible et à l'iniquité
du fort.   ROUSSEAU, les Confessions, VII.

Il confondit la répression des actes séditieux (...) avec les lois destructives de la   3
liberté, lois toujours funestes et injustes (...)
                          RENAN, Questions contemporaines, Œ. Compl., t. I, p. 43.

CONTR. Constructif, créateur.
DÉR. Destructivité.
COMP. Autodestructif.

DESTRUCTION [dɛstʀyksjɔ̃] n. f. — 1119 ; lat. *destructio*, du supin de *destruere*. → Détruire.

Action de détruire ; son résultat.

♦ **1.** Action de jeter bas, de faire disparaître (une construction). *La destruction d'une ville par un incendie, par les bombardements, par l'armée ennemie. Destruction par le fer, par le feu. Destruction par le feu d'un objet que l'on condamne* (→ Autodafé). *Les hommes ont perfectionné les moyens de destruction, les engins de destruction. Destruction complète.* ⇒ **Annihilation.**

(...) la prise d'une ville emportait son entière destruction (...)   1
                          MONTESQUIEU, l'Esprit des lois, XXIX, XIV.

Résultat, effet de cette action. *(Une, des destructions). Le pays a subi de terribles destructions.* ⇒ **Dégât, désolation, désorganisation, dévastation.** *Les destructions de la guerre.* ⇒ **Dommage, ruine.**

♦ **2.** Action d'altérer profondément (une substance). *La destruction des tissus organiques.* ⇒ **Décomposition, gangrène, pourriture, putréfaction.** *La destruction du métal par un acide, par la rouille.* ⇒ **Attaque.** *Destruction de la matière.* ⇒ **Désintégration.**

♦ **3.** Action de faire mourir (des êtres vivants). *La destruction d'une armée, d'un groupe d'hommes.* ⇒ **Anéantissement.** *La tentative de destruction des Juifs par les nazis.* ⇒ **Extermination, génocide, massacre, tuerie.**

À l'égard du crime de la destruction de son semblable, sois-en certaine, chère fille,   1.1
il est purement chimérique ; le pouvoir de détruire n'est pas accordé à l'homme ;
il a tout au plus celui de varier les formes.   SADE, Justine..., t. I, 84.

Spécialt. Action de faire mourir (des animaux, des plantes nuisibles). *La destruction des cafards, des rats.*

♦ **4.** Action de faire disparaître (en démolissant, en mettant au rebut, en déchirant, etc.). *Destruction de papiers compromettants.* ⇒ **Suppression.** — Dr. *Destruction d'un contrat.* ⇒ **Résolution, rupture.** — *Destruction des préjugés, des routines. Destruction de la liberté.* ⇒ **Étouffement.** *Destruction lente d'une organisation.* ⇒ **Sape** (fig.).

♦ **5.** Le fait de causer la disparition. *La destruction d'une civilisation, d'un empire.* ⇒ **Écroulement, effondrement.** *Une destruction lente, progressive.* ⇒ **Cessation, dégradation** (cit. 6), **désagrégation, disparition.** *Destruction brusque, violente.* ⇒ **Brisement, rupture.** *La destruction de la vie par la mort*.* ⇒ **Fin.**

Ainsi s'accomplit (...) la grande loi de la destruction des êtres vivants.   2
                          J. DE MAISTRE (→ Consommation, cit. 3).

(...) la stabilité des habitudes n'a pour limite que la fin même des choses, la ruine   3
et la destruction par le temps.   E. FROMENTIN, Une année dans le Sahel, p. 45.

Absolt. *Instinct de destruction.*

Dostoïevski connaît son peuple par soi-même. Toute révolte de la race déchaîne   4
son instinct d'aveugle destruction et d'anéantissement.
                          André SUARÈS, Trois hommes, « Dostoïevski », VI, p. 264.

Les crimes hitlériens, et parmi eux le massacre des Juifs, sont sans équivalent dans   5
l'histoire parce que l'histoire ne rapporte aucun exemple qu'une doctrine de destruction aussi totale ait jamais pu s'emparer des leviers de commande d'une nation civilisée.   CAMUS, l'Homme révolté, III, p. 229.

♦ **6.** Altération morale (d'une personne, de l'esprit). *La destruction de l'esprit.* ⇒ **Corruption, déchéance.**

CONTR. Construction, création, édification, fondation, production.
COMP. Autodestruction.

DESTRUCTIVITÉ [dɛstʀyktivite] n. f. — 1842 ; de *destructif.*
Didactique.

♦ **1.** Propriété de ce qui a le pouvoir de détruire. *La destructivité d'une propagande.*

♦ **2.** Psychiatrie. Disposition psychopathologique consistant dans un besoin incoercible de destruction. *Destructivité à caractère collectif* (dans les révolutions, les guerres).

DÉSTRUCTURATION [dɛstʀyktyʀasjɔ̃] n. f. — V. 1960 ; de *déstructurer.*

♦ Didact. Action de déstructurer ; fait de se déstructurer ; état qui en résulte. — Psychol., psychiatrie. Processus de désagrégation des structures mentales et des diverses fonctions psychiques, observé dans de nombreux états psychotiques. *Déstructuration de la perception. Déstructuration de la personnalité.*

CONTR. Structuration.

DÉSTRUCTURER [destʀyktyʀe] v. tr. — V. 1960 ; de 1. *dé-,* et *structurer.*

♦ Didact. Faire disparaître la structure de (qqch.). *Déstructurer la personnalité de quelqu'un.*

▶ **SE DÉSTRUCTURER** v. pron.
Perdre sa structure.

▶ **DÉSTRUCTURÉ, ÉE** p. p. adj.
Qui a perdu sa structure. — Fig. (langue commerciale). Qui n'a pas de structure rigide (meuble). *« Des formes déstructurées et simples, des tissus moelleux, des couleurs gaies de votre temps : les canapés de l'Espace Demain ne peuvent qu'attirer votre sympathie »* (*l'Express,* n° 1687, 4-10 nov. 1983, publicité).

CONTR. Structurer.
DÉR. Déstructuration.

DÉSUBJECTIVISER [desybʒɛktivize] v. tr. — 1951 ; de 1. *dé-, subjectif,* et suff. verbal *-iser.*

♦ Rare. Faire sortir (qqn) de sa subjectivité, faire accéder à l'objectivité.
Oui, l'effort de l'éducation première devrait tendre à *désubjectiviser* l'enfant, à lui apprendre à voir et sentir les choses telles qu'elles sont en réalité, à les juger indépendamment de ses réactions personnelles.
GIDE, Ainsi soit-il, in Souvenirs, Pl., p. 1207.

DÉSUET, ÈTE [dezɥɛ, ɛt] adj. — Fin xixᵉ ; lat. *desuetus,* p. p. de *desuescere* « se déshabituer de », de *de-* priv., et *suescere* « s'accoutumer ».

♦ **1.** Vieilli. Tombé en désuétude ; qui n'est plus en usage. *Coutume, loi désuète.*

♦ **2.** Mod. Archaïque, sorti des habitudes, du goût moderne. — (Choses). *Un costume désuet.* ⇒ **Démodé, passé** (de mode), **rétro, vieillot.** *Des meubles vétustes, aux formes désuètes.* ⇒ **Archaïque, suranné.** *Une coutume désuète. Des opinions désuètes.* ⇒ **Attardé, retardataire.** *Expression désuète.* ⇒ **Périmé, vieilli, vieux.** *Le mot zazou est désuet.* ⇒ **Archaïque, obsolète.** *Tout à fait désuet.* ⇒ **Anachronique, antédiluvien.** — (Personnes). *Un personnage désuet,* qui a des manières d'être passées de mode.

1 Il était sensible à la poésie de la Bourse, au charme romantique et désuet des gravures qui ornaient les titres (...)
A. MAUROIS, À la recherche de M. Proust, V, II, p. 138.
2 (...) deux poèmes médiocres du symbolisme le plus désuet (...)
J. ROMAINS, les Hommes de bonne volonté, t. IV, XXII, p. 248.
Par ext. *Charme, aspect désuet.* ⇒ **Ancien, vieillot.**

CONTR. Actualité (d'), **courant, cri** (dernier), **mode** (à la), **moderne, usuel, vogue** (en).

DÉSUÉTUDE [dezɥetyd] n. f. — 1596 ; rare jusqu'au xviiiᵉ ; lat. *desuetudo,* de *desuetus.* → Désuet.

♦ Abandon où est tombée une chose dont on a cessé depuis longtemps de faire usage (s'emploie surtout dans le syntagme : *tomber en désuétude*). *Produits, équipements qui tombent en désuétude* (⇒ **Obsolescence, vieillissement**). — Écon. *Désuétude calculée,* prévue et volontairement déterminés dès la production des objets fabriqués, afin d'accélérer leur renouvellement. — Spécialt, dr. *Loi tombée en désuétude,* qui n'a pas été abrogée officiellement mais qu'en fait on n'applique plus depuis longtemps.

1 Au reste, il ne faut jamais souffrir qu'aucune loi tombe en désuétude. Fût-elle indifférente, fût-elle mauvaise, il faut l'abroger formellement, ou la maintenir en vigueur. ROUSSEAU, Considérations sur le gouvernement de Pologne, X.
2 (...) couvre-feu, loi tombée en désuétude, mais dont l'observance subsistait dans les provinces où tout s'abolit lentement.
BALZAC, Maître Cornélius, Pl., t. IX, p. 917.

3 Le cimetière Vaugirard était ce qu'on pourrait appeler un cimetière fané. Il tombait en désuétude. La moisissure l'envahissait, les fleurs le quittaient.
HUGO, les Misérables, II, VIII, v.
4 Des mots tombent en désuétude ; mais, dans plus d'un cas, il est difficile de dire si tel mot doit définitivement être rayé de la langue vivante, et rangé parmi les termes vieillis dont l'usage est entièrement abandonné et qu'on ne comprend même plus. LITTRÉ, Dict., Préface, p. VI.
CONTR. Actualité, habitude, usage, vigueur (en).
DÉR. V. Désuet.

DÉSULFITAGE [desylfitaʒ] n. m. ou **DÉSULFITATION** [desylfitasjɔ̃] n. f. — 1910 ; de *désulfiter,* suff. *-age* et *-ation.*

♦ Agric. Action de désulfiter ; son résultat.

DÉSULFITER [desylfite] v. tr. — 1910 ; de 1. *dé-,* et *sulfite.*

♦ Agric. Débarrasser (les moûts, les vins) d'une partie de l'anhydride sulfureux provenant du sulfitage.

DÉR. Désulfitage, désulfitation.

DÉSULFURATION [desylfyʀasjɔ̃] n. f. — 1836 ; de *désulfurer.*

♦ Chim. et techn. Action de désulfurer.

CONTR. Sulfuration.

DÉSULFURER [desylfyʀe] v. tr. — 1836 ; de 1. *dé-,* et *sulfure.*

♦ Chim. et techn. Débarrasser (une substance) du soufre qu'elle contient. *Désulfurer la fonte, les produits pétroliers.* — Au p. p. *Produits désulfurés.*

DÉR. Désulfuration.

DÉSUNION [dezynjɔ̃] n. f. — 1479 ; de *désunir,* d'après *union.*

♦ **1.** Action de désunir* ; résultat de cette action. ⇒ **Désagrégation, disjonction, dislocation, séparation.**

♦ **2.** Fig. Désaccord, mauvaises relations (entre personnes, groupes, etc. qui devraient être unis). *La désunion de deux personnes, entre plusieurs personnes. La désunion d'un couple.* ⇒ **Divorce, rupture.** — *La désunion des esprits, des cœurs.* ⇒ **Désaccord, divergence.** *La désunion au sein d'une Église aboutit au schisme*, dans un parti aux dissidences, aux scissions*. Mettre, semer, souffler la désunion.* ⇒ **Brouiller** (les cartes). *Désunion dans une famille, entre les membres d'une famille.*

1 De ceux qu'unit le sang plus douces sont les chaînes,
Plus leur désunion met d'aigreur dans leurs haines (...)
CORNEILLE, Tite et Bérénice, IV, 4.
2 Personne ne sent mieux que moi les désunions de l'absence (...)
Mᵐᵉ DE SÉVIGNÉ, Lettres, 845, 25 août 1680.
3 Cette union (*de l'âme et du corps*) se fait sans que nous nous en apercevions ; la désunion doit s'en faire de même (...)
BUFFON, De la vieillesse et de la mort, in LITTRÉ.
CONTR. Union ; accord, cohésion.

DÉSUNIR [dezyniʀ] v. tr. — 1418 ; de *dés-* (→ 1. Dé-), et *unir.*

♦ **1.** Rare (concret). Faire cesser l'union, la jonction de... ⇒ **Désassembler, détacher, séparer.** *Désunir les ais d'une cloison.* ⇒ **Disjoindre, disloquer.** *Le froid désunit les pierres gélives.* ⇒ **Désagréger.**
Pour désunir deux corps contigus (...) PASCAL, Traité... de la pesanteur de l'air, 2. 1
Séparer (des personnes unies).
S'il (*Polyeucte*) vous a désunis, sa mort va vous rejoindre. 2
CORNEILLE, Polyeucte, IV, 4.
Par cette multitude d'empereurs et de césars (...) le corps de l'empire est désuni. 3
BOSSUET, Disc. sur l'hist. universelle, III, 7.
(Abstrait). Présenter séparément, isoler par l'analyse. ⇒ **Dissocier, scinder.** *Désunir des problèmes.*

♦ **2.** (V. 1560). Cour. Faire cesser l'union morale de..., jeter le désaccord entre. ⇒ **Diviser, désaccorder, désolidariser, dissocier.** *Désunir les esprits et les cœurs, les membres d'une famille.* ⇒ **Brouiller.** — (Avec un compl. au sing.). *Désunir un couple, une famille, un ménage. Désunir un parti, une assemblée.*
Unissant nos maisons, il désunit nos rois (...) CORNEILLE, Horace, I, 2. 4
Désunir (sic), signifie aussi, Mettre en dissention. Ce mari et cette femme étoient 5
autrefois fort bien unis, une petite jalousie les a *desunis.* Il y avoit alliance entre ces Princes, mais on les a *desunis.* FURETIÈRE, Dictionnaire, art. *Desunir.*
Le sort pourra bien nous séparer, mais non pas nous désunir (...) 6
ROUSSEAU, Julie ou la Nouvelle Héloïse, I, Lettre XI.
Tandis que vous serez désunis, et que chacun ne songera qu'à soi, vous n'avez rien 7
à espérer que souffrance, et malheur, et oppression.
LAMENNAIS, Paroles d'un croyant, VII, p. 36.
Absolt. *L'absence* (cit. 10) *désunit.*

▶ **SE DÉSUNIR** v. pron.

♦ **1.** Cesser d'être uni. *Leurs mains se désunissent.*

♦ **2.** (1678). Équit. Perdre la coordination des mouvements (pendant le galop). *Le cheval s'est désuni du devant au galop.*

(Sports ; 1859, *in* Petiot). Se dit d'un athlète dont les mouvements perdent leur coordination.

7.1 À moi aussi, mon style se désunira un jour *(dit le sauteur de haies).*
           A. ARNOUX, Suite variée, p. 42.

▶ **DÉSUNI, IE** p. p. et adj. (1594).

♦ **1.** Séparé par un désaccord. *Famille désunie. Couple désuni.*

Par plais. (remplaçant *unis*) :

7.2 Les frères désunis sont tous d'avis contraires
    L'un veut s'accommoder, l'autre n'en veut rien faire (...)
           LA FONTAINE, Fables, IV, 18.

♦ **2.** Équit. *Cheval désuni,* dont les membres de devant ne vont pas d'ensemble, dans le galop, avec ceux de derrière.

8 C'est un beau cheval dont le pas est presque toujours désuni (...)
           VOLTAIRE, Lettres en vers et en prose, 63, *in* LITTRÉ.

Sports. Dont les mouvements ne sont plus coordonnés. *Coureur désuni après le saut d'une haie.*

9 La vaste machine d'André triomphait des premières secondes, mais dans l'allure désunie de la fin on reconnaissait qu'elle commence à se défaire.
           Jean PRÉVOST, Plaisir des sports, p. 191.

CONTR. **Unir, réunir. — Accorder, allier, assembler, associer, attacher, cimenter, coaliser, concilier, conjuguer, réconcilier.**
DÉR. **Désunion.**

DÉSURBANISATION [dezyʀbanizasjɔ̃] n. f. — 1931, Le Corbusier, *in* D.D.L. ; de *désurbaniser.*

♦ Techn. Action de désurbaniser ; son résultat.

DÉSURBANISER [dezyʀbanize] v. tr. — 1931, Le Corbusier, *in* D.D.L. ; de *dés-* (→ 1. Dé-), et *urbaniser.*

♦ Techn. Supprimer ou diminuer l'urbanisation de, diminuer la proportion des villes.
DÉR. **Désurbanisation.**

DÉSURGELÉ, ÉE [desyʀʒəle] adj. — V. 1965 ; de 1. *dé-,* et *surgelé.*

♦ Se dit d'un produit surgelé* que l'on a fait dégeler. *Un aliment désurgelé.*
CONTR. **Surgelé.**

DÉSUTILITÉ [dezytilite] n. f. — V. 1970 ; de *dés-* (→ 1. Dé-), et *utilité.*

♦ Écon. Perte de la valeur économique. *« La désutilité créée par la pollution »* (*le Monde, in la Clé des mots,* 1973).

DÉSYNCHRONISATION [desɛ̃kʀɔnizasjɔ̃] n. f. — Mil. xxᵉ ; de *désynchroniser.*

♦ Techn. Action de désynchroniser ; son résultat. *« Lors de l'arrêt du somnifère, particulièrement si cet arrêt est brutal et plus encore si le malade en ingérait d'importantes doses, ces phénomènes dits de rebonds vont donc s'observer avec de multiples désynchronisations qui vont entraîner des insomnies complètes pendant deux à trois jours et des hyposomnies notables qui oscillent entre six semaines et trois mois »* (*la Recherche,* févr. 1974, p. 124).

DÉSYNCHRONISER [desɛ̃kʀɔnize] v. tr. — Mil. xxᵉ ; de 1. *dé-,* et *synchroniser.*

♦ Techn. Faire cesser le synchronisme de... ; faire que plusieurs éléments synchroniques ne le soient plus.

Quand le cerveau est au repos, toutes les cellules ont des pulsations qui se produisent en même temps et la somme de toutes ces pulsations constitue les ondes que nous recueillons. Les influx centripètes ont pour conséquence de désynchroniser ces ondes cellulaires : certaines seront à leur maximum, quand les autres seront au minimum, si bien que par addition de toutes ces pulsations, on n'aura plus d'ondes régulières à basse fréquence.
           Paul CHAUCHARD, le Système nerveux et ses inconnues, p. 89.

CONTR. **Synchroniser.**
DÉR. **Désynchronisation.**

DÉTACHABLE [detaʃabl] adj. — 1845 ; de 1. *détacher.*

♦ Qu'on peut détacher (1. Détacher), isoler d'un ensemble. ⇒ **Isolable, séparable.** *Coupons détachables. Des manchettes détachables.*

— (Abstrait). *Cet argument, ce point n'est pas détachable du contexte.*
CONTR. **Indétachable.**

1. DÉTACHAGE [detaʃaʒ] n. m. — xxᵉ ; de 1. *détacher.*

♦ Techn. Action de détacher (1. Détacher), de séparer (ce qui était attaché). *Le détachage d'un élément de l'ensemble, de l'assemblage où il se trouvait.*

2. DÉTACHAGE [detaʃaʒ] n. m. — 1870 ; de 2. *détacher.*

♦ Action d'enlever les taches. ⇒ **Nettoyant.** *Le détachage d'un vêtement.*

DÉTACHANT, ANTE [detaʃɑ̃, ɑ̃t] adj. et n. m. — 1876 ; de 2. *détacher.*

♦ **1.** Adj. Qui enlève les taches. *Des produits détachants. L'action détachante de la benzine.*

♦ **2.** N. m. (xxᵉ). Produit qui enlève les taches. *Ne pas laisser ce flacon de détachant à la portée des enfants.*

Lui aussi ne pouvait avoir la moindre tache sur son veston sans qu'immédiatement sa femme arrivât avec une bouteille de détachant, un linge fin et une brosse (...)
           Pierre DANINOS, Un certain Monsieur Blot, p. 59.

DÉTACHÉ, ÉE [detaʃe] p. p. adj. ⇒ **Détacher.**

DÉTACHEMENT [detaʃmɑ̃] n. m. — 1606 ; de 1. *détacher.*

★ **I.** ♦ **1.** Action de se détacher (de qqch.) ; état d'une personne qui s'est détachée ou qui n'est pas attachée.

Vx ou littér. (avec un compl. en *de*). *Pratiquer le détachement volontaire de ce qu'on a aimé.* ⇒ **Abandon, renoncement.** *Détachement de soi, de ses intérêts.* ⇒ **Désintéressement, oubli** (de soi). — *Détachement du monde, du siècle, des biens de la terre, des plaisirs.*

1 La mortification lui rend la mort familière ; le détachement des plaisirs le désaccoutume du corps, il n'a point de peine à s'en séparer ; il a déjà depuis fort longtemps, ou dénoué ou rompu les liens les plus délicats qui nous y attachent.
           BOSSUET, Oraison funèbre du R.P. Bourgoing.

Mod. (emploi absolu). *À son enthousiasme, à sa passion a succédé un grand détachement.* ⇒ **Désaffection.** *Détachement par manque d'intérêt.* ⇒ **Désintérêt, indifférence, insensibilité.** *Répondre, parler avec détachement, en affectant le détachement.* ⇒ **Désinvolture, insouciance** (→ Cause, cit. 52). *Détachement total.* ⇒ **Ataraxie.** *Une impression d'indifférence, de sécheresse et de détachement.* → Salamalec, cit. 1.

2 (...) j'ai, ne vous déplaise, un corps tout comme une âme ;
    Je sens qu'il y tient trop, pour le laisser à part ;
    De ces détachements je ne connais point l'art (...)
           MOLIÈRE, les Femmes savantes, IV, 2.

3 Mais, à mesure que se serrait davantage l'intimité de leur vie, un détachement intérieur se faisait qui le déliait de lui.
           FLAUBERT, Mᵐᵉ Bovary, I, VII, p. 31.

4 Bien que dans l'âge du détachement, je tiens encore par mille liens au monde dans lequel j'ai vécu.
           FRANCE, le Crime de S. Bonnard, Œ., t. II, p. 432.

5 Le détachement suprême, dont ils ont déjà déposé le germe dans mon âme, le renoncement à tout ce qui est terrestre et transitoire, je ne connais pas sur terre un lieu capable en même temps d'y conduire plus vite et d'en éloigner davantage que cette Bénarès (...)
           LOTI, l'Inde (sans les Anglais), VI, XIII, p. 451.

6 (...) rien ne peut arriver de pire que cette indifférence, que ce détachement total qui la sépare du monde et de son être même.
           F. MAURIAC, Thérèse Desqueyroux, IX, p. 156.

♦ **2.** (xxᵉ). Admin. Situation d'un fonctionnaire, d'un militaire provisoirement affecté à d'autres fonctions. *Être en détachement, en position de détachement. Mettre un fonctionnaire en détachement. — Obtenir un détachement.*

♦ **3.** Gramm. Action de détacher un terme de son support par l'intonation, la ponctuation. *On marque le détachement d'un complément par une pause s'il est en début ou en fin de phrase.*

♦ **4.** Log. *Règle de détachement.* ⇒ **Modus ponens.**

★ **II.** (1671). Par métonymie. Petit groupe de soldats détachés du gros de la troupe pour un service spécial. *Un, des détachements. Détachement chargé de la surveillance* (⇒ **Patrouille**), *d'un convoi* (⇒ **Escorte**), *d'un coup de main* (⇒ **Commando**), *de couvrir l'armée à l'avant* (⇒ **Avant-garde**), *sur les côtés* (⇒ **Flanc-garde**), *à l'arrière* (⇒ **Arrière-garde**). *Prendre la tête d'un petit détachement.*

7 Mélac, lieutenant général de jour, fit l'arrière-garde de tout à la gauche, avec un gros détachement (...)
           SAINT-SIMON, Mémoires, I, XVI.

8 Son corps d'armée s'avançait vers la Normandie et il fut un jour envoyé en reconnaissance avec un faible détachement qui devait simplement explorer une partie du pays et se replier ensuite.
           MAUPASSANT, Contes de la bécasse, l'Aventure de W. Schnaffs.

CONTR. **Attachement, rattachement ; affection, avidité, concupiscence, cupidité, enthousiasme, passion. — Gros** (d'une troupe).

1. DÉTACHER [detaʃe] v. tr. — V. 1160, *destachier;* par changement de préfixe, de 1. *dé-,* et *attacher* (de l'anc. franç. *tache* « agrafe »).

DÉTACHER (qqch., qqn) DE... ♦ **1.** Dégager (qqn, qqch.) de ce qui attachait, de ce à quoi (qqn, qqch.) était attaché. ⇒ **Défaire, dégager, libérer.** *Détacher un chien de sa chaîne, de sa niche* (⇒ **Déchaîner, désenchaîner**), *d'un autre chien* (⇒ **Découpler**). *Détacher un cheval des brancards* (⇒ **Dételer**), *une barque de son amarre, du quai* (⇒ **Désamarrer**).

DÉTACHER (qqch.) DE (qqch.), l'en séparer (en arrachant, en déchirant, en découpant, etc.). ⇒ **Enlever.**

1   (...) affiches que le vent détache d'un mur.   J. ROMAINS (→ Décoller, cit. 1).

(Sans compl. second en *de...*). *Détacher ce qui était pendu* (dépendre), *fixé par un lien* (déficeler, délacer, délier), *maintenu par une couture* (découdre), *une piqûre* (dépiquer), *une boucle* (déboucler), *des boutons* (déboutonner), *un crochet* (décrocher), *une agrafe* (dégrafer), *un boulon* (déboulonner), *une vis* (dévisser). *Détacher ce qui était assemblé* (désassembler), *collé* (décoller).

Par ext. Défaire (ce qui tient plusieurs choses attachées). *Détacher une épingle, une pression, une chaîne. Serrer les nœuds d'un lien pour qu'il ne se détache pas.*

Mar. *Détacher une corde.* ⇒ **Défrapper.**

♦ **2.** Séparer et enlever* (ce qui adhérait naturellement de ce à quoi la chose adhérait). *Détacher la laine des peaux* (⇒ **Abattre**), *les pétales d'une fleur* (⇒ **Effeuiller**), *les feuilles d'un arbre* (⇒ **Défeuiller, exfolier**). *Détacher de l'arbre un fruit, une fleur.* ⇒ **Cueillir.** *Détacher les grains d'une grappe.* ⇒ **Égrener.**

2   D'un chêne grand et fort (...)
  (...) Je viens de détacher une branche admirable (...)
         MOLIÈRE, l'Étourdi, IV, 5.

♦ **3.** Éloigner (qqn, qqch.) de ce avec quoi (qqn, qqch.) était en contact. *Détacher les mains des hanches.* ⇒ **Enlever.** *Détacher les bras du corps.* ⇒ **Écarter.**

(Sans compl. second; vieilli). Donner (un coup). *Détacher un coup* de poing, un coup de pied à qqn.* ⇒ **Décocher.**

3   Puis elle pensait à cet infâme Tistet Védène et au joli coup de sabot qu'elle allait lui détacher le lendemain matin.
         Alphonse DAUDET, Lettres de mon moulin, La mule du pape.

♦ **4.** Enlever (un élément d'un ensemble dans lequel il était intégré). *Détacher un maillon, un chaînon* (cit. 1) *d'une chaîne. Détacher un rouage d'une machine. Détacher les parties d'un assemblage.* ⇒ **Disjoindre.** *Détacher un wagon d'un convoi* (⇒ **Dételer**), *une part d'un gâteau* (⇒ **Prélever**), *un dessin d'un papier* (⇒ **Découper**), *un coupon* d'un titre.*

(Sans compl. second). *Détacher suivant le pointillé* (s'oppose à *découper,* qui requiert un instrument).

4   (...) des couples de petits rentiers ou de retraités, assis à des tables étroites, détachaient des coupons.
         J. ROMAINS, les Hommes de bonne volonté, t. II, VIII, p. 89.

(Abstrait). *Détacher un pays, un domaine d'un autre* (⇒ **Séparer**). *Détacher qqn d'une alliance, d'un parti, d'une équipe.* ⇒ **Enlever** (à).

(Le compl. direct désigne un sens, l'esprit, l'attention...). Détourner (de qqn, de qqch.). *Ne pouvoir détacher ses yeux, ses regards, ses pensées, son attention de...* ⇒ **Détourner, distraire** (→ Chair, cit. 30). Amener (qqn) à se séparer (d'un groupe). *Le mariage détache une fille de sa famille* (→ Attacher, cit. 7). — *Détacher une personne de* (une autre personne à qui elle était liée). — *Détacher qqn de* (une chose abstraite). *Détacher qqn d'une promesse.* ⇒ **Dégager, délier, relever.** *Détacher qqn d'une erreur.* ⇒ **Désabuser, détromper.** *Détacher qqn d'une habitude, d'une passion.* ⇒ **Arracher** (à).

5   Il m'enseigne à n'avoir d'affection pour rien,
  De toutes amitiés il détache mon âme;
  Et je verrais mourir frère, enfants, mère et femme,
  Que je m'en soucierais autant que de cela.   MOLIÈRE, Tartuffe, I, 5.

(Le compl. direct n'étant pas exprimé).

6   Des principes de la secte il n'embrassa que ceux qui détachent de la vie, de la fortune, de la gloire, de tous ces biens au milieu desquels on peut être malheureux.
         DIDEROT, les Règnes de Claude et de Néron, 13, in LITTRÉ.

Loc. *Détacher ses yeux, ses regards de* (qqn, qqch.).

7   Elle revint sur ses pas, je ne pouvais détacher mes yeux de son visage (...)
         PROUST, À la recherche du temps perdu, t. IV, p. 72.

♦ **5.** (Compl. n. de personne; sans compl. second). Faire partir (qqn) loin d'autres personnes pour faire qqch. *Détacher qqn au-devant d'un hôte, le détacher en ambassade.* ⇒ **Déléguer, dépêcher, députer, envoyer.** *Détacher une estafette.*

8   Après avoir détaché un cavalier de sa garde vers eux (...)
         Antoine HAMILTON, Mémoires du comte de Grammont, 77, in HATZFELD.
  REM. Dans cet ex., l'élément *de sa garde* semble être un compl. du n. *cavalier.*
Détacher qqn, à (qqn), le lui envoyer.

9   Diderot, qui ne voulait pas se montrer sitôt lui-même, commença par me détacher Deleyre (...)
         ROUSSEAU, les Confessions, IX.

Affecter provisoirement (un fonctionnaire, un militaire) à un autre service. *Détacher un soldat, un fonctionnaire, pour le charger d'une mission, d'une tâche spéciale, pour lui donner une nouvelle affec-*

tation. ⇒ **Désaffecter.** *Se faire détacher à la direction, à l'état-major.*

(Avec le compl. en *de* exprimé). *Détacher un soldat de son unité.*

10   (...) mon ami, ne donnez pas votre démission, faites-vous seulement détacher de votre corps en expliquant à votre Administration que vous allez étudier des questions de votre ressort, en dehors des travaux de l'État.
         BALZAC, le Curé de village, Pl., t. VIII, p. 704.

♦ **6.** (Compl. n. de chose). Séparer d'un ensemble. *Détacher une pièce d'une collection* (⇒ **Enlever**), *un chapitre d'un ouvrage* (⇒ **Extraire**). *Détacher un exemple, une citation, une maxime d'un texte.*

♦ **7.** (Sujet n. de chose). Faire apparaître nettement sur un fond. *Les montagnes détachent leurs crêtes sur l'horizon.* ⇒ **Découper.**

11   La fierté de l'obscur sur la douceur du clair (...)
  (...) Les détache *(les figures)* du fond, et les amène à nous.
         MOLIÈRE, la Gloire du Val-de-Grâce, 182.

12   La lumière de la lune devint plus éclatante et détacha sur le ciel qui semblait noir le profil plus noir des branches (...)
         L. PERGAUD, De Goupil à Margot, II, p. 14.

Faire ressortir (un bruit) parmi d'autres.

12.1   C'était bien le grelot qui, distinctement, détachait ses notes grêles et saccadées sur les rumeurs bourdonnantes du silence mariées aux crépitements d'insectes.
         L. PERGAUD, De Goupil à Margot, p. 36.

Spécialt. Faire ressortir (qqn) par ses qualités. *Son ardeur au travail le détache du reste de la classe.*

♦ **8.** Typogr. Distinguer par des caractères spéciaux. *Mettre une citation, une locution en italique pour la détacher du texte, pour la détacher.*

♦ **9.** (Sans compl. second). Ne pas lier. *Détacher ses lettres en écrivant.* ⇒ **Écarter, isoler.** *Détacher ses mots en parlant. Détacher nettement les syllabes.* ⇒ **Articuler, marteler.**

13   (...) cette façon tendre, respectueuse, qu'il avait toujours eue de prononcer : « Maman », en détachant les syllabes (...)
         MARTIN DU GARD, les Thibault, t. V, p. 292.

Mus. *Détacher les notes,* les exécuter sans les lier. ⇒ **Piquer.**

♦ **10.** Gramm. Séparer un terme de son support par l'intonation, la ponctuation. *Dans l'écriture, on détache un terme (du contexte) par une virgule, ou deux, ou en usant du tiret, de la parenthèse.*

▶ **SE DÉTACHER** v. pron. (XIIIe).

A. Concret. ♦ **1.** Cesser d'être attaché. *Le chien s'est détaché.* — Par ext. *Se détacher d'une étreinte, d'un embrassement.*

♦ **2.** (Sujet n. de chose). Se séparer. *Fruits qui se détachent de l'arbre.* ⇒ **Tomber.** *Parties mortes qui se détachent d'un tissu organique* (⇒ **Exfoliation**). *Dans certaines maladies, la peau se détache par parcelles.* ⇒ **Desquamer** (se).

♦ **3.** (1858, in Petiot). Sports. *Un coureur se détache du peloton* (en allant plus vite).

13.1   Deux hommes tout juste devant toi, que tu suis à une foulée; mais deux autres là-bas se sont détachés. Que faire? leur courir après.
         Jean PREVOST, Plaisirs des sports, p. 115.

♦ **4.** Se séparer, s'écarter de qqch. *Oiseau qui se détache de la branche.* ⇒ **Échapper** (s'), **lâcher.** *Voir un parachutiste se détacher d'un avion. Avion qui se détache du sol.* ⇒ **Décoller.**

14   (...) au-dessus de sa tête l'humidité filtrait à travers les pierres moisies de la voûte, et à intervalles égaux une goutte d'eau s'en détachait.
         HUGO, Notre-Dame de Paris, VIII, IV.

♦ **5.** Être perçu distinctement. *Une branche s'est détachée du tronc. Gargouille qui se détache du toit.* ⇒ **Écarter** (s'), **saillir, sortir.**

15   Deux longues mèches (...) se détachaient capricieusement des crêpelures (...)
         Th. GAUTIER, le Capitaine Fracasse, t. I, II, p. 35.

♦ **6.** (Sujet n. de personne). Se séparer d'un ensemble, d'un groupe. *Se détacher d'un groupe pour parlementer, observer.* ⇒ **Écarter** (s'), **éloigner** (s').

B. Abstrait. ♦ **1.** (Sujet n. de personne). Ne plus être attaché par le sentiment, l'intelligence, à. *Se détacher d'un engagement.* ⇒ **Dédire** (se), **reprendre** (sa parole), **résilier, revenir** (sur). *Se détacher de ses devoirs.* ⇒ **Abandonner.** *Se détacher par l'absence.* ⇒ **Oublier** (s'). *Se détacher de tout par apathie.* ⇒ **Désintéresser** (se). *Se détacher des biens de la terre.* ⇒ **Renoncer** (à). *Se détacher de ses intérêts, de soi-même.* ⇒ **Oublier** (s'), **sacrifier** (se).

16   Quand l'Angleterre, qui s'était liée avec lui, se détache tout à coup de ses intérêts (...)
         RACINE, les Campagnes de Louis XIV.

17   J'ai remarqué que d'excellents esprits, qui s'étaient mis trop tard à cette étude, se sont pris à la glu et n'ont pu s'en détacher.
         RENAN, Souvenirs d'enfance..., III, I.

18   Je tâcherai, quand je sentirai mon cœur se détacher d'elle, de le retenir si doucement qu'elle ne le sentira même pas.
         PROUST, les Plaisirs et les Jours, Fin de la jalousie, I.

(Sans compl. second) :

19   Elle n'eut pas à se détacher, n'ayant point connu d'attachement.
         F. MAURIAC, Génitrix, IV, p. 53.

♦ **2.** (Sujet n. de chose). Apparaître nettement par rapport à un fond. *Motif qui, dans un tableau, se détache en violet sur fond jaune. Cimes de montagnes se détachant nettement sur le ciel.* ⇒ **Découper** (se), **profiler** (se), **ressortir, trancher.** *Titre qui se détache en grosses lettres.*

20 Sur ces fonds si sombres se détachent en très clair les premiers plans de ce pays désolé (...)   LOTI, *Jérusalem*, XIV, p. 169.

21 (...) une figure de Benozzo Gozzoli se détachant sur un fond verdâtre (...)
                                        PROUST, À la recherche du temps perdu, t. XI, p. 83.

22 En face de lui, le visage de son grand-père, d'un rose vif sous les cheveux blancs, se détachait sur la tenture sombre avec l'éclat net, le contour d'un Holbein.
                                        A. MAUROIS, *Bernard Quesnay*, I, p. 6.

C. Pron. (récipr.). *Ils se sont détachés.*

▶ **DÉTACHÉ, ÉE** p. p. adj.

♦ **1.** Qui n'est plus attaché ; qui n'attache plus. *Lien, ruban détaché, dénoué. Jarretelle détachée.*

23 Laissez-moi relever ces voiles détachés (...)   RACINE, *Bérénice*, IV, 2.

Feuilles, branches détachées de l'arbre.

24 Comme un fruit par son poids détaché du rameau (...)
                                        LAMARTINE, *Nouvelles Méditations*, « Le crucifix ».

♦ **2.** Séparé d'un tout. — Loc. **PIÈCES DÉTACHÉES,** servant au remplacement des pièces usagées d'un mécanisme. *Marchand d'accessoires et de pièces détachées.* — *Envoyer une machine en pièces détachées.*

Forts détachés, séparés du corps de la place. *Pavillon détaché du corps de logis.*

25 Il y avait dans notre jardin une salle basse, peinte et fort enjolivée, où l'on mangeait en été et qui était détachée du reste de la maison.
                                        SCARRON, *le Roman comique*, I, XV, p. 92.

♦ **3.** (1640). Qui a ou exprime du détachement (1.).

26 (...) un amour détaché de tout, qui n'agit point pour soi, et ne se met en peine que de votre intérêt.   MOLIÈRE, *Dom Juan*, IV, 6.

27 Quand je les croyais parfaitement détachés l'un de l'autre, ils s'étaient rapprochés (...)   ROUSSEAU, *les Confessions*, XII.

(Sans compl. second). *Il semble assez détaché. — Ton détaché. Il répondit d'un petit air détaché. Examiner d'un œil, d'un esprit détaché.* ⇒ **Désinvolte, indifférent, insensible, objectif.** — N. *Il fait le détaché.*

28 Peux-tu voir tant de pleurs d'un œil si détaché ?   CORNEILLE, *Polyeucte*, V, 3.

29 Il est un ton, à quoi reconnaître à distance la passion partisane. Ce n'est pas nécessairement (comme on le suppose) un ton chaud et persuasif. Non. Mais plutôt un ton froid, détaché, extérieur (...)
                                        J. PAULHAN, *Entretien sur des faits divers*, III, p. 114.

♦ **4.** Spécialt. (Personnes). Qui est séparé d'un ensemble, pour remplir une autre fonction. *Fonctionnaire détaché,* affecté provisoirement à d'autres fonctions que les siennes. *Être détaché à tel poste, vers qqn, pour telle mission.* ⇒ **Affecté, désigné, envoyé.**

30 Je reçois une lettre de mon fils qui est détaché avec plusieurs autres troupes pour aller en Allemagne (...)   Mᵐᵉ DE SÉVIGNÉ, *Lettres*, 553, 1ᵉʳ juil. 1676.

Sports. *Un coureur détaché du peloton,* qui a distancé le peloton.

♦ **5.** Spécialt. (Choses). Qui est isolé d'un ensemble et forme parfois un tout autonome. *Recueil de morceaux détachés,* sans rapport entre eux.

31 (*Les auteurs*) qui écrivent en différents temps des morceaux détachés, ne les réunissent jamais sans transitions forcées (...)   BUFFON, *Disc. sur le style*, p. 16.

Mus. *Notes détachées,* non liées. — N. m. *Faire un détaché.* ⇒ **Piqué, staccato.**

Gramm. Se dit d'un terme séparé de son support par l'intonation ou la ponctuation. *Un complément détaché peut être éloigné du mot auquel il se rapporte grammaticalement.*

CONTR. **Attacher, rattacher ; adapter, adhérer, adjoindre, affecter, affectionner, agglomérer, annexer, assembler, cimenter, couler** (mus.), **dégrader** (peint.), **éprendre (s'), fixer, fondre** (se), **incorporer, intégrer, joindre, lier, réunir, unir.** — **Ému, passionné.**

DÉR. **Détachable,** 1. **détachage, détachement.**

2. DÉTACHER [deta∫e] v. tr. — 1501 ; de 1. *dé-, tache,* et suff. verbal.

♦ Débarrasser d'une, de plusieurs taches. ⇒ **Décrasser, dégraisser, nettoyer.** *Détacher un tissu au savon, à la benzine. Donner au teinturier un costume à détacher.* ⇒ **Détacheur.** Au p. p. *Un costume mal détaché.*

CONTR. **Tacher.**
DÉR. 2. **Détachage, détachant, détacheur.**

DÉTACHEUR [deta∫œʀ] n. m. — 1672 ; de 2. *détacher.*

♦ **1.** Celui qui détache, nettoie les vêtements. ⇒ **Dégraisseur, teinturier.** — REM. Dans ce sens, le fém. *détacheuse* est virtuel.

(...) ils devaient être lavés (*ses vêtements*) ou envoyés chez le détacheur (...)
                                        Claude SIMON, *le Vent*, p. 74.

♦ **2.** Par appos. *Flacon détacheur,* contenant un produit détachant. *Produit qui détache.* ⇒ **Détachant.**

DÉTAIL [detaj] n. m. — XIIᵉ, *vendre à détail* ; déverbal de *détailler.*

♦ **1.** Action de livrer, de vendre ou d'acheter par petites quantités (ce qu'on a acheté en gros). *Le détail et le gros.* — Plus cour. Avec *de, au, en* (vx). *Commerce, magasin, boutique de détail. Marchand qui fait le gros et le détail. Le marchand au détail* (vx), fait le débit d'une marchandise (→ Débit, cit. 2). *Vente au détail. Acheter en gros et vendre au détail. Prix de détail,* de la marchandise vendue au détail. *Acheter qqch. au détail.*

1 Ils (*les commerçants*) prennent les marchandises *en gros* chez les producteurs et, en les débitant *au détail,* ils épargnent par là les embarras qui résulteraient nécessairement de l'absence de coïncidence entre la quantité offerte par le producteur et la quantité réclamée par le consommateur (...) Ce sont là, sans doute, des services réels, mais ils font voir aussi ce qu'ils coûtent. En effet (...) il s'est trouvé que le nombre de ces intermédiaires, surtout des commerçants au détail, des boutiquiers, est devenu tout à fait disproportionné avec les besoins.
                                        Charles GIDE, *Cours d'économie politique*, t. I, p. 372.

Par métonymie. *Le détail :* ensemble des commerçants qui pratiquent la vente au détail.

Loc. fig. et fam. *Ne pas faire le (de) détail :* ne pas prendre en compte chaque élément pris individuellement ; exécuter qqch. sans avoir à s'attarder aux détails. — Sports. Marquer un net avantage.

1.1 Après tout, c'était un coup de génie de nous dire : Vous n'êtes pas reluisants, bon, c'est un fait. Eh bien, on ne va pas faire le détail ! On va liquider ça d'un seul coup (...)   CAMUS, *la Chute*, in *Récits et nouvelles*, Pl., p. 1532.

Loc. (vx). *Guerre de détail :* guerre de partisans, de petits combats. ⇒ **Guérilla.**

♦ **2.** Fig. Action de considérer (un ensemble) dans ses éléments, (un événement) dans ses circonstances, ses particularités. ⇒ **Énumération.** *Le détail d'un inventaire, d'un compte, d'un budget, d'un bilan* (⇒ **Relevé**). — **DANS LE DÉTAIL,** relation d'un fait avec le détail des circonstances. *Faire le détail de ce qui est arrivé.* ⇒ **Exposé.** *Raconter une histoire en descendant, en entrant dans le détail. Se remémorer une aventure jusque dans le détail. Conter tout le détail* (→ Conter, cit. 1).

2 Je lui contai tout le détail de nos misères (...)
                                        Mᵐᵉ DE SÉVIGNÉ, *Lettres*, 464, in LITTRÉ.

3 Pour bien savoir les choses, il faut en savoir le détail (...)
                                        LA ROCHEFOUCAULD, *Maximes*, 106.

4 (...) je lui fis rendre compte de (...) tout le détail de la bataille de Marignan (...)
                                        LA BRUYÈRE, *Lettre* XII, À Condé.

5 Je n'ai jamais cru que la grandeur d'un ensemble, l'ampleur d'une synthèse pussent dispenser de la vue aiguë et infiniment particulière du détail (...)
                                        J. ROMAINS, *les Hommes de bonne volonté*, t. I, Préface, p. 18.

Par ext. Considération exclusive ou excessive des petits éléments d'un ensemble. ⇒ **Minutie.** *Se perdre dans le détail.* ⇒ **Accessoire, à-côté** (cf. Se noyer dans un verre d'eau). — *Avoir l'esprit de détail :* être minutieux, tatillon. — En bonne part, *esprit de détail,* s'est dit pour esprit d'analyse.

6 Un esprit de détail s'applique avec de l'ordre et de la règle à toutes les particularités du sujet (...)
                                        LA ROCHEFOUCAULD, *Différence des esprits*, in HATZFELD.

7 Idoménée (...) s'applique trop au détail (...)   FÉNELON, *Télémaque*, XVII.

De détail, qui est propre à un ou plusieurs éléments d'un ensemble, détachés pour être caractérisés. *Il a accepté des modifications de détail. Une question de détail.*

♦ **3.** Milit. (dans l'expr. *de détail* ou *des détails*). Service destiné à assurer la vie administrative (habillement, matériel, solde) d'une unité. *Officier de détail, des détails. Revue de détail :* inspection du matériel, de l'habillement, de l'administration d'une unité.

Mar. Service intérieur d'un bâtiment, placé sous la direction du commandant en second.

♦ **4.** Cour. (*Un, des détails*). Élément, partie d'un ensemble ; circonstance particulière. ⇒ **Circonstance, élément, morceau, particularité, partie.** *Petit, menu détail ; détail sans importance, insignifiant, négligeable.* ⇒ **Bagatelle, béatilles, bêtise, broutille, vétille.** *Détails inutiles, oiseux. Détails pittoresques, savoureux. Négliger les détails, ne pas s'occuper des détails* (cf. le prov. latin : *de minimis non curat prætor...*). *Ne vous attardez pas aux détails. Connaître, les moindres détails, tous les détails de qqch. Pas un détail ne lui échappe. Entrer dans les détails, après avoir examiné l'ensemble. Exposer, donner les détails.* ⇒ **Développer.** *S'appesantir sur les détails. Se noyer dans les détails. Tous les détails sur l'affaire. Une grande abondance* (cit. 6) *de détails. Précision des détails.* *Son récit est exact dans l'ensemble, mais il invente, il ajoute des détails* (⇒ **Amplifier, broder, corser**). *C'est vrai en gros, c'est faux dans les détails.* — *Les détails d'une œuvre artistique. Ce peintre néglige les détails au profit de la composition, de l'ensemble. Cet édifice est sans grand style, mais présente quelques beaux détails. Détails d'un décor ; détail décoratif* (⇒ **Ornement**). *Travailler, soigner les détails* (⇒ **Ciseler, fignoler, lécher...**). *Il y a quelques détails amusants, poétiques, réussis, dans cette pièce, ce film.* — (Collectif). « Unité dans l'aspect et variété infinie dans le détail » (Th. Gautier). *Perler* (cit. 1) *le détail.*

8 Et ne vous chargez point d'un détail inutile.
   Tout ce qu'on dit de trop est fade et rebutant (...)   BOILEAU, *l'Art poétique*, I.

9 La science des détails, ou une diligente attention aux moindres besoins de la république, est une partie essentielle au bon gouvernement (...)
LA BRUYÈRE, les Caractères, X, 24.

10 (...) quelques beautés qu'il (*l'auteur*) sème dans les détails, comme l'ensemble choquera ou ne se' fera pas assez sentir, l'ouvrage ne sera point construit (...)
BUFFON, Disc. sur le style, p. 15.

11 Néanmoins (...) lorsque, pour la première fois, l'Empereur développa l'ensemble de cet événement, ses détails, ses accessoires (...) je dois confesser que l'affaire me semblait prendre à mesure une face nouvelle.
LAS CASES, Mémorial de Ste-Hélène, t. IV, XI, p. 261.

12 S'imaginer que les menus détails sur sa propre vie valent la peine d'être fixés, c'est donner la preuve d'une bien mesquine vanité.
RENAN, Souvenirs d'enfance..., Préface, p. 10.

13 Il dut lui donner mille détails de toute sorte, ces détails minutieux où se complaît la curiosité jalouse et subtile des femmes (...)
MAUPASSANT, Fort comme la mort, I, I, p. 12.

14 Il y avait du Napoléon en lui par sa faculté de pénétrer dans tous les détails sans perdre de vue l'ensemble.
FRANCE, la Vie en fleur, XXV, p. 283.

15 Quand les œuvres sont très courtes, le plus mince détail est de l'ordre de grandeur de l'ensemble.
VALÉRY, Autres rhumbs, p. 167.

(1859, *in* D.D.L.). *C'est un détail. Ce n'est qu'un détail* : c'est une chose sans importance. *Je me suis seulement éraflé, n'y faites pas attention : c'est un détail.*

♦ **5. EN DÉTAIL** loc. adv. : par parties successives. *Vendre en gros et en détail* (→ ci-dessus, 1.). — Fig. Dans toutes ses parties, toutes ses particularités. *Raconter en détail* (→ Par le menu*). *Voici l'affaire, l'histoire, la question en détail. Je n'ai pas considéré cela en détail* (→ De près*).

16 Nous y lûmes une relation en détail du siège de Maestricht (...)
Mᵐᵉ DE SÉVIGNÉ, Lettres, 577, 16 sept. 1676.

17 Les hommes, fripons en détail, sont en gros de très honnêtes gens; ils aiment la morale (...)
MONTESQUIEU, l'Esprit des lois, XXV, II.

CONTR. **Ensemble.** — **Gros** (en gros). — **Important** (chose importante).

DÉTAILLANT, ANTE [detajɑ̃, ɑ̃t] n. — 1649; p. prés. de *détailler*, a remplacé *détailleur* (XIIIᵉ) et *détailliste* (1792).

♦ Vendeur au détail (⇒ **Commerçant, débitant, marchand**). *Le grossiste ou le demi-grossiste approvisionne le détaillant.* — Par appos. *Marchand détaillant.*

1 (...) les (...) avanies faites par la police au marchand détaillant (...)
P.-L. COURIER, II, 283 (*in* LITTRÉ).

2 Depuis la guerre de 1914-1918, l'accroissement du nombre des détaillants s'est encore accentué, et la crise de 1929-1930 ne l'a nullement arrêté. Il n'est pas rare de rencontrer quatre ou cinq petits épiciers dans des localités qui ne comptent que quelques centaines d'habitants.
Gaëtan PIROU et Maurice BYÉ, Traité d'économie politique, t. I, II, p. 271.

DÉTAILLER [detaje] v. tr. — XIIᵉ, «couper en morceaux»; puis «vendre par petites quantités»; de 2. *dé-*, et *tailler*.

♦ **1.** Couper par morceaux. *Détailler une pièce de viande.* ⇒ **Débiter.**

Pron. Fig. Se diviser en parties.

0.1 La vie, ça ne se détaille pas, il faut la prendre en bloc, c'est tout ou rien.
S. DE BEAUVOIR, les Mandarins, p. 143.

♦ **2.** (1270). Vendre (une marchandise) par petites quantités, au détail. ⇒ **Détail** (1.). *Détailler une denrée, une marchandise achetée en gros. Détailler le vin, le riz.* «*En détaillant très cher aux paysans les biens nationaux*» (P. Arène, *in* T.L.F.).

1 Un restaurateur est celui dont le commerce consiste à offrir au public un festin toujours prêt, et dont les mets se détaillent en portions à prix fixe, sur la demande des consommateurs.
BRILLAT-SAVARIN, Physiologie du goût, t. II, XXVIII, p. 113.

♦ **3.** Par anal. Dire (un texte) en détachant les sons, en faisant ressortir toutes les nuances de la pensée.

♦ **4.** (1690). Littér. Considérer, exposer (qqch.) avec toutes les particularités. ⇒ **Décrire, exposer.** *Détailler un point qui n'avait été envisagé que sommairement.* ⇒ **Préciser.** *Il serait trop long de détailler cette histoire.* ⇒ **Raconter.** *Détailler les beautés d'un ouvrage littéraire, artistique* (⇒ **Énumérer**).

2 Mais en lui détaillant avec simplicité tout ce qui m'est arrivé, tout ce que j'ai fait, tout ce que j'ai pensé, tout ce que j'ai senti, je ne puis l'induire en erreur, à moins que je ne le veuille.
ROUSSEAU, les Confessions, IV.

3 Après avoir détaillé les raisons d'espérance que je ne nourrissais guère, mais que je cherchais à grossir pour consoler la princesse, je continue (...)
CHATEAUBRIAND, Mémoires d'outre-tombe, t. V, p. 325.

♦ **5.** Fig. Analyser dans les moindres détails; examiner (une personne) dans les détails. *Il s'arrêta pour la détailler.*

▶ **DÉTAILLÉ, ÉE** p. p. adj.
Qui contient beaucoup de détails. *Récit détaillé.* ⇒ **Circonstancié.** *Exposé détaillé et complet sur une question* (⇒ **Analytique, minutieux, précis**). *Signalement détaillé.*

4 (...) j'écris à Jore une longue lettre bien détaillée, bien circonstanciée, bien regorgeante de vérité (...)
VOLTAIRE, Lettre à Cideville, 375, 30 mai 1736.
Qui s'attache aux détails. *Une analyse détaillée.*

CONTR. **Effleurer** (un sujet), **passer.** — **Schématique, sommaire.**
DÉR. **Détail, détaillant.**

DÉTALER [detale] v. intr. — 1583; «retirer de l'étal, de l'étalage», 1553; de 1. *dé-*, et *étal.* → Étaler.

♦ S'en aller au plus vite. ⇒ **Décamper, enfuir** (s'), **fuir, partir; courir** (cit. 23). *Détaler à toutes jambes, au plus vite. Ils détalèrent au triple galop.*

1 À la porte de la salle
Ils entendirent du bruit
Le rat de ville détale;
Son camarade le suit.
LA FONTAINE, Fables, I, 9.

2 (...) et tous ces petits derrières blancs (*de lapins*) qui détalent, la queue en l'air, dans le fourré.
Alphonse DAUDET, Lettres de mon moulin, Installation.

3 (*Il*) détalait d'une telle vitesse que ses sandales lui donnaient la fessée (...)
FRANCE, la Rôtisserie de la Reine Pédauque, Œ., t. VIII, p. 122.

4 Après le déjeuner, les Ribeyrol remontèrent en auto sans perdre une minute et détalèrent.
G. DUHAMEL, le Voyage de P. Périot, V, p. 92.

CONTR. **Immobiliser** (s'), **rester.**

DÉTARTRAGE [detartraʒ] n. m. — 1870; de *détartrer*.

♦ Élimination du tartre (d'un radiateur, d'un conduit, etc.). — Action de détartrer les dents.

DÉTARTRANT, ANTE [detartrɑ̃, ɑ̃t] adj. et n. m. — 1929; p. prés. de *détartrer*.

♦ Techn. Qui empêche ou diminue la formation de tartre dans les conduits, les chaudières, les radiateurs d'automobiles. ⇒ **Désincrustant.** *Substance détartrante.* — N. m. *Un détartrant :* produit détartrant.

DÉTARTRER [detartre] v. tr. — 1870; de 1. *dé-*, *tartre*, et suff. verbal.

♦ Techn. Débarrasser du tartre. ⇒ **Désincruster.** *Détartrer une chaudière, le radiateur d'un moteur.* — *Se faire détartrer les dents par un dentiste,* ôter le tartre déposé sur les dents.

CONTR. **Entartrer.**
DÉR. **Détartrage, détartrant, détartreur.**

DÉTARTREUR [detartrœr] n. m. — 1908; de *détartrer*.

♦ Techn. Appareil servant à détartrer des tonneaux ou des chaudières à vapeur.

DÉTAXATION [detaksasjɔ̃] n. f. — 1960; de *détaxer*.

♦ Action de détaxer; son résultat (diminution ou suppression d'une taxe). *Demander une détaxation. Obtenir une détaxation fiscale.*

CONTR. **Taxation.**

DÉTAXE [detaks] n. f. — 1864; déverbal de *détaxer*.

♦ **1.** Vx. Détaxation.

♦ **2.** Dr. fisc. Aménagement des tarifs d'impôts indirects. *La détaxe du carburant.*

♦ **3.** Remboursement d'une taxe perçue à tort. *Détaxe postale.*

DÉTAXER [detakse] v. tr. — 1845; de 1. *dé-*, et *taxer*.

♦ Réduire ou supprimer la taxe sur (qqch.). *Détaxer une denrée, un produit.* — P. p. *Acheter des produits détaxés dans un aérodrome,* hors taxe.

CONTR. **Taxer.**
DÉR. **Détaxation, détaxe.**

DÉTECTAGE [detɛktaʒ] n. m. — Mil. XXᵉ; de *détecter*.

♦ Rare. ⇒ **Détection.**
On employait maintenant à Appenweier des chiens au détectage des mines terrestres. Les résultats étaient très satisfaisants.
Pierre GASCAR, les Bêtes, p. 194.

DÉTECTER [detɛkte] v. tr. — 1923, cit.; de l'angl. *to detect* «découvrir». → Détecteur, détection.

♦ Déceler l'existence de (un corps, un phénomène caché). *Des phénomènes difficiles à détecter. Mine que l'on ne peut pas détecter* (⇒ **Indétectable**). *Détecter des ondes.*

Sans vouloir suivre les perfectionnements et les applications multiples de ces lampes *(triodes)*, mentionnons qu'on a pu les utiliser : pour amplifier les courants ; pour déceler (« détecter ») les ondes hertziennes utilisées en télégraphie sans fil (...)
A. BOUTARIC, la Vie des atomes (1923), p. 93.

Par ext. Découvrir par intuition ; mettre au jour (ce qui était caché). ⇒ **Déceler, découvrir, révéler.** *Détecter les faiblesses d'un adversaire.*

DÉR. Détectage.

DÉTECTEUR, TRICE [detɛktœʀ, tʀis] n. m. et adj. — 1866, P. Larousse, « pièce d'une serrure de sûreté » ; angl. *detector,* du lat. *detector,* de *detegere* « découvrir ».

♦ **1.** N. m. Appareil servant à déceler, à révéler la présence d'un corps, d'un phénomène caché (gaz, radiation, phénomène électrique, vibration, etc.). ⇒ **Capteur.** — Appareil servant à révéler la présence du grisou dans une mine.
Détecteur d'ondes : appareil révélant le passage d'ondes électriques. *Détecteur de Branly* ou *cohéreur. Les détecteurs permettent de produire et d'interrompre à distance un courant électrique* (⇒ **Télégraphie).** *Détecteurs (magnétiques) d'amplitude.* ⇒ **Démodulateur.** — Phys. *Détecteur d'énergie :* appareil permettant de déceler le passage des particules à travers un matériau pour mesurer l'énergie qu'elles y ont perdue (⇒ **Chambre,** III., 5., **compteur, scintillateur).** — Adj. *Lampe détectrice.*
Détecteur d'incendie : appareil de signalisation et d'avertissement des fumées et des incendies à bord des navires, dans les édifices publics, les magasins.
Détecteur sous-marin (⇒ **Hydrophone).**
Milit. *Détecteur de mines :* appareil fonctionnant par résonance magnétique, et que l'on utilise pour déceler les mines enfouies dans le sol.
Techn. *Détecteur d'approche :* appareil servant à détecter l'approche de l'objet surveillé en provoquant une variation du champ électrique et à déclencher une alarme.
Détecteur de mensonge : appareil servant à déceler les mensonges par la mesure des réactions émotionnelles provoquées par certaines questions.

♦ **2.** N. m. Techn. Celui qui décèle, qui détecte. *Matelot, officier breveté détecteur.*

♦ **3.** N. m. et f. Littér. Personne qui détecte, décèle, découvre.
J'ai fréquenté, par la suite, un grand nombre de médecins et des plus illustres. Certains d'entre eux sont des détecteurs, ils ne songent qu'au diagnostic.
G. DUHAMEL, Inventaire de l'abîme, IV, p. 56.

DÉTECTION [detɛksjɔ̃] n. f. — 1933 ; angl. *detection,* de *to detect* → Détecter ; cf. anc. franç. *detection,* du bas lat. *detectio,* du supin de *detegere.*

♦ Action de détecter. (Syn. rare : *détectage). Détection des gaz toxiques. Détection d'un avion, d'un sous-marin* (→ **Anti-sous-marin**) ; *détection des mines de guerre, des nappes de pétrole. Détection aérienne* (⇒ **Senseur**). *Détection maritime. Détection sous-marine. Détection par ultra-sons* (⇒ **Asdic, sonar**). *Détection électromagnétique* (⇒ **Radar**). — *Détection à distance.* ⇒ **Télédétection.**
Par ext. Le fait de découvrir par intuition. *La détection d'un mensonge.*

COMP. Télédétection.

DÉTECTIVE [detɛktiv] n. m. — 1871, J. Verne ; *détectif,* 1867, Gaboriau ; angl. *detective,* de *to detect* « découvrir ».

♦ **1.** En Angleterre, Policier chargé des enquêtes, des investigations. *Les détectives de Scotland Yard* (→ **Inspecteur*** de police, en France).

♦ **2.** Vieilli (sauf dans *détective privé,* appelé aussi *privé,* n. m. ; 1903, in Höfler). Personne chargée d'enquêtes policières privées. ⇒ **Enquêteur.** *Détective chargé d'une filature. Agence de détectives privés.*

1 Le vol bien et dûment reconnu, des agents, des « détectives », choisis parmi les plus habiles, furent envoyés dans les principaux ports, à Liverpool, à Glasgow, au Havre, à Suez, à Brindisi, à New York, etc., avec promesse, en cas de succès, d'une prime de deux mille livres (50,000 F) et cinq pour cent de la somme qui serait retrouvée. En attendant les renseignements que devait fournir l'enquête immédiatement commencée, ces inspecteurs avaient pour mission d'observer scrupuleusement tous les voyageurs en arrivée ou en partance.
J. VERNE, le Tour du monde en 80 jours (1873), p. 17.
2 (...) la séparation commune entre le signe et la chose, le mot et l'idée, relève de la méthode de connaissance la plus simple, mais aussi la plus savante, qui soit à notre portée : celle dont use le détective aussi bien que le philosophe (...) Elle consiste, devant chaque difficulté (...) à réduire l'événement obscur à ses éléments clairs et distincts : à distinguer (...) dans le meurtre, la blessure, le revolver, l'empreinte de l'assassin (...)
J. PAULHAN, les Fleurs de Tarbes, p. 72.

Histoire de détectives (angl. *detective story*) : roman policier.

♦ **3.** (1892, n. m. ; 1891, n. f.). Petit appareil photographique, ayant la forme d'une boîte. ⇒ **Box** (3.).

DÉTEINDRE [detɛ̃dʀ] v. — Conjug. *teindre.* → Peindre — 1220, *desteindre ;* de 1. *dé-,* et *teindre ;* cf. le lat. pop. **distingere* de *dis-,* et *tingere.* → Teindre.

A. V. tr. Faire perdre sa couleur, sa teinture à (qqch.). *Déteindre une étoffe au chlore. Le soleil déteint les tissus.*

B. V. intr. ♦ **1.** (1636). Perdre sa couleur en parlant de ce qui est teint. ⇒ **Décolorer** (se). *Cette étoffe déteint facilement. Ce rideau a déteint au soleil. Déteindre au lavage.* — (Factitif). *Faire déteindre des tissus.*
1 Vous avez des vêtements éternels. Je suis sûr qu'ils sont imperméables, qu'ils ne déteignent pas, et que si une goutte d'huile tombe sur eux de la lampe, elle ne fera aucune tache.
GIRAUDOUX, Amphitryon 38, I, 5.

♦ **2.** *Déteindre sur...* : communiquer une partie de sa couleur, de sa teinture à. *Cette étoffe a déteint sur le linge. Cette gravure a déteint sur la page suivante.* ⇒ **Baver.**

♦ **3.** (1845). Fig. Avoir de l'influence sur... ⇒ **Influencer, influer ; imprégner, marquer.**
2 Les époques déteignent sur les hommes qui les traversent.
BALZAC, la Vieille Fille, Pl., t. IV, p. 228.
3 L'idée que cet homme allait mourir déteignait sur mes pensées jusqu'à leur retirer toute stabilité, tout courage, toute efficacité.
G. DUHAMEL, Récits des temps de guerre, t. I, II, p. 183.

▶ **DÉTEINT, EINTE** p. p. adj. (emploi A.). *Étoffe déteinte.*
DÉR. Déteinte.

DÉTEINTE [detɛ̃t] n. f. — 1867 ; du p. p. de *déteindre.*

♦ Techn. Fait de déteindre ou d'avoir déteint ; perte de la teinte. *La déteinte d'un tissu.* — Fig. :
(...) il essayait d'indiquer la grandeur et l'antique sainteté avec l'austère simplicité des poses, avec la rondeur d'une ligne rudimentaire, l'espèce de style fruste d'une humanité primitive, faisant de la paysanne, de la femme de labour, courbée sur la glèbe, de ce corps où le labeur du champ a tué la femme, la silhouette plate et rigide habillée comme la déteinte des deux éléments où elle vit : — du brun de la terre, du bleu du ciel.
Ed. et J. DE GONCOURT, Manette Salomon, p. 269.

DÉTELAGE [detlaʒ] n. m. — 1836 ; de *dételer.*

♦ Rare. Action de dételer.
CONTR. Attelage.

DÉTELER [detle] v. — Conjug. *appeler.* — V. 1175, *desteler* « se détacher » (d'un fruit) ; de 1. *dé-,* et *(at)teler.*

♦ **A.** V. tr. ♦ **1.** (Fin XIIᵉ). Détacher (une bête) de trait de la voiture, de la charrue à laquelle elle était attelée. *Cocher qui dételle son cheval. Dételer des bœufs.* Absolt. *Faire deux étapes sans dételer. Les bêtes sont fatiguées, il faut dételer.*
1 Lorsque les jeunes filles furent proches du fleuve, vers l'endroit où étaient les lavoirs publics, elles dételèrent les mulets.
FÉNELON, t. XXI, p. 350, in LITTRÉ.

♦ **2.** *Dételer une voiture, une charrue,* dételer les bêtes qui tiraient. — (Ch. de fer). *Dételer un wagon,* le détacher d'un autre wagon, de la locomotive.

♦ **B.** V. intr. ♦ **1.** (1845). Fig. et fam. Cesser de faire quelque chose. ⇒ **Arrêter** (s'), **relâcher** (se). *Il a travaillé toute la journée sans dételer.* ⇒ **Débander** (sans).
1.1 Sans dételer, il entreprit la rédaction de la seconde carte postale (...)
R. QUENEAU, le Dimanche de la vie, p. 85.

♦ **2.** Se ranger*, adopter un mode de vie plus calme. ⇒ **Renoncer.**
2 (...) le baron Hulot d'Ervy passait pour s'être rangé, pour avoir dételé, selon l'expression du premier chirurgien de Louis XV (...)
BALZAC, la Cousine Bette, Pl., t. VI, p. 266.
3 (...) mon oncle (...) qui a eu autant de femmes que don Juan, et qui à son âge ne dételle pas.
PROUST, À la recherche du temps perdu, t. IX, p. 120.
CONTR. Atteler.
DÉR. Dételage.

DÉTENDEUR [detɑ̃dœʀ] n. m. — 1888 ; de *détendre.*

♦ Techn. Appareil permettant de réduire un fluide (liquide ou gaz) à une pression moins forte. — Spécialt. Second cylindre d'une machine compound, permettant la détente de la vapeur. Appareil qui détend les gaz conservés sous pression, avant leur sortie. *Détendeur d'une bouteille d'air comprimé.* — Réfrigérateur utilisant l'abaissement de température résultant de la détente d'un gaz. Appareil détendant le gaz carbonique liquide, dans la fabrication des boissons gazeuses.

DÉTENDRE [detɑ̃dʀ] v. tr. — Conjug. *tendre.* — Déb. XIIᵉ ; de 1. *dé-,* et *tendre.*

★ **I.** ♦ **1.** Relâcher (ce qui était tendu). *Détendre un arc, un ressort* (⇒ **Débander**). *Détendre une corde en la détachant. Détendre ses muscles après un effort.* ⇒ **Décontracter, relâcher.** *Détendre sa* *jambe après l'avoir pliée,* l'allonger (⇒ **Étendre**). — *Détendre ses muscles, ses traits,* les relâcher.

1 Je savais que le petit cheval (...) détendait sans cesse une jambe de devant, avec un geste ataxique. COLETTE, la Paix chez les bêtes, « Lola », p. 74.

2 (...) l'effort mental détendait les muscles de la mâchoire, soulevait les sourcils (...) MARTIN DU GARD, les Thibault, t. III, p. 124.

3 Écartelé sur la table, sous l'impitoyable réflecteur, il contractait et détendait les jambes comme une grenouille de dissection. MARTIN DU GARD, les Thibault, t. III, p. 160.

♦ **2.** Fig. Faire cesser l'état de tension de... (→ ci-dessous, Se détendre). *Détendre son esprit.* ⇒ **Relâcher**. *Détendre son auditoire par une boutade.*

4 La souffrance a tout détendu dans leur âme, même les liens qui nous attachent. BALZAC, le Lys dans la vallée, Pl., t. VIII, p. 943.

5 Un prince qui a de pareils ministres (...) peut détendre la contention de son esprit, sans que ses affaires en pâtissent (...) GUEZ DE BALZAC, Avis écrit, *in* LITTRÉ.

♦ **3.** (1907). Phys. *Détendre un gaz,* en diminuer la pression (⇒ **Détente**, 4.). *Détendre la vapeur dans un piston.*

♦ **4.** Chim. Étendre ou diluer (une solution). *« On détend progressivement la solution »* (la Découverte, 1972, *in* la Clé des mots).

★ **II.** (1501). Vieilli. Défaire, détacher (ce qui forme tenture). *Détendre un baldaquin, une tenture, une toile de tente.* — Par ext. *Détendre une chambre, un mur,* détendre les tapisseries, rideaux, etc. qui y étaient tendus.

6 Plusieurs pièces qui tapissent un appartement s'appellent une *tenture.* On les tend, on les détend, on les cloue, on les décloue. VOLTAIRE, Dict. philosophique, Tapissier.

7 Partout les salles étaient détendues, et l'araignée filait sa toile dans les couches abandonnées. CHATEAUBRIAND, René.

▶ **SE DÉTENDRE** v. pron.

♦ **1.** Relâcher sa tension. *Arc, corde, ressort qui se détend. Se détendre brusquement, en se cassant* (⇒ **Lâcher**).

8 N'y a-t-il pas là des ressorts secrets qui se détendent ou qui prennent de l'élasticité? VOLTAIRE, Dialogues, VII, II.

Se relâcher dans une position de repos; s'allonger. ⇒ **Assouplir** (s'), **dénouer** (se), **reposer** (se). *Ses muscles se détendirent. Ses traits durs se détendirent dans un sourire. Ses membres se tendent et se détendent en des convulsions.*

9 (...) ses mains se détendirent, se séparèrent et retombèrent ouvertes sur ses genoux. G. SAND, la Mare au diable, IX, p. 79.

10 (...) il lui arrivait parfois de se lever brusquement pour se détendre, — à la manière d'un chat qui s'étire, disait-elle (...) LOTI, Ramuntcho, I, XXIII, p. 183.

11 (...) l'infirmière et la femme de chambre, courbées sur le lit, maintenaient à grand-peine le petit corps qui se tendait et se détendait comme un poisson sur l'herbe. MARTIN DU GARD, les Thibault, t. I, p. 56.

♦ **2.** Fig. Se laisser aller, se décontracter. *L'esprit se détend après un effort. Son attention se détendait.* ⇒ **Relâcher** (se). *Sa colère, sa fureur se détend.* ⇒ **Calmer** (se). *Leurs rapports se détendent; la situation se détend,* devient plus sereine.

12 Christophe qui, depuis plusieurs mois, se raidissait dans un état de qui-vive perpétuel, sentait se détendre peu à peu la fixité de son regard. R. ROLLAND, Jean-Christophe, p. 816.

13 Notre appareil à penser en état de chargement (...) fournit par éclairs, secousses, une masse disjointe d'idées, images, souvenirs, notions, concepts, puis se détend avant que l'esprit se réalise à l'état de conscience dans un nouvel acte. CLAUDEL, Positions et propositions, p. 9.

Absolt. *Ces enfants ont besoin de se détendre.* ⇒ **Délasser** (se), **distraire** (se), **reposer** (se). *Détendez-vous!* ⇒ **Décontracter** (se). *Se détendre dans une atmosphère de confiance.* ⇒ **Abandonner** (s'), **aller** (se laisser aller).

14 Mais lui se détendait, s'abandonnait à cette atmosphère tiède et douce (...) F. MAURIAC, la Pharisienne, XI, p. 162.

♦ **3.** Phys. Diminuer sa pression en augmentant son volume. *Gaz, vapeur qui se détend.*

14.1 La recongélation du glaçon se refaisait pour deux motifs : d'abord, parce que sous la pression de l'air, l'eau, en se volatilisant à la surface du glaçon, produisait un froid rigoureux; et ensuite, parce que cet air comprimé empruntait pour se détendre, sa chaleur à la surface dégelée. Partout où une fracture se produisait, le froid, provoqué par la détente de l'air, en cimentant les bords et, grâce à ce moyen suprême, le glaçon reprenait peu à peu sa solidité première. J. VERNE, le Pays des fourrures, t. II, p. 324-325.

▶ **DÉTENDU, UE** p. p. adj.
Qui n'est plus tendu. *Ressort détendu.* — Dont la tension (corporelle, intellectuelle) est relâchée. — *Esprit détendu.* ⇒ **Calme, euphorique.** *Une atmosphère détendue.* ⇒ **Serein.** *Être, se sentir détendu.* ⇒ **Décontracté.** *Le malade est détendu.* ⇒ **Apaisé.**

15 Ces visages détendus, abandonnés dans le sommeil. Alphonse DAUDET, Contes du lundi, « Partie de billard ».

16 (...) mon esprit détendu s'est laissé flotter au hasard. GIDE, Journal, 10 mai 1906.

17 Mais enfin l'important est que M. Lacoste soit satisfait, s'il l'est, et que le général Salan le soit plus encore, si les Français d'Algérie se sentent un peu détendus. F. MAURIAC, le Nouveau Bloc-notes 1958-1960, p. 24.

CONTR. **Bander, distendre, tendre.** — **Contracter.** — **Comprimer.** — **Déployer, dresser, monter** (une tente). — **Énerver** (s'), **fatiguer** (se), **raidir** (se).
DÉR. **Détendeur, détente.**

DÉTENIR [detniʀ] v. tr. — Conjug. *tenir.* → Venir. — 1176; v. pron. « se retenir de », v. 1138; du lat. *detinere* (de *de-*, et *tenere.* → Tenir), d'après *tenir.*

♦ **1.** Garder, tenir en sa possession, entre ses mains (⇒ **Garder, posséder, retenir, tenir**). *Détenir des objets en gage. Détenir illégalement qqch.; détenir un objet volé* (⇒ **Receler**). *La personne qui détient qqch.* ⇒ **Détenteur.**

1 Même à l'état sédentaire, il (*l'Arabe*) ne se croit tranquille possesseur que de ce qu'il détient (...) E. FROMENTIN, Un été dans le Sahara, I, p. 13.

(Abstrait). ⇒ **Avoir, disposer** (de), **posséder.** *Détenir la preuve de qqch. Détenir un secret. Détenir le pouvoir. Détenir le moyen de... Détenir un grade, une position éminente dans une hiérarchie* (⇒ **Occuper**). *Détenir le record du monde.*

2 Il était (...) agaçant comme un renseigné qui tire vanité des secrets qu'il détient (...) PROUST, À la recherche du temps perdu, t. XII, p. 127.

3 (...) mon père lui assura qu'il avait barre sur les Vignotte et qu'il détenait les moyens de leur fermer la bouche. F. MAURIAC, la Pharisienne, IX, p. 130.

4 D'ailleurs, peu importe. Ce qu'il y a de grave, c'est que cette femme détient — sans le savoir, soit, mais détient — la preuve formelle de votre culpabilité (...) J. ROMAINS, les Hommes de bonne volonté, t. II, V, p. 50.

♦ **2.** Garder, retenir (qqn) en captivité (⇒ **Détention**). *Détenir qqn en prison après l'avoir arrêté, emprisonné, enfermé. On l'a détenu arbitrairement, injustement, pendant un mois. Détenir illégalement qqn après l'avoir enlevé.* ⇒ **Séquestrer.** « *Être détenu prisonnier* » (Académie). *Détenir un coupable, un délinquant, un criminel.*

5 Nul homme ne peut être accusé, arrêté ni détenu que dans les cas déterminés par la Loi, et selon les formes qu'elle a prescrites. Déclaration des droits de l'homme, art. 7.

Figuré :

6 Tant que nous sommes détenus dans cette demeure mortelle, nous vivons assujettis aux changements, parce que (...) c'est la loi du pays que nous habitons (...) BOSSUET, Oraison funèbre d'Henriette-Anne d'Angleterre.

▶ **DÉTENU, UE** p. p. adj. (1529, *in* D.D.L.).
Qui est maintenu en captivité. *Coupable, criminel détenu en prison. Inculpé arbitrairement détenu* (→ Arrêter, cit. 36).

7 (...) ce qui plut bien plus encore que toutes ces fêtes éclatantes, ce fut une rémission entière pour tous les coupables détenus dans les prisons (...) VOLTAIRE, Hist. de l'empire de Russie..., II, XV.

N. *Un détenu, une détenue.* ⇒ **Prisonnier; bagnard, forçat.** *Le régime des détenus. Détenu politique; détenu de droit commun. Prison de jeunes détenus.*

CONTR. **Abandonner, donner, laisser, livrer; perdre.** — **Délivrer, libérer, relâcher.**
DÉR. et COMP. **Codétenu.**

DÉTENTE [detɑ̃t] n. f. — XIVe; de *détendre.*
Action de détendre.

♦ **1.** Relâchement (de ce qui est tendu). *La détente d'un arc, d'un ressort. Brusque détente. Détente du bras, de la jambe.* ⇒ **Décontraction, extension.**

1 (*les*) jambes et (*les*) pieds dont la détente énergique lancera tout l'homme en avant pour la course et pour le saut. TAINE, Philosophie de l'art, t. II, IV, II, III, p. 162.

2 (...) la soudaine détente d'un train de derrière de grenouille mis en communication avec la bouteille de Leyde. COURTELINE, Messieurs les ronds-de-cuir, 6e tableau, I, p. 215.

3 (...) les six champions ruisselaient de sueur; dans la détente de leurs bras, dans le jeu encore puissant de leurs muscles, dans leurs sauts encore agiles, on sentait la fatigue et la hâte d'arriver à la fin. LOTI, Figures et choses..., « Danse des épées », p. 117.

(1909, *in* Petiot). Sports. Capacité d'effectuer un mouvement rapide, instantané (se dit d'un athlète au moment d'un saut, d'un lancer, etc.). *Il a une belle détente.* — *Travailler en détente ou en force.*

♦ **2.** Pièce (d'une arme à feu) qui sert à faire partir le coup. *La détente du fusil est un levier coudé, qui sert à abaisser la tête de gâchette, libérant ainsi le chien et le percuteur. La queue de détente est protégée par le pontet*. Presser la détente, appuyer, agir sur la détente* (on dit abusivt gâchette*). *Lâcher la détente. Détente d'un pistolet. Double détente :* mécanisme qui fait partir le coup en deux temps. — *Détente douce, dure.*

LOC. **DUR, DURE À LA DÉTENTE,** dont la détente est dure (arme). (1826). Fig. et fam. Se dit d'une personne avare, qui laisse difficilement partir l'argent (⇒ **Desserre**), d'une personne dont il est difficile d'obtenir qqch., ou d'une personne qui a la compréhension lente. *Je lui ai demandé d'intervenir pour moi, mais il se fait prier : il est dur à la détente. Il est un peu obtus, dur à la détente.* — N. Avare. → ci-dessous, cit. 3.2.

3.1 Aussi, voyant qu'il ne pouvait rien apprendre de relatif à l'invasion tartare, écrivit-il sur son carnet : « Voyageurs d'une discrétion absolue. En matière politique, très durs à la détente ». J. VERNE, Michel Strogoff, p. 51.

3.2 — J'ai pas l'rond que j'vous dis! glapit Taupe qui s'exaspérait.
— À l'enfer les durs à la détente, à l'enfer les fesse-mathieu!
— Houhou, pas l'rond! pas l'rond! R. QUENEAU, le Chiendent, Folio, p. 338.

Par anal. Manette qui commande l'ouverture et la fermeture du pistolet d'un distributeur d'essence (recomm. off. au Québec).

♦ **3.** Techn. Pièce (d'une pendule, d'une horloge) qui déclenche la sonnerie. ⇒ **Déclic.**

♦ **4.** Phys. Mécan. Expansion* d'un gaz précédemment soumis à une pression. *La détente d'un gaz fournit un travail mécanique et produit un refroidissement du gaz. Utilisation de la détente des gaz dans l'industrie du froid. Le froid provoqué par la détente de l'air.* → Détendre, cit. 14.1.
Période pendant laquelle le gaz augmente de volume, diminuant de pression ; troisième temps du cycle des moteurs à explosion. *Détente de la vapeur. Machine à détente. Détente fractionnée d'une machine compound** (⇒ **Détendeur**).

♦ **5.** (Abstrait). Relâchement d'une tension intellectuelle, morale ; état qui en résulte. *Détente après une crise.* ⇒ **Amélioration, délassement, relâche, relâchement, relaxation, rémission, répit, repos.** *La détente des esprits.* — Spécialt. État où l'on se détend (après un effort, par rapport à une occupation absorbante). *Ces enfants ont besoin d'une détente* (⇒ **Distraction, récréation**). *Éprouver une détente, une impression de détente.* ⇒ **Allègement, soulagement.**

4   Puis il éprouva une détente, comme s'il avait eu en deux secondes le temps de faire le tour de la situation, d'envisager le pire, de toucher l'extrémité de ses risques personnels, et de revenir de cette exploration un peu soulagé.
            J. ROMAINS, les Hommes de bonne volonté, t. V, XXVIII, p. 307.
Permission* de détente (dans l'armée).

♦ **6.** (xxᵉ). Absolt. Diminution de la tension internationale. ⇒ **Apaisement.** *Politique de détente et de coexistence pacifique. La détente est menacée.*

CONTR. Contraction, distension, tension. — Compression ; crise, fatigue. — (Du sens 6) Guerre (froide), tension.

DÉTENTEUR, TRICE [detãtœʀ, tʀis] n. — 1320 ; lat. jurid. *detentor,* du supin de *detinere.* → Détenir.

♦ Personne qui détient qqch. *Détenteur illégal de. Le détenteur d'un objet volé.* ⇒ **Receleur.** *Détenteur d'armes, de munitions. Il est le propriétaire et le détenteur de ces titres, de ces valeurs* (⇒ **Propriétaire ; possesseur**). — Fig. *Le détenteur d'un secret. La détentrice d'un prix, d'un record.*

1   Un secret, bien gardé par ses détenteurs, couvé hermétiquement, se conserve sans dommage, et sans fruit (...)   COLETTE, la Naissance du jour, p. 144.

Dr. *Détenteur précaire :* celui qui a l'usage d'une chose sans prétendre à la possession de cette chose.
Tiers détenteur : l'acquéreur d'un immeuble hypothéqué ou grevé d'un privilège, lorsqu'il n'est pas tenu à la dette. *Purge* des hypothèques par le tiers détenteur.*

2   Les contrats translatifs de la propriété d'immeubles ou droits réels immobiliers, que les tiers détenteurs voudront purger de privilèges et hypothèques, seront transcrits en entier par le conservateur des hypothèques dans l'arrondissement duquel les biens sont situés.   Code civil, art. 2181.

COMP. Codétenteur.

DÉTENTION [detãsjõ] n. f. — 1287, repris xviᵉ ; lat. *detentio,* du supin de *detinere.* → Détenir.

♦ **1.** Le fait de détenir (qqch.), d'avoir (qqch.) à sa disposition matérielle. *Détention d'armes. Détention de titres. La détention d'une somme par son propriétaire* (⇒ **Propriété ; possession**).
Dr. Fait d'avoir l'usage (d'une chose) sans en être ni s'en prétendre le possesseur. *Détention ou possession* précaire d'un bien par un locataire, un créancier gagiste.*

♦ **2.** Action de détenir (qqn) en prison ; état d'une personne détenue. ⇒ **Captivité, écrou, emprisonnement, enfermement, incarcération, internement.** *Arrestation et détention d'un criminel, d'un délinquant.*

1   Antigone, ayant appris la détention de son père, fut pénétrée de la plus vive douleur, et écrivit à tous les rois et à Séleucus lui-même, pour le prier de relâcher Démétrius, s'offrant en otage pour lui (...)
          ROLLIN, Hist. anc., Œ., t. VII, p. 294, *in* LITTRÉ.

Dr. pén. Peine politique, afflictive (→ Afflictif, cit. 2) et infamante, privative de liberté. *La détention dont le régime est, en principe, l'internement dans une forteresse du territoire continental de la République* (Code pénal, art. 20), *est subie en pratique dans une maison centrale.*
Détention arbitraire : crime ou délit consistant à emprisonner ou à retenir en prison un individu dans des conditions illégales. ⇒ **Arrestation** (cit. 1 ; → Arrêter, cit. 35 et 36) ; **séquestration.**
Anciennt. *Détention préventive ;* mod. (1970) *détention provisoire :* incarcération d'un individu inculpé de crime, de délit, pendant l'instruction préparatoire. *Détention provisoire dans une maison d'arrêt, de dépôt. Détention provisoire en vertu d'un mandat d'arrêt, de dépôt ou d'une ordonnance de prise de corps.*

2   Quand il y a eu détention provisoire (...), cette détention est intégralement déduite de la durée de la peine qu'a prononcée le jugement ou l'arrêt de condamnation (...)
          Code pénal, art. 24.

CONTR. Abandon, don ; perte. — Délivrance, libération.

DÉTENU, UE [detny] adj. et n. ⇒ Détenir.

DÉTERGENCE [detɛʀʒãs] n. f. — xxᵉ ; de *déterger.*
Techn. ou didactique.

♦ **1.** Action de déterger. *Détergence de l'épiderme.* — Qualité de ce qui nettoie. *La détergence d'un solvant.*

♦ **2.** Ensemble des produits détergents. Industrie qui fabrique ces produits (→ Détergent, cit.).

DÉTERGENT, ENTE [detɛʀʒã, ãt] adj. et n. m. — 1611 ; anc. méd. « qui nettoie (une plaie) », lat. *detergens,* p. prés. de *detergere* « nettoyer ». → Déterger.

♦ **1.** Vx. *Remède détergent.* ⇒ **Abstergent** (ou **abstersif**), **détersif.**

♦ **2.** Qui nettoie en entraînant par dissolution les impuretés.
Le premier Congrès mondial de la Détergence (Paris, septembre 1954) a autorisé le monde à se laisser aller à l'euphorie d'Omo : non seulement les produits détergents n'ont aucune action nocive sur la peau, mais même ils peuvent peut-être sauver les mineurs de la silicose.   R. BARTHES, Mythologies, p. 38.
N. m. (xxᵉ). *Un détergent :* un produit de lessive, de nettoyage. ⇒ **Détersif.**

DÉTERGER [detɛʀʒe] v. tr. — Conjug. *bouger.* — 1538 ; lat. *detergere* « nettoyer », de *de-* intensif, et *tergere* « essuyer ».

♦ **1.** Méd. Nettoyer (une plaie). *Déterger une plaie en enlevant le pus, le sang qui empêcherait la cicatrisation. Déterger un ulcère.*
Par ext. Vx. ⇒ **Nettoyer, purifier.** *Déterger les intestins.*

1   (...) un petit clystère (...) pour déterger (...)
          MOLIÈRE, Monsieur de Pourceaugnac, I, 11.

2   Si votre altesse a mangé goulûment, je puis déterger ses entrailles avec de la casse, de la manne, et des follicules de séné (...)
          VOLTAIRE, Dict. philosophique, Maladie.

♦ **2.** (xxᵉ). Techn. Enlever (les souillures, les salissures) d'une surface en les dissolvant, par modification de leurs propriétés d'étalement, de mouillage, etc. (détergence). ⇒ **Détersif.**
DÉR. Détergence.

DÉTÉRIORATION [deteʀjɔʀɑsjõ] n. f. — xvᵉ ; bas lat. *deterioratio,* du supin de *deteriorare.* → Détériorer ; rare jusqu'au xvⁱᵉ.

♦ **1.** Action de détériorer (qqch.), de mettre en mauvais état, de se détériorer ; résultat de cette action. ⇒ **Avarie, dégât, dégradation, dommage, ruine, vétusté.** *La détérioration d'un appareil, d'une machine par des utilisateurs sans soin. Détérioration de marchandises. Vous êtes responsables de toute détérioration dans ce local.*
(...) il faut aussi prévoir la détérioration de l'outillage, afin de l'entretenir et de le renouveler en l'amortissant.   André SIEGFRIED, l'Âme des peuples, Conclusion, p. 212.

♦ **2.** Abstrait. Le fait de se détériorer, de devenir moins bon. *Une détérioration de la qualité.* ⇒ **Abaissement, baisse.** *La détérioration des conditions de vie, de l'environnement.* ⇒ **Dégradation.** *La détérioration de la vie politique, des relations diplomatiques. La détérioration des mœurs. La détérioration de l'art.* ⇒ **Décadence.**

♦ **3.** Psychiatrie. *Détérioration mentale :* affaiblissement des facultés mentales (d'une personne). *Tests de mesure de la détérioration mentale, pathologique.*

CONTR. Entretien, réparation.

DÉTÉRIORER [deteʀjɔʀe] v. tr. — 1411 ; bas lat. *deteriorare,* du lat. class. *deterior* « pire, inférieur ».

♦ **1.** Mettre (qqch.) en mauvais état, rendre inutilisable. ⇒ **Abîmer, casser, dégrader, démolir, endommager, gâter ;** (fam.) **amocher, bousiller, déglinguer, esquinter.** *Détériorer un appareil, une machine.* ⇒ **Détraquer.** *Détériorer volontairement le matériel.* ⇒ **Saboter** (fam.). *Détériorer un objet fragile en l'ébréchant, en le fêlant. Détériorer les meubles. Le temps a détérioré cette maison, cet édifice. L'humidité détériore les tentures. Les acides détériorent l'émail des dents* (⇒ **Attaquer, corroder**).
Au p. p. *Du vieux matériel détérioré.* ⇒ **Usé.** *Un livre détérioré.* ⇒ **Abîmé.**

♦ **2.** Fig. Rendre moins bon. *Détériorer sa santé par des excès.* ⇒ **Délabrer.** — Littér. *Détériorer un être, une âme.* ⇒ **Altérer, corrompre, dépraver, pervertir.** — *Détériorer la situation politique, l'économie.*

1   Il n'est jamais permis de détériorer une âme humaine pour l'avantage des autres, ni de faire un scélérat pour le service des honnêtes gens.
          ROUSSEAU, Julie ou la Nouvelle Héloïse, V, lettre II.

2   Il savait que ces ignominies sont toujours exercées sur des hommes vivants, et que, si elles semblent justifier certaines formules non vivantes, elles risquent de détériorer sans remède l'humanité même.   Ch. PÉGUY, la République..., p. 21.

▶ **SE DÉTÉRIORER** v. pron.

♦ **1.** S'altérer, subir des dégradations. *Ces denrées se sont détériorées.* ⇒ **Avarier** (s'). *On a laissé se détériorer tout le mobilier.* ⇒ **Tomber** (en ruine). *Se détériorer par un usage excessif.* ⇒ **User** (s').

♦ **2.** Fig. Devenir plus mauvais ; perdre son équilibre. *La monnaie se détériore.* ⇒ **Dégénérer, dégrader** (se), **dépérir.**

3   Ses grandes qualités restèrent les mêmes ; mais ses bonnes inclinations s'altérèrent et ne soutinrent plus ses grandes qualités ; par la corruption de cette tache originelle sa nature se détériora.   CHATEAUBRIAND, Mémoires d'outre-tombe, t. II, p. 330.

4   Il avait maintenant quarante-cinq ans, pas mal de cheveux blancs, un peu de ventre, et cette mélancolie des gens qui ont été beaux, recherchés, aimés et qui se détériorent tous les jours.   MAUPASSANT, les Sœurs Rondoli, Rencontre, p. 244.

CONTR. Améliorer, amender, perfectionner, réformer, régénérer. — Raccommoder, réparer.

DÉTERMINABLE [detɛʀminabl] adj. — Fin XVIIIe ; « déterminé », fin XIIe ; de *déterminer.*

♦ Qui peut être déterminé. *Grandeur déterminable.*

CONTR. **Indéterminable.**

DÉTERMINANT, ANTE [detɛʀminɑ̃, ɑ̃t] adj. et n. m. — Av. 1662 ; p. prés. de *déterminer.*

★ **I.** Adj. Qui détermine ; qui permet de déterminer. *Motif déterminant. Raison déterminante. Cause déterminante. Facteur déterminant* (→ Canadien, cit. 1). *Mot déterminant dans une expression. Se reporter au mot déterminant.*

1   J'expose celles de mes raisons que je pouvais dire sans compromettre Mme Levasseur et sa famille ; car les plus déterminantes venaient de là, et je les tus.   ROUSSEAU, les Confessions, VIII.

2   Le besoin actuel de nourriture est une cause plus déterminante, plus analogue à l'instinct borné de ces petits animaux, et suppose en eux moins de cette prévoyance que les philosophes accordent trop libéralement aux bêtes.   BUFFON, Hist. nat. des oiseaux, t. IV, p. 246.

★ **II.** N. m. ♦ **1.** (1877). Vx. Gramm. Élément ajouté à un radical. ⇒ **Morphème.**

Mod. Mot qui en détermine un autre ; complément d'un déterminé. *Les déterminants sont les adjectifs déterminatifs* et les adverbes.*

(XXe). Ling. Constituant du syntagme nominal dépendant du nom (article, adjectif et complément du nom) ; spécialt, se dit de la classe de morphèmes grammaticaux portant les marques du genre et du nombre du nom qu'ils actualisent (articles, adjectifs possessifs, démonstratifs, indéfinis, numéraux, interrogatifs...).

♦ **2.** Math. Nombre défini par un algorithme sur une matrice carrée d'ordre n, introduit en vue de résoudre un système d'équations linéaires.

♦ **3.** Biol. *Théorie des déterminants* (Weismann), selon laquelle l'hérédité devait être regardée comme la somme d'un certain nombre de facteurs déterminants.

♦ **4.** Log. *Déterminants d'un phénomène,* ses causes physiques déterminantes.

3   Le but que se proposent les savants est double : trouver les déterminants des phénomènes, trouver les lois invariables de succession.   RABIER, Logique, p. 119, *in* LALANDE, Voc. de la philosophie, Déterminant.

♦ **5.** Philos., psychol. *Déterminants de la conduite, du comportement :* causes psychologiques déterminantes.

4   On peut mettre en évidence des déterminants psychologiques de certaines psychoses, on peut voir des faits physiologiques à l'œuvre dans les névroses.   Guy PALMADE, la Psychothérapie, p. 11.

COMP. **Surdéterminant.**

DÉTERMINATIF, IVE [detɛʀminatif, iv] adj. — V. 1460 « qui détermine » ; fin XIVe, « déterminant, critique » ; admis par l'Académie, 1762 ; dér. sav. de *déterminer.*

♦ **1.** (Fin XVIIe). Gramm. Qui détermine, précise le sens d'un mot. *Adjectif déterminatif,* qui introduit dans un discours sous un aspect particulier le nom qu'il précède. *On appelle adjectifs déterminatifs les adjectifs numéraux, possessifs, démonstratifs et indéfinis.*

REM. 1. On oppose adjectif qualificatif à adjectif déterminatif ou non-qualificatif.

2. L'article a une valeur d'adjectif déterminatif bien qu'il n'en porte pas le nom.

Complément déterminatif (d'un nom, d'un adjectif, d'un adverbe...) : complément se subordonnant au nom, à l'adjectif... le plus souvent par une préposition, pour en limiter l'extension. Ex. :

Un manteau d'hiver. *Il est incapable* de cela. — *Proposition relative déterminative :* proposition qui précise ou restreint le sens de l'antécédent, et qu'on ne peut supprimer sans nuire à la signification de la phrase. Ex. : *L'homme* qui vient d'entrer *est mon père.*

REM. 1. On oppose relative explicative* à relative déterminative.

2. La proposition déterminative est un complément déterminatif.

N. *Un déterminatif.*

♦ **2.** Log. *Proposition déterminative :* proposition incidente qui restreint le terme auquel elle se rapporte (opposé à *explicative*).

DÉTERMINATION [detɛʀminasjɔ̃] n. f. — V. 1361 ; lat. *determinatio,* du supin de *determinare.* → Déterminer.

♦ **1.** Action de déterminer*, de délimiter avec précision ; état de ce qui est déterminé. ⇒ **Caractérisation, définition, délimitation, estimation, évaluation, fixation, limitation, précision.** *La détermination de la longitude, de la latitude d'un lieu* (→ Carte, cit. 16). *Détermination des circonstances d'un événement. La détermination d'une espèce en zoologie. La détermination des objets, des événements par le langage* (→ ci-dessous, cit. 3, et le sens spécial, ling.). *Bien meuble par la détermination de la loi. Détermination d'un point de dogme.*

1   Dieu conduit l'Église dans la détermination des points de la foi, par l'assistance de son esprit qui ne peut errer ; au lieu que, dans les choses de fait, il a laissé agir par les sens et par la raison, qui en sont naturellement les juges.   PASCAL, les Provinciales, XVII.

2   Je ne sais rien de tel pour l'explication des idées et des doctrines que la réalité des faits et la détermination précise des circonstances au sein desquelles elles ont été conçues (...)   SAINTE-BEUVE, Proudhon, p. 81.

3   Il y a indétermination quand on parle d'êtres ou d'objets quelconques, sans indiquer quels sont les êtres et les objets particuliers dont on parle : *un soldat* ; *des fleurs.* Il y a détermination en cas contraire : *le soldat en faction à la porte du ministère des Finances* ; *les fleurs que j'ai rapportées hier.* Il peut y avoir détermination d'individu, ou détermination d'espèce : *la route de Paris à Antibes,* c'est *une* route déterminée ; *les routes nationales,* c'est *une* espèce de routes déterminées.   BRUNOT, la Pensée et la Langue, V, I, p. 135.

Math. Action de déterminer les inconnues d'un problème ; caractère d'un problème déterminable.
La détermination du mouvement d'un corps : ce qui règle, ce qui détermine la direction d'un corps en mouvement.

4   C'est Dieu qui imprime à la matière son mouvement et qui règle sa détermination.   MALEBRANCHE, De la recherche de la vérité, I, I, 2.

(1789). Ling. Le fait de déterminer (un terme). Spécialt. Individualisation du substantif (précédé alors par un *déterminatif*).

♦ **2.** Biol. Ensemble des facteurs génétiques qui permettent de caractériser la différenciation entre mâle et femelle.

♦ **3.** Philos. Relation entre deux éléments de connaissance, de telle façon que de la connaissance du premier il est possible de déterminer le second (opposé à *indétermination*). — *La détermination d'un phénomène :* le fait, pour ce phénomène, d'être soumis au déterminisme (⇒ **Déterminisme**). *La détermination d'un acte humain,* par le milieu psychologique, sociologique.

Théol. *La détermination de la destinée humaine.* ⇒ **Prédétermination ; prédestination.**

5   Voici quels sont leurs principes *(de certains théologiens) :* Nulle créature libre n'est déterminée par elle-même au bien ou au mal ; car une telle détermination détruirait la notion de liberté.   BOSSUET, Traité du libre arbitre, VI.

♦ **4.** (1541). Au cours de l'acte volontaire, Résultat psychologique de la décision ; fait de se déterminer (2.). ⇒ **Décision ; intention** (d'agir), **parti, résolution, solution.** *Prendre rapidement une détermination. Sa détermination était bien arrêtée. Une détermination immédiate, spontanée, volontaire, soudaine, aveugle* (→ Ainsi, cit. 15).

6   (...) or liberté, c'est choix, autrement une détermination volontaire au bien ou au mal (...)   LA BRUYÈRE, les Caractères, XVI, 47.

7   (...) en aucun cas je n'agis librement : aucune de mes déterminations ne pourrait être différente de ce qu'elle est.   MARTIN DU GARD, Jean Barois, II, III, p. 360.

8   Je pris et rejetai mille déterminations, fis et défis mille plans qui eussent été ridicules ou même comiques si le parfum de la mort ne les eût imprégnés, sanctifiés.   G. DUHAMEL, Récits des temps de guerre, II, 5, p. 186.

Caractère d'une personne qui agit sans hésitation, selon les déterminations qu'elle a prises. ⇒ **Décision, énergie, fermeté, opiniâtreté, résolution, volonté.** *La détermination de qqn. Faire preuve de détermination. Cette action montre sa détermination. Agir avec détermination.*

9   Napoléon envisage toute sa position ; tout lui semble perdu s'il recule aux yeux de l'Europe surprise, et tout sauvé s'il peut encore vaincre Alexandre en détermination.   Ph.-P. SÉGUR, Hist. de Napoléon, VIII, II.

CONTR. Indétermination ; imprécision, vague. — Liberté. — Hésitation, indécision, irrésolution ; faiblesse, mollesse, velléité.

COMP. Autodétermination, surdétermination.

DÉTERMINÉ, ÉE [detɛʀmine] adj. ⇒ **Déterminer.**

DÉTERMINÉMENT [detɛʀminemɑ̃] adj. — V. 1361, *determineement; de déterminé.*
Vieux (langue classique).

♦ **1.** Avec exactitude, précision. ⇒ **Exactement, expressément.**

♦ **2.** Avec la résolution d'une personne déterminée. *« De certaines gens qui veulent si ardemment et si déterminément de certaines choses... »* (La Bruyère).

DÉTERMINER [detɛʀmine] v. tr. — 1119; lat. *determinare* «marquer les limites», de *de-,* et *terminare* (→ Terminer).

♦ **1.** Indiquer, délimiter avec précision. ⇒ **Caractériser, définir, délimiter, dire, donner, estimer, établir, évaluer, fixer, indiquer, limiter, marquer, préciser, spécifier.** *Déterminer le sens d'un mot. Déterminer les détails d'une entreprise, d'une expédition.* ⇒ **Régler.** *Déterminer les formalités à remplir.*
Définir et classer les caractères distinctifs de (une chose). ⇒ **Caractériser.** *Déterminer le genre et l'espèce d'un être vivant. Déterminer la classe à laquelle appartient un objet.* ⇒ **Classer.** — *Cette distance est difficile à déterminer.* ⇒ **Apprécier, assigner** (vx), **calculer, estimer, évaluer, mesurer.** *Déterminer l'auteur d'un texte.* ⇒ **Identifier, rechercher.** *Déterminer la cause d'un événement.* ⇒ **Assigner.** *Déterminer la qualité* (de qqch.). ⇒ **Qualifier.** *Déterminer l'époque, la date d'un événement. Déterminer l'endroit, le lieu.* ⇒ **Localiser.** *Déterminer la nature d'une maladie.* ⇒ **Diagnostiquer.** *Déterminer le centre, l'axe d'une roue.* ⇒ **Centrer.** — *Déterminer la vitesse d'un véhicule. Déterminer les modalités d'application d'une loi.*

1 Il est presque impossible de déterminer par l'expérience l'intensité de la force attractive des molécules des corps (...)
LAPLACE, Exposition du système du monde, IV, 17.
2 (...) de quel droit un pouvoir, quel qu'il fût, oserait-il déterminer où est la vérité, où se trouve l'erreur (...)
CONDORCET, in JAURÈS, Hist. socialiste..., t. III, p. 436.
3 (...) nous ne pouvons déterminer l'instant précis où le *moi,* sous une autre forme, continue l'œuvre de l'existence *(pendant le sommeil).*
NERVAL, la Bohème galante, « Le rêve et la vie ».
4 Ces bornes ne peuvent être déterminées que par la Loi.
Déclaration des droits de l'homme, art. 4 (→ Liberté).

Philos. Spécifier les caractères compréhensifs d'un concept. ⇒ **Caractériser, définir.**
Math. *Déterminer l'inconnue d'un problème. Déterminer les racines d'une équation.* ⇒ **Calculer.**
Ling., log. (Sujet n. de chose). Rapporter (un terme, un concept) à une situation précise. *Terme qui en détermine un autre* (déterminant*, déterminatif*); *terme déterminé* (le déterminé : → ci-dessous).

♦ **2.** (1665). Avec un compl. second en *à.* Entraîner la décision volontaire de (qqn). ⇒ **Décider; amener, conduire, conseiller, diriger, encourager, engager, entraîner, inciter, inspirer, persuader, porter, pousser, solliciter.** *Déterminer qqn à l'action, à agir, à faire qqch. Ses amis l'ont déterminé à partir. La raison me détermine à agir ainsi. Il est déterminé à agir par sa raison.* — (Sans compl. second). *L'occasion le détermine.*

5 La gloire et les prospérités que le ciel promettra ou à l'un ou à l'autre choix ne seront-elles pas suffisantes pour le déterminer (...)
MOLIÈRE, les Amants magnifiques, III, 1.
6 (...) vous ne les connaissez guère *(les femmes),* si vous croyez que le mérite les détermine à faire un choix.
A. R. LESAGE, Gil Blas, II, VIII.
7 (...) il aperçoit à la fois un grand nombre d'idées; et comme il ne les a ni comparées ni subordonnées, rien ne le détermine à préférer les unes aux autres; il demeure donc dans la perplexité (...)
BUFFON, Disc. sur le style.
8 J'ai bien une autre inquiétude : c'est de la déterminer à quitter sur-le-champ la maison du tuteur.
BEAUMARCHAIS, le Barbier de Séville, IV, 6.

(1381). Vieilli ou littér. Décider. ⇒ **Choisir, fixer.** *Que faut-il déterminer?*
Vx. *Déterminer qqch.* (un élément, une caractéristique) *à qqch.*

9 Mais de quel côté pencherons-nous? La raison n'y peut rien déterminer : il y a un chaos infini qui nous sépare. Il se joue un jeu, à l'extrémité de cette distance infinie, où il arrivera croix ou pile. Que gagnerez-vous? Par raison, vous ne pouvez faire ni l'un ni l'autre; par raison, vous ne pouvez défendre nul des deux.
PASCAL, Pensées, III, 233.

Philos. *Système dans lequel les motifs déterminent invinciblement la volonté.* ⇒ **Déterminisme.**
Théol. *Dieu détermine la volonté, les cœurs.* ⇒ **Prédestiner, prédéterminer.**

10 Dieu leur donne une grâce efficace qui détermine réellement leur volonté à l'action.
PASCAL, les Provinciales, II.

♦ **3.** Causer, déclencher (un phénomène, des événements...). ⇒ **Causer; conditionner, déclencher, engendrer, former, occasionner, produire** (*être à l'origine de*). *Cet incident a déterminé sa colère. Déterminer un cataclysme, une crise.* ⇒ **Entraîner.** *Causes qui déterminent une révolution, une insurrection.* — *Le redoux a déterminé les avalanches.* ⇒ **Provoquer.** *Tous ces motifs ont déter-*

miné son renvoi. ⇒ **Amener.** *Agent chimique qui détermine une réaction.*

11 Le guerrier et le politique, non plus que le joueur habile, ne font pas le hasard, mais le préparent, ils l'attirent, et semblent presque le déterminer.
LA BRUYÈRE, les Caractères, XII, 74.
12 (Je crois) que les progrès de l'industrie déterminent à la longue quelque adoucissement dans les mœurs (...)
FRANCE, M. Bergeret..., XVII.
13 (...) les conditions sociales déterminent la production littéraire. Elle n'est pas moins modifiée par les conditions politiques.
Gustave LANSON, l'Art de la prose, p. 143.
14 Il leur administre une foule de remèdes fantaisistes qui finiront bien par faire effet, c'est-à-dire par déterminer quelque maladie véritable.
G. DUHAMEL, Chronique des Pasquier, t. III, VII, I, p. 272.

(Passif et p. p.). *Être déterminé par... L'émotion déterminée par cette nouvelle est considérable.*

15 Chez ces Anglais, l'action est si bien déterminée par une éducation rigide, que (...)
A. MAUROIS, les Discours du Dr O'Grady, XIII, p. 140.
16 Notre destinée est déterminée par un geste (...)
A. MAUROIS, les Discours du Dr O'Grady, XIII, p. 140 (→ Arrêter, cit. 25).

▶ **SE DÉTERMINER** v. pron.

♦ **1.** (Passif). Être déterminé; recevoir une détermination précise. *Cette distance ne se détermine pas facilement.*

♦ **2.** (Réfl.). Se décider à agir. **SE DÉTERMINER À** (qqch., à faire qqch.). *Il se détermine à quitter son pays.* ⇒ **Arrêter** (s'arrêter à), **choix** (fixer son choix), **décider** (se), **engager** (s'), **prononcer** (se), **résoudre** (se), **vouloir** — Absolt :

17 Ils ont peine à se déterminer sur ce sujet.
PASCAL, les Provinciales, XV.
18 La liberté vraie consiste donc à se déterminer quand on est parfaitement éclairé par l'entendement.
Émile FAGUET, Études littéraires, XVIIᵉ s., Descartes, III.

Vx. *Se déterminer de faire quelque chose.*
Philos. *Système selon lequel l'homme peut se déterminer sans motifs.* ⇒ **Liberté; arbitre** (libre arbitre).

▶ **DÉTERMINÉ, ÉE** p. p. adj. et n. m.

♦ **1.** Qui a été précisé, défini. ⇒ **Arrêté, certain, défini, fixe, fixé, précis, précisé, réglé, spécifique.** *Se diriger vers un point déterminé, vers un lieu déterminé. À une époque déterminée* (→ Bassin, cit. 8). *Mot qui offre un sens déterminé* (→ Autopsie, cit. 1). *Dans certains cas* (cit. 12) *déterminés. Question, problème déterminé. Quantité déterminée. Pour une durée déterminée* (→ An, cit. 21). *Acheter des produits à un prix déterminé. Accomplir un travail dans un temps déterminé.*

19 Je veux même avancer l'heure déterminée (...)
RACINE, Athalie, III, 7.
20 Nul homme ne peut être accusé, arrêté ni détenu que dans les cas déterminés par la Loi, et selon les formes quelle a prescrites.
Déclaration des droits de l'homme, art. 7.
21 En effet, il faut une quantité déterminée de force pour soulever un poids déterminé, cette force peut être distribuée sur un plus ou moins grand nombre de leviers; mais, en définitive, la force doit être proportionnée au poids (...)
BALZAC, le Médecin de campagne, Pl., t. VIII, p. 443.

Ling. *Substantif déterminé, terme déterminé,* qui est précisé par le terme déterminant. — N. *Le déterminé et le déterminant.*
Math. *Système déterminé,* qui a une et seulement une solution.

♦ **2.** (Personnes). Qui se détermine, se décide. ⇒ **Décidé, résolu.** — *Déterminé à... Il est déterminé à travailler sérieusement.* — Absolt. *C'est un homme déterminé.* ⇒ **Hardi, intrépide, opiniâtre, téméraire.** *Un caractère déterminé.* ⇒ **Courageux, direct.** *Il est déterminé dans sa résolution.* ⇒ **Ferme, inébranlable.** *Il est ferme sur ses positions, déterminé à ne pas céder.* — N. (Rare). *C'est un déterminé.*

22 C'est une chose où je suis déterminé.
MOLIÈRE, le Médecin malgré lui, III, 6.
23 (...) un tracassier (...) tout déterminé à me prendre en faute, à quelque prix que ce fût.
ROUSSEAU, les Confessions, XII.
24 Un homme d'imagination forcenée comme Flaubert, déterminé à tout cristalliser en littérature (...)
A. THIBAUDET, G. Flaubert, p. 40.

Qui est abandonné sans réserve (à...). *C'est un joueur, un buveur déterminé.* ⇒ **Invétéré.**
(Attitudes). Qui marque la détermination. *Un air déterminé.*

♦ **3.** Philos. Qui est soumis au déterminisme (⇒ **Déterminisme**). *Certains phénomènes physiques, chimiques, biologiques sont déterminés.*

25 (...) chez les êtres vivants aussi bien que dans les corps bruts les conditions d'existence de tout phénomène sont déterminées d'une manière absolue.
Cl. BERNARD, Introd. à l'étude de la médecine expérimentale, II, I, 5.
26 Automatisme, c'est, pour moi, un développement entièrement déterminé par un événement initial quelconque.
VALÉRY, l'Idée fixe, p. 129.

Acte humain déterminé, qui ne peut être autre que ce qu'il est, étant données ses conditions d'existence antérieures. *L'homme est à la fois libre et déterminé (par les facteurs sociologiques, psychologiques).* ⇒ **Conduit, entraîné, poussé.**
Théol. *L'homme est déterminé au bien, au mal* (→ Détermination, cit. 5).

CONTR. (De *se déterminer*) Craindre, hésiter, reculer. — (De *déterminé*) Imprécis, incertain, indéfini, indéterminé. — Craintif, hésitant, peureux; instable, irrésolu.
DÉR. Déterminable, déterminant, déterminatif, déterminisme. — (Du p. p.) Déterminément.
COMP. Indéterminé, surdéterminé.

DÉTERMINISME [detɛrminism] n. m. — 1827, *in* D.D.L.; de *déterminer*, pour traduire l'all. *determinismus*, formé à la fin du XVIIIᵉ.

Didactique (philosophie).

♦ **1.** Ordre des faits suivant lequel les conditions d'existence d'un phénomène sont déterminées, fixées absolument de telle façon que ces conditions étant posées, le phénomène ne peut pas ne pas se produire. *Le déterminisme des phénomènes. Principe du déterminisme. Croire au déterminisme des phénomènes et être convaincu que la nature obéit à des lois. Le déterminisme, fondement de l'induction*.*

1 (...) il y a un déterminisme absolu dans toutes les sciences, parce que, chaque phénomène étant enchaîné d'une manière nécessaire à des conditions physico-chimiques, le savant peut les modifier pour maîtriser le phénomène, c'est-à-dire pour empêcher ou favoriser sa manifestation.
Cl. BERNARD, Introd. à l'étude de la médecine expérimentale, II, I, 1.

2 (...) l'induction suppose un double principe : 1º L'ordre de la nature est constant, et les lois ne souffrent pas d'exception. En effet, dès qu'une hypothèse rencontre une seule exception, nous jugeons aussitôt qu'elle n'est pas une loi. 2º L'ordre de la nature est universel, et il n'y a pas de faits ni de détails des faits qui ne soient réglés par des lois (...) Ce double principe, c'est le déterminisme. Toute induction repose sur la confiance que nous avons dans le déterminisme. Il n'y a donc dans la nature ni *contingence*, ni *caprice*, ni *miracle*, ni *libre-arbitre*.
Edmond GOBLOT, Traité de logique, p. 313.

REM. *Déterminisme* s'oppose à *fatalisme* en ce sens que suivant le *déterminisme*, un phénomène ne se produit nécessairement que si ses antécédents sont donnés, alors que suivant le *fatalisme*, l'événement est toujours nécessaire, quels que soient ses antécédents.
Déterminisme psychologique, suivant lequel l'homme est déterminé par un certain nombre de relations causales. — *Déterminisme historique*, suivant lequel il est possible de systématiser, d'ordonner le passé. *Déterminisme sociologique*, suivant lequel il est possible d'induire des lois sociologiques de la répétition des faits sociaux.

3 En somme, je voudrais montrer que liberté et déterminisme sont vrais en même temps, ne sont pas contradictoires. Tu comprends ?
A. MAUROIS, Bernard Quesnay, IX, p. 61.

4 L'homme est la proie du déterminisme (...) lorsque son comportement retombe à l'automatisme (...) lorsque la maladie l'empêche d'être pleinement lui-même (...) L'homme normal, s'il est capable de se déterminer lui-même en même temps déterminé (...) Si la liberté a une signification autre que métaphysique, et si elle peut être attestée par la psychologie, ce n'est pas en récusant ces relations causales, c'est en montrant qu'à l'action de ces causes l'homme peut opposer sa propre causalité (...)
MOUY, Logique, p. 166-167.

4.1 Supposer que Versailles succède à Notre-Dame de Chartres, satisfait les déterminismes — et leur permet d'oublier que du XIIIᵉ au XVIIIᵉ siècle, le chrétien a subi une mutation totale, son lien avec l'imaginaire ayant totalement changé.
MALRAUX, l'Homme précaire et la Littérature, p. 23.

♦ **2.** « Doctrine philosophique suivant laquelle tous les événements de l'univers, et en particulier les actions humaines, sont liés d'une façon telle que les choses étant ce qu'elles sont à un moment quelconque du temps, il n'y ait pour chacun des moments antérieurs ou ultérieurs, qu'un état et un seul qui soit compatible avec le premier » (Lalande).

5 (...) selon le canon du matérialisme intégral, l'accomplissement de l'homme tient dans sa soumission aussi complète que possible aux déterminismes (...) la personne trouve sa fin dans ce qui la détruit (...) le monde lui-même n'est régi que par un déterminisme aveugle.
DANIEL-ROPS, Ce qui meurt..., p. 84.

CONTR. Indéterminisme ; caprice, fatalité, hasard. — Liberté.
DÉR. Déterministe.

DÉTERMINISTE [detɛrminist] adj. et n. — 1811; all. *determinist* (1788).

♦ **1.** Adj. Qui est relatif au déterminisme. *Hypothèse déterministe. Philosophie déterministe* (⇒ **Causaliste**).

♦ **2.** N. Partisan du déterminisme.

1 M. Stuart Mill, qui appartient à l'école déterministe ou nécessitariste, proclame la supériorité pratique de la doctrine du libre arbitre (...) les indéterministes sont obligés de le reconnaître, et les déterministes ne peuvent, de leur côté, méconnaître l'idée de liberté (...)
A. MANGIN, Journal officiel, 10 avr. 1873, *in* LITTRÉ.

2 (...) ils demeurent des positivistes convaincus, des évolutionnistes, des déterministes, qui ont mis leur foi dans l'observation et dans l'expérience, pour la conquête définitive du monde.
ZOLA, Paris, t. I, p. 197.

CONTR. Indéterministe.

DÉTERRAGE [detɛraʒ] n. m. — 1890; « action de retirer de terre », 1874; de *déterrer*.

Technique.

♦ **1.** Agric. Action de soulever de terre le soc d'une charrue.

♦ **2.** (1911). Action de chasser certaines bêtes (blaireau, renard) dans leur terrier.

DÉTERREMENT [detɛrmɑ̃] n. m. — 1596; de *déterrer*.

♦ Action de déterrer un objet, un cadavre. *Déterrement d'un mort.* ⇒ **Exhumation.**

CONTR. Enterrement, exhumation.

DÉTERRER [detɛre] v. tr. — V. 1160; de 1. *dé-, terre,* et suff. verbal.

♦ **1.** Retirer de terre (ce qui s'y trouvait enfoui). *Déterrer des pommes de terre, des betteraves. Déterrer un arbre, un pieu.* ⇒ **Arracher.** *Déterrer une mine, une caisse, un trésor. Faire des fouilles pour déterrer des objets d'art.* — Loc. *Déterrer la hache de guerre* : ouvrir les hostilités (allusion aux coutumes des Indiens d'Amérique).

1 Là-bas, des congrégations de corbeaux déterrent du bec des semences d'automne.
J. RENARD, Hist. naturelles, « la Fermeture de la chasse ».

2 Les hommes qui se faisaient tuer en déterrant des obus n'étaient plus des héros pour personne.
G. DUHAMEL, la Pesée des âmes, XIII, p. 318.

Spécialt. Enlever de sa sépulture. *Déterrer un mort.* ⇒ **Exhumer.**

3 La populace, toujours extrême, toujours barbare, quand on lui lâche la bride, va déterrer le corps de Concini, inhumé à Saint-Germain-l'Auxerrois (...)
VOLTAIRE, Essai sur les mœurs, CLXXV.

3.1 Ils *(les Lapons)* les enterrent sur le lieu où ils sont morts, dans quelque caverne ou sous quelques pierres, pour les déterrer l'hiver, lorsque la neige leur donne la commodité de les porter à l'église.
J.-F. REGNARD, Voyage en Laponie, p. 120.

Fig. Tirer de l'oubli. ⇒ **Ressortir, ressusciter.** *Déterrer des souvenirs, une vieille histoire. Pourquoi est-ce qu'il est allé déterrer ces vieilles querelles ?*

4 Elle enfouissait ses griefs et les déterrait des semaines après, alors que personne ne se souvenait plus de ce qui en avait été le prétexte.
F. MAURIAC, la Pharisienne, VI, p. 88.

♦ **2.** Découvrir (ce qui était caché). ⇒ **Découvrir, dénicher, trouver.** *Déterrer un document en fouillant dans des archives* (cit. 4). *Déterrer un secret.*

5 (...) je ne sais où tu as été déterrer cet attirail ridicule.
MOLIÈRE, Dom Juan, III, 1.
Déterrer une personne qui se cache, qui veut s'isoler.

6 L'homme aux ressources, Peltier, me déterra, ou plutôt me dénicha dans mon aire.
CHATEAUBRIAND, Mémoires d'outre-tombe, t. II, p. 87.

▶ **DÉTERRÉ, ÉE** p. p. adj.
Qu'on a sorti de terre. *Cadavre déterré.*

N. m. et f. — Fig. *Avoir un air, un visage, une mine, une gueule* (fam.) *de déterré, de déterrée,* un visage pâle et défait, comme celui d'un cadavre. — Var. : *avoir l'air, la mine, la gueule d'un déterré.*

7 En sortant de ma chambre, j'avais l'air d'un déterré (...)
ROUSSEAU, les Confessions, V.

8 (...) et le matin on se revoit avec des figures de déterrés (...)
FLAUBERT, Correspondance, t. I, p. 224.

9 Quant à moi, dès que je me sentirai un peu mieux, dès que je n'aurai plus cette figure de déterrée qui me fait peur à moi-même, je retournerai près de vous.
MAUPASSANT, Fort comme la mort, p. 167.

CONTR. Enfouir, ensevelir, enterrer, inhumer, terrer. — Cacher, dissimuler.
DÉR. Déterrage, déterrement, déterreur.

DÉTERREUR, EUSE [detɛrœr, øz] n. — Av. 1962; de *déterrer*.

♦ Personne qui déterre. *Un déterreur de cadavres.* Personne qui pratique le déterrage (2.).
Personne qui découvre. *Un déterreur d'éditions rares.*

DÉTERSIF, IVE [detɛrsif, iv] adj. et n. — 1538; du lat. *detersus,* p. p. de *detergere.* → Déterger.

♦ **1.** Méd. Vx. Qui nettoie une plaie et en favorise la cicatrisation. ⇒ **Abstergent, détergent.** *Le nitrate d'argent est un remède détersif.* — Par plaisanterie :

1 (...) un bon clystère détersif (...) pour balayer, laver, et nettoyer le bas-ventre de Monsieur (...)
MOLIÈRE, le Malade imaginaire, I, 1.

N. m. *Un détersif :* un produit détersif. — Par métaphore :

2 Si encore la douleur était un antiseptique des délits futurs ou un détersif des fautes passées, on comprendrait encore (...)
HUYSMANS, En route, p. 297.

♦ **2.** Mod. Qui nettoie, en dissolvant les impuretés. *L'eau de Javel, la lessive, les cristaux de soude sont des produits détersifs.*

N. m. *Un puissant détersif* (ou détergent*).

DÉTERSION [detɛrsjɔ̃] n. f. — 1560; lat. médical *detersio,* du supin de *detergere.* → Déterger.

♦ **1.** Méd. Action de déterger*, d'arrêter l'infection. ⇒ **Désinfection.** *La détersion d'une plaie.*

♦ **2.** Techn. Action d'un détersif (2.).
CONTR. Infection.

DÉTESTABLE [detɛstabl] adj. — 1308 ; lat. *detestabilis,* de *detestari* → Détester.

♦ **1.** Vx. Qu'on doit détester, qui mérite d'être détesté. ⇒ **Abominable, exécrable, haïssable, méprisable, odieux.** *La calomnie est détestable. Il est d'une prétention détestable. Procédé, attitude détestable.* ⇒ **Dégoûtant, écœurant, répugnant.** *Un travail détestable.* ⇒ **Antipathique, désagréable.**
REM. Jusqu'au XVIIᵉ s. inclus, le sens du mot est très fort et implique généralement l'idée de malédiction. → Détester (étymologie).

1 Les détestables feux de son ambition. CORNEILLE, Cinna, III, 1.
2 On verra de David l'héritier détestable
Abolir tes honneurs, profaner ton autel,
Et venger Athalie, Achab et Jézabel (...) RACINE, Athalie, V, 6.
3 (...) les plus détestables mensonges sont ceux qui se rapprochent le plus de la vérité. GIDE, Si le grain ne meurt, II, II, p. 340.

♦ **2.** (1663). Mod. Très désagréable. *Quel pays, quel temps détestable !* ⇒ **Affreux, vilain.** → *Quel temps de chien* * ! *Défaites-vous de cette détestable habitude* (→ Défaire, cit. 20). *Un repas détestable. Être d'une humeur détestable.* ⇒ **Exécrable, mauvais.** *Il a été détestable pendant tout le repas.* ⇒ **Désagréable ; poison** (c'est un vrai poison). *Nous avons passé une nuit détestable, sans pouvoir dormir.*

♦ **3.** Qui est très mauvais* dans son genre. *Le style de cet ouvrage est détestable* (→ Boursouflé, cit. 3). *Musique détestable. Ce musicien est détestable.*

4 Il est vrai, je la trouve détestable *(l'École des femmes)* ; morbleu ! détestable du dernier détestable ; ce qu'on appelle détestable. MOLIÈRE, la Critique de l'École des femmes, 5.
5 Qui dit froid écrivain dit détestable auteur. BOILEAU, l'Art poétique, IV.

CONTR. Admirable, enviable, louable, magnifique. — Adorable, agréable, aimable, exquis ; bon, excellent.
DÉR. Détestablement.

DÉTESTABLEMENT [detɛstabləmɑ̃] adv. — 1393 ; de *détestable.*

♦ D'une manière détestable (2. ou 3.), très mal. *Il joue détestablement.*

CONTR. Admirablement, agréablement, bien, magnifiquement.

DÉTESTATION [detɛstasjɔ̃] n. f. — XIVᵉ ; lat. *detestatio,* du supin de *detestare.* → Détester.

♦ **1.** Vx ou littér. Action de détester. *Avoir de la détestation pour qqn, qqch.* ⇒ **Horreur.**

1 Si vous voyiez l'horreur, la détestation, la haine qu'on a ailleurs pour le gouverneur (...) Mᵐᵉ DE SÉVIGNÉ, Lettres, 465, 6 nov. 1675.
1.1 J'ai d'abord eu une réaction violente, une détestation passionnée (...) R. QUENEAU, Bâtons, chiffres et lettres, p. 37.
Loc. *En détestation de :* en horreur de.
1.2 À l'école, Armand a haï ses condisciples. Il avait le travail facile, mais sous la table, en détestation de la laïque, il disait son chapelet. ARAGON, les Beaux Quartiers, I, IX, p. 52.

♦ **2.** Relig. Horreur que l'homme, le chrétien, doit avoir (pour qqch.). *La détestation du péché.* ⇒ **Exécration ;** → Contrition, cit. 1.

2 Quand nous en reconnaîtrons le mal *(d'une proposition),* nous l'aurons en détestation (...) PASCAL, les Provinciales, lettre III.
3 (...) il commença à l'arracher à la grandeur, à la noble spiritualité de ses conceptions religieuses (...) lui prêchant avec l'*Imitation* la détestation chrétienne de la connaissance et de l'étude. Ed. et J. DE GONCOURT, Mᵐᵉ Gervaisais, p. 266.

CONTR. Amour.

DÉTESTER [detɛste] v. tr. — Fin XIIIᵉ ; lat. *detestari* « maudire » proprt « détourner en prenant les dieux à témoin », de *de-* marquant l'éloignement et *testari* « prendre à témoin », de *testis* « témoin ».

♦ **1.** (Jusqu'au XVIIᵉ). Vx. Maudire. ⇒ **Jurer, pester** (→ Contre, cit. 17).

1 Tous accusent leurs chefs, tous détestent leur choix (...) CORNEILLE, Horace, III, 2.
2 (...) je suis venu, détestant la lumière (...) RACINE, Phèdre, V, 7.

♦ **2.** (Mil. XVIᵉ). Mod. Avoir de l'aversion pour (ce qu'on réprouve, ce qu'on n'aime pas). ⇒ **Abhorrer, exécrer, horreur** (avoir en horreur), **réprouver.** *Détester le mensonge, la calomnie. Je déteste la manière dont il est parvenu à ses fins.*

3 J'abhorre les faux dieux. — Et moi, je les déteste. CORNEILLE, Polyeucte, II, 6.
4 (...) il y a des âmes justes qui détestent la fourberie et les traîtres. ROUSSEAU, Rêveries..., 8ᵉ promenade.

Je déteste le faux en tout comme un ennemi du bonheur (...) 5
STENDHAL, Journal, p. 391.
Pour détester ce qui vous flatte, quelle force de caractère ne faut-il pas ? 6
GIDE, les Faux-monnayeurs, I, XII, p. 146.
Détester qqn. ⇒ **Haïr ; abominer.** → Ne pas pouvoir souffrir*, voir*, sentir* qqn ; (fam.) avoir qqn dans le nez*, ne pas pouvoir le blairer*. *Vouloir du mal à celui qu'on déteste. Se faire détester de tous.*

Tel on déteste avant, que l'on adore après. VOLTAIRE, Catilina, I, 1. 7
Allons, Marie, ne me déteste pas, je ne suis pas un méchant homme (...) 8
G. SAND, la Mare au diable, XI, p. 94.
Chacun de nous déteste tous les autres, c'est entendu. Mais s'il les déteste comme 9
individus, il ne peut se défendre d'un goût dépravé pour la sottise quand elle est l'œuvre du troupeau tout entier. A. MAUROIS, les Discours du Dr O'Grady, IV, p. 46.

♦ **3.** (1580). Ne pas pouvoir endurer, supporter (→ fam. Ne pas encaisser*). *Détester la campagne. Détester la pluie. Détester un aliment, un habillement, une occupation.* Par euphém. *Ne pas détester qqch. :* aimer assez, trouver agréable, avoir un faible, de la complaisance pour. *Je ne déteste pas le foie gras.* — *Il déteste les enfants mal élevés, les gens bavards.*

Il est distant ; il est poli jusqu'à la minutie ; et à cause de l'extrême politesse, il 10
n'est pas familier. Il déteste le laisser aller, le bruit, la poussière et les coups de coude. André SUARÈS, Trois hommes, « Ibsen », III, p. 109.
En outre, il ne déteste pas l'excitation que donne au milieu de la matinée un verre 11
de vin blanc, ou même un quinquina. J. ROMAINS, les Hommes de bonne volonté, t. IV, I, p. 8.
Détester faire qqch. : avoir horreur de... *Il déteste attendre. Il déteste être considéré comme un enfant. — Détester de faire* (littér.). *Nous détestons d'avoir à attendre.*
Elle se console d'avoir oublié ses cigarettes, détestant de fumer dans le noir. 12
F. MAURIAC, Thérèse Desqueyroux, II, p. 25.

▶ **DÉTESTÉ, ÉE** p. p. adj.
Qui est objet d'aversion, de dégoût. *Personne détestée de tous ; ce nom est partout détesté.* ⇒ **Odieux.**

Accablez-moi de noms encor plus détestés : 13
Je n'y contredis point, je les ai mérités (...) MOLIÈRE, Tartuffe, III, 6.
Chassé, battu, détesté pour ses crimes, 14
Honni, berné, conspué pour ses rimes (...) VOLTAIRE, Poésies mêlées, 84.
Tantôt j'étais un homme noir, et tantôt un ange de lumière. Je me suis vu dans 15
la même année vanté, fêté, recherché, même à la cour, puis insulté, menacé, détesté, maudit. ROUSSEAU, Lettre à Mᵍʳ de Beaumont.

CONTR. Admirer, adorer (cit. 9), **affectionner, aimer, bénir, chérir.**

DÉTIMBRÉ, ÉE [detɛ̃bʀe] adj. — 1952 ; de 1. *dé-,* et *timbre.*

♦ Rare. Qui a perdu son timbre.

Lassalle dit : « Bonsoir », d'une voix un peu détimbrée (...) 1
CAMUS, l'Exil et le Royaume, p. 85.
Les signes se distinguent dans leurs différences et leurs différences sont entière- 2
ment données dans les significations. Une voix ou des voix ? C'est une voix blanche, détimbrée. Voix blanche, écriture exacte et pure.
Henri LEFEBVRE, la Vie quotidienne dans le monde moderne, p. 25.

CONTR. Timbré (bien).

DÉTIMBRER [detɛ̃bʀe] v. — Mil. XXᵉ ; de 1. *dé-, timbre,* et suff. verbal.

♦ **1.** V. tr. Faire perdre son timbre à... — Pron. « *Cette voix qui se détimbre, qui se dépersonnalise* » (Georges-Emmanuel Clancier, *l'Éternité plus un jour,* p. 273).

♦ **2.** V. intr. Perdre son timbre, devenir détimbré. « *La joie de pouvoir détimbrer, traîner sur les sons. J'adore ça* » (*Opéra de Paris,* 1ᵉʳ nov. 1983).

DÉTIRÉ [detiʀe] n. m. — 1935 ; p. p. substantivé de *détirer.*

♦ Chorégr. « Mouvement d'assouplissement de la jambe effectué avec l'aide du bras » (M. Bourgat, *Technique de la danse*). *Le détiré ou le pied dans la main.*

Dans le mouvement nommé *détiré,* le moment caractéristique est un dégagé où la main tient le talon de la jambe soulevée.
M. BRILLANT, la Danse, *in* Encycl. franç. (de MONZIE), t. XVI, 16′44-12 (1935).

DÉTIRER [detiʀe] v. tr. — Mil. XIIᵉ ; de 2. *dé-,* et *tirer.*

♦ Techn. Tirer pour étendre*. ⇒ **Étirer.** *Détirer un drap avant de le plier. Détirer un tissu en le repassant, détirer du feutre.* — Par ext. Littér. ⇒ **Détendre.**

En voiture, tout le temps, il m'envoyait des coups de pied dans les jambes (...) 1
pour détirer ses nerfs, disait-il. Alphonse DAUDET, l'Immortel, p. 123.

▶ **SE DÉTIRER** v. pron.
(1808). Étendre ses membres pour se délasser. *Se détirer en bâillant.* ⇒ **Étirer** (s').

Et voici que les beaux cygnes, l'un après l'autre, troublés par ce bruit, au profond 2 de leurs sommeils, se détiraient onduleusement la tête de dessous leurs pâles ailes d'argent (...)   VILLIERS DE L'ISLE-ADAM, Tribulat Bonhomet, p. 16.

CONTR. Plier. — Recroqueviller (se).
DÉR. Détiré, détireuse.

DÉTIREUSE [detiʀøz] n. f. — 1890 ; de *détirer*.

♦ Techn. Machine qui sert à élargir les tissus.

DÉTISSER [detise] v. tr. — XVIᵉ ; de 1. *dé-*, et *tisser*.

♦ Défaire un objet tissé. *Détisser une toile.*

Figuré :

(...) Il y a d'ici là beaucoup de douleur encore, beaucoup de gens et de choses à pulvériser : fibre à fibre, je détisse, je sabote ; je me déteste de faire à Julien « un travail », mais je sens autour de lui trop d'attaches fausses et gluantes, je voudrais scier au moins celles-là.   A. SARRAZIN, l'Astragale, p. 147.

DÉTONANT, ANTE [detɔnɑ̃, ɑ̃t] adj. — 1729 ; de *détoner*.

♦ Qui est susceptible de détoner. *Explosif détonant*, dont la vitesse de décomposition est supérieure au km/s. — (1860, *in* D.D.L.). *Mélange détonant* : mélange de gaz susceptible de s'enflammer et de détoner. ⇒ **Carburation.** — N. m. Produit qui peut détoner. *Le fulminate d'argent est un détonant.*

COMP. Antidétonant.

DÉTONATEUR [detɔnatœʀ] n. m. — 1874 ; de *détoner*.

♦ **1.** Amorce (capsule ou autre) qui fait détoner un explosif.

♦ **2.** (V. 1966). Fig. Fait, événement qui déclenche une action (politique, militaire, etc.). « *La victoire électorale des partis du Front populaire avait servi de "détonateur" à une formidable explosion sociale* » (Gilles Martinet).

DÉTONATION [detɔnasjɔ̃] n. f. — 1676 ; de *détoner*.

♦ **1.** Cour. Bruit soudain et violent de ce qui détone. ⇒ **Déflagration, explosion, fulmination.** *Détonation de certains explosifs*, dits primaires* (dynamite, nitro-glycérine...). *La détonation d'une bombe, d'un obus* (⇒ **Éclatement**), *d'un tir, d'un feu d'artifice* (⇒ **Pétarade**). — Par ext. *Détonation d'une arme à feu.* ⇒ **Coup, décharge.** *Roches, bâtiments qui sautent avec une grande détonation.*

1   La chimie curieuse a des transmutations, des précipitations, des détonations, des explosions (...) et mille autres merveilles à faire signer mille fois le peuple qui les verrait.   ROUSSEAU, Lettres écrites de la montagne, 3.

2   Avant-hier, explosion dans le port ; c'est un cargo chargé de munitions qui saute. La plus forte détonation que j'aie entendue.   GIDE, Journal, 17 juil. 1943, p. 190.

Sc. Mécanisme par lequel se propagent à de très grandes vitesses certaines explosions (syn. : *onde explosive*); propagation d'une flamme, d'une décomposition brutale par cette onde explosive. *Détonation du fulminate de mercure.* ⇒ **Détoner.** *Théorie hydrodynamique de la détonation. Front de détonation. Célérité d'une détonation. Vitesse de détonation. Plus la vitesse de détonation d'un explosif est élevée, moins sa brisance* est grande. Détonation et déflagration*.*

Techn. Inflammation non homogène du mélange air-carburant, dans un moteur à explosion ; bruit produit par ce phénomène. *Additif destiné à éviter la détonation.* ⇒ **Antidétonant.**

2.1   (...) l'essence technique du moteur à combustion interne a pu devenir celle du moteur Diesel, par une concrétisation supplémentaire du fonctionnement : dans le moteur à carburation préalable, l'échauffement du mélange carburé dans le cylindre au moment de la compression est inessentiel ou même nuisible, puisqu'il risque de produire la détonation au lieu de produire la déflagration (combustion à onde explosive progressive), ce qui limite le taux de compression admissible pour un type donné de carburant (...)   Gilbert SIMONDON, Du mode d'existence des objets techniques, p. 43-44.

♦ **2.** Bruit violent, analogue à celui d'une explosion.

3   Puis il se fit un grand remue-ménage ; un grand mouvement de pieds et de têtes, une grande détonation générale de toux et de mouchoirs (...)   HUGO, Notre-Dame de Paris, I, 1.

DÉTONER [detɔne] v. intr. — 1680 ; lat *detonare*, de *de-* intensif, et *tonare* « tonner ».

♦ Exploser avec bruit (par combustion rapide, réaction chimique violente, détente d'un gaz, etc.) et avec une grande vitesse de décomposition (de l'ordre du km/s au moins). *Faire détoner un mélange gazeux.*

1   En le faisant détoner (le salpêtre), on le voit souffler son propre feu, comme le ferait un soufflet étranger.   BUFFON, Introd. à l'hist. nat. des minéraux, I, *in* LITTRÉ.

2   Cyrus Smith aurait certainement pu fabriquer une amorce. À défaut de fulminate, il pouvait facilement obtenir une substance analogue au coton-poudre, puisqu'il avait de l'acide azotique à sa disposition. Cette substance, pressée dans une

cartouche, et introduite dans la nitro-glycérine, aurait éclaté au moyen d'une mèche et déterminé l'explosion. Mais Cyrus Smith savait que la nitro-glycérine a la propriété de détoner au choc.   J. VERNE, l'Île mystérieuse, t. I, p. 229.

DÉR. Détonant, détonateur, détonation, détonique.
HOM. Détonner.

DÉTONIQUE [detɔnik] n. f. — V. 1973 ; de *détoner*, d'après l'angl. *detonics*.

♦ Chim., phys. Science qui a pour objet l'étude des composés explosifs. *Les recherches en détonique permettent d'améliorer les techniques d'utilisation des explosifs.*

DÉTONNER [detɔne] v. intr. — 1611 ; de 1. *dé-*, *ton*, au sens musical, et suff. verbal.

♦ **1.** Sortir du ton. *Détonner en chantant* : chanter faux. *Tous les chanteurs ont détonné d'un demi-ton, quand l'accompagnement s'est arrêté.*

1   Tous mes sots à la fois ravis de l'écouter,
   Détonnant de concert, se mettent à chanter.   BOILEAU, Satires, III.

♦ **2.** (1752). Fig. Ne pas être dans le ton, ne pas être en harmonie avec le reste. *Intellectuel qui détonne dans un milieu paysan.* ⇒ **Contraste** (faire contraste), **trancher.** *Ce fauteuil Empire détonne dans un salon moderne. Couleurs qui détonnent.* ⇒ **Jurer.**

2   (...) il y a dans ses meilleurs endroits *(de Littré)* des termes ou dictions qui détonnent, qui heurtent (...)   SAINTE-BEUVE, Correspondance, t. II, p. 144.

3   Il y a, dans toute œuvre immense, des chapitres qui détonnent.   A. MAUROIS, Études littéraires, J. Romains, t. II, IV, p. 155.

CONTR. (Du sens II) Accorder (s'), appareiller (s'), harmoniser (s').
HOM. Détoner.

DÉTORDRE [detɔʀdʀ] v. tr. — Conjug. *tordre.* — 1130 ; de 1. *dé-*, et *tordre.*

♦ Remettre dans son premier état (une chose tordue). *Détordre du linge.* — Pron. Perdre sa torsion. *Câble qui se détord.*

L'art de faire cette tresse de 2 êtres qui finit par haleter et se tordre comme le feu — que parcourent des frissons immenses — qui se détord dans un calme suprême.   VALÉRY, Cahiers, Pl., t. II, p. 396.

▶ **DÉTORDU, UE** p. p. adj.
Dont on a supprimé la torsion ; rendu droit. « *Un trombone* (attache de bureau) *détordu* » (B. Vian, Vercoquin, p. 130).

CONTR. Tordre.
DÉR. Détors, détorsion.

DÉTORS, ORSE [detɔʀ, ɔʀs] adj. — V. 1560 ; repris 1790 ; du rad. du présent de l'indic. de *détordre.*

♦ Techn. Qui n'est plus tors. *Fil détors.*

DÉTORSION [detɔʀsjɔ̃] n. f. — 1468 ; du p. p. de *détordre*, d'après *torsion.*

♦ Didactique. Action de détordre ; résultat de cette action. *Un appareil à détorsion.*

CONTR. Torsion.

DÉTORTILLER [detɔʀtije] v. tr. — XIIᵉ, *destortiller* ; de 1. *dé-*, et *tortiller.*

♦ Défaire (ce qui était tortillé). *Détortiller une ficelle, des fils emmêlés.* — Fig. *Se détortiller de qqn*, s'en débarrasser. ⇒ **Dépêtrer** (se).

(...) André ressaisit les papiers et il essaya de défaire le nœud qui les liait (...) Berthe se déganta et, un peu rouge, détortilla le fil.   HUYSMANS, En ménage, XV.

DÉTOTALISÉ, ÉE [detɔtalize] adj. — 1943 ; de 1. *dé-*, et *totalisé.*

♦ Didact. Qui n'est pas considéré comme un tout, en parlant d'un ensemble.

(...) la multiplicité des « autrui » ne saurait être une *collection* mais une *totalité* puisque chaque autrui trouve son être en l'autre ; mais (...) cette Totalité est telle qu'il est par principe impossible de se placer « au point de vue du tout » (...) En outre cette totalité — comme celle du Pour-soi — est totalité détotalisée, car l'existence-pour-autrui étant refus radical d'autrui, aucune synthèse totalitaire et unificatrice des « autrui » n'est possible.   SARTRE, l'Être et le Néant, p. 309 (1943).

DÉTOUR [detuʀ] n. m. — 1165, *destor* « lieu écarté » ; déverbal de *détourner.*

♦ **1.** Tracé qui s'écarte du chemin direct (en parlant d'une voie, d'un cours d'eau). ⇒ **Angle, boucle, coude, courbe, tournant.** *La rivière fait un large détour. Les tours et détours d'une rivière.* ⇒ **Contour,** méandre, sinuosité. *Le chemin fait plusieurs détours avant d'arriver au village. — Les détours d'une rue, d'une galerie,* et, par ext., *d'une ville, d'un palais,* les voies compliquées, les accès où l'on se perd. ⇒ **Circonvolution, dédale, labyrinthe, lacet, zigzag.**

1 Nourri dans le Serrail *(sérail),* j'en connais les détours (...)
RACINE, Bajazet, IV, 7.

2 (...) les petites rues descendaient, montaient, s'enlaçaient comme pour égarer le passant attardé (...) mais André en savait par cœur les détours.
LOTI, les Désenchantées, VII, p. 130.

Fig. et littér. *Les détours du cœur, de l'âme,* ses replis* secrets.

Par ext. Endroit où une voie tourne. ⇒ **Coude, tournant, virage.** *Le détour du chemin, du sentier. —* Loc. *Au détour de...*

3 Tous deux sont embusqués au détour du chemin.
HUGO, la Légende des siècles, VI, II.

4 Ils disparurent bientôt tous les trois au premier détour du chemin.
MAUPASSANT, Contes, « L'auberge », Pl., t. II, p. 786.

Figuré :

5 Il trouva même que leur liaison (...) se parait de l'imprévu, de l'absurdité apparente que les artistes savent mettre à chaque détour de leur vie.
J. ROMAINS, les Hommes de bonne volonté, t. V, IV, p. 27.

Attendre qqn au détour, être prêt à profiter des difficultés qu'il peut rencontrer (→ Attendre au tournant*, au coin* de la rue, du bois...).

♦ **2.** Action de parcourir un chemin plus long que le chemin direct qui mène au même point ; résultat de cette action. *Faire un long détour, un détour inutile pour se rendre à un endroit* (⇒ **Allonger**). *Coupez par ici, cela vous évitera un détour de plus d'un kilomètre. Faire de nombreux détours par ignorance du bon chemin.* ⇒ **Dévier, égarer** (s'). *Faire un détour pour éviter un obstacle.* ⇒ **Contourner.** *J'ai fait un détour pour vous dire bonjour.* ⇒ **Crochet.** *Détour obligatoire, dans la circulation, pour cause de travaux.* ⇒ **Déviation.**

6 Voilà les ennemis qui ont fait un grand détour pour éviter les passages gardés !
FÉNELON, Télémaque, IX.

7 En faisant tant de détours, en m'égarant par de tels méandres, je n'arriverai jamais (...)
FRANCE, le Petit Pierre, VIII, p. 38.

Fig. *Revenir de ses erreurs après de longs détours.* ⇒ **Égarement, errement.**

♦ **3.** (Abstrait). Moyen indirect de dire, de faire ou d'éluder qqch. ⇒ **Biais, faux-fuyant, manigance, obliquité** (voie oblique), **ruse, subterfuge.** *User de détours pour parvenir à ses fins.* ⇒ **Louvoyer, tournoyer.**
Prendre, chercher des détours pour dire qqch. (par politesse, par politique, etc.). ⇒ **Tergiverser, tourner** (tourner autour du pot) ; **tortiller** (sa pensée). *Détours dans le langage.* ⇒ **Circonlocution, circonvolution, périphrase, symbole...** *Langage plein de détours.* ⇒ **Alambiqué, amphigourique, compliqué, confus, contourné, tortillonné, tortueux.** *Pas tant de détours, au fait !* ⇒ **Complication, histoire, mystère, phrase. —** *Sans détour, sans détours.* ⇒ **Droit** (aller droit au but). *Il lui a raconté tout sans détour. Expliquez-vous sans détour,* tout bonnement, clairement, crûment, franchement, nettement, simplement, sincèrement. ⇒ **Ambages** (sans).

8 Soyez amant, vous serez inventif ;
Tour ni détour, ruse ni stratagème,
Ne vous faudront *(manqueront)* (...)
LA FONTAINE, Contes, XIII.

9 Vous vous expliquez clairement (...) vous n'allez point chercher de détours (...)
MOLIÈRE, Dom Juan, IV, 1.

10 Une autre chose contribue beaucoup aux longs discours des femmes, c'est qu'elles sont nées artificieuses et qu'elles usent de longs détours pour venir à leur but (...)
FÉNELON, De l'éducation des filles, IX.

11 Avant de répondre, Michels tâta du regard l'assemblée. Puis il se lança dans un long développement, avec toutes sortes de distinguos et de détours, et une grande abondance de gestes.
J. ROMAINS, les Hommes de bonne volonté, t. IV, XVI, p. 180.

12 (...) je commençai, non sans détours, non sans réticences et allusions mystérieuses, je commençai d'expliquer notre famille, nos secrets (...)
G. DUHAMEL, Chronique des Pasquier, II, III, p. 245.

Personne sans détour : personne simple, franche et directe. ⇒ **Malice** (sans malice) ; **nature** (fam.).

CONTR. Raccourci. — Franchise, simplicité.

DÉTOURAGE [detuRaʒ] n. m. — V. 1940 ; de *détourer.*

♦ **1.** Techn. Opération par laquelle on donne à une pièce en cours d'usinage le contour exact imposé par le dessin.

♦ **2.** Gravure, photogr. Délimitation du contour du sujet sur un cliché.

DÉTOURER [detuRe] v. tr. — V. 1940 ; de 1. *dé-, tour,* et suff. verbal.

♦ Techn. Effectuer le détourage de quelque chose.

(...) le dessinateur trace l'image avec ses instruments habituels, plume, crayon ou pinceau. C'est ce dessin qu'il s'agit alors de détourer (...)
Jean LARAN, les Estampes, p. 11.

DÉR. Détourage.

DÉTOURNÉ [detuRne] n. m. — Mil XXᵉ ; p. p. substantivé de *détourner.*

♦ Chorégr. Changement de position obtenu par un pivotement en direction de la jambe située derrière l'autre jambe. *Le détourné ou tour de rein.*
Le détourné est un changement d'orientation, obtenu par un pivotement ayant pour centres le talon de la jambe de position d'une part et la pointe de l'autre jambe qui est plantée en arrière d'autre part.
Marcelle BOURGAT, Technique de la danse, p. 65.

DÉTOURNEMENT [detuRnəmã] n. m. — Attestation isolée, XIIIᵉ, *destournement* « endroit écarté » ; de *détourner.*
Action de détourner.

♦ **1.** (1538). Action de changer le cours, la direction. *Le détournement d'un cours d'eau.* ⇒ **Dérivation.**

(V. 1967). Action de contraindre l'équipage d'un avion de ligne à changer de destination. ⇒ **Déroutage.** « *Le droit international ignore la "piraterie" aérienne. Les organisations internationales parlent de "détournement illicite d'aéronef"* » (*le Monde,* 12 sept. 1970). *Détournement d'un avion suivi d'une prise d'otages.*

♦ **2.** (1549). Dr. Action de soustraire à son profit. — *Détournement de fonds, de valeurs, de titres...,* fait de disposer indûment de ce que l'on détient à titre précaire. ⇒ **Divertissement, malversation, pillage, vol.** *Le détournement constitue un abus de confiance* (⇒ **Détourner,** cit. 22). *Détournement commis par un dépositaire public* (art. 169 à 173 du Code pénal). ⇒ **Soustraction.**

Mᵐᵉ Aubain étudia ses comptes *(du comptable),* et ne tarda pas à connaître la kyrielle de ses noirceurs : détournements d'arrérages, ventes de bois dissimulées, fausses quittances, etc.
FLAUBERT, Trois contes, « Un cœur simple », IV.

Détournement d'actif : action de soustraire une partie de ses biens aux poursuites de ses créanciers. *Le détournement d'actif constitue, de la part du commerçant failli, un cas de banqueroute frauduleuse* (art. 591 du Code de commerce).

Dr. admin. *Détournement de pouvoir :* utilisation d'un pouvoir dans un but non conforme à la loi du service.

♦ **3.** (1836). Dr. *Détournement de mineur :* action de soustraire une personne mineure à l'autorité de ceux qui en avaient la garde. ⇒ **Enlèvement, rapt. —** Dr., cour. Séduction d'un mineur, d'une mineure par une personne majeure. *Détournement sans fraude ni violence d'un mineur de dix-huit ans.* ⇒ **Séduction** (rapt par séduction).

DÉTOURNER [detuRne] v. tr. — V. 1080, fig. ; de 1. *dé-,* et *tourner.*

★ **I.** ♦ **1.** (XIVᵉ). Changer la direction de (qqch.). *Détourner un cours d'eau,* changer son tracé initial. ⇒ **Dériver.** *Détourner un convoi de son itinéraire.* ⇒ **Dérouter. —** *Détourner un coup,* l'empêcher d'atteindre son but. ⇒ **Dévier, esquiver, éviter, parer** (→ Atteinte, cit. 6).

1 Tel qu'un ruisseau docile
Obéit à la main qui détourne son cours (...)
RACINE, Esther, II, 8.

2 Mais un caprice du vent détourna le son des instruments à résonance aiguë (...)
COLETTE, la Chatte, p. 161.

Pron. *Rivière qui se détourne de son cours. —* **Figuré :**

3 Il y a des moments où notre destinée (...) se détourne soudain de sa ligne première, telle qu'un fleuve qui change son cours par une subite inflexion.
CHATEAUBRIAND, Mémoires d'outre-tombe, t. II, p. 107.

(V. 1970). Par anal. *Détourner un avion :* obliger le pilote d'un avion de ligne à modifier la destination de l'appareil. ⇒ **Détournement.**

♦ **2.** Fig. Changer* le cours de. *Détourner la conversation* (→ Rompre les chiens*). *Détourner une question pour se dispenser d'y répondre.* ⇒ **Éluder, esquiver.** *Détourner l'attention de qqn.* ⇒ **Distraire. —** *Détourner la colère de qqn. Détourner sa colère sur qqn. Détourner les soupçons.* ⇒ **Éloigner ; dérouter.** *Détourner une malédiction.* ⇒ **Conjurer.** *Détourner un malheur.* ⇒ **Prévenir.**

4 (...) un fâcheux embarras que vous essayez en vain d'éluder en détournant la question (...)
PASCAL, les Provinciales, lettre XII.

5 (...) dévorez vos chagrins ; il faut céder à l'orage qu'on ne peut détourner.
A. R. LESAGE, Gil Blas, XII, X.

6 Rendre un jeune homme amoureux de soi, uniquement pour détourner sur lui les soupçons tombés sur un autre (...)
A. DE MUSSET, Comédies et proverbes, « le Chandelier », III, 2.

7 (...) il eut l'air de ne pas comprendre et détourna la conversation.
FLAUBERT, Mᵐᵉ Bovary, II, XII, p. 121.

Spécialt. *Détourner un texte, détourner le sens d'un texte,* lui donner une signification éloignée du sens véritable. ⇒ **Dénaturer.**

8 C'est ainsi qu'il détournait l'Écriture sainte.
BOSSUET, Disc. sur l'hist. universelle, II, 23.

Détourner un objet de son usage. → Pervertir, cit. 5.

♦ **3.** Écarter (qqn du chemin à suivre). *Détourner qqn de sa route.* ⇒ **Dérouter.**

Pron. *Se détourner de sa route par erreur.* ⇒ **Dévier, égarer** (s'), **fourvoyer** (se). *Se détourner de son chemin pour aller quelque part.* ⇒ **Crochet** (faire un crochet), **rabattre** (se).

9 Il se détourna de son chemin pour aller voir sur le mail un orme qu'il aimait entre tous.
FRANCE, l'Anneau d'améthyste, Œ., t. XII, p. 268.

Fig. *Détourner quelqu'un d'une occupation, de son travail.* ⇒ **Arracher** (à), **déranger, distraire, divertir, écarter, éloigner.** *Rien ne le détourne de son travail ; il arrive à s'abstraire complètement* (→ Assiduité, cit. 3). *Détourner qqn de ses soucis, de sa tristesse.* ⇒ **Distraire.** *Détourner qqn du droit chemin, du devoir.* ⇒ **Corrompre, débaucher, dévoyer.** *Détourner qqn d'une inclination, d'un goût.* ⇒ **Dégoûter.** *Détourner qqn d'un projet, d'un dessein, d'un but, d'une résolution..., l'y faire renoncer.* ⇒ **Déconseiller, dissuader, empêcher** (de faire quelque chose).

10 Je lui tins bien d'autres discours encore pour la détourner de son dessein ; mais je la haranguai fort inutilement ; elle avait pris son parti.
A. R. LESAGE, Gil Blas, V, I.

11 M. Thiers, dans la plénitude de son talent d'écrivain, ne se laisse point détourner du but, et trouve moyen de poursuivre régulièrement son œuvre.
SAINTE-BEUVE, Causeries du lundi, 3 déc. 1849, t. I, p. 158.

12 La vraie philosophie détourne des religions et pousse à la religion.
HUGO, Post-scriptum de ma vie, « Rêveries sur Dieu ».

13 Le monde sert à cela surtout : il nous surveille : nous oblige à nous tenir sur nos gardes. Il nous détourne de nous-mêmes, nous divertit.
F. MAURIAC, la Province, p. 29.

Pron. *Se détourner de son travail, de son devoir.* ⇒ **Négliger.** *Se détourner d'un sentiment, d'une opinion.* ⇒ **Abandonner, renoncer** (à). *Se détourner de Dieu* (→ Apostat, cit. 1). *Elle s'est détournée de ses anciennes amies.*

★ **II.** ♦ **1.** (1538). Tourner d'un autre côté (la tête, les regards...) pour éviter* qqch. *Détourner les yeux, la tête, ses regards, son visage pour ne pas voir* (ce qui est répugnant, gênant, effrayant, horrifique...), *pour ne pas être vu* (par pudeur, pour cacher son émotion ; pour éviter qqn...). — Pron. *Son visage, ses yeux se détournaient avec horreur de ce spectacle.* — (Sujet n. de personne). *Se détourner de qqn, de qqch.,* cesser de regarder, de voir. → Champ, cit. 10.

14 Fais l'aumône de ton bien, et ne détourne point ton visage d'aucun pauvre ; car il arrivera ainsi que le visage de Dieu ne se détournera point de toi.
BIBLE (CRAMPON) → Aumône, cit. 1.

15 Détourne de moi tes yeux, car ils me troublent.
BIBLE (SEGOND), le Cantique des cantiques, VI, 5.

16 (...) pour détourner ses yeux de sa misère (...) RACINE, Britannicus, I, 2.

17 Une femme qui n'a jamais les yeux que sur une même personne, ou qui les en détourne toujours, fait penser d'elle la même chose.
LA BRUYÈRE, les Caractères, III, 65.

18 Quand je les regardais, elles détournaient la tête (...)
FRANCE (→ Agacerie, cit. 3).

19 (...) elle se détourna, et d'un air indifférent et dédaigneux, se plaça de côté pour épargner à son visage d'être dans leur champ visuel (...)
PROUST, À la recherche du temps perdu, t. I, p. 192.

20 Je hais l'idéalisme couard, qui détourne les yeux des misères de la vie et des faiblesses de l'âme. Il faut le dire à un peuple trop sensible aux illusions décevantes des paroles sonores : le mensonge héroïque est une lâcheté. Il n'y a qu'un héroïsme au monde : c'est de voir le monde tel qu'il est, — et de l'aimer.
R. ROLLAND, Vie de Michel-Ange, p. 10.

♦ **2.** Fig. Cesser, refuser de considérer. *Se détourner des mauvaises pensées,* les chasser*.

21 (...) quand cette pensée m'effleure, je m'en détourne comme d'une tentation.
G. DUHAMEL, la Pesée des âmes, III, p. 80.

★ **III.** ♦ **1.** (1383). Dr. Soustraire (qqch.) à son profit. ⇒ **Détournement,** 2. *Détourner des fonds, des valeurs...* ⇒ **Dilapider, distraire, piller, soustraire, voler.** *Abuser de la confiance d'un supérieur en détournant de l'argent.*

21.1 *Thérèse,* la première vertu de ma maison c'est la probité ; si jamais vous détourniez d'ici la dixième partie d'un denier, je vous ferais pendre, voyez-vous, mon enfant.
SADE, Justine..., I, 28.

22 Quiconque aura détourné ou dissipé, au préjudice des propriétaires, possesseurs ou détenteurs, des effets, deniers, marchandises, billets, quittances ou tous autres écrits contenant ou opérant obligation ou décharge, qui ne lui auraient été remis qu'à titre de louage, de dépôt, de mandat, de nantissement, de prêt à usage, ou pour un travail salarié ou non salarié, à la charge de les rendre ou représenter, ou d'en faire un usage ou emploi déterminé, sera puni des peines portées en l'article 406.
Code pénal, art. 408.

Commerçant, failli qui détourne une partie de son actif (→ Banqueroutier, cit. 2).

♦ **2.** *Détourner un(e) mineur(e) :* soustraire une personne mineure à l'autorité de ceux qui en ont la garde. — Cour. Séduire une personne mineure. ⇒ **Enlever, séduire.**

▶ **DÉTOURNÉ, ÉE** p. p. adj.

♦ **1.** Qui n'est pas direct, qui fait un détour. *Sentier, chemin détourné* (contr. : *raccourci*). — Figuré :

23 (...) ceux (...) qui suivent des sentiers détournés, et qui prennent des routes tortueuses (...) BIBLE (SEGOND). → Chemin, cit. 26.

Par ext. *Lieu détourné,* à l'écart. ⇒ **Écarté, éloigné, perdu, retiré.**

24 (...) qu'il (*l'homme*) se regarde comme égaré dans ce canton détourné de la nature ;

et que de ce petit cachot où il se trouve logé, j'entends l'univers, il apprenne à estimer la terre, les royaumes, les villes et soi-même son juste prix.
PASCAL, Pensées, II, 72.

♦ **2.** (V. 1660). Indirect. *Prendre des moyens détournés pour parvenir à ses fins.* ⇒ **Biais, détour.**

25 Ce n'est que par faiblesse et faute de connaître le droit chemin qu'on prend des chemins détournés et qu'on a recours à la ruse (...)
FÉNELON, Dialogue des morts, 74, in HATZFELD.

♦ **3.** (1718). Qui n'est pas exprimé directement. *Expression détournée.* ⇒ **Contourné.** *Reproche détourné,* qui ne s'adresse pas directement à qqn, mais qui le concerne. *Allusion détournée.* ⇒ **Délicat, fin, indirect.** *Sens détourné* (d'un texte, d'un mot) : sens inhabituel introduit sous le sens littéral.

26 Pauvre ignorant, s'écria Fabrice, tu ne sais pas que tout prosateur qui aspire aujourd'hui à la réputation d'une plume délicate, affecte cette singularité de style, ces expressions détournées qui te choquent. A. R. LESAGE, Gil Blas, VII, 3.

CONTR. Attirer; respecter. — Encourager, engager, exciter, exhorter, inciter, pousser. — Direct.
DÉR. Détour, détourné (n. m.), détournement.

DÉTOXICATION [detɔksikasjɔ̃] n. f. — 1945, Garnier et Delamare, *in* D.D.L.; de 1. *dé-, toxique,* et suff. *-ation,* d'après *intoxication.*

♦ Physiol. Action de détoxiquer ; son résultat. — Élimination des toxines par un organisme.

REM. On trouve aussi la forme *détoxification* (mil. xxᵉ).

DÉTOXIFICATION [detɔksifikasjɔ̃] n. f. ⇒ **Détoxication.**

DÉTOXIQUER [detɔksike] v. tr. — Av. 1954; de 1. *dé-, toxique,* et suff. verbal.

♦ Physiol. Supprimer les effets toxiques, nocifs de (une substance). *Détoxiquer le venin d'un serpent pour s'en servir comme vaccin.* — Au p. p. *Venin détoxiqué.*

DÉTRACTER [detʀakte] v. tr. — 1372; de *détracteur* ou *détraction*; a remplacé *détraire,* du lat. *detrahere.*

♦ Littér. Chercher à rabaisser la valeur de (qqn), les qualités de (qqch.). ⇒ **Démolir** (fam.), **dénigrer, déprécier.** *Détracter les mérites de qqn.* — Absolt. *Il aime à détracter.*

CONTR. Louer, vanter.

DÉTRACTEUR, TRICE [detʀaktœʀ, tʀis] n. — xivᵉ; lat. *detractor,* du supin de *detrahere* «tirer en bas», et, fig., «diminuer», de *de-,* et *trahere* «tirer».

♦ Personne qui cherche à rabaisser le mérite de qqn, la valeur de qqch. ⇒ **Accusateur, critique, dépréciateur, médisant.** *Les détracteurs d'un homme politique, d'une doctrine politique.* ⇒ **Adversaire, ennemi.** *Un détracteur envieux, injuste, méchant, partial...* ⇒ **Zoïle.**

1 La langue du détracteur est un feu dévorant, qui sait plaire et briller quelquefois avant que de nuire. MASSILLON, Carême, Médisance.

2 Ne pourrait-on pas dire avec justice à ces détracteurs d'un homme supérieur, si avides de chercher ses défauts : Quel droit avez-vous de lui reprocher des fautes qui ne l'ont pas empêché de valoir encore mieux que vous ?
CONDORCET, Margraaf, in LITTRÉ.

3 (...) il doit aussitôt entrer en lutte contre certains détracteurs échauffés, qui proclament à grands cris l'inefficacité et même la malfaisance de ces inoculations.
Georges LECOMTE, Ma traversée, p. 166.

Adj. *Un esprit détracteur.* ⇒ **Dénigrant.** *Livre détracteur d'une théorie.*

4 Il (*Sénèque*) n'eut pour ennemis (...) parmi les modernes que des têtes rétrécies par un fanatisme détracteur des vertus païennes.
DIDEROT, les Règnes de Claude et de Néron, II, 106.

CONTR. Adepte, admirateur, disciple, partisan, prôneur. — Admiratif, apologétique.
DÉR. Détracter.

DÉTRACTION [detʀaksjɔ̃] n. f. — xiiᵉ; lat. *detractio* «dénigrement», du supin de *detrahere.* → Détracteur.

♦ **1.** Littér. Action de rabaisser le mérite de (qqn), la valeur de (qqch.). ⇒ **Critique, dénigrement, médisance.** *Détraction d'une personne, d'une doctrine.* — *Être enclin à la détraction.*

Penses-tu, m'amusant avecque des sottises,
Par tes détractions rompre mes entreprises ? CORNEILLE, Mélite, variante, I.

♦ **2.** (1752). Hist. (Dr.). *Droit de détraction,* en vertu duquel le roi retranchait à son profit une part des successions des étrangers qui résidaient dans le pays.

CONTR. Apologie.
DÉR. Détracter.

DÉTRAQUAGE [detʀakaʒ] n. m. — 1870, Goncourt ; de *détraquer*.

♦ Fait de détraquer, de se détraquer. Syn. : *détraquement. Climat de violence, de détraquage des nerfs.*

Chacun de ces derniers avait écourté et espacé ses visites, mal à l'aise devant cette peinture troublante, de plus en plus bousculé par le détraquage de cette admiration de jeunesse.   ZOLA, l'Œuvre, p. 342.

DÉTRAQUEMENT [detʀakmã] n. m. — Fin xviᵉ ; de *détraquer*.

♦ **1.** Action de détraquer ; fait de se détraquer ; résultat de cette action (syn. rare : *détraquage*). ⇒ **Dérangement, dérèglement.** *Le détraquement d'un mécanisme, d'une machine. — Le détraquement d'un organe* (⇒ **Perturbation**), *du goût* (⇒ **Dépravation, perversion**). *Détraquement cérébral.*

1   J'ai des étourdissements et un affaiblissement de tête qui m'annoncent le détraquement de la machine (...)   D'ALEMBERT, Lettre à Voltaire, 25 janv. 1770.

1.1   (...) peu à peu, une inquiétude sourde le désespéra ; il était mécontent, s'accusait de fautes qu'il ne précisait pas, se révoltait contre ces vides qui lui semblaient se creuser de plus en plus dans sa tête et dans sa poitrine. Puis, des souffles puants, des haleines de marée gâtée, passèrent sur lui avec de grandes nausées. Ce fut un détraquement lent, un ennui vague qui tourna à une vive surexcitation nerveuse.   ZOLA, le Ventre de Paris, t. I, p. 195.

♦ **2.** Fig. État de ce qui est troublé dans son fonctionnement. ⇒ **Désordre, désorganisation.**

2   Mais à défaut de plus d'union, et dans ce détraquement presque universel de la société, il reste au moins des liens individuels, des admirations et des affections qui ne périssent pas (...)   SAINTE-BEUVE, Correspondance, 364, 19 avr. 1834, t. I, p. 430.

3   Le chômage donne à croire à un excédent de marchandises, contradiction affligeante, mais la logique n'a que faire, dans ce détraquement général.   A. SAUVY, Croissance zéro ?, p. 58.

DÉTRAQUER [detʀake] v. tr. — 1464 ; de 1. *dé-, trac* « trace », et suff. verbal ; littéralt « détourner de la piste ». → Traquer.

♦ **1.** Vx. Déranger dans sa marche. — (1719, Richelet). Spécialt. T. de manège. *Détraquer un cheval,* lui faire perdre ses bonnes allures.

♦ **2.** (V. 1625). Mod. Déranger dans son mécanisme, dans son fonctionnement. ⇒ **Déglinguer, démonter, déranger, dérégler, détériorer, disloquer.** *Détraquer un moteur. Détraquer une horloge en voulant la réparer. —* Pron. *Ma montre se détraque. Machine qui se détraque.*

1   Pour m'achever, ayant fait entrer un peu de physiologie dans mes lectures, je m'étais mis à étudier l'anatomie, et passant en revue la multitude et le jeu des pièces qui composaient ma machine, je m'attendais à sentir détraquer tout cela vingt fois le jour.   ROUSSEAU, les Confessions, II.

1.1   Mais, hommes et bêtes, pris debout par les rafales, ne faisaient guère trois pas sans en perdre un et quelquefois deux. Ils glissaient, ils tombaient, ils se relevaient. À ce jeu, le véhicule risquait fort de se détraquer.   J. VERNE, Michel Strogoff, p. 142.

♦ **3.** Par anal. Déranger. *Se détraquer les nerfs, en commettant des abus. —* Fig. et fam. Troubler les facultés mentales. *Cela lui a détraqué le cerveau.* ⇒ **Brouiller, pervertir, troubler.** Pron. Fig. *Le temps se détraque.*

▶ **DÉTRAQUÉ, ÉE** p. p. adj.

♦ **1.** Dérangé dans son fonctionnement. *Machine détraquée.* ⇒ **Panne** (en).

2   Malheureusement notre poste de radio est détraqué et c'est chez notre aimable voisin, M. Amphoux, que je dois aller quêter les nouvelles.   GIDE, Journal, 20 févr. 1943.

Fig. *Le temps est détraqué.*

3   Il fait un temps entièrement détraqué (...)   Mᵐᵉ DE SÉVIGNÉ, Lettres, 802, 26 avr. 1680.

Fam. *Santé détraquée. Avoir les nerfs détraqués. Intestins détraqués.*

♦ **2.** Spécialt. Atteint de troubles mentaux. *Avoir le cerveau détraqué.* ⇒ **Dérangé, troublé.** *(Personnes). Il est détraqué.* N. *C'est un détraqué.* ⇒ **Cinglé** (fam.), **déséquilibré, fou, malade.**

4   (...) sa raison sommeillait, et depuis longtemps elle ne suivait plus que les feux follets de son imagination détraquée.   RENAN, Souvenirs d'enfance..., I, IV, p. 50.

5   Il était presque fou de peur ; et, de l'affaire, sa cervelle en est restée détraquée.   Alphonse DAUDET, Lettres de mon moulin, « l'Agonie de la Sémillante ».

6   Et Mme de Réveillon devait aussi avoir forcément sur des choses qui ne se rapportaient pas à la poésie des idées qui, nées de ce brillant tempérament intellectuel, devaient être si différentes de celles de son milieu qu'elle devait forcément le choquer énormément, de sorte qu'elle y passait pour très mal élevée, un peu détraquée dans ses idées et exerçant une influence déplorable sur son mari.   PROUST, Jean Santeuil, Pl., p. 524.

CONTR. **Arranger, dépanner, réparer. — Guérir. —** (Du p. p.) **Normal, sain.**
DÉR. **Détraquage, détraquement.**

1. DÉTREMPE [detʀãp] n. f. — 1304 ; « breuvage obtenu après délayage », 1231 ; de 1. *détremper*.

♦ **1.** Techn. (peint.). Couleur délayée dans de l'eau additionnée d'un agglutinant (gomme, colle, œuf). *Peindre en, à la détrempe. —*

Ouvrage fait avec cette couleur. *Les détrempes,* peintures dites « a tempera ». *Détrempes de Raphaël.*

1   La peinture à la détrempe, qu'on appelle aussi peinture à la colle, a été détrônée à partir du XVᵉ siècle, bien qu'elle ait l'avantage de ne pas s'altérer, par la peinture à l'huile. Elle ne s'emploie plus guère que dans la décoration et la peinture en bâtiments.   Louis RÉAU, Dict. d'art et d'archéologie, art *Détrempe*.

2   La détrempe prête admirablement à cette simplicité d'effets, les teintes ne se mêlant pas comme dans l'huile.   E. DELACROIX, Journal 1850-1854, 30 juil. 1854.

♦ **2.** Techn. Phénomène qui se produit quand certains films de peinture sont étendus sur des couches encore humides. *Détrempe d'une couleur sur une autre.*

♦ **3.** Vx et fam. (du sens 1). *Peindre en, à la détrempe,* sans vigueur, de façon médiocre.

Spécialt. (Vx et fam.). *Mariage en, à la détrempe :* union non légale. ⇒ **Concubinage.**

♦ **4.** (Cuis.). Mélange de farine et d'eau pour préparer une pâte.

2. DÉTREMPE [detʀãp] n. f. — 1722 ; de 2. *détremper*.

♦ Techn. Opération par laquelle on enlève la trempe de l'acier. *Désaciérer le fer par détrempe.*

1. DÉTREMPER [detʀãpe] v. tr. — V. 1155 ; du bas lat. *distemperare* « délayer », de *dis-,* et *temperare* « allier, mêler ». → Tempérer, d'après *tremper*.

♦ **1.** Amollir ou délayer en mélangeant avec un liquide. ⇒ **Délayer, tremper.** *Détremper des couleurs,* les broyer avec de l'eau et les délayer avec un agglutinant pour en augmenter l'adhérence. ⇒ 1. **Détrempe.** *Détremper de la chaux, du mortier. —* Au p. p. *Chaux détrempée à l'eau. —* (Sujet n. de chose). *La pluie a détrempé les terres.* ⇒ **Délayer, imbiber. —** Au p. p. *Chemins détrempés,* très mouillés, amollis.

1   La terre des allées, détrempée par la pluie, empêchait les chevaux d'avancer ; la voiture versa.   CHATEAUBRIAND, Mémoires d'outre-tombe, t. III, p. 4.

Spécialt (cuis.). Délayer de la farine avec un liquide (eau, lait) pour obtenir une pâte. — Diluer (un liquide). — Pronominal :

2   Une liqueur d'hysope qui se détrempe si on veut, mais que les hommes boivent pure.   GIONO, Regain, in Œ. roman., Pl., t. I, p. 387.

♦ **2.** Par ext. Imprégner (qqn) d'humidité. → **Tremper.** *La pluie nous avait détrempés. —* Par métaphore :

3   La grosse Mme Kratzmann s'était mise à pleurer, mais personne n'y prêtait attention, elle était comme ça (...) Tout événement heureux ou malheureux, qui coupait le train-train de la vie, déclenchait pareillement ses larmes, des ruisseaux de grosses larmes qui coulaient sans effort, inondaient ses grosses joues, détrempaient ses grosses lèvres.   Roger IKOR, les Fils d'Avrom, « La greffe de printemps », p. 201.

CONTR. **Sécher.**
DÉR. 1. **Détrempe.**

2. DÉTREMPER [detʀãpe] v. tr. — Av. 1468 ; de 1. *dé-,* et *tremper*.

♦ **1.** Techn. Faire perdre la trempe à (l'acier). *Détremper des couteaux. —* Pron. *Acier rougi qui se détrempe en refroidissant.* Au p. p. *Acier détrempé.*

♦ **2.** Fig. et littér. Rendre plus faible. ⇒ **Affaiblir.** *Détremper les caractères* (→ Aveulissement, cit.).

Ces deux années vécues dans une quiétude confortable l'avaient évidemment détrempé et il ne sentait plus en lui cette puissante indifférence de jadis aux hasards de l'existence.   M. AYMÉ, Travelingue, p. 108.

CONTR. **Tremper.**
DÉR. 2. **Détrempe.**

DÉTRESSE [detʀɛs] n. f. — 1160, *destrece* ; du lat. pop. **districtia* « étroitesse », de *districtus* « serré », de *distringere,* de *dis-,* et *stringere* (→ Étreindre) ; signifiait en anc. franç. « passage étroit ». → Étreindre.

♦ **1.** Sentiment de délaissement, de solitude, d'impuissance que l'on éprouve dans une situation difficile et angoissante (besoin, danger, souffrance...). ⇒ **Affliction, angoisse, chagrin, désarroi, désespoir, douleur, peine, trouble.** *Sentiment de détresse. Amère* (cit. 6) *détresse. La détresse de l'agonie* (cit. 2). *Gémissements, cris de détresse.*

1   (...) ne découvrant plus aucuns traits de la bonté de son Père, il *(Jésus)* n'ose plus aussi lui donner ce nom ; et pressé d'une détresse incroyable, il ne l'appelle plus que son Dieu : « Mon Dieu, mon Dieu, pourquoi m'avez-vous abandonné ? »   BOSSUET, 2ᵉ Sermon pour le vendredi saint, 3.

2   Un pauvre bûcheron, dans l'extrême vieillesse,
Marchait en haletant de peine et de détresse.   BOILEAU, Poésies diverses, XXVIII.

3   Il y a des gens qui ne savent être émus que par des cris et des pleurs ; les longs et sourds gémissements d'un cœur serré de détresse ne leur ont jamais arraché des soupirs.   ROUSSEAU, Émile, IV.

4   La faim jetait une détresse dans son âme confuse et lourde.   MAUPASSANT, Contes, « Le gueux », Pl., t. I, p. 1227.

5 La détresse de son âme était sans recours, et son effroi, sa rébellion allaient croissant.   LOTI, les Désenchantées, III, p. 28.

6 Au sentiment de détresse sans bornes qui étreint à cette heure mon âme, je vois toute l'étendue du vide qui s'est produit.
          COURTELINE, Messieurs les ronds-de-cuir, VI, II, p. 231.

7 (...) des régions secrètes et douloureuses, une plaie à vif, une détresse intime, persistante, inguérissable, analogue à celle d'un infirme.
          A. MAUROIS, Études littéraires, J. de Lacretelle, t. II, p. 223.

8 (...) une détresse accablante l'envahit, une sensation affreuse de solitude et d'impuissance.   M. GENEVOIX, Raboliot, II, I, p. 143.

♦ **2.** Situation difficile et angoissante, spécialt. manque dramatique de moyens matériels. ⇒ **Adversité, danger, dénuement, disgrâce, indigence, infortune, malheur, misère, nécessité.** *Être dans la détresse. La détresse des déshérités. Se plaindre de sa détresse* (→ Crier famine*). *Avoir pitié d'une famille dans la détresse ; soulager la détresse d'un ami* (→ Apporter, cit. 36).

9 (...) oubliant sa propre détresse pour ne songer qu'à la misère commune, le petit Chose prit une grande et belle résolution (...)
          Alphonse DAUDET, le Petit Chose, I, V, p. 61.

10 Je n'avais aucune raison sérieuse de penser qu'Hélène, chez elle, souffrît de privations. La détresse n'y était pas arrivée à ce point.
          J. ROMAINS, les Hommes de bonne volonté, t. III, XXIII, p. 316.

♦ **3.** Mar. Situation périlleuse d'un navire. ⇒ **Perdition** (surtout dans : *de, en détresse*). *Signal de détresse. Pavillon hissé en signe de détresse.* ⇒ **Berne.** *Appel radiotélégraphique de détresse.* ⇒ **S.O.S.** — *En détresse :* en perdition. *Navire en détresse* (→ Avarie, cit. 3). *Signaux, feux de détresse :* feux clignotants prévus pour signaler la situation d'arrêt forcé d'un véhicule. — Par anal. *Avion, train en détresse.*

♦ **4.** Par ext. de 3. *La détresse des finances.*

♦ **5.** Spécialt. Méd. *Détresse respiratoire des nouveau-nés.* Psychiatrie. *Détresse verbale :* agrammatisme caractérisé par la perte des mots de relation, réalisant un langage enfantin ou un style télégraphique.

CONTR. Douceur, paix, quiétude, tranquillité. — Abondance, bien-être, prospérité, sécurité, sûreté.

DÉTRESSER [detʀese] v. tr. — XIIIᵉ ; p. p., 1165 ; de 1. *dé-*, et *tresser*.

♦ Défaire (ce qui était tressé). *Détresser des cordes, des cheveux.*

DÉTRIBALISATION [detʀibalizɑsjɔ̃] n. f. — Av. 1972 ; de *détribaliser*.

♦ Ethnol. Action de détribaliser ; son résultat.

(...) l'influence européenne a plutôt nui au statut féminin (au Congo, au Rwanda...), les phénomènes d'acculturation ayant consacré une autorité maritale plus grande qu'avant, tandis que la prolétarisation et détribalisation des travailleurs a rendu l'épouse totalement dépendante du salaire du mari.
          A. DORSINFANG-SMETS, Les Peuples... du Congo, du Rwanda et du Burundi, *in* Encycl. Pl., t. I, p. 617-618.

DÉTRIBALISER [detʀibalize] v. tr. — D. i. (XXᵉ) ; de 1. *dé-, tribal,* et suff. verbal *-iser.*

♦ Ethnol. Détruire les structures tribales de (un groupe humain, une société).

Monsieur Waloumba dit que la France a été complètement détribalisée et que c'est pour ça qu'il y a des bandes armées qui se serrent les coudes et essaient de faire quelque chose.   É. AJAR (R. GARY), la Vie devant soi, p. 167.

DÉR. Détribalisation.

DÉTRICOTER [detʀikɔte] v. tr. — V. 1900 ; p. p. *détricoté,* 1900, *in* D. D. L. ; de 1. *dé-*, et *tricoter.*

♦ Action de défaire (un ouvrage de tricot). *Détricoter un chandail.* « *Le chandail qu'on détricote une fois par an, lave et retricote, pour le faire durer* » (*le Nouvel Obs.*, nº 865, 8 juin 1981, p. 75).

1 Marina avait dû détricoter une douzaine de chaussettes dépareillées.
          Philippe DAUDY, la Force du destin, p. 47.

▶ **SE DÉTRICOTER** v. pron.
Se défaire (d'un ouvrage de tricot). — Par métaphore :

2 Je n'ai pas répliqué, trop occupée que j'étais à ficher mon cœur d'affiquets, pour qu'il n'aille pas se détricoter là, sous vos yeux, laisser couler ses mailles sur vos souliers encaustiqués.   Jeanne CORDELIER, la Passagère, p. 297.

DÉTRIMENT [detʀimɑ̃] n. m. — 1236 ; lat. *detrimentum,* de *deterere* « user en frottant ». → Détritus.

♦ **1.** Vx. Dommage, préjudice, tort.

♦ **2.** Mod. À (mon, son...) DÉTRIMENT. *Cet arrangement s'est conclu à mon détriment. Cela tourne à son détriment. Favoriser une classe au détriment des autres* (→ Arbitre, cit. 7).

1 (...) beaucoup d'hommes marquants de ces deux partis sont choisis au détriment des modérés du Centre.   Georges LECOMTE, Ma traversée, p. 26.

Loc. prép. (XVᵉ). AU DÉTRIMENT DE : au désavantage, au préjudice de. ⇒ **Dépens** (aux dépens de).

2 (...) comme Antipas jurait qu'il ferait tout pour l'Empereur, Vitellius ajouta : — « Même au détriment des autres ? »   FLAUBERT, Trois contes, « Hérodias », II.

♦ **3.** (Plur.). Vx. Fragments d'une matière qui s'est désagrégée. *Les détriments de coquilles.* ⇒ **Débris, restes.**

CONTR. Avantage.

DÉTRIPLER [detʀiple] v. tr. — Attesté XXᵉ ; de 1. *dé-*, et *triple,* d'après *dédoubler.*

♦ Didact. Partager en trois. — Pron. :

Le matin, par exemple, en procédant à sa toilette, elle se dédoublait ou se détriplait pour la commodité d'examiner son visage, son corps et ses attitudes.
          M. AYMÉ, le Passe-muraille, p. 23.

DÉTRITAGE [detʀitaʒ] n. m. — Mil. XIXᵉ ; de *détriter.*

♦ Techn. Action de détriter ; son résultat.

DÉTRITER [detʀite] v. tr. — 1785 ; du lat. *detritum,* de *deterere* « user par le frottement ».

♦ Techn. Écraser (des graines, des olives) sous la meule.

DÉR. Détritage, détrition.

DÉTRITION [detʀisjɔ̃] n. f. — Déb. XIXᵉ ; de *détriter.*

♦ Techn. Usure par frottement.

DÉTRITIQUE [detʀitik] adj. — 1838 ; dér. sav. de *détritus.*

♦ Didact. (géol.). Se dit des sédiments d'origine secondaire provenant du remaniement (désagrégation mécanique) de roches primaires. *Roches détritiques.* ⇒ **Clastique.** *Dépôts détritiques.*

(...) nous classerons les sédiments d'après leur mode de formation en sédiments d'origine primaire ou *protogènes,* formés directement au sein des eaux, et sédiments d'origine secondaire ou *deutogènes,* aussi appelés *détritiques,* ou *clastiques,* résultant du remaniement de ceux de la première catégorie (...)
          Émile HAUG, Traité de géologie, t. I, p. 96.

DÉTRITUS [detʀitys] n. m. — 1753 ; a remplacé *détriment* ; lat. *detritus,* « broyé, usé », p. p. de *deterere* « user en frottant », de *de-*, et *terere* « frotter ».

♦ **1.** Géol. (vx). Océanographie. Résidu, amas de débris d'une substance, d'un corps décomposé, désorganisé, désagrégé. ⇒ **Débris, résidu, reste.** *Détritus de roches laissés par l'érosion* (⇒ **Détritique**). *Des détritus végétaux.*

1 Dans tout organisme vivant et bien constitué, il existe des appareils dont le rôle est d'expulser les détritus, les déchets de la vie (...)
          G. DUHAMEL, Manuel du protestataire, I, p. 38.

Méd. Déchet provenant de la nécrose d'un tissu à la suite d'un traumatisme ou d'une infection.

♦ **2.** (Mil. XIXᵉ ; d'abord didact.). Cour. Matériaux réduits à l'état de débris inutilisables. ⇒ **Rebut.** — Cour. Ordures. *Dépôt de détritus. Détritus jonchant le sol* (→ Air, cit. 16). *Balayer les détritus.*

2 (...) Lalla voit tous les détritus comme rejetés par la mer, boîtes de conserve rouillées, vieux papiers, morceaux d'os, oranges flétries, légumes, chiffons, bouteilles cassées, anneaux de caoutchouc, capsules, oiseaux morts aux ailes arrachées, cafards écrasés, poussières, poudres, pourritures. Ce sont les marques de la solitude, de l'abandon, comme si les hommes avaient déjà fui cette ville, ce monde, qu'ils les avaient laissés en proie à la maladie, à la mort, à l'oubli.
          J.-M. G. LE CLÉZIO, Désert, p. 288.

♦ **3.** Fig. et péj. Reste inutilisable. ⇒ **Déchet.** (Personne). *Espèce de détritus ! Vieux détritus.* ⇒ **Débris.**

3 Catherine chuchotait toujours, remuait mille détritus de lectures, de ragots et de rêves, tout ce terreau sentimental où prospèrent d'inquiétantes fleurs de serre.
          Hervé BAZIN, Lève-toi et marche, p. 82.

DÉR. Détritique.

DÉTROIT [detʀwa] n. m. — 1080, *destreit* « défilé » (jusqu'au XVIIIᵉ) ; du lat. *districtus,* p. p. de *distringere,* de *dis-*, et *stringere.* → Détresse.
Espace resserré.

♦ **1.** (1534). Vx. Passage resserré entre deux montagnes. ⇒ **Col, défilé.** — Mod. Bras de mer entre deux terres rapprochées et qui fait communiquer deux mers. ⇒ **Bouque, bras, manche, pertuis ;** et aussi chenal. *Le Pas de Calais, détroit entre la France et la Grande-Bretagne* (absolt *le détroit*). *Détroit de Magellan. Détroit des Dardanelles, de Gibraltar* (→ Colonnes* d'Hercule). *Détroit du Bosphore* (⇒ aussi Bosphore, n. m., vx). *Détroits créés par le percement d'isthmes.*

1 Je suis venu jusqu'à la pointe de Gibraltar, d'où, aussitôt que l'on aura équipé une frégate, j'espère passer le détroit (...)   VOITURE, Lettres, 39.

2 Ce fameux détroit de Sicile
Est gardé par Charybde et Scylle,
Et ces deux suisses du détroit
Sont l'un à gauche, et l'autre à droit. SCARRON, Virgile travesti, III.

3 (...) les eaux du détroit qui se pressaient au large en petites vagues courtes et sournoises. P. MAC ORLAN, la Bandera, IV, p. 41.

♦ **2.** Vx. Passage difficile, moment critique. *Les détroits de la vie.*

♦ **3.** (1833). Anat. Chacun des rétrécissements anatomiques du bassin osseux. *Détroit supérieur,* qui sépare le grand bassin du pelvis. *Détroit inférieur : orifice inférieur du petit bassin. Dystocie* liée à un rétrécissement du détroit supérieur. — Détroit moyen :* rétrécissement de la partie moyenne du petit bassin, au niveau des épines sciatiques.

CONTR. Isthme.

DÉTROMPER [detʀɔ̃pe] v. tr. — 1611 ; de 1. dé-, et *tromper.*

♦ Tirer (qqn) d'erreur. ⇒ **Désabuser, dessiller** (les yeux de). *Il s'entête et je ne parviens pas à le détromper. Vous avez une opinion dont je veux vous détromper* (Académie). *Les événements l'ont détrompé. Être détrompé de qqn* (vx), revenir sur l'opinion qu'on en avait.

1 On est quelquefois moins malheureux d'être trompé de ce qu'on aime, que d'en être détrompé. LA ROCHEFOUCAULD, Maximes, 395.

2 Détromper un homme préoccupé de son mérite est lui rendre un aussi mauvais office que celui que l'on rendit à ce fou d'Athènes qui croyait que tous les vaisseaux qui arrivaient dans le port étaient à lui. LA ROCHEFOUCAULD, Maximes, 92.

3 (...) détromper mon père, et lui mettre en plein jour
L'âme d'un scélérat (...) MOLIÈRE, Tartuffe, III, 4.

4 (...) les événements détrompent souvent mes prévisions (...) G. DUHAMEL, le Voyage de P. Périot, III, p. 61.

▶ **SE DÉTROMPER** v. pron.

Revenir de son erreur. *Détrompez-vous : l'entreprise est plus difficile que vous ne le croyez.*

Vx. *Détrompez-vous de votre erreur.*

5 J'ai cru (...) que ces endroits étaient clairs et intelligibles pour les acteurs, pour le parterre et l'amphithéâtre, que leurs auteurs s'entendaient eux-mêmes (...) je me suis détrompé. LA BRUYÈRE, les Caractères, I, 8.

CONTR. Tromper. — Persévérer (dans l'erreur).
DÉR. Détrompeur.

DÉTROMPEUR [detʀɔ̃pœʀ] n. m. — V. 1970 ; de *détromper.*

♦ Techn. Appareil permettant d'éviter une fausse manœuvre (inversion des pôles positif et négatif, etc.).

DÉTRONCATION [detʀɔ̃kasjɔ̃] n. f. — 1812 ; bas lat. *detruncatio* « amputation », de *detruncatum,* supin de *detruncare* « détacher du tronc », de *de-,* et *truncare* « amputer ». → Tronquer.

♦ Chir. Séparation de la tête d'un fœtus mort d'avec le tronc, pour en faciliter l'extraction.

DÉTRONCHER (SE) [detʀɔ̃ʃe] v. pron. — 1926 ; « baisser la tête pour cacher son visage », 1901 ; de 1. dé-, et *tronche,* populaire.

♦ Argot. Tourner la tête, se détacher (d'un groupe).

DÉTRÔNEMENT [detʀonmɑ̃] n. m. — 1731 ; de *détrôner.*

♦ Rare. Action de détrôner. *Le détrônement du souverain par les insurgés. —* Le fait d'être détrôné.

DÉTRÔNER [detʀone] v. tr. — 1584 ; de 1. dé-, *trône,* et suff. verbal.

♦ **1.** Déposséder (qqn) de la souveraineté, du trône. ⇒ **Chasser, déposer, destituer.** *La Convention détrôna Louis XVI.*

1 Warwick chassa enfin d'Angleterre le roi qu'il avait fait, et alla à la tour de Londres, tirer de prison ce même Henri VI qu'il avait détrôné, et le replaça sur le trône. On le nommait *le feseur* (faiseur) *de rois* (...)
VOLTAIRE, Essai sur les mœurs, CXVI.

2 Si l'homme est créé libre, il doit se gouverner ;
Si l'homme a des tyrans, il les doit détrôner.
VOLTAIRE, Disc. en vers sur l'homme, III, Envie.

♦ **2.** (1775). Fig. Déposséder (qqn) de la prééminence ; de son crédit. ⇒ **Discréditer, éclipser, effacer.** *Racine vint détrôner Corneille. —* Compl. n. de chose. *Détrôner une mode, un usage. Les matières synthétiques ont détrôné le coton.*

3 La valse d'un coup d'aile a détrôné la danse.
A. DE MUSSET, Poésies nouvelles, « À la mi-carême », X.

CONTR. Couronner, proclamer. — Accréditer. — Propager, répandre.
DÉR. Détrônement.

DÉTROQUAGE [detʀɔkaʒ] n. m. — 1877, Littré, *Suppl. ;* de *détroquer.*

♦ Techn. Opération qui consiste à séparer (les huîtres) les unes des autres et de l'endroit où elles sont fixées.

DÉTROQUER [detʀɔke] v. tr. — 1875, *Journal. off.* (in Littré, *Suppl.,* 1877) ; mot régional (Saintonge), de 1. dé-, et *troque,* 1842 ; *troche,* 1776 ; du grec *trokhos* « coquille ronde ».

♦ Techn. Séparer (les jeunes huîtres) les unes des autres en les décollant au couteau. *Les huîtres sont détroquées puis étalées dans des parcs.*

Le naissain recueilli, il y a avantage, pour éviter la déformation des jeunes huîtres trop serrées sur les collecteurs, à les détroquer assez tôt.
Louis LAMBERT, les Coquillages comestibles, p. 26.

DÉR. Détroquage.

DÉTROUSSEMENT [detʀusmɑ̃] ou DÉTROUSSAGE [detʀusaʒ] n. m. — 1538, *détroussement ;* de *détrousser.*

♦ Rare. Action de détrousser ; état d'une personne détroussée. *Le détroussement d'une diligence.*

Y a encore par là-haut, en lisière des maraîchers, des coins retirés, hantés par des malfrats d'un autre âge, et qui restent voués au détroussage du passant (...)
Albert SIMONIN, Touchez pas au grisbi, p. 90.

DÉTROUSSER [detʀuse] v. tr. — 1119, *destrosser* « défaire ce qui est troussé, empaqueté », d'où « dépouiller de ses bagages » ; de 1. dé-, et *trousser.*

♦ **1.** Vx ou par plais. Dépouiller (qqn) en ayant recours à la violence. ⇒ **Voler.** *Détrousser un passant, un voyageur.* ⇒ **Dévaliser.** — Absolt. *On détroussait beaucoup dans ce bois.*

1 (...) Voilà peut-être de ces gens
Qui vont par les forêts détrousser les passants (...)
J.-F. REGNARD, Démocrite, I, 6.

♦ **2.** Littér. Dépouiller (qqn) de ses biens par fourberie. ⇒ **Escroquer.** — Fig. Voler (qqn ou qqch.). *Détrousser un peintre, un écrivain.* ⇒ **Plagier.**

2 C'était une famille de bandits à l'affût, prêts à détrousser les événements.
ZOLA, la Fortune des Rougon, p. 72.

DÉR. Détroussement ou détroussage, détrousseur.

DÉTROUSSEUR, EUSE [detʀusœʀ, øz] n. — 1489 ; de *détrousser.*

♦ Vx ou par plais. Personne qui détrousse. ⇒ **Voleur.** *Détrousseur de cadavres, sur un champ de bataille. Détrousseur de grand chemin.* ⇒ **Brigand.** *Un détrousseur de touristes.*

Par un étrange scrupule, Talou, ne voulant pas se poser en détrousseur, nous laissait l'entière possession de notre argent de poche. Au reste, le numéraire prélevé en nous dépouillant sur place n'eût ajouté qu'un faible appoint à l'immense produit global des rançons projetées.
Raymond ROUSSEL, Impressions d'Afrique, p. 291.

Personne qui vole (fig.), plagie. ⇒ **Plagiaire.**

DÉTRUIRE [detʀɥiʀ] v. tr. — Conjug. *conduire.* — 1050 ; du lat. pop.* *destrugere,* refait sur le supin *destructum,* de *destruere,* de *de-,* et *struere* « disposer, bâtir ». → Structure, traire.

Altérer profondément et violemment (quelque chose d'organisé) de manière à faire perdre l'aspect, la forme, les caractères essentiels. ⇒ **Altérer, défaire** (cit. 2). — REM. Dans tous les sens, le sujet peut désigner un être humain, une collectivité ou une chose (force concrète ou abstraite) ; le compl. ne désigne un être vivant qu'en 3. et 6.

♦ **1.** Défaire entièrement, jeter bas (une construction). ⇒ **Abattre, démolir, raser, renverser, ruiner.** *Action de détruire* ⇒ **Destruction.** *Qui détruit.* ⇒ **Destructeur.** *Détruire un bâtiment, un édifice, un monument, une statue* (→ Dégrader, cit. 5). *Détruire un mur, une cloison, des clôtures* (cit. 2). *Détruire les fondements d'un édifice.* ⇒ **Miner, saper.** *Détruire les fortifications d'une place.* ⇒ **Démanteler.** *Détruire une ville par bombardement terrestre, aérien.* ⇒ **Battre** (en brèche), **canonner** (vieilli) ; **bombarder.** *Détruire par des armes atomiques.* ⇒ **Atomiser.** *Le temps détruit peu à peu les édifices les plus solides. Les eaux détruisirent la jetée. Détruire de fond en comble** (cf. Ne pas laisser pierre sur pierre).

1 Pendant qu'il la détruit *(la maison)* et qu'il la renverse pour la refaire toute neuve (...) BOSSUET, Sur la mort, 2.

2 Le Seigneur a détruit la reine des cités. RACINE, Athalie, III, 7.

3 Le roi fit détruire jusqu'aux pierres et aux fondements matériels de Port-Royal (...) SAINT-SIMON, III, 415.

4 Le temps, qui détruit si rapidement les monuments des empires, semble respecter dans ces déserts ceux de l'amitié, pour perpétuer mes regrets jusqu'à la fin de ma vie. BERNARDIN DE SAINT-PIERRE, Paul et Virginie, p. 20.

Les Romains détruisirent Carthage (→ Cité, cit. 3). *Il faut détruire Carthage* (Delenda Carthago *ou* delenda est Carthago), mots par lesquels Caton l'Ancien terminait tous ses discours. (L'expression s'emploie parfois pour exprimer une volonté tenace d'abattre un obstacle, une institution, etc.).

♦ **2.** (Sujet n. de personne ou de chose). Altérer jusqu'à faire disparaître, jusqu'à mettre fin* à... ⇒ **Anéantir, annihiler, supprimer ; réduire** (à néant...). *Détruire partiellement qqch.* ⇒ **Détériorer.** *Détruire des papiers par le feu.* ⇒ **Brûler, incendier** (→ Réduire en cendres*). *La flamme, le feu a tout détruit.* ⇒ **Consumer, dévorer.** *Détruire qqch. en brisant, en écrasant.* ⇒ **Briser, broyer, casser, défoncer, démolir, dépecer, disloquer, écraser, enfoncer, fracasser, pulvériser, rompre** (→ Mettre en pièces*). *La grêle, le froid a détruit toutes les récoltes.* ⇒ **Dévaster, ravager, saccager.** *Le raz de marée, le tremblement de terre a détruit deux villes.* ⇒ **Abîmer, engloutir ; ensevelir.** *Détruire une lettre, un document.* — *Les substances caustiques, les acides détruisent les tissus organiques.* ⇒ **Désorganiser, pourrir.** *La rouille détruit peu à peu le fer.* ⇒ **Attaquer, atteindre, corroder, entamer, mordre, ronger.** — *La lumière, le soleil détruit les couleurs.* ⇒ **Éteindre, passer** (faire). — *Détruire un stock de marchandises. Détruire un bien en le consommant.* ⇒ **Absorber, consommer, user** (de). *Des dépenses exagérées détruisirent sa fortune.* ⇒ **Absorber, consumer, dilapider, dissiper, engloutir, épuiser.** *Détruire l'édition d'un livre en le mettant au pilon*. Les iconoclastes détruisaient les images saintes.* — *Détruire tout sur son passage, détruire par le fer et par le feu.* ⇒ **Désoler.** — *Dieu qui a créé le monde, peut le détruire.* — « *Le temps, qui détruit tout* » (→ Appui, cit. 31, La Fontaine). — *Les abus détruisent sa santé.* ⇒ **Ruiner.** — Faux pron. *Se détruire la santé.*

5 La création et le déluge étant passés, et Dieu ne devant plus détruire le monde (...)
PASCAL, *Pensées*, IX, 621.

6 Les jours, les mois, les années s'enfoncent et se perdent sans retour dans l'abîme des temps ; le temps même sera détruit (...)
LA BRUYÈRE, *les Caractères*, XIII, 31.

7 Les Russes (...) décampèrent et se retirèrent vers le Borysthène, gâtant tous les chemins, et détruisant tout sur leur route pour retarder au moins les Suédois.
VOLTAIRE, *Hist. de Charles XII*, IV.

8 Quant à nos misérables meubles (...) j'espère que le temps en aurait assez pitié pour en détruire jusqu'au moindre vestige.
Th. GAUTIER, *Préface de Mlle de Maupin* (éd. critique MATORÉ, p. 39).

9 Dans sa pleine liberté, l'esprit est pareil à cet insecte stupide qui passe la moitié de son existence à filer un cocon, et l'autre moitié à le détruire.
André SUARÈS, *Trois hommes*, « Ibsen », IV, p. 113.

♦ **3.** (1135). Supprimer (un ou plusieurs êtres vivants) en ôtant la vie. ⇒ **Périr** (faire), **tuer.** *Un fléau, une épidémie qui détruit la population d'un village.* ⇒ **Exterminer.** *Une fusillade détruisit la moitié de la section.* ⇒ **Décimer, foudroyer ; fusiller, massacrer.** *La guerre a détruit l'élite du pays.* ⇒ **Faucher, moissonner** (fig.). — *Détruire les animaux nuisibles, les parasites. Détruire les microbes par la désinfection, la stérilisation.* — REM. Dans ce sens, lorsque le complément désigne des êtres humains, *détruire* ne s'emploie guère qu'avec un sujet impersonnel.

10 (...) le mémorable hiver de 1709, plus terrible encore sur ces frontières de l'Europe, détruisit une partie de son armée. VOLTAIRE, *Hist. de Charles XII*, IV.

♦ **4.** Absolt. (Opposé à *construire, créer, faire*). *Il est plus facile de détruire que de construire. Les hommes ont perfectionné les moyens de détruire.* ⇒ **Destruction.**

11 (...) il conclut qu'il est plus aisé de détruire que de bâtir.
VOLTAIRE, *l'Ingénu*, 10.

12 Pour vivre il faut détruire. BUFFON, *Hist. nat. des animaux, Bœuf.*

13 (...) en Gaule *(après la conquête des Romains)* l'agriculture remplaça la guerre ; le travail qui produit remplaça le travail qui détruit.
FUSTEL DE COULANGES, *Leçons à l'impératrice sur les origines civiles de la France*, p. 102.

14 Dans la lutte éternelle entre le mal et le bien, la partie n'est pas égale : il faut un siècle pour construire ce qu'un jour suffit à détruire.
R. ROLLAND, *Au-dessus de la mêlée*, p. 59.

15 Le besoin de détruire est encore plus puissant que l'espoir de construire (...)
MARTIN DU GARD, *les Thibault*, t. V, p. 101.

16 Les longs raisonnements où les héros de Sade démontrent que la nature a besoin du crime, qu'il lui faut détruire pour créer, qu'on aide donc à créer dès l'instant où l'on détruit soi-même (...) CAMUS, *l'Homme révolté*, II, p. 57.

♦ **5.** (V. 1172). Fig. Défaire entièrement (ce qui est établi, organisé), jusqu'à faire disparaître. ⇒ **Anéantir, supprimer.** *Détruire un régime politique, social.* ⇒ **Abattre, renverser.** *Détruire la dictature, la tyrannie. Les factions menacent de détruire le régime.* ⇒ **Ébranler, grignoter, miner, ronger, saper.** *Les Barbares détruisirent l'Empire romain. Détruire un complot, une société secrète. Détruire la rébellion.* ⇒ **Étouffer, étrangler, juguler.** *Détruire une institution.* ⇒ **Abolir.** *Détruire le commerce d'un pays par le blocus. Détruire un culte, une religion, une secte. Détruire la famille, la société. Détruire la loi, la justice. Détruire les clauses d'un traité, d'un contrat.* ⇒ **Biffer, effacer, enlever, rayer, retrancher, supprimer.** *Détruire un accord, un pacte.* ⇒ **Dissoudre, rompre.** — *Détruire une œuvre, un ouvrage.* — *Détruire un usage.* ⇒ **Abolir, annuler, infirmer, invalider.** *Détruire les abus.* ⇒ **Déraciner, extirper.** — *Détruire un préjugé, une légende.* ⇒ **Démolir** (fam. et fig.). *Détruire un argument, une hypothèse, une théorie.* ⇒ **Bouleverser, culbuter, éliminer, repousser.** *Cela détruit votre thèse.* ⇒ **Réfuter, renverser.**

17 Ne pensez pas que je sois venu pour détruire la loi ou les prophètes, je ne suis pas venu les détruire, mais les accomplir.
BIBLE (SACY), *Évangile selon St Matthieu*, V, 17.

18 Ceux qui s'offraient à détruire la tyrannie par un seul coup (...)
BOSSUET, *Oraison funèbre d'Henriette-Anne d'Angleterre.*

19 (...) il y a bien de la différence entre détruire le principal fondement d'une fable, et en altérer quelques incidents (...) RACINE, *Andromaque*, 2e Préface.

20 Une mode a à peine détruit une autre mode, qu'elle est abolie par une plus nouvelle, qui cède elle-même à celle qui la suit (...)
LA BRUYÈRE, *les Caractères*, XIII, 15.

21 Rome fut détruite parce que toutes les nations l'attaquèrent à la fois (...)
MONTESQUIEU, *Rome*, 19.

22 C'est précisément parce que la force des choses tend toujours à détruire l'égalité, que la force de la législation doit toujours tendre à la maintenir.
ROUSSEAU, *le Contrat social*, II, XI.

23 Avant de songer à détruire un usage établi, on doit avoir bien pesé ceux qui s'introduiront à sa place. ROUSSEAU, *Lettre à d'Alembert.*

24 Toute doctrine sociale qui cherche à détruire la famille est mauvaise, et, qui plus est, inapplicable.
HUGO, *Littérature et philosophie mêlées, Journal révolutionnaire*, 1830, Oct.

25 Beaucoup d'hommes avaient intérêt à détruire une organisation sociale qui n'avait pour eux aucun bienfait. FUSTEL DE COULANGES, *la Cité antique*, p. 282.

(Domaine psychique). *Détruire une illusion.* ⇒ **Dissiper, enlever.** *Cette mésaventure détruisit tous ses espoirs.* ⇒ **Décevoir, dégriser, désillusionner, revenir** (faire). *Détruire l'orgueil, les prétentions de qqn.* ⇒ **Abattre, jeter** (bas). *Une telle attitude devait détruire ma confiance.* ⇒ **Ébranler, effacer.** *Cette mauvaise nouvelle détruisait toute sa joie.* ⇒ **Corrompre, gâter, troubler.** Dans un sens atténué. ⇒ **Affaiblir, atrophier, dégrader, diminuer, émousser, éteindre, étioler.** *L'égoïsme détruit toutes les vertus.* ⇒ **Dessécher** (cit. 5). *Détruire le naturel.* ⇒ **Chasser.** *Détruire les forces, l'âme.* ⇒ **Accabler** (cit. 15). — *Détruire les mauvais instincts. Détruire la piété, la foi.*

26 Soutenir la piété jusqu'à la superstition, c'est la détruire.
PASCAL, *Pensées*, IV, 255.

27 Il y aura toujours des pauvres, parce que l'homme ne détruira jamais le péché en soi. LAMENNAIS, *Paroles d'un croyant*, IX.

28 (...) s'il fallait détruire tous les rêves et toutes les visions des hommes, la terre perdrait ses formes et ses couleurs et nous nous endormirions tous dans une morne stupidité. FRANCE, *Thaïs*, I, p. 46.

29 La muraille de l'escalier où je vis monter le reflet de sa bougie n'existe plus depuis longtemps. En moi aussi bien des choses ont été détruites que je croyais devoir durer toujours (...) PROUST, *À la recherche du temps perdu*, t. I, p. 55.

30 Les soupçons posés dans un esprit éclatent comme des mines en chapelet et ne détruisent un amour que par explosions successives.
A. MAUROIS, *Climats*, I, XVII, p. 116.

31 Mais c'était détruire, par un caprice, tout un avenir laborieusement échafaudé.
MARTIN DU GARD, *les Thibault*, t. III, p. 57.

♦ **6.** (XIIIe). *Détruire qqn*, l'abattre. ⇒ **Perdre ; nuire** (à). *Détruire une personne, une réputation dans l'esprit de tous.* ⇒ **Décréditer, discréditer.**

32 Quel mal vous ai-je fait ? et quelle est mon offense ?
Pour armer contre moi toute votre éloquence ?
Pour me vouloir détruire, et prendre tant de soin
De me rendre odieux aux gens dont j'ai besoin ?
MOLIÈRE, *les Femmes savantes*, IV, 2.

▶ **SE DÉTRUIRE** v. pron.

♦ **1.** Passif. Tomber en ruine ; être détruit. ⇒ **Craquer, crouler, écrouler** (s'), **effondrer** (s'). *Cet édifice se détruit peu à peu.* — Par ext. ⇒ **Disparaître, éteindre, passer, périr.** *Le chagrin* (cit. 14) *se détruit sous l'effet du temps.*

33 Marbre, perle, rose, colombe,
Tout se dissout, tout se détruit ;
La perle fond, le marbre tombe,
La fleur se fane et l'oiseau fuit.
Th. GAUTIER, *Émaux et camées*, « Affinités secrètes ».

♦ **2.** (1648). Récipr. Avoir une action contraire ; s'anéantir réciproquement. ⇒ **Combattre** (se), **contrarier** (se), **nuire** (se).

34 Mille agitations, que mes troubles produisent,
Dans mon cœur ébranlé tour à tour se détruisent (...)
CORNEILLE, *Polyeucte*, III, 1.

35 La troisième preuve est que leurs discours sont contraires et se détruisent, de sorte que (...) il y a contradiction manifeste et grossière.
PASCAL, *Pensées*, X, 659.

36 Le propre de tout ce qui est vraiment beau est de subsister en soi sans se détruire réciproquement et sans se nuire.
SAINTE-BEUVE, *Chateaubriand*, t. I, 8e leçon, p. 179.

En parlant des personnes. ⇒ **Tuer** (se), **massacrer** (se).

37 (...) et ils *(les hommes)* ont depuis enchéri de siècle en siècle sur la manière de se détruire réciproquement. LA BRUYÈRE, *les Caractères*, X, 9.

Par ext. Se nuire l'un l'autre, se discréditer réciproquement.

38 Messieurs les courtisans, cessez de vous détruire :
Faites, si vous pouvez, votre cour sans vous nuire.
LA FONTAINE, *Fables*, VIII, 3.

♦ **3.** (1784). Réfl. Se détruire soi-même, physiquement ou moralement. ⇒ **Autodétruire** (s') ; **autodestruction.** *Il a tenté de se détruire.* ⇒ **Suicider** (se), **supprimer** (se).

39 On l'avait vu à midi du côté de la rivière, et finalement la mère Barbeau craignait qu'il ne s'y fût jeté pour finir ses jours.
Cette idée, que Sylvinet pourrait avoir eu envie de se détruire, passa de la tête de la mère dans celle de Landry (...) et il se mit vivement à la recherche de son frère.
G. SAND, *la Petite Fadette*, p. 52-53.

Par ext. ⇒ **Nuire** (se), **ruiner** (se).

40 Une vie puissante, qui est réduite à soi, se détruit.
André SUARÈS, Trois hommes, « Ibsen », IV, p. 125.

41 On ne peut pas demander au capitalisme de se détruire lui-même, en sapant ses propres assises ! MARTIN DU GARD, les Thibault, t. V, p. 225.

▶ **DÉTRUIT, ITE** p. p. adj.
Dont la structure est défaite. *Édifice détruit.* ⇒ **Ruine** (en ruine). *Les vestiges, les débris* (cit. 18), *les décombres d'un bâtiment détruit. Ville détruite.*

42 Cette admirable ruine avait toute la majesté des grandes choses détruites.
BALZAC, le Cabinet des antiques, Pl., t. IV, p. 343.

Totalement supprimé. *Un ouvrage détruit.* — Fig. *Un bonheur, un rêve détruit. Des espoirs détruits.* — *Régime détruit par l'envahisseur.* — Par exagér. *Organisme détruit peu à peu par la maladie.* ⇒ **Miné, rongé.**

43 (...) un corps miné et lentement détruit à la fois par la durée et par le désir, par les années et par une passion qui ne s'assouvit plus.
F. MAURIAC, la Pharisienne, VIII, p. 116.

CONTR. Bâtir, construire, édifier, élever, ériger, reconstruire, réparer, rétablir. — Créer, faire. — Établir, fonder, organiser, susciter ; conserver, entretenir, régénérer, renforcer. — Accréditer, aider, soutenir. — Demeurer, prospérer. — Entraider (s').
COMP. Autodétruire (s'), entre-détruire (s').

DETTE [dɛt] n. f. — 1160 ; du lat. *debita,* de *debere* « devoir ».
Ce qu'une personne doit à une autre. → Devoir.

♦ **1.** Obligation pour une personne (⇒ **Débiteur**) à l'égard d'une autre (⇒ **Créancier**), de faire ou de ne pas faire qqch., et spécialt, de payer une somme d'argent (contr. : *créance*). — REM. On opposait autrefois la *dette passive* (dette proprement dite) à la *dette active* (créance). → Bilan, cit. 2.
Capital d'une dette : somme constituant la dette (⇒ **Principal**) par oppos. aux *intérêts.* — *Contracter, faire des dettes.* ⇒ **Devoir, endetter** (s'). *Avoir des dettes* (→ fam. Ardoise 3., b.). *Être abîmé, accablé, criblé* (cit. 11), *perdu de dettes.* ⇒ **Obéré.** *Avoir des dettes par-dessus la tête. N'avoir pas un sou de dette. Payer** (→ Pensionner, cit.), *acquitter, régler, rembourser une dette. Liquider ses dettes. Se libérer de ses dettes. Être hors d'état de payer ses dettes.* ⇒ **Banqueroute, carence, déconfiture, faillite, insolvabilité.** Anciennt. *Prison pour dettes.* — *Éteindre graduellement une dette.* ⇒ **Amortir ; amortissement ; extinction.** *Annuités* d'une dette. Échéance d'une dette.* ⇒ **Échéance, terme ; calendes.** *Exigibilité d'une dette. Dette non payée après l'échéance.* ⇒ **Arriéré.** — *Remise d'une chose pour la sûreté d'une dette.* ⇒ **Gage ; antichrèse, nantissement.** *Personne qui fournit la garantie d'une dette.* ⇒ **Caution.** *Mise en demeure de payer une dette.* ⇒ **Commandement, sommation ; saisie.** *Accorder un délai pour le paiement d'une dette.* ⇒ **Atermoiement, délai.** *Remise d'une partie de sa dette à un failli.* ⇒ **Concordat** (1.). *Balance des dettes réciproques.* ⇒ **Compensation** (cit. 12). *Billet fictif couvrant une dette. Reconnaissance* de dette. Dettes inscrites dans un compte.* ⇒ **Droit, dû, débet, découvert, passif, solde** (débiteur).

1 Les dettes aujourd'hui, quelque soin qu'on emploie,
Sont comme les enfants que l'on conçoit en joie,
Et dont avecque peine on fait l'accouchement.
L'argent dans une bourse entre agréablement ;
Mais le terme venu que nous devons le rendre,
C'est lors que les douleurs commencent à nous prendre.
MOLIÈRE, l'Étourdi, I, 5.

2 Il mène avec lui des témoins quand il va demander ses arrérages, afin qu'il ne prenne pas un jour envie à ses débiteurs de lui dénier sa dette.
LA BRUYÈRE, les Caractères de Théophraste, « Défiance ».

3 (...) abîmé de dettes et léger d'argent (...)
BEAUMARCHAIS, le Barbier de Séville, I, 2.

4 (...) qu'elle avait plus de dettes qu'il n'y a de trous dans un crible et qu'au premier beau matin ses créanciers allaient faire saisie sur toutes ses créances comme sur tout son avoir. G. SAND, François le Champi, XIX, p. 140.

5 (...) j'espérais à force de travail arriver à reconstituer notre fortune ; mais le démon s'en mêle ! je n'ai réussi qu'à nous enfoncer jusqu'au cou dans les dettes et dans la misère (...) À présent, c'est fini, nous sommes embourbés (...)
Alphonse DAUDET, le Petit Chose, I, IV, p. 42.

5.1 Flore affichait maintenant librement sa liaison avec Velbar ; mais, depuis l'abandon de Lécurou, la pauvre fille contractait sans cesse de nombreuses dettes.
Raymond ROUSSEL, Impressions d'Afrique, p. 276.

Loc. *Être en dette* (avec quelqu'un).

6 Il s'inquiète d'être toujours en retard avec ses éditeurs ; mais il n'a pas honte d'être toujours en dette avec ses amis.
André SUARÈS, Trois hommes, « Dostoïevski », V, p. 251.

Loc. *Être cousu* de dettes,* en avoir beaucoup.

7 Je vis de croûtes, comme un romanichel. Je suis cousu de dettes.
MARTIN DU GARD, les Thibault, t. V, p. 287.

Dr. *Dette commerciale,* qui résulte d'une opération de commerce. *Dette certaine.* ⇒ **Certain** (2.). *Dette exigible,* dont le créancier peut exiger actuellement le paiement. *Dette hypothécaire ; dette privilégiée. Dette liquide,* dont l'existence est certaine. *Dette personnelle* qui permet au créancier une action personnelle contre le débiteur (opposé à *dette de communauté,* entre deux époux). *Dette réelle.* — *Dette criarde.* ⇒ **Criard** (cit. 5). *Dette d'honneur,* qu'on ne peut

faire valoir en justice, que l'on s'engage à rembourser sur l'honneur. — *Dette de jeu, dette d'honneur.*

8 Mes dettes de Venise, dettes d'honneur si jamais il en fût, me pesaient sur le cœur.
ROUSSEAU, les Confessions, VII.

Prov. *Qui paye ses dettes s'enrichit. Cent ans de chagrin ne payent pas un sou de dettes :* se chagriner d'une dette n'en avance point le paiement. *Qui épouse la veuve épouse les dettes.*

♦ **2.** Fin. *Dette publique* ou *dette de l'État.* — (1772). Vx. *Dette nationale :* l'ensemble des dettes qui doivent être soldées par les deniers publics (comprenant les dettes grevant les finances locales, les traitements publics, pensions, dépôts dans les caisses de l'État...). Spécialt. *Dette publique,* se dit de l'ensemble des obligations résultant d'engagements financiers contractés par l'État (⇒ **Emprunt**). *La dette publique réalise immédiatement une recette*, les autres dettes de l'État apparaissent dans les comptes publics comme dépenses.* Ellipt. *La dette.* — REM. Du point de vue juridique on réserve l'expression *dette publique* aux engagements financiers contractés par l'État, à l'exclusion des emprunts des établissements publics, des entreprises nationalisées... — *Dette intérieure,* émise sur le marché national. *Dette extérieure,* contractée par emprunts dans les pays étrangers. *La dette extérieure comprend la dette commerciale* (emprunts souscrits sur des marchés étrangers, engagements envers des banques étrangères) *et la dette politique* (avances consenties par un gouvernement étranger). — *Dettes d'État,* devant être prises en charge par tout nouveau gouvernement, par oppos. aux *dettes de régime,* qui n'engagent pas les gouvernements futurs.
Dette perpétuelle, dont le remboursement peut être indéfiniment différé sous réserve du paiement des intérêts. *Dette remboursable,* dont l'échéance est déterminée : *dette remboursable à terme ; dette amortissable,* remboursable par annuités, tirage au sort, etc. (⇒ **Amortissement,** 4.). *La dette remboursable comprend la dette à court terme* ou *dette flottante, la dette à long terme,* et la *dette viagère. Dette flottante :* dette à court terme, constituée par les bons du Trésor et les certificats de trésorerie. *La dette flottante est sujette à une variation perpétuelle, selon le nombre d'émissions et de remboursements* (d'où son nom). *La dette à long terme forme, avec la dette perpétuelle, la dette consolidée* (⇒ **Consolidation**). *Dette inscrite :* dette qui fait l'objet d'une inscription au *Grand Livre de la Dette publique ;* elle comprend la dette consolidée et la dette viagère.

9 Les divers emprunts émis par l'État, que ce soit d'ailleurs pour des fins monétaires, de trésorerie, ou pour des fins financières, c'est-à-dire budgétaires, constituent ce que l'on appelle *la dette publique.*
L. TROTABAS, Précis de science et de législation financière, n° 468, p. 356.

10 Les États, comme les particuliers, vivent normalement de leurs revenus. Mais, moins sages que les particuliers, il leur arrive souvent de dépenser plus que leurs revenus : alors ils empruntent, et il n'en est pas un seul, du moins parmi ceux qualifiés de civilisés, qui n'ait aujourd'hui sa dette publique, petite ou grande. Dès qu'un pays barbare fait son entrée dans « le concert des peuples européens », comme on dit élégamment, c'est d'ordinaire à ce signe qu'on le reconnaît. L'accroissement des dettes publiques a subi une progression effrayante (...)
Charles GIDE, Cours d'économie politique, I, p. 516.

♦ **3.** Par métaphore ou fig. Devoir qu'impose une obligation ; ce qui est dû, ce qui doit être rempli, réglé (dans une opération). ⇒ **Engagement, obligation.** *Acquitter une dette de reconnaissance envers qqn. Dettes envers ses parents, envers la société. Dette de la civilisation moderne envers la Grèce. Dette de la science envers Archimède, Newton... Dette sacrée.*

11 Le monde doit apprendre que mes bienfaits ne sont pas une offrande, mais une dette. BALZAC, le Curé de village, Pl., t. VIII, p. 757.

12 C'est une dette de justice et d'amitié que je serai bien heureux de payer.
SAINTE-BEUVE, Correspondance, 337, déc. 1833, t. I, p. 404.

13 J'ajouterai que cette caisse, si convenablement pourvue de tout ce qui nous manquait, c'est lui qui l'a conduite et échouée à la pointe de l'Épave ; que ce feu placé sur les hauteurs de l'île et qui vous a permis d'y atterrir, c'est lui qui l'a allumé (...) Donc, quel qu'il soit, naufragé ou exilé sur cette île, nous serions ingrats, si nous nous croyions dégagés de toute reconnaissance envers lui. Nous avons contracté une dette, et j'ai l'espoir que nous la payerons un jour.
J. VERNE, l'Île mystérieuse, t. II, p. 658-659.

14 L'Anthologie des Poètes de Léautaud et Van Bever était son livre de chevet, comme aussi le mien : nous y avons découvert tous deux la poésie moderne. Ne jamais oublier cette dette à l'égard de Léautaud.
F. MAURIAC, Bloc-notes 1952-1957, p. 140.

Dans un contexte scientifique :

15 Ainsi, tandis que la structure extrêmement complexe que représente la cellule bactérienne a été non seulement conservée mais multipliée plusieurs milliards de fois, la dette thermodynamique qui correspond à l'opération a été dûment réglée.
Jacques MONOD, le Hasard et la Nécessité, p. 36.

Loc. *Payer sa dette à la nature :* mourir. — *Payer sa dette à la société,* à la justice : purger sa peine, et, spécialt, être exécuté. — *Payer sa dette à la patrie :* accomplir son service militaire.

CONTR. Créance (3.), **crédit** (II., 4.) ; **actif, avoir.**
DÉR. Detteur.
COMP. Endetter, endettement.

DETTEUR [dɛtœʀ] n. m. Vx. ⇒ **Débiteur.**

DÉTUMESCENCE [detymesɑ̃s] n. f. — 1792 ; 1749, en parlant du reflux ; de 1. *dé-*, et *tumescence.*

♦ Physiol. Diminution de volume (d'un organe, d'une tumeur) ; fin de la tumescence.
CONTR. Tumescence.

DÉTUMESCENT, ENTE [detymesɑ̃, ɑ̃t] adj. — 1839 ; de 1. *dé-*, et *tumescent.*

♦ Physiol. Qui cesse d'être tumescent. *Pénis détumescent.*
CONTR. Tumescent.

D. E. U. G. [døg ; dœg] n. m. — 1973 ; sigle.

♦ Diplôme d'études universitaires générales, couronnant le premier cycle de l'enseignement supérieur. « *45 000 étudiants sont descendus dans la rue pour protester justement contre ce "D. E. U. G."* (*diplôme d'études universitaires générales*), *dont la création a été annoncée le 3 mars au "Journal officiel"* (....) » (le Nouvel Obs., 16 avr. 1973, p. 54).

DEUIL [dœj] n. m. — xvᵉ, *dueil, doeil,* sur le modèle de *œil ; dol* au xᵉ ; *dœl, duel* au xiiᵉ ; du bas lat. *dolus,* subst. verbal de *dolere* « souffrir ». → Dol.

♦ **1.** Douleur, affliction que l'on éprouve de la mort de quelqu'un. ⇒ **Affliction, douleur, malheur, souffrance.** *Sa mort fut un deuil cruel* (→ Cœur, cit. 33). *Deuil déchirant, poignant. Pays plongé dans le deuil. Jour de deuil. Deuil anniversaire d'une calamité nationale.*

1   Il se plaint *(le hibou),* et les dieux sont par lui suppliés
    De punir le brigand qui de son deuil est cause.   LA FONTAINE, Fables, V, 18.

2   Le deuil, un deuil poignant, était dans cette chambre. La servante se lamentait dans un coin, le curé priait, et on l'entendait sangloter, le médecin s'essuyait les yeux ; le cadavre lui-même pleurait.   HUGO, les Misérables, III, III, IV.

    Psychan. *Le travail du deuil :* processus psychique par lequel le sujet parvient à se détacher d'un objet d'attachement disparu.

♦ **2.** (xvᵉ). Mort d'un être cher ou proche. ⇒ **Perte.** *En raison d'un deuil récent, il ne peut aller au spectacle. Recevoir des condoléances à l'occasion d'un deuil.* — **EN DEUIL.** *Être en deuil.* ⇒ **Perdre** (qqn). *Être en deuil de son frère.*

♦ **3.** Fig. et littér. Sentiment de profonde tristesse. ⇒ **Affliction, tristesse.** *La nouvelle de cette catastrophe nous mit le cœur en deuil.*

    Poét. *Le deuil de la nature. La nature est en deuil,* son aspect est désolé, lugubre, triste.

3   Salut, derniers beaux jours ! le deuil de la nature
    Convient à la douleur et plaît à mes regards.
                          LAMARTINE, Premières méditations, « L'automne ».

4   Innocentes blessées, une déception précoce, un deuil secret du cœur, leur a gâté l'univers.   FRANCE, le Jardin d'Épicure, p. 121.

    Vx ou régional. *Faire deuil à qqn,* l'attrister profondément.

4.1 (...) Cavalier paraissait atterré.
     — C'est une mauvaise nature, dit-il. Et pendant tout le dîner, il répétait :
     — Oh ! Ça me fait deuil, monsieur, vous ne savez pas comme ça me fait deuil. J'essayais de le consoler, mais en vain.
                          MAUPASSANT, Yvette, « Le garde », p. 284.

4.2 Moi, les gendarmes je les respecte. Seulement, ils me font deuil, j'aime pas les voir, c'est comme les notaires et les curés.   BERNANOS, Un crime, Pl., p. 754.

♦ **4.** Signes extérieurs du deuil, consacrés par l'usage. *Vêtement de deuil. Couleurs qui indiquent le deuil* (selon les cultures) : noir, gris, violet, mauve, blanc. — *En deuil :* habillé pour un deuil. *Être, se mettre en deuil. Être en grand deuil, en demi-deuil* (⇒ **Demi-deuil**). — *Vêtu de deuil. S'habiller de deuil* (→ Burlesquement, cit.). *Porter le deuil de son père. Quitter le deuil. Mettre un brassard, un crêpe en signe de deuil. Drapeau en berne, pour marquer le deuil d'un régiment, d'un pays. Larges manchettes que l'on mettait autrefois en signe de deuil.* ⇒ **Pleureuse** (→ Cheveu, cit. 21). *Voile de deuil.*

5   Il vous faut faire habiller de deuil.   RACINE, Lettres.

6   Dans ses vêtements comme dans son cœur, elle prit le grand deuil, et ne le quitta jamais (...)   Alphonse DAUDET, le Petit Chose, I, IV, p. 36.

6.1 Il y a dans le deuil le plus austère des détails matériels qui déshonorent la douleur mais que veut le monde, commandes de livrées, draperies d'équipages, l'écœurant contact du fournisseur aux façons hypocrites et dolentes (...)
                          Alphonse DAUDET, l'Immortel, p. 41.

6.2 Si j'admettais la tenue de grand deuil des veuves, sa réduction à l'échelle d'insigne, les brassards noirs, le lé de crêpe au revers du veston, et chez les ouvriers une cocarde noire à la casquette, dans le coin de la visière, autrefois me paraissaient ridicules.   Jean GENET, Pompes funèbres, p. 29.

    Tentures de deuil. Église tendue de deuil. — *Papier de deuil.* — *Arbre symbolisant le deuil.* ⇒ **Cyprès.**

    Fig. *Il porte le deuil de ses illusions :* ses illusions sont mortes.

    Fam. *Avoir les ongles en deuil,* noirs, sales. — *Porter le deuil de sa blanchisseuse* *:* porter du linge sale.

Ces sept personnes (...) luttaient entre elles à qui aurait l'ongle le plus en deuil.   6.3
                          MONTHERLANT, le Démon du bien, p. 135.

♦ **5.** (1559). Temps durant lequel on porte le deuil. *Une année de deuil. On a abrégé les deuils.*

Votre deuil est fini, rien n'arrête vos pas (...)   RACINE, Bérénice, II, 4.   7

(...) le deuil n'est ni un usage ni une loi ; c'est bien mieux, c'est une institution qui   8
tient à toutes les lois dont l'observation dépend d'un même principe, la morale.
                          BALZAC, le Médecin de campagne, Pl., t. VIII, p. 377.

Ils la choisirent noire, Gaud n'ayant pas fini le deuil de son père.   9
                          LOTI, Pêcheur d'Islande, IV, III, p. 229.

En franç. d'Afrique. Période pendant laquelle on pleure un mort, selon la tradition. *Fin, levée, sortie de deuil* (in I. F. A.).

♦ **6.** (1606). Vieilli. Cortège funèbre des parents et amis qui assistent aux obsèques de qqn. ⇒ **Enterrement.** *Mener, conduire le deuil.*

♦ **7.** Fig. *Couleur de deuil :* sombre, noir.

On cause du passé, couleur de deuil, de l'avenir, couleur de rose.   10
                          Alphonse DAUDET, le Petit Chose, I, IV, p. 50.

♦ **8.** (1823). Loc. fam. *Faire son deuil d'une chose :* se résigner à en être privé.

Et tout de même il avait bien fallu qu'il s'inclinât, qu'il fît son deuil de ses pro-   11
jets (...)   COURTELINE, Messieurs les ronds-de-cuir, I, I, p. 25.

CONTR. Allégresse, bonheur, joie.
DÉR. et COMP. Demi-deuil, deuilleur ; endeuiller.

DEUILLEUR, EUSE [dœjœʀ, øz] n. — 1936 ; de *deuil.*

♦ **1.** N. m. Homme chargé de chanter et de pleurer aux funérailles, dans certaines cultures.

♦ **2.** N. f. Techn. Ouvrière qui fait à la main les bordures noires du papier à lettres et des enveloppes.

DEUS EX MACHINA [deysɛksmakina ; deusɛksmakina] n. m. — 1845 ; mots latins signifiant *un dieu* (descendu) *au moyen d'une machine*, et qui désignaient, au théâtre, un dieu descendu sur la scène au moyen d'une machine.

♦ Au théâtre (et fig. dans la vie courante). Personnage, événement dont l'intervention peu vraisemblable apporte un dénouement inespéré à une situation sans issue ou tragique. *Des deus ex machina.*

Une plaque fut clouée à l'entrée, avec les mots « Maison Nouvelle, Haute Couture de Paris », gravés en français, en lettres d'or. Ma mère ne faisait jamais les choses à demi. À ce début de réussite, il manquait un élément de transcendance, de merveilleux, un deus ex machina qui viendrait transformer notre premier succès en une victoire définitive et écrasante sur l'adversité.
                          R. GARY, la Promesse de l'aube, p. 61.

DEUSIO [døzjo] adv. ⇒ **Deuzio.**

DEUTÉR-, DEUTÉRO- Premier élément de mots savants, tiré du grec *deuteros* « deuxième ». Voir à l'ordre alphab. ⇒ aussi **Deutérium, deutéron.**

DEUTÉRAGONISTE [døteʀagɔnist] n. m. — 1870, *in* P. Larousse ; grec *deuteragônistês,* de *deuteros* (→ Deutér-), et *agônistês* « champion ».

♦ Didact. Acteur jouant les seconds rôles, dans le théâtre grec (opposé à *protagoniste*).

DEUTÉRANOPE [døteʀanɔp] n. m. — 1897 ; de *deutéranopie.*

♦ Méd. Malade atteint de deutéranopie.

DEUTÉRANOPIE [døteʀanɔpi] n. f. — Fin xixᵉ ; de *deutér-, an-* (→ 2 A-), et *-opie.*

♦ Méd. Incapacité de voir le vert, seconde couleur fondamentale.
DÉR. Deutéranope.

DEUTÉRÉ, ÉE [døteʀe] ou **DEUTÉRIÉ, ÉE** [døteʀje] adj. — Mil. xxᵉ ; de *deutérium.*

♦ Chim. Se dit d'un composé chimique où le deutérium s'est substitué à un ou plusieurs atomes d'hydrogène.

DEUTÉRIUM [døteʀjɔm] n. m. — 1934 ; de *deutér-*, et *-ium.*

♦ Chim. Atome d'hydrogène dont le noyau est composé d'un proton et d'un neutron (le *tritium* comporte deux neutrons). *Oxyde de deutérium* (eau lourde). ⇒ **Deutéron.**

DÉR. Deutéré, deutériure.

DEUTÉRIURE [dØteʀjyʀ] ou DEUTÉRURE [dØteʀyʀ] n. m. — V. 1936 ; de *deutérium*.

♦ Chim. Combinaison du deutérium avec un corps simple.

DEUTÉROCANONIQUE [dØteʀokanɔnik] adj. — 1732, Trévoux, de *deutéro-*, et *canonique*, de 2. *canon.*

♦ Théol. Se dit de certains livres saints qui n'ont été considérés comme canoniques qu'après les autres. *Livres deutérocanoniques :* Tobit, Judith, la Sagesse, l'Ecclésiastique, Maccabées (I, II), Daniel et Esther (fragments).

DEUTÉROGAME [dØteʀogam] n. — 1839, Boiste ; de *deutéro-*, et *-game*, grec *gamos* «mariage».

♦ Didact. et vx. Celui, celle qui se marie en secondes noces.

DEUTÉRON [dØteʀɔ̃] ou DEUTON [dØtɔ̃] n. m. — 1940 ; de *deutérium*, et *-on*, d'après *neutron*.

♦ Sc. Noyau de l'atome de deutérium (un proton et un neutron).

En plus du modèle standard de l'atome d'hydrogène — 1 proton et 1 électron satellite — il existe donc un autre modèle, moins courant, dont le noyau est formé d'un proton et d'un neutron. Vous en concluez que ce noyau est toujours porteur d'une unique charge d'électricité positive, mais qu'il a une masse double de celle du noyau habituel. Cet *hydrogène lourd* est appelé le *deutérium* et son noyau le *deuton.* Pierre ROUSSEAU, De l'atome à l'étoile, p. 44.

DEUTÉRONOME [dØteʀonɔm] n. m. — XIIIᵉ, *deutronome* ; lat. ecclés. *deuteronomium*, du grec (Septantes) *deuteronomion*, de *deuteros* (→ Deutér-), et *nomos* «loi». → -nome.

♦ Didact. (relig.). Nom donné au cinquième livre du Pentateuque et dans lequel sont notées les secondes et dernières lois édictées par Moïse.

DEUTÉROPATHIE [dØteʀopati] n. f. — 1792, Encyclopédie ; de *deutéro-*, et *-pathie*.

♦ Didact. et vx. Affection secondaire, se développant sous l'influence d'une autre maladie.

DEUTÉROSCOPIE [dØteʀoskopi] n. f. — 1853, Lachâtre ; de *deutéro-*, et *-scopie*.

♦ Didact. Trouble hallucinatoire de la perception visuelle qui présente au sujet l'image de son double. Syn. : *seconde vue.*

DEUTOPLASME [dØtoplasm] n. m. — 1899, Encycl. Berthelot, art. *Œuf* ; de *deuto-* «deuxième», d'après *protoplasme*.

♦ Biol. Vitellus, ou enclaves vitellines dans le cytoplasme de l'œuf.

DEUTSCHE MARK [dØtʃmaʀk] n. m. — 1948 ; mot allemand.

♦ Unité monétaire principale (DM) de la République fédérale d'Allemagne, divisée en 100 pfennigs. ⇒ **Mark** (mark allemand).

DEUTZIA [dØtsja] n. m. — 1841, *deutzie, deutzia* ; lat. bot., créé par le botaniste Thumberg en Suède (1798), de *Deutz*, syndic d'Amsterdam qui organisa des voyages d'exploration.

♦ Bot. Arbrisseau ornemental à fleurs étoilées en grappes (famille des *Saxifragacées*). Ex. de Colette, *in* T. L. F.

DEUX [dØ] adj. et n. — XIIᵉ, *dous, deus* ; *duos*, Xᵉ ; du lat. *duo*, à l'accusatif *duos.*

★ **I.** Adj. numéral cardinal invariable. ♦ **1.** Un plus un. *Les deux yeux, les deux pôles, les deux infinis. Les deux extrémités d'un segment ; les deux bouts d'un objet. Les deux côtés de la rue. Pièce de deux francs. Un fusil à deux coups. Porte ouverte à deux battants. Deux points*. *Deux cents. Deux cinquièmes.* — *L'un* des deux. *Tous les deux.* ⇒ **Autre** (l'un et l'autre). *Ils sont venus tous les deux. À deux.* ⇒ **Duo.** *Compter pour deux.*

1 Deux mulets cheminaient : l'un d'avoine chargé,
   L'autre portant l'argent de la gabelle.   LA FONTAINE, Fables, I, 4.
2 J'ai lu Malherbe et Théophile. Ils ont tous deux connu la nature (...)
                                            LA BRUYÈRE, les Caractères, I, 39.

Deux choses semblables ou assemblées. ⇒ **Accouplement, couple, double, géminé, jumeau, paire.** *Qui comporte deux éléments.* ⇒ préf. **Ambi-, ambo-, bi-, bis-, di-, dupli-.** *Caractère de ce qui comporte*

deux éléments. ⇒ **Dualité.** *Deux fois.* ⇒ **Double, doubler, redoubler,** et préf. **re-.** *Faire deux parties d'un tout.* ⇒ **Dédoubler, demi, moitié.**

Choisir entre deux choses. Hésiter entre deux possibilités. ⇒ **Alternative.** *Être pris entre deux obligations. Être entre deux feux** (→ Être entre l'enclume* et le marteau). — *De deux choses l'une :* il n'y a que deux possibilités. — Fam. *Il n'y a pas deux voix là-dessus :* tout le monde est d'accord là-dessus.

En parlant de deux personnes liées affectivement, spécialt d'un homme et d'une femme. ⇒ **Couple.** *Le bonheur, la difficulté de vivre à deux. La solitude à deux.*

3 Mieux vaut vivre à deux que solitaire ; il y a pour les deux un bon salaire dans leur travail ; car s'ils tombent, l'un peut relever son compagnon. Mais malheur à celui qui est seul, et qui tombe sans avoir un second pour le relever !
                        BIBLE (CRAMPON), l'Ecclésiaste, IV, 9-10.
4 Aimer, c'est se donner corps et âme, ou, pour mieux dire, c'est faire un seul être de deux (...)   A. DE MUSSET, la Confession d'un enfant du siècle, I, V, p. 54.
5 Même dans l'amour, même en étant deux, on ne veut pas être deux, on veut rester seul.   MONTHERLANT, les Jeunes Filles, p. 56.

Loc. (Fam.). *Comme pas deux :* comme lui seul peut l'être. *Il est menteur comme pas deux.*

EN DEUX. *Casser, plier, diviser qqch. en deux.* ⇒ **Dicho-.** *Être plié en deux,* courbé, voûté.

♦ **2.** (Emplois stylistiques).

Pour indiquer une multiplicité (opposé à *un seul*). ⇒ **Plusieurs.** Loc. *Il n'y a pas deux poids** *et deux mesures. Tirer d'un sac deux moutures**. *Un tiens vaut mieux que deux tu l'auras* (⇒ **Tenir**). *Deux sûretés** *valent mieux qu'une.* — Pour indiquer la différence, la distance (opposé à *le même*). ⇒ **Différent.** *Vouloir et réussir sont deux choses.* — (1792, *in* D. D. L.). Fam. *Ça fait deux :* ce sont des cas différents, des choses distinctes. *L'amour et l'amitié, cela fait deux.*

Pour indiquer un petit nombre (opposé à *beaucoup*). ⇒ **Quelque.** *Écrivez-nous deux lignes.* «*À moi, comte, deux mots** » (Corneille). *C'est à deux pas d'ici, vous y serez en deux secondes. Faire qqch. en deux temps**, *trois mouvements. Être à deux doigts** *de... Objet de deux sous,* etc.

♦ **3.** Employé comme adjectif numéral ordinal invariable. ⇒ **Deuxième, second.** *Numéro deux. Acte deux. Tome deux. Frédéric II. Rendez-vous à deux heures.* — Ellipt. *Le deux décembre, tous les deux du mois. Il est arrivé deux ou troisième* (fam.). — Math. *Nombre à la puissance deux.* ⇒ **Carré** (au carré).

Employé comme adv. (dans une énumération). *Un, il est idiot ; deux, il est méchant...* ⇒ **Deuxièmement, deuzio, secundo.**

★ **II.** N. m. **A.** ♦ **1.** Nombre premier. *Le nombre deux. Deux et deux font quatre. Cent cinquante-deux. Un virgule deux* (deux dixièmes d'unité). *Nombre divisible par deux.* ⇒ **Pair.** *Compter de deux en deux. Deux à deux. Deux par deux.* — *Nous sommes le deux. Habiter au deux,* au numéro deux (d'une voie).

♦ **2.** Spécialt. [a] Carte à jouer marquée de deux points. *Le deux de trèfle.* Côté d'un dé, d'un domino, etc. marqué de deux points. *Le double deux.*

[b] Danse class. *Pas de deux,* exécuté par deux danseurs.

[c] Équit. *Piquer des deux,* des deux éperons sur les flancs de son cheval. Fig. Aller très vite.

[d] Sport (aviron). Bateau à deux rameurs. *Deux barré, deux sans barreur. Deux de couple* (sans barreur), *deux de pointe* (avec ou sans barreur). ⇒ **Double-scull.**

5.1 C'est un «deux» qui glisse dans la nonchalance ensoleillée de la rivière Tamise — et les quatre pelles n'égratignent pas plus le silence que des plumes sur l'eau.   André HARDELLET, Lourdes, lentes..., p. 159-160.

♦ **3.** Loc. *C'est clair comme deux et deux font quatre :* c'est simple et évident. *Aussi vrai que deux et deux font quatre :* entièrement digne de foi, indiscutable. — *Deux et deux font cinq,* une chose invraisemblable.

6 Quand ce qui est incroyable sera regardé comme une vérité de l'ordre de «2 et 2 font 4».   Henri MICHAUX, Époque des illuminés, Choix de poèmes, p. 87.

En moins de deux (fam.) : très vite. *Faire un travail en moins de deux.*

7 Et en moins de deux, il nous a flanqué la fessée.
                        SARTRE, la Mort dans l'âme, II, p. 275.

Ne faire ni une ni deux (fam.) : se décider rapidement, sans tergiverser.

Entre les deux : ni ceci ni cela, à moitié. *Fait-il chaud ou froid ? Entre les deux. Est-ce qu'il est instruit ? Entre les deux.* —*À nous deux :* faisons ce que nous avons à faire ensemble ; (spécialt) Menace proférée à l'intention d'un rival, d'un ennemi, de celui qu'on prétend vaincre par la parole ou par les coups.

8 (...) les bras croisés, l'œil enflammé, la face colère, le front menaçant, il vint se planter carrément devant le lieutenant Hobson. «À nous deux ! s'écria-t-il, à nous deux, monsieur l'agent de la Compagnie de la baie d'Hudson ».
                        J. VERNE, le Pays des fourrures, t. II, p. 7-8.

Loc. adj. (Vulg.). *De mes deux* (testicules), s'emploie avec un nom par insulte, mépris, dérision. *Va donc, flic de mes deux !*

9   Alors, qu'il demande, sacré bavard de mes deux, vous voulez savoir quèque chose ou rien ?   R. QUENEAU, Zazie dans le métro, Folio, p. 42.

10   C'est dur, la culture ? Autre chose que d'marcher au pas et d'faire le zouave à ta caserne, hein ? Crache dans tes paumes (...) Mets-y d'l'huile de coude. C'est ton pain qu't'es en train d'gagner, poilu d'mes deux !   Yves GIBEAU, Allons z'enfants, p. 244.

Prov. *Jamais deux sans trois :* ce qui arrive deux fois a toute chance d'arriver une troisième fois.

B. Chiffre qui représente ce nombre. *Le deux romain* (II.) ; *le deux arabe* (2). *Page marquée d'un deux. Effacez ce deux.*

DÉR. Deuxième, deuzio.

COMP. Avant-deux. — **Deux-chevaux, deux-coups, deux-deux** (à), **deux-huit** (à), **deux-mâts, deux-pièces, deux-points, deux-ponts, deux-quatre** (à), **deux-roues, deux-seize** (à), **deux-temps.** — **Une-deux.**

DEUX-CHEVAUX [døʃvo] n. f. invar. — Mil. xxᵉ ; de *deux,* et *cheval.*

♦ Automobile dont le moteur est d'une puissance de deux chevaux fiscaux (en France). — Se dit très couramment du modèle populaire lancé par Citroën en 1949. On dit aussi (fam.) : *une deux-pattes* et *une deuch'.* — On écrit aussi *2 CV.*

C'est une deux-chevaux qu'il a achetée il y a sept ou huit ans d'occasion et qui doit bien avoir parcouru, en kilométrage, cinq fois le tour de la terre. Cette malheureuse ferraille fourbue et frémissante parvient encore à rouler (...) Cette voiture, à l'en croire, est la plus réussie qui soit jamais sortie des ateliers Citroën, elle a un moteur infatigable, un confort inouï (...)   J. DUTOURD, Pluche, XIV, p. 247.

DEUX-COUPS [døku] n. m. invar. — D. i. (xxᵉ) ; de *fusil à deux coups.*

♦ Fusil à deux coups.

Ah ! oui, reconnut le propriétaire en retirant le deux-coups de son épaule. Il le présenta, le retourna, puis bascula les canons.   Claude MICHELET, Des grives aux loups, p. 30.

DEUX-DEUX (À) [adødø] loc. adj. — xIxᵉ ; de *deux.*

♦ Mus. *Mesure à deux-deux* (2/2) : mesure à deux temps, ayant une blanche par temps. — N. m. (invar.). Cette mesure.

DEUX-HUIT (À) [adøɥit] loc. adj. — xIxᵉ ; de *deux,* et *huit.*

♦ Mus. *Mesure à deux-huit* (2/8) : mesure à deux temps, ayant une croche par temps. — N. m. (invar.). Cette mesure.

DEUXIÈME [døzjɛm] adj. et n. — xIvᵉ ; de *deux.*
Qui succède au premier. ⇒ **Second,** et préf. **deutéro-.**
REM. 1. On emploie souvent *deuxième* là où *second* pourrait être employé (énumération à deux termes), à cause de sa formation française.
2. Seul *deuxième* entre dans les nombres composés.

♦ **1.** Adj. numéral ordinal. *Le deuxième acte d'une comédie. Le deuxième chapitre d'un livre.* ⇒ **Deux.** *Le deuxième étage,* et, ellipt, *habiter au deuxième. Voyager en deuxième classe**, et, ellipt., *en deuxième. Soldat de deuxième classe**. ⇒ **Deuxième-classe.** *Le deuxième bureau**. *La Deuxième République. Deuxième jour de la décade républicaine.* ⇒ **Duodi.** *Croire en une deuxième vie.* ⇒ **Autre.**

S'il y a plusieurs ventes successives dont le prix soit dû en tout ou en partie, le premier vendeur est préféré au second, le deuxième au troisième, et ainsi de suite (...)   Code civil, art. 2103.

♦ **2.** N. m. et f. *Arriver le deuxième. Elle est née la deuxième.*

♦ **3.** (Dans les nombres composés). *Vingt-deuxième.*

DÉR. Deuxièmement.
COMP. Deuxième-classe.

DEUXIÈME-CLASSE [døzjɛmklas] n. m. — V. 1950 ; de *soldat de deuxième-classe.*

♦ Simple soldat, homme de troupe sans galon (on n'emploie guère *un première-classe*). *Il est toujours resté deuxième-classe. Les deuxième-classes et les caporaux.*

(...) malgré les inconvénients attachés à l'état d'homme de troupe, je suis resté deuxième-classe. J'ajoute que cet état, sans responsabilité d'aucune sorte, sans autre obligation que celle du service (...) me plaisait bien davantage que celui de meneur d'hommes (...)   J. DUTOURD, Pluche, XIII, p. 237.

DEUXIÈMEMENT [døzjɛmmã] adv. — 1740 ; de *deuxième.*

♦ En deuxième lieu. ⇒ **Deuzio, secundo.**

DEUX-MÂTS [døma] n. m. invar. — 1864 ; de *deux,* et *mât.*

♦ Navire à voile à deux mâts (⇒ **Voilier**). *Un beau deux-mâts.*

DEUX-PIÈCES [døpjɛs] n. m. invar. — 1925 ; de *deux,* et *pièce.*

♦ **1.** Ensemble féminin comprenant une jupe et une veste du même tissu, porté comme une robe. *Se faire faire un deux-pièces en soie imprimée.* — (1928). Vieilli. Ensemble de plage, formé d'un « jumper » et d'une culotte.

♦ **2.** (1947). Maillot de bain formé d'un slip et d'un soutien-gorge. ⇒ aussi **Bikini.**

♦ **3.** (1952, *in* D. D. L.). Appartement de deux pièces. *Un deux-pièces cuisine.* « *Tu te voyais vivant un grand amour dans ton deux-pièces-terrasse* » (Ed. Charles-Roux, *Elle, Adrienne,* p. 332).

Après mon mariage, on s'est installé dans un deux-pièces, rue Ganneron à Montmartre.   J. DUTOURD, les Horreurs de l'amour, p. 320.

DEUX-POINTS [døpwɛ̃] n. m. invar. — 1572 ; de *deux,* et *point.*

♦ Signe de ponctuation, formé de deux points superposés (:), placé avant une explication, une énumération, une citation.

DEUX-PONTS [døpɔ̃] adj. et n. m. invar. — 1864, mar. ; de *deux,* et *pont.*

♦ À deux ponts. *Un (avion) Bréguet deux-ponts.* — N. m. *Un deux-ponts.*

DEUX-QUATRE (À) [adøkatʀ] loc. adj. — 1736 ; de *deux,* et *quatre.*

♦ Mus. *Mesure à deux-quatre :* mesure à deux temps, ayant une noire par temps (2/4).
N. m. (invar.). Mesure à deux-quatre. Morceau de musique joué sur une mesure à deux-quatre.

Le passage adorable :
    Le danger presse
    Et le temps vole ...
devient un de ces rapides *deux-quatre* qui ont fait la renommée d'Offenbach, lorsqu'il fait danser des conjurés quelconques.   J. VERNE, le Docteur Ox, p. 56.

DEUX-ROUES [døʀu] n. m. invar. — V. 1960 ; de *deux,* et *roue.*

♦ Véhicule à deux roues. → Motocycle, cit. *Les deux-roues :* les bicyclettes, cyclomoteurs, vélomoteurs, motos, scooters.
Les deux roues motorisées accrurent la décibélité de leur vacarme et ne s'arrêtèrent point.   R. QUENEAU, Zazie dans le métro, Folio, p. 108, 1972 (1959).

DEUX-SEIZE (À) [adøsɛz] loc. adj. — xIxᵉ ; de *deux,* et *seize.*

♦ Mus. *Mesure à deux seize* (2/16) : mesure à deux temps, avec une double croche par temps.
N. m. (invar.). Cette mesure.

DEUX-TEMPS [døtã] adj. et n. m. — 1872, Littré (art. *Temps*) ; de *deux,* et *temps.*

♦ **1.** Mus. Mesure qui se bat à deux temps mais s'écrit comme une mesure à quatre temps.

♦ **2.** (1908). À deux temps* (moteur). *Moteur deux-temps.* — N. m. *Carburant pour les deux-temps.*

DEUZIO [døzjo] adv. — Mil. xxᵉ ; de *deux,* d'après *primo, secundo, tertio,* etc.

♦ Fam. Deuxièmement, secundo.

— D'abord, dit paisiblement Gabriel, c'est pas vrai et, deuzio, i comprendront pas.   R. QUENEAU, Zazie dans le métro, Folio, p. 98, 1972 (1959).
REM. On trouve aussi la graphie *deusio* (1926, Montherlant). *Deuxio* est attesté en 1862 (*in* D. D. L.).

DÉVALANT, ANTE [devalã, ãt] adj. — Attesté xIxᵉ ; p. prés. de *dévaler.*

♦ **1.** Qui dévale, tombe.

♦ **2.** Littér. Qui descend, s'affaisse. « *Figure dévalante* » (Chateaubriand).

DÉVALÉE [devale] n. f. — 1846, Bescherelle ; de *dévaler.*

♦ Vx ou régional. Descente. — Pente. « *La dévalée des prés* » (Henri Pourrat, *Gaspard,* p. 242 in T. L. F.). ⇒ **Dévalement.**
À la dévalée : en descendant.

Je compris enfin que c'était un vrai guide et n'eus pas honte de lui offrir vingt sous qu'il accepta avec l'indifférence d'un qui a vieilli sous le harnois. Il ne nous reconduisit pas à la dévalée car il apercevait, à l'endroit où nous l'avions rencontré, des personnes indécises ; et il redescendit leur faire le coup du paysan qui se trouve là par hasard.　　　　　　　　　　J. RENARD, Journal, 15 août 1898, p. 341.

DÉVALEMENT [devalmã] n. m. — Déb. XIVᵉ ; de *dévaler*.
Vieux ou littéraire.

♦ **1.** Action de dévaler ; état de ce qui est dévalé. *Un dévalement de terres.*

♦ **2.** Pente qui dévale. ⇒ **Dévalée.**
(...) au pied d'un petit dévalement et dans l'ombre d'un bouquet d'arbres énormes (...)　　　　　　　　　　GIDE, le Retour du Tchad, *in* Souvenirs, Pl., p. 967.

DÉVALER [devale] v. — 1135 ; de *dé-* indiquant le mouvement de haut en bas (lat. *de-*), *val*, et suff. verbal.

♦ **1.** V. intr. Aller vers le bas brutalement ou très rapidement ; descendre une pente. ⇒ **Descendre, rouler, tomber.** *Rochers, laves qui dévalent de la montagne.*

1　Pauvres enfants *(auvergnats)* qui dévalent bien tristes de leurs montagnes (...)
　　　　　　　　　　CHATEAUBRIAND, Clermont, 122, *in* LITTRÉ.
2　(...) des ribambelles de petits ânes chargés de sacs montant et dévalant le long des chemins (...)
　　　　　　　　　　Alphonse DAUDET, Lettres de mon moulin « Le secret de Mᵉ Cornille ».

(1690). Être en pente raide. ⇒ **Descendre** (→ Bleu, cit. 12).

3　Le terrain dévale, en cet endroit, par une pente abrupte.
　　　　　　　　　　FLAUBERT, l'Éducation sentimentale, III, IV.
4　(...) et ce bois de cyprès géants qui dévale du sommet de la colline jusqu'à la mer, avec les tombes dont il est peuplé (...)
　　　　　　　　　　LOTI, Suprêmes Visions d'Orient, p. 16.
5　Le sol dévalait vers un hameau dont on apercevait les maisons et les vergers.
　　　　　　　　　　G. DUHAMEL, Chronique des Pasquier, III, VII, p. 80.

Par ext. Descendre très rapidement. ⇒ **Dégringoler, précipiter** (se). *La foule dévalait le long de la rue.*

6　(...) dévalait en torrent d'un escalier (...)
　　　　　　　　　　FRANCE, l'Anneau d'améthyste, Œ., t. XII, p. 155.

Spécialt. Aller très rapidement. ⇒ **Rouler.**

7　Des taxis découverts dévalaient en trombe vers l'Opéra.
　　　　　　　　　　MARTIN DU GARD, les Thibault, t. V, p. 250.

♦ **2.** V. tr. (Déb. XIIIᵉ). Vx. Transporter (qqch.) en bas. ⇒ **Descendre.** *Dévaler du charbon à la cave.*

8　(...) et souvent des Bernois qui me venaient voir m'ont trouvé juché sur de grands arbres, ceint d'un sac que je remplissais de fruits, et que je dévalais ensuite à terre avec une corde.　　　　　　　　　　ROUSSEAU, Rêveries, Vᵉ promenade.

(1592). Régional (notamment Suisse). *Dévaler des billes de bois,* les faire descendre par des glissoirs dans une forêt en pente.

♦ **3.** V. tr. Descendre rapidement (qqch.). ⇒ **Dégringoler.** *Il dévalait l'escalier quatre à quatre. La voiture dévalait la pente à tombeau ouvert.*

CONTR. **Escalader, grimper, monter, remonter.**
DÉR. Dévalant, dévalée, dévalement, dévaloir.

DÉVALISER [devalize] v. tr. — 1546 ; de 1. *dé-, valise,* et suff. verbal.

♦ **1.** Voler, prendre à (qqn) tout ce qu'il a sur lui, avec lui, en particulier son argent. ⇒ **Voler ; attraper, délester, prendre, soulager.** *Se faire dévaliser.*
Une escorte de 50 hommes armés qui souvent dévalisent ceux qu'ils accompagnent (...)　　　　　　　　　　P.-L. COURIER, Lettres, I, 66.

(1870). Vider (un lieu) des biens qui s'y trouvent. *Des cambrioleurs ont entièrement dévalisé son appartement.* ⇒ **Cambrioler, piller.**

Par hyperbole. *Les invités ont dévalisé le buffet.* — *Dévaliser une boutique,* y faire des achats variés et importants.

♦ **2.** Fig. *Dévaliser un auteur,* lui emprunter des thèmes, des expressions. ⇒ **Plagier.**
DÉR. Dévaliseur.

DÉVALISEUR, EUSE [devalizœʀ, øz] n. — 1636 ; de *dévaliser.*

♦ Vx. Celui, celle qui dévalise. ⇒ **Cambrioleur, voleur.**
(...) il a crié le premier au voleur, comme Arlequin dévaliseur de maisons ?
　　　　　　　　　　VOLTAIRE, Lettres à d'Argental, 2 nov. 1764.

DÉVALOIR [devalwaʀ] n. m. — 1869 ; de *dévaler.*

♦ **1.** Techn. (surtout régional, notamment Suisse). Passage ménagé en montagne pour descendre le bois.
1　Peu à peu, le tronc venait à eux. Ils l'amenèrent ainsi jusqu'à l'entrée du dévaloir.
　　　　　　　　　　C.-F. RAMUZ, Guerre dans le Haut-Pays, t. VI, p. 133.
2　Puis elle rejoignit les deux garçons qui se disputaient encore, faisant rouler dans les dévaloirs des masses de pommes de pin, ronds comme des billes.
　　　　　　　　　　Corina BILLE, Juliette éternelle, p. 74.

♦ **2.** Régional (Suisse). Vide-ordures d'un immeuble.

DÉVALORISATION [devalɔrizɑsjɔ̃] n. f. — 1925 ; de *dévaloriser.*

♦ **1.** Diminution de valeur. ⇒ **Dépréciation.** *L'inflation entraîne la dévalorisation et conduit à la dévaluation.*

♦ **2.** (V. 1945). Fig. Perte de valeur, d'efficacité. *La dévalorisation de soi-même. La dévalorisation d'une politique.*
Après trente ans de petites misères, les femmes finissent par s'y habituer. La ménopause ou retour d'âge les soumet à des sentiments de dévalorisation de soi-même, de crainte et de mélancolie.
　　　　　　　　　　R. GÉRAUD, la Pilule antifécondante, *in* Dʳ WILLY, la Sexualité, t. II, p. 110.

CONTR. **Valorisation, revalorisation.**

DÉVALORISER [devalɔrize] v. tr. — 1922 ; de 1. *dé-,* et *valoriser.* → Valeur.

♦ **1.** Diminuer la valeur de (qqch. ; particulièrement la valeur de la monnaie fiduciaire). ⇒ **Déprécier, dévaluer.** *Dévaloriser un produit.* Au p. p. *Marchandise dévalorisée,* qui a perdu de sa valeur.

♦ **2.** Fig. Déprécier (qqn, qqch.). *Dévaloriser le talent. Il dévalorise ses collaborateurs auprès de la direction.*

1　J'ai toujours pensé, en ce qui me concerne, que la religion vécue dévalorise le théâtre.　　　　　　　　　　F. MAURIAC, le Nouveau Bloc-notes 1958-1960, p. 207.

▶ **SE DÉVALORISER** v. pron.

♦ **1.** (Passif). Perdre de sa valeur. *Monnaie qui se dévalorise.*

2　Tout ce qu'il *(le juif)* touche, tout ce qu'il acquiert se dévalorise entre ses mains.
　　　　　　　　　　SARTRE, Réflexions sur la question juive, p. 108.

♦ **2.** Fig. **a** (Réfl. ; récipr.). Se déprécier soi-même ; se déprécier mutuellement. *Il se dévalorise par sa prétention.*

b (Passif). Perdre de son crédit. *Politique, réputation qui se dévalorise.*

CONTR. **Valoriser, revaloriser.**
DÉR. Dévalorisation.

DÉVALUATION [devalɥɑsjɔ̃] n. f. — 1928, diffusé lors de la dévaluation du franc de 1928 ; angl. *devaluation* (1914), de *to devaluate,* d'après *dé-,* et *évaluation.*

♦ **1.** Abaissement de la valeur légale d'une monnaie par une nouvelle définition du rapport de l'unité monétaire avec l'or, l'argent ou une monnaie étrangère (→ Alignement* monétaire). *La dévaluation, conséquence de l'inflation, enregistre officiellement la dépréciation*, la dévalorisation* de la monnaie. Stabilisation de la monnaie par dévaluation. Dévaluations du franc (1928, 1936, 1938...). Après une série de dévaluations, la valeur or du franc est passée de 322 mg (avant la loi du 25 juin 1928) à 2 mg 5 (en 1949). La dévaluation de la livre en 1931, du dollar en 1933...*

1　*(Le père de Ninon de Lenclos)* lui avait, grâce à Dieu, laissé en mourant sept à huit mille livres de rente, ce qui en ferait, à travers nos dévaluations, plusieurs millions aujourd'hui (...)
　　　　　　　　　　Émile HENRIOT, Portraits de femmes, « Ninon de Lenclos », p. 49.

2　*L'inflation,* obtenue en augmentant la quantité de papier-monnaie ou la *dévaluation* imposée par l'État en diminuant la proportion de l'or contenu dans la monnaie, diminuaient les charges de l'État et des débiteurs au détriment des créanciers. La dévaluation a fini par l'emporter (...) Elle a entraîné presque tous les États à restreindre l'étalon or (...)
　　　　　　　　　　Ch. SEIGNOBOS, Essai d'une hist. comparée des peuples de l'Europe, p. 456.

3　*(En 1926, en France)* Il fallait dissocier la notion de retour à la stabilité de celle de retour à l'ancien pair. Autrement dit, il fallait envisager, non pas une abrogation pure et simple du cours forcé, mais *une stabilisation accompagnée d'une dévaluation suffisante pour neutraliser la hausse des prix intérieurs.*
　　　　　　　　　　Bertrand NOGARO, Économie contemporaine, p. 73.

4　La stabilisation s'offre comme un moyen terme entre la solution royale, la revalorisation, et la solution catastrophique, la démonétisation (...) On se résigne par réalisme et par modestie, à une dévaluation de la monnaie. Une nouvelle définition légale est solennellement donnée.
　　　　　　　　　　P. REBOUD et H. GUITTON, Précis d'économie politique, t. I, p. 669.

♦ **2.** Fig. Perte de valeur, de crédit. ⇒ **Dévalorisation.**

5　Si on ne recherche que le bonheur, on aboutit à la facilité. Si on ne cultive que le malheur, on débouche dans la complaisance. Dans les deux cas, une dévaluation.
　　　　　　　　　　CAMUS, Actuelles, t. I, p. 223.

CONTR. **Réévaluation.**

DÉVALUER [devalɥe] v. tr. — 1935 ; p. p. adj., 1903 ; angl. *to devaluate* (v. 1900, de *value* « valeur »), d'après *évaluer.*

♦ **1.** Effectuer la dévaluation de. *Dévaluer le franc. Dévaluer une monnaie dépréciée, dévalorisée.* — Au p. p. *Monnaie dévaluée. Des billets de banque dévalués.*

♦ **2.** Fig. Faire perdre de son crédit à (qqn), de sa valeur à (qqch.).

⇒ **Dévaloriser.** *Ses théories, ses idées sont un peu dévaluées.* — Pron. *Ces idées à la mode se dévalueront rapidement.*

En tout cela c'est l'homme-sujet que la littérature dévalue.
Pierre-Henri SIMON, *in* le Monde, 28 janv. 1972, p. 11.

CONTR. Réévaluer, revaloriser.

DEVANÂGARÎ [devanagaʀi] ou **NÂGARÎ** [nagaʀi] n. f. (anciennt masc.) et adj. — 1846 ; *nagrou*, 1763 ; hindi et sanscrit *devanāgarī*, littéralt «(écriture) de la cité des dieux», de *deva-* «dieu», et *nāgarī* «de la ville».

♦ Forme d'écriture du sanscrit demeurée usuelle (type *brâhmî*), aussi employée pour certaines langues modernes de l'Inde (hindi...). *La devanâgarî est littérale et syllabique, et se lit de gauche à droite.*

DEVANCEMENT [d(ə)vãsmã] n. m. — XIVᵉ, repris XVIIIᵉ ; *devancement* «action de venir au devant de», fin XIIᵉ ; de *devancer.*

♦ Action de devancer ; résultat de cette action. — Milit. *Devancement d'appel :* engagement volontaire avant l'appel de sa classe (désigné ainsi depuis 1923). *Engagé volontaire par devancement d'appel.*

DEVANCER [d(ə)vãse] v. tr. — Conjug. *placer.* — V. 1160, intr. «aller quelque part» ; de *devant,* d'après *avancer.*

♦ **1.** (V. 1288). Être devant (d'autres qui avancent), laisser derrière soi. ⇒ **Dépasser, distancer, semer** (fam.). *Devancer un concurrent dans une course.* ⇒ **Dépasser, distancer** (fam.). → Prendre de l'avance*, prendre l'avantage* ; et aussi gagner* de vitesse. *Devancer tous les autres :* être le premier*. *Nous les avons devancés sur la route ; il faut les attendre.*

1 La Reine, dont ma course a devancé les pas (...)
RACINE, Iphigénie, I, 4.
2 Et lorsque je sortais, il me devançait vite,
Pour m'aller à la porte offrir de l'eau bénite.
MOLIÈRE, Tartuffe, I, 5.
3 (...) mes chevaux, mieux ménagés que les siens, étaient en état de le devancer (...)
FÉNELON, Télémaque, 5.

♦ **2.** (V. 1265). Être avant, quant au rang, au mérite, à la supériorité, dans la recherche commune du même but. ⇒ **Dépasser, emporter** (l'emporter sur), **primer, surpasser.** *Cet élève a devancé ses concurrents de plusieurs points au concours. Aux dernières élections, il a devancé son adversaire de mille voix. Devancer tous ses rivaux.*

♦ **3.** Rare. Aller au devant de. *Devancer la date d'un paiement.* (1870). Spécialt. *Devancer l'appel :* s'engager dans l'armée avant d'avoir l'âge d'y être appelé. ⇒ **Devancement.**

4 (...) ils avaient décidé qu'il demanderait à «devancer l'appel», qu'il irait s'engager dans l'infanterie de marine, le seul corps où l'on ait la faculté de ne servir que trois ans.
LOTI, Ramuntcho, I, XXII, p. 179.

(Abstrait). Aller au devant de. *Devancer une objection. Devancer les désirs de qqn.* ⇒ **Devant** (aller-au-devant, prendre les devants), **prévenir.**

♦ **4.** Être en avance* sur (le temps, une époque, un événement). *Cet écrivain a devancé son siècle. Son mérite a devancé son âge.* ⇒ **Anticiper** (sur).

5 (...) Par son esprit et ses autres brillants
Il rompt l'ordre commun et devance le temps (...)
MOLIÈRE, Mélicerte, I, 4.
6 En lui l'amour et la raison
Devancèrent le temps, dont les ailes légères
N'amènent que trop tôt, hélas ! chaque saison.
LA FONTAINE, Fables, XI, 2.
7 Celui qui devance son siècle, celui qui s'élève au-dessus du plan général des mœurs communes, doit s'attendre au jeu de suffrages (...)
DIDEROT, Salon de 1767, Œ., t. XV, p. 13, *in* LITTRÉ.

♦ **5.** Arriver avant (qqn, qqch.) dans le temps. ⇒ **Précéder.** *Nous avons été devancés au rendez-vous.* ⇒ **Précéder.** *Ceux qui nous ont devancés dans la carrière. Devancer un groupe pour annoncer son arrivée.* ⇒ **Avant, avant-coureur, avant-garde.** *L'aurore, avant-courrière du soleil, devance le jour.* Littér. *Devancer l'aurore* (cit. 3), le jour : se lever avant le jour. Précéder (qqn) dans l'accomplissement d'une chose. *Se faire devancer par manque de diligence ; il arrive trop tard, qqn l'a devancé.* → Couper* l'herbe sous le pied de qqn. *J'allais dire la même chose, mais vous m'avez devancé.* — *Devancer qqn dans une étude, une recherche. Ils nous ont devancés dans cette voie* (⇒ **Devancier**).

8 Le vrai critique devance le public, le dirige et le guide ; et si le public s'égare et se fourvoie (...) le critique tient bon dans l'orage et s'écrie à haute voix : *Ils y reviendront.*
SAINTE-BEUVE, Chateaubriand..., t. II, 21ᵉ leçon, p. 95.
9 (...) une rencontre si parfaite m'est singulièrement glorieuse, puisque j'ai devancé le chantre immortel *(Byron)* au rivage où nous avons eu les mêmes souvenirs, et où nous avons commémoré les mêmes ruines.
CHATEAUBRIAND, Mémoires d'outre-tombe, t. II, p. 148.

CONTR. Après (arriver après). — Succéder, suivre.
DÉR. Devancement, devancier.

DEVANCIER, IÈRE [d(ə)vãsje, jɛʀ] n. — 1257 ; adj. 1243 ; de *devancer.*

♦ Personne qui en a précédé une autre dans ce qu'elle fait. ⇒ **Prédécesseur.** *Marcher sur les traces de ses devanciers. Profiter des découvertes de ses devanciers ; perfectionner l'œuvre de ses devanciers. Galilée fut le devancier de Newton.*

1 (...) c'est Mathurin Régnier,
De l'immortel Molière, immortel devancier (...)
A. DE MUSSET, Poésies nouvelles, «Sur la paresse».

Par ext. (toujours au pluriel). ⇒ **Aïeux, ancêtres.** *Nos devanciers pensaient tout autrement.*

2 Peut-être que nos neveux regretteront la félicité de nos jours avec la même erreur qui nous fait regretter le temps de nos devanciers.
BOSSUET, 4ᵉ sermon, Fête de tous les saints.

Adj. (Littér.). « *La phrase de l'Exode, devancière des temps* » (Huysmans, *l'Oblat, in* T. L. F.).

CONTR. Successeur.

1. DEVANT [d(ə)vã] prép. et adv. — Fin Xᵉ, *davant* ; comp. anc. de *de* et *avant.*

★ **I.** Prép. **A.** Prép. de lieu. ♦ **1.** (V. 1050). Du même côté que le visage d'une personne, que la face, le côté visible ou accessible d'une chose. En face de. ⇒ **Avant** (en), **face** (en), **vis-à-vis** ; aussi les préfixes **anté-, antéro-, pré-.** *Devant la maison. Devant la table. Se mettre devant qqn pour l'empêcher de passer. Se planter, se dresser devant qqn. Attendre devant la porte. Se chauffer devant le feu. Être assis devant un bon repas. Avoir son travail devant soi, devant les yeux. Regardez droit devant vous. Passer devant un magasin. L'article se place devant le nom. Mettre la charrue devant les bœufs*.

1 Devant nous s'ouvrait une vaste étendue sablonneuse (...)
E. FROMENTIN, Un été dans le Sahara, I, p. 108.
2 Imaginez-vous pour un moment (...) que vous êtes assis devant un pot de vin tout parfumé (...)
Alphonse DAUDET, Lettres de mon moulin, Le secret de Mᵉ Cornille.
3 (...) la nuit tombante ramena le sentiment de l'hiver et ils rentrèrent dîner devant le feu, qui était une flambée de branchages.
LOTI, Pêcheur d'Islande, V, I, p. 269.
4 La rue n'était guère animée. Quelques autos stationnaient devant la grande porte de l'hôtel.
P. MAC ORLAN, la Bandera, IX, p. 108.

♦ **2.** (Déb. XIIᵉ). En présence de (qqn). *Comparaître devant ses juges. Parler devant (des) témoins. Pleurer devant tout le monde. Il tremble, il ricane devant ses supérieurs. S'incliner devant qqn. Ne dites pas cela devant lui. Jurer devant Dieu et devant les hommes.*

5 J'ai même défendu, par une expresse loi,
Qu'on osât prononcer votre nom devant moi.
RACINE, Phèdre, II, 5.
6 Sur mon honneur et ma conscience, devant Dieu et devant les hommes (...)
Code d'instruction criminelle, art. 348.
7 Ce que je constate surtout, devant un homme, devant un corps vivant d'homme, c'est qu'il change à chaque seconde, qu'incessamment il vieillit.
GIRAUDOUX, Amphitryon 38, I, 5.

En présence, en face de (qqch.). *Tous les hommes sont égaux devant la loi.* ⇒ **Égard** (à l'égard de), **vis-à-vis** (de). — *Reculer devant le danger.* ⇒ **Face** (en). *Devant cet état de choses...* ⇒ **Présence** (en présence de). *S'incliner devant de tels arguments. Il fut ému devant ce spectacle,* à la vue* de...

8 Devant la menace d'une invasion étrangère, tout mouvement d'insurrection avortera.
MARTIN DU GARD, les Thibault, t. VII, p. 78.
9 (...) ma pitié, ou du moins cette sorte de malaise devant la misère d'autrui, que nous avons accoutumé d'appeler ainsi.
F. MAURIAC, la Pharisienne, XI.

♦ **3.** Dans la direction qui est en face d'une personne, d'une chose ; à l'avant de. *Marcher devant qqn. Courir devant qqn pour l'annoncer* (⇒ **Avant-coureur**). *Fuir devant celui qui vous poursuit. Aller droit devant soi. Ne pouvoir mettre un pied devant l'autre. Laisser passer qqn devant soi, devant les autres,* le premier.

10 L'âne, se prélassant, marche seul devant eux. LA FONTAINE, Fables, III, 1.
11 Des peuples qui dix ans ont fui devant Hector (...) RACINE, Andromaque, III, 3.
12 Un peu étourdi par le va-et-vient bruyant de la rue, j'allais devant moi (...)
Alphonse DAUDET, le Petit Chose, II, 4.

Loc. *Avoir du temps, de l'argent devant soi :* ne pas être au bout du temps, des ressources dont on dispose. *D'ici sa majorité, il a du temps devant lui ! C'est un homme qui a de l'argent devant lui,* qui a un actif important, des économies (→ Avoir les reins* solides).

13 (Il) gardait toujours devant lui deux années de solde et ne dépensait jamais ses appointements.
BALZAC, le Médecin de campagne, Pl., t. VIII, p. 320.
14 Ils passent leur temps à ruminer leur jeunesse, ils ne font que des projets à court terme, comme s'ils n'avaient devant eux que cinq ou six ans.
SARTRE, l'Âge de raison, XII, p. 224.
14.1 Nous n'avons que très peu de temps devant nous, continuez.
M. DURAS, Moderato cantabile, p. 113.

Loc. prép. DE DEVANT. *Poussez-vous de devant le buffet. Ôtez-vous de devant ma vue.*

15 Ôtez-vous de devant mes yeux. MOLIÈRE, la Comtesse d'Escarbagnas, 2.

PAR-DEVANT. *Passez par-devant la maison. Par-devant notaire, par-devant le notaire, le tribunal,* en sa présence.

16 (...) on fera une bonne et exacte obligation par-devant un notaire (...)
MOLIÈRE, l'Avare, II, 1.

B. Prép. de temps (vx). ♦ **1.** ⇒ **Avant**; aussi les préfixes **anté-, anti-, pré-, prot(o)-.** — Prov. *La poule ne doit point chanter devant le coq* (Molière). → Coq, cit. 6.

♦ **2.** Loc. conj. (V. 1181). **DEVANT QUE** (et subj.). Vx ou littér. Avant que.

17 (...) devant que les chandelles soient allumées.
MOLIÈRE, les Précieuses ridicules, 9.

♦ **3.** (1580). **DEVANT QUE DE** (et inf.). Vx ou littér. Avant de.

17.1 Donc, devant que de quitter la pension Keller pour rentrer à l'école Alsacienne, je cherchai quelque moyen subtil de marquer à M. Jacob le souvenir ému que je gardais de ses bons soins. GIDE, Si le grain ne meurt, 1924, p. 496, *in* T. L. F.

★ **II.** Adv. **A.** Adv. de lieu. (V. 1050). Du côté du visage d'une personne, de la face d'une chose, en avant. *Il est là devant, il marche devant.* ⇒ **Tête** (en tête). *Vêtement qui se ferme devant. Prenez des places devant. Passez devant puisque vous êtes pressé :* passez le premier. Loc. fam. *Partir les pieds* devant :* mourir. — Mar. *Être vent devant :* présenter la proue du bâtiment au vent (cf. Vent debout).

18 *(Le messager)* a couru devant pour gagner les bonnes grâces de Déjanire par cette bonne nouvelle (...) RACINE, Livres annotés, VI, 249.

Loc. adv. *Sens devant derrière :* ce qui doit être devant étant derrière et inversement. ⇒ **Sens.** — REM. *Mettre une jupe sens devant derrière,* ou *devant derrière.*

PAR-DEVANT : du côté qui est devant. *Blouse qui se boutonne par-devant. Voiture endommagée par-devant. Passez par-devant, nous suivrons. La porte de derrière est fermée, passez par-devant.*

B. Adv. de temps (vx). V. 1176; *deavant,* xᵉ. ⇒ **Auparavant.** Mod. et littér. *Comme devant :* comme avant.

19 Depuis longtemps personne, au village, ne lui portait plus de blé, et pourtant les ailes de son moulin allaient toujours leur train comme devant (...) Alphonse DAUDET, Lettres de mon moulin, « Le secret de Mᵉ Cornille ».

19.1 Le marchand venait de mourir et Thérèse, qui l'avait attendu à peu près sagement dans l'espoir de se faire épouser (...) se trouvait comme devant. Suzanne PROU, la Terrasse des Bernardini, p. 131.

Prov. (1678). *Être Gros-Jean comme devant* (La Fontaine) : se retrouver tel qu'on était auparavant, avoir été dupé (→ argot Refait), par allus. à Gros-Jean, personnage populaire lourdaud et niais.

20 (...) après le rêve, ils ne sauraient souffrir d'être Gros-Jean comme devant. P.-L. COURIER, Correspondance, p. 715.

Loc. adv. *Ci-devant,* et subst., *un ci-devant.* ⇒ **Ci.**

HOM. 2. Devant, devant (p. prés. de devoir).

2. DEVANT [d(ə)vã] n. m. — Fin xiᵉ; *debant* « giron ».

♦ **1.** La partie qui est placée devant. *Rangée, place de devant. Chambres sur le devant, de devant. Pattes de devant* (d'un animal). ⇒ **Antérieur.** *Jambe de devant* (d'un cheval). *Roues de devant d'une voiture,* ou *roues avant*. Dents de devant.* — Cout. *Point de devant :* point le plus simple qui consiste à piquer dessus et dessous en avançant l'aiguille. — *Le devant d'une maison* (⇒ **Façade**), *d'un bateau* (⇒ **Avant, proue**). *Le devant d'un bataillon.* ⇒ **Front.** *Devant de cheminée.* ⇒ **Écran.** *Le devant d'une chemise* (⇒ **Plastron**).

21 Sur le devant de son tableau, un arbre bien touffu. BERNARDIN DE SAINT-PIERRE, les Harmonies..., p. 117, *in* T. L. F.

22 De toutes parts, on tendait le devant des maisons pour la procession. STENDHAL, le Rouge et le Noir, I, XXVIII, p. 190.

23 La chèvre prit séance sur son derrière, et se mit à bêler en agitant ses pattes de devant (...) HUGO, Notre-Dame de Paris, II, III.

Spécialt, vén. *Prendre le devant, les devants :* rechercher la voie de la bête en avant de l'endroit où le défaut a lieu. — Fig. Devancer* qqn ou qqch. pour agir avant ou l'empêcher d'agir.

24 M. Damis (...) vient d'arriver de Chartres : il marche sur mes pas ; j'ai pris les devants pour vous avertir. A. R. LESAGE, Crispin, rival de son maître, 6.

25 (...) quand l'imagination prend les devants, la raison ne se hâte pas comme elle, et souvent la laisse aller seule. ROUSSEAU, Julie ou la Nouvelle Héloïse, I, Lettre XX.

♦ **2.** Loc. prép. **AU-DEVANT DE** : à la rencontre* de. *Vous prendrez la rue de la gare et nous irons au-devant de vous.*

26 Prends cette lettre, cours au-devant de la Reine. RACINE, Iphigénie, I, 1.

Fig. *Aller au-devant du danger :* s'exposer témérairement. *Aller au-devant des désirs, des souhaits de qqn,* les combler avant qu'il les exprime. ⇒ **Prévenir.**

27 (...) on va pour vous au-devant de la sollicitation (...) LA BRUYÈRE, les Caractères, IX, 37.

28 (...) il faisait son unique étude d'aller au-devant de tout ce que je paraissais souhaiter. A. R. LESAGE, le Diable boiteux, XIII, p. 119.

Loc. adv. **AU-DEVANT** : à la rencontre. *Le voilà qui arrive, je vais au-devant.*

♦ **3.** Objet qui se met devant un autre, sur le devant de qqch. *Un devant de radiateur.* — *Un devant-de-feu :* un écran de cheminée. Spécialt. *Les devants d'un veston,* les deux parties du devant.

29 Vous savez bien, Monsieur, qu'un des devants de mon pourpoint est couvert d'une grande tache de l'huile de la lampe. MOLIÈRE, l'Avare, III, 1.

CONTR. Derrière; après, arrière (à l'arrière), dernier (en dernier), queue (en queue), suite (à la suite). — Arrière, derrière, dos.
DÉR. Devancer, devantier ou devanteau, devantière, devanture.
HOM. 1. Devant, devant (p. prés. de devoir).

DEVANTIER [d(ə)vãtje] ou DEVANTEAU [d(ə)vãto] n. m. —
Fin xivᵉ, *devantier; devanteau,* 1508; *devantel,* v. 1330; aussi *devantière;* de *devant* (du corps humain).

♦ **1.** Régional. Tablier (de femme).

1 (...) elle porte un devantier de moire bleue, et, débordant sur ses épaules, une collerette blanche à mille plis qui se tient rigide comme une fraise du XVIᵉ siècle. LOTI, Mon frère Yves, XLVII, p. 117.

2 Elle montra les œufs dans le creux de son devantier. M. AYMÉ, la Vouivre, p. 95.

3 Puis ce sont des buffleteries, des fourragères, des épaulettes, des devantiers, des cuirasses qu'il se pend et qu'il se plaque partout. J. GIONO, Un roi sans divertissement, p. 36.

Var. dial. : *devantiau.*

4 (...) elle courait jusque chez Marin dans sa jupe légère, son devantiau noir, et son corselet étranglé. Edmonde CHARLES-ROUX, l'Irrégulière ou Mon itinéraire Chanel, p. 53.

♦ **2.** Vx. Tablier, panneau de cuir protégeant les jambes du cocher d'une voiture.

DEVANTIÈRE [d(ə)vãtjɛʀ] n. f. — v. 1610; → Devantier.

♦ Anciennt. Longue jupe de femme fendue devant et derrière, pour monter à cheval.

DEVANTURE [d(ə)vãtyʀ] n. f. — xiiiᵉ, «facade d'une maison»; de *devant.*

♦ **1.** (1811). Façade*, revêtement spécial du devant d'une boutique. *Une devanture en bois, en marbre, en glaces, en céramique. Faire repeindre, refaire la devanture d'un magasin. Défense d'appuyer des bicyclettes contre la devanture. Une devanture de perruquier* (cit. 3).

(1859). Par ext. Étalage des marchandises, soit à la vitrine, soit dehors. ⇒ **Étalage, vitrine.** *Cet objet est exposé à la devanture. Devanture éclairée par une rampe. Regarder les devantures des magasins. Marchandises en devanture.* ⇒ **Montre** (en).

1 Aux devantures, sont pendus des burnous et des robes, des harnais et des têtières de perles pour chameaux (...) LOTI, Jérusalem, III, p. 23.

2 On n'est pas un gamin qui quête aux devantures des librairies des cartes postales libertines. J. ROMAINS, les Hommes de bonne volonté, t. V, VII, p. 62.

Par métaphore (fam. et vieilli). Apparence extérieure, visage.

♦ **2.** Techn. ⇒ 2. **Devant** (3.). *Une devanture de cheminée, de puits.*

(1694). Au plur. Raccord de plâtre qui fait la liaison entre le pied d'une cheminée et le revêtement du toit.

♦ **3.** En franç. d'Afrique. Partie (d'un bâtiment) s'ouvrant sur la rue. ⇒ **Façade, seuil.**

DÉVASTATEUR, TRICE [devastatœʀ, tʀis] n. et adj. — 1502; rare jusqu'au xviiiᵉ; lat. *devastator,* du supin de *devastare.* → Dévaster.

♦ **1.** Rare. Personne qui dévaste*. ⇒ **Destructeur.**

1 Et, courbant ses drapeaux devant l'arche de Dieu,
Dévastateur du monde *(Cyrus)* enrichit le saint lieu. Alexandre GUIRAUD, les Macchabées, II, 6.

♦ **2.** Adj. (Littér.). Qui dévaste, détruit tout sur son passage. *Torrent dévastateur. La dent dévastatrice des bestiaux. Force dévastatrice. Maladie dévastatrice. Guerre, entreprise dévastatrice.* — Fig. *Colère, passion dévastatrice.*

2 J'imaginais l'amour comme quelque chose de volcanique ; du moins celui que j'étais né pour éprouver. Oui, vraiment, je croyais ne pouvoir aimer que d'une manière sauvage, dévastatrice, à la Byron. GIDE, les Faux-monnayeurs, II, IV, p. 252.

DÉVASTATION [devastasjõ] n. f. — xivᵉ, rare av. 1690; lat. *devastatio,* du supin de *devastare.* → Dévaster.

♦ **1.** Action de dévaster* (⇒ **Destruction, massacre, pillage, ravage**); son résultat (⇒ **Dégât, désolation, ruine**). *La dévastation d'un pays par ses occupants. Dévastations causées par les inondations* (→ Abattre, cit. 22; carnage, cit. 6). *Les dévastations de la guerre. Scène, spectacle de dévastation. Commettre, subir, entraîner des dévastations. De terribles, d'irréparables dévastations.*

1 Depuis la dévastation de l'Amérique, les Espagnols, qui ont pris la place de ses anciens habitants, n'ont pu la repeupler; au contraire (...) les destructeurs se détruisent eux-mêmes, et se consument tous les jours. MONTESQUIEU, Lettres persanes, 122.

2 Comment la lave (...) se répand comme un déluge de feu, portant partout la dévastation et la mort. BUFFON, Hist. nat. des minéraux, t. III, p. 69.

3 Quand vint l'aurore, Sigognac fut plus frappé qu'il ne l'avait été la veille de l'état de dévastation où se trouvait son manoir. Le jour n'a pas de compassion pour les ruines et les vieilleries ; il en montre cruellement les pauvretés, les rides, les taches, les décolorations, les poussières, les moisissures (...) Th. GAUTIER, le Capitaine Fracasse, t. II, XIX, p. 289.

♦ 2. Fig. et littér. *La dévastation d'un visage, des traits ; d'un être, d'une conscience.*

DÉVASTER [devaste] v. tr. — 1499 ; *devastar*, xᵉ ; rare jusqu'au xviiiᵉ ; lat. *devastare* «piller, ravager», de *de-*, et *vastare* «rendre désert, ruiner», de *vastus* «vide» et «ravagé».

♦ 1. Ruiner en détruisant systématiquement. ⇒ **Dépouiller, désoler, détruire, piller, raser, ravager.** *Les barbares dévastaient les pays qu'ils envahissaient. Dévaster les campagnes, les églises. Les cultures ont été dévastées par la grêle, par les eaux.* ⇒ **Emporter, inonder** (→ Déluge, cit. 4). *Les guerres ont dévasté cette région.*

1 Les Normands ravageaient le royaume : ils venaient sur des espèces de radeaux ou de petits bâtiments, entraient par l'embouchure des rivières, les remontaient, et dévastaient le pays des deux côtés.   MONTESQUIEU, l'Esprit des lois, XXXI, 32.

♦ 2. (1802). Fig. ⇒ **Affaiblir** (cit. 3), **ruiner.**

2 (...) l'amour passionné dévaste les âmes où il règne.
                    CHATEAUBRIAND, le Génie du christianisme, II, 32, *in* LITTRÉ.

3 L'esprit peut subir des invasions. L'âme a ses vandales, les mauvaises pensées, qui viennent dévaster notre vertu.   HUGO, l'Homme qui rit, II, IV, 1.

▶ DÉVASTÉ, ÉE p. p. adj. ⇒ **Désert, nu.** *Pays en ruine, dévasté par la guerre. Terres dévastées par la lave.*

4 On vit une terre toute piétinée *(le champ de bataille de la Moskova),* nue, dévastée, tous les arbres coupés à quelques pieds du sol, et plus loin des mamelons écrêtés.   Ph. P. SÉGUR, Hist. de Napoléon, IX, 17.

4.1 (...) Pencroff (...) ne voulait pas voir sous son aspect nouveau l'île si profondément dévastée.   J. VERNE, l'Île mystérieuse, t. II, p. 855.
Fig. et littér. Vieillard dévasté par l'âge. ⇒ **Usé.** *Traits dévastés. Tempes dévastées,* dégarnies de cheveux.

5 Un gentilhomme français, vieilli plutôt que vieux, usé, dévasté, ruiné, triste épave du monde parisien (...)   Alphonse DAUDET, *in* LITTRÉ, Suppl.
Âme dévastée par les épreuves, le malheur. Âme dévastée par le vice. ⇒ **Ravagé, ruiné.**

CONTR. Protéger, respecter. — Florissant. Affermi.

DÉVEINARD [devɛnaʀ] n. m. — 1874 ; de *déveine.* → Veinard.

♦ Fam. et vx. Celui qui a de la déveine, qui joue de malchance. *Quel déveinard !*

Il rencontrait toujours sur le boulevard un vieux camarade, un déveinard comme lui (...)   Alphonse DAUDET, Fromont jeune et Risler aîné, p. 25.

CONTR. Chanceux, veinard.

DÉVEINE [devɛn] n. f. — 1854 ; de 1. *dé-*, et *veine.*

♦ 1. Suite de coups défavorables au jeu. *Subir la déveine. Être en déveine. Jour de déveine.*

♦ 2. Fam. Malchance. ⇒ **Guigne, poisse.** *Être dans la déveine, en déveine. Quelle déveine ! Il a eu la déveine d'arriver un peu trop tard. Avoir la déveine, de la déveine.*

1 (...) lorsque l'affreuse soif des nuits de déveine colle la langue des joueurs (...)   Laurent TAILHADE, le Paillasson, III, p. 35.

2 Sapristi ! s'écria le malheureux inventeur, ma barricade est fermée !... et voilà les séides de la tyrannie qui arrivent... pas moyen d'entrer ! Sapristi de sapristi ! (...) quelle déveine, gémissait le pauvre Barbirot, on va me retirer ma médaille !
                    A. ROBIDA, le Vingtième Siècle, p. 292.

DÉR. Déveinard.

DÉVELOPPABLE [devlɔpabl] adj. — 1799 ; de *développer.*

♦ Qui peut être développé.

(...) on veut des énigmes claires, j'entends développables, c'est-à-dire mathématiciennes, enfin difficiles seulement par notre paresse.   ALAIN, Propos, Pl., p. 742.
Géom. *Surface développable,* qui peut être projetée sur un plan.

CONTR. Indéveloppable.

DÉVELOPPANTE [devlɔpɑ̃t] n. f. — 1675, Huyghens ; p. prés. fém. de *développer.*

♦ Géom. *Développante d'une courbe :* courbe qui admet cette courbe comme développée. *La développante d'un cercle.*

DÉVELOPPATEUR [devlɔpatœʀ] n. m. — 1889, *in* D.D.L. ; de *développer.*

♦ Photogr. Produit utilisé pour le développement photographique. *L'hydroquinone est un développateur pour clichés durs* (⇒ aussi **Révélateur**).

J'ai pu résoudre ce problème en opérant avec les substances sensibles, les développateurs et les fixatifs courants en photographie (...)
                    L. FIGUIER, l'Année scientifique et industrielle, 1892, p. 81 (1891).

DÉVELOPPÉ [devlɔpe] n. m. — Fin XIXᵉ ; p. p. substantivé de *développer.*

♦ 1. Chorégr. «Mouvement d'une jambe repliée qui se développe dans diverses élévations et directions» (M. Bourgat, *Technique de la danse*).

♦ 2. (1894, *in* Petiot). Sports. Mouvement par lequel l'athlète soulève, après l'épaulé*, l'haltère qu'il doit tenir à bout de bras.
Les mouvements les plus courants sont : (...)
Le développé à deux bras (porter le poids à hauteur des épaules puis le lever lentement à bout de bras).
                    Jean DAUVEN, Technique du sport, Les poids et haltères, p. 70.

HOM. Développée, développer.

DÉVELOPPÉE [devlɔpe] n. f. — 1675, Huyghens ; de *développer.*

♦ Math. Enveloppe des normales à une courbe.

HOM. Développé, développer.

DÉVELOPPEMENT [devlɔpmɑ̃] n. m. — Fin XIVᵉ, *desvelopemens,* répandu XVIIᵉ-XVIIIᵉ ; de *développer.*

A. (Spatial). **♦ 1.** Rare ou sc. Action de donner toute son étendue à (qqch.). ⇒ **Déployer, dérouler.** *Le développement d'une pièce d'étoffe, d'un écheveau.* ⇒ **Déroulement.**

Spécialt. *Le développement d'une armée.* ⇒ **Déploiement.**

(1694). Géom. Extension, sur un plan, de la surface d'un corps solide. ⇒ **Projection.** *Le développement d'un cube.* — *Développement d'une courbe.* — Math. *Développement d'une expression algébrique. Développement d'une fonction en série.*

♦ 2. (1886, *in* Petiot). Cour. Distance développée par un tour complet des pédales d'une bicyclette. *Braquet* donnant un développement de 7 m.* — (1859, *in* Petiot). Escr. Forme courante de l'attaque, constituée du déploiement du bras, suivi de la fente*.

♦ 3. (1890). Action de développer une pellicule photographique. *Développement et tirage. Révélateur utilisé pour le développement. Développement d'un cliché, d'une pellicule.*

B. (Temporel). **♦ 1.** (1755). Action de se développer (organisme ; organe) ; évolution de ce qui se développe. *Le développement d'un organisme, d'un organe.* ⇒ **Croissance.** *Le développement d'un germe, d'une graine.* ⇒ **Germination, naissance.** *Développement des pousses, des bourgeons, d'une tige.* ⇒ **Pousse.** *L'embryologie étudie le développement des embryons. Développement physique. Les phases, les stades du développement. Troubles du développement. Arrêt du développement. Développement précoce, tardif. Qui a terminé son développement.* ⇒ **Adulte.** *État de développement complet.* ⇒ **Épanouissement, maturité.**
Le développement des espèces. ⇒ **Évolution, transformation.**

Par anal. *Le développement des facultés mentales.* ⇒ **Enrichissement, épanouissement** (→ Accroissement, cit. 2). *Le développement de l'intelligence, de l'esprit par la culture, l'éducation.* ⇒ **Formation.**

♦ 2. Fait de prendre de l'extension, de progresser. ⇒ **Progression ; extension.** *Le développement d'une maladie.* ⇒ **Cours, évolution.** *Le développement des sciences.* ⇒ **Progrès.** *Le développement d'une ville.* ⇒ **Agrandissement.** *Le développement d'un champ de recherches.* ⇒ **Élargissement.** — *Le développement du commerce, de l'industrie.* ⇒ **Accroissement, augmentation.** *Le développement d'une affaire, d'une entreprise.* ⇒ **Essor, extension.** *Affaire prospère, en plein développement. Le développement d'une civilisation.* ⇒ **Évolution.** — *Le développement du corps, des muscles. Arriver à son plein, à son entier développement, à tout son développement. «Les premiers développements de l'enfance»* → ci-dessous, cit. 2.

1 L'idée darwinienne d'une adaptation s'effectuant par l'élimination automatique des inadaptés (...) a déjà bien de la peine à rendre compte du développement progressif et rectiligne d'appareils complexes (...)   H. BERGSON, l'Évolution créatrice, p. 56.

2 Les premiers développements de l'enfance se font presque tous à la fois. L'enfant apprend à parler, à manger, à marcher à peu près dans le même temps. C'est ici proprement la première époque de sa vie.   ROUSSEAU, Émile, I.

3 Je ne veux plus comprendre une morale qui ne permette et n'enseigne pas le plus grand, le plus beau, le plus libre emploi et développement de nos forces.   GIDE, Journal, Neuchâtel, oct. 1894.

4 Elle *(la Vénus de Cnide)* résume la forme de toutes les Vénus antiques dont elle a fixé le type qui résulte d'une harmonieuse répartition de la graisse combinée avec un beau développement des muscles.   Paul RICHER, Nouvelle Anatomie artistique du corps humain, t. V, p. 271.

5 L'un des traits caractéristiques du développement de l'Homme, c'est la lenteur.   Jean ROSTAND, l'Homme, II, p. 36.

6 Elle n'a pas quarante-huit heures à vivre (...) En mon absence, le mal est arrivé à tout son développement (...)   BALZAC, le Curé de village, Pl., t. VIII, p. 753.

7 Le but du monde est le développement de l'esprit, et la première condition du développement de l'esprit, c'est sa liberté.   RENAN, Souvenirs d'enfance..., Préface, p. 15.

8 C'est que la sensualité est la condition mystérieuse, mais nécessaire et créatrice, du développement intellectuel.   Pierre LOUŸS, Aphrodite, Préface, p. 9.

9 (...) le développement de l'humanité ressemble à celui de l'individu, qui a une enfance, une jeunesse, une virilité, une vieillesse.   RENAN, Dialogues et fragments philosophiques, p. 64.

Loc. *Pays, région en voie de développement, en développement* (forme utilisée par l'O. N. U.), dont l'économie n'a pas atteint le niveau de l'Amérique du Nord, de l'Europe occidentale, etc. (euphémisme créé pour remplacer *sous-développé**). → 1. Pays, cit. 6.1.

9.1 ... (ce qui n'empêche en rien le recours aux pays « en voie de développement » comme sources de main-d'œuvre et de matières premières, comme lieux d'investissement, mais ce n'est plus la préoccupation dominante).
Henri LEFEBVRE, la Vie quotidienne dans le monde moderne, p. 113-114.

Le développement d'un parti politique, d'une religion, d'un mouvement. ⇒ **Extension, propagation, rayonnement.**
Le développement d'un système, d'une doctrine. Développement logique d'un raisonnement. ⇒ **Déduction.**
Façon dont qqch. est développé. *Développement exagéré, excessif.* ⇒ **Gigantisme, hypergénèse, hypertrophie.** *Développement insuffisant* (hypotonie, nanisme...). — *Il veut donner à son entreprise un développement considérable.* ⇒ **Ampleur, extension.**

♦ **3.** Façon dont se déroule (qqch.). *Le développement d'un procès. Le développement d'un projet* (→ Exécution : projet en voie d'exécution). *Le développement d'une situation, d'une intrigue, d'une action dramatique.* ⇒ **Action, déroulement, enchaînement, marche.**
Au plur. ⇒ **Prolongement, suite.** *Les développements d'une affaire.*

♦ **4.** (Av. 1842). Exposition détaillée (d'un sujet). ⇒ **Exposé ; détail.** *Un long développement.* ⇒ **Tirade.** *Ajouter quelques développements superflus.* ⇒ **Amplification, longueur.** *Développements rhétoriques.* ⇒ **Broderie, embellissement, ornement.**

10 (...) j'ai découvert cette vérité que je crois capitale : que la tragédie est le développement d'une action et la comédie d'un caractère.   STENDHAL, Journal, p. 50.

11 Avant de répondre, Michels tâta du regard l'assemblée puis il se lança dans un long développement avec toutes sortes de distinguos et de détours, et une grande abondance de gestes.
J. ROMAINS, les Hommes de bonne volonté, t. IV, XVI, p. 180.

Développement d'un thème musical. Exposition et développement.

♦ **5.** (De l'angl. des États-Unis *development* « mise au point »). Amér. Phase de la fabrication (d'un produit, d'un matériel) qui suit sa conception et qui se termine à la réalisation des têtes de série. *Étude et développement d'un matériel d'armement.*

CONTR. Enveloppement ; enroulement, entassement, groupement, regroupement, repliement. — Amaigrissement, appauvrissement, chute, déclin, décrépitude, décroissance, diminution, maigreur, nanisme, raccourcissement, ralentissement, régression, restriction, rétrécissement, sclérose, stagnation.
COMP. Sous-développement, surdéveloppement.

DÉVELOPPER [devlɔpe] v. tr. — V. 1170, *desvoloper* ; de *des-* (→ 1. Dé-), et anc. franç. *voloper,* du bas lat. *faluppa* « balle de blé », avec infl. de *volvere* « tourner », et de *envelopper.*

A. (Spatial). ♦ **1.** Rare. Enlever ce qui enveloppe (qqch.). ⇒ **Défaire, dégager, désenvelopper.** *Développer un paquet.* — Figuré :

1 Mon âme, en toute occasion,
Développe le vrai caché sous l'apparence.   LA FONTAINE, Fables, VII, 18.

♦ **2.** (Fin XIIᵉ, desvoler). Rare. Étendre, défaire (ce qui est plié, enroulé). ⇒ **Déplier, déployer, étaler.** *Développer un coupon de tissu. Développer un écheveau de laine.*
Donner toute son étendue à. *Armée qui développe ses ailes sur le champ de bataille.* ⇒ **Déployer, étendre.**

2 Il voit deux légions nouvelles
Qui, pour l'environner, développent leurs ailes.
SAURIN, Spartacus, V, 9, in LITTRÉ.

Par métaphore. *Développer le fil d'un complot.*

3 (Il) Sut de leur noir complot développer le fil (...)   RACINE, Esther, II, 3.

Spécialt **a** (1694). Géom. Représenter sur un plan les diverses faces de (un solide). ⇒ **Projeter.** — (1754). Math. ; alg. *Développer une fonction, une série :* trouver les différents termes qu'elle renferme. *Développer une expression algébrique :* effectuer les opérations indiquées. — Chim. *Développer une formule.* → Moléculaire, cit. 1.

b (1892). *Vélo qui développe 7 mètres,* qui parcourt une distance de 7 mètres lorsque les pédales font un tour complet (⇒ **Braquet, développement**).

c (1865, *faire développer l'image*). Photogr. et cour. *Développer un cliché, une pellicule :* faire apparaître les images fixées sur la pellicule, au moyen de procédés chimiques. *Donner une pellicule à développer. Développer à l'aide d'un révélateur. Développer et tirer un cliché.*

B. (Temporel). ♦ **1.** Cour. Faire croître ; donner de l'ampleur à (qqch.). ⇒ **Accroître, agrandir, allonger, amplifier, augmenter, élargir, étendre, grossir.** *Développer le corps par des exercices physiques.* ⇒ **Exercer.**

4 Une nourriture saine et abondante développait rapidement les corps de ces deux jeunes gens (...)   BERNARDIN DE SAINT-PIERRE, Paul et Virginie, p. 27.

♦ **2.** Faire prendre de l'extension à. *Développer l'intelligence d'un enfant. Développer la finesse de l'esprit par l'éducation.* ⇒ **Aiguiser, cultiver, éduquer, former.** *Développer sa culture, son savoir, ses connaissances.* ⇒ **Enrichir.** *Développer ses qualités, ses dispositions naturelles, sa personnalité.*

(...) qui veut être heureux et développer son génie, doit, avant tout, bien choisir l'atmosphère dont il s'entoure immédiatement.   Mᵐᵉ DE STAËL, Corinne, XIV, 1.   5

Chaque art développe en nous quelques qualités nouvelles.
MICHELET, la Femme, p. 143.   6

La vie des groupes, abandonnée à elle-même, développait peut-être, en effet, cette tendance oligarchique.
J. ROMAINS, les Hommes de bonne volonté, t. IV, XVI, p. 177.   7

Développer ses affaires, leur donner de l'extension. ⇒ **Agrandir.** *Développer l'économie d'un pays, ses ressources en énergie* (⇒ **Développement,** et ci-dessous, le participe passé).
Littér. ⇒ **Répandre.** *Développer un parfum.*

Elle porte un peignoir très fleuri, et très échancré. C'est elle, ce soir, qui développe des parfums.   J. ROMAINS, les Hommes de bonne volonté, t. II, X, p. 103.   8

♦ **3.** (XIVᵉ, desvoluper). Exposer en détail, étendre en donnant plus de détails. ⇒ **Éclaircir, expliquer, exposer, traiter ; développement** (4.). *Développer son sujet. Développer un argument, un plan, un chapitre. Développer sa pensée. Développer plus au long, tout au long. Développer les caractères dans une pièce de théâtre. Développer une anecdote.* ⇒ **Amplifier, broder, embellir, enrichir, exagérer, outrer.** *Développer un thème musical.*

Ils (les anciens) nous laissent beaucoup d'obscurités dans leurs poèmes, qu'il n'y a que les maîtres de l'art qui puissent développer.
CORNEILLE, Disc. des trois unités.   9

Notre ami, savez-vous un thème que vous devriez développer, et qui donnerait bien la page la plus « harem » de tout le livre ?
LOTI, les Désenchantées, IV, XXVI, p. 162.   10

Rarement Pascal développe le tableau. Il suggère plus qu'il ne peint, et jamais il ne décrit.   Gustave LANSON, l'Art de la prose, p. 84.   11

Plus tard, il constata que des romanciers avaient développé cette fable, en la rendant encore plus séduisante.   P. MAC ORLAN, la Bandera, VII, p. 83.   12

♦ **4.** Faire preuve de (une possibilité) ; faire usage de (une aptitude). ⇒ **Déployer, manifester, montrer, produire.** *Développer toute son adresse, toutes les ressources de son talent pour convaincre qqn.*

(...) son dédain pour la philosophie perçait à chaque mot ; c'était un perpétuel sarcasme, où il développait une sorte de talent âpre.
RENAN, Souvenirs d'enfance..., IV, II, p. 173.   13

▶ **SE DÉVELOPPER** v. pron.

A. (Spatial). ♦ **1.** Se déployer. *Armée qui se développe en ordre de bataille.*

Les jeunes filles, enfermées dans le logis, s'étaient ménagé aux fenêtres de petites fentes, par lesquelles elles les virent arriver et se développer en ordre de bataille.   G. SAND, la Mare au diable, Appendice II, p. 153.   14

Alors les ailes carthaginoises se développèrent pour les saisir ; les éléphants les suivaient.   FLAUBERT, Salammbô, VIII, p. 172.   15

Fig. Se manifester complètement.

(...) digérez cet ouvrage : c'est la peinture de son esprit ; son âme tout(e) entière s'y développe.   LA BRUYÈRE, Disc. de réception à l'Académie.   16

♦ **2.** Se dérouler dans toute son étendue. *Les méandres du fleuve se développent dans la plaine.*

B. (Temporel). ♦ **1.** Suivre son cours dans le temps en s'amplifiant. *Les conséquences de votre attitude se développent naturellement. Intrigue qui se développe. Raisonnement qui se développe logiquement.* ⇒ **Découler, déduire** (se).

(...) quand l'expérimentateur déduira des rapports simples de phénomènes précis et d'après des principes connus et établis, le raisonnement se développera d'une façon certaine et nécessaire (...)
Cl. BERNARD, Introduction à la médecine expérimentale, I, II, p. 87.   17

♦ **2.** (Êtres vivants ; à la fois temporel et spatial). Croître, s'épanouir. ⇒ **Accroître** (s'), **augmenter** (de), **fleurir, fructifier, grandir, multiplier** (se), **progresser, prospérer ; chemin** (infra cit. 37 : faire du chemin). *Commencer à se développer.* ⇒ **Germer, naître.** *Se développer à l'excès.* ⇒ **Hypertrophier** (s'). *Plante qui se développe* (→ Atrophier, cit. 3 ; bouton, cit. 1).

(...) je ne pus m'empêcher d'admirer la vigueur magnifique de la nature et l'irrésistible force qui pousse tout germe à se développer dans la vie.
FRANCE, le Crime de S. Bonnard, Œ., t. II, p. 348.   18

Le corps se développe jusqu'à la fin de l'adolescence. Jeune fille qui s'est développée de bonne heure. ⇒ **Former** (se).

(...) madame de la Tour, voyant sa fille se développer avec tant de charmes, sentait augmenter son inquiétude avec sa tendresse.
BERNARDIN DE SAINT-PIERRE, Paul et Virginie, p. 28.   19

(...) un coup d'œil sur Gise le rassura : c'était une plante saine qui se développerait n'importe où, échapperait à toutes les tutelles.
MARTIN DU GARD, les Thibault, t. I, p. 255.   20

Mais cette enfant muette, farouche, qui se protégeait instinctivement avec son épaule, se développa d'un coup, comme le rosier des fakirs.
COCTEAU, Thomas l'imposteur, p. 14.   21

♦ **3.** S'amplifier dans le temps. *Son esprit s'est rapidement développé. L'intelligence se développe par la culture de l'esprit. Facultés, talents qui se développent* (→ Contrepoids, cit. 5 ; dégénérer, cit. 12). *Émotion amoureuse qui se développe en passion.* ⇒ **Devenir ; changer.**

Une certaine tempérance morale est nécessaire pour que certains talents se développent ; si elle manque, ils avortent.
TAINE, Philosophie de l'art, t. I, I, II, II, p. 55.   22

Cette sérénité sublime que demande l'œuvre d'art pour germer, pour se développer et s'épanouir (...)   G. DUHAMEL, Scènes de la vie future, VII, p. 113.   23

24 Depuis six jours, sans qu'il en eût fait l'objet d'une rêverie organisée, se développait en lui une représentation de plus en plus animée et hallucinante de la police.
J. ROMAINS, les Hommes de bonne volonté, t. II, XII, p. 129.

Prendre de l'extension, de l'importance. *L'affaire s'est développée grâce à une augmentation de capital.*

Argots qui se développent dans certains milieux. ⇒ **Diffuser, irradier, propager** (se), **rayonner, répandre** (se).

▶ **DÉVELOPPÉ, ÉE** p. p. adj. *Fonction développée.* ⇒ **Développée.** *Cliché développé.* — *Intelligence, qualité développée.* — *Économie développée, plus ou moins développée* (⇒ **Sous-développé**).

Spécialt. *Corps (bien) développé.* ⇒ **Ample, découplé, épanoui, formé, fort, grand, mûr.** *Cet enfant est très développé pour son âge. Poitrine très développée.* ⇒ **Gros.**

CONTR. Envelopper ; enrouler, mêler, plier, replier ; grouper, regrouper ; cacher, dissimuler, taire ; abréger, diminuer, écourter, élaguer, raccourcir, rapetisser, restreindre, rétrécir ; amaigrir, appauvrir, scléroser. — Résumer, schématiser, simplifier.
DÉR. Développable, développante, développateur, développé (n. m.), développée.
COMP. Sous-développé, surdéveloppé.

DÉVELOUTER [deveIute] v. tr. — 1884 ; 1876, p. p. ; de 1. *dé-*, et *velouter.*

♦ Rare. Ôter son aspect velouté à. — Pron. *Ses joues perdaient leur rondeur et se déveloutaient* (J. Green, *le Malfaiteur, in* T. L. F.). (Surtout au p. p.). *Une peau déveloutée.*
Figuré :
Si différents qu'ils soient les uns des autres, presque tous ceux qui ont subi cette formation de Normale ont un je ne sais quoi de sec, de brillant, de « dévelouté ».
F. MAURIAC, Bloc-notes 1952-1957, p. 24.

1. DEVENIR [devniR ; d(e)veniR] v. intr. — Conjug. *venir.* — Fin Xe ; lat. *devenire* « arriver », bas lat. « devenir », de *de-*, et *venire* « venir ».

A. Verbe d'état s'employant avec un attribut.

♦ **1.** Passer d'un état à (un autre), commencer à être (ce que le sujet n'était pas). → Changer, évoluer, se transformer. *Devenir plus important, plus grand* (⇒ **Augmenter**), *plus petit* (⇒ **Diminuer**). *Faire devenir...* ⇒ **Rendre.** — (Sujet n. de personne). *Devenir grand, plus grand, plus gros* (grandir, grossir). *Devenir petit, plus petit* (rapetisser). *Devenir vieux* (⇒ **Vieillir**). *Devenir riche, pauvre. Il est devenu sage, honnête, bon. Il est devenu fou. Vous allez me faire devenir fou ! Devenir socialiste, communiste. Devenir catholique :* se convertir* au catholicisme. *Il deviendra difficilement, fatalement célèbre. Devenir plus malade, le devenir davantage.* → ci-dessous, cit. 5. — (Sujet n. de chose). *L'entreprise devient prospère. La situation devenait difficile, précaire. Le temps devient froid.* ⇒ **Tourner** (au froid). — (Impersonnel). *Il devient très bien porté, très à la mode de... Il devient difficile d'y croire. Il devenait évident, patent qu'il mentait. Il devient de plus en plus certain, évident que...* — Spécialt. *Devenir général, ministre, professeur, médecin, plombier. On ne naît pas poète, on le devient. Il a l'impression d'être devenu un autre. Elle est devenue sa femme. Il est devenu mon ami.* — Se changer, se transformer. *Le têtard deviendra une grenouille. Les media deviennent un instrument de propagande. La citrouille devint un carrosse. Devenir une source de désagrément, un sujet de dérision.*

1 Petit poisson deviendra grand,
Pourvu que Dieu lui prête vie (...)   LA FONTAINE, Fables, V, 3.
2 L'union de deux choses sans changement ne fait point qu'on puisse dire que l'une devient l'autre : ainsi l'âme étant unie au corps, le feu au bois, sans changement ; mais il faut changement qui fasse que la forme de l'une devienne la forme de l'autre, ainsi l'union du Verbe à l'homme.   PASCAL, Pensées, VII, 512.
3 (...) je me croyais Grec ou Romain ; je devenais le personnage dont je lisais la vie (...)   ROUSSEAU, les Confessions, I.
4 Je changeais à mon gré de nature : j'étais capable de revêtir les figures les plus étranges et les plus extraordinaires, de devenir, par enchantement, roi, dragon, diable, fée (...)   FRANCE, le Petit Pierre, VIII, p. 45.
5 Elle le croyait malade et craignait qu'il ne devînt davantage.
FRANCE, le Crime de S. Bonnard, Œ., t. II, p. 385.
6 (...) un sourire qui pour un rien devenait du rire vraiment (...)
GIDE, Si le grain ne meurt, I, I, p. 31.
7 Ainsi, dans les rêves,
On voit une personne en devenir une autre,
Sans le moindre étonnement.
COCTEAU, Disc. du grand sommeil, « Délivrance des âmes ».

Fam. *C'est devenu un beau gars, un beau brin de fille.*
Loc. fam. Vx. *Devenir à rien* se réduire considérablement. Fig. *Cet enfant devient à rien.* ⇒ **Maigrir.**

8 — (...) Sous ses heureuses mains le cuivre devient or.
— Et l'or devient à rien.   J.-F. REGNARD, le Joueur, III, 6.

REM. 1. Lorsque le sujet désigne une chose, dans quelques syntagmes usuels, le déterminant du compl. nominal est un nom non exprimé. *Devenir un objet, l'objet, un sujet, le sujet, devenir objet, sujet de... « Ce devoir devient principe d'action, source d'énergie »* (Amiel, *in* T. L. F.).

2. Comme le verbe *être, devenir* peut introduire des substantifs en valeur adjectivale, alors même que le sujet et le complément n'appartiennent pas à la même catégorie sémantique (comme dans : *le bébé*

est devenu homme ; elle est devenue avocat ou *avocate*, etc.) : *« Un grès clair devenu couleur d'ambre »* (T'Serstevens). *« M. Lechevallier est devenu tout miel »* (Gide, Ex., *in* T. L. F.).

♦ **2.** Être dans un état, avoir un sort, un résultat particulier (dans les phrases interrogatives ou dubitatives). *Qu'allons-nous devenir ? J'ignore ce que tout ceci deviendra.* ⇒ **Donner, être.** *Que deviendra sa fortune après sa mort ? Que sont devenues vos belles résolutions ?* — *Que voulez-vous devenir ?*, quelle carrière voulez-vous suivre ?

9 Dites-nous donc quelle résolution vous prenez, me répondit le ministre ; que voulez-vous devenir ?   MARIVAUX, la Vie de Marianne, VIIe partie.
10 Si l'on pouvait recouvrer l'intransigeance de la jeunesse, ce dont on s'indignerait le plus, c'est de ce qu'on est devenu.
GIDE, les Faux-monnayeurs, 1re partie, XVIII, p. 213.
11 Que deviendrais-je sans le rire ? Il me purge de mes dégoûts. Il m'aère.
COCTEAU, la Difficulté d'être, p. 186.

Qu'est devenue cette personne ?, où est-elle ? que fait-elle ? *Qu'est devenu votre ami depuis qu'il a quitté la France ? Qu'étiez-vous donc devenu ? Nous vous cherchions depuis une heure. Qu'est devenu mon chapeau ?*, où est-il passé ? — Fam. *Que devenez-vous ? Qu'est-ce que vous devenez ?*, se dit pour demander des nouvelles d'une personne qu'on n'a pas vue depuis quelque temps.

12 Qu'est-ce que vous êtes donc devenu depuis l'autre jour ?
MARTIN DU GARD, Jean Barois, II, La tourmente, IV, p. 298.
12.1 Alain Guimiez... Voyons... il y a bien longtemps que je l'ai perdu de vue. Qu'est-il devenu, au fait ?   N. SARRAUTE, le Planétarium, p. 166.

(Exprimant l'inquiétude). *Qu'est-ce que nous allons devenir ?*
Ne savoir que devenir : ne savoir que faire, et, par ext., ne pas être à son aise.

13 (...) j'ai oublié ma tabatière ; il y a une demi-heure que je ne sais que devenir.
MARIVAUX, le Paysan parvenu, IV, p. 203.

♦ **3.** *Se devenir.* Pron. Rare. Devenir soi-même.
13.1 L'artiste au même titre que le penseur s'engage et se devient dans son œuvre.
CAMUS, le Mythe de Sisyphe, *in* Essais, Pl., p. 175.

B. V. intr. (1864). Didact. ou littér. Changer, évoluer.
14 À la conception antique qui opposait l'être et le devenir, le christianisme a substitué celle qui les unit. Nous sommes et nous devenons. Nous sommes parce que nous devenons. En un certain sens, on peut dire qu'on ne devient que ce qu'on est (parce que sur le plan de la terre, on ne peut jamais que révéler lentement une image éternelle) ; mais, bien plus profondément, on n'est que ce qu'on devient.
DANIEL-ROPS, Ce qui meurt..., VI, p. 243.

C. (V. 1282). Régional (Centre, Ouest, Canada). Venir, revenir.
14.1 « Comment expliquez-vous que personne ne fasse la gelée aussi bien que vous ? » (...) « Je ne sais pas d'où ça devient », répondit Françoise (qui n'établissait pas une démarcation bien nette entre le verbe venir, au moins dans certaines acceptions, et le verbe devenir).
PROUST, À l'ombre des jeunes filles en fleurs, Pl., t. I, p. 485.

CONTR. Demeurer, rester, subsister. — Être.

2. DEVENIR [devniR ; d(e)v(e)niR] n. m. — 1839, Michelet *in* T. L. F. ; infinitif substantivé, du verbe 1. *devenir.*

♦ Passage d'un état à un autre ; suite des changements. ⇒ **Changement.** *Philosophie du devenir.* ⇒ **Dynamisme.** *Le devenir du monde.* ⇒ **Futur.** *Processus du devenir. Avoir un devenir.* — *En devenir. La conscience est en devenir.* ⇒ **Évolution, mouvement.**

15 L'intuition du devenir, dans l'histoire comme dans la nature, était dès lors l'essence de ma philosophie.   RENAN, Souvenirs d'enfance..., V, II, p. 207.
16 Le devenir est infiniment varié. Celui qui va du jaune au vert ne ressemble pas à celui qui va du vert au bleu : ce sont des mouvements qualitatifs différents. Celui qui va de la fleur au fruit ne ressemble pas à celui qui va de la larve à la nymphe et de la nymphe à l'insecte parfait : ce sont des mouvements évolutifs différents. L'action de manger ou de boire ne ressemble pas à l'action de se battre : ce sont des mouvements extensifs différents (...) L'artifice de notre perception, comme celui de notre intelligence, comme celui de notre langage, consiste à extraire de ces devenirs très variés la représentation unique du devenir en général, devenir indéterminé, simple abstraction (...)
H. BERGSON, l'Évolution créatrice, IV, p. 303.
17 La guerre, disait-il, n'échappe pas aux lois de notre vieil Hegel. Elle est en état de perpétuel devenir.   PROUST, À la recherche du temps perdu, t. XIV, p. 71.

(Qualifié). *Un devenir incessant, perpétuel. Le devenir continuel* (cit. 4) *du monde, de l'homme. Avoir un devenir imprévisible. Le devenir historique est révolutionnaire* (cit. 2).

CONTR. État, immobilité, permanence, stabilité.

DÉVENTEMENT [devãt(e)mã] n. m. — D. i. (attesté XXe) ; de *déventer.*

♦ Mar. Le fait de déventer (2.) une voile, un bateau à voile. → Déventer, cit.

DÉVENTER [devãte] v. tr. — 1694 ; de 1. *dé-, vent,* et suff. verbal. Marine.

♦ **1.** Vx. Brasser (une voile) en ralingue de façon qu'elle faséye. *Déventer ses huniers pour ralentir sa marche.* — P. p. adj. *Une voile déventée.*

♦ **2.** Empêcher (une voile; un bateau à voile) de recevoir le vent. *Grand-voile qui déverse dans l'artimon et qui le dévente. La falaise a déventé la goélette. Le yawl nous a déventés. Il s'est fait déventer par un concurrent au passage de la bouée.* — Au p. p. *Voilier déventé* (→ Sous-venté).

Nous avons adopté l'allure du «grand largue presque vent arrière», avec l'artimon filé jusqu'aux haubans, la grand-voile légèrement bordée mais raidie à bloc par un hale-bas, et le petit génois à la limite du déventement. La trinquette est amenée car elle serait neutralisée par la grand-voile et déventerait le petit génois.
Bernard MOITESSIER, Cap Horn à la voile, p. 74.

DÉR. Déventement.

DÉVERBAL, AUX [deveʀbal, o] n. m. — 1933; de *dé-* indiquant le point de départ, *verbe,* et suff. *-al.*

♦ Ling. Nom formé à partir du radical d'un verbe (comme *portage* de *porter*). Spécialt. Nom dérivé qui est formé sans suffixe (comme *bouffe* de *bouffer*). ⇒ **Déverbatif.** *Déverbaux et dénominatifs**. — REM. C'est ce second sens qui est utilisé dans le présent ouvrage.

DÉVERBATIF [deveʀbatif] n. m. — 1958; de *verbe,* d'après *dénominatif.*

♦ Ling. Forme dérivée d'un verbe (comme *portage* fait sur *porter*) et, plus spécialt. verbe dérivé d'un verbe. ⇒ **Déverbal.**

DÉVERGLACER [deveʀɡlase] v. tr. — Conjug. *glacer.* → Placer. — Av. 1975, in *la Clé des mots*; de 1. *dé-,* et *verglas* ou *verglacé.*

♦ Techn. Faire disparaître le verglas sur, de... *Déverglacer une piste d'aérodrome.*

DÉVERGONDAGE [deveʀɡɔ̃daʒ] n. m. — 1792; de *se dévergonder.*

♦ **1.** Littér. Conduite dévergondée*, relâchée. ⇒ **Débauche, dépravation, immoralité, impudicité, libertinage, licence.** *Le dévergondage de la décadence romaine.* ⇒ **Relâchement** (des mœurs). — *Le dévergondage d'une personne,* sa conduite dévergondée. — *(Un, des dévergondages).* Action dévergondée; spécialt, comportement sexuel réprouvé.

0.1   (...) elles étaient lasses d'histoires à dormir debout sur les dévergondages de Lisa avec le cousin (...)   ZOLA, le Ventre de Paris, t. I, p. 188.
0.2   Quand il s'éveilla, l'édredon au menton, vautré au milieu du lit, il vit Lisa, assise devant le secrétaire, qui mettait des papiers en ordre; elle s'était levée, sans qu'il s'en aperçût, dans le gros sommeil de son dévergondage de la veille.
ZOLA, le Ventre de Paris, t. I, p. 237.
1   (...) sous cette exubérance fastueuse et déréglée de création musicale, une suite de génies profonds et concentrés (...) attestent l'austère grandeur d'âme et la pureté de cœur qui pouvaient se conserver parmi la frivolité et le dévergondage des cours italiennes.   R. ROLLAND, Musiciens d'autrefois, p. 6.
2   Il la regarda, mais ne répondit rien. Il réfléchissait avec une affliction sincère au dévergondage de la jeunesse, au relâchement des mœurs, puis à cette maison, à cette créature livrée au mal (...)   MARTIN DU GARD, les Thibault, t. III, p. 58.

Rare. Action de dévergonder (qqn). *Le dévergondage de quelqu'un par quelqu'un.*

♦ **2.** (1825). Fig. Excès, excentricité, écart fantaisiste (de la pensée). *Un dévergondage d'esprit, d'imagination. Le dévergondage de l'imagination.*

3   Voilà où mènent l'oubli des saines doctrines et le dévergondage romantique (...)
Th. GAUTIER, Préface de Mlle de Maupin, p. 8 (éd. critique MATORÉ).
4   «Je rappelle à l'orateur qu'il n'a qu'un seul droit, celui de répondre strictement sur la question en discussion à l'orateur précédemment inscrit». Cette fine allusion au dévergondage de l'imagination de Couzon qui ne savait jamais «se renfermer dans la question», fit rire toute la majorité (...)
PROUST, Jean Santeuil, Pl., p. 603.

♦ **3.** Littér. et rare. Grande abondance désordonnée. ⇒ **Débauche, profusion.** «*Un dévergondage de dentelles et de clochetons*» (Reybaud, *Jérôme Paturot, in* T. L. F.).

CONTR. Ascétisme, austérité, modestie, pudeur, retenue, sagesse. — Mesure, modération.

DÉVERGONDÉ, ÉE [deveʀɡɔ̃de] adj. — V. 1170, *desvergondé*; de 1. *dé-,* anc. franç. *vergonde,* var. de *vergogne**, et suff. *-é, -ée.*

A. ♦ **1.** (Personnes). Qui mène une vie privée, a une conduite morale, sexuelle, jugée scandaleuse. ⇒ **Débauché, impudique, libertin, licencieux.**

(D'une femme). Cour. Qui n'a pas de pudeur et ne respecte pas les règles de la morale sexuelle admise (le jugement négatif est à la fois éthique et social). «*Menteuses, hypocrites, dévergondées et sans éducation aucune*» (Tharaud, *in* doc. T. L. F.).

1   Je ne voudrais pas qualifier de dévergondée une femme dont j'aurais à me plaindre.   G. SAND, *in* P. LAROUSSE.

N. f. (Vieilli). UNE DÉVERGONDÉE : fille ou femme qui mène ouvertement une vie sexuelle scandaleuse. *C'est une petite, une grande dévergondée.* — Spécialt. Femme, fille de mauvaise vie. — (Au xixe). Femme, fille du peuple (dont les mœurs, les vêtements, etc.

n'étaient pas conformes aux règles bourgeoises concernant notamment la morale sexuelle).

Sa mauvaise intention la faisant rougir (car elles rougissent aussi les dévergondées)...   SCARRON, le Roman comique, II, x. 1.1

Rare. (D'un homme). Dont la liberté de mœurs est affichée. *Un vieux garçon dévergondé.* Spécialt. Qui contrevient à la morale sexuelle monogame. «*Je ramenais les maris dévergondés... à leurs épouses*» (A. Arnoux, *in* T. L. F.).

♦ **2.** (1832). Choses abstraites. Qui indique une conduite sexuelle scandaleuse; qui indique, exprime ou incite au dévergondage. *Vie dévergondée. Littérature dévergondée. Propos dévergondés.* — *Époque, civilisation dévergondée.*

2   J'entendais le cliquetis des clefs et des chaînes, le bruit des sergents de ville et des espions, le pas des soldats, le mouvement des armes, les cris, les rires, les chansons dévergondées des prisonniers mes voisins (...)
CHATEAUBRIAND, Mémoires d'outre-tombe, IV, II.
3   La conversation dura encore quelque temps, la plus folle et la plus dévergondée du monde; mais, à travers toutes les exagérations bouffonnes, les plaisanteries souvent ordurières, perçait un sentiment vrai et profond de parfait mépris pour la femme (...)   Th. GAUTIER, Mlle de Maupin, v, p. 90.

♦ **3.** Par anal. (D'une femelle d'animal, par anthropomorphisme). *Chatte, chienne dévergondée.*

B. ♦ **1.** Caractérisé par le dévoiement, l'excès, l'extravagance, l'exubérance (en parlant d'activités humaines, de leur résultat).

Vieilli et littér. Excessif et regrettable. «*Le prosaïsme le plus dévergondé*» (A. Arnoux, *in* T. L. F.).

♦ **2.** Littér. Excessif, baroque (en parlant de choses naturelles). ⇒ **Délirant, fou.** *Temps dévergondé; fleurs dévergondées* (*in* T. L. F.).

CONTR. Ascétique, austère, contenu, mesuré, modéré, modeste, pudique, réglé, réservé, retenu, sage.
DÉR. Dévergonder.

DÉVERGONDER [deveʀɡɔ̃de] v. tr. — Av. 1475, *desvergonder* «pousser à la débauche»; de *dévergondé.*

♦ Faire mener à (qqn) une vie scandaleuse, sur le plan de la morale sexuelle; pousser au dévergondage. *Il, elle s'est fait dévergonder par ses amis.* ⇒ **Débaucher.** *Être dévergondé par...* (→ ci-dessous, cit. 2).

Par ext. *Dévergonder les pensées, les idées...*

1   Une énorme réserve d'amour me gonflait; parfois elle affluait du fond de ma chair et dévergondait mes pensées.   GIDE, l'Immoraliste, *in* Romans, Pl., p. 458.

▶ **SE DÉVERGONDER** v. pron.

Devenir (plus) dévergondé(e); mener une vie, avoir une conduite scandaleuse, quant à la morale sexuelle. «*Elle pratique l'adultère et elle se dévergonde*» (Huysmans, *in* T. L. F.).

2   Le dévergondage ne marque pas les hommes. Il est chez eux de l'ordre de l'accident, de la manie, de la maladie (...) Alors que pour les femmes, il s'agit de bien autre chose (...) Autrement dit, si les hommes se dévergondent, c'est qu'ils sont dévergondés par des dévergondées. Nous voici dans le classement bien connu : jeune fille-épouse-mère / fille-putain, etc.
Simone DELESALLE, Christian BUZON, Chantal GIRARDIN,
« Dévergondage, dévergondage (...) », *in* Langue française, n° 43, p. 48.

Par ext. Vx. S'écarter de la morale reçue.

Fig. et littér. Devenir dévergondé (fig.).

DÉR. Dévergondage.

DÉVERGUER [deveʀɡe] ou DÉSENVERGUER [dezɑ̃veʀɡe] v. tr. — 1654, *déverguer; désenverguer,* 1783; de 1. *dé-, vergue,* et suff. verbal; de *dés-,* et *enverguer.*

♦ Mar. Ôter de sa vergue (une voile).

Pendant deux heures, Cyrus Smith et ses compagnons furent uniquement occupés à haler les espars sur le sable et à déverguer, puis à mettre au sec les voiles, qui étaient parfaitement intactes.   J. VERNE, l'Île mystérieuse, t. II, p. 645.

CONTR. Enverguer.

DÉVERNIR [deveʀniʀ] v. tr. — 1653, *desvernir*; de 1. *dé-,* et *vernir.*

♦ Techn. Enlever le vernis de. *Dévernir une table. Dévernir un tableau.* — Au p. p. *Une chaise dévernie.*

Il s'assit sur un banc de chêne qui avait été peint autrefois, mais aujourd'hui tout déverni.   Charles-François LANDRY, Petit Bar Mistral, p. 267.

CONTR. Vernir.

DÉVERNISSAGE [deveʀnisaʒ] n. m. — 1849; de *dévernir.*

♦ Techn. Action de dévernir (un tableau).

1   Il faudrait seulement trouver un moyen de rendre le vernis de dessous inattaquable dans les opérations subséquentes de dévernissage.
E. DELACROIX, Journal 1823-1850, 5 févr. 1849.
2   Pour un tableau la première opération, le nettoyage, signifie dévernissage. C'est une question controversée liée à la restauration. Les risques d'un dévernissage varient beaucoup suivant l'état d'un tableau et la compétence de l'opérateur. Ils dépendent aussi de l'utilisation d'ingrédients propres à provoquer des dégâts dans

la couche peinte par la dissolution de cette couche sous l'effet des dissolvants sur l'agglutinant. Luc BENOIST, Musées et muséologie, p. 84.

CONTR. Vernissage.

DÉVERROUILLAGE [deveʀujaʒ] n. m. — 1929 ; de *déverrouiller*.

♦ **1.** Action de déverrouiller (une porte).

♦ **2.** Ouverture de la culasse (d'une arme à feu).

♦ **3.** Fig. a Action de déverrouiller (une position).

1 Mais en réalité, lorsqu'on songe à tous les avantages que la révolution mondiale retirerait du premier drapeau mi-parti rouge et vert hissé sur n'importe quel minaret du Moyen ou du Proche-Orient, on s'aperçoit que le déverrouillage des détroits serait le moindre d'entre eux. Vladimir VOLKOFF, le Retournement, p. 87.

b Didact. Cessation d'un verrouillage.

2 Le dernier épisode vraiment spectaculaire de l'évolution des Anthropiens, est, on l'a vu, le déverrouillage pré-frontal. A. LEROI-GOURHAN, le Geste et la Parole, t. I, p. 184.

DÉVERROUILLER [deveʀuje] v. tr. — XVIᵉ ; *desveroillier*, v. 1170 ; de 1. *dé-*, et *verrouiller*.

♦ **1.** Ouvrir en tirant le verrou. *Déverrouiller une porte.*

♦ **2.** (1948). *Déverrouiller une arme,* procéder au déverrouillage.

♦ **3.** Fig. *Déverrouiller une position militaire.* — Écon. ⇒ **Désenclaver.**

CONTR. Verrouiller.
DÉR. Déverrouillage.

DEVERS [dəveʀ] prép. — 1080 ; de *de-*, et *vers*.

♦ **1.** Vx. Du côté de. ⇒ **Vers.** *Il est devers Toulouse.*

1 Tourne un peu ton visage devers moi. MOLIÈRE, George Dandin, II, 1.

♦ **2.** Loc. prép. Dr. **PAR DEVERS** : par devant. *Se pourvoir par devers le juge.* — Littér. En la possession de. *Avoir, garder des documents par devers soi.*

1.1 (...) le garde de première classe (...) a gardé par devers lui la nourriture qu'il eût dû distribuer aux prestataires et aux porteurs. GIDE, Voyage au Congo, in Souvenirs, Pl., p. 811.

Par devers soi : de son côté, dans son for intérieur.

1.2 Je suis, par devers moi, tout triste, en songeant que je vais passer encore un bon mois et demi sans la voir. FLAUBERT, Correspondance, in T. L. F.

Vx. Devant (soi).

2 Suivez le précepte d'Horace : Ayez toujours une année de blé par devers vous (...) VOLTAIRE, Dict. philosophique, Blé.

REM. L'Académie (1932) écrit *par-devers,* avec un trait d'union.

DÉVERS, ERSE [deveʀ, ɛʀs] adj. et n. m. — 1676 ; lat. *deversus,* tourné vers le bas, p. p. de *devertere,* de *de-,* et *vertere*.

♦ **1.** Adj. Vx. Qui n'est pas d'aplomb. *Mur dévers.*

♦ **2.** N. m. Inclinaison, pente (de qqch.). *Dévers d'une pièce de bois.* — (1890). Spécialt. Ch. de fer. Ponts et chaussées. Inclinaison transversale d'une voie, d'une chaussée dans les courbes pour combattre la force centrifuge. — (1875). Mar. Inclinaison des parois de l'étrave d'un navire pour éviter l'embarquement des paquets de mer.

1 Et comme le dévers de la courbe les inclinait vers la plaine, les regards des hommes crurent plonger un court instant dans l'âme inclinée de la cheminée (...) L'inclinaison du wagon lui donnait l'air de s'effondrer vers la plaine. J.-R. BLOCH, Et Compagnie, I, 4, p. 47.

2 Je dis *mât,* et je méprise les autres enfants qui emploient le mot *disque.* Je dis *rampe* et j'évite *pente,* je parle du *dévers* des courbes. J.-R. BLOCH, Mon pays natal, oct. 1929.

DÉR. 1. Déverser.

DÉVERSAGE [deveʀsaʒ] n. m. — Mil. XXᵉ ; de 2. *déverser*.

♦ Rare. Action de déverser. ⇒ 2. **Déversement.**

Et c'est la riposte immédiate ! bafouages, brimades, férocités, tractations démones, déversages de torrents de fiente pour que je crève hagard, englouti, sous les opprobres (...) CÉLINE, Guignol's band, p. 28.

DÉVERSÉ, ÉE [deveʀse] adj. — XXᵉ ; de 1. *déverser*.

♦ Sport (alpin.). Qui présente un surplomb. ⇒ **Surplombant.** *Passage déversé. Paroi déversée.*

1. DÉVERSEMENT [deveʀsəmɑ̃] n. m. — 1838 ; de 1. *déverser*.

♦ Techn. Fait de s'incliner, d'avoir du dévers. *Déversement d'un mur.* — (1905). Ch. de fer. ⇒ **Dévers.**

2. DÉVERSEMENT [deveʀsəmɑ̃] n. m. — 1797, métaphore ; de 2. *déverser*.

♦ Action de verser un liquide ; de se déverser.
Fig. *Un déversement de mépris, de haine, de douleur.*

1. DÉVERSER [deveʀse] v. — 1676 ; de *dévers*.

♦ **1.** V. tr. Techn. Donner de l'inclinaison, du dévers à. ⇒ **Incliner.** *Déverser une pièce de bois.*

♦ **2.** V. intr. Techn. Devenir dévers. ⇒ **Pencher.** *Mur qui déverse.*

CONTR. Redresser.
DÉR. Déversé, 1. déversement.

2. DÉVERSER [deveʀse] v. tr. — 1755 ; 1801, *in* T. L. F. ; de 2. *dé-,* et *verser*.

♦ **1.** Faire couler* (un liquide d'un lieu dans un autre). ⇒ **Répandre, verser.** (Rare à l'actif). *Déverser l'eau d'une écluse dans un bassin. Déverser du métal en fusion dans un moule.*

Pron. Cour. *L'eau du réservoir se déverse dans une conduite.* ⇒ **Écouler** (s'), **vider** (se). *La Seine se déverse dans la Manche.* ⇒ **Affluer, jeter** (se).

♦ **2.** (1797). Déposer, laisser tomber en versant. *Déverser du sable sur un chantier.* ⇒ **Décharger.** *Les avions ont déversé des tonnes de bombes sur l'objectif.*

♦ **3.** (1794). Fig. Laisser sortir, répandre en grandes quantités, à flots. *Chaque train déverse des flots de voyageurs. Produits déversés sur le marché.*

1 Je voudrais bien trouver des chefs-d'œuvre, parmi les innombrables romans que la librairie française déverse chaque jour sur le marché des deux mondes. GIDE, Journal, 7 oct. 1905.

Fig. *Déverser sa bile, sa rancune, son mépris.* ⇒ **Épancher, répandre.** *Déverser des injures. Déverser sa douleur dans le sein d'un ami.* → Décharger, soulager son cœur*.

2 Que j'en ai déversé de mes chagrins, dans cette âme avide de les boire, afin de m'en décharger ! R. ROLLAND, Voyage intérieur, p. 135.

3 Des lettres où je déversais tous mes enthousiasmes de la journée, toutes mes haines, surtout ! MARTIN DU GARD, les Thibault, t. II, p. 262.

Pronominal :

4 *(Il)* cède au besoin de se raconter qui tourmente le cœur de l'homme, et sans s'inquiéter beaucoup si l'oreille où il se déverse a vraiment qualité pour l'entendre. GIDE, Si le grain ne meurt, I, VII, p. 205.

CONTR. Capter, garder, recevoir, retenir. — Charger.
DÉR. Déversage, 2. déversement, déverseur, déversoir.

DÉVERSEUR, EUSE [deveʀsœʀ, øz] adj. et n. m. — 1880 ; de 2. *déverser*.

♦ **1.** Qui déverse. Techn. *Un bec déverseur.* ⇒ **Verseur.**

♦ **2.** N. m. Techn. Détenteur, appareil réglant la pression d'un fluide en amont d'un point.

♦ **3.** (1886). Fig. et littér. *Un déverseur, une déverseuse d'idées, de lieux communs.*

DÉVERSOIR [deveʀswaʀ] n. m. — 1673 ; de 2. *déverser*.

♦ **1.** Orifice par lequel s'écoule le trop-plein (d'un canal, d'un réservoir...). ⇒ **Débouché, évacuation, vanne.** *Le déversoir d'un barrage. Le déversoir d'un étang.* ⇒ **Daraise.** — *Un déversoir d'orage.*

0.1 Les colons, arrivés au plateau de Grande-Vue, se dirigèrent immédiatement vers la pointe du lac, près de laquelle s'ouvrait l'orifice de l'ancien déversoir, qui, maintenant, devait être à découvert. Le déversoir serait donc devenu impraticable, puisque les eaux ne s'y précipiteraient plus, et il serait facile sans doute d'en reconnaître la disposition intérieure. J. VERNE, l'Île mystérieuse, t. I, p. 232.

0.2 La passe ouvrait devant lui un large torrent d'écume qui accourait contre son étrave. Il régnait, dans ce détroit, une effervescence chaotique de déversoir, et un immense bruit d'eau bouillante l'emplissait. Roger VERCEL, Remorques, p. 26.

(1862). Par ext. Réservoir destiné à recevoir le trop-plein d'un autre. — Par analogie :

1 (...) la contrée est un déversoir de grandes eaux qui, en y arrivant, deviennent lentes ou demeurent stagnantes, faute de pentes. TAINE, Philosophie de l'art, III, I, II, p. 244.

♦ **2.** (1840). Fig. ⇒ **Épanchement, exutoire, issue.**

2 Vous êtes heureux, vous autres, les poètes, vous avez un déversoir dans vos vers. FLAUBERT, Correspondance, II, p. 344.

DÉVERTÉBRÉ, ÉE [deveʀtebʀe] adj. — Déb. XXᵉ, selon G. L. L. F. ; de 1. *dé-,* et *vertébré*.

♦ Littér. Qui a perdu sa structure. *Des phrases dévertébrées.*

DÉVÊTEMENT [devɛtmɑ̃] n. m. — 1375, repris 1845 ; *deveste-ment* «action de se dessaisir», v. 1300 ; de *dévêtir*.

♦ Rare. Action de se dévêtir. ⇒ **Déshabillage.**

(...) ses contorsions *(de Salomé)* n'avaient rien d'excitant ; en fait de dévêtement en progression savante, sa danse des sept voiles était une escroquerie.
M. LEIRIS, l'Âge d'homme, p. 108.

DÉVÊTIR [devetiʀ] v. tr. — Conjug. *vêtir.* — V. 1130, *desvestir* (1170, *in* T. L. F.) ; de 1. *dé-*, et *vêtir.*

♦ Dépouiller (qqn) de tout ou partie de ses vêtements. ⇒ **Déshabiller ; dénuder.** *Dévêtir un enfant, un malade, un blessé.*
Par métaphore :

(...) le soleil qui se couche et dévêt sur l'horizon ses lumineux habits, ses nuages répandus pêle-mêle. J. RENARD, Hist. naturelles, «Chasseur d'images».

Fig. et littér. *Dévêtir son âme.* ⇒ **Dévoiler, révéler.**

▶ **SE DÉVÊTIR** v. pron.

(V. 1170). Enlever ses vêtements. — Spécialt. Ôter une partie de ses vêtements. *Se dévêtir quand il fait chaud.* ⇒ **Découvrir** (se). *Se dévêtir pour se mettre à l'aise.*

▶ **DÉVÊTU, UE** p. p. adj. *Une personne assez dévêtue, à demi dévêtue.* ⇒ **Nu.** *Il couche dévêtu, entièrement dévêtu.*

CONTR. Habiller, vêtir ; couvrir (se).
DÉR. Dévêtissement.

DÉVÊTISSEMENT [devetismɑ̃] n. m. — 1314 ; de *dévêtir.*

♦ **1.** Vx. Dr. Action de se dessaisir d'un bien.

♦ **2.** (1845). Rare. Action de se dévêtir. ⇒ **Dévêtement.**

DÉVIANCE [devjɑ̃s] n. f. — Av. 1968 ; de *déviant.*

♦ Didact. Caractère de ce qui dévie (fig.), de ce qui s'écarte d'une norme.
REM. *Déviation* s'emploie surtout au sens concret et désigne l'*écart* lui-même.
Psychol. Comportement qui échappe aux règles admises par la société.

(...) le fou, entendu non pas comme malade, mais comme déviance constituée et entretenue (...) Michel FOUCAULT, les Mots et les Choses, p. 63.

DÉVIANT, ANTE [devjɑ̃, ɑ̃t] adj. — xxᵉ (1923, cit. 2) ; p. prés. de *dévier.*

♦ **1.** Qui dévie. *Position déviante du corps.* — Fig. *Opinion déviante* (par rapport à l'opinion communément reçue, ou orthodoxe). *Conduite déviante.*

1 Ainsi, dans un groupe de discussion, un compère pourra exprimer une opinion extrême ou déviante et cette prise de position permettra de voir comment les sujets réagiront. Paul FRAISSE, la Psychologie expérimentale, Les relations interpersonnelles, VIII, p. 117.

N. (rare au fém.). Psychol. Personne dont le comportement s'écarte de la norme sociale admise.

♦ **2.** Sc. Qui fait dévier, a le pouvoir de faire dévier (qqch., un mouvement). ⇒ **Déviateur,** 2. *Force déviante.* → Déviation, cit. 2.1.

2 À la sortie du tube, les rayons passent dans les champs électrique et magnétique déviants. A. BOUTARIC, la Vie des atomes, p. 113 (1923).

DÉVIATEUR, TRICE [devjatœʀ, tʀis] adj. et n. m. — 1861 ; «personne qui détourne du bon chemin», 1542 ; de *dévier*, d'après le bas lat. *deviator*, du supin de *deviare.* → Dévier.

♦ **1.** Didact. Qui produit une déviation. *Forces déviatrices s'exerçant sur un projectile.* ⇒ **Déviant.**

♦ **2.** N. m. (1904). Techn. Dispositif permettant le freinage à l'atterrissage des avions à réaction.
Instrument, appareil permettant de dévier (une force, la direction d'un travail, etc.).

DÉVIATION [devjasjɔ̃] n. f. — V. 1300, *deviacion* ; bas lat. *deviatio*, du supin de *deviare.* → Dévier.

★ **I.** ♦ **1.** Action de dévier (un projectile, un véhicule). *Déviation des véhicules pour cause de travaux.*

♦ **2.** (1874). Chemin que doivent prendre les véhicules déviés. *Emprunter, suivre une, la déviation.*

1 Il faut (...) ménager des lieux de stationnement, détourner les voitures de certaines voies mal praticables, tracer des déviations (...)
G. DUHAMEL, Manuel du protestataire, IV, p. 130.

★ **II.** Action de dévier (A., 1.). ♦ **1.** (1752). Action de sortir de la direction normale ; son résultat. *La déviation d'un projectile,* son écart du plan de tir. ⇒ 2. **Dérivation.** *Déviation d'un navire, d'un*

avion par rapport à la route qu'il doit suivre. ⇒ **Dérive.** *Déviation de l'aiguille aimantée, du compas, sur un navire, un avion* (⇒ **Magnétisme**). *La variation* d'un compas est la somme algébrique de la déviation et de la déclinaison.* — Astron. *Déviation d'une lunette méridienne. Déviation apparente d'un astre.* ⇒ **Aberration.** — Opt. *Déviation d'un rayon lumineux* (⇒ **Inflexion**) *quand il effleure un corps opaque* (⇒ **Diffraction**), *ou quand il change de milieu* (⇒ **Réfraction**). — *Déviation d'une particule.*

2 Je vis (...) que les cristaux hémièdres à droite déviaient à droite, que les cristaux hémièdres à gauche déviaient à gauche le plan de polarisation et quand je prenais de chacune de ces sortes de cristaux un poids égal, la solution mixte était neutre pour la lumière polarisée, par centralisation des deux déviations individuelles égales et de sens opposés. PASTEUR, Henri MONDOR, Pasteur, p. 30.

2.1 Si donc les électrons sont lancés horizontalement dans un champ électrique vertical d'intensité II, avec une vitesse v, ils subissent une déviation verticale qui dépend ; 1° du quotient He/m de la force déviante par leur masse ; 2° de leur vitesse v. A. BOUTARIC, la Vie des atomes, p. 77.

♦ **2.** (1829). Changement anormal de position dans le corps. *Déviation d'un organe, de l'utérus.* ⇒ **Inversion ; antéversion, rétroversion.** *Déviation conjuguée des yeux. Déviation d'une articulation, des os. Déviation de la colonne vertébrale.* ⇒ **Déformation ; cyphose, lordose, scoliose.**

♦ **3.** (1461). Fig. Changement (considéré comme néfaste, mauvais) dans une ligne de conduite, une doctrine. ⇒ **Aberration, écart, variation** (→ Déformation, cit. 3).

3 Non ; je ne crois pas, comme Rousseau, que l'homme naturel soit toujours bon, ni que tout le mal soit le résultat de déformations et déviations ultérieurement apportées par la civilisation, la société (...) GIDE, Journal, 4 nov. 1929.

Spécialt. Changement non conforme à la doctrine d'un parti politique. ⇒ **Déviationnisme.**

DÉR. Déviationnisme, déviationniste.

DÉVIATIONNISME [devjasjɔnism] n. m. — 1952 ; de *déviation.*

♦ Attitude qui s'écarte de la doctrine, chez les membres d'un parti politique. *Déviationnisme de droite, de gauche.*

Marx, Engels, le matérialisme dialectique, le parti bolchevik, la haine de Trotski et des possibles déviationnismes, le déterminisme patriotique, etc., tout cela entrait en lui par bataillons serrés. J. DUTOURD, Au bon beurre, p. 243.

CONTR. Orthodoxie.

DÉVIATIONNISTE [devjasjɔnist] adj. — 1957 ; de *déviation.*

♦ Qui s'écarte de la doctrine du parti. — N. *Les déviationnistes de droite, de gauche.*

CONTR. Orthodoxe.

DÉVIDAGE [devidaʒ] n. m. — 1700 ; de *dévider.*

♦ **1.** Action de dévider. *Bobines pour le dévidage des fils d'argent.* ⇒ **Roquetin.** *Dévidage de la soie.* ⇒ **Tirage.** *Le dévidage d'un écheveau.*

1 Attentif à maintenir l'écheveau bien tendu entre ses poignets crispés, et à guider le dévidage en se penchant avec régularité de droite et de gauche, il n'osait pas quitter des yeux le brin de laine ensorcelé. MARTIN DU GARD, les Thibault, t. IX, p. 101.

(1870). Atelier où l'on pratique le dévidage.

♦ **2.** (1836). Fig. Action de dévider, de débiter de façon ininterrompue (des paroles).

2 À cause de la pauvreté des images, la rêverie est inconsistante, le dévidage des souvenirs s'épuise vite. S. DE BEAUVOIR, Tout compte fait, p. 158.

CONTR. Enroulement.

DÉVIDEMENT [devidmɑ̃] n. m. — 1866, J. S. Mill, traduit par L. Peisse, *in* D.D.L. ; de *dévider*, suff. 2. *-ment ;* le mot traduit l'angl. *thread.*

♦ Rare. Fait de se dévider, de se dérouler (abstrait). « *Le dévidement de l'idée dans le cerveau d'un homme équilibré* » (P. Bourget, *in* T. L. F.).

DÉVIDER [devide] v. tr. — Fin xiᵉ, *desvuidier* ; de 1. *dé-*, et *vider.*

♦ **1.** Techn. (ou vx). Mettre en écheveau (le fil qui est sur le fuseau ou sur les bobines d'un métier à filer). *Dévider du fil, de la soie* (→ Cocon, cit. 1). — Absolt. *Machine à dévider.* ⇒ **Dévidoir ; rouet.**

1 Quand vous serez bien vieille, au soir, à la chandelle,
Assise auprès du feu, dévidant et filant,
RONSARD, Second livre, sonnets pour Hélène, XLIII.

Mettre en pelote (un écheveau).

Par ext. Dérouler. *Dévider une pelote de laine, une bobine de fil* (⇒ **Débobiner**). *Dévider un cordage.* ⇒ **Filer.**

1.1 Je courus au pin le plus proche, et j'y grimpai, épouvanté. Je m'assis à califourchon

sur une grosse branche, craignant l'apparition subite d'un sanglier blessé, celui-là même qui avait dévidé sur dix mètres les entrailles du braconnier manchot.
P. PAGNOL, la Gloire de mon père, t. I, p. 242.

Par métaphore. *Dévider le fil* de ses pensées.*

2 Les Parques d'une même soie
Ne dévident pas tous nos jours.   MALHERBE, Poésies, I, I, « À la Reine... »

3 (...) il est bien difficile de dire ce qu'il y a au fond d'un homme ; la sonde serait attachée à une corde de cent mille toises de longueur, et on la déviderait jusqu'au bout qu'elle filerait toujours sans rien rencontrer qui l'arrêtât.
Th. GAUTIER, Mlle de Maupin, I, p. 16.

4 Tant l'écheveau du temps lentement se dévide !
BAUDELAIRE, les Fleurs du mal, Spleen et idéal, XXX.

5 Il gagne le Luxembourg avec son livre, et s'assied sur un banc. Sa pensée soyeusement se dévide ; mais fragile ; s'il tire dessus, le fil rompt.
GIDE, les Faux-monnayeurs, III, IX, p. 390.

Pron. *Le fil qui se dévide.* — **Au p. p.** *Fil dévidé.*

♦ **2.** (Mil. XVᵉ). **Fam.** Raconter, débiter* (de nombreuses phrases, un long discours). *Il dévida toute son affaire.*

Argot ancien. *Dévider le jar :* parler argot.

♦ **3.** (1830). Faire passer entre ses doigts. *Dévider son chapelet.*

6 Une des femmes, l'irlandaise, dévidait éperdument son rosaire.
HUGO, l'Homme qui rit, I, II, XII.

Loc. fig. *Dévider son chapelet, un chapelet de reproches ; dévider son écheveau.* Cf. *Vider son sac.*

CONTR. Enrouler, lover, renvider, rouler.
DÉR. Dévidage, dévideur, dévidoir.

DÉVIDEUR, EUSE [devidœR, ⌀z] n. — 1577 ; *desvoideur* « dévidoir », v. 1380 ; de *dévider.*

♦ **Techn.** Personne qui dévide le fil, la laine.

DÉVIDOIR [devidwaR] n. m. — 1549 ; *desvidoir*, XIIIᵉ ; de *dévider.*

♦ **1.** Instrument dont on se sert pour dévider. ⇒ **Aspe, travouil.** *Dévidoir mécanique qui roule en écheveaux le fil des bobines, sur un métier à filer. Le tracanoir, la tavelle, dévidoirs pour la soie. Dévidoir des cordiers.* ⇒ **Caret, ficelier, touret.**

1 Sous la table de tilleul où l'on découpait, il y avait un grand dévidoir, dont les deux tourettes d'osier, mobiles, tendaient un écheveau de laine rouge.
ZOLA, le Rêve, III.

Par métaphore (poétique) :

2 Ils laissent se mêler aux fils d'or éclatants
Les fils sombres qui sont au dévidoir du temps.
G. NOUVEAU, la Doctrine de l'amour, Idylle, Pl., p. 530.

♦ **2.** Chariot à tambour pour enrouler des tuyaux d'arrosage. *Dévidoir de jardinier, de pompier. Dévidoir à passage d'eau,* où l'eau peut passer lorsque le tuyau est enroulé.

Treuil pour enrouler un câble (⇒ **Cabestan**). — **Pêche.** Grand moulinet à manivelle. — **Plioir*** à lignes.

DÉVIER [devje] v. — 1361, rare av. fin XVIIIᵉ ; lat. imperial *deviare,* du lat. class. *devius* « écarté, hors de la voie », de *de-,* et *via* « voie ».

A. V. intr. ♦ **1.** Se détourner, être détourné de sa direction, de sa voie. *Avancer en ligne droite sans dévier. La tempête fit dévier le navire.* ⇒ **Déporter, dériver, dérouter.** *Le canon (cit. 9) du fusil a dévié. La balle avait dévié (→ Déchirure, cit. 2). Il n'a pas dévié d'un pouce, d'un poil* (fam.). *Sa main a dévié, il a frappé à côté.*

♦ **2.** Ne pas être droit. *Colonne vertébrale qui dévie.*

♦ **3. V. tr. ind. DÉVIER DE** (qqch.) : s'écarter de, ne plus suivre. *Dévier de son chemin.*

♦ **4. Fig.** *La doctrine a dévié.* ⇒ **Déviationnisme ;** et aussi **changer.** *La conversation déviait peu à peu.*

(Sujet n. de personne). *Dévier de sa ligne de conduite, de ses principes.* ⇒ **Écarter** (s'), **sortir** (de). *Dévier de la bonne voie. Il ne dévie pas de son opinion.* ⇒ **Départir** (se).

1 Il avait trop enquêté et trop réfléchi avant de s'aboucher avec Rome, pour que des criailleries le fissent dévier de son projet.
Louis MADELIN, Hist. du Consulat et de l'Empire, Le Consulat, IX, p. 146.

2 Que pourrait-il m'arriver qui me fît dévier de ma route ?
G. DUHAMEL, Chronique des Pasquier, VIII, I, p. 267.

B. V. tr. (av. 1798). ♦ **1.** Écarter de la direction normale. *Milieu réfringent, prisme qui dévie les rayons lumineux (→ Déviation, cit. 2). Dévier la circulation pendant des travaux.*

♦ **2.** Rendre tordu, mal formé. *Dévier la colonne vertébrale.* ⇒ **Déformer, déjeter, infléchir ; déviation.**

♦ **3. Fig.** *Dévier les tendances de quelqu'un.*

▶ **DÉVIÉ, ÉE** p. p. adj. *Lumière, voie déviée.* — *Colonne vertébrale, taille déviée.* ⇒ **Travers** (de). — *Moyens déviés.* ⇒ **Détourné.**

CONTR. Redresser, remettre (dans la voie).
DÉR. Déviant, déviateur.

DEVIN, DEVINERESSE [dəvɛ̃, dəvinʀɛs] n. — V. 1160 ; *devineresse,* 1155, fém. de *devineur*,* a supplanté *devine ;* v. 1119, *divin* « théologien » ; lat. pop. *devinus ;* lat. class. *divinus* au sens de « devin » ; littéral. « divin » adjectif.

♦ **1.** Personne qui prétend découvrir ce qui est caché, prédire l'avenir par des moyens qui ne relèvent pas d'une connaissance naturelle ou ordinaire. ⇒ **Divination ; aruspice, astrologue,** 1. **augure,** 1. **auspice, diseur** (de bonne aventure), **mage, magicien, œdipe, oracle, prophète, pythie, pythonisse, sibylle, sorcier, vaticinateur, visionnaire, voyant ;** suff. **-mancie, -mancien.** *Consulter un devin. L'inspiration* du devin. Devin qui annonce, conjecture, devine, dévoile, prédit, révèle l'avenir*. Devin qui résout une énigme.* — *Le Devin de village,* œuvre musicale de J.-J. Rousseau.

1 (...) ne consultez point les devins, de peur de vous souiller en vous adressant à eux.
BIBLE (SACY), le Lévitique, XIX, 31.

2 Le prophète prédit ce qui doit arriver, grâce à des communications surnaturelles qu'il a avec la divinité. Le devin, qui non seulement prédit l'avenir, mais encore découvre ce qui est caché, doit sa prétendue connaissance aux sciences occultes et à tous les procédés divinatoires qu'a imaginés la superstition ou la supercherie.
LITTRÉ, Dict., Devin.

En Afrique. Personne qui pratique la divination à partir de supports matériels (I. F. A.). Syn. : *sorcier, voyant.*

Loc. fam. *Je ne suis pas devin :* je ne puis savoir, deviner, prévoir cela.

♦ **2.** (1803). **N. m. Vx.** Boa* constrictor. — **Adj.** *Serpent devin.*

DEVINABLE [d(ə)vinabl] adj. — 1846 ; de *deviner.*

♦ Qui peut être deviné. ⇒ **Prévisible.** *C'était facilement devinable.*

CONTR. Imprévisible, indevinable.

DEVINAILLE [d(ə)vinaj] n. f. — XIIᵉ, « énigme, prédiction » ; de *deviner,* et suff. *-aille.*

Régional.

♦ **1.** Divination (Goncourt, *in* T. L. F.).

♦ **2.** (1870). Ce qui est à deviner, devinette.

DEVINER [d(ə)vine] v. tr. — 1155, sens 2 ; lat. pop. **devinare,* class. *divinare,* de *divinus.* → Devin.

♦ **1.** (V. 1160). **Rare.** Révéler, comme fait un devin, par des moyens qui ne relèvent pas d'une connaissance naturelle ou ordinaire. *Deviner l'avenir.* ⇒ **Prédire, prophétiser ; devin.** — **Absolt.** *L'art de deviner.* ⇒ **Divination ;** → Chiromancie, cit.

1 N'avez-vous pas la coupe dans laquelle boit mon seigneur, et dont il se sert pour deviner ?
BIBLE (SEGOND), la Genèse, XLIV, 5.

♦ **2. Cour.** Parvenir à connaître par conjecture, supposition, intuition. ⇒ **Découvrir, discerner, entrevoir, flairer, imaginer, pénétrer, pressentir, sentir, soupçonner, subodorer, trouver.** *Deviner un secret, un danger, une menace. Deviner la vérité derrière l'apparence* (→ **Apparent,** cit. 9). *Deviner quelque chose de louche.* ⇒ **Douter** (se douter de). *Deviner ce qui est caché, sous-entendu dans un écrit.* ⇒ **Comprendre, interpréter ;** cf. *Lire entre les lignes. Je ne puis deviner le sens de ce passage* (⇒ **Déchiffrer**). *Deviner qqch. par un pressentiment* (⇒ **Pressentir**), *par l'intuition. Vêtement qui laisse deviner les formes du corps.* ⇒ **Montrer, révéler** (→ Déshabiller, cit. 12). *On devinait à peine une écriture sur la lettre détrempée. Deviner la pensée*, les intentions, les sentiments de qqn,* lire dans sa pensée (→ Assez, cit. 48). *Je devine où il veut en venir.* ⇒ **Voir** (voir venir). *Deviner si quelque chose plaira. J'ai deviné que vous n'en aviez pas réellement envie. Je ne devine pas qui, quoi...*

(1657). **Compl. n. de personne.** *Deviner qqn.* ⇒ **Déchiffrer, démasquer, pénétrer, reconnaître.** *Il sentit qu'on allait le deviner. On le devinait mal à l'aise.* — **Au p. p.** *Secrets devinés, choses devinées* (ci-dessous, cit. 5).

2 On aime à deviner les autres, mais l'on n'aime pas à être deviné.
LA ROCHEFOUCAULD, Maximes supprimées, 632.

3 Je m'épuisais en conjectures pour deviner quelle pouvait être cette occupation, et il aurait fallu deviner en effet pour rencontrer juste.
ROUSSEAU, les Confessions, IV.

4 La cause fait deviner un effet, comme chaque effet permet de remonter à une cause.
BALZAC, la Recherche de l'absolu, Pl., t. IX, p. 475.

5 (...) certaines rencontres, certaines choses entr'aperçus, devinées, certains chagrins secrets, certaines perfidies du sort, qui remuent en nous tout un monde douloureux de pensées, qui entr'ouvrent devant notre porte mystérieuse des souffrances (...)
MAUPASSANT, Contes de la bécasse, « Menuet ».

6 Si, un instant, vous pouviez deviner ce qui se passe en moi (...)
COURTELINE, Boubouroche, Comédie, II, 3, p. 163.

7 (...) Marie n'est pas infiniment perspicace. Dans la mesure où elle s'avise de deviner la pensée d'autrui, elle prend les hypothèses qui sont à portée de main.
J. ROMAINS, Psyché, I, p. 210.

8 Je ne sais comment j'en vins à dire que je pouvais deviner les secrets et faire des prédictions en lisant dans les cartes.
J. ROMAINS, les Hommes de bonne volonté, t. III, IV, p. 62.

Deviner qqn, qqch. (suivi d'un attribut du compl.). *Je le devine*

malade. — Pron. « *Gilbert se devinait envié* » (Arland, *in* T. L. F.).
Absolt. *Il ne pourra pas deviner. Elle devine souvent.* → Elle a du
flair*, elle a le nez* creux. *Deviner bien, deviner juste.*

9   Je me suis rappelé certaines choses qui m'avaient étonnée déjà ; et, en un instant,
j'ai deviné, j'ai vu clair (...)   MARTIN DU GARD, les Thibault, t. III, p. 75.
(En emploi rhétorique, servant à présenter une chose vraisemblable,
prévisible). *Vous devinez, vous devinez bien pourquoi il n'est pas
venu. On devine aisément ce qu'a répondu le ministre :* ce qu'a
répondu le ministre est évident.

♦ **3.** Spécialt. Trouver le mot, la solution de (une énigme). ⇒ **Devinette.** *Deviner une charade, une devinette, un rébus. Œdipe devina
l'énigme du Sphinx.* ⇒ **Résoudre.** — Absolt. *Je ne puis deviner.*
→ Donner, jeter sa langue au chat*, au chien.

10 J'eus beau imaginer, je ne devinai point, il me mit charitablement sur les voies.
                                            VOLTAIRE, Hist. des voyages de Scarmentado.

♦ **4.** Loc. *Je vous le donne à deviner en cent*, en mille*.* Cf. Je vous
le donne en mille. *Il n'y a là rien à deviner,* c'est très clair. *Vous
devinez le reste :* vous imaginez la suite. *Tu devines pourquoi, comment. Je vous le laisse à deviner,* vous n'aurez aucune peine à savoir
ce dont il s'agit.

11 Les femmes sachant toujours bien expliquer leurs grandeurs, c'est leurs petitesses
qu'elles nous laissent à deviner.
                     BALZAC, Petites Misères de la vie conjugale, Œ., t. X, p. 920.
Allus. littér. *Devine si tu peux, et choisis si tu l'oses !* (Corneille,
Héraclius, IV, 5).

DÉR. Devinable, devinaille, devinette, devineur.

DEVINETTE [d(ə)vinɛt] n. f. — 1864 ; de *deviner.*

♦ **1.** Question dont il faut deviner (3.) la réponse. ⇒ **Charade,
énigme, logographe, rébus.** *Poser, proposer une devinette.* — Plur. Jeu
où l'on pose des questions. *Jouer aux devinettes.*

♦ **2.** Dessin où une silhouette cachée peut être devinée.
Vous connaissez ces devinettes enfantines où une silhouette se dissimule dans les
branches d'un arbre, les fissures d'un rocher, qu'on cherche à découvrir.
                                    J. GRACQ, Un beau ténébreux, p. 63, *in* T. L. F.

♦ **3.** Fig. Propos énigmatiques, obscurs ; signe (du langage ou non)
difficile à interpréter. ⇒ **Rébus** (figuré).

DEVINEUR, EUSE [d(ə)vinœʀ, øz] n. — XIIᵉ, *devineour* ; v. 1165, *devinere* « devin » ; 1678, *devineuse* ; de *deviner.*

♦ Rare. Personne habile à résoudre des énigmes, à faire des conjectures qui se révèlent justes. *C'est un grand devineur, une devineuse
de charades.*

DÉVIRAGE [deviʀaʒ] n. m. — 1836, *in* D. D. L. ; de *dévirer.*

♦ Mar. Action de dévirer un cabestan.

DÉVIRER [deviʀe] v. tr. — 1594, *se dévirer* « se détourner » ; de 1. *dé-*, et *virer.*

♦ **1.** Régional. Faire aller en sens inverse, faire changer de direction.
1   Ils *(les oiseaux)* poussèrent en tombant un gémissement qui fit dévirer tout le vol
derrière le pignon d'un toit (...)   J. GIONO, le Hussard sur le toit, p. 120.

♦ **2.** Mar. Tourner en sens contraire. *Dévirer le cabestan.*
Au p. p. *Cabestan déviré.* — Régional :
2   Le capitaine se dressa en écrasant le fauteuil. Il venait. Sans bouger la tête, du
plein de son œil déviré, le prisonnier regarda Jolivet et, dans le pauvre regard,
dans ce trou d'eau bleu sale, tout se vit soudain.
                                J. GIONO, le Grand Troupeau, Pl., t. I, p. 688.

DÉR. Dévirage.

DÉVIRGINER [deviʀʒine], DÉVIRGINISER [deviʀʒinize] v. tr. — V. 1170, *déviriner,* lat. *devirginare* de *de-,* et thème *virgin-,* de *virgo.* → Vierge ; *dévirginiser,* 1829, de 1. *dé-, virgin-* d'après *virginité,* et suff. verbal *-iser.*

♦ Littér. ou par plais. Faire perdre sa virginité à... ⇒ **Déflorer, dépuceler.**
1   Un modèle qu'il fait poser *(Manet),* lui a confié qu'à treize ans, elle avait perdu sa
grand'mère, qu'on l'avait fait monter dans l'unique voiture de deuil, avec un vieux
parent, et que ce vieux parent l'avait dévirginisée, dans le trajet au cimetière.
                            Ed. et J. DE GONCOURT, Journal, t. VI, p. 103.
2   (...) vous avez longtemps courtisé la Muse, vous avez essayé de la dévirginer ; mais
vous n'avez pas assez de vigueur pour cela (...)
                      Th. GAUTIER, Préface à Mademoiselle Maupin, p. 158.

DÉVIRILISATION [deviʀilizasjɔ̃] n. f. — 1842 ; de *déviriliser.*

♦ **1.** Psychol. Action de déviriliser ; perte de la virilité du caractère.
⇒ **Efféminement.**
1   Une fille commandant des garçons, comme dans les bandes de gangsters du

cinéma, n'est-ce pas un signe de notre dévirilisation et de *la promotion de la
femme?*   P. GUTH, Lettre ouverte aux idoles, « Sheila », p. 91.
2   (...) je me laissai aller à ma peine, mais les larmes, qui me furent souvent si clé-
mentes, ne m'apportèrent cette fois aucune consolation. Un intolérable sentiment
de privation, de dévirilisation, presque d'infirmité, s'empara de moi (...)
                                   R. GARY, la Promesse de l'aube, p. 21.

♦ **2.** Méd. Atténuation ou disparition des caractères sexuels secondaires chez l'homme. ⇒ aussi **Castration, émasculation.**

CONTR. Masculinisation, virilisation.

DÉVIRILISER [deviʀilize] v. tr. — 1808, Boiste ; 1585, « châtrer » *in* F. E. W. ; de 1. *dé-, viril,* et suff. verbal *-iser.*

♦ Psychol. Ôter au caractère et au comportement (de l'homme) sa
virilité. ⇒ **Efféminer.**
Cette femme qui semble adorer son mari parce qu'elle le gâte et qu'elle le gave,
désire secrètement le déviriliser par cet esclavage domestique.
                         E. MOUNIER, la Relation sexuelle (vue d'ensemble),
                 tiré du Traité du caractère, *in* Dʳ WILLY, la Sexualité, t. I, p. 39.
Pron. *Se déviriliser :* perdre la virilité du caractère.

CONTR. Masculiniser, viriliser.
DÉR. Dévirilisation.

DÉVIROLAGE [deviʀɔlaʒ] n. m. — 1842 ; de *déviroler.*

♦ Techn. Action de déviroler (une pièce).

DÉVIROLER [deviʀɔle] v. tr. — 1842, Académie, *Compl.* ; de 1. *dé-,* et *virole.*

♦ Techn. Ôter de la virole* (la pièce qui vient d'être frappée).
DÉR. Dévirolage.

1. DEVIS [d(ə)vi] n. m. — V. 1450 ; « description », v. 1210 ; de *devi-
ser,* au sens ancien. → Deviser (étymologie).

♦ État détaillé des travaux à exécuter avec estimation des prix.
Cf. Cahier des charges. *Plan et devis. Devis descriptif,* indiquant le
détail des travaux, la nature des matériaux, les délais d'exécution.
Devis estimatif, contenant l'évaluation des prix. *Devis préliminaire,
devis quantitatif. Demander, faire, donner, établir un devis. Commission* (cit. 4) *chargée de l'examen d'un devis. Devis d'architecte,
d'entrepreneur, d'imprimeur. Marché sur devis. Travaux conformes au devis. Dépense supérieure au devis. Le devis d'une réparation.*
1   (...) Gérard prépara trois canaux dans les trois principaux vallons, et aucun de ces
ouvrages n'atteignit au chiffre de ses devis.
                                BALZAC, le Curé de village, Pl., t. VIII, p. 729.
2   Les devis établis indiquent que ce film demanderait 100 000 francs pour être
réalisé.   A. ARTAUD, À propos du cinéma, *in* Œ. compl., t. III, p. 82.
HOM. 2. Devis.

2. DEVIS [d(ə)vi] n. m. — 1406 ; v. 1150, « souhait » ; de *deviser*
« bavarder, causer ».

♦ Archaïsme littér. Propos, conversation. « *De joyeux devis* » (Flaubert, *in* T. L. F.).
HOM. 1. Devis.

DÉVISAGER [devizaʒe] v. tr. — 1539, *desvisager* ; de 1. et 2. *dé-,
visage,* et suff. verbal.

★ **I.** (De 1. *dé-*). Vx. Endommager le visage de (qqn). ⇒ **Défigurer.**
Figuré :
1   *(Je)* ne suis point du tout pour ces prudes sauvages
Dont l'honneur est armé de griffes et de dents,
Et veut au moindre mot dévisager les gens (...)   MOLIÈRE, Tartuffe, IV, 3.
REM. Proust (*le Temps retrouvé,* Pl., p. 849) atteste la survivance régio-
nale et populaire de cet emploi.

★ **II.** (De 2. *dé-* ; 1803, Boiste). Regarder (qqn) avec attention,
avec insistance. ⇒ **Examiner, fixer, observer.** *Dévisager qqn d'une
manière impertinente, indiscrète. Il resta longtemps à la dévisager.
Dévisager un nouveau venu en silence, avec curiosité.*
2   Toutes ces figures nouvelles, ces yeux écarquillés qui vous dévisagent, cela
m'étourdit à un point !   A. DE MUSSET, Comédies et proverbes, Barberine, II, 1.
3   Il était à peine connu d'elles ; aussi l'eurent-elles bientôt dévisagé des pieds à la
tête.   A. DE MUSSET, Mimi Pinson, II.
4   Lui aussi la voit mieux à présent, sous la lueur nouvelle de cette lampe, tandis
qu'elle le dévisage et l'admire avec amour.   LOTI, Ramuntcho, II, II, p. 226.
5   Comme les jeunes filles passaient le long de la grande cour ovale, où les élèves de
toutes les classes étaient réunis, chacun de nous se dévisagea à son aise.
                           Valery LARBAUD, Fermina Márquez, I, p. 10.
6   (...) l'homme la dévorait toujours des yeux. Devrait-elle, toute sa vie, être ainsi
dévisagée ?   F. MAURIAC, Thérèse Desqueyroux, I, p. 18.
6.1 Julia dévisagea sa sœur, puis la dépoitrina, puis la déjamba.
                           R. QUENEAU, le Dimanche de la vie, p. 14.
N. B. Les deux autres verbes constituent un exercice morphologique plaisant.

Par ext. *Dévisager une chose,* la regarder attentivement. ⇒ **Contempler.**

7 L'œil fixe comme un corbeau, je dévisage la campagne déployée sous mon perchoir, je suis du regard cette route (...)
   CLAUDEL, Connaissance de l'Est, p. 117, *in* BOTTEQUIN.

▶ **SE DÉVISAGER** v. pron.

Se regarder l'un l'autre avec attention. *Ils se dévisagèrent longtemps sans pouvoir se reconnaître* (Académie).

8 Cécile s'assied en face de lui ; les yeux brillants, elle le regarde croquer sa tartine. Ils se dévisagent en riant ; pour rien, par plaisir.
   MARTIN DU GARD, Jean Barois, V, p. 35.

DEVISANT, ANTE [d(ə)vizɑ̃, ɑ̃t] adj. — 1860 ; attestation isolée, 1536 ; p. prés. de *deviser.*

♦ Littér. Qui devise, bavarde.

Ainsi sortirent convaincues ces clientes bien devisantes, accompagnées jusqu'au seuil de la pâtisserie aux « Petits Oiseaux » par tous les sourires du magasin.
   CÉLINE, Voyage au bout de la nuit, p. 347.

1. DEVISE [d(ə)viz] n. f. — Av. 1560 ; v. 1160, « marque distinctive » ; v. 1150, « division » ; de *deviser,* au sens ancien de « diviser ».

♦ **1.** Blason. Formule qui accompagne l'écu dans les armoiries. *Devise inscrite dans un cartouche.* ⇒ **Légende.** *Devise des chevaliers. Devise de ralliement.* ⇒ **Cri.**

(1610). Figure emblématique expliquée par une sentence, une légende. *Le corps de la devise :* la figure. *L'âme* de la devise :* la sentence.

1 Un antiquaire (...) imagina dès lors pour Louis XIV l'emblème d'un soleil dardant ses rayons sur un globe, avec ces mots, *Nec pluribus impar (...)* Cette devise eut un succès prodigieux. Les armoiries du roi, les meubles de la couronne, les tapisseries, les sculptures, en furent ornées. VOLTAIRE, le Siècle de Louis XIV, XXV.

♦ **2.** Cour. Maxime, petite phrase, mot qui est gravé sur un cachet, une médaille. *« Honni soit qui mal y pense »,* devise de l'ordre de la Jarretière.

1.1 Dans la salle à manger aux murs couverts d'assiettes toutes modernes avec des devises, comme celles dont on se servait à table, dont chacun s'amusait à comparer les devises, son oncle, ses cousins, sa mère étaient souvent déjà installés.
   PROUST, Jean Santeuil, Pl., p. 312.

(1668). Paroles exprimant une pensée, un sentiment, un mot d'ordre. *« Liberté, Égalité, Fraternité »,* devise de la République française. *Devise d'une ville. La devise d'une maison de commerce* (⇒ **Slogan**).

2 Et sur ce point, tant qu'il vécut,
 Diversité fut sa devise,   LA FONTAINE, Contes, XI.

Par ext. Règle de vie, d'action. *Ne pas s'en faire, c'est ma devise.*

3 Le trépas vient tout guérir ;
 Mais ne bougeons pas d'où nous sommes.
 Plutôt souffrir que mourir,
 C'est la devise des hommes.   LA FONTAINE, Fables, I, 16.

4 La devise de tout Français c'est : Vivre libre, l'égal de tous et membre du souverain.   ISNARD, Disc. à l'Assemblée législative, *in* GUERLAC.

HOM. 2. Devise.

2. DEVISE [d(ə)viz] n. f. — 1842 ; emprunt probable à l'all. *Devise,* v. 1830, du franç. ; on imprimait des *devises* (1.) sur les billets de change.

♦ Fin. Moyen de paiement à l'étranger négociable dans un pays. ⇒ **Change.** *Acheter des devises étrangères.*

Spécialt. Valeur commerciale sur l'étranger, servant de moyen de transfert des capitaux d'un pays dans un autre. ⇒ **Papier** (papier sur Londres, sur New-York, etc.). *Devise forte*, faible. Prix des devises étrangères.* ⇒ **Change.** *L'offre, la demande des devises étrangères. Importer, exporter des devises. Demande de la devise anglaise en France. Cours officiel des devises ; cours des devises sur le marché clandestin, parallèle. Marché libre des devises. Devises déposées dans les banques asiatiques, extérieures au pays du dépôt :* asiadevises (⇒ **Asiadollar**). — *Devise clef,* ayant un pouvoir de paiement libératoire international.

5 Les moyens de transfert de capitaux d'un pays un autre (...) sont : la *lettre de change,* le *chèque* et le *transfert* ou *versement télégraphique.* On les désigne spécialement sous le nom de *devises étrangères.*
   Paul REBOUD, Précis d'économie politique, t. II, p. 229.

HOM. 1. Devise.

DEVISER [d(ə)vize] v. intr. — V. 1168 ; 1155, v. tr. « raconter » ; 1155, « organiser », d'où *devis** ; 1119, « diviser » ; lat. pop. **devisare,* de *dividere.* → Diviser.

♦ Littér., régional ou par plais. S'entretenir familièrement. ⇒ 2. **Causer, converser, parler.** *Se promener en devisant. Deviser de choses et d'autres. Nous devisions gaiement. Deviser à perdre haleine avec quelqu'un.*

1 Quatre ou cinq bons vieux et bonnes vieilles, de ceux qui regardent s'élever la jeunesse avec indulgence (...) devisaient quelquefois entre eux sous les noyers de la Cosse (...) G. SAND, la Petite Fadette, XXIV, p. 165.

Deux prêtres devisaient, ils ne disputaient point. 2
   Ch. MAURRAS, Anthinéa, p. 112.

Nous devisions en déambulant au long des trottoirs de cette ville étrange (....) 3
   G. DUHAMEL, la Pesée des âmes, IX, p. 217.

DÉR. 2. Devis, devisant, devise.

DÉVISSABLE [devisabl] adj. — xxᵉ ; de *dévisser.*

♦ Qu'on peut dévisser.

CONTR. Indévissable.

DÉVISSAGE [devisaʒ] n. m. — 1870 ; de *dévisser.*

♦ **1.** Action de dévisser. *Le dévissage d'une planchette ; d'un bocal.*

♦ **2.** Alpin. Le fait de dévisser (II., 1.), de tomber.

DÉVISSÉ [devise] n. m. — 1899, *in* Petiot ; p. p. substantivé de *dévisser.*

♦ Sports. Mouvement exécuté avec un poids amené à l'épaule et élevé à la verticale, en inclinant le corps du côté opposé au poids.

« Pas comme ça, monsieur Saulnier, il faut avoir la manière ! » dit Yankel avec un bon sourire ; il lui donna quelques leçons d'arraché, de développé et de dévissé suivant les bons principes. Quand ils rentrèrent, ils étaient de nouveau très chauds.
   Roger IKOR, les Fils d'Avrom, « Les eaux mêlées », p. 554.

DÉVISSER [devise] v. tr. et intr. — 1768 ; de 1. *dé-,* et *visser.*

★ **I.** V. tr. ♦ **1.** Faire que (qqch.) ne soit plus vissé. *Dévisser une planche avec un tournevis. Dévisser le bouchon d'un tube, le couvercle d'un bocal.*

Pourquoi ? Parce qu'il y a des besognes qui reviennent aux hommes, d'autres à la femme ; parce qu'une femme ne tourne pas la molette d'une clé à mâchoire, ne dévisse pas une bougie (...) M. BEDEL, Jérôme 60° latitude Nord, X, p. 105. 1

Par ext. Ouvrir (un récipient vissé). *Dévisser un tube, un bocal.*

(1862). Loc. fam. *Dévisser son billard* :* mourir.

♦ **2.** Loc. fig. et fam. Tordre. *Dévisser le coco, la poire à qqn,* lui tordre le cou. *Se dévisser la tête, le cou :* tourner anormalement la tête, etc., en forçant. — *« Se dévisser le trou de balle »* (Bruant) : se décarcasser*.

♦ **3.** Par métaphore, fig. *Dévisser qqn de son siège, de sa place,* l'en sortir. — *Dévisser qqn,* le renvoyer (→ ci-dessous, II., 2.).

★ **II.** V. intr. ♦ **1.** Alpin. Lâcher prise et tomber, en montagne. ⇒ **Dérocher.**

Le premier de cordée avance alors seul et la corde est maintenue légèrement tendue par le second qui la laisse filer. Si le premier tombe — « dévisse » ou « déroche » — sa chute est enrayée par le second qui, grâce à sa position stable due au piton ou au bec rocheux solide, peut le retenir au moyen de la corde. 2
   Paul BESSIÈRE, l'Alpinisme, p. 30.

(...) avec de l'entraînement je vais acquérir une force extraordinaire dans le bout des doigts ; quand ma main croche, rappelle-toi que je ne suis pas près de dévisser. 3
   FRISON-ROCHE, Premier de cordée, p. 252.

♦ **2.** Fam. S'en aller, partir. *Il ne veut rien savoir pour dévisser. Il n'a pas dévissé de toute l'après-midi.*

Voulez-vous m'envoyer Levadoux. 4
— Il vient de sortir de son bureau, monsieur, répondit Vidal (qui savait pertinemment que Levadoux avait dévissé depuis plus d'une heure.)
   Boris VIAN, Vercoquin et le plancton, p. 82.

CONTR. (Du sens I.) Visser ; revisser ; fermer.
DÉR. Dévissable, dévissage, dévissé, dévissoir.

DÉVISSOIR [deviswaʀ] n. m. — 1933, cit. *infra* ; de *dévisser.*

♦ Techn. Dispositif permettant de dévisser un objet.

(...) des fusils à deux balles, des baïonnettes à dévissoirs (...)
   MALRAUX, la Condition humaine, p. 138.

DE VISU [devizy] loc. adv. — 1721 ; loc. jur., 1241, *de visu et auditu,* lat. ; mots latins.

♦ Après l'avoir vu, pour l'avoir vu. *Parler d'une chose de visu. Se rendre compte de visu. De visu, de auditu* (cit.) *et de olfactu.*

À Rome, un nouvel ordre religieux, les Socconi, a été établi dans un but de police religieuse : ils entrent dans les maisons les jours d'abstinence, découvrent les pots et les marmites, et s'assurent de visu que la loi du maigre est fidèlement observée.
   PROUDHON, *in* P. LAROUSSE.

CONTR. Ouï-dire (par).

DÉVITALISATION [devitalizasjɔ̃] n. f. — 1922 ; de *dévitaliser.*

♦ Action de dévitaliser. — Spécialt. *Dévitalisation d'une dent à couronner.*

DÉVITALISER [devitalize] v. tr. — 1842 ; de 1. *dé-, vital,* et suff. verbal *-iser.*

♦ **1.** Rare. Priver (qqn) de sa vitalité, de son dynamisme, de son énergie.

1 Les médiocres ont en eux un vaste pouvoir d'amoindrissement, une faculté inépuisable de réduire, appauvrir, dévitaliser.
Jean-Louis CURTIS, le Roseau pensant, p. 155.

♦ **2.** (1922). Priver (une dent) de son tissu vital, de la pulpe dentaire. — Au p. p. :

2 (...) c'était dans la mâchoire, au fond de la bouche, probablement sous la dent de sagesse ou sous la molaire dévitalisée, à gauche. Rien de bien grave pour l'instant. Juste une petite douleur, sèche et définie, peut-être un bouton sur la gencive, ou bien une névralgie éphémère.
J.-M. G. LE CLÉZIO, la Fièvre, p. 65.

DÉR. **Dévitalisation.**

DÉVITAMINÉ, ÉE [devitamine] adj. — xxᵉ ; p. p. de *dévitaminer,* 1948, Larousse, « faire perdre les vitamines » ; de 1. *dé-, vitamine,* et suff. verbal. (Comparer à *dévitaminiser*).

♦ Didact. Dont on a enlevé les vitamines. *Substance dévitaminée.* Qui a perdu ses vitamines. *Légumes dévitaminés par la cuisson.*

CONTR. **Vitaminé.**

DÉVITAMINISER [devitaminize] v. tr. — 1939 ; de 1. *dé-, vitamine,* et suff. verbal *-iser.*

♦ Rare. Priver (un aliment) de ses vitamines. — Au p. p. *Dévitaminisé.* ⇒ **Dévitaminé.**

DÉVITRÉ, ÉE [devitre] adj. — 1910 ; de 1. *dé-, vitre,* et suff. *-é.*

♦ Rare. Qui n'a plus de vitres (baie, fenêtre, etc.).

Nous le retrouvâmes au second étage, près de la fenêtre dévitrée d'un corridor par laquelle on avait ramené vers l'intérieur une corde tombant du dehors ; c'était la corde d'une cloche (...)
GIDE, Isabelle in Romans, Pl., p. 602.

CONTR. **Vitré.**

DÉVITRIFIABLE [devitrifjabl] adj. — 1845 ; de *dévitrifier.*

♦ Techn. Qui peut être dévitrifié. « *Des mélanges de matières premières aussi peu dévitrifiables que possible...* » (Meyer et Grivet, le Verre, p. 19).

DÉVITRIFICATION [devitrifikasjɔ̃] n. f. — 1803 ; de *dévitrifier.*

♦ Techn. Action de dévitrifier.

CONTR. **Vitrification.**

DÉVITRIFIER [devitrifje] v. tr. — 1803 ; de 1. *dé-,* et *vitrifier.*

♦ Techn. Faire perdre à (une substance, un verre) sa transparence (notamment par l'action prolongée de la chaleur).

DÉR. **Dévitrifiable, dévitrification.**

DÉVOCALISATION [devɔkalizasjɔ̃] n. f. — D. i. (xxᵉ) ; de 1. *dé-,* et *vocalisation.*

♦ Phonét. Transformation (d'un phonème) de sonore en sourd. ⇒ **Assourdissement, dévoisement.**

DÉVOIEMENT [devwamɑ̃] n. m. — 1268, « égarement moral » ; mil. xiiᵉ, « chemin impraticable » ; de *dévoyer.*

♦ **1.** (1802). Archit. Déviation, inclinaison d'un tuyau de cheminée, de descente (⇒ **Devers**).

♦ **2.** (1538). Vx ou littér. Diarrhée.

1 Il était incommodé d'un dévoiement (...)
Mᵐᵉ DE SÉVIGNÉ, Lettres, 118, in LITTRÉ.

2 La cyanose semblait avoir pris repos en haut des cuisses. Angélo frictionna énergiquement les plis de l'aine. Les dévoiements s'étaient arrêtés. La jeune femme respirait faiblement, avec des hoquets, puis par aspirations profondes, comme après un combat qui a fait perdre le souffle. Son ventre tressaillait encore de souvenirs.
J. GIONO, le Hussard sur le toit, p. 392.

DÉVOILAGE [devwalaʒ] n. m. — 1981 ; de 1. *dévoiler.*

♦ Techn. Redressement d'une roue voilée.

DÉVOILEMENT [devwalmɑ̃] n. m. — 1606 ; de 2. *dévoiler.*

♦ Action de dévoiler, de se dévoiler. *Le dévoilement d'une statue.* Fig. (1660). *Le dévoilement des mystères.* ⇒ **Révélation.**

1 On verra (...) combien cette digression est nécessaire pour l'éclaircissement et le dévoilement de ce qui se présentera à raconter.
SAINT-SIMON, Mémoires, 177, 113, in LITTRÉ.

2 Dans les motifs que représentent les quelques tableaux que j'ai pu sauver, on reconnaît une propension pour des scènes dont la violence est due à un savant dévoilement — non au dévoilé, non à la nudité, mais à l'instant en soi le moins pictural : l'œil aime à se reposer sur un motif sans histoire, et notre artiste au contraire semble contrarier ce repos du regard en suggérant à l'esprit ce que la peinture dérobe.
P. KLOSSOWSKI, la Révocation de l'Édit de Nantes, p. 11.

1. DÉVOILER [devwale] v. tr. — 1907 ; de 1. *dé-,* et 2. *voiler.*

♦ Techn. Redresser (une roue voilée).

DÉR. **Dévoilage.**
HOM. 2. **Dévoiler.**

2. DÉVOILER [devwale] v. tr. — 1440, fig. ; de 1. *dé-,* et 1. *voiler.*

♦ **1.** (1556). Enlever le voile de (qqn) ; enlever ce qui cache (qqch.). ⇒ **Découvrir.** *Dévoiler le visage d'une femme. Dévoiler une statue, une plaque que l'on inaugure.*

Spécialt (se dévoiler, 1554). *Dévoiler une religieuse,* la relever de ses vœux.

Par ext. Faire enlever le voile qui couvre habituellement (des personnes). *Réformateur qui propose de dévoiler les femmes, dans un pays islamique.*

♦ **2.** Fig. Découvrir (ce qui était secret). ⇒ **Découvrir, révéler.** *Une éclaircie dévoila un coin du ciel.*

1 Vial dévoila ses yeux qu'il tenait baissés, ouvrit en grand son visage surpris, où toute sa bonne foi d'homme apparut (...)
COLETTE, la Naissance du jour, p. 160.

(Abstrait). *Dévoiler ses intentions.* ⇒ **Déclarer, dire, expliquer, livrer, voir** (laisser voir). *Devin qui dévoile l'avenir* (⇒ **Prédire**). *Dévoiler un mystère, un secret, une intrigue, un complot* (→ Découvrir, éventer la mèche*). *Dévoiler la fausseté, la perfidie de qqn.* ⇒ **Démasquer ;** → Arracher, lever, ôter le masque*, mettre à nu* ; déchirer, lever le voile*. *Dévoiler qqn,* percer le secret de son identité, de ses intentions. ⇒ **Deviner.** *Dévoiler qqch., qqn à qqn,* révéler à qqn la nature de (qqch., qqn). — Loc. *Dévoiler ses batteries*:* faire connaître ses plans secrets.

2 Ils ne sauraient me pardonner de dévoiler leurs impostures aux yeux de tout le monde.
MOLIÈRE, Tartuffe, 2ᵉ placet.

3 Les mystères que je vous dévoilerai sont sublimes, à la vérité, mais aimables.
FRANCE, la Rôtisserie de la Reine Pédauque, Œ., t. VIII, p. 105.

4 Il eut le sourire malicieux d'un prestidigitateur bon enfant qui va dévoiler un de ses tours (...)
MARTIN DU GARD, les Thibault, t. IV, p. 251.

▶ **SE DÉVOILER** v. pron.
Enlever, relever son voile. *Traditionnellement, les femmes musulmanes ne se dévoilaient pas au dehors.* — Fig. Se montrer, se manifester, devenir connu. ⇒ **Apparaître, paraître.** *Le mystère se dévoile peu à peu.*

5 Tout se dévoile ; tout se révèle.
Ch. PÉGUY, la République..., p. 264.

▶ **DÉVOILÉ, ÉE** p. p. adj.
Sans voile. *Femme dévoilée.* — Fig. *Caractère dévoilé.*

6 — Mon voile un instant s'est ouvert.
— Un homme alors passait ? un homme en caftan vert ?
— Oui (...) peut-être (...) mais son audace
N'a point vu mes traits dévoilés (...)
HUGO, les Orientales, XI.

CONTR. **Cacher, couvrir, recouvrir, voiler. — Taire.**
DÉR. **Dévoilement.**
HOM. 1. **Dévoiler.**

1. DEVOIR [d(ə)vwaʀ] v. tr. — *Je dois, tu dois, il doit, nous devons, vous devez, ils doivent ; je devais ; je dus, nous dûmes ; je devrai ; je devrais ; que je doive ; que je dusse ; devant ; dû, due, dus, dues.* — 842, dift. « il doit » ; *deveir,* xiᵉ ; du lat. *debere* « être redevable de quelque chose à quelqu'un ». → **Débit.**

★ **I. DEVOIR (quelque chose) à (quelqu'un). ♦ 1.** Avoir à payer (une somme d'argent), à fournir (une chose en nature) à (qqn). *Devoir une grosse somme d'argent à un ami. Il me doit dix mille francs. L'argent que je vous dois. Ne pas rien devoir à personne. Devoir encore qqch. à qqn.* ⇒ **Reste** (être en reste). *Celui qui doit de l'argent à qqn* (⇒ **Débiteur**), *celui à qui l'on doit* (⇒ **Créancier**). (Au passif). *Je ne réclame que ce qui m'est dû.*

1 La fumée est ta part ; je ne te dois plus rien.
LA FONTAINE, Fables, IX, 13.

2 Doutez-vous de ma probité, monsieur ? Vos cent écus ! j'aimerais mieux vous les devoir toute ma vie, que de les nier un seul instant.
BEAUMARCHAIS, le Barbier de Séville, III, 5.

3 Un pauvre journal d'opinion, qui tire péniblement à trente, trente-cinq mille, et qui doit je ne sais combien à l'imprimeur, au fabricant de papier, aux courtiers de publicité.
J. ROMAINS, les Hommes de bonne volonté, t. II, XI, p. 118.

(Sans compl. second). *Devoir de l'argent.* ⇒ **Acquitter, payer** ce que l'on doit (⇒ **Dette**). *Ce qui est dû* (⇒ **Dû** (n. m.)).

Loc. Vieilli. *Il doit plus d'argent qu'il n'est gros* : il est très endetté.

Absolt. *Il doit à tout le monde.* — Loc. *Devoir à Dieu et à diable ; à Dieu et au monde ; au tiers et au quart ; de tous côtés* : avoir beaucoup de dettes.
Qui a terme ne doit rien : on n'est pas obligé de payer avant le terme échu.

Par métonymie. *Devoir son loyer. — Devoir deux mois* (de loyer, etc.).

Loc. *Je lui (te, vous...) dois bien ça :* il mérite bien ça en retour.

♦ **2.** Être redevable (à qqn ou à qqch.) de (ce que l'on possède). ⇒ **Tenir** (de). *Il lui doit tout. Il lui doit sa situation. Il ne veut devoir rien à personne. Devoir son surnom à un trait de caractère. Nous devons notre réussite au travail de nos prédécesseurs. Devoir la vie à qqn :* a) être son enfant ; b) avoir été sauvé par lui. *Ceux à qui il doit le jour,* ses parents. *Je vous dois mon salut, la fortune, mon bonheur. Les romantiques doivent beaucoup à J.-J. Rousseau. Cette viande doit son goût aux épices* (→ Aromatique, cit. 1). Absolt et par métaphore du sens 1. → cit. 5.

4 Je ne dois qu'à moi seul toute ma renommée.
CORNEILLE, Poésies diverses, Excuse à Ariste.

5 L'orgueil ne veut pas devoir, et l'amour-propre ne veut pas payer.
LA ROCHEFOUCAULD, Maximes, 228.

6 Ne sais-je pas bien ce que je vous dois ? MOLIÈRE, Dom Juan, IV, 3.
7 L'un tient de moi la vie, à l'autre je la dois ! VOLTAIRE, Alzire, III, 5.
8 (...) nous n'avons dû notre salut qu'à notre habileté comme cavalier...
A. JARRY, Ubu Roi, IV, 4.

Passif. *Être dû à :* avoir pour cause. *Le succès de cette pièce est dû au talent des acteurs. Sa réussite est due au hasard* (→ Débridement, cit. 2).

9 (...) au cas où le silence d'Hélène eût été dû à une violente réprimande de sa mère (...) J. ROMAINS, les Hommes de bonne volonté, t. III, XXIII, p. 325.

Fam. *Devoir une fière chandelle*, un cierge à quelqu'un.*

(Sujet n. de chose). *« Une teinte rougeâtre qu'elle* (une soupe) *doit au safran »* (Gautier, *in* T. L. F.).

Devoir à (qqn) de (et inf.). *Je lui dois d'être en vie :* c'est grâce à lui que je suis en vie.

10 (...) c'est à la pluie que j'ai dû de connaître, une première fois, il y a cinq ans, le pays du perpétuel Été (...) E. FROMENTIN, Un été dans le Sahara, I, p. 3.

♦ **3.** Être tenu à (qqch.) par la loi, les convenances, l'honneur, l'équité, la morale. *Il devait ce sacrifice à sa cause. Devoir de la reconnaissance à ses bienfaiteurs. Un fils doit le respect à son père. Vous lui devez des égards, des ménagements. Je vous dois une explication, des excuses. La loi doit une égale protection à tous les citoyens.*

(Sans compl. direct). *Devoir à quelqu'un.*

11 Je dois à ma maîtresse aussi bien qu'à mon père (...) CORNEILLE, le Cid, I, 6.

(Au passif). *Accorder, rendre à qqn l'admiration qui lui est due, les honneurs (qui sont) dus à son rang.*

12 (...) la vertu et le crime rencontrent si rarement ce qui leur est dû (...)
LA BRUYÈRE, les Caractères, XVI, 47.

(Le compl. est sans déterminant). *Devoir obéissance, protection, réparation à qqn. Devoir compte* de... Il ne doit compte de ses actions à personne.*

♦ **4.** V. pron. (Voir ci-dessous).

★ **II.** Auxiliaire de mode. (Suivi d'un infinitif). ♦ **1.** [a] Être dans l'obligation de (faire qqch.). ⇒ **Avoir** (à) ; → Être tenu*, obligé* de ; il faut (falloir*). *Il doit terminer ce travail ce soir. Il doit rendre compte de son administration. Un homme d'honneur doit tenir sa parole. On doit respecter les vieillards. Il a cru devoir refuser. Il aurait dû me prévenir. Elle ne sait si elle doit rire ou pleurer. Que devons-nous faire ? C'est vous qui devez agir.* ⇒ **Appartenir** (c'est à vous qu'il appartient d'agir). *Les choses qu'on doit savoir. Dois-je me plaindre ? Les choses ne doivent pas en rester là.* — En parlant d'une obligation morale. *Tu as agi comme tu devais agir,* et, ellipt., *comme tu le devais, comme tu devais.*

13 (...) Que pouviez-vous ? hélas ! — J'ai fait ce que j'ai dû.
VOLTAIRE, l'Orphelin de la Chine, V, 1.
14 — Va, je ne te hais point. — Tu le dois. — Je ne puis. CORNEILLE, le Cid, III, 4.
15 L'on demande s'il faut aimer. Cela ne se doit point demander : on le doit sentir.
PASCAL, Disc. sur les passions de l'amour.
16 (...) celui-là *(Corneille)* peint les hommes comme ils devraient être, celui-ci *(Racine)* les peint tels qu'ils sont. LA BRUYÈRE, les Caractères, I, 54.
17 Faisons ce qu'on doit faire et non pas ce qu'on fait.
NIVELLE DE LA CHAUSSÉE, Préjugé à la mode, II, 1.
18 Le magistrat doit veiller à ce que l'esclave ait sa nourriture et son vêtement : cela doit être réglé par la loi.
Les lois doivent avoir attention qu'ils soient soignés dans leurs maladies et dans leur vieillesse. MONTESQUIEU, l'Esprit des lois, XV, 17.
19 *Je ne suis bien avec moi-même que quand je fais ce que je dois* (DIDEROT, Lettre à S. V., 8 oct. 1760). C'est fort bien dit ; mais l'embêtant c'est qu'on ne sait pas toujours ce qu'on doit faire. GIDE, Journal, 25 juin 1944.
19.1 Fix crut devoir sourire en entendant cette observation.
J. VERNE, le Tour du monde en 80 jours, p. 218.

Prov. *Fais ce que dois, advienne que pourra.*

(Au conditionnel). *Tu devrais aller la voir à l'hôpital,* ce serait bien* si...

(Au conditionnel, marquant la convenance). *Il devrait être au lit, à cette heure-là.*

[b] En être réduit à... *« Il m'a tellement importuné que j'ai dû le mettre à la porte »* (Hanse).

[c] (En emploi négatif). *Devoir ne pas...,* ne pas avoir le droit, la

permission de... (exprime la défense, l'interdiction). *Vous ne devez pas sortir. Vous ne devez en aucun cas en parler.*

[d] (Marquant une affirmation atténuée, avec des verbes de «parole»). *Je dois dire, je dois avouer que... Nous devons bien reconnaître que...*

♦ **2.** Par ext. Avoir l'intention de. ⇒ **Penser.** *Je dois partir demain. Nous devions l'emmener avec nous mais il est tombé malade. Je devais venir, mais j'ai été empêché.*

♦ **3.** (Marquant la vraisemblance, la probabilité, l'hypothèse).

Au présent. (Dans le présent). *On doit avoir froid dans un tel pays,* je pense, je suppose, je présume, j'imagine qu'on y a froid. *Il doit être grand maintenant. Il doit être bien riche pour mener si grande vie. Je dois le connaître. Je dois avoir entendu parler de lui* (→ Je ne suis* pas sans avoir...)

20 — Hélas ! que j'ai de peine à rompre mon silence !
— Ouais ! Ceci doit donc être un important secret.
MOLIÈRE, le Dépit amoureux, II, 1.
21 Ce bruit de ferraille doit être assourdissant, et vous devez être là comme dans une prison. A. DE MUSSET, Comédies et proverbes, Barberine, III, 5.
22 Jamais, vois-tu ? mes petits-enfants ne pensent à m'embrasser. Ils ne doivent pas trouver les gens de notre âge très appétissants.
G. DUHAMEL, le Voyage de P. Périot, I, p. 22.

(Après *si* — et l'indicatif —, *quand, quand (bien) même* — et le conditionnel). *Si cela doit par malheur arriver... Quand (bien) même il devrait réussir, je ne suivrais pas ses conseils.* → aussi 5., ci-dessous (*supra* cit. 34).

À un temps passé. (Dans le passé). *Il ne devait pas être bien tard quand il est parti. Il a dû partir ce matin* ou *il doit être parti ce matin.* (→ Il y a des chances* qu'il soit parti). *Il a dû se tromper* ou *il doit s'être trompé. Vous deviez normalement gagner.*

23 (...) ce fils (...) est le chagrin (...) de cette vie (...) dont je croyais qu'il devait être la joie (...) MOLIÈRE, Dom Juan, IV, 4.
24 (...) vous avez perdu absolument votre procès que vous deviez gagner.
MOLIÈRE, les Femmes savantes, V, 4.
24.1 (...) une injuste prévention fait croire que celui qui a dû commettre le crime, l'a commis (...) SADE, Justine, I, p. 33.
25 (...) de petites flaques noires, en de certains endroits, devaient être du sang.
FLAUBERT, l'Éducation sentimentale, II, 162, in BRUNOT.

Au présent. (Dans le futur, avec une nuance d'incertitude). ⇒ **Aller.** *Il doit arriver dans un instant. Il doit vous l'annoncer demain. Il devra sans doute plaider demain. Si cela doit se reproduire, j'aviserai. S'il devait partir, je ne le retiendrais pas.*

26 Je dois faire aujourd'hui bonne chère, ou jamais. LA FONTAINE, Fables, VIII, 9.
27 Hélas ! qui peut savoir le destin qui m'amène ?
L'amour me fait ici chercher une inhumaine.
Mais qui sait ce qu'il doit ordonner de mon sort,
Et si je viens chercher ou la vie ou la mort ? RACINE, Andromaque, I, 1.
28 (...) il avance d'un bon vent et qui a toutes les apparences de devoir durer (...)
LA BRUYÈRE, les Caractères, XIII, 9.
29 (...) la guerre poétique ne paraît pas devoir être moins acharnée que la guerre sociale n'est furieuse. HUGO, Odes et ballades, Préface de 1824.
30 La langue utilise souvent le verbe *devoir* suivi de l'infinitif. L'expression a encore un sens modal, mais ce sens modal est de moins en moins senti. La forme s'achemine ainsi vers une valeur purement temporelle : *Elle doit venir ; ça doit réussir.* On sent combien ici la valeur de *devoir* est différente de celle que montre l'exemple suivant : *Puisque Angélique aime réellement Valère, elle* **doit** *l'épouser malgré son défaut.* (SAINTE-BEUVE, Lundis, VII, 11). Ce sens s'affaiblit surtout dans les propositions subordonnées (...)
BRUNOT, la Pensée et la Langue, III, XI, C, 9, p. 464.
31 *S'il* **doit revenir** *seulement à cinq heures, ce n'est pas la peine que nous l'attendions.* BRUNOT, la Pensée et la Langue, V, XXV, IX, p. 889.

(Par politesse). *Vous devez vous tromper :* vous vous trompez, selon* moi, d'après* moi. *Vous avez dû faire erreur.*

♦ **4.** Être conduit nécessairement, infailliblement à... ⇒ **Falloir.** *Cela devait être ainsi :* c'était inéluctable, inévitable (⇒ **Nécessaire ; nécessité**). *Il n'arrive que ce qui doit arriver. Il a dû s'arrêter tellement il était fatigué.*

(Futur du passé). *Cela devait arriver,* je l'avais prédit. *Ça devait bien finir comme ça. Il devait mourir deux ans plus tard.* — Avec un présent de narration. *En 1789, Louis XVI ignore qu'il doit mourir décapité.*

32 Jésus paraît être resté étranger à ces raffinements de théologie, qui devaient bientôt remplir le monde de disputes stériles.
RENAN, la Vie de Jésus, Œ., t. IV, XV, p. 239.
33 Il arrive souvent qu'un historien annonce un événement futur, avec cette nuance spéciale que l'événement était préparé, convenu (...) Puis comme le sens spécial, attaché à *devoir,* s'efface, le sens s'approche de celui d'un futur dans le passé (...) BRUNOT, la Pensée et la Langue, V, XX, V, p. 757.

♦ **5.** (À l'imparfait du subjonctif). Littér. *Dussé-je ; dut-il,* etc., quand même, quand bien même je devrais, il devrait. *Dussé-je y périr. Dussé-je y consacrer ma fortune. Dussent mille dangers me menacer.*

34 Tous les Grecs m'ont déjà menacé de leurs armes ;
Mais dussent-ils encore, en repassant les eaux,
Demander votre fils avec mille vaisseaux ;
Coûtât-il tout le sang qu'Hélène a fait répandre ;
Dussé-je après dix ans voir mon palais en cendre,
Je ne balance point, je vole à son secours :
Je défendrai sa vie aux dépens de mes jours.
RACINE, Andromaque, I, 4.

35 Je ne me chargerais pas d'un enfant maladif et cacochyme, dût-il vivre quatre-vingts ans.   ROUSSEAU, Émile, I, p. 29.

▶ **SE DEVOIR** v. pron.

♦ **1.** (Réfl. ou récipr.). Être obligé de se consacrer à... *Se devoir à sa patrie, à ses enfants.*

36 Sa mort vous laisse un fils à qui vous vous devez (...)   RACINE, Phèdre, I, 5.
Se devoir mutuellement quelque chose.

37 Les époux se doivent mutuellement fidélité, secours, assistance.
                                                    Code civil, art. 212.

Se devoir à soi-même. Je manquerais à ce que je me dois. — **SE DEVOIR DE** (et inf.). *Je me devais de lui parler ouvertement. Vous vous devez à vous-même de réussir.*

38 Je sais ce que je suis et ce que je me dois.   CORNEILLE, Dom Sanche, 68.

♦ **2.** (Passif impers.). *Comme il se doit,* comme il le faut, ou, fam., comme c'était prévu. — Littér. *Cela se doit* : c'est convenable, obligatoire.

38.1 Dans le grand salon, Lady Ava est très entourée comme il se doit, par les invités qui, dès leur entrée, se dirigent d'abord vers elle pour la saluer (...)
                            A. ROBBE-GRILLET, la Maison de rendez-vous, p. 58.

▶ **DÛ, UE** p. p. adj.

♦ **1.** *Argent dû par un débiteur. En port* dû.* — Loc. *Chose promise, chose due.*

Dû à : qui est redevable à...; causé par... — Fig. *Punition due à sa mauvaise conduite.*

39 Il m'a dit qu'il n'était pas impossible que cette eau présentât des propriétés dues à ce qu'on appelle des « radiations ».
                            J. ROMAINS, les Hommes de bonne volonté, t. V, XXII, p. 177.

N. m. ⇒ **Dû.**

Dr. *Jusqu'à due concurrence* : jusqu'à concurrence de la somme dont un débiteur est tenu.

Loc. *Ainsi que dû* : comme cela se doit.

♦ **2.** Que l'on doit rendre. *Les égards dus à qqn, à son rang.*

♦ **3.** Dont est responsable (qqn, qqch.). *La fatigue due au travail. Tableau dû à un maître anonyme.*

♦ **4.** Conforme aux règles. ⇒ **Convenable.** *Acte en due forme, en bonne et due forme,* rédigé conformément à la loi et revêtu de toutes les formalités nécessaires.

CONTR. Acquitter, **libérer** (se), **payer; libre** (être libre). — (Du p. p.) **Indu.**
DÉR. 2. Devoir, doit, dû.
COMP. Redevoir.
HOM. 2. Devoir.

2. DEVOIR [d(ə)vwaʀ] n. m. — Fin XIIᵉ; de 1. *devoir.*

★ **I.** ♦ **1.** *(Le devoir).* L'obligation morale considérée en elle-même, et indépendamment de son application particulière. ⇒ **Loi** (morale), **obligation.** *La conscience, le sentiment du devoir. Lutte du devoir et de la passion* (→ Pavillon, cit. 8). *Le respect du devoir. Le caractère impératif du devoir moral.* ⇒ **Impératif** (catégorique). *L'amour du devoir. La pratique du devoir.* ⇒ **Vertu.** — *Par devoir :* au nom du devoir moral. *Agir par devoir. — Se maintenir dans le devoir. — Un homme de devoir,* qui respecte l'obligation morale. *C'est une femme de devoir.*

1 Nul ne possède d'autre droit que celui de toujours faire son devoir.
                                    A. COMTE, Philosophie positive, t. I, p. 361, in GUERLAC.

2 Il *(Socrate)* dégageait la morale de la religion; avant lui, on ne concevait le devoir que comme un arrêt des anciens dieux; il montra que le principe du devoir est dans l'âme de l'homme.   FUSTEL DE COULANGES, la Cité antique, V, I, p. 420.

3 (...) la liberté, sans laquelle le devoir ne serait qu'un mot vide de sens.
                        BERTHELOT, cité par RENAN, Dialogues et fragments philosophiques, p. 209.

3.1 J'ai tenté lâchement de me débarrasser de ma dette, mais je ne l'ai pas acquittée. Dans les cauchemars de mes nuits, je me réveille en sueur, m'agenouille, crie à voix haute : « Seigneur! Seigneur! à qui devais-je? — Seigneur! à qui devais-je? » Je n'en sais rien, mais je devais. — Le devoir, Messieurs, c'est une chose horrible; moi, j'ai pris le parti d'en mourir.
                        GIDE, le Prométhée mal enchaîné, in Romans, Pl., p. 332.

4 Le sentiment du *devoir* apporte une sorte de bénédiction sur chaque acte accompli; on se sent un être moral; on échappe à la pesanteur (...)
                                                GIDE, Journal, 18 déc. 1946.

5 Fidèle par tendresse, par devoir, par fierté (...)
                                        COLETTE, la Naissance du jour, p. 45.

6 L'oisiveté engendre le plaisir et le plaisir détourne petit à petit du devoir.
                                        Max JACOB, Conseils à un jeune poète, p. 92.

7 Nulle trace, en cet homme admirable, de morgue vertueuse. Nul ne s'est moins juché sur les échasses du devoir et de la morale.
                                    André SUARÈS, Trois hommes, « Dostoïevski », p. 262.

♦ **2.** *(Le devoir de qqn; un, des devoirs).* Ce que l'on doit faire; obligation morale particulière, définie par le système moral que l'on accepte, par la loi, les convenances, les circonstances... ⇒ **Charge, fonction, obligation, office, responsabilité, tâche, travail.** *Accomplir, faire, remplir, suivre son devoir* (→ Cour, cit. 17). *Faire bien son devoir. S'acquitter de son devoir, de ses devoirs. Observer, remplir ses devoir. Se dévouer à un devoir* (→ Bonheur, cit. 24). *Assumer* (cit. 3) *tous les devoirs d'un rôle, d'une charge. Connaître, bien comprendre son devoir. Devoir facile à remplir. Devoir assujettis-*

sant (cit. 1), *pénible.* ⇒ **Corvée.** *S'imposer, se prescrire des devoirs. C'est un devoir pour moi (que de faire cela, de faire cela). Avoir pour devoir de... Se faire un devoir de...* (→ Attaquer, cit. 32; avancer, cit. 38). *Mon devoir exige que... Mon devoir me réclame là-bas. Là est mon devoir. Son devoir lui commande* (cit. 7) *d'agir ainsi. Dans ce cas, la résistance est un devoir* (→ Arbitraire, cit. 7). *C'est contraire au devoir, cela s'oppose au devoir. Devoirs opposés. Un conflit* (cit. 4) *de devoirs. Être chargé* (cit. 20) *de devoirs. Être tenu à des devoirs. C'est non seulement un devoir, mais une nécessité. Ce n'est pas un droit, c'est un devoir.* — Loc. *Il est de mon (ton, son...) devoir de...*

Faites votre devoir, et laissez faire aux dieux.   CORNEILLE, Horace, II, 8.   8

Il est de mon devoir de (...)   MOLIÈRE, l'École des maris, II, 3.   9

(...) au lieu qu'en l'état où je suis, ignorant ce que je suis et ce que je dois faire, je ne connais ni ma condition, ni mon devoir.   PASCAL, Pensées, III, 229.   10

Laissez dire, laissez-vous blâmer, condamner, emprisonner, laissez-vous pendre, mais publiez votre pensée. Ce n'est pas un droit, c'est un devoir, étroite obligation de quiconque a une pensée, de la produire et mettre au jour pour le bien commun. La vérité est toute à tous.   P.-L. COURIER, Œ. compl., p. 214.   11

En 1792, la fidélité au serment passait encore pour un devoir; aujourd'hui, elle est devenue si rare qu'elle est regardée comme une vertu.   12
                        CHATEAUBRIAND, Mémoires d'outre-tombe, t. II, p. 38.

À l'austère devoir pieusement fidèle,   13
Elle va, lisant ces vers tout remplis d'elle :
Quelle est donc cette femme? et ne comprendra pas.   ARVERS, « Sonnet ».

Nous ne vous demandons rien, mon ami, dit-il. C'est votre droit de vous taire.   13.1
— C'est mon devoir de parler.   J. VERNE, l'Île mystérieuse, p. 543.

Mais cependant, prier pour les morts leur restait un devoir auquel elles n'osaient point faillir, et d'ailleurs un devoir très doux (...)   14
                                    LOTI, les Désenchantées, I, III, p. 47.

L'art est un jeu. Tant pis pour celui qui s'en fait un devoir.   15
                                    Max JACOB, Conseils à un jeune poète, p. 24.

(...) les Prophètes osent dire que l'élection divine impose plus de devoirs qu'elle ne confère de droits.   DANIEL-ROPS, le Peuple de la Bible, III, II, p. 223.   16

Trahir son devoir, ses devoirs. Faillir, forfaire, manquer à son devoir (→ Berner, cit. 5). *S'écarter de son devoir. Transiger avec son devoir. Négliger, oublier son devoir.*

Manquer à son devoir était l'impiété la plus grave qu'on pût commettre (...)   17
                                    FUSTEL DE COULANGES, la Cité antique, p. 33.

Spécialt. *Les devoirs envers soi-même. Il place l'honneur au premier rang de ses devoirs. Devoir d'état*. Les devoirs de son état, de sa charge.* ⇒ **Service; rôle** (→ Cahier, cit. 3). *Devoir professionnel. Les devoirs du médecin* (⇒ **Déontologie**).

Un prince dans un livre apprend mal son devoir.   CORNEILLE, le Cid, I, 3.   18

Le devoir des juges est de rendre la justice; leur métier, de la différer. Quelques-uns savent leur devoir, et font leur métier.   19
                                    LA BRUYÈRE, les Caractères, XIV, 43.

Nos premiers devoirs sont envers nous; nos sentiments primitifs se concentrent en nous-mêmes; tous nos mouvements naturels se rapportent d'abord à notre conservation et à notre bien-être.   ROUSSEAU, Émile, II.   20

C'est pour le romancier observateur aussi bien que pour le médecin, un devoir professionnel que de cultiver une certaine insensibilité naturelle (...)   21
                                    A. THIBAUDET, Gustave Flaubert, p. 12.

Les devoirs envers les autres. Devoirs de justice, de charité. Observation rigoureuse des devoirs de justice. ⇒ **Probité.** *Devoir envers le prochain. Devoir de fidélité, de loyauté. Les devoirs de l'amitié. Devoir de reconnaissance* (→ Acquitter, cit. 7). *Devoirs des parents envers les enfants. Devoir paternel, maternel, filial.*

Il est des devoirs simples et sublimes qu'il n'appartient qu'à peu de gens d'aimer et de remplir : tels sont ceux du père de famille, pour lesquels l'air et le bruit du monde n'inspirent que du dégoût, et dont on s'acquitte mal encore quand on n'y est porté que par des raisons d'avarice et d'intérêt.   22
                            ROUSSEAU, Julie ou la Nouvelle Héloïse, lettre, X.

Loc. *Devoir conjugal** (cit. 2).
Les devoirs de la société envers l'individu (→ Charge, cit. 20). *Les droits et les devoirs de chacun. Devoir civique, social. Les devoirs du citoyen. Faire son devoir de citoyen :* voter. *Devoirs envers la patrie. Devoir national, patriotique. Le devoir militaire. Faire son devoir.*

Les devoirs dont il a été question jusqu'à présent sont ceux que nous impose la vie sociale; ils nous obligent vis-à-vis de la cité plutôt que de l'humanité.   23
                H. BERGSON, les Deux sources de la morale et de la religion, p. 31.

Les devoirs religieux. Devoirs envers Dieu (→ Adorer, cit. 3; charité, cit. 3). *Le devoir pascal*.*
Les devoirs imposés par les convenances (cit. 4), *les bienséances* (cit. 13). *Un devoir de convenance. Les devoirs mondains.* ⇒ **Obligation.**

(...) je suis tellement accablée de visites et de devoirs, que de bonne foi je n'en puis plus.   Mᵐᵉ DE SÉVIGNÉ, Lettres, 1180, 25 mai 1689.   24

De grasses matinées. Une toilette soigneuse et lente. Des devoirs mondains de l'après-midi et du soir.   25
                    J. ROMAINS, les Hommes de bonne volonté, t. III, XVIII, p. 238.

♦ **3.** Au plur. Vieilli, solennel ou par plais. ⇒ **Civilité, hommage, respect.** *Présenter ses devoirs à qqn. Aller rendre ses devoirs à quelqu'un.*

Où est son Altesse Turque? Nous voudrions (...) lui rendre nos devoirs.   26
                            MOLIÈRE, le Bourgeois gentilhomme, V, 3.

Loc. *Rendre à qqn les derniers devoirs,* l'accompagner jusqu'à sa dernière demeure. ⇒ **Funèbre** (honneurs funèbres); **funérailles.**

Tu veux à ce héros rendre un devoir suprême (...)   CORNEILLE, Pompée, V, 4.   27

27.1 (...) il transporta ce cadavre sur le talus de la route. Il aurait voulu lui donner une sépulture décente, l'enterrer profondément, afin que les carnassiers de la steppe ne pussent s'acharner sur ses misérables restes (...) D'ailleurs, si Nicolas eût voulu rendre les derniers devoirs à tous les morts qu'il allait maintenant rencontrer sur la grande route sibérienne, il n'aurait pu y suffire !
J. VERNE, Michel Strogoff, p. 389-390.

♦ **4.** EN DEVOIR DE... ⇒ **Disposition** (en disposition de...), **prêt** (à). *Se mettre en devoir d'affronter une épreuve. Se mettre en devoir de partir.* ⇒ **Disposer** (se), **préparer** (se).

28 (...) les garçons cantonnés dans la maison, même le vieux chanvreur et les vieilles commères, se mirent en devoir de garder le foyer.
G. SAND, la Mare au diable, Appendice, III, p. 167.

♦ **5.** *Être à son devoir,* à son poste. *Retenir qqn dans le devoir,* dans la discipline, l'obéissance, l'ordre, la soumission, la subordination. *Ramener qqn à son devoir. Rentrer dans le devoir.*

29 (...) je suis ravi de vous voir (...) revenue dans votre devoir (...)
MOLIÈRE, le Bourgeois gentilhomme, V, 5.

★ **II.** Exercice scolaire écrit qu'un professeur fait faire à des élèves. ⇒ **Composition, épreuve, interrogation** (écrite). *Enfant qui fait ses devoirs avec application. Annoter, corriger des devoirs.* ⇒ **Copie.** *Rendre un devoir corrigé. Devoir surveillé. Devoirs du soir. Devoirs de vacances,* prévus pendant les vacances.

30 Ce fut sans émotion, et comme mettant la dernière ligne à un ennuyeux devoir de classe, que je traçai sur l'enveloppe le nom de (...)
PROUST, À la recherche du temps perdu, t. IX, p. 178.

Par anal. Œuvre littéraire ou artistique d'un caractère didactique, ennuyeux, laborieux.

★ **III.** (1804 ; certainement antérieur ; cf. *deverium,* XIIIᵉ, en lat. médiéval). Hist. Association d'ouvriers, de compagnons (généralement écrit : *Devoir*). *Compagnon* (cit. 8) *du devoir. Membre d'un Devoir* (devoirant). *Le Devoir, le Saint Devoir de Dieu. Le Devoir de Liberté* (1804). → 2. Gavot.

REM. Le dér. *devoirant* a été déformé au XIXᵉ s. en *dévorant.*

DÉVOISÉ, ÉE [devwaze] adj. — XXᵉ (Marouzeau, 1951) ; de 1. dé-, et *voisé.*

♦ Phonét. Se dit d'une consonne ayant perdu sa sonorité.
CONTR. Voisé.
DÉR. Dévoisement.

DÉVOISEMENT [devwazmɑ̃] n. m. — Mil. XXᵉ ; de *dévoisé.*

♦ Phonét. Fait (pour un phonème) de perdre sa sonorité. ⇒ **Assourdissement, dévocalisation.** *Le dévoisement du* [b] *dans absurde* [apsyʀd].

DÉVOLE [devɔl] n. f. — 1690 ; de 1. dé-, et *vole.*

♦ Jeux (cartes). Fait de manquer, de perdre la vole*. *Être en dévole.*
DÉR. Dévoler.

DÉVOLER [devɔle] v. intr. — 1845, Bescherelle ; de *dévole.*

♦ Jeux (cartes). Manquer, perdre la vole. Syn. : *être en dévole.*

DÉVOLTAGE [devɔltaʒ] n. m. — 1908 ; de *dévolter.*

♦ Techn. Action de dévolter. *Le dévoltage d'un circuit électrique.*
CONTR. Survoltage.

DÉVOLTER [devɔlte] v. tr. — 1908 ; de 1. dé-, *volt,* et suff. verbal.

♦ Techn. Diminuer le voltage de. *Dévolter un circuit.*
Fig. (au p. p.). Détendu.
Dévoltés par cette décharge, les nerfs du jeune homme supportèrent mieux d'autres sujets de mécontentement.
Hervé BAZIN, la Tête contre les murs, p. 60.
CONTR. Survolter.
DÉR. Dévoltage, dévolteur.

DÉVOLTEUR [devɔltœʀ] n. m. — 1908, *Larousse mensuel,* août, p. 41 ; de *dévolter.*

♦ Techn. Appareil destiné à diminuer le voltage d'un circuit.
COMP. Survolteur-dévolteur.

DÉVOLU, UE [devɔly] adj. et n. m. — XIVᵉ ; lat. *devolutus,* p. p. de *devolvere* «dérouter, faire passer à...», de *de-,* et *volvere* «faire rouler, rouler».

♦ **1.** Acquis, échu par droit. *Succession dévolue à l'État, faute d'héritiers. Droits héréditaires dévolus au degré subséquent.* ⇒ **Dévolution.**

La part du renonçant accroît à ses cohéritiers ; s'il est seul, elle est dévolue au degré subséquent.
Code civil, art. 786.

Par ext. ⇒ **Acquis, destiné, réservé.**

Dès qu'un des nôtres commet une lourde faute, l'Administration, qui ne doit jamais avoir tort, le retire du service actif en le faisant inspecteur. Voilà comment la récompense due au talent est dévolue à la nullité.
BALZAC, le Curé de village, Œ., t. VIII, p. 695.

♦ **2.** DÉVOLU n. m. (1549). Dr. canon (vx). *Bénéfice vacant par dévolu :* bénéfice dont la nomination était dévolue au Pape, par suite de l'incapacité, de l'indignité du possesseur. *Avoir un bénéfice par dévolu.*

(Av. 1654). Loc. JETER UN DÉVOLU SUR (un bénéfice) : former une prétention sur (un bénéfice) en proposant de le considérer comme vacant par dévolu.

(1698). Mod. Loc. fig. *Jeter son dévolu sur une personne, sur une chose,* fixer son choix sur elle, manifester la prétention de l'obtenir, décider de la conquérir. ⇒ **Prétendre** (à).

N'était-ce pas elle qui, dès sa première rencontre avec Antoine, avait jeté son dévolu sur lui, vaincu ses résistances, fait patiemment sa conquête ?
MARTIN DU GARD, les Thibault, t. V, p. 160.
DÉR. Dévolutaire. — V. Dévolutif.

DÉVOLUTAIRE [devɔlytɛʀ] n. m. — 1564 ; dér. sav. de *dévolu.*

♦ Ancienn. Personne qui a obtenu un bénéfice ecclésiastique vacant par dévolu*.

DÉVOLUTIF, IVE [devɔlytif, iv] adj. — XVIᵉ ; dér. sav. du lat. *devolutus.* → Dévolu.

♦ Dr. Qui fait qu'une chose est dévolue à qqn, passe d'une personne à une autre.

DÉVOLUTION [devɔlysjɔ̃] n. f. — 1385, dr. canon. ; lat. médiéval *devolutio,* du supin de *devolvere.* → Dévolu.

Transmission d'un droit.

♦ **1.** Dr. Passage de droits héréditaires au degré subséquent par renonciation du degré précédent (⇒ **Dévolu,** cit. 1), ou à une ligne par extinction de l'autre (art. 733 du Code civil). *Dévolution successorale.*

Il ne se fait aucune dévolution d'une ligne à l'autre, que lorsqu'il ne se trouve aucun ascendant ni collatéral de l'une des deux lignes.
Code civil, art. 733.
(...) l'héritier présomptif ne pardonnait pas au monarque régnant d'avoir dilapidé une fortune. Pour qui considère les dévolutions d'héritage comme une espèce d'investiture, les deux attitudes n'en sont qu'une.
M. YOURCENAR, Archives du Nord, p. 298.

La guerre de dévolution (1667-1668), entreprise par Louis XIV au nom des droits de Marie-Thérèse sur les Pays-Bas.

Hist. du dr. *Droit de dévolution :* droit pour le pape d'attribuer un bénéfice ecclésiastique vacant.

Le pape (...) a le droit légitime de contrôler et parfois d'accélérer les nominations faites par les électeurs ou les collateurs ordinaires. Il y parvient, sans discussion, par le droit de *dévolution* qui lui permet de nommer si le collateur a laissé passer le délai légal ou a désigné un indigne (...)
OLIVIER-MARTIN, Précis d'hist. du droit français, nᵒ 793.

♦ **2.** Par ext. Transmission (d'un bien, d'un pouvoir) d'une personne à une autre. *Dévolution des biens en cas de confiscation. La « dévolution politique du pouvoir »* (Belorgey, *in* T. L. F.).

Je ne sais pas, continua-t-il, quelle peut être la place du cataclysme dans le plan divin (...) mais il m'arrive parfois de me poser une question terrifiante : s'il y avait dévolution du volcan à l'homme ? Si toute la puissance destructrice de la nature lui était maintenant remise ?
Roger VERCEL, l'Île des revenants, p. 116.

DEVON [devɔn] n. m. — 1907 ; mot angl., nom du comté *(Devonshire)* où se pratiquait cette pêche.

♦ Pêche. Appât articulé ayant l'aspect d'un poisson, d'un insecte, etc., et qui est muni de plusieurs hameçons.

DÉVONIEN, IENNE [devɔnjɛ̃, jɛn] adj. et n. — 1848, trad. de Lyell ; angl. *devonian* (Sedgwick et Murchinson, 1837) «du Devon», comté anglais où l'on commença à étudier ces terrains.

♦ Géol. Qui appartient à la période géologique de l'ère primaire allant du silurien au carbonifère (− 330 à − 280 millions d'années). *Terrain dévonien, formation dévonienne.*

N. m. *Le dévonien,* cette période. *Développement des faunes et des flores terrestres au dévonien. On divise le dévonien en dévonien supérieur ou néodévonien, dévonien moyen ou mésodévonien et dévonien inférieur ou éodévonien. La faune du dévonien comprend surtout des brachiopodes, des cœlentérés, des coralliaires, des trilobites et des poissons.*

DÉVORANT, ANTE [devɔʀɑ̃, ɑ̃t] adj. — V. 1340 ; p. prés. de *dévorer.*

♦ **1.** Vx. Qui dévore (une proie). ⇒ **Vorace.** *Monstres dévorants* (→ Creux, cit. 19). *Bêtes dévorantes.*

1 Des lambeaux pleins de sang, et des membres affreux
Que des chiens dévorants se disputaient entre eux.   RACINE, Athalie, II, 5.

Mod. (v. 1765). *Un appétit* dévorant, une faim dévorante,* qui pousse à manger beaucoup.

Par métaphore. ⇒ **Avide, insatiable.**

2 La curiosité des jeunes âmes est dévorante et réclame sans cesse de nouveaux aliments.   G. DUHAMEL, Défense des lettres, II, I, p. 112.

♦ **2.** (1690). Littér. Qui consume, détruit (⇒ **Dévorer,** B., 1.; **destructeur**). *Un feu dévorant.*

3 Portant partout le glaive et les feux dévorants.   VOLTAIRE, l'Orphelin de la Chine, I, 2.

3.1 La consommation ne crée rien, même pas des rapports entre les consommateurs. Elle n'est que dévorante.   Henri LEFEBVRE, la Vie quotidienne dans le monde moderne, p. 217.

Cour. *Chaleur dévorante. Fièvre dévorante. Soif dévorante* (→ Ardeur, cit. 5).

4 Jacques Collin, dont le cerveau fut comme incendié par la folie, ressentit une soif si dévorante, qu'il épuisa, sans s'en apercevoir, toute la provision d'eau (...)   BALZAC, Splendeurs et Misères des courtisanes, Pl., t. V, p. 1031.

5 Oph (c'est le nom égyptien de la ville que l'antiquité appelait Thèbes aux cent portes ou Diospolis Magna) semblait endormie sous l'action dévorante d'un soleil de plomb.   Th. GAUTIER, le Roman de la momie, I, p. 48.

(1685). Par métaphore ou fig. *Passion dévorante.* ⇒ **Ardent, brûlant.** *L'amour est un feu dévorant* (→ Ardeur, cit. 24). *Ardeur, zèle dévorant. Mal dévorant. Soucis dévorants.*

6 Tout à coup, par un de ces mouvements impossibles à prévoir et qui fut suggéré par les dévorantes douleurs de la jalousie (...)   BALZAC, Une fille d'Ève, Pl., t. II, p. 161.

7 Je continue, moi, en cette ville de bruit et d'activité dévorante mon existence assez vigilante de spectateur (...)   SAINTE-BEUVE, Correspondance, I, p. 334.

8 Ils *(les eunuques)* ressemblent à de vieilles femmes méchantes. Cela vous irrite les nerfs et vous tourmente l'esprit. On se sent pris de curiosités dévorantes (...)   FLAUBERT, Lettres à Louis Bouilhet, 19 déc. 1850, Pl., t. I, p. 728.

9 Beauvivier se précipita. — Mon cher monsieur Marchenoir, dit-il, vous étiez attendu avec la plus dévorante impatience. Messieurs, voici notre nouveau leader.   Léon BLOY, le Désespéré, p. 191.

CONTR. Faible. — Doux, inoffensif. — Calme, modéré.

DÉVORATEUR, TRICE [devɔratœr, tris] adj. et n. — Fin XVᵉ; *dévorator,* 1308; de *dévorer.*

Littéraire.

♦ **1.** Adj. Qui dévore. *Passion dévoratrice.* ⇒ **Dévorant.**

1 « Moloch, tu me brûles ! » et les baisers du soldat, plus dévorateurs que des flammes, la parcouraient (...)   FLAUBERT, Salammbô, XI, p. 225.

2 Les besognes, études, curiosités dévoratrices des heures me laissaient bien peu de temps pour mes essais littéraires (...)   Georges LECOMTE, Ma traversée, p. 166.

♦ **2.** N. Personne, chose qui dévore, détruit.

3 Ce Dévorateur des âmes (...)   Léon BLOY, le Désespéré, p. 26.

DÉVORATION [devɔrasjɔ̃] n. f. — 1393; de *dévorer.*

♦ Littér. Action de dévorer. ⇒ **Dévorement.**

1 La dévoration du canard commence.   M. DURAS, Moderato cantabile, p. 136.

2 Il s'identifie avec le lion. À travers sa faiblesse, il est possédé d'une joie tellement forte, d'un plaisir de dévoration si exorbitant, qu'un adolescent qu'on avait retiré de la gueule du lion se mit à pleurer.   Henri MICHAUX, Ailleurs, p. 155.

Figuré :

3 Il faut peut-être se défendre contre une dévoration du sublime par le quotidien.   J. ROMAINS, les Hommes de bonne volonté, t. XXII, p. 193.

DÉVOREMENT [devɔrmã] n. m. — 1859; de *dévorer.*

♦ Littér., rare. Action de dévorer. ⇒ **Dévoration.**

Il y avait là un dessous que je ne comprenais pas. Leur délire, leur dévorement d'eux-mêmes étaient-ils donc si grands qu'ils ne voyaient plus rien des prudences et des précautions de la vie ?...   BARBEY D'AUREVILLY, les Diaboliques, « le Bonheur dans le crime ».

DÉVORER [devɔre] v. tr. — V. 1120, *devurer*; lat. *devorare,* de *de-* intensif, et *vorare* « manger ». → Vorace.

A. (Manger). ♦ **1.** (Animaux, surtout). Manger en déchirant avec les dents. ⇒ **Dévorant, vorace,** suff. **-vore.** *Le lion, le tigre dévore sa proie* (→ Chien, cit. 5). *Les hyènes dévorent les charognes. Saturne dévora ses enfants.*

1 Pour moi, satisfaisant mes appétits gloutons,
J'ai dévoré force moutons.   LA FONTAINE, Fables, VII, 1.

2 Parmi les loups cruels prêts à me dévorer (...)   RACINE, Athalie, II, 7.

3 *(L'homme)* anéantit plus d'animaux que tous les animaux carnassiers n'en dévorent (...)   BUFFON, Hist. nat. des animaux, Animaux carnassiers.

Par anal. Manger entièrement. *Les chenilles ont dévoré les feuilles du rosier.*

4 Hélas ! ils dormaient hier ;
Et notre cœur doute encore,
Que le ver déjà dévore
Cette chair de notre chair !   LAMARTINE, Harmonies..., II, 1.

Par exagér. *La vermine les dévorait.* — (Passif et p. p.). *Être dévoré par les moustiques, par les poux...*

4.1 À Coquillatville, nous avions été dévorés par les moustiques.   GIDE, Voyage au Congo, in Souvenirs, Pl., p. 705.

♦ **2.** (Personnes). Manger avidement, gloutonnement. ⇒ **Avaler, empiffrer** (s'), **engloutir, engouffrer.** *Il a dévoré un poulet entier à son repas.*

5 Il a dévoré une savoureuse portion de veau, généreusement lardée, fricassée dans la poêle et garnie de carottes.   MARTIN DU GARD, les Thibault, t. VIII, p. 105.

Absolt. *Cet enfant ne mange pas, il dévore. Dévorer comme un goinfre, un glouton, un ogre.*

6 (...) il me parut vraisemblable qu'il n'avait pas mangé depuis quarante-huit heures au moins. Il dévorait comme un loup affamé.   MÉRIMÉE, Carmen, I.

♦ **3.** (1662). Fig. *Dévorer un livre,* le lire avec avidité. ⇒ **Bibliophage** (fig.); → Affamé, cit. 5. *Dévorer les classiques. Dévorer une lettre.*

7 Je le trouvai dans la ferveur des hautes connaissances. Rien n'était au-dessus de sa portée; il dévorait et digérait tout avec un prodigieuse rapidité.   ROUSSEAU, les Confessions, VII.

8 (...) il lit beaucoup dévore livre après livre, avec une avidité juvénile (...)   GIDE, Journal, 6 avr. 1943.

8.1 Je dévore le numéro d'hommage à Alain que publie la N. R. F.   MAURIAC, Bloc-notes 1952-1957, p. 5.

Dévorer les paroles de qqn, les écouter avec un intérêt passionné.

9 (...) Aziyadé attentive au moindre signe de sa vieille amie, et dévorant ses paroles comme les arrêts divins d'un oracle.   LOTI, Aziyadé, Eyoub à deux, XXVIII, p. 113.

♦ **4.** Par métaphore ou fig. ⇒ **Manger.** *Dévorer qqn de baisers.* — *Dévorer (qqn, qqch.) des yeux :* regarder avec avidité ce que l'on désire ardemment, ce qui intéresse passionnément. ⇒ **Convoiter** (cit. 5), **couver** (fig.), **dévisager** (cit. 6).

10 Tourmenté longtemps sans savoir de quoi, je dévorais d'un œil ardent les belles personnes (...)   ROUSSEAU, les Confessions, I.

11 Faut-il qu'incessamment mes yeux dévorent des charmes dont jamais ma bouche n'ose approcher ?   ROUSSEAU, Julie ou la Nouvelle Héloïse, I, lettre VIII.

12 (...) des madones que le mage nègre dévore de toute la convoitise de ses yeux (...)   TAINE, Philosophie de l'art, t. II, III, II, III, p. 45.

13 (...) la duchesse se tenait à gauche de l'escalier (...) dévorée des yeux par des femmes, des hommes, qui cherchaient à surprendre le secret de son élégance et de sa beauté.   PROUST, À la recherche du temps perdu, t. IX, p. 154

B. (Détruire; consumer...). ♦ **1.** (Sujet n. de chose). Faire disparaître rapidement. ⇒ **Anéantir, consumer, détruire.** *L'incendie a dévoré tout un quartier.* ⇒ **Brûler.** *Le temps, la mort dévore tout.*

14 La gloire des méchants en un moment s'éteint.
L'affreux tombeau pour jamais les dévore (...)   RACINE, Esther, II, 8.

15 Vous êtes comme un feu qui dévore les blés (...)   HUGO, l'Année terrible, Avril, IV.

16 Nous crûmes l'un et l'autre que les flammes dévoraient l'édifice.   FRANCE, la Rôtisserie de la reine Pédauque, Œ., t. VIII, p. 86.

♦ **2.** (Sujet n. de personnes). Dépenser rapidement. *Dévorer un bien, une somme d'argent.* ⇒ **Dépenser, dilapider, dissiper, épuiser, gaspiller.** *Il a dévoré tout l'héritage, toute sa fortune.*

17 L'héritier prodigue paye de superbes funérailles, et dévore le reste.   LA BRUYÈRE, les Caractères, VI, 64.

18 (...) il dévora en quelques années les champs, les prés (...) Ayant mis la pauvre amoureuse sur la paille (...)   FRANCE, le Petit Pierre, XXII, p. 159.

Vx (ou par métaphore d'un sens concret). Prendre avidement les richesses. *Dévorer un pays.* ⇒ **Piller, ravager, ruiner, saccager.** *Le fisc dévore le contribuable.* ⇒ **Ronger ; rapacité.**

19 On dévore la substance du pauvre, on ruine la veuve et l'orphelin.   BOURDALOUE, Sermon sur le carême, Sur les richesses, t. III.

20 *(Voltaire)* a profité de la circonstance (...) pour demander que le pays de Gex où il habite ne soit plus dévoré par les financiers.   D'ALEMBERT, Lettre au roi de Prusse, 23 févr. 1776.

21 Elle *(la Révolution)* a livré la France aux hommes d'argent, qui depuis cent ans la dévorent. Ils y sont maîtres et seigneurs.   FRANCE, le Lys rouge, VII, p. 80.

♦ **3.** (Personnes, véhicules...). Parcourir très rapidement. *Dévorer l'espace en courant, en roulant vite. Dévorer des kilomètres* (→ fam. 2. Bouffer, *supra* cit. 7).

♦ **4.** Envahir de manière à cacher, à faire disparaître. *Les mauvaises herbes ont dévoré les allées. Un visage dévoré par la barbe* (cit. 14), *par les taches de rousseurs.*

22 (...) une très petite commune perdue loin de tout grand centre, enfermée de marais, acculée contre la mer qui rongeait ses côtes et lui dévorait chaque année quelques pouces de territoire (...)   E. FROMENTIN, Dominique, II, p. 28.

♦ **5.** Fig. *Dévorer le temps.* ⇒ **Remplir, ronger.** *Les menues occupations qui dévorent la journée. Matinée dévorée par les importuns. Cela dévore tout mon temps.* ⇒ **Absorber, 2. bouffer** (fam.), **prendre.**

23 Le Tribunal dévorait toutes ses journées, prenait toute son âme (...)   FRANCE, Les dieux ont soif, p. 192.

24 (...) et toute ma matinée ainsi a été dévorée par la correspondance comme il advient souvent.   GIDE, Journal, 12 juin 1914.

C. Littér. Ne pas laisser paraître de…, cacher en soi-même. *Dévorer ses larmes.* ⇒ **Rentrer, retenir.** *Dévorer son chagrin.* ⇒ **Renfermer ;** et aussi **ruminer, taire.** *Dévorer un affront*, une injure,* cacher la colère, le ressentiment que l'on en éprouve (⇒ **Supporter**).

25 Rongée de soucis, je suis obligée de paraître gaie et contente ; il faut que je dévore mes larmes (…)
Mᵐᵉ DE MAINTENON, Lettre à Mᵐᵉ de St-Géran, 1ᵉʳ avr. 1679, *in* LITTRÉ.

26 Les uns croyaient que, malgré mon courage, le rang de l'offenseur me tenait en respect et m'obligeait à dévorer l'offense (…)
A. R. LESAGE, Gil Blas, III, VII.

27 (…) je me cachai pour demeurer seul à dévorer mes pensées.
BALZAC, le Lys dans la vallée, Pl., t. VIII, p. 1006.

D. ♦ **1.** Faire éprouver une sensation pénible à (qqn) ; détruire, dessécher. ⇒ **Brûler, consumer, dessécher, ronger, tourmenter.** *Le mal, la fièvre le dévore. La faim, la soif le dévore.*

28 (…) un lion (…) que la cruelle faim dévore (…)   FÉNELON, Télémaque, I.

♦ **2.** Dessécher. *Le soleil qui dévore le désert.* — Au p. p. *Pays dévoré de soleil.*

29 (…) il *(le fleuve)* traverse sans l'arroser cette vallée misérable et dévorée de soif.
E. FROMENTIN, Un été dans le Sahara, p. 40.

30 (…) par des chemins poudreux qui montent à travers une campagne aride et dévorée de soleil.   LOTI, Suprêmes visions d'Orient, p. 70.

♦ **3.** (Le sujet désigne une passion, un sentiment). Attaquer dans sa personnalité. *L'ambition, l'amour, la colère* (cit. 8), *la haine, l'orgueil, l'inquiétude le dévore. Un feu secret, une ardeur cachée le dévore.* ⇒ **Brûler, enflammer.** — Au p. p. *Être dévoré de jalousie, de chagrin, de douleur, de remords, de convoitise* (→ Croître, cit. 10).

31 Du zèle qui pour toi l'enflamme et le dévore.   RACINE, Esther, Prologue.

32 (…) un homme n'est pas malheureux parce qu'il a de l'ambition ; mais parce qu'il en est dévoré.   MONTESQUIEU, Cahiers, p. 19.

33 (…) les hommes sont dévorés de plus d'envie, de soins, et d'inquiétudes, qu'une ville assiégée n'éprouve de fléaux.   VOLTAIRE, Candide, XX.

34 L'imagination, le besoin, la vanité, la curiosité, se réunissaient pour me dévorer de l'ardent désir d'être homme et de le paraître.
ROUSSEAU, les Confessions, V, p. 262.

35 L'impatience me dévorait : à tous les instants je consultais ma montre.
B. CONSTANT, Adolphe, II, p. 21.

36 Je ne puis faire passer en vous une étincelle du feu qui me dévore !
A. DE MUSSET, le Chandelier, II, 4.

37 Maintenant, voici qu'il était là, devant elle, et dévoré, déchiré par ce chagrin.
Paul BOURGET, Un divorce, IV, p. 142.

38 La jalousie, c'était ces flambées soudaines qui la dévoraient, au cours des premières années de ménage (…)   MARTIN DU GARD, les Thibault, t. II, p. 226.

▶ **SE DÉVORER** v. pron. *Fauves se dévorant entre eux, s'entre-dévorant.*

39 Les agneaux paissent en paix, tandis que les loups se dévorent entre eux.
FRANCE, la Rôtisserie de la reine Pédauque, Œ., t. VIII, p. 21.

Se dévorer soi-même.

40 Il est juste qu'une espèce si perverse se dévore elle-même (…)
VOLTAIRE, Dialogues, XIV, *in* LITTRÉ.

Fig. *Se dévorer de chagrin, d'inquiétude, d'ennui, de colère, de passion.*

41 (…) j'ai une extraordinaire envie de savoir de vos nouvelles (…) je me dévore (…) j'ai une impatience qui trouble mon repos.   Mᵐᵉ DE SÉVIGNÉ, 137, 20 févr. 1671.

▶ **DÉVORÉ, ÉE,** p. p. adj. Voir à l'article.

DÉR. Dévorant, dévorateur, dévoration, dévorement, dévoreur.

DÉVOREUR, EUSE [devɔRœR, øz] n. et adj. — V. 1280, *devoureur ;* de *dévorer.*

♦ **1.** Personne qui dévore* (A., 2.) qqch. *Un dévoreur de viande.* — Par métaphore ou fig. *Cette dévoreuse de livres* (→ Avaler, cit. 11).

Lola est une grande dévoreuse d'histoires. Il lui en faut pour la faire manger, pour la faire dormir, pour qu'elle se tienne tranquille.
Geneviève DORMANN, le Bateau du courrier, p. 141-142.

♦ **2.** Fig. (1690). Qui dévore, utilise en grand nombre ou en grande quantité. *Dévoreur de pellicule. Dévoreuse de crédits.* — Adj. *Progrès dévoreur.*

DÉVOT, OTE [devo, ɔt] adj. et n. — 1190 ; lat. ecclés. *devotus* « dévoué à Dieu », p. p. de *devovere,* de *de-,* et *vovere* « vouer ». → Vœu.

♦ **1.** Vieilli ou péj. Qui est sincèrement attaché à la religion et à ses pratiques. ⇒ **Dévotieux, fervent, pieux, religieux.** *Les personnes dévotes. Une âme dévote. Être dévot à la Vierge. Dévot jusqu'au fanatisme* (→ Chattemite, cit. 1).

1 C'est dans le calme et le silence
Que l'âme dévote s'avance.   CORNEILLE, l'Imitation de Jésus-Christ, I, 1564.

2 Ah ! pour être dévot, je n'en suis pas moins homme (…)
MOLIÈRE, Tartuffe, III, 3.

3 Dévote jusqu'au fanatisme, elle passait dans les églises le plus clair de son temps.   Edmond JALOUX, Fumées dans la campagne, V, p. 39.

N. *Un dévot, une dévote* (souvent péj.). ⇒ **Béguine, bigot, bondieusard.** *Les vrais dévots. Maison habitée par des dévots.* ⇒ **Capuci-**

nière. Un dévot à l'esprit étroit, d'une dévotion outrée. Le rigorisme de certains dévots. Une vieille dévote.

4 La plupart des amis dégoûtent de l'amitié, et la plupart des dévots dégoûtent de la dévotion.   LA ROCHEFOUCAULD, Maximes, 427.

5 (…) j'ai mis tout l'art et tous les soins qu'il m'a été possible pour bien distinguer le personnage de l'Hypocrite d'avec celui du vrai Dévot.
MOLIÈRE, Tartuffe, Préface.

6 Car d'un dévot souvent au chrétien véritable
La distance est deux fois plus longue, à mon avis,
Que du pôle antarctique au détroit de Davis.   BOILEAU, Satires, XI.

7 Mais ce qui m'a donné le plus d'éloignement pour les dévots de profession, c'est cette âpreté de mœurs qui les rend insensibles à l'humanité, c'est cet orgueil excessif qui leur fait regarder en pitié le reste du monde.
ROUSSEAU, Julie ou la Nouvelle Héloïse, VI, lettre VIII.

8 Conséquent à ces principes, il dédaignait tout ce qui n'était pas la religion du cœur. Les vaines pratiques des dévots, le rigorisme extérieur, qui se fie pour le salut à des simagrées, l'avaient pour mortel ennemi.
RENAN, Vie de Jésus, Œ., t. IV, XIV, p. 224.

Faire le dévot. La cabale des dévots : au XVIIᵉ siècle, nom donné à la Compagnie du Saint-Sacrement qui attaqua Molière, railleur des faux dévots. — Vx. *Les faux dévots :* les dévots qui affectent hypocritement un dévotion outrée. ⇒ **Béat, bigot, cafard, cagot** (cit. 2), **calotin, hypocrite, papelard, pharisien, rat** (d'église), **tartufe.**

9 Il est de faux dévots ainsi que de faux braves (…)
Les bons et vrais dévots, qu'on doit suivre à la trace,
Ne sont pas ceux aussi qui font tant de grimace.   MOLIÈRE, Tartuffe, I, 5.

♦ **2.** Adj. (choses). Qui a le caractère de la dévotion*. *Avoir l'air dévot. Gestes, extérieur, maintien dévots.* ⇒ **Onctueux.** *Un ton dévot.* ⇒ **Papelard.** *Une ardeur dévote. Livre dévot.* ⇒ **Pieux.** *Introduction à la vie dévote,* œuvre de St François de Sales.

10 Le pasteur était à côté,
Et récitait à l'ordinaire,
Maintes dévotes oraisons (…)   LA FONTAINE, Fables, VII, 11.

11 Il avait pris, à leur école, un certain jargon dévot dont il usait sans cesse (…)
ROUSSEAU, les Confessions, II.

♦ **3.** (Personnes). Qui est attaché avec passion ou ferveur à qqn ou qqch. ⇒ **Fanatique, passionné.** —(Actes, comportements). *Une admiration dévote. Des admirateurs dévots.*

12 (…) tout son entourage, Dorothée y veillant, lui montrait un dévouement presque dévot ; les plus grands égoïstes ont de ces privilèges.
Louis MADELIN, Talleyrand, V, XXIV, p. 378.

N. *Les dévots de la science. Les dévots du pouvoir.*

CONTR. Athée, incroyant, indévot, indifférent, libertin.
DÉR. Dévotement. — V. Dévotieux.

DÉVOTEMENT [devɔtmã] adv. — V. 1138 (v. 1180, *in* T.L.F.) ; de *dévot.*

♦ Vieilli. D'une manière dévote. *Prier dévotement.*

(…) cette fille qui priait si dévotement dans la chapelle (…)
G. SAND, la Petite Fadette, XXII, p. 154.

CONTR. Indévotement.

DÉVOTIEUSEMENT [devosjøzmã] adv. — XIVᵉ-XVᵉ ; de *dévotieux.*

♦ Vx ou littér. D'une manière dévotieuse, avec dévotion. ⇒ **Pieusement.** *Aimer dévotieusement quelqu'un.*

1 (…) l'art et le religion en moi dévotieusement s'épousaient, et je goûtais ma plus parfaite extase au plus fondu de leur accord.
GIDE, Si le grain ne meurt, I, VIII, p. 213.

2 Jamais garçon ne fut plus *fondu* avec une famille dévotieusement aimée.
A. MAUROIS, À la recherche de Marcel Proust, II, p. 21.

DÉVOTIEUX, EUSE [devosjø, øz] adj. — V. 1327, J. de Vignay, *in* D.D.L. ; du lat. ecclés. *devotus* « dévot ». → Dévot.

♦ Vx ou littér. Qui manifeste une grande dévotion religieuse. ⇒ **Dévot, fervent.** *Un cœur dévotieux.* — Par ext. *Pratique dévotieuse. Respect dévotieux.*

1 (…) des groupes de catéchumènes en redingotes, chacun le bras sur l'épaule d'un frère, immobiles ; changeant seulement de pied de cinq minutes en cinq minutes ; le geste dévotieux, la parole basse, et tout perdus dans l'extatisme d'une vision d'apôtres crétins (…)   Ed. et J. DE GONCOURT, Manette Salomon, p. 156.

2 Elle demeurait là longtemps, oubliant l'heure et sa mère qui s'inquiétait, jetant par-dessus les toits des maisons son amour dévotieux vers celui qui était si loin d'elle.   Suzanne PROU, la Terrasse des Bernardini, p. 29.

DÉR. Dévotieusement.

DÉVOTION [devosjõ] n. f. — V. 1130 ; lat. ecclés. *devotio,* de *devotum,* supin de *devovere.* → Dévot.

♦ **1.** Attachement sincère et fervent à la religion et à ses pratiques. ⇒ **Ferveur, mysticisme, piété, religion, zèle.** *La vraie dévotion. Être plein, rempli de dévotion. Être dans la dévotion, dans une grande dévotion. La ferveur de sa dévotion. État de haute dévotion mystique.* ⇒ **Unitif** (vie unitive). *La dévotion nous dévoue à Dieu.* → Piété, cit. 2. *Lieu de dévotion.* ⇒ **Pèlerinage.** *Visiter les églises* *par dévotion. Solide dévotion* (→ Chrétien, cit. 8). «*La dévotion cause une ophtalmie*» (cit. 3) *morale*». «*La dévotion est un opium* (cit. 5) *pour l'âme*». — *Pratiques de dévotion.* ⇒ **Adoration, culte, exercice** (spirituel), **prière**. *La dévotion dans l'hindouisme.* ⇒ **Bhakti**. *Objets de dévotion.* ⇒ **Chapelet, croix, image** (pieuse), **médaille, scapulaire**. *Livre de dévotion,* de prières. — *Tableau de dévotion,* représentant un sujet religieux.

1   Ils ont une demi-piété, des sentiments imparfaits de dévotion, parce que cela règle du moins l'extérieur (...) mais le sceau de la piété, c'est-à-dire les bonnes œuvres et la conversion du cœur ne s'y trouvent pas (...)
     BOSSUET, Pensées détachées, v.

2   (...) il faut distinguer l'esprit de la dévotion et la pratique de la dévotion (...)
     BOURDALOUE, De la vraie et de la fausse dévotion.

3   Je ne doute point que la vraie dévotion ne soit la source du repos ; elle fait supporter la vie et rend la mort douce : on n'en tire pas tant de l'hypocrisie.
     LA BRUYÈRE, les Caractères, XIII, 30.

4   La primauté reconnue (*sous Louis XV*) à la raison sur la foi détourna les esprits de la religion et les porta vers la science ; elle devint à la mode, même parmi les dames, et prit la place de la dévotion.
     Ch. SEIGNOBOS, Hist. sincère de la nation franç., p. 230.

4.1   (...) les gens qui s'adonnent aux pratiques de la dévotion contractent un caractère de physionomie uniforme (...)   BALZAC, Une double famille, Pl., t. I, p. 972.

Péj. (depuis le XVIIe). *Fausse dévotion* : dévotion simulée. *Afficher sa dévotion* (→ Attendre, cit. 38). *Être confit* (cit. 3) *en dévotion. Tomber dans la dévotion. Dévotion apparente* (cit. 5). ⇒ **Dévot** (cit. 10) ; **béat** (cit. 5) ; **bigoterie, bondieuserie** (1.), **cafardise, cagoterie, capucinade, hypocrisie, papelardise, pharisaïsme, tartuferie**.

5   De quoi nous nous plaignons, c'est que le libertin exagère tant les devoirs de la dévotion, et qu'il affecte de les porter au degré de perfection le plus éminent (...) Nous imiterons notre divin maître, qui n'usa de nul ménagement à l'égard des scribes et des pharisiens, et qui tant de fois publia leurs hypocrisies et leurs vices les plus secrets (...)   BOURDALOUE, Pensées, I, Défauts à éviter dans la dévotion.

Loc. *Être en dévotion* : être en prière.

6   (...) la princesse *(de Tarente)* est en dévotion.
     Mme DE SÉVIGNÉ, 937, 1er oct. 1684.

Fig. Respect fervent, passionné. *Il l'écoutait avec dévotion.*

♦ **2.** Plur. Pratiques de dévotion. ⇒ **Culte, exercice** (spirituel), **prière**. *Faire des, ses dévotions :* remplir ses devoirs religieux, se confesser, communier, prier.

7   Certes, il n'avait manqué à aucune de ses dévotions quotidiennes
     BERNANOS, M. Ouine, Pl., p. 1513.

♦ **3.** Culte particulier que l'on rend (à un saint, à un lieu saint). *La dévotion à la Sainte Vierge, à saint Joseph. Avoir une grande dévotion à telle sainte.*

Par anal. *Dévotion à une église, à un lieu de pèlerinage.*

Fig. Attachement, dévouement. *Ma dévotion pour vous est sans bornes. Il a une véritable dévotion pour sa fiancée.* ⇒ **Adoration, vénération.** *Avoir une grande dévotion pour Racine, pour Rimbaud.* — **Littér.** *Une dévotion à qqn, à quelque chose.*

8   J'aurai toujours pour vous, ô suave merveille,
Une dévotion à nulle autre pareille.   MOLIÈRE, Tartuffe, III, 3.

9   (...) comme ce n'est qu'une fièvre intermittente et fort légère, il s'en tirera aisément par le quinquina, auquel il a, comme vous savez, grande dévotion.
     RACINE, Lettres, 31 août 1698, à J.-B. Racine.

♦ **4.** Loc. *Être à la dévotion de quelqu'un,* lui être entièrement dévoué (→ Être aux genoux* de qqn). *Les critiques à sa dévotion.*

10   On lui manda que la ville était à sa dévotion.
     D'ABLANCOURT, Arrien, I, 6, *in* LITTRÉ.

CONTR. Athéisme, incroyance, indévotion, indifférence, impiété, irréligion.
DÉR. Dévotionnel.
COMP. V. Indévotion.

DÉVOTIONNEL, ELLE [devosjɔnɛl] adj. — 1956 ; de *dévotion.*

♦ Qui tient de la dévotion. *Ferveur dévotionnelle.* — Qui se rapporte aux actes de dévotion. «*Sur le plan musical, l'école carnatique se caractérise d'abord par l'inspiration religieuse et dévotionnelle qui anime ses compositions. Les vibratos de ses œuvres vocales et le rythme si particulier de ses percussions évoquent immanquablement l'univers transcendantal du temple hindou*» (*Libération,* 4 nov. 1983).

DÉVOUEMENT [devumɑ̃] n. m. — 1338, «vœu» ; de *dévouer.*

♦ **1.** Vx (déb. XVIe). Action de dévouer, de sacrifier (qqn, qqch.) à une puissance surnaturelle. ⇒ **Consécration, sacrifice.** *Le dévouement de la fille de Jephté.*

1   Que le plus coupable de nous
Se sacrifie aux traits du céleste courroux :
Peut-être il obtiendra la guérison commune.
L'histoire nous apprend qu'en de tels accidents
On fait de pareils dévouements.   LA FONTAINE, Fables, VII, 1.

♦ **2.** (1690). Mod. Action de sacrifier sa vie, ses intérêts (à une personne, à une communauté, à une cause). ⇒ **Abnégation, don** (de soi), **héroïsme, sacrifice.** *Le dévouement des Spartiates aux Thermopyles. Être victime de son dévouement* (→ Aigrir, cit. 17). *Le dévoue-*

ment à la patrie, au bien public. ⇒ **Civisme.** *Dévouement d'un artiste, d'un savant à son œuvre* (→ Art, cit. 2).

2   La vie n'a de prix que par le dévouement à la vérité et au bien.
     RENAN, Souvenirs d'enfance..., III, I, p. 111.

3   Dévouement, don de soi, esprit de sacrifice, charité, tels sont les mots que nous prononçons quand nous pensons à eux *(ces devoirs).*
     H. BERGSON, les Deux Sources de la morale et de la religion, p. 31.

4   Leur courage, comme leur dévouement, pouvaient se comparer au courage et au dévouement des légionnaires sous le feu, au milieu d'une nature hostile jusqu'à la cruauté.   P. MAC ORLAN, la Bandera, VI, p. 74.

♦ **3.** (1690). Disposition à servir, à se dévouer avec abnégation. ⇒ **Conscience** (cit. 19), **zélé; bienveillance, bonté...** *Soigner qqn avec beaucoup de dévouement.* ⇒ **Affection, amour, cœur.** *Besoin de dévouement* (→ Déborder, cit. 4). *Dévouement pour une personne aimée.* ⇒ **Culte** (cit. 10), **dévotion, vénération.** *Un dévouement sans bornes, absolu* (cit. 12), *aveugle, spontané. Dévouement à un parti.* ⇒ **Loyalisme.** *Dévouement à ses amis.* ⇒ **Fidélité.** *Vous pouvez compter sur mon entier dévouement.* ⇒ **Attachement.** *Des protestations de dévouement.*

5   Je n'emploierai point pour vous rassurer les grandes phrases d'honneur et de dévouement dont on abuse à la journée ; je n'ai qu'un mot : mon intérêt vous répond de vous (...)   BEAUMARCHAIS, le Barbier de Séville, I, 4.

6   Félicité lui en fut reconnaissante comme d'un bienfait, et désormais la chérit avec un dévouement bestial et une vénération religieuse.
     FLAUBERT, Trois contes, « Un cœur simple ».

7   Tout son entourage, Dorothée y veillant, lui montrait un dévouement presque dévot (...)   Louis MADELIN, Talleyrand, V, XXIV, p. 378.

CONTR. Égoïsme, indifférence.

DÉVOUER [devwe] v. tr. — 1559, *se dévouer* ; de 2. *dé-,* et *vouer,* d'après le lat. *devovere* (cf. anc. franç. *devoer,* v. 1200).

♦ **1.** Vx. Vouer (à la divinité, à une puissance surnaturelle). ⇒ **Consacrer, offrir, sacrifier.** *Dévouer aux dieux une victime expiatoire.*

1   Sénatus-consulte par lequel on dévouait aux Dieux infernaux quiconque passerait le Rubicon (...)   MONTESQUIEU, Grandeur et Décadence des Romains, 11, *in* LITTRÉ.

Absolt :

2   Un loup quelque peu clerc prouva par sa harangue
Qu'il fallait dévouer ce maudit animal (...)   LA FONTAINE, Fables, VII, 1.

Envoyer à la mort, sacrifier. *Dévouer des hommes, des soldats à la mort.*

3   (...) par ce retard de quelques jours, il dévouait à la mort les cent mille hommes qui lui restaient.   CHATEAUBRIAND, Mémoires d'outre-tombe, t. III, p. 222.

♦ **2.** Relig. Consacrer par un vœu. ⇒ **Vouer.** *Dévouer un enfant à la Sainte Vierge.*

♦ **3.** (1624). Vouer, livrer sans réserve, consacrer à... ⇒ **Dédier, donner, livrer, offrir, sacrifier.** *Dévouer ses enfants à la patrie. Dévouer sa personne au service de Dieu, d'une noble cause. Dévouer sa vie, son existence à la science.*

4   Vous lui dévouez vos personnes, et lui, il se livre tout entier à vous.
     BOURDALOUE, Exhortation au renouvellement des vœux, *in* LITTRÉ.

▶ **SE DÉVOUER** v. pron.

♦ **1.** Relig. *Se dévouer à Dieu :* se sacrifier, s'offrir comme victime expiatoire. *Jésus-Christ s'est dévoué au salut de tous les hommes.*

5   Prince, je me dévoue à ces dieux immortels (...)   RACINE, Britannicus, V, 8.

♦ **2.** Cour. *Se dévouer à* (vieilli) : se consacrer entièrement à. *Se dévouer corps et âme à une noble cause. Se dévouer à ses amis.* ⇒ **Oublier** (s'oublier soi-même) ; → Aimer, cit. 38. *Se dévouer au service de qqn.* ⇒ **Attacher** (s'), **servir.** *Se dévouer à la science, à la vérité.*

6   Un anachorète qui se dévoue au service de l'humanité, un Saint qui veut méditer les grandeurs de Dieu en silence, peuvent trouver la paix et la joie sur des roches désertes.   CHATEAUBRIAND, Mémoires d'outre-tombe, t. II, p. 345.

7   (...) elles *(les femmes)* se dévouent à des êtres souffrants, dégradés, criminels, qu'elles veulent consoler, relever, racheter (...)
     BALZAC, Séraphîta, t. X, p. 480.

8   Il *(Condorcet)* avait rêvé le progrès ; aujourd'hui, il allait le faire, ou du moins s'y dévouer.   MICHELET, Hist. de la Révolution franç., I, p. 656.

Absolt. Faire une chose pénible (effort, privation) au profit d'une personne, d'une cause. ⇒ **Sacrifier** (se). *Le besoin* (cit. 29) *de se dévouer. Il est toujours prêt à se dévouer. C'est un terre-neuve* toujours prêt à se dévouer pour sauver les autres. La joie de se dévouer. Elle s'est dévouée pour le soigner.*

9   Partout même habitude de se donner corps et âme, même besoin de se dévouer, même désir de porter et d'exercer quelque part l'art de bien souffrir et de bien mourir.   A. DE VIGNY, Servitude et Grandeur militaires, III, I, p. 175.

10   Toute sa vie n'était qu'amour. Elle *(la tante de Tolstoï)* se dévouait sans cesse (...)   R. ROLLAND, Vie de Tolstoï, p. 9.

Fam. *Personne ne veut aller chercher le pain? Allons, dévoue-toi !*

▶ **DÉVOUÉ, ÉE** p. p. adj.

♦ **1.** P. p. *Dévoué à... Victime dévouée à Dieu. Âme dévouée à Dieu. Homme dévoué à sa patrie. Personne dévouée aux bonnes œuvres. Savant dévoué à la vérité.*

11   Au long d'une vie tout entière dévouée à la connaissance, au travail de l'esprit, à

la recherche, à la découverte, il avait accoutumé de tout prendre avec méthode, même le chagrin, même le plaisir. G. DUHAMEL, le Voyage de P. Périot, I, p. 9.

Être dévoué à qqn, être prêt à le servir, lui être acquis, lui appartenir. *Il lui est entièrement dévoué, tout dévoué, il est à sa dévotion.* ⇒ **Créature ; damner** (âme damnée) ; **féal, lige** (homme lige).

♦ **2.** Adj. (mil. xvııe). Qui consacre tous ses efforts à servir qqn, à lui être agréable. *C'est l'ami le plus dévoué.* ⇒ **Fidèle, loyal, serviable, sûr.** *Serviteur dévoué.* ⇒ **Empressé, zélé.** *Un partisan dévoué.* — Loc. *Dévoué comme un caniche, comme un chien fidèle,* très dévoué.

12 (...) il avait des devoirs, dont le premier était de conserver à l'État un serviteur dévoué et assidu (...)
COURTELINE, Messieurs les ronds-de-cuir, 4e tableau, III, p. 156.
13 Que cette noblesse française était étrange ! Tantôt fidèle, dévouée, prête à verser son sang, décimée à Crécy, décimée à Poitiers, décimée à Azincourt ; tantôt insoumise et dressée contre l'État. J. BAINVILLE, Hist. de France, VII, p. 121.
14 Les gens de cette sorte se soignent bien, ils rencontrent presque toujours une femme dévouée qui leur fait tiédir leur flanelle (...)
G. DUHAMEL, Inventaire de l'abîme, VI.

(Formules de politesse). *Votre dévoué, votre tout dévoué* (→ Affectionné). *Veuillez croire à mes sentiments dévoués,* formules par lesquelles on termine une lettre.

CONTR. Abandonner, déserter. — Égoïste, indifférent.
DÉR. Dévouement.

DÉVOYER [devwaje] v. tr. — V. 1150, *desveier* ; de 1. *dé-, voie,* et suff. verbal.

♦ **1.** Vieilli ou littér. Détourner du chemin, de la voie. ⇒ **Dépister, dérouter, écarter.** — Figuré :

1 (...) les premiers pas, si fréquemment, dévoient si irrémédiablement quand ils semblent orienter ! Louis MADELIN, Talleyrand, I, I, p. 18.

Techn. *Dévoyer un tuyau de cheminée, de descente,* le détourner de la verticale (⇒ **Dévoiement,** 1.). ⇒ **Dévier.**

♦ **2.** Fig. Cour. Détourner du droit chemin, de la morale, entraîner dans l'erreur. ⇒ **Pervertir.**

2 (...) tu pleures (...) sur les enfants du prophète que le détestable Omar a dévoyés (...) MONTESQUIEU, Lettres persanes, CXXIV.
3 *(Ils accusaient sa liaison)* d'avoir développé chez lui cet esprit de dénigrement, ce mauvais esprit, de l'avoir « dévoyé », en attendant qu'il se « déclassât » complètement. PROUST, À la recherche du temps perdu, t. V, p. 22.
3.1 Raphaël s'est énervé et a répondu que les luttes étudiantes étaient dévoyées de leur vrai but par une propagande irresponsable (...)
Raymond JEAN, les Deux Printemps, p. 125.

▶ **SE DÉVOYER** v. pron.
Fig. Littér. ⇒ **Écarter** (s'écarter du droit chemin), **égarer** (s'), **perdre** (se). *Il se dévoie de plus en plus, malgré les remontrances.*

▶ **DÉVOYÉ, ÉE** p. p. adj.
♦ **1.** Rare. Mis hors du bon chemin ; qui change de direction. Spécialt, mar. *Couples dévoyés* (⇒ **Couple,** II., 2.).

♦ **2.** Fig. *Jeune homme dévoyé.*
4 En ces lieux où l'Église appelle ses enfants dévoyés (...)
BOSSUET, Égl., 3, in LITTRÉ.
5 Sa curiosité est jusqu'à présent dévoyée ; ou plutôt, elle est demeurée à l'état embryonnaire, au stade de l'indiscrétion. GIDE, les Faux-monnayeurs, III, xv, p. 461.

N. *Un jeune dévoyé :* jeune homme, jeune fille qui a commis des actes répréhensibles (⇒ **Délinquant**).

CONTR. Remettre (dans le bon, le droit chemin).
DÉR. Dévoiement.

DÉVRILLAGE [devʀijaʒ] n. m. — Mil. xıxe ; de *dévriller.*
♦ Techn. Opération par laquelle on dévrille les fils.

DÉVRILLER [devʀije] v. tr. — 1827 ; de 1. *dé-, vrille,* et suff. verbal.
♦ Techn. Détordre (ce qui s'est mis en vrille). *Dévriller la laine. Dévriller une ligne de pêche.*
La chaleur humide, dévrillant la fibre (...) et augmentant son élasticité, est utilisée industriellement en filature. Raymond THIÉBAUT, la Filature, p. 56.

CONTR. Vriller.
DÉR. Dévrillage.

DÉWATTÉ, ÉE [dewate] adj. — 1929 ; de 1. *dé-, watt,* et suff. *-é.*
♦ Électr. *Courant déwatté,* courant alternatif déphasé, en quadrature avec la tension, dont la puissance ne fournit pas de watts. ⇒ **Réactif.** *Composante déwattée.*

DEXAMÉTHASONE [dɛgzametazɔn] n. f. — D. i. (v. 1960) ; angl. *dexamethasone* (1958, Arth et Sarett) ; de *deca-, hexa-* (d'où *dexa-*), *methyl-,* et *cortisone.*
♦ Chim. Corps synthétique analogue à la cortisone* (corticosté-

roïde), à forte activité anti-inflammatoire. *Phosphate de dexaméthasone.* « *Des animaux dont les taux de corticostéroïdes ont été augmentés par (...) l'apport d'un corticoïde exogène, la dexaméthasone (DX)* » (la Recherche, mars 1981, p. 287).

DEXTÉRITÉ [dɛksteʀite] n. f. — 1504 ; 1549, *in* T. L. F. ; lat. *dexteritas,* de *dexter.* → Dextre.

♦ **1.** Adresse, habileté manuelle ; délicatesse, aisance dans l'exécution d'une suite de gestes, d'une opération manuelle. ⇒ **Adresse, agilité, légèreté.** *Une dextérité de jongleur, de prestidigitateur. La dextérité du manipulateur. Opérer avec dextérité. Manier le pinceau avec dextérité.*

1 L'idée propre de la *dextérité,* c'est la prestesse, l'aisance et la délicatesse avec lesquelles on agit (...) sans *dextérité,* on agit gauchement, sans grâce (...) l'*adresse* est plus générale que la *dextérité :* elle regarde tous les mouvements de toutes les parties du corps (...) la *dextérité* se borne strictement à la main.
LAFAYE, Dict. des synonymes, Habileté...
2 L'homme (...) a des mains dont la dextérité surpasse (...) tout ce que la nature a donné aux bêtes. FÉNELON, Existence de Dieu, I, 2.
3 *(Il)* saisit la bourse avec une dextérité d'escamoteur et la fit disparaître comme par enchantement dans le profondeur de sa poche (...)
Th. GAUTIER, le Capitaine Fracasse, t. II, XIV, p. 142.

♦ **2.** Fig. Adresse pour mener une affaire à bien. ⇒ **Art, astuce, entregent, habileté, savoir-faire.** *Conduire une négociation avec dextérité. Mener les débats avec dextérité.*

4 On ne pouvait assez louer son incroyable dextérité à traiter les affaires les plus délicates, à terminer tous les différends d'une manière qui conciliait les intérêts les plus opposés (...) BOSSUET, Oraison funèbre de Henriette-Anne d'Angleterre.
5 (...) voilà la dextérité, la précision, l'agilité natives avec lesquelles il circule à travers les idées, pour les distinguer et les relier.
TAINE, Philosophie de l'art, t. II, IV, I, II, p. 104.

CONTR. Gaucherie, lourdeur, maladresse.

DEXTRALITÉ [dɛkstʀalite] n. f. — 1959 ; angl. *dextrality,* 1646, de *dextral,* du lat. *dextra.* → Dextre.
♦ Didact. Le fait d'être droitier (→ Droiterie).

DEXTRAN [dɛkstʀɑ̃] n. m. — D. i. (mil xxe) ; all. *Dextran,* 1874, C. Scheibler, de *dextr(o)-* « dextrogyre » et *-an* suffixe de noms d'anhydrides obtenus à partir d'hydrates de carbone (noms souvent à suff. *-ose*). → Dextrose.
♦ Chim., biol. Polysaccharide de poids moléculaire très élevé (dextrane obtenu par l'action d'une bactérie sur le saccharose ou synthétique). *Le dextran est utilisé comme substitut du plasma sanguin. Perfusion intraveineuse de dextran.*

DEXTRANE [dɛkstʀan] n. f. — Mil. xxe (*in* Quillet 1953) ; de *dextr(o)-* « dextrogyre », et *-ane.*
♦ Chim. Polyholoside obtenu par action de micro-organismes sur un glucose (l'α-D-glucose). *Le dextran* est une dextrane.* « *Les micro-organismes vont former un dépôt de plus en plus épais de grosses molécules de sucres insolubles (les dextranes)...* » (la Recherche, n° 124, p. 801).

DEXTRE [dɛkstʀ] adj. et n. f. — V. 1370 ; du lat. *dextera,* fém. de *dexter* « qui est à droite » ; cf. anc. franç. *destre.*

★ **I.** Adj. ♦ **1.** Blason. *Le côté dextre de l'écu,* le côté droit, par rapport au personnage qui est supposé le porter (côté gauche par rapport au spectateur).

♦ **2.** Zool. *Coquillage dextre :* qui s'enroule de gauche à droite.

♦ **3.** Vx. Adroit. *Un mouvement dextre.*

★ **II.** N. f. (Vx ou par plais.). ♦ **1.** Main droite.
1 Si j'y manquais, grands Dieux ! je vous conjure tous
D'armer contre Alcidon vos actives vengeresses. CORNEILLE, la Veuve, III, 1.
2 Il tira du manteau sa dextre vengeresse (...) BOILEAU, le Lutrin, V.
2.1 Pradonet et lui se serrent cordialement la dextre.
R. QUENEAU, Pierrot mon ami, p. 31.

♦ **2.** Côté droit. ⇒ **Droite.** *Tourner à dextre.*
3 (...) Est assis à la dextre de Dieu, le Père tout-puissant.
CORNEILLE, Office de la Vierge.

CONTR. Sénestre ; gauche.
DÉR. et COMP. Adextré, ambidextre. — Dextrement. — Dextro-.

DEXTREMENT [dɛkstʀəmɑ̃] adv. — 1534 ; de *dextre.*
♦ Vx ou par plais. Avec adresse, dextérité. ⇒ **Adroitement, habilement.** Fig. *Mener dextrement une affaire.*
1 Il *(Rosen)* alla trouver le roi, s'excusa (...) et s'en tira si dextrement que le roi ne put lui savoir mauvais gré. SAINT-SIMON, Mémoires, II, IV.
2 Et voilà maintenant, séparés de nous par trois cents générations tout au plus (...)

les artisans accomplissant dextrement des gestes que l'homme a faits et refaits jusqu'à la génération qui précède la nôtre (...)
M. YOURCENAR, Archives du Nord, p. 21-22.

DEXTRINE [dɛkstʀin] n. f. — 1833; de *dextr(o)-* « dextrogyre »; cette substance en solution étant dextrogyre*.

♦ Nom donné à des polyholosides [hydrates de carbone $(C_6H_{10}O_5)n$] provenant de la dégradation de l'amidon par chauffage ou par hydrolyse. *La dextrine commerciale, substance gommeuse, amorphe, transparente, très soluble dans l'eau, sert d'apprêt en teinturerie.*

DÉR. **Dextriné.**

DEXTRINÉ, ÉE [dɛkstʀine] adj. — 1858; de *dextrine.*

♦ Méd. Enduit de dextrine. *Bandage dextriné.*

DEXTRINISATION [dɛkstʀinizɑsjɔ̃] n. f. — xxᵉ; de *dextriniser.*

♦ Chim., techn. Transformation en dextrine.

Le roux (...) s'obtient par cuisson plus ou moins poussée de la farine dans la matière grasse (...) Ce liquide permet le gonflement des grains d'amidon et assure la « liaison ». La saveur est fonction de la dextrinisation partielle de l'amidon et du liquide d'appoint.   François LÉRY, Technique de la cuisine, p. 86.

DEXTRINISER [dɛkstʀinize] v. tr. — xxᵉ; de *dextrine.*

♦ Chim., techn. Transformer en dextrine.

Cuire une minute pour la fécule qui se dextrinise rapidement et 10 mn pour la farine.   François LÉRY, Technique de la cuisine, p. 85.

DÉR. **Dextrinisation.**

DEXTRO- Élément, du lat. *dexter,* servant à former certains mots savants, et signifiant « à droite, vers la droite » ou représentant *dextrogyre* (noms de composés chimiques). Voir à l'ordre alphabétique.

DEXTROCARDIE [dɛkstʀokaʀdi] n. f. — 1901, Garnier et Delamare; de *dextro-,* et *-cardie.*

♦ Méd. Déplacement du cœur vers la droite. *Dextrocardie acquise, congénitale.*

DEXTROCHÈRE [dɛkstʀoʃɛʀ] n. m. — 1558; de *dextro-,* et grec *kheir* « main »; cf. bas lat. dextrocherium « bracelet ».

♦ Blason. Bras droit représenté sur un écu.

CONTR. **Sénestrochère.**

DEXTROGASTRE [dɛkstʀogastʀ] n. f. — 1970; de *dextro-,* et *-gastre.*

♦ Méd. Déplacement de l'estomac vers le côté droit.

DEXTROGYRE [dɛkstʀoʒiʀ] adj. — 1864; de *dextro-,* et *-gyre.*

♦ **1.** Chim. Qui dévie à droite le plan de la lumière polarisée. *La dextrine est dextrogyre. Cristal dextrogyre.*

♦ **2.** Didact. Qui se dirige vers la droite. *Rotation dextrogyre.* ⇒ **Rétrograde.**

CONTR. **Lévogyre.**

DEXTRORSUM [dɛkstʀoʀsɔm] adj. invar. et adv. — 1858; adv. latin, abrégement de *dextroversum.*

♦ Sc. Qui va dans le sens des aiguilles d'une montre (de gauche à droite). ⇒ **Sens.** *Fil enroulé dextrorsum.*

Le poing droit s'ouvrant lentement lâche l'accoudoir entraînant tout l'avant-bras y compris le coude et lentement s'élève toujours davantage et tournant dextrorsum jusqu'à ce qu'à mi-chemin de la tête il hésite mi-ouvert tremblant en suspens dans l'air.   S. BECKETT, Pour finir encore, « Immobile », p. 45.

CONTR. **Senestrorsum.**

DEXTROSE [dɛkstʀoz] n. m. — 1898; de *dextro-,* et *-ose.*

♦ Vx. Glucose.

DEY [dɛ] n. m. — 1613; *day,* 1628; turc *dâi* « oncle », titre honorifique.

♦ Anciennt. Chef du gouvernement d'Alger (1671-1830). *Le dey Hussein fut détrôné en 1830.*

1   Le Père de la Rédemption s'embarque à Marseille (...) il aborde le dey d'Alger (...)
CHATEAUBRIAND, le Génie du christianisme, IV, III, 6 (→ Barbare, cit. 6).

2   Le dey, choisi par la milice, avait un pouvoir absolu en principe; il recevait tous les deux ou trois ans un caftan d'honneur du sultan de Constantinople et ce don

traditionnel était tout ce qui attestait sa vassalité vis-à-vis de la Porte. Il gouvernait avec son divan, sorte de conseil privé qui s'était substitué à la bruyante assemblée des premiers temps (...)   Augustin BERNARD, l'Algérie, p. 161.

HOM. **Dais, dès.**

DHARMA [daʀma] n. m. — 1929, *Larousse du xxᵉ;* mot sanscrit.

♦ Didact. Ordre, disposition générale des choses, cosmiques, sociales et religieuses.

La « Loi » qu'enseigne le Buddha est celle de la Disposition générale des choses (*dharma,* en pāli *dhamma*) qui sont elles-mêmes des dispositions naturelles desquelles naît la douleur et qu'il faut connaître en leur essence et leurs modes de production pour pouvoir échapper à leur emprise. L'ordre des choses comprend une cosmologie concevant l'univers comme infini, mais cette cosmologie relève d'idées courantes déjà en dehors du bouddhisme et n'est pas entièrement et spécifiquement bouddhique.   Jean FILLIOZAT, les Philosophies de l'Inde, p. 36-37.

DHOTÎ [doti] n. m. — 1870, cit. 1. ci-dessous, *dhouti;* hindi *dhōtī.*

♦ Vêtement traditionnel masculin porté par les Hindous, fait d'une bande de tissu drapée autour des reins dont un pan est passé entre les jambes, remonté en arrière et rentré dans la ceinture. *Brâhmane en dhotî. Le dhotî se porte plus ou moins long selon les régions.* — REM. Exceptionnel, l'emploi au féminin (cit. 2) constitue un réemprunt didactique.

Il porte un *dhouti* (sic) à bande rouge qu'il drape autour de ses jambes et une longue tunique de calicot serrée sur la poitrine.   1
le Tour du monde, p. 211 (1870-1871).

Ces statues ne portent pas de ceinture de hanches (...) La façon de porter la *dhotî*   2
à hauteur des genoux, maintenue par un nœud à la taille, et les plis latéraux indiqués par des lignes incisées (...) permettraient de dater ce torse du vıᵉ siècle.
Trad. de Piriya KRAIRIKSH, *in* Musée du Petit Palais de la ville de Paris, 16 oct. 1980, l'Image sacrée en Thaïlande.

DI- Élément du grec *di-,* signifiant *deux fois.* ⇒ **Bi-, bis-;** et aussi *dicho-.* — REM. L'élément *bi-,* de même sens, est resté plus productif que *di-,* sauf en chimie où ce dernier sert à former de nombreux composés.

DIA [dja] interj. — 1548, *-diai;* anc. forme de *da.* → Da.

♦ Cri que poussent les charretiers pour faire aller leurs chevaux à gauche (opposé à *hue,* pour les faire aller à droite). Loc. fig., fam. Vx. *N'entendre ni à hue ni à dia.* — Mod. *Aller, tirer à hue et à dia.* ⇒ **Hue.**

Les uns tiraient à hue, les autres à dia, quand une solution mit tout le monde   1
d'accord.   COURTELINE, Messieurs les ronds-de-cuir, 6ᵉ tableau, II, p. 228.
Je ne parle pas du bon sens de nos mères   2
Qui tirent à hue et à dia le fil de la conversation.
ÉLUARD, « Ordre du jour », Pl., t. I, p. 280.

CONTR. **Hue.**

DIA- Élément, du grec *dia,* signifiant « séparation, distinction » (ex. : *diacritique*) ou « à travers » (ex. : *dialyse*). — REM. Devant une voyelle, l'élément *dia-* se réduit en *di-* (ex. : *diélectrique*).

DIABASE [djabɑz] n. f. — Av. 1816, mot créé par Brongniart (*in* Littré); de *dia-* (pour *di-*), et *base* « roche à deux bases ».

♦ Minér. Roche éruptive, granitoïde, sans quartz.

DIABÈTE [djabɛt] n. m. — xvᵉ, *dizabete;* lat. médiéval *diabetes,* grec *diabêtês* « qui traverse », à cause de l'émission surabondante d'urine.

Médecine.

♦ **1.** État pathologique s'accompagnant d'une élimination excessive d'urine, avec soif intense. *Diabète insipide,* en rapport avec une perturbation hormonale de l'hypophyse.

♦ **2.** *Diabète sucré,* (cour.) *diabète :* maladie liée à un trouble de l'assimilation des glucides, avec présence de sucre dans le sang (hyperglycémie) et dans les urines (glycosurie). *Avoir du diabète.* ⇒ **Diabétique** (cit.). *Traitement du diabète par l'insuline.*

(...) une main enflée par le diabète, mais qui serre tout de suite sans tâtonner, dure, impérieuse.   BERNANOS, Journal d'un curé de campagne, I, p. 21.

DÉR. **Diabétique, diabétogène, diabétologue, diabétomètre.**

DIABÉTIQUE [djabetik] adj. — xivᵉ, rare av. xviiiᵉ; de *diabète.*

♦ Qui se rapporte au diabète. *Coma diabétique.* ⇒ **Insulinique.** — Qui est atteint du diabète. *Des enfants diabétiques.* — N. *(Un, une diabétique). Régime pour diabétiques.*

(...) son diabète s'aggravait, et les doses d'insuline, de plus en plus fortes, provoquaient des crises d'hypoglycémie. À plusieurs reprises, en revenant du marché, il lui était arrivé de tomber dans un état de coma insulinique en pleine rue. Elle avait cependant trouvé un moyen fort simple de pallier cette menace, car un évanouissement hypoglycémique, s'il n'était pas immédiatement diagnostiqué et traité, menait presque toujours à la mort. Elle prenait donc la précaution de ne jamais quitter la maison sans une inscription épinglée en évidence sous son manteau : « Je suis diabétique. Si on me trouve évanouie, prière de me faire absorber les sachets de sucre qui sont dans mon sac. Merci ».

R. GARY, la Promesse de l'aube, p. 184.

DIABÉTOGÈNE [djabetɔʒɛn] adj. — 1938, *in* D. D. L. ; de *diabète*, et *-gène*.

♦ Méd. Susceptible de provoquer un diabète. *Facteur diabétogène*.

DIABÉTOLOGIE [djabetɔlɔʒi] n. f. — 1963, *in* T. L. F. ; de *diabète*, et *-logie*.

♦ Didact. Étude médicale du diabète.

DIABÉTOLOGUE [djabetɔlɔg] n. — 1963 ; de *diabète*, et *-logue*.

♦ Didact. Médecin spécialiste du diabète.

DIABÉTOMÈTRE [djabetɔmɛtR] n. m. — xxᵉ ; de *diabète*, et *-mètre*.

♦ Techn. Instrument servant à doser le glucose contenu dans les urines.

DIABLE [djɑbl] n. m. — Fin xᵉ ; *diaule*, 881 ; du lat. ecclés. *diabolus*, du grec *diabolos*, proprt « calomniateur », de *diaballein* « attaquer, accuser ».

★ I. ♦ 1. Démon*, personnage représentant le mal dans la tradition populaire chrétienne. *Les diables sont des anges déchus, révoltés contre Dieu.*

REM. *Diable* est peu utilisé dans les vocabulaires philosophique et théologique qui emploient *démon*.

Les diables dans l'iconographie populaire ont des oreilles pointues, des cornes, des ailes, des pieds fourchus, une longue queue. L'expression féroce ou sarcastique, le visage repoussant des diables. Les diables des mystères médiévaux (⇒ **Diablerie**). *Gesticulations, grimaces, ricanements, cris des diables. Les diables, symboles des vices, de la méchanceté, de la malice, de la ruse, d'un pouvoir néfaste et surnaturel. Petit diable.* ⇒ **Diableteau, diablotin.** *Le Diable boiteux*, roman de Lesage. *Le Diable à l'hôtel*, roman d'É. Henriot.

1   La faim, l'occasion, l'herbe tendre, et je pense,
    Quelque diable aussi me poussant,
    Je tondis de ce pré la largeur de ma langue.   LA FONTAINE, Fables, VII, 1.

Loc. *Crier comme un diable*, très fort. *Malin, rusé, méchant comme un diable. Noir comme le diable.*

♦ 2. *Le diable* : le prince des démons ou des diables. → argot (vx) *Le boulanger. Du diable.* ⇒ **Diabolique.** *Le diable tenta Adam et Ève sous la forme d'un serpent. Être possédé* du diable. *Chasser le diable* (⇒ **Exorciser**). *Qui rappelle le diable.* ⇒ **Diabolique, endiablé.** *Le Diable et le Bon Dieu*, pièce de J.-P. Sartre. *Croire au diable. Pactiser* (cit. 1) *avec le diable. Le culte du diable. Adorateur du diable.*

2   Soyez sobres, veillez. Votre adversaire, le diable, rôde comme un lion rugissant, cherchant qui il dévora.   BIBLE (SEGOND), 1ʳᵉ Épître de Pierre, v, 8.

3   C'est le Diable qui tient les fils qui nous remuent !
    Aux objets répugnants nous trouvons des appas ;
    Chaque jour vers l'Enfer nous descendons d'un pas (...)
                 BAUDELAIRE, les Fleurs du mal, « Au lecteur ».

4   (...) le mal est indispensable au bien et le diable nécessaire à la beauté morale du monde.   FRANCE, le Jardin d'Épicure, p. 71.

5   Nous nous efforçons de croire que tout ce qu'il y a de mauvais sur la terre vient du diable ; mais c'est parce qu'autrement nous ne trouverions pas en nous la force de pardonner à Dieu.   GIDE, les Faux-monnayeurs, III, 18, p. 499.

Loc. *Ne connaître, ne craindre* ni Dieu ni diable. *Ne croire* (cit. 60) *ni à Dieu ni à diable.* ⇒ **Mécréant.** *Signer un pacte* avec *le diable. Sorcier* qui tient son pouvoir d'un pacte avec le diable. *Donner, vendre son âme* au diable. *Faust vendit son âme au diable.*

5.1 Bien qu'il fût devenu le bras droit de mon camarade, Petr, en dehors de ses heures de travail, refusait de se passionner pour les rouages de la société de consommation contrairement à mon ami qui, comme un homme qui aurait vendu son âme au diable, ne pouvait s'empêcher de revenir constamment sur l'utilisation criminelle que cette société était parvenue à faire de lui.
                 Jacques LAURENT, les Bêtises, p. 512.

Se donner au diable. Se faire l'avocat du diable.

(Mil. xiiiᵉ). *Avoir le diable au corps* : faire le mal avec assurance, et, fig., déployer une activité passionnée, une énergie, une vivacité surhumaines. ⇒ **Enragé** (être enragé). *Le Diable au corps*, roman de Radiguet ; film de Cl. Autant-Lara. — Vx. *Avoir le diable dans le ventre* (même sens).

6   (...) point enivré de sa jeunesse, comme le sont tous les jeunes gens, qui semblent avoir le diable au corps (...)   Mᵐᵉ DE SÉVIGNÉ, 1451, 29 mars 1696.

7   Je n'ai jamais rien vu de si méchant que ce maudit vieillard, et je pense, sauf correction, qu'il a le diable au corps.   MOLIÈRE, l'Avare, I, 3.

Faire le diable à quatre (par allus. aux diableries* à quatre person-

nages) : faire beaucoup de bruit, de remue-ménage, et, fig., se démener pour obtenir ou empêcher quelque chose. *Se démener, s'agiter comme un diable dans un bénitier* (cit. 2 et 3), *comme un beau diable.*

8   La petite Fadette dansait très bien ; il l'avait vue gambiller dans les champs ou sur le bord des chemins, avec les pâtours, et elle s'y démenait comme un petit diable, si vivement qu'on avait peine à la suivre en mesure.
                 G. SAND, la Petite Fadette, XIV, p. 102.

9   Je me vois encore dans ma chaire, me débattant comme un beau diable, au milieu des cris, des pleurs, des grognements, des sifflements (...)
                 Alphonse DAUDET, le Petit Chose, I, IX, p. 111.

La beauté du diable. *La Beauté du diable*, film de R. Clair inspiré par la légende de Faust.

Vieilli. *Ne pas valoir le diable* : ne rien valoir.

10   (...) Les femmes enfin ne valent pas le diable.
                 MOLIÈRE, le Dépit amoureux, IV, 2.

Prov. *Quand le diable devient vieux il se fait ermite* : celui qui a mené une vie dissipée rentre dans la bonne voie lorsqu'il a passé l'âge des plaisirs.

11   (...) devenir quelqu'un de posé dans son hameau, dans sa paroisse — marguillier après avoir été rouleur de mer ; vieux diable, se faire bon ermite, bien tranquille (...)   LOTI, Mon frère Yves, LXVIII, p. 162.

Prov. *Le diable n'est pas toujours à la porte d'un pauvre homme* : on ne reste pas continuellement dans le malheur.

Loc. *Du diable, de tous les diables, comme tous les diables* : extrême, excessif, terrible. *Il fait un froid, un vent de tous les diables. Se donner un mal du diable. Avoir une peur, une faim du diable. Un bruit, un vacarme de tous les diables.*

12   — Voilà une justice bien injuste. — Elle est sévère comme tous les diables (...)
                 MOLIÈRE, Monsieur de Pourceaugnac, III, 2.

13   Il fait un froid de tous les diables.   A. DE MUSSET, Lorenzaccio, I, 1.

13.1 Madame Astiné devait avoir un tempérament de tous les diables (...)
                 Jean-Louis CURTIS, le Roseau pensant, p. 86.

DU DIABLE, DU DIABLE (dans des désignations de choses naturelles). *Herbe, pomme du diable* : datura. — *La dent du Diable* (nom de rocher, de montagne).

Aller le diable : aller vite (→ Aller, cit. 61).

(1665). **EN DIABLE** : très, terriblement. ⇒ **Diablement.** *Il est paresseux en diable. Avoir de l'esprit en diable.*

14   La justice en ce pays-ci est rigoureuse en diable contre cette sorte de crime.
                 MOLIÈRE, Monsieur de Pourceaugnac, II, 10.

14.1 Il imagina la lettre, affectueuse, point trop familière, et spirituelle en diable.
                 M. AYMÉ, Maison basse, p. 15.

(1735). **À LA DIABLE** : sans soin, de façon désordonnée ; à la va-vite. *Travail fait à la diable*, bâclé, négligé. *Chronique écrite à la diable* (→ Outrance, cit. 2).

15   Sur mes seize ans je passai, à la diable, un affreux petit examen nommé baccalauréat (...)   FRANCE, la Vie en fleur, XII.

16   (...) la dissolution même de la famille faisait que les enfants, élevés à la diable, avaient désappris le chemin des études (...)
                 Louis MADELIN, Hist. du Consultat et de l'Empire, Le Consulat, XI, p. 175.

16.1 (...) elle avait, après s'être beaucoup défendue, fait l'amour avec lui, mais si vite, à la diable, dans l'affolement de la séparation, les yeux sur la pendule, qu'elle ne savait pas, troublés comme ils étaient, si elle avait ou non perdu sa virginité.
                 Jacques LAURENT, les Bêtises, p. 36.

Volaille à la diable, grillée, servie avec une sauce épicée à base de vin blanc et de vinaigre.

C'est le diable qui bat sa femme et marie sa fille, se dit lorsqu'il pleut et fait soleil en même temps. Cf. la variante d'auteur :

16.2 (les) cieux qui pleuvent
    Quand la femme du diable a battu son amant.
                 APOLLINAIRE, Alcools, p. 101.

Avoir l'air de porter le diable en terre : avoir l'air triste et désolé. Dans le même sens : *Faire une mine du diable.*

17   (...) elle avait eu un air de porter le diable en terre, toute droite, figée, avec une voix triste dans les plus simples choses, lente en ses mouvements, ne souriant plus jamais.   PROUST, À la recherche du temps perdu, t. XIII, p. 17.

(1694). *Tirer le diable par la queue* : avoir peine à vivre avec de maigres ressources. ⇒ **Pauvre ;** cf. ne pas pouvoir joindre les deux bouts.

18   (...) si je faisais des vers aussi bons la moitié que ceux que vous me venez de lire, je ne serais pas réduit à tirer le diable par la queue et je ferais de mes rentes (...)
                 SCARRON, le Roman comique, I, XI, p. 48.

19   L'idéal, ce serait que les gens qui vous approchent aient l'impression que vous tirez le diable par la queue.
                 J. ROMAINS, les Hommes de bonne volonté, t. II, v, p. 52.

Loger le diable dans sa bourse (cit. 6).

Vx. *Il mangerait* le diable et ses cornes.

Vx. *Diables bleus* : idées noires, découragement passager. *« Assiégé par mes diables bleus »* (Amiel, *in* T. L. F.).

Quand diable s'en mêle..., se dit lorsqu'il apparaît des difficultés dans une entreprise, un dessein... *Quand le diable y serait...* quand bien même on y rencontrerait le diable en personne, malgré tout. Fig. *Nous irons dans cet endroit, quand le diable y serait*, en dépit des difficultés, de l'impossibilité. *Quand le diable y serait, j'en viendrai à bout.*

C'est, ce serait bien le diable si : ce serait bien étonnant, surprenant, extraordinaire. *C'est bien le diable si nous ne le trouvons pas.*

20 C'est bien le diable si je ne trouve pas dans ce village un bistrot où je pourrai casser la croûte.   J. ROMAINS, les Hommes de bonne volonté, t. V, X, p. 77.

20.1 — Nous irons tenter notre chance ensemble. Ce serait bien le diable...
— D'autant que le maître d'hôtel me connaît.
                                        Michel BUTOR, la Modification, p. 177.

C'est le diable à confesser* : c'est une chose impossible.
C'est le diable, voilà le diable ! : voilà l'ennui, la difficulté. C'est le diable pour vous retrouver, c'est toute une affaire*.

21 Eh bien, c'est le diable pour y arriver (...)
              Alphonse DAUDET, Lettres de mon moulin, « Portefeuille de Bixiou ».

22 — C'est tout ce que je voulais savoir, dit Antoine froidement. Le diable est d'en parler à grand-père. — Je vais le préparer...
                                        A. MAUROIS, Bernard Quesnay, XXXII, p. 221.

Ce n'est pas le diable : ce n'est pas difficile. → Ce n'est pas terrible*. Réussir à cet examen, ce n'est pas le diable. Ne dramatisez pas, ce n'est pas le diable !

Vx ou par plais. *Que le diable l'emporte, se dit de qqn dont on veut se débarrasser. — Je veux que le diable m'emporte, le diable m'emporte si... (sorte de serment qui renforce l'idée exprimée). → Que le (grand) crique* me croque si... Le diable m'emporte si j'y comprends un mot : je n'y comprends rien.*

23 (...) — Que le diable m'emporte
Si je fais raillerie, et s'il n'est de la sorte !
— Et qu'il m'entraîne, moi, si (...) !   MOLIÈRE, le Dépit amoureux, III, 7.

23.1 (...) il était beau, et le Diable m'emporte ! peut-être trop pour un soldat.
              BARBEY D'AUREVILLY, les Diaboliques, « À un dîner d'athées ».

Dans le même sens : *Du diable si je le sais !*

Fig. *Au diable : très loin. → A dache (fam.). Habiter au diable, dans un endroit éloigné, retiré. Nous le voyons rarement, il demeure au diable — Dans le même sens : Demeurer, être situé au diable vauvert (allus. au château de Vauvert qui passait pour être hanté par le diable), ou (vx) au diable au vert (Académie), et (mod.) au diable vert.*

24 J'ai voyagé en Bohème, en Allemagne, en Suisse, en Hollande, en Flandre, au diable au vert.   DIDEROT, le Neveu de Rameau, Œ., p. 497.

25 On ne sait où, au diable vauvert, quelques abois jaillissent par intervalles, qui s'émiettent et défaillent aussitôt.   M. GENEVOIX, Forêt voisine, XII, p. 157.

26 C'est dans le territoire de Reillanne, au diable vert... C'est d'autant plus loin qu'il n'y a pas de chemin pour y aller.   J. GIONO, Colline, p. 46.

27 On dit aussi *à distance*. Les expressions figurées : *au diable au vert (vauvert), aux 36.000 diables,* indiquent un grand éloignement.
                      F. BRUNOT, la Pensée et la Langue, XI, B, II, p. 427.

27.1 Dans quelques jours, ce sera définitivement réglé, signé, je serai libre, nous allons partir au diable vauvert...
— Où c'est le diable Vauvert?
— Très loin... Je ne sais pas encore où. On va prendre la Jaguar et rouler droit devant nous... La Turquie, peut-être l'Iran...
              R. GARY, Au-delà de cette limite votre ticket n'est plus valable, p. 222.

Fig. *Envoyer qqn au diable, à tous les diables (→ Billevesée, cit. 2), aux cinq cents diables,* le renvoyer*, le repousser avec colère ou impatience, dureté. ⇒ **Expédier, maudire, rabrouer, rebuter, rembarrer** (fam.). *Allez au diable ! Je n'ai pas le temps de m'occuper de vous ! Qu'il aille au diable avec ses histoires !* — Littér. *Au diable soient les importuns !* et, ellipt, *au diable les importuns !*

28 Au diable soient tous les laquais !   MOLIÈRE, les Précieuses ridicules, 9.

29 J'y renonce à jamais, à ce sexe trompeur,
Et je le donne tout au diable de bon cœur.   MOLIÈRE, l'École des maris, III, 9.

30 La patience me manqua ; je commençai à envoyer le douanier à tous les diables.
                      CHATEAUBRIAND, Mémoires d'outre-tombe, t. VI, p. 29.

30.1 (...) Bernard est bien persuadé que son ami n'a jamais senti que l'affection et non le dédain — mais enfin, installé dans le fauteuil trop frêle (...) il envoie Robert à tous les diables.   F. MALLET-JORIS, le Jeu du souterrain, p. 125.

♦ **3.** (Mil. XIIᵉ). Interj. Vx ou littér. (exprimant la surprise, l'étonnement admiratif ou indigné). ⇒ **Diantre ; boufre,** 2. **foutre.** *Diable ! Cela est inquiétant. Diable ! C'est un peu cher. Ah, diable ! J'oubliais le principal ! Où diable est-il caché ? Que diable allait-il faire ? (→ Mais aussi*...). Décidez-vous, que diable ! Comment diable... Pourquoi diable...*

31 Que diable allait-il faire dans cette galère ?
                      MOLIÈRE, les Fourberies de Scapin, II, 7.

32 Comment, diable ! Laissez-moi aller (...)   MOLIÈRE, l'Amour médecin, V, 8.

33 Qui diable est-ce donc qu'on trompe ici ? Tout le monde est dans le secret !
                      BEAUMARCHAIS, le Barbier de Séville, III, 11.

34 (...) je ne veux pas que tu viennes ! ... Eh ! je n'en mourrai pas, que diable !
                      COLETTE, la Vagabonde, III, p. 202.

Vieilli. *De par le diable, de par tous les diables !* Juron exprimant l'étonnement, la colère, la décision.

★ **II.** (1080). Fig. Personne, chose que l'on compare à un diable (⇒ **Diablesse**).

♦ **1.** Personne méchante, dangereuse comme un diable. *Un méchant diable. C'est le diable incarné. Un diable déchaîné.* ⇒ **Déchaîner,** cit. 11 et 12.

35 Une femme d'esprit est un diable en intrigue (...)
                      MOLIÈRE, l'École des femmes, III, 4.

36 Une autre fois, quelque diable fit une satire cruelle sur Madame, le comte de Guiche, etc. (...)   SAINT-SIMON, Mémoires, I, LX.

♦ **2.** Mod. Enfant vif, emporté, turbulent, insupportable. *Cet enfant est un vrai diable.* ⇒ **Diablotin.** *Un bon petit diable,* récit de la comtesse de Ségur. *Cette petite est un vrai diable.*
Adj. *Il, elle est diable, un peu diable.* ⇒ **Espiègle ; coquin.**

37 Je ne laisse pas, tout diables qu'ils sont *(vos enfants),* de leur enseigner quelquefois des polissonneries de mon temps.   P.-L. COURIER, Lettres, II, 77.

♦ **3.** (1611). En bonne part. **PAUVRE DIABLE.** *Un pauvre diable :* homme malheureux, pauvre, pitoyable. ⇒ **Malheureux, misérable.** *Un pauvre diable de poète.*

38 Cancres, hères, et pauvres diables,
Dont la condition est de mourir de faim.   LA FONTAINE, Fables, I, 5.

39 (...) toute une bande de pauvres diables en train de piocher dans les thurnes.
                      J. ROMAINS, les Hommes de bonne volonté, t. III, I, p. 12.

BON DIABLE : brave homme, de commerce facile. ⇒ **Bon** (cit. 53), **bougre** (bon bougre).

GRAND DIABLE : homme très grand, dégingandé. *Un grand diable d'Anglais.*

40 (...) une maison de pacha, où un grand diable à moustaches, vêtu de rouge et d'or, pistolets à la ceinture, sans souffler mot, leur ouvrit le portail (...)
                      LOTI, les Désenchantées, II, p. 22.

Argot milit. Vx. *Diable bleu :* chasseur alpin.

♦ **4. DIABLE DE** (valeur d'adj.) : bizarre, singulier ou mauvais. ⇒ **Drôle** (*Un diable d'homme* (→ Argument, cit. 15). *Une diable d'affaire. Un diable de temps.* — REM. Devant un nom féminin, *diable* qui est en apposition peut rester au masculin. ⇒ **Diablesse.**

41 Quel diable d'homme m'avez-vous là amené ?
                      MOLIÈRE, le Médecin malgré lui, II, 2.

42 (...) quelle diable de fantaisie t'es-tu allé mettre dans la cervelle ?
                      MOLIÈRE, le Malade imaginaire, 1ᵉʳ intermède.

43 (...) je n'en voyais pas une seule qui valût cette diable de fille-là.
                      MÉRIMÉE, Carmen, II.

43.1 Et je me surprenois quelquefois à dire tout seul : Pourquoi la Fée aux miettes ne s'est-elle pas fait arracher ces deux diables de dents ? (...)
                      Charles NODIER, Contes, p. 149.

43.2 (...) je vivais la plus grande partie de mon temps chez moi, couché sur un grand diable de canapé de maroquin bleu sombre (...)
                      BARBEY D'AUREVILLY, les Diaboliques, « le Rideau cramoisi ».

★ **III. A.** (Nom d'objets). ♦ **1.** (1764). Petit chariot à deux roues qui sert à transporter des caisses, des sacs, etc. (⇒ **Brouette, chariot**).

44 Ça va, dit le type, c'est pas malin de pousser votre histoire. Des diables à la gare de Dunkerque, des wagonnets à Lens, des chariots à Anzin, j'ai fait que ça toute ma vie.   SARTRE, le Sursis, p. 173.

♦ **2.** Filet pour pêcher le hareng d'hiver.

♦ **3.** Jouet en forme de boîte, de laquelle surgit, grâce à un ressort, un petit diable. — Fig. *Comme un diable de sa boîte :* à l'improviste.

45 Lucas l'a posté ici (...) pour épauler les copains le moment venu. Lorsqu'ils resurgiront par en bas comme des diables de leur boîte, dans le dos des assaillants.
                      Régis DEBRAY, l'Indésirable, p. 37.

Ludion représentant un petit démon.

♦ **4.** (Allus. au feu infernal). Casserole double servant à la cuisson à l'étouffée. — Tuyau de tôle pour augmenter le tirage d'un fourneau.

♦ **5.** (1835). Vx. ⇒ **Diabolo.**

B. (1552). *Diable de mer.* ⇒ **Baudroie, scorpène.** — REM. De nombreux autres animaux portent ou ont porté régionalement le nom de *diable.*

DÉR. Diablement, diablerie, diablesse, diableteau, diablotin ; diantre.
COMP. Endiablé.

DIABLEMENT [djabləmã] adv. — XVIᵉ, *deablement; de diable.*

♦ Fam. Très, en diable*, extrêmement. ⇒ **Bougrement, diantrement, drôlement, rudement, terriblement.** *Il fait diablement beau. Ce travail est diablement difficile. Il est diablement fort sur ce sujet.*

1 (...) je suis diablement fort sur les impromptus.
                      MOLIÈRE, les Précieuses ridicules, 9.

2 La flotte est arrivée avec les galions,
Cela va diablement hausser nos actions.   J.-F. REGNARD, le Joueur, III, 6.

3 Pourtant il se trouva que le champi entrait dans ses dix-sept ans et que madame Sévère trouva qu'il était diablement beau garçon.
                      G. SAND, François le Champi, VII, p. 70.

DIABLERIE [djabləʀi] n. f. — 1230, *diablerie; de diable.*

♦ **1.** Sorcellerie* qui fait intervenir le diable. ⇒ **Maléfice, sortilège.**

1 Quoi ? te mêlerais-tu d'un peu de diablerie ?   MOLIÈRE, l'Étourdi, I, 4.

♦ **2.** Vx. Intrigue mystérieuse et dangereuse. *Il y a quelque diablerie là-dessous.* ⇒ **Machination, manigance.**

♦ **3.** Vx. Caractère de ce qui est digne d'un diable.

2 Et cependant, avec toute sa diablerie,
Il faut que je l'appelle et « mon cœur » et « ma mie ».
                      MOLIÈRE, les Femmes savantes, II, 9.

♦ **4.** Mod. *(Une, des diableries).* Parole, action pleine de vivacité, de malice, de turbulence. *Ces enfants ne cessent d'inventer mille dia-bleries pour se distraire.* ⇒ **Espièglerie.**

3 Et c'étaient des tendresses !... et puis des rires !... et elle dansait et elle déchirait ses falbalas : jamais singe ne fit plus de gambades, de grimaces, de diableries.
MÉRIMÉE, Carmen, III, *in* Romans et nouvelles, p. 681.

♦ **5.** (1534). Hist. littér. Mystère* dans lequel des diables sont en scène. *Diablerie à quatre personnages. Montre* d'une diablerie.*

4 Adoncques *(donc)* fit la montre de la diablerie parmi la ville et le marché. Ses diables étaient tout caparaçonnés de peaux de loup (...) ceints de grosses courroies, desquelles pendaient grosses cymbales de vaches et sonnettes de mulets à bruit horrifique. Tenaient en main *(d')*aucuns bâtons noirs pleins de fusées ; *(d')*autres portaient longs tisons allumés, sur lesquels à chaque carrefour jetaient pleines poignées de parafine *(poix)* en poudre dont sortait feu et fumée terrible.
RABELAIS, le Quart livre, XIII, Pl., p. 598.

Par extension :

5 Son *Albertus (de Gautier),* jovial, fracasseur et démoniaque, demeure la plus amusante diablerie que nous ait laissée le romantisme, avec cet avantage d'être une diablerie qui ne se prend pas au sérieux.
Émile HENRIOT, les Romantiques, p. 447.

♦ **6.** Représentation d'une scène comportant des diables. *Les « diableries peintes sur les parois des tombeaux étrusques »* (A. France, *in* T. L. F.).

DIABLESSE [djɑblɛs] n. f. — V. 1245, *diablaise ;* de *diable.*

♦ **1.** Rare. Diable femelle. ⇒ **Démone, succube.**

♦ **2.** Fig., vx. Femme acariâtre, ou méchante et rusée.

1 Tu perds le repos (...) pour une dragonne (...) une diablesse qui te rembarre, et se moque de tout ce que tu peux lui dire.
MOLIÈRE, le Malade imaginaire, 1er intermède.

1.1 Le comte est riche. Il peut vivre grandement partout. Pourquoi ne pas filer avec cette belle diablesse (en fait de diablesse, je croyais à celle-là) qui, pour le mieux crocheter a préféré vivre avec son amant (...)
BARBEY D'AUREVILLY, les Diaboliques, « le Bonheur dans le crime ».

Une diablesse de... (suivi d'un nom fém.). ⇒ **Diable.**

1.2 Je ne sais et ne veux rien savoir, pas même la formule de cette diablesse de poudre.
ZOLA, Paris, t. I, p. 143.

(XXe). Par ext. Femme très active, remuante, pétulante. *Une petite diablesse.*

♦ **3.** *Une pauvre diablesse :* une pauvre femme. *Une grande diablesse.* ⇒ **Diable.**

2 Nous avons été voir à la foire une grande diablesse de femme, plus grande que Riberpré de toute la tête (...)
Mme DE SÉVIGNÉ, 144, 13 mars 1671.

3 Vous avez donc eu peur de ces pauvres petites diablesses de chouettes noires (...)
Mme DE SÉVIGNÉ, 1131, 2 févr. 1689.

DIABLETEAU [djablǝto] ou **DIABLOTEAU** [djablɔto] n. m. — 1474 ; de *diable.*

♦ Vieilli. Petit diable*. ⇒ **Diablotin.**

La mi-juillet venue, le diable se représenta au lieu, accompagné d'un escadron de petits diableteaux (...)
RABELAIS, le Quart livre, XLVI, Pl., p. 684.

DIABLOTIN [djablɔtɛ̃] n. m. — 1534 ; de *diable.*

A. ♦ **1.** Petit diable* (⇒ **Diableteau**). *Le diable escorté de diablotins.*

♦ **2.** Fig. Jeune enfant très espiègle. ⇒ **Diable, II., 2.** *Qu'est-ce que ces diablotins ont encore manigancé ?*

B. (Choses ; animaux). ♦ **1.** (1877). Petit pétard* enroulé dans une papillote avec un bonbon et une devise.

♦ **2.** (1751). Petit beignet à base de crème aux œufs.

♦ **3.** Vx. Pastille aphrodisiaque originaire d'Italie.

♦ **4.** Mar. Voile d'étai du mât de perroquet de fougue.

♦ **5.** Larve de l'empuse, insecte voisin de la mante.

DIABOLICISME [djabɔlisism] n. m. — 1823, Stendhal, *infra ;* de *diabolique.*

♦ Rare. Qualité d'une chose, d'une personne diabolique.

Aucun soupçon d'intérêt personnel ne venait attaquer la pureté de son diabolicisme.
STENDHAL, Armance, VI, 61, Lemerre, *in* D. D. L., II, 1.

DIABOLIQUE [djabɔlik] adj. — XIIIe ; « inspiré par le diable », v. 1180 ; lat. ecclés. *diabolicus,* grec *diabolikos,* de *diabolos.* → Diable.

♦ **1.** Qui tient du diable, se rapporte au diable. *Pouvoir diabolique.* ⇒ **Démoniaque.** *Tentation diabolique. — Culte diabolique. —* N. *Les Diaboliques,* nouvelles de Barbey d'Aurevilly.

1 Je vais, par mon pouvoir diabolique, enlever les toits des maisons, et je veux que malgré les ténèbres de la nuit, le dedans se découvre aux regards à vos yeux.
A. R. LESAGE, le Diable boiteux, III.

N. m. *Le macabre* (cit. 6), *le diabolique* (en littérature).

♦ **2.** Qui rappelle les attributs physiques ou moraux du diable. *Un*

sourire, un visage diabolique. ⇒ **Méchant, sarcastique.** *Une apparition diabolique. Invention, machination diabolique,* pleine de ruse et de méchanceté. ⇒ **Infernal, méphistophélique, pernicieux, pervers, satanique.** *Méchanceté, imagination, idée diabolique.*

2 Il fallut que la force même cédât au diabolique entêtement d'un enfant, car on n'appela pas autrement ma constance.
ROUSSEAU, les Confessions, I.

3 Elles gardaient pour elles les mille ressources diaboliques et les inventions quelquefois de leur enfantine méchanceté.
P. MAC ORLAN, la Bandera, XI, p. 126.

♦ **3.** Très difficile, désagréable. *Travail diabolique.* ⇒ **Infernal.** *Un problème diabolique. C'est diabolique : on n'y comprend rien.*

CONTR. **Angélique, divin.**

DÉR. **Diaboliquement, diabolicisme.**

DIABOLIQUEMENT [djabɔlikmɑ̃] adv. — Fin XIVe ; de *diabolique.*

♦ D'une manière diabolique. *Il a agi diaboliquement. Sourire diaboliquement.*

DIABOLISER [djabɔlize] v. tr. — XVIe, *diabolisé ;* du rad. de *diable, diabolique.*

♦ Littér. Transformer en diable. — Faire passer pour diabolique, présenter sous un jour défavorable.

Ces forcenés *(les médecins aliénistes)* me déroutent, m'angoissent, me diabolisent et surtout me dégoûtent.
CÉLINE, Voyage au bout de la nuit, p. 382.

DIABOLISME [djabɔlism] n. m. — 1886 ; angl. *diabolism,* XVIIe ; d'après *diabolique.*

♦ Didact. ou littér. Caractère diabolique.

1 Son âme religieuse, aux trois quarts submergée par le diabolisme de la passion, prenait pied, quelques instants, sur ces formes saintes, au-delà desquelles il pressentait la gloire des pitiés divines.
Léon BLOY, le Désespéré, p. 226.

Culte du diable.

2 Le mot « diabolique » lui a échappé. Et quand je me suis souvenu de quelle façon désinvolte il accueillait en 1910 le vieux reproche de diabolisme fait à la Maçonnerie (...)
J. ROMAINS, les Hommes de bonne volonté, t. XXII, p. 211.

DIABOLO [djabɔlo] n. m. — 1906 ; *jeu du diable,* 1835 ; du rad. de *diable*,* d'après l'ital. *diavolo.*

★ **I.** ♦ **1.** Jouet comprenant une bobine formée de deux cônes opposés par le sommet, et deux baguettes reliées par une ficelle que l'on tend plus ou moins sous la bobine pour la faire sauter et la rattraper. — Bobine utilisée dans ce jeu. *Rattraper le diabolo.*

1 Albertine, que j'avais aperçue, élevant au bout d'un cordonnet un attribut bizarre qui la faisait ressembler à l'« Idolâtrie » de Giotto ; il s'appelle d'ailleurs un « diabolo » et est tellement tombé en désuétude (...)
PROUST, À la Recherche du temps perdu, Pl., t. I, p. 887.

♦ **2.** Techn. Dispositif en forme de diabolo (troncs de cône opposés par le sommet). *« Les bourrelets* (d'un filet) *sont équipés de "diabolos", qui évitent une usure trop rapide »* (A. Boyer, *les Pêches maritimes,* p. 55).

★ **II.** Boisson rafraîchissante, mélange de limonade et d'un sirop. *Boire un diabolo, des diabolos menthe.*

2 Au coin du boulevard Magnanime, on est allé prendre à la terrasse un petit cassis et un diabolo.
CÉLINE, Voyage au bout de la nuit, p. 271.

★ **III.** Techn. (→ Diable III., A., 1.). Avant-train amovible permettant de déplacer les semi-remorques séparées de leur tracteur.

DIACÉTYLE [diasetil] n. m. — Fin XIXe ; de *di-,* et *acétyle.*

♦ Chim. Premier terme de la série des α-dicétones. *Le diacétyle se rencontre dans le beurre, auquel il donne son odeur.*

DIACÉTYLMORPHINE [diasetilmɔrfin] n. f. — 1929, *Larousse du XXe siècle ;* de *di-, acétyl(e),* et *morphine.*

♦ Chim. Dérivé de la morphine, plus actif que celle-ci et susceptible de provoquer une toxicomanie. Syn. : *diamorphine,* (cour.) **héroïne.**

DIACHAINE [diakɛn] adj. et n. m. Vx. ⇒ **Diakène.**

DIACHROMIE [djakrɔmi] n. f. — 1910 ; de *dia-,* et *chromie.*

♦ Photogr. Procédé de virage (3.) par teinture sur mordançage.

DIACHRONIE [djakrɔni] n. f. — 1908, Saussure (attesté par les cahiers d'étudiants, notamment Riedlinger, cf. Godel, *Sources manuscrites du cours de ling. générale),* probablt un peu antérieur. → Diachronique ; de *dia-,* et *-chronie.*

♦ Ling., didact. Évolution des faits linguistiques dans le temps (opposé à *synchronie*).

Les termes d'*évolution* et de *linguistique évolutive* sont plus précis (que « histoire », « historique »), et nous les emploierons souvent ; par opposition on peut parler de la science des *états* de langue ou *linguistique statique*.
Mais pour mieux marquer cette opposition et ce croisement de deux ordres de phénomènes relatifs au même objet, nous préférons parler de linguistique *synchronique* et de linguistique *diachronique*. Est (...) diachronique tout ce qui a trait aux évolutions. De même *synchronie* et *diachronie* désigneront respectivement un état de langue et une phase d'évolution.
            F. DE SAUSSURE, Cours de linguistique générale, I, III, § 1, p. 117.

Description évolutive (d'un fait ou d'un ensemble de faits linguistiques). *Diachronie des synchronies.* ⇒ **Métachronie.**

Par anal. (dans les sciences humaines). Évolution temporelle (opposée à un état théorique instantané, manifestant les structures fonctionnelles). *Diachronie et histoire*.*

DIACHRONIQUE [djakʀɔnik] adj. — 1907-1908, *Cahiers de cours de Riedlinger, notes sur le cours de Saussure* ; de *diachronie.*

♦ Ling., didact. De la diachronie. ⇒ **Historique.** *Étude diachronique d'un mot, d'une forme, d'un fait syntactique. La linguistique diachronique a dominé le XIXᵉ siècle.*

1   (...) tout ce qui est diachronique dans la langue ne l'est que par la parole.
            F. DE SAUSSURE, Cours de linguistique générale, I, III, § 9, p. 138.

Qui se fait à travers le temps. *Évolution diachronique.*

N. m. *Le diachronique.* ⇒ **Diachronie.**

2   Cette référence à la biologie, qui souligne le caractère très général du problème des relations entre le diachronique structural et le synchronique fonctionnel, conduit également à s'interroger sur le statut particulier des notions de fonctions, utilités ou valeurs par rapport au développement structural (...)
            J. PIAGET, Épistémologie des sciences de l'homme, p. 338.

DÉR. Diachroniquement.

DIACHRONIQUEMENT [djakʀɔnikmɑ̃] adv. — Mil. XXᵉ (1958, Lévi-Strauss) ; de *diachronique.*

♦ Ling., didact. Du point de vue ou d'une manière diachronique. *Considérer, analyser les faits diachroniquement.*

(...) toute science humaine s'occupe de production, de régulations et d'échanges et que chacune emploie dans cette étude des notions de structures, d'utilités fonctionnelles et de signification envisagées tour à tour diachroniquement et synchroniquement (...)   J. PIAGET, Épistémologie des sciences de l'homme, p. 273.

DIACHYLON [djakilɔ̃] ou **DIACHYLUM** [djakilɔm] n. m. — 1314, *emplastre dyachilon* ; *diachylum*, 1835 ; lat. médical ; du grec *dia khulôn* « au moyen (dia) de sucs ».

♦ Pharm. Emplâtre agglutinatif employé comme résolutif*. *La litharge, l'axonge, la cire, la térébenthine, la poix, l'huile d'olive, la gomme ammoniaque... entrent dans la composition du diachylon. — Toile de diachylon,* et, absolt, *diachylon* : toile enduite de cet emplâtre (⇒ **Sparadrap**).

Par métaphore :
Le temps est le diachylon du cœur.
            Album Richepin, *in* Germain Nouveau, Pl., p. 805.

DIACIDE [diasid] adj. et n. m. — 1948 ; de di-, et *acide.*

♦ Chim. Corps ayant deux fonctions acide. ⇒ **Biacide.** *L'acide oxalique est le plus simple des diacides.*

DIACLASE [djaklɑz] n. f. — 1879, Daubrée ; 1870 en minér., Larousse ; grec *diaklasis* « brisure en deux » (→ Clase), de *diaklan* « briser en deux ».

♦ **1.** Géol. Fissure à travers une couche sédimentaire.

(...) terrains stratifiés plus ou moins compacts, présentant à la fois des points de stratification, séparant les couches, et des diaclases, c'est-à-dire des cassures plus ou moins perpendiculaires ou obliques par rapport aux points de stratification : tel est le cas général des terrains gréseux et surtout des régions calcaires.
            L. LUTAUD, l'Action géologique des eaux courantes, *in* Encycl. Pl., la Terre, p. 1201.

♦ **2.** Chir. Fracture provoquée dans le but de corriger une difformité.
DÉR. Diaclasé.

DIACLASÉ, ÉE [djaklɑze] adj. — XXᵉ ; de *diaclase.*

♦ Géol. *Roche diaclasée,* qui présente des fissures, des cassures.

Défonçage périglaciaire. Avant l'arrivée du glacier, ou sur ses bords, ou au-dessus, les roches sont fracturées par le gel, d'autant mieux qu'elles sont plus gélives (schistes, mollasse), plus diaclasées (fjords de Norvège), plus imprégnées d'eau (fond des grandes vallées) : (...)
            V. ROMANOVSKY et André CAILLEUX, la Glace et les glaciers, p. 99.

DIACODE [djakɔd] n. m. — 1721, Trévoux ; 1256, *dyacodion* ; du lat. médical *diacodion,* du grec *dia kôdeion* « au moyen (dia) de têtes de pavots (kôdia) ». → Codéine.

♦ Méd. Sirop à base d'opium, extrait de têtes de pavot blanc. — Adj. *Sirop diacode.*

DIACONAL, ALE, AUX [djakɔnal, o] adj. et n. f. — 1495, *diachonal* ; lat. ecclés. *diaconalis,* de *diaconus* → Diacre.
Religion chrétienne.

♦ **1.** Adj. Qui a rapport aux diacres, au diaconat. *Ornements diaconaux.*

♦ **2.** N. f. pl. *Diaconales* : ensemble de cours où l'on enseigne aux diacres la casuistique en vue de les préparer au ministère de la pénitence.

DIACONAT [djakɔna] n. m. — 1495 ; du lat. ecclés. *diaconatus,* de *diaconus.* → Diacre.

♦ Relig. chrét. Le second des ordres* majeurs dans la liturgie catholique, le premier dans celle des orthodoxes. *Élever qqn au diaconat. Le diaconat et la prêtrise* (⇒ **Diacre**).

Parvenus au diaconat, et munis de l'étole et de la dalmatique, ils *(les clercs)* auront des pouvoirs plus étendus : porter le Saint-Sacrement solennellement, baptiser , prêcher, distribuer même la communion.
            Mgr GRENTE, les Sept Sacrements, VI, p. 112.

Fonction d'un diacre ; durée de cette fonction. *« Pendant les derniers jours de mon diaconat »* (Balzac, *le Curé de village, in* T. L. F.).

COMP. Archidiaconat, sous-diaconat.

DIACONESSE [djakɔnɛs] n. f. — 1610 ; XIVᵉ, *dyaconisse* ; lat. ecclés. *diaconissa,* fém. de *diaconus.* → Diacre.
Religion chrétienne.

♦ **1.** Fille ou veuve qui, dans l'Église primitive, recevait l'imposition des mains et était chargée de certaines fonctions ecclésiastiques.

♦ **2.** (1842). Femme protestante vivant en communauté et se consacrant à des œuvres de charité.

DIACONIE [djakɔni] n. f. — 1611 ; lat. ecclés. *diaconia,* de *diaconus.* → Diacre.
Religion chrétienne.

♦ **1.** Hist. relig. Charge de diacre, dans l'Église primitive.

♦ **2.** À Rome, Chapelle dont le titulaire est un cardinal-diacre*.

DIACOUSTIQUE [djakustik] n. f. — 1732 ; de *dia-,* et *acoustique.*

♦ Didact. Partie de l'acoustique qui concerne la réfraction des sons.

DIACRE [djakʀ] n. m. — 1216, *deiacre* ; v. 1170, *diacne* « serviteur dans une synagogue » ; du lat. ecclés. *diaconus,* du grec *diakonos* « serviteur ».
Religion.

♦ **1.** (1561). Hist. relig. Dans l'Église primitive, Titre donné aux fidèles chargés de la distribution des aumônes. *Les diacres, élus par les fidèles, étaient consacrés par les apôtres. État, statut de diacre.* ⇒ **Diaconat, diaconie.** St Étienne, *l'un des premiers diacres. Chef du collège des diacres.* ⇒ **Archidiacre.**

1   (Il faut que) les diacres pareillement *(soient des hommes)* honorables, point doubles dans leurs paroles, point adonnés au vin, point cupides, gardant le mystère de la foi dans une conscience pure (...)
            BIBLE (CRAMPON), Saint Paul, 1ʳᵉ épître à Timothée, III, 8-9.

♦ **2.** Clerc* qui a reçu le diaconat mais n'a pas encore été admis à la prêtrise. *Ordination de diacres* (→ Célibat, cit. 8). *Étole, dalmatique de diacre.*

2   Derrière, viennent ensuite des groupes de diacres en surplis de mousseline, portant au bout de hampes les croix d'argent et de vermeil (...)
            LOTI, Figures et Choses..., Passage de procession, p. 110.

Anciennt. Clerc assistant le célébrant dans une messe solennelle.

♦ **3.** *Cardinal-diacre.* ⇒ **Cardinal.**

♦ **4.** (1877). Dans les églises protestantes, Laïc qui a la charge des aumônes.

COMP. Archidiacre, sous-diacre.

DIACRITIQUE [djakʀitik] adj. — 1635, Saumaize ; du grec *diakritikos* « qui distingue » (→ Critique), de *diakrinein* « diviser, distinguer ».
Didact. Qui sert à distinguer, à caractériser.

♦ **1.** Gramm. *Signes diacritiques* : signes graphiques (points, accents...) destinés à empêcher la confusion entre des mots homographes. *Les accents des mots* à, dû, où, *sont des signes diacritiques. Les signes diacritiques de l'arabe, de l'hébreu.*

♦ **2.** Méd. Qui caractérise une maladie. ⇒ **Pathognomonique.** *Symptôme diacritique.*

DIADELPHE [diadɛlf] adj. — 1816 ; de *di,* et grec *adelphos* « frère ». → -adelphe.

♦ Bot. Se dit des étamines réunies par la base en deux faisceaux.

DIADELPHIE [diadɛlfi] n. f. — 1783 ; lat. bot. *diadelphia,* 1735, Linné, grec *di-, adelphos,* et suff. *-ia.*

♦ Hist. de la bot. Ensemble des végétaux à étamines groupées en deux faisceaux et réunies par la base (système linnéen).
DÉR. Diadelphique.

DIADELPHIQUE [diadɛlfik] adj. — 1845 ; de *diadelphie.*

♦ Bot. Vx. Diadelphe.

DIADÈME [djadɛm] n. m. — 1180 ; v. 1320, *dyademe, in* T.L.F. ; du lat. *diadema,* grec *diadêma.*

♦ **1.** Bandeau richement orné, insigne du pouvoir monarchique dans l'Antiquité. *Ceindre, porter le diadème :* devenir, être roi ou empereur (→ Accord, cit. 6). *Un diadème de reine.* → Pierreries, cit.

1   (...) le riche diadème
    Que sur son front sacré David porta lui-même.   RACINE, Athalie, III, 7.
    Fig. Dignité royale ou impériale.

2   En vain l'orgueil du diadème
    Veut qu'on soit insensible à ces cruels revers (...)   MOLIÈRE, Psyché, II, 1.

♦ **2.** (1830) Bijou* féminin en forme de couronne, de cercle, que l'on pose sur les cheveux (→ Ceindre, cit. 7 ; coiffé, cit. 1 ; couronner, cit. 8). — Par compar. *Coiffer ses cheveux en diadème,* les torsader ou les tresser, puis les ramener sur le sommet de la tête.

3   Les reflets laissent voir, à l'intérieur des voitures, à peine un profil de femme, un diadème, une torsade de fourrure blanche.
                                J. ROMAINS, les Hommes de bonne volonté, t. III, XII, p. 170.
    (XVᵉ). Disposition (des cheveux) en diadème.

4   Elle avait au-dessus de son front, bien modelé mais presque impérieux, un magnifique diadème de cheveux volumineux, abondants et devenus châtains.
                                BALZAC, le Curé de village, Pl., t. VIII, p. 547.
    Par anal. *Un diadème de fleurs.*

♦ **3.** (1864). Appos. *Épeire diadème :* espèce courante d'épeire* qui porte une triple croix blanche sur l'abdomen.
DÉR. Diadémé.

DIADÉMÉ, ÉE [djademe] adj. — 1863 ; t. de blason, 1521 ; de *diadème.* Cf. lat. impérial *diadematus.*

♦ Paré d'un diadème.

(...) des danseuses blanches, nuageuses, diadémées de clinquant, leur jupe relevée en nimbe derrière elles (...)   Ed. et J. DE GONCOURT, Journal, 22 mai 1863.

DIADERMIQUE [djadɛrmik] adj. — 1970 ; de dia-, et *dermique.*

♦ Méd. Qui se fait à travers la peau.

DIADOQUE [djadɔk] n. m. — 1900 ; du grec *diadokhos* « successeur », de *diadekhesthai* « obtenir par succession ».
Didactique.

♦ **1.** Hist. Nom donné aux généraux qui se disputèrent l'empire d'Alexandre.

♦ **2.** Mod. Titre porté par le prince héritier de Grèce.

DIADSORBÉ, ÉE [diatsɔrbe] adj. — Av. 1973, in *la Clé des mots* ; de *di-,* et *adsorbé.*

♦ Chim. Adsorbé en deux sites d'une même molécule.

DIAGÉNÈSE [djaʒenɛz] n. f. — 1929, *Larousse du XXᵉ siècle* ; de dia-, et *génèse.*

♦ Géol. Ensemble des phénomènes de consolidation ou de durcissement d'un dépôt sédimentaire. *Diagénèse régressive.* — REM. On trouve aussi *diagenèse.*

DIAGLYPHE [djaglif ; diaglif] ou DIAGLYPTE [djaglipt ; diaglipt] n. m. — 1870, *diaglyphe ; diaglypte,* 1890 ; du grec *diagluphê* « incision », de *diagluphein* (→ -glyphe), et grec *diagluptos* « taillé en incision », du même verbe.

♦ Didact. et vieilli. Ouvrage gravé, taillé en creux.

DIAGNOSE [djagnoz] n. f. — 1669, cit. *infra* ; du grec *diagnosis* « discernement », de *diagignôskein* « discerner ». → Diagnostique.

♦ **1.** Méd. Connaissance d'une maladie, qui s'acquiert par l'observation des signes diagnostiques*, des symptômes.

(...) ce que vous avez prononcé au sujet de ce mal, soit pour la diagnose ou la prognose (...)   MOLIÈRE, M. de Pourceaugnac, I, 8.   1

(...) j'en suis venu, moi, le docteur Bonhomet, professeur de diagnôse *(sic),* à douter de ma propre existence (...)
                            VILLIERS DE L'ISLE-ADAM, Tribulat Bonhomet, p. 49.   2

♦ **2.** (1858). Biol. Détermination des caractéristiques d'une espèce animale ou végétale. — Par ext. Texte de description d'une espèce botanique (en latin).

Linné est avant tout un nomenclateur, un faiseur de diagnoses. Ayant le goût inné de la classification méthodique (...)   3
                    Jean ROSTAND, Esquisse d'une histoire de la biologie, p. 37.

DIAGNOSTIC [djagnɔstik] n. m. — 1732, « art de diagnostiquer » ; de *diagnostique.*

♦ **1.** Méd. et cour. Action de déterminer (une maladie) d'après les symptômes (⇒ **Symptôme ; séméiologie** ou **sémiologie**). *Erreur de diagnostic. Diagnostic inquiétant. Réserver son diagnostic. Les analyses ont confirmé le diagnostic. Se tromper dans son diagnostic. Avoir un diagnostic sûr* (→ Aggravation, cit. ; confirmation, cit. 1 ; détecteur, cit.). *Diagnostic après auscultation, après passage aux rayons X (radiodiagnostic), après examen de la formule leucocytaire (cytodiagnostic), après examen des zymases (zymodiagnostic).*

Sa pratique était douce, son système expectant et son diagnostic sûr.   1
                BRILLAT-SAVARIN, Physiologie du goût, t. I, Biographie, p. 29.

Toutefois, la jeunesse avait repris le dessus ; et, chose qui arrive souvent, nonobstant pronostics et diagnostics, la nature s'était amusée à sauver le malade à la barbe du médecin.   HUGO, Notre-Dame de Paris, VIII, VI.   2

« Je l'ai toujours dit », ajouta-t-il, souriant à part lui : « pas de diagnostic définitif avant l'autopsie ! »   MARTIN DU GARD, les Thibault, t. IV, p. 268.   3

C'était le temps où les examens de laboratoire tendaient à supplanter la grande tradition française fondée sur l'observation minutieuse des cas, le diagnostic différentiel, le dépistage méthodique et beaucoup d'intuition.   4
                Étienne WOLFF, Discours de réception à l'Académie française, 19 oct. 1972,
                                                        in le Monde, 19 oct. 1972.

♦ **2.** Didact. Prévision, hypothèse tirée de l'analyse de signes. *Faire un diagnostic politique de la situation.*

Inform. Méthode de recherche et de correction des erreurs, dans un programme d'ordinateur.

DÉR. Diagnosticien.
COMP. Cytodiagnostic, électrodiagnostic, radiodiagnostic, sérodiagnostic ; zymodiagnostic (ci-dessus à l'article).
HOM. Diagnostique.

DIAGNOSTICIEN, IENNE [djagnɔstisjɛ̃, jɛn] n. — 1886, au masc. ; de *diagnostic.*

♦ Médecin en tant qu'il fait un diagnostic. — REM. *Diagnosticien* s'emploie surtout accompagné d'une épithète. *Être un bon, un mauvais diagnosticien. Il ne soigne pas très bien, mais c'est un excellent diagnosticien.* — *Elle est plutôt thérapeute que diagnosticienne.*

Il va dans la petite ville voisine consulter un médecin. Cet homme de l'art était pour la franchise à tout prix, préférable certes aux bienfaisants mensonges, mais fâcheuse quand celui qui la pratique n'est pas bon diagnosticien.
                                    M. YOURCENAR, Archives du Nord, p. 275.

DIAGNOSTIQUE [djagnɔstik] adj. — 1584 ; n. m., « symptôme », 1669 ; aussi *diagnostic,* 1735 ; du grec *diagnôstikos* « apte à reconnaître », de *diagignôskein* « discerner ».

♦ Didact. (méd.). Qui permet de déterminer une maladie. *La séméiologie étudie les signes diagnostiques. Signes diagnostiques du cancer.*
Relatif à un diagnostic. *Erreur diagnostique.*

Les indications de la cure type doivent être pesées dans nos balances cliniques, donc diagnostiques, *avant le départ,* avec la plus extrême rigueur (...) on ne devrait jamais parler d'échecs de la psychanalyse, mais, le plus souvent, de mauvaises indications (...)   R.-R. HELD, le Processus de guérison, *in* la Nef, nº 31, p. 29.

DÉR. Diagnostic, diagnostiquer.
COMP. Sérodiagnostique.
HOM. Diagnostic.

DIAGNOSTIQUER [djagnɔstike] v. tr. — 1832 ; de *diagnostique.*

♦ **1.** Reconnaître (un mal, une maladie) en faisant le diagnostic. *Diagnostiquer une typhoïde* (→ Délire, cit. 4).

Par ext. *Diagnostiquer chez qqn une tendance masochiste.* ⇒ **Discerner.**

♦ **2.** Déceler (qqch.) d'après des indices, des signes. *Les experts hésitent à diagnostiquer une crise économique.*

DÉR. Diagnostiqueur.

DIAGNOSTIQUEUR [djagnɔstikœʀ] n. m. — 1878 ; de *diagnostiquer.*

♦ Méd. Médecin qui effectue des diagnostics.

À ce grand savant, à ce diagnostiqueur infaillible parlant de sa mort avec cette assurance tranquille, il n'y avait rien à répondre que d'inutiles banalités.
Alphonse DAUDET, Numa Roumestan, XII, p. 238.

Personne qui diagnostique (qqch.). — REM. Le fém. *diagnostiqueuse* est virtuel.

DIAGONAL, ALE, AUX [djagɔnal, o] adj. — XIIIᵉ ; bas lat. *diagonalis* ; de *diagonus*, grec *diagônios* « ligne tracée d'un angle à l'autre », de *dia-*, et *gônia* « angle ». → -gone.

♦ **1.** Géom. Se dit de ce qui joint les sommets opposés d'un parallélépipède. *Arcs diagonaux. Ligne diagonale. Plans diagonaux.*
Par ext. *Matrice diagonale,* dont tous les éléments sont nuls sauf ceux qui appartiennent à une diagonale.

♦ **2.** Cour. De biais, oblique. *Un éclairage, un escalier* (Gautier) *diagonal ; une route diagonale* (Daudet, *in* T. L. F.).

Abstrait (didact.) :

Il ne s'agit donc pas d'une attaque frontale, mais d'une séduction diagonale qui passe comme un trait (quoi de plus séduisant que le trait d'esprit ?), qui en a la vivacité et l'économie (...)   J. BAUDRILLARD, De la séduction, p. 139-140.

HOM. Diagonale.

DIAGONALE [djagɔnal] n. f. — 1546 ; fém. substantivé de l'adj. *diagonal.*

♦ **1.** Ligne diagonale. *Les diagonales d'un polygone, d'un rectangle, d'un carré. Tracer, mener les diagonales. Point d'intersection des diagonales.* — *La diagonale d'un tissu.* ⇒ **Biais.**

1   Nous plierons par le diamètre les deux demi-cercles ; par la diagonale les deux moitiés du carré (...)   ROUSSEAU, Émile, II.

2   Un mobile parcourt une diagonale lorsqu'il est mû par deux forces dont les directions font un angle (...)   CONDILLAC, l'Art de raisonner, III, 2, *in* LITTRÉ.

2.1   (...) ses avenues parallèles traversées de diagonales coupant obliquement les pâtés de maison réguliers en forme de carré (...)
Claude SIMON, le Palace, Coll. 10/18, p. 13.

♦ **2.** EN DIAGONALE : en biais, obliquement. *Traverser une rue en diagonale.*

3   (...) il écouta comme du fond d'un rêve les pas qui traversaient la cour en diagonale (...)   J. GREEN, Léviathan, XIII, p. 123.

Fig. et fam. *Lire qqch. en diagonale :* lire très rapidement, parcourir. *J'ai regardé son article en diagonale.* ⇒ **Parcourir.**

DÉR. Diagonalement.
HOM. Diagonal.

DIAGONALEMENT [djagɔnalmɑ̃] adv. — 1567 ; *dyagonellement,* 1503 ; de *diagonale.*

♦ Didact. En diagonale, selon une diagonale.

DIAGRAMME [djagʀam] n. m. — 1584 ; lat. *diagramma* « échelle des tons », puis « tracé, dessin », grec *diagramma,* de *diagraphein* « dessiner, décrire en détail », de *dia-,* et *graphein* « écrire ».

♦ **1.** Tracé géométrique sommaire des parties d'un ensemble et de leur disposition les unes par rapport aux autres. ⇒ **Croquis, plan, schéma.** *Le diagramme d'une fleur.*

♦ **2.** Tracé destiné à présenter sous une forme graphique le déroulement et les variations d'un ou de plusieurs phénomènes (⇒ **Courbe, graphique**) ou la structure, le fonctionnement d'un ensemble (⇒ **Schéma**). *Diagramme de la fièvre ; de la marche des trains, de la natalité, du chiffre des importations, exportations. Diagramme thermodynamique. Diagramme énergétique. Représenter par un diagramme une loi de probabilité. Exprimer par un diagramme les résultats d'une statistique*. *Diagramme en bâtons,* qui représente une loi de probabilité ou des effectifs statistiques par des segments de longueur proportionnelle à la probabilité ou à l'effectif. *Diagramme en secteurs,* qui utilise des secteurs angulaires d'aire proportionnelle à la probabilité ou à l'effectif. *Diagramme d'une phrase :* représentation graphique de son analyse en constituants. ⇒ **Arbre** (III., 5.). — Log., math. *Diagramme de Venn :* représentation graphique d'ensembles* par des courbes planes fermées dont les points intérieurs sont les éléments de l'ensemble. ⇒ **Patate** (fam.). *Le diagramme de Venn permet de visualiser certaines opérations (intersection, réunion...) effectuées sur des ensembles.*

(...) il me fallait tendre toute mon attention pour percevoir très haut ou très loin en moi, puisque je les distinguais à peine, les dessins, le diagramme qu'y ins-

crivaient les vibrations sucitées par les gestes humains, par les actes sur terre d'Harcamone.   Jean GENET, Miracle de la rose, p. 269.

♦ **3.** Hist. de la mus. Tableau représentant la série complète des sons (d'un système musical modal).

COMP. Bloc-diagramme.

DIAGRAPHE [djagʀaf] n. m. — 1831 ; de *dia-*, et *-graphe*, d'après *diagramme.*

♦ Sc. Instrument grâce auquel on peut reproduire l'image d'un objet, par le principe de la chambre claire. *Curseur de diagraphe.*
DÉR. Diagraphique.

DIAGRAPHIE [djagʀafi] n. f. — 1845, Bescherelle ; de *dia-*, et *-graphie.*

♦ **1.** Technique de dessin au diagraphe.

♦ **2.** (1961). Géol. Ensemble d'enregistrements électriques, acoustiques, gammamétriques effectués au cours des forages.

DIAGRAPHIQUE [djagʀafik] adj. — 1845, Bescherelle ; de *diagraphe.*

♦ Techn. Relatif au diagraphe.

DIAKÈNE [diaken] n. m. — 1845, *diachaine* ; de *di-*, et *akène.*

♦ Bot. Fruit sec indéhiscent formé de deux akènes opposés. *Les ombellifères ont des diakènes.* Var. : *diachaine* (vx). — Adj. Formé de deux akènes. *Fruit diakène.*

DIALCOOL [dialkɔl] ou **DIOL** [dijɔl] n. m. — 1948 ; de *di-*, et *alcool.*

♦ Chim. Composé possédant deux fonctions alcool. ⇒ **Glycol.**

DIALECTAL, ALE, AUX [djalɛktal, o] adj. — 1870 ; de *dialecte.*

♦ D'un dialecte. *Variantes dialectales d'un mot. Forme dialectale.* ⇒ **Dialectalisme.** *Arabe littéral et arabe dialectal. Littératures dialectales. Aires, zones dialectales.*

Je me voyais, retrouvant Françoise en France, la ramenant ici, dans ce séjour de luxe végétal, l'écoutant, lui disant en employant l'une des tournures dialectales qu'elle aimait : « Qu'est-ce que tu chabrottes ? »
Jacques LAURENT, les Bêtises, p. 316.

Enquête dialectale. ⇒ **Dialectologie.**

DÉR. Dialectalement, dialectaliser, dialectalisme.

DIALECTALEMENT [djalɛktalmɑ̃] adv. — 1908 ; de *dialectal.*

♦ Didact. Par un dialecte ; dans un dialecte.

DIALECTALISER [djalɛktalize] v. tr. — Mil. xxᵉ ; de *dialectal.*

♦ Didact. Rendre dialectal. — Pron. *Parler régional qui se dialectalise.* — Au p. p. *Formes dialectalisées.*

DIALECTALISME [djalɛktalism] n. m. — Mil. xxᵉ ; de *dialectal,* et suff. *-isme.*

♦ Ling. Particularité appartenant à un dialecte, par rapport à la langue centrale ou « standard ». *Dialectalisme de phonétique, de grammaire, de vocabulaire* (⇒ aussi **Régionalisme**).

DIALECTE [djalɛkt] n. m. — 1550 ; lat. *dialectus*, du grec *dialektos* « discussion, conversation ; langage », de *dialegein* « parler », de *dia-*, et *legein.* → -logue, -logie.

♦ **1.** Variété régionale d'une langue possédant assez de caractères spécifiques pour être considérée comme un système linguistique en soi (une langue fonctionnelle) — ce qui distingue le dialecte de l'usage d'une langue (le français québécois n'est pas un dialecte). ⇒ **Parler.** — REM. Selon les auteurs, la notion de dialecte inclut ou non celle de patois. ⇒ **Patois.** *Les dialectes de la Grèce antique :* attique, dorien, éolien, ionien. *Dialectes celtiques :* cornique, erse, kymrique. *Le yiddish, dialecte allemand des Juifs d'Europe orientale. Le ladin, groupe des dialectes romans des régions rhétiques. Dialectes du français* (⇒ **Français,** cit. 15). *Le wallon, dialecte français de Belgique. Les dialectes angevin, bourguignon, normand, picard :* l'angevin, le bourguignon, etc. *Le dialecte de l'Île-de-France, devenu la langue française.* ⇒ **Francien ;** → Français, cit. 12. *Dialectes d'oïl, d'oc* (en France), *franco-provençaux* (en France et en Suisse). *La prédominance de cette province a fait de son dialecte une langue nationale. Importance des dialectes ita-*

liens, allemands, dans la vie linguistique italophone, germanophone.

1   Avant le XIVᵉ siècle il n'y avait point en France de parler prédominant ; il y avait des dialectes ; et aucun de ces dialectes ne se subordonnait à l'autre. Après le XIVᵉ siècle, il se forma une langue littéraire et écrite, et les dialectes devinrent des patois.   LITTRÉ, Dict., art. *Dialecte.*

2   Un dialecte se définit par un ensemble de particularités telles que leur groupement donne l'impression d'un parler distinct des parlers voisins, en dépit de la parenté qui les unit.   J. MAROUZEAU, Lexique de la terminologie linguistique, Dialecte.

Par anal. (emploi proscrit en linguistique). Langue de spécialité. *« Les divers dialectes scientifiques »* (A. Cournot, *in* T. L. F.). ⇒ **Terminologie.**

♦ **2.** Langue. **a** Vx ou par plaisanterie :

3   (...) il est très instruit ; il parle vingt-trois langues, y compris le gaëlique et l'afrikaans.
— Mais pas l'anglais ?
— Non. Ce n'est pas un dialecte indispensable pour un révolutionnaire américain.   A. ROBBE-GRILLET, Projet pour une révolution à New York, p. 103.

b (Abusif en linguistique). Langue n'ayant pas de statut officiel ou ayant peu de locuteurs. — REM. Pour l'Afrique, l'I. F. A. qui décrit cet emploi, note que « le sens véritable de dialecte (...) n'est véritablement usité que par les spécialistes ».

DÉR. Dialectal, dialectologie, dialectologue.

DIALECTICIEN, IENNE [djalɛktisjɛ̃, jɛn] n. et adj. — XIIᵉ-XIIIᵉ ; de *dialectique,* d'après le lat. *dialecticus.*

♦ **1.** N. Personne qui emploie les procédés de la dialectique* (I., 1.) dans ses raisonnements. ⇒ **Logicien.**

1   Le sophiste se contente des apparences, le dialecticien de la preuve ; le philosophe veut connaître par inspection et par évidence.   Joseph JOUBERT, Pensées, XII, LII.

2   Mais, en outre, il *(Jaurès)* apparaissait comme un dialecticien merveilleux, comme un impeccable logicien, d'une méthode incomparablement sûre.   Ch. PÉGUY, la République..., p. 24.

3   Entre Voltaire et Rousseau, Parain n'avait pas à décider : mais il savait les opposer l'un à l'autre dans les formes, les réconcilier ou les renvoyer dos à dos. Il est demeuré un dialecticien redoutable. Il a l'art de répondre vite et durement, de sauter de côté, de rompre, d'arrêter par un mot la discussion lorsqu'elle l'embarrasse.   SARTRE, Situations, I, p. 196.

4   (...) le dialecticien ne doit pas seulement avoir de la rigueur, il lui faut aussi de la vigueur ; il est rhéteur autant que logicien. Il est surtout rhéteur quand la logique véritable fait défaut et que la dialectique n'est que l'art de tromper : il doit s'évertuer alors à donner à ce qu'il sait être faux une apparence de vérité, se maintenir lui-même tendu dans l'attitude de celui qui est certain, susciter dans son esprit un dynamisme contagieux.   FOULQUIÉ, la Dialectique, p. 124 (→ Dialectique, cit. 4).

(Rare). Spécialiste de la dialectique (I., 3.). *Un dialecticien marxiste.*

♦ **2.** Adj. (1580, Montaigne). Qui utilise les procédés de la dialectique (I., 3.) ; qui est digne d'un dialecticien. *Esprit dialecticien.* « *L'éloquence de Robespierre, d'abord sèche, verbeuse et dialecticienne, s'éleva et s'éclaircit* » (Lamartine, *in* G. L. L. F.).

5   Il faut apercevoir ici, pour vaincre cette dernière apparence d'apparence, que ces deux auteurs sont encore trop dialecticiens.   ALAIN, les Passions et la Sagesse, Pl., p. 744.

DIALECTIQUE [djalɛktik] n. f. et adj. — XIIᵉ ; du lat. *dialectica,* grec *dialektikê* « art de discuter », de *dialektikos* « qui concerne la discussion », de *dialegesthai* « discourir » et « raisonner ».

Didactique.

★ **I.** N. f. ♦ **1.** Ensemble des moyens mis en œuvre dans la discussion en vue de démontrer, réfuter, emporter la conviction (⇒ **Argumentation, logique, raisonnement**). *Une dialectique rigoureuse, serrée, subtile, spécieuse.*

1   Ils sont sophistes autant que philosophes (...) Une subtile distinction, une longue analyse raffinée, un argument captieux et difficile à débrouiller, les attire et les retient. Ils s'amusent et s'attardent dans la dialectique, les arguties et le paradoxe.   TAINE, Philosophie de l'art, t. II, IV, I, IV, p. 126.

2   Vous me démontriez à la fois avec une dialectique irrésistible que toute hypothèse sur la cause première est un non-sens (...)   Paul BOURGET, le Disciple, IV, II, p. 141.

3   À force de vivre loin des villes, au milieu des paysans, il s'était fait un peu la façon de penser du peuple. Il en avait la dialectique lente, le bon sens raisonneur qui se traîne pas à pas, avec des brusques saccades qui déconcertent, la manie de répéter une idée dont on est convaincu, de la répéter dans les mêmes termes, sans se lasser, indéfiniment.   R. ROLLAND, Vie de Tolstoï, p. 131.

4   (...) ce mot nous suggère encore, comme au temps où la dialectique s'identifiait à la logique, « argumentation rigoureuse et vigoureuse » ; mais il nous insinue en même temps « procédés abscons, artifices tortueux qui déroutent l'esprit en quête de la vérité », comme lorsque la dialectique était devenue sophistique. « Dialectique » ne rend pas un son clair ; c'est un mot ambigu.
Il nous semble cependant que nous pouvons relever dans toutes les formes de la dialectique un caractère commun : le dynamisme. La logique est statique : une argumentation logique satisfait l'esprit ; elle ne l'entraîne pas. Pour être entraînés, il nous faut une pensée en mouvement et il nous sort nous-même de notre inertie : c'est ce caractère dynamique que marque le mot « dialectique » (...)   FOULQUIÉ, la Dialectique, p. 124 (→ Dialecticien, cit. 4).

♦ **2.** **Philos.** Chez Platon, Art de discuter par demandes et réponses. ⇒ **Dialogue, maïeutique.** — Logique formelle au moyen âge (opposé à *rhétorique*).

(...) c'est Platon qui a nommé dialectique cet autre art, sérieux et profond entre   4.1
tous, qui permet de remonter aux pures idées et peut-être d'en redescendre.   ALAIN, les Passions et la Sagesse, Pl., p. 865.

Chez Kant, Logique de l'apparence, portant sur des raisonnements illusoires. — **Spécialt.** *Dialectique transcendantale*.*

♦ **3.** **Mod.** **a** (Depuis les interprétations abusives de Hegel). Marche de la pensée reconnaissant l'inséparabilité des contradictoires (thèse et antithèse), que l'on peut unir dans une catégorie supérieure (synthèse*).

b (Chez Hegel). « Mouvement rationnel supérieur, à la faveur duquel (des) termes en apparence séparés passent les uns dans les autres, spontanément, en vertu même de ce qu'ils sont, l'hypothèse de leur séparation se trouvant ainsi éliminée » (in *Logique de l'Être*). *« La dialectique est donc précisément l'unité négative et du mouvement de (se) dissoudre et du mouvement de (se) produire au jour : "aller au gouffre" c'est se poser au fond des choses »* (Denis Rosenfield, *Politique et liberté,* Structure logique de la philosophie du droit chez Hegel, Aubier, 1984).

c Dynamisme de la matière, qui évolue sans cesse de la même manière que la pensée chez Hegel (concept marxiste).

♦ **4.** Toute suite logique de pensées qui entraînent l'esprit à construire le monde de la science, de la philosophie, de la religion. ⇒ **Logique.** — REM. *Logique* et *dialectique* sont synonymes dans la mesure où ils traduisent une suite de raisonnements corrects ; mais *dialectique* s'oppose à *logique* en tant que la dialectique dépasse le plan formel de la pensée pour envisager une mise en œuvre historique, économique, sociologique.

(...) la dialectique *(chez Marx)* est considérée sous l'angle de la production et du   5
travail, au lieu de l'être sous l'angle de l'esprit... *(Marx)* dit en même temps que la réalité est dialectique et qu'elle est économique. La réalité est un perpétuel devenir, scandé par le choc fécond d'antagonismes résolus chaque fois dans une synthèse supérieure qui, elle-même, suscite son contraire et fait de nouveau avancer l'histoire. Ce que Hegel affirmait de la réalité en marche vers l'esprit, Marx l'affirme de l'économie en marche vers la société sans classes ; toute chose est à la fois elle-même et son contraire, et cette contradiction la force à devenir autre chose.   CAMUS, l'Homme révolté, p. 245.

★ **II.** Adj. (1802). ♦ **1.** Vieilli. Qui opère par la dialectique. *Raisonnement dialectique.*

♦ **2.** (Depuis Hegel). *Philosophie dialectique. Méthode dialectique. Argument dialectique. Marche dialectique de la pensée. Le spiritualisme dialectique de Hegel. Le matérialisme* historique et dialectique de Marx. Critique de la raison dialectique, œuvre de Sartre.

Seule l'analyse dialectique, qui tient compte et du travail social, et du contexte   6
dans lequel s'insère la forme, seule cette analyse atteint le concret, à savoir le mouvement et les conflits qu'il enveloppe et qu'il développe. Par exemple, si j'étudie *in abstracto* le monde de la marchandise comme richesse, son extension comme croissance, j'oublie les bornes que l'existence d'autres « mondes », la Cité d'autrefois, la Ville possible, le monde qui précède et celui qui suit le règne souverain de la valeur d'échange et de la marchandise, imposent à celui-ci.   Henri LEFEBVRE, la Vie quotidienne dans le monde moderne, p. 242-243.

♦ **3.** (Qualifiant le réel, la matière). Qui procède dialectiquement. « *La réalité est dialectique* » (Camus, cit. 5, *supra*).

DÉR. Dialecticien, dialectiquement, dialectiser.
COMP. Adialectique, métadialectique.

DIALECTIQUEMENT [djalɛktikmɑ̃] adv. — 1549 ; de *dialectique.*

♦ **1.** Didact. D'une manière dialectique ; en employant les procédés de la dialectique. *Raisonner dialectiquement.*

Les spectacles qui paraîtraient à d'autres les moins compliqués (...) me semblent encore de beaucoup trop difficiles et chargés de significations inédites (à découvrir puis à relier dialectiquement)...   Francis PONGE, le Parti pris des choses, p. 175.

♦ **2.** Selon les catégories hégéliennes et marxiennes de la thèse, de l'antithèse et de la synthèse.

DIALECTISATION [djalɛktizɑsjɔ̃] n. f. — 1967 ; *dialectication* (sic), 1962 ; de *dialectiser.*

♦ Didact. Le fait de dialectiser, de se dialectiser. — REM. On rencontre l'homonyme *dialectisation* pour *dialectalisation.*

DIALECTISER [djalɛktize] v. tr. — 1949 ; de *dialectique.*

♦ Didact. Présenter sous une forme dialectique (II., 2.).

(...) le sujet amoureux va accomplir à travers la même exclamation une longue course, dialectisant peu à peu la demande originelle (...)   R. BARTHES, Roland Barthes, p. 118.

Pron. *Se dialectiser :* prendre une forme dialectique (d'un processus).
DÉR. Dialectisation.

DIALECTOLOGIE [djalɛktɔlɔʒi] n. f. — 1881 ; de *dialecte,* et *-logie.*

♦ Didact. Étude linguistique des dialectes et des patois. *Spécialiste de dialectologie.* ⇒ **Dialectologue.** *La dialectologie permet d'établir des atlas* linguistiques. La dialectologie française. Dialectologie et linguistique régionale* (étudiant les variantes régionales de la langue centrale). *La dialectologie relève en partie de la sociolinguistique.*

DÉR. **Dialectologique.**

DIALECTOLOGIQUE [djalɛktɔlɔʒik] adj. — Av. 1898 ; de *dialectologie.*

♦ Didact. Qui concerne la dialectologie. *Étude dialectologique. Atlas dialectologique.* ⇒ **Dialectal.**

DIALECTOLOGUE [djalɛktɔlɔg] n. — Av. 1898 ; de *dialecte,* et *-logue.*

♦ Didact. Spécialiste de la dialectologie*. *Une dialectologue auteur d'enquêtes, collaboratrice d'un atlas linguistique.*

DIALLÈLE [djalɛl ; dial(l)ɛl] n. m. — 1754, *dialéle,* cit. ci-dessous ; du grec *diallêlos (logos).*

♦ Didact. Cercle* vicieux.

Dialéle (...) argument des Sceptiques ou Pyrrhoniens, et le plus formidable de tous ceux qu'ils emploient contre les Dogmatiques (...) Il consistait à faire voir que la plupart des raisonnements reçus dans les Sciences, sont des cercles vicieux qui prouvent une chose obscure et incertaine par une autre également obscure et incertaine, et ensuite cette seconde par la première.
     M. FORMEY, *in* Encyclopédie (DIDEROT) 1754.

DIALOGIQUE [djalɔʒik] adj. — 1512 ; du lat. *dialogicus,* grec *dialogikos,* de *dialogos.* → Dialogue.

Didactique.

♦ **1.** Du dialogue. *Structures dialogiques.* — Qui est en forme de dialogue. *Les écrits dialogiques de Platon.*

♦ **2.** Littér. Du dialogisme (2.).

DIALOGISME [djalɔʒism] n. m. — 1557 ; du grec *dialogismos,* de *dialogos.*

♦ **1.** Rhét. (rare). Présentation, sous forme de dialogue, d'idées ou de sentiments que l'on prête à ses personnages.

♦ **2.** Littér. (Concept dû à N. Bakhtine). Organisation des « voix » multiples selon lesquelles un récit se structure. *Le dialogisme concerne autant les dialogues intérieurs que les dialogues extérieurs.*

DIALOGUANT, ANTE [djalɔgɑ̃, ɑ̃t] adj. — Mil. xxᵉ ; p. prés. de *dialoguer.*

♦ Rare. Qui admet le dialogue, se prête au dialogue, à la concertation. *« Les cadres ont encore trop, et à tous les niveaux, cette attitude autoritaire, peu dialoguante, peu collégiale, qui caractérise en France l'ensemble des hiérarques »* (Interview de F. Bloch-Lainé, in *l'Express,* 8-14 juil. 1968).

DIALOGUE [djalɔg] n. m. — V. 1200, *dialoge,* repris 1580 ; du lat. *dialogus,* grec *dialogos,* de *dialegein,* de *legein* « parler ». → Logos.

♦ **1.** Cour. *(Un dialogue, des dialogues).* Entretien entre deux personnes. ⇒ **Colloque, conversation, interview, tête-à-tête.** *Dialogue vif, animé. Les deux interlocuteurs* ont eu un long dialogue. Entamer, poursuivre un dialogue. Avoir un dialogue avec qqn sur qqch.* Par ext. *Dialogue intérieur, avec soi-même.*

1   Voilà vos craintes bien dissipées, et voilà le dialogue de la crainte et de l'espérance bien heureusement fini.   Mᵐᵉ DE SÉVIGNÉ, 1236, 20 nov. 1689.

2   La ritournelle d'une contredanse interrompit notre dialogue (...)
     Ch. DE BERNARD, Un acte de vertu, 4.

3   Le dialogue qui venait de se terminer se reprenait en moi. Il se transformait dans un échange intérieur d'hypothèses de plus en plus risquées. L'esprit mis en mouvement et livré à soi seul ne se refuse rien. Il produit mécaniquement des idées vives qui s'enhardissent l'une l'autre.   VALÉRY, Variété IV, p. 44.

Loc. fam. *Dialogue de sourds.* ⇒ **Sourd.**

Par ext. *Dialogue à trois, à plusieurs* (polylogue).

Spécialt. *(Le dialogue).* Contact et discussion entre deux groupes, deux partis d'intérêts divergents, dans la perspective d'un accord ou d'un compromis. ⇒ **Concertation, négociation.** *Établir, rompre le dialogue. Nous ne refusons pas le dialogue. Dialogue et participation.*

3.1   Le dialogue, puisque le mot est à la mode, dans un climat de confiance, doit marquer le rajeunissement des institutions universitaires.
     J. CAPELLE, *in* le Figaro littéraire, 9-15 sept. 1968.

Par anal. *Dialogue du soliste et de l'orchestre dans un concerto.*

♦ **2.** Ensemble des paroles qu'échangent les personnages (d'une pièce de théâtre, d'un film, d'un récit) ; manière dont l'auteur fait parler ses personnages. *Ce dialogue manque de vérité. Art du dia-*

logue. ⇒ **Dialectique** (chez Platon), **dialogisme.** *Soignez le dialogue. Le dialogue cornélien. Les dialogues d'un film. Auteur de dialogues.* ⇒ **Dialoguiste.**

4   (...) une comédie *dell'arte,* c'est-à-dire où chaque personnage invente le dialogue à mesure qu'il le dit, le plan seul de la comédie est affiché dans la coulisse (...)
     STENDHAL, la Chartreuse de Parme, t. II, p. 414.

5   C'est qu'il y a deux sortes de dialogues : l'un, littéraire, phrasé, construit, livresque ; l'autre, qui est la reproduction photographique de la parole parlée, dans son raccourci imprévu, sautillant, fiévreux, primesautier, elliptique (...)
En général, le dialogue ne peut avoir la vivacité, la vie, l'illusion du vrai, s'il est écrit dans le style même de la narration ou du récit. Il y faut d'autres phrases que les phrases d'un livre ou d'un morceau littéraire ; des phrases conçues autrement, plus courtes, plus haletantes, plus coupées (...)
     Antoine ALBALAT, l'Art d'écrire, XIX, p. 302.

6   Platon, sans doute, mêle une poésie très délicate à ses argumentations socratiques ; mais Platon n'écrit pas en vers et joue de la plus souple des formes d'expression, qui est le dialogue.   VALÉRY, Variété V, p. 169.

7   Le dialogue — chose écrite et parlée — n'appartient pas spécifiquement à la scène, il appartient au livre ; et la preuve, c'est que l'on réserve dans les manuels d'histoire littéraire une place au théâtre considéré comme une branche accessoire de l'histoire du langage articulé.   A. ARTAUD, le Théâtre et son double, la Mise en scène et la Métaphysique, Idées/Gall., p. 53.

8   C'est si facile à faire, un dialogue !
          Madame
— Non !
          Monsieur
— Si !
Et voilà quatre lignes.   J. RENARD, Journal, 1ᵉʳ avr. 1903.

♦ **3.** Ouvrage littéraire en forme de conversation (⇒ **Dialogique**). *Les Dialogues des morts écrits par Lucien, par Fénelon, par Fontenelle. Dialogue médiéval où les interlocuteurs se disputaient.* ⇒ **Tenson.** *Dialogues de Platon :* entretiens par lesquels Platon enseigna sa philosophie.

9   (...) un dialogue préfabriqué entre trois personnages chargés tour à tour des questions ou des réponses et qui échangent leur rôle par une permutation circulaire à chaque articulation du texte, c'est-à-dire toutes les minutes environ.
     A. ROBBE-GRILLET, Projet pour une révolution à New York, p. 37.

♦ **4.** Loc. adj. (Inform.). *De dialogue,* qui permet un dialogue entre l'ordinateur et l'utilisateur, en parlant d'un mode de traitement de l'information (cf. l'anglicisme *conversationnel*).

CONTR. Monologue, soliloque.
DÉR. **Dialoguer, dialoguiste.**

DIALOGUER [djalɔge] v. — 1717, au p. p. ; de *dialogue.*

♦ **1.** V. intr. Avoir un dialogue* (avec qqn). ⇒ **Converser, entretenir** (s'), **parler.** *Il ne veut pas dialoguer avec ses adversaires. Nous avons longuement dialogué.*
Compl. n. de chose. *Dialoguer avec un ordinateur,* l'exploiter en mode conversationnel.
Le sujet peut être un n. de chose. Littéraire :

1   Un écho dialogue avec l'écho voisin (...)
     HUGO, la Légende des siècles, XXXVI, VIII.

2   Vêtue de noir, énorme, le dos rond, on eût dit qu'elle dialoguait avec le feu dont le murmure répondait au sien ; de temps en temps, sa tête se penchait en faisant ce signe négatif des vieillards qui semblent répondre non à la tombe.
     J. GREEN, Léviathan, XIII, p. 239.

Parler dans un dialogue. *Les personnages de cet écrivain dialoguent avec beaucoup de naturel.*

♦ **2.** V. tr. (Rare). Mettre en dialogue. *Dialoguer un roman pour le porter à l'écran.* — Absolt. *L'art de dialoguer.*
Au p. p. *Scène bien, mal dialoguée. Les parties dialoguées d'un récit.*

3   (...) ces pièces *(Électre et Rhadamiste)* étant mal dialoguées et mal écrites, à quelques beaux endroits près, ne seront jamais mises au rang des ouvrages classiques (...)   VOLTAIRE, Dialogues en vers, Œ., t. XLVI.

Par ext. *Passage dialogué entre deux instruments.*

DÉR. **Dialogueur.**

DIALOGUEUR, EUSE [djalɔgœR, øz] n. m. — 1783 ; de *dialoguer.*

Rare ou vx.

♦ **1.** Personne qui prend part à un dialogue.

♦ **2.** (1824). Vx. Personne qui écrit les dialogues d'une pièce de théâtre (⇒ **Dialoguiste**).

DIALOGUISTE [djalɔgist] n. — 1934 ; 1898, « auteur des dialogues d'une pièce de théâtre » ; *dialogiste,* XVIᵉ ; de *dialogue.*

♦ Auteur du dialogue (d'un film, d'une émission télévisée). *Le scénariste et le dialoguiste. Une remarquable dialoguiste.*

DIALYPÉTALE [djalipetal] adj. et n. f. — 1845 ; du grec *dialuein* « séparer », et *pétale.*

Botanique.

♦ **1.** Se dit des fleurs et des plantes dont la corolle est faite de pétales séparés (opposé à *gamopétale*).

♦ **2.** N. f. pl. **DIALYPÉTALES** : sous-classe de végétaux angiospermes, dicotylédones comprenant les plantes dont les fleurs ont une corolle formée de pétales séparés jusqu'à la base (ex. : *cruciféracées, rosacées*). — Au sing. *Une dialypétale.*

Principales familles de dialypétales : acérinées, anacardiacées, anonacées, ampélidées, aranacées, aurantiacées, balsaminées, bégoniacées, berbéridées, bixinées ou bixacées, cactées, calycanthées, capparidées, caryophyllées, célastrinées, césalpiniées, chailletiacées, cistinées, clusiacées, combrétacées, coriariées, cornéacées ou cornées, crassulacées, crucifères, dilléniacées, diosmées, diptérocarpées, droséracées, élatinées, euphorbiacées, flacourtiacées, ficoïdées, frankéniacées, fumariacées, géraniées, granatées, grossulariées, guttifères, hippuridées, hamamelidées, hippocastanées, humiriacées, hypéricinées ou hypéricacées, illicinées, lardizabalées, laurinées, légumineuses, linées, lythrariées, magnoliacées, malpighiacées, malvacées, mélastomacées, méliacées, ménispermacées, moringées, mimosées, myriophyllées, myristicées, myrtacées, nymphéacées, olacacées, ombellifères, onagrariées ou œnothéracées, oxalidées, papavéracées, papayacées, papilionacées (césalpiniées, légumineuses, mimosées), paronychiées ou illécébrées, passiflorées, philadelphées, polygalées, portulacées, pyrolacées, réaumuriacées, renonculacées, résédacées, rhamnées, rhysophoracées, rosacées, rutacées, sapindacées, sarracéniées, saxifragées, staphyléacées, tamariscinées, térébinthacées, ternstrœmiacées, tiliacées, turnéracées, violariées, zygophyllées.

DIALYSAT [djaliza] n. m. — Mil. XXᵉ ; de *dialyse.*

♦ Chim. Filtrat recueilli après une dialyse.

DIALYSE [djaliz] n. f. — 1750, en grammaire ; 1823, en chirurgie « solution de continuité » ; du grec *dialusis* « séparation », de *dialuein* « disjoindre ». → -lyse ; par l'angl. au sens 1.

♦ **1.** (1863 ; angl. *dialysis,* 1861 ; → cit.). Chim. Séparation, par diffusion à travers une paroi poreuse, de substances mélangées en phase liquide. *Soumettre une substance à la dialyse.*

Nous n'avons jamais prononcé encore le nom de la dyalise *(sic),* bien que cette méthode nouvelle créée par le chimiste anglais Graham, ait déjà rendu d'assez importants services (...) M. Graham, directeur des essais de la monnaie de Londres, désigne, sous le nom de dyalise, un nouveau procédé d'analyse chimique basé sur une propriété remarquable des membranes, à laquelle il a donné le nom d'*endosmotique.*
L. FIGUIER, l'Année scientifique et industrielle, 1864, p. 163 (1863).

♦ **2.** (XXᵉ ; en 1811, « épuisement »). Méd. *Dialyse (péritonéale) :* méthode consistant à débarrasser le sang des produits toxiques accumulés à la suite d'une perturbation grave de la fonction rénale, par irrigation massive de solutions entraînant avec elle ces produits. ⇒ **Hémodialyse, rein** (artificiel). *Séance de dialyse. Méthode de dialyse.*

DÉR. Dialysat, dialyser. — V. Dialytique.
COMP. Électrodialyse, hémodialyse.

DIALYSER [djalize] v. tr. — 1864 ; de *dialyse.*

♦ **1.** Sc. Opérer la dialyse de (une substance). — Au p. p. *Solution dialysée.*
Par ext. (abusif). *Dialyser un malade.* — Au p. p. *Malade dialysé.*
N. *Un dialysé, une dialysée.* « *L'arthérosclérose (...) accélérée observée chez certains dialysés* » *(Sciences et Avenir,* « Les organes artificiels », nº spécial 1979).

♦ **2.** Fig. et didact. Filtrer, clarifier.

DÉR. Dialyseur.

DIALYSEUR [djalizœR] n. m. — 1864 ; de *dialyser.*

♦ Sc. Dispositif pour effectuer la dialyse.
Adj. *Appareil dialyseur.*

COMP. Électrodialyseur.

DIALYTIQUE [djalitik] adj. — 1855, « qui dépend d'une solution de continuité », Littré et Robin ; du grec *dialutikos* « propre à dissoudre », de *dialuein* « dissoudre ».
Sciences.

♦ **1.** (1864). Relatif à la dialyse*.

♦ **2.** (1870). Propre à dissoudre, à désagréger.

COMP. Électrodialytique.

DIAM [djam] n. m. — 1901, *in* Esnault ; forme abrégée de *diamant.*

♦ Fam. Diamant.

Un prince hindou? demanda des Cigales.
— Pourquoi pas? C'est les plus riches, avec leurs éléphants blancs et leurs diams gros comme une pomme.   R. QUENEAU, Loin de Rueil, p. 17.   1

Par métaphore :

Dragueuse maniérée, je balance mon petit sac avec mes faux diams dedans (...)   2
Violette LEDUC, Folie en tête, p. 343.

DIAMAGNÉTIQUE [djamaɲetik] adj. — 1858 ; de *dia-,* et *magnétique.*

♦ Sc. Se dit d'une substance qui, dans un champ magnétique, prend une aimantation proportionnelle au champ et dirigée en sens inverse (magnétisme dû à un changement dans le mouvement des électrons).

DIAMAGNÉTISME [djamaɲetism] n. m. — 1858, de *dia-,* et *magnétisme.*

♦ Sc. Ensemble de phénomènes produits par les corps diamagnétiques.

DIAMANT [djamã] n. m. — XIIᵉ ; bas lat. *diamas, atis,* altér. d'après le grec *dia-,* du lat. class *adamas, -antis* à l'accusatif, du grec *adamas, antos,* d'abord « fer, acier ». → Aimant.

♦ **1.** Pierre précieuse, la plus brillante et la plus dure de toutes, le plus souvent incolore. — Chim. Forme naturelle, cristalline et allotropique du carbone, à indice de réfraction et pouvoir de dispersion très élevés. *Le diamant (densité 3,52) est du carbone pur cristallisé, insoluble, brûlant dans l'oxygène sans laisser de cendres, plus réfringent et plus réfractaire qu'aucun autre métal. Le diamant raye tous les corps sans être rayé ; il ne peut être taillé et poli qu'à l'aide de sa propre poussière. Variétés de diamant.* ⇒ **Bort, carbonado.** *Poudre de diamant.* ⇒ **Égrisée.** *Le diamant jaune* (⇒ **Jargon**)*, de moindre valeur que le blanc. Diamant synthétique. Qui rappelle le diamant.* ⇒ **Adamantin, diamantaire, diamantin.** *Extraction du diamant des mines, des gîtes diamantifères*. Polissage du diamant. Limpidité, transparence du diamant. Diamant industriel,* utilisé à des fins autres qu'ornementales. *Diamant recouvert,* enrobé d'une couche métallique.
Morceau de cette pierre, utilisé en joaillerie. *Débarrasser un diamant brut de sa gangue*. Polir un diamant. Diamantaire, lapidaire qui taille les diamants* (⇒ **Brillanter, cliver, ébruter, facetter, tailler**)*. Facettes, feuilletis, table d'un diamant. Contour d'un diamant.* ⇒ **Rondis.** *Diamant taillé en baguette, en brillant*, en émeraude, en marquise (ou navette), en poire* (⇒ **Briolette**)*, en rose*... Éclats que jette un diamant.* ⇒ **Bluette, feu, scintillement.** *Un diamant d'une belle eau.* ⇒ **Pureté.** *Évaluation d'un diamant suivant son poids en carats*, sa couleur, son eau, sa taille. Diamant sans défaut.* ⇒ **Parangon.** *Défauts d'un diamant.* ⇒ **Crapaud, gendarme, jardinage.** *Emploi des diamants en joaillerie. Monter un diamant* (⇒ **Enchâsser, sertir**) *sur une bague* (⇒ **Chaton**) *en bague ; sur des boucles d'oreille* (⇒ **Girandole**)*. Diamants sertis dans de vieilles montures* (cit. 3). *Diamant monté seul.* ⇒ **Solitaire.** *Femme couverte de diamants* (⇒ **Endiamanté**)*. Une croqueuse* de diamants. Bijou, parure, broche, rivière de diamants.* → Pierreries, cit. *Les diamants de la Couronne*. Le Cullinan, le Koh-i-noor, le Régent..., diamants célèbres.* — Abrév. fam. : ⇒ **Diam.**

Après l'esprit de discernement, ce qu'il y a au monde de plus rare, ce sont les diamants et les perles.   LA BRUYÈRE, les Caractères, XII, 57.   1

Il y a de certains hommes dont la vertu brille davantage dans la condition privée qu'elle ne le ferait dans une fonction publique. Le cadre les déparerait. Plus un diamant est beau, plus il faut que la monture soit légère. Plus le chaton est riche, moins le diamant est en évidence.   CHAMFORT, Maximes et pensées, XIV.   2

Définition aussi limpide qu'un diamant de la plus belle eau.   3
Aloysius BERTRAND, Gaspard de la nuit, p. 28.

Enfin le bourg, obliquement traversé par les lueurs du soleil, étincelait comme un diamant en réfléchissant par toutes ses vitres de rouges lumières qui semblaient ruisseler.   BALZAC, le Médecin de campagne, Pl., t. IV, p. 413.   4

(...) les blanches scintillations des diamants, qui tremblaient en aigrettes dans les chevelures (...)   FLAUBERT, l'Éducation sentimentale, II, II.   5

Diamant. — Sa beauté résulte, me dit-on, de la petitesse de l'angle de réflexion totale (...) Le tailleur de diamant en façonne les facettes de manière que le rayon qui pénètre dans la gemme par l'une d'elles ne peut en sortir que par la même. — D'où le feu et l'éclat.   VALÉRY, Mélange, p. 30.   6

Le cours des petites rivières, dans le sable desquelles on ramasse le diamant, est contrôlé par les premiers occupants.   6.1
Claude LÉVI-STRAUSS, Tristes Tropiques, p. 178.

Spécialt. Bague qui a un diamant. *Passer un diamant au doigt de sa fiancée.*

(...) je me trompe fort, ou la beauté de ce diamant fera pour vous sur son esprit un effet admirable.   MOLIÈRE, le Bourgeois gentilhomme, III, 6.   7

La bague que lui avait donnée Albert Larraque était un diamant d'une extraordinaire pureté, taillé en émeraude, elle s'étonnait du plaisir qu'elle trouvait à le regarder.   A. MAUROIS, Terre promise, III, p. 156.   8

Loc. Noces de diamant : anniversaire de la soixantième année de mariage.

♦ **2.** (1549, *pointe de diamant*). Techn. Instrument au bout duquel est enchâssée une pointe de diamant et qui sert à couper le verre, les glaces... *Diamant de vitrier, de miroitier.*

9 Elle imagina une face sournoise, aplatie contre la vitre qu'une main rompait d'un diamant silencieux.				F. MAURIAC, *Génitrix*, VIII, p. 93.

Pointe de diamant garnissant l'extrême pointe d'une fusée.

♦ **3.** *Faux diamant.* ⇒ **Strass.**

Cour. Pointe de lecture d'un électrophone. *Changer le diamant. Saphirs et diamants.*

♦ **4.** Fig. et poét. Ce qui brille, étincelle.

10 La lune se dégagea aussi des vapeurs qui la couvraient et commença à semer des diamants sur la mousse humide.				G. SAND, *La Mare au diable*, X, p. 87.

11 Le gel cède à regret ses derniers diamants (...)				VALÉRY, «La jeune Parque.»

Fam., vx. *Une voix de diamant,* superbe.

Par métaphore. Objet, œuvre d'une exécution parfaite.

12 (...) c'est un pur diamant taillé par le premier lapidaire du monde : car Nodier était essentiellement lapidaire en littérature.				G. SAND, *François le Champi*, Avant propos, p. 19.

(Par allusion à la dureté du diamant) :

13 Ils sont *(les beaux ouvrages)* pour vous d'airain, d'acier, de diamant.				LA FONTAINE, *Fables*, V, 16.

Abstrait :

14 Des signaux étranges sont installés qui dès l'approche de certaines idées, comme mus par leur simple mise en mouvement — encore soient-elles cachées, font développer le trouble et obscurcissent l'eau du diamant mental.				VALÉRY, *Cahiers*, Pl., t. II, p. 339.

♦ **5.** (Par anal. de forme). Archit. Pierre d'un parement, taillée à facette comme un diamant. *Bossage à pointes de diamant* (→ Cordon, cit. 10).

Typogr. Ancien nom du caractère n° 3. — *Édition diamant :* édition élégante d'un très petit format.

Mar. *Le diamant d'une ancre,* la croisée de la vergue et des pattes.

Dr. Somme ou souvenir légué par reconnaissance à un exécuteur testamentaire.

DÉR. **Diamantaire, diamanté, diamantin.**
COMP. **Diamantifère.**

DIAMANTAIRE [djamɑ̃tɛʀ] n. m. et adj. — 1680 ; de *diamant.*

♦ **1.** Adj. Techn. Qui a l'éclat du diamant. *Pierre diamantaire.* ⇒ **Adamantin.**

(...) ces choses diamantaires qui émettent d'un trait mille fines flèches de feu.				Hélène CIXOUS, *Souffles*, p. 169.

♦ **2.** N. m. Cour. Celui qui taille ou vend des diamants. ⇒ **Lapidaire, joaillier.** *Les diamantaires d'Anvers.*

DIAMANTÉ, ÉE [djamɑ̃te] adj. — 1782 ; de *diamant.*

♦ **1.** Garni de diamants. Par plaisanterie :

1 (...) le fakir plongea de nouveau sur une main tendue, qu'il remarqua copieusement diamantée. Il faillit même s'écorcher le nez, qu'il avait long, sur un dix-carats agressif.				R. QUENEAU, *Pierrot mon ami*, p. 39.

Qui a des reflets de diamant.

2 Je m'y rendais le plus souvent à pied, pour le plaisir de marcher au soleil, de boire la lumière diamantée, la glace du vent.				Jacques PEYRÉ, *Sang et Lumière*, p. 107.

Pur, cristallin*.

3 Sensation délicieuse, en me couchant fort tard, de la fraîcheur du soir, les fenêtres ouvertes, et du chant *diamanté* du rossignol.				E. DELACROIX, *Journal 1850-1854*, 27 avr. 1854.

♦ **2.** Garni d'une pointe de diamant.
DÉR. **Diamanter.**
HOM. **Diamanter.**

DIAMANTER [djamɑ̃te] v. tr. — 1800, Boiste ; de *diamanté,* adj.

♦ Orner, couvrir de diamants. — Faire briller comme un diamant.
REM. On trouve chez Proust la variante *diamantiser.* Pronominal :

(...) ces petites vagues de la mer qui, en passant dans les rayons du couchant, se diamantisent (...)				PROUST, *Jean Santeuil*, Pl., p. 321.

▶ **DIAMANTÉ, ÉE** p. p. adj. *Femmes diamantées. Main diamantée.* — Techn. *Verre diamanté,* pulvérisé, très brillant. *Meule diamantée,* couverte d'une poudre de diamant.

DIAMANTIFÈRE [djamɑ̃tifɛʀ] adj. — 1856, La Châtre ; de *diamant,* et *-fère.*

♦ Didact. Qui contient du diamant. *Sable, gîte, terrain diamantifère.*

Ainsi la zone diamantifère formait-elle un État dans l'État, le premier parfois en guerre ouverte avec le second.				Claude LÉVI-STRAUSS, *Tristes Tropiques*, p. 179.

DIAMANTIN, INE [djamɑ̃tɛ̃, in] adj. et n. f. — V. 1540 ; de *diamant.*

♦ **1.** Adj. Littér. Qui a l'éclat ou la dureté du diamant. ⇒ **Adamantin.**

(...) le vieux maître pose les quatre mesures de son sujet, courte et déchirante mélodie dont la simplicité diamantine va mystérieusement s'épanouir en corne d'abondance.				M. TOURNIER, *le Vent Paraclet*, p. 125.

♦ **2.** N. f. **DIAMANTINE.** Techn. Oxyde d'aluminium cristallisé et pulvérisé, servant au polissage.

DIAMÉTRAL, ALE, AUX [djametʀal, o] adj. — V. 1282 ; *dyametral,* de *diamètre.*
Didactique.

♦ **1.** Qui appartient au diamètre ; du diamètre. *Ligne diamétrale. Plans diamétraux.*
Par ext. *« Deux rues principales diamétrales... »* (Hugo).

♦ **2.** (1846). *Opposition diamétrale,* absolue, totale (⇒ **Diamétralement**).
DÉR. **Diamétralement.**

DIAMÉTRALEMENT [djametʀalmɑ̃] adv. — 1380 ; de *diamétral.*

♦ **1.** Didact. Selon le diamètre. *Les deux pôles sont diamétralement opposés.*

♦ **2.** (1585). Cour. *Diamétralement opposés.* ⇒ **Absolument, entièrement, radicalement.** *Opinions, intérêts diamétralement opposés.*

1 (...) toutes choses diamétralement opposées au bon esprit (...)				LA BRUYÈRE, *les Caractères*, III, 42.

2 La vérité est diamétralement opposée au ton de la bonne compagnie.				P.-L. COURIER, II, 393, *in* LITTRÉ.

DIAMÈTRE [djamɛtʀ] n. m. — XIIIe ; lat. *diametrus,* grec *diametros,* de *dia* (→ Dia-), et *metron* «mesure». → Mètre.

♦ **1.** Ligne droite qui passe par le centre d'un cercle, d'une courbe fermée, d'une sphère, d'un sphéroïde, et se termine de part et d'autre à la périphérie. *Rapport de la circonférence au diamètre.* ⇒ **Pi.** *Demi-diamètre.* ⇒ **Rayon.**

Nous plierons par le diamètre les deux demi-cercles (...)				ROUSSEAU, *Émile*, II.

Didact. *Diamètres conjugués,* se dit de diamètres tels que chacun divise en deux parties égales les cordes parallèles à l'autre. — *Diamètre d'une courbe :* lieu rectiligne des milieux des cordes menées parallèlement à une direction donnée.

♦ **2.** Cour. La plus grande largeur ou grosseur (d'un objet cylindrique ou arrondi). *Le diamètre d'un arbre. Le diamètre d'une roue. Le diamètre d'un tube.* ⇒ **Calibre.** *Le diamètre d'une médaille, d'une monnaie.* ⇒ **Module.**

♦ **3.** Astron. *Diamètre apparent d'un astre,* angle sous lequel on le voit.
DÉR. **Diamétral.**

DIAMIDE [diamid ; djamid] n. m. — 1898 ; de *di-,* et *amide.*

♦ Chim. Corps possédant deux fonctions amide*.

DIAMIDOPHÉNOL [diamidofenɔl ; djamidofenɔl] n. m. — Fin XIXe ; du grec *di-, amine,* et *phénol.*

♦ Chim. Corps cristallisé incolore dérivé du pyrogallol et dont le chlorydrate est utilisé en photographie comme révélateur, sous le nom d'*amidol.* — REM. Les chimistes préfèrent la forme *diaminophénol* [diaminofenɔl], d'après *amine.*

DIAMINE [diamin ; djamin] n. f. — 1877 ; de *di-,* et *amine.*

♦ Chim. Corps possédant deux fonctions amine*.

DIAMORPHINE [djamɔʀfin] n. f. — 1953, Quillet ; (article héroïne) ; de *dia-,* et *morphine.*

♦ Chim. Diacétylmorphine*. — Syn. (cour.) : *héroïne.*

DIANDRIE [diɑ̃dʀi] n. f. — 1798 ; lat. bot. *diandria* (1744, Linné), du grec *dis-,* et *anér, andros* «mâle».

♦ Hist. bot. Classe des plantes à deux étamines libres (système linnéen).

1. DIANE [djan] n. f. — 1555 ; ital. *diana* (attesté seulement en 1585 ; l'esp. *diana* est encore postérieur) ; rac. *dia* «jour».

♦ Vx ou littér. Batterie de tambour, sonnerie de clairon ou de trompette qui se fait à la pointe du jour pour réveiller les soldats, les marins. ⇒ **Réveil.** *Battre, sonner la diane.*

1 La diane chantait dans les cours des casernes.				BAUDELAIRE, *les Fleurs du mal*, Tableaux parisiens, CIII.

2   La diane des clairons turcs dans le voisinage me tire d'un inquiet sommeil matinal.
                                                    LOTI, Jérusalem, XIX, p. 215.

3   Enfin, perlée, cristalline, égrenée note à note, la diane m'arrivait du fort des Hau-
     tes-Perches.   G. DUHAMEL, Biographie de mes fantômes, VIII, p. 123.

2. DIANE [djan] n. f. — XIXᵉ, Hugo *in* T. L. F. ; du nom de la déesse.

♦ Littér. et rare. Fille vierge. *Une jeune diane.*

3. DIANE [djan] n. f. — 1830 ; orig. obscure, la métaphore du nom
de la déesse *Diane* convenant mal.

♦ Zool. Grand singe d'Afrique. — Au masc. invar. :

   (...) on peut citer encore les jolis DIANE (...) à la face blanche, prolongée chez le
   mâle par une barbiche pointue de Méphisto, et dont le pelage montre de
   riches couleurs gris ardoise, blanc, jaune sur les cuisses, rouge pourpre intense
   sur le dos.   René THÉVENIN, les Fourrures, p. 75.

DIANTRE [djɑ̃tʀ] n. et interj. — 1524 ; altér. euphémique de *diable*.
Vx, littéraire.

♦ **1.** N. m. Rare. Diable. — *Diantre de* (valeur d'adj.). ⇒ **Diable** (de).
— *Le diantre, c'est que...*

1   Qu'on est aisément amadoué par ces diantres d'animaux-là !
                                    MOLIÈRE, le Bourgeois gentilhomme, III, 10.

1.1 Le diantre, c'est que les bénéfices ne se montraient jamais, tandis que les billets
     souscrits (...) revenaient au logis avec une ponctualité désespérante (...)
                           Alphonse DAUDET, Fromont jeune et Risler aîné, p. 283.

♦ **2.** (1534). Interj. Juron qui marque l'affirmation, l'imprécation.
Exclamation marquant l'admiration, l'étonnement. ⇒ **Diable.**
*Diantre que c'est cher ! Que diantre désirez-vous ? Dépêchez-vous,
que diantre !*

2   Avec cette rage d'aventures, ce besoin d'émotions fortes, cette folie de voyages, de
     courses, de diables au vert, comment diantre se trouvait-il que Tartarin de Taras-
     con n'eût jamais quitté Tarascon ?
                              Alphonse DAUDET, Tartarin de Tarascon, I, VI.

DÉR. Diantrement.

DIANTREMENT [djɑ̃tʀəmɑ̃] adv. — Av. 1700 ; de *diantre.*

♦ Vx. Littér. ou régional. Extrêmement, terriblement. ⇒ **Bougrement,
diablement.**

   — Ah ! par exemple ! s'écria le docteur, on l'aurait cru diantrement plus grand
   que cela !   Jean RAY, les Derniers Contes de Canterbury, p. 199.

DIAPASON [djapazɔ̃] n. m. — V. 1150, *dijapason*, rare avant le
XVIIᵉ ; lat. *diapason*, grec *dia pasôn (khordôn)*, littéralt «par toutes
(les cordes)».

♦ **1.** Mus. Étendue des sons que parcourt une voix ou un instrument, du ton le plus grave au plus élevé. ⇒ **Registre.** *Le diapason
de la clarinette a cinq ou six notes de plus que celui de la flûte.*
Fam. et vieilli. ⇒ **Ton.** *Un diapason de dispute* (→ Commerce, cit. 3).
Loc. fig. *Hausser, baisser le diapason :* augmenter, diminuer ses prétentions.

♦ **2.** (1819). Mus. et cour. Petit instrument d'acier, en forme de fourche, qui donne le *la* lorsqu'on le fait vibrer (*la 3* = 440 hertz). *Le
diapason permet de vérifier la hauteur exacte du son.*

1   (...) mon oreille exercée, comme le diapason d'un accordeur.
                              PROUST, À la recherche du temps perdu, t. IX, p. 85.
Petit instrument à vent en forme d'harmonica et qui sert au
même usage.
Techn. Module qui permet aux fondeurs de déterminer les dimensions et le poids qu'ils doivent donner aux cloches.

♦ **3.** (1705). Fig. Degré auquel se trouvent, à un moment donné, les
dispositions d'une personne, d'un groupe. ⇒ **Niveau, ton.** *Prendre le
diapason d'un groupe.* — (Surtout : *au, à un diapason*). *Il n'est plus
au diapason* (de la situation). *Être, se mettre au diapason de qqn,*
se conformer, s'adapter à sa manière de voir, de sentir (⇒ **Accord**).

2   Il faut que je prenne d'abord le diapason de ceux que je veux forcer personnelle-
     ment à se mettre au mien.   MIRABEAU, in BARTHOU, Mirabeau, p. 257.

2.1 Comme il arrive souvent entre deux êtres dont les destinées complices ont élevé
     l'âme à un égal diapason, — engageant la conversation assez brusquement — il
     eut néanmoins le bonheur bizarre de trouver une personne disposée à l'écouter et
     à lui répondre.   BAUDELAIRE, la Fanfarlo.

3   Le mode de publication en feuilletons, qui obligeait, à chaque nouveau chapitre,
     de frapper un grand coup sur le lecteur, avait poussé les effets et les tons du roman
     à un diapason extrême, désespérant, et plus longtemps insoutenable.
                           SAINTE-BEUVE, Causeries du lundi, 2 sept. 1850, M. de Balzac.

4   C'étaient des croyants absolus ; le monde, qui n'était plus à leur diapason leur sem-
     blait vide et enfantin.   RENAN, Souvenirs d'enfance..., II, V.

5   (...) il se sentait au diapason avec ce jeune, et préoccupé uniquement des mêmes
     questions, tout le reste ne comptant plus.
                                    LOTI, les Désenchantées, VI, XL, p. 218.

6   La vérité était que les deux enfants avaient, depuis huit jours, en l'absence l'un
     de l'autre, monté leurs sentiments à un diapason tel qu'il leur était impossible de
     les y maintenir dans la réalité, et qu'en se retrouvant, leur première impression

devait être une déception : il en fallait rabattre. Mais ils ne pouvaient se résoudre
à en convenir.   R. ROLLAND, Jean-Christophe, « Le matin », II.

DÉR. Diapasonner.

DIAPASONNER [djapazɔne] v. tr. — 1870, in *Larousse ;* de *diapason.*

♦ Mus. (rare). Mettre au diapason.

DIAPAUSE [djapoz] n. f. — 1942 ; de *dia-*, et *pause.*

♦ Zool. Arrêt temporaire d'un développement. « *Quelques jours
seulement après la naissance de ce premier embryon, la femelle
(du kangourou) connaît une seconde ovulation et s'accouple de nouveau. Elle doit dès lors assurer le développement du petit agrippé
dans la poche et celui de l'œuf nouvellement formé. En fait, la
mère n'accomplit pas les deux processus simultanément. Le cycle
œstrien s'interrompt à cause de l'allaitement en cours. La croissance intra-utérine de l'œuf est par conséquent stoppée. À ce stade,
cet œuf n'est qu'un petit blastocyste, c'est-à-dire une petite sphère
d'une centaine de cellules. Il va " sommeiller " dans l'utérus en
attendant que son " grand frère " ait quitté la poche. Ce phénomène
dit de diapause embryonnaire est une véritable stratégie adapta-
tive des kangourous face à l'environnement* » (*Sciences et Avenir,*
nº 310, avr. 1981, p. 61).

DIAPÉDÈSE [djapedɛz] n. f. — 1560 ; grec *diapêdêsis*, de *diapê-
dân* «jaillir à travers», de *dia*, et *pêdân* «jaillir».

♦ **1.** Vx. Sueur de sang. ⇒ **Hémathydrose.**

♦ **2.** Méd. Migration des leucocytes à travers la paroi des capillaires. *Globules blancs qui affluent par diapédèse autour des microbes, autour d'un corps étranger à neutraliser* (⇒ **Inflammation**).

DIAPHANE [djafan] adj. — 1377 ; *dyaphane*, du grec *diaphanês*
«transparent», de *diaphainein*, de *dia-*, et *phainein.* → Phanéro-.

♦ **1.** Qui laisse passer à travers soi les rayons lumineux sans laisser distinguer la forme des objets. ⇒ **Translucide.** *Le verre dépoli*
est diaphane, mais non transparent. Papier diaphane.* « *La brume
sèche des oliviers diaphanes* » (Larbaud, *in* T. L. F.).

1   *Diaphane*, de *dia*, à travers, et de *phainein*, briller, se dit du corps à travers lequel
     la lumière brille. *Transparent*, de *trans*, à travers, et *parens*, paraissant, apparent,
     qui se montre, qualifie le corps à travers lequel les objets paraissent (...)
     Une feuille de papier ou de parchemin est *diaphane*, le verrre d'une montre ou
     d'une estampe est *transparent.*   LAFAYE, Dict. des synonymes, Diaphane.

Par ext. Transparent. *Eau diaphane. Le cristal est diaphane* (Académie).

♦ **2.** Fig., littér. Très pâle, et qui donne une impression de fragilité.
Teint, peau diaphane. — Très mince, délicat. *Mains diaphanes.
Corps diaphane.*

2   (...) elles *(les mains de Séraphîta)* paraissent avoir une force égale à celle que le
     Créateur a mise dans les diaphanes attaches du crabe.
                                    BALZAC, Séraphîta, Pl., t. XI, p. 470.

CONTR. Obscur, opaque, sombre, ténébreux.
DÉR. Diaphanéiser, diaphanéité.

DIAPHANÉISER [djafaneize] ou **DIAPHANISER** [djafanize]
v. tr. — 1885, *diaphanéiser ; diaphaniser*, 1857 ; de *diaphane.*

♦ Littér. Rendre diaphane. « *La phtisie l'a diaphanéisé* [Banville] »
(Goncourt, *Journal,* t. II, p. 204, 1865). — Pron. :

Personne ne comprenait rien à cette brûlée d'amour qui se diaphanéisait en montant dans la lumière.   Léon BLOY, le Désespéré, p. 151.

DIAPHANÉITÉ [djafaneite] n. f. — 1552 ; *diaphanité*, v. 1510 ;
de *diaphane.*

♦ Littér. Caractère de ce qui est diaphane, translucide.

(...) Elstir avait fait plusieurs études de ces mains. Et dans l'une où on voyait
Andrée les chauffer devant le feu, elles avaient sous l'éclairage la diaphanéité
dorée de deux feuilles d'automne.
                           PROUST, À l'ombre des jeunes filles en fleur, Folio, p. 590.

Caractère de ce qui est pâle, d'aspect délicat. « *La diaphanéité
de Babet contrastait avec la viande de Gueulemer* » (Hugo, *in*
T. L. F.).

CONTR. Opacité.

DIAPHANOSCOPE [djafanɔskɔp] n. m. — 1908 ; de *diaphanoscopie*, d'après les comp. en *-scope.*

♦ Méd. Appareil utilisé en diaphanoscopie.

DIAPHANOSCOPIE [djafanɔskɔpi] n. f. — 1908 ; de *dia-*, grec
phainein «briller» (→ Diaphane), et *-scopie.*

♦ Méd. Procédé qui consiste à éclairer certaines parties du corps (spécialt les sinus de la face) pour les examiner par transparence. Syn. : *diascopie*, 2.

DÉR. Diaphanoscope.

DIAPHONIE [djafɔni] n. f. — 1768 ; lat. méd. *diaphonia*, ixᵉ-xᵉ, Hucbald de Saint-Amand ; du grec *diaphônia* « discordance ». → -phone, -phonie.

♦ **1.** Mus. Procédé d'écriture musicale du moyen âge, consistant à doubler une mélodie à la quarte ou à la quinte.

♦ **2.** (1953). Techn. Défaut de transmission des signaux dans un appareil, une ligne téléphonique, un enregistrement, dû à un transfert d'énergie à un autre circuit. *Mesure de la diaphonie en décibels.* — Spécialt. Apparition de signaux parasites d'une spire voisine lors du passage de la tête de lecture sur une spire de disque.

Lorsque le courant passe dans B, le burin monte ou descend mais n'a pas de déplacement latéral, lorsqu'il passe dans A et C, c'est l'inverse qui se produit. En pratique, il y a toujours une petite réaction entre les deux mouvements et on l'appelle diaphonie. Cette diaphonie s'évalue en décibels, elle est de l'ordre de 25 à 30 dB, elle indique la fraction de signal indésirable qui va dans la voie interdite par rapport au signal dans la voie normale.
Pierre GILOTAUX, l'Industrie du disque, p. 102.

Télécommunications. Mélange de conversations de deux circuits téléphoniques.

DIAPHORÈSE [djafɔʀɛz] n. f. — 1741 ; attestation isolée, 1551 ; grec *diaphorêsis*, de *diaphorein* « transpirer ».

♦ Méd. (vx). Transpiration abondante.

DIAPHORÉTIQUE [djafɔʀetik] adj. — 1575 ; *diaforétique*, 1372 ; grec *diaphoretikos* de *diaphorêsis*. → Diaphorèse.

♦ Méd. (vx). Qui active la transpiration. ⇒ **Sudorifique.** *Médicament diaphorétique.* — N. m. *Un diaphorétique.*

DIAPHRAGMATION [djafʀagmɑsjɔ̃] n. f. — Mll. xxᵉ (1960) ; de *diaphragmer.*

♦ Phys., physiol. Le fait de diaphragmer un appareil ou de changer son diaphragme. — Variation, réglage de l'ouverture d'un diaphragme.

DIAPHRAGMATIQUE [djafʀagmatik] adj. — 1560 ; de *diaphragme.*

♦ Anat. Qui a rapport au diaphragme. ⇒ **Phrénique.** *Spasmes diaphragmatiques.*

COMP. Sous-diaphragmatique.

DIAPHRAGME [djafʀagm] n. m. — 1314 ; lat. médical, *diaphragma*, grec *diaphragma* « séparation, cloison », de *diaphrattein* « séparer par une cloison ».

♦ **1.** Muscle très large et très mince qui sépare la poitrine de l'abdomen. *Hoquet provoqué par de brusques contractions du diaphragme. Nerf du diaphragme* (⇒ **Phrénique**).

1   Un muscle volumineux, le diaphragme, disposé comme une cloison transversale en forme de coupole, établit une séparation complète entre les deux étages du tronc. En haut c'est la cavité thoracique (...) Au-dessous, la cavité abdominale (...)
VALLERY-RADOT, Notre corps..., III, p. 32.

2   Il éprouvait comme un léger spasme du diaphragme. Sa gorge se serrait un peu.
J. ROMAINS, les Hommes de bonne volonté, t. V, XXVII, p. 275.

Plan musculaire et aponévrotique représentant une séparation transversale au niveau d'une région déterminée. *Diaphragme pelvien.*

Sc. nat. Lame droite qui partage la cavité de certaines coquilles. Bot. Cloison transversale qui sépare les graines dans les fruits capsulaires.

♦ **2.** Méd. et cour. Contraceptif mécanique (pour la femme), formé d'un capuchon souple destiné à recouvrir la partie du col de l'utérus qui fait saillie au fond du vagin. ⇒ **Pessaire ;** → Pilule, cit. 1.2.

2.1   J'ai couru dans la salle de bains où j'ai mis mon diaphragme.
Cécil SAINT-LAURENT, la Mutante, p. 235.

♦ **3.** Adj. Archit. *Mur diaphragme :* mur transversal de soutien, entre deux travées (dans certaines églises romanes).

♦ **4.** (1690 en opt. ; photogr. : 1857, in *Année sc. et industr.*, 1858). Disque opaque percé d'une ouverture réglable, pour faire rentrer plus ou moins de lumière. *Le diaphragme d'un appareil photographique. L'ouverture du diaphragme. Régler le diaphragme.* ⇒ **Diaphragmer.** *Diaphragme iris,* formé de lamelles.

♦ **5.** Membrane souple (de certains appareils). *Diaphragme d'une pompe.* — (1878). Spécialt. Membrane vibrante (d'appareils acoustiques). *Diaphragme de haut-parleur de microphone, de phonographe.*

L'orifice de cette embouchure *(du phonographe)* renferme un diaphragme métallique, semblable à celui du téléphone (...)
L. FIGUIER, l'Année scientifique et industrielle, 1879, p. 118 (1878).   3

Électr. Cloison perméable dans certaines piles ou bobines d'induction.

DÉR. Diaphragmatique, diaphragmer.

DIAPHRAGMER [djafʀagme] v. tr. — 1877, in Littré, *Suppl*, opt. ; de *diaphragme*, 4.

♦ Phys. Munir (un appareil d'optique) d'un diaphragme. — Intrans. Régler l'ouverture du diaphragme (spécialt, en le fermant).

DÉR. Diaphragmation.

DIAPHYSAIRE [djafizɛʀ] adj. — 1870 ; de *diaphyse.*

♦ Méd. Relatif à la diaphyse d'un os.

DIAPHYSE [djafiz] n. f. — 1823 ; autre sens, 1561 ; du grec *diaphusis* « séparation naturelle, interstice » de *diaphuein* « pousser *(phuein)* en séparant ».

♦ Anat. Tronçon moyen (dans un os long). *Diaphyse du fémur.*

La partie moyenne des os longs, la diaphyse, formée d'une épaisse couche de tissu compact, est percée, au centre, d'un canal pour la moelle, et terminée à ses extrémités par un renflement de tissu spongieux, l'épiphyse.
VALLERY-RADOT, Notre corps..., III, p. 22.

DÉR. Diaphysaire, diaphysite.

DIAPHYSITE [djafizit] n. f. — Mil. xxᵉ ; de *diaphyse*, suff. *-ite.*

♦ Méd. Inflammation de la diaphyse d'un os.

DIAPO [djapo] n. f. ⇒ **Diapositive.**

DIAPORAMA [djapɔʀama] n. m. — V. 1965 ; de *diapo(sitive),* et suff. *-(o)rama.*

♦ Spectacle de projection de diapositives. « *La grande attraction du festival est, sans contredit, la présentation des "Diaporamas" (...) les opérateurs, très habiles, plaçaient les diapositives l'une après l'autre dans les passe-vues avec une grande dextérité (...) Texte et musique se fondent en un ensemble harmonieux (...) Le « Diaporama » est vraiment une nouvelle forme d'Art et d'Expression encore peu connue* » (Revue du Son, nᵒ 158-159, p. 304).

DIAPOSITIF, IVE [djapozitif, iv] adj. — 1900 ; de *dia-*, et *positif.*

♦ Techn. *Épreuve diapositive, cliché diapositif,* exécutés sur un support transparent, et destinés à être projetés. — N. m. (vx). *Un diapositif.* ⇒ **Diapositive.**

DÉR. Diapositive.

DIAPOSITIVE [djapozitiv] n. f. — 1945 ; n. m., *diapositif,* substantivation de l'adj. *diapositif.*

♦ Cour. (répandu v. 1950). Tirage photographique positif destiné à la projection. *Film pour diapositives couleur. Passer, projeter des diapositives en couleur. Classeur, projecteur* (⇒ **Diascope,** 3.)*, panier* (⇒ **Passe-vues**) *pour diapositives. Diapositives montées sur cartons. Un montage de diapositives.* ⇒ **Diaporama.** *Collection de diapositives.* ⇒ **Diathèque** (ou **diapothèque**).

Gerry étalait ses photos sur le tapis du bureau, projetait ses diapositives.
F. MALLET-JORIS, le Jeu du souterrain, p. 57.   1

Abrév. fam. : *diapo* (n. f.). « *Le soir, conférences avec projection de diapos fondues-enchaînées sur les ressources de l'île* » (*Charlie-Hebdo,* 17 janv. 1978).

Un étudiant en histoire de la faculté de Reims (...) a évoqué avec beaucoup d'enthousiasme et de diapositives son voyage en Grèce.   2
Yanny HUREAUX, la Prof, p. 212.

DÉR. Diaporama, diapothèque.

DIAPOTHÈQUE [djapotɛk] n. f. ⇒ **Diathèque.**

DIAPRER [djapʀe] v. tr. — 1274, *dyasprer ;* de l'anc. franç. *diaspre* « drap à fleurs » ; du lat. médiéval *diasprum,* altér. de *jaspis* « jaspe ».

♦ Littér. Nuancer, parer de couleurs variées. *Le printemps diapre les prés.*

L'écorce variée des pastèques diaprait agréablement la campagne.   1
CHATEAUBRIAND, Itinéraire de Paris à Jérusalem, II, 31, *in* LITTRÉ.

Par plais. (vieux) :

(...) quand tu m'auras diapré tout le corps de meurtrissures (...)   2
BEAUMARCHAIS, le Mariage de Figaro, V, 8.

Fig. Orner de façon brillante. ⇒ **Consteller.** *Diaprer sa conversation d'adages et de proverbes.*

3 J'ai porté hardiment ma main sur chaque chose et me suis cru des droits sur chaque objet de mes désirs … Devant moi, ah! que toute chose s'irise; que toute beauté se revête et se diapre de mon amour.
GIDE, les Nourritures terrestres, I, III.

▶ **DIAPRÉ, ÉE** p. p. adj. (plus courant).
De couleur variée et changeante. *Lumière diaprée. Étoffe diaprée.*
⇒ **Bariolé**, chatoyant, irisé. *Papillon diapré. Prairie diaprée de fleurs.* ⇒ **Émaillé.**

4 Ils arrivèrent dans un pré
Tout bordé de ruisseaux, de fleurs tout diapré (…)   LA FONTAINE, Fables, IV, 12.

5 Nous devions coucher à Zaghouan, et tout le jour nous vîmes devant nous se rapprocher lentement la montagne, d'heure en heure plus rose. Et lentement nous nous éprenions de ce grand pays monotone, de son vide diapré, de son silence.
GIDE, Si le grain ne meurt, II, I, p. 295.

6 Les massifs diaprés rayonnent près des majestueux arbres en fleurs.
Georges LECOMTE, Ma traversée, p. 116.

CONTR. Monochrome, uni.
DÉR. Diaprure.

DIAPRUN [djapʀœ̃] n. m. — 1771; *diaprum,* en 1666; *diaprunis,* XIVᵉ; de *dia-* employé en méd., et du lat. *prunum* «prune».

♦ Anc. Pharm. Purgatif préparé avec la pulpe de pruneaux.

DIAPRURE [djapʀyʀ] n. f. — 1360, *diapreure;* de *diaprer.*

♦ Littér. État de ce qui est diapré; couleurs variées.
Par métaphore :

1 Encore la formule «vocation de l'échec» était-elle bien trop pathétique, trop teintée de diaprures sulfureuses.   Jean-Louis CURTIS, le Roseau pensant, p. 157.

2 (…) cette prise infaillible, qui n'offense pas le patient, le laisse intact et pourtant à notre entière merci, prisonnier mais gardant ses nuances les plus délicates, toutes les irisations, toutes les diaprures de la vie.
BERNANOS, Monsieur Ouine, Pl., p. 1559.

DIAPSIDES [djapsid] n. m. pl. — Mil. XXᵉ; de *di-* et grec *apsis, apsidos* «voûte». → Abside.

♦ Zool. Groupe de reptiles possédant deux paires de fosses temporales, et réunissant les Lépidosauriens (dont la majorité des reptiles vivants : Squamates) et les Archosauriens*. — Au sing. *Un diapside.*

DIARISTE [djaʀist] n. — 1954; angl. diarist, 1818, de *diary* «journal».

♦ Anglic. Écrivain qui tient un journal intime. «*Claude Mauriac appartient à la race des authentiques "diaristes"*» (*l'Express,* 1-7 avr. 1974, p. 99). «*Ces creux de l'âme que caressent les "diaristes"*» (François Nourissier, in *le Point,* 13-19 févr. 1984, p. 115).

DIARRHÉE [djaʀe] n. f. — 1568; *diarrie* en 1372; lat. médical *diarrhœa,* grec *diarrhoia* «écoulement» de *diarrhein* «s'écouler (rhein) de divers cotés». → -rrhée.

♦ Évacuation fréquente de selles liquides. ⇒ **Débâcle, dévoiement** (vx); et fam. **chiasse, colique** (2.), **courante, foire;** → Selle, cit. 0.1, Beckett. *Avoir la diarrhée. Douleur accompagnant la diarrhée.* ⇒ **Colique** (1.). *Diarrhée liée à l'inflammation de la muqueuse intestinale.* ⇒ **Entérite.** *Diarrhée dans laquelle le malade expulse des aliments non digérés.* ⇒ **Lientérie.** *Fruits verts qui donnent la diarrhée. Diarrhées infantiles jaunes, vertes, biliaires et non biliaires, aiguës et chroniques. Diarrhée causée par la dysenterie, le choléra. Acide lactique, sous-nitrate de bismuth, consoude, remèdes utilisés contre la diarrhée.*
Par anal. Écoulement (déplaisant, répugnant).
Fig. *Une diarrhée verbale.* «*Diarrhée morale et intellectuelle*» (Larbaud, *in* T.L.F.).

CONTR. Constipation.
DÉR. Diarrhéique.

DIARRHÉIQUE [djaʀeik] adj. — 1835; *diarroïque,* 1827; attestation isolée, 1568; de *diarrhée.*
Médecine.

♦ **1.** Qui a rapport à la diarrhée. *Selles diarrhéiques.*

♦ **2.** Qui est atteint de diarrhée. *Malade diarrhéique.* — N. *Un, une diarrhéique.*

♦ **3.** Qui donne la diarrhée. *Eau diarrhéique.*

DIARTHROSE [djaʀtʀoz] n. f. — 1561; grec *diarthrôsis,* de *diarthroûn* «articuler», de *arthron* «articulation».

♦ Anat. Articulation* mobile qui permet aux os des mouvements étendus. *Capsule fibreuse, cartilages, synovie d'une diarthrose* (ex. : *genou*). → Abarticulaire.

DIASCOPE [djaskɔp] n. m. — 1940; de *dia-,* et -*scope.*

♦ **1.** Techn. Instrument d'optique utilisé dans les engins blindés. ⇒ **Périscope.**

♦ **2.** Méd. Appareil comportant une plaque de verre, utilisé pour l'examen des lésions superficielles de la peau.

♦ **3.** (1961). Techn. Appareil de projection pour les diapositives et les documents transparents.

DIASCOPIE [djaskɔpi] n. f. — 1961; de *dia-,* et -*scopie.*

♦ **1.** Didact. Projection de documents transparents.

♦ **2.** Méd. ⇒ **Diaphanoscopie.**

DIASCORDIUM [djaskɔʀdjɔm] n. m. — 1701; lat. médical *diascordium,* de *dia,* et *scordium.*

♦ Pharm. Électuaire à base de scordium, d'aromates, d'opium et qui a des propriétés astringentes et sédatives. *Combattre une diarrhée avec du diascordium.*

DIASPORA [djaspɔʀa] n. f. — 1909; du mot grec «dispersion», de *diasperein* «disséminer». → Diaspore.

♦ **1.** Hist. relig. Dispersion à travers le monde antique des Juifs exilés de leur pays. — (Mil. XXᵉ; attesté 1968). Par ext. Dispersion (d'une ethnie). *La diaspora tchèque, arabe, basque, chinoise.*

♦ **2.** Ensemble des membres dispersés d'une ethnie. *La diaspora juive. La diaspora arménienne, chinoise, tzigane.* «*Quand ils n'ont pas adopté le mode de vie britannique, les Indiens, hindous ou musulmans, comme les juifs de la Diaspora, cultivent jalousement leurs traditions familiales et religieuses*» (*le Nouvel Obs.,* 4 sept. 1972, p. 27).

DIASPORAMÈTRE [djaspɔʀamɛtʀ] ou **DIASPOROMÈTRE** [djaspɔʀɔmɛtʀ] n. m. — 1803, *diasporamètre; diasporomètre,* 1813; du grec *diaspora* «dispersion» (→ Diaspora, diaspore), et -*mètre.*

♦ Techn. Diastimomètre à angle variable.

DIASPORE [djaspɔʀ] n. f. — D. i. (XXᵉ); 1801 Haüy, «hydrate d'aluminium (se dispersant par chauffage)»; grec *diaspora.* → Diaspora.

♦ Bot. Partie (graine, fruit…) d'un végétal qui, entraînée loin de la plante, produit d'autres individus. *Les diaspores assurent la dispersion de l'espèce.*

DIASTASE [djastaz] n. f. — 1814; «luxation», 1752; du grec *diastasis* «séparation», de *diistanai* «séparer». → Diastasis.

♦ **1.** Chim. *La diastase :* ensemble des systèmes d'origine naturelle jouant dans les milieux animaux et végétaux le rôle de catalyseur dans des réactions très diverses (décompositions hydrolithiques, oxydatives, coagulatrices, etc.).

♦ **2.** Méd., biol. (vx en sc.). Catalyseur biologique protéinique (syn. mod. ⇒ **Enzyme**); enzyme provoquant l'hydrolyse de l'amidon, (⇒ **Amylase**). *La trypsine, diastase du pancréas, favorise la digestion des matières amylacées. La maltase, diastase de l'orge, employée dans la fabrication de la bière.*

1 À part quelques diastases qui ont gardé des noms particuliers (trypsine, pepsine…) on utilise, pour nommer un ferment, le nom du substrat sur lequel il agit spécifiquement et on lui ajoute le suffixe «ase».   STOLKOWSKI, les Diastases, p. 10.

2 (…) les aliments se trouvent prêts à subir les phénomènes chimiques de la digestion qui les rendent assimilables.
Pour y parvenir, les glandes sécrètent un ferment soluble appelé **diastase,** doué d'un pouvoir spécial vis-à-vis de telle ou telle catégorie d'aliments. C'est ainsi que la salive qui sert à humecter les aliments contient une substance, la ptyaline, agissant sur l'amidon cuit qu'elle transforme en sucre.
P. VALLERY-RADOT, Notre corps…, VII, p. 92.

3 Et c'est compter sans tous ces tueurs, moustiques et sangsues ailées qui viennent te déposer sous l'épiderme leurs larves, leurs excréments, leurs bactéries, leurs diastases.   Régis DEBRAY, l'Indésirable, p. 262.

DÉR. Diastasique.

DIASTASIQUE [djastazik] adj. — 1859, Cl. Bernard, in D.D.L.; de *diastase.*

♦ **1.** Chim. Relatif à la diastase. *Action diastasique de la ptyaline.* ⇒ **Enzymatique.**

♦ **2.** Biol. (vx). Enzymatique. — (1897). Syn. (vx) : *diastatique.*

DIASTASIS [djastazis] n. m. — Mil. xxᵉ; *diastase*, 1752; mot grec «séparation». → Diastase.

♦ Méd. Écartement permanent de deux surfaces articulaires, le plus souvent à la suite d'un traumatisme avec élongation des ligaments ostéo-articulaires.

DIASTÈME [djastɛm] n. m. — 1578; mus. «intervalle simple»; du grec *diastêma* «intervalle».

♦ Zool. Écartement normal entre certaines dents (chez de nombreux mammifères). ⇒ **Barre.**

Illiger a donné ce nom *(diastème)* à l'intervalle qui, chez le plus grand nombre des mammifères existe entre les canines et les molaires; cette expression est synonyme de *Barre.* Ch. D'ORBIGNY, Dict. d'hist. nat., 1844.

Anat. Écartement anormal entre deux dents.

DIASTIMOMÈTRE [djastimɔmɛtʀ] n. m. — D. i. (xxᵉ); du grec *diastêma* «intervalle», et *-mètre*.

♦ Techn. Appareil permettant de mesurer automatiquement des distances courtes. *Diastimomètre à angle variable.* ⇒ **Diasporamètre.**

DIASTOLE [djastɔl] n. f. — 1541; en grammaire, «diérèse», v. 1370; du grec *diastolê* «séparation», de *diastellein* «séparer en deux».

♦ Physiol. Mouvement de dilatation du cœur et des artères qui alterne avec le mouvement de contraction *(systole). Le sang pénètre dans le cœur par la diastole.*

1   (...) il verra le cœur animé de mouvements rythmiques. C'est à cette double période de contraction et de relâchement qu'on donne le nom de systole et diastole.
P. VALLERY-RADOT, Notre corps..., IV, p. 43.

2   (...) on vérifie d'abord la vie aux battements du cœur. Il est très important que ce soient des battements; mais que la diastole soit un repos de la systole, et que ces petites morts entretiennent la vie, explication qui n'est qu'une constatation, Sengle s'en foutait comme du savantasse, son quelconque auteur.
A. JARRY, les Jours et les Nuits, in Œ., Pl., t. I, p. 794.

DÉR. Diastolique.

DIASTOLIQUE [djastɔlik] adj. — 1546; de *diastole*.

♦ Physiol. Relatif à la diastole. *Souffle diastolique. Bruit diastolique du cœur :* second bruit du cœur qui correspond à la fin de la systole et au début de la diastole.

DIATHÈQUE [djatɛk] ou **DIAPOTHÈQUE** [djapotɛk] n. f. — 1971; de *dia-(positive)*, et *-thèque*.

♦ Techn. Collection de diapositives. — Meuble ou pièce où sont conservées des diapositives.

DIATHERMANE [djatɛʀman], **DIATHERME** [djatɛʀm] ou **DIATHERMIQUE** [djatɛʀmik] adj. — 1833, *diathermane; diatherme*, 1929; *diathermique*, 1855; du grec *dia*, et *thermos* «chaud».

♦ Phys. Qui transmet les radiations calorifiques. *Le mica est diathermane. Métal diatherme, diathermique.*

DIATHERMANÉITÉ [djatɛʀmaneite] ou **DIATHERMANSIE** [djatɛʀmɑ̃si] n. f. — 1836; de *diathermane*.

♦ Phys. Propriété des corps diathermanes.

DIATHERMIE [djatɛʀmi] n. f. — 1912; all. *diathermie;* → Dia-, et *-thermie*.

♦ Méd. Méthode thérapeutique qui utilise des courants électriques alternatifs de haute fréquence pour échauffer les tissus *(diathermie médicale)* ou pour les détruire *(diathermie chirurgicale).* ⇒ **Électrocautère, électrocoagulation.**

DÉR. Diathermique.

DIATHERMIQUE [djatɛʀmik] adj. — 1932; de *diathermie*.

♦ Méd. Relatif à la diathermie.

DIATHÈSE [djatɛz] n. f. — Fin xvⁱᵉ; du grec *diathesis* «disposition» et aussi «état, condition».

♦ **1.** Méd. Disposition générale d'une personne à être atteinte simultanément ou successivement par des affections présumées de même origine, mais comportant des manifestations différentes. *Idiosyncrasies et diathèses.*

Lorsqu'une maladie résulte, non pas d'un accident, mais de cette disposition générale qui constitue une diathèse, ses accidents se manifestent, non pas sur un point de l'organisme, mais sur plusieurs. Paul BOURGET, Un divorce, II, p. 43.

En homéopathie, Prédisposition individuelle à une maladie ou à un ensemble d'affections caractérisé.

♦ **2.** Ling. Vx (Tesnière, Guillaume). Voix (verbale).

DÉR. Diathésique.

DIATHÉSIQUE [djatezik] adj. — 1855; de *diathèse*.

♦ Méd. Qui appartient à une diathèse. *Affection diathésique.*

DIATOMÉES [djatɔme] n. f. pl. — 1834; du grec *diatomos* «coupé en deux».

♦ Vx en sc. Algues brunes *(Phéophycées)* unicellulaires microscopiques, qui croissent dans les eaux douces ou salées, et dont la membrane est entourée d'une coque siliceuse. *Les diatomées contribuent à former le plancton végétal.* (On dit actuellement *bacillariophycées*). — Au sing. *Une diatomée.*

DÉR. Diatomite.

DIATOMIQUE [djatɔmik] adj. — 1834; de *di-*, et *atomique*.

♦ Chim. Dont la molécule est formée de deux atomes. (Syn : *biatomique). Corps diatomique.*

DIATOMITE [djatɔmit] n. f. — 1948; de *diatomée*, et suff. *-ite*.

♦ Minér. Roche constituée par les débris de diatomées, employée industriellement pour ses propriétés absorbantes et abrasives. «*De la silice, exportée des sols latéritiques méridionaux, vient s'accumuler dans les bassins du Tchad et du moyen Niger où nous la retrouvons, captée par des algues, sous la forme de diatomites*» (*la Recherche*, févr. 1974).

DIATONIQUE [djatɔnik] adj. — Fin xivᵉ, *dyatonique;* lat. *diatonicus*, grec *diatonikos*, de *dia* «par», et *tonos* «ton».

♦ Didact. (mus.). Qui procède par tons et demi-tons (opposé à *chromatique). Échelle, gamme diatonique.*

L'ensemble des équipages sonores, rangés côte à côte sur un rayon de la piste circulaire, donnait la gamme diatonique de *do*, depuis la tonique grave jusqu'au *sol* aigu. Raymond ROUSSEL, Impressions d'Afrique, p. 297.

Par ext. *Harpe, accordéon, harmonica diatonique.*

N. m. Système diatonique. «*Les ressources du diatonique*» (Kœchlin, in T. L. F.).

CONTR. Disjoint.
DÉR. Diatoniquement, diatonisme.

DIATONIQUEMENT [djatɔnikmɑ̃] adj. — 1587; de *diatonique*.

♦ Mus. Par degrés diatoniques.

DIATONISME [djatɔnism] n. m. — 1907, in T. L. F.; de *diatonique*, et suff. *-isme*.

♦ Mus. Système, structure diatonique.

DIATRIBE [djatʀib] n. f. — 1558; lat. *diatriba*, grec *diatribê* «discussion d'école», de *diatribein*, d'abord «passer le temps».

♦ **1.** Didact. (rhétorique). Dissertation critique.
Vx. Exposé critique (sur un ouvrage, un point théorique).

♦ **2.** (1764). Mod. Critique amère, violente, souvent faite sur un ton injurieux. ⇒ **Attaque, factum, libelle, pamphlet, satire.** *Se lancer dans une longue diatribe contre qqn. Échanger diatribes et insultes.*

1   L'*Anti-Caton* de César était un libelle; mais César fit plus de mal à Caton par la bataille de Pharsale et par celle de Tapsa que par ses diatribes.
VOLTAIRE, Dict. philosophique, Libelle.

2   Il mêle à la violence de ses diatribes une pitié indulgente bien naturelle envers un inférieur qui fait ressortir sa gloire. PROUST, les Plaisirs et les Jours, p. 95.

Écrit ou discours contenant une diatribe. *Lire une diatribe.*

CONTR. Apologie, éloge.

1. DIAULE [djol] n. f. — 1611; *diaulos*, 1547; mot grec de *dis* «deux», et *aulos* «flûte».

♦ Didact. Flûte double (des Grecs de l'Antiquité). Adj. *Flûte diaule.* Musique, air pour la diaule.

HOM. 2. Diaule.

2. DIAULE [djol] n. m. — 1864, Littré; grec *diaulos*, de *dis-*, et *aulos* «espace allongé (pour la course)».

♦ **Antiq.** Course dans laquelle l'athlète parcourait le stade dans les deux sens (Grèce antique).
HOM. 1. **Diaule.**

DIAZOÏQUE [djazɔik] adj. et n. m. — 1870; de *di-* «deux», et du rad. de *azote.*

♦ **Chim.** Se dit de composés doublement azotés (formule RN = NR' : diazonium) utilisés dans la fabrication des colorants. *Colorants diazoïques.* « *Les sels de diazonium (...) non exposés, peuvent s'associer avec un composé approprié nommé coupleur, pour donner une molécule colorée, le colorant diazoïque* » (*Sciences et Avenir,* oct. 1980).

DIBASIQUE [dibazik] adj. — 1960; de *di-,* et *basique.*
♦ **Chim.** ⇒ **Bibasique.**

DIBROM-, DIBROMO- Élément, de *di-,* et *brome,* utilisé en chimie pour indiquer la présence, dans une molécule, de deux atomes de brome* (2.).

DICASTÈRE [dikastɛʀ] n. m. — 1791; du grec *dikasterion* «cour de justice».
Didactique.
♦ **1. Antiq.** Section du tribunal des héliastes*, à Athènes, dont les décisions étaient sans appel.
♦ **2. Relig.** Organisme de la curie romaine.

DICÉPHALE [disefal] adj. et n. — 1870, *Larousse;* de *di-,* et *-céphale.*
♦ **Didact.** (biol.). Se dit d'un individu monstrueux présentant deux têtes, deux extrémités céphaliques (⇒ **Bicéphale**).

DICÉPHALIE [disefali] n. f. — 1953, *Quillet;* de *di-,* et *-céphalie.*
♦ **Didact.** (biol.). Monstruosité caractérisée par l'existence de deux têtes.

DICÉTO- Élément, de *di-* et *acétone,* utilisé en chimie pour indiquer la présence, dans une molécule, de deux fonctions cétone. Ex. : *acide dicétosuccinique.*

DICHLOR-, DICHLORO- Élément, de *di-* et *chlore,* utilisé en chimie pour indiquer la présence, dans une molécule, de deux atomes de chlore. Ex. : *dichlorétane,* n. m.

DICHO- Élément, du grec *dikho-,* de *dikha* «en deux», de *dis* «deux fois» (→ l'élément di-). Ex. : *dichogame, dichogamie;* → aussi les emprunts au grec *dichotome* et *dichotomie.*

DICHOGAME [dikɔgam] adj. — 1845, *Bescherelle;* de *dicho-,* et *-game.*
♦ **Bot.** Dont les étamines et les pistils ne parviennent pas à maturité en même temps. *Fleurs dichogames.*

DICHOGAMIE [dikɔgami] n. f. — 1845, *Bescherelle;* de *dicho-,* et *-gamie.*
♦ **Bot.** Fécondation croisée de deux plantes hermaphrodites, dont les fleurs sont dichogames.

DICHOTOME [dikɔtɔm] adj. — 1752; grec *dikhotomos,* de *dikha* «en deux parties», et *temnein* «couper». → Dicho- et -tome.
Didactique.
♦ **1. Astron.** *Lune dichotome,* à moitié éclairée par le soleil. ⇒ **Demi-lune.**
— J'ai dit « la lune dichotome » pour ne pas dire « la demi-lune », ce qui est une image dégoûtante. J. RENARD, journal, 18 mai 1892.
♦ **2.** (1787). **Bot.** Se dit d'un organe (d'une plante) divisé en deux par bifurcation. *Tige dichotome du gui.* ⇒ **Bifurqué.**

DICHOTOMIE [dikɔtɔmi] n. f. — 1750; du grec *dikhotomia,* de *dikhotomos.* → Dichotome.
♦ **1. Astron.** Phase de la Lune pendant laquelle une seule moitié de son disque est visible.

♦ **2.** (1803). **Bot.** Mode de division par deux des rameaux et des pédoncules sur la tige.
♦ **3.** (1898, in *Année sc. et industr.* 1899, p. 365). **Méd.** Partage illicite d'honoraires entre un médecin et son confrère appelé en consultation.
♦ **4.** (1870). **Littér.** et **cour.** Division, subdivision binaire (entre deux éléments qu'on sépare nettement et qu'on oppose). — Par ext. Opposition binaire d'éléments abstraits complémentaires. *Tri par dichotomie,* où les éléments sont rangés par couple*.
On s'aperçoit bientôt qu'elle y recouvre ou y épouse d'autres partages, d'autres dichotomies : celles de groupes ou de principes également complémentaires et antithétiques dont l'opposition et la collaboration (la concordia discors) permet le fonctionnement même du groupe social. Roger CAILLOIS, l'Homme et le Sacré, p. 74.
(...) on a vu récemment renaître (...) une sorte de dichotomie entre la pathologie émotionnelle et la pathologie intentionnelle. C'est ainsi qu'Alexander oppose le domaine des névroses végétatives (...) au domaine de l'hystérie de conversion (...) Jean DELAY, Introd. à la médecine psychosomatique, p. 31.
DÉR. **Dichotomique, dichotomiser.**

DICHOTOMIQUE [dikɔtɔmik] adj. — 1833; de *dichotomie.*
Didact. Caractérisé par une dichotomie. ⇒ **Bifurqué, dichotome.**
♦ **1. Bot.** Qui se divise par bifurcation.
♦ **2.** Qui procède par divisions et subdivisions binaires*. *Méthode, classification dichotomique.* — (1968). Psychol. *Test dichotomique,* qui ne permet que les réponses *oui, non.*
DÉR. **Dichotomiquement.**

DICHOTOMIQUEMENT [dikɔtɔmikmɑ̃] adv. — 1878; de *dichotomique.*
♦ **Didact.** En procédant par subdivision ou par opposition binaire.

DICHOTOMISATION [dikɔtɔmizasjɔ̃] n. f. — 1958, Lévi-Strauss, in T.L.F.; de *dichotomiser.*
♦ **Didact.** Action de dichotomiser; son résultat.

DICHOTOMISER [dikɔtɔmize] v. tr. — 1837, *se dichotomiser;* de *dichotomie.*
♦ **Didact.** Diviser de façon binaire.
▶ **SE DICHOTOMISER** v. pron. *Éléments d'un classement qui se dichotomisent.*
Au p. p. *Raisonnement dichotomisé.*
DÉR. **Dichotomisation.**

DICHROÏQUE [dikʀɔik] adj. — 1870; de *dichroïsme.*
Didactique.
♦ **1. Phys.** Qui présente des phénomènes de dichroïsme. *Miroir dichroïque.*
♦ **2. Bot.** Se dit de plantes dont les fleurs sont de deux couleurs.

DICHROÏSME [dikʀɔism] n. m. — 1824; angl. *dichroism,* 1819; du grec *dikhroos* «de deux couleurs».
♦ **Phys.** Propriété, due à une absorption inégale des rayons lumineux, qu'ont certaines substances de paraître de couleurs différentes suivant leur épaisseur, l'inclinaison des rayons.
DÉR. **Dichroïque.**

DICHROMASIE [dikʀɔmazi] n. f. ⇒ **Dichromatisme.**

DICHROMATE [dikʀɔmat] n. m. — Mil. xxᵉ; du grec *di* «deux», et *khrôma* «couleur», suff. *-ate.*
♦ **Méd.** Personne affligée de dichromatisme. ⇒ **Daltonien.**

DICHROMATIQUE [dikʀɔmatik] adj. — 1853; du grec *di* «deux», et *khrôma, atos* «couleur».
♦ **Phys.** Qui présente deux couleurs à la fois.
DÉR. **Dichromatisme.**

DICHROMATISME [dikʀɔmatism] n. m. ou **DICHROMASIE** [dikʀɔmazi] n. f. — 1945, *dichromatisme; dichromasie,* 1928; de *dichromatique.*
♦ **Méd.** Anomalie de la vision caractérisée par la perception de deux seulement des trois couleurs fondamentales. ⇒ **Daltonisme, dyschro-**

matopsie. *Personne atteinte de dichromatisme.* ⇒ **Dichromate ; daltonien.**

DICHROME [dikʀom] adj. — Av. 1888, Moréas ; de *di-*, et *-chrome*, d'après le grec *dichromos.*

♦ Littér. De deux couleurs. ⇒ **Bicolore.** — (1907). Phys. (vx). Dichroïque.

DICIBLE [disibl] adj. — Déb. xvie ; repris xixe, d'après *indicible*, plus cour. ; du lat. chrét. *dicibilis* « que l'on peut dire », de *dicere.* → Dire.

♦ Littér. Qui peut être dit, exprimé.

1   Il n'y a rien d'autre à dire que cela qui n'est pas dicible.
                    Claude MAURIAC, le Temps immobile, p. 263.
2   (...) rien de dicible rien que le jour mourant jusqu'au noir total (...)
                    S. BECKETT, Pour finir encore..., « Immobile », p. 45.
3   Ici, dans le lieu clair. Ce n'est plus l'aube,
    C'est déjà la journée aux dicibles désirs
                    Yves BONNEFOY, Poèmes, Hier régnant désert, « Ici, toujours ici », p. 150.
4   (...) tout obscène dicible comme tel ne peut plus être le dernier degré de l'obscène : moi-même en le disant, fût-ce à travers le clignotement d'une figure, je suis *déjà* récupéré.   R. BARTHES, Fragments d'un discours amoureux, p. 211.

CONTR. Indicible.

DICLINE [diklin] adj. — 1798 ; du grec *di* « deux », et *klinê* « lit ».

♦ Bot. Dont les fleurs sont unisexuées. *Plante dicline.*

DICO [diko] n. m. — 1885 ; de l'élément initial de *dictionnaire.*

♦ Fam. Dictionnaire. *Faire une version à coups de dico. Un gros dico. Des vieux dicos.*

    Quant à sa mère, pour parler avec elle, Oscar, il lui faudrait un dictionnaire. Et la série des dicos historiques, consacrés aux langages qu'on parlait en France depuis le Moyen Âge, par période de dix années, n'est pas encore assez avancée pour ça.
                    ARAGON, Blanche..., II, III, p. 217.

DICOTYLÉDONE [dikɔtiledɔn] adj. et n. f. pl. — 1783 ; du grec *di*, et *kotulêdôn.* → Cotylédon.

Botanique.

♦ Adj. Qui a deux lobes ou cotylédons. *Plante dicotylédone. Embryon dicotylédone.*

N. f. pl. *Les dicotylédones :* classe des végétaux phanérogames angiospermes comprenant les plantes à ovaire renfermant deux cotylédons dans la plantule (embryon) de leur graine. *Les feuilles des dicotylédones sont à nervures ramifiées, pennées ou palmées, mais non parallèles ; les fleurs portent habituellement quatre ou cinq pétales. Les dicotylédones se divisent en trois sous-classes.* ⇒ **Apétale, dialypétale, gamopétale.** — Au sing. *Une dicotylédone.*

DÉR. Dicotylédoné.

DICOTYLÉDONÉ, ÉE [dikɔtiledɔne] adj. et n. m. pl. — 1862 ; de *dicotylédone.*

♦ Bot. Vx. Dicotylédone. — N. m. pl. *Les dicotylédonés.*

DICOUMARINE [dikumaʀin] n. f. ou **DICOUMAROL** [dikumaʀɔl] n. m. — Mil. xxe ; de *di-*, et *coumarine* (et suff. *-ol*).

♦ Méd. Substance employée comme anticoagulant.

1   Lorsque la plante *(le mélilot)* pourrit, une transformation chimique de la coumarine a lieu sous l'action de certaines bactéries. Deux molécules se couplent pour former la *dicoumarine*. Cette substance possède une action *antivitamine K* telle que son administration provoque des hémorragies graves à la moindre blessure.
                    A. GALLI et R. LELUC, les Thérapeutiques modernes, p. 12.
2   Souhaitons cependant qu'il ne se soit pas empoisonné au dicoumarol.
                    Guy DES CARS, la Vipère, p. 39-40.

DICROTE [dikʀɔt] adj. m. — 1752 ; grec *dikrotos* ; de *di-*, et *krotos* « bruit ».

♦ Méd. *Pouls dicrote,* marqué par deux impulsions pour chaque battement.

DÉR. Dicrotisme.

DICROTISME [dikʀɔtism] n. m. — 1892 ; de *dicrote.*

♦ Méd. Caractère d'un pouls dicrote.

DICTAME [diktam] n. m. — 1548 ; *ditan*, xiie ; *dictam*, au moyen âge et jusqu'au xvie ; lat. *dictamnus*, grec *diktamnon.*

♦ **1.** Bot. **a** Plante aromatique, variété d'origan* *(Labiées). Le dictame était considéré autrefois comme un puissant vulnéraire.*

b Fraxinelle (employée dans la fabrication du baume de Fioravanti). Syn. : *dictamne.*

♦ **2.** (1629). Fig., littér. Adoucissement. ⇒ **Baume.**

1   La parole de la femme, c'est le dictame universel, la vertu pacificatrice, qui partout adoucit, guérit.   MICHELET, la Femme, p. 381.
2   Tous les dictames saints qui calment la souffrance (...)
                    HUGO, les Contemplations, V, XXI.
3   Sa lettre lui fut donc un dictame, un électuaire, un rafraîchissement céleste (...)
                    Léon BLOY, le Désespéré, p. 51.
4   Pour l'en faire sortir, il ne fallut rien moins que l'eau glacée d'une bouteille que le reporter alla chercher dans la caisse et surtout que cet imprévu dictame glissé dans l'oreille : « Elle n'est peut-être pas morte ! ... »
                    G. LEROUX, Rouletabille chez Krupp, p. 221.
5   Il y a dans cette gesticulation animée, dans ce déroulement discontinu de figures, une sorte d'appel direct et physique ; quelque chose de convaincant comme un dictame, et que la mémoire n'oubliera pas.
                    A. ARTAUD, le Théâtre et son double, p. 214, Idées/Gallimard.

DICTAMEN [diktamɛn] n. m. — V. 1282 (1444, manuscrit) ; du lat. scolast. *dictamen*, de *dictare* « suggérer ».

♦ Didact. et rare. Ce qui est dicté par la raison, la conscience. *Le dictamen de la conscience*.*

1   Dans toutes les questions de morale difficiles comme celle-ci, je me suis toujours bien trouvé de les résoudre par le dictamen de ma conscience, plutôt que par les lumières de ma raison.   ROUSSEAU, Rêveries..., 4e promenade.
2   Deux charretiers à l'abreuvoir.
    Parvenus au cul-de-sac du tarissement, où l'esprit excédé se dérobe pour réussir l'artifice de dictamen, leur séparation se produit sous le signe reliquat de l'abrégé poétique.   René CHAR, le Marteau sans maître, p. 136.

DICTAMNE [diktamn] n. m. — 1845, Bescherelle ; du lat. *dictamnus* ; → Dictame.

♦ Bot. Fraxinelle* *(Rutacées). Les feuilles du dictamne sont semblables à celles du frêne ; les fleurs sont blanches ou roses, à odeur de citron. Le dictamne est cultivé comme ornementale. Var. : dictame.*

DICTAPHONE [diktafɔn] n. m. — V. 1930 (le *Larousse du XXe siècle*, 1929, ne comporte pas cette entrée ; le T.L.F. qui donne cette référence cite un autre texte de 1931) ; répandu vers 1940 ; de *dicter*, et suff. *-phone*, marque déposée.

♦ Magnétophone, servant à la dictée du courrier.

1   *(Il)* collectionnait les vieux rouleaux du dictaphone (...) Et c'est ainsi que mon avoué m'a fait entendre le vieux M. Michelin (des pneus) dictant son courrier au le vieux M. Duval (des bouillons) ses menus (...)
                    B. CENDRARS, Bourlinguer, p. 393.
2   Au printemps avant-dernier, je me suis offert un dictaphone (...) Devant cette caisse enregistreuse, il ne me vient à l'esprit que des niaiseries (...) Ce que je souhaiterais confier au dictaphone, ce sont des dialogues.
                    GIDE, Ainsi soit-il, Pl., p. 1218.

DICTATEUR, TRICE [diktatœʀ, tʀis] n. — Av. 1380 ; *dictator*, 1213 ; du lat. *dictator*, du supin de *dictare.* → Dicter.

♦ **1.** N. m. Didact. Antiq. rom. Magistrat* extraordinaire que l'on nommait dans les circonstances critiques, avec un pouvoir illimité, pour six mois (en principe). → Avancer, cit. 41. *Le maître de cavalerie, lieutenant du dictateur. Les dictateurs des guerres civiles :* les généraux qui, aux derniers temps de la République, se firent conférer en vain après avoir pris le pouvoir et exercèrent despotiquement les prérogatives. *César, dictateur à vie.*

1   Quand les dieux ont souffert que Sylla se soit impunément fait dictateur dans Rome, ils y ont proscrit la liberté pour jamais.
                    MONTESQUIEU, Dialogue de Sylla et d'Eucrate.
2   Le dictateur (...) n'était pas choisi au hasard ni désigné par le suffrage, mais investi par les Consuls qu'il devait remplacer. Le Sénat cependant pouvait présenter un candidat et l'usage de ce droit passa bientôt à l'état de coutume.
    L'autorité du dictateur provisoire était absolue ; il jouissait dans leur plénitude de tous les pouvoirs, législatif, militaire, administratif, exécutif, avec une seule restriction, de nature financière : l'argent dont il avait besoin devait être demandé au Sénat.   J. BAINVILLE, les Dictateurs, p. 38.
3   Dictateur, César commande à toutes les légions et à tous les magistrats et promagistrats qui n'agissent plus que sous ses auspices et comme ses délégués. Il commande aux tribuns de la plèbe, affranchi de leur *intercessio*, participant à leur inviolabilité, comme à leurs initiatives, et les forçant à se lever sur son passage (...) Il commande aux sénateurs (...)
                    J. CARCOPINO, César, *in* GLOTZ, Hist. générale, III, t. II, II, p. 1041.

♦ **2.** (1790). Cour. Personne qui, après s'être emparée du pouvoir, l'exerce sans contrôle. ⇒ **Autocrate, despote, tyran.** *Dictateur fasciste.* ⇒ **Duce, führer.** *Dictateur militaire. Un apprenti dictateur.*

4   En vérité, ce doit être une jouissance extraordinaire (comme c'est pour l'observateur un spectacle prodigieusement captivant), que de joindre la puissance avec la pensée, de faire exécuter par un peuple ce que l'on a conçu à l'écart ; et parfois de modifier à soi seul, et pour une longue durée, le caractère d'une nation — comme le fit jadis le plus profond des dictateurs — CROMWELL, monstre et merveille aux yeux de Pascal et de Bossuet, qui transforma l'âme énergique de l'Angleterre. Le dictateur demeure enfin seul possesseur de la plénitude de l'action. Il absorbe toutes les valeurs dans la sienne, réduit aux siennes toutes les vues. Il fait des autres individus des instruments de sa pensée, qu'il entend qu'on croie la plus juste et la plus perspicace, puisqu'elle s'est montrée la plus audacieuse et la plus heureuse dans le moment du trouble et de l'égarement public. Il a bousculé le régime

impuissant ou décomposé, chassé les hommes indignes ou incapables ; avec eux les lois ou les coutumes qui produisaient l'incohérence, les lenteurs, les problèmes inutiles, énervaient les ressorts de l'État. Parmi ces choses dissipées, la liberté.
VALÉRY, Regards sur le monde actuel, p. 91-92.

Rare au fém. :

4.1 Il fit part à l'Académie, avec preuves à l'appui, de quelques découvertes aussi intéressantes qu'inattendues, à savoir que Jeanne d'Arc était un jeune homme (...) que Louise Michel, qui fut dictatrice pendant six semaines en 1889 et rêva de se faire reine de France, fut transportée en Nouvelle-Calédonie (...)
A. ROBIDA, le Vingtième Siècle, p. 206.

♦ **3.** (1599, Marnix, alors fig. du 1. ; senti aujourd'hui comme fig. du 2.). Fig. *Faire le dictateur, la dictatrice.* ⇒ **Despote, tyran.** *Ton, allure de dictateur.* ⇒ **Impérieux, souverain.** — Fig. *Être dictateur dans sa famille, dans son milieu,* y commander sans appel.

5 (...) M. de Meaux, le dictateur alors de l'épiscopat et de la doctrine (...)
SAINT-SIMON, Mémoires, t. I, XVII, p. 260.

6 Il se lavait toujours les mains et passait la cuvette de Ponce Pilate à la dictatrice.
Hervé BAZIN, Vipère au poing, p. 70.

Spécialt. *Le dictateur, la dictatrice de la mode :* la personne qui « dicte » la mode.

DÉR. Dictatorial.

DICTATORIAL, IALE, IAUX [diktatↃRjal, jo] adj. — 1777 ; de *dictateur,* d'après *sénatorial.*

♦ **1.** Didact. Qui appartient à un dictateur (1.) antique.

♦ **2.** Relatif à un dictateur (2.) ou à la dictature. *Des pouvoirs dictatoriaux.*

Quoi qu'il en soit, l'état dictatorial installé se résume en une division simple de l'organisation d'un peuple : un homme, d'une part, assume toutes les fonctions supérieures de l'esprit : il se charge du « bonheur », de l'« ordre », de l'« avenir », de la « puissance », du « prestige » du corps national ; toutes choses en vue desquelles l'unité, l'autorité, la continuité du pouvoir sont, sans doute, nécessaires. Il se réserve d'agir directement dans tous les domaines, et de décider souverainement en toute matière. D'autre part, le reste des individus seront réduits à la condition d'instruments ou de matière de cette action, quelle que soit leur valeur et leur compétence personnelle. Ce matériel humain, convenablement différencié, sera chargé de l'ensemble des « automatismes »
VALÉRY, Regards sur le monde actuel, p. 93.

♦ **3.** Fig. Autocratique, absolu. *Autorité dictatoriale d'un directeur. Un ton dictatorial.* ⇒ **Impérieux, tranchant.**

DÉR. Dictatorialement.

DICTATORIALEMENT [diktatↃRjalmã] adv. — 1869 ; de *dictatorial.*

♦ À la manière d'un dictateur. *Une loi « que* (le pouvoir) *a seul dictatorialement rédigée »* (Gambetta). — (Surtout au fig.). *Diriger dictatorialement une entreprise.*

DICTATURE [diktatyR] n. f. — V. 1290 ; du lat. *dictatura,* de *dictator* (→ Dictateur) ; var. *dictaturie,* mil. XIVe.

♦ **1.** Didact. Hist. Dans l'antiquité romaine, Magistrature* extraordinaire, la plus élevée de toutes. *Exercer la dictature. Sénatus-consulte conférant la dictature. S'emparer par force de la dictature. Les proscriptions* sous les dictatures de Marius, de Sylla. La dictature perpétuelle de César. Élever qqn à la dictature.*

1 Au contraire de la tyrannie grecque qui fut toujours extra-légale et ne s'exerça que contre une catégorie de citoyens, la dictature romaine était prévue par la loi au nom du salut public. Elle était proclamée lorsqu'un grave péril, invasion, guerre civile ou sédition militaire, mettait en danger la « chose publique ». D'une durée limitée à six mois, elle ne visait qu'à permettre au pouvoir de prendre les mesures nécessaires au salut public, sans souci de ceux qu'elle pouvait gêner. D'où la fameuse devise : « Que le salut public soit la loi suprême. »
J. BAINVILLE, les Dictateurs, p. 37.

2 En 49, il *(César)* avait tout de suite renoncé à la dictature strictement légale qui lui avait été décernée. En 47, en revanche, il se garda bien de se démettre de la dictature anormale qui lui avait été déférée à la fin de 48 pour l'année 47 tout entière, et satisfait d'avoir transgressé la constitution, il jugea prématuré de la renverser (...) J. CARCOPINO, César, in GLOTZ, Hist. générale, III, t. II, II, p. 1038.

♦ **2.** (1789). Cour. Concentration de tous les pouvoirs entre les mains d'un individu, d'une assemblée, d'un parti ; organisation politique caractérisée par cette concentration de pouvoirs. ⇒ **Absolutisme, totalitarisme.** *La dictature de Cromwell, de la Convention. Caractère d'une dictature militaire.* ⇒ **Caporalisme, césarisme.** *Monarchie à caractère de dictature.* ⇒ **Autocratie.**

3 Les Jacobins avaient eu plus d'un an de dictature illimitée : non seulement toutes les places, mais l'absolue disposition du capital de la France.
MICHELET, Hist. du XIXe siècle, Extraits historiques, p. 336.

Les dictatures du XXe siècle. ⇒ **Fascisme, nazisme.** *Dictature fasciste. Une dictature militaire issue d'un putsch.*

4 Nous avons vu, en quelques années, sept monarchies (je crois) disparaître ; un nombre presque égal de dictatures s'instituer (...) Il est remarquable que la dictature soit à présent contagieuse, comme le fut jadis la liberté.
VALÉRY, Regards sur le monde actuel, p. 94.

Dictature du prolétariat : prise et exercice du pouvoir total par les représentants, organisés en parti, de la classe prolétarienne. *La doc-*

trine de la dictature du prolétariat est abandonnée par plusieurs partis communistes.

5 *(Selon le marxisme-léninisme)* La dictature du prolétariat est nécessaire : 1° pour opprimer ou supprimer ce qui reste de la classe bourgeoise ; 2° pour réaliser la socialisation des moyens de production. Ces deux tâches accomplies, elle commence aussitôt à dépérir. CAMUS, l'Homme révolté, p. 283.

♦ **3.** (Av. 1654). Fig. Pouvoir absolu (dans un domaine non politique). *Dictature littéraire. Exercer la dictature dans sa famille.* ⇒ **Tyrannie ; autoritarisme.** *La dictature d'une coterie, d'une féodalité, des trusts.*

6 Toute la philosophie de cette dictature industrielle et commerciale aboutit à ce dessein impie : imposer à l'humanité des besoins, des appétits.
G. DUHAMEL, Scènes de la vie future, XV, p. 230.

CONTR. Anarchie, démocratie, libéralisme.

DICTÉE [dikte] n. f. — 1680 ; p. p. du v. *dicter,* substantivé au fém.

♦ **1.** Action de dicter. *La dictée du courrier.* — *Sous la dictée. Écrire, prendre qqch. sous la dictée de qqn. Sténographier sous la dictée.*

1 Je passais avec lui une bonne partie de la matinée (...) pour écrire sous sa dictée et pour copier (...) ROUSSEAU, les Confessions, III.

Fig. Littér. *La dictée de la raison, de la passion.* — Plus cour. *Agir, parler sous la dictée des circonstances, des événements.*

2 Leurs leçons de bonté et de moralité *(de ces maîtres du séminaire),* qui me semblaient la dictée même du cœur et de la vertu, étaient pour moi inséparables du dogme qu'ils enseignaient. RENAN, Souvenirs d'enfance..., III, I, p. 107.

3 Ainsi Pausole connaissait l'art d'échapper à tous les regrets en changeant la définition du bonheur sous la dictée des circonstances.
Pierre LOUŸS, les Aventures du roi Pausole, II, II.

♦ **2.** Spécialt. Cour. Exercice (notamment scolaire) consistant en un texte lu par le maître qui doit être transcrit par les élèves avec l'orthographe correcte. — Par ext. Le texte lui-même, sa transcription. *Dictée d'écolier. Faire faire une dictée à la classe. Relire, corriger, recopier la dictée. Avoir trois fautes dans sa dictée. La dictée de Mérimée à la cour de Napoléon III* (dictée extrêmement difficile, réunissant des exceptions, des cas litigieux, etc.). *Exercice analogue à la dictée, consistant à écrire un texte mémorisé (appelé autodictée).*

4 (...) tandis que M. Seurel *(l'instituteur),* tournant le dos, continuait la dictée en marchant du bureau à la fenêtre (...)
ALAIN-FOURNIER, le Grand Meaulnes, II, III, p. 128.

5 Quand le rideau se lève, M. Topaze fait faire une dictée à un élève (...) Topaze dicte et, de temps à autre, il se penche sur l'épaule du petit garçon, pour lire ce qu'il écrit. PAGNOL, Topaze, I, 1.

Dictée musicale : exercice consistant à noter des phrases musicales au fur et à mesure qu'on les entend.

DICTER [dikte] v. tr. — 1483, au p. p. ; *ditier,* v. 1200 ; du lat. *dictare,* fréquentatif de *dicere* « dire ».

♦ **1.** Dire (qqch.) à haute voix en détachant les mots ou les membres de phrases (à qqn), pour qu'il les écrive ou les répète au fur et à mesure. *Dicter qqch. à haute et intelligible voix. Dicter aux élèves le sujet d'une dissertation, le texte d'un exercice, l'énoncé d'un problème. Dicter une lettre à son secrétaire, son testament, ses dernières volontés à un notaire. Dicter ses instructions.* — *Système permettant de noter rapidement ce qui est dicté.* ⇒ **Sténographie, sténotypie.**

1 (...) tantôt je rêve, tantôt j'enregistre et dicte, en me promenant, mes songes que voici. MONTAIGNE, Essais, III, III, p. 44.

2 L'enfant (...) se mit à réciter sa prière, d'abord avec attention et ferveur, car il savait très bien le commencement ; puis avec plus de lenteur et d'hésitation, et enfin répétant mot à mot ce que lui dictait la petite Marie (...)
G. SAND, la Mare au diable, IX, p. 78.

3 Encore le Consul prenait-il l'habitude de dicter lui-même, mot pour mot, à son ministre les dépêches importantes, qui à ce titre que certaines lettres signées de Talleyrand seront, en toute justice, insérées au recueil de la *Correspondance de Napoléon.* Louis MADELIN, Talleyrand, II, XII, p. 132.

4 (...) il *(Napoléon)* avait dicté, dans sa salle de bains même, les trente lettres et dépêches où tenait tout le projet de l'opération dans ses moindres détails.
Louis MADELIN, Hist. du Consulat et de l'Empire, Avènement de l'Empire, I, p. 9.

5 Que ferait M. Achille s'il se savait condamné à mourir demain ? Sans doute il dicterait son courrier et préparerait son échéance (...)
A. MAUROIS, Bernard Quesnay, I, p. 7.

♦ **2.** (1580). Indiquer en secret, à l'avance, à qqn (ce qu'il doit dire ou faire). *Dicter à qqn la conduite qu'il doit tenir. Son attitude, ses réponses ont été dictées.* ⇒ **Suggérer ;** → On lui a fait la leçon*.

6 César ne me voit plus, Albine, sans témoins.
En public, à mon heure, on me donne audience.
Sa réponse est dictée, et même son silence. RACINE, Britannicus, I, 1.

(Sujet n. de chose abstraite). ⇒ **Inspirer, provoquer.** *L'attitude* (cit. 22) *de nos adversaires dicterа la nôtre.* ⇒ **Commander, conditionner, décider** (de)**, régler.** — Passif. *Son acte, ses gestes (lui) ont été dictés par les circonstances, par un sentiment.*

7 — (...) mais quel discours faut-il que je lui tienne ?
— Ah ! daignez ne vous point consulter.
L'occasion, le ciel pourra vous les dicter. RACINE, Bajazet, II, 5.

8 C'était une rupture, mais dans des termes tels que la plus infernale haine les peut dicter (...) ROUSSEAU, les Confessions, IX.

9 Quel chagrin t'a dicté cette parole amère (...)
A. DE MUSSET, Poésies nouvelles, « Souvenir ».

10 (...) ses mouvements me semblent dictés un peu plus peut-être par son intelligence que par son cœur (...) GIDE, Journal, 3 oct. 1916.

11 *(Pasteur)* méprisait certainement moins ceux que l'étourderie dressait contre lui que ceux qui, informés de la vérité, manquaient du courage et de la loyauté qui eussent dû dicter leur intervention. Henri MONDOR, Pasteur, IX, p. 155.

♦ **3.** Stipuler et imposer. *Dicter la loi.* ⇒ **Faire.** *Dicter la paix,* en décider les conditions sans admettre l'adversaire à les discuter. *Dicter ses conditions. Couturier qui dicte la mode. Dicter les détails d'une toilette, l'ordre d'une cérémonie.* ⇒ **Ordonner, prescrire, régler.**

12 Vous-même avez dicté tout ce triste appareil. RACINE, Esther, III, 1.

13 C'est de là *(Milan)* qu'en proconsul il dicterait des lois au milieu des fêtes et des réceptions, donnant des constitutions aux républiques, jetant bas des États et en créant d'autres, et, d'un geste, raffermissant sur leur trône ou faisant trembler les princes et les rois. Louis MADELIN, Hist. du Consulat et de l'Empire, l'Ascension de Bonaparte, IX, p. 132.

14 (...) des plénipotentiaires qui (...) *imposeraient* des volontés, *dicteraient* les clauses.
Louis MADELIN, Talleyrand, III, XXVI, p. 264.

15 Heureusement, les mannequins des devantures vous disent ce qu'il faut faire. Quels vêtements choisir. Comment les porter. Et comment l'on se tient. Ils dictent l'étoffe, le sourire, l'ondulation des cheveux, le geste du bras, l'inclinaison de la tête. J. ROMAINS, les Hommes de bonne volonté, t. III, XXIII, p. 303.

▶ **DICTÉ, ÉE** p. p. adj. *Sujet dicté ou remis par écrit. Instructions dictées. — Conduite dictée et imposée.* → ci-dessus, cit. 6. *Attitude dictée par les circonstances. — Conditions dictées* (⇒ **Diktat**).

CONTR. Exécuter, obéir (à), **suivre.**
DÉR. Dictée, dicteur.

DICTEUR [diktœʀ] n. m. — 1899; de *dicter.*

♦ Rare. Personne qui dicte (3.), qui impose. — REM. Le fém. *dicteuse* n'est pas attesté.

De cette terre d'Île-de-France qui était aussi humaine que n'importe quelle autre, tu as fait sortir tes palais barbares, dicteurs de lois, rois des arts, silos à phosphore où dort, inutile, la cristallisation des intelligences mortes.
J. GIONO, les Vraies Richesses, p. 196.

DICTION [diksjɔ̃] n. f. — V. 1180; du lat. *dictio,* de *dictum,* supin de *dicere.*

♦ **1.** Vx. Manière de dire, quant au choix et à l'agencement des mots. Les mots eux-mêmes. ⇒ **Vocable.**

1 Les synonymes sont plusieurs dictions ou plusieurs phrases différentes qui signifient une même chose. LA BRUYÈRE, les Caractères, I, 55.

2 (...) une diction naïve, franche, populaire et riche, comme celle de La Fontaine.
P.-L. COURIER, Fragments d'une traduction nouvelle d'Hérodote, *in* Œ. compl., Pl., p. 496.

♦ **2.** (1549). Mod. Manière de dire, de réciter (un texte). ⇒ **Débit, élocution.** *La diction d'un texte. Bonne, mauvaise diction (d'un texte).* — Absolt. *L'art de la diction. Professeur de diction. Prendre des leçons de diction. — La diction (de qqn). La diction d'un acteur tragique.* ⇒ **Déclamation.** *La diction d'un orateur. Une diction nette, claire, intelligible, intelligente; une diction monotone, inintelligible, emphatique. La diction claire de qqn. C'est un bon chanteur, mais sa diction en allemand est défectueuse.*

3 Quant à la diction, mère de la Poésie, j'observe que le français, bien parlé, ne chante presque pas. Notre discours est de registre peu étendu (...)
VALÉRY, Regards sur le monde actuel, p. 278.

4 Il avait une diction très nette et chantante, d'une modulation très diverse, avec des finesses, des éclats, des détachements et accentuations de syllabes, une façon de parler constamment comme pour un public qu'il faudrait atteindre jusque dans les recoins d'une salle et tenir hors de somnolence (...)
J. ROMAINS, les Hommes de bonne volonté, t. II, XV, p. 165.

DICTIONNAIRE [diksjɔnɛʀ] n. m. — V. 1501, « dictionnaire bilingue »; on disait *thésaurus* pour les dictionnaires en une seule langue; lat. médiéval *dictionarium,* de *dictio* « action de dire; mot, expression ».

♦ **1.** Ouvrage didactique contenant un certain nombre d'éléments signifiants d'une ou de plusieurs langues, disposés selon un ordre convenu et donnant des informations sur eux. ⇒ fam. **Dico.** *Du dictionnaire.* ⇒ **Lexicographique.** *Dictionnaires à ordre formel (alphabétiques; par clés : dictionnaires chinois...). Dictionnaires à ordre sémantique* (ex. : *dictionnaire conceptuel,* mots rangés par idées qu'ils expriment). *Chercher un mot dans un dictionnaire. Consulter un dictionnaire. Liste des mots d'un dictionnaire.* ⇒ **Nomenclature.** *Organisation structurale d'un dictionnaire* (⇒ **Macrostructure, microstructure**). *Dictionnaire ne donnant que certains mots* (⇒ **Lexique, vocabulaire**), *donnant des mots difficiles ou peu connus* (⇒ **Glossaire**). *Entrées, adresses, mots-vedettes, articles d'un dictionnaire. Lettres placées en haut de chaque colonne dans un dictionnaire alphabétique.* ⇒ **Lettrine.** *Dictionnaire illustré. Dictionnaire de poche. Gros dictionnaire en plusieurs volumes.*

1 Lisez-vous les dictionnaires? Baudelaire répondit qu'il en lisait volontiers. Bien lui en prit, car Gautier, qui avait dévoré les vocabulaires sans nombre des arts et des métiers, estimait indigne de vivre tout poète ou prosateur qui ne prend pas plaisir à lire les lexiques et les glossaires. Il aimait les mots et il en savait beaucoup.
FRANCE, la Vie littéraire, Lexique, p. 583.

À bien prendre les choses, le dictionnaire est le livre par excellence. Tous les autres livres sont dedans : il ne s'agit plus que de les en tirer. Aussi, quelle fut la première occupation d'Adam quand il sortit des mains de Dieu? La Genèse nous dit qu'il nomma d'abord les animaux par leur nom. Avant tout, il fit un dictionnaire d'histoire naturelle. FRANCE, la Vie littéraire, Lexique, p. 583. 2

(...) mais lui, l'étudiant, ne l'écoutant pas, pouvant voir ou plutôt pouvant lire, lui semblait-il, comme s'il l'avait sous les yeux (le lourd dictionnaire à couverture verte ouvert sur ses genoux), les colonnes de minuscules caractères entrecoupées de figurines (poissons, planches de botanique, machines, portraits de grands hommes, serpents, couples de paysans en costumes nationaux), l'interchangeable notice : « Ville maritime de la province du même nom. Tout autour un cirque de montagnes arides entoure la cité où la chaleur est très forte ». 2.1
Claude SIMON, le Palace, p. 72.

Dictionnaires de langue. Dictionnaire de la langue, décrivant le lexique d'une langue naturelle et analysant les emplois, les valeurs, les sens des unités (mots, syntagmes, morphèmes). *Technique de la confection des dictionnaires.* ⇒ **Lexicographie.** *Analyse critique des dictionnaires. Indications, illustrations diverses des mots dans certains dictionnaires* (étymologie, citations, antonymes, etc.). *L'Onomasticon,* de Julius Pollux, *le plus ancien dictionnaire connu* (IIe siècle après J.-C.), *donne les principaux mots grecs par ordre de matière. Dictionnaires du français :* « Thresor » de Nicot (⇒ **Trésor**), premier dictionnaire de l'Académie* (1694), dictionnaires de Richelet (1680), de Furetière (1690), dictionnaires des jésuites de Trévoux (1704, puis 1771); dictionnaire de Littré (1863-1872), de P. Larousse (1866-1876). *Dictionnaire général* de Hatzfeld, Darmesteter et Thomas (1890-1900). *Dictionnaire de l'ancienne langue française* de Godefroy. *Le dictionnaire anglais d'Oxford* (New English dictionary on historical principles); *le dictionnaire allemand de Grimm.*

On réduisait le dictionnaire *(de l'Académie)* aux termes de la conversation, et la plupart des arts étaient négligés. Il me semble aussi qu'on s'était fait une loi de ne point citer; mais un dictionnaire sans citation est un squelette. 3
VOLTAIRE, Correspondance, 1768, 11 août 1760.

J'aurais voulu rapporter l'étymologie naturelle et incontestable de chaque mot, comparer l'emploi, les diverses significations, l'énergie de ce mot avec l'emploi, les acceptions diverses, la force ou la faiblesse du terme qui répond à ce mot dans les langues étrangères; enfin citer les meilleurs auteurs qui ont fait usage de ce mot, faire voir le plus ou moins d'étendue qu'ils lui ont donné, remarquer s'il est plus propre à la poésie qu'à la prose. 4
VOLTAIRE, Extrait des réflexions d'un académicien sur le Dict. de l'Académie.

Dans le dictionnaire de l'Académie, on ne trouve pas ce qu'on ne sait point; mais on n'y trouve pas ce qu'on sait. 5
RIVAROL, Littérature, Fragments et pensées littéraires, notes.

(...) je dirai, définissant ce dictionnaire *(le dictionnaire de la langue française de Littré),* qu'il embrasse et combine l'usage présent de la langue et son usage passé, afin de donner à l'usage présent toute la plénitude et la sûreté qu'il comporte (...) 6
L'usage contemporain est le premier et principal objet d'un dictionnaire. C'est en effet pour apprendre comment aujourd'hui l'on parle et l'on écrit, qu'un dictionnaire est consulté par chacun. LITTRÉ, Dict., Préface, II et III.

L'honneur d'avoir introduit l'*historique* dans un dictionnaire français restera toujours à Littré, comme l'honneur d'avoir fondu cet historique avec le lexique moderne restera aux auteurs du *Dictionnaire général (Hatzfeld et Darmesteter).* 7
Gaston PARIS, Journal des Savants, oct.-nov. 1890.

L'Académie est restée fidèle à son principe qui est de faire, non pas un dictionnaire étymologique et historique de la langue, mais un dictionnaire de l'usage (...) 8
L'objet précis du Dictionnaire *(de l'Académie)* est de présenter l'état actuel de la meilleure langue française et de fixer un moment de son histoire.
Dict. de l'Acad. (1932), Préface, IV.

1694. — Dictionnaire de l'Académie française (...) Les mots y sont classés par famille (...) En 1718, paraîtra une nouvelle édition (...) en ordre alphabétique. 9
F. BRUNOT et Ch. BRUNEAU, Précis de grammaire hist. de la langue franç., p. 23.

(...) fondement de tout savoir à venir, pierre d'angle de tous les monuments futurs, le dictionnaire de Littré. G. DUHAMEL, Biographie de mes fantômes, VIII, p. 145. 10

Le plus beau présent que l'on puisse faire à un enfant quand il sait lire, c'est de lui offrir un dictionnaire. Si vous voulez devenir des hommes raisonnables, ouvrez cent fois dans la journée les dictionnaires qui sont à votre disposition, et faites un effort non seulement pour comprendre ce que l'on vous dit ou ce que vous lisez, mais encore et surtout pour bien comprendre ce que vous dites vous-mêmes, pour bien employer les mots qui doivent traduire votre pensée. 11
G. DUHAMEL, le Voyage de l'espérance, p. 10.

Dictionnaire encyclopédique, contenant des renseignements sur les notions et les choses (et non sur la langue), et traitant les noms propres. ⇒ **Encyclopédie** (alphabétique). *Dictionnaire terminologique* (unilingue; plurilingue).

Dictionnaire en plusieurs langues. Dictionnaire bilingue, qui donne la traduction d'un mot d'une langue dans une autre en tenant compte des sens, des emplois. *Dictionnaire français-latin de Robert Estienne* (1538). *Dictionnaire français-anglais, anglais-français. Dictionnaire chinois-japonais, russe-allemand, arabe-anglais. Faire un thème, une version à l'aide d'un dictionnaire. Traduire un texte à coups de dictionnaire. Épreuve de langues passée sans dictionnaire. — Dictionnaire multilingue, polyglotte. Les dictionnaires multilingues de Calepino* (⇒ **Calepin**, étym.).

Dictionnaires spéciaux, spécialisés. — (Aspects de la langue commune). *Dictionnaire de synonymes, d'antonymes; dictionnaire analogique. Dictionnaire étymologique, orthographique. Dictionnaire de locutions, de proverbes. Dictionnaire des rimes. Dictionnaire inverse.*

L'objet principal du nouveau dictionnaire est de (...) fournir, pour la première fois, un moyen commode de trouver les mots quand on a seulement l'idée des choses. 12
BOISSIÈRE, Dictionnaire analogique de la langue franç., Préface, II.

(Langues spéciales). *Dictionnaire de la philosophie, de la médecine, du droit, de la marine, de la radio.* ⇒ **Vocabulaire.** *Le Dictionnaire* *de musique,* de J.-J. Rousseau. *Dictionnaire des conventions, des signaux.* ⇒ **Code, répertoire.** — *Dictionnaire d'un auteur.* ⇒ **Lexique.** *Dictionnaire des mots employés dans la Bible.* ⇒ **Concordance.** — (Recueils de noms propres, de faits). *Dictionnaire historique, géographique. Le dictionnaire critique de Bayle. Le dictionnaire philosophique de Voltaire. Dictionnaire des auteurs, des œuvres.* — *Le Dictionnaire des idées reçues* (suivi du «Catalogue des idées chic») de Flaubert.

13   Qui ne se voit humilié, parcourant le *Dictionnaire des idées reçues* ou tout autre recueil de clichés, d'y retrouver telle «pensée» (et le mot déjà en dit long) qu'il croyait avoir inventée; telle phrase qu'il disait jusque-là fort innocemment ?
        J. PAULHAN, les Fleurs de Tarbes, p. 93.
Dictionnaire informatisé, mis en mémoire. → Banque* de données lexicales, terminologiques.

Série des unités lexicales codifiées (mots, locutions) mises en mémoire dans une machine à traduire.

Par métaphore :

13.1   (...) ce misérable dictionnaire de mélancolie et de crime (...)
        BAUDELAIRE, Première version de la dédicace des Fleurs du mal, Œ., Pl., p. 187.
13.2   (...) les rues, les magasins, les bars, les cinémas, les trains déplient l'immense dictionnaire des visages et des silhouettes, où chaque corps (chaque mot) ne veut dire que lui-même, et renvoie cependant à une classe.
        R. BARTHES, l'Empire des signes, p. 130.

♦ **2.** Ensemble des mots employés (par qqn, par un groupe). *Le dictionnaire d'une personne, d'une époque.* ⇒ **Vocabulaire.**

14   Je crois qu'une des raisons pourquoi les paysans ont généralement l'esprit plus juste que les gens de la ville, est que leur dictionnaire est moins étendu. Ils ont peu d'idées, mais ils les comparent très bien.   ROUSSEAU, Émile, I, p. 58.
15   Je mis un bonnet rouge au vieux dictionnaire.   HUGO, les Contemplations, I, VII.
16   Je vois dans la Bible un prophète à qui Dieu ordonne de manger un livre. J'ignore dans quel monde Victor Hugo a mangé préalablement le dictionnaire de la langue qu'il était appelé à parler; mais je vois que le lexique français, en sortant de sa bouche, est devenu un monde, un univers coloré, mélodieux et mouvant.
        BAUDELAIRE, l'Art romantique, XXII, Victor Hugo, II.

♦ **3.** (1762). Fig. (D'une personne qui sait tout). *C'est un vrai dictionnaire, un dictionnaire vivant !* ⇒ **Bibliothèque, encyclopédie.**

DÉR. Dictionnariste.

DICTIONNARISTE [diksjɔnaʀist] n. — 1694, *Valesiana, in* D. D. L.; de *dictionnaire.*

♦ Rare. Auteur de dictionnaire. ⇒ **Lexicographe.** — REM. Certains font revivre ce mot afin de distinguer le technicien qui rédige un dictionnaire du linguiste qui l'analyse *(lexicographe);* d'autres désignent ces deux notions par les mots *lexicographe* et *métalexicographe.* De même B. Quemada utilise l'adj. (et n. f.) *dictionnairique,* qu'il distingue de *lexicographique* et *lexicographie.*

Je place au premier rang des plus honorables ouvriers de la littérature les grammairiens, les lexicographes, les dictionnaristes.
    Charles NODIER, Examen critique des dictionnaires de la langue franç., 14.

DICTON [diktɔ̃] n. m. — 1541; «sentence juridique», 1488; var. *dictum,* XVIᵉ-XVIIᵉ; du lat. *dictum* «sentence», p. p. neutre de *dicere.* → 1. Dire.

♦ Phrase exprimant une pensée générale, une maxime sous une forme proverbiale. ⇒ **Adage, aphorisme, maxime.** *Dicton juridique.* ⇒ **Brocard** (vx). *Vieux dicton populaire.*

1   (...) il y a là dedans *(dans le Dialogue en musique)* de petits dictons assez jolis.
        MOLIÈRE, le Bourgeois gentilhomme, I, 2.
2   De tous les jolis dictons, proverbes ou adages, dont nos paysans de Provence passementent leurs discours, je n'en sais pas un plus pittoresque ni plus singulier que celui-ci (...) : «Cet homme-là! méfiez-vous!... il est comme la mule du Pape, qui garde sept ans son coup de pied.»
        Alphonse DAUDET, Lettres de mon moulin, «La mule du pape».

DICTYOPTÈRES [diktjɔptɛʀ] n. m. pl. — D. i. (xxᵉ); du grec *diktuon* «filet, réseau», et *-ptère.*

♦ Zool. Ordre d'insectes comprenant les blattes* et les mantes. — Au sing. *Un dictyoptère.*

DICTYOSOME [diktjozom] n. m. — Av. 1961, *Larousse;* du grec *diktuon* «filet, réseau», et *-some*.*

♦ Biol. Corpuscule appartenant au réseau de l'appareil de Golgi.

-DIDACTE Élément, du grec *didaskein* «enseigner» (ex. : *autodidacte).*

DIDACTICIEL [didaktisjɛl] n. m. — 1979, colloque «Informatique et Société»; de *didactique,* et *logiciel.*

♦ Inform. Logiciel à fonction pédagogique (utilisé dans l'enseignement assisté par ordinateur). *«Il faut favoriser les échanges de didacticiels en France (par la création d'une banque de didacticiels) et avec l'étranger (le Québec notamment)»* (la Recherche,

nᵒ 120, mars 1981, p. 384). *«Ces programmes éducatifs — les "didacticiels", comme disent les spécialistes — pour micro-ordinateurs (...)»* (le Nouvel Obs., 2-8 déc. 1983, p. 96).

DIDACTICIEN, IENNE [didaktisjɛ̃, jɛn] n. — 1870, *in* P. Larousse, «enseignant»; de *didactique.*

♦ **1.** Spécialiste de la didactique.

♦ **2.** (xxᵉ). Psychan. Psychanalyste spécialisé dans les analyses didactiques.

(...) l'analyste (...) a toujours subi une analyse didactique. Cette profession d'éboueur d'âmes impose qu'on soit d'abord entré dans son propre inconscient (...) Pratiquée auprès d'un *didacticien,* habilité par l'Institut de psychanalyse à former des professionnels, cette analyse, qui dure de trois à sept ans, n'est jamais considérée comme définitivement achevée.
    Planète, nᵒ 4, févr. 1969, Psychanalyste : un homme face à lui-même, p. 75.

DIDACTIQUE [didaktik] adj. et n. — 1554; grec *didaktikos,* de *didaskein* «enseigner».

♦ **1.** Adj. et n. m. Qui vise à instruire, qui a rapport à l'enseignement. *Traité, ouvrage didactique* (→ Appétence, cit. 1). *Les ouvrages de référence, les manuels,* etc. *sont didactiques. Procédé didactique. Volonté, souci didactique* (⇒ **Pédagogique**). — *Le discours didactique :* type de discours qui transmet des structures de connaissance (opposé au *dicours scientifique,* qui les élabore) d'une manière neutre (opposé par ex. à *discours polémique).*

Hist. *Le genre didactique :* genre littéraire où l'auteur s'efforce d'instruire sous une forme agréable et poétique. *Poème didactique.*

1   Loin ces rimeurs craintifs dont l'esprit flegmatique
     Garde dans ses fureurs un ordre didactique (...)   BOILEAU, l'Art poétique, II.
2   (...) le style didactique, c'est-à-dire le style propre et particulier aux sciences, est par sa nature le plus simple et le plus humble de tous, n'ayant jamais d'autre but que d'offrir à l'esprit un sens clair, ni de mérite plus grand que de n'être point remarqué.   P.-L. COURIER, Éloge de Buffon, *in* Œ. compl., Pl., p. 565.
3   Ce serait plutôt, aujourd'hui, une sorte d'exposé idéologique présenté sous la forme habituelle, dont l'efficacité didactique sur les militants de toutes origines a été reconnue.   A. ROBBE-GRILLET, Projet pour une révolution à New-York, p. 37.

N. m. (Vieilli). *Le didactique :* le genre didactique.

♦ **2.** Adj. Mod. **a** Qui appartient à la langue des sciences et des techniques. *Terme didactique, inusité dans la langue courante* (abrév. : *didact.,* dans cet ouvrage). *Avoir une façon didactique de s'exprimer.*

b Psychan. *Analyse didactique, psychanalyse didactique :* analyse d'une personne qui se destine à être psychanalyste. *Psychanalyste qui fait des analyses didactiques.* ⇒ **Didacticien,** 2. — N. f. *Une didactique.*

4   Seul l'intouché du seuil maintenu à habiliter le psychanalyste à faire des didactiques (où le recours à l'ancienneté est dérisoire), nous rappelle que c'est le sujet en question dans la psychanalyse didactique qui fait problème et y reste intact.   J. LACAN, Écrits, p. 231.

♦ **3.** N. f. Théorie et méthode de l'enseignement. ⇒ **Pédagogie.** *Spécialiste de didactique des langues.*

DÉR. Didactitien, didactiquement, didactisme.
COMP. Didacticiel.

DIDACTIQUEMENT [didaktikmɑ̃] adv. — 1754; de *didactique.*

♦ Didact. D'une manière didactique.

DIDACTISME [didaktism] n. m. — V. 1860, Baudelaire; Boiste, «genre didactique», 1823; de *didactique.*

♦ Didact. (souvent péj.). Caractère didactique. *Le didactisme de ses œuvres.*

1   *Ah! Pourquoi suis-je né dans un siècle de prose !* Catalogue de produits. Carte de restaurant. Magister. Didactisme en poésie et en peinture.
        BAUDELAIRE, Curiosités esthétiques, Notes, III, Pl., p. 926.
2   Ce providentialisme va paraître non seulement artificiel et forcé, mais pesant; il ne peut pas se passer d'un affreux didactisme.
        R. ABELLIO, Ma dernière mémoire, p. 25.

DIDACTYLE [didaktil] adj. — 1775; de *di-,* et *dactyle.*

♦ Zool. Qui a deux doigts (à chaque membre). — Qui se termine par deux appendices.

DIDASCALE [didaskal] n. m. — Mil. XVIIIᵉ, Fleury; du grec *didaskalos* «maître», de *didaskein* «enseigner». → Didactique.

♦ Hist. relig. Docteur de l'Église chargé d'éduquer les catéchumènes.

DIDASCALIE [didaskali] n. f. — 1771; du grec *didaskalia* «enseignement», de *didaskalos.* → Didascale.

♦ **1.** Antiq. Chez les Grecs, Instructions du poète dramatique à ses interprètes, et aussi Document sur les pièces jouées, l'époque de leur representation. — Chez les Latins, courte notice placée en tête des pièces de théâtre.

♦ **2.** Mod. et didact. Indication scénique n'appartenant pas au texte même, dans une œuvre théâtrale.

(...) la didascalie est (...) un ordre donné au praticien de bien vouloir fournir les prestations indiquées. L'énoncé « une table et trois chaises » est en effet un ordre disant « Mettez sur scène une table et trois chaises ». La didascalie : « Il s'assied » est une injonction au comédien de s'asseoir à ce moment du déroulement de la représentation.
Anne UBERSFELD, *in* Alain REY et Daniel COUTY, *le Théâtre,* p. 103

DIDELPHE [didɛlf] n. et adj. — 1771 ; lat. sc. *didelphis* (1754, Linné), du grec *di-* « deux fois », et *delphus* « matrice ».

Didactique.

★ **I.** N. m. Zool. Mammifère marsupial d'Amérique (n. sc. : *didelphis ;* famille des *Didelphidés*), tel que l'oppossum*. *Les didelphes forment une famille.*

★ **II.** Adj. Méd. *Utérus didelphe :* utérus double* dans lequel les deux moitiés de corps utérin sont complètement séparées l'une de l'autre.

DIDERMIQUE [didɛrmik] adj. — Mil. xxᵉ ; de *di-*, *derme*, et suff. *-ique.*

♦ **1.** Embryol. Dont la structure comporte deux feuillets.

♦ **2.** Zool. Se dit d'un métazoaire qui conserve à l'état adulte une structure à deux feuillets semblable à celle de la gastrula d'un embryon. *Les Cœlentérés sont des métazoaires didermiques.*

DIDRACHME [didrakm] n. m. — 1838 ; *didragmes,* 1474 ; du grec *didrakmos,* adj. « de deux drachmes ». → Drachme.

Didactique.

♦ **1.** Monnaie grecque de l'Antiquité, valant deux drachmes.

♦ **2.** Impôt romain sur les Juifs, destiné au culte de Jérusalem (entretien du temple, etc.).

DIDUCTEUR, TRICE [didyktœr, tris] adj. — 1845 ; du rad. de *diduction.*

♦ Physiol. Relatif à la diduction. *Muscles diducteurs,* qui permettent la diduction.

DIDUCTION [didyksjõ] n. f. — 1843 ; « longueur », 1556 ; du lat. *diductio,* de *diducere* « mener en diverses directions », de *dis-,* et *ducere* « conduire ».

♦ Physiol. Mouvement latéral de la mâchoire inférieure. *Rôle de la diduction dans la physiologie des ruminants.*

(...) des cuspides *(des dents)* se croisant ou se heurtant dans les mouvements de diduction ou de propulsion (...) 　　P.-L. ROUSSEAU, *les Dents,* p. 119.

DÉR. Diducteur.

DIDYME [didim] adj. et n. m. — 1538 ; *dindime,* en anat., 1478 ; *didimmo,* 1520 ; du grec *didumos* « jumeau ».

♦ **1.** Bot. Qui est formé de deux parties plus ou moins arrondies et accouplées. *Racine didyme.*

♦ **2.** N. m. Chim. Terre rare, mélange de néodyme et de praséodyme (on le considérait à tort comme un élément, symb. *Di*).

DIÈDRE [djɛdr] adj. et n. m. — 1783 ; de *di-*, et *-èdre,* grec *hedra* « base ; plan ».

♦ **1.** Adj. Géom. Qui est déterminé par la rencontre de deux plans. *Angle dièdre.*

♦ **2.** N. m. Figure formée par deux demi-plans issus d'une droite (l'arête du dièdre).

1　(...) il pouvait voir (...) une herbe sauvage, d'un vert délicat, poussant irrégulièrement tout contre la base du mur (comme pour dissimuler la ligne de jonction, la charnière, l'arête du dièdre formé par le mur et le sol)...
Claude SIMON, *la Route des Flandres,* p. 247.

Par ext. Alpin. et régional (Savoie, Suisse). Partie rentrante d'une paroi formée par l'intersection de deux dalles et en forme de livre ouvert.

2　Comme une somnambule, elle gravit le dernier dièdre, largement ouvert, très lisse, sans prises, incliné à soixante-dix degrés.
R. FRISON-ROCHE, *la Grande Crevasse,* p. 59.

DIÉLECTRIQUE [dielɛktrik] adj. et n. m. — 1862, in *Année sc. et industr.,* 1863, p. 67-68 ; de *di-*, pour *dia-*, et *électrique.*

♦ Phys. Qui ne conduit pas le courant électrique. *Le vide, l'air, le mica sont diélectriques.* ⇒ **Isolant.** *Lame diélectrique.* — N. m. *Condensateur* (cit. 0.1) *à diélectrique sec.*

(1903, in *Rev. gén. des sc.,* nº 23, p. 1181). Par ext. Relatif aux diélectriques. *Constante, polarisation diélectrique.*

DIÉLECTROLYSE [dielɛktroliz] n. f. — Mil. xxᵉ ; de *di-* pour *dia-*, et *électrolyse.*

♦ Physiol. Ensemble des modifications électrolytiques (transferts d'ions) produites au sein d'un tissu vivant lors du passage d'un courant galvanique. *Diélectrolyse thérapeutique.* ⇒ **Ionisation.**

DIÉLYTRE [dielitr] ou **DIELYTRA** [dielitra] n. f. — 1842, *diélytre ; dielytra,* 1878 ; du grec *di* « deux », et *elutron* « étui ».

♦ Bot. Plante dicotylédone *(Fumariacées),* herbacée, vivace, exotique, cultivée pour ses grappes de fleurs roses, appelée aussi *dicentra, diclytra,* et cour. *cœur de Marie* ou *cœur de Jeannette.*

DIENCÉPHALE [diãsefal] n. m. — 1953 ; de *di-*, et *encéphale.*

♦ **1.** Anat. Partie de l'encéphale située entre les hémisphères cérébraux, comprenant le thalamus, l'épithalamus (dont l'épiphyse) et l'hypothalamus (appelé aussi *cerveau intermédiaire*).

♦ **2.** Embryol. L'une des cinq vésicules cérébrales dont dérivent les ébauches oculaires, le thalamus, l'épithalamus, l'hypothalamus, l'épiphyse et le lobe nerveux de l'hypophyse.

DÉR. Diencéphalique.

DIENCÉPHALIQUE [diãsefalik] adj. — 1953 ; de *diencéphale.*

♦ Anat. Relatif au diencéphale. *Centres diencéphaliques.*

(...) le réflexe conditionné n'est pas purement cortical, mais intéresse aussi la formation réticulaire et comporte donc une intégration diencéphalique (...)
J. PIAGET, *Épistémologie des sciences de l'homme,* p. 157.

DIÉRÈSE [djerez] n. f. — 1529 ; du lat. gramm. *diœresis,* grec *diairesis* « division », de *diairein* « séparer ».

♦ **1.** Phonét. Prononciation en deux syllabes de deux voyelles consécutives (ex. : pli-er). *Division d'une diphtongue par diérèse. Diérèse indiquée par un tréma* (maïs, Saül...). *Diérèse existant seulement en poésie* (di-amant). *Faire la diérèse en déclamant des vers.*

♦ **2.** (1721, in D.D.L.). Méd. Séparation accidentelle ou chirurgicale de tissus sans perte de substance.

CONTR. (Du sens 1) **Contraction, crase, synérèse.** — (Du sens 2) **Synthèse.**

DIERGOL [diɛrgɔl] ou **BIERGOL** [biɛrgɔl] n. m. — 1968 ; de *di-* ou *bi-*, et *ergol ;* → *-ergie.*

♦ Astronaut. Propergol* composé de deux ergols. — REM. La forme *biergol* est hybride.

DIÈSE [djɛz] n. m. — 1556 ; var. *diésis,* fém. jusqu'au xviiᵉ ; lat. *diesis,* mot grec, proprt « intervalle ; action de séparer ».

♦ Mus. Signe altératif accidentel* élevant d'un demi-ton chromatique la note devant laquelle il est placé. *Le dièse est formé de deux doubles barres croisées (#). — Dièse, dièses à la clef,* déterminant la tonalité du morceau en altérant toutes les notes situées sur la ligne ou dans l'intervalle qu'ils désignent (⇒ **Armature**). *Il y a deux dièses à la clef* (fa et do) *en ré majeur. L'ordre des dièses est inverse de celui des bémols* (dièses : fa, do, sol, ré, la, mi, si). *Moduler, changer la tonalité d'un morceau en introduisant des dièses, des bémols* (cit. 2). *Supprimer un dièse par un bécarre. — Double dièse :* signe correspondant à l'élévation d'un demi-ton chromatique d'une note déjà diésée.
Note diésée. *Il a joué un dièse là où il y avait un bécarre.*
REM. L'orth. *dièze* est archaïque.
Adj. *Fa dièse. Jouer un do dièse au lieu d'un do naturel.*

CONTR. **Bécarre, naturel** (do... naturel).
DÉR. Diéser.

DIÉSÉ, ÉE [djeze] adj. ⇒ **Diéser.**

DIESEL [djezɛl] n. m. — 1913 ; *moteur diesel,* du nom de l'inventeur, l'ingénieur allemand *Diesel* (1858-1913).

♦ **1.** Moteur à combustion interne, dans lequel l'allumage est obtenu par compression (→ Moteur à huile* lourde, à injection*). *L'injection progressive de combustible dans la chambre de compression du diesel permet une combustion moins brutale que dans le moteur à explosion. Diesel deux temps, quatre temps. Des die-*

sels. — En appos. *Moteur diesel ; camion diesel. Combustible pour moteurs diesels.* — *Semi-diesel,* où la compression moins élevée nécessite un allumage électrique.

Restait la question du moteur : Henry le trouve à la casse, et l'installe sans délai. C'est un diésel de camion ou de tracteur auquel il manque un injecteur.
Bernard MOITESSIER, Cap Horn à la voile, p. 87.

♦ **2.** (1943). *Un diesel :* un véhicule à moteur diesel. — N. m. (1961). *Diesel-électrique :* locomotive électrique dont la puissance est donnée par un moteur diesel qui entraîne une génératrice électrique alimentant les moteurs.

DÉR. Diéseliser, diéséliste.

DIÉSELISER [djezelize] v. tr. — Mil. xxᵉ ; de *diesel,* et suff. *-iser,* pour former une équivalence à *électrifier.*

♦ Techn. Équiper de moteurs diesel (une ligne, un réseau de chemin de fer, leur exploitation). « *La politique de la S N C F a donc consisté à électrifier les grandes artères et à "diéseliser" le service des manœuvres et la desserte des petites lignes* » (in *le Monde,* 5 déc. 1967).

DIÉSÉLISTE [djezelist] n. m. — 1966 ; de *diesel.*

♦ Techn. Mécanicien spécialisé dans l'étude, l'entretien, etc., des moteurs diesels.

DIÉSER [djeze] v. tr. — Conjug. *céder.* — 1732 ; *diésé,* 1704 ; de *dièse.*

♦ Mus. Placer un dièse devant (une note) pour la hausser. *En sol majeur, il faut diéser les fa.* — Au p. p. *Note diésée. Un fa diésé.*

DIES IRAE [dijɛsiʀe ; djɛsiʀe] n. m. — 1803 ; mots latins signifiant « Jour de colère », par lesquels commence l'une des cinq proses du missel romain, chantée à l'office des morts.

♦ Relig. chrét. Séquence de la messe des morts, qui commence par ces mots. — Air sur lequel se chante le *Dies iræ. Berlioz a utilisé le thème du* Dies iræ *dans la* Symphonie fantastique.

Oh! tu n'oublieras pas la nuit du moyen-âge,
Où, dans l'affolement du Glas du « Dies iræ »,
La Famine pilait les vieux os déterrés
Pour la Peste gorgeant les charniers avec rage.
J. LAFORGUE, Poésies, « Marche funèbre », in Œ. compl., t. I, p. 26.

1. DIÈTE [djɛt] n. f. — xiiiᵉ, « régime d'alimentation » ; du lat. méd. *diæta,* grec *diaita* « genre de vie ». → aussi Diététique.

♦ **1.** Méd. Régime alimentaire particulier, prescrit par le médecin, soit limitant ou excluant, soit comprenant un apport enrichi de certains aliments. ⇒ **Diététique, régime.** *Diète lactée ; diète végétale. Diète hydrique*.

1 (...) il a même assez bon visage, quoique la diète très exacte qu'il observe depuis cinq mois l'ait assez maigri.   RACINE, Lettre, 174, 14 avr. 1698, à J.-B. Racine.

♦ **2.** (xviᵉ). Cour. Abstention momentanée et plus ou moins complète d'aliments, sur prescription médicale. ⇒ **Abstinence.** *Une diète sévère, absolue. Être à la diète. Mettre un malade à la diète.*

2 La solitude est à l'esprit ce que la diète est au corps, mortelle lorsqu'elle est trop longue, quoique nécessaire.   VAUVENARGUES, Réflexions et maximes, 598.

3 Comme médecins à demi que nous sommes, je vous dirai encore de participer le moins possible à ces festins bretons dont vous me parlez. A votre âge comme au mien, et comme plus tard, il faut se faire une loi de diète et ne l'enfreindre jamais ou que rarement.   SAINTE-BEUVE, Correspondance, 415, 19 oct. 1834, t. I, p. 470.

Par ext. Privation de nourriture. ⇒ **Jeûne.** *Faire diète :* se priver de nourriture.

4 J'ai vécu près de trois ans ainsi, répondit Raphaël (...) Trois sous de pain, deux sous de lait, trois sous de charcuterie m'empêchaient de mourir de faim et tenaient mon esprit dans un état de lucidité singulière. J'ai observé (...) de merveilleux effets produits par la diète sur l'imagination.
BALZAC, la Peau de chagrin, Pl., t. X, p. 88.

5 La petite Marie avait mangé par complaisance d'abord ; puis, peu à peu, la faim était venue, car à seize ans, on ne peut pas faire longtemps diète, et l'air des campagnes est impérieux.   G. SAND, la Mare au diable, VII, p. 59.

COMP. Diétotoxique.

2. DIÈTE [djɛt] n. f. — 1512 ; *diette,* 1509 ; lat. médiéval *dieta* « jour assigné », de *dies* « jour », pour traduire l'all. *Tag* « jour », et par ext. « session ». Cf. *Landtag, Reichstag.*

♦ Hist. Assemblée politique, dans certains pays d'Europe (Allemagne, Suède, Pologne, Suisse, Hongrie). *Les diètes de la confédération germanique furent dissoutes en 1866. Luthér comparut devant la diète de Worms* (1521).

Assemblée qui se tient entre deux chapitres généraux, dans certains ordres religieux.

DÉR. Diétine.

DIÉTÉTICIEN, IENNE [djetetisjɛ̃, jɛn] n. — 1891 ; répandu xxᵉ ; de *diététique.*

♦ Spécialiste de la diététique (⇒ **Diététiste**).

Mais un grand problème se posait alors, en fait, pour les diététiciens. «Le grand problème : les glucides, les sucres. (...) Où dans la mer aurais-je trouvé des sucres?   Alain BOMBARD, Naufragé volontaire, p. 29.

DIÉTÉTIQUE [djetetik] adj. et n. f. — 1549 ; du lat. *diæteticus,* grec *diaithêtikos,* de *daitan* « soumettre à un régime », de *diaita.* → 1. Diète.

♦ **1.** Adj. Relatif à un régime alimentaire, surtout restrictif. ⇒ **Diète.** *Aliment diététique. Facteurs diététiques et facteurs hygiéniques.*

♦ **2.** N. f. (1575, lat. *diætetica,* grec *diaithêtike,* subst. fém. de l'adj.). Ensemble des règles à suivre pour une alimentation bien équilibrée (rations alimentaires, apport calorique).

Méd. Ensemble des principes et des méthodes de réalisation des régimes alimentaires conçus pour les malades.

DÉR. Diététicien, diététiste.

DIÉTÉTISTE [djetetist] n. — 1966 ; de *diététique.*

♦ Didact. Médecin qui préconise de traiter les malades uniquement par des moyens diététiques.
Par ext. Diététicien.
(Au Québec, t. normalisé). Spécialiste de la nutrition, de l'alimentation et de la diététique titulaire d'un diplôme universitaire en sciences de la santé.

DIÉTHYL- Premier élément de mots de chimie, de *di-,* et *éthyl-.* Ex. : *diéthylamine* et dér., *diéthylaniline, diéthylbenzène.*

DIÉTINE [djetin] n. f. — Av. 1669 ; de 2. *diète.*

♦ Hist. Diète (⇒ 2. **Diète**) particulière à une province, en Pologne.

DIÉTOTOXIQUE [djetotɔksik] adj. — Mil. xxᵉ ; de 1. *diète,* et *toxique.*

♦ Méd. Se dit d'une substance alimentaire qui peut devenir toxique dans certains troubles du métabolisme.

DIEU [djø] n. m. — ixᵉ-xᵉ, *deo ; deu, dieu,* xiᵉ-xiiᵉ ; du lat. *deus.*

★ **I.** Principe d'explication de l'existence du monde, conçu comme un être personnel, selon des modalités particulières aux croyances, aux religions. ⇒ **Divinité, esprit, être** (être suprême). *Étude de l'existence et de la nature de Dieu.* ⇒ **Métaphysique, théodicée, théologie.** *Preuves cosmologique, ontologique, téléologique, morale de l'existence de Dieu. Dieu considéré comme principe d'existence, d'intelligibilité, fondement de la connaissance certaine. Les attributs* (cit. 1) *de Dieu. Dieu est conçu comme absolu, acte pur, beau* (cit. 102), *bon, créateur, éternel, immuable, incréé, infaillible, infini, intelligent, juste, omnipotent, omniprésent, omniscient, parfait, personnel, sage, spirituel, un, vrai. Dieu créateur* (⇒ **Création**). *Dieu conçu comme l'architecte, l'organisateur du monde.* ⇒ **Démiurge.** *Dieu, origine des idées platoniciennes.* ⇒ **Logos.** *Dieu conduit, gouverne le monde en vue du bien.* ⇒ **Providence.** *Dieu, fondement de la loi morale.* ⇒ **Bien** (souverain bien). *Dieu, considéré comme un principe transcendant au monde* (⇒ **Théisme**), *comme une substance immanente* (⇒ **Panthéisme ; tout**). *Attribution à Dieu d'une forme humaine.* ⇒ **Anthropomorphisme.** *Croyance en Dieu.* ⇒ **Foi, mysticisme** (⇒ Intuitionnisme). *Dieu sensible au cœur* (cit. 161). *Doctrine admettant l'existence d'un dieu, sans préjuger de sa nature.* ⇒ **Déisme.** *Croyance en un seul dieu.* ⇒ **Monothéisme.** *Croyance en deux ou plusieurs dieux.* ⇒ **Dualisme, manichéisme, polythéisme.** *Culte rendu à Dieu.* ⇒ **Religion.**

1 L'insensé a dit dans son cœur : il n'y a point de Dieu.
BIBLE (CRAMPON), Psaumes, XIV, I.

2 Par le nom de Dieu j'entends une substance infinie, éternelle, immuable, indépendante, toute connaissante, toute-puissante, et par laquelle moi-même et toutes les autres choses qui sont (...) ont été créées et produites. Or ces avantages sont si grands et si éminents, que plus attentivement je les considère, et moins je me persuade que l'idée que j'en ai puisse tirer son origine de moi seul. Et par conséquent, il faut nécessairement conclure de tout ce que j'ai dit auparavant, que Dieu existe ; car encore que l'idée de la substance soit en moi de cela même que je suis une substance, je n'aurais pas néanmoins l'idée d'une substance infinie, moi qui suis un être fini, si elle n'avait été mise en moi par quelque substance qui fût véritablement infinie.   DESCARTES, IIIᵉ méditation métaphysique.

3 L'Ecclésiaste montre que l'homme sans Dieu est dans l'ignorance de tout, et dans un malheur inévitable ; car c'est être malheureux que de vouloir et ne pouvoir. Or

il veut être heureux, et assuré de quelque vérité; et cependant il ne peut ni savoir, ni ne désirer point de savoir. Il ne peut même douter. PASCAL, Pensées, VI, 389.

4 Si l'homme n'est fait pour Dieu, pourquoi n'est-il heureux qu'en Dieu? si l'homme est fait pour Dieu, pourquoi est-il si contraire à Dieu? PASCAL, Pensées, VII, 438.

5 Si Dieu nous a faits à son image, nous le lui avons bien rendu.
VOLTAIRE, le Sottisier, XXXII.

6 Si Dieu n'existait pas, il faudrait l'inventer.
VOLTAIRE, Épîtres, À l'auteur du livre des trois imposteurs.

7 Cet être qui veut et qui peut, cet être actif par lui-même, cet être enfin, quel qu'il soit, qui meut l'univers et ordonne toutes choses, je l'appelle Dieu.
ROUSSEAU, Émile, IV, p. 335.

7.1 Si Dieu avait voulu que nous eussions une religion quelconque, et qu'il fût réellement puissant; ou, pour mieux dire, s'il y avait réellement un Dieu, serait-ce par des moyens aussi absurdes qu'il nous eût fait part de ses ordres? Serait-ce par l'organe d'un bandit méprisable, qu'il nous eût montré comment il fallait le servir? S'il est suprême, s'il est puissant, s'il est juste, s'il est bon, ce Dieu dont vous me parlez, sera-ce par des énigmes et des farces qu'il voudra m'apprendre à le servir et à le connaître? Souverain moteur des astres et du cœur de l'homme, ne peut-il nous instruire en se servant des uns, ou nous convaincre en se gravant dans l'autre? SADE, Justine..., I, p. 81.

8 Quiconque dit : conscience, vertu, bonté, amour, raison, lumière, justice, vérité, aperçoit, qu'il le sache ou non, un des mystérieux profils de cette face sublime : Dieu (...) L'athée est identique à l'aveugle. — Mais, dit l'athée, je vois le soleil et je ne vois pas Dieu. C'est que vous ouvrez l'œil de chair et que vous n'ouvrez pas l'œil d'esprit. HUGO, Post-Scriptum de ma vie, L'âme, Rêver sur Dieu.

9 Le cœur n'apprend que par la souffrance, et je crois, comme Kant, que Dieu ne s'apprend que par le cœur. RENAN, Souvenirs d'enfance..., Appendice, p. 272.

9.1 Mais le mot Dieu, comme presque tous les mots essentiels, superpose des significations : Créateur, Juge, Amour (...) MALRAUX, Antimémoires, Folio, p. 474.

Négation de l'existence de Dieu, d'un dieu. ⇒ **Athéisme.**

9.2 (...) On comprend aussi que par vérité je veux seulement consacrer une poésie plus haute : la flamme noire que de Cimabué à Francesca les peintres italiens ont élevée parmi les paysages toscans comme la protestation lucide de l'homme jeté sur une terre dont la splendeur et la lumière lui parlent sans relâche d'un Dieu qui n'existe pas. CAMUS, Noces, *in* Essais, Pl., p. 80.

10 La vague figure de Dieu qui, chez Hegel, se reflète encore dans l'esprit du monde ne sera pas difficile à effacer. De la formule ambiguë de Hegel «Dieu sans l'homme n'est pas plus que l'homme sans Dieu», ses successeurs vont tirer des conséquences décisives (...) À la fin Feuerbach (...) remplacera toute théologie par une religion de l'homme et de l'espèce, qui a converti une grande partie de l'intelligence contemporaine. CAMUS, l'Homme révolté, p. 182.

Meurtre de Dieu. ⇒ **Déicide.**

★ **II.** (XIIe ; dans le *polythéisme*). *Un dieu, des dieux.* Être supérieur, doué d'un pouvoir sur l'homme et d'attributs particuliers.

10.1 Il *(l'homme)* admit ce souverain être, il lui érigea des cultes : de ce moment chaque Nation s'en composa d'analogues à ses mœurs, à ses connaissances et à son climat; il y eut bientôt sur la terre autant de religions que de peuples, bientôt autant de Dieux que de familles; sous toutes ces idoles néanmoins, il était facile de reconnaître ce phantôme absurde, premier fruit de l'aveuglement humain. On l'habillait différemment, mais c'était toujours la même chose.
SADE, Justine..., I, 56.

♦ **1.** *(Forces impersonnelles).* ⇒ **Animisme, fétichisme, totémisme.** *Le grand dieu tribal :* individualisation de la notion unique et universelle du *mana.*

11 De cela seul qu'on mettrait Dieu à la tête de chaque société politique, il s'ensuivit qu'il y eut autant de dieux que de peuples (...) Ainsi des divisions nationales résulta le polythéisme, et de là l'intolérance théologique et civile (...)
ROUSSEAU, le Contrat social, IV, VIII.

12 Le primitif n'a pas vu dans ses dieux des étrangers, des ennemis, des êtres foncièrement et nécessairement malfaisants dont il était obligé de se concilier à tout prix les faveurs; tout au contraire, ce sont plutôt pour lui des amis, des parents, des protecteurs naturels. Ne sont-ce pas là les noms qu'il donne aux êtres de l'espèce totémique? La puissance à laquelle s'adresse le culte, il ne se la représente pas planant très haut au-dessus de lui et l'écrasant de sa supériorité; elle est, au contraire, tout près de lui et elle lui confère des pouvoirs utiles qu'il ne tient pas de sa nature. DURKHEIM, les Formes élémentaires de la vie religieuse, p. 320.

13 (...) dire que le *mana* social qui fait l'essence et la cohésion du clan, ne peut être représenté que sous l'aspect d'un principe sacré, d'une force religieuse (...) c'est aboutir à l'apothéose, à la divinisation de la société, c'est poser que le clan est dieu et que seul le clan est dieu.
Georges DAVY, Des clans aux empires, p. 61-62 (1923).

♦ **2.** Image d'un dieu ou d'une force divinisée. ⇒ **Idole.**

14 Ils tirent l'or de leur bourse,
et pèsent l'argent à la balance;
ils engagent un fondeur afin qu'il en fasse un dieu,
et ils se prosternent et adorent. BIBLE (CRAMPON), Isaïe, XLVI, 6.

15 La base en est gardée par des séries d'éléphants taillés dans le granit, par des dieux dont la forme se perd sous l'usure des siècles (...)
LOTI, l'Inde (sans les Anglais), p. 13.

♦ **3.** Dans les religions antiques. ⇒ **Divinité; déesse, démon, esprit, être, génie, principe.** *Généalogie et filiation des dieux.* ⇒ **Théogonie.** *Histoire des dieux.* ⇒ **Mythologie.** *Ensemble des dieux d'une religion.* ⇒ **Panthéon.** *Oracle* des dieux.*

16 Les dieux de la civilisation païenne se distinguent en effet des entités plus anciennes, elfes, gnomes, esprits, dont ne se détacha jamais la foi populaire. Celles-ci étaient issues presque immédiatement de la faculté fabulatrice, qui nous est naturelle; et elles étaient adoptées comme elles avaient été produites, naturellement. Elles dessinaient le contour exact du besoin d'où elles étaient sorties. Mais la mythologie, qui est une extension du travail primitif, dépasse de tous côtés ce besoin (...) chaque dieu déterminé est contingent, alors que la totalité des dieux, ou plutôt le dieu en général, est nécessaire. En creusant ce point, en poussant aussi la logique plus loin que ne l'ont fait les anciens, on trouverait qu'il n'y a jamais eu de pluralisme définitif que dans la croyance aux esprits, et que le polythéisme proprement dit, avec sa mythologie, implique un monothéisme latent, où les divinités multiples n'existent que secondairement, comme représentatives du divin.
H. BERGSON, les Deux sources de la morale et de la religion, II, «En quel sens les dieux existaient», p. 210.

Les dieux-pharaons, gouverneurs de l'Égypte aux époques légendaires. *Dieux du panthéon égyptien :* Amon-Râ, le soleil, le créateur; Osiris, *dieu cosmique, des morts et des cultures;* Sha, *dieu de l'air;* Seth, *dieu de la guerre;* Anubis, Mout, Horus. — *Dieux assyro-babyloniens,* représentants des forces de la nature. Shamash, *le dieu-soleil.* Marduk, *le protecteur de Babylone;* Bel, *dieu de Nippour;* Asshour, *dieu d'Assur.* — Ormuz, *dieu du Bien chez les Perses,* opposé à Ahriman, *dieu du Mal.* Ahoura-Mazda, *dieu unique prêché par Zarathoustra, au détriment de* Mithra.

Teutatès (*ou* Toutatis), *dieu de certaines tribus celtes.* Bah, Bur, Wotan, *dieux nordiques.* Odin, *dieu du combat et des morts chez les anciens Scandinaves, père des Walkyries.*

Antiquité gréco-romaine. *Les dieux de la fable* (⇒ **Déité, divinité, immortel**); *les dieux des gentils. Les douze dieux de l'Olympe** (six déesses, → Déesse, cit. 1, 2 — et six dieux) : Apollon (Phoïbos en grec), *dieu du Parnasse, des Arts, le soleil;* Jupiter (Zeus), *le père des hommes et des dieux;* Mars (Arès), *dieu de la guerre;* Mercure (Hermès), *dieu des marchands et des voleurs;* Neptune (Poséidon), *dieu des mers;* Vulcain (Héphaïstos), *dieu du feu et du métal.* — Bacchus* (Dionysos), *dieu des vendanges et de l'ivresse, du délire poétique.* Morphée, *dieu du sommeil;* Pan, *dieu des bergers et divinité de la fécondité;* Ploutus (Ploutos), *dieu de la richesse;* Pluton (Hadès), *dieu des enfers;* Saturne (Kronos), *père de Jupiter, le Temps. Les dieux tutélaires* ; indigètes*. Les dieux de la famille, protecteurs du foyer domestique.* ⇒ **Lare, mânes, pénates** (→ Autel, cit. 8). *Fils d'une mortelle et d'un dieu.* ⇒ **Demi-dieu, héros.** *Le séjour des dieux.* ⇒ **Olympe.** *Temple consacré aux dieux.* ⇒ **Panthéon.** *Nourriture des dieux de l'Olympe.* ⇒ **Ambroisie** (cit. 2), **nectar.** *Être digne de la table des dieux. Réception au rang des dieux.* → Apothéose, cit. 1.

Chaque cité avait des dieux qui n'appartenaient qu'à elle. Ces dieux étaient ordinairement de même nature que ceux de la religion primitive des familles. Comme eux, on les appelait Lares, Pénates, Génies, Démons, Héros; sous tous ces noms, c'étaient des âmes humaines divinisées par la mort. 17
FUSTEL DE COULANGES, la Cité antique, III, VI, p. 168.

Ô abîme, tu es le Dieu unique (...) Tout n'est ici-bas que symbole et que songe. Les dieux passent comme les hommes, et il ne serait pas bon qu'ils fussent éternels. La foi qu'on a eue ne doit jamais être une chaîne. On est quitte envers elle quand on l'a soigneusement roulée dans le linceul de pourpre où dorment les dieux morts. RENAN, Souvenirs d'enfance..., II, I, p. 68. 18

Des esprits aux dieux la transition peut être insensible, la différence n'en est pas moins frappante. Le dieu est une personne. Il a ses qualités, ses défauts, son caractère. Il porte un nom. Il entretient des relations définies avec d'autres dieux. Il exerce des fonctions importantes, et surtout il est seul à les exercer. 19
H. BERGSON, les Deux Sources de la morale et de la religion, II, Croyance aux dieux, p. 197.

Ce n'est pas seulement à la brise (...) qu'il s'est senti uni (...) C'est toutes les fois où son âme débondée animait divinement toutes choses et, sentant à côté d'elle comme des dieux plus humbles et fraternels, le dieu du feu secouer allégrement sa chevelure de lumière et de chaleur et faire régner la gaieté dans la chambre, le dieu immobile de la porte (...) PROUST, Jean Santeuil, Pl., p. 638. 20

Au dieu inconnu (lat. *Deo ignoto*).

Paul, debout au milieu de l'Aréopage, dit : «Athéniens, en tout je vous vois éminemment religieux. Car, passant et regardant ce qui est de votre culte, j'ai trouvé même un autel avec cette inscription : "Au dieu inconnu". Ce que vous adorez sans le connaître, c'est ce que je vous annonce». 21
BIBLE (CRAMPON), Actes des Apôtres, XVII, 22-23.

♦ **4.** Loc. fig. *Un dieu tutélaire :* un protecteur.

Ah! Figaro, mon ami, tu seras mon ange, mon libérateur, mon dieu tutélaire. 21.1
BEAUMARCHAIS, le Barbier de Séville, I, 4.

C'est un homme aimé des dieux, en parlant de qqn doué de talents, et que la chance favorise.

(...) on doubla le salaire 22
Que méritaient les vers d'un homme aimé des dieux (...)
LA FONTAINE, Fables, I, 14.

Mettre, placer (qqn, qqch.) *au rang des dieux.* ⇒ **Déifier, diviniser.** *Rendre à qqn les honneurs comme à un dieu.*

Les dieux de la terre : les rois, les souverains, les puissants de la terre.

Ce qui flatte les ambitieux, c'est une image de la toute-puissance qui semble en faire des dieux sur la terre. BOSSUET, Politique tirée de l'hist. sainte, X, 2, 5. 23

Viens! tu seras un Dieu! Sur ta mâle beauté 24
Je poserai le sceau de l'immortalité;
Je te couronnerai de jeunesse et de gloire (...)
LECONTE DE LISLE, Poèmes antiques, Glaucé, III.

Par compar. *Regarder qqn comme un dieu,* le considérer avec enthousiasme, admiration, vénération. ⇒ **Idole.** — *Il est beau, fort comme un dieu.* — Fig. *Être un dieu pour...,* un objet de culte, d'admiration. *C'est le dieu des amateurs de rock. C'est un dieu, un vrai dieu pour elle.*

Il *(Nicomède)* est l'astre naissant qu'adorent mes États; 25
Il est le dieu du peuple et celui des soldats. CORNEILLE, Nicomède, II, 1.

Pour tout le XVIIe siècle Descartes a été vraiment un dieu, un héros de l'intelligence humaine. Émile FAGUET, Études littéraires, XVIIe s., Descartes, p. 65. 26

Faire de qqch. son dieu, en faire l'objet d'un culte. *Faire de l'argent son dieu.*

Car il en est plusieurs qui marchent en ennemis de la croix du Christ (...) Leur fin, c'est la perdition, eux qui font leur Dieu de leur ventre (...) n'ayant de goût que pour les choses de la terre. 27
BIBLE (CRAMPON), Épître aux Philippiens, III, 18-19.

Le Dieu du monde, 28
C'est le Plaisir. NERVAL, Lyrisme et vers d'Opéra, Chanson gothique.

Promettre, jurer ses grands dieux que... : promettre avec de grands serments. — (Interj.). *Grand Dieu!* (vieilli). *Grands dieux! Grands dieux, non!*

Par anal. Divinisation d'une idée, d'une valeur. *Le dieu machine. Le Dieu des corps,* roman de J. Romains.

29 Il m'apparut que l'homme est plein de dieux comme une éponge immergée en plein ciel. Ces dieux vivent, atteignent à l'apogée de leur force, puis meurent, laissant à d'autres dieux leurs autels parfumés (...) Je me mis à concevoir une mythologie en marche. Elle méritait proprement le nom de mythologie moderne.
ARAGON, le Paysan de Paris, p. 143.

30 Quelles que soient les apparences qu'elles affectent, ces crises sont toutes des crises religieuses ou, pour mieux dire, des crises métaphysiques. La nature humaine est ainsi faite qu'elle réclame impérieusement l'existence d'un absolu. Si elle ne le place pas en un Dieu, elle le glorifiera, en elle-même, soit dans l'individu, soit dans des concepts qui en sont issus : par exemple, la race, la nation. Tout se présente exactement comme si cette acceptation de l'absolu était aussi nécessaire à l'homme que le pain et l'eau. Dès qu'il disparaît sous une forme, il est remplacé par une autre : les esprits antireligieux substituent à Dieu des données qui n'en sont pas moins religieuses : culte du progrès, amour de l'humanité.
DANIEL-ROPS, le Monde sans âme, p. 53.

★ **III.** (Dans le *monothéisme*). **DIEU** (avec ou sans article).

♦ **1.** Dieu personnel unique de la civilisation judaïque (biblique et chrétienne). *Noms donnés à Dieu (Bible) :* Yahweh (Jéhovah), le Roi, le Roi des rois, le Roi des siècles, l'Éternel, le Saint, le Saint des saints, le Très-Haut; le dieu d'Abraham, d'Isaac, de Jacob, de David; de Jérusalem, des Hébreux, d'Israël; le dieu vivant, jaloux, juste, fort; le dieu des armées* (cit. 1), le dieu de toute la terre. *La gloire de Dieu :* la manifestation mystérieuse de Dieu à certains élus de son peuple. *Dieu est bon, compatissant, immuable, intelligent, miséricordieux, sage, saint, tout-puissant, vrai. L'alliance* (cit. 1, 5) *de Dieu avec le peuple juif. Yahweh est un Dieu national; il est le juge de son peuple, le législateur, le protecteur, le refuge, le sauveur. Messie promis par Dieu.* → Christ (cit. 1). ⇒ **Messie.**

31 Au commencement Dieu créa le ciel et la terre (...)
BIBLE (CRAMPON), Genèse (→ Créer, cit. 1).

32 Écoutez la parole de Yahweh, vous tous, hommes de Juda, qui entrez par ces portes pour adorer Yahweh. Ainsi parle Yahweh des armées, le Dieu d'Israël (...)
BIBLE (CRAMPON), Jérémie, VII, 2-3.

33 (...) nous hésitons à classer les prophètes juifs parmi les mystiques de l'antiquité : Jahveh était un juge trop sévère, entre Israël et son Dieu il n'y avait pas assez d'intimité (...)
H. BERGSON, les Deux Sources de la morale et de la religion, III, Les prophètes d'Israël, p. 254.

Dieu est Père, Fils* et Esprit* (ou *Saint-Esprit*). ⇒ **Trinité.** *Le Verbe de Dieu.* ⇒ **Logos, verbe.** *Le fils unique de Dieu.* → Christ (cit. 1). ⇒ **Médiateur.** *L'Homme-Dieu.* — Théol. cathol. *La mère de Dieu.* ⇒ **Vierge; dame** (Notre-Dame). — *Dieu se révèle aux hommes.* ⇒ **Bible; révélation; épiphanie.**

34 Nous ne connaissons Dieu que par Jésus-Christ. Sans ce Médiateur, est ôtée toute communication avec Dieu; par Jésus-Christ, nous connaissons Dieu. Tous ceux qui ont prétendu connaître Dieu et le prouver sans Jésus-Christ n'avaient que des preuves impuissantes. Mais pour prouver Jésus-Christ, nous avons les prophéties, qui sont des preuves solides et palpables. Et ces prophéties étant accomplies, et prouvées véritables par l'événement, marquent la certitude de ces vérités, et partant, la preuve de la divinité de Jésus-Christ. En lui et par lui, nous connaissons donc Dieu.
PASCAL, Pensées, VII, 547.

35 Le Dieu des chrétiens est un Dieu qui fait sentir à l'âme qu'il est son unique bien; que tout son repos est en lui, qu'elle n'aura de joie qu'à l'aimer; et qui lui fait en même temps abhorrer les obstacles qui la retiennent, et l'empêchent d'aimer Dieu de toutes ses forces. L'amour-propre et la concupiscence, qui l'arrêtent, lui sont insupportables. Ce Dieu lui fait sentir qu'elle a ce fonds d'amour-propre qui la perd, et que lui seul la peut guérir.
PASCAL, Pensées, VII, 544.

36 Si maintenant nous venons à considérer quelle idée cette religion dont nous révérons l'antiquité nous donne de son objet, c'est-à-dire du premier Être, nous avouerons qu'elle est au-dessus de toutes les pensées humaines, et digne d'être regardée comme venue de Dieu même.
Le Dieu qu'ont toujours servi les Hébreux et les chrétiens n'a rien de commun avec les divinités pleines d'imperfection, et même de vice, que le reste du monde adorait. Notre Dieu est un, infini, parfait, seul digne de venger les crimes et de couronner la vertu, parce qu'il est seul la sainteté même.
Il est infiniment au-dessus de cette cause première, et de ce premier moteur que les philosophes ont connu, sans toutefois l'adorer.
BOSSUET, Disc. sur l'hist. universelle, II, I.

37 Les fidèles apprennent que le vrai Dieu, le Dieu d'Israël, le Dieu un et indivisible auquel ils sont consacrés par le baptême, est tout ensemble Père, Fils et Saint-Esprit.
BOSSUET, Disc. sur l'hist. universelle, II, VI.

38 (...) Dieu a pris le moyen le plus convenable de réparer sa propre gloire et d'opérer le salut des hommes. Il avait été offensé, ce Dieu de majesté; il lui fallait une satisfaction digne de lui, et nul autre qu'un Dieu ne pouvait dignement satisfaire à un Dieu. L'homme s'était perdu : Dieu voulait le sauver en le délivrant de la mort éternelle; et comme il n'y avait qu'un Dieu, qui, par ses mérites infinis, pût le délivrer de cette mort, il n'y avait conséquemment qu'un Dieu qui pût le sauver. Il fallait que ce Sauveur fût tout ensemble vrai Dieu et vrai homme.
BOURDALOUE, Instruction pour le temps de l'avent, III.

39 Oui, si la vie et la mort de Socrate sont d'un sage, la vie et la mort de Jésus sont d'un Dieu.
ROUSSEAU, Émile, IV.

Allusion biblique et littéraire :

40 Et Dieu dit à Moïse : « Je suis celui qui suis ». BIBLE (CRAMPON), Exode, III, 14.

41 Dieu se délecte particulièrement dans le nom de Saint. Il s'appelle très souvent « le Saint d'Israël »; il veut que sa sainteté soit le motif, soit le principe de la nôtre : « Soyez saints, parce que je suis saint », dit le Seigneur.
BOSSUET, Xe élévation, VII, 19.

Dieu est amour (cit. 2). *Dieu bénit, protège, console les hommes. Dieu, le Consolateur* (cit. 2) *des affligés. Dieu sonde, touche les cœurs. Les interventions providentielles de Dieu. La voix de Dieu.* ⇒ **Voix** (cf. lat. *Vox populi, vox Dei*). *Les dix commandements* de la loi de Dieu. Le doigt*, le bras*, la main de Dieu. Les arrêts, les jugements, les voies de Dieu. La colère de Dieu* (→ Attirer, cit. 30; colère, cit. 18). *La justice de Dieu. La bonté* (cit. 5), *la miséricorde, la grâce*, le pardon de Dieu. Le royaume de Dieu.* ⇒ **Ciel, paradis, royaume, vie** (vie éternelle).

Des dieux que nous servons connais la différence : 42
Les tiens t'ont commandé le meurtre et la vengeance,
Et le mien, quand ton bras vient de m'assassiner,
M'ordonne de te plaindre et de te pardonner.
VOLTAIRE, Alzire, V, 7.

Croyez-moi, la prière est un cri d'espérance! 43
Pour que Dieu nous réponde, adressons-nous à lui.
Il est juste, il est bon; sans doute il nous pardonne.
A. DE MUSSET, Poésies nouvelles, « L'espoir en Dieu ».

Si vous croyez que Dieu ait à vous juger, l'Église vous dit par ma voix que tout peut se racheter par les bonnes œuvres du repentir. Les grandes mains de Dieu pèsent à la fois le mal qui fut fait, et la valeur des bienfaits accomplis. 44
BALZAC, le Curé de village, Pl., t. IX, p. 652.

Croire (cit. 59, 60) *en Dieu, à Dieu.* ⇒ **Foi.** *Je crois en Dieu.* ⇒ **Credo;** → Confesser, cit. 17. *Chercher* (cit. 7, 8), *découvrir Dieu. Mettre, placer sa confiance, son espérance en Dieu.* ⇒ **Abandonner** (s'abandonner à Dieu). *Se tourner vers Dieu.* ⇒ **Convertir** (se). *Revenir à Dieu. Craindre** (cit. 21, 22) *Dieu. Offenser Dieu.* ⇒ **Pécher.** *C'est vouloir tenter* Dieu que de... Blasphémer** (cit. 1) *le nom de Dieu. Sentiment de notre indignité devant Dieu.* ⇒ **Componction.** *S'accuser devant Dieu* (⇒ **Confesser**). *Demander pardon à Dieu.* ⇒ **Repentir** (se). *Chercher, accepter la volonté de Dieu* (→ Attrait, cit. 1 et 2). *Obéir à Dieu :* suivre les commandements de Dieu. *Se soumettre, se résigner à la volonté de Dieu. Recommander son âme à Dieu :* se préparer à mourir. *Paraître devant Dieu :* mourir. *Invoquer le nom de Dieu. Prier, supplier, implorer Dieu. Adorer* (cit. 2 et 3), *aimer* (cit. 1), *bénir* (cit. 14), *glorifier, honorer, louer, remercier Dieu.* ⇒ **Culte** (cit. 1 et 2), **messe, sacrifice.** *Culte de latrie* que l'on doit à Dieu seul. Prière à la gloire de Dieu.* ⇒ **Doxologie; cantique.** *Jour consacré à Dieu.* ⇒ **Dimanche.** *Intercéder auprès de Dieu. Promesse faite à Dieu.* ⇒ **Vœu.** *Se consacrer à Dieu.* ⇒ **Religion** (entrer en religion). *Consacrer* (cit. 2, 3) *sa vie à Dieu. Servir Dieu. Dieu premier servi. Vertus théologales ayant Dieu pour objet.* ⇒ **Charité, espérance, foi.** *S'unir à Dieu par la prière, la méditation. Mouvement de l'âme* (cit. 13, 16) *vers Dieu. La vue de Dieu.* ⇒ **Béatifique** (vision béatifique). *Connaissance* (cit. 4) *mystique de Dieu. Être abîmé en Dieu.* ⇒ **Extase** (en).

« Maître, que dois-je faire pour posséder la vie éternelle? » Il lui dit : « Qu'y a-t-il d'écrit dans la Loi? Qu'y lis-tu? » Il répondit : *« Tu aimeras le Seigneur ton Dieu de tout ton cœur, de toute ton âme, de toute ta force et de tout ton esprit, et ton proche comme toi-même. »* 45
BIBLE (CRAMPON), Évangile selon saint Luc, X, 25-27.

Nul ne peut servir deux maîtres : car ou il haïra l'un et aimera l'autre, ou il s'attachera à l'un et méprisera l'autre. Vous ne pouvez servir Dieu et la Richesse. 46
BIBLE (CRAMPON), Évangile selon saint Matthieu, VI, 24.

Rien n'accuse davantage une extrême faiblesse d'esprit que de ne pas connaître quel est le malheur d'un homme sans Dieu; rien ne marque davantage une mauvaise disposition du cœur que de ne pas souhaiter la vérité des promesses éternelles; rien n'est plus lâche que de faire le brave contre Dieu. Qu'ils laissent donc ces impiétés à ceux qui sont assez mal nés pour en être véritablement capables; qu'ils soient au moins honnêtes gens s'ils ne peuvent être chrétiens, et qu'ils reconnaissent enfin qu'il n'y a que deux sortes de personnes qu'on puisse appeler raisonnables; ou ceux qui servent Dieu de tout leur cœur, parce qu'ils le connaissent, ou ceux qui le cherchent de tout leur cœur, parce qu'ils ne le connaissent pas. 47
PASCAL, Pensées, III, 194.

Homme qui parle au nom de Dieu. ⇒ **Prophète, inspiration.** *Annoncer* (cit. 7, 9) *la parole de Dieu.* ⇒ **Prêcher.** *Un homme de Dieu :* une personne consacrée à Dieu, un saint homme pieux, dévot.
Le roi, représentant de Dieu sur la terre dans les monarchies de droit divin (→ Attribut, cit. 5).

La transcendance divine, jusqu'en 1789, servait à justifier l'arbitraire royal (...) Cette transcendance est donc un masque qu'il faut arracher. Dieu est mort (...) il faut tuer la morale des principes où se retrouve encore le souvenir de Dieu. 48
CAMUS, l'Homme révolté, p. 171.

LE BON DIEU (style familier). *Prier le bon Dieu. Le bon Dieu vous récompensera. — Recevoir le bon Dieu.* ⇒ **Communier; eucharistie.** — Fig. *On lui donnerait le bon Dieu sans confession,* c'est une personne hypocrite ou malicieuse, mais dont le visage inspire confiance, et qui semble n'avoir aucun péché à confesser (qui pourrait donc communier sans confession).

Le reste est entre les mains du bon Dieu. RACINE, Lettres, VII, 75. 49

(...) le bon Dieu n'y connaît plus goutte. G. SAND (→ Avaler, cit. 12). 50

♦ **2.** Loc. **DIEU SAIT...** (Pour appuyer une affirmation ou une négation). *Dieu sait si je dis la vérité. Dieu sait si je suis coupable.* — Pour exprimer l'incertitude. *Dieu sait ce que nous ferons demain. Cela va Dieu sait comme,* mal. *Dieu sait quelle aventure!* → Je ne sais* quelle...

Il était ivre, mais dans son ivresse, il y avait la sérénité amère et souriante d'un être qui aurait atteint Dieu sait quelle sagesse supérieure. 50.1
G. SIMENON, Feux rouges, p. 31.

(...) Iglésia en train de faire cuire sur un feu quelque chose qu'ils avaient volé (...) à un noir (...) qui lui-même l'avait raflé Dieu sait où (comme avait été raflé Dieu sait où et apporté jusque dans le camp Dieu sait pourquoi — dans quel but?... tout ce qu'on pouvait y trouver à vendre, à acheter ou à échanger). 50.2
Claude SIMON la Route des Flandres, p. 170.

Dieu m'est témoin que... — Devant Dieu et devant les hommes, formule de serment. *— Au nom de Dieu.*

51 N'en dites rien surtout, car vous me feriez battre.
Mon mari vient de pondre un œuf gros comme quatre.
Au nom de Dieu, gardez-vous bien
D'aller publier ce mystère. LA FONTAINE, Fables, VIII, 6.

Expressions diverses par lesquelles la personne qui parle fait intervenir Dieu ou souhaite qu'il intervienne. *À la grâce de Dieu. Avec l'aide de Dieu. Dieu aidant.* ⇒ **Aider.** *Dieu vous aide! Dieu vous bénisse! Dieu vous entende! Dieu vous assiste! Que Dieu vous le rende! Dieu le veuille*! Que Dieu ait son âme! Dieu y pourvoira. Dieu m'en préserve! Dieu m'en garde! Dieu me pardonne*! Dieu me damne!* → **Damner,** cit. 1, 2. *Dieu merci! Dieu soit loué! :* heureusement. *Plût à Dieu, au ciel! S'il plaît* à Dieu. À Dieu ne plaise* (⇒ **Plaire**). *Si Dieu le veut.* — Pour saluer une personne qui éternue. *Dieu vous assiste!* (→ Assister, cit. 13); *Dieu vous bénisse!* (→ Bénir, cit. 7).

52 — Comment se porte Madame Dimanche, votre épouse? — Fort bien, Monsieur, Dieu merci. MOLIÈRE, Dom Juan, IV, 3.

52.1 Il s'était fait faire un splendide verre en cristal de Bohême, qui jaugeait, Dieu me damne! une bouteille de bordeaux tout entière, et il le buvait d'une haleine!
BARBEY D'AUREVILLY, les Diaboliques, « Le Rideau cramoisi ».

Pop. *C'est pas Dieu possible! :* ce n'est vraiment pas possible (pas vraisemblable; pas admissible...).

52.2 Enfin voilà des employés... tous en lustrine et binocles, à faux-col celluloïd... (...) C'est les premiers que je vois à Londres!... (...) C'est pas Dieu possible? Ils en ont tous une et la même! comme mon pauvre père!... toujours des cravates à «système»... rayées à chevrons comme la sienne! CÉLINE, Guignol's Band, p. 295-296.

À-Dieu-vat. ⇒ **Adieu va.** — REM. On écrit aussi *à Dieu vat, à-Dieu-va.*

53 À-Dieu-vat! Mouillez, virez vent devant, virez vent arrière.
A. JARRY, Ubu Roi, v, 4.

♦ **3.** Interjections servant à marquer un sentiment, une émotion (colère, joie, admiration...). *Dieu! Mon Dieu! Ah, mon Dieu! Bon Dieu!* (→ régional Boudi!). *Grand Dieu! Juste Dieu! Dieu du ciel!*

54 Dieu! qu'aperçois-je ici? MOLIÈRE, Sganarelle, 9.

54.1 (...) ils s'arrêtaient un instant de travailler pour écouter le rossignol qui chantait dans l'arbre en face de la fenêtre, pour regarder le lilas immobile qui étageait mollement dans l'air lumineux les molles et fines pyramides de ses fleurs mauves comme un autel parfumé. Dieu, que leur couleur est tendre! Comme elles doivent sentir bon! PROUST, Jean Santeuil, Pl., p. 621.

(Jurons). *Nom de Dieu! Bon Dieu! Bon Dieu de bon Dieu! Dieu(x) de Dieu(x)! Vingt dieux!* (aussi *vaïn dieu!*). — Vx. *Corps(-)Dieu!* (⇒ aussi **Corbleu, tudieu, ventrebleu.** → Cap [1. Cap de Dious, juron gascon), *mort(-)Dieu... Tonnerre de Dieu!* Vulg. *Bordel de Dieu!* — Par euphém. *...de Dieu!*

55 Pour Dieu, ne prenez point de vilaine figure (...) MOLIÈRE, l'Étourdi, II, 4.

55.1 Vous êtes Vénus qui se lève
Au firmament; mais... est-ce un rêve?
Ou?... Je Vous vois... rougir... un peu,
Comme si je disais des choses...
Ou si j'allais sans fins ni causes
Répéter : Sacré nom de Dieu!
GERMAIN NOUVEAU, Valentines, « La Déesse », Pl., p. 590.

55.2 (On) nous conduisit à une fondrière où l'on jeta devant nous un milicien (...) Ignorant tout à fait tortionnaires et spectateurs, il ne s'en prenait qu'à la matière; quand ses efforts laborieux et adroits aboutissaient à l'enfoncer plus profondément dans la glaise, il ne pestait que contre la malice des choses. «Nom de Dieu de merde, c'est quand même trop con!». Jacques LAURENT, les Bêtises, p. 230.

(En qualifiant, à valeur d'adj.). *Un, ce bon Dieu de...* ⇒ **Sacré, foutu.**

55.3 (...) ce Bon Dieu de vent, les sarabandes affolées de papier, de feuilles et de détritus tourbillonnant, houspillés par les bourrasques de Mars (...)
Claude SIMON, le Vent, p. 41.

♦ **4.** Prov. *L'homme propose, Dieu dispose. — Ce que femme veut, Dieu le veut. — Qui donne* aux pauvres, prête à Dieu. — Chacun* pour soi et Dieu pour tous. — Il y a un Dieu pour les ivrognes*.*

56 Le proverbe : «Ce que femme veut, Dieu le veut», n'est pas plus vrai que tout autre proverbe, ce qui veut dire qu'il ne l'est guère.
Th. GAUTIER, Mlle de Maupin, X, p. 212.

57 Ce qui tendrait à prouver qu'il n'y a que les choses les plus notoirement folles qui viennent à bonne fin, qu'il y a une chance pour les fous, un Dieu pour les téméraires. LOTI, Aziyadé, III, L, p. 149.

DÉR. (De *bon Dieu*) V. **Bondieusard, bondieuser, bondieuserie.**
COMP. **Adieu va** (ou à-Dieu-vat).

DIFFA [difa] n. f. — 1846; *difa*, 1845; arabe maghrébin *dîfa* «hospitalité» (arabe classique *dîyâfâh*).

♦ Réception des hôtes de marque, accompagnée d'un repas, au Maghreb.

Je n'ai pas à t'apprendre que la *diffa* est le repas d'hospitalité. La composition en est consacrée par l'usage et devient une chose d'étiquette (...) voici le menu fondamental d'une *diffa* (...) D'abord un ou deux moutons rôtis entiers (...) Le mouton rôti est accompagné de galettes au beurre (...) puis viennent les ragoûts, moitié mouton et moitié fruits secs, avec une sauce abondante (...) Enfin arrive le couscoussou (*couscous*)... E. FROMENTIN, Un été dans le Sahara, p. 19-20.

DIFFAMANT, ANTE [difamã, ãt] adj. — 1690; p. prés. de *diffamer.*

♦ Rare. Qui diffame. ⇒ **Infamant; diffamatoire** (cit. 2). *Des paroles diffamantes. Libelles diffamants.*

DIFFAMATEUR, TRICE [difamatœʀ, tʀis] n. et adj. — Mil. XVe, adj.; de *diffamer.*

♦ **1.** N. (1495). Personne qui diffame. ⇒ **Calomniateur.** *Punir les diffamateurs. Une terrible diffamatrice.*

♦ **2.** Adj. Qui diffame. *Pamphlet diffamateur.*

DIFFAMATION [difamɑsjɔ̃] n. f. — 1320; *difame*, XIIIe; du bas latin *diffamatio*, du supin de *diffamare.* → Diffamer.

♦ Action de diffamer. ⇒ **Accusation, attaque, calomnie, médisance.** *Cruelle, lâche, noire diffamation. La diffamation d'un adversaire, d'un ennemi. Extorsion sous menace de diffamation* (⇒ **Chantage**). — Écrit, parole diffamatoire. *Les diffamations des journaux.*

(...) il n'y a que votre seule société (*la compagnie de Jésus*) qui recevrait véritablement quelque plaisir de la diffamation d'un auteur (*Jansénius*) qui vous a fait quelque tort. PASCAL, les Provinciales, XVIII. [1]

La diffamation, la dépression, la dérision, l'opprobre dont ils m'ont couvert (...)
ROUSSEAU, Rêveries..., 1re promenade. [2]

Dr. *Délit de diffamation* (⇒ **Injure**).

Toute allégation ou imputation d'un fait qui porte atteinte à l'honneur ou à la considération de la personne ou du corps auquel le fait est imputé est une diffamation. Loi du 29 juil. 1881, art. 29. [3]

CONTR. **Apologétique** (cit. 3), **apologie, louange.**

DIFFAMATOIRE [difamatwaʀ] adj. — 1380; du rad. de *diffamatio* ou dér. sav. de *diffamer.*

♦ Qui a pour but la diffamation; qui tend à porter atteinte à la réputation, à l'honneur (de qqn). *Allégation, imputation diffamatoire. Libelles, pamphlets diffamatoires.*

Qu'un libelle injurieux et diffamatoire se débite dans le public, et que nous nous y trouvions notés, nous remuerons tout pour en savoir l'auteur (...)
BOURDALOUE, Dominic., Serm. dim. oct. Ascension, II, *in* LITTRÉ. [1]

Diffamatoire se dit des paroles ou des écrits qui ont pour but de diffamer quelqu'un; il a toujours un sens objectif. Diffamant est plus général et se dit de tout ce qui attaque la réputation, soit au sens actif, quand on attaque la réputation : des discours diffamants; soit au sens passif, quand ce qui est diffamant agit sur celui qui a fait ce qui diffame : une action diffamante. LITTRÉ, Dict., art. *Diffamatoire.* [2]

DIFFAMER [difame] v. tr. — V. 1160; lat. *diffamare*, de *dis-* marquant la dispersion, et *fama* «renommée».

♦ Chercher à porter atteinte à la réputation, à l'honneur de (qqn). ⇒ **Attaquer, calomnier, déchirer** (fig.), **décrier** (cit. 4), **discréditer, médire** (de); **flétrir, salir, ternir** (la réputation, l'honneur de); **nuire** (à). *Diffamer un adversaire. Diffamer injustement un honnête homme. Diffamer qqn hypocritement, perfidement.* → Adresse, cit. 11.

Le mépris qu'on doit à quiconque se cache d'un homme pour le diffamer (...)
ROUSSEAU, Correspondance, t. II, p. 125, *in* LITTRÉ.

Dr. Commettre une diffamation* en imputant à qqn un fait vrai ou faux.

▶ **DIFFAMÉ, ÉE** p. p. adj.

♦ **1.** *Personne, réputation diffamée.*

♦ **2.** (1690). Blason. Se dit des armes auxquelles certaines pièces honorables ont été enlevées, ou auxquelles on a ajouté quelque pièce déshonorante. Il se dit aussi des animaux héraldiques privés de leur queue. *Lion diffamé* (→ Morné).

CONTR. **Encenser, exalter, honorer, louer, prôner, vanter.**
DÉR. **Diffamant, diffamateur, diffamatoire.**

DIFFÉRANCE [difeʀãs] n. f. ⇒ **Différence,** REM.

DIFFÉRÉ, ÉE [difeʀe] adj. — XIVe; → Différer.

♦ Fait ou remis, renvoyé à un moment ultérieur. *Crédit différé.* — *Émission différée de télévision,* donnée après avoir été faite et non en même temps. — N. m. (V. 1945). *Émission en différé* (opposé à *en direct*).

Mais ces émissions différées ont cet inconvénient que le metteur en scène intervient quand vous n'êtes plus là (...)
F. MAURIAC, le Nouveau Bloc-notes 1958-1960, p. 158. [1]

Quant à la Télévision, elle transmet chaque dimanche, le soir en différé, la course principale de la journée, et les grandes réunions annuelles au moment même où elles ont lieu. Pierre ARNOULT, les Courses de chevaux, p. 99. [2]

Figuré :
Ici encore, la menace me parvenait en différé, à travers des récits et des images vécues par d'autres (...) A. SARRAZIN, l'Astragale, p. 63. [3]

Inform. *Traitement* différé* (par oppos. à *traitement en temps réel*).

DIFFÉREMMENT [difeʀamɑ̃] adv. — XIVᵉ, *differenment; de diffé-rent.*

♦ **1.** D'une manière différente. ⇒ **Autrement.** *Il n'est pas de votre avis, il pense différemment. Apprécier* (cit. 4) *qqch. différemment. Son influence agit différemment sur eux.* ⇒ **Diversement** (→ **Agir,** cit. 28). *Les princes agissent différemment des particuliers* (Littré), autrement que...

1   La religion juive doit être regardée différemment dans la tradition des livres saints et dans la tradition du peuple.   PASCAL, *Pensées,* IX, 601.

2   Je me contredis, il est vrai : accusez-en les hommes, dont je ne fais que rapporter les jugements ; je ne dis pas de différents hommes, je dis les mêmes, qui jugent si différemment.   LA BRUYÈRE, les Caractères, XII, 93.

3   Mon père, dit Landry, nous jugeons la chose différemment vous et moi (...) Nous parlerons de Fanchon plus tard, ainsi que vous me l'avez promis.
     G. SAND, la Petite Fadette, XXX, p. 203.

♦ **2.** Régional (Sud-Est) et vx. (En tête de phrase). Par ailleurs. Cf. A. Daudet, *Tartarin sur les Alpes.*

CONTR. Identiquement, indifféremment, indistinctement.

DIFFÉRENCE [difeʀɑ̃s] n. f. — 1160 ; du lat. *differentia.*

♦ **1.** Caractère* *(une différence)* ou ensemble des caractères *(la différence)* qui distingue une chose d'une autre*, un être d'un autre être ; relation d'altérité entre ces choses, entre ces êtres. ⇒ **Dissem-blance, dissimilitude, distance, distinction, divergence, écart, inéga-lité, particularité.** *Préfixes marquant la différence.* ⇒ **Dis-, hétéro-.** *Différence légère, ténue, imperceptible. La différence n'est pas très marquée. Différence considérable, importante, notable, sensible ; différence essentielle, totale ; différence du tout* au tout.* ⇒ **Abîme.** → *C'est le jour* et la nuit. Différences empê-chant plusieurs choses de s'accorder, d'aller ensemble.* ⇒ **Antino-mie, antithèse** (cit. 3), **contradiction, contrariété, contraste, incom-patibilité, opposition ; désaccord, discordance, incohérence.** *Différen-ces dans un ensemble* (⇒ **Bigarrure, complexité, complication, dis-parité, diversité, hétérogénéité, mélange, variété).** *Différence entre deux états successifs.* ⇒ **Changement, modification, variation.** *Une différence profonde sépare ces deux théories.* ⇒ **Cloison, démarca-tion, séparation.** *Différence d'importance entre la cause et l'effet.* ⇒ **Disproportion.** *Différence entre un article de loi et un principe général.* ⇒ **Dérogation, exception.** *Différence entre deux versions d'un texte.* ⇒ **Variante.** — *Différence d'interprétation. Différence d'opinions.* ⇒ **Différend, dissidence, divergence, division.** *Tolérer les différences d'opinions* (⇒ **Tolérance).** *Recherche des différences et des ressemblances entre deux choses.* ⇒ **Comparaison** (cit. 2). *Différence de degré. Différence de valeur* (⇒ **Infériorité, supério-rité).** *Différence d'âge, de rang, d'origine, de caractère, de classe* (cit. 12)... *entre deux personnes. Différence de condition.* ⇒ **Inéga-lité, intervalle.** *« De la différence des esprits »* (paragraphe 16 des *Réflexions diverses* de La Rochefoucauld). *La différence qui est, qui existe entre eux. Ils se ressemblent avec cette différence que... Il y a une grande différence de vous à lui.* — *La différence consiste dans... La différence entre A et B, de A à B, de A et de B. Cela ne fait pas de différence* (→ *C'est tout un*). *Il y a bien de la diffé-rence.* → *C'est autre* chose ; il s'en faut de beaucoup.* (⇒ **Beau-coup,** *supra* cit. 17) ; *il y a loin*... ; c'est à cent lieues* de...*

1   Et *(il)* se trouve autant de différence de nous à nous-mêmes, que de nous à autrui.
     MONTAIGNE, Essais, II, 1.

2   Un monarque entre nous met quelque différence.   CORNEILLE, le Cid, I, 3.

3   (...) je ne veux point qu'on mette de différence entre nous deux.
     MOLIÈRE, Dom Juan, IV, 3.

4   Quelque différence qui paraisse entre les fortunes, il y a néanmoins une certaine compensation de biens et de maux qui les rend égales.
     LA ROCHEFOUCAULD, Maximes, 52.

5   Entre la veuve d'une année
Et la veuve d'une journée
La différence est grande : on ne croirait jamais
Que ce fût la même personne.   LA FONTAINE, Fables, VI, 21.

6   Ils *(Malherbe et Théophile)* ont tous deux connu la nature, avec cette différence que le premier (...) en fait la peinture ou l'histoire. L'autre (...) en fait le roman.
     LA BRUYÈRE, les Caractères, I, 39.

7   Les mortels sont égaux : ce n'est pas leur naissance,
C'est la seule vertu qui fait leur différence.   VOLTAIRE, Ériphile, II, 1.

8   Il y a une grande différence entre le prix que l'opinion donne aux choses et celui qu'elles ont réellement.
     ROUSSEAU, Julie ou la Nouvelle Héloïse, V, lettre II.

9   Or, dans le monde, c'est cette différence d'homme à homme, cette nuance, ce rien qu'on appelle *génie, imagination, esprit et talent,* qui est compté pour beaucoup ; car je ne parle pas ici des différences extérieures, telles que la force et la beauté ; ni des différences sociales, telles que la richesse, la naissance et les dignités ; diffé-rences qui jouent d'ailleurs un si grand rôle.
     RIVAROL, Littérature, Lettre sur l'ouvrage de Mᵐᵉ de Staël, Œuvres, p. 105.

10   Ma présomption s'est si souvent applaudie de ce que j'étais différent des autres jeunes paysans ! Eh bien, j'ai assez vécu pour voir que *différence engendre haine* (...)   STENDHAL, le Rouge et le Noir, I, XXVII, p. 186.

11   La différence entre Descartes et Malebranche, c'est que Descartes voit tout *par Dieu,* et que Malebranche voit tout *en Dieu* (...)
     Émile FAGUET, Études littéraires, XVIIᵉ s., Malebranche, II, p. 81.

Faire la différence entre deux choses, la percevoir ; la sentir. ⇒ **Départ, distinction, partage ; distinguer.** *Voir, sentir la différence. Il ne fait pas de différence entre eux. Ne faire aucune différence* (→ **Ami,** cit. 23).

(il) répondit (...) qu'une femme était assez savante quand elle savait mettre diffé-rence entre la chemise et le pourpoint de son mari.   MONTAIGNE, Essais, I, XXV. 12

À mesure qu'on a plus d'esprit, on trouve qu'il y a plus d'hommes originaux ; les gens du commun ne trouvent pas de différence entre les hommes.
     PASCAL, Pensées, I, 7. 13

Du faux avec le vrai faire la différence.   MOLIÈRE, Tartuffe, I, 5. 14

La princesse prétendait se connaître en musique ; elle l'aimait fort, sans avoir jamais su faire de différence entre la bonne et la mauvaise.
     R. ROLLAND, Jean-Christophe, II, p. 54. 15

Loc. prép. *À la différence de...,* se dit pour opposer des personnes, des choses différentes.

(...) à la différence de ces philosophes qui disent qu'on ne jouit que du présent, il ne jouit, au contraire, que du passé (...)
     MONTESQUIEU, Lettres persanes, XLVIII. 16

Loc. conj. *À la différence que :* avec cette différence que...

Spécialt. Ce qui distingue une communauté, un groupe, dans une société ; spécificité culturelle. *Le droit à la différence. Vive la diffé-rence !*

♦ **2.** **Log.** *Différence* ou *différence spécifique :* caractère qui distin-gue une espèce des autres espèces du même genre. *La définition* caractéristique se fait par genre prochain et différence spécifique.*

♦ **3.** Quantité qui, ajoutée à une quantité, donne une somme égale à une autre. *Différence en plus* (⇒ **Excédent, excès, supplément),** *en moins* (⇒ **Défaut, manque).** *Différence entre deux grandeurs. Mesure des très petites différences de longueur, à l'aide du compa-rateur*. Différence de hauteur, de niveau.* ⇒ **Dénivellation.** — **Spé-cialt.** *Différence d'une fonction :* variation d'une fonction pour une variation donnée d'une variable (⇒ **Différentiel).**

Différence entre deux sommes d'argent. Voilà déjà mille francs, vous paierez la différence. ⇒ **Complément ; appoint, reste, solde.** *Différence entre le débit et le crédit d'un compte.* ⇒ **Balance, compte ; bénéfice, boni, excédent ; déficit, perte.**

Bourse. Dans les opérations à terme, écart positif ou négatif entre le cours de la négociation et celui de l'exécution du marché. *Payer, toucher la différence. Faire de grosses différences.*

♦ **4.** **Log., math.** *Différence entre deux ensembles A et B,* ensemble (A - B), constitué par les éléments de A qui n'appartiennent pas à B. *Différence symétrique de deux ensembles A et B,* ensemble (A Δ B), formé par les éléments de A n'appartenant pas à B et les éléments de B n'appartenant pas à A.

♦ **5.** REM. Le philosophe J. Derrida écrit et propose d'écrire *différance* pour désigner le dynamisme, l'action séparatrice qui crée l'écart, la « différence » produite.

(...) étant et être, ontique et ontologique (...) seraient, en un style original, *dérivés* au regard de la différence ; et par rapport à ce que nous appellerons (...) la *diffé-rance,* concept économique désignant la production du différer, au double sens de ce mot (...)   J. DERRIDA, De la grammatologie, p. 38. 17

CONTR. Accord (II.), **analogie, conformité, égalité, identité, parité, ressemblance, similitude.**
DÉR. V. Différentiel.

DIFFÉRENCIATEUR, TRICE [difeʀɑ̃sjatœʀ, tʀis] adj. — 1922 ; de *différenciation.*

♦ **Didact.** ou **littér.** Qui différencie, détermine une différenciation.

Comment se fait-il que des différences existent entre les plasmas germinatifs des différents individus, dès lors que l'on doit refuser aux influences externes toute action différenciatrice ?
     Jean ROSTAND, Esquisse d'une histoire de la biologie, p. 182.

DIFFÉRENCIATIF, IVE [difeʀɑ̃sjatif, iv] adj. — Mil. XXᵉ ; de *différencier,* suff. *-atif.*

♦ **Didact.** Qui correspond à une différence, qui différencie. ⇒ **Diffé-renciateur.** — **Spécialt.** Qui marque un trait différentiel.

DIFFÉRENCIATION [difeʀɑ̃sjɑsjɔ̃] n. f. — 1808 ; de *différencier.* Didactique ou usage soutenu.

♦ **1.** Action, fait de se différencier (en parlant d'éléments sem-blables qui deviennent différents, ou d'éléments dissemblables dont les différences s'accentuent). ⇒ **Transformation.** *La différenciation fonctionnelle des cellules, des organes. Différenciation des indivi-dus, des groupes dans la société. La différenciation des fonctions économiques.* ⇒ **Spécialisation.** *Différenciations linguistiques, dia-lectales.* ⇒ **Variation.** *Différenciation sociale.*

(...) le progrès de la matière vivante consiste dans une différenciation des fonc-tions qui amène la formation d'abord, puis la complication graduelle d'un système nerveux capable de canaliser des excitations et d'organiser des actions (...)
     H. BERGSON, Matière et Mémoire, p. 278. 1

Biol. Acquisition de propriétés fonctionnelles différentes par les cel-lules semblables issues de la segmentation de l'œuf. *Différenciation cellulaire.* ⇒ **Spécialisation.**

Phonét. Modification d'un son au contact d'un autre qui a pour but d'accentuer les différences (⇒ **Dissimilation).**

♦ **2.** Action de différencier* (2.). ⇒ **Distinction, séparation.**

2   Quand un expérimentateur est en face de phénomènes complexes dus aux propriétés réunies de divers corps, il procède par différenciation, c'est-à-dire qu'il sépare successivement chacun de ces corps un à un, et voit par différence ce qui appartient à chacun d'eux dans le phénomène total.
Cl. BERNARD, Introd. à l'étude de la médecine expérimentale, II, II, p. 180.

Écon. Mise en évidence de la spécificité d'un produit (pour améliorer sa diffusion, sa perception par le public, etc.).

Chim. Mise en évidence des détails d'une préparation (par décoloration, etc.).

CONTR. Dédifférenciation ; indifférenciation ; assimilation, confusion, identification, rapprochement, réunion.
DÉR. Différenciateur.
HOM. Différentiation.

DIFFÉRENCIER [diferãsje] v. tr. — 1395 ; du lat. scolast. *differentiare*, de *differens, entis*. → Différent.

♦ **1.** (Sujet n. de chose). Rendre différent* ; établir (qqch., qqn) dans sa spécificité par un ou plusieurs traits. *Ce qui différencie l'homme des autres mammifères.*

1   Je jure, comme vous, quand le jeu me transporte ;
Et ce qui peut tous deux nous différencier,
Vous jurez dans la chambre, et moi sur l'escalier.
J.-F. REGNARD, les Ménechmes, I, 2.

2   Leurs yeux, leurs oreilles, leurs nez, les différencient *(les Lapons)* encore de tous les peuples (...)   VOLTAIRE, Essai sur les mœurs, CXIX.

♦ **2.** (Sujet n. de personne). Apercevoir, établir une différence, opérer la différenciation* entre. *Différencier deux espèces auparavant confondues.* ⇒ **Distinguer, séparer.**

3   Pendant ces trois mois de tempête,
Que faire sans calendrier ?
Comment placer les jours de fête ?
Comment les différencier ?   J.-B. L. GRESSET, Carême impromptu, *in* LITTRÉ.

4   Lorsqu'on sait que tout est nuancé dans la nature, on n'est point surpris des difficultés qu'on éprouve lorsqu'il s'agit de différencier les êtres (...)
BONNET, Contempl. nat., X, 29, *in* LITTRÉ.

Didact. et rare. N. m. *Le différencier :* le fait de différencier. → Différence, cit. 17.

♦ **3.** Math. Calculer la différentielle de (var. : *différentier*).

▶ **SE DIFFÉRENCIER** v. pron.

♦ **1.** Être caractérisé par telle ou telle différence. ⇒ **Distinguer** (se) ; différer.

5   (...) Fontenelle se différencie profondément des écrivains frivoles qui traitent des sujets graves et qui ne prennent point la vérité en elle-même.
SAINTE-BEUVE, Causeries du lundi, 27 janv. 1851, t. III, p. 328.

6   Fontenelle se différencie des écrivains de son temps par une connaissance profonde des sciences positives jointe à l'esprit le plus fin et le plus discret.
LITTRÉ, Dict., art. *Différencier.*

♦ **2.** (Choses). Devenir différent ou de plus en plus différent. ⇒ **Distinguer** (se). *Les cellules se différencient de façon à donner les divers tissus de l'organisme.*

(Personnes). Se rendre différent. *Les joueurs de l'équipe A ont revêtu un maillot rouge pour se différencier de leurs adversaires. Il cherche à se différencier, à se faire remarquer.*

▶ **DIFFÉRENCIÉ, ÉE** p. p. adj. (1611).
Marqué, séparé par quelque différence ; qui a subi une différenciation. *Tissu, organe différencié.*

7   Si loin qu'on remonte vers les origines *(de la vie)*, toujours on la rencontre déjà très différenciée, donc très ancienne.
Ed. LE ROY, l'Exigence idéaliste et le fait de l'évolution, p. 92.

8   Par suite de la confusion courante entre l'idée spencérienne d'« évolution » et celle de progrès, « différencié » est pris aussi quelquefois pour supérieur, plus perfectionné, dans des cas où il n'y a dans ce perfectionnement aucun accroissement de spécialisation. C'est (...) un faux sens à éviter.
LALANDE, Vocabulaire de la philosophie.

CONTR. Assimiler, confondre, homogénéiser, identifier, rapprocher. — (Du p. p.) Indifférencier.
DÉR. Différenciation. — V. Différentiel, différentier.
HOM. Différentier.

DIFFÉREND [diferã] n. m. — 1360, écrit *-ent ; différens,* 1640 ; *diférend,* 1680 ; var. graphique de *différent.*

♦ Désaccord résultant d'une différence d'opinions, d'une opposition d'intérêts entre deux ou plusieurs personnes. ⇒ **Contestation, démêlé, désaccord, discussion, dispute, querelle.** *Avoir un différend, des différends avec qqn. Ils ont eu un différend ensemble. Être en différend. Faire naître, susciter un différend. Porter un différend en justice.* ⇒ **Procès.** *Apaiser, aplanir, arranger, calmer le différend. Régler, terminer un différend. Arbitrer, juger un différend* (→ Arbitrage, cit. 1 ; arbitre, cit. 2) *en transigeant**. *Différend réglé à l'amiable par un compromis. Partager le différend.*

1   Et noyons dans l'oubli ces petits différends
Qui de si bons guerriers font de mauvais parents.   CORNEILLE, Horace, I, 3.

2   L'Université eut un grand démêlé avec quelques docteurs à l'occasion de la lettre Q qu'elle voulait qu'on prononçât comme un K. Il fallut que le parlement terminât le différend.
VOLTAIRE, *in* LAFAYE, Dict. des synonymes, Contestation...

---

3   (...) elle s'informe de leurs affaires ; leurs intérêts sont les siens ; elle se charge de mille soins pour eux ; elle leur donne des conseils ; elle accommode leurs différends (...)   ROUSSEAU, Julie ou la Nouvelle Héloïse, IV, lettre X.

4   (...) il faut toujours songer, dans une famille, à ne pas laisser des mineurs sans un chef pour les bien conseiller et régler leurs différends.
G. SAND, la Mare au diable, IV, p. 36.

CONTR. Accommodement, accord, réconciliation.
HOM. Différent, différant (p. prés. de *différer*).

DIFFÉRENT, ENTE [diferã, ãt] adj. — V. 1360 ; du lat. *differens,* p. prés. de *differe.* → Différer.

♦ **1.** Qui diffère, présente une différence* (par rapport à une autre personne, une autre chose). ⇒ **Autre, dissemblable, distinct.** *Ce verre est différent de cet autre verre ; il n'appartient pas à la même série. Choses différentes à tous égards, totalement, essentiellement différentes.* ⇒ **Contraire, opposé ; contradictoire** (cit. 3). *Différent comme le jour et la nuit. Avis* (cit. 26) *différents, opinions différentes.* ⇒ **Divergent.** *Ses idées sont bien différentes des vôtres.* ⇒ **Éloigné.** *Caractères* (cit. 34) *différents. Aspects différents* (→ Contraste, cit. 5). *Couleurs nettement différentes.* ⇒ **Tranché.** *Nombres différents.* ⇒ **Inégal ; inférieur, moindre, supérieur.** *Cela est bien différent de ce que l'on voit d'habitude.* ⇒ **Étrange, exceptionnel, singulier ; part** (à part). *D'un pays différent.* ⇒ **Étranger.** *Choses différentes mises ensemble.* ⇒ **Discordant, disparate, divers, hétéroclite, hétérogène.** *Séparer, trier des choses différentes* (→ Séparer le bon grain de l'ivraie*). *Choses semblables d'aspect et de valeurs différentes* (→ Il y a fagot* et fagot). *Devenu différent.* ⇒ **Changé, méconnaissable, modifié, transformé.** *Il a mis un costume différent.* ⇒ **Nouveau.** *Le temps est différent aujourd'hui* (→ Les jours* se suivent et ne se ressemblent pas). *Sens différents d'un mot* (→ Attacher, cit. 39). *Le calembour* (cit. 3, 4) *utilise les mêmes mots avec des acceptions différentes.*

Qui a un caractère, un comportement différent.

1   On est quelquefois aussi différent de soi-même que des autres.
LA ROCHEFOUCAULD, Maximes, 135.

2   Il n'y a point d'homme plus différent d'un autre que de soi-même, dans les divers temps.   PASCAL, De l'esprit géométrique (→ Différence, cit. 1).

3   L'Aigle, reine des airs, avec Margot la pie,
Différente d'humeur, de langage et d'esprit,
Et d'habit,
Traversaient un bout de prairie.   LA FONTAINE, Fables, XII, 11.

4   Tous les hommes sont semblables par les paroles ; et ce n'est que les actions qui les découvrent différents.   MOLIÈRE, l'Avare, I, 1.

5   Qu'est-ce que le talent du comédien ? L'art de (...) paraître différent de ce qu'on est (...)   ROUSSEAU, Lettre à M. d'Alembert (→ Comédien, cit. 2).

6   Si les effets matériels de quelques actions sont pareils à diverses époques, les causes qui les ont produits sont différentes.
CHATEAUBRIAND, Mémoires d'outre-tombe, t. VI, p. 88.

7   Toute créature humaine est un être différent en chacun de ceux qui la regardent.   FRANCE, le Lys rouge, XXVII, p. 202.

8   (...) si nous n'étions si différents, nous n'aurions pas si grand plaisir à nous entendre.   GIDE, Œdipe, II.

9   Dès le soir de l'arrivée, ils contractaient de nouvelles habitudes, différentes de celles qu'ils avaient pu avoir déjà dans leur vie (...)   GIRAUDOUX, Bella, I, p. 16.

10   (...) à chaque minute les appels se renouvelaient sur un ton différent, passant de la gaieté à la surprise, et de l'irritation à l'inquiétude.
J. GREEN, Adrienne Mesurat, III, VII, p. 260.

11   Il arrive qu'une route offre des aspects tellement différents à l'aller et au retour que le promeneur qui rentre croit se perdre.   COCTEAU, le Grand Écart, V, p. 90.

Spécialt. Remarquable, original.

Cela est différent, bien différent, tout différent, exprime une opposition entre ce qui était attendu et ce qui se produit ou entre deux données. → C'est une autre chanson*, une autre histoire*, une autre paire de manches*.

♦ **2.** Plur. (av. le n.). Distincts. ⇒ **Divers, plusieurs.** *Différentes personnes me l'ont dit. Par différents moyens. Ce mot a différents sens, je ne sais plus combien.*

12   (...) vous savez si bien tous les différents caractères, toutes les différentes perfections qui me rendaient précieuse et chère cette personne incomparable (ma mère).   Mᵐᵉ DE GRIGNAN, in Mᵐᵉ DE SÉVIGNÉ, 1468, 13 août 1696.

13   Sur différentes fleurs l'abeille s'y repose,
Et fait du miel de toute chose.   LA FONTAINE, IX, Disc. à Mᵐᵉ de La Sablière.

14   Le Ciel, dont nous voyons que l'ordre est tout-puissant,
Pour différents emplois nous fabrique en naissant (...)
MOLIÈRE, les Femmes savantes, I, 1.

CONTR. Analogue, commun, égal, identique, même, pareil, ressemblant, semblable, similaire, voisin. — Un ; seul.
DÉR. Différemment. — V. Différend.
HOM. Différant (p. prés. de *différer*), différend.

DIFFÉRENTIATION [diferãsjasjõ] n. f. — 1839 ; de *différentier.*

♦ Math. Opération destinée à obtenir la différentielle d'une fonction.

Pour les fonctions explicites, la différentiation mène au calcul de la dérivée.

HOM. Différenciation.

DIFFÉRENTIEL, ELLE [difeʀɑ̃sjɛl] adj. et n. — XVIᵉ; de *différence,* d'après le bas latin *differentialis.*
Didact. Relatif aux différences ou aux variations.

♦ **1.** (1732). Math. *Calcul différentiel :* partie des mathématiques qui a pour objet l'étude des variations infiniment petites des fonctions. *Le calcul différentiel s'occupe des infiniment petits, de leurs rapports; il constitue avec le calcul intégral le calcul infinitésimal* (analyse mathématique). *Le calcul différentiel est issu des recherches de Descartes, Fermat, Pascal et Leibniz sur les tangentes* aux courbes. — Équation différentielle :* relation entre une fonction, la variable dont elle dépend et les dérivées de la fonction. *Système d'équations différentielles. — Analyseur* différentiel.*
N. f. *Une, la différentielle :* partie principale de l'accroissement d'une fonction pour un accroissement infiniment petit de la variable.

1 Mais revenons à nos séries. Souligner leur importance, c'est dire que la notion de différentielle, si elle a une évidente origine géométrique, doit aussi beaucoup à l'arithmétique (...) Michel SERRES, Hermès I, la Communication, p. 148.

♦ **2.** Mécan. *Mouvement différentiel :* mouvement qui résulte de la combinaison (somme ou différence) de deux mouvements produits par la même force. *Le palan différentiel, la vis différentielle, le tendeur à vis fournissent un mouvement différentiel.*
Engrenage différentiel : combinaison d'engrenages par lesquels on transmet à un arbre rotatif un mouvement composé, équivalent à la somme ou à la différence de deux mouvements.
N. m. (1895, in *Année sc. et industr.* 1896, p. 286). LE DIFFÉRENTIEL : engrenage différentiel réunissant les deux moitiés d'essieu d'un véhicule automobile. *L'arbre de transmission, par son pignon d'attaque, transmet le mouvement à la couronne du différentiel, qui entraîne un arbre transversal et les pignons satellites et planétaires enfermés dans la boîte du différentiel. Le cardan* transmet le mouvement au différentiel.*

♦ **3.** Didact. Qui concerne les différences. *Psychologie différentielle :* étude comparative des différences psychologiques entre les individus humains.
Stimulus* différentiel. — Seuil* différentiel.
Méd. *Diagnostic différentiel,* qui établit les spécificités d'affections ayant des symptômes communs.
Didact. Basé sur les différences spécifiques. *Étude différentielle de deux concepts.*

♦ **4.** Qui établit des différences. Comm. *Droit différentiel :* taxe douanière variable selon la provenance des marchandises. *Tarif différentiel* (de transport) : tarif qui n'est pas proportionnel aux distances.
Écon. *Salaires différentiels.* ⇒ **Salaire.** — N. m. (abusif). *Différentiel d'inflation :* différence de taux d'inflation.

2 Depuis un certain temps on parle de « *différentiel d'inflation* », ce qui fait savant, mais n'est pas approprié. Lorsqu'il s'agit de calcul ou d'engrenage, le mot a un sens, mais non lorsqu'il est accolé à celui d'inflation.
Pierre DROUIN, *in* le Monde, 14 sept. 1982, p. 1.

♦ **5.** Didact. Qui manifeste en lui une ou des différences pertinentes. ⇒ **Singulier, spécifique.**

3 Tout cela introduit à la même idée d'un écrivain surhomme, d'une sorte d'être différentiel que la société met en vitrine pour mieux jouer de la singularité factice qu'elle lui concède. R. BARTHES, Mythologies, p. 32.

DIFFÉRENTIER [difeʀɑ̃sje] v. tr. — 1754; var. de *différencier* d'après le latin.

♦ Math. Prendre la différentielle d'une fonction (⇒ **Différencier,** 3.).

DÉR. Différentiation.
HOM. Différencier.

DIFFÉRER [difeʀe] v. — 1314; lat. *differre* «disperser; remettre (à plus tard); être différent», de *dis-* (→ Dis-), et *ferre* «porter».

★ **I.** V. tr. ♦ **1.** (V. 1350). Remettre à un autre temps; éloigner l'accomplissement, la réalisation de (qqch.). ⇒ **Remettre, renvoyer, repousser, retarder, surseoir** (à). *Différer une affaire, une démarche. Différer un paiement, une échéance. Le contrat est signé, mais on en diffère l'exécution. Différer le jugement d'un procès par des procédés dilatoires*. — (Avec un adv. ou un compl de temps). Cela ne doit pas être différé plus longtemps. Différer son départ de jour en jour, de délai en délai. Différez cela jusqu'à demain* (cit. 3). *Différer qqch. de...* (tel temps). → ci-dessous cit. 2, 3. — Au passif et au p. p. (plus cour.). *Le paiement a été différé. Échéance différée, différée indéfiniment, pendant longtemps.*

1 (...) son mariage, différé par sa maladie (...)
MOLIÈRE, le Médecin malgré lui, I, 4.

2 Ah! si du fils d'Hector la perte était jurée,
Pourquoi d'un an entier l'avons-nous différée? RACINE, Andromaque, I, 2.

Si mon cœur, de tout temps facile à tes désirs, 3
N'a jamais d'un moment différé tes plaisirs (...) BOILEAU, le Lutrin, II.
Les bonnes résolutions ne gagnent pas à être différées. 4
J. ROMAINS, M. Le Trouhadec...
Cette aventure que j'ai trouvée au centre de ma mémoire et dont je ne peux différer plus longtemps le récit (...) CAMUS, la Chute, p. 80. 4.1
REM. Sans être archaïque, cet emploi est d'un style littéraire ou assez soutenu, de nos jours.
Prov. Vx. *Ce qui est différé n'est pas perdu.*

♦ **2.** V. tr. ind. Littér. *Différer de..., à...* (et inf.). *Différer de faire... Différer à faire...* ⇒ **Tarder.** *Ne différez point d'y aller* (Académie). *J'ai différé à le dire* (Littré).
(...) j'ai toujours différé à vous faire réponse jusqu'à présent (...) 5
Mᵐᵉ DE SÉVIGNÉ, Lettres, 71, 20 mai 1667.
(...) si l'on diffère un moment à se rendre au lieu dont on est convenu avec lui, 6
il se retire. LA BRUYÈRE, les Caractères de Théophraste, « De la brutalité ».
En quelque endroit de sa maison qu'il ait aperçu un serpent, il ne diffère pas d'y 7
élever un autel.
LA BRUYÈRE, les Caractères de Théophraste, « De la superstition ».

♦ **3.** Absolt. ⇒ **Atermoyer, attendre** (cit. 32), **temporiser.** *Partez sans différer, sans plus différer.*
Mais ne différez point : chaque moment vous tue. RACINE, Phèdre, I, 3. 8

★ **II.** V. intr. Être différent, dissemblable. ⇒ **Différencier** (se), **distinguer** (se), **opposer** (s'). — (Sujet au sing.). *Différer de... Mon opinion diffère légèrement, sensiblement de la vôtre. — Différer d'avec. Différer d'avec qqn par un caractère. — (Sujet au plur.). Ils diffèrent en un point, sur tous les points. C'est en cela qu'ils diffèrent* (→ Céder, cit. 15). *Ils diffèrent l'un de l'autre en ce que... Ils ne diffèrent que par ce trait. Leurs opinions diffèrent.* ⇒ **Diverger.** — Absolt. Varier, avoir des aspects dissemblables (→ ci-dessous cit. 11). Dans le même sens, construit avec de (→ ci-dessous cit. 13).

Tous les hommes sont fous, et, malgré tous leurs soins, 9
Ne diffèrent entre eux que du plus ou du moins. BOILEAU, Satires, IV.
(...) nous tâcherons de marquer, non en quoi les «nouveaux venus» se ressemblent, 10
mais en quoi ils diffèrent, c'est-à-dire en quoi ils existent, car être existant,
c'est être différent. R. DE GOURMONT, le Livre des masques, p. 14.
Combien la notion de l'honneur diffère suivant les pays et les âges! 11
GIDE, Journal, 21 juin 1931.
C'est parce que tu diffères de moi que je t'aime; je n'aime en toi que ce qui diffère 12
de moi. GIDE, les Nourritures terrestres, p. 189.
Lorsque nous considérons les individus humains, nous sommes tout d'abord frappés 13
de leur diversité, de leur inégalité. À tous égards, l'Homme diffère de l'Homme :
par le visage, par la force physique, par la vigueur intellectuelle, par les aptitudes morales, par le caractère, etc. Jean ROSTAND, l'Homme, V, p. 67.
(...) le microbe différait légèrement du bacille de la peste, tel qu'il était classique- 14
ment défini. CAMUS, la Peste, p. 150.
Mon amie, nous sommes bien étranges. J'éprouvais pour la première fois un plai- 15
sir de perversité à différer des autres; il est difficile de ne pas se croire supérieur,
lorsqu'on souffre davantage, et la vue des gens heureux donne la nausée du bonheur. M. YOURCENAR, Alexis, p. 68.
(Personnes). Avoir des attitudes, des opinions différentes. *Ils diffèrent complètement sur ce point, en politique.* → Ils ne sont pas de la même paroisse*. *Différer à propos de qqch.* ⇒ **Opposer** (s').

CONTR. (Du sens I) **Avancer, hâter, précipiter; réaliser.** — (Du sens II) **Ressembler** (se), **confondre** (se).

DIFFICILE [difisil] adj. — 1330; lat. *difficilis,* de *dis-,* et *facilis.* → Facile.

♦ **1.** Qui n'est pas facile; qui ne se fait qu'avec effort, avec peine. ⇒ **Ardu, délicat, dur, laborieux, malaisé, pénible, terrible,** et, par exagér. **impossible, infaisable;** (fam.) **coton, duraille, vache;** → C'est le diable*, la mer à boire*. *Affaire, entreprise, opération, travail difficile. Manœuvre longue et difficile. — Difficile à...* (et inf.). *Cela est difficile à faire, à exécuter, à réussir. Ce n'est pas si difficile.* → Il ne faut pas s'en faire une montagne*. *Temps difficile à passer* (Académie). *Quel âge peut-il avoir? C'est difficile à dire.* — Vieilli. *Difficile à qqn,* difficile pour lui. → ci-dessous cit. 1. *C'est plus difficile à telle catégorie de personnes.* — Mod. (avec un pronom). *Il lui est, il m'est, il nous est difficile de... Cela te sera difficile. Il m'est difficile d'accepter. Il m'est difficile de ne pas y aller,* j'y suis obligé, contraint, forcé.

Rien ne pèse tant qu'un secret; 1
Le porter loin est difficile aux dames (...) LA FONTAINE, Fables, VIII, 6.
Les fautes des sots sont quelquefois si lourdes et si difficiles à prévoir, qu'elles 2
mettent les sages en défaut (...) LA BRUYÈRE, les Caractères, XI, 62.
Sans être belle, elle avait une figure difficile à oublier, et que je me rappelle 3
encore, souvent beaucoup trop pour un vieux fou. ROUSSEAU, les Confessions, I.
(...) il est aussi difficile et aussi rare de bien observer que de bien penser et de 4
bien écrire. GIDE, Corydon, p. 132.
Que tout me paraît difficile! J'avance pas à pas, peinant, à court de souffle, de 5
joie, de ferveur. GIDE, Journal, 13 août 1927.
Il n'est pas difficile d'être malheureux! ce qui est difficile c'est d'être heureux; 6
ce n'est pas une raison pour ne pas essayer; au contraire, le proverbe dit que toutes les belles choses sont difficiles. ALAIN, Propos sur le bonheur, p. 162.
Il mesure donc son cœur aux tâches les plus difficiles; et sa grandeur d'âme ne 7
les estimait peut-être pas en raison de la difficulté.
André SUARÈS, Trois hommes, « Pascal », II, p. 33.
Ce monde à lui tout seul tel qu'il est, c'est difficile de nous persuader qu'il est 8
complet et suffisant. CLAUDEL, Feuilles de saints, p. 169.

Par ext. Délicat. *Il est difficile d'en parler devant les enfants.* ⇒ **Épineux, scabreux.**

♦ **2.** Qui demande un effort intellectuel, des capacités (pour être compris, résolu). *Passage, texte difficile.* ⇒ **Compliqué, confus, embrouillé, ésotérique, impénétrable, inextricable, mystérieux, obscur.** *Le russe est plus difficile que l'espagnol, pour un Français. Auteur difficile,* dont les écrits sont difficiles à comprendre. *Morceau de musique difficile,* difficile à exécuter. *Rôle difficile,* difficile à jouer. *Problème difficile.* ⇒ fam. **Coton, trapu.**

9   *(La femme est)* Un certain animal difficile à connaître (...)
                              MOLIÈRE, le Dépit amoureux, IV, 2.
10   La critique est aisée, et l'art est difficile.
                    Ph. DESTOUCHES, le Glorieux, II, 5 (→ Auteur, cit. 38).
11   (...) ce qui n'est que difficile ne plaît point à la longue.   VOLTAIRE, Candide, XXV.
12   Il est des hommes pour qui une méditation profonde est un besoin ; tout ce qui est difficile leur paraît grand.   CONDORCET, Duhamel.
13   (...) rien n'est plus difficile dans cette grave histoire que de garder respect à l'ordre chronologique.   STENDHAL, Souvenirs d'égotisme, p. 15.
14   (...) la solution du grand problème d'un amoureux parfait, problème un peu plus difficile à résoudre que celui de la pierre philosophale.
                              Th. GAUTIER, Mlle de Maupin, X, p. 210.
15   La langue française est difficile. Elle répugne à certaines douceurs (...)
                              COCTEAU, la Difficulté d'être, p. 201.
16   Les revues difficiles paraissent sur papier de luxe ; ce qui se lit sur papier chandelle est toujours sage et très clair.   J. PAULHAN, les Fleurs de Tarbes, p. 18.

♦ **3.** Qui présente un danger, une incommodité (accès, passage). *Lieu d'abord, d'accès difficile. Chemin, route, voie difficile.* ⇒ **Escarpé, impraticable, inabordable, inaccessible, raide ; casse-cou, dangereux, périlleux.** *Prendre à la corde* (cit. 7) *un tournant difficile.*

17   Ainsi vous élargirez un peu les voies du ciel et rétablirez le chemin que sa hauteur et son âpreté rendront toujours assez difficile.
                    BOSSUET, Oraison funèbre d'Henriette-Anne d'Angleterre.
18   Le Pérou est un pays très difficile, où il faut continuellement gravir des montagnes, marcher sans cesse dans des gorges et des défilés.
                    G. T. RAYNAL, Hist. philosophique, VII, 5, in LITTRÉ.

♦ **4.** N. m. *Le difficile :* les choses difficiles (au sens 1 ou 2). *Le difficile, c'est de...*

19   (...) dans tous les temps, l'homme ne désire vivement que le difficile.
                              MICHELET, la Femme, p. 245.
20   Pour tous les hommes le bien est difficile, pour les héros de Corneille, c'est le difficile qui est le bien.
                    Émile FAGUET, Études littéraires, XVIIe s., Corneille, III, p. 157.
21   Le difficile dans la vie, c'est de prendre au sérieux longtemps de suite la même chose.   GIDE, les Faux-monnayeurs, I, VI, p. 76.

♦ **5.** Qui donne du tourment. ⇒ **Douloureux, pénible, triste.** *Position, situation difficile.* ⇒ **Délicat, embarrassant.** *Circonstances, temps difficiles :* temps de calamités, de troubles. *Ce fut une époque, une période difficile pour tous. Il y eut un moment difficile dans sa vie.* → *Un mauvais* moment. Mener une vie difficile.* ⇒ **Âpre, rude.** *Avoir des débuts difficiles.*

22   (...) j'ai lieu de soupçonner qu'elle est dans une situation difficile (...)
                              MARIVAUX, Marianne, XI.

Vx. *Personne d'une fréquentation, d'un commerce difficile* (→ ci-dessous 6.).

♦ **6.** (Personnes). Qui n'est pas aisé, agréable à fréquenter. *Personne difficile.* ⇒ **Acariâtre, contrariant, difficultueux, exigeant, intraitable, irascible, querelleur, rude ;** → Mauvais coucheur* ; colère, cit. 19. *Enfant difficile* (à élever). — *Humeur, caractère* difficile.* ⇒ **Coriace** (fig.), **dur, mauvais, ombrageux.** — *Difficile à vivre.*

23   (...) votre fille n'est pas si difficile que cela, et elle s'est apprivoisée depuis qu'elle est chez moi.   MOLIÈRE, George Dandin, I, 4.
24   Il fut quelque temps après obligé de répudier Azora, qui était devenue trop difficile à vivre (...)   VOLTAIRE, Zadig, III.
25   Elle n'est point de ces maîtresses emportées et difficiles qui trouvent à redire à tout, qui crient sans cesse, tourmentent leurs domestiques, et dont le service, en un mot, est un enfer.   A. R. LESAGE, Gil Blas, IV, VII.

(Animaux). *Cheval difficile.* ⇒ **Ombrageux, rétif.**

♦ **7.** (Personnes). Qui n'est pas facilement satisfait ; de goûts exigeants. ⇒ **Exigeant ; délicat, raffiné.** *Il ne faut pas être trop difficile. Critique difficile.* ⇒ **Sévère.** — *Goût difficile.* — (Avec un compl.). *Être difficile, plus ou moins difficile sur qqch.* (→ ci-dessous cit. 29, 31).

26   Rien ne touche son goût, tant il est difficile (...)   MOLIÈRE, le Misanthrope, II, 4.
27   Ne soyons pas si difficiles :
     Les plus accommodants, ce sont les plus habiles (...)   LA FONTAINE, Fables, VII, 5.
28   Le roi est content de vous ; mais cela ne suffit pas ; il faut que Dieu le soit aussi, et il n'est pas plus difficile que les hommes (...)
                    Mme DE MAINTENON, Lettre à d'Aubigné, 10 oct. 1685, in LITTRÉ.
29   (...) en amour, le cœur n'est pas difficile sur les productions de l'esprit (...)
                              BEAUMARCHAIS, le Barbier de Séville, I, 6.
30   N'ayez pas l'esprit plus difficile que le goût, et le jugement plus sévère que la conscience.   Joseph JOUBERT, Pensées, V, LXXII.
31   Il ne faut pas être difficile sur les repas, lorsqu'on est si près de Sparte (...)
                    CHATEAUBRIAND, Itinéraire de Paris à Jérusalem, 30.

Spécialt. *Femme difficile,* difficile à séduire, exigeante dans le choix de ses prétendants.

---

32   (...) les femmes un peu difficiles, qu'on ne possède pas tout de suite, dont on ne sait même pas tout de suite qu'on pourra jamais les posséder, sont les seules intéressantes.   PROUST, À la recherche du temps perdu, t. VII, p. 230.

N. *Faire le difficile, la difficile.* → Faire la petite bouche* ; faire le dégoûté*, le renchéri* ; faire comme le héron* de la fable, faire sa Sophie*.

33   Une dame plaît plus qui fait un peu de la difficile et résiste, que quand elle se laisse sitôt porter par terre.   BRANTÔME, Vie des dames galantes, Disc. I, p. 24.
34   (...) les Luthériens font encore ici les difficiles et ne veulent pas se laisser persuader aux sentiments de Calixte (...)   BOSSUET, Hist. des variations, XV, 169.

CONTR. **Facile ; agréable, aisé, commode, réalisable, simple. — Accommodant, aimable, conciliant.**
DÉR. **Difficilement.**

DIFFICILEMENT [difisilmɑ̃] adv. — V. 1455 ; de *difficile.*

♦ **1.** D'une manière difficile ; non sans peine. ⇒ **Malaisément.** *Il y est parvenu difficilement.*

♦ **2.** Rare. *Apprendre, travailler difficilement,* avec difficulté. ⇒ **Laborieusement, péniblement.**

1   Ceux qui apprennent difficilement et avec peine retiennent mieux ce qu'ils ont une fois appris.   J. AMYOT, Caton d'Utique.
2   De toutes les facultés de l'homme, la raison (...) est celle qui se développe le plus difficilement et le plus tard (...)   ROUSSEAU, Émile, II.
3   Ici (...) l'écriture de Tarrou donnait des signes bizarres de fléchissement. Les lignes qui suivaient étaient difficilement lisibles (...)   CAMUS, la Peste, p. 298.

CONTR. **Facilement.**

DIFFICULTÉ [difikylte] n. f. — 1239 ; lat. *difficultas,* de *difficilis.* → Difficile.

♦ **1.** Caractère de ce qui est difficile* ; ce qui rend qqch. difficile. *Difficulté d'une affaire, d'une entreprise, d'un travail. Difficulté d'un texte, d'une langue étrangère. Difficulté d'un poème.* ⇒ **Obscurité.** *Difficulté d'un cas, d'une question, d'un problème, d'un sujet.* ⇒ **Complexité, complication, confusion, subtilité.** *Difficulté d'une recherche.* — *Difficulté d'un chemin, d'un passage, d'une ascension.* ⇒ **Danger, péril.** — *Ce travail est pour lui sans difficulté. Ce problème ne présente aucune difficulté* (→ Pont aux ânes*).

1   (...) je sens plus que jamais la difficulté de mon entreprise (...)
                    BOSSUET, Oraison funèbre d'Henriette-Anne d'Angleterre.
2   Pendant deux longs jours, Bernard explora Paris, étonné de sa propre ardeur à poursuivre des acheteurs qui se dérobaient enfin. Comme il arrive aux amants, la difficulté du métier commençait à lui en donner le goût.
                              A. MAUROIS, Bernard Quesnay, XXI, p. 144.

Absolt. *Aimer la difficulté. L'attrait de la difficulté. Craindre la difficulté. Répugnance pour la difficulté.*

♦ **2.** *Difficulté à* (et inf.). ⇒ **Embarras, gêne, mal, peine.** *Difficulté à s'exprimer* (→ Découdre, cit. 6). *Il a de la difficulté à comprendre cela. Avoir, éprouver de la difficulté à...* — Vx. *Difficulté de...* Allus. littér. *La difficulté d'être.* → ci-dessous cit. 3. — *La difficulté de faire qqch.*

3   « Je sens une difficulté d'être ». C'est ce que répond Fontenelle, centenaire, lorsqu'il va mourir et que son médecin lui demande : « M. Fontenelle, que sentez-vous ? » Seulement la sienne est de la dernière heure. La mienne date de toujours.
                    COCTEAU, la Difficulté d'être, p. 193 (→ aussi Arranger, cit. 22).

♦ **3.** (*Une, des difficultés*). Ce qu'il y a de difficile en quelque chose ; chose difficile. ⇒ **Accroche** (vx), **contrariété, embarras, empêchement, ennui, obstacle, opposition, résistance, souci, tracas, traverse ; involution ;** fam. **accroc, aria, bec, cactus, cahot, cheveu, chiendent, épine, os, pépin.** *Légère, grande, grave difficulté. Difficulté infranchissable, insurmontable.* ⇒ **Barrière** (fig.), **écueil** (fig.). *Difficultés matérielles, financières* (⇒ Constant, cit. 3). *Difficultés intellectuelles, morales, sentimentales. Affaire hérissée de difficultés.* → Semé de ronces* et d'épines. *Toute entreprise présente des difficultés.* → Il n'y a pas de rose* sans épines. *Les difficultés que comporte ce sujet. Les difficultés que soulève cette question* (⇒ **Problème**). *Une difficulté d'algèbre. Des difficultés d'orthographe, de grammaire. Dictionnaire des difficultés de la langue française. Aplanir ; éclaircir une difficulté. Le nœud de la difficulté* (⇒ **Tu autem**, le). — *S'achopper, se cogner, se heurter à des difficultés. Se débattre* (cit. 12), *patauger* (fam.) *au milieu des difficultés. Les difficultés qui le menacent, qui l'assaillent* (cit. 8). *Avoir peur des difficultés.* → S'en faire une montagne*. *Hésiter, reculer devant les difficultés. Se noyer dans les difficultés. Affronter une difficulté. Faire face aux difficultés.* → Prendre le taureau* par les cornes, le loup* par les oreilles. *Lever, renverser, surmonter, vaincre les difficultés. Passer par-dessus les difficultés ; éluder, tourner la difficulté. Aplanir, résoudre, trancher une difficulté. Élever, susciter des difficultés à qqn.* → Tailler des croupières* à... *Nous aurons de grandes difficultés à le décider.* → Ce sera la croix et la bannière*. *Voilà la difficulté.* ⇒ **Diable, hic** (le). *Des difficultés imprévues ont surgi ; elles l'ont contraint à abandonner.*

4   (...) diviser chacune des difficultés que j'examinais en autant de parcelles qu'il se pourrait et qu'il serait requis pour les mieux résoudre.
                              DESCARTES, Disc. de la méthode, II.
5   La difficulté fut d'attacher le grelot.   LA FONTAINE, Fables, II, 2.

6 — Que voulez-vous? — Vous consulter sur une petite difficulté. — Sur une difficulté de philosophie, sans doute? MOLIÈRE, le Mariage forcé, 4.

7 L'éclaircissement d'une difficulté dépend souvent de la solution d'une autre et celle-ci d'une précédente (...)
BERNARDIN DE SAINT-PIERRE, la Chaumière indienne, in LITTRÉ.

8 (...) avec l'imagination allemande qu'elle tenait de son père, les difficultés, loin d'être une raison pour la détourner d'une entreprise, la lui rendaient encore plus attrayante. STENDHAL, Mina de Wanghel, Œ., t. II, p. 1143.

9 Je ne prendrais pas sur moi de trancher cette difficulté.
Paul BOURGET, Un divorce, I, p. 35.

10 Un suicide. Solution de toutes les difficultés (...)
J. ROMAINS, les Hommes de bonne volonté, t. II, XVII, p. 198.

11 Les difficultés d'un sujet, il est bon de ne les reconnaître qu'au fur et à mesure que l'on travaille; on perdrait cœur à les voir toutes d'un coup.
GIDE, Si le grain ne meurt, II, I, p. 291.

12 Ainsi, ne nous rendant pas compte de la nature des difficultés que présentent les tâches mal connues de nous, nous sommes portés à considérer ces difficultés comme nulles. J. PAULHAN, Entretien sur des faits divers, p. 31.

12.1 Peut-être avaient-ils des difficultés, ce qu'on appelle des difficultés de cœur alors?
M. DURAS, Moderato cantabile, p. 37.

Cela peut souffrir des difficultés. Cela ne souffrira aucune difficulté : cela sera facile. — *Cela ne fait aucune difficulté. Je n'y vois pas de difficulté :* cela est possible.

Spécialt. Passage difficile, obscur, dans un texte. *Les difficultés de Tacite.* — Passage difficile d'exécution, dans un morceau de musique. *Les difficultés des Études de Liszt.*

13 (...) vous n'êtes arrêté dans la lecture que par les difficultés (...) où les commentateurs et les scoliastes eux-mêmes demeurent court (...)
LA BRUYÈRE, les Caractères, XIV, 72.

14 (...) elle raclait sa guitare et chantait, en roulant les yeux d'une manière féroce comme un virtuose exécutant des difficultés.
LOTI, Mᵐᵉ Chrysanthème, XXXII, p. 111.

♦ **4.** Raison alléguée, opposition soulevée contre qqch. ⇒ **Objection; chicane, contestation, opposition.** *Faire des difficultés. Soulever sans cesse des difficultés* (→ Donner du fil* à retordre). *Soulever une difficulté* (→ Lancer un lièvre*). *Se décider après bien des difficultés.* ⇒ **Embarras.** *Il n'a pas fait difficulté de venir* (vx); *il n'a pas fait de difficultés pour venir; il est venu sans difficulté.*

15 (...) s'ils faisaient quelque difficulté à cause de l'heure, ne manque pas de les presser (...) MOLIÈRE, George Dandin, III, 5.

16 Peut-être fera-t-elle quelque difficulté à prendre ce remède (...)
MOLIÈRE, le Médecin malgré lui, III, 6.

♦ **5.** *En difficulté :* dans une situation difficile. *Être en difficulté. Mettre qqn en difficulté.*

17 (...) le roi de France était en difficulté avec l'Église à cause d'un second mariage irrégulier. J. BAINVILLE, Hist. de France, V, p. 54.

CONTR. **Aisance, facilité, simplicité. — Accord.**
DÉR. **Difficultueux.**

DIFFICULTUEUSEMENT [difikyltɥøzmã] adv. — 1823; de difficultueux.

♦ Rare. D'une manière difficultueuse (2.); avec de grandes difficultés (Barbusse, Jankélévitch, in T. L. F.). ⇒ **Laborieusement.**
REM. Cet adverbe est en fait un intensif stylistique de *difficilement.*

1 Les gros officiers se hissèrent un peu plus difficultueusement au haut de leurs bêtes respectives. Th. GAUTIER, Constantinople, p. 185.

2 Mon père n'insiste pas. Aussi bien, Martin du Gard est-il déjà en train de quitter difficultueusement son fauteuil : — Une crise de goutte (...)
Claude MAURIAC, le Temps immobile, p. 348.

DIFFICULTUEUX, EUSE [difikyltɥø, øz] adj. — 1584; de difficulté, d'après majestueux, voluptueux, de majesté, volupté.

♦ **1.** Vx ou littér. (Personnes). Qui est enclin à soulever des difficultés. ⇒ **Chicaneur, pointilleux.** *Homme, esprit difficultueux.*

1 Des difficultés! Oh! ma comtesse n'est point difficultueuse (...)
A. R. LESAGE, Turcaret, IV, 2.

♦ **2.** Abusif. (Choses). Difficile. — REM. Cet emploi constitue un faux sens, motivé par l'adéquation de la forme (dérivé plus complexe, plus «difficile» que le mot *difficile*) au contenu. On le rencontre néanmoins dans quelques textes (A. France, Duhamel, in T. L. F. et G. L. L. F.).

2 Étant donnée sa forme de cylindre arrondi aux extrémités, le lingot se serait fort bien prêté à l'expérience difficultueuse conçue par Fogar.
Raymond ROUSSEL, Impressions d'Afrique, p. 363.

CONTR. **Accommodant, facile.**
DÉR. **Difficultueusement.**

DIFFLUENCE [diflyãs] n. f. — 1838; de diffluent.

♦ **1.** Didact. Caractère de ce qui est diffluent.

♦ **2.** Géogr. Division d'un cours d'eau en plusieurs branches. — *Diffluence d'un glacier,* qui, poussé par la pression des glaces d'amont, remonte une vallée affluente et rejoint un autre glacier après avoir passé un col. — Météor. Élargissement progressif des lignes de courant (dans le sens de l'écoulement).

♦ **3.** Fig. et rare. État de ce qui se développe en se diffusant. ⇒ **Diffusion.**

DIFFLUENT, ENTE [diflyã, ãt] adj. — XVIᵉ, Amyot, *humeur... diffluente;* du lat. *diffluens,* p. prés. de *diffluere* «s'écouler en divers sens». → Affluent.

♦ Didact. Qui s'écoule, se répand. — Biol. *Tissus diffluents :* tissus ramollis, à consistance quasi liquide. — Géogr. Dont les ramifications s'écartent et se développent (cours d'eau, glacier). — N. m. *Les diffluents d'un glacier.*

(Abstrait). Qui se développe dans plusieurs directions. *Imagination diffluente.*

CONTR. **Ferme, solide.**
DÉR. **Diffluence.**

DIFFLUER [diflye] v. intr. — 1530; du lat. *diffluere,* de *dis-,* et *fluere* «s'écouler».

♦ Didact. Se répandre en s'épanchant de divers côtés. — REM. On rencontre aussi la forme pron. anormale *se diffluer* (in T. L. F.).

DIFFORME [difɔʀm] adj. — XIIIᵉ; du lat. médiéval *difformis,* altér. de *deformis,* de *de-,* et *forma* «forme».

♦ **1.** Qui n'a pas la forme et les proportions naturelles (se dit du corps, notamment du corps humain et de ses parties). ⇒ **Contrefait, déformé, estropié, infirme, monstrueux.** → Mal fait*, mal bâti*. *Homme difforme.* ⇒ **Avorton, géant, nabot, nain; boiteux, bossu, bot** (pied bot), **cagneux, cul-de-jatte, déjeté, disgracié, éclopé, estropié, obèse, rachitique, tordu;** (vx) **godenot, polichinelle, ragotin.** *Bête, monstre difforme* (→ Chimère, cit. 2). *Un grand escogriffe dégingandé, presque difforme.* — *Figure, tête difforme. Membres difformes et tordus.* — Par exagér. Très laid. ⇒ **Affreux, hideux, horrible, repoussant.**

1 On ne saurait dire s'il *(Ésope)* eut sujet de remercier la nature, ou bien de se plaindre d'elle : car, en le douant d'un très bel esprit, elle le fit naître difforme et laid de visage (...) LA FONTAINE, la Vie d'Ésope.

2 Il est si prodigieusement flatté dans toutes les peintures que l'on fait de lui, qu'il paraît difforme près de ses portraits (...)
LA BRUYÈRE, les Caractères, VIII, 32.

3 Quand il *(Claude Frollo)* tira cet enfant du sac, il le trouva bien difforme... Le pauvre petit diable avait une verrue sur l'œil gauche, la tête dans les épaules, la colonne vertébrale arquée, le sternum proéminent, les jambes torses (...) Il baptisa son enfant adoptif et le nomma *Quasimodo...* En effet, Quasimodo, borgne, bossu, cagneux, n'était guère qu'un *à peu près.* HUGO, Notre-Dame de Paris, IV, II.

Littér. (Choses). *Un arbre difforme.* ⇒ **Rabougri, tordu.** *Bâtiment difforme,* disproportionné.

♦ **2.** Fig. et littér. ⇒ **Anormal, monstrueux, repoussant.** *Le monde difforme de la Cour* (cit. 5) *des Miracles. Des idées difformes.* N. m.

4 Le laid, c'est la grimace du diable derrière le beau. Le difforme est l'envers du sublime. C'est l'autre côté. HUGO, l'Homme qui rit, II, VII, IV.

CONTR. **Beau, normal, parfait, régulier, symétrique...**
DÉR. **Difformer.**

DIFFORMER [difɔʀme] v. tr. — Déb. XIVᵉ, *Ovide moralisé;* de *difforme,* d'après *former.*

♦ Didact. et vx. Déformer (encore chez Du Camp, 1859, in T. L. F.).
Spécialt. Dénaturer (une monnaie).

DIFFORMITÉ [difɔʀmite] n. f. — XIVᵉ; lat. médiéval *difformitas,* altér. de *deformitas,* de *deformis.* → Difforme.

♦ **1.** Défaut marqué de la forme physique, en général congénital, anomalie dans les proportions. ⇒ **Déformation, infirmité, malformation, monstruosité, vice** (de conformation); → Contrefait, cit. 2. *Les becs de lièvre; la claudication, le déjettement sont des difformités. La palmature, la syndactylie, difformités de la main. Difformités du pied* (pied plat, pied bot...), *de la colonne vertébrale* (bosse, gibbosité). *Difformité de la vue, des yeux* (myopie, strabisme...). *Corriger une difformité. Les difformités d'une caricature, d'une charge.*

1 (...) toute sa personne était une grimace. Une grosse tête hérissée de cheveux roux; entre les deux épaules une bosse énorme (...) un système de cuisses et de jambes si étrangement fourvoyées qu'elles ne pouvaient se toucher que par les genoux (...) de larges pieds, des mains monstrueuses; et, avec toute cette difformité, je ne sais quelle allure redoutable de vigueur, d'agilité et de courage (...)
HUGO, Notre-Dame de Paris, I, V.

2 Rembrandt, le plus grand peintre de cette race, n'a reculé devant aucune des laideurs et des difformités physiques (...)
TAINE, Philosophie de l'art, t. II, V, III, V, p. 305.

Fig. et littér. Anomalie; imperfection morale, intellectuelle.

3 C'est une grande difformité dans la nature qu'un vieillard amoureux.
LA BRUYÈRE, les Caractères, XI, 111.

4 Une furie vengeresse leur présentait un miroir qui leur montrait toute la difformité de leurs vices (...) FÉNELON, Télémaque, XVIII.

♦ **2.** Rare. Caractère de ce qui est difforme. *La difformité de son visage.*

CONTR. **Beauté, norme, perfection, régularité, symétrie.**

DIFFRACTER [difʀakte] v. tr. — 1838 ; de *diffraction.*

♦ Phys. Produire la diffraction de. *Écran qui diffracte les rayons lumineux.*

▶ **DIFFRACTÉ, ÉE** p. p. adj.
On peut remplacer la plaque sensible *(photographique)* par une chambre d'ionisation recevant le faisceau diffracté au travers d'une fente étroite (...)
Augustin BOUTARIC, les Rayons X, p. 37.

DIFFRACTIF, IVE [difʀaktif, iv] adj. — 1846 ; de *diffraction.*

♦ Vx. Qui produit la diffraction.

DIFFRACTION [difʀaksjɔ̃] n. f. — 1666 ; du lat. *diffractus,* p. p. de *diffringere* « mettre en morceaux », de *dis-,* et *frangere* « rompre ». → Fraction.

♦ Phys. Phénomène optique de déviation des rayons lumineux, au voisinage de corps opaques. ⇒ **Déflexion, dispersion.** *Qui opère la diffraction.* ⇒ **Diffractif, diffringent.**
Par ext. Phénomène analogue pour d'autres rayonnements. *Diffraction des rayons X sur un réseau cristallin.*

DÉR. **Diffracter, diffractif.**
COMP. **Diffractomètre.**

DIFFRACTOMÈTRE [difʀaktɔmɛtʀ] n. m. — D. i. (mil. xxᵉ) ; de *diffract(ion), -o,* et *-mètre.*

♦ Didact. Appareil de mesure de la diffraction. *« Le diffractomètre mis au point par Varian » (la Recherche, nov. 1973, p. 990).*

DIFFRINGENT, ENTE [difʀɛ̃ʒɑ̃, ɑ̃t] adj. — 1738 ; du lat. *diffringens,* p. prés. de *diffringere.* → Diffraction.

♦ Phys. Qui opère la diffraction*. *Surface diffringente.*
(...) l'expérience de Laue *(physicien allemand)* a permis d'établir, d'une manière définitive, la présence d'éléments diffringents situés aux nœuds d'un système réticulaire.
Augustin BOUTARIC, les Rayons X, p. 35.

DIFFUS, USE [dify, yz] adj. — 1314 ; du lat. *diffusus,* p. p. de *diffundere* « répandre », de *dis-,* et *fundere* « répandre ».

♦ **1.** Qui est répandu dans toutes les directions.
1 La force par laquelle nous agissons, nous sentons, nous pensons, est diffuse dans toute la matière. DIDEROT, Opinion des philosophes, « Épicuréisme ».
2 N'y a-t-il pas telle douleur physique diffuse, s'étendant par irradiation dans des régions extérieures à la partie malade, mais qu'elle abandonne pour se dissiper entièrement si un praticien touche le point précis d'où elle vient ?
PROUST, À la recherche du temps perdu, t. VI, p. 146.
3 La terre de France produit une race d'êtres incomparables, si évolués, si complets, que la moindre éducation, immédiatement assimilée, les rend aptes aux premiers rôles. La véritable élite de la France est diffuse dans son peuple.
J. CHARDONNE, l'Amour du prochain, VII, p. 168.
4 La faculté d'indignation persiste, mais comme une douleur exaspérée qui n'a plus de siège précis. Elle se disperse et elle est diffuse, confuse, elle menace d'être incohérente dans ses réactions (...)
G. DUHAMEL, Récits des temps de guerre, IV, XXV, p. 95.
5 Mais, pendant plusieurs minutes, sa pensée diffuse erra, comme ses regards, sans qu'il pût la fixer. MARTIN DU GARD, les Thibault, t. IV, p. 35.
Par ext. Dont les contours sont flous. *Visages diffus.*
Phys. *Lumière diffuse :* lumière due à une réflexion irrégulière. *Chaleur diffuse.*
6 La lune avait disparu derrière le chevet de l'église mais sa lueur diffuse pâlissait le ciel et n'y laissait palpiter que de rares étoiles.
F. MAURIAC, la Pharisienne, VIII, p. 114.
Phonét. Se dit des voyelles dont les deux formants principaux ont des fréquences éloignées (opposé à *compact*).
(Abstrait). *Des souvenirs diffus.*

♦ **2.** (Abstrait). Littér. Qui délaye sa pensée. ⇒ **Abondant, prolixe, verbeux.** — *Un style diffus.*
7 (...) si on les laisse *(les idées)* se succéder lentement, et ne se joindre qu'à la faveur des mots, quelque élégants qu'ils soient, le style sera diffus, lâche et traînant.
BUFFON, Disc. sur le style, p. 14.
8 Le *diffus* pèche par des écarts, et le *prolixe* par des longueurs. Le *diffus* n'est pas précis ; le *prolixe* n'est pas court. Le *diffus* tourne sans cesse autour de la même idée, et ne l'exprime jamais que d'une manière vague (...) Un écrit de quelques pages sera néanmoins *diffus,* mais non pas *prolixe,* si, quoique bref, il contient des choses étrangères à ce dont il s'agit. LAFAYE, Dict. des synonymes, Diffus.
(Personnes). *Écrivain, orateur diffus.*
9 Quelque soin qu'on apporte à être serré et concis, et quelque réputation qu'on ait d'être tel, ils *(certains esprits vifs)* vous trouvent diffus.
LA BRUYÈRE, les Caractères, I, 29.

CONTR. **Bref, concis, court, laconique, limité, précis.**
DÉR. **Diffusément, diffuser.**

DIFFUSANT, ANTE [difyzɑ̃, ɑ̃t] adj. — D. i. ; p. prés. de *diffuser.*

♦ Méd. Qui diffuse, qui s'étend de proche en proche. *Douleur diffusante.*

DIFFUSÉMENT [difyzemɑ̃] adv. — 1371 ; de *diffus.*

♦ Rare. D'une manière diffuse. *Parler, écrire diffusément.*

DIFFUSER [difyze] v. — xvᵉ, rare jusqu'au xixᵉ ; de *diffus.*

★ **I.** V. tr. ♦ **1.** Répandre dans toutes les directions. ⇒ **Disperser, propager, répandre.** *Action de diffuser.* ⇒ **Diffusion.** *Diffuser la chaleur, la lumière.* — Pron. :
1 (...) par les fenêtres grandes ouvertes, l'or de ce soleil au déclin se diffusait partout, jetant sur la nudité des murs (...) une chaude splendeur (...)
LOTI, Matelot, III, p. 12.
(1861). Sc. Provoquer la diffusion de.

♦ **2.** Plus cour. Émettre, transmettre par ondes hertziennes (⇒ **Radiodiffusion**). *Diffuser une émission.* — Au p. p. *Ondes sonores diffusées par radio. Discours, concert diffusé en direct, en différé.*

♦ **3.** (xxᵉ). Fig. Répandre dans le public. *Diffuser une nouvelle. Diffuser des idées, des façons d'agir, des comportements.*

♦ **4.** Distribuer (un ouvrage de librairie). *Éditeur qui diffuse des livres, des textes. Cet ouvrage est édité à Lille, mais c'est un éditeur parisien qui le diffuse chez les libraires (⇒ Distribuer).*
2 Des imprimeurs de la ville virent très vite le parti qu'ils pouvaient tirer de cet engouement et diffusèrent à de nombreux exemplaires les textes qui circulaient.
CAMUS, la Peste, p. 241.
Au p. p. *Un livre, un titre très, mal diffusé.*

★ **II.** V. intr. Chim. Se répandre en tous sens (dans un milieu).
3 Quant à la vitamine A et au carotène, leur taux ne se modifie guère ; ils sont d'ailleurs liposolubles et ne peuvent en aucune façon diffuser dans l'eau.
Suzanne GALLOT, les Vitamines, p. 110.

CONTR. **Concentrer.**
DÉR. **Diffusant, diffuseur, diffusible, diffusif.**

DIFFUSEUR [difyzœʀ] n. m. — 1890 ; de *diffuser.*

♦ **1.** Techn. Appareil qui sert à diffuser qqch. — Spécialt. Appareil servant à l'extraction du jus sucré des betteraves.
(1921). Partie du carburateur (d'un moteur à explosion) où se produit la pulvérisation de l'essence. ⇒ **Venturi.**
Appareil d'éclairage qui ne laisse passer qu'une lumière diffuse. *« L'éclairage par fluorescence a été adopté avec tubes (...) disposés dans une rampe longitudinale à la partie supérieure du pavillon des compartiments sous des diffuseurs en matière plastique translucide » (la Vie du rail, nᵒ 892, 14 avr. 1963, p. 22).*
Vx. Haut-parleur* diffusant les sons.

♦ **2.** Organe qui diffuse (l'information, les connaissances).
La déchéance du livre, comme grand diffuseur de la connaissance, peut se trouver retardée quelque temps encore.
G. DUHAMEL, Défense des lettres, Préface, p. 7.
Dans le commerce de la librairie, Entreprise chargée de la diffusion*. *Cet éditeur passe par un, par plusieurs diffuseurs. Diffuseur spécialisé. Éditeur* diffuseur. Il, elle est le diffuseur de cet éditeur.*
Par ext. *Le diffuseur d'une doctrine, d'une théorie.* ⇒ **Vulgarisateur.**

DIFFUSIBILITÉ [difyzibilite] n. f. — 1787 ; de *diffusible.*

♦ Didact. Caractère de ce qui peut être diffusé.

DIFFUSIBLE [difyzibl] adj. — 1834 ; de *diffuser.*
Didactique.

♦ **1.** Qui peut se répandre en tous sens. *Odeur diffusible.*
Les hormones (...) substances diffusibles.
Jean ROSTAND, Esquisse d'une histoire de la biologie, p. 230.

♦ **2.** Fig. Qui peut être propagé, se répandre dans le public.
Mais l'Esprit européen — ou du moins ce qu'il contient de plus précieux — est-il totalement diffusible ?
VALÉRY, Variété, la Crise de l'Esprit, *in* Œ., Pl., t. I, p. 999.

DÉR. **Diffusibilité.**

DIFFUSIF, IVE [difyzif, iv] adj. — Fin xvᵉ ; de *diffuser.*

♦ Didact. Qui a la propriété de diffuser (de la chaleur, de la lumière). *Pouvoir diffusif d'un corps.* «*Un pouvoir lumineux diffusif excessivement faible*» (*Année sc. et industr.*, 1900, p. 6).

DÉR. **Diffusivité.**

DIFFUSION [difyzjɔ̃] n. f. — 1587; lat. *diffusio*, du supin de *diffundere*. → Diffus.

A. ♦ **1.** Action de se répandre, de se diffuser (en parlant de la matière, d'ondes). *Diffusion de la lumière par réflexion sur une surface dépolie. Diffusion de la chaleur, du son.*

Phys. Phénomène par lequel les diverses parties d'un fluide deviennent homogènes (en composition, température, etc.) en se répartissant également dans une enceinte. *Diffusion des gaz. Diffusion à travers une paroi poreuse* (osmose), *par des orifices capillaires* (effusion). *Diffusion des solutions. Diffusion thermique.* — Dissémination des rayons lumineux produits par transmission à travers un milieu trouble (par diffraction), un milieu gazeux ou condensé (à densité irrégulière).

♦ **2.** Phys. Changement de direction ou d'énergie (d'une particule incidente), provoqué par une collision (avec une autre particule ou un système de particules). *Diffusion accélératrice d'un neutron*, par laquelle il gagne de l'énergie.

♦ **3.** Physiol. Dissémination (d'une substance) dans l'organisme.

♦ **4.** (1953). Cour. Diffusion d'ondes sonores. *Émetteur de radio qui assure la diffusion d'un programme, d'un bulletin d'informations.* ⇒ **Émission, transmission, radiodiffusion.**

♦ **5.** Fig. Le fait de répandre, de se répandre. ⇒ **Expansion, invasion, propagation.** *Diffusion des richesses.* ⇒ **Distribution.** *Diffusion des connaissances humaines, de l'instruction.* ⇒ **Vulgarisation.** *Diffusion de la pensée, de la langue, d'une culture. La diffusion d'une nouvelle. Les médias, supports d'une diffusion massive de l'information. Diffusion à grande échelle* (→ Arrosage, C., 3.).

1   (...) le sens primitif s'affaiblit par la diffusion de l'expression, et (...) il a besoin d'être affirmé.   F. BRUNOT, la Pensée et la Langue, IV, XVII, II, p. 683.

2   L'influence essentielle d'un écrivain, ce n'est donc pas celle qu'il exerce immédiatement sur le public par la première diffusion de ses écrits, c'est celle qu'il exerce, et souvent à son insu, par l'intermédiaire des maîtres, des professeurs, sur les enfants des générations nouvelles.
   G. DUHAMEL, Défense des lettres, IV, V, p. 304.

♦ **6.** *Diffusion des ouvrages de librairie,* distribution à l'ensemble des détaillants (libraires, grandes surfaces, etc.). ⇒ **Diffuser; diffuseur.**

B. Fig. et péj. Vx. Défaut de concision et de clarté (dans le style); caractère diffus. ⇒ **Délayage.**

3   La diffusion nuit sans doute à la clarté, quand on parle à des hommes accoutumés à une attention soutenue, qui savent saisir des nuances fines, qui peuvent recevoir à la fois un grand nombre d'idées et suppléer aux idées intermédiaires que l'on a supprimées.   CONDORCET, Duhamel, in LITTRÉ.

C. (1956). Techn. (admin.). *Diffusion de l'impôt :* incidence fiscale de la prise en charge partielle par le contribuable de l'impôt qui pourrait être répercuté sur les consommateurs.

CONTR. **Agglomération, centralisation, concentration, convergence. — Effacement, étouffement. — Concision, précision.**
COMP. **Radiodiffusion.**

DIFFUSIVITÉ [difyzivite] n. f. — Mil. xxᵉ; de *diffusif.*

♦ Phys. Propriété de diffuser; pouvoir diffusif. *Diffusivité thermique d'un isolant.* «*Pour estimer les transferts thermiques au niveau d'un échangeur de centrale nucléaire, calculer la traînée d'un avion ou évaluer les flux de matière à l'intérieur d'une étoile, l'ingénieur ou le chercheur essaieront de déterminer des coefficients de transport moyen appelés coefficients de diffusivité turbulente.*» (*la Recherche*, nᵒ 139, déc. 1982, p. 1418).

DIG [dig] interj. et n. — D. i. (absent des dict.); onomatopée.

♦ Onomatopée évoquant le son d'une cloche (associé à *ding, dong*). Syn. : *ding.* — N. m. *Un dig auquel font écho un ding et un dong.*

1   Une quatrième fois les mots : « Frère Jacques » se firent entendre, prononcés maintenant par l'extrémité droite, qui venait de rompre son inaction pour compléter le quatuor; la première voix terminait alors le canon par les syllabes : « Dig, ding, dong », servant de base à « Sonnez les matines » et à « Dormez-vous », nuancés par les deux voix intermédiaires.   Raymond ROUSSEL, Impressions d'Afrique, p. 88.

2   Dig ding dong, dig ding dong, drelin, drelin... L'entrée des caravanes!... Le carillon, qui est ici la musique habituelle de l'aube, me réveille encore à moitié cette fois (...)   LOTI, Vers Ispahan, p. 92.

DIGAMMA [digama] n. m. — 1752; mot grec «double gamma», de *dis-*, et *gamma.*

♦ Didact. Lettre de l'alphabet grec archaïque, qui correspond au son [w].

DIGASTRIQUE [digastʀik] adj. — 1611; grec *di-* «deux», et *gastêr, gastros* «ventre».

♦ Anat. Se dit d'un muscle de la mâchoire inférieure qui a deux faisceaux de fibres charnues réunis par un tendon intermédiaire. — N. m. *Le digastrique, abaisseur de la mâchoire inférieure et élévateur de l'os hyoïde.*

DIGÉRABILITÉ [diʒeʀabilite] n. f. — xxᵉ; de *digérable.*

♦ Didact. Digestibilité*.

DIGÉRABLE [diʒeʀabl] adj. — 1843; attestation isolée, 1516; de *digérer*, et suff. *-able.*

♦ Qu'on peut digérer. — REM. Cet adj., de formation française, remplacerait avantageusement le néologisme contesté *digeste.* —*Aliment difficilement, facilement* (⇒ **Digestible**) *digérable.*

1   (...) j'avais perdu ce privilège, comme après la première jeunesse on perd le pouvoir qu'ont les enfants de dissocier en fractions digérables le lait qu'ils ingèrent, ce qui force les adultes à prendre, pour plus de prudence, le lait par petites quantités, tandis que les enfants peuvent le téter indéfiniment sans reprendre haleine.
   PROUST, le Temps retrouvé, Pl., p. 858.

Par métaphore :

2   (...) ces immenses phrases (...) si ingénieusement nommées des *tartines* dans l'argot du journalisme qui tous les matins en taille à ses abonnés de fort peu digérables, et que néanmoins ils avalent.
   BALZAC, Illusions perdues, Pl., t. IV, p. 497 (→ Tartine, cit. 1).

3   (...) il faudra, c'est fort à craindre, d'étranges flambées et l'assaisonnement de pas mal de sang pour rendre digérables, en ce jour, ces rebutants chrétiens de boucherie.   Léon BLOY, le Désespéré, p. 149.

DÉR. **Digérabilité.**

DIGÉRER [diʒeʀe] v. tr. — Conjug. *céder.* — Av. 1288; «calmer», 1361; «mettre en ordre», jusqu'au xviiᵉ; lat. *digerere* «porter çà et là, distribuer», de *dis-*, et *gerere.*

♦ **1.** Vx. Mettre en ordre, classer (⇒ 1. **Digeste**).
Le sénat devait digérer toutes les affaires.
   1   BOSSUET, Disc. sur l'hist. universelle, III, 7.

♦ **2.** Faire la digestion de. ⇒ **Digestion; assimiler** (cit. 5). *Aliment qui se digère facilement* (⇒ **Passer**).
Cour. Assimiler facilement, normalement (les aliments). *Estomac débile qui ne digère que les légumes. Digérer mal, péniblement un repas. Boire un digestif, pour mieux digérer* (→ Chocolat, cit. 1). — Fam. *Il a un estomac d'autruche, il digérerait des pierres.*

2   J'ai l'estomac débilité,
Si bien qu'à grand-peine il digère.
   O. BASSELIN, XVᵉ s., les Vaux-de-Vire, in LITTRÉ.

3   Il devait ronfloter, en digérant du chou, son grand nez sur la salamandre !
   MARTIN DU GARD, les Thibault, t. IV, p. 95.

Pron. *Cela se digère bien.*

♦ **3.** (xviiᵉ). Par métaphore ou fig. Mûrir par la réflexion, par un travail intellectuel comparé à la digestion. ⇒ **Assimiler.** *Digérer une pensée, une lecture.* — Absolt. *Il ne suffit pas d'absorber, il faut digérer* (→ ci-dessous, cit. 7).

4   Ceux qui ont le raisonnement le plus fort et qui digèrent le mieux leurs pensées afin de les rendre claires et intelligibles, peuvent toujours le mieux persuader ce qu'ils proposent (...)   DESCARTES, Disc. de la méthode, I.

5   Je vous laisse digérer ces réflexions (...)
   Mᵐᵉ DE SÉVIGNÉ, Lettres, 789, 13 mars 1680.

6   Peu lire, et penser beaucoup à nos lectures, ou, ce qui est le même chose, en causer beaucoup entre nous, est le moyen de les bien digérer (...)
   ROUSSEAU, Julie ou la Nouvelle Héloïse, I, Lettre XII.

7   Il ne faut pas travailler tout le temps. Il faut prendre des temps, prendre son temps. Il faut digérer. Oui. C'est dans la digestion des connaissances que réside le talent.   Max JACOB, Conseils à un jeune poète, p. 34.

8   Plagiaire est celui qui a mal digéré la substance des autres : il en rend les morceaux reconnaissables.   VALÉRY, Rhumbs, p. 148.

Au p. p. *Connaissances bien, mal digérées.*

9   (...) et c'est la combinaison de ces éléments *digérés* qui développe l'originalité personnelle.
   Antoine ALBALAT, la Formation du style, II (→ Assimiler, cit. 6).

10   (...) Les pays s'inondent réciproquement de «Digests» c'est-à-dire, comme le nom l'indique, de littérature déjà digérée, de chyle littéraire.
   SARTRE, Situations II, p. 267.

♦ **4.** (xviiᵉ). Fam. Supporter patiemment (qqch. de fâcheux). ⇒ **Endurer, souffrir.** *Digérer un affront, un outrage, une injure.* ⇒ **Avaler.** *Digérer sa disgrâce. C'est bien dur à digérer :* c'est difficile à accepter, à supporter ou à oublier.

11   Il ne peut digérer les cinq cents écus que je lui arrache (...)
   MOLIÈRE, les Fourberies de Scapin, II, 7.

12   (...) ces coups de bâton me reviennent au cœur, je ne les saurais digérer (...)
   MOLIÈRE, le Médecin malgré lui, I, 4.

13   Je lui aurais tout pardonné, parce que, enfin, c'est une malade; mais son indifférence pour Marie, je ne peux pas la digérer.
   F. MAURIAC, Thérèse Desqueyroux, XII, p. 213.

♦ **5.** Chim. Pratiquer la digestion* de. ⇒ **Dissoudre, macérer; digesteur.**

▶ **DIGÉRÉ, ÉE** p. p. adj. *Bol alimentaire à demi digéré. — Lecture bien digérée. — Injure mal digérée.*

CONTR. **Ingérer ; rejeter, rendre.** — (Du p. p.). **Indigéré.**
DÉR. V. **Digeste, digestible, digestif, digestion.** — **Digérable.**
COMP. (Du p. p.). **Prédigéré.**

DIGEST [diʒɛst ; dajʒɛst] n. m. — 1930 ; mot amér. « résumé ».

♦ Anglicisme. Résumé, condensé d'un livre ; publication formée de tels condensés. « *Les pays s'inondent réciproquement de " Digests "* » (→ Digérer, cit. 10). *Des digests.*

HOM. 1. Digeste, 2. digeste.

1. DIGESTE [diʒɛst] n. m. — V. 1230 ; lat. *digesta*, de *digerere.* → Digérer.

♦ Dr. rom. Recueil des décisions des jurisconsultes, composé par ordre de l'empereur Justinien. ⇒ **Code, répertoire.**
Le *Digeste* ou Pandectes est de beaucoup, au point de vue historique, la plus importante des compilations de Justinien. C'est, d'après son titre, une encyclopédie réduite du Droit classique romain (...) Le *Digeste* est divisé en 50 *livres*, les livres en *titres*, chaque titre est subdivisé en *fragments ;* lesquels fragments sont aussi appelés des lois, parce que Justinien a reconnu le caractère législatif à tous les fragments consacrés et retenus. A.-E. GIFFARD, Précis de droit romain, t. I.

HOM. Digest, 2. digeste.

2. DIGESTE [diʒɛst] adj. — 1880 ; d'après *indigeste ;* cf. anc. franç. *digest* « qui a digéré », XIIIᵉ ; *digeste* « digéré », XVIᵉ.

♦ Comm. (mot critiqué). Qui se digère facilement. ⇒ **Digérable, digestible.**

HOM. Digest, 1. digeste.

DIGESTÉ [diʒɛste] n. m. — D. i. ; de *digestion.*

♦ Pharm. Produit obtenu par digestion* (2.).

DIGESTEUR [diʒɛstœʀ] n. m. — 1752 ; dér. sav. du lat. *digestum*, supin de *digerere.* → Digérer.

♦ Techn. Autoclave servant à cuire, dissoudre certaines substances à haute température.
Digesteur-cuiseur. ⇒ **Autocuiseur.**
La pâte (...) est envoyée dans des digesteurs-cuiseurs où elle subit une cuisson rapide aux environs de 82 °C. Guérir, oct. 1967, « Les aliments de sécurité ».

DIGESTIBILITÉ [diʒɛstibilite] n. f. — 1805 ; de *digestible.*

♦ Didact. Qualité d'un aliment digestible, facilement digérable. Syn. : *digérabilité.*

DIGESTIBLE [diʒɛstibl] adj. — 1314, rare jusqu'au XVIIIᵉ ; lat. *digestibilis*, même sens, du supin de *digerere*, → Digérer.

♦ Qui peut être facilement digéré. ⇒ 2. **Digeste.** *Aliment très digestible.* ⇒ **Léger.**

CONTR. **Indigeste, indigestible, lourd, pesant.**
DÉR. **Digestibilité.**

DIGESTIF, IVE [diʒɛstif, iv] adj. — V. 1260 ; lat. méd. *digestivus*, du supin de *digerere.* → Digérer.

♦ **1.** Qui contribue à la digestion*. *Appareil digestif* (bouche, gosier, œsophage, estomac, intestin. → Assimilable, cit. 1). *Tube digestif. Ferments digestifs.* ⇒ **Diastase, suc.**
1 Notre appareil digestif est constitué par un tube ouvert à ses deux bouts ; l'un des orifices, la *bouche*, sert à l'introduction des substances alimentaires ; l'autre, l'*anus*, sert à l'expulsion des résidus de la digestion.
(...) il existe en dehors du tube digestif, et à son voisinage immédiat, trois autres organes qui en sont des *annexes* parce qu'ils sécrètent des liquides qui se déversent dans ce tube digestif, où ils exercent eux-mêmes une action importante dans la digestion de certaines catégories d'aliments. Ce sont : les *glandes salivaires* (...) le *foie* (...) le *pancréas.* A. PIZON, Anatomie et physiologie humaine, p. 264.

♦ **2.** Relatif à la digestion ; de la digestion. *Trouble digestif.*

♦ **3.** Qui facilite la digestion. *Liqueur, tisane digestive.*
N. m. (XVIᵉ). *Boire un digestif*, un alcool, une liqueur. *Prendre un café et un digestif.* ⇒ **Pousse-café.**

♦ **4.** Fig. et fam. Qui produit un effet lénifiant, euphorique (spectacle, lecture). *Une lecture digestive.* — REM. Cet emploi implique en général une péjoration (caractère banal, conformiste).
2 Si, dans le théâtre digestif d'aujourd'hui, les nerfs, c'est-à-dire une certaine sensibilité physiologique, sont laissés délibérément de côté, livrés à l'anarchie individuelle du spectateur, le Théâtre de la Cruauté compte en revenir à tous les vieux moyens éprouvés et magiques de gagner la sensibilité.
A. ARTAUD, le Théâtre et son double, Idées/Gallimard, p. 189-190.

DIGESTION [diʒɛstjõ] n. f. — 1265 ; lat. *digestio*, du supin de *digerere.* → Digérer.

♦ **1.** Physiol. et cour. Ensemble des transformations que subissent les aliments dans le tube digestif avant d'être assimilés (⇒ **Assimilation, nutrition**). *Phénomènes mécaniques de la digestion.* ⇒ **Préhension ; mastication ; déglutition** (cit. 2), **ingestion ; péristaltique** (mouvement péristaltique). *Transformations des aliments lors de la digestion,* dissolution et désintégration sous l'effet d'enzymes (salive ; suc gastrique et pancréatique), émulsion des graisses par la bile, résorption sous forme de chyle.
Spécialement adapté à ses fonctions, grâce à ses muscles et à ses glandes, l'appareil digestif exerce sur les aliments des actions à la fois mécaniques et chimiques destinées à les rendre assimilables. Entre le moment où ils sont ingérés et celui où ils passent dans le sang, s'écoule le temps compris entre la digestion et l'absorption. P. VALLERY-RADOT, Notre corps..., p. 88. 1

Faire la digestion d'un aliment. ⇒ **Digérer ; digestible.** *Digestion pénible, laborieuse, difficile, lente.* ⇒ **Bradypepsie, dyspepsie.** *Aliments de digestion difficile* (⇒ **Indigeste**). *Troubles de la digestion.* ⇒ **Apepsie, indigestion.** *Avoir la langue saburrale à la suite d'une mauvaise digestion* (⇒ **Saburre**). *Bonne digestion.* ⇒ **Eupepsie.**
Cour. Moment où l'on digère ; état d'une personne qui a absorbé de la nourriture et digère.
Cliton n'a jamais eu en toute sa vie que deux affaires, qui est de dîner le matin et de souper le soir ; il ne semble né que pour la digestion. 2
LA BRUYÈRE, les Caractères, XI, 122.
Tout en fumant il se laissait aller au bienfaisant engourdissement de la digestion. 3
P. MAC ORLAN, la Bandera, I, p. 13.
Il but ensuite une tasse de camomille, afin de faciliter sa digestion, que pouvait 4 compromettre un coucher prématuré. J. ROMAINS, les Copains, II, p. 67.
Fam. *Visite de digestion :* visite qu'il était d'usage de faire à qqn après avoir été reçu à sa table.
Le comte l'avait félicitée sur sa cuisine, sur sa maison, sur sa bonne grâce, et il 5 l'avait laissée enflammée d'enthousiasme.
Il était revenu faire sa visite de digestion, s'était laissé inviter de nouveau, et il entrait maintenant sans cesse chez Mᵐᵉ Honorat (...)
MAUPASSANT, Mont-Oriol, p. 316.

♦ **2.** Chim., pharm. Dissolution (d'une substance) dans un liquide à haute température ou extraction de certains éléments (de cette substance). ⇒ **Décoction, macération.** *La digestion peut se faire à l'autoclave* (⇒ **Digesteur**). *Produit obtenu par digestion, en pharmacie.* ⇒ **Digesté.** *Produit mis en digestion avec... — La digestion des boues dans les égouts,* leur fermentation.

DÉR. **Digesté.**

DIGIT [diʒit] n. m. — 1968 ; mot angl. « nombre » (1381), du lat. *digitus* « doigt », d'abord « nombre inférieur à dix, que l'on peut compter sur les doigts ». → 2. Digital.

Anglicisme. Didact. (informatique).

♦ **1.** Symbole graphique représentant un nombre entier. ⇒ **Chiffre ; bit** (dans un système binaire). *Des digits.*

♦ **2.** Élément d'un ensemble conventionnel de symboles graphiques (lettres, chiffres ou autres signes et symboles discrets) qu'on utilise pour constituer, représenter des données et pour transmettre les ordres d'exécution d'opérations. ⇒ **Caractère,** I., 1.

DIGIT-, DIGITI-, DIGITO- Élément, du lat. *digitus*, signifiant « doigt » et entrant dans la composition de mots savants. Voir les comp. à l'ordre alphabétique.

1. DIGITAL, ALE, AUX [diʒital, o] adj. et n. — 1732 ; lat. *digitalis*, de *digitus* « doigt ».

♦ **1.** Adj. Qui appartient aux doigts. *Artères, veines digitales. Nerfs digitaux. — Empreintes* digitales. La carte d'identité française portait l'empreinte digitale de l'index.*
Impressions digitales : dépressions superficielles que présente la face interne des os du crâne et qui correspondent aux circonvolutions cérébrales.

♦ **2.** N. m. (au plur.). Par plais. *Les digitaux :* les doigts.
Il disparaissait comme ça lentement, dans un petit bol d'eau, pas propre même, car un type s'en était servi, de lui, pour se décrasser les digitaux.
R. QUENEAU, Loin de Rueil, p. 142.

HOM. Digitale.

2. DIGITAL, ALE, AUX [diʒital, o] adj. — 1961 ; de l'angl. *digit* « nombre » (→ Digit), du lat. *digitus* « doigt ».
Anglicisme. Didactique (math., inform.).

♦ **1.** *Calcul, code digital,* dans lequel on utilise la numération binaire. — Recomm. off. ⇒ **Binaire.**

♦ **2.** Relatif aux digits, aux quantités mesurées sous forme discrète*. *Affichage digital. Horloge, montre digitale* (opposé à *analogique*). « *Pression artificielle et fréquence cardiaque avec affichage digital instantané* » (le Nouvel Obs., 2 mars 1981, p. 51). *Enregis-*

trement digital (des disques compacts). — REM. On recommande officiellement l'adj. *numérique* pour remplacer cet anglicisme, qui crée en français des confusions avec 1. *digital* (*touches digitales*, etc.).

CONTR. Analogique.
DÉR. Digitalement, digitaliser.
HOM. Digitale.

DIGITALE [diʒital] n. f. — 1545; lat. *digitalia*, de *digitalis*; → 1. Digital.

♦ Bot. et cour. Plante herbacée vénéneuse *(Scrofulariacées)* à tige en général simple, portant une longue grappe de fleurs pendantes à corolle en forme de doigtier. *Digitale pourprée* ou *pourpre*, dite *gant de Notre-Dame, doigt de la Vierge*, et qui fournit la digitaline*. *Traitement médical par les dérivés de digitale* ⇒ 1. **Digitalisation.**

1   Les digitales en fleurs s'élancent partout comme de longues fusées roses au-dessus de l'amas léger et infini des fougères.   LOTI, Ramuntcho, I, p. 139.

2   *(Jean)* admirait, au fond de la gracieuse vallée, sur une tige élancée une digitale violette, habitante silencieuse et brillante de ce lieu (...)
    PROUST, Jean Santeuil, Pl., p. 470.

DÉR. Digitaline, 1. digitalisation.
COMP. V. Digitoxine.
HOM. 1. Digital, 2. digital.

DIGITALEMENT [diʒitalmɑ̃] adv. — D. i. (mil. xxᵉ); de 2. *digital.*

♦ Anglic. Didact. Par un calcul digital; selon un code digital.
REM. Un adv. homonyme, dérivé de 1. *digital*, est virtuel.

CONTR. Analogiquement.

DIGITALINE [diʒitalin] n. f. — 1827; de *digitale.*

♦ Glucoside extrait des feuilles de la digitale pourprée. *La digitaline est un poison violent. Usage médical de la digitaline, comme cardiotonique* (⇒ 1. **Digitalisation; digitoxine**).

COMP. Digitoxine.

1. DIGITALISATION [diʒitalizasjɔ̃] n. f. — xxᵉ; de *digitale.*

♦ Méd. Traitement d'un malade cardiaque par les dérivés de digitale, habituellement par doses répétées à des intervalles réguliers.
HOM. 2. Digitalisation.

2. DIGITALISATION [diʒitalizasjɔ̃] n. f. — V. 1970; de *digitaliser.*

♦ Anglic. Math., inform. Action de digitaliser (opération ou processus).
HOM. 1. Digitalisation.

DIGITALISER [diʒitalize] v. tr. — 1970; de 2. *digital.*

♦ Anglic. Math., inform. Codifier ou convertir en numérique (des informations données sous forme de grandeurs continues : photos, dessins...). ⇒ **Chiffrer.** *« Un calculateur électronique qui travaille sur les signaux après qu'ils ont été "digitalisés", c'est-à-dire traduits en chiffres »* (*le Monde*, 14 nov. 1973, p. 20). — Au p. p. *Données, signaux digitalisés.*
DÉR. 2. Digitalisation.

DIGITATION [diʒitasjɔ̃] n. f. — 1754; dér. sav. du lat. *digitus* «doigt».

♦ Didact. Découpure, trace dont la forme ou la disposition évoque des doigts, tenus écartés. ⇒ **Digité.**
Puis vient le vaste Marais de Carentan qui pousse des digitations jusqu'au voisinage de la Côte W du Cotentin.   R. MUSSET, la Normandie, 1960, *in* D. D. L., II, 9.
Anat. Faisceau de fibres musculaires partant d'un même point. *Les digitations du grand dentelé.*

DIGITÉ, ÉE [diʒite] adj. — 1771; du lat. *digitus* «doigt».

♦ Hist. nat. Qui est découpé en forme de doigt (⇒ **Digitation**), qui présente des prolongements. *Feuilles digitées* (⇒ **Digitipenné**). *Nageoires pelviennes digitées des blennies.*
(...) sur les troncs ensoleillés, la découpure digitée des feuilles dessine en tremblant des fleurs de lis d'ombre.   Ed. et J. DE GONCOURT, Manette Salomon, p. 442.
Spécialt. *Les mammifères digités,* qui ont les doigts libres aux quatre membres. — N. m. *Les digités. Un digité.*

DIGITIFORME [diʒitifɔrm] adj. — 1842; de *digiti-* (→ Digit-), et *forme.*

♦ Didact. Qui a la forme d'un doigt.

DIGITIGRADE [diʒitigrad] adj. — 1805; de *digiti-* (→ Digit-), et *-grade.*

♦ Zool. Qui marche sur les doigts. *Carnassiers digitigrades,* qui marchent sur l'ensemble des doigts en tenant la plante relevée (chat, chien, civette, hyène, martre...). — N. m. *Un digitigrade. Les digitigrades, opposés aux plantigrades.*
CONTR. Plantigrade.

DIGITIPENNÉ, ÉE [diʒitipene ; diʒitipɛnne] adj. — xxᵉ; de *digiti-* (→ Digit-) et *pennatus* «qui a des pointes».

♦ Bot. Se dit de feuilles digitées, dont chaque segment est aussi divisé en digitations.

DIGITOXINE [diʒitɔksin] n. f. — xxᵉ; de *digitale,* et *toxine.*

♦ Pharm. Glucoside extrait de feuilles de digitale pourprée, à propriétés cardiotoniques puissantes.

DIGLOSSIE [diglɔsi] n. f. — 1928, J. Psichari, à propos de la Grèce, «Un pays qui ne veut pas sa langue», *Mercure de France,* 1ᵉʳ sept. 1928, p. 63-120, *in* Jardel (→ cit.); repris v. 1960 de l'angl. *diglossia,* Ferguson, 1959; de *di-,* et grec *glôssa* «langue».

♦ Didact. Situation linguistique d'un groupe humain qui pratique au moins deux langues (⇒ **Bilinguisme**) en leur accordant des statuts hiérarchiquement différents, notamment lorsque ces langues ou variétés linguistiques sont apparentées et partiellement intercompréhensibles. *La diglossie français-créole aux Antilles. La diglossie franco-occitane.*
Il est certain que l'appréhension d'une situation de diglossie avec ses implications sur l'analyse des systèmes culturels dominant et dominé débouche sur la critique du pouvoir. La remise en question du statut des langues en contact participe beaucoup plus de la sociologie politique que de la sociologie linguistique.
J. P. JARDEL, Bilinguisme et diglossie, *in* G. MANESSY et P. WALD, Plurilinguisme.

DIGNE [diɲ] adj. — 1050; lat. *dignus* «qui convient à, digne de, qui mérite», de *decet* «il convient» (→ Décent).

★ I. (Avec un compl.). DIGNE DE... ♦ 1. Qui mérite* (qqch.). *Personne digne d'admiration. Coupable digne d'un châtiment. Conduite digne de louanges, de blâme. Être digne de l'amour de quelqu'un. Ne pas être digne de vivre,* en être indigne. *Se rendre digne d'une faveur. Tout homme digne de ce nom... Être digne de sa réputation.* → Soutenir (sa réputation). *Objet digne d'intérêt, d'attention.* → Remarquable. *Témoin digne de foi.* ⇒ **Croyable.** *Un sort digne d'envie* (→ Beau, cit. 54). — *Il est, il n'est pas digne de faire...*

1   (...) il en vient un autre qui est plus puissant que moi, et à qui je ne suis pas digne de dénouer les cordons des souliers.
    BIBLE (SACY), Évangile selon saint Luc, III, 16.

2   Jamais femme ne fut plus digne de pitié,
Et moins digne, Seigneur, de votre inimitié.   RACINE, Phèdre, II, 5.

3   (...) la femme d'un charbonnier est plus digne de respect que la maîtresse d'un prince.   ROUSSEAU, les Confessions, X.

4   Aux vertus qu'on exige dans un domestique, Votre Excellence connaît-elle beaucoup de maîtres qui fussent dignes d'être valets?
    BEAUMARCHAIS, le Barbier de Séville, I, 2.

Être digne que... ⇒ **Valoir** (que). *Il est digne qu'on s'occupe de lui. Cela n'est pas digne que vous vous y arrêtiez.*

5   C'est une rare pièce, et digne, sur ma foi,
Qu'on en fasse présent au cabinet d'un roi!   MOLIÈRE, l'Étourdi, III, 4.

6   Il est faux que nous soyons dignes que les autres nous aiment, il est injuste que nous le voulions.   PASCAL, Pensées, VII, 477.

7   Mon père! mon père, j'ai gravement péché contre le ciel et contre toi; je ne suis plus digne que tu m'appelles (...)
    GIDE, le Retour de l'enfant prodigue, 1ᵉʳ tableau.

♦ 2. Qui est en accord, en conformité (avec qqn ou qqch.). ⇒ **Approprié, convenable.** *Cette action est digne de son courage.* ⇒ **Conforme** (à). *Sa célébrité est digne de sa valeur.* ⇒ **Mérité.** *Roman digne d'un grand écrivain. Avoir un adversaire digne de soi.* ⇒ **Approprié, convenable.** *Voilà un garçon qui est bien digne de son père,* et (avec inversion), *c'est le digne fils de son père :* il est comme son père (souvent péj.). *Son avarice est digne d'Harpagon.* → C'est un Harpagon*. *Une telle réponse est digne de lui.* ⇒ **Bien** (c'est bien de lui); → Cela lui ressemble*.

8   — Bon! voilà l'autre encor, digne maître
D'un semblable valet! (...)   MOLIÈRE, le Dépit amoureux, III, 8.

9   Seigneur, voilà des soins dignes du fils d'Achille.   RACINE, Andromaque, I, 4.

10   Créer, en définitive, est la seule joie digne de l'homme et cette joie coûte beaucoup de peine.   G. DUHAMEL, Chronique des Pasquier, III, VIII, p. 88.

(Avec un compl. défavorable). *Être digne de la réprobation, d'un châtiment.*

REM. *Digne* au sens 1 ne peut être employé en tournure négative avec un complément défavorable, car il prend alors le sens 2. Ainsi *il n'est pas digne de vos réprimandes* ne signifie pas qu'il est innocent, mais au contraire qu'il n'est même pas à la hauteur de ces réprimandes, qu'elles lui font trop d'honneur.

★ **II.** Absolt. ♦ **1.** Vieilli ou littér. (av. le n.). Qui mérite l'estime. *Un digne homme* : un brave homme. ⇒ **Honnête, méritant.** *Il fut le digne représentant de la France... Nous`ne pouvions trouver de plus digne conseiller.* ⇒ **Honorable, parfait.** — *Faire un digne usage de son argent.* ⇒ **Beau, louable, méritoire, noble.** *Un digne sort* (→ Briguer, cit. 4).* — (Dans une exclam.). *Ah, le digne homme !*

11   Digne ressentiment à ma douleur bien doux !
      Je reconnais mon sang à ce noble courroux (...)   CORNEILLE, le Cid, I, 5.
12   Jamais plus digne main ne fit plus digne ouvrage (...)
                                  CORNEILLE, Don Sanche, v, 5.
13   Votre digne moitié, couchée entre des fleurs,
      Tout près d'ici m'est apparue (...)   LA FONTAINE, Fables, VIII, 14.

♦ **2.** (Déb. XIXᵉ, Mᵐᵉ de Staël). Après le nom ou en attribut. Qui a de la dignité. ⇒ **Dignité,** II., 2. *Personne digne,* qui a le respect de soi-même, ou qui affecte de l'avoir dans ses manières (→ Culminer, cit. 2). *Il sut rester digne en cette circonstance.* Iron. et cour. *Il était très digne, il avait l'air très digne dans ce costume. — Un maintien digne. Un ton, des manières dignes. Avoir un air digne,.plein de gravité, de retenue.* ⇒ **Grave, respectable** (souvent iron.).

14   C'était une personne froide, digne, silencieuse (...)
                                  Mᵐᵉ DE STAËL, Corinne, XIV, 1.
15   (...) néanmoins il se conduisit avec une aménité digne, où se trahissait l'indépendance souveraine que l'Église accorde aux curés dans leurs paroisses.
                 BALZAC, le Curé de village, Pl., t. IX, p. 261.

CONTR. Indigne. — Avilissant. — Familier.
DÉR. Dignement, dignifier.

DIGNEMENT [diɲmɑ̃] adv. — 1185 ; de *digne.*
D'une manière digne.

♦ **1.** Vieilli. Selon ce qu'on mérite. *Vous serez dignement récompensé de cette action.* ⇒ **Justement.**

1   Puisse le juste ciel dignement te payer !   RACINE, Phèdre, IV, 6.

♦ **2.** Littér. ou style soutenu. Comme il faut, avec dignité. ⇒ **Bien** (très bien), **convenablement, honnêtement, honorablement, noblement...** *Il s'est dignement comporté. Il a dignement refusé cette faveur.* ⇒ **Fièrement.**

2   Autrefois, par exemple, on disait tout bêtement : Voilà une idée raisonnable ; maintenant on dit plus dignement : Voilà une déduction rationnelle.
              A. DE MUSSET, Lettre de Dupuis et Cotonet, 1836.
3   (...) la mère n'en conserva pas moins la garde de ses fils, et continua, dans le deuil de son cœur, à s'occuper d'eux dignement.
            Émile HENRIOT, les Romantiques, p. 24.

CONTR. Indignement. — Mal, lâchement.

DIGNIFIANT, ANTE [diɲifjɑ̃, ɑ̃t] adj. — 1921 ; de *dignifier.*
♦ Rare. Qui dignifie.

DIGNIFICATION [diɲifikɑsjɔ̃] n. f. — 1930 ; Breton, *in* T. L. F. ; de *dignifier.*
♦ Rare. Le fait de rendre, de se rendre digne.

DIGNIFIER [diɲifje] v. tr. — Fin XIIIᵉ ; de *digne.*
♦ Rare. Donner de la dignité à. « *Dignifier, exalter, transfigurer en Dieu le devoir d'état, la recherche de la vérité (...)* » (Teilhard de Chardin, *in* T. L. F.).
DÉR. Dignifiant, dignification.

DIGNITAIRE [diɲitɛR] n. m. — 1718 ; *dignitère,* 1525 ; du rad. de *dignité,* suff. *-aire.*
♦ Personne revêtue d'une dignité*. ⇒ **Autorité.** *Un dignitaire de l'Église. Le primicier, premier dignitaire de certains chapitres. Les hauts dignitaires de l'État. L'apocrisiaire, dignitaire du palais sous les Carolingiens. Les six grands dignitaires de l'Empire* (→ Archichancelier, cit.).

Par l'avenue sablée, que les troupes bordent d'une double haie et maintiennent libre, commencent à arriver des dignitaires de toute sorte qui se rendent à la prière, des officiers surtout, des généraux, des maréchaux, tous les chefs de la vaillante armée turque ; — mais on les regarde peu, dans l'attente de voir bientôt passer le Sultan (...)   LOTI, Figures et choses..., p. 148.

N. f. pl. Hist. relig. Religieuses chargées des offices principaux, dans une communauté de femmes.

DIGNITÉ [diɲite] n. f. — 1155 ; lat. *dignitas,* de *dignus.* → Digne.
★ **I.** (Qualifié ou avec un art. indéfini : *une, des dignités*). Fonction, titre ou charge qui donne à qqn un rang éminent. *Les plus hau-*

tes, les plus grandes dignités. Dignité prééminente. ⇒ **Prééminence.** *La dignité souveraine* (⇒ **Pourpre**). *La dignité de comte, d'évêque. Armoiries, insignes qui caractérisent une dignité. Prérogatives attachées à une dignité. Être investi d'une nouvelle dignité. Être élevé à la dignité de... Être constitué en dignité.* « *Tous les citoyens (...) sont également admissibles à toutes dignités, places et emplois publics...* » (→ Capacité, cit. 8). *Conférer une dignité à qqn, installer qqn dans une dignité* (⇒ **Investiture, promotion**). *Se défaire* (cit. 22) *d'une dignité. Personne revêtue d'une dignité.* ⇒ **Dignitaire.** *Nom de dignités* (le plus souvent historiques) : bâtonnat, bénéfice (cit. 8), burgraviat, caïdat, califat, camerlingat, cancellariat, canonicat, capitoulat, cardinalat, chapellenie, chérifat, coadjutorerie, commandement, consulat, couronne, décanat, doctorat (honoris causa), dogat, doyenné, duumvirat, éméritat, éphorat (ou éphorie), épiscopat, évêché, exarchat, gouvernorat, grandesse, grandeur, honorariat, imanat, khédivat, magistère, magistrature, mandarinat, maréchalat, margraviat, marquisat, nababie, nomarchie, pachalik, pairie, papauté, patriarcat, pénitencerie, pontificat, prélature, présidence, préture, primature, principat, procuratie, propréture, royauté, sacerdoce, stathoudérat, sultanat, tétrarchat, vicariat, vice-présidence, vice-royauté, vidamé, vizirat, voïvodat.

Relig. Bénéfice auquel est ou était attachée une fonction, une juridiction.

Comment oser vous adresser à moi pour vous servir dans votre amour, et vouloir ravaler la dignité de médecin à des emplois de cette nature ?   1
                           MOLIÈRE, le Médecin malgré lui, II, 5.
(...) un de ces moines dont on parle quelquefois, qui vivent dans un couvent obscur, sans être revêtus d'aucune dignité officielle, mais que le pape fait consulter avant de lancer une encyclique.   2
       J. ROMAINS, les Hommes de bonne volonté, t. IV, X, p. 112.

★ **II.** (*La dignité*). ♦ **1.** Respect que mérite (une catégorie d'êtres, de personnes). *La dignité de l'homme comparé aux autres êtres.* ⇒ **Grandeur, noblesse.** *Dignité de la personne humaine, dignité humaine* : principe selon lequel un être humain ne doit jamais être traité comme un moyen, mais comme une fin en soi. *Sermon sur l'éminente dignité des pauvres,* de Bossuet.

Toute la dignité de l'homme est en la pensée.   PASCAL, Pensées, VI, 365.   3
C'est *(la justice)* le respect, spontanément éprouvé et réciproquement garanti, de la dignité humaine, en quelque personne et dans quelque circonstance qu'elle se trouve compromise et à quelque risque que nous expose sa défense (...)   4
       PROUDHON, De la justice dans la révolution et dans l'Église.
Durant des siècles ma civilisation a contemplé Dieu à travers les hommes. L'homme était créé à l'image de Dieu. On respectait Dieu en l'homme. Les hommes étaient frères en Dieu. Ce reflet de Dieu conférait une dignité inaliénable à chaque homme.   SAINT-EXUPÉRY, Pilote de guerre, XXVI, p. 222.   5
(...) la seule dignité de l'homme : la révolte tenace contre sa condition, la persévérance dans un effort tenu pour stérile.   CAMUS, le Mythe de Sisyphe, p. 156.   6

Par ext. *La dignité de qqch.,* sa valeur en soi, son intérêt. *Dignité d'une pensée, d'une action. Dignité d'une fonction* (→ Déconsidération, cit. 2). *Rendre la dignité à qqch.* ⇒ **Relever.**

Pour donner plus de dignité à l'action, j'ai fait Félix gouverneur d'Arménie, et j'ai pratiqué un sacrifice public afin de rendre l'occasion plus illustre (...)   7
                 CORNEILLE, Polyeucte, Examen.
(...) il est occupé *(le boulevard)* presque en entier par deux ou trois bâtiments administratifs. Mais une grâce du site et de la lumière leur prête une dignité qu'ils n'auraient pas ailleurs.   8
       J. ROMAINS, les Hommes de bonne volonté, t. IV, XX, p. 220.

♦ **2.** Respect de soi. ⇒ **Amour-propre** (cit. 9), **fierté, honneur.** *Avoir de la dignité. Avoir le sentiment de sa dignité. Manquer de dignité. Il a trop de dignité pour demander une faveur à ses ennemis, pour se désavouer.* — *Allure, comportement qui traduit ce sentiment. La dignité du vieillard* (→ Affabilité, cit. 3). *Avoir une attitude* (→ Attitude, cit. 11), *une conduite pleine de dignité. Avoir de la dignité dans ses manières,* une gravité qui inspire le respect. ⇒ **Noblesse, réserve, retenue.** *Faire une entrée pleine de dignité. Un port, un ton plein de dignité.* — *Un air de dignité hautaine ; se draper dans sa dignité* : avoir des manières orgueilleuses et affectées. ⇒ **Crânerie** (cit. 1). *Offenser qqn dans sa dignité.* ⇒ **Avilir, déshonorer, diffamer.** — *Personne qui prend des airs de dignité offensée.* ⇒ **Bégueule, prude ; majesté.** *Compromettre, perdre sa dignité par un acte contraire à sa classe* (⇒ **Déroger**), *par de mauvaises fréquentations.* ⇒ **Commettre** (se). *Il a perdu toute dignité. Sauver, perdre sa dignité.* ⇒ **Face** (sauver, perdre la face). *Quel manque de dignité ! Gardez votre calme et votre dignité en cette circonstance.*

Ah ! dignité, fille de l'orgueil et mère de l'ennui (...)   9
       ROUSSEAU, Lettre à d'Alembert, note.
(...) Zénon enseigne à l'homme qu'il a une dignité, non de citoyen, mais d'homme ; qu'outre ses devoirs envers la loi, il en a envers lui-même, et que le suprême mérite n'est pas de vivre ou de mourir pour l'État, mais d'être vertueux et de plaire à la divinité.   FUSTEL DE COULANGES, la Cité antique, V, I, p. 423.   10
(...) elle eut une dignité de reine offensée.   ZOLA, Nana, II, p. 13.   11
Sa dignité hautaine qui là-bas, dans cette ville, l'avait maintenue honnête et solitaire, se cabrait vraiment à l'idée qu'il faudrait reparaître en solliciteuse devant son amant d'autrefois.   LOTI, Ramuntcho, I, I, p. 18.   12
Elle avait d'ailleurs tant de réserve et de dignité dans l'allure, la bayadère, que je l'ai saluée comme j'aurais fait pour une femme du monde.   13
       LOTI, l'Inde (sans les Anglais), IV, VI, p. 188.

CONTR. Abjection, bassesse, indignité, veulerie. — Familiarité, laisser-aller, trivialité, vulgarité.
DÉR. Dignitaire.

DIGNUS EST INTRARE [diɲysɛstintʀaʀe] Formule latine employée par Molière dans *le Malade imaginaire* pour « *Dignus est qui intret* » : « Il est digne d'entrer » et dont on se sert par plaisanterie pour admettre quelqu'un dans une société, une corporation...

DIGON [diɡɔ̃] n. m. — 1678 ; de 2. *diguer* « piquer ».

♦ **1.** Mar. Hampe portant une flamme, un pavillon.

♦ **2.** (1765). Fer barbelé ajusté à une perche, servant à harponner les poissons plats à basse mer. ⇒ **Harpon ; angon, foène.**

DIGRAMME [diɡʀam] n. m. — 1864 ; de *di-*, et *gramme*.

♦ Ling. Groupe de deux lettres pour représenter un seul son, comme *in* [ɛ̃] dans *matin* ou *ch* [ʃ] dans *chat*. — Syn. (plus récent) : *digraphe*.

DIGRAPHIE [diɡʀafi] n. f. — V. 1900 ; de *di-*, et *-graphie*.

♦ Comptab. Comptabilité en partie double.

DIGRESSER [diɡʀese] v. intr. — 1838 ; de *digression*, et suff. verbal.

♦ Rare. Faire des digressions. *Digresser à l'infini sur qqch.*

DIGRESSIF, IVE [diɡʀesif, iv] adj. — 1838 ; de *digression*.

♦ Rare. Qui fait des digressions. « *De Quincey est essentiellement digressif* » (Baudelaire, *in* T. L. F.).
Qui consiste en digressions. *Une histoire digressive, un récit digressif.*

DIGRESSION [diɡʀesjɔ̃] n. f. — V. 1175 ; lat. *digressio*, du supin de *digredi* « s'éloigner », de *dis-*, et *gradi* « s'avancer ».

♦ **1.** Développement oral ou écrit, qui s'écarte du sujet. ⇒ **Parenthèse.** *Faire une digression.* ⇒ **Digresser** (rare). *Se laisser entraîner à de continuelles digressions. Récit coupé de nombreuses digressions.* ⇒ **Digressif.** *Se lancer, tomber, se perdre dans les digressions. S'égarer, perdre le fil de son sujet à force de digressions. Revenons à notre sujet après cette digression.* → Revenons à nos moutons*. — Digression des comédies grecques où l'auteur parle en son nom.* ⇒ **Parabase.**

1 Les digressions trop longues ou trop fréquentes rompent l'unité du sujet, et lassent les lecteurs sensés, qui ne veulent pas qu'on les détourne de l'objet principal, et qui d'ailleurs ne peuvent suivre, sans beaucoup de peine, une trop longue chaîne de faits et de preuves. On ne saurait trop rapprocher les choses ni trop tôt conclure. Il faut saisir d'un coup d'œil la véritable preuve de son discours, et courir à la conclusion. VAUVENARGUES, Réflexions et Maximes, 213.

2 Il faut également s'interdire les digressions et les parenthèses. Par digressions, j'entends les sentiers de côté, les déviations que peut prendre une idée principale, en passant trop brusquement d'un objet à un autre (...)
Antoine ALBALAT, l'Art d'écrire, VIII, p. 151.

♦ **2.** (1752). Astron. Éloignement apparent, écart angulaire (d'un astre) par rapport à un système ou un point de référence (soleil, etc.).

3 L'étendue des plus grandes digressions ou de ses plus grands écarts de chaque côté du soleil varie depuis dix-huit jusqu'à trente-deux degrés.
LAPLACE, Exposition du système du monde, I, 5, *in* LITTRÉ.

DÉR. Digresser, digressif.

DIGUE [diɡ] n. f. — 1530 ; *dike*, 1373 ; du moyen néerl. *dijc*.

♦ **1.** Longue construction destinée à contenir les eaux (⇒ **Endiguer**). *Digue en maçonnerie, en béton, en charpente, en terre, en fascine. Fondations, enrochement d'une digue. — Digues fluviales. Digue de retenue d'eau dans le voisinage d'une écluse.* ⇒ **Chaussée, levée.** *Construire une digue le long des rives d'un fleuve pour l'empêcher de déborder. Digue provisoire pour assécher un cours d'eau en aval.* ⇒ **Batardeau, barrage.** *Colmatage* au moyen de digues. — Digue en mer. Digue reliée à la terre, faisant une avancée en mer.* ⇒ **Jetée, môle.** *Digue à claire-voie.* ⇒ **Estacade.** *Pointe d'une digue.* ⇒ **Musoir.** *Phare* situé à l'extrémité d'une digue. Digue d'où l'on embarque.* ⇒ **Embarcadère.** *Se promener sur la digue. Vagues qui passent par-dessus la digue. Digue coupée par la tempête. Digue en pleine mer,* servant de rempart, *d'abri contre les vagues du large,* les grandes marées, les raz de marée.* ⇒ **Brise-lames.** *La digue de Cherbourg. — Digue établie le long d'une côte pour la protéger de l'érosion marine.* ⇒ **Endigage, endiguement.** *Digues des polders en Hollande. La mer a rompu, brisé, crevé les digues.*

1 Ils *(les Hollandais)* firent percer les digues qui retiennent les eaux de la mer. Les maisons de campagne, qui sont innombrables autour d'Amsterdam, les villages, les villes voisines, Leyde, Delft, furent inondés (...) Amsterdam fut comme une vaste forteresse au milieu des eaux (...) VOLTAIRE, le Siècle de Louis XIV, X.

Construction analogue faite par des animaux (castors).

1.1 (...) les castors avaient construit une digue, un peu arquée en amont : cette digue était un solide assemblage de pieux plantés verticalement, entrelacés de branches

flexibles et d'arbres ébranchés, qui s'y appuyaient transversalement, le tout lié, maçonné, cimenté avec de la terre argileuse (...)
Cette digue, madame, dit Jasper Hobson, a eu pour but de donner à la rivière un niveau constant, et elle a permis aux ingénieurs de la tribu *(des castors)* d'établir en amont des cabanes de forme ronde dont vous apercevez le sommet.
J. VERNE, le Pays des fourrures, t. I, p. 208.

♦ **2.** Par métaphore ou fig. Ce qui contient, retient, arrête une force, un mouvement. ⇒ **Barrière, frein, obstacle.** *Opposer une digue aux passions, aux désordres. Élever des digues contre...* (→ Déluge, cit. 11). *Briser, crever* (cit. 30), *renverser, rompre les digues* (⇒ **Déborder**).

2 Les passions rompirent les digues de la justice (...)
FLÉCHIER, Oraison funèbre de Michel Le Tellier, *in* LITTRÉ.

3 (...) à la première occasion, le flot accumulé déborde, renversant toutes les digues du devoir et de la loi. TAINE, Philosophie de l'art, III, I, I, t. I, p. 237.

4 À tous les torrents de l'âme, les mœurs opposent une digue rigide.
André SUARÈS, Trois hommes, « Ibsen », I, p. 74.

CONTR. Ouverture, passage.
DÉR. 1. Diguer, diguette.
COMP. Endiguer.
HOM. Dig.

1. DIGUER [diɡe] v. tr. — V. 1470 ; *dikier*, 1285 ; de *digue*.

♦ Rare ou régional. Munir de digues. ⇒ **Endiguer.**

HOM. 2. Diguer.

2. DIGUER [diɡe] v. tr. — 1665 ; orig. obscure ; on évoque un rad. onomatopéique **dig-* ; p.-ê. à rattacher à un rad. germanique (→ 1. Digue), cf. angl. *(to) dig* « creuser ; percer ».

♦ **1.** Vx ou régional (Normandie). Piquer.

♦ **2.** Éperonner (un cheval).

DÉR. Digon.
HOM. 1. Diguer.

DIGUETTE [diɡɛt] n. f. — D. i. (absent des dict. ; attesté xxᵉ) ; de *digue*.

♦ Petite digue.

1 (...) l'ordonnance des rizières qui s'ajustaient l'une dans l'autre comme une marqueterie. Le lacis géométrique de diguettes de terre noire semblait cloisonner les couleurs : des verts très denses qui étaient ceux de l'herbe de paddy.
Jean LARTÉGUY, les Centurions, p. 13.

2 Et c'est la chaussée-digue, au-dessus du paysage liquide, coupé de diguettes, semé de palmiers à sucre en ordre clairsemé.
Claude COURCHAY, La vie finira bien par commencer, p. 215.

DIHYDR-, DIHYDRO- Élément utilisé en chimie, de *di-*, et *hydr-, hydro-*, indiquant l'addition, dans une molécule, de deux atomes d'hydrogène (ex. : *dihydrocholestérol*, n. m. ; *dihydroergotamine*, n. f. ; *dihydrostreptomycine*, n. f.).

DIHYDROXY- ou **DIOXY-** Élément utilisé en chimie, de *di-*, *hydr-, hydro-* et *oxy(le)*, indiquant la présence, dans une molécule, de deux substitutions par un radical hydroxyle*.

DIKTAT [diktat] n. m. — 1932 ; mot all., « chose dictée ».

♦ **1.** Chose imposée, en politique internationale. *Le diktat de Versailles* (le traité de paix de 1919, selon les Allemands). — REM. On écrit parfois *dictat*.

♦ **2.** Fam. Ce qui est imposé. *Les « dictats métaphysiques de la nature et de l'histoire »* (Jacques Maritain, *in* T. L. F.).

DILACÉRATION [dilaseʀɑsjɔ̃] n. f. — 1419 ; lat. *dilaceratio*, du supin de *dilacerare*. → Dilacérer.

♦ Didact. Action de dilacérer. ⇒ **Lacération.**
(1575). Méd. Déchirement fait avec violence.

Tous les médecins ont pu remarquer l'atroce succès remporté, en si peu de temps, par le perfectionnement des engins de dilacération.
G. DUHAMEL, Récits des temps de guerre, I, p. 77.

DILACÉRER [dilaseʀe] v. tr. — Conjug. *céder*. — 1539 ; *delacherez* « déchirer », v. 1121 ; lat. *dilacerare*, de *dis-*, et *lacerare*. → Lacérer.

♦ Didact. Mettre en pièces. *Dilacérer un acte.*
Fig. Déchirer, détruire avec violence.

DILAPIDATEUR, TRICE [dilapidatœʀ, tʀis] adj. et n. — 1433, rare av. fin xviiiᵉ ; de *dilapider*.

♦ Littér. Qui dilapide. ⇒ **Dépensier, dissipateur, prodigue.** *Fouquet, dilapidateur des finances publiques.*

CONTR. Amasseur, économe.

DILAPIDATION [dilapidɑsjõ] n. f. — 1465, rare av. 1762 ; lat. *dilapidatio*, du supin de *dilapidare*. → Dilapider.

♦ Action de dilapider. *La dilapidation d'un héritage.* ⇒ **Dissipation.** *Se rendre coupable de dilapidation. — Dilapidation des richesses naturelles.* ⇒ **Gaspillage.**

Il *(l'âge de la machine)* coïncide avec une politique de dilapidation forcenée des richesses naturelles du monde, sans aucun souci de ménager l'avenir, et c'est en partie ce qui explique l'impression d'enrichissement subit et démesuré que donne cette civilisation qui dépense son capital.
André SIEGFRIED, l'Âme des peuples, Conclusion, I, p. 198.

CONTR. Accumulation, conservation, économie, épargne.

DILAPIDER [dilapide] v. tr. — 1220 ; lat. *dilapidare*, de *dis-*, et *lapidare*. → Lapider.

♦ **1.** Dépenser* (des biens) de manière excessive et désordonnée. *Dilapider ses propres biens. Dilapider sa fortune, son patrimoine.* ⇒ **Croquer** (fam.)**, dissiper, gaspiller, manger** (son blé en herbe). → 2. Bien, cit. 55.

1   J'étais pareil au fils prodigue, qui va dilapidant de grands biens.
GIDE, Journal 1889-1939, Feuillets, III, Pl., p. 778.

2   (...) avoir dilapidé, en moins d'un an, un patrimoine que plusieurs générations avaient sagement constitué.   MARTIN DU GARD, les Thibault, t. IX, p. 16.

Dilapider les biens d'autrui. ⇒ **Détourner.** *Dilapider les finances publiques.*

♦ **2.** Par métaphore et fig. ⇒ **Gaspiller.**

3   Les peuples qui jouissent de la vie en dilapident la joie ; c'est un or qu'ils prodiguent.   André SUARÈS, Trois hommes, « Ibsen », I, p. 74.

CONTR. Accumuler, amasser, économiser, épargner ; conserver, ménager, thésauriser.
DÉR. Dilapidateur.

DILATABILITÉ [dilatabilite] n. f. — 1731 ; de *dilatable*.

♦ Propriété que possèdent les corps de pouvoir se dilater. *La dilatabilité des gaz.*

CONTR. Coercibilité, compressibilité, contractilité.

DILATABLE [dilatabl] adj. — XVIᵉ ; de *dilater*.

♦ Qui peut se dilater. ⇒ **Expansible.** *Corps dilatable.*

CONTR. Coercible, compressible, condensable, contractile, inextensible.
DÉR. Dilatabilité.

DILATANCE [dilatɑ̃s] n. f. — D. i. (v. 1970) ; du rad. de *dilater*, suff. *-ance.*

♦ Didact. (sismologie). Capacité (de l'écorce terrestre) à se dilater. « *L'idée de faire intervenir le mécanisme de dilatance a fait faire un bond considérable à la prévision des tremblements de terre* » (la Recherche, janv. 1974, p. 77).

DILATANT, ANTE [dilatɑ̃, ɑ̃t] adj. — XVIᵉ ; p. prés. de *dilater*.

♦ Qui dilate. *Action dilatante.*

N. m. Chir. Corps, instrument servant à dilater, à tenir béantes certaines ouvertures naturelles ou accidentelles. *La sonde, le séton sont des dilatants.* ⇒ **Dilatateur, 2.**

DILATATEUR, TRICE [dilatatœʀ, tʀis] adj. et n. m. — 1611 ; de *dilater*.

♦ **1.** Adj. Anat. Qui a pour fonction de dilater. *Muscles dilatateurs.*

♦ **2.** N. m. Chir. Instrument servant à maintenir béants les bords d'une incision, d'une plaie, ou à élargir un canal ou un orifice. ⇒ **Dilatant.** « *De simples dilatateurs s'ouvrant par deux branches articulées* » (Cl. d'Allaines, la Chirurgie du cœur, p. 59).

COMP. Vasodilatateur.

DILATATION [dilatɑsjõ] n. f. — 1314 ; lat. *dilatatio*, du supin de *dilatare*. → Dilater.

♦ **1.** Cour. Fait de dilater ; action de se dilater. ⇒ **Extension, gonflement, grossissement.** *La dilatation d'un ballon, d'un pneu qu'on gonfle. Mouvement de dilatation* (⇒ **Diastole**) *et de contraction du cœur. Dilatation d'un vaisseau* (vasodilatation). *Dilatation de la pupille.*

♦ **2.** Méd. Augmentation pathologique du volume (d'un organe creux). *Dilatation cardiaque, gastrique. Dilatation des bronches*

(bronchectasie). — Chir. Élargissement, au moyen d'un instrument (⇒ **Dilatateur**) ou des doigts, du calibre de (un conduit).

♦ **3.** Phys. Augmentation de volume (d'un corps) sous l'action de la chaleur, sans changement de nature (de ce corps). *La dilatation d'un solide. Dilatation linéaire* (en longueur), *superficielle* (en surface), *cubique* (dans les trois dimensions). *Coefficient de dilatation cubique :* augmentation de volume de l'unité de volume pour une élévation de température de 1 °C. *Dilatation d'un liquide. Dilatation des gaz.* ⇒ **Expansion.**

1   Cette dilatation n'est-elle pas l'indice d'un commencement de séparation, qu'on augmente avec le degré de chaleur jusqu'à la fusion, et qu'avec une chaleur plus grande encore on augmenterait jusqu'à la volatilisation ?
BUFFON, Hist. nat. des minéraux, Introduction, VI, p. 59.

♦ **4.** Par métaphore ou fig. *Une impression de dilatation du temps. La dilatation de l'âme, du cœur.*

2   Les grandes douleurs sont une dilatation gigantesque de l'âme.
HUGO, Quatre-vingt-treize, III, v, I.

CONTR. Compression, condensation, contraction, dépression, étrécissement, resserrement, rétrécissement.
COMP. Vasodilatation.

DILATEMENT [dilatmɑ̃] n. m. — Fin XIXᵉ, Huysmans ; de *dilater*.

♦ Rare. Dilatation.

DILATER [dilate] v. tr. — 1361 ; lat. *dilatare* « élargir », de *dis-*, et *latus* « large ».

♦ **1.** Augmenter* le volume de (qqch.). *La chaleur dilate les corps. Chauffer le goulot d'une bouteille pour le dilater.* ⇒ **Élargir.** *Dilater les narines.* ⇒ **Enfler, ouvrir.** *L'atropine dilate la pupille.* ⇒ **Agrandir.** *La joie dilate la poitrine, le cœur.* ⇒ **Gonfler.**

1   La joie de pouvoir enfin se gorger à l'aise dilatait tous les yeux (...)
FLAUBERT, Salammbô, I.

2   Leurs regards se heurtèrent ; une même stupeur, une même angoisse, dilataient leurs prunelles.   MARTIN DU GARD, les Thibault, t. V, p. 234.

3   (...) son parfum flotta jusqu'à leur nez. Gomez l'aspira largement en dilatant ses narines.   SARTRE, le Sursis, p. 213.

Chir. *Dilater le canal de l'urètre, le col de l'utérus.* ⇒ **Dilatation ; dilatateur.**

♦ **2.** Fig. *Espérance, joie qui dilate le cœur.* ⇒ **Épanouir.**

4   (...) l'espérance qui nous dilate présentement le cœur (..)
Mᵐᵉ DE SÉVIGNÉ, Lettres, 854, 18 sept. 1680.

▶ **SE DILATER** v. pron.
Augmenter de volume. ⇒ **Gonfler, grossir.** *Les gaz se sont dilatés. L'écorce terrestre se dilate.* ⇒ **Dilatance.** *Rails qui se dilatent sous l'action de la chaleur. Le cœur* se dilate et se contracte. *La pupille se dilate.*

5   La pupille se dilate dans la nuit et finit par y trouver du jour, de même que l'âme se dilate dans le malheur et finit par y trouver Dieu.
HUGO, les Misérables, V, III, I.

Fig. *Son cœur se dilate de joie.*

6   Il respirait avec effort : une tendresse, surgie des profondeurs, se dilatait soudain dans sa poitrine, l'étouffait.   MARTIN DU GARD, les Thibault, t. IV, p. 46.

Par plais. *J'ai la rate qui s'dilate...* ⇒ **Rate.**

▶ **DILATÉ, ÉE** p. p. adj. *Corps dilaté par la chaleur. Air dilaté* (→ Comprimé, cit. 9). — *Narines, pupilles dilatées.*

7   (...) ses yeux noirs, aux pupilles excessivement dilatées par l'horreur (...)
L. PERGAUD, De Goupil à Margot, p. 175.

CONTR. Comprimer, condenser, contracter, étrécir, resserrer, rétrécir.
DÉR. Dilatable, dilatance, dilatant, dilatateur, dilatement.
COMP. Dilatomètre.

DILATION [dilɑsjõ] n. f. — V. 1930 ; « retard, remise » en anc. franç. et encore au XVIIᵉ, Pascal ; lat. *dilatio*, de *dilatus* « retardé ». → Dilatoire.

♦ Phonét. Assimilation à distance. *L'harmonisation vocalique est une dilation.*

CONTR. Dissimilation.

DILATOIRE [dilatwaʀ] adj. — 1283 ; lat. jurid. *dilatorius*, de *dilatus*, p. p. de *differre*. → Différer.

♦ **1.** Dr. Qui tend à retarder par des délais, à prolonger un procès. *Se servir de moyens dilatoires. — Exception dilatoire :* exception par laquelle on réclame devant le tribunal la suspension des poursuites.

1   Les exceptions dilatoires seront proposées conjointement et avant toutes défenses au fond.   Code de procédure civile, art. 186.

♦ **2.** Cour. Qui vise à différer, à gagner du temps. *Moyen, réponse dilatoire* (⇒ **Dérobade, fuite, temporisation**).

2   Les formes dilatoires de la prudence (...)   NODIER, in LITTRÉ.

3   L'Empereur tenant cependant à ne rien brusquer ; Pie VII s'étant longtemps con-

tenté d'*insinuer* doucement, il avait fait la sourde oreille, puis, à des demandes plus nettement formulées, opposé des réponses dilatoires.
Louis MADELIN, Hist. du Consulat et de l'Empire,
Avènement de l'Empire, XVII, p. 218.

DILATOMÈTRE [dilatɔmɛtʀ] n. m. — 1850 ; de *dilater*, et *-mètre*.

♦ Sc. Appareil mesurant les changements de volume.

DILECTION [dilɛksjɔ̃] n. f. — 1160 ; lat. *dilectio*, du supin de *diligere* «chérir».

♦ Relig. Amour* tendre et spirituel. *La dilection du prochain. La dilection de Dieu pour ses créatures.*

1   (...) rien ne lui est cher *(à Dieu)* que ces enfants de sa dilection éternelle, que ces membres inséparables de son Fils bien-aimé (...)
BOSSUET, Oraison funèbre de Henriette-Anne d'Angleterre.

Littér. Amour, préférence tendre. «*Une profonde dilection pour la poésie*» (Valéry, *in* T. L. F.).

2   Clotilde répondait (...) avec une telle sollicitude d'amour, un accent de dilection si pénétrant et si pur que le pauvre pirate en tremblait.
Léon BLOY, la Femme pauvre, p. 198.

COMP. Prédilection.

DILEMMATIQUE [dilɛmatik] adj. — 1842 ; de *dilemme*.

♦ Didact. Qui a le caractère d'un dilemme. «*Le sens dilemmatique de cette crise*» (Balzac, *les Petits Bourgeois, in* D. D. L. — N. B. Le T. L. F. cite cet exemple avec la graphie fautive *dilemnatique*).

DILEMME [dilɛm] n. m. — 1555, *in* T. L. F. ; bas lat. *dilemma*, grec *dílêmma*, de *dis-*, et *lêmma* «prémisse d'un syllogisme». → Lemme.

♦ **1.** Philos. Raisonnement dont la majeure* contient une alternative à deux ou plusieurs termes (différents ou contradictoires) et dont les mineures montrent que chaque cas de l'alternative implique la même conclusion. ⇒ **Disjonctif** (syllogisme disjonctif). *Les termes d'un dilemme. Poser un dilemme. Argument posé sous forme de dilemme.*

1   Soit le dilemme d'Omar, cousin de Mahomet, à propos de l'incendie de la bibliothèque d'Alexandrie : Ou ces livres sont conformes au Coran, ou ils lui sont contraires. S'ils lui sont conformes, ils sont inutiles et encombrants. S'ils lui sont contraires, ils sont dangereux. Donc, dans les deux cas, il faut les brûler.
A. BOTTEQUIN, Subtilités et délicatesses de langage, p. 111.

♦ **2.** (1948). Alternative* contenant deux propositions contraires ou contradictoires et entre lesquelles on est mis en demeure de choisir. *Être devant un dilemme difficile à résoudre. Enfermer quelqu'un dans un dilemme. Comment sortir de ce dilemme ?*

2   (...) la culpabilité de Dreyfus, ou bien l'infamie de l'état-major : voilà dans quel dilemme imbécile on a enfermé ces officiers.
MARTIN DU GARD, Jean Barois, p. 316.

3   Il semble aujourd'hui que nous soyons enfermés dans un dilemme. Le gigantesque accroissement de perfection technique, de richesses matérielles, de moyens d'exploiter la terre, paraît devoir être fatalement équilibré par une diminution de la valeur de la personne. Ce dilemme est inacceptable.
DANIEL-ROPS, Ce qui meurt..., I, p. 17.

REM. La forme fautive (barbarisme) *dilemne* est attestée (Proudhon, *in* T. L. F.).

DÉR. Dilemmatique.

DILETTANTE [dilɛtãt] n. — 1740 ; mot ital. «celui qui s'adonne à un art par plaisir» ; p. prés. de *dilettare* «délecter». → Délecter, dilection.

♦ **1.** Amateur passionné de musique. ⇒ **Mélomane.** *Des dilettanti* (vx) ou *des dilettantes.*

1   Sa réputation viennoise *(de Beethoven)* ne dépasse pas *(alors)* un petit îlot de dilettanti.
Éd. HERRIOT, Vie de Beethoven, p. 189.

Par ext. Amateur d'art, de littérature.

2   — Ce qui me frappe encore dans le monde soi-disant littéraire de ce temps, c'est la qualité de son hypocrisie et de sa bassesse ; ce que par exemple, ce mot de dilettante aura servi à couvrir de turpitudes ! — Certes (...) Le dilettante n'a pas de tempérament personnel, puisqu'il n'exècre rien et qu'il aime tout (...) — Donc (...) tout auteur qui se vante d'être un dilettante, avoue par cela même qu'il est un écrivain nul !
HUYSMANS, Là-bas, p. 227.

(Avec un compl.). Vieilli. *Un dilettante de littérature.* — Adj. :

2.1   Qui me délivrera des hommes du monde dilettantes d'art et de littérature, acheteurs au rabais des tableaux cotés à l'hôtel Drouot, et leveurs de volumes, dont on parle.
Ed. et J. DE GONCOURT, Journal, t. VI, p. 100.

♦ **2.** Cour. Personne qui s'occupe d'une chose en amateur. ⇒ **Amateur.** *Occupations, vie de dilettante. Faire son travail en dilettante* (→ Arriviste, cit. 2). *Une jeune dilettante.* — Adj. :

3   Je ne suis pas assez dilettante pour accepter de gâcher mon temps.
J. ROMAINS, les Hommes de bonne volonté, t. III, I, p. 24.

(Avec un compl.). *Les dilettantes de la politique, de la religion.*

Péj. Personne qui manifeste un certain scepticisme à l'égard des choses dont elle s'occupe. ⇒ **Esthète, sceptique.**

Et que peut-il en advenir, si ce n'est l'amour ? (...) mais en elle, pas en lui, qui n'est qu'un dilettante et ne voit là-dedans qu'une aventure (...)
LOTI, les Désenchantées, V, XXX, p. 177.   4

CONTR. Professionnel, spécialiste, technicien.
DÉR. Dilettantisme.

DILETTANTISME [dilɛtãtism] n. m. — 1821 ; de *dilettante*.

♦ Caractère du dilettante (2.). *Faire qqch. par dilettantisme, avec dilettantisme.* ⇒ **Amateurisme.** *Dilettantisme en art, en musique.* — Par ext. *Un certain dilettantisme en politique.*

Ce grand catholique *(C. Franck)* avait parfois une âme amoureuse païenne, il savait jouir sans remords du dilettantisme harmonieux de Renan et du néant sonore de Leconte de Lisle.
R. ROLLAND, Musiciens d'aujourd'hui, p. 106.

DÉR. Dilettantiste.

DILETTANTISTE [dilɛtãtist] adj. et n. — 1860 ; de *dilettantisme*.

♦ Vx. Du dilettantisme. — N. ⇒ **Dilettante** (mot employé par Baudelaire).

DILIGEMMENT [diliʒamã] adv. — V. 1250, *diligemment* ; *diligentement*, v. 1200 ; de *diligent*.

♦ D'une manière diligente ; avec soin et célérité.

(...) qu'il fasse les choses le plus diligemment qu'il pourra.
RACINE, Lettres, 166, 22 févr. 1698.

1. DILIGENCE [diliʒãs] n. f. — Fin XIIᵉ ; lat. *diligentia* «soin, attention», de *diligens, diligentis*. → Diligent.

♦ **1.** Vx. Soin attentif, appliqué. ⇒ **Application, attention, soin.** *Avoir de la diligence.*

1   (...) ces grappes de raisin qu'on trouve encore après la vendange et qui ont échappé à la diligence du vendangeur.
MASSILLON, Petit Carême, «Le petit nombre des élus».

Dr. *À la diligence d'un tel :* sur la demande, sur l'initiative, à la requête d'un tel.

2   Le scellé sera apposé, soit à la diligence du ministère public, soit sur la déclaration du maire (...)
Code de procédure civile, art. 911.

♦ **2.** Vx ou littér. Activité empressée, dans l'exécution d'une chose. ⇒ **Célérité, empressement, hâte, promptitude, rapidité, vitesse, zèle.** *Faire preuve, faire montre d'une grande diligence. Mettre peu de diligence dans l'exécution d'une commande. User de diligence. Faire acte de diligence.*

3   Nous ne pouvons nous lasser d'admirer la diligence et la fidélité de la poste (...)
Mᵐᵉ DE SÉVIGNÉ, Lettres, 459, 20 oct. 1675.

4   En effet, quelle diligence ! en neuf heures l'ouvrage est accompli (...)
BOSSUET, Oraison funèbre de Henriette-Anne d'Angleterre.

Loc. (plus cour.). *Faire diligence, faire grande diligence.* ⇒ **Dépêcher** (se), **hâter** (se).

5   Adraste avait fait une incroyable diligence pour faire le tour d'une montagne presque inaccessible.
FÉNELON, Télémaque, XVI.

Vx. *En diligence, en grande, en toute diligence* (→ Armer, cit. 27) : vite.

6   Prince, que tardez-vous ? Partez en diligence. (...)
RACINE, Britannicus, V, 2.

(Déb. XVIIᵉ). Vx. *Carrosse, voiture de diligence* ⇒ 2. **Diligence.**

CONTR. Distraction, fainéantise, négligence. — Lenteur.
HOM. 2. Diligence.

2. DILIGENCE [diliʒãs] n. f. — 1680 ; de *carrosse de diligence*, déb. XVIIᵉ. → 1. Diligence.

♦ **1.** Voiture tirée par des chevaux, qui servait à transporter des voyageurs. ⇒ **Coche** (4.), **omnibus, patache.** *Les chemins de fer ont supprimé les diligences* (→ Cheval, cit. 2). *Les différentes parties d'une diligence.* ⇒ **Coupé, impériale, intérieur, rotonde.** *Conducteur d'une diligence.* ⇒ **Postillon.** *L'attaque de la diligence* (dans les westerns).

7   (...) les deux conducteurs de cette voiture, moitié diligence, moitié coucou, trouvaient toujours des défenseurs parmi leurs habitués (...) Cette voiture, de construction bizarre, appelée *la voiture à quatre roues,* admettait dix-sept voyageurs, et n'en devait contenir que quatorze (...) Elle était divisée en deux lobes, dont le premier, nommé *l'intérieur,* contenait six voyageurs sur deux banquettes, et le second, espèce de cabriolet ménagé sur le devant, s'appelait un coupé. Ce coupé fermait par un vitrage incommode et bizarre (...) La voiture à quatre roues était surmontée d'une impériale à capote sous laquelle Pierrotin fourrait six voyageurs, et dont la clôture s'opérait par des rideaux de cuir.
BALZAC, Un début dans la vie, Pl., t. I, p. 603-606.

8   J'avais pris la diligence de Beaucaire, une bonne vieille patache qui n'a pas grand chemin à faire avant d'être rendue chez elle, mais qui flâne tout le long de la route, pour avoir l'air, le soir, d'arriver de très loin.
Alphonse DAUDET, Lettres de mon moulin, «la Diligence de Beaucaire».

9   C'était une vieille diligence d'autrefois, capitonnée à l'ancienne mode de drap gros bleu tout fané, avec ces énormes pompons de laine rêche qui, après quelques heures de route, finissent par vous faire des moxas dans le dos (...) Tartarin de Tarascon avait un coin dans la rotonde (...) Il y avait de tout un peu dans cette rotonde.

Un trappiste, des marchands juifs, deux cocottes qui rejoignaient leur corps — le 3ᵉ hussards —, un photographe d'Orléansville (...)
Alphonse DAUDET, Tartarin de Tarascon, III, I, p. 188.

♦ **2.** (1830, in D. D. L.). Hist. Ancienne voiture* de voyageurs, sur les chemins de fer (vers 1850-1870). → Voiture, cit. 5.

HOM. 1. Diligence.

DILIGENT, ENTE [diliʒɑ̃, ɑ̃t] adj. — Fin xiiᵉ; lat. *diligens* « attentif, zélé », de *diligere* « prendre parmi d'autres; choisir, aimer » (le supin *dilectum* a donné *dilectio*, → Dilection), de *dis-*, et *legere* « ramasser, recueillir ».

♦ **1.** Vx. Qui s'applique avec soin à ce qu'il fait. ⇒ **Appliqué, assidu, attentif, soigneux, zélé**. *Être diligent dans ses affaires. Employé diligent.*

1 Celle-ci est adroite, soigneuse, diligente et surtout fidèle (...)
MOLIÈRE, le Malade imaginaire, I, 6.

Qui montre de la diligence, de l'empressement. *Soins diligents.* ⇒ **Attentif.**

2 Le Berger plut au roi par ses soins diligents.
Tu mérites, dit-il, d'être pasteur de gens (...) LA FONTAINE, Fables, X, 10.

3 La science des détails, ou une diligente attention aux moindres besoins de la république, est une partie essentielle au bon gouvernement (...)
LA BRUYÈRE, les Caractères, X, 24.

♦ **2.** Vieilli ou littér. Qui montre une activité empressée, de la célérité dans l'exécution d'une chose. ⇒ **Actif, empressé, expéditif, prompt, rapide**. *Secrétaire diligente* (→ Correspondance, cit. 8). *Employé diligent. Ce fournisseur n'est pas très diligent.*

4 DILIGENT, PROMPT. Ce qui différencie ces deux mots, c'est que diligent implique toujours une idée d'application, d'intention qui n'est pas dans prompt.
LITTRÉ, Dict., art. *Diligent*.

Dr. *La partie la plus diligente,* celle qui agit la première dans une poursuite.

CONTR. Indolent, lent, négligent, nonchalant, paresseux.
DÉR. Diligemment, diligenter.

DILIGENTER [diliʒɑ̃te] v. tr. — Déb. xvᵉ, *diligenter de...* « se hâter »; de *diligent*.
Vieux.

♦ **1.** Presser (qqn) de faire qqch. — *Il faut vous diligenter* (Académie, 1878).

♦ **2.** Hâter (qqch.). *Diligenter une affaire.* — Spécialt. Dr. *« Selon l'expression du palais, il (David Séchard) "diligenta"... »* (Balzac, *Illusions perdues*).

DILOBÉ, ÉE [dilɔbe] adj. — 1864; de *di-, lobe,* et suff. *-é.*

♦ Bot. Qui a deux lobes. — Syn. : *bilobé.*

DILUANT, ANTE [dilɥɑ̃, ɑ̃t] adj. — D. i.; p. prés. de *diluer.*

♦ Qui dilue, sert à diluer.
N. m. (1924, in T. L. F.). Liquide qui diminue la viscosité d'une peinture (pour en faciliter l'application).

DILUER [dilɥe] v. tr. — xvᵉ, attestation isolée; repris 1824; lat. *diluere* « laver, détremper », de *dis-*, et *luere* « laver, baigner ».

♦ **1.** Délayer, étendre (une substance) dans un liquide. ⇒ **Délayer, mouiller, noyer.**

1 (...) un apport constant d'eau douce dilue le sel et, pour ainsi dire, dessale la mer (...) GIDE, les Faux-monnayeurs, I, XVII, p. 195.

Par métaphore. *La lumière dilue les formes.* — Pron. *Silhouettes qui se diluent dans la brume.* ⇒ **Perdre** (se).

♦ **2.** Fig. Affaiblir, atténuer.

2 Ces torrents de musique indiscrète pénètrent dans les dernières retraites de l'âme; diluent sa force, détruisent la sainte solitude et le trésor des secrètes pensées.
R. ROLLAND, Musiciens d'aujourd'hui, p. 196.

▶ **DILUÉ, ÉE** p. p. adj. *Médicament dilué dans de l'eau. Alcool dilué.* Par métaphore. → ci-dessous, cit. 4. — Par ext. Affaibli, faible.

3 L'été venait d'être extrêmement pluvieux, et, au 8 septembre, c'était déjà un grand ciel froid d'extrême automne, où le plus faible soleil mettait une teinte dorée, diluée dans la pluie suspendue. M. BARRÈS, la Colline inspirée, p. 99.

4 La vérité à l'état pur est un poison pour certains esprits; et Mary ne la supportait que très diluée. A. MAUROIS, Ariel ou la Vie de Shelley, p. 282.

CONTR. Condenser (cit. 3), décanter.
DÉR. Diluant.

DILUTION [dilysjɔ̃] n. f. — 1833, en méd. homéopathique; sens général, 1836; lat. *dilutio*, du supin de *diluere*. → Diluer.

♦ Action de diluer. *La dilution d'un sel dans l'eau.* — *La dilu-*

tion des formes par la lumière du crépuscule. — Proportion d'une substance diluée. *La faible dilution de sel dans l'eau.*

Méd. homéopathique. Mode de préparation des remèdes homéopathiques propre à en multiplier les effets. *Dilution et trituration* (cit. 2), *les deux modes de la préparation homéopathique. Haute dilution :* haut numérotage de dilution. ⇒ **Dynamisation.** *Dilution décimale, centésimale. Dilution infinitésimale.* ⇒ **Infinitésimalité.**

1 Si l'on prend une partie en poids d'un remède, par exemple un extrait de plantes appelé « Teinture Mère » et qu'on le mélange à 99 parties d'un solvant, on obtient la première dilution centésimale hahnemannienne.
Si l'on prend une partie de cette première dilution et qu'on la mélange à 99 parties de solvant, on obtient la deuxième dilution centésimale hahnemannienne, et ainsi de suite.
D. LEBOSCOT, in Guérir, oct. 1967, « Qu'est-ce que l'homéopathie ? ».

2 Nous avons à notre disposition depuis la codification ministérielle de 1948, des préparations homéopathiques officinales qui permettent d'entreprendre des expérimentations rationnelles, sur la mesure des dilutions — sur l'activité biologique des dilutions : seuil, limite et intensité — et sur la variabilité de cette activité biologique. D'autres travaux sont à entreprendre sur l'activité physiologique des dilutions (...) Pierre VANNIER, l'Homéopathie, p. 132.

DILUVIAL, ALE, AUX [dilyvjal, o] adj. — 1826; dér. sav. du lat. *diluvium.* → Diluvien, diluvium.

♦ **1.** Géol. Qui appartient au diluvium.

♦ **2.** Très abondant (en parlant de la pluie), semblable à un déluge. ⇒ **Diluvien.** *Débordement, cataracte diluviale.*

DILUVIEN, IENNE [dilyvjɛ̃, jɛn] adj. — 1764; du lat. *diluvium* « inondation », de *diluere* (→ Déluge, diluer), et suff. *-ien.*

♦ **1.** Didact. Qui a rapport au déluge*. *Époques diluvienne et antédiluvienne. Eaux diluviennes.*

1 Les maisons nouvelles s'avancent toujours, comme la mer diluvienne qui a baigné les flancs de l'antique montagne, gagnant peu à peu les retraites où s'étaient réfugiés les monstres informes reconstruits depuis par Cuvier.
NERVAL, Promenades et souvenirs, « La Butte Montmartre », Pl., t. I, p. 142.

Vieilli. Qui a rapport au diluvium. *Dépôts, terrains diluviens.* ⇒ **Diluvial.** *Roches diluviennes.*

♦ **2.** Cour. *Pluie diluvienne :* pluie très abondante, semblable à un déluge. ⇒ **Torrentiel.**

2 Des pluies diluviennes et brèves s'abattirent sur la ville; une chaleur orageuse suivait ces brusques ondées. CAMUS, la Peste, p. 43.

♦ **3.** Littér. *Temps, passé diluvien,* très ancien (comme le déluge biblique). ⇒ **Antédiluvien.**

3 (...) il s'est passé quelque chose : partout plane la menace d'un passé diluvien, le souvenir qui prend à la gorge. J.-M. G. LE CLÉZIO, le Déluge, p. 25.

COMP. Antédiluvien.

DILUVIUM [dilyvjɔm] n. m. — 1834; *diluvion,* 1846; angl. *diluvium,* 1819; mot lat., « déluge ». → Diluvien.

♦ Géol. Ensemble des dépôts (alluvions de fleuves...) formés à l'époque quaternaire.

DIMANCHE [dimɑ̃ʃ] n. m. — 1119, *diemenche;* du lat. ecclés. *dies dominicus* « jour du Seigneur », devenu en bas lat. *didominicus,* d'où *diominicus.*

♦ Jour « sanctifié par le christianisme » (T. L. F.), généralement considéré comme le premier de la semaine* — encore que l'Académie définisse le samedi aussi bien que le dimanche « septième jour de la semaine » — mais faisant partie, dans la conscience collective moderne, de la « fin de semaine », son début étant identifié au début du travail (le lundi). *Dimanche prochain, dimanche dernier. Venez nous voir dimanche. — Dans les civilisations chrétiennes, le dimanche est traditionnellement un jour de repos, consacré au service de Dieu.* ⇒ **Dominical** (repos). *L'assistance à la messe du dimanche. Communier tous les dimanches. Aller aux vêpres, au salut, le dimanche. Observer, fêter, sanctifier le dimanche, le repos du dimanche. Le repos du samedi et du dimanche.* ⇒ **Week-end;** → Fin de semaine*. — *Le premier dimanche du mois. Les dimanches de l'Avent. Dimanches de Carême.* ⇒ **Oculi, passion, quadragésime, quinquagésime, rameaux, septuagésime, sexagésime;** (vx) **brandon.** *Le dimanche de Pâques, de Quasimodo, de la Pentecôte, de la Trinité. Le dimanche gras,* qui précède le mercredi des Cendres.
Le dimanche, considéré comme opposé à la semaine, aux jours ouvrables. *Le repos du dimanche.*

1 Elle allait à la messe le dimanche, d'ordinaire à la messe basse.
J. ROMAINS, les Hommes de bonne volonté, t. V, II, p. 13.

2 Le dimanche n'est pas un jour normal, physiologique, c'est un hiatus, une solution de continuité dans la trame des jours vivants.
G. DUHAMEL, Chronique des Pasquier, II, X, p. 317.

3 Oui, l'heure est venue de réfléchir. Vous avez cru qu'il vous suffirait de visiter Dieu le dimanche pour être libres de vos genuflexions. Vous avez pensé que quelques genuflexions le paieraient assez bien de votre insouciance criminelle. Mais Dieu n'est pas tiède. CAMUS, la Peste, p. 112.

Les distractions du samedi et du dimanche. Bon dimanche! Les beaux dimanches d'été. La promenade du dimanche. Passer le dimanche en famille. Les habits, le costume du dimanche (→ Abîmer, cit. 8 ; aise, cit. 8). S'habiller en dimanche. ⇒ **Endimancher.**

4 L'homme, un vieil ouvrier aux mains durcies par le travail, qui a mis pour voyager ses habits du dimanche, enlève sa veste, sa cravate, s'éponge le front, et allume un cigare.   MARTIN DU GARD, les Thibault, t. VIII, p. 94.

5 Ce dimanche, comme chaque dimanche, sur la promenade traditionnelle, les soldats étaient aussi nombreux que les civils (...)
                                              P. MAC ORLAN, la Bandera, VI, p. 73.

5.1 (...) et un complet bleu à raies, costume qui a dû être dans le temps celui des dimanches parce que les pauvres ne peuvent jamais s'acheter lorsqu'ils ont un peu d'argent que des vêtements de fête qu'ils sont condamnés ensuite à porter sans fin comme de dérisoires témoins d'impossibles ambitions.
                                              Claude SIMON, le Palace, 10/18, p. 35.

Régional (Belgique) :

5.2 — Au lit ! Pas de sortie ! Pas de dimanche ! En Belgique, le « dimanche » est la petite somme d'argent qui est donnée aux enfants pour passer agréablement ce jour.   Henri CALET, la Belle Lurette, p. 114.

Par ext. Jour de repos, de vacances. — REM. Cet emploi n'est pas lexicalisé ; la comparaison implicite ou explicite avec le dimanche effectif y est toujours présente. Aujourd'hui, c'est dimanche pour moi ; c'est mon dimanche, je me repose. — Loc. fam. (1753, in D.D.L.). C'est tous les jours dimanche, c'est la fête. — Fig. Les dimanches de la vie. Un air de dimanche, de fête, de gaieté.

Prov. Tel qui rit vendredi, dimanche pleurera.

6 Ma foi, sur l'avenir bien fou qui se fiera :
Tel qui rit vendredi, dimanche pleurera.   RACINE, les Plaideurs, I, 1.

Jamais le dimanche (allus. au film de J. Dassin où une prostituée grecque ne reçoit jamais de clients le dimanche).

Fam. DU DIMANCHE, se dit de personnes qui agissent en amateurs, sans habileté. Un chauffeur du dimanche. Assassin* du dimanche. Un peintre du dimanche. ⇒ **Amateur** (→ Barbouiller, cit. 6).

7 Certes, un peintre du dimanche copierait mal la Joconde (...)
                                              MALRAUX, les Voix du silence, II, II, p. 287.

COMP. Endimancher.

DÎME [dim] n. f. — V. 1135, disme ; du lat. decimus « dixième » ; decima au féminin.

♦ **1.** Hist. antiq. Chez les Juifs, Le dixième de la récolte qui était offert à Dieu ou donné aux lévites.

1 Considérez combien est grand celui auquel le patriarche Abraham donna la dîme du butin. Ceux des fils de Lévi qui exercent le sacerdoce ont, d'après la loi, l'ordre de lever la dîme sur le peuple (...)   BIBLE (SEGOND), les Hébreux, VII, 5.

♦ **2.** Hist. Impôt, fraction variable de la récolte prélevée par l'Église. Payer la dîme. Lever la dîme, les dîmes des blés, du vin. — Spécialt. Dîmes inféodées, usurpées par les seigneurs. — L'abolition des dîmes par la Révolution de 1789.

2 L'Ancien Testament obligeait les Juifs à remettre à leurs lévites une certaine portion de leurs revenus, la dîme. Elle se maintint sans difficulté en Orient sous la nouvelle loi, mais ne fut d'abord considérée en Occident que comme une louable pratique. A partir de la fin du VIᵉ siècle, les conciles cherchent à l'imposer en frappant les récalcitrants de peines disciplinaires. Sous Pépin le Bref, le pouvoir civil y contraignit par la force, pour remédier à l'extrême détresse de l'Église franque qu'il avait lui-même provoquée. La dîme devint dès lors une coutume générale ; elle est en principe, comme son nom (decima pars) l'indique, du dixième des revenus et doit être payée au curé.
                                    OLIVIER-MARTIN, Précis d'hist. du droit français, 69.

3 (...) dans une sorte de vertige (au cours de la nuit du 4 août 1789), ce fut à qui proposerait d'immoler un privilège. Après les droits seigneuriaux, la dîme, qui avait cependant pour contre-partie les charges de l'assistance publique (...)
                                              J. BAINVILLE, Hist. de France, XV, p. 328.

♦ **3.** Fig. et littér. Lever, prélever la, une dîme sur qqch., en prélever, en détourner une partie de la valeur. ⇒ **Exaction.** C'est une dîme injuste.

4 La voilà, l'iniquité maîtresse : cette dîme prélevée sur la chair et la sueur par le plus hypocrite, le plus immoral des artifices !
                                              MARTIN DU GARD, les Thibault, t. V, p. 219.

DÉR. Dîmer.

DIMENSION [dimɑ̃sjɔ̃] n. f. — 1372 ; lat. dimensio, de dimensum, supin de dimetiri, de dis-, et metiri « mesurer ».

★ I. ♦ **1.** Grandeur réelle, mesurable, qui détermine la portion d'espace occupée (par un corps). ⇒ **Étendue, grandeur, grosseur, taille.** La dimension d'un objet. Corps de même dimension. ⇒ **Grandeur.** Corps de dimension ordinaire, de petite dimension. → Minuscule, petit..., de poche*. Corps de grande dimension. → Colossal, énorme, épais, grand, gros, haut, large, long, profond, vaste ; immense. Changer de dimension d'un corps. ⇒ **Agrandir, augmenter, diminuer.** Des objets de toutes les dimensions. ⇒ **Taille.**

1 Notre âme est jetée dans le corps, où elle trouve nombre, temps, dimensions, elle raisonne là-dessus, et appelle cela nature, nécessité, et ne peut croire autre chose.
                                              PASCAL, Pensées, III, 233.

♦ **2.** Grandeur mesurable (d'un objet), selon une direction ou par rapport aux autres grandeurs significatives. ⇒ **Épaisseur, hauteur, largeur, longueur, profondeur.** Les dimensions d'un objet, du corps. ⇒ **Mensuration, mesure.** Mesurez ce tissu dans la plus grande dimension (dans la longueur). Noter, prendre, relever les dimen-

sions de qqch. Amener, mettre, tailler qqch. aux dimensions choisies. Objet qui a les dimensions voulues. Instrument servant à prendre les dimensions de qqch. ⇒ **Compas ; -mètre.** Évaluer une dimension par l'épaisseur d'un doigt. Vérifier les dimensions d'un wagon avec un gabarit*. De dimensions égales. ⇒ **Isométrique.** Les dimensions de ces deux corps coïncident. — Les dimensions du corps (cit. 15) humain (⇒ **Anthropométrie** ; → Anthropologie, cit. 2 ; 2. canon, cit. 3). — Les dimensions d'une propriété, d'un domaine. ⇒ **Surface** (→ Culture, cit. 4). — Dimension d'un livre (⇒ **Format**), d'un récipient (⇒ **Capacité, contenance**), d'un tube (⇒ **Calibre**), d'une chaussure (⇒ **Pointure**).

Spécialt. Timbre*de dimension.

Par ext. La dimension, les dimensions d'une entreprise, d'un organisme, d'un État, d'un groupe. ⇒ **Importance.**

(V. 1968). Écon. Taille requise pour qu'une entreprise soit viable.

♦ **3.** Géom. Grandeur réelle qui, seule ou avec d'autres, détermine la position d'un point (⇒ **Dimensionnel**). Les dimensions d'un espace. Espace à une dimension : la ligne droite ; à deux dimensions (⇒ **Plan** [géométrie plane]) ; à trois dimensions (⇒ **Espace** [géométrie de l'espace, dans l'espace]). Solide à trois dimensions. Les dimensions d'un parallélépipède : longueur des trois arêtes qui aboutissent au même sommet. — Espace à quatre, à n dimensions. La quatrième dimension, d'après la théorie de la relativité. ⇒ **Temps ; espace-temps.**

2 Ce que l'on peut appeler l'espace visuel complet n'est donc pas un espace isotrope. Il a, il est vrai, précisément trois dimensions ; cela veut dire que les éléments de nos sensations visuelles (...) seront complètement définis quand on connaîtra trois d'entre eux ; pour employer le langage mathématique, ce seront des fonctions de trois variables indépendantes (...) La troisième dimension nous est révélée de deux manières différentes : par l'effort d'accommodation et par la convergence des yeux.
                                              Henri POINCARÉ, la Science et l'Hypothèse, IV, p. 71.

Cour. La troisième dimension : l'effet de profondeur, de perspective, qu'offre un tableau.

3 (...) une peinture à laquelle la conquête de la troisième dimension avait été essentielle et pour laquelle l'union entre l'illusion et l'expression plastique allait de soi. Union qui voulait exprimer non seulement la forme des objets, mais encore leur manière et leur volume (...) c'est-à-dire atteindre à la fois la vue et le toucher.
                                              MALRAUX, les Voix du silence, p. 102.

♦ **4.** Phys. Formule de dimensions : rapport de deux grandeurs dont dépend une autre grandeur (ex. : $V = L/T$).

★ II. Fig. ♦ **1.** (xxᵉ ; de I., 1. ; au xVIIIᵉ, prendre les dimensions de quelqu'un, le juger d'après ses attitudes, son comportement). Importance. Comment a-t-il pu commettre une sottise, une faute de cette dimension ? ⇒ **Grosseur, taille.**

4 La main vigilante et pressante de l'Empereur nous préservera de tout, mais qui est-ce qui lui succédera ? La nature ne produit pas deux hommes de sa dimension.
                                TALLEYRAND, in Louis MADELIN, Talleyrand, XIX, p. 200.

5 (...) si tu n'as pas vu le four Martin dégorger son flot de métal en délire, ô mon ami, tu ne connais pas toutes les tristesses du monde, tous les hommes de la dimension de l'homme.   G. DUHAMEL, Scènes de la vie future, VIII, p. 135.

(V. 1966). Prendre la dimension de qqch., les dimensions de qqch., savoir discerner son importance.

Loc. adj. À la dimension de, aux dimensions de : approprié à, à la mesure* de. La télévision a fait un effort qui n'est « peut-être pas à la dimension de notre époque » (l'Express, 12 sept. 1966). — Prendre la dimension, les dimensions de : devenir. « La première greffe (d'un cœur humain) a pris les dimensions d'une aventure nationale » (l'Express, 6 mai 1968).

♦ **2.** (1951 ; de I., 2. et 3.). Aspect significatif (d'une chose) ; point de vue significatif. « La révolte est une des dimensions essentielles de l'homme » (Camus). Axe de signification. « L'auteur fait coïncider les dimensions du concret et du symbolique, de la sensualité et du mythe » (le Nouvel Obs., 23 nov. 1966).

Sociol. Composante (d'un fait social). La dimension économique, politique d'un problème.

DÉR. Dimensionnel, dimensionner.
COMP. Surdimension, surdimensionner.

DIMENSIONNALITÉ [dimɑ̃sjɔnalite] n. f. — V. 1960 ; de dimensionnel.

♦ Sc. Caractère d'un espace quant à ses dimensions* (I., 3.). La dimensionnalité du système de référence intuitif est 3. ⇒ **Tridimensionnel.**

DIMENSIONNEL, ELLE [dimɑ̃sjɔnɛl] adj. — 1875 ; de dimension.

♦ Didact. Relatif aux dimensions (I., 1. ou 3.). Techn. Caractéristiques dimensionnelles d'un objet. Normes dimensionnelles d'une pièce.

DÉR. Dimensionnalité.
COMP. Bidimensionnel, tridimensionnel.

DIMENSIONNEMENT [dimãsjɔnmã] n. m. — 1948; de *dimen-sionner.*

◆ Techn. Établissement de l'ensemble des dimensions (d'un objet, d'un appareil). « *Les recherches actuelles se poursuivent dans trois directions principales. La première vise (...) le dimensionnement optimal du réacteur compte tenu de la puissance de l'installation solaire utilisée* » (in *la Recherche*, n° 134, juin 1982, p. 788).

DIMENSIONNER [dimãsjɔne] v. tr. — 1927; de *dimension.*

◆ Techn. Calculer les dimensions (I.) de (qqch.) en fonction d'un usage. — Passif. « *Les accès à l'autoroute ont été bien dimension-nés* » (*Guide Dunlop*, 1966).
P. p. adj. « *Un très lourd volant, largement dimensionné* » (*Revue du son*, n° 158-159, p. 314).
REM. Le mot est critiqué; selon une recommandation officielle, il doit être remplacé par *proportionner.*
DÉR. **Dimensionnement.**

DÎMER [dime] v. — XIIᵉ, *dismer*; de *dîme.*
Vieux.

★ **I.** V. intr. Lever une dîme (propre ou fig.; Chateaubriand, *in* T. L. F.).

★ **II.** V. tr. Soumettre à une dîme, à un prélèvement. Fig. « *Un pain noir (...) dont chaque mendiant vient dîmer une tranche* » (Lamar-tine, *Jocelyn*). ⇒ **Prélever.**

DIMÈRE [dimɛR] adj. et n. m. — 1817; grec *dimerês*, de *dis-*, et *meros* « partie ». → Di-, et -mère.
Didactique.

★ **I.** Adj. (Hist. nat.). Formé de deux parties.

★ **II.** N. m. Chim. Corps de poids moléculaire double (par rapport à un *monomère*), dont la formule brute est la même que celle du monomère.

DIMÉTHYL- Préfixe, utilisé en chimie, de *di-*, et *méthyle*, indi-quant la présence, dans une molécule, de deux substitutions par un radical méthyle* (ex. : *diméthylbenzène*).

DIMIDIÉ, ÉE [dimidje] adj. — 1821; du lat. *dimidius* « demi », et suff. *-é.*

◆ Didact. Bot. Dont un seul côté est développé. — Physiol. Qui ne concerne qu'un côté (des deux côtés d'un organisme symétrique).
(...) chez le droitier, dans les lésions droites, les troubles seront dimidiés, portant sur la connaissance de l'hémicorps controlatéral (...)
A. POROT, Manuel alphabétique de psychiatrie, p. 577, b.

DIMINUANT, ANTE [diminyã, ãt] adj. — Attesté xxᵉ; p. prés. de *diminuer.*
Littéraire et rare.

◆ **1.** Qui sert à diminuer qqch. *Un verre grossissant et un verre diminuant.*

◆ **2.** Qui diminue, va en diminuant. *Une lumière diminuante.*

◆ **3.** Fig. Qui rabaisse, diminue qqn dans l'estime.
(...) dans le monde des Guermantes (...) où la pauvreté était considérée comme aussi désagréable, mais nullement plus diminuante et n'affectant pas plus la situa-tion sociale qu'une maladie d'estomac.
PROUST, À la recherche du temps perdu, Albertine disparue, p. 134, *in* T. L. F.

DIMINUENDO [diminɥɛndo] adv. — 1821, *in* D. D. L.; mot ital. *diminuendo* « en diminuant »; gérondif de *diminuire*, du lat. *diminuere* « diminuer ».

◆ Mus. En diminuant progressivement l'intensité des sons de la voix, des instruments. ⇒ **Decrescendo.**
N. m. *Un diminuendo. Des diminuendo(s).*
CONTR. **Crescendo.**

DIMINUER [diminɥe] — V. 1265; lat. *diminuere* « mettre en mor-ceaux, briser », de *de-* ou *dis-*, et *minuere* « rapetisser », de *minus* « petit ».

★ **I.** V. tr. ◆ **1.** Rendre plus petit (une grandeur). ⇒ **Amoindrir, réduire; moins.** *Diminuer les dimensions d'un objet. Diminuer la longueur d'une robe.* ⇒ **Accourcir, raccourcir.** *Diminuer la largeur de qqch.* ⇒ **Étrécir, étriquer, rétrécir.** *Diminuer la hauteur de qqch.* ⇒ **Abaisser, affaisser, écimer, écrêter.** *Diminuer l'épaisseur de qqch.* ⇒ **Amaigrir, amenuiser, amincir, chantourner, dégrossir, élégir, évi-der, rogner, ronger, user.** *Diminuer qqch. en enlevant*, en ôtant*

de la matière (⇒ **Retrancher, soustraire**). *Diminuer l'épaisseur, la concentration d'une sauce.* ⇒ **Diluer, éclaircir.** *Diminuer le volume de...* ⇒ **Allégir, apetisser, comprimer, concentrer, condenser, con-tracter, dégonfler, désenfler, rapetisser, réduire, resserrer, restrein-dre.** *Diminuer la part, la portion de qqn.* ⇒ **Réduire.** *Diminuer un poids, une charge.* ⇒ **Alléger, amortir, décharger, soulager.** — *Dimi-nuer la durée de...* ⇒ **Abréger, écourter.** *Diminuer la vitesse d'un véhicule.* ⇒ **Freiner, modérer, ralentir.** *Diminuer la quantité, le nombre de...* ⇒ **Déduire, diviser, soustraire.** *Diminuer le rendement d'un travail.* ⇒ **Abaisser.**

Sur tous les chantiers, dans toutes les usines, dites-vous bien qu'il règne un mot d'ordre : diminuer le rendement. On le leur répète dans tous les meetings.   **1**
J. ROMAINS, les Hommes de bonne volonté, t. V, XXVIII, p. 296.

Diminuer une intensité. ⇒ **Adoucir, atténuer, modérer...** *Diminuer l'intensité d'un son.* ⇒ **Assourdir, baisser; descendre.** *Diminuer les prix.* ⇒ **Abaisser, alléger, baisser, ramener** (à), **réduire, remise** (faire une remise). *Diminuer les salaires* (→ Chômer, cit. 3). *Diminuer la valeur d'une monnaie.* ⇒ **Déprécier, dévaluer; dévaloriser.** *Dimi-nuer les dépenses.* ⇒ **Comprimer, réduire, restreindre.** *Diminuer les importations* (→ Banquier, cit. 3). *État qui diminue les impôts.* ⇒ **Alléger, baisser; dégrever** (un contribuable). *Diminuer ses res-sources, son capital.* ⇒ **Écorner; appauvrir** (s').

Il disposerait ainsi d'une certaine fraction de capital, sans diminuer ses revenus.   **2**
J. ROMAINS, les Hommes de bonne volonté, t. V, XVII, p. 120.

D'un commun accord, ils avaient diminué les escomptes, supprimé les crédits,   **3**
refusé les échantillons gratuits.   A. MAUROIS, Bernard Quesnay, XXX, p. 200.

La crise sera longue, c'est évident. Jean est obligé de diminuer ta rente. Il faut   **4**
que tu quittes ton appartement.
J. CHARDONNE, les Destinées sentimentales, III, v, p. 473.

Spécialt. Réduire le nombre de mailles de (un tricot).

Par anal. *Diminuer la longueur d'un texte, d'un récit.* ⇒ **Abréger, écourter, résumer; amputer, mutiler, tronquer.**

◆ **2.** (De ce qui n'est pas mesurable). Rendre moins grand, moins fort. *Diminuer la qualité de qqch., son intérêt. Diminuer les ris-ques, les dangers d'une entreprise. Diminuer la violence d'une expression, la gravité d'une révélation.* ⇒ **Affaiblir; adoucir, atté-nuer, édulcorer, estomper, mitiger, tempérer.**

Il augmente, il diminue, il rectifie toutes vos pensées (...)   **5**
Mᵐᵉ DE SÉVIGNÉ, Lettres, 248, 12 févr. 1672.

Ou les mots dépassent la pensée ou ils la diminuent.   **6**
J. RENARD, Journal, 30 janv. 1908.

Diminuer l'ardeur, l'enthousiasme, le courage de qqn. ⇒ **Abattre, attiédir, calmer, décourager, émousser, modérer, rabattre, ralentir, refroidir, relâcher, tomber** (faire); **aplatir** (fam.). *La maladie a dimi-nué ses forces.* ⇒ **Affaiblir; affaisser, alanguir, amoindrir, consu-mer; épuiser, exténuer, fatiguer.** *Diminuer les qualités de la race.* ⇒ **Abâtardir.** *Mes paroles ont diminué sa colère.* ⇒ **Apaiser, cal-mer, modérer, tomber** (faire). *L'absence* (cit. 6) *a diminué la force de sa passion, sa passion.* ⇒ **Attiédir, étcindre.** *Son départ a dimi-nué notre plaisir.* ⇒ **Gâcher, gâter.** *Diminuer l'assurance de qqn.* ⇒ **Ébranler.** *Diminuer les prétentions de qqn.* ⇒ **Ravaler, tempérer.** *L'appréhension diminue les chances de succès* (→ Caser, cit. 1). *Remède qui diminue la souffrance, le mal.* ⇒ **Adoucir, alléger, endormir, pallier, soulager.** *Votre présence diminuera son chagrin.* ⇒ **Consoler.** — *Diminuer l'autorité de qqn.* ⇒ **Compromettre, infir-mer, miner, saper.**

Ce cardinal (*Mazarin*) avait l'artifice de trouver toujours quelque défaut aux plus   **7**
belles actions des généraux (...) pour diminuer leurs services et délivrer le Roi
de la nécessité de les récompenser.   RACINE, Notes historiques, v, 92.

Les yeux des amants grossissent les beautés de leurs maîtresses et diminuent leurs   **8**
défauts.   HELVÉTIUS, Notes, maximes et pensées, Œ., p. 270.

◆ **3.** Réduire les mérites, la valeur de (qqn). *Diminuer qqn. Prendre plaisir à diminuer les autres.* ⇒ **Abaisser, avilir, dégrader, dénigrer, déprécier, discréditer, humilier, rabaisser, ternir.** *Rien ne pourra le diminuer auprès de ses admirateurs.*

★ **II.** V. intr. Devenir moins grand, moins considérable. ⇒ **Bais-ser, décroître, perdre.** *Diminuer rapidement, soudain. Diminuer progressivement, lentement.* ⇒ **Decrescendo, diminuendo; dégressif.** *Aller* en diminuant. *Cela va en diminuant* : il y en a de moins* en moins. — REM. Le verbe se construit avec l'auxiliaire *avoir*, quand on veut marquer que l'action se passe (s'est passée) au moment dont il est question. *La chaleur a diminué aujourd'hui.* — *Dimi-nuer de longueur, de largeur, de hauteur, d'épaisseur, de volume* (→ Décroissement, cit.), *de grosseur. Diminuer en quantité* (→ Achat, cit. 2), *en qualité, en nombre. La pluie a diminué d'intensité* (→ Déluge, cit. 8). *Le niveau des eaux a diminué.* ⇒ **Descendre.** *La brume a diminué depuis ce matin.* ⇒ **Disparaître, éclaircir** (s'), **évanouir** (s').

Je m'en vais, je suis emporté par une force inévitable; tout diminue, tout fuit,   **9**
tout disparaît à mes yeux (...)   BOSSUET, Oraison funèbre d'Anne de Gonzague.

Ses resources ont diminué. Les prix diminuent. ⇒ **Baisser, tomber.** *Cet article a diminué de prix. La vie a diminué depuis deux ans.* ⇒ **Baisser.**

(Forces humaines). *Son appétit diminue. Ses forces ont diminué.* ⇒ **Décliner, faiblir.** *Avec l'âge, son intelligence a bien diminué* (→ Chaque, cit. 2). — (Sujet n. de personne). *Le malade diminue tous les jours.* ⇒ **Dépérir.** — (Sentiments). *Le chagrin diminue avec* *le temps. Sa colère diminue.* ⇒ **Calmer** (se), **céder, cesser, décliner, mollir, tomber.** *Son amour a bien diminué* (→ Augmenter, cit. 11, 15; attachement, cit. 13; croître, cit. 11). — *Son crédit commence à diminuer.* ⇒ **Déchoir, décroître, pâlir.** — (Choses concrètes). *Les provisions diminuent à vue d'œil.*

10 Le vin blanc était frais; le pain, la viande froide, le beurre, diminuaient à vue d'œil.
　　　　　　　　　　　　　　　MARTIN DU GARD, les Thibault, t. IV, p. 191.
11 C'est ainsi qu'on vit la circulation diminuer progressivement jusqu'à devenir à peu près nulle, des magasins de luxe fermer du jour au lendemain (...)
　　　　　　　　　　　　　　　CAMUS, la Peste, p. 94.

Littér. (avec *être*, quand on veut marquer l'état qui résulte de l'action accompli). *La chaleur est bien diminuée par rapport au mois d'août.*

12 Son royaume *(de Roboam)* est diminué de dix tribus (...)
　　　　　　　　　　　　　BOSSUET, Disc. sur l'hist. universelle, II, IV.
13 Pourquoi craindre que la gloire d'un si grand homme soit diminuée par cet aveu?
　　　　　　　　　　　　　BOSSUET, Oraison funèbre du prince de Condé.
14 Par la durée, les plaisirs du corps sont diminués et les peines augmentées.
　　　　　　　　　　　　　STENDHAL, De l'amour, p. 292.

▶ **SE DIMINUER** v. pron.

♦ **1.** (Choses; personnes). Devenir moins grand, moins considérable.
15 (...) son amitié pour Lucien s'était diminuée d'un peu d'estime.
　　　　　　　　　　　　　BALZAC, Illusions perdues, Pl., t. IV, p. 996.
15.1 Pauvre bougre... un pauvre homme qui s'est rétréci, qui s'est diminué, qui n'a pas exploité à fond ses possibilités...
　　　　　　　　　　　　　N. SARRAUTE, le Planétarium, p. 252.

♦ **2.** (Personnes). *Se diminuer par une conduite dégradante, malhonnête.* ⇒ **Abaisser** (s'), **commettre** (se), **déchoir, déclasser** (se), **dégrader** (se). *Par de tels propos, il se diminue aux yeux de tous ses amis.*
16 Qui se défend se diminue.
　　　　　　　　　　　　　JAURÈS, Hist. socialiste..., t. IV, p. 11.

▶ **DIMINUÉ, ÉE** p. p. adj.

♦ **1.** Rendu moins grand. — Archit. *Colonne diminuée*, qui va en se rétrécissant de bas en haut. — Mus. *Intervalles diminués*, rendus plus petits au point de n'être plus consonants. *Ut dièse-si bémol est une septième diminuée.*
Réduit (→ Déconcerter, cit. 2).
17 (...) il donna au bureau des signes de distraction qui furent jugés regrettables à un moment où la mairie devait faire face, avec un personnel diminué, à des obligations écrasantes.
　　　　　　　　　　　　　CAMUS, la Peste, p. 153.
Spécialt. *Tricot diminué,* dont la forme résulte des diminutions* (2.) et non d'un assemblage de parties.

♦ **2.** (Personnes). Amoindri, affaibli, bas (⇒ fig. **Appauvrir**, p. p.).
18 (...) elle est considérablement diminuée depuis que vous êtes partie (...)
　　　　　　　　　　　　　Mᵐᵉ DE SÉVIGNÉ, 623, 9 juil. 1677.
19 Ce que j'écris aujourd'hui, ayant dépassé la quarantaine, en pleine force et en plein équilibre intellectuel doit, de toute évidence, prévaloir contre ce que je pourrai penser ou écrire à la fin de mon existence, lorsque je serai physiquement et moralement diminué par l'âge ou par la maladie.
　　　　　　　　　　　　　MARTIN DU GARD, Jean Barois, p. 359.
20 La vieille châtelaine, depuis son attaque, semblait fort diminuée.
　　　　　　　　　　　　　A. MAUROIS, Lélia ou la Vie de G. Sand, I, v, p. 50.
Dévalorisé, humilié à ses propres yeux. *Il se sent diminué d'être entretenu par sa femme.*
21 (...) Alain est humilié, diminué, et pour une fois qu'il a l'occasion devant mes parents de se rehausser un peu, d'apporter quelque chose de son côté, vous ne voulez pas bouger... vous n'avez jamais levé le petit doigt... vous vous en êtes lavé les mains depuis le début...
　　　　　　　　　　　　　N. SARRAUTE, le Planétarium, p. 141.

CONTR. Augmenter; accroître, agrandir, ajouter, amplifier, croître, gonfler, grandir, grossir, monter.
DÉR. Diminuant, diminutif, diminution.

DIMINUTIF, IVE [diminytif, iv] adj. et n. m. — XIVᵉ; bas lat. (grammatical) *diminutivus,* du supin de *diminuere.* → Diminuer.

♦ **1.** Ling. Qui donne, qui ajoute une idée de petitesse, souvent avec une nuance affective (hypocoristique ou péj.). *Suffixe diminutif qu'on ajoute au radical. Dérivation de tablette, petite table, par addition du suffixe diminutif -ette à table. Principaux suffixes diminutifs :* suffixes de noms et d'adjectifs (⇒ **-eau, -elet, -elle, -elot, -ereau, -erole, -eron, -et, -eteau, -eton, -iche, -ichon, -icule, -iculet, -ille, -illon, -in, -iquet, -oche, -ole, -on, -onnet, -ot, -ule),** suffixes de verbes (⇒ **-eter, -iller, -iner, -oter, -onner, -ouiller**).
N. m. *Un diminutif :* mot formé d'une racine et d'un suffixe diminutif. *Tablette est le diminutif de table, jupon de jupe, pâlot de pâle, voleter de voler. Les diminutifs furent très en faveur chez les poètes du XVIᵉ siècle.* ⇒ **-et** (cit. 3).

♦ **2.** Nom propre formé de la même manière, indiquant initialement la familiarité, l'affection chez la personne qui l'emploie. *Pierrot, Louison sont les diminutifs de Pierre et de Louise.*
Par ext. Nom propre (en général prénom) tiré d'un nom propre, par abrègement *(Fred de Alfred)*, substitution de suffixe *(Margot pour Marguerite)*, redoublement d'un élément *(Jojo pour Georges)*, suffixation d'un élément *(Riton pour Henri)*, etc., avec une valeur affective. ⇒ **Hypocoristique.**

♦ **3.** N. m. (1637). Vieilli. Chose qui ressemble à une autre en plus petit. ⇒ **Miniature.** *Ce parc est le diminutif de celui du château de Versailles.*
CONTR. Augmentatif.

DIMINUTION [diminysjɔ̃] n. f. — V. 1260; lat. *diminutio,* du supin de *diminuere.* → Diminuer.

♦ **1.** Action de diminuer*; résultat de cette action. ⇒ **Amoindrissement, baisse, décroissance, décroissement, réduction, retranchement, soustraction; moins.** *La diminution de qqch., sa diminution; une diminution rapide. Diminution graduelle, progressive, successive.* ⇒ **Dégradation.** *Diminution considérable. Diminution de la surface d'un terrain par l'envahissement des eaux. Diminution de volume.* ⇒ **Compression, concentration, contraction, dégonflement, réduction.** *Diminution de longueur, de durée.* ⇒ **Abrègement, raccourcissement.** *Diminution de largeur.* ⇒ **Rétrécissement.** *Diminution de hauteur.* ⇒ **Abaissement, affaissement, baisse.** *Diminution de niveau. Diminution de l'épaisseur, diminution d'épaisseur de qqch.* ⇒ **Amaigrissement, amenuisement, amincissement, aplatissement.** *Diminution de poids.* ⇒ **Allégement, soulagement.** *Diminution de vitesse, de mouvement, d'activité.* ⇒ **Modération, ralentissement.** *Diminution d'intensité.* ⇒ **Dégradation** (→ Dégrader, cit. 1). *Diminution de nombre, de quantité.* ⇒ **Division; soustraction.** *Diminution de prix.* ⇒ **Baisse; bonification, rabais, réduction, remise.** *Diminution de valeur.* ⇒ **Dépréciation, dévalorisation, moins-value.** *La diminution de la valeur de la monnaie.* ⇒ **Dévaluation.** *Diminution de l'inflation.* ⇒ **Déflation.** *Diminution des charges, des impôts.* ⇒ **Abattement, décharge, dégrèvement** (cit.), **exemption, exonération, réduction.** *La diminution des revenus, de la fortune de qqn. La diminution d'un salaire.* ⇒ **Baisse.** *Demander une diminution de loyer.* — *Demander, obtenir une diminution de charges, de taxes.*
(De ce qui n'est pas mesurable). *Diminution d'un mal. Diminution des forces, de l'énergie.* ⇒ **Affaiblissement, déperdition, réduction, restriction.** *Diminution d'activité.*
Absolt. *On n'a observé aucune diminution.*
Rhét. Figure par laquelle on dit moins pour faire entendre plus. ⇒ **Exténuation, litote.**

♦ **2.** Spécialt. *Une, des diminutions :* action de diminuer le nombre de mailles, notamment en en travaillant deux à la fois (crochet, tricot).

♦ **3.** Vx (en parlant des personnes). Action d'être diminué, de se diminuer. ⇒ **Abaissement, avilissement, humiliation.**
L'homme du meilleur esprit est inégal; il souffre des accroissements et des diminutions; il entre en verve, mais il en sort (...)
　　　　　　　　　　　　　LA BRUYÈRE, les Caractères, II, 66.

CONTR. Augmentation; accroissement, agrandissement, amplification, croissance, crue, élévation, enchérissement, gonflement, montée; plus.

DIMISSOIRE [dimiswaʀ] n. m. — 1501; lat. ecclés. *dimissorius* « qui renvoie », du supin du lat. class. *dimittere* « renvoyer », de *dis-,* et *mittere* « envoyer ».

♦ Relig. Lettre par laquelle un évêque autorise un clerc de son diocèse à recevoir des ordinations dans un autre diocèse. *Donner, obtenir un dimissoire.* (On a dit aussi *démissoire*).
DÉR. Dimissorial.

DIMISSORIAL, ALE, AUX [dimisɔʀjal, o] adj. — 1690; dér. sav. de *dimissoire.*

♦ Relig. (rare). Qui est relatif à un dimissoire. *Lettres dimissoriales.*

DIMORPHE [dimɔʀf] adj. — 1826; de *di-,* et *-morphe.*

♦ **1.** Didact. Qui peut prendre deux formes différentes (⇒ vx **Biforme**). — Bot. *Organes, feuilles dimorphes.* — Zool. *Les fourmis femelles sont dimorphes.*

♦ **2.** (1844; → Dimorphisme, cit.). Chim. Qui peut cristalliser dans deux structures cristallines. *Le soufre, corps dimorphe.*
L'auteur *(Pasteur, dans sa thèse de physique et un mémoire pour l'Académie des Sciences)* appliquait le qualificatif de *dimorphe* à des substances susceptibles de cristalliser dans deux systèmes différents et trouvait là, pour la vie entière, l'une des idées cruciales de sa méditation.
　　　　　　　　　　　　　Henri MONDOR, Pasteur, II, p. 27.
DÉR. Dimorphisme.

DIMORPHISME [dimɔʀfism] n. m. — 1838; de *dimorphe.*

♦ **1.** Didact. Caractère des organes, des corps des animaux dimorphes. *Dimorphisme saisonnier* (pelage d'été et pelage d'hiver). *Dimorphisme sexuel :* aspect différent du mâle et de la femelle d'une même espèce (par ex. du lion qui porte une crinière et de la lionne qui n'en porte pas). *Le dimorphisme sexuel peut être extrême chez les insectes.*

Bot. *Dimorphisme foliaire, dimorphisme des feuilles,* en fonction de l'habitat de la plante.

♦ **2.** (1844, cit.). Chim. Propriété d'une substance dimorphe.

Dans cette hypothèse, le soufre qui a cristallisé (...) en octaèdres droits, et celui qui a cristallisé (...) en prismes obliques rhomboïdaux serait un seul et même corps *dimorphe,* une seule et même substance douée de *dimorphisme.*
      DELAFOSSE, *in* C. D'ORBIGNY, Dict. universel d'hist. nat., V, 19 (1844).

DINAMITERO [dinamiteʀo] n. m. — xxᵉ; mot esp., « dynamiteur », de *dinamita* « dynamite ».

♦ Anarchiste, poseur de bombes. — REM. Le mot connote une action violente dans un contexte révolutionnaire.

Contre les chars d'assaut de Franco, les dinamiteros lançaient des grenades et des bouteilles enflammées.   S. DE BEAUVOIR, la Force de l'âge, p. 283.

DINANDERIE [dinɑ̃dʀi] n. f. — 1387; de *dinandier.*

♦ Didact. ou comm. Ensemble des ustensiles de cuivre jaune (vaisselle, pots, chandeliers). *Pièces de dinanderie.* ⇒ **Chaudronnerie** (d'art).

DINANDIER [dinɑ̃dje] n. m. — Fin xiiiᵉ; de *Dinant,* ville de Belgique célèbre par ses cuivres.

♦ Didact. (hist., etc.). Fabricant, marchand de dinanderie.
DÉR. Dinanderie.

DINAR [dinaʀ] n. m. — 1697; arabe *dīnār.*

♦ **1.** Anciennt. Monnaie d'or arabe.

♦ **2.** (xxᵉ). Mod. Unité monétaire de la Yougoslavie; de l'Algérie, de l'Irak, de la Jordanie et de la Tunisie. *Un dinar algérien. Deux dinars.*

DÎNATOIRE [dinatwaʀ] adj. — xviᵉ; dér. sav. de 1. *dîner.*

♦ *Déjeuner dînatoire :* déjeuner abondant qui équivaut à un dîner*. *Goûter dînatoire :* goûter abondant et tardif, qui sert de dîner.

DINDE [dɛ̃d] n. f. — 1600; de *coq d'Inde, poule d'Inde,* nom donné aux xivᵉ-xvᵉ à la pintade, originaire d'Abyssinie, et appliqué (1532) au dindon, que les Espagnols découvrirent au Mexique en 1519.

♦ **1.** Femelle du dindon*. *Dinde rôtie, truffée, farcie, bourrée de marrons. Dinde de Noël.*

1   Premiers parents du genre humain, dont la gourmandise est historique, qui vous perdîtes pour une pomme, que n'auriez-vous pas fait pour une dinde aux truffes? Mais il n'était dans le paradis terrestre ni cuisiniers, ni confiseurs. Que je vous plains!   A. BRILLAT-SAVARIN, Physiologie du goût, t. II, p. 245.

2   — Deux dindes truffées, Garrigou? (...)
— Oui, mon révérend, deux dindes magnifiques bourrées de truffes. J'en sais quelque chose, puisque c'est moi qui ai aidé à les remplir. On aurait dit que leur peau allait craquer en rôtissant, tellement elle était tendue (...)
      Alphonse DAUDET, Lettres de mon moulin, « Les trois messes basses », I.

3   — Noble dinde, lui dis-je, si vous étiez une oie, j'écrirais votre éloge, comme le fit Buffon, avec une de vos plumes. Mais vous n'êtes qu'une dinde.
J'ai dû la vexer, car le sang monte à sa tête. Des grappes de colère lui pendent au bec. Elle a une crise de rouge. Elle fait claquer d'un coup sec l'éventail de sa queue et cette vieille chipie me tourne le dos.   J. RENARD, Histoires naturelles, « Dindes », I.

♦ **2.** Fig. Femme stupide et prétentieuse. *C'est une dinde, cette fille-là! Petit dinde!*

4   — N'est-ce pas une petite dinde rougissante, assez dodue, ma foi! qui chante moins faux que les autres bécasses de la confrérie?   G. CHEVALLIER, Clochemerle, p. 239.

Adj. fém. *Elle est un peu dinde.*

5   (...) il les trouvait toujours soit trop dindes, soit trop tartes.
      R. QUENEAU, Zazie dans le métro, Folio, p. 13.
DÉR. Dindon.

DINDON [dɛ̃dɔ̃] n. m. — 1600, « dindonneau »; de *dinde;* d'abord « petit de la dinde », puis (attesté 1668, La Fontaine, ci-dessous) « mâle de l'espèce ».

♦ **1.** Grand oiseau de basse-cour (*Gallinacés,* originaire d'Amérique centrale, scientifiquement appelé *meleagris*), noir, bronzé, doré ou blanc, dont la tête et le cou, dépourvus de plumes, sont recouverts d'une membrane granuleuse, rouge violacé, avec caroncules rouges à la base des mandibules (⇒ **Fanon, fraise**). *Dindon sauvage. Dindon domestique. Dindon qui fait entendre son glouglou, qui glouglote, glougloute. Dindon femelle.* ⇒ **Dinde.** *Dindon mâle faisant la roue.* — *Se rengorger comme un dindon. Troupeau de dindons* (mâles et femelles).

1   (...) certaines Philis qui gardent les dindons
Avec les gardeurs de cochons.   LA FONTAINE, Fables, VII, 2.

Spécialt. Le mâle de l'espèce (opposé à *dinde*).

La guerre que les coqs d'Inde se font entre eux est beaucoup moins violente *(que celle des coqs proprement dits);* le vaincu ne cède pas toujours le champ de bataille, quelquefois même il est préféré par les femelles : on a remarqué qu'un dindon blanc ayant été battu par un dindon noir, presque tous les dindonneaux de la couvée furent blancs.   BUFFON, Hist. nat. des oiseaux, Œ., t. V, p. 316.   2

Gardeur de dindons. ⇒ **Dindonnier.** — Loc. *Nous n'avons pas gardé les dindons ensemble.* ⇒ **Garder.** — *Le dindon de la fable :* une personne qui imagine voir (entendre, savoir) ce qu'elle n'est pas en mesure de voir (allus. à la fable de Florian où le singe a oublié d'allumer sa lanterne magique). ⇒ **Lanterne** (cit. 11).

♦ **2.** Loc. fig. *Le dindon de la farce :* la personne qui est la victime moquée d'une plaisanterie. ⇒ **Dupe.** *Faire de qqn le dindon* (d'une affaire). ⇒ **Dindonner.** *C'est lui le dindon* (dans cette affaire). *Le Dindon,* pièce de Feydeau (1896).
DÉR. Dindonneau, dindonner, dindonnier.

DINDONNEAU [dɛ̃dɔno] n. m. — 1651; de *dindon.*

♦ Petit de la dinde. *Manger un rôti de dindonneau. Des dindonneaux.*

DINDONNER [dɛ̃dɔne] v. tr. — 1828; de *dindon,* 2.

♦ Fam. et vieilli. Abuser, duper avec facilité. *Il s'est fait dindonner.* ⇒ **Duper.** — Au p. p. *Mari, amant dindonné,* trompé.

(...) je suis vengé, votre mari l'a su! Je lui ai catégoriquement démontré qu'il était dindonné, ce que nous appelons *refait au même...* Madame Marneffe est *ma* maîtresse (...)   BALZAC, la Cousine Bette, Pl., t. VI, p. 401.   1

« Retors mais naïf », notais-je l'autre jour à propos du M. R. P. On ne saurait être plus dindonné qu'il ne l'est.   F. MAURIAC, Bloc-notes 1952-1957, p. 130.   2

DINDONNIER, IÈRE [dɛ̃dɔnje, jɛʀ] n. — Av. 1660; de *dindon.*

♦ Rare. Personne qui garde les dindons.

Ah! si, une fois j'en ai rencontré une dans la taille à Trochu... la petite Bûchette, la dindonnière.   E. LABICHE, Deux merles blancs, I, 5.

DINE [din] n. f. ⇒ **Daine.**

DÎNE [din] n. f. — 1905, Esnault (cf. *dînée,* 1844); déverbal de 1. *dîner.*

♦ Pop. Repas. *À la dîne!*

Je me disais : Tant pis c'est joué, arrivera ce qui pourra... en attendant on a le pageot, la dîne et le chauffage...   CÉLINE, le Pont de Londres, p. 366.

DÎNÉE [dine] n. f. — xiiᵉ, « dîner, temps du dîner »; p. p. fém. de 1. *dîner.*

Vieux (langue classique).

♦ **1.** (Mil. xviiᵉ). Frais de nourriture des personnes et des chevaux, dans un voyage.

♦ **2.** (1689, Mᵐᵉ de Sévigné). Auberge où l'on s'arrête pour manger.
HOM. Dîner.

1. DÎNER [dine] v. intr. — Fin xiᵉ, « prendre le repas du matin »; du lat. pop. *disjunare* « rompre le jeûne », de *disjejunare* (→ Déjeuner), de *dis-,* et *jejunare.* → Jeûner.

♦ **1.** Vx ou régional (France, exceptionnellement; Belgique, Canada). Prendre le repas de midi. ⇒ 2. **Déjeuner.** — REM. Lorsque ce sens est en usage, on dit *déjeuner* (1. Déjeuner) pour « prendre son petit déjeuner ». — Prov. et loc. Vx. *« Lever à six, dîner à neuf, Souper à six, coucher à neuf, Fait vivre d'ans nonante-neuf. »*

♦ **2.** Cour., mod. Prendre le repas du soir. *Qu'allons-nous manger pour dîner? Se mettre à table pour dîner. Inviter, prier, retenir, garder, avoir quelqu'un à dîner. Dîner en ville, dîner au restaurant. Dîner chez soi, en tête à tête, avec des amis, en compagnie. Dîner légèrement, copieusement, de bon appétit, avec appétit. Dîner à huit heures. Avoir bien dîné. Dîner avec un potage et un dessert, d'un potage et d'un dessert. — Celui qui donne à dîner.* ⇒ **Amphitryon.** — Mod. *Qui dort dîne :* le sommeil fait oublier la faim. — *Dîner sur le pouce,* hâtivement. — Fam. *Dîner avec les chevaux de bois :* se passer de dîner (→ Dîner par cœur*). — Plais. *Dîner d'une olive et d'un poulet :* dîner plantureusement alors qu'on prétend dîner de peu. — *Il me semble que j'ai dîné quand je le vois :* sa présence m'est désagréable.

Il vient peut-être encore vous faire quelque emprunt; et il me semble que j'ai dîné quand je le vois.   MOLIÈRE, le Bourgeois gentilhomme, III, 3.   1

Compère le renard se mit un jour en frais,
Et retint à dîner commère la cigogne.   LA FONTAINE, Fables, I, 18.   2

Il est déjà un peu tard pour aller dîner en ville, encore un peu tôt pour se rendre au spectacle.   J. ROMAINS, les Hommes de bonne volonté, t. III, XII, p. 162.   3

DÉR. Dînatoire, dîne, dînée, 2. dîner, dîneur.
HOM. Dînée.

2. DÎNER [dine] n. m. — XIᵉ, *deigner* «repas du matin»; de 1. *dîner.*

♦ **1.** Vx ou régional. Repas du milieu de la journée. *«À une heure on sert le dîner»* (Sade, *Justine...*, 1791).

1 Du goujon! c'est bien là le dîner d'un héron!
J'ouvrirais pour si peu le bec! aux Dieux ne plaise!
LA FONTAINE, Fables, VII, 4.

2 Le dîner se refroidit; voilà M. Fréret qui arrive, mettons-nous à table (...)
VOLTAIRE, Dialogues, XXVI, 1ᵉʳ entretien.

3 La société est composée de deux grandes classes : ceux qui ont plus de dîners que d'appétit, et ceux qui ont plus d'appétit que de dîners.
CHAMFORT, Maximes, L'homme et la société, VII.

4 À onze heures et demie, on sonnait le dîner que l'on servait à midi. La grand'salle était à la fois salle à manger et salon : on dînait et soupait à l'une de ses extrémités (...)
CHATEAUBRIAND, Mémoires d'outre-tombe, t. I, p. 112.

♦ **2.** (1814). Repas du soir (opposé au *déjeuner* de la mi-journée). *L'heure du dîner. Dîner de famille, de fiançailles, d'affaires.* — *Partager le dîner de quelqu'un,* dîner à sa table.

5 À sept heures, on servit le dîner. FLAUBERT, Mᵐᵉ Bovary, I, VIII.

6 Le chancelier d'Aguesseau m'avait appris à ne pas dédaigner des moments qui paraissent sans emploi, lui que sa femme inexacte faisait toujours attendre pour le dîner, et qui, lui présentant un livre, lui dit : «Voilà l'œuvre des avant-dîners».
LITTRÉ, Comment j'ai fait mon dictionnaire de la langue française, p. 26.

(V. 1965). Accompagné d'une activité ou d'une manifestation. *Dîner-débat, dîner-colloque, dîner-concert, dîner-spectacle.* « *Pour 850 F, offrez-vous le grand frisson du Japonais coquin en virée dans le Gay Paris : dîner-spectacle au Moulin-Rouge et soirée avec demi-bouteille de champ' au Lido* » (*le Nouvel Obs.*, 15 mai 1982).

♦ **3.** Par métonymie. **a** Les plats, les mets du dîner. *Un dîner fin, copieux. Le dîner nous attend, est prêt, est sur la table, va refroidir. Mon dîner ne passe pas, m'est resté sur l'estomac.*

b Le moment du dîner. *Après le dîner.*

DÉR. Dînette.
COMP. Après-dîner; avant-dîner.
HOM. Dînée.

DÎNETTE [dinɛt] n. f. — XVIᵉ; de 2. *dîner.*

♦ **1.** Petit repas, parfois simulé, que les enfants s'amusent à faire entre eux. — Par ext. Petit repas intime. *Faire la dînette.*

Et c'est tout leur grand événement du jour, cette dînette qu'elles s'amusent à faire là comme des femmes du peuple, mais sous le voile, et en voiture fermée.
LOTI, les Désenchantées, IV, XXVIII, p. 171.

♦ **2.** (1852). Service de table servant de jouet aux enfants. *On lui a acheté une dînette pour Noël.*

DÎNEUR, EUSE [dinœR, øz] n. — 1609; de 1. *dîner.*

♦ Personne qui prend part à un dîner, et, spécialt, à un dîner de fête, au restaurant. *Les dîneurs des grands restaurants. Une élégante dîneuse.*

Les dîneurs entraient lentement dans la grande salle de l'hôtel et s'asseyaient à leurs places. MAUPASSANT, Toine, «Le tic», p. 239.

DING [diŋ] interj. — XVIᵉ, *din, dint.*

♦ Onomatopée évoquant un tintement, un coup de sonnette.

À 60, nouveau «Ding!» d'Eugène et Alex recommence à boxer des ombres (...)
J. CAU, la Pitié de Dieu, p. 15.

Ding, ding, dong! [diŋ dɛg dɔ̃(g)], onomatopée évoquant la sonnerie d'un carillon. — Var. : *dig, ding, dong.* ⇒ **Dig.**

DINGHY ou **DINGHIE** [diŋgi] n. m. — 1929, *dinghy; dinghie,* 1934; *dinghi,* 1870; *dingui,* 1836, en parlant de barques sur le Gange; mot angl., du hindi.

Anglicisme.

♦ **1.** (1950, *in* Höfler). Canot pneumatique de sauvetage. *Des dinghys* ou *dinghies.*

1 Ce canot de caoutchouc était un petit dingy *(sic)* individuel, fait pour repêcher les gens qui tombent à la mer tout près des côtes; je ne crois pas qu'il m'aurait permis de traverser l'Atlantique. A. BOMBARD, Naufragé volontaire, p. 175.

♦ **2.** Petit bateau de plaisance à moteur hors-bord, avec un volant de direction, un pare-brise et des sièges, dont la coque est généralement en matière plastique ou en métal léger.

2 Le grand succès de ces dernières années a été le *glisseur* hors-bord sous la forme du *dinghie* dit utilitaire qui, pour un poids lui permettant d'être facilement remorqué derrière une voiture offre de deux à quatre places et peut entraîner un skieur à bonne allure. J. GIORDAN, le Yachting, p. 24.

1. DINGO [dɛgo] n. m. — 1789, dans une trad. de W. Tench, puis 1834-1835, Dumont d'Urville; angl. *dingo* (1789), empr. à une langue d'Australie.

♦ Mammifère carnivore *(Canidés)* australien, scientifiquement appelé *canis dingo,* qui a l'aspect d'un grand renard.

Les indigènes emploient, pour la chasse du casoar, des *dingos* bien dressés qui ne redoutent ni les jeunes à l'état de développement, ni ceux complètement formés.
Carol ULMOLTZ, Chez les cannibales, *in* le Tour du monde, 1888, t. II, p. 174.

HOM. 2. Dingo.

2. DINGO [dɛgo] adj. et n. — Fin XIXᵉ, *dingot;* de *dingue.*

♦ Fam. Fou, folle. ⇒ **Cinglé, dingue, sonné.** *Elle est complètement dingo! Tu n'es pas un peu dingo? Ils sont à moitié dingos.* — REM. *Dingo* paraît vieilli par rapport à *dingue.*

1 Et comme le démon du pastiche, et de ne pas paraître vieux jeu, altère la forme la plus naturelle et le plus sûre de soi, Françoise, empruntant cette expression au vocabulaire de sa fille, disait que j'étais dingo.
PROUST, le Côté de Guermantes, Pl., t. II, p. 69, note.

N. Fou, folle, aliéné mental.

Il n'y a pas de dingos dans ta famille, dans la mienne non plus.
R. QUENEAU, Loin de Rueil, p. 37.

Par ext. *Il a accepté? Quel dingo!*

2 À poil comme elle était donc, cette dingo, v'là qu'elle entre tout droit dans l'église (...)
G. CHEVALLIER, Clochemerle, p. 398.

HOM. 1. Dingo.

DINGUE [dɛg] adj. et n. — 1915; orig. incert.; p.-ê. de **dengue;* cf. argot *la dingue* «le paludisme» (1890); ou de *dinguer.*
Familier.

♦ **1.** Fou, dingo. ⇒ 2. **Dingo.** *Il est un peu dingue, complètement dingue. On devrait t'envoyer chez les dingues* (cf. À Charenton). *De doux dingues.* — N. *Un, une dingue.*

1 Si elle continue, je deviendrai dingue je me demande comment il s'y prendrait Guitare avec celle-là. J. CAU, la Pitié de Dieu, p. 135.

2 C'est pas avec des coups de sonnette que t'empêcheras un cheval de trottiner ça fait que le rendre encore plus dingue (...)
Claude SIMON, la Route des Flandres, p. 57.

(Choses). Absurde, extravagant. *Mais c'est dingue, son affaire.*

♦ **2.** (Comme intensif; très à la mode v. 1970-1980). Extraordinaire. *Un spectacle fabuleux*, complètement dingue. Une soirée dingue.* ⇒ **Super.** *Il y avait un monde dingue.* ⇒ **Fou.** *Un mec dingue, pas possible.*

3 (...) une petite Parisienne fort peu vêtue, son gros derrière pris dans une sorte de bref caleçon collant, s'écriait en se dandinant et avec le plus pur accent du faubourg : «Ah! la la! c'est dingue, c'est tout à fait dingue ici.»
J. GREEN, Journal, La terre est si belle, 12 oct. 1977, p. 184.

DÉR. 2. Dingo, dinguerie.
HOM. Dengue.

DINGUER [dɛge] v. intr. — 1833; d'un rad. onomat. *din-, ding-,* exprimant le balancement (des cloches, etc.).

♦ **1.** Fam. *Envoyer dinguer qqn,* repousser violemment.

0.1 Le justicier retint par le collet celui qu'il supposait être le chef et lui cogna plusieurs fois la tête contre un tronc d'arbre, pour lui apprendre. Puis il l'envoya dinguer; le gosse s'écorcha les genoux sur l'asphalte, ensuite détala.
R. QUENEAU, Pierrot mon ami, p. 85.

Abstrait. Éconduire sans ménagement.

0.2 Alors il *(Gautier)* esquisse un Jésus, fils d'une parfumeuse et d'un charpentier, un mauvais sujet qui quitte ses parents et envoie dinguer sa mère (...)
Ed. et J. DE GONCOURT, Journal, t. II, p. 106.

1 Si c'était moi qui avais voulu les lui présenter, ce qu'il m'aurait envoyé dinguer.
PROUST, À la recherche du temps perdu, t. IX, p. 127.

♦ **2.** Fam. (après *aller, venir, faillir...*). Tomber.

2 J'eus un éblouissement et m'en allai dinguer au pied d'un marronnier, dans cet espace creux réservé pour l'arrosement des arbres (...)
GIDE, Si le grain ne meurt, I, III, p. 92.

COMP. Valdinguer.

DINGUERIE [dɛgRi] n. f. — 1967; de *dingue.*
Familier.

♦ **1.** Caractère d'une personne, d'un comportement dingue. *Sa dinguerie nous amuse. Il est d'un dinguerie pas possible.*

Je sens qu'il me faut m'élancer, mouiller un peu mes yeux, ôter ces lunettes de soleil de starlette, quitte à dévoiler l'émouvante cicatrice qui est, si j'enlève ma gourmette en toc et de suicidée ratée, la seule séquelle visible de ce temps de dinguerie dont on ne parlera plus jamais, bien sûr.
A. SARRAZIN, la Traversière, p. 128 (1966).

♦ **2.** (*Une, des dingueries*). Action de dingue. *Encore une de ses dingueries!*

DINOFLAGELLÉS [dinoflaʒele; dinoflaʒɛlle] n. m. pl. — 1948, Larousse; angl., 1901, *in* Webster; lat. sc. *dinoflagellata,* 1885, Bütschli; du grec *dinos* «tournoiement, tourbillon», et lat. *flagellum* «fouet».
→ Flagelle.

♦ Zool. Syn. de *Péridiniens.* — Au sing. *Un dinoflagellé.*

DINORNIS [dinɔRnis] n. m. invar. — 1843 ; lat. sc. *dinornis*, 1843, Owen, du grec *deinos* «terrible», et *ornis* «oiseau».

♦ Paléont. Oiseau fossile de la fin du tertiaire, coureur de très grande taille qui vivait en Australie.

DINOSAURE [dinozɔR] n. m. — 1845 ; lat. sc. *dinausaurus* forgé en angl., 1841, Owen, du grec *deinos* «terrible», et *sauros*. → Sauriens.

♦ **1.** Cour. Énorme saurien de l'ère secondaire. — REM. Le mot, comme le nom de l'ordre *(Dinosauriens)*, ne désigne aucune famille zoologique déterminée ; il ne s'applique guère qu'aux plus grands spécimens (brontosaure, diplodocus) qui ont frappé l'imagination.

♦ **2.** Fig. et fam. Personne, institution... ancienne, archaïque, plus ou moins redoutable, mais que son importance passée empêche de disparaître. *Les dinosaures de la politique. Un vieux dinosaure de la finance.* ⇒ **Crocodile** (fig.).

DINOSAURIENS [dinosɔRjɛ̃] n. m. pl. — 1841 ; angl. *dinosaurian*, de *dinosaurus*. → Dinosaure.

♦ Paléont. Vx. Ordre de reptiles* fossiles dont certaines familles avaient une taille gigantesque, caractéristique de la période secondaire. Ex. : atlantosaure, brontosaure, camptosaure, diplodocus, mégalosaure, stégosaure.

Tous les Dinosauriens sont intéressants par les affinités qu'ils ont, du point de vue squelettique, d'une part avec les Crocodiliens et les Rhynchocéphales, d'autre part avec les Oiseaux. LEUBA, Introduction à la géologie, p. 163.

Au sing. *Un dinosaurien.* ⇒ **Dinosaure.**

DINOTHÉRIUM [dinoterjɔm] n. m. — 1837 ; lat. sc., 1829, Kamp ; du grec *deinos* «terrible», et *thêrion* «animal».

♦ Paléont. Genre de mammifères fossiles de l'ordre des *Proboscidiens*, animaux à grandes défenses voisins des éléphants, localisés dans le miocène, en Europe et en Asie. *Des dinothériums.*

DIOCÉSAIN, AINE [djɔsezɛ̃, ɛn] adj. et n. — 1265 ; de *diocèse*.

♦ Qui est relatif à un diocèse ; qui appartient à un diocèse. *Clergé diocésain. L'évêque diocésain* (⇒ **Ordinaire**). *Œuvres diocésaines. L'administration, l'autorité diocésaine.*

N. m. (V. 1534). Personne qui fait partie d'un diocèse. *Mandement de l'évêque à ses diocésains. — Le diocésain des fidèles,* leur évêque.

(...) se faire (...) respecter du noble de sa province, ou de son diocésain. LA BRUYÈRE, les Caractères, VIII, 11.

COMP. **Archidiocésain.**

DIOCÈSE [djɔsɛz] n. m. — V. 1233, *dyocheze ;* fém. jusqu'au XVIᵉ ; grec *dioikêsis* «administration», de *dioikein* «administrer».

♦ **1.** (Repris lat. *diœcesis*). Antiq. rom. Circonscription administrée par un vicaire de l'empereur.

1   La Gaule relevait d'une des deux préfectures du prétoire de l'Empire d'Occident, la préfecture de Trèves, et était divisée en deux diocèses, dirigés par un *vicarius.* Chaque diocèse comprenait un certain nombre de provinces (...) OLIVIER-MARTIN, Précis d'hist. du droit franç.

♦ **2.** Circonscription ecclésiastique placée sous la juridiction d'un évêque ou d'un archevêque. *Les 87 diocèses de France. Le nom d'un diocèse,* généralement le nom de la ville où siège l'évêque. *Le diocèse de Paris, de Sées. Diocèse suffragant d'un archevêché. L'église d'un diocèse.* ⇒ **Cathédrale.** *Tribunal d'un diocèse.* ⇒ **Officialité.** *Un évêque, en visite dans son diocèse.* → Prière, cit. 1. *Prêtres qui exercent une juridiction sur les curés d'un diocèse.* ⇒ **Archidiacre, vicaire** (général). *Les curés doyens d'un diocèse. Assemblée d'ecclésiastiques chargés des affaires d'un diocèse.* ⇒ **Synode.** *Le diocèse d'un évêque, dans l'empire byzantin.* ⇒ **Éparchie.**

2   Il fallait maintenant réduire le nombre des évêchés. Le Pape y était d'avance résigné. Bernier n'eut pas sur ces articles à batailler. Soixante-dix villes perdaient leur titre de siège de diocèse ; le nombre de diocèses était réduit à soixante. Louis MADELIN, Hist. du Consulat et de l'Empire, Le Consulat, VIII, p. 115.

DÉR. **Diocésain.**
COMP. **Archidiocèse.**

DIODE [djɔd] n. f. — 1932 ; de *di-,* et *-ode*. → Cathode.

♦ Techn. Composant* électronique à deux électrodes (cathode et anode) redresseur* de courant alternatif. ⇒ **Valve.** *Diode à filament :* tube à vide à deux électrodes. *Diode à cristal,* constituée par la jonction de deux semi-conducteurs de type différent. ⇒ **Transistor.**

DIODON [djɔdɔ̃] n. m. — 1787 ; grec *di-* «deux», et *odous, odontos* «dent».

♦ Zool. Poisson plectognathe *(Gymnodontes* ou *Diodontiformes)* au corps armé d'épines érectiles, et dont le bec à bords tranchants est revêtu d'une plaque d'ivoire très dur. Syn. cour. : *hérisson de mer.*

Le diodon, redouté pour sa mâchoire puissante et dentelée et pour les dards urticants qui hérissent son corps en cas d'alerte, a la curieuse faculté de se gonfler à volonté d'air et d'eau jusqu'à devenir rond comme une boule. M. TOURNIER, Vendredi ou les Limbes du Pacifique, p. 44.

DICESTRUS [diɛstRys] n. m. inv. — V. 1960 ; de *dia-,* et *œstrus*.

♦ Biol. Phase de repos entre deux périodes de rut chez les femelles de certains mammifères.

DIOGÈNE [djɔʒɛn] n. m. — 1826, Balzac, *Un nouveau Diogène, in* T. L. F. ; nom d'un célèbre philosophe cynique grec de l'Antiquité.

♦ Littér. et rare. Personne comparable à Diogène (par la simplicité absolue, la sincérité cynique). *De modernes diogènes.*

DÉR. V. **Diogénique, diogéniser.**

DIOGÉNIQUE [djɔʒenik] adj. — 1829, Balzac ; de *Diogène,* nom du philosophe cynique.

♦ Littér. et vieilli. De Diogène, de ses théories cyniques. *Le «tonneau diogénique»* (Alain, *in* T. L. F.).

DIOGÉNISER [djɔʒenize] v. — Mil. XVIᵉ ; de *Diogène,* nom propre. → Diogène.

Littéraire et vieilli.

♦ **1.** V. intr. Vivre dans un dénuement matériel absolu ; ou professer le cynisme (comme Diogène).

♦ **2.** V. tr. Rendre (qqn) comparable à Diogène.

DIOGGOT ou **DIOGOT** [djɔgo] n. m. — 1796 ; *deuggit,* 1766 ; russe *diëgot*.

♦ Didact., techn. Huile obtenue en brûlant de l'écorce de bouleau, et qui donne au cuir de Russie son odeur particulière.

DIOÏQUE [djɔik] adj. et n. m. — 1778 ; *dioïke,* 1768 ; lat. bot. *diœcia,* du grec *di-* «deux», et *oikia* «maison».

♦ Bot. Se dit des plantes à fleurs unisexuées chez lesquelles les fleurs mâles et les fleurs femelles sont sur deux pieds distincts. *Une plante dioïque,* et, n. f., *Une dioïque* (opposé à *monoïque*). — REM. Le mot s'est appliqué aux espèces animales hermaphrodites (Cuvier).

DIOL [djɔl] n. m. ⇒ **Dialcool.**

DIOLÉFINE [dijɔlefin ; djɔlefin] n. m. — V. 1900 ; de *di-,* et *oléfine.*

♦ Chim. Hydrocarbure diéthylénique. Syn. : *diène.*

DIONÉE [djɔne] n. f. — 1786 ; lat. bot. *dionæa* «(plante) de Dioné», mère de Vénus (Aphrodite).

♦ Bot. Plante carnivore d'Amérique *(Droséracées)* herbacée, vivace, exotique, dont la feuille, bordée de longs cils raides, est tapissée de poils sécrétant un liquide visqueux. *Une variété de dionée (dionée attrape-mouches* ou *gobe-mouches) est considérée comme une plante carnivore parce qu'au moindre contact, ses limbes se replient en emprisonnant l'insecte qui s'y était posé.*

DIONYSIAQUE [djɔnizjak] adj. — 1762 ; grec *dionusiakos,* de *Dionusos,* nom du dieu appelé en latin Bacchus.

Didactique.

♦ **1.** Antiq. grecque. Qui est relatif à Dionysos. *Le culte dionysiaque. Fêtes dionysiaques,* et, n. f., *Les dionysiaques :* fêtes en l'honneur de Bacchus célébrées au printemps et en automne. ⇒ **Bacchanale, dionysies.** *Les fêtes dionysiaques, origine de la comédie. Les grandes dionysiaques. Les dionysiaques rurales. Artistes dionysiaques :* nom des comédiens, chez les Grecs.

♦ **2.** Littér. (opposé à *apollinien*). Propre à l'inspiration, à l'enthousiasme. «*Si la poésie est dionysiaque par ses origines, elle est apollinienne dès qu'elle est poésie*» (H. Delacroix). *L'ivresse dionysiaque, l'élan dionysiaque* (d'une œuvre, d'une création...).

REM. Cet emploi s'est surtout répandu sous l'infl. de Nietzsche (*Naissance de la tragédie,* 1872).

(Personnes). Qui présente, incarne les caractères (enthousiasme, force...) attribués à Dionysos.

Andrée *(que)* j'avais crue le premier jour une créature si dionysiaque et qui était au contraire frêle, intellectuelle et (...) fort souffrante. PROUST, À l'ombre des jeunes filles en fleurs, Pl., t. I, p. 893.

1. DIONYSIEN, IENNE [djɔnizjɛ̃, jɛn] adj. et n. — 1842; dér. sav. du grec *Dionusios* (lat. *Dionysius*) «Denys».

◆ Didact. Relatif à Denis (nom de plusieurs personnages, notamment en hist. relig.). *Les écrits dionysiens,* de Denys l'Aréopagite.

2. DIONYSIEN, IENNE [djɔnizjɛ̃, jɛn] adj. et n. — D. i. (xxᵉ); de *Dionysos,* pour traduire *Denis* dans *Saint-Denis.*

◆ De Saint-Denis, ville située au nord de Paris. «*L'histoire dionysienne*» (*l'Express,* 12 juil. 1981).

DIONYSIES [djɔnizi] n. f. pl. — 1732; grec *dionusia,* de *Dionusios* «Dionysos».

◆ Hist. Dans l'Antiquité grecque, Fêtes en l'honneur de Dionysos, caractérisées par des représentations rituelles, des processions de bacchantes*, des phallophories et par une poésie spécifique, le dithyrambe*. ⇒ aussi **Bacchanale(s).**

DIOPSIDE [dijɔpsid] n. m. — 1807, Brongniart; du grec *diopsis* «action de voir à travers».

◆ Minér. Silicate naturel de calcium, de magnésium et de fer.

DIOPTRE [djɔptʀ] n. m. — 1547; un sens méd., «spéculum», est attesté en 1541; grec *dioptra,* var. de *dioptron* «instrument servant à examiner (à distance)», de *dia,* et *opsesthai,* inf. futur de *orân* «voir».

★ **I.** ◆ **1.** N. m. Vx. Niveau (instrument de maçon).

◆ **2.** N. f. Mod. Hist. sc. Instrument formé d'un quart de cercle muni de pinnules, servant à l'observation.

★ **II.** N. m. (1921). Phys. Surface optique séparant deux milieux de réfringence inégale.

DIOPTRIE [djɔptʀi] n. f. — 1887, *Année sc. et industr.* 1888, p. 127; du rad. de *dioptrique.*

◆ Phys. Unité de vergence des systèmes optiques (symb. δ), équivalant à la vergence d'un système optique dont la distance focale est de 1 mètre, dans un milieu dont l'indice de réfraction est 1. *Lentille, verre de n dioptries.*

DIOPTRIQUE [djɔptʀik] n. f. et adj. — 1634, Descartes, *in* T. L. F.; grec *dioptrikê,* de *dioran* «voir à travers». Physique.

◆ **1.** N. f. Partie de l'optique* qui traite des phénomènes de réfraction de la lumière. *La Dioptrique,* œuvre de Descartes (1637).

(...) ouvrez la *Dioptrique* de Descartes, et vous y verrez les phénomènes de la vue rapportés à ceux du toucher (...)   DIDEROT, Lettre sur les aveugles, Pl., p. 844.

◆ **2.** Adj. Relatif à la réfraction. *Instrument dioptrique. Le système dioptrique de l'œil.*

DÉR. et COMP. **Catadioptrique.** V. **Dioptrie.**

DIORAMA [djɔʀama] n. m. — 1822; de *dia-,* préf. du grec *dia* «à travers», d'après *panorama.*

◆ Tableau sur toile tendue verticalement où sont peints en couleurs transparentes des figures, des paysages, etc., de telle manière que des spectateurs placés dans l'obscurité voient ces représentations de différentes façons suivant que le système d'éclairage frappe la toile sur sa face antérieure ou sur sa face postérieure. → Panorama, cit. 1. *Les dioramas étaient à la mode au XIXᵉ siècle.*

1 (...) les fenêtres de son salon donnaient sur des dioramas exécutés d'une façon merveilleuse et de l'illusion la plus complète. Th. GAUTIER, Fortunio, XXIV.

2 Aspects incessamment variés par les obliques rayons de soleil, ou perdus dans les brumes grises au milieu des ouragans de neige. Puis, de toutes parts des détonations, des éboulements, de grandes culbutes d'icebergs, qui changeaient le décor comme le paysage d'un diorama.
    J. VERNE, Vingt mille lieues sous les mers, p. 475.

DIORITE [djɔʀit] n. f. — 1817 (ou 1819, Brongniart); du rad. du grec *diorizein* «distinguer».

◆ Géol. Roche éruptive de structure granitoïde, basique, formée par l'union de cristaux de feldspath (couleur blanche) et d'amphibole (couleur verte).

De magnifiques rois en diorite noire (...)
    J. GREEN, La Terre est si belle, 26 août 1976, p. 58.

DIOSCORÉACÉES [djɔskɔʀease] n. f. pl. — xxᵉ; *dioscorées,* 1816; lat. mod. *dioscoreaceæ,* de *dioscorea,* p.-ê. du nom de *Dioscoride,* botaniste grec.

◆ Bot. Famille de plantes phanérogames angiospermes, classe des monocotylédones, herbacées ou ligneuses, vivaces, à racine tuberculeuse, à tige volubile, à feuilles simples, croissant généralement dans les régions tropicales. *Types principaux :* dioscorée, igname, rajania, tamier. — Au sing. *Une dioscoréacée.*

DIOSCURES [djɔskyʀ] n. m. pl. — 1732; du grec *Dioskoroi.*

◆ Didact. (myth.). Couple d'enfants (notamment de jumeaux*) divins (comme nom propre : Castor et Pollux). — Étoiles de la constellation des Gémeaux.

DIOXINE [djɔksin] n. f. — Répandu 1976, à propos de l'accident survenu à Seveso (Italie); de *dibenzodioxinne,* lui-même de *di-, benzo-, di-,* et *oxinne,* nom d'un corps (C_5H_6O) non isolé (syn. : *pyranne*); n. déposé.

◆ Sous-produit de la fabrication d'un dérivé chloré du phénol (le trichloro-2,4,5 phénol), très toxique (syn : *tétrachlorodibenzodioxinne;* dérivé de la dibenzodioxinne).

DIOXY- Élément de mots de chimie, formé de *di-* «deux», et *oxy-.* ⇒ **Oxy-.** Ex. : *dioxymaléique, dioxynaphtalène.*

DIOXYDE [djɔksid] n. m. — 1869; de *di-,* et *oxyde.*

◆ Chim. Oxyde contenant deux atomes d'oxygène. ⇒ **Bioxyde.**

DIPEPTIDE [dipɛptid] n. m. — 1905, in *Rev. gén. des sc.,* nº 11, p. 540; de *di-,* et *peptide.*

◆ Chim., biol. Substance composée de deux acides aminés. *Les dipeptides se forment au cours de la dégradation métabolique des protéines.*

DIPÉTALE [dipetal] adj. — 1779; de *di-,* et *pétale.*

◆ Bot. Qui a deux pétales.

DIPHASÉ, ÉE [difaze] adj. — Fin xixᵉ; de *di-,* phase, suff. *-é.*

◆ Électr. Se dit de deux courants alternatifs, qui présentent une différence de phase d'un quart de période, leur fréquence et leur amplitude étant égales.

DIPHASIQUE [difazik] adj. — 1903, in *Rev. gén. des sc.,* nº 5, p. 285; de *di-,* phase, et suff. *-ique.*

◆ Didact. Qui présente deux phases. *Domaine diphasique.* — Biol. Qui présente deux périodes alternantes au cours de son évolution. «*Capteurs en milieu diphasique*» (*Sciences et Avenir,* mars 1981).

DIPHÉNOL [difenɔl] n. m. — 1905, in *Rev. gén. des sc.,* nº 19, p. 849; de *di-,* et *phénol.*

◆ Chim. Corps possédant deux fois la fonction phénol*.

DIPHÉNYL- Élément de formation de mots de chimie, de *di-* «deux», et *phényl-.* ⇒ **Phényle.** (Ex. : *diphénylamine, diphénylméthane, diphénylpropane,* etc.).

DIPHIODONTE [difiɔdɔ̃t; difjɔdɔ̃t] adj. ⇒ **Diphyodonte.**

DIPHTÉRIE [difteʀi] n. f. — 1855; *diphtérite,* 1817; du grec *diphthera* «membrane», et suff. *-ite;* refait en *diphtérie* (suff. *-ie*).

◆ Maladie microbienne (bacille de Lœffler), contagieuse, caractérisée par la formation de pseudo-membranes sur certaines muqueuses (larynx, pharynx) et par des phénomènes d'intoxication. ⇒ **Angine** (angine diphtérique). *Diphtérie laryngienne.* ⇒ **Croup.** Vétér. *Diphtérie des volailles, avienne.*

REM. L'anc. forme *diphtérite* s'est employée au xixᵉ s. et a produit le dér. (aujourd'hui archaïque) *diphtéritique* (remplacé par *diphtérique*).

DÉR. **Diphtérique.**

DIPHTÉRIQUE [difteʀik] adj. et n. — 1837, adj.; n., 1835; de *diphtérie.*

◆ Relatif à la diphtérie. *Angine diphtérique* (ou angine couenneuse). N. Malade atteint de diphtérie. *Un, une diphtérique.* — Adj. *Des enfants diphtériques.*

— Voulez-vous m'aider à soigner une diphtérique; je suis seul, et il faudrait la tenir pendant que j'enlèverai les fausses membranes de la gorge.
— Je viens avec vous, lui dis-je (...)
L'angine, l'affreuse angine qui étrangle les misérables hommes avait pénétré dans la ferme des Martinet (...)
(Une voisine avait pris la fuite, laissant) les deux malades abandonnées sur

leurs grabats de paille, sans rien à boire, seules, seules, râlant, suffoquant, agonisant (...)   MAUPASSANT, Misère humaine, Contes, Pl., t. II, p. 754.

COMP. Antidiphtérique.

DIPHTONGAISON [diftɔ̃gɛzɔ̃] n. f. — 1864 ; de *diphtonguer.*

♦ Le fait de se diphtonguer ; transformation en diphtongue. *Diphtongaison du* [e] *de pedem en* [je] *(pied).*

DIPHTONGUE [diftɔ̃g] n. f. — V. 1223, *ditongue ;* lat. gramm. *diphtongus,* grec *diphthoggos* «double son».

♦ **1.** Phonét. Voyelle dont la tenue comporte une variation de timbre. → Phone, cit. *La diphtongue est produite par un changement d'articulation en cours d'émission de la voyelle. La diphtongue peut être considérée comme formée d'une voyelle et d'une semi-consonne. Diphtongue ascendante, croissante ou fausse diphtongue,* où la semi-consonne est le premier élément (ex. : *pied, lui,* où le *i* [j], le *u* [ɥ] sont des semi-consonnes). *Diphtongue descendante, décroissante,* où la semi-consonne est le second élément (ex. : *l'angl. take* où le *a* est une diphtongue ; le franç. *travail*). *Réduction d'une diphtongue* (⇒ **Monophtongaison**). *Diphtongues et triphtongues.*

♦ **2.** Cour. (Abusivt). Hiatus formé de deux voyelles (ex. : *chaos, paysan*).

Exactement *païsan,* en appuyant sur *paï,* en écrasant *paï* d'une seule émission de voix très ouverte, large ouverte, nullement une diphtongue mouillée.
          Ch. PÉGUY, la République..., p. 268.

DÉR. Diphtonguer.

DIPHTONGUER [diftɔ̃ge] v. tr. — 1550 ; de *diphtongue.*

♦ Faire devenir diphtongue ; donner la valeur d'une diphtongue à (un son de la langue). — Pron. *Se diphtonguer :* prendre la valeur d'une diphtongue. — Au p. p. *Voyelle diphtonguée.*

DÉR. Diphtongaison.

DIPHYLÉTIQUE [difiletik] adj. — xxᵉ ; de *di-,* et *phylétique.*

♦ Didact. (biol.). Qui est issu de deux souches, qui appartient à deux séries généalogiques. ⇒ **Phylum ; phylétique.**

DIPHYODONTE [difiɔdɔ̃t, difjɔdɔ̃t] adj. et n. — 1890 ; de *diphy-,* grec *diphuês* «double», et *-odonte.*

♦ Didact. Dont le développement comporte deux dentitions successives. *L'homme est diphyodonte, comme la plupart des mammifères.* — N. m. pl. *Les diphyodontes.*

Var. orthographique (xxᵉ) : *diphiodonte.*

CONTR. Monophyodonte.

DIPL-, DIPLO- Élément de formation de mots savants, du grec *diplous* «double». Voir à l'ordre alphabétique.

DIPLÉGIE [dipleʒi] n. f. — xxᵉ ; de *dipl-, plêgê* «choc», et suff. *-ie.*

♦ Méd. Paralysie bilatérale touchant des parties symétriques (opposé à *hémiplégie*).

DIPLOBACILLE [diplobasil] n. m. — 1904, in *Rev. gén. des sc.,* nº 22, p. 1054 ; de *diplo-* (→ Dipl-), et *bacille.*

♦ Bactér. Microorganisme constitué de deux bâtonnets accolés.

DIPLOBLASTIQUE [diploblastik] adj. — D. i. (mil. xxᵉ) ; de *diplo-* (→ Dipl-), du grec *blastos* «germe» (→ Blasto-), et suff. *-ique.*

♦ Embryol. Qui a deux (et non pas trois) feuillets embryonnaires (en parlant d'un organisme animal). *Les méduses sont diploblastiques. Les métazoaires diploblastiques sont acéphales.*

DIPLOCÉPHALIE [diplosefali] n. f. — Av. 1870 ; de *diplo-* (→ Dipl-), et *-céphalie.*

♦ Didact. Monstruosité consistant dans la présence de deux têtes (deux extrémités céphaliques) pour un même organisme.

DIPLOCOQUE [diplokɔk] n. m. — 1890 ; de *diplo-* (→ Dipl-), et *-coque,* du grec *kokkos* «graine».

♦ Biol. Bactérie sphérique formée de deux éléments groupés. « *Le diplocoque, appelé également microbe en huit de chiffre est constitué par un point double* » (*la Science illustrée,* 1890, t. I, p. 259).

DIPLODOCUS [diplodɔkys] n. m. — 1890 ; lat. sc. ; de *diplo-* (→ Dipl-), et grec *dokos* «poutre», à cause des os doubles de ses vertèbres.

♦ **1.** Grand saurien fossile (dinosaurien), dont on a trouvé les ossements notamment dans le Jurassique supérieur des montagnes Rocheuses. *Le diplodocus atteignait parfois 25 mètres de longueur.* Fig. et fam. Personne ou chose archaïque et énorme. ⇒ **Dinosaure.**

♦ **2.** En appos. *Tapis diplodocus* (⇒ **Tapis,** A., 2., c).

DIPLOÉ [diploe] n. m. — 1539 ; grec *diploé* «chose double».

♦ Anat. Tissu spongieux compris entre les deux lames dures des os plats de la boîte crânienne. *Canaux veineux du diploé.*

Au crâne sont deux tables, entre lesquelles est le diploé, qui est une substance spongieuse où s'internent plusieurs veines et artères (...)   [1]
          Ambroise PARÉ, III, 4, *in* LITTRÉ.

Pour les os plats de la boîte crânienne, les deux lames de tissu compact ont reçu le nom de *tables* (...) À son tour, le tissu spongieux compris entre les deux lames prend le nom de *diploé.*   L. TESTUT, Traité d'anatomie humaine, t. I, p. 18.   [2]

DIPLOGENÈSE [diploʒɛnɛz] n. f. — 1842 ; de *diplo-* (→ Dipl-), et *genèse.*

♦ Didact. Monstruosité double.

DIPLOÏDE [diplɔid] adj. — 1931 ; «manteau double ou doublé», 1586 ; de *diplo-* (→ Dipl-), et *-oïde.*

♦ Biol. Se dit d'un noyau cellulaire, d'une cellule d'un organisme qui possède normalement un double assortiment de chromosomes semblables (2 n), opposé à *haploïde* et à *polyploïde.* — Par ext. *Structure diploïde.*

DÉR. Diploïdie, diploïdisation.

DIPLOÏDIE [diplɔidi] n. f. — 1936 (probablt antérieur → Diploïdisation) ; de *diploïde.*

♦ Biol. État d'une cellule diploïde* (opposé à *haploïdie* et *polyploïdie**).

DIPLOÏDISATION [diplɔidizasjɔ̃] n. f. — 1930, Buller ; de *diploïde.*

♦ Biol. Processus de transformation d'une cellule haploïde en cellule diploïde.

DIPLOMATE [diplɔmat] n. — 1792 ; adj., 1789 ; de *diplomatique,* sur le modèle d'*aristocrate.*

★ **I.** ♦ **1.** N. Personne chargée par un gouvernement de fonctions diplomatiques, de négociations avec un gouvernement étranger. ⇒ **Ambassadeur, attaché, chargé** (d'affaires), **consul, légat, ministre, nonce, résident, secrétaire ; émissaire, envoyé, négociateur, parlementaire, plénipotentiaire.** *Adroit, fin, habile diplomate. Métier, arrière de diplomate.* ⇒ **Diplomatie.** *Diplomate de carrière. Le diplomate représente son gouvernement auprès de l'étranger, négocie avec l'étranger, renseigne son pays, en protège les ressortissants. Les calculs, les prévisions des diplomates ont été déjoués. Conférence de diplomates. Une femme diplomate ; une diplomate.*

Je ne connais pas de métier plus divers que celui du diplomate. Il n'en est point où il y ait moins de règles précises et plus de traditions, point où il faille plus de persévérance pour réussir et où le succès dépende davantage du hasard des circonstances, point où une discipline exacte soit aussi nécessaire et qui exige de celui qui l'exerce un caractère plus ferme et un esprit plus indépendant.   [1]
          J. CAMBON, le Diplomate, p. 9.

(*Metternich et Talleyrand*) étaient faits pour se comprendre (...) tous deux *diplomates nés* et faits pour tous les tours du métier — le mensonge élégant et les appétits parés de grâce — tous deux dissimulant sous le masque de la politesse raffinée une féroce soif des affaires (...) ils sont faits pour s'accorder — puisque, élèves des diplomates de l'âge précédent (...) ils en sont encore au «système» qui (...) a uni France et Autriche.   Louis MADELIN, Talleyrand, XXI, p. 209.   [2]

♦ **2.** N. et adj. (1789). Personne qui sait mener une affaire avec tact ; habile, adroit dans les relations sociales. ⇒ **Circonspect, habile, rusé, subtil.** *Elle n'est pas assez diplomate pour les réconcilier. C'est une vraie diplomate.*

Ce fut encore madame Édouard, la forte tête, la diplomate, qui tira le parti le plus ingénieux de cette divergence (...)   ZOLA, Vérité, p. 75, *in* T. L. F.   [3]

★ **II.** N. m. (1922, Proust, *Sodome et Gomorrhe*). Gâteau fait de biscuits à la cuiller, de fruits confits et d'une crème parfumée au rhum, au kirsch.

DIPLOMATIE [diplɔmasi] n. f. — 1790 ; de *diplomatique,* sur le modèle d'*aristocratie.*

♦ **1.** Branche de la politique* qui concerne les relations entre les États ; représentation des intérêts d'un gouvernement à l'étranger, administration des affaires internationales, direction et exécution des négociations entre États (⇒ **Ambassade, chancellerie, mission ;** et aussi **consulat**). *Avoir une longue expérience de la diplomatie. C'est à la diplomatie de résoudre ce différend.*

1 Tant que les Gouvernements des divers pays auront des rapports entre eux, il leur faudra des agents pour les représenter et les renseigner, et, qu'on leur donne le nom qu'on voudra, ces agents feront la diplomatie.
J. CAMBON, le Diplomate, p. 68.

2 (...) il lui faut *(à l'U. R. S. S.)* temporiser (...) s'assurer des alliés, des vassaux, des positions.
La tactique révolutionnaire se change en diplomatie : il faut avoir l'Europe dans son jeu.
SARTRE, Situations II, p. 279.

Carrière diplomatique. ⇒ **Carrière** (absolt). *Entrer dans la diplomatie. Se destiner à la diplomatie. Personnel de la diplomatie.* ⇒ **Agent** (diplomatique), **diplomate ; diplomatique** (REM.). *La diplomatie française dépend du ministère des Affaires étrangères. Ensemble des diplomates. La diplomatie soviétique est recrutée de telle et telle façon.*

♦ **2.** (1790). Fig. Habileté, tact qu'on apporte dans la conduite d'une affaire. ⇒ **Adresse, circonspection, doigté, finesse, habileté, tact.** *Conduire une affaire avec beaucoup de diplomatie. Déployer toutes les ressources de la diplomatie. User de diplomatie. Il s'est engagé avec diplomatie.* ⇒ **Précaution.**

3 Commerçant subtil et habile, prudent, économe et fruste, il *(le Latin)* réussit au mieux dans les petites entreprises, encore qu'il soit capable de réussir aussi dans les grandes : partout où il faut de la souplesse, de la diplomatie, de l'intrigue même, il est à son affaire (...) André SIEGFRIED, l'Âme des peuples, II, 3, p. 42.

DIPLOMATIQUE [diplɔmatik] adj. et n. f. — 1721, adj. ; n. f., 1708 ; du lat. mod. *diplomaticus*, du lat. class. *diploma*. → Diplôme.

★ **I.** Didact. ♦ **1.** Adj. Relatif aux diplômes, aux chartes (⇒ **Diplôme**, 1.). *Écritures diplomatiques,* en usage dans les diplômes. *Critique diplomatique.*

♦ **2.** N. f. **LA DIPLOMATIQUE** : science qui a pour objet les diplômes, l'étude de leur âge, de leur authenticité, de leur valeur. *La diplomatique étudie le fond, la valeur des documents, la paléographie*, leur forme.*

Ensemble de documents.

0.1 (...) le texte de la charte-partie qui nous envoie au Sénégal. La diplomatique de ces instruments remonte à la meilleur époque ; les siècles ont ébranlé trônes et cerveaux, ils ont laissé intacte l'architecture de cette grande phraséologie commerciale. J.-R. BLOCH, Sur un cargo, p. 226.

★ **II.** Cour. (1726 ; «relatif aux diplômes, aux documents internationaux»). ♦ **1.** Relatif à la diplomatie*. *Histoire diplomatique. Relations diplomatiques* (Cf. Relations internationales, affaires étrangères, extérieures...). *Pourparlers, négociations diplomatiques. Complications, incidents diplomatiques. Rupture des relations diplomatiques entre deux pays. Correspondance, courrier, dépêche, valise* diplomatique. Note diplomatique. Intervenir par la voie diplomatique. Être chargé d'une mission diplomatique. Réunion, congrès diplomatique. Agent diplomatique : diplomate*. Vie diplomatique. Manières diplomatiques. Correction* (cit. 12) *diplomatique. Cérémonial diplomatique.* ⇒ **Protocole.**

Spécialt. *Caractère diplomatique* : caractère des personnages qui représentent leur pays, qui incarnent la souveraineté de l'État qui les envoie. On parle dans ce sens d'*agent diplomatique,* de *Corps diplomatique,* de *cadres diplomatiques.* — REM. Les consuls, qui font partie du personnel de la diplomatie, peuvent être considérés comme des *agents diplomatiques* lato sensu. Dans la théorie, on distingue *Corps diplomatique, agent diplomatique de Corps consulaire, consul.*

1 *(Les consuls)* devinrent des agents commerciaux et (...) en vinrent même par suite de leur séjour continu, à jouer un certain rôle diplomatique auprès des souverains étrangers (...) il a été question de leur attacher un véritable caractère diplomatique (...) Si cette assimilation n'a pas été réalisée théoriquement, elle existe de fait puisque les deux cadres diplomatique et consulaire se pénètrent et que l'on passe couramment de l'un à l'autre.
Carlo LAROCHE, la Diplomatie française, p. 57-59.

♦ **2.** (1807). Fig. (Des actions, des manières). ⇒ **Adroit, habile.**

2 (...) j'ai fait une grande folie ; je lui ai demandé l'autre bourse. — Aïe ! ce n'est pas diplomatique. — Non, Ernestine, et il m'a refusé (...)
A. DE MUSSET, Un caprice, 6.

CONTR. Maladroit ; grossier...
DÉR. Diplomate, diplomatie, diplomatiquement.

DIPLOMATIQUEMENT [diplɔmatikmɑ̃] adv. — 1788 ; de *diplomatique.*

♦ **1.** Par, selon la diplomatie. — Comme un diplomate.

1 Je te nomme, ou, pour parler diplomatiquement, nous te nommons notre résident à Milan. P.-L. COURIER, Lettres, I, 236, *in* LITTRÉ.

2 Toujours est-il que le rapprochement progressif de la France, de l'Angleterre, de la Russie, leurs nouveaux accords militaires, tout ce qui se trame diplomatiquement depuis deux ans, tout ça, à tort ou à raison, commence à inquiéter sérieusement Berlin. MARTIN DU GARD, les Thibault, t. III, p. 157.

♦ **2.** (1837). D'une manière habile, avec diplomatie (2.). *Il a parlé à son patron assez peu diplomatiquement.*

DIPLÔME [diplom] n. m. — 1721 ; *diplomat* «décret», 1617 ; lat. *diploma,* mot grec, proprt «plié en deux».

♦ **1.** Didact. (hist.). Pièce officielle établissant un droit, un privilège. ⇒ **Acte, charte, patente.** *Diplôme impérial, royal, pontifical* (⇒ **Bulle**). *Diplôme sur papyrus, sur parchemin. Déchiffrer de vieux diplômes, établir leur authenticité* (⇒ **Diplomatique,** I., 2. ; **paléographie**).

1 (...) presque tous ces seigneurs avaient à la fois des diplômes de *vicaires du saint-siège,* et de *vicaires de l'empire* (...) VOLTAIRE, Essai sur les mœurs, LXV.

♦ **2.** (1810). Cour. Acte qui confère et atteste un titre*, un grade*. *Diplôme d'enseignement ; diplôme de bachelier, de licencié.* ⇒ **Baccalauréat, brevet, certificat, doctorat, licence ;** fam. **parchemin, peau** (d'âne). *Examen*, concours* pour l'obtention d'un diplôme. Candidat à un diplôme. Conférer, décerner un diplôme. Obtenir un diplôme* (⇒ **Diplômé, impétrant, récipiendaire**). *Diplômes exigés pour l'obtention d'un poste, d'une place. Quels diplômes avez-vous ? Être pourvu de nombreux diplômes, être bardé de diplômes. Il n'a aucun diplôme.*

2 (...) des hommes (...) qui possédaient d'indiscutables connaissances (...) sans compter des diplômes solides et une bonne volonté évidente.
CAMUS, la Peste, p. 121.

Spécialt. *Diplôme de fin d'études. Diplôme de l'École des langues orientales, de l'Institut d'études politiques. Diplôme d'infirmière ; d'interprète.*
Diplôme attestant, constatant un acte d'héroïsme. Diplôme accompagnant une décoration*. Diplôme d'honneur, décerné à un exposant (⇒ **Médaille, prix, récompense**).

♦ **3.** Examen, concours que l'on passe avant d'obtenir le diplôme. *Se présenter à un diplôme. Passer un diplôme.* — Spécialt. *Diplôme d'études supérieures* (D.E.S.), et, absolt, *diplôme* : *diplôme* décerné, après examen d'un mémoire, à des licenciés qui se destinent à l'agrégation. *Diplôme d'études supérieures d'histoire ; diplôme de philosophie. Diplôme d'études universitaires générales :* D.E.U.G. *Diplômes de deuxième cycle* (licence, maîtrise), *de troisième cycle* (D.E.S.S., D.E.A., doctorat). — Ancienn. *Diplôme universitaire d'études littéraires* (D.U.E.L.), *scientifiques* (D.U.E.S.). *Diplôme d'État* (de docteur ès lettres, etc.).

3 Et mon diplôme ! pensa-t-il tout à coup. Car il y aurait, par-dessus le marché, cette mauvaise plaisanterie : le diplôme d'études supérieures. Son père exigerait sûrement qu'il s'y présentât et Boris serait obligé de remettre un mémoire sur l'Imagination chez Renouvier ou sur l'Habitude chez Maine de Biran.
SARTRE, le Sursis, p. 270.

♦ **4.** Écrit attestant un diplôme. *Diplôme imprimé, manuscrit. Copie conforme d'un diplôme. Diplôme encadré.*

4 Des rideaux de velours, assortis au grenat du canapé, modéraient le jour, qui n'éclairait bien qu'un diplôme encadré de noir.
H. BOSCO, Un rameau de la nuit, p. 98.

DÉR. Diplômé, diplômer.

DIPLÔMÉ, ÉE [diplome] adj. et n. — 1841 ; de *diplôme.*

♦ Qui a obtenu un diplôme. *Infirmière diplômée.* — Spécialt. Qui a obtenu son diplôme d'études supérieures.

N. *Un diplômé, une diplômée. Les diplômés d'une grande école :* les élèves et anciens élèves.

1 Le pétitionnaire demande que les nouveaux diplômés soient soumis à un stage de trois ans (...) REVEIL, Rapport au Sénat, le Moniteur, 23 mai 1867, *in* LITTRÉ, Suppl.

2 Ils *(les grands marchands)* dédaignent les gens diplômés, les fonctionnaires, créés pour les servir (...) J. CHARDONNE, l'Amour du prochain, VII, p. 181.

DIPLÔMER [diplome] v. tr. — 1878 ; de *diplôme.*

♦ Décerner un diplôme à (qqn). *Diplômer un candidat sur deux. Le jury les a tous diplômés, ils ont été diplômés.* ⇒ **Diplômé.**

DIPLOPIE [diplɔpi] n. f. — 1792 ; du grec *diplous* «double», et *-opie,* du grec *ops, opos* «œil».

♦ Méd. Trouble du sens de la vue, consistant dans la perception de deux images pour un seul objet. *Diplopie binoculaire* : défaut de fusion des deux images fournies par chacun des deux yeux. *Diplopie monoculaire.*

1 Il ajoutait que le rêve de Vigny n'était qu'une illusion d'optique connue en astronomie comme phénomène de diplopie binoculaire.
B. CENDRARS, Moravagine, *in* Œ. compl., t. IV, p. 148.

2 (..) il voyait deux images nettement décalées dans le sens de la hauteur. Comme la jointure floue du Cinérama, mais en plaçant un écran plus bas. Diplopie.
Claude COURCHAY, La vie finira bien par commencer, p. 83.

DIPLOPTÈRE [diplɔptɛR] adj. et n. — 1842, Académie, *Compl.* ; de *diplo-* (→ Dipl-), et *-ptère.*

♦ Didact., zool. (vx). Qui a les ailes doubles. — N. m. pl. Famille d'insectes hyménoptères à ailes doubles. — Au sing. *Un diploptère.*

DIPNEUMONE [dipnømɔn] ou **DIPNEUMONÉ, ÉE** [dip nømɔne] adj. — 1846 ; de *di-*, et grec *pneumôn* « poumon ».

♦ Zool. Qui possède deux poumons ou sacs pulmonaires. *Poisson, araignée dipneumone.*

DIPNEUSTES [dipnøst] n. m. pl. — 1890, adj. et n. m. ; lat. mod. *dipneusta*, du grec *di-*, et *pneuein* « respirer ».

♦ Zool. Ordre de poissons d'eau douce, à branchies et poumons, qui forme une sous-classe des *Ostéichtyens**.

1   On divise les Choanichthyens en Crossoptérygiens, dont on n'a longtemps connu que des exemplaires fossiles, et en Dipneustes, ou poissons à double respiration. (...) Les dipneustes ont les écailles cycloïdes et les opercules des Actinoptérygiens. Ils peuvent, quand l'eau devient impropre à la respiration, ou manque totalement, respirer l'air en nature (...)   R. et M.-L. BAUCHOT, les Poissons, p. 64.

2   Sur le terrain biologique, en effet, un organe peut changer de fonction et cela sans que ce changement résulte de l'histoire antérieure de la structure en jeu : si la vessie natatoire des Dipneustes, pour reprendre un exemple classique, leur sert actuellement de poumon, ce n'est pas en raison des facteurs historiques généraux qui ont assuré le passage des Invertébrés aux Poissons, mais c'est à la suite de changements imprévisibles de milieu.   J. PIAGET, Épistémologie des sciences de l'homme, p. 338.

Au sing. *Un dipneuste.*

DIPODE [dipɔd] n. m. et adj. — 1812, adj. ; 1819, n., *in* D.D.L. ; de *di-*, et *-pode*.

♦ Zool. Qui a deux membres, deux organes comparés à des pieds.

DIPOLAIRE [dipɔlɛʀ] adj. — Mil. xxᵉ ; de *di-*, et *polaire*. → Dipôle.

♦ **1.** Didact. Qui comporte, possède deux pôles.

♦ **2.** Qui concerne (ou ressemble à) un dipôle. *Moment dipolaire.*

DIPÔLE [dipol] n. m. — 1953 ; de *di-*, et *pôle*.

♦ Phys. Ensemble formé par deux charges électriques ou magnétiques ponctuelles, égales et de signes opposés, situées à faible distance.

Comment, par exemple, la beauté d'un relais hertzien placé sur une montagne, et orienté vers une autre montagne où est placé un autre relais, apparaîtrait-elle à celui qui ne verrait qu'une tour de médiocre hauteur, avec une grille parabolique au foyer de laquelle est placé un très petit dipôle ?   Gilbert SIMONDON, Du mode d'existence des objets techniques, p. 186 (1969).

Par anal. *Un dipôle acoustique.*

DIPSACACÉES [dipsakase] ou (vx) **DIPSACÉES** [dipsase] n. f. pl. — 1721 ; lat. *dipsacus* « cardère ».

♦ Bot. Famille de plantes phanérogames angiospermes, classe des dicotylédones gamopétales. *Types principaux de dipsacacées.* ⇒ **Cardère, scabieuse.** — Au sing. *Une dipsacée, une dipsacacée.*

DIPSOMANE [dipsɔman] adj. et n. — 1870 ; de *dipsomanie*.

♦ Méd. Atteint de dipsomanie. — On dit aussi *dipsomaniaque* [dipsɔmanjak], mil. xxᵉ.

(...) sans être dipsomane comme le héros du *Chat noir*, j'ai toujours envie de faire ce que j'ai conscience de ne pas devoir faire.   A. BILLY, Sur les bords de la Veule, p. 226.

DIPSOMANIE [dipsɔmani] n. f. — 1824 ; grec *dipsa* « soif », et *-manie* « folie ».

♦ Méd. Impulsion morbide à boire des liquides alcooliques avec excès, et par accès. Syn. : *potomanie. La dipsomanie est une impulsion morbide qui affecte certains dégénérés, à époques indéterminées, sous forme de crises.*

DÉR. Dipsomane.

DIPSOPHOBIE [dipsɔfɔbi] n. f. — xxᵉ ; du grec *dipsa* « soif », et *-phobie*.

♦ Méd. Aversion pathologique pour toute boisson. *La dipsophobie est en général due à un excès d'hydratation de l'organisme.*

1. DIPTÈRE [diptɛʀ] n. m. et adj. — 1765 ; lat. sc. *diptera*, mot grec, de *dis-* « deux fois », et *pteron* « aile » (→ *-ptère*).

♦ **1.** N. m. pl. Zool. LES DIPTÈRES : ordre d'insectes *ptérygogènes* (munis ou ayant été munis d'ailes) dont la tête est munie de pièces buccales en forme de trompe servant à piquer, à sucer. *Les diptères ont deux ailes ; leurs ailes postérieures sont avortées et remplacées par deux petites tiges que terminent deux boules (balanciers). Les métamorphoses des diptères sont complètes (œufs, larves ou asticots, nymphes ou pupes, insectes parfaits). On divise les diptères en trois sous-ordres : diptères à longues antennes* (Nématocères : ⇒ **Moustique ; anophèle, cousin, maringouin, sciara,**

stégomyie, tipule...) ; *diptères à courtes antennes* (Brachycères : ⇒ **Mouche ; bibion, éristale, glossine, hypoderme, idie, mélophage, œstre, sarge** (ou sargus), **stratiome, syrphe, taon, volucelle...**) ; *diptères sans ailes* (Pupipares : ⇒ **Puce ; aphaniptère, chique**). — Au sing. *Un diptère.*

♦ **2.** Adj. Qui a deux ailes (insecte). — REM. Ne s'emploie pas en parlant des oiseaux, l'adjectif ayant une valeur classificatrice. L'emploi général *(un animal, un dragon diptère)* serait stylistique.

Michel Strogoff (...) courait toujours sans s'arrêter, sautant les crevasses qui s'ouvraient entre les madriers pourris ; mais, si vite qu'ils allassent, le cheval et le cavalier ne purent échapper aux piqûres de ces insectes diptères, qui infestent ce pays marécageux.   J. VERNE, Michel Strogoff, p. 218.

HOM. 2. Diptère.

2. DIPTÈRE [diptɛʀ] adj. — 1567 ; *diptérique*, n. m., 1547 ; grec *dipteros*, de *dis-*, et *pteron* « aile » au figuré.

♦ Didact. Se dit d'un édifice antique présentant des ailes doubles, une double rangée de colonnes autour du naos. *Temple diptère.*

HOM. 1. Diptère.

DIPTYQUE [diptik] n. m. — Fin xviiᵉ ; lat. *diptycha*, grec *diptukha* « tablettes pliées en deux », de *dis-*, et *ptussein* « replier ».

A. Didactique ou littéraire. Réunion de deux volets joints par des charnières et se repliant l'un sur l'autre.

♦ **1.** Tablettes doubles enduites d'une couche de cire, sur lesquelles on écrivait avec un stylet, dans l'Antiquité. *Diptyques consulaires :* tablettes d'ivoire où l'on inscrivait le nom des nouveaux consuls à Rome.

♦ **2.** (1838). Tableau pliant formé de deux volets pouvant se rabattre l'un sur l'autre. *Diptyque byzantin. Diptyque florentin de la Renaissance.*

B. Fig. Œuvre (littéraire, artistique) en deux parties. *Ce volume forme la première moitié d'un diptyque.*

Telle est la première partie de mon aventure qui sera, si vous le permettez, un diptyque.   Léon BLOY, la Femme pauvre, p. 85.

DIRAMATION [diʀamasjõ] n. f. — 1869 ; de *di-*, lat. *ramus*, et suff. *-ation*.

♦ Géogr. Partage (d'un cours d'eau) en plusieurs bras.

1. DIRE [diʀ] v. tr. — *Je dis, nous disons, vous dites, ils disent ; je disais ; je dis ; je dirai ; je dirais ; dis, disons, dites ; que je dise, que vous disiez ; que je disse* (inus.) ; *disant ; dit.* — xᵉ ; du lat. *dicere*.

★ **I.** (Le compl. désigne le signe). Émettre (les sons, les éléments signifiants d'une langue). *Dire un mot, quelques paroles.* ⇒ **Articuler, émettre, proférer, prononcer.** *Dire un mot entre ses dents, à voix basse. Dire à l'oreille, dire tout bas quelques mots.* ⇒ **Chuchoter, souffler.** *Dire une phrase tout haut, très fort...* (⇒ **Crier**).

Comme l'ours en un jour ne disait pas deux mots,   1
L'homme pouvait sans bruit vaquer à son ouvrage.   LA FONTAINE, Fables, VIII, 10.

— Dis un peu, U, pour voir ?   2
— Hé bien, U.   MOLIÈRE, le Bourgeois gentilhomme, III, 3.

— Par ma foi ! il y a plus de quarante ans que je dis de la prose sans que   2.1
j'en susse rien (...)   MOLIÈRE, le Bourgeois gentilhomme, II, 4.

Mais pour passer maintenant à un sujet plus gai, le nom de la femme avec qui   2.2
je m'unis, au bout de peu de temps de là, le petit nom, était Lulu (...) N'étant pas française elle disait Loulou. Moi aussi, n'étant pas français non plus, je disais Loulou comme elle. Tous les deux, nous disions Loulou.   S. BECKETT, Premier amour, p. 17.

REM. Avec des compléments comme *mot, expression*, etc. et les indéfinis, de même qu'en emploi absolu, il est impossible de distinguer le sens I du sens II ; il semble néanmoins que ce soit ce dernier qui l'emporte, en l'absence de précision.

Les médecins prononcent certains mots techniques qui les étonnent eux-mêmes,   3
après lesquels ils n'osent plus rien dire.   J. RENARD, Journal, 12 juin 1897.

Loc. *Ne pas (plus) dire un mot :* ne plus parler, rester sans parler. *Il est resté une heure sans dire un mot.* → Sans ouvrir la bouche*. — *Sans mot dire :* sans parler, en silence.

Un domino noir, au voile baissé (...) l'attendait derrière la porte entrouverte, le fit   4
monter sans mot dire, et le laissa seul (...)   LOTI, les Désenchantées, V, XXX, p. 175.

Je n'ouvrirai plus la bouche. Je ne dirai plus un mot.   5
G. DUHAMEL, Chronique des Pasquier, II, XXII, p. 428.

En emploi absolu :

Dire ; redire ; contredire ; prédire ; médire... Tous ces verbes ensemble me résu-   6
maient le bourdonnement du paradis et de la parole.   VALÉRY, M. Teste, p. 82.

(Introduisant un énoncé rapporté en style direct, un mot autonyme).

Il a dit : « Je n'en sais rien ». ⇒ **Écrier** (s'). *« Je n'en sais rien », dit-il.* ⇒ **Faire** (*infra* cit. 41). *César a dit : « Alea jacta est ». Elle a dit : « Jamais ». Dire oui, dire non. Dis-moi tu. Dis bonjour à la* *dame. Sans avoir le temps de dire ouf**. — Emphatique, avec *je. Et moi, je vous dis merde!*

7 *Amour, amour, quand tu nous tiens,*
On peut bien dire: «*Adieu prudence* ».
LA FONTAINE, *Fables*, IV, 1.

7.1 *Mme Cottard prononçait rarement un nom propre et se contentait de dire* «*des amis à nous* », «*une de mes amies* ».
PROUST, À la recherche du temps perdu, t. I, p. 256.

7.2 *À mesure qu'il dit* «*Allemagne lève-toi* », *je vois des armées de morts qui se couchent.*
ALAIN, Propos, 10 avr. 1936, Un grand patriote.

★ **II.** (Le compl. désigne le signifié). Exprimer, communiquer (la pensée, les sentiments, les intentions) par la parole (à un interlocuteur).

♦ **1.** ⇒ **Exprimer; communiquer.** — *Dire* (et proposition infinitive). *Il dit être malade, avoir besoin d'argent.* — *Dire que...* et discours rapporté en style indirect. *Il dit qu'il est malade, qu'il a besoin d'argent. Il dit qu'il serait venu s'il avait pu. Elle dit qu'elle viendra; elle a dit qu'elle viendrait. Je ne dis pas qu'il l'ait fait, j'hésite à l'affirmer. Je ne dis pas qu'il l'a fait. Dites-moi qui vous êtes. Dire à qqn comment, si... Dites-moi comment vous vous appelez, où vous allez, etc.* — (Compl. indéterminé). *Dites-moi quelque chose. J'ai quelque chose à vous dire. C'est tout ce que j'ai à dire. Je n'ai pas grand chose à dire. Je voudrais vous en dire un mot à ce sujet; vous en dire un mot* (⇒ **Toucher**). *Vous ne m'en avez jamais rien dit. Il n'en a rien dit, mais il n'en pense pas moins. Sans le dire, il le laisse croire, le laisse entendre* (⇒ **Sous-entendre**). — *Il n'a dit cela à personne; il ne l'a dit qu'à moi. Il l'a dit à tout le monde, en public.* ⇒ **Publier.** *Il l'a dit et répété**. ⇒ **Redire.** *Il l'a dit exprès. Il l'a dit malgré lui.* → Cela lui a échappé*. *J'irai jusqu'à dire que... Il ne sait plus que dire, plus quoi dire.* → Rester court. — *Dire des choses sensées, intelligentes. Dire des balivernes, des bêtises* (cit. 13), *des idioties, des inepties, des insanités.* ⇒ **Débiter; bêtiser** (vx), **déconner** (fam.). *Dire des blasphèmes.* ⇒ **Blasphémer.** *Dire des injures, des grossièretés.* ⇒ **Injurier;** (fam.) **cracher, dégoiser, lâcher, lancer, sortir.** *Dire de bons mots, une plaisanterie...* ⇒ **Plaisanter.** *Dire des blagues* (⇒ **Blaguer**), *des craques, des conneries.*

Loc. *En dire de belles:* dire des choses peu qualifiables. *En dire de dures,* des plaisanteries grivoises, osées, etc. — On employait aussi: *en dire de sèches* (Littré). — *Dire bien des choses à quelqu'un,* lui faire des civilités. *Dites-lui bien des choses de ma part.*

8 — Eh fi! ne dites pas cela. — Comment, que je ne dise pas cela? — Hé non!
— Et pourquoi ne le dirai-je pas? — On dira que vous ne songez pas à ce que vous dites. — On dira ce qu'on voudra; mais je vous dis que je veux qu'elle exécute la parole que j'ai donnée.
MOLIÈRE, le Malade imaginaire, I, 5.

9 J'ai, Madame, à vous dire
Que je ne connais point ces gens-là.
MOLIÈRE, les Femmes savantes, II, 6.

10 Le voici. Vers mon cœur tout mon sang se retire.
J'oublie, en le voyant, ce que je viens lui dire.
RACINE, Phèdre, II, 5.

11 Voilà ce que j'avais à dire sur cet article. Qu'il me soit permis de n'en reparler jamais.
ROUSSEAU, les Confessions, II.

12 (...) tandis qu'elle envoyait chercher, chez un orfèvre du voisinage, les outils dont j'avais dit avoir besoin.
ROUSSEAU, les Confessions, II.

13 Quiconque veut trouver quelques bons mots n'a qu'à dire beaucoup de sottises.
ROUSSEAU, Émile, II.

Littér. *Que dites-vous? Comment dites-vous? Vous dites?* → Comment? Plaît-il? — Cour. *Qu'est-ce que tu dis?* (Dans un contexte d'insistance). *Je te dis, je vous dis qu'il est parti.* ⇒ **Affirmer, assurer.** *Je te dis que oui, que non.* — Loc. *Puisque je vous le dis!* : c'est vrai.

Dire ce que l'on pense. Il ne dit pas tout ce qu'il pense. Dire le contraire de ce que l'on pense (→ Comédien, cit. 2). *Il pense tout ce qu'il dit. Pensez à ce que l'on dit* (→ Conversation, cit. 2). *Vous rendez-vous compte de ce que vous venez de dire? Ce n'est pas quelque chose* (fam. *un truc*) *à dire,* il ne convient pas d'en parler. — *Croire ce que quelqu'un dit. On ne peut croire à ce qu'il dit. Il dit cela, mais je n'en crois rien* (⇒ **Prétendre**). *Ils le disent, mais il n'en est rien.*

14 — Je disais vérité. — Quand un menteur la dit,
En passant par sa bouche elle perd son crédit.
CORNEILLE, le Menteur, III, 6.

15 On dit qu'on est inconsolable;
On le dit, mais il n'en est rien (...)
LA FONTAINE, Fables, VI, 21.

16 (...) je suis pour les gens qui disent leur pensée.
MOLIÈRE, le Misanthrope, V, 3.

17 (...) je le crois, Seigneur, puisque vous me le dites.
RACINE, Bajazet, II, 1.

18 Ce que la bouche s'accoutume à dire, le cœur s'accoutume à le croire.
BAUDELAIRE, l'Art romantique, X, L'école païenne.

19 Dans mes écrits, j'ai été d'une sincérité absolue. Non seulement je n'ai rien dit que ce que je pense; chose bien plus rare et plus difficile, j'ai dit tout ce que je pense.
RENAN, Souvenirs d'enfance..., III, I, p. 120.

20 Un homme qui dit tout ce qu'il pense et comme il le pense est aussi inconcevable dans une ville qu'un homme allant tout nu.
FRANCE, le Mannequin d'osier, Œ., t. XI, p. 369.

21 Parler en public. Il n'est pas nécessaire de penser ce qu'on dit, mais il faut penser à ce qu'on dit: c'est plus difficile.
J. RENARD, Journal, 22 nov. 1906.

22 (...) les mots boivent notre pensée avant que nous ayons eu le temps de la reconnaître; nous avions une vague intention, nous la précisons par des mots et nous voilà en train de dire tout autre chose que ce que nous voulions dire.
SARTRE, Situations I, p. 201.

Loc. *Parler* (cit. 12.1) *pour ne rien dire* : dire des choses insignifiantes.

Dire la vérité, dire le vrai. Dire des vérités, des mensonges. — Prov.

Toute vérité* n'est pas bonne à dire (→ Bon, cit. 93). — *À ce qu'il dit:* selon ses paroles (s'emploie pour indiquer que l'on ne garantit pas la chose dont il est question). *À ce qu'il dit* (vieilli), *d'après ce qu'il dit, il sera reçu du premier coup.* ⇒ **Prétendre.**

23 *Deux compagnons, pressés d'argent,*
À leur voisin fourreur vendirent
La peau d'un ours encor vivant,
Mais qu'ils tueraient bientôt, du moins à ce qu'ils dirent.
LA FONTAINE, Fables, V, 20.

24 *Il m'a rendu compte de l'état de Marceline, qui même n'est pas trop bien, à ce qu'il dit.*
BEAUMARCHAIS, le Barbier de Séville, II, 11.

Il sait ce qu'il dit : il parle à bon escient, en connaissance de cause. *Il ne sait pas ce qu'il dit* : il dit n'importe quoi.

(Sujet n. de personne). **VOULOIR DIRE** : avoir l'intention d'exprimer. *Qu'est-ce qu'il veut dire, qu'est-ce qu'il a voulu dire? :* que signifient les paroles qu'il prononce, qu'il a prononcées? (→ ci-dessous, III., 4.). *Je crois qu'il a voulu dire autre chose. Précisez donc ce que vous avez voulu dire!* ⇒ **Insinuer.**

25 *Que voulez-vous donc dire, mes pères?*
PASCAL, les Provinciales, XIII.

Dire la même chose; dire le contraire. — Loc. *Dire blanc, puis noir.* ⇒ **Dédire** (se). *L'un dit blanc* (cit. 14) *et l'autre noir.* ⇒ **Contredire, démentir, nier.** — Vx. *Dire d'un, dire d'autre :* tenir un langage qui varie. On employait aussi: *dire d'un, puis d'autre.*

Dire ses projets, ses intentions. ⇒ **Dévoiler; prévenir.** *Il est arrivé sans rien nous dire.* ⇒ **Crier** (crier gare). *Il ne m'a pas bien dit ce qu'il compte faire.* ⇒ **Expliquer.** *Dites-moi ce que vous ferez demain. Madame fait dire qu'elle va descendre. Je vais vous dire toutes les raisons de mon départ.* ⇒ **Énumérer.**

26 *Princes, quelques raisons que je vous puissiez dire (...)*
RACINE, Mithridate, II, 2.

♦ **2.** (Dans des expressions). Décider, convenir de (qqch.). *Venez un de ces jours, disons, on peut dire lundi.* ⇒ **Décider.**

Au p. p. *À l'heure dite :* à l'heure fixée, prévue (→ Attente, cit. 20).

27 *À l'heure dite il courut au logis*
De la cigogne son hôtesse (...)
LA FONTAINE, Fables, I, 18.

Voilà qui est dit, c'est dit : c'est convenu, entendu. *Ce qui est dit est dit :* ce qui est convenu, décidé, aura lieu.

28 *Va, tranquillise-toi;*
Ce que j'ai dit est dit : repose-toi sur moi.
J.-F. REGNARD, le Légataire universel, I, 2.

Se tenir pour dit que... : être assuré de..., et aussi, ne plus oser insister. *Tenez-vous le pour dit!* (→ N'y revenez pas; inutile d'insister*).

29 *Je me tiens pour dit qu'ils ne m'imiteront pas (...)*
ROUSSEAU, Émile, IV.

Dire (décider) *et faire. Aussitôt dit que fait; aussitôt fait que dit; aussitôt dit, aussitôt fait :* la chose a été réalisée sans délai. → Aussitôt, cit. 12.

♦ **3.** Loc. *C'est tout dire; c'est tout dit :* il n'y a rien à ajouter.

30 *Sur l'argent, c'est tout dire, on est déjà d'accord :*
Ton beau-père futur vide son coffre-fort (...)
BOILEAU, Satires, X.

Fig. *Tout est dit :* il n'y a plus rien à faire, la chose est réglée, terminée (→ C'en est fait*; les jeux* sont faits). *Tout n'est pas dit. Il a gagné la première manche, mais tout n'est pas dit.*

À vrai dire : véritablement. — *C'est beaucoup dire :* c'est exagéré. — *Pour tout dire :* en somme, en résumé.

Vx. *Cela est, c'est bientôt dit :* c'est plus facile à exprimer qu'à faire. — Mod. *C'est plus facile à dire qu'à faire.*

Disons-le : osons le dire, n'ayons pas peur de l'affirmer.

Disons, en tête de phrase, en incise, parfois en fin de phrase, constitue une ponctuation de discours, très fréquente dans la langue parlée (comme : *tu vois* et, plus anciennt, *n'est-ce pas*). *Il est, disons, déconcerté.* — *Disons que...,* s'emploie aussi comme alternatif ou présentateur.

Cela va sans dire : la chose est évidente; il est inutile d'en parler (→ Cela va de soi*; il est tout naturel*).

31 *M. de Hardenberg (...) proférait des paroles entrecoupées :* « *Non, Monsieur, le droit public? C'est inutile. Pourquoi dire que nous agirons selon le droit public? Cela va sans dire!* » *Je lui répondis que si cela allait bien sans le dire, cela irait bien mieux en le disant.*
TALLEYRAND, cité par Louis MADELIN, Talleyrand, IV, XXXI, p. 335.

(1791, *in D.D.L.*). Fam. *Ce n'est pas, c'est pas pour dire,* s'emploie pour indiquer qu'on préférerait taire la chose qui va être dite. *Ce n'est pas pour dire, mais le coup est réussi* (→ Sans me vanter*...).

Littér. *Cela vous plaît à dire,* exprime que l'on n'est pas d'accord sur ce qui vient d'être dit. *La solution est satisfaisante? Cela vous plaît à dire.* — Cour. *C'est vous qui le dites.* — Fam. *Que vous dites! Que tu dis!* : j'en doute!

31.1 — Quand il a reçu la lettre de Piquemal, il a compris que c'était la plus belle opportunité de sa carrière et qu'il avait toutes les chances, s'il jouait bien sa carte, de tenir à sa merci une bonne partie du personnel politique.
— Que vous dites.
— Que je dis! G. SIMENON, Maigret chez le ministre, p. 179.

Ce disant : en disant cela. *Ceci dit :* ayant dit ces mots. *Ceci dit, il s'en alla* (→ Sur ce).

(Cela) soit dit en passant, à propos d'autre chose (→ Entre parenthèses*, par parenthèse).

32 Que cela vous soit dit en passant (...)   MOLIÈRE, *Tartuffe,* I, 5.

Soit dit entre nous; entre nous soit dit. ⇒ **Confidentiellement.**

Ce n'est pas à dire pour cela que... : cela n'équivaut pas à... *Je n'irai pas jusqu'à dire que...*

33 Ce n'est pas à dire qu'ils aient effectivement parlé pour la dernière fois.   FONTENELLE, *Hist. des oracles,* III, 2, *in* LITTRÉ.

Admettons, mettons que je n'ai rien dit, s'emploie pour rétracter ce que l'on vient de dire.

Avoir l'air de dire... Il eut un sourire entendu, de l'air de dire : je vous comprends.

34 (...) il secouait tristement la tête de l'air de dire : «Hélas! je voudrais bien te croire...»   Alphonse DAUDET, *le Petit Chose,* II, XIV, p. 363.

Fam. C'est moi qui vous le dis, s'emploie pour renforcer une affirmation. *Nous allons bien rire, c'est moi qui vous le dis.*

35 Et laisse le venir demain; tu verras comme il sera fait : c'est moi qui te le dis.   MARIVAUX, *la Vie de Marianne,* II.

35.1 Mais pas du tout, il n'a pas bougé de Paris, il fait quelque chose d'à peu près aussi dangereux que de promener un ministre, c'est moi qui vous le dis, je vous en réponds, je le sais par quelqu'un qui l'a vu (...)   PROUST, *le Temps retrouvé,* Pl., p. 768. — C'est Mme Verdurin qui parle.

Je vous l'avais dit, je l'avais bien dit : je l'avais prédit, prévu, je vous avais prévenu. *Ne vous plaignez pas de ce qui vous arrive, je vous l'avais bien dit!* — *On me l'avait bien dit, mais je n'y croyais pas.*

36 Quelquefois il lui disait : *Je vous l'avais bien dit.* Singulière manière de consoler; satisfaction que la vanité se donne aux dépens de la douleur!   Mme DE STAËL, *Corinne,* XVIII, 1.

37 Talleyrand eût eu le droit de dire : «*Je l'avais bien dit!*» mais c'est là, on le sait, aux yeux de ceux qui se sont trompés, le pire des torts : avoir eu raison contre eux.   Louis MADELIN, *Talleyrand,* I, VIII, p. 92.

Fam. (oral). *Je dirais; je veux dire,* en incise, servant de ponctuation. → Tu vois, et ci-dessus *Disons.* — *Je vais te dire* [ʒvɛtdiʀ], le plus souvent (et paradoxalement) en fin de proposition, avec une valeur assertive. *Il est taré, j'vais t'dire!* (→ ci-dessous, *Je te dis pas*).

Il faut bien dire que..., introduit une explication, un éclaircissement. «*Faut vous dire, monsieur, Que chez ces gens-là [...]*» (Jacques Brel, *Ces gens-là*).

38 Il faut vous dire qu'en Provence, c'est l'usage, quand viennent les chaleurs, d'envoyer le bétail dans les Alpes.   Alphonse DAUDET, *Lettres de mon moulin,* «Installation», p. 9.

Je ne puis vous dire combien..., à quel point... : c'est inexprimable (→ Attendre, cit. 74).

Je ne dis pas cela, formule de protestation ou d'atténuation.

39 — Est-ce qu'à mon sonnet vous trouvez à redire?
— Je ne dis pas cela (...)
— Est-ce que j'écris mal? et leur ressemblerais-je?
— Je ne dis pas cela; mais enfin, lui disais-je (...)
     MOLIÈRE, *le Misanthrope,* I, 2.

Fam. Je ne dis pas : je ne dis pas le contraire, je l'admets.

39.1 C'est un inconvénient, je ne dis pas, reprit l'Américain, mais il est largement compensé par (...)   A. ROBIDA, *le Vingtième Siècle,* p. 287.

Fam. (oral). *Je vous dis pas; je te dis pas :* formule assertive par laquelle on sous-entend ce qu'on prétend ne pas souhaiter révéler. *Il est pénible, et comme radinerie, je te dis pas! Les conneries dans ce bouquin, je vous dis pas* (→ ci-dessus, *Je vais te dire*).

Fam. Je ne vous (te) dis que cela, que ça : il est inutile d'en dire plus (cette locution, suivant le ton, peut exprimer l'admiration, l'étonnement, la menace...). *Il s'est mis dans une colère, je ne vous dis que cela. Il a donné une réception, je ne vous dis que ça!*

39.2 En ce moment, il venait de partir brusquement sur un opéra qu'il avait vu la veille au soir : «C'est fait, c'est fait, je ne vous dis que ça, il y a une orchestration fouillée de main d'ouvrier, avec une certaine flûte, je ne vous dis que ça.»   PROUST, *Jean Santeuil,* Pl., p. 275.

39.3 Cela a jeté un froid, je ne vous dis que ça.   PROUST, *Jean Santeuil,* Pl., p. 597.

Je ne vous le fais pas dire : vous en parlez spontanément. S'emploie dans une discussion, pour souligner que qqn vient d'apporter, volontairement ou non, un argument en faveur de la thèse que l'on soutient.

Fam. Ne pas l'envoyer dire à qqn, lui dire en termes non équivoques une chose en face.

À qui le dites-vous! Exprime que celui qui parle connaît, a éprouvé ce dont il s'agit aussi bien que son interlocuteur. *Cette opération est douloureuse... À qui le dites-vous!*

(1780, *in* D.D.L.). *Vous m'en direz tant!* Exclamation que l'on prononce lorsqu'un fait surprenant, inattendu, vient expliquer ce qui était obscur. *C'était donc ça! Vous m'en direz tant!* → Je comprends maintenant! Ah, voilà!...

Fam. Tu l'as dit, marque l'approbation. Par plaisanterie. *Tu l'as dit, bouffi!*

Vx. Si cela se produit, je l'irai dire à Rome, exprime qu'on regarde la chose comme impossible.

40 (...) Créqui de ce rang *(ambassadeur)* connaît bien la splendeur;
Si quelqu'un l'entend mieux, je l'irai dire à Rome (...)
     RACINE, *Épigramme contre Créqui, in* LITTRÉ.

♦ **4.** En incise (avec inversion normale). *Oui, dit-il. Allons nous-en, dirent les invités. Je suis décidé, vous dis-je.*

41 Voici, dis-je, comment raisonne cet auteur.   LA FONTAINE, *Fables,* IX, Disc. à Mme de la Sablière.

42 Qu'en fera, dit-il, mon ciseau?
Sera-t-il *(ce bloc de marbre)* dieu, table, ou cuvette?   LA FONTAINE, *Fables,* IX, 6.

42.1 C'était, dis-je, à trois heures et demie, quatre heures du matin environ.   Henri MONNIER, *Scènes populaires, la Cour d'Assises,* t. I, p. 82.

(Sans inversion). Fam. «*Vas-y!*», je lui dis. «*C'est bien*», elle lui dit, «*tu peux continuer*»!

(Avec le *que* du style indirect). Pop. *Alors, qu'i(l) me dit...*

42.2 — Moi, triste! que j'dis.
— Oui, dit-il, qui dit, t'as quet'chose.   Henri MONNIER, *Scènes populaires, La victime du corridor,* 1, t. I, p. 253.

Poét. (langue class.). *Il dit, j'ai dit,* signale la fin d'un récit, etc.

43 Elle dit : et du vent de sa bouche profane,
Lui souffle avec ces mots l'ardeur de la chicane.   BOILEAU, *le Lutrin,* I, *in* LITTRÉ.

♦ **5.** (Exprimant l'opinion). DIRE **(qqch.) DE, AU SUJET DE, SUR (qqn) :** exprimer (une opinion). *Dire son avis, son idée, son opinion, sa pensée sur qqch.* ⇒ **Donner, émettre, énoncer, professer; opiner.** *Vous n'avez rien dit de ce projet. Je n'ai rien à en dire. Il n'a rien dit de la date, au sujet de la date.* ⇒ **Préciser.** *Dire du bien* (cit. 33 à 38), *du mal de qqn, de qqch. Il en pense plus de bien qu'il n'en dit.* — Loc. *Dire pis que pendre* de quelqu'un,* en dire beaucoup de mal.

44 Vous dites trop de bien de mes lettres : je ne trouve à dire que cela dans les vôtres (...)   Mme DE SÉVIGNÉ, 374, 22 janv. 1674.

45 Sur vingt personnes qui parlent de nous, dix-neuf en disent du mal, et le vingtième, qui en dit du bien, le dit mal.   RIVAROL, *Rivaroliana,* I, Œ., p. 352.

Dire à quelqu'un ce que l'on pense de lui. — Loc. *Il lui a dit ses vérités, ses quatre vérités, son fait* :* il lui a dit sans ménagement ce qu'il pensait de lui, de ses défauts. *Il lui a dit tout ce qu'il avait à lui dire.* → Il a vidé son sac*.

46 Vous ne lui voulez mal et ne le rebutez
Qu'à cause qu'il vous dit à tous vos vérités.   MOLIÈRE, *Tartuffe,* I, 1.

47 Il me donna un soufflet, mais je lui dis bien son fait.   MOLIÈRE, *Monsieur de Pourceaugnac,* I, 4.

Dites-le avec des fleurs : exprimez-le avec douceur, avec des compliments (cf. Malraux, *Antimémoires,* p. 181); repris comme slogan par les fleuristes.

Absolt. ⇒ **Blâmer, critiquer.** *Trouver à dire à quelque chose.* ⇒ **Redire.** *Il y a, il y aurait bien à dire. Il y a beaucoup à dire là-dessus,* beaucoup d'objections, de remarques à faire (⇒ **Reprendre**). *Il n'y a rien à dire à cela :* cela est parfait, correct. *On ne peut rien dire sur sa conduite. Je n'ai rien à dire contre lui.*

48 Quelques-uns ont trouvé à dire qu'on ne parle point d'elle *(de la nourrice)* au cinquième *(acte).*   CORNEILLE, *Examen de la Veuve.*

49 On trouve à dire à la frugalité de vos repas (...)   Mme DE SÉVIGNÉ, 427, *in* LITTRÉ.

Loc. *Bien faire et laisser dire :* ne pas s'attarder aux critiques... *Laissez-les dire.*

♦ **6.** (Exprimant le jugement). *Dire (qqch.) de..., en dire :* être tenté de croire... ⇒ **Juger, penser.** *Qu'en dites-vous? Que diriez-vous d'une promenade? Que vont en dire les gens? Je ne sais pas qu'en dire. Que va-t-on en dire, qu'en dira-t-on?*

50 Qu'en dites-vous, Seigneur? Que faut-il que j'en pense?   RACINE, *Iphigénie,* IV, 6.

51 Allons, Rome en dira ce qu'elle en voudra dire.   RACINE, *Bérénice,* IV, 6.

52 Si je vous le disais pourtant, que je vous aime,
Qui sait, brune aux yeux bleus, ce que vous en diriez?   A. DE MUSSET, *Poésies nouvelles,* «À Ninon».

52.1 Après tout, ce que j'en dis, moi j'm'en fous.   R. QUENEAU, *Zazie dans le métro,* p. 43.

N. m. Le QU'EN-DIRA-T-ON. ⇒ **Qu'en-dira-t-on.**

53 (...) elle n'hésiterait pas à y loger sa sœur ou sa nièce : elle a même ajouté que pour Lausanne ce serait plus convenable que chez ma mère et que je ne saurais y avoir lieu à aucun qu'en-dira-t-on.   SAINTE-BEUVE, *Correspondance,* IV, p. 172.

54 Cependant son affection pour Mariolle et sa vive prédilection, elle les lui témoignait presque ouvertement, sans souci du qu'en-dira-t-on (...)   MAUPASSANT, *Notre cœur,* II, V, p. 169.

DIRE QUE... (en tête de phrase) exprime l'étonnement, l'indignation, la surprise... *Dire qu'il n'a pas encore vingt ans!* → Quand on pense* que...

55 Et dire que pendant que nous sommes là parqués comme un bétail (...) tous ces beaux fils de la Commune à écharpes d'or (...) tous ces lâches qui nous poussaient en avant, sont bien tranquilles dans les cafés, dans des théâtres (...) tout près de France.   Alphonse DAUDET, *Contes du lundi, Monologue à bord.*

55.1 Dire qu'un roi prend quand il veut
La plus belle fille du monde
Dont les yeux sont du plus beau bleu (...)   Charles CROS, *Œuvres choisies,* p. 105.

Littér. *Qui l'eût dit? :* qui aurait pu le penser, le croire, l'imaginer?

56 — Rodrigue, qui l'eût cru? — Chimène, qui l'eût dit?   CORNEILLE, *le Cid,* III, 4.

57 Qui l'eût dit, qu'un rivage à mes vœux si funeste
Présenterait d'abord Pylade aux yeux d'Oreste?   RACINE, *Andromaque,* I, 1.

Cour. **On dirait que...** (avec l'indic.) : on penserait, on croirait.
⇒ **Croire**. *On dirait qu'il vient chez nous.* ⇒ **Sembler** (il semble).

58 (...) ne dirait-on pas (...)
Qu'elle est ici captive, et que vous y régnez?   RACINE, *Andromaque*, I, 4.

59 On dirait que le ciel est soumis à sa loi (...)   BOILEAU, *Satires*, V.

On dirait que... (avec le subj.).

60 On dirait que le ciel, qui se fond tout en eau,
Veuille inonder ces lieux d'un déluge nouveau.   BOILEAU, *Satires*, VI.

Littér. *Vous diriez, on dirait d'un fou :* il se conduit, il parle comme
s'il était fou.

61 On dirait d'une main qui se pose sur mon épaule (...)
F. MAURIAC, *le Nœud de vipères*, I, p. 17.

62 Le petit monde resserré autour de la cheminée s'agite, des ombres bougent sur le
mur, des exclamations fusent. On dirait d'un poulailler paisible après le coucher
du soleil, dans lequel vient de s'introduire une fouine, provoquant un émoi caque-
tant dans un bruit de plumes froissées.
Suzanne PROU, *la Terrasse des Bernardini*, p. 89.

Cour. **On dirait** (suivi d'un compl. sans préposition). *On dirait un
fou. Ce poisson ressemble à de la viande, on dirait de la viande. Le
climat est doux, on dirait la France. On dirait son frère.* ⇒ **Prendre**
(pour).

62.1 Voyez même, comme les traits du même homme varient (...) vous diriez plusieurs
êtres différents.
BERNARDIN DE SAINT-PIERRE, *Harmonies de la nature*, V, *in* LITTRÉ.

(En fin de phrase, sans compl.). *Il va se fâcher, on dirait, semble-t-il.*

♦ **7.** Faire savoir (un fait, une nouvelle) par la parole. ⇒ **Conter,
narrer, raconter.** *Je vais vous dire la nouvelle.* ⇒ **Informer, renseigner ; annoncer.** *Dites-nous son sort. Dire un secret à tout le monde.*
⇒ **Crier** (sur tous les toits), **dévoiler, divulguer, publier, répandre,
révéler ; bavarder, jaser.** *Dire les crimes qu'on a commis. Il lui a
dit son amour.* ⇒ **Avouer.** — REM. Le compl., de nos jours, est rarement un substantif désignant un contenu spécifié, mais plutôt un nom
de sens général (*nouvelle...*), un indéterminé. — *Qui vous l'a dit?
D'où tenez-vous cela? Qui vous dit qu'il est mort? Je vais le dire
à ma mère !* ⇒ **Rapporter.**

63 Dis-moi de mon époux le véritable sort (...)   CORNEILLE, *Pertharite*, I, 3.

64 (...) quiconque ne voit guère
N'a guère à dire aussi (...)   LA FONTAINE, *Fables*, IX, 2.

65 — Vous me devez une histoire, dit enfin la Fosseuse, d'un son de voix câlin. — Je
vais vous la dire, répondit Genestas.
BALZAC, *le Médecin de campagne*, Pl., t. VIII, p. 523.

J'ai entendu dire que... : j'ai appris que... *Il s'est entendu*
(cit. 43.1) *dire que. Je me suis laissé dire que...* : j'ai entendu dire,
mais sans y ajouter entièrement foi, que... *Je me suis laissé dire
qu'il allait venir.*

Poét. *Muse, dis la colère d'Achille* (Littré). ⇒ **Chanter** (II., 2.).

Dire l'avenir ; dire la bonne aventure. ⇒ **Prédire ; aventure** (cit. 3).

Mon petit doigt me l'a dit, locution que l'on emploie pour parler aux
enfants de ce qu'on a appris à leur insu.

66 Prenez-y bien garde au moins, car voilà un petit doigt qui sait tout, qui me dira
si vous mentez.   MOLIÈRE, *le Malade imaginaire*, II, 8.

On dit que : le bruit court que. *On dit que la paix est signée. On
dit qu'il est mort. La bataille, dit-on, s'est terminée à leur avantage. Ce dit-on.*

67 C'est du séjour des dieux que les abeilles viennent.
Les premières, dit-on, s'en allèrent loger
Au mont Hymette (...)   LA FONTAINE, *Fables*, IX, 12.

68 (...) vous ne m'épargnez guère,
Vous, vos bergers et vos chiens.
On me l'a dit : il faut que je me venge.   LA FONTAINE, *Fables*, I, 10.

69 On dit, et sans horreur je ne puis le redire,
Qu'aujourd'hui par votre ordre Iphigénie expire (...)   RACINE, *Iphigénie*, IV, 6.

N. m. *Un on-dit.* ⇒ **On-dit.**

70 Michelet a à peine effleuré le sujet ; quant à Büchner, son étude est assez complète, mais, à lire les affirmations hasardeuses, les traits légendaires, les on-dit dès
longtemps rejetés qu'il rapporte, je le soupçonne de n'être pas sorti de sa bibliothèque pour interroger ses héroïnes (...)
MAETERLINCK, *la Vie des abeilles*, I, I, p. 12.

♦ **8.** *Dire à qqn de...* (inf.), *que...* (subj.). Exprimer sa volonté.
⇒ **Commander, intimer** (un ordre), **ordonner.** *Allez lui dire de venir,
qu'il vienne* (⇒ **Avertir, demander**). *Je vous ai dit de partir. Je vous
avais dit d'agir autrement.* ⇒ **Conseiller, recommander.** *Qui vous a
dit de faire cela? Il avait dit qu'on le réveillât, de le réveiller à
six heures.*

71 Ah! mon papa, je vous demande pardon. C'est que ma sœur m'avait dit de ne pas
vous le dire ; mais je m'en vais vous dire tout.
MOLIÈRE, *le Malade imaginaire*, II, 8.

72 — Pourquoi l'assassiner? Qu'a-t-il fait? À quel titre?
— Qui te l'a dit?   RACINE, *Andromaque*, V, 3.

72.1 — Dis donc à Dominique qu'i fasse attention ; moucharder le monde, ça peut amener des ennuis ; on sait jamais où on va ; dis-y.
R. QUENEAU, *le Chiendent*, p. 65.

À l'impératif, *dis, dites* s'emploient comme interjection, ou pour renforcer une question, etc. (→ Croûton, cit. 2). *Dites-donc, vous, là-bas.
Eh, dis donc!* — Fam. *Non, mais, dis!* Syn. : *non mais, sans blague**. — On l'emploie aussi pour demander une confirmation, pour
faire avouer. *Tu viens, dis? Tu m'aimes, dis? Dis, c'est toi qui
l'a tué?*

Dis, ça te fait rigoler (...) Hein? Ça te fait marrer? Dis?   72.2
Jean GENET, *Querelle de Brest*, p. 184.

Absolt. Littér. *Vous n'avez qu'à dire* (⇒ **Parler**). — *J'ai dit !* : obéissez.

— Monsieur, vous n'avez rien qu'à dire,   73
Je mentirai, si vous voulez.   MOLIÈRE, *Amphitryon*, II, 1.

Fig. *Ne pas se le faire dire deux fois :* faire quelque chose avec
empressement. → Ne pas se faire prier*.

J'allai même jusqu'à lui ouvrir ma bourse et à le conjurer d'y prendre tout l'argent   74
qu'il voudrait. Mais il n'était pas de ces gens qui ne se le font pas dire deux fois
dans une pareille occasion.   A. R. LESAGE, *Gil Blas*, VII, XII.

♦ **9.** (Dans des tours particuliers). Énoncer une objection. ⇒ **Objecter.** *Pourquoi pas, direz-vous? Si je lui demande de venir, il me
dira qu'il est malade. Je pourrais vous dire que... Qu'avez-vous à
dire à cela?* ⇒ **Répondre, rétorquer.**

Je vous arrête à cette rime,   75
Dira mon censeur à l'instant,
Je ne la tiens pas légitime (...)   LA FONTAINE, *Fables*, II, 1.

On me dira : « Ne pouviez-vous exprimer les mêmes vérités en les annonçant avec   76
moins de crudité? »   CHATEAUBRIAND, *Mémoires d'outre-tombe*, t. VI, p. 145.

Vous avez beau dire et beau faire. ⇒ **Beau** (supra cit. 79 et 81).
Vous avez beau dire, c'est lui qui a raison. ⇒ **Protester.**

Autrefois carpillon fretin   77
Eut beau prêcher, il eut beau dire :
On le mit dans la poêle à frire.   LA FONTAINE, *Fables*, IX, 10.

Quoi qu'on dise, et, vx, *quoi qu'on die :* malgré tout ce qu'on peut
dire, en dépit des critiques, des remarques. Allus. littér. :

— Faites la sortir, quoi qu'on die.   78
— Ah! que ce *quoi qu'on die* est d'un goût admirable (...)
— Ce *quoi qu'on die* en dit beaucoup plus qu'il ne semble (...)
— Mais quand vous avez fait ce charmant *quoi qu'on die* (...)
Songiez-vous bien vous-même à tout ce qu'il nous dit (...)
MOLIÈRE, *les Femmes savantes*, III, 2.

Oui, femmes, quoi qu'on puisse dire   79
Vous avez le fatal pouvoir
De nous jeter par un sourire
Dans l'ivresse ou le désespoir.
A. DE MUSSET, *Poésies nouvelles*, « À Mademoiselle... ».

(1756, *in* D. D. L.). *Il n'y a pas à dire :* il n'y a aucune objection à
faire, on doit reconnaître le fait. Fam. (parlé). *Y a pas à dire,
c'est réussi.*

Il n'y a pas à dire, c'est bien compris, c'est moderne (...)   80
FRANCE, *le Mannequin d'osier*, Œ., t. XI, p. 349.

Prov. *Qui ne dit mot consent.* ⇒ **Consentir** (infra cit. 5).

♦ **10.** Lire, réciter. *Cet acteur a très bien dit cette réplique. Dire
un poème, des vers.* ⇒ **Déclamer.** *Il a dit son texte avec précipitation.* ⇒ **Bouler.** — Absolt. *Cet acteur dit bien, dit juste.*

Je vous dirai, si vous voulez, pour vous désennuyer, le conte de *Peau d'âne* ou bien   81
la fable du *Corbeau et du Renard*, qu'on m'a apprise depuis peu.
MOLIÈRE, *le Malade imaginaire*, II, 8.

(...) la démangeaison de dire ses ouvrages est un vice attaché à la qualité de poète.   82
MOLIÈRE, *la Comtesse d'Escarbagnas*, 1.

Spécialt. *Dire la messe. Dire son bréviaire, ses prières. Dire son chapelet.*

♦ **11.** Absolt (aux cartes). Parler, annoncer. *C'est à vous de dire.*

★ **III.** Exprimer par un signe (langage, écriture, manifestation
quelconque).

♦ **1.** (Sujet n. de personne). Exprimer par écrit ; écrire. *Je vous ai dit
dans ma lettre que... Écrire pour dire que...* ⇒ **Annoncer, apprendre.** *« Dans mes écrits (...) je n'ai rien dit que ce que je pense »*
(→ Penser, cit. 57, Renan).

Ne blâmer personne que de ce qu'il a dit par écrit.   83
RACINE, *Livres annotés*, VI, 313.

Je ne vous écris qu'un mot, pour vous dire que (...)   RACINE, *Lettres*, 144.   84

Exprimer par le livre, par la publication. ⇒ **Écrire.** *Platon dit dans
le Phédon, que... Je ne sais ce que dit Taine à ce sujet. Qu'en dit
Littré? On fait dire à ce philosophe tout autre chose que ce qu'il
a dit* (⇒ **Interpréter**). *Il le dit en toutes lettres.*

(...) presque tous les historiens ont dit ce que je fais dire à Mithridate.   85
RACINE, *Préface de Mithridate*.

Mais malheur à l'auteur qui veut toujours instruire !   86
Le secret d'ennuyer est celui de tout dire.
VOLTAIRE, *Ép.*, 6e disc. sur la nature de l'homme.

Poét. Célébrer en vers. *Le poète dira ses exploits.* ⇒ **Chanter, soupirer** (fig.).

Je dirai les exploits de ton règne paisible (...)   BOILEAU, *Épîtres*, I.   87

Par ext. (le sujet désigne l'écrit lui-même). *Que dit ce texte? La loi,
le code dit que...* ⇒ **Porter, stipuler.**

♦ **2.** (Sujet n. de chose). Faire connaître, exprimer par un signe, une
manifestation signifiante. ⇒ **Dénoter, exprimer, manifester, marquer, montrer, signifier.** *Ces deux phrases disent la même chose.*
⇒ **Synonyme.** *« Furieux » dit plus que « mécontent »,* a un sens plus
fort. *Son silence dit beaucoup, il en dit long. Sa mine en dit long
sur son désappointement. Son attitude dit bien ce qu'elle veut dire.
L'horloge nous dit l'heure qu'il est.*

87.1 — Tant de choses en deux mots?
— Oui la langue turque est comme cela, elle dit beaucoup en peu de paroles.
MOLIÈRE, le Bourgeois gentilhomme, IV, 4.

88 Qu'ai-je fait? Que veut-il? Et que dit ce silence?
RACINE, Bérénice, II, 5.

89 Ma pensée au grand jour partout s'offre et s'expose;
Et mon vers, bien ou mal, dit toujours quelque chose.
BOILEAU, Épîtres, IX.

90 (...) il est bon, même s'il est injuste : ses lèvres le disent, excellentes, épaisses, obstinées et généreuses.
André SUARÈS, Trois hommes, « Dostoïevski », II, p. 211.

Loc. *Qu'est-ce à dire?* : que signifient vos paroles, vos actes? *Vous m'avez annoncé votre départ... Qu'est-ce à dire?* → C'est-à-dire.

Par ext. Avoir tel aspect.

91 Sans soins et sans repos nocturne, que disait mon visage?
COLETTE, la Naissance du jour, p. 186.

Quelque chose me dit que... : j'ai lieu de croire, de soupçonner que... *Mon cœur me le disait :* j'en avais le pressentiment.

92 Maintenant je me figurais là-bas, couché, malade (Oh! bien malade; quelque chose me disait...)
Alphonse DAUDET, le Petit Chose, I, III, p. 31.

Qu'est-ce que ça dit? : quelle allure, quelle valeur cela a-t-il? *Cela, ça ne dit rien,* n'a l'air de rien, ne fait aucun effet. → Ça ne ressemble* à rien.

♦ **3.** *Dire quelque chose* (à qqn). ⇒ **Plaire, tenter.** *Est-ce que cela vous dit? :* est-ce que cela vous plaît, vous plairait? *Si cela vous disait, nous irions nous promener. Cela ne me dit rien. Cela vous dirait? Ça ne me dit pas grand-chose.*

93 C'étaient de ces femmes que n'auraient pas regardées des hommes qui de leur côté auraient fait des folies pour d'autres qui « ne me disaient rien ».
PROUST, À la recherche du temps perdu, t. XIII, p. 107.

93.1 Cette année, je ne sais pas pourquoi, le Liban m'aurait bien dit. Mais mon mari m'a fait remarquer que ça n'était pas le moment.
Pierre DANINOS, Un certain Monsieur Blot, p. 212.

Cela ne me dit rien qui vaille : cela me paraît louche, dangereux.

94 Ce bloc enfariné ne me dit rien qui vaille (...)   LA FONTAINE, Fables, III, 18.

Si le cœur vous en dit. ⇒ **Cœur** (cit. 54 et *supra* cit. 53).

♦ **4.** **VOULOIR DIRE** (avec un sujet de signe, indice, symptôme, etc.). ⇒ **Signifier.** *Que veut dire cette phrase latine? « Dog » veut dire « chien ». Cette phrase est mal construite et ne veut rien dire. Que veut dire ce vacarme, cette agitation? Le baromètre a baissé; cela veut dire qu'il va pleuvoir.*

95 — *Mahameta per Iordina.*
— Qu'est-ce que cela veut dire? MOLIÈRE, le Bourgeois gentilhomme, V, 1.

96 *Cacaracamouchen* veut dire « Ma chère âme ».
MOLIÈRE, le Bourgeois gentilhomme, IV, 3.

97 Achevez, seigneur : ce mais, que veut-il dire? CORNEILLE, Nicomède, III, 7.

98 Si (...) un écrivain a choisi de se taire sur un aspect quelconque du monde, ou selon une locution qui dit bien ce qu'elle veut dire : de le *passer sous silence* (...)
SARTRE, Situations II, p. 75.

99 (...) elle a vu le sang qui tachait largement le côté de la capote; mais le docteur l'a rassurée, affirmant que cela ne voulait rien dire quant à la gravité de la blessure (...)
A. ROBBE-GRILLET, Dans le labyrinthe, p. 200.

Loc. *On sait ce que parler veut dire :* la chose se comprend, bien que les paroles ne l'expriment pas clairement.

♦ **5.** (Avec un adv. ou une expression adverbiale). Rendre plus ou moins bien la pensée; faire entendre plus ou moins clairement quelque chose (par la parole ou par l'écrit). ⇒ **Exprimer.** *Dire quelque chose en peu de mots; dire carrément, crûment, nûment qqch. Dire tout bonnement* (cit. 3)... *Il a très bien dit ce qu'il avait à dire. Il l'a mal dit et n'a pas été compris. Que cela est bien dit!* — Absolt. S'exprimer. *Dire bien, dire d'or* :* s'exprimer à la perfection.

100 On n'a plus guère à dire quand on vient après quelqu'un qui a si bien dit.
Mme DE SÉVIGNÉ, 1065, 22 sept. 1688.

101 (...) il dit ridicument des choses vraies, et follement des choses sensées et raisonnables (...)
LA BRUYÈRE, les Caractères, XII, 56.

102 Ce que l'on conçoit bien s'énonce clairement,
Et les mots pour le dire arrivent aisément. BOILEAU, l'Art poétique, I.

103 On dit bien quand le cœur conduit l'esprit.
Mme DE TENCIN, Correspondance avec Richelieu, p. 384.

N. m. ⇒ **Bien-dire.**

Il ne croit pas si bien dire : il ne sait pas que ce qu'il dit correspond tout à fait à la réalité.

104 (...) ce ne sera pas, je pense, la première fois que vous aurez couché sur la paille. Elle ne croyait pas si bien dire qu'elle disait. A. R. LESAGE, Gil Blas, I, XIII.

Pour ainsi* dire : approximativement, à peu près. — Fam. *Comme qui dirait* (même sens).

104.1 (...) des centaines de Français nous secourent (...) les officiers de la base aéronavale, en premier lieu (...) L'idée ne me viendrait pas de les berner. Certains sont d'anciens camarades de promotion (...) c'est comme qui dirait sacré!
Alain BOSQUET, les Bonnes Intentions, p. 157.

Autrement dit : en d'autres termes.

Pour mieux dire, s'emploie comme correctif, pour introduire une expression nouvelle, plus exacte. *Il est pauvre, ou pour mieux dire, misérable; ou disons mieux, misérable.* — *Que dis-je?,* s'emploie dans le même sens.

105 J'aimais un fils plus que ma vie;
Je n'ai que lui; que dis-je? hélas! je ne l'ai plus. LA FONTAINE, Fables, IX, 1.

Pour ne pas dire plus* (suggère un contenu non exprimé, qu'on ne veut pas préciser).

105.1 Il passait son temps à boire, à jouer avec le patron de l'établissement (...) car leurs maîtresses étaient amies intimes, pour ne pas dire plus, disait-on.
PROUST, Jean Santeuil, Pl., p. 881.

♦ **6.** Employer certaines formes linguistiques pour exprimer (qqch.). *Il ne faut pas dire... On dit en anglais... Comment dites-vous cela en espagnol? Il dit « infractus » pour « infarctus ».*

106 (...) vous voulez, Acis, me dire qu'il fait froid; que ne disiez-vous : « Il fait froid? » (...) ayez, si vous pouvez, un langage simple, et tel que l'ont ceux en qui vous ne trouvez aucun esprit : peut-être alors croira-t-on que vous en avez.
LA BRUYÈRE, les Caractères, V, 7.

Comme on dit, s'emploie pour mettre en valeur une expression, une locution à laquelle l'usage a donné un sens particulier. *Il est, comme on dit, fauché comme les blés.* On emploie de même : *Comme dit le proverbe, comme dit la chanson,* et, fam., *Comme dit l'autre* (⇒ **Autre,** cit. 73-74).

106.1 Et de nouveau les « Meussieu », les « Meussieu je vous dis », les « Mais, Meussieu », voltigèrent d'un bout à l'autre du compartiment (...) Et ça s'envenimait, comme on dit (...)
R. QUENEAU, le Chiendent, p. 18.

Loc. *Qui dit... dit... :* les deux expressions correspondent à des contenus équivalents (*Qui dit A dit B* équivaut à : *A est B*). *Qui dit fils à papa dit jeune homme gâté, paresseux* (les deux expressions s'équivalent, l'expression *fils à papa* signifie « jeune homme gâté, paresseux »). — S'emploie aussi avec une valeur de cause à conséquence, d'implication. *Qui dit vacances dit soleil.*

106.2 Qui dit froid écrivain dit détestable auteur. BOILEAU, l'Art poétique, IV.

Si j'ose dire, s'emploie pour s'excuser de la bizarrerie, de l'audace... d'une expression qu'on va employer. (→ Sauf votre respect*). — *Il est, disons le mot, ruiné* (→ Délibérer, cit. 5).

♦ **7.** (Le sujet désigne un penseur, un écrivain). Exprimer, révéler (qqch. de nouveau, de personnel). *Il n'a publié qu'un livre et il n'a déjà plus rien à dire. Quand on n'a rien à dire, on n'écrit pas. Parler* pour ne rien dire* (→ Discours, cit. 3).

107 Comme c'est le caractère des grands esprits de faire entendre en peu de paroles beaucoup de choses, les petits esprits, au contraire, ont le don de beaucoup parler, et de rien dire. LA ROCHEFOUCAULD, Maximes, 142.

108 Pour moi, je ne sais pas si j'ai réussi, mais quand je fais des vers, je songe toujours à dire ce qui ne s'est point encore dit dans notre langue.
RACINE, Lettres, À Maucroix, 29 avr. 1695.

109 On parle toujours mal quand on n'a rien à dire.
VOLTAIRE, Commentaires sur Corneille, Remarques sur Œdipe, III, 3.

110 Les choses les plus importantes à dire sont celles que souvent je n'ai pas cru devoir dire — parce qu'elles me paraissaient trop évidentes.
GIDE, Journal, 23 août 1926.

111 N'a-t-on pas coutume de poser à tous les jeunes gens qui se proposent d'écrire cette question de principe : « Avez-vous quelque chose à dire? » Par quoi il faut entendre : quelque chose qui vaille la peine d'être communiqué.
SARTRE, Situations II, p. 72.

Allus. littér. *Tout est dit... :*

112 Tout est dit et l'on vient trop tard depuis plus de sept mille ans qu'il y a des hommes, et qui pensent. LA BRUYÈRE, les Caractères, I, 1.

113 Rien n'est dit. L'on vient trop tôt depuis plus de sept mille ans qu'il y a des hommes. Sur ce qui concerne les mœurs, comme sur tout le reste, le moins bon est enlevé. LAUTRÉAMONT, Poésies, Œuvres, p. 307.

114 (...) l'écrivain (au XVIIe s.) fait son métier avec une bonne conscience, convaincu qu'il vient trop tard, que tout est dit et qu'il convient seulement de redire agréablement. SARTRE, Situations II, p. 141.

115 (...) nous, qui trouvons aujourd'hui toutes les voies libres, qui pensons que tout est à dire et sommes pris de vertige, parfois, devant ces espaces vides qui s'étendent devant nous. SARTRE, Situations I, p. 301.

▶ **SE DIRE** v. pron.

♦ **1.** Se dire quelque chose à soi-même. *Je me disais que... :* je me faisais telle réflexion, telle remarque (→ Chose, cit. 35).

Fig. *On se dirait en France :* on a l'impression d'être en France (→ *supra,* II., 6.).

♦ **2.** Se dire l'un à l'autre. *Ils se sont dit qu'ils s'aimaient.*

♦ **3.** Se faire passer pour... *Il se dit votre ami.* ⇒ **Prétendre** (se); **soi-disant.**

116 Et de quel droit se diraient-ils héros (...)? BOILEAU, les Héros de roman.

♦ **4.** (Passif). **a** Être dit.

116.1 Michel Strogoff prêtait une oreille attentive à tout ce qui se disait, mais il ne se mêlait point aux conversations. J. VERNE, Michel Strogoff, p. 208.

b Être employé, en parlant d'une expression, d'une tournure. *Ce mot ne se dit plus. Cette expression se dit aussi pour... Cela ne s'est jamais dit.*

117 (...) au lieu de numéroter les différentes acceptions des mots, elle (*l'Académie*) a conservé les formules en usage au XVIIe siècle, *il signifie aussi..., il se dit par extension, il se dit par analogie, il se dit figurément,* etc. qui gardent au livre le caractère d'un entretien avec son lecteur.
Dict. de l'Académie, 8e éd., Préface, p. 4.

▶ **DIT, DITE** p. p. adj. Voir ci-dessus à l'article.
Spécialement.

♦ **1.** Surnommé. *Louis XV, dit le Bien-Aimé.* — *Lieu* dit.* ⇒ **Appelé.**

118 Je possédais une petite cheminée de fonte émaillée, dite, je ne sais pourquoi, cheminée prussienne. G. DUHAMEL, le Temps de la recherche, VIII, p. 117.

♦ **2.** Dr. Joint à l'article défini ou à certains adverbes, il sert à désigner ce dont on vient de parler. *Ledit acheteur. Ladite maison. Les-dits plaignants. Le susdit*. Au dit lieu.*

♦ **3.** N. m. ⇒ **Dit.**

CONTR. Cacher, dissimuler, omettre, taire.
DÉR. et COMP. Diseur ; dédire, dédit, médire, médisance, redire, redite. — V. Adirer, contredire, maudire, prédire. — Bien-disant, c'est-à-dire, on-dit, qu'en-dira-t-on, soi-disant, susdit.

2. DIRE [diʀ] n. m. — V. 1223 ; infinitif substantivé du verbe. → 1. Dire.

♦ **1.** (Dans certains emplois). Ce qu'une personne dit, avance, déclare, rapporte... ⇒ **Affirmation, déclaration, parole, rapport...** *Leurs dires ne sont pas concordants. Au dire, selon le dire de... : d'après, selon.*

1 (...) suivant le dire d'un ancien (...) MOLIÈRE, l'Avare, III, 1.
Dr. Le dire des témoins. Au dire de l'expert. Prix réglé à dire d'expert, après estimation par un expert.
Rare. La parole. Le dire et l'acte.

2 Mais qu'était donc cet appel du sujet au-delà du vide de son dire ?
J. LACAN, Écrits, p. 248.

♦ **2.** Dr. Mémoire remis par une partie à des experts. *Dire de formalités,* contenant le détail des formalités légales remplies avant une adjudication. — Observations consignées sur le cahier des charges d'une vente aux enchères, etc. *Dire de contestation. Consigner un dire.*

DIRECT, ECTE [diʀɛkt] adj. et n. m. — XIIIe ; rare av. XVIe ; lat. *directus,* p. p. de *dirigere* «diriger».

★ **I.** Adj. ♦ **1.** Qui est en ligne droite, sans détour. ⇒ **Droit, rectiligne.** *Mouvement direct. Route, voie directe. C'est le chemin le plus direct pour arriver à la ville. Chemin plus direct que la route.* ⇒ **Traverse** (chemin de traverse). *En ligne directe. Artère collatérale* (cit. 1) *directe. — Succession généalogique en ligne directe.*
Figuré :

0.1 Souvent les nobles sentiments (ou ceux que la société tient pour tels) descendent en directe filiation des sentiments dits mauvais.
A. MAUROIS, Études littéraires, J. de Lacretelle, II, t. II, p. 234.

♦ **2.** Fig. Sans détour. *Attaque, accusation* (cit. 7) *directe. Des propos, des reproches directs. Faire une allusion directe à... Un regard direct.* ⇒ **Droit, franc.**

1 (...) ils ne parlaient qu'à peine, et détournaient tout propos trop direct et prêt à toucher le point saignant de leur cœur.
A. DE VIGNY, Servitude et Grandeur militaires, III, II, p. 182.

2 L'huissière, très roublarde, ne se risquait pas à des injures directes. Elle interpellait les passants, les interrogeait, les consultait, les excitait à l'insolence par des allusions ou insinuations vociférées.
Léon BLOY, la Femme pauvre, II, XVI, p. 252.

♦ **3.** Qui est immédiat, sans intermédiaire. ⇒ **Immédiat.** *Contact direct. Connaissance directe des choses.* ⇒ **Intuitif** (→ Concept, cit. 1). *Prendre une part directe dans une affaire. Une responsabilité directe. Avoir des rapports directs avec quelqu'un. Ses chefs directs. La cause directe d'un phénomène.* ⇒ **Prochain.**

3 Les hommes de révolution n'auraient pas plus de responsabilité, directe ou indirecte, dans une guerre européenne que dans un tremblement de terre. L'évènement déclenché, ils seraient bien libres d'en tirer parti.
J. ROMAINS, les Hommes de bonne volonté, t. IV, XVI, p. 180.

4 Quand ils partaient, je me disais que malgré tout Odile leur était supérieure par un contact plus direct avec la vie, avec la nature.
A. MAUROIS, Climats, I, VII, p. 59.

5 Le Français (...) est à peu près le seul sur terre pour qui le prochain existe sous la forme d'une personne réelle. Il a cultivé des rapports directs avec son semblable (...)
J. CHARDONNE, l'Amour du prochain, p. 202.

(Concret). Techn. *Prise* directe.*
Dr. Action directe : «action qu'une personne exerce en son nom personnel contre un ayant cause de son propre cocontractant et en passant par-dessus la tête de ce dernier» (Capitant). — «Action du tiers bénéficiaire d'une stipulation pour autrui ou d'une assurance contre le promettant» (Capitant). — (1790). *Contributions* directes.*
Action directe (nom d'un groupe terroriste d'action violente).
Complément direct, construit sans préposition. — *Discours direct,* rapporté dans sa forme originale, sans termes de liaison, après un verbe de parole (et, dans la langue écrite, placé entre guillemets). Ex. : *il a dit : «Je l'ai vu hier...»,* par opposition au *discours indirect** comportant des transpositions. Dans le même sens, *style direct* (opposé à *indirect*).

♦ **4.** Qui se fait dans un sens déterminé (opposé à *rétrograde*). *Mouvement direct des planètes.* Log. (opposé à *inverse*). *Proposition directe. Raison* directe.*

♦ **5.** Qui ne s'arrête pas (ou peu). *Train direct,* et, n. m., *un direct. Voiture directe pour Londres.*

♦ **6.** Adverbialement. Fam. Directement. *Là, je ne repasse pas par le bureau, je rentre direct chez moi.* — Fig. Sans circonlocutions, sans détours.

Quand j'ai dit une chose, elle est dite. Moi, je parle direct et j'agis franchement. Je prends toutes mes responsabilités. M. AYMÉ, Travelingue, p. 82. 6

★ **II.** N. m. ♦ **1.** (1904, *in* Petiot). Boxe. Coup droit. *Un direct du gauche, du droit.*

♦ **2.** (1938, *in* D.D.L.). EN DIRECT (radio, télév.) : transmis sans enregistrement, au moment même de sa production (opposé à *différé*). *Interview en direct. Programme diffusé en direct de Cannes, du studio de Cannes.* — *Préférer le direct au différé.*

Ce soir, pour la première fois, je me suis vu moi-même à la télévision. Je ne passais pas «en direct» (j'ignore quelle est l'expression technique). 7
F. MAURIAC, le Nouveau Bloc-notes 1958-1960, p. 157.

CONTR. Indirect ; courbe, détourné, dévié, gauche, oblique, sinueux, tors, tortueux. — Contraire. — Allusif ; médiat ; discursif. — Éloigné, lointain ; réfléchi, rétrograde. — Collatéral ; inverse.
DÉR. Directement.

DIRECTEMENT [diʀɛktəmã] adv. — XIVe ; de direct.

♦ **1.** D'une manière directe ; en droite ligne, sans détour. ⇒ **Droit** (tout droit). *Le train va directement à... Aller directement au but.* → Ne pas aller par quatre chemins* ; aller droit au but ; couper au plus court. *Vous rentrez directement chez vous, ou vous faites des courses ?*
Fig. *Cela ne vous regarde pas directement. Combattre directement une injustice* (→ Athéisme, cit. 2).

(...) de ne commettre aucun désordre, et de ne faire aucune action qui tende directement ou indirectement à violer cette paix et amitié. 1
VOLTAIRE, Hist. de Charles XII, VI.

♦ **2.** Entièrement (opposé). ⇒ **Diamétralement.** *Deux pôles directement opposés. La maison qui est directement en face de la vôtre, juste en face, tout à fait, vis-à-vis...*

(...) les grands (...) paraissent debout, le dos tourné directement au prêtre (...) et les faces élevées vers leur roi (...) LA BRUYÈRE, les Caractères, VIII, 74. 2

Fig. *Deux caractères qui s'opposent directement. Des opinions directement contraires. — Témoignages directement contradictoires.*

♦ **3.** Sans intermédiaire. ⇒ **Immédiatement.** *Ces deux pièces communiquent directement. Être directement en rapport avec quelqu'un* (→ Altération, cit. 4) ; *comportement, cit. 4). Ce qui se rapporte directement à la question* (→ Concret, cit. 2). *Témoigner directement de quelque chose.* → Tenir de première main*. *Être directement mis en cause* (cit. 53). *Produire directement* (→ Commerce, cit. 1 ; convertir, cit. 12). *Agir directement* (→ Antitoxine, cit. 1 ; conflit, cit. 7 ; curare, cit.). *Exercer directement son action sur... S'adresser directement à quelqu'un. Communiquer directement avec... Directement du producteur au consommateur.* «*Le comportement de chacun (...) est directement affecté par le climat*» (André Siegfried). «*La personnalité du lecteur est alors directement mise en cause*» (Valéry).

CONTR. Indirectement ; obliquement ; biais (de biais, en biais). **— Intermédiaire** (par l'intermédiaire de..:).

DIRECTEUR, TRICE [diʀɛktœʀ, tʀis] n. et adj. — 1444 ; bas lat. *director,* de *directum,* supin de *dirigere.* → Diriger.

★ **I.** N. ♦ **1.** Personne qui dirige*, est à la tête (spécialt, d'une entreprise). ⇒ **Administrateur, chef, patron, président.** *Le directeur d'une entreprise. Le directeur, la directrice d'une usine. Directeur d'une compagnie d'assurances. Le directeur d'une équipe d'ouvriers.* ⇒ **Contremaître.** *Le directeur d'un groupe, d'un mouvement.* ⇒ **Animateur, instigateur, meneur, moteur.** — (1925, *in* D.D.L.). Cin. *Directeur de production*. — Directeur général (d'une société). Président-directeur général.* ⇒ **P.D.G.** *Administrateur-directeur général. Directeur commercial, administratif, technique. Directeur du personnel. Les directeurs et sous-directeurs, les cadres* supérieurs d'une société. Directeur en exercice. Directeur d'un théâtre. Le Directeur de théâtre, de Mozart. Le directeur d'un hôpital. Directeur de journal, de revue. — Avoir le titre, la fonction de directeur. Le bureau, le cabinet du directeur. La signature du directeur* (→ Approbation, cit. 1).

On l'avait entendu rugir, comme un lion noir, dans les cabinets de directeurs de journaux qu'il accusait, avec justice, de donner le pain de gens de talent à d'imbéciles voyous de lettres (...) Léon BLOY, le Désespéré, p. 70. 1

Membre d'un directoire*.

Admin. (dans des syntagmes). Personne responsable d'une direction (I., 3.). *Le directeur de cabinet du ministre. Les directeurs généraux des ministères, les directeurs de bureaux. Directeur général des Postes et Télécommunications. Directeur des douanes, des contributions, des domaines. Directeur de l'enseignement secondaire, primaire, technique. Directeur départemental de l'enseignement.* ⇒ **Inspecteur** (d'Académie). *Directeur d'un lycée* (⇒ **Proviseur** ; argot scol. *protal), d'un collège* (⇒ **Principal**), *d'une école dirigée par des religieux* (⇒ **Supérieur** ; cf. argot scol. *dirlo,* 1926, *in* D.D.L.). *Directeur d'école,* d'une école primaire. *La Directrice d'un lycée de jeunes filles.*

Spécialt. Dans certaines compagnies, Personne chargée de la présidence des séances. *Le directeur de l'Académie française.*

REM. Le fém. *directrice* est surtout employé en parlant des fonctions traditionnellement occupées par les femmes *(directrice d'école, de lycée...)* mais non exclusivement («*la directrice des postes*», Zola, *in* T.L.F.*);* on emploie souvent le masc. pour désigner la fonction occupée par une femme dans les autres cas *(elle est directeur ou directrice des ventes dans telle société);* dans les syntagmes figés, le fém. est plus rare *(elle est directeur de cabinet, directeur général de...).*

Loc. Techn. *Directeur de travaux.* ⇒ **Conducteur.**

♦ **2.** Hist. Chacun des cinq membres du Directoire. ⇒ **Directoire** (II.).

2 Pour rehausser le prestige de ces Directeurs désarmés, on les habille fort bien : ils porteront, même chez eux, un costume magnifique, «protestation, a dit Boissy d'Anglas, contre le sans-culottisme».
Louis MADELIN, la Révolution, XXXVII, p. 418.

♦ **3.** N. m. *Directeur de conscience, directeur spirituel, directeur :* prêtre qui dirige certaines personnes, en matière de morale et de religion, par ses avis, ses conseils. ⇒ **Confesseur, père** (→ Capital, cit. 1). *Prendre un directeur de conscience. Consulter son directeur.*

3 Si le confesseur et le directeur ne conviennent point sur une règle de conduite (...)
LA BRUYÈRE, les Caractères, III, 37.

4 (...) il *(un vieux praticien jésuite)* lui déclara son insuffisance pour le guider utilement sur n'importe quels sommets et l'engagea à chercher un directeur.
Léon BLOY, le Désespéré, p. 151.

★ **II.** Adj. ♦ **1.** Qui dirige. ⇒ **Dirigeant.** *Comité directeur. Les instances directrices.*

♦ **2.** Fig. *L'idée directrice d'un ouvrage. Avoir un principe directeur.* Artill. *Plan* directeur.* — Géom. *Plan directeur d'un conoïde,* auquel la génératrice droite doit demeurer constamment parallèle. *Ligne directrice; n. f. Une directrice :* ligne fixe sur laquelle s'appuie la génératrice d'une certaine surface. *Cercle directeur d'une ellipse, d'une hyperbole. Cône directeur d'une surface du second degré.* — Techn. *Roue directrice d'une bicyclette.* — *Levier directeur de l'aiguillage d'une voie ferrée. Bielle directrice.*

CONTR. Agent, commis, employé, manœuvre, subordonné.
DÉR. Directoire, directorat, directorial, directrice.
COMP. Autodirecteur, sous-directeur.
HOM. (Du fém.) Directrice.

DIRECTIF, IVE [diʀɛktif, iv] adj. — 1282, adj. et n. m., «règle» (→ Directive); du lat. sav. *directum,* supin de *dirigere.* → Diriger.

★ **I.** ♦ **1.** Didact. Qui dirige, imprime une direction, une orientation, mais sans l'imposer (→ Directeur, II.).

♦ **2.** (V. 1968; amér. *directive,* Lewin et Lippitt, 1938). Qui prend toutes les décisions relatives à la conception et à l'exécution du programme d'action d'un groupe. ⇒ **Autocratique.** *Elle est très directive. — Attitude, méthode directive.* ⇒ **Autoritaire.**

Psychol., psychan. *Questionnaire, entretien directif, non*-directif,* conduit de manière prédéterminée ou non.

★ **II.** (1961). Techn. Se dit d'un dispositif (antenne, haut-parleur, microphone) dont l'efficacité est beaucoup plus grande dans une ou plusieurs directions privilégiées. ⇒ **Directionnel.** *Effet directif.* ⇒ **Directivité.**

CONTR. (Du sens I). Démocratique; actif (1.).
DÉR. Directive, directivisme, directivité.

DIRECTION [diʀɛksjɔ̃] n. f. — V. 1327; lat. *directio,* du supin de *dirigere.* → Diriger.

★ **I.** ♦ **1.** Action de diriger (I.), de guider, de conduire. ⇒ **Conduite.** *Assumer la direction des travaux.* ⇒ **Organisation;** → Artisan, cit. 7. *Assurer la direction d'une entreprise, d'une société.* ⇒ **Administration, gestion;** → Conseil, cit. 27. *Cadres* de direction. La haute direction d'une entreprise. — La direction d'un ballon, d'un avion* (⇒ **Pilotage**), *d'une voiture* (⇒ **Conduite**), *d'une machine* (⇒ **Maniement**). — *Être chargé de la direction d'un groupe, d'une équipe.* ⇒ **Animation, conduite, marche, organisation.** *Direction et contrôle** (→ Commun, cit. 6). *Travailler sous la direction de...* ⇒ **Autorité, surveillance, tutelle;** (poét.) **auspice.** *La direction des affaires de l'État. Être responsable de la direction de...* → Tenir la barre*, le gouvernail*, avoir la haute main* sur, présider à, être à la tête* de... *Sous la direction de...*

1 Quatre ou cinq mois d'un travail assidu, reprit-elle (...) sous la direction d'un professeur avisé, laborieux (...)
J. GREEN, Léviathan, I, v, p. 42.

Direction d'acteurs : l'une des fonctions du metteur en scène (théâtre), du réalisateur (cinéma) par laquelle il dirige le jeu des acteurs.

Didact. *Direction de l'intention* ou *direction d'intention.* ⇒ **Intention.**

♦ **2.** (1771). Fonction qui consiste à diriger, à administrer; spécialt., poste de directeur* (⇒ **Présidence**). *Obtenir la direction d'une entreprise* (→ Connaissance, cit. 10). *Donner une direction à quelqu'un,* un poste de directeur. ⇒ **Directorat.** *Solliciter, obtenir une direction. Être nommé à la direction du personnel. La direction d'un parti politique, d'un syndicat* (ne correspond pas à un emploi du mot *directeur*).

2 (...) je refusais la direction de l'infirmerie (...)
MARTIN DU GARD, les Thibault, IX, p. 244 (→ Convaincre, cit. 13).

Autorité de la personne qui dirige (⇒ **Commandement**). *L'entreprise est placée sous la direction d'Un tel* (→ Contemporain, cit. 3).
Ensemble des personnes qui dirigent, mènent, administrent. *Demander à parler à la direction. S'adresser à la direction du journal. La direction générale, commerciale. La haute direction :* le ou les dirigeants qui exercent le pouvoir de décision, au plus haut niveau. ⇒ aussi **Directoire.** — *La direction du parti,* les dirigeants*. → Comité central; bureau politique.
Bâtiments, bureaux du ou des directeurs. *Aller à la direction.*
Attribution, étendue, territoire d'un directeur. *Cela ne relève pas de ma direction.*
Durée des fonctions de directeur. *Pendant sa direction...*

♦ **3.** Ensemble de services confiés à un directeur. ⇒ **Service.** *Direction de l'Enseignement primaire, secondaire... La direction générale des bureaux d'un ministère. Direction des services administratifs, comptables d'une administration.* ⇒ **Intendance.** *La direction des Eaux et Forêts. Direction des Douanes.* — *Direction militaire d'un État grec.* ⇒ **Hégémonie.**

2.1 Le ministère du Ravitaillement commença par réquisitionner (...) pour (...) installer les services (...) Il y avait entre autres la direction artistique, le service des transports (...) le service technique, la direction du matériel, la direction du personnel.
M. AYMÉ, le Vin de Paris, «La bonne peinture», p. 235.

♦ **4.** Vx. Fonction d'un directeur spirituel. *Direction de conscience. Direction spirituelle,* et, ellipt., *Direction.*

3 Ce ne fut point manque de zèle si cette aimable femme ne se livra pas aux menues pratiques de dévotion qui semblaient convenir à une nouvelle convertie vivant sous la direction d'un prélat.
ROUSSEAU, les Confessions, II.

3.1 Et voulez-vous la mesure précise du dépérissement (...) de la dévotion de la femme dans l'air du dix-huitième siècle ? Il vous suffira de jeter les yeux sur le gouvernement de la femme par l'Église, sur la direction.
Ed. et J. DE GONCOURT, la Femme au XVIIIᵉ siècle, p. 183.

★ **II.** (1690, en astrologie et mécanique; répandu XVIIIᵉ).

♦ **1.** Astrol. Calcul par lequel on détermine la date d'un événement futur (la direction [I.] des événements) par le rapport de points du ciel.

♦ **2.** (1690, «verticale»). Sc. Ligne suivant laquelle un corps se meut, une force s'exerce. *Mouvement* (cit. 3) *et direction. La direction, le sens, l'intensité d'une force.*

3.2 Ce qui fait une force, ce n'est pas seulement l'intensité, c'est encore la direction.
M. BARRÈS, Leurs figures, p. 143.

Spécialt. Caractère commun à toutes les droites, à tous les plans parallèles, qui caractérise la façon dont un point de ce plan, de cette droite peut tendre vers l'infini. *Chaque direction comprend deux sens* opposés. Direction orientée* (dans un des deux sens). ⇒ **Axe.**

♦ **3.** (Fin XVIIIᵉ). Cour. Orientation; voie à suivre pour aller à un endroit. ⇒ **Azimuth, ligne, orientation.** *Quelle direction a-t-il prise? Il est parti dans la direction opposée, dans une autre direction. Des directions convergentes, divergentes, obliques, verticales, horizontales... L'aiguille aimantée d'une boussole indique la direction nord-sud. Les fenêtres s'étendent dans la direction est-ouest. Monter, remonter, descendre, tourner, retourner dans la direction de... Suivant la direction sud-sud-est.* ⇒ **Axe.** *Chercher sa direction.* ⇒ **Orienter** (s'). *Changer de direction.* → Tourner bride*; ·changer de cap*; faire demi-tour*, virer* de bord. *Changement de direction.* ⇒ **Détour, déviation, inflexion; courbe; bifurcation, croisement.** *Perdre la bonne direction* (→ Boussole, cit. 3). *Qui a perdu sa direction.* ⇒ **Désorienté.** *Regardez dans cette direction, dans la même direction. Fenêtres orientées dans la direction de...* ⇒ **Donner** (sur...); **vue** (avoir vue sur...). *Guider quelqu'un dans la bonne direction. Remettre quelqu'un sur la bonne direction.* ⇒ **Route, voie.** *Fausse direction prise par les chiens qui poursuivent la bête.* ⇒ **Contre-pied.** *Partir, s'ébranler dans telle direction* (→ Bête, cit. 9), *dans la direction de la ville. Répandre dans toutes les directions.* ⇒ **Diffuser.**

REM. Dans cette acception, *direction* signifie soit *direction* et *sens,* soit *sens* (la direction nord-sud); dans la langue scientifique, cet emploi est abusif.

4 Il retourne sur ses pas. Il reprend la direction de la rive gauche.
J. ROMAINS, les Hommes de bonne volonté, t. IV, XVIII, p. 202.

5 Ils passèrent et à travers les terre-pleins couverts de tonneaux (...) ils prirent la direction de la jetée.
CAMUS, la Peste, p. 277.

Dans la signalisation routière canadienne : sens unique.

Loc. prép. *Dans la direction de... En direction de...* ⇒ **Vers** (→ Courbe, cit. 6). *Se pencher dans la direction de... Dans la direction du soleil levant* (⇒ **Orient**), *du soleil couchant* (⇒ **Occident**). *Mouvement de troupes en direction de... Vous êtes juste dans la direction de...* ⇒ **Vis-à-vis** (de).
Train en direction de Liège. ⇒ **Destination** (à destination de...).

6 La direction. — On interroge par *où* : *Où allez-vous ? Vers quel endroit ? Pour quelle direction ? Sur quoi tirez-vous ?* (...) il y a (...) des locutions prépositives : *dans la direction de, en direction de,* par abréviation : *direction Paris.*
F. BRUNOT, la Pensée et la Langue, III, XI, sect. B, II, p. 432-434.

7 (...) ils se pressent, s'entre-choquent, se poussent en silence, et bientôt, comme un vol d'oiseaux migrateurs, ils s'ébranlent lentement dans la direction du Sud, derrière le peloton des officiers supérieurs.
MARTIN DU GARD, les Thibault, t. VIII, p. 183.

♦ **4.** Fig. Façon dont qqch. se développe, ligne directrice. *Donner une bonne direction à une affaire.* ⇒ **Orientation.** *Imprimer une direction nouvelle à l'opinion. Une force de direction constante* (→ Cohésion, cit. 3). *Vous vous aventurez dans une mauvaise direction.* ⇒ **Contresens.** *La direction que prennent les choses.* ⇒ **Allure, tour, tournure, train.**

8 Quand l'opinion force le gouvernement à agir dans le sens qu'elle désire, elle commet une injustice, car elle force le pouvoir (...) à favoriser une direction au détriment de toutes les autres.
RENAN, Philosophie de l'hist. contemporaine (→ Arbitre, cit. 7).

Ligne de conduite morale. *Détourner quelqu'un de la bonne direction.* ⇒ **Voie ; débaucher, dévoyer.** *S'engager dans une mauvaise direction.*

Orientation donnée à des recherches, à des travaux. *Faire des expériences dans une direction nouvelle.*

♦ **5.** Ensemble des mécanismes qui permettent de guider les roues d'une voiture, d'une automobile (volant, vis sans fin, levier de commande, barre d'accouplement. ⇒ **Timonerie**). *Il y a du jeu dans la direction. Direction à vis, à crémaillère. Direction douce, dure, démultipliée.* — (Sur un aéronef). *Gouvernes, commandes de direction* (opposé à *profondeur*).

DÉR. Directionnel.

DIRECTIONNEL, ELLE [diʀɛksjɔnɛl] adj. — 1951 ; de *direction* (II.).

♦ Techn. Qui émet ou reçoit dans une seule direction (syn. : *unidirectionnel*). *Antenne directionnelle. Micro directionnel.* — Recomm. off. : *directif** (II.).

Fig. (écon.). *Centre directionnel.*

COMP. Unidirectionnel.

DIRECTISSIME [diʀɛktisim] n. f. — 1965, *in* Petiot ; *direttissima,* 1936 ; adapt. ital. *direttissima* « la plus directe ».

♦ Alpin. Ascension par la voie la plus directe. *L'escalade artificielle a permis le développement des directissimes. Grimpeur de directissime.* « *Une "directissime" de grande envergure vient d'être réalisée pour la première fois dans la face nord des Grandes Jorasses, à l'éperon Whymper (4 184 m)* » (*le Monde,* 29 janv. 1974, *in la Clé des mots*).

DIRECTIVE [diʀɛktiv] n. f. — 1890 ; de l'adj. *directif, ive* « qui a pour objet de diriger », XIIIᵉ.

♦ Indication, ligne de conduite donnée par une autorité (politique, militaire, religieuse). ⇒ **Instruction, ordre.** — REM. L'Académie (8ᵉ éd.) admet *directives,* seulement au pluriel. Comme le mot *instruction, directive* est plus courant au pluriel dans le sens de : « ensemble des indications... », mais rien ne s'oppose à l'emploi du singulier. *Donner des directives, une directive. Demander, recevoir des directives de ses chefs* (→ Aveugle, cit. 24). *Les directives politiques d'un groupe, d'un parti. Des directives générales, particulières. Sa dernière directive précise les choses.*

0.1 Si j'ai abusé de votre patience en vous faisant cette longue citation, c'est parce que j'y retrouve, sous l'inspiration de Gallieni, la plupart des directives dont je n'ai cessé depuis de m'inspirer (...)   L. H. LYAUTEY, Paroles d'action, p. 438.

1 Pas de doute que le prince ait fourni les fonds, et, de haut, par sa nièce, donné des *directives.*   Louis MADELIN, Talleyrand, v, 36, p. 393.

2 (...) il y avait lieu aussi de le juger, d'influer sur lui, de lui donner ses directives.
Émile HENRIOT, les Romantiques, p. 328.

(V. 1974). Plur. Techn. Marche à suivre comportant souvent des indications chiffrées.

DIRECTIVISME [diʀɛktivism] n. m. — XXᵉ ; de *directif* (I.).

♦ Didact. (péj.). Direction* (I., 1.) autoritaire, doctrinale (imposée par un mouvement, un organisme d'expression collective, sociale...). *Tomber dans le directivisme. Le dirigisme est un directivisme économique.*

On entend accuser la psychanalyse d'être un directivisme, faisant fi de l'autonomie du patient (...)   J. MYNARD, Freud et la thérapeutique, *in* la Nef, nᵒ 31, p. 61.

DIRECTIVITÉ [diʀɛktivite] n. f. — 1953 ; de *directif* (II.).

♦ Phys. Direction préférentielle dans laquelle se développe un phénomène d'émission ou de réception d'une onde sonore ou électrique. *Directivité d'un haut-parleur.*

DIRECTO [diʀɛkto] adv. — 1878, J. Vallès ; de *direct.*

♦ Pop. Directement. *On y va directo.*

DIRECTOIRE [diʀɛktwaʀ] n. m. — XVᵉ ; lat. *directorium,* de *directus.* → Direct.

★ **I.** Vx. Ce qui permet de diriger*. — (Fin XVIIᵉ). Liturgie. Livret où sont indiqués les offices de chaque jour de l'année liturgique. ⇒ **Ordo.**

★ **II.** (1762). ♦ **1.** Anciennt. Conseil (ou tribunal) élu, chargé d'une direction administrative.

À la tête de chaque département fut placée *(en 1789)* une *Administration de Département,* formée d'un Conseil de département et d'un Directoire.
F. BRUNOT, Hist. de la langue franç., t. IX, p. 1018.

♦ **2.** (1795). Hist. Dans la Constitution de l'an III, Conseil de cinq membres (⇒ **Directeur,** cit. 2), chargé du pouvoir exécutif de 1795 à 1799. — REM. Cet emploi a été précédé par plusieurs expressions, en usage à partir de 1789 : *directoire de département, de district,* etc.

Le Directoire exécutif, composé de cinq membres, est à l'élection du Corps Législatif : les Cinq Cents ayant proposé cinquante noms, les anciens y prendront les cinq magistrats. Ce Directoire sera renouvelable, tous les ans, par cinquième.
Louis MADELIN, la Révolution, XXXVII, p. 418.

Par ext. Le régime politique en France, durant cette période ; la période. *Les coups d'État du Directoire* (→ Banqueroute, cit. 6). *Sous le Directoire. Les mœurs du Directoire. Les merveilleux, les merveilleuses, les incroyables du Directoire.* — Par appos. *Le style Directoire* (ou style Messidor), le style de cette époque (arts décoratifs). — Ce style. *Le Directoire privilégie les formes carrées.* — Par appos. *Une commode Directoire.*

♦ **3.** (1966). Dr. comm. Organe collégial chargé de la gestion d'une société anonyme. *Membre d'un directoire.* ⇒ **Directeur.** *Directoire et conseil de surveillance.*

DIRECTORAT [diʀɛktɔʀa] n. m. — XVIIᵉ ; de *directeur.* → Rectorat.

♦ Rare. Fonction de directeur ; durée de cette fonction. ⇒ **Direction.**

DIRECTORIAL, ALE, AUX [diʀɛktɔʀjal, o] adj. — 1832 ; *directoral,* 1685 ; du rad. de *directeur.*

★ **I.** (1796 ; correspond à *directoire,* II.). Hist. Du Directoire. « *Le régime directorial achevait de se dissoudre* » (Madelin).

★ **II.** (1832 ; de *directeur*). Cour. D'un directeur. *Les bureaux directoriaux.*

Nous subissions généralement quelques admonestations du tenancier ou des employés usurpant un pouvoir directorial (...)
PROUST, À l'ombre des jeunes filles en fleurs, Folio, p. 559.

DIRECTRICE [diʀɛktʀis] n. f. — 1846 ; de *ligne directrice.*

♦ Géom. Courbe sur laquelle s'appuient les génératrices du cylindre, du cône. *La directrice d'une surface de révolution.* — Droite perpendiculaire à l'axe d'une conique et associée à un point de cet axe (foyer).

HOM. Directrice (fém. de *directeur*).

DIRHAM [diʀam] ou **DIRHEM** [diʀɛm] n. m. — 1959 ; arabe *dîrhăm,* désignant une ancienne mesure (VIIᵉ au XIIIᵉ s.) de poids arabe, perse et turque ; du grec *drakhmê.* → Drachme.

♦ Unité monétaire du Maroc.

Ton destin, ton destin, répétait la vieille. Trois dirhams. Très important.
Roger BORNICHE, le Gringo, p. 36.

DIRIGEABLE [diʀiʒabl] adj. et n. m. — 1789 ; de *diriger.*

♦ **1.** Adj. Qui peut être dirigé*. *Ballon dirigeable* (opposé à *libre*). Rare (dans un autre contexte que les ballons) :

Ces îles rondes ne sont pas facilement dirigeables (...) nous dérivons, nous irons où le flot voudra bien nous mener.   A. ROBIDA, le Vingtième Siècle, p. 404.

♦ **2.** N. m. Aérostat, plus léger que l'air, naviguant grâce à un système de propulsion et d'orientation. *L'enveloppe (ou carène), la nacelle, le moteur, l'empennage, les gouvernails d'un dirigeable. La sustentation des dirigeables est assurée par des ballonnets* d'hydrogène ou d'hélium placés à l'intérieur de la carène. Les grands dirigeables allemands des années 30.* ⇒ **Zeppelin.**

CONTR. et COMP. (De l'adj.) **Indirigeable.**

DIRIGEANT, ANTE [diʀiʒã, ãt] adj. et n. — 1835 ; p. prés. de *diriger.*

♦ **1.** Qui dirige. *Les classes dirigeantes :* les classes sociales qui exercent le pouvoir ou qui influencent le gouvernement.

(...) lorsqu'aux droits de l'homme se substituèrent les droits du bourgeois, se trouva substituée, à une caste qui avait jadis assumé les plus hautes valeurs profanes de l'Occident, une classe dirigeante et efficace, mais sans valeurs.
MALRAUX, les Voix du silence, IV, p. 482.

♦ **2.** N. (V. 1900). Personne qui dirige (souvent au plur.). *Les dirigeants d'une entreprise.* ⇒ **Administrateur, directeur, gérant.** *Les dirigeants d'un mouvement, d'un parti, d'un club sportif.* ⇒ **Animateur, chef, meneur, responsable.** *Seuls, les dirigeants seront responsables. Un dirigeant compétent.* — Le fém. *dirigeante* semble rare.
Spécialt. *Les dirigeants politiques.* ⇒ **Gouvernement.** *Nos dirigeants.*

DIRIGER [diʀiʒe] v. tr. — Conjug. *bouger.* — 1491; fig., 1381; lat. *dirigere* « aligner, ordonner ».

Conduire, faire aller selon une manière, un ordre pour obtenir un résultat.

★ **I.** ♦ **1.** Conduire (une entreprise, une opération, des affaires) comme maître ou chef responsable. ⇒ **Gouverner; administrer, conduire, gérer, guider, mener, organiser, présider** (à), **régir;** → Tenir le gouvernail*; avoir en main, avoir la haute main* sur; tenir les rênes*; être à la tête* de... *Action de diriger.* ⇒ **Direction.** *Diriger les affaires publiques. Diriger une entreprise, une usine, une société,* être à sa tête (⇒ **Directeur**). *Diriger des travaux* (→ Architecte, cit. 6). *Diriger soi-même ses affaires* (→ Autonomie, cit. 2). *Diriger un théâtre, une école* (→ Classe, cit. 16). — *Diriger une action collective.* ⇒ **Mener.** *Diriger une opération délicate.* ⇒ **Ordonner, régler.** *Diriger une attaque.* ⇒ **Lancer.** — *Diriger le feu, le tir.* ⇒ **Commander.** *Diriger des hommes* (→ Commander, cit. 11). — *Diriger un débat, une discussion.*

1 (...) ceux-là seuls peuvent aspirer à diriger les hommes qui, échappant aux pressions de la masse et de l'époque, veulent être pleinement hommes, tendent à réaliser l'image de l'éternité dans le présent.
DANIEL-ROPS, Ce qui meurt et ce qui naît, I, p. 36.

Péj. *Chercher à tout diriger.* ⇒ **Régenter.** *C'est elle qui dirige tout dans son foyer.* → Elle porte la culotte*; elle fait la pluie* et le beau temps.
Spécialt. *Diriger les acteurs, le jeu des acteurs :* faire la direction d'acteurs.

♦ **2.** Conduire l'activité de (qqn). *Diriger des ouvriers. Diriger un groupe, une équipe.* ⇒ **Mener.**
Péj. *Il cherche à diriger tout le monde.*
Absolt. *Apprendre à diriger, savoir diriger. C'est lui qui dirige.* ⇒ **Commander.**

2 Manuel avait appris de Ximénès comment on commande, il apprenait maintenant comment on dirige.
MALRAUX, l'Espoir, p. 160.

♦ **3.** Exercer une action, une influence sur (qqn, qqch.). *Diriger l'opinion* (cit. 38). — *Diriger ses mouvements, ses instincts,* les contrôler par la volonté. *Diriger ses passions,* les soumettre à sa volonté. *Diriger sa volonté* (→ Commander, cit. 34). *Incapable de diriger sa pensée* (→ Parvenir, cit. 9).

3 À partir de ce moment, il lui devient tout à fait difficile de diriger, de modifier, même de modérer le rythme de ses actions.
J. ROMAINS, les Hommes de bonne volonté, t. V, VIII, p. 67.

(Sujet n. de choses). Entraîner dans un certain sens. *Les instincts, les tendances, les impulsions, les passions dirigent l'homme dépouvu de volonté.* ⇒ **Entraîner, mener, pousser.** *Son intérêt seul le dirige.* ⇒ **Guider, inspirer** (→ Accablement, cit. 7).

4 (...) je ne puis voir ni la main qui le dirige, ni les moyens qu'elle met en œuvre.
ROUSSEAU, les Confessions, XII (→ Coup, cit. 41).

Diriger un élève. ⇒ **Suivre.** *Diriger le travail, les études de qqn.*
Spécialt. *Diriger la conscience de quelqu'un.* ⇒ **Directeur** (de conscience).

5 Qu'est-ce qu'une femme que l'on dirige?... c'est une femme qui a un directeur.
LA BRUYÈRE, les Caractères, III, 36.

★ **II.** (XVIIe, « faire observer un point directement opposé »). Faire aller dans une direction (II.). Guider (qqch.) dans une certaine direction (avec une idée de déplacement, de mouvement). ⇒ **Conduire, guider, manœuvrer, piloter.** *Diriger un cheval, une bête de somme. Diriger un véhicule, une voiture, un avion. Diriger un navire.* ⇒ **Naviguer.**

6 Petit-Pierre s'était endormi, et, se laissant aller comme un sac, il embarrassait tellement les bras de son père que celui-ci ne pouvait plus ni soutenir ni diriger le cheval.
G. SAND, la Mare au diable, VII, p. 61.

Fig. *Diriger sa barque.* ⇒ **Mener; conduire** (→ Barque, infra cit. 5). *Diriger contre, sur, vers... Diriger vers le bas* (⇒ **Baisser**), *vers le haut* ⇒ **Élever, monter, pointer).** *Diriger un colis sur Paris.* ⇒ **Envoyer, expédier.** *Diriger un convoi vers telle ville.* ⇒ **Acheminer, amener.** Littér. *Diriger ses pas, sa course, son vol vers...* ⇒ **Aller.**
Envoyer dans une direction; orienter de manière à envoyer. *Diriger une lumière,* et, par ext., *une lampe de poche sur qqn, qqch.* ⇒ **Braquer.** *Ils « dirigent sur les pages notées la mince lumière de leurs lanternes »* (Barrès).

Diriger qqn, indiquer* la voie, le chemin à... *On l'a mal dirigé.* ⇒ **Fourvoyer.**
Diriger ses yeux, son regard vers. ⇒ **Porter, tourner.** *Diriger son attention sur.* ⇒ **Regarder.**

7 Quand il marche dans la rue, il est constamment préoccupé, et abstrait. Surtout dans ce quartier qu'il croit connaître. Ses yeux perçants ne fournissent un regard efficace que lorsqu'il les dirige délibérément sur quelque chose.
J. ROMAINS, les Hommes de bonne volonté, t. II, II, p. 16.

▶ **SE DIRIGER** v. pron.
Se diriger vers... ⇒ **Acheminer** (s'), **aller, avancer** (s'), **gagner, marcher, rendre** (se rendre à...), **tourner** (se tourner vers); → Mettre le cap* sur, prendre le chemin* de; se mettre en branle*, en mouvement* (vers); porter ses pas* vers. *Se diriger vers la porte. L'aiguille aimantée se dirige vers le nord.* ⇒ **Orienter** (s'). *Le bateau se dirigeait vers le port, vers le rivage, vers la haute mer.* ⇒ **Cingler, voguer; faire** (route, voile). *Se diriger vers quelqu'un. Se diriger seul, sans guide. Se diriger dans une direction opposée à celle précédemment suivie.* ⇒ **Changer** (de direction), **tourner, virer** (de bord).

8 Mais le bedeau, avant d'atteindre le lieu où ils étaient, se dirigea vers la grande nef, traversa l'allée centrale en esquissant une génuflexion, et alla s'occuper d'un porte-cierges.
J. ROMAINS, les Hommes de bonne volonté, t. II, IV, p. 41.
Fig. *Savoir se diriger avec énergie, en accord avec la loi morale.*

▶ **DIRIGÉ, ÉE** p. p. adj.
♦ **1.** Qui est mené, conduit par un chef, une autorité. *Entreprise dirigée par un ingénieur. Territoire dirigé par un administrateur* (→ Commune, cit. 1). *C'est une affaire bien dirigée. Efforts mal dirigés. Sentiment dirigé par la raison* (→ Amour, cit. 50).

♦ **2.** *Mouvement, segment dirigé,* qui possède une direction définie. *Antenne dirigée.* — *Regards dirigés sur quelqu'un.*

9 (...) gênée par les regards dirigés sur elle, mais sans rien perdre de son aisance.
MARTIN DU GARD, les Thibault, t. I, p. 36.

♦ **3.** Adj. (1932). *Économie dirigée* (opposé à *libéral*). ⇒ **Dirigisme.**
Spécialt. *Activité dirigée,* conduite selon une direction ou un plan donnés. *Consacrer quelques heures à des travaux dirigés.*

CONTR. Obéir, suivre (quelqu'un). — Égarer, fourvoyer. — Abandonner, laisser (laisser aller).
DÉR. Dirigeable, dirigeant, dirigisme.
COMP. (Du p. p. adj.) Autodirigé, surdirigé.

DIRIGISME [diʀiʒism] n. m. — 1930; de *diriger.*
♦ Système économique dans lequel l'État assume la direction des mécanismes économiques, d'une manière provisoire et en conservant les cadres de la société capitaliste (à la différence du *socialisme**). *Interventionnisme** et dirigisme.* ⇒ aussi **Étatisme.** *Le dirigisme considéré comme un ensemble de mesures empiriques, considéré comme une doctrine scientifique. Dirigisme matérialisé par un plan* économique, par des nationalisations**.*

1 C'est surtout à partir de 1930 qu'on va parler d'*économie dirigée*. Depuis la deuxième guerre mondiale un néologisme sera même adopté : on dirait que le *dirigisme* est devenu le régime des années contemporaines (...)
(...) on pourrait dire du *dirigisme* qu'il est un *attentiste* (...) les libéraux, qui ont accepté le dirigisme à regret, se réjouissent à la pensée qu'il deviendra inutile une fois la convalescence du malade achevée (...) les socialistes ont vu au contraire dans le dirigisme un moyen de commencer l'apprentissage d'un régime définitivement dirigé.
REBOUD et GUITTON, Précis d'économie politique, I, p. 237-238 (éd. Dalloz).

2 Le dirigisme est — et doit être — une doctrine scientifique et non un ensemble de mesures hâtives et non coordonnées.
A. MARCHAL, Revue économique, juil. 1950, p. 254.

3 (...) il *(le fascisme)* a remplacé les trusts par le dirigisme, puis il a disparu et le dirigisme est resté : les bourgeois n'y ont rien gagné.
SARTRE, Situations II, p. 273.

CONTR. Libéralisme.
DÉR. V. Dirigiste.

DIRIGISTE [diʀiʒist] adj. et n. — V. 1930. → Dirigisme.
♦ Partisan du dirigisme. *Les pays dirigistes.*
La persistance de l'économie dirigée est (...) la preuve que les nations dirigistes n'ont pas encore choisi et qu'elles restent à un carrefour.
REBOUD et GUITTON, Précis d'économie politique, I, p. 239 (éd. Dalloz).
Du dirigisme. *Méthodes dirigistes.*

DIRIMANT, ANTE [diʀimɑ̃, ɑ̃t] adj. — 1701; dér. du lat. sav. *dirimere* « annuler ». → Dirimer.
♦ Dr. *Empêchement dirimant,* qui met obstacle à la célébration d'un mariage (⇒ **Prohibitif**) ou qui, si le mariage a déjà été célébré, l'annule.
(L'Église) a fini par déclarer empêchements *dirimants* de mariage tous les degrés d'affinité correspondant(s) aux degrés de parenté où le mariage est défendu.
CHATEAUBRIAND, le Génie du christianisme, I, I, X.
Didact. *Objection dirimante,* qui détruit un raisonnement.

DIRIMER [diʀime] v. tr. — 1542; lat. *dirimere*; de *dis-*, et *emere* « prendre, recevoir, acheter ».

♦ Vx ou didact. Théol. Trancher, décider (une question controversée). Littér. (latinisme). Supprimer, réduire considérablement.

DÉR. V. Dirimant.

DIRT-TRACK [dœʀttʀak] n. m. — 1928; mot angl. formé en Australie, de *dirt* « saleté », et *track* « piste ».

♦ Anglic. Motocyclisme. (Vieilli). Course motocycliste sur piste en cendrée. ⇒ **Speedway.** *Des dirt-tracks.* — REM. On disait aussi *course sur cendrée.*

DIS- Élément, du lat. *dis*, indiquant la séparation, la différence, le défaut..., qui entre dans la composition de nombreux mots tels que : *discontinu, disconvenir, disjoindre, disqualifier...*

DISACCHARIDE [disakaʀid] n. m. — 1949; de *di-*, et *saccharide.*

♦ Chim. Sucre formé par condensation de deux monosaccharides avec élimination d'une molécule d'eau.

DISAMARE [disamaʀ] n. f. — D. i. (xxᵉ); de *di-*, et *samare.*

♦ Bot. Fruit constitué de deux samares* accolées. *La disamare de l'érable.*

DISANT [dizã] p. prés. de *dire*. ⇒ **Bien-disant, soi-disant;** et aussi **dire.**

DISCAL, ALE, AUX [diskal, o] adj. — 1950, *in* D.D.L.; dér. sav. du lat. *discus.*

♦ Méd. Relatif à un disque, et, spécialt, à un disque intervertébral. *Hernie discale.*

HOM. Discale.

DISCALE [diskal] n. f. — 1754; ital. *discalo* « déchet ».

♦ Comm. Déchet dans le poids d'une marchandise transportée ou emmagasinée en vrac, sans emballage (⇒ **Freinte**). *Le don, le surdon*, réductions accordées sur la facture, en raison de la discale.*

HOM. Discal.

DISCARTHROSE [diskaʀtʀoz] n. f. — 1959; de *disque*, et *arthrose.*

♦ Pathol. Lésion dégénérative d'un ou de plusieurs disques intervertébraux. *Affaissement des vertèbres par discarthrose.*

DISCERNABLE [diseʀnabl] adj. — xviᵉ, rare av. 1729; de *discerner.*

♦ Qui peut être discerné, perçu, senti. *Des détails à peine discernables.*

1 Et déjà je pouvais dire que si c'était chez moi, par l'importance exclusive qu'il prenait, un trait qui m'était personnel, cependant j'étais rassuré en découvrant qu'il s'apparentait à des traits moins marqués, mais discernables, et au fond assez analogues, chez certains écrivains. PROUST, le Temps retrouvé, Pl., t. III, p. 919.

2 (...) il parlait un français impeccable, avec toutefois un accent qui n'était pas provincial, ni toujours nettement discernable et localisable. G. DUHAMEL, Cri des profondeurs, VI, p. 113.

3 Malheureusement toutes les places ont l'air occupées. Les tables, rondes, carrées, ou rectangulaires, sont mises dans tous les sens, sans ordonnance discernable. A. ROBBE-GRILLET, Dans le labyrinthe, p. 170.

CONTR. et COMP. Indiscernable.

DISCERNANT, ANTE [diseʀnã, ãt] adj. — xixᵉ; p. prés. de *discerner.*

♦ Rare. Qui discerne.

(...) l'instinct obsidional de la haine avait été aussi discernant que la plus jalouse sollicitude. Léon BLOY, le Désespéré, p. 85.

DISCERNEMENT [diseʀnəmã] n. m. — 1532; de *discerner.*

♦ **1.** Vx. Action de séparer, de mettre à part; résultat de cette action. *Le discernement des boucs* (cit. 5) *et des brebis.* Fig. Distinction.

♦ **2.** Littér. Opération de l'esprit par laquelle on distingue deux ou plusieurs objets de pensée. ⇒ **Discrimination, distinction.** *Le discernement de la vérité d'avec l'erreur. Discernement des nuances.* ⇒ **Appréciation.** *Le discernement d'une cause.* ⇒ **Découverte, identification.**

Il a voulu que chaque particulier fît discernement de la vérité (...) BOSSUET, Église, 2, *in* LITTRÉ. 1

♦ **3.** Absolt. Cour. Disposition de l'esprit à juger clairement et sainement des choses. ⇒ **Jugement, sens** (bon sens). *Avoir beaucoup de discernement. Manquer de discernement. Agir avec discernement.* ⇒ **Circonspection, escient** (à bon escient), **prudence, réflexion.** *Manifester un esprit de discernement* → Avoir une claire vue* des choses; un coup d'œil* juste, exact...

Spécialt. *L'âge de discernement,* celui où l'on devient capable de juger du bien et du mal.

Celui qui discerne use de la vue et distingue ce qui est confondu ou caché; celui qui juge use de la raison et apprécie les conditions. Aussi jugement dit-il plus que discernement. L'homme de jugement se conduit avec raison et sagesse; l'homme de discernement n'a pas nécessairement ces deux qualités, mais il a la netteté d'esprit, qui, semblable à la netteté de la vue, aperçoit les choses fines, délicates, difficiles à voir. LITTRÉ, Dict., art. *Discernement.* 2

Lorsque le prévenu ou l'accusé aura plus de treize ans et moins de dix-huit ans, s'il est décidé qu'il a agi sans discernement, il sera acquitté (...) Code pénal, art. 66. 3

(...) son argent redresse les jugements de son esprit; il a du discernement dans sa bourse (...) MOLIÈRE, le Bourgeois gentilhomme, I, 1. 4

Après l'esprit de discernement, ce qu'il y a au monde de plus rare, ce sont les diamants et les perles. LA BRUYÈRE, les Caractères, XII, 57. 5

(...) son cœur trop généreux, trop humain, trop compatissant, trop sensible, qu'elle ne gouverna pas toujours avec assez de discernement. ROUSSEAU, les Confessions, V, p. 267. 6

L'activité de l'esprit *(au xviiᵉ s.)* ne consistera donc plus à *rapprocher* les choses entre elles (...) mais au contraire à *discerner* : c'est-à-dire établir les identités, puis la nécessité de passage à tous les degrés qui s'en éloignent. En ce sens, le discernement impose à la comparaison la recherche première et fondamentale de la différence. Michel FOUCAULT, les Mots et les Choses, p. 69. 7

DISCERNER [diseʀne] v. tr. — xiiiᵉ, « séparer »; lat. *discernere* « séparer, distinguer », de *dis-*, et *cernere* « reconnaître avec précision ». → Cerner.

♦ **1.** Vx. Séparer (ce qui est confondu avec autre chose).

♦ **2.** Percevoir (un objet) de manière à éviter l'ambiguïté, la confusion. ⇒ **Distinguer, identifier, percevoir, reconnaître, voir.** *Discerner la présence de quelqu'un dans l'ombre. Mal discerner les couleurs.* ⇒ **Voir.** *Discerner une route dans la plaine. Discerner un bruit lointain.* ⇒ **Entendre, percevoir** (→ Cloche, cit. 4). *Discerner une douleur vague.* ⇒ **Ressentir, sentir** (→ Bien-être, cit. 6). *Discerner vaguement.* ⇒ **Apercevoir, deviner.**

(...) comment reconnaître le cerf à ses fumées, le renard à ses empreintes, le loup à ses déchaussures, le bon moyen de discerner leurs voies, de quelle manière on les lance (...) FLAUBERT, Trois contes, « La légende de saint Julien l'Hospitalier », I. 1

♦ **3.** *Discerner qqch. de qqch., discerner qqch. dans, entre... :* se rendre compte précisément de la nature, de la valeur de (qqch.), faire la distinction entre (deux choses mêlées, confondues). ⇒ **Démêler, différencier, discriminer, distinguer, séparer.** *Discerner le bon du mauvais, le bien du mal, le vrai du faux, le vrai d'avec le faux.* ⇒ **Connaître** (vx), **reconnaître** (→ Avec, cit. 91 et 93). *Signe qui permet de discerner la vérité de l'erreur.* ⇒ **Critère.**

Si Dieu n'eût permis qu'une religion, elle eût été trop reconnaissable; mais qu'on y regarde de près, on discerne bien la vérité dans cette confusion. PASCAL, Pensées, VIII, 578. 2

Discernez-vous si mal le crime et l'innocence? RACINE, Phèdre, V, 3. 3

Il savait discerner le mal qui se cache sous un tel semblant de bien. Ch. PÉGUY, la République..., p. 21. 4

(...) Descartes avait discerné, avec une profondeur de génie qui ne saurait être égalée, le point où s'établit la liaison de la mathématique et de la physique : c'est la notion de *dimension* (...) Léon BRUNSCHVICG, Descartes, p. 41. 5

L'important, c'eût été de pouvoir bien discerner ce qui était vérité d'avec ce qui était imagination romanesque. MARTIN DU GARD, les Thibault, t. IV, p. 36. 6

Absolument :

Aimer aide à discerner, à différencier. Sans amour, nous ne cherchons guère à comprendre les autres. A. MAUROIS, À la recherche de Marcel Proust, VII, VII, p. 235. 7

Discerner nettement la cause d'un phénomène. ⇒ **Identifier, isoler, reconnaître.** *Discerner la sincérité dans les paroles de son interlocuteur* (→ Déguisement, cit. 5). *Son but est facile à discerner.* ⇒ **Découvrir.** *Discerner une nuance subtile dans un texte.* ⇒ **Apprécier, saisir, sentir.** *Discerner une lueur ironique dans le regard de quelqu'un.* ⇒ **Deviner, lire.**

Au moindre bruit dont je ne puis discerner la cause, l'intérêt de ma conversation me fait d'abord supposer tout ce qui doit le plus m'engager à me tenir sur mes gardes, et par conséquent tout ce qui est le plus propre à m'effrayer. ROUSSEAU, Émile, II, p. 141. 8

Julien n'avait rien compris à tout ce qui s'était passé, depuis huit jours, dans le cœur de Mathilde, mais il discerna le mépris. STENDHAL, le Rouge et le Noir, II, XVIII, p. 352. 9

(...) comme les hommes primitifs dont les sens étaient plus puissants que les nôtres, elle discernait immédiatement, à des signes insaisissables pour nous, toute vérité que nous voulions lui cacher (...) PROUST, À la recherche du temps perdu, t. I, p. 45. 10

CONTR. Confondre, mêler.

DÉR. Discernable, discernant, discernement.

DISCIPLE [disipl] n. — 1175; *deciple,* v. 1130; lat. ecclés. *discipulus* «disciple du Christ»; lat. class. «élève».

♦ **1.** Personne qui reçoit l'enseignement d'un maître. ⇒ **Écolier, élève.** *Aristote, disciple de Platon.*

1 Si j'eusse vécu du temps de Jean-Jacques, j'aurais voulu devenir son disciple.
CHATEAUBRIAND, *in* P. LAROUSSE.

N. m. Spécialt. *Les disciples de Jésus-Christ,* qui l'ont accompagné durant sa vie publique (⇒ **Apôtre,** cit. 1; → Arracher, cit. 53). *Jean, le disciple bien-aimé.*

2 Il *(le Christ)* leur annonçait ainsi la parole sous diverses paraboles, selon qu'ils étaient capables de l'entendre, et il ne leur parlait point sans paraboles; mais lorsqu'il était en particulier avec ses disciples, il leur expliquait tout.
BIBLE (SACY), Évangile selon saint Marc, IV, 33-34.

♦ **2.** Personne qui adhère aux doctrines d'un maître, dans le domaine philosophique, moral ou religieux. ⇒ **Adepte, partisan, tenant.** *Un, une disciple d'Épicure, de Rabelais, de Hegel. Le Disciple,* roman de P. Bourget. *C'est une fervente disciple de... Elle est sa disciple préférée, l'une de ses disciples.*

3 Ces messieurs passaient pour être de nouveaux disciples de saint Augustin, qui n'étaient pas fâchés de procurer quelque humiliation salutaire aux disciples de saint Ignace. VOLTAIRE, Essai sur probab. en fait de just., Hist. veuve Genep.

4 Dans l'art de parler et d'écrire, après avoir été les disciples des Grecs, les Romains en devinrent les rivaux. MARMONTEL, *in* LAFAYE, Dict. des synonymes.

4.1 (...) les louanges prodiguées par le metteur en scène de *La Fin du monde* à sa disciple (dont il supervise d'ailleurs gentiment les pochades d'écolière...
J.-L. GODARD, Jean-Luc Godard, *in* Coll. des Cahiers du cinéma, n° 67, p. 56

Mod. *Les disciples de Jésus-Christ :* ceux qui, aujourd'hui, sont fidèles à la doctrine chrétienne. — Littér. et vieilli, ou par plais. *Les disciples d'Esculape :* les médecins. *Les disciples d'Apollon :* les poètes.

5 N'oser se déclarer son disciple *(de Jésus-Christ),* c'est être son persécuteur.
MASSILLON, Panégyrique de saint Étienne, *in* LITTRÉ.

6 Ces deux rivaux d'Horace, héritiers de sa lyre,
Disciples d'Apollon, nos maîtres, pour mieux dire (...)
LA FONTAINE, Fables, III, 1.

CONTR. Maître, pédagogue, professeur.
COMP. Condisciple.

DISCIPLINABLE [disiplinabl] adj. — Fin XIIIᵉ; de *discipliner.*

♦ Littér. Qui peut être discipliné. *Cet enfant est peu disciplinable*
L'enfant léger, joueur et rebelle, change, est disciplinable et doux.
MICHELET, la Femme, p. 141.

CONTR. Indisciplinable.

DISCIPLINAIRE [disiplinɛʀ] adj. et n. m. — 1611, attestation isolée; 1803; de *discipline.*

♦ Qui se rapporte à la discipline, et, spécialt, aux sanctions. *Mesures disciplinaires. Pouvoirs disciplinaires,* d'un conseil de discipline. *Peine, sanction disciplinaire,* qui regarde une faute contre la discipline. ⇒ **Avertissement, blâme, censure, suspension.**

Milit. *Locaux disciplinaires d'une caserne* (→ Cuver, cit. 2). *Bataillon disciplinaire.* ⇒ **Biribi, compagnie** (de discipline). — N. m. Par ext. Soldat de ce bataillon. *Une compagnie de disciplinaires.*

Ce garçon qui a passé par Tataouine et les bataillons disciplinaires. Il raconte les tentatives d'évasion de ceux que le malheur rend fou. Mais on ne s'évade pas dans le désert. F. MAURIAC, Bloc-notes 1952-1957, p. 158.

DÉR. Disciplinairement.

DISCIPLINAIREMENT [disiplinɛʀmɑ̃] adv. — 1842; de *disciplinaire.*

♦ Didact. ou littér. Suivant les règles de la discipline.

Un pied de neige couvrait le sol. Le sergent, s'enfonçant jusqu'aux genoux dans cette masse blanche, aveuglé par la rafale, piqué jusqu'au sang par ce froid terrible, traversa la cour en biais et se dirigea vers la poterne. «Qui diable peut venir par un temps pareil!» se disait le sergent Long, en ôtant méthodiquement, on pourrait dire «disciplinairement», les lourds barreaux de la porte.
J. VERNE, le Pays des fourrures, t. I, p. 26.

DISCIPLINE [disiplin] n. f. — 1080; «punition, ravage, douleur», en anc. franç.; lat. *disciplina,* de *discipulus.* → Disciple.

♦ **1.** Vx. Châtiment qu'impose le maintien de la règle. (XIVᵉ). Par ext. Fouet fait de cordelettes ou de petites chaînes, utilisé pour se flageller, se mortifier. *Des coups de discipline.*

1 Laurent, serrez ma haire avec ma discipline (...) MOLIÈRE, Tartuffe, III, 2.

Se donner la discipline, une sévère discipline : se donner des coups avec la discipline.

♦ **2.** (XVIᵉ). Vx. Instruction, direction morale, influence. *Être sous une bonne discipline.*

2 Sous la discipline du prince d'Orange, son oncle maternel, il *(Turenne)* apprit l'art de la guerre en qualité de simple soldat. FLÉCHIER, Turenne, *in* LITTRÉ.

3 Démocrite, après avoir demeuré longtemps sous la discipline de Leucippe, résolut d'aller dans les pays étrangers (...) FÉNELON, Démocrite, *in* LITTRÉ.

♦ **3.** (1409). Mod. Se dit des diverses branches de la connaissance. ⇒ **Art, étude, matière, science.** *Quelles disciplines enseignez-vous? Exceller dans telle discipline.*

4 Allez, vous êtes un impertinent, mon ami, un homme ignare de toute bonne discipline, bannissable de la république des lettres (...)
MOLIÈRE, le Mariage forcé, 6.

5 Le retour *(des humanistes du XVIᵉ s.)* assez théâtral, aux disciplines antiques, s'accompagnait d'un éloignement des disciplines antérieures. On se persuadait qu'un monde naissait à nouveau. DANIEL-ROPS, Ce qui meurt et ce qui naît, II.

6 Si nous considérons, par exemple, les sciences médicales, nous voyons d'abord, au fondement de l'édifice, un ensemble de spécialités qui participent de disciplines scientifiques fort nombreuses, orientées toutes, dès le principe, naturellement, vers la connaissance de l'homme et de ses maux : la physique, la chimie, la zoologie, la botanique, l'anatomie, l'histologie, etc., sont nécessaires à l'édification d'une médecine complète, et ces diverses sciences sont enseignées dans les écoles par des spécialistes. G. DUHAMEL, Manuel du protestataire, IV, p. 111.

♦ **4.** Cour. Règle* de conduite commune aux membres d'un corps, d'une collectivité et destinée à y faire régner le bon ordre, la régularité; par ext. Obéissance à cette règle (⇒ **Loi, règle, règlement**). *Discipline sévère, rigoureuse. Une discipline de fer. Maintien de l'ordre et de la discipline. La discipline s'est relâchée, adoucie* (→ Atténuation, cit.). *Absence de discipline. Enfreindre la discipline. Manquement à la discipline. Rétablir la discipline. Observer la discipline. Se conformer, se plier, obéir à la discipline. Discipline collective acceptée, librement consentie.* ⇒ **Autodiscipline.** — *La discipline d'un groupe, d'une institution, d'une prison, d'un camp.*

7 La discipline ne se borne pas à empêcher, elle apprend à faire ce qu'on doit et la manière de le faire; elle laisse moins de liberté; elle s'occupe de tous les détails de la conduite; elle ne vous permet pas même de faire le bien, que vous n'en ayez reçu l'ordre. LAFAYE, Dict. des synonymes, Discipline.

8 Songez que la soumission n'engage à rien pour l'avenir, et que la discipline imposée n'est rien non plus quand on a le bon esprit de se l'imposer soi-même.
E. FROMENTIN, Dominique, III, p. 58.

Discipline ecclésiastique. Discipline claustrale. — Discipline scolaire. Ce professeur fait régner la discipline dans sa classe. Censeur* des études, conseiller d'éducation chargé de la discipline dans un lycée. — Discipline judiciaire,* qui veille à l'exercice des devoirs professionnels imposés aux membres de la magistrature, du barreau, aux officiers ministériels. — *Discipline militaire :* règle d'obéissance dans l'armée fondée sur la subordination (→ Chef, cit. 12). *Bataillon*, compagnie* de discipline,* où sont incorporés des punis (⇒ **Disciplinaire**). — *Discipline à bord d'un navire.* «*Honneur et Patrie; Valeur et Discipline*», devise de la Marine nationale.

9 La discipline du bord, c'était là le grand frein qui avait conduit seul sa vie matérielle, la maintenant dans cette austérité rude et saine qui fait les matelots forts. LOTI, Mon frère Yves, LVIII, p. 141.

10 Quand le ministre de la guerre lui ordonnait de mettre ses casernes à la disposition d'un colonel anglais, la discipline lui commandait d'obéir, mais des souvenirs hostiles lui inspiraient de farouches résistances.
A. MAUROIS, les Discours du Dʳ O'Grady, VI, p. 66.

11 (...) le beau préambule au *Service Intérieur,* que j'admirais à l'égal de certains morceaux de Bossuet : «La discipline faisant la force principale des armées, il importe que tout supérieur obtienne de ses subordonnés une obéissance entière et une soumission de tous les instants (...)» A. MAUROIS, Mémoires, I, p. 74.

Loc. *Conseil* de discipline.*

♦ **5.** Règle de conduite que s'impose une personne. *S'astreindre à une discipline sévère. Arriver à un résultat en adoptant, en s'imposant une discipline, à force de discipline* (→ Châtier, cit. 7). *Discipline morale* (→ Dégénérescence, cit.). *Discipline de l'esprit, du cœur.*

12 (...) cela exige une forte discipline de l'esprit et l'habitude des expériences scientifiques. RENAN, Questions contemporaines, Œ., t. I, p. 164.

13 C'est ce que je dois aux bibliothèques, c'est avant tout une discipline de l'esprit et une méthode de travail, non la matière même de mes livres qui ne vient que de mon expérience. G. DUHAMEL, Biographie de mes fantômes, VII, p. 142.

14 Dans cet effort quotidien où l'intelligence et la passion se mêlent et se transportent, l'homme absurde découvre une discipline qui fera l'essentiel de ses forces.
CAMUS, le Mythe de Sisyphe, p. 158.

CONTR. Anarchie, désordre, désorganisation, indiscipline, pagaïe.
DÉR. Disciplinaire, discipliner.
COMP. Autodiscipline. — V. Indiscipline.

DISCIPLINER [disipline] v. tr. — 1174, «châtier»; de *discipline.*

♦ **1.** (XIVᵉ). Accoutumer à la discipline; donner le sens de l'ordre, du devoir, de l'obéissance à (qqn; un groupe). ⇒ **Assujettir, soumettre.** *Discipliner une classe. Discipliner une armée.*

♦ **2.** Plier à une discipline intellectuelle ou morale. ⇒ **Éduquer.** *Discipliner le cœur, l'esprit, la volonté, les instincts* (→ Civilisation, cit. 11).

1 Mais la religion et les beaux-arts disciplinent les instincts rebelles.
A. MAUROIS, les Discours du Dʳ O'Grady, IX, p. 95.

♦ **3.** (Compl. n. de chose). ⇒ **Maîtriser.** *Discipliner les forces de la nature, la vapeur. Discipliner un cours d'eau.*

Discipliner les cheveux, les maintenir bien coiffés (surtout en parlant d'un produit).

▶ **DISCIPLINÉ, ÉE** p. p. adj.

Qui observe la discipline. *Soldats disciplinés.* ⇒ **Obéissant, soumis** (→ Aligner, cit. 5; déléguer, cit. 4). *Troupe bien disciplinée. Écoliers disciplinés et dociles*.*

2 C'était une ingouvernable pétaudière de cinq ou six cents États dont chacun représentait un grouillis de caboches obscures, imperméables à la lumière, dont les descendants ne peuvent être orientés ou disciplinés qu'à coups de trique.
LÉON BLOY, la Femme pauvre, p. 120.

3 Manuel n'était discipliné ni par goût de l'obéissance ni par goût du commandement, mais par nature et par sens de l'efficacité. MALRAUX, l'Espoir, p. 121.

CONTR. **Déchaîner, démoraliser, révolter; désorganiser.** — (Du p. p.) **Indiscipliné, rebelle, rétif, turbulent.**
DÉR. **Disciplinable.**

DISC-JOCKEY [diskʒɔkɛ] n. m. — 1954, *in* Höfler; mot angl. des États-Unis.

♦ Anglic. Animateur qui présente à la radio les disques de variétés, de jazz, etc. *Des disc-jockeys.* Abrév. : «*Les "D. J."* (disc-jockeys) *créent un lien entre les auditeurs et eux* (les émetteurs des chaînes de radio)» (*l'Express*, 3 sept. 1973, p. 59). — On écrit aussi *disk-jockey* (1967), *disque-jockey* (1968). — Recomm. off. : *animateur.*

DISCO [disko] n. m. et adj. — 1976; mot angl. des États-Unis, lui-même de *disco(thèque)*, empr. au français. → Discothèque.

♦ Style de musique américaine inspirée du jazz et du rock, simple et directe, appréciée pour la danse. *Aimer le rock et le disco.* «*Le disco gagne (...) ses galons de phénomène de société*» (*l'Express*, 30 janv. 1978, p. 26). — Adj. (1976, *in* D.D.L.). *Style, musique disco.* Semble invar. : «*pochettes disco*» (*l'Express*, 30 janv. 1978, p. 26).

DISCO- Élément, tiré de *disque* (de phonographe). → Disque, *supra* cit. 2.

DISCOBOLE [diskɔbɔl] n. m. — 1555; grec *diskobolos* «lanceur de disque», de *diskos* «disque», et *ballein* «jeter».

♦ **1.** Antiq. Athlète qui pratiquait le lancer du disque ou du palet. *Le Discobole, œuvre du sculpteur grec Myron.*

♦ **2.** Mod. et littér. Lanceur de disque. ⇒ **Disque.**

Mais lui, après un balancement lent de son disque, qui semblait un pendule rythmant une méditation, lia soudainement l'un à l'autre tous les gestes du discobole, et fit exploser toutes ses forces dans le tournoiement et dans le jet.
Jean PRÉVOST, Plaisirs des sports, p. 206.

DISCOGLOSSIDÉS [diskoglɔside] n. m. pl. — 1878, *discoglosses*; de *disco-*, et *-glossidés*, du grec *glôssa* «langue».

♦ Zool. Famille d'amphibiens *(Anoures)* caractérisés par leur langue circulaire. *La famille des Discoglossidés se subdivise en quatre genres : Alytes, Bombina, Discoglossus et Barbourula.* — Au sing. *Un discoglossidé.*

1. DISCOGRAPHIE [diskografi] n. f. — 1963; de *disco-*, et *-graphie*, d'après *bibliographie*; p.-ê. par l'angl. *discography* (1935).

♦ Technique du catalogage des enregistrements sur disques* (4.). — Répertoire de disques (4.). *La discographie de Beethoven. Une discographie du jazz Nouvelle-Orléans. Publier une discographie critique.*

HOM. 2. Discographie.

2. DISCOGRAPHIE [diskografi] n. f. — D. i. (mil. xxᵉ); de *disque* (intervertébral), et *(radio)graphie.*

♦ Méd. Radiographie des disques intervertébraux rendus visibles aux rayons X par l'injection d'un produit de contraste (substance opaque ou gaz).

HOM. 1. Discographie.

DISCOGRAPHIQUE [diskografik] adj. — 1957; de *disco-* et *-graphique.*

♦ Relatif à la discographie (1. Discographie). *La rubrique discographique est tenue par un critique de disques.* — Par ext. Relatif aux enregistrements sur disques* (4.), à la musique enregistrée sur disques. «*Les productions scéniques et discographiques*» (*l'Express*, 15 janv. 1968). *L'actualité discographique.*

DISCOÏDE [diskɔid] ou **DISCOÏDAL, ALE, AUX** [diskɔidal, o] adj. — 1764, *discoïde*; *discoïdal*, 1834; du grec *diskos* «disque», et *-oïde.*

♦ Sc. Qui a la forme d'un disque. *Corpuscule discoïde.* « *La*

segmentation est partielle et discoïdale et constitue un blastoderme » (M. Caullery, *l'Embryologie*, p. 39).

DISCOMYCÈTES [diskomisɛt] n. m. pl. — 1884; du grec *diskos* «disque», et *-mycètes.*

♦ Bot. Groupe de champignons *(Ascomycètes)* au mycélium généralement cloisonné, à périthèce ayant l'aspect d'un disque ou d'une coupe (ex. : morille, truffe, pézize). — Syn. : *discales*, n. f. pl. Au sing. *Un discomycète.* — En appos. *Un champignon discomycète.*

DISCONTACTEUR [diskɔ̃taktœʀ] n. m. — 1974; de *dis(joncteur)*, et *contacteur.*

♦ Techn. (électr.). Appareil remplissant la double fonction de disjoncteur* et de contacteur*.

DISCONTINU, UE [diskɔ̃tiny] adj. et n. m. — 1361, repris xixᵉ; lat. médiéval *discontinuus*, de *dis-*, et *continuus*. → Continu.

♦ **1.** Qui n'est pas continu, qui offre des solutions de continuité. ⇒ **Coupé, divisé, interrompu.** — (1867). Spécialt, math. *Fonction discontinue. Quantité* discontinue* (⇒ **Dénombrable, discret**). N. m. *Le discontinu. Continu et discontinu en physique* (ondes et particules*. ⇒ **Quantum**). *La physique du discontinu.*

L'intervention des quanta a conduit à introduire partout le discontinu dans la Physique atomique. L. DE BROGLIE, Matière et Lumière, p. 34.

Sc., techn. *En discontinu :* par une série de processus discontinus. *Cette machine «travaille en discontinu»* (J. Lourd, *le Lin et l'Industrie linière*, p. 53).

(V. 1960). Ling. *Morphème** (2.) *discontinu, constituant discontinu,* réparti sur deux ou plusieurs points non contigus de l'énoncé, comme en franç. *ne* et *pas* constituant la négation (ex. : ils *ne* veulent *pas*).

♦ **2.** Qui n'est pas continuel. ⇒ **Alternatif, intermittent, irrégulier, momentané, temporaire.** *Effort, mouvement, bruit discontinu.* — Dr. *Servitudes* discontinues.*

CONTR. Continu; indiscontinu.
DÉR. **Discontinuité.**

DISCONTINUATION [diskɔ̃tinɥasjɔ̃] n. f. — V. 1355; lat. médiéval *discontinuatio*, de *dis-*, et *continuatio*. → Continuation.

♦ Rare. Action de discontinuer; état de ce qui est discontinu. ⇒ **Cessation, interruption, suspension.** — Dr. *Discontinuation des poursuites.*

CONTR. Continuation, continuité.

DISCONTINUER [diskɔ̃tinɥe] v. — V. 1393; *descontinuer*, 1314; lat. médiéval *discontinuare*, de *dis-*, et *continuare*. → Continuer.

♦ **1.** V. tr. Littér. Ne pas continuer (une chose commencée). ⇒ **Cesser, finir, interrompre, suspendre.** *Fait de discontinuer.* ⇒ **Discontinuation.**

1 (...) il me fit entendre que Mᵐᵉ Dupin trouvait mes visites trop fréquentes et me priait de les discontinuer. ROUSSEAU, les Confessions, VII.

2 Dans toutes ces tourmentes, et depuis longtemps déjà, il avait discontinué son travail, et rien n'est plus dangereux que le travail discontinué; c'est une habitude qui s'en va. Habitude facile à quitter, difficile à reprendre.
HUGO, les Misérables, IV, II, I.

Trans. ind. *Discontinuer de* (et inf.). « *L'Église n'a pas discontinué de proclamer (...)* » (J. Maritain, *in* T. L. F.).

(Le sujet désigne la chose qui s'interrompt). *Le courant, la source ne discontinue pas (de couler).*

♦ **2.** V. intr. (Choses). Cesser pour un temps (inus. en emploi positif). *Fièvre qui ne discontinue pas.* — Cour. SANS DISCONTINUER : sans arrêt. *Il pleut sans discontinuer depuis hier. Il a parlé deux heures sans discontinuer.*

3 Notre canon tirait sans discontinuer. RACINE, Lettres, VII, 16.

4 Je pleure aussi, sans discontinuer. C'est un flot ininterrompu, de mots et de larmes. S. BECKETT, Textes pour rien, p. 167.

CONTR. Continuer.

DISCONTINUITÉ [diskɔ̃tinɥite] n. f. — 1775; de *discontinu*, d'après *continuité.*

♦ Défaut, absence de continuité (rare en emploi positif : *la discontinuité de qqch.*). *Travailler sans discontinuité.*

(...) parmi les philosophes qu'il (Proust) porte en lui, il y a aussi un philosophe idéaliste, un métaphysicien malgré lui, qui n'accepte pas cette idée de la mort totale de ses personnalités successives, de la discontinuité du *moi*, parce que cela lui a eu, en certains instants privilégiés, «l'intuition de lui-même comme être absolu».
A. MAUROIS, À la recherche de Marcel Proust, VI, I, p. 170.

Math. Valeur de la variable pour laquelle une fonction n'est pas continue.
Par ext. *Une, des discontinuités.* ⇒ **Interruption.**
CONTR. Continuité.

DISCONVENANCE [diskɔ̃vnɑ̃s] n. f. — 1488 ; de *disconvenir.*

♦ Littér. Défaut de convenance*, de rapport, de proportion. ⇒ **Désaccord, disproportion, incompatibilité, opposition.** *La disconvenance entre deux personnages, entre une chose et une autre. Disconvenances d'âge, de condition. Il existe quelques disconvenances entre...*
Pour moi, qui ne voyais point entre elle et moi de disconvenance, je pris la chose au sérieux ; je me livrai de tout mon cœur (...) ROUSSEAU, les Confessions, I.
CONTR. Accord, analogie, compatibilité, convenance.

DISCONVENIR [diskɔ̃vniʀ] v. tr. ind. — Conjug. *venir.* — 1521 ; lat. *disconvenire,* de *dis-,* et *convenire.* → Convenir.

Littéraire ou didactique.

♦ **1.** Rare. (Sujet n. de chose ; construit avec *à*). Ne pas convenir. ⇒ **Déplaire.** *Disconvenir à qqn, à qqch. Ce genre de vie lui disconvient. Ce poste ne lui disconvient pas.*

♦ **2.** (Sujet n. de personne). **DISCONVENIR DE :** ne pas convenir d'une chose. ⇒ **Nier.** — REM. *Disconvenir* s'emploie en ce sens avec l'auxiliaire *être* et le plus souvent avec la négation. *Disconvenez-vous que cela soit vrai ? Je ne disconviens pas que cela ne soit vrai, que cela soit vrai. — Il n'en est pas disconvenu. Je ne saurais disconvenir de cela,* je l'admets. — (Plus cour.). *Je n'en disconviens pas.*
1 On en tombe d'accord, je n'en disconviens pas (...) MOLIÈRE, Psyché, I, 1.
2 Madame Victorine de Châtenay disait de moi que j'avais l'air d'une âme qui a rencontré par hasard un corps, et qui s'en tire comme elle peut. Je ne puis disconvenir que ce mot ne soit juste. Joseph JOUBERT, Pensées, L'auteur peint par lui-même.
3 Je lui pardonne donc un peu de fierté et d'injustice à mon endroit ; car nous ne pouvons pas disconvenir que ma première petite jeunesse a été folle, et toi-même me l'as reproché le jour où tu as commencé à m'aimer. G. SAND, la Petite Fadette, XXIX, p. 193.

♦ **3.** V. Intr. Rare. Ne pas s'accorder. *Ce sont des idées qui disconviennent. « Le lieu et la dame disconvenaient »* (Barrès, in T. L. F.).
CONTR. Convenir (de) ; avouer, confesser, reconnaître.
DÉR. Disconvenance.

DISCOPATHIE [diskɔpati] n. f. — 1959 ; de *disque,* et *-pathie.*

♦ Méd. Affection (surtout dégénérative) d'un disque intervertébral.

DISCOPHILE [diskɔfil] adj. et n. — 1929, *in* D.D.L. ; de *disco-,* et *-phile.*

♦ Amateur de musique enregistrée ; collectionneur de disques. ⇒ **Disque** (4.). *Un club de discophiles. Une discophile avertie.*
DÉR. Discophilie.

DISCOPHILIE [diskɔfili] n. f. — Mil. xxᵉ ; de *discophile.*

♦ Goûts du discophile, de l'amateur, du collectionneur de disques (4.).

1. DISCORD [diskɔʀ] n. m. — 1314, *discort* ; de *discorder,* réfection de l'anc. franç. *descord,* de *descorder* « se disputer », du lat. *discordare.*

♦ Vx (ou archaïsme). Désaccord*, différend, mésintelligence.
1 Et l'amitié passant sur de petits discords (...) MOLIÈRE, le Misanthrope, V, 4.
2 Nos discords n'étaient jamais envenimés et la colère elle-même, entre nous deux, gardait quelque chose de véniel et de tendre. G. DUHAMEL, Chronique des Pasquier, V, IV, p. 54.
Discordance, en musique.
CONTR. Accord.

2. DISCORD [diskɔʀ] adj. m. — 1304 ; lat. *discors, discordis,* de *dis-,* et *cor, cordis* « cœur, esprit ».

♦ **1.** Littér. et techn. (mus.). Qui manque d'accord. — Se dit d'un instrument de musique non accordé. *Piano discord.* — Figuré :
Cette fois, il n'y a pas à se le dissimuler, se dit-il, voici une vraie fausse note, un grand éclat discord, au milieu de ces trois amitiés sœurs, dont je m'obstinais à croire la pure harmonie tellement inaltérable (...) LOTI, les Désenchantées, V, XXXVI, p. 204.

♦ **2.** Vx. *Caractère, esprit discord,* qui n'est pas d'accord avec lui-même. ⇒ **Inconséquent.**

DISCORDANCE [diskɔʀdɑ̃s] n. f. — 1165, « dissension » ; anc. franç. *descordance* (→ Discordant) ; de *descorder* « se disputer ». → 1. Discord, discorder.

♦ **1.** (Mil. xviᵉ). Défaut d'accord, d'harmonie. *Discordance des caractères, des esprits, des opinions, des sentiments.* ⇒ **Mésintelligence.** *Discordance des lignes d'un édifice, des parties d'une statue.* ⇒ **Dissymétrie.** — *Discordance de couleurs.*
Un accord parfait continu ; oui, c'est cela : un accord parfait continu... Mais tout notre univers est en proie à la discordance, a-t-il ajouté tristement. GIDE, les Faux-monnayeurs, I, XVIII, p. 213.

♦ **2.** Mus. Caractère de ce qui est discord (sons, instrument). ⇒ **Dissonance.** *La discordance de deux instruments mal accordés. Cacophonie* résultant de discordances. — Être en discordance.*

♦ **3.** (1864). Géol. *Discordance de stratifications :* défaut de parallélisme des couches sédimentaires, discontinuité dans la structure des strates.
CONTR. Accord, concordance, entente ; harmonie, justesse, proportion.

DISCORDANT, ANTE [diskɔʀdɑ̃, ɑ̃t] adj. — xiiᵉ ; réfection de l'anc. franç. *descordant,* de *descorder,* d'après le lat. *discordare* « être en désaccord ». → 1. Discord, discorder.

♦ **1.** Qui manque d'harmonie, qui ne s'accorde pas. *Opinions, humeurs discordantes.* ⇒ **Incompatible, opposé.** *Caractères discordants.* — *Lignes discordantes qui déparent un édifice.* ⇒ **Disparate.** — *Couleurs discordantes.* ⇒ **Criard ; hurler, jurer.**

♦ **2.** Mus. *Instruments de musique discordants.* ⇒ **Dissonant, faux.** *Voix discordantes. Sons discordants.*
1 (...) l'art de faire jurer une discordante guitare (...) MONTESQUIEU, Lettres persanes, LXXVIII.
2 Et elle ne cesse de jeter un cri discordant qui perce l'air comme une pointe. J. RENARD, Histoires naturelles, La pintade.

♦ **3.** Géol. *Stratifications discordantes,* dont les irrégularités, l'absence de parallélisme *(discordance)* révèlent une lacune de sédimentation ou des mouvements tectoniques.
CONTR. Concordant.

DISCORDE [diskɔʀd] n. f. — 1155 ; lat. *discordia,* de *discors, discordis.* → 2. Discord.

♦ Littér. Dissentiment violent et durable qui oppose des personnes, dresse des personnes les unes contre les autres. ⇒ **Désaccord, désunion, dissension, mésintelligence, querelle, zizanie.** *La discorde se mit, éclata parmi eux. La discorde règne entre les époux.* → (fam.) *Le torchon* brûle. Semer, fomenter, entretenir, nourrir, envenimer la discorde. Un semeur de discorde.* ⇒ **Boutefeu** (vx). *Sujet, ferment, brandon*, tison de discorde. Discorde civile* (→ Attendre, cit. 83). — *Apaiser, éteindre les discordes.*
1 Mieux vaut un morceau de pain sec avec la paix, qu'une maison pleine de viande avec la discorde. BIBLE (CRAMPON), Proverbes, XVII, I.
2 (...) lorsqu'on voyait de toutes parts tant de haines éclater, tant de ligues se former, et cet esprit de discorde et de défiance qui soufflait la guerre aux quatre coins de l'Europe ; qui l'eût dit, qu'avant la fin du printemps tout serait calme ? RACINE, Disc. à l'Académie, Réception de Corneille et Bergeret.
3 La *discorde,* selon la force du mot latin *cor,* est une diversité de passion, une opposition ardente, pleine d'animosité, qui met les armes à la main, qui fait qu'on ne respire que guerre et destruction. LAFAYE, Dict. des synonymes, Discorde.
4 La France est un pays où le bon cœur éclate par accès, dans les plus violentes discordes. MICHELET, Hist. de la Révolution franç., I, p. 938.

Myth. Personnage symbolisant la discorde, la haine. « *La Discorde aux crins de couleuvre* » (Malherbe).
5 Mais la Discorde, aux crins de couleuvre, n'avait pas encore fait dans cette maison-là tout ce qu'elle avait envie d'y faire. SCARRON, le Roman comique, II, VII, p. 194.
6 La déesse Discorde ayant brouillé les dieux,
Et fait un grand procès là-haut pour une pomme,
On la fit déloger des cieux ;
Chez l'animal qu'on appelle homme,
On la reçut à bras ouverts (...) LA FONTAINE, Fables, VI, 20.
7 Tu verras de loin dans les villes
Mugir la Discorde aux cent voix. HUGO, Odes, IV, 2.

Loc. fig. *Pomme de discorde :* sujet de discussion et de division (allusion à la pomme jetée par la Discorde aux noces de Thétis et de Pélée et que Pâris remit à Vénus, suscitant ainsi la haine de Junon et de Minerve).
Brandon, flambeau(x) de (la) discorde : sujet de dissension (allusion au flambeau que la Discorde porte à la main).
Vx. *La discorde est au camp d'Agramant,* se dit de discussions graves entre les hommes d'un même parti (allusion à un passage du *Roland furieux* de l'Arioste).
CONTR. Accord, concorde ; concert, entente, harmonie, sympathie, unanimité, union.

DISCORDER [diskɔʀde] v. intr. — XIIᵉ ; réfection de l'anc. franç. *descorder*, d'après le lat. *discordare* « être en désaccord », de *discors, -ordis*. → 2. Discord.

♦ **1.** Vx ou rare. Être en désaccord ; jurer. *Ces caractères discordent.*

♦ **2.** (1740). Mus. Être discordant. *Piano qui discorde.*
CONTR. Concorder.

DISCOTHÉCAIRE [diskɔtekɛʀ] n. — 1951, cit. ; de *discothèque* (1.), d'après *bibliothécaire*.

♦ Rare. Personne chargée du fonctionnement d'une discothèque de prêt. *Elle est discothécaire.*
L'industrie du disque a mis au monde un bien beau mot : le «discothécaire» qui désigne la personne préposée au classement des trésors de la discothèque.
«Le Français malmené», *in* la Gazette de Lausanne, 12 févr. 1951.

DISCOTHÈQUE [diskɔtɛk] n. f. — 1928 ; de *disco-*, et *-thèque*.

♦ **1.** Collection de disques* (4.). Meuble, édifice destiné à contenir des disques.
(V. 1960). Organisme de prêt de disques. *La Discothèque de France. Discothèque universitaire.*

Par métaphore :
Son érudition, servie par une prodigieuse mémoire, ouvrait au hasard ce que Frédie appellera plus tard «la discothèque du vieux». Certains disques revenaient souvent. Hervé BAZIN, Vipère au poing, p. 104.

♦ **2.** (V. 1960). Lieu de réunion (⇒ **Club**) où l'on peut danser au son d'une musique enregistrée (généralement de la musique moderne). *Ils vont danser dans une discothèque de Saint-Germain-des-Prés. Musique de discothèque* (⇒ spécialt **Disco**).
DÉR. Discothécaire.

DISCOUNT [diskawnt] n. m. — 1960 ; angl. *discount* «remise, escompte» (XVIIᵉ), du moy. franç. *descompte* «décompte».
Anglicisme.

♦ **1.** Rabais sur un prix, abattement. ⇒ **Déduction** (III., 2.), **remise** (I., 4.). *Supermarché qui fait du discount, pratique le discount.* → **Casser*** les prix.

♦ **2.** Magasin où l'on pratique une formule de réduction maximale des services, des frais d'exploitation et des prix. *Acheter un appareil de photo dans un discount* (⇒ aussi **Discounter**).
Appos. *Magasin discount.*

DISCOUNTER [diskawntœʀ] n. m. — 1960 ; angl. *discounter*, de *to discount* «faire une remise».

♦ Anglicisme. Commerçant ou magasin (⇒ **Discount**, 2.) pour lequel une formule de remise est habituelle. «*Le discounter est une boutique dans le non-alimentaire qui fait de gros rabais*» (*l'Express*, 4 juin 1973, p. 83). *Des discounters d'essence.*

DISCOUREUR, EUSE [diskuʀœʀ, øz] n. — Av. 1549 ; d'abord non péj. «brillant causeur» ; de *discourir*.

♦ Péj. Personne qui aime à discourir. ⇒ **Bavard, parleur, péroreur, phraseur.**
1 Ne soyez point de ces discoureurs qui ont la bouche pleine de belles maximes dont ils ne savent pas faire l'application. BOSSUET, *in* P. LAROUSSE.
Adj. *Une critique discoureuse.*
2 Dans ce petit cercle discoureur et français j'étais aussi en sûreté contre mon amour que contre un sentiment hindou, un goût chinois.
GIRAUDOUX, Simon le Pathétique, p. 129.

DISCOURIR [diskuʀiʀ] v. intr. — Conjug. *courir*. — 1539 ; *discurre*, XIIᵉ ; lat. *discurrere*, proprt «courir çà et là», de *dis-*, et *currere*. → Courir.

♦ **1.** Vx. S'entretenir. ⇒ **Bavarder, palabrer, parler** (→ Amuser, cit. 11 ; corde, cit. 22.) *Discourir d'une affaire, sur une affaire. Passer son temps à discourir.*
1 Eux discourant, pour tromper le chemin,
De chose et d'autre (...) LA FONTAINE, Contes, II, 5.
2 (...) ne parlons plus de querelle, c'est fait ;
Discourons d'autre affaire. MOLIÈRE, les Femmes savantes, II, 8.

♦ **2.** Mod. Parler sur un sujet en le développant longuement. ⇒ **Disserter, haranguer, pérorer** ; → fam. Baratiner, laïusser ; amuser* le tapis ; battre* la campagne, tenir le crachoir*. *Discourir des vertus et des vices.*
3 On a dit de Nicole qu'il excellait à discourir sur des sujets de morale qui n'auraient pas tout à fait fourni la matière d'un sermon.
SAINTE-BEUVE, Chateaubriand..., t. II, p. 117.
Absolt et péj. *Ne faire que discourir* : ne dire que des choses frivoles et inutiles. ⇒ **Palabrer** ; (vx) **lantiponner** ; (fam.) **déconner.** *Il est*

capable de discourir pendant des heures (sur ce sujet). *Vous avez assez discouru.*
4 La sotte envie de discourir vient d'une habitude qu'on a contractée de parler beaucoup et sans réflexion. LA BRUYÈRE, les Caractères de Théophraste, De l'impert.
5 Le palabreur recommençait de discourir, les yeux au plafond.
G. DUHAMEL, Chronique des Pasquier, VIII, VII, p. 349.
6 (...) l'indignation d'entendre discourir trop souvent «ceux qui essaient de faire de la science avec ce qu'ils ne comprennent pas».
Henri MONDOR, Pasteur, VII, p. 120.
DÉR. Discoureur.

DISCOURS [diskuʀ] n. m. — 1503 ; lat. *discursus*, du supin de *discurrere* (→ Discourir), d'après *cours*.

♦ **1.** Vieilli. Ensemble d'énoncés produits par une personne ou un ensemble de personnes. ⇒ **Conversation, dialogue, entretien, interlocution, parole ; propos, monologue, soliloque ; discoureur.** *Le discours qu'il m'a tenu. Discours sensé. Discours audacieux, déplacé, blessant, injurieux, blasphématoire. Discours futiles, frivoles.* ⇒ **Babil, badinage** (cit. 1), **palabre, sornette, sottise, tartine** (fam.). *Un discours trompeur, flatteur* (→ Baisser, cit. 18). ⇒ **Baratin, boniment.** *Discours ironique, moqueur.* ⇒ **Persiflage.** *Discours dépourvus de sens, d'intérêt.* ⇒ **Logomachie, verbiage.** *Discours en l'air.* ⇒ **Conte, faribole.** *De grands discours prétentieux.* ⇒ **Laïus.** — Mod. (Opposé à *action, fait, preuve*). *Faire des discours à perte de vue. Pas de discours superflus ! Trêve de discours ! Couper un discours* (→ Apophtegme, cit. 2). *Cela aura plus d'effet sur lui que tous les discours* (→ Accès, cit. 5). *Faire de beaux discours, de longs discours* (⇒ **Détour, périphrase**). *Il nous paye en beaux discours : il nous abreuve de vaines paroles.* — *Les Discours du Docteur O'Grady,* roman de Maurois.
1 Et pour trancher enfin ces discours superflus (...) CORNEILLE, Horace, II, 3.
2 C'est à vous, s'il vous plaît, que ce discours s'adresse.
MOLIÈRE, le Misanthrope, I, 2.
3 C'est un parleur étrange, et qui trouve toujours
L'art de ne vous rien dire avec de grands discours (...)
MOLIÈRE, le Misanthrope, II, 4.
4 Tous les discours sont des sottises,
Partant d'un homme sans éclat ;
Ce seraient paroles exquises
Si c'était un grand qui parlât. MOLIÈRE, Amphitryon, II, 1.
5 Oui, vos moindres discours ont des grâces secrètes (...) RACINE, Esther, III, 4.
6 À tous ces beaux discours j'étais comme une pierre. BOILEAU, Satires, III.
7 Les réflexions naissent en foule quand on veut s'occuper de la formation du langage et des premiers discours des enfants. ROUSSEAU, Émile, I.
8 (...) le discours intérieur qu'elle se tenait à elle-même, au sortir de cet entretien.
Paul BOURGET, Un divorce, II, p. 45.
9 Il avala sa salive et s'apprêta à poursuivre son discours.
P. MAC ORLAN, la Bandera, XV, p. 184.

♦ **2.** Spécialt et cour. Développement oratoire fait devant une réunion de personnes. ⇒ **Adresse, allocution, briefing** (anglic.), **causerie, conférence, déclaration, exhortation, exposé, harangue, improvisation, jus** (fam.), **laïus** (fam.), **parénèse, proclamation, speech, topo** (fam.). *Discours religieux.* ⇒ **Homélie, instruction, oraison, prêche, prédication, prône, sermon.** *Discours à la louange, pour la défense, la justification de quelqu'un.* ⇒ **Apologie, compliment, éloge, louange, panégyrique, plaidoyer.** *Discours qui accuse.* ⇒ **Catilinaire, philippique, réprimande, réquisitoire.** *Discours politiques. Discours démagogique. Discours descriptif. Discours convaincant, éloquent, incisif, pathétique, persuasif, sentencieux. Discours amphibologique, ambigu* (⇒ **Antilogie**), *long, prolixe, pompeux* (⇒ **Phraséologie**), *confus* (⇒ **Cacologie, galimatias**), *soporifique... Un discours trop orné* (cit. 17). *Discours succinct.*
10 Discours est le terme le plus général ; il se dit de tout ce qui est prononcé avec une certaine méthode et une certaine longueur : discours dans les assemblées législatives ; discours académiques. La harangue est un discours qui a de la solennité, et qui s'adresse à un corps, à un roi, à un personnage constitué en dignité, à une armée (...) Oraison se dit ou plutôt s'est dit des discours des orateurs anciens : les oraisons de Démosthène, de Cicéron.
LITTRÉ, Dict., art. Discours.
Faire, débiter, dire, lire, improviser, prononcer un discours, des discours. ⇒ **Déclamation, éloquence ; orateur.** *Développer outre mesure, amplifier, gonfler son discours. Commencer son discours.* ⇒ **Prendre** (la parole). *Perdre, reprendre le fil de son discours ; rentamer son discours. Discours prononcé du haut de la chaire* (→ Ex* cathedra), *d'une tribune, devant un microphone. Discours radiodiffusé. Discours haché d'applaudissements. Ce discours fit une vive impression sur l'assemblée* (→ Auditoire, cit. 7). *On trouvera un compte rendu, de larges extraits, un abrégé du discours, le discours in extenso, dans la presse.*
11 On avait copié le discours au château, en supprimant quelques passages et en interpolant quelques autres.
CHATEAUBRIAND, Mémoires d'outre-tombe, t. III, p. 24.
12 Le lendemain, à l'échoppe, il relisait dans son journal le résumé des discours ; il le relisait tout haut. R. ROLLAND, Jean-Christophe, p. 1294.
13 (...) l'homme monte à la tribune. Tumulte, — cris d'animaux, l'opposition «hargneuse» (...)
Il commence... Est-ce un discours ? — Mais peu à peu le travail de la pensée se montre, s'impose. C'est la pensée en travail qui se manifeste.
VALÉRY, Rhumbs, p. 106.

14 Suivant son habitude, il se remémorait jusque dans le détail ce discours qu'il avait improvisé. Il retrouvait même des pauses, ou des changements de timbre, qu'il avait eus. J. ROMAINS, les Hommes de bonne volonté, t. V, XXIV, p. 215.

Discours d'ouverture (cit. 5), *d'inauguration. Discours inaugural, qui ouvre une session, un cours.* ⇒ **Leçon, mercuriale.** *Discours de clôture. Averse, pluie de discours. Adresse* qui répond au discours de la couronne*. Discours du trône*. — (Discours politiques). Discours d'une campagne électorale. Réunir les discours d'un ministre en recueil. Les discours du candidat, du président. — Discours de bienvenue, de remerciement. Discours d'apparat. Discours académique. Discours de réception, prononcé par un nouvel académicien. Réponse au discours de réception.*

15 Ceux qui, interrogés sur le discours que je fis à l'Académie française le jour que j'eus l'honneur d'y être reçu, ont dit sèchement que j'avais fait des caractères, croyant le blâmer, en ont donné l'idée la plus avantageuse que je pouvais moi-même désirer (...) LA BRUYÈRE, Disc. de réception à l'Académie, Préface.

16 Le discours, dit-on d'avance, est étourdissant, est éblouissant, est resplendissant : ce sont les seules variantes. Salvandy dit qu'il est écarlate, et quel écarlate que celui qui semble tel à Salvandy ! C'est ce dernier qui répond à Hugo. Le discours de Hugo durera six quarts d'heure et même sept, en comptant un quart d'heure pour les applaudissements. Il est moins question de Lemercier que de l'Empereur, *lui ! toujours lui ?* SAINTE-BEUVE, Correspondance, IV, p. 100.

17 Un discours politique en France est une espèce de monologue (...) impersonnel (...) GIRAUDOUX, Bella, IV, p. 89.

18 Je me croyais puissant. Un homme qui par un discours peut renverser un ministère, donc modifier considérablement les destinées de son pays. J. ROMAINS, les Hommes de bonne volonté, t. II, XV, p. 181.

Discours-programme. « *Le colloque de janvier (...) servira à la préparation de la loi de programmation sur la recherche et l'innovation technologique (...) ainsi que l'a confirmé le Premier ministre Pierre Mauroy, dans son discours-programme à l'Assemblée nationale, le 8 juillet.* » (Sciences et Avenir, n° 415, p. 102).

Art de composer les discours. ⇒ **Rhétorique.** *Plan, division, points* (1. Point, cit. 81) *d'un discours. Les six parties d'un discours, du discours : exorde, proposition, narration, preuve* (ou confirmation), *réfutation, péroraison. Entrée en matière du discours.* ⇒ **Exposition, introduction, préambule, prologue, seuil** (cf. *Captatio benevolentiæ*; → précautions* oratoires). *Développement d'un discours. Conclusion d'un discours. Périodes* du discours. Lien entre les parties du discours.* ⇒ **Transition.** *Réquisitoire qui achève un discours* (→ Bref, cit. 5). — *Corps de discours, du discours.* → Autre, cit. 6.1. *Prosopopée* qui donne de la vie au discours. Sujet, thème du discours. Discours qui traite à fond le sujet, qui va au fond des choses.*

19 Le véritable orateur n'orne son discours que de vérités lumineuses, que de sentiments nobles, que d'expressions fortes et proportionnées à ce qu'il tâche d'inspirer. Il pense, il sent, et la parole suit. FÉNELON, Lettre à M. Dacier..., IV.

20 Il y a aussi des discours si brefs, et dont quelques-uns n'ont qu'un mot; mais si pleins, et qui dans leur nette énergie, répondent a tout si profondément, qu'ils paraissent concentrer des années de discussions internes et d'éliminations secrètes; ils sont indivisibles et décisifs comme des actes souverains. Les hommes vivront longtemps de ces quelques paroles. VALÉRY, Eupalinos, p. 100.

21 Le réel d'un discours, c'est après tout cette chanson, et cette couleur d'une voix, que nous traitons à tort comme détails et accidents. VALÉRY, Eupalinos, p. 21.

22 Logiquement, ce qui suivit ne semblait pas se raccorder à cet exorde pathétique. C'est la suite du discours qui fit seulement comprendre (...) que, par un procédé oratoire habile, le Père avait donné en une seule fois, comme on assène un coup, le thème de son prêche entier. CAMUS, la Peste, p. 110.

♦ **3.** Écrit littéraire didactique qui traite d'un sujet en le développant méthodiquement. ⇒ **Exposé, traité.** *Le Discours de la méthode, de Descartes. Discours sur les passions de l'amour,* attribué à Pascal. *Discours sur l'histoire universelle, de Bossuet. Discours sur le style, de Buffon. Discours préliminaire de l'Encyclopédie, de d'Alembert. Discours sur l'universalité de la langue française, de Rivarol. — Discours en vers :* sorte de dissertation sur un sujet moral. — *Discours préliminaire en tête d'un livre.* ⇒ **Préface.**

♦ **4.** (V. 1613). Expression verbale de la pensée. ⇒ **Parole; langage.**

23 Ils attifent leurs mots, enjolivent leur phrase,
Affectant leur discours (...) Mathurin RÉGNIER, Satires, IX.

24 Voulez-vous du public mériter les amours,
Sans cesse en écrivant variez vos discours. BOILEAU, l'Art poétique, I.

(1637). Gramm., ling. **PARTIES DU DISCOURS.** *Les neuf parties* (cit. 13) *du discours :* les neuf catégories grammaticales traditionnelles (nom, article, adjectif, pronom, verbe, adverbe, préposition, conjonction, interjection).

(Déb. xxᵉ). Ling. Exercice de la faculté du langage. ⇒ **Parole** (II., 2.). *Opposer la langue, l'usage* (géographique, social) *et le discours. Stratégies de discours.* ⇒ **Discursif.** *Discours sur le discours, discours sur la langue.* ⇒ **Métadiscours,** et aussi **métalangage.** — Tout énoncé* (3.) linguistique observable (phrase et suite de phrases énoncées; texte écrit), par opposition au système abstrait que constitue la langue* (cit. 43.2 et *supra*). — *Discours rapporté, discours direct*, discours indirect*,* cité après un verbe de parole (ex. : dire). *Analyse de (du) discours,* prenant pour unité d'observation la phrase ou une unité plus étendue.

♦ **5.** Philos., log. Pensée discursive*, raisonnement (opposé à *intuition*). — *L'univers du discours :* l'ensemble du contexte.

COMP. Métadiscours.

DISCOURTOIS, OISE [diskuʀtwa, waz] adj. — 1554; réfection de *descourtois* (1416), de *des-,* et *courtois,* sous l'infl. de l'ital. *discortese.* → Courtois.

♦ Littér. ou style soutenu. Qui n'est pas courtois. *Personne discourtoise.* ⇒ **Disgracieux, grossier, impoli, incivil, rustre.** *Paroles, manières discourtoises* (⇒ **Discourtoisie**).

Quant à M. Hector Pessard, habitué aux coups de trique du guignol parlementaire, il m'en assena quelques-uns de la manière la plus discourtoise. Georges LECOMTE, Ma traversée, p. 242.   1

La situation politique de l'Espagne rendait les policiers méfiants, discourtois et prétentieux. P. MAC ORLAN, la Bandera, XIX, p. 233.   2

CONTR. Civil, courtois, poli.
DÉR. Discourtoisement.

DISCOURTOISEMENT [diskuʀtwazmã] adj. — xviᵉ; de *discourtois.*

♦ Rare. De façon discourtoise.

CONTR. Courtoisement.

DISCOURTOISIE [diskuʀtwazi] n. f. — 1555, *discourtoysie;* réfection de *descourtoisie* (1414), de *des- (dis-),* et *courtoisie,* sous l'infl. de l'ital. *discortesia.* → Courtoisie.

♦ Vx ou littér. Manque de courtoisie. ⇒ **Incivilité.** *Remarque pleine de discourtoisie.* — Rare. Acte discourtois, parole discourtoise.

CONTR. Courtoisie.

DISCRÉDIT [diskʀedi] n. m. — 1719; de *crédit,* sous l'infl. probable de l'ital. *discredito,* de *credito* « crédit ».

♦ **1.** Diminution, perte du crédit dont jouissait une valeur. *Le discrédit d'une monnaie.* ⇒ **Baisse** (cit. 2). — *Valeurs, actions tombées dans le discrédit, en discrédit.* Par ext. *Affaire en discrédit.*

♦ **2.** Diminution de la confiance, de l'estime dont jouissait une personne, une idée. ⇒ **Déconsidération, défaveur.** *Le discrédit de qqn, que subit qqn. Jeter le discrédit sur qqn. Discrédit moral.* — (Surtout dans : *en discrédit, dans le discrédit). Théorie, système, gouvernement en discrédit. Il, elle est en discrédit auprès de ses supérieurs. Être en discrédit dans l'esprit de qqn. Faire tomber qqn dans le discrédit.*

L'impopularité et le discrédit de ces Directeurs et de leur séquelle devenaient si graves, qu'ils donnaient à réfléchir à nombre de ceux qui, en Fructidor, avaient soutenu les triumvirs (...)   1
Louis MADELIN, Hist. du Consulat et de l'Empire, Ascension de Bonaparte, XIII, p. 182.

(...) Victor Noir dont les émouvantes funérailles, restées fameuses, contribuèrent au discrédit et à la chute du Second Empire (...)   2
Georges LECOMTE, Ma traversée, p. 507.

CONTR. Crédit; autorité, considération, faveur, vogue.
DÉR. Discréditer.

DISCRÉDITER [diskʀedite] v. tr. — 1572; de *discrédit.*

♦ **1.** Faire tomber la valeur, le crédit de (qqch.). *Discréditer un papier-monnaie, une signature. Discréditer une affaire par des procédés malhonnêtes.* ⇒ **Tuer.**

♦ **2.** (1672). *Discréditer qqn,* en portant atteinte à sa réputation, en le calomniant, etc. ⇒ **Déconsidérer, décréditer, décrier, dénigrer, déprécier, nuire** (à). *Discréditer un rival. Discréditer les idées, l'autorité de qqn. Cette théorie a été complètement discréditée par les découvertes récentes.*

Pour le discréditer, et faire avorter toutes ses entreprises (...)   1
SAINT-SIMON, Mémoires, III, 62.

(...) le *groupe adverse,* tout au souci de discréditer ses mérites et de compromettre ainsi ses chances à la distinction flatteuse qu'il convoitait.   2
COURTELINE, Messieurs les ronds-de-cuir, 2ᵉ tableau, III, p. 79.

Je tiens tout effort prématuré vers la conciliation, pour pire que vain, pour nuisible, et crois que celui qui parle présentement dans ce sens perd sa voix ; qui pis est : il la discrédite. GIDE, Journal, 17 oct. 1916.   3

▶ **SE DISCRÉDITER** v. pron. (1750).
Perdre de sa valeur, de son crédit. *Il s'est discrédité dans l'esprit de son chef. Idée qui se discrédite,* qui perd son influence, sa vogue.

(...) pour s'accréditer auprès de ceux qui ont plus de piété que de lumières, il se discrédite auprès de ceux qui ont plus de lumières que de piété.   4
MONTESQUIEU, Défense de l'Esprit des lois, III.

▶ **DISCRÉDITÉ, ÉE** p. p. adj.
Qui a perdu tout crédit. Vx. *Monnaie discréditée.* ⇒ **Déprécié.**

— Mod. *Une philosophie discréditée. Un argument complètement discrédité.*

CONTR. Accréditer, prôner, vanter. — (Du p. p.) **Apprécié, prisé, vogue** (en vogue).

1. DISCRET, ÈTE [diskʀɛ, ɛt] adj. — 1160, au sens du lat. médiéval *discretus*, en lat. class. «capable de discerner» et «séparé» (→ 2. Discret), p. p. de *discernere*. → Discerner.

♦ **1.** (xvɪᵉ). **ⓐ** (Personnes). Qui témoigne de retenue, n'intervient pas ou intervient peu dans les affaires d'autrui, en agissant selon les règles du bon goût, de la correction (selon le code social en usage). ⇒ **Circonspect, réservé, retenu.** *C'est une personne discrète : elle ne se mêlera pas de vos affaires et ne vous posera guère de questions. Il est trop discret pour abuser de vos bontés.* ⇒ **Délicat.** *Soyez discrets sur le chapitre de vos mérites personnels, de votre bonheur* (→ Confesser, cit. 15). Péj. *Vous êtes bien discret, vos avis nous seraient pourtant précieux.* ⇒ **Réticent, silencieux.** — Par ext. *Un caractère discret, une nature discrète et bien élevée*.*

1   Adieu : je me retire en confident discret.   CORNEILLE, *Cinna*, III, 2.

2   (...) l'homme dont on cite les amours n'est jamais un homme bien discret.
              MAUPASSANT, *Toine*, « La chambre 11 », p. 102.

ⓑ (Choses concrètes; actes, attitudes). Qui, dans un certain code social (bienséance, bonnes manières...), ne s'écarte pas de ce qui est défini comme convenable; qui ne se fait pas remarquer de manière trop insistante. *Avoir une attitude discrète.* ⇒ **Réservé.** *Offrir qqch. de façon discrète.* ⇒ **Modeste.** *Faire une cour discrète à une femme, que les témoins ne peuvent remarquer. — Un soupir, un sourire discret. — Un vêtement discret, d'une élégance discrète. Sa dernière voiture est belle, mais pas très discrète. Un luxe discret et de bon ton*. Bijoux discrets. — Sentiment, amour discret,* qui ne s'exprime pas plus que les bienséances ne l'impliquent.

3   (...) L'amour le plus discret
Laisse par quelque marque échapper son secret.   RACINE, *Bajazet*, III, 8.

4   Ce fut un regard discret, d'œil à œil (...)
            BALZAC, *le Cabinet des antiques*, Pl., t. IV, p. 383.

5   Quant à vos allusions discrètes à la façon dont vos mérites auraient été récompensés, je vous ferai humblement remarquer que vous avez huit mille francs d'appointements et la croix de la Légion d'honneur.
       COURTELINE, *Messieurs les ronds-de-cuir*, 4ᵉ tableau, III, p. 152.

6   Ils sont peints avec un scepticisme élégant et si discret qu'il se dissimule (...)
            GIDE, *Journal*, 28 sept. 1929.

7   Une salle de bains, fort petite, mais discrète, pleine de pudeur, s'ouvrant tout de suite à côté de la chambre.
       J. ROMAINS, *les Hommes de bonne volonté*, t. IV, XII, p. 124.

REM. Dans quelques emplois stylistiques, *discret* peut marquer une revendication d'appartenance sociale au milieu qui établit et respecte les convenances, et perdre sa valeur initiale.

7.1   Wilfred remarqua l'élégance un peu trop évidente du costume noir que portait son cousin. On ne pouvait être discret de façon plus voyante.
           J. GREEN, *Chaque homme dans sa nuit*, in T. L. F.

ⓒ (Paroles, écrits). Qui n'exprime que ce qui est considéré comme convenable, bienséant. *Reproches discrets. Remarque discrète. Compliments discrets.*

♦ **2.** (Personnes). Qui cherche à passer inaperçu, à ne pas être reconnu, repéré. *Quelques policiers en civil, très discrets, étaient présents dans l'assistance.* — (Comportements). *Des pas discrets. Un geste discret.* — (Actions; parfois péj.). *Les activités discrètes d'une police parallèle. Des mesures de police discrètes.* — Par métonymie. *Un endroit, un lieu discret.* ⇒ **Retiré, secret.** *Un pied-à-terre discret.*

♦ **3.** (Phénomènes matériels). Dont l'intensité est faible; qui se manifeste sans attirer vivement l'attention. *Un bruit discret.* — *Des tons discrets.* ⇒ **Sobre.** *Une palette discrète. L'éclat discret du cristal* (cit. 4).

Spécialt. *Des coups discrets frappés à la porte :* des coups qui n'éveillent pas l'attention des tiers et manifestent la discrétion de la personne qui frappe.

♦ **4.** (Personnes). Qui sait garder les secrets qu'on lui confie. *Personne discrète. Vous pouvez avoir confiance en lui, il est très discret.* → Tenir une chose secrète; c'est le tombeau* des secrets; il est muet comme un tombeau, une tombe* (→ aussi cit. 2).

8   (...) veuillez être discret,
Et n'allez pas, de grâce, éventer mon secret.
           MOLIÈRE, *l'École des femmes*, I, 4.

9   (...) tu es une fille discrète, nous avons des secrets ensemble, je puis te dire ce qui me chiffonne l'esprit (...)   BALZAC, *Albert Savarus*, Pl., t. I, p. 825.

10   Quand on commet une indiscrétion, l'on se croit quitte en recommandant à la personne d'être... plus discrète qu'on ne l'a été soi-même.
          J. RENARD, *Journal*, 21 avr. 1890.

CONTR. Collant, curieux, encombrant, envahissant, indélicat, indiscret, sans-gêne; communicatif, expansif. — Clinquant, criard, goût (de mauvais goût), voyant. — Babillard, bavard, indiscret, jaseur, rapporteur.
DÉR. Discrètement, discrétoire.
COMP. Indiscret.

2. DISCRET, ÈTE [diskʀɛ, ɛt] adj. — 1484; «différent» en moy. franç.; lat. class. *discretus* «séparé», de *discernere.* → 1. Discret; discerner.

Didactique.

♦ **1.** Math. Se dit d'une grandeur, d'une quantité ne pouvant prendre qu'un nombre fini ou dénombrable de valeurs (opposé à *continu*). ⇒ **Discontinu.** *Caractère quantitatif discret. Variable aléatoire discrète.*

Inform. ⇒ 2. **Digital, numérique** (opposé à *analogique*).

(Déb. xxᵉ). Ling., sémiol. *Unité discrète :* unité isolable par l'analyse et indécomposable à son niveau hiérarchique.

♦ **2.** Méd. Se dit d'une éruption dont les éléments sont espacés (opposé à *confluent*). *Variole discrète.*

CONTR. Continu. — Analogique.
DÉR. Discrétiser.

DISCRÈTEMENT [diskʀɛtmɑ̃] adv. — 1160; de 1. *discret.*

♦ **1.** D'une manière discrète, qui n'attire pas l'attention à l'excès, évite de choquer, de gêner. *Faire qqch. discrètement.* ⇒ **Cachette** (en cachette), **catimini** (en catimini), **doux** (en douce, fam.). *Regarder discrètement qqn.* ⇒ **Dérobée** (à la dérobée). *Offrir discrètement son aide. Faire discrètement allusion à...*

1   Mettons-nous là, proposa-t-il, et comme Antoine, discrètement, semblait rester à l'écart, il se retourna pour l'appeler.   MARTIN DU GARD, *les Thibault*, t. IV, p. 72.

♦ **2.** Sans attirer l'attention (notamment des tiers); en évitant de se faire remarquer. *S'habiller discrètement.* ⇒ **Sobrement.** *Une décoration discrètement orientale.*

Spécialt. En évitant de se faire remarquer. *Filer discrètement, à l'anglaise*. La police s'est discrètement renseignée.*

♦ **3.** (Phénomènes matériels). Sans excès de force.

♦ **4.** Vieilli. Sans dire ce qui doit être tu. *Garder discrètement une confidence.*

2   (...) Sylvain, qui avait bien discrètement gardé le secret de son frère, eut le chagrin de voir que tout le monde le savait.
          G. SAND, *la Petite Fadette*, XXVIII, p. 185.

CONTR. Ostensiblement; indiscrètement.

DISCRÉTION [diskʀesjɔ̃] n. f. — 1667; «discernement», 1160; lat. *discretio* «discernement» et aussi «triage, séparation», du supin de *discernere.* → Discerner.

★ **I.** ♦ **1.** Vx. Discernement, pouvoir de décider. *S'en remettre à la discrétion de qqn,* s'en rapporter à sa sagesse, à sa compétence.

1   Je t'apprendrai, dit en soi-même le Phrygien, à spécifier ce que tu souhaites, sans t'en remettre à la discrétion d'un esclave.
          LA FONTAINE, *Fables, La vie d'Ésope.*

♦ **2.** Mod. À LA DISCRÉTION DE... ⇒ **Disposition** (à la disposition), **merci** (à la merci). *Être à la discrétion de qqn,* dépendre entièrement de lui, être en son pouvoir. ⇒ **Discrétionnaire.** *Se mettre à la discrétion de qqn. Mettre sa fortune, ses serviteurs à la discrétion d'un ami.*

2   Lorsqu'un mari se met à notre discrétion, nous ne prenons de liberté que ce qu'il nous en faut (...)   MOLIÈRE, *George Dandin*, II, 1.

3   Remarquez bien, monsieur, que vous êtes en notre pouvoir, à notre discrétion, qu'aucune puissance humaine ne peut vous tirer d'ici, en nous serions vraiment désolés d'être contraints d'en venir à des extrémités désagréables.
          HUGO, *les Misérables*, III, VIII, XX.

Spécialt (en t. de jeu). Enjeu non déterminé au début du jeu, et dont le vainqueur décide. *Gagner une discrétion.*

4   (...) Le bal, les collations,
Les présents, les discrétions
N'ont point avancé mon affaire.   CORNEILLE, *Poésies diverses*, 51.

Loc. adv. Cour. À DISCRÉTION : comme on le veut, autant qu'on le veut. ⇒ **Gogo** (à gogo), **gré** (à son gré), **volonté** (à volonté); → Bride, cit. 7. *Manger, boire à discrétion. Repas à cinq cents francs, pain et vin à discrétion. Servez-vous à discrétion.*

5   Dans une île presque déserte dont le terrain était à discrétion, elle ne choisit point les cantons les plus fertiles ni les plus favorables au commerce; mais, cherchant quelque gorge de montagne (...)
          BERNARDIN DE SAINT-PIERRE, *Paul et Virginie*, p. 16.

Spécialt. *Se rendre à discrétion :* se mettre à la merci du vainqueur, se rendre sans conditions. — Figuré :

6   Lorsqu'on désire, on se rend à discrétion à celui de qui l'on espère (...)
          LA BRUYÈRE, *les Caractères*, XI, 20.

★ **II.** (xvɪᵉ). ♦ **1.** Retenue dans les relations sociales; qualité d'une personne qui évite ce qui est de nature à choquer, scandaliser, gêner ou peiner autrui. ⇒ **Décence** (cit. 5), **délicatesse** (cit. 21), **réserve, retenue, tact.** *Il a trop de discrétion pour vous rendre visite sans prévenir. Se retirer d'une conversation, s'effacer, se détourner par discrétion.* — (Sens 1 de 1. *discret*). *Interroger qqn avec discrétion. User d'une faveur avec discrétion.* ⇒ **Circonspection, modération.** — *S'habiller avec discrétion,* de manière à ne pas être remarqué.

⇒ **Décence, sobriété.** — Péj. *Vous êtes bien timide ! Pas tant de discrétion.* ⇒ **Mystère.**

7 Les convives étaient pour la plupart des marchands et des voituriers, tous d'une politesse extrême, qui firent quelques questions à Cacambo avec la discrétion la plus circonspecte (...) VOLTAIRE, Candide, XVII.

8 La franchise se perd par le silence, par les ménagements, par la discrétion dont les amis usent entre eux. Joseph JOUBERT, Pensées, V, XLI.

9 (...) une discrétion, une peur de s'imposer, de gêner, une pudeur de sentiment, une réserve perpétuelle. R. ROLLAND, Jean-Christophe, p. 983.

10 (...) il s'efface, par discrétion, pudeur et crainte de me gêner. GIDE, Journal, janvier 1944.

11 Il n'y aurait pas lieu de s'attarder à ces curiosités extra-littéraires si George Sand, par sa désinvolture et son indifférence totale à la plus élémentaire discrétion, n'avait étalé ses amours et fait de la littérature avec elles. Émile HENRIOT, les Romantiques, p. 193.

♦ **2.** Caractère d'une personne, d'un acte discret (1. Discret, 2.), qui cherche à passer inaperçu.

♦ **3.** Caractère d'un phénomène matériel discret (1. Discret, 3.).

♦ **4.** Qualité consistant à savoir garder les secrets d'autrui. *Vous pouvez vous fier à sa discrétion, il sait se taire*, il sera muet comme une tombe*. Il m'a confié cette histoire en me recommandant la plus grande discrétion.* ⇒ **Secret** (sous le sceau du secret). *Discrétion du confesseur, du médecin...* — *Discrétion assurée.*

12 Il le conte au docteur. Discrétion française
Est chose outre nature et de trop grand effort. LA FONTAINE, Contes, Le Roi Candaule et le maître en droit.

13 Mais ma discrétion se veut faire paraître.
Je ne redirai point l'affaire à mon époux (...) MOLIÈRE, Tartuffe, III, 3.

13.1 (...) il est bon que tu saches que la première qualité que j'exige de toi, Thérèse, est une discrétion à toute épreuve. Il se passe beaucoup de choses ici, beaucoup qui contrarieront tes principes de vertu, il faut tout voir, mon enfant, tout entendre, et ne jamais rien dire (...) SADE, Justine..., t. I, p. 115.

14 (...) nous sommes obligés au secret comme les confesseurs et les médecins ; la discrétion la plus absolue est indispensable en ces affaires occultes (...) Th. GAUTIER, le Capitaine Fracasse, t. II, XV, p. 166.

15 Je ne puis charger de ce soin un subalterne ou un homme d'affaires, car il me faut une impénétrable discrétion et un silence absolu. MAUPASSANT, Clair de lune, « Apparition », p. 196.

16 La qualité qu'elle apprécie le plus, chez ceux qui la servent, c'est la discrétion. Nul ne doit raconter ce qui se passe à Nohant. A. MAUROIS, Lélia, VIII, I, p. 421.

CONTR. **Impudence, sans-gêne.** — **Bavardage, indélicatesse, indiscrétion.**
DÉR. **Discrétionnaire.**

DISCRÉTIONNAIRE [diskresjɔnɛr] adj. — 1794 ; de *discrétion* (I.).

♦ **1.** Dr. Qui est laissé à la discrétion, qui confère à qqn le pouvoir de décider. *Pouvoir discrétionnaire du président des assises,* pouvoir de décider dans les cas non prévus par la loi. *Décision discrétionnaire. « Des instructions discrétionnaires »* (Mérimée, *in* T. L. F.).

1 (...) l'une était Claire Marcel, sous le nom de Marthe, la sœur de Philippe ; l'autre, Angèle Brodard, que Nicolas, en vertu de son pouvoir discrétionnaire, avait fait arrêter. Louise MICHEL, la Misère, t. III, p. 566.

♦ **2.** Cour. ⇒ **Arbitraire, illimité** (surtout dans : *pouvoir discrétionnaire*).

2 Et comme le poète a des pouvoirs discrétionnaires, j'ai décidé, bien des années plus tard, de donner à l'ombre de mon ami cette vie qu'il n'avait point vécue, de le faire durer, jouir et souffrir une ample et riche existence (...) G. DUHAMEL, Inventaire de l'abîme, X, p. 155.

CONTR. **Limité.**
DÉR. **Discrétionnairement.**

DISCRÉTIONNAIREMENT [diskresjɔnɛrmã] adv. — 1794 ; de *discrétionnaire.*

♦ Rare. De manière discrétionnaire.

DISCRÉTISATION [diskretizasjɔ̃] n. f. — V. 1980 ; de *discrétiser.*

♦ Didact. Math. Opération consistant à substituer à des relations portant sur les fonctions des relations algébriques portant sur les valeurs prises par ces fonctions en un nombre fini de points de leur ensemble de définition. *La discrétisation permet la résolution numérique de systèmes d'équations aux dérivées partielles.*

Inform. Codage en un code binaire. ⇒ **2. Digitalisation** (anglic.), **numérisation.**

DISCRÉTISER [diskretize] v. tr. — V. 1980 ; de **2.** *discret.*

♦ Didact. Math. Formuler (un ensemble de données) en effectuant une discrétisation*. *La méthode des différences finies permet de discrétiser un domaine sous la forme d'un réseau maillé de points discrets.* — Au p. p. « *L'identité d'un caractère est donc déterminée par une série de mesures à effectuer sur la matrice qui le représente sous forme discrétisée, en l'occurrence le compte des points noirs dans certaines sous-matrices* » (la Recherche, n° 126, oct. 1981, p. 1098).

Inform. *Discrétiser un code analogique.* ⇒ **Digitaliser** (anglic.), **numériser.**
DÉR. **Discrétisation.**

DISCRÉTOIRE [diskretwar] n. m. — 1620 ; de 1. *discret,* d'après des mots en *-oire* comme *consistoire.*

♦ Relig. Assemblée de religieux ou de religieuses composant le conseil du supérieur ou de la supérieure d'un couvent.
Par ext. Lieu où se tient le conseil.

DISCRIMINANT, ANTE [diskriminã, ãt] adj. et n. m. — 1877, *in* Littré, *Suppl.* ; lat. *discriminans,* p. prés. de *discriminare,* de *discrimen* « point de séparation ». → Discriminer.

♦ **1.** Didact. Qui établit une séparation, une discrimination.

1 Nous n'avons plus aujourd'hui la barricade discriminante. Nous avons le guichet discriminant. Ch. PÉGUY, la République..., p. 203.

♦ **2.** N. m. Alg. Fonction des coefficients* d'une équation algébrique qui sert à la résolution d'une équation entière. *Le discriminant d'une équation du 2e degré* ($b^2 - 4\,ac$) *indique si elle a deux racines, une racine double ou pas de racine réelle.*

♦ **3.** N. m. Facteur de discrimination.

2 *Victor ou les Enfants au Pouvoir,* drame bourgeois en trois actes de Roger Vitrac. Ce drame tantôt lyrique, tantôt ironique, tantôt direct, était dirigé contre la famille bourgeoise, avec comme discriminants : l'adultère, l'inceste, la scatologie, la colère, la poésie surréaliste, le patriotisme, la folie, la honte et la mort. A. ARTAUD, le Théâtre Alfred Jarry en 1930, t. II, p. 39.

DISCRIMINATIF, IVE [diskriminatif, iv] adj. — Av. 1945, Piéron ; du rad. de *discrimination,* d'après l'angl. *discriminative* (1638).

♦ Anglic. Didact. Relatif à la discrimination (1.). *Pouvoir discriminatif. Capacité discriminative.*

Toutes les performances téléonomiques des protéines reposent en dernière analyse sur leurs propriétés dites « stéréospécifiques », c'est-à-dire leur capacité de « reconnaître » d'autres molécules (y compris d'autres protéines) d'après leur forme, qui est déterminée par leur structure moléculaire. Il s'agit, littéralement, d'une propriété discriminative (sinon « cognitive ») microscopique. Jacques MONOD, le Hasard et la Nécessité, p. 68.

DISCRIMINATION [diskriminasjɔ̃] n. f. — 1870 ; lat. *discriminatio* « séparation », du supin de *discriminare.* → Discriminer.

♦ **1.** Didact. Action de distinguer l'un de l'autre deux objets de pensée concrets. ⇒ **Distinction.**

1 Ce changement d'état *(par lequel la conscience passe d'une modification à une autre),* c'est la discrimination, et c'est le fondement de notre intelligence (...) Th. RIBOT, Psychologie anglaise contemporaine, p. 258.

Littér. Action de discerner, de distinguer (les choses les unes des autres) avec précision, selon des critères ou des caractères distinctifs, pertinents. *La discrimination de deux, entre deux choses, d'une chose et d'une autre. Faire la discrimination entre le vrai et le faux dans une chronique.* ⇒ **Départ, séparation.** *Discrimination à opérer entre les idées personnelles d'un auteur et celles qu'il a empruntées...*

2 De pareilles vétilles surchargent inutilement l'appareil de notes nécessaires à l'explication d'un texte, et le premier devoir d'un éditeur est d'en épargner la lecture au curieux qui n'en a que faire, et de déblayer le terrain devant lui, non d'accroître sa tâche en l'obligeant à une discrimination surérogatoire entre l'essentiel et le superflu. Émile HENRIOT, les Romantiques, p. 233.

3 C'est de la structure, de la forme d'une protéine donnée que dépend la discrimination stéréospécifique particulière qui constitue sa fonction. Jacques MONOD, le Hasard et la Nécessité, p. 69.

Écon. *Interdire la discrimination dans les ventes, les tarifs, les prix,* pratiquer des prix, etc., différents (dans des conditions où ils devraient être identiques).

♦ **2.** Cour. Le fait de séparer un groupe social des autres en le traitant plus mal. *Cette loi s'applique à tous sans discrimination,* de façon égalitaire. ⇒ **Distinction.** *Discrimination raciale.* ⇒ **Ségrégation ; apartheid.** *Traiter les diverses communautés sans discrimination.*

CONTR. **Confusion, mélange.** — **Égalité.**
DÉR. **Discriminatoire.** — (Du même rad.) **Discriminatif.**

DISCRIMINATOIRE [diskriminatwar] adj. — V. 1950 ; de *discrimination* (2.).

♦ Qui tend à distinguer une personne, un groupe humain des autres, à son détriment. *Mesures discriminatoires. Sélection discriminatoire.*

DISCRIMINER [diskrimine] v. tr. — 1897 ; lat. *discriminare,* de *discrimen* « ligne de partage, limite », de *discernere.* → Discerner.

♦ Littér. Faire la discrimination (1.) entre... ⇒ **Discerner, distinguer ; séparer ; discrimination** (1.) ; **discriminant.**

(Jules Bertaut) a bien mis en place les hommes et les œuvres, spécifié l'esprit nouveau du romantisme et son apport ; judicieusement discriminé les créatures et les écrivains du second et du troisième rayon (...)
Émile HENRIOT, les Romantiques, p. 78.

DISCULPATION [diskylpasjɔ̃] n. f. — 1798 ; *disculpe*, n. f., xviᵉ ; de *disculper.*

♦ Rare. Action de disculper, de se disculper.
Je suis ravi que ce soit à M. Puget que je doive ma disculpation.
BOILEAU, Lettre à Brossette, 37, *in* LITTRÉ, Suppl.

CONTR. Accusation, inculpation.

DISCULPER [diskylpe] v. — xiiᵉ, *descoulper ; discoulper*, v. 1535 ; de *coulpe ;* refait au xviᵉ (1615) d'après *culpa.*

♦ **1.** V. tr. Prouver l'innocence de (qqn). *Disculper qqn à qui on impute une faute à tort.* ⇒ **Blanchir ; cause** (mettre hors de cause) ; **innocenter, justifier, laver.** *Disculper un ami des accusations dirigées contre lui, de méfaits dont il n'est pas coupable. Document, détail qui disculpe un accusé. Disculper qqn dont on ne trouve pas la faute condamnable.* ⇒ **Absoudre, excuser.**

1   Ce qui disculpe le fat ambitieux de son ambition est le soin que l'on prend, s'il a fait une grande fortune, de lui trouver un mérite qu'il n'a jamais eu, et aussi grand qu'il croit l'avoir (...) LA BRUYÈRE, les Caractères, VI, 3.

2   Hommes de France, votre naïve grandeur d'âme disculpe toute l'humanité de son plus grand crime et la relève de sa plus profonde déchéance.
G. DUHAMEL, Récits des temps de guerre, t. I, i, p. 135.

Au p. p. *Accusé disculpé.*

♦ **2.** V. pron. **SE DISCULPER :** se justifier, s'excuser. *Se disculper auprès de qqn, aux yeux de qqn. Chercher à se disculper en accusant les autres.*

3   (...) je me suis disculpé de l'avoir fait *(le discours de réception à l'Académie française)* trop long de quelques minutes (...)
LA BRUYÈRE, Disc. de réception à l'Acad., Préface.

4   — En quoi suis-je responsable ? demanda-t-elle d'une voix entrecoupée. — Taisez-vous ! fit Mᵐᵉ Legras. Je ne suis pas juge d'instruction pour que vous essayiez de vous disculper. J. GREEN, Adrienne Mesurat, III, ii, p. 216.

CONTR. Accuser, incriminer, inculper.
DÉR. Disculpation.

DISCURSIF, IVE [diskyʀsif, iv] adj. — xviᵉ ; lat. scolast. *discursivus*, de *discursus.* → Discours.

Didactique.

♦ **1.** Log. Qui tire une proposition d'une autre par une série de raisonnements successifs (opposé à *intuitif*). *Méthode discursive. Connaissance discursive. Pensée discursive.* ⇒ **Entendement.** *Intelligence discursive.*

1   Or il arrive que l'intelligence discursive, c'est-à-dire celle qui s'exprime par discours et mots, prenne le contre-pied de ces vérités d'instinct et que, par d'habiles jongleries verbales, elle croie prouver que tout est matière et nos actions rigoureusement déterminées.
A. MAUROIS, Études littéraires, H. Bergson, t. I, i, p. 154.

♦ **2.** Qui ne s'astreint pas à une continuité rigoureuse, qui procède par digressions.

2   (...) ce récit tout linéaire (je veux dire : sans épaisseur), uniquement discursif (...)
GIDE, Journal, 6 avr. 1943.

3   Voici un mot qui a pris en français moderne un sens amphibologique... *discursif* a subi vaguement l'analogie de *cursif* et commence à signifier *négligé, vagabond, hâtif...* Serait-ce une destinée des mots de tourner peu à peu au sens contraire de leur origine ? A. THÉRIVE, Querelles de langage, t. III, p. 133.

♦ **3.** Didact. Du discours ; relatif au discours, aux énoncés.

4   Je commence par l'art de représentation que je préférerais d'ailleurs qu'on appelât art discursif, parce qu'il exprime avec des images, qui sont nécessairement des signes, ce que le discours dit avec le vocabulaire, lequel ne renvoie pas moins que les images aux êtres, aux choses et aux événements.
Roger CAILLOIS, Esthétique généralisée, III, p. 30.

CONTR. Intuitif. — Rigoureux.
DÉR. Discursivité.

DISCURSIVITÉ [diskyʀsivite] n. f. — 1966 ; de *discursif.*

♦ Didact. Caractère de ce qui est discursif (1.) ou de ce qui a les caractères du discours, au sens linguistique.

Seule demeure *(au xviiᵉ s.)* la représentation se déroulant dans les signes verbaux qui la manifestent, et devenant par là *discours.* À l'énigme d'une parole qu'un second langage doit interpréter s'est substituée la discursivité essentielle de la représentation : possibilité ouverte (...) que le discours aura pour tâche d'accomplir et de fixer. Michel FOUCAULT, les Mots et les Choses, p. 93.

DISCUSSIF, IVE [diskysif, iv] adj. — 1549 ; du rad. du lat. *discussum*, de *discutere.* → Discussion, discuter.

Didactique.

♦ **1.** Méd. (vx). Qui dissipe un engorgement. *Un topique discussif.*

♦ **2.** (1877). Rare. Relatif à la discussion.

DISCUSSION [diskysjɔ̃] n. f. — 1120 ; lat. *discussio.* → Discuter.

♦ **1.** Action de discuter, d'examiner (qqch.) seul ou avec d'autres, en confrontant les opinions. ⇒ **Examen.** *Discussion d'un point de doctrine. Argumentation d'une discussion.* ⇒ **Dialectique.** *L'authenticité* (cit. 6) *de ce texte est sujette à discussion, donc matière à discussion. Relatif à la discussion.* ⇒ **Discussif** (rare).

1   Il faudrait vous faire, Madame, une longue discussion des principes de l'astrologie pour vous faire comprendre cela. MOLIÈRE, les Amants magnifiques, III, 1.

2   Les sciences exactes ou mixtes souffrent peu de ces discussions.
P.-L. COURIER, Éloge de Buffon, *in* Œ. compl., p. 557.

Spécialt. **[a]** *Discussion d'un projet de loi, du budget à l'Assemblée :* procédure par laquelle les amendements sont proposés.

[b] Math. Détermination de la réalité des racines d'une équation algébrique selon les valeurs qu'on donne à ses coefficients. *Discussion d'une équation.*

[c] Dr. *Discussion de biens :* recherche des biens d'un débiteur dans l'intention de les faire vendre par voie de justice. — *Bénéfice de discussion :* droit pour la caution mise en demeure de payer d'exiger la discussion préalable des biens du débiteur principal.

♦ **2.** Le fait de discuter (une décision), de s'y opposer par des arguments (surtout au plur., ou dans une négation). *Allons, obéissez et pas de discussion ! Ordres à exécuter sans discussion.*

♦ **3.** Action de discuter (4.). Échange d'arguments, de vues contradictoires. ⇒ **Conversation, débat, délibération, échange** (de vues). *Discussion entre deux, plusieurs personnes, sur, au sujet de...* LOC. *Des discussions de café* du Commerce. Discussion en réunion.* ⇒ **Colloque, conférence.** *Discussion par écrit.* ⇒ **Polémique.** *Discussion théologique.* ⇒ **Disputation.** *Intervenir dans la discussion. Discussion portant sur des détails, des mots.* ⇒ **Argutie, ergotage, logomachie, pilpoul.** *Discussion byzantine*.* — *Provoquer, ouvrir, entamer, déclencher une discussion. Discussion qui s'élève entre deux personnes. Prendre part à la discussion. Éviter une discussion, se dérober à la discussion. Discussion qui porte, qui roule sur tel sujet. Chapitre, sujet d'une discussion. Base d'une discussion. Arguments, raisonnements, explications, objections, réfutations, passe d'armes, joutes dans une discussion.* ⇒ **Argumentateur** (cit. 2). *Soulever une discussion ; soutenir un point de vue lors d'une discussion. Ne pas être de l'avis de qqn, être son adversaire dans une discussion. Se ranger à l'avis de qqn, prendre fait et cause* pour lui au cours d'une discussion. Mener, diriger la discussion, être l'arbitre dans une discussion. Résumer la discussion. Se placer sur un mauvais terrain* dans une discussion. Avoir le dessus, le dessous dans la discussion. Se mettre sur un bon terrain, tenir bon, soutenir une discussion.* ⇒ **Lance** (rompre une lance). *Avoir le dernier mot* dans une discussion. Clore, trancher* une discussion. Clôture de la discussion. Envenimer une discussion par des propos maladroits. Toute discussion avec lui est impossible : il est têtu, partial et de mauvaise foi.*

3   Quand la discussion, comme il arrivait souvent, avait été longue, diffuse, obstinée, le premier consul savait la résumer, la trancher d'un seul mot.
THIERS, Hist. du Consulat et de l'Empire, XIII.

4   Nos discussions étaient sans fin, nos conversations toujours renaissantes. Nous passions une partie des nuits à chercher, à travailler ensemble.
RENAN, Souvenirs d'enfance..., VI, ii, p. 241.

5   (...) ma charmante interlocutrice n'ayant point paru convaincue et s'étant lancée tête basse dans des considérations variées, je pris le parti d'arrêter les frais et de couper court à la discussion.
COURTELINE, Boubouroche, Petit historique de Boubouroche, p. 9.

6   La discussion est impossible, avec qui prétend non pas chercher, mais posséder la vérité. R. ROLLAND, Au-dessus de la mêlée, p. 57.

Loc. prov. *De la discussion jaillit la lumière :* c'est par un échange de points de vue, une confrontation des idées, des opinions, qu'on peut approcher de la vérité.

6.1   Si d'une discussion pouvait sortir la moindre vérité, on discuterait moins. Rien d'assommant comme de s'entendre : on n'a plus rien à se dire.
J. RENARD, Journal, 24 oct. 1887.

♦ **4.** (1704). Par ext. Vive contestation. ⇒ **Altercation, contestation, controverse, différend, dispute, explication, querelle.** *Ils ont eu ensemble une violente discussion. Discussion de jeu, d'intérêts. Discussion de ménage.* ⇒ **Scène** (de ménage) ; → Contenance (cit. 3). *S'agiter, s'échauffer, parler fort, crier, en venir aux mains lors d'une discussion* (⇒ **Empoignade**).

7   (...) ils épargnaient les discussions avec les cochers — corporation encline à l'insolence ; et abusant volontiers de la crainte du scandale chez une femme bien élevée.
J. ROMAINS, les Hommes de bonne volonté, t. III, XI, p. 150.

8   (...) Antoine, qui avait à cette époque seize ou dix-sept ans, se souvenait de la discussion orageuse qu'il avait eue avec M. Thibault (...)
MARTIN DU GARD, les Thibault, t. III, p. 216.

CONTR. Acceptation. — Accord, entente.

DISCUTABLE [diskytabl] adj. — 1791 ; de *discuter.*

♦ **1.** Qui peut être discuté, attaqué, mis en question. ⇒ **Attaquable, contestable, controversable.** *Méthode, opinion, théorie discutable. Il le dit, mais c'est fort discutable.* ⇒ **Voir** (c'est à voir). *Affirmation* *discutable. Une impression, une intuition très discutable.* ⇒ **Douteux.** — *Des faits discutables,* dont l'exactitude n'est pas assurée.

♦ **2.** (Euphém.). Critiquable, plutôt mauvais. ⇒ **Douteux.** *C'est d'un goût discutable. «Le panache des plumes, d'une esthétique discutable»* (E. de Vogüé, 1899, *in* T. L. F.).

CONTR. **Évident. — Incontestable; indiscutable.**

DISCUTAILLANT, ANTE [diskytajɑ̃, ɑ̃t] adj. — 1881; p. prés. de *discutailler.*

♦ Péj. Qui discutaille.

Du Fernand tout craché, cette réplique! Fernand souffrait de manie discutaillante. La plus banale, la plus insignifiante des remarques vous était retournée par lui de telle manière (...) que vous ne manquiez pas de vous sentir idiot (...)
Roger IKOR, les Fils d'Avrom, Les eaux mêlées, p. 650.

DISCUTAILLER [diskytaje] v. intr. — 1881; de *discuter.*

♦ Péj. Discuter de façon oiseuse.

(...) le matin, elle se rendait au travail, elle faisait la queue dans les charcuteries, elle discutaillait devant les portes.   J.-M. G. LE CLÉZIO, le Déluge, p. 91.

DÉR. **Discutaillant, discutaillerie, discutailleur.**

DISCUTAILLERIE [diskytajʀi] n. f. — Déb. xxᵉ; de *discutailler.*

♦ Péj. Discussion oiseuse.

Pas de discutailleries, monsieur Lubert. Je renonce. Je vais me retirer sur les bords de la Riviera.   R. QUENEAU, le Vol d'Icare, p. 195, 1968.

DISCUTAILLEUR, EUSE [diskytajœʀ, øz] adj. et n. — V. 1850, Balzac; de *discutailler.*

♦ Péj. (Personne) qui discutaille.

Mon Larpion ressemblait fort à Papaduc, dadais rieur, bonne face de comique troupier, soiffard honnête, assez bon discutailleur pour tenir tête à Ramos qui lui témoignait beaucoup d'affection.   Jacques PERRET, Bande à part, p. 213.

DISCUTER [diskyte] v. — xiiiᵉ; lat. *discutere* «agiter», d'abord «fendre, casser en frappant», de *dis-,* et *quatere* «frapper, ébranler».

♦ **1.** V. tr. Examiner (qqch.) par un débat, en étudiant le pour et le contre. ⇒ **Agiter, argumenter, controverser, critiquer, débattre.** *Discuter un fait, un point litigieux, une question, une opinion. Discuter un projet de loi* (⇒ **Discussion,** 1., spécialt). — V. pron. *Cette affaire se discute en Conseil des ministres.* ⇒ **Traiter** (se). — *Tout discuter.* ⇒ **Arguer** (sur tout). — *Discuter une équation.* ⇒ **Discussion.**

1 Fausseté des philosophes qui ne discutaient pas l'immortalité de l'âme; fausseté de leur dilemme dans Montaigne.   PASCAL, Pensées, III, 220.
2 Une fois que la réflexion eût été ainsi éveillée, l'homme ne voulut plus croire sans se rendre compte de ses croyances, ni se laisser gouverner sans discuter ses institutions.   FUSTEL DE COULANGES, la Cité antique, V, I, p. 419.

♦ **2.** Mettre en question, considérer comme peu certain, peu fondé. *Discuter l'existence, la vérité de qqch.* ⇒ **Contester, douter.** *Discuter l'autorité de qqn,* la mettre en cause.

3 Il ne quittait plus ses gants, donnait des ordres, manifestait une autorité que nul ne songeait d'ailleurs à discuter ni surtout à mettre en échec.
G. DUHAMEL, le Voyage de P. Périot, X, p. 182.
4 Sur le moment, la jeune femme n'essaya pas de discuter en elle-même la vraisemblance du propos.   J. ROMAINS, les Hommes de bonne volonté, t. II, XI, p. 115.

♦ **3.** Spécialt. Opposer des arguments à (une décision), refuser d'exécuter. *Vous n'avez pas à discuter mes ordres.*

Absolt. *Ne discutez pas* (→ Pas de discussion*).

♦ **4.** V. intr. ou tr. ind. (1829). Construit avec *de. Discuter d'un point avec qqn. Discuter sur qqch. avec qqn. Discuter en réunion.* ⇒ **Colloquer, conférer, conseil** (tenir conseil). *Discuter avec l'ennemi.* ⇒ **Négocier, parlementer, traiter.** *Discuter de politique,* et, ellipt., *discuter politique. Discuter de sujets généraux.* ⇒ **Philosopher.** *Discuter sur des détails.* ⇒ **Discutailler, disputailler, épiloguer, ergoter.** *Discuter d'un prix.* ⇒ **Marchander.** *Ils discutent avec animation, avec passion. On ne peut discuter avec lui, il est de mauvaise foi. Discuter en défendant bien ses opinions.* ⇒ **Terrain** (disputer le terrain). *Discuter âprement.* ⇒ **Chicaner** (se), **démêler** (avoir à démêler), **disputer** (se), **quereller** (se). *Discutons calmement sans nous disputer.* — Fam. et trans. *Discuter le coup, le bout* de gras. ⇒ **Bavarder**; → Tailler une bavette*.

5 T'aurais voulu qu'on se fasse tuer pendant que les généraux discutaient le bout de gras avec les Fritz dans un château historique?
SARTRE, la Mort dans l'âme, II, p. 210.
6 (...) il n'avait surtout aucune envie de discuter métaphysique avec ce brave Paterson.   MARTIN DU GARD, les Thibault, t. V, p. 16.
7 À la suite de cette conversation, le grand Gilieth avait rejoint ses hommes qui discutaient avec animation sur le prix des oignons et des pommes de terre dont ils emplissaient leur araba.   P. MAC ORLAN, la Bandera, XIII, p. 150.

▶ **DISCUTÉ, ÉE** p. p. adj.

♦ **1.** Qui a été débattu, examiné. *Projet de loi discuté par l'assemblée.*

♦ **2.** Qui soulève des discussions, qu'on met en question, en doute. ⇒ **Discutable.** *L'existence de Pythagore est très discutée. — Opinion discutée.*

8 Et ne voulez-vous pas admettre que nous nous piquons à nos opinions avec d'autant plus de violence que nous les sentons plus discutées ou plus douteuses, les tenant ainsi pour certaines à proportion qu'elles ne le sont pas.
J. PAULHAN, Entretien sur des faits divers, III, p. 110.

♦ **3.** *Un homme très discuté,* dont la valeur est mise en cause, les actes critiqués (→ Décrié, cit. 9).

CONTR. **Accepter, admettre, croire, reconnaître.** — (Du p. p.) **Évident, indiscutable, indiscuté.**

DÉR. **Discutable, discutailler, discuteur.**

DISCUTEUR, EUSE [diskytœʀ, øz] n. et adj. — xivᵉ; de *discuter.*

♦ Rare. Qui aime la discussion. ⇒ **Raisonneur.** *C'est un discuteur acharné, il veut toujours avoir le dernier mot.* ⇒ **Discutailleur.**

1 N'êtes-vous pas capable d'aimer l'eau froide pour l'eau froide et croyez-vous qu'on fait tant son discuteur quand on vient de traverser après vingt jours la poussière dressée de toute la terre provençale?   J. GIONO, le Serpent d'étoiles, p. 105.

Adj. *Un caractère, un tempérament discuteur.*

2 D'un geste discuteur et brutal il tenait le malheureux par le milieu de sa jaquette, à poignée pleine, et le secouait tout en parlant.
Alphonse DAUDET, Numa Roumestan, XIV, p. 270.

DISÉPALE [disepal] adj. — D. i.; de *di-,* et *sépale.*

♦ Bot. Qui a deux sépales. *Des plantes disépales.*

DISERT, ERTE [dizɛʀ, ɛʀt] adj. — 1321; lat. *disertus,* de *dissertum,* supin de *disserere* «enchaîner des raisonnements», de *dis-,* et *serere* «joindre, unir».

♦ Littér. Qui parle avec facilité et élégance. ⇒ **Éloquent; parole** (avoir la parole facile). *Une personne diserte. Orateur disert. Il a été assez disert sur ce sujet.*

1 Veut-on de diserts orateurs, qui aient semé dans la chaire toutes les fleurs de l'éloquence (...)   LA BRUYÈRE, Disc. de réception à l'Acad.
2 (...) des gens diserts, c'est-à-dire qui parlaient avec agrément et d'une manière élégante (...)   FÉNELON, Dialogues sur l'éloquence, Second dialogue.
3 (...) ses articles ne lui coûtaient pas plus de peine, tant il était disert et savant, que ses causeries (...)   PROUST, À la recherche du temps perdu, t. XIV, p. 116.

CONTR. **Taciturne; bredouilleur.**

DÉR. **Disertement.**

DISERTEMENT [dizɛʀtəmɑ̃] adv. — V. 1282; de *disert.*

♦ Rare. De façon diserte. ⇒ **Éloquemment.**

Je ne raisonnerai peut-être pas là-dessus si disertement qu'un chirurgien, mais à coup sûr je serai de meilleure foi, et mon zèle ne me trompera moins que son avarice.   ROUSSEAU, Émile, I, p. 33.

DISETTE [dizɛt] n. f. — V. 1200, *disète, disete;* orig. incert., p.-ê. grec *disektos* «année bissextile, malheureuse». On a aussi évoqué une formation à partir de *dire* «demander», d'où *disette* «demande (de qqch. qui manque)».

♦ **1.** Manque (de choses nécessaires). ⇒ **Besoin, défaut, manque, pénurie, rareté.** *Disette d'eau* (→ Avare, cit. 27), *de vivres* (→ *infra,* 2.). *Disette d'argent.* ⇒ **Dénuement, pauvreté.**

1 On sent en mille rencontres (...) la disette d'argent (...)
Mᵐᵉ DE SÉVIGNÉ, Lettres, 1248, 1ᵉʳ janv. 1690.
2 (...) dans l'espérance que les Parisiens seraient forcés, par la disette des vivres, à se rendre (...)
VOLTAIRE, Essai sur les guerres civiles de France, Œ., t. X, p. 356.

Fig. *Une disette de bonnes pièces de théâtre. Il y a disette d'idées nouvelles...* ⇒ **Indigence.**

3 Il y a de certaines gens dont l'esprit n'est en mouvement que par pure disette d'idées (...)   MARIVAUX, la Vie de Marianne, p. 227.
4 Il peut s'il le veut, dans la disette où l'on est, et agréé comme il l'est, devenir le premier écrivain de la *Revue,* l'un des plus fréquents.
SAINTE-BEUVE, Correspondance, IV, p. 289.

♦ **2.** Spécialt. Manque de vivres. ⇒ **Famine** (plus fort). *Année de disette. Les sept années de disette prédites par Joseph.* ⇒ **Vache** (les sept vaches maigres). *Pays qui souffre de la disette. Disette d'une ville assiégée. Privations subies lors d'une disette. La crainte de manquer accroît la disette.* → Pourvoir, cit. 10.

5 (...) la disette dégénéra en famine universelle.
VOLTAIRE, Essai sur les guerres civiles de France, Œ., t. X, p. 357.
6 La récolte du miel a été très insuffisante; on pressent une grande disette.
GIDE, Voyage au Congo, in Souvenirs, Pl., p. 827.

CONTR. **Abondance; approvisionnement, ravitaillement.**

DÉR. **Disetteux.**

DISETTEUX, EUSE [dizetφ, φz] adj. et n. — 1213; de *disette*.

♦ Vx. Qui manque du nécessaire. ⇒ **Indigent, nécessiteux, pauvre.**
CONTR. Aisé, fortuné, nanti, riche.

DISEUR, EUSE [dizœr, φz] n. — 1233; *maldisseor*, v. 1200; de *dire*, sur le radical *dis-*.

♦ **1. DISEUR DE** : personne qui dit habituellement (des choses d'un genre particulier). — Il ne s'emploie que dans quelques locutions : *Diseur, diseuse de bonne aventure** (cit. 3 à 5) : personne qui prédit l'avenir* (⇒ **Chiromancien, devin; voyante**). *Diseur d'horoscopes* (→ Crédule, cit. 2).

0.1 À la tête des baladins, des gratte-ciel et des diseuses de bonne aventure, elle va conduire la marche funèbre de l'esthétisme européen.
MALRAUX, l'Homme précaire et la Littérature, p. 253.

Péj. *Diseur de bons mots :* celui qui affecte de dire des bons mots, en toute occasion.

1 Dieu ne créa que pour les sots
Les méchants diseurs de bons mots.   LA FONTAINE, Fables, VIII, 8.
2 Diseurs de bons mots, mauvais caractère.   PASCAL, Pensées, I, 46.
3 Diseurs de bons mots, mauvais caractère : « Je le dirais, s'il n'avait été dit. Ceux qui nuisent à la réputation ou à la fortune des pauvres, plutôt que de perdre un bon mot, méritent une peine infamante : cela n'a pas été dit, et je l'ose dire. »
LA BRUYÈRE, les Caractères, VIII, 80.

Littér. *Diseur, diseuse de riens.* Vx. *Diseur de phébus* (→ Alambiquer, cit. 7).

4 Pour la non pareille Bouvillon, elle était la plus grande diseuse de riens qui ait jamais été et non seulement elle parlait seule, mais aussi elle se répondait.
SCARRON, le Roman comique, II, X, p. 205.
4.1 « Diseur de rien! » soupirait quelquefois ma mère quand j'étais un enfant bavard.
F. MAURIAC, le Nouveau Bloc-notes 1958-1960, p. 243.

Spécialt (métaphore littéraire) :

4.2 De la mort, Rilke affirme qu'elle est « *der eigentliche Jasager* », l'authentique diseuse de Oui, elle dit seulement Oui. Mais cela n'arrive que dans l'être qui a pouvoir de dire, de même que dire n'est dire et parole essentielle que dans ce Oui absolu où la parole donne voix à l'intimité de la mort.
M. BLANCHOT, l'Espace littéraire, p. 194.

♦ **2.** Absolt et vx. *Un beau diseur, un diseur :* celui qui affecte de bien parler. *Un grand diseur :* un homme qui parle beaucoup.

5 Tu fais toujours le beau diseur et le grand esprit; apprends que j'en sais plus que toi (...)   HAUTEROCHE, Crispin médecin, I, 6, *in* LITTRÉ.

Prov. *Les grands diseurs ne sont pas les grands faiseurs :* ceux qui parlent, se vantent, promettent le plus, font généralement le moins.

♦ **3.** Littér. Personne qui récite, déclame. *C'est un fin* (→ Café-concert, cit. 2), *un excellent diseur,* une personne qui déclame avec art et esprit.

6 (...) montrant (...) que rien ne lui échappait, qu'il avait tout compris, que tout, de la finesse du librettiste aux richesses de l'instrumentiste et à l'esprit de la diseuse, était aussi bien de son ressort.   PROUST, Jean Santeuil, Pl., p. 566.
7 Ce que je voyais c'était un homme chauve en costume marron, un diseur. Il racontait une histoire drôle, à propos d'un fiasco.   S. BECKETT, Nouvelles, p. 43.

DISGRÂCE [dizgrɑs] n. f. — 1539; ital. *disgrazia*, de *dis-*, et *grazia*, du lat. *gracia*. → Grâce.

♦ **1.** Perte des bonnes grâces, de la faveur d'une personne dont on dépend. ⇒ **Défaveur** (cit. 2). *Encourir, s'attirer la disgrâce d'un protecteur. Être, tomber en disgrâce.* ⇒ **Disgracié.** — Relig. Absence de la grâce (divine). → cit. 1.

1 (...) tous les hommes sont corrompus et dans la disgrâce de Dieu (...)
PASCAL, Pensées, IX, 619.
2 Un Persan qui (...) s'est attiré la disgrâce du prince, est sûr de mourir (...)
MONTESQUIEU, Lettres persanes, CIII.
3 Au lieu de soulager mes maux, je n'ai fait que les augmenter en m'exposant à votre disgrâce, et je sens que le pire de tous est de vous déplaire.
ROUSSEAU, Julie ou la Nouvelle Héloïse, Lettre II.
4 (...) lorsque tout tremble devant le tyran, et qu'il est aussi dangereux d'encourir sa faveur que de mériter sa disgrâce (...)
CHATEAUBRIAND, Mémoires d'outre-tombe, t. II, p. 329 (→ Abjection, cit. 1).

♦ **2.** État de celui qui a encouru la disgrâce. *La disgrâce de (qqn).* ⇒ **Chute, déchéance, destitution.** *La disgrâce de Fouquet. La disgrâce du ministre a entraîné celle de ses protégés. Suivre un ami dans sa disgrâce.*

5 Voilà ce que c'est que du monde! la moindre disgrâce nous fait mépriser de ceux qui nous chérissaient.   MOLIÈRE, les Précieuses ridicules, 16.
6 Brody-Larondet comprit alors. Il n'était pas homme à mentir, mais il entrevit sa disgrâce.   GIRAUDOUX, Bella, IV, p. 101.

♦ **3.** Vx. *(Une, des disgrâces).* Événement malheureux. ⇒ **Infortune, malheur, revers** (de fortune). *Il a essuyé de nombreuses disgrâces au cours de sa vie. Une cruelle disgrâce. Pour comble de disgrâce...* ⇒ **Détresse, misère.** *C'est le comble des disgrâces!* ⇒ **Adversité.** — Vx (en interj.). ⇒ **Malheur!**

7 Ah, malheur! Ah, disgrâce!   MOLIÈRE, l'Amour médecin, I, 6.
8 La mort n'est point pour moi le comble des disgrâces (...)
RACINE, Bajazet, II, 3.

9 Les hommes semblent être nés pour l'infortune (...) et comme toute disgrâce peut leur arriver, ils devraient être préparés à toute disgrâce.
LA BRUYÈRE, les Caractères, XI, 23.

♦ **4.** Littér. Manque de grâce. ⇒ **Disgracieux ; laideur.** *Disgrâce de nature.* ⇒ **Difformité, infirmité.**

10 (...) nos plus ardents révolutionnaires puisèrent leur haine de la société dans des disgrâces de nature ou dans des infériorités sociales.
CHATEAUBRIAND, Mémoires d'outre-tombe, t. IV, p. 188.
11 (...) l'esprit même de cette architecture anguleuse et décolorée me m'apparaissaient pour la première fois la disgrâce rébarbative, l'intransigeance et la parcimonie.   GIDE, les Faux-monnayeurs, I, XII, p. 127.

CONTR. Faveur, grâce (bonnes grâces); avantage, bonheur. — Beauté, charme, grâce.

DISGRACIÉ, ÉE [dizgrasje] adj. et n. — 1546, Rabelais; ital. *disgraziato* « malheureux », de *disgrazia*. → Disgrâce.

♦ **1.** Qui n'est plus en faveur, qui est tombé en disgrâce. *Un ministre disgracié.* ⇒ **Destitué.** *Amant disgracié.* ⇒ **Éconduit.**

1 Rien n'est bien d'un homme disgracié : vertus, mérite, tout est dédaigné ou mal expliqué (...)   LA BRUYÈRE, les Caractères, XII, 93.
2 L'ambassadeur disgracié, le chef de bureau mis brusquement à la retraite, le mondain à qui on bat froid, l'amoureux éconduit examinent, parfois pendant des mois, l'événement qui a brisé leurs espérances (...)
PROUST, À la recherche du temps perdu, t. XII, p. 142.

♦ **2.** Fig. Peu favorisé, mal partagé. ⇒ **Défavorisé.** *Être disgracié de la nature, par la nature.*

2.1 Elle avait conclu de bonne heure (...) qu'il y avait quelque chose de particulier dans son organisation. De conséquences en conséquences, elle vint à penser qu'elle était, jusqu'à un certain point, disgraciée de la nature : cette persuasion augmenta sa timidité et surtout son penchant pour la solitude (...)
Ch. NODIER, Jean Sbogar, I.

Absolt. *Être disgracié.* ⇒ **Difforme** (→ Dédommagé, cit. 2), **infirme.** *Visage disgracié.* ⇒ **Ingrat, laid.** *Les disgraciés de la fortune :* les pauvres. ⇒ **Déshérité.**

3 Elle haussa vers lui son visage tendre et disgracié.
SARTRE, l'Âge de raison, III, p. 52.

CONTR. Faveur (en faveur); favorisé.
DÉR. Disgracier.

DISGRACIER [dizgrasje] v. tr. — 1552; de *disgracié*.
Littéraire.

♦ **1.** Priver (qqn) de la faveur qu'on lui accordait. *Disgracier un ministre.* ⇒ **Destituer, renvoyer.** *Il a été disgracié à la suite d'une maladresse.*

On sait quel absurde prétexte prit l'empereur, à son retour, en plein conseil d'état, pour disgracier son ministre *(Fouché)* et le punir d'avoir sauvé la France sans lui.
BALZAC, Splendeurs et misères des courtisanes, Pl., p. 754.

♦ **2.** Fig. (au passif). *Il a été bien disgracié par (de) la nature.* ⇒ **Disgracié.**

CONTR. Favoriser, protéger.

DISGRACIEUSEMENT [dizgrasjφzmɑ̃] adv. — 1552; de *disgracieux*.

♦ Rare. De manière disgracieuse (Michelet, S. de Beauvoir, *in* T. L. F.).

(...) il est bien dur, ajouta-t-elle, que mon mari, qu'un homme sur l'affection duquel je croyais pouvoir compter, me traite aussi disgracieusement, et ne satisfasse point à ma fantaisie.   DUMAS, les Trois Mousquetaires, t. I, p. 219.

CONTR. Gracieusement.

DISGRACIEUX, EUSE [dizgrasjφ, φz] adj. — 1578; rare jusqu'au XVIIIe; ital. *disgrazioso*, puis de *dis-*, et *gracieux*. → Gracieux.

♦ Qui n'a aucune grâce. *Une personne revêche** et disgracieuse.* ⇒ **Déplaisant.** *Maintien, geste disgracieux. Ornement, assemblage disgracieux.* ⇒ **Informe, laid.** *Corps disgracieux. Visage disgracieux.* ⇒ **Ingrat.**

1 (...) on trouve, dans toutes ses lettres (...) beaucoup d'autres exemples d'une élocution naturellement disgracieuse et embarrassée.
Émile HENRIOT, les Romantiques, p. 235.
2 (...) l'absence d'arbres, les maisons disgracieuses et le plan absurde de la ville.
CAMUS, la Peste, p. 35.

N. (Rare). « *Les gracieux et les disgracieux* » (Péguy).

(Actes, comportements, paroles). *Une attitude assez disgracieuse. Réplique disgracieuse,* peu aimable. ⇒ **Déplaisant, désagréable, discourtois.**

CONTR. Gracieux; accort, appétissant, beau; agréable, aimable, gentil.
DÉR. Disgracieusement.

DISHARMONIE [dizaʀmɔni] n. f. — xxᵉ ; de *dis-*, et *harmonie*.

♦ Didact. ou littér. Absence d'harmonie (entre des parties, des éléments). *Disharmonie de sons, de couleurs.* ⇒ **Discordance.** — Fig. *Disharmonie des sentiments.*

CONTR. **Harmonie.**
HOM. **Dysharmonie.**

DISHLEY [diʃlɛ] n. m. — 1827 ; du nom de la ferme d'un éleveur anglais, *Dishley Grange,* dans le Leicestershire.

♦ Techn. Mouton de race anglaise, à laine grossière. *Des dishleys. Dishley-mérinos.*

DISJOINDRE [dizʒwɛ̃dʀ] v. tr. — Conjug. *joindre.* — 1361 ; réfection de *desjoindre* (déb. xiiᵉ) ; de *des- (dé-),* et *joindre,* d'après lat. *disjungere,* de *dis-,* et *jungere.*

♦ **1.** Écarter les unes des autres (des parties jointes entre elles). ⇒ **Déjoindre, désassembler, désunir, détacher, diviser, scinder, séparer.** *Le temps a disjoint les pierres du mur. Disjoindre une chose d'une autre.* — Par ext. *Le temps a disjoint le mur.* ⇒ **Fendiller, fendre, fissurer, lézarder.** — *Disjoindre des pièces articulées les unes avec les autres.* ⇒ **Déboîter, démonter, disloquer.** *Disjoindre les ais d'une cloison.* — *Disjoindre les lèvres, les mains, les cuisses.*

0.1 Jasper Hobson comprit ce qui s'était passé. Il attendit avec une inquiétude poignante. Une fracture du sol pouvait engloutir ses compagnons et lui. Mais une seule secousse se produisit, qui fut plutôt un contre-coup qu'un coup direct. Elle fit incliner la maison du côté du lac et en disjoignit les parois. Puis, le sol reprit sa stabilité et son immobilité. Il fallait songer au plus pressé. La maison, quoique déjetée, était encore habitable.   J. VERNE, le Pays des fourrures, t. I, p. 296.

♦ **2.** (Abstrait). Séparer. *Disjoindre deux sujets, deux questions.* ⇒ **Isoler.** — Dr. *Disjoindre deux causes,* les séparer pour les juger chacune à part.

▶ **SE DISJOINDRE** v. pron.

1 Il y avait des sons aigres, faux, étonnants, qui sortaient de partout ; toute cette membrure en forme d'oiseau de mer qui était la *Médée* se disjoignait peu à peu, en gémissant sous l'effort terrible.   LOTI, Mon frère Yves, XXVIII, p. 90.

▶ **DISJOINT, TE** p. p. adj.

♦ **1.** Qui n'est pas, n'a pas été ou n'est plus joint. *Ce mollusque a deux coquilles disjointes. Corps de logis disjoints.* ⇒ **Séparé.** *Panneaux disjoints d'un placard.* ⇒ **Ouvert.** *Vieux perron aux marches disjointes.* — Par oppos. à *joint* :

1.1 Ses mains indépendantes de femme qui a l'habitude de prier les mains disjointes.   GIRAUDOUX, Siegfried et le Limousin, p. 249.

♦ **2.** Dont les éléments sont disjoints.

2 Ainsi le siècle pénétrait jusqu'à moi par toutes les fissures d'un ciment disjoint.   RENAN, Souvenirs d'enfance..., III, III, p. 140.

♦ **3.** Fig. Qui n'est pas conjoint. ⇒ **Séparé.** *Questions bien disjointes,* qui n'ont rien à voir ensemble. ⇒ **Différent, distinct.** — Bot. *Espèces disjointes,* très éloignées les unes des autres. — Mus. *Degré disjoint* (⇒ **Degré,** 7.), opposé à *conjoint, diatonique.* Math. *Ensembles disjoints,* qui n'ont aucun élément commun. *Ménage disjoint. Famille disjointe.* ⇒ **Désuni.**

3 (...) les enfants des couples séparés les plus heureux du monde, car chacun des deux époux disjoints rivalise de gentillesse et de gâteries avec l'autre, afin de montrer la supériorité de son amour pour cette progéniture ainsi accablée de sollicitude.   Georges LECOMTE, Ma traversée, p. 105.

CONTR. **Joindre ; allier, assembler, rapprocher, rejoindre, réunir, unir.** — (Du p. p.) **Conjoint.**

DISJONCTER [disʒɔ̃kte] v. intr. — V. 1950 ; de *disjoncteur.*

♦ Fam. Produire une interruption de courant (souvent suj. impers.). *Ça a disjoncté.* → **Sauter.** — Fig. (suj. n. de personne). Perdre le contact avec la réalité.

DISJONCTEUR [dizʒɔ̃ktœʀ] n. m. — 1883 ; du lat. *disjunctum,* supin de *disjungere* «disjoindre».

♦ Techn. et cour. Interrupteur* automatique. *Le disjoncteur coupe le courant quand celui-ci est trop fort ou quand la tension est trop basse. Disjoncteur d'automobile. Disjoncteur grâce auquel le courant se rétablit automatiquement.* ⇒ **Conjoncteur-disjoncteur.**

DISJONCTIF, IVE [dizʒɔ̃ktif, iv] adj. — 1534 ; lat. *disjunctivus,* du supin de *disjungere.* → Disjoindre.

♦ Didact. Qui disjoint, isole deux éléments logiques. — Gramm. *Particule, conjonction disjonctive,* qui unit les termes en séparant les idées. — N. f. *Les disjonctives* ou, *soit que... Propositions disjonctives,* dont la coordination est disjonctive.

1 La coordination *disjonctive* indique que deux faits s'excluent l'un l'autre ou traduit une alternative ; elle se marque par *ou, ou bien, soit que... soit que, soit que... ou que..., que... que, tantôt... tantôt : Tu étais à ton poste* OU *tu n'y étais pas.* — *Il paiera* OU BIEN *il sera poursuivi* (AC.). — SOIT QU'*il le fasse,* SOIT QU'*il ne le fasse pas* (ID.). — *Il dit* TANTÔT *qu'il consent,* TANTÔT *qu'il refuse.*   GREVISSE, le Bon Usage, 181.

Log. Se dit d'un jugement qui affirme une alternative. *Le dilemme* est un syllogisme disjonctif.* — N. f. *Une disjonctive :* une alternative disjonctive (opposé à *alternative exclusive*).

2 L'induction, l'analogie, le syllogisme hypothétique et disjonctif, marquent les degrés du raisonnement selon l'essence.   ALAIN, Hegel, *in* les Passions et la Sagesse, Pl., p. 1014.

CONTR. **Conjonctif, copulatif.**

DISJONCTION [dizʒɔ̃ksjɔ̃] n. f. — xiiiᵉ ; lat. *disjunctio,* du supin de *disjungere.* → Disjoindre.

♦ **1.** Didact. Action de disjoindre (des idées) ; résultat de cette action. ⇒ **Désunion, dislocation, écartement, séparation.** *La disjonction de deux questions. Les procédés logiques, grammaticaux de disjonction* (⇒ **Disjonctif**).

♦ **2.** (1690). Dr. Séparation (de deux ou plusieurs causes). *Disjonction d'un article de projet de loi,* qu'on sépare de l'ensemble pour en faire ultérieurement l'examen. *Voter la disjonction.* — *Disjonction de deux causes, de deux instances.*

1 Si les demandes originaires et en garantie sont en état d'être jugées en même temps, il y sera fait droit conjointement ; sinon le demandeur originaire pourra faire juger sa demande séparément : le même jugement prononcera sur la disjonction, si les deux instances ont été jointes (...)   Code de procédure civile, art. 184.

♦ **3.** (1864). Log. Proposition disjonctive inclusive (une au moins des deux propositions est vraie) ou exclusive (une seule des deux est vraie). *Symbole de la disjonction* (V). ⇒ **Ou ; somme** (logique).

CONTR. **Jonction ; conjonction.**

DISLOCATION [dislɔkasjɔ̃] n. f. — 1314 ; lat. médical *dislocatio,* du supin de *dislocare.* → Disloquer.

♦ **1.** Le fait de se disloquer, état de ce qui est disloqué. Méd. Déplacement anormal, en général par traumatisme (d'un organe ou d'une partie du corps). *Dislocation d'une articulation.* ⇒ **Déboîtement, désarticulation, entorse, foulure, luxation.**

♦ **2.** Le fait de se disloquer (2.) ; disjonction, séparation violente. *La dislocation des pièces d'une machine.*

♦ **3.** (1830, *in* D.D.L.). Géol. *Dislocation de l'écorce terrestre.* ⇒ aussi **Faille, plissement.**

1 (...) les dislocations peuvent être des ploiements de couches sans cassure, ou bien il peut y avoir cassure et déplacement d'un compartiment par rapport à l'autre le long du plan de fracture. Dans le premier cas on parle de *plissements,* dans le second, de *failles.*   E. DE MARTONNE, Géographie physique, t. II, VII, p. 689.

(1580). Fig. *La dislocation d'un empire.* ⇒ **Démembrement, désagrégation, dissolution.**

♦ **4.** Cour. Séparation des membres (d'un groupe). *La dislocation du cortège s'opéra au rond-point.* ⇒ **Dispersion.** *Dislocation d'une armée :* le renvoi des troupes dans leurs cantonnements respectifs.

2 Murat profita de cette incertitude pour s'arrêter plusieurs jours à Gumbinen et pour diriger sur les différentes villes qui bordent la Vistule les restes du corps ; au moment de cette dislocation de l'armée, il en réunit les chefs.   Ph. P. SÉGUR, Hist. de Napoléon, XII, V, *in* LITTRÉ.

Spécialt. Commandement par lequel on signale la fin d'une manœuvre.

3 « Monsieur, votre troupe a bien défilé, je vous en complimente », dit (...) le général... Il retourna vers sa voiture. Il entendit, derrière lui, du côté des écuries, crier « Dislocation ! » et puis les grands éclats de rire (...)   M. DRUON, les Grandes Familles, III, VIII, p. 143.

CONTR. **Remboîtage, remboîtement. — Agencement, assemblage, montage, remontage. — Jonction, union.**

DISLOQUER [dislɔke] v. tr. — 1545 ; lat. médical médiéval *dislocare* «déboîter», de *dis-,* et lat. class. *locare* «placer, mettre en un lieu», de *locus* «lieu».

♦ **1.** Déplacer violemment (les parties d'une articulation). ⇒ **Déboîter, démettre, désarticuler.** *Disloquer la mâchoire de qqn.* ⇒ **Démantibuler.** — Par ext. *Disloquer un membre. Disloquer le bras, l'épaule de qqn.* ⇒ **Démancher.** *Le bourreau lui avait disloqué, rompu les jambes.*

1 (...) quels sont les indices assez puissants pour engager un juge à commencer par disloquer les membres d'un citoyen, son égal, par le tourment de la question.   VOLTAIRE, Polit. et législ., Proc. crim. de Montbailli et de sa femme, *in* LITTRÉ.

♦ **2.** (1588). Séparer violemment, sortir de leur place normale (les parties d'un ensemble). ⇒ **Désunir.** *Disloquer les rouages, les éléments d'une machine, d'une pièce d'artillerie.* ⇒ **Déranger, détraquer, fausser** (→ Caronade, cit. 1). Par ext. Séparer les éléments de... *Disloquer une machine, des meubles.* ⇒ **Briser, casser, démolir.** Par anal. *Disloquer un cortège, un rassemblement* (⇒ **Disperser**), *un convoi* (⇒ **Diviser**). Fig. *Disloquer un empire* (⇒ **Démembrer**), *un État, un système.*

▶ **SE DISLOQUER** v. pron.

♦ **1.** *Se disloquer le pied, la main, l'épaule.* ⇒ **Luxer** (se). Par ext. *Se disloquer, avoir l'air de se disloquer en vieillissant.* ⇒ **Déformer** (se) ; → Ampoule, cit. 2.

♦ **2.** *Clown* (cit. 1) *qui se disloque en faisant des acrobaties.* ⇒ **Contorsionner** (se), **désosser** (se).

♦ **3.** *Cortège qui se disloque.* ⇒ **Dissoudre, séparer** (se). — *Système, État qui se disloque.* ⇒ **Désagréger** (se).

2 Au moment où se disloqua l'assistance officielle, j'aperçus Jules Ferry qui s'en allait avec Eugène Spuller (...) Georges LECOMTE, Ma traversée, p. 181.

3 Salomon à peine mort, son royaume se disloque. Sa splendeur ouvre un temps de désordre et de décadence, qui s'achèvera dans un vertigineux écroulement. DANIEL-ROPS, le Peuple de la Bible, III, II, p. 201.

▶ **DISLOQUÉ, ÉE** p. p. adj.

♦ **1.** *Articulation disloquée. — Rouages, éléments disloqués.*

♦ **2.** Dont les éléments ont été disjoints ; par ext., dont les parties ne tiennent plus ensemble. *Un vieux fauteuil disloqué. Une voiture toute disloquée. — Cortège disloqué.* Cassé en plusieurs éléments. — Fig. *Phrase disloquée.*

♦ **3.** (Personnes ; corps). Dont les membres n'ont pas la coordination normale. *Corps, pantin disloqué.*

4 Ces monstres disloqués furent jadis des femmes. BAUDELAIRE, les Fleurs du mal, « Tableaux parisiens », XCI.

DISNEYEN, ENNE [disnɛjɛ̃, ɛn] adj. — Mil. XXᵉ ; du nom de Walt Disney.

♦ Relatif aux dessins de Walt Disney et de son entreprise ; qui évoque les dessins et dessins animés des studios Walt Disney (caractérisés par l'habileté graphique, la simplicité des contours, la caricature souvent animale, et évoquant en général la mièvrerie, le traditionalisme du dessin). *« Sa nouvelle formule* (du *Journal de Mickey) contient, outre les sous-produits disneyens (...) de vieilles bandes américaines » (Magazine littéraire,* n° 95, déc. 1974, p. 16).

DISPACHE [dispaʃ] n. f. — 1842 ; ital. *dispaccio* « dépêche », ou esp. *despacho.*

♦ Dr. mar. Règlement des pertes et avaries entre assuré et compagnie d'assurances.

La dispache. — L'article 401 du Code de commerce prévoit que les avaries communes sont réglées au marc le franc de la valeur des biens sauvés (marchandises, navires, etc.). Pour obtenir ce règlement, il convient donc de procéder à une double opération en évaluant, en premier lieu, le montant des avaries, puis le montant des valeurs qui ont été sauvegardées.
Cette opération extrêmement complexe et souvent délicate s'appelle la « dispache » et est effectuée par des personnes spécialisées nommées « dispacheurs ». Albert BAYER, le Droit maritime, p. 100.

DÉR. Dispacheur.

DISPACHEUR [dispaʃœʀ] n. m. — Déb. XXᵉ ; de *dispache,* p.-ê. d'après esp. *despachador,* de *despachar* « expédier ».

♦ Techn. Expert chargé des dispaches. → Dispache, cit. — Syn. : *expert répartiteur.*

En cas d'avaries grosses, elles seront réglées suivant les règles de York-Anvers 1890 par deux dispacheurs nommés l'un par le capitaine et l'autre par les propriétaires du chargement (...) J.-R. BLOCH, Sur un cargo, p. 229.

REM. Ne pas confondre avec *dispatcher**.

DISPARAÎTRE [dispaʀɛtʀ] v. intr. — Conjug. *paraître.* → Connaître. — 1509 ; de *dis-,* et *paraître* ; remplace l'anc. franç. *disparoir,* XIIIᵉ.

1 *Disparaître* se conjugue avec l'auxiliaire avoir, quand on veut exprimer l'action : ces feux ont disparu tout à coup ; avec l'auxiliaire être (vieilli ou littér.) quand on veut exprimer l'état : ces feux sont disparus depuis longtemps. LITTRÉ, Dict., art. *Disparaître.*

★ **I.** Ne plus être vu ou visible. ♦ **1.** Cesser de paraître, d'être visible. ⇒ **Aller** (s'en aller), **échapper** (aux regards), **éclipser** (s'), **évanouir** (s'), **évaporer** (s'). — *Qui disparaît par degrés* (⇒ **Évanescent**). *Qui disparaît aussitôt qu'apparu* (⇒ **Fugace, fugitif, fuyant**). *Disparaître aux regards, aux yeux, à la vue. — Disparaître dans, derrière, sous* (qqch.). *Le soleil disparaît derrière les nuages* (⇒ **Cacher** [se], **voiler**), *disparaît à l'horizon* (⇒ **Coucher** [se]). *La lune s'abaisse et disparaît* (→ Croissant, cit. 2). *Sommets qui disparaissent dans les nuages.* ⇒ **Fondre** (se).

2 Il *(le soleil)* plonge enfin parmi les collines et disparaît, tout rouge et comme déchiré par les aspérités de l'horizon. E. FROMENTIN, Une année dans le Sahel, p. 159.

3 (...) la brume subtile où toutes les formes apparaissaient et disparaissaient soudainement (...) Valery LARBAUD, Amants, heureux amants, I, p. 13.

Être caché, dissimulé par. ⇒ **Cacher** (se), **dissimuler** (se), **recouvrir** (être recouvert de, par) ; → Corniche, cit. 4. *La maison disparaît sous la verdure. Inscriptions gravées qui disparaissent sous la patine.*

4 Les deux panneaux en retour disparaissaient sous des dessins à la plume, des pay-

sages à la gouache et des gravures d'Audran, souvenirs d'un temps meilleur et d'un luxe évanoui. FLAUBERT, Trois contes, « Un cœur simple ».

(À la suite d'un mouvement). *Source qui disparaît sous terre.* ⇒ **Enfoncer** (s'), **engouffrer** (s'). *Disparaître au tournant d'une route. Disparaître dans la profondeur du sous-bois. Le nageur disparut à nos yeux* (⇒ **Plonger**).

5 À mes yeux étonnés leur troupe est disparue. RACINE, Bajazet, v, 3.

6 (...) les voitures disparurent, l'une après l'autre, derrière le tournant (...) SARTRE, le Sursis, p. 65 (→ Cahotant, cit. 1).

♦ **2.** (1650). Personnes. S'en aller. ⇒ **Fuir, partir, retirer** (se). *Disparaître sans laisser de traces.*

6.1 Si j'avais disparu, est-ce qu'il serait parti à ma recherche ? J. ROMAINS, les Hommes de bonne volonté, t. IV, XVII, p. 189.

Disparaître aux yeux du monde ; disparaître de la scène (du monde) : s'isoler dans la retraite, se retirer dans la solitude.

7 Et sans doute elle attend le moment favorable
Pour disparaître aux yeux d'une cour qui l'accable. RACINE, Bérénice, I, 3.

S'esquiver en hâte. ⇒ **Enfuir** (s'), fam. **défiler** (se).

8 L'ami, si de ces lieux tu ne veux disparaître (...) MOLIÈRE, Amphitryon, III, 2.

9 Les Tyriens, jetant armes et boucliers,
Ont, par divers chemins, disparu les premiers. RACINE, Athalie, v, 6.

Disparaître furtivement, discrètement. ⇒ **Éclipser** (s'), **esquiver** (s').

10 Il apprit à jouer au croquet ; il disparaissait avec les jeunes filles, quand une visite arrivait (...) J. CHARDONNE, les Destinées sentimentales, p. 86.

♦ **3.** (En parlant d'objets qu'on ne peut retrouver). *Nos gants ont disparu.* ⇒ **Égarer** (s'). *Il ne trouve plus ses dossiers : ils n'ont pas disparu tout seuls.* ⇒ **Envoler** (s'), **volatiliser** (se).

★ **II.** (Fin XVIIᵉ). Cesser d'être, d'exister.

♦ **1.** (Êtres vivants). ⇒ **Éteindre** (s'), **mourir.** *Marins qui disparaissent en mer.* ⇒ **Perdre** (se). *Toutes ces personnes ont disparu* (→ Cataloguer, cit. 1). *Il a disparu dans la fleur de l'âge.* ⇒ **Quitter** (cette terre).

11 (...) nous disparaîtrons, moi qui suis si peu de chose, et ceux que je contemplais si avidement, et de qui j'espérais toute ma grandeur (...) LA BRUYÈRE, les Caractères, VIII, 66.

Ne plus être retrouvable, sans que le décès soit certain. → ci-dessous Disparu, 2.

12 Le père avait disparu pendant l'invasion prussienne. Ed. et J. DE GONCOURT, Journal, 1872, p. 895, *in* T. L. F.

♦ **2.** (Choses). Être anéanti. *Navire qui disparaît en mer.* ⇒ **Couler** (bas), **perdre** (se), **périr, sombrer.** *Troie a disparu de la surface de la terre. — Le brouillard a disparu vers dix heures.* ⇒ **Dissiper** (se), **évaporer** (s'), **fondre** (se). — *La rougeur de son visage commence à disparaître.* ⇒ **Effacer** (s'). *Son malaise a disparu très vite. Il a disparu comme par enchantement.*

13 Vous voulez que je vous parle de ma santé (...) ce petit étouffement est disparu à la vue de l'horizon de notre petite terrasse (...) Mᵐᵉ DE SÉVIGNÉ, 567, 12 août 1676.

14 La vigueur du corps s'entretient par l'occupation physique ; le labeur cessant, la force disparaît (...) CHATEAUBRIAND, Mémoires d'outre-tombe, t. VI, p. 319.

15 Sur sa figure ronde où rien d'autre ne bouge, un petit pli, entre les sourcils, se forme et disparaît, reparaît et s'efface, seul indice du débat intérieur. MARTIN DU GARD, les Thibault, t. III, p. 168.

16 Un miracle, s'il dure, cesse d'être considéré comme tel. C'est pourquoi les apparitions disparaissent si vite. COCTEAU, Thomas l'imposteur, p. 134.

(Abstrait). *Ses craintes, ses soucis ont disparu en un clin* (cit. 3) *d'œil.* ⇒ **Dissiper** (se), **effacer** (s'), **évanouir** (s') ; **fumée** (s'en aller en fumée). *Après cet échec, tout orgueil a disparu en lui* (→ Anéantissement, cit. 2). *Ce défaut n'a pas encore disparu chez lui* (→ Appliquer, cit. 36). *Cette mode a disparu depuis longtemps.* ⇒ **Abandonner** (être abandonné) ; → S'en aller rejoindre les vieilles lunes*. *Civilisation qui disparaît. Dialecte qui commence à disparaître.* ⇒ **Perdre** (se). *Toute raison de vivre a disparu pour lui. Ses forces disparaissent peu à peu.* ⇒ **Diminuer, épuiser** (s'), **tarir.** *Tout finit par disparaître.* ⇒ **Passer.**

17 Tout ! Tout a disparu, sans échos et sans traces,
Avec le souvenir du monde jeune et beau. LECONTE DE LISLE, Poèmes barbares, « La dernière vision ».

18 (...) quand l'illusion disparaît, c'est-à-dire quand nous voyons l'être ou le fait tel qu'il existe en dehors de nous, nous éprouvons un bizarre sentiment, compliqué moitié de regret pour le fantôme disparu, moitié de surprise agréable devant la nouveauté, devant le fait réel. BAUDELAIRE, le Spleen de Paris, XXX.

(Auxiliaire *être*). *Ce qui est disparu.* → ci-dessous Disparu, p. p.

19 La force des peuples barbares tient à leur jeunesse et disparaît avec elle. HUGO, Post-scriptum de ma vie, Tas de pierres, IV.

20 Les civilisations de l'Inde, de la Chaldée, de la Perse, de la Syrie, de l'Égypte, ont disparu l'une après l'autre. HUGO, les Misérables, IV, VII, IV.

21 Si, extraordinairement, la monarchie disparaissait, la féodalité resterait, le système resterait. J. ROMAINS, les Hommes de bonne volonté, t. IV, IX, p. 90.

Par exagér. *Sa voix disparaissait dans ce tumulte.* ⇒ **Perdre** (se). *Son mérite disparaissait devant la gloire du vainqueur.* ⇒ **Affaiblir** (s'), **éclipser** (s'), **effacer** (s').

22 Tout disparaît dans Rome auprès de sa splendeur (...) RACINE, Bérénice, III, 2.

★ **III.** FAIRE DISPARAÎTRE. ♦ **1.** *Faire disparaître qqn,* le sous-traire à la vue.

23 Mais bientôt, à ma vue, on l'a fait disparaître. RACINE, Athalie, II, 5.
Faire disparaître qqch., l'enlever, le cacher. ⇒ **Escamoter.** *Faire disparaître un document compromettant.*

24 Lucas aligna sur la table une demi-douzaine de boîtes de conserves de poissons. La Marocaine les fit prestement disparaître.
P. MAC ORLAN, la Bandera, XV, p. 178.

♦ **2.** a (Compl. n. de personne). ⇒ **Supprimer, tuer.** « (...) qu'ils me tuent s'ils veulent. Seulement, c'est Pauline qu'ils feront dispa-raître » (H. Pourrat, *Gaspard des montagnes,* p. 257).

b (Compl. n. de chose). *Faire disparaître qqch.* ⇒ **Anéantir, détruire, effacer, enlever, supprimer** ; → Passer au bleu*. *Le temps a fait disparaître cette inscription.* ⇒ **Oblitérer.** *Médicament qui fait disparaître les maux de tête* (⇒ **Chasser**)*, la fièvre* (⇒ **Tomber**). *Faire disparaître une tumeur.* ⇒ **Fondre, résorber.** *Il fit disparaître le reste de son repas.* ⇒ **Absorber, engloutir, engouffrer, manger.** — *Faire disparaître les taches d'un vêtement.* ⇒ **Enlever, ôter, suppri-mer.** *Faire disparaître une faute* (⇒ **Corriger, éliminer**)*, une lacune* (⇒ **Combler**)*.* *Faire disparaître un obstacle, une difficulté, un doute.* ⇒ **Balayer, dissiper, lever, résoudre, vaincre.** *Faire disparaître la colère.* ⇒ **Apaiser, calmer.** *Faire disparaître les hésitations, les derniers scrupules de qqn.* ⇒ **Chasser, taire** (faire taire).

25 À la vérité, la France possédait-elle encore, contre les apparence, bien des *atouts maîtres,* que sa déroute récente n'avait pas fait disparaître de son jeu.
Louis MADELIN, Talleyrand, III, XXVIII, p. 298.

c (Sens I, 3). Subtiliser, rendre introuvable. *Qui a encore fait dis-paraître mon stylo ?*

▶ **DISPARU, UE** p. p. adj.

♦ **1.** Qui n'est plus visible.

26 Êtes-vous pour jamais disparu de mes yeux ? CORNEILLE, Psyché.

27 (...) l'image insaisissable qu'il avait poursuivie de toute l'ardeur d'une imagination amoureuse, et dont il n'avait pu apercevoir que le profil ou un dernier pli de robe, aussitôt disparu (...) Th. GAUTIER, la Toison d'or, II.

28 Miraculeux anneau, disparu du regard
Avec celui que tu fais disparaître,
Protège le bonheur de mon ami Gygès et cache-le !
GIDE, le Roi Candaule, II, 1.

Qui est parti brusquement ou mystérieusement.

29 Ignacio, le plus aventurier de toute la famille, son frère disparu depuis des années sans donner de ses nouvelles !... LOTI, Ramuntcho, I, IX, p. 101.

♦ **2.** Qui a cessé d'exister (→ Biographie, cit. 3 ; couler, cit. 23). *Marin disparu en mer. Un monde disparu* (→ Barrière, cit. 6). ⇒ **Éteint, évanoui.**

30 Dans les Assemblées, l'opposition, qu'on croyait disparue, se reconstituait.
Louis MADELIN, Hist. du Consulat et de l'Empire,
Le Consulat, XI, p. 171.

N. (1907). *Les disparus :* ceux qui sont morts, et, spécialt, les soldats qui, dans une guerre, sont considérés comme morts bien que leur décès n'ait pu être établi. *Être porté disparu. Prier pour les dispa-rus. Le nombre de tués et de disparus.* — (Dans un autre contexte que la guerre). Personne présumée morte. *L'inondation a fait quel-ques morts et des disparus.*

CONTR. Apparaître, paraître, reparaître. — Être, former (se), manifester (se), montrer (se). — Commencer, rester, revenir. — Conserver, garder.
DÉR. V. Disparition.

DISPARATE [disparat] adj. et n. f. — 1655 ; lat. *disparatus* « iné-gal », p. p. de *disparare,* de *dis-,* et *parare* « apprêter », de *par, paris* « égal » ; le substantif a été emprunté à l'esp. *disparate* (n. m.), dér. du v. *disparatar* (du lat. *disparatum*), par l'anc. franç. *disparate* « acte extra-vagant ».

★ **I.** Adj. Qui n'est pas en accord, en harmonie avec ce qui l'entoure ; dont la diversité même est choquante. ⇒ **Discordant, divers, hétéroclite, hétérogène.** *Assemblage de sons disparates.* ⇒ **Cacopho-nie.** *Couleurs, ornements disparates qui jurent*.* — Dont les élé-ments sont disparates. *Un mobilier disparate.*

1 Ton sentiment et ton langage font avec les siens un effet disparate comme la ren-contre de tons criards dans un tableau (...)
G. SAND, François le Champi, Avant-propos, p. 17.

2 (...) le sol était jonché des objets les plus disparates, autour d'une malle béante, à moitié vide. MARTIN DU GARD, les Thibault, t. III, p. 136.

3 Nous avons étalé jusqu'ici sur la table des éléments variés et singulièrement dis-parates. André SIEGFRIED, l'Âme des peuples, VII, III, p. 170.

★ **II.** N. F. (Fin XVIIe). Vx ou littér., didact. Défaut d'harmonie, dissem-blance choquante (entre deux ou plusieurs choses). ⇒ **Différence, disparité.**

4 Un contraste est agréable, une disparate est toujours choquante ; en général, on peut appeler disparate une opposition trop forte et trop tranchante ; et contraste, une opposition délicate qui ne produit qu'une surprise modérée et un sentiment plus doux et plus profond que violent (...)
Mme DE GENLIS, Leçons d'une gouvernante, t. II, p. 397.

5 Il y avait en moi de telles disparates, ma condition d'écolier formait avec mes dispositions morales des désaccords si ridicules, que j'évitais comme une humilia-

tion nouvelle toute circonstance de nature à nous rappeler à tous deux ces désac-cords. E. FROMENTIN, Dominique, VIII, p. 123.

6 Il fut envoyé à Orléans, au 76e régiment d'infanterie, et, grâce à un colonel « intel-ligent », c'est-à-dire sensible au prestige civil et accessible aux recommandations, ne souffrit pas trop de la disparate entre la caserne et la famille.
A. MAUROIS, À la recherche de M. Proust, II, III, p. 48.

REM. On emploie souvent le substantif au masculin ; on peut alors le considérer comme la substantivation normale de l'adjectif.

7 Jusque-là, comme beaucoup d'hommes chez qui leur goût pour les arts se déve-loppe indépendamment de la sensualité, un disparate bizarre avait existé entre les satisfactions qu'il accordait à l'un et à l'autre (...)
PROUST, Du côté de chez Swann, Pl., t. I, p. 246.

CONTR. Assorti, harmonieux, homogène, proportionné. — Conformité, harmonie, unité.

DISPARATION [disparαsjɔ̃] n. f. — Mil. XXe ; dér. sav. du lat. *dis-paratus.* → Disparate.

♦ Physiol. Différence entre les deux images d'un même objet, formées par les deux rétines.

DISPARITÉ [disparite] n. f. — 1282 ; lat. *dispar, disparis,* de *dis-,* et *par, paris,* d'après *parité.*

♦ *(La disparité).* Absence d'accord, d'harmonie entre les éléments ; caractère disparate. ⇒ **Contraste, différence, disparate, dissem-blance, dissonance, diversité, hétérogénéité, inégalité.** *Disparité entre deux personnes, deux caractères. Disparité des couleurs.* ⇒ **Bigar-rure.** *La disparité des éléments d'un tout* (→ Accommodation, cit.).

1 Ces vues si déshonnêtes et si communes, qui compensent aux yeux des parents l'extrême disparité d'âge (...) DIDEROT, Essai sur Claude, I, 95, *in* LITTRÉ.
(Une, des disparités).

2 C'est le privilège des conceptions fortes d'unifier, par leur seul contact, les dispa-rités les plus criantes dans le lecteur, l'auditeur ou le spectateur.
J.-R. BLOCH, Deux hommes se rencontrent, p. 138.

Écon. Divergence entre deux éléments, créant une situation de désé-quilibre. *Disparité entre deux taux de croissance.*

CONTR. Accord, analogie, conformité, parité, ressemblance, similitude.

DISPARITION [disparisjɔ̃] n. f. — 1559 ; de *disparaître,* d'après *apparition.*
Action de disparaître* ; résultat de cette action.

♦ **1.** Le fait de n'être plus visible. *La disparition du soleil à l'horizon.* ⇒ **Coucher.** *La disparition d'une planète, d'une étoile.* ⇒ **Occultation.** *Disparition totale ou partielle d'un astre.* ⇒ **Éclipse.**

♦ **2.** Action de partir, de disparaître d'un lieu, de ne plus se mani-fester (⇒ **Départ, éloignement, retraite**) ; le fait de ne plus être visi-ble. *La disparition brutale, rapide, soudaine de qqn. Apparitions et disparitions intermittentes. La disparition de qqn derrière un arbre, sous un couvert, dans une maison. Disparition de l'ennemi durant la nuit* (→ Braillard, cit. 2 ; débucher, cit. 3). — *Absence inexpli-cable. Il n'a prévenu personne de sa disparition.* ⇒ **Absence, fugue.** *La disparition de l'enfant remonte à huit jours. Constater la dis-parition d'une grosse somme d'argent* (perte ou vol).

Parfois des collaborateurs plus jeunes et plus sages se trouvent en place et la dis-parition du chef est un bienfait ; il se peut aussi, que des ignorants soient appe-lés à régner par hasard. J. CHARDONNE, l'Amour du prochain, p. 109.

♦ **3.** Action de disparaître en cessant d'exister. ⇒ **Mort ; fin, sup-pression.** *La disparition d'un navire en mer.* ⇒ **Perte.** *Dispari-tion d'espèces préhistoriques.* — *La disparition d'une civilisation* (⇒ **Dissolution, effacement, évanouissement**). — *Disparition de trou-bles organiques.* — *Depuis la disparition de leur chef, les mem-bres du parti se sont brouillés.*

CONTR. Apparition, réapparition.

DISPATCHER [dispatʃœʀ] n. m. — 1915, *in* Höfler ; mot angl., de *to dispatch* « répartir ».

♦ Anglic. Celui qui s'occupe d'un dispatching. — Recomm. off. : ⇒ **Régulateur.**

REM. Ne pas confondre avec *dispacheur*.*

DISPATCHING [dispatʃiŋ] n. m. — 1921 ; mot angl., p. prés. de *to dispatch* « répartir ».

♦ Anglic. Techn. Organisme central qui assure la régulation du tra-fic (ch. de fer, aviat.), la répartition de l'énergie électrique, etc. — Recomm. off. : *poste de distribution, de commande.*

DISPENDIEUSEMENT [dispãdjøzmã] adv. — 1843 ; de *dispendieux.*

♦ Rare. D'une manière dispendieuse. *Vivre dispendieusement.*
CONTR. Économiquement.

DISPENDIEUX, IEUSE [dispãdjø, jøz] adj. — 1495, attestation isolée ; repris 1709, bas lat. *dispendiosius,* de *dispendium* «dépense», de *dispendere* «partager». → Dispenser.

♦ **1.** Qui est l'occasion d'une grande dépense. ⇒ **Coûteux, onéreux.** *Une façon de vivre dispendieuse. Habitudes dispendieuses. Besoins, goûts dispendieux.*

Je n'avais pas un sol de rente ; mais j'avais un nom, des talents ; j'étais sobre, et je m'étais ôté les besoins les plus dispendieux, tous ceux de l'opinion.
ROUSSEAU, les Confessions, IX.

♦ **2.** Par ext. (critiqué ; pop. ou fam.). Qui coûte cher. *Un repas dispendieux. C'est trop dispendieux pour nous.*

CONTR. Marché (bon marché) ; économique, gratuit ; sobre.
DÉR. Dispendieusement.

DISPENSABLE [dispãsabl] adj., — xIVe ; de *dispenser.*

♦ Dr. *Cas dispensable,* pour lequel on peut obtenir une dispense.

DISPENSAIRE [dispãsɛʀ] n. m. — 1803, à propos de la France ; 1775, à propos des établissements anglais ; angl. *dispensary,* de *to dispense,* cf. anc. franç. *dispensaire* (1573) «recueil de formules» ; de *dispenser.*

♦ Établissement (public ou privé) où l'on donne gratuitement des soins courants et où l'on assure le dépistage et la prévention de certaines maladies à caractère social. *Dispensaire anti-tuberculeux, anti-cancéreux. Aller se faire soigner dans un dispensaire, au dispensaire.*

Il y avait aussi toute une population de malades et de miséreux à isoler, à soigner, à guérir. À l'heure actuelle, partout des hôpitaux (...) des dispensaires, des lazarets (...)
L. M. LYAUTEY, Paroles d'action, p. 114.

DISPENSATEUR, TRICE [dispãsatœʀ, tʀis] n. — 1174, *despensatur ;* lat. *dispensator, -trix* «intendant», du supin de *dispensare.* → Dispenser.

♦ Personne qui dispense*, qui distribue. ⇒ **Distributeur, répartiteur.** *La justice est la dispensatrice des peines et des récompenses* (Furetière). *Dispensateur de richesses, de biens. Dieu, le dispensateur de toutes grâces* (→ Charnel, cit. 5).

1 (...) un grand ministre est celui qui est le sage dispensateur des revenus publics (...)
MONTESQUIEU, l'Esprit des lois, XIII, XV.

2 (...) je savais qu'auprès du dispensateur des vrais biens le meilleur moyen d'obtenir ceux qui nous sont nécessaires est moins de les demander que de les mériter.
ROUSSEAU, les Confessions, VI.

3 (...) je suppliai le dispensateur de toutes grâces d'accorder à l'orphelin le bonheur, et de lui donner le dédain de la puissance.
CHATEAUBRIAND, Mémoires d'outre-tombe, t. VI, p. 26.

4 (...) les banques centrales, dispensatrices des devises, tiennent ainsi en main la clef d'une serrurerie financière grâce à laquelle la fermeture devient effectivement hermétique.
André SIEGFRIED, l'Âme des peuples, II, II, p. 21.

5 L'oiseau, rempli de reconnaissance, s'avança plus près encore sans aucune frayeur, se laissant caresser et prendre par la généreuse dispensatrice, qui, touchée de cette confiante sympathie, le ramena chez elle et commença son éducation.
Raymond ROUSSEL, Impressions d'Afrique, p. 406.

Adj. *Un geste dispensateur (de bienfaits...).*

DISPENSATION [dispãsasjõ] n. f. — V. 1200 ; lat. impérial *dispensatio,* du supin de *dispensare.* → Dispenser.

♦ Vx ou littér. Distribution (→ Adresse, cit. 3). *La dispensation juste de la lumière et des ombres.* → Reflet, cit. 1.

Rien ne fait mieux comprendre le peu de choses que Dieu croit donner aux hommes, en leur abandonnant les richesses, l'argent, les grands établissements (...) que la dispensation qu'il en fait (...)
LA BRUYÈRE, les Caractères, VI, 24.

DISPENSE [dispãs] n. f. — V. 1447 ; déverbal de *dispenser* (2.), attesté postérieurement.

♦ **1.** Relig. et cour. Autorisation spéciale, donnée par l'autorité ecclésiastique de faire ce qui est défendu ou de ne pas faire ce qui est prescrit. ⇒ **Autorisation, exemption, permission.** *Demander, obtenir une dispense ; accorder une dispense à qqn* (⇒ **Dispenser**). *Dispense accordée par le pape. Obtenir dispense de Rome, en cour de Rome* (→ Autel, cit. 27). *Il a eu sa dispense du pape.*

1 À Rome, on ne lit point Boccace sans dispense (...)
LA FONTAINE, Contes et Nouvelles en vers, « Ballade ».

2 On n'a point pour la mort de dispense de Rome. MOLIÈRE, l'Étourdi, II, 3.

♦ **2.** Dr. civil et cour. Décharge d'une obligation. *Dispense du service militaire. Dispense de scolarité ou d'examen. Dispense d'âge pour passer un examen,* autorisation de le passer avant l'âge légal. *Dis-*

pense de certaines obligations civiles. ⇒ **Immunité ; franchise.** *Dispense de droits, d'impôts.* ⇒ **Exonération, franchise.** — *La dispense de qqn, sa dispense,* celle qu'il, elle a obtenue.

3 (...) il fallait venir *ester à droit* soi-même, à moins d'une dispense expresse du roi.
VOLTAIRE, Essai sur les mœurs, LXXXV.

4 *(En ce qui concerne le mariage)* il est loisible au Président de la République d'accorder des dispenses d'âge pour des motifs graves. Code civil, art. 145.

(1836). Pièce établissant la dispense accordée à qqn. ⇒ **Dérogation, exonération.**

CONTR. Obligation.

DISPENSÉ, ÉE [dispãse] adj. ⇒ **Dispenser.**

DISPENSER [dispãse] v. tr. — 1283 ; lat. *dispensare* «partager, régler, administrer», de *dispensum,* supin de *dispendere* «distribuer», de *dis-,* et *pendere* «peser».

♦ **1.** DISPENSER (qqch.) à (qqn) : distribuer (en parlant de personnes, de puissances supérieures). ⇒ **Accorder, départir, distribuer, donner, répandre.** *Le soleil dispense à tous sa lumière. Les bienfaits que Dieu nous dispense* (→ Autorité, cit. 1).

1 Il *(Dieu)* leur dispense avec mesure
Et la chaleur des jours et la fraîcheur des nuits (...) RACINE, Athalie, I, 4.

2 *(La misère)* leur donna cette grande, cette forte éducation qu'elle dispense à coups d'étrivières aux grands hommes (...) BALZAC, le Cousin Pons, Pl., t. VI, p. 578.

3 Oui, cette ville, a quelque chose d'ensorcelant, et dispense un charme.
Émile HENRIOT, le Diable à l'hôtel, XIII, p. 106.

4 (...) cette lumière triomphante que dispense un soleil déjà méridional, sans que la voile encore la lourde tristesse tropicale.
André SIEGFRIED, l'Âme des peuples, II, II, p. 34.

Vx. ⇒ **Partager, répartir.**

5 Quant à son temps, bien le sut dispenser :
Deux parts en fit, dont il soulait *(avait coutume de)* passer
L'une à dormir, et l'autre à ne rien faire.
LA FONTAINE, Pièces diverses, II, Épitaphe d'un paresseux.

♦ **2.** (1544). DISPENSER (qqn) DE : exempter (qqn) de (une obligation, faire qqch). ⇒ **Exempter ; dispense.** *Dispenser qqn d'impôts.* ⇒ **Décharger, exonérer.** *Dispenser qqn des conditions requises. Être dispensé de telle formalité. Dispenser qqn d'un devoir, d'un vœu.* ⇒ **Dégager, soustraire** (à). *Se faire dispenser de...*

6 (...) dispensez mes vœux de cette obéissance (...) MOLIÈRE, Tartuffe, IV, 3.

7 (...) il pouvait la dispenser de l'âge prescrit (...) comme il a dispensé de l'âge pour le consulat tant de grands hommes (...) RACINE, Britannicus, 1re Préface.

DISPENSER (qqn) DE (et infinitif) :

8 Les Juifs charnels attendaient un Messie charnel, et les Chrétiens grossiers croient que le Messie les a dispensés d'aimer Dieu (...) PASCAL, Pensées, IX, 609.

(Sujet n. de chose). Épargner à (qqn) l'obligation de. ⇒ **Délivrer, libérer ; quitte** (tenir quitte de). *Ton succès ne te dispense pas de travailler.*

9 Celui qui ne peut remplir les devoirs de père n'a point le droit de le devenir. Il n'y a ni pauvreté, ni travaux, ni respect humain, qui le dispense de nourrir ses enfants et de les élever lui-même. ROUSSEAU, Émile, I.

10 Mère Guillette, dit le vieux laboureur, s'il ne fallait que cinquante francs pour vous consoler de vos peines et vous dispenser d'envoyer votre enfant au loin, vrai, je vous les ferais trouver (...) G. SAND, la Mare au diable, V, p. 43.

11 Le bon sens qui dispense de savoir. J. RENARD, Journal, 15 mars 1905.

12 Il ne la comprenait pas : mais il ne pas comprendre n'a jamais dispensé de juger.
R. ROLLAND, l'Âme enchantée, II, p. 179.

Dispenser s'emploie par politesse pour demander la permission de ne pas faire quelque chose ou feindre de s'excuser d'une abstention. *Dispensez-moi de vous raccompagner.*

Iron. *Je vous dispense de me dire votre avis.* — *Dispenser qqn de qqch. Dispensez-moi de vos réflexions ; je vous dispense de ces réflexions. Dispensez-moi de ces détails.* ⇒ **Épargner ; grâce** (faire grâce de). *Je vous dispense à l'avenir de vos visites : je vous défends de revenir me voir.* ⇒ **Interdire.**

13 Dispensez-moi du récit des blasphèmes (...) CORNEILLE, Polyeucte, III, 2.

14 (...) je suis mal propre à décider la chose ;
Veuillez m'en dispenser. MOLIÈRE, le Misanthrope, I, 2.

▶ **SE DISPENSER** v. pron.
Se dispenser de : s'exempter de, se soustraire à (une obligation). *Se dispenser de ses devoirs. Se dispenser des formalités d'usage.*

15 (...) ce sont des règles dont (...) on ne saurait se dispenser.
MOLIÈRE, les Précieuses ridicules, 4.

Se permettre de ne pas faire (qqch.). *Se dispenser de travailler.*

16 On promet beaucoup pour se dispenser de donner peu.
VAUVENARGUES, Réflexions et Maximes, 445.

17 (...) on ne peut se dispenser de juger : c'est une nécessité, pour vivre.
R. ROLLAND, Musiciens d'aujourd'hui, p. 118.

▶ **DISPENSÉ, ÉE** p. p. adj.

♦ **1.** Donné, distribué. *Conseils dispensés à ceux qui en réclament.*

♦ **2.** (1899, *in* D. D. L.). Être dispensé du service militaire. ⇒ **Exempt** (→ Consumer, cit. 12 ; cours, cit. 20). *Il se croit dispensé de tout effort.*

18 L'abus des livres tue la science. Croyant savoir ce qu'on a lu, on se croit dispensé de l'apprendre. ROUSSEAU, Émile, V.

N. *Les dispensés de...* Absolt. *Les dispensés, les exemptés.*

CONTR. Assujettir, astreindre, contraindre, exiger, forcer, obliger.
DÉR. Dispensable, dispense.
COMP. Indispensable.

DISPERSAL [dispɛrsal] n. m. — 1959 ; mot angl., de *to disperse* « disséminer » ; du lat. *dispergere*. → Disperser.

♦ Anglic. Techn. Aire cimentée pour le stationnement des avions, dans une base aérienne.

DISPERSANT [dispɛrsɑ̃] n. m. — V. 1960 ; p. prés. de *disperser.*

♦ Sc. et techn. Réactif utilisé pour disperser les fines* d'un matériau. — Spécialt. Produit tensioactif* utilisé pour accélérer la biodégradation des hydrocarbures. « (...) les spécialistes de l'Institut Français du Pétrole commencent par préciser qu'il s'agissait non plus de détergents, mais de "dispersants" (...) le but visé (est) le morcellement de la nappe en une mosaïque de mini-nappes moins incontrôlables » (*Sciences et Avenir*, mai 1978, p. 47).

Adj. *Des produits dispersants.* — *L'effet dispersant d'un produit.*

DISPERSEMENT [dispɛrsəmɑ̃] n. m. — 1874 ; de *disperser.*

♦ Rare. État de ce qui est dispersé.
Les pigeons à col bleu, les plus puissants de tout le peuple des oiseaux, s'en vont sur le pays (...) Ils ont de petits yeux à facettes qui perçoivent le dispersement le plus étendu des choses. J. GIONO, les Vraies Richesses, p. 198.

Action de disperser, le fait de se disperser. ⇒ **Dispersion, éparpillement.**

DISPERSER [dispɛrse] v. tr. — V. 1450 ; lat. *dispersus*, p. p. de *dispergere* « répandre çà et là », de *dis-*, et *spargere* « éparpiller ».

♦ **1.** Jeter, répandre çà et là. ⇒ **Disséminer, dissiper, éparpiller, parsemer, répandre, semer.** *Disperser les débris de qqch. Le courant d'air a dispersé ses papiers. Disperser des objets de tous côtés. Disperser des cendres au vent* (→ Brûler, cit. 4). *Disperser des objets sur, dans, entre...* — (Compl. au sing.). *Disperser le brouillard.*

1 Pendant que l'ombre tremble, et que l'âpre rafale
Disperse à tous les vents avec son souffle amer
La laine des moutons sinistres de la mer. HUGO, les Contemplations, V, XXIII.

2 (...) le vent met une ardeur folle et inutile à disperser les rafales du soleil, à les pourchasser en agitant furieusement les branches du taillis.
PROUST, les Plaisirs et les Jours, p. 217.

♦ **2.** Répartir en divers endroits, de plusieurs côtés. ⇒ **Diviser, répartir, séparer.** *Disperser une collection. Disperser des troupes dans différents cantonnements. Dieu dispersa les hommes sur la face de toute la terre* (Genèse, XI, 8).

3 L'Éternel vous dispersera *(Israël)* parmi les peuples, et vous ne resterez qu'un petit nombre au milieu des nations où l'Éternel vous emmènera.
BIBLE (SEGOND), Deutéronome, IV, 27.

Disperser les rayons d'une source lumineuse. ⇒ **Dispersion.**
Artill. *Disperser le tir*.*
Abstrait. *Disperser ses efforts, ses forces, son attention*, les faire porter sur plusieurs points, sur plusieurs objets à la fois. ⇒ **Émietter, éparpiller.**

4 Nous ne doutons pas que si Voltaire, au lieu de disperser les forces colossales de sa pensée sur vingt points différents, les eût toutes réunies vers un même but, la tragédie, il n'eût surpassé Racine et peut-être égalé Corneille. Mais il dépensa le génie en esprit. HUGO, Littérature et Philosophie mêlées, « Sur Voltaire ».

5 *(Napoléon)* en s'obligeant à distendre son cerveau déjà livré à un travail surhumain, à dissiper son attention, à allonger ses bras, à disperser ses forces d'Amsterdam à Naples, et, plus tard, de Madrid à Hambourg (...)
Louis MADELIN, Hist. du Consulat et de l'Empire,
Vers l'Empire d'Occident, X, p. 137.

♦ **3.** Repousser, écarter, mettre en fuite. *Disperser la foule* (→ Attroupement, cit. 7). *Disperser l'ennemi.* ⇒ **Balayer, chasser, débander.** *Disperser un cortège, une manifestation, un attroupement.*

6 *(Ils)* avaient arraché aux pillards leur butin, fait évacuer la place et dispersé la foule. LOTI, Aziyadé, III, LII, p. 152.

7 Qu'elle est lente à pâlir, l'aube qui rassure les oiseaux et disperse le sabbat des chattes en délire ! COLETTE, la Paix chez les bêtes, « Le matou », p. 51.

▶ **SE DISPERSER** v. pron.

♦ **1.** Être dispersé. *Les feuilles se dispersent au vent.*

8 La veille, quand on était parti au chant des vieux cantiques, il soufflait une brise du sud, et tous les navires, couverts de voiles, s'étaient dispersés comme des mouettes. LOTI, Pêcheur d'Islande, I, XII, p. 126.

Fig. *Souvenirs qui se dispersent* (→ Cendre, cit. 13).

9 Et les trônes, roulant comme des feuilles mortes,
Se dispersaient au vent ! HUGO, les Châtiments, II, VII, 1.

♦ **2.** *La foule se dispersa après le spectacle.* ⇒ **Partir ; égailler** (s'). — *Se disperser par bandes.* ⇒ **Essaimer.** *Se disperser dans diffé-*

rentes directions. ⇒ **Diffuser, irradier, rayonner.** *Les ennemis se dispersèrent sous le choc de l'attaque.* ⇒ **Enfuir** (s'), **fuir ; débander** (se), **rompre.**

Fig. S'appliquer à des travaux différents, à des occupations trop diverses. *Son attention, son activité se disperse. Ne vous dispersez pas trop.*

10 Sans doute se disperser est-il dangereux. Mais s'hypnotiser sur le sillon l'est encore plus. J. ROMAINS, les Hommes de bonne volonté, t. V, XVIII, p. 127.

▶ **DISPERSÉ, ÉE** p. p. adj.

♦ **1.** *Papiers, déchets dispersés.* — Sc. *Système dispersé*, dans lequel des particules sont en suspension*.

♦ **2.** Se dit de plusieurs objets, ou d'un objet dont les éléments sont répartis en plusieurs endroits. *Les manuscrits de cet auteur sont dispersés. Une œuvre dispersée.*
(Personnes). *Une population dispersée.* ⇒ **Clairsemé.** *Ses amis sont dispersés.*
Loc. milit. *Ordre dispersé* (opposé à *serré*).

♦ **3.** Qui s'applique à de nombreux objets, à trop d'objets. *Intérêt dispersé. Efforts dispersés.* — *Cet élève est trop dispersé, son attention est dispersée* (→ sens 2 de l'actif).

CONTR. Agglomérer, amonceler, assembler (cit. 4), centraliser, concentrer, masser, rallier, rapprocher, rassembler, réunir.
DÉR. Dispersement.

DISPERSIF, IVE [dispɛrsif, iv] adj. — 1855 ; dér. de *dispersum*, supin de *dispergere*. → Disperser.

♦ Sc. Qui provoque la dispersion d'une radiation. *Milieu dispersif.*

DISPERSION [dispɛrsjɔ̃] n. f. — 1265, *dispertion* ; rare av. XVIIᵉ ; lat. *dispersio*, de *dispersum*, supin de *dispergere*. → Disperser.

♦ **1.** Action de disperser, de se disperser ; état de ce qui est dispersé. ⇒ **Dissémination, division, éparpillement.** *La dispersion des cendres par le vent. La dispersion des pièces d'une collection.* — *Dispersion de particules, d'électrons.*
Phys. *Dispersion de la lumière* : décomposition d'une lumière formée de radiations de différentes longueurs d'ondes en spectre. *Dispersion de la lumière blanche par un prisme ou un réseau de diffraction.* ⇒ **Diffusion.** *Qui provoque une dispersion.* ⇒ **Dispersif.**
Balist. *Dispersion du tir. Rectangle de dispersion*, dans lequel se répartissent 99 % des points d'impact.
Chim. État d'une solution colloïdale, en suspension dans un milieu où elle est insoluble. *Milieu de dispersion.*
Opération qui consiste à mettre en suspension (une substance).
Statist. Étendue des valeurs prises par les termes d'une série statistique, envisagées les unes par rapport aux autres ou relativement à un paramètre de position (valeur moyenne, par ex.). *Caractéristiques, paramètres de dispersion d'une série statistique* (variance, écart type, coefficient de variation).

♦ **2.** (Éléments humains). *La dispersion des élèves à la sortie de l'école. Donner l'ordre de dispersion, à la fin d'une manifestation. La dispersion d'une armée, d'une flotte.* ⇒ **Débandade, déroute, fuite** (mise en).

1 Le czar (...) apprit à moitié chemin la bataille de Narva et la dispersion de tout son camp. VOLTAIRE, Hist. de Charles XII, II.

La dispersion d'un groupe, d'une foule, d'un peuple. ⇒ **Séparation.** *La dispersion des Juifs.* ⇒ **Diaspora.**

2 D'autres éléments seront perdus à jamais, tels ceux qu'on a vu partir vers l'Égypte, entraînant, de force, avec eux Jérémie. La Syrie et l'Asie Mineure en reçurent aussi. Première manifestation dans l'histoire de ce grand phénomène mystérieux et inquiétant qu'est la dispersion juive, la *diaspora.*
DANIEL-ROPS, le Peuple de la Bible, IV, I, p. 267.

♦ **3.** (Abstrait). *La dispersion de l'esprit*, son application à différents sujets. ⇒ **Dissipation, éparpillement.** *La dispersion des efforts, des forces, de la pensée.* ⇒ **Émiettement.**

3 Je voudrais lire tout, à la fois. Danger de la dispersion.
GIDE, Journal, 10 oct. 1923.

4 Louis Pasteur s'interdisait la plupart des distractions qui affaiblissent ou façonnent les hommes de vingt ans et sa sévérité précoce appelait dispersion, dissipation, ce que tant d'autres croyaient une fébrilité naturelle, des curiosités profitables.
Henri MONDOR, Pasteur, p. 19

CONTR. Réunion. — Rassemblement, regroupement. — Concentration.
COMP. V. Dispersoïde.

DISPERSOÏDE [dispɛrsɔid] adj. — 1922 ; du rad. de *dispersion*, et *-oïde.*

♦ Chim. Système composé de deux phases paraissant homogènes. — Particule dispersée.

DISPLAY [displɛ] n. m. — V. 1980 ; angl. *display* « exposition, étalage ».

◆ Anglic. Cartonnage publicitaire, utilisé dans une campagne de promotion. — En appos. *Boîte display. «Au programme : messages publicitaires sur les antennes radio (...) matériel PLV pour les points de vente (affichette, boîtes-displays, deux modèles différents de présentoirs) » (Livres-Hebdo,* 17 oct. 1983, p. 71).

DISPONIBILITÉ [disponibilite] n. f. — 1492 ; rare av. 1790 ; de *disponible.*

État de ce qui est disponible*.

◆ **1.** Dr. (Choses). *La disponibilité des biens,* la faculté d'en disposer, de les aliéner librement.

◆ **2.** Plur. *Les disponibilités :* actif dont on peut immédiatement disposer (par oppos. aux *immobilisations*). *Les disponibilités sont constituées par les espèces en caisse, en banque* (dépôts à vue), *les effets immédiatement escomptables, certains titres faciles à liquider.* ⇒ **Fonds** (de roulement), **trésorerie.**

0.1   Si tu vends, tu risques de rester je ne sais pas combien de temps avec tes disponibilités sur les bras, à regarder grimper les cours...
                            N. SARRAUTE, le Planétarium, p. 279.

◆ **3.** (Personnes). Situation administrative de certains fonctionnaires, écartés provisoirement de leurs fonctions, mais qui conservent leur grade, leur droit à la retraite. *Être, maintenir, mettre, en disponibilité.*

0.2   Depuis, il a épousé Simone, professeur à la Martinique. Elle a obtenu une mise en disponibilité d'un an... et ils ont réalisé le parcours Martinique-Marseille dans ce laps de temps en passant par la mer Rouge.
              Bernard MOITESSIER, Cap Horn à la voile, p. 53.

Situation d'un militaire maintenu ou renvoyé dans ses foyers avant l'expiration de la durée légale, bien qu'il demeure apte au service actif. — Par ext. Ensemble des militaires qui sont en état de disponibilité. — Situation d'un officier général qui appartient aux cadres constitutifs, mais qui est provisoirement sans emploi.

1   (...) avec ses galons d'or il allait partir de droit pour Toulven ; on allait l'envoyer en *disponibilité* pendant trois mois au moins, quatre peut-être (...)
             LOTI, Mon frère Yves, XCVIII, p. 235.

◆ **4.** Ling. *Disponibilité d'un mot :* le fait pour un mot d'être à la disposition de qqn, d'être connu activement de lui, même s'il n'est pas effectivement employé. *Utiliser la fréquence et la disponibilité pour établir une liste de mots fondamentaux* (ex. : le français fondamental).

◆ **5.** État d'une personne, d'une chose disponible (3.). *La disponibilité de l'esprit. — La disponibilité d'esprit (de qqn). Avoir une grande disponibilité d'esprit. Elle est serviable, mais elle manque de disponibilité. Disponibilité pour faire qqch.*

2   Déçu par le saint-simonisme comme il l'avait été par le catholicisme traditionnel, l'idéologie et la physiologie, il se tourna vers le lamennaisisme avec la même disponibilité d'esprit, mais aussi avec les mêmes réticences fondamentales.
                   A. BILLY, Sainte-Beuve, p. 133.

3   Le désœuvrement, cette disponibilité totale dont je ne sais si je jouis ou si je souffre à la campagne, cela seul m'incita à pousser la porte entrebâillée, la première après l'escalier, à gauche.
           F. MAURIAC, le Nœud de vipères, II, XVIII, p. 217.

4   Notez tout de suite les principaux thèmes gidiens : ferveur, refus de tout ce qui peut lier, attacher ; besoin de disponibilité, d'attente.
         A. MAUROIS, Études littéraires, Gide, t. I, p. 76.

CONTR. Indisponibilité ; activité.

DISPONIBLE [disponibl] adj. — XIVᵉ, dr. ; répandu XIXᵉ ; lat. médiéval *disponibilis,* de *disponere.* → Disposer.

◆ **1.** (Choses). Dont on peut disposer. ⇒ **Libre.** *Nous avons deux places disponibles. Ces livres sont-ils disponibles? Appartement disponible.*

1   (...) les murs, avec leurs anfractuosités, leurs ouvertures où l'on peut se jeter en cas de péril, lui donnaient l'impression d'un refuge latéral toujours disponible.
       J. ROMAINS, les Hommes de bonne volonté, t. IV, VIII, p. 78.

Dr. *Somme, valeurs disponibles d'une entreprise,* et, n. m., *le disponible.* ⇒ **Disponibilité, fonds** (de roulement), **réserve, trésorerie.** — *Biens disponibles. Portion, quotité* disponible par donation, par testament* (opposé à *part réservatrice,* en matière successorale). *Temps disponible. Je n'ai pas une minute disponible pour...*
(1956). Ling. *Vocabulaire disponible,* en réserve dans la mémoire, quelle que soit sa fréquence d'emploi (→ Passif). ⇒ **Disponibilité.**

◆ **2.** (Personnes). *Officier, fonctionnaire disponible,* qui n'est pas en activité, mais demeure toujours à la disposition de l'armée, de l'administration.
Par ext. *Être disponible :* être sans emploi, disposer librement de son temps. *Être disponible pour qqch.*

◆ **3.** [a] Dont l'action, le jugement, les sentiments peuvent se modifier librement ; qui n'est lié ou engagé par rien. *Esprit disponible. Se sentir disponible.*

2   Sois disponible de toute ta ferveur à toutes les choses (...) Sois disponible : refuse

ton cœur à la fixité, ne t'attache à rien, ni à personne, ni à toi-même. Sois infidèle et toujours amoureux. Désencombre-toi du passé. Que tes passions soient excessives, mais exclusives, jamais.
       C. L. ESTÈVE, résumant Gide, Études philosophiques, p. 31, cité par A. LALANDE, art. *Disponible.*

3   (...) je disais que chaque nouveauté doit nous trouver toujours tout entiers disponibles.
             GIDE, les Nourritures terrestres, IV, I.

[b] Qui peut interrompre ses activités pour s'occuper d'autrui. *Il n'est jamais disponible. Être disponible pour qqn, pour s'occuper de ses enfants. Un père, une mère toujours disponible.*

CONTR. Engagé, indisponible, occupé, pris ; actif.
DÉR. et COMP. Disponibilité, indisponible.

DISPOS, OSE [dispo, oz] adj. — 1465 ; de l'ital. *disposto* (du lat. *dispositus,* p. p. de *disponere ;* → Disposer), d'après *disposer.*

◆ Rare. Qui est en bonne disposition pour agir. ⇒ **Agile, alerte, allègre** (→ Allégresse, cit. 1), **forme** (en forme), **gaillard, ingambe, léger.** — Rare au fém. *Être en humeur dispose* (Académie). *Esprit dispos.* ⇒ **Éveillé, ouvert, vif.** — Cour. *Frais* et dispos :* en bonne santé et dans un état euphorique, actif. *Après un bon bain, ils se sentirent frais et dispos pour continuer.*

1   (...) le moi que voici, chargé de lassitude,
A trouvé l'autre moi frais, gaillard et dispos (...)   MOLIÈRE, Amphitryon, II, 1.

2   Je ne sais ce que j'ai ; quand je suis venu ici, j'étais frais et dispos, et me voilà roué, brisé, comme si j'avais fait dix lieues.
             DIDEROT, le Neveu de Rameau, Œ., p. 488.

3   Au lieu d'un triste vieillard, un homme jeune et dispos (...)
            G. SAND, la Mare au diable, II, p. 23.

CONTR. Abattu, fatigué, incommodé, indisposé, las, lent, lourd, malade, pesant.

DISPOSANT, ANTE [dispozɑ̃, ɑ̃t] n. — 1459 ; substantivation du p. prés. de *disposer.*

◆ Dr. Personne qui fait une disposition, soit par donation entre vifs, soit par testament. *Facultés, capacité du disposant* (cf. Code civil, art. 909). ⇒ **Donataire, testateur.**

DISPOSER [dispoze] v. — 1180, « décider de » ; lat. *disponere,* de *dis-,* et *ponere* (→ Poser) ; francisé d'après *poser.*

★ **I.** V. tr. dir. ◆ **1.** (1452). Mettre dans un certain ordre. ⇒ **Accommoder, agencer, arranger, établir, installer, placer, ranger, répartir.** — REM. Le compl. est en général au pluriel ou collectif. — *Disposer méthodiquement, symétriquement des objets. Disposer deux ou plusieurs éléments dans un ordre déterminé.* ⇒ **Agencer, ajuster, assembler, combiner, composer, construire, coordonner, dresser, monter, ordonner.** *Disposer des objets avec minutie, avec soin* (⇒ **Compasser,** vx). *Disposer des cailloux en ligne* (⇒ **Aligner**). *Disposer deux bâtons en (forme de) croix* (⇒ **Croiser**). *Disposer des ornements tout autour de qqch.* (⇒ **Ceindre, entourer**). *Disposer des barreaux par échelons* (⇒ **Échelonner**), *par étages* (⇒ **Étager**). *Disposer qqch. à côté de...* (⇒ **Flanquer**). *Disposer les massifs d'un jardin. Disposer des fleurs dans un vase. Disposer les couverts* (cit. 15) *sur la table. Disposer des colis dans la cale d'un navire.* ⇒ **Arrimer.** — *L'architecte a bien disposé les appartements de cette maison.* ⇒ **Distribuer.**

1   Lorsqu'il disposa les cieux, j'étais là ;
Lorsqu'il traça un cercle à la surface de l'abîme,
Lorsqu'il fixa les nuages en haut.   BIBLE (SEGOND), Proverbes, VIII, 27-28.

2   On disposa devant le poêle le guéridon, le fauteuil et une chaise.
       J. ROMAINS, les Hommes de bonne volonté, t. XXIII, p. 211.

Spécialt. *Disposer ses troupes, l'artillerie avant la bataille. Disposer ses troupes autour d'une place de guerre* (⇒ **Investir**). *Art de disposer un camp.* ⇒ **Castramétation.**

3   Madame, je m'en vais disposer mon armée.   RACINE, Alexandre, II, 4.

REM. Par rapport à des synonymes partiels, *disposer* insiste sur la répartition spatiale.

4   *Préparer* a pour accessoire l'idée de prévoyance ; *apprêter,* celle d'attention et de soin ; *disposer* celle d'ordre et d'arrangement (...) on *dispose* pour un usage qui demande l'ajustement ou le concours d'un certain nombre d'objets ou d'opérations.
          LAFAYE, Dict. des synonymes, Préparatifs.

Compl. au sing. *Disposer sa maison pour recevoir un ami* (⇒ **Embellir, orner**). *Disposer une pièce pour danser. Disposer son lit pour se coucher.* ⇒ **Faire** (son lit). *Disposer la table pour le dîner* (⇒ **Dresser**). *Disposer son visage pour la circonstance* (⇒ **Composer**).

Fig. et rare. *Disposer utilement son temps. Disposer l'avenir. Disposer ses affaires, un plan.* ⇒ **Organiser ; combiner, orienter, régler.**

5   Et maître de soi-même, en soi-même il dispose
Tout ce qu'il se propose
De produire au dehors.   CORNEILLE, Imitation de Jésus-Christ, I, 3.

◆ **2.** (XVIᵉ, « prédisposer »). **DISPOSER** (qqn) à (qqch.) : préparer psychologiquement (qqn) à (qqch.). ⇒ **Préparer.** *Disposer un malade à mourir, à la mort. Disposer son corps à subir la fatigue. Disposer son âme à la prière* (→ Action, cit. 19). *Disposer qqn à une mauvaise nouvelle.*

6   *(Je)* vais disposer tout mon monde au divertissement que je vous ai promis.
MOLIÈRE, la Comtesse d'Escarbagnas, 1.

7   Le malheur vainement à la mort nous dispose;
On la brave de loin, de près c'est autre chose (...)
J.-B. ROUSSEAU, le Bûcheron et la Mort, *in* LITTRÉ.

Spécialt. *Disposer qqn en faveur de... Je l'ai disposé en votre faveur. Disposer favorablement les esprits.*

8   (...) mais, si votre femme savait qu'au moment d'arriver vous avez pensé à une autre, ça la disposerait mal pour vous.   G. SAND, la Mare au diable, XI, p. 98.

Absolt. Sujet n. de chose. *L'opium dispose au sommeil. Métiers qui disposent à la tuberculose.* ⇒ **Prédisposer.**

DISPOSER (qqn) À (et inf.) : engager (qqn) à (faire qqch.). ⇒ **Décider, déterminer, engager, inciter, pousser.** *Nous l'avons disposé à partir en voyage. Disposer un malade à subir une opération urgente. Disposer qqn à accepter... Nous l'avons disposé à vous recevoir* (→ Cruel, cit. 23).

9   (...) pour lui *(le monde),* la vraie douleur est un spectacle, une sorte de jouissance qui le dispose à tout absoudre, même un criminel (...)
BALZAC, la Recherche de l'absolu, Pl., t. IX, p. 577.

10   *(l'individualisme...)* un sentiment réfléchi et paisible qui dispose chaque citoyen à s'isoler de la masse de ses semblables (...)
TOCQUEVILLE, De la démocratie en Amérique, III, II, II.

★ **II.** Commander à sa guise; prendre des dispositions. ♦ **1.** V. intr. Stipuler. ⇒ **Décider, décréter, dicter, prescrire, régler.** *La loi ne dispose que pour l'avenir. Disposer par testament. C'est à vous de disposer.* — Prov. *L'homme propose, Dieu dispose.*

11   Vous êtes maître ici, commandez, disposez,
Et retenez enfin ma main, si vous l'osez.   CORNEILLE, Sertorius, V, 4.

12   Toute personne pourra disposer par testament, soit sous le titre d'institution d'héritier, soit (...)   Code civil, art. 967.

♦ **2.** V. tr. **DISPOSER QUE.** *Le règlement dispose que...*

13   Qui ne sait, d'ailleurs, que la fameuse ordonnance de Blois, de mai 1579, dispose formellement que ceux qui se trouveront avoir suborné fils ou fille mineurs (...)
FRANCE, le Crime de S. Bonnard, Œuvres, t. II, p. 482.

★ **III.** V. tr. ind. (XVᵉ). (Sujet n. de personne). **DISPOSER DE.** ♦ **1.** Avoir à sa disposition, avoir la possession, l'usage de. ⇒ **Jouir** (de), **servir** (se servir de), **user, utiliser.** *Vous pouvez disposer de tout dans la maison. Il dispose d'une voiture. Vous pouvez en disposer, je n'en ai plus besoin.* ⇒ **Prendre.**
Nous disposons de ces deux pièces. L'argent dont l'entreprise dispose (⇒ **Disponibilité**). *Si je pouvais disposer de mille francs...* (→ Clôture, cit. 6). *Les renseignements dont nous disposons sont insuffisants. Les moyens dont il dispose...* ⇒ **Avoir.** *Je ne dispose que de quelques minutes* (→ Course, cit. 12). *Le temps dont on dispose.* ⇒ **Loisir.** — *Pour aller à cette ville vous disposez de deux routes.* ⇒ **Choix** (avoir le choix entre); → Choisir, cit. 9. *Il dispose de la majorité des voix.*

14   (...) le plus hardi mais non pas le plus sage,
Promit d'en rendre tant, pourvu que Jupiter
Le laissât disposer de l'air,
Lui donnât saison à sa guise (...)   LA FONTAINE, Fables, VI, 4.

15   Je dispose en maître de la nature entière; mon cœur, errant d'objet en objet, s'unit, s'identifie à ceux qui le flattent, s'entoure d'images charmantes, s'enivre de sentiments délicieux.   ROUSSEAU, les Confessions, IV.

16   (...) ne t'a-t-il pas laissé de grands biens dont tu disposes à ton gré?
Th. GAUTIER, le Roman de la momie, II, p. 59.

17   Il disposerait ainsi d'une certaine fraction de capital, sans diminuer ses revenus.
J. ROMAINS, les Hommes de bonne volonté, t. V, XVII, p. 120.

Dr. *Disposer d'une terre, d'un bien par vente, par donation, par testament. Les mineurs ne peuvent disposer de leurs biens.* ⇒ **Aliéner, jouir.** *Disposer de ses biens en faveur de qqn.*

18   Le droit de tester, c'est-à-dire de disposer de ses biens après sa mort pour les faire passer à d'autres qu'à l'héritier naturel (...)
FUSTEL DE COULANGES, la Cité antique, p. 87.

♦ **2.** Littér. *Disposer de qqn,* en faire ce que l'on veut, s'en servir comme on le veut. *On ne dispose pas de lui comme on veut :* on ne fait pas de lui ce que l'on veut.

19   Enfin, quand Ménélas disposa de sa fille
En faveur de Pyrrhus, vengeur de sa famille (...)   RACINE, Andromaque, I, 1.

20   Le 21 janvier avait appris qu'on pouvait disposer de la tête d'un roi; le 29 juillet a montré qu'on peut disposer d'une couronne.
CHATEAUBRIAND, Mémoires d'outre-tombe, t. V, p. 278.

21   Son éducation, ses idées religieuses, son affection sans bornes pour son père et sa mère, son ignorance empêchèrent Véronique de concevoir une seule objection; elle ne pensa même pas qu'on avait disposé d'elle sans elle.
BALZAC, le Curé de village, Pl., t. VIII, p. 554.

Vous pouvez disposer de ma vie. Disposez de moi, je suis à votre service (→ Comme, cit. 12). *Disposer de soi.* ⇒ **Indépendant; libre, maître.** *Le droit des peuples à disposer d'eux-mêmes* (→ Autodétermination).

22   Dispose de ma griffe, et sois en assurance :
Envers et contre tous je te protégerai (...)   LA FONTAINE, Fables, VIII, 22.

23   (...) c'est à vous à disposer de moi selon vos volontés.
MOLIÈRE, le Bourgeois gentilhomme, V, 5.

24   Va : j'attends ton retour pour disposer de moi.   RACINE, Phèdre, III, 2.

25   Vivre sans but, c'est laisser disposer de soi l'aventure.
GIDE, les Faux-monnayeurs, III, XIV, p. 447.

Absolt. *Vous pouvez disposer* (de vous) : je ne vous retiens pas, partez (à un inférieur).

Sports. Avoir une supériorité complète sur (un adversaire). *L'équipe de Reims a disposé du club de X.*

▶ **SE DISPOSER** v. pron. (V. 1393).
Se préparer à.

♦ **1.** Vx (langue class.). *Se disposer de :* s'apprêter à.

26   Pour en revenir au généreux Alphonse, il se disposa de combattre sur la capitane.
Mˡˡᵉ DE SCUDÉRY, *in* G. L. L. F.

♦ **2.** *Se disposer à :* se mettre en état, en mesure de; être sur le point de. *Je me disposais à partir quand il est arrivé.* ⇒ **Préparer** (se).

27   Apprenez que votre tuteur se dispose à vous épouser demain
BEAUMARCHAIS, le Barbier de Séville, II, 10.

28   Marie n'avait pas de volonté; et quoiqu'elle eût encore grande envie de dormir, elle se disposa à suivre Germain.   G. SAND, la Mare au diable, X, p. 88.

♦ **3.** Vx (langue class.). Sujet n. de chose. S'organiser, s'apprêter. « *Tout se dispose (...) pour célébrer la cérémonie* » (Molière, le Malade imaginaire, II, 5).

▶ **DISPOSÉ, ÉE** p. p. adj.

♦ **1.** Arrangé, placé. *Massifs disposés avec harmonie* (→ Conifère, cit.). *Fleurs disposées avec goût. Objets disposés méthodiquement* (→ Débarras, cit. 2), *symétriquement. Pierres disposées par couches horizontales* (→ Calcaire, cit. 1). *Disposé en travers* (⇒ **Transversal**).

♦ **2.** *Être disposé à :* être préparé à, avoir l'intention de. ⇒ **Prêt** (à). *Cœur disposé à la prière.* ⇒ **Enclin, porté, tourné;** → Contempler, cit. 1. — *Se montrer disposé à reconnaître la supériorité d'un adversaire* (→ Cisalpin, cit. 2). *Il est disposé à vous faire confiance* (→ Blanc, cit. 26). *Nous sommes tout disposés à vous rendre service. Je suis disposé à lui pardonner.*

29   (...) il vous trouverait disposée à recevoir ses vœux?   MOLIÈRE, le Sicilien, 6.

30   (...) toujours disposé à rendre service à son prochain.
G. SAND, la Mare au diable, V, p. 45.

31   (...) j'étais disposé à prendre le contre-pied de ses opinions (...)
FRANCE, le Petit Pierre, XVII, p. 107.

32   (...) mais je suis disposée à tout, même à te livrer, si tu l'exiges, un secret qui n'est pas le mien.   COURTELINE, Boubouroche, II, 4.

♦ **3.** (1690). *Être bien, mal disposé pour, envers (qqn) :* être dans de bonnes, de mauvaises dispositions à l'égard de. *Il est bien disposé à votre égard.* ⇒ **Bienveillant, favorable, propice.**

Absolt. *Être bien, mal disposé :* être de bonne, de mauvaise humeur. ⇒ **Train** (être, n'être pas en train).

33   Au revoir, Georges! *(Bas.)* Mon père est mal disposé, ne le taquine pas. *(De la porte, à son mari.)* Adieu!   LABICHE, les Petites Mains, I, 9.

CONTR. Bouleverser, brouiller, déclasser, déplacer, déranger, désordonner, désorganiser, enlever, invertir, mêler, ôter, retirer, troubler. — Indisposer; contrarier, fâcher. — V. Disponible, dispositif, disposition.

DÉR. Disposant.

COMP. Indisposer, prédisposer.

DISPOSITIF [dispozitif] n. m. — Av. 1615; adj., «qui prépare», 1314; dér. sav. du lat. *dispositus,* supin de *disponere.* → Disposer.

♦ **1.** Dr. Énoncé final (d'un jugement) qui contient la décision du tribunal (opposé aux *motifs*). *Le dispositif d'un jugement, d'un arrêt.*

1   Le dispositif du jugement ou de l'arrêt est transcrit sur les registres de l'état civil du lieu où le mariage a été célébré.   Code civil, art. 251.

Par ext. *Le dispositif d'une loi, d'un décret, d'un arrêté* (opposé à *préambule, considérants). Le dispositif d'un traité.*

♦ **2.** Milit. Ensemble de moyens disposés conformément à un plan*. ⇒ **Disposition.** *Un bon dispositif d'attaque, de défense.*

2   Tout donnait à croire que Paris serait attaqué. Gallieni commençait de déployer son dispositif.   G. DUHAMEL, la Pesée des âmes, I, p. 43.

Par ext. Moyens mis en œuvre pour obtenir un résultat (politique, diplomatique).

2.1   Leur ruse consiste à dénoncer comme défaitistes, en attendant de pouvoir en faire des traîtres, les hommes qui cherchent à mettre en place un «dispositif» de paix, avant que l'irréparable soit consommé.
F. MAURIAC, Bloc-notes 1952-1957, p. 222.

♦ **3.** (V. 1860). Techn. et cour. Manière dont sont disposés les pièces, les organes d'un appareil; le mécanisme lui-même. ⇒ **Machine, mécanisme.** *Un dispositif ingénieux. Dispositif de sûreté. Dispositif d'accord. Dispositif de commande, de manœuvre* (→ au fig. Civilisation, cit. 7). *Dispositif d'asservissement, de régulation, en cybernétique.*

3   À la fois pilote et ingénieur-mécanicien, il était de ceux auxquels la S.A.S. avait fait appel lors de la création de l'usine de Zurich; et plusieurs dispositifs, encore en usage, portaient son nom.   MARTIN DU GARD, les Thibault, t. V, p. 31.

4   On ne désespère pas de pourvoir ces créatures mécaniques de dispositifs qui auraient la valeur de nos sens et qui leur permettraient d'éviter un obstacle, de

changer de route, d'accomplir un certain nombre de mouvements analogues à ces mouvements que l'on dit réflexes, en physiologie.
G. DUHAMEL, Manuel du protestataire, IV, p. 123.

Loc. (trad. angl. *intra uterine device*). *Dispositif intra-utérin* (D. I. U.). ⇒ **Stérilet.**

♦ **4.** Fig. Manière de disposer (des éléments abstraits). ⇒ **Agencement, arrangement, méthode, procédé;** → Amphithéâtre, cit. 1.

5 On peut, par certains dispositifs de rythme, de rime et d'assonance, bercer notre imagination, la ramener du même au même en un balancement régulier (...)
H. BERGSON, le Rire, p. 62.

DISPOSITION [dispozisjɔ̃] n. f. — XIIᵉ; lat. *dispositio,* du supin de *disponere.* → Disposer.

♦ **1.** Action de disposer, de mettre dans un certain ordre*; résultat de cette action. ⇒ **Agencement, arrangement, disposition, ordonnance, organisation, orientation, position, rangement, répartition, situation;** → Décocher, cit. 1. *Une disposition régulière, symétrique.* ⇒ **Ordre.** *Disposition de plusieurs éléments, dans un ordre déterminé.* ⇒ **Ajustement, assemblage, combinaison, composition, construction, coordination, montage.** *La disposition des mots dans une phrase.* ⇒ **Place.** *La disposition des jardins, des massifs.* ⇒ **Dessin.** *Disposition des pièces d'un appartement.* ⇒ **Distribution.** *Disposition des meubles dans une pièce. Figure et disposition des parties du corps.* ⇒ **Configuration, figure, forme, texture.** *Disposition des couches géologiques d'un terrain.* ⇒ **Structure.** *Disposition des étages.* ⇒ **Étagement.** — *Disposition des colis dans la cale d'un navire.* ⇒ **Arrimage.** — *Disposition des matériaux dans une maçonnerie.* ⇒ **Appareil;** → Architectural, cit. 2. — *Disposition des troupes.* ⇒ **Dispositif; formation, inversion.** — Typogr. *Disposition d'un texte autour d'une illustration.* ⇒ **Habillage.** — *Disposition d'un ouvrage, d'un discours* (⇒ **Plan**), *d'un poème* (⇒ **Tissure**). — Rhét. *L'une des trois parties de la rhétorique, avec l'*invention* et l'*élocution*.*

1 (...) le choix de mes personnages et (...) la disposition de mon sujet.
MOLIÈRE, les Fâcheux, Avertissement.

2 (...) ce grand nombre d'astres qu'on n'a pu voir encore deux fois dans la même disposition?
MOLIÈRE, les Amants magnifiques, III, 1.

3 Le bonheur ou le malheur consistent dans une certaine disposition d'organes.
MONTESQUIEU, Cahiers, p. 17.

4 (...) tout est resté rituel dans la disposition des lieux, dans les ornements et les emblèmes, dans l'ordonnance des marchandises, même dans la tenue du patron ou de la patronne et les gestes du métier.
J. ROMAINS, les Hommes de bonne volonté, t. III, XIX, p. 263.

(Modes). Au plur. Dessins, motifs disposés de façon particulière.

♦ **2.** Au plur. Moyens, précautions par lesquels on se dispose à qqch. ⇒ **Arrangement, décision, mesure, préparatif, résolution.** *Les dispositions envisagées par qqn. Ses dispositions seront efficaces. Prendre ses dispositions pour partir en voyage. Prendre des dispositions pour faire qqch., pour que qqch. se fasse. Nous avons pris des dispositions dans ce sens. J'ai pris toutes les dispositions nécessaires* (⇒ **Précaution**).

5 Le futur directeur (...) déclara que c'était aux dispositions savantes et promptes de Bonaparte que l'on devait le salut de l'enceinte, autour de laquelle il avait distribué les postes avec beaucoup d'habileté.
CHATEAUBRIAND, Mémoires d'outre-tombe, t. III, p. 84.

♦ **3.** Vieilli. Manière d'être, état habituel du corps. ⇒ **État** (de santé). *Le climat influe sur la disposition du corps.* — *Être en bonne disposition, en mauvaise disposition.* ⇒ **Aller** (aller bien ou mal), **porter** (se porter bien ou mal).

6 Il est visible que l'âme se trouve assujettie par ses sensations aux dispositions corporelles (...)
BOSSUET, Traité de la connaissance de Dieu..., III.

Mod. **DISPOSITION à :** tendance à. *Disposition à contracter une maladie* (→ Cavité, cit. 2). ⇒ **Prédisposition.** *Disposition à éprouver des émotions :* émotivité. — *Disposition des prix à la hausse.*

♦ **4.** État d'esprit passager. ⇒ **État.** *Être dans, en (telle) disposition. Il est dans une disposition favorable au succès.* ⇒ **Veine** (être en veine). *Il est dans une disposition à croire tout ce qu'on lui raconte* (⇒ **Confiant**). *Être en bonne, en mauvaise disposition.* ⇒ **Humeur** (être de bonne, de mauvaise humeur); **composition, volonté, vouloir** (de bon, de mauvais vouloir). *Une disposition d'esprit malveillante* (⇒ **Aigreur, malveillance;** → Acariâtre, cit. 2), *bienveillante* (⇒ **Bénignité, bienveillance, bonté, complaisance;** → Affabilité, cit. 1). — Plur. (plus cour.). Intentions envers qqn. *Être dans de bonnes dispositions à l'égard de qqn.* ⇒ **Intention, sentiment.**

7 Ceux qui croient sans avoir lu les Testaments, c'est parce qu'ils ont une disposition intérieure toute sainte, et que s'ils entendent dire de notre religion y est conforme.
PASCAL, Pensées, IV, 286.

8 Il a toujours servi le Roi à genoux, avec cette disposition que les gens de quatre-vingts ans n'ont jamais.
Mᵐᵉ DE SÉVIGNÉ, 1025, 17 juin 1687.

9 Les enfants ont une disposition qui les porte à tellement égayer comme à grandir ce qui les entoure (...)
E. FROMENTIN, Dominique, III, p. 47.

10 C'est alors que j'éprouvai la singulière disposition de mon esprit à se laisser griser par le sublime.
GIDE, Si le grain ne meurt, II, p. 368.

Être en disposition de, disposé à.

10.1 Ne croyez pas surtout que vos amis vous téléphoneront tous les soirs, comme ils le devraient, pour savoir (...) si vous n'avez pas besoin de compagnie, si vous n'êtes pas en disposition de sortir.
CAMUS, la Chute, p. 38.

♦ **5.** (XVIIᵉ). Aptitude à faire qqch. (en bien ou en mal). ⇒ **Aptitude, don, facilité, faculté, goût, inclination, instinct, orientation, penchant, prédisposition, propension, tendance, vocation.** *Montrer de bonnes, de solides, de grandes, de sérieuses dispositions pour le travail. Avoir des dispositions pour l'étude. Il a une disposition particulière pour les mathématiques.* ⇒ **Bosse** (la bosse des maths). *Des dispositions innées, infuses, naturelles.* ⇒ **Qualité.** *Disposition héréditaire* (→ Aïeul, cit. 3). *Disposition acquise* (⇒ **Vertu;** → Contracter, cit. 4). *Il a toutes les dispositions pour réussir.* → Il est taillé* pour réussir. *D'heureuses dispositions* (→ Chevalier, cit. 7). *Des dispositions au bien, au mal* (→ Commettre, cit. 17).

11 J'avais, comme l'on voit, une heureuse disposition à devenir médecin.
A. R. LESAGE, Gil Blas, II, III.

12 C'est une disposition naturelle à l'homme de regarder comme sien tout ce qui est en son pouvoir.
ROUSSEAU, Émile, II.

13 C'est une disposition morbide, à laquelle tu vas me promettre de ne plus te laisser aller.
Paul BOURGET, Un divorce, VII, p. 240.

14 On se contente d'étayer, par des arguments logiques, une conviction que l'on porte en soi : et cette conviction n'est pas motivée, comme on le croit, par des syllogismes et des raisonnements, plus forte que toutes les dialectiques.
MARTIN DU GARD, Jean Barois, I, IV.

15 Un auteur n'est pas en soi moral ou immoral, ce sont nos propres dispositions qui décident de son influence sur nous.
F. MAURIAC, la Pharisienne, XVI, p. 253.

16 Le seul défaut de caractère qu'on lui trouve, c'est une disposition à des colères violentes, quand on le contrarie sur un détail quelquefois infime.
J. ROMAINS, les Hommes de bonne volonté, t. V, XX, p. 160.

16.1 Envoyée de bonne heure à l'école, Louise montra d'étonnantes dispositions pour le travail; grâce à un brillant concours, elle obtint une bourse (...)
Raymond ROUSSEL, Impressions d'Afrique, p. 401.

Absolt et en bonne part (vieilli). *Avoir des dispositions.* ⇒ **Douer** (être doué). *Il manque de dispositions.*

♦ **6.** Faculté de disposer, pouvoir de faire ce que l'on veut (de qqn, de qqch.). ⇒ **Pouvoir.**

17 (...) pourvu qu'il ait en sa main la disposition des grâces.
RACINE, Notes historiques, V.

(1850, *in* D. D. L.). **À... DISPOSITION.** *Avoir qqch. à sa disposition.* ⇒ **Posséder; main** (avoir en main, dans la main, sous la main). *L'argent, les valeurs qui sont à la disposition d'une société.* ⇒ **Disponibilité.** *Avoir les journaux, la presse à sa disposition. Les moyens mis à notre disposition* (→ Abrégement, cit.). *Laisser (qqch.) à la disposition de qqn.* ⇒ **Abandonner, offrir.** *Je tiens ces livres à votre disposition.*

18 Je l'ai fait recopier *(ce texte).* Mais l'original est ici à votre disposition.
J. ROMAINS, les Hommes de bonne volonté, t. V, XXII, p. 174.

(Personnes). *Se tenir, se mettre, être à la disposition de qqn,* s'obliger à le servir, attendre ses ordres, être prêt à lui donner satisfaction. ⇒ **Ordre** (être aux ordres de). *Je suis à votre entière disposition pour faire cela.* — Ellipt. *À votre disposition!*

18.1 Nos deux boys partent en avant vers six heures, avec les soixante porteurs qu'on a mis à notre disposition.
GIDE, Voyage au Congo, *in* Souvenirs, Pl., p. 736.

18.2 (...) je n'avais pas le temps, j'étais pressée... les gens se figurent qu'on doit être toujours à leur disposition, ils sont drôles...
N. SARRAUTE, le Planétarium, p. 201.

Dr. *Acte de disposition* (opposé à *acte d'administration*) : acte dont l'objet est de faire sortir du patrimoine un bien ou une valeur (⇒ **Aliénation**), ou qui crée un droit réel sur un bien (hypothèque, servitude).

19 Les particuliers ont la libre disposition des biens qui leur appartiennent, sous les modifications établies par les lois.
Code civil, art. 537.

♦ **7.** Clause (d'un acte juridique, contrat, testament, donation). *Une disposition importante stipule que... Dispositions entre vifs* (→ Condition, cit. 31). *Disposition à cause de mort, à titre gratuit, à titre onéreux. Dispositions testamentaires*.*

20 À la fin de mes dispositions testamentaires, tu trouveras une liste de legs (...)
MARTIN DU GARD, les Thibault, t. III, p. 256.

♦ **8.** Chacun des points que règle une loi, un arrêté, un jugement. *Les dispositions d'une loi, d'une ordonnance... La disposition que renferme cet article.* ⇒ **Prescription;** → Adultérin, cit. 2; captation, cit. 2. *Déroger à une disposition.*

21 (...) la loi des Douze Tables est pleine de dispositions très cruelles.
MONTESQUIEU, l'Esprit des lois, VI, XV.

CONTR. Bouleversement, déclassement, dérangement, désordre, désorganisation, trouble.
COMP. Indisposition, prédisposition.

DISPROPORTION [dispʀɔpɔʀsjɔ̃] n. f. — 1546; de *dis-,* et *proportion.*

♦ Défaut de proportion*, trop grande différence entre deux ou plusieurs choses. ⇒ **Déséquilibre, différence, disconvenance, disparité, inégalité** (→ Complet, cit. 10; convenance, cit. 2). — *La disproportion de la cause et de l'effet, de l'apparence et de la réalité* (→ ci-dessous, cit. 2, 3). *La disproportion d'une chose avec une autre, d'une punition avec la faute. Disproportion entre une chose et une autre* (cit. 1), *entre plusieurs choses.* « La disproportion et l'incohérence des développements » (Valéry), le caractère disproportionné.

— (L'un des termes étant sous-entendu). « *La disproportion effarante d'un gigantesque cerveau* » (A. Lorrain, *in* T. L. F.). — *Disproportion légère, extrême, choquante* (→ Abrupt, cit. 2). *Disproportion d'âge, de taille, de fortune, de mérite... entre deux personnes* (→ Avant-garde, cit. 2).

1 Il n'y a pas si grande disporportion entre notre justice et celle de Dieu, qu'entre l'unité et l'infini. PASCAL, Pensées, III, 233.

2 (...) c'est donc dans la disproportion de nos désirs et de nos facultés que consiste notre misère. ROUSSEAU, Émile, II.

3 La trop grande disproportion des conditions et des fortunes a pu se supporter tant qu'elle a été cachée (...) CHATEAUBRIAND, Mémoires d'outre-tombe, t. VI, p. 319.

CONTR. Proportion. — Analogie, convenance, égalité, équilibre, rapport, ressemblance.

DÉR. Disproportionné, disproportionnel, disproportionner.

DISPROPORTIONNÉ, ÉE [dispʀɔpɔʀsjɔne] adj. — 1534 ; de *disproportion.*

♦ Qui manque de proportion. ⇒ **Inégal.** — *Récompense disproportionnée à qqch.,* qui n'est pas en rapport (avec), et, spécialt, qui est trop grande (pour qqch.). *Résultats disproportionnés aux moyens. Effets disproportionnés à,* avec leur cause. — *Des adversaires de valeurs disproportionnées,* très (trop) différentes.

1 « Élie était un homme comme nous, et sujet aux mêmes passions que nous », dit saint Pierre, pour désabuser les chrétiens de cette fausse idée qui nous fait rejeter l'exemple des saints, comme disproportionné à notre état. C'étaient des saints, disons-nous, ce n'est pas comme nous. PASCAL, Pensées, XIV, 868.

2 (...) et il résolut aussitôt d'humilier l'Administration, en donnant désormais une somme de travail grotesquement disproportionnée avec la somme d'argent qui en était le salaire. COURTELINE, Messieurs les ronds-de-cuir, 5ᵉ tableau, I, p. 166.

3 Le front n'est point disproportionné au reste : il devait se découronner par le haut, et mettre en avant le haut crâne, en forme d'ouvrage avancé. André SUARÈS, Trois hommes, « Ibsen », III, p. 105.

Absolt. *Taille disproportionnée.*

Spécialt. Excessif (trop grand, trop fort...) par rapport à la norme, à ce qu'on attendrait. *Une tête disproportionnée,* trop grosse pour le corps. *Il a fourni un travail disproportionné.* ⇒ **Démesuré, excessif.**

DÉR. Disproportionnément.
HOM. Disproportionner.

DISPROPORTIONNEL, ELLE [dispʀɔpɔʀsjɔnel] adj. — XIXᵉ ; de *disproportion,* d'après *proportionnel.*

♦ Rare. Qui n'est pas proportionnel. *Qualités disproportionnelles.*

DISPROPORTIONNÉMENT [dispʀɔpɔʀsjɔnemɑ̃] adv. — 1838 (Académie, *Compl.* 1842) ; de *disproportionné.*

♦ Rare. De manière disproportionnée.

Devant les restaurants, les terrasses, disproportionnément élargies par le déploiement des chaises et des tables, faisaient l'obstruction plus complète et rendaient la circulation impossible. GIDE, le Prométhée mal enchaîné, *in* Romans, Pl., p. 338.

DISPROPORTIONNER [dispʀɔpɔʀsjɔne] v. tr. — 1534, p. p. ; de *disproportion.*

♦ Rare. Rendre disproportionné. *Disproportionner une chose à, avec une autre.* « *Cette lueur (...) disproportionnait les objets* » (Hugo, *in* T. L. F.). — Spécialt. Augmenter de manière disproportionnée.

Il n'y avait qu'une seule explication à donner à ces sautes d'humeur et à leur imprévisibilité : la boisson qui disproportionnait dans l'esprit du Colonel tous les malentendus et tous les griefs qu'il avait accumulés contre sa femme. Georges BORGEAUD, le Préau, *in* Littératures franç. hors de France, p. 127.

HOM. Disproportionné.

DISPUTABLE [dispytabl] adj. — 1546 ; de *disputer.*

♦ Rare. Qui peut donner matière à discussion. ⇒ **Discutable.**

Tout ce qui n'est point de la foi ni des principes est disputable. CORNEILLE, Épître de la Suivante, *in* LITTRÉ.

CONTR. Indisputable.

DISPUTAILLER [dispytaje] v. intr. — Av. 1596 ; de *disputer,* I., 1., et suff. *-ailler.*

♦ Vx et fam. Disputer longuement et inutilement. ⇒ **Discutailler, ergoter.**

DÉR. Disputailleur.

DISPUTAILLEUR, EUSE [dispytajœʀ, øz] adj. et n. — 1829 ; de *disputailler.*

♦ Fam. Personne qui aime à disputailler.

DISPUTANT, ANTE [dispytɑ̃, ɑ̃t] adj. et n. m. — 1830, *in* T. L. F. ; p. prés. de *disputer.*

♦ Vx. Qui aime à discuter, à débattre. — N. m. Personne qui discute avec d'autres, dans un débat. *Les disputants.*

DISPUTATION [dispytɑsjɔ̃] n. f. — V. 1175, *desputeison* ; lat. *disputatio* « examen, discussion », du supin de *disputare.* → Disputer.

♦ Vx. Discussion* publique sur un sujet de théologie. — Par ext., relig. Traité théologique en forme de discussion.

L'Empereur avait tenu à assister en personne à plusieurs des grandes disputations où philosophes et rhéteurs s'affrontaient sur un thème choisi d'avance (...) J. D'ORMESSON, la Gloire de l'Empire, t. II, p. 424.

DISPUTE [dispyt] n. f. — 1474 ; déverbal de *disputer.*

♦ **1.** Vieilli. Discussion, lutte d'opinions, sur un point de doctrine. ⇒ **Combat** (d'opinions), **débat, discussion, disputation.** *Dispute métaphysique* (→ Ballon, cit. 2). *Dispute de mots.* ⇒ **Logomachie, verbiage.** *Dispute par écrit.* ⇒ **Polémique.**

1 Il est ferme dans la dispute, fort comme un Turc sur ses principes (...) MOLIÈRE, le Malade imaginaire, II, 5.

2 J'aimais tant la dispute, que j'arrêtais les passants, connus ou inconnus, pour leur proposer des arguments. A. R. LESAGE, Gil Blas, I, 1.

3 De cet art de la dispute, de tous ces raffinements de dialectique verbale, ne pouvait se dégager qu'une leçon de scepticisme. Léon BRUNSCHVICG, Descartes, p. 9.

♦ **2.** Rare. Lutte d'émulation pour la possession de qqch. *La dispute d'un titre, d'un prix avec un rival*.* — « *La dispute pour le pouvoir* » (Bainville, *in* T. L. F.).

♦ **3.** (XVIIᵉ). Mod. et cour. Échange violent de paroles (arguments, reproches, insultes) entre personnes qui s'opposent. ⇒ **Altercation, bagarre** (fam.), **bisbille** (fam.), **castille** (vx), **chamaillerie** (fam.), **chamaillis** (vx), **chicane, combat** (fig.), **conflit, contention** (vx), **controverse, démêlé, discord** (vx), **discorde, discussion, dissension, division, engueulade** (fam.), **escarmouche, explication, guerre** (fig.), **heurt, incident, lutte, prise** (de bec), **querelle** ; → fam. Bouffage* de nez. *Dispute sur des questions de droit.* ⇒ **Affaire, chicane, contestation, différend, litige, procès.** *Dispute locale.* ⇒ **Clocher** (querelle, rivalité de clocher). *Dispute de jeu. Dispute d'amoureux. Dispute de ménage.* ⇒ **Scène** (→ Le torchon* brûle). *Être en dispute avec qqn.* ⇒ **Brouille, désaccord, difficulté, inimitié, mésentente, mésintelligence, opposition.** → Être comme chien* et chat, avoir maille* à partir avec... — *Sujet de dispute, d'une dispute. Conversation qui prend un tour de dispute. Dispute qui s'élève, éclate entre plusieurs personnes, qui se transforme en bagarre. La divergence d'opinions a fait naître une dispute. Arguments, répliques, ripostes, reproches, injures, insultes échangés dans une dispute. Dispute accompagnée de cris, de coups.* ⇒ **Bagarre, bataille, charivari, empoignade, grabuge, rixe.** *Avoir l'avantage dans une dispute. Dispute acharnée ; chaleur de la dispute.* ⇒ **Agressivité, animosité.** *Chercher dispute, envenimer la dispute.* → Chercher des crosses*, chercher noise*. *Personne qui aime, qui provoque la dispute.* ⇒ **Acariâtre, agressif, batailleur** (fig.), **chicaneur, coucheur** (mauvais coucheur), **insociable, provocateur, querelleur.** *Inciter, pousser à la dispute.* → Mettre de l'huile* sur le feu, mettre aux prises*, jeter le trouble*, semer la zizanie*. *Intervenir, s'interposer dans une dispute. Apaiser une dispute. Réconciliation qui suit une dispute. Dispute qui laisse les adversaires irréconciliables.* ⇒ **Brouille, brouillerie, fâcherie, rupture.**

4 À quoi sert de se quereller, quand le raccommodement est impossible ? Le plaisir des disputes, c'est de faire la paix. A. DE MUSSET, Comédies et proverbes, On ne badine pas avec l'amour, III, 6.

5 Ils ont entre eux des disputes effroyables, auxquelles assiste, à l'occasion un couple de jardiniers flegmatiques (...) J. ROMAINS, les Hommes de bonne volonté, t. V, XX, p. 153.

CONTR. Accommodement, accord, entente, paix, réconciliation.

DISPUTER [dispyte] v. — XIIᵉ ; lat. *disputare* « discuter », de *dis-* (intensif), et *putare* « estimer, penser, croire ». → Putatif.

★ I. V. tr. ind. ♦ **1.** Vx ou littér. Avoir une discussion*. ⇒ **Discuter** (mod. et cour.). *Disputer d'un sujet, sur un sujet avec qqn* (→ Assemblée, cit. 8). *Disputer d'une question.* ⇒ **Débattre.** *Disputer (de qqch.) contre qqn. Disputer comment..., pourquoi..., si... Ils disputent entre eux si...,* la question de savoir si... — Absolt. *Ils aiment disputer.* ⇒ **Discourir, raisonner ; disputeur.** *Il faudra disputer ferme.* — Loc. *Disputer sur la pointe d'une aiguille*.* ⇒ **Disputailler, ergoter.**

1 On disputera fort et ferme de part et d'autre (...) MOLIÈRE, Critique de l'École des femmes, 7.

2 On a disputé chez les anciens si la fortune n'avait point eu plus de part que la vertu dans les conquêtes d'Alexandre. RACINE, Alexandre, Épître.

3 C'est la faim qui les gouverne *(les hommes),* au reste, comme il est inutile d'en disputer ici, je dirai, si l'on veut, que la vie des mortels a deux pôles, la faim et l'amour. FRANCE, la Rôtisserie de la reine Pédauque, Œ., t. VIII, p. 239.

Prov. *Des goûts et des couleurs, il ne faut pas disputer.*

4 Il faut disputer des goûts et des couleurs. D'abord parce que toute dispute se réduit à cette espèce, et qu'il faut que l'on dispute.   VALÉRY, Rhumbs, p. 113.

Vx. Engager une lutte violente de paroles avec qqn. ⇒ **Batailler, ferrailler.**

5 Au lieu de disputer, discutons ; après avoir dit des raisons, donnons des faits.   BUFFON, *in* LAFAYE, Dict. des synonymes, Dispute...

6 Quant à l'argent, ma mémoire est courte, et j'aimerais mieux tout céder que de disputer sur le tien et le mien.   G. SAND, la Mare au diable, IV, p. 35.

♦ **2.** Vx. *Disputer de...* : être en concurrence, en rivalité (avec). ⇒ **Rivaliser.** *Ces deux femmes disputent de beauté, d'esprit, de laideur* (Académie). *Ces deux employés disputent de zèle.*

★ **II.** V. tr. (1609). ♦ **1.** Littér. *Le disputer en,* rivaliser de. *Le disputer à (qqn, qqch.),* prétendre l'égaler.

7 (...) il n'est point de spectacle (...) qui puisse le disputer en magnificence à celui que vous venez de nous donner.   MOLIÈRE, les Amants magnifiques, I, 2.

8 Thèbes le pouvait disputer aux plus belles villes de l'univers (...)   BOSSUET, Hist. des variations, III, 3, *in* LITTRÉ.

♦ **2.** Lutter pour la possession ou la conservation d'une chose à laquelle un autre prétend. *Disputer un poste à des rivaux, une femme à un ami.* → Marcher, courir sur les brisées* de qqn. *Rang à disputer.* ⇒ **Brigue** (cit. 2) ; **briguer.** *Disputer un succès à qqn.* ⇒ **Jouter.** *L'armée a longtemps disputé la victoire (à l'ennemi).*

9 (...) ce n'est pas là le langage d'un homme à qui on dispute son droit et qui le défend les armes et la force à la main.   PASCAL, Pensées, VI, 388.

10 Je ne savais pas que votre fille fût déjà pourvue de prétendants, et je n'étais pas venu pour la disputer aux autres.   G. SAND, la Mare au diable, XII, p. 102.

Disputer le terrain, le défendre pied à pied, avec acharnement contre l'ennemi. ⇒ **Défendre.** — Fig. Défendre vivement ses opinions contre un adversaire, dans un débat. ⇒ **Soutenir** (ses opinions). — Défendre ce qu'on veut garder.

11 Chez les peuples d'Europe, (...) les dernières faveurs sont toujours de même date que la bénédiction nuptiale : les femmes n'y font point comme nos Persanes, qui disputent le terrain quelquefois des mois entiers (...)   MONTESQUIEU, Lettres persanes, LV.

Par ext. *Disputer une chose, une personne à qqch.,* tenter de l'arracher, de la soustraire à.

12 À bout de patience, écœuré de vaines attentes, il s'était enfin décidé à faire son petit coup d'État en venant à Paris, lui-même, disputer aux lenteurs administratives son humble part du legs Quibolle.   COURTELINE, Messieurs les ronds-de-cuir, 1er tableau, III, p. 48.

13 Même parmi les hommes que l'action n'a jamais disputés à l'étude, peu d'hommes se sont plus que lui adonnés à la lecture.   Louis MADELIN, Hist. du Consulat et de l'Empire, De Brumaire à Marengo, VI, p. 84.

♦ **3.** (1855, *in* Petiot). Cour. *Disputer un match, un combat, un concours,* le faire en vue de remporter la victoire, le succès.

♦ **4.** Fam. Réprimander (qqn). ⇒ **Attraper, gronder.** *Il a peur de se faire disputer* (emploi soit régional, soit populaire).

14 Madame de Pontchartrain le disputa, et pour fin lui dit qu'avec tout son savoir elle pariait qu'il ne savait pas qui avait fait le Pater.   SAINT-SIMON, Mémoires, t. I, XLI.

▶ **SE DISPUTER** v. pron.

Courant.

♦ **1.** *Se disputer qqch. entre rivaux. Animaux qui se disputent une proie. Prétendants qui se disputent la main d'une femme. Théâtres qui se disputent un acteur. Se disputer la prééminence* (⇒ **Concurrence,** cit. 5), *l'honneur de faire qqch.* — Par anal. *Des passions contraires se disputent son âme.*

15 Des lambeaux pleins de sang, et des membres affreux
Que des chiens dévorants se disputaient entre eux.   RACINE, Athalie, II, 5 (→ Affreux, cit. 1).

16 (...) son règne s'achève dans l'impuissance en face de ses trois fils rebelles qui, avant sa mort, se disputent son héritage les armes à la main.   J. BAINVILLE, Hist. de France, III, p. 39.

Par ext. *Épreuve qui se dispute entre concurrents. Le match s'est disputé hier à Paris.*

♦ **2.** (Récipr. ; emploi le plus usuel du verbe). Avoir querelle. *Personnes qui se disputent.* ⇒ **Chamailler** (se), **chicaner** (se), fam. **engueuler** (s'), **parole** (avoir, échanger des paroles), **quereller** (se). *Se disputer avec un ami. Ils n'arrêtent pas de se disputer. Se disputer avec violence, en venir aux coups. Elles se disputent, se crêpent le chignon. Se brouiller*, se fâcher après s'être disputé.*

17 Deux hommes se disputaient. Les épithètes s'échangeaient si vivement et promptement que l'on ne savait plus qui donnait, qui recevait.   VALÉRY, Mélanges, p. 15.

♦ **3.** (Passif). Sports. Être disputé. *Le match s'est disputé hier à Paris.*

▶ **DISPUTÉ, ÉE** p. p. adj.

♦ **1.** Vx ou littér. Discuté. *Sujet longuement disputé.*

♦ **2.** Qui est l'objet d'une concurrence. *Un titre, un honneur disputé. Terrain, sol disputé* (→ Continuer, cit. 5). — Par ext. *Match chaudement disputé.*

18 Cette victoire, si âprement disputée par un ennemi supérieur en nombre, ne pouvait qu'ajouter au prestige déjà si grand de Bonaparte.   Louis MADELIN, Hist. du Consulat et de l'Empire, Ascension de Bonaparte.

CONTR. **Abandonner, céder, donner, renoncer** (à). — **Féliciter.** — **Accorder** (s'), **entendre** (s').

DÉR. **Disputable, dispute, disputailler, disputeur.**

DISPUTEUR, EUSE [dispytœʀ, øz] adj. et n. — 1681 ; *desputurs,* fin XIIe ; de *disputer,* I., 1.

♦ Personne qui aime à disputer, à discuter. ⇒ **Discuteur.** *Un disputeur acharné, enragé.*

1 Les opinions sont partagées, les disputeurs s'échauffent ; ils en viennent aux invectives (...)   A. R. LESAGE, Gil Blas, VIII, IX.

2 (...) Socrate envisageait les sophistes comme de subtils et inutiles disputeurs.   RENAN, l'Avenir de la science, Œ., t. III, III, p. 758.

Adj. *Un esprit disputeur.*

3 Quelques secondes après, les voilà *(les mouettes)* de nouveau réunies sur l'eau, basse-cour disputeuse que nous laissons derrière nous, nichée au creux de la houle qui effeuille lentement la manne des détritus.   CAMUS, l'Été, *in* Essais, Pl., p. 880.

DISQUAIRE [diskɛʀ] n. — 1949 ; de *disque,* 4.

♦ Marchand de disques. *Écouter un disque dans la cabine d'un disquaire.*

L'imprimerie s'essouffle à suivre la fabrication des disques. On les envoie tout nus, sans pochettes, chez le disquaire. Un million soixante-quinze mille disques chantent que l'École est finie.   P. GUTH, Lettre ouverte aux idoles, Sheila, p. 96.

DISQUALIFICATION [diskalifikɑsjɔ̃] n. f. — 1784 ; angl. *disqualification,* de *to disqualify* (→ Disqualifier), répandu au sens 1.

♦ **1.** Turf. Élimination (d'un cheval) qui ne correspond pas aux exigences de la course. — Par anal. Exclusion (d'un joueur) qui a commis une faute contre le règlement.

♦ **2.** Action de disqualifier (2.) ; son résultat.

1 Qu'il ne soit donc plus question de cette soi-disant disqualification qui frapperait ceux que le devoir national maintient ici à leur poste de combat. Elle ne vient en France à l'esprit de personne.   L. H. LYAUTEY, Paroles d'action, p. 142.

♦ **3.** Par ext. Désavantage.

2 (...) pendant les dix minutes qu'il avait passées là, comme il avait cruellement mesuré la disqualification de l'âge !   MARTIN DU GARD, les Thibault, t. II, p. 278.

DISQUALIFIER [diskalifje] v. tr. — 1784, « exclure politiquement (qqn) » ; angl. *to disqualify,* de *dis-,* et *to qualify,* du franç. *qualifier.*

♦ **1.** (1854, *in* Petiot). Exclure d'une course (un cheval qui ne répond pas aux conditions exigées par le règlement). ⇒ **Distancer.** — Par ext. *Disqualifier (un jockey, un coureur, un joueur...),* exclure d'une épreuve, en raison d'une infraction au règlement. *Disqualifier un boxeur pour coup bas.*

1 — En tout cas, nous jouons à la muette, il est défendu de parler.
— Et si c'était une partie de championnat, tu serais déjà disqualifié.   PAGNOL, Marius, III, 1er tableau, I.

♦ **2.** Frapper de discrédit (une personne qui s'est rendue coupable d'une incorrection, d'un manquement à l'honneur, aux devoirs de sa charge...). ⇒ **Déshonorer, discréditer.** — Sujet n. de chose. *Une telle attitude l'a disqualifié à mes yeux* (→ Boxe, cit. 3).

2 Ses adversaires disaient qu'il n'avait plus son bon sens, mais il n'est pas facile de disqualifier une persévérance inflexible (...)   MALRAUX, Antimémoires, Folio, p. 31.

(Compl. n. de chose). *Il cherche à disqualifier la profession. Vouloir disqualifier un parti.*

♦ **3.** Dr. Exclure (une infraction) d'une catégorie et la réinsérer dans une autre.

▶ **SE DISQUALIFIER** v. pron.

Perdre son crédit ; perdre tout titre à la place qu'on occupe en faisant preuve d'indignité, d'incapacité... *Il s'est disqualifié en tenant de pareils propos.* — *Ce parti s'est complètement disqualifié.*

▶ **DISQUALIFIÉ, ÉE** p. p. adj. *Cheval disqualifié.* — « *Un général battu est un chef disqualifié* » (Foch, *in* T.L.F.). « *Quiconque discute avec passion est aussitôt disqualifié* » (→ Conversation, cit. 11.1, A. Maurois). — *Gouvernement, parti disqualifié.*

CONTR. **Qualifier.**

DÉR. **Disqualification.**

DISQUE [disk] n. m. — 1555, « discobole » ; lat. *discus* « disque, palet », grec *diskos,* même sens.

♦ **1.** Palet circulaire de pierre ou de métal que les athlètes grecs s'exerçaient à lancer. ⇒ **Discobole.**

Mod. Palet circulaire de bois, légèrement renflé en son centre, cerclé de métal, de dimension et de poids (1972 g) réglementaires, et que les athlètes lancent (en pivotant plusieurs fois sur eux-mêmes). *Lancer le disque. Lanceur de disque.*

0.1 Lorsqu'il prit son disque, et à l'arrière du cercle d'élan commença à le balancer, le poids de la lentille cerclée de fer m'alourdit le bras gauche et l'épaule (...)
Jean PRÉVOST, Plaisirs des sports, p. 205.

Par ext. Le disque : discipline athlétique du lancer du disque. *Pratiquer plusieurs lancers : le disque, le javelot.*

♦ **2.** (1680). Surface visible circulaire (d'un astre). *Le disque du soleil, de la lune* (→ Arrondir, cit. 1 ; coucher, cit. 2 ; découper, cit. 6).

♦ **3.** (1680, « lentille optique »). Objet de forme circulaire et plate ; cercle, cylindre de très faible hauteur ; cette forme (... *en disque, en forme de disque*).

[a] Objets artificiels, fabriqués. *Disque de bois, de pierre, de métal. Disque servant de roue*. Disques et meules* de pierre.*

1 *(De)* lourds chariots à bœufs qui passaient, en roulant bruyamment sur des disques de bois plein, comme des chars antiques.
LOTI, Figures et choses..., À Loyola, I, p. 56.

Disque d'embrayage, qui met en rapport le volant du moteur et l'arbre d'embrayage. *Freins à disques,* à mâchoires serrant un disque collé sur l'axe de la roue. — Techn. *Disque abrasif d'une ponceuse.* — Partie d'une roue entre moyeu et jante.

(1864). Signal formé d'une plaque tournante qui indique par sa position et sa couleur apparente si la voie est libre. *Disque effacé. Siffler au disque* (→ Chemin de fer, cit. 8). *Disque-signal.*

(1957). *Disque de stationnement :* dispositif pour indiquer les heures d'arrivée et de départ des véhicules, à utiliser dans certaines zones de stationnement à durée limitée.

[b] (1764, Lavoisier). Formes naturelles (notamment en sc. nat.). Spécialt, bot. Partie centrale (d'une feuille, d'une inflorescence en ombelle, d'un capitule). — Biol., zool. Organe, élément d'organe... en forme de disque.

(1852). Anat. *Disque intervertébral :* fibro-cartilage situé entre les surfaces articulaires de deux corps vertébraux. *Hernie d'un disque.* ⇒ Discal.

Disques musculaires : parties claires, alternant avec des parties sombres, des fibrilles d'un muscle strié.

♦ **4.** (V. 1900 ; le *disque* de phonographe succède au *rouleau,* au *cylindre*). Plaque circulaire en matière thermoplastique sur laquelle sont enregistrés des sons en minces sillons spiralés. → Musique, cit. 37. *Enregistrement, gravure du son sur un disque.* ⇒ **Enregistrement.** *Disque dur, disque souple. Disque à saphir, à aiguille. Disque à enregistrement direct,* appelé *disque original. Matrice* d'un disque. Disque à enregistrement numérique (digital,* anglic.). *Disque microsillon, de longue durée, à rotation lente.* ⇒ **Microsillon.** *Un disque 33 tours, 45 tours,* et, ellipt., *un 33 tours, un 45 tours :* disque dont la vitesse de rotation est de 33 tours, 45 tours par minute. — *Faces ; plages d'un disque. Pochette d'un disque. Album*, coffret* de disques. Collection de disques. Amateur de disques.* ⇒ **Discophile.** *Marchand de disques.* ⇒ **Disquaire.** *Passer un disque sur un tourne-disque, ou un phonographe*, une platine* tourne-disque, une table de lecture. Changer de disque. Changeur* de disques automatique.* — REM. Par opposition au disque compact (ci-dessous), le disque microsillon est parfois appelé *disque noir.*

2 Le disque reste le procédé le plus courant utilisé pour mettre à la portée du public des enregistrements de qualité. J.-J. MATRAS, l'Acoustique appliquée, p. 32.

(1982 ; angl. *compact disc*). *Disque compact* (ou, ellipt., n. m., *un compact*) : disque de petite taille, à codage numérique, lu par système optique (et non mécanique). ⇒ **Audionumérique.** *Lecteur de disques compacts.* — REM. L'anglicisme *compact disc* est fréquent (cf. *Diapason,* avr. 1983, p. 5 et 55).

Fig. et fam. Changer de disque : parler d'autre chose.

3 — Tu causes, tu causes, dit Laverdure, c'est tout ce que tu sais faire. — Quand même, dit Gridoux, il change pas souvent son disque, celui-là.
R. QUENEAU, Zazie dans le métro, Folio, p. 145.

Par métonymie. Les enregistrements par disques. L'industrie du disque. — Spécialt. Musique enregistrée. « *Le cinéma tue le théâtre. Le disque tue le concert* » (Alain, *in* T. L. F.).

Par anal. Disque enregistrant les images de télévision, disque-images, disque vidéo. ⇒ **Vidéo-disque.**

Inform. *Disque (magnétique) :* support circulaire d'information d'une mémoire électronique. ⇒ **Disquette.** « *On peut classer les délits informatiques en deux grandes catégories. Tout d'abord les fraudes qui débouchent directement sur un gain d'argent (...) L'acte le plus facile à réaliser en la matière consiste à dérober des disques ou des bandes magnétiques* » (*Sciences et Avenir,* n° 438, août 1983, p. 78).

♦ **5.** Math. Ensemble de points intérieurs à un cercle* comprenant ou non sa frontière *(disque fermé* ou *ouvert). Un disque est une boule** (fermée, ouverte) *du plan euclidien.*

DÉR. Disquaire, disquer (vx), disquette.
COMP. Discophile, discothèque. — Tourne-disque. — Vidéo-disque.

DISQUER [diske] v. tr. — Déb. xxᵉ ; de *disque,* sens 4.

♦ Vx. Enregistrer un disque.

Mon cher ami, ce mot n'est pas dans le dictionnaire (avec un grand D) et je ne sais pas s'il y sera jamais, mais puisque vous le désirez, je certifie que moi, soussigné Maurice Donnay, de l'Académie française, ce 29 décembre 1928, je vous ai demandé si la chanson du *Père Mexico* était disquée (je dis disquée) et que vous avez admirablement compris de quoi il retournait. Signé : MAURICE DONNAY.
A. CŒUROY et G. CLARENCE, le Phonographe, 67, *in* D.D.L., II, 15.

DISQUETTE [diskɛt] n. f. — Av. 1975, in *la Clé des mots* ; de *disque.*

♦ Inform. Disque souple de faible diamètre servant de support pour la mise en mémoire de données.

DISQUISITION [diskizisjɔ̃] n. f. — xivᵉ, *disquisicion ;* lat. *disquisitio,* du supin de *disquirere* « rechercher », de *dis-,* et *quærere* « chercher ».

♦ Vx ou didact. et rare. Recherche* minutieuse, investigation.

Je préfère aux plus belles disquisitions cartésiennes la théorie de la poésie primitive et de l'épopée nationale (...)
RENAN, l'Avenir de la science, *in* Œ., t. III, p. 939.

DISRUPTIF, IVE [disʀyptif, iv] adj. — 1877 ; électron., 1940 ; dér. sav. du lat. *disruptum.* → Disruption.

♦ **1.** Électr., électron. Qui éclate. *Décharge disruptive,* produisant une étincelle qui dissipe une grande partie de l'énergie accumulée.

♦ **2.** Littér. et rare. Qui peut causer une rupture. *Forces disruptives.*

DISRUPTION [disʀypsjɔ̃] n. f. — 1749, Buffon, *in* D.D.L. ; lat. *disruptio,* du supin de *disrumpere* « briser, rompre en morceaux », de *dis-,* et *rumpere.* → Rompre.

Didactique.

♦ **1.** Vx. Brusque rupture, fracture.

♦ **2.** (Fin xixᵉ). Mod. Électr. Ouverture brusque d'un circuit électrique.

DISSÉCABLE [disekabl] adj. — 1805 ; de *disséquer.*

♦ Anat. Qui peut être disséqué.

DISSECTEUR, EUSE [disɛktœʀ, øz] n. — Du rad. du latin *dissectum,* supin de *dissecare.* → Disséquer.

♦ Rare. Anat. Personne qui pratique une dissection. *Un habile dissecteur,* ⇒ **Anatomiste** (2.), *disséqueur.* — Fig. *Un « dissecteur de consciences »* (P. Bourget, *in* T. L. F.).

DISSECTION [disɛksjɔ̃] n. f. — 1538 ; lat. *dissectio,* du supin de *dissecare* « couper ». → Disséquer.

♦ **1.** Action de disséquer, de séparer et d'analyser méthodiquement les différentes parties d'un corps organisé. ⇒ **Anatomie** (cit. 3). *La dissection du corps humain. Dissection des animaux.* ⇒ **Zootomie.** *Dissection anatomique. Dissection ou anatomie cadavérique* (⇒ **Autopsie**). *Dissection des artères.* ⇒ **Artériotomie.** *Dissection pratiquée sur un animal vivant.* ⇒ **Vivisection.** *Le sujet d'une dissection :* le cadavre que l'on dissèque. *Instrument de dissection* (érigne, scalpel...). *Pratiquer une dissection* (⇒ **Anatomiste,** 2., *dissecteur*). *Amphithéâtre, table de dissection.*

1 L'anatomie de l'homme semblait donc devoir être la base de la physiologie et de la médecine humaines. Cependant les préjugés s'opposèrent à la dissection des cadavres, et l'on disséqua, à défaut de corps humains, des cadavres d'animaux aussi rapprochés de l'homme que possible par les organisations : c'est ainsi que toute l'anatomie et la physiologie de Galien furent faites principalement sur des singes. Galien pratiquait en même temps des dissections cadavériques et des expériences sur des animaux vivants, ce qui prouve qu'il avait parfaitement compris que la section cadavérique n'a d'intérêt qu'autant qu'on la met en comparaison avec la dissection sur le vivant.
Cl. BERNARD, Introd. à la médecine expérimentale, p. 154.

Par métaphore :
2 (...) je voulais étudier l'homme à fond, l'anatomiser fibre par fibre avec un scalpel inexorable et le tenir tout vif et tout palpitant sur ma table de dissection (...)
Th. GAUTIER, Mˡˡᵉ de Maupin, V, p. 75.

♦ **2.** Fig. Analyse fouillée, approfondie.

3 Faisons, autant qu'il nous est possible, la même dissection de notre âme que Dieu en fera dans son jugement dernier (...) BOURDALOUE, Pensées, t. I, p. 364.
Division en éléments simples. « *La dissection du travail* » (Valéry).

DISSEMBLABLE [disɑ̃blabl] adj. — xiiᵉ, *dessemblable ;* de *dis-,* et *semblable.*

♦ Plur. Se dit de deux ou plusieurs personnes ou choses qui ne sont pas semblables, bien qu'ayant entre elles des caractères communs. ⇒ **Différent, disparate, divers ;** *dissemblance* (→ Cause, cit. 21 ; composite, cit. 1 ; communion, cit. 3). *Ensemble formé d'éléments dissemblables* (⟹ **Hétérogène**). *Figures dissemblables. Caractères dissemblables. Ils sont trop dissemblables pour s'entendre.* ⟹ **Opposé.**

1 (...) il faut que les phrases s'agitent dans un livre comme les feuilles dans une forêt, toutes dissemblables en leur ressemblance.
FLAUBERT, Correspondance, t. II, p. 388.

Sing. Chose, personne dissemblable d'une autre, (vx) *à une autre.*

2 (...) quoique si dissemblable à mon premier *(sonnet),* j'aurais pourtant de la peine à le désavouer.   RACINE, Lettres, 2, 1660, À l'abbé Vasseur.

3 L'Église, en cela dissemblable des autres mères qui mettent hors d'elles-mêmes les enfants qu'elles produisent (...)
BOSSUET, Oraison funèbre du Père Bourgoing.

Qui ne ressemble pas ou plus (à...). Son esprit est toujours dissemblable à ce qu'il était la veille. ⟹ **Changeant, mobile.**

4 L'on a remarqué que la plupart des hommes sont, dans le cours de leur vie, souvent dissemblables à eux-mêmes, et semblent se transformer en des hommes tout différents.   ROUSSEAU, les Confessions, IX.

CONTR. Semblable ; analogue, identique, pareil.
DÉR. Dissemblablement.

DISSEMBLABLEMENT [disãblabləmã] adv. — XIIIe ; de *dissemblable.*

♦ Rare. *De manière dissemblable.* ⟹ **Diversement.**

DISSEMBLANCE [disãblãs] n. f. — 1520 ; de *dis-,* et *(res)semblance,* réfection du moy. franç. *dessemblance* (v. 1165), de *dessembler,* de *dis-,* et *sembler.*

♦ Littér. *Manque de ressemblance* entre des êtres, des choses ; caractère de ce qui est dissemblable.* ⟹ **Différence, disparité, diversité, hétérogénéité, opposition.** *Dissemblance de forme. Il y a une grande dissemblance entre ces deux frères. Rapport de dissemblance entre deux termes* (⟹ **Contraste**). *La dissemblance des races* (→ Croisement, cit. 4). *Il y a entre eux de nombreuses dissemblances.*

1 Il ne distinguait pas, cet homme si plein de pratique, la dissemblance des sentiments sous la parité des expressions.   FLAUBERT, Mme Bovary, II, XII.

2 On ne peut comparer un artiste qu'à lui-même, mais il y a profit et justice à noter des dissemblances : nous tâcherons de marquer, non en quoi les nouveaux venus se ressemblent, mais en quoi ils diffèrent, c'est-à-dire en quoi ils existent, car être existant, c'est être différent.   R. DE GOURMONT, le Livre des masques, p. 14.

3 Peu à peu tu te fais silence
Mais pas assez vite pourtant
Pour ne sentir ta dissemblance
Et sur le toi-même d'antan
Tomber la poussière du temps.
ARAGON, le Voyage de Hollande et autres poèmes, p. 76.

CONTR. Analogie, identité, ressemblance.

DISSEMBLER [disãble] v. tr. — Fin XIVe ; de *dis-,* et *(res)sembler,* réfection de l'anc. franç. *dessembler* (XIIIe), de *des-,* et *sembler.*

♦ Littér. et rare. *Être dissemblable.*

1 Non point que chacun obéisse précisément à un mot d'ordre ; mais tout est arrangé de manière qu'il ne puisse pas dissembler.
GIDE, Retour de l'U. R. S. S., III, p. 49.

Vx. Dissembler qqch. de qqch. : différencier (de). — *Mod., littér. Dissembler de qqn, de qqch.*

2 Rien ne dissemble plus de lui que lui-même. Quelquefois, il est maigre et hâve comme un malade au dernier degré de la consomption (...) Le mois suivant, il est gras et replet (...)   DIDEROT, le Neveu de Rameau, Pl., Œ., p. 426.

CONTR. Ressembler.

DISSÉMINATEUR, TRICE [diseminatœR, tRis] adj. et n. — 1486, n. m. ; lat. *disseminator,* du supin de *disseminare.* → Disséminer.

♦ Rare. *(Chose, personne) qui dissémine* (qqch.). *Agent disséminateur de germes.* ⟹ **Propagateur.**

DISSÉMINATION [diseminasjõ] n. f. — 1674 ; lat. *disseminatio,* du supin de *disseminare.* → Disséminer.

♦ **1.** *Action de disséminer* ; résultat de cette action.* ⟹ **Dispersion, disséminement** (rare). — Bot. *Dispersion (des graines). La dissémination des fruits ; des graines,* libérées par la déhiscence ou la putréfaction du fruit où elles étaient enfermées. Méd. *Dissémination des germes pathogènes, d'un cancer dans l'organisme.* ⟹ **Généralisation, métastase.**

♦ **2.** Par ext. *La dissémination des troupes sur un territoire trop vaste.* ⟹ **Éparpillement.**

Couples et bandes, et, plus rares, des isolés, passaient et repassaient, toujours en état de dissémination, point encore agglomérés en foules, modérément rieurs.
R. QUENEAU, Pierrot mon ami, p. 8.

Fig. *La dissémination des idées.* ⟹ **Diffusion, propagation.** — Didact. *La Dissémination,* ouvrage de J. Derrida.

CONTR. Accumulation, agglomération, amoncellement, centralisation, concentration, condensation, rassemblement, regroupement, réunion, union.

DISSÉMINEMENT [diseminmã] n. m. — Fin XVIIIe ; de *disséminer.*

♦ Rare. *État de ce qui est disséminé.*

DISSÉMINER [disemine] v. tr. — 1503, rare av. XVIIIe ; lat. *disseminare,* de *dis-,* et *seminare* « semer, produire », de *semen* « semence ».

♦ **1.** *Répandre en de nombreux points assez écartés.* ⟹ **Disperser, éparpiller, répandre, semer.** *Le vent dissémine les graines de certains végétaux.*

♦ **2.** Par ext. *Disperser. Disséminer les troupes dans les différents villages du pays.*
Fig. *Disséminer des idées, des théories dans plusieurs milieux.*
Pronominal :

1 Bientôt il aperçut Etchézar, sa paroisse, son clocher massif comme un donjon de forteresse ; auprès de l'église, quelques maisons étaient groupées ; les autres, plus nombreuses, avaient préféré se disséminer aux environs, parmi des arbres, dans des ravins ou sur des escarpements.   LOTI, Ramuntcho, I, 1, p. 9.

▶ **DISSÉMINÉ, ÉE** p. p. adj. *Objets, cailloux disséminés.* — Pathol. *Maladie, infection disséminée* (dans l'organisme, à partir d'un foyer initial).
Figuré :

2 La matière littéraire n'a pas cessé d'être riche, mais elle me semble complètement disséminée.   SAINTE-BEUVE, Correspondance, II, p. 48.

CONTR. Accumuler, agglomérer, amasser, amonceler, assembler, centraliser, concentrer, condenser, grouper, rallier, rassembler, regrouper, réunir, unir.
DÉR. Disséminement.

DISSENSION [disãsjõ] n. f. — 1160 ; lat. *dissensio,* du supin de *dissentire* « être en désaccord », de *dis-,* et *sentire.* → Sentir.

♦ *Division violente ou profonde de sentiments, d'intérêts, de convictions.* ⟹ **Déchirement, désaccord, discorde, dissentiment, divorce, mésintelligence, opposition, querelle.** *La dissension, les dissensions entre plusieurs personnes. Leurs dissensions sont profondes. Dissensions intestines, domestiques, familiales, civiles. Fomenter, propager la dissension, des dissensions. Vivre dans la dissension.* ⟹ **Guerre** (fig.) ; → Être à couteaux* tirés. *Apaiser les dissensions. Mettre fin aux dissensions.*

1 (...) mettre de la dissension dans un ménage (...)
MOLIÈRE, le Bourgeois gentilhomme, IV, 2.

2 Avec l'amour et l'amitié naissent les dissensions, l'intimité, la haine.
ROUSSEAU, Émile, IV.

3 Notre nation, la plus diverse, et d'ailleurs, l'une des plus divisées qui soit, se figure à chaque Français tout *une* dans l'instant même. Nos dissensions s'évanouissent, et nous réveillons des images monstrueuses qui nous représentent les uns aux autres.   VALÉRY, Variété IV, p. 70.

CONTR. Accord, concorde, harmonie, intelligence (bonne intelligence).

DISSENTIMENT [disãtimã] n. m. — 1580, Montaigne ; *dissentement,* v. 1350 ; de l'anc. v. *dissentir* (du lat. *dissentire* « être en désaccord »).

♦ *Différence dans la manière de juger, de voir qui crée des heurts.* ⟹ **Conflit, désaccord, dissension, mésintelligence, opposition.** *Un dissentiment d'opinions, d'idées. Dissentiment léger, sérieux, grave. Il y a dissentiment entre nous sur ce point. Leur dissentiment est grave. Ce dissentiment provient d'un malentendu. Les dissentiments font naître les discordes. Apaiser un dissentiment. — En cas de dissentiment, s'il y a dissentiment...*

1 (...) dissentiment entre deux grands esprits *(Tagore et Gandhi)* qui ont l'un pour l'autre estime et admiration, mais qui sont aussi fatalement séparés que peut l'être un sage d'un apôtre, d'un saint Paul un Platon.
R. ROLLAND, Mahatma Gandhi, p. 523.

2 (...) Maurice Barrès dont j'ai tant admiré l'œuvre et qui, après nos dissentiments de l'affaire Dreyfus, me donna des preuves émouvantes de cordialité (...)
Georges LECOMTE, Ma traversée, p. 523.

3 Les mineurs ne peuvent contracter mariage sans le consentement de leurs père et mère ; en cas de dissentiment entre le père et la mère, ce partage emporte consentement.   Code civil, art. 148.

Être en dissentiment avec qqn. ⟹ **Conflit, opposition.**

CONTR. Accord, assentiment, concorde, entente, harmonie.

DISSÉQUER [diseke] v. tr. — Conjug. *céder.* — 1549 ; lat. *dissecare* « couper en deux », de *dis-,* et *secare* « fendre, couper ». → Section.

♦ **1.** Anat. et cour. *Diviser méthodiquement les parties de* (un organisme : plante, animal ; un corps mort : animal, cadavre d'un être humain), *en vue d'en étudier la structure.* ⟹ **Dissection** (cit. 1). *Disséquer un cadavre. Disséquer un chien, un cheval. Personne qui dissèque.* ⟹ **Dissecteur.**

1 (...) un cours d'anatomie commencé sous M. Fitz-Moris, et que je fus obligé d'abandonner par l'horrible puanteur des cadavres qu'on disséquait, et qu'il me fut impossible de supporter.   ROUSSEAU, les Confessions, VI.

1.1 Je suis accablée des plus dures invectives, et les plus effrayants arrêts se prononcent; il ne s'agit de rien moins que de me disséquer toute vive, pour examiner les battements du cœur (...)   SADE, *Justine...*, t. I, p. 131.

Absolt. *Il dissèque habilement* (→ Anatomiste, cit.).

2 Voilà pourquoi les maîtres de la Renaissance ont si fort étudié le corps humain, pourquoi Michel-Ange a disséqué douze ans.
                                    TAINE, *Philosophie de l'art*, t. II, p. 332.

Par ext. Mettre en pièces, couper en morceaux. ⇒ **Dépecer.** *Bête fauve qui dissèque sa proie.*

♦ **2.** (1771). Analyser minutieusement et méthodiquement. ⇒ **Dépecer, éplucher.** *Disséquer le caractère, l'esprit de qqn. Disséquer un ouvrage, un texte, une question* (→ Couper les cheveux* en quatre). — Ellipt. *Disséquer un auteur* (→ Autopsie, cit. 4).

3 (...) philosophes ou moralistes (...) qui se faisaient de l'ironie une méthode universelle, jugeaient, disséquaient ou raillaient toutes choses divines et humaines.
                                    VALÉRY, *Variété IV*, p. 13.

4 Disséquer le texte d'un auteur, épier la conversation d'un ami dans l'unique dessein de relever certains mots ou de signaler l'abus de certains tours, c'est là divertissement de cuistre.   G. DUHAMEL, *Discours aux nuages*, p. 16.

▶ **DISSÉQUÉ, ÉE** p. p. adj. *Cadavre disséqué.* Par compar. *Sa « joue maigre semblait disséquée »* (Gautier, *in* T. L. F.).

DÉR. Dissécable, disséqueur.

DISSÉQUEUR, EUSE [disekœʀ, øz] n. — 1718; de *disséquer.*

♦ Rare. Personne qui pratique une dissection. ⇒ **Dissecteur.**
Fig. (plus cour., parfois péj.). Personne qui dissèque (2.).

DISSERTANT, ANTE [disɛʀtã, ãt] adj. — 1836; p. prés. de *disserter.*

♦ Rare. Qui disserte volontiers.

DISSERTATEUR, TRICE [disɛʀtatœʀ, tʀis] n. et adj. — 1722; de *disserter.*

♦ Vx et rare. Auteur de dissertation(s). — Péj. Personne qui se plaît à disserter, longuement et vainement. *Quel insupportable dissertateur!* — Adj. *« Cette inquiétude dissertatrice »* (J. de Maistre, *in* T. L. F.).

DISSERTATIF, IVE [disɛʀtatif, iv] adj. — 1819; du rad. de *dissertation,* et suff. *-atif.*

♦ Didact. et rare. Qui a le caractère, la nature d'une dissertation. *Exposé dissertatif.*

X., à qui je dis que son manuscrit (pesant pavé contestataire sur la télévision) est trop dissertatif, insuffisamment protégé *esthétiquement,* saute à ce mot et me rend immédiatement la monnaie de ma pièce : il a beaucoup discuté du *Plaisir du Texte* avec des camarades; mon livre, dit-il «frôle sans cesse la catastrophe».
                                    R. BARTHES, *Roland Barthes*, p. 108.

DISSERTATION [disɛʀtasjõ] n. f. — 1645; lat. *dissertatio,* du supin de *dissertare.* → Disserter.

♦ **1.** Vieilli. Développement le plus souvent écrit, portant sur un point de doctrine, sur une question savante. ⇒ **Article, discours, essai, étude, mémoire, traité.** *Savante, longue dissertation. Faire, publier une dissertation sur un point controversé.*

1 (...) j'ai lu deux ou trois cents dissertations sur ce grand objet *(l'âme);* elles ne m'ont jamais rien appris (...)
                                    VOLTAIRE, *Dialogues*, XXIV, 2ᵉ entretien, *in* LITTRÉ.

2 Le *traité* est plus étendu ou plus général; la *dissertation,* plus restreinte ou plus particulière. Le *traité* roule sur telle ou telle science, telle ou telle matière, et il est plus ou moins complet; la *dissertation* roule sur tel sujet, telle ou telle question, tel ou tel point, et, de sa nature, elle est toujours partielle.
                                    LAFAYE, *Dict. des synonymes*, Suppl., Traité...

♦ **2.** (1864). Mod. Exercice écrit que doivent rédiger les élèves des grandes classes des lycées et ceux des facultés de lettres, sur des sujets littéraires, philosophiques, historiques. ⇒ **Composition.** *Dissertation d'examen. Prix de dissertation française. Corriger des dissertations. Corrigé de dissertation. Sujet de dissertation.* — Abrév. scol. : *dissert(e)* [disɛʀt] 1931, *in* D. D. L.
Par anal. *Il m'a envoyé toute une dissertation sur les joies de la campagne. Ce roman est entrelardé de dissertations ennuyeuses.*

DÉR. V. Dissertatif.

DISSERTER [disɛʀte] v. intr. — Fin XVIIᵉ, Saint-Simon; lat. *dissertare* «discuter, exposer», fréquentatif de *disserere,* de *dis-,* et *serere* «enchaîner, unir».

♦ **1.** Faire un développement, le plus souvent oral et longuement développé (sur une question, un sujet...). ⇒ **Discourir, traiter** (de). *Disserter sur la politique, de politique. Disserter politique.* ⇒ **Causer** (cit. 8), **parler.** — Absolt. *Aimer à disserter* (→ Agir, cit. 10).

Si elle disserte pertinemment de ces choses, comme elle en a souvent causé avec moi, que croiriez-vous?   BALZAC, *Séraphîta*, Pl., t. X, p. 531.

♦ **2.** Rare. Faire une dissertation (2.). *Les élèves ont fini de disserter pour la composition de français.*

♦ **3.** Péj. Développer longuement des opinions, des arguments; s'exprimer ennuyeusement et longuement.

DÉR. Dissertant, dissertateur. — V. Dissertation.

DISSIDENCE [disidãs] n. f. — XVᵉ; rare av. XVIIIᵉ; lat. *dissidentia,* de *dissidens.* → Dissident.

♦ **1.** Action ou état des personnes qui se séparent d'une communauté religieuse, politique, sociale, d'une école philosophique... ⇒ **Division, rébellion, révolte, schisme, scission, sécession, séparation.** *Divergence de doctrine qui entraîne une dissidence au sein d'un parti. Dissidence avec (qqn, qqch.). Dissidence entre qqn et qqn.*
Spécialt. Le fait de se séparer, en s'opposant par la force, d'une communauté politique (État).
EN DISSIDENCE. *Entrer, être en dissidence. Des populations révoltées, en dissidence.*

♦ **2.** Par ext. Groupe de dissidents. *Rejoindre la dissidence. Une dissidence armée.*

Il y eut une reprise générale d'offensive de la dissidence, notamment dans tout le   0.1
haut bassin de la Moulouya. Huit de nos postes se trouvèrent investis (...)
                                    L. H. LYAUTEY, *Paroles d'action*, p. 284.
La dissidence, les dissidences marxistes, freudiennes.

♦ **3.** Littér. Différence d'opinion. ⇒ **Dissentiment, divergence.**

Entre lui et le frère de celle qu'il aimait, des dissidences violentes d'opinion avaient   1
éclaté.   SAINTE-BEUVE, *Volupté*, V, p. 43.

(..) et voilà ce qui cause souvent des dissidences entre moi et quelques-uns de mes   2
amis.   RENAN, *Souvenirs d'enfance...*, I, 1, p. 29. (→ Depuis, cit. 19)

CONTR. Accord, concorde, union. — Conformisme, orthodoxie.

DISSIDENT, ENTE [disidã, ãt] adj. et n. — 1539, méd., rare av. 1752; lat. *dissidens,* de *dissidere* «être en désaccord»; de *dis-,* et *sedere* «être fixé, assis».

♦ **1.** Qui est en dissidence*, qui fait partie d'une dissidence. ⇒ **Hérétique, hétérodoxe, non-conformiste, opposé, rebelle, révolté, schismatique, scissionnaire, séparatiste.** *Parti dissident. Faction, secte dissidente. Église dissidente,* séparée de l'Église officielle dans les pays de tradition protestante. *Un disciple dissident de Marx, de Freud.*
N. *Église de dissidents. Les dissidents surréalistes.*

Ces dissidents persécutés deviendront persécuteurs, lorsqu'ils seront les plus forts.
                                    DIDEROT, *Salon de 1767*, *in* LITTRÉ.

♦ **2.** Cour. Qui cesse de se soumettre à une autorité politique. ⇒ **Rebelle, révolté.** *Des éléments dissidents. Des tribus dissidentes, en lutte contre les colonisateurs.*
N. *Des dissidents en arme.*
Spécialt. Personne qui manifeste son opposition à l'idéologie dominante d'un pays. *« Deux écrivains, tous les deux titulaires du prix Dimitrov (...) auraient été mis en garde contre les conséquences que pourrait avoir leur manifestation de sympathie pour les dissidents tchécoslovaques »* (le Monde, 23 févr. 1977). *Les dissidents soviétiques.*

♦ **3.** Littér. Qui est en désaccord. *Opinions, pensées, idées dissidentes.*

DISSIMILAIRE [disimilɛʀ] adj. — Av. 1590; de *dis-,* et *similaire.*

♦ Rare. Qui n'est pas similaire*; qui n'est pas du même genre, de la même espèce. ⇒ **Dissemblable.** *Les parties dissimilaires des corps organisés.*

CONTR. Similaire; semblable.

DISSIMILATION [disimilasjõ] n. f. — 1868; de *dis-,* et *(as)similation.*

♦ Ling. Différenciation de deux phonèmes identiques d'un mot (ex. : *lossignol* qui a donné *rossignol*).

CONTR. Assimilation, dilation.

DISSIMILER [disimile] v. tr. — 1890; de *(as)similer,* et préf. *dis-,* d'après *dissimilation.*

♦ Ling. Modifier (un phonème) par dissimilation*.

DISSIMILITUDE [disimilityd] n. f. — XIIIᵉ, rare av. XVIᵉ; lat. *dissimilitudo* «différence», de *dissimilis* «dissemblable», de *dis-,* et *similis.*

♦ Didact. Défaut de similitude, de ressemblance. ⇒ **Différence, dissemblance, opposition.**

CONTR. Similitude.

DISSIMULABLE [disimylabl] adj. — 1536, *in* T. L. F. ; de *dissimuler.*

♦ Qui peut être dissimulé.

Un tiers des valeurs (il s'agit par hasard des valeurs nominatives, non dissimulables) sont soulignées au crayon rouge.
                                        Hervé BAZIN, la Mort du petit cheval, p. 267.

DISSIMULATEUR, TRICE [disimylatœʀ, tʀis] n. et adj. — V. 1481 ; lat. *dissimulator*, du supin de *dissimulare.* → Dissimuler.

♦ Personne qui dissimule, sait dissimuler.

(...) les ariens et entre autres Ursace et Valens, qui avaient fait plus d'une fois une feinte abjuration de l'arianisme (...) étaient de si subtils dissimulateurs et si féconds en expressions trompeuses, que (...)
                        BOSSUET, 2ᵉ instruction pastorale, Sur les promesses de l'Église, *in* LITTRÉ.

Adj. *Des courtisans dissimulateurs.*

DISSIMULATION [disimylɑsjõ] n. f. — 1190 ; lat. *dissimulatio*, du supin de *dissimulare.* → Dissimuler.

♦ **1.** Action de dissimuler ; comportement d'une personne qui dissimule ses pensées, ses sentiments. *La dissimulation, art de s'étudier, de composer son visage, son maintien, ses paroles pour déguiser sa pensée* (→ Composer, cit. 13). *Parler sans fard, sans feinte, sans dissimulation. Donner le change à force de dissimulation.* ⇒ **Comédie, grimace.** *Agir avec dissimulation.* ⇒ **Duplicité, sournoiserie.** *Politique de mensonge et de dissimulation.* ⇒ **Machiavélisme.** *Dissimulation d'une partie de la vérité.* ⇒ **Réticence.**

1   Car, quant à cette nouvelle vertu de feintise et de dissimulation qui est à cette heure si fort en crédit, je la hais capitalement ; et, de tous les vices, je n'en trouve aucun qui témoigne tant de lâcheté et bassesse de cœur. C'est une humeur couarde et servile de s'aller déguiser et cacher sous un masque, et de n'oser se faire voir tel qu'on est. Par là nos hommes se dressent à la perfidie : étant duicts *(formés)* à produire des paroles fausses, ils ne font pas conscience d'y manquer. Un cœur généreux ne doit point démentir ses pensées ; il se veut faire voir jusques au-dedans. Ou tout y est bon, ou au moins tout y est humain.
                                        MONTAIGNE, Essais, II, XVII.

2   (...) la profonde dissimulation d'une âme énergique, qui ne laisse percer à l'extérieur aucun des sentiments qu'elle renferme.   MÉRIMÉE, Colomba, III.

♦ **2.** Caractère d'une personne qui dissimule souvent. *Il est plein de dissimulation et d'hypocrisie**. ⇒ **Fausseté.**

♦ **3.** *(Une, des dissimulations.)* Ce que l'on dissimule. *De petites dissimulations.* ⇒ **Cachotterie.**

♦ **4.** Action de dissimuler (de l'argent). — Dr. *Dissimulation d'actif :* omission volontaire par un commerçant en faillite d'une partie de son actif dans le bilan qu'il dépose. *La dissimulation d'actif entraîne la banqueroute frauduleuse* (→ Dissimuler, cit. 9). — *Dissimulation de bénéfices, de revenus dans une déclaration au fisc.*

CONTR. Franchise, loyauté, simplicité, sincérité.

DISSIMULER [disimyle] v. tr. — Fin XIIIᵉ ; lat. *dissimulare*, de *dis-*, et *simulare* « rendre semblable ; feindre » (→ Simuler), de *simul* « semblable ».

♦ **1.** Ne pas laisser paraître ce qu'on pense, ce qu'on éprouve, ce qu'on sait (⇒ **Cacher, celer, taire**), ou chercher à en donner une idée fausse. ⇒ **Camoufler, change** (donner le change), **déguiser, masquer.** *Dissimuler sa haine, sa jalousie.* ⇒ **Concentrer, enfouir, refouler, renfermer, rentrer.** *Dissimuler une vérité sous un symbole.* ⇒ **Envelopper, voiler.** *Dissimuler ses véritables projets.* ⇒ **Cacher** (son jeu). *Dissimuler une mauvaise intention sous des dehors caressants.* → Faire patte de velours*. *Dissimuler ses sentiments derrière un masque.* ⇒ **Composer** (son visage). *Dissimuler ce qu'une vérité a de brutal, d'affligeant.* ⇒ **Atténuer, glisser** (sur) ; → Passer au bleu*. *Dissimuler ce que l'on devrait, en conscience, révéler.* ⇒ **Frauder, tricher.** *Ne rien dissimuler :* jouer cartes sur table, jouer franc jeu. *Je ne vous dissimulerai pas que... :* je vous avoue, je vous confesse que...

Absolt. ⇒ **Feindre.** *Qui ne sait pas dissimuler ne sait pas régner* (maxime de Louis XI). *À quoi bon dissimuler ? Dissimuler souvent, beaucoup, peu.*

1   Félix, c'est donc ainsi que vous parlez sans fard ? (...)
    (...) Un chrétien ne craint rien, ne dissimule rien :
    Aux yeux de tout le monde il est toujours chrétien.
                                        CORNEILLE, Polyeucte, V, 2.

2   Il est plus difficile de dissimuler les sentiments que l'on a que de feindre ceux que l'on n'a pas.   LA ROCHEFOUCAULD, Maximes posthumes, 559.

3   (...) mon cœur, qui dissimule peu,
    Ne sent nulle contrainte à faire un libre aveu (...)
    (...) Et j'avouerai tout haut, d'une âme franche et nette (...)
                                        MOLIÈRE, les Femmes savantes, I, 2.

4   La parole a été donnée à l'homme pour dissimuler sa pensée.
                        TALLEYRAND, *in* Louis MADELIN, Talleyrand, p. 442 (→ Déguiser, cit. 9).

(...) il ne pouvait dissimuler sa joie, quoiqu'il essayât par instants de se composer.   5
                                        HUGO, Notre-Dame de Paris, X, V.

(...) car ce n'est qu'un homme, capable de feindre une émotion sans doute, mais   6
non de la dissimuler (...)   COLETTE, la Vagabonde, II, p. 135.

Vx et littér. Feindre de ne pas remarquer. *Dissimuler une injure, une offense*, faire semblant de l'ignorer pour n'avoir pas à en témoigner de ressentiment.

Un homme qui sait la cour (...) dissimule les mauvais offices, sourit à ses ennemis (...)   LA BRUYÈRE, les Caractères, VIII, 2.   7

DISSIMULER QUE (avec subj. ou indic.) : cacher que. *Il dissimula qu'il fût au courant, qu'il était au courant de la chose.*

(...) il se croirait coupable *(Nesmond, archevêque d'Alby)*... si... il lui dissimulait   7.1
(au roi) que le pain de la parole manquait au peuple (...)
                        SAINT-SIMON, Mémoires, t. III, LV, Pl., p. 983.

Par euphém. *Je ne vous dissimulerai pas que cette solution ne me convient guère*, je vous fais savoir que...

(Avec cond.). *Je ne lui ai pas dissimulé que j'aurais préféré partir.*

♦ **2.** Dérober, soustraire aux regards (une chose concrète). ⇒ **Masquer, voiler.** *Dissimuler les défauts d'une marchandise sous une belle apparence.* ⇒ **Farder.** *Dissimuler son visage sous un voile* (→ Cagoule, cit. 3). — Sujet n. de chose. *Une tenture dissimulait une porte.*

De même que certaines modes en dissimulant aux yeux des hommes le corps tout   8
entier des femmes donnaient jadis du prix à une robe effleurée, la pudeur des sentiments, voilant à l'esprit les signes habituels des passions, fait apercevoir la valeur et la grâce de nuances imperceptibles de langage.
                                        A. MAUROIS, Climats, I, IV, p. 39.

Par ext. Rendre moins apparent, moins évident. ⇒ **Atténuer** (→ Corriger, cit. 5). *Un regard franc, un bon sourire dissimule les imperfections d'un visage. Dissimuler les défauts de la peau en se fardant.*

Une jaquette et une robe de serge bleue dissimulaient assez mal la maigreur de   9
son corps, bien qu'elles fussent largement coupées.
                                        J. GREEN, Adrienne Mesurat, III, p. 222.

Dissimuler une partie de ses bénéfices dans sa déclaration fiscale. — *Failli qui dissimule une partie de son actif.*

Sera déclaré banqueroutier frauduleux, et puni des peines portées au Code pénal,   10
tout commerçant failli qui aura soustrait ses livres, détourné ou dissimulé une partie de son actif (...)   Code de commerce, art. 591.

▶ **SE DISSIMULER** v. pron.

♦ **1.** (Réfl.). 1864. Cacher sa présence ou la rendre très discrète. *Se dissimuler derrière un pilier. Se dissimuler dans un coin.* ⇒ **Petit** (se faire tout petit).

Près d'elle, derrière elle, miss Barnay se dissimule dans un éloquent silence et   11
laisse l'autre se pavaner.   GIDE, Journal, 15 janv. 1906.

♦ **2.** (Passif). *Avis, avertissement qui se dissimule dans une phrase banale.* ⇒ **Glisser** (se). *Sentiments qui se dissimulent sous une indifférence affectée.* ⇒ **Cacher** (se). *Motif qui se dissimule derrière un prétexte.* ⇒ **Abriter** (s').

(...) un fond de gallicanisme mitigé se fût dissimulé sous le couvert d'une profonde   12
connaissance du droit canonique.   RENAN, Souvenirs d'enfance..., III, I, p. 123.

(...) scepticisme élégant et si discret qu'il se dissimule (...)   13
                                        GIDE, Journal, 28 sept. 1929.

♦ **3.** *Se dissimuler les difficultés d'une entreprise, les périls d'une situation*, n'en être pas pleinement conscient, refuser de les voir (→ Avisé, cit. 5). *Il est trop intelligent pour se dissimuler que... Ne pas se dissimuler :* se rendre compte de..., que... ; ne se faire aucune illusion sur... *Il ne se dissimule pas son état. Il ne se dissimule pas qu'il est perdu. Sentiment qu'on ne peut pas se dissimuler* (→ Consterner, cit. 4).

Il avait aimé dissimuler qu'en U. R. S. S. aussi il y avait quelque chose de pourri.   14
                                        S. DE BEAUVOIR, les Mandarins, p. 372.

Mais il ne se dissimule pas que le jeu ne saurait durer indéfiniment.   15
                                        J. ROMAINS, t. XIV, p. 241, *in* GREVISSE.

▶ **DISSIMULANT, ANTE** p. prés. adj.
Qui dissimule. « *Les apparences dissimulantes* » (Daudet, 1895, *in* D. D. L.).

▶ **DISSIMULÉ, ÉE** p. p. adj.

♦ **1.** ⇒ **Caché.** *Sentiment dissimulé. Pensée dissimulée.* ⇒ **Arrière-pensée, réticence.** *Manœuvre dissimulée*, qui n'est pas franche (→ Change, cit. 4). *Des aveux dissimulés sous des termes ambigus.* — *Bénéfices dissimulés, opérations dissimulées* (→ Compte, cit. 14).

(...) jamais imitation ne fut mieux dissimulée ni plus savante — il est bien permis, il est louable d'imiter ainsi.   16
                        BAUDELAIRE, Curiosités esthétiques, Salon de 1845, I (Descamps).

La jalousie a beau être habilement dissimulée par celui qui l'éprouve, elle est assez   17
vite découverte par celle qui l'inspire, et qui use à son tour d'habileté.
                        PROUST, À la recherche du temps perdu, t. XI, p.

♦ **2.** (Personnes). Qui dissimule. ⇒ **Cachottier, dessous** (en), **double, faux, hypocrite, machiavélique, renfermé, secret, sournois** (→ Attirer, cit. 30 ; comporter, cit. 6). *Ce garçon est très dissimulé.* — N. *C'est un dissimulé.* — Par ext. *Un esprit dissimulé. Une nature dissimulée.*

18 (...) il a l'esprit franc et point dissimulé. MOLIÈRE, l'Étourdi, III, 4.

CONTR. **Affirmer, avouer, confesser, dire, divulguer, exhiber, exposer, montrer.** — (Du p. p.) **Candide, confiant, franc, loyal, ouvert, simple, sincère.**
DÉR. **Dissimulable.** — V. **Dissimulateur, dissimulation.**

DISSIPATEUR, TRICE [disipatœʀ, tʀis] n. et adj. — 1392; bas lat. *dissipator*, du supin de *dissipare*. → Dissiper.

♦ Personne qui dissipe son bien ou le bien qui lui est commis. ⇒ **Dépensier, gaspilleur, mange-tout** (fam.), **prodigue.**

Son économe était un dissipateur. Il voulait briller : bon cheval, bon équipage; il aimait à s'étaler noblement aux yeux des voisins; il faisait des entreprises continuelles en choses où il n'entendait rien. ROUSSEAU, les Confessions, VI.

Adj. *Gouvernement dissipateur, administration dissipatrice. À père avare* (cit. 4), *fils dissipateur.*

CONTR. **Économe, parcimonieux.**

DISSIPATIF, IVE [disipatif, iv] adj. — V. 1965; du rad. de *dissiper*.

♦ Didact. Qui dissipe (de l'énergie). *Mécanisme dissipatif.* « *Cependant, il pense que ce sont des phénomènes purement physiques, conformes au second principe de la thermo-dynamique, les "structures dissipatives", qui assurent l'apparition et l'entretien des êtres vivants* » (la Recherche, juin 1979, nᵒ 101, p. 614). « *Si le terme "structure" se rapporte aussi bien à l'organisation temporelle que spatiale, l'adjectif "dissipatif" est là pour rappeler que ce type de structure est lié à la présence d'un flux de matière et/ou d'énergie entre le système et le milieu extérieur* » (Sciences et Avenir, nᵒ 421, mars 1982, p. 75).

DISSIPATION [disipasjõ] n. f. — 1419, « dispersion »; lat. *dissipatio*, du supin de *dissipare*. → Dissiper.

♦ **1.** Vx. Action de dissiper en dispersant, en faisant disparaître. ⇒ **Disparition, dispersion.** *La dissipation des nuages par l'évaporation.*

Mod. Le fait de disparaître en se dissipant. *La dissipation du brouillard est complète.*

Phys. Disparition (de l'énergie) par consommation de puissance. *La dissipation anodique d'une lampe.*

♦ **2.** Action de dissiper en dépensant avec prodigalité. *Dissipation d'un patrimoine.* ⇒ **Dilapidation** (→ Amasser, cit. 2). — Par ext. *Ruiner sa famille en dissipations,* en dépenses exagérées. ⇒ **Dépense, folie, gaspillage.**

1 On craignait sa vigilance, et le gaspillage était moindre. Elle-même craignait sa censure, et se contenait davantage dans ses dissipations (...) elle redoutait le juste reproche qu'il osait quelquefois lui faire qu'elle prodiguait le bien d'autrui autant que le sien. ROUSSEAU, les Confessions, V.
2 Inconcevable dissipation par la main gauche des trésors péniblement gagnés par la main droite. G. DUHAMEL, Scènes de la vie future, XV, p. 228.

♦ **3.** Le fait de porter attention sur d'autres choses que celle sur laquelle il faut se concentrer. *Dissipation de l'esprit, de l'attention.* ⇒ **Distraction, éparpillement.**

3 Avec autant d'esprit, il eût pu réussir à tout; mais l'impossibilité de s'appliquer et le goût de la dissipation ne lui ont permis d'acquérir que des demi-talents en tout genre. ROUSSEAU, les Confessions, XI.
4 Je dois consigner ici mes «concentrations», non mes dissipations. GIDE, Journal, 1ᵉʳ févr. 1907.

Par ext. Mauvaise conduite, fait de s'amuser durant les cours. *Ces élèves sont enclins à la dissipation.* ⇒ **Indiscipline, turbulence.**

5 Je retrouvais ces quinquagénaires avec toutes les marques qui dénoncent sur un enfant laissé seul la désobéissance et la dissipation, une bosse au front du physicien, une déchirure à la culotte de l'ancien ministre. GIRAUDOUX, Bella, VII, p. 164.

♦ **4.** Littér. Débauche. *Vivre dans la dissipation.* ⇒ **Débauche, désordre.**

6 Tout notre mal vient de ne pouvoir être seuls : de là le jeu, le luxe, la dissipation, le vin (...) LA BRUYÈRE, les Caractères, XI, 99.
7 Sa période de dissipation n'a jamais été une période d'impiété. GIRAUDOUX, Littérature, p. 32.

CONTR. **Accumulation, amoncellement.** — **Économie, épargne.** — **Application, assagissement, attention, concentration, contention; discipline.** — **Sagesse.**

DISSIPER [disipe] v. tr. — 1170; lat. *dissipare* « disperser, répandre, détruire », de *dis-*, et *supare* « jeter ».

♦ **1.** Faire cesser en dispersant. *Le soleil dissipe les nuages, les brouillards, les ténèbres.* ⇒ **Chasser, disparaître** (faire).

1 Je dis à cette nuit : «Sois plus lente»; et l'aurore
Va dissiper la nuit. LAMARTINE, Premières méditations, « Le lac ».
2 (...) tandis que le premier soleil achevait de dissiper au fond des vallées les ouates laissées par la nuit (...) MARTIN DU GARD, les Thibault, t. VI, p. 30.

Vx et rare. Disperser. *La police a dissipé la foule, les attroupements.*

3 Que fera-t-il, Madame? et qui peut dissiper
Tous les flots d'ennemis prêts à l'envelopper? RACINE, Iphigénie, V, 3.

Fig. *Dissiper un trouble, un malaise, la tristesse, la mélancolie.* ⇒ **Anéantir, supprimer.** *Dissiper un malentendu.* ⇒ **Éclaircir.** Dis-

---

siper la contrainte (cit. 7), *la gêne.* → **Briser, rompre la glace*.** *Dissiper les craintes, les inquiétudes, les soupçons, les doutes, les illusions de qqn.* ⇒ **Ôter** (de la tête). *Dissiper une menace, un danger.* ⇒ **Écarter.**

4 L'estime où l'on vous tient a dissipé l'orage,
Et mon mari de vous ne peut prendre d'ombrage. MOLIÈRE, Tartuffe, IV, 5.
5 Athalie accourue au bruit pour dissiper la conjuration (...) BOSSUET, Disc. sur l'Hist. universelle, I, VI.
6 (...) — Ah! dissipez ces indignes alarmes :
Il a trop bien senti le pouvoir de vos charmes. RACINE, Andromaque, II, 1.
7 Il y a dans la femme une gaieté légère qui dissipe la tristesse de l'homme.
BERNARDIN DE SAINT-PIERRE, in SAINTE-BEUVE, Causeries du lundi, t. I, p. 135.
8 Entre la mère et le fils s'était établi peu à peu un de ces états de malentendu muet d'autant plus malaisés à dissiper qu'ils sont inconscients.
Paul BOURGET, Un divorce, VI, p. 198.
9 (...) il serait utile de ne pas s'entêter dans une attitude arrogante et de dissiper une erreur qui va s'enracinant chez l'adversaire faute de démenti.
PROUST, À la recherche du temps perdu, t. XII, p. 144.

♦ **2.** Dépenser sans compter (tout ou partie d'un bien). ⇒ **Consumer, dépenser, gaspiller, prodiguer.** *Dissiper son patrimoine, une fortune.* ⇒ **Dévorer, dilapider, engloutir, manger.**

Fig. et littér. *Dissiper sa santé, sa jeunesse, sa vie en folles débauches* (⇒ **Ruiner**). *Dissiper son temps en occupations frivoles* (⇒ **Gâcher, perdre**).

10 Elle voit dissiper sa jeunesse en regrets,
Mon amour en fumée, et son bien en procès. RACINE, les Plaideurs, I, 5.
11 Depuis trois ans, je dissipe en seigneur le bien modeste qu'il m'a laissé et qui pouvait suffire à ma vie. NERVAL, les Filles du feu, « Sylvie ».

♦ **3.** Fig. et vieilli. Disperser sur plusieurs objets (ce qui devrait être concentré sur un seul). ⇒ **Disperser** (cit. 5), **éparpiller.** *Dissiper ses efforts, son attention.*

12 (...) je ne saurais trop vous recommander de ne vous point laisser aller à la tentation de faire des vers français qui ne serviraient qu'à vous dissiper l'esprit. RACINE, Lettres, 3 juin 1693.

♦ **4.** (XVIIᵉ). Littér. *Dissiper qqn,* le distraire de ses occupations sérieuses par des frivolités, des futilités; le détourner de la règle, de la discipline, du devoir. *Dissiper des enfants, des écoliers en les distrayant au milieu de leur travail.* ⇒ **Distraire.** *De mauvaises fréquentations ont dissipé ce jeune homme.* ⇒ **Débaucher; dissipation** (jeter dans la).

13 Le monde au milieu duquel vous vivez a deux pernicieux effets : il nous dissipe, et il nous corrompt (...) BOURDALOUE, Éloignement et fuite du monde, Préambule, in LITTRÉ.
14 (...) elle me montrait plus de sagesse déjà que n'en ont la plupart des jeunes filles, que le monde extérieur dissipe et dont maintes préoccupations futiles absorbent la meilleure attention. GIDE, la Symphonie pastorale, p. 66.

▶ SE DISSIPER v. pron.

♦ **1.** ⇒ **Disparaître.** *Les nuages vont se dissiper.* ⇒ **Disperser** (se). *La tempête s'est dissipée.* ⇒ **Apaiser** (s'). *Odeur, parfum qui se dissipe.* ⇒ **Évaporer** (s'), **volatiliser** (se). — Fig. *Mon mal de tête s'est dissipé.* ⇒ **Fin** (prendre). *Notre temps, notre vie se dissipent sans que nous nous en rendions compte.* ⇒ **Écouler** (s'), **enfuir** (s'), **envoler** (s'). → Anéantir, cit. 2.

15 Et tout ce bruit flatteur de notre renommée,
Comme il n'est que fumée,
Se dissipe en vapeur. CORNEILLE, Imitation de Jésus-Christ, I, 293.
16 (...) une actrice est comme un tableau qu'il faut contempler à distance et sous le jour propice. Si vous approchez, le prestige se dissipe.
Th. GAUTIER, le Capitaine Fracasse, t. I, VIII, p. 267.
17 Peu à peu, cependant, la rosée froide se dissipe, la brume s'évapore au soleil.
Alphonse DAUDET, Contes du lundi, « Alsace! Alsace! », p. 138.
18 Antoine s'arrête. Le malaise qu'il ressentait au début s'est dissipé (...)
MARTIN DU GARD, les Thibault, IV, p. 17.

♦ **2.** (Le sujet désigne un bien, une somme.) *Biens qui se dissipent. S'il continue de ce train, sa fortune, son héritage auront tôt fait de se dissiper.* ⇒ **Épuiser** (s'), **fondre, fumée** (s'en aller en).

♦ **3.** Littér. (Sujet n. de personne). Se détourner de son travail, de son devoir. ⇒ **Déranger** (se).

19 Il nous assure que vous aimez le travail, que vous ne vous dissipez point, et que la promenade et la lecture sont vos plus grands divertissements (...)
RACINE, Lettres, 182, 21 juil. 1698.
20 Le duc, se livrant sans cesse à de nouvelles folies, se dissipait par ses inconstances (...) Antoine HAMILTON, Mém. du comte de Gramont, 10, in LITTRÉ.

Ces enfants, ces élèves se dissipent, se dissipent mutuellement.

▶ DISSIPÉ, ÉE p. p. adj.

♦ **1.** *Nuages, orages dissipés.* — *Inquiétudes dissipées.*

21 Auriez-vous porté si loin vos vieux ressentiments (...) dont le souvenir doit être si parfaitement dissipé? Mᵐᵉ DE SÉVIGNÉ, 1272, avr. 1690.
22 Car le temps, je le sais, entraîne sur ses pas
Les illusions dissipées,
Et les feux refroidis, et les amis ingrats,
Et les espérances trompées. NERVAL, Poésies, « Mélodie » (imitée de Thomas Moore).

et une autre, entre plusieurs choses) ; différence, opposition qui en résulte *(une, des divergences). Divergence d'idées, d'opinions, de vues.* ⇒ **Désaccord, différence, écart.** *Il y a entre eux des divergences inconciliables. Divergences confessionnelles* (cit. 1). *Divergences entre deux versions d'un même fait.* ⇒ **Contradiction, opposition.**

1   En fait de contradictions, par exemple, il n'y a pas d'esprit dégagé de préoccupations théologiques qui ne soit forcé de reconnaître des divergences inconciliables entre les synoptiques et le quatrième évangile, et entre les synoptiques comparés les uns avec les autres.   RENAN, Souvenirs d'enfance..., V, III, p. 214.

2   Il flaira aussitôt que le frère et la sœur ne portaient pas le même jugement sur le caractère de l'enfant, et que cette divergence créait entre eux un point de désaccord.   MARTIN DU GARD, les Thibault, t. IX, p. 46.

♦ **3.** Math. Propriété d'une série dont la somme des termes ne tend vers aucune limite.

♦ **4.** (Av. 1959). Phys. Établissement, dans un réacteur, d'une réaction nucléaire en chaîne divergente.

CONTR. (Du sens 1) **Convergence.** — (Du sens 2) **Accord, analogie, concordance.**

DIVERGENT, ENTE [diverʒɑ̃, ɑ̃t] adj. — 1626 ; lat. *divergens,* p. prés. de *divergere.* → Diverger.

♦ **1.** Sc. et didact. Qui diverge*, qui va en s'écartant. — *Rayons divergents. Lignes, droites divergentes.* — Math. *Série divergente,* dont la somme des termes ne tend vers aucune limite finie. — Bot. *Rameaux divergents :* rameaux qui s'écartent de la tige.

(xxᵉ). Par ext. *Lentille divergente,* qui fait diverger un faisceau parallèle de lumière (ex. : lentilles biconcaves).

♦ **2.** Fig. Qui s'éloigne. *Pensées divergentes,* qui s'écartent les unes des autres.

1   (...) un souvenir ne se prolonge que dans une direction divergente de l'impression avec laquelle il a coïncidé et de laquelle il s'éloigne de plus en plus.   PROUST, À la recherche du temps perdu, t. XV, p. 62.

2   Ils sont l'un près de l'autre, immobiles, silencieux, et leurs pensées, divergentes, galopent, galopent (...)   MARTIN DU GARD, les Thibault, t. III, p. 170.

(1792). Qui ne s'accorde pas. ⇒ **Différent, éloigné, opposé.** *Idées, opinions, principes divergents. Interprétations divergentes d'un fait,* différentes jusqu'à être incompatibles.

CONTR. **Convergent.** — **Analogue, concordant, ressemblant, semblable.**

DIVERGER [diverʒe] v. intr. — Conjug. *bouger.* — 1720 ; lat. *divergere* «incliner», de *dis-,* et *vergere* «être tourné vers, incliner».

♦ **1.** Sc. et didact. Aller en s'écartant de plus en plus (en parlant d'éléments plus ou moins rapprochés à leur point de départ). ⇒ **Écarter** (s'). *Les côtés d'un angle divergent en s'éloignant du sommet. Les rayons d'une roue divergent du moyeu.* — Opt. *Rayons lumineux qui divergent.* — Par ext. *Routes qui divergent. Lignes de chemin de fer qui divergent d'un aiguillage.* ⇒ **Bifurquer.**

1   Quand le soleil était descendu à l'horizon, ses rayons, brisés par les troncs des arbres, divergeaient dans les ombres de la forêt, en longues gerbes lumineuses.   BERNARDIN DE SAINT-PIERRE, Paul et Virginie.

2   (...) les autres *(poissons)* divergent d'un centre commun, comme d'innombrables traits d'or (...)   CHATEAUBRIAND, le Génie du christianisme, I, V, IV.

(Avec un sujet au sing.). S'écarter d'une direction de référence. *Son œil droit diverge un peu.*

♦ **2.** Fig. S'écarter de plus en plus (d'une origine commune, d'un type commun).

3   Il en est des types moraux comme des types organiques ; à l'origine, ils sortent d'une souche commune, mais, plus ils s'achèvent, plus ils s'écartent, c'est qu'ils se font en divergeant.   TAINE, Philosophie de l'art, t. II, p. 43.

(1798). Être en désaccord*. ⇒ **Différer.** *Idées, opinions, théories qui divergent. Leurs interprétations divergent sur ce point. Leurs politiques commencent à diverger sérieusement.*

REM. Aux sens 1 et 2, le verbe semble pouvoir s'employer avec un complément prépositionnel (*diverger vers...,* Maeterlinck, *in* T. L. F. ; *diverger d'avec...*).

♦ **3.** (Mil. xxᵉ). Phys. nucl. Entrer en divergence*, amorcer une réaction en chaîne (en parlant d'un réacteur).

CONTR. **Converger.** — **Rapprocher** (se), **rassembler** (se) ; **confondre** (se), **ressembler** (se).

DÉR. V. **Divergence, divergent.**

DIVERS, ERSE [diver, ers] adj. — 1119 ; lat. *diversus* «opposé», puis «varié», p. p. de *divertere.* → Divertir.

♦ **1.** Vx ou littér. Qui présente plusieurs aspects, plusieurs caractères différents, simultanément ou successivement. ⇒ **Bariolé, composite, disparate, diversiforme, hétérogène, varié ; changeant** (cit. 6), **ondoyant.** *Un pays, un peuple divers. Il a une intelligence très diverse.*

1   Certes, c'est un sujet merveilleusement vain, divers, et ondoyant, que l'homme. Il est malaisé d'y fonder *(un)* jugement constant et uniforme.   MONTAIGNE, Essais, I, 1.

2   Il n'est chose en quoi le monde soit si divers qu'en coutumes et *(en)* lois.   MONTAIGNE, Essais, II, 12.

Oh ! combien l'homme est inconstant, divers,   3
Faible, léger, tenant mal sa parole !
     LA FONTAINE, Contes et nouvelles, « La clochette ».

(Amants, heureux amants)   4
Soyez-vous l'un à l'autre un monde toujours beau,
Toujours divers, toujours nouveau.   LA FONTAINE, Fables, IX, 2.

Sa terre *(de la France)* qui est diverse comme le peuple qui l'habite, est une par   5
l'heureux assemblage de sa diversité (...)
     VALÉRY, Regards sur le monde actuel, p. 256.

♦ **2.** Cour. Au plur. Qui présentent des différences intrinsèques et qualitatives, en parlant des choses que l'on compare. ⇒ **Différent, dissemblable, distinct, varié.** *Les opinions, les théories les plus diverses. Parler sur les sujets les plus divers.* À bâtons* rompus. *Les noms divers du Créateur* (cit. 2). *Ils agissent ensemble pour des raisons diverses, pour des motifs très divers. Les éclectiques prennent ce qui leur paraît bon dans des systèmes divers. En des temps divers, à des heures diverses. Choses diverses et mal assorties.* ⇒ **Disparate, hétéroclite ; bric-à-brac, capharnaüm.**

De tant d'objets divers le bizarre assemblage   6
Peut-être du hasard vous paraît un ouvrage.   RACINE, Athalie, II, 5.

Une ample comédie à cent actes divers,   7
Et dont la scène est l'univers.   LA FONTAINE, Fables, V, 1.

Aucune action humaine n'a de source unique, les motifs les plus divers se coalisent pour la nécessiter, elle est l'aboutissement des causes dissemblables et multiples, dont on ne voit que la plus sensible ou la dernière.   8
     Edmond JALOUX, le Jeune Homme au masque, XIV, p. 225.

Apportez-moi, dès que vous pourrez, trois ou quatre bouteilles de votre eau, puisées à des heures diverses du jour et de la nuit.   9
     J. ROMAINS, les Hommes de bonne volonté, t. V, XIV, p. 107.

Frais divers, dépenses diverses (qui ne sont pas classés dans une rubrique précise), et, n., *divers. Nourriture et logement : 5 000 francs ; divers : 2 000 francs.*

Loc. *Mouvements divers :* réactions différentes provenant de plusieurs personnes ou groupes (notamment au cours d'un débat, pendant ou après un discours, et en parlant de réactions hostiles).

♦ **3.** (1838, *in* D. D. L.). FAITS DIVERS : les incidents du jour : accidents, crimes, suicides, et, par métonymie, la rubrique sous laquelle on les groupe. *Petits faits divers* (→ Chiens* écrasés). — Au sing. *Un fait divers. Réflexions sur un fait divers,* de J. Paulhan.

♦ **4.** Adj. indéfini. Au plur. (devant le nom). ⇒ **Différent** (2.), **multiple, plusieurs, quelconque.** *Diverses personnes m'en ont parlé. On m'a fait diverses propositions. En divers temps, à diverses heures... En diverses occasions. Ses œuvres connurent* (cit. 24) *diverses fortunes.*

La ville est partagée en diverses sociétés, qui sont comme autant de petites républiques (...)   LA BRUYÈRE, les Caractères, VII, 4.   10

♦ **5.** Employé comme pron. Rare. *Divers pensent que...* (Académie). ⇒ **Aucun** (d'aucuns), **certain** (certains).

CONTR. **Égal, homogène, simple, uniforme ; immuable, stable.** — **Analogue, identique, même, semblable.** — **Un, unique.**

DÉR. V. **Diversifier, diversion.** — **Diversement.**

DIVERSEMENT [diversəmɑ̃] adv. — 1119 ; de *divers.*

♦ **1.** Littér. D'une manière diverse. *Ils répondirent diversement. Parler diversement de* (→ Absence, cit. 5).

♦ **2.** De diverses manières. ⇒ **Différemment.** *Fait diversement interprété par les commentateurs. Parler diversement de... Son attitude a été diversement appréciée* (par euphém., elle a été critiquée).

Les mots diversement rangés font un divers sens, et les sens diversement rangés font différents effets.   PASCAL, Pensées, I, 23.

DIVERSI- Élément de mots, du lat. *diversus* «divers». ⇒ **Diversicolore, diversiflore, diversifolié, diversiforme.**

DIVERSICOLORE [diversikɔlɔr] adj. — xixᵉ ; de *diversi-,* et *colore.*

♦ Didact. Dont la couleur varie suivant les individus. *Fleur diversicolore.*

DIVERSIFIANT, ANTE [diversifjɑ̃, ɑ̃t] adj. — D. i. (1916, *in* T. L. F.) ; p. prés. de *diversifier.*

♦ Rare. Qui diversifie. *Action diversifiante.* → Diversificateur.

DIVERSIFICATEUR, TRICE [diversifikatœr, tris] adj. — xxᵉ ; du rad. de *diversification.*

♦ Didact. Qui diversifie. ⇒ **Diversifiant.**

Pour que la reproduction sexuée puisse avoir son effet diversificateur, encore faut-il qu'une certaine variété préexiste au départ.   Jean ROSTAND, Esquisse d'une histoire de la biologie, p. 183.

DIVERSIFICATION [diversifikasjɔ̃] n. f. — 1286 ; dér. sav. de *diversifier.*

♦ Action de diversifier, de se diversifier; son résultat. — (Concret). Sc. *La diversification des espèces; des cellules de l'embryon.* — (Abstrait). *La diversification du savoir* (→ Spécialisation).

(V. 1966). Écon. Le fait de varier les biens que l'on produit, vend ou achète, ou de mettre en œuvre de nouveaux produits ou services.

Didact. Le fait d'assurer des possibilités de choix dans l'enseignement (cours, matières à option*; opposé à *programme unique*), la recherche, la vie professionnelle.

CONTR. Unification, uniformisation.
DÉR. (Du même rad.) Diversificateur.

DIVERSIFIER [diveʀsifje] v. tr. — V. 1256, *diversefier;* lat. médiéval *diversificare,* de *diversus* (→ Divers), et *facere* «faire».

♦ **1.** Rendre divers, différents (une pluralité de choses, de personnes). *Diversifier les effets dans un récit, les poses, les attitudes dans un tableau. Diversifier ses lectures, ses occupations.* ⇒ **Changer.** *Cette entreprise cherche à diversifier ses produits.*

(Avec un compl. au sing.). *Diversifier sa production, son activité. Diversifier un thème en le variant.*

1 Dieu diversifie ainsi cet unique précepte de charité, pour satisfaire notre curiosité qui recherche la diversité (...) PASCAL, Pensées, III, 10.

♦ **2.** Vx. Rendre plus divers, moins monotone. — Passif. *« Leur train de vie ordinaire, dont la monotonie était de temps en temps diversifiée par... »* (Mérimée, *in* T.L.F.).

▶ **SE DIVERSIFIER** v. pron.
Devenir divers. *Les cellules de l'embryon se diversifient pour former les tissus de l'organisme. Les connaissances, les sciences se diversifient au cours de l'histoire.*

2 (...) à mesure que l'évolution s'avance, les composés organiques se diversifient et se distinguent tellement qu'il faut les considérer comme distincts (...) Claude BERNARD, Introduction à l'étude de la médecine expérimentale, p. 97, *in* T.L.F.

(Passif). *Des nuances qui se diversifient à l'infini.*

3 Née des terreurs du moyen âge, la conception chrétienne du diable s'est puissamment modifiée et diversifiée au dix-neuvième siècle (...) Émile HENRIOT, les Romantiques, p. 446.

▶ **DIVERSIFIÉ, ÉE** p. p. adj.
♦ **1.** Divers. *Couleurs diversifiées.*

4 (...) une matière aussi vaste et aussi diversifiée que le sont les mœurs des hommes (...) LA BRUYÈRE, les Caractères, XV, 26.

♦ **2.** Spécialt. Qui a subi une diversification*.

CONTR. Assimiler, unifier.
DÉR. Diversifiant, diversification.

DIVERSIFLORE [diveʀsifloʀ] adj. — XIXᵉ; de *diversi-,* et *-flore.*
♦ Bot. Dont les fleurs ont des couleurs variées.

DIVERSIFOLIÉ, ÉE [diveʀsifɔlje] adj. — XIXᵉ; de *diversi-,* et *folié.*
♦ Bot. Dont les feuilles ont des formes variées.

DIVERSIFORME [diveʀsifɔʀm] adj. — 1846; de *diversi-,* et *forme.*
♦ Didact. Dont la forme est variable. ⇒ **Hétéromorphe.**

DIVERSION [diveʀsjɔ̃] n. f. — 1314; bas lat. *diversio,* du supin de *divertere* «détourner».
Action qui détourne.

♦ **1.** Opération militaire destinée à détourner l'ennemi d'un point. *Opérer une diversion avant d'attaquer. Faire une diversion efficace.* — Loc. (1587). *Faire diversion.*

1 Phraate ne vit de ressource que dans la diversion qu'il voulait faire en Syrie (...) BOSSUET, Disc. sur l'hist. universelle, I, 9.

2 (...) une puissante diversion du côté de l'Angleterre (...) RACINE, Hist. du siège de Namur.

♦ **2.** (1588). Fig. Action qui détourne qqn de ce qui le préoccupe, et, spécialt, de ce qui le chagrine, l'ennuie. ⇒ **Dérivatif, distraction, divertissement.** *Un travail régulier sera une diversion à son ennui. Faire diversion à qqch.* : détourner, distraire, divertir* de. ⇒ **Tromper.** *Seule une diversion le sauvera de cette obsession.* ⇒ **Changement.**

3 (...) don César et sa belle-fille n'épargnèrent rien pour faire diversion à mon chagrin; ils mirent tour à tour en usage les amusements les plus propres à me dissiper (...) A.R. LESAGE, Gil Blas, XI, I.

4 Fiévreuses années! Nul répit, nulle relâche. Rien qui fasse diversion à ce labeur affolant. R. ROLLAND, Jean-Christophe, p. 143.

5 Je souhaite une diversion qui m'arrache à moi-même pour un temps, à ma table de

travail, à mon piano où ma mémoire est également excédée par l'effort que je lui demande. GIDE, Journal, 22 mars 1917.

Par métonymie. Personne (s) qui constitue (nt) une diversion.

CONTR. Fixation.

DIVERSITÉ [diveʀsite] n. f. — V. 1160; lat. *diversitas,* de *diversus.* → Divers.

♦ **1.** Caractère, état de ce qui est divers* (1. et 2.). ⇒ **Hétérogénéité, pluralité, variété.** *La diversité des aspects* (cit. 25) *du monde, des choses. Diversité des avis, des jugements, des opinions* (→ Considérer, cit. 4). *La diversité des goûts. Grande, infinie diversité. Diversité des types physiques, des vêtements, dans une foule.*

Vieilli ou littér. (avec un compl. au sing.). *La diversité d'une chose,* la présence en elle d'éléments, d'aspects divers. *La diversité de son style.* ⇒ **Variété.**

1 (Il) ne fut jamais au monde deux opinions pareilles, non plus que deux poils ou deux grains. Leur plus universelle qualité *(des esprits)* c'est la diversité. MONTAIGNE, Essais, II, XXXVII (cf. aussi PASCAL, Pensées, II, 114-115).

2 Cette diversité dont on vous parle tant,
Mon voisin Léopard l'a sur soi seulement;
Moi, je l'ai dans l'esprit;
Le singe avait raison : ce n'est pas sur l'habit
Que la diversité me plaît; c'est dans l'esprit (...) LA FONTAINE, Fables, IX, 3.

3 C'est un grand agrément que la diversité. LA MOTTE-HOUDAR, Fables, «Les amis trop d'accord» (→ Uniformité, cit. 3).

4 Je me persuadais que chaque être (...) avait à jouer un rôle sur la terre, un rôle précisément, et qui ne ressemblait à nul autre (...) Au vrai, j'étais grisé par la diversité de la vie, qui commençait à m'apparaître, et par ma propre diversité (...) GIDE, Si le grain ne meurt, I, X, p. 274.

♦ **2.** Différence, divergence, écart..., opposition. *Diversité entre deux points de vue.*

5 Elle *(la Brinvilliers)* avait (...) deux confesseurs : l'un disait qu'il fallait tout dire, et l'autre non : elle riait de cette diversité (...) Mᵐᵉ DE SÉVIGNÉ, 559, 22 juil. 1676.

6 (...) ressemblance qui se retrouve jusque dans les diversités des deux religions. B. CONSTANT, Journal intime.

CONTR. Concordance, monotonie, ressemblance, uniformité.

DIVERTICULE [diveʀtikyl] n. f. — V. 1500, au sens 2; lat. *diverticulum* «endroit écarté», de *divertere.* → Divertir.

♦ **1.** (1824, Nysten, *in* D.D.L.). Anat. et pathol. Cavité normale ou pathologique, en forme de poche, communiquant avec un organe creux ou un conduit. *Diverticule du côlon, de l'œsophage.* *« (...) le complexe pinéal de la grenouille Rana (...) Ce complexe, vu ici en coupe sagittale, est formé de deux éléments,* l'épiphyse *et un diverticule qui en est issu,* l'organe frontal. *L'organe frontal est caractéristique des anoures (grenouilles, crapauds, etc.) »* (la Recherche, juin 1981, p. 725).

♦ **2.** Recoin, endroit écarté formant prolongement. *Les diverticules d'un lac. Un vieux château riche en couloirs et en diverticules.*

1 (...) une salle de restaurant qui se prolonge au fond par un diverticule où il y a juste la place d'une table, d'un banc et de trois chaises, qui est une courette couverte pour donner la place de six clients de plus. ARAGON, le Paysan de Paris, p. 113.

Figuré :

2 L'amour, sans doute, vaut qu'on le fasse... Mais comme occupation de l'esprit, sujet de romans et d'études, il est traditionnel et fastidieux et il l'est d'autant plus que l'on néglige plus de le lier à sa *fécondation.* Dont il est un incident, un épisode ou diverticule comme le rêve peut être un incident de la digestion ou de la circulation. VALÉRY, Cahiers, t. II, Pl., p. 402.

DIVERTIMENTO [diveʀtimento] n. m. — 1951; mot italien.
♦ Mus. Divertissement* (cit. 5.1).

DIVERTIR [diveʀtiʀ] v. tr. — Conjug. *finir.* — V. 1370; lat. *divertere* «détourner», de *dis,* et *vertere* «tourner, se tourner».

★ **I.** Vx ou spécialt. ♦ **1.** Vx. Détourner, éloigner (qqch., qqn) en écartant.

1 Après de si beaux coups qu'il a su divertir. MOLIÈRE, l'Étourdi, III, 1.

(Compl. n. de personne) :

2 Elle! s'écria la vieille Zéphirine, l'auteur de tous nos maux, elle qui l'a diverti de sa famille, qui nous l'a enlevé (...) BALZAC, Béatrix, Pl., t. II, p. 515.

♦ **2.** Mod. (Dr.). Soustraire à son profit. ⇒ **Détourner** (III.), **distraire, soustraire.** *Divertir de l'argent remis en dépôt. Il a diverti les titres qu'on lui avait confiés. Divertir des fonds.* — *Divertir une partie de la succession; un des époux a diverti des effets de la communauté* (⇒ **Divertissement**).

3 Celui des époux qui aurait diverti ou recélé quelques effets de la communauté, est privé de sa portion dans lesdits effets. Code civil, art. 1477.

4 Les héritiers qui auraient diverti ou recélé des effets d'une succession, sont déchus de la faculté d'y renoncer. Code civil, art. 792.

★ **II.** ♦ **1.** (XVIIᵉ). Vieilli. Détourner (qqn, l'esprit de qqn) de ce qui occupe. ⇒ **Distraire.** *Divertir qqn d'une occupation, d'un projet,* *d'une entreprise. Il faut le divertir de ses ennuis, de ses soucis. Divertir l'attention* (cit. 1), *la pensée de qqn.*

5 (...) c'est rendre un homme heureux de le divertir de la vue de ses misères domestiques (...)
PASCAL, *Pensées*, II, 142.

6 Si je n'oubliai pas complètement les liens que j'avais contractés, j'étais occupé d'intérêts qui m'en divertissaient (...)
BALZAC, le Médecin de campagne, Pl., t. VIII, p. 480.

7 Douze siècles ne sont rien pour une caste que le spectacle historique de la civilisation n'a jamais divertie de sa pensée principale (...)
BALZAC, les Paysans, Pl., t. VIII, p. 90.

Absolt. Détourner d'une préoccupation dominante, essentielle, ou jugée telle. ⇒ **Divertissement.**

8 (...) l'homme, quelque heureux qu'il soit, s'il n'est diverti et occupé par quelque passion ou quelque amusement qui empêche l'ennui de se répandre, sera bientôt chagrin et malheureux.
PASCAL, *Pensées*, II, 139.

9 Le monde sert à cela surtout : il nous surveille ; nous oblige à nous tenir sur nos gardes. Il nous détourne de nous-mêmes, nous divertit.
F. MAURIAC, la Province, p. 29.

♦ **2.** Mod. et cour. (mais style soutenu). Distraire en récréant. ⇒ **Amuser, distraire, égayer, récréer.** *Le spectacle nous a bien divertis. Divertir un auditoire par des boutades, des saillies.* ⇒ **Rire** (faire rire). *Il me divertit par sa maladresse. Sa bonne volonté et sa gaucherie me divertissent.* ⇒ **Réjouir.**

10 Pour l'homme aux rubans verts (...) il me divertit quelquefois avec ses brusqueries et son chagrin bourru (...)
MOLIÈRE, le Misanthrope, V, 4.

11 (...) un charlatan du Pont-Neuf disait à son singe, en commençant ses jeux : « Allons, mon cher Bertrand, il n'est pas question ici de s'amuser. Il nous faut divertir l'honorable compagnie. »
CHAMFORT, Caractères et Anecdotes, « Lectures demandées ».

12 Il *(Destouches)* dit : « Je crois que l'art dramatique n'est estimable qu'autant qu'il a pour but d'instruire en divertissant. »
G. DUHAMEL, la Défense des lettres, V, p. 301.

▶ **SE DIVERTIR** v. pron. (1633).

♦ **1.** Vieilli ou philos. Se détourner de ce qui occupe, et, spécialt, des problèmes essentiels (⇒ **Divertissement, 2.**).

♦ **2.** Cour. Se distraire, se récréer. *Après un si long travail il voudra se divertir. Les enfants se divertissent.* ⇒ **Amuser** (s') [cour.], **jouer.** *Vous avez l'air de bien vous divertir.* ⇒ **Amuser** (s'), **rire.** — (Vx). *Se divertir sous cape* (cit. 5), *à petit bruit* (cit. 31). — *Se divertir en s'instruisant* (→ Culture, cit. 9).

13 (...) Il fit son livre tout au contraire pour se distraire et s'amuser, pour se divertir et non pour s'avertir.
FRANCE, le Petit Pierre, XXXIII, p. 236.

14 (...) il l'appelait « petite sœur », riait de tout et se divertissait lui-même de sa verve.
MARTIN DU GARD, les Thibault, t. II, p. 252.

Se divertir à... Ils se divertissaient à jouer aux cartes (cf. Passer le temps en...).

15 (...) il se divertissait à l'ahurir d'injures, de scies empruntées au répertoire varié des rapins de la place Pigalle.
COURTELINE, Messieurs les ronds-de-cuir, 2e tableau, I, p. 57.

Vieilli. *Se divertir de...* ⇒ **Moquer** (se moquer de), **rire** (de). *Se divertir de la maladresse de qqn.*

16 — (...) je me suis divertie de tout ce qu'il m'a dit. — (...) à la fin, il pourrait bien se divertir de vous.
MARIVAUX, le Paysan parvenu, I, p. 15.

Spécialt, vx. Avoir des activités érotiques. ⇒ **Amuser** (s').

▶ **DIVERTI, IE** p. p. adj.

(Personnes). Vx. Distrait. — Mod. Amusé. *Le public est sorti tout à fait diverti.*

CONTR. **Ennuyer, importuner.**
DÉR. **Divertissant, divertissement.**

DIVERTISSANT, ANTE [divɛRtisɑ̃, ɑ̃t] adj. — 1637 ; p. prés. de *divertir.*

♦ Style soutenu ou iron. Qui divertit*, qui délasse et amuse. ⇒ **Distrayant ; amusant, drôle, plaisant, récréatif.** *Une histoire, une aventure* (cit. 11) *divertissante. Un spectacle très divertissant.*

Spécialt. Qui amuse en suscitant la moquerie. *Étourderie, méprise divertissante.*

(Personnes ; souvent péj.). *Un divertissant imbécile.* ⇒ **Ridicule.** *Un personnage divertissant.* ⇒ **Amusant.**

(...) c'est un père malcommode, mais il n'est pas ennuyeux. Il est même divertissant. Avoue qu'il a de l'imprévu.
G. DUHAMEL, Chronique des Pasquier, IV, VI, p. 310.

CONTR. **Ennuyeux, fastidieux, insipide, maussade, monotone, triste.**

DIVERTISSEMENT [divɛRtismɑ̃] n. m. — 1494 ; de *divertir.*

★ **I.** Vx ou spécialt. Action de détourner à son profit. ⇒ **Divertir** (1.) ; **détournement.** *Le divertissement d'une somme d'argent par qqn.*

Mod. (Dr.). Détournement* par un copartageant (cohéritier ou conjoint) d'une partie de la succession ou de la communauté. *Divertissement par la veuve des effets de la communauté* (cf. Code civil, art. 1460 ; → aussi Divertir, cit. 3 et 4).

★ **II.** ♦ **1.** (1580). Vieilli. Action de détourner de ce qui occupe.

⇒ **Distraction.** — Absolt. Philos. Occupation qui détourne l'homme de penser aux problèmes essentiels qui devraient le préoccuper. — Spécialt, dans l'œuvre de Pascal (→ cit. *infra*, et Divertir, cit. 8 ; dangereux, cit. 2).

1 La seule chose qui nous console de nos misères est le divertissement, et cependant c'est la plus grande de nos misères ; car c'est cela qui nous empêche principalement de songer à nous, et qui nous fait perdre insensiblement. Sans cela, nous serions dans l'ennui, et cet ennui nous pousserait à chercher un moyen plus solide d'en sortir ; mais le divertissement nous amuse, et nous fait arriver insensiblement à la mort.
PASCAL, *Pensées*, II, 171.

2 Mais supposé (...) que les exercices de la piété souffrent des intervalles et que les hommes aient besoin de divertissement, je soutiens qu'on ne leur en peut trouver un qui soit plus innocent que la comédie.
MOLIÈRE, Tartuffe, Préface.

♦ **2.** (1652). Mod. [a] *Le divertissement (de qqn),* action de divertir, de se divertir. ⇒ **Agrément, amusement, délassement** (cit. 3), **distraction, plaisir, récréation.** *Il se livre à ce travail pour son divertissement personnel. Il ne recherche que son divertissement. Le divertissement du public. Le Bourgeois gentilhomme, comédie-ballet pour le divertissement du Roi, de Molière.*

3 On serait bien malheureux, en pareil cas, d'en être réduit à réclamer l'indulgence, car le public n'en a guère ; il veut avant tout son divertissement et son plaisir.
SAINTE-BEUVE, Causeries du lundi, 13 mai 1850, t. II, p. 104.

4 Il m'importe peu que des étrangers frivoles voient dans la femme française une gracieuse poupée faite pour le divertissement de l'homme après les affaires.
G. DUHAMEL, Inventaire de l'abîme, VI, p. 82.

[b] *(Un, des divertissements).* Moyen de se divertir. ⇒ **Distraction, jeu, passe-temps, plaisir** (partie de plaisir), **réjouissance,** etc. *La chasse, la pêche sont ses divertissements favoris. Un divertissement coûteux. Le sport* est plus qu'un divertissement. La fantasia, divertissement équestre des Arabes. La course de taureaux, divertissement national espagnol. Les divertissements du carnaval, d'une fête. Le cinéma, le plus répandu des divertissements.*

5 L'intention réelle de Pélopidas était d'offrir à la jeune femme le rare divertissement d'une mêlée d'animaux féroces (...)
Léon BLOY, la Femme pauvre, p. 148.

♦ **3.** Spécialt. [a] Mus. Au XVIIIe siècle, Suite de courtes pièces instrumentales destinées à l'exécution en plein air, pendant un repas. ⇒ **Aubade,** 2. **cassation, sérénade.** *Divertissement de Mozart.* — Syn. : *divertimento.*

5.1 Le divertissement ou *divertimento* est une sorte de *suite* instrumentale, mais de forme plus libre : il n'y a pas obligatoirement, entre les différents morceaux dont il se compose (généralement cinq ou six, ou même davantage) d'affinités de structure. D'autre part, il est, en principe, écrit pour un groupe d'instruments solistes plutôt que pour l'orchestre.
André HODEIR, les Formes de la musique, p. 36.

Partie épisodique de la fugue*, séparant les expositions dans des tons voisins.

[b] Anciennt. Petit opéra de circonstance, comportant des entrées de ballet ; intermède dansé et chanté, pendant un entracte. *George Dandin ou le Grand Divertissement royal de Versailles,* de Molière et Lully (1668).

6 Je vous amène ici un divertissement, que j'ai rencontré, qui dissipera votre chagrin (...) Ce sont des Égyptiens, vêtus en Mores, qui font des danses mêlées de chansons (...)
MOLIÈRE, le Malade imaginaire, II, 9.

[c] Petite pièce d'un genre léger. *Divertissement joué dans un salon.*

[d] Littér. Œuvre de fantaisie, d'un caractère léger, agréable.

CONTR. **Recueillement.** — **Affaires, ouvrage, travail.** — **Ennui.**

DIVETTE [divɛt] n. f. — 1890 ; dimin. de *diva.*

♦ Vieilli. Chanteuse d'opérette, de café-concert. *« Le troupier, la divette, le fin diseur... »* (→ Café-concert, cit. 2).

1 La nuit tombait, exaltant les lumières (...) d'un café-concert (...) je distinguais (...) l'émerveillement de la scène, sur laquelle une divette venait débiter des fadeurs.
GIDE, Si le grain ne meurt, I, I, p. 18.

2 Certains surnoms, assez cruels, ne disqualifiaient que les sots : les gens intelligents s'en accommodaient avec autant de grâce que d'insolence. Une divette célèbre vers 1893, qu'on avait — en raison de ses relations parmi les héritiers des divers trônes d'Europe — appelée « le Passage des Princes », s'amusait la première d'être ainsi baptisée.
Francis CARCO, Nostalgie de Paris, p. 124.

DIVIDENDE [dividɑ̃d] n. m. — 1151 ; lat. *dividendus* « qui doit être divisé », de *dividere.* → Diviser.

♦ **1.** Arithm. Nombre à diviser par un autre (appelé *diviseur*). *Dans la division, le dividende s'écrit à la gauche du diviseur. Le quotient exprime combien de fois le dividende contient le diviseur.*

♦ **2.** (1742 ; *dividente* ou *divident,* 1735). Fin. Quote-part des bénéfices réalisés par une entreprise, attribuée à chaque associé lors de la répartition des bénéfices. — Spécialt. Dans une société par actions, Quote-part des bénéfices attribués à chaque actionnaire ou au porteur de parts de fondateur. *Dividendes réels* (d'après des bénéfices réels) *et dividendes fictifs* (d'après des bénéfices fictifs). *Coupon de dividende.* ⇒ **Coupon** (cit. 1). *Toucher, recevoir un dividende, son dividende. Distribuer des dividendes. De gros dividendes. Acompte de dividende, sur dividende ; dividende provisoire.*

0.1 — Mais les services de la Grande Compagnie sont défectueux, sa cuisine est de seconde classe ! La preuve, c'est que vous, intéressé dans l'affaire, vous n'êtes même pas abonné !
— Sans doute, mais si notre cuisine est de seconde catégorie, nos dividendes

sont de la première. C'est quelque chose, cela ! tandis que votre Compagnie nouvelle, avec sa cuisine de première classe, donnera des dividendes d'une maigreur à impressionner désagréablement l'actionnaire.
A. ROBIDA, le Vingtième Siècle, p. 81.

1 *(Il) tient également pour argent gaspillé le dividende attribué aux actionnaires, qui toucheront une faible part des bénéfices dans les années très prospères, lorsqu'on aura prélevé les fonds destinés à être investis (...)*
J. CHARDONNE, l'Amour du prochain, p. 197.

2 *Le dividende n'est réel et ne peut être distribué qu'autant qu'il correspond à des bénéfices nets, effectivement réalisés et disponibles. Cela suppose que, préalablement, certaines défalcations auront été faites des sommes représentant la différence entre les recettes et les dépenses d'exploitation (...)*
Le dividende réel est définitivement acquis aux actionnaires (...) Mais s'il était distribué en dehors des conditions qui viennent d'être indiquées, le dividende serait fictif. Léon LACOUR, Précis de droit commercial, 358-359.

Spécialt. Quote-part des sommes provenant de la réalisation des biens d'un failli, attribuée à chacun des créanciers, ceux-ci étant en état d'union* (Code de commerce, art. 565).

DIVIDIVI [dividivi] ou LIBIDIBI [libidibi] n. m. — 1855, Littré et Robin ; mot amérindien (Colombie).

♦ Bot. Variété de césalpinie* (*Cæsalpinia coriaria*, Willdenow) qui pousse en Amérique du Sud et aux Antilles. *Les gousses du dividivi sont riches en tanin.*

DIVIN, INE [divɛ̃, in] adj. et n. — XIVe ; *devin* au XIIe ; lat. *divinus*, de *divus* « dieu, divinité ».

★ I. Adj. ♦ 1. Qui appartient à Dieu, aux dieux ; qui vient de Dieu. ⇒ Dieu, dive (vx). *Caractère divin, essence, nature divine.* ⇒ Divinité. *Justice divine. Bonté divine.* — Loc. interj. *Bonté divine !,* juron atténué. — *S'abandonner* (cit. 35) *à la miséricorde divine. La puissance, la volonté divine, le vouloir divin. La colère, la vengeance divine. L'esprit divin, la grâce divine. La divine Providence ; la loi divine. Droit divin,* considéré comme révélé par Dieu aux hommes. *Monarchie de droit divin* (→ Dieu, cit. 48 ; attribut, cit. 5). *Instinct divin* (→ Conscience, cit. 14). *Les anges, messagers divins. La création divine, le souffle divin* (→ Âme, cit. 17).

1 *Ô divine, ô charmante loi !*
Ô justice ! ô bonté suprême !
Que de raisons, quelle douceur extrême
D'engager à ce Dieu son amour et sa foi !
RACINE, Athalie, I, 4.

2 L'homme, accoutumé à croire divin tout ce qui était puissant (...)
BOSSUET, Disc. sur l'hist. universelle, II, 3.

3 (...) cette paix sereine de Pascal entre les mains de la mort : elle contemple la douceur du salut, au sein de la volonté divine (...)
André SUARÈS, Trois hommes, « Pascal », I, p. 31.

4 Trop longtemps, ce monde a composé avec le mal, trop longtemps, il s'est reposé sur la miséricorde divine. CAMUS, la Peste, p. 111.

(Christianisme). *Les personnes divines :* les trois personnes de la Trinité. *Le divin Créateur, l'Être divin :* Dieu le père. — *Le Verbe divin :* le fils de Dieu. *Le divin Maître, le divin Messie, le divin Rédempteur, le divin Sauveur :* le Christ. *Le divin Enfant* [divinɛ̃fɑ̃] : l'enfant Jésus. « *Il est né le divin enfant/Jouez hautbois, résonnez musettes* » (cantique de Noël). *Le fondateur, l'instituteur divin du christianisme* (cit. 3). *Les divines Écritures :* la Parole de Dieu ; la Bible. *Les clartés divines de l'Écriture* (→ Autre, cit. 99 ; blasphémer, cit. 6). — *La divine Mère, la Vierge divine :* la Vierge Marie. — *Les divins Apôtres. Les divins prophètes.* — *La divine hostie.*

Littér. *La Divine Comédie,* œuvre de Dante.

♦ 2. Qui est dû à Dieu, à un dieu. *Le culte, le service divin. L'office divin. L'amour* (cit. 3) *divin* (opposé à *l'amour profane*). *Une ferveur divine.*

5 Ô qu'il est doux de voir une ferveur divine
Dans les religieux nourrir la sainteté ! CORNEILLE, l'Imitation de J.-C., I, 25.

6 Les pères de l'Oratoire donnèrent par leur piété (...) au service divin sa majesté naturelle (...) BOSSUET, Oraison funèbre de la reine d'Angleterre.

Par ext. (Antiq.). *Honneurs divins,* rendus par les Romains à leurs empereurs.

Spécialt. Mis au rang des dieux ; divinisé. *Le divin Achille. Le divin Auguste. Les Anciens faisaient de leurs ancêtres* (cit. 2) *des êtres divins.*

♦ 3. Littér. Qui est attribué à des causes surnaturelles. ⇒ Occulte, surnaturel (→ Compréhensible, cit. 2). *Les secrets divins de la nature* (→ Candeur, cit. 3).

♦ 4. (1552, Ronsard). Excellent, parfait. ⇒ Beau, bon, céleste, génial, parfait, sublime, suprême. *Une poésie, une musique divine. Un chant* (cit. 1) *divin. Une œuvre divine.* — *Cet écrivain, cet artiste est divin. Le divin Platon, le divin Virgile.* — Vieilli. Adorable, charmant. *Divine beauté, divins appas* (cit. 18). — (1814, *in* D.D.L.). Mod. (Personnes ; choses : spécialt, temps ; nourriture et boissons). Très agréable. *Il fait un temps divin.* ⇒ Délicieux. *Ce bordeaux est tout simplement divin.*

7 (...) j'allai dîner à Livry avec Corbinelli, il faisait divin, je me promenai délicieusement jusqu'à cinq heures (...) Mme DE SÉVIGNÉ, 526, 22 avr. 1676.

8 De vos regards divins l'ineffable douceur (...) MOLIÈRE, Tartuffe, III, 3.

9 (...) Ah ! divine princesse (...) RACINE, Andromaque, II, 2.

Quoi qu'en dise Aristote et sa docte cabale,
Le tabac est divin, il n'est rien qui l'égale.
10 Thomas CORNEILLE, le Festin de Pierre, I, 1.

(...) il l'appela Théophraste, c'est-à-dire un homme dont le langage est divin.
11 LA BRUYÈRE, Disc. sur Théophraste.

Le mot *diabolique* ou *divin* appliqué à l'intensité des jouissances, exprime la même chose, c'est-à-dire des sensations qui vont jusqu'au surnaturel.
12 BARBEY D'AUREVILLY, les Diaboliques, « Les dessous de cartes d'une partie de whist ».

★ II. N. ♦ 1. N. m. (1552, Ronsard). *Le divin :* ce qui est divin, relatif à Dieu, et, par ext., ce qui est surnaturel ; ce qui est parfait.

Quand je vis l'Acropole, j'eus la révélation du divin, comme je l'avais eu la première fois que je sentis vivre l'Évangile, en apercevant la vallée du Jourdain des hauteurs de Casyoun. 13 RENAN, Souvenirs d'enfance..., II, I.

(...) la Grâce, c'est-à-dire le contact avec le divin (...)
14 DANIEL-ROPS, Ce qui meurt..., II, p. 56.

♦ 2. N. f. Femme d'une beauté exceptionnelle. *Greta Garbo fut surnommée la Divine.* — (En surnom) :

Malgré l'abject où vous pourriez la tenir, Divine *(un homosexuel passif)* règne encore sur le boulevard. À une nouvelle (quinze ans peut-être) mal lingée, et qui se moque du clin d'œil, un mac dit en la bousculant :
— Elle, c'est la Divine ; toi, c'est la souillon.
15 Jean GENET, Notre-Dame-des-Fleurs, p. 96.

CONTR. **Diabolique, infernal, satanique ; humain, terrestre ; profane. — Naturel. — Mauvais.**
DÉR. **Divinement, diviniser.** — V. **Divinité.**

DIVINATEUR, TRICE [divinatœʀ, tʀis] n. et adj. — Mil. XVe, n. ; lat. *divinator,* du supin de *divinare.* → Deviner.

♦ 1. N. (Vx). Personne qui pratique la divination*. ⇒ Devin, voyant. *Les pythies étaient des divinatrices.* — Personne à l'esprit pénétrant.

♦ 2. Adj. (1806). Didact. ou littér. Qui devine, qui prévoit ce qui doit arriver. *Puissance, science divinatrice.*

1 D'autres rapportaient cette vertu divinatrice des sibylles aux vapeurs (...) des cavernes qu'elles habitaient. VOLTAIRE, Dict. philosophique, Sibylle.

♦ 3. *Instinct, esprit divinateur.* ⇒ Clairvoyant, pénétrant, perspicace, sagace.

2 Pauline n'aura jamais tort (...) Elle règne dans la maison, compétente et divinatrice. J. CHARDONNE, les Destinées sentimentales, p. 248.

DIVINATION [divinɑsjɔ̃] n. f. — XIIIe ; var. *devination,* 1214 ; lat. *divinatio,* du supin de *divinare.* → Deviner.

♦ 1. Action de découvrir ce qui est caché par des moyens qui ne relèvent pas d'une connaissance naturelle ou ordinaire ; pratique permettant cette découverte. ⇒ Devin ; astrologie, magie, mantique, occultisme, parapsychologie, spiritisme, et le suffixe -mancie (bibliomancie, cartomancie, etc.). *La divination de l'avenir* par un *prophète, un voyant.* ⇒ Oracle, prédiction, prophétie, révélation, voyance. *Les Anciens pratiquaient la divination par l'interprétation des signes* (divination artificielle) *ou par communication directe avec la divinité* (divination spontanée). ⇒ Augure. *Procédés de divination.* ⇒ Mantique ; -mancie. *Divination par le marc de café, à l'aide d'un miroir. La fulguration, divination par l'interprétation des éclairs. Les divinations de la pythie. Divinations par les entrailles des victimes, le vol des oiseaux* (→ Astrologie, cit. 2). *L'art de la divination. Don de voyance et de divination.* → Paranormal, cit.

1 C'est don de Dieu que la divination ; voilà pourquoi ce devrait être une imposture punissable, d'en abuser. MONTAIGNE, Essais, I, 31.

2 Des divinations par les songes, des sortilèges (...)
PASCAL, Pensées, XXIII, 7, in HATZFELD.

Rare. Action, faculté de deviner. *Posséder la divination des pensées.*

♦ 2. Action de deviner, de connaître instinctivement ; résultat de cette action. ⇒ Clairvoyance, inspiration, intuition, sagacité ; conjecture, hypothèse, prévision ; → Astronomie, cit. 2. *Divination instinctive. Avoir des divinations. Avoir la divination de qqch.* — *Manquer de divination. Une clairvoyance poussée jusqu'à la divination. Comment le sait-il ? C'est de la divination ! Ce fut par une sorte de divination que Champollion pénétra le sens de maint hiéroglyphe* (Littré).

3 Dans un tel effort pour faire revivre les hautes âmes du passé, une part de divination et de conjecture doit être permise. RENAN, Vie de Jésus, Introd., p. 81.

4 (...) ce royaume supérieur des formes idéales et des forces incorporelles au seuil duquel la pensée s'arrête et que les divinations du cœur peuvent seules pénétrer.
TAINE, Philosophie de l'art, t. II, p. 265.

5 Notons (...) de sa part une rapidité merveilleuse à comprendre sans s'attarder, et le foisonnement de sa pensée intuitive, où la part de divination sera infiniment plus grande et plus féconde que le simple don d'observer.
Émile HENRIOT, les Romantiques, p. 331.

DÉR. **Divinatoire.**

DIVINATOIRE [divinatwaʀ] adj. — 1390 ; du lat. *divinatum,* supin de *divinare,* ou de *divination.*

♦ 1. Relatif à l'art et la pratique de la divination* (1.). *Art, pra-*

tique divinatoire. Baguette divinatoire des sourciers. ⇒ **Rabdomancie.**

♦ **2.** Qui permet de deviner. ⇒ **Divination** (2.). *Don, faculté divinatoire. Instinct divinatoire. Sens divinatoire.*

(...) le Premier Consul — par cet instinct singulier qui allait, dans tant de domaines, jusqu'au don divinatoire — avait le *sentiment* qu'il se machinait quelque chose de grave (...)   Louis MADELIN, Hist. du Consulat et de l'Empire, Avènement de l'Empire, VI, p. 40.

DIVINEMENT [divinmã] adv. — V. 1327 ; de *divin.*

♦ **1.** Rare. Par l'action, par la vertu divine. *La grâce agit divinement. L'Église est divinement inspirée* (→ Cantonner, cit. 2).

♦ **2.** D'une manière divine* (4.). ⇒ **Excellemment, parfaitement, souverainement, suprêmement ;** littér. **célestement.** *Il parle, il écrit divinement* (→ Bon, cit. 40). *Elle chante divinement, divinement bien. Personne divinement belle.* ⇒ **Radieusement.** — *Il fait divinement beau.* ⇒ **Délicieusement.**

(...) Bourdaloue prêche divinement bien aux Tuileries.
                                        Mᵐᵉ DE SÉVIGNÉ, 118, 3 déc. 1670.

CONTR. Mal.

DIVINISATION [divinizasjõ] n. f. — 1719, dans une trad. du lat. ; de *diviniser.*

♦ Action de diviniser* ; son résultat. *La divinisation des idoles.* ⇒ **Déification.** — Par ext. *Divinisation de l'homme.* ⇒ **Sanctification.** — Fig. *La divinisation d'une chose abstraite, d'une idée, d'une valeur.* ⇒ **Élévation, exaltation, glorification.**

1 Possédé par mon amour (...) je me livrais à ces adorables divinisations qui sont et le triomphe et le fragile bonheur de la jeunesse.
                                        BALZAC, Autre étude de femme, VII, p. 367, in D. D. L., II, 2.
2 Le premier but de Comte, qui était de substituer partout le relatif à l'absolu, s'est vite transformé, par la force des choses, en divinisation de ce relatif et en prédication d'une religion à la fois universelle et sans transcendance.
                                        CAMUS, l'Homme révolté, in Essais, Pl., p. 600.

DIVINISER [divinize] v. tr. — 1580 ; de *divin.*

♦ **1.** Attribuer l'essence, la nature divine à... — Spécialt. Mettre au rang des dieux. ⇒ **Déifier.** *Les Romains divinisaient leurs empereurs.*

1 Diviniser des idoles de chair (...)   J.-B. ROUSSEAU, Épîtres, II, 5.

♦ **2.** Par ext. Revêtir (qqch., qqn) d'un caractère sacré, suprême. ⇒ **Sanctifier.** *Philosophie qui divinise l'homme,...*

2 Platon divinisa le monde en lui donnant une âme (...)
                                        VOLTAIRE, Dialogues, XXIX, 6.
3 Les païens ont divinisé la vie, et les chrétiens ont divinisé la mort (...)
                                        Mᵐᵉ DE STAËL, Corinne, IV, 2.

♦ **3.** Donner une grande valeur à... ⇒ **Élever, exalter, glorifier, idéaliser, magnifier** (→ Déesse, cit. 8 ; déifier, cit. 2). *Diviniser qqn, qqch.*

4 Lorsqu'on ne peut effacer ses erreurs, on les divinise (...)
                                        CHATEAUBRIAND, Mémoires d'outre-tombe, t. II, p. 327.
5 (...) avec quel charme ces chefs-d'œuvre se marient à l'amour dont ils divinisent l'objet et augmentent la flamme !
                                        CHATEAUBRIAND, Mémoires d'outre-tombe, t. VI, p. 190.
6 La réalité n'est qu'une ombre. Appelle imagination ou folie ce qui la divinise.
                                        A. DE MUSSET, les Caprices de Marianne, I, 1.

▶ **DIVINISÉ, ÉE** p. p. adj. *Empereur romain divinisé* (→ Asile, cit. 11). *Héros divinisés.*

7 C'était un homme divinisé, un héros.
                                        FUSTEL DE COULANGES, la Cité antique, p. 135.

Nature, passion divinisée.

CONTR. Avilir, rabaisser.
DÉR. Divinisation.

DIVINITÉ [divinite] n. f. — 1119 ; lat. *divinitas,* de *divinus.* → Divin.

♦ **1.** Essence divine, nature de Dieu, de l'Être suprême. — (Christianisme). *La divinité du Verbe, de Jésus. Les ariens, les sociniens niaient la divinité de Jésus-Christ* (⇒ Consubstantialité, cit.). *La divinité du Christ dans l'Eucharistie* (→ Corps, cit. 14).

1 (...) l'homme dans l'état de la création ou dans celui de la grâce est élevé au-dessus de toute la nature, rendu comme semblable à Dieu, et participant de sa divinité (...)   PASCAL, Pensées, VII, 434.
2 Les sociniens (...) ne reconnaissent point la divinité de Jésus-Christ. Ils osent prétendre (...) que l'idée d'un Dieu homme est monstrueuse (...)
                                        VOLTAIRE, Dict. philosophique, Divinité de Jésus.

♦ **2.** Être divin. ⇒ **Déesse, déité, dieu** (I. et IV.). — (Monothéisme). *Adorer, honorer la Divinité. Rendre un culte à la Divinité. Invocation, prière à la Divinité. Contemplation, connaissance de la divinité. Cantique, hymne en l'honneur de la Divinité. Le ciel, séjour de la divinité* (→ Bienheureux, cit. 10). *La Divinité, refuge, asile* (cit. 4) *des malheureux.*

3 Tu n'oublieras jamais de rendre le devoir qu'on doit à la divinité : oraisons, prières et sacrifices, commençant et finissant toutes tes actions par Dieu, auquel les hommes attribuent autant de noms qu'il a de puissances et de vertus (...)
                                        RONSARD, la Franciade, « Au lecteur apprentif », Pl., t. II, p. 1028.
4 Il vaudrait mieux n'avoir aucune idée de la Divinité que d'en avoir des idées basses, fantastiques, injurieuses, indignes d'elle ; c'est un moindre mal de la méconnaître que de l'outrager.   ROUSSEAU, Émile, IV.

Plus cour. (*Une, des divinités*). *Divinités primitives.* ⇒ **Dieu** (II.). *Divinités antiques, mythologiques.* ⇒ **Dieu** (III.). *Les Divinités de l'Olympe. Les Faunes, divinités champêtres ; les Sylvains, divinités des bois ; les Oréades, divinités des montagnes. Les Jeux et les Ris, divinités allégoriques de la joie. Hymen, divinité du mariage. Les divinités du Styx ; les Furies, divinités infernales. La Renommée, la Victoire ; le Temps, la Terre, divinités allégoriques. Le Hasard, la Fortune, divinités aveugles* (cit. 26). *Divinité favorable ; divinité terrible. Libations, sacrifices en l'honneur de la divinité. Culte* (cit. 8) *des divinités.*

5 Des peuples qui adoraient les fausses divinités (...)
                                        BOSSUET, Disc. sur l'hist. universelle, II, 3.

♦ **3.** (1642). Ce que l'on adore, que l'on considère comme une puissance surnaturelle. — (Choses). *L'argent est leur seule divinité.*

6 Ni l'or, ni la grandeur ne nous rendent heureux ;
Ces deux divinités n'accordent à nos vœux
Que des biens peu certains, des plaisirs peu tranquilles (...)
                                        LA FONTAINE, Philémon et Baucis.

(Personnes) :

7 (...) cette fausse image de Goethe, qui prévalut longtemps en France, d'une sorte de divinité olympienne, impassible, insensible et imperturbable.
                                        GIDE, Attendu que..., p. 109.

(1560). Spécialt. Femme très belle. ⇒ **Déesse.**

8 (...) Nelly (...) règne dans le dancing telle la divinité de la rue (...)
                                        P. MAC ORLAN, Quai des brumes, p. 184.

CONTR. Humanité.

DIVIS, ISE [divi, iz] adj. et n. m. — 1374 ; *devis,* Xᵉ ; lat. *divisus,* p. p. de *dividere.* → Indivis.

Droit.

♦ **1.** Adj. Partagé, divisé (opposé à *indivis*). *Propriétés divises.*

♦ **2.** N. m. État d'un bien partagé entre plusieurs propriétaires. ⇒ **Division.**

Loc. adv. *Par divis :* après partage.

CONTR. Indivis.

DIVISER [divize] v. tr. — 1190 ; rare av. XVIᵉ ; du lat. *dividere,* d'après *devise ;* réfection de l'anc. franç. *deviser.* → Deviser.

★ **I.** Séparer en parties. ♦ **1.** Séparer (une chose ou un ensemble de choses) en plusieurs parties. ⇒ **Scinder, subdiviser ; séparer.** — REM. *Diviser* est relativement rare dans les emplois concrets. *Diviser un objet concret, un solide, une masse, un espace. Diviser un objet, une chose en fractions* (⇒ **Fractionner**), *en fragments* (⇒ **Fragmenter**), *en miettes* (⇒ **Émietter**), *en morceaux* (⇒ **Morceler**), *en parcelles* (⇒ **Parceller**), *en parts* (⇒ **Partager, partir,** vx), *en sections* (⇒ **Sectionner**), *en tronçons* (⇒ **Tronçonner**). *Diviser un ensemble en éléments simples.* ⇒ **Décomposer, désagréger, dissocier.** *Diviser un corps solide avec un instrument tranchant.* ⇒ **Couper, découper, fendre, trancher.** *Diviser qqch. en deux en rompant, en cassant.* ⇒ **Casser, démancher, disjoindre, disloquer, rompre.** *Diviser une roche en feuilles, en lames.* ⇒ **Cliver, exfolier.** *Diviser un tronc d'arbre en planches, en rondins.* ⇒ **Aménager, débiter.** *Diviser un quartier de viande en pièces.* ⇒ **Dépecer.** *Diviser un assemblage en plusieurs éléments.* ⇒ **Désassembler, disjoindre.** *Diviser un stock de marchandises pour le vendre.* ⇒ **Détailler.** *Diviser une somme en donnant une part à chacun. Diviser qqch. entre plusieurs personnes.* ⇒ **Dispenser, distribuer.** — Typogr. *Diviser un mot,* le séparer en deux parties, dont la première reste à la fin de la ligne (⇒ **Division,** B., 1.). — *Diviser un terrain en lots.* ⇒ **Lotir.** *Diviser un domaine, une propriété.* ⇒ **Démembrer, morceler.** *Diviser une pièce en deux par une cloison.* ⇒ **Cloisonner.** *Diviser en compartiments* (cit. 4). ⇒ **Compartimenter.** — *Diviser une ville en arrondissements. Diviser un territoire en circonscriptions, par circonscriptions, en secteurs. La France est divisée en départements.*

1 Il est faux qu'en divisant un espace on puisse arriver à une partie indivisible, c'est-à-dire qui n'ait aucune étendue (...)   PASCAL, De l'esprit géométrique, 2.
2 Depuis la fin de l'Empire romain, ou, mieux, depuis la dislocation de l'Empire de Charlemagne, l'Europe occidentale nous apparaît divisée en nations (...)
                                        RENAN, Discours et Conférences, Œ., t. I, p. 888.

Partager (une quantité) *en quantités égales plus petites. Diviser la circonférence en 360 degrés.* ⇒ **Graduer.** *Diviser un angle en deux en traçant la bissectrice.* ⇒ **Bissecter.** *On divise le mètre en décimètres, centimètres. On divise l'année en mois, le mois en jours, le jour en heures, etc.*

Chercher combien de fois une quantité (⇒ **Diviseur**) *est contenue dans une autre* (⇒ **Dividende**). ⇒ **Division.** *Diviser un nombre par un autre* (opposé à *multiplier*). *Diviser A par B.*

Absolt. (Techn.). *Machine à diviser : machine servant à tracer des divisions équidistantes sur les instruments de précision.*

♦ **2.** Plus cour. Séparer (un ensemble abstrait, un objet de pensée) en éléments. *Diviser un ensemble en plusieurs groupes, en plusieurs classes. On divise le règne animal en classes, embranchements...* ⇒ **Classer.** — *Diviser un ouvrage littéraire en chapitres, en tomes* (⇒ **Tomer**). — *Diviser un problème en une série de questions.* ⇒ **Sérier ; analyser.** *Diviser chaque difficulté* (cit. 5) *pour la résoudre.* — *Diviser une tâche entre plusieurs ouvriers.* ⇒ **Distribuer, répartir.** *Diviser le travail.* ⇒ **Division.** *Diviser ses forces en les appliquant à plusieurs tâches à la fois* (⇒ **Disperser**).

3   Solon divisa le peuple d'Athènes en quatre classes.
MONTESQUIEU, l'Esprit des lois, II, 2.

4   Les financiers français, comme les mandarins chinois et les grands d'Espagne, sont divisés en classes échelonnées (...)
A. MAUROIS, le Cercle de famille, II, IX, p. 177.

★ **II.** (XVIᵉ). Séparer d'autre chose. ♦ **1.** (Sujet n. de chose). Séparer (une personne, une chose) d'une autre ou de plusieurs autres. — Vx. (Concret). *Un détroit divise la France et l'Angleterre, divise la France de l'Angleterre, d'avec l'Angleterre.* (On dit plutôt aujourd'hui *séparer*).

5   (...) ces mers qui divisent la Grèce d'avec l'Italie (...)   FÉNELON, Télémaque, X.

Mod. (abstrait ; avec un compl. au plur.). Opposer par leurs différences. *La politique les divise.*

6   Ce qui divise le plus les êtres, c'est peut-être que les uns vivent surtout dans le passé et les autres seulement dans la minute présente.
A. MAUROIS, Climats, I, VI, p. 56.

♦ **2.** Semer la discorde, la désunion entre (des personnes, des groupes). ⇒ **Brouiller, déchirer, désunir, opposer.** *Les passions politiques ont divisé le pays en deux blocs adverses* (cit. 3). *Famille qui est divisée par des questions d'intérêt. Être divisés d'intérêt* (Académie). *Oppositions qui divisent les esprits. Leurs opinions les divisent.*

7   (...) si une maison est divisée contre elle-même, il est impossible que cette maison subsiste.   BIBLE (SACY), Évangile selon saint Marc, III, 25.

8   Lorsque deux factions divisent un empire (...)   CORNEILLE, Sertorius, III, 2.

9   Tantôt il (le ministre) réunit quelques-uns qui étaient contraires les uns aux autres, et tantôt il divise quelques autres qui étaient unis.
LA BRUYÈRE, les Caractères, X, 11.

10   Ces trois personnes réunies autour de cette lampe, que d'intérêts les divisaient, que de pensées hostiles dans leurs cœurs !
J. GREEN, Adrienne Mesurat, I, VII, p. 66.

Diviser ses ennemis pour les combattre (cit. 6). — Loc. prov. Absolt. *Diviser pour régner* (cf. la maxime latine *Divide ut regnes*).

Par ext. (Au passif). En parlant d'une personne. *Être divisé soi-même, en soi-même :* être partagé entre des sentiments contradictoires.

11   S'il n'avait que la raison sans passions...
S'il n'avait que les passions sans raison...
Mais ayant l'un et l'autre, il ne peut être sans guerre, ne pouvant avoir paix avec l'un qu'ayant guerre avec l'autre : ainsi il est toujours divisé et contraire à lui-même.   PASCAL, Pensées, VI, 412.

▶ **SE DIVISER** v. pron.

♦ **1.** (Passif). Être divisé en deux ou plusieurs parties. *Route qui se divise à un carrefour.* ⇒ **Bifurquer, ramifier** (se). — Se séparer en parties. *Le germe, l'œuf se divise en cellules* (cit. 9). *Attroupement qui se divise en plusieurs groupes.* ⇒ **Disperser** (se), **éparpiller** (s').

Spécialt. Être divisible par... *Vingt-cinq se divise par cinq.*

Fig. *Ce livre se divise en dix chapitres.*

12   Tout le temps de l'histoire romaine (...) peut se diviser en cinq parties.
ROLLIN, Traité des Études, in LITTRÉ.

(Récipr.). Rare. *Se diviser qqch. :* se partager qqch. *Se diviser une somme d'argent.*

♦ **2.** (Réfl.). Se mettre en dissension ; manifester des opinions différentes. *Se diviser à l'intérieur d'un même parti.*

13   Les juges se divisèrent sur la question de droit.
CHATEAUBRIAND, les Natchez, II, 213.

▶ **DIVISÉ, ÉE** p. p. adj.

★ **I.** ♦ **1.** Séparé en plusieurs éléments ou parties. *Pièce divisée (en deux, trois...). Somme divisée. Héritage divisé. Propriété divisée.* ⇒ **Morcelé.**

Bot. *Organe divisé.* — Écon. *Travail divisé.* ⇒ **Division** (du travail).

DIVISÉ EN... (sens concret) *Immeuble divisé en nombreux appartements. Boîte divisée en (trois, quatre...) compartiments. Organe divisé en deux, trois parties.* ⇒ **Biparti, triparti.**

Spécialt. Séparé en deux. « *Les cheveux abondants et bien divisés* » (J. Renard, in T. L. F.).

♦ **2.** Didact. Séparé en nombreux éléments, en particules. *Terre divisée* (pédol.). *Corps, poudre finement divisé (e).*

♦ **3.** **DIVISÉ EN...** (sens abstrait) : séparé en (éléments), souvent par une classification. *Livre divisé et subdivisé en parties, chapitres,*

etc. — Séparé par une opposition. « *Un monde brutalement divisé en maîtres et en serviteurs* » (Nizan, in T. L. F.).

♦ **4.** (Humain). Qui se sépare en éléments opposés les uns aux autres, soit par l'incompatibilité logique, soit par l'hostilité. *L'opinion publique est divisée, profondément divisée.* — *Pays, royaume ; peuple, public divisé. La France est divisée. Parti divisé. L'Assemblée est divisée.*

(Personnes). Littér. Partagé entre des tendances, des jugements, des sentiments contradictoires. *Se sentir divisé et inquiet.* « *Le héros claudélien (...) déchiré, affreusement divisé...* » (Mauriac, in T. L. F.). — *Esprit divisé. Pensée divisée.*

Être divisé contre soi-même : se combattre soi-même.

★ **II.** ♦ **1.** (Au plur.). Séparés (les uns des autres). *Des êtres divisés par la vie. Tendances divisées mais non opposées.* ⇒ **Distinct.**

Plus cour. En opposition d'opinion (personnes). *Ils sont divisés sur ce point.* ⇒ **Hostile, opposé.**

♦ **2.** Littér. **DIVISÉ DE... :** séparé de... *Cette communauté est divisée de l'ensemble de l'opinion.*

CONTR. Bloquer, grouper, rassembler, réunir, unir. — Multiplier. — Rapprocher. — Accorder, réconcilier. — (Du p. p.) Indivis. — Massif. — Unanime. — Réuni. — Accord (en).

DIVISEUR [divizœʀ] n. m. et adj. — XVᵉ ; « celui qui règle quelque chose », v. 1175 ; lat. *divisor*, de *divisum*, supin de *dividere.* → Diviser.

♦ **1.** Arithm. et cour. Nombre par lequel on en divise un autre, appelé *dividende**. — Nombre entier qui divise exactement un autre nombre entier. *Commun diviseur à plusieurs nombres entiers,* nombre entier qui les divise tous exactement. *Plus grand commun diviseur :* le plus grand nombre entier qui divise plusieurs nombres entiers exactement. *2, 5 et 10 sont communs diviseurs de 40 et de 50. Diviseurs premiers* (ou facteurs premiers) *d'un nombre,* les nombres premiers qui le divisent exactement. — Par appos. *Nombre diviseur ; fraction diviseur.*

♦ **2.** (1794). Rare. Personne, force qui sème la division, la désunion. *Il a joué le rôle d'un diviseur au sein de la gauche.* — Adj. *Diviseur, euse :*

Qu'est-ce que le gouvernement de la République ? Le gouvernement des partis, ou rien. Qu'est-ce qu'un parti ? Une division, un partage. Les « mots de la tribu » offrent souvent une contexture sacrée qui en contient, en conserve, en préserve le sens. Ici, il est limpide (...) Les idées des partis, les idées diviseuses ont, en République, des agents passionnés ; mais l'idée unitaire, l'idée de la patrie n'y possède ni serviteur dévoué ni gardien armé.
Ch. MAURRAS, Mes idées politiques, Les partis, p. 188 et 190.

♦ **3.** (Av. 1974, in *la Clé des mots*). Techn. Dispositif conçu pour déplacer une pièce en cours d'usinage, de manière à la faire traiter par diverses unités de travail.

CONTR. Multiplicateur.

DIVISIBILITÉ [divizibilite] n. f. — Fin XIVᵉ ; de *divisible.*

♦ Sc. Caractère de ce qui peut être divisé. *La divisibilité de la matière, de l'espace. Le mercure* (cit. 3) *est d'une divisibilité prodigieuse.* Math. *Caractères de divisibilité,* par lesquels on peut reconnaître qu'un nombre est divisible par un autre.

La physique et la chimie ont plus fait pour la connaissance de la constitution intime des corps que toutes les spéculations des anciens et modernes philosophes sur les qualités abstraites de la matière, son essence, sa divisibilité.
RENAN, l'Avenir de la science, Œ., t. III, p. 934.

CONTR. Indivisibilité.

DIVISIBLE [divizibl] adj. — 1335 ; bas lat. *divisibilis*, du lat. class. *divisum*, supin de *dividere.* → Diviser.

♦ Qui peut être divisé*. *Roche divisible en couches minces.* ⇒ **Clivable, fissile.** *Pour Descartes, la matière est divisible à l'infini* (→ Atome, cit. 3). « *On déclare le mouvement divisible et homogène* » (Bergson).

Ceux (...) qui demeureront dans la créance que l'espace n'est pas divisible à l'infini, ne peuvent rien prétendre aux démonstrations géométriques.
PASCAL, De l'esprit géométrique, 1.

Math. *Nombre divisible,* qui peut être divisé exactement. *Les nombres pairs sont divisibles par 2.*

Dr. *Obligation divisible,* portant sur un bien ou un fait susceptible de division.

CONTR. Indivisible, insécable.
DÉR. Divisibilité.

DIVISION [divizjɔ̃] n. f. — 1119 ; lat. *divisio*, de *divisum*, supin de *dividere.* → Diviser.

A. (*La division de..., en...*). ♦ **1.** Action de diviser* ; état de ce qui est divisé (rare en emploi concret). *La division d'une chose par une* *autre, d'une chose en plusieurs éléments. Résulter d'une division.* ⇒ **Subdivision** ; et les éléments **dis-, -tomie.**

a (Concret). *Division en deux parties* (⇒ **Bipartition**), *en trois parties* (⇒ **Tripartition**). *Division d'un corps en petites parties.* ⇒ **Atomisation, coupure, déchirement, dispersion, fission, fractionnement, fragmentation, morcellement, scission, section, sectionnement, segmentation, séparation.** *Division en parts.* ⇒ **Partage** ; **distribution.** *Division d'un domaine, d'une propriété, d'une terre.* ⇒ **Démembrement, lotissement, morcellement.**

1 Le mal de cette division excessive des propriétés s'étend autour de cent villes de France, et la dévorera quelque jour tout entière.
BALZAC, le Curé de village, Pl., t. VIII, p. 713.

La division d'une pièce par cloisonnement. ⇒ **Subdivision.** *Division d'une boîte en cases, casiers, compartiments. Division chirurgicale ou pathologique de parties naturellement réunies.* ⇒ **Diérèse, solution** (de continuité). *Division congénitale du palais* (→ **Bec-de-lièvre,** cit.). — *Division d'un territoire en circonscriptions, en secteurs...* — Peint. *Division du ton* (⇒ **Divisionnisme**). *Division de la circonférence en degrés.* ⇒ **Graduation.** *La division du kilogramme en grammes. Division centésimale.* ⇒ **Échelle.** — *Le calendrier, système de division du temps.* — *Division (de qqch.) entre plusieurs personnes, groupes.*

Math. Opération ayant pour but, connaissant le produit de deux facteurs (⇒ **Dividende**) et l'un deux (⇒ **Diviseur**), de trouver le facteur inconnu (⇒ **Quotient**). *Si l'opération est possible, la division se fait exactement, sinon il y a un reste*. Division d'un nombre entier, d'un binôme, d'un polynôme. Division des fractions. Preuve de la division. Division par deux, cinq, dix* (⇒ **Déci-**), *cent* (⇒ **Centi-**), *mille* (⇒ **Milli-**).

Géom. Suite de points situés sur une droite. *Division harmonique, division semblable, homographique.*

b (Abstrait). Séparation (d'un objet de pensée) en plusieurs éléments. → Périodicité, cit. *La division d'un livre en chapitres, d'un sermon en plusieurs points.* — Absolt. *Division :* figure de rhétorique par laquelle on indique la manière dont sera divisé le discours. — *Division en classes* (cit. 7). ⇒ **Classement, classification.** *Division d'une classe en catégories.* ⇒ **Subdivision.** *Division en séries. Division de la chimie* (cit. 4) *en organique et inorganique.*

2 La division par centuries était plutôt une division de cens et de moyens qu'une division de personnes. Tout le peuple était partagé en cent quatre-vingt-treize centuries (...) MONTESQUIEU, l'Esprit des lois, XI, 14.

c Spécialt. (Dr., admin.). Délibération séparée des divers points d'une question, des divers paragraphes d'un article, etc. dans une assemblée. *Division de la question, de l'amendement.* Absolt. *On a demandé la division. Division des attributions des pouvoirs*.* ⇒ **Distinction, séparation.**

Dr. *Bénéfice de division :* droit qu'ont les cautions d'une même dette d'exiger que le créancier réduise sa poursuite à la mesure de leur part et portion. *Faire prononcer la division* (Code de commerce, art. 2026).

Loc. (Procéd.). *Sans division ni discussion :* solidairement.

d (1778 ; répandu déb. xxᵉ). Écon. **DIVISION DU TRAVAIL*** : organisation économique consistant dans la décomposition et la répartition des tâches, de telle sorte que chacun accomplisse toujours une même tâche. *Diverses formes de la division du travail :* spécialisation* professionnelle des travailleurs ; spécialisation des entreprises ; division territoriale et internationale du travail ; décomposition du travail technique (⇒ **Taylorisme**). *Le développement du machinisme est allé de pair avec la division du travail. La division du travail accroît* (cit. 4) *la productivité. De la division du travail social,* ouvrage de Durkheim.

3 L'essence de la division du travail est que chaque travailleur fasse constamment la même besogne (...) J.-B. SAY, Cours, 1840, t. I, p. 178, *in* LITTRÉ.

♦ **2.** Fait de se diviser, de se séparer en plusieurs éléments. *La division d'un cours d'eau en plusieurs bras.* — Bot. *Division d'une tige en rameaux.* ⇒ **Dichotomie** ; **ramification.** — Biol. *Division cellulaire :* phénomène par lequel une cellule donne deux cellules filles. ⇒ **Amitose, méiose, mitose.** *Division équationnelle d'une cellule :* division d'une cellule en deux cellules comportant chacune un nombre de chromosomes égal au sien. *Division réductionnelle d'une cellule :* division d'une cellule en deux cellules au cours de laquelle le nombre des chromosomes est diminué de moitié.

B. *(Une, des divisions).* ♦ **1.** Trait qui divise ; ce qui divise. *Pratiquer, tracer des divisions dans la pierre, le bois. Tracer des divisions sur une règle, sur un thermomètre.* ⇒ **Graduation.**

Typogr. Petit tiret que l'on place à la fin d'une ligne, après une partie d'un mot, pour indiquer que l'autre partie en est reportée à la ligne suivante. ⇒ **Tiret.** — Trait* d'union (plus cour.).

♦ **2.** Partie concrètement divisée (d'un tout). ⇒ **Élément, fraction, fragment, morceau, part, partie, pièce, portion, section, tranche, tronçon.** *Divisions d'une boîte, d'un récipient.* ⇒ **Alvéole, case, casier, cellule, compartiment.** *Divisions d'un objet formé de couches superposées.* ⇒ **Étage.**

Bot. Découpure naturelle (d'une feuille), lobe (d'un calice, d'une corolle).

♦ **3.** Partie (d'un tout abstraitement divisé). *Divisions politiques, administratives d'un territoire.* ⇒ **Circonscription** ; **arrondissement, canton, commune, département, district, gouvernement, province, subdivision, zone** ; → ci-dessous, 5. — *Divisions d'une unité de mesure, d'une grandeur. Divisions décimales, divisions centésimales :* chaque degré* de l'échelle décimale, centésimale. *Divisions d'un cadran, d'un instrument de mesure.* — *Divisions d'un écrit, d'un livre...* ⇒ **Alinéa, article, chapitre, livre, paragraphe, titre, tome, section, verset** ; **acte, scène** ; **chant, strophe.** *Les divisions du savoir humain ; de la science.* ⇒ **Branche, discipline, spécialité.** *Divisions de la société.* ⇒ **Caste, catégorie, clan, classe, état, groupe, ordre, tribu.** *Les divisions d'une classification, d'une taxinomie en sciences naturelles* (⇒ **Règne, embranchement, classe, ordre, famille, genre, espèce, variété, type**). — *Divisions du temps*.* ⇒ **Ère, époque, instant, moment, période.** *Divisions d'une période rythmique.* ⇒ **Membre.**

4 (...) le grand nombre de divisions, loin de rendre un ouvrage plus solide, en détruit l'assemblage (...) BUFFON, Disc. sur le style, t. XII, p. 327.

♦ **4.** (1750 ; répandu xixᵉ). Milit. et cour. Grande unité militaire (→ Armée, cit. 11) réunissant des corps de troupes (régiments) d'armes différentes et des services. *En France, la division créée en 1770, supprimée sous l'Empire, réapparaît après la guerre de 1870. Depuis 1943, la division d'infanterie comprend 3 régiments d'infanterie, 1 régiment de reconnaissance blindée (cavalerie), 4 groupes d'artillerie (plus 1 groupe antiaérien), des éléments du génie, du train, des transmissions, du corps médical et divers services. Division blindée, créée en 1943* (abrév. : D.B.). — *Division aéroportée,* comprenant des éléments parachutés. *État-major de division.* ⇒ **Divisionnaire.** *Général* de division.*

5 (...) on mobilisera deux cent mille hommes en France, Hitler massera quatre divisions blindées à la frontière tchèque. SARTRE, le Sursis, p. 105.

Réunion d'unités aériennes. Division aérienne. — *Réunion d'unités navales. Division navale :* « Groupe de trois ou quatre bâtiments de guerre constituant une formation homogène » (Gruss). *Division de croiseurs. Les trois divisions d'une escadre*.* — *La moitié d'une bordée*. Prendre le quart par division.*

♦ **5.** Admin. Réunion de plusieurs bureaux. *Chef de division.*

6 (...) mon père devint (...) chef de la deuxième division administrative. FRANCE, le Crime de Sylvestre Bonnard, Œ., t. II, p. 385.

Divisions géographiques, territoriales : circonscriptions*, régions*, etc. → ci-dessus B., 3. (emploi général).

(Au Canada). Service intermédiaire entre la direction et la section.

Admin. Groupe d'élèves de même niveau à l'intérieur d'une même classe. — Groupe d'élèves appartenant à une même tranche d'âges. *La division des grands, des petits. Préfet de division* (dans l'enseignement catholique).

6.1 Quand une division était pleine et que personne ne pouvait y entrer, son père obtenait, au nez des autres élèves, que son fils y fût admis. PROUST, Jean Santeuil, Pl., p. 582.

Sport (football). *Première, deuxième division,* dans laquelle un club est admis pour disputer le championnat national. *Club de première division. Tomber en deuxième* (ou *seconde*) *division.*

C. (1436). Séparation, opposition d'intérêts, de sentiments entre plusieurs personnes. ⇒ **Désaccord, divorce, mésintelligence, rupture, scission** ; **dispute.** — *(La division). Il y a division, de la division entre eux* (Académie). *Engendrer, mettre, semer la division dans une famille, une société. Jeter la division parmi ses ennemis. La division se mit entre eux.* — *(Une, des divisions).* Situation d'opposition. *Fomenter, susciter des divisions. Entretenir, aggraver, envenimer, exciter les divisions. Division irréductible. Division d'opinions.* ⇒ **Schisme** (fig). *Divisions intestines.* ⇒ **Querelle.** *Pays déchiré* (cit. 25) *par les divisions.*

7 Je suis venu mettre la division entre l'homme et son père, entre la fille et sa mère, entre la belle-fille et sa belle-mère. BIBLE (SEGOND), Évangile selon saint Matthieu, X, 35.

8 (...) il est trop vrai que les divisions / Ont régné trop longtemps entre nos deux maisons (...) VOLTAIRE, Tancrède, I, 1.

9 Loin de moi surtout la pensée de jeter des semences de division dans la France, et c'est pourquoi j'ai refusé à mon discours l'accent des passions. CHATEAUBRIAND, Mémoires d'outre-tombe, t. V, p. 270.

(En parlant d'une personne). *Ressentir en soi des divisions profondes.*

CONTR. Groupement, rassemblement, réunion, union ; indivision ; continuité. — Multiplication. — Ensemble, total, tout. — Accord, union ; rapprochement, réconciliation.
DÉR. Divisionnaire, divisionnisme, divisionniste.
COMP. Indivision, subdivision. — Endivisionner.

DIVISIONNAIRE [divizjɔnɛʀ] adj. — 1793 ; de *division.*

♦ **1.** Qui correspond, qui appartient à une division*. Spécialt. *Monnaie divisionnaire,* qui représente une division de l'unité monétaire.

♦ **2.** D'une division* (4. et 5.). *Artillerie, services divisionnaires. Général divisionnaire,* et, n. m., *Un divisionnaire :* général* de division.

Le général sortit à son tour, un colonel ferma doucement la porte derrière lui : l'état-major divisionnaire était au complet, une vingtaine d'officiers (...)
SARTRE, la Mort dans l'âme, p. 95.

Admin. *Ingénieur divisionnaire. Inspecteur divisionnaire.* — (Police). *Inspecteur, commissaire* divisionnaire,* et, n. m., *Un divisionnaire. Monsieur le divisionnaire.* — REM. Pour le nom, le fém. est virtuel.

DIVISIONNISME [divizjɔnism] n. m. — 1936 ; de *division*.

♦ **Didact.** En peinture, Procédé qui consiste à juxtaposer des touches de ton pur sur la toile au lieu de les mélanger sur la palette. ⇒ **Divisionniste.** *Le divisionnisme est à la base de la technique pointilliste.* ⇒ **Néo-impressionnisme.**

DIVISIONNISTE [divizjɔnist] adj. et n. — 1907 ; de *division*.

♦ **Didact.** Adepte du divisionnisme* en peinture.

Entre 1880 et 1890, apparaissent deux nouvelles figures géniales (réprouvées naturellement), et autour desquelles se grouperont comme de la limaille sur un champ magnétique, quelques satellites également voués à la réprobation. Ainsi se constituent deux nouveaux groupes. L'un est le groupe des *divisionnistes,* dont Georges Seurat est le représentant ; l'autre, le groupe des *synthétistes,* ayant à sa tête Paul Gauguin : l'un et l'autre, d'ailleurs, étaient directement issus des Impressionnistes de 1874.
Robert REY, la Peinture moderne, p. 42.

DIVORCE [divɔRs] n. m. — 1394 ; du lat. *divortium* « séparation » ; de *dis-,* et *vertere* « tourner ».

♦ **1.** (XVIᵉ, à propos de l'antiquité ; répandu fin XVIIIᵉ). Rupture légale du mariage civil, du vivant des époux. *Le divorce, à la différence de la séparation* de corps, dissout le mariage. Le droit romain distingue le divorce par consentement mutuel de la répudiation* (→ *infra,* cit. 1). *Le divorce, introduit en France par la loi du 20 septembre 1792, maintenu par le Code civil* (Titre I, livre 6), *supprimé en 1816, fut rétabli par la loi du 27 juillet 1884* (loi Naquet) *complétée par la loi du 18 avril 1886. Discussions sur l'introduction du divorce en Italie, en Espagne...* — *Ancienne procédure du divorce en France* (avant 1975) : *requête* du demandeur au président du tribunal compétent ; réunion des parties pour une tentative de conciliation* ; en cas de non-conciliation, assignation de l'autre époux par le demandeur ; mesures provisoires ordonnées par le magistrat* (résidence des époux, garde des enfants, provision alimentaire, mesures conservatoires relatives aux biens) ; *instruction et jugement de la cause ; publication et transcription du jugement ; arrêt de divorce. Cas de divorce* (en France, depuis 1975) : *divorce sur demande conjointe* (relevant de la compétence du juge aux affaires matrimoniales) ; *divorce pour rupture de la vie commune ou pour altération des facultés mentales ; divorce pour fautes* (violation grave et renouvelée des devoirs et obligations du mariage ; condamnation d'un des époux). *L'adultère* n'est plus mentionné parmi les causes du divorce. Procédure du divorce sur demande acceptée* (dit couramment : *par consentement mutuel). Divorce aux torts partagés* (en cas de faute pour les deux époux). *Divorce aux torts exclusifs de l'un des époux* (pouvant entraîner dommages et intérêts). *Conséquences du divorce sur le nom de la femme, sur le domicile conjugal, sur la garde des enfants. Mesures financières* (pension alimentaire, prestation compensatoire, dommages et intérêts) *en cas de divorce.* — *Le divorce de deux personnes. Le divorce de Julie avec, d'avec son mari. Depuis son divorce, leur divorce... Démographie du divorce* ⇒ **Divortialité.** — *Du divorce considéré au XIXᵉ siècle,* traité de L. de Bonald (1801). *Un divorce,* roman de P. Bourget (1904).

1   Il y a cette différence entre le divorce et la répudiation, que le divorce se fait par consentement mutuel, à l'occasion d'une incompatibilité mutuelle ; au lieu que la répudiation se fait par la volonté et pour l'avantage d'une des deux parties, indépendamment de la volonté et de l'avantage de l'autre.
MONTESQUIEU, l'Esprit des lois, XVI, 15.

2   Le divorce est la *rupture d'un mariage valable, du vivant des deux époux ; divortium* vient de *divertere,* s'en aller chacun de son côté. Cette rupture ne peut avoir lieu que par autorité de justice et pour des causes déterminées par la loi.
M. PLANIOL, Traité de droit civil, t. I, p. 400.

3   L'institution du divorce et de ce diminutif, de cette sorte de *divorce incomplet* qu'est la séparation de corps, est l'une des plus importantes de notre Droit privé, l'une de celles qui mettent en jeu les plus graves considérations et qui suscitent les plus âpres controverses.
A. COLIN et H. CAPITANT, Cours de droit civil, t. I, p. 196.

3.1   Le divorce peut être prononcé en cas :
— soit de consentement mutuel ;
— soit de rupture de la vie commune ;
— soit de faute.   Code civil, art. 229 (loi du 11 juil. 1975).

Loc. (Vx). *Faire divorce.* ⇒ **Divorcer.**

♦ **2.** Séparation (d'intérêts, de sentiments, etc.). ⇒ **Désaccord, désunion, rupture, séparation.** *Il y a divorce entre la théorie et la pratique, entre les intentions et les résultats.* ⇒ **Contradiction, divergence, opposition.** *Le divorce entre la raison scientifique et la raison historique* (→ Marxisme, cit. 3).

4   Le divorce était donc complet entre sa vie extérieure et ses pensées intimes.
J. LEMAITRE, les Rois, p. 29.

5   Le divorce de la vie pratique et de la pensée théorique est si complet que la pensée se trouve tout à fait libérée.
A. MAUROIS, les Discours du Dʳ O'Grady, XIII, p. 141.

À certains moments de l'histoire, la civilisation intègre la culture (...) À d'autres — nous sommes dans un de ces temps morts —, un divorce s'opère. La progression dans l'ordre de la culture va plus vite que la progression dans l'ordre de la civilisation.   DANIEL-ROPS, Ce qui meurt et ce qui naît, II, p. 62.   6

(V. 1960). État d'opposition, de séparation d'intérêts, d'attitudes, entre personnes ou groupes. *Divorce entre théoriciens et praticiens.* « *Il est en train de se produire entre le service postal et le public un divorce grave* » (le Monde, 23 oct. 1969, *in* Gilbert).

CONTR. Hymen, mariage, union ; conciliation, réconciliation. — Accord, entente, harmonie, union.
DÉR. Divorcer.

DIVORCÉ, ÉE [divɔRse] adj. et n. — 1395, en parlant du mariage ; p. p. de *divorcer.*

♦ **1.** Séparé par le divorce. *Femme divorcée.*
N. *Un, une divorcée. Elle a épousé un divorcé.*

♦ **2.** Fig. « *Une science divorcée de la morale* » (Maurois, *in* Grevisse).

DIVORCER [divɔRse] v. intr. — Conjug. *placer.* — 1395, au p. p. ; de *divorce.*

♦ **1.** (1434). En parlant de l'un des époux. Se séparer par le divorce* (de l'autre époux). *Elle a divorcé avec son mari, d'avec son mari.*

Mélek, après des mois de torture et de larmes, ayant enfin divorcé avec un mari atroce (...)   LOTI, les Désenchantées, VIII, p. 82.   1

L'héroïne avait divorcé d'avec un mari indigne (...)
R. ROLLAND, Jean-Christophe, t. V, p. 122.   2

Sa mère, qui avait divorcé de mon oncle, se remaria (...)
J. DE LACRETELLE, Silbermann, p. 149, *in* GREVISSE.   3

Absolt. *Il a décidé de divorcer.* ⇒ **Rompre, séparer** (se). *Ils ont divorcé il y a deux mois.*

Cécile (dans « Jean Barois » de Martin du Gard) le quitte. Elle ne divorce pas, parce qu'elle tient le mariage pour indissoluble, mais se sépare de son mari.   4
A. MAUROIS, Études littéraires, Martin du Gard, t. II, p. 173.

♦ **2.** Fig., rare. Rompre avec. *Divorcer avec, d'avec le monde.* ⇒ **Renoncer** (à).

Les anges célébrèrent les noces de ces femmes qui ont divorcé avec la terre pour s'unir avec le ciel (...)   CHATEAUBRIAND, les Natchez, IV.   5

(...) des écrivains (...) ont exprimé publiquement leur désir de voir l'Amérique ibérique divorcer de l'Europe (...) et marcher vers de nouvelles destinées.   6
G. DUHAMEL, Défense des lettres, XIII, p. 209.

Littér. (Choses). « *La diplomatie et la conscience ont divorcé depuis longtemps* » (Bloch, *in* T. L. F.).

▶ **DIVORCÉ, ÉE** p. p. Voir à l'ordre alphabétique.

CONTR. Épouser, marier (se), **unir** (s').
DÉR. Divorcé.

DIVORTIALITÉ [divɔRsjalite] n. f. — Mil. XXᵉ ; du rad. du lat. *divortium* « séparation », sur le modèle de *nuptialité.*

♦ **Didact.** Phénomène démographique en rapport avec les divorces. — *Table de divortialité,* décrivant la survenance de divorces, suivant l'échelle des durées de mariage, au sein d'une cohorte* de mariages. « *La fécondité va-t-elle continuer à baisser, la divortialité à augmenter, la cohabitation est-elle une simple mode qui disparaîtra aussi rapidement qu'elle est advenue, le mariage enfin et la famille sont-ils à la veille de disparaître ?* » (la Recherche, mai 1980, p. 550).

DIVULGATEUR, TRICE [divylgatœR, tRis] n. — 1552 ; bas lat. *divulgator,* du supin du lat. class. *divulgare.* → Divulguer.

♦ Personne qui divulgue (qqch.). ⇒ **Propagateur, révélateur, vulgarisateur.** *Les divulgateurs d'une nouvelle doctrine.* — Adj. *Ouvrage divulgateur de théories nouvelles.*

DIVULGATION [divylgasjɔ̃] n. f. — 1510 ; bas lat. *divulgatio,* du supin de *divulgare.* → Divulguer.

♦ Action de divulguer* (qqch.) ; son résultat. ⇒ **Proclamation, propagation, publication, révélation, vulgarisation** (→ Confidence, cit. 3). *La divulgation d'un secret par un indiscret. La divulgation officielle d'une nouvelle.*
(...) la divulgation des offres qu'on lui fait.
BEAUMARCHAIS, le Mariage de Figaro, I, 4.
(Une, des divulgations). Ce qui est divulgué. *Une divulgation sensationnelle reprise par un journal à scandales.*

DIVULGUER [divylge] v. tr. — XIVᵉ ; lat. *divulgare,* de *dis-,* et *vulgare* « répandre », de *vulgus* « foule ». → Vulgaire.

♦ Porter à la connaissance du public. ⇒ **Dévoiler, dire, ébruiter, proclamer, propager, publier, répandre, révéler ; divulgation.** → Mettre au jour*, au grand jour ; corner, crier sur les toits* ; publier à sons de trompe*; emboucher la trompette*; raconter à tous les vents*. *Divulguer un secret, une nouvelle, les divulguer partout, parmi, dans le public, auprès de qqn. La nouvelle fut vite divulguée, elle a volé* de bouche en bouche. Les journaux ont divulgué l'entretien.* — *Divulguer par hasard ce que l'on voulait cacher,* trahir sa pensée. *Divulguer maladroitement ses plans* (→ la loc. Vouloir prendre des lièvres au son du tambour*).

1 Je sais fort bien qu'Élise a l'esprit trop discret
Pour aller divulguer cet entretien secret. MOLIÈRE, Dom Garcie, II, 1.

2 (...) agaçant comme un renseigné qui tire vanité des secrets qu'il détient et brûle de divulguer (...) PROUST, À la recherche du temps perdu, t. XII, p. 127.

▶ **SE DIVULGUER** v. pron. (Passif).
Être porté à la connaissance du public. *Nouvelle qui se divulgue rapidement.*

CONTR. **Cacher, celer, dissimuler, garder** (pour soi...), **taire.**

DIVULSEUR [divylsœR] n. m. — 1878, Larousse, *Suppl.*; dér. sav. du lat. *divulsum.* → Divulsion.

♦ Didact. (chir.). Instrument servant à dilater un canal.

DIVULSION [divylsjõ] n. f. — 1549; lat. *divulsio,* de *divulsum,* supin de *divellere* «arracher», de *dis-,* et *vellere* «arracher».

♦ Didact. Action d'arracher avec violence. ⇒ **Arrachement.** *Fracture par divulsion.* — Par ext. Dilatation forcée. *Divulsion du pylore, du col utérin.*

DIX [dis] adj. et n. — 1050, *dis, diz;* du lat. *decem.*

★ **I.** Adj. numéral invariable; [diz] devant un nom commençant par une voyelle ou un *h* muet, [di] devant un nom commençant par une consonne, [dis] devant une pause.

♦ **1.** Adj. numéral cardinal. Nombre pair (10). *Dix unités.* ⇒ **Dizaine.** *Formé de dix parties, de dix éléments.* ⇒ préf. **Déca-.** *Dix fois plus.* ⇒ **Décuple; décupler.** *Dix fois moins.* ⇒ **Dixième,** et préf. **déci-.** — *Les dix doigts des deux mains. Tas de dix gerbes de blé :* dizeau. *Pièce de dix vers.* → **Dizain.** *Dix francs. Dix degrés, dans un signe du zodiaque.* ⇒ **Décan.** — *Cerf dix cors*.* — *Dix personnes. Ils étaient dix. Mettre à mort une personne sur dix.* ⇒ **Décimer.** *Groupe de dix soldats romains.* ⇒ **Décurie.** *Membre d'un collège de dix personnes.* ⇒ **Décemvir.** — *Les dix commandements de Dieu.*
Qui dure dix ans. ⇒ **Décennal, décennie.** *Dix heures s'écoulèrent* (→ Assis, cit. 38).

1 (...) C'est folie
De compter sur dix ans de vie. LA FONTAINE, Fables, VI, 19.

En composition : *Dix mille* (10 000). *La retraite des Dix mille.* Par ext. Un grand nombre de fois. *Répéter, recommencer dix fois la même chose. Je vous l'ai dit plus de dix fois.* — *En dix lignes :* en quelques mots.

2 Ma sœur de Radouay trouve le moyen de louer en dix lignes toute la communauté.
Mᵐᵉ DE MAINTENON, Lettre à Mᵐᵉ du Perron, 15 août 1711.

♦ **2.** Adj. numéral ordinal. (XVIᵉ). ⇒ **Dixième.** *Page dix, article dix, paragraphe dix. Le numéro dix. L'an dix avant, après Jésus-Christ. Charles dix, le pape Léon dix* (Charles X, Léon X). *Il est dix heures, dix heures et quart.* — Ellipt. *Le dix du mois : le dixième jour du mois. Le dix janvier. La journée du dix août* (1792).

★ **II.** N. m. (prononc. [dis]). XIIᵉ. ♦ **1.** Le nombre dix. *Dix égale neuf plus un, deux fois cinq. Système procédant par dix.* ⇒ **Décennaire, décimal, denaire.** *Multiplier par dix.* ⇒ **Décupler.** *Dix et dix font vingt. Compter de dix en dix, compter jusqu'à dix.* — Dans une adresse (en chiffres). *Dix, rue de la Pompe. Habiter au dix, rue de France.* — Adj. *Habiter au numéro dix.* — *Nous sommes le dix, aujourd'hui.*

3 Et trois :
Quand nous serons à dix, nous ferons une croix. MOLIÈRE, l'Étourdi, I, 9.

En composition. *Soixante et dix,* ou, plus souvent, *soixante-dix* (70); *quatre-vingt-dix* (quatre-vingts plus dix : 90). *Dix-huit...* ⇒ **Dix-huit...**

♦ **2.** Spécialt. [a] (1571, *in* D.D.L.). Carte, dé, domino... marqué de dix signes. *Un dix, un double-dix. Dix de cœur. Abattre un dix d'atout.* — Loc. fam. *Dix de der* : coup qui amène dix points et termine (der = dernier) le jeu.

4 Rois, reines et valets dansaient devant ses yeux. Elle choisit un as de trèfle; se ravisa, prit un dix de carreau. J. GREEN, Adrienne Mesurat, I, v, p. 47.

4.1 Dans le hall, des matrones emperlousées continuaient une partie de bridge; à une table voisine, un Français de Casablanca annonçait : « Dix de der ». Je m'endormais insatisfait, sous les arpèges des premiers trolleys.
A. BLONDIN, Monsieur Jadis, p. 105.

[b] (Sports). Concurrent (athlète, cheval...) qui porte ce numéro. *Le dix passe en tête.*

[c] Note correspondant à dix points. *Avoir, recevoir un dix à un*

problème. Adj. *La note dix. Dix sur dix. Cette composition sera notée sur dix* (avec le coefficient 1).

Loc. fam. *Un* (ou *une*) *de perdu(e), dix de retrouvé(e)s.*

5 Allons, dit-il, allons! Faut pas t'en faire, poupée : il en viendra d'autres. Un de perdu, dix de retrouvés. SARTRE, la Mort dans l'âme, p. 133.

♦ **3.** Loc. *Neuf fois sur dix :* presque toujours, très souvent. ⇒ **Immanquablement.**
Se battre, lutter à dix contre un, dans un combat inégal. *Être à dix contre un dans une bataille :* avoir une supériorité écrasante.

♦ **2.** Le chiffre qui représente ce nombre. *Un dix arabe* (10). *Un dix romain* (X).

DÉR. **Dixième, dizain, dizaine, dizeau.**
COMP. **Dix-huit, dix-neuf, dix-sept.** — **Dix-heures.**
HOM. **Dit;** formes du v. **dire** (dans certains cas).

DIX-CORS [dikɔR] n. m. ⇒ 1. **Cor.**

DIX-HEURES [dizœR] n. m. invar. — XXᵉ; de *dix,* et *heure.* → Quatre heures.

♦ Régional (Belgique). Fam. Pause-café ou légère collation au milieu de la matinée. *Prendre son dix-heures.*

HOM. **Diseur.**

DIX-HUIT [dizɥit] → Huit; adj. et n. — XVIᵉ; *dis e uit,* XIIᵉ; de *dix,* et *huit.*

♦ **1.** Adj. numéral cardinal. *Dix plus huit. Dix-huit personnes. Il a dix-huit ans. Il y a dix-huit cents ans,* (1 800) ou mille huit cents. *Dix-huit mille* (18 000). — *Format in dix-huit* (in-18).

On dit qu'il (*le duc d'Albe*) se vantait, en partant, d'avoir fait mourir dix-huit mille personnes par la main du bourreau. VOLTAIRE, Essai sur les mœurs, CLXIV.

Adj. ordinal. Dix-huitième. *Louis dix-huit* (Louis XVIII). *Page dix-huit.* — Ellipt. *Le dix-huit août. Le coup d'État du Dix-huit Brumaire.*

♦ **2.** N. m. invar. Le nombre formé de dix plus huit. *Trois fois six, deux fois neuf font dix-huit.*
Le chiffre qui représente ce nombre (18; XVIII).
N. m. ou f. invar. Celui ou celle qui porte le numéro dix-huit, qui est à la dix-huitième place. *Parier sur le dix-huit. Le dix-huit* (la chambre, la table dix-huit, par ex.).

DÉR. **Dix-huitième.**

DIX-HUITIÈME [dizɥitjɛm] adj. et n. — XIIIᵉ, *disuitime; dis e uitme* «dix et huitième», v. 1170; de *dix-huit.*

♦ **1.** Qui succède au dix-septième. Adj. numéral ordinal. *Le dix-huitième siècle :* le Siècle des lumières. *Le dix-huitième arrondissement, à Paris.* — N. *Être le dix-huitième, la dix-huitième sur une liste.* — *Habiter dans le dix-huitième.*

♦ **2.** Qui est une des parties d'un tout divisé également en dix-huit. *La dix-huitième partie.* — N. *Un dix-huitième* (1/18).

♦ **3.** Ce qui est formé de dix-huit parties. — Spécialt. N. f. Au piquet, Série de dix-huit cartes de la même couleur. (N. f.). Mus. Intervalle formé de dix-huit degrés diatoniques (deux octaves et une quarte).

DÉR. **Dix-huitièmement.**

DIX-HUITIÈMEMENT [dizɥitjɛmmã] adv. — XVIᵉ; de *dix-huitième.*

♦ En dix-huitième lieu, au dix-huitième rang.

DIXIÈME [dizjɛm] adj. et n. — XIIᵉ, *diseme, disime;* de *dix.*

★ **I.** Adj. et n. ♦ **1.** Adj. numéral ordinal. Qui succède au neuvième. *Le dixième siècle avant, après Jésus-Christ. Le dixième jour de la décade révolutionnaire.* ⇒ **Décadi.** *La dixième fois. Il est au dixième rang,* ou, ellipt., *il est dixième.*
(Intensif). *Pour la dixième fois, tais-toi !*
N. *Le* ou *la dixième.* Spécialt. *La dixième :* la deuxième année d'enseignement à l'école primaire. *Entrer en dixième.*

♦ **2.** Qui est une des parties d'un tout divisé également en dix. *La dixième partie.*

1 La Rappinière reçut son compliment avec un faste de prévôt provincial et ne lui rendit pas la dixième partie des civilités qu'il en reçut (...)
SCARRON, le Roman comique, I, 5.

N. m. *Un dixième :* cette partie, soit dix pour cent. *Le dixième du franc.* ⇒ **Décime.** *Les trois, les sept, les neuf dixièmes d'une quantité. Redevance du dixième de la récolte.* ⇒ **Dîme** (cit. 1).

2 Le malheureux cultivateur (...) qui se voit encore enlever le dixième de sa récolte par son curé, ne le regarde plus comme son pasteur (...)
VOLTAIRE, l'Homme aux 40 écus, Des impôts payés à l'étranger.

Par ext. *Les neuf dixièmes :* la quasi-totalité. ⇒ **Dix** (neuf sur dix).

3 Aujourd'hui, tout est devenu tellement compliqué, que l'on ne sait plus où donner de la tête ; les neuf dixièmes des gens ne comprennent plus rien à quoi que ce soit.
LOTI, Aziyadé, Eyoub à deux, XL, p. 131.

Spécialt. Impôt du dixième du revenu (distinct de la dîme), sous l'Ancien Régime.

4 On n'osa imposer le dixième que dans l'année 1710. Mais ce dixième, levé à la suite de tant d'autres impôts onéreux, parut si dur, qu'on n'osa pas l'exiger avec rigueur.   VOLTAIRE, le Siècle de Louis XIV, XXX.

Billet de loterie nationale qui a la valeur d'un dixième du billet entier. *Acheter un dixième.*

★ **II.** N. f. Mus. Intervalle formé de dix degrés diatoniques (une octave et une tierce).

DÉR. Dixièmement.

DIXIÈMEMENT [dizjɛmmɑ̃] adv. — 1503 ; de *dixième.*

♦ En dixième lieu, dans une énumération. (On dit parfois *décimo*).

DIXIT [diksit] — Mot lat. «il a dit», de *dicere* «dire».

♦ **Didact.** ou **iron.** Mot employé pour souligner que les paroles qu'on rapporte sont d'un maître et font autorité (→ **Sic**). — REM. S'emploie parfois ironiquement, quand l'événement est venu contredire l'affirmation du personnage.

DIX-MILLIONIÈME [dimiljɔnjɛm], **DIX-MILLIARDIÈME** [dimiljaʀdjɛm] adj. et n. m. ⇒ **Millionième, milliardième.**

DIX-NEUF [diznœf] → Neuf ; adj. et n. — XIIᵉ, *dis e nuef* ; de *dix,* et *neuf.*

♦ **1.** Adj. numéral cardinal. Dix plus neuf. *Dix-neuf ans. Dix-neuf cents francs,* mille neuf cents (1 900).
Adj. ordinal. *Page dix-neuf.* Ellipt. *Le dix-neuf septembre.*

♦ **2.** N. m. invar. Le nombre formé de dix plus neuf. *Dix-neuf est un nombre premier.*
Le chiffre qui représente ce nombre (19 ; XIX).
N. m. ou f. invar. Celui ou celle qui porte le numéro dix-neuf, qui est à la dix-neuvième place. *Parier sur le* ou *la dix-neuf.*

DÉR. Dix-neuvième.

DIX-NEUVIÈME [diznœvjɛm] adj. et n. — XVIᵉ ; *dis e novain, dis e nuef,* XIIᵉ ; de *dix-neuf.*

♦ **1.** Qui succède au dix-huitième. Adj. numéral ordinal. *Le dix-neuvième siècle. Le dix-neuvième arrondissement* (à Paris). — N. *Il est le dix-neuvième. Habiter dans le dix-neuvième.*

♦ **2.** Qui est une des parties d'un tout divisé également en dix-neuf. *La dix-neuvième partie.* — N. *Un dix-neuvième* (1/19).

♦ **3.** Ce qui est formé de dix-neuf parties. — N. f. Mus. Intervalle formé de dix-neuf degrés diatoniques.

DÉR. Dix-neuvièmement.

DIX-NEUVIÈMEMENT [diznœvjɛmmɑ̃] adv. — XVIᵉ ; de *dix-neuvième.*

♦ En dix-neuvième lieu.

DIX-SEPT [dissɛt] → Sept ; adj. et n. — XVIᵉ ; *dis e set,* XIIᵉ ; de *dix,* et *sept.*

♦ **1.** Adj. numéral cardinal. Dix plus sept. *Dix-sept francs. Dix-sept cents* (1 700) : mille sept cents. *Dix-sept cent mille* (1 700 000) : un million sept cent mille.

(...) une instance que j'ai eu l'esprit de faire durer dix-sept ans, et le fond du procès n'est pas jugé encore (...)   F. DANCOURT, les Vacances, 3.

Adj. ordinal. Dix-septième. *Livre dix-sept. Il habite au numéro dix-sept.* — Ellipt. *Le dix-sept octobre.*

♦ **2.** N. m. invar. Le nombre formé par dix plus sept. *Dix-sept est un nombre premier.*
Le chiffre qui représente ce nombre (17 ; XVII).

N. m. ou f. invar. Celui ou celle qui porte le numéro dix-sept, qui est à la dix-septième place. *Parier sur le* ou *la dix-sept.*
Appeler le dix-sept : appeler police-secours.

DÉR. Dix-septième.

DIX-SEPTIÈME [dissɛtjɛm] adj. et n. — XIIᵉ, *dis e setime* ; de *dix-sept.*

♦ **1.** Qui succède au seizième. — Adj. numéral ordinal. *Le dix-septième siècle :* le Grand Siècle. *Le dix-septième arrondissement* (à Paris). — N. *Être le dix-septième sur trente* (élèves, concurrents). *Habiter dans le dix-septième.*

♦ **2.** Qui est une des parties d'un tout divisé également en dix-sept. *La dix-septième partie.* — N. *Cinq est le dix-septième de quatre-vingt-cinq. Un dix-septième* (1/17).

♦ **3.** Ce qui est formé de dix-sept parties. **Spécialt.** N. f. Au piquet, Suite de dix-sept cartes de la même couleur.

N. f. Mus. Intervalle formé de dix-sept degrés diatoniques (deux octaves et une tierce).

C'est un philosophe dans son espèce ; il ne pense qu'à lui, le reste de l'univers lui est comme d'un clou à soufflet. Sa fille et sa femme n'ont qu'à mourir quand elles voudront, pourvu que les cloches de la paroisse qui sonneront pour elles continuent de résonner la douzième et la dix-septième, tout sera bien.
DIDEROT, le Neveu de Rameau.

DÉR. Dix-septièmement.

DIX-SEPTIÈMEMENT [dissɛtjɛmmɑ̃] adv. — XVIᵉ ; de *dix-septième.*

♦ En dix-septième lieu.

DIZAIN [dizɛ̃] n. m. — XVᵉ ; var. *dixain* «dixième», Xᵉ, *dezain,* fin Xᵉ ; de *dix,* suff. *-ain.*

♦ **1.** Pièce de poésie de dix vers. *Ode composée de dizains,* de strophes de dix vers. *Dizains de Marot, de Maurice Scève, de Malherbe.*

Je ne fais dixain *(dizain)* ni chanson (...)
Qu'en sa tête elle *(Marguerite d'Alençon)* n'enregistre.
Clément MAROT, Épigrammes, CXIV.

♦ **2.** (1561). Vieilli. Dizaine (de chapelet).

DIZAINE [dizɛn] n. f. — 1360 ; de *dix,* suff. *-aine.*

♦ **1.** Groupe de dix unités (nombre). *Dix dizaines forment une centaine. Colonne des dizaines. Une dizaine de mille.*

♦ **2.** Réunion de dix personnes, de dix choses de même nature. *Deux dizaines de mains de papier forment une rame. Dizaine de jours.* ⇒ **Décade.**

Il (...) compta, en les froissant un à un entre le pouce et l'index, une dizaine de billets de mille francs.   P. MAC ORLAN, Quai des brumes, VII, p. 97.

Par ext. Quantité voisine de dix. *Ils étaient une dizaine, une bonne dizaine,* environ dix, au moins dix. *Il y a une dizaine d'années.*

♦ **3.** (1690). Succession de dix grains d'un chapelet*, entre deux gros grains. — Par métonymie. (Relig. cathol.). Prière consistant à dire un «Notre père» en tenant le gros grain du chapelet et un «Ave» pour chacun des dix grains intermédiaires. *Dire une dizaine de chapelet. Chapelet de quinze dizaines.* ⇒ **Rosaire.**

♦ **4.** (1411). Vx. Nom d'une subdivision du quartier, dans certaines villes.

DÉR. Dizenier.

DIZEAU [dizo] n. m. — 1539 ; de *dix,* suff. *-eau.*

♦ **Régional.** Groupe de dix gerbes dressées et appuyées les unes contre les autres.

DIZENIER [dizənje] n. m. — XIVᵉ ; var. *dizainier* ; de *dizaine.*

♦ **Hist.** Chef d'une dizaine* d'hommes (dans la garde bourgeoise, au moyen âge).

DIZYGOTE [dizigɔt] adj. — D. i. (XXᵉ) ; de *di-,* et *zygote.*

♦ **Biol.** *Jumeaux dizygotes,* provenant de deux œufs différents. Syn. cour. : *faux jumeaux*.* ⇒ **Biovulaire, bivitellin.**

CONTR. Monozygote.

DJAÏN [dʒain] n. et adj., **DJAÏNISME** [dʒainism] n. m. ⇒ **Jaïn, jaïnisme.**

DJEBEL [dʒebɛl] n. m. — 1787 ; mot arabe, « montagne ».

♦ Montagne, terrain montagneux en Afrique du Nord, et, spécialt, en Algérie. — REM. Le mot, utilisé en géographie (pour les pays arabes), notamment dans des noms propres, a été utilisé normalement en français d'Afrique du Nord et dans la langue militaire : *Marcher, crapahuter dans le djebel.*

DJELLABA [dʒelaba ; dʒɛllaba] n. f. — 1844 ; *gélabia*, 1832 ; *dgilabāb*, 1836 ; mot arabe du Maroc *ǧallāba*.

♦ Longue robe à manches longues et à capuchon, portée par les hommes et les femmes, en Afrique du Nord, généralement faite d'un fin drap de laine. *Des djellabas bleues.*

1 (...) la collaboration étroite, cordiale et confiante entre l'autorité chérifienne et l'autorité française, collaboration que symbolise ce soir le mélange autour de cette table, de nos uniformes et de vos djellabas, de nos habits et de vos burnous.
L.-H. LYAUTEY, Paroles d'action, p. 242.

2 (...) l'Arabe vêtu d'une djellabah autrefois bleue, les pieds dans des sandales (...)
CAMUS, l'Exil et le Royaume, L'hôte, p. 104.

3 (...) Maurice est la proie d'une presse scandaleuse. Il voyage au loin, il boit du thé à la menthe, il flotte dans une djellaba. Il réapparaîtra, il nous étonnera.
Violette LEDUC, la Folie en tête, p. 61.

REM. On trouve aussi la graphie *djellabah* (cit. 2).

DJEMÂÂ [dʒemaa] n. f. — 1870 ; mot arabe, « assemblée ».

♦ Didact. ou franç. du Maghreb. Réunion de notables qui représentent un douar, en Afrique du Nord. *Des djemââs.*

DJICH [dʒiʃ] n. m. invar. — V. 1920 ; arabe maghrébin (arabe classique *djăyš*).

♦ Hist. Troupe de partisans en Afrique du Nord, et, spécialement, au Maroc.

DJINN [dʒin] n. m. — 1760 ; *dgin*, 1689 ; *dgen*, 1671 ; arabe *djinn* « esprit bon ou mauvais », répandu par V. Hugo.

♦ Mythol. Esprit de l'air, bon génie, ou démon, dans les croyances arabes. *Les Djinns*, poème de Victor Hugo. *Djinn*, texte de Robbe-Grillet.

1 C'est l'essaim des Djinns qui passe,
Et tourbillonne en sifflant.
HUGO, les Orientales, XXVIII.

2 Je donne la main à tous les assistants, et je m'assieds pour écouter le conteur des veillées d'hiver (les longues histoires qui durent huit jours, et où figurent les djinns et les génies).
LOTI, Aziyadé, Eyoub à deux, XXII, p. 100.

HOM. Gin, jean.

DNA ou **D. N. A.** [deɛna] n. m. — 1944, en anglais.

♦ Anglic. Sigle anglais (*De[s]oxyribo Nucleic Acid*). ⇒ ADN. « *Nous nous émerveillons, avec raison, de cette extraordinaire invention de la nature : le DNA support de l'information héréditaire, dépositaire du secret de la vie, source de l'entropie négative dont "se nourrit l'organisme vivant" (Schrödinger)* » (la Recherche, n° 54, mars 1975, p. 246).

DO [do] n. m. invar. — 1767, J.-J. Rousseau ; syllabe sonore par laquelle les Italiens remplacèrent *ut* au XVIIᵉ.

♦ Troisième son de l'échelle fondamentale ; premier son de la gamme naturelle. *Do naturel, do dièse, do bémol. Ton de do majeur ; de do mineur* (relatif mineur de mi bémol majeur). *Dans la notation allemande, anglaise, do est désigné par C.*

REM. Do, syllabe de solmisation* de la note *ut*, est devenu le nom le plus courant de cette note : *chanter do, ré, mi, fa, sol.* Cependant on emploie aussi bien *ut* que *do* pour désigner la tonalité. *Sonate de Mozart en do majeur, en ut majeur.*

Dans certaines expressions *ut* est seul employé (ut de poitrine ; clé d'ut). → Ut.

HOM. Dos.

DOBERMAN [dɔbɛrman] n. m. — V. 1960 ; mot allemand, du n. propre *Dober.*

♦ Chien de garde appartenant à une race d'origine allemande, à poils ras, de forme svelte. *Des dobermans.* « *Son chien, un splendide doberman dont ce solitaire taciturne ne se sépare presque jamais* » (l'Express, 12 déc. 1977, p. 290).

DOC [dɔk] n. m. — Mil. XXᵉ ; de l'amér. *doc* et abrév. de *docteur en médecine.*

♦ Anglic. (En emploi vocatif et fam.). Docteur.

C'est une histoire dont je préfère ne pas me mêler... Votre malade, je ne l'ai pas vu, hein ?
D'accord, doc.
A. SIMONIN, Touchez pas au grisbi, p. 167.

HOM. Dock.

DOCHE [dɔʃ] n. f. — 1876, Esnault ; étym. incert. : Esnault suppose une resuffixation de *dab, dabe : doche* a aussi signifié « père ».

♦ Argot. (Rare). Mère.

Ma doche elle y croyait aux brèmes !
CÉLINE, Guignol's band, p. 85.

(1935). Cour. *Belle doche :* belle-mère.

DOCILE [dɔsil] adj. — 1495 ; lat. *docilis* « disposé à s'instruire, qui apprend aisément ; docile », de *docere* « enseigner ». → Docte, docteur.

♦ **1.** Vieilli. Qui a de la disposition à se laisser instruire, conduire. *Élève, écolier, apprenti docile.* **DOCILE À, AVEC, ENVERS (qqn, qqch.).** *Il est docile à ses maîtres, aux leçons de ses maîtres* (→ Apprenti, cit. 1). *Âme docile à la grâce, aux appels de la grâce.* — Mod. (absolt). Qui obéit facilement. *Enfant docile.* ⇒ **Discipliné, obéissant, sage.** — *Caractère docile.* ⇒ **Disciplinable, doux, facile, flexible, malléable, maniable, pliant, souple** (→ Attentif, cit. 19). — Péj. *Il cède toujours, il est trop docile.* → Il file* doux ; il va comme on le pousse* ; fam. il s'écrase*. *Répondre d'un ton, d'une voix docile.* ⇒ **Soumis.** *Oreille docile* (→ Crachoir, cit. 1).

1 Corneille, plus docile à son génie que souple aux volontés d'un premier ministre (...)
VOLTAIRE, Commentaires sur Corneille, Remarque sur le Cid, Préface.

2 Soumis et docile à la critique quand elle lui paraissait juste, il la méprisait souverainement quand il la croyait déraisonnable.
D'ALEMBERT, Éloge de Marivaux, note 25, in LITTRÉ.

3 Telle était la mère de Dostoïevski, docile, totalement soumise à son mari, la servante chrétienne de la famille (...)
André SUARÈS, Trois hommes, « Dostoïevski », I, p. 200.

4 Quelle erreur de croire que ce siècle lui-même ait été celui de la foi docile et de l'obéissance au maître !
J. BAINVILLE, Hist. de France, V, p. 58.

5 Eux aussi (...) devenaient sévères pour la qualité du travail et s'émerveillaient de trouver les ouvriers, hier encore si rétifs, dociles à leurs exigences.
A. MAUROIS, Bernard Quesnay, XXIX, p. 197.

6 (...) ils étaient (...) dociles en apparence à toute autorité extérieure ; mais au fond insaisissables, inaccessibles.
F. MAURIAC, le Mal, I, p. 13.

N. Rare. *C'est un, une docile.*

7 Le docile et le faible sont susceptibles d'impressions (...)
LA BRUYÈRE, les Caractères, XVI, 2.

♦ **2.** (Animaux). Obéissant (→ Chèvre, cit. 4). *Chien docile à la voix de son maître. Bœuf docile au joug.*

8 Rendre docile au frein un coursier indompté.
RACINE, Phèdre, I, 2.

♦ **3.** (Choses concrètes). Que l'on peut manipuler, diriger aisément. *Cheveux dociles,* qui se coiffent aisément.

9 Tel qu'un ruisseau docile
Obéit à la main qui détourne son cours.
RACINE, Esther, II, 8.

10 La fille méprisée et perdue, c'est l'argile docile au doigt du potier divin : c'est la victime expiatoire et l'autel de l'holocauste.
FRANCE, le Lys rouge, XVII, p. 139.

(Abstractions). *Des idées, des images peu dociles* (que l'on peut difficilement évoquer, utiliser).

CONTR. Indocile ; entêté, indiscipliné, indomptable, mutin, obstiné, raisonneur, rebelle, récalcitrant, réfractaire, rétif.
DÉR. Docilement, docilité.

DOCILEMENT [dɔsilmɑ̃] adv. — 1642 ; de *docile.*

♦ D'une manière docile. *Obéir docilement,* avec docilité, sans faire d'objection. ⇒ **Facilement, sagement.** *Obéir, se soumettre docilement à qqn. Suivre docilement un conseil. Répondre docilement.*

CONTR. Indocilement.

DOCILITÉ [dɔsilite] n. f. — 1480 ; de *docile.*

♦ Caractère d'une personne docile. — Littér. *Docilité à, envers (qqn, qqch.). Docilité aux enseignements du maître.* ⇒ **Soumission.**

Plus cour. (Absolt). Comportement soumis ; tendance à obéir. *La docilité d'un enfant.* ⇒ **Obéissance, sagesse.** — Relig. *Esprit de docilité,* de soumission à Dieu et à son enseignement.

1 Ce n'est pas une chose rare qu'il faille reprendre le monde de trop de docilité ; c'est un vice naturel comme l'incrédulité et aussi pernicieux. Superstition.
PASCAL, Pensées, IV, 254.

2 Au premier rang, le roi de Bavière qui, avec docilité, se résigne au servage.
Georges LECOMTE, Ma traversée, p. 471.

3 Leur loi unique est la docilité aux impulsions dont rien ne peut intervenir.
F. MAURIAC, le Jeune Homme, p. 75.

(Animaux). *La docilité d'un chien.*

(Choses concrètes). *Docilité des cheveux,* leur facilité à être peignés. — Poét. *La docilité d'un courant, d'une onde.*

CONTR. **Indocilité ; entêtement, indiscipline, obstination, rébellion.**

DOCIMASIE [dɔsimazi] n. f. — 1754 ; grec *dokimasia* « épreuve », de *dokimagein* « mettre à l'épreuve », de *dokimos* « éprouvé ». Didactique.

♦ **1.** (1880). Antiq. grecque. Enquête à laquelle étaient soumis les fonctionnaires, à Athènes.

♦ **2.** (1754 ; employé jusqu'au mil. du xixᵉ). Chim. Vx. Analyse des minerais du point de vue de la quantité et de la qualité des métaux qu'ils renferment.

♦ **3.** (1814, Nysten, *in* D. D. L.). Méd. légale. Épreuves pratiquées sur les organes d'un cadavre (foie, poumon, intestin) pour déterminer les circonstances de la mort. *Docimasie pulmonaire d'un fœtus.*

DOCIMOLOGIE [dɔsimɔlɔʒi] n. f. — 1922, Piéron ; répandu v. 1960 ; v. 1945, au Québec ; du grec *dokimê* « épreuve », et *-logie*.

♦ Psychol. Science et pratique du contrôle des connaissances* (5.). → Concours (4.), épreuve (4.), examen (3.), test (2.) ; psychométrie.

DOCK [dɔk] n. m. — 1826, *in* Höfler ; attestation isolée, 1671, en parlant de l'Angleterre ; mot angl., du holl. *docke.*

♦ **1.** Vaste bassin entouré de quais et destiné au chargement et au déchargement des navires.

Par ext. (*dock flottant,* 1864, *Année sc. et industr.* 1865, p. 469). Cale de construction, de réparation pour les navires, établie au bord des docks. ⇒ **Bassin** (de radoub). *Dock de carénage, dock flottant :* cale flottante.

Par analogie :

1   (...) le ballon transatlantique lève l'ancre à onze heures, vous n'avez qu'à vous rendre aux docks aériens d'Asnières (...)
A. ROBIDA, le Vingtième Siècle, p. 187.

♦ **2.** (1836 ; généralt au plur.). Hangars, magasins situés en bordure du dock et où sont entreposées les marchandises débarquées. — Par métonymie. Lieu où sont situés les docks. *Aller se promener aux docks,* dans le quartier des docks.

2   L'odeur par là vers les docks est insidieuse, au soufre mouillé, au tabac moite vous rentre au poil, vous habille... au miel aussi...   CÉLINE, Guignol's band, p. 40.

Par ext. Entrepôts* destinés au stockage des marchandises. *Docks à blé.* ⇒ **Silo.**

DÉR. **Docker.**
HOM. **Doc.**

DOCKER [dɔkɛʀ] n. m. — 1889 ; mot angl., de *dock.* → Dock.

♦ Ouvrier qui travaille au chargement et au déchargement des navires. ⇒ **Arrimeur, crocheteur** (vx), **débardeur, déchargeur** (→ Décharger, cit. 2). *Le syndicat des dockers. Grève des dockers.*

1   Charger... décharger !... voilà tout ! Un point et c'est marre !... Dockers ! Dockers ! Voilà tout !...   CÉLINE, Guignol's band, p. 147.

2   Ce système de travail forcé est répandu au Japon : les dockers, les journaliers, les ouvriers de la construction constituent un sous-prolétariat soumis à un intermédiaire qui sert l'entreprise.   S. DE BEAUVOIR, Tout compte fait, p. 307.

DOCTE [dɔkt] adj. et n. — 1532, Rabelais ; *doct,* v. 1509 ; lat. *doctus* « savant », p. p. de *docere* « enseigner ».

♦ Vieilli ou littér. (mod. : souvent iron. ou plais.). Qui possède des connaissances étendues, principalement en matière littéraire ou historique. ⇒ **Érudit, fort, instruit, savant.** *Savant très docte.* ⇒ **Doctissime.**

1   *Docte* (...) ne se dit guère qu'en parlant de l'antiquité et de ce qui s'y rapporte... *(Il)* s'emploie parfois dans un sens ironique ou en plaisantant.
LAFAYE, Dict. des synonymes, p. 936.

2   Une personne humble, qui est ensevelie dans le cabinet, qui a médité, cherché, consulté, confronté, lu ou écrit pendant toute sa vie, est un homme docte.
LA BRUYÈRE, les Caractères, II, 28.

3   (...) Ursus était savantasse, homme de goût, et vieux poète latin. Il était docte sous les deux espèces : il hippocratisait et il pindarisait.
HUGO, l'Homme qui rit, I, I, 1.

4   Quant à savoir s'il a réussi à bien traduire son auteur, je le laisse à de plus doctes et ne dirai que mon impression. Sa traduction peut paraître très exacte, et fidèlement calquée sur l'original (...)
SAINTE-BEUVE, Causeries du lundi, t. VI, p. 357.

N. (1553). *Les doctes :* les savants.

5   Mais, sitôt que j'eus achevé tout ce cours d'études, au bout duquel on a coutume d'être reçu au rang des doctes, je changeai entièrement d'opinion.
DESCARTES, Disc. de la méthode, I.

(Choses). *Un docte entretien* (→ Affaire, cit. 13 ; 2. dé, cit.).

(...) dire en beaux vers, ou bien en docte prose (...)   MOLIÈRE, l'Étourdi, II, 11.   6

CONTR. **Ignorant ; vulgaire.**
DÉR. **Doctement.**

DOCTEMENT [dɔktəmɑ̃] adv. — 1547 ; de *docte.*

♦ Vieilli ou littér. (mod. : souvent iron. ou plais.). D'une manière docte*. ⇒ **Savamment.** *Parler doctement.* → Parler comme un livre*. *Enseigner qqch. doctement* (→ Cuivre, cit. 51). *Pédant qui palabre doctement.*

DOCTEUR [dɔktœʀ] n. m. — 1160 ; lat. *doctor,* de *doctum,* supin de *docere* « enseigner ».

★ **I.** (Le plus souvent avec un complément pour le distinguer du sens II). ♦ **1.** Relig. Celui qui enseignait des points de doctrine. *Les docteurs de la loi,* qui interprétaient et enseignaient la loi judaïque.

1   Sous la reine Alexandra Salomé (76-67) les Pharisiens, au contraire, triomphèrent ; ils en profitèrent pour établir solidement leur influence dans le *sanhédrin,* l'assemblée des anciens, qui formait le conseil du Grand prêtre, et pour y introduire ces Docteurs de la Loi, férus de minutie, qui seront les pires ennemis de Jésus.
DANIEL-ROPS, le Peuple de la Bible, IV, II, p. 339.

Les docteurs de l'Église : les théologiens qui ont enseigné les vérités du christianisme, et, spécialt, les Pères* dont la doctrine a fait autorité. *Saint Athanase, saint Basile, Grégoire de Naziance, saint Jean Chrysostome, docteurs de l'Église grecque. Saint Ambroise, saint Augustin, saint Grégoire le Grand, saint Jérôme, docteurs de l'Église latine. Docteurs d'un concile*.*

S'est dit aussi des principaux maîtres de la scolastique médiévale. *Docteur scolastique. Le docteur angélique :* saint Thomas. *Le docteur subtil :* Duns Scot.

2   (...) les docteurs les plus respectés du XIIIᵉ siècle sont d'accord pour combattre l'averroïsme et les formes de leur polémique ne permettent pas de supposer que ce fût là pour eux une dispute oiseuse et sans adversaires.
RENAN, Averroès et l'Averroïsme, Œ. compl., t. III, p. 204.

♦ **2.** Vx. Homme docte*. ⇒ **Érudit, savant.**

3   Oui, vous êtes sans doute un docteur qu'on révère ;
Tout le savoir du monde est chez vous retiré (...)   MOLIÈRE, Tartuffe, I, 5.

Péjoratif :

4   Que m'importent les controverses, et les arguties des docteurs ?
Au nom de la science ils peuvent nier les miracles ; au nom de la philosophie, la doctrine et au nom de l'histoire les faits.
GIDE, Journal, Numquid et tu... (1916-1919), Pl., p. 587.

Iron. *Prendre un ton de docteur* (⇒ **Doctoral**).

5   *(Il)* Impose à tous silence, et d'un ton de docteur (...)   BOILEAU, Satires, III.

♦ **3.** Personne (homme ou femme) qui est promue au plus haut grade universitaire dans une faculté. ⇒ **Doctorat.** *Docteur ès lettres, ès sciences :* personne qui possède un doctorat d'État. *Docteur d'État, de 3ᵉ cycle, d'université. Docteur en droit, en médecine* (V., sens II). *Il faut le titre de docteur pour être nommé professeur dans une faculté des lettres ou des sciences ; ou pour être admis au concours d'agrégation* des facultés de droit et de médecine. Docteur « honoris causa ». Bonnet carré des anciens docteurs. Elle est docteur ès sciences de la Faculté de Paris.* — *Une docteur ès lettres* (emploi critiqué, mais peu évitable, *doctoresse* ayant d'autres emplois). *Mᵐᵉ X, docteur ès sciences.*

★ **II.** (1775 ; répandu xixᵉ ; *docteur en médecine,* xvᵉ). Personne qui possède le titre de docteur (I., 3.) en médecine. ⇒ **Médecin, toubib** (fam.) ; **doc.** *Diplôme d'État de docteur en médecine. Appeler, faire venir le docteur.* ⇒ **Consulter** (cit. 4 et 13). *Aller chez le docteur,* ou, pop., *au docteur. Docteur-vétérinaire*.*

6   Exerce illégalement la médecine : (...) 4° Tout docteur en médecine qui exerce la médecine sans être inscrit à un tableau d'ordre des médecins (...)
Ordonnance du 24 sept. 1945, art. 8.

(Appellatif). *Monsieur le docteur Dupont,* ou, plus cour., *le docteur Dupont.* — (Appellatif). *Au revoir monsieur le docteur.* Plus cour. : *Au revoir docteur.* ⇒ **Doc** (fam.).

7   Le docteur Knock, successeur du docteur Parpalaid (...) a l'honneur de (...) faire connaître que, dans un esprit philanthropique, et pour enrayer le progrès inquiétant des maladies de toutes sortes (...) il donnera tous les lundis matin, de neuf heures trente à onze heures trente, une consultation entièrement gratuite, réservée aux habitants du canton.
J. ROMAINS, Knock, II, 1.

REM. En parlant d'une femme, on emploie aussi le terme *docteur* (→ Doctoresse). *Elle est bon docteur.* Pour une présentation on utilise la forme *le docteur* + prénom + nom (*le docteur Marie Dupont*) alors que la formule neutre *(le) Docteur Dupont* pourra être utilisée lorsque le contexte n'engage pas à préciser qu'il s'agit d'une *femme docteur* (ou *femme médecin*). — L'appellation : *Madame le docteur Dupont* est déconseillée. → aussi Doctoresse. — En appellatif, on dit à une femme : *docteur.*

DÉR. V. **Doctoral, doctorat, doctoresse.**

DOCTISSIME [dɔktisim] adj. — xv¹ᵉ ; lat. *doctissimus,* superlatif de *doctus* « savant ». → Docte.

♦ Par plais. Très docte ; savantissime.

DOCTORAL, ALE, AUX [dɔktɔʀal, o] adj. — V. 1380 ; dér. sav. du lat. *doctor.* → Docteur.

♦ **1.** Didact. Qui a rapport aux docteurs (qualité, aspect extérieur, comportement). *Titre doctoral,* de docteur. — *Chapeau, bonnet doctoral.*

♦ **2.** Cour. *Air, ton doctoral :* air, ton grave, solennel d'une personne qui pontifie. ⇒ **Doctrinaire, dogmatique, pédantesque.**

1   Dans les cercles, j'aurais parlé avec les femmes d'un air doctoral et soutenu des thèses de sentiment d'un ton de voix grave et mesuré, comme un homme qui en sait beaucoup plus qu'il n'en veut dire sur la matière qu'il traite, et qui n'a pas appris ce qu'il sait dans les livres (...)   Th. GAUTIER, Mˡˡᵉ de Maupin, VI, p. 136.

2   Je prenais avec les femmes, par timidité et par orgueil, ce ton supérieur et doctoral qu'elles exècrent.   F. MAURIAC, le Nœud de vipères, I, II, p. 27.

Empreint d'un sérieux outré, de pédantisme. *Des démonstrations doctorales.*

♦ **3.** (Personnes). Qui pontifie. *Un professeur, un conférencier doctoral et ennuyeux.*

CONTR. Humble, modeste.
DÉR. Doctoralement.

DOCTORALEMENT [dɔktɔʀalmɑ̃] adv. — 1603 ; de *doctoral.*

♦ Vx. ou péj. D'une façon doctorale. *Parler doctoralement.*

DOCTORAT [dɔktɔʀa] n. m. — 1575 ; lat. médiéval *doctoratus,* de *doctor.* → Docteur.

♦ **1.** Grade de docteur (I., 3.). *Doctorat d'État, doctorat de 3ᵉ cycle* (en France), obtenu par la soutenance d'une thèse d'État, d'une thèse de 3ᵉ cycle. ⇒ **Thèse.** *Doctorat d'université :* titre (et non grade) correspondant à un diplôme non reconnu délivré par une faculté des lettres ou une faculté de droit particulière (parfois réservé aux étrangers). *Avoir le doctorat :* être docteur. *Doctorat ès lettres, ès sciences, doctorat en droit, en médecine. Doctorat honoris causa d'une université. Thèse de doctorat.*

1   J'ai passé ma licence ès lettres. Je voudrais arriver au doctorat.   J. CHARDONNE, les Destinées sentimentales, p. 462.

2   Fit ses études pas terminées ? sa thèse de doctorat pas encore achevée ? Mais c'est si difficile, le doctorat de lettres surtout, c'est le plus dur de tous (...)   N. SARRAUTE, le Planétarium, p. 68.

♦ **2.** Spécialt. Diplôme national requis pour l'exercice des professions de santé : médecine, chirurgie dentaire, médecine vétérinaire.

♦ **3.** Par ext. Examen préliminaire à l'obtention du grade ou du diplôme de docteur (en droit, en médecine). *Passer son doctorat.*

DOCTORESSE [dɔktɔʀɛs] n. f. — 1855, cit. ; « femme de docteur », 1773, Diderot, *Jacques le Fataliste, in* D.D.L. ; « femme savante », xvᵉ ; un fém. *doctrice* est attesté en 1695 dans une traduction de l'italien et réutilisé au xixᵉ : Balzac, Mérimée, *in* T.L.F. ; du lat. *doctor.* → Docteur.

♦ Vieilli. Femme munie du diplôme de docteur en médecine. *Une doctoresse. La doctoresse Madeleine X.*

REM. On dit plutôt *docteur* (→ Docteur, II.) et cette tendance se remarque dès l'apparition du mot :

Diplômes de doctoresses. — La séance solennelle par laquelle se terminent chaque année les cours de l'École féminine de médecine *(Female medical College)* de Philadelphie a eu lieu récemment (...) Les diplômes de docteurs en médecine ont été décernés par le doyen, M. Cleveland, à six étudiantes.   Revue thérapeutique médico-chirurgicale, III, 332 (1855), *in* D.D.L., II, 8.

DOCTRINAIRE [dɔktʀinɛʀ] n. et adj. — 1652 ; « doctrinal », xivᵉ ; de *doctrine,* suff. *-aire.*

♦ **1.** N. m. Relig. Religieux de la congrégation des Pères de la doctrine chrétienne.

♦ **2.** N. m. (1816). Hist. Sous la Restauration, Homme politique, écrivain, dont les idées semi-libérales et semi-conservatrices étaient subordonnées à un ensemble de doctrines exprimées en un système (le doctrinarisme). *Guizot, Royer-Collard furent des doctrinaires.*
Adj. *Système doctrinaire. École doctrinaire.*

♦ **3.** N. m. et f. Plus cour. (mais style soutenu). Personne qui se montre systématiquement, étroitement attachée à une doctrine, à une opinion, et qui prétend tout y subordonner. ⇒ **Dogmatique, sectaire, systématique.** *C'est un, une redoutable doctrinaire. Les doctrinaires et les éclectiques.*

1   (...) les doctrinaires ont cela de bon qu'ils réveillent, par contraste, certaines facultés que l'usage et l'expérience de la vie affaiblissent en nous.   BERNANOS, l'Imposture, *in* Œ. roman., Pl., p. 311.

♦ **4.** Adj. Sentencieux. ⇒ **Doctrinal.** *Des déclarations un peu doctrinaires.*

2   Il parla à son tour d'un ton doctrinaire, avec l'emphase apprise dans les proclama-

tions qu'on collait chaque jour aux murs, et il finit par un morceau d'éloquence où il étrillait magistralement cette « crapule de Badinguet ».   MAUPASSANT, Boule de suif, p. 27.

DÉR. Doctrinairement, doctrinarisme.

DOCTRINAIREMENT [dɔktʀinɛʀmɑ̃] adv. — 1896, Goncourt ; de *doctrinaire.*

♦ Didact. ou littér. Comme un, une doctrinaire (3.).

DOCTRINAL, ALE, AUX [dɔktʀinal, o] adj. — Fin xiiᵉ ; bas lat. *doctrinalis,* du lat. *doctrina.* → Doctrine.

Didactique ou littéraire.

♦ **1.** Qui se rapporte à une doctrine, aux doctrines. *Jugement doctrinal. Querelles doctrinales.*
Connaissance doctrinale. Médecine doctrinale (opposé à *empirique*).

♦ **2.** ⓐ Qui se rapporte à l'autorité de docteur. ⇒ **Docte, doctoral.** *Ton doctrinal, emphase doctrinale.* ⇒ **Doctrinaire, 4.**

ⓑ Qui se rapporte à l'activité de docteur. *« Chaire doctrinale »* (Claudel, *in* T. L. F.). *Enseignement doctrinal.* — REM. Cet emploi est surtout didact. (ex. : théologie) ; le mot est plutôt compris au sens 1.

DÉR. Doctrinalement, doctrinalisme.

DOCTRINALEMENT [dɔktʀinalmɑ̃] adv. — 1495 ; répandu fin xixᵉ ; de *doctrinal.*

♦ **1.** Didact. ou littér. Du point de vue doctrinal (1.).

Doctrinalement, les événements ont confirmé les vues de Marx sur l'importance de l'infrastructure économique et le fait que celle-ci conditionnait les institutions.   Gaston BOUTHOUL, Sociologie de la politique, Le fascisme, p. 67 (1965).

♦ **2.** De manière doctrinale (2.), quelque peu sentencieuse (⇒ **Doctrinairement**).

DOCTRINALISME [dɔktʀinalism] n. m. — xxᵉ ; de *doctrinal.*

♦ Didact. Parti pris doctrinal. ⇒ **Doctrinarisme, 2.**

Troisième critique : le doctrinalisme péremptoire et simpliste des partis au pouvoir ou non et leur suffisance comparée à la modestie des savants et des grands techniciens.   Gaston BOUTHOUL, Sociologie de la politique, Dépolitisation et technocratie, p. 84 (1965).

DOCTRINARISME [dɔktʀinaʀism] n. m. — V. 1830 ; de *doctrinaire.*

♦ **1.** Didact. Système politique des doctrinaires* (2.), pendant la Restauration.

♦ **2.** Péj. Esprit d'une personne qui se montre systématiquement, étroitement attachée à une doctrine. ⇒ **Doctrinalisme.**

DOCTRINE [dɔktʀin] n. f. — V. 1160 ; lat. *doctrina* « enseignement, science », de *docere* « enseigner », comme *doctor,* etc.

♦ **1.** Vx (langue class.). Savoir.

1   Je vous crois grand latin et grand docteur juré (...)
N'allez point déployer toute votre doctrine (...)   MOLIÈRE, le Dépit amoureux, II, 6.

♦ **2.** Ensemble de notions considérées comme vraies et par lesquelles on prétend fournir une interprétation des faits, orienter ou diriger l'action de l'homme en matière religieuse, philosophique, scientifique, etc. ⇒ **Dogme, opinion, système, théorie, thèse.** *Une doctrine orthodoxe, classique ; nouvelle. Doctrine dénoncée comme fausse* (⇒ **Erreur, hérésie**), *corruptrice, pernicieuse, subversive* (→ Détruire, cit. 24). *Doctrine desséchante. Doctrine acroamatique, ésotérique, secrète, hermétique. Antagonisme de doctrines. Doctrines différentes fondues en une seule.* ⇒ **Syncrétisme.** *Un corps* de doctrine. Point de doctrine. Enseigner, professer, divulguer une doctrine. Propagande* en faveur d'une doctrine. Adopter une doctrine. Partisan, adepte d'une doctrine. Rejeter une doctrine. Doctrine démodée* (cit. 3), périmée. La doctrine de qqn, sa doctrine.*

2   (...) ne soyons plus des enfants, flottants et emportés à tout vent de doctrine, par la tromperie des hommes, par leur ruse (...)   BIBLE (SEGOND), saint Paul, Épître aux Éphésiens, IV, 14.

3   (...) science et doctrine ont des fins différentes : l'une constate et explique, l'autre juge et prescrit (...) La doctrine a besoin de lignes simples et de partis pris tranchés (...)   G. PIROU, les Doctrines économiques en France depuis 1870.

3.1   Puisque la doctrine secrète date de la captivité de Babylone et qu'elle n'est point née d'un mouvement interne et spontané du judaïsme, il ne reste plus qu'à chercher si dans la société persane il existait alors une telle doctrine.   Émile BURNOUF, la Science des religions, p. 119.

4   Quelle est sa doctrine ? Quelle est son étiquette ? À quel parti est-il affilié ?   A. MAUROIS, Études littéraires, Saint-Exupéry, III, p. 280.

REM. *Doctrine* peut s'appliquer à un système général, à une théorie, ou à une thèse portant sur un point spécifique.

Doctrines théologiques, religieuses. ⇒ **Religion ; croyance.** *Doctrines morales, philosophiques.* ⇒ **Philosophie.** *La doctrine d'Épicure, de Descartes, de Kant.* ⇒ **Théorie.** *Doctrine artistique.* ⇒ **École.** *Doc-*

trine littéraire. Doctrine économique, politique (1. Politique, cit. 10), *sociologique, médicale, scientifique. Ensemble de doctrines.* ⇒ **Position.**

♦ **3.** (1840). Dr. *La doctrine :* ensemble des travaux juridiques destinés à exposer ou à interpréter le droit (opposé à *législation** et à *jurisprudence**).

5 La doctrine joue dans la science du droit à peu près le même rôle que l'opinion publique en politique, et ce rôle est considérable ; c'est elle qui donne l'orientation ; elle prépare de loin beaucoup de changements de législation et de jurisprudence par l'influence de l'enseignement.
M. PLANIOL, Traité élémentaire de droit civil, t. I, p. 52.

♦ **4.** (1680). *Doctrine chrétienne :* congrégation instituée pour catéchiser le peuple. *Pères de la doctrine chrétienne.* ⇒ **Doctrinaire.** *Frères de la doctrine chrétienne* (ou *ignorantins*), chargés de l'enseignement.

DÉR. Doctrinaire, doctriner.
COMP. Endoctriner.

DOCTRINER [dɔktRine] v. tr. — 1131, *in* D.D.L. ; de *doctrine.*

♦ **1.** Vx. *Doctriner qqn.* ⇒ **Endoctriner.**

♦ **2.** Rare. *Doctriner qqch.,* en faire une doctrine. *Doctriner que... :* ériger en doctrine que...

Pour doctriner que le mythe destiné à apaiser l'angoisse, la surexcite, il lui faut oublier — étrange omission chez un gœthien aussi prononcé — que la nature nous gratifie autant qu'elle nous terrifie. Avant de nous tuer, elle entretient notre vie.
Emmanuel BERL, le Virage, p. 75.

DOCTUS CUM LIBRO [dɔktyskɔmlibRo] loc. adj. ou adv. — Mots latins signifiant : *savant avec le livre.*

♦ Qui étale les connaissances qu'il vient de puiser dans les livres ; en étalant des connaissances livresques.

DOCUDRAME [dɔkydRam] n. m. — V. 1975 ; de *docu(ment),* et *drame.*

♦ Techn. Film de fiction qui insère des documents extraits des archives cinématographiques dans une trame romanesque inspirée fortement d'événements réels. — REM. Cette formation (mot-valise) peu euphonique devrait être vouée à l'échec.

DOCUMENT [dɔkymã] n. m. — Déb. XIIᵉ, «enseignement» ; encore attesté fin XVIIIᵉ ; lat. *documentum* «ce qui sert à instruire», sens conservé jusqu'au XVIIᵉ ; sens actuel issu de l'emploi jurid. *Titres et documents* ; de *docere* «instruire, enseigner».

♦ **1.** Écrit servant de preuve ou de renseignement ; par ext. «toute base de connaissance, fixée matériellement, susceptible d'être utilisée pour consultation, étude ou preuve» (U.F.O.D.). ⇒ **Annales, archives** (cit. 9), **documentation, dossier, écrit, justificatif, matériaux, papier, pièce** (justificative), **statistique, texte, titre** ; **documentaire, documentation.** *L'histoire est fondée sur des documents* ⇒ aussi **Monument.** *Document original ; document en un ou plusieurs exemplaires.* ⇒ **Original ; copie.** *Document sur papier. Document microphotographique.* ⇒ **Microforme** (et **microcopie, microfiche, microfilm**). *Document graphique, document iconographique. Document audiovisuel. Document officiel. Documents diplomatiques* (⇒ **Diplomatie, protocole**), *administratifs, historiques, scientifiques. Éclairer un point d'histoire à l'aide de documents originaux* (→ Cunéiforme, cit. 1). *Documents relatifs à un événement. Documents de première main.* ⇒ **Source.** *Réunir, recueillir, consulter des documents en vue d'une thèse. Classement de documents* (⇒ **Documentaliste ; documentation**) ; *documents archivables*, documents photocopiés. Réunir des documents sur un fichier.* (⇒ **Fiche**). *Analyses de documents.* ⇒ **Documentaire.** *Documents et matériaux philologiques.* — Techn. (documentation). *Document primaire :* document original, contenant toute l'information produite. *Document secondaire,* regroupant l'analyse de plusieurs documents primaires.

1 David, d'ailleurs, qui doit me donner des documents, tels que vieux papiers, vieux journaux, était absent (...)   SAINTE-BEUVE, Correspondance, IV, p. 255.
2 Nous devons à la même affaire la publication exacte, historique, de procès-verbaux, de comptes rendus sténographiques, de documents, de papiers, de pièces.
Ch. PÉGUY, la République..., p. 16.
3 L'on sait que l'histoire est plus affirmative et semble mieux constituée pour les périodes inconnues, dont il ne reste qu'un seul écrivain, que pour les époques plus récentes et qui nous ont laissé des milliers de documents contradictoires (...)
J. PAULHAN, Entretien sur des faits divers, p. 19.
4 Nous avons donc en main les pièces essentielles nécessaires à la mise au point de ce très émouvant chapitre (...) les documents que j'ai sous les yeux ont une valeur indéniable et leur publication est légitime, fût-ce en marge ou en appendice.
Émile HENRIOT, les Romantiques, p. 124.
Documents nautiques, rassemblant et tenant à jour les informations utiles aux navigateurs.

Cin., télév. *Documents d'archives :* images filmées puisées dans des archives, et utilisées dans un film, une émission.

♦ **2.** Ce qui sert de preuve*, de témoignage*. *Objets saisis comme documents.* ⇒ **Pièce** (à conviction). *Gravures, photographies, disques utilisés comme documents.*

5 Portraits, statues, allégories, autographes, médailles, frontispices, tous ces documents parlent aux yeux, éclairent de page en page l'histoire passionnante, mais parfois sévère, de tout ce monde janséniste.
Émile HENRIOT, les Romantiques, p. 224.
Document humain : témoignage pris sur le vif (sur la vie sociale, la psychologie de l'individu).

♦ **3.** Dr. comm. Se dit des pièces qui désignent et caractérisent une marchandise en cours de transport (connaissement, police d'assurance, factures...).

♦ **4.** Techn. (en publicité). Projet entièrement élaboré d'une page illustrée, d'une affiche. ⇒ **Maquette.**

6 (...) s'il s'agit d'un magazine tiré en offset ou en héliogravure (...) il *(l'annonceur)* remettra le dessin de l'annonce au document.
B. DE PLAS et H. VERDIER, la Publicité, p. 80.

Abrév. fam. : *doc* (1977) ou *docu* (1977, *in* D.D.L.).

DÉR. Documentaire, documentaliste, documenter.

DOCUMENTAIRE [dɔkymãtɛR] adj. et n. m. — 1876 ; de *document.*

★ **I.** ♦ **1.** Qui a le caractère d'un document, repose sur des documents. *Ce livre présente un réel intérêt documentaire.* — Loc. *À titre documentaire... :* à titre de renseignement.

1 L'érudition frétait des bibliothèques alexandrines pour le ravitaillement d'innombrables rongeurs à lunettes, dont l'office était de picorer des fétus dans l'énorme amas de crottin documentaire fienté par de plus grands animaux, en s'interdisant religieusement jusqu'à la velléité d'une conclusion.
Léon BLOY, le Désespéré, p. 102.

♦ **2.** Qui se rapporte aux documents. *Analyse documentaire :* analyse (sémantique) du contenu* des documents. *Code, langage documentaire. Système documentaire :* ensemble des règles qui définissent la gestion d'un ensemble de documents. ⇒ **Centrale,** *organisme documentaire,* de documentation. *Recherche documentaire.* — *Logiciel documentaire. Informatique* documentaire.*

♦ **3.** (Fin XIXᵉ). Comm. *Crédit documentaire,* pour l'acquisition de marchandises dont les documents sont remis en gage au prêteur. — *Traite* ou *effet documentaire,* qui accompagne les documents relatifs à des marchandises remises en gage.

★ **II.** ♦ **1.** (1896). Techn. ou vieilli. *Film documentaire :* film didactique montrant des faits réels, et non imaginaires (opposé à *film de fiction*). *Film documentaire sur les centrales nucléaires, sur la faune des îles Kerguelen.* «John Grierson, pionnier du film documentaire anglais» *(le Monde,* 26 févr. 1972).

2 Marc *(Allégret)* tâche de filmer des scènes «documentaires» (...)
GIDE, Voyage au Congo, *in* Souvenirs, Pl., p. 837.

♦ **2.** N. m. (1915). Mod. *Un documentaire. Documentaire de court métrage, de moyen métrage* (⇒ **Métrage**). *Tourner un documentaire. Présenter, montrer un documentaire en avant-programme dans une salle de cinéma. Documentaire pour la télévision.* Abrév. fam. : *docu* (1967, *in* D.D.L.), et, par plais., *docucu* (d'après *cucul*).

3 Les gosses ça les emmerde le docucu, et comment.
R. QUENEAU, Loin de Rueil, p. 38.

DÉR. Documentarisme, documentariste.

DOCUMENTALISTE [dɔkymãtalist] n. — V. 1932, en concurrence avec *documentiste* (recommandé en 1939 par l'Office de la langue française), *documentateur* et *documenteur* (Paul Otlet, Jean Gérard) ; adopté en français, anglais *(-alist),* allemand par le Congrès de la Documentation Universelle de 1937 ; de *document,* et *-(al)iste.*

♦ Personne qui réunit, classe, conserve et utilise des documents (1.) pour le compte d'une collectivité, d'un service public, etc. *Diplôme de documentaliste. Documentalistes d'un centre, d'un service documentaire ; documentaliste privé. Il, elle est documentaliste.*

— C'est au stade du dépouillement que le documentaliste devient spécifiquement producteur. C'est ce travail qui le distingue du bibliothécaire ou de l'archiviste. Le documentaliste procède à l'analyse du document initial dans le but de donner à l'utilisateur éventuel une idée exacte de son contenu. Souvent, ce travail implique une traduction. Cette analyse, plus ou moins condensée est mise sur fiche ou sur feuillet et constitue un nouveau document «dérivé».
P. MAES, *in* Avenirs, févr. 1951.

DOCUMENTARISME [dɔkymãtaRism] n. m. — 1949 ; dér. sav. de *documentaire.*

♦ Techn. Art de faire des films documentaires* (II.).

(Le néo-réalisme) constitue, en quelque sorte, une demi-mesure entre le pur documentarisme (celui de l'école anglaise) et la volonté, essentielle au cinéma contemporain, de construire un film de l'intérieur comme l'on élabore un roman.
les Temps modernes, nº 86, déc. 1952, p. 1071.

DOCUMENTARISTE [dɔkymɑ̃taʀist] n. — V. 1935; de *documentaire.*

♦ Auteur de films documentaires. *Une documentariste de talent.*

Je voudrais rejoindre la fiction, non pas tellement parce que la réalité dépasse la fiction, mais parce qu'elle l'implique. Par là, je suis un documentariste. Tous les grands films, je crois, tendent, dans ce qu'ils ont de plus profond, vers le documentaire.

François REICHENBACH, interviewé par J.-L. GODARD, Arts, n° 685, 27 août 1958, *in* Cahiers du cinéma, p. 152.

DOCUMENTATION [dɔkymɑ̃tɑsjɔ̃] n. f. — 1870; de *documenter,* et *-ation.*

♦ **1.** Action de rechercher des documents. *Travail, fiches de documentation.*

♦ **2.** Ensemble de documents* réunis. *Rechercher de la documentation. Préparer, compléter sa documentation. Documentation riche, variée; insuffisante, rudimentaire. Documentation archivée* (⇒ **Archives**), *classée, gérée par ordinateur, analysée* (analyse documentaire*).

(...) la documentation (...) était nouvelle : puisée aux Archives, dans l'énorme collection des actes, des imprimés, des manuscrits, des registres des fédérations (...) accrue par les récits et par les souvenirs des survivants de l'extraordinaire drame (...)
Émile HENRIOT, les Romantiques, p. 399.

Abrév. fam. : *doc,* n. f. (1977, *in* D.D.L.).

♦ **3.** Techn. Activité qui consiste à réunir, gérer, analyser, diffuser des documents dans un but déterminé. *Documentation automatique : informatique* documentaire. Spécialiste de la documentation.* ⇒ **Documentaliste.** *Union française des organismes de documentation* (U.F.O.D.). *Centres de documentation.* ⇒ **Documentaire.** *Services de documentation.*

DÉR. V. **Documentaliste.**

DOCUMENTER [dɔkymɑ̃te] v. tr. — Av. 1750, Mᵐᵉ de Staal de Launay; de *document.*

♦ **1.** Fournir des documents à (qqn.). ⇒ **Informer.** *Documenter qqn sur une question.*

1 Pour satisfaire le goût dominant que j'avais dès mon enfance d'instruire et de documenter quelqu'un.
Mᵐᵉ DE STAAL DE LAUNAY, Mémoires, t. I, p. 155, *in* LITTRÉ, Suppl.

♦ **2.** (1876). Appuyer, étayer sur des documents. *Documenter solidement une thèse.*

▶ **SE DOCUMENTER** v. pron. Plus cour.
Chercher, réunir des documents, et, par ext., s'informer. *Se documenter sur une question. Auteur qui se documente avant d'écrire. Il aurait dû mieux se documenter.*

2 Pour ce livre de trois cents pages, qui lui avait coûté trois ans, Marchenoir s'était fait savant. Il s'était documenté jusqu'à la racine des cheveux.
Léon BLOY, le Désespéré, p. 97.

▶ **DOCUMENTÉ, ÉE** p. p. adj. *Auteur bien, mal documenté.* — (Choses) *Cet article est documenté. Ce travail est solidement documenté.*

DÉR. **Documentation.**

DODÉC-, DODÉCA- Élément, du grec *dodeka* « douze » entrant dans la composition de termes didactiques et indiquant une multiplication par douze de la chose désignée dans la seconde partie du terme. Voir ci-dessous à l'ordre alphabétique.

DODÉCAÈDRE [dɔdekaɛdʀ] n. m. — 1557; de *dodéca-,* et *-èdre.*

♦ Didact. Géom. Solide limité par douze pentagones. *Dodécaèdre régulier,* à faces égales. — Minér. Cristal à douze facettes.
Adj. *Cristal dodécaèdre* (on dit aussi *dodécaèdral, ale, aux,* adj., et *dodécaédrique*).

DÉR. **Dodécaédrique.**

DODÉCAÉDRIQUE [dɔdekaedʀik] adj. — 1838; de *dodécaèdre.*

♦ Didact. D'un dodécaèdre. — Qui constitue un dodécaèdre. *Cristaux dodécaédriques.*

DODÉCAGONAL, ALE, AUX [dɔdekagɔnal, o] adj. — 1787; de *dodécagone.*

♦ Didact. Qui a douze angles; qui a douze faces.

DODÉCAGONE [dɔdekagon; dɔdekagɔn] n. m. — 1680; de *dodéca-,* et *-gone.*

♦ Didact. (géom.) ou littér. Polygone à douze côtés. (→ Girl, cit. 3). *Dodécagone régulier.*
Adj. *Construction dodécagone.* ⇒ **Dodécagonal.**

Une imprimeuse rotative, mon petit Frantz, rotative et dodécagone, pouvant donner d'un seul tour de roue l'empreinte d'un dessin de douze à quinze couleurs (...) 1
Alphonse DAUDET, Fromont jeune et Risler aîné, p. 186.

En parlant il heurtait du pied la table dodécagone, et il faillit renverser le pot de lobélias. COLETTE, Julie de Carneilhan, p. 94. 2

DÉR. **Dodécagonal.**

DODÉCAGYNE [dɔdekaʒin] adj. — 1798; de *dodéca-,* et *-gyne.*

♦ Didact., bot. Qui a douze pistils ou douze stigmates.

DODÉCANDRE [dɔdekɑ̃dʀ] n. f. — 1798; de *dodéc(a)-,* et grec *andros* « mâle ».

♦ Bot., vx. Qui a douze étamines; qui appartient à la « dodécandrie », classe du système de Linné.

DODÉCAPHONIQUE [dɔdekafɔnik] adj. — 1947; de *dodéca-,* et *-phonique,* du grec *phonos.*

♦ Mus. Qui utilise la série de douze sons. ⇒ **Sériel.** *La musique dodécaphonique est atonale*. Musique dodécaphonique* ⇒ **Dodécaphonisme.** *« La dernière pièce du recueil* (op. 23, de Schönberg) *est bâtie sur une série de douze sons (...) Cette pièce est donc la première œuvre dodécaphonique »* (Leibowitz).

DÉR. **Dodécaphonisme.**

DODÉCAPHONISME [dɔdekafɔnism] n. m. — 1948; de *dodécaphonique.*

♦ Mus. Système musical atonal fondé sur l'emploi exclusif de la série de douze sons. *Le dodécaphonisme sériel.*

DÉR. **Dodécaphoniste.**

DODÉCAPHONISTE [dɔdekafɔnist] n. et adj. — Mil. xxᵉ; de *dodécaphonisme.*

♦ Mus. Compositeur qui utilise le système dodécaphonique*.
Adj. *Musicien dodécaphoniste.* — *Partition, musique dodécaphoniste. Courant dodécaphoniste.*

DODÉCASTYLE [dɔdekastil] adj. — 1864; de *dodéca-,* et grec *stulos* « colonne ».

♦ Archit. Qui a douze colonnes de façade. *Temple dodécastyle.*

DODÉCASYLLABE [dɔdekasi(l)lab] adj. et n. m. — 1555; rare av. xviiiᵉ; de *dodéca-,* et *syllabe.*

♦ Didact. Qui a douze syllabes.
Spécialt. *Vers dodécasyllabe.* ⇒ **Alexandrin.** — N. m. *Un dodécasyllabe.*

DODELINANT, ANTE [dɔdlinɑ̃, ɑ̃t] adj. ⇒ **Dodeliner.**

DODELINEMENT [dɔdlinmɑ̃] n. m. — 1552; de *dodeliner.*

♦ Oscillation légère de la tête ou du corps. ⇒ **Dandinement.** — REM. On trouve aussi *dodelinage.*

DODELINER [dɔdline] v. intr. et tr. — 1532, Rabelais (*Pantagruel*) *« il dodelinait de la tête et barytonait du cul »;* du rad. onomatopéique *dod-,* exprimant le balancement, l'oscillation.

♦ **1.** V. intr. Se balancer doucement. ⇒ **Dodiner.** *Dodeliner de la tête* (→ Cambrer, cit. 2), *du corps.*

(...) quand elle était petite et que le grand-père Théveneur la prenait sur ses genoux et qu'il s'endormait tout à coup en dodelinant de la tête. 1
SARTRE, le Sursis, p. 131.

(Sans complément).
Il faut le voir *(Capus)* se promenant avec Arthur Meyer! Il fait tous les frais. Il ne peut pas résister à ce chic. Il parle. Meyer dodeline. 2
J. RENARD, Journal, 15 févr. 1904.

♦ **2.** V. tr. Vieilli. Balancer doucement. *Dodeliner la tête. Dodeliner un enfant.* ⇒ **Bercer, dodiner.**

▶ **SE DODELINER** v. pron. Vx.
Se balancer* doucement. ⇒ **Dandiner** (se).

▶ **DODELINANT, ANTE** p. prés. adj.
Qui dodeline. *Tête dodelinante.*

Et la majesté de notre marche dodelinante n'en aurait été qu'accrue, surtout si les quatre pieux étaient tenus par quatre esclaves nègres. 3
A. JARRY, Almanach illustré du Père Ubu, Pl., t. I, p. 594 (1901).

4   C'est papa qui retient à dîner un «compatriote», comme il dit; et, durant la soirée entière, le «compatriote», un sourire satisfait étiré sur la face et la tête dodelinante, disserte interminablement avec son hôte sur la nature humaine (...)
     Roger IKOR, les Fils d'Avrom, Les eaux mêlées, p. 412.

DÉR. Dodelinement.

DODINAGE [dɔdinaʒ] n. m. — 1775; de *dodiner*.

♦ Techn. (agric.). Mouvement longitudinal d'un blutoir*.

DODINE [dɔdin] n. f. — 1373; du même rad. que *dodiner*, *dod-* exprimant à la fois le gonflement et le balancement.

♦ Cuis. Sauce au blanc où l'on incorpore le jus d'une volaille rôtie. *Dodine de canard.*

Par métonymie. Volaille préparée avec cette sauce.

(...) une longue suite de plats ornés de ces noms magnifiques dont l'audition seule faisait jaillir la salive d'entre les dents : Dodine de caneton fleurdelisée (...)
     A. ARNOUX, Suite variée, p. 16.

DODINER [dɔdine] v. tr. — XIVᵉ; d'un rad. *dod-* exprimant le balancement. → Dodeliner.

♦ Vx ou régional. Balancer doucement. ⇒ **Dodeliner, 2.**

1   (...) il recula de nouveau jusqu'au mur, les yeux plissés, dodinant la tête et soufflant comme un chat fâché.
     MARTIN DU GARD, les Thibault, t. V, p. 11.
Dodiner un enfant, le bercer.

2   On amena le petit Calyste, elle le prit pour le dodiner.
     BALZAC, Béatrix, Pl., t. II, p. 562.

DÉR. Dodinage.

1. DODO [dɔdo; dodo] interj. et n. m. — 1440; onomat. tirée de *dormir*.

Langage enfantin.

★ **I.** Interj. Dors! dormez! *Allez, maintenant dodo!*

★ **II.** N. m. ♦ **1.** Sommeil (surtout dans : *faire dodo*). *Faire dodo :* dormir. *Tu vas faire un gros (un petit) dodo.*

1   Au soir des ans doit sembler doux
Ce chant qui nous a charmés tous :
Dodo, l'enfant do,
L'enfant dormira tantôt.
     BÉRANGER, Nourrice, in LITTRÉ.

Loc. (1951; répandu 1968). *Métro*, boulot, dodo :* slogan dénonçant les contraintes de la vie urbaine pour les travailleurs.

♦ **2.** Lit; action de se coucher pour dormir. *Aller au dodo. Mettre un enfant au dodo. Au dodo, les enfants!*

2   Il baisait la bouche de Jacotte, l'aidait à se mettre au dodo (...)
     COURTELINE, Boubouroche, Petit historique de Boubouroche, p. 21.

♦ **3.** Vx. Enfant endormi (J. Vallès, in D.D.L.).

HOM. 2. Dodo.

2. DODO [dɔdo; dodo] n. m. — 1663; du néerl. *dod-aers* par l'anglais.

♦ Anglic. Dronte (oiseau disparu, symbole en anglais d'un passé archaïque → Dinosaure, diplodocus...)

(...) les élans et les bisons décimés, les tortues, les dodos et les kiwis, ils étaient tous là, présents dans le sable et le gravier, ils avaient ressuscité sur la face de la terre.
     J.-M. G. LE CLÉZIO, le Déluge, XI, p. 219.

HOM. 1. Dodo.

DODU, UE [dɔdy] adj. — V. 1470; orig. incert., p.-ê. du rad. onomatopéique *dod-*. → Dodeliner, dodiner.

♦ **1.** Qui est bien en chair, un peu gras. ⇒ **Étoffé, ferme, gras, plantureux, plein, potelé, rebondi, replet.** *Une poularde dodue. Un bébé frais et dodu. Bras, derrière dodu.*

1   Figurez-vous la plus jolie petite mignonne, douce, tendre, accorte et fraîche, agaçant l'appétit (...) bras dodus, bouche rosée (...)
     BEAUMARCHAIS, le Barbier de Séville, II, 2.

2   Assez grand, dodu sans obésité, le teint fleuri, la lèvre gaie et vermeille (...)
     J. ROMAINS, les Hommes de bonne volonté, t. III, V, p. 90.

N. Vx. *Une grosse dodue.*

♦ **2.** (Choses). Bombé ou rembourré. *Bouteille, bonbonne dodue. Un paquet de victuailles dodu et rebondi.*

CONTR. Étique, maigre, mince.

DOGAL, ALE, AUX [dɔgal, o] adj. — D. i.; ital. *dogale*, de *doge*. → Doge.

♦ Rare. Du doge, d'un doge.

La police dogale vint l'y chercher et il fut condamné à l'échafaud après un procès sommaire.
     Pierre-Jean RÉMY, Orient-Express, p. 192.

DOGARESSE [dɔgaʀɛs] n. f. — 1691, in D.D.L., var. *dogesse*; ital. *dogaressa*, mot vénitien, de *doge*. → Doge.

♦ Hist. Femme d'un doge.

1   (...) elle se promenait dans ma chambre avec la majesté d'une dogaresse et la grâce d'un mannequin.   PROUST, À la recherche du temps perdu, t. XII, p. 211.

2   D'un pan de cette chape de velours noir, velours dont sont faits le loup de Fantômas et celui des Dogaresses, il chercha à se dérober, mais c'est le sol qui se déroba sous lui et nous allons voir dans quel traquenard il s'en fut donner.
     J. GENET, Notre-Dame-des-Fleurs, p. 33 (1948).

DOGAT [dɔga] n. m. — 1676, La Houssaye, *in* D.D.L.; ital. *dogato*, de l'ital. *doge*. → Doge.

♦ Didact. Dignité, magistrature du doge*.

DOG-CART [dɔgkaʀt] n. m. — 1852, in D.D.L.; mot angl., proprt «charrette à chiens».

♦ Anglic. Vieilli. Voiture à deux roues élevées et dont la caisse est aménagée pour loger des chiens de chasse sous le siège. — Au plur. *Des dog-carts.*

La nuit, pour gagner du temps, ils rentrent en prenant en écharpe une partie du bois de Boulogne, ayant eu la précaution, pour franchir une grille qui ne s'ouvre que pour des officiers, de cacher sous le siège du dog-cart des képis chamarrés qu'ils mettent au bon moment.   M. YOURCENAR, Archives du Nord, p. 258.

DOGE [dɔʒ] n. m. — 1552; ital. *doge*, mot vénitien; du lat *dux, ducis*. → Duc, duce.

♦ Hist. Chef électif de l'ancienne république de Venise (ou de celle de Gênes). *Magistrature du doge.* ⇒ **Dogat.** *Épouse du doge.* ⇒ **Dogaresse.** *Navire du doge.* ⇒ **Bucentaure.** *Le palais des Doges.* → 1. Palais, cit. 4.

(...) la Venise dont les doges étaient des savants et les marchands des chevaliers (...)   CHATEAUBRIAND, Mémoires d'outre-tombe, t. VI, p. 165.

DOGGER [dɔgœʀ] n. m. — 1889; mot dial. angl. d'orig. incert.; attesté dès le XVIIᵉ, repris en 1856 par le géologue all. Oppel; nom d'un minéral.

♦ Didact. (géol.). Jurassique moyen, compris entre le malm et le lias. *Différents étages du dogger. Le bathonien et le bajocien sont des étages du dogger.*

DOGMATIQUE [dɔgmatik] adj. et n. — 1537; lat. *dogmaticus*, grec *dogmatikos*, de *dogma*. → Dogme.

♦ **1.** Théol. **ⓐ** Relatif au dogme. *Querelles dogmatiques. Théologie dogmatique.*

N. f. *La dogmatique*, science qui traite des dogmes. *Histoire de la dogmatique chrétienne. La christologie, branche de la dogmatique.*

1   La théologie se divise en dogmatique et en morale.
     RENAN, Souvenirs d'enfance..., V, II, p. 205.

Traité de dogmatique. Une grosse dogmatique du XVIIᵉ siècle.

ⓑ Propre à la théologie dogmatique. *Terme, style dogmatique.*

2   Les unes *(matières)* dépendent seulement de la mémoire et sont purement historiques (...) les autres dépendent seulement du raisonnement et sont entièrement dogmatiques.   PASCAL, Fragments de la préface du Traité du vide.

♦ **2.** Philos. antiq. Qui admet certaines vérités; qui affirme des principes (opposé à *sceptique*, à *pyrrhonien*). *Philosophie dogmatique. Un philosophe dogmatique* — N. m. (1662). *Un dogmatique.* ⇒ **Dogmatiste.**

3   Qui démêlera cet embrouillement? La nature confond les pyrrhoniens, et la raison confond les dogmatiques.   PASCAL, Pensées, VII, 434.

♦ **3.** Cour. Qui a des opinions formant dogmes; qui exprime ses opinions d'une manière péremptoire. ⇒ **Absolu, catégorique, doctrinaire, systématique.** *Il est très dogmatique.* ⇒ **Affirmatif** (cit. 4). *Un esprit dogmatique et intolérant, sectaire.* — *Un marxiste, un capitaliste dogmatique.*

Par ext. *Ton dogmatique.* ⇒ **Décisif, doctoral.**

4   C'est la profonde ignorance qui inspire le ton dogmatique.
     LA BRUYÈRE, les Caractères, V, 76.

N. *Un, une dogmatique :* personne qui a des opinions dogmatiques.

5   Et pour le sceptique même, le scepticisme, ou plutôt un certain scepticisme devient une sorte de foi, toute espèce de dogmatiques étant considérés comme des païens encore dans l'erreur. Jean prenait secrètement en pitié tous ceux qui croyaient à la Science, qui ne croyaient pas à l'absolu du Moi, à l'existence de Dieu.
     PROUST, Jean Santeuil, Pl., p. 479.

CONTR. Empirique, pyrrhonien, sceptique. — **Hésitant, humble, modeste, prudent, tolérant.**

DÉR. Dogmatiquement, dogmatisme.

DOGMATIQUEMENT [dɔgmatikmɑ̃] adv. — 1539; de *dogmatique.*

♦ **1.** Théol. Du point de vue du dogme* (1.), de la dogmatique* (1.).

♦ **2.** Philos. D'une manière dogmatique* (2.). *Exposer dogmatiquement un système.*

♦ **3.** Cour. D'une manière dogmatique* (3.). ⇒ **Absolument, catégoriquement, systématiquement.** *Répondre dogmatiquement. Asséner dogmatiquement ses convictions.*

(...) aussi attend-il (...) que chacun se soit expliqué sur le sujet qui s'est offert (...) pour dire dogmatiquement des choses toutes nouvelles, mais à son gré décisives et sans réplique.   LA BRUYÈRE, les Caractères, V, 75.

DOGMATISER [dɔgmatize] v. — 1294; lat. ecclés. *dogmatizare,* de *dogma.* → Dogme.

★ **I.** V. intr. ♦ **1.** Relig. Traiter du dogme, de la doctrine.

1   (...) le plaisir de dogmatiser, sans être repris ni contraint par aucune autorité ecclésiastique ni séculière, était le charme qui possédait les esprits.
                    BOSSUET, Oraison funèbre de la reine d'Angleterre.

♦ **2.** (1718). Fig. et didact. Exprimer son opinion d'une manière absolue, sentencieuse, tranchante. *Ce pédant dogmatise sur tout.*

★ **II.** V. tr. Rare. Ériger en dogme. *Dogmatiser un principe.*

2   Il faut dogmatiser la foi des fidèles, il faut qu'ils sachent ce qu'ils croient, il faut qu'ils comprennent.   J. GREEN, Journal, 13 avr. 1962, Vers l'invisible, p. 314.
DÉR. Dogmatiseur, dogmatisme.

DOGMATISEUR [dɔgmatizœʀ] n. m. — 1586; de *dogmatiser.*

♦ Vx. Personne qui dogmatise* (I., 2.), prend un ton dogmatique* (3.). — REM. Le fém. *dogmatiseuse* est virtuel.

DOGMATISME [dɔgmatism] n. m. — 1580; de *dogmatique* ou de *dogmatiser,* d'après d'autres noms en *-isme.*

♦ **1.** Relig., philos. Caractère des croyances qui s'appuient sur des dogmes* (1., 2.).

Le dogmatisme est comme un délire récitant. Il y manque cette pointe de diamant, le doute, qui creuse toujours.   ALAIN, Propos, 8 oct. 1927.

♦ **2.** Cour. Caractère de ce qui est dogmatique* (3.). *Le dogmatisme de qqn, de ses idées. Il est d'un dogmatisme effrayant. — Dogmatisme politique.*

CONTR. Scepticisme; empirisme.
DÉR. Dogmatiste.

DOGMATISTE [dɔgmatist] n. m. — 1558; de *dogmatisme.*

♦ **1.** Relig. Personne qui formule, soutient un, des dogmes* (1.).

♦ **2.** Philos. Dogmatique* (2.), partisan du dogmatisme* (1.) philosophique.

DOGME [dɔgm] n. m. — 1570; lat. *dogma,* grec *dogma* « opinion, doctrine », du v. *dokein* « croire, penser ».

A. ♦ **1.** Point de doctrine établi ou regardé comme une vérité fondamentale, incontestable (dans une religion, une école philosophique). ⇒ **Article** (de foi), **croyance, doctrine, règle.** *Les dogmes du christianisme*. Dogme qui dépasse la raison.* ⇒ **Mystère.**

1   Ces coutumes émanent moins directement du dogme de l'immortalité de l'âme que de celui de la résurrection des corps (...)
                    MONTESQUIEU, l'Esprit des lois, XXIV, XIX.
2   (...) l'Europe cultivée a subi la reviviscence rapide de ces innombrables pensées : dogmes, philosophies, idéaux hétérogènes; les trois cents manières d'expliquer le monde; les mille et une nuances du christianisme, les deux douzaines de positivismes; tout le spectre de la lumière intellectuelle a étalé ses couleurs incompatibles, éclairant d'une étrange lueur contradictoire l'agonie de l'âme européenne.
                    VALÉRY, Variété III, p. 203.

♦ **2.** Opinion donnée comme une certitude*. *Des dogmes politiques, littéraires, scientifiques. Admettre qqch. comme un dogme.* ⇒ **Catéchisme, credo, évangile, loi, vérité** (d'Évangile). *Les dogmes du libéralisme bourgeois, du léninisme. C'est un dogme pour lui.*

3   Liberté, Égalité, Fraternité, ce sont des dogmes de paix et d'harmonie. Pourquoi leur donner un aspect effrayant ?   HUGO, Quatre-vingt-treize, III, II, VII.

B. Absolt. LE DOGME : l'ensemble des dogmes (spécialt, de la religion chrétienne). ⇒ **Dogmatique.** *Formation du dogme* (→ Construction, cit. 5). *Fixer le dogme. Attaquer le dogme. Enseigner le dogme, les divers points du dogme.* ⇒ **Théologie.**

4   Deux mondes inconnus étaient devant moi, la théologie, l'exposé raisonné du dogme chrétien, et la Bible, censée le dépôt et la source de ce dogme.
                    RENAN, Souvenirs d'enfance..., V, II, p. 203.
5   (...) le dogme précède toujours le rite (...)
                    Émile BURNOUF, la Science des religions, p. 34.

DOGRE [dɔgʀ] n. m. — 1678; néerl. *dogger,* de *Dogger Bank* «banc de Dogger», nom d'un haut-fond très poissonneux de la mer du Nord.

♦ Mar. Petit bâtiment ponté à trois mâts, qui servait à la pêche du hareng et du maquereau en mer du Nord.

DOGUE [dɔg] n. m. — 1513; *docgue,* v. 1510; *dougue,* attestation isolée, 1481; moy. angl. *dog* «chien».

★ **I.** ♦ **1.** Chien de garde trapu, à grosse tête, à fortes mâchoires, au museau écrasé. *La lèvre supérieure du dogue, pendante sur les côtés et relevée en avant, laisse voir les dents. Variétés de dogues.* ⇒ **Bouledogue, carlin;** et aussi **doguin, molosse.**

1   Ce loup rencontre un dogue aussi puissant que beau (...)
                    LA FONTAINE, Fables, I, 5.
2   Dans une cour à part, grondaient, en secouant leur chaîne et roulant leurs prunelles, huit dogues alains, bêtes formidables qui sautent au ventre des cavaliers et n'ont pas peur des lions.
                    FLAUBERT, Trois contes, «La Légende de saint Julien l'Hospitalier», I.
Par compar. (d'une personne). *Il a une tête, un museau de dogue.*

♦ **2.** Loc. (1806, *in* Höfler). *Être d'une humeur de dogue :* être de mauvaise humeur.

♦ **3.** (1593). Fig. et vieilli. Personne hargneuse, irascible. Fig. *C'est un dogue, un vrai dogue* (même sens). — Plais. (vx). Concierge, portier.

★ **II.** (1678, *in* Höfler). Mar. Vx. *Dogue d'amure :* trou dans le bordé de pavois livrant passage à l'amure de grand-voile.
DÉR. Doguer, doguin.

DOGUER [dɔge] v. intr. et pron. — 1680; de *dogue.*

♦ Vx. Se battre en se donnant des coups de tête (animaux). *Béliers qui doguent.*
Se doguer, v. pron. (même sens).

DOGUIN [dɔgɛ̃] n. m. — 1611; de *dogue.*

♦ Rare. Jeune dogue (chiot de l'espèce dogue). Dogue de petite taille.
(...) le livre de Mademoiselle s'était enfin retrouvé sous un fauteuil où il avait été traîné, mâchonné, déchiré par un jeune doguin (...)
                    DIDEROT, le Neveu de Rameau, Pl., p. 448.

DOIGT [dwa] n. m. — 1552; *deie,* 1080; *doi,* XIIIᵉ; du lat. pop. *ditus,* contraction de *digitus.* → Digital, dé, datte.

★ **I. A.** Emplois au sens propre. ♦ **1.** Extrémité articulée (des pieds, des pattes de certains animaux, oiseaux et mammifères). ⇒ **-dactyle.** *Les doigts de la main du singe. Doigts du chat, armés de griffes. Animal qui marche sur les doigts.* ⇒ **Digitigrade.** *Doigts palmés*, soudés.* ⇒ **Palmure, syndactylie.**

1   (...) en général, ils *(les oiseaux)* se servent de leurs doigts beaucoup plus que les quadrupèdes, soit pour saisir, soit pour palper les corps (...)
                    BUFFON, Hist. nat. des oiseaux, Œ., t. V, p. 36.

♦ **2.** Spécialt (chez l'homme). Chacun des cinq prolongements qui terminent la main ou le pied de l'homme. *Les doigts de la main* (absolt et cour. *les doigts*), *les doigts du pied* (cour. *doigts de pied;* ⇒ **Orteil**).

♦ **3.** Cour. Doigt de la main humaine. *Les cinq doigts.* ⇒ **Pouce, index, majeur** (ou médius), 2. **annulaire, auriculaire.** *Doigts surnuméraires* (⇒ **Polydactylie**); *sixième doigt* (⇒ **Sexdigitisme**). *Malformations des doigts.* ⇒ **Syndactylie; palmature.** *Distance entre les extrémités du pouce et du petit doigt.* ⇒ **Empan.** *Intervalle des doigts.* ⇒ **Interdigital.** *L'ongle* couvre l'extrémité supérieure du doigt. Pulpe des doigts. Os des doigts.* ⇒ **Phalange, phalangette, phalangine.** *Articulations* (cit. 4), *artères, veines, nerfs du doigt. Empreinte du doigt.* ⇒ **Digital.** *En forme de doigt.* ⇒ **Digitiforme.**

2   *(Des verres)* Où les doigts des laquais, dans la crasse tracés, Témoignaient encor l'esprit qu'on les avait rincés (...)
                    BOILEAU, Satires, III.
Loc. *Le petit doigt :* l'auriculaire. *Il s'est tordu le petit doigt.* (→ Ci-dessous B., 4.) — *Doigts fins, longs, fuselés; boudinés* (⇒ **Boudin,** 2.); *doigts courts, spatulés* (→ Carré, cit. 1). *Doigts allongés, ouverts; écartés; fermés, crispés, crochus. Adresse, agilité, légèreté de ses doigts.* ⇒ **Doigté.** *Avoir les doigts déliés. Être habile de ses doigts. Loc. Avoir des doigts de fée*. Avoir les doigts verts*. — Doigts gourds* (cit. 2), *raides, noueux* (cit. 2). *Avoir l'onglée aux doigts. Souffler sur ses doigts, dans ses doigts pour les réchauffer* (→ Dégourdir, cit. 2). *Maladie, inflammation, déformation du doigt.* ⇒ **Engelure, nodosité, panaris.** *Pansement du doigt.* ⇒ **Poupée.** *Étui qui protège le doigt.* ⇒ **Dé, délot, doigtier.** *Doigts couverts de bagues* (→ Anneau, cit. 6 et 7).

3   (...) ses doigts, depuis longtemps engourdis et maintenant gonflés d'œdème, se refusaient à tout service.   MARTIN DU GARD, les Thibault, t. III, p. 122.
4   La demoiselle avait des doigts fins et blancs avec des ongles faits. Zézette prit une cigarette entre ses doigts rouges.   SARTRE, le Sursis, p. 245.

Les doigts, organes de la préhension*. Prendre, pincer, presser, serrer qqch. avec ses doigts. Prendre qqch. entre deux doigts, dans ses doigts. Pétrir dans ses doigts. Tenir entre ses doigts. Prendre une pincée* avec ses doigts. Égrener un chapelet avec ses doigts.

5   Navarin me tenailla de ses doigts de fer.   FRANCE, le Petit Pierre, VII, p. 35.

6   Il ne dit pas un mot, mais ses doigts se crispèrent ; leurs bouts pointus, aux ongles durs, s'enfoncèrent (...)   M. GENEVOIX, Raboliot, I, I, p. 16.

7   De celui qui tend trop avidement vers les biens de ce monde des doigts crochus, la langue populaire dit qu'il est *intéressé* (...)
          DANIEL-ROPS, Ce qui meurt et ce qui naît, V, p. 183
          (→ Désintéressement, cit. 2).

Les doigts, organes du toucher*. Caresser, effleurer, palper (cit. 4), tâter, toucher avec ses doigts.

8   Lorsque mes doigts caressent à loisir
    Ta tête et ton dos élastique (...)   BAUDELAIRE, Spleen et Idéal, XXXIV.

9   Mais le doigt se contenta de frôler le papier.
          J. ROMAINS, les Hommes de bonne volonté, t. V, XXIII, p. 200.

10 (...) sans raison précise, elle sentit monter en elle une telle allégresse, qu'elle passa les doigts sur son visage, pour palper, lui semblait-il, cette joie sur ses traits.
          MARTIN DU GARD, les Thibault, t. II, p. 51.

11 Ses doigts, glissant doucement sur les touches, esquissèrent un air de Schumann.
          A. MAUROIS, Bernard Quesnay, V, p. 31.

B. ♦ 1. Loc. div. — Fam. *Y mettre les quatre doigts et le pouce :* saisir avidement, et, par ext., faire qqch. sans délicatesse.

Vx. *À pleins doigts :* à pleine main*.

Mettre, fourrer ses doigts partout : toucher* à tout.

Mettre le doigt sur, dans qqch. Fig. *Mettre le doigt sur la plaie :* trouver la source du mal. *Mettre le doigt dessus* :* découvrir, deviner. *Vous avez mis le doigt sur la difficulté.* — *Mettre le doigt dans l'engrenage*.* — Prov. *Entre l'arbre* et l'écorce, il ne faut pas mettre le doigt.*

12 (...) si je ne mets mon doigt dans la marque des clous (...) je ne croirai point. *(Jésus)* dit à Thomas : Avance ici ton doigt, et regarde mes mains ; avance aussi ta main, et mets-la dans mon côté ; et ne sois pas incrédule, mais crois.
          BIBLE (SEGOND), Évangile selon saint Jean, XX, 25-27.

Fam. *(Faire qqch.) les doigts dans le nez*,* très facilement.

Toucher qqch. du doigt, voir clairement. *Toucher du doigt le·but, la fin,* en être très près. *Faire toucher à qqn une chose du doigt :* convaincre qqn par des preuves indubitables, palpables.

13 Je voudrais essayer ici de faire sentir ce défaut, de le faire toucher du doigt.
          SAINTE-BEUVE, Causeries du lundi, 8 oct. 1849, t. I, p. 31.

Lever le doigt : demander la parole en levant le bras et l'index haut (lang. scol.). Syn. : *lever la main.* — *Faire qqch.* (et, spécialt, *boire*) *en levant le petit doigt,* avec affectation. *Le petit doigt en l'air.*

13.1 Pendant qu'on trinquait, j'ai remarqué qu'ils tenaient tous le petit doigt en l'air, bien détaché des autres doigts. C'est un détail, vous me direz.
          M. AYMÉ, Travelingue, p. 263.

Avoir la bague* au doigt : avoir obtenu une promesse de mariage. *Menacer qqn du doigt. Montrer qqch. avec le doigt. Désigner* (cit. 3), *indiquer qqch., qqn du doigt.* Loc. fig. *Montrer du doigt :* décrier, railler, ridiculiser (qqn.) *Il se fait montrer du doigt* (Académie) : il se fait moquer. *On se les montrait du doigt* (→ Manquer, cit. 24).

Vx. *Montrer qqn au doigt ; à deux doigts* (à la fois pour désigner et pour évoquer les cornes, attribut traditionnel des maris trompés).

14 Faut-il que désormais à deux doigts l'on te montre,
    Qu'on te mette en chansons, et qu'en toute rencontre
    On te rejette au nez le scandaleux affront (...)   MOLIÈRE, Sganarelle, 9.

15 Tu ne seras qu'un objet de risée ; tu chercheras en vain une rue déserte où ceux qui passent ne te montrent pas au doigt.
          MUSSET, la Confession d'un enfant du siècle, V, V, p. 323.

Vx. *Donner un doigt de main pour...,* ce qu'on a de très précieux. *Il donnerait un doigt de la (sa) main pour...* (cf. Il donnerait la prunelle de ses yeux, sa chemise...).

Vx. *Tirer au doigt mouillé :* tirer au sort (un doigt de la main étant mouillé). *Agir au doigt mouillé,* au hasard (Beaufre, *in* T. L. F.).

Mettre le doigt sur la bouche, les lèvres, pour obtenir le silence (⇒ Chut, cit. 2).

15.1 Qu'as-tu ? lui demanda vivement le moujik, très étonné de ce brusque mouvement. — Silence, se hâta de répondre Michel Strogoff, en mettant un doigt sur ses lèvres.
          J. VERNE, Michel Strogoff, p. 205 (1876).

Manger avec les doigts (→ Fourchette* du père Adam). *Se rincer les doigts* (⇒ Rince-doigts). — *Se lécher les doigts,* (au fig.) trouver beaucoup de plaisir dans qqch.

Loc. fig. *Se mordre les doigts de qqch., s'en mordre les doigts,* regretter, se repentir.

16 · Tu t'es ingénié à lui déplaire et maintenant tu te mords les doigts de ton imprudence.   FRANCE, le Mannequin d'osier, Œ., t. XI, p. 236.

Faire craquer* ses doigts. Claquer des doigts (→ Danse, cit. 3). *Coup donné avec le doigt.* ⇒ Chiquenaude, pichenette. — Loc. *Avoir les doigts qui démangent :* avoir envie de battre qqn. *Donner* (vx), *taper sur les doigts de qqn, à qqn :* punir qqn en lui donnant des coups sur les doigts, et, par ext., le réprimander. *Avoir, prendre, recevoir sur les doigts :* éprouver les conséquences d'une faute. *Recevoir un coup sur les doigts. Il va se faire taper sur les doigts,* punir. — Vx. *Donner des cinq doigts (à...) :* frapper de la main.

---

17 Je lui donnai de mes cinq doigts
    Au beau milieu de son minois (...)   SCARRON, Virgile travesti, II, *in* LITTRÉ.

17.1 On est libre, alors il faut se débrouiller et comme ils ne veulent surtout pas de la liberté, ni de ses sentences, ils prient qu'on leur donne sur les doigts, ils inventent de terribles règles, ils courent construire des bûchers pour remplacer les églises.
          CAMUS, la Chute, p. 156.

Compter sur ses doigts (pour s'aider, dans le calcul mental). — Loc. *Ne rien faire, ne rien savoir faire de ses dix doigts.* Vx. *Ne faire œuvre de ses dix doigts* (Académie) : ne rien faire.

Fig. et fam. *Avoir qqch. dans les doigts :* être adroit, expert en qqch. *Avoir un morceau de musique dans les doigts,* l'exécuter de mémoire à la perfection.

17.2 Et j'ai décidé de reprendre le haut, je trouve la lumière trop jolie. Mais je crois que la toile ne vient pas mal. J'ai le sens. Je l'ai dans les doigts.
          M. AYMÉ, le Vin de Paris, « La bonne peinture », p. 173.

Brûler les doigts (en parlant d'une chose qu'on est impatient de donner, de dilapider). *L'argent leur brûle les doigts. Se brûler les doigts :* (au fig.) tomber dans un péril, se compromettre dans une affaire délicate.

(1640, *in* D.D.L.). *Être comme les deux doigts de la main, les deux doigts de la même main,* se dit de personnes très unies. ⇒ **Accord** (être d'accord) ; **intime.**

17.3 Nous remercions Mme Pragen de sa confiance, qu'elle veut que son fils repose dans la terre de Belgique où il a laissé son sang. La Belgique et la France, c'est les deux doigts de la main pour la paix universelle.
          DRIEU LA ROCHELLE, la Comédie de Charleroi, p. 105.

♦ 2. (Loc. avec œil). — (1819). *AU DOIGT ET À L'ŒIL. Être obéi, servi au doigt et à l'œil,* exactement, ponctuellement. → Pédale, cit. 5. *Faire marcher qqn au doigt et à l'œil* (→ À la baguette*). ⇒ **Œil.** *Se mettre* (se fourrer, etc.) *le doigt dans l'œil (jusqu'au coude) :* se tromper grossièrement.

17.4 La plupart des philosophes trouvent une preuve de l'existence de Dieu dans le spectacle de la nature, qui leur semble sublime. Pour moi, Dieu n'a existé que le jour où j'ai compris que la création était une œuvre ratée. En effet, on sait bien forcé de croire au doigt de Dieu, quand on voit comme il s'est mis dans l'œil.
          Attribué à Germain NOUVEAU, Album Richepin (vers 1875) paru en 1925, *in* Œ. compl., Pl., p. 803.

♦ 3. LE BOUT DU, DES DOIGT(S). Loc. *Connaître, savoir qqch. sur le bout du doigt. etc.* ⇒ **Bout** (cit. 10, 11 et *supra*).

18 Notre principal avantage est le bout de nos doigts. Nos paysans (...) ont eu l'industrie de travailler en horlogerie (...)
          VOLTAIRE, Correspondance, 4287, 25 févr. 1776, À M. de Fargès.

♦ 4. PETIT DOIGT (l'auriculaire). — Loc. *Mon petit doigt me l'a dit :* je l'ai su (se dit à un enfant). ⇒ **Dire** (cit. 66). *Faire qqch. avec le petit doigt,* sans le moindre effort. — *Ne pas remuer le petit doigt :* ne rien faire pour aider qqn. *Ne pouvoir remuer le petit doigt sans en demander la permission.*

18.1 Ils sont avec moi... des jeunes de votre âge pour qui je n'ai jamais levé le petit doigt, à qui je n'ai jamais rien donné... et qui spontanément sans que je leur demande rien... ils m'entourent, me soutiennent...
          N. SARRAUTE, Vous les entendez ?, p. 188.

18.2 Tout ce qu'il a fait, il l'a fait pour son fils, dit Marthe ; pour moi, il ne lèverait pas le petit doigt.   J.-M. G. LE CLÉZIO, le Déluge, p. 144.

♦ 5. Par métaphore ou fig. LE DOIGT DE DIEU, manifestation de sa puissance, de sa volonté ; son intervention.

19 Nous y avons vu un de ces traits du doigt divin qui écrit des paroles sévères dans la vie des plus heureux ; un de ces avertissements lamentables qui vous crient que tout est vain, hors de ce monde de l'âme et de Dieu que vous nous avez révélé.
          SAINTE-BEUVE, Correspondance, t. I, p. 163.

19.1 (... nous sommes) plus loin encore, s'il se peut, de l'Adam de Michel-Ange s'éveillant dans sa perfection au contact du doigt de Dieu.
          M. YOURCENAR, Archives du Nord, p. 20.

♦ 6. Poét. *L'aurore aux doigts de rose.* ⇒ **Aurore** (cit. 20 et *supra*). — *L'envie aux doigts crochus* (cit. 3).

C. ♦ 1. Par anal. Partie (d'un gant) où l'on place les doigts. *Les doigts d'un gant. Ce gant a deux doigts percés.*

♦ 2. DOIGT DE PIED. ⇒ **Orteil.** *Avoir mal à un doigt de pied. Le petit doigt de pied. Il s'est fait écraser un doigt de pied.* — Loc. *Les doigts de pied en éventail*.*

♦ 3. Techn. Pièce ayant la forme d'un doigt. *Doigt de contact, d'encliquetage, d'entraînement, de transfert.*

Spécial. Élément d'un engrenage, d'une crémaillère, etc., capable d'entraîner une pièce mobile. *Doigt de came.*

★ II. ♦ 1. Mesure approximative, équivalant à un travers de doigt (ancienne mesure). *Sa jupe est trop courte de trois doigts. Boire un doigt de vin,* une très petite quantité de vin. ⇒ **Goutte** (→ Animer, cit. 30).

20 Théophile, sauvé, n'a plus bu que de l'eau rougie et un doigt de champagne dans les petits soupers.   NERVAL, Petits châteaux de Bohême, I, II, « Portraits ».

Mar. Unité de grandeur des mailles de filet. *Mailles de trois doigts.*

Se mettre un doigt de rouge, de fard, un peu de rouge.

21 Une fois les joues enfarinées, on ne peut pas rester (...) comme un pierrot ; il faut un doigt de rouge, c'est fatal.
          A.-G. DROZ, Monsieur, Madame et Bébé, Bal d'ambassade, *in* LITTRÉ, Suppl.

♦ 2. Loc. fig. *Faire un doigt de cour* à une femme* (⇒ **Brin**).

♦ **3.** (Dans des loc. : *à un, deux doigts, d'un doigt...*). Distance infime. ⇒ **Près, proche.** *La balle est passée à un doigt du cœur.*

22 (...) ce vent vous avait jetée rapidement sous une arche, à deux doigts du pilier (...)
Mᵐᵉ DE SÉVIGNÉ, 150, 1ᵉʳ avr. 1671.

Fig. *Il s'en est fallu d'un doigt que...* (⇒ **Cheveu**). — (1552, Rabelais). *Être à deux doigts de sa ruine, de sa perte, de sa mort.*

23 (...) quelle horreur (...) d'être toujours à deux doigts de la mort affreuse !
Mᵐᵉ DE SÉVIGNÉ, 1147, 9 mars 1689.

24 À deux doigts de la guerre... Depuis notre enfance, que de fois les aurons-nous mesurés de l'œil, ces deux doigts !   F. MAURIAC, Bloc-notes 1952-1957, p. 257.

DÉR. Doigter, doigtier, doitée. — V. le suff. **-dactyle** et le préf. **dactylo-**.
HOM. Doit (n. m.) ; formes du v. **devoir**.

DOIGTÉ [dwate] n. m. — 1755 ; p. p. substantivé de *doigter*.

♦ **1.** Mus. Choix et jeu des doigts dans l'exécution d'un morceau (avec un instrument à clavier, à clefs, à cordes, à pistons ou à trous). *Étudier le doigté d'un instrument, d'un morceau* (sur un instrument). *Ce pianiste a un bon, un excellent doigté* (⇒ **Vélocité**). Indication, concernant les doigts à employer, portée sur une partition. *Indiquer le doigté* (ou : *le doigter*).

1 Au piano, le « doigté » ne désigne nullement une valeur d'élégance et de délicatesse (ce qui, alors, se dit : « toucher »), mais seulement une façon de numéroter les doigts qui ont à jouer telle ou telle note ; le doigté établit d'une façon réfléchie ce qui va devenir un automatisme : c'est ici le programme d'une machine, une inscription animale.   R. BARTHES, Roland Barthes, p. 74.

Par ext. Adresse des doigts. *Le doigté d'une dactylo, d'un graveur.*

♦ **2.** (1890). Fig. Délicatesse habile dans le comportement. ⇒ **Adresse, diplomatie, entregent, habileté, savoir-faire, tact.** *Ce genre d'affaire demande du doigté, beaucoup de doigté. Il a un doigté de diplomate. Manquer de doigté. Vous n'avez aucun doigté, laissez-moi faire.*

2 Avec un peu de doigté, le jeune roi aurait pu se sortir de ce mauvais pas. Mais il fit preuve d'une parfaite inintelligence.
DANIEL-ROPS, le Peuple de la Bible, III, II, p. 211.

CONTR. Gaucherie, maladresse.
HOM. Doigter, doitée.

DOIGTER [dwate] v. — 1726 ; de *doigt*.
Musique.

♦ **1.** V. intr. Poser les doigts comme il convient pour jouer de certains instruments. ⇒ **Doigté** (1.). *Sa manière de doigter est incorrecte.*

♦ **2.** V. tr. Exécuter (un morceau) en employant les doigts comme il convient. *Doigter un passage.* — Indiquer sur la partition les doigts dont il faut se servir. ⇒ **Doigté** (1.).

▶ **DOIGTÉ, ÉE** p. p. adj. *Passage bien, mal doigté.*

DÉR. Doigté.
HOM. Doigté, doitée.

DOIGTIER [dwatje] n. m. — 1392, *doitiers* ; de *doigt*.

♦ **1.** Fourreau en forme de doigt de gant, destiné à protéger un doigt. *Doigtier de cuir, de caoutchouc. Le délot*, doigtier des calfats.*

♦ **2.** Techn. Dé de passementier ouvert des deux côtés. *Doigtier de cuivre.*

♦ **3.** [a] DOIGTIER DE NOTRE-DAME ou *doigtier* : digitale pourprée ; digitale laineuse. *« On les appelait "doigtier de Notre-Dame", "gantelet", "opium du cœur" ; les digitales sont le prototype même de la plante médicinale efficace... »* (Sciences et Avenir, sept. 1978).

[b] *Doigtier* : clavaire digitée.

DOINA [doina] n. f. — D. i. ; mot roumain *dóinà* « romance ».

♦ Didact. Chant lyrique exprimant la tristesse amoureuse, dans la poésie populaire roumaine (comparable au fado portugais). — Au plur. *Des doinas.*

DOIT [dwa] n. m. — 1723 ; p. p. du v. *devoir*.

♦ **1.** Comptab. Partie d'un compte établissant ce que doit le titulaire. ⇒ **Comptabilité, compte, débit** (2). *Le doit s'inscrit à gauche et l'avoir à droite.* — Dans la comptabilité en partie double, Montant de ce qu'un compte doit à un autre. ⇒ **Passif.**

Par métonymie. Partie gauche (d'un compte).

♦ **2.** Par métaphore. *Le doit et avoir dans une relation entre personnes.*

CONTR. Avoir ; actif, crédit.
DÉR. Doitage.
HOM. Doigt.

DOITAGE [dwataʒ] n. m. — 1740 ; de *doit*.

♦ Comm. Inscription des mots « doit »* et « avoir »* dans un livre de comptes.

DOITÉE [dwate] n. f. — 1732 ; de *doigt*.

♦ Techn. Petite aiguillée servant de mesure aux fileuses pour régler la grosseur de leur fil. — REM. L'orthographe *doigtée* serait préférable.
HOM. Doigté, doigter.

DOL [dɔl] n. m. — 1248 ; lat. *dolus* « ruse ».

♦ **1.** Dr. Manœuvres frauduleuses destinées à tromper qqn pour l'amener à passer un acte juridique. ⇒ **Captation, fraude, tromperie.** *Le dol est un vice du consentement. Contrat entaché de dol. Manœuvre présentant le caractère du dol.* ⇒ **Dolosif.** *Dol principal. Dol incident* (qui ne consiste pas à passer un acte juridique ou porte sur un accessoire d'un contrat).

1 Le dol est une cause de nullité de la convention lorsque les manœuvres pratiquées par l'une des parties sont telles, qu'il est évident que, sans ces manœuvres, l'autre partie n'aurait pas contracté.   Code civil, art. 1116.

2 Ils exercent le chantage, le dol, la séquestration et commettent d'épouvantables extorsions.   B. CENDRARS, Moravagine, in Œ. compl., t. IV, p. 65.

♦ **2.** Dr. pén. (Rare). Intention criminelle.

♦ **3.** Littér. Tromperie ; manœuvre destinée à tromper.

DOLABRE [dɔlabʀ] n. f. — 1503 ; lat. *dolabra* « outil à tête double, hache et pic ».
Didactique.

♦ **1.** Hache et pic à long manche (dans l'antiquité romaine). — Hache de guerre médiévale.

♦ **2.** Paléont. Mollusque fossile lamellibranche à coquille en forme de hache.

DOLAGE [dɔlaʒ] n. m. — 1364 ; de *doler*.

♦ Vx ou techn. Action de doler* ; son résultat.

DOLCE [dɔltʃe] adv. — 1768, J.-J. Rousseau ; mot ital., « doux ».

♦ Mus. Mot indiquant qu'il faut donner une expression douce dans l'exécution.
CONTR. Forte.
DÉR. V. Dolcissimo.

DOLCE VITA [dɔltʃevita] loc. subst. fém. — 1959 ; loc. ital., « la belle (mot à mot "la douce") vie », répandue en franç. après le film de Fellini, *la Dolce Vita*.

♦ Forme de vie oisive et aisée. — REM. Ne semble pas s'employer au pluriel (le plur. ital. de *vita* est *vite*).

Les quartiers populaires regorgent d'une humanité vociférante et sordide qu'évoquent quasi tendrement les poèmes en dialecte de Belli ; le contraste est brutal entre la misère des pauvres et le luxe des familles papales et bancaires ; il ne l'est pas moins de nos jours entre la pègre dorée de la dolce vita et les habitants des grottes et des bidonvilles.   M. YOURCENAR, Archives du nord, p. 133.

DOLCISSIMO [dɔltʃisimo] adv. — Fin xixᵉ ; mot ital. superlatif de *dolce*. → Dolce.

♦ Mus. D'une manière très douce. *Jouer dolcissimo.*
CONTR. Fortissimo.

DÔLE [dol] n. f. — D. i. ; de *la Dôle*, dans le Jura suisse (Valais).

♦ Vin rouge de Suisse (Valais), fait avec du gamay et du pinot noir. *« La Dôle est sûrement le meilleur vin rouge de la Suisse »* (Larousse des vins).

Laurent demanda de la viande séchée et changea leur Dôle habituelle contre un Goron.   Christine ARNOTHY, Toutes les chances plus une, p. 368.

DOLÉANCE [dɔleɑ̃s] n. f. — 1429 ; *douléance*, déb. xiiiᵉ ; *doliance*, 1373 ; de l'anc. franç. *douloir* « souffrir » ; du lat. *dolere*, même sens. P. Guiraud évoque les formes *doleance, doliance*, du prés. prés. *doleant, doliant*, doublets picardo-wallons de *doloyer*, d'une forme progressive de *dolere* « souffrir ». → aussi Condoléance, dolent.

♦ **1.** Vx (au sing.). Plainte* exprimant un chagrin, une tristesse, une souffrance.

1 Il en faisait sa plainte une nuit. Un voleur
Interrompit la doléance.   LA FONTAINE, Fables, IX, 15.

♦ **2.** Mod. (Au plur.). **DOLÉANCES** : plainte pour réclamer au sujet d'un grief ou pour déplorer des malheurs personnels. ⇒ **Plainte** ;

2. DONDAINE [dɔ̃dɛn] n. f. — 1864 ; du précédent, exprimant le gonflement de l'instrument ; le mot a désigné en moy. franç. un trait d'arbalète gros et court.

♦ Archéol. Cornemuse en usage au moyen âge.

1. DONDON [dɔ̃dɔ̃] onomat. — 1564, Rabelais ; du rad. dod- (dodeliner), dond-, exprimant le gonflement et le balancement.

♦ Vx. Bruit de cloches. → Ding, dong.

2. DONDON [dɔ̃dɔ̃] n. f. — 1579, domdom ; onomat. qui exprime le gonflement et le balancement. → Dodeliner.

♦ Fam. Femme ou fille qui a beaucoup d'embonpoint. *Une forte dondon. C'est une dondon, une espèce de dondon.* — Surtout dans : *grosse dondon.*

1   C'était une grosse dondon
Grasse, vigoureuse, bien saine.   SCARRON, Virgile travesti, 1.
2   Étrange contraste entre la génération Louis XIII (Richelieu, Charles Ier, Van Dyck, les Velasquez, Pascal) suprêmement aristocratique, élégante, raffinée et plutôt décadente, et la grosse santé charnelle, épaisse et sanguine de Louis XIV (Madame de Montespan, Vendôme — tous ces goinfres et toutes ces dondons).
                                              CLAUDEL, Journal, févr.-mars 1930.

DONJON [dɔ̃ʒɔ̃] n. m. — V. 1160 ; du lat. pop. *dominio, -ionem,* proprt «tour du seigneur», de *dominus* «seigneur».

♦ **1.** Tour principale qui dominait le château fort et formait le dernier retranchement de la garnison. ⇒ **Château** (cit. 1). *Le donjon de Coucy.*

Le donjon était encore entouré (...) par un vaste fossé au fond duquel avaient poussé de puissants arbres. Il eût fallu passer sur la cime de leurs feuillages (...) pour gagner, de l'autre côté, un porche qu'aucun pont-levis ne joignait plus.
                                              HUYSMANS, Là-bas, p. 113.
Cette tour (ou tour fortifiée quelconque) servant de prison. *Diderot fut enfermé dans le donjon du château de Vincennes.*

Blason. Représentation d'un donjon. ⇒ **Donjonné.**

Fig. Lieu protégé dans lequel on effectue une retraite volontaire. *Se retirer dans son donjon* : s'isoler (→ Tour* d'ivoire).

♦ **2.** (1670). Archit. Vx. Petit belvédère situé sur le comble (d'une maison).

♦ **3.** Mar. Vx. Tour (des anciens cuirassés).

♦ **4.** Chambre principale (d'un terrier).

DÉR. Donjonné.

DONJONNÉ, ÉE [dɔ̃ʒɔne] adj. — Déb. XVIIe ; de *donjon.*

♦ Blason. Qui comporte un ou plusieurs donjons (tours, tourelles). *Un château de sable donjonné de gueules.*

DON JUAN [dɔ̃ʒɥɑ̃] n. m. — 1814 ; personnage du théâtre espagnol (Tirso de Molina, 1630) devenu le type du séducteur.

♦ Séducteur* sans scrupule qui se fait un jeu de conquérir les femmes qu'il approche. *Méfiez-vous, c'est un don Juan ! Un vieux don Juan.* — Au plur. *Des dons Juans* ou *des don Juans. Jouer les dons Juans.*

REM. Pour la graphie du nom propre, *don* ou *dom Juan.* → Dom, 2. don.

DÉR. Donjuanerie, donjuanesque, donjuaniser, donjuanisme.

DONJUANERIE [dɔ̃ʒɥanʀi] n. f. — XIXe ; de *don Juan.*

♦ Littér. Attitude, comportement de don Juan. *C'est de la donjuanerie.* ⇒ **Donjuanisme.** — *Une, des donjuaneries* : aventure de don Juan.

(...) tant il eût été sot de transformer une donjuanerie rare et réussie en une idylle pesante et banale (...)   Jacques LAURENT, les Bêtises, p. 38.

DONJUANESQUE [dɔ̃ʒɥanɛsk] adj. — 1841, *don-juanesque,* Nerval ; de *don Juan.*

♦ Littér. ou par plais. Relatif à don Juan ; qui a le caractère de don Juan ou d'un don Juan* (⇒ **Donjuanisme**). *Des manœuvres donjuanesques.*

DONJUANISER ou **DON JUANISER** [dɔ̃ʒɥanize] v. intr. — 1837, Balzac ; de *don Juan.*

♦ Littér. Faire le don Juan*. — Pron. *Se donjuaniser* : se transformer en séducteur.

Il y a le rire amer d'une divinité opposé à la surprise d'un trouvère qui se *donjuanise.*   BALZAC, Gambara, Pl., t. IX, p. 463.

DONJUANISME ou **DON JUANISME** [dɔ̃ʒɥanism] n. m. — 1864, Sainte-Beuve, *Nouveaux Lundis,* 2 mai ; de *don Juan.*

♦ Littér. Caractère, comportement d'un don Juan.

(...) Swann ayant pris à l'aristocratie cet éternel donjuanisme qui, entre deux femmes de rien, fait croire à chacune que ce n'est qu'elle qu'on aime sérieusement (...)   PROUST, À l'ombre des jeunes filles en fleurs, Pl., t. I, p. 522.   1
Sans doute les femmes ont-elles l'illusion de ne pas résister à Don Juan parce qu'il est irrésistible, alors que c'est bien davantage parce qu'elles ont été prévenues qu'il est irrésistible, qu'avant même de le voir, elles ont renoncé à lui résister. Ses conquêtes sont celles de sa renommée ; elles sont, bien plus que celles de Don Juan, celles du donjuanisme.   Francis JOURDAIN, Sans remords ni rancune, p. 252.   2
Psychiatrie. Recherche pathologique de nouvelles conquêtes, pour un homme.

DONNABLE [dɔnabl] adj. — 1908, Claudel, *in* T. L. F. ; de *donner.*

♦ Rare. Qui peut être donné.

DONNANT, ANTE [dɔnɑ̃, ɑ̃t] adj. — Déb. XVIIIe, Saint-Simon ; p. prés. de *donner.*

♦ **1.** Vx ou régional. Qui aime donner. *Il n'est guère donnant.* ⇒ **Généreux.** *Une personne donnante. Elle n'est guère donnante ni prêteuse*. Avoir l'humeur donnante* (→ Donner, cit. 13).

L'autre sachant que les peintres n'ont pas toujours l'humeur donnante, et que la mémoire des promesses est courte, se jeta sur l'occasion.   MAUPASSANT, Fort comme la mort, éd. 1889, p. 318.   0.1

♦ **2.** (1864, Littré). Loc. Mod. **DONNANT DONNANT** : en n'acceptant de donner une chose qu'à la condition d'en recevoir une autre en échange. ⇒ **Rien** (rien pour rien).

Le gouvernement, pour l'heure, a besoin de nous. Alors, donnant, donnant... C'est pas une idée ?   MARTIN DU GARD, les Thibault, t. VIII, p. 39.   1
Le Christ n'a pas dit : « Vous aurez la vie éternelle *si* vous croyez en moi : donnant donnant.» Il a dit : «Croyez en moi *et* vous aurez la vie éternelle.»
                                      Jean-Louis CURTIS, le Roseau pensant, p. 266.   2

DONNE [dɔn] n. f. — 1718 ; déverbal de *donner.*

♦ **1.** Action de donner, de distribuer les cartes (⇒ **Distribution**). *À vous la donne. Perdre sa donne. Fausse, mauvaise donne.* ⇒ **Maldonne.**

(...) Jurassien a ramassé les cartes, il fait la donne.   SARTRE, la Mort dans l'âme, p. 289.   1
Par métaphore ou figuré.

(...) s'il n'y avait pas eu cet ensemble de circonstances, cette donne du jeu, peut-être cette fissure béante en ma personne ne se serait-elle pas produite cette nuit, mes illusions auraient-elles pu tenir encore quelque temps (...)
                                      Michel BUTOR, la Modification, p. 228.   2

♦ **2.** Par métonymie. Cartes données à un joueur. ⇒ **Jeu.** *Avoir une belle donne en main.*

COMP. Maldonne.

DONNÉ, ÉE [dɔne] adj. et n. m. ⇒ **Donner,** p. p.

DONNÉE [dɔne] n. f. — 1755 ; «aumône», v. 1200 ; de *donné, ée,* p. p. de *donner.*

★ **I.** ♦ **1.** Sc. (spécialt math.). Ce qui est donné, connu, déterminé dans l'énoncé d'un problème, et qui sert à découvrir ce qui est inconnu. *Les données du problème.*

♦ **2.** Ce qui est admis, connu ou reconnu, et qui sert de base à un raisonnement, de point de départ pour une recherche, un examen (syn. : *point de départ*, *élément* de base*). *Les données d'une science, d'une recherche expérimentale. Partir d'une donnée.* ⇒ **Départ** (point de) ; **circonstance, condition, élément, renseignement.** *Données statistiques. Manquer de données. Ensemble des données sur un problème.*

Si un homme raisonne mal, c'est qu'il n'a pas les données pour raisonner mieux (...)   DIDEROT, Sur le livre de l'Esprit.   1
C'est une autre question. Mais, pour traiter l'ensemble du problème, nous devons le plus possible partir de données exactes.
                                      J. ROMAINS, les Hommes de bonne volonté, t. V, XI, p. 86.   2
Psychol. (→ Donner, p. p., 5.). *Essai sur les données immédiates de la conscience,* de H. Bergson (1889).

Inform. (pour traduire l'angl. *data*). Représentation conventionnelle d'une information (fait, notion, ordre d'exécution) sous une forme (analogique ou digitale) permettant d'en faire le traitement automatique. *Banque* de données. Base* de données. Traitement* automatique des données.*

♦ **3.** Didact. Élément fondamental (circonstances principales, caractères...) sur lequel un auteur bâtit le développement de son ouvrage. *Les données d'un roman, d'une comédie.*

★ **II.** Vx (de *donner* ; correspond au sens initial «aumône»). Chose donnée. ⇒ **Cadeau.** — REM. Ce sens semble avoir été populaire, au XIXᵉ s.

3 C'est certainement pas là une donnée, ma foi ! cent écus.
Henri MONNIER, Scènes populaires, « Le roman chez la portière »,
t. I, p. 15 (éd. 1835).

DONNER [dɔne] v. — 842 ; du lat. *donare* « faire un don », dér. de *donum*. → Don.

★ **I.** V. tr. **A.** DONNER QQCH. À QQN : mettre (qqch.) en la possession de qqn.

♦ **1.** Abandonner à qqn dans une intention libérale ou sans rien recevoir en retour (une chose que l'on possède ou dont on jouit). ⇒ **Aliéner** (à titre gratuit), **allouer, bailler** (vx), **gratifier, offrir.** *Action de donner qqch.* ⇒ **Dation, don, donation.** *Donner qqch. à qqn en toute propriété, en dot* (⇒ **Doter** [qqn de qqch.]), *par testament* (⇒ **Léguer ; tester,** v. intr.). *Donner qqch. en cadeau, en présent, en récompense à qqn. Donner des étrennes. Donner qqch. pour étrenne,* en guise d'étrenne. *Donner de l'argent, une pièce, un pourboire à qqn.* Vx. *Donner pourboire.* Fam. *Donner la pièce à qqn.* ⇒ **Pourboire.** *Donner une aumône.* ⇒ **Aumôner** (vx) ; **faire** (faire l'aumône). *Donner le casuel épiscopal aux pauvres.* ⇒ Percevoir, cit. 6. *Donner tous ses biens.* ⇒ **Déposséder** (se), **dépouiller** (se). Fam. *Il donnerait sa chemise, jusqu'à sa chemise, tant il est charitable, généreux* (→ Se saigner* aux quatre veines). *Donner qqch. libéralement, à pleines mains.* ⇒ **Épandre, prodiguer.** *Donner qqch. avec excès* ⇒ **Fourrer, gaspiller.** *Donner qqch. pour s'en débarrasser, s'en défaire* (⇒ 1. **Colloquer**). — Par anal. (souvent par plais.). *Donner à qqn ses conseils généreusement, pour rien...* → ci-dessous, B.

1 Je te veux donner un louis d'or, et je te le donne pour l'amour de l'humanité.
MOLIÈRE, Dom Juan, III, 2.

2 On ne donne rien si libéralement que ses conseils.
LA ROCHEFOUCAULD, Maximes, 110.

3 Il lit au front de ceux qu'un vain luxe environne
Que la fortune vend ce qu'on croit qu'elle donne.
LA FONTAINE, Philémon et Baucis.

4 — C'est un grand abus que de les vendre !
— Oui ; l'on ferait mieux de nous les donner pour rien.
BEAUMARCHAIS, le Mariage de Figaro, III, 12.

4.1 — Je mangerais bien mon bonbon... Mais je m'en passerai, tiens, je te donne mon bonbon, prends-le, c'est pour toi.
Et, sournoisement, elle guigne le bon effet de sa générosité.
Léon FRAPIÉ, la Maternelle, 1904, p. 221.

(Sans compl. direct). *Donner aux pauvres, leur donner par bienfaisance*, par charité* (⇒ **Aumône**). — *Merci, j'ai déjà donné* (à une quête...). *J'ai déjà donné :* ça suffit, ne me demandez rien. *Donner beaucoup, peu* (→ Libéralité, cit. 2). — *C'est pour donner, ou pour jeter ? — Donner de bon cœur* (cit. 48), *de bonne grâce, avec le sourire ; à contrecœur.* — *Demandez* (cit. 15) *et l'on vous donnera...*

5 Les princes me donnent beaucoup, s'ils ne m'ôtent rien et me font assez de bien, quand ils ne me font point de mal.
MONTAIGNE, *in* Antoine ALBALAT, la Formation du style, p. 194.

6 Tel donne à pleines mains qui n'oblige personne ;
La façon de donner vaut mieux que ce qu'on donne.
CORNEILLE, le Menteur, I, 1.

7 Ce qu'on nomme libéralité n'est le plus souvent que la vanité de donner, que nous aimons mieux que ce que nous donnons. LA ROCHEFOUCAULD, Maximes, 263.

8 C'est rusticité que de donner de mauvaise grâce : le plus fort et le plus pénible est de donner ; que coûte-t-il d'y ajouter un sourire ?
LA BRUYÈRE, les Caractères, VIII, 45.

9 — Tiens, je donne sans compter, moi.
— Et moi, je reçois de même, monsieur. Oh ! nous sommes tous deux des gens de bonne foi.
A. R. LESAGE, Turcaret, I, 5.

10 Qui donne aux pauvres prête à Dieu ;
Le bien qu'on fait parfume l'âme !
HUGO, les Voix intérieures, V, 2 (→ 2. Bien, cit. 16).

11 Donner et recevoir, c'est faire vivre l'âme !
HUGO, les Contemplations, I, VI.

12 Donner est plus doux que recevoir.
RENAN, Vie de Jésus, Œ. compl., t. IV, p. 138.

13 Sa bienfaisance était grande autant qu'ingénieuse, et chez elle un vrai don de nature : elle avait l'*humeur donnante,* comme elle disait. *Donner et pardonner,* c'était sa devise. Le bienfait de sa part était perpétuel.
SAINTE-BEUVE, Causeries du lundi, 22 juil. 1850, t. II, p. 320.

(Avec un compl. indéf.). *Donner beaucoup, peu. Ne rien donner.*

13.1 On promet beaucoup pour se dispenser de donner peu.
VAUVENARGUES, Réflexions et Maximes, 445.

13.2 Les gens qui donnent beaucoup sont sujets à prendre de même.
Charles DE BROSSES, Lettre à l'abbé de Quincey, 1739. *(Lettres italiennes).*

14 Les hommes sont ingrats, dira-t-il *(Napoléon)* à Las Cases ; non !... si l'on a si souvent à s'en plaindre, *c'est que, d'ordinaire, le bienfaiteur exige plus qu'il ne donne.*
Louis MADELIN, Hist. du Consulat et de l'Empire,
De Brumaire à Marengo, VI, p. 76.

Dr. *Donner et retenir ne vaut,* règle de l'ancien droit, qui limite la révocation des donations.

15 (...) si la règle *Donner et retenir ne vaut* était effacée de notre Code (...) le seul résultat de sa suppression serait de permettre l'insertion, dans l'acte de donation, de *clauses* réservant au donateur la faculté de révocation (...) dans certaines catégories de donations, l'application de la règle est dès à présent écartée par notre législation positive.
A. COLIN et H. CAPITANT, Cours élémentaire de droit civil, III, p. 847.

Par exagér. Vendre à très bon marché (→ *infra,* Donné). ⇒ **Brader.** *On ne vend pas, on donne :* c'est pour rien. *C'est donné* (→ *infra,* cit. 84.1).

Prov. *Qui donne tôt donne deux fois* (cf. l'adage latin *Bis dat qui cito dat*). — *Qui donne aux pauvres prête à Dieu* (→ ci-dessus, cit. 10). — (Avec un compl. dir.). *La plus belle fille du monde ne peut donner que ce qu'elle a.*

16 On dit communément : « La plus belle femme du monde ne peut donner que ce qu'elle a » ; ce qui est très faux : elle donne précisément ce qu'on croit recevoir, puisqu'en ce genre c'est l'imagination qui fait le prix de ce qu'on reçoit.
CHAMFORT, Maximes et Pensées, Sur l'amour et la galanterie, XVII.

17 (...) comme on dit, la plus belle fille ne peut donner que ce qu'elle a, et ce que j'avais n'eût pas été d'une grande utilité à Rosette.
Th. GAUTIER, Mˡˡᵉ de Maupin, VII, p. 161.

♦ **2.** Faire don de (qqch.) à qqn. *Donner son sang pour un malade* (⇒ **Donneur**). *Donner sa vie pour le salut de la patrie :* faire le sacrifice de sa vie. ⇒ **Sacrifier.**

18 Le bon berger donne sa vie pour ses brebis.
BIBLE (SEGOND), Évangile selon saint Jean, X, 11 (→ Berger, cit. 2).

19 Quand je t'aimais, pour toi j'aurais donné ma vie.
A. DE MUSSET, Premières poésies, « À Madame B... ».

20 Il a donné toute sa vie pour l'amour de sa noble profession, toute sa vie pour la santé, le salut et la gloire de son antique province.
G. DUHAMEL, Récits des temps de guerre, III, II, p. 300.

21 Il aurait donné sa vie, soyez sûr, il la donnerait encore, avec élan, pour faire une grande, une véritable découverte.
G. DUHAMEL, Chronique des Pasquier, III, VIII, p. 88.

Donner son amitié, son amour à qqn. Donner son cœur. « Je t'ai donné mon cœur... » (chanson).

22 Et c'est à vos vertus faire un présent trop bas,
Que vous donner un cœur qui ne se donne pas. MOLIÈRE, Dom Garcie, V, 5.

23 (...) il n'y a rien de meilleur, quand on aime, que de donner, de donner toujours, tout, tout, sa vie, sa pensée, son corps, tout ce qu'on a, et de bien sentir qu'on donne et d'être prête à tout risquer pour donner plus encore.
MAUPASSANT, Fort comme la mort, p. 175.

Donner son âme à Dieu, au diable.

(Le compl. désigne la vie, l'existence, le temps d'une personne). ⇒ **Consacrer, employer, vouer.** *Donner sa vie à une œuvre, une entreprise.* ⇒ **Dévouer.** *Donner tout son temps à l'étude, au travail. Donner quelques instants à qqn.* ⇒ **Accorder.** *Je n'ai que quelques minutes à vous donner.*

24 Jusqu'au dîner, Mᵐᵉ de Rénal n'eut pas un instant à donner à son prisonnier.
STENDHAL, le Rouge et le Noir, I, XXX, p. 223.

Dieu, le destin, la nature lui a donné de l'intelligence, une santé de fer. ⇒ **Doter, douer, impartir, pourvoir** (qqn de...).

♦ **3.** DONNER (qqch.) POUR, CONTRE (qqch.) : céder (qqch.) en échange d'autre chose. ⇒ **Céder, fournir, livrer ;** (fam.) **filer, refiler ;** (argot) **abouler.** ⇒ aussi **Cession.** *Donner qqch. contre, pour de l'argent.* ⇒ **Vendre.** *Donner de l'argent pour une marchandise.* ⇒ **Acheter.** *Donner un cheval pour, contre un âne.* ⇒ **Échanger, troquer.** *Donner un œuf pour un bœuf** (cit. 13 et *supra*). *On ne donne rien pour rien.* → Donnant (donnant donnant). *En donner à qqn pour son argent* (⇒ **Combler, satisfaire**). *Il ne rend jamais ce qu'on lui donne.* ⇒ **Prêter.**

25 Ce qu'on donne aux méchants, toujours on le regrette.
Pour tirer d'eux ce qu'on leur prête,
Il faut que l'on en vienne aux coups,
Il faut plaider, il faut combattre.
LA FONTAINE, Fables, II, 7.

26 En toute chose l'on ne reçoit qu'en raison de ce que l'on donne.
BALZAC, Physiologie du mariage, Pl., t. X, p. 672.

(Dans le voc. du commerce). Vendre. *Donnez-moi trois pommes. Donnez-moi cinq cents grammes de viande. Donnez-m'en cinq cents grammes.* — *Donner (une somme) de (qqch.) :* payer qqch. (une certaine somme). *Je vous donne dix mille francs de votre voiture, je vous en donne dix mille francs.* ⇒ **Offrir.** *Je ne donnerai pas un sou de cela.*
Payer (une certaine somme) à qqn. *Donner des appointements à qqn.* ⇒ **Verser.** *Combien donnez-vous à vos employés ?* ⇒ **Rémunérer, rétribuer** (qqn). *Donner à chacun selon son dû*.* ⇒ **Distribuer, partager.** *Donner sa part, sa quote-part, son écot. S'engager à donner de l'argent pour...* ⇒ **Souscrire.** *Donner paiement* (⇒ **Dation**), *décharge. Donner des arrhes, des gages, une caution.*

Fig. *Donner (qqch.) pour* (et inf.). *Je donnerais bien un million, tout ce que j'ai pour le savoir. Je donnerais beaucoup pour savoir. Donner tout au monde pour avoir qqch.* ⇒ **Abandonner, sacrifier.**

27 Que n'aurais-je pas donné pour pouvoir dire au long cette fameuse règle des participes, bien haut, bien clair, sans une faute !
Alphonse DAUDET, Contes du lundi, « La dernière classe ».

Donner (qqch.) pour que (et subj.). *Je donnerais dix ans de ma vie, ma fortune, je ne sais quoi... pour que cela fût, ne fût pas.*

♦ **4.** Confier (une chose) à qqn pour un service. ⇒ **Confier, remettre.** *Donner ses chaussures au cordonnier. Donner son manteau au vestiaire.* — *Donner qqch. à* (et inf.). *Donner sa montre à réparer,* la confier pour réparation, pour qu'on la répare. *Donner un paquet à remettre. Je lui ai donné mes livres à ranger.*

Comm., fin. *Donner une somme en dépôt.* ⇒ **Consigner, déposer, mettre.** *Donner qqch. à bail, en location.* ⇒ **Louer.** *Donner à crédit.*

B. Mettre à la disposition de (qqn).

◆ **1.** Mettre à la disposition, à la portée de... ⇒ **Fournir, offrir, présenter, procurer.** *Voulez-vous donner des sièges aux invités?* ⇒ **Apporter, approcher, avancer.** *Donner un logement; donner un asile, l'hospitalité à qqn. Le médecin a donné un médicament, un remède au malade. Donner les sacrements à un mourant.* ⇒ **Administrer, prendre** (faire prendre). *On lui donnerait le bon Dieu sans confession*.* — *Donner la becquée, la pâture à des volailles.* ⇒ **Appâter.** *Donnez-moi du pain. Donnez-m'en.* ⇒ **Passer.** *Donner à qqn le vivre et le couvert* (cit. 2). *Donner la pâtée au chien,* (fig. et péj.) satisfaire. — *Donner du travail à un chômeur, à un indigent. Donner de l'instruction à un enfant.* — *Donner à* (qqn, un animal) *qqch. à...* (et inf. : *manger, boire...*). — Sans compl. dir. *Donner à manger, à boire à qqn.*

28 Donnez-nous aujourd'hui notre pain de chaque jour (...)
BIBLE (SACY), Évangile selon saint Luc, XI, 3.

29 (...) si votre ennemi a faim, donnez-lui à manger; s'il a soif, donnez lui à boire.
BIBLE (SACY), Épître aux Romains, XII, 20.

30 Aux petits des oiseaux il donne leur pâture (...) RACINE, Athalie, II, 7.

31 (...) il s'agit seulement (...) mais je dis en tout bien, tout honneur, que vous me donniez à coucher ce soir. BEAUMARCHAIS, le Barbier de Séville, II, 14.

32 Donne-lui tout de même à boire, dit mon père.
HUGO, la Légende des siècles, XLIX, « Après la bataille ».

33 Et n'ayant jamais appris que rien fût mauvais de ce que Dieu donne à ses enfants.
CLAUDEL, Feuilles de saints, L'architecte.

Régional. *Donner à (un animal),* lui donner à manger. ⇒ **Nourrir.**

34 Avant, il donne à la bique. Elle est libre et toute seule dans la grande écurie noire et elle saute tout de suite vers la porte ouverte. Il la regarde manger.
J. GIONO, Regain, p. 30.

(Le compl. désigne une information mise à la disposition de qqn). *Donnez-moi donc votre adresse, vos coordonnées.* ⇒ **Dire; confier.** *Il m'a donné son numéro de téléphone, mais j'ai oublié de le noter. Donner un renseignement, une information par écrit* (→ aussi ci-dessous, 3.).

Donner une lettre à son destinataire. ⇒ **Remettre.** *Donner le courrier.* ⇒ **Distribuer.** — (Au téléphone). *Donnez-moi le 12 à X...* ⇒ **Passer.**

(Le compl. désigne une partie du corps). *Nourrice qui donne le sein* à un bébé.* — *Donner le bras à qqn.* ⇒ **Offrir, tendre; bras** (*supra* cit. 12). *Donner la main à qqn.* → **Main.** — (En parlant d'un chien). *Donner la patte. Donne la patte!* — Loc. fig. *Donner sa langue au chat*.*

Spécialt. *Donner des cartes aux joueurs.* ⇒ **Distribuer, répartir; donne.** Absolt. *C'est à vous de donner.* ⇒ **Faire.**

Loc. fig. (Vieilli). *La donner belle.* ⇒ **Bailler** (→ Beau, cit. 77 et *supra*). — *Donner des verges pour se faire fouetter* (vx), *des bâtons pour se faire battre.* — *On lui en donnera!,* se dit par dérision en parlant d'une personne qui réclame, revendique qqch.

◆ **2.** Organiser pour un public, offrir à des invités. *Donner un bal* (cit. 1), *une réception, une soirée, une fête à des amis, à des invités.* — (Sans compl. ind.). *Donner une pièce de théâtre, un spectacle. On donne une comédie à ce théâtre.* ⇒ **Jouer, représenter.** *Qu'est-ce qu'on donne cette semaine au cinéma?*

35 Une des femmes de chambre de Mᵐᵉ de la Mole donnait soirée, les domestiques prenaient du punch fort gaiement. STENDHAL, le Rouge et le Noir, II, XVI.

Loc. fig. *Donner la comédie.* ⇒ **Jouer.**

◆ **3.** Communiquer, exposer (qqch.) à qqn. ⇒ **Communiquer, dire, exposer, exprimer.** *Donner à qqn une description de vive voix, par écrit. Je vais vous donner tous les détails sur cette question. Donner la consigne à un collègue.* ⇒ **Passer.** *Voulez-vous me donner l'heure exacte?* ⇒ **Indiquer.** *Donner son avis, son opinion, son point de vue à qqn. Je vous donnerai une réponse demain. Donner congé à qqn.* ⇒ **Signifier.** *Donner ses huit jours à un domestique,* le renvoyer. *Donner la réplique à un comédien. Donnez-moi le nom des départements français.* ⇒ **Réciter.** *Donner des arguments, des explications, des renseignements. Donner un conseil* (cit. 1, 3 et 6), *un ordre à qqn. Donner connaissance de...* ⇒ **Porter** (à la connaissance); **informer.** *Donner la marche à suivre.* ⇒ **Montrer.** — Mar. *Donner la route :* indiquer le chemin.

Donner une interview à un journaliste. ⇒ **Accorder.**

Faire pour qqn, pour un public. *Donner une conférence. Donner un cours; des leçons* (→ Courir le cachet*). Dr. *Je vais vous donner lecture de cet acte. Donner (un) jugement.* ⇒ **Rendre.**

Vieilli. *Donner le bonjour* (cit. 1), *le bonsoir* (cit. 1, 2). ⇒ **Dire, souhaiter.**

Donner un prétexte, des raisons... ⇒ **Apporter, fournir.** — Par ext. (sujet n. de chose). *Détails que donne un rapport. Ce livre donne de nouvelles preuves.*

Donner l'exemple* (à qqn).

◆ **4.** Transmettre. *Il lui a donné ses goûts. Donner une maladie à qqn.* — *L'abus de tabac peut donner le cancer.* — Spécialt. Transmettre par contagion. *Il lui a donné son rhume.*

◆ **5.** Loc. Soumettre en tant que question. *Je vous le donne en cent*, en mille :* je suis sûr que vous ne trouverez pas.

(...) M. de Lauzun épouse dimanche au Louvre, devinez qui? je vous le donne en 35.1 quatre, je vous le donne en dix, je vous le donne en cent (...)
Mᵐᵉ DE SÉVIGNÉ, 121, 15 déc. 1670.

◆ **6.** Accepter de mettre (qqch.) à la disposition, à la portée de qqn. ⇒ **Accorder, concéder, consentir.** *Ce monarque a donné une constitution à ses sujets.* ⇒ **Octroyer.** *Donnez-moi un peu de temps, de répit.* ⇒ **Laisser.** *Donner un délai à qqn. Donnez-moi le temps d'y penser, le loisir d'y réfléchir. Donner son accord, son aval, son consentement, sa signature à qqn. Donner sa bénédiction* à qqn. Donner sa parole d'honneur à qqn.* ⇒ **Promettre.** — *Donner son amitié, sa reconnaissance à qqn. Donner ses faveurs, sa préférence à qqn.* — *Donner son suffrage, son vote à un candidat, à un parti.* — *Donner une faveur, une récompense à un subordonné.* ⇒ **Décerner, déférer.** *On lui a donné tous les prix.* — *Donner à qqn l'assurance* que...* ⇒ **Certifier** (→ Ficher, foutre son billet*). *Je vous en donne formellement l'assurance. Donner son aide, son assistance à un ami.* Fam. *Donner un coup de main, un coup d'épaule à qqn.* ⇒ **Aider** (→ ci-dessous, D., 4. : donner un coup). *Je vous donne toute mon attention.*

36 François, mon serviteur et mon ami, j'ai un petit discours à te faire et je te prie de me donner ton attention (...) G. SAND, François le Champi, XII, p. 98.

37 Solon donna donc au peuple les droits civils et non les droits politiques.
FUSTEL DE COULANGES, Leçons à l'Impératrice..., p. 55.

(Compl. ind. n. de chose). *Donner son accord, son aval à un projet.* Loc. fig. *Donner la main à (qqch., un projet).* ⇒ **Prêter.**

Loc. (le sujet est un nom de femme). *Donner sa main* à qqn.* ⇒ **Accorder.** — (Le sujet est un nom d'homme). *Donner à qqn la main de sa fille,* lui permettre de l'épouser.

Donner la liberté, la clef des champs à qqn.

Donner l'autorisation, la faculté, le moyen, l'occasion, la permission à qqn. Donner à qqn un brevet, un certificat. ⇒ **Délivrer.** *Donner acte d'une déposition,* la constater. *Je vous en donne acte bien volontiers. Donner un blanc-seing, carte blanche, pleins pouvoirs à qqn.*

Donner à qqn (un temps, une durée) pour..., lui laisser, lui accorder telle durée, avant de lui réclamer un résultat. *Je vous donne une semaine pour finir ce travail.* — *Donner à qqn (un temps) à...* → ci-dessous, D., 7.

(Avec un compl. sans article). *Donner audience. Donner asile. Donner rendez-vous* à qqn* (on emploie aussi : *donner un rendez-vous*). — *Donner satisfaction*.* — *Donner créance, croyance :* ajouter foi. — Fig. *Donner carrière*, libre carrière, donner cours, libre cours...* (→ Lâcher la bride*). — *Donner prise :* prêter le flanc*. *Il donne prise à toutes les calomnies.*

◆ **7.** Littér. (sujet n. d'entité). **DONNER (à qqn) DE...** (suivi de l'inf.). ⇒ **Accorder, permettre.** *Le ciel nous a donné de supporter ces épreuves.*

Au passif. Être possible, permis. *Il ne m'a pas été donné d'aller le voir.*

38 Il fut donné à celui-ci de tromper les peuples.
BOSSUET, Oraison funèbre de la reine d'Angleterre.

39 Je raconterai plus tard, s'il m'est donné de poursuivre cette narration nonchalante (...) G. DUHAMEL, le Temps de la recherche, VI, p. 75.

◆ **8.** Assigner* à qqn, à qqch. (une marque, un signe, etc.). ⇒ **Établir, fixer, imposer, indiquer, prescrire.** *Donner un nom à un enfant* (⇒ **Baptiser;** → Abbé, cit. 1). *Donner un titre à un ouvrage.* ⇒ **Intituler.** *Donner des bornes, des limites à...*

◆ **9.** *Donner une punition à qqn.* ⇒ **Infliger.** *On lui a donné dix ans de prison.* ⇒ **Ficher, flanquer, foutre** (fam.). *Donner son congé à un employé.* ⇒ **Signifier.** — Loc. *Donner congé*.*

◆ **10.** **DONNER à...** (suivi d'un inf.). *Donner une tâche à exécuter.* ⇒ **Confier, remettre.** *On m'a donné cela à faire.* — *Donner à entendre (à qqn).* ⇒ **Insinuer.** *Donner à deviner qqch. (à qqn).*

(Sujet n. de chose). *Donner à rire.* ⇒ **Prêter.** *Son attitude donne à penser, à réfléchir.*

Loc. *Donner sa tête* à couper.*

◆ **11.** (Dans des loc.). Être l'auteur de..., produire (un effet). ⇒ **Faire.** *Donner l'alarme, l'assaut* (⇒ **Livrer**), *la chasse* (cit. 6 et *supra*; → **Poursuivre**). *Donner le passage.* ⇒ **Ouvrir.** *Donner des soins, des encouragements, des consolations à un malheureux. Donner l'avantage, la victoire à son parti. Donner gain de cause.*

Donner son plein*, sa mesure* (→ Défricher, cit. 2).

Donner des signes, des marques de fatigue. ⇒ **Manifester.**

Donner le change. ⇒ **Change** (cit. 5 et *supra*).

Donner la mort à qqn : tuer. — (D'une femme). *Donner le jour, la vie à un enfant,* le faire naître. ⇒ **Accoucher** (de), **avoir, faire** (fam.). Loc. *Donner naissance à...* — Fig. *Donner le jour, donner naissance à une théorie, à une œuvre.*

◆ **12.** Spécialt (sans compl. ind.). Produire* (une œuvre). ⇒ **Produire, publier.** *Cet écrivain donne un roman par an. Ce peintre, ce sculpteur ne donne plus rien.*

40 (...) il donne un chef-d'œuvre après un roman confus ; et le chef-d'œuvre est suivi d'un livre médiocre.   André SUARÈS, Trois hommes, « Dostoïevski », III, p. 217.

C. (Avec deux compl. n. de personne : *donner qqn à qqn*).

♦ **1.** *Donner un enfant (un fils, une fille) à...* (*un homme*, en parlant d'une femme ; *une femme*, en parlant d'un homme).

♦ **2.** Procurer, accorder une personne à qqn. *Donner sa fille en mariage à un jeune homme. « Mon père m'a donné un mari »* (chanson enfantine). — *Donner un tuteur à un orphelin, un précepteur, une gouvernante à un enfant.*

40.1 Donnez-nous, dit ce peuple *(les grenouilles)*, un roi qui se remue.
     LA FONTAINE, Fables, III, 4.

Vx. *Donner qqn au diable* (→ Diable, cit. 29).

♦ **3.** *Donner un voleur à la police, aux flics.* ⇒ **Livrer.**

Absolt et fam. ⇒ **Dénoncer ;** (argot) **balancer, balanstiquer.** *Il nous a donnés* (→ Cochon, cit. 7). ⇒ **Donneur,** 4.

D. (Sujet n. de chose ou de personne).

♦ **1.** Être la cause de... ⇒ **Causer, susciter.** (Le compl. exprime un sentiment, un fait psychologique). *Donner à qqn l'envie de... Cela me donne envie de pleurer. Donner de l'embarras, des difficultés à qqn.* Fam. *Donner du fil* à retordre à qqn. *Donner de l'inquiétude, des sujets d'alarme... Cet enfant me donne bien du souci. Donner de l'ombrage* à qqn. ⇒ **Porter.** *Donner des remords. Donner de l'audace, de l'espoir, de la fierté, de la jalousie. Donner du plaisir, de la joie. Cela vous donnera l'occasion de...* ⇒ **Fournir, procurer.** *La solitude lui a donné le goût du travail.* ⇒ **Exciter, inspirer.** *Il m'a donné bonne, mauvaise impression.* ⇒ **Faire.** *Cela me donne une idée* (⇒ **Suggérer**).

41 Hasard donne les pensées, et hasard les ôte ; point d'art pour conserver ni pour acquérir.   PASCAL, Pensées, VI, 370.

42 Non, il n'y a point de jouissances pareilles à celles que peut donner une honnête femme qu'on aime ; tout est faveur auprès d'elle.
     ROUSSEAU, les Confessions, II.

43 (...) une seule chose est précieuse : savoir tirer de l'instant qui passe toutes les joies qu'il peut donner (...)   Pierre LOUŸS, Aphrodite, V, v, p. 253.

44 (...) ça ne lui a pas donné le goût des Sciences, mais ça lui a enlevé celui des Lettres.   GIDE, Journal, 20 juil. 1914, p. 442.

Ce régime lui a donné des forces. ⇒ **Redonner.** *Ce remède lui a donné la santé. Cette odeur me donne la migraine* (→ Changer, cit. 35). *Le bateau, l'avion lui donne mal au cœur. C'est le fard qui lui donne des couleurs. Ce travail me donne chaud, soif.* Fig. et fam. *Il m'a donné chaud*.

Fig. *Cette nouvelle lui a donné des ailes*, l'a stimulé.

(Sans compl. ind.). *Aliment qui donne des forces. Cette odeur donne la migraine. La marche donne de l'appétit.*

44.1 Ma pauvre maman me donnait des recommandations qui étaient le bénéfice de son expérience.
   Je ne devais manger que peu de riz qui constipe — les pruneaux cuits au contraire — et peu de fraises qui amènent l'urticaire et pas du tout de moules dans les mois sans « r ».
   Mais du pain toujours, beaucoup de pain.
   Les haricots donnent des vents.
   Les carottes donnent de la mémoire.
   Le poivre donne de bonnes blagues.
   L'asperge parfume l'urine.   Henri CALET, la Belle Lurette, p. 195-196.

Loc. (compl. sans déterminant). *Donner lieu, matière, occasion, sujet à...* ⇒ **Causer, provoquer.** *Son attitude a donné lieu aux pires critiques.*

45 Tout ce qui était sacré donnait lieu à une fête.
     FUSTEL DE COULANGES, la Cité antique, III, VII, p. 183.

♦ **2.** (Sujet n. de choses concrètes ; sans compl. ind.). **Produire***. *L'eau que donne une source. Les fleurs, les fruits que donne un arbre. Cette vigne donne trente hectolitres de vin à l'hectare. Emprunt qui donne 10 % d'intérêt.* ⇒ **Rapporter, rendre.** Absolt. *Champ fertile qui donne abondamment. Le blé a peu donné cette année.*

46 (...) les poiriers rompent de fruit cette année (...) les pêchers ont donné avec abondance (...)   LA BRUYÈRE, les Caractères, XIII, 2.

47 (...) des bananiers, qui donnent toute l'année de longs régimes de fruits avec un bel ombrage (...)   BERNARDIN DE SAINT-PIERRE, Paul et Virginie, p. 21.

48 Dans deux ans ce cépage donnera ; dans deux ans aussi la Piboulette (...)
     Alphonse DAUDET, Sapho, VI, p. 30.

Par anal. Procurer (à qqn). *Son travail lui donne juste de quoi vivre.*

49 La vie sociale est comme la terre, lui avait dit son camarade, elle nous donne en raison de nos efforts.
     BALZAC, l'Envers de l'histoire contemporaine, I, Pl., t. VII, p. 239.

Instrument de musique qui donne une note, qui donne le la. ⇒ **Émettre.** Fig. *Donner le la**, *la note**, *le ton** (*à qqn*).

Par métaphore. *Cette région, cette école a donné plusieurs grands peintres.*

♦ **3.** Fam. (compl. indéterminé). Avoir pour conséquence, pour résultat. *Je me demande ce que ça va donner.* ⇒ **Rendre ; résulter** (ce qui va en résulter). *Tout cela ne donnera rien de bon. Qu'est-ce que ça donne, à l'usage ? Ça ne donne rien.* — (Sujet n. de personne). *Je me demande ce que cet étudiant va donner plus tard.*

♦ **4.** (Sujet n. de personne). Faire sentir (à qqn) l'effet de (une action physique). ⇒ **Appliquer.** *Donner un baiser**, *donner l'accolade* (cit. 1) *à qqn. Donner un regard, un coup d'œil à qqn, à qqch.* ⇒ **Jeter.** *Donner un coup, une gifle, une tape..., la bastonnade, le fouet, les étrivières à qqn.* ⇒ **Coup ; assener** (cit. 1), **ficher, flanquer, foutre** (fam.). *Donner un coup de poing.* ⇒ **Allonger.** *Donner un coup de dent.* ⇒ **Mordre.** — Loc. (vx). *En donner à qqn,* le battre, et aussi le tromper.

Donner un coup de main à qqn (traité ci-dessus en B., 6., en considérant le sens résultant : *donner de l'aide*).

REM. *Donner* est normal avec *coup* et quelques autres substantifs ; il peut être en concurrence avec *faire. Donner des caresses.* ⇒ **Faire.**

♦ **5.** (Sujet n. de personne). Effectuer sur une chose (une opération qui en modifie l'état). *Donner un coup** *de peigne, de balai, de lime, de rabot... Donner une couche de peinture à un banc.*

Par métonymie. Loc. *Donner la dernière main** *à qqch.*

♦ **6.** (Sujet n. de personne ou de chose). Conférer (un caractère nouveau) à (une personne ou une chose) par une opération, une action qui la modifie. *Donner une forme nouvelle à qqch. Donner du jeu aux pièces d'un moteur. Donnez de l'ampleur à la jupe. Donner du corps, de la fermeté, de la force, de la solidité :* consolider, serrer... — (Abstrait). *Donner un air**, *une apparence** *de... Donner une contorsion** *à la vérité :* déformer la vérité. *Cet argument donne du poids, de la valeur à sa thèse. Donner de la vigueur à son style* (⇒ **Nourrir**), *du piquant à la conversation.*

50 Il reprit, en essayant de ne pas donner de gravité à sa question, de la maintenir dans le ton de la gentillesse (...)
     J. ROMAINS, les Hommes de bonne volonté, t. IV, XX, p. 222.

51 Si elle avait cherché à tromper, elle se serait efforcée de coordonner ses propos, de leur donner au moins un air de vérité (...)
     A. MAUROIS, Climats, I, VIII, p. 65.

Donner le mouvement à une machine. ⇒ **Imprimer** (le mouvement), **mettre** (en mouvement). — Fam. *Donner toute la gomme**. Fig. *Donner le branle à une affaire,* la faire partir.

52 Oh ! quels petits conducteurs on trouverait souvent aux plus grands empires, si du prince on descendait par degrés jusqu'à la première main qui donne le branle en secret.   ROUSSEAU, Émile, II.

(Chasse). *Donner les chiens,* les lancer (→ *infra* cit. 67 : faire donner les chiens).

Loc. *Donner cours, donner carrière à... :* lancer, faire avancer. *Donner effet à une décision,* faire prendre effet.

♦ **7.** (Sujet n. de personne). Considérer (une qualité, un caractère) comme propre à (qqn, qqch.). ⇒ **Accorder, attribuer, gratifier** (de), **prêter, supposer.** *Vous lui donnez des qualités qu'il n'a pas. Quel âge lui donnez-vous ? On lui donne vingt ans. Donner de la valeur, du prix, de l'importance.* ⇒ **Attacher.** *Donner à qqn l'honneur, le mérite, la gloire d'une action.* ⇒ **Imputer.**

53 Vous donnez sottement vos qualités aux autres.
     MOLIÈRE, les Femmes savantes, III, 3.

54 (...) vous avez acheté, dit-on, la terre de Rubempré ; je vous en fais mon compliment. C'est une réponse à ceux qui vous donnaient des dettes.
     BALZAC, Splendeurs et Misères des courtisanes, II, Pl., t. V, p. 859.

Donner raison, donner tort à qqn, estimer qu'il a raison ou tort. *Je ne lui donne pas entièrement tort.*

55 (...) Mme Grangier, eût-elle désapprouvé complètement sa fille, pour l'unique satisfaction de donner tort à son mari et à son gendre, lui aurait devant eux, donné raison.   R. RADIGUET, le Diable au corps, p. 161.

Donner qqn, qqch. pour... (suivi d'un adj. ou d'un n.) : présenter* comme étant... *Je vous le donne pour ce qu'il vaut. On le donne pour coupable.* ⇒ **Croire, supposer.** *Donner une marchandise pour excellente.* ⇒ **Garantir.** *Il lui a donné du cuivre doré pour de l'or.* → Faire passer* pour... *Il nous a donné cette litho pour un Matisse. Donner une chose pour certaine, pour vraie.* ⇒ **Prétendre ; affirmer** (cit. 1).

56 Ces penchants que vous nous donnez pour invincibles, ne les avez-vous pas mille fois surmontés ?   MASSILLON, Carême, Samaritains, in LITTRÉ.

57 La personne est jolie, elle est jeune (...) Qu'il ne soit pas entre nous question de ses qualités, je vous la donne pour une créature d'élite (...)
     BALZAC, le Curé de village, Pl., t. VIII, p. 741.

58 Je ne les donne pas pour des ultramontains bien farouches.
     BREMOND, Hist. du sentiment religieux..., t. IV, p. 108, in T. L. F.

Donner à qqn (un temps) : estimer qu'il a, qu'il aura cette chose (pendant tel temps, selon telle condition). *Je lui donne au plus trois mois à vivre. Le docteur ne lui en donne pas pour longtemps.*

★ **II.** V. intr. ♦ **1.** **DONNER DANS** (qqch., une partie du corps) : heurter, pénétrer dans.

59 Les lances se brisèrent, et un éclat de celle du comte de Montgomery lui donna dans l'œil et y demeura.
     Mme DE LA FAYETTE, la Princesse de Clèves, t. III, p. 356.

Loc. *Donner dans le panneau** (cit. 1, 3).

Loc. fig. (vieilli). *Donner dans l'œil** *de qqn :* impressionner, plaire vivement. ⇒ **Taper** (dans l'œil).

59.1 Mais, jour de Dieu ! c'était pas le *conjongo* qui me donnait dans l'œil, avec sa séquelle de moutards.   Louise MICHEL, la Misère, t. I, p. 61.

DONNER DE... : porter un coup avec (une partie de soi, contre, dans, sur... qqch.). ⇒ **Cogner, frapper, heurter.** *Donner de la tête contre* *le mur.* Fig. *Donner de la tête* contre les murs :* se désespérer. ⇒ **Taper** (se). — Fam. *Ne plus savoir où donner de la tête*.* — *Donner du bec* (cit. 13 et *supra*). *Donner des éperons à un cheval; donner des deux* (des deux éperons). ⇒ **Piquer.**

60 Quelques jours après, passant dans une rue avec un jeune abbé, mon voisin, j'allai donner du nez contre l'homme au sabre. ROUSSEAU, les Confessions, III.

61 À l'extrémité du camp, les cochons, noirs comme des sangliers, grognaient rageusement en donnant de la tête contre la porte des soues, car l'heure de leur soupe approchait. P. MAC ORLAN, la Bandera, VII, p. 82.

(Sans compl. en *de*). *Donner sur les doigts, sur les ongles à qqn.*

Fam. *Donner sur les nerfs à qqn.* ⇒ **Agacer, irriter.**

61.1 L'orage vous a donné sur les nerfs, ma pauvre femme. Allez vous coucher. BERNANOS, la Joie, *in* Œ. roman., Pl., p. 720.

(Sujet n. de chose qui éclaire). *Le soleil donne dans la pièce. Le soleil donnait dans les yeux.* ⇒ **Darder.**

62 Quoique le soleil donnât en plein dans la cour (...) Th. GAUTIER, le Roman de la momie, I, p. 52.

Donner contre... La voiture alla donner contre un arbre. Le navire faillit donner contre un écueil.

REM. Sans être vieillis, la plupart de ces emplois (sauf *donner de la tête*) sont stylistiques (style soutenu).

♦ **2.** (Sujet n. de personne). Se porter (dans, vers). ⇒ **Engager** (s'), **jeter** (se), **tomber.** *Donner dans une embuscade, dans un piège.* Fig. et fam. *Donner dans le piège*, dans le panneau** (→ Crainte, cit. 10). *Donner tête* baissée dans... Il donne dans le sublime.* ⇒ **Faire** (→ Faire profession* de...).

63 (...) Beaulieu est déconcerté; il calcule assez mal, et donne constamment dans les pièges qu'on lui tend. CHATEAUBRIAND, Mémoires d'outre-tombe, t. III, p. 86.

63.1 (...) en dehors de ses passions, dont l'extravagance avait été quelquefois sans limites, il avait le sentiment net de la réalité qui distingue les hommes de race normande. Il ne donna jamais dans l'illusion des conspirations. BARBEY D'AUREVILLY, les Diaboliques, « À un dîner d'athées ».

63.2 Ces vieux jardiniers, ces vieux cuisiniers, ces vieux gardiens de musée qui veulent faire comme les camarades et qui se mettent à donner dans l'industrie à tour de bras. DRIEU LA ROCHELLE, la Comédie de Charleroi, p. 279.

Se laisser aller à. ⇒ **Adonner** (s'), **livrer** (se), **plaire** (se). *Donner dans un défaut, dans le ridicule. Donner dans la dévotion, dans la préciosité, dans le rigorisme.* Fam. *Il donne en plein, à fond dans... :* il s'y porte avec une ardeur passionnée, inconsidérée, irréfléchie.

64 (...) tout le monde donne là dedans aujourd'hui; on ne court plus qu'à cela (...) MOLIÈRE, Critique de l'École des femmes, 6.

65 Moréas donne un peu lui aussi dans ce travers, qui est celui des trois quarts de littérateurs ou d'intellectuels d'aujourd'hui. GIDE, Journal, avr. 1906.

Fam. *Il donne dans tout ce qu'on veut lui faire croire,* il y croit naïvement. ⇒ **Croire.**

♦ **3.** Attaquer, charger, combattre, engager. *L'armée va donner* (→ Attendre, cit. 40). *Donner avec impétuosité. Les renforts n'ont pas encore donné.*

66 Avant de prendre Ulm, nous eûmes à livrer quelques combats où la cavalerie donna singulièrement. BALZAC, le Médecin de campagne, Pl., t. VIII, p. 526.

(Factitif). Plus cour. *Faire donner l'infanterie, les blindés.* Loc. *Faire donner l'artillerie*.*

67 La garde, espoir suprême et suprême pensée!
« Allons! faites donner la garde! » cria-t-il (...)
HUGO, les Châtiments, XIII, « Expiation », 2.

(Chasse). *Faire donner les chiens* (→ ci-dessus, la construction transitive : *donner les chiens,* après la cit. 52).

♦ **4.** (Sujet n. de chose). DONNER SUR... : être exposé, situé; avoir vue, accès sur... *Porte qui donne sur la rue, sur un jardin. La maison donne sur la mer.*

68 J'avais moi-même choisi avec amour, à Compiègne, une chambre dont les fenêtres donnaient sur la forêt. A. MAUROIS, Terre promise, p. 259.

♦ **5.** Vx. Faire entendre un son.

Loc. mod. (avec *de*). *Donner de la voix. Les chiens donnent de la voix*.*

♦ **6.** S'allonger, se distendre (en parlant d'un cordage, d'un tissu). *Cette toile donne à l'usage.* ⇒ **Prêter.**

♦ **7.** Loc. Mar. *Donner de la bande** (en parlant d'un navire). ⇒ **Gîter.**

69 Comme le bâtiment donnait de la bande à bâbord, sa paroi se penchait sur nous, menaçante, et d'une hauteur qui me parut extraordinaire, dans l'ombre. H. BOSCO, Un rameau de la nuit, p. 55.

▶ **SE DONNER** v. pron.

♦ **1.** (Réfl.). Faire don de soi-même. ⇒ **Attacher** (s'), **consacrer** (se), **dévouer** (se), **livrer** (se), **vouer** (se). *Se donner à sa patrie, à une cause, à un idéal.* ⇒ **Sacrifier** (se). *Se donner au travail, à l'étude.* ⇒ **Adonner** (s'). *Se donner tout entier à son œuvre. « Cœur qui se donne tout entier »* (Académie). *Se donner corps et âme* (⇒ **Aimer,** cit. 36).

70 Partout même habitude de se donner corps et âme, même besoin de se dévouer, même désir de porter et d'exercer quelque part l'art de bien souffrir et de bien mourir. A. DE VIGNY, Servitude et Grandeur militaires, III, 1, p. 175.

71 Celui qui se donne sans mesure, celui-là possède. André SUARÈS, Trois hommes, « Dostoïevski », V, p. 270.

72 La vie de l'homme contemporain consiste à se fuir et à se donner à tout, sauf à soi. Edmond JALOUX, le Dernier Jour de la création, XI, p. 131.

On se donne en donnant. Marcel MAUSS, Essai sur le don, II, 2, 3. 72.1

Nous aurons à redire, en considérant les valeurs spirituelles de l'homme, que celles où il s'accomplit sont celles de charité. C'est au moment où il s'oublie le plus, pour se donner à autrui, que mystérieusement se réfléchit sur lui la vertu de cet abandon, et qu'il se retrouve davantage. DANIEL-ROPS, Ce qui meurt et ce qui naît, II, p. 80. 73

Elle se donnait à tous, elle s'oubliait, elle oubliait qu'elle était juive, qu'elle était elle-même persécutée, elle s'évadait dans une grande charité impersonnelle (...) SARTRE, la Mort dans l'âme, p. 24. 74

Vieilli. *Se donner à un maître, à un chef.*

*Se donner en spectacle** (cit. 2 et *supra*).

Spécialt (en parlant d'une femme; sans compl. ind.). Permettre à un homme d'avoir des relations sexuelles avec soi. → Accorder ses faveurs*. *Se donner pour de l'argent.* ⇒ **Prostituer** (se). — REM. *Se donner* est un euphémisme, dans ce cas.

Redevenue libre et comtesse, Madame de Lorsange reprit ses anciennes habitudes; mais se croyant quelque chose dans le monde, elle mit à sa conduite un peu moins d'indécence. Ce n'était plus une fille entretenue, c'était une riche veuve qui donnait de jolis soupers (...) femme décente en un mot et qui néanmoins couchait pour deux cens louis, et se donnait pour cinq cens par mois. SADE, Justine..., t. I, p. 16 (1791). 74.1

J'ai vu que la plupart des hommes pressent de se donner la femme qui les aime; et j'ai toujours fait le contraire, non par calcul, mais par un sentiment naturel. A. DE MUSSET, la Confession d'un enfant du siècle, III, 10. 75

Peut-être dans l'enchevêtrement de ses mauvais instincts et de ses bonnes mœurs, de sa courtisanerie et de sa vertu, croyait-elle que « la possession » n'était pas un mal, car elle en plaisantait souvent et disait souvent qu'elle se donnerait pour faire plaisir, tandis que ses manières habituellement démentaient cela, puisque pour faire plaisir elle ne pouvait pas aller jusqu'à prêter sa main à la main autrefois sans désir de Jean qui voulait la garder, défendait le baiser le plus chaste (...) PROUST, Jean Santeuil, Pl., p. 840. 75.1

L'homme prend et rejette; la femme se donne, et on ne reprend pas, ou on reprend mal, ce qu'on a une fois donné. MONTHERLANT, les Jeunes Filles, p. 173. 76

Il y a même celles qui se donneraient comme on achète un billet de loterie : « Je n'ai peut-être qu'une chance sur dix pour qu'il m'épouse. Mais je risque. » J. ROMAINS, les Hommes de bonne volonté, t. IV, XV, p. 162. 77

♦ **2.** (Passif). Être donné. *Cela ne se vend pas, cela se donne.*

(En parlant d'un spectacle). Avoir lieu, être représenté. *« L'Avare » se donne à la Comédie-Française ce soir. Le Fellini qui se donne au cinéma.*

♦ **3.** (Réfl. indirect). Donner à soi-même. ⇒ **Prendre.** *Se donner un chef, un maître. Se donner des chaînes* (cit. 11). *Le pays s'est donné un nouveau président.* — *Se donner de l'air, des vacances. Se donner du temps* (→ Bagatelle, cit. 15). *Il s'est donné deux ans pour réussir.* ⇒ **Accorder** (s'). *Se donner un but à atteindre.* ⇒ **Assigner** (s'). *Se donner une parole* à soi-même. Se donner du mal, bien du mal pour... Se donner du tourment, de la peine*.* ⇒ **Décarcasser** (se), **dépenser** (se); → Brillant, cit. 12. *Donnez-vous la peine d'entrer, de vous asseoir...*

S'accorder, se donner du bon temps, du plaisir, de l'agrément : s'amuser.

Ah çà! il n'y a donc personne?... voyons si à l'étude... *(Il frappe à la porte sur laquelle on lit : ÉTUDE.)* Fermée! ... eh bien, il se donne du bon temps maître Bourgillon. E. LABICHE, Un monsieur qui a brûlé une dame, 1. 77.1

S'en donner à cœur joie (⇒ **Cœur,** *supra* cit. 60). Absolt. *S'en donner :* se divertir sans arrière-pensée. *Ils s'en sont donnés.*

Enfin le souper vint, bon ou mauvais; la Rappinière but tant qu'il s'enivra et la Rancune s'en donna aussi jusques aux gardes. SCARRON, le Roman comique, I, IV, p. 11. 78

Se donner un coup (cit. 9). *Se donner un coup de pied dans la cheville.* — *Se donner la mort.* ⇒ **Suicider** (se).

Loc. fig. *Se donner les gants de qqch.* ⇒ **Gant.**

S'attribuer faussement. *Elle se donne vingt ans.* — *Se donner un aspect, une apparence, une contenance.* ⇒ **Affecter, afficher.** *C'est un air qu'elle se donne. Se donner un air gai, heureux* (→ Aptitude, cit. 9).

Mais c'est la mode maintenant d'être vertueux et chrétien, c'est une tournure qu'on se donne; on se pose en saint Jérôme, comme autrefois en don Juan : l'on est pâle et macéré, l'on porte les cheveux à l'apôtre, l'on marche les mains jointes et les yeux fichés en terre (...) Th. GAUTIER, Préface de Mlle de Maupin, éd. critique MATORÉ, p. 6. 79

♦ **4.** (Réfl.). SE DONNER POUR... : se faire passer pour. ⇒ **Passer, poser** (se poser en). *Se donner pour l'ami de qqn. Il se donne pour progressiste.*

(...) se vouloir donner pour ce qu'on n'est pas. MOLIÈRE, le Bourgeois gentilhomme, III, 12. 80

Je ne me vante pas excessivement en me donnant pour doué de plus de raison que la plupart de mes semblables (...) FRANCE, le Petit Pierre, XXXIII, p. 235. 81

♦ **5.** (Récipr.). ⇒ **Échanger, entre-donner** (s'). *Ils se donnèrent des coups, des baisers* (cit. 28).

Loc. fig. *Se donner le mot.* ⇒ **Mot.** *Ils se donnèrent le mot pour arriver en même temps.* ⇒ **Entendre** (s'). — *Ils se sont donné rendez-vous* à 5 heures.*

Se donner la main :* s'aider.

Se donner une maladie. ⇒ **Passer** (se), **transmettre** (se)...

82 On se donne des passions comme des maladies.
BARBEY D'AUREVILLY, les Diaboliques,
« Les dessous de cartes d'une partie de whist ».
Ils se donnaient du « Monsieur le Président ».

▶ **DONNÉ, ÉE** p. p. adj. et nom.

♦ **1.** Qui a été donné. *Propriété donnée en dot.* — Absolt. Prov. *À cheval donné on ne regarde pas la bride*.*

83 C'était une heure en dehors des heures, véritablement donnée et non marchandée comme les autres. Edmond JALOUX, le Dernier Jour de la création, XIII, p. 173.

(Introduisant un groupe nominal complément). *Donné : vingt francs au porteur.*

Offert à des invités, à un public (avec un compl. en *à...*). *Fête donnée au profit d'une bonne œuvre. Pièce donnée au théâtre municipal.* ⇒ **Présenté.**

84 LA COMTESSE D'ESCARBAGNAS, comédie (...) donnée au public (...) par la troupe du Roi.
MOLIÈRE, la Comtesse d'Escarbagnas (titre de l'édition de 1682).

♦ **2.** (Surtout en attribut). Vendu bon marché.

84.1 C'est vraiment de première qualité. Et si on vous disait le prix ... Non, mais dites un chiffre ... Elle hoche la tête, l'air appréciateur, étonné : « Ah ! ça en effet, c'est donné. ». N. SARRAUTE, le Planétarium, p. 48.

♦ **3.** Connu, déterminé, fixé. ⇒ **Donnée.** — Sc. *Nombres donnés dans l'énoncé d'un problème. Quantités, grandeurs données.* — Cour. *À une distance donnée, en un lieu donné, en un temps donné.* ⇒ **Certain** (→ Accélération, cit. 2). — Loc. *À un moment donné... :* soudain, tout à coup.

85 Qu'est-ce que la guerre ? un métier de barbares où tout l'art consiste à être le plus fort sur un point donné.
Ph.-P. SÉGUR, Hist. de Napoléon, VII, 8, *in* LITTRÉ, Dict., art. 1. *Donné, ée.*

86 De Taine à Nietzsche, de Renan à Marx, quelles que soient les doctrines que l'on considère, il n'en est pas qui admettent comme donné une fois pour toutes l'homme, tel qu'il est aujourd'hui. L'homme apparaît toujours susceptible d'être dépassé.
DANIEL-ROPS, Ce qui meurt et ce qui naît, v, p. 164.

♦ **4.** Loc. prép. (invar.). **ÉTANT DONNÉ :** eu égard à... *Étant donné les circonstances...* (cf. Les choses étant ce qu'elles sont). *Étant donné sa mauvaise volonté, nous nous passerons de lui.* — Littér. (avec accord). *Étant donnée la situation.* → ci-dessous, cit. 87, 89, 90.

87 Yves savait coudre (...) et c'était drôle de le voir se livrer à ce travail, étant donnés son aspect et sa tournure. LOTI, Mon frère Yves, XII, p. 54.

88 (...) je me suis demandé si, étant donné l'amitié qui nous lie (...) j'allais accomplir un acte de courage ou de lâcheté. J. RENARD, Journal, 5 déc. 1905.

89 Il existe un service de malle-poste qui franchit assez rapidement la chaîne des monts Ourals, mais, les circonstances étant données, ce service était désorganisé.
J. VERNE, Michel Strogoff, p. 119 (1876).

90 Étant données les circonstances présentes (...) on ne peut pas trop tenir compte du risque (...) A. DE SAINT-EXUPÉRY, Pilote de guerre, p. 15.

Loc. conj. **ÉTANT DONNÉ QUE** (avec l'indic.) : en considérant que, puisque. *Étant donné qu'il ne vient pas, nous pouvons partir.*

♦ **5.** N. m. *Le donné :* ce qui est immédiatement présenté à l'esprit (opposé à ce qui est construit, élaboré...). ⇒ **Donnée.**

91 Il faut faire comme eux *(les historiens) :* observer ce qui est donné. Or, le donné, c'est Rome, c'est Athènes, c'est le Français moyen, c'est le Mélanésien de telle ou telle île, et non pas la prière et le droit en soi.
Marcel MAUSS, Essai sur le don, conclusion, III.

92 La politique dont le général de Gaulle nous donne le modèle, relève du concret. Elle se ramène à utiliser tout le donné, sans laisser intervenir et jouer nos antipathies, notre passion. F. MAURIAC, le Nouveau Bloc-notes 1958-1960, p. 118.

DONNÉE n. f. Voir à l'ordre alphabétique.

CONTR. Demander, réclamer, revendiquer. — Accepter, recevoir. — Avoir, conserver, épargner, garder. — Dénier, enlever, frustrer, ôter, prendre, priver, ravir, retirer, soustraire, spolier, voler.

DÉR. Donnable, donnant, donne, donnée, donneur.

COMP. Adonner, entre-donner (s'), pardonner, redonner.

DONNEUR, EUSE [dɔnœʀ, øz] n. et adj. — Déb. XIIe ; de *donner.*

★ **I.** (Personnes). ♦ **1.** *Donneur, donneuse de,* personne qui donne. ⇒ **Donateur.** *Un donneur, une donneuse d'avis, de conseils.* ⇒ **Conseiller.** *Donneur de compliments,* (fig.) *d'eau bénite.*

1 Voilà de mes donneurs de conseils à la mode. MOLIÈRE, l'Amour médecin, I, 1.
2 Pour fermer la bouche une fois pour toutes à ces ineptes donneurs d'avis (...)
ROUSSEAU, les Confessions, XII.
3 Pour l'arracher à ces donneuses d'éducation (...) ROUSSEAU, Émile, IV.

Comm. *Donneur d'ordre, d'aval*, de caution.*

♦ **2.** Adj. (en attribut). Qui donne volontiers.

3.1 Elle reste très donneuse. Autrefois, c'était par charité, puis, ce fut par orgueil. Maintenant, c'est par humilité, pour qu'on la supporte, car elle a peur de la solitude. J. RENARD, Journal, 23 juil. 1903.

♦ **3.** N. m. Spécialt. **DONNEUR DE SANG* :** personne qui donne son sang en vue d'une transfusion. Absolt. *Un donneur. Le groupe sanguin d'un donneur. Donneur universel.*

4 Nous avions demandé un donneur de sang et c'est une frêle jeune fille qui s'est présentée devant nous. Elle est classée dans la catégorie des donneurs universels (...) G. DUHAMEL, Récits des temps de guerre, III, VIII, p. 310.

(1968). Méd. Personne qui fait don d'un fragment de tissu, d'un organe, en vue de son utilisation thérapeutique ou d'une transplantation (opposé à *receveur*).

♦ **4.** (1901). Absolt. Argot, puis fam. Personne qui donne qqn à la police ⇒ **Donner,** I., C., 3. ; et aussi **Dénonciateur, indicateur.**

5 (...) malheur aux donneurs avec elle (...) Elle les sent et elle est terrible (...)
Francis CARCO, Jésus-la-Caille, III, IV, p. 180.
6 Laisse-moi tendre mes bras du côté des fermiers, je veux les tenir au courant. Donneuse, ne recommence pas, ne pleure pas du sang, des caillots, des regrets avec ton visage contre le mien, ce qui est fait est fait.
Violette LEDUC, la Folie en tête, p. 30.

Au fém., en parlant d'un homme. *C'est une donneuse* (→ 2. Salope, 4.).

7 Lui-même avait-il trahi, vendu ses amis ? Son intimité avec un inspecteur de la P. J. m'avait fait craindre — et espérer — qu'il soit une donneuse.
Jean GENET, Journal du voleur, p. 243.

♦ **5.** N. m. Spécialt. Personne qui fait la donne*, aux cartes.

★ **II.** Adj. et n. (Choses). (Ce) qui « donne », envoie, émet, produit (opposé à *recepteur*). « *Le bore présente une nette tendance à la tétravalence par fixation d'un atome donneur...* » (J.-F. Théry, *les Carburants nouveaux,* p. 34).

CONTR. Donataire.

DONOVANOSE [dɔnɔvanoz] n. f. — V. 1960 ; de *donovania,* nom d'un microorganisme, de *Donovan,* nom d'un biologiste, et *-ose.*

♦ Méd. Maladie vénérienne chronique provoquée par un bacille *(Donovania),* répandue surtout dans les régions chaudes et humides et caractérisée par des ulcérations bourgeonnantes des organes génitaux et des ganglions voisins (syn. : *granulome inguinal*).

DONQUE, DONQUES [dɔ̃k] conj. ⇒ **Donc.**

DON QUICHOTTE [dɔ̃kiʃɔt] n. m. — 1795, cit. 1 ; *comme un don Quichotte,* 1631, Saint-Amant ; nom du héros d'un roman de Cervantès (1547-1616).

♦ Homme généreux et chimérique qui se pose en redresseur de torts, en défenseur des opprimés. *Des dons Quichottes* ou *des don Quichottes. Jouer les don(s) Quichottes.*

1 Les Don-Quichottes de la royauté, en combattant pour elle, s'y sont pris avec quelqu'adresse pour donner le change aux farouches républicains.
BABEUF, *in* le Tribun du peuple, n° 34, 6 nov., p. 121 (1795), *in* D.D.L., II, 7.
2 Je dois vivre, absolument, pour combattre leur influence. Ah ! Don Quichotte, tu ne vas pas recommencer ? Personne n'a vraiment besoin de toi. Les hommes préfèrent le mensonge tiède à la vérité qui brûle.
Pierre MOUSTIERS, la Mort du pantin, p. 263.

DÉR. Donquichottesque, donquichottisme.

DONQUICHOTTESQUE [dɔ̃kiʃɔtɛsk] adj. — 1902 ; *don quichottesque,* 1887, Laforgue ; de *don Quichotte.*

♦ Relatif à don Quichotte. *Aventures donquichottesques.* Qui évoque la personnalité, les caractères de don Quichotte. *Comportement, aspect donquichottesque.*

(...) je pouvais toujours les voir devant nous se silhouettant en sombre (formes donquichottesques décharnées par la lumière qui mordait, corrodait les contours), indélébiles sur le fond de soleil aveuglant (...)
Claude SIMON, la Route des Flandres, p. 20 (1960).

DONQUICHOTTISME ou **DON-QUICHOTTISME** [dɔ̃kiʃɔtism] n. m. — 1789 ; *Don-Quichotisme,* 1738, *in* D.D.L. ; de *don Quichotte.*

♦ Disposition à faire le don Quichotte* ; caractère, comportement d'un don Quichotte.

Ivan ne dit pas qu'il n'y a pas de vérité. Il dit que, s'il y a une vérité, elle ne peut qu'être inacceptable. Pourquoi ? Parce qu'elle est injuste. La lutte de la justice contre la vérité est ouverte ici pour la première fois ; elle n'aura plus de cesse. Ivan, solitaire, donc moraliste, se suffira d'une sorte de donquichottisme métaphysique. CAMUS, l'Homme révolté, II, *in* Essais, Pl., p. 466.

DONT [dɔ̃] pron. — Xe ; du lat. pop. *de unde,* renforcement de *unde* « d'où ».
Pronom relatif des deux genres et des deux nombres servant à relier une proposition correspondant à un complément introduit par *de.* ⇒ **Lequel** (duquel), **qui** (de qui). *Dont représente une personne ou une chose.*

★ **I.** (Exprimant le compl. du verbe).

♦ **1.** Avec le sens adverbial de *d'où*,* marquant la provenance, l'extraction, l'éloignement. *La chambre dont je sors. Les mines dont on extrait la houille.* — REM. Cet emploi, condamné par Vaugelas et par les grammairiens en général était en usage chez les meilleurs écrivains classiques, et l'est encore assez souvent chez les modernes avec les verbes appelant la préposition *de* (cf. les exemples cités par Littré et par Grevisse, *le Bon Usage,* n° 562).

1 Pour représenter *de* et son complément, on se sert de *en* et de *dont* : *j'en arrive ; la maison dont je sors,* **d'où** *je sors. Dont* et *d'où* avaient la même prononciation en ancien français. Il faut arriver jusqu'à Vaugelas pour qu'on les distingue (...) Encore Racine écrit-il toujours : *Ménélas trouve sa femme en Égypte,* **dont** *elle n'était point partie* (Andr., 2e préf.). Et Molière : *en se retournant du côté* **dont** *il sort* (Av., 5, 2). F. BRUNOT, la Pensée et la Langue, XI, B, III, p. 432.

2 *(Il)* s'installa, non sans protestations, dans la chambre dont Justin se retirait (...) G. DUHAMEL, Chronique des Pasquier, V, VI, p. 88.

REM. *Dont* ne peut s'employer quand le compl. du verbe n'est pas dans un rapport d'appartenance avec l'antécédent. *Fenêtre d'où l'on aper- çoit la mer* (et non : *fenêtre dont on aperçoit la mer*).

Fig. Pour marquer l'origine, la descendance. *La famille dont je descends* (Académie). *La classe sociale dont il est issu.*

3 On tient toujours du lieu dont on vient. LA FONTAINE, Fables, IX, VII.
4 Rentre dans le néant dont je t'ai fait sortir. RACINE, Bajazet, II, 1.
5 La famille distinguée dont il sortait (...) PROUST, Du côté de chez Swann, I, éd. La Gerbe, p. 292.

♦ **2.** (Moyen, instrument, agent, manière). Avec, par lequel (laquelle)... *Les armes dont ils sont pourvus.* ⇒ **Avec** (avec lesquel- les). *Le coup dont il fut frappé* (Académie). ⇒ **Par** (par lequel). *La maladie dont il est menacé. Les maux dont il a souffert. Les gar- des dont il s'entoure. La manière dont elle est habillée.*

6 Et quelle âme, dis-moi, ne serait éperdue
Du coup dont ma raison vient d'être confondue ? RACINE, Andromaque, III, 1.
7 (...) Virginie (...) cueillit sur le tronc d'un vieux arbre (...) de longues feuilles de scolopendre (...) elle en fit des espèces de brodequins dont elle s'entoura les pieds (...) BERNARDIN DE SAINT-PIERRE, Paul et Virginie, p. 37.

REM. *Dont* ne s'emploie plus là où certains verbes de la langue classi- que appelaient la préposition *de* qu'ils ne gouvernent plus aujourd'hui. *Le collier dont je suis attaché* (La Fontaine) est vieux. On dirait à pré- sent *avec lequel, au moyen duquel, par lequel.*

★ **II.** (Exprimant le compl. de nom).

♦ **1.** Possession, qualité, matière (compl. d'un nom ou d'un pronom). *Une plante dont les fleurs durent un jour. C'est l'enfant dont les parents sont morts. La maison dont on aperçoit la façade. Un pays dont le climat est agréable. Un manteau dont l'étoffe est chaude. Collection dont les livres sont reliés. Une personne dont la discré- tion est éprouvée.*

8 Et c'est cette vertu, si nouvelle à la cour,
Dont la persévérance irrite mon amour. RACINE, Britannicus, II, 2.
9 (...) exact imitateur des anciens, dont il *(Racine)* a suivi scrupuleusement la net- teté et la simplicité de l'action (...) LA BRUYÈRE, les Caractères, I, 54.
10 (...) elle dont la susceptibilité de paysanne fière se blessait d'un regard. ZOLA, la Terre, p. 55.
11 Ce corps dont tous les contours sont doux, dont toutes les courbes séduisent, dont toutes les molles saillies troublent le cœur, semble fait pour l'immobilité du lit. MAUPASSANT, les Sœurs Rondoli, II, p. 46.
11.1 (...) les hautes façades grises, dont ils *(les flocons)* empêchent de bien distinguer la disposition, l'alignement des toits, la situation des ouvertures. A. ROBBE-GRILLET, Dans le labyrinthe, p. 15.

♦ **2.** Partie d'un tout (compl. d'une expression partitive).

(Compl. d'un n. de nombre ou d'un indéf. numéral sujet). *Des livres dont trois sont reliés ; dont une dizaine m'appartient. Des amis dont quelques-uns sont morts.*

(Compl. d'un n. de nombre ou d'un indéf. numéral compl. d'objet dir.). *Des livres dont j'ai gardé une dizaine. Plusieurs amis dont j'ai invité quelques-uns.* — REM. La tournure *Plusieurs amis dont j'en ai invité quelques-uns* était courante dans la langue classique. Elle est inusitée aujourd'hui, et passerait pour fautive.

12 L'ouvrage (...) est divisé en deux parties (...) Chacune se partage en différentes subdivisions, dont j'ommettrai quelques-unes (...) BAUDELAIRE, les Paradis artificiels, Un mangeur d'opium, I.
13 Un groupe de quarante jeunes drôles dont je blessai deux ou trois. Léon BLOY, le Désespéré, p. 42.
14 Ceci n'ira pas sans de terribles conséquences, dont nous ne connaissons encore que quelques-unes. CAMUS, l'Homme révolté, p. 42.

(Amenant une proposition sans verbe). *C'est un long texte dont voici l'essentiel. Une série de films médiocres dont deux tout à fait mau- vais. Quelques-uns étaient là, dont votre père.* ⇒ **Parmi** (parmi les- quels).

15 La nouvelle compagnie compta 27 membres, auxquels furent adjoints bientôt sept autres, dont Balzac, Voiture et Vaugelas. Gustave LANSON, Hist. de la littérature franç., p. 406.
16 Deux personnes attendent, dont Marcel Boulenger. J. ROMAINS, les Hommes de bonne volonté, t. III, in GREVISSE.

REM. 1. Emplois considérés comme fautifs. — Comportant dans la pro- position subordonnée un adjectif se rapportant à l'antécédent de *dont.* Ex. : *L'homme dont sa voiture vient de s'arrêter* (il faut dire : *l'homme dont la voiture vient de s'arrêter). Cet enfant dont la régularité de son travail est appréciée* (il faut dire : *Cet enfant dont la régularité du tra- vail est appréciée).* Ce dernier emploi se trouve chez quelques grands écrivains, et bénéficie de la tolérance de quelques grammairiens (cf. Grevisse, *le Bon Usage,* nos 559 et 560).

17 Le possessif ne doit pas faire pléonasme avec un **dont** qui représente le même nom que lui. C'est pourquoi j'ai relevé et critiqué dans *Pour un meilleur français,* cette phrase du «Monde» : *Affaire de tempérament, et aussi susceptibilité d'un peuple dont le sort de son empire demeure suspendu aux décisions des chefs alliés,* et d'autres phrases analogues. J'ai vu depuis que Maurice Grevisse, dans *Le bon*

usage, justifie ce genre de constructions (...) Quelque estime que j'aie pour le solide travail et l'autorité grammaticale de Maurice Grevisse, je maintiens ma posi- tion. René GEORGIN, Difficultés et finesses de notre langue, p. 171.

Avec un pron. pers. dans la subordonnée. Ex. : *L'enfant dont les parents l'ont amené* (il faut dire : *L'enfant que ses parents ont amené*).

(Dépendant d'un compl. introduit par une préposition). *L'homme dont je compte sur l'aide.* Il faut dire : *L'homme sur l'aide duquel* (ou *de qui) je compte.*

2. *Dont* est possible quand il dépend à la fois du sujet de la subor- donnée et de son complément (cf. Grevisse, *le Bon Usage,* no 560, Rem. 1.).

18 L'autre, dont les cheveux flottent sur les épaules (...) FRANCE, Pierre Nozière, III, II, p. 187.
19 (...) ces hommes (...) dont les vingt-cinq d'uniforme sont collés à la peau (...) MARTIN DU GARD, Jean Barois, II, La tourmente, IV, p. 316.

(Faute populaire reprise par plais.). *Dont auquel... :* dont.

19.1 Eh ben, mon garçon, qui m'dit. C'est-il une personne dont auquel qu'on peut dire c'est bien ? Henri MONNIER, Scènes populaires, « La victime du corridor », 1, t. I, p. 253.

★ **III.** Exprimant l'objet. — (L'objet du verbe). *L'homme dont je parle. Une histoire dont il ne se souvient pas. L'affaire dont il est question.* — (Le compl. d'un adjectif). *Le malheur dont vous êtes res- ponsable. Un élève dont les professeurs sont satisfaits.*

20 Je serais le premier dont on serait jaloux (...) CORNEILLE, Sertorius, IV, 3.
21 Comme la force est un point
Dont je ne me pique point (...) LA FONTAINE, Fables, V, 1.
22 Il a (...) une application dont je suis content (...) LA BRUYÈRE, Lettre à Condé.
23 Je m'ingéniais à leur rendre les soins dont elles feignaient ou de ne pas s'aperce- voir ou d'être obsédées. FRANCE, le Petit Pierre, XIII, p. 80.

★ **IV.** Spécialt. (Amenant une subordonnée relative suivie d'une con- jonctive). *Cet homme dont je sais qu'il a été marié.* ⇒ **Sujet** (au sujet duquel). — REM. Cette construction est lourde quoique grammati- calement correcte.

24 Un luxe, dont j'imagine aujourd'hui qu'il devait être affreux (...) F. MAURIAC, in HANSE, p. 258.

(Avec, pour antécédent, un neutre, un indéfini). ⇒ **Quoi** (de quoi). *Il n'y a rien dont il s'étonne. C'est ce dont il s'agit. Donnez-lui ce dont il a besoin. Voilà ce dont il est responsable. Notre ami n'a pas été invité, ce dont il est mortifié.*

25 (...) il ne comprenait absolument rien à ce dont on parlait. STENDHAL, le Rouge et le Noir, II, IV, p. 254.

REM. Au XVIIe s., l'ellipse de *ce* devant *dont* était courante : *La d'Ora- dour n'en est pas, dont elle est tout à fait mortifiée* (Mme de Sévigné, V, 125). Cette construction est sortie de l'usage.

HOM. Dom, 1. don, 2. don.

DONZELLE [dɔ̃zɛl] n. f. — V. 1130 ; anc. provençal *donzela,* du lat. pop. **domnicella,* dimin. de *domina* «maîtresse», fém. de *dominus.* → Demoiselle.

♦ **1.** Vx ou par plais. Demoiselle ; jeune fille (jusqu'au XVIIe siècle).

0.1 À vous dire vrai, reprit-il, je ne sais pas si elle le fait, n'ayant jamais essayé moi- même, j'ai trop de goût pour faire entrer ici des donzelles aux seins mous. J. GIONO, Naissance de l'Odyssée, Pl., t. I, p. 46.

♦ **2.** (XVIIIe). Mod. Jeune fille ou femme prétentieuse et ridicule.

1 L'air précieux n'a pas seulement infecté Paris, il s'est aussi répandu dans les pro- vinces, et nos donzelles ridicules en ont humé leur bonne part. MOLIÈRE, les Précieuses ridicules, 1.

♦ **3.** Vx et fam. Fille ou femme de mœurs légères.

2 Tu vas chez les *donzelles.* Eh bien, suppose que j'en suis une (...) Paul DE MUSSET, cité par Émile HENRIOT, les Romantiques, p. 187.

DOPAGE [dɔpaʒ] n. m. — 1921, in Höfler ; de *doper.*

♦ **1.** Action de doper* (1.) ou de se doper (dans l'intention d'un effort à fournir : physique, intellectuel). ⇒ **Doping** (anglic.). *Produit de dopage.* ⇒ **Dopant, excitant, stimulant.** *Le dopage d'un cheval de course. Dopage d'un étudiant à l'approche d'un concours, d'un coureur cycliste dans une étape de montagne. Le dopage des cou- reurs* (hommes, chevaux) *est interdit* (⇒ **Antidopage**) *et ne se pra- tique que clandestinement.*

1 Il y a une affreuse parodie du *jump,* c'est le dopage : doper le coureur est aussi criminel, aussi sacrilège que de vouloir imiter Dieu ; c'est voler à Dieu le privilège de l'étincelle. Dieu d'ailleurs sait alors se venger : le pauvre Malléjac le sait, qu'un doping provoquant a conduit aux portes de la folie (punition des voleurs de feu). R. BARTHES, Mythologies, p. 114.

♦ **2.** (1962). Techn. Action de doper (2.) ; son résultat. — Spécialt. Action d'ajouter une impureté à un semi-conducteur pour modifier ses propriétés de conduction.

2 C'est à ce stade qu'intervient la véritable découverte, en 1978, du Japonais Shira- kawa et des Américains du laboratoire de Heeger et Mac Diarmid à l'université de Pennsylvanie aux États-Unis. Par addition intentionnelle de certaines impure-

tés, opération couramment appelée "dopage", la conductivité électrique est multipliée un million de millions de fois.

la Recherche, oct. 1981, p. 1132 (volume 12).

CONTR. et COMP. (Du sens 1.) **Antidopage.**

DOPAMINE [dɔpamin] n. f. — Après 1960 ; de *dopa*, abrév. de *dioxyphénylalanine*, et *-amine*.

♦ Biochim. Aminophénol, de formule $C_8H_{11}NO_2$, servant de neurotransmetteur entre deux neurones. «*Dans les années 1960, les neurobiologistes avaient recensé sept ou huit molécules assurant ou pouvant assurer le rôle de neurotransmetteurs dans différentes régions du système nerveux. Il s'agissait de petites molécules (poids moléculaire environ 200) : des amines telles que l'acétylcholine, la noradrénaline, la dopamine, la sérotonine, ou des acides aminés (...)*» (*la Recherche*, mai 1981, p. 558). «*La dopamine, une substance qui sert à transmettre des informations indispensables au bon fonctionnement de certaines structures cérébrales assurant la synchronisation de la démarche et l'équilibre*» (*l'Express*, 18 nov. 1983, p. 160).

DOPANT, ANTE [dɔpɑ̃, ɑ̃t] adj. et n. — 1952 ; p. prés. de *doper*.

★ **I.** Qui dope (1., 2.). *Sportif convaincu d'avoir usé de substances dopantes. Ajouter un produit dopant à un carburant.*

★ **II.** N. m. ♦ **1.** Substance chimique propre à doper, à dissiper (momentanément) la fatigue. ⇒ **Antifatigue ; doping, excitant, stimulant.** *Effet prompt et artificiel des dopants. Coureur cycliste qui prend un dopant pour soutenir un effort. Les stéroïdes anabolisants* sont des dopants.*

♦ **2.** Techn. Substance dont l'addition en faible quantité modifie ou renforce les propriétés d'un matériau, d'un corps. «*Pour faire du carbure de silicium un semi-conducteur, on lui ajoute des dopants : aluminium ou azote*» (*l'Usine nouvelle*, 1971, in *la Clé des mots*). ⇒ **Additif.**

DOPE [dɔp] n. m. et f. — 1943, in Höfler ; mot angl., de *to dope*. → Doper.

Anglicisme.

♦ **1.** N. m. Techn. Substance additive pour «doper» un produit pétrolier. — Substance améliorant l'adhésivité d'un matériau de revêtement routier. — REM. Cet anglicisme fait double emploi avec *dopant* ;* il est donc doublement à proscrire.

♦ **2.** N. f. Fam. Drogue. «*C'est l'histoire d'un VRP dont le fiston noie un chagrin d'amour dans la dope que lui procurent quelques voyous de service*» (*Libération*, 8 déc. 1983). «*Très simple*, répond Michel, *un jeune polio de Nancy. Je suis malade depuis quinze ans et je viens à Lourdes depuis dix ans. L'eau n'est qu'un prétexte. En fait, je viens me ressourcer. Recharger les batteries, pour tenir le coup. La foi, c'est une dope.*» (*le Nouvel Obs.*, 12 août 1983, p. 23).

DOPER [dɔpe] v. tr. — 1903, in Petiot ; angl. *to dope* «faire prendre un excitant».

Anglicisme.

♦ **1.** Administrer un stimulant à... *Doper un cheval de course.* — Par ext. *Doper qqn*, lui faire prendre un excitant. ⇒ **1. Droguer** (→ Dopage, cit. 1). — (1921). Pron. Prendre un excitant. *Se doper avant un examen, une course.*

(1953). Fig. Augmenter la puissance, la qualité, le rendement de (qqch.). ⇒ **Stimuler.**

1 (...) malgré mes soins personnels (...) malgré le crottin (...) malgré les restants de vinaigrette dont nous dopions la sève, je n'ai pu provoquer cette joie de vivre qui fait le géranium arborescent, multiflore, capiteux et rutilant à certaines fenêtres (...)
Jacques PERRET, Bâtons dans les roues, p. 39.

2 Oui, quel homme raisonnable ne m'accordera que l'exclusion de la Chine humiliée, offensée, et formidablement dopée par le marxisme, constitue un crime contre l'humanité tout entière ?
F. MAURIAC, le Nouveau Bloc-notes 1958-1960, p. 380.

♦ **2.** (1943, in Höfler). Techn. Ajouter une substance à (un produit) pour améliorer les qualités. ⇒ **Dopant.**

▶ **DOPÉ, ÉE** p. p. adj. *Cheval, coureur dopé.* — Techn. *Produit dopé.*

3 Ce sauvage n'avait jamais paru à la Cour. Il entra dans la capitale, comme un furieux, sur un cheval dangereux et qui paraissait dopé.
Henri MICHAUX, Ailleurs, p. 157.

DÉR. **Dopage, dopant.**

DOPING [dɔpiŋ] n. m. — 1900, in Höfler ; mot angl., p. prés. de *to dope*. → Doper.

Anglicisme.

♦ **1.** Se dit de l'emploi de certains excitants (⇒ **Dopage**) et de ces excitants eux-mêmes (⇒ **Dopant ;** → Dopage, cit. 1). *Administrer, prendre un doping.*

(...) les sociétés prennent des garanties contre le *doping*. En effet, à Paris, le cheval gagnant et les chevaux placés de chaque course subissent des prélèvements de salive qui font l'objet d'analyses contradictoires.
Pierre ARNOULT, les Courses de chevaux, p. 85.

♦ **2.** (V. 1965). Fig. Moyen artificiel qui donne à qqn une force provisoire et souvent illusoire.

REM. Dans tous ses emplois, cet anglic. peut être remplacé par *dopage*.

DORADE [dɔRad] n. f. ⇒ **Daurade.**

DORAGE [dɔRaʒ] n. m. — 1752 ; de *dorer*.

♦ Action de dorer ; son résultat. ⇒ **Dorure** (2.).

DORCADE [dɔRkad] n. f. — 1548, Rabelais, *Quart Livre* ; grec *dorkas, dorkados* «gazelle».

♦ Zool. Antilope d'Afrique du Nord et d'Arabie, à longues pattes, à pelage gris et blanc, à cornes en lyre.

(...) Et des ruisseaux furtifs où boivent les dorcades.
MORÉAS, Cantilènes, 1886, p. 140, in T. L. F.

DORÉ, ÉE [dɔRe] adj. et n. — 1080 ; p. p. de *dorer*.

★ **I.** Adj. ♦ **1.** Qui est recouvert d'une mince couche d'or, et, par ext., d'une substance imitant l'or. *Tranche dorée d'un livre. Argent doré.* ⇒ **Vermeil.** *Cadre* (cit. 3) *doré. Lettres dorées* (→ Caractère, cit. 1). *Clous dorés* (→ Cage, cit. 4). *Sculpture dorée* (→ Acanthe, cit. 2). *Habits aux parements dorés* (→ Attifer, cit. 2). *Boutons dorés d'un uniforme :* boutons recouverts d'or ou boutons d'un métal jaune. *Cuirs dorés* (→ Or, cit. 26).

1 (...) avoir une perruque blonde et bien frisée, des plumes à votre chapeau, un habit bien doré (...)
MOLIÈRE, Dom Juan, I, 2.

Loc. **DORÉ SUR TRANCHE,** se dit d'un livre dont la tranche* est passée à l'or. — Fig. Couvert de dorures ; luxueux et ostentatoire. *Une vie dorée sur tranches* (var. : *doré sur toutes les coutures*).

1.1 (...) j'avais conscience, dans ce bureau banal entouré de gloire et de famine, que la force énigmatique qui transformait les commissaires du peuple vêtus de cuir, en maréchaux dorés sur tranches, dépassait de loin les misérables profits des vainqueurs (...)
MALRAUX, Antimémoires, Folio, 1972, p. 206.

N. m. (souvent iron.). *Le doré d'un cadre. Bijouterie en doré* (⇒ **Dorure**). *C'est tout plein de doré partout.*

Prov. Vx. *À vieille mule, frein* doré.*

Vx. Rempli d'or. Loc. mod. *Bonne renommée vaut mieux que ceinture* dorée.*

REM. Dans l'usage actuel, *doré* signifie plutôt «couvert d'une substance imitant l'or» (ex. : *papier doré, cigarette à bout doré*). Pour désigner une véritable dorure, on précisera *doré à l'or fin* ou on dira *couvert d'or*, sauf dans quelques contextes concernant des réalités où l'or est employé normalement.

♦ **2.** Qui a l'éclat, la couleur jaune cuivrée de l'or. ⇒ **Ambré, mordoré ; brillant.** *Moissons dorées ; feuillages jaunes et dorés* (→ Acacia, cit. 1 ; créneau, cit. 1 ; crosse, cit. 4). *Fruit doré* (→ Brugnon, cit.). *Lumière douce, chaude et dorée* (→ Bleu, cit. 11 ; combe, cit. 2). *Teinte dorée. Vin clair et doré* (→ Cidre, cit. 2). *Cheveux d'un blond* doré.* — *Peau dorée.* ⇒ **Bronzé, bruni, cuivré** (→ Blancheur, cit. 2 ; cerise, cit. 4).

2 Ses cheveux étaient dorés, et ne l'étaient pas seuls ; car si ses joues étaient roses et ses yeux bleus, c'était comme le ciel encore empourpré du matin où partout pointe et brille l'or.
PROUST, À la recherche du temps perdu, t. III, p. 168.

3 (...) goûte le matin de septembre, rouge et doré comme une pêche de vigne, va sans crainte jusqu'au fond du bois (...)
COLETTE, la Paix chez les bêtes, La chienne jalouse, p. 9.

N. m. *Le doré et l'argenté. Le doré de ses cheveux.* ⇒ **Or** (fig.).

(Syntagmes désignant des espèces vivantes). — (Animaux). *Carpes dorées. Carabe doré.* ⇒ **Carabe.** *Abeilles dorées* (→ Béer, cit. 11). *Faisan doré.* — (Plantes). *Cresson doré ; saxifrage doré.* ⇒ **Dorine.**

Spécialt. Couvert d'une couche de jaune d'œuf délayé avant d'être cuit au four. *Gâteau doré. Pâté doré.*

Cuis. (Régional). *Pain doré*, frit, au lait et aux œufs (syn. régional : *pain perdu, pain des anges*).

♦ **3.** Loc. fig. En or (fig.). *Langue dorée* (→ Bouche d'or*). *C'est une langue dorée ; il, elle à la langue dorée :* il, elle a la parole facile, fait preuve d'éloquence*.
Vers dorés : vers sentencieux, préceptes attribués à Pythagore.
La Légende dorée : histoire des saints écrite par Jacques de Voragine. Par anal. Légende, hagiographie.

4 L'histoire littéraire est tissue comme l'autre de légendes diversement dorées.
VALÉRY, Variété I, p. 74.

Siècle, âge doré, heureux. ⇒ **Or** (âge d'or).

♦ **4.** Fig. Qui a des couleurs gaies et brillantes. *Des rêves dorés.*

♦ 5. (Idée de richesse). **[a] LA JEUNESSE DORÉE** : les jeunes gens de la riche bourgeoisie, qui, après Thermidor, prirent part à la réaction contre la Terreur. — Mod. Jeunes gens riches, élégants, insouciants.

5 Les jeunes gens sont lâchés, et la mode s'en mêle. Cette *Jeunesse dorée*, sortant, toute vibrante, du spectacle, déchaîne dans la rue de petites émeutes contre les « buveurs de sang » (...) elle a son uniforme, l'habit carré des muscadins (...)
Louis MADELIN, la Révolution, XXXV, p. 388.

6 La *Maison-d'Or*, c'est bien mal composé : des lorettes, des quarts d'agent de change, et les débris de la jeunesse dorée. Aujourd'hui, tout le monde a quarante ans, — ils en ont soixante. Cherchons la jeunesse encore non dorée. Rien ne me blesse comme les mœurs d'un jeune homme dans un homme âgé (...)
NERVAL, les Nuits d'octobre, IV, « Causerie ».

Blousons dorés : les « blousons noirs » de la *jeunesse dorée*.

[b] Une *médiocrité dorée*, qui n'est pas due au manque d'argent.

7 — J'ai horreur de la médiocrité.
— Mais depuis dix ans, tu vis dans une médiocrité dorée, la pire de toutes.
— J'en ai assez, justement. DRIEU LA ROCHELLE, le Feu follet, p. 87.

★ II. ♦ 1. N. f. (V. 1300, *Viandier valaisan*). Poisson osseux des mers d'Europe (appelé aussi *jean-doré*). ⇒ **Saint-pierre.** *Dorée d'étang* : tanche aux reflets dorés.

♦ 2. N. m. (1806; *poisson doré*, 1634). Au Canada, Poisson d'eau douce à chair estimée. *Le doré noir et le doré jaune ou blanc* (n. sc. : *stizostedion canadense* et *stizostedion vitreum*). « *Ils emplissaient les viviers de carpes, de brochets, de dorés, de maskinongés* » (L.-P. Desrosiers).

DÉR. Dorine.

DORELOTERIE [dɔʀlɔtʀi] n. f. — 1403, mais antérieur (→ Dorelotier); de l'anc. franç. *dorelot*, refrain de chanson (→ Larirette), désignant (mil. XIIIᵉ) des fanfreluches, agrafes, boucles de cheveux, et qui a donné aussi *dorloter**.

♦ Techn. anc. Fabrication des ouvrages de passementerie*. — Rubans, franges fabriqués par les dorelotiers*.

DORELOTIER, IÈRE [dɔʀlɔtje, jɛʀ] n. — 1297, au fém.; masc., 1313; var. *doreloteur* (1313); de *dorelot*. → Doreloterie.

♦ Techn. anc. Passementier, passementière. « *Des dorelotiers aux passementiers : galons, rubans, franges à mèches, lambrequins et mignardises, une exposition pour réactualiser des métiers qui se perdent* » (*l'Express*, 15 janv. 1973, p. 4).

DORÈME [dɔʀɛm] n. f. — 1786; bas lat. *dorema*, grec *dorêma* « don », en raison des propriétés bienfaisantes de la plante.

♦ Bot. Plante dicotylédone *(Ombellifères)*, herbe vivace, exotique, aux grandes feuilles ornementales, aux fleurs duveteuses, et qui fournit une gomme (ammoniaque) aux propriétés expectorantes.

DORÉNAVANT [dɔʀenavã] adv. — V. 1170, *d'or en avant*; comp. de l'anc. franç. *ore, or* « maintenant », *en*, et *avant*.

♦ À partir du moment présent, à l'avenir. ⇒ **Avenir** (à l'avenir), **désormais, suite** (dans la suite); → Assentiment, cit. 4; beau, cit. 80; blâme, cit. 3; cellule, cit. 10. *Dorénavant, il viendra tous les dimanches. Il a décidé que dorénavant il travaillerait le soir.*

1 Au lieu de déplorer la mort des autres, grand prince, dorénavant je veux apprendre de vous à rendre la mienne sainte. BOSSUET, Oraison funèbre du prince de Condé.

2 J'ai décidé de rire dorénavant le moins possible, à cause de mes rides.
MONTHERLANT, les Jeunes Filles, p. 149.

(Dans un programme, un ordre, une injonction). *La réunion aura lieu dorénavant à cinq heures.* — Par plais. *À partir de dorénavant*, de maintenant.

(Par rapport à un temps passé). À partir d'un moment de référence. → Dès lors.

DORER [dɔʀe] v. — 1080, *Chanson de Roland*; lat. impérial *deaurare*, de *de-*, et *aurare*, de *aurum* « or ».

A. V. tr. **♦ 1.** Revêtir (un objet, une surface) d'une mince couche d'or ou d'une substance ayant l'apparence de l'or (⇒ **Dorure**). *Dorer de la vaisselle. Dorer des vases sacrés. Dorer un plafond. Dorer la tranche d'un livre; dorer un livre sur tranche. Dorer sur cuir, sur bois. Dorer à petits fers, à petits filets. Dorer à froid, au feu, au mercure, par électrolyse.*

Spécialt (reliure). *Dorer un livre sur tranche.* ⇒ **Doré.**

Pharm. (vx). *Dorer des pilules*, les revêtir d'une mince feuille d'or pour qu'on puisse les avaler sans en sentir le goût. — Loc. mod. *Dorer la pilule à qqn*, lui faire accepter une chose désagréable au moyen de paroles aimables, flatteuses. ⇒ **Tromper** (→ Avaler, cit. 21).

La pilule, à vrai dire, était assez amère; 1
Mais il sut la dorer, et, pour me satisfaire,
D'un bon contrat de quatre mille écus
Il augmenta la dot (...) LA FONTAINE, Contrat, *in* LITTRÉ.

REM. L'emploi absolu de la loc. semble archaïque.

Le premier moyen d'être heureux en ménage, celui qui donne le prix à tous les 1.1 autres, c'est que le Chef commande, et que l'Épouse tendrement chérie, fasse par amour, ce qu'on nommerait dans toute autre qu'une Épouse, obéir. — Vous dorez la pilule; mais je vous entends.
RESTIF DE LA BRETONNE, la Vie de mon père, p. 238.

Par anal. *Dorer une proposition*, la déguiser sous une apparence séduisante. ⇒ **Embellir, flatter.**

♦ 2. Recouvrir d'ornements dorés, de dorure. ⇒ **Chamarrer, orner.** *Dorer un uniforme, un salon* (⇒ **Doré**).

♦ 3. Littér. (Sujet n. de chose). Donner une teinte dorée à. *Le soleil dore le sommet des montagnes.* ⇒ **Éclairer** (→ Aurore, cit. 6; bois, cit. 15). *Les moissons doraient la campagne* (→ Abattre, cit. 12). *Le soleil dorait son visage.* ⇒ **Bronzer, cuivrer** (cit. 2).

Le soleil, quand il vient dorer une chaumière, 2
Fait que le toit de paille est un toit de lumière (...)
HUGO, la Légende des siècles, XXXI, II.

(...) le soleil dorait les épis, et la fécondité de la terre s'exhalait en poussières odo- 3
rantes. FRANCE, Thaïs, I, p. 37.

(...) la lumière remontait de la poitrine au front, rasait les lèvres fardées, dorait 4
un léger duvet blond, au coin des lèvres, rougissait un peu les narines.
SARTRE, le Sursis, p. 193.

♦ 4. Cuis. Recouvrir d'une couche de jaune d'œuf qui prend une teinte dorée après la cuisson. *Dorer un pâté. Dorer à l'œuf.*

♦ 5. Par métaphore et fig. (Littér.). Donner à (qqch.) des apparences flatteuses, agréables; rendre « doré » (beau, riche...). → cit. Roy, Sartre, *in* T. L. F.

B. V. intr. Prendre une teinte dorée. *Volaille qui commence à dorer au four. Faire dorer une volaille. Les épis commencent à dorer.*

▶ **SE DORER** v. pron.

Prendre une teinte dorée. *Volaille qui se dore à la broche.* — Littér. (Personnes). Bronzer. *Se dorer au soleil.*

Tout s'empourpre, tout se dore. Les ramées obscures et cramoisies, pas encore 5
dégarnies de leurs feuilles, s'épandent avec lourdeur au-dessus des gazons. Aucun vent ne souffle aux eaux rouillées des bassins.
Francis JAMMES, le Roman du lièvre, p. 171.

▶ **DORÉ, ÉE** p. p. adj. ⇒ **Doré**, à l'ordre alphabétique.

CONTR. Terne.
DÉR. Dorage, doré, doreur, doroir, dorure.
COMP. Dédorer, redorer, surdorer.

D'ORES ET DÉJÀ [dɔʀzedeʒa] ⇒ 2. **Or.**

DOREUR, EUSE [dɔʀœʀ, øz] n. — V. 1292, *doreur*; de *dorer*.

♦ Personne dont le métier est de dorer*. ⇒ **Dorure.** *Doreur sur bois, sur métaux, sur porcelaine. Outils, blaireau, chevalet, couchoir, couteau, griffe, pinceau de doreur.* — REM. Le fém. semble très rare.

Ces deux petits bronzes fondus en Italie il y a près de quatre siècles, ce Tibère et cette Niobide devenus accessoires du luxe baroque, lui-même révolu, recouverts de l'or presque inaltérable des anciens doreurs, ont été touchés par des centaines de mains d'inconnus qui tournèrent ces poignées, ouvrirent des portes derrière lesquelles les attendait quelque chose. M. YOURCENAR, Archives du Nord, p. 150.

DORIEN, IENNE [dɔʀjɛ̃, jɛn] adj. et n. — 1598, d'Aubigné; du grec *Dôris*, n. propre « Doride ». → Dorique.

♦ De Doride, canton du sud-ouest de l'Asie Mineure. *La race dorienne.* N. *Les Doriens.* — Ling. *Le dialecte dorien*, et, n. m., *Le dorien* (on dit aussi *le dorique*) : l'un des quatre grands groupes dialectaux du grec ancien.

Les Polonais trouvent le dialecte bohême efféminé; c'est la querelle du dorien et 1
de l'ionien. CHATEAUBRIAND, Mémoires d'outre-tombe, t. VI, p. 83.

(...) la convention s'était établie à Athènes d'employer pour les parties chorales de 2
la tragédie une langue fixée, teintée de dorismes, mais ne représentant au fond aucun dialecte dorien particulier. J. VENDRYES, le Langage, p. 322.

Mus. *Mode dorien*, et, n. m., *Le dorien.* **[a]** Mode principal de la musique grecque antique, (huit sons entre deux *mi*; s'oppose au *phrygien* [ré], au *lydien* [ut], etc.).

[b] Dans le plain-chant, mode le plus grave (ré-là [dominante]-ré). Adj. *La toccata dorienne*, de Bach (en ré mineur).

DORINE [dɔʀin] n. f. — 1786, *Encyclopédie*; de *doré*, p.-ê. d'après *Dorine*, nom de femme.

♦ Plante herbacée, *(Saxifragées)* vivace, dont les feuilles charnues se consomment en salade. N. sc. : *chrysoplenium.* Syn. *cresson doré, saxifrage dorée.*

DORIOTISME [dɔʀjɔtism] n. m. — V. 1940 ; de *Doriot.* → Doriotiste.

◆ Hist. Attitude politique des partisans de Doriot.
(...) il s'en est fallu de peu que (...) les basses plaisanteries des spiqueurs *(spea-
kers)* de Londres ne m'aient rejeté dans le doriotisme éperdu.
Jacques PERRET, Bâtons dans les roues, p. 12.

DORIOTISTE [dɔʀjɔtist] adj. et n. — Av. 1940 ; de *Doriot,* homme
politique français, ancien communiste rallié à l'extrême droite fasci-
sante du Parti populaire français (1936), puis à la politique de collaboration, à l'anti-bolchevisme.

◆ Hist. Partisan de Doriot ; membre des mouvements pro-allemands
et anti-bolchevistes, entre 1940 et 1944. *Miliciens et doriotistes*
(⇒ **Collaborateur**).
(...) bien que Geoffroy et sa femme (...) eussent réputation d'avoir trempé dans le
Front Populaire, le rapport coupa court aux opérations que des doriotistes locaux
avaient conseillées à la sûreté départementale.
ARAGON, Blanche..., I, VII, p. 121.

DORIQUE [dɔʀik] adj. et n. — V. 1520-1530, Sagredo ; lat. *doricus,*
grec *dôrikos,* de *Dôris* « la Doride ».

◆ Relatif aux Doriens. ⇒ **Dorien.**

Spécialt. ⓐ Archit. *L'ordre dorique,* et, n. m., *Le dorique :* le premier et le plus simple des trois ordres d'architecture grecque
(→ Corinthien, cit. 2). *Le dorique se caractérise par une colonne
cannelée reposant sur un stylobate. Le sommet de la colonne dorique est orné d'un gorgerin et d'annelets ; il est surmonté d'un
chapiteau simple* (abaque et échine). *Frise d'un temple dorique,
formée de métopes* et de triglyphes* surmontés de mutules*,
d'une corniche et d'un fronton. Le dorique est le plus ancien des
trois ordres.* — (D'un monument). D'ordre dorique. *Le Parthénon, les
Propylées, le temple de Pæstum sont doriques.*

1   Les colonnes du péristyle et du portique *(du Parthénon)* reposaient immédiatement sur les degrés du temple ; elles étaient sans base, cannelées et d'ordre dorique (...) Les triglyphes de l'ordre dorique marquaient la frise du péristyle : des
métopes ou petits tableaux de marbre à coulisse séparaient entre eux les triglyphes
(...)
Voyez comme tout est calculé au Parthénon ! L'ordre est dorique, et le peu de hauteur de la colonne dans cet ordre vous donne à l'instant l'idée de durée et de solidité ; mais cette colonne, qui de plus est sans base, deviendrait trop lourde : Ictí-
nus (...) fait la colonne cannelée, et l'élève sur des degrés : par ce moyen il introduit presque toute la légèreté du corinthien dans la gravité dorique.
CHATEAUBRIAND, Itinéraire..., I.

2   C'est dans le dorique, simple, imposant, sévère, que la notion de l'ordre est la plus
frappante ; une symétrie voulue s'y affirme, et toute une série de rapports (...) ont
été prévus entre les divers membres de l'édifice, entre ceux-ci et l'ensemble. C'est
là une création grecque et rien que grecque (...)
G. CONTENAU et V. CHAPOT, l'Art antique, p. 162.

3   La vérité ne paraît jamais vraie. Je ne parle pas seulement en littérature ou en
peinture. Je ne vous citerai pas non plus le cas des colonnes doriques dont les lignes
nous semblent rigoureusement perpendiculaires et qui ne donnent cette impression
que parce qu'elles sont légèrement courbes. C'est si elles étaient droites que notre
œil les verrait renflées, comprenez-vous ?
G. SIMENON, les Mémoires de Maigret, p. 38.

ⓑ N. m. Ling. *Le dorique.* ⇒ **Dorien.**

1. DORIS [dɔʀis] n. f. invar. — 1778, *in* D.D.L. ; lat. sav., du grec
Dôris, nom de la mère des Néréides.

◆ Zool. Mollusque gastéropode sans coquille *(Nudibranches)*
caractérisé par la disposition des branchies en étoile autour de
l'anus.

HOM. 2. Doris.

2. DORIS [dɔʀis] n. m. invar. — 1874 ; mot angl. des États-Unis
(1709), désignant des embarcations de la mer des Caraïbes, d'orig.
incert., p.-ê. d'une langue indienne (le miskito) *dóri, dúri* « pirogue », ou
de *dory,* nom d'un poisson (1440), altér. du franç. *doré.*

◆ Embarcation que les pêcheurs de l'Atlantique nord, notamment
à Terre-Neuve (⇒ **Terre-neuvas**), utilisent pour aller mouiller les
lignes de fond.
(...) une saccade rude comme la morsure d'un cachalot géant, de ceux qui broient
les doris terre-neuvas.
Roger VERCEL, Remorques, p. 139.

Par ext. Embarcation légère, canot (dans la marine militaire).

DÉR. Dorissier.

DORISME [dɔʀism] n. m. — D. i. (xxᵉ) ; de *dorien,* et suff. *-isme.*

◆ Ling. Forme dialectale grecque propre au dorien. → Dorien, cit. 2.

DORISSIER [dɔʀisje] n. m. — 1919, *Larousse mensuel* ; de 2. *doris.*

◆ Techn. Pêcheur de morue sur doris*. ⇒ **Morutier.**

DORLOTAGE [dɔʀlɔtaʒ] n. m. — 1892 ; de *dorloter.*

◆ Dorlotement. *Un dorlotage maternel.*
Par anal. *La vigne « veut des dorlotages, des précautions... »* (A.
Arnoux, *in* T. L. F.).

DORLOTEMENT [dɔʀlɔtmɑ̃] n. m. — 1675, attestation isolée ;
1884 ; de *dorloter.*

◆ Action de dorloter (syn. : *dorlotage*).
État d'une personne dorlotée.
Il était si bien dans le dorlotement de cette chambre voluptueuse, si délicieuse-
ment étourdi (...)
Alphonse DAUDET, Sapho, II, p. 11.

DORLOTER [dɔʀlɔte] v. tr. — xiiiᵉ ; *doreloter* « friser », du xivᵉ au
xviᵉ, de l'anc. franç. *dorelot* « boucle de cheveux ». → Doreloterie, dorelotier.

◆ Entourer de soins, de tendresse ; traiter délicatement (qqn).
⇒ **Bouchonner** (cit. 3), **cajoler, choyer, mignoter** (vx), **mitonner.**
Dorloter son enfant. Être dorloté par sa femme. Se faire dorloter.
(...) une belle femme, qui me dorlotera (...)   MOLIÈRE, le Mariage forcé, 1.   1
Comme j'aime à être dorlotée, je ne suis pas fâchée que vous me plaigniez un peu.   2
Mᵐᵉ DE SÉVIGNÉ, 503, 16 févr. 1676.

▶ **SE DORLOTER** v. pron. (Réfl.).
Se traiter délicatement, s'abandonner à une paresse douillette.
Aimer à se dorloter.
(...) il ne faut pas rester à vous dorloter, tandis que votre mère se fatigue à vous   3
servir et perd son temps à vous tenir compagnie.
G. SAND, la Petite Fadette, XXXIX, p. 248.
(...) elle est douillette, comme chacun sait. Elle n'aime rien tant que de se dorlo-   4
ter (...)   N. SARRAUTE, le Planétarium, p. 97.

▶ **DORLOTÉ, ÉE** p. p. adj. *Un enfant dorloté.*

CONTR. Rudoyer.
DÉR. Dorlotage, dorlotement, dorloterie, dorloteur.

DORLOTERIE [dɔʀlɔtʀi] n. f. — 1892, Goncourt ; de *dorloter.*

◆ Rare. Dorlotage.

DORLOTEUR, EUSE [dɔʀlɔtœʀ, øz] adj. et n. — 1611, n. ;
de *dorloter.*

◆ (Personnes). Qui dorlote (souvent, habituellement). *Une mère
dorloteuse.* ⇒ **Cajoleur.** — *Un dorloteur.*
(Choses). Littéraire :
Eva aspira la pipe que lui avait préparée Falet ; puis elle se renversa dans ses fourrures en rendant un peu de fumée. Une de ses épaules, dure et polie, se dorait à
la lueur de la petite lampe. Ce fragment d'une statue brisée roulait dans un désert
sans haut ni bas, gisait au sein d'un abîme tiède et dorloteur.
DRIEU LA ROCHELLE, le Feu follet, p. 107.

DORMANCE [dɔʀmɑ̃s] n. f. — xxᵉ ; de *dormant, dormir* ; cf. anc.
franç. *dormance* « action de dormir », fin xvᵉ.

◆ Bot. Fait, pour un végétal, de cesser une partie de ses activités
quand les conditions climatiques sont mauvaises (froid, éclairement
insuffisant). *Les graines « doivent subir une période de post-matu-
ration, destinée à supprimer la dormance de l'embryon... »* (H. Boulay, *Arboriculture...,* p. 54).

DORMANT, ANTE [dɔʀmɑ̃, ɑ̃t] adj. et n. m. — V. 1112, *eau dormante* ; p. prés. de *dormir.*

★ I. Adj. ◆ **1.** Rare (attesté xviiᵉ). Qui dort*. ⇒ **Endormi.** *La Belle
au bois dormant* (= dormant au bois), titre d'un conte de fée. —
Blason. *Animal dormant,* placé dans l'attitude du sommeil.
N. Littér. *(Un dormant, une dormante).* Personne (spécialt, personnage d'un conte) qui dort.
Impossible de durer sans usure, sans déperdition ; impossible de s'immobiliser dans   0.1
son être. Il faudrait pour cela ne pas vivre, tels les « dormants » des contes qu'un
sommeil magique soustrait au cours du temps pendant le vieillissement, la transformation de ce qui les entoure et qui se réveillent identiques à eux-mêmes dans
un univers qu'ils ne reconnaissent plus.
Roger CAILLOIS, l'Homme et le Sacré, p. 176.

Les sept dormants : héros d'une légende (emmurés, ils dorment des
centaines d'années et se réveillent lorsqu'ils sont libérés).
Par ext. Propre à un dormeur. — *Regard dormant,* indifférent et,
comme endormi*.
Bientôt il entendit la reprise à temps égaux de sa respiration dormante, calmée.   0.2
PROUST, Jean Santeuil, Pl., p. 855.

◆ **2.** Qui n'est agité par aucun courant (eau). ⇒ **Immobile, stagnant.**
Une eau dormante (→ Brume, cit. 2 ; croupir, cit. 4).
Sur le talus du fossé, de belles fleurs baignent leurs pieds dans une eau dormante   1
et verte.   BALZAC, les Paysans, Pl., t. VIII, p. 13.

A. ♦ 1. Projection d'eau en pluie qui arrose le corps et produit une action hygiénique. *Douche froide, glacée, chaude, tiède. Douche ascendante, descendante, oblique. Administrer, donner une douche à qqn* (⇒ **Doucher**). *Prendre une douche, une bonne douche, une petite douche. Siffler, chanter en prenant sa douche.* — *Passer sous la douche. Être sous la douche. Pour lire sous la douche,* ouvrage humoristique de Cami.

1   (...) il ne lui fallait guère plus de cinq minutes, pour passer sous la douche, se raser, enfiler la chemise glacée (...)
                                            MARTIN DU GARD, les Thibault, t. VI, p. 10.

Douche thérapeutique, administrée généralement au jet. *Douches données dans un établissement thermal.* — *Douches administrées aux agités pour les calmer.* — Loc. fam. *Il te, il lui faudrait une douche ! :* tu as, il a besoin d'être calmé, tu es, il est fou*.

(1866). Loc. **DOUCHE ÉCOSSAISE :** douche alternée d'eau chaude et d'eau froide. — Fig. Parole, événement, situation très désagréable qui suit brutalement une parole, un événement, une situation très agréable (ou inversement). *Après les compliments vint une remarque cinglante, c'était la douche écossaise !*

1.1 Il lui avait causé assez de déceptions comme cela. Repos dans le régime des douches écossaises !   MONTHERLANT, le Démon du bien, p. 174.
1.2 Pour moi qui passe mon temps à aller de l'avant à l'arrière, j'éprouve la sensation d'une douche écossaise, passant en quelques heures de zones surchauffées à des zones surcalmes.   L.-H. LYAUTEY, Paroles d'action, p. 252.

Méd. Projection d'eau sur ou dans une partie du corps, à des fins thérapeutiques. *Douches filiformes* (dermatologie). — *Douche vaginale, rectale.* — *Douche alternante :* succession de douches écossaises.

♦ 2. Par ext. Averse que l'on essuie ; liquide qui asperge. *J'étais sorti sans parapluie, quelle douche !*

2   (...) je jette un regard curieux dehors, au risque de recevoir une douche (...)
                                            LOTI, Mᵐᵉ Chrysanthème, III, p. 19.

Par anal. *Une véritable douche de lumière.*

♦ 3. Par métaphore ou fig. Fam. Violente réprimande. *Il va recevoir une bonne douche en rentrant à la maison.* — Ce qui détruit un espoir, une illusion (⇒ **Déception, désappointement**), rabat les prétentions, ramène au sens des réalités... *Il ne s'attendait pas à un pareil échec : quelle douche pour lui ! Quelle douche froide ! C'est la douche !*

3   J'aime fréquenter la jeunesse. Elle m'apprend beaucoup plus que l'âge. Son insolence et sa sévérité nous administrent des douches froides. C'est notre hygiène. En outre l'obligation où nous sommes de lui servir d'exemple nous force à marcher droit.   COCTEAU, la Difficulté d'être, p. 206.

B. Par métonymie. **♦ 1.** (Fin XVIᵉ, d'abord sous la forme ital. *doccia,* → ci-dessous cit. 4). Système de distribution d'eau en pluie, permettant de donner des douches (A.) ; élément de ce système qui projette l'eau. *Réparer la douche. Douche fixe. Douche mobile, douche téléphone adaptée à une baignoire. Bloc*-douche.*

4   Il y a ici de quoi boire et aussi de quoi se beigner (*baigner*). Un bein (*bain*) couvert, vouté et assez obscur, large comme la moitié de ma salle de Montaigne. Il y a aussi certein esgout qu'ils nomment la doccia, ce sont des tuïaux par lesquels on reçoit l'eau chaude en diverses parties du cors et notamment à la teste, par des canaux qui descendent sur vous sans cesse et vous viennent battre la partie, l'eschauffent, et puis l'eau se reçoit par un canal de bois, come celui des buandières, le long duquel elle s'écoule.
                                            MONTAIGNE, Journal de voyage en Italie, 7 mai, p. 160 (1581), *in* D. D. L., II, 12.

Ensemble formé par ce système et un emplacement recevant l'eau. *Faire installer une douche dans une chambre. Cabinet de toilette avec douche.*

♦ 2. Au plur. *Les douches :* ensemble d'installations (souvent dans une communauté) permettant de prendre des douches. *Les douches d'un internat, d'une caserne, d'un stade. Aller aux douches.*
Bains-douches : établissement public où l'on peut prendre des bains, des douches. → Hammam.

♦ 3. Appareil à douches thérapeutiques (vaginales, notamment).
DÉR. Doucher.

DOUCHER [duʃe] v. tr. — 1642 ; de *douche.*

♦ 1. Arroser* au moyen d'une douche. *Doucher qqn. Doucher un enfant pour le laver. Doucher un malade. Doucher le dos, les reins de qqn.*
Pron. *Se doucher :* prendre une douche.

♦ 2. Mouiller, tremper (averse, orage). *L'orage nous a bien douchés. Se faire doucher :* recevoir une averse. ⇒ **Arroser, saucer** (fam.).

♦ 3. (1900, Willy, *in* D. D. L.). Fam. et vieilli. Essuyer une réprimande. *Il s'est fait doucher par son père.* — Mod. Subir une déception. *Cet accueil l'a douché,* a rabattu son exaltation.
DÉR. Doucheur.

DOUCHEUR, EUSE [duʃœR, φz] n. — 1687, attestation isolée ; 1836 ; de *doucher.*

♦ Personne qui administre des douches. Spécialt. *Les doucheurs d'un établissement thermal.*

DOUCI [dusi] n. m. — 1765 ; du p. p. de *doucir.*

♦ Techn. État d'une glace doucie. ⇒ **Doucir.**

DOUCIN ou **DOUÇAIN** [dusɛ̃] n. m. — 1680 ; nom régional de l'oursin (par antiphrase ?), 1611 ; de *doux.*

♦ 1. Arbor. Variété de pommier* *(Malus acerba)* utilisé comme porte-greffe.

♦ 2. Régional (Bourgogne). Manque de saveur d'un vin.

DOUCINE [dusin] n. f. — Entre 1520 et 1537 (*in* D. D. L.) ; de *doux, douce,* et suff. *-in, -ine.*

♦ 1. Archit. Ébénisterie. Moulure à deux courbures de mouvement contraire, l'un convexe, l'autre concave. *Doucine droite, renversée. Arc en doucine.*
Meuble à doucine, qui se termine en haut par un retrait incurvé (opposé à *en corniche*).

♦ 2. Techn. Rabot utilisé pour faire les moulures dites *doucines.*

DOUCIR [dusiR] v. tr. — 1694 ; de *doux, douce.*

♦ Techn. Polir (une glace brute, un métal).

▶ **DOUCI, IE** p. p. adj. *Glace doucie :* dont les deux faces ont été polies, dressées, et sont exactement parallèles. ⇒ **Douci** (n. m.).
DÉR. Douci, doucissage, doucisseur.

DOUCISSAGE [dusisaʒ] n. m. — 1870 ; de *doucir.*

♦ Techn. Polissage des glaces (syn. : *douci*), des métaux.

DOUCISSEUR, EUSE [dusisœR, φz] n. — 1765, n. m. ; de *doucir.*

♦ Techn. Personne qui doucit (les glaces, les métaux).

DOUDOU [dudu] n. f. et adj. — Attesté XXᵉ en France métropolitaine ; mot du franç. et du créole antillais, de *doux,* redoublé.
Régional (Antilles).

♦ 1. Jeune femme (des Antilles, de la Réunion...).

1   Fred (...) traîna longtemps la savate (...) pour échouer on ne sait trop comment à La Réunion et en revenir des années plus tard avec une doudou (...)
                                            Hervé BAZIN, Cri de la chouette, p. 26.

Épouse, compagne, maîtresse (aux Antilles). *Il est avec sa doudou.*

♦ 2. Adjectif :

2   (...) il alla finir la soirée au Sélect Tango. On le lui avait signalé comme le bal doudou où l'on se tenait mal, le bal des «femmes de vie». Il monta à un promenoir de bois qui dominait la fosse des biguines, mais il ne vit rien de la frénésie annoncée.   Roger VERCEL, l'Île des revenants, p. 130.

DOUDOUNE [dudun] n. f. — V. 1975 ; probablt redoublement enfantin de *doux.*

♦ Fam. Veste en duvet. *« Des "doudounes" taille Lilliput. Pour que bébé, qui ne sait pas encore skier, ne gèle pas aux sports d'hiver. (Ce sont des) mini-anoraks en duvet d'oie »* (*l'Express,* 5 janv. 1980, p. 23).
HOM. Doudounes.

DOUDOUNES [dudun] n. f. pl. — 1930, *in* Cellard et Rey ; orig. incert. ; p.-ê., selon Esnault, du régional (Creuse) *bedoune* «vache» ; plus probablt, redoublement enfantin de *doux.*

♦ Fam. Seins.

1   (...) parce qu'y aurait une gonzesse on peut vous amener chez elle elle est chiéement bien elle a des doudounes comme ça (...)
                                            Tony DUVERT, Paysage de fantaisie, p. 85.

2   Il a une bourgeoise inouïe : des décolletés dans le dos jusqu'à la raie des fesses, et par-devant des doudounes.   R. SABATIER, Trois sucettes à la menthe, p. 88.
HOM. Doudoune.

DOUÉ, ÉE [dwe] adj. — XVIIᵉ ; p. p. de *douer.*

♦ 1. DOUÉ DE... : qui possède naturellement. *Un être doué de vie, de raison, de grâce. Elle est douée d'une grande intuition, d'une bonne mémoire.*

1   Elle avait de grandes qualités malgré ses travers : elle était douée d'une intelligence pratique assez vive, d'une ténacité à toute épreuve.
                                            MARTIN DU GARD, les Thibault, t. VI, p. 16.

♦ 2. Qui a un don, des dons. *Doué en... Un étudiant doué en* *mathématiques.* ⇒ **Bon, capable, fort ; bosse** (avoir la bosse de). — Absolt. *Il est doué :* il a des dons naturels, de l'habileté, du talent, de l'intelligence. *Il n'est guère doué. Un enfant très doué.* ⇒ **Surdoué.** *L'homme le mieux doué...* ⇒ **Avantagé, favorisé, partagé.** *Si bien doué qu'il soit...* (→ Concentration, cit. 4).

2 Quand tu aurais eu une fée pour marraine tu n'aurais pas été mieux doué (...)
Th. GAUTIER, Fortunio, XII, p. 89.

3 (...) il y a des races plus ou moins bien douées en musique.
R. ROLLAND, Musiciens d'aujourd'hui, p. 212.

COMP. Surdoué.

DOUELLE [dwɛl] n. f. — 1296, *doele ;* de l'anc. franç. *doue,* pour *douve.*

♦ **1.** Techn. Petite douve de tonneau. ⇒ **Douvelle.**

♦ **2.** Archit. Parement d'un voussoir. *La réunion des douelles intérieures forme l'intrados de l'arc ou de la voûte ; celle des douelles extérieures forme l'extrados. Rencontre, enfourchement de deux douelles.*

DOUER [dwe] v. tr. — XIIᵉ, *doer ;* sens de «doter» jusqu'au XVIIᵉ, à côté de «faire don de» ; du lat. *dotare.* → Doter.

♦ **1.** Vx (langue class.). Pourvoir (qqn) d'un douaire. ⇒ **Doter.**

♦ **2.** Littér. Pourvoir de qualités, d'avantages (le sujet désigne Dieu, ou la nature, la fortune personnifiées). ⇒ **Donner** (en partage), **doter, gratifier, pourvoir ; don.** *La nature l'a doué d'une grande vertu, de beaucoup de patience, d'une rare beauté.*

On ne saurait dire s'il eut sujet de remercier la nature, ou bien de se plaindre d'elle : car, en le douant d'un très bel esprit, elle le fit naître difforme et laid de visage (...)
LA FONTAINE, Vie d'Ésope.

Au passif. *Il a été doué de...* (par la nature, etc.).

▶ **DOUÉ, ÉE** p. p. adj. Plus cour. ⇒ **Doué.**
DÉR. Doué.

DOUGLAS [duglas] n. m. — Av. 1874, J. Verne, cit. ; de *sapin de Douglas,* du nom du botaniste britannique David *Douglas.*

♦ Conifère (sapin) des forêts d'Amérique du Nord, à ramure très fournie, de croissance rapide, introduit en France au XIXᵉ siècle. *« Le reboisement (...) en épicéa, pin sylvestre et surtout douglas, de meilleur rendement »* (la Recherche, nov. 1974, p. 1000). — Appos. *Pin, sapin douglas.*

Il s'agissait donc de choisir des arbres dont l'écorce, souple et tenace, se prêtât à ce travail. Or, précisément, le dernier ouragan avait abattu une certaine quantité de douglas, qui convenaient parfaitement à ce genre de construction. Quelques-uns de ces sapins gisaient à terre, et il n'y avait plus qu'à les écorcer (...)
J. VERNE, l'Île mystérieuse, t. I, p. 303 (1874).

DOUIL [duj] n. m. — 1858, Bescherelle ; du provençal *dolh,* lat. *dolium* «jarre ; tonneau». → 1. Douille.

♦ Régional. Cuveau pour le transport des grappes vendangées jusqu'au cellier.
DÉR. V. Doulos.
HOM. 1. Douille, 2. douille, douilles.

DOUILLAGE [dujaʒ] n. m. — 1752 ; de l'anc. franç. *doille* «mou», de même orig. que *douillet.* → Douillet.

♦ Techn. Vx. Défaut de fabrication de la trame d'une étoffe.

1. DOUILLE [duj] n. f. — 1227 ; orig. incert. ; p.-ê. d'un francique **dulja,* hypothèse contestée par P. Guiraud, qui propose l'étymon lat. *dolium* «cuve pour le transport du moût». → Douil.
Technique et courant.

♦ **1.** Pièce de métal cylindrique et creuse qui sert à assembler deux pièces, à adapter un instrument à un manche, etc. ⇒ **Embouchoir, manchon.** *La douille d'une baïonnette, d'un fer de lance, d'une bêche.*

♦ **2.** Pièce métallique placée à l'extrémité d'un fil électrique, dans laquelle on fixe le culot d'une ampoule. *Fixer le culot d'une ampoule sur la douille d'une lampe. Douille à pas de vis, douille à baïonnette*.*

1 (...) mon cousin Charles me fit visiter sa petite fabrique de douilles pour lampes électriques.
S. DE BEAUVOIR, la Force de l'âge, p. 62.

♦ **3.** Cylindre qui contient l'amorce et la charge de la cartouche. ⇒ **Cartouche, étui.** *Douilles en carton des fusils de chasse. Douilles en laiton, en cuivre, des revolvers, des fusils de guerre, des canons...*

2 Le vieux maraîcher ne se servait jamais de son briquet sans l'avoir d'abord manié, tourné, retourné, examiné avec soin : il l'avait fabriqué lui-même, en 15, dans la Somme, avec une douille ; sa vue lui rappelait des choses (...)
Roger IKOR, les Fils d'Avrom, Prologue, p. 10.

♦ **4.** Pâtiss. Ustensile en fer-blanc, en forme de cône tronqué, que l'on met dans une poche de tissu *(poche à douille)* pour garnir les gâteaux. *Douille à ouverture ronde, cannelée* (d'après Ginette Mathiot, *la Pâtisserie pour tous,* p. 31).

HOM. Douil, 2. douille, douilles.

2. DOUILLE [duj] n. f. — Av. 1827 ; orig. obscure ; p.-ê. abrév. de *guindouilles* «piécettes d'argent, sous».

♦ Argot, vx. Argent, monnaie.
Est-ce qu'on travaille tant qu'on a de la douille !
Ch. PAUL DE KOCK, la Grande Ville, t. I, p. 181.

DÉR. Douiller.
HOM. Douil, 1. douille, douilles.

DOUILLER [duje] v. tr. — 1858, *in* Esnault ; de 2. *douille* «monnaie».

♦ Argot fam. Payer (qqn, qqch.). — Absolt. Casquer.
Cette alliance, n'étant pas faite sur mesures, est un peu grande, et je n'ai pas voulu douiller pour la faire rétrécir beaucoup plus qu'elle ne m'a coûté.
A. SARRAZIN, la Cavale, p. 83.

DOUILLES [duj] n. f. pl. — 1821 ; probablt de *douillets,* même sens (1747), de l'anc. franç. *douil* «sensible». → Douillet (adj.).

♦ Argot. Cheveux. *Se faire couper les douilles.*
Le rapport ordonne aussi, dit l'homme-lettres, de tailler les barbes. Et les douilles, à la tondeuse rasoche !
H. BARBUSSE, le Feu, t. I, I, II, p. 20.

HOM. Douil, 1. douille, 2. douille.

DOUILLET, ETTE [dujɛ, ɛt] adj. — 1361 ; dimin. en -et, de l'anc. franç. *doille* «mou», au fig. «sensible» ; du lat. *ductilis* «malléable». → Ductile.

★ **I.** Choses. ♦ **1.** Qui est doux, délicatement moelleux. ⇒ **Confortable, doux, mol, mollet, ouaté.** *Lit, oreiller, coussin douillet.*

♦ **2.** Confortable et protecteur (d'un lieu). *Habiter un logis douillet. Un appartement, un intérieur douillet. Atmosphère douillette.* — Loc. *Un petit nid douillet.*

1 (...) changer sa place près de la fenêtre contre un coin douillet près du poêle.
J. ROMAINS, les Hommes de bonne volonté, t. II, XI, p. 107.

2 Ils étaient assis au fond du bar (...) c'était douillet entouré d'un gros bruit cotonneux qui berçait (...)
SARTRE, le Sursis, p. 131.

♦ **3.** Vieilli. *Peau douillette,* tendre et délicate. *Chair douillette. Les « creux douillets » d'une chair de femme* (Élie Faure, *in* T. L. F.).

★ **II.** Personnes. ♦ **1.** Qui est exagérément sensible aux petites douleurs physiques. ⇒ **Chatouilleux, délicat, sensible ; impressionnable.** *Elle est trop douillette. Il ne faut pas être si douillet.*

3 On n'était pas douillet, dans la famille ; malade ou non, on ne se plaignait jamais.
R. ROLLAND, Jean-Christophe, l'Aube, p. 47 (*in* T. L. F.).

N. *Faire le douillet, la douillette. Oh, le gros douillet !*

♦ **2.** Qui aime le confort douillet, la mollesse. *« Une génération douillette, sensitive, efféminée »* (Amiel, *in* T. L. F.).

CONTR. Dur, rude. — **Courageux, endurant, énergique, insensible, stoïque, viril.**
DÉR. Douillette, douillettement, douilletterie.

DOUILLETTE [dujɛt] n. f. — 1803 ; de *douillet.*

♦ **1.** Pardessus ouaté d'ecclésiastique.
Il s'est mis à arpenter la chambre de long en large, les bras enfouis dans les poches de sa douillette.
BERNANOS, Journal d'un curé de campagne, II, p. 68.

♦ **2.** Manteau ouaté de bébé. — Liseuse ouatée, chaude. ⇒ **Robe** (de chambre).

♦ **3.** Petit fauteuil à dossier rembourré.

DOUILLETTEMENT [dujɛtmɑ̃] adv. — XIVᵉ ; de *douillet.*

♦ **1.** D'une manière douillette (I.). *Être douillettement couché* (→ 1. Coucher, cit. 3).
Fig. *Vivre douillettement. Élever un enfant trop douillettement.*

♦ **2.** Rare. Comme une personne douillette. *Gémir, pleurnicher douillettement.*

DOUILLETTERIE [dujɛtʀi] n. f. — 1908 ; de *douillet.*

♦ Rare. Caractère d'une personne douillette (II.). *Il est d'une douilletterie incroyable. « La douilletterie frileuse du personnage »* (Courteline).

DOUILLON [dujɔ̃] n. m. — 1856; de l'anc. franç. *doille* «mou» (→ Douillet), et suff. *-on*.

♦ Régional (Normandie). Fruit (pomme ou poire) cuit dans une pâte, formant pâtisserie. — REM. Dans le Nord de la Normandie, on dit *bourdelot* pour les douillons aux pommes et *douillons* pour les poires.

DOULEUR [dulœR] n. f. — V. 1050, *dolur*; lat. *dolor, oris* «souffrance, douleur», de *dolere*. → Dolent.

♦ **1.** Sensation ou impression pénible *(une, des douleurs)*; l'ensemble de ses sensations *(la douleur de..., la douleur)*. ⇒ **Mal, souffrance, supplice, torture; douloureux.** *La douleur* (en général). *Manifestations extérieures de la douleur.* ⇒ **Cri, convulsion, crispation, gémissement, grimace, hurlement, larme, plainte, sanglot, soupir, spasme.** *Exclamation de douleur.* ⇒ **Aïe, ahou.** *Pleurer, gémir, hurler, se tordre, devenir fou de douleur. L'acuité, les affres, les tourments de la douleur. Adoucir, atténuer, apaiser, soulager, calmer, étourdir la douleur. Supprimer la douleur en la niant* (cit. 4). *Réveiller, raviver, aggraver, irriter, exaspérer, exacerber la douleur. Supporter la douleur. Se raidir, se cuirasser contre la douleur* (⇒ **Stoïcisme**). «*Douleur, tu n'es pas un mal*», maxime des stoïciens. *Le dolorisme, doctrine qui attribue une grande vertu à la douleur.* — *Le plaisir* (cit. 14, 16.1) *et la douleur.*

Par ext. Fam. *Sans douleur :* sans difficulté. *Tout s'est bien passé, sans douleur.*

La douleur, les douleurs du corps, du cœur, de l'âme. → ci-dessous, cit. 22.

La douleur, une douleur physique : sensation pénible en un point ou dans une région du corps. *Sentir, ressentir, éprouver une douleur à la tête, à l'estomac, au genou. Douleur causée par un trouble de l'organisme, une lésion. Douleur cutanée.* ⇒ **Piqûre; compression, pincement; brûlure, irritation; cuisson, prurit.** *Douleur interne, profonde. Douleur diffuse, sourde.* ⇒ **Oppression.** *Douleur aiguë, vive; cinglante, cuisante, déchirante, fulgurante, irradiante, lancinante, pénétrante, poignante, térébrante, pulsative, profuse. Douleur exquise**. *Douleur brusque et brève.* ⇒ **Élancement;** → Coup, cit. 3. *Douleur atroce, horrible, insupportable, intolérable.* ⇒ **Enfer, géhenne, supplice, torture** (s'emploient aussi au sens 2). *Le paroxysme de la, d'une douleur. Être en proie à des douleurs.* → **Dolent, malade, souffrant.** *Douleur dans la tête, le ventre.* ⇒ **Mal; -algie.** *Douleur ressentie sur le trajet d'un nerf.* ⇒ **Névralgie.** *Douleur localisée.* ⇒ **Barre, brûlure, colique, courbature, effort, inflammation, migraine, point, rage** (de dents), **rhumatisme, tranchée.** *Douleurs erratiques,* qui n'ont pas de siège fixe dans le corps. Spécialt (surtout au plur.). *Être dans les douleurs* (de l'accouchement); *les premières, les grandes douleurs.* ⇒ **Contraction.** *Une femme dans les douleurs,* (vx) *en douleurs.* ⇒ **Travail.** — *Nom scientifique de certaines douleurs.* ⇒ **Angor, céphalée, pyrosis, ténesme;** et les suff. -algie (arthralgie, causalgie, métralgie...), 1. **algo-, -dynie;** et aussi **algési-.** — *Provoquer la douleur.* ⇒ **Endolorir.** *Qui ne cause aucune douleur.* ⇒ **Indolore.** *Être sensible** *à la douleur, faible devant la douleur.* ⇒ **Douillet.** *Insensibilité à la douleur.* ⇒ **Analgésie, analgie, antalgie.** *Sensibilité à la douleur.* ⇒ **Algésie.** *Remède qui fait disparaître la douleur.* ⇒ **Analgésique, anodin** (remède), **antalgique, narcotique.** *La douleur s'est dissipée, est passée.*

1 Ni la douleur ne lui est *(à l'homme)* toujours à fuir, ni la volupté toujours à suivre.
MONTAIGNE, Essais, II, XII, p. 183.

1.1 (...) il n'est aucune sorte de sensation qui soit plus vive que celle de la douleur; ses impressions sont sûres, elles ne trompent point comme celles du plaisir, perpétuellement jouées par les femmes et presque jamais ressenties par elles (...)
SADE, Justine..., t. I, p. 196.

2 Dans notre vallée de larmes, ainsi qu'aux enfers, il est je ne sais quelle plainte éternelle, qui fait le fond ou la note dominante des lamentations humaines; on l'entend sans cesse, et elle continuerait quand toutes les douleurs créées viendraient à se taire. CHATEAUBRIAND, Mémoires d'outre-tombe, t. II, p. 126.

3 À la femme, il dit : « Je multiplierai tes souffrances et spécialement celles à ta grossesse; tu enfanteras des fils dans la douleur (...) »
BIBLE (CRAMPON), Genèse, III, 16.

4 Ce fut le dernier jour d'avril que la jeune femme accoucha. Les douleurs la prirent l'après-midi, vers quatre heures (...) ZOLA, l'Assommoir, t. I, IV, p. 125.

5 Si l'on s'efforce de définir les diverses sensations qui affectent douloureusement l'organisme humain, on peut espérer d'y réussir. Quand nous disons par exemple qu'une douleur est aiguë ou qu'elle est sourde, qu'elle est lancinante ou fulgurante, nous nous faisons entendre assez bien. FRANCE, Pierre Nozière, III, III, p. 234.

6 Il souffre. De partout : de la bouche, des jambes, du dos... Des frissons de fièvre lui parcourent les reins, et lui tirent, chaque fois, une plainte sourde. Cependant, ce ne sont plus ces douleurs fulgurantes qui lui lacéraient le corps, après la chute, après l'incendie. On a dû s'occuper de lui, panser ses blessures.
MARTIN DU GARD, les Thibault, t. VIII, p. 159.

Loc. *Un lit de douleur,* où l'on souffre.

♦ **2.** *Douleur (morale) :* sentiment ou émotion pénible résultant de l'insatisfaction des tendances, des besoins, d'un manque, d'une frustration... ⇒ **Souffrance.** *Éprouver une grande douleur. Douleur active, passive. Aspects de la douleur morale.* ⇒ **Affliction, amertume, angoisse, brisement, chagrin, componction, consternation, contrition, crève-cœur, déchirement, déplaisir** (vx), **désespoir, désolation, détresse, deuil, peine, repentir, tristesse;** (métaphore) **blessure, plaie** (béante, saignante). *La douleur de l'absence* (→ Coup, cit. 51).

Douleur qui serre, transperce (→ Abandonner, cit. 19), *fait saigner le cœur. Douleur cruelle, cuisante, déchirante* (cit. 2), *poignante. Douleur mortelle. Cicatrisation d'une ancienne douleur. Douleur contenue* (cit. 9), *muette. Se complaire* (cit. 8) *dans la douleur. Se laisser aller à la douleur. Laisser éclater sa douleur. Confier sa douleur à qqn. Être comblé, accablé* (cit. 10) *de douleur; plongé, abîmé, perdu dans sa douleur; envahi, écrasé, épuisé, assommé, submergé par la douleur. Raviver une douleur* (→ Remuer, retourner** le couteau, le poignard dans la plaie). *Consoler la douleur de qqn. Dérivatif à la douleur. Ressentir, partager les douleurs d'autrui.* ⇒ **Compatir;** aussi **condoléance**(s); → Dépersonnalisation, cit. 1. *Accepter la douleur* (→ Porter sa croix**). *Vie de douleur.* ⇒ **Calvaire, couronne** (d'épines), **géhenne.** *Toucher le fond de la douleur* (→ Boire** le calice, la coupe jusqu'à la lie). *Douleur sans fiel**. — Formule. «*X..., Y... ont la douleur de vous faire part...*», formule pour un avis de décès. — *J'ai eu la douleur de perdre ma mère. La douleur qui vous a frappé. Chant de douleur.* ⇒ **Complainte, lamento.** — *Notre-Dame des sept Douleurs.*

7 Ta douleur, Du Périer, sera donc éternelle (...)
MALHERBE, Consolation à M. Du Périer.

8 La douleur que l'on cache est la plus inhumaine.
Mathurin RÉGNIER, Dialogue, Cloris et Philis.

9 La douleur qui se tait n'en est que plus funeste. RACINE, Andromaque, III, 3.

10 (...) dans toutes les misères de ma vie, je me sentais constamment rempli de sentiments tendres, touchants, délicieux, qui, versant un baume salutaire sur les blessures de mon cœur navré, semblaient en convertir la douleur en volupté (...)
ROUSSEAU, Rêveries..., 8e promenade.

11 (...) mes motifs de consolation ne serviront qu'à nourrir son désespoir. J'étais comme un homme qui veut sauver son ami coulant à fond au milieu d'un fleuve sans vouloir nager. La douleur l'avait submergé.
BERNARDIN DE SAINT-PIERRE, Paul et Virginie, p. 145.

12 (...) les douleurs récentes font reverdir les vieilles douleurs.
CHATEAUBRIAND, Mémoires d'outre-tombe, t. II, p. 71.

13 Ici-bas, la douleur à la douleur s'enchaîne,
Le jour succède au jour, et la peine à la peine.
LAMARTINE, Premières méditations, «L'homme».

14 Rien ne nous rend si grands qu'une grande douleur,
Mais, pour en être atteint, ne crois pas, ô poète!
Que ta voix ici-bas doive rester muette.
A. DE MUSSET, Poésies nouvelles, «Nuit de mai» (→ Chant, cit. 12).

15 C'était un mal vulgaire et bien connu des hommes;
Mais, lorsque nous avons quelque ennui dans le cœur,
Nous nous imaginons, pauvres fous que nous sommes,
Que personne avant nous n'a senti la douleur.
A. DE MUSSET, Poésies nouvelles, «Nuit d'octobre».

16 L'homme est un apprenti, la douleur est son maître,
Et nul ne se connaît tant qu'il n'a pas souffert (...)
Pour vivre et pour sentir l'homme a besoin de pleurs (...)
A. DE MUSSET, Poésies nouvelles.

17 Sois sage, ô ma Douleur, et tiens-toi plus tranquille.
BAUDELAIRE, les Nouvelles Fleurs du mal, VII, «Recueillement».

18 La douleur abaisse, humilie, porte à blasphémer.
RENAN, Souvenirs d'enfance..., VI, 5.

18.1 À voir Hartbert inanimé, la douleur du marin fut terrible. Il sanglotait, il pleurait, il voulait se briser la tête contre les murailles.
J. VERNE, l'Île mystérieuse, t. II, p. 684.

19 C'est lui *(Dieu)* qui donne la Douleur, parce qu'il n'y a que Lui qui puisse donner quelque chose, et la Douleur est si sainte qu'elle idéalise ou magnifie les plus misérables êtres! Léon BLOY, la Femme pauvre, p. 72.

20 Dostoïevski était né pour la douleur, et pour s'élever dans la douleur, au-dessus de tout l'égoïsme et de toute la misère morale, où la douleur enferme généralement les natures médiocres.
André SUARÈS, Trois hommes, «Dostoïevski», v, p. 259.

21 (...) selon l'Église, ce n'est pas la douleur en soi qui rachète, mais la douleur acceptée, consentie, subie, en union avec le Christ, dans un esprit de pénitence et de repentir. F. MAURIAC, Souffrances et Bonheur du chrétien, p. 36.

22 Je vous les dirai quand même, un jour, si j'y pense, et je le puisse, mes étranges douleurs, en détail, et en les bien distinguant (...) Je vous dirai celles de l'entendement, celles du cœur et affectives, celles de l'âme (très jolies, celles de l'âme), et puis celles du corps, les internes ou cachées d'abord, puis celles en surface (...)
S. BECKETT, Premier amour, p. 25.

Prov. *Faute d'argent* (cit. 17), *c'est douleur non pareille :* rien n'est pire que le manque d'argent. — *Les grandes douleurs sont muettes* (cit. 13), on ne peut les exprimer.

CONTR. **Béatitude, bonheur, calme, contentement, euphorie, joie, jubilation, plaisir.**
COMP. **Souffre-douleur.**

DOULOIR (SE) [dulwaR] v. pron. — Xe; du lat. *dolere* «souffrir»; s'affliger.

♦ Vx. Souffrir. — REM. On trouve des emplois archaïsants de ce verbe jusqu'à la fin du XIXe s. (Moréas, *in* T. L. F.).

DOULOS [dulos] n. m. — 1895, *in* Esnault, «chapeau de femme»; de *doul, doule,* 1889, *ibid.*; p.-ê. du mot régional *douil**.
Argot.

♦ **1.** Chapeau d'homme (en concurrence avec *doul*). — (1832, *porter le doul*). Loc. *Porter le doulos :* avoir une mauvaise réputation (de délateur, etc.). ⇒ **Chapeau.**

♦ **2.** Indicateur de police. *Le Doulos,* film de J.-P. Melville.

On appelle «Doulos», par extension, le porteur de «Doule». Le «doule» est à la fois le symbole du policier, qui en portait au du temps où les voyous n'en portaient pas, puis un signe d'élégance permettant un style, une recherche personnelle, à partir du jour où les voyous l'adoptèrent.
Le doule, c'est le chapeau.
Silien porte le doule, c'est-à-dire qu'aux yeux des gens du milieu, il en «croque» (cf. « Les Enfants du Paradis », quand Pierre Renoir, qui porte un doule, énumère tous ses surnoms : « Mouton blanc », « Treize à table », etc.). Un doulos est un indicateur de police. On le craint, on tente de ne pas le fréquenter, il jouit d'un statut particulier, tant dans le milieu qu'à la Grande Maison. Ce n'est pas un hors-la-loi ordinaire, mais sa vie est plus dangereuse. Ne vivent longtemps que les doulos intelligents.   J.-P. MELVILLE, notes du découpage du film le Doulos,
in l'Avant-Scène, n° 24, p. 8.

DOULOUREUSEMENT [duluʀøzmɑ̃] adv. — 1160, *dolerouse-ment; de *douloureux.*

♦ D'une manière douloureuse, avec douleur, au physique ou au moral. *La porte lui pinça les doigts, douloureusement.* — Au moral. *Ils ont été douloureusement éprouvés par la mort d'un proche. Douloureusement atteint dans sa chair, dans ses affections.*

DOULOUREUX, EUSE [duluʀø, øz] adj. et n. f. — V. 1050, *dole-rus; *du bas lat. *dolorosus, *du lat. class. *dolor, oris.* → Douleur.

♦ **1.** Qui cause une douleur, s'accompagne de douleur physique. ⇒ **Pénible.** *Douloureux physiquement. Maladie, opération, contraction* (cit. 3), *sensation douloureuse. Élancements douloureux. Plaie douloureuse.* ⇒ **Cuisant.** *Cor* (→ 2. Cor, cit.) *douloureux. Goutte douloureuse* (→ Aigu, cit. 10). *Règles douloureuses :* dysménor-rhée. *Rendre le mal plus douloureux.* ⇒ **Aigrir.**

1   Je me porte mieux, ma très chère; ce torticolis était un très bon petit rhuma-tisme; c'est un mal très douloureux, sans repos, sans sommeil; mais il ne fait peur à personne.   Mme DE SÉVIGNÉ, *in* LITTRÉ.

2   (...) cette éruption *(des dents chez les enfants)* est communément pénible et dou-loureuse.   ROUSSEAU, Émile, I.

3   Aujourd'hui, il est plus calme. Les premiers pansements ont été fort douloureux. Il regardait le moignon si vif, suintant, sanglant, agité de secousses (...)
G. DUHAMEL, Récits des temps de guerre, I, t. I, p. 89.

♦ **2.** Qui est le siège d'une douleur physique. *Point douloureux.* ⇒ **Sensible.** *Avoir la tête, le ventre, les pieds douloureux.* ⇒ **Endo-lori.**

♦ **3.** Qui cause une douleur morale. ⇒ **Affligeant, crucifiant, cruel, déchirant.** *Perte, séparation douloureuse. Souvenir douloureux.* ⇒ **Amer, funeste.** *Curiosité douloureuse. Spectacle douloureux.* ⇒ **Attristant, lamentable, navrant, pitoyable, triste.** *Douloureux devoir. Douloureuse nécessité. Attente douloureuse.* ⇒ **Angoissant, anxieux.** *Il est douloureux de penser, de supporter cela.* — Par ext. (Temps). Rempli de douleur, de peine. *Heures douloureuses. Moments douloureux.* ⇒ **Pénible.**

4   Ah! j'ai perdu mon fils! il me faudra traîner
Une vieillesse douloureuse.   LA FONTAINE, Fables, X, 12.

5   Si vous saviez combien il m'est douloureux de vous voir courir à votre perte!
FÉNELON, Télémaque, VI.

6   Une imagination vive, sensible et tendre, peut se fixer à quelque ressouvenir douloureux, et se le représenter avec des couleurs si dominantes qu'el-les lui arrachent des larmes.   VOLTAIRE, Dict. philosophique, « Larmes ».

7   Ô nuit, nuit douloureuse! ô toi, tardive aurore,
Viens-tu? vas-tu venir? es-tu bien loin encore?   André CHÉNIER, Élégies, XXI.

8   (...) l'existence du Soldat est *(après la peine de mort)* la trace la plus douloureuse de barbarie qui subsiste parmi les hommes (...)
A. DE VIGNY, Servitude et Grandeur militaires, I, III, p. 53.

9   Le secret douloureux qui me faisait languir.
BAUDELAIRE, les Fleurs du mal, « La vie antérieure ».

10 J'étais toute jeune alors, et le souvenir m'est resté le souvenir que je pleure cha-que fois en y pensant.   MAUPASSANT, Clair de lune, « Une veuve », p. 147.

11 Pour qu'un homme et une femme se puissent souffrir, il faut qu'ils souffrent l'un et l'autre (...) L'accord ne vient que du sacrifice. Celui qui aime le plus souffre le plus. À l'ordinaire, la femme reçoit la part douloureuse (...)
André SUARÈS, Trois hommes, « Dostoïevski », IV, p. 240.

12 Mais l'insomnie qui prolonge la veille, si elle peut devenir douloureuse, ou exaspé-rante, ne comporte presque jamais ce sentiment de creuse détresse, de descente au-dessous de soi-même qui est probablement celui que l'homme redoute le plus.
J. ROMAINS, les Hommes de bonne volonté, t. III, XVII, p. 224.

Qui est accompagné de douleurs. *Mystère douloureux.*
La Voie douloureuse : le chemin du Calvaire, théâtre des souffran-ces du Christ.

13 (...) devant moi, s'allongeait, pressée entre de tristes murs, une sorte de ruelle de la mort conduisant à la Voie douloureuse.   LOTI, Jérusalem, IX, p. 111.

Fam. ⇒ **Difficile, dur.** *J'ai obtenu l'argent, mais ça a été plu-tôt douloureux.*

♦ **4.** (Personnes). Qui éprouve, ressent une douleur physique ou morale. *«Mon ami douloureux»* (Gide, *in* T. L. F.). — *Cœur dou-loureux. Âmes douloureuses.* — *Peuple douloureux.* — N. Littér. et rare. *Un douloureux.*

♦ **5.** Qui exprime la douleur. *Gestes, cris* (→ Délivrer, cit. 13), *accents* (→ Cœur, cit. 41), *air, regards, visage douloureux. Un dou-loureux récit.*

14 (...) il lui avait dit qu'il l'aimait, et (...) elle l'avait écouté, muette, la bouche douloureuse et les yeux vagues.   FRANCE, le Lys rouge, II, p. 30.

Les plus belles œuvres des hommes sont obstinément douloureuses.   15
GIDE, la Symphonie pastorale, p. 108.

♦ **6.** N. f. (1880). Fam. *La douloureuse :* la note à payer.
CONTR. Indolore; agréable. — Bienheureux, content, épanoui, gai, heureux, hilare, joyeux, riant, rieur, satisfait.
DÉR. Douloureusement.

DOUM [dum] n. m. — 1799; arabe *dăwm* ou *dŭm,* même sens.

♦ Palmier d'Égypte et d'Arabie (n. sc. : *Hyphæne thebaica*). — Par appos. *«Petits palmiers doums»* (A. Gide, *Voyage au Congo,* p. 821).
(...) il regarda les cailloux qui tachaient le sol à perte de vue entre les touffes de doum dont on ferait des balais.   P. MAC ORLAN, la Bandera, X, p. 119.

DOUMA [duma] n. f. — 1831, *in* D. D. L.; mot russe, «assemblée».

♦ Hist. Nom de diverses assemblées législatives, dans la Russie tsa-riste. *Des doumas.*

DOURA ou **DOURAH** [duʀa] n. m. — 1735, *durra;* arabe *dŭrăh, dŭrrăh* «millet». — REM. Le terme arabe signifie «millet» quand il est qualifié par *băydāo* «blanche», et «maïs» quand il est accompagné de *săfrāo* «jaune».

♦ Gros mil d'Égypte. ⇒ **Sorgho.**
Nous reçûmes aussi en présent des grains de doura grillés.
LAMARTINE, Voyage en Orient, t. II, p. 13 (*in* T. L. F.).

DOURIAN [duʀjɑ̃] n. m. — 1588, *durion, dorion, in* Arveiller; du malais *durĭan* latinisé, reprise récente sous la forme *dourian.*

♦ Syn. de *durion*.
Les dourians étaient mûrs. Cet événement expliquait tout, car l'odeur de ces fruits semble mettre les hommes en folie comme la valériane les chats.
Henri FAUCONNIER, Malaisie, p. 86.

DOURINE [duʀin] n. f. — 1863; p.-ê. de l'arabe *darin* «croûteux».

♦ Vétér. Trypanosomiase* contagieuse des équidés, dite aussi *mal du coït.*

DOURO [duʀo] n. m. — 1838; de *duro,* mot esp.; abrév. de *peso-duro* «poids *(peso)* dur».

♦ Ancienne monnaie d'argent espagnole. *Le douro valait cinq pese-tas. Des douros* [duʀo; à l'esp. duʀos].
(...) si quelqu'un se présentait au torero le plus vaillant *(Belmonte)* et lui assurait l'argent nécessaire à son existence, ne fût-ce qu'un douro par jour jusqu'à sa mort, il ne s'en trouverait pas un pour entrer dans l'arène.
J. GREEN, Journal, Vers l'invisible, 10 sept. 1958, p. 43.

DOUTE [dut] n. m. — V. 1050; déverbal de *douter.*

♦ **1.** (*Le doute*). État de l'esprit qui doute, qui est incertain de la réalité d'un fait, de la vérité d'une énonciation, de la conduite à adopter dans une circonstance particulière. ⇒ **Hésitation, incerti-tude, incrédulité, indécision, indétermination, irrésolution, perplexité, vacillation;** → Opinion, cit. 14. *Le doute est possible. Le doute n'est pas, n'est plus permis. Le doute s'était glissé dans son esprit. Le doute est pire que tout.* — EN, DANS LE DOUTE. *Être en doute* (vx), *dans le doute.* ⇒ **Douter;** → Cas, cit. 21. *Être dans le doute au sujet de qqch.* ⇒ **Balance** (en). *Laisser qqn dans le doute.* — *Regarder qqn d'un air de doute, d'un air sceptique*.* ⇒ **Dubitatif, incrédule.** *Hocher, secouer la tête en signe de doute. Exclamations exprimant le doute* (→ Heu...! ouais...! tiens, tiens!). — Prov. *Dans le doute, abstiens-toi.*

(...) de mes vœux encor vous pouvez être en doute?   1
MOLIÈRE, l'École des maris, II, 9.

Un petit air de doute et de mélancolie,   2
Vous le savez, Ninon, vous rend bien plus jolie (...)
A. DE MUSSET, Poésies nouvelles, « À Ninon ».

(...) le doute nous ôte la connaissance de nous-même, et nous dégoûte de la vie.   3
BALZAC, le Lys dans la vallée, Pl., t. VIII, p. 940.

(...) qui dit doute, dit impuissance.   4
BALZAC, Un drame au bord de la mer, Pl., t. IX, p. 877.

Mieux vaut l'erreur que le doute, — pourvu qu'elle soit de bonne foi.   5
R. ROLLAND, Musiciens d'aujourd'hui, p. 118.

Je préfère une certitude horrible, faite d'abîmes et de négations, à vos demi-véri-tés, toutes faites d'affirmations contraires, qui se détruisent et qui ne sont que des doutes honteux, ou si médiocres qu'ils ne se savent même pas douteux.   6
André SUARÈS, Trois hommes, « Pascal », II, p. 41.

Tous les visages étaient sérieux, avec des nuances ici de désapprobation, là des doutes.   7
J. ROMAINS, les Hommes de bonne volonté, t. IV, IX, p. 91.

Mettre qqch. en doute. ⇒ **Contester, controverser, nier, refuser** (de croire). *Mettre en doute la parole de qqn. On ne peut mettre en doute sa probité.* — *Mettre en doute que...,* demande généralement le *ne* explétif dans une phrase négative ou interrogative.

8 Lorsqu'on me trouvera morte, il n'y aura personne qui mette en doute que ce ne soit vous qui m'aurez tuée (...) MOLIÈRE, George Dandin, III, 6.

9 Mais pour l'astrologie (...) je ne la puis mettre en doute.
MOLIÈRE, les Amants magnifiques, III, 1.

10 Ses nombreux ennemis ont pu l'accuser d'être passionné jusqu'à l'intolérance, mais nul ne s'est jamais avisé de mettre en doute sa sincérité parfaite (...)
Léon BLOY, le Désespéré, p. 189.

Littér. *Révoquer une chose en doute* (→ Définir, cit. 8).
Il y a doute dans cette affaire. — Il n'y a pas de doute que..., il ne fait pas de doute que... : la chose est certaine. *Nul doute que... :* il est certain que... (→ ci-dessous, *supra* cit. 25). — *Hors de doute :* certain, évident. *Il est hors de doute que...* (→ ci-dessous, 5.).

Psychiatrie. Vx. *Maladie, folie du doute :* comportement obsessionnel caractérisé par des ruminations, des débats de conscience, des vérifications obsessionnelles. Syn. mod. : *obsessions idéatives, interrogatives.*

Philos. *Doute sceptique, doute métaphysique :* position philosophique qui consiste à ne rien affirmer d'aucune chose. ⇒ **Scepticisme, pyrrhonisme**; → Savoir (que sais-je?). *Aboutir au doute universel* (→ Appétit, cit. 27; ballotter, cit. 5).
Doute philosophique, doute méthodique de Descartes, doute cartésien, opération première de la méthode cartésienne.

11 (...) je désirais vaquer seulement à la recherche de la vérité, je pensai qu'il fallait que (...) je rejetasse comme absolument faux tout ce en quoi je pourrais imaginer le moindre doute, afin de voir s'il ne me resterait point après cela quelque chose en ma créance qui fût entièrement indubitable.
DESCARTES, Disc. de la méthode, IV.

12 Le grand principe expérimental est donc le doute, le doute philosophique qui laisse à l'esprit sa liberté et son initiative, et d'où dérivent les qualités les plus précieuses pour un investigateur en physiologie et en médecine. Il ne faut croire à nos observations, à nos théories, que sous bénéfice d'inventaire expérimental.
Cl. BERNARD, Introd. à l'étude de la médecine expérimentale, I, II, p. 76.

Cour. *Le doute religieux,* attitude de celui qui n'a pas d'opinion sur l'existence ou la non-existence de Dieu, ou de celui dont la foi chancelle. ⇒ **Incertitude, incroyance.** *Être, vivre dans le doute* (→ Agglomérer, cit. 2; athée, cit. 6; croire, cit. 68).

13 Voilà un doute d'une terrible conséquence. PASCAL, Pensées, III, 195.

14 (...) le Doute n'est ni une impiété, ni un blasphème, ni un crime; mais une transition d'où l'homme retourne sur ses pas dans les Ténèbres ou s'avance vers la Lumière. BALZAC, Séraphîta, Pl., t. X, p. 545.

15 (...) cette croyance incertaine qui n'est pourtant pas le doute, qui réserve une possibilité à ce qu'on souhaite et dont Musset donne un exemple quand il parle de l'Espoir en Dieu. PROUST, À la recherche du temps perdu, t. XIII, p. 210.

♦ **2.** *(Un, des doutes).* Jugement par lequel on doute de qqch. *Avoir un doute sur l'authenticité d'un document, sur la réussite d'une affaire. J'ai des doutes, quelques doutes à ce sujet, à propos de... Laisser planer un doute sur...* ⇒ **Incertitude, obscurité, ombre.** *On ne le persuade pas aisément, il garde encore un doute, quelques doutes. Les doutes de qqn au sujet de qqch., ses doutes. N'avoir aucun doute quant à... Éclaircir*, dissiper, lever un doute.* — Vieilli. *Ôter, tirer qqn d'un doute.*

16 Ôte-moi d'un doute.
Connais-tu bien Don Diègue? CORNEILLE, le Cid, II, 2.

17 Pour me tirer d'un doute où me jette ma sœur (...)
MOLIÈRE, les Femmes savantes, I, 2.

Loc. *Cela ne fait pas de doute, ne fait aucun doute :* c'est certain, évident, incontestable, indiscutable. *Cela ne fait aucun doute pour moi :* j'en suis certain.

18 Le civisme et le sans-culottisme du jeune officier *(le général Hugo)* ne font pas de doute. HENRIOT, les Romantiques, p. 26.

L'ombre d'un doute :* le doute le plus léger. *Cela ne fait pas, il n'y a pas l'ombre d'un doute* (renforcement de : *il n'y a pas de doute*).

♦ **3.** Inquiétude, soupçon, manque de confiance en qqn.

[a] *(Un, des doutes). Avoir des doutes sur qqn.* ⇒ **Méfiance, soupçon, suspicion.** *Éprouver des doutes au sujet de qqn, à son endroit.* ⇒ **Appréhension, crainte.** *Être torturé par le doute* (→ Continu, cit. 3). *Doute bien, mal fondé. Confirmer ses doutes.*

[b] *(Le doute). L'esprit, le démon du doute* (⇒ **Jalousie**).

19 Le remède de la jalousie est la certitude de ce qu'on a craint, parce qu'elle cause la fin de la vie, ou la fin de l'amour; c'est un cruel remède, mais il est plus doux que le doute et les soupçons. LA ROCHEFOUCAULD, Maximes, 514.

20 La jalousie se nourrit dans les doutes (...)
LA ROCHEFOUCAULD, Maximes, 32 (→ Certitude, cit. 6).

21 Dans le doute mortel dont je suis agité (...) RACINE, Phèdre, I, 1.

22 (...) pour l'être dévoré de cette fièvre, il n'est pas au monde de besoin moral plus impérieux que celui d'un ami devant qui l'on puisse raisonner sur les doutes affreux qui s'emparent de l'âme à chaque instant, car dans cette passion terrible, *toujours une chose imaginée est une chose existante.*
STENDHAL, De l'amour, XXXIV, p. 129.

23 L'esprit du doute, suspendu sur ma tête, venait de me verser dans les veines une goutte de poison; la vapeur m'en montait au cerveau, et je chancelais à demi dans un commencement d'ivresse malfaisante.
A. DE MUSSET, la Confession d'un enfant du siècle, IV, I, p. 201.

24 Quand un mari se fie à sa femme, il garde pour lui les mauvais propos, et quand il est sûr de son fait, il n'a que faire de la consulter. Quand on a des doutes, on les lève; quand on manque de preuves, on se tait : et quand on ne peut démontrer qu'on a raison, on a tort.
A. DE MUSSET, Comédies et Proverbes, «Le chandelier», I, 1.

Par métonymie. (Aux sens 1, 2 ou 3). Expression du doute, d'un doute par le langage. *Les doutes exprimés dans sa lettre.*

♦ **4.** REM. [a] Les tours : *Il n'y a pas de doute que..., il ne fait pas de doute que..., point de doute que..., nul doute que...,* se construisent avec le subj. et avec *ne : nul doute qu'il ne se soit trompé. Il n'y a pas de doute qu'il ne vienne.*

Nul doute que ce ne soit un mage (...) FRANCE, Thaïs, II, p. 121. 25

Il n'y a point de doute que vous ne soyez le flambeau même de ce temps. 26
VALÉRY, Mon Faust, II, 1, p. 74.

Pour insister sur le caractère incontestable du fait, on omet *ne* (→ Avoir, cit. 86) ou on emploie l'indicatif (→ Avoir, cit. 85).

Aucun doute qu'il la rencontrât un jour ou l'autre. 27
Henri DE RÉGNIER, les Vacances d'un jeune homme sage, p. 187.

Il n'y a donc aucun doute qu'après la mort nous verrons Dieu. 28
CLAUDEL, Présence et Prophétie, p. 13.

Si le fait affirmé est hypothétique, on emploie le conditionnel. *Nul doute qu'il serait reçu s'il travaillait davantage.*

Nul doute qu'il le prendrait *(un livre)* et essayerait de le lire. 29
DANIEL-ROPS, Mort où est ta victoire?, p. 427.

[b] *Il est hors de doute que...,* est suivi de l'indicatif. *Il est hors de doute qu'il sera là ce soir.*

♦ **5.** Loc. adv. SANS DOUTE. [a] Certainement. ⇒ **Assurément**; → Attacher, cit. 83; autonome, cit. 3; brouiller, cit. 11; démonstration, cit. 7. *C'est là sans doute un livre de valeur. Viendrez-vous? Sans doute, sans aucun doute,* (littér.) *sans nul doute.* — REM. Dans l'usage moderne, pour redonner à cette locution (vieillie en ce sens) toute sa valeur affirmative, elle est renforcée : *sans aucun doute, sans nul doute...*

— La poule ne doit point chanter devant le coq. 30
— Sans doute. MOLIÈRE, les Femmes savantes, V, 3.

J'ai fait des malheureux, sans doute; et la Phrygie 31
Cent fois de votre sang a vu ma main rougie. RACINE, Andromaque, I, 4.

[b] Selon toutes les apparences. ⇒ **Apparemment, probablement, vraisemblablement**; → Arrêter, cit. 74; avoué, cit. 2; bâcler, cit. 2; dépayser, cit. 5. *Il viendra sans doute ce soir. Sans doute arrivera-t-elle demain.*

Il était arrivé là-haut un changement, 32
Qui présageait sans doute un grand événement. LA FONTAINE, Fables, VII, 18.

Sans doute à nos malheurs ton cœur n'a pu survivre. RACINE, Alexandre, IV, 1. 33

Elle gardait malgré toutes mes critiques sa manière insidieuse de poser des questions d'une façon indirecte pour laquelle elle avait utilisé depuis quelque temps un certain «parce que sans doute». N'osant pas me dire : «Est-ce que cette dame a un hôtel?» elle me disait, les yeux timidement levés comme ceux d'un bon chien : «Parce que sans doute cette dame a son hôtel particulier (...)» 33.1
PROUST, le Temps retrouvé, Pl., t. III, p. 748.

REM. *Sans doute que...* est suivi de l'indicatif ou, si le fait est hypothétique, du conditionnel. *Sans doute qu'il l'a oublié. Sans doute qu'il accepterait si vous insistiez.*

Nous avons vu suffisamment la malade, et sans doute qu'il y a beaucoup d'impuretés en elle. MOLIÈRE, l'Amour médecin, II, 2. 34

Et sans doute que comme tous les logeurs elle est de la police (...) 35
ARAGON, le Paysan de Paris, p. 24.

CONTR. Certitude, conviction, croyance, décision, persuasion, résolution. — Assurance, évidence, foi, religion.
DÉR. Douteux.

DOUTER [dute] v. tr. ind. *(de...)* et tr. dir. *(que...)* — 1080, *doter* ou *duter;* du lat. *dubitare* «craindre, hésiter», de *dubius* «indécis, qui hésite entre deux attitudes», de *duo* «deux».

♦ **1.** Être dans l'incertitude de la réalité d'un fait, de la vérité d'une assertion (→ Assertion, cit. 2).

DOUTER DE... *Douter de la réalité de qqch. Douter de l'authenticité d'une nouvelle. Douter du succès d'une entreprise sans en désespérer. Douter d'une vérité. Douter des choses les plus évidentes. Il doute aujourd'hui de ce qu'il affirmait hier.* — Loc. *J'en doute, j'en doute fort. N'en doutez pas :* soyez-en certain (→ Aller, cit. 38; désordre, cit. 21). *À n'en pas douter :* sans aucun doute. ⇒ **Incontestablement, sûrement.**

Quand on aime, on doute souvent de ce qu'on croit le plus. 1
LA ROCHEFOUCAULD, Maximes, 348.

Prenez femme, abbaye, emploi, gouvernement : 2
Les gens en parleront, n'en doutez nullement. LA FONTAINE, Fables, III, 1.

Comme l'amour fait douter des choses les plus démontrées, cette femme qui, avant l'intimité, était si sûre que son amant est un homme au-dessus du vulgaire, aussitôt qu'elle croit n'avoir plus rien à lui refuser, tremble qu'il n'ait cherché qu'à mettre une femme de plus sur sa liste. STENDHAL, De l'amour, VII, p. 53. 3

Je doute avec mon cœur de ce que mon esprit reconnaît comme vrai. 4
Paul BOURGET, le Disciple, IV, p. 92.

Nous pouvons à la fois douter des mêmes choses auxquelles nous croyons et dans le moment même. Car tout ce qui pour nous est l'objet d'un sentiment profondément ressemble en cela à la vie, qui est pour nous un objet de foi et d'amour. Nous croyons à la durée de nos amours, et nous en doutons. Nous croyons à la vie immortelle, et nous en doutons. Nous croyons en Dieu, et nous en doutons (...) 4.1
PROUST, Jean Santeuil, Pl., t. III, p. 583.

Littér. *Douter de...* (suivi de l'inf.). *Je doute d'avoir dit cela. Douter de pouvoir faire telle chose. Il ne doute pas d'y arriver.*

5 Elle ne doutait pas d'être toujours en état de se donner à son mari ; et elle en recueillit très distraitement la preuve quelques soirs après.
J. ROMAINS, les Hommes de bonne volonté, t. V, I, p. 8.

DOUTER QUE... (suivi du subj. ; à la forme affirmative, sans *ne* explétif). *Je doute fort que cela soit* (Académie).

6 (...) j'ose douter qu'ils *(Voiture et Sarrazin)* fussent tels aujourd'hui qu'ils ont été alors. LA BRUYÈRE, les Caractères, XIII, 10.

Ne pas douter que... ne... (suivi du subj.). → Bras, cit. 21 ; corbeau, cit. 6. *Je ne doute pas qu'il ne vienne.* — REM. Pour insister sur le caractère incontestable du fait envisagé, on omet le *ne* explétif ou on emploie l'indicatif. *Je ne doute pas qu'il vienne ; je ne doute pas qu'il viendra.* Quand le fait envisagé est hypothétique on emploie le conditionnel. *Je ne doute pas qu'il accepterait, si j'insistais.* ⇒ aussi **Doute, 4., REM., a.**

7 (...) je ne doute point qu'il n'y ait eu une ancienne erreur (...)
LA BRUYÈRE, Disc. sur Théophraste.
8 Il ne faut point douter qu'il fera ce qu'il peut. MOLIÈRE, l'Étourdi, II, 7.
9 Ne doutant pas que le lendemain, sa servante accepterait une proposition qui était pour elle tout à fait inespérée. MAUPASSANT, Histoire d'une fille de ferme, III.

Littér. DOUTER SI... (suivi de l'indic. ou du cond.). ⇒ **Demander** (se), **savoir** (ne savoir si). *Je doute si je serai en mesure d'accomplir ma promesse* (Littré). *Je doute si j'accepterais un tel poste, dans de pareilles conditions* (→ outre les ex. ci-dessous, la cit. 14, Pascal).

10 Vous promettez beaucoup, Prince ; et je doute fort
Si vous pourrez sur vous faire ce grand effort. MOLIÈRE, Dom Garcie, I, 3.
11 Aussi les parents de la belle doutèrent longtemps s'ils obéiraient.
LA FONTAINE, Psyché, I.
12 *(Vos esclaves)* Doutent si le Vizir vous sert ou vous trahit. RACINE, Bajazet, V, 8.
13 (...) les plus sages doutent quelquefois s'il est mieux de connaître ces maux que de les ignorer. LA BRUYÈRE, les Caractères, X, 7.

♦ **2.** (XVe). **DOUTER DE...** : mettre en doute (des croyances fondamentales considérées comme des vérités, en matière de religion, de morale...). *Les sceptiques doutent de tout, de toutes choses. Douter des mystères de la religion.*

14 Que fera donc l'homme en cet état ? Doutera-t-il de tout ? doutera-t-il s'il veille, si on le pince, si on le brûle ? doutera-t-il s'il doute ? doutera-t-il s'il est ? On n'en peut venir là ; et je mets en fait qu'il y a jamais eu de pyrrhonien effectif parfait. La nature soutient la raison impuissante, et l'empêche d'extravaguer jusqu'à ce point. PASCAL, Pensées, VII, 434.
15 Comme Hamlet, il doutait de tout maintenant, de ses pensées, de ses haines et de tout ce qu'il avait cru. R. ROLLAND, Michel-Ange, II, III, p. 162.
15.1 Douter de tout ou tout croire, ce sont deux solutions également commodes, qui l'une et l'autre nous dispensent de réfléchir.
H. POINCARÉ, la Science et l'Hypothèse, p. 2.

Absolt. *Savoir douter* (→ Crédibilité, cit. 1 ; croire, cit. 19). *Douter bien, à bon escient* (→ Courir, cit. 68). *Apprendre à douter. Douter pour douter. Il a longtemps douté avant de croire.*

16 Aussitôt Jésus étendit la main, le saisit, et lui dit : Homme de peu de foi, pourquoi as-tu douté ? BIBLE (SEGOND), Évangile selon saint Matthieu, XIV, 31.
17 Non que j'imitasse pour cela les sceptiques, qui ne doutent que pour douter, et affectent d'être toujours irrésolus (...) DESCARTES, Disc. de la méthode, III.
18 C'est donc un malheur que de douter, mais c'est un devoir indispensable de chercher dans ce doute (...) PASCAL, Pensées, III, 194 bis.
19 La balance à la main, Bayle enseigne à douter.
VOLTAIRE, Poème sur le désastre de Lisbonne (→ Balance, cit. 9).
20 De l'homme qui doute à celui qui renie, il n'y a guère de distance. Tout philosophe est cousin d'un athée. A. DE MUSSET, la Confession d'un enfant du siècle, Pl., p. 237.
21 Douter, c'est examiner, c'est démonter et remonter les idées comme des rouages, sans prévention et sans précipitation (...) ALAIN, Propos, p. 21.

♦ **3. Vx.** Hésiter. ⇒ **Balancer** (vx), **tergiverser.** *Il a longtemps douté avant de tenter cette entreprise* (Académie).

22 Pourriez-vous un moment douter de l'accepter ? RACINE, Athalie, III, 4.

Loc. *Ne douter de rien* : n'hésiter devant aucun obstacle, aller de l'avant hardiment, sans tenir compte des difficultés. — Iron. *Il ne doute de rien* : il fait preuve d'une audace insolente, il se fait des illusions en croyant que tout lui est possible, que tout lui est permis (→ Avoir tous les culots, tous les toupets).

22.1 «Comment donc, monsieur Cyrus, s'écria le marin, je suis tout prêt à passer capitaine... dès que vous aurez le moyen de construire une embarcation suffisante pour tenir la mer !
— Nous le ferons, si cela est nécessaire !» répondit Cyrus Smith.
Mais tandis que causaient ces hommes, qui véritablement ne doutaient de rien, l'heure approchait (...) J. VERNE, l'Île mystérieuse, t. I, p. 185.

♦ **4. DOUTER DE...** : ne pas avoir confiance en (qqn, qqch). ⇒ **Défier** (se), **méfier** (se). *Douter de qqn, de sa parole, de sa sincérité, de son honnêteté* (→ Désespérer, cit. 2). *Douter du cœur de qqn* (→ Assaut, cit. 5). *Pourquoi doutez-vous de moi ? Douter de soi* : ne pas être sûr de ses sentiments, de ses possibilités.

23 Et de moi je commence à douter tout de bon. MOLIÈRE, Amphitryon, I, 2.
24 Vous doutez de la sincérité de mes paroles ; jamais peut-être je n'ai senti avec plus d'amertume qu'en ce moment le peu de confiance que je puis inspirer.
A. DE MUSSET, Comédies et Proverbes, Les caprices de Marianne, II, 3.
25 Doutez, si vous voulez, de l'être qui vous aime,
D'une femme ou d'un chien, — mais non de l'amour même.
A. DE MUSSET, Premières poésies, «Dédicace à M. Alfred T...».
26 Que cette idée ne vous vienne jamais de paraître douter de vous, car aussitôt tout le monde en doute. A. DE MUSSET, Comédies et Proverbes, «Barberine», I, 4.

Tu doutes trop de moi, Jacques, ce n'est pas généreux (...) 27
Alphonse DAUDET, le Petit Chose, II, XIV, p. 362.
Quiconque doute de soi n'est pas digne de se faire croire. Le doute est la faiblesse 28
même. SUARÈS, Trois hommes, « Ibsen », II, p. 91.
Ce malheureux apporte, à ne plus douter de soi-même, la sombre et dérisoire pas- 29
sion qu'il manifestait la veille dans le mépris de ses propres efforts.
G. DUHAMEL, Manuel du protestataire, II, p. 75.

▶ **SE DOUTER** v. pron. (XVe).
(Suivi d'un indéf.). Considérer comme tout à fait probable (ce dont on n'a pas connaissance). *Se douter de qqch.* ⇒ **Conjecturer, croire, deviner, pressentir, soupçonner ; idée** (avoir idée de) ; → Affinité, cit. 3 ; assez, cit. 48 ; conjecture, cit. 1. *Se douter de qqch. de louche.* ⇒ **Flairer, subodorer** ; → Il y a anguille sous roche. *Je me doute de l'effet produit.* ⇒ **Imaginer** ; → Centre, cit. 13. *Je m'en doutais !* ⇒ **Évidemment, naturellement.** *On s'en doutait* (→ Tu parles !). *Vous doutiez-vous de cela ?* ⇒ **Attendre** (s'). *Est-ce que tu t'en doutais ? Ne pas se douter de...* ⇒ **Ignorer.** — *Se douter que...* (suivi de l'indic. ou du cond.). → ci-dessous, cit. 33 et 34. *Je me doute que c'est difficile.*

(...) on ne crut point qu'il se doutât de rien. 30
LA FONTAINE, Fables, VIII, 18 (→ Assurance, cit. 8).
Il se doute de quelque chose. MOLIÈRE, George Dandin, I, 2. 31
— Ne devines-tu point de quoi je veux parler ? — Je m'en doute assez : de notre 32
jeune amant (...) MOLIÈRE, le Malade imaginaire, I, 4.
Est-ce qu'elle se doute 33
qu'elle vous prend le cœur ;
en cueillant sur la route
des fleurs ? Francis JAMMES, la Jeune Fille..., in Choix de poèmes, p. 59.
Nous ne nous doutions pas que si peu de temps après nous aurions à supporter 34
ensemble une si grande épreuve (...)
J. ROMAINS, les Hommes de bonne volonté, t. V, XXVIII, p. 314.
(...) à quoi lui servait l'intuition qu'elle avait reçue, sinon à la torturer ? Flairer la 35
présence d'un secret (...) n'est-ce pas plus pénible que l'ignorance absolue de celui qui ne se doute de rien ? J. GREEN, Léviathan, p. 169.

CONTR. Admettre, croire, décider (se), **espérer, reconnaître, résoudre** (se), **savoir.**
DÉR. Doute, douteur.

DOUTEUR, EUSE [dutœʀ, øz] adj. et n. — XIIIe ; de *douter*.

♦ **Littér.** Qui doute. — N. Celui, celle qui doute. ⇒ **Sceptique.**
«Et puis», continua-t-il, «ce grand douteur est mû par une foi de charbonnier (...)» 1
MARTIN DU GARD, les Thibault, VIII, p. 254.
Psychiatrie. Personne souffrant d'une obsession d'interrogation perpétuelle (dite anciennt *folie du doute**).
Une tendance exagérée à l'introspection est fréquente chez les scrupuleux, les dou- 2
teurs, les obsédés et chez beaucoup de psychasthéniques, constamment penchés sur leurs états d'âme pour les analyser, les critiquer.
A. POROT, Manuel alphabétique de psychiatrie, art. *Introspection* (éd. 1952).

DOUTEUSEMENT [dutøzmɑ̃] adv. — V. 1175, *dotosement* ; de *douteux*.

♦ **1.** D'une manière douteuse.
Nous aimions les musiques exotiques, les quais de la Seine, les péniches et les rôdeurs, les petits caboulots douteusement famés, le désert des nuits.
S. DE BEAUVOIR, la Force de l'âge, p. 262.

♦ **2. Littér.** En formulant des doutes.

DOUTEUX, EUSE [dutø, øz] adj. — 1120 ; au moyen âge, aussi «redoutable» et «craintif» ; de *doute*, et suff. *-eux*.

A. (Choses). ♦ **1.** Dont l'existence (ou la réalisation) n'est pas certaine. ⇒ **Incertain** ; → Catholique, cit. 2. Fait douteux, qui n'a pas été contrôlé, vérifié. *L'authenticité même de ce texte est douteuse. Son succès est douteux. Issue douteuse.* ⇒ **Aléatoire, hypothétique, improbable, problématique.**

(...) aucune chose dont on ne dispute, et, par conséquent, qui ne soit douteuse (...) 1
DESCARTES, Disc. de la méthode, I.
Il est douteux que... (suivi du subj.). *Il est douteux qu'il vienne ce soir.* — *Il n'est pas douteux que... ne...* (suivi du subj.). — REM. Pour insister sur le caractère incontestable du fait envisagé, on peut supprimer le *ne* ou employer l'indicatif. ⇒ **Doute, 4., REM. a.** *Il n'est pas douteux qu'il ait raison, qu'il a raison.*
Il n'est pas douteux que le christianisme ait été une transformation profonde du 2
judaïsme. H. BERGSON, les Deux Sources de la morale et de la religion,
III, p. 254 (→ Christianisme, cit. 11).

♦ **2.** Dont la valeur, les caractères, les effets... ne sont pas certains ; qui provoque le doute ; sur quoi on s'interroge. ⇒ **Ambigu, discutable, équivoque, obscur.** *Réponse douteuse. Raisonnement douteux* (→ Balancement, cit. 4). *Opinion douteuse.* ⇒ **Contestable** ; → Discuter, cit. 8. *Sens douteux d'une phrase, d'une proposition.* ⇒ **Amphibologique.** *La date de cette œuvre est douteuse. Origine douteuse d'un objet. Étymologie douteuse.* ⇒ **Incertain.**

(...) combien à un âge où toutes les opinions sont encore douteuses et vacillantes, 3
les enfants s'étonnent de voir contredire, par des plaisanteries que tout le monde applaudit, les règles directes qu'on leur a données.
B. CONSTANT, Adolphe, II, p. 12.
(...) un bon prote marque d'un point d'interrogation, en marge des épreuves, les 4
mots douteux (...) GIDE, Attendu que..., p. 50.

Versification. *Voyelle, syllabe douteuse,* longue ou brève suivant la place qu'elle occupe dans le vers.

♦ **3.** Qui n'a pas ou ne semble pas avoir les qualités qu'on en attend ; dont la qualité est mise en cause. *Vêtement d'une propreté douteuse. Il est d'une honnêteté assez douteuse* (→ ci-dessous, 4.). *Un jour douteux :* lumière qui permet à peine de distinguer les objets. ⇒ **Faible ; pénombre.** — Par ext. *Clarté, lumière douteuse.*

5   Et quel plaisir! la nuit, à l'heure douteuse et pâle qui précède le point du jour, d'entendre mon coq s'égosiller (...)
                    Aloysius BERTRAND, Gaspard de la nuit, Ma chaumière.

6   (...) une petite eau-forte *(de Rembrandt),* de facture hachée, impétueuse, et d'une couleur incomparable, comme toutes les fantaisies de ce génie singulier, moitié nocturne, moitié rayonnant, qui semble n'avoir connu la lumière qu'à l'état douteux de crépuscule, ou à l'état violent d'éclairs.
                    E. FROMENTIN, Un été dans le Sahara, p. 3.

De qualité médiocre. *Viande douteuse, champignons douteux* (→ Contact, cit. 3). — Dont on peut mettre en doute la propreté ; qui est un peu sale. *Le blanc douteux de son col.* ⇒ **Sale.** — Ellipt. *Un col douteux.*

7   (...) en tabliers d'un blanc douteux.   ZOLA, l'Assommoir, t. I, III, p. 104.

Vêtement, mobilier d'un goût douteux, de mauvais goût. *Plaisanterie d'un goût douteux.* ⇒ **Mauvais.** — *Une plaisanterie douteuse,* d'un goût douteux.

8   Cette toilette, d'un goût douteux, plus coûteuse que moderne, allait mal à Séniha, qui s'en aperçut.   LOTI, Aziyadé, Eyoub à deux, XLVI, p. 143.

Comm. *Créance douteuse :* créance dont le recouvrement n'est pas assuré. ⇒ **Litigieux.**

♦ **4.** (Personnes ; qualités). Dont on n'est pas sûr ; que l'on met en doute. ⇒ **Suspect.** *Des relations douteuses. Un individu douteux. Personne d'une probité, d'une réputation douteuse. Des mœurs douteuses.*

9   Mais les monstres, dans son œuvre, foisonnent. Il a, comme Gide et Mauriac, le goût des limaces humaines, des êtres visqueux, douteux, vulgaires (...)
                    A. MAUROIS, Études littéraires, « Martin du Gard », t. II, p. 189.

Subst. :

9.1 En facilitant la tâche de ses interlocuteurs, grâce à l'étiquette dont il est pourvu, l'engagé est mieux vu que le douteux, dont on ne sait jamais dans quel sens il va « partir » et, par suite, ce qu'il faudra lui répondre.
                    A. SAUVY, Croissance zéro?, p. 170 (1973).

B. (Personnes ; êtres animés). Vx. Qui est dans le doute* ou enclin au doute. ⇒ **Hésitant, indécis, méfiant, timide ;** → N'être ni chair* ni poisson. — Littér. et class. Craintif.

10   Dieu ne veut point d'un cœur où le monde domine,
     Qui regarde en arrière, et douteux en son choix,
     Lorsque sa voix l'appelle, écoute une autre voix.   CORNEILLE, Polyeucte, I, 1.

11   *(Notre lièvre)* était douteux, inquiet ;
     Un souffle, une ombre, un rien, tout lui donnait la fièvre.
                    LA FONTAINE, Fables, II, 14, « Le lièvre et les grenouilles ».

CONTR. **Assuré, authentique, avéré, catégorique, certain, clair, croyable, évident, formel, incontestable, incontesté, indiscutable, indubitable, irrécusable, manifeste, notoire, palpable, patent, positif, sûr, visible.**

DÉR. **Douteusement.**

DOUVAIN [duvɛ̃] n. m. — 1491 ; de 2. *douve.*

♦ Techn. Bois (de chêne, de châtaignier, d'acacia, etc.) propre à faire des douves.

1. DOUVE [duv] n. f. — 1160, *dove ;* du bas lat. *doga* « récipient », du grec *dokhê* « récipient, réservoir ».

♦ **1.** Fossé destiné à être rempli d'eau, et entourant une grande construction, un château. *Les douves d'un château* (→ Ciel, cit. 38). — Par ext. *Douves de fossé,* les parois de ce fossé.

1   Dès son installation à Cinq-Cygne, le bonhomme d'Hautesserre fit une longue ravine par laquelle les eaux de la forêt tombaient dans la douve, un chemin qui sépare deux grandes pièces de terre appartenant à la réserve du château...
                    BALZAC, Une ténébreuse affaire, éd. 1841, p. 104.

2   Douve sera ton nom au loin parmi les pierres,
     Douve profonde et noire,
     Eau basse irréductible
     Où l'effort se perdra.
                    Yves BONNEFOY, Poèmes, Du mouvement et de l'immobilité de Douve,
                                                    « L'orangerie », p. 82.

♦ **2.** Agric. Étroit fossé creusé entre deux terrains cultivés, et servant à l'écoulement des eaux.

♦ **3.** (1900). Steeple-chase. Large fossé précédé d'une barrière, d'une claie.

HOM. 2. Douve, 3. douve.

2. DOUVE [duv] n. f. — V. 1200 ; du bas lat. *doga* « récipient » (→ 1. Douve), par métonymie.

♦ Planche servant à la fabrication des tonneaux (→ Tonnelier, cit. 2). *Douves de corps,* longues et courbées. *Douves à oreille.*

Douves de fond. ⇒ **Jable.** *Petite douve.* ⇒ **Douvelle.** *Pièce de bois servant à faire des douves.* ⇒ **Bourdillon, merrain ;** → Douvain.

DÉR. **Douvain, douvelle.** V. Douelle.
HOM. 1. **Douve,** 3. **douve.**

3. DOUVE [duv] n. f. — XIᵉ ; du bas lat. *dolva,* probablt d'orig. gauloise.

♦ **1.** Ver plathelminthe *(Trématodes)* scientifiquement appelé *Distomum,* parasite des canaux biliaires de mammifères herbivores, particulièremmt du mouton chez lequel il détermine la cachexie aqueuse. *La grande douve du foie. Formes larvaires de la douve.* ⇒ **Rédie ; cercaire.**

♦ **2.** Renoncule* des marais.

HOM. 1. **Douve,** 2. **douve.**

DOUVELLE [duvɛl] n. f. — 1694 ; dimin. de 2. *douve.*

♦ Techn. Petite douve (de tonneau). ⇒ **Douelle.**

DOUX, DOUCE [du, dus] adj., adv. et n. — 1080, *dulz ;* du lat. *dulcis* « doux, suave », et, au fig., « agréable, charmant, aimé ».

★ **I.** Adj. **A.** Domaine de la sensation. ♦ **1.** Après le nom, en épithète. Qui a un goût faible ou sucré (opposé à *amer, acide, fort, piquant, relevé, salé,* etc.). *Le sucre est doux. Doux comme le miel. Amandes, oranges, pommes douces. Piment doux. Moutarde douce. Beurre doux,* non salé. *Un plat doux :* un mets sucré. *Trop doux, doux et écœurant.* ⇒ **Douceâtre, doucereux, écœurant, fade, liquoreux, mielleux, sirupeux.** *Sauce trop douce,* qui manque d'assaisonnement. *Rendre doux, plus doux.* ⇒ **Adoucir, édulcorer.**

C'est son breuvage le plus doux.   RACINE, Esther, III, 3.   1

La coupe la plus douce apporte l'amertume,   2
Sauf la coupe du vallon bleu qu'emplit la brume
Comme d'un lait que boit l'Aurore à son réveil.
                    Francis JAMMES, Sonnets, in Choix de poèmes, p. 247.

Eau douce,* non salée. *Marin d'eau douce* (→ 2. Marin, cit. 6).

Spécialt. Sucré. *Patate* douce.* — *Vin doux :* moût ; vin naturellement sucré (opposé à *sec*). *Champagne doux,* sucré (opposé à *brut*).

♦ **2.** Plutôt après le nom. Agréable au toucher par son caractère lisse, souple (opposé à *dur, rugueux, violent*). ⇒ **Lisse, moelleux, soyeux.** *Peau* douce.* ⇒ **Fin, satiné, uni, velouté.** *Étoffe, laine douce. Poils doux. Brosse douce.* ⇒ **Souple.** — *Lit, matelas très doux.* ⇒ **Douillet, moelleux, mollet, mou.** *Un doux oreiller.* ⇒ **Mol.** *Voiture douce,* bien suspendue. ⇒ **Confortable.** — Antéposé. Littér. *Douce caresse, doux chatouillement.*

(...) il tenait la main d'Antoine familièrement enfermée entre les siennes, qui   3
étaient douces et potelées comme des mains de femme.
                    MARTIN DU GARD, les Thibault, t. I, p. 181.

♦ **3.** Après le nom. Qui épargne les sensations violentes, désagréables (se dit du temps, du climat). *Un temps doux et agréable. Il fait doux et tiède. Un doux zéphyr ; une brise douce.* ⇒ **Faible.** *Température douce, douce chaleur.* ⇒ **Modéré.** *Cette année, l'hiver a été doux, plutôt doux.* ⇒ **Clément.**

Un temps doux. Le vent, faible et chaud, nous venait du Sud. Il amollissait l'air.   4
                    H. BOSCO, Un rameau de la nuit, p. 159.

♦ **4.** Avant ou après le nom. Peu sonore et agréable à l'ouïe. ⇒ **Caressant, charmant, enchanteur, harmonieux, mélodieux, suave.** — Antéposé. Littér. *Doux accents ; doux murmures.* ⇒ **Léger.** *De doux accords, une douce musique* (⇒ **Amabile, dolce, piano**). *Les douces rumeurs de la nature ; les douces harmonies du soir* (→ 2. Calme, cit. 1). — Postposé. *Musique* douce. Voix* douce. L'italien est une langue douce,* douce à l'oreille. ⇒ **Musical.** *Des inflexions de voix très douces, une intonation douce.*

Un beau visage est le plus beau de tous les spectacles ; et l'harmonie la plus douce   5
est le son de voix de celle que l'on aime.   LA BRUYÈRE, les Caractères, III, 10.

C'était une musique très harmonieuse, la voix fraîche de Gaud alternant avec celle   6
de Yann qui avait des sonorités douces et caressantes dans les notes graves.
                    LOTI, Pêcheur d'Islande, IV, I, p. 225.

Fig. *Éloquence douce. Parler d'un ton doux* (→ Un mot pas plus haut que l'autre). — *Doux propos ; douces paroles :* paroles obligeantes, flatteuses (⇒ **Mielleux**).

Ainsi dans les dangers qui nous suivent en croupe,   7
Le doux parler ne nuit de rien.   LA FONTAINE, Fables, III, 12.

Phonét. *Consonnes douces,* dont l'articulation n'exige qu'une faible tension musculaire (contr. : *consonne dure*). *Les consonnes sonores sont en général douces* (ex. : *B, G, D*). — Gramm. grecque. *Esprit doux :* en grec, signe indiquant que l'initiale vocalique n'est pas aspirée (ʼ).

♦ **5.** Après le nom. Agréable à l'œil, à la vue. *Lumière douce*.* ⇒ **Pâle, tamiser** (p. p. adj.) ; → Atténuer, cit. 10. *Couleur douce.* ⇒ **Clair.** *Reflets doux ; nuances, teintes douces. Les courbes de ce dessin sont douces.*

Mais à peine entrée dans la haute pièce sévère et drapée, la clarté joyeuse du   8 ciel s'atténuait, devenait douce, s'endormait sur les étoffes, allait mourir dans les portières (...)   MAUPASSANT, Fort comme la mort, p. 1.

♦ **6.** Avant ou après le nom. Agréable à l'odorat. *Doux parfums.* ⇒ **Délicat, suave.** *Douces odeurs ; odeurs douces (à l'odorat).*

9   (...) de douces odeurs sombres et tenaces, qui demeuraient longtemps attachées aux paumes.   COLETTE, la Chatte, p. 103.

B. Domaine psychique, abstractions... ♦ **1.** Souvent antéposé. Fig. Qui procure un agrément calme et délicat. ⇒ **Agréable, délicat, délicieux, exquis.** *Doux sentiments. Douces sensations. Une douce émotion* (→ Battre, cit. 61). *Doux charme. Douce attente. Espoir bien doux. Douce nouvelle. Doux souvenir.* ⇒ **Attendrissant.** *Doux pays*. La solitude lui est douce. Douce tranquillité. Une douce vengeance. Se faire une douce violence*. Il est doux de pardonner. Il me sera bien doux de vous revoir. La douce chaleur d'un cœur affectueux* (→ Déborder, cit. 5). *Qu'il est doux de ne rien faire ! Doux repos ; doux sommeil. Passer des jours bien doux.* ⇒ **Couler** (se la couler douce ; cit. 33 et *supra*). *Mener une vie* douce.* ⇒ **Calme, doré, douillet, facile, indolent, mol, paisible, serein, tranquille ; dolce vita.** *Il a eu la vie douce. Douces habitudes. Douces manies. Douces pensées* (→ Apaiser, cit. 21). — Vx (langue class.). *Doux liens. Douces chaînes.* ⇒ **Amoureux.**

10   Chacun songe en veillant, il n'est rien de plus doux (...)   LA FONTAINE, Fables, VII, 10.

11   Qu'un ami véritable est une douce chose !   LA FONTAINE, Fables, VIII, 11.

12   Eh ! Monsieur, mon cher maître, il est si doux de vivre !
On ne meurt qu'une fois, et c'est pour si longtemps !
     MOLIÈRE, le Dépit amoureux, V, 3.

13   Et tout ingrat qu'il est, il me sera plus doux
De mourir avec lui que de vivre avec vous.   RACINE, Andromaque, IV, 3.

14   Les feux de l'aurore ne sont pas si doux que les premiers regards de la gloire.
     VAUVENARGUES, Réflexions et Maximes, 375.

15   Cependant il est doux de respirer encore
Cet air du ciel natal où l'on croit rajeunir.   LAMARTINE, Harmonies..., III, IV.

16   Qu'il est doux d'être au monde, et quel bien que la vie !
Tu le disais ce soir par un beau jour d'été.   A. DE MUSSET, Poésies nouvelles, À Alfred T., Sonnet.

17   (...) les plus doux instants pour deux amants heureux,
Ce sont les entretiens d'une nuit d'insomnie,
Pendant l'enivrement qui succède au plaisir.   A. DE MUSSET, Premières Poésies, « La coupe et les lèvres », II, 3.

18   Je veux dormir ! dormir plutôt que vivre !
Dans un sommeil aussi doux que la mort (...)   BAUDELAIRE, Épaves, Pièces condamnées, « Le Léthé ».

19   Et qu'à vos yeux si beaux l'humble présent soit doux.   VERLAINE, Romances sans paroles, « Aquarelles », Green (→ Cœur, cit. 74).

20   Il m'est doux de vivre en pensée les jours qu'il vivait (...)   FRANCE, le Petit Pierre, XXXIII, p. 236.

21   Mais gardez-moi un peu d'amitié dans votre colère, un souvenir aigre et doux, comme ces temps d'automne où il y a du soleil et de la bise.   FRANCE, le Lys rouge, XXI, p. 161.

22   (...) c'est doux, la nuit, de regarder le ciel. Toutes les étoiles sont fleuries.   SAINT-EXUPÉRY, le Petit Prince, XXVI, p. 86.

DOUX À... (suivi de l'inf.) :

23   Affaissant sous son poids un énorme oreiller
Un beau corps était là, doux à voir sommeiller (...)   BAUDELAIRE, Poèmes divers, « Le goinfre ».

♦ **2.** Après le nom. Qui n'a rien d'extrême, d'excessif. ⇒ **Faible, modéré.**

[a] Concret. *Montée douce. Escalier doux,* dont les degrés ne sont pas rudes à gravir. *Descente en pente douce.* — *Feu doux,* donnant une chaleur modérée. *Cuire à feu doux,* à petit feu.

[b] *Prix doux :* prix modéré. *Acheter au prix doux,* (1859, *in* D.D.L.) *dans les prix doux,* bon marché.

24   (...) je pourrai vous procurer deux juments harnachées dans les prix doux.   SARTRE, les Mouches, I, 6.

[c] Qui ne contraint pas péniblement. *Lois douces.* ⇒ **Clément, indulgent.** *Administration douce. Le service y est doux.* ⇒ **Facile, plaisant.** *Châtiment, supplice trop doux.* ⇒ **Anodin, bénin.** *Une mort douce.* — Antéposé. *De doux reproches. Douce gaieté. Douce plaisanterie.*

25   Il est des moyens doux pour nous satisfaire ; il en est de violents et de sanglants (...)   MOLIÈRE, Dom Juan, III, 4.

26   Il ne faut jamais hasarder la plaisanterie même la plus douce et la plus permise qu'avec des gens polis ou qui ont de l'esprit.   LA BRUYÈRE, les Caractères, V.

[d] (D'après l'angl. *soft*). *Drogues* douces.*

[e] Qui agit sans brutalité, sans effets secondaires néfastes sur le milieu considéré (environnement ; organisme) et selon les voies tenues pour les plus naturelles. *Technologies douces,* qui ne portent pas atteinte à l'environnement, au milieu. *Les énergies douces :* les sources d'énergie non polluantes (vent, marées, etc.), opposées aux sources d'énergie telles que le pétrole, la fission nucléaire, etc. — *Médecines douces* (phytothérapie, acupuncture, homéopathie, etc.).

♦ **3.** (Personnes ; entités humaines). Qui ne heurte, ne blesse personne, n'impose rien, ne se met pas en colère. ⇒ **Affable, aimable, amène, angélique, bénin** (cit. 2 et 7), **bienveillant, bon, bonasse, bonhomme, calme, clément** (cit. 1), **complaisant, conciliant, coulant,**

débonnaire, doucet, faible, gentil, humain, indulgent, liant, malléable, paisible, paterne, patient, souple, tolérant, traitable. *Un homme doux* (→ Crème, cit. 2). *Caractère, naturel doux* (→ Autant, cit. 28). *Humeur douce. Jeune fille chaste* et douce. Elle est douce comme une colombe* (→ Accort, cit. 3). *Doux comme un agneau, comme un mouton** (cit. 13). ⇒ **Inoffensif.** *Cet enfant est doux.* ⇒ **Docile, maniable, obéissant, sage, soumis, souple.** *Rendre doux, docile.* ⇒ **Adoucir, apprivoiser, discipliner, dompter, dresser, radoucir.** *Doux comme une fille.*

27   Votre petit Allemand (...) est beau comme un ange, et doux et honnête comme une pucelle.   Mme DE SÉVIGNÉ, Lettres, 585, 7 oct. 1676.

28   Pour elle, quoique Dieu l'ait faite douce et tendre (...)   A.-F. ARVERS, Sonnet.

29   Ceux-là seuls sont doux à autrui qui sont doux à eux-mêmes.   FRANCE, le Petit Pierre, I, p. 12.

30   Elle était aussi douce, polie et pure que peut l'être la créature humaine.   Valery LARBAUD, Amants..., p. 16.

T. d'affection. *Mon doux ami* (cf. au moyen âge, *Beau doux ami*).

(Animaux). Qui n'est pas méchant. *Un chien doux et caressant. Une monture douce, douce comme un ange* (→ 1. Mule, cit. 1).

31   Ni loups ni renards n'épiaient
La douce et l'innocente proie.   LA FONTAINE, Fables, VII, 1.

32   Dans la journée, elles sont douces comme des moutons ; à mesure que l'heure de boucler approche, c'est à qui deux ne restera pas dans le panier grillé (...)   COLETTE, la Paix chez les bêtes, « Chiens savants ».

♦ **4.** Par ext. Qui dénote de la douceur, de la bienveillance. *Air doux.* ⇒ **Gentil.** *Physionomie douce. Doux visage.* ⇒ **Beau, gracieux.** *Un doux sourire* (→ Déplaisir, cit. 2). *Un doux regard.* ⇒ **Affectueux, aimant, câlin, caressant, tendre.** *Avoir des manières douces* (⇒ **Chatte**). *Mœurs douces.* ⇒ **Paisible.** — *Folie* douce* (par oppos. à *furieuse*).

33   Il est si beau, l'enfant, avec son doux sourire,
Sa douce bonne foi, sa voix qui veut tout dire (...)   HUGO, les Feuilles d'automne, XIX, « Lorsque l'enfant paraît ».

34   Ses yeux doux et farouches brillaient sous un voile magnifique de longs cils noirs (...)   FRANCE, Histoire comique, IX, p. 143.

35   (...) c'est une femme rude, épaisse, membrue comme un homme. Rien de doux, ni même de son sexe.   André SUARÈS, Trois hommes, « Pascal », II, p. 21.

Spécialt. ⇒ **Amoureux, passionné.** *De douces déclarations. Doux reproches.* — Loc. *Faire les yeux doux :* regarder amoureusement (→ fam. et péj. Faire des yeux de carpe* pâmée, rouler des yeux...). — *Un billet* doux,* galant. Vx. *Le doux penchant.*

C. Techn. Vx. *Minerai doux,* qui se fond aisément. *Mine douce.* — Mod. Se dit d'un métal, d'un alliage très malléable et qui a une grande capacité de déformation à froid. *Fer doux :* fer pur, peu cassant, employé dans la fabrication des électro-aimants (par oppos. à *fer aigre*). *Acier doux.* — *Lime douce,* qui mord légèrement et en surface. *Taille douce.* ⇒ **Taille.**

35.1   (...) l'essieu de ma calèche casse net. C'est ma faute : je m'étais bien promis que si jamais j'avais une calèche à moi, je ferais forger sous mes yeux un bel essieu avec six barres de fer doux (...)   STENDHAL, Mémoires d'un touriste, I, p. 28.

★ **II.** Adv. ♦ **1.** Loc. *Filer doux :* se soumettre, obéir humblement sans opposer de résistance. *Avec lui, il faut filer doux.*

36   Je filai doux, et souscrivis à toutes tes exigences (...)   F. MAURIAC, le Nœud de vipères, I, VII, p. 86.

Vx. *Avaler qqch. doux comme lait.* ⇒ **Avaler.**

♦ **2.** Loc. adv. Vx ou plais. **TOUT DOUX,** se disait familièrement pour inviter au calme, à la modération. ⇒ **Doucement.**

37   Mon Dieu ! tout doux : vous allez d'abord aux invectives. Est-ce que nous ne pouvons pas raisonner ensemble sans nous emporter ?   MOLIÈRE, le Malade imaginaire, I, 5.

38   Tout doux ! vous suivez trop votre amoureuse envie,
Et vous ne devez pas vous tant passionner.   MOLIÈRE, Tartuffe, IV, 7.

♦ **3.** (1884). Loc. fam. **EN DOUCE :** sans bruit, avec discrétion. *Il a fait ça en douce. Partir en douce* (cf. Filer à l'anglaise). — *En douce, il a réussi mieux que tout le monde* (cf. Sans en avoir l'air).

♦ **4.** Vx, fam. **À LA DOUCE :** doucement.

★ **III.** N. ♦ **1.** N. m. Ce qui est doux. *Préférer le doux.* — (1805). *Liqueur douce.* — *Prendre du sec* (du vin sec) *plutôt que du doux. Le doux :* le ton doux.

39   Heureux qui, dans les vers, sait d'une voix légère
Passer du grave au doux, du plaisant au sévère !   BOILEAU, l'Art poétique, I.

40   (Le rossignol) saute du grave à l'aigu, du doux au fort (...)   CHATEAUBRIAND, le Génie du christianisme, I, V, V.

Littér. Douceur.

41   Je voulais le doux de la tendresse, le chaud de la maison, le confortement de l'appui, le repos de la répétition.   Claude ROY, Nous, p. 142.

♦ **2.** N. m. et f. (Personnes). *C'est un doux.* — *Faire la douce :* affecter une fausse douceur. — *Heureux les doux,* les débonnaires.

Fam. (T. d'affection). *Ma douce.* — Fam. *Il va voir sa douce,* son amie, sa fiancée. ⇒ Sa blonde*.

CONTR. Acide, âcre, aigre, amer, âpre, corsé, épicé, relevé, salé, sur. — Bruyant, criard ; ardu, coriace, raboteux, rugueux. — Abrupt, escarpé, fatigant, pénible. — Acerbe, acariâtre, acrimonieux, arrogant, austère, bourru, brutal, cruel, direct, dur, emporté, entier, exalté, farouche, féroce, furibond, hargneux, impitoyable,

implacable, inclément, inexorable, inflexible, inhumain, insensible, intraitable, irascible, revêche, rigoriste, rigoureux, rude, sévère, violent.
DÉR. Douçain, douceâtre, doucement, doucet, doucin, doucine, doucir.
COMP. Adoucir, aigre-doux, douce-amère (n. f.), doux-amer (adj.). — V. Doudou, doudoune.

DOUX-AMER, DOUCE-AMÈRE [duzamɛʀ, dusamɛʀ] adj.
— Mil. xvɪᵉ; de doux, et amer.

♦ Vx (style du xvɪᵉ) ou littér. Qui est à la fois plaisant et amer. « De bien douces-amères réflexions » (H. Bazin, in T. L. F.).

DÉR. Douce-amère (n. f.).

DOUZAIN [duzɛ̃] n. m. — 1480, dozain; de douze.

♦ 1. Vx. Ancienne monnaie française qui valait douze deniers ou un sou.

♦ 2. Didact. Pièce de poésie, de douze vers.

DOUZAINE [duzɛn] n. f. — Fin xɪɪᵉ; de douze.

♦ 1. Réunion de douze choses de même nature. — REM. Douzaine est surtout employé comme terme commercial. Une douzaine d'œufs. Trois douzaines d'assiettes. Douze douzaines. ⇒ Grosse. Objets groupés par douzaines, vendus à la douzaine. Mille francs à la douzaine. — Loc. Treize à la douzaine : en donnant treize choses pour le prix de douze.

1 Il achète ses cannes par trois, et ses gants paille par douzaines.
Émile HENRIOT, les Romantiques, p. 309.

♦ 2. Quantité indéterminée se rapprochant de douze (→ 1. Centaine, cit. 1). Une douzaine de jours. Un garçon d'une douzaine d'années (→ Bœuf, cit. 10).

2 (...) une douzaine de Messieurs qui déshonorent les gens de cœur par leurs manières extravagantes (...) MOLIÈRE, Critique de l'École des femmes, v.

Fig. Il y en a à la douzaine, en quantité. ⇒ Pelle (à la pelle). — Vieilli. Poète, rimeur à la douzaine, tel qu'on en trouve beaucoup; médiocre.

3 Hé! finissez, rimeur à la douzaine!
Vos abrégés sont longs au dernier point.
J.-B. ROUSSEAU, Épigrammes, II, 12 (→ Abrégé, cit. 2).

COMP. Demi-douzaine.

DOUZE [duz] adj. et n. — 1080; du lat. duodecim, de duo «deux», et decem «dix», du grec dôdeka.

★ I. Adj. numéral cardinal invar. ♦ 1. Nombre à onze plus un, correspondant à dix et deux, à deux fois six (12). De douze éléments. ⇒ Dodéca-. Les douze mois de l'année. Douze heures ou la moitié d'un jour. Les douze signes du zodiaque. Les douze apôtres. Les douze Césars. La loi des Douze Tables. Immeuble de douze étages. Douze francs. — En composition. Douze mille (12 000). Douze cents (1 200) ou mille deux cents. Douze treizièmes. Douze objets de même nature. ⇒ Douzaine. Douze douzaines ou cent quarante-quatre. ⇒ Grosse. Vers de douze syllabes. ⇒ Alexandrin, dodécasyllabe. Poème de douze vers. ⇒ Douzain.

♦ 2. Adj. numéral ordinal invar. ⇒ Douzième. Numéro douze. Page douze. Charles douze, Pie douze (XII). — Admin. Douze heures : midi. Douze heures trente : midi* et demi. — REM. Minuit ou zéro heure est représenté sur le cadran par le nombre douze, comme midi. Cependant douze heures ne peut valoir que pour midi. — Ellipt. Le douze mai. Il a été reçu douze ou treizième à ce concours.

★ II. N. m. ♦ 1. Le nombre douze. Trois fois quatre font douze. Mille sept cent quatre-vingt-douze. Douze par douze. Numération, système dont la base est douze. ⇒ Duodécimal. Nous sommes aujourd'hui le douze.

♦ 2. Typogr. Mesure typographique égale à 12 points. ⇒ Cicéro.

DÉR. Douzain, douzaine, douzième.
COMP. Douze-huit (à).

DOUZE-HUIT (À) [aduzчit] loc. adj. — 1839; de douze, et huit.

♦ Mus. Mesure à douze-huit : mesure à quatre temps ayant une noire pointée par temps.

DOUZIÈME [duzjɛm] adj. et n. — Fin xɪᵉ, dudzime; de douze.

★ I. Adj. et n. ♦ 1. Adj. numéral ordinal de douze. Qui vient après le onzième. Le douzième et dernier mois de l'année est décembre. Être dans sa douzième année. La douzième heure : midi, ou minuit. Douzième étage. — N. Arriver le douzième. Elle est la douzième de sa classe.

♦ 2. Se dit d'une fraction d'un tout divisé également en douze. La douzième partie d'un héritage.

N. m. Un douzième des candidats a été reçu. Les sept douzièmes d'une quantité.
Dr. Douzième provisoire : fraction du budget dont les Chambres autorisent provisoirement le gouvernement à disposer, pour assurer la continuité des services en cas de retard dans le vote du budget annuel.

★ II. N. f. Mus. Intervalle compris entre douze degrés conjoints, octave de la quinte. Les cloches résonnent la douzième et la dix-septième* (cit.).

DÉR. Douzièmement.

DOUZIÈMEMENT [duzjɛmmɑ̃] adv. — 1690; de douzième.

♦ En douzième lieu.

DOUZIL [duzil] ou DOISIL [dwazil] n. m. — xɪɪɪᵉ, «trou percé dans le tonneau», du bas lat. duciculum «petit tuyau», dér. de ducere «conduire».

♦ Techn. Petite cheville* servant à boucher un trou fait dans un tonneau pour un tirer du vin. ⇒ Fausset. Mettre un douzil au tonneau.

DOXA [dɔksa] n. f. — V. 1965, R. Barthes; grec doxa «opinion». → -doxe, paradoxe.

♦ Didact. Ensemble des opinions reçues sans discussion, comme une évidence naturelle, dans une civilisation donnée. Des doxas. D'une doxa. ⇒ Doxique.

Chaque parler (chaque fiction) combat pour l'hégémonie. S'il a le pouvoir pour lui, il s'étend partout dans le courant et le quotidien de la vie sociale, il devient doxa, nature : c'est le parler prétendument apolitique des hommes politiques, des agents de l'État, c'est celui de la presse, de la radio, de la télévision, c'est celui de la conversation (...) R. BARTHES, le Plaisir du texte, p. 47.

COMP. V. Doxologie (II.).

DOXAL [dɔksal] n. m. — 1498; lat. trabes doxalis «poutre de gloire», du grec doxa «gloire» et «opinion». → Doxa.

♦ Didact. Jubé d'église. — Tribune d'orgues.

-DOXE Suffixe, du grec doxa «opinion», entrant dans la composition de mots savants tels que : orthodoxe, hétérodoxe, paradoxe.

DOXIQUE [dɔksik] adj. — xxᵉ; du grec doxa «opinion». → Doxa.

♦ Didact. Qui est de l'ordre de l'opinion, de la croyance.
Spécialt. Relatif à la doxa*.

DOXOGRAPHIE [dɔksɔgʀafi] n. f. — 1932, Larousse; de doxo- (du grec doxa «opinion»; → suff. -doxe), et -graphie.

♦ Didact. Connaissance des opinions. Doxographie historique. Doxographie politique et sondages*.

DÉR. Doxographique.

DOXOGRAPHIQUE [dɔksɔgʀafik] adj. — 1932; de doxographie.

♦ Didact. Relatif à la doxographie, à l'histoire des opinions humaines.

L'intérêt que l'âge classique porte à la science (...) n'est sans doute rien de plus qu'un phénomène sociologique (...) Il n'explique rien, sauf bien sûr au niveau doxographique où en effet il faut le situer.
Michel FOUCAULT, les Mots et les Choses, p. 103.

DOXOLOGIE [dɔksɔlɔʒi] n. f. — 1610; grec ecclés. doxologia «glorification», de doxa «gloire» (→ Doxal), et -logia (→ -logie).

★ I. Liturgie cathol. Prière à la gloire de Dieu. Spécialt. Verset récité à la fin des psaumes commençant par Gloria patri (Gloire au Père).

★ II. (Repris mil. xxᵉ; → Doxa). Didact. Parole, discours correspondant à l'opinion dominante, reçue.

La Doxa (mot qui va revenir souvent), c'est l'Opinion publique, l'Esprit majoritaire, le Consensus petit-bourgeois, la Voix du Naturel, la Violence du Préjugé. On peut appeler Doxologie (mot de Leibnitz) toute manière de parler adaptée à l'apparence, à l'opinion ou à la pratique. R. BARTHES, Roland Barthes, p. 51.

DOXYCYCLINE [dɔksisiklin] n. f. — V. 1960; probablt de d(iméthyl-), -oxy-, et cycline. → Tétracycline.

♦ Méd. Antibiotique de la famille des tétracyclines*, demi-synthétique, à large spectre d'action et qui agit sur les mycoplasmes*.

DOYEN, ENNE [dwajɛ̃, ɛn] n. — 1174 ; du lat. ecclés. *decanus* «chef de dix hommes, dizenier», dér. de *decem*. → Dix.

♦ **1.** N. m. et f. Titre de dignité ecclésiastique. — N. m. *Doyen d'un chapitre, d'une collégiale.* — Par appos. *Curé doyen,* celui qui a la paroisse la plus importante du canton, ou doyenné*. *Dignité de doyen.* ⇒ **Décanal, décanat, doyenné.**

1 On se moqua de lui quand il voulut expliquer qu'en sa qualité de doyen du chapitre noble de Braye-le-Haut, il avait le privilège d'être admis en tout temps auprès de l'évêque officiant.   STENDHAL, le Rouge et le Noir, p. 311.

2 À Tiffauges, résidait tout le clergé d'une métropole, doyen, vicaires, trésoriers, chanoines (...)   HUYSMANS, Là-bas, p. 48.

N. f. Rare. *Doyenne d'une abbaye :* religieuse qui préside le chapitre. ⇒ **Abbesse, supérieur**(e).

♦ **2.** N. m. (1690). Personne qui possède la première dignité dans une faculté d'une université. *Le doyen de la Faculté des lettres. Chaque faculté a à sa tête un doyen chargé de son administration et de sa police intérieure. Madame le professeur X, doyen* (le fém. *doyenne* ne s'emploie pas dans ce sens).

3 La Faculté de médecine qui se choisit tous les deux ans un chef qu'on appelle doyen (...)   FONTENELLE, Geoffroy, *in* LITTRÉ.

4 Le doyen, placé à la tête de chaque faculté, est nommé pour trois ans par le ministre, parmi les professeurs titulaires, sur une double liste de deux candidats présentée, l'une par l'assemblée de la faculté, l'autre par le conseil général des facultés.   Loi du 28 déc. 1885.

♦ **3.** N. m. et f. Celui, celle qui est le plus ancien, la plus ancienne des membres d'un corps, par ordre de réception (⇒ **Décanat**). *Le doyen de la Cour d'appel. Le doyen de l'Académie française.*

♦ **4.** N. m. et f. (1690). Personne la plus âgée (d'un groupe). *On offrit la place d'honneur à la doyenne de cette réunion. La doyenne des Français. — Le doyen de qqn,* son aîné. *Si vous n'avez que soixante ans, je suis votre doyen* (Littré et Académie, 8e éd.).

5 La doyenne montre huit ans au plus, et toutes sont adorablement jolies (...)   LOTI, l'Inde (sans les Anglais), V, II, p. 362.

(1636). Dans un corps, une assemblée. *Doyen d'âge, doyenne d'âge* (pour éviter toute confusion avec *doyen* au sens 3 ; par oppos. à *benjamin*) ; *Le doyen d'âge, la doyenne d'âge ouvre la séance. Doyen d'âge de certaines communautés* (→ vx Sénieur : le sénieur de Sorbonne). *Qualité de doyen d'âge.* ⇒ **Doyenneté.**

En franç. d'Afrique. Personne âgée à qui l'on doit le respect (utilisé comme appellatif). ⇒ **Vieux.**

Littér. « *Le doyen des arbres du pays* » (Loti, *in* T. L. F.).

CONTR. Dernier (arrivé, venu). — Jeune (le plus jeune) ; **cadet.**
DÉR. **Doyenné, doyenneté.**
COMP. **Sous-doyen.**

DOYENNÉ [dwajene] n. m. — 1277 ; de *doyen*.

♦ **1.** Dignité de doyen dans une église, un chapitre. ⇒ **Décanat.** — Par ext. Demeure du doyen. *Se rendre au doyenné.* — Circonscription ecclésiastique ayant à sa tête un doyen.

♦ **2.** (1640). *Poire de doyenné,* et, ellipt., *une doyenné :* variété de poire très fondante. *Doyenné d'hiver. Doyenné du comice.*

DOYENNETÉ [dwajɛnte] n. f. — 1839 ; de *doyen*.

♦ Vx. Qualité de doyen d'âge.

DRAC ou **DRAK** [dʀak] n. m. — 1690 ; provençal *drac, dra* (v. 1140) «dragon», puis «lutin» ; du lat. *draco*. → Dragon, drée.

♦ Régional (Sud et Centre de la France). Esprit malin, nuisible (parfois comme nom propre : *le Drac*). ⇒ **Lutin** (cf. A. Daudet, A. France, F. Fabre, *in* T. L. F.).

DRACÉNA [dʀasena] n. m. — 1806 ; *drakena* et *drachena,* 1623 ; lat. bot. *dracæna,* en lat. anc. «dragon femelle» ; grec *drakaina,* de *drakôn*. → Dragon.

♦ **1.** Bot. et cour. Arbuste ou arbre tropical à fleurs en grappes (famille des *Liliacées*). *Les dracénas comprennent les dragonniers et les arbres voisins.* — Spécialt. ⇒ **Dragonnier.** *Des dracénas. Cultiver des dracénas en serre.* — REM. On écrit aussi *dracæna, dracœna.*

♦ **2.** Zool. Grand lézard d'Amérique tropicale.

DRACHE [dʀaʃ] n. f. — 1926, *in* D. D. L. ; du néerl. *draschen* «pleuvoir à verse».

♦ Régional (Belgique). Pluie battante, averse. *Quelle drache !*

1 On parle de la pluie, nommée drache nationale, comme si la puissance qui règle les météores avait choisi son petit triangle (*la Belgique*) comme déversoir de prédilection pour la chute des averses.
          É. PICARD, Au pays des bilingues, p. 85 (1923).

2 Son raincoat mastic, trempé, prouve qu'il attendait sous la drache depuis longtemps.   Pierre ACCOCE, le Polonais, p. 39.
DÉR. **Dracher.**

DRACHER [dʀaʃe] v. impers. — D. i. ; de *drache*.

♦ Régional (Belgique). Pleuvoir* à verse, à torrents.
— Je crois qu'il va dracher. — Est-ce que vous voulez un parapluie ?
          Frantz FONSON et Fernand WICHELER, le Mariage de Mlle Beulemans, I, 12.

DRACHME [dʀakm] n. f. — 1611 ; *dragme,* mil. XIIIe ; bas lat. *dragma,* lat. class. *drachma,* du grec *drakhmê*.

♦ **1.** Antiq. grecque. Poids équivalant à 3,24 g.
Monnaie d'argent divisée en six oboles et valant un centième de mine. *Cent drachmes.* ⇒ **Mine.** *Sixième de drachme.* ⇒ **Obole.** *Le statère* d'argent valait de deux à quatre drachmes.*
La parabole de la drachme perdue :

1 (...) quelle est la femme qui, ayant dix drachmes, et en ayant perdu une, n'allume la lampe, et balayant sa maison, ne la cherche avec grand soin jusqu'à ce qu'elle la trouve ? Et après l'avoir trouvée, elle appelle ses amies et ses voisines, et leur dit : « Réjouissez-vous avec moi, parce que j'ai retrouvé la drachme que j'avais perdue ». Je vous le dis de même, il y aura un grande joie parmi les anges de Dieu, lorsqu'un seul pécheur fera pénitence.   BIBLE (SACY), Évangile selon saint Luc, XV, 8-10.

2 (...) je m'estime infiniment honoré d'avoir été choisi pour récupérer cette drachme perdue, cette perle évangélique flairée et contaminée par le groin de tant de pourceaux.   Léon BLOY, le Désespéré, p. 60.

♦ **2.** Unité monétaire de la Grèce moderne. *Le cours de la drachme a monté, a baissé. La drachme vaut 100 lepta.*

DRACOCÉPHALE [dʀakɔsefal] n. m. — 1786 ; de *draco-,* élément tiré du grec *drakôn* (→ Dragon), et *-céphale*.

♦ Bot. Plante dicotylédone (*Labiacées*), à feuilles allongées et dentelées, à grandes fleurs bleues (dans certaines espèces : *dracocéphale moldavique* ou *tête de dragon de Moldavie*). — Var. : *dracocéphalum* [dʀakɔsefalɔm] n. m. (lat. mod.).

DRACONCULOSE [dʀakɔ̃kyloz] n. f. — Déb. XXe ; du lat. *dracunculus,* dimin. de *draco* «dragon», et 2. *-ose*.

♦ Méd. Infestation du tissu sous-cutané, parfois aussi des muscles, par des filaires (*Dracunculus medinensis,* dragonneau ou ver de Guinée). Syn. : *dracontiase* [dʀakɔ̃tjaz] n. f. ⇒ **Filariose.**

1. DRACONIEN, IENNE [dʀakɔnjɛ̃, jɛn] adj. — 1796 ; *draconique,* XVIe ; de *Dracon,* législateur d'Athènes réputé pour sa sévérité.

♦ **1.** Didact. Se dit des lois attribuées à Dracon. *Le code draconien.*

♦ **2.** D'une excessive sévérité. ⇒ **Inexorable, rigoureux, sévère ;** 2. **drastique** (cit.). *Des lois draconiennes. Mesures, punitions draconiennes. Règlement draconien. Prendre des mesures draconiennes. Cela n'a rien de draconien.*

Les mesures n'étaient pas draconiennes et l'on semblait avoir beaucoup sacrifié au désir de ne pas inquiéter l'opinion publique.   CAMUS, la Peste, p. 65.
CONTR. **Clément, doux, indulgent.**
HOM. 2. **Draconien.**

2. DRACONIEN, IENNE [dʀakɔnjɛ̃, jɛn] adj. — 1838 ; du rad. lat. *draco, onis*. → Dragon.

♦ Didact., littér. De dragon. « *Tête draconienne* » (Hugo, *in* T. L. F.).
HOM. 1. **Draconien.**

DRACONTIUM [dʀakɔ̃sjɔm] n. m. — 1747 ; mot lat. «serpentaire» ; grec *drakontion* «petit dragon», de *drakôn*. → Dragon.

♦ Bot. Herbe d'Amérique tropicale (*Aroïdacées*), à feuillage luxuriant, à rhizome comestible (féculent), appelée aussi *bois de couleuvre.*

DRAG [dʀag] n. m. — 1859 ; mot angl., de *to drag* «traîner».
Anglicisme.

♦ **1.** Vx. Chasse à courre simulée où le rôle du gibier est tenu par un cheval monté qui traîne une peau (de renard) attachée à la queue.

♦ **2.** Anciennt. Mail-coach* dans lequel les dames suivaient le drag (au sens 1) ; calèche. — Loc. mod. *La journée des drags :* journée de courses, à Auteuil, où l'on se rendait en drag.

(...) des victorias (...) des coaches, dans tout l'éclat de leurs trompettes de cuivre ou les drags anglais d'Alfred Vanderbilt, à harnais jaunes, s'élançaient sur les allées nouvellement tracées...   Paul MORAND, New York, p. 224.

DRAGAGE [dʀagaʒ] n. m. — 1765; du v. *draguer; draguage, in* Littré.

★ **I. ♦ 1.** Action de draguer (I.); résultat de cette action (⇒ 1. **Drague, draguer**). *Le dragage d'une rivière, d'un chenal, d'un bassin, d'un port. Enlèvement des hauts-fonds par dragage. Godet de dragage.* ⇒ **Dragline** (anglic.).

♦ **2.** Spécialt. Recherche d'objets immergés au moyen de la drague. *Dragage d'une ancre.* — Enlèvement des mines* sous-marines.

★ **II.** Fam. Le fait de draguer* (II.), de racoler. ⇒ 1. **Drague**, II.
Démarche citadine, longuement frôleuse, excitant les vieux «marcheurs» de la *longue marche* du désir, périmée aujourd'hui dans sa candeur de chasse à courre, au profit du *dragage* motorisé (...)
P. GUTH, Lettre ouverte aux idoles, Françoise Hardy, p. 59.

1. DRAGÉE [dʀaʒe] n. f. — XIIIᵉ, *dragiée;* p.-ê. altér. du lat. *tragemata,* grec *tragêmata* «friandises»; mais P. Guiraud considère qu'il s'agit d'un emploi fig. de *dragée* «mélange de grains pour les bestiaux», puis «mélange de friandises», la notion de mélange étant à l'orig. du mot.

♦ **1.** Confiserie* formée d'un fruit sec (amande, noisette), d'une praline, etc., recouverte de sucre durci. ⇒ **Bonbon.** *Fabrication des dragées* (⇒ **Dragéification**) *: mondage des amandes; blanchissage, remplissage et lissage (opérations ayant pour but d'enrober l'amande de sucre); séchage à l'étuve. Dragée d'anis. Dragée à l'amande de pin.* ⇒ **Pignolat.** *Dragée à la liqueur,* où l'amande est remplacée par une goutte de liqueur. — *Boîte, cornet de dragées.* ⇒ **Drageoir.** *Dragées de baptême,* offertes par le parrain. *Offrir des dragées pour son mariage.*

1 S'il pouvait (...) obtenir un cornet de dragées en promettant de se jeter demain par la fenêtre, il le promettrait à l'instant (...)   ROUSSEAU, Émile, II.

2 Nous leur jetions des poignées de dragées, et toute notre route était semée de bonbons. On se souviendra longtemps dans Toulven de ce baptême (...)
LOTI, Mon frère Yves, XLVII, p. 122.

(1773, Diderot). Loc. TENIR LA DRAGÉE HAUTE (à **qqn**) : lui faire sentir son pouvoir, le faire attendre longtemps, lui faire payer cher ce qu'il demande (→ Marché, cit. 30).

3 Je l'avais; il était à moi; il m'appartenait : je restais maîtresse de l'argent; je lui tenais la dragée haute.   F. MAURIAC, le Nœud de vipères, II, XIX, p. 232.

3.1 (...) les amoureux on n'en manquait pas. Mais on leur tenait la dragée haute. On n'était pas des dévergondées. On savait choisir.
R. QUENEAU, Pierrot mon ami, éd. L. de Poche, p. 80.

REM. On a prêté à cette expression plusieurs motivations concrètes, plus ou moins inventées *ad hoc : tenir la dragée haute à un chien, à un enfant,* ou *la dragée* (→ 2. Dragée) *haute à un cheval.*
Dragée d'attrape, où le sucre enrobe une substance amère.
Loc. fig. *La dragée est amère :* cela est difficile à supporter. — (1680). Vx. *Avaler la dragée :* supporter qqch. de désagréable, de fâcheux. ⇒ **Pilule.**
(1680). Vx (langue class.). *Écarter la dragée :* postillonner.
(1864). Pharm. Préparation pharmaceutique ressemblant à une pilule et formée d'un médicament recouvert de gomme, de sucre... *Dragée purgative, thermale, vermifuge. Dragée de semen-contra.*

♦ **2.** Petit plomb de chasse. ⇒ **Cendrée.** *Grosse, petite dragée.*

4 (...) et des cris éclatèrent sur mes vitraux comme les dragées d'une sarbacane.
Aloysius BERTRAND, Gaspard de la nuit, Deux juifs.

Argot, fam. Balle, projectile d'arme à feu. ⇒ **Bastos, valda.**

♦ **3.** N. f. pl. (1767). **DRAGÉES** : maladie des vers à soie, dite aussi *muscardine.*

♦ **4.** Loc. *Dragées de Tivoli :* calcite dont les concrétions se présentent en grains.

DÉR. **Dragéifier, drageoir.**
HOM. 2. **Dragée.**

2. DRAGÉE [dʀaʒe] n. f. — XIIIᵉ, *dravie;* du lat. pop. *dravocata,* de *dravoca* «ivraie».

♦ Agric. Mélange de légumineuses et de graminées semé pour fournir du fourrage. (On dit aussi *dravée, dravière* et *hivernage*).

HOM. 1. **Dragée.**

DRAGÉIFICATION [dʀaʒeifikɑsjɔ̃] n. f. — 1870; de *dragéifier.*

♦ Techn. Technique de fabrication des dragées.

DRAGÉIFIER [dʀaʒeifje] v. tr. — 1850; de 1. *dragée,* et *-ifier.*

♦ Techn. Mettre sous la forme de dragées. *Dragéifier une amande, une pilule.* — Au p. p. *Médicament dragéifié.*

DÉR. **Dragéification.**

DRAGEOIR [dʀaʒwaʀ] n. m. — 1360; *drajouer,* XIIᵉ; de 1. *dragée.*
Anciennement.

♦ **1.** Coupe, vase où l'on mettait des dragées, des sucreries, des épices. *Drageoir d'or, d'argent, de cristal, de porcelaine. Drageoir Louis XIV.* — *Le Drageoir aux épices,* roman de Huysmans (1874).

♦ **2.** Petite boîte pour porter des dragées sur soi.
Donnez-moi la première babiole que vous aurez sur vous... Tenez, ce petit drageoir d'ivoire émaillé que vous avez là en main.
G. SAND, les Beaux Messieurs de Bois-Doré, p. 167.

DRAGEON [dʀaʒɔ̃] n. m. — 1548, «bourgeon ou tige poussant sur un arbre, une plante»; orig. incert., p.-ê. d'un francique *draibjô* «pousse», qui correspond à l'all. *treiben* «pousser».

♦ Arbor. Pousse aérienne, née sur une racine, et qui produit des racines adventives. ⇒ **Rejet, rejeton, surgeon.** *Les drageons peuvent être détachés et replantés. Reproduction d'une plante au moyen de boutures* et de drageons* (⇒ **Drageonnage**). *Enlever les drageons qui épuisent une plante. Drageons d'arbres fruitiers, de vigne,* etc. *Plante qui pousse des drageons* (⇒ **Drageonner**).
Par métaphore. ⇒ **Rejet.**
(...) si les vieux mots abolis par l'usage ont laissé quelque rejeton, comme les branches des arbres coupés se rajeunissent de nouveaux drageons, tu le pourras provigner, amender et cultiver, afin qu'il se repeuple de nouveau.
RONSARD, Préface de la Franciade, Au lecteur apprentif, Pl., t. II, p. 1 031.

DÉR. **Drageonner.**

DRAGEONNAGE [dʀaʒɔnaʒ] ou **DRAGEONNEMENT** [dʀaʒɔnmɑ̃] n. m. — XVIᵉ, *drageonnage; drageonnement,* 1872; de *drageonner.*

♦ Arbor. Reproduction des plantes par drageons.

DRAGEONNER [dʀaʒɔne] v. intr. — 1636; de *drageon.*

♦ Arbor. Pousser des drageons, en parlant d'une plante. *Les pruniers, certains cerisiers drageonnent beaucoup.*
Par métaphore :
Non, il n'y a pas à dire, la petite fleur bleue, le chiendent de l'âme, c'est difficile à extirper et ce que ça repousse! Rien ne paraît pendant vingt ans et soudain (...) ça drageonne et ça jaillit en d'inextricables touffes!   HUYSMANS, Là-bas, p. 154.

DÉR. **Drageonnage** ou **drageonnement.**

DRAGLINE [dʀaglin; dʀaglajn] n. f. — 1950, *in* Höfler; angl. *dragline,* de *drag* «excavateur», et *line* «câble».

♦ Anglic. Techn. Godet de terrassement ou de dragage. — Recomm. off. : *défonceuse tractée.*

DRAGON [dʀagɔ̃] n. m. — 1080; du lat. *draconem,* accusatif de *draco* «serpent fabuleux»; grec *drakôn* «dragon, serpent».

★ **I. A. ♦ 1.** Animal fabuleux souvent représenté avec des ailes, des griffes et une queue de serpent. ⇒ **Chimère, drac** (étym.), **drée, guivre, hydre, tarasque.** *Dragon ailé, dragon vomissant des flammes. Dragon à plusieurs têtes. Le dragon, symbole de vigilance, était consacré à Minerve. Un dragon gardait les pommes d'or du jardin des Hespérides. Le dragon à plusieurs têtes et le dragon à plusieurs queues,* fable de La Fontaine (I, 12). → aussi Démocratie, cit. 2.

1 (...) à l'hydre, un peu banale, de Lerne, il (le grotesque) substitue tous ces dragons locaux de nos légendes, la gargouille de Rouen, la gra-ouilli de Metz, la chair-sallée de Troyes, la drée de Montlhéry, la tarasque de Tarascon, monstres de formes si variées et dont les noms baroques sont un caractère de plus.
HUGO, Préface de Cromwell.

2 Pour ravir un trésor, il a toujours fallu tuer le dragon qui le garde.
GIRAUDOUX, la Folle de Chaillot, I, p. 47.

Blason. Figure de fantaisie représentant un reptile à deux pieds. *Dragon monstrueux,* figuré avec des ailes (⇒ aussi **Dragonné**).
Dragon peint, sculpté. Le dragon, signe de certaines cohortes (cit. 1) *romaines. Les drakkars* portaient un dragon sur leur poupe. Le dragon chinois.*

♦ **2.** Fig. Vx, littér. ou plais. Gardien, surveillant vigilant et intraitable. ⇒ **Cerbère.** *Endormir le dragon :* tromper une surveillance sévère.
Loc. *Dragon, dragon de vertu :* femme rigide, intraitable, affectant une vertu farouche. Vieilli. *Faire le dragon :* faire montre d'une vertu excessive, farouche.

3 (...) ces femmes de bien,
Dont la mauvaise humeur fait un procès de rien,
Ces dragons de vertu (...)   MOLIÈRE, l'École des femmes, IV, 8.

4 Vous pourrez vous reposer sur elle de la sûreté de votre front : c'est la perle des duègnes, un vrai dragon pour garder la pudicité du sexe.
A. R. LESAGE, Gil Blas, II, VII.

5 Mais, Monsieur, votre femme passe pour un dragon de vertu dans toute la ville (...)
A. DE MUSSET, les Caprices de Marianne, I, 1.

Vx (langue class.). Femme acariâtre*, violente, aux manières brutales. ⇒ **Démon, diable, diablesse.** *C'est un vrai dragon.* — N. f. (1673, Molière). Vx. Syn. : *dragonne.* «Dragonne de vertu» (J. Renard).

6   Pour peu que l'on s'oppose à ce que veut sa tête,
     On en a pour huit jours d'effroyable tempête.
     Elle me fait trembler dès qu'elle prend son ton ;
     Je ne sais où me mettre, et c'est un vrai dragon (...)
                              MOLIÈRE, les Femmes savantes, II, 9.

♦ **3.** Dans l'iconographie chrét. Figure du démon (⇒ **Serpent**). *Saint Michel terrassant le dragon. Saint Georges vainqueur du Dragon,* tableau de Raphaël.

Vx. Le Dragon. ⇒ **Démon.**

7   (...) des abominations suggérées par le Dragon (...)
                              PASCAL, les Provinciales, Lettre XIV.

♦ **4.** Fig. et vx. Souci, inquiétude chimérique. ⇒ **Chimère.** *Se faire des dragons.* — Ce mot est très fréquemment employé par Mme de Sévigné.

♦ **5.** Constellation de l'hémisphère boréal figurant un dragon (I., 1.).

♦ **6.** Zool. *Dragon volant :* genre de reptiles, de l'ordre des Sauriens, caractérisés par la présence d'un repli membraneux formant parachute.

B. Emplois figurés. ♦ **1.** Mar. Nom du clin-foc*, sur un cotre. — Voile enverguée sur le grand étai de flèche d'une goélette latine. Nom d'un type de bateau de plaisance.

♦ **2.** Vx. *Dragon d'eau, dragon de vent :* trombe* — Mod. *Dragon :* «grain soudain et violent soufflant des montagnes sur la mer» (Gruss).

♦ **3.** Techn. Tache (d'un diamant). ⇒ **Crapaud.**

♦ **4.** Vétér. ⇒ **Dragonneau.**

★ **II.** N. et adj. (XVIᵉ ; «étendard», figurant probablt un dragon, XIIᵉ).

♦ **1.** N. m. Anciennt. Soldat de cavalerie. *Les premiers corps de dragons furent formés d'arquebusiers à cheval* (⇒ **Argoulet, carabin**) ; *ils étaient destinés à servir à pied et à cheval. Expéditions des dragons contre les huguenots, sous Louis XIV.* ⇒ **Dragonnade.** *Au XIXᵉ siècle, les dragons portaient un casque de cuivre. Les dragons font partie de la cavalerie de ligne.* — *Les Dragons de Villars,* opéra-comique de Maillart (1856).

8   On mit en tête au roi de convertir les huguenots à force de dragons (...)
                              SAINT-SIMON, Mémoires, IV, 367.

9   Dès sa première enfance, la vue de certains dragons du 6ᵉ, aux longs manteaux blancs, et la tête couverte de casques aux longs crins noirs (...) le rendit fou de l'état militaire.
                              STENDHAL, le Rouge et le Noir, I, V.

Mod. Soldat d'une unité motorisée, puis blindée. *Dragons portés :* motocyclistes, etc., qui remplacèrent les groupes cyclistes des régiments de cavalerie. *Le 6ᵉ régiment de dragons, le 6ᵉ dragons.*

♦ **2.** Adj. Vx. **DRAGON, ONNE.** *Mission dragonne.* ⇒ **Dragonnade.**

Loc. adv. Vx. *Conversion à la dragonne,* faite brutalement par la force militaire (⇒ **Dragonnade**). — Mod. Littér. *À la dragonne :* d'une façon cavalière*, hardie (→ À la hussarde).

10   Et vous, le soldat, le vainqueur, le maître. Le sabre encore à la dragonne ; vous avez tout tué, vous pouvez tout ; elle le sait et vous aussi.
                              J. ANOUILH, la Valse des toréadors, I, p. 114.

DÉR. Dragonnade, dragonne, dragonné, dragonneau, dragonner, dragonnet, dragonnier.
COMP. Sang-de-dragon ou sang-dragon.

DRAGONNADE [dʀagɔnad] n. f. — 1708 ; probablt de *dragon,* II. dans l'expr. *conversion à la dragonne* (1680), et suff. *-ade.*

♦ Hist. Sous Louis XIV, Persécutions exercées par les dragons que l'on envoyait loger (⇒ **Garnisaire**) chez les protestants.

1   Vers la fin de 1684, et au commencement de 1685, tandis que Louis XIV (...) ne craignait aucun de ses voisins, les troupes furent envoyées dans toutes les villes (...) où il y avait le plus de protestants ; et comme les dragons, assez mal disciplinés dans ce temps-là, furent ceux qui commirent le plus d'excès, on appela cette exécution *la dragonnade.*
                              VOLTAIRE, le Siècle de Louis XIV, XXXVI.

2   (...) la canonnade de l'île de Ré lui présageait les dragonnades des Cévennes ; la prise de La Rochelle était la préface de l'édit de Nantes.
                              DUMAS, les Trois Mousquetaires, t. II, p. 476.

DRAGONNE [dʀagɔn] n. f. — 1800 ; «batterie de tambour», 1771 ; fém. de *dragon,* II., les dragons ayant été les premiers à porter cet objet.

♦ **1.** Cordon, galon qui garnit la poignée (d'un sabre, d'une épée). *Dragonne ornée d'un gland. Passer la dragonne d'un sabre autour du poignet.*

Par analogie :

Mais l'honneur de l'étalage, ce sont les colliers de fleurs, dragonnes terminées de glands allongés, nœuds de couleur et d'odeur mêlées.
                              Paul MORAND, Rien que la Terre, p. 133.

La Dragonne, roman de Jarry (publié en 1943).

♦ **2.** Cordon à la poignée (d'un parapluie, d'un bâton de ski, d'un appareil de photo, etc.) qu'on passe au bras.

HOM. Fém. de **dragon** (*supra* cit. 6).

DRAGONNÉ, ÉE [dʀagɔne] adj. — 1647 ; de *dragon,* I.

♦ Blason. En forme de dragon. *Lion dragonné,* auquel on ajoute une queue ou des ailes de dragon.

DRAGONNEAU [dʀagɔno] n. m. — Déb. XIIIᵉ, *dragonnel* ; de *dragon,* I., et suff. dimin. *-eau* «petit dragon». → Dragonnet.

♦ **1.** Méd. anc. Filaire* de Médine (scientifiquement appelé *draconculus medinensis.* ⇒ **Draconculose**).

♦ **2.** Vétér. Tache dans l'œil du cheval, commencement de cataracte*.

DRAGONNER [dʀagɔne] v. tr. — 1688 ; de *dragon,* II.

♦ Vx ou littér. Exercer une répression brutale sur (une population, un pays), comme le faisaient les dragons à l'égard des huguenots (⇒ **Dragonnade**).

DRAGONNET [dʀagɔnɛ] n. m. — 1808, var. mod. de *dragonneau*; de *dragon.*

♦ Petit poisson osseux marin à grosse tête plate et à grandes nageoires dorsales, dont le mâle est connu pour sa parure nuptiale.

Le Dragonnet mâle par exemple, ayant séduit une femelle par sa livrée éclatante, tous deux s'accolent flanc à flanc et nagent vers la surface en émettant frai et laitance.
                              R. et M.-L. BAUCHOT, les Poissons, p. 91.

DRAGONNIER [dʀagɔnje] n. m. — XVᵉ, *dragonnyer,* de *dragon,* dans *sang-dragon* ; au XIIᵉ, «porte-drapeau», de *dragon* «étendard».

♦ Arbre tropical dont la tige ramifiée laisse écouler une gomme rouge (⇒ **Sang-dragon**). *Le dragonnier appartient à la famille des Liliacées.* ⇒ **Dracéna.**

1   Les arbres, appartenant aux espèces déjà reconnues, étaient magnifiques. Harbert en signala de nouveaux, entre autres, des dragonniers, que Pencroff traita de «poireaux prétentieux», — car, en dépit de leur taille, ils étaient de cette même famille des liliacées que l'oignon, la civette, l'échalote ou l'asperge. Ces dragonniers pouvaient fournir des racines ligneuses, qui, cuites, sont excellentes, et qui, soumises à une certaine fermentation, donnent une très agréable liqueur.
                              J. VERNE, l'Île mystérieuse, t. I, p. 197.

2   Au pied du Teide et sous la garde du plus grand dragonnier du monde la vallée de la Orotava reflète dans un ciel de perle tout le trésor de la vie végétale (...) L'arbre immense, qui plonge ses racines dans la préhistoire, lance dans le jour (...) son fût irréprochable qui éclate brusquement en fûts obliques, selon un rayonnement parfaitement régulier.
                              A. BRETON, l'Amour fou, V, p. 104.

DRAGSTER [dʀagstɛʀ] n. m. — Mil. XXᵉ ; mot anglo-amér. (1954), de *drag* «course sur courte distance entre deux engins motorisés, à l'avantage de celui qui a la meilleure accélération», et suff. *-ster.*

♦ Anglic. Sport. Engin motorisé construit à partir de pièces détachées pour un maximum d'efficacité mécanique dans des courses sur courte distance. *« En réalité sous ce masque placide* (la présentation "sobre" d'une moto) *se cache un véritable dragster. Le moteur (...) atteint sans relâche des régimes insensés »* (*Moto-Revue,* 6 mai 1981, p. 21).

DRAGUAGE [dʀagaʒ] n. m. ⇒ **Dragage.**

---

1. DRAGUE [dʀag] n. f. — 1556 ; *drègue,* en 1388, Bloch ; *dragge,* en lat. médiéval (v. 1300) ; *drague* «machine à curer», au XVIIᵉ ; angl. *drag* «crochet, filet», de *to drag* «tirer». → Drag.

★ **I.** ♦ **1.** Filet en forme de poche, muni d'une armature (en triangle, en arc de cercle...), et dont la partie inférieure forme racloir. *Drague à huîtres, à moules,* pour l'exploitation des gisements naturels d'huîtres. *Drague à étriers* (ou *grège*), utilisée pour la pêche des coquilles Saint-Jacques. *Pêcher à la traîne avec une drague. Pêcheur à la drague. Petite drague.* ⇒ **Draguette, drainette.**

1   La drague, dans quelques ruisseaux affluents du Mississippi, amène de grandes huîtres à perles (...)
                              CHATEAUBRIAND, Voyage en Amérique, IV, 14.
Le racloir adapté au filet.

♦ **2.** Plus cour. Instrument ou machine servant à enlever du fond de l'eau du sable, du gravier, de la vase. *Drague à bras, à main :* poche en tôle munie d'un manche. *Curer un puits, le fond d'une rivière à la drague.*

Spécialt. Construction flottante (chaland, ponton, navire) portant un engin mécanique destiné à curer les fonds des fleuves, canaux, estuaires, à creuser les bassins et chenaux des ports, etc. ; l'engin mécanique lui-même (⇒ **Cure-môle**). *Drague à godets,* munie d'une chaîne sans fin formée de récipients. *Drague à benne preneuse, à benne piocheuse,* servant à dérocher* (on l'appelle aussi *déro-*

cheuse). *Drague suceuse*, aspirant le sable, la vase au moyen d'une pompe centrifuge *(drague à succion)*. *Drague à cuiller. On charge les vases extraites par la drague sur un chaland.* ⇒ **Marie-salope.** — *Drague sèche,* pour creuser, approfondir des fossés, etc. ⇒ **Excavateur.**

2 Afin d'améliorer l'accès des ports, on approfondit les chenaux, les passes ou les mouillages (...) Jadis, pour entretenir les profondeurs, par exemple dans le chenal intérieur de Dunkerque, on ne disposait que des chasses d'eau d'un bassin de retenue (...) maintenant les dragues entretiennent des profondeurs de 5 à 6 mètres (...) Par les mêmes procédés, on a ouvert aux gros navires les lits de la Seine et de la Loire (...) La même méthode aboutit à creuser des mouillages en eau profonde (...)
          DEMANGEON, Géographie économique et humaine de la France, p. 560.

Filet, grappin ou griffe de fer destinés à racler le fond d'un bassin, d'une rivière pour y retrouver des objets immergés.

Drague pour mines* sous-marines : appareil remorqué par un navire (⇒ **Dragueur,** I., 3., b), immergé à profondeur constante et muni de cisailles qui coupent les orins des mines rencontrées.

Drague hydrographique ou *drague flottante :* filin immergé à profondeur constante, remorqué par deux embarcations, et qui sert à repérer les roches sous-marines.

★ **II.** (1961, *in* T. L. F.; déverbal de *draguer*). Fig., fam. Action de déambuler à la recherche d'une aventure galante.

3 (...) c'est le ghetto redouté de l'homosexualité féminine, de la drague grossière, qui se trouve révélé d'un coup *(dans une scène de la Recherche du temps perdu) :* toute une scène par le trou de serrure du langage.
          R. BARTHES, Fragments d'un discours amoureux, p. 34-35.

DÉR. (Du sens I) Draguer, draguette.

2. DRAGUE [dʀag] n. f. ⇒ Drèche.

DRAGUER [dʀage] v. tr. — 1634, «curer un fond à la drague»; de 1. *drague.*

★ **I.** ♦ **1.** (Le compl. désigne ce qui est enlevé, retiré par la drague; le sujet désigne la drague ou la personne qui s'en sert). Pêche. Pêcher (des coquillages) à la drague (I., 1.). *Draguer des huîtres.*
Retirer de l'eau à l'aide d'une drague (I., 1. ou 2.). *Draguer des épaves, des concrétions minérales... sur un fond, au fond de l'eau. Draguer une ancre.*
Spécialt. Retirer (des mines sous-marines) après les avoir détectées. *Les mines draguées par un dragueur* de mine* (→ ci-dessous 2., c).
Par métaphore. « *Quand la nuit eut dragué dans ses plis le reste d'or qui traîne sur les champs vers le soir ... »* (H. Bazin, *in* T. L. F.).

♦ **2.** (Le compl. désigne le lieu, la surface où opère la drague).

[a] (Correspond à 1. *drague,* I., 1.). *Draguer un fond pour récolter des coquillages.*

[b] (Correspond à 1. *drague,* I., 2.). Nettoyer (un fond) au moyen de la drague. *Draguer un chenal, un bassin, un estuaire ensablé, envasé. Draguer un bassin pour en enlever la vase.*

[c] Spécialt. *Draguer un détroit miné par l'ennemi,* y détecter et en enlever les mines. *Draguer un champ de mines.*

[d] Par anal. Rare. Nettoyer (un terrain hors de l'eau).

[e] (Le sujet désigne une action naturelle). Nettoyer (un fond) comme le ferait une drague. *Le flux, la marée drague le port.*

[f] (Le sujet désigne l'ancre). Racler (le fond) sans y mordre. *L'ancre* drague le fond.* ⇒ **Chasser.**

♦ **3.** (Le compl. désigne la *drague,* I., 1.). Traîner (un filet sous-marin). « *Draguant dans l'eau froide son lourd chalut... »* (P. Hamp, *in* T. L. F.).

♦ **4.** Absolt. [a] (De l'emploi 1 ou 2). Faire traîner une drague (I., 1.) sur le fond, pour récolter ce qui est au fond. *Draguer au chalut. Draguer pour recueillir des échantillons, en océanographie.*

[b] Nettoyer un fond à la drague (I., 2.).

★ **II.** ♦ **1.** (1885, Laforgue). Vx, fam. Parcourir (un lieu) à la recherche d'un butin, pour y découvrir qqch.
Absolt. Mod. *Les flics draguent dans le secteur.*

Sa planque de Nogent, son manoir clandestin, le petit Frédo me l'avait montré un jour, une fois qu'on draguait dans le coin, pour mettre sur pied une affaire impossible, style *Attaque de la Diligence.*
          Albert SIMONIN, Touchez pas au grisbi, p. 25.

♦ **2.** V. intr. (V. 1950). Déambuler en quête d'une aventure facile (se dit des garçons et des filles). *Draguer sur les boulevards. Elle draguait.*

♦ **3.** V. tr. Chercher à lier connaissance avec (qqn) en vue de relations érotiques. *Draguer une fille, un type.* ⇒ **Lever, racoler.** *Il s'est fait draguer par une drôle de nana.*
Par ext. Faire la cour à qqn. « *Je ne comprenais pas du tout*

pourquoi elle me draguait » (É. Ajar [R. Gary], *la Vie devant soi,* p. 97).

DÉR. Dragage, dragueur, dragueuse. — (Du sens II). Drague, (II), dragueur, (II).

DRAGUETTE [dʀagɛt] n. f. — 1838; de 1. *drague,* et suff. *-ette.*

♦ Techn. (pêche). Petite drague (à huîtres, à moules).

DRAGUEUR [dʀagœʀ] n. m. — 1529, *navires dragueurs; dragueur,* 1664; de 1. *drague.*

★ **I.** ♦ **1.** Pêcheur à la drague*. *Dragueur d'huîtres.*

♦ **2.** Ouvrier qui drague un fond, qui manœuvre une drague.

1 Vous ferez débuter le jeune homme, après quinze ans de sublimes études, par les ignobles emplois de pionnier, de soldat du train, de dragueur (...)
          PROUDHON, *in* Pierre LAROUSSE.

REM. Aux sens 1 et 2, le fém. est virtuel, mais se heurte aux emplois de *dragueuse*.*

♦ **3.** [a] Bateau, chaland, ponton muni d'une drague. *Dragueur qui dégage, approfondit, élargit un chenal.* ⇒ **Revoyeur.** *Dragueur à godets.* ⇒ 1. **Drague** (I., 2.). — Adj. *Bateau dragueur. Engin dragueur.*

2 (...) il fit construire d'énormes et ingénieuses machines, des dragueurs-transports monstrueux qui déblayèrent les estuaires du Gange et du Mississippi (...)
          A. ROBIDA, le Vingtième Siècle, p. 417.

[b] Navire destiné à la recherche et à l'enlèvement des mines sous-marines. — (1919). *Dragueur de mines. Les dragueurs sont des chalutiers armés, des torpilleurs, ou des navires spéciaux. Dragueur précédant une escadre dans un chenal.*

★ **II.** (V. 1960; antérieurement au sens II, 1 du v. *draguer* [1892, J. Renard, *Journal,* dans un emploi qui semble métaphorique]). Fig. Fam. Homme qui drague (1. Draguer, II., 2.). *Se faire accoster par un dragueur.*

3 Comme je n'ai vraiment pas l'allure du dragueur classique, je n'hésite pas à demander : Vous ne connaîtriez pas un hôtel pas trop cher, s'il vous plaît, mademoiselle ?
          Roger BORNICHE, le Play-boy, p. 134.

REM. Le fém. *dragueuse* est attesté en ce sens.

4 Elles avaient décidé de gagner l'île Saint-Louis à pied, se tenant toujours par le bras, le nez au vent, de l'impudence dans les yeux. Boulevard Saint-Michel, Marielle observa qu'elles ressemblaient plus maintenant à des dragueuses qu'à des voleuses.
          Cecil SAINT-LAURENT, la Bourgeoise, p. 138.

DRAGUEUSE [dʀagøz] n. f. — Av. 1948, Larousse; de *draguer.*

★ **I.** Techn. Machine complexe pour draguer. ⇒ 1. **Drague** (I., 2.), **dragueur** (I., 3.).

Et l'on vit encore les remous de l'eau, la cheminée haute du bateau-lavoir, la chaîne immobile de la dragueuse, des tas de sable sur le port, en face, une complication extraordinaire de choses, tout un monde emplissant l'énorme coulée, la fosse creusée d'un horizon à l'autre.
          ZOLA, l'Œuvre, p. 4.

★ **II.** Fam. Femme qui drague (II., 2. ou 3.). ⇒ **Dragueur** (II.).

1. DRAILLE [dʀaj] n. f. — 1792; p.-ê. var. de *traille,* du lat. *tragula,* désignant un javelot, une herse, etc., ou plutôt du languedocien *dralho,* de *traio,* qui correspond à *traille*.*

♦ Mar. Cordage tendu, le long duquel peut glisser une voile, une tente. ⇒ **Erse, erseau.** *Draille de foc. Voile glissant le long de la draille au moyen d'un transfilage, d'anneaux, de bagues.*

Ce serait simple de les réveiller les autres puisque la trinquette bômée est déjà parée sur la deuxième draille, mais mon bateau murmure que ce serait une erreur tactique : même si le vent augmentait, il me serait facile de réaliser ce changement de trinquette.
          Bernard MOITESSIER, Cap Horn à la voile, p. 72.

HOM. 2. Draille, dry.

2. DRAILLE [dʀaj] n. f. — 1835; dauphinois *draya* «sentier», 1316; d'un lat. pop. **tragulare,* dér. de *trahere* «tirer», d'après *tragula.* → 1. Draille, traille.

♦ Régional. Piste ménagée pour les moutons transhumants, dans le Languedoc, les Cévennes.

(...) écheveau compliqué de ravines et de pentes dénudées, parfois réunies et larges alors d'une centaine de mètres, comme un boulevard en pleine brousse qui me rappelait les drailles cévenoles (...)
          Claude LÉVI-STRAUSS, Tristes Tropiques, p. 97.

HOM. 1. Draille, dry.

DRAIN [dʀɛ̃] n. m. — 1849, agric.; mot angl., de *to drain* «dessécher». — REM. Le mot n'est pas ressenti comme un anglicisme.

♦ **1.** Conduit souterrain (souvent, tuyau de terre cuite), servant à faire écouler l'eau des sols trop humides. ⇒ **Canal, conduit.** *Pose des drains dans une tranchée. Les drains se jettent dans des collecteurs* (⇒ **Drainage**).

Par ext. Fossé, généralement garni de pierres ou cimenté, pour le même office.

1 (...) je rencontre le grand drain depuis son embouchure, de la vase jusqu'au ventre, pour voir si on l'a bien récuré.   Henri FAUCONNIER, Malaisie, p. 132.

2 Les drains se dirigeaient en pente insensible vers un canal collecteur qui se dégorgeait lui-même dans l'Angerapp.   M. TOURNIER, le Roi des Aulnes, p. 176.

♦ **2.** (1859). Méd. Tube (de caoutchouc, de verre, etc.) percé de trous et destiné à favoriser l'écoulement des collections liquides (pus, etc.). *Placer un drain dans une plaie. Drain souple, drain rigide.*

3 Après avoir placé au fond de la plaie un drain, un tube de caoutchouc pour l'écoulement du pus (...)   ZOLA, la Débâcle, p. 490, in T. L. F.

♦ **3.** Mar. Tuyau collecteur servant à la vidange des compartiments d'un navire. *Pompe de drain :* pompe de drainage.

DÉR. **Drainer.**

DRAINAGE [dʀɛnaʒ] n. m. — 1848 ; de *drainer*.

♦ **1.** a Opération d'assainissement (des sols trop humides) par l'écoulement de l'eau retenue en excès dans les terres. ⇒ **Assainissement, dessèchement.** *Drainage des terres argileuses* (→ Argile, cit. 2). *Le drainage d'une prairie ; d'un marais, d'un polder*. Travaux de drainage dans les Flandres.* ⇒ **Wateringue.** *Opérations de drainage :* piquetage du terrain à drainer ; exécution de tranchées, pose de drains* ; remblayage des tranchées ; exécution des bouches de décharge. *Canal, fossé, tranchée de drainage. Système de drainage d'un terrain :* petits drains amenant l'eau à des collecteurs, ceux-ci se déversant dans un collecteur principal qui aboutit à un canal, cours d'eau... (l'émissaire) par l'intermédiaire d'une bouche de décharge. *Drainage longitudinal,* où les drains suivent la plus grande pente ; *drainage transversal,* où ils sont obliques. —Anciens modes de drainage avec pierres concassées ou pierres plates au lieu de tuyaux. — Drainage en galeries sans tuyaux,* effectué à l'aide de charrues draineuses. — Loi du 10 juin 1854 sur le libre écoulement des eaux provenant du drainage.*

Le drainage prévoyait un réseau de tranchées de deux mètres cinquante de profondeur au fond desquelles était ménagée une manière de caniveau formé par trois dalles, deux verticales, la troisième horizontale, recouvrant les deux autres ; un lit de briques concassées, puis de la terre meuble, fermaient la tranchée.   M. TOURNIER, le Roi des Aulnes, p. 176.

b Géogr. Action de drainer les eaux (en parlant d'un réseau hydrographique, d'un bassin...). *Densité de drainage d'un réseau* hydrographique.*

♦ **2.** (1855). Méd. Opération destinée à favoriser l'écoulement* des collections liquides (pus, etc.) en maintenant leur orifice ouvert par un tube (⇒ **Drain,** 2.) ou une mèche (⇒ **Mèche**). *Le drainage d'une plaie. — Par ext. Le drainage du pus.*

♦ **3.** (1864). Fig. Action de recueillir, de rassembler. *Le drainage des capitaux, de l'or* (⇒ **Drainer,** 3.). — *« Un puissant drainage des forces intellectuelles de la France »* (Renan, in T. L. F.). ⇒ l'anglic. **Brain drain.**

CONTR. **Inondation ; irrigation. — Dispersion** (fig.).

1. DRAINE ou **DRENNE** [dʀɛn] n. f. — 1775, *draine* ; *drenne,* 1755 ; *drine* au XVIᵉ ; orig. obscure, p.-ê. du gaul. **drezdo.*

♦ Zool. ou régional (Centre et Sud). Espèce de grive* d'Europe de grande taille *(Turdus viscivorus).*

HOM. 2. **Draine.**

2. DRAINE [dʀɛn] n. f. — D. i. ; déverbal de *deraisnier* «parler», de *raisner,* du bas lat. *rationare,* de *ratio* «raison».

♦ Régional (surtout Ouest : La Varende, in T. L. F.). Refrain de chanson ; rengaine.

HOM. 1. **Draine.**

DRAINER [dʀene ; dʀɛne] v. tr. — 1848 ; de *drain.*

♦ **1.** a Débarrasser (un terrain) de l'excès d'eau par le drainage*. ⇒ **Assainir, assécher.** *Drainer un marais, un polder. — Au p. p. Terrain drainé, prairie drainée.*

(Sujet n. de chose : ce qui sert au drainage). *Un caniveau draine les eaux de ruissellement.*

b Géogr. Entraîner (des eaux), en parlant d'un cours d'eau, d'un bassin, d'un réseau hydrographique. *La Seine draine toutes les eaux du Bassin parisien.*

♦ **2.** (1855). Débarrasser (une plaie, un organe) des collections liquides, en faisant écouler par un dispositif artificiel (drain*, mèche). → Chirurgien, cit. 2. *Drainer un rein, la prostate, la vessie.* — (Sujet n. de dispositif). *Sonde, mèche qui draine une plaie.*

♦ **3.** (1865, in Höfler). Fig. Faire affluer en attirant à soi (soit pour conserver, soit pour dériver). *Drainer les capitaux, les épargnes. On reprochait à ce pays de drainer l'or du monde entier. Drainer la*

---

main-d'œuvre étrangère par une politique d'immigration. Drainer qqch. vers..., au profit de (qqn, qqch.).

Cette heureuse « Terre de charité » n'a pas jusqu'à présent de chemin de fer pour lui amener des parasites et drainer vers l'étranger ses richesses (...)   LOTI, l'Inde (sans les Anglais), III, II, p.45.

CONTR. **Inonder ; irriguer. — Disperser.**
DÉR. **Drainage, draineur, draineuse.**

DRAINETTE [dʀɛnɛt] n. f. — 1839, Boiste ; de *dranet,* angl. *dragnet* « filet (net) à draguer ». → Drag, draguer.

♦ Techn. (pêche). Filet traîné pour la pêche aux petits poissons. ⇒ 1. **Drague** (I., 1.).

DRAINEUR, EUSE [dʀenœʀ, øz] adj. et n. — 1850, in Höfler ; de *drainer.*

♦ Techn. (Personne) qui draine (qqch.). — (Choses). *Sonde draineuse.* Fig. *Des draineurs d'argent, de capitaux.*

DRAINEUSE [dʀenøz] n. f. — 1861, in Höfler ; de *drainer.*

♦ Techn. Appareil pour tracer les fossés de drainage. — Adj. ou appos. *Charrue draineuse.*

DRAISIENNE [dʀɛzjɛn] n. f. — 1816 ; du nom de l'inventeur, le baron *Drais,* et suff. *-ienne.*

♦ Ancienn. Hist. Instrument de locomotion à deux roues reliées par une pièce de bois sur laquelle on montait à califourchon, et muni d'une direction à pivot. *La draisienne est l'ancêtre du vélocipède, de la bicyclette.* ⇒ aussi **Célérifère.** *La draisienne était mue par l'action alternative des pieds sur le sol ; elle comportait parfois trois roues. Petite draisienne.* ⇒ **Célérette** (rare).

DRAISINE [dʀɛzin ; dʀezin] n. f. — 1895, à propos de l'Autriche (germanisme ?), in D. D. L. ; «draisienne», 1845 ; altér. du précéd.

♦ Techn. Wagonnet léger pour la surveillance de la voie ferrée, le transport de matériel, etc.

DRAKKAR [dʀakaʀ] n. m. — 1840 ; *drake,* 1870 ; mot scandinave, «dragon» à cause de l'emblème généralement sculpté à la proue, probablt d'orig. latino-grecque. → Dragon.

♦ Hist. Navire, à voile carrée et à rames, des pirates normands et des navigateurs scandinaves (Vikings).

La mousse marine a alourdi le flanc de nos Drakkars.   SOUVESTRE, Chroniques de la mer, p. 120 (1852), in D. D. L., II, 10.

DRAMATIQUE [dʀamatik] adj. — 1370 ; rare jusqu'au mil. du XVIIᵉ ; *dramique,* 1775, Beaumarchais ; du bas lat. *dramaticus,* grec *dramatikos,* de *drama.* → Drame.

A. ♦ **1.** a Didact. ou littér. Destiné au théâtre (en parlant d'un texte) ; relatif aux ouvrages de théâtre. *Œuvre, ouvrage, poème dramatique. Le genre dramatique.* ⇒ **Théâtre ; comédie, drame, tragédie.** *Littérature, poésie, prose ; style dramatique. Règles de la composition dramatique.* ⇒ **Dramaturgie.** *Donner à un récit la forme dramatique. Le caractère dramatique d'un texte, d'un décor* (cit. 3). *Le génie dramatique d'un auteur. L'instinct dramatique d'un comédien. Représentation, spectacle dramatique.*

1 Bien que, selon Aristote, le seul but de la poésie dramatique soit de plaire aux spectateurs, et que la plupart de ces poèmes leur ait plu, je veux bien avouer toutefois que beaucoup d'entre eux n'ont pas atteint le but de l'art.   CORNEILLE, 1ᵉʳ disc. sur l'utilité et sur les parties du poème dramatique.

2 (...) le nom de poème dramatique vient d'un mot grec qui signifie agir, pour montrer que la nature de ce poème consiste dans l'action (...)   MOLIÈRE, la Critique de l'École des femmes, 6.

3 On appelle poème dramatique celui par lequel on fait parler ou agir sur le théâtre les personnages mêmes, à la différence de poème épique, où le poète ne fait que raconter de son chef, indirectement et de suite, les aventures de ceux dont il parle (...)   ROLLIN, Hist. ancienne, Œ., t. V, p. 107, in POUGENS.

4 Le genre comique et le genre tragique sont les bornes réelles de la composition dramatique.   DIDEROT, 3ᵉ Entretien sur le fils naturel, Pl., p. 1275.

5 — Quel est l'objet d'une composition dramatique ?
— C'est, je crois, d'inspirer aux hommes l'amour de la vertu, l'horreur du vice (...)   DIDEROT, 3ᵉ Entretien sur le fils naturel, Pl., p. 1286.

6 Le temps jette une obscurité inévitable sur les chefs-d'œuvre dramatiques vieillissants (...) sans Talma une partie des merveilles de Corneille et de Racine serait demeurée inconnue. Le talent dramatique est un flambeau ; il communique le feu à d'autres flambeaux à demi éteints, et fait revivre des génies qui vous ravissent par leur splendeur renouvelée.   CHATEAUBRIAND, Mémoires d'outre-tombe, t. II, p. 198.

6.1 Adinolfa, sans faire de bruit, attendit quelque temps, épiant Méisdehl, dont les gestes l'étonnèrent par leur gracieuse justesse. S'initiant à la révélation de cet instinct dramatique, elle s'approcha de la fillette pour lui enseigner les principes fondamentaux de la démarche et de la tenue scéniques.   Raymond ROUSSEL, Impressions d'Afrique, p. 307.

REM. Dans ce sens, les syntagmes qui peuvent produire une ambiguïté avec les autres sens sont vieillis (ex. : *un spectacle dramatique*, qui sera plutôt compris au sens 3).

Spécialt. **ART DRAMATIQUE** : l'ensemble des activités théâtrales (⇒ **Théâtre**), généralement envisagées d'un point de vue professionnel. *Conservatoire, école, festival d'art dramatique. Centre national d'art dramatique.* — *Centre dramatique,* d'art dramatique.
MUSIQUE DRAMATIQUE : la musique composée pour la scène. ⇒ **Opéra** ; **lyrique** (théâtre lyrique).
Activités dramatiques en pédagogie, en thérapie. Jeux dramatiques (⇒ aussi **Psychodrame**). *Expression dramatique.* ⇒ **Expression.**
N. m. Vieilli. Le genre, la forme dramatique. *Réussir dans le dramatique.*

6.2 Certains poètes sont sujets, dans le dramatique, à de longues suites de vers pompeux qui semblent forts élevés (...) LA BRUYÈRE, les Caractères, I, 8.

|b| (V. 1953, n. f.). Cour. *Émission dramatique,* et, n. f., *une dramatique :* une émission de télévision à caractère théâtral ; un récit adapté aux moyens de la télévision ou de la radio. ⇒ aussi **Docudrame.**

6.3 (...) et qui ne ferait plus crier Blandine obligée de suivre à la télé le match au lieu de la dramatique. Hervé BAZIN, Cri de la chouette, p. 205.

♦ **2.** (Av. 1690). Personnes. Qui s'occupe de théâtre. — REM. Cet emploi produit des syntagmes plus courants que le 1., l'ambiguïté avec les autres sens étant plus rare. *Auteur, écrivain, poète dramatique.* ⇒ **Dramaturge.** *Artiste dramatique.* ⇒ **Acteur, comédien.** *Chanteuse* (cit. 2) *dramatique.*

7 (...) j'ai toujours pensé que l'on ne saurait rendre trop hautement justice aux acteurs, eux dont l'art difficile s'unit à celui du poète dramatique, et complète son œuvre. A. DE VIGNY, Sur les représentations du drame (Chatterton), Pl., t. I, p. 898.

8 Les poètes dramatiques ne sont pas seuls dans leurs œuvres, ils n'existent tout entiers que par leurs acteurs (...) LAMARTINE, Cours familier de littérature, Rac. et Ath. (éd. Garnier, t. I, p. 172).

9 L'auteur dramatique crée des personnages, s'efface en eux, leur donne sa place de vivant. A. THIBAUDET, Réflexions sur la littérature, p. 53.

Critique dramatique, de théâtre.

10 Je connais le bonhomme qui y joue le critique dramatique. VALÉRY, Correspondance avec Gide, 1901, p. 381, *in* T. L. F.

N. m. Vx. Auteur dramatique.

11 Les dramatiques modernes ont fait de leur art un lieu où, pour remporter le prix (...) il faut observer certaines règles, certaines formules difficiles et inutiles, dont ils sont convenus entre eux. Joseph JOUBERT, Pensées, XVIII, 83.

♦ **3.** Littér. Relatif au drame (A., 2.). *Théâtre tragique et théâtre dramatique.* — *Comédie dramatique,* qui participe du drame.
Caractérisé par le drame, en tant que genre.

12 Les temps primitifs sont lyriques, les temps antiques sont épiques, les temps modernes sont dramatiques. HUGO, Préface de Cromwell, p. 15.

B. (V. 1835 ; correspond à *drame,* B.). ♦ **1.** Qui est susceptible d'émouvoir, d'intéresser vivement le spectateur, au théâtre. ⇒ **Émouvant, intéressant, passionnant, poignant, saisissant.** *Scène dramatique. Un sujet, une situation, un dénouement dramatique. Mouvement, intensité dramatique d'une scène. Intérêt, ressort dramatique d'une pièce.* — *Récit dramatique. Il y a dans ce roman un passage dramatique. Scénario, film dramatique.*

♦ **2.** (1839, Boiste). En parlant d'événements réels. Très grave et dangereux ou pénible. ⇒ **Émouvant, terrible, tragique.** *La situation est dramatique.* ⇒ **Dangereux, difficile, grave, sérieux.** *Une entrevue, une rencontre dramatique. L'affaire eut une issue dramatique. Un sauvetage aux péripéties dramatiques. Luttes, convulsions* (cit. 9) *dramatiques. Ce n'est pas dramatique,* ce n'est pas grave.

13 (...) l'effort dramatique que doit faire un jeune garçon qui veut paralyser l'action de ses éducateurs (...) MONTHERLANT, la Relève du matin, p. 140.

N. m. *Le dramatique de l'affaire,* son caractère dramatique.

CONTR. Épique, lyrique (genre, poésie). — Badin, léger ; comique, idyllique. — Froid ; ennuyeux. — Insignifiant.
DÉR. Dramatiquement.
COMP. Sociodramatique.

DRAMATIQUEMENT [dʀamatikmɑ̃] adv. — 1777 ; de *dramatique.*

♦ **1.** (De *dramatique,* A.). Rare. En matière de théâtre. *Dramatiquement, cette intrigue ne vaut rien* (→ Dramatique, 1.). « *La danseuse se posa dramatiquement et déclama...* » (Balzac, *in* T. L. F.).

♦ **2.** (De *dramatique,* B.). Cour. D'une manière dramatique (B.). ⇒ **Tragiquement.** *L'affaire se termina dramatiquement. Il est dramatiquement éprouvé, ruiné.*

DRAMATISANT, ANTE [dʀamatizɑ̃, ɑ̃t] adj. — V. 1969 ; p. prés. de *dramatiser.*

♦ Littér. Qui exagère la gravité d'une situation. *Une attitude dramatisante, un ton dramatisant.*

REM. La forme est attestée, comme n. m., en 1773, au sens de « dramaturge ».

DRAMATISATION [dʀamatizasjɔ̃] n. f. — 1889 ; de *dramatiser.*

A. Didact. ou littér. Le fait de donner la forme théâtrale à (un récit, un contenu pédagogique). *Dramatisation en pédagogie* (méthodes actives), *en psychothérapie* (⇒ **Psychodrame**).

B. ♦ **1.** Action de dramatiser ; son résultat ; exagération de la gravité (d'une chose). *Les deux gouvernements veulent éviter toute dramatisation de l'incident.*

♦ **2.** Psychan. Transformation d'une idée censurée en image, dans le rêve. ⇒ **Symbolisation.** — Par ext. Transformation du concept en image, dans l'univers onirique ou mythique.

On pourrait dire que les œuvres littéraires sont comme des mythes séculaires chargés de passé, de présent et de futur, qu'ils véhiculent les désirs archaïques, infantiles (...) comme *réalisés* dans l'avenir par la force même de la dramatisation de l'écriture (...)
J. GILLIBERT, la Création littéraire, *in* la Nef, n° 31, p. 87.

DRAMATISER [dʀamatize] v. tr. — 1801 ; de *drame.*

A. ♦ **1.** Vx ou littér. Porter à la scène, donner la forme d'un drame.

♦ **2.** Mod. Didact. Transformer (des éléments didactiques, narratifs) en langage théâtral.

B. ♦ **1.** Présenter (une chose) sous un aspect dramatique, émouvant, tragique. ⇒ **Dramatique** (B., 2.). *Son récit dramatise un incident banal.* — Au p. p. adj. *Une biographie dramatisée* (→ Biographie, cit. 1).

1 Les têtes exaltées éprouvent un besoin inné de dramatiser leurs existences à leurs propres yeux. G. SAND, citée par LITTRÉ.

♦ **2.** (Déb. XXᵉ). Cour. Accorder une importance exagérée, une gravité émouvante à (qqch.). ⇒ **Amplifier, corser, exagérer.** *Il est porté à tout dramatiser. Il ne faut rien dramatiser, la situation n'est pas perdue.* Absolt. *Tu dramatises, ce n'est pas si grave.*

2 Il jugeait essentiel de ne rien dramatiser, d'acclimater peu à peu cette sauvagerie, à force de cordialité et d'aisance. MARTIN DU GARD, les Thibault, IV, p. 63.

CONTR. Atténuer, minimiser.
DÉR. Dramatisant, dramatisation.

DRAMATISME [dʀamatism] n. m. — 1776, Restif, « caractère théâtral » ; de *drame* ou *dramatique,* et suff. *-isme.*

♦ Didact. Caractère dramatique (A., 3., littér., ou B.). *Le dramatisme d'une situation, d'un récit, d'une symphonie.*

DRAMATISTE [dʀamatist] n. et adj. — 1771 ; de *drame.*

♦ Vx. Auteur dramatique. ⇒ **Dramaturge.** — Adj. *Poète dramatiste.* ⇒ **Dramatique** (A., 1.).

Tous ces impuissants dramatiques (*Molé, Diderot, Marmontel*) se sont faits dramatistes, c'est-à-dire compositeurs de ce que leur cabale appelle des drames.
COLLÉ, Journal (1771), III, p. 325, *in* PROSCHWITZ, *in* D. D. L., II, 2.

DRAMATURGE [dʀamatyʀʒ] n. — 1773 ; grec *dramatourgos* « auteur dramatique », de *drâma, atos* (→ Drame), et *ergon.*

♦ **1.** Auteur d'ouvrages destinés au théâtre. ⇒ **Auteur** (dramatique), **écrivain.** *Un, une dramaturge de talent.* — REM. *Dramaturge* s'est longtemps appliqué aux seuls auteurs de drames (au sens A, 2).

1 Pourquoi le grand modèle des dramaturges, Shakespeare, n'a-t-il pas lui-même pris ses sujets parmi le peuple ? MARMONTEL, (1782), cité par LITTRÉ.

2 Ce qui distingue un romancier, un dramaturge, du reste des hommes, c'est justement le don de voir de grands arcanes dans les aventures les plus communes (...) Qu'une belle-mère brûle pour son beau-fils, c'était sans doute un incident aussi peu notable du temps d'Euripide qu'aux jours de Jean Racine. Mais voyez les grands arcanes que Racine a découverts dans une passion à peine incestueuse (...)
F. MAURIAC, la Province, p. 52.

♦ **2.** Spécialiste de dramaturgie. *Il, elle est à la fois dramaturge et scénographe.*

DRAMATURGIE [dʀamatyʀʒi] n. f. — 1775 ; au sens de « catalogue d'œuvres dramatiques », 1668, Chapelain, traduisant l'ital. *dramaturgia* ; du grec *dramatourgia,* dér. de *dramatourgos.* → Dramaturge.

♦ Didact. Art de la composition dramatique. *La dramaturgie classique, la dramaturgie de Corneille. La Dramaturgie classique en France,* ouvrage de J. Schérer. — Traité de composition dramatique. *La Dramaturgie de Hambourg,* de Lessing.

DÉR. Dramaturgique.

DRAMATURGIQUE [dʀamatyʀʒik] adj. — 1777 ; de *dramaturgie.*

♦ Didact. Qui a rapport à la dramaturgie. *Des principes dramaturgiques.*

DRAME [dʀam] n. m. — 1657, au sens d'«action, intrigue»; lat. *drama*, du grec *drama* «action», de *drân* «agir».

A. ♦ 1. Didact. Genre littéraire comprenant tous les ouvrages composés pour le théâtre. ⇒ **Théâtre.** *Le drame représente une action sur une scène.*

1 Qui veut tenter l'histoire de la poésie, du drame ou du roman depuis un siècle, trouve d'abord que la technique s'en est lentement effritée, et dissociée; puis, qu'elle a perdu ses moyens propres, et s'est vue envahie par les secrets ou les procédés des techniques voisines — le poème par la prose, le roman par le lyrisme, le drame par le roman. J. PAULHAN, les Fleurs de Tarbes, p. 30.

Vx. Pièce de théâtre (syn. mod. : *pièce* de théâtre*).

2 Les régents de collège y faisaient représenter (...) des drames.
A. R. LESAGE, le Diable boiteux, 7, *in* HATZFELD.

3 Nous parlons trop dans nos drames; et, conséquemment, nos acteurs n'y jouent pas assez. Nous avons perdu un art, dont les anciens connaissaient bien les ressources. DIDEROT, 2ᵉ Entretien sur le fils naturel, Pl., p. 1 249.

Mod. *Drame lyrique.* ⇒ **Opéra, opéra-comique.** *Drame lyrique, drame musical sacré.* ⇒ **Cantate, oratorio.**

♦ 2. (1742, Landais). Spécialt. Cour. Genre théâtral comportant des pièces en vers ou en prose, dont l'action généralement tragique, pathétique, s'accompagne d'éléments réalistes, familiers, comiques, bouffons; pièce de théâtre appartenant à ce genre. *Le drame, rompant avec la distinction classique de la tragédie et de la comédie, élargit le domaine et les moyens de ces deux genres. — Le drame satyrique grec mêlait le pathétique au bouffon. Drames de Shakespeare, Calderon, Lope de Vega. La comédie héroïque et la tragicomédie du XVIIᵉ siècle, la comédie larmoyante du XVIIIᵉ siècle préparent la voie au drame en France. Le drame apparaît en France au XVIIIᵉ siècle; on l'appelle* «genre sérieux» *(Diderot),* «tragédie bourgeoise, drame bourgeois, drame moral». *Les drames de Beaumarchais, de Sedaine. Drame romantique. — Drames de Lessing, de Goethe. Drame historique, réaliste, lyrique, symboliste. Drame religieux espagnol.* — **Auto.** *Drame populaire* (⇒ **Mélodrame**). *— Composer, écrire, publier, éditer un drame. Mise en scène, décors* (cit. 1) *d'un drame. Jouer, monter un drame. Conduire des drames de trente à quarante personnages* (cit. 9).

4 Les hommes de lettres qui se sont voués au théâtre, en examinant cette pièce (*La Mère coupable*), pourront y démêler une intrigue de comédie, fondue dans le pathétique d'un drame. Ce dernier genre, trop dédaigné de quelques juges prévenus, ne leur paraissait pas de force à comporter ces deux éléments réunis. L'intrigue, disaient-ils, est le propre des sujets gais (...) on adapte le pathétique à la marche simple du drame pour en soutenir la faiblesse. Mais ces principes hasardés s'évanouissent à l'application (...)
BEAUMARCHAIS, Un mot sur «la Mère coupable»,
in Théâtre, éd. Garnier, p. 348.

4.1 Le drame n'est point une action forcée, rapide, extrême : c'est un beau moment de la vie humaine, qui révèle l'intérieur d'une famille, où, sans négliger les grands traits, on recueille précieusement les détails. Ce n'est point un personnage factice, à qui on attribue rigoureusement tous les défauts ou les vertus de l'espèce : c'est un personnage plus vrai, plus raisonnable, moins gigantesque, et qui, sans être annoncé, fait d'effet que s'il l'était. Ourdir, enchaîner les faits conformément à la vérité, suivre dans le choix des événements le cours ordinaire des choses, éviter tout ce qui sent le roman, modeler la marche de la pièce, de sorte que l'extrait paraisse un récit où règne la plus exacte vraisemblance, créer l'intérêt, et le soutenir sans échafaudage, ne point permettre à l'œil de cesser d'être humide sans froisser le cœur d'une manière trop violente, faire naître enfin à divers intervalles le sourire de l'âme et rendre la joie aussi délicate que la compassion, c'est là ce que propose le drame, et ce qu'a point tenté la comédie.
Louis-Sébastien MERCIER, Essai sur l'art dramatique (1773),
in BEAUMARCHAIS, COUTY et REY, Dict. des littératures langue franç.

Spécialt. Le drame romantique, tel qu'il est défini par Hugo.

4.2 Du jour où le christianisme a dit à l'homme : «Tu es double, tu es composé de deux êtres, l'un périssable, l'autre immortel, l'un charnel, l'autre éthéré, l'un enchaîné par les appétits, les besoins et les passions, l'autre emporté sur les ailes de l'enthousiasme et de la rêverie, celui-ci enfin toujours courbé vers la terre, sa mère, celui-là sans cesse élancé vers le ciel, sa patrie», de ce jour-là le drame a été créé. HUGO, Préface de Cromwell (1827).

5 Shakespeare, c'est le Drame; et le drame, qui fond sous un même souffle le grotesque et le sublime, le terrible et le bouffon, la tragédie et la comédie, le drame est le caractère propre de la troisième époque de poésie, de la littérature actuelle (...) L'ode vit de l'idéal, l'épopée du grandiose, le drame du réel (...) le drame, unissant les qualités les plus opposées, peut être tout à la fois plein de profondeur et plein d'effet que s'il l'était philosophique et pittoresque (...)
(...) le corps y joue son rôle comme l'âme; et les hommes, et les événements, mis en jeu par ce double agent, passent, tour à tour bouffons et terribles, quelquefois terribles et bouffons tout ensemble. HUGO, Préface de Cromwell.

Par ext. Pièce d'un caractère grave, pathétique (par oppos. à *comédie*). *Les Mouches,* drame de J.-P. Sartre.

♦ 3. Par métaphore et fig. (du sens 1 ou 2) :

6 La nature est un drame avec des personnages (...)
HUGO, les Contemplations, V, «En marche», III, IV.

7 Du drame de ses jours *(de Jocelyn)* j'explore le théâtre (...)
LAMARTINE, Jocelyn, Épilogue, I.

B. (1787). Événement ou suite d'événements tragiques, terribles. ⇒ **Catastrophe, tragédie;** → Bouleversement, cit. 3. *Drame affreux, atroce, épouvantable, horrible, sanglant, terrible. Le drame humain, le drame terrestre, le drame de la condition humaine. Drame international, planétaire. Drame social. Une affaire qui tourne au drame. Drame qui se noue, qui se dénoue* (cit. 9, 19). *Suite, tissu de drames* (→ Chaos, cit. 8). *Incident qui se corse* (cit. 2) *d'un peu de drame. Cela a été, cela a fait tout un drame. Les circonstances, le décor* (cit. 9) *du drame. Drame de famille,*

drame personnel. Un drame de la jalousie, d'amour, un drame passionnel, conjugal.

8 Là *(dans la révolution anglaise)* le drame de la liberté, ici *(dans la Fronde)* sa parodie. CHATEAUBRIAND, les Quatre Stuarts (1830), Henriette-Marie.

9 Ces lieux de nos bonheurs et de nos désespoirs,
Où le drame divin de tout notre jeune âge
Avait à chaque site attaché son image! LAMARTINE, Jocelyn, 9ᵉ époque (1836).

10 La manière dont le monde des apparences s'impose à nous et dont nous tentons d'imposer au monde extérieur notre interprétation particulière, fait le drame de notre vie. GIDE, les Faux-monnayeurs, II, V, p. 261.

11 Le drame de famille s'était greffé à vif sur le drame d'amour.
MARTIN DU GARD, les Thibault, t. III, p. 278.

12 Le drame du travail, en France, est déterminé par le drame de la monnaie.
G. DUHAMEL, Manuel du protestataire, II, p. 72.

13 Oh! c'est cette soirée, ce contraste entre la sérénité apparente de ce paysage, de cette maison, et les drames secrets que l'on y devine (...)
A. MAUROIS, le Cercle de famille, II, p. 277.

Spécialt. En style de journal. Catastrophe causée par un accident, un crime... *Tous les détails sur le drame de... Drame sanglant dans la banlieue parisienne.*

Fam. *Ce n'est pas un drame :* ce n'est pas grave*. — *Faire un drame de qqch.* ⇒ **Dramatiser** (B.). *Il ne faudrait pas en faire un drame* (→ Faire toute une histoire*, un plat* ...). — *En voilà, un drame! Quel petit drame!*

14 Un drame, ils font sûrement un drame parce que leur voiture n'est pas du modèle le plus récent, n'est-il pas vrai? et leurs épouses boudent parce que leur fourrure n'est pas neuve. CAMUS, Un cas intéressant, *in* Théâtre, Pl., p. 700.

CONTR. Comédie. — Idylle.
DÉR. Dramatiser, dramatisme, dramatiste.
COMP. V. Sociodrame.

-DRAME Élément du préséd. (ex. : *mélodrame, mimodrame, psychodrame*).

DRANGUEL [dʀɑ̃gɛl] n. m. — 1838; *dranguelle,* 1755; orig. incert.; p.-ê. de l'anc. franç. *drenc,* du nordique *drengr* «câble», d'où *dran* «drosse», au XIXᵉ; ou altér. inexpliquée de *drague.*

♦ Techn. (pêche) et régional (Flandres, Picardie). Filet à large ouverture.

DRAP [dʀa] n. m. — XIIᵉ; du bas lat. *drappus,* p.-ê. mot gaulois.

★ **I. ♦ 1.** Toile* de laine dont les fibres sont feutrées par le foulage. *Fabrication du drap.* ⇒ **Filature, tissage.** *Opérations successives :* dégraissage (⇒ **Dégraisser, terrer**); épincetage et époutiage (⇒ **Épinceter; épouti**); rentrayage (⇒ **Rentraire**); foulage (⇒ **Fouler**); lainage (⇒ **Draper,** cit. 1; **lainer**); séchage; tondage (⇒ **Tondre**); lustrage ou pressage à chaud (⇒ **Calandrer, cylindrer**); décatissage (⇒ **Décatir**); pressage à froid; épaillage. *Le lainage du drap se faisait autrefois au moyen d'une brosse à chardons* (⇒ 2. **Carde, carder, échardonner**); *il se fait aujourd'hui à la machine* (laineuse). *Tondage du drap à la main* (⇒ **Forces**); *à la machine* (⇒ **Tondeuse**). *Donner le dernier apprêt au drap avec la tuile.* ⇒ **Tuilage.** *Donner le fini au drap.* ⇒ **Striquer.** *Éplucher du drap,* en enlever les bourres. *Bougier du drap pour arrêter les effilures.* ⇒ **Bruir*** du drap. — *Drap fin, gros drap. Drap noir, drap union. Elbeuf, Louviers, Roubaix, Sedan, produisent des draps renommés. Drap cuirlaine.* ⇒ **Marengo.** — *Coupon, pièce de drap. Couverture de drap que l'on met sur les chevaux de selle.* ⇒ **Chabraque.** *Veste, manteau de drap.* ⇒ **Caban, kabig.** *Costume, habit, vareuse, pantalon de drap* (→ Col, cit. 9 et 11; bouton, cit. 7). *Cape* (cit. 1) *de drap. Uniforme militaire en drap. Bouton de drap.* — *Fabricant de drap; négociant en drap.* ⇒ **Drapier.** *Commerce du drap, des draps.* ⇒ **Draperie.** *Échantillons de draps pour manteaux.*

1 Julien découvrait chez presque tous un respect inné pour l'homme qui porte un habit de *drap fin.* STENDHAL, le Rouge et le Noir, XXVI, p. 182.

2 Il fit un geste vers Daniel, et lui toucha le bras. Sous sa paume, il sentit le drap rêche de la tunique. MARTIN DU GARD, les Thibault, t. V, p. 295.

Loc. *Tailler en plein drap :* couper un vêtement dans la pièce de drap. — Fig. User avec hardiesse des moyens dont on dispose pour agir.

Loc. prov. Vieilli. *Au bout de l'aune* faut* (fait défaut) *le drap :* il y a une fin à toute chose.

Spécialt. *Drap mortuaire** (cit. 1) : pièce d'étoffe de laine dont on couvre le cercueil, le cénotaphe, aux funérailles. ⇒ **Poêle.** — On dit aussi *drap funéraire.*

♦ 2. *Drap d'or, drap de soie :* étoffe tissée d'or, de soie. *Le camp du Drap d'or,* où eut lieu l'entrevue de François Iᵉʳ et d'Henri VIII (1520).

3 D'un bout de l'année à l'autre, que de merveilles, éclatantes et saintes, lui passaient par les mains! Elle n'était que dans la soie, le satin, le velours, les draps d'or et d'argent. ZOLA, le Rêve, III.

★ **II. ♦ 1.** (1175, d'abord en concurrence avec *linceul*). *Drap de lit*,* et, absolt, *drap :* pièce de toile (de lin, de coton, de chanvre, puis de tissus synthétiques, nylon, tergal...) de forme rectangulaire et qui sert à isoler le corps soit du matelas, soit des couvertures (⇒ **Linge,** lingerie, literie). *Une paire de draps. Drap de dessous,* que l'on étend sur le matelas et qui peut envelopper le traversin. *Drap de dessus,* que l'on met entre le drap de dessous et les couvertures. *Drap-housse :* drap de dessous dont les bords et les coins sont coupés et cousus de manière à emboîter le matelas. *Rabattre le drap de dessus. Border les draps. Mettre des draps blancs, des draps propres, changer les draps. Mettre* des draps à un lit :* faire* le lit. — *Blanchir, laver des draps. Étendre des draps pour les faire sécher. Essorer des draps. Plier des draps ; pile de draps.* — *Draps blancs, draps de couleur. Draps fins. Draps brodés. Drap garni de dentelle* (cit. 2). *Toile à draps :* toile de coton dont on fait des draps. *Drap de coton ; drap pur fil* (de lin), *drap métis* (lin). *Draps d'enfant, draps de berceau. Les draps :* le lit. — Loc. *Être entre deux draps, dans les draps :* être au lit. *Se mettre, se fourrer dans les draps* (fam. dans les bâches, les bannes, les toiles, les torchons...) : se coucher*. *Repousser, écarter le drap.*

4 Je tiens à mon lit plus qu'à tout. Il est le sanctuaire de la vie. On lui livre nue sa chair fatiguée pour qu'il la ranime et la repose dans la blancheur des draps et dans la chaleur des duvets. MAUPASSANT, les Sœurs Rondoli, I, p. 10.

Spécialt. *Drap d'hôpital :* alaise* en tissu caoutchouté. — *Drap de bain :* pièce rectangulaire de tissu absorbant, dans laquelle on se sèche après le bain.

(Mil. XIXᵉ). Loc. fig. *Être dans de mauvais, de vilains draps,* dans une mauvaise situation.

Iron. BEAUX DRAPS. *Mettre qqn dans de beaux draps :* mettre dans une situation critique*, dangereuse, embarrassante*. *Être, se mettre dans de beaux draps. Le voilà dans de beaux draps. Les Beaux Draps,* œuvre de Céline.

5 Ah! coquines que vous êtes, vous nous mettez dans de beaux draps blancs (...) MOLIÈRE, les Précieuses ridicules, 16.

6 — Tu t'en vas?... — Eh bien!... tu me mets dans de beaux draps! Qu'est-ce que je vais faire sans toi? SARTRE, le Sursis, p. 78.

REM. Cette locution semble venir de : *estre couché en blancs draps,* puis, *être (mettre) en beaux draps blancs* «être montré avec tous ses défauts» ; *drap* pouvait y être compris au sens I (habit).

♦ **2.** Vx. ⇒ **Linceul.** Loc. prov. *Le plus riche en mourant n'emporte qu'un drap.*

♦ **3.** Régional (Belgique). *Drap de main :* serviette. — *Drap de maison :* serpillière. ⇒ **Wassingue.** *Drap de vaisselle :* torchon.

♦ **4.** Loc. fam. Vieilli. *Drap de poche :* mouchoir.

DÉR. Drapeau, draper, 1. draperie, drapier.
COMP. Drap-housse. — Sparadrap.

DRAPAGE [dʀapaʒ] ou DRAPEMENT [dʀapmɑ̃] n. m.
— 1890, *drapage ; drapement,* 1876 de *draper.*

♦ Techn. Action de draper (2. ou 3.) ; son résultat.

DRAPÉ, ÉE [dʀape] adj. et n. ⇒ Draper.

DRAPEAU [dʀapo] n. m. — 1119, *drapel* «chiffon» ; dimin. de *drap.*

★ **I.** Vx. ♦ **1.** Pièce de drap. *«Vieux linges, vieux drapeaux»* (Mathurin Régnier), ancien cri des chiffonniers.

♦ **2.** N. m. pl. (XIIIᵉ). *Drapeaux :* langes pour emmailloter un enfant. ⇒ **Couche, lange.**

♦ **3.** Techn. Débris de toile servant à la fabrication du papier.

★ **II.** (1578, de l'ital. *drapello,* de même formation que *drapeau,* mais qui a pris ce sens antérieurement). Mod. ♦ **1.** Pièce d'étoffe attachée à une hampe et portant les couleurs, les emblèmes (d'une nation, d'un groupement, d'un chef...), pour servir de signal, de signe de ralliement, de symbole, etc. ⇒ **Étendard, pavillon.** *L'étoffe d'un drapeau* (⇒ **Étamine**). *La hampe*, le bout de hampe* ou *métal d'un drapeau. Drapeau muni d'une cravate* (⇒ **Cravate,** 2.). *Drapeau en berne*,* en signe de deuil. — *Agiter, arborer, déployer, hisser, planter un drapeau. Garnir de drapeaux les édifices publics et privés.* ⇒ **Pavoiser.** *Salle décorée, pavoisée de drapeaux. Le drapeau d'un ministère. Drapeau qui se déploie, qui flotte, qui ondoie, qui claque au vent. Les plis du drapeau.* — *Porter un drapeau avec un baudrier*, un brayer. Rouler un drapeau. Mettre un drapeau dans son étui, dans sa gaine. Le drapeau est le signe officiel d'une souveraineté. Drapeau national. Drapeau américain, anglais, russe... Les drapeaux de la France : drapeau blanc des rois de France,* ramené par la Restauration, *drapeau tricolore* de la Révolution, repris en 1830 (⇒ **Couleur,** cit. 10) et maintenu en 1848 (→ ci-dessous, cit. 2). *Les drapeaux belge, français, indien, italien... sont tricolores. Le drapeau de l'O.N.U. — Le drapeau de la Croix-Rouge a remplacé, en temps de guerre, le drapeau noir qu'on plaçait sur les hôpitaux. — Drapeau rouge :* emblème révolutionnaire. — *Drapeau blanc,* en temps de guerre, indique à l'ennemi qu'on veut parlementer. *Hisser le drapeau blanc* (fig.). ⇒ **Capituler, rendre** (se) ; → Capitulation, cit. 3. — *Drapeau noir des pirates.* — *Le drapeau d'une association, d'un club, d'une équipe sportive. Drapeau d'un groupement, d'un parti politique. Drapeaux et ban-*

nières*. *Étude des drapeaux.* ⇒ **Vexillologie.** — Par ext. *Drapeaux en papier. Agiter des drapeaux au passage d'un cortège officiel. Piquer des petits drapeaux sur une carte.*

Spécialt. *Le drapeau d'une armée, d'une troupe, d'un régiment...,* les couleurs. ⇒ **Couleur** (I., 3.). *Drapeaux militaires.* ⇒ aussi **Banderole, bandière** (vx), **bannière, cornette** (vx), **enseigne, étendard, fanion, fanon** (vx), **flamme, gonfalon, guidon, oriflamme, pavillon, pennon.** *Remettre son drapeau à un régiment. Présentation du drapeau. La garde du drapeau. Porte-drapeau. Salut au drapeau. Battre, sonner au drapeau. Au drapeau !,* batterie de tambour, sonnerie de clairon exécutée pour rendre les honneurs au drapeau. *Drapeau décoré de la croix de guerre. Drapeau pris à l'ennemi* (→ Dépouille, cit. 4). *Drapeau déchiré, troué par les balles. Bénir* (cit. 9, 10) *les drapeaux avant la bataille.*

1 (...) jusque-là, le 127ᵉ avait marché sans aigle ; car alors il fallait conquérir son drapeau sur le champ de bataille, pour prouver qu'ensuite on saurait l'y conserver. Ph. P. SÉGUR, Hist. de Napoléon, VI, 8, *in* LITTRÉ.

2 Je repousserai jusqu'à la mort le drapeau de sang, et vous devriez le répudier plus que moi! Car le drapeau rouge que vous nous rapportez n'a jamais fait que le tour du Champ-de-Mars, traîné dans le sang du peuple en 91 et en 93, et le drapeau tricolore a fait le tour du monde avec le nom, la gloire et la liberté de la patrie! LAMARTINE, Hist. de la révolution de 1848, VII, 27.

3 On se redit, pendant un mois, la phrase de Lamartine sur le drapeau rouge, « qui n'avait fait que le tour du Champ-de-Mars, tandis que le drapeau tricolore », etc. ; et tous se rangèrent sous son ombre, chaque parti ne voyant des trois couleurs que la sienne — et se promettant bien, dès qu'il serait le plus fort, d'arracher les deux autres. FLAUBERT, l'Éducation sentimentale, III, I.

4 (...) avec une espèce de solennité, *(elle)* déroula complètement l'étoffe (...) c'était un drapeau tricolore de la grandeur d'une serviette (...)
— C'est mon mari qui m'a envoyé ça pour le quatorze juillet. L'autre était trop déteint. Je l'ai arraché de sa hampe que j'ai conservée (...) Première qualité de soie (...) Il faut que je couse ce drapeau à sa hampe. J. GREEN, Adrienne Mesurat, II, II, p. 159.

4.1 Et l'on voit défiler des armées entières dont chaque homme est un porte drapeau, et qui ne sont que des armées de drapeaux, une vaste mer, houleuse et creusée par le vent, d'étendards, d'enseignes, de bannières, d'emblèmes et d'oriflammes. M. TOURNIER, le Roi des Aulnes, p. 323.

♦ **2.** Drapeau servant de signal*. *Abaisser le drapeau à damiers à l'arrivée du premier concurrent d'une course d'automobiles. Drapeau rouge de chef de gare. Drapeau signalant des travaux, sur une route.*

♦ **3.** a *Le drapeau,* symbole de l'armée, de la patrie, etc. *Le respect, le culte du drapeau. L'honneur du drapeau. Mourir pour le drapeau.*

b *Les drapeaux :* l'armée*. — Loc. *Être sous les drapeaux :* être en activité de service dans l'armée. *Appeler une classe, les réserves sous les drapeaux.* ⇒ **Mobiliser.**

REM. La forme *sous le drapeau* est archaïque :

5 Outre ces troupes, tenues continuellement sous le drapeau, chaque village entretenait un franc-archer (...) VOLTAIRE, Essai sur les mœurs, LXXX.

Se ranger, combattre sous les drapeaux d'un chef, d'un pays, dans les armées de ce chef, de ce pays (→ Affluer, cit. 2).

6 J'attaque sur son trône une reine orgueilleuse,
Qui voit sous ses drapeaux marcher un camp nombreux. RACINE, Athalie, IV, 3.

7 Enfin, dans la journée de Marengo (...) il semblait avoir définitivement ramené la victoire sous les drapeaux de la Nation. Louis MADELIN, Hist. du Consulat et de l'Empire, Le Consulat, I, p. 6.

Emblème, symbole de ralliement* (à un parti, à une cause). ⇒ **Bannière.** *Le drapeau du parti.* — Dans des loc. *Se ranger sous le drapeau, se rallier autour du drapeau de qqn,* embrasser son parti. *Mettre son drapeau dans sa poche :* dissimuler ses opinions, ses convictions. *Lever son drapeau :* faire une profession de foi. *Porter le drapeau :* être le premier à soutenir une opinion. — Par ext. *Cet homme est le drapeau des manifestants.* ⇒ **Porte-drapeau.**

8 Il *(A. Chénier)* fait voir d'abord (...) la politique s'emparant de tous les esprits, chacun prétendant concourir à la chose publique autrement que par une *docilité raisonnée,* chacun voulant à son tour *porter le drapeau* (...) SAINTE-BEUVE, Causeries du lundi, 19 mai 1851, t. IV, p. 149.

Adj. invar. *Bleu drapeau :* le bleu du drapeau tricolore français.

9 Je roulais pendant une demi-heure dans un vaste marais desséché (...) le ciel, là-dessus, se tendait, bleu drapeau. Roger VERCEL, Capitaine Conan, XV, p. 248.

♦ **4.** (V. 1966). En appos. Signale le caractère prestigieux, symbolique de l'objet qualifié. *Trains* drapeaux.* « *La S.F.I.O. ne consentira jamais à l'abandon de son adjectif-drapeau* (l'adj. *ouvrière*)» (Sainderichin, 1966, *in* P. Gilbert).

♦ **5.** Aviat. *Mettre une hélice en drapeau :* disposer les pales parallèlement au sens de la marche.

Athlétisme. *Un drapeau :* figure de gymnastique où l'athlète se tient horizontalement à un support vertical ou oblique.

♦ **6.** Par ext. (du sens 2). *Un drapeau :* une dette chez un commerçant.

10 — Combien doit-on, ici ? demanda Antoine.
— L'ardoise commune ou les drapeaux particuliers ?
René FALLET, le Triporteur, p. 53.

Planter un drapeau : partir, s'éclipser sans payer.

DÉR. Drapeautique, drapelet.

DRAPEAUTIQUE [dʀapotik] adj. — 1932, Céline, cit. ; de *dra-peau.*

♦ Fam. et littér. Du drapeau national. ⇒ **Patriotique.**

La religion drapeautique remplaça promptement la céleste (...)
CÉLINE, Voyage au bout de la nuit, p. 69.

DRAPELET [dʀaplɛ] n. m. — V. 1120, « chiffon » ; dimin. de *dra-peau,* anc. franç. *drapel,* et suff. *-et.*

♦ **1.** (1611 ; repris 1832). Vx. Petit drapeau ; étendard.

♦ **2.** Littér. Petite pièce de tissu (chez Montherlant, *les Bestiaires,* désigne la *muleta*).

♦ **3.** (V. 1960). Techn. Partie d'un revêtement de sol qui est repliée et fixée au soubassement. *Le drapelet d'une moquette.*

DRAPEMENT [dʀapmɑ̃] n. m. ⇒ **Drapage.**

DRAPER [dʀape] v. tr. — 1225, « fabriquer le drap » ; au sens mod., 1636 ; de *drap.*

♦ **1.** Techn. Convertir (une étoffe de laine) en drap*, par le fou-lage, le lainage, etc. — Spéciat. Effectuer le lainage de (une étoffe). ⇒ **Lainer.**

1 Aux apprêts, j'étais l'élève du père Fritz, vieux magicien d'Alsace, qui m'ensei-gnait l'art de « draper », c'est-à-dire de lisser le poil d'un tissu brut et de le faire briller. Les laineries, garnies de chardon naturel, devaient accomplir ce tra-vail.
A. MAUROIS, Mémoires, I, VI, p. 85.

♦ **2.** Cour. Recouvrir (qqch). de drap, garnir d'une draperie, géné-ralement en signe de deuil. *Draper les tambours pour un enterre-ment* (→ ci-dessous Drapé, cit. 12). *Draper un portail d'église.*

Absolt. Langue class. ou littér. Porter le deuil.

1.1 (...) nous drapâmes à la mort de Monsieur, comme ayant la même grand'mère que lui roi.
PROUST, Sodome et Gomorrhe, Pl., t. II, p. 1089.

♦ **3.** Cour. Habiller (qqn, une forme humaine) de vêtements amples, formant des plis harmonieux ; représenter (une figure humaine) ainsi vêtue. ⇒ 1. **Draperie** (2.). *Draper une figure, une statue à l'antique. Couturier qui drape un mannequin.* — Absolt. *L'art de bien draper.*

2 Je ne connais guère de lois sur la manière de draper les figures ; elle est toute de poésie pour l'invention, toute de rigueur pour l'exécution. Point de petits plis chif-fonnés les uns sur les autres... Je ne puis souffrir qu'on me montre l'écorché sous la peau ; mais on ne peut trop me montrer le nu sous la draperie. On dit beau-coup de bien et beaucoup de mal de la manière de draper des Anciens.
DIDEROT, Essai sur la peinture, v.

Par anal. Garnir (un objet) d'une étoffe, de manière qu'elle forme des plis harmonieux. *Draper un baldaquin, une fenêtre...*

(Le sujet désigne une étoffe). Recouvrir en formant des plis. *Une toge drapait l'acteur qui jouait le rôle de Néron. Une tenture drapait la table.*

3 Son corsage de velours laisse nus ses bras cerclés de pierres précieuses, et une pièce de soie lamée d'or, aux dessins exquis, la drape comme une statue.
LOTI, l'Inde (sans les Anglais), III, VII, p. 89.

4 Une ample soierie ancienne drape le piano à queue.
J. ROMAINS, les Hommes de bonne volonté, t. V, XIV, p. 99.

Par métaphore :

5 Le chèvrefeuille, qui drapait un grand arbre mort, apportait aussi le miel de ses premières fleurs.
COLETTE, la Chatte, p. 3.

♦ **4.** Disposer (une étoffe) de manière qu'elle forme des plis har-monieux. *Draper une tenture, une portière. Draper une toge ; une robe. Couturier qui drape une étoffe.*

6 (...) ces lambeaux d'habillements que ce peuple artiste *(le peuple napolitain)* drape encore avec art (...)
Mᵐᵉ DE STAËL, Corinne, XI, II.

♦ **5.** Fig. Littér. Cacher* par l'affectation, l'étalage d'apparences flatteuses. ⇒ **Cacher, couvrir, envelopper.**

7 Drapant sa gueuserie avec son arrogance (...)
HUGO, Ruy Blas, I, 2.

8 Et il se mit à rire d'une façon magnifique qui drapait la pauvreté de sa plai-santerie.
J. ROMAINS, les Hommes de bonne volonté, t. V, XXVII, p. 291.

♦ **6.** Vx. Dire du mal de (qqn), se moquer* de. ⇒ **Railler, ridicu-liser.**

9 On dit qu'on l'a drapé dans certaine satire (...)
BOILEAU, Satires, III.

10 Avant de partir j'exerçai mon nouveau talent poétique dans une épître au colonel Godard, où je le drapai de mon mieux.
ROUSSEAU, les Confessions, IV.

▶ **SE DRAPER** v. pron.

♦ **1.** Arranger ses vêtements de manière à former d'amples plis. *Se draper dans une cape. Musulman qui se drape dans sa djellaba. Acteur qui se drape,* qui dispose son vêtement à l'antique.

11 Quelques-uns se drapaient dans leurs amples manteaux andalous en drap kaki.
P. MAC ORLAN, la Bandera, IV, p. 48.

♦ **2.** Fig. *Se draper :* prendre une attitude théâtrale, imposante. ⇒ **Poser ;** → Ampoule, cit. 3. — Loc. Iron. *Se draper dans sa dignité :* affecter une attitude de dignité offensée, orgueilleuse. — *Se draper dans sa vertu, dans sa probité,* en faire étalage. ⇒ **Pré-valoir** (se) ; **parade** (faire parade de...). — REM. On trouve rarement en ce sens la construction *se draper de.* « Il se drape souvent de puri-tanisme » (Balzac). L'emploi sans complément est vieilli.

Être drapé. *Lit qui se drape d'une couverture, d'un couvre-pied* (→ Couvre-pied, cit.).

▶ **DRAPÉ, ÉE** p. p. adj. et n. m. (1464, au sens 1).

♦ **1.** Techn. Préparé comme le drap. *Étoffe drapée, tissu drapé.*

♦ **2.** Cour. ⓐ Garni d'un drap.

Aux roulements des tambours drapés (...) des grenadiers portaient le corps de leur vaillant capitaine (...)
CHATEAUBRIAND, le Génie du christianisme, IV, I, 11.   12

Lit drapé de perse (→ 2. Perse, cit.).

ⓑ Disposé en draperie (étoffes, tissus) ; couvert d'une étoffe drapée (personnes, parties du corps).

ⓒ (Personnes ; correspond au pron.). *Berger drapé dans son man-teau* (→ Cadis, cit.).

L'épaule des longs plis d'un manteau blanc drapée (...)
Murdoc'h, fléau des fils de Math, traître à sa race,
Dans les bois, sur la mer, la poursuit à la trace (...)
LECONTE DE LISLE, Poèmes barbares, « Massacre de Mona ».   13

(...) ces corps drapés comme en des robes de moines, la tête encapuchonnée sous le turban flottant par derrière (...)
MAUPASSANT, la Vie errante, D'Alger à Tunis, p. 167.   14

(...) leurs voiles blanches, tendues sur des vergues horizontales, retombaient mol-lement, drapées à mille plis comme des stores (...)
LOTI, Mᵐᵉ Chrysanthème, II, p. 4.   15

♦ **3.** N. m. **DRAPÉ :** ensemble des plis formés par l'étoffe d'un vête-ment. *Le drapé d'une robe. Un beau drapé. Les drapés monumen-taux de Michel-Ange.*

CONTR. Dénuder, dévêtir. — Tirer (une étoffe).
DÉR. Drapage ou drapement.

1. DRAPERIE [dʀapʀi] n. f. — 1180 ; de *drap.*

♦ **1.** Vx. Étoffe, vêtement de drap.

Comm. Tissu de laine. ⇒ **Lainage.** *Un coupon de draperie anglaise. Des draperies en laine peignée.*

♦ **2.** (1677). Étoffe, vêtement ample et formant de grands plis ; représentation d'un tel vêtement par le dessin, la peinture, la sculp-ture (→ Draper, cit. 1). *Effet décoratif expressif, ornemental d'une draperie. Draperie antique. Le jet, les plis, les ondulations d'une draperie. Draperie ample ; draperie collée à la chair, draperie mouillée* (→ Couvrir, cit. 4). *Draperie qui caresse* (cit. 12) *le corps. Draperie de moire, de velours.* — Peint. Vx. *Faire la draperie.*

(...) ces corps *(des déesses du Parthénon)* aux formes si amples et si gracieuses à la fois sous les mille plis des légères draperies qui les moulent.
Paul RICHER, Nouvelle anatomie artistique, t. V, Art grec, p. 263.   1

♦ **3.** Étoffe de tenture drapée. *Les draperies d'un lit, d'une fenêtre.* ⇒ **Cantonnière, rideau, tenture.** *De lourdes, de somptueuses drape-ries. Les franges d'une draperie.*

(...) les lourdes draperies qu'une main invisible attire des profondeurs de l'Orient (...)
BAUDELAIRE, le Spleen de Paris, XXII.   2

Par métaphore :

Les convolvulus (...) suspendent devant son nid *(de la poule d'eau)* des draperies de verdure (...)
CHATEAUBRIAND, le Génie du christianisme, I, V, 7.   3

♦ **4.** Fig. et littér. Vx. Ornements superflus. *Les draperies du style, de la rhétorique.*

HOM. 2. Draperie.

2. DRAPERIE [dʀapʀi] n. f. — 1254 ; de *drapier.*

♦ **1.** Fabrication, commerce du drap ; métier de drapier*.

♦ **2.** Manufacture de drap. *Les draperies d'Elbeuf, de Castres.*

HOM. 1. Draperie.

DRAP-HOUSSE [dʀaus] n. m. — 1958 ; de *drap* (2.), et *housse* (2.).

♦ Techn., comm. Drap dont les coins et les rebords sont conçus de manière à emboîter le matelas. Plur. *Des draps-housses.*

DRAPIER, IÈRE [dʀapje, jɛʀ] n. et adj. — 1244 ; au fém., 1248 ; de *drap.*

♦ **1.** Personne qui fabrique, vend le drap* (I.). — REM. Le fém. n'est plus attesté en franç. mod., mais reste virtuel. *La corporation des dra-piers. Les drapiers-chaussetiers* (XVᵉ-XVIᵉ s.). *Le syndic des dra-piers,* tableau de Rembrandt.

Adj. *Marchand drapier. Ouvrier drapier.*

♦ 2. Qui concerne la fabrication, le commerce du drap (I.). *Le commerce drapier*, de drap. *Industrie drapière.*

Loc. Vx. *Épingle drapière.* ⇒ **Drapière.**

DÉR. 2. **Draperie, drapière.**

DRAPIÈRE [dʀapjɛʀ] n. f. — 1811; de *drapier*, adj., *épingle drapière.*

♦ Techn. Épingle grosse et courte.

1. DRASTIQUE [dʀastik] adj. — 1741; grec *drastikos* «qui agit», dér. du verbe *drân* «agir, faire».

♦ Méd. *Purgatif, remède drastique*, énergique, très actif. N. m. *Un drastique* (ex. : *aloès, colchique, coloquinte, jalap, nerprun, scammonée*). ⇒ **Hydragogue, purgatif.**

Résolu de s'en tenir désormais aux drastiques, aux hydragogues et aux minoratifs, le docteur avait brusquement quitté Paris (...)
VILLIERS DE L'ISLE-ADAM, Tribulat Bonhomet, p. 181.

HOM. 2. **Drastique.**

2. DRASTIQUE [dʀastik] adj. — 1875, *in* Littré, *Suppl.;* angl. *drastic* «radical, rigoureux» *(drastic measures)*, même orig. que 1. *drastique.*

♦ Anglic. (Choses). Énergique, draconien. *Une réforme drastique. Des mesures drastiques.*

Drastique. Forme ultra-moderne de «draconien». Très prisé par les exp. *(experts)* pour toutes sortes de mesures.   P. DANINOS, le Jacassin, p. 84.

DÉR. **Drastiquement.**
HOM. 1. **Drastique.**

DRASTIQUEMENT [dʀastikmɑ̃] adv. — Mil. xxᵉ; de l'anglicisme 2. *drastique.*

♦ (Critiqué). De manière énergique, radicale. *«On limite drastiquement l'accès à l'enseignement* (en Russie tsariste)» *(l'Express,* 3 mars 1979, p. 166).

1. DRAVE [dʀav] n. f.   xvᵉ; esp. *draba,* ou ital. *draba,* du lat. *drabe,* lui-même du grec *drabê.*

♦ Bot. Plante dicotylédone *(Crucifères),* herbacée. *Drave vernale,* à fleurs blanches.

HOM. 2. **Drave.**

2. DRAVE [dʀav] n. f. — Mil. xixᵉ; mot canadien, adapt. de l'angl. *drive* «conduire».

♦ Anglic. (Canada). Flottage* du bois; action de diriger le transport du bois flotté par eau.

Ce n'était plus le torrent des hommes lorsque, après les draves, ils dévalaient de la montagne, et se précipitaient dans le chemin des maisons.
Félix-Antoine SAVARD, Menaud, maître-draveur, p. 36.

Faire la drave. ⇒ **Draver.**

HOM. 1. **Drave.**

DRAVÉE [dʀave] n. f. (Régional). ⇒ 2. **Dragée.**

DRAVER [dʀave] v. intr. — D. i. (xixᵉ); mot canadien, adapt. de l'angl. *to drive* «conduire». → 2. **Drave.**

♦ Anglic. (Canada). Diriger le flottage du bois. ⇒ 1. **Flotter** (II.).

DRAVEUR [dʀavœʀ] n. m. — Mil. xixᵉ; mot canadien, de 2. *drave,* d'après l'amér. *driver,* ou de *draver.*

♦ Anglic. (Canada). Ouvrier travaillant à la drave* (2. Drave), au flottage* du bois. ⇒ **Flotteur.** *Maître-draveur* (→ 2. *Drave,* cit.).

Un gros village, rendez-vous des bûcheux, des draveurs, des trappeurs. Ce sont des clients de choix pour les auberges et les hôtels. Ils boivent sec et l'argent ne leur pèse pas au bout des doigts.   Jean-Yves SOUCY, Un dieu chasseur, p. 46.

DRAVIDIEN, ENNE [dʀavidjɛ̃, ɛn] adj. et n. m. — 1856, *dravidique,* Lachâtre; *dravidien,* 1865, *Rev. des cours sc.,* t. II, p. 815; du sanscrit *Dravida,* province du sud de l'Inde, par l'interm. de l'angl. *dravidian* (1856); a remplacé *malabare.*

♦ 1. Relatif aux Dravidiens (populations noires de l'Asie). *Peuples dravidiens. L'art dravidien.* — *Langues dravidiennes :* groupe des langues qui étaient parlées avant l'arrivée des Aryens dans l'Inde, et qui sont parlées au sud de l'Inde. *Le tamoul*, le malayalam, le télougou sont des langues dravidiennes.*

L'Hindou du Sud, de race dravidienne, petit, vif, colérique, ne correspond plus en rien à la conception que l'Européen a de l'Hindou. Dès qu'on arrive dans le Sud, la peau devient foncée, on a affaire à des presque noirs (...)
Henri MICHAUX, Un barbare en Asie, p. 115.

♦ 2. N. m. DRAVIDIEN : étage géologique correspondant au permien* moyen *(pendjabien).* — *Le dravidien :* la langue dravidienne.

DRAVIÈRE [dʀavjɛʀ] n. f. — 1318; de l'anc. franç. *drave,* probablt du bas lat. *dravoca* d'orig. gauloise.

♦ Régional. Plante fourragère (vesce); fourrage mêlé. ⇒ 2. **Dragée.**

Et elle le quitta *(le bœuf)* disant : «Avale la dravière fleurie! Engoule la luzerne bleue!»   CLAUDEL, la Jeune Fille Violaine, *in* Théâtre, t. I, Pl., p. 507.

DRAWBACK [dʀobak] n. m. — 1832; attestation isolée, 1755; mot angl. «remise», de *to draw* «tirer», et *back* «en arrière».
Anglicisme.

♦ 1. Comm. Remboursement des droits de douane payés à l'entrée de matières premières, lorsque les produits manufacturés qu'elles ont servi à fabriquer sont exportés. *Le système des drawbacks est voisin de celui de l'admission temporaire.*

«Drawback», qui indique la restitution des droits perçus sur les matières premières lors de la sortie des produits fabriqués, a été importé d'Angleterre vers le milieu du siècle *(le XVIIIᵉ s.),* et a remplacé *droit de restitution :* à la réexportation on accordait un «drawback» de 4 shellings (FORBONNAIS, Comm. des col. angl., 1755)... Il figura dans le Traité de Versailles du 26 septembre 1766 (...)
BRUNOT, Hist. de la langue franç., t. VI, I, p. 319.

♦ 2. Fig. Vx (anglic. à la mode entre 1820 et 1870). Inconvénient. «*Le drawback consistait en puces et en cousins gros comme des alouettes*» (Mérimée, *Lettres à une inconnue,* t. I, p. 51).

DRAWING-ROOM [dʀowiŋʀum] n. m. — 1725; mot angl. *drawing-room* «salon, boudoir», issu de *withdrawing-room,* de *to withdraw* «se retirer», et *room* «pièce».

♦ Anglic. Salon de réception, en Angleterre.

DRAYAGE [dʀɛjaʒ] n. m. — 1858; de *drayer.*

♦ Techn. Opération d'égalisation des peaux dans le corroyage ou le tannage.

DRAYER [dʀeje; dʀɛje] v. tr. — 1741; du néerl. *draaien* «tordre».

♦ Techn. Égaliser (une peau) en enlevant une partie de la chair, lors du corroyage*. ⇒ **Écharner.**

DÉR. **Drayage, drayoir** ou **drayoire, drayure.**

DRAYOIR [dʀɛjwaʀ] n. m. ou **DRAYOIRE** [dʀɛjwaʀ] n. f. — Mil. xxᵉ, *drayoir; drayoire,* 1740; de *drayer.*

♦ Techn. Couteau à lame cintrée, à deux manches dont se servent les corroyeurs, les tanneurs pour drayer.

J'empruntai à ma logeuse, dont le mari était maître corroyeur aux tanneries de Putney Commons, le cachet de la corporation, portant la drayoire et, de cire rouge, scellai mon envoi au Club Littéraire d'Uper-Thames.
Jean RAY, les Derniers Contes de Canterbury, p. 232.

DRAYURE [dʀɛjyʀ; dʀɛjyʀ] n. f. — 1846, Bescherelle; de *drayer.*

♦ Techn. Rognure de peau détachée en drayant.

DREADNOUGHT [dʀɛdnɔt; dʀɛdnɔf] n. m. — 1906; mot angl. signifiant «qui ne redoute rien», de *to dread* «redouter», et *nought,* forme archaïque, «nullement»; nom d'un cuirassé.

♦ Anglic. Vx ou hist. Mar. Gros cuirassé d'escadre (notamment en 1914-18).

À Cronstadt, l'affaire se déclenche à neuf heures et demie. Ce sont les torpilleurs *T 501* et *T 513* qui ouvrent le feu. Ils torpillent à bout portant l'énorme dreadnought *Tsaréwitch,* vaisseau-amiral.
B. CENDRARS, Moravagine, *in* Œ. compl., t. IV, p. 153.

DRÈCHE [dʀɛʃ] n. f. — 1688; *drashe* «cosse», 1250; orig. obscure; supposé issu d'un type gaul. *drasca,* ou (P. Guiraud) *drasche,* doublet de *rasche, rache,* représenterait la forme **drasicare,* d'après le lat. class. *deradere* «enlever en râclant».

♦ Techn. Agric. Résidu de l'orge après soutirage et filtration du moût dans les brasseries. *La drèche est utilisée pour la nourriture du bétail. Drèches fraîches, humides; déshydratées.* — Par ext. Résidu de la distillation des pommes de terre, des grains. — On trouve aussi la graphie *drêche :*

«Ce diable d'homme, dit-il plus tard, il donnerait de la drèche pour de l'orge, qu'on lui dirait encore merci...»
BERNANOS, Sous le soleil de Satan, *in* Œ. roman., Pl., p. 66.

DRÉE [dʀe] n. f. — 1827, Hugo ; mot dial. très antérieur, correspond en langue d'oïl à l'occitan *drac* (→ **Drac**), du lat. *draco*. → **Dragon.**

♦ Régional (Île-de-France, Ouest, Nord de la France). Animal fabuleux ou démon.

Les guivres, les dragons, les méduses, les drées,
Grincent des dents au fond des chambres effondrées (...)
         HUGO, la Légende des siècles, t. I, p. 324, *in* T. L. F., art. *Drac.*

1. DRÈGE ou **DREIGE** [dʀɛʒ] n. f. — 1584 ; orig. inconnue, p.-ê. empr. à l'angl. *dredge* (1576 ; en composition, *dredge-boat*, 1471).

♦ Techn. Pêche. Grand filet pour la pêche au fond de la mer.
DÉR. 1. Drégeur ou **dreigeur.**
HOM. 2. Drège.

2. DRÈGE [dʀɛʒ] n. f. — 1700 ; all. *dresche*, de *dreschen* « battre au fléau ».

♦ Techn. Peigne métallique servant à séparer la graine de lin d'avec les tiges.
HOM. 1. Drège.

1. DRÉGEUR ou **DREIGEUR** [dʀeʒœʀ] n. m. — 1579, « pêcheur qui se sert de la drège » ; sens mod., 1681 ; *bateau dreigeur, dreigeur,* 1769 ; *drégeur,* 1836 ; de 1. *drège.*

♦ Techn. (pêche). Bateau pour pêcher à la drège (ou dreige).
HOM. 2. Drégeur.

2. DRÉGEUR [dʀeʒœʀ] n. m. — xxᵉ ; de 2. *drège* ou d'un verbe *dréger.*

♦ Techn. Ouvrier séparant les graines de lin de la tige avec la drège.
REM. Le fém. *drégeuse* est virtuel.
HOM. 1. Drégeur.

DREIGE [dʀɛʒ] n. f., **DREIGEUR** [dʀeʒœʀ] n. m. ⇒ 1. **Drège,** 1. **drégeur.**

DRELIN [dʀəlɛ̃] interj. et n. m. — 1673, Molière ; *dre lin din din,* 1630 ; onomatopée.

♦ Onomatopée évoquant le bruit d'une sonnette, d'une clochette (en général répété). ⇒ **Dring ; ding** (dong). *Les drelins d'une sonnette.*
(...) tout comme si je ne sonnais point. Chienne, coquine ! Drelin, drelin, drelin...
         MOLIÈRE, le Malade imaginaire, I, 1.

DRENNE [dʀɛn] n. f. ⇒ 1. **Draine.**

DRÉPANOCYTAIRE [dʀepanɔsitɛʀ] adj. — V. 1970 ; de *drépanocyte.*

♦ Méd., biol. Du drépanocyte ; qui présente des drépanocytes. *Globules drépanocytaires.* « *Sujets drépanocytaires* » (*la Recherche,* juil. 1979, p. 786).

DRÉPANOCYTE [dʀepanɔsit] n. m. — V. 1970 ; du grec *drepanon* « faux, serpe », et *-cyte.*

♦ Méd., biol. Globule rouge anormal, en forme de croissant ou de faucille, caractéristique de la drépanocytose*.
DÉR. Drépanocytaire, drépanocytose.

DRÉPANOCYTOSE [dʀepanɔsitoz] n. f. — V. 1970 ; de *drépanocyte,* et 2. *-ose.*

♦ Méd. Anomalie sanguine héréditaire caractérisée par la présence dans les hématies d'une hémoglobine anormale (hémoglobine 5) qui leur confère la forme d'une faucille. *La drépanocytose est fréquente chez les sujets noirs d'Afrique et d'Amérique du Nord. Des* « *maladies métaboliques comme la drépanocytose ou la thalassémie* » (*Sciences et Avenir,* nᵒ 409, mars 1981, p. 19).

DRESSAGE [dʀesaʒ] n. m. — 1791, au sens I, 2 ; *dressure,* n. f., 1854 ; de *dresser.*
Action de dresser.

★ **I.** ♦ **1.** (1847). Rare. Action d'installer (qqch.) en faisant tenir droit. *Procéder au dressage d'une tente, d'un lit, d'un échafaud.* ⇒ **Érection, installation, montage.**

♦ **2.** Techn. Opération qui consiste à donner une forme plane (⇒ **Dresser,** II.). *Dressage des pièces de bois au rabot, des pièces métalliques au tour, à la lime. Dressage des tôles.* ⇒ **Planage.** —

Ébarbage des verres de montre. — Métall. Opération qui succède au laminage ou à l'étirage, et qui a pour objet de redresser les barres ou les fils.
Cuis. Présentation des plats sur un fond (riz, pâte, canapé, etc.).

★ **II.** Cour. ♦ **1.** (1862). Action de dresser (un animal) en vue de l'habituer à faire ce que l'homme attend de lui. *Dressage du cheval, du bœuf... Dressage savant des animaux de cirque. Dressage et domptage*. L'épreuve de dressage au concours hippique.*
(...) dans ce dressage de perroquets que nous appelons l'instruction (...)   1
         ALAIN, Propos, p. 22.
(...) le volatile retenait difficilement une telle série d'évolutions différentes et précises. Norbert aida sa sœur pour le laborieux dressage (...)   1.1
         Raymond ROUSSEL, Impressions d'Afrique, p. 426.

♦ **2.** Fig. et péj. Éducation très sévère orientée vers l'exécution mécanique d'un programme.
L'éducation, ici, se confond avec le dressage (...) F. MAURIAC, le Jeune Homme, p. 71.   2
Enseignement. Dressage. Toute instruction séparée d'un dressage — c'est-à-dire   3
d'une méthode de développement des puissances de l'individu, aboutit à des animaux parlants.   VALÉRY, Cahiers, t. II, Pl., p. 1569.
CONTR. Démontage. — Pliage.

DRESSANT [dʀesɑ̃] n. m. — D. i. ; p. prés. de *dresser.*

♦ Régional (Belgique) et techn. Partie la plus proche de la verticale dans les couches plissées en zig-zag des terrains houillers. *Exploitation des dressants.* « *Les phénomènes de plissement forment dans les couches : des* selles *et des* fonds *(s'il sont peu accentués), ou bien des* plateures *(pendage inférieur à 45ᵒ) et des* dressants *(pendage supérieur à 45ᵒ)* » (M. Cazin, les Mines, p. 22).

DRESSÉ, ÉE [dʀese ; dʀɛse] adj. ⇒ **Dresser.**

DRESSEMENT [dʀesmɑ̃] n. m. — xiiᵉ, au sens du lat. *directio,* dans *verge de dressement* (*virga directionis*) ; de *dresser.*

♦ **1.** Vx. Le fait de dresser (I.) qqch. ⇒ **Dressage,** I. — Mod. Le fait de se dresser. « *Un dressement d'oreilles* » (Hugo, *l'Homme qui rit*).

♦ **2.** (1874). Rare. Action de dresser (I., 4.), de mettre par écrit. *Le dressement d'une liste.*

DRESSER [dʀese ; dʀɛse] v. tr. — 1050, *drecier* ; du lat. pop *directiare,* dér. du lat. class. *directus* « droit ».

★ **I.** ♦ **1.** Tenir droit et verticalement. ⇒ **Lever, redresser.** *Dresser la tête. Chien, chat, cheval qui dresse les oreilles* (⇒ **Chauvir**). *Le fait de dresser l'oreille :* dressement d'oreille.
Les deux faunes qui sont à ses côtés ont dressé leurs oreilles pointues (...)   1
         DIDEROT, Salon de 1765, Pl., t. XIII, p. 17.
Il dresse le menton, avec la grande barbe blanche qui pousse en long comme une fougère sur un talus (...) André SUARÈS, Trois hommes, « Ibsen », III, p. 111.   2
Le plus grand avait retiré sa casquette, et dressait vers Antoine sa tête de moineau, ronde et mobile, son regard hardi.   3
         MARTIN DU GARD, les Thibault, t. III, p. 109.
Loc. fig. *Dresser l'oreille :* écouter attentivement, diriger son attention. ⇒ **Écouter ; prêter, tendre** (l'oreille). *Cette proposition lui fait dresser l'oreille.*
Elle est donc encore jeune? dit la Jeannette Vertaud qui commença à dresser l'oreille. G. SAND, François le Champi, XIII, p. 105.   4
(...) une analogie me saisissait, comme un appel de cor au sein d'une forêt fait dresser l'oreille (...) VALÉRY, Variété V, p. 135.   5
Loc. fig. (vx). *Dresser le poil à qqn,* l'obliger à obéir (→ II., 3.).
Par anal. Présenter une image verticale. *Église qui dresse son clocher à l'horizon. Montagnes qui dressent leurs crêtes* (→ **Arête,** cit. 4).
Une bande très nette de nuages d'un gris nacré coupait Ténériffe horizontalement par le milieu, et, au-dessus, le pic dressait son grand cône baigné de soleil.   6
         LOTI, Mon frère Yves, XLI, p. 109.

♦ **2.** Faire tenir droit. *Dresser un mât, dresser une échelle contre un mur.* ⇒ **Planter.** *Dresser des bannières, des enseignes.* ⇒ **Arborer.** — Mar. *Dresser la barre,* la mettre parallèlement à la quille du bâtiment.
Par ext. Construire, installer (ce qui est haut et droit). ⇒ **Élever, ériger.** *Dresser un monument, une statue. Dresser un autel,* et, fig., *dresser des autels* (cit. 13) *à quelqu'un. Dresser la guillotine, l'échafaud ; dresser un bûcher. Dresser un lit, une tente.* ⇒ **Monter.**
Il avait (...) dressé des temples aux Dieux (...)   7
         RACINE, Remarques sur l'Odyssée, VI.
Tout ce que bâtit l'homme est bâti sur le sable (...)
Ce qu'il dresse est dressé pour le vent du désert.   8
         HUGO, les Voix intérieures, XXVIII.
Il n'a pas été nécessaire de dresser la guillotine de 93 dans toutes les capitales d'Europe, pour que les principes républicains de 89 pénètrent partout (...)   9
         MARTIN DU GARD, les Thibault, t. V, p. 226.

♦ **3.** (xiiiᵉ). Littér. ou style soutenu. Disposer comme il le faut. ⇒ **In-**

staller, **préparer**. *Dresser la table, le couvert* : mettre la nappe et le couvert. ⇒ **Mettre** (plus cour.). *Dresser un plat*, le présenter. *Dresser la viande et la servir chaude.* — *Dresser une batterie** : mettre des canons en batterie contre l'ennemi. Loc. fig. *Dresser ses batteries* : prendre des mesures contre un adversaire. — *Dresser une embûche, un piège à un animal*, et, fig., *à une personne* (⇒ **Semer, tendre**).

10   Un homme d'esprit et de caractère simple et droit peut tomber dans quelque piège ; il ne pense pas que personne veuille lui en dresser, et le choisir pour être sa dupe.   LA BRUYÈRE, les Caractères, II, 36.

11   Tout de suite, elle dressait son couvert.
       FLAUBERT, Trois contes, « Un cœur simple », III.

12   La table était dressée dans un petit salon (...)
       FRANCE, le Crime de S. Bonnard, Œ., t. II, II, p. 455.

♦ **4.** Faire établir avec soin. ⇒ **Établir**. *Dresser une carte, un plan. Dresser un tableau, un projet.* ⇒ **Calculer, étudier**. *Dresser un catalogue, un inventaire, une liste.*

13   Je dressai à peu près mon plan sur *les Phéniciennes* d'Euripide.
       RACINE, la Thébaïde, Préface.

14   La vraie philosophie de l'histoire consiste à suivre la formation de ce patrimoine humain, à dresser, de période en période, l'inventaire de l'humanité.
       JAURÈS, Hist. socialiste..., t. V, p. 87.

Spécialt. Rédiger dans la forme prescrite. *Dresser un acte, une procuration, un contrat** (cit. 3). *Dresser (un) procès-verbal* (→ Authentique, cit. 4). — *Dresser (une) contravention. On lui a dressé contravention.* — REM. Cette dernière expression très usitée, admise par l'Académie, est critiquée par quelques puristes.

15   L'acquéreur attendait ses vendeurs avec leur argent. Le notaire achevait de dresser les quittances.   BALZAC, le Curé de village, Pl., t. VIII, p. 618.

16   (...) j'ai chargé un architecte de mes amis (...) de me dresser un projet très sommaire, très approximatif, des constructions et installations diverses qu'on pourrait envisager pour l'aménagement et la mise en valeur de la station.
       J. ROMAINS, les Hommes de bonne volonté, t. V, XXII, p. 184.

17   La contravention, faute ou infraction contre la loi, le code *(de la route)*, un règlement, c'est le chauffeur qui s'en rend coupable et c'est le gendarme surgissant qui, par une amende, le punit (...) Conclusion : le chauffeur ayant commis une contravention, le gendarme s'empresse de la constater en *dressant procès-verbal.*
       Louis PIÉCHAUD, Questions de langage, p. 116.

♦ **5.** (xxe). Compl. n. de personne. Mettre en opposition (avec qqn). *Dresser une personne contre une autre.* ⇒ **Braquer, exciter, monter**.

18   Les autres s'imaginent que c'est moi seul qui lui mets ces idées en tête et qui la dresse contre eux (...)   F. MAURIAC, le Nœud de vipères, II, p. 238.

★ **II.** (1169). Technique. ♦ **1.** Rendre droit et plat. *Dresser une pierre. Dresser une planche, une pièce de bois, de métal.* ⇒ **Aplanir, dégauchir**. *Dresser un verre de montre*, en rogner les bords. — *Dresser une haie, un espalier.* ⇒ **Tailler**. — *Dresser du linge*, le repasser et l'empeser.

Hortic. *Dresser une planche*, la ratisser et la préparer pour un semis.

18.1   Cette couche de sable très fin était dressée comme une glace, sans qu'un grain dépassât l'autre.   J. VERNE, l'Ile mystérieuse, t. I, p. 186.

Préparer (une feuille de contreplaqué) en rendant ses bords absolument rectilignes.

♦ **2.** Amener (une voie ferrée) à coïncider avec son tracé théorique.

♦ **3.** Préparer (un animal) pour l'équarrissage.

18.2   — Il serait peut-être temps que je descende équarrir un peu. J'ai quatre bêtes en retard, qui sont à peine dressées.
       — Tu les dresses, maintenant ?
       — Oh ! tu es fatigant. Il faut t'expliquer tous les termes techniques. Dressées, c'est aplanies, dégrossies, ce que tu voudras. C'est comme quand on est mécanicien, on dresse des pièces sur des marbres.
       Boris VIAN, l'Équarrissage pour tous, X, in Théâtre, p. 244-245.

★ **III.** (xvie). Rendre soumis, habituer (un être vivant) à faire docilement et régulièrement quelque chose.

♦ **1.** Vx. (Personnes). *Dresser un soldat au métier des armes.* ⇒ **Familiariser** (avec), **former**. — (Sans compl. en à). *Dresser un enfant, un élève.* ⇒ **Éduquer, élever, instruire**. *Dresser un domestique.* ⇒ **Styler**. — REM. *Dresser* pour « instruire », en parlant des personnes, a pris de nos jours, par suite de son application aux animaux, un sens péjoratif (→ ci-dessous, 3.) qu'il n'avait pas autrefois. *« Ce précepteur a bien dressé cet écolier »* ; Trévoux, 1771.

Fig. *Dresser son esprit, sa mémoire...* ⇒ **Exercer, habituer**.

19   On ne méprise pas la mémoire, on la dresse, on la contraint et on la fait obéir.
       G. DUHAMEL, Inventaire de l'abîme, V, p. 67.

♦ **2.** (Le compl. désigne un animal). Habituer par le dressage* à effectuer un programme précis. *Dresser un chien pour la chasse* (→ Cerf, cit. 4). *Dresser un cheval à coups de caveçon**, en lui faisant monter des obstacles, en l'obligeant à des exercices ⇒ **Manège, manéger**. *Achever de dresser un cheval.* ⇒ **Confirmer**. *Dresser un oiselet ; un oiseau de proie* (⇒ **Apprivoiser, dompter, mater**). *Dresser des animaux de cirque. Dompter**, puis *dresser des fauves.*

Dresser un chien à la chasse, à chasser.

20   Rien ne vaudra jamais deux beaux chevaux, qu'on a dressés à trotter ensemble, du même pas, la patte haute et ronde, la tête bien relevée (...)
       J. ROMAINS, les Hommes de bonne volonté, t. III, XII, p. 166.

♦ **3.** Fam. (Compl. n. de personne). Faire céder, plier. ⇒ **Dompter, façonner, mater** ; → Mener à la baguette*. *Je vais te dresser. La*

---

vie se chargera de le dresser ; il se fera dresser au service militaire. Cela le dressera (cf. fam. Cela lui fera les pieds). *Il a été rudement dressé par son père.*

▶ **SE DRESSER** v. pron.

♦ **1.** Se mettre droit. *Se dresser sur la pointe des pieds pour mieux voir.* ⇒ **Hausser** (se). *Cavalier qui se dresse sur ses étriers. Se dresser sur son siège*, et, absolt, *se dresser.* ⇒ **Debout** (se mettre debout), **lever** (se lever). *Se dresser sur son lit ; sur son séant.* ⇒ **Asseoir** (s'). *Coq qui se dresse sur ses ergots.* Loc. fig. *Se dresser sur ses ergots*.* — *Animal qui se dresse sur ses pattes de derrière.* ⇒ **Cabrer** (se). — *Cheveux qui se dressent sur la tête*, en signe de frayeur. ⇒ **Hérisser** (se). — Fig. (avec ellipse de *se*). *Faire dresser les cheveux sur la tête de qqn.* ⇒ **Cheveu** (cit. 30).

21   Grantaire se dressa en sursaut, étendit les bras, se frotta les yeux, regarda, bâilla, et comprit.   HUGO, les Misérables, V, I, XXIII.

22   Il monte en courant vers la chambre de sa mère. Elle, de son lit ayant bien reconnu le pas du fils, s'est dressée sur son séant, toute raide, toute blanche dans le crépuscule (...)   LOTI, Ramuntcho, II, II, p. 224.

23   La chatte dehors, miaula pour entrer, et se dressa contre le grillage abaissé, en le grattant délicatement, comme une joueuse de harpe.
       COLETTE, la Naissance du jour, p. 151.

(Choses). Être droit, vertical. *Montagne qui se dresse à l'horizon.* ⇒ **Élever** (s'), **pointer**. *Arbres qui se dressent de chaque côté de la route. Maison, monument... qui se dresse sur une place.*

24   Dans la campagne muette, les peupliers se dressent comme des doigts en l'air et désignent la lune.   J. RENARD, Histoires naturelles, Le grillon.

Obstacles* qui se dressent sur la route, sur le chemin.

Fig. Se présenter. *« Telle est la question qui se dressera dans une foule d'esprits »* (Baudelaire, *les Paradis artificiels*).

♦ **2.** (Personnes). Manifester une volonté d'opposition. *Se dresser contre quelqu'un.* ⇒ **Braquer** (se), **élever** (s'), **insurger** (s'), **opposer** (s'opposer à). *Se dresser contre l'envahisseur.* ⇒ **Face** (faire) ; **résister ; combattre**. *Peuple qui se dresse contre un gouvernement, contre des procédés illégaux.* ⇒ **Insurger** (s'), **résister** (à).

25   Mais le jour où cette organisation socialiste, ouvrière se dressera contre la guerre, elle sera justement irrésistible ?
       J. ROMAINS, les Hommes de bonne volonté, t. IV, IX, p. 93.

26   (...) ayant dû finalement affronter l'Europe presque tout entière, la France s'était, en un magnifique mouvement d'énergie, dressée contre tant d'ennemis (...)
       Louis MADELIN, Hist. du Consulat et de l'Empire,
       De Brumaire à Marengo, V, p. 63.

♦ **3.** (Passif). Pouvoir être dressé (animaux). *Les puces, dit-on, se dressent facilement. « Les araignées s'apprivoisent, mais ne se dressent pas »* (R. Queneau, *Loin de Rueil*, p. 69).

▶ **DRESSÉ, ÉE** p. p. adj.

♦ **1.** ⇒ 1. **Droit**. *Oreilles dressées. Personne dressée sur son séant, sur la pointe des pieds. Animal dressé sur ses pattes de derrière* (→ ci-dessus, I., 1.).

27   Dressés sur la pointe des pieds, ils tendent le cou et suivent les visiteurs d'un regard de singe, insolent et peureux.   SARTRE, la Mort dans l'âme, p. 268.

Installé, construit. *Statue dressée sur une place ; tente dressée dans un pré* (→ ci-dessus, I., 2.).

28   Nous nous étions assis sur un tertre, au pied d'une croix noire, dressée au fond d'une retraite ombreuse, où l'on accède par quelques degrés de terre, sorte d'oratoire rustique.   André SUARÈS, Trois hommes, « Pascal », II, p. 45.

♦ **2.** Arrangé, disposé (→ ci-dessus, I., 3.). *Buffet dressé. Table dressée.* Établi, rédigé. *Liste dressée. Procès-verbal dressé contre quelqu'un* (→ ci-dessus, I., 4.).

♦ **3.** En opposition (→ ci-dessus, I., 5. et v. pron., 2.). *Une noblesse insoumise et dressée contre l'État* (→ Décimé, cit. 3). *Personne dressée contre une autre. Peuple dressé contre la guerre.*

29   Ah ! tu ne peux savoir ce qu'est de sentir, d'avoir toujours senti le monde entier dressé contre soi !   A. MAUROIS, Études littéraires, J. de Lacretelle, t. II, p. 225.

♦ **4.** Apprivoisé, dompté (→ ci-dessus, III.). *Dressé à..., pour...* *Animal bien dressé, chien dressé pour la chasse.* — *Mémoire dressée à retenir certaines choses.* ⇒ **Rompu**.

(Sans compl.). *Présenter des chiens dressés dans un spectacle* (⇒ **Savant**). — Fam. *Un enfant bien dressé*, qu'une éducation sévère a rendu docile, obéissant.

CONTR. Abaisser, baisser, coucher, courber, plier ; abattre, défaire, démonter, ôter. — Gauchir. — Coucher (se) ; accord (être d'accord avec), obéir, soumettre (se).
DÉR. Dressage, dressant, dressement, dresseur, dressoir.

DRESSEUR, EUSE [dʀɛsœʀ, øz] n. — 1536 ; de *dresser*.

★ **I.** ♦ **1.** Celui, celle qui dresse des animaux. *Dresseur de chiens* (cit. 16). *Dresseur de fauves.* ⇒ **Dompteur**. *Une dresseuse de chevaux.*

(Sans compl.). *Un dresseur et ses animaux savants.*

♦ **2.** Techn. Ouvrier qui prépare la forme des objets. *Dresseur de gants.* — *Dresseur de cannes à pêche.*

★ **II.** Techn. ♦ **1.** N. f. **DRESSEUSE** : machine à dresser (II.), spécialt, les rives d'une feuille de placage (contreplaqué) ; les dents d'une lame de scie.

♦ **2.** Adj. *Dresseur, euse,* qui dresse (II.). *« Dresseuse à fraise ou massicot dresseur »* (J.-C. Reggiani, *Industrie et commerce du bois,* p. 49).

DRESSING-ROOM [dʀɛsiŋʀum ; dʀesiŋʀum] ou **DRESSING** [dʀɛsiŋ ; dʀesiŋ] n. m. — 1875, *in* Höfler ; mot angl. (1675) « cabinet de toilette », proprt « pièce *(room)* pour s'habiller *(dressing)* », p. prés. de *to dress* « s'habiller ».

♦ Anglic. Petite pièce attenant à une chambre à coucher, où sont rangés ou pendus les vêtements. Pl. *Des dressing-rooms, des dressings.* — Recomm. off. *(Journ. off.* du 18 janv. 1973) : *vestiaire.*
Énervée, soucieuse, elle gagne le dressing-room, en sort ses deux valises de cuir fauve.   Roger BORNICHE, le Gringo, p. 198.

DRESSOIR [dʀɛswaʀ] n. m. — 1321, *drechoir ; drechor, dreçor,* 1285 ; de *dresser,* et suff. *-oir.*

★ **I.** ♦ **1.** Cour. Étagère, buffet à gradins où sont dressés et exposés des objets faisant partie du service de la table (vaisselle, vases, boîtes...). ⇒ **Crédence, panetière, vaisselier.** *Buffet à dressoir,* comportant une partie haute sans porte.
(...) de hauts dressoirs en chêne sculpté, où luisaient vaguement des blocs d'orfèvrerie : aiguières, salières, boîtes à épices, hanaps, vases à panses renflées, grands plats d'argent ou de vermeil (...)
                                        Th. GAUTIER, le Capitaine Fracasse, XVI, t. II, p. 176.

♦ **2.** Techn. Égouttoir à fromages en forme de buffet.

★ **II.** ♦ **1.** Techn. Outil servant à dresser (II. 1) dans différents métiers (mode, ganterie, etc.). Dans la gravure sur pierre, Plaque de métal poli sur laquelle on adoucit la pierre (à l'émeri).

♦ **2.** Hortic. Planche de bois pour dresser (aplanir) le terreau.

DRET [dʀɛ ; dʀɛt], **DRETTE** [dʀɛt] adj. et adv. — Attesté par écrit 1665, La Fontaine ; var. de *droit.*

♦ Régional. Droit (adj. ou adv.). *Tout dret. —Au dret de...* (Balzac) : au droit (en face) de...

DRÈVE [dʀɛv] n. f. — XIIIᵉ, comme toponyme dans le Boulonnais ; 1420, comme nom commun ; moyen néerl. *dreve,* de *driven* « conduire ».

♦ Régional (Belgique). Allée bordée d'arbres. ⇒ **Avenue, mail.** *La drève qui conduit au château.*
Je suivais sans hâte une longue drève de peupliers d'Italie, toute droite, se soudant à l'horizon.   Jean RAY, le Livre des fantômes, 1947, « Mon fantôme à moi ».

DREYFUSARD, ARDE [dʀɛfyzaʀ, aʀd ; dʀefyzaʀ, aʀd] adj. et n. — 1898 ; de *Dreyfus,* et suff. péj. *-ard,* par oppos. au terme neutre *dreyfusiste*.*

♦ Partisan de Dreyfus. — REM. Le mot l'a emporté sur *dreyfusiste* et a perdu sa valeur péjorative.

1 À peine engagé dans l'affaire Dreyfus, il *(Jaurès)* sent bien que des épreuves nouvelles et des devoirs nouveaux allaient commencer pour tous les dreyfusards, comme on les nommait dédaigneusement.
            Ch. PÉGUY, Préparation du congrès socialiste, Cahiers de la quinzaine, février 1900, *in* la République..., p. 22.
2 — Mais Robert de Saint-Loup pourtant est dreyfusard ?
    — Ah ! tant mieux (...) Cela ne m'étonne pas, il est très intelligent (...) Le dreyfusisme avait rendu Swann d'une naïveté extraordinaire.
                        PROUST, le Côté de Guermantes, Pl., t. II, p. 582.
3 (...) un autre soir, à la sortie d'une réunion dreyfusarde (...) il a été emmené au poste, pour avoir conspué les sans-patrie, et crié à pleine gorge : *Mort aux juifs !... Vive le Roi !...*   O. MIRBEAU, le Journal d'une femme de chambre, p. 171.
REM. La forme *dreyfusien, ienne,* adj. et n., est attestée en 1898.

CONTR. et **COMP. Antidreyfusard.**

DREYFUSISME [dʀɛfyzism ; dʀefyzism] n. m. — 1897 ; de *Dreyfus,* et *-isme.*

♦ Polit. Attitude des partisans de Dreyfus, lors de l'« affaire ».

1 Le dreyfusisme l'a perdu. Dans les journaux, on se défie de lui comme d'un anarchiste.   J. RENARD, Journal, Pl., p. 693.
2 Connaissez-vous M. Droz, une rude vertu franc-comtoise, un de ces Dreyfusards qui se sont dressés dans leur dreyfusisme comme les Montagnards dans leur incorruptibilité ?   J.-R. BLOCH, *in* Deux hommes se rencontrent, p. 78.

CONTR. et **COMP. Antidreyfusisme.**

DREYFUSISTE [dʀɛfyzist ; dʀefyzist] adj. et n. — 1897 ; de *Dreyfus.*

♦ Vx ou hist. Partisan de Dreyfus. ⇒ **Dreyfusard** (cour.).
Ils expliquaient qu'on fût dreyfusiste parce qu'on était d'origine juive.
                        PROUST, le Côté de Guermantes, Pl., t. II, p. 583.

DRIBBLE [dʀibl] ou **DRIBBLING** [dʀibliŋ] n. m. — 1913, *dribble, in* Höfler ; *dribbling,* 1889 ; mots angl., de *to dribble,* proprt « tomber goutte à goutte ».

♦ Anglic. Sports. Action de dribbler.
(...) match nul (...) malgré la boue, les mêlées défoncées et le dribbling des gars du chardon *(les Écossais).*   A. ARNOUX, Suite variée, p. 41.
REM. La forme anglaise *dribbling* est vieillie.

DRIBBLER [dʀible] v. tr. — 1895 ; de l'angl. *to dribble.*

Anglicisme. Sports (football ou rugby).

♦ **1.** Courir en donnant de petits coups sur le ballon, en le faisant passer d'un pied à l'autre, sans en perdre le contrôle. — *Dribbler le ballon* (basket ou hand-ball) ou *dribbler* (1895) : se déplacer en faisant rebondir le ballon au sol. — REM. L'emploi transitif avec *balle* ou *ballon* pour complément est vieilli. — Intrans. ou absolt. *Il s'amuse à dribbler au lieu de shooter.*
Voici deux avants de l'équipe adverse qui arrivent en dibblant ; il serait difficile de trouver un spectacle athlétique plus laid que le dribbling, que ce trot de crapauds qui retiennent en laisse et caressent lourdement de la botte cette balle ronde, toujours prête à s'échapper.   Jean PRÉVOST, Plaisirs des sports, p. 140.

♦ **2.** (1930, *in* Höfler). *Dribbler un joueur, un adversaire,* le passer en dribblant. *Il s'est fait dribbler.*

DÉR. Dribbleur.

DRIBBLEUR, EUSE [dʀiblœr, øz] n. — 1895, *in* Petiot ; de *dribbler,* et suff. *-eur,* pour rendre l'angl. *dribbler,* de *to dribble.*

♦ Sports. Joueur, joueuse qui dribble bien ou aime à dribbler.

DRIFT [dʀift] n. m. — 1842 ; mot angl. proprt « mouvement, poussée » de l'anc. angl. *drifan,* angl. mod. *to drive* « conduire ; dériver ; chasser ».

Anglicisme.

♦ **1.** Géol. Dépôt argilo-sableux laissé par le recul d'un glacier.

♦ **2.** (1852). Tourbillon de neige ; rafale de vent dans une zone polaire.
Le 2 octobre, la colonne thermométrique s'était encore abaissée, les premières neiges envahirent tout le territoire aux environs du cap Bathurst. La brise, étant molle, ne forma point un de ces tourbillons, si communs dans les régions polaires, auxquels les anglais ont donné le nom de « drifts ».
                        J. VERNE, le Pays des fourrures, t. I, p. 223.

♦ **3.** (1866, J. Verne, *le Capitaine Hatteras). Drift-ice* ou *drift* : glaçon flottant, qui dérive. — REM. La graphie *drifft* (Cendrars, *in* T. L. F.) est aberrante.

DRIFTER [dʀiftœr] n. m. — 1922, *in* Höfler ; angl. *drifter,* 1883, de *(to) drift* « dériver ».

♦ Anglic. Mar. Bateau de pêche qui utilise des filets dérivants. ⇒ **Dériveur,** 3.
En 1928, les « drifters » à voiles pratiquant la pêche du hareng et du maquereau (...) avaient (...) disparu.   A. BOYER, les Pêches maritimes, p. 14.

1. DRILL [dʀil] n. m. — 1775 ; de *mandrill*.*

♦ Zool. Grand singe cynocéphale d'Afrique occidentale, remarquable par ses callosités fessières d'un rouge vif. *Des drills.*
HOM. 2. Drill, 3. drill.

2. DRILL [dʀil] n. m. — 1922 ; mot angl. « exercice militaire » (1637), apparenté à un mot all. (répandu après 1870), de l'anc. all. *drillen* « faire tourner ».

♦ **1.** Germanisme. Milit. Méthode d'entraînement* (II.) des recrues. — Plur. Exercices militaires fondés sur la répétition intensive.

♦ **2.** (1965). Anglic. Didact. Méthode d'enseignement programmé (2.), fondée sur l'acquisition d'automatismes. ⇒ **Entraînement** (II.). — Spécialt. Exercice (I.) systématique, dans cette méthode.
HOM. 1. Drill, 3. drill.

3. DRILL [dʀil] n. m. — 1855 ; *drilling,* 1802 ; angl. *drilling,* même sens (1640).

♦ Anglic. Techn. Variété de serge (tissu).
HOM. 1. Drill, 2. drill.

1. DRILLE [dʀij] n. m. — 1628 ; argot milit. ; orig. obscure, p.-ê. de l'anc. franç. *drille* « chiffon » ou *soudrille,* croisement de *soudard* et de *drille,* d'un v. **druiller,* anc. all. *durlichen* « déchirer » ou de *driller,* vx « courir çà et là », emprunté au néerl. *drillen* ; P. Guiraud rattache le mot à *rille,* du lat. *regula* « règle » par une forme hypothétique **deriller* « sortir de l'ordre, de la règle ».

♦ **1.** Vx. Soldat vagabond, soudard.

1 (...) ses cheveux de drille, plus longs que ceux des autres paysans du village, ses serments à la soldate (...) et une épée rouillée qui lui battait de vieilles bottes encore qu'il n'eût point de cheval, tout cela donna dans la vue d'une vieille veuve qui tenait hôtellerie. SCARRON, le Roman comique, II, VI, p. 183.

♦ **2.** (1680). Loc. BON DRILLE (Vx); JOYEUX DRILLE (mod.) : joyeux compagnon, homme jovial. ⇒ **Luron.**

2 Il était seul, et, entrant dans une espèce de cabaret, il s'attable et demande qu'on lui fasse venir le bon drille de l'endroit pour causer avec lui.
E. DELACROIX, Journal, 29 oct. 1854.

3 C'est un brave homme, mais un joyeux drille. Je crois qu'il n'a jamais dessoulé.
B. CENDRARS, l'Homme foudroyé, p. 108.

REM. Les syntagmes *un pauvre drille, un vieux drille* (un vieux débauché) sont archaïques.

HOM. 2. Drille, 3. drille.

2. DRILLE [dʀij] n. f. — 1370; orig. obscure; p.-ê. de l'anc. breton *druilla* « déchirer », du moy. néerl. *dril* « trou percé au foret », apparenté à 2. *drill* (→ 3. Drille) ou des anc. verbes *druiller, driller.* → 1. Drille.

♦ Techn. Lambeau de chiffon utilisé pour la fabrication du papier. ⇒ **Drapeau.** (S'emploie surtout au pluriel).

HOM. 1. Drille. 3. drille.

3. DRILLE [dʀij] n. f. — 1752, *in* Trévoux; all. *drillen* « percer en tournant ». → 2. Drille.

♦ Techn. Sorte d'outil à foret. ⇒ **Burin, trépan.**

DÉR. **Driller.**
HOM. 2. Drille, 3. drille.

DRILLER [dʀije] v. tr. — 1870; de 3. *drille.*

♦ Techn. Percer avec une drille.

DRING [dʀin] interj. et n. m. — XXᵉ; onomat. analogue à *drelin,* p.-ê. avec infl. de *ding, dong.*

♦ Onomatopée évoquant le bruit d'une sonnette (⇒ **Drelin**); spécialt, d'une sonnette électrique. — Répété : *Dring, dring !*

1 (...) tout à coup, vers onze heures du soir, dring, un coup de sonnette.
J. DUTOURD, les Horreurs de l'amour, p. 657.

2 C'est complet ! Plus personne ! Complet jusqu'au prochain ! Et dring ! De la main droite, il fit le geste de tirer une sonnette.
Robert MERLE, Week-end à Zuydcoote, p. 213 (1949).

REM. On trouve les var. *drin, drinn* [dʀin].

DRINGUELLE [dʀɛ̃gɛl] n. f. — 1683; de l'all. *trinkgeld,* même sens.

♦ Régional (Belgique). Pourboire.

DRINK [dʀink] n. m. — 1874, *in* Höfler; mot angl. de *to drink* « boire ».

♦ Anglic. (Affecté). Boisson alcoolisée (dans un contexte mondain, au bar, etc.). ⇒ **Verre.** *Boire un drink. Des drinks.*

1 Quant à eux, comptes-tu pour rien le plaisir de dire à leur bar, sur le coup de minuit, tout en suçant la paille d'un drink ?
Paul BOURGET, la Duchesse bleue, p. 68 (1898).

2 L'on compte sur les drinks pour les mettre dans l'atmosphère.
J. ROMAINS, les Hommes de bonne volonté, t. XXIII, p. 177.

DRIOGRAPHIE [dʀijɔgʀafi] n. f. — 1973; angl. *driography,* de *dry* « sec », voyelle de liaison *-o-,* et *-graphy.* → -graphie.

♦ Anglic. Techn. Procédé d'impression offset* à sec, utilisant une couche de polymères qui repousse l'encre sauf dans les zones correspondant aux caractères. « *La " Driographie ", permettant l'impression offset entièrement à sec* » (*l'Express,* 16 juil. 1973, publicité).

DRISSE [dʀis] n. f. — 1639; ital. *drizza* « drisse », déverbal de *drizzare* « dresser » et, spécial (1606) « hisser une voile ».

♦ Mar. Cordage qui sert à hisser une voile, un pavillon, un signal. *Drisse de basse vergue. Le pavillon à mi-drisse,* en berne.

Jasper Hobson, décoiffé par le vent, aveuglé par les averses, saisit le couteau de Norman et trancha la drisse tendue comme une corde de harpe.
Mais le filin mouillé ne courait plus dans la gorge des poulies, et la vergue resta apiquée en tête du mât. J. VERNE, le Pays des fourrures, t. I, p. 112.

DRIVE [dʀajv] n. m. — 1894; mot angl., « coup droit et puissant au tennis, au base-ball, au golf, au cricket » (1857); de *to drive* « conduire, mener ».

Anglicisme.

♦ **1.** Tennis. Coup qui consiste à frapper la balle après un rebond, avec la face de la raquette (la paume de la main en avant) de telle sorte que la balle rase le filet. *Dans le drive, le droitier reprend la balle sur sa droite, le gaucher sur sa gauche. Il est aussi bon dans le drive que dans le revers.* — On dit aussi *coup droit.* ⇒ **Coup** (I., 4.).

Ma pauvre Micheline, c'est fini de nos parties de tennis. Dommage. Ton jeu commençait à se tenir et tu avais un drive qui venait bien. Tu vas te remettre à jouer en double avec des femmes qui te gâteront la main en huit jours.
M. AYMÉ, Travelingue, p. 23.

♦ **2.** (1909, *in* Höfler). Au golf, Coup de longue distance, donné au départ d'un trou, avec le *driver** (1. Driver, I.).

♦ **3.** Jazz. Force entraînante (du jeu d'un musicien). *Ce pianiste a du drive.*

CONTR. Revers; lob, smash, volée.

DRIVE-IN [dʀajvin] n. m. invar. — 1953; mot amér. d'abord adj. « où l'on peut entrer en voiture », désignant initialement un cinéma en plein air (v. 1940), de *to drive in* « conduire dedans ».

♦ Anglic. Lieu public directement accessible en voiture ou service aménagé de telle sorte que les usagers puissent en bénéficier sans sortir de leur voiture (cinéma, bar, guichet de banque, restaurant, etc.). — Pour le cinéma en plein air, on dit au Québec *ciné-parc* (n. m.).

REM. Le mot, normal lorsqu'on parle des réalités nord-américaines anglophones, comprennible mais combattu au Québec, est aberrant et d'ailleurs rare à propos des pays francophones.

Adj. Une « *église drive-in* » (*l'Express,* nº 1379, 12 déc. 1977).

1. DRIVER [dʀajvœʀ] n. m. — 1895, *in* Höfler, au sens I., 1.; mot angl. « instrument pour conduire (le jeu, la partie) », 1674; « crosse de golf », 1892; de *(to) drive* « conduire ».

Anglicisme. (Sports).

★ I. ♦ **1.** Joueur qui exécute un drive (bien ou mal). *Un bon driver au tennis, au golf.*

♦ **2.** Objet avec lequel on drive : club de départ (golf); batte (cricket, base-ball).

1 Le *drive* — c'est le nom de ce coup de départ — est effectué avec le club en bois appelé *driver.* Jean DAUVEN, Technique du sport, Le golf, p. 85.

★ II. ♦ **1.** (Turf). Jockey au trot attelé. *Le cheval était privé de son driver habituel.*

2 Enfin pour le trot, l'entraînement se présente avec ses caractéristiques particulières. En effet, le cheval a bien souvent pour éleveur, pour propriétaire, pour entraîneur et pour *driver* ou *jockey* la même personne.
Pierre ARNOULT, les Courses de chevaux, p. 87.

♦ **2.** (1928). Argot. Conducteur d'une auto (aussi *driveur*).

2. DRIVER [dʀajve; dʀive] v. tr. — 1898, *in* Petiot; de *drive*,* et de l'angl. *to drive* « jouer, conduire le jeu ».

Anglicisme. (Sports).

★ I. ♦ **1.** Tennis. Envoyer (la balle) par un drive.

♦ **2.** (1933, [dʀajve]). Golf. Jouer la balle avec le driver. *Driver sa balle.*

★ II. (1933; → 1. *driver,* II.). ♦ **1.** Turf. Conduire (le cheval) attelé à un sulky, dans une course de trot.

♦ **2.** Argot [dʀive]. Conduire, diriger.

Mon petit voyou de chauffeur, c'était peut-être un demi-sel mais pardon ! pour driver, un peu du bâtiment ! À peine les mômes à terre, il a arraché sa tire *(voiture)* du pavé comme un express. A. SIMONIN, Touchez pas au grisbi, p. 15.
Fig. Diriger, mener (qqn, une affaire). Absolt. Mener une affaire; diriger des personnes, des prostituées. *C'est moi qui drive, maintenant !*

DROGMAN [dʀɔgmɑ̃] n. m. — Déb. XIIIᵉ, *drogeman; droguement,* 1213; ital. *dragomanno,* grec byzantin *dragoumanos* « interprète »; arabe *tardjūmān.* → Truchement.

♦ Vx. Interprète, dans les pays du Levant (→ Polyglotte, cit. 1). *Les drogmans de l'ambassade de France à Constantinople. Le titre de drogman a été supprimé en 1902.*

1 Je me rends chez le drogman de Son Excellence (...)
CHATEAUBRIAND, Itinéraire..., LVIII.

2 Ce personnage si triomphant n'était autre qu'un drogman qui sert de guide aux voyageurs dans leur tournée de Grèce (...) Th. GAUTIER, Constantinople, p. 41.

1. DROGUE [dʀɔg] n. f. — XIVᵉ; orig. incert., p.-ê. du néerl. *droog* « (chose) sèche » ou de l'arabe *durawa* « balle de blé »; P. Guiraud y voit une forme méridionale de *derogare* « ôter, diminuer (la valeur) ».

★ I. ♦ **1.** Ingrédient, matière première employée pour les préparations médicamenteuses confectionnées en officine de pharmacie. *Drogues aromatiques* (→ Cassolette, cit. 1). *Drogue pharmaceutique.* ⇒ **Grabeau.** *Drogue falsifiée.* ⇒ **Goure.** *Vase dans lequel on pile les drogues.* ⇒ **Mortier.**

♦ **2.** Par ext. Médicament* confectionné par des amateurs, des non-spécialistes, et qui, généralement, n'est pas utilisé par la médecine. ⇒ **Décoction, onguent, orviétan, remède** (de bonne femme)...; → Consultation, cit. 2. *Prendre une drogue. Vendeur de drogues.* ⇒ **Charlatan, pharmacopole** (vieux).

1 J'ai souvent pensé, en regardant de près les champs, les vergers, les bois et leurs nombreux habitants, que le règne végétal était un magasin d'aliments donnés par la nature à l'homme et aux animaux ; mais jamais il ne m'est venu à l'esprit d'y chercher des drogues et des remèdes.   ROUSSEAU, *Rêveries...*, 7e promenade.

2 (...) je trouve moi-même aux herbes des vertus qu'elle ne leur connaît pas, et elle est bien étonnée quand je fais des drogues dont elle voit ensuite le bon effet.
                                        G. SAND, *la Petite Fadette*, XIX, p. 132.

Péj. Médicament dont on conteste l'utilité, l'efficacité, dont on condamne l'usage. *Toutes les drogues que lui ordonne son médecin lui font plus de mal que de bien. Il ne vit que de drogues.*

3 Il manda les maîtres mires les plus fameux, lesquels ordonnèrent des quantités de drogues.   FLAUBERT, *Trois contes*, «la Légende de saint Julien l'Hospitalier », I.

4 Les médecins ne nous empoisonnent pas moins de leurs vérités que de leurs drogues.
                                        André SUARÈS, *Trois hommes*, « Ibsen », VI, p. 156.

Par métaphore :

5 La philosophie, ainsi que la médecine, a beaucoup de drogues, très peu de bons remèdes, et presque point de spécifiques.
                                        CHAMFORT, *Maximes et pensées*, Sur la science, XLV.

♦ **3.** Chose mauvaise à absorber. *Cette boisson est une vraie drogue. Qu'est-ce que c'est que cette drogue ?* ⇒ **Médecine, mixture, potion, purge.**

♦ **4.** Vx. [a] Chose de mauvaise qualité. *Cette étoffe est de la drogue.*

[b] Personne désagréable. *Cette petite personne est une drogue* (Académie).

★ **II.** ♦ **1.** (xxe). Cour. Substance toxique, stupéfiant. ⇒ **Stupéfiant ;** (fam.) 2. **came, camelote, merde** (III.) ; → Opium, cit. 4. *Faire le trafic de la drogue, des drogues* (⇒ anglic. **Dealer, trafiquant**). Intoxication par la drogue. ⇒ **Toxicomanie.** — *Drogues euphorisantes, hallucinogènes, stimulantes, stupéfiantes. Drogues dures* (héroïne, amphétamine, etc.) *et drogues douces* (marijuana, haschich, etc.). *Les drogues douces ont des effets moins marqués et surtout ne provoquent pas l'accoutumance.*

5.1 Or je ne puis malgré ses sourires et ses bonjours, la reconnaître en une dame aux traits tellement déchiquetés que la ligne du visage n'était pas restituable. C'est que depuis trois ans elle prenait de la cocaïne et d'autres drogues.
                                        PROUST, *le Temps retrouvé*, Pl., t. III, p. 942.

6 Les sujets de cette espèce (...) sont tout comparables à des intoxiqués ; et l'on observe en eux, dans la poursuite de leur mort, la même obstination, la même anxiété, les mêmes ruses, la même dissimulation que l'on remarque chez les toxicomanes à la recherche de leur drogue.   VALÉRY, *Rhumbs*, p. 73.

7 Toute drogue modifie vos appuis. L'appui que vous preniez sur vos sens, l'appui que vous preniez sur le monde, l'appui que vous preniez sur votre impression générale d'être.   Henri MICHAUX, *Connaissance par les gouffres*, p. 9.

Par ext. Excitant, tranquillisant (tabac, alcool, somnifère) comparé à des stupéfiants.

Par métonymie. L'usage des drogues. *La drogue est un phénomène social. La lutte contre la drogue.*

♦ **2.** Chose qui intoxique l'esprit. « *La politique épouvantait comme une drogue dangereuse* » (Zola, *la Curée*, p. 377).

En composé : *la télé-drogue, le cinéma-drogue.*

DÉR. 1. Droguer. — (Du sens I) 1. Droguerie, droguier, droguiste.
COMP. Antidrogue.
HOM. 2. Drogue, 3. drogue.

2. DROGUE [drɔg] n. f. — 1829 ; p.-ê. de 1. *drogue* (I., 3.).

♦ Vx. Petite fourche de bois que le perdant portait en gage sur le nez, à un jeu de cartes anciennement en usage dans l'armée et la marine ; nom de ce jeu.

Deux ou trois jouaient à la drogue, — le canonnier avait un bout de bois à cheval sur le nez —, tous buvaient.
                            Henri POURRAT, *Gaspard des montagnes*, p. 270.

DÉR. 2. Droguer.
HOM. 1. Drogue, 3. drogue.

3. DROGUE [drɔg] n. f. — 1723 ; du néerl. *droog* « sec ».

♦ Techn. (pêche). *Harengs de drogue,* séchés et mis en caque. ⇒ 2. **Droguerie.**
HOM. 1. Drogue, 2. drogue.

DROGUÉ, ÉE [drɔge] adj. et n. — Déb. xxe ; p. p. de 1. *droguer**. (Personnes).

♦ **1.** Qui est sous l'influence d'une drogue, d'un stupéfiant, ou into-

xiqué par l'usage des stupéfiants. ⇒ **Toxicomane ; camé** (fam.). *Un drogué.* « *Il n'y a pas de drogués heureux* » (ouvrage de Cl. Olivenstein, 1977). Adj. *Un jeune lycéen drogué.*

1 Les drogués sont des mystiques d'une époque matérialiste qui, n'ayant plus la force d'animer les choses et de les sublimer dans le sens du symbole, entreprennent sur elles un travail inverse de réduction et les usent et les rongent jusqu'à atteindre en elles un noyau de néant.   DRIEU LA ROCHELLE, *le Feu follet*, p. 31.

2 Maintenant elle vit avec un drogué, peut-être même qu'elle se drogue, ça n'arrange pas les choses.   Cecil SAINT-LAURENT, *la Bourgeoise*, p. 167.

♦ **2.** Fig. Intoxiqué (par quelque chose) comme par une drogue. *Les familles, droguées par la télévision.*

HOM. 1. Droguer, 2. droguer.

1. DROGUER [drɔge] v. tr. — 1554, «frelater du vin »; «administrer des médicaments », 1611 ; de 1. *drogue.*

♦ **1.** Faire prendre à (un malade) beaucoup de drogues, de médicaments. *Médecin qui drogue ses malades.*

1 Le sage Locke qui avait passé une partie de sa vie à l'étude de la médecine, recommande fortement de ne jamais droguer les enfants, ni par précaution ni pour de légères incommodités.   ROUSSEAU, *Émile*, I.

♦ **2.** (xxe). Soumettre (qqn) à l'effet des stupéfiants. « *Les drogués veulent droguer tout le monde* » (S. de Beauvoir, *les Mandarins*, p. 154). Administrer un somnifère à (qqn, un animal). *Les cambrioleurs avaient drogué le chien.*

2 On n'a pourtant bu que deux verres, et on a l'habitude (...) — Ils ont dû nous droguer, dit Claude.   Frantz-André BURGUET, *les Meurtrières*, p. 224.

▶ SE DROGUER v. pron.

♦ **1.** Prendre de nombreux médicaments (→ Faire de son corps une boutique d'apothicaire*). *Il se détruira la santé à force de se droguer.*

♦ **2.** Prendre de la drogue, des stupéfiants. ⇒ fam. **Camer** (se), argot **schnouffer** (se), et aussi **fumer, piquer** (se), **sniffer.** *Personne qui se drogue.* ⇒ **Drogué, intoxiqué, toxicomane.**

▶ DROGUÉ, ÉE p. p. adj. ⇒ **Drogué.**
DÉR. Drogueur.
HOM. Drogué, 2. droguer.

2. DROGUER [drɔge] v. intr. — 1808 ; de 2. *drogue.*

♦ **1.** Vx. Jouer à la drogue (2. Drogue) ; porter la drogue (2. Drogue) en gage.

♦ **2.** Fam. et vieilli. Attendre* longuement. *Faire droguer quelqu'un.*

1 On ne voulait pas avoir drogué pour rien.
                            J. VALLÈS, *le Nain jaune*, 14 mars 1867.

2 « Tapez-là. Ou je m'en vais. Et vous ne me reverrez plus. » Le campagnard ne vous fait droguer que lorsqu'il est sûr de votre patience.
                            J. ROMAINS, *les Hommes de bonne volonté*, t. V, XXII, p. 184.

3 De temps en temps, il regardait sa petite tocante en plaqué or, et il se demandait si on allait le faire droguer à n'en plus finir.   M. AYMÉ, *Maison basse*, p. 83.

HOM. Drogué, 1. droguer.

1. DROGUERIE [drɔgri] n. f. — 1361 ; de 1. *drogue* (I.).

♦ **1.** Vx. Drogues, médecines, pharmacopée.

♦ **2.** (1835). Mod. Commerce des produits chimiques et pharmaceutiques les plus courants, et de produits très divers de toilette, d'hygiène, de ménage, d'entretien. *Droguerie médicinale, industrielle, droguerie-épicerie.* — (1835). Par ext. Magasin où se vend la droguerie. *Acheter de la teinture, du savon dentifrice dans une droguerie. Marchand qui tient une droguerie.* ⇒ **Droguiste.** — REM. On appelle par extension *drogueries* les boutiques où se vendent des produits de toilette et d'entretien, voire les produits en vente traditionnellement chez les «marchands de couleur ».

Il entrait, comme chef de quelque service, dans une grande pharmacie ou droguerie du centre.   J. ROMAINS, *les Hommes de bonne volonté*, t. III, XXIII, p. 308.

REM. Une évolution de sens analogue de *drug* en anglais a produit le composé *drugstore*, emprunté en français. → Drugstore.

HOM. 2. Droguerie.

2. DROGUERIE [drɔgri] n. f. — 1611 ; néerl. *droogerej*, de *droog* « sec ».

♦ Techn. (pêche). Vx. Séchage du hareng. ⇒ 3. **Drogue.**
HOM. 1. Droguerie.

DROGUET [drɔgɛ] n. m. — 1505 ; de 1. *drogue*, I., 4., «chose de mauvaise qualité ».

♦ **1.** Vx. Étoffe de laine de bas prix.

1 Un petit Français, habit vert pomme, veste de droguet, raclait un violon de poche.
                            CHATEAUBRIAND, *Itinéraire...*, III, CXVII.

♦ **2.** (1690). Mod. Étoffe brochée de soie, de viscose, de laine et coton, ornée d'un dessin produit par un fil de chaîne supplémentaire. *Droguet de soie.* ⇒ **Lustrine.**

2   Au milieu de cette mode rejetant tous les produits de Lyon, les lampas, les superbes droguets, les persiennes, les étoffes brochées en soie, en argent ou en or, éclate le goût des batistes et des linons, mode apportée à la France par la jeunesse d'une Reine.   Ed. et J. DE GONCOURT, la Femme au XVIIIᵉ s., II, p. 95.

DÉR. Droguetier.

DROGUETIER [dʀɔg(ə)tje ; dʀɔgetje] n. m. — 1718 ; de *droguet*, 2.

♦ Vx. Fabricant de droguet (2.).

DROGUEUR, EUSE [dʀɔgœʀ, øz] n. — 1462, n. m. ; de 1. *droguer.*

♦ Vx. Personne, spécialt, médecin qui drogue qqn, qui fait prendre des drogues.

DROGUIER [dʀɔgje] n. m. — 1439 ; de 1. *drogue,* I., et suff. *-ier.*

♦ Anciennt ou hist. Petite armoire ; boîte portative destinée à contenir des substances médicamenteuses.
Collection d'échantillons pharmaceutiques.

DROGUISTE [dʀɔgist] n. — 1549 ; de 1. *drogue,* I., 1.

♦ **1.** Vx. Personne qui vend des drogues, des substances médicamenteuses, ou en prépare.

(1792). Mod. *Droguiste en pharmacie :* fabricant de produits biologiques, galéniques, etc. vendus en vrac aux grossistes ou aux pharmaciens d'officine.

♦ **2.** Personne qui fabrique et vend des produits de toilette, d'entretien, dans une droguerie*. ⇒ **Couleur** (marchand de couleurs). *Aller chez le droguiste acheter un pot de peinture et des pinceaux.* ⇒ 1. **Droguerie.**

Par appos. *Épicier droguiste* (a pu s'employer aussi au sens 1).

1. DROIT, DROITE [dʀwa, dʀwat] adj. et adv. — XIIᵉ ; *dreit,* 1050 ; du lat. *directus.* → Direct.

★ **I.** Adj. (le plus souvent après le nom en épithète).

A. (Concret). ♦ **1.** Qui est sans déviation, d'un bout à l'autre. *Barre, tige droite. Arbre, poteau droit. Avoir le corps droit, la taille droite. Se tenir droit. Être droit comme un cierge, un échalas, un I, un jonc, un peuplier, un pieu, un piquet, une statue.* ⇒ **Raide.** *Un nez droit.* → *Un nez grec*.* — (Personnes). *Tenir la tête droite* (→ Attitude, cit. 10).

1   Levez la tête. Encor. Soyez droite, approchez.
   Faut-il tendre toujours le dos quand vous marchez ?
         J.-F. REGNARD, le Distrait, I, 4.
2   Te voilà sur tes pieds droit comme une statue.
   Dégourdis-toi.   RACINE, les Plaideurs, III, 3.
3   (...) un palmier gigantesque, droit comme un mât.
         E. FROMENTIN, Un été dans le Sahara, II, p. 114.
4   Finalement, raides et lents, droits comme des I, les deux corps se penchèrent l'un vers l'autre (...)   H. BERGSON, le Rire, p. 60.
5   Son nez était droit et mince, quoique les narines en fussent bien ouvertes.
         J. GREEN, Adrienne Mesurat, II, IV, p. 237.
6   (...) il ouvrit largement la porte d'entrée, se tenant très droit, le visage rigide, comme M. Pommerel lorsqu'il quête à la porte du temple.
         J. CHARDONNE, les Destinées sentimentales, p. 50.

REM. En parlant des personnes, de leur corps, l'adj. implique en général aussi l'idée de verticalité. → ci-dessous, 3.

♦ **2.** Dont la direction est constante ; qui va d'un point à un autre par le chemin le plus court. ⇒ **Direct, rectiligne.** *Ligne, voie droite. Route, rue droite, tirée au cordeau** (⇒ **Aligné**). *Droit comme une flèche. Chemin droit,* sans coudes, sans tournants. *C'est tout droit ; c'est droit devant vous. Fil droit.* ⇒ **Tendu.** *Le droit fil d'une étoffe** (I., 1.), et, fig., *le droit fil*. Aller de droit fil*. Dans le droit fil* de quelque chose,* dans la même direction.

7   (...) des prairies traversées d'une seule allée large, droite, bordée d'arbres géants.
         J. CHARDONNE, les Destinées sentimentales, II, p. 222.
7.1   Le droit fil politique de l'Express est aujourd'hui le même qu'en 53.
         F. GIROUD, Si je mens, p. 196.

En ligne droite. ⇒ **Directement.** *Ce chemin vous conduira chez vous en droite ligne. Il y a deux kilomètres en ligne droite* (→ À vol* d'oiseau). — Fig. *Hériter de quelqu'un en droite ligne.*

8   Un lit de bois clair (...) venait en droite ligne d'un grand magasin de Paris (...)
         J. GREEN, Adrienne Mesurat, I, XIII, p. 116.

Fig. *La droite voie :* la voie du salut, en termes de dévotion. *Le droit chemin* (cit. 34), *la voie droite, la droite voie* (littér.) : le chemin de l'honnêteté, de la vertu... *Un raisonnement en ligne droite,* direct, simple.

9   (...) les voies de Dieu sont droites ; mais les méchants y trébucheront.
         PASCAL, Pensées, VIII, 571.

10   (...) ceux qui ne marchent que fort lentement peuvent avancer beaucoup davantage, s'ils suivent toujours le droit chemin, que ne font ceux qui courent et qui s'en éloignent.   DESCARTES, Discours de la méthode, I.
11   L'âme féminine est d'une simplicité à laquelle les hommes ne peuvent croire. Où il n'y a qu'une ligne droite ils cherchent obstinément la complexité d'une trame : ils trouvent le vide et s'y perdent.   Pierre LOUŸS, Aphrodite, II, II.
12   On vous montre la voie droite ; vous n'avez qu'à la suivre. C'est vrai pour la religion, c'est vrai pour la discipline de l'esprit, pour l'habitude de raisonner (....)
         A. THIBAUDET, Réflexions sur la littérature, p. 252.
13   Combien de garçons, engagés déjà sur de mauvaises pentes, ai-je ramenés dans le droit chemin.   MARTIN DU GARD, Notes sur André Gide, Pl., p. 1399.

(1890). Sports. Escrime. *Coup droit :* coup porté sans dégager* le fer. — Fig. *C'est un coup droit porté à ses prérogatives.* — (1927). Tennis. *Coup* droit* (angl. *drive**), par oppos. au *revers.*

Mar. *Mettre la barre droite,* parallèle à la quille. — Archit. *Porte, voûte droite,* perpendiculaire à une direction principale (opposé à *biais,* II.).

Géom. *Ligne droite.* ⇒ **Droite** (II.).

♦ **3.** Perpendiculaire à l'horizontale. ⇒ **Vertical.** — (Choses). *Ce mur, ce pylône n'est pas droit, il penche. Falaise droite.* ⇒ **Abrupt, à-pic.** *Tenez la soupière bien droite,* sans la pencher. *Remettre droit ce qui est tombé.* ⇒ **Redresser.** *Une écriture droite,* opposé à *penchée.* — (Personnes). *Être droit sur ses pieds.* ⇒ **Debout.** *Se mettre droit.* ⇒ **Lever** (se), **redresser** (se). — Avec l'idée de raideur. → ci-dessus, 1. (cit. 2 et 6).

14   Celui qui reste droit devant celui qui tombe (...)   HUGO, les Années funestes, XL.
15   (...) ici le roc s'est dentelé comme une scie, là ses tables trop droites ne souffrent ni le séjour de la neige, ni les sublimes aigrettes des sapins du nord (...)
         BALZAC, Séraphîta, Pl., t. X, p. 458.
15.1   Pour la vingtième fois, il la suppliait de ne pas accrocher sa capeline sur le coin d'un cadre (...) elle soutenait que c'était sans importance, que sa coiffure n'abîmait pas la dorure, qu'il n'était pas utile que le tableau fût droit.
         HUYSMANS, les Sœurs Vatard, p. 224.

Spécialt. Dont les bords sont verticaux. *Gilet droit, veston droit,* par oppos. à *gilet, veston croisé*.* — En parlant des vêtements féminins. *Manteau droit,* non cintré ou sans ampleur. *Jupe droite,* sans ampleur.

(1828). *Piano* droit,* dont les cordes et la table d'harmonie sont verticales.

(1864). Anat. *Muscle droit :* muscle dont les fibres sont verticales dans la tête. — N. m. *Droits antérieurs de la tête ; droit latéral de la tête. Grand droit :* muscle de la paroi antérieure de l'abdomen. *Droit interne,* à la partie interne de la cuisse.

♦ **4.** Géom. *Angle droit,* formé par deux droites perpendiculaires (90°) ; opposé à *aigu, obtus. Le fil à plomb forme un angle droit avec l'horizontale. Tracer un angle droit avec une équerre*, un té. Ces deux rues sont à angle droit.* ⇒ **Perpendiculaire.** *Les angles droits d'un rectangle, d'un carré.* — N. m. *Un droit. La somme des angles d'un triangle est égale à deux droits* (180°).

Loc. *Au droit de... :* à angle droit.

16   Il *(le peintre)* a gardé de ses séjours en Orient je ne sais quel amour des angles droits, des horizons rectilignes, des intersections brusques, dont il a composé pour ainsi dire la formule et la géométrie de son art.
         E. FROMENTIN, Une année dans le Sahel, p. 231.

Par ext. *Section* droite. Prisme droit,* dont les arêtes sont perpendiculaires aux bases. *Cylindre, cône droit,* dont l'axe est perpendiculaire à la base. — *Ascension droite d'un astre.* ⇒ **Ascension,** 2.

(Objets concrets). En angle droit, en angle (opposé à *rond, arrondi*). *Col droit. Ciseaux à bout droit.*

B. (Abstrait). ♦ **1.** (Personnes). Qui ne s'écarte pas d'une règle (morale ou intellectuelle). *Un homme droit, simple et droit.* ⇒ **Équitable, honnête, juste, probe ; franc, loyal, sincère.** *Homme droit et ferme.* → (vx). Barre (cit. 2) de fer. *Volonté droite. Cœur droit.* ⇒ **Pur.** *Conscience droite.* → Probe, cit. *Intention droite.*

17   (...) un homme simple et droit et craignant Dieu, et s'éloignant du mal.
         BIBLE (SACY), Job, I, 8.
18   Comme toute conscience n'est pas droite, tout ce qui est selon la conscience n'est pas toujours droit (...)   BOURDALOUE, Fausse conscience, 1ᵉʳ avent.
19   (...) il faut le dire à l'honneur des lettres, la philosophie fait un cœur droit, comme la géométrie fait l'esprit juste (...)   VOLTAIRE, Dict. philosophique, Locke.
20   Le cœur de l'homme est toujours droit sur tout ce qui ne se rapporte pas personnellement à lui.   ROUSSEAU, Lettre à d'Alembert.
21   (...) elle aimait les choses honnêtes, ses penchants étaient droits et vertueux (...)
         ROUSSEAU, les Confessions, V.

Qui exprime la droiture. *Un visage droit et franc. Un regard droit.* → Crânerie, cit. 1.

♦ **2.** (Raison, pensée, jugement...). Qui suit un raisonnement correct, ne dévie pas. *Une pensée droite, un jugement droit.* ⇒ **Judicieux, sain, sensé ; direct, positif, strict.** *Sa parole est droite et ferme. Jugement, sens droit.* — Vieilli ou littér. (avant le nom). *La droite raison.*

22   Il se trompe dans tous ses raisonnements, il est tout de travers : j'ai tâché de le redresser avec des raisons toutes droites et toutes vraies (...)
         Mᵐᵉ DE SÉVIGNÉ, Lettres, 794, 29 mars 1680.
23   Dans la droite raison jamais n'entre la vôtre,
   Et toujours d'un excès vous vous jetez dans l'autre.   MOLIÈRE, Tartuffe, V, 1.

Qui exprime cette pensée.

24 Ce qui est élu par la fantaisie est exécrable ; ce qui est conçu par l'autorité est judicieux. Ainsi doit s'exprimer une voix saine, stricte et droite.
Pierre LOUŸS, les Aventures du roi Pausole, v, p. 38.

♦ **3.** Techn. *Monnaie droite,* qui a le titre prescrit par la loi.

★ **II.** Adv. ♦ **1.** En ligne droite. ⇒ **Droitement** (vx). *Viser droit. Écrire droit. Marcher droit, aller* (cit. 21) *droit, droit devant soi. Courir, s'enfuir, foncer droit devant soi. Ce chemin mène, conduit tout droit chez vous.* ⇒ **Directement.** *Aller droit au but.* — Interj. *Droit au but!*

25 Mère écrevisse un jour à sa fille disait :
Comme tu vas, bon Dieu! ne peux-tu marcher droit ?
LA FONTAINE, Fables, XII, 10.
26 Chez le marchand tout droit il s'en alla (...) LA FONTAINE, Fables, VIII, 18.
27 Il ne s'occupait point de retraites ; il allait droit devant lui comme ces voies romaines qui traversent sans se détourner les précipices et les montagnes.
CHATEAUBRIAND, Mémoires d'outre-tombe, t. III, p. 174.
28 Il repartit, sans s'en apercevoir, cheminant droit devant lui.
MARTIN DU GARD, les Thibault, t. III, p. 103.

♦ **2.** Fig. Par la voie la plus courte, la plus rapide. ⇒ **Directement.** *Aller* (cit. 67) *droit au but, droit à ses fins,* sans détour, sans ambages (cf. Tout de go, d'emblée...). *Parler droit,* brièvement et simplement. *Parler droit pour être compris de tous* (→ Comprendre, cit. 41). *Cette intention me va droit au cœur* (cit. 92). *Conduire une arme de trait droit à son but* (→ 2. Droit, cit. 1.1), *droit au but.*

29 Cette inquiétude trop bien fondée pour une santé qui m'est si chère, avec l'absence d'une personne comme vous, dont tout me va droit au cœur et dont rien ne m'est indifférent (...) Mᵐᵉ DE SÉVIGNÉ, Lettres, 729 bis, 13 sept. 1679.
30 Dans ce conflit d'ambitions, au milieu de ces difficultés entre-croisées, allez toujours droit au fait, marchez résolument à la question, et ne vous battez jamais que sur un point, avec toutes vos forces.
BALZAC, le Lys dans la vallée, Pl., t. VIII, p. 894.
31 Sans doute il eût été bien simple d'aller droit au fait ; mais précisément mon esprit répugne au plus simple et prend irrésistiblement le biais.
GIDE, les Faux-monnayeurs, III, XV, p. 458.
32 Il y a peut-être des médecins mathématiciens, qui traitent leur malade comme un théorème, et qui vont droit au but comme un boulet de canon.
J. ROMAINS, les Hommes de bonne volonté, t. III, XXII, p. 293.

Marcher droit : bien se conduire, être obéissant.

33 Mais c'est égal, je pars en guerre et je tuerai tout le monde. Gare à qui ne marchera pas droit ! A. JARRY, Ubu Roi, III, 8.

Sans s'écarter de la vérité. *Juger, penser droit.*

♦ **3.** Verticalement. *Tenir droit une assiette pleine de soupe. Tiens-toi droit, ma petite !* — (Avec l'idée de raideur). *Se tenir droit comme un piquet.* → 1. Piquet, cit. 3.1.

CONTR. **Anfractueux, arqué, brisé, cambré, contourné, coudé, courbe, courbé, déjeté, détourné, déversé, faussé, fléchi, infléchi, recourbé, sinueux, tordu, tors, tortu, tortueux, voûté ; crochu, retroussé** (nez). — **Couché, étalé, renversé ; horizontal.** — **Aigu, obtus** (angle). — **Faux, fourbe, hypocrite, trompeur.** — **Anormal, bizarre, faux.**

DÉR. **Droitement, droiture.**

2. DROIT, DROITE [dRwa, dRwat] adj. — Même mot que le précédent ; a pris au XVIᵉ le sens de l'anc. franç. *destre.* → Dextre.

★ **I.** Adj. ♦ **1.** Qui est du côté opposé à celui du cœur de l'observateur, au côté gauche. ⇒ **Dextre,** et préf. **dextro-.** *Le côté droit ; le bras, le flanc, le pied droit. Boiter* (cit. 3) *du pied droit. Se lever du pied droit. La jambe droite. La main droite.* ⇒ **Droite.** *Prédominance de la main droite.* ⇒ **Droiterie, droitier ; dextralité.** *L'œil droit. Hémisphère droit et hémisphère gauche du cerveau.* Par ext. *Le cerveau droit, le cerveau gauche.* — *La partie droite d'un tableau, d'une gravure* (quand on regarde l'objet). *L'aile droite, la partie droite d'un bâtiment* (considérée en se plaçant le dos à la façade). *Le côté droit d'un navire* (en regardant vers l'avant). ⇒ **Tribord.** *La rive droite d'une rivière* (dans le sens du courant). Par ext. *La rive droite, dans une ville,* les quartiers qui se trouvent sur cette rive. — *Cristal droit.* ⇒ **Dextrogyre.**

1 Pourtant les trois promotions étaient là au complet, les littéraires dans la moitié droite de la salle, les scientifiques dans la moitié gauche.
J. ROMAINS, les Hommes de bonne volonté, t. III, III, p. 47.
1.1 La main droite est aussi la main adroite, celle qui conduit l'arme droit à son but.
Roger CAILLOIS, l'Homme et le Sacré, p. 51.

Fig. *Être le bras droit de quelqu'un,* être son principal agent.

Allus. biblique. *Que ta main gauche ne sache pas ce que fait ta main droite.* ⇒ **Aumône,** cit. 2.

2 Que si votre œil droit vous est un sujet de scandale, arrachez-le et jetez-le loin de vous (...) Et si votre main droite vous est un sujet de scandale, coupez-la et jetez-la loin de vous (...) BIBLE (SACY), Évangile selon saint Matthieu, v, 29-30.

À main droite : du côté droit ; à droite.

♦ **2.** Spécialt. Dans une assemblée politique. *Centre droit :* la partie du centre qui siège près de la droite (⇒ **Droite,** I., B.).

★ **II.** N. m. ♦ **1.** Loc. adv. (1532, *à droite,* «du côté droit», Rabelais). Vx. *À droit :* à droite* (cit. 7).

♦ **2.** DROIT. N. m. (1898, *in* Petiot). Boxe et cour. *Le poing droit ;* coup porté par ce poing. ⇒ **Droite** (I.). *Direct, crochet* (cit. 2) *du droit. Le challenger a reçu un droit terrible.* — Syn. : *une droite.*

★ **III.** DROITE, n. f. ⇒ **Droite.**

CONTR. **Gauche.**
DÉR. **Droite, droiterie, droitier.**

3. DROIT [dRwa] n. m. — XIIᵉ ; *dreit,* 842 ; du bas lat. *directum,* de l'adj. *directus.* → 1. Droit.

Ce qui est conforme à une règle.

★ **I.** *Un droit, des droits.* Ce qui est exigible, ce qui est permis, dans une collectivité humaine (⇒ **Pouvoir**).

♦ **1.** Ce qui est permis par conformité à une règle morale, sociale... *Droits naturels. Les droits de l'homme, de l'individu, de la personne humaine. Des droits sacrés, imprescriptibles, inaliénables. Reconnaître, consacrer les droits de quelqu'un. Contester un droit. Violer un droit. Priver quelqu'un de ses droits. Aller sur les droits de quelqu'un. Agir au mépris des droits de...*
Exercer son droit. Faire quelque chose en vertu du droit de... Faire valoir ses droits. Revendiquer, soutenir son droit. S'arroger un droit. Conquérir un droit. Cela lui confère le droit... ; il a acquis le droit de... Rentrer dans ses droits, recouvrer ses droits. Renoncer à tous ses droits, se démettre (cit. 10) *de ses droits. Céder ses droits ; cession de droit.*

1 Un auteur n'y fait pas *(au théâtre)* de faciles conquêtes (...)
Chacun le peut traiter de fat ou d'ignorant ;
C'est un droit qu'à la porte on achète en entrant. BOILEAU, l'Art poétique, III.
2 La liberté est le droit de faire tout ce que les lois permettent (...)
MONTESQUIEU, l'Esprit des lois, XI, 3.
3 Nul ne possède d'autre droit que celui de toujours faire son devoir.
A. COMTE, Système de politique positive, t. I, p. 321, *in* GUERLAC.
4 Non seulement tout homme a des droits, mais tout être a des droits.
RENAN, Dialogues et fragments philosophiques, préface, Œ., t. I, p. 556.
5 Attendons avec espérance et ne renonçons jamais à nos droits.
A. JARRY, Ubu Roi, II, 5.
6 Je veux que Jean-Paul ait pour mère une femme indépendante, une femme qui se soit assuré, par son travail, le droit de penser ce qui lui plaît, et d'agir selon ce qu'elle croit être bien (...) MARTIN DU GARD, les Thibault, t. IX, p. 103.

DROITS DE L'HOMME. (1774). Spécialt. Ces droits définis par la Constituante de 1789 et considérés comme droits naturels. *La Déclaration des droits de l'homme précède la Constitution du 3 septembre 1791. La ligue des Droits de l'homme :* mouvement de défense des droits de l'homme. *La déclaration universelle des droits de l'homme. Défense des droits de l'homme. Violations des droits de l'homme.*

7 Les Représentants du Peuple Français, constitués en Assemblée Nationale (...) ont résolu d'exposer, dans une déclaration solennelle, les droits naturels, inaliénables et sacrés de l'homme (...)
Art. 1. Les hommes naissent et demeurent libres et égaux en droits.
Art. 2. Le but de toute association politique est la conservation des droits naturels et imprescriptibles de l'homme. Ces droits sont la liberté, la propriété, la sûreté, et la résistance à l'oppression (...)
Art. 12. La garantie des droits de l'homme et du citoyen nécessite une force publique (...) Déclaration des droits de l'homme (Constit. 1791).
8 Au lendemain de la victoire remportée par les peuples libres sur les régimes qui ont tenté d'asservir et de dégrader la personne humaine, le peuple français proclame à nouveau que tout être humain, sans distinction de race, de religion, ni de croyance, possède des droits inaliénables et sacrés. Il réaffirme solennellement les droits et les libertés de l'homme et du citoyen consacrés par la Déclaration des Droits de 1789 et les principes fondamentaux reconnus par les lois de la République.
Constitution de la République française, 27 oct. 1946, Préambule.
9 Le premier des droits de l'homme c'est la liberté individuelle, la liberté de la propriété, la liberté de la pensée, la liberté du travail.
JAURÈS, Hist. socialiste..., t. I, p. 186.
9.1 Faut-il revendiquer les droits de la parole ? Certes, mais pas n'importe quelle parole et pas n'importe quels droits. Est-il possible de mettre le droit à la parole à côté du droit au travail, du droit à l'instruction, à la santé, au logement, à la Ville ? Une déclaration des droits concrets de l'Homme, ou des droits de l'Homme concret, n'aurait ni plus ni moins d'efficacité que l'ancienne. Peut-être le droit à la parole se situe-t-il à côté du droit à la Ville, comme horizon de civilisation plus que comme droit tendant à sa reconnaissance institutionnelle.
Henri LEFEBVRE, la Vie quotidienne dans le monde moderne, p. 298.
9.2 (...) c'était horrible. Je n'ai pas dit qu'on n'y peut rien, Maryvonne. Il y a des organisations puissantes qui s'en occupent. Il y a Amnesty International et la Ligue des Droits de l'Homme. É. AJAR (R. GARY), l'Angoisse du juste, p. 277.

Le droit de (quelqu'un) à... Le droit des peuples à disposer d'eux-mêmes (⇒ **Autodétermination**). *Le droit de l'individu au travail. Le droit à la parole.*

Avoir le droit de... (avec l'inf.). ⇒ **Possibilité, pouvoir, qualité ; autorisation, permission.** *Avoir le droit d'entrer quelque part, de faire quelque chose. Il en a, il n'en a pas le droit. Il a le droit d'en parler* (cf. *Il a voix au chapitre*). *Vous n'avez pas le droit de dire cela* (cf. *Vous êtes mal venu à...*). *Vous en avez le droit.* — Par ext. *Un médecin n'a pas le droit d'être négligent,* il a le devoir moral de ne pas être négligent. *Le droit de vivre, d'aimer.*

10 Chacun a le droit de défendre son bien (...) PASCAL, les Provinciales, 7.
11 Il y a là-dedans des lettres de ma novia. Je ne veux pas qu'on les lise. Entendez-vous, brutes, vous n'avez pas le droit de les lire !
P. MAC ORLAN, la Bandera, V, p. 59.
12 Certaine insuffisance de la glande thyroïde se rencontre chez les maigres aussi

bien que chez les gras ; s'ensuit-il que je n'aurai pas le droit d'en parler, dans un exposé qui traite de la seule obésité ?
J. PAULHAN, Entretien sur des faits divers, p. 95.

13 Et toi tu n'as pas le droit de me juger, puisque tu n'iras pas te battre.
SARTRE, le Sursis, p. 56.

Avoir droit à... (suivi d'un subst.). Vous avez droit à des excuses. Il n'y a pas droit. Fam. Avoir droit à (quelque chose de fâcheux) : devoir subir, ne pouvoir éviter. Il a eu droit à des reproches. On a eu droit à une de ces engueulades ! Si la guerre éclate, on y a droit !, on n'y coupera pas.

13.1 Celle-là, dit l'homme en fouillant dans une autre poche, je peux dire que je l'ai vue tomber. J'ai eu que le temps de m'aplatir. Ça a fait zim ! et j'ai bien cru que j'y avais droit.
Robert MERLE, Week-end à Zuydcoote, p. 103.

Avoir un droit sur quelqu'un, sur quelque chose. Avoir un droit moral sur... Prendre son droit, ses droits...

14 — Quel droit as-tu reçu d'enseigner, de prédire ?
— Le droit qu'un esprit vaste et ferme en ses desseins
A sur l'esprit grossier des vulgaires humains. VOLTAIRE, Mahomet, II, 5.

Avoir droit sur la vie de quelqu'un. Avoir sur quelqu'un droit de vie et de mort.

15 Un particulier n'a pas droit sur la vie d'un autre (...) PASCAL, les Provinciales, 14.

16 Il a sur nous un droit et de mort et de vie (...) CORNEILLE, Horace, V, 2.

Loc. *Avoir (un) droit de regard* sur (qqch.).*
Donner à quelqu'un le droit de... Qui vous a donné le droit de faire ceci ? ⇒ **Autoriser, permettre.**

Loc. où *droit* a une valeur collective *(le droit)* par rapport à une personne (« ensemble des droits de quelqu'un »). **EN DROIT.** *Être en droit de... : avoir le droit de...*

17 Pour être en droit de lui dire mes sentiments (...) Mme DE SÉVIGNÉ, Lettres, 44.

18 Le père de famille est en droit de punir chacun de ses enfants ou petits-enfants qui fait une mauvaise action. FÉNELON, Télémaque, VII.

19 (...) ces conditions, qu'un auteur (...) est en droit d'exiger (...)
LA BRUYÈRE, Préface.

Vieilli ou littér. *Prendre droit sur... : s'appuyer sur, s'autoriser de...*

20 Je prends droit sur ce qu'il nous a lui-même avoué (...)
BOSSUET, Tradition défendue sur... la communion.

De quel droit ? : en vertu de quel droit, de quelle raison, de quelle autorité ?

21 De quel droit les Français, portant partout leurs pas (...)
VOLTAIRE, Tancrède, I, 1.

Être dans son droit, dans son bon droit.

21.1 Le mouvement de révolte s'appuie en même temps sur le refus catégorique d'une intrusion jugée intolérable et sur la certitude confuse d'un bon droit, plus exactement l'impression, chez le révolté, qu'il est « en droit de... ».
CAMUS, l'Homme révolté, p. 7.

♦ **2.** Dr. et cour. (de nombreux syntagmes sont seulement de l'usage juridique). Ce qui est exigible ou permis par conformité à une règle précise, formulée (loi, règlement, etc.). ⇒ **Faculté, habilité, prérogative, privilège.** *Droit exclusif.* ⇒ **Monopole.** *Titulaire d'un droit. — Droits acquis,* ceux qui viennent de l'homme, par oppos. aux *droits naturels. — Droits civiques, droits du citoyen, droits politiques : droits attachés à la qualité de citoyen et dont les principaux sont constitués par l'électorat, et l'éligibilité* (⇒ **Élection, vote**). *Priver quelqu'un de ses droits politiques* ⇒ **Dégradation,** cit. 1 ; antiq. **atimie.** — *Droits civils, droits privés. Droits réels,* opposables à tous et permettant d'exercer un pouvoir sur un bien (⇒ **Propriété, usage, usufruit ; habitation ; emphytéose, servitude**). *Droits de créance ou droits personnels,* donnant à une personne (⇒ **Créancier**) le droit d'exiger d'une autre (⇒ **Débiteur**) une prestation. *Droits réels accessoires* (ex. : *le droit de suite,* permettant de saisir un bien en quelque main qu'il se trouve). *Droits mobiliers, immobiliers. — Droits du patrimoine,* ayant une valeur pécuniaire. Ancienn. *Droits de famille,* ayant pour objet les rapports de famille (ex. : *droit de correction, droit de garde...*). — *Droit éventuel,* issu d'un acte auquel un élément essentiel fait défaut. — *Droit relatif :* droit existant au profit d'une personne contre une autre personne déterminée, par oppos. au *droit absolu,* opposable à tous. — *Droit litigieux. — Auteur*, ayant cause* d'un droit. Ayant droit.* ⇒ **Ayant droit.** *Défendre ses droits devant la justice.* ⇒ **Procédure, procès.** *Personnalités chargées dans divers pays, de faire respecter les droits des citoyens face à l'administration.* ⇒ **Médiateur, ombudsman, protecteur** (du citoyen).

22 L'exercice des droits civils est indépendant de l'exercice des droits politiques, lesquels s'acquièrent et se conservent conformément aux lois constitutionnelles et électorales.
Tout Français jouira des droits civils. Code civil, art. 7 et 8.

Spécialt (syntagmes en *de*). *Droit d'affouage ; droit d'appui, droit d'attache. Droit de pacage. Droit d'épaves. Droit de chasse, de pêche. Droit de place, de stationnement.*

Droit de grève, droit de vote.

Droit de propriété (droits mobiliers et immobiliers). — Droit de jouissance* légale. Droit de succession*, droit successif, héréditaire. Droit de tester. Droit de retour au donateur. — Droit de préemption*. Droit de prélation*. — Droit de préférence,* que possèdent certains créanciers, certains détenteurs de titres. *Droit de rétention,* du créancier sur un objet appartenant au débiteur.

Droit d'auteur (⇒ **Copyright**), *droit de l'inventeur :* droit exclu-

sif d'exploitation d'une œuvre par son auteur, d'une invention par son inventeur. *Droit de reproduction. Droits d'impression, droits de reproduction réservés. Tous droits réservés,* mention précisant que l'auteur d'une œuvre, ou son représentant, s'en est réservé exclusivement les droits de reproduction et d'exploitation (→ aussi ci-dessous, cit. 31 et *supra*).

Procéd. *Droits de la défense*. Droit d'évocation*. Droit de communication. — Droit de présentation*. — Droit de réponse.*

Dr. internat. *Droit d'asile* (au sens fig. → Asile, cit. 14). Droit de légation* active et passive. Droit de visite*,* sur les navires étrangers.

Droit de grâce. — Droit de veto*.*

Hist. *Droits féodaux.* ⇒ **Féodalité.** *Droits honorifiques,* par oppos. aux *droits utiles. Droit de four, de moulin banal*. Droit de banvin*. Droit du seigneur, droit de cuissage*. Le Droit du seigneur,* comédie de Voltaire. — *Droit d'aubaine.* ⇒ **Aubaine,** cit. 1. *Droit de nommer à un bénéfice.* ⇒ **Collation,** 1. *Droit de patronage. Droit de haute et basse justice. Droit de glaive :* droit de connaître des affaires impliquant la peine de mort. — *Droit de la couronne, droits royaux, droits régaliens :* droit de guerre, de battre monnaie, d'imposer... ⇒ aussi **Régale.** — *Droit d'aînesse* (cit. 1, 2), *droit de primogéniture.*

Droit de cité, de bourgeoisie. ⇒ **Bourgeois, bourgeoisie,** (1)., **cité,** (cit. 2).

23 La plupart de ces peuples ne s'étaient pas d'abord fort souciés du droit de bourgeoisie chez les Romains (...)
MONTESQUIEU, Grandeur et décadence des Romains, IX.

♦ **3.** Par ext. (au plur. ou en loc.). Ce qui donne une influence, une autorité morale... considérée comme légitime. ⇒ **Prérogative, privilège, titre.** *Les droits du sang, de l'amitié. Avoir, acquérir des droits à la reconnaissance de quelqu'un. N'avoir pas de droits, n'avoir aucun droit à... Les droits de l'hospitalité. La nature ne perd jamais ses droits.*

24 La nature en tout temps garde ses premiers droits (...) CORNEILLE, Horace, III, 4.

25 Mais vous ne savez pas ce que c'est qu'une femme :
Vous ignorez quels droits elle a sur toute l'âme. CORNEILLE, Polyeucte, I, 1.

26 Les droits de la raison (...) MOLIÈRE, les Femmes savantes, IV, 1.

27 J'ai vu jusqu'au fond de cette âme, la terre n'y a plus aucun droit.
BALZAC, le Curé de village, Pl., t. VIII, p. 757.

Loc. *Avoir droit de... : avoir lieu*, avoir sujet* de...*

28 La plus fausse apparence a droit de nous troubler. CORNEILLE, Suréna, 112.

♦ **4.** Somme d'argent, redevance qu'une personne, une collectivité est en mesure d'exiger de quelqu'un. ⇒ **Contribution, imposition, impôt, redevance, taxe.** *Établir un droit sur un acte, sur une marchandise. Acquitter un droit. Percevoir un droit ; droit perçu à raison de... Droit que l'on paye pour passer sur un pont, emprunter un bac, une autoroute...* ⇒ **Péage.** *Droit d'entrée à un spectacle, à une réunion. Droit d'inscription à une société, à un groupe. Droit d'inscription et cotisation*.*

Hist. (Féodalité, Ancien Régime). *Droits domaniaux* ou *régaliens,* perçus par le roi. *Droits seigneuriaux. Droits en nature :* droit de moutage, de mouture (ou moute), champart, etc. *Droit de relief :* droit de mutation dû au seigneur. — *Droit payé au roi par les officiers de justice.* ⇒ **Paulette.**

(Premier Empire). *Droits réunis :* les contributions indirectes. *L'administration des droits réunis.*

Mod. Contributions indirectes. *Droit au comptant,* effectivement payé lors de la déclaration faite par le contribuable. *Droit constaté,* recouvré postérieurement au fait qui l'a créé. *Droit fraudé,* non acquitté. *Droit progressif,* dont le taux s'accroît à mesure que la valeur à laquelle il s'applique augmente. *Demi-droit ; double droit. Droit en sus :* pénalité fiscale.

Droit de circulation, de consommation, de fabrication, sur les boissons.

29 C'est alors en effet, le 24 avril 1806, que Gaudin faisait voter la loi qui établissait définitivement les *droits sur les boissons,* en attendant que l'impôt sur les tabacs fût, en 1810, remplacé par le *monopole,* car il faudra quatre ans encore pour briser, sur ce point, les oppositions.
Louis MADELIN, Hist. du Consulat et de l'Empire, Vers l'Empire d'Occident, V, p. 67.

Droits de douane. Droit d'entrée, de sortie, de statistique. Droit de transit. Droit ad valorem. Droit spécifique,* établi d'après le poids. *Droits protecteurs* (⇒ **Protectionnisme**), *droits compensateurs* (→ Montants compensatoires*). — Droit d'octroi*. — Marchandises assujetties aux droits, exemptes de droits.*

Droits de navigation : taxes accessoires des douanes, perçues sur le corps des navires. *Droit de congé*. Droit de francisation, de passeport. Droit d'ancrage* (cit. 1), de quai (quayage), de bassin. Droit de tonnage.*

30 Les lamanages, touages, pilotages, pour entrer dans les havres et rivières, ou pour en sortir, les droits de congés, visites, rapports, tonnes, balises, ancrages et autres droits de navigation, ne sont point avaries ; mais ils sont de simples frais à la charge du navire.
Code de commerce, art. 406.

Droits d'enregistrement. Droit d'acte ; droit de mutation :* droits perçus l'un à raison de la rédaction, de l'usage d'un acte, l'autre à raison du fait juridique qu'il concerne. *Droit de titre. Droit fixe,* sur les actes ne constatant aucun mouvement de valeurs. *Droit gradué. Droit proportionnel.* — *Droit de timbre*.* — *Droit de licence,* sur l'exercice de certains commerces. *Droit de garantie*. Droit de transmission,* sur les valeurs mobilières. — *Droits de succession.*

Droit de vérification des poids et mesures (taxe directe).

Procéd. Droit de poste, élément des frais de justice.

Droit des pauvres, perçu au profit d'établissements charitables sur les entrées à un spectacle.

Prov. Où il n'y a rien, le roi perd ses droits.

Par ext. Somme d'argent payée à une personne et correspondant à un droit (ci-dessus, 2.). ⇒ **Rétribution, salaire.** *Droit de présence, droit de signature.* — *Droits d'auteur** : profits pécuniaires de l'auteur. *Ellipt. Ce romancier ne peut vivre de ses droits.*

31 Quant à ses romans mondains, qu'il produisait d'une veine avare, ils ne lui rapportaient que des droits insignifiants.
                                J. ROMAINS, les Hommes de bonne volonté, t. III, XIII, p. 177.
Droit de greffe : émoluments perçus par un greffier.

★ **II. LE DROIT** (*droits* [I.] *subjectifs*).

♦ **1.** Ce qui constitue le fondement des droits de l'homme vivant en société (→ ci-dessus, I.), des règles régissant les rapports humains (→ ci-dessous, III.). ⇒ **Légalité, légitimité ; justice, morale...** *Le concept, l'idée de Droit. Discuter l'existence du droit. Opposer le droit au fait, au réel. Réduire le droit à la force. Rapports du Droit et de la Morale, du Droit et de la Force. « La force prime le droit » ; « force passe droit »* (prov.). *Le droit et la raison.*

32 Le droit n'est autre chose que la raison même, et la raison la plus certaine, puisque c'est la raison reconnue par le consentement des hommes.
                                BOSSUET, Hist. des variations..., Avertissement, V, 3.
33 Le Droit est le souverain du monde.
                                MIRABEAU, in MICHELET, Hist. de la Révolution franç., p. 59.
34 C'est la force et le droit qui règlent toutes choses dans le monde, la force en attendant le droit.
    Le droit et la force n'ont entre eux rien de commun par leur nature. En effet, il faut mettre le droit où la force n'est pas, la force étant par elle-même une puissance.
                                Joseph JOUBERT, Pensées, XV, II-III.
35 Il n'y a de *droit* que lorsqu'il y a une loi pour défendre de faire telle chose, sous peine de punition. Avant la loi, il n'y a de *naturel* que la force du lion, ou le besoin de l'être qui a faim, qui a froid, en un mot le *besoin* en un mot (...)
                                STENDHAL, le Rouge et le Noir, II, XLIV, p. 498.
36 (...) ils obligèrent la morale à enseigner que le fait accompli est sacré, que le succès est providentiel, et que par conséquent la force prime le droit.
                                FUSTEL DE COULANGES, Questions contemporaines, p. 70.
37 En demandant si le droit existe et ce qu'il est, on peut avoir deux questions en vue : La première est celle de savoir si l'homme vivant dans une société donnée est par là-même soumis à une règle de conduite (...) Cette règle de conduite *(est)* le droit objectif.
    (...) l'homme depuis des siècles, sans écarter (...) le problème du droit objectif, le met au second plan et veut résoudre avant tout le problème insoluble du droit subjectif (...) y a-t-il certaines volontés qui ont (...) une qualité propre qui leur donne le pouvoir de s'imposer comme telles à d'autres volontés ? Si ce pouvoir existe, il est un droit subjectif (...)   L. DUGUIT, Traité de droit constitutionnel, t. I, p. 14.
38 « Nous sortons de la Légalité pour rentrer dans le *Droit* », affirmait le troisième Bonaparte (...)   BERNANOS, les Grands Cimetières sous la lune, I, II, p. 67.
39 Si le droit n'est pas l'armurier des innocents, à quoi sert-il ?
                                GIRAUDOUX, La guerre de Troie n'aura pas lieu, p. 148.
40 Avons-nous donc été réellement les soldats du droit pour que la victoire fasse de nous les sbires de la bestialité ?
                                G. DUHAMEL, Récits des temps de guerre, IV, XX, p. 75.
Avoir le droit pour soi. Le droit est pour lui, de son côté.
Donner droit à quelqu'un, lui donner raison*. — *Faire droit à quelqu'un,* lui rendre justice*, au propre et au fig. *Faire droit à une demande.* ⇒ **Satisfaire.** *Dire le droit* : exposer le contenu du droit ; par ext., rendre justice. *Avant dire droit* : avant jugement définitif.

41 Est-ce là faire droit ? Est-ce là comme on juge ?   RACINE, les Plaideurs, I, 7.

♦ **2.** Loc. *Le bon droit, le mauvais droit* : ce qui est considéré comme conforme ou non conforme à l'idée de Droit. — *Proverbe :*
42 (...) bon droit a besoin d'aide (...)   MOLIÈRE, la Comtesse d'Escarbagnas, 5.
43 (...) La raison, mon bon droit, l'équité.   MOLIÈRE, le Misanthrope, I, 1.
Loc. adv. **À BON DROIT** : d'une façon juste* et légitime ; selon toute raison. → **Titre** (à juste titre).
44 (...) j'ai vu dans mon voyage
    Gens experts et savants, leur ai dit la langueur
    Dont Votre Majesté craint à bon droit la suite.   LA FONTAINE, Fables, VIII, 3.
Loc. adv. **DE DROIT** : d'une façon légitime, incontestable (→ Sans discussion*).
45 Ses grâces appartiennent de droit aux pauvres (...)
                                BOSSUET, Serm., Septuagésime..., in LITTRÉ.
46 La défense est de droit, la vengeance est infâme (...)
                                M.-J. CHÉNIER, Charles IX, IV, 1.
REM. Pour le sens juridique de certaines expressions *(de droit, de plein droit...).* → , ci-dessus, III.

♦ **3.** Pouvoir* de faire ce que l'on veut. *Le droit du plus fort. Le droit du conquérant, du vainqueur ; le droit de conquête, de l'épée, de la guerre.*
47 Ces montagnes de morts (...)
    Sont les titres affreux dont le droit de l'épée,
    Justifiant César, a condamné Pompée.   CORNEILLE, Pompée, I, 1.

Elle doit être à moi *(la première part),* dit-il, et la raison,   48
C'est que je m'appelle Lion (...)
La seconde par droit me doit échoir encor :
Ce privilège, vous le savez, c'est le droit du plus fort.   LA FONTAINE, Fables, I, 6.
Il usait du droit de la force avec autant d'assurance, avec aussi peu de remords,   49
que s'il avait connu le droit divin, le droit politique et le droit civil.
                                G.-T. RAYNAL, Hist. philosophique, XIV, 37.
Il y a bien un droit du plus sage, mais non pas un droit du plus fort.   50
                                Joseph JOUBERT, Pensées, XV, IV.

★ **III. LE DROIT** (*droit objectif ;* → ci-dessus, II., cit. 37). Ensemble des règles qui régissent les rapports des hommes entre eux. ⇒ **Juridique.**

♦ **1.** Ensemble des règles, considéré comme existant en dehors de toute formulation ; on dit aussi *droit naturel* (→ Concilier, cit. 6). *Pour l'école du droit de la nature et des gens et pour les encyclopédistes, le droit naturel, immuable et universel, découle de la nature humaine.* — *Hist.* (lat. *jus gentium). Droit des gens,* appliqué par Rome à l'égard des citoyens et des hommes libres en général ; (mod.) ensemble des règles de droit communes à tous les pays ; droit international public (→ ci-dessous, III., 2., b). *Le droit des minorités.*

Il existe un Droit *universel, immuable,* source de toutes les lois positives ; il n'est   51
que la raison naturelle en tant qu'elle gouverne tous les hommes.
    Art. 1er du livre préliminaire du Code civil rédigé par la Commission de l'an VIII,
                                in A. COLIN et H. CAPITANT, Traité de droit civil, t. I, p. 3.
(...) il est (...) vrai de dire, avec les auteurs du Code civil, qu'il *(le droit natu-*   52
rel) est *universel.* En revanche, il serait inexact de le présenter comme *immuable.*
Il est en effet, tout au contraire, essentiellement *variable* et *progressif.* Le Droit
naturel des peuples modernes diffère profondément de celui des peuples de l'antiquité.   A. COLIN et H. CAPITANT, Traité de droit civil, t. I, p. 4.
(...) l'expression « droit naturel » nous paraît (...) captieuse, et bonne à éviter. On   53
peut la remplacer (...) soit par le terme *loi* (biologique, psychologique, sociale),
soit par l'expression *droit moral* (... résultant de l'opinion morale et non de la
législation).   LALANDE, Voc. de la philosophie, art. *Droit.*

Droit divin : doctrine de la souveraineté, forgée au XVIIe siècle, et d'après laquelle le roi est directement investi par Dieu. *Monarchie de droit divin.* — *Par ext. : le Droit naturel,* considéré comme issu de Dieu, par oppos. au *Droit humain.*

Ses titres n'étant pas de droit humain, il prétend qu'ils sont de droit divin ; mais   54
nous sommes assurés qu'ils sont de droit diabolique (...)
                                VOLTAIRE, Lettre à M. Mille, 13 sept. 1771.

♦ **2.** *Droit positif :*
On appelle « droit positif » les règles juridiques en vigueur dans un État, quel que   55
soit d'ailleurs leur caractère particulier, constitutions, lois, décrets, ordonnances,
coutumes, jurisprudence. Ces règles sont « positives » en ce sens qu'elles forment
un *objet d'étude concret et certain ;* on les connaît ; elles ont un *texte,* une formule
arrêtée et précise (...)   M. PLANIOL, Traité élémentaire de droit civil, t. I, p. 2.
Droit français, anglais, allemand, soviétique... : le droit positif de la France, de l'Angleterre, etc.
Droit écrit ; droit coutumier : droit dérivant de la loi ; de la coutume. → Plaisir, cit. 2. *Droit coutumier berbère.*
Droit prétorien : droit issu de la jurisprudence* (en droit romain, droit créé par le préteur* dans son édit).
DROIT COMMUN : règles générales applicables à une catégorie de rapports de droit, lorsqu'il n'y a aucune dérogation particulière. *Délit* de droit commun,* par oppos. à *délit politique, militaire. Prisonnier de droit commun. Mettre (un bâtiment) sous le régime du droit commun.* ⇒ **Banaliser.**
Par métonymie. Un droit commun se dit, par ext., d'un prisonnier de droit commun, par oppos. au *(prisonnier) politique.* (Plur. invar : *des droit commun). Les droit commun et les politiques sont d'ordinaire séparés.*
Mais les menottes aux poignets de Claude Bourdet, ce compagnon de la Libération   55.1
mis nu comme un ver à son arrivée parmi les « droit commun » à la Santé, puis à
Fresnes, voilà qui diminue curieusement la distance entre le style de M. Bourgès-
Maunoury et celui de M. Tixier-Vignancour.
                                F. MAURIAC, Bloc-notes 1952-1957, p. 225.
Droit étroit, droit strict : règle de droit strictement limitée par ses termes mêmes et ne pouvant pas être étendue. *Règle de droit étroit. Ceci est de droit strict.*
Loc. **FAIRE DROIT.** *Faire droit à une demande* : accorder ce qui est demandé. — Spécialt (usage juridique). *Avant faire droit* : avant juger définitivement. *Jugement avant faire droit,* et, n. m., *un avant faire droit.*
Loc. adv. **DE DROIT,** se dit de ce qui est légal, prévu par les textes et qui ne peut donner lieu à une discussion. — **DE PLEIN DROIT :** sans qu'il soit nécessaire de manifester de volonté, d'accomplir de formalité.
La compensation s'opère de plein droit par la seule force de la loi, même à l'insu   56
des débiteurs (...)   Code civil, art. 1290.
QUI DE DROIT : personne ayant un droit sur..., ayant habilité à... *L'héritage échut à qui de droit. Adressez-vous à qui de droit,* à celui qui a le droit, le pouvoir de décider.
Voies de droit : recours à la justice pour attaquer un acte, un jugement, ou pour agir contre une personne. — *Contr. : voies de fait.*
En droit. ⇒ **Juridiquement.** *Responsable en droit. En droit et non en fait.*
Histoire du droit. Droit romain. Les trois périodes du droit

romain : ancien droit romain, droit de la période classique, droit du Bas-Empire. *Sources du droit romain.* ⇒ **Code, digeste.**

57 Le Droit romain, grâce à l'abondance de ses sources et à sa durée millénaire (...) fournit un champ d'observation incomparable pour l'historien du Droit. Il lui permet de voir, mieux qu'aucun autre Droit ancien, comment le Droit naît et se transforme sous l'action des facteurs économiques et politiques, religieux et moraux (...) L'utilité de l'étude du Droit romain pour les juristes tient à sa valeur technique et à son influence. A.-E. GIFFARD, Précis de droit romain, t. I, p. 1.

Ancien droit français. La France était divisée en pays de droit écrit (droit romain conservé dans le Sud. → Conception, cit. 6), *et en pays de droit coutumier* (coutumes d'esprit germanique, dans le Nord). *Éléments d'unité de l'ancien droit :* le droit canonique (→ ci-dessous, cit. 63 et 64), les ordonnances royales, la doctrine.
Droit intermédiaire : lois élaborées par les assemblées révolutionnaires de 1789 à 1800. — *Abrogation de l'ancien droit,* par la loi du 30 Ventôse an XII (21 mars 1804). ⇒ **Code** (→ *infra* cit. 2).
Classification du droit positif. Droit international et Droit national, droit interne. Droit privé et droit public.

58 On doit d'abord distinguer le *droit public* du *droit privé,* distinction capitale et très usuelle, mais dont la raison d'être n'est pas toujours nettement aperçue. Le droit public règle les actes des personnes qui agissent dans un intérêt général, *en vertu d'une délégation directe ou médiate du souverain;* le droit privé règle les actes que les particuliers accomplissent *en leur propre nom pour leurs intérêts individuels.* M. PLANIOL, Traité élémentaire de droit civil, t. I, p. 9.

a *Droit privé.*

DROIT CIVIL : la branche essentielle du droit privé, traitant des personnes (capacité, famille, mariage), des biens, des successions, des obligations... *Chez les Romains le droit civil* (jus civile) *ou droit du peuple romain s'opposait au droit des gens* (jus gentium), *commun à tous les peuples.* Auj. *Droit civil* désigne la branche essentielle du droit privé. — *Principales questions de droit civil :* sujets de droit (⇒ **Personne; domicile, état** [civil], **nom; famille; adoption, alliance, divorce, filiation, légitimation, mariage, parenté, séparation; capacité, aliéné, curatelle, émancipation, incapacité, interdit, mineur, puissance** [paternelle], **tutelle**); patrimoine (⇒ **Bien, immeuble, meuble, patrimoine;** → *supra* Droits réels); obligations (⇒ **Contrat, délit** [civil]..., **obligation**); preuve (⇒ **Présomption, preuve**); sûretés (⇒ **Cautionnement, hypothèque, nantissement, privilège, sûreté...**); régimes matrimoniaux (⇒ **Mariage; communauté, dot, dotal, séparation** [de biens]); successions (⇒ **Héritage, liquidation, partage, renonciation, saisine, succession, testament...**); libéralités (⇒ **Donation, fondation, legs, libéralité**).

59 Le *droit civil* contient la plupart des matières du droit privé et c'est lui qui représente le *droit commun* chez une nation (...) Pendant tout le moyen âge, l'expression « droit civil » a désigné le droit romain. Ce droit était représenté par les compilations de Justinien (...) Le *jus civile* (...) comprenait à la fois le droit public et le droit privé (...) mais (...) les États modernes se gouvernaient par d'autres règles; ils avaient d'autres institutions politiques. Par suite, les jurisconsultes n'allaient plus chercher dans les recueils de Justinien que les règles du droit privé. M. PLANIOL, Traité élémentaire de droit civil, t. I, p. 10-11.

DROIT COMMERCIAL : partie du droit privé concernant les actes de commerce et les commerçants. *Principales questions de droit commercial :* sociétés (⇒ **Société; action, commandite...**); contrats (⇒ **Commission, gage, vente, warrant**); effets de commerce et opérations de banque (⇒ **Banque, billet, change, chèque, crédit, dépôt, escompte, virement...**); valeurs mobilières et opérations de bourse (⇒ **Bourse, titre**); faillite et liquidation (⇒ **Banqueroute, faillite, liquidation; concordat, créancier, union...**). ⇒ aussi **Commerçant, commerce.** *La source principale du droit commercial français est le Code de Commerce de 1808.*

60 Le droit privé se divise en deux grandes branches, le droit civil et le droit commercial (...) Le Code de commerce renferme des dispositions spéciales aux actes de commerce et aux commerçants, qui dérogent au Code civil dans un esprit de faveur et de protection pour le commerce. En somme, le droit civil est la règle, le droit commercial l'exception.
R. LACOUR et L. JULLIOT DE LA MORANDIÈRE, Précis de droit commercial, p. 1.

DROIT MARITIME. *Droit privé maritime* (par oppos. au *droit international public maritime,* au *droit administratif maritime* et au *droit international privé maritime*). *Le droit maritime a pour objet les navires**; *les personnes* (⇒ **Armateur, capitaine, travailleur** [maritime]); *les contrats* (⇒ **Affrètement, passage**); les accidents (⇒ **Abordage, assistance, avarie, sauvetage**); *les assurances et le crédit maritime. Sources du droit maritime :* livre II du Code de Commerce et diverses lois.

61 L'expression « droit maritime » peut s'entendre dans un sens très large. Elle désigne l'ensemble des règles juridiques qui intéressent la navigation et le commerce maritime...
« Le *droit privé maritime* (...) s'applique aux rapports qui, par suite de cette même navigation, s'établissent entre les particuliers (propriétaires de navires, armateurs, gens de mer, chargeurs, assureurs, etc...).
R. LACOUR, Précis de droit maritime, p. 1.

Partie du droit réglant la manière de faire valoir et de défendre les droits devant la justice : procédure civile et commerciale réglant l'organisation judiciaire (⇒ **Procédure, juridiction, justice; arbitrage, cassation, conseil, cour, juge, prud'homme, tribunal...; magistrat, ministère** [public]; **agréé, avocat, avoué, greffier, huissier, officier ministériel**); la compétence (⇒ **Action, défense**); la procédure proprement dite (⇒ **Procédure; jugement; recours :** appel, pourvoi, requête, opposition); les voies d'exécution (⇒ **Saisie; contribution, ordre**). Cf. Code de Procédure civile.
Droit international privé, déterminant les conditions de la nationalité (⇒ **Nationalité; naturalisation; déchéance**), la situation des étrangers* (⇒ **Admission, assignation** [de résidence], **expulsion, immigration, refoulement**) et les conflits de loi (⇒ **Exequatur...**).

L'expression, introduite et vulgarisée en France par le *Traité de droit international privé* de Fœlix (1843), est aujourd'hui universellement employée *(...les)* trois matières *(du droit international privé)* ont un lien commun : les difficultés qu'elles renferment dérivent de la division du monde en États souverains, de structure et de culture différentes, division qu'il faut concilier avec les relations établies entre les peuples (...) 62
P. LEREBOURS-PIGEONNIÈRE, Précis de droit international privé, p. 1.

Droit canonique ou *droit canon,* réglant l'organisation de l'Église catholique. *Le droit canonique eut une importance universelle au moyen âge.* ⇒ 2. **Canon.** *La dernière codification du droit canon est le* Codex Juris Canonici *de 1917.*

Le *droit canonique,* ou *canon,* est, suivant les idées vulgaires, la jurisprudence ecclésiastique : c'est le recueil des canons, des règles des conciles, des décrets des papes, et des maximes des Pères. 63
VOLTAIRE, Dict. philosophique, Droit canonique.

Le droit canonique (...) est l'ensemble des règles par lesquelles se gouverne l'Église catholique (...) Le droit canonique existe encore, mais il est confiné dans l'ordre purement religieux *(Il)* eut son apogée au XIIIe siècle : peu à peu il fut refoulé par l'autorité royale dans le domaine restreint qui lui est resté. 64
M. PLANIOL, Traité élémentaire de droit civil, t. I, p. 18.

b *Droit public* (→ *supra* cit. 58).

Vx. *Droit politique. Du Contrat social ou Principes du droit politique,* œuvre de J.-J. Rousseau.

Le droit politique est encore à naître, et il est à présumer qu'il ne naîtra jamais. 65
Grotius, le maître de tous nos savants en cette partie, n'est qu'un enfant (...) Le seul moderne en état de créer cette grande et inutile science eût été l'illustre Montesquieu. Mais il n'eut garde de traiter des principes du droit politique; il se contenta de traiter du droit positif des gouvernements établis (...)
ROUSSEAU, Émile, V.

DROIT CONSTITUTIONNEL : la partie du droit public interne relative à l'organisation et au fonctionnement de l'État. ⇒ **Nation, peuple, pouvoir, souveraineté; constitution, régime** (absolutisme, démocratie, monarchie, république...); **élection, scrutin, suffrage, vote; assemblée, parlement, parti; gouvernement, cabinet, conseil, ministre, président; décret, loi...;** aussi **politique.** — *Droit public général,* réglant l'exercice des libertés individuelles. ⇒ **Liberté** (association, conscience, culte, presse, radio, réunion...).

Si l'on considère l'entité juridico-politique que forme l'État, on discerne (...) qu'elle obéit au droit tant par les règles qui lui donnent l'*être* que par les normes qu'elle suit pour *agir.* Ainsi se distinguent les deux grandes parties du droit public : 66
Celle dans laquelle on découvre et explique les règles ayant trait à la structure de l'État; c'est le *droit public constitutionnel,* ou tout simplement le *droit constitutionnel.*
Celle où l'on recherche et fixe les règles s'appliquant aux relations de l'État : c'est le *droit public relationnel* ou *droit public* tout court.
Marcel PRÉLOT, Précis de droit constitutionnel, p. 10.

DROIT ADMINISTRATIF : ensemble des règles relatives à l'organisation des services publics* et à leurs rapports avec les administrés. ⇒ **Administration; arrondissement, district, région, sous-préfecture; commune, maire, municipalité, syndicat** (communal); **département, préfet; conseil** (d'État); **expropriation, police, réquisition;** aussi **public** (domaine, service public, travaux publics, utilité publique). *Le droit administratif régit « les personnes morales de droit privé d'intérêt général ».* ⇒ **Association; congrégation, établissement** (d'utilité publique), **société, syndicat.**
Droit financier ou *législation financière :* ensemble des règles relatives aux finances* publiques. ⇒ **Budget.** *Le droit fiscal fait partie de la législation financière.* ⇒ **Impôt; assiette, liquidation, recouvrement; fisc; emprunt...**
Droit international public, droit des gens, réglant les problèmes de la communauté internationale : *Droit de la paix* (⇒ **Conseil, union...;** cf. Société des nations, Organisation des Nations Unies...); *relations de l'État avec les autres États* (⇒ **Diplomatie**); *droit préventif de la guerre* (⇒ **Charte, médiation, pacte, sécurité**) et *droit de la guerre* (⇒ **Guerre; neutralité :** *droit des neutres*). *Droit de la guerre et de la paix,* ouvrage de Grotius (1625).

Le droit international public (ou droit des gens, ou encore « droit international » tout court) se définit l'ensemble des règles juridiques qui régissent les relations entre les États et les autres entités internationales (l'Église, les belligérants reconnus, l'O. N. U., etc.). Louis DELBEZ, Manuel de droit international public, p. 11. 67

c *Droit pénal* ou *droit criminel* (⇒ **Criminel,** cit. 12), que l'on rattache parfois au droit privé (cf. Répertoire Dalloz, II, p. 224), et qui a trait à la détermination et à la sanction des infractions (⇒ **Infraction; contravention, crime, délit..., tentative; délinquant; complicité, cumul, participation, récidive; peine; amende, bannissement, confiscation, dégradation, déportation, détention, emprisonnement, interdiction, mort, relégation, transportation; amnistie, grâce, libération, réhabilitation, sursis**), à la procédure criminelle (⇒ **Instruction, jugement, recours**). *Le code pénal et le code d'instruction criminelle contiennent les règles du droit pénal. Droit pénal international.*

Le *droit pénal* fait certainement partie du droit public. L'État seul, représentant la nation, a le droit de punir; la poursuite et la condamnation se font en son nom. 68
M. PLANIOL, Traité élémentaire de droit civil, t. I, p. 10.

Droit civil ecclésiastique : ensemble des règles de droit public concernant les rapports de l'État et de l'Église. ⇒ **Concordat, séparation** (de l'Église et de l'État).

d *Branches du droit de formation récente, déterminées par leur objet et groupant des règles de droit public et privé.*
Droit médical, déterminant les obligations et les droits du médecin à l'égard des malades, des membres de la profession médicale et de la société en matière de médecine.
Droit aérien, réglementant les instruments de l'aviation marchande (immatriculation, certificat de navigabilité des aéronefs) ; le statut du personnel ; les règles d'utilisation de ces éléments (police de l'air, survol, escale technique, commerciale ; contrats de transports) ; les compagnies de transport aérien. *Spécialiste du droit aérien.* ⇒ **Aérianiste.** — *Droit spatial, droit de l'espace.*
Droit social, réglant les obligations de la collectivité pour assurer la protection économique des individus. *Droit* (ou *législation*) *du travail* (Code du travail, 1910). *Droit professionnel*, réglementant l'organisation des professions.

69　　La marche, le progrès du Droit ne s'arrêtent jamais. Depuis longtemps, des concepts nouveaux ont grandi, parmi lesquels une notion surtout tend à acquérir une influence chaque jour grandissante. C'est celle de la *solidarité* (...) Cette notion du *Droit social* (...) conduit à élargir, de plus en plus, la sphère d'intervention de l'État (...)
　　Le développement de la grande industrie et de la classe du prolétariat (...) a fait clairement apparaître les lacunes de la législation civile. Il a fallu combler ces lacunes (...) De là (...) toute une législation en voie de formation, la *législation ouvrière et sociale* dont on peut dire qu'elle correspond à une *catégorie nouvelle du Droit naturel.* A. COLIN et H. CAPITANT, Traité de droit civil, t. I, p. 5-6.

Droit des assurances, réglant les contrats d'assurances des sociétés privées et nationalisées, des assurances sociales (→ Assurance*, sécurité* sociale).
Anciennt. *Droit colonial, droit des pays d'outre-mer, droit d'outre-mer :* législation spéciale des territoires d'outre-mer (opposé à *droit métropolitain*).
Droit forestier : législation résultant du Code Forestier de 1827 et applicable à la propriété boisée en France. — *Droit des mines*.* — *Droit rural :* règles relatives à la propriété rurale, en partie codifiée (Code rural).
Droit des transports.*

★ **IV.** Connaissance, description, analyse du droit positif. ⇒ **Juridique** (science). *Science, étude du droit. Étudier le droit. Étudiant en droit. Faire son droit. Enseigner le droit ; professeur de droit. Faculté de droit. Cours de droit. Manuel, précis de droit civil*, etc. (→ *supra*). *Études de droit.* ⇒ **Capacité ; licence ; doctorat ; agrégation.** *Baccalauréat* en droit. Licencié, docteur en droit. Être savant en droit.* ⇒ **Juriste.** *L'économie politique est enseignée à la faculté de droit.*
Différentes disciplines de droit : droit privé, public ; civil, criminel (→ ci-dessus, III.). *Droit comparé :* étude comparée du droit de plusieurs pays, de plusieurs époques, etc.

70　　D'Alembert se trouva chez Voltaire avec un célèbre professeur de droit de Genève. Celui-ci, admirant l'universalité de Voltaire, dit à d'Alembert : « Il n'y a qu'en droit public que je le trouve un peu faible. — Et moi, dit d'Alembert, je ne le trouve un peu faible qu'en géométrie. »　CHAMFORT, Caractères et anecdotes, Universalité de Voltaire.

71　　En se livrant à l'étude du Droit, il se sentit d'abord poussé bien moins vers les lois civiles que vers les lois politiques (...)　SAINTE-BEUVE, Causeries du lundi, 8 avril 1850, t. II, p. 28.

CONTR. Devoir ; interdiction. — Don ; cadeau. — Fait, force.
COMP. Ayant-droit, passe-droit.

DROITE [dʀwat] n. f. — XVIᵉ ; de 2. *droit.*

★ **I.** (De 2. *droit*). **A.** ♦ **1.** Le côté droit, l'aile, la partie droite (par rapport à un repère, à un point de vue exprimé ou non). *Se diriger vers la droite, prendre sur la droite. Tournez à droite. La droite d'un navire.* ⇒ **Tribord.** — (1559, Amyot, cit. 1). *La droite d'une armée. Donner, céder la droite à quelqu'un*, pour lui faire honneur. (Avec un possessif). *C'est à votre droite, sur votre droite. Placer quelqu'un à sa droite. Tournez sur votre droite.* Fig. *Il ne sait pas distinguer sa gauche de sa droite :* il ne sait rien.

1　Or s'estoient les chevaliers romains tous jettez en la poincte gauche (...) en intention d'envelopper la droite de Caesar par derriere.　AMYOT, Trad. Plutarque, César, 58, in LITTRÉ.

2　Montrevel plaisait merveilleusement au roi, sans avoir jamais su distinguer sa droite d'avec sa gauche.　SAINT-SIMON, Mémoires, III, 390, in HATZFELD.

3　(...) il ramassait son pinceau et lui cédait la droite à la promenade, de même que François Iᵉʳ assistait Léonard de Vinci sur son lit de mort.　CHATEAUBRIAND, Mémoires d'outre-tombe, t. V, p. 20.

4　(...) quand vous avez l'habitude de coucher sur la droite, ce n'est pas à mon âge que vous changez (...)　J. ROMAINS, les Hommes de bonne volonté, t. II, VII, p. 75.

La droite de Dieu, du Père (place des justes). *Jésus-Christ est assis à la droite du Père* (→ Ascension, cit. 1). *Les élus seront placés à la droite de Dieu.*

4.1　Il séparera les uns d'avec les autres, comme le berger sépare les brebis d'avec les boucs ; et il mettra les brebis à sa droite, et les boucs à sa gauche.　BIBLE (SEGOND), Évangile selon saint Matthieu, XXV, 33.

♦ **2.** Le côté droit (d'un chemin, d'une route) sur lequel les véhicules doivent rouler dans la plupart des pays. *Prendre la droite, tenir, garder sa droite. Et votre droite !*, apostrophe à un conducteur qui ne reste pas à droite.

♦ **3.** Loc. adv. (Mil. XVIᵉ, Montaigne). À **DROITE** : du côté droit. *Prendre, tourner à droite. Regarder à droite. C'est à cent mètres à droite. Visez plus à droite. Automobiliste pressé qui double à droite. — Priorité* à droite.*
Milit. *À droite, droite ! Demi-tour à droite*, commandements militaires. — Mar. *À droite :* la barre à tribord.
À droite et à gauche : de tous côtés ; çà et là. *Demander des renseignements à droite et à gauche.* — On dit aussi *de droite et de gauche.*

5　De droite et de gauche, on ne voyait que des ailes qui viraient au mistral par-dessus les pins (...)　Alphonse DAUDET, Lettres de mon moulin, « le Secret de Mᵉ Cornille ».

6　Lucas tournait la tête à droite et à gauche ainsi qu'un dindon inquiet.　P. MAC ORLAN, la Bandera, VII, p. 79.

REM. La langue classique employait plutôt *à droit* « du côté droit, à droite ».

7　Voyez (...) comme nous étions grossiers autrefois que le *cœur était à gauche :* en vérité, ma fille, le mien, ou à droit ou à gauche, est tout plein de vous.　Mᵐᵉ DE SÉVIGNÉ, Lettres, 807, 9 mai 1680.

Math. *À droite :* dans un intervalle dont les valeurs sont supérieures à la valeur prise comme référence (du côté droit dans la représentation graphique sur un axe horizontal ; s'oppose à *à gauche*). *Limite à droite* (d'une fonction). *Suite bornée à droite* (syn. : *bornée supérieurement*). *Intervalle fermé à droite ; ouvert à droite.*

B. (1791). *La droite d'une assemblée politique :* les membres, les députés qui siègent à droite (du président) et qui appartiennent traditionnellement aux partis conservateurs. *La droite a voté pour le gouvernement ; l'extrême droite s'est abstenue. Majorité, opposition de droite.*
La droite d'un parti, d'un mouvement politique, sa fraction la moins avancée, la moins révolutionnaire ou la plus réactionnaire.
Ceux qui, dans un pays, approuvent ces députés ; fraction de l'opinion publique conservatrice ou réactionnaire. *La droite, le centre et la gauche. Appartenir à la droite, être de droite. Il est de droite. Un homme de droite. Un journal de droite.*

8　Même aux applaudissements des badauds et les bénédictions des droites réactionnaires (...)　A. MAUROIS, Études littéraires, J. Romains, t. II, p. 149.

9　Cette politique, la droite l'a servie, ce qui s'appelle aujourd'hui la droite : expression parlementaire non d'une doctrine, mais de l'argent.　F. MAURIAC, Bloc-notes 1952-1957, p. 210.

REM. Dans le contexte français contemporain, le mot est surtout employé par des adversaires, se disant *de gauche ;* les partis et le public dits *de droite* (par les autres) se réclamant en général d'autres dénominations.

C. ♦ **1.** (1637). Relig. La main droite (de Dieu).

10　Que votre main s'appesantisse à tous vos ennemis ; que votre droite se fasse sentir à ceux qui vous haïssent.　BIBLE (SACY), Psaumes, XX, 8.

11　Tous deux sont morts. — Seigneur, votre droite est terrible.　HUGO, les Chants du crépuscule, V, V.

♦ **2.** **a** La main droite (en termes de boxe, d'escrime...).
b Coup de la main droite, du poing droit. Syn. : *droit.* « *Une droite redoutable, une gauche foudroyante* » (Queneau).

★ **II.** (1783 ; de 1. *droit*, I., A., 2.). Ligne dont l'image est donnée par un fil parfaitement tendu. Géom. Notion de base de la géométrie élémentaire. *On admet que par deux points on peut faire passer une droite et n'en faire passer qu'une seule. Droites parallèles, perpendiculaires. Ligne brisée, formée de portions finies de droites. Demi-droite. Segment de droite. Droite de position*, sur laquelle est situé l'observateur à un moment donné.

12　Aucun de vos savants n'a tiré cette simple induction que la Courbe est la loi des mondes matériels, que la Droite est celle des mondes spirituels (...)　BALZAC, Séraphîta, Pl., t. X, p. 550.

13　Sa ligne paraît incertaine et lente : c'est la courbe vivante, faite de petites droites en nombre infini.　André SUARÈS, Trois hommes, « Dostoïevski », IV, p. 228.

CONTR. Gauche, senestre ; bâbord.
DÉR. (Du sens I, B) Droitisme, droitiste.
COMP. (Du sens I, B). **Eurodroite.**

DROITEMENT [dʀwatmɑ̃] adv. — 1050, « directement » ; de 1. *droit.*

♦ **1.** Vx. Directement, en ligne droite. « *Ce chemin va droitement à la ville* » (Furetière). ⇒ 1. **Droit** (adverbe).

♦ **2.** (De 1. *droit*, I., B.). Vx ou régional. D'une manière droite, franche, équitable, judicieuse. *Agir, juger, parler droitement.*

1　L'homme juge droitement, lorsque, sentant ses jugements variables (...) il leur donne pour règle des vérités éternelles (...)　BOSSUET, Traité de la connaissance de Dieu..., IV, 5.

2　Non, mon maître, répliqua tout droitement le champi.　G. SAND, François le Champi, XIII, p. 100.

CONTR. Faussement, hypocritement.

DROITERIE [dʀwatʀi] n. f. — 1922, Larousse universel ; de 2. *droit.*

♦ Didact. (physiol.). Prédominance fonctionnelle de la main droite

(⇒ **Droitier**; dextralité, **manualité**), et de l'œil droit (⇒ **Ocularité**). *Droiterie et latéralité.*

CONTR. Gaucherie.

DROITIER, IÈRE [dʀwatje, jɛʀ] adj. et n. — xvɪᵉ; de 2. *droit.*

♦ **1.** Qui se sert mieux de la main droite que de la main gauche. ⇒ **Dextralité, droiterie.** *La plupart des humains sont droitiers.* N. *Une droitière et une ambidextre.*

Heureusement que je ne suis ni gauchère ni droitière, et que je brode des deux mains.   ZOLA, le Rêve, p. 77, *in* T. L. F.

♦ **2.** (Av. 1918, *in* D. D. L.). Polit. Qui appartient à la droite politique d'un mouvement. *Les tendances droitières du parti. Les éléments droitiers de la fédération.* — N. *Droitiers et gauchistes se sont affrontés au dernier congrès du mouvement.* — ʀᴇᴍ. On trouve, depuis 1968, la forme *droitiste*, n. et adj., sur le modèle de *gauchiste.* → Droitisme.

CONTR. Gaucher. — Gauchiste.

DROITISME [dʀwatism] n. m. — 1910; de *droite*, I., B., d'après *gauchisme.*

♦ Polit. Attitude des partisans de la droite politique, ou des solutions de droite (notamment dans un parti de gauche).

CONTR. Gauchisme.

DROITISTE [dʀwatist] n. et adj. — 1966; de *droite*, I., B., d'après *gauchisme.*

♦ Polit. Qui est partisan de la droite, de solutions réactionnaires. *« Le caractère conservateur et "droitiste" de sa politique »* (Guillain).

CONTR. Gauchiste.

DROITURE [dʀwatyʀ] n. f. — xɪɪᵉ, au sens de «droit, justice», puis *adroiture* «directement»; de 1. *droit.*

♦ **1.** Vx. Direction en droite ligne. Loc. adv. *En droiture.* ⇒ **Directement**, 1. **droit** (II.) *À droiture, à la droiture :* tout droit.

1   Combien voulez-vous (...) pour me mener en droiture à Venise (...)
                                    VOLTAIRE, Candide, 19.

ʀᴇᴍ. *En droiture* se rencontre encore au xɪxᵉ et même au xxᵉ s. (Benda, *in* T. L. F.), notamment par métaphore : *«la droiture de notre ligne de conduite (...) nous regardons à marcher droit»* (Maurras, *in* Gide, Journal 1917, Pl., p. 611).
Rare et littér. Position droite, verticale.

♦ **2.** (1680). Mod. Qualité d'une personne droite et loyale, dont la conduite est conforme aux lois de la morale, du devoir. ⇒ **Équité, franchise, honnêteté, impartialité, justice, loyauté, probité, rectitude, sincérité.** *Droiture de caractère, de cœur. Agir toujours avec droiture. Il est d'une droiture absolue, irréprochable.*

2   (...) la droiture et la probité peuvent s'allier quelquefois avec la culture des lettres.   ROUSSEAU, les Confessions, VIII.

3   Comme il voyait l'honnêteté de ma nature, la pureté de mes mœurs et la droiture de mon esprit, l'idée ne lui vint pas un instant que des doutes s'élèveraient pour moi sur des matières où lui-même n'en avait aucun.
                                    RENAN, Souvenirs d'enfance..., IV, p. 172.

4   Il le tenait en mépris hautain, écœuré dans sa droiture de fonctionnaire consciencieux qu'honore la fidélité au devoir (...)
                                    COURTELINE, Messieurs les ronds-de-cuir, 1ᵉʳ tableau, II.

5   (...) ce qui vous choque, vous, ondoyant, c'est la droiture de notre ligne de conduite : il y a des terrains que nous avons besoin d'exproprier, par droiture, et des êtres que nous avons besoin d'écraser.   GIDE, Journal, 7 janv. 1917.

♦ **3.** (1662). Vieilli ou littér. Rigueur de l'esprit. *Droiture du jugement.* ⇒ **Rectitude, sens** (bon sens). *Il a une grande droiture de raisonnement, de jugement.*

6   Tout cela fut traité avec une justesse, une droiture, une vérité, que les plus grands critiques n'auraient pas eu le mot à dire.
                                    Mᵐᵉ DE SÉVIGNÉ, 909, 5 mars 1683.

CONTR. Artifice, astuce, déloyauté, duplicité, foi (mauvaise foi), fraude, improbité, injustice, malhonnêteté, rouerie, ruse.

DROLATIQUE [dʀɔlatik] adj. — 1565; repris par Balzac, 1832, *les Contes drolatiques* (pastiche du moyen français); de *drôle.*

♦ Littér. Qui a de la drôlerie*, qui est récréatif et pittoresque. ⇒ **Cocasse, curieux, drôle, plaisant.** *Un personnage, une figure drolatique*, dont la bizarrerie, l'originalité prêtent à rire. *Histoire, scène, situation drolatique.* ⇒ **Bouffon, burlesque.**

1   Sous ce chapeau, qui paraissait près de tomber, s'étendait une de ces figures falotes et drolatiques comme les Chinois seuls en savent inventer pour leurs magots.   BALZAC, le Cousin Pons, Pl., t. VI, p. 527.

2   (...) je ne serai jamais rédacteur dans un journal vertueux, à moins que je ne me convertisse, ce qui serait assez drolatique.
                                    Th. GAUTIER, Préface de Mˡˡᵉ de Maupin, éd. critique MATORÉ, p. 33.

3   Je trouve toujours assez drolatique de voir d'honorables bourgeois se mettre sur leurs fumerons et retirer leurs huit-reflets pour entendre exécuter un hymne révolu-

tionnaire, plein d'appels aux armes, plein de sang et de fureur, plein de meurtres sacrés.   G. DUHAMEL, Chronique des Pasquier, VI, ɪx, p. 460.
N. m. *Le drolatique de cette histoire, c'est que...*

CONTR. Banal, fastidieux, triste.
DÉR. Drolatiquement.

DROLATIQUEMENT [dʀɔlatikmɑ̃] adv. — Fin xvɪᵉ; repris en 1845; de *drolatique.*

♦ Littér. De manière drolatique.

DRÔLE [dʀol] n. m. et adj. — 1584, *drolle* «plaisant, coquin»; néerl. *drol* «petit bonhomme, lutin».

★ **I.** N. m. ♦ **1.** Vx. Homme singulier et roué à l'égard duquel on éprouve une bienveillance amusée, en même temps qu'une certaine défiance. ⇒ **Coquin.** *Ce drôle ne manque pas d'esprit! Voilà un drôle qui a plus d'une corde à son arc.* En appellatif : *Allez, drôles, un peu de respect.*

Le drôle a si bien fait par son humeur plaisante
Qu'il possède aujourd'hui cinq mille écus de rente (...)   1
                                    SCARRON, Don Japhet d'Arménie, I, 1.
Et le drôle *(le renard)* eut lapé le tout en un moment.   2
                                    LA FONTAINE, Fables, I, 18.
Une fois au service du Pape, le drôle continua le jeu qui lui avait si bien réussi.   3
                                    Alphonse DAUDET, Lettres de mon moulin, «La mule du pape».

♦ **2.** Péj. et vieilli. Homme méprisable. ⇒ **Maraud** (vx), et fém. **drôlesse.** *C'est un drôle, un mauvais drôle, un coquin. Ce drôle a déjà commis de nombreux méfaits.*

Les miracles accomplis sur les champs de bataille nous ont appris que les plus   4
mauvais drôles pouvaient s'y transformer en héros (...)
                                    BALZAC, les Paysans, Pl., t. VIII, p. 76.
Le vieux drôle faisait ostensiblement l'immonde commerce des reconnaissances du   5
mont-de-piété (...) Il n'était, certes, pas encombré de scrupules (...)
                                    Léon BLOY, le Désespéré, p. 126.

♦ **3.** (1739). Mod. et régional. Jeune garçon (dans le Midi de la France). *Un petit drôle.* — En appellatif. *Allez vous en, petits drôles!* — (Avec des possessifs). *Mon drôle :* mon fils. *Mes drôles :* mes enfants. ⇒ **Drôlesse** (2.), **gamin, garçon, gosse.**

Comme s'il était homme à se gêner pour un drôle! L'enfant l'avait distrait pendant quelque jours.   F. MAURIAC, Génitrix, XVI, p. 173.   6

★ **II.** Adj. (1636). ♦ **1.** (Après le nom, en épithète; personnes, choses). Qui prête à rire par son originalité, sa singularité. ⇒ **Amusant, comique, facétieux, plaisant, risible;** et, fam., **bidonnant, gondolant, marrant, poilant, rigolo, tordant.** *Une histoire drôle, un mot drôle.* ⇒ **Blague** (cit. 3), **boutade, plaisanterie, trait** (d'esprit). *Raconter des histoires drôles. Cette histoire est vraiment drôle* (→ Elle est bien bonne*). *Situation, scène drôle à voir.* ⇒ **Bouffon.** *Ce bon tour, cette farce était vraiment drôle. C'est trop drôle! Vous trouvez cela drôle? Cette farce n'est vraiment pas drôle.* — *La situation actuelle n'est pas drôle,* elle est triste, navrante, affligeante. — *Personne drôle en société,* qui sait faire rire. ⇒ **Amusant, gai.** — Qui fait rire. ⇒ **Comique, ridicule.** *Ce qu'il est drôle, avec ce petit chapeau.*

Vous êtes tout à fait drôle comme cela.   7
                                    MOLIÈRE, le Bourgeois gentilhomme, III, 2.
(...) cela sera drôle; car le mari ne se doutera point de la manigance (...)   8
                                    MOLIÈRE, George Dandin, I, 2.
(...) sa conversation était d'une gaieté continue, elle faisait rire perpétuellement   8.1
par des rapprochements comiques, une manière spirituelle de raconter la moindre chose, si bien qu'elle n'avait nul besoin de raconter des histoires drôles et qu'un mot drôle raconté par elle ne l'eût pas été plus, mais bien plutôt que dans toute circonstance de la vie, elle découvrait quelque chose de drôle, dans toute conversation qu'elle entendait, dans toute action.
                                    PROUST, Jean Santeuil, Pl., p. 522.
Mais dans la vie d'étudiant il y a aussi les études; et les études, avec les examens   9
au bout, ce n'est pas toujours très drôle.
                                    J. ROMAINS, les Hommes de bonne volonté, t. IV, XVIII, p. 199.
J'habite chez mon frère et ma belle-sœur, mais je ne vous invite pas à dîner chez   10
eux : ils ne sont pas drôles.   SARTRE, le Sursis, p. 208.

♦ **2.** (Choses). Qui est anormal, étonnant. ⇒ **Bizarre, curieux, étonnant, étrange, extraordinaire, singulier, surprenant.** *Nous trouvons drôle qu'il ait oublié de nous prévenir.*

[a] (Attribut). *Ça, c'est drôle!* — (Personnes). *Je l'ai trouvé drôle :* il doit avoir quelque souci caché. — Fam. *Vous êtes drôle! Qu'auriez-vous fait à ma place? Se sentir tout drôle :* ne pas se sentir comme d'habitude, physiquement ou moralement. ⇒ **Chose** (tout chose).

Elle a avoué le lendemain avoir éprouvé quelque chose de singulier pendant plu-   11
sieurs heures, avoir été *toute drôle, toute je ne sais comment.* Cependant elle n'avait pas pris de haschisch.   BAUDELAIRE, Du vin et du haschisch, IV.

[b] Dans la construction *drôle de...* (gardant sa valeur d'adjectif). *Drôle d'histoire! Drôle d'instrument. Une drôle d'odeur. Une drôle d'aventure* (⇒ **Extravagant, fantastique, rocambolesque...**). *Drôle de drame,* film de Prévert et Carné. *Quelle drôle d'idée! Quel drôle de métier on me fait faire!* ⇒ **Triste.** *Faire une drôle de tête, de gueule, de bobine* (fam.). *Avoir un drôle d'air. Un drôle*

de personnage. Un drôle d'individu, de corps, de bougre, de pisto-let, de paroissien. C'est un drôle de type, de numéro, de zèbre, de zigoto, de coco, une personne originale*, bizarre, qui étonne, ou dont il convient de se méfier (⇒ **Triste**).

12 J'ai une drôle d'idée dans ma tête (...)
VOLTAIRE, Lettre à d'Argenson, 26 janv. 1740.

13 Imaginez toutes les contractions, toutes les incompatibilités possibles, vous les ver-rez dans le gouvernement, dans les tribunaux, dans les églises, dans les spectacles de cette drôle de nation. VOLTAIRE, Candide, 22.

13.1 Florent s'était promené tout le matin avec Claude Lantier, un drôle de corps, qui était justement le neveu de madame Quenu.
ZOLA, le Ventre de Paris, t. I, p. 54.

14 Tu es une drôle de bête, lui dit-il enfin, mince comme un doigt (...)
SAINT-EXUPÉRY, le Petit Prince, XVII, p. 60.

15 Exercice de style? Oui, peut-être. Drôle d'exercice! drôle de style!
F. MAURIAC, le Nouveau Bloc-notes 1958-1960, p. 176.

Loc. *La drôle de guerre :* nom donné à la guerre de 1939-1945 dans sa première phase, à cause du calme qui régnait sur l'ensemble du front. ⇒ **Drôlet** (drôlette).

15.1 À la fin de 39, pendant ce qu'on a appelé « la drôle de guerre » parce qu'il ne se passait rien tandis que les Parisiens déambulaient en portant consciencieusement leur masque à gaz, toute l'activité cinématographique s'est arrêtée.
F. GIROUD, Si je mens, p. 73.

En voir de drôles : voir des choses curieuses ou désagréables. *En faire voir de drôles à qqn,* lui créer des soucis.

16 Je me doute, dit le Libanais, que, dans votre métier, vous devez en voir de drôles.
Jacques LAURENT, les Bêtises, p. 335.

♦ **3.** Fam. DRÔLE DE... (intensif). ⇒ **Beau, rude.** *Cet homme a une drôle de carrure, une drôle de poigne,* une large carrure, une forte poigne. *Il faut une drôle d'endurance, de patience pour supporter cela,* il en faut beaucoup.

CONTR. Ennuyeux, falot, insipide, triste. — Normal, ordinaire.
DÉR. Drolatique, drôlement, drôlerie, drôlesse, drôlet, drôlichon.
REM. On trouve isolément d'autres dérivés, tel *drôlasse* (une « gaucherie drô-lasse », Cingria).

DRÔLEMENT [droolmã] adv. — 1625; de *drôle,* adj.

♦ **1.** Rare. D'une manière amusante (→ Drôle, adj., II., 1.). ⇒ **Comiquement, plaisamment.**

1 (...) il *(Gautier)* a drôlement raconté comment son père, pour l'obliger à écrire, l'enfermait sous clef, à raison de tant de pages par jour.
Émile HENRIOT, les Romantiques, p. 208.

♦ **2.** (1845). D'une manière bizarre (→ Drôle, adj., II., 2.). ⇒ **Bizar-rement.** *Elle est drôlement accoutrée. Vous vous comportez drôle-ment pour un homme sensé.*

♦ **3.** (1945, *in* Esnault). Fam. De manière extraordinaire (→ Drôle, adj., II., 3.). ⇒ **Bien, diablement, extrêmement, rudement ;** fam. **vachement.** *Les prix ont drôlement augmenté. Il fait drôlement froid aujourd'hui. C'est drôlement difficile. Elle est drôlement bien.* ⇒ **Joliment, très.**

2 — Tu m'as l'air drôlement défaitiste. — Je ne suis pas défaitiste : je constate la défaite.
SARTRE, les Chemins de la liberté, III, II, p. 217 (→ Défaite, cit. 4).

CONTR. Tristement. — Normalement. — Peu, pas.

DRÔLERIE [droolri] n. f. — 1573; de *drôle.*

♦ **1.** Parole ou action drôle et pittoresque. ⇒ **Bouffonnerie.** *Dire des drôleries. Histoire pleine de drôleries.* ⇒ **Drolatique.**

1 (...) la petite Fadette ne manquait d'accoster les *bessons de la Bessonnière,* par toutes sortes de drôleries et de sornettes, du plus loin qu'elle les voyait venir de son côté. G. SAND, la Petite Fadette, VIII, p. 61.

♦ **2.** Caractère de ce qui est drôle et pittoresque. *La drôlerie d'une histoire* (→ Citation, cit. 6). *Une situation pleine de drôlerie. Drô-lerie d'une personne* (→ Assemblée, cit. 6). *C'est d'une drôlerie !*

1.1 Sans d'ailleurs chercher les causes de cette possibilité de trouver de la gaieté à toute heure près de soi, l'évidence de cette possibilité que nous enseigne toute per-sonne spirituelle, par la drôlerie qu'elle trouve en tout, nous montre que si nous croyons qu'il y a peu de choses drôles, c'est que nous ne savons pas les y voir (...)
PROUST, Jean Santeuil, Pl., p. 522.

2 Ses naïves confessions sont pleines de bonne humeur, de drôlerie, d'exubérance ; il les farcit de citations dans toutes les langues, de vers de son invention, de morales de mirliton (...) R. ROLLAND, Voyage musical au pays du passé, p. 108.

3 Il y avait, dans ce journal, du talent, de la drôlerie et du désespoir.
A. MAUROIS, Lélia, II, III, p. 101.

CONTR. Tristesse.

DRÔLESSE [droolεs] n. f. — XVIᵉ; de *drôle,* I., et suff. *-esse.*

♦ **1.** Vieilli et péj. Femme effrontée, dévergondée.

1 Le prêtre lui objecta que si tous les jeunes gens qui ont failli être dupes d'une drôlesse devaient prendre le froc, les couvents seraient trop petits.
A. BILLY, Sur les bords de la Veule, p. 99.

♦ **2.** Régional (Sud) et fam. Petite fille. ⇒ **Drôle, I., 3.** *Où es-tu passée, petite drôlesse?*

Vous connaissiez cette petite drôlesse de tantôt? demanda Helmina.
Louise MICHEL, la Misère, t. III, p. 536.
REM. On trouve aussi la var. régionale *drôlière* dans cette acception.

DRÔLET, ETTE [droolε, εt] adj. — 1739; de *drôle,* II., et suff. dimin. *-et.*

♦ **1.** Littér. Assez amusant (personnes, choses).

♦ **2.** N. f. Fam. et vieilli (s'est dit pendant l'Occupation, v. 1941-45). LA DRÔLETTE : la « drôle* de guerre ».

Il y a eu des fautes de commises. Total, on est dans le blaquaoute. Pendant la drô-lette, on n'a pourtant pas trop souffert, au contraire. Il y avait du monde, l'homme n'était pas rare, il voulait du linge.
M. AYMÉ, le Passe-muraille, p. 261.

DRÔLICHON, ONNE [droolifõ, on] adj. — 1860; de *drôle,* et suff. *-ichon.*

♦ Fam. Qui est assez drôle. *Une enfant drôlichon, drôlichonne.*

Une jolie petite jeune femme, ébouriffée, drôlichonne, à peine éveillée, sautait sur le quai (...) A. ALLAIS, l'Affaire Blaireau, p. 50.

DROMADAIRE [droomadεr] n. m. — Mil. XIᵉ; du bas lat. *drome-darius,* du grec *dromas* «coureur».

♦ **1.** Mammifère voisin du chameau, mais à une seule bosse. — REM. Sans être didactique, le mot est moins courant que *chameau,* qui (malgré son sens strict) s'emploie fréquemment pour désigner cet ani-mal. → Chameau (cit. 1, et 2.2) et aussi chamelier, chamelle (REM.), chamelon. *Dromadaire du Sahara dressé pour les courses rapides.* ⇒ **Méhari.**

1 (...) ces deux races diffèrent en ce que le chameau porte deux bosses, et que le dromadaire n'en a qu'une; il est aussi plus petit et moins fort que le chameau (...) le dromadaire, plus commun qu'aucune bête de somme en Arabie, se trouve de même en grande quantité dans toute la partie septentrionale de l'Afrique (...) en Égypte, en Perse, dans la Tartarie méridionale et dans les parties septentrionales de l'Inde. BUFFON, Hist. nat. des animaux, III, Le dromadaire, p. 233.

2 (...) on voit le désert grisâtre se dégrader sous le ventre roux des dromadaires.
E. FROMENTIN, Un été dans le Sahara, p. 51.

3 Avec ses quatre dromadaires
Don Pedro d'Alfaroubeira
Court le monde et l'admira.
Il fit ce que je voudrais faire
Si j'avais quatre dromadaires.
APOLLINAIRE, le Bestiaire, « Le dromadaire », Pl., p. 12.

♦ **2.** Fig. et fam. Personne laide, pénible. *Ce vieux dromadaire.* — REM. Cet emploi reste stylistique et n'a pas pris les valeurs du sens fig. de *chameau*.*

DROME [droom] n. f. — 1755, sens 4; bas all. *Drom,* ou néerl. *drom* «masse, multitude» et au fig. «assemblage de charpente».

♦ **1.** (1773). Mar. [a] Ensemble de diverses pièces de rechange (avi-rons, mâts, vergues...) disposées sur le pont d'un navire. *Vergues en drome.*

1 Ils se jetèrent sur des avirons, des mâts de rechange, des gaffes — tout ce qui se trouva dans la drome de long et de solide (...)
LOTI, Pêcheur d'Islande, III, XI, p. 180.

Au plur. *Les dromes* (même sens).

2 Le lendemain, 19 décembre, on brûla la mâture, les dromes, les esparres. On abat-tit les mâts, on les débita à coups de hache.
J. VERNE, le Tour du monde en 80 jours, p. 304.

[b] Assemblage flottant de plusieurs pièces de bois. *Une drome de barils.*

3 Quelques épaves flottaient à la surface de la mer. On voyait toute une drome, consistant en mâts et vergues de rechange, des cages à poules avec leurs volatiles encore vivants, des caisses et des barils (...)
J. VERNE, l'Île mystérieuse, t. II, p. 643.

[c] *La drome d'une embarcation :* rassemblement en bon ordre des avirons, mâts, gaffes d'une embarcation sur les bancs.

♦ **2.** Mar. Ensemble des embarcations appartenant à un navire.

♦ **3.** Pêche. ⇒ **Orin.**

♦ **4.** Techn. Pièce de charpente qui supporte le marteau d'une forge.

-DROME, -DROMIE Élément tiré du grec *dromos* «course». Ex. : *aérodrome, autodrome, cynodrome, hippodrome, vélodrome.* — REM. L'emploi autonome de *drome,* de même origine, reste excep-tionnel au sens de *dromos*.*

DROMIE [droomi] n. f. — XIXᵉ; du lat. zool. *dromia* (1802, Latreille), grec *dromias* «coureur» (→ -drome) désignant un crabe.

♦ Zool. Petit crabe des mers tropicales, à corps sphérique, velu, à pattes courtes et épaisses.

DROMOMANIE [dʀɔmɔmani; dʀomomani] n. f. — xxᵉ; de *dromos* «course», et *manie*.

♦ Méd. (pathol.). Besoin irrésistible de marcher ou de faire des voyages.

DROMON [dʀɔmɔ̃] n. m. — 1080; de *dromo, -onis*, bas lat. «navire de course», du grec *dromos* «course».

♦ Didact. (hist.). Navire de guerre mû par des rames, employé en Méditerranée, surtout par les Byzantins.

DROMOS [dʀɔmɔs] n. m. — 1811, Chateaubriand; mot grec «course», et par métonymie «avenue».

♦ Didact. (archéol.). Avenue, piste (d'abord destinée à la course). *Le dromos du trésor d'Atrée.* — REM. La variante francisée *drome*, n. m. (1880, Renan) est employée dans l'expression *logothète du drome* : fonctionnaire de l'empire byzantin chargé des postes et courriers impériaux.

DRONGAIRE [dʀɔ̃gɛʀ] n. m. ⇒ **Drungaire.**

DRONTE [dʀɔ̃t] n. m. — 1663; mot d'un parler de l'océan Indien, par le hollandais.

♦ Grand oiseau coureur de l'île Maurice, incapable de voler, exterminé par l'homme au XVIIIᵉ siècle. ⇒ **Dodo.**
Voici Bernardin Cevenot, qui a tenté de sauver le dronte, cette oie de la Réunion.
GIRAUDOUX, la Folle de Chaillot, 1944, II, p. 181, *in* T. L. F.

1. DROP [dʀɔp] n. m. — 1870; mot angl., de *to drop* «laisser tomber».
Anglicisme.

♦ **1.** Mar. Appareil de chargement des navires.

♦ **2.** (1906, *in* Petiot). Au golf, Action de ramasser (une balle) et de la laisser tomber par-dessus son épaule (si on la juge injouable).

2. DROP [dʀɔp] n. m. ⇒ **Drop-goal.**

1. DROPER [dʀɔpe] v. intr. — 1902; aphérèse d'*adroper*, argot des soldats d'Afrique (1869), de l'arabe *azreb* «dépêche-toi», d'où *adreb*.

♦ Pop. Filer, courir très vite.
Je me sens très, très fatiguée; il n'y avait pas de fourgon, les agents convoyeurs m'ont fait droper au pas de charge jusqu'à la gare.
A. SARRAZIN, la Cavale, p. 149.
HOM. 2. Droper.

2. DROPER ou **DROPPER** [dʀɔpe] v. tr. — 1918, au sens II (→ cit.); de l'angl. *to drop* «laisser tomber».
Anglicisme.

★ **I.** ♦ **1.** ⇒ **Larguer** (2.), **parachuter** (1.). *« Le capitaine refusa d'aller plus loin pour nous droper dans la baie de Tanger »* (A. Bombard, *Naufragé volontaire*, p. 114).

♦ **2.** (1934, *in* Petiot). Spécialt. Au golf, Laisser tomber (la balle déplacée derrière soi) par-dessus son épaule.

★ **II.** ♦ **1.** Fam. Abandonner, délaisser (qqn); négliger (une relation). Laisser choir, tomber.
Alors, me disait-elle, c'est fini? Vous ne viendrez plus jamais voir Gilberte? Je suis contente d'être exceptée et que vous ne me «dropiez» pas tout à fait (¹).
PROUST, À l'ombre des jeunes filles en fleurs, Pl., t. I, p. 640.
(¹) C'est Odette Swann, ancienne demi-mondaine férue d'anglicismes, qui parle.

♦ **2.** (1972). Fig. Abandonner (ses études, son métier) par rejet des valeurs sociales et culturelles, et vivre en marge des cadres existants de la société. — P. p. substantivé. (1973, *in* Höfler). *Un dropé, une dropée.* ⇒ **Drop-out; hippie, marginal.** *« "Les dropés", plus constructifs que les marginaux de base, montrent bien qu'il y a recherche d'un autre travail, et non pas simple lassitude de la dureté urbaine »* (le Nouvel Obs., 30 avr. 1973).
DÉR. Droppage.
HOM. 1. Droper.

DROP-GOAL [dʀɔpgol] n. m. — 1892, *in* Höfler; mot angl., de *to drop* «laisser tomber», et *goal* «but».

♦ Anglic. Au rugby, Coup de pied en demi-volée dit aussi *coup de pied tombé. Réussir un drop-goal.* Plur. *Des drop-goals.* Ellipt. *Tenter le drop* (1913, *in* Höfler).
(...) et j'appris très tôt avec eux à frapper le ballon, à le recevoir de volée, à le passer, à tenter des buts ou des *drops* devenant dans cet entraînement prépa-

ratoire d'une adresse accomplie, mais jamais je ne pus disputer un véritable match (...)
Raymond ABELLIO, Ma dernière mémoire, t. I, p. 114.

DROP-OUT [dʀɔpawt] n. m. invar. — 1967; mot angl. des États-Unis «qui abandonne (ses études, sa vie professionnelle)», de *to drop out* «laisser tomber».

♦ Anglic. *Un, une drop-out* : un(e) dropé(e). ⇒ 2. **Droper** (II., 2.). *Des drop-out. « (...) c'est un drop-out; il a abandonné le convoi qui l'aurait mené comme les autres médecins à soigner des grippes et à délivrer des congés de maladie »* (le Sauvage, juin-juil. 1973).

DROPPAGE [dʀɔpaʒ] n. m. — 1960; de 2. *droper* I., 1.

♦ Milit. Parachutage de personnel ou de matériel. *Zone de droppage* : terrain approprié pour le largage.

DROPPER [dʀɔpe] v. tr. ⇒ 2. **Droper.**

DROSCHKI [dʀɔʃki] n. m. ⇒ **Droski.**

DROSÉRA ou **DROSERA** [dʀɔzeʀa] n. m. — 1826; *drosère*, 1819; lat. sc. *drosera* (1735), du grec *droseros* «humide de rosée».

♦ Plante carnivore des tourbières, type de Droséracées, appelée aussi *rossolis. Le droséra possède des feuilles hérissées de poils irritables qui sécrètent un liquide visqueux et se referment au moindre contact; l'insecte qui se pose sur ces feuilles est emprisonné et englué* (certains botanistes ont attribué au liquide sécrété des propriétés digestives).
DÉR. Droséracées.

DROSÉRACÉES [dʀɔzeʀase] n. f. pl. — 1895; de *droséra*, et suff. -*acées*.

♦ Bot. Famille des plantes phanérogames angiospermes, classe des dicotylédones dialypétales. *Types principaux de droséracées :* aldrovandie, dionée, droséra, drosophyllum, parnassie, rorella.

DROSKI [dʀɔski] ou **DROSCHKI** [dʀɔʃki] n. m. — 1822, Stendhal, *droski; droschki*, 1845; russe *droški* «cabriolets», all. *droschke*.

♦ Anciennt. Voiture basse, cabriolet découvert autrefois en usage en Russie. — Var. (rare) : *drouski*.
(...) Serge Ivanovitch donna le signal qui ébranla une longue colonne de chariots, de calèches, de drouskis *(sic).*
William DE BAZELAIRE, l'Or de la Bérézina, p. 132.

DROSOPHILE [dʀɔzofil] n. f. — 1844; lat. sav., du grec *drosos* «rosée», et -*phile.*

♦ Sc. Insecte diptère (Brachycères) à corps souvent rouge (syn. : *mouche du vinaigre). La drosophile, qui se reproduit vite, a des chromosomes peu nombreux et facilement observables; elle est fréquemment utilisée dans les expériences de génétique.* Adj. *Mouche drosophile.*
La drosophile est très facile à élever; elle présente un grand nombre de races, ou mutations, dont chacune correspond à la variation d'une unité mendélienne; elle ne possède qu'un petit nombre de chromosomes *(quatre)* dans la cellule reproductrice.
Jean ROSTAND, Esquisse d'une histoire de la biologie, note, p. 214. [1]
Eh bien, malgré mon boléro à paillettes, j'ai passé une excellente soirée. Parlé drosophiles, gènes et mosaïque du tabac avec un garçon charmant. [2]
Benoîte et Flora GROULT, Journal à quatre mains, p. 152.

DROSOPHYLLUM [dʀɔzofilɔm] n. m. — D. i.; du grec *drosos* «rosée», et *phyllum.*

♦ Bot. Plante insectivore *(Droséracées)* qui englue les insectes par la matière visqueuse qu'elle sécrète. Var. anc. : *drosophylle* (ne pas confondre avec l'homonyme *drosophile*).

DROSS [dʀɔs] n. m. — 1882 (→ ci-dessous, cit. 1); de l'angl. *dross* «scories, mâchefer», sens attesté en français du Canada en 1919; le terme angl. normal est *green mud* «boue verte».

♦ Anglic. Particules charbonneuses provenant de la combustion de l'opium.
Les particules charbonneuses qui restent attachées aux parois du fourneau sont le résultat de la combustion complète du chandoo et constituent le *dross*. Ce dross, d'une odeur très désagréable, contient de l'opium pur, du goudron et des produits empyreumatiques. [1]
la Science illustrée, 1882, t. II, p. 260.

2 Il n'avait plus de drogue depuis un an et en était réduit à prendre du dross, qu'il délayait dans un peu d'eau.   Francis CARCO, *Ombres vivantes*, p. 273.
HOM. Drosse.

DROSSAGE [dʀɔsaʒ] n. m. — D. i. ; de *drosser*.

♦ Mar. Le fait de drosser (un navire).

DROSSART [dʀɔsaʀ] n. m. — 1545, attestation isolée, repris 1755 ; moy. néerl. *drossaert*, même sens.

♦ Hist. Bailli, officier de justice, aux Pays-Bas et dans certaines parties de l'Allemagne.

DROSSE [dʀɔs] n. f. — 1634, «cordage pour l'arrimage des canons» ; pour la manœuvre des voiles, 1680 ; sens mod., 1773 ; altér. de l'ital. *trozza*, du lat. *tradux* «sarment», par croisement avec *drisse*.

♦ Mar. Filin, câble, cordage ou chaîne servant à faire mouvoir la barre du gouvernail, à partir de la roue ou du servomoteur.
Ils disent qu'ils ont réparé leur drosse cassée, que le navire gouverne un peu, qu'ils vont essayer de rentrer seuls (...)   Roger VERCEL, *Remorques*, p. 140.
DÉR. Drosser.
HOM. Dross.

DROSSER [dʀɔse] v. tr. — 1634 ; de *drosse* ou du néerl. *drossen*, même sens.

♦ **1.** Mar. Entraîner vers la côte. ⇒ **Dériver.** *Courant qui drosse un navire. Drosser un navire à la côte, vers la côte.*
Par ext. (usage des marins). Entraîner.

1 À l'appel, ils se levaient pesamment de tous les coins de la nuit où ils avaient été drossés, les uns contre le treuil de remorque, les autres sous les colonnes des pompes.   Roger VERCEL, *Remorques*, p. 85.
Au p. p. *Navire drossé à la côte.*

♦ **2.** Par anal. (en parlant d'un avion) :

2 L'équipage était condamné à s'enfoncer, avant trente minutes, dans un cyclone qui le drosserait jusqu'au sol.   SAINT-EXUPÉRY, *Vol de nuit*, XVII, p. 140.
DÉR. Drossage.

DROUILLE [dʀuj] n. f. — 1810 ; *droye*, en dialecte liégeois, v. 1625 ; mot signifiant «colique», de *drouiller*, néerl. *drollen*.

♦ Régional (Nord de la France, Belgique). Femme de mauvaise vie ; prostituée pauvre. ⇒ **Pierreuse.**

DROUILLET [dʀujɛ] n. m. — 1769 ; orig. inconnue.

♦ Techn. (pêche) et régional. Filet dormant, tendu sur des perches.

DRU, UE [dʀy] adj. — 1080, *erbe drue* ; d'un gaulois **drûto* «fort, vigoureux».

♦ **1.** **a** Adj. Qui présente des pousses serrées et touffues. ⇒ **Épais, serré, touffu.** *Herbe haute et drue. Les blés sont drus cette année.*
Par anal. *Cheveux* (cit. 10) *drus et épais. Barbe drue.*

1 Le prince étalait contre le poêle sa beauté de jeune dieu, que fortifiait une barbe drue et noire.   FRANCE, *le Lys rouge*, IX, p. 91.
Par ext. Se dit d'éléments nombreux et serrés. *Des gouttes de pluie drues et serrées. Des coups drus.* — (Collectif). Qui présente de tels éléments. *Pluie, neige, grêle drue et serrée. La pluie tombe, drue et glaciale* (→ Cinq, cit. 10 ; 1. criquet, cit. 1).

2 Il pleuvait par torrents le lendemain ; une de ces pluies d'abat, sans trêve, sans merci, aveuglante, inondant tout ; une pluie drue à ne pas se voir d'un bout du navire à l'autre.   LOTI, Mme *Chrysanthème*, III, p. 13.

b Adv. *Le blé pousse dru. Semer dru. La pluie, la neige tombe dru. « Les balles pleuvaient dru comme mouches »* (Littré). *Cogner dru, taper dru.*

3 Toute la rive droite était gazonnée (...) le jonc et la prêle avaient poussé si dru dans le sable, qu'on ne pouvait voir un coin grand comme le pied pour y chercher une empreinte.   G. SAND, *la Petite Fadette*, VIII, p. 55.

♦ **2.** Littér. Qui a poussé avec vigueur ; qui est d'une « belle venue ». *Une gorge ferme et drue.*
Qui s'élance, se développe avec force. *Une flamme drue, un jet puissant et dru.* ⇒ **Fort.** — REM. De nombreux emplois stylistiques évoquent à la fois la force d'une «pousse» et la consistance serrée (*une ombre drue*, etc.).
Adv. *Le soleil tape dru, le vent souffle dru.*

♦ **3.** (Abstrait). Littér. Vigoureux, fort (en parlant des productions de l'esprit, du langage). *Un langage dru, vigoureux, hardi. Une verve drue, un style dru.*

4 Je ne puis rien produire, non par stérilité, mais par surabondance ; mes idées poussent, si drues et si serrées qu'elles s'étouffent et ne peuvent mûrir.   Th. GAUTIER, Mlle *de Maupin*, VI, p. 117.

5 Le dialogue n'est pas tant vif que dru, aigu, tranchant ; il est riche en mots pleins

de sens, aux échos qui durent ; d'ailleurs il les répète ; il ne craint pas d'être monotone et morose.   André SUARÈS, *Trois hommes*, «Ibsen», IV, p. 117.
Un accent dru, qui évoque le terroir.

♦ **4.** Vieilli ou littér. (Personnes). Comparable à un végétal dru, pour la vigueur de la constitution, l'ardeur du tempérament. ⇒ **Gaillard, vigoureux.**

6 On se nourrit des anciens et des habiles modernes (...) et quand enfin l'on est auteur (...) on les maltraite, semblable à ces enfants drus et forts d'un bon lait qu'ils ont sucé (...)   LA BRUYÈRE, *les Caractères*, I, 15.

7 Catherine de Navarre, dit-on, fut fille amoureuse et drue, qui eut un mari débile.   P.-L. COURIER, *Lettres*, I, 339, in LITTRÉ.

♦ **5.** (XVIe-XVIIe). Vx. Gai, vif. *« Vous êtes bien dru aujourd'hui »* (Académie, 1835).
CONTR. Clairsemé, rare.
DÉR. Drument ou druement.

DRUGSTORE ou **DRUG-STORE** [dʀœgstɔʀ] n. m. — 1928, *drugstore ; drug-store*, 1925 ; mot angl. (attesté depuis 1810), de *drug* «drogue», et *store* «magasin».

♦ **1.** Aux États-Unis, Magasin où l'on vend divers produits (pharmacie, hygiène, alimentation, cigarettes...). — REM. Au Canada francophone, on dit *pharmacie*.

1 Je m'assis auprès de Norman au bar d'un drug-store, où un médiocre café nous réchauffa.   Philippe HÉRIAT, *les Enfants gâtés*, p. 52 (1939).

♦ **2.** En France. (Anglic. ; nom déposé). Ensemble formé d'un bar, d'un café-restaurant, de magasins divers, parfois d'une salle de spectacle. *Des drugstores.*

2 (...) elle et Philippe, justement, ils ont été voir ensemble le dernier Fellini au nouveau Drugstore de Saint-Germain-des-Prés (...)   ARAGON, *Blanche...*, I, V, p. 86.

3 À la librairie du drugstore, il réussit tout de même à parler avec une fille qui n'était même pas très jolie et qui plaisait à peine.   Jean-Louis CURTIS, *le Roseau pensant*, p. 192.
Abrév. fam. : *drug* [dʀœg] (1966, *in* D.D.L.). *« Un bistrot de passage, un* pub, *un* drug... » (*l'Express*, 30 oct. 1972, p. 101).

DRUIDE [dʀɥid] n. m. — 1213 ; lat. *druida*, d'orig. gauloise ; cf. l'irlandais *drui* «sorcier», parfois rattaché au grec *drus* «chêne», ou du celtique **druvids* «très savant», de *dru-* préfixe intensif, et **suvids* «sage».

♦ Prêtre gaulois ou celte. ⇒ **Eubage, saronide.** *Le culte* (⇒ **Druidisme**), *le gouvernement des druides. Grand druide. Collège des druides. Réunion des druides dans les forêts. Chaque année les druides cueillaient le gui sacré sur les chênes, avec une faucille d'or. Sacrifices humains célébrés par les druides.*

(...) les druides savaient, au besoin, suppléer à leur ignorance par la hardiesse des hypothèses. Ils ne témoignaient aucun mépris pour les choses étrangères, ils avaient emprunté à la Grèce son alphabet, et peut-être avaient-ils modifié leurs doctrines primitives sous la rumeur lointaine de la philosophie grecque. Enfin, leurs procédés scolaires ôtaient à leur science ce qu'elle pouvait avoir de rebutant, ce que n'eût point aisément supporté l'esprit vagabond de la jeunesse celtique.   Camille JULLIAN, *Vercingétorix*, p. 96.
DÉR. Druidesse, druidique, druidisme.

DRUIDESSE [dʀɥidɛs] n. f. — 1727, Dom Martin ; de *druide*.

♦ Didact. Prêtresse, chez les anciens Gaulois (→ Chêne, cit. 5). *Velléda, célèbre druidesse de Germanie.*
Il était facile d'imaginer (...) la druidesse observant le ruisseau rouge, pendant qu'autour d'elle la foule hurlait, au tapage des cymbales et des buccins faits d'une corne d'auroch.   FLAUBERT, *Bouvard et Pécuchet*, t. I, 1880, p. 113, *in* T.L.F.

DRUIDIQUE [dʀɥidik] adj. — 1773 ; de *druide*.

♦ Qui est relatif aux druides. *Religion, cérémonies* (→ Récitatif, cit. 1), *croyances, enseignement druidique. Autel, monument druidique* (→ Pierre, cit. 23). *Chênes, forêts druidiques.*
Malheureusement, les grandes carrières sont fermées aujourd'hui. Il y en avait une du côté du Château-Rouge, qui semblait un temple druidique, avec ses hauts piliers soutenant des voûtes carrées.   NERVAL, *les Nuits d'octobre*, III, Pl., t. I, p. 102.

DRUIDISME [dʀɥidism] n. m. — 1727 ; de *druide*.

♦ Didact. Religion, culte des druides.

DRUMENT ou **DRUEMENT** [dʀymɑ̃] adv. — Av. 1200, «avec opulence, richement» ; de *dru*.

♦ Littér. et vieilli. D'une manière drue, serrée (végétaux, etc.), vigoureuse. — Fig. *Boire druement.*

DRUMLIN [dʀœmlin] n. m. — 1929, *in* Höfler; attestation isolée (au plur.) 1906; mot irlandais, du gaélique *druim* «bord d'une colline», par l'anglais.

♦ Géogr. Éminence elliptique constituée par les éléments d'une moraine, dans les pays de relief glaciaire.

Les moraines de fond peuvent atteindre couramment 30 m d'épaisseur moyenne (Inlandsis quaternaire dans l'Ohio) et jusqu'à plus de 100 m parfois; près des fronts elles forment quelquefois des groupes de buttes ou *drumlins*, allongées parallèlement à l'écoulement de la glace et pouvant dépasser 1 km de long.
Usevelod ROMANOVSKY et André CAILLEUX, la Glace et les Glaciers, p. 95.

DRUMMER [dʀœmœʀ] n. — 1928, *in* Höfler; mot angl., de *to drum* «jouer du tambour». → Drums.

♦ Anglic. Jazz. Batteur, percussionniste.

[1] Le drummer saupoudra sa caisse et il se fit du silence.
R. QUENEAU, Loin de Rueil, p. 194.

[2] Le gros pianiste salua de loin les deux frères et se mit à pianoter doucement. Un *drummer* noir l'accompagnait discrètement. Tout cela très sans façon.
Elsa TRIOLET, Bonsoir, Thérèse, p. 32.

DRUMS [dʀœms] n. m. pl. — 1935, *in* Höfler; mot angl., de *to drum* «jouer de la batterie». → Drummer.

♦ Anglic. Batterie, dans les orchestres de jazz, de rock. ⟹ **Batterie.**

DRUNGAIRE [dʀœ̃gɛʀ] n. m. — 1721; *drongaire*, 1838; lat. tardif *drungarius*, de *drunga* «corps de troupe».

♦ Didact. (Hist.). [a] Chef d'un corps de troupe (*drunga* ou *dronge*), subdivision d'une légion dans l'armée byzantine.

[b] Amiral de la flotte byzantine.

L'empereur grec pâlit dans Byzance aux abois;
Son armée est sans duc, sa flotte sans drungaire (...)
HUGO, la Légende des siècles, p. 145.

REM. On écrit aussi *drongaire*.

DRUPACÉ, ÉE [dʀypase] adj. — 1889, *Année sc. et industr.* 1890, p. 187; de *drupe*, et suff. *-acé.*

♦ Bot. De la nature d'une drupe. *Fruit drupacé.*

DRUPE [dʀyp] n. f. — 1796; bas lat. *drupa* «olive mûre».

♦ Bot. Fruit indéhiscent, charnu, à noyau (abricot, amande, cerise, noix, noix de coco, olive, pêche, prune...). — REM. Les botanistes considèrent parfois les pommes et les poires comme des *drupes* en raison de leur noyau parcheminé (→ aussi Induvie).

DÉR. Drupacé, drupéole.

DRUPÉOLE [dʀypeɔl] n. f. — 1842; *drupole*, 1827; de *drupe*.

♦ Bot. Petite drupe, souvent dans une agglomération formant le fruit.

DRUSE [dʀyz] n. f. — 1755, var. *drusen*; all. *Druse*, même sens.

★ I. Géol. Géode.

★ II. Au plur. Physiol. Dépôt de substance hyoline, au contact de l'épithélium pigmenté de la rétine.
HOM. Druze.

DRUZE [dʀyz] adj. et n. — D. i.; plur. arabe *Duruz*, au sing. *Durzi.*

♦ Qui appartient à une population musulmane arabophone de Syrie, du Liban et de Palestine, dont la religion est dérivée de l'ismaïlisme. *La culture druze, les populations druzes du Liban.* — N. *Un Druze, une Druze.*

HOM. Druse.

DRY [dʀaj] adj. et n. m. invar. — 1877; angl. *dry* «sec».
Anglicisme.

♦ **1.** Adj. Sec, en parlant du champagne non sucré. *Un champagne dry,* sec. — Sec, en parlant des vermouths blancs. *Martini dry.* ⟹ aussi **Extra-dry.**

[1] Trente marques de champagne y énonçaient en six pages leurs cuvées réservées: dry, brut, nature, extra, superior, extra-dry (...)
Pierre HAMP, Marée fraîche, p. 173 (1908).

♦ **2.** N. m. invar. (1951). Cocktail composé de vermouth blanc, sec, et de gin, que les anglo-américains appellent *martini.*

(Le) Royalty où j'ai délibérément établi mes quartiers d'été, du jour où j'ai su distinguer un «dry» d'un «gin-fizz». [2] A. BLONDIN, Monsieur Jadis, p. 111.

COMP. Extra-dry.
HOM. 1. Draille, 2. draille.

DRYADE [dʀijad] n. f. — 1269; lat. *dryas, -adis,* du grec *druas, -ados,* de *drus* «chêne».

★ I. Myth. Nymphe* protectrice des forêts (⟹ aussi **Hamadryade**).

Tous les hommes, disait celui-ci, ont eu l'âge de Chérubin: c'est l'époque où, faute de dryades, on embrasse, sans dégoût le tronc des chênes.
BAUDELAIRE, le Spleen de Paris, XLII.

★ II. (1786). Bot. Plante dicotylédone *(Rosacées)* vivace, qui croît dans les montagnes (n. sc.: *dryas*). ⟹ aussi **Chênette.**

DRY FARMING [dʀajfaʀmiŋ] n. m. — 1911; mots angl. «culture à sec», de *dry* «sec», et *farming,* de *to farm* «cultiver».

♦ Anglic. Agric. Méthode de culture des régions sèches, qui consiste à emmagasiner dans le sol l'eau tombée pendant deux années consécutives, la pluie d'une seule année étant insuffisante pour obtenir une bonne récolte. *Fermier, cultivateur pratiquant le dry farming:* dry farmer, n. m. (1912, *in* Höfler).

DRYOPITHÈQUE [dʀijopitɛk] n. m. — 1890, Larousse; du grec *drus, druos* «chêne», et *-pithèque.*

♦ Didact. Primate fossile du miocène.

DU [dy] art. — IXᵉ, *del;* contraction de la prép. *de,* et de l'art. déf. *le.*

♦ **1.** Article contracté, en usage devant consonne et h aspiré. *Venir du Portugal. — La fin du héros.* ⟹ 1. De et le.

♦ **2.** (Déb. XIIIᵉ, *del*). Article partitif. *Manger du pain et de l'ail.* ⟹ 2. De.

HOM. Dû; formes de devoir.

DÛ, DUE [dy] adj. et n. m. — XIVᵉ; p. p. de *devoir.*

♦ **1.** Adj. Que l'on doit. *Somme due.* — Loc. prov. *Chose promise, chose due. — En port dû.*

Qui est redevable à; causé par. «*Des propriétés dues à ce qu'on appelle "les radiations"*» (J. Romains).

Dr. *Acte en due forme, en bonne et due forme,* conformément à la loi et revêtu de toutes les formalités nécessaires.

♦ **2.** N. m. (1668). Dû: ce qui est dû. *Payer son dû.* ⟹ **Dette.** *Réclamer son dû. Je ne vous demande que mon dû. À chacun son dû, selon son dû* (cf. Il faut rendre à César ce qui est à César).

Ah! faute irréparable! moi, domestique renvoyé, lui demander mon dû! [1]
P.-L. COURIER, I, 145, *in* LITTRÉ.

Sur quoi, leur dû acquitté, les clients gagnaient la sortie. [2]
COURTELINE, Boubouroche, Petit historique, p. 18.

CONTR. Indu (2.).
HOM. Du (art.).

DUAL, ALE, ALS, ALES [dɥal; dyal] adj. — 1948; du bas lat. *dualis* «de deux». (→ 2. Duel, 3. duel), du lat. class. *duo* «deux».

♦ **1.** Log., math. Se dit de propriétés qui sont par deux et qui présentent un caractère de réciprocité. *Équation, expression duale,* qui se déduit d'une équation ou d'une expression écrite avec les symboles ∪ (union) et ∩ (intersection) en inversant les symboles ∪ et ∩. *Relations duales. Espace dual. Formes duales.*

N. m. *Dual d'un K-espace vectoriel E:* ensemble des formes linéaires définies de E dans K. — Géom. *Dual d'un polyèdre:* polyèdre image du premier dans une transformation par polaires réciproques par rapport à une sphère.

♦ **2.** Didact. Double (avec un caractère de réciprocité). ⟹ 3. **Duel, II.**

Alors, la leçon double du bachelardisme trouverait sa vérité duale et le miracle hellénique une nouvelle unité.
Michel SERRES, Hermès I, la Communication, p. 35.

Écon. *Société duale,* caractérisée par le dualisme.

DUALISME [dɥalism; dyalism] n. m. — 1697, Bayle, *Dict.; dualismus,* lat. mod., dér. sav. du lat. *dualis* «qui est composé de deux», de *duo* «deux».
Philosophie.

♦ **1.** Doctrine qui admet dans l'univers deux principes premiers irréductibles. *Antagonisme, conflit des principes du Bien et du Mal dans les dualismes zoroastrien, manichéen... Dualisme de l'Idée et de la Matière chez Platon.*

(Le) conflit entre le dieu du soleil (...) et le dragon qu'on supposait le gardien de la pluie, devint en Perse la lutte spirituelle entre le bien moral et le mal moral : de façon qu'un texte, suggéré par un spectacle très commun du monde extérieur, se trouva être le fondement d'une philosophie connue sous le nom de Dualisme (en d'autres mots, le conflit entre deux dieux, l'un bon, l'autre mauvais)... Ce combat du bien et du mal (...) on en parle aussi comme du grand conflit entre Ormuzd et Ahriman.

MALLARMÉ, les Dieux antiques, Mythes perses, Pl., p. 1174.

♦ **2.** Système qui, dans un ordre d'idées quelconque, admet la coexistence* de deux principes essentiellement irréductibles. *Dualisme de la nature et de la grâce. Dualisme de la volonté et de l'entendement. Dualisme de la matière et de l'esprit.*

♦ **3.** Coexistence de deux éléments différents. ⇒ **Dualité.** *Dualisme de l'Autriche-Hongrie* (1867-1919). *Dualisme de races, de religions. Dualisme des partis.*

♦ **4.** Ethnol. Organisation sociale dualiste* par division d'une ethnie en deux clans.

Écon. Juxtaposition de deux secteurs économiques à caractéristiques différentes.

CONTR. **Monisme, pluralisme.**

DUALISTE [dɥalist; dyalist] adj. — 1702; *dualistique*, 1842; du lat. *dualis.* → Dualisme.
Didactique.

♦ **1.** Qui se rapporte au dualisme. *Système, théorie dualiste. Philosophie, religion dualiste.* — N. (1864). *Un, une dualiste :* partisan du dualisme.

À l'époque des Achéménides, la religion perse, qui n'était déjà plus celle de Zoroastre dans sa pureté (le réformateur a sans doute été monothéiste), était essentiellement dualiste.   DANIEL-ROPS, le Peuple de la Bible, I, p. 285.

♦ **2.** Ethnol. *Organisation dualiste :* système qui répartit tous les membres d'une communauté sociale en deux moitiés (notamment deux clans) entretenant l'une avec l'autre des relations de solidarité et d'hostilité. → Dualisme, 4.

DÉR. **Dualistique.**

DUALISTIQUE [dɥalistik; dyalistik] adj. — 1838; de *dualiste.*
Didactique.

♦ **1.** Philos. Du dualisme. *« Fondement dualistique de la grâce »* (G. Marcel, *in* T. L. F.).

♦ **2.** Hist. des sc. Se dit de la théorie chimique de Lavoisier, pour laquelle tout composé était binaire.

DUALITÉ [dɥalite; dyalite] n. f. — 1377; puis 1585; rare jusqu'au XIXe; repris en 1835; du lat. *dualis*, de *duo* «deux». → Dualisme.

♦ **1.** Caractère ou état de ce qui est double en soi; coexistence* de deux éléments de nature différente. *La dualité de l'être humain :* l'âme et le corps. *Une dualité d'éléments. « La dualité des langues en Belgique »* (Académie).

[1]   Alors s'établit en moi une lutte ou plutôt une dualité qui a été le secret de toutes mes opinions.   RENAN, Souvenirs d'enfance..., II, VII, p. 100.

La dualité de... et de... : le caractère séparé, nettement opposable (de deux éléments exprimés).

[2]   Ce que Danton demande à la Convention, c'est d'abolir la dualité du pouvoir délibérant et du pouvoir exécutif : c'est de prendre elle-même le pouvoir et d'exercer le ministère.   JAURÈS, Hist. socialiste..., t. VII, p. 151.

♦ **2.** Ling. Catégorie du nombre correspondant à deux éléments. ⇒ 2. **Duel** (opposé à *pluralité :* plus de deux).

♦ **3.** Math. Correspondance réciproque entre deux catégories d'objets. *Relation de dualité.*

CONTR. **Unité.**

DUBITABLE [dybitabl] adj. — Fin XIXe; lat. *dubitabilis* «douteux; qui doute», du supin de *dubitare* (→ Douter), d'après *indubitable.*

REM. Richard de Radonvilliers proposait en 1845 *dubitabiliser* «rendre, devenir douteux» et son participe passé.

♦ Littér. et rare. Dont on peut douter. ⇒ **Douteux.**

(...) une dubitable rêverie de quelque naïf moine gaulois (...)
          Léon BLOY, le Désespéré, p. 96.

CONTR. **Indubitable.**

DUBITATIF, IVE [dybitatif, iv] adj. — XIIIe; bas lat. *dubitativus*, du supin de *dubitare.* ⇒ **Douter.**
Qui exprime le doute.

♦ **1.** Didact. Qui exprime un doute, une question par le langage. *Réponse dubitative. Conjonction* dubitative* (vx). *Construction, proposition dubitative.*

♦ **2.** Plus cour. Qui exprime le doute, l'incertitude ou le scepticisme. *Avoir un air, un ton dubitatif.*

Albertine employait toujours le ton dubitatif pour les résolutions irrévocables.   [1]
          PROUST, À la recherche du temps perdu, t. XI, p. 111.

(...) comme je me contentais de sourire, d'un air absent ou dubitatif, il a fini par   [2]
me promettre de réunir l'assemblée le 30 février.
          Pierre MOUSTIERS, la Mort du pantin, p. 257.

CONTR. **Affirmatif, négatif.**
DÉR. **Dubitativement.**

DUBITATION [dybitɑsjɔ̃] n. f. — 1223; lat. *dubitatio*, du supin de *dubitare.* → Douter, dubitatif.

♦ Rhét. Figure par laquelle l'orateur feint d'hésiter sur la manière dont il doit interpréter ou juger quelque chose, afin de prévenir les objections.

DUBITATIVEMENT [dybitativmɑ̃] adv. — 1771; de *dubitatif.*

♦ Didact. ou littér. D'une manière dubitative. *Répondre dubitativement.*

CONTR. **Affirmativement, négativement.**

1. DUC [dyk] n. m. — 1080; du lat. *dux, ducis* «chef», à l'accusatif. → ital. Duce.

★ **I.** ♦ **1.** Hist. Souverain d'un duché, circonscription supérieure à un comté, relevant généralement d'un roi ou d'un empereur. *Le duc et la duchesse de Bourgogne.*

♦ **2.** Mod. Celui qui porte le titre de noblesse le plus élevé après celui de prince (en France et dans quelques pays étrangers). *Le duc d'Albe, de Guise, d'Enghien, de Richelieu, de Saint-Simon, de La Rochefoucauld... Un duc. Duc et pair.* ⇒ aussi **Archiduc, grand-duc.**

Monsieur disait à la princesse de baiser les personnes qu'elle devait, c'est-à-dire princes et princesses du sang, ducs et duchesses.
          SAINT-SIMON, Mémoires, 41, 234, *in* LITTRÉ.

★ **II.** (1877). Ancienn. Luxueuse voiture à cheval, à quatre roues, deux places, un siège de cocher et un siège arrière pour un domestique.

DÉR. **Ducal, duché, duchesse.**
COMP. **Archiduc, grand-duc.**
HOM. **2. Duc.**

2. DUC [dyk] n. m. — 1165, Chrétien de Troyes; probablt à cause des aigrettes, comparées à une couronne ducale.

♦ Zool. ou rare (sous la forme isolée). Oiseau nocturne (*Strigidés* ou *Bubonidés*) qui porte sur la tête deux aigrettes en forme d'oreilles de chat. *Grand duc.* ⇒ **Bubo.** *Moyen duc.* ⇒ **Hibou.** *Petit duc.* ⇒ **Scops.**

REM. Le syntagme *grand duc* constitue l'emploi le plus courant du mot.
HOM. **1. Duc.**

DUCAL, ALE, AUX [dykal, o] adj. — V. 1270, *in* Arveiller; *duchal*, v. 1150; de 1. *duc.*

♦ **1.** Qui appartient à un duc, à une duchesse. *Couronne ducale. Palais ducal. — Cour grand-ducale*, qui appartient à un grand-duché.

♦ **2.** Vx. Du doge* de Venise. *Le Palais ducal*, à Venise (Nodier, Jean Sbogar, *in* T. L. F.).

DUCASSE [dykas] n. f. — 1391, *ducace;* var. dial. de l'anc. franç. *dicasse, dicaze*, fin XIIe, de *Dédicace*, nom d'une fête catholique.

♦ Régional. Fête patronale (et, par ext., fête publique), en Belgique (Hainaut) et dans le Nord de la France. *C'est la ducasse. Aller à la ducasse.* ⇒ **Kermesse.** — Lieu où se tient cette fête.

Par ext. (Nord, Belgique). Fête, réjouissances inhabituelles.

Depuis cinq grandes heures, la herscheuse et son galant se promenaient à travers   [1]
la ducasse. C'était, le long de la route de Montsou, de cette large rue aux maisons basses et peinturlurées, dévalant en lacet, un flot de peuple qui roulait sous le soleil (...) Aux deux bords, les cabarets crevaient de monde, rallongeaient leurs tables jusqu'au pavé où stationnait un double rang de camelots, de bazars en plein vent, des fichus et des miroirs pour les filles, des couteaux et des casquettes pour les garçons, sans compter les douceurs, des dragées et des biscuits. Devant l'église, on tirait de l'arc. Au coin de la route de Joiselle, à côté de la Régie, dans un enclos de planches, on se ruait à un combat de coqs, deux grands coqs rouges, armés d'éperons de fer, dont la gorge ouverte saignait. Plus loin chez Maigrat, on gagnait des tabliers et des culottes, au billard.
          ZOLA, Germinal, éd. L. de Poche, p. 149-150.

Certes, le père n'eût pas permis jadis qu'elle dansât aux ducasses, et c'est un bien   [2]
pauvre soulas pour une fille que le regard furtif jeté chaque dimanche, au sortir de la messe, sur les vitres de l'estaminet.
          BERNANOS, Monsieur Ouine, p. 35.

Les ducasses durent deux, trois jours, et même plus dans certaines communes.   [3]
          Constant MALVA, Un mineur vous parle, p. 114 (1948).

DUCAT [dyka] n. m. — 1395; ital. *ducato,* proprt «monnaie à l'effigie d'un duc»; primitivement monnaie frappée par les ducs ou doges de Venise.

♦ Hist. Ancienne monnaie d'or. *Or de ducat :* or au titre du ducat.
1 Celui-ci ne songeait que ducats et pistoles.　　LA FONTAINE, Fables, XII, 3.
2 Ces chapelles, extrêmement ornées d'arabesques, de volutes, de rinceaux et de ramages de sculpture entremêlés de croix, de blasons, de fleurs de lis, le tout doré en or de ducat, surprennent par leurs richesses.
　　　　　　Th. GAUTIER, Constantinople, p. 30.
Adj. *Or ducat.*
DÉR. Ducaton.

DUCATON [dykatɔ̃] n. m. — 1596, *ducquaton;* de *ducat.*

♦ Vx (ou citation). Ancienne monnaie d'argent.
1 Mais le moindre ducaton
Ferait bien mieux mon affaire.　　LA FONTAINE, Fables, I, 20.
2 Je le croyais ruiné!... il a même trouvé un éditeur pour moi! l'éditeur m'a donné une tortue dont la coquille est rose et vernie : le moindre ducaton ferait bien mieux mon affaire.　　Max JACOB, le Cornet à dés, p. 50.

DUCE [dutʃe] n. m. — 1922; mot ital. «chef», lat. *dux.* → 1. Duc.

♦ *Le duce,* titre pris par Mussolini, chef de l'Italie fasciste (1922-1945).

DUCHÉ [dyʃe] n. m. — 1210, au fém., *la duchiet;* de 1. duc.

♦ Seigneurie, principauté à laquelle le titre de duc* est attaché. *Les anciens duchés de Bourgogne, de Bretagne, de Normandie. Ériger une terre en duché.* — *Duché-pairie :* terre à laquelle était attaché le titre de duc et pair. — REM. Le terme est encore fréquemment féminin au XVIIᵉ s.; cette forme, condamnée par Vaugelas, subsiste encore dans le *Dictionnaire de Trévoux* (1752). ⇒ aussi **Archiduché, grand-duché.**

DUCHESSE [dyʃɛs] n. f. — XIIᵉ; *duchoise,* 1160; de 1. duc; cf. le lat. médiéval *ducatissa.*

★ I. ♦ 1. Femme revêtue de la dignité de duc* soit par mariage, soit par la possession d'un duché, soit par l'attribution du titre. *La duchesse d'Anjou, de Bretagne. Madame la duchesse de X. Les duchesses avaient le privilège de s'asseoir en présence du roi* (privilège du tabouret*).
Il vint ensuite bien des duchesses, entre autres la jeune Ventadour, très belle et jolie. On fut, quelques moments, sans lui apporter ce divin tabouret.
　　　　　　Mᵐᵉ DE SÉVIGNÉ, Lettres, 150, 1ᵉʳ avr. 1671.

♦ 2. *La grande-duchesse de Luxembourg :* souveraine du grand-duché de Luxembourg.

♦ 3. (1870). Iron. (en parlant d'une femme qui affecte de grands airs). *Elle fait sa duchesse, la duchesse.*

★ II. (1742). ♦ 1. *Lit à la duchesse :* grand lit à quatre colonnes supportant un baldaquin.
Techn. Chaise longue comportant un dossier haut et, vers les pieds, un dossier bas. *Duchesse en bateau. Duchesse brisée,* formée d'une bergère, d'un petit fauteuil à dossier bas et d'un tabouret intermédiaire, les trois pièces étant juxtaposées ou encastrées les unes dans les autres.

♦ 2. Anciennt. Nœud de ruban porté par les femmes sur le front (XIXᵉ siècle).

♦ 3. Guipure* flamande. — En appos. *Satin duchesse,* dont l'endroit est très brillant et l'envers mat.

★ III. (1864). Variété de poire fondante. En appos. Invar. *Des poires duchesse.*

DUCROIRE [dykRwaR] n. m. — 1723; de *du,* et *croire,* au sens archaïque de «vendre à crédit».
Commerce.

♦ 1. Engagement par lequel un commissionnaire garantit son commettant contre les risques d'insolvabilité de l'acheteur.
Prime accordée au commissionnaire qui répond des personnes auxquelles il vend la marchandise.

♦ 2. Commissionnaire qui garantit son commettant par un ducroire.

-DUCTE Suffixe, du lat. *ductus* «conduit», du supin de *ducere* «conduire», qui entre dans la composition des mots savants tels que *oviducte, vasiducte.*

DUCTILE [dyktil] adj. — XVᵉ; attestation isolée, 1282; lat. *ductilis,* du supin de *ducere* «conduire, tirer».

♦ 1. (Concret). Qui peut être allongé, étendu, étiré sans se rompre. *Métal ductile. L'or est le plus ductile des métaux. Fonte ductile,* à graphite cristallisé en sphères.
1 (...) on fabrique le papier, on file les métaux ductiles.
　　　　　　VOLTAIRE, Hist. de Russie, I, 9, *in* LITTRÉ.

♦ 2. (1542). Littér. (En parlant des personnes ou de leur comportement). Influençable. ⇒ **Malléable.**
2 Ce sont les hommes les plus ductiles et les plus doux que l'on fait souffrir davantage. À l'image de l'or, on peut les faire passer par la filière la plus étroite sans les casser.　　Louis-Claude DE SAINT-MARTIN, l'Homme de désir, p. 53.
3 (...) un état religieux de la tête où les sensations sont devenues telles et si ductiles qu'elles sont bonnes à visiter par l'Esprit.
　　　　　　A. ARTAUD, Sur le théâtre balinais, Appendice, *in* Œ. compl., t. IV, p. 299.
DÉR. Ductilité.

DUCTILITÉ [dyktilite] n. f. — 1671; de *ductile.*

♦ 1. (Concret). Propriété des corps ductiles. *La ductilité de l'or permet de l'étirer en fils très fins.*
1 Quoique ces deux membranes *(de la tige)* soient devenues solides et ligneuses par leurs surfaces intérieures, elles conservent, à leurs surfaces extérieures, de la souplesse et de la ductilité.　　BUFFON, De la vieillesse et de la mort, *in* LITTRÉ.

♦ 2. Fig. et littér. Aptitude d'une personne à se plier aux circonstances, aux influences extérieures. ⇒ **Malléabilité.**
2 (...) comme l'ange rebelle, il *(Napoléon)* pouvait raccourcir sa taille incommensurable pour la renfermer dans un espace mesuré; sa ductilité lui fournissait des moyens de salut et de renaissance; avec lui tout n'était pas fini quand il semblait avoir fini.　　CHATEAUBRIAND, Mémoires d'outre-tombe, t. II, p. 528.

DUCTION [dyksjɔ̃] n. f. — XXᵉ; du lat. *ductum,* p. p. de *ducere* «conduire».

♦ Physiol. Mouvement effectué par un seul œil. *Les mouvements de duction comprennent : l'abduction, l'adduction, la supraduction, l'infraduction et la cycloduction.*

DUÈGNE [dyɛɲ] n. f. — 1655, cit. Scarron; *doègne,* 1643; esp. *dueña,* du lat. *domina,* fém. de *dominus* «maître».

♦ 1. Anciennt. Femme âgée, gouvernante chargée de veiller sur la conduite d'une jeune fille ou d'une jeune femme. ⇒ **Chaperon; domestique.** *Une duègne gênante, revêche.*
1 (...) il faut que j'apprenne, à ceux qui ne le savent pas, que les dames en Espagne ont des duègnes auprès d'elles; et ces duègnes sont à peu près la même chose que les gouvernantes ou dames d'honneur que nous voyons auprès des femmes de grande condition. Il faut que ce soit encore que ces duègnes ou duègnes sont animaux rigides et fâcheux, aussi redoutés pour le moins que des belles-mères.
　　　　　　SCARRON, le Roman comique, I, XXII, p. 136 (1655).
2 La vieillesse d'une duègne ne rassure pas tant un amant jaloux que la vieillesse du visage de celle qu'il aime.　　PROUST, À la recherche du temps perdu, t. XI, p. 240.
Rôle de théâtre correspondant à cette fonction. *Jouer les duègnes.*

♦ 2. Péj. et vieilli. Vieille femme acariâtre et gênante.

1. DUEL [dɥɛl; dyɛl] n. m. — 1539; lat. *duellum,* archaïsme pour *bellum* «guerre», rattaché par erreur à *duo.*

♦ 1. Anciennt. Combat entre deux adversaires armés (combat* singulier).
1 Le vainqueur offrit le duel au nouveau roi.
　　　　　　BOSSUET, Disc. sur l'hist. universelle, III, 4.
Anc., dr. *Duel judiciaire :* combat* singulier admis comme preuve juridique. ⇒ **Ordalie.** *Le vainqueur du duel judiciaire était réputé avoir le bon droit pour lui* (→ Battre, cit. 80).
2 (...) faute de témoins, les parties recourent à la *bataille,* c'est-à-dire au duel judiciaire, qui a lieu devant le juge selon un cérémonial minutieux.
　　　　　　Fr. OLIVIER-MARTIN, Précis d'hist. du droit franç., nᵒ 291.
Duel au sabre des étudiants allemands. ⇒ **Mensur.**

♦ 2. Combat entre deux personnes dont l'une exige de l'autre la réparation d'une offense par les armes. ⇒ **Affaire** (d'honneur), **rencontre, réparation** (par les armes). *Provoquer quelqu'un en duel.* ⇒ **Appelant; cartel** (→ Remettre sa carte*). *Duel en champ clos. Les seconds, les témoins dans un duel. L'offensé* a le choix des armes pour le duel. Duel au pistolet, à l'épée. Nouvel assaut dans un duel.* ⇒ **Reprise.** *Duel au premier sang; duel à mort. Les édits du roi contre le duel.*
3 (...) on a fait dans le siècle passé des lois capitales contre les duels (...)　　MONTESQUIEU, l'Esprit des lois, XXVIII, 24.
4 (...) le duel est affreux, surtout lorsqu'il détruit une vie pleine d'espérances et qu'il prive la société d'un de ces hommes rares qui ne viennent qu'après le travail d'un siècle, dans la chaîne de certaines idées et de certains événements.
　　　　　　CHATEAUBRIAND, Mémoires d'outre-tombe, t. VI, p. 280.
5 (...) dans le silence du code pénal, il faut appliquer le droit commun du meurtre et des coups et blessures. Vainement opposerait-on le défaut d'intention coupable, l'état de légitime défense, ou enfin le consentement de la victime, qui n'est pas un fait justificatif. Cette jurisprudence rigoureuse, qui atteignait les duellistes et leurs témoins, inculpés comme complices, s'accordait mal avec le sentiment public.

Il s'ensuivit une extrême irrégularité des poursuites. La désuétude du duel a fait perdre à cette question la plus grande partie de son intérêt.
H. DONNEDIEU DE VABRES, Précis de droit criminel, n° 225.

EN DUEL : en se battant dans un duel. *Se battre en duel.* ⇒ **Battre** (se), **bretailler** (vx), **croiser** (cit. 3 : croiser le fer), **ferrailler** (cf. Aller sur le pré, sur le terrain). *Il a été tué en duel.*

♦ **3.** Combat singulier. *Duel à coups de poing.* — Par anal. *Un duel d'artillerie* (cit. 2).
Un duel de... : un combat entre deux personnes, quant à... *Un duel d'esprit, d'astuce, d'imagination.* ⇒ **Joute.** — *Avoir un duel avec* (le destin, la misère...). ⇒ **Combat.** *Le duel de la brute et de* (avec) *l'esprit.*
Duel oratoire : échange de répliques entre deux orateurs. ⇒ **Joute.** — « *Un duel d'idées. Le duel de deux principes, de deux civilisations* » (Académie). ⇒ **Antagonisme, lutte, opposition.** *Duel entre le bien et le mal.*

Didact. et rare. Groupe de deux éléments. ⇒ **Duo.**

6   *Social* est toujours couplé avec *économique.* Ce duel fonctionne uniformément comme un alibi.   R. BARTHES, Mythologies, p. 141.

HOM. 2. Duel, 3. duel, D. U. E. L.

2. DUEL [dɥɛl ; dɥɛl] n. m. — 1570 ; bas lat. *dualis,* du lat. class. *duo* « deux ».

♦ Gramm. Nombre* qui s'emploie dans les déclinaisons et les conjugaisons de certaines langues (arabe, grec, hébreu, sanscrit...) quand il s'agit de désigner deux personnes, deux choses (⇒ **Dualité,** 2.). *Le duel et le pluriel* (pluralité : plus de deux). *Relatif au duel.* ⇒ **3. Duel,** I.

La langue que je parle a perdu ces modes qui, n'étant ni singulier ni pluriel, donnent au cri de l'homme autre sens que de sa douleur égoïste, sans le noyer dans l'océan des autres. Nous n'avons plus en français le *duel* qui parlerait (...) encore pour Blanche et moi (...) pour cette lutte où l'homme et la femme, ensemble, sont à la fois deux et un seul (...) Et l'on ne dirait plus ni je ni toi, nous deux, ni même nous, mais quelque *l'on* qui serait l'un et l'autre indivisibles (...)
ARAGON, Blanche..., II, II, p. 207.

HOM. 1. Duel, 3. duel, D. U. E. L.

3. DUEL, ELLE [dɥɛl ; dɥɛl] adj. — 1827 ; bas lat. *dualis,* du lat. class. *duo* « deux ».

★ **I.** Gramm. Propre au duel (2. Duel).
1   Les troisièmes personnes duelles aux autres sont les mêmes que les plurielles.
CHATEAUBRIAND, Voyage en Amérique..., Langues indiennes, p. 144.

Didact. et rare. Qui repose sur la dualité, sur le concept de dualité, de double*. ⇒ **Dualiste ; binaire.**
2   La *logique de Port-Royal* le dit : « le signe renferme deux idées (...) ». Théorie duelle du signe, qui s'oppose (...) à l'organisation plus complexe de la Renaissance ; alors, la théorie du signe impliquait trois éléments (...)
Michel FOUCAULT, les Mots et les Choses, p. 78.

★ **II.** Didact. Double. ⇒ **Dual,** 2.
3   C'est là *(le discours humain)* le champ que notre expérience polarise dans une relation qui n'est à deux qu'en apparence, car toute position de sa structure en termes seulement duels, lui est aussi inadéquate en théorie que ruineuse pour sa technique.   Jacques LACAN, Écrits, p. 265.

HOM. 1. Duel, 2. duel, D. U. E. L.

D. U. E. L. [dɥɛl] n. m. — 1966 ; sigle.

♦ Admin. Ancicnnt. Diplôme universitaire d'études littéraires. *Le D. U. E. L. et le D. U. E. S. ont été remplacés par le D. E. U. G.*

HOM. 1. Duel, 2. duel, 3. duel.

DUELLISTE [dɥelist ; dyelist] n. — Fin XVIᵉ ; ital. *duellista,* de *duello,* du lat. *duellum.* → 1. Duel.

♦ Personne qui se bat en duel. Spécialt. Personne qui cherche les occasions de se battre en duel. ⇒ **Bretteur, ferrailleur.** *Un duelliste impénitent. Une duelliste.*
1   Girolamoni Paraguante, les célèbres maîtres d'armes, n'ont un jeu plus serré. Je l'ai bien observé en cette rencontre, et nos plus fameux duellistes n'y feraient que blanchir.   Th. GAUTIER, le Capitaine Fracasse, p. 248.
2   Le duelliste habile n'a point peur parce qu'il voit clairement ce qu'il fait et ce que fait l'autre ; mais s'il se livre au destin, le regard noir qui le guette le perce avant l'épée ; et cette peur est pire que le mal.   ALAIN, Propos, Épictète, 10 déc. 1910.

DUETTINO [dɥetino] et **DUETTO** [dɥetto ; dɥeto] n. m. — XIXᵉ ; *duettino ; duetto,* 1823, cit. ; mot ital., dimin. de *duo.*

♦ Mus. Petit duo. — Plur. *Des duettinos, des duettos* ou (plur. ital.), *des duettini, des duetti.*
1   (...) deux ou trois petits airs ou *duetti,* écrits avec génie, et, mieux encore, écrits avec nouveauté.   STENDHAL, Vie de Rossini, Introduction, III, p. 35.
2   Il chanta après souper un petit duettino avec Mᵐᵉ de Rênal.
STENDHAL, le Rouge et le Noir, p. 152.

DUETTISTE [dɥetist] n. — 1913 ; ital. *duettisto,* de *duetto.* → Duetto.

♦ Personne qui joue ou qui chante une partie dans un duo. — *Duettistes comiques* (music-hall).

DUFFEL-COAT ou **DUFFLE-COAT** [dœfœlkot] n. m. — V. 1945 ; mots angl., de *duffel* « tissu de laine », de *Duffel* (ville de Flandres), et *coat* « manteau ».

♦ Manteau trois-quarts avec capuchon, en gros tissu de laine (sur le modèle des trois-quarts de la marine britannique). Plur. *Des duffel-coats* ou *duffle-coats.*
Elle perdait son hâle (...) et le froid la tuait à peu près. Recroquevillée dans son duffle-coat, pâlie (...)
Christiane ROCHEFORT, le Repos du guerrier, II, VI, p. 232.

DUGAZON [dygazɔ̃] n. f. — 1843 ; nom d'une célèbre cantatrice (1755-1821).

♦ Mus. (opéra). Rôle d'amoureuse, dans les opéras-comiques. *Jouer les dugazons. Emploi de dugazon.*

DUGONG [dygɔ̃g] n. m. — 1765, Buffon, écrit *dugon ; dugong,* 1832 ; *dujung,* 1756 ; malais *duyung.*

♦ Zool. Mammifère aquatique *(Siréniens*),* voisin du lamantin*, qui vit dans l'océan Indien et peut atteindre 5 m de long (n. sc. : *halicore).* *Le dugong, dit* vache marine, *se nourrit de végétaux aquatiques.*
Ce n'était pas un lamantin, mais un spécimen de cette espèce (...) qui porte le nom de « dugong », car ses narines étaient ouvertes à la partie supérieure de son museau (...) Le dugong était mort. C'était un énorme animal, long de quinze pieds, qui devait peser de trois à quatre mille livres.
J. VERNE, l'Île mystérieuse, t. I, p. 214-215.

1. DUIRE [dɥiʀ] v. intr. — Conjug. *conduire.* — Fin Xᵉ ; du bas lat. *dōcere,* du lat. class. *docēre* « enseigner ».

♦ Vx (langue médiévale et class.) ou archaïsme. Dresser (qqn, un animal).

DÉR. Duit.

2. DUIRE [dɥiʀ] v. tr. ind. — Conjug. *Conduire.* — Xᵉ ; « conduire », sens fig., XIIIᵉ.

♦ Vx (jusqu'au XVIIᵉ) ou archaïque. **DUIRE À (qqn) :** convenir, plaire.
Le voyage vous duit-il ?
Aloysius BERTRAND, Gaspard de la nuit, p. 154, *in* T. L. F.

DUIT [dɥi] n. m. — XIIIᵉ ; de 1. *duire,* du lat. *ducere* « conduire ».
Vieux ou régional.

♦ **1.** Pêche. Chaussée formée de pieux et de cailloux, en travers d'une rivière ou d'un petit bras de mer, et qui est destinée à arrêter le poisson au moment du jusant. ⇒ **Barrage.**

♦ **2.** (1864, Littré). Techn. Lit artificiel pour régulariser, canaliser un cours d'eau.

DUITAGE [dɥitaʒ] n. m. — 1877, Littré, *Suppl ;* de *duiter.*

♦ Techn. Disposition des duites. *Le duitage d'un tissu.* — Nombre de fils de trame (duites) par centimètre.

DUITE [dɥit] n. f. — 1531, Huguet ; de l'anc. franç. *duire* « conduire ».
Technique.

♦ **1.** Longueur de trame insérée par la navette d'une lisière à l'autre, dans une pièce d'étoffe. *Insertions de duite. Tissage simple duite* (deux insertions), *double duite* (trois).
Soudain, rapide comme l'éclair, une navette, lancée par un ressort du panneau, passa entre les couches des soies dénivelées (...) Dévidée hors du fragile engin, une duite ou fil transversal s'étendait maintenant au milieu de la chaîne en formant le début de la trame.   Raymond ROUSSEL, Impressions d'Afrique, p. 129.
Portion de la chaîne qui se soulève et s'abaisse à chaque mouvement d'un métier à tisser.

♦ **2.** Double fil de chanvre utilisé pour consolider une série horizontale de nœuds (en tapisserie).

DÉR. Duiter.

DUITER [dɥite] v. tr. — 1870 ; 1611, au sens général de « ajuster » ; de *duite.*

♦ Techn. Passer (un fil de trame : duite) entre les fils de chaîne. — Compter les fils de trame de (une étoffe).

DÉR. Duitage.

DULÇAQUICOLE [dylsakikɔl] adj. — Mil. xxᵉ ; du lat. *dulcis* « doux », et de *aquicole*.

♦ Didact. Qui vit en eau douce. *Espèce, poisson dulçaquicole.* Syn. cour. : *d'eau douce.* « *Des espèces* (d'oiseaux aquatiques) *habituellement dulçaquicoles* » (*Science et Vie*, mars 1976).

DULCIFIANT, ANTE [dylsifjɑ̃, ɑ̃t] adj. ⇒ **Dulcifier.**

DULCIFICATION [dylsifikɑsjɔ̃] n. f. — 1651 ; de *dulcifier*.

♦ Vx. Action de dulcifier (propre et figuré).

DULCIFIER [dylsifje] v. tr. — 1620 ; bas lat. *dulcificare* « rendre doux », de *dulcis* « doux », et *facere* « faire ».

♦ **1.** Vx. Rendre plus doux, moins âcre, moins acide ou moins amer par addition d'une substance. ⇒ **Adoucir ; doux.** *Dulcifier une potion.*

♦ **2.** Techn. Faire subir un premier raffinage à (du plomb).

♦ **3.** Fig. et rare. Apaiser (qqn, ses sentiments, son comportement).

1 Enfin, Lucien s'aperçut qu'après l'avoir suffisamment dulcifié par les compliments les plus flatteurs et les mieux faits, le comte l'accablait de questions.
						STENDHAL, Lucien Leuwen, éd. L. de Poche, p. 150.

▶ **DULCIFIANT, ANTE** p. p. adj. et n. m.
(Produit) calmant. — *Un dulcifiant.*

2 (...) il ne sera *(pas)* mauvais de vous (...) donner quelque petit clystère dulcifiant.
						MOLIÈRE, le Médecin malgré lui, II, 4.

CONTR. Acidifier.
DÉR. Dulcification.

DULCIMER [dylsimɛʀ] n. m. — Mil. xvᵉ ; *doulcemer*, 1449 ; angl. *dulcimer*, du lat. *dulcis* « doux », et *melos* « chant ».

♦ Mus. ancienne. Instrument médiéval à cordes métalliques frappées. ⇒ **Tympanon.** *Les vielles et les dulcimers. Le dulcimer a la sonorité du clavecin.* « *... on les voit peu à peu apparaître à la devanture des magasins de musique : instruments à cordes qui se jouent à plat sur les genoux, le dulcimer et l'épinette des Vosges...* » (*Actuel*, déc. 1974, p. 54).

DULCINE [dylsin] n. f. — 1893, in *Année sc. et industr.* 1894, p. 259 ; du lat. *dulcis* « doux », et suff. *-ine*.

♦ Didact. Édulcorant artificiel non nutritif (paraphénéthylurée).

DULCINÉE [dylsine] n. f. — 1718 ; de *Dulcinée du Toboso*, nom de la femme aimée de *don Quichotte*, dans le roman de Cervantes et dont le héros se fait une image fort idéalisée.

♦ Souvent iron. Femme inspirant une passion romanesque ; fiancée, maîtresse. *Il soupire auprès de sa dulcinée. Il est allé voir sa dulcinée.* ⇒ **Bien-aimée.**

Tu me demandes pourquoi tu es fidèle à ta Dulcinée. L'explication est facile : parce que tu ne l'étais pas aux autres. Mais pourquoi à celle-là plus qu'aux autres ? C'est que celle-là est venue à l'époque où tu devais l'être.
						FLAUBERT, Correspondance, t. I, Pl., p. 680.

DULCITE [dylsit] n. f. — V. 1860 ; lat. sav. *dulcita*, du lat. class. *dulcis* « doux ».

♦ Chim. Matière sucrée ($C_6H_{14}O_6$), isomère de la mannite, que l'on extrait du mélampyre.

DULIE [dyli] n. f. — 1372 ; lat. ecclés. *dulia*, du grec *douleia*, proprt « servitude ».

♦ Théol. Respect et honneur que l'on rend aux anges, aux saints. — Loc. (seul emploi normal). *Culte de dulie*, par oppos. au *culte de latrie*, rendu à Dieu seul.

C'est un événement inouï dans les annales de l'Église, l'unique exemple d'un culte de dulie rendu à un non-chrétien.
						J. D'ORMESSON, la Gloire de l'Empire, t. II, p. 604.

COMP. Hyperdulie.

DUM-DUM [dɔmdɔm ; dumdum] n. f. — 1899 ; nom d'une localité de l'Inde où se fabriquèrent primitivement ces balles.

♦ Balle de fusil dont l'enveloppe est sciée en quartiers de façon à s'écraser sur l'objectif en y faisant une large déchirure. *Une dum-*

dum (rare). — En appos. *L'emploi des balles dum-dum a été interdit en 1899 par la conférence de La Haye.*

Commandant Esterhazy, vous avez votre cartouche dum-dum pour le coup de grâce ?						CLÉMENCEAU, l'Iniquité, p. 342, in D. D. L., II, 4.		1
(...) ils *(les mots)* traversaient les yeux, les tympans, ils éclataient à l'intérieur du crâne comme des balles dum-dum.		J.-M. G. LE CLÉZIO, les Géants, p. 116.		2

DÛMENT [dymɑ̃] adv. — 1331, *deüement* ; de *due*, p. p. fém. de *devoir*.

♦ **1.** Dr., admin. Selon les formes prescrites ; en due forme. *Fait dûment constaté. Dûment autorisé, justifié, constaté.*

♦ **2.** Iron. Comme il faut, de la belle manière. *Il l'a dûment engueulé. Un repas dûment arrosé.* — Vieilli. *Bien et dûment* : bel et bien.

(...) un personnage												1
Dûment atteint de cocuage (...)
						LA FONTAINE, Contes et nouvelles, « La coupe enchantée ».
Le jour de l'enterrement, on nous fit monter dans un grand carrosse noir tiré par		2
un cheval marchant au pas et dûment caparaçonné.
						J. GREEN, Journal, 23 oct. 1958, Vers l'invisible, p. 54.

CONTR. et COMP. Indûment.

DUMPER [dœmpœʀ] n. m. — 1920, *in* Höfler ; mot angl. de *to dump* « décharger ».

♦ Anglic. Engin de terrassement, comprenant une benne automotrice basculante. — REM. L'emploi de *tombereau** est officiellement recommandé à la place de cet anglicisme.

DUMPING [dœmpiŋ] n. m. — V. 1900, M. Mény (titre d'une thèse) ; terme comm. angl., de *to dump* « entasser, déblayer ».

♦ Anglic. Écon. Pratique qui consiste à vendre sur les marchés extérieurs à des prix inférieurs à ceux qui sont pratiqués sur le marché national ou même à des prix inférieurs aux prix de revient. *Permettre le dumping en accordant des primes d'exportation aux vendeurs. Lutter contre le dumping d'un pays étranger par des droits de douane* (⇒ **Antidumping**).

Il a été souvent question du *dumping* avant la guerre *(de 1914)* et plus que jamais		1
on s'en préoccupe pour après la guerre, parce qu'on voit là une arme de guerre
économique spéciale à l'Allemagne et qui paraît aussi redoutable que les gaz
asphyxiants.						Charles GIDE, Cours d'économie politique, t. II, p. 60.
Tout a été écrit sur les méfaits du *dumping*, forme de guerre froide due aux abus		2
de la liberté économique. Aujourd'hui même, certains États, en dépit de la pénurie qui règne chez eux, exportent à fonds perdus.
						Gaston BOUTHOUL, Sociologie de la politique,
						Les excès du dynamisme économique, p. 116.
Les Italiens ont surgi sans tradition dans le monde des réfrigérateurs, avec des		3
modèles plus simples et à moitié prix. Les constructeurs européens ont d'abord
souri, puis ont réclamé des protections contre ce dumping.
						R. PRIOURET, in l'Express, 17-23 juil. 1967.

Par ext. Vente à un prix trop bas, cassé. *Faire du dumping* (→ fam. Casser* les prix).

COMP. Antidumping.

DUNAL, ALE, AUX [dynal, o] adj. — 1959 ; de *dune*.

♦ Didact. (géogr.). Des dunes ; qui forme une dune.

DUNDEE [dœndi] ; régional (Bretagne) [dɛ̃de] n. m. — 1901, *in* Höfler ; de l'angl. *dandy*, altéré d'après *Dundee*, port d'Écosse.

♦ Navire à voiles à gréement de cotre aurique à tapecul, utilisé naguère pour la pêche. *Les dundees de Concarneau, de Groix, qui armaient au thon* (avant la Deuxième Guerre mondiale et jusque vers 1950).

Au courant plus loin vers Kindall, l'on aperçoit les « barges » en peine, cotres et dundees largués auprès, lourdes à verser...		CÉLINE, Guignol's band, p. 49.

DUNE [dyn] n. f. — 1195 ; du moy. néerl. *dunen*, du gaulois **duno* « hauteur » ; cf. *Lugdunum* « Lyon », *Augustodunum* « Autun ».

♦ Butte, colline de sable* fin formée par le vent sur le bord des mers (*dunes maritimes*), ou dans l'intérieur des déserts (*dunes continentales*). ⇒ **Butte**, cit. 1 (butte de sable). *Les dunes des Landes. Dunes mouvantes*, qui se déplacent dans le sens du vent. *Dunes littorales. Fixation des dunes par les plantations de pins. Région de dunes, dans le Sahara.* ⇒ **Erg.** *Dune en croissant.*

(...) la longue dune de sable uni où nous marchions sans entendre le bruit de nos		1
pas, comme dans la ouate.		E. FROMENTIN, Un été dans le Sahara, II, p. 204.
Les dunes ne sont point inconnues dans les pays humides, mais elles n'y occupent		2
que des étendues très limitées ; on les trouve surtout au bord de la mer, dans quelques grandes vallées à alluvions sableuses et au voisinage des anciens fronts de

glaciers quaternaires. Dans les pays arides, elles couvrent au contraire d'immenses surfaces, appelées *Erg* dans le Sahara, *Koum* dans l'Asie centrale.
         E. DE MARTONNE, Traité de géographie physique, t. II, p. 951.

Par anal. *La neige formait de petites dunes.*

DÉR. Dunal, dunette.

DUNETTE [dynɛt] n. f. — 1550, «levée de terre fortifiée»; de *dune.*

♦ (1634). Mar. Superstructure élevée sur le pont arrière d'un navire et s'étendant sur toute sa largeur (à la différence du rouf*, de la teugue). *Loger dans la dunette.* — Spécialt. La partie supérieure de la dunette. *Monter, se promener sur la dunette.*

1   André, sa cabine choisie, ses bagages placés, se tient à l'arrière sur la dunette, entouré d'aimables gens des ambassades qui sont venus pour le conduire (...)
         LOTI, les Désenchantées, VI, LIII, p. 245.

2   (...) ces points culminants, les seuls où je puisse vivre (...) Amateur des avions de sport où l'on porte la tête en plein ciel, je figurais aussi, sur les bateaux, l'éternel promeneur des dunettes.   CAMUS, la Chute, p. 30.

DUO [dчo; dyo] n. m. — 1548; mot ital. «deux» (en ital. mod. *due*), du lat. *duo* «deux».

♦ **1.** Composition musicale pour deux voix, deux parties vocales ou deux instruments. ⇒ **Duetto, duettino.** *Des duos. Duo accompagné. Duo de violon. Duo pour ténor et basse. Chanter en duo.* — *Duo comique* (chansonniers, music-hall; ⇒ **Duettiste**).

1   On appelle duo une musique à deux voix, quoiqu'il y ait une troisième partie pour la basse continue, et d'autres pour la symphonie (...)
         ROUSSEAU, Dict. de musique.

2   Un air ou deux comme le duo de Mozart, et le reste fatigue et donne de l'impatience.   E. DELACROIX, Journal, 30 nov. 1853.

♦ **2.** Fig. et fam. *Duo d'injures* : échange de mots grossiers. *Un duo de rires.* — *Le duo du vent et du ressac.*

♦ **3.** Fam. Couple étroitement lié ou ironiquement rapproché. *Ils font un beau duo.* ⇒ **Paire.**

DUODÉCENNAL, ALE, AUX [dчodesenal, o] adj. — 1861, *in* Littré, *Suppl.;* bas lat. *duodecennis,* de *duodecim* «douze», et *annus* «année», d'après *décennal.*

♦ Didact. De douze ans. *Des cycles duodécennaux.*

DUODÉCIMAL, ALE, AUX [dчodesimal, o] adj. — 1801; dér. du lat. sav. *duodecimus* «douzième», de *duodecim* «douze», d'après *décimal.*

♦ Arithm. Qui procède par douze; qui a pour base le nombre douze*. *Système de numération duodécimale.*

DUODÉCIMO [dчodesimo] adv. — 1846; du lat. *duodecimus;* → Duodécimal.

♦ Didact. Douzièmement*.

DUODÉNAL, ALE, AUX [dчodenal, o] adj. — 1808; de *duodénum.*

♦ Anat. et méd. Du duodénum. *Bulbe duodénal. Ulcère duodénal.*

DUODÉNITE [dчodenit] n. f. — 1825, Broussais; de *duodénum,* et suff. *-ite.*

♦ Méd. Inflammation du duodénum.

J'entends par *duodénite,* l'inflammation de cette première portion des intestins grêles qui fait immédiatement suite à l'estomac (...) ce mot n'est pas composé suivant les règles de la néologie médicale, puisqu'il n'est pas tiré du grec; mais je répondrai que le duodénum n'avait pas de nom particulier dans cette langue.
         C. BROUSSAIS, Sur la duodénite chronique, 16, *in* D. D. L.

DUODÉNUM [dчodenɔm] n. m. — 1478; lat. méd. *duodenum,* de *duodenum digitorum* «de douze doigts», d'après la longueur de cette portion de l'intestin, du lat. class. *duodeni* «chacun douze», de *duodecim* «douze».

♦ Anat. Partie initiale de l'intestin grêle accolée à la paroi abdominale postérieure, qui s'étend du pylore à la première anse du jéjunum, avec lequel elle forme un angle (duodéno-jéjunal), à gauche de la deuxième vertèbre lombaire (longueur d'environ 12 travers de doigt). *Canal cholédoque qui conduit la bile dans le duodénum* (→ Canal, cit. 12).

Bien que doué d'une certaine mobilité sur le vivant, le duodénum (...) présente deux caractères qui le différencient des autres portions de l'intestin grêle : 1° il en représente la portion la plus fixe (...)

2° à l'exception du premier segment de la première portion, il est profondément situé.   L. TESTUT, Traité d'anatomie, t. IV, p. 268.

DÉR. Duodénal, duodénite.

DUODI [dчodi] n. m. — 1793; lat. *duo* «deux», et *dies* «jour».

♦ Hist. Le deuxième jour de la décade, dans le calendrier* républicain. *Des duodis.* — REM. Le mot est invariable chez Erckmann et Chatrian *(les duodi), in* T. L. F.

DUOPOLE [dчopɔl] n. m. — V. 1950; de *duo-* «deux», et *-pole,* élément savant, d'après *monopole.*

♦ Écon. Situation d'un marché où deux vendeurs se partagent toute une production (⇒ **Monopole, oligopole**).

DUPE [dyp] n. f. et adj. — 1426, *duppe;* d'abord terme de jargon; emploi plaisant de *dupe* «huppe», oiseau d'apparence stupide; selon Guiraud, de **dé-hupper* «enlever la huppe» (symbole de prestige), comme on plume* : le dupé est un plumé.

♦ **1.** Littér. ou style soutenu. Personne qui a été trompée ou qu'il est facile de tromper. ⇒ **Pigeon, pigeonneau** (→ Bonard, dindon* de la farce, gogo*). *C'est une dupe, une bonne* (cit. 59) *dupe. Être la dupe de qqn, de sa flatterie, de ses charmes* (→ Animal, cit. 12). *Prendre qqn pour dupe.* ⇒ **Duper.** *Faire des dupes.*

1   Les hommes ne vivraient pas longtemps en société, s'ils n'étaient les dupes les uns des autres.   LA ROCHEFOUCAULD, Maximes, 87.

2   (...) ceux que l'on sait même agir de bonne foi là-dessus (...) sont toujours les dupes des autres; ils donnent hautement dans le panneau des grimaciers, et appuient aveuglément les singes de leurs actions.   MOLIÈRE, Dom Juan, V, 2.

3   Une des meilleures raisons qu'on puisse avoir de ne se marier jamais, c'est qu'on n'est pas tout à fait la dupe d'une femme tant qu'elle n'est point la vôtre.
         CHAMFORT, Maximes, Sur les femmes et le mariage, XXX.

4   L'avare se moque du prodigue, le prodigue de l'avare; l'incrédule du dévot, le dévot de l'incrédule; ils se prennent réciproquement pour dupes.
         RIVAROL, Notes, pensées et maximes, II, p. 12.

5   (...) les femmes ne sont pas plus des dupes des comédies que jouent les hommes que des leurs.   BALZAC, le Cabinet des antiques, Pl., t. IV, p. 386.

6   (...) l'amour-propre est un escroc qui ne manque jamais sa dupe (...)
         BALZAC, la Vieille Fille, Pl., t. IV, p. 233.

Être la dupe d'une affaire, d'un marché, n'y pas trouver son compte, y perdre. ⇒ **Avoir** (se faire avoir). — Plus cour. *C'est un marché de dupes,* nous avons été volés. *Un métier de dupes* : activité sans profit personnel.

Être la dupe de sa bonne foi, de sa sincérité, de son cœur : se tromper soi-même. *Être la dupe de soi-même, de ses propres mensonges.*

7   J'admire comme notre esprit est véritablement la dupe de notre cœur (...)
      Mᵐᵉ DE SÉVIGNÉ, 540, 24 mai 1676 (→ Cœur, cit. 145, LA ROCHEFOUCAULD).

8   Les femmes sont constamment les dupes ou les victimes de leur excessive sensibilité (...)   BALZAC, Physiologie du mariage, Pl., t. X, p. 852.

Loc. *C'est un jeu de dupes,* en parlant d'un marché, d'un contrat où l'on a été abusé.

9   (...) tout le monde fait des bénéfices, sauf vous; c'est un jeu de dupes.
      J. ROMAINS, les Hommes de bonne volonté, t. V, XXII, p. 182.

La journée des dupes : le 10 novembre 1630, jour où le cardinal de Richelieu, que l'on croyait disgracié, reprit son autorité auprès du roi Louis XIII.

10   Le royaume pacifié, le temps était-il venu d'entreprendre la lutte contre la Maison d'Autriche? La question fut débattue pendant toute l'année 1630, et décidée lors de la fameuse journée des dupes (10 novembre) qui assura le triomphe de Richelieu sur ses adversaires.   Pierre GAXOTTE, Hist. des Français, t. II, p. 76.

Par ext. Événement qui tourne à la confusion de ceux qui s'en réjouissaient.

10.1   Le 13 mai *(1958)* ou la journée des dupes. Nous devons convenir que certaines de ces dupes ont quelques raisons d'enrager.
      F. MAURIAC, le Nouveau Bloc-notes, 1958-1960, p. 172.

♦ **2.** Adj. (Uniquement comme attribut, absolument ou avec un complément de personne ou de chose). *Être dupe de qqn, de qqch.* (→ Commencer, cit. 17; complice, cit. 3; déchiqueter, cit. 3). *Il n'est pas dupe de vos mensonges. Se croire dupe de qqn.* — (Sans compl.). ⇒ **Crédule, naïf.** *Ne soyez pas dupe. Être dupe.* → Se faire avoir*, posséder*.

11   Ne me crois pas dupe, et crédule à ce point.   MOLIÈRE, les Fâcheux, III, 4.

11.1   Chétive créature, me dit-elle en colère, t'imagines-tu que les hommes sont assez dupes pour faire l'aumône à de petites filles comme toi, sans exiger l'intérêt de leur argent?   SADE, Justine..., t. I, p. 24.

12   (...) il chercha à expliquer, par des exemples pittoresques, qui amusaient les enfants, ce que c'était qu'être dupe.
Je comprends, dit Stanislas, c'est le corbeau qui a la sottise de laisser tomber son fromage, que prend le renard, qui était un flatteur (...)
      STENDHAL, le Rouge et le Noir, I, XXII, p. 144.

13   Comme on serait meilleur sans la crainte d'être dupe!
         J. RENARD, Journal, 18 janv. 1896.

14   Les hommes sont facilement dupes de ce qui flatte leur orgueil et leurs désirs; et un artiste est deux fois plus dupe qu'un autre homme, parce qu'il a plus d'imagination.   R. ROLLAND, Jean-Christophe, IV, p. 74.

15 J'ai une preuve de ta traîtrise, ajoutait Marthe. Elle ne me reverrait jamais. Sans doute souffrirait-elle, mais elle préférerait souffrir que d'être dupe.
R. RADIGUET, le Diable au corps, p. 143.

CONTR. Trompeur ; malin, rusé.
DÉR. Duper.

DUPER [dype] v. tr. — 1622 ; au p. p., v. 1460 ; de *dupe*.

♦ Littér. ou style soutenu. Prendre (qqn) pour dupe*. ⇒ **Abuser, attraper, décevoir, dindonner, enjôler, enquinauder, flouer, jobarder, jouer** (se jouer de...)**, leurrer, mystifier, surprendre, tromper** ; fam. **avoir, couillonner, embobiner, empiler, enfoncer, entôler, estamper, faire, feinter, foutre** (dedans)**, mettre** (dedans)**, pigeonner, refaire, rouler** (→ Faire tomber* dans le panneau). *Il est facile à duper. Se laisse duper. Duper ses adversaires au jeu* (⇒ **Tricher**). *Être dupé par son cœur, ses sens* (→ Assurer, cit. 22 ; désarmer, cit. 5).

1 *(Vous osez)* Duper un honnête homme et vous jouer de lui ?
MOLIÈRE, l'Étourdi, IV, 6.

2 (...) on est aisément dupé par ce qu'on aime,
Et l'amour-propre engage à se tromper soi-même. MOLIÈRE, Tartuffe, IV, 3.

3 Si c'est par amitié qu'ils vous obéissent, vous les dupez.
SAINT-EXUPÉRY, Vol de nuit, p. 62.

3.1 Ce n'est pas seulement pour duper nos enfants que nous les entretenons dans la croyance au Père Noël : leur ferveur nous réchauffe, nous aide à nous tromper nous-mêmes, à croire, puisqu'ils y croient, qu'un monde de générosité sans contrepartie n'est pas absolument incompatible avec la réalité.
Claude LÉVI-STRAUSS, Tristes Tropiques, p. 211.

Pron. (Réfl.). S'aveugler. *Se duper soi-même.* — (Récipr.). *Ils ont essayé de se duper.*

4 Il lui est arrivé de se tromper, de céder à des généralisations spécieuses et de persévérer quelque temps dans l'erreur, mais il ne se dupait jamais par orgueil d'infaillibilité (...) Henri MONDOR, Pasteur, IV, p. 56.

CONTR. Détromper.
DÉR. Duperie, dupeur.

DUPERIE [dypʀi] n. f. — 1690, *dupperie* ; de *duper*.

♦ **1.** Littér. Action de duper* qqn ; résultat de cette action. ⇒ **Erreur, leurre, supercherie, trahison, tromperie...** (→ fam. Estampage...). — Rare. *La duperie de qqn par qqn.* — Plus cour. *Une, des duperies. Le bonheur n'est qu'une duperie* (→ Désarmer, cit. 8). *Des duperies grossières.* — *Tout n'est qu'apparence et duperie* (→ Désespoir, cit. 5).

1 Regardant le pur amour du bien public comme une duperie ou comme une jactance (...) MARMONTEL, Mémoires, XII.

2 Cette fièvre de réforme les voue par avance — ironie dont leur subtilité ne les avertit pas — à la duperie des utopies les plus vieilles et le plus décidément condamnées par l'histoire. Paul BOURGET, Un divorce, III, p. 103.

♦ **2.** Vieilli. État d'une personne qui est dupe. *La duperie de qqn,* le fait qu'il soit dupé.

3 La pire de toutes les duperies où puisse mener la connaissance des femmes est de n'aimer jamais, de peur d'être trompé. STENDHAL, Journal, p. 140.

CONTR. Réalité ; dessillement, révélation.

DUPEUR, EUSE [dypœʀ, øz] n. — 1669 ; de *duper*.

♦ Vx. Celui ou celle qui se plaît à duper les autres. *Le dupeur de qqn, son dupeur.*

Et quels scrupules le retiendraient dans cette conquête des privilèges sociaux ? La morale ? Il n'aperçoit autour de lui que dupeurs rapaces et dupes victimées.
Paul BOURGET, Essais psychologiques, p. 247.

DUPLEX [dyplɛks] adj. et n. m. — 1883 ; mot lat., « double ».

♦ **1.** Système de transmission de l'information qui permet d'assurer simultanément l'envoi et la réception de messages.
(1954). Télécomm. Dispositif permettant de transmettre des programmes (radio, télévision) émis à partir de deux ou plusieurs stations émettrices. « *Un "duplex" du son et de l'image sera organisé entre une loge de la salle* (d'un théâtre) *et l'appartement de M*ᵐᵉ *Colette, au Palais Royal* » (*le Monde*, 24 févr. 1954). *Émission en duplex,* ou *duplex.* ⇒ aussi **Multiplex.** *Établissement d'un duplex.* ⇒ **Duplication,** 4 (ou duplexage).
Inform. *En duplex :* bidirectionnel. ⇒ **Directionnel.**

♦ **2.** Techn. *Procédé duplex,* fonte et affinage d'un métal en deux opérations successives. — *Acier duplex, triplex,* constitué de deux ou trois couches assemblées à chaud.

♦ **3.** N. m. (V. 1960). Cour. Appartement sur deux étages. *Un trois pièces en duplex,* à deux niveaux réunis par un escalier intérieur.

Elle travaille dans une maison de modes et elle habite, rue de Varenne, un duplex très simple, sans autre ornement qu'un petit tableau de Max Ernst, que son père lui avait offert pour son vingtième anniversaire.
Jean-Louis CURTIS, le Roseau pensant, p. 108.

DUPLEXAGE [dyplɛksaʒ] n. m. — Mil. xxᵉ ; de *duplexer*.

♦ Télécomm. Duplication (4.).

DUPLEXER [dyplɛkse] v. tr. — 1939, *in* T. L. F. ; de *duplex,* 1.

♦ Télécomm. Établir (un équipement) en duplex. ⇒ **Dupliquer.**
DÉR. Duplexage, duplexeur.

DUPLEXEUR [dyplɛksœʀ] n. m. — Mil. xxᵉ ; de *duplexer.*

♦ Télécomm. Dispositif de commutation d'antenne (sur émission et réception).

DUPLICATA [dyplikata] n. m. invar. — 1511, *in* D. D. L. ; lat. médiéval *duplicata (littera)* « lettre redoublée », du p. p. de *duplicare.* → Dupliquer.

♦ **1.** Dr. admin. Double*, second exemplaire d'une pièce ou d'un acte. *Le duplicata a la valeur de l'original.* ⇒ **Copie, double** (→ Assembler, cit. 28). *Le duplicata d'un diplôme, d'une quittance, d'un chèque, d'un testament.* « *On lui a envoyé les duplicata de plusieurs dépêches* » (Académie). *Expédier un acte en duplicata.* Par ext. Copie (d'un document quelconque). *Le duplicata d'un dessin.*

♦ **2.** Double (de qqch.). — Techn. *Faire le duplicata d'un disque* (⇒ **Dupliquer**). — *C'est le duplicata de son père,* il (elle) lui ressemble beaucoup. → Copie* conforme.

DÉR. Dupliquer.

DUPLICATAGE [dyplikataʒ] n. m. — Mil. xxᵉ ; de *duplicater.*

♦ Techn. Reproduction (d'un enregistrement sonore).

La consommation des cylindres, par suite de la diffusion dans le public, rend nécessaire le duplicatage, la production industrielle de cylindres originaux étant devenue impossible pour les artistes. On utilisait alors un pantographe qui, sur une pointe lisait le cylindre original et sur une autre pointe gravait le cylindre dupliqué. Pierre GILOTAUX, l'Industrie du disque, p. 13.

DUPLICATER [dyplikate] v. tr. — Mil. xxᵉ, mais le terme est appliqué à des techniques de la fin du xixᵉ ; de *duplicata.*

♦ Hist., techn. Reproduire (un enregistrement sonore) à partir de l'original.

DÉR. Duplicatage.

DUPLICATEUR [dyplikatœʀ] n. m. — 1842 ; lat. *duplicator* « qui double », du supin de *duplicare.* → Dupliquer.

♦ Appareil, machine servant à reproduire un document à un grand nombre d'exemplaires (⇒ **Polycopie, reproduction**). *Duplicateur à stencils*, à clichés en métaux, à carbone. Duplicateur offset. Duplicateur à alcool, à encre. Duplicateur à main.*

DUPLICATIF, IVE [dyplikatif, iv] adj. — D. i. (xxᵉ, attesté 1955, *in* T. L. F.) ; de *duplication.*

♦ Didact. ou techn. Qui double, qui opère la duplication. « *Cette reproduction duplicative* » (P. Morand, 1955, *in* T. L. F.).

DUPLICATION [dyplikasjɔ̃] n. f. — xiiiᵉ ; lat. *duplicatio,* du supin de *duplicare.* → Dupliquer.

♦ **1.** Vx ou didact. Opération par laquelle on double (une quantité, un volume). *La duplication du cube :* construction d'un cube double d'un autre.

♦ **2.** Le fait de se reproduire en double, identiquement.

1 (...) on constate la duplication sans fin d'une effigie singulière, que le temps perpétue et propage. Chaque génération de tigres vient au jour avec les mêmes rayures jaunes et noires. Il n'y a pas seulement *répétition,* multiplication illimitée d'un modèle. Roger CAILLOIS, Esthétique généralisée, I, p. 12.

Biol. Action de doubler (intrans.). *Duplication chromosomique :* présence d'un segment de chromosome supplémentaire à côté d'une paire de chromosomes normaux. — *Duplication de l'acide désoxyribonucléique*.*

♦ **3.** Techn. (industr. du disque). Le fait de reproduire à partir d'un original. ⇒ **Duplicater.**

2 Le 1ᵉʳ mai 1878, Charles Cros dépose en France le brevet nº 124213 (...) Ce brevet décrit également la duplication des disques par moulage du sillon en creux ou en relief dans le métal. Pierre GILOTAUX, l'Industrie du disque, p. 7.

Reproduction (d'un document).

♦ **4.** Télécomm. Action d'établir un duplex* (1.). On dit aussi *duplexage,* n. m.

DÉR. Duplicatif.

DUPLICATURE [dyplikatyʀ] n. f. — 1906, *in* Rev. gén. des sc., nº 21, p. 953 ; du lat. *duplicatus,* et *-ure.*

♦ Biol. État d'une membrane repliée sur elle-même. *La duplicature du péritoine.*

DUPLICE [dyplis] adj. et n. — xxᵉ ; dér. régressif de *duplicité.*

♦ Didact. ou littér. Double, ambigu.

1   Je me reprochais d'être duplice, hypocrite.
               S. DE BEAUVOIR, Mémoires d'une jeune fille rangée, p. 308.

2   Moune, l'éternelle enfant à la fois duplice et touchante comme elles le sont toutes, qui sait si bien jouer de son âge et y sélectionner les faiblesses profitables !
               Benoîte et Flora GROULT, Il était deux fois..., p. 56.

DUPLICITÉ [dyplisite] n. f. — 1265 ; bas lat. *duplicitas,* de *duplex, icis.* → Duplex.

♦ **1.** Vx. Caractère de ce qui est double*. ⇒ **Dualité.**

1   Cette duplicité de l'homme est si visible, qu'il y en a qui ont pensé que nous avions deux âmes.   PASCAL, Pensées, VI, 417.

♦ **2.** Mod. Caractère d'une personne qui a deux attitudes, joue deux rôles, feint des sentiments autres que ceux qu'elle a dans le cœur. ⇒ **Fausseté, foi** (mauvaise foi), **hypocrisie, mensonge** (→ Jouer* double jeu, jouer* sur deux tableaux ; manger à deux râteliers*).

2   Une duplicité indigne qui loue en face et déchire en secret.
           MASSILLON, Carême, Médis.

3   *Duplicité* renchérit sur *fausseté* : la *duplicité* est une *fausseté* odieuse, par laquelle un homme se met sciemment en opposition avec lui-même, avec ce qu'il a dit ou fait, avec ce qu'il fait ou éprouve.
           LAFAYE, Dict. des synonymes, Suppl., p. 148.

4   Le Roi, malgré son éducation jésuitique et la duplicité ordinaire aux princes, avait un fonds d'honnêteté (...)   MICHELET, Hist. de la Révolution franç., I, p. 770.

CONTR. Droiture, franchise, loyauté, naïveté, rondeur, simplicité.
DÉR. Duplice.

DUPLIQUE [dyplik] n. f. — 1525 ; déverbal de *dupliquer.*

♦ Dr. anc. Réponse d'un défendeur à la réplique du demandeur.

DUPLIQUER [dyplike] v. — 1290, *dupliquier,* au sens I ; lat. *duplicare* «doubler», de *duplex, icis.* → Duplex, 1.

★ **I.** V. intr. Anc. dr. Répondre à la réplique d'un demandeur. ⇒ **Duplique.**

★ **II.** V. tr. (xxᵉ). ♦ **1.** Télécomm. ⇒ **Duplexer ; duplication,** 4.

♦ **2.** Faire un ou plusieurs duplicata de (un document) par cliché, stencil, photocopie, etc. (⇒ **Duplicateur**). « ... *copier, protéger ou lister un fichier, enchaîner plusieurs commandes, formater ou dupliquer un disque, etc.* » (*Livres-Hebdo,* nº 48, 28 nov. 1983, p. 44).

♦ **3.** Didact. Répéter, redoubler (une sensation, une expérience).
DÉR. (Du sens 1) **Duplique.**

DUQUEL [dykεl] pron. rel. ⇒ **Lequel.**

DUR, DURE [dyʀ] adj., adv. et n. — Fin xᵉ, «pénible» ; lat. *durus,* «dur au toucher, ferme, rude ; âpre ; au fig. sévère, pénible...»

★ **I.** Adj. (En épithète, plutôt après le nom). **A.** ♦ **1.** (Concret). Qui résiste à la pression, au toucher ; qui ne se laisse pas entamer ou déformer facilement. *Le fer, l'acier sont des métaux durs. Heurter qqch. de dur. Croquer une substance dure. Sentir un objet dur. La glace est dure. Dur comme le marbre ; comme le diamant* (⇒ **Adamantin, diamantin**) ; *comme la pierre ; comme le bronze* (⇒ **Bronzé,** vx) ; *comme du bois ; comme du béton. Sol sec et dur. Partie dure à la surface de qqch.* (⇒ **Croûte**). *Couche dure de l'épiderme* (⇒ **Callosité, corne, durillon**). *Une peau dure. Il a la tête dure, le crâne dur. — Pâtisserie, mets dur sous la dent.* ⇒ **Craquant, croquant, croustillant.** *Joue dure et enflée. Un vieux cuir devenu très dur.* ⇒ **Cassant, rigide.**

1   Adieu, rocher, caillou (...) et tout ce qu'il y a de plus dur au monde.
           MOLIÈRE, George Dandin, II, 1.

2   La plupart des os sont d'une substance sèche et dure (...)
           BOSSUET, Traité de la connaissance de Dieu, II, 7.

3   *(Elle)* froissa dans sa paume dure les pétales d'un bouquet qui s'effeuillait (...)
           J. CHARDONNE, les Destinées sentimentales, p. 326.

4   Les ganglions avaient cessé d'enfler. Ils étaient toujours là, durs comme des écrous, vissés dans le creux des articulations, et Rieux jugea impossible de les ouvrir.
           CAMUS, la Peste, p. 310.

Loc. fig. *Avoir la peau dure :* résister à tout, être dur (2.). — *Avoir la tête dure :* ne rien comprendre (⇒ **Bouché, borné**), ou ne pas vouloir comprendre (⇒ **Buté, entêté**). — *Avoir la dent* dure : être sans indulgence, brutal (mordre durement, efficacement). — Vieilli. *Avoir le cuir dur :* être buté, récalcitrant.

(Dans des syntagmes où il qualifie un genre pour former une espèce, par oppos. à *mou, tendre,* etc.). Qui ne se laisse pas entamer facilement. *Blés durs et blés tendres. Bois durs :* chêne, hêtre, châtaigner, noyer (opposé à : *bois tendres*). — *Caramel dur* (opposé

à *mou*). *Fromage dur* (séché) opposé à *fromage mou, fromage frais.* — *Crayon dur, mine dure* (opposé à *gras*). — *Pierre* dure.

Qui résiste à la déformation (opposé à *souple*). *Poils durs. Brosse dure,* à poils durs (opposé à *souple*). *Col dur,* empesé. *Papier, carton dur.* ⇒ **Fort, rigide.** *Plastique dur.*

Œuf dur (opposé à *sur le plat, à la coque, mollet,* etc.).

Par ext. Rude au toucher, par son manque d'élasticité. *Une barbe dure,* qui pique*. *Draps durs.* ⇒ **Rêche, rugueux.**

Qui, étant fait d'une substance dure, est peu confortable. *Un lit dur. Siège dur.* → fam. Rembourré avec des noyaux* de pêche. *La suspension de cette voiture est trop dure, c'est un vrai tape-cul !* — Mar. *Mer dure,* dont les lames courtes rendent la navigation difficile et pénible.

Qui résiste (plus qu'on ne pourrait normalement s'y attendre). *Viande dure.* ⇒ **Coriace.** *Ce steak est vraiment dur* (→ fam. C'est de la carne*, de la semelle*). *Légume dur,* par défaut de cuisson. *Ces haricots sont durs. Des fruits durs,* par défaut de maturité. ⇒ **Vert.** *Pain dur.* ⇒ **Rassis** (opposé à *frais*).

Méd. *Pouls dur,* sans élasticité.

Eau dure, qui contient trop de calcaire pour mousser avec le savon et être propre à la cuisson des aliments (→ Cuire, cit. 8).

♦ **2.** Qui résiste, ne cède pas facilement.

a (Sans compl.). Concret. Difficile à manœuvrer. *Cette porte, cette fenêtre est dure,* résiste quand on l'ouvre et la ferme. *La serrure est très dure. Un ressort dur. La pédale de frein est dure.* Difficile, pénible à parcourir. *Route dure. Un parcours très dur. Escalier très dur.* ⇒ **Raide.** *Pente, côte dure.* ⇒ **Rude** (opposé à *douce*).

(Abstrait). Difficile, pénible à effectuer, à faire. *Travail dur.* — (Antéposé). *Un dur labeur. C'est trop dur pour moi. Ce n'est pas dur (c'est pas dur) de conduire une voiture ! Le plus dur est passé* (cit. 65).

Fam. Difficile à comprendre. *Cet exercice est trop dur. Un livre dur.* ⇒ **Ardu.** *C'est dur, c'est pas dur :* c'est difficile, facile.

b (Personnes). DUR À (suivi d'un nom) : qui résiste bien à, ne craint pas. *Être dur au mal.* ⇒ **Stoïque.** *Il est dur, elle est dure à la peine, à la tâche.* ⇒ **Aguerri, courageux, endurant, endurci, patient.**

Dur à la détente : avare ; ou qui ne se laisse pas facilement extorquer des renseignements, avare de paroles ; ou qui ne comprend pas facilement.

5   Un homme dur au travail et à la peine (...)
           LA BRUYÈRE, les Caractères, IV, 50.

5.1   (...) naturellement, on le prenait pour un espion, et on ne disait pas devant lui un mot qui eût trait aux événements du jour.
   Aussi, voyant qu'il ne pouvait rien apprendre de relatif à l'invasion tartare, écrivit-il sur son carnet :
   « Voyageurs d'une discrétion absolue. En matière politique, très durs à la détente. »
           J. VERNE, Michel Strogoff, p. 51.

♦ **3.** (Idée de résistance, parfois par compar. ou métaphore du sens 1). Loc. *Avoir l'oreille dure,* peu sensible aux impressions.

Par métonymie. DUR D'OREILLE : qui a l'oreille dure (ci-dessous), qui entend mal. Argot fam. *Il est dur de la feuille* (même sens).

6   Ce bruit interne était si grand, qu'il m'ôta la finesse d'ouïe que j'avais auparavant, et me rendit non tout à fait sourd mais dur d'oreille, comme je le suis depuis ce temps-là.   ROUSSEAU, les Confessions, VI.

Qui résiste, ne cède pas facilement. *Un sommeil dur,* profond, lourd. — *Avoir la vie dure :* ne pas mourir, malgré l'âge, la maladie, les accidents (→ Avoir l'âme chevillée* au corps). — Fam. Durer, fonctionner longtemps. *Elle a la vie dure, cette voiture !*

7   Par bonheur, les sommeils de vingt ans sont aussi durs que la faïence de l'Économe.   J. ROMAINS, les Hommes de bonne volonté, t. IV, XVIII, p. 194.

7.1   Que ça a la vie dure, un homme politique de la IVᵉ République.
           F. MAURIAC, le Nouveau Bloc-notes 1958-1960, p. 51.

Insensible. *Avoir le cœur dur* (→ Un cœur de pierre*, de marbre*, de roche*).

Vétér. *Bouche dure* (d'un cheval), qui résiste au mors, n'y répond pas.

♦ **4.** (Idée de difficulté). DUR À (suivi d'un inf.) : qui demande un grand effort, une grande compétence, un long apprentissage pour... ⇒ **Difficile.** *Instrument dur à manier. Cette côte est dure à monter. Légumes durs à cuire.* — N., au fig. *Un dur à cuire, une dure à cuire* (→ ci-dessous III., 1.).

Homme dur à convaincre, à émouvoir. Aventure dure à imaginer. Problème dur à résoudre. Il est dur à supporter. Musique dure à écouter. Un meuble dur à déménager. Un enfant dur à tenir.

8   Non, l'on n'a point vu d'âme à manier si dure (...)
           MOLIÈRE, le Misanthrope, IV, 1.

♦ **5.** Pénible à supporter, désagréable. **a** Pénible pour les sens. *Cidre* (cit. 4) *dur,* sec et fort. *Vin dur. Hiver dur,* très froid. *Un dur hiver.* ⇒ **Rude.** *Le soleil était dur. Une lumière dure,* qui blesse l'œil, ou qui souligne les reliefs de manière exagérée (opposé à *douce*). *Photo exécutée en lumière dure. Des yeux d'un bleu dur. Voix dure,* perçante ou rauque, désagréable à l'oreille. *Une langue* *dure*, qui sonne de façon déplaisante. *Avoir les traits* (du visage) *durs*, les traits accusés et sans grâce (→ Avoir le visage taillé à coups de serpe*). *Visage dur et ingrat*.* Peint. *Un dessin dur*, dont le tracé manque de souplesse et de légèreté. — *Un style dur* (⇒ **Heurté, rocailleux, sec**). Par métonymie. *Un auteur dur.*

9 Maudit soit l'auteur dur dont l'âpre et rude verve (...)
BOILEAU, Vers en style de Chapelain, *in* LITTRÉ.

10 (...) son dur et long profil se détachait en silhouette dans une sorte de halo.
J. GREEN, Léviathan, II, I, p. 139.

Phonét. *Consonnes dures* (par oppos. à *consonnes douces*. ⇒ **Doux**).

b Moralement pénible pour une personne, des personnes. ⇒ **Pénible**. *Un dur traitement, une dure punition.* ⇒ **Rigoureux, sévère**. *Dure leçon. Dures vérités. Dure pénitence. La loi est dure, mais c'est la loi* (→ *Dura* lex sed lex*). *Ce fut une dure épreuve.* ⇒ **Affligeant, douloureux, rude.** *En cette dure épreuve, cette dure extrémité, cette dure nécessité... De durs combats. La lutte fut dure.* ⇒ **Acharné, âpre, farouche.** *Être à dure école. Un coup dur.* ⇒ **Coup** (cit. 44). *Un travail dur. C'est un métier trop dur. Un dur effort. Les temps sont durs.* ⇒ **Difficile, malheureux.** *Mener une vie dure, une dure vie*, pénible ou austère*. *Mener, rendre, faire la vie dure à qqn*, le rendre malheureux, le tourmenter. ⇒ **Despote** (être despote). *C'est dur, d'entendre des choses pareilles. La chose est dure pour lui*, (vieilli) *lui est dure* (→ ci-dessous, cit. 11, 12).

11 (...) laissez-moi jouir d'un bien sans lequel la vie m'est dure et fâcheuse (...)
Mme DE SÉVIGNÉ, 136, 18 févr. 1671.

12 (...) il m'est dur que vous plaigniez si fort
Un homme que je hais à l'égal de la mort (...) MOLIÈRE, l'École des maris, II, 7.

13 (...) il est plus dur de l'appréhender *(la mort)* que de la souffrir.
LA BRUYÈRE, les Caractères, XI, 36.

14 (...) le siècle est dur, et (...) on a bien de la peine à vivre.
LA BRUYÈRE, les Caractères de Théophraste, De l'impertinent...

15 Qu'il est dur de haïr ceux qu'on voudrait aimer. VOLTAIRE, Mahomet, III, 1.

16 (...) je cherche un autre métier (...) Celui que j'ai à présent me fatigue et ne me rapporte presque rien. À la blanchisserie on étouffe, et puis être toujours à appuyer sur ce fer (...) Bref, je cherche autre chose. — Autre chose? Quoi? — Un métier moins dur (...)
J. GREEN, Léviathan, I, VIII, p. 66.

Exclam. *Dur !* (souvent redoublé) *Dur, dur !* : c'est pénible, difficile à supporter (souvent à propos de choses sans gravité, ou dans lesquelles on n'est pas directement impliqué). *« Un polytechnicien désire faire notre éducation informatico-sentimentale. Dur, dur, pensez-vous. Erreur, cette "grosse tête" adopte le ton badin, plaisante à l'occasion, raconte même des anecdotes »* (le Point, 21-27 juin 1982, p. 157).

c *Dur à* (et inf.) : pénible, désagréable. *Un aliment dur à digérer.* Loc. fig. *C'est dur à digérer, à avaler* : c'est pénible. — *Choses dures à entendre. C'est un moment dur à passer, à traverser. C'est un peu dur à accepter.*

B. ♦ **1.** (V. 1050). Personnes. Qui manque de cœur, d'humanité, d'indulgence. ⇒ **Autoritaire, blessant, brutal, exigeant, farouche, féroce, froid, impassible, impitoyable, implacable, indifférent, inébranlable, inexorable, inflexible, inhumain, insensible, intraitable, intransigeant, mauvais, méchant, rigoriste, sévère, strict, terrible, vache** (fam.). *Un homme dur, sans cœur*, sans entrailles** (vx). *Être dur, se montrer dur pour qqn, envers qqn. Maître dur pour ses domestiques. Il a été très dur avec ses parents. Être dur pour soi et pour les autres* (→ Despotisme, cit. 8). *Être dur en affaires. Être dur pour les faiblesses, les fautes d'autrui. Rendre qqn dur.* ⇒ **Aigrir, endurcir, rendurcir.** *Devenir dur.* ⇒ **Dessécher** (se), **racornir** (se).

17 Ô gens durs ! vous n'ouvrez vos logis ni vos cœurs !
LA FONTAINE, Philémon et Baucis.

18 — Au tribunal le magistrat s'oublie, et ne voit plus que l'ordonnance. — Indulgente aux grands, dure aux petits (...)
BEAUMARCHAIS, le Mariage de Figaro, III, 5.

19 Les hommes qui passent pour être durs sont de fait beaucoup plus sensibles que ceux dont on vante la sensibilité expansive. Ils se font durs parce que leur sensibilité étant vraie, ils la font souffrir. Les autres n'ont pas besoin de se faire durs, car ce qu'ils ont de sensibilité est bien facile à porter.
B. CONSTANT, Journal intime, p. 175.

20 (...) il se disait qu'il n'avait eu aucune vraie bonté à espérer de qui avait été si injuste et si dur pour son père.
HUGO, les Misérables, V, V, II.

21 *Il lui arrive d'être très dur.* Je ne pense pas que personne puisse l'être comme lui. Il vous brise l'esprit d'un mot, et je me vois comme un vase manqué que le potier jette aux débris.
VALÉRY, M. Teste, p. 38.

22 Sa tristesse est sans douceur ; elle aime le sarcasme. Il est dur ; il a l'air cruel ; il semble jouir de la catastrophe, tant il se soucie peu de l'amortir.
André SUARÈS, Trois hommes, « Ibsen », V, p. 136.

22.1 (...) M. Sandré resta encore quelques instants à table, regardant son petit Jean pour qu'il était toujours si dur, dont il contrecarrait à tout instant les fantaisies les plus innocentes, qu'il faisait envoyer coucher quand on oubliait l'heure, lui qui depuis un mois avait forcé sa fille et son gendre à séparer Jean de Melle Kossichef, lui qui n'embrassait jamais Jean, même pas le 1er janvier, lui appela doucement, l'assit sur ses genoux, et l'embrassa de ses vieilles lèvres durcies (...)
PROUST, Jean Santeuil, Pl., p. 225.

(En parlant d'un enfant). Dont on ne fait pas ce qu'on veut, qui n'obéit pas, a tendance à tout détruire. *Le plus jeune de ses fils est le plus dur.* ⇒ **Difficile, turbulent.**

♦ **2.** Qui exprime, qui traduit un manque de cœur, d'indulgence, d'aménité... *Un regard dur et méprisant.* ⇒ **Féroce.** *Expression, physionomie dure.* ⇒ **Rébarbatif, revêche.** *Mine dure et renfrognée.*

Répondre sur un ton dur. ⇒ **Acerbe, bourru, bref, brusque, brutal, cassant, glacé, glacial, rogue, rude, sec, vif, violent.** *Parole, remarque dure.* ⇒ **Acéré, amer, choquant, cinglant, offensant, sévère.** — Qui juge sévèrement. *Ce livre est bien dur pour Louis XV. La critique fut dure pour son dernier ouvrage. Tu es bien dur avec lui.*

23 (...) il faut lire un grand nombre de termes durs et injurieux que se disent des hommes graves, qui d'un point de doctrine (...) se font une querelle personnelle.
LA BRUYÈRE, les Caractères, I, 58.

24 Mais la passion la rendait cette fois insensible à la pitié, et lui faisait (c'est elle qui l'avoue) le cœur *dur comme diamant.*
SAINTE-BEUVE, Causeries du lundi, 11 août 1851, t. IV, p. 420.

25 (...) le jugement dur porté sur lui *(Sandeau)* par Madame Sand : « Il a tout perdu, même mon estime. »
Émile HENRIOT, les Romantiques, p. 418.

26 « Pourquoi donc », se demandait Jacques, « son visage prend-il si aisément cet aspect dur et fermé ? »
MARTIN DU GARD, les Thibault, t. II, p. 255.

27 À cultiver une terre ingrate, à forcer, à embellir de mauvaises herbes, il avait pris quelque chose de dur qui ne s'accordait guère avec sa douceur.
COCTEAU, le Grand Écart, I, p. 5.

♦ **3.** Brutal et répressif ; sans concession. *Une politique dure.* ⇒ **Musclée.** *Des mesures de répression exceptionnellement dures. Une loi très dure.* ⇒ **Draconien.**

(Des personnes). *Des dirigeants durs, plus durs. Des politiciens durs.* ⇒ **Faucon ;** → ci-dessous, III., 1.

Loc. *Pur et dur ; dur et pur* (moins courant).

27.1 Quelques films américains, où le héros dur et pur, ne répugnait pas devant un verre de lait avant de sortir son colt justicier.
R. BARTHES, Mythologies, p. 77.

C. (Opposé à *doux* ; adapt. de l'angl. *hard*). ♦ **1.** Qui a des effets importants et dangereux. *Drogues* dures et drogues douces.*

♦ **2.** Qui est rigoureux. *Technologies dures.*

★ **II.** Adv. (XIIIe). ♦ **1.** Avec force, violence. *Frapper, cogner dur.* ⇒ **Fort, sec.** *Taper dur sur qqch. Il frappait de plus en plus dur. Le vent soufflait dur.*

♦ **2.** Avec intensité. *Travailler dur.* ⇒ **Énergiquement, ferme, rudement, sérieusement** (cf. D'arrache-pied). *Il gèle dur, la nuit.* — Fig. *Ça chauffe dur :* il y a du vilain, ça barde.

28 Le soleil commença de frapper dur.
ALAIN-FOURNIER, le Grand Meaulnes, p. 189.

29 Allez derrière, dit le type à Sarah. Et poussez dur.
SARTRE, la Mort dans l'âme, p. 16.

30 (...) ça se mit à gueuler dur de l'autre côté de la cloison.
SARTRE, le Sursis, p. 51.

Loc. fig. *Croire* à qqch. dur comme fer.*

★ **III.** N. (1350). ♦ **1.** Personne aguerrie, bien trempée, qui n'a peur de rien, ne recule devant rien. *C'est un dur* (→ Bande, cit. 6). *Jouer les durs* (→ Jouer les gros bras*, les casseurs*). *Se faire passer pour un dur. Un gros dur.* — Spécialt. Homme du milieu. *C'était un dur, un vrai* — Loc. *Dur de dur* (intensif) : dur parmi les durs. → Vrai* de vrai.

31 Je voulais être un homme. Un dur... Est-ce que c'est possible qu'on soit un lâche quand on a choisi les chemins les plus dangereux ?
SARTRE, Huis-clos, V.

Politicien, militaire, partisan de la manière forte, intransigeant. ⇒ **Épervier, faucon.** *Les durs du Pentagone.*

(1829). **Dur à cuire** : personne qui ne se laisse ni émouvoir, qu'on ne peut faire marcher aisément.

31.1 (...) de vieilles moustaches se surprennent, à la fin du récit que fait cette femme, l'œil humide de larmes. *Le capitaine.* Eh bien ! sergent, qu'avez-vous donc ? Je vous croyais un dur à cuire.
Mémoires de Vidocq, IV, 1828-1829, *in* D.D.L., II, 3.

31.2 On se mouche comme à l'église avant que le sermon commence, et les durs à cuire, ceux qui ont pour opinion « qu'il faut que ce soit comme en 93 », écoutent religieusement, tout en regardant de travers les voisins suspects de modératisme.
J. VALLÈS, l'Insurgé, p. 123.

Enfant difficile à élever, violent et qui n'en fait qu'à sa tête. *Sa dernière fille est une dure.*

♦ **2.** N. m. Ce qui est dur. *Le dur et le mou. Je préfère dormir sur du dur.*

En dur : en maçonnerie. *Construire en dur* (opposé à *préfabriqué, provisoire*). *Les dortoirs sont dans des tentes, le réfectoire dans un bâtiment en dur.* — Aviat. *Piste en dur*, bétonnée (opposé à *de terre battue*). — REM. En Afrique, l'expression s'oppose à « en construction traditionnelle » (banco, bambou...).

31.3 (...) ce rancho à flanc de montagne devenu avec le temps un vrai faubourg, avec de vraies maisons en dur, de vrais toits plats en ciment où faire sécher le linge, suspendre un hamac quand la nuit est trop chaude, emmagasiner la pluie en citerne.
Régis DEBRAY, l'Indésirable, p. 14.

(Fig. et fam.). D'une façon concrète, tangible.

31.4 (...) Renaud, qui m'obligeait à partager ses cauchemars et à les jouer en dur.
Christiane ROCHEFORT, le Repos du guerrier, I, V, p. 108.

Loc. Techn. *De (tout) son dur :*

31.5 Cette pièce d'acier, après avoir été trempée, « de tout son dur », comme on dit en métallurgie, fut fixée d'une façon inébranlable sur un bâti solidement enfoncé dans le sol, à quelques pieds seulement de la grande chute, dont l'ingénieur allait encore utiliser la force motrice.
J. VERNE, l'Île mystérieuse, t. II, p. 557 (1874).

♦ **3.** N. m. Techn. Tension (d'une corde). *Donner du dur* (opposé à *mou*) : tendre plus (la corde).

♦ **4.** N. m. (1886 ; « fer », 1836). Argot, puis fam. Train. *Prendre le dur. Brûler* (cit. 10.3) *le dur* : voyager en fraude par le train.

31.6 Il prit son billet en vitesse et son dur juste à temps (...)
R. QUENEAU, le Dimanche de la vie, p. 96.

♦ **5.** N. m. (1800). Argot. *Les durs* : les fers du détenu. — (1833). Bagne. — (1899). Prison. *Être aux durs*.

31.7 Résultat, six mois après, on s'est retrouvé aux durs.
A. SARRAZIN, la Cavale, p. 307.

♦ **6.** N. m. (1800, *in* D. D. L.). Fam. Eau-de-vie (→ aussi Doux, III, 1.). *Un verre de dur*.

31.8 (...) elle avale coup sur coup trois petits verres d'anisette, après quoi elle s'écrie :
— Décidément, c'est trop doux : ça m'*écœure*, l'anisette... Je vas revenir au dur...
Donnez-moi du fil en quatre, cher ami ?
On sert de l'eau-de-vie à la grosse femme, qui l'avale sans sourciller.
Ch. PAUL DE KOCK, la Grande Ville, t. I, p. 262.

♦ **7.** N. f. LA DURE : le sol, la terre nue. *Coucher sur la dure.* ⇒ **Terre** (par terre).

32 J'ai bu chaud, mangé froid, j'ai couché sur la dure (...)
Mathurin RÉGNIER, Satires, II.

32.1 Mon père se couchait de bonne heure et se levait matin ; mais encore qu'il eût le sommeil léger et court, il s'endormait au bruit des veilleuses : il a souvent passé la nuit sur la dure. RESTIF DE LA BRETONNE, la Vie de mon père, p. 158.

33 C'est un homme qui, à force de faire carder son matelas, le voit diminuer, et finit par coucher sur la dure.
CHAMFORT, Maximes et pensées, Sur la philosophie et la morale, IX.

♦ **8.** Loc. *En dire, en faire, en voir de dures*, des choses pénibles à supporter. *Il nous en fait voir de dures* (→ De toutes les couleurs*).

♦ **9.** Loc. adv. À LA DURE : de manière rude, dure à supporter. *Être élevé à la dure*, sans douceur, avec sévérité. ⇒ **Durement.** *Coucher à la dure*, sans confort (sur le sol nu, par croisement avec le sens 7).

33.1 (...) le redoutable chasseur sibérien avait élevé son fils Michel « à la dure », suivant l'expression populaire (...) J. VERNE, Michel Strogoff, p. 35.

33.2 Il fallait une certaine attention pour ne pas piétiner les dormeurs, capricieusement étendus çà et là. C'étaient pour la plupart des moujiks, habitués à coucher à la dure et auxquels les planchers d'un pont devaient suffire.
J. VERNE, Michel Strogoff, p. 102.

34 Pour nous, l'argent n'était qu'un moyen d'arriver à faire quelqu'un de bien. C'est pour ça qu'on vous élevait à la dure.
Valery LARBAUD, Fermina Marquez, XX, p. 247.

35 Son père le fit élever à la dure.
A. MAUROIS, Lélia, p. 14.

CONTR. Amolli, blet, douillet, doux, élastique, flasque, liquide, moelleux, mou, souple, tendre. — Docile, douillet, mollasse, mou, vulnérable ; aisé, facile. — Doux, harmonieux ; agréable, léger. — Affectueux, bienveillant, bon, compatissant, débonnaire, humain, indulgent, sensible, tendre. — Légèrement, mollement. — Mou, n. m.
DÉR. Duraille, durcir, durement, duret, dureté, 1. et 2. durillon. — V. Durit.
COMP. Durbec, dure-mère.

DURABILITÉ [dyRabilite] n. f. — Fin XIIIᵉ ; de *durable*.

♦ **1.** Didact. Caractère de ce qui est durable. ⇒ **Permanence, pérennité, persistance.** *La durabilité des choses, d'une espèce.*
Techn. Propriété (d'un bois) de résister aux facteurs d'altération. *Durabilité moyenne d'un bois.*

♦ **2.** Dr. Temps d'utilisation (d'un bien) ou de validité (d'un droit).
Écon. Durée pendant laquelle un bien satisfait un besoin.

DURABLE [dyRabl] adj. — V. 1050 ; de *durer*.

♦ **1.** Littér. De nature à durer longtemps. *Une construction, un monument durable.* — Écon. Capable de se conserver longtemps. *Marchandises, biens durables.*
(Abstrait). Plus cour. Qui est de nature à ne pas se modifier, n'est pas éphémère. *État, situation durable.* ⇒ **Constant, permanent, stable.** *Un changement durable. Rendre durable.* ⇒ **Consacrer, confirmer, entériner.** *Faire œuvre durable. La gloire de cet écrivain sera durable. Sentiment, amitié, amour durable.* ⇒ **Profond, solide.** *S'attacher d'une manière durable, pour longtemps* (→ À jamais*, à la vie*). *Entreprise durable.* ⇒ **Viable, vivace.** *Un souvenir durable.* ⇒ **Vif, vivant.** *Préjugés durables.* ⇒ **Enraciné, tenace, vivace.** *Caractère de ce qui est durable.* ⇒ **Durabilité.**

1 Don précieux, inestimable, présent, si seulement la possession en avait été plus durable (...) BOSSUET, Oraison funèbre de la Duchesse d'Orléans.

2 (...) il n'y a que la vérité qui soit durable, et même éternelle.
BUFFON, Disc. sur le style, p. 25.

3 C'est que, dans le premier cas, l'écrivain n'avait exprimé que des caractères superficiels et éphémères, tandis que, dans le second, il a saisi des caractères durables et profonds. TAINE, Philosophie de l'art, t. II, v, II, III, p. 259.

4 J'avais l'insouciance de ceux qui croient leur bonheur durable.
PROUST, À la recherche du temps perdu, t. XI, p. 97.

5 Faire œuvre durable, c'est là mon ambition, et quant au reste : succès, honneurs, acclamations, j'en fais moins cas que de la moindre parcelle de vraie gloire : apporter réconfort et joie aux jeunes hommes de demain.
GIDE, Journal, 10 avr. 1943.

N. m. *Le durable* : caractère ou état de ce qui dure longtemps (→ Délaisser, cit. 3 ; passer, cit. 70).
Spécialt. De nature à durer très longtemps sans se modifier (→ ci-dessus cit. 2 et les emplois comme : *gloire durable*). ⇒ **Définitif, éternel, immortel, impérissable.**

♦ **2.** Qui dure effectivement longtemps. — Rare en emploi concret : « *Certains fruits durables et ratatinés des haies* » (Proust, *in* T. L. F.). — (Abstrait). *Son sentiment n'a pas été très durable.* ⇒ **Persistant.** — REM. Seule la syntaxe permet d'affecter à *durable* une valeur phénoménale, et non virtuelle (sens 1) : tous les emplois cités avec cette valeur peuvent être interprétés au sens 1 ; l'inverse est souvent vrai (*un souvenir durable* est « capable de durer » ; mais dans la phrase : *le souvenir fut durable*, la durée est effective).

CONTR. Bref, court, éphémère, fragile, fugace, fugitif, instantané, momentané, passager, périssable, temporaire, transitoire.
DÉR. Durabilité, durablement.

DURABLEMENT [dyRabləmɑ̃] adv. — V. 1170 ; de *durable*.

♦ D'une façon durable (→ Avant, cit. 66). *Œuvrer durablement pour l'avenir.*

(Il faut) associer aux actes qui assureront la sécurité de tous et l'organisation mondiale de la paix, un état sans lequel on ne voit point comment pourraient être valablement et durablement construites, ni la sécurité, ni l'organisation mondiale, ni la paix. Ch. DE GAULLE, Mémoires de guerre, p. 305.

DUR-À-CUIRE [dyRakɥiR] adj. et n. ⇒ **Dur** (III., 1.).

DURAILLE [dyRaj] adj. — 1907, « difficile » ; de *dur*.

♦ Fam. Dur. — (Concret). *Il est duraille, ton canapé.* — Difficile. *C'est duraille, son cours.*

Deviner maintenant où se trouvait Lili, et pourquoi on l'avait emmenée, c'était duraille, du vrai travail de cartomancienne.
A. SIMONIN, Touchez pas au grisbi, p. 123. [1]

N. m. Rare. *Un duraille* : un dur, un dur à cuire.

Chantez des javas canailles
Que de gros durailles
Dans't à Robinson (...) Boris VIAN, Textes et chansons, Chantez, p. 32. [2]

DURAL, ALE, AUX [dyRal, o] adj. — 1959 ; de *dure*, dans *dure-mère*, et suff. -*al*, p.-ê. angl. *dural* (1888).

♦ Anat. Qui se rapporte à la dure-mère. *Cul-de-sac dural. Gaine durale. Hématome dural.* — REM. On dit aussi *dure-mérien, enne* [dyR(ə)meRjɛ̃, ɛn].

COMP. Épidural, extradural, péridural.

DURA LEX SED LEX [dyRalɛkssɛdlɛks]

♦ Locution latine *(la loi est dure, mais c'est la loi)*, que l'on rappelle en parlant d'une règle à laquelle il faut se soumettre, quelque pénible qu'elle soit.

DURALUMIN [dyRalymɛ̃] n. m. — 1932, nom déposé ; de *Düren*, ville allemande où l'alliage fut créé, et *aluminium*, avec influence de *dur*.

♦ Alliage léger d'aluminium, de cuivre, de magnésium et de manganèse, utilisé dans la construction aéronautique... *Construction en duralumin*, et, par abrév., *en dural* [dyRal]. *Des tôles de duralumin, un cadre de bicyclette en duralumin.*

DURAMEN [dyRamɛn] n. m. — 1839, Boiste ; mot latin, « durcissement », de *durare* « durcir », de *durus* « dur ».

♦ Bot. Partie tout à fait lignifiée d'un tronc d'arbre (par oppos. à l'*aubier**). ⇒ **Cœur.** *Le duramen est le bois parfait ; sa coloration est généralement plus foncée que celle de l'aubier.* ⇒ **Bois.** *Des duramens.*

CONTR. Aubier.

DURANT [dyRɑ̃] prép. — 1260, après le nom ; avant le nom, XVIᵉ ; p. prés. de *durer*.

♦ **1.** Cour. (Avant le nom). Pendant la durée entière de. ⇒ **Pendant.** *Durant la nuit. Durant l'été. Parler durant des heures. Durant tout le XVIIᵉ siècle.* ⇒ **Cours** (au cours de). *Durant son séjour, son absence, son sommeil. Durant le repas, la représentation.* — *Durant cinquante pages, durant tout le roman.* — *Durant longtemps* (rare).

Jugez durant ce temps ce que vous pourrez faire. CORNEILLE, Pompée, II, 4. [1]
(...) cette douceur maternelle qui me couvait durant des heures entières d'un sourire attendri (...) G. SAND, Elle et Lui, X, p. 231 (→ Couver, cit. 2). [2]
Théoriquement *durant* s'emploierait seulement avec une indication précise de la durée : *Durant trois heures, ils se battirent comme des lions ; — Quatre heures durant* (...) Mais on dit fort bien : durant *une partie de la nuit*. Il suffit, pour [3]

qu'on puisse employer *durant* que les limites de l'action coïncident avec la durée exprimée : durant *une infinité de siècles, la Terre a existé sans l'homme.*
F. BRUNOT, la Pensée et la Langue, III, XI, section C, v, p. 449.

Loc. conj. Vieilli ou littér. *Durant que :* pendant tout le temps que. *Durant que..., durant le temps, tout le temps que...*

À l'époque, au moment de (avec une fonction de repérage, et le même type de noms sauf ceux qui expriment une durée : *heure, jour*). *Durant la Révolution française. Durant son voyage, il a eu plusieurs ennuis de santé.*

Durant que... : pendant que... (le temps exprimé par le compl. n'est plus concerné dans son entier, mais comme un repère à l'intérieur duquel se situe la simultanéité) *Durant qu'il travaillait, il entendit plusieurs fois crier dans la rue.*

♦ **2.** Loc. (Après le nom). *Parler une heure, des heures durant. Travailler sa vie durant.*

4 (...) L'écrit portait
Qu'un mois durant le roi tiendrait
Cour plénière (...)   LA FONTAINE, Fables, VII, 7.

5 (...) mon frère et moi, nous vous assurerons, votre vie durant, les mensualités que vous touchiez ici.   MARTIN DU GARD, les Thibault, t. IV, p. 204.

DURATIF, IVE [dyʀatif, iv] adj. — 1875, P. Larousse, art. *Slave,* ling.; dér. sav. de *durer.*

♦ Ling. *Aspect duratif,* celui d'une action (verbe) considérée dans son développement, sa durée. ⇒ **Imperfectif.**

DURBEC [dyʀbɛk] n. m. — 1843, Landais ; de *dur,* et *bec.*

♦ Genre d'oiseaux passereaux, de la famille des *fringillidés,* habitant les forêts de conifères des régions de l'hémisphère boréal.

DURCIR [dyʀsiʀ] v. — Fin XIIe, intrans.; de *dur.*

★ **I.** V. tr. ♦ **1.** Rendre dur, plus dur. *La chaleur durcit la terre. Durcir l'acier.* ⇒ **Tremper.** *L'âge durcit les artères, les tissus.* ⇒ **Indurer.**

1 Je pris sa main, sa pauvre main de gabier dans les miennes ; il fallait la serrer très fort pour qu'elle sentît la pression, car le travail l'avait beaucoup durcie.
LOTI, Mon frère Yves, LXVII, p. 158.

♦ **2.** Fig. Rendre plus fort, moins sensible. ⇒ **Affermir, endurcir, fortifier, tremper.**

2 On s'exerce à durcir son cœur, on se cache de la pitié, de peur qu'elle ne ressemble à la faiblesse ; on se fait effort pour dissimuler le sentiment divin de la compassion, sans songer qu'à force d'enfermer un bon sentiment on étouffe le prisonnier.
A. DE VIGNY, Servitude et Grandeur militaires, II, XIII, p. 167.

♦ **3.** (xxe). Rendre plus ferme, plus intransigeant. *Ils ont durci leurs positions depuis cette réunion. Les syndicats ont durci l'action, durci la grève.*

♦ **4.** Par ext. (Sujet n. de chose). Faire paraître dur, plus dur. *Cette coiffure lui durcit les traits, le visage.*

★ **II.** V. intr. Devenir dur, ferme. *Pain qui durcit rapidement.* ⇒ **Rassir, sécher.** *Faire durcir des œufs dans l'eau bouillante. Crème qui durcit en se refroidissant.* ⇒ **Prendre, solidifier** (se). *L'argile durcit sous l'effet de la chaleur. Surface d'un liquide, d'un solide qui durcit* (⇒ **Croûte**). *La neige a durci.*

▶ **SE DURCIR** v. pron. (du sens I). *La pierre se durcit à l'air. — Ses traits se durcissent avec l'âge.* ⇒ **Accentuer** (s').

3 Le garçon était toujours aussi pâle, mais, petit à petit, les traits de son visage, ces traits si délicats, si puérils, se durcissaient comme sous l'action d'une force intérieure.   G. DUHAMEL, le Voyage de Patrice Périot, XIV, p. 258.

Devenir insensible. *Son cœur se durcit à cette pensée.*

4 Je dis que le cœur aime l'être universel naturellement, et soi-même naturellement, selon qu'il s'y adonne ; et il se durcit contre l'un ou l'autre, à son choix.
PASCAL, Pensées, IV, 277.

▶ **DURCI, IE** p. p. adj. *Sol durci.* ⇒ **Battu.** *Muscle durci par l'effort. Neige durcie.*

Fig. *Sensibilité durcie* (→ Desséché, cit. 15). *Regard durci par la haine. Voix durcie par la colère.*

5 Un bruit de cristaux brutalisés lui parvint, puis la voix d'Edmée, claire, durcie pour la réprimande.   COLETTE, Fin de Chéri, p. 5.

CONTR. Amollir, attendrir, mollifier, mollir, mortifier, ramollir ; adoucir.
DÉR. Durcissement.
COMP. Endurcir. — Radiodurcissable.

DURCISSEMENT [dyʀsismɑ̃] n. m. — 1753 ; de *durcir.*

♦ **1.** Action de durcir, de se durcir ; résultat de cette action. *Le durcissement de l'argile, du ciment. Durcissement des tissus.* ⇒ **Induration, sclérose.** *Durcissement des artères.* ⇒ **Artério-sclérose.** *Durcissement de la paume des mains, de la plante des pieds.* ⇒ **Callosité, corne, durillon.**

1 Au début, l'eau continuait à s'infiltrer entre la tôle et le coffrage, délavant le ciment avant durcissement.   Bernard MOITESSIER, Cap Horn à la voile, p. 86.

♦ **2.** Le fait de devenir plus résistant, plus dur (fig.). ⇒ **Raffermissement, renforcement.** *On constate un durcissement de la résistance ennemie sur ce point du front. Durcissement d'une attitude, d'une position, de l'opposition,* qui devient plus rigide, plus intransigeante.

2 Je suis heureux de lui avoir fait confiance, puisqu'il en a été aidé, mais je regrette de ne pas lui avoir dit, hier soir, que le terme d'« endurcissement » dont je me suis servi à son propos et qui l'a peiné, je crois, trahit ma pensée, car il est péjoratif. C'est « durcissement » que je voulais dire. Mitterrand s'est durci et non endurci.
F. MAURIAC, le Nouveau Bloc-notes 1958-1960, p. 269.

CONTR. Amollissement, attendrissement, mollification ; assouplissement.
COMP. Endurcissement.

DURÉE [dyʀe] n. f. — 1131 ; de *durer.*

♦ **1.** Espace de temps qui s'écoule entre les deux limites observées (début et fin) de (un phénomène). ⇒ **Temps ; espace, longueur** (du temps); **moment, période.** *La durée d'un spectacle, d'un voyage. Durée d'un traitement. Durée des vacances. Durée des fonctions d'un souverain ; durée d'une influence, d'une mode.* ⇒ **Règne.** *Durée d'un mandat, d'une législature. Durée pendant laquelle on a occupé une fonction.* ⇒ **Ancienneté.** *Durée ininterrompue.* ⇒ **Continuité, permanence.** *Durée hebdomadaire de travail. Réduction de la durée légale du travail. Diminuer la durée de qqch.* (⇒ **Abréger, raccourcir**), *l'augmenter* (⇒ **Prolonger**). *La durée de la vie.* ⇒ **Âge, carrière, cours, existence, longévité.** *La durée de leur liaison.*

1 La durée de nos passions ne dépend pas plus de nous que la durée de notre vie.
LA ROCHEFOUCAULD, Maximes, V.

2 Quand je considère la petite durée de ma vie, absorbée dans l'éternité précédente et suivante (...) le petit espace que je remplis et même que je vois, abîmé dans l'infinie immensité des espaces que j'ignore et qui m'ignorent, je m'effraie et m'étonne de me voir ici plutôt que là (...)   PASCAL, Pensées, III, 205.

3 Mais hélas ! Tout ce qu'elle aimait devait être de peu de durée (...)
BOSSUET, Oraison funèbre d'Anne de Gonzague.

4 (...) la notion des durées se perdait pour eux dans la monotonie du temps.
LOTI, Mon frère Yves, LXXXII, p. 196.

(Qualifié). Espace de temps (dont on précise la nature). *Pendant, pour une durée de quinze jours.* ⇒ **Espace, période.** *Charge d'une durée de trois ans* (⇒ **Triennat**), *de sept ans* (⇒ **Septennat**). *Longue durée.* ⇒ **Longueur, pérennité.** *De longue durée.* ⇒ **Durable ; éternel, fin** (sans fin), *interminable, long, pérenne, perpétuel.* ⇒ *Microsillon de longue durée, disque longue durée* (cf. le canadianisme Long jeu). — REM. Avec la quasi disparition des disques à 78 tours minute, l'expression devient archaïque. — *Courte, brève durée.* ⇒ **Instant, moment.** *Bonheur de courte durée. Contrat de travail à durée limitée. Durée déterminée, indéterminée. Être absent pour une durée illimitée,* dont le terme n'est pas fixé. *Durée infinie.* ⇒ **Éternité, perpétuité.** *La durée d'un éclair :* un bref instant.

Prov. *Ciel* pommelé et femme fardée ne sont pas de longue durée.*
Temps pendant lequel une chose existe avant d'être détruite. « *La durée des habits* » (Delacroix, *in* T. L. F.). *La peinture, le vernis augmentent la durée du bois.*

Absolt. Espace de temps limité.

5 Comme un tableau est un espace à émouvoir, une pièce de théâtre, c'est une durée à animer.   GIDE, Journal, 21 juin 1914.

Vx. Durée de la vie. *Approcher du terme de sa durée.* ⇒ **Vieillir.**

♦ **2.** Fait de durer, de se prolonger un temps considéré comme assez long ; long espace de temps. — Caractère de ce qui est durable. *Son succès sera de peu de durée,* sera éphémère, passager, sans lendemain.

5.1 Comme son succès à la chambre ne lui avait coûté aucun travail, il ne pouvait croire à sa durée, ni presque à sa réalité.   STENDHAL, Lucien Leuwen, p. 658.

5.2 L'instabilité s'impose comme le régime normal de l'époque dans tous les ordres. Mais, par là, la continuité, la durée, le tempérament, la sérénité deviennent, dans cet univers en transformation furieuse, des valeurs du plus haut prix.
VALÉRY, Regards sur le monde actuel, p. 300.

Loc. Vx. *De durée :* qui dure. — *Avoir durée :* durer longtemps.

♦ **3.** Absolt. Philos. et cour. Déroulement du temps. *L'espace et la durée* (→ Détruire, cit. 43 ; brièveté, cit. 2).

6 C'est de là *(de la pensée)* qu'il faut nous relever, non de l'espace et de la durée, que nous ne saurions remplir.   PASCAL, Pensées, I, 6.

6.1 Si l'on fait abstraction des spécialistes du temps qui apparaissent vers le moment où se constituent les premiers ensembles urbains, la notion fondamentale de durée n'est appréhendée en effet qu'à travers le retour de produits ou d'opérations de caractère vital.   A. LEROI-GOURHAN, le Geste et la Parole, t. II, p. 145.

Temps vécu, caractère des états psychiques qui se succèdent en se fondant les uns dans les autres (opposé au *temps objectif, mesurable*).

7 La durée vécue par notre conscience est une durée au rythme déterminé, bien différente de ce temps dont parle le physicien et qui peut emmagasiner, dans un intervalle donné, un nombre aussi grand qu'on voudra de phénomènes.
H. BERGSON, Matière et Mémoire, p. 229.

♦ **4.** (1870). Mus. Temps pendant lequel un son ou un silence doit être entendu. ⇒ **Valeur.**

HOM. Formes du v. durer.

DUREMENT [dyʀmɑ̃] adv. — 1080 ; de *dur.*
D'une manière dure.

A. ♦ 1. Concret. (Rare). En opposant au toucher, à la pression une forte résistance. *Être durement couché sur un lit de sangles.*

♦ 2. Abstrait. (Cour.). D'une manière pénible à supporter. *Il a été durement éprouvé par cette perte. Peuple durement asservi. Enfant élevé durement.* ⇒ **Dur** (à la dure).

♦ 3. Énergiquement et avec peine. *Travailler durement. Gagner durement sa vie.* ⇒ **Péniblement.**

B. Avec dureté*, sans bonté, sans humanité. *Regarder durement qqn. Parler, répondre durement.* ⇒ **Méchamment, sèchement.** *Être jugé durement par ses semblables, sans indulgence. Traiter durement un domestique.*

1 Il regarda durement Daniel et bâilla avec férocité (...)
SARTRE, l'Âge de raison, VII, p. 90.

2 Sans doute n'ignorait-elle pas qu'on la jugeait durement et que plusieurs des personnes qui lui parlaient avec douceur, lorsqu'elle les rencontrait, ne se faisaient pas faute de la rudoyer dans leurs conversations entre elles (...)
J. GREEN, Léviathan, IX, p. 75.

CONTR. Confortablement, mollement. — Légèrement. — Doucement, gentiment.

DURE-MÈRE [dyʀmɛʀ] n. f. — XIIIᵉ ; de *dur*, et *mère*, trad. du lat. méd. *dura mater.*

♦ Anat. La plus superficielle et la plus résistante des trois méninges. ⇒ **Méninge** (dure ou fibreuse). *De la dure-mère.* ⇒ **Dural.**

DURER [dyʀe] v. intr. — V. 1050 ; du lat. *durare* «durcir ; endurer, résister, durer», de *durus* «dur».
Continuer d'être, d'exister.

★ I. (Choses). **♦ 1.** 🅰 Avec un compl. ou un adv. Avoir une durée de... ⇒ **Prolonger** (se). *Spectacle qui dure deux heures. Son attente a duré des semaines. Voilà des semaines que cela dure. Leur conversation dure encore, dure depuis midi. Maladie qui dure quarante jours ; les quarante jours que cette maladie a duré. Leur liaison a duré quelque temps, peu de temps, longtemps. Les débats durèrent longtemps. Durer toujours, une éternité.* ⇒ **Éterniser** (s'), **finir** (n'en plus finir), **traîner** (en longueur). *Cela a assez duré. Cela n'a que trop duré. Cela n'a duré qu'un instant. La douleur n'a duré qu'une fraction de seconde.* ⇒ **Passer.** *Ça va durer longtemps cette petite plaisanterie ?*

1 Et l'absence de ce qu'on aime,
Quelque peu qu'elle dure, a toujours trop duré.
MOLIÈRE, Amphitryon, II, 2.

2 L'attaque de goutte fut prolongée par les grands froids de l'hiver et dura plusieurs mois.
STENDHAL, le Rouge et le Noir, II, VII, p. 274.

🅱 Absolt. *Durer* : durer longtemps. *L'hiver a duré cette année. Le beau temps dure.* ⇒ **Maintenir** (se). *La guerre pourrait bien durer. Durer sourdement, dans le secret.* ⇒ **Couver** (sous la cendre). *Faire durer* : prolonger, entretenir, perpétuer. *Faire durer les vacances. Faire durer une dispute, un désaccord.* ⇒ **Entretenir ; prolonger.** *Faire durer sans cesse.* ⇒ **Perpétuer.** *Faire durer la raillerie, la plaisanterie.* ⇒ **Pousser.** *Faire durer le plaisir. Pourvu que cela dure. Cela ne peut durer* (il faut que cela cesse). *Ça n'a pas duré.*

3 Julien éprouvait une invincible répugnance à s'en aller, il faisait durer l'explication.
STENDHAL, le Rouge et le Noir, II, VI, p. 267.

♦ 2. (En parlant du temps). Donner l'impression de durer (un temps important), sembler long. *Cette minute a duré une heure, nous a duré une heure,* a paru durer une heure. *Cette séance dure.*

4 (...) si je voulais vous dire que depuis que vous êtes partis, les jours m'ont duré des siècles, il y aurait un air assez poétique dans cette exagération, et ce serait pourtant une vérité.
Mᵐᵉ DE SÉVIGNÉ, 670, 15 nov. 1677.

5 Chaque heure de cette vie abominable me semble durer une journée.
STENDHAL, le Rouge et le Noir, I, XIX, p. 116.

Durer à qqn : paraître long. *Le temps lui dure depuis qu'il attend votre arrivée.*

♦ 3. Résister contre les atteintes du temps, les causes de destruction. ⇒ **Conserver** (se), **demeurer** (II., 2.), **résister, subsister, tenir.** *La pierre dure plus que le bois. Cette église a duré plusieurs siècles. Fleur qui ne dure qu'un jour.* ⇒ **Vivre.** *La jeunesse ne dure pas longtemps. Plaisir d'amour* (cit. 27) *ne dure qu'un moment* (Florian). *Cela dura le temps d'un été. Vos bonnes résolutions n'ont pas duré longtemps* (⇒ **Persévérer**). *Ce caprice vous dure-t-il encore ? C'est une manie qui lui dure depuis des années.* — Fam. *Ça durera ce que ça durera* : cela n'a guère de chance de durer, mais peu importe. — *Durer toujours* (⇒ **Éternel, immortel**).

6 Las ! voyez comme en peu d'espace,
Mignonne, elle a dessus la place
Las, las ! ses beautés laissé choir !
Ô vraiment marâtre Nature,
Puisqu'une telle fleur ne dure
Que du matin jusques au soir !
RONSARD, Odes, I, XVII.

7 Et ce qui est admirable, incomparable et tout à fait divin, qui a toujours duré, a toujours été combattue.
PASCAL, Pensées, IX, 613.

8 (...) combien de ces mots aventuriers qui paraissent subitement, durent un temps, et que bientôt on ne revoit plus !
LA BRUYÈRE, les Caractères, V, 11.

(...) quand l'amour a duré longtemps, une douce habitude en remplit le vide, et l'attrait de la confiance succède aux transports de la passion. 9
ROUSSEAU, Émile, V.

J'aimerais mieux avoir peint la chapelle Sixtine que gagné bien des batailles, même celle de Marengo. Ça durera plus longtemps et c'était peut-être plus difficile. 10
FLAUBERT, Correspondance, t. II, p. 49.

Cela durera ce que cela durera, comme disent les bonnes gens. Je ne veux rien laisser perdre. 10.1
J. ROMAINS, Les Hommes de bonne volonté, La douceur de la vie, p. 16.

Absolt. Durer longtemps. *Leur amour a duré grâce à une mutuelle compréhension.* ⇒ **Soutenir** (se). *Son souvenir dure dans ma mémoire.* ⇒ **Perpétuer** (se), **vivre.** *Faire œuvre qui dure.*

Rien, afin que tout dure, 11
Ne dure éternellement.
MALHERBE, Sur la prise de Marseille.

Des amours de voyage ne sont pas faits pour durer. 12
ROUSSEAU, les Confessions, VI.

Mais le vrai a une grande force, quand il est libre ; le vrai dure ; le faux change sans cesse et tombe. 13
RENAN, Souvenirs d'enfance..., Préface, p. 17.

Dès qu'il s'y mêle du désir l'amour ne peut prétendre à durer. 14
GIDE, Feuillets, *in* Journal 1889-1939, Pl., p. 719.

♦ 4. Spécialt. (En parlant de ce qui se consomme par l'usage). *Ce costume a duré deux ans.* — *Durer à qqn,* lui servir longtemps. *Son mois de salaire ne lui dure qu'une quinzaine. Cette ration devra vous durer huit jours.* ⇒ **Faire.** — *Ce jouet ne durera pas longtemps* (→ Ne fera pas long feu*). *Costume fait pour durer longtemps,* et, absolt, *pour durer.* ⇒ **Loin** (aller loin), **profit** (faire du profit), **usage** (faire de l'usage). *Faire durer qqch., ses affaires.* ⇒ **Conserver, économiser, épargner.**

Le monde est soigneux de ses coiffures par ici, une casquette dure dix ans et un melon toute une vie. 14.1
ARAGON, les Beaux Quartiers, p. 15.

Loc. *Faire feu* qui dure.*

★ II. (Personnes). **♦ 1.** Vx. Vivre.

Il s'est fait admirer tant qu'ont duré ses frères (...) CORNEILLE, Horace, III, 6. 15

♦ 2. Mod. Continuer à vivre, et, péj., faire juste ce qu'il faut pour rester en vie. *Malade comme il est, il ne va pas durer longtemps.*

Je me décourage de durer. 16
CHATEAUBRIAND, Mémoires d'outre-tombe, t. IV, p. 91.

Je dure sans vieillir, j'existe sans souffrir (...) 17
HUGO, la Légende des siècles, XII, IV.

Pour nous, vivre c'est nous modifier ; pour les Arabes, exister, c'est durer. 18
E. FROMENTIN, Une année dans le Sahel, p. 45.

Qui veut durer, doit endurer. R. ROLLAND, Jean-Christophe, VII, p. 102. 19

♦ 3. Vieilli ou régional. Demeurer là où on est, comme on est. ⇒ **Demeurer, rester.** (S'emploie surtout à la forme négative). *Ne pouvoir durer en place. Nous n'y pouvons plus durer. Le métier est trop pénible, personne n'y dure longtemps* (→ Tenir* le coup).

(...) fatiguée et lasse de Paris, jusqu'au point de n'y pouvoir durer. 20
Mᵐᵉ DE SÉVIGNÉ, 433, 21 août 1675.

J'étouffe quand je suis dans une ville. Je ne peux pas durer plus d'une journée à Grenoble quand j'y mène Louise. 21
BALZAC, le Médecin de campagne, Pl., t. VIII, p. 428.

En franç. d'Afrique, Rester, habiter, séjourner.

CONTR. Arrêter (s'), cesser, passer, terminer (se). — Disparaître, mourir. — Aller (s'en aller), partir.
DÉR. Durable, durant, durée.
HOM. Durée.

DURET, ETTE [dyʀɛ, ɛt] adj. — V. 1200 ; de *dur.*

♦ Fam. et vx. Un peu dur (I., A., 1.). *Un biscuit duret.*

DURETÉ [dyʀte] n. f. — XIVᵉ ; *durtés,* XIIIᵉ, «malheurs, souffrances» ; de *dur.*
Caractère de ce qui est dur*.

A. ♦ 1. Propriété de ce qui résiste à la pression, au toucher ; de ce qui ne se laisse pas entamer facilement (⇒ **Dur** I., A., 1.). *La dureté du verre, du fer. Dureté du marbre, du stuc* (⇒ **Plâtre,** cit. 3). *Le diamant est d'une dureté très grande : il raye tous les minéraux sans être rayé par eux. Un métal, un alliage d'une grande dureté.* — *Dureté d'un muscle. Dureté du ventre. Degré de dureté d'une substance.* ⇒ **Consistance.** *Dureté d'un morceau de viande. Dureté du pain rassis.* — *La dureté d'un lit, d'un sommier, d'un matelas. Dureté de la barbe. Dureté d'une brosse.* ⇒ **Rigidité.**

Celui qui a des crevasses aux doigts, ou qui les a gourds, trouverait une pareille dureté au bois ou au fer qu'il manie, qui fait un autre. 1
MONTAIGNE, Essais, II, XII, p. 267.

La dureté de la barbe s'allie à l'idée de force. 2
J. ROMAINS, les Hommes de bonne volonté, t. II, VI, p. 70.

Phys. Résistance à la production d'une empreinte par pression d'un objet de nature différente. *Échelle de dureté de Mohs* (10 degrés).
Fig. *Dureté de l'eau* : qualité de l'eau qui renferme certains sels (sulfate de calcium, chlorure de magnésium...) et ne produit pas de mousse avec le savon. → Titre* (III., 2.) hydrotimétrique. *Dureté temporaire* (bicarbonates), *permanente* (sulfates), *dureté totale.*

♦ **2.** (→ Dur, I., A., 3.). Loc. *Dureté d'oreille :* défaut de sensibilité de l'oreille, commencement de surdité*.

♦ **3.** Caractère pénible à supporter (→ Dur, I., A., 5.).

a Défaut de douceur. *La dureté d'un climat.* ⇒ **Inclémence, rigueur, rudesse** (→ Blesser, cit. 15). *La dureté d'un son, d'une voix. Dureté d'un accord.* ⇒ **Fausseté ; faux.** *Dureté des traits du visage. Dureté du contour, du tracé d'un dessin,* et, par ext., *dureté de crayon. Dureté d'un style littéraire.*

3 Pour adoucir en moi cette âpre dureté
Des climats où mon sort en naissant m'a jeté.
VOLTAIRE, l'Orphelin de la Chine, IV, 4.

b Caractère de ce qui est pénible à supporter. *La dureté des temps. Dureté d'une condition. Excessive dureté d'un châtiment.* ⇒ **Sévérité.** — Au plur. Choses, événements pénibles.

4 D'ensemble, c'est une vie hideuse que celle-ci (...) toutes les duretés de la fortune, les injures du malheur (...)
André SUARÈS, Trois hommes, « Dostoïevski », I, p. 208.

B. (→ Dur, I., B.). ♦ **1.** (Personnes). Manque de sensibilité, de cœur ; de douceur ; caractère ou comportement dur. ⇒ **Insensibilité, sécheresse** (→ Acier, cit. 4). *La dureté d'un père pour ses fils. Traiter qqn avec dureté.* ⇒ **Malmener, maltraiter, rudoyer.** *On ne réussit guère avec une telle dureté* (⇒ prov. On ne prend pas les mouches* avec du vinaigre). *Repousser qqn avec dureté.* ⇒ **Brutalité** (cit. 2), **rudesse.** *Répondre avec dureté.* ⇒ **Durement.** *Auriez-vous la dureté de lui refuser votre aide ?* (⇒ **Cœur, courage, cruauté**).

5 L'expérience confirme que la mollesse ou l'indulgence pour soi et la dureté pour les autres n'est qu'un seul et même vice. LA BRUYÈRE, les Caractères, IV, 49.
6 Il était rebuté par la dureté, la sécheresse, l'égoïsme de ces âmes d'intellectuels (...) R. ROLLAND, Jean-Christophe, Dans la maison, II, p. 993.
7 Elle avait beau paraître impérieuse, effrayer son mari par sa dureté, elle était faible, plus faible que ceux à qui elle en imposait tant.
J. GREEN, Léviathan, II, II, p. 145.

Par ext. *Dureté d'âme, de cœur.* Caractère (d'un acte, d'une attitude) qui témoigne de la dureté d'une personne. *Dureté du regard, de l'expression. La dureté d'une réponse, d'un reproche.*

8 (...) la dureté de votre âme, qui, par ses continuels dédains, ne me promet pas poires molles. MOLIÈRE, la Comtesse d'Escarbagnas, 4.
9 (...) des yeux enfoncés, d'un vert sombre, dont la dureté, chaque fois, surprenait (...) J. ROMAINS, les Hommes de bonne volonté, t. III, II, p. 26.

♦ **2.** Vx. *Une, des duretés.* Action, parole pleine de dureté. ⇒ **Méchanceté.** *Dire des duretés à qqn.*

10 J'admire l'aigreur de Monsieur le Coadjuteur . par où méritez-vous ces duretés ?
Mme DE SÉVIGNÉ, 1112, 27 déc. 1688.
11 Je tombe des nues quand vous m'écrivez que je vous ai dit des duretés (...)
VOLTAIRE, Lettre au roi de Prusse, 128, in LITTRÉ.
12 La bonté nous entraîne à des devoirs trop lourds (...) De là, ces révoltes subites, ces vengeances qui déconcertent, ces duretés qui ne sont pas dans notre nature.
J. CHARDONNE, l'Amour du prochain, VI, p. 129.

CONTR. Flaccidité, mollesse. — Clémence, douceur, harmonie, souplesse. — Aménité, attendrissement, charité, cœur, commisération, compassion, gentillesse, indulgence, sensibilité, tendresse.

DURHAM [dyRam] n. et adj. — 1855 ; nom d'un comté anglais.

♦ Bovin d'une race sélectionnée, originaire du Durham. — Appos. :
Mon cœur se gonfle d'un orgueil patriotique quand je contemple la belle paire de vaches durham du poids de 1 500 kilos chacune, à laquelle le jury a décerné le premier prix avec une unanimité qui l'honore (...)
A. ROBIDA, le Vingtième Siècle, p. 155.

DURIAN [dyRjã] n. m. ⇒ **Durion.**

1. DURILLON [dyRijõ] n. m. — 1478 ; *dureillon, durellon,* XIIIe ; de *dur.*

♦ Callosité arrondie, légèrement saillante qui se forme sur la plante des pieds et la paume des mains par épaississement de l'épiderme, aux endroits soumis à des pressions répétées. ⇒ **Cal, callosité.** *Durillon avec tumeur et prolongement dans le derme.* ⇒ **Cor.** *Extirper des durillons.* → Pédicure, cit.

1 (...) il avait comparé ses mains nerveuses et converties en durillons avec deux petites mains plus blanches et plus délicates que les lis (...)
VOLTAIRE, le Crocheteur borgne.
2 Les mains qui peinent n'évitent la blessure que grâce au durillon.
G. DUHAMEL, Récits des temps de guerre, IV, XIX, p. 74.

2. DURILLON, ONNE [dyRijõ, on] adj. — 1889 ; de *dur,* et suff. *-illon,* par jeu de mots avec 1. *durillon.*

♦ Argot. Dur, difficile ou pénible.
Comme ça, tu vois, c'est pas durillon. R. DORGELÈS, Tout est à vendre, p. 280.

DURION [dyRjõ] ou **DURIAN** [dyRjã] n. m. — 1588, *durian* ; malais *dourian,* par l'esp., puis le lat. savant.

♦ Grand arbre de l'archipel indien (famille des Malvacées) dont

le fruit, de la grosseur d'un petit melon, est comestible ; ce fruit.
« L'Extrême-Orient (...) Fruits frais : ramboustan, durian, mangoustan » (le Point, n° 4, 16 oct. 1972, p. 19).

DURIT ou **DURITE** [dyRit] n. f. — 1949 ; marque déposée ; probablt de *dur.*

♦ Tuyau, conduite en caoutchouc traité pour les raccords de canalisations des moteurs à explosion. *Changer une durit.* — REM. L'orthographe *durite,* plus normale en français, tend à se développer.

DUUMVIR [dyɔmviR] n. m. — 1587 ; mot lat., de *duo* « deux », et *vir* « homme ».

♦ Didact. (hist.). Dans l'Antiquité romaine, Membre d'un collège de deux magistrats. *Les duumvirs coloniaux, capitaux.*
DÉR. Duumviral, duumvirat.

DUUMVIRAL, ALE, AUX [dyɔmviRal, o] adj. — 1732 ; de *duumvir.*

♦ Didact. (hist.). Qui se rapporte aux duumvirs. *Fonctions duumvirales.*

DUUMVIRAT [dyɔmviRa] n. m. — 1626 ; de *duumvir.*

♦ Didact. (hist.). Dignité, fonction de duumvir. Par ext. Durée de cette fonction.
Par analogie :
Ah ! une lettre !... Encore une demande pour cette place d'inspecteur de première classe... elle n'est vacante que depuis hier... il y a déjà quatorze concurrents... mais je ne puis en disposer sans l'adhésion de mon collègue Saint-Putois... et réciproquement... c'est un duumvirat !
E. LABICHE, la Chasse aux corbeaux, IV, 1.

DUVET [dyvɛ] n. m. — Av. 1278 ; altér. de *dumet,* dimin. de l'anc. franç. *dum* ou *dun* (XIIIe), refait sur *plume,* empr. au scandinave *dūnn* ; cf. angl. *down,* all. *Daune.*

★ **I.** ♦ **1.** Petites plumes molles et très légères qui poussent les premières sur le corps des oisillons, et qu'on trouve sur le ventre et le dessous des ailes chez les oiseaux adultes. *Chaque petite plume du duvet* (⇒ **Plumule**) *a une tige très flexible, des barbes minces et des barbules impalpables. Duvet des oisillons, des poussins. Duvet du cygne* (cit. 4), *du canard, de l'oie. Duvet de l'eider.* ⇒ **Édredon.** *La finesse, la douceur, la légèreté, la chaleur du duvet.*

1 Il soulevait du bout de l'ongle, le duvet neigeux et doux qui se gonflait à la gorge de l'oiseau, qui lui ouatait le ventre et les cuisses.
M. GENEVOIX, Raboliot, II, III, 91.

Par comparaison :
2 La neige en cette nuit flottait comme un duvet (...)
HUGO, la Légende des siècles, XLIX, « Cimetière d'Eylau ».
3 En quinze jours, elle a su danser ; elle est légère comme un duvet.
MARTIN DU GARD, les Thibault, t. II, p. 102.

Oreiller, coussin, édredon, matelas de duvet. Coucher sur le duvet.

4 Là, parmi les douceurs d'un tranquille silence,
Règne sur le duvet une heureuse indolence. BOILEAU, le Lutrin, I.

Veste en duvet. ⇒ **Doudoune** (fam.).

♦ **2.** (V. 1945). Sac de couchage bourré de duvet. *Le duvet d'un campeur.*

4.1 (...) ils ont visité la Corse de fond en comble, couchant sous la tente dans des duvets (...) J. DUTOURD, les Horreurs de l'amour, p. 627.

♦ **3.** (1745). Régional (Suisse, Savoie, Lorraine, Belgique). Gros édredon garni de duvet. ⇒ **Couette.**

4.2 La longue et basse chambre à coucher commune, avec ses lits ramassés, hauts en cadre, bedonnants sous leurs duvets et leurs couvertures de laine au crochet.
R. FRISON-ROCHE, Premier de cordée, I, p. 15 (1943).

★ **II.** Par anal. ♦ **1.** Poils très fins et doux au toucher qui, chez les mammifères, poussent sous les longs poils.

♦ **2.** Bot et cour. Production cotonneuse (sur certaines plantes). *Tiges, feuilles couvertes de duvet* (⇒ **Cotonneux, laineux, lanifère, lanugineux, pubescent, tomenteux**). *Le duvet d'un bourgeon. Duvet de chardon. La pêche, le coing sont recouverts d'un duvet.*

♦ **3.** Poil très fin. *Elle a un léger duvet, un peu de duvet sur la lèvre supérieure.*

5 (...) la lumière remontait de la poitrine au front, rasait des lèvres fardées, dorait un léger duvet blond, au coin des lèvres, rougissait un peu les narines.
SARTRE, le Sursis, p. 193.

(1680). Barbe naissante (d'un jeune homme). *Léger duvet.* ⇒ **Poil** (poil follet). *Menton, lèvre couverte de duvet.* ⇒ **Cotonné.**

6 Sous les fraîches apparences de ses vingt ans, sous le premier duvet de l'adolescence, il cachait une corruption profonde.
Th. GAUTIER, Mlle de Maupin, I, p. 17.

7 Il pensa aussi qu'il lui fallait, le plus tôt possible, se raser les joues et le menton. Le duvet qui les couvrait encore ressemblait à un aveu public d'ingénuité.
J. ROMAINS, les Hommes de bonne volonté, t. II, VI, p. 70.

♦ **4.** Par métaphore. Littér. (symbole de douceur, de protection...). *« Une génération douillette (...) se forme ainsi dans le duvet »* (Amiel, *in* T. L. F.). ⇒ Coton.

DÉR. Duveté, duveter (se), **duveteux, duvetine.**

DUVETÉ, ÉE [dyvte] adj. — 1611 ; *dumeté,* 1534, *in* Rabelais ; de *dumet,* puis de *duvet.* → Duvet.

♦ **1.** Qui est couvert de duvet. ⇒ **Duveteux** (2.). *Pêche duvetée.* ⇒ **Velouté.** *Lèvre duvetée* (→ Anguleux, cit. 2).

(...) sur les rivages duvetés de la chevelure, je m'enivre des odeurs combinées du goudron, du musc et de l'huile de coco. BAUDELAIRE, le Spleen de Paris, XVII.

♦ **2.** Fig. et littér. Qui a la douceur du duvet.

DUVETER (SE) [dyvte] v. pron. — 1875 ; de *duvet.*

♦ Se couvrir de duvet. *Ses joues commencent à se duveter.* — REM. On trouve aussi le verbe transitif *duveter* (cf. Goncourt, *in* T. L. F.).

DUVETEUX, EUSE [dyvtø, øz] adj. — 1573 ; de *duvet.*

♦ **1.** Qui est de la nature du duvet. *Un pelage duveteux.*

♦ **2.** Couvert de duvet ; qui a beaucoup de duvet. *Une peau duveteuse* (→ Dague, cit. 4). *Un oisillon duveteux.* ⇒ **Duveté.**

Le crâne duveteux, le long nez, le cou d'oiseau revêtirent quelque chose de monacal. Jean-Louis CURTIS, le Roseau pensant, p. 40.

DUVETINE [dyvtin] n. f. — 1921, Giraudoux ; de *duvet,* suff. *-ine.*

♦ Rare. Tissu dont l'endroit est velouté (→ Veloutine).

DUXELLES [dyksɛl] n. f. — D. i. (xxᵉ) ; *duxel,* n. m., 1953, p.-ê. du nom du marquis d'Uxelles.

♦ Cuis. Hachis fait de champignons à l'étuvée, cuits au beurre avec de l'ail et des échalotes, et parfois avec d'autres éléments. *« Un fond d'artichaut farci d'une duxelles de champignons et de crevettes »* (*l'Express,* 21 juil. 1979, p. 16).

Dy [deigRɛk] Symbole chimique du *dysprosium*.*

DYADE [djad] n. f. — 1838 ; *dyas,* sens lat., 1546, Rabelais ; bas lat. *dyas, -adis* « nombre de deux », du grec.
Didactique.

♦ **1.** Philos. Réunion de deux principes qui se complètent réciproquement. *La dyade pythagoricienne de l'unité et de l'infini.*

1 Deux principes pour Pythagore : le un ou *monade* (...) — et le deux ou *dyade,* principe produit par l'intervention du « vide » ou « intervalle » et essentiellement parfait. CLAUDEL, Journal, mars-avr. 1934.

♦ **2.** Biol. Paire de chromosomes, l'un d'origine paternelle, l'autre d'origine maternelle, dont la séparation est à la base de la disjonction du caractère héréditaire (→ Méiose, mitose).

♦ **3.** Didact. (emploi général). Ensemble formé de deux éléments. ⇒ **Couple.**

2 Il y aurait pourtant dans cet amour la possibilité d'une douleur innocente, d'un malheur innocent (si j'étais fidèle au pur Imaginaire, et ne reproduisais en moi que la dyade enfantine, la souffrance de l'enfant séparé de sa mère). R. BARTHES, Fragments d'un discours amoureux, p. 136.

DÉR. **Dyadique.**

DYADIQUE [djadik] adj. — 1870 ; de *dyade.*
Didactique.

♦ **1.** Qui concerne une dyade. ⇒ **Binaire.**

♦ **2.** Log., inform. Construit selon un modèle binaire. *Logique dyadique.*

DYALISCOPE [djaliskɔp] n. m. — 1959 ; nom déposé ; p.-ê. du grec *duas* « deux », et *-scope.*

♦ Didact. Procédé cinématographique sur grand écran.

DÉR. **Dyaliscopique.**

DYALISCOPIQUE [djaliskɔpik] adj. — xxᵉ ; de *dyaliscope.*

♦ Qui concerne le dyaliscope. *« Les objectifs dyaliscopiques réglés par Henri Decae (dans les Quatre Cents Coups, de F. Truffaut) »* (J.-L. Godard, *Cahiers du cinéma,* nᵒ 92, févr. 1959).

DYARCHIE [djaRʃi, dijaRʃi] n. f. — 1808 ; du grec *duo* « deux », et *-archie,* du grec *arkhê* « commandement ».
Didactique.

a Hist. Gouvernement simultané de deux rois, deux chefs, deux pouvoirs. *La dyarchie de Sparte.*

b Organe gouvernemental dirigé conjointement par deux hommes. — Puissance exercée à deux.

Ce qu'en attendent et espèrent les Américains et les Russes est le partage de la terre entre eux, et la jouissance tranquille de leur puissance — la direction du monde à deux, la souveraineté partagée, une dyarchie.
Pierre NORD, les Espionnes au coin du feu, p. 431.

DYARQUE [djaRk ; dijaRk] n. m. — 1808 ; du grec *duo* « deux », et *arkhos* « chef ».

♦ Didact. (hist.). Titre des souverains qui gouvernent simultanément une dyarchie.

DYKE [dik] n. m. — 1759 ; *dike,* 1768, ; mot angl., proprt « digue ».

♦ Géol. Roche éruptive qui fait saillie à la surface du sol et qui affecte la forme d'une épaisse muraille, ou d'une colonne. *Les dykes sont d'anciennes cheminées éruptives mises au jour par l'érosion des terrains avoisinants.*

(...) Le Puy-en-Velay, une de ces innombrables villes où vous n'êtes jamais allé, une de ces villes de province française qui doit user en suie malgré ses curiosités géologiques, ses dykes, si c'est bien ainsi qu'on les appelle, et sa cathédrale ornée de peintures. Michel BUTOR, la Modification, p. 25.

Dyn [din] Symbole de la *dyne.*

DYNAM-, DYNAMO- Premier élément de mots savants, tiré du grec *dunamis* « force ».

DYNAMICIEN, IENNE [dinamisjɛ̃, jɛn] n. — 1968 ; de *dynamique.*

♦ Psychol., sociol. Personne spécialisée dans l'étude des relations psycho-sociales (dynamique sociale, dynamique de groupe), et de leurs effets. *« Pour les dynamiciens américains, la notion de participation est capitale. En suscitant un libre échange de vues au sein du groupe, on permettra à celui-ci d'atteindre le meilleur équilibre »* (*le Figaro littéraire,* 9-15 sept. 1968).

-DYNAMIE Suffixe, du grec *dunamis* « force », entrant dans la composition de certains mots savants comme *adynamie...* ⇒ aussi (préf.) **Dynam-.**

DYNAMIQUE [dinamik] adj. et n. — 1692, *science dynamique ;* grec *dunamikos,* de *dunamis* « force ».

★ **I.** ♦ **1.** Adj. Relatif aux forces, à la notion de force. *Traité de la science dynamique,* œuvre de Leibniz. — Mécan. *Effet dynamique. Électricité dynamique,* courant électrique ; son étude. *Unité dynamique.* ⇒ **Dyne.**

Écon. (par oppos. à *statique*). Relatif à l'étude des faits économiques dans leurs causes et leurs effets. *Théorie dynamique de l'Économie. L'Économie dynamique tient compte de la chronologie des faits économiques dans les relations de causes à effets* (analyse économique).

1 (...) on peut qualifier de dynamique une théorie lorsque celle-ci vise à l'interprétation d'une situation qui résulte d'influences produites à des époques différentes et manifestées à un même moment ou provoquées à la même date, mais successivement ressenties. Jean ROMEUF, Dict. des sciences économiques, t. I, p. 431.

Méd. Relatif à l'efficacité, à la puissance d'action d'un remède. ⇒ **Dynamisation.**

2 Par un procédé qui lui est propre, et qu'on n'avait jamais essayé avant elle, la médecine homéopathique développe tellement les vertus médicinales dynamiques des substances grossières, qu'elle procure une action des plus pénétrantes à toutes, même à celles qui, avant d'avoir été traitées ainsi, n'exerçaient pas la moindre influence médicamenteuse sur le corps de l'homme.
P. VANNIER, l'Homéopathie, p. 31.

♦ **2.** Sc. Qui considère les choses dans leur mouvement, leur devenir.

3 Une fois de plus, il distingue une religion statique et une religion dynamique, le tout fait et le « se faisant », le discours et la réalité.
A. MAUROIS, Études littéraires, Bergson, IV, t. I, p. 176.

♦ **3.** (xxᵉ). Cour. (Personnes). Qui manifeste une grande vitalité, de la décision et de l'entrain. *Une personne dynamique.* ⇒ **Dynamisme** (plein de dynamisme) ; *actif, énergique, entreprenant. Elle est plus dynamique que ses enfants. Un jeune cadre dynamique. Un vendeur dynamique et combatif.* ⇒ **Accrocheur, agressif.**

3.1 Dîner, le soir, avec deux des organisateurs, genre « abbés dynamiques ».
F. MAURIAC, Bloc-notes 1952-1957, p. 30.

★ **II.** N. f. ♦ **1.** Mécan. *La dynamique* : partie de la mécanique* qui étudie le mouvement d'un mobile considéré dans ses rapports avec les forces qui en sont les causes. ⇒ **Accélération, force.** *La plupart des problèmes de dynamique se ramènent à la résolution d'un système d'équations différentielles.*

(xxᵉ). Ensemble des forces en interaction et en opposition dans un phénomène, une structure. *Dynamique du système.* (Géol.). *Dynamique des sols. — Dynamique des populations.* — (V. 1965). Fig. Forces orientées vers un progrès, une expansion. *La dynamique de l'idée européenne. Dynamique révolutionnaire. La dynamique politique* (→ 1. Politique, cit. 12).

♦·**2.** Sociol. Partie de la sociologie qui étudie les faits en évolution et non dans leur état actuel. *Dynamique sociale* (ou *sociologie dynamique*), terme employé par A. Comte, par oppos à *statique* *sociale. Dynamique des sociétés.* « *L'État-Nation (...) ressuscite les formes de la pensée, de la politique et de la dynamique tribales* » (G. Bouthoul, *Sociologie de la politique*, p. 33).

4   La dynamique sociale a pour objet de montrer le progrès des organes nécessaires dans la structure de toute société, et qui existe dans les trois états.
       J. Baudry, Cours, in J. Romeuf, Dict. des sciences économiques, t. I, p. 432.

♦ **3.** (V. 1940, en angl., *in* K. Lewin). Psychol., sociol. *Dynamique de groupe ; dynamique des groupes :* ensemble des règles qui président à la conduite de groupes sociaux dans le cadre de leur activité propre. *Influence de la dynamique des groupes sur le rendement. Utilisation des diverses sciences humaines* (→ ci-dessous, psychan.) *dans la dynamique des groupes. Spécialiste de la dynamique sociale.* ⇒ **Dynamicien.**

5   L'un de ces buts *(de la psychologie sociale)* est l'étude des relations inter-individuelles et de la dynamique des groupes. Il faut d'abord rappeler les travaux de Lewin et ses collaborateurs sur les « champs » perceptifs et affectifs (en un sens gestaltiste élargi, comprenant le sujet et ses réactions), et surtout sur la dynamique d'ensemble de ces champs ; Lewin s'est efforcé de montrer que les caractères de désirabilité, les oppositions ou les inhibitions et « barrières psychiques », dépendent de la structure d'ensemble du champ autant que des besoins plus permanents des individus.
       J. Piaget, Épistémologie des sciences de l'homme, p. 174-175.

Psychan. *Dynamique des états de conscience.* « Aspect de la théorie psychanalytique selon lequel les processus de conduite sont envisagés comme résultant de l'interaction et de l'opposition des forces » (D. Lagache, *in* Piéron, *Vocabulaire de la psychologie*).

♦ **4.** Écart de niveau sonore entre extrêmes, du plus fort au plus faible. *La dynamique d'un passage musical.* — Écart (en décibels) entre les niveaux extrêmes d'un signal utile (radio, reproduction sonore). *La dynamique d'un disque.*

DÉR. **Dynamicien, dynamiquement.**
COMP. **Électrodynamique, isodynamique, magnétodynamique, thermodynamique.**

DYNAMIQUEMENT [dinamikmā] adv. — 1826 ; de *dynamique.*

♦ **1.** Mécan. Du point de vue mécanique.

♦ **2.** (xxᵉ). Cour. Avec dynamisme. ⇒ **Dynamique** (I., 3.), **dynamisme** (2.).

DYNAMISATION [dinamizɑsjō] n. f. — Mil. xxᵉ ; angl. *dynamization*, de *(to) dynamize.* → Dynamiser.

♦ **1.** Techn. (homéopathie). Action d'accroître l'efficacité d'un remède par des procédés de préparation spécifiquement homéopathiques : dilution, trituration. *Hautes dynamisations. L'infinitésimal et les dynamisations. Dynamisations et numérotages.*

C'est en 1866, qu'à la société médicale homéopathique de France, une grande discussion s'ouverte sur la question brûlante des « doses ». Les débats permettent de voir qu'à cette époque les uns « ne croyaient pas » à l'action des hautes dynamisations, alors que les autres « y croyaient » et défendaient cette action avec obstination.   Pierre Vannier, l'Homéopathie, p. 45.

♦ **2.** (V. 1960). Action de dynamiser (2.). *Dynamisation de l'entreprise, de la vie économique.*

DYNAMISER [dinamize] v. tr. — 1862 ; *se dynamiser* « prendre un caractère dynamique » ; angl. *to dynamize*, 1855 ; dér. du grec *dunamis* « force ».

♦ **1.** Techn. (homéopathie). Procéder à la dynamisation de (une substance).

♦ **2.** (V. 1968). Donner, communiquer du dynamisme (2.) à (qqn, un groupe, une activité). « *Il* (le directeur du marketing) *disposera d'un ensemble de services qu'il devra restructurer et dynamiser* (le *Figaro*, févr. 1968, Offre d'emploi).

(...) la fin des marchands, des injustices sociales, un véritable socialisme plus la liberté de l'homme entier, c'est ce que nous souhaitons tous. Mais par quoi dynamiser réellement les consciences, les cœurs, les âmes ? Quelle est la vision d'une relation exaltante à la totalité ? Où est la finalité élargissant ce socialisme ?   Louis Pauwels, *in* Planète, nº 4, févr. 1969, p. 12.

▶ **DYNAMISÉ, ÉE** p. p. adj. Voir ci-dessus à l'article.

DYNAMISME [dinamism] n. m. — 1835 ; dér. sav. du grec *dunamis* « force », d'après *dynamique.*

♦ **1.** Philos. [a] Système qui reconnaît dans les choses l'existence de forces irréductibles à la masse et au mouvement (par oppos. à *mécanisme*). *Le dynamisme de Leibniz.*

[b] « Doctrine qui pose le mouvement ou le devenir comme primitif, et qui considère la matière comme définie par certains caractères du mouvement, ou la chose comme une étape du progrès » (Lalande), par oppos. à *statisme. Le dynamisme de Bergson.*

♦ **2.** (1932). Cour. ⇒ **Énergie, vitalité.** *Personne qui a du dynamisme. Il manque de dynamisme. Quel dynamisme ! Le dynamisme du monde moderne* (→ Cinéma, cit. 2 ; contrepoids, cit. 6).

Vos réformistes s'imaginent que les lois sociales, les conquêtes économiques augmentent nécessairement le dynamisme du prolétariat en même temps que son mieux-être (...)   Martin du Gard, les Thibault, t. V, p. 61.

CONTR. **Mécanisme ; statisme.** — **Mollesse, passivité.**
DÉR. **Dynamiste.**
COMP. **Isodynamisme.**

DYNAMISTE [dinamist] n. et adj. — 1834 ; de *dynamisme.*

♦ Philos. Partisan du dynamisme (1.). — Adj. (Opposé à *mécaniste*). *Une philosophie dynamiste. Une théorie dynamiste.*

DYNAMITAGE [dinamitaʒ] n. m. — 1917, *in* D. D. L. ; de *dynamiter.*

♦ **1.** Action de faire sauter (qqch.) à la dynamite. *Le dynamitage d'un pont, d'une voie ferrée.*

On sait qu'à New York, lorsqu'un bâtiment est la proie des flammes et que les pompiers désespèrent de l'éteindre le feu au moyen de leurs lances avant qu'il ne soit communiqué aux constructions voisines, on préfère détruire tout de suite l'immeuble sinistré par un violent dynamitage, dont le souffle fait en une seconde plus de travail que mille tonnes d'eau, suivant un procédé qui fut d'abord expérimenté pour les puits de pétrole.   A. Robbe-Grillet, Projet pour une révolution à New York, p. 83.

♦ **2.** (V. 1970). Fig. Action de détruire les règles traditionnelles sur lesquelles repose un système (→ Dynamiter, 3.). *Le dynamitage du langage, de la politique, de la réalité.*

DYNAMITE [dinamit] n. f. — 1868, cit. 1 ; angl. *dynamite*, mot forgé par H. Nobel en 1867, du grec *dunamis* « force ».

♦ **1.** Substance explosive, composée d'un mélange de nitroglycérine* et de différentes matières solides, les unes inertes (kieselguhr, randanite), les autres actives (nitrate de soude, soufre, charbon, paraffine, cellulose, coton-poudre...). ⇒ **Explosif.** *Force explosive de la dynamite. Attentat à la dynamite. Faire sauter un rocher à la dynamite.*

1   La *dynamite* — tel est le nom donné par M. Nobel au nouveau mélange — n'est donc autre chose que le mélange de sable et de nitroglycérine (...)
     L. Figuier, l'Année scientifique et industrielle 1869, p. 218 (1868).

2   (...) ce terrible produit *(la nitroglycérine)*, dont la puissance explosible est peut-être décuple de celle de la poudre ordinaire, et qui a déjà causé tant d'accidents ! Toutefois, depuis qu'on a trouvé le moyen de le transformer en dynamite, c'est-à-dire de le mélanger avec une substance solide, argile ou sucre, assez poreuse pour le retenir, le dangereux liquide a pu être utilisé avec plus de sécurité. Mais la dynamite n'était pas encore connue à l'époque où les colons opéraient dans l'île Lincoln.   J. Verne, l'Île mystérieuse, t. I, p. 226-227.

3   Comme un rocher qui encombre le milieu d'une piste, et qu'on fait sauter à la dynamite. Ensuite, quelle belle voie faite !   J. Romains, les Hommes de bonne volonté, t. IV, VII, p. 74.

♦ **2.** Fig. et fam. *C'est de la dynamite*, se dit de qqn ou de qqch. qui semble avoir un pouvoir explosif. *C'est de la dynamite, ce bonhomme* (→ Il pète* du feu). *Qu'est-ce que c'est que ce breuvage ? une vraie dynamite ! Ce dossier, ce rapport secret, c'est de la dynamite !*

4   La soupe de poisson de Marinette, une recette caraïbe qu'elle avait apprise dans ses voyages, on pouvait pas imaginer meilleur comme dynamite veloutée.   A. Simonin, Touchez pas au grisbi, p. 88.

♦ **3.** (1926, Esnault). Argot des sports. Dopage.
DÉR. **Dynamiter, dynamiterie, dynamitier.**
COMP. **Dynamite-gomme.**

DYNAMITE-GOMME [dinamitgom] n. f. — 1890, *in* P. Larousse, *Deuxième Suppl.* ; de *dynamite*, et *gomme.*

♦ Techn. Dynamite à consistance caoutchouteuse. *Des dynamites-gommes.*

DYNAMITER [dinamite] v. tr. — 1890, *dynamité, ée* ; dynamitisé, 1882 ; de *dynamite.*

♦ **1.** Faire sauter à la dynamite. *Dynamiter un pont, une route, une galerie de mine.*

♦ **2.** Poser une charge de dynamite de manière à faire sauter.

♦ **3.** (1966). Fig. Détruire violemment; (spécialt) détruire (un système) en faisant éclater les règles traditionnelles. *Dynamiter les mythes, les certitudes. Dynamiter le cinéma classique, les structures dramatiques.*

Deux mille ans de christianisme, décida-t-il, avaient étouffé l'animal humain sous le poids de devoirs, de responsabilités fictives. Il était temps de dynamiter cette chape de tristesse et d'ennui. Les hippies et les contestataires s'y employaient.
Jean-Louis Curtis, le Roseau pensant, p. 189.

DÉR. Dynamitage, dynamiteur.

DYNAMITERIE [dinamitʀi] n. f. — 1875; de *dynamite.*

♦ Techn. Fabrique de dynamite.

DYNAMITEUR, EUSE [dinamitœʀ, øz] n. — 1871; de *dynamiter.*

♦ **1.** Vx. Fabricant de dynamite ou personne qui travaille à la fabrication de la dynamite. — On dit aujourd'hui *dynamitier.*

♦ **2.** (1882). Auteur d'attentats à la dynamite. — REM. On trouve en ce sens le syn. emprunté à l'esp., *dinamitero.* — Par ext. Combattant dont l'arme est la dynamite; soldat chargé des destructions à la dynamite.

1 Un milicien lança un paquet qui explosa sur un toit; les tuiles jaillirent jusqu'au mur qui protégeait les dynamiteurs. Malraux, l'Espoir, p. 582.
2 Une des dernières maisons tenant encore debout, celle du narrateur, située dans la partie ouest de Greenwich, est investie maintenant par une équipe de dynamiteurs. A. Robbe-Grillet, Projet pour une révolution à New York, p. 207.

♦ **3.** Par métaphore ou fig. Personne qui dynamite (fig.), détruit violemment. — Adj. *« La jeunesse littéraire, qui est dynamiteuse par pose... »* (Goncourt, *in* T. L. F.).

DYNAMITIER [dinamitje] n. m. — D.i. (xxᵉ); de *dynamite.*

♦ Techn. Fabricant de dynamite. — Syn. (vx) : *dynamiteur* (1.).

DYNAMO [dinamo] n. f. — 1881; de *dynamo-électrique.*

♦ Machine dynamo-électrique, transformant l'énergie mécanique en énergie électrique. — (1872). *Dynamo à courant continu de Gramme. Dynamo à courant alternatif.* ⇒ **Alternateur.** *Une dynamo comprend un électro-aimant* (⇒ **Inducteur**), *un induit comportant des bobines enroulées en série* (⇒ **Induit**), *des organes de connexion* (⇒ **Balai, collecteur**). — Spécialt (cour.). *Dynamo d'une automobile,* mue par un moteur et produisant le courant nécessaire aux appareils de l'équipement électrique. *La dynamo charge les accumulateurs. La dynamo est en panne.*

(...) une station centrale comprenant une chaudière et l'ensemble des moteurs et dynamos produisant l'énergie électrique (...)
L. Figuier, l'Année sc. et industr. 1890, p. 128 (1889).

COMP. Dynamophare, dynamoteur.

DYNAMO- ⇒ Dynam-.

DYNAMO-ÉLECTRIQUE [dinamoelɛktʀik] adj. — 1868, *in* Cottez; de *dynamo-,* et *électrique.*

♦ Électr. Qui transforme l'énergie mécanique en énergie électrique (courant continu). *Des machines dynamo-électriques.* ⇒ **Dynamo.**

DYNAMOGÈNE [dinamoʒɛn] adj. — V. 1848, *in* D.D.L.; de *dynamo-,* et *-gène.*

♦ Physiol. Qui engendre, qui crée de l'énergie, de la force. *Aliment dynamogène.* — Spécialt. *Sensation, sentiment dynamogène,* qui augmente le tonus vital. — Zool. *Zone dynamogène :* partie de la surface du corps de certains insectes dont l'excitation provoque les mouvements. — Syn. : *dynamogénique* [dinamoʒenik] adj. (1897).

CONTR. Inhibitoire.

DYNAMOGÉNIE [dinamoʒeni] n. f. — 1888; *dynamo-génésie,* 1843; de *dynamo-,* et *-génie.*

♦ Physiol. Accroissement de la fonction d'un organe sous l'influence d'une excitation.

CONTR. Inhibition.

DYNAMOGRAPHE [dinamogʀaf] n. m. — 1870, *in* P. Larousse; de *dynamo-,* et *-graphe.*

♦ Physiol. Instrument servant à enregistrer la force musculaire.

DYNAMOMÈTRE [dinamomɛtʀ] n. m. — 1798; de *dynamo-,* et *-mètre.*

♦ Phys. Instrument servant à mesurer l'intensité des forces. *Dynamomètre enregistreur* (→ Dynamographe). — Physiol. Appareil servant à mesurer la force musculaire, l'intensité d'une contraction musculaire.

DYNAMOMÉTRIE [dinamomɛtʀi] n. f. — 1839, Boiste; de *dynamomètre.*

♦ Phys., techn. Mesure des forces au moyen du dynamomètre.

DÉR. Dynamométrique.

DYNAMOMÉTRIQUE [dinamomɛtʀik] adj. — 1814; de *dynamométrie.*

♦ Phys. De la dynamométrie. *Mesures dynamométriques.*

DYNAMOPHARE [dinamofaʀ] n. m. ou f. — xxᵉ; de *dynamo,* et *phare.*

♦ Techn. Petit générateur électrique cylindrique, appliqué contre la roue d'une bicyclette et qui alimente le phare.

DYNAMOTEUR [dinamotœʀ] n. m. — xxᵉ; de *dyna(mo),* et *moteur.*

♦ Techn. Dispositif électrique d'une automobile, fonctionnant comme démarreur au départ et comme dynamo lorsque le moteur tourne.

DYNASTE [dinast] n. m. — V. 1500; grec *dunastês* «souverain».

♦ Didact. (hist.). Petit souverain qui gouvernait sous la dépendance d'un souverain plus puissant, dans l'Antiquité.

Moi qui avais droit à un furlong de belle haute laine pour garnir ma tente; moi, dynaste royal, j'usais sans murmures de méchante drapade mal décatie.
Jean Ray, les Derniers Contes de Canterbury, p. 120.

DYNASTIE [dinasti] n. f. — 1455; repris, 1718, Académie; de *dunasteia* «souveraineté», de *dunasteuein* «exercer le pouvoir», de *dunastês.* → Dynaste.

♦ **1.** Succession des souverains d'une même famille (→ Assyrien, cit.; dérogation, cit. 2). *Le chef, le fondateur d'une dynastie. Maintien, déchéance, fin d'une dynastie. Établissement d'une dynastie. La dynastie mérovingienne, carolingienne, capétienne.* — Période pendant laquelle ont régné les souverains appartenant à une même famille. *Sous la dynastie des Tang.*

Il faut donc admettre qu'une nation peut exister sans principe dynastique, et même que des nations qui ont été formées par des dynasties peuvent se séparer de cette dynastie sans pour cela cesser d'exister.
Renan, Discours et conférences, Œ., compl., t. I, p. 894.

♦ **2.** Fig. Succession d'hommes célèbres, dans une même famille. *La dynastie des Bach, des Cassini, des Saussure.*

(Qualifié par l'activité). Succession des descendants. *Une dynastie de commerçants.*

Succession de personnes liées par un facteur commun (influence, style, etc.). *Une dynastie littéraire.*

DÉR. Dynastique.

DYNASTIQUE [dinastik] adj. — 1834; de *dynastie.*

♦ **1.** Relatif à une dynastie. *Principe dynastique* (→ Dynastie, cit. 1). *La succession dynastique. Une guerre dynastique.*

Qui met au pouvoir une dynastie. *Monarchie dynastique.*

Qui défend une dynastie. — (1842, *in* D.D.L.). Spécialt. *Opposition dynastique,* soutenant la branche cadette des Bourbons (par oppos. à *légitimiste*).

♦ **2.** Rare (au sens fig. de *dynastie*). *Traditions dynastiques, dans une famille.*

COMP. Prédynastique.

DYNATRON [dinatʀõ] n. m. — V. 1960; de *dyna(mique),* et *(élec)tron.*

♦ Techn. Tube électronique dont la grille est plus positive que l'anode.

DYNE [din] n. f. — 1881; angl. *dyne,* du grec *dunamis* «force».

♦ Phys. Unité de force (symb. : *dyn*) valant 10^{-5} newton. *La dyne est l'unité principale de force du système C. G. S.; elle correspond à une force qui, appliquée à une masse de 1 gramme, lui communique une accélération de 1 cm par seconde carrée. Travail produit*

par une dyne (⇒ **Erg**). *Pression d'une dyne par cm²* (⇒ **Barye**).
COMP. Mégadyne.
HOM. Formes du v. 1. **dîner.**

-DYNE Élément, tiré de *dynamique,* servant à former des mots savants, en particulier dans le vocabulaire de l'électricité. Ex : *aérodyne, hétérodyne, métadyne, neutrodyne, ultradyne.*

DYS- Préfixe tiré du grec *dus-* exprimant l'idée de difficulté, de manque, et entrant dans la composition de nombreux mots savants.

DYSACOUSIE [dizakuzi] n. f. — V. 1970 ; de *dys-,* et *-acousie.*
♦ Méd. Trouble de l'audition.

DYSACROMÉLIE [dizakʀɔmeli] n. f. — 1946, G. Coury ; de *dys-, acro-,* et *-mélie.*
♦ Anat. Dysmorphie* des extrémités (des membres). ⇒ **Dysmélie.**
DÉR. Dysacromélique.

DYSACROMÉLIQUE [dizakʀɔmelik] adj. — Mil. xxᵉ ; de *dysacromélique.*
♦ Anat. De la dysacromélie. *Un syndrome dysacromélique.*

DYSARTHRIE [dizaʀtʀi] n. f. — 1897 ; de *dys-,* grec *arthron* «articulation» ; (→ Arthr-), et suff. *-ie.*
♦ Méd. Difficulté de l'élocution due à une lésion des centres moteurs du langage. ⇒ **Anarthrie.** *Le bégaiement n'est pas toujours une dysarthrie. Dysarthrie sévère.* ⇒ **Ululation** (2.).
Le 10 octobre, c'est-à-dire huit jours après l'institution du traitement spécifique, le malade présente des troubles de la parole ; celle-ci devient lente, scandée, traînante, monotone à la manière de la dysarthrie des pseudo-bulbaires.
    B. CENDRARS, Moravagine, in Œ. compl., t. IV, p. 257.
DÉR. Dysarthrique.

DYSARTHRIQUE [dizaʀtnik] adj. — 1970, de *dysarthrie.*
♦ Méd. De la dysarthrie. *Troubles dysarthriques.* — Adj. et n. Atteint de dysarthrie. *Malade dysarthrique. Un, une dysarthrique.*

DYSARTHROSE [dizaʀtʀoz] n. f. — xxᵉ ; de *dys-,* et *arthrose.*
♦ Pathol. Malformation d'une articulation.

DYSBARISME [dizbaʀism ; disbaʀism] n. m. — 1962 ; de *dys-,* grec *baros* «pesanteur», et suff. *-isme.*
♦ Méd. Ensemble de troubles résultant d'une baisse brutale de la pression atmosphérique ambiante, lors des voyages en haute altitude : douleurs articulaires, névralgies, obscurcissement de la vue (⇒ **Anopsie**), vertiges, paresthésies, troubles cutanés. — Syn. : *aéroembolisme.*

DYSBASIE [dizbazi ; disbazi] n. f. — 1909, *in* D. D. L. ; de *dys-,* et grec *basis* «action de marcher».
♦ Méd. Trouble de la marche. ⇒ aussi **Abasie.**
DÉR. Dysbasique.

DYSBASIQUE [dizbazik ; disbazik] adj. — D. i. (xxᵉ) ; de *dysbasie.*
♦ Méd. De la dysbasie.

DYSBOULIE [dizbuli ; disbuli] n. f. — 1909, Apert ; de *dys-,* et grec *boulê* «volonté».
♦ Psychiatrie. Rare. Troubles de la volonté. ⇒ **Aboulie.**
DÉR. Dysboulique.

DYSBOULIQUE [dizbulik ; disbulik] adj. — Déb. xxᵉ ; de *dysboulie.*
♦ Psychiatrie. Rare. De la dysboulie. ⇒ **Aboulique.**

DYSCALCULIE [diskalkyli] n. f. — V. 1970 ; de *dys-,* et *calcul,* d'après *dyslexie, dysorthographie,* etc.
♦ Didact. Trouble dans l'apprentissage du calcul (non lié à des déficiences intellectuelles). → Dysgraphie, dyslexie.

DYSCHROMATOPE [diskʀɔmatɔp] adj. et n. — D. i. (xxᵉ) ; de *dyschromatopsie.*
♦ Méd. Atteint de dyschromatopsie.

DYSCHROMATOPSIE [diskʀɔmatɔpsi] n. f. — 1855 ; de *dys-,* grec *chrôma* «couleur», et *opsis* «action de voir».
♦ Méd. Trouble de la perception des couleurs ; (spécialt) incapacité de l'œil à distinguer les trois couleurs fondamentales. ⇒ **Achromatopsie, daltonisme.**
DÉR. Dyschromatope.

DYSCHROMIE [diskʀɔmi] n. f. — 1900, *in* D. D. L. ; de *dys-,* et *-chromie.*
♦ Méd. Trouble de la pigmentation de la peau (*achromie, hyperchromie :* absence ou excès de pigmentation ; vitiligo).

DYSCINÉSIE [disinezi] n. f. ⇒ **Dyskinésie.**

DYSCINÉTIQUE [disinetik] adj. et n. ⇒ **Dyskinétique.**

DYSCOLE ou **DISCOLE** [diskɔl] adj. — xɪvᵉ ; bas lat. *dyscolus* «morose» ; grec *duskolos* «difficile à vivre».
♦ Didact. et vx. Qui est difficile à vivre, en raison de sa mauvaise humeur.

DYSCRASIE [diskʀazi] n. f. — 1314, *discrasie ;* bas lat. *dyscrasia,* grec *duskrasia* «mauvais tempérament», de *dus* (→ Dys-), et *krasia* «tempérament».
Médecine.
♦ **1.** Vieilli. Perturbation des humeurs organiques. — Mauvaise constitution.
♦ **2.** (1905, *in Rev. gén. des sc.,* nᵒ 8, p. 398). Mod. Perturbation des phénomènes de coagulation sanguine. ⇒ **Crase** (sanguine).
DÉR. Dyscrasique.

DYSCRASIQUE [diskʀazik] adj. — 1903, in *Rev. gén. des sc.,* nᵒ 6, p. 328 ; de *dyscrasie.*
♦ Méd. De la dyscrasie.

DYSENDOCRINIE [dizãdɔkʀini] n. f. — 1938, *in* D. D. L. ; de *dys-, endocrine,* et suff. *-ie.*
♦ Méd. Trouble des glandes endocrines.
DÉR. Dysendocrinien.

DYSENDOCRINIEN, ENNE [dizãdɔkʀinjɛ̃, ɛn] adj. — 1922 ; de *dysendocrinie,* d'après *endocrinien.*
♦ Méd. Relatif à un trouble du fonctionnement endocrinien.

DYSENTERIE [disãtʀi] n. f. — V. 1560 ; *dissenterie,* 1372 ; *dissintere,* xɪɪɪᵉ ; de *dys-,* et grec *entera* «entrailles».
♦ Méd. et cour. Maladie infectieuse caractérisée par une inflammation ulcéreuse du gros intestin, surtout du côlon, provoquant des évacuations sanguinolentes accompagnées de coliques violentes. — Spécialt. Infection intestinale causée par des bacilles ou des amibes. *Dysenterie amibienne, bacillaire.* ⇒ **Amibiase.**
Par métaphore (littér.). «*Une dysenterie de mots*» (Goncourt). ⇒ **Diarrhée.**
DÉR. Dysentérique.

DYSENTÉRIQUE [disãteʀik] adj. — Fin xɪvᵉ ; de *dysenterie.*
♦ Méd. et cour. Qui est relatif à la dysenterie. *Colique, flux dysentérique. Amibe, bacille dysentérique.*
Adj. et n. (Malade) atteint de dysenterie.
La moitié des feuilles manquent à cause des dysentériques qui n'ont jamais de papier suffisamment.   CÉLINE, Voyage au bout de la nuit, p. 182.
Var. *dysenterique* [disãtʀik].

DYSESTHÉSIE [dizɛstezi] n. f. — 1772 ; grec *dusaisthesia,* de *dus-* (→ Dys-), et *aisthesis* «sensibilité».
♦ Didact. (méd., psychol.). Trouble qui s'exprime par une diminution ou une exagération de la sensibilité cutanée. ⇒ **Paresthésie.** *Sensa-*

tions d'engourdissement, de picotements, de fourmillements, dans les dysesthésies.

DÉR. Dysesthésique.

DYSESTHÉSIQUE [dizεstezik] adj. — D. i. ; de *dysesthésie*.

♦ Didact. (méd., psychol.). De la dysesthésie. *Sensations, troubles dysesthésiques.*

DYSFONCTIONNEMENT [disfõksjɔnmã] n. m. ou **DYSFONCTION** [disfõksjõ] n. f. — 1922, *dysfonctionnement; dysfonction*, v. 1950; mot hybride, de *dys-*, et *fonctionnement, fonction*.

♦ Didact. (méd.). Trouble de fonctionnement, fonctionnement anormal (insuffisant ou excessif) de (un organe, une glande...).

(...) l'hérédité *(dans les psychoses circulaires)* est fréquemment une hérédité glandulaire : même rythme de règles chez les femmes, mêmes perturbations ovariennes, même dysfonctionnement hépatique. On trouve là le témoignage de troubles de fonctionnement sur lesquels justement la thérapeutique peut s'exercer.
H. BARUK, Psychoses et Névroses, p. 121.

Par ext. Difficulté, trouble (dans un fonctionnement). *Le dysfonctionnement des institutions.*

REM. On trouve aussi, dans le discours didactique, le verbe *dysfonctionner.*

DYSGÉNÉSIE [disʒenezi ; dizʒenezi] n. f. — 1843, Landais ; de *dys-*, et *-génésie.*

♦ **1.** Pathol., vx. Malformation. *Dysgénésie cérébrale.* ⇒ **Dysplasie.**

♦ **2.** Biol. Trouble de la capacité de reproduction. — Spécialt. Incapacité de reproduction entre hybrides qui demeurent féconds avec les individus des races dont ils proviennent.

DYSGÉNIQUE [disʒenik ; dizʒenik] adj. — 1972; angl. *dysgenic*, et de *dys-*, et *génique.*

♦ Biol. Qui s'oppose à l'amélioration de la race, qui favorise une évolution régressive.

CONTR. Eugénique.

DYSGNOSIE [disgnozi ; dizgnozi] n. f. — xxᵉ ; de *dys-*, et *-gnosie.*

♦ Méd. Trouble des fonctions intellectuelles. ⇒ **Agnosie.**

DYSGRAMMATISME [disgʀa(m)matism ; dizgʀa(m)matism] n. m. ⇒ **Agrammatisme.**

DYSGRAPHIE [disgʀafi ; dizgʀafi] n. f. — 1945, *in* D. D. L. ; «défaut de conformation d'un organe», 1878; de *dys-*, et *-graphie*, d'après *dyslexie*, etc.

♦ Méd. Difficulté dans l'acquisition ou l'exécution de l'écriture, liée à des troubles fonctionnels (en l'absence de déficiences intellectuelles). *Dysgraphie d'évolution. Dysgraphie et dyslexie.*

DÉR. Dysgraphique.

DYSGRAPHIQUE [disgʀafik ; dizgʀafik] adj. — Mil. xxᵉ (attesté v. 1960); de *dysgraphie.*

♦ Méd. De la dysgraphie. *Troubles dysgraphiques.*
Adj. et n. Atteint de disgraphie. *« Tous ceux qui apprennent mal ou lentement à lire et à écrire, ne sont pas des dyslexiques, ni des dysgraphiques »* (*le Figaro*, 8 nov. 1966).

DYSHARMONIE ou **DISHARMONIE** [dizaʀmɔni] n. f. — 1839, Boiste ; de *dys-*, et *harmonie*, *dis-* par l'évolution graphique de *dyssymétrie* qui a donné *dissymétrie.*

♦ Didact. Absence d'harmonie (entre des parties, des éléments). *Disharmonie de sons, de couleurs.* — Fig. *Disharmonie des sentiments.*

(...) que l'oreille prenne goût à ces dissonances de même que, dans un autre domaine, l'œil à des disharmonies picturales plus subtiles, il va sans dire...
Ne prétendant plus à la consonance et à l'harmonie, vers quoi s'achemine la musique? Vers une sorte de barbarie. Le son même, si lentement et exquisement dégagé du bruit, y retourne.   GIDE, Journal, 28 févr. 1928.

Spécialt, méd. **DYSHARMONIE** : «terme employé par certains auteurs pour désigner la dissociation schizophrénique» (J. Sutter, *in* A. Porot, *Manuel de psychiatrie*, 1952).

DÉR. Dysharmonique ou **disharmonique.**

DYSHARMONIQUE ou **DISHARMONIQUE** [dizaʀmɔnik] adj. — 1925, en méd.; de *dysharmonie* ou *disharmonie.*

Didactique.

♦ **1.** Qui manque d'harmonie ; dont les parties, les éléments ne sont pas en harmonie. — Géol. *Pli dysharmonique*, qui modifie différemment les couches successives.

♦ **2.** Sc. (ethnol.). Se dit d'une structure de parenté où la règle de filiation et la règle de résidence sont opposées. *Régime, système dysharmonique* (opposé à *harmonique*, 4.).

DYSIDROSE ou **DYSHIDROSE** [dizidʀoz] n. f. — 1901, *dysidrose; dyshidrose*, 1898; empr. angl. (1873); de *dys-*, et grec *hidros* «sueur».

♦ Méd. Trouble de la sécrétion sudorale. — Par ext. Éruption vésiculeuse des mains et des pieds (rappelant celle de la *miliaire**).

DYSKÉRATOSE [diskeʀatoz] n. f. — xxᵉ (1946, *in* T.L.F.); de *dys-*, et *kératose.*

♦ Méd. Kératinisation anormale, précoce, de certaines cellules de l'épiderme ayant pour résultat leur séparation des autres cellules et la constitution de lésions cutanées.

DYSKINÉSIE [diskinezi] ou (rare) **DYSCINÉSIE** [disinezi] n. f. — Mil. xxᵉ, *dyskinésie; dyscinésie*, 1772; grec *duskinêsis*, de *dus-* (→ Dys-), et *kinêsis* «mouvement».

♦ Méd. Trouble dans l'accomplissement des mouvements volontaires (lenteur, incoordination...) ou involontaires (par suite de spasmes, crampes, etc.). ⇒ **Apraxie, dystonie.** *Dyskinésie fonctionnelle :* crampe professionnelle.
Trouble de la motricité (d'un organe). *Dyskinésie œsophagienne.*

DÉR. Dyskinétique.

DYSKINÉTIQUE [diskinetik] ou **DYSCINÉTIQUE** [disinetik] adj. et n. — D. i. ; de *dyskinésie, dyscinésie.*

♦ Méd. De la dyskinésie. Atteint de dyskinésie.

DYSLALIE [dislali] n. f. — 1842, *in* D.D.L. ; de *dys-*, et *-lalie.*

♦ Méd. Trouble de l'articulation de certains phonèmes dû à une anomalie ou à une lésion des organes de la phonation. ⇒ **Dysarthrie.** — REM. L'adj. *dyslalique* [dislalik] est attesté.

DYSLEPTIQUE [dislεptik] adj. — 1961; de *(psycho)dysleptique.*

♦ Méd. Qui dérègle, favorise un dysfonctionnement, sur le plan psychique. *Psychoses expérimentales provoquées par des drogues à action dysleptique.* ⇒ **Psychodysleptique.**

Les émotions humaines sont capables de produire des troubles du comportement aussi intenses et aussi variés que ceux produits par les drogues psychotropes à action leptique, analeptique ou dysleptique : troubles des comportements intellectuels, avec syndrome confuso-onirique, syndrome de dépersonnalisation et même perte de conscience (syncope émotive).
Jean DELAY, Introd. à la médecine psychosomatique,
Notes et observations, p. 115 (1961).

DYSLEXIE [dislεksi] n. f. — 1897; de *dys-*, et grec *lexis* «mot». → Lexie, lexique.

♦ Méd. et cour. Trouble de la capacité de lire, ou difficulté à reconnaître et à reproduire le langage écrit. *Dyslexie spécifique. Dyslexie d'évolution.* ⇒ **Alexie.** *Dyslexie et dysorthographie, et dyscalculie.*

DÉR. Dyslexique.

DYSLEXIQUE [dislεksik] adj. et n. — xxᵉ (1959, H. Bazin, *in* T.L.F.); de *dyslexie.*

♦ Méd. Qui se rapporte à la dyslexie. — Adj. et n. Cour. Atteint de dyslexie. *Un dyslexique. Un enfant dyslexique.*

(...) Manuelle redouble sa septième et on m'apprend qu'elle est dyslexique !
Benoîte et Flora GROULT, Il était deux fois, p. 245.

DYSLOGIE [dislɔʒi] n. f. — 1909, *in* D.D.L. ; de *dys-*, et *-logie.*

♦ Méd. Trouble du langage lié à une altération des fonctions intellectuelles. *Dyslogie se traduisant par la logorrhée**, la verbigération**, des stéréotypes répétitifs.* — *Dyslogie graphique :* trouble de l'écriture dû à des déficiences intellectuelles. ⇒ **Dysgraphie, dysorthographie.**

DÉR. Dyslogique.

DYSLOGIQUE [dislɔʒik] adj. et n. — Déb. xxᵉ; de *dyslogie.*

♦ Méd. De la dyslogie. Atteint de dyslogie. *Un enfant dyslogique.* — N. *Un, une dyslogique.*

DYSMÉLIE [dismeli] n. f. — D. i. (mil. xxᵉ) ; de *dys-*, et *-mélie*.

♦ Méd. Développement anormal (insuffisant, excessif ou aberrant) d'un ou de plusieurs membres, lié à un trouble de l'embryogenèse.
DÉR. **Dysmélique.**

DYSMÉLIQUE [dismelik] adj. — D. i. (mil xxᵉ) ; de *dysmélie*.

♦ Méd. De la dysmélie. *Anomalies dysméliques.* — Atteint de dysmélie. *« Enfants dysméliques (ou phocomèles), atteints des malformations des membres que l'on connaît à la suite de l'affaire de la Thalidomide »* (*Science et Vie*, 1973). — N. *Un, une dysmélique.*

DYSMÉNORRHÉE [dismenɔʀe] n. f. — 1795 ; de *dys-*, et *-ménorrhée*.

♦ Méd. Menstruation difficile et douloureuse (→ Coliques* utérines). *Dysménorrhée congestive, fonctionnelle, inflammatoire, nerveuse, spasmodique.*
DÉR. **Dysménorrhéique.**

DYSMÉNORRHÉIQUE [dismenɔʀeik] adj. — 1836 ; de *dysménorrhée*.

♦ Méd. Qui se rapporte à la dysménorrhée. *Troubles dysménorrhéiques.* — Adj. et n. f. Qui souffre de dysménorrhée.

DYSMÉTRIE [dismetʀi] n. f. — 1912, *in* D. D. L. ; de *dys-*, et *-métrie*.

♦ Méd. Incapacité de maîtriser l'amplitude des mouvements accomplis dans un certain but. *La dysmétrie s'observe dans les lésions du cervelet et des voies cérébelleuses.*

DYSMIMIE [dismimi] n. f. — xxᵉ, terme créé par Kussmaul ; de *dys-*, et grec *mimia* « imitation ». → Mimique.

♦ Méd. Trouble de l'expression par gestes et expressions faciales. → Amimie, hypermimie.

DYSMNÉSIE [dismnezi] n. f. — 1842, *in* D. D. L. ; de *dys-*, et *(a)mnésie*.

♦ Méd. Altération de la mémoire des faits récents *(dysmnésie de fixation)* ou des faits anciens *(amnésie diffuse)* plus faible que dans l'amnésie*. *Dysmnésie d'évocation*, portant sur les souvenirs passés qui ne peuvent plus être évoqués. *Dysmnésie d'évocation portant sur les noms propres, les chiffres. Dysmnésie et hypermnésie, et ecmnésie*.*
DÉR. **Dysmnésique.**

DYSMNÉSIQUE [dismnezik] adj. — Fin xɪxᵉ ; de *dysmnésie*.

♦ Méd. De la dysmnésie. — Adj. et n. Atteint de dysmnésie.

DYSMORPHIE [dismɔʀfi] ou **DYSMORPHOSE** [dismɔʀfoz] n. f. — 1870, *dysmorphie* ; *dysmorphose*, xxᵉ ; de *dys-*, et grec *morphie* « forme ».

♦ Didact. (anat.). Difformité. *Dysmorphie du bras, de la jambe.* — Méd. ⇒ **Difformité ; dysacromélie, dysmélie, dysphasie, dystrophie.**

DYSOREXIE [dizɔʀɛksi] n. f. — 1803, *in* D. D. L. ; grec médical *dusorexia* « inappétence », de *dus-* (→ Dys-), et *oregesthai* « aspirer, tendre ».

♦ Méd. Trouble de l'appétit (anorexie, boulimie, certaines toxicomanies, ingestion de matières non alimentaires).
DÉR. **Dysorexique.**

DYSOREXIQUE [dizɔʀɛksik] adj. — D. i. ; de *dysorexie*.

♦ Méd. De la dysorexie. — Adj. et n. Atteint de dysorexie.

DYSORTHOGRAPHIE [dizɔʀtɔgʀafi] n. f. — V. 1960 ; de *dys-*, et *orthographe*, d'après *dyslexie*, etc.

♦ Méd. Trouble dans l'acquisition et la maîtrise des règles de l'orthographe (en l'absence de déficiences intellectuelles). ⇒ **Dyslogie** (graphique).
DÉR. **Dysorthographique.**

DYSORTHOGRAPHIQUE [dizɔʀtɔgʀafik] adj. et n. — Mil. xxᵉ ; de *dysorthographie*.

♦ Méd. De la dysorthographie. *Troubles dysorthographiques.* —

Adj. et n. Atteint de dysorthographie. *Éducateurs, psychologues qui s'occupent des dyslexiques et des dysorthographiques.*

DYSOSMIE [dizɔsmi] n. f. — 1819, *in* D. D. L. ; de *dys-*, et *-osmie*.

♦ Méd. Trouble de l'olfaction (→ Anosmie).

DYSOSTOSE [dizɔstoz] n. f. — 1905, *in Rév. gén. des sc.*, n° 20, p. 881 ; de *dys-*, *ost(eo)-*, et 2. *-ose*.

♦ Pathol. Dystrophie osseuse. *Dysostose héréditaire.*

DYSPAREUNIE [dispaʀøni] n. f. — D. i. (mil. xxᵉ), de *dys-*, et grec *pareunos* « compagne ou compagnon de lit ».

♦ Méd. Douleur éprouvée par la femme lors d'un rapport sexuel (opposé à *eupareunie*). — Syn. : *algopareunie.* ⇒ aussi **Apareunie.**
(...) écarter de ce métier *(la sexologie)* les charlatans, les ignorants, les névrosés, ceux qui pourraient « traiter » pendant des mois la frigidité ou la dyspareunie provoquées, en fait, par un cancer du col utérin (...)
Gérard ZWANG, *in* l'Express, 13 nov. 1972, p. 98.

DYSPEPSIE [dispɛpsi] n. f. — 1673 ; *dipepsie*, 1550 ; lat. *dispepsia*, grec *duspepsia*, même sens, de *duspeptos* « difficile à digérer », de *dus-* (→ Dys-), et *peptos* « cuit ». → Pepsine.

♦ Méd. et cour. Digestion difficile et douloureuse. — Troubles digestifs fonctionnels, surtout de l'estomac, sans lésion organique évidente. *Dyspepsie acide.* ⇒ **Hyperacidité.** *Dyspepsie flatulente,* par aérophagie* ou production de gaz intestinaux. ⇒ **Ballonnement, météorisme.** *Dyspepsie douloureuse au niveau de l'estomac* (→ Gastralgie), *de l'œsophage* (→ Pyrosis). *Dyspepsie atonique.*
Nous sommes des nerveux, nous sommes de grands nerveux, aimait à répéter M. de Clergerie, qui justifiait ainsi sa dyspepsie et d'ailleurs raffolait de la psychiatrie à la mode... BERNANOS, la Joie, in Œ. roman, Pl., p. 570.
Par métaphore (littér). *Une « dyspepsie morale »* (P. Bourget, *in* T. L. F.).
DÉR. **Dyspeptique** ou **dyspepsique.**

DYSPEPTIQUE [dispɛptik] ou **DYSPEPSIQUE** [dispɛpsik] adj. et n. — 1845, *dyspeptique* ; *dyspepsique*, 1845 ; de *dyspepsie*.
Médecine et courant.

♦ Adj. Qui a rapport à la dyspepsie. *Des symptômes dyspepsiques.* (Malade) atteint de dyspepsie. N. *Un, une dyspeptique.*
Hypocondriaque et d'ailleurs dyspeptique, il croyait nécessaire à sa digestion de dîner dans l'obscurité et de marcher deux heures aussitôt après son dîner.
PROUST, Jean Santeuil, Pl., p. 227.

DYSPHAGIE [disfaʒi] n. f. — 1805 ; de *dys-*, et *-phagie*. → Phag-.

♦ Méd. Difficulté à accomplir l'acte de manger, et, par ext., à déglutir. *La dysphagie est le plus souvent due à un état pathologique de l'arrière-gorge ou de l'œsophage.*
DÉR. **Dysphagique.**

DYSPHAGIQUE [disfaʒik] adj. — xxᵉ ; de *dysphagie*.

♦ Méd. Qui se rapporte à la dysphagie, s'accompagne de dysphagie. *Troubles, névroses dysphagiques.*

DYSPHASIE [disfazi] n. f. — 1870, *in* P. Larousse ; de *dys-*, et grec *-phasie**, d'après *aphasie*.

♦ Didact. (méd.). Difficulté de langage (parole ou fonction du langage) due à des lésions des centres cérébraux. *Dysphasie motrice :* difficulté d'expression. ⇒ **Aphasie.** *Dysphasie sensorielle :* difficulté de compréhension.
DÉR. **Dysphasique.**

DYSPHASIQUE [disfazik] adj. — Fin xɪxᵉ ; de *dysphasie*.

♦ Méd. De la dysphasie. — Adj. et n. Atteint de dysphasie.

DYSPHÉMIE [disfemi] n. f. — D. i. (mil. xxᵉ) ; de *dys-*, grec *phêmê* « parole, élocution », et suff *-ie*.

♦ Méd. Mauvaise prononciation des mots sans rapport avec une lésion des organes de la phonation, observée chez certains déficients ou malades mentaux.

DYSPHONIE [disfɔni] n. f. — 1793 ; attestation isolée, 1586 ; de *dys-*, et *-phonie*.

♦ Méd. Nom générique des troubles de la phonation, d'origine centrale ou périphérique (⇒ **Aphonie, dysarthrie**).
DÉR. Dysphonique.

DYSPHONIQUE [disfɔnik] adj. — 1866; de *dysphonie*.

♦ Méd. De la dysphonie. — Adj. et n. Atteint de dysphonie.

DYSPHORIE [disfɔri] n. f. — 1811; grec *dusphoria* «angoisse», de *dusphoros* «difficile à supporter», de *dus-* (→ Dys-), et *pherein* «porter».

♦ Didact. État de malaise. *« Les états d'euphorie et de dysphorie collective »* (Durkheim, *in* T. L. F.). — REM. Le mot et son dérivé ont tendance à se diffuser dans la langue courante.
DÉR. Dysphorique.

DYSPHORIQUE [disfɔrik] adj. — xxᵉ; *dysphorien*, 1893; de *dysphorie*.
Didactique.

♦ **1.** Relatif à la dysphorie. *Réactions dysphoriques. C'est une situation assez dysphorique*, pénible.

♦ **2.** Adj. et n. Qui ressent un état de malaise. *Elle se sentait dysphorique.*

DYSPHRÉNIE [disfreni] n. f. — 1938, *in* D. D. L.; de *dys-*, grec *phrên, phrenos* «esprit, intelligence», et suff. *-ie*.

♦ Psychiatrie. Psychose fonctionnelle, sans substrat organique bien déterminé.

DYSPLASIE [displazi] n. f. — 1938, *in* D. D. L.; de *dys-*, et *-plasie*.

♦ Didact. (biol., méd.). Anomalie dans le développement biologique (de tissu, d'organes, d'organismes) se traduisant par des malformations. ⇒ **Dystrophie; hyperplasie, hypoplasie.** *Dysplasie résultant d'une dystrophie. Dysplasie périostale* : friabilité et fragilité des os. *Dysplasie pigmentaire mélanique. Dysplasies dentaires* (hypoplasiques). ⇒ **Érosion.**
DÉR. Dysplasique.

DYSPLASIQUE [displazik] adj. — Mil. xxᵉ; de *dysplasie*.

♦ Didact. De la dysplasie. *Anomalies dysplasiques.*

DYSPNÉE [dispne] n. f. — xviiᵉ; *dyspnœe*, xviᵉ; du grec *dus-* (→ Dys-), et *pneîn* «respirer».

♦ Méd. Difficulté de la respiration. (⇒ **Anhélation**). *Dyspnée d'origine hystérique. Dyspnée asthmatique, cardiaque.*
DÉR. Dyspnéique.

DYSPNÉIQUE [dispneik] adj. et n. — 1833; de *dyspnée*.

♦ Méd. Caractéristique de la dyspnée. *Une toux dyspnéique.* — Adj. et n. Atteint de dyspnée. *Un, une dyspnéique.*

(...) la grande angoisse dyspnéique *(qui)* me fait lutter sur le sol contre une étreinte invisible et meurtrière (...)   M. TOURNIER, le Roi des Aulnes, p. 79.

DYSPRAXIE [dispraksi] n. f. — 1945, *in* D. D. L.; de *dys-*, et *-praxie*, du grec *praxis* «action». → Praxie.

♦ Méd. Difficulté à effectuer des mouvements coordonnés, à se rendre compte de sa situation de son propre corps dans l'espace, en l'absence de toute lésion organique. — Spécialt. Chez l'enfant, Difficulté importante dans l'acquisition des activités constructives (par ex. dans l'apprentissage de la lecture, de l'écriture, du calcul), en général associée à un retard du développement psychomoteur et à des troubles affectifs.
DÉR. Dyspraxique.

DYSPRAXIQUE [dispraksik] adj. — Mil. xxᵉ; de *dyspraxie*.

♦ **1.** Méd. De la dyspraxie. *Troubles dyspraxiques.*

♦ **2.** Adj. et n. Atteint de dyspraxie. *Rééduquer un enfant dyspraxique.* — *Des dyspraxiques.*

DYSPROSIUM [disprozjɔm] n. m. — 1886, Lecoq de Boisbaudran; lat. sav., du grec *dusprositos* «difficile à atteindre».

♦ Chim. Métal du groupe des terres rares (nᵒ at. 66; p. at. 161, 50; d = 8,536), d'éclat métallique analogue à celui de l'argent.

DYSRYTHMIE [disritmi] n. f. — 1970; de *dys-, rythme*, et suff. *-ie*.

♦ Didact. Anomalie d'un rythme (surtout enregistré par électrocardiogramme, encéphalogramme).

DYSSOCIAL, ALE, AUX [disɔsjal, o] adj. — xxᵉ; de *dys-*, et *social*.

♦ Didact. Se dit d'un comportement délictueux ou criminel, entrant en conflit avec les codes sociaux habituels. ⇒ **Asocial.**

DYSTASIE [distazi] n. f. — 1938, *in* D. D. L.; de *dys-*, grec *stasis* «action de se tenir debout», et suff. *-ie*.

♦ Méd. Difficulté à se tenir debout. ⇒ **Dystonie** (d'attitude).

DYSTHANASIE [distanazi] n. f. — 1846; de *dys-*, rad. du grec *thanatos* «mort», et suff. *-ie*.

♦ Méd. (rare). Mort après une agonie longue et douloureuse (opposé à *euthanasie*).

DYSTHYMIE [distimi] n. f. — xxᵉ; de *dys-*, et *-thymie*.

♦ Méd. Trouble pathologique de l'humeur.

DYSTOCIE [distɔsi] n. f. — 1864; *dystokie*, 1829; grec *dustokia*, même sens, de *dus* (→ Dys-), et *tokos* «enfantement».

♦ Méd. Accouchement laborieux, pénible. *Dystocie par anomalie de contraction, de dilatation. Dystocie cervicale de nature pathologique, anatomique ou fonctionnelle.*
Les cas de *dystocie*, c'est-à-dire où l'enfant vient au monde en état de mort apparente et ne peut être ramené à la vie par les méthodes actuelles (...)
          L. FIGUIER, l'Année sc. et industr. 1882, p. 362 (1881).
CONTR. Eutocie.
DÉR. Dystocique.

DYSTOCIQUE [distɔsik] adj. — D. i. (attesté, 1953); de *dystocie*.

♦ Méd. De la dystocie. *Un accident dystocique.*

DYSTOMIE [distɔmi] n. f. — xxᵉ; de *dy(s)-*, grec *stoma* «bouche», et suff. *-ie*. → Stomato-.

♦ Didact. Nom générique des différents troubles de la prononciation (zézaiement, chuintement, etc.). ⇒ **Blésité, dysphonie.**

DYSTONIE [distɔni] n. f. — 1843, Landas; de *dys-*, grec *tonos* «tension». → -tonie.

♦ Didact. (méd.). Altération du tonus musculaire, trouble de la tonicité (d'un organe). *Dystonie d'attitude* : altération des mouvements d'équilibre dans la station debout. *Dystonie neuro-végétative* : altération fonctionnelle des nerfs vague et sympathique dans le sens de l'hypertonie ou de l'hypotonie (⇒ **Sympathicotonie, vagotonie**). *« La dystonie neuro-végétative du mal de l'air »* (Guillerme, *la Vie en haute altitude*, p. 104). *Dystonie* (ou *dyscinésie*) *biliaire* : altération fonctionnelle de l'appareil biliaire, à caractère dégénératif ou tumoral.

DYSTROPHIANT, ANTE [distrɔfjɑ̃, ɑ̃t] adj. — xxᵉ; de *dystrophie*.

♦ Didact. Qui produit une dystrophie. *« Les affections dystrophiantes (...) sont le rachitisme et un hypo ou hyperfonctionnement des glandes endocrines »* (P. L. Rousseau, *les Dents*, p. 105).

DYSTROPHIE [distrɔfi] n. f. — 1878; de *dys-*, et *-trophie*, du grec *trôphie* «nourriture».
Médecine.

♦ **1.** Trouble de la nutrition (d'un organe ou d'une région anatomique). *Dystrophies dentaires.* ⇒ **Anodontie, dysplasie, oligodontie.**
Pour Ruppe, les dystrophies dentaires sont des modifications de dimension, de forme ou de structure de la dent, témoins indélébiles d'un trouble ayant atteint la calcification de son germe. Pour Lebwog, (...) les dystrophies veulent dire : troubles de la nutrition localisés à un organe ou à un système.
          P.-L. ROUSSEAU, les Dents, p. 56.

♦ **2.** Anomalie de développement ou dégénérescence d'un organe ou d'une structure anatomique. *Dystrophie de la cornée. Dystrophie musculaire progressive.* ⇒ **Atrophie, hypertrophie.**

DÉR. **Dystrophiant, dystrophique.**

DYSTROPHIQUE [distʀɔfik] adj. — 1879 ; de *dystrophie.*

♦ Méd. Relatif à la dystrophie. *Troubles dystrophiques. Stigmates dentaires dystrophiques.* « *Pulpites chroniques dystrophiques,* à dégénérescence calcaire, graisseuse, kystique » (P.-L. Rousseau, *les Dents*).

DYSURIE [dizyʀi] n. f. — 1560 ; *dissurie,* xɪvᵉ ; bas lat. *dysuria,* grec *dus ouria,* même sens, de *dus-* (→ Dys-), et *ouron* « urine ».

♦ Méd. Difficulté de la miction.

DÉR. **Dysurique.**

DYSURIQUE [dizyʀik] adj. — 1864 ; de *dysurie.*

♦ Méd. De la dysurie. — Adj. et n. Qui souffre de dysurie.

DYTICIDÉS [ditiside] n. m. pl. — 1908 ; du grec *dutikos* (→ Dytique), et *-idés.*

♦ Zool. Famille d'insectes coléoptères aquatiques et carnassiers. *Types principaux de dyticidés :* dytique, haliple, hydropore.

DYTIQUE [ditik] adj. — 1764 ; grec *dutikos* « plongeur », de *duein* « s'enfoncer, plonger ».

♦ Zool. Insecte coléoptère vivant dans l'eau (*Dyticidés* ou *Hydrocanthares*), destructeur du frai, des alevins et même de petits poissons.

(...) par en dessous, la remontée à l'air d'un dytique, le suçon d'un chevesne en touchaient la surface (...) Hervé BAZIN, Cri de la chouette, p. 225.

DZÊTA [dzɛta] n. m. ⇒ **Zêta.**

E

E [ø ; ə] nom masculin.
Cinquième lettre et deuxième voyelle de l'alphabet, servant à noter, seule, deux, trois voyelles [e], [ɛ], [ə], et en combinaison, divers sons vocaliques (ex. : eau [o]). E *majuscule,* e *minuscule ;* e *romain,* e *italique.*

♦ **1.** E ouvert [ɛ] dans : *il est* [ilɛ], *lettre* [lɛtʀ], *mer* [mɛʀ], *frère* [fʀɛʀʀ], *père* [pɛʀ], *près* [pʀɛ], *promène* [pʀɔmɛn], *fête* [fɛt], *tête* [tɛt], *toupet* [tupɛ].

E fermé [e] dans *boucher* [buʃe], *chantez* [ʃɑ̃te], *tomber* [tɔ̃be], *et* [e], *thé* [te].

E muet [(ə)] : voyelle centrale, ni fermée ni ouverte, ni arrondie, ni étirée, qui se prononce ou non selon sa position dans le groupe rythmique (on dit aussi *e instable,* ou *e caduc,* ou *schwa*). Ex. : e dans *fenêtre* [f(ə)nɛtʀ]. — L'*e muet* des déterminants et des pronoms *(je, me, te, se, le...),* celui de *jusque* s'élide et est remplacé par une apostrophe devant une voyelle ou un h muet.

1 (...) l'e muet qui tantôt existe, tantôt ne se fait presque point sentir qu'il ne s'efface entièrement, et qui procure tant d'effets subtils de silences élémentaires, ou qui termine ou prolonge tant de mots par une sorte d'ombre que semble jeter après elle une syllabe accentuée (...) VALÉRY, Regards sur le monde actuel, p. 127.

2 En fin de mot, e muet ne se prononce en général pas, et indique simplement que la consonne représentée par la lettre précédente doit, elle, être prononcée. François DELL, les Règles et les Sons, p. 178.

REM. *E* surmonté d'un tréma, ne se prononce pas dans une finale ; ex. : *aiguë* [egy].

♦ **2.** *E.* ou *Em.* : abrév. de *Éminence.* — *E.* ou *Exc.* : abrév. de *Excellence.* — *E.* : abrév. de *Est.*

♦ **3.** Math. e : nombre incommensurable qui sert de base aux logarithmes népériens (e = 2, 71828...).
Phys. e : symbole de l'électron.

♦ **4.** Mus. Nom ancien, de la note mi, en français (cet usage est contemporain en anglais et en allemand).

É- (xviie, forme mod. de *es-*), **EF-, ES-** Préfixe, du lat. *e(x),* prép. et préf., marquant l'éloignement ou la privation *(équeuter),* souvent aussi le changement d'état et l'achèvement *(échauffer),* servant à former des composés *(égarer)* sur le modèle des composés issus du lat. *(édenter).* ⇒ 1. **Ex-.**

-É, -ÉE, -ÉS, -ÉES Suffixe servant à former les participes passés des verbes de la 1re conjugaison. *Il a déballé les marchandises. La rivière a débordé. Ils sont tombés dans un piège. Elles sont passées dans la rue.*

Sur un radical nominal, -*é,* -*ée* sert à former des adjectifs correspondant en général à un verbe en -*er.* Une série est formée d'un nom de vêtement + -*é : ganté, chapeauté,* etc. ; cette série est ouverte :

Mme Floche qui (...) se permettait sur mon bras une discrète taloche de sa maigre main mitainée. GIDE, Isabelle, III, *in* Romans, Pl., p. 622.

E. A. O. [əao] n. m. — V. 1980 ; abrév. de Enseignement assisté* par ordinateur. « *"Au moins, il est gentil. Avec lui on peut se tromper : il ne nous engueule jamais." Dans la bouche d'un enfant de sept ans, cette petite phrase illustre un aspect intéressant de l'E. A. O.* (...) *L'E. A. O. révolutionne le rapport enseignant-enseigné* » (le Nouvel Obs., 2 déc. 1983, p. 106).

EAU [o] n. f. — 1490 ; *egua,* v. 1050 ; *ewe,* v. 1150 ; *eaue,* 1185 ; du lat. *aqua.*

★ **I.** (1050). Liquide incolore, inodore, transparent et insipide lorsqu'il est pur, que l'on trouve (mêlé à d'autres éléments) en abondance dans la nature. ⇒ **Flotte** (pop.), **onde** (poét.), et préf. **hydr-.**

A. *(L'eau, les eaux).* ♦ **1.** Cet élément dans la nature. *Composition chimique de l'eau pure :* deux atomes d'hydrogène et un atome d'oxygène ; formule chimique : H_2O (→ ci-dessous, D.). *L'eau était*

considérée par les anciens comme un élément*. *Le feu** *et l'eau.* — Loc. fig., vx. *Être comme l'eau et le feu,* en opposition totale. — *L'eau éteint le feu. Analyse de l'eau. L'eau gèle, se congèle à 0 °C, bout à 100 °C. Abaisser le point de congélation de l'eau* (⇒ **Antigel**). *Vapeur** d'eau. Condensation** de la vapeur d'eau. Goutte** d'eau. Eau naturelle. Eau crue*. Eau pure, eau distillée,* rendue pure par distillation. *Corps contenant de l'eau* (⇒ **Aqueux, hydraté**), *corps sans eau* (⇒ **Anhydre**).

1 L'eau naturelle n'est jamais absolument pure car, indépendamment des composés isotopiques (...) elle renferme à l'état dissous de nombreux gaz et sels minéraux. Une eau très pure s'obtient au laboratoire par *distillation* (...) Henri JARLAN, l'Eau, p. 65.

1.1 — (...) je crois que l'eau sera un jour employée comme combustible, que l'hydrogène et l'oxygène, qui la constituent, seront isolément ou simultanément, fourniront une source de chaleur et de lumière inépuisables et d'une intensité que la houille ne saurait avoir. J. VERNE, l'Île mystérieuse, t. II, p. 459.

Eau claire, limpide, transparente.* — Fig. *Clair** comme de l'eau de roche :* très clair. *Eau boueuse, bourbeuse, vaseuse, trouble*. Troubler** l'eau. Eau croupie. Eau froide, chaude, tiède, bouillante. Eau douce,* eau des rivières, des lacs (opposé à *eau salée, eau de mer*). *Eau saumâtre. Eau calcaire, eau dure ; dureté de l'eau. Adoucir** l'eau.* — *Qualité d'une eau. Goutte d'eau. Flaque d'eau.*

2 Le bruit, l'éclat de l'eau, sa blancheur transparente, D'un voile de cristal alors peu différente, LA FONTAINE, Psyché, I.

REM. Le mot *eau,* désignant en général une substance et non une quantité de cette substance (c'est un terme « non comptable »), est le plus souvent précédé de l'article défini *(l'eau),* ou de l'article indéfini, lorsqu'il est accompagné d'une qualification *(une eau trouble, une eau qui court ;* → cit. 3 ci-dessous). *Une eau,* pour « une quantité d'eau », n'est pas normal en français. En revanche, le plur. *des eaux,* comme *les eaux,* prenant une valeur générale, se rencontre dans des emplois particuliers.

3 Tu es une eau informe qui coule selon la pente qu'on lui offre, un poisson sans mémoire et sans réflexion qui tant qu'il vivra dans son aquarium se heurtera cent fois par jour contre le vitrage qu'il continuera à prendre pour de l'eau. PROUST, À la recherche du temps perdu, t. II, p. 101.

*Corps perméable, imperméable à l'eau. Étanchéité** d'un corps qui ne laisse pas pénétrer l'eau* (⇒ **Étanche**). *Prendre l'eau :* se laisser pénétrer par l'eau. *S'imbiber, se gonfler d'eau. Enlever l'eau :* diminuer la quantité d'eau contenue dans une substance (⇒ **Déshydrater, dessécher, sécher**).

(Emplois et contextes particuliers). **a** *L'eau atmosphérique* (⇒ **Humidité, hygrométrie**...). *L'eau du ciel. Eau de pluie.* ⇒ **Pluie.** *La terre a besoin d'eau, manque d'eau.* — *Trombe** d'eau. Un déluge* d'eau. L'eau ruisselle sur le toit. Les chéneaux, les gouttières recueillent l'eau du toit* (⇒ **Barbacane, chantepleure, chéneau, gouttière**).

4 L'eau ruisselait doucement sur le brisis du toit, et par intervalles, des bouffées de vent se faufilaient en mugissant sous les tuiles du grenier. MARTIN DU GARD, les Thibault, t. IV, p. 53.

Les grandes eaux, une pluie abondante (→ Amour, cit. 21).

Fam. Pluie. ⇒ **Flotte.** *Il est tombé de l'eau, il va tomber de l'eau.* ⇒ **Pleuvoir.** — Vieilli. *Le temps est à l'eau,* à la pluie. — Littér. *Les eaux* (de la pluie). ⇒ **Averse** (cit. 3).

5 (...) une de ces pluies humides qui (...) couvrent bientôt les habits d'une mousse d'eau glacée et pénétrante. MAUPASSANT, Contes, Toine, « l'Armoire » (→ Pluie, cit. 3).

b *(L'eau, les eaux,* à la surface de la Terre et dans l'écorce terrestre). ⇒ **Hydrographie.** *Eaux courantes. Eau de source, de roche. Eau de fusion des neiges, des glaciers. Eaux de ruissellement, eaux sauvages. Eaux d'infiltration* (→ Aven, cit. 1). *Eaux souterraines. Nappe** d'eau souterraine. Affleurement, émergence, résurgence des eaux souterraines.* ⇒ **Puits, source.** — (Didact.). *Eaux de surface.* — *Eau qui sourd, suinte, coule, ruisselle, bouillonne, jaillit...* ⇒ **Couler.** *Eaux chaudes jaillissantes des geysers. Bruit*, clapotement, clapotis, gazouillis, murmure de l'eau, des eaux. Action des eaux courantes sur le relief de l'écorce terrestre.* ⇒ **Érosion, ravinement ; caverne, gouffre, grotte.** *Dépôts amenés par les eaux.* ⇒ **Dépôt ; alluvion, limon, vase.** *Drainer** l'eau, les eaux d'un sol.*

Spécialt (fleuves, rivières). *Le courant, le fil* de l'eau. Voguer au fil de l'eau.*

L'eau, les eaux de la mer, de l'océan, d'une rivière, d'un fleuve (→ ci-dessous II., *L'eau,* absolt). *L'eau des lacs. L'eau salée des mers. L'eau de ce lac est froide, glacée. L'eau tiède de l'océan Indien. L'eau, les eaux dormantes* d'un lac tranquille, d'un étang. Eau stagnante des marais. Eau croupissante* (⇒ Croupir, cit. 4) *d'une mare.* — *Naviguer, voguer sur les eaux bleues de la Méditerranée.* — REM. Le plur., en l'absence de toute qualification, semble archaïque sauf dans certains syntagmes ; le sens du mot, dans la cit. 6, est « eaux courantes ».

6   Nous allons sans cesse au tombeau, ainsi que des eaux qui se perdent sans retour.
           BOSSUET, Oraison funèbre de la duchesse d'Orléans.

7   Ne sachant pas encore que tout s'oublie et se perd au cours rapide des heures, que toutes nos actions coulent comme l'eau des fleuves entre des rivages sans mémoire (...)   FRANCE, Histoire comique, VIII, p. 113.

Eau de mer. — Didact. *Eau océanique :* eau de mer participant à la circulation des océans et où les influences continentales sont indiscernables.

Loc. *Eaux vives :* eau naturelle qui s'écoule rapidement (ruisseaux, rivières) et n'est pas souillée. — Spécialt (et techn.). *Vive-eau :* grande marée.

Eaux stagnantes, des marais, marécages... *Eaux stagnantes du Bas-Mississippi* (⇒ **Bayou**). *La flore, la faune des eaux stagnantes. Oiseaux des eaux stagnantes.*

7.1   La pouilleuse auberge était au centre d'une immense lande déserte, aux marécages féroces, qui ne rendaient jamais la proie de leurs boues fétides, où la jungle grise des ajoncs était peuplée par toute la gent madrée et maléfique des eaux stagnantes : courlis qui crient à la mort et poignardent les ombres de leurs becs de cauchemar, foulques mécaniques, bécassines criardes, jaquets téméraires, sarcelles tourmentées, canards siffleurs ivres de pourriture, tadornes guetteurs, macreuses brutales, chevaliers mélancoliques, grèbes mystérieux, butors lamentables, pluviers pleurards, poules d'eau malodorantes et vilainement griffues, vanneaux souples et râles boueux.   Jean RAY, les Derniers Contes de Canterbury, p. 131.

Eau morte, eaux mortes : eaux qui ne s'écoulent pas. — Spécialt et techn. *Morte-eau :* marée faible. *Être en morte-eau,* à l'époque des marées les plus faibles.
L'eau qui entoure un navire. La pression de l'eau sur la coque d'un sous-marin. Navire qui embarque* de l'eau (→ Couler, cit. 21). — Loc. *Faire eau :* avoir de l'eau qui pénètre anormalement dans le navire. *Faire eau de toutes parts :* (au fig.) risquer de sombrer. — *Voie d'eau :* fissure, trou, etc. qui permet à l'eau d'entrer. *Aveugler* une voie d'eau.*

[c]   Seulement au plur. LES EAUX : les masses d'eau qui séjournent. *La faune, les oiseaux des eaux.* ⇒ **Aquicole ; aquatique** (→ ci-dessus, cit. 7.1).

L'ensemble des eaux qui circulent, ruissellent ou se déplacent (cours d'eau, lacs et mers). ⇒ **Courant.** *Dégradations causées par les eaux courantes :* affouillements*, dégravoiements*. — REM. *Dégâts des eaux,* en terme d'assurance, inclut les eaux canalisées artificiellement (→ ci-dessous). *La montée ; le retrait,* (vx) *la retraite des eaux. L'inondation a duré trois jours, puis les eaux se sont retirées.* ⇒ **Décrue, reflux.** *Remous, tourbillons, tournoiement des eaux en cuve. Défense contre les eaux. Digue* pour maintenir les eaux.*

Loc. (ancienn). LES EAUX ET FORÊTS. ⇒ **Forêt.**

[d]   ... D'EAU (dans des syntagmes). *Cours d'eau.* ⇒ **Cours ; fleuve, rivière, torrent.** *Longueur, débit, régime d'un cours d'eau.*

Chute d'eau. ⇒ **Cascade, cataracte, chute.**

Voie d'eau : toute étendue allongée d'eau naturelle (cours d'eau, rivière, etc.) ou artificielle (canal, etc.) sur laquelle on peut naviguer dans les terres. *Pièces d'eau.* ⇒ **Bassin ; piscine.**

Jet* d'eau. Berceau* (II., 1.) d'eau.

[e]   Loc. (formées avec *l'eau* dans les mêmes contextes). *Il faut laisser couler l'eau,* il faut laisser aller les choses, ne pas s'en soucier inutilement. — *D'ici là il passera bien de l'eau sous les ponts :* il s'écoulera beaucoup de temps, il se passera bien des choses et celle dont on parle ne se produira peut-être pas.

7.2   On revient de loin ! poursuit l'autre en écartant les bras dans un geste d'impuissance ironique. C'est l'expression d'un communiste français, je crois (...) Depuis Tobrouk, il a coulé beaucoup d'eau sous les ponts.
          Régis DEBRAY, l'Indésirable, p. 150.

Une goutte d'eau dans la mer : une chose d'une infime importance. — *Aller à vau-l'eau.* ⇒ **Val.** — *Battre l'eau, battre l'eau avec un bâton :* faire des efforts qui ne doivent servir à rien. — *C'est un coup d'épée dans l'eau,* une tentative inutile. — *L'eau va à la rivière :* l'argent va aux riches. — *Il ne trouverait pas de l'eau à la rivière,* se dit de quelqu'un qui se montre incapable de trouver les choses les plus faciles à trouver. — *Porter de l'eau à la rivière :* apporter quelque chose en un endroit où il abonde ; faire quelque action parfaitement inutile. — *Tant va la cruche* à l'eau qu'à la fin elle se casse.* — *Tenir quelqu'un le bec* dans l'eau. Être le bec* dans l'eau.* — Fam. *Il y a de l'eau dans le gaz :* quelque chose ne va plus, l'atmosphère est à la dispute. — *Pêcher* (cit. 12 et 13) en eau trouble :* tirer avantage d'une situation troublée. — *Tâter l'eau :* s'informer prudemment.

Prov. *Il n'est pire eau que l'eau qui dort.* ⇒ **Dormir** (infra cit. 32).

---

8   L'eau qui dort : il s'y faisait, par instants, un remous de pensées indéchiffrables.
          MARTIN DU GARD, les Thibault, t. IV, p. 107.

8.1   Oui, mais l'antithèse se présente : elle est tout de même femme, ça doit la travailler et puis il n'y a pas pire eau que l'eau qui dort.
          Yanny HUREAUX, la Prof, p. 256.

[f]   (*L'eau*). Rôle de l'eau dans la nature (→ ci-dessus), *dans la constitution des organismes vivants.* — Sc. *Eau de constitution, de circulation, de réserve.*

L'*eau* est la condition première indispensable à toute manifestation vitale, comme à toutes manifestations des phénomènes physicochimiques.
       9   Claude BERNARD, Introd. à l'étude de la médecine expérimentale, II, II, p. 170.

♦ **2.** Ce liquide, utilisé par l'homme. *Usages domestiques, hygiéniques, thérapeutiques de l'eau. Usages, utilisation de l'eau.*

L'eau se trouve être la richesse économique par excellence ; elle est, pour les hommes, plus richesse que la houille ou que l'or.
       10   Jean BRUNHES, la Géographie humaine, t. I, p. 68.

L'*eau* porte vingt noms. Pendant que le pharmacien la déguise sous l'appellation scientifico-commerciale de *protoxyde d'hydrogène,* l'ironie populaire l'affuble de sobriquets caustiques, de *sirop de grenouille* à *Château-la-Pompe.*
       11   F. BRUNOT, la Pensée et la Langue, I, II, VIII, p. 77.

Déviance sexuelle dans laquelle le plaisir est lié à la vue, au contact de l'eau. ⇒ **Ondinisme.**

[a]   Ce liquide en tant que boisson. *Boire de l'eau.* → fam. *Château-la-pompe, flotte, sirop de grenouille. Eau de boisson* (didact.) ; *eau potable** (cour.). *Buveur* d'eau. Un verre* d'eau. Une bouteille, une carafe, une cruche d'eau. Eau rouge :* eau additionnée de vin. *Mettre un puni au pain et à l'eau.* — *Eau sucrée,* additionnée de sucre. *Eau gazeuse,* gazéifiée ; (fam.) *de l'eau qui pique. Eau plate :* eau non gazeuse.

Loc. *Vivre* d'amour et d'eau fraîche.* — Loc. fam. *Compte* là-dessus et bois de l'eau fraîche.*
Une tempête* dans un verre d'eau. — *Se noyer dans un verre (un bol) d'eau :* être incapable de résoudre le moindre problème ; être déconcerté par la moindre difficulté.

Mettre de l'eau dans son vin : couper*, baptiser* le vin ; (fig.) réduire ses exigences, atténuer ses prétentions. — REM. L'exemple ci-dessous joue sur l'expression *vin de messe :*

12   (...) elle avait bien changé, Mme Rezeau (...) Elle avait mis beaucoup d'eau dans son vin de messe et je gage que le divorce des vicaires d'avec l'ordre établi, la soutane, le bas latin, les indulgences, le maigre et la sainte pudibonderie n'avait point raffermi sa foi.   Hervé BAZIN, Cri de la chouette, p. 184.

(En parlant d'un navire). *Faire de l'eau :* s'approvisionner en eau potable (⇒ régional **Aiguer** ; aussi **aiguade**).

[b]   Ce liquide dans la préparation des aliments. *Eau de cuisson. Cuire des légumes à l'eau. Faire bouillir de l'eau. Bassine d'eau. Eau de riz, d'orge, de poulet...,* où on a fait cuire du riz, de l'orge, du poulet... (→ aussi ci-dessous, IV.). *Sauce étendue d'eau. Laver, nettoyer, rincer à l'eau. Lavage à grande eau* (→ 2. Pompe, cit. 2). *Eau de vaisselle,* qui a servi à laver la vaisselle (⇒ **Rinçure**). — Fig. et fam. *C'est de l'eau de vaisselle,* se dit d'un bouillon, d'une infusion, etc. insipide. — *Eau de boudin*.* Loc. *S'en aller en eau de boudin* (⇒ **Boudin**). — *Eau de lessive.*
Au plur. *Eaux ménagères. Eaux grasses.*

[c]   Ce liquide servant aux ablutions, à la toilette. *Se laver* à l'eau froide, à l'eau chaude. Se laver à grande eau,* en faisant couler l'eau abondamment. *Eau froide et chaude d'une douche écossaise. Se passer les mains à l'eau. Se tremper dans l'eau. S'arroser, s'asperger d'eau. Usage thérapeutique* (externe) *de l'eau.* ⇒ **Hydrothérapie.** *Eau de bidet*.*

L'eau sert sans doute aux besoins de la cuisine, après quoi il n'en reste plus pour la propreté. Elle vient d'un maigre marigot, qui sort d'un marécage à plus de deux cents mètres du village, puis se perd dans une fondrière.
       13   GIDE, Voyage au Congo, in Souvenirs, Pl., p. 807.

Il était après tout normal que dans un pays où l'eau froide coulait chaud on n'eût pas jugé utile de dépenser de l'argent pour installer un second circuit.
       14   Claude SIMON, le Palace, 10/18, p. 134.

(Syntagmes). *Pot* à eau. Chasse* d'eau.*

(Dans des usages symboliques, liés à l'idée de purification). *Eau lustrale :* eau servant à des purifications (chez les Anciens, on y avait éteint le tison d'un bûcher sacrificiel). — Liturg. cathol. *Eau baptismale* (→ Aspersion, cit. 4 ; baptême, cit. 4). *Eau bénite*.* — Loc. fig. (vx). *Eau bénite de cour :* fausse promesse.

[d]   Anc., dr. pénal. *Épreuve de l'eau,* dans les ordalies*. *Torture, question* par l'eau,* torture à laquelle on force le patient à ingérer de très grandes quantités d'eau.

♦ **3.** Ce liquide dans l'économie humaine, en tant que matière collectée, dirigée, distribuée, pour les usages domestiques et industriels, ou encore pour régler sa présence sur le sol, dans l'agriculture.

[a]   *Aménagement et distribution de l'eau dans les terres.* ⇒ **Hydraulique.** *Droit de conduire l'eau à travers les terrains d'autrui.* ⇒ **Aiguage.** *Travaux agricoles destinés à remédier à la pénurie* (⇒ **Arrosage, irrigation**) *ou à l'excès d'eau* (⇒ **Assèchement, drainage**). *Chercher, trouver de l'eau. Amener l'eau* (⇒ **Amenée**). *Pomper, puiser, tirer de l'eau au puits*, à la source.* — *Point d'eau :* lieu où l'on trouve de l'eau (dans une région sèche).

15 Il s'agissait de faire un long crochet sur les territoires des cercles de Boghar, Djelfa et Bou-Saada pour déterminer les points d'eau.
MAUPASSANT, Au soleil, « Le Zar'ez », p. 113.

Ce liquide, source d'énergie. ⇒ **Houille** (blanche); **hydrodynamique, hydroélectrique.** — Loc. *Moulin* à eau.* — (Fig.). *Faire venir (de) l'eau au moulin* de quelqu'un.*

Ce liquide, tel qu'il est recueilli, traité, conduit, distribué dans les habitations, dans l'économie moderne. *Captage, distribution de l'eau.* ⇒ **Aqueduc, barrage, bassin, canal, canalisation, citerne, colonne, conduite, dérivation, fontaine,** 2. **pompe, réservoir, robinet, vanne.**

🔲 EAU COURANTE : l'eau amenée et distribuée par robinets à l'intérieur des logements; le système qui permet cette distribution. *Un vieil appartement sans eau courante. Eau courante à tous les étages,* formule employée à l'époque où le « confort moderne » (eau, gaz, électricité) était en cours d'institution. — *Il y a l'eau sur le palier :* l'eau courante. — *Robinet* d'eau chaude, d'eau froide. Il faut couper l'eau pour réparer les robinets de la baignoire, du lavabo, de l'évier.* — *L'eau du robinet,* qui coule du robinet; (spécialt) eau potable venant de la distribution par conduites, par oppos. à l'eau mise en bouteilles (→ ci-dessous B.). — En appos. *Bloc-* (I., 4., b) *eau.*

🔲 (Dans des syntagmes). ... D'EAU. *Château d'eau.* — *Conduite d'eau. Prise d'eau* — ... À EAU. *Compteur à eau.* — Par métonymie. *Relever l'eau,* les compteurs* à eau.

🔲 *L'eau :* quantité d'eau consommée et facturée. *Facture d'eau. Je viens de payer l'eau et le gaz.*

🔲 (Au plur.). LES EAUX. *Traitement des eaux.* ⇒ **Aération, clarification, distillation, épuration, filtrage, javellisation, stérilisation, verdunisation.** *Écoulement des eaux.* ⇒ **Collecteur, descente, déversoir, égout, évier, fosse, rigole, tuyau.** *Eaux résiduaires. Eaux usées. Évacuation des eaux usées.* ⇒ **Assainissement,** 1. — *Eaux industrielles. Eaux vannes.* ⇒ **Eaux-vannes.**

16 À Paris, l'adduction des eaux, les réservoirs d'alimentation étaient sous la garde de l'armée.
MARTIN DU GARD, les Thibault, t. VII, p. 76.

Aménagement des eaux pour l'élevage du poisson. ⇒ **Aquiculture, pisciculture; aquarium, vivier.**

Absolt. Les eaux distribuées. — *La Compagnie des Eaux.*

🔲 L'eau dans les processus techniques. *Moteur refroidi par l'eau, à l'eau. Vérifier l'eau,* le niveau de l'eau (de la batterie, du radiateur*).

... À EAU : qui s'effectue ou fonctionne par une circulation d'eau. *Refroidissement à eau. Radiateur à eau.* — *Horloge* à eau.* — *Bombardier* à eau* (→ Canadair).

... À L'EAU, en utilisant de l'eau (quand on peut utiliser un autre liquide). *Nettoyer, passer qqch. à l'eau, à l'eau bouillante* (⇒ **Ébouillanter, échauder**). *Passer les laines à l'eau* (⇒ **Ébrouer**). — *Peinture à l'eau* (opposé à *à l'huile*). ⇒ **Peinture; aquarelle, gouache.**

B. *(Une, des eaux; l'eau de...).* Ce liquide, considéré dans sa composition particulière, tel qu'on peut le trouver dans la nature. *Composition* (cit. 3) *d'une eau. Eau de source. Cette eau est arsenicale. Les sels minéraux d'une eau. Eaux alcalines, calciques, chlorurées, sodiques. Eaux ferrugineuses, magnésiennes, sulfureuses. Eaux radioactives.* — *Eau dure,* contenant des sels de calcium.

EAU THERMALE : eau minérale chaude naturelle (→ ci-dessous III., Les eaux.)

(1865). EAU MINÉRALE : (sc.) toute eau contenant des sels minéraux en proportion notable ou intéressante (pour un usage thérapeutique, notamment); (cour.) une telle eau, mise en bouteille et vendue pour la consommation. *Il ne boit que de l'eau minérale. Une eau minérale; des eaux minérales très différentes, salées. Eau minérale plate, gazeuse. Une bouteille d'eau minérale.*

Ellipt. *Voulez-vous de l'eau plate, ou gazeuse, avec votre whisky? Non, je préfère de l'eau du robinet* (→ ci-dessous IV., A., Eau de Seltz).

Eau de... (suivi du nom d'origine). *Eau de Vichy.*

Par métonymie. *Une eau :* une bouteille d'eau minérale. *Vous me mettrez douze bières et autant d'eaux.*

C. (Chim. nucl.). EAU LOURDE : composé dans lequel l'hydrogène de l'eau est remplacé par du deutérium* (D_2O), hydrogène lourd de masse at. 2, ou du tritium. *Usine d'eau lourde. De l'eau lourde.* — (Dans des contextes sc. ou techn.). *Eau légère, eau ordinaire* (par oppos. à *eau lourde*). « *La première centrale française à eau légère de grande puissance* » (*le Monde,* 23 févr. 1977, p. 19).

D. Sc. L'eau, le corps chimique H_2O indépendamment de son état. *Eau liquide* (l'eau, au sens courant), *solide* (⇒ **Glace**), *gazeuse* (⇒ **Vapeur** : vapeur d'eau).

16.1 Il me semblait à la fin de ne plus apercevoir que tous les états de l'eau, — l'eau neige, — l'eau glace, — l'eau vive, — l'eau flaque mirant l'eau nuée, — l'eau vapeur dont les volutes libérées se détordent, se disloquent, s'attardent et se dissipent après nous.
VALÉRY, Variété II, p. 24.

★ **II.** *(L'eau; d'eau).* ♦ **1.** Masse indéterminée de ce liquide, notamment dans la nature (rivière, fleuve, lac, étang, mer, océan...).

🔲 *La surface, le fond de l'eau. Quelle est la profondeur de l'eau, ici? Marcher au bord de l'eau, près de l'eau.* — Spécialt (vieilli, régional ou fam.). *Passer, traverser l'eau,* la mer, un lac ou une rivière. *Traverser l'eau par un bac. De l'autre côté de l'eau.*

16.2 Se peut-il rien de plus plaisant, qu'un homme ait droit de me tuer parce qu'il demeure au delà de l'eau, et que son prince a querelle contre le mien, quoique je n'en aie aucune avec lui?
PASCAL, Pensées, V, 294 (→ Assassin, cit. 7).

Fam. (selon les contextes). Rivière, fleuve; lac; mer. ⇒ fam. **Baille** (3.), **flotte.**

🔲 (Précédé d'une préposition). À L'EAU. *Se mettre à l'eau* (pour se baigner, etc.). ⇒ **Mouiller** (se). *Se jeter à l'eau,* s'y mettre brusquement (en plongeant, etc.). — Par compar. *Il se décida comme on se jette à l'eau.* — Fig. *Se jeter à l'eau :* prendre brusquement une décision difficile. ⇒ **Lancer** (se).

16.3 — « J'ai découvert... » commença Martial; et il s'arrêta, saisi de panique devant l'inanité de ce qu'il allait dire; puis il se décida, comme on se jette à l'eau : « J'ai découvert que je n'avais plus que vingt ans à vivre », lança-t-il d'un trait.
Jean-Louis CURTIS, le Roseau pensant, p. 134.

Fig. Se décider brusquement, se lancer (dans une entreprise, un travail risqué).

16.4 D'habitude, rien ne m'intimide moins qu'un micro. Mais cette fois, je parlerai et on me verra. J'enveloppe d'un regard méfiant les lampes, les écrans, les câbles. (...) C'est comme de me jeter à l'eau.
F. MAURIAC, Bloc-notes 1952-1957, p. 332.

16.5 Il a fallu que je me jette à l'eau, je m'y suis jetée. Je leur exposai, sans modération, le rôle de la chaleur, de la fatalité de la chaleur dans *Sanctuaire.*
Violette LEDUC, la Folie en tête, p. 81.

16.6 Ça n'est pas agréable de sentir que les gens qui sont chez vous sont venus de force. Je sais bien qu'à sa place, pour être reçu comme ça, j'aurais préféré laisser tomber ce voyage-là dans l'eau.
PROUST, Jean Santeuil, Pl., p. 597.

Tomber à l'eau (accidentellement). *Elle est tombée à l'eau et elle s'est noyée.* — Fig. *L'affaire est tombée* à l'eau,* a raté, n'a pas abouti. *Tout est à l'eau.* — *Flanquer, foutre, jeter qqn à l'eau.*

Mettre un navire à l'eau, le lancer.

À l'eau!, menace à l'adresse de qqn que l'on veut jeter à l'eau (→ fam. Au jus*!, au bouillon*!).

DANS L'EAU. *Se plonger dans l'eau pour prendre un bain. Entrer dans l'eau. Se tremper dans l'eau. Nager, barboter, flotter dans l'eau.*

REM. Avec certains verbes, *dans l'eau* et *à l'eau* sont également possibles; *dans l'eau* est moins fréquent et plus marqué : *se mettre, se jeter, tomber dans l'eau.*

Spécialt (même valeur que *sous l'eau*). *Il y a quelque chose dans l'eau.* Fig. *Tomber dans l'eau.*

SUR L'EAU. *Flotter sur l'eau. Maman, les p'tits bateaux qui vont sur l'eau ont-ils des jambes?,* chanson enfantine. *Reparaître, revenir sur l'eau :* refaire surface. — Loc. fig. *Revenir* sur l'eau.*

SOUS L'EAU : sous la surface. *Nager sous l'eau.* ⇒ **Sous-marin** (nage sous-marine).

DE L'EAU. *Sortir de l'eau.* ⇒ **Onde** (I., 2., poét.). *Vénus sortant de l'eau.* ⇒ **Anadyomède.**

♦ **2.** Spécialt. Étendue, volume d'eau naturelle d'une certaine importance considéré comme un milieu. *Animal, plante qui croît, vit dans l'eau, au bord de l'eau.* ⇒ **Aquatique** (est le dér. du lat. *aqua* « eau »). *Science qui étudie les organismes vivant dans l'eau.* ⇒ **Hydrobiologie.** *Poissons* de mer et poissons d'eau douce* (⇒ **Dulçaquicole**). — *Un poisson* dans l'eau, hors de l'eau.*

... D'EAU : qui vit habituellement dans l'eau, près de l'eau. ⇒ **Aquicole.** *Buffle* d'eau. Rat* d'eau. Poule* d'eau. Gibier d'eau.* — *Plantes* d'eau. Chanvre d'eau.* ⇒ **Eupatoire.** *Châtaigne d'eau.* ⇒ 1. **Macle.**

16.7 Il y a terriblement d'années, je m'en allais chasser le gibier d'eau dans les marais de l'Ouest.
BARBEY D'AUREVILLY, les Diaboliques, « Le rideau cramoisi ».

Loc. *Marin d'eau douce* (par anal. avec *poisson d'eau douce*). ⇒ 2. **Marin** (cit. 6).

♦ **3.** *(L'eau).* Niveau auquel monte la surface d'une masse d'eau (naturelle ou artificielle). *L'eau montait lentement,* la surface* de l'eau. *Avoir de l'eau jusqu'à la ceinture, à mi-corps, jusqu'au cou* (→ ci-dessus II., 1., b avec la même valeur Entrer dans l'eau jusqu'à...).

★ **III.** (Emplois exclusivement au pluriel). LES EAUX. ♦ **1.** (1790; de *eau thermale,* → ci-dessus I., B.). Vieilli. *Les eaux de* (suivi d'un nom de lieu) : l'ensemble des installations thermales et touristiques qui constitue une *ville* d'eaux. Préférer les eaux de Plombières à celles de Vichy. Aller aux eaux, prendre les eaux :* faire une cure* thermale (⇒ **Thermalisme; crénothérapie**). *Malades qui se soignent en prenant les eaux à la buvette** (⇒ **Baigneur, buveur, curiste**).

16.8 Les eaux étaient fort gaies cette année-là; il y avait grand concours de gens riches, souvent de très beaux bals (...)
STENDHAL, Mina de Vanghel, Pl., t. II, p. 1149.

16.9 Quelques Russes et une famille de Lyonnais vinrent prendre les eaux à son établissement.
FRANCE, Jocaste, XIV, p. 133.

16.10 L'année suivante Jean dut accompagner sa mère à des eaux situées dans une vallée qu'enferment de hautes montagnes.
PROUST, Jean Santeuil, Pl., p. 136.

♦ **2.** (Emplois spéciaux et locutions). 🔲 *Hautes eaux, basses eaux :* niveau élevé, niveau bas de l'eau d'une étendue naturelle de ce liquide (mer, ⇒ **Marée**; cours d'eau, ⇒ **Crue, étiage**). *Les hautes eaux d'une inondation*.*

b Courant ; zone d'une profondeur donnée. *Nager entre deux eaux.*

Loc. fig. **ENTRE DEUX EAUX :** dans une situation intermédiaire, et notamment, en évitant de prendre parti. — *Nager entre deux eaux :* éviter de se décider, de se compromettre et manœuvrer entre deux partis.

c **GRANDES EAUX :** jets d'eau et cascades d'agrément jaillissant et coulant à plein débit. *Les grandes eaux du château de Versailles, du palais du Trocadéro, à Paris.* — Par plais. Larmes abondantes.

16.11 (...) Il y en a peu qui pleurent ; quelques-unes tout de même, accrochées au cou de leur homme. Les soldats plaisantent : « Alors, c'est les grandes eaux ! »
S. DE BEAUVOIR, la Force de l'âge, p. 444.

d Mar. *Les eaux d'un navire,* la trace qu'il laisse derrière lui. ⇒ **Sillage.** — Fig. *Naviguer, être dans les eaux de quelqu'un,* le suivre, être de son parti, partager ses opinions.

e *Eaux territoriales :* zone de mer qui s'étend des côtes d'un pays jusqu'à une ligne considérée comme la frontière maritime de ce pays. *Naviguer dans les eaux françaises, anglaises...*

★ **IV.** (Qualifié par un adj. ou un compl. de nom). Liquide contenant de l'eau, traitée par adjonction d'un ou plusieurs produits ; solution aqueuse ; préparation distillée ou infusée.

A. Solution aqueuse. **a** Pour la boisson. (1771 ; à l'origine, nom d'une eau minérale naturelle dite *eau de Selse ;* de *Selters,* localité allemande). **EAU DE SELTZ :** eau chargée de gaz carbonique (angl. *soda*) sous pression au moyen d'un appareil dit *seltzogène.* ⇒ **Gazogène** (1., vx). *Siphon d'eau de Seltz.*
EAU TONIQUE (anglic.). ⇒ **Tonique** (I., 3.).

b (Pour des usages thérapeutiques). *Eau oxygénée** (cit. 1). *Eau oxygénée à 10 volumes** (1 litre contient 15,2 g de peroxyde d'hydrogène $H_2 O_2$). — *Eau sédative.* — Vx. *Eau blanche :* solution d'acétate de plomb, employée comme émollient. — Vx. *Eau d'arquebusade** (ou *d'arquebuse* [2., a]). *Eau boriquée, chlorée, phéniquée. Eau chloroformée :* solution de chloroforme.

c (Pour des usages variés : entretien, nettoyage). **EAU DE JAVEL :** solution de chlore (⇒ **Hypochlorite**) utilisée pour le nettoyage (syn. pop. : *de la javel**). — Vx. *Eau de chlore :* solution aqueuse de chlore. — Vx. *Eau de cuivre :* solution d'acide oxalique. — *Eau de chaux :* solution aqueuse d'hydroxyde de calcium. — Vx. *Eau de goudron* (trad. de *tar water,* notamment dans l'œuvre du philosophe Berkeley, *Siris,* 1743).

(Avec des adj.) Vx. *Eau ardente :* essence de térébenthine. — *Eau céleste :* solution (bleutée) d'ammoniaque et de sulfate de cuivre. — *Eau régale :* mélange d'acide chlorhydrique (35 %) et d'acide azotique (65 %) qui a la propriété de dissoudre l'or (1. Or, cit. 9) et le platine. — *Eau seconde :* solution aqueuse d'acide azotique, employée comme décapant. — *Eau forte.* ⇒ **Eau-forte.**

(1546). Vx. *Eau blanche :* eau additionnée de son utilisée pour soigner les chevaux. Vx. *Eau athénienne*.* — Vx. *Eau ferrée, ferrugineuse,* contenant du fer oxydé *(eau rouillée).*

Vx ou régional. *Eau d'ange* (III., 1.) ou *eau de myrte :* eau distillée aromatique.

16.12 Vendredi récoltait des fleurs de myrte pour en faire de l'eau d'ange, lorsqu'il aperçut un point blanc à l'horizon, du côté du levant.
M. TOURNIER, Vendredi... p. 233.

Eau de vie, eau de feu (vx) ⇒ **Eau-de-vie.**

B. EAU DE... (le compl. désigne la finalité, la substance caractéristique ou l'origine). Préparation à base d'alcool obtenue par distillation ou infusion de substances végétales. *Eau de senteur. Eaux de toilette.* ⇒ **Lotion, parfum.** *Eau de rose ; eau de lavande. Eau dentifrice*. Eau de mélisse. Eau de fleurs d'oranger. Eau d'arquebuse* (2., b).

(1761, in D.D.L.). **EAU DE COLOGNE,** où entrent plusieurs essences (de bergamote, citron, néroli, girofle, etc.).

Loc. fig. **À L'EAU DE ROSE :** sentimental, mièvre, fade, insipide. *Un roman à l'eau de rose.*

16.13 Toute la littérature érotique qui a précédé ce petit livre se trouve d'un seul coup changée en eau de rose.   F. MAURIAC, Bloc-notes 1952-1957, p. 135.

C. Par anal. (dans des expr.). ♦ **1.** (1185). Sécrétion liquide du corps humain. **a** Sueur. *Être (tout) en eau.* ⇒ **Sueur.** *Suer* sang et eau.*

17   Je suis en eau : prenons un peu d'haleine (...)   MOLIÈRE, l'École des femmes, II, 2.

18   C'était un long sentier tout pavé de braise rouge. Je chancelais comme si j'avais bu ; à chaque pas, je trébuchais ; j'étais tout en eau, chaque poil de mon corps avait sa goutte de sueur, et je haletais de soif (...)
Alphonse DAUDET, Lettres de mon moulin, « Le curé de Cucugnan. »

b Salive. *Mettre, avoir l'eau, faire venir l'eau à la bouche :* exciter l'envie. ⇒ **Salive.** *J'en ai l'eau à la bouche.*

18.1 Il est vrai que cette horreur était un peu tempérée par les convoitises d'une sensualité très éveillée et par tous les récits qui faisaient venir l'eau à la bouche des gourmands de la ville, quand on parlait devant eux des dîners du vieux M. de Mesnilgrand.   BARBEY D'AUREVILLY, les Diaboliques, « À un dîner d'athées. »

18.2 Ces beaux après-midi hivernaux de maladie *(employés à la lecture),* je les avais

passés si souvent à cheval, en prison, dans des auberges où chaque plat me mettait l'eau à la bouche, que je péchais en essayant de l'ignorer.
Jacques LAURENT, les Bêtises, p. 151.

c Sérosité. *Cloque, ampoule pleine d'eau.*

d Fam. Urine. *Lâcher de l'eau.* ⇒ **Pisser.**

e Larmes, pleurs. *Se fondre en eau.* ⇒ **Larme ; pleurer.** — Loc. littér. *L'eau des yeux* (Lamartine, in T. L. F.), *des larmes* (Claudel, *Journal* I, p. 578) : les larmes.

♦ **2.** (1694). Au plur. *(Les eaux).* Liquide amniotique. *Poche des eaux.* ⇒ **Amnios.** *La perte des eaux.*

♦ **3.** Suc (des fruits). *Pêche qui a trop d'eau.* — En franç. d'Afrique. *Eau de coco :* albumen liquide contenu dans la noix de coco. ⇒ **Lait** (de coco).

★ **V.** (1611). Fig., techn. Transparence, pureté (des pierres précieuses). *L'eau d'une pierre précieuse.* ⇒ **Limpidité.** *Diamants de la première eau. L'eau d'une perle :* qualité qui réunit son orient et son lustre. — Loc. cour. *Perles d'une belle eau. Diamants de la plus belle eau.*

18.3 À travers l'eau pure du diamant l'avenir s'étalait en effet, étincelant. On y entrait, un peu aveuglé, étourdi.
M. DURAS, Un barrage contre le Pacifique, p. 126.

Par métaphore :

19   Il plongea un instant son regard dans les beaux yeux, un peu trop grands, un peu trop ronds, mais d'une eau si pure (...)
MARTIN DU GARD, les Thibault, t. VI, p. 75.

Loc. *Un escroc, un imbécile de la plus belle eau :* ce qu'on peut trouver de mieux en fait d'escroc, d'imbécile. — *De la même eau :* du même genre.

COMP. Eau-de-vie, eau-forte, eaux-mères, eaux-vannes. — Morte-eau, vau-l'eau (à) (V. Val), vive-eau.

HOM. Au, aulx (de *ail*), haut, ho, o, ô, oh.

-EAU ou **-ELLE** Suffixes issus du lat. *-ellus, -ella,* servant à former des noms masculins (*-eau,* ancienn *-el*) et féminins (*-elle*), et des adjectifs (*-eau, -elle ;* ex. *tourangeau*).

♦ **1.** Avec une valeur diminutive (ex. chevreau, girafeau, souriceau, jambonneau ; prunelle, passerelle).

♦ **2.** Avec une simple fonction dérivative (ex. bandeau, barreau, écriteau, pruneau ; citronnelle). — REM. De nombreux dérivés sont démotivés, le radical n'existant plus (ex. corbeau, rameau).

EAU-DE-VIE [od(ə)vi] n. f. — XIVᵉ ; adapt. du lat. des alchimistes *aqua vitæ.*

♦ Liquide alcoolique consommable provenant de la distillation du jus fermenté des fruits *(eau-de-vie naturelle)* ou de la distillation de substances alimentaires (céréales, tubercules). ⇒ **Alcool,** et, fam., **brutal** (n. m.). **casse-gueule, casse-pattes, casse-poitrine, cric, dur** (n. m.), **gnôle, goutte, rincette, schnaps, tord-boyaux ; aguardiente.** (→ Ardent, cit. 13 ; cabaret, cit. 2). *Eau-de-vie de vin.* ⇒ **Armagnac,** (vieilli) **brandevin, brandy, fine, trois-six** (vieilli). *Eau-de-vie de marc.* ⇒ **Marc ; grappa.** *Eau-de-vie de cidre.* ⇒ **Calvados.** *Eau-de-vie de canne à sucre.* ⇒ **Rhum, tafia.** *Eau-de-vie de fruit.* ⇒ **Brou, kirsch, mirabelle, quetsche, tequila.** *Eau-de-vie de grain.* ⇒ **Akvavit, genièvre, schiedam, gin, kummel, vodka, whisky.** *Eau-de-vie de riz.* ⇒ **Arack.** *Eau-de-vie de tubercules* (betterave, pomme de terre, topinambour). *Eau-de-vie brûlée* (⇒ **Brûlot**), *caramélisée. Café, thé mêlé d'eau-de-vie.* ⇒ **Gloria ;** régional **bistouille.** *Boissons à base d'eau-de-vie.* ⇒ **Grog, vespétro.** *Mauvaise eau-de-vie.* ⇒ **Tord-boyaux.** *Un petit verre d'eau-de-vie. Rasade d'eau-de-vie. Cerises, prunes à l'eau-de-vie. Distillerie d'eau-de-vie.* ⇒ **Brûlerie.** *Fabricant d'eau-de-vie.* ⇒ **Bouilleur** (de cru), **brûleur, distillateur.** *Emmagasiner l'eau-de-vie dans un chai.*

1   Quand il avait bu seulement un verre d'eau-de-vie, après les longues abstinences de la mer, tout de suite sa tête partait (...)   LOTI, Mon frère Yves, VII, p. 32.

2   Prenons l'exemple de l'*eau-de-vie,* et de ses noms. Le mot rappelle un ancien préjugé, l'idée d'un extrait de Jouvence qui entretient la force ; il a une valeur expressive. Néanmoins, aujourd'hui, pour le rajeunir, on marque la qualité : *de la fine,* la couleur : *de la blanche,* ou bien on dit de quoi est faite la liqueur en question : *eau-de-vie de grain,* de *marc* et plus simplement *marc ;* on exprime d'où elle vient : *cognac, calvados* (...)
F. BRUNOT, la Pensée et la Langue, IV, XIII, I, p. 577.

3   Et tu bois cet alcool brûlant comme ta vie
Ta vie que tu bois comme une eau de vie   APOLLINAIRE, Alcools, p. 15.

Pharm. *Eau-de-vie allemande :* teinture de jalap, purgatif.

REM. On écrit parfois *eau de vie,* sans trait d'union.

EAU-FORTE [ofɔʀt] n. f. — 1543, in D.D.L. ; comp. de *eau,* et *forte,* de 1. *fort* (adjectif).

♦ **1.** (1543). Acide nitrique étendu d'eau dont les graveurs se servent pour attaquer le cuivre, là où le vernis a été enlevé par la pointe.

Graveur à l'eau-forte. ⇒ **Aquafortiste.** *L'échoppe, pointe du graveur à l'eau-forte. L'eau-forte s'oppose à la taille-douce.*

1 J'ai sous les yeux les *Chasses* de Rubens ; une entre autres, celle *aux lions,* gravée à l'eau-forte par Soutman. E. DELACROIX, Journal, 25 janv. 1847.

♦ **2.** (1808). *Une eau-forte.* Le procédé de gravure utilisant l'eau-forte ; la gravure ainsi obtenue. ⇒ **Gravure.** *Livre illustré d'eaux-fortes originales.*

Par compar., et métaphore :

2 Un aspect de la côte s'est gravé à l'eau-forte dans ma mémoire, l'aspect d'une rangée d'arbres flagellés par le vent du large et tendant, sous le ciel bas, vers la terre plate et nue, leur tronc courbé et leurs maigres rameaux. FRANCE, le Petit Pierre, XIII, p. 77.

EAUX-MÈRES [omɛʀ] n. f. pl. — 1872, *in* P. Larousse ; 1795, au sing. : «après quelques jours de dépôt, on puise *l'eau* qui ne laisse pas cristalliser si facilement les dépôts qu'elle contient...» (*Journal des Arts et Manufactures,* Thermidor, an III, p. 24-25) ; de *eau,* et *mère.*

♦ Techn. Résidu d'une solution, après cristallisation de la substance qui y était dissoute. *Eaux-mères du sel marin.*

Lorsque le tas de pyrites eut été entièrement réduit par le feu, le résultat de l'opération, consistant en sulfate de fer, sulfate d'alumine, silice, résidu de charbon et cendres, fut déposé dans un bassin rempli d'eau. On agita ce mélange, on le laissa reposer, puis on le décanta, et on obtint un liquide clair, contenant en dissolution du sulfate de fer et du sulfate d'alumine, les autres matières étant restées solides, puisqu'elles étaient insolubles. Enfin, ce liquide s'étant vaporisé en partie, les cristaux de sulfate de fer se déposèrent, et les eaux-mères, c'est-à-dire le liquide non vaporisé, qui contenait du sulfate d'alumine, furent abandonnées. J. VERNE, l'Île mystérieuse, t. I, p. 224.

EAUX-VANNES [ovan] n. f. pl. — 1906, *in Nouveau Larousse, Suppl. ;* au sing., 1868, *in Année sc. et industr.* 1869, p. 370 ; de *eau,* et *vanne.*

♦ Techn. Partie liquide des fosses d'aisances, des bassins de vidange. — Syn. : *eau d'égout.*

ÉBAHIR [ebaiʀ] v. tr. — Av. 1150, *esbahir ;* de l'anc. franç. *baer* (→ Bayer), cf. anc. adj. *baïf* «ébahi», même époque.

♦ Frapper d'un grand étonnement. ⇒ **Abasourdir, ébaubir, épater, étonner, stupéfier.** *Il m'a ébahi par ses raisonnements* (Académie). *Voilà une nouvelle qui m'ébahit.* — (Souvent au passif). *Il en a été ébahi, complètement ébahi.*

▶ **S'ÉBAHIR** v. pron. (Réfl.).
S'étonner au plus haut point. *S'ébahir de quelque chose, d'un spectacle, à la vue d'un spectacle.* ⇒ **Émerveiller** (s'), (tomber des nues, → Œil : ouvrir de grands yeux). *S'ébahir devant, sur qqch.* — Vieilli. *S'ébahir à qqch.* — Loc. *S'ébahir d'aise.*

1 Il n'y a pas jusqu'à mes firmans que je ne me plaise à dérouler : j'en touche avec plaisir le vélin, j'en suis l'élégante calligraphie et je m'ébahis à la pompe du style. CHATEAUBRIAND, Mémoires d'outre-tombe, t. II, p. 381.

2 Le penseur militant ne doit pas plus s'ébahir d'être tour à tour populaire et impopulaire que le marin d'être tout à tour sec et mouillé. HUGO, Post-Scriptum de ma vie, Tas de pierres, IV.

3 L'Andante scherzando *(de la 8e symphonie)* est une de ces productions auxquelles on ne peut trouver ni modèle ni pendant ; cela tombe du ciel tout entier dans la pensée de l'artiste ; il l'écrit tout d'un trait et nous nous ébahissons à l'entendre. BERLIOZ, Beethoven, p. 57.

▶ **ÉBAHI, IE** p. p. adj.
(Plus cour.). Qui est très étonné. ⇒ **Abasourdi, ahuri, baba** (fam.), **ébaubi, éberlué, émerveillé, épaté** (fam.), **étonné, interdit, stupéfait, surpris.** *Je suis ébahi d'apprendre cela, d'apprendre que... J'en suis resté tout ébahi.*

4 Je tombais des nues, j'étais ébahi, je ne savais que dire, je ne trouvais pas un mot. ROUSSEAU, les Confessions, IX.

Qui exprime un grand étonnement. *Air, visage ébahi.*

N. (Rare). *Qu'est-ce que c'est que cet ébahi.* ⇒ **Ahuri.**

DÉR. **Ébahissement.**

ÉBAHISSEMENT [ebaismɑ̃] n. m. — V. 1200 ; du rad. du p. prés. de *ébahir.*

♦ État de celui qui est ébahi ; étonnement extrême. ⇒ **Admiration, émerveillement, étonnement, stupéfaction, surprise.** *Être dans l'ébahissement le plus total.*

1 «François, si tu commences déjà à tout souffrir des autres, tu ne sais pas où ils s'arrêteront». Et à son grand ébahissement, François lui répondit : «J'aime mieux souffrir le mal que de le rendre». G. SAND, François le Champi, II, p. 37.

1.1 Ils passèrent avec ébahissement devant les quadrupèdes empaillés. FLAUBERT, Bouvard et Pécuchet.

Vieilli. *Mettre, tenir (qqn) en ébahissement.*
(Un, des ébahissements). État, réaction spécifique d'une personne ébahie.

2 Ils se connaissaient trop pour avoir ces ébahissements de la possession qui centuplent la joie. FLAUBERT, Mme Bovary, III, VI.

ÉBARBAGE [ebaʀbaʒ] n. m. — 1765 ; de *ébarber.*

♦ Techn. Action d'ébarber ; son résultat. *Ébarbage d'une pièce brute* (à la lime, à la meule).

ÉBARBEMENT [ebaʀbəmɑ̃] n. m. — 1691 ; de *ébarber.*

♦ Vieux. Ébarbage.

ÉBARBER [ebaʀbe] v. tr. — 1438 ; *esbarber* «couper la barbe de (qqn)», XIIe-XIIIe ; de *é-, barbe* et suff. verbal.

♦ **1.** Techn. Débarrasser (un objet, une substance) des barbes, aspérités, bavures. ⇒ **Limer, rogner.** — *Ébarber du papier, les tranches d'un livre.* — *Ébarber une pièce de métal. Ébarber un métal sculpté.* ⇒ **Boësser.** — *Ébarber une gravure sur planche.*

♦ **2.** Couper la partie végétative de (un végétal). *Ébarber de l'orge.* — Par ext. *Ébarber une haie.* ⇒ **Tailler, tondre.**

♦ **3.** Cuis. Couper les barbes de (un poisson).

DÉR. **Ébarbage, ébarbement, ébarbeur** ou **ébarbeuse, ébarboir, ébarbure.**

ÉBARBEUR [ebaʀbœʀ] n. m. ou **ÉBARBEUSE** [ebaʀbøz] n. f. — 1873, *ébarbeuse, in* D.D.L. ; de *ébarber.*

♦ Techn. Machine à ébarber.

Les tôles de coque ont été préalablement décalaminées sur les deux faces à l'aide d'une ébarbeuse à main, genre de ponceuse électrique qui entraîne un disque abrasif à la vitesse de 6 000 tours-minute. Bernard MOITESSIER, Cap Horn à la voile, p. 44.

ÉBARBOIR [ebaʀbwaʀ] n. m. — 1755 ; de *ébarber.*

♦ Techn. Outil servant à ébarber. ⇒ **Boësse, grattoir.**

ÉBARBURE [ebaʀbyʀ] n. f. — 1755 ; de *ébarber.*

♦ Techn. Partie enlevée par l'ébarbage. ⇒ **Bavure, copeau.**

ÉBARDOIR [ebaʀdwaʀ] n. m. — 1785, *Encyclopédie méthodique ;* orig. incert., p.-ê. altér. de *ébarboir.*

♦ Techn. anc. Outil à trois côtés tranchants, destiné à gratter le métal (zingueurs, ferblantiers).

ÉBAROUIR [ebaʀwiʀ] v. tr. — 1694 ; orig. obscure.

♦ Techn. et régional. Dessécher, disjoindre (les bordages d'un navire, les douves d'une futaille), en parlant de l'action du soleil.

ÉBAT [eba] n. m. — XIIIe, *esbat :* déverbal de *ébattre.*

♦ **1.** (En général au plur.). Jeux, mouvements d'un être, qui s'ébat (souvent un enfant). *Prendre ses ébats :* se divertir (en général en plein air) en folâtrant. — Spécialt (plus cour.). *Ébats amoureux :* activités érotiques, «jeux» de l'amour.

1 Pour vos ébats nous nourrirons nos filles ! LA FONTAINE, Contes, «Le berceau».
2 (...) des ébats de cygnes dans les claires eaux des viviers (...) HUGO, Notre-Dame de Paris, III, II.

♦ **2.** (Au sing.). Chasse. Promenade des chiens.

♦ **3.** Horlog. Jeu entre deux organes, mobiles l'un par rapport à l'autre.

ÉBATTEMENT [ebatmɑ̃] n. m. — XIIIe ; de *ébattre.*

♦ Vx. ou littér. Action de s'ébattre. ⇒ **Ébat.** — Fig. *« Le premier ébattement des sens »* (Sainte-Beuve, *in* T.L.F.).

ÉBATTRE (S') [ebatʀ] v. pron. — Conjug. *battre* — 1160 ; de *é-,* et *battre.*

♦ **1.** Fam. Se donner du mouvement, pour se divertir, sans contrainte, au gré de sa fantaisie. ⇒ **Amuser** (s'), **divertir** (se), **folâtrer, jouer.** *Poulains qui s'ébattent dans les prés. Enfants qui s'ébattent sur la plage* (→ Rhabiller, cit. 2). — (Souvent en parlant de volatiles). *Canards qui s'ébattent dans une mare.*

1 Les dimanches, mes camarades venaient me chercher après le prêche pour aller m'ébattre avec eux. ROUSSEAU, les Confessions, I.
2 (...) afin (...) que toute la jeunesse de la maison (...) pût s'ébattre et se divertir en liberté, selon l'ordonnance du bon Dieu. G. SAND, la Petite Fadette, XXVI, p. 176.
3 Une troupe d'enfants s'ébattait aux alentours comme des poussins sur la limite d'un poulailler. E. FROMENTIN, Une année dans le Sahel, p. 272.

Spécialt, vieilli. *Amoureux qui s'ébattent.*

♦ **2.** Abstrait. Vagabonder, se divertir.

4   Ma pensée s'ébattait dans les étranges et chimériques régions de la lune.
            BAUDELAIRE, Trad. E. POE, Histoires extraordinaires, Pl., p. 181.
DÉR. et **COMP. Ébat, ébattement.**

ÉBAUBI, IE [ebobi] adj. — XIIIᵉ, *esbaubi*; repris au XVIIᵉ (Molière, Mᵐᵉ de Sévigné); anc. franç. *abaubi*, p. p. de *abaubir* «rendre bègue». → Ébaubir, du lat. *balbus* «bègue».

♦ Qui est surpris au point de bégayer, de ne pouvoir s'exprimer, et, spécialt, frappé d'une stupeur admirative. ⇒ **Ébahi, étonné, interdit, stupéfait, surpris.** *Il en est resté tout ébaubi.*

1   Je suis toute ébaubie, et je tombe des nues !   MOLIÈRE, Tartuffe, V, 5.

2   En outre elle était fière de montrer sa fille, de circuler dans la voiture blanche qui portait, sur le radiateur, la signature de son gendre et de faire raconter par Claire aux voisins ébaubis ses conversations avec des grands de la terre.
            A. MAUROIS, Terre promise, p. 179.

3   Nous descendîmes d'auto à Esquemont. Et là, de nouveau, le maire nous reçut. Ce maire-là était aussi ébaubi devant Mᵐᵉ Pragen que l'autre; mais d'une autre façon, non plus comme un bourgeois, mais comme un paysan.
            DRIEU LA ROCHELLE, la Comédie de Charleroi, p. 19.

4   Enfin voilà un employé... Un vrai à lustrine... et puis trois !... dix autres !... tous en lustrine et binocles, à faux col celluloïd... Ah ! je m'arrête pile ! O celluloïd !... ils m'interloquent ! C'est les premiers que je vois à Londres !... J'en demeure ébaubi ! Ils me fascinent...   CÉLINE, Guignol's band, p. 295.

REM. Familier dans la langue classique, le mot a vieilli : il est aujourd'hui, soit régional, soit assez littéraire.

ÉBAUBIR [ebobiʀ] v. tr. — V. 1223; issu par changement de préf. de l'anc. franç. *abaubir*. → Ébaubi.

♦ Fam. Rendre (qqn) ébaubi. ⇒ **Ébahir, étonner.**

Rien qui vous fascine comme les flammes surtout comme ça volantes dardantes, dansantes au ciel... Ça vous ébaubit... ensorcelle... les formes que ça prend !
            CÉLINE, Guignol's band, p. 260.

▶ **S'ÉBAUBIR,** v. pron. (réfl.).
S'étonner grandement. *S'ébaubir de qqch.*

REM. D'abord fam., comme *ébaubi*, le mot est aujourd'hui plutôt stylistique.

ÉBAUCHAGE [eboʃaʒ] n. m. — V. 1508, *esbauchage*; de *ébaucher*.

♦ Action d'ébaucher. — Spécialt. Techn. La première des opérations tendant à façonner. ⇒ **Dégrossissage, esquisse;** façon (première façon). *Ébauchage du cristal,* première taille.

Le tintamarre de la pompe à feu couvrit ses paroles, et ils entrèrent dans l'atelier des ébauchages. Des hommes, assis à une table étroite, posaient devant eux, sur un disque tournant, une masse de pâte; leur main gauche en raclait l'intérieur, leur droite en caressait la surface, et l'on voyait s'élever des vases, comme des fleurs qui s'épanouissent.   FLAUBERT, l'Éducation sentimentale, t. I, p. 249.

CONTR. Finition.

ÉBAUCHE [eboʃ] n. f. — 1619, *esbauche*; déverbal de *ébaucher*.

♦ **1.** Première forme, encore imparfaite que l'on donne à une œuvre (plastique ou littéraire) en l'ébauchant; premier état (de cette œuvre). ⇒ **Canevas, croquis, esquisse, essai, jet** (premier jet), **projet, schéma.** *L'ébauche d'un tableau, d'un roman,* l'action de l'ébaucher (rare); le résultat de cette action. — Sans compl. (*L'ébauche; une, des ébauches*). *L'œuvre demeure ébauchée. L'ébauche donne déjà l'idée de l'ouvrage achevé. Ce n'est là qu'une grossière ébauche, une première ébauche. Polir une ébauche. Passer de l'état d'ébauche à celui de perfection.*

1   (...) j'en pouvais tracer quelque ébauche grossière.
            CORNEILLE, Poésies diverses, 26.

2   Ô vous, Iris, qui savez tout charmer,
   (...) agréez que ma muse
   Achève un jour cette ébauche confuse.   LA FONTAINE, Fables, XII, 15.

3   Je ne pouvais m'arracher aux dessins originaux de Léonard de Vinci, de Michel-Ange et de Raphaël. Rien n'est plus attachant que ces ébauches du génie livré seul à ses études et à ses caprices; il vous admet à son intimité; il vous initie à ses secrets; il vous apprend par quels degrés et par quels efforts il est parvenu à la perfection : on est ravi de voir comment il s'était trompé, comment il s'est aperçu de son erreur et l'a redressée.
            CHATEAUBRIAND, Mémoires d'outre-tombe, t. VI, p. 175.

4   Quelques lectures de mes premières ébauches servirent à m'éclairer. Les lectures sont excellentes comme instruction, lorsqu'on ne prend pas pour argent comptant les flagorneries obligées. Pourvu qu'un auteur soit de bonne foi, il sentira vite, par l'impression instinctive des autres, les endroits faibles de son travail, et surtout si ce travail est trop long ou trop court, s'il garde, ne remplit pas, ou dépasse la juste mesure.   CHATEAUBRIAND, Mémoires d'outre-tombe, II, p. 130.

5   L'ébauche est le commencement même, encore informe du travail d'où l'œuvre sortira accompli. L'esquisse n'en est que le trait, que le plan et n'entre dans l'œuvre que comme préparation.   LITTRÉ, Dict., art. *Ébauche.*

Figuré :

6   Tu demeures surpris et changes de couleur à ce discours; ce n'est là qu'une ébauche du personnage, et pour en achever le portrait, il faudrait bien d'autres coups de pinceau.   MOLIÈRE, Dom Juan, I, 1.

7   J'ai vu autrefois un jeune homme qui m'avait volé la forme que j'aurais dû avoir. Ce scélérat était juste comme j'aurais voulu être. Il avait la beauté de ma laideur, et à côté de lui j'avais l'air de son ébauche.
            Th. GAUTIER, Mˡˡᵉ de Maupin, IV, p. 51.

♦ **2.** Action d'ébaucher (un acte); premier indice, premier développement (d'une chose). ⇒ **Commencement, début, esquisse, germe.** *L'ébauche d'un geste. L'ébauche d'une phrase.*

8   Développant déjà, dans les premières ébauches de nos passions, tout ce que nous devons être (...)   MASSILLON, Carême, Voc., *in* LITTRÉ.

9   Son irritation semblait s'atténuer; l'ébauche d'un sourire joua même sur ses lèvres.   MARTIN DU GARD, les Thibault, t. V, p. 215.

10   Elle se laissa mettre un baiser sur la joue, le rendit par une ébauche de baiser dans le vide, et rougit en regardant avec inquiétude autour d'elle.
            J. ROMAINS, les Hommes de bonne volonté, t. V, XXIII, p. 196.

11   La voix d'homme reprend sa même phrase pour la troisième fois, mais avec moins de force, ce qui empêche de nouveau d'y reconnaître autre chose que des ébauches de sons, privés de sens.   A. ROBBE-GRILLET, Dans le labyrinthe, p. 82.

♦ **3.** *Une, l'ébauche de (qqch.) :* une chose dans un état inachevé, imparfait. *Une ébauche de mur, de barricade.*

Techn. Mouvement d'horlogerie incomplet, non assemblé.

(1897). Biol. Partie de l'embryon qui contient les matériaux dont dérivera un organe (⇒ **Bourgeon,** 3.).

Littér. Se dit d'une chose achevée ou d'une personne considérée comme incomplète, imparfaite (surtout par métaphore). *Des ébauches de démocratie, de nations.*

CONTR. Aboutissement, accomplissement, achèvement, exécution, perfectionnement, réalisation.
DÉR. Ébauchon.
HOM. Formes du v. **ébaucher.**

ÉBAUCHER [eboʃe] v. tr. — 1549, *esbaucher; esbochier,* 1380; anc. picard *esboquier* «dégrossir, ébrancher, émonder», 1369; de *es-* (*é-*), de l'anc. franç. *balc, bauch* «poutre» (→ Bau), et suff. *-er.*

Commencer à réaliser (ce que désigne le complément) en donnant une première forme.

♦ **1.** (1369). Donner la première façon à (une matière). ⇒ **Commencer, entamer.** *Ébaucher une poutre, un bloc.* ⇒ **Dégrossir, épanneler.** *Ébaucher un diamant,* commencer à le tailler. — Absolt. *Outils à ébaucher.*

♦ **2.** Donner la première forme à (un ouvrage). *Ébaucher une statue, un tableau.* ⇒ **Esquisser.** *Ébaucher un dessin.* ⇒ **Crayonner, dessiner, tracer.** *Ébaucher un tableau* (faire les esquisses, etc.). *Ébaucher une statue.* — (Avec un compl. de manière). *Ébaucher (une œuvre picturale) à la détrempe, en frottis.*

Par métaphore :

1   Mais pour mon frère l'ours, on ne l'a qu'ébauché.
   Jamais, s'il me veut croire, il ne se fera peindre.   LA FONTAINE, Fables, I, 7.

Absolument :

2   L'humanité suppose, ébauche, essaye, approche,
   Elle façonne un marbre, elle taille une roche,
   Et fait une statue (...)   HUGO, la Légende des siècles, XXII, IV, p. 162.

Concevoir, préparer (une œuvre en langage) dans les grandes lignes initiales. ⇒ **Dessiner.** *Ébaucher un ouvrage* (→ Débrouiller, cit. 4). *Ébaucher un traité. Il doit rédiger sa thèse, il ne l'a encore qu'ébauchée.*

Figuré :

3   Il n'y a point au monde un si pénible métier que celui de se faire un grand nom : la vie s'achève que l'on a à peine ébauché son ouvrage.
            LA BRUYÈRE, les Caractères, II, 9.

Par métaphore (avec le sens 3 ci-dessous). *Ébaucher un roman d'amour, une intrigue.*

4   (...) ce qui me torturait à imaginer chez Albertine, c'était mon propre désir perpétuel de plaire à de nouvelles femmes, d'ébaucher de nouveaux romans.
            PROUST, À la recherche du temps perdu, t. XII, p. 229.

♦ **3.** Commencer à concevoir ou à établir (qqch.). *Ébaucher un plan, un projet.* ⇒ **Préparer;** projeter (→ Poser des jalons*; amorcer, cit. 5).

5   D'abord séduite par ce projet qu'avait ébauché Lanie dans un moment de transe intellectuelle, Monique s'était rendue à mes raisons.
            G. DUHAMEL, Cri des profondeurs, IV, p. 74.

Commencer à réaliser, à développer en soi. *Les organes qui ébauchent dans l'œuf les différents tissus. « Il ébauchait une calvitie... »* (Hugo, *in* T. L. F.).

Commencer à faire voir, à faire apparaître. ⇒ **Esquisser.** *Des montagnes ébauchaient leurs formes dans le brouillard.* — (Le sujet désigne une action externe). *Une faible lueur ébauchait des formes vagues.*

REM. Dans ces emplois, seul le pron. et le p. p. (→ ci-dessous) sont courants.

Spécial. Commencer (un geste, un mouvement, une action) sans exécuter jusqu'au bout. ⇒ **Esquisser.** *Ébaucher un sourire, un geste. Il ébaucha un mouvement de recul, puis s'arrêta. Ébaucher un signe de la main.*

6   J'ai ébauché un salut gêné et l'ai suivi dans la pièce voisine, celle même où il m'avait reçu la dernière fois.   GIDE, les Faux-monnayeurs, I, XVIII, p. 206.

7   Il se contenta d'ébaucher un geste énergique de protestation.
            MARTIN DU GARD, les Thibault, t. VIII, p. 255.

Engager (une relation) sans intention ou sans possibilité de durée.

Ébaucher des connaissances, des amours. Ébaucher une conversation.

▶ **S'ÉBAUCHER** v. pron. (Passif).

♦ **1.** Prendre forme; être au début de son exécution (œuvre, travail). *Œuvre qui s'ébauche lentement.* ⇒ **Esquisser** (s').

♦ **2.** Se concevoir, se préparer. *Le projet qui s'ébauche dans son esprit, dans sa cervelle.* ⇒ **Dessiner** (se), **naître** (→ Couver, cit. 7; noir, cit. 28).

8 Dans son cerveau fatigué, une confusion s'ébaucha entre la main de Dieu et cette main de prêtre vivante, toute proche.
                              MARTIN DU GARD, les Thibault, t. IV, p. 134.

♦ **3.** Commencer à prendre forme, sans être exécuté jusqu'au bout. — (Concret : phénomènes naturels). *Les tissus, les organes qui s'ébauchent au cours de la vie embryonnaire.* — (Actes). *Un sourire s'ébauchait sur son visage.* — (Phénomènes psychiques). *Des réactions, des sentiments qui s'ébauchent. Des images s'ébauchaient puis disparaissaient dans son esprit.* — *Une intrigue s'ébauchait entre eux.* — (Phénomènes sociaux). *Une évolution s'ébauche. Le conflit qui s'ébauchait dans le parti. Les combinaisons louches qui s'ébauchent.*

♦ **4.** Commencer à se voir, à pouvoir être perçu. *La chaîne des Alpes s'ébauchait dans le lointain, dans la brume.*

▶ **ÉBAUCHÉ, ÉE** p. p. adj.

♦ **1.** Auquel on a donné une première façon. *Poutre ébauchée. Bloc à peine ébauché,* encore informe.

9 (...) tirer une Diane ou une Minerve hors d'un bloc de marbre qui n'est point encore ébauché.   DESCARTES, Disc. de la méthode, II.

♦ **2.** (En parlant d'un ouvrage). Auquel on a donné une première forme. *Ouvrage confusément ébauché, à peine ébauché. Ce tableau n'est qu'ébauché.* ⇒ **Inachevé.**

(En parlant des productions de l'esprit). Conçu, préparé dans les grandes lignes initiales. *Plan d'action ébauché.*

10 Les hommes d'action s'étourdissent par le mouvement, pour ne pas se fatiguer à achever des idées ébauchées dans leur tête.
                              A. DE VIGNY, Journal d'un poète, p. 90.

11 Peu à peu une idée, à peine ébauchée, apparaît dans la tête, tandis que les mots se resserrent et qu'il se marque de l'un à l'autre la fois une tension et une montée de la voix.   J. ROMAINS, les Hommes de bonne volonté, t. IV, XXIII, p. 254.

♦ **3.** (Aux sens 3 et 4 de s'ébaucher). *Formes, réactions, images à peine ébauchées. — Relations ébauchées.*

CONTR. **Achever, finir, terminer.**
DÉR. **Ébauchage, ébauche, ébaucheur.**
HOM. V. **Ébauche, ébauchon.**

ÉBAUCHEUR, EUSE [eboʃœʀ, øz] n. — 1795; de *ébaucher.*
Technique.

♦ **1.** Personne chargée d'ébaucher (1.), de dégrossir. *Ébaucheur de pierres, de verres.* — En appos. *Ouvriers ébaucheurs.*

Par ce système adroitement combiné, Genève achetoit, avec le prix d'une journée du plus médiocre de ses finisseurs, le travail de plus de six journées des ébaucheurs. Puis avec le prix de la même journée de finisseurs, elle se pourvoyait du produit de plusieurs journées d'ouvriers (...)
          Journal des arts et manufactures, n° 2, floréal an III, 1795, p. 134.

♦ **2.** N. m. Marteau servant à dégrossir les pièces métallurgiques, après leur passage au four à réchauffer.

ÉBAUCHOIR [eboʃwaʀ] n. m. — 1676, *esbauchoir*; de *ébaucher.*

♦ Techn. Outil (de sculpteur et de divers artisans) servant à ébaucher.

Jamais un art majeur de l'Orient n'avait tenté d'imiter une figure humaine, même lorsqu'il représentait Goudéa, même lorsque le sculpteur Thoutmosis moulait les masques des vivants. Le plus célèbre réalisme de l'Orient est celui de Tell el-Amarna, mais les premiers coups d'ébauchoir qui transforment en plans sculpturaux ceux de la bouche et des yeux d'Akhnaton esquissent l'opération qui fera de son masque le visage de ses colosses.
                              MALRAUX, la Métamorphose des dieux, p. 47-48.
Outil de charpentier servant à ébaucher les mortaises.

ÉBAUCHON [eboʃɔ̃] n. m. — 1932; de *ébauche*, et suff. *-on.*

♦ Techn. Petit bloc de racine de bruyère dégrossi, destiné à la fabrication des pipes.

HOM. Forme du v. **ébaucher.**

ÉBAUDIR [ebodiʀ] v. tr. — 1080, v. pron., *s'esbaldir*; v. tr. v. 1160; de é- et de l'anc. franç. *bald, baud* «joyeux». → Baudet.

♦ Vx (déjà archaïque dans la langue class.). Mettre en allégresse. ⇒ **Amuser, égayer, réjouir; rire** (faire).

J'ébaudirai Votre Excellence
Par des airs de mon flageolet (...)
                              VOLTAIRE, Lettres en vers et en prose, 1, *in* LITTRÉ.   1

▶ **S'ÉBAUDIR** (1080) ou **S'ESBAUDIR** v. pron.
Vx ou archaïsme littér. (Mauriac, Céline, *in* T. L. F.). S'égayer, se réjouir.

Pour n'avoir pas l'air d'un parent malheureux, je m'ébaudissais à la noce (...)
                              CHATEAUBRIAND, Itinéraire..., II, 8.   2

(...) la joie calme où s'ébaudissait mon âme (...)
                              BAUDELAIRE, le Spleen de Paris, XV, «Le gâteau».   3

DÉR. **Ébaudissement.**

ÉBAUDISSEMENT [ebodismɑ̃] n. m. — V. 1200, *esbaudissement*; de *esbaudir, ébaudir.*

♦ Vx ou archaïsme littér. Le fait de s'ébaudir; état d'une personne ébaudie, réjouie. ⇒ **Plaisir, réjouissance.**

(Le vent) a bientôt fait d'envoyer un chapeau à la rivière, au grand ébaudissement des pages, laquais et galopins.
                              Th. GAUTIER, le Capitaine Fracasse, t. II, XI, p. 59.

ÉBAVURAGE [ebavyʀaʒ] n. m. — 1933; de *ébavurer.*

♦ Techn. Action d'ébavurer; son résultat.

ÉBAVURER [ebavyʀe] v. tr. — 1904, *in* D.D.L.; de *é-, bavure*, suff. verbal.

♦ Techn. Débarrasser de ses bavures (une pièce matricée, estampée).
DÉR. **Ébavurage.**

ÈBE ou **EBBE** [ɛb] n. m. — 1282, *èbe; ebbe*, déb. XIIIᵉ; p.-ê. empr. à l'anglo-saxon *ebban.*

♦ Régional (Normandie). Marée descendante.

La Manche n'est pas une mer comme une autre. La marée y monte de cinquante pieds dans les malines et de vingt-cinq dans les mortes eaux. Ici, le reflux n'est pas l'èbe, et l'èbe n'est pas le jusant.   HUGO, l'Homme qui rit, t. I, 1869, p. 88.

ÉBÉNACÉ, ÉE [ebenase] adj. — 1846, Bescherelle; de *ébène*, et *-acé.*

♦ Vx. Qui ressemble à l'ébène, à la couleur de l'ébène. *Un bois exotique ébénacé.*
HOM. **Ébénacées.**

ÉBÉNACÉES [ebenase] n. f. pl. — 1804; de *ébène*, et *-acées* (→ -acé.)

♦ Bot. Famille de plantes dicotylédones gamopétales comprenant des arbres ou arbrisseaux des régions tropicales, à bois très dur, dense et généralement noir. ⇒ **Ébénier, plaqueminier.**
HOM. **Ébénacé.**

ÉBÈNE [ebɛn] n. f. — Après 1250, *ebaine*; lat. *ebenus*, grec *ebenos*, d'orig. égyptienne.

♦ **1.** (V. 1160). Bois de l'ébénier*, d'un noir foncé, d'un grain uni et d'une grande dureté, utilisé en tabletterie, marqueterie, brosserie, etc. *Bois d'ébène.*
Ouvrages de tabletterie en ébène. Meubles, armoire, lit d'ébène. Coffret d'ébène.

L'ébène dont le cœur présente une magnifique couleur noire, ou noirâtre caractéristique, est un bois très dense, plus lourd que l'eau, très dur, difficile à travailler, mais à grain très fin et prenant un magnifique poli. Il appartient au genre *Diospyros* et est originaire d'Afrique; les provenances du Gabon sont plus appréciées que celles du Cameroun. Madagascar donne également une belle qualité. L'ébène ne provient pas d'un grand arbre; elle est importée sous forme de petits billons; on l'utilise en brosserie, coutellerie, lutherie, tournerie, marqueterie.
                              Jean CAMPREDON, le Bois, p. 109.   1

Par ext. (Qualifié). Bois dense et foncé d'autres arbres exotiques. *Ébène verte, jaune :* bois de biguonia leuxycolen. *Fausse ébène :* bois du faux ébénier. *Ébène rouge,* d'un arbre d'Amérique du Sud. *Ébène du Sénégal.* ⇒ **Dalbergie.**

♦ **2.** Par compar. *Noir comme (de) l'ébène. D'un noir d'ébène.* — (1794). Surtout en parlant des cheveux et du teint. *D'ébène :* d'un noir soutenu. *Cheveux, barbe d'ébène,* très noirs (→ Cou, cit. 5).

Les vierges aux seins d'ébène,
Belles comme les beaux soirs,
Riaient de se voir à peine
Dans le cuivre des miroirs (...)
                              HUGO, les Orientales, I, 3.   2

Fortes tresses, soyez la houle qui m'enlève!
Tu contiens, mer d'ébène, un éblouissant rêve
De voiles, de rameurs, de flammes et de mâts (...)
                              BAUDELAIRE, les Fleurs du mal, «Spleen et idéal», XXIII.   3

♦ **3.** Loc. fig. (1833). Vx ou hist. **BOIS D'ÉBÈNE,** nom donné aux Noirs par les négriers. *Le commerce du bois d'ébène :* la traite des esclaves noirs.

DÉR. Ébénacé, ébénacées, ébénier, ébéniste.

ÉBÉNIER [ebenje] n. m. — 1680 ; de *ébène*, et suff. *-ier*.

♦ Arbre de la famille des ébénacées, à fleurs jaunes, qui fournit l'ébène. — Par ext. *Ébénier de l'Inde.* ⇒ **Plaqueminier** (→ Cru, cit. 6). *Faux ébénier :* cytise.

ÉBÉNISTE [ebenist] n. — 1676 ; de *ébène*, et *-iste*.

♦ **1.** Personne spécialisée dans la fabrication des meubles de luxe (à l'origine, en ébène et autres bois exotiques précieux) ou de caractère plus décoratif qu'utilitaire. *L'ébéniste Boulle. Les grands ébénistes du XVIIIe siècle. Meuble signé par un ébéniste. Une ébéniste. Outils de l'ébéniste :* guimbarde, rabot, racloir... — Appos. *Ouvrier, artisan ébéniste.*

(En valeur d'adj.). *Des ébénistes. « Le milieu ébéniste »* (J. Romains, *in* T. L. F.).

♦ **2.** (1885). Commerçant qui vend des meubles de luxe (et qui, en principe, les fabrique). *Ébéniste-décorateur.*

DÉR. Ébénisterie.

ÉBÉNISTERIE [ebenistəʀi] n. f. — 1732 ; de *ébéniste*. Art, métier de l'ébéniste.

♦ **1.** Branche de la menuiserie appliquée à la fabrication des meubles de luxe ou décoratifs, exigeant une technique plus soignée que la menuiserie. ⇒ **Menuiserie ; marqueterie, tabletterie.** *Bois d'ébénisterie :* acajou, alisier, amarante, buis, cerisier, chêne, citronnier, courbaril, ébène, érable, merisier, micocoulier, myrte, noyer, okoumé, orme, palissandre, pitchpin, plaqueminier, poirier, rose (bois de rose), santal (bois de santal), sycomore, thuya, wacapou... *Travaux d'ébénisterie :* déroulage, placage, tranchage ; contre-placage. *Ouvrages d'ébénisterie* (⇒ **Meuble, moulure, parquet**).

J'achète pour quatre-vingts francs un délicieux meuble d'ébénisterie antique, et l'on crie au luxe...   BALZAC, Lettres à l'Étrangère, t. II, 1850, p. 52, *in* T. L. F.

♦ **2.** Par métonymie. **a** (1798). Ensemble des meubles fabriqués par les ébénistes. *L'importation d'ébénisterie.*

b Partie (d'un objet) fait de bois d'ébénisterie. *L'ébénisterie d'un téléviseur.*

ÉBERGEMENT [ebɛʀʒəmã] n. m. — 1864, *in* Littré ; de *é-*, 1. *berge*, et suff. *-ment*.

♦ Techn. Opération par laquelle on coupe les berges (d'un cours d'eau nettoyé, curé) pour régulariser les talus.

HOM. Hébergement.

ÉBERLUER [ebɛʀlɥe] v. tr. — 1530 ; repris vers 1830 ; de *é-*, *berlue*, et suff. verbal.

♦ **1.** (1567). Vx. Donner la berlue* à (qqn). ⇒ **Éblouir** (1.).

♦ **2.** Étonner fortement.

▶ **ÉBERLUÉ, ÉE** p. p. adj. (1585).

♦ **1.** Qui a la berlue.

♦ **2.** Fam. Ébahi, stupéfait.

Ma mère, complètement submergée, éberluée, amusée tout de même par tant de pitrerie, mais effrayée plutôt encore, et n'approuvant pas trop une méthode qui supprimait la contrainte et l'effort (...) tâchait en vain de placer une phrase complète (...)   GIDE, Si le grain ne meurt, I, V, p. 161.

REM. On relève des variantes régionales, comme *ébervigé* (1883, Daudet, *in* D. D. L.).

ÉBERNER [ebɛʀne] v. ⇒ **Ébrener.**

ÉBIONITE [ebjɔnit] adj. et n. m. — 1740, Trévoux, mais très antérieur ; de l'hébreu *ebion* « pauvre, misérable », et suff. *-ite*.

♦ Hist. des relig. Membre d'une secte judaïque ou hérétique, qui, en particulier, n'utilisait que l'évangile de Matthieu.

Cependant l'ignorance où étaient tenus les premiers chrétiens avait fait naître des opinions dissidentes qui attaquaient la doctrine, les unes *(ébionites)* en niant la divinité du Christ, les autres *(marcionites)* en niant son humanité.   Émile BURNOUF, la Science des religions, p. 119.

ÉBISÈLEMENT [ebizɛlmã] n. m. — 1846, Bescherelle ; de *ébiseler*.

♦ Techn. Action d'ébiseler.

ÉBISELER [ebizle] v. tr. — Conjug. *geler*. — 1408, *abiselee* ; de *é-*, *bis(eau)*, et *-eler*.

♦ Techn. Tailler en biseau*, en chanfrein. *Ébiseler une planche. Ébiseler un trou,* le rendre conique.

DÉR. Ébisèlement.

ÉBLOUIR [eblu̇iʀ] v. tr. — V. 1165, *esbleuir*, du lat. *exblaudire*, formé avec le francique *blaudi* « faible » ; cf. all. *blöde* « faible des yeux ».

♦ **1.** Troubler (la vue ou une personne dans sa vision) par un éclat insoutenable. ⇒ **Aveugler, blesser** (les yeux, la vue). *Le soleil éblouit les yeux, la vue* (→ Colza, cit.). *Ses phares nous éblouissaient.*

Absolt. *La blancheur de la neige éblouit* (→ Blanc, cit. 15).

Nos sens n'aperçoivent rien d'extrême, trop de bruit nous assourdit, trop de lumière éblouit (...)   PASCAL, Pensées, II, 72.   1

En face, les murs de la mosquée éblouissaient avec leur réverbération blanche.   LOTI, les Désenchantées, IV, XXIII, p. 150.   2

(...) mais ce qui éblouissait le regard, c'étaient ces icebergs mobiles, semblables à des blocs d'argent en prison, dont l'œil ne pouvait soutenir la réverbération.   J. VERNE, le Pays des fourrures, t. I, p. 103.   2.1

Littér. (Le compl. désignant une chose, un lieu...) :

Je vois se dérouler des rivages heureux
Qu'éblouissent les feux d'un soleil monotone (...)   BAUDELAIRE, les Fleurs du mal, «Spleen et idéal», XXII.   3

Par ext. Troubler (qqn) dans ses perceptions.

(...) une sorte de vertige l'éblouit.   FLAUBERT, l'Éducation sentimentale, III, I.   4

♦ **2.** (1552). Frapper d'admiration (la vue ou l'esprit), émerveiller, briller* (cit. 14), éclater, étinceler. *Sa beauté nous éblouissait.*

Ce n'est pas sans sujet que je mets votre illustre nom à la tête de cet ouvrage. Et de quel autre nom pourrais-je éblouir les yeux de mes lecteurs, que de celui dont mes spectateurs ont été si heureusement éblouis ?   RACINE, Andromaque, À Madame.   5

Quand on nous mena dans nos chambres, nous fûmes éblouis de la blancheur des rideaux du lit et des fenêtres, de la propreté hollandaise des planchers et du soin parfait de tous les détails.   Th. GAUTIER, Voyage en Espagne, p. 11.   6

Vieilli (langue class.). Tromper, surprendre par un éclat trompeur, spécieux. — REM. Dans cet emploi, l'idée d'éclat qui trouble l'emporte encore sur celle de tromperie (→ ci-dessous 3.).

Cette nouveauté éblouit les yeux du peuple.   BOSSUET, Hist., II, 5, in LITTRÉ.   7

Mod. Frapper vivement, produire un sentiment d'étonnement admiratif. ⇒ **Aveugler** (→ cit. 4), **émerveiller, épater** (fam.), **étonner, étourdir, fasciner, hypnotiser, séduire, surprendre, troubler** (→ Donner dans l'œil* de quelqu'un ; jeter de la poudre aux yeux* ; fam., en mettre plein la vue*). *Éblouir quelqu'un de ses richesses, par ses richesses. Se laisser éblouir par les apparences* (→ Appareil, cit. 6). *Éblouir quelqu'un par sa faconde.* ⇒ aussi **Impressionner** (→ Action, cit. 14 ; captif, cit. 1).

Je m'en allais au hasard, ivre de joie, me répétant un mot qui m'éblouissait comme un soleil levant.   E. FROMENTIN, Dominique, XV.   8

Oui, et nous éblouirons nos compatriotes des récits de nos aventures merveilleuses.   A. JARRY, Ubu Roi, V, 4.   9

Le « bon sens » consiste à ne se laisser point éblouir par un sentiment ou une idée, si excellents puissent-ils être, jusqu'à perdre de vue tout le reste.   GIDE, Journal, 16 oct. 1927.   10

Il y a bien ceux qui, soudain, pour vous éblouir, tentent de s'exprimer avec élégance. Mais quelle gaucherie !   J. ROMAINS, les Hommes de bonne volonté, t. IV, XIX, p. 212.   11

Absolt. *Chercher à éblouir.*

Mais elle cherchait si peu à éblouir, et son instinct naturel de parure était si exempt de tout orgueil et de toute coquetterie, qu'aussitôt après les saintes cérémonies, elle se hâtait de se dépouiller de ses riches parures et de revêtir la simple veste de gros drap vert, la robe d'indienne rayée de rouge et de noir (..)   LAMARTINE, Graziella, III, XV.   12

Rien n'éblouit comme l'étonnement de voir tout réussir.   HUGO, Quatre-vingt-treize, III, II, V.   13

♦ **3.** (1559). Vieilli. Séduire en trompant. ⇒ **Abuser, tromper.** *Éblouir quelqu'un par des promesses trompeuses, des artifices* (→ Avec, cit. 61).

Mais n'espère non plus m'éblouir de parjures.   CORNEILLE, Cinna, IV, 6.   14

J'ai de meilleurs yeux qu'on ne pense, et votre galimatias ne m'a point tantôt ébloui.   MOLIÈRE, George Dandin, II, 2.   15

Inventez des raisons qui puissent l'éblouir.   RACINE, Mithridate, II, 6.   16

Vx (langue class.). Rendre fier, orgueilleux. ⇒ **Enorgueillir.** *Son succès l'a ébloui.*

▶ **S'ÉBLOUIR** v. pron. (Réfl.).

Se laisser aveugler, fasciner. ⇒ **Enorgueillir, illusionner** (s'). *Il s'éblouit de son propre succès. S'éblouir de ses titres, de son intelligence.*

Vous vous éblouissiez du titre et de l'emploi (...)   CORNEILLE, Sertorius, V, 4.   17

Je ne m'éblouis point de cette illusion (...)   CORNEILLE, Sertorius, III, 1.   18

De leur éclat trompeur je ne m'éblouis pas (...)   MOLIÈRE, Tartuffe, IV, 1.   19

Il *(Saint-Just)* s'éblouissait parfois lui-même de fausses clartés (...)   JAURÈS, Hist. socialiste... VI, p. 163.   20

▶ **ÉBLOUI, IE** p. p. et adj.

♦ **1.** Dont la vision est troublée par un éclat insoutenable. *Ébloui par le soleil. Yeux éblouis* (→ Brasier, cit. 2 ; cligner, cit. 3).

21 On voyait (...) dans la vaste campagne, briller au soleil les casques, les cuirasses et les boucliers des ennemis ; les yeux en étaient éblouis.
FÉNELON, Télémaque, IX.

22 La lampe s'éteignit. Il restait ébloui, avec des ronds violets qui lui tournaient dans les yeux.
SARTRE, le Sursis, p. 192.

♦ **2.** Fig. *Ébloui par une telle splendeur, un tel prestige. Ébloui de ses richesses...* (→ Brillant, cit. 10 ; cordon, cit. 6).

23 Heureux celui qui tombe aussitôt qu'il commence !
Heureux celui qui meurt et qui ferme les yeux
Tout ébloui encor de rêves glorieux !
A. DE VIGNY, Poésies, « Sur la mort de Byron ».

CONTR. Assombrir, obscurcir, ternir.
DÉR. Éblouissant, éblouissement.

ÉBLOUISSANT, ANTE [ebluisã, ãt] p. prés. et adj. — 1470, *esblouissant, in* D. D. L. ; p. prés. de *éblouir*.

♦ **1.** Qui éblouit. ⇒ **Aveuglant, brillant, éclatant, étincelant.** *Lumière éblouissante* (→ Artifice, cit. 17). *L'éclat éblouissant des dorures* (→ Contraste, cit. 9). *La blancheur éblouissante de la neige. Diamants éblouissants* (→ Cristallisation, cit. 4).

1 (...) un torrent de lumière rendue plus éblouissante encore par le contraste du demi-jour de l'intérieur.
Th. GAUTIER, Voyage en Espagne, p. 239.

2 Au sortir de cette obscurité, la pleine lumière a été pour ses yeux une pluie éblouissante ; il *(Rembrandt)* l'a sentie comme un flamboiement d'éclair, comme une illumination magique, ou comme une gerbe de dards.
TAINE, Philosophie de l'art, t. II, p. 76.

3 Qu'elle est jolie, la ville de neige sous l'éblouissante lumière !
MAUPASSANT, Au soleil, Alger.

♦ **2.** (1663). Qui impressionne (par sa beauté). *Teint éblouissant* (→ Dégager, cit. 8). *Une femme éblouissante* (→ Cadencer, cit. 5 ; coquette, cit. 10). *Une beauté éblouissante.*

4 (...) que je vous trouve le teint d'une blancheur éblouissante (...)
MOLIÈRE, l'Impromptu de Versailles, 4.

4.1 On comprend bien que le mariage se fit quarante-huit heures plus tard, et Passepartout, superbe, resplendissant, éblouissant, y figura comme témoin de la jeune femme. Ne l'avait-il pas sauvée, et ne lui devait-on pas cet honneur ?
J. VERNE, le Tour du monde en 80 jours, p. 330.

♦ **3.** Vx (langue class.). Qui trompe en séduisant.

5 Il y a dans quelques femmes (...) un esprit éblouissant qui impose (...)
LA BRUYÈRE, les Caractères, III, 4.

♦ **4.** Mod. D'une beauté merveilleuse, d'une qualité si brillante qu'elle étonne. ⇒ **Beau, brillant, étonnant, merveilleux.** *Fête, réception éblouissante* (→ Bal, cit. 9). *Une pensée éblouissante* (→ Attendre, cit. 48). *Rêve éblouissant* (→ Ebène, cit. 3). *Style éblouissant. Une verve éblouissante* (→ Animer, cit. 14).

6 C'est dans ce discours que Mirabeau a donné la plus puissante et la plus éblouissante formule de ce que nous appelons aujourd'hui la grève générale.
JAURÈS, Hist. socialiste..., I, p. 77.

7 (...) parmi les portraits d'un éblouissant coloriste, le plus saisissant est parfois un portrait tout en noir. PROUST, À la recherche du temps perdu, t. VIII, p. 192.

CONTR. Obscur, sombre, terne.

ÉBLOUISSEMENT [ebluismã] n. m. — V. 1450, au sens 3, *esblouissement* ; du p. prés. de *éblouir*.

♦ **1.** (Av. 1549). État de la vue frappée par l'éclat trop brutal de la lumière. *Éblouissement causé par le soleil couchant. Papillotage des yeux produit par un long éblouissement.*

1 (...) c'était d'abord un éblouissement de toits, de cheminées, de rues, de ponts, de places, de flèches, de clochers. Tout vous prenait aux yeux à la fois (...)
HUGO, Notre-Dame de Paris, III, II.

2 Je voulais voir cette terre du soleil et du sable en plein été, sous la pesante chaleur, dans l'éblouissement furieux de la lumière. MAUPASSANT, Au soleil, p. 12.

♦ **2.** (1539). Trouble de la vue provoqué par une cause interne (faiblesse, congestion) ou externe (choc), et généralement accompagné de vertige. ⇒ **Berlue, hallucination, syncope, trouble, vertige.** *Être pris d'éblouissement. Avoir des éblouissements. Avoir un éblouissement après un choc, un coup...,* en voir trente-six chandelles* (*supra* cit. 4).

3 Il m'a pris tout à coup un éblouissement (...)   MOLIÈRE, l'Avare, I, 4.

4 Ce seul baiser, ce baiser funeste, avant même de le recevoir, m'embrasait le sang à tel point, que ma tête se troublait, un éblouissement m'aveuglait, mes genoux tremblants ne pouvaient me soutenir ; j'étais forcé de m'arrêter, de m'asseoir ; toute ma machine était dans un désordre inconcevable : j'étais prêt à m'évanouir.
ROUSSEAU, les Confessions, IX.

♦ **3.** (Mil. xvᵉ). État de l'esprit ébloui ; émerveillement. ⇒ **Étonnement, fascination, surprise** (→ Aveugler, cit. 4 ; cécité, cit. 3). *Les Éblouissements,* recueil de poèmes de la comtesse de Noailles (1907).

5 Descartes ne parle pas de l'effroi qui provient d'un éblouissement de notre esprit au sujet d'un objet épouvantable (...)
BERNARDIN DE SAINT-PIERRE, Harmonies..., v.

6 (...) le nouvel éclat de sa beauté me frappait tellement que je croyais la voir pour la première fois, et que ma familiarité ordinaire avec elle se changeait en une sorte de timidité et d'éblouissement. LAMARTINE, Graziella, III, xv.

7 Mais dès que je fus arrivé à la route, ce fut un éblouissement. Là où je n'avais vu, avec ma grand-mère, au mois d'août, que les feuilles et comme l'emplacement

des pommiers, à perte de vue ils étaient en pleine floraison, d'un luxe inouï, les pieds dans la boue et en toilette de bal (...)
PROUST, À la recherche du temps perdu, t. IX, p. 232.

ÉBONITAGE [ebonitaʒ] n. m. — 1973, *in* C. I. L. F. ; de *ébonite*.

♦ Techn. Recouvrement (d'un matériau, d'un objet) par une couche d'ébonite.

ÉBONITE [ebonit] n. f. — 1862 ; angl. *ebonite,* de *ebon, ebony* « ébène ».

♦ Matière plastique, dure et noire, obtenue par la vulcanisation du caoutchouc, et utilisée pour ses propriétés isolantes. *Stylo en ébonite.* ⇒ **Vulcanite.**

— Je téléphone de New York.
— Je sais (...) Avez-vous fait de beaux voyages ? Comme sa voix est proche ! Elle frôle mon visage. Mais lui, soudain, il est très loin ; contre l'ébonite noire du récepteur, ma main est moite.   S. DE BEAUVOIR, les Mandarins, 1954, p. 309, *in* T. L. F.

DÉR. Ébonitage.

ÉBORGNAGE [ebɔʀɲaʒ] n. m. — 1825 ; de *éborgner.*

♦ Arbor. Action d'éborgner (un arbre), résultat de cette action. ⇒ **Ébourgeonnage.**

ÉBORGNEMENT [ebɔʀɲəmã] n. m. — 1605 ; de *éborgner.*

♦ **1.** Rare. Action d'éborgner (qqn) ; son résultat.

♦ **2.** Arbor. Éborgnage.

ÉBORGNER [ebɔʀɲe] v. tr. — 1564 ; de *é-, borgne,* et suff. verbal.

♦ **1.** Rendre (qqn, un animal) borgne* (→ Aveugler, cit. 9).

Et comme le cavalier se penchait, il éborgna son valet du bout de son épée.   1
Aloysius BERTRAND, Gaspard de la nuit, « Le vieux Paris », VI.

Par exagér. Donner un coup sur l'œil de (qqn). *Attention ! vous gesticulez tant que vous allez finir par m'éborgner.*

Parbleu ! d'un coup de point il veut que je t'éborgne (...)   2
HAUTEROCHE, les Apparences trompeuses, III, 5, *in* LITTRÉ.

♦ **2.** (1796). Arbor. *Éborgner un arbre fruitier,* le débarrasser des bourgeons, des yeux inutiles. ⇒ **Éborgnage.**

♦ **3.** (1690). *Éborgner une maison,* lui ôter le jour en élevant une construction devant ses fenêtres, en les condamnant.

▶ S'ÉBORGNER v. pron.

(Réfl.). Se crever un œil. *J'ai failli m'éborgner.*

(Récipr.). Se crever un œil l'un à l'autre.

Allons, messieurs, êtes-vous fous ?
On n'y voit pas. Ils vont s'éborgner, par saint George !   3
HUGO, Marion Delorme, II, 3.

Par exagér. Se donner un coup sur l'œil.

▶ ÉBORGNÉ, ÉE p. p. adj. (Sens 1). *Un chat éborgné.* — (Sens 2). *Arbre fruitier éborgné.* — (Sens 3). *Maison éborgnée. Fenêtre éborgnée,* aux vitres cassées.

DÉR. Éborgnage, éborgnement.

ÉBOTTER [ebɔte] v. tr. ⇒ **Ébouter.**

ÉBOUAGE [ebuaʒ] n. m. — 1871, *in* Littré, *Suppl.* ; de *ébouer.*

♦ Vx. Action d'ébouer ; son résultat. — Spécialt. Enlèvement des ordures ménagères.

ÉBOUER [ebue] v. tr. — 1864 ; de *é-, boue,* et suff. verbal.

♦ **1.** Vx. Débarrasser de la boue.

♦ **2.** Par ext. Débarrasser (les rues, les routes) des ordures ménagères.

DÉR. Ébouage, éboueur.

ÉBOUEUR, EUSE [ebuœʀ, øz] n. — 1858, *éboueur* ; *éboueuse,* 1870 ; 1858, « appareil pour enlever les boues », *in Année sc. et industr.* 3ᵉ année, t. II, p. 264 ; de *ébouer,* et *-eur.*

♦ **1.** Vx. Personne qui nettoie la boue.

♦ **2.** Spécialt. Personne dont le travail consiste à débarrasser de la boue, des ordures ménagères. *Le passage des éboueurs.* ⇒ **Boueur, boueux** (fam.). *La Vie imaginaire de l'éboueur Auguste Geai,* pièce de Armand Gatti.

Au lever du rideau l'éboueur, âgé d'une quarantaine d'années, vient d'être blessé au cours d'une manifestation et se débat contre la mort sur un lit d'hôpital.   1
S. DE BEAUVOIR, Tout compte fait, p. 214.

2 Caché derrière une station-wagon verte, Radiez regarde passer le camion des éboueurs qui vident les poubelles. — J.-M. G. LE CLÉZIO, Désert, p. 367.
N. f. Machine servant à ébouer.

ÉBOUILLANTAGE [ebujɑ̃taʒ] n. m. — 1876; de *ébouillanter*.

♦ Action d'ébouillanter. ⇒ **Ébouillantement.** *Ébouillantage de légumes pour les blanchir.*

(...) les naseaux, les lèvres et la langue tirée, blanchis et gonflés par l'ébouillantage (...) — Pierre GASCAR, les Bêtes, p. 58.

ÉBOUILLANTEMENT [ebujɑ̃tmɑ̃] n. m. — 1912; du rad. de *ébouillanter*.

♦ Action d'ébouillanter. ⇒ **Ébouillantage.**

À l'annonce du régime compliqué de pesées, de dosages, d'ébouillantement des tétines, Pierre se trouvait en même temps inquiet et heureux : pourrait-on faire proprement tout cela? — Jean PRÉVOST, les Frères Bouquinquant, p. 49-50.

ÉBOUILLANTER [ebujɑ̃te] v. tr. — 1836; de *é-*, *bouillant*, et suff. verbal.

♦ **1.** (1838). Tremper dans l'eau bouillante. *Ébouillanter les cocons de vers à soie. Ébouillanter le blé de semence.* — Spécialt (cuis.). Tremper dans l'eau bouillante (pour modifier la consistance, pour éplucher, etc.).

♦ **2.** Arroser d'eau bouillante; laver à l'eau bouillante. ⇒ **Échauder.** *Ébouillanter une théière. Ébouillanter des légumes.* ⇒ **Blanchir.** *Ébouillanter qqn,* le brûler avec de l'eau bouillante.
Régional (Canada). *Ébouillanter du thé,* l'infuser.

▶ **S'ÉBOUILLANTER** v. pron.
Se brûler avec de l'eau bouillante.

▶ **ÉBOUILLANTÉ, ÉE** p. p. adj.
Plongé dans l'eau bouillante. — Brûlé par de l'eau bouillante.

On crut Gervaise ébouillantée. Mais elle n'avait que le pied gauche brûlé légèrement. — ZOLA, l'Assommoir, p. 397, *in* T. L. F.

DÉR. Ébouillantage, ébouillantement.

ÉBOUILLIR [ebujiʀ] v. intr. — V. 1393; *esbuillissant*, p. prés., 1119; de *é-*, et *bouillir*.

♦ Vx. Diminuer de volume par ébullition. ⇒ **Réduire.**

La meunière coiffa le brasier d'une large marmite (...) Tandis que les patates de mon souper ébouillaient sous sa garde, je m'amusai à lire à la lueur du feu, en baissant la tête, un journal anglais tombé à terre entre mes jambes (...) — CHATEAUBRIAND, Mémoires d'outre-tombe, t. I, 1848, p. 340, *in* T. L. F.

Trans. *Ébouillir une sauce.*

ÉBOULEMENT [ebulmɑ̃] n. m. — 1547; de *ébouler*.

♦ **1.** Le fait de s'ébouler; chute de terres, de rochers, de matériaux, de constructions qui s'éboulent. ⇒ **Affaissement, chute, dégringolade** (fam.), **éboulis** (1.), **écroulement, effondrement.** *L'éboulement d'une muraille, d'une construction. L'éboulement d'une butte, d'un tertre. L'éboulement des parois d'une galerie, d'une galerie de mine. Prévenir l'éboulement des terres au moyen d'un clayonnage*. — Exploitation par éboulement d'une veine friable.* — (Sans compl. : *un, des éboulements). Les tremblements de terre, les torrents provoquent des éboulements en montagne.* ⇒ **Avalanche.** *Être écrasé par un éboulement. Lent éboulement de terrain.* ⇒ **Glissement.** *Éboulement d'une falaise attaquée par la mer. Caverne* (cit. 3) *formée par des éboulements.*

1 (...) Étienne achevait le havage d'un bloc, lorsqu'un lointain grondement de tonnerre ébranla toute la mine. — Qu'est-ce donc? cria-t-il (...) Il avait cru que la galerie s'effondrait derrière son dos (...) Maheu se laissait glisser sur la pente de la taille, en disant : — C'est un éboulement... Vite! vite! — ZOLA, Germinal, t. I, p. 209.

1.1 Des appels, le bruit d'une pièce de bois ou d'une chaîne de fer tombant sur le pavé, l'éboulement sourd d'une charretée de légumes (...) — ZOLA, le Ventre de Paris, t. I, p. 13-14.

Fig. ⇒ **Avalanche, débordement.**

2 C'est une joie encore étonnée, une stupeur, pour ainsi dire, de cet éboulement de bonheur. — Éd. et J. DE GONCOURT, Journal, p. 113.

♦ **2.** Par métonymie. Amas de terres ou de matériaux éboulés. ⇒ **Éboulis.** *Un éboulement bouchait le passage. Éboulements de phonolithes* (→ Courir, cit. 3). *De ce monument, il ne reste que quelques éboulements.* ⇒ **Ruine.**

3 (...) il examina toutes les rives pour voir s'il n'y trouverait pas quelque marque de pied, ou quelque petit éboulement de terre qui n'eût point coutume d'y être. — G. SAND, la Petite Fadette, VIII, p. 54.

ÉBOULER [ebule] v. tr. et intr. — 1283, *esbueler; esboëler* «éventrer», v. 1130; de *es-*, anc. franç. *boel, boiel* (→ Boyau), et suff. verbal.

♦ **1.** V. tr. (1283). Rare. Faire tomber (une construction, une masse de terre...) par désagrégation, affaissement. *Ébouler un mur.* — *Les vagues finiront par ébouler la falaise.*

1 (...) le blaireau se défend en reculant, éboule de la terre, afin d'arrêter ou d'enterrer les chiens. — BUFFON, Hist. nat. des animaux, Blaireau, Œ. compl., t. II, p. 586.

♦ **2.** V. intr. (1653). Tomber par morceaux, en s'affaissant. ⇒ **Crouler, tomber.** *Faire ébouler un mur, un tas de sable. Ces terres, ce tas de sable sont près d'ébouler* (Académie).

2 — Regarde, il y a une gerçure. J'ai peur que ça n'éboule. Ah! ouiche! ébouler! Et puis, ce ne serait pas la première fois, on s'en tirerait tout de même. — ZOLA, Germinal, t. I, p. 43.

▶ **S'ÉBOULER** v. pron. (1559). Même sens que l'intrans. ⇒ **Affaisser (s'), crouler, dégringoler** (fam.), **écrouler (s'), effondrer (s').** *Le sable s'éboule sous les pieds.* ⇒ **Rouler.** *Des reliefs peuvent s'ébouler subitement, recouvrant des vallées de leurs débris. Sable, terrain qui s'éboule facilement.* ⇒ **Boulant.** *Cette muraille commence à s'ébouler. Cette pile de bois va s'ébouler* (Académie).

2.1 (...) j'étais déjà presque sur la crête, lorsque tout s'éboulant par mon poids, je retombai dans le fossé sous les débris que j'avais entraînés. — SADE, Justine..., t. I, p. 218.

3 Je montai seul; je gravis péniblement le dernier cône en enfonçant mes pieds et mes mains dans une cendre épaisse et brûlante qui s'éboulait sous le poids de l'homme. — LAMARTINE, Graziella, IV, X, p. 119.

4 (...) Puerto Lapiche consiste en quelques masures plus qu'à demi ruinées, accroupies et juchées sur le penchant d'un coteau lézardé, éraillé, friable à force de sécheresse, et qui s'éboule en déchirures bizarres. C'est le comble de l'aridité et de la désolation. — Th. GAUTIER, Voyage en Espagne, p. 137.

5 Les pyramides de fruits s'éboulaient sur les gâteaux de miel, (...) — FLAUBERT, Salammbô, Pl., t. I, p. 745.

Littér. et rare. (Personnes). S'effondrer (Huysmans, *in* T. L. F.).

Fig. S'effondrer. *« Et voilà tout à coup que cette illusion s'éboule »* (Saint-Exupéry, *Pilote de guerre, in* T. L. F.).

CONTR. Consolider, raffermir, redresser.
DÉR. Éboulement, ébouleux, éboulis.

ÉBOULEUX, EUSE [ebulø, øz] adj. — 1795; de *ébouler*.

♦ Techn. ou régional. Qui s'éboule facilement. *Terrains, sables ébouleux.* ⇒ **Friable.**

ÉBOULIS [ebuli] n. m. — 1680; de *ébouler*, suff. *-is*.

♦ **1.** Chute de pierres qui s'éboulent. ⇒ **Éboulement.** *Un éboulis risque de se produire. Au début, à la fin de l'éboulis. Danger d'éboulis.*

♦ **2.** Amas constitué de matériaux éboulés. *Éboulis de roches, de sables, de terres.* ⇒ **Éboulement.**

Et il regarda la route qui se dessinait à peu près correctement à travers les éboulis de roches et les tristes matériaux empilés en vrac. — P. MAC ORLAN, la Bandera, XI, p. 131.

Géogr. Débris rocheux formant un talus à forte pente. *Pied, cône d'éboulis. Éboulis calcaire.*

ÉBOUQUETER [ebukte] v. tr. — 1856, *in* La Châtre; de *é-*, *bouquet*, et *-er*.

♦ Arbor. Couper les bourgeons à feuilles pour conserver toute la sève aux bourgeons à fruits.

ÉBOURGEONNAGE [ebuʀʒɔnaʒ] ou **ÉBOURGEONNEMENT** [ebuʀʒɔnmɑ̃] n. m. — 1611, *ébourgeonnage; ébourgeonnement,* 1551; de *ébourgeonner*.

♦ Agric. Suppression des bourgeons superflus d'un arbre (⇒ **Éborgnage**), d'un pied de vigne (⇒ **Épamprage**), pour ne conserver que ceux d'où naîtront les rameaux nécessaires au développement normal de la plante.

ÉBOURGEONNER [ebuʀʒɔne] v. tr. — 1486, *esbourjonner;* de *é-*, *bourgeon*, et suff. verbal.

♦ Agric. Débarrasser (un arbre fruitier, la vigne...) des bourgeons superflus. ⇒ **Éborgner, ébouqueter.** *Ébourgeonner la vigne.* ⇒ **Épamprer.** *Ébourgeonner des arbres fruitiers.* — Absolt. *On ébourgeonne au printemps.*

DÉR. Ébourgeonnage, ébourgeonnoir.

ÉBOURGEONNOIR [ebuʀʒɔnwaʀ] n. m. — XVIᵉ; de *ébourgeonner*, et *-oir*.

♦ Techn. (agric.). Serpette à long manche servant à ébourgeonner.

ÉBOURRIFFADE [eburifad] n. f. ⇒ **Ébouriffage.**

ÉBOURIFFAGE [eburifaʒ] n. m. — XIXᵉ, Goncourt; de *ébouriffer.*

♦ **1.** Action d'ébouriffer; état de ce qui est ébouriffé. ⇒ **Ébouriffure.**
Par analogie :
Et le velours du veston (...) avait çà et là quelque chose de hérissé, de déchiqueté et de velu qui faisait penser à l'ébouriffage des œillets dans le vase.
PROUST, À l'ombre des jeunes filles en fleurs, Pl., t. I, p. 849.

REM. On trouve (Barbey d'Aurevilly, *in* D.D.L.) le n. f. *ébourriffade* («masse de cheveux ébouriffés») et la variante synonymique *ébouriffement,* n. m. (Goncourt, J. Romains, *in* T.L.F.).

♦ **2.** Techn. Fibres mal fixées qui apparaissent hors de la couche d'usage d'un revêtement de sol (moquette, etc.).

ÉBOURIFFANT, ANTE [eburifã, ãt] p. prés. et adj. — 1837; p. prés. de *ébouriffer.*

♦ Fam. Qui paraît extraordinaire au point de choquer. ⇒ **Ébouriffer** (2.); **étonnant, étrange, extraordinaire.** *Un succès ébouriffant. Histoire ébouriffante.* ⇒ **Incroyable, invraisemblable.**
Les professionnels du sport ont acclimaté, chez nous, un jargon ébouriffant, presque intraduisible, farci de mots étrangers, employés hors de propos (...)
G. DUHAMEL, Scènes de la vie future, XII, p. 188.

ÉBOURIFFÉ, ÉE [eburife] p. p. adj. — 1671, Mᵐᵉ de Sévigné; probablt à rattacher, comme le provençal *esbourifa* «aux cheveux retroussés comme de la bourre» au bas lat. *burra* «bourre».

♦ **1.** Dont les cheveux sont relevés et en désordre. ⇒ **Dépeigné, échevelé, hirsute.** *Cet enfant est tout ébouriffé. «Pierre l'Ébouriffé». Tête ébouriffée. Chevelure, perruque, tignasse ébouriffée. — Cheveux* (cit. 22) *ébouriffés.*
1 (...) ce qu'il (*M. de Grignan*) aurait pu retrancher, c'est sa barbe de capucin; il est vrai qu'elle ne lui fait point de tort, puisqu'à Livry, avec sa *touffe ébouriffée,* vous ne pensiez pas qu'Adonis fût plus beau (...)
Mᵐᵉ DE SÉVIGNÉ, 196, 23 août 1671.
2 C'était l'heure du premier déjeuner. Des bols de café au lait encombraient un guéridon auprès du feu. Des savates traînaient sur le tapis, des vêtements sur les fauteuils. Arnoux, en caleçon et en veste de tricot, avait les yeux rouges et la chevelure ébouriffée (...)
FLAUBERT, l'Éducation sentimentale, II, III.

Par anal. *Arbre, panache ébouriffé.* ⇒ **Hérissé** (→ Bouquet, cit. 6).
Par métaphore. ⇒ **Bizarre, complexe, compliqué.**
3 J'ai rencontré l'oasis que nous avons si souvent rêvée d'après quelques romans : une nature luxuriante et parée, des accidents sans confusion, quelque chose de sauvage et d'ébouriffé, de secret, de pas commun.
BALZAC, les Paysans, Pl., t. VIII, p. 14.

♦ **2.** Fig. et fam. (Personnes). ⇒ **Ahuri, étonné, stupéfait, surpris.**
4 (...) j'en ai fait un (*commentaire*) sur cette pièce qui est extrêmement profond et merveilleux. Mᵉ Joli de Fleury pourrait en être tout ébouriffé.
VOLTAIRE, Lettre à d'Argental, 7 août 1762.
DÉR. **Ébouriffer.**

ÉBOURIFFEMENT [eburifmã] n. m. ⇒ **Ébouriffage.**

ÉBOURIFFER [eburife] v. tr. — Mil. XVIIIᵉ; de *ébouriffé.*

♦ **1.** (1842). Mettre en désordre, relever (en désordre), hérisser (les cheveux). ⇒ **Écheveler, embrouiller, hérisser.** *Le vent a ébouriffé ses cheveux,* et, ellipt., *l'a ébouriffé. —* (Sujet n. de personne). *Ébouriffer les cheveux de qqn, ébouriffer qqn* (en jouant, par plaisanterie, au cours de la coiffure, etc.). — Par analogie :
1 (...) le peintre ébouriffera le balai comme l'est un homme en colère, il en hérissera les brins comme si c'étaient vos cheveux frémissants.
BALZAC, in P. LAROUSSE.

♦ **2.** (Av. 1778). Fig. et fam. Surprendre au point de choquer. ⇒ **Ahurir, étonner, surprendre.** *Cette nouvelle l'a ébouriffé* (⇒ **Ébouriffant**).
2 Je ne suis pas malade, c'est le prix du bonnet qui m'ébouriffe.
ROUSSEAU, in P. LAROUSSE.

▶ **S'ÉBOURIFFER** v. pron.

♦ **1.** (Passif). En parlant des cheveux. Être ébouriffé.
3 Il enfonçait le cou dans les épaules; sur son front bas, ses cheveux, collés de sueur, s'ébouriffaient.
MARTIN DU GARD, les Thibault, t. VII, p. 55.

♦ **2.** (Réfl.). *Ébouriffer ses cheveux.* — (1852). Fig. et vieilli. Être surpris, choqué.
4 Le capitaine est un farceur. Un homme comme lui ne s'ébouriffe pas de deux ou trois mots grossiers que j'aurais pu dire.
FLAUBERT, Correspondance, 1ᵉʳ sept. 1852.

▶ **ÉBOURIFFÉ, ÉE** p. p. ⇒ **Ébouriffé, adj.**

CONTR. Peigner; coiffer.
DÉR. **Ébouriffage, ébouriffant, ébouriffoir, ébouriffure.**

ÉBOURIFFOIR [eburifwar] n. m. — 1898, in *Nouveau Larousse illustré;* de *ébouriffer.*

♦ Techn. Pinceau à long poil dont se servent les peintres en bâtiment.

ÉBOURIFFURE [eburifyr] n. f. — 1863, Sainte-Beuve, au fig.; au sens propre, 1869 (→ cit.); de *ébouriffer.*

♦ Rare. État d'une chevelure ébouriffée.
Sa mine pâle, un peu bouffie et à nez retroussé, semblait plus insolente encore par l'ébouriffure de sa perruque où tenait un chapeau d'homme.
FLAUBERT, l'Éducation sentimentale, I, p. 203, in BRUNOT.

ÉBOURRAGE [eburaʒ] n. f. — 1790; de *ébourrer.*

♦ Techn. Action d'ébourrer. ⇒ **Débourrage.**

ÉBOURRER [ebure] v. tr. — XIIIᵉ; de *é-, bourre,* et suff. verbal.

♦ Techn. Dépouiller de sa bourre (une peau). ⇒ **Débourrer** (1.).
DÉR. **Ébourrage, ébourreuse, ébourroir.**

ÉBOURREUSE [eburøz] n. f. — 1901; de *ébourrer.*

♦ Techn. Machine à ébourrer les peaux. — REM. La forme masculine *ébourreur* se rencontre dans le terme techn. *batteur ébourreur* (1930, in T.L.F.).

ÉBOURROIR [eburwar] n. m. — 1900; de *ébourrer.*

♦ Techn. Outil de cordonnier*, employé pour dresser et lisser les coutures des chaussures.

ÉBOUSINER [ebuzine] v. tr. — 1694, in Corneille; de *é-, bousin,* et suff. verbal.

♦ Techn. Enlever la croûte terreuse et friable qui recouvre les pierres de taille. ⇒ **Bousin** (1.).

ÉBOUTER [ebute] ou **ÉBOTTER** [ebɔte] v. tr. — 1862; *esbouté,* p. p., 1529; de *é-, bout,* et suff. verbal.

♦ Vieilli ou régional. Raccourcir (qqch.) en coupant le bout. *Ébouter une canne, un bâton. —* Spécialt. Techn. Dans la fabrication de la dentelle réseau, Couper les bouts de fil adhérant au parchemin servant de patron et à la dentelle. — Hortic. Couper l'extrémité des bourgeons de (une plante).
DÉR. **Ébouteuse.**

ÉBOUTEUSE [ebutøz] n. f. — 1864; de *ébouter.*
Technique.

♦ **1.** (1864). Dentellière qui éboute.

♦ **2.** (1961). Machine qui coupe les bouts des pièces de bois. — Spécialt. Machine qui coupe les bouts des haricots verts.

ÉBOUTURER [ebutyre] v. tr. — 1796; de *é-, bouture,* et suff. verbal.

♦ Techn. (arbor.). Dégarnir (un arbre, une plante) de boutons, boutures, drageons, pour les replanter ailleurs.

ÉBRAISER [ebreze; ebrɛze] v. tr. — XVIIIᵉ; de *é, braise,* et suff. verbal.

♦ Techn. Débarrasser (un four) de la braise.
DÉR. **Ébraisoir.**

ÉBRAISOIR [ebrezwar] n. m. — 1755; de *ébraiser.*

♦ Techn. Pelle à ébraiser.

ÉBRANCHAGE [ebrãʃaʒ] ou **ÉBRANCHEMENT** [ebrãʃmã] n. m. — 1700, *ébranchage; ébranchement,* XVIᵉ; de *ébrancher,* et *-age, -ment.*

♦ Action d'ébrancher (un arbre). ⇒ **Élagage, émondage.** *L'ébranchage délictueux est puni des mêmes peines que l'abattage.* — Spécialt. Opération qui consiste à débarrasser un arbre de ses branches basses, afin de le faire croître en hauteur.

ÉBRANCHER [ebrãʃe] v. tr. — 1197; de *é-, branche,* et *-er.*

♦ Arbor. Dépouiller (un arbre) de tout ou partie de ses branches. ⇒ **Élaguer, émonder, tailler** (→ Arbre, cit. 11 et 39).

1   Ulysse abattit vingt arbres en tout, les ébrancha avec sa hache, les polit et les dressa.   FÉNELON, t. XXI, p. 338, *in* LITTRÉ.

2   (...) un joli ruisseau coulant entre deux rangs de vieux saules qu'on avait souvent ébranchés.   ROUSSEAU, Julie ou la Nouvelle Héloïse, IV, Lettre XI.

    Par métaphore :

3   N'allons pas mutiler notre civilisation déjà malade, en prétendant l'ébrancher de quelques-uns de ses rameaux les plus vivaces.
                                          R. ROLLAND, Jean-Christophe, Dans la maison, II, p. 1007.

▶ **ÉBRANCHÉ, ÉE** p. p. adj. *« Un arbre est ébranché quand il est dépouillé de ses branches par accident ou par la main du jardinier »* (Trévoux).

3.1 L'arbre ébranché, tout nu, montre le poing.   J. RENARD, Journal, 26 mai 1906.

4   (...) les vieux saules ébranchés miraient dans l'eau leur écorce grise (...)
                                          FLAUBERT, Mᵐᵉ Bovary, II, III.

5   Lui-même *(l'arbre)* étêté et ébranché jusqu'au tronc, il ressemblait à un immense cercueil.   J. ROMAINS, les Hommes de bonne volonté, t. V, XXIII, p. 205.

6   (...) ils trouvèrent au bord du chemin quatre piquets ébranchés plantés en rectangle sur un emplacement où l'on avait dû entasser du petit bois de coupe.
                                          J. GIONO, le Hussard sur le toit, p. 277.

DÉR. Ébranchage, ébrancheur, ébranchoir.

ÉBRANCHEUR [ebrɑ̃ʃœʀ] n. m. — 1669 ; de *ébrancher*.

♦ Techn. Personne qui ébranche (des arbres). ⇒ **Élagueur.** — REM. Le fém. *ébrancheuse* est virtuel.

ÉBRANCHOIR [ebrɑ̃ʃwaʀ] n. m. — 1823, Boiste ; de *ébrancher*.

♦ Agric. Serpette à long manche, servant à ébrancher les arbres.

ÉBRANLABLE [ebrɑ̃labl] adj. — 1555 ; de *ébranler*.

♦ Rare. Qui peut être ébranlé. *Une fermeté ébranlable.*

CONTR. (Plus cour.) **Inébranlable.**

ÉBRANLEMENT [ebrɑ̃lmɑ̃] n. m. — 1503 ; de *ébranler*.
Action d'ébranler, de s'ébranler ; son résultat.

♦ **1.** Oscillation ou vibration produite par un choc ou une secousse. ⇒ **Choc, commotion, secousse.** *L'ébranlement des vitres sous l'effet d'une explosion. Ébranlement du sol par un mouvement sismique.* ⇒ **Tremblement.**

1   Les sons excitent des ébranlements sensibles au tact (...)   ROUSSEAU, Émile, II.
1.1 J'entendais déjà l'ébranlement que cause à ma maison tous les soirs, à minuit, un locataire auquel la concierge ne tient pas à ouvrir et qui secoue, comme Samson, mais en criant, le double portail.   GIRAUDOUX, Siegfried et le Limousin, p. 51.

♦ **2.** Abstrait. État de ce qui est chancelant ; menace de ruine*. *L'ébranlement de sa fortune. L'ébranlement d'un empire.* ⇒ **Crise.** *L'ébranlement d'un régime sous les attaques de l'opposition.* — *L'ébranlement de la santé de qqn.*

2   La garde impériale sentit dans l'ombre l'armée lâchant pied autour d'elle, et le vaste ébranlement de la déroute, elle entendit le sauve-qui-peut !
                                          HUGO, les Misérables, II, I, XII.

♦ **3.** Choc nerveux qui a des répercussions sur l'équilibre de qqn. ⇒ **Agitation, bouleversement, choc** (cit. 14), **émoi, émotion, secousse, trouble.** *Ébranlement nerveux. La mort de son père fut pour elle un terrible ébranlement. Ébranlement du cœur, de l'intelligence.*

3   Un ébranlement dans les intelligences prépare un bouleversement dans les faits (...)   HUGO, William Shakespeare, II, I.
4   (...) ce sens *(l'odorat)* qui, plus directement en rapport que les autres avec le système cérébral, doit causer par des altérations d'invisibles ébranlements aux organes de la pensée.   BALZAC, Études philosophiques, Pl., t. X, p. 371.

CONTR. (Du sens 1) **Arrêt, fixation, maintien ; immobilité.** — (Du sens 2) **Fermeté, solidité ; affermissement, raffermissement. Calme, constance, froideur,** etc.

ÉBRANLER [ebrɑ̃le] v. tr. — 1428 ; de *é-*, et *branler* « secouer ».

♦ **1.** Rare. (Sujet n. de personne ou de chose). Imprimer un mouvement d'oscillation à (qqch.), mettre en branle*. ⇒ **Balancer, branler, brimbaler.** *Ébranler une cloche. Ébranler le balancier d'une horloge.*

Cour. (Sujet n. de chose). Faire trembler, osciller, vibrer par des chocs, des secousses. ⇒ **Agiter, secouer.** → Battement, cit. 1. *Son qui ébranle l'air. Détonation qui ébranle les vitres. Le passage d'un lourd camion ébranla la rue, le sol. Un gros rire l'ébranla tout entier* (→ Bouche, cit. 7).

1   J'aimais la tour, verte de lierre,
     Qu'ébranle la cloche du soir (...)   HUGO, Odes et Ballades, II, III, 1.
2   Les rues étaient désertes. Quelquefois une charrette lourde passait, en ébranlant les pavés.   FLAUBERT, l'Éducation sentimentale, I, IV.
3   Un tambourinement lointain ébranlait le sol.
                                          MARTIN DU GARD, les Thibault, t. IX, p. 133.
4   Son mari mangeait machinalement. Quelquefois il était secoué par un hoquet sombre qui l'ébranlait comme une montagne de neige.
                                          COCTEAU, le Grand Écart, p. 33.

♦ **2.** Communiquer un mouvement à (qqch.) ; faire bouger. ⇒ **Mou-**

voir, remuer. *Il n'aura pas la force d'ébranler ce meuble, cette caisse* (⇒ **Soulever**).

5   Sur l'ais qui le soutient auprès d'un Avicenne,
     Deux des plus forts mortels l'ébranleraient à peine.   BOILEAU, le Lutrin, V.

♦ **3.** Compromettre l'équilibre, la solidité de (une construction), à la suite d'un ébranlement. ⇒ **Chanceler, craquer, crouler** (faire), **démolir, ruiner.** *La tempête a ébranlé cet arbre. Une bombe a ébranlé cet immeuble, mais il ne s'est pas écroulé. Ébranler les fondements, les colonnes du temple.*

6   Et *(Samson)* ayant fortement ébranlé les colonnes, la maison tomba sur tous les princes et sur tout le reste du peuple qui était là (...)
                                          BIBLE (SACY), Juges, XVI, 30.
7   Son épouvante était, en nourrissant de tels élèves, de préparer à la vérité des ennemis redoutables. Il savait que c'est dans le temple que furent forgés les marteaux qui ébranlèrent le temple.   FRANCE, l'Orme du mail, Œ., t. XI, II, p. 16.

Par anal. *Une contre-attaque ébranla l'avant-garde ennemie.*

Abstrait. Mettre en danger de crise ou de ruine en portant un coup efficace. ⇒ **Attaquer, atteindre, saper.** *Ébranler le trône, le régime, l'État. Ébranler le pouvoir de quelqu'un. Les scandales ébranlèrent la confiance publique, le crédit public. Cela ébranle son autorité* (→ Mettre en question*). *Cette querelle n'ébranla pas leur amitié.*

8   L'art de fronder, bouleverser les États, est d'ébranler les coutumes établies, en sondant jusque dans leur source, pour marquer leur défaut d'autorité et de justice.
                                          PASCAL, Pensées, V, 294.
9   (...) les séditions, l'ignorance et l'indiscipline, tous les genres de corruption qui dégradent un peuple, ébranlaient depuis un siècle l'empire ottoman (...)
                                          G.-T. RAYNAL, Hist. philosophique, V, 23, *in* LITTRÉ.
10   Ce ne sont pas les philosophes, eux qui ne font que des systèmes, qui ébranlent les empires (...)   DANTON, *in* JAURÈS, Hist. socialiste..., IV, p. 15.
11   Depuis qu'il était à Paris, il avait pu constater par quels services immenses le général Bonaparte avait mérité une popularité que rien n'ébranlerait dans les masses (...)   Louis MADELIN, Hist. du Consulat et de l'Empire, Avènement de l'Empire, V, p. 49.

Ébranler la santé, les nerfs de quelqu'un. Cette nouvelle, ce malheur a ébranlé son cerveau, sa raison. L'accident qui a ébranlé sa santé. ⇒ **Compromettre.**

♦ **4.** Rendre peu ferme, incertain (les opinions, les pensées, les résolutions, le moral de qqn). ⇒ **Affaiblir.** *Cela a ébranlé ses résolutions.* ⇒ **Décourager.** *Les revers n'ébranleront pas son courage, sa volonté. Aucun raisonnement ne put ébranler sa croyance, sa foi, ses convictions.* ⇒ **Abattre, détruire, entamer, saper.** *Attaque* (cit. 5) *qui ébranle une conviction.*

12   Rodrigue suit ici son devoir sans rien relâcher de sa passion ; Chimène fait la même chose à son tour, sans laisser ébranler son dessein par la douleur où elle se voit abîmée par là (...)   CORNEILLE, Examen du Cid.
13   Rien n'est capable d'ébranler la résolution que j'ai prise.
                                          MOLIÈRE, le Médecin malgré lui, III, 6.
14   Ses menaces n'ont pu ébranler ma fidélité (...)
                                          A. R. LESAGE, le Diable boiteux, V.
15   Plus aucune de mes convictions n'est solide suffisamment pour que la moindre objection aussitôt ne l'ébranle (...)   GIDE, Pages de journal, 26 juin 1940, p. 48.

♦ **5.** Littér. (Le compl. désigne le cœur, l'âme, les facultés). ⇒ **Émouvoir, remuer, toucher** (→ Convaincre, cit. 1). *Ébranler l'imagination de qqn.* ⇒ **Exciter.**

16   Peuple ingrat ? Quoi ? toujours les plus grandes merveilles
     Sans ébranler ton cœur frapperont tes oreilles ?   RACINE, Athalie, I, 1.
17   Sur la scène même, il ne faut pas tout dire à la vue, mais ébranler l'imagination.   ROUSSEAU, Lettre à d'Alembert.
18   Toujours lui ! Lui partout ! — Ou brûlante ou glacée,
     Son image sans cesse ébranle ma pensée (...)   HUGO, les Orientales, XL, I.

♦ **6.** (Compl. n. de personne). Troubler, faire chanceler (qqn) dans ses convictions (⇒ **Hésiter** : faire hésiter) ; ses sentiments (⇒ **Agiter, bouleverser, émouvoir, remuer, secouer, troubler**). *Aucun argument ne l'ébranle.* ⇒ **Convaincre.** *Cette rencontre l'ébranla profondément. Rien ne l'ébranle, il est imperturbable, obstiné, convaincu, têtu.*

19   *(Dieu)* si tu le soutiens, qui peut l'ébranler ?   RACINE, Athalie, III, 7.
20   Ce contact, à peine sensible pourtant, ébranla Mâtho jusqu'au fond de lui-même. Un soulèvement de tout son être le précipitait vers elle.
                                          FLAUBERT, Salammbô, XI, p. 220.
21   Mais Fortuné, il est sans excuse et impardonnable. Je te charge, mon cher ami, de l'ébranler à force d'arguments.
                                          SAINTE-BEUVE, Correspondance, 14 sept. 1822, t. I, p. 39.

▶ **S'ÉBRANLER** v. pron.

♦ **1.** Recevoir un mouvement d'oscillation, être mis en branle. ⇒ **Branler** (vx), **osciller.**

22   (...) les ustensiles de cuivre pendus aux murailles noires s'ébranlent et donnent des vibrations métalliques (...)   LOTI, Aziyadé, IV, XVIII, p. 199.
23   Les cloches de Saint-Jacques s'ébranlaient pour les vêpres ; leurs vibrations semblaient ne faire qu'un avec la lumière du soleil.
                                          MARTIN DU GARD, les Thibault, t. I, p. 190.

♦ **2.** Cour. Se mettre en mouvement. ⇒ **Avancer, partir ; marche** (se mettre en marche). *Voiture qui s'ébranle.* ⇒ **Démarrer.** *Carriole* (cit. 1) *qui s'ébranle. Cortège, procession qui s'ébranle.* ⇒ **Animer** (s').

24   Tout s'émeut, tout s'ébranle, tout brûle de combattre.
                                          DANTON, Disc. du 2 sept. 1792.

45 Mon âme a comme une fissure par où s'échappe, goutte à goutte, l'enthousiasme.
F. MAURIAC, l'Enfant chargé de chaînes, p. 98.

▶ **ÉCHAPPÉ, ÉE** p. p. adj. *Courir comme un cheval échappé.* — *Parole échappée.* — N. *Un, une échappé(e).* ⇒ **Échappé.**

46 Un mot échappé tue un homme du premier ordre.
VALÉRY, Cahiers, t. II, Pl., p. 1454.

CONTR. Entrer, rentrer, rester. — Revenir. — Retenu (être).
DÉR. Échappade, échappatoire; échappé, échappée, échappement.
COMP. Réchapper.
HOM. Échappé, échappée.

ÉCHARDE [eʃaʀd] n. f. — Déb. XIIIᵉ; *escherde*, v. 1165; du francique **skarda* «éclat de bois», p.-ê. selon P. Guiraud avec un croisement avec un gallo-roman **excarpitare* qui aurait donné l'anc. franç. *escart* «brèche», d'où *escarder* «ébrécher».

♦ Petit fragment pointu d'un corps étranger (éclat de bois, épine, piquant végétal...) qui a pénétré sous la peau par accident. *Avoir une écharde dans le doigt, le pied. Retirer, extraire une écharde. Écharde qui provoque un panaris.*

Par comparaison :

1 Elle était dans sa pensée comme une écharde dans le doigt, d'autant plus douloureuse qu'on la voit à peine.
Edmond JALOUX, le Dernier Jour de la création, VIII, p. 98.

2 (...) il m'a fait mal, je le porte comme une esquille de bois sous mes ongles, comme une escarbille brûlante sous mes paupières, comme une écharde dans mon cœur.
SARTRE, le Sursis, p. 83.

Par anal. Pointe. *Des échardes de fil de fer barbelé.*

Par métaphore :

3 Bertrand Gay-Lussac, écharde dans ma chair (j'en ai physiquement encore souffert hier), pointe sensible sur le disque de la vie. Dès ma quatorzième année j'ai ainsi été à jamais mis en contact avec ce que les enfants ignorent et ce dont les adultes se détournent : la douleur et la mort.
Claude MAURIAC, le Temps immobile, p. 201.

ÉCHARDONNAGE [eʃaʀdɔnaʒ] n. m. — 1838; de *échardonner.*

♦ **1.** Agric. Action d'échardonner (un terrain).

♦ **2.** Techn. Opération par laquelle on débarrasse la fibre des impuretés. ⇒ **Déchardonnage.** *L'échardonnage est une des opérations de cardage. Tambour d'échardonnage,* dit «rouletabosse».

ÉCHARDONNER [eʃaʀdɔne] v. tr. — V. 1223; de *é-, chardon,* et suff. verbal.

♦ **1.** Agric. Débarrasser (un terrain) des chardons qui y poussent. *Échardonner un champ de blé. On échardonne au mois de mai avec un sarcloir* (⇒ **Sarcler**) *ou un échardonnoir.*

♦ **2.** Techn. a Anciennt. Faire passer (un drap) sous des cylindres garnis de chardons afin de faire apparaître le duvet → 2. Carde. On a dit dans ce sens *chardonner* (1564).

b (1870). Mod. Débarrasser (la laine, une fibre) des impuretés : chardons, pailles, etc. *Opération par laquelle on échardonne la laine.* ⇒ **Échardonnage; déchardonnage.** — Au p. p. :

C'est (...) sans solution de continuité que la nappe de laine échardonnée se présente au cardage (*proprement dit*). Raymond THIÉBAUT, la Filature, p. 66.

DÉR. Échardonnage, échardonneur, échardonnoir.

ÉCHARDONNEUR, EUSE [eʃaʀdɔnœʀ, øz] n. — 1890, n. f.; de *échardonner.*

Technique.

★ **I.** Ouvrier, ouvrière qui pratiquait l'échardonnage à la main.

★ **II.** ♦ **1.** Par appos. ou adj. m. *Cylindre échardonneur :* cylindre qui débarrasse le tambour d'échardonnage dit «rouletabosse» des impuretés retirées de la laine.

♦ **2.** (1890, in *Année sc. et industr.* 1891, p. 555). ÉCHARDONNEUSE, n. f. Machine qui effectue l'échardonnage (de la laine, du drap). ⇒ **Échardonnage.**

ÉCHARDONNOIR [eʃaʀdɔnwaʀ] n. m. — 1846, Bescherelle; de *échardonner.*

♦ Techn. (agric.). Petite serpe fixée à un long manche pour sectionner les racines des chardons. — REM. On a dit aussi *échardonnet,* n. m. (1808, Boiste) et *échardonnette,* n. f. (1846).

ÉCHARNAGE [eʃaʀnaʒ] ou ÉCHARNEMENT [eʃaʀnəmɑ̃] n. m. — 1790; de *écharner.*

♦ Techn. Action d'écharner les peaux. ⇒ **Drayage.**

ÉCHARNER [eʃaʀne] v. tr. — 1680; déb. XIIIᵉ, au p. p. «décharné»; de *é-,* anc. franç. *charn* «chair», et suff. verbal.

♦ Techn. (corroyage*). Débarrasser (une peau) de la chair qui y adhère. ⇒ **Drayer.**

▶ **S'ÉCHARNER** v. pron. (Passif). Être écharné.

▶ **ÉCHARNÉ, ÉE** p. p. adj.
Mathieu en a fini avec l'ours — le lard dans le baril de saumure, les jambons suspendus dans la cheminée — la peau écharnée et clouée sur un mur, la viande découpée en lanières qui sèchent dans le vent.
Jean-Yves SOUCY, Un dieu chasseur, p. 16.

DÉR. Écharnage, écharneur, écharnoir, écharnure.

ÉCHARNEUR, EUSE [eʃaʀnœʀ, øz] n. — Attesté 1900, au sens II; de *écharner.*

Technique.

★ **I.** Personne qui écharne les peaux.

★ **II.** ÉCHARNEUSE, n. f. Appareil pour écharner les peaux.

ÉCHARNOIR [eʃaʀnwaʀ] n. m. — 1723; de *écharner.*

♦ Techn. (corroyage). Couteau à écharner. ⇒ **Drayoire.**

ÉCHARNURE [eʃaʀnyʀ] n. f. — 1493; de *écharner.*

♦ Techn. (corroyage). Débris de chair enlevé par l'écharnoir. ⇒ **Drayure.** — Façon qu'on donne en écharnant.

ÉCHARPAGE [eʃaʀpaʒ] n. m. — D.i. (attesté 1870, P. Larousse); de 1. *écharper.*

♦ Techn. et cour. Action d'écharper. *L'écharpage de la laine, du lin.* — *L'écharpage de l'assassin par la foule.* ⇒ **Lynchage.** *L'écharpage d'un livre par la critique.* ⇒ **Éreintement.**

ÉCHARPE [eʃaʀp] n. f. — V. 1135, *escarpe; escherpe,* 1283; orig. incert., traditionnellement rattaché au francique **skirpa* «panier de jonc»; (cf. le lat. médiéval *scrippa* «sacoche de pèlerin») ou (P. Guiraud), de **excapere,* comme 1. *écharper,* 1. («bande obtenue en déchirant les fibres»).

♦ **1.** (1306). Large bande d'étoffe servant d'insigne, passée obliquement autour du corps, de l'épaule droite à la hanche gauche, ou nouée autour de la taille. a Ancient, hist. *Écharpe du chevalier,* aux couleurs de sa dame. — Insigne de guerre, de parti. *Écharpe blanche et or du ministre de la Guerre, des maréchaux.*

1 (...) on ne tient guère plus d'un moment contre une écharpe d'or et une plume blanche (...) LA BRUYÈRE, les Caractères, III, 29.

Loc. (vx). *Changer d'écharpe :* changer de parti.

b Insigne (des députés, de certains officiers civils). *Écharpe tricolore de maire, de commissaire de police. L'écharpe est considérée comme l'emblème de la loi. Maires revêtus de leur écharpe.*

♦ **2.** (1549). Méd. Bandage*qui sert à soutenir l'avant-bras. *Grande écharpe,* nouée derrière le cou. *Petite écharpe,* attachée sur la poitrine. — Cour. EN ÉCHARPE. *Porter un bras en écharpe. Avoir un bras en écharpe.*

2 L'un avait le bras en écharpe; l'autre la mâchoire à demi emportée, avec la tête bandée (...) RACINE, Lettres, 102, 24 juin 1692.

3 (...) le bras bandé par le chirurgien et soutenu d'une écharpe.
Th. GAUTIER, le Capitaine Fracasse, t. II, X, p. 1.

Par métaphore (et allus. littér.) :

4 Elle trouvait au fond de mon regard quelque blessure, car elle me disait : *You carry your heart in a sling* (vous portez votre cœur en écharpe). Je portais mon cœur je ne sais comment.
CHATEAUBRIAND, Mémoires d'outre-tombe, t. II, p. 108.

♦ **3.** (1666). Cour. Longue bande de tissu, de tricot, qu'on porte généralement autour du cou, parfois sur les épaules, pour se protéger du froid ou comme ornement (⇒ **Cache-col, cache-nez**); par ext., pièce de tissu de forme quelconque (carré, triangulaire...) portée de la même manière (⇒ **Carré, foulard, pointe**). *Mettre une écharpe. Enrouler une écharpe autour de son cou, jeter une écharpe sur ses épaules. Nouer une écharpe. Être emmitouflé dans une écharpe. Écharpe de laine, de soie. Écharpe unie, écossaise, rayée. Écharpe à pans ouvragés, effilés. Écharpe de femme portée en garniture : écharpe de tulle, de mousseline...* (→ Balancer, cit. 6).

5 (...) Une jeune beauté
Dont le vent fait voler l'écharpe obéissante. André CHÉNIER, Bucoliques, XXIV.

6 Des nuages roses, en forme d'écharpe, s'allongeaient au delà des toits (...)
FLAUBERT, l'Éducation sentimentale, I, v.

7 (*Elle*) enroula autour de son cou une écharpe rayée de beige et de brun, maintenue par une barrette brillante épinglée en biais (...)
J. CHARDONNE, les Destinées sentimentales, p. 473.

Par métaphore (→ Cortège, cit. 1) :

8   Ceux du sol nous distinguent à cause de l'écharpe de nacre blanche qu'un avion, s'il vole à haute altitude, traîne comme un voile de mariée.
         SAINT-EXUPÉRY, Pilote de guerre, X, p. 73.

Par anal. Bande allongée, d'apparence souple, flottante. *Une écharpe de fumée, de neige.*

Poét. *L'écharpe d'Iris, l'écharpe aux sept couleurs.* ⇒ **Arc-en-ciel.**

9   L'écharpe aux sept couleurs que l'orage en la nue
Laisse, comme un trophée, au soleil triomphant (...)
         HUGO, Odes et Ballades, V, XIII.

♦ **4. EN ÉCHARPE,** loc. adv. (Du sens 2). — (1283). En bandoulière*. *Porter le grand cordon en écharpe.*

Par ext. Obliquement, de biais. *Coup d'épée en écharpe.* — Artill. *Canon qui tire en écharpe.* — Mar. *Cordage en écharpe,* qui croise un autre objet.

Ch. de fer. *Collision en écharpe,* au point de rencontre de deux voies convergentes. — Cour. *Prendre en écharpe. Véhicule pris en écharpe par un autre,* accroché latéralement, par accident.

10   En quittant le Palais de Justice, la voiture cellulaire qui me ramenait en prison a été prise en écharpe par un camion.   M. AYMÉ, la Tête des autres, I, 8.

Figuré :

11   Le soleil couchant prenait en écharpe la partie de la ruelle (...)
         Paul BOURGET, Un divorce, III, p. 118.

♦ **5.** (1755). Techn. Pièce de menuiserie disposée en diagonale. — (1567). Cordage utilisé par les maçons pour faire avancer ou monter les matériaux de construction. Mar. ⇒ **Herpe.**

DÉR. 2. Écharper.

1. ÉCHARPER [eʃaʀpe] v. tr. — 1669 ; var. de *escharpir,* XVIe, de l'anc. franç. *charpir* «déchirer», du lat. pop. **excarpere* «déchirer» (→ Charpie).

♦ **1.** (1765). Techn. Diviser les brins de (un textile). *Écharper la laine, le lin.* ⇒ **Écharpiller.**

♦ **2.** (1669). Blesser* grièvement avec un instrument tranchant. ⇒ **Balafrer, mutiler.** *Écharper son adversaire. Il lui a écharpé le visage.* ⇒ **Entailler.**

1   Hommes que la guerre a lésés, écharpés, sur qui elle a essayé les fantaisies de sa cruauté arbitraire (...)   COLETTE, l'Étoile Vesper, p. 75.

Par ext. Couper, tailler maladroitement. *Le chirurgien l'a écharpé. Il a écharpé ce poulet avant de le servir à table.*

♦ **3.** (Av. 1755). Cour. Mettre (qqn) en pièces ; massacrer. ⇒ **Charpie** (mettre en charpie), **déchiqueter, écharpiller.** *Se faire écharper par la foule.* → Compter, cit. 34. *La foule voulait écharper l'assassin.* ⇒ **Lyncher.** *Personne écharpée dans une bataille.* — Au p. p. :

2   (...) je voyais, par exemple, mon pauvre Tissaudier orgiastiquement écharpé par les hétaïres.   GIDE, Si le grain ne meurt, I, VII, p. 192.

3   Je savais aussi qu'il s'était fait écharper par une automobile : c'est pourquoi il s'appuyait sur une canne, et boitait.   S. DE BEAUVOIR, la Force de l'âge, p. 400.

Fig. Blesser. *Se faire écharper par la critique.* ⇒ **Éreinter.** *Son livre a été écharpé.*

▶ **S'ÉCHARPER** v. pron. (Récipr.) *Séparez-les ; ils vont s'écharper.* ⇒ **Entre-tuer** (s').

DÉR. Écharpage, écharpiller.
HOM. 2. Écharper.

2. ÉCHARPER [eʃaʀpe] v. tr. — XVe ; de *écharpe.*

♦ **1.** (XVe). Rare. Ceindre (qqn) d'une écharpe.

Pron. *S'écharper,* ceindre une écharpe.

♦ **2.** (1676). Techn. Entourer (qqch.) d'une écharpe (5.). *Écharper des matériaux.*

HOM. 1. Écharper.

ÉCHARPILLAGE [eʃaʀpijaʒ] ou **ÉCHARPILLEMENT** [eʃaʀpijmã] — 1877, Goncourt, *écharpillage ; écharpillement,* XXe ; de *écharpiller.*

♦ Rare. Action d'éparpiller ; son résultat.

ÉCHARPILLER [eʃaʀpije] v. tr. — Av. 1468 ; *escarpiller* «tailler en pièces (des personnes)» ; de 1. *écharper,* et *-iller.*

♦ **1.** Techn. Diviser les brins de (un textile).

♦ **2.** Fam. et vieilli. Tailler en pièces, écharper (1. Écharper, 3.).

Pron. (Récipr.). «*Oh ! murmura-t-elle, j'ai vu un crêpage de chi-*

gnons, hier. Elles s'écharpillaient (...)» (Zola, l'Assommoir, p. 546, *in* T. L. F.).
DÉR. Écharpillage.

ÉCHARS, ÉCHARSE [eʃaʀ, eʃaʀs] adj. et n. m. — V. 1130 ; du lat. pop. **excarpus,* lat. class. *excerptus* «extrait, resserré».
Vieux.

★ **I.** (D'une monnaie). Qui est au-dessous du titre légal. *Monnaie écharse.*

★ **II.** ÉCHARS, n. m. (1870). Ce qui manque à une monnaie pour avoir le titre légal.
DÉR. Écharser.

ÉCHARSER [eʃaʀse] v. tr. — XIVe ; de *échars.*

♦ Techn. et vx. Fabriquer (une monnaie) au-dessous du titre légal.

ÉCHASSE [eʃas] n. f. — V. 1185, *eschace* «béquille, jambe de bois» ; du francique **skakkja.*

♦ **1.** (XIIIe). Chacun des deux longs bâtons munis d'un étrier sur lequel on pose le pied (⇒ **Fourchon**), utilisés pour marcher dans des terrains difficiles (landes, marécages...) ou, par jeu, pour se grandir. *Être monté, perché sur des échasses. Marcher avec des échasses. Échasses de berger. Les échasses des bergers landais. Petites échasses pour enfants* (jouet). *Personnages déguisés montés sur des échasses, dans un carnaval.*

1   C'était un berger monté sur ses échasses, marchant à pas de faucheux à travers les marécages et les sables.   Th. GAUTIER, le Capitaine Fracasse, t. I, IV, p. 107.

Par comparaison :

1.1   Je venais de comprendre pourquoi le duc de Guermantes (... avait) vacillé sur des jambes flageolantes (...) et ne s'était avancé qu'en tremblant comme une feuille, sur le sommet peu praticable de quatre-vingt-trois années, comme si les hommes étaient juchés sur de vivantes échasses, grandissant sans cesse, parfois plus hautes que des clochers, finissant par leur rendre la marche difficile et périlleuse, et d'où tout d'un coup ils tombaient.   PROUST, le Temps retrouvé, Pl., t. III, p. 1 047-1 048.

(Au Canada). ⇒ **Béquille** (4.).

♦ **2.** (1718). Loc. *Être monté sur des échasses :* avoir de longues jambes* (maigres). — Fig. et vieilli. Être emphatique (en parlant d'un vers, d'une sentence). — Par comparaison :

2   *(Ces vers)* Montés sur deux grands mots, comme sur deux échasses (...)
         BOILEAU, Satires, IV.

En appos. *Talons* (cit. 5) *échasses,* très hauts.

(1665). Vx ou littér. *Monter, être monté, juché, perché... sur des échasses :* faire l'important, être guindé, se vouloir plus grand qu'on n'est.

3   Nous cherchons d'autres conditions, pour n'entendre l'usage des nôtres (...) Si, avons-nous beau monter sur des échasses, car sur des échasses encore faut-il marcher de nos jambes.   MONTAIGNE, Essais, III, XIII.

4   Nul ne s'est moins juché sur les échasses du devoir et de la morale.
         André SUARÈS, Trois hommes, «Dostoïevski», V, p. 262.

5   Monté sur les échasses de l'expérience, il se croit certain de dominer les problèmes.   A. MAUROIS, Un art de vivre, p. 208.

6   L'homme ne deviendra point vraiment grand aussi longtemps qu'il se juchera sur des échasses.   GIDE, Journal, 20 mai 1935.

Par anal. Patte longue et fine (d'un oiseau). ⇒ **Échassier ;** et → ci-dessous 2.

♦ **3.** (1768). Zool. Oiseau des marais (*Charadriidés*), à hautes pattes fines, au plumage blanc et noir, appelé scientifiquement *himantopus,* et qui vit au bord des eaux salées ou douces. ⇒ 1. **Échassier.**

DÉR. 1. et 2. Échassier.

1. ÉCHASSIER [eʃasje] n. m. — V. 1150 ; *eschacier* «celui qui a une jambe de bois», de *échasse,* et *-ier.*

♦ **1.** Au plur. Zool. Ancien ordre d'oiseaux carnivores des marais auxquels leurs longues pattes, rappelant des échasses, permettent de marcher sur les fonds vaseux. *Les échassiers sont des oiseaux à demi aquatiques répandus sur tout le globe ; leur taille est variable ; ils se nourrissent de poissons, de mollusques, d'insectes. Les échassiers correspondent aux ordres suivants :* ciconiiformes, charadriiformes, gruiformes, phœnicoptériformes. *Principaux échassiers :* agami, alouette (de mer), avocette, balæniceps, barge, bécasse, bécasseau, bécassine, bihoreau, butor, chevalier, cigogne, combattant, courlis, échasse, falcinelle, flamant, foulque, glaréole, grue, héron, ibis, jabiru, kamichi, limicola, marabout, œdicnème, ombrette, outarde, phalarope, pluvian, pluvier, poule (d'eau), râle, rynchée, sanderling, tantale, vanneau.

Au sing., et cour. Oiseau à longues pattes fines. *Le héron est un échassier.*

♦ **2.** Loc. Fig. *Avoir des jambes d'échassier,* de très longues jambes. *Être perché sur une jambe comme un échassier.*

1 (...) Itchoua, sur ses longues jambes d'échassier, chemine la main appuyée à l'épaule de Ramuntcho. LOTI, Ramuntcho, II, IX, p. 275.
2 La religieuse voulut lui avancer un fauteuil, mais Mademoiselle recula d'un pas ; elle serait restée comme un échassier, debout sur une patte, pendant dix heures consécutives, plutôt que de poser sa jupe sur ce siège colonisé par les microbes ! MARTIN DU GARD, les Thibault, t. III, p. 263.

♦ **3.** Fig. Rare. Homme grand et maigre, à longues jambes. — REM. Le fém. n'est pas attesté. → 2. Échassier, 2.

2. ÉCHASSIER, IÈRE [eʃasje, jɛʀ] adj. et n. f. — 1870 ; de échasse.

♦ **1.** Qui paraît monté sur des échasses.
1 (...) un curieux oiseau gris à fine aigrette blanche, bec très long (...), pattes jaunes presque échassières (...) GIDE, Retour du Tchad, I, in Souvenirs, Pl., p. 877.
2 (...) leurs ombres noires tantôt glissant à côté d'eux sur la route comme leurs doubles fidèles, tantôt raccourcies, tassées ou plutôt télescopées, naines et difformes, tantôt étirées, échassières et distendues (...) Claude SIMON, la Route des Flandres, p. 21.

♦ **2.** N. f. Argot. « Les "échassières" (prostituées) perchées au mois sur les tabourets des bars américains » (J. Derogy, in l'Express, 28 août 1972, p. 24).

ÉCHAUBOULÉ, ÉE [eʃobule] adj. — 1549 ; de échauboulure.

♦ Pathol. Qui a des échauboulures ; qui est atteint d'échauboulure. Cheval échauboulé.

ÉCHAUBOULURE [eʃobulyʀ] n. f. — 1606, eschauboulure ; altér. de eschaubouilleure, 1548 ; de é-, et chaubouillure, dér. de chaud et bouillir.
Pathologie.

♦ **1.** Vx. (Chez l'homme). Petite cloque qui vient sur la peau pendant les grandes chaleurs. ⇒ **Dermatose.**

♦ **2.** Mod. Vétér. Urticaire de certains animaux (cheval, bœuf, porc, chien) caractérisé par de petites tumeurs aplaties presque confluentes.

DÉR. Échauboulé.

1. ÉCHAUDAGE [eʃodaʒ] n. m. — 1864 ; de 1. échauder.

♦ **1.** Action de passer à l'eau chaude. L'échaudage d'une théière. — Cuis. L'échaudage d'une volaille (avant de la plumer).

♦ **2.** Agric. Accident qui frappe les céréales, les vignes échaudées.

2. ÉCHAUDAGE [eʃodaʒ] n. m. — 1846, Bescherelle ; de 2. échauder.
Technique.

♦ **1.** Action de passer au lait de chaux (⇒ 2. **Échauder**) ; résultat de cette action. L'échaudage d'un mur. ⇒ **Chaulage.**

♦ **2.** Lait de chaux servant à échauder.

ÉCHAUDÉ, ÉE [eʃode] adj. et n. m. ⇒ **Échauder.**

ÉCHAUDEMENT [eʃodmã] n. m. — 1564 ; de 1. échauder, et -ment.

♦ Agric. ⇒ **Échaudage.**

1. ÉCHAUDER [eʃode] v. tr. — Fin XIIᵉ ; du bas lat. excaldare « baigner dans l'eau chaude », « échauder », de ex- intensif et caldus, calidus. ⇒ Chaud.

♦ **1.** Passer, laver à l'eau chaude. Échauder la théière avant d'y mettre le thé. ⇒ **Ébouillanter.** Échauder le plancher pour le nettoyer.
1 En Flandre l'on ne se lave la figure qu'une fois la semaine, mais en revanche les planchers sont échaudés et grattés à vif deux fois par jour. Th. GAUTIER, la Toison d'or, III.
1.1 (...) il croit devoir échauder, avant de s'en servir, la théière de porcelaine... ne lui a-t-on pas enseigné en effet que l'eau bouillante risque de faire éclater les verres ? GIDE, Voyage au Congo, in Souvenirs, Pl., p. 765.
Cuis. Tremper dans l'eau bouillante pendant quelques instants (des légumes, des fruits pour les peler, la peau d'un animal). ⇒ **Ébouillanter.** Échauder la pâte d'un gâteau. Échauder des tomates. Échauder un cochon de lait, une volaille avant d'en enlever le poil, la plume.

♦ **2.** Vx ou régional. ⓐ Brûler (qqn, une partie du corps, la peau...) avec un liquide chaud. Le maladroit m'a échaudé, m'a échaudé le bras.

ⓑ Fig. et cour. Se faire échauder, être échaudé : être victime d'une mésaventure, éprouver un dommage, une déception.

2 (...) il (Stendhal) avait été trop souvent échaudé par le fait de ses imaginations pour ne pas vouloir être sûr, cette fois, qu'il ne s'agissait pas d'un caprice, et qu'il n'avait pas affaire à une écervelée. Émile HENRIOT, Portraits de femmes, p. 311.

♦ **3.** (1723). Agric. (En parlant du soleil, de la chaleur). Dessécher, griller (les céréales, la vigne). Les grandes chaleurs échaudent la vigne.

▶ S'ÉCHAUDER v. pron. S'ébouillanter, s'échauder avec de l'huile bouillante. — Figuré :
3 Il s'avance dans la vie comme un hurluberlu et risque de ne prendre quelque expérience qu'en s'échaudant cruellement. GIDE, Journal, 6 août 1926.

▶ ÉCHAUDÉ, ÉE p. p. adj. et n. Spécialt.

♦ **1.** Blé échaudé, desséché, grillé par la chaleur, par un soleil trop ardent. Vigne échaudée.

♦ **2.** Avoir les mains échaudées, brûlées par l'eau chaude. — Loc. (vieilli). Crier comme un échaudé. — Prov. Chat échaudé craint l'eau froide. ⇒ **Chat.**
Fig. Des personnes échaudées par une déception (→ ci-dessus 2., b, et s'échauder, fig., cit. 3).

♦ **3.** N. m. (1260). Un échaudé : gâteau léger de pâte échaudée, puis passée au four (→ Collation, cit. 4).

DÉR. 1. Échaudage, échaudement, échaudoir, échaudure.
HOM. 2. Échauder.

2. ÉCHAUDER [eʃode] v. tr. — 1783 ; de é-, du lat. ex-, et de chauder, dér. de chaux.

♦ **1.** Enduire de lait de chaux. ⇒ **Chauler.** Échauder un mur.

♦ **2.** Faire macérer dans du lait de chaux. Échauder une préparation de colle forte.

DÉR. 2. Échaudage.
HOM. 1. Échauder.

ÉCHAUDOIR [eʃodwaʀ] n. m. — 1380, « vase à chauffer » ; de 1. échauder, et suff. -oir.
Technique.

♦ **1.** Grande cuve où l'on échaude les bêtes de boucherie abattues.
1 L'animal qui vient de périr bascule dans l'échaudoir. G. DUHAMEL, Scènes de la vie future, p. 128.
Local réservé à cette opération. Les échaudoirs d'un abattoir.
2 Auguste alla d'abord chercher dans la cour deux brocs pleins de sang de cochon. C'était lui qui saignait à l'abattoir. Il prenait le sang et l'intérieur des bêtes, laissant aux garçons d'échaudoir le soin d'apporter, l'après-midi, les porcs tout préparés dans leur voiture. ZOLA, le Ventre de Paris, t. I, p. 123.

♦ **2.** (Teinture). Cuve dans laquelle on échaude et dégraisse la laine. — Local réservé à cette opération.

ÉCHAUDURE [eʃodyʀ] n. f. — XIIᵉ ; de 1. échauder.

♦ Brûlure occasionnée par un liquide très chaud (⇒ anglic. **Scald**).

ÉCHAUFFANT, ANTE [eʃofã, ãt] p. prés. et adj. — V. 1128 ; p. prés. de échauffer.

♦ Qui échauffe, augmente la chaleur. ⇒ **Calorifiant.**
— Spécialt et vx. Qui provoque de l'échauffement*, de la constipation. Les aliments épicés, le gibier sont échauffants.

CONTR. Laxatif, purgatif, rafraîchissant.

ÉCHAUFFEMENT [eʃofmã] n. m. — V. 1200 ; de échauffer.

★ I. ♦ **1.** Rare ou techn. Action d'échauffer, de s'échauffer ; le fait d'être échauffé, de s'échauffer. L'échauffement des terres sous l'action du soleil. ⇒ **Réchauffement.** L'échauffement de l'atmosphère.
Échauffement d'une pièce mécanique, dû au frottement, à un défaut de graissage. L'échauffement d'un essieu. L'échauffement des pneus d'une automobile. — L'échauffement du charbon dans une mine, dû à l'oxydation.

♦ **2.** (V. 1200). Fig. Littér. ou vieilli. ⇒ **Animation, ardeur, effervescence, énervement, exaltation, excitation, surexcitation.**
1 (...) tout bourgeois, dans l'échauffement de sa jeunesse, ne fût-ce qu'un jour, une minute, s'est cru capable d'immenses passions, de hautes entreprises. FLAUBERT, Mᵐᵉ Bovary, III, VI, p. 185.
2 (...) méfions-nous de cette espèce d'échauffement qu'on appelle l'inspiration et où il entre souvent plus d'émotion nerveuse que de force musculaire. FLAUBERT, Correspondance, t. II, p. 175.

♦ **3.** (1423). Action d'échauffer le corps par des mouvements appropriés ; son résultat. Séance d'échauffement. Des exercices d'échauffement.

★ II. ♦ **1.** Techn. Altération, fermentation due à la chaleur.

Échauffement du bois (mal ventilé), *des céréales* (⇒ **Échauffure**, 1.), *de la farine.*

♦ **2.** Méd. Vieilli. État inflammatoire, irritation; constipation légère.

CONTR. Refroidissement. — Apaisement, attièdissement, calme.

ÉCHAUFFER [eʃofe] v. tr. — Fin XIᵉ, *eschalfer;* du lat. pop. **excalefare,* du lat. class. *excalefacere,* de *ex-* (intensif), *calere* «être chaud», de *caldus, calidus* (→ Chaud), et *facere* «faire».

♦ **1.** Rendre chaud par degrés (spécialt ce qui devait rester froid). *Le soleil échauffe le sol. Le frottement échauffe les roues, l'axe, les paliers.*

♦ **2.** Vieilli. Donner chaud à (qqn). ⇒ **Chauffer, réchauffer.**

1   Le soleil des vivants n'échauffe plus les morts.
             LAMARTINE, Premières méditations, «L'isolement».

2   Il les échauffa et les frotta bien longtemps *(les mains)* dans les siennes (...)
             G. SAND, la Petite Fadette, XXIV, p. 162.

♦ **3.** Méd. et vx. Causer de l'échauffement*, de l'irritation, de la constipation à (qqn).

3   (...) toutes ces nourritures épicées finissent par vous échauffer le sang et ne valent pas, quoiqu'on en dise, un bon pot-au-feu.   FLAUBERT, Mᵐᵉ Bovary, II, VI, p. 81.

♦ **4.** Littér. ou style soutenu. Donner de l'animation, de la force à (l'esprit, les sentiments...). ⇒ **Animer, enflammer, exciter.** *Échauffer l'imagination* (→ Acharner, cit. 2), *les esprits, les têtes.* ⇒ **Exalter.** — Loc. *Échauffer le sang, la bile* (→ Blesser, cit. 4) *à qqn,* le mettre en colère. — REM. Ces emplois sont métaphoriques du sens médical ancien, 2. — *Échauffer les oreilles, la tête de qqn :* irriter, impatienter par ses discours.

4   *(Et l'avertissez bien)*
     Qu'elle ne vienne pas m'échauffer les oreilles!
             MOLIÈRE, les Femmes savantes, III, 6.

5   Il *(Jésus)* associait à son dogme du «royaume de Dieu» tout ce qui échauffait les cœurs et les imaginations.   RENAN, Vie de Jésus, XV, Œ. compl., t. IV, p. 233.

6   Mais qu'on ne m'échauffe pas la tête, aujourd'hui. J'en ai assez (...)
             J. GREEN, Adrienne Mesurat, III, IX, p. 284.

▶ **S'ÉCHAUFFER** v. pron.

♦ **1.** Devenir chaud graduellement.

Vx. Se réchauffer. *S'échauffer en courant.*

(1423). Mod. Faire quelques exercices (sautillements, etc.) avant l'épreuve, pour échauffer ses muscles.

6.1 (...) ils s'échauffent, prennent enfin place au départ. Eux et le starter jouent à se narguer.   Jean PRÉVOST, Plaisirs des sports, p. 105.

♦ **2.** Vx. Devenir plus animé (d'une situation, d'une querelle). *La discussion commençait à s'échauffer.*

7   (...) de paroles en paroles, les choses se sont échauffées, et il en a reçu quelques blessures (...)   MOLIÈRE, les Amants magnifiques, V, 3.

♦ **3.** Méd. anc. *Humeurs qui s'échauffent. La bile s'échauffe.*

Par métaphore :

8   — Ah! vous êtes dévot, et vous vous emportez?
     — Oui, ma bile s'échauffe à toutes ces fadaises (...)   MOLIÈRE, Tartuffe, II, 2.

♦ **4.** Fig. S'animer, se passionner (d'une personne, de l'esprit...). *S'échauffer en parlant :* mettre de plus en plus de cœur, de passion dans ce qu'on dit ⇒ **Animer** (s'). *Cerveau, imagination qui s'échauffe.* ⇒ **Bouillonner** (cit. 4), **emballer** (s') [fam.], **enthousiasmer** (s'), **exalter** (s').

9   C'est le défaut des romans; l'auteur se bat les flancs pour s'échauffer, et le lecteur reste froid.   LACLOS, les Liaisons dangereuses, Lettre XXXIII.

10   Je ne l'écoutai pas, quoiqu'il s'échauffât pour me démontrer la supériorité du fantassin sur le cavalier.   A. DE VIGNY, Servitude et Grandeur militaires, I, VI, p. 92.

11   Cette fois, seulement *(en créant Joseph Prudhomme)*, il *(Henri Monnier)* est sorti de son impartialité glaciale, il s'est échauffé, il s'est animé, il a chargé le trait, il a outré l'effet, il a composé enfin.
             Th. GAUTIER, Portraits contemporains, H. Monnier, p. 36.

12   Prenez des femmes qui ont faim et des hommes qui ont bu; mettez-un mille ensemble, laissez-les s'échauffer par leurs cris, par l'attente, par la contagion mutuelle de leur émotion croissante; au bout de quelques heures, vous n'aurez plus qu'une cohue de fous dangereux; dès 1789, on le saura de reste.
             TAINE, les Origines de la France contemporaine, II, t. II, p. 56.

▶ **ÉCHAUFFÉ, ÉE** p. p. et adj.

♦ **1.** Rare. Dont la chaleur s'est élevée.

♦ **2.** Méd. (Vx). Qui souffre d'une irritation, qui est atteint de constipation.

♦ **3.** Techn. (agric., etc.). Qui s'est altéré; qui a fermenté. *Bois échauffé. Blé échauffé.*

N. m. Odeur de matières trop chauffées ou en fermentation. *Le gigot sent l'échauffé.*

♦ **4.** Fig. (Personnes, esprits). Passionné, animé. ⇒ **Enflammé, excité.** *Personne, tête échauffée. Imagination échauffée.*

Sur les visages et dans les propos, le désintéressement d'amateurs blasés. Seuls, deux abbés paraissaient échauffés (...)   13
             DE VOGÜÉ, les Morts qui parlent, 1899, p. 281, *in* T.L.F.

N. (Vx). *Un échauffé, une échauffée :* personne passionnée, excitée.

CONTR. Attiédir, refroidir. — Amortir, apaiser, calmer, tempérer.
DÉR. Échauffant, échauffement, échauffure.

ÉCHAUFFOURÉE [eʃofuʀe] n. f. — Mil. XIVᵉ, «mauvaise rencontre»; croisement de *fourrer* avec *chaufour*;* selon Guiraud, de *eschauffe* (du v. *eschauffer*) et *fourrée* comme dans *coup fourré.*

♦ **1.** (1677, *in* D.D.L.). Vx. Entreprise concertée, téméraire, malheureuse.

♦ **2.** Mod. Rencontre inopinée, confuse et de courte durée entre adversaires qui en viennent aux mains. ⇒ **Bagarre** (cit. 2), **combat, rixe.**

Que des esprits superficiels ne voient dans la révolution des trois jours *(la révolution de Juillet)* qu'une échauffourée, c'est tout simple; mais les hommes réfléchis savent qu'un pas énorme a été fait (...)   1
             CHATEAUBRIAND, Mémoires d'outre-tombe, t. V, p. 278.

(...) une demi-douzaine de consommateurs commentaient les nouvelles du quartier, qui avait été le théâtre de plusieurs échauffourées sérieuses. Autour de la gare de   2
l'Est, une manifestation contre la guerre avait été rudement dispersée. Elle s'était reformée devant la C.G.T.; là, un véritable commencement d'émeute avait nécessité une charge de police; les blessés, disait-on, étaient nombreux.
             MARTIN DU GARD, les Thibault, t. VI, p. 284.

♦ **3.** Milit. (vieilli). Petit combat isolé. ⇒ **Accrochage, engagement, escarmouche.**

Il venait de se passer non loin de là une échauffourée sur laquelle Murat se taisait : notre avant-garde avait été culbutée.   3
             Ph.-P. SÉGUR, Hist. de Napoléon, *in* LITTRÉ.

ÉCHAUFFURE [eʃofyʀ] n. f. — V. 1256 «inflammation cutanée»; de *échauffer.*

♦ **1.** Agric. Échauffement (II., 1.), altération par fermentation (des céréales).

♦ **2.** Techn. Altération (de certains bois) due à un champignon. *L'échauffure du hêtre, dont les grumes ont séjourné en forêt, se traduit par une diminution de résistance du bois.*

Les bois que l'on soumet à l'injection sont ceux que l'on désire spécialement protéger parce qu'ils sont plus exposés que d'autres à l'action des pourritures et échauffures.   J.-C. REGGIANI, Industries et Commerce du bois, p. 105.

♦ **3.** Pathol. Vieilli. Petite rougeur qui apparaît sur la peau lors d'un échauffement.

ÉCHAUGUETTE [eʃogɛt] n. f. — V. 1175, *eschaugaite* «guet»; *escalgaite* «sentinelle», v. 1100; francique *skârwatha* «troupe de guet».

♦ Fortif. (au moyen âge). Guérite* en pierre, placée en encorbellement aux angles des châteaux forts, des bastions, pour en surveiller les abords. *Échauguette munie d'une toiture conique «en poivrière»,* pour abriter le guetteur, la sentinelle. *Guérites de guet analogues à l'échauguette.* ⇒ **Bretèche, échiffe** (ou échiffre), **poivrière.**

Par anal. Petite tourelle ornementale, à l'angle d'un édifice.

ÉCHAULER [eʃole] v. tr. ⇒ **Chauler.**

ÉCHAUMER [eʃome] v. tr. — 1722; de é-, *chaume* et suff. verbal.

♦ Régional. ⇒ **Déchaumer.**

ÈCHE [ɛʃ] n. f. ⇒ **Esche.**

ÉCHÉANCE [eʃeãs] n. f. — V. 1220 «succession, héritage»; sens mod., 1678; du rad. du p. prés. de *échoir, échéant,* et *-ance.*

♦ **1.** **ⓐ** Dr. et cour. Date à laquelle expire un délai. ⇒ **Expiration, terme.** *L'échéance d'un acte, en procédure* (→ Délai, cit. 7).

Le mois a trente jours. Jusqu'à cette échéance   1
Jeûnerons-nous, par votre foi?   LA FONTAINE, Fables, X, 15.

ⓑ (1630). Date à laquelle l'exécution d'une obligation, d'un paiement est exigible. *Échéance d'une dette. Payer avant l'échéance. L'échéance d'un loyer* (⇒ **Terme**). *Échéance d'un billet à ordre, d'une lettre de change, d'une traite. Échéance des effets de commerce :* échéance à jour fixe, à délai de date (délai après la rédaction), à vue ou à présentation (chèque*), à délai de vue (délai partant de l'acceptation ou du protêt). *Échéance fin courant,* le dernier jour du mois. *Échéance d'un mois.* ⇒ **Usance.** *Somme restant due après l'échéance.* ⇒ **Arrérages, arriéré** (II.). *Escompte* dont bénéficie la personne qui acquitte une dette avant l'échéance. Suspension des échéances.* ⇒ **Moratoire.** *Reporter, proroger une échéance. Acte constatant le défaut de paiement à l'échéance.* ⇒ **Protêt.**

Échéance moyenne, d'un effet unique remplaçant plusieurs effets d'échéances différentes.

2 Une lettre de change peut être tirée : À vue. À un certain délai de vue. À un certain délai de date. À jour fixe. Les lettres de change, soit à d'autres échéances, soit à échéances successives, sont nulles.   Code de commerce, art. 131.

☐c Par ext. Ensemble des effets dont l'échéance tombe à une date donnée. *Faire face à une lourde échéance. Payer l'échéance.* — *Préparer l'échéance :* préparer les règlements, les paiements à échoir.

3 Que ferait M. Achille s'il se savait condamné à mourir demain ? Sans doute il dicterait son courrier et préparerait son échéance...
                                                     A. MAUROIS, Bernard Quesnay, I, p. 7.

☐d Fig. Date à laquelle une chose doit arriver, une faute se payer. *Échéance inéluctable.* ⇒ **Destin.**

4 (...) des événements (...) qui ont cheminé souterrainement, à petites secousses, vers leur fatale échéance (...)   A. ARNOUX, Crimes innocents, IV, p. 119.

Spécialt. *Échéance politique :* date à laquelle un événement politique (élections, vote, etc.) doit intervenir. *Ce sera une échéance difficile, délicate pour le gouvernement.*

4.1 Vont-ils rouler vers l'échéance d'octobre, comme s'ils ignoraient que ce qu'ils n'ont pas su accomplir souverainement risque de leur être imposé, par les Nations Unies, ignominieusement ?   F. MAURIAC, Bloc-notes 1952-1957, p. 342.

♦ **2. À... ÉCHÉANCE :** dans un délai. *Emprunter, prêter à longue échéance. Effet à longue, à courte échéance.* — Fig. *À longue échéance,* lointain. *A brève échéance,* proche. *L'issue de cette affaire est à longue échéance. Obtenir des résultats à brève échéance :* rapidement (→ Conjuration, cit. 6). — Dr. *À échéance :* dans un certain délai. *À échéance de deux ans :* dans un délai de deux ans.

5 (...) il *(le Germain)* (...) a l'esprit de suite, il peut persister dans les entreprises dont l'issue est à longue échéance.
                                                     TAINE, Philosophie de l'art, t. I, p. 235.

CONTR. Début, engagement.
DÉR. Échéancier.

ÉCHÉANCIER [eʃeɑ̃sje] n. m. — 1863 ; de *échéance,* et *-ier.*

♦ Registre des effets à payer ou à recevoir inscrits à la date de leur échéance.

Tout s'inscrit à mesure sur des imprimés à plusieurs doubles, où la parole reproduite en mauves de plus en plus pâles finirait sans doute par se dissoudre dans le dédain et l'ennui même du papier, n'étaient les échéanciers, ces forteresses de carton bleu très solide, troués au centre d'une lucarne ronde afin qu'aucune feuille insérée ne s'y dissimule dans l'oubli.
                                         Francis PONGE, le Parti pris des choses, p. 68.

ÉCHÉANT, ANTE [eʃeɑ̃, ɑ̃t] p. prés. et adj. — 1843 ; p. prés. de *échoir ;* très antérieur comme forme verbale. → Échoir, échéance.

♦ **1.** Dr. Qui arrive à échéance. *Terme échéant.* — Spécialt. *Effet de commerce échéant,* qui arrive à échéance*.

♦ **2.** Loc. adv. (1843). Cour. **LE CAS ÉCHÉANT :** si le cas, si l'occasion se présente. ⇒ **Éventuellement ; occasion** (à l'occasion). *Je m'en occuperai, le cas échéant, s'il y a lieu*.*

Jamais elle n'avait laissé disparaître sans se ménager un recours l'humain qui aurait pu, le cas échéant, devenir son mari.
                                         GIRAUDOUX, Juliette au pays des hommes, p. 31.

ÉCHEC [eʃɛk] n. m. — V. 1170, au sens 1 ; sens étendu, d'abord dans des loc., au XIIIᵉ ; de *échecs.* → Échecs.

♦ **1.** ☐a Aux échecs, Situation du roi qui se trouve sur une case battue par une pièce de l'adversaire ; coup créant cette situation (et dont le joueur doit avertir son adversaire en prononçant le mot). *Faire échec ; échec.* — Par pléonasme. *Échec au roi. Éviter l'échec,* soit en prenant, soit en déplaçant, soit en interposant une pièce pour se couvrir. — *Échec et mat :* coup qui met fin à la partie. *Faire échec et mat en dix coups. Échec à la découverte, échec double, échec croisé, échec perpétuel.* — *En échec,* se dit du roi, et du joueur dont le roi est dans cette situation. *On ne peut roquer quand on est en échec.*

Adj. *Être échec :* avoir son roi en échec. *Être échec et mat :* avoir perdu la partie. *Vous êtes échec et mat.*

☐b Par métaphore (vx) :

1 Nous le trouvâmes *(M. de Pomponne...)* ; on causa tout le soir, on joua aux échecs ; ah ! quel échec et mat on lui préparait à Saint-Germain *(sa destitution)* !
                                         Mᵐᵉ DE SÉVIGNÉ, 386, in LITTRÉ.

Adjectif :

2 La vie de la cour est un jeu sérieux, mélancolique, qui applique : il faut arranger ses pièces (...) et après toutes ses rêveries et toutes ses mesures, on est échec, quelquefois mat.   LA BRUYÈRE, les Caractères, VIII, 64.

☐c Par ext. Situation analogue de la reine. *Échec à la reine.*

♦ **2.** Loc. (V. 1223). *Faire échec à quelqu'un,* lui créer des difficultés, des obstacles. *Faire échec à un projet,* le contrarier.

♦ **3.** EN ÉCHEC : dans une position difficile (du fait d'un tiers). *Tenir qqn en échec,* le mettre en difficulté, entraver son action. ⇒ **Braver** (cit. 2), **embarrasser, gêner...**

---

3 Ne vous étonnez pas s'il *(l'homme)* ne raisonne pas bien à présent, une mouche bourdonne à ses oreilles (...) Si vous voulez qu'il puisse trouver la vérité, chassez cet animal qui tient sa raison en échec (...)   PASCAL, Pensées, VI, 366.

4 Une fois ou deux il parut embarrasser Mirabeau, et il eut l'honneur de le tenir en échec.   SAINTE-BEUVE, Causeries du lundi, 8 avr. 1850, t. II, p. 23.

♦ **4.** Cour. *(Un, des échecs).* Revers éprouvé par qqn qui voit ses calculs déjoués, ses espérances trompées. *Échec à un examen. Courir à un échec certain ; aller au-devant d'un échec. Essuyer, subir un échec.* → Tomber sur un bec*, revenir bredouille*, faire chou* blanc, faire fiasco*, ramasser une gamelle*, se casser le nez*, prendre une pilule*, une tape*, remporter une veste*. *Ressentir cruellement un échec. Échec cruel, cuisant, injuste, inattendu, sanglant.* ⇒ **Déboire, déception, déconvenue ; échouer.** *Après un tel échec, il s'en est allé la queue* basse. Échec déshonorant.* (→ Déshonorer, cit. 6). *Attribuer* (cit. 15) *son échec à quelqu'un d'autre.*

5 (...) si de quelque échec notre faute est suivie,
Nous disons injures au sort.   LA FONTAINE, Fables, VII, 14.

6 (...) l'échec qu'éprouve l'amour-propre rend injuste envers l'objet trop apprécié.   STENDHAL, De l'amour, p. 43.

7 Pourquoi sortirait-il d'une situation brillante quoique non assurée, pour se jeter dans une situation si critique où le moindre échec pouvait tout perdre, où tout revers serait décisif.   Ph.-P. SÉGUR, Hist. de Napoléon, II, 4, in LITTRÉ.

8 La vie de Flaubert, comme celle de presque tout le monde, avait été faite en grande partie de déceptions et d'échecs.
                                         A. THIBAUDET, Gustave Flaubert, p. 193.

9 Nous gagnons rarement à étayer d'un mensonge, une erreur ou un échec.
                         BERNANOS, les Grands Cimetières sous la lune, II, II, p. 217.

10 Les échecs fortifient les forts.   SAINT-EXUPÉRY, Vol de nuit, XIII, p. 113.

Fait d'échouer, revers dans une entreprise. ⇒ **Insuccès, malheur, revers.** *Triompher malgré plusieurs échecs. Échec complet, total d'une affaire, d'un projet.* ⇒ **Avortement, chute, défaite** (cit. 7), **faillite, fiasco, naufrage.** *Tentative vouée à l'échec. Échec d'une pièce de théâtre.* ⇒ **Bide, four** (→ Tomber à plat).

11 À ce moment, la suite de ses œuvres n'est qu'une collection d'échecs. Mais si ces échecs gardent tous la même résonance, le créateur a su répéter l'image de sa propre condition, faire retentir le secret stérile dont il est le détenteur.
                                         CAMUS, le Mythe de Sisyphe, p. 155.

Philos., psychol. et cour. *L'échec,* comportement, attitude qui conduit à échouer. *Névrose d'échec. Conduite d'échec.* — (Dans un sens analogue). *Toute sa vie n'a été qu'un échec, un long échec.*

12 L'histoire d'une vie, quelle qu'elle soit, est l'histoire d'un échec. Le cœfficient d'adversité des choses est tel qu'il faut des années de patience pour obtenir le plus infime résultat.   SARTRE, l'Être et le Néant, p. 561.

CONTR. Avantage, bonheur, réussite, succès.
DÉR. Échiquéen.
HOM. Échecs.

ÉCHECS [eʃɛk] n. m. pl. — V. 1100, *eschec ;* de l'expression arabo-persane *(ɔ)ǎš-šāh māt* « le roi est mort » (→ Mat) ; le *-c* final de *échec* est p.-ê. dû à un croisement avec l'anc. franç. *eschec* « butin », mot d'orig. francique *(*skak).*

♦ **1.** Jeu dans lequel deux joueurs font manœuvrer l'une contre l'autre deux séries de 16 pièces diverses, sur une tablette divisée en 64 cases ⇒ **Échiquier.** *Relatif aux échecs.* ⇒ **Échiquéen.** *Pièces d'échecs.* ⇒ **Roi ; dame** ou **reine** (pièces uniques), **fou, cavalier, tour** (pièces doubles) ; **pion** (8 pions). *Coups et termes d'échecs.* ⇒ **Adouber ; échange, fourchette, gambit, mat, ouverture, pat, prise ; roquer ; sacrifice, trait.** *Jouer aux échecs.* ⇒ **Bois** (pousser le bois). *Amateur d'échecs.* ⇒ **Échéphile.** *Joueur, champion d'échecs. Un grand maître aux échecs. Partie, problème, tournoi d'échecs. Championnat international d'échecs.*

13 Le jeu que nous appelons *des échecs,* par corruption, fut inventé par eux *(les Indiens),* nous n'avons rien qui en approche : il est allégorique comme leurs fables ; c'est l'image de la guerre. Les noms de *shak,* qui veut dire *prince,* et de *pion* qui signifie *soldat,* se sont conservés...
                                         VOLTAIRE, Essai sur les mœurs, III.

14 Il s'avisa de me proposer d'apprendre les échecs, qu'il jouait un peu (...) me voilà forcené des échecs. J'achète un échiquier (...) je m'enferme dans ma chambre ; j'y passe les jours et les nuits à vouloir apprendre par cœur toutes les parties (...)
                                         ROUSSEAU, les Confessions, V.

15 Je ferais une fort jolie conversation par la poste, comme on dit que les Espagnols jouent aux échecs.   ROUSSEAU, les Confessions, III.

16 Si le temps est trop froid ou trop pluvieux, je me réfugie au café de la Régence ; là je m'amuse à voir jouer aux échecs. Paris est l'endroit du monde, et le café de la Régence est l'endroit de Paris où l'on joue le mieux à ce jeu ; c'est chez Rey que font assaut Légal le profond, Philidor le subtil (...) qu'on voit les coups les plus surprenants (...)   DIDEROT, le Neveu de Rameau, Pl., p. 425.

17 On gouverne les hommes avec la tête. On ne joue pas aux échecs avec un bon cœur.   CHAMFORT, Maximes et pensées, Sur la politique, XLIII.

Proverbe :

18 Les fous sont aux échecs les plus proches des rois.
                                         Mathurin RÉGNIER, Satires, XIV.

Un jeu d'échecs, ensemble formé par l'échiquier et les pièces (→ ci-dessous, 2.). *Un magnifique jeu d'échecs du XVIIᵉ siècle.*

Fig. *Partie, jeu d'échecs :* activité, entreprise compliquée exigeant calcul, subtilité et prévision.

19 (...) la bataille qui allait se livrer s'ordonnait dans son esprit comme une partie d'échecs qu'il eût menée dans son fauteuil, avec la certitude de la gagner.
                                   Louis MADELIN, Hist. du Consulat et de l'Empire,
                                         L'avènement de l'Empire, XXV, p. 312.

20 Il se joue un jeu d'échecs fort compliqué ; à chaque coup, le problème est autre ; et les pièces du jeu sont les images de la vue, les prévisions euclidiennes de déplacement, les divers groupes musculaires indépendants, et bien d'autres choses.
VALÉRY, Autres rhumbs, p. 96.

21 Me voici seul avec ton jeu d'échecs,
poésie (...) COCTEAU, le Discours du grand sommeil, Prologue, 8.

21.1 (...) redoutables champions qui avez mené sur plusieurs continents à la fois vos parties d'échecs, et de quels échecs ! F. MAURIAC, Bloc-notes 1952-1957, p. 143.

♦ **2.** (V. 1177). Ensemble des pièces d'échecs. *Des échecs en ivoire, en buis, en ébène. Des échecs anciens.* Syn. plus courant : *un jeu d'échecs.*

DER. V. Échec.

COMP. Échéphile.

HOM. Échec.

ÉCHÉE [eʃe] n. f. — 1755 ; altér. d'*eschief*, dér. de *eschevet.* → Écheveau.

♦ Techn. Quantité de fil qu'on place en une seule fois sur le dévidoir.

ÉCHELAGE [eʃ(ə)laʒ] ou ÉCHELLAGE [eʃelaʒ ; eʃɛlaʒ] n. m. — 1509 ; de *écheler* (ou *échelle*, pour *échellage*), et *-age.*

♦ Dr. Droit de poser une échelle, un échafaudage... sur la propriété d'autrui pour construire, réparer un mur, un bâtiment. *L'échelage est une servitude réelle. Terrain sur lequel s'exerce la servitude d'échelage.*

ÉCHELER [eʃ(ə)le] v. tr. — Conjug. *appeler.* — 1274 *escheller, escheler ;* de *échelle.*

♦ Vx ou régional. Monter par degrés, grimper (⇒ **Escalader**) ; escalader à l'aide d'une échelle. *Écheler un mur.*

Des cris, une volubile querelle de femmes (...) le grésillement du feu qui commençait à écheler de ramure en ramure dans le bûcher, autant de caresses pour l'oreille d'Ulysse. J. GIONO, Naissance de l'Odyssée, p. 38.

DÉR. Échelage.

ÉCHELETTE [eʃ(ə)lɛt] n. f. — 1316 ; de *échelle,* et suff. dimin. *-ette.*

★ **I.** ♦ **1.** Techn. ou régional. Petite échelle attachée au bât d'une bête de somme pour y accrocher un fardeau (gerbes, bottes de foin, etc.).
Ridelle* placée sur le devant d'une charrette et servant à retenir la charge.

♦ **2.** (1755). Comptab. *Compte, comptabilité par échelettes,* où les acomptes sont imputés sur les intérêts avant de l'être sur le capital.

★ **II.** (1555). Oiseau grimpeur du genre des Passereaux. ⇒ **Grimpereau.**

ÉCHELIER [eʃəlje] n. m. — 1690 ; du rad. de *échelle,* et *-ier.*

♦ Techn. Échelle composée d'un seul montant traversé par des chevilles servant de degrés. ⇒ **Rancher.**

ÉCHELLE [eʃɛl] n. f. — V. 1150, *eschale ;* du lat. *scala.* → Escalier.

★ **I.** ♦ **1.** Dispositif transportable formé de deux montants* parallèles (ou légèrement convergents) réunis de distance en distance par des barreaux transversaux (⇒ **Échelon**) servant de marches ; ou par deux de ces dispositifs articulés (⇒ aussi **Escabeau, escalier...**). *Dresser une échelle, appuyer une échelle contre un mur. Mettre le pied sur le premier échelon, le premier degré d'une échelle. Monter sur une échelle ; monter à une échelle, à l'échelle. Escalader une échelle. Être en haut d'une échelle. Tomber de l'échelle. Tenir, caler le pied d'une échelle.* — *Échelle de fer, métallique. Échelle fixe, scellée à un mur. Échelle brisée, pliante. Échelle coulissante,* formée de deux échelles superposées. *Échelle à crampons. Échelle à incendie, de sauvetage ; la grande échelle des pompiers. Échelle double,* formée de deux échelles réunies par leurs sommets. — *Échelle de bibliothèque.*

1 (...) le chanvreur ferma à grand bruit l'huis de la lucarne et redescendit dans la chambre au-dessous par une échelle.
G. SAND, la Mare au diable, Appendice, II, p. 160.

2 Les échelles, de sept mètres, se succédaient, les unes solides encore, les autres branlantes, craquantes, près de se rompre ; les paliers étroits défilaient, verdis, pourris (...) ZOLA, Germinal, t. I, p. 304.

Vx. *Échelle de potence,* sur laquelle montaient les condamnés, et le bourreau pour tirer la corde. — Absolt. *L'échelle :* le gibet. *Coupable fouetté au pied de l'échelle.* — Loc. *Sentir l'échelle :* être digne d'une punition exemplaire ; être susceptible de pouvoir conduire au gibet.

3 (...) je sais (...) me démêler prudemment de toutes les galanteries qui sentent tant soit peu l'échelle (...) MOLIÈRE, l'Avare, II, 1.

(1636). Par anal. *Échelle de corde,* dont les montants sont en corde et qui peut s'enrouler sur elle-même. *Dérouler une échelle de corde.*

Monter à une fenêtre à l'aide d'une échelle de corde. — *Échelle de soie* (→ Balcon, cit. 3). *L'Échelle de soie,* opéra de Rossini.

4 (...) à mon âge on n'a plus d'échelle de soie qu'en souvenir, et l'on n'escalade les murs qu'avec les ombres.
CHATEAUBRIAND, Mémoires d'outre-tombe, t. VI, p. 37.

5 Marius reconnut alors que ce qu'il avait pris pour un tas informe était une échelle de corde très bien faite avec des échelons de bois et deux crampons pour l'accrocher. HUGO, les Misérables, III, VIII, XVII.

5.1 — Et comment entrerons-nous ? demanda le marin.
— Par une échelle extérieure, répondit Cyrus Smith, une échelle de corde, qui, une fois retirée, rendra impossible l'accès de notre demeure.
J. VERNE, l'Île mystérieuse, t. I, p. 245.

Par_ext. Dispositif analogue, à un seul montant muni de chevilles. ⇒ **Échelier, rancher.** *Échelle à cueillir.*

Mar. Ensemble de degrés, escalier fixe ou mobile. — REM. Le mot escalier* ne s'emploie pas dans le langage maritime. *Échelle de commandement, échelle de coupée :* échelle principale servant à monter à bord. *Échelle de pilote :* échelle de corde à degrés de bois. *Échelle d'écoutille,* formée de fers rivés aux deux épontilles. *Échelle de tangon, échelle de revers. Échelle de dunette, de passerelle. Échelle de cale.* ⇒ aussi **Descente** (3.).

6 (...) le bâtiment donnait de la bande à bâbord. Ce fut Travellini qui attrapa l'échelle : deux cordes mouillées, des barreaux de bois. J'avoue qu'elle me fit une désagréable impression. Mais déjà Travellini et Labartelade grimpaient. Je les suivis maladroitement, en évitant de regarder dans le vide.
H. BOSCO, Un rameau de la nuit, II, p. 55.

Échelle de meuniers : escalier rustique droit et sans contremarches.

Par anal. *Échelle à poissons :* plan incliné, muni de cloisons en chicanes et qui permet aux poissons migrateurs de franchir un obstacle (barrage...). *Échelle à saumons.*

6.1 Sur une centaine de mètres tout au plus, la barge à fond plat, soulevée par des vagues d'un mètre, a tenu bon, nous avions l'impression de gravir des degrés ! comme un gigantesque saumon remonte une échelle à poissons...
R. FRISON-ROCHE, Nahanni, p. 237.

L'échelle de Jacob : échelle vue en songe par Jacob, dans la Genèse.

7 Alors il *(Jacob)* vit en songe une échelle, dont le pied était appuyé sur la terre, et le haut touchait au ciel, et les anges de Dieu montaient et descendaient le long de l'échelle. Il vit aussi le Seigneur appuyé sur le haut de l'échelle (...)
BIBLE (SACY), Genèse, XXVIII, 12-13.

Loc. fig. (1835). **COURTE ÉCHELLE.** *Faire la courte échelle à qqn,* l'aider à s'élever en lui offrant comme appui les mains jointes, puis les épaules. *Ils se sont fait la courte échelle pour franchir un mur, atteindre une branche.* — Fig. Aider qqn à avancer, à réussir. ⇒ **Aider, prêter** (prêter son concours).

8 (...) est-il bon camarade ? peut-il pousser les autres ? les faire valoir ? les élever ? leur faire la courte échelle ? SCRIBE, la Camaraderie, II, 1, *in* LITTRÉ.

N. f. *Courte échelle :* aide, concours.

8.1 Cette espèce de franc-maçonnerie de la courte-échelle *(sic)* où l'on se passait les travaux, les commandes, les voix à l'Institut.
Ed. et J. DE GONCOURT, Manette Salomon, p. 168 (1867).

TIRER L'ÉCHELLE. *Après lui, il faut tirer l'échelle :* on ne peut faire mieux que lui le travail qu'il vient d'accomplir. *Après cette brillante démonstration, il n'y a plus qu'à tirer l'échelle.* — Iron. *Si vous ne savez même pas cela, il n'y a plus qu'à tirer l'échelle,* ce n'est plus la peine de continuer, d'insister (→ fam. Inutile d'insister).

9 Oh ! morguenne ! il faut tirer l'échelle après celui-là, et tous les autres ne sont pas dignes de lui déchausser ses souliers. MOLIÈRE, le Médecin malgré lui, II, 1.

9.1 Après ça il n'y avait plus qu'à tirer l'échelle. On alluma la télévision.
F. MALLET-JORIS, le Jeu du souterrain, p. 13.

Monter à l'échelle : prendre au sérieux une plaisanterie, être dupe par naïveté. *Il l'a fait monter à l'échelle.* ⇒ **Grimper, marcher** (faire marcher).

10 — Ce n'est pas vrai ; vous voulez me faire monter à l'échelle.
F. MAURIAC, le Mal, p. 183.

♦ **2.** (Dispositifs concrets comparés à une échelle). **a** Régional (Suisse, etc.). Ridelle* à claire-voie, amovible, placée sur les côtés d'une charrette. *Char à échelles, transportant du foin, du blé.*

10.1 Julien dîna de bon appétit, après quoi il attela les chevaux au char à échelles pour aller chercher le froment. C. F. RAMUZ, Aline, Œ. compl., t. I, p. 116.

b Mode. Garniture formée de rubans superposés, de plus en plus large vers le haut.

Cout. (appos.). *Jour échelle :* jour donnant l'aspect d'une échelle.

♦ **3.** Abstrait. Série, suite continue ou progressive. ⇒ **Hiérarchie, série, succession, suite.** *Échelle des êtres :* série régulière et sans interruption des organismes les plus simples aux plus perfectionnés. *Échelle animale.* — (1821). *Échelle sociale :* hiérarchie des conditions, des situations dans une société. — *Être en haut, en bas de l'échelle. Il est arrivé au sommet de l'échelle,* de la hiérarchie. *Du haut en bas de l'échelle sociale* (→ Coopération. cit. 2). *Échelle des âges. Échelle des valeurs morales, littéraires, esthétiques* (→ Délivrer. cit. 10). *L'échelle des valeurs*. L'échelle de la création,* suite ordonnée des choses et des êtres, de la matière brute à l'esprit.

11 L'échelle vaste est là. Comme je te l'ai dit,
Par des zones sans fin la vie universelle
Monte, et par des degrés innombrables ruisselle,
Depuis l'infâme nuit jusqu'au charmant azur.
HUGO, les Contemplations, VI, XXVI.

12 (...) plus une œuvre (...) remplira exactement et complètement les conditions indiquées, plus elle sera haut placée dans l'échelle.
TAINE, Philosophie de l'art, t. II, p. 237.

13 *(La bourgeoisie)* a monté dans l'échelle sociale, et, par son élite, elle rejoint les plus haut placés. TAINE, les Origines de la France contemporaine, II, t. II, p. 171.

14 (...) cette nuit-là, en quelques heures, se trouva renversée l'échelle des valeurs que, depuis son enfance, il croyait immuable.
MARTIN DU GARD, les Thibault, t. II, p. 84.

14.1 La petite société bourgeoise de la ville, tout apeurée qu'elle fût, conservait son échelle de valeurs. Ce qui consternait le plus un certain nombre de notables, c'était que leurs enfants, les reniant, fussent passés dans le camp ennemi.
Suzanne PROU, Miroirs d'Edmée, p. 125.

Mus. *Échelle des sons; échelle ascendante, descendante. Les degrés de l'échelle des sons.* ⇒ **Degré** (cit. 11). *Échelle diatonique :* série des tons qui constituent la gamme. *Échelle chromatique :* série des douze demi-tons d'une octave.

Échelle harmonique. ⇒ **Gamme.**

15 Il suffit d'examiner son échelle *(du chant grégorien)* pour se convaincre de sa haute origine. Avant Gui Arétin, elle ne s'élevait pas au-dessus de la quinte, en commençant par l'*ut, ré, mi, fa, sol.* Ces cinq tons sont la gamme naturelle de la voix (...) CHATEAUBRIAND, le Génie du christianisme, III, I, 2.

Peint. *Échelle des couleurs :* série des nuances par lesquelles on passe d'une couleur à une autre.

Psychol. Série de tests gradués correspondant aux différents niveaux du développement mental (pour la détermination de l'âge mental et du quotient intellectuel). — *Échelle sensorielle* ou *subjective,* permettant de comparer les quantités stimulatrices et les degrés de réponse.

Écon. *Échelle des salaires, des traitements.*
Échelle mobile. **a** Disposition insérée dans un contrat et en vertu de laquelle le prix nominal ou le salaire stipulé suivra les variations d'un autre élément économique (par exemple, l'indice du coût de la vie, pour les salaires). ⇒ **Indexation.**

b Système qui fait varier les droits de douane* suivant les variations des prix du marché intérieur.

16 Lorsque les prix extérieurs subissent des hausses fréquentes et amplifiées, on a eu l'idée de lier la destinée des salaires à la destinée des prix, c'est-à-dire d'assurer une hausse automatique des salaires, calquée sur la hausse des prix. C'est le système de l'échelle mobile.
REBOUD et GUITTON, Précis d'économie politique, t. II, p. 488.

♦ **4. a** (XVIIᵉ). Ligne graduée, divisée en parties égales, indiquant le rapport des dimensions en distances marquées sur un plan avec les dimensions ou distances réelles *(échelle graphique);* par ext., rapport existant entre une longueur et sa représentation sur la carte *(échelle numérique). Échelle d'un plan, d'un relevé topographique, d'une carte, d'une photographie aérienne. Un mm représente cent m à l'échelle de 1/100.000ᵉ. Mesurer une distance sur, d'après l'échelle. Carte à grande échelle,* représentant un terrain peu étendu par une surface relativement importante. — REM. Les expressions *à grande* et *à petite échelle* sont souvent employées à contresens. — *À l'échelle :* à la même échelle (que le reste de la carte, du plan). *Cette partie du plan n'est pas à l'échelle.*
Loc. *Faire quelque chose, travailler, opérer sur une grande échelle,* en grand*, largement. *Sur une petite échelle* (sens opposé). *Ce projet n'est pas réalisable à une si grande échelle.*
Par anal. *Échelle d'une maquette, d'un modèle réduit, d'un dessin de machine. Échelle de réduction, d'agrandissement d'un dessin. Échelle d'un graphique statistique.*

b Série de divisions* sur un instrument de mesure, un tableau, etc. ⇒ **Graduation.** *Échelle arithmétique, logarithmique. Échelle centésimale. L'échelle d'un baromètre, d'un thermomètre. Échelle des eaux, des marées, échelle des ponts,* servant de repère pour mesurer la hauteur de l'eau. *Échelle servant à mesurer le tirant d'eau d'un navire.* ⇒ **Piétage.** *Échelle de Beaufort :* graduation de 0 à 12 donnant la force du vent, en météorologie.

c Par ext. Moyen de mesure, d'évaluation, de comparaison. *Échelle campanaire :* règle qu'ont les fondeurs pour la fabrication des cloches. — *Échelle de proportion.*

17 Il faut se faire une échelle pour y rapporter les mesures qu'on prend.
ROUSSEAU, Émile, v.

18 Ces hommes tenaient plus ou moins à l'ancienne race humaine : on avait une échelle de proportion pour les mesurer.
CHATEAUBRIAND, Mémoires d'outre-tombe, t. VI, p. 265.

d Fig. À L'ÉCHELLE (DE) : selon un ordre de grandeur*, de dimension* (→ Décalage, cit. 1), d'importance. *Ce problème se pose à l'échelle nationale, continentale. Nature à l'échelle de l'homme.* ⇒ **Mesure, taille.** «*À l'échelle humaine* », ouvrage de Léon Blum. — *À son échelle, il réussit très bien.* ⇒ **Niveau.**

19 Si l'on rapportait à l'échelle des événements publics les calamités d'une vie privée, ces calamités devraient à peine occuper un mot dans des *Mémoires.*
CHATEAUBRIAND, Mémoires d'outre-tombe, t. II, p. 272.

20 (...) il est faux de croire que l'échelle des craintes correspond à celle des dangers qui les inspirent. PROUST, À la recherche du temps perdu, t. XIV, p. 171.

21 Il n'y a d'art qu'à l'échelle de l'homme. GIDE, Journal, août 1910, p. 310.

22 (...) comme si la liaison avec cette femme n'eût plus été à la mesure de certains sentiments nouveaux, à l'échelle des événements qui perturbaient le monde.
MARTIN DU GARD, les Thibault, t. VII, p. 104.

23 Les quanta, la relativité (...) définissent un monde qui n'a de réalité définissable qu'à l'échelle des grandeurs moyennes qui sont les nôtres.
CAMUS, l'Homme révolté, p. 364.

23.1
— Les affaires...
— Quoi, les affaires ? Tu y es aussi, à ton échelle. Fournir de bons logements, cela aide autant le peuple que de vieilles capotes militaires qu'on essaie de teindre en bleu foncé. Alain BOSQUET, les Bonnes Intentions, p. 116.

★ **II.** (1675; *in* D.D.L.; d'abord «lieu où l'on pose une échelle pour débarquer». → Escale). Place de commerce, sur certaines côtes. Vx. *L'échelle de...* (suivi d'un nom de lieu). — Loc. *Faire échelle :* faire escale, relâcher (dans un port). — Hist. (Au plur.). *Les échelles du Levant :* les ports de Turquie, d'Asie Mineure, par lesquels se faisait le commerce avec l'Europe.

24 Aben Hamet s'embarqua à l'échelle de Tunis (...)
CHATEAUBRIAND, le Dernier Abencérage, 153.

25 C'était singulier au moins, de voir circuler cette bête une nuit d'hiver, et elle nous suivit sans trêve, pendant plus d'une heure que nous mîmes à remonter de l'échelle du Phanar à celle d'Eyoub. LOTI, Aziyadé, Eyoub à deux, p. 119.

DÉR. **Échellage, écheler, échelette, échelier, échellier, échelon.**

ÉCHELLAGE [eʃelaʒ; eʃɛlaʒ] n. m. ⇒ **Échelage.**

ÉCHELLIER [eʃelje] v. tr. — 1877; de *échelle,* I., 4.

♦ Bourse. Spéculateur qui achète au comptant une valeur au même moment qu'il la vend à terme avec prime (achat «prime contre ferme»).

ÉCHELON [eʃlɔ̃] n. m. — Fin XIᵉ; du rad. de *échelle,* et suff. *-on.*

♦ **1.** Traverse d'une échelle*. ⇒ **Barreau, degré,** et aussi **marche.** *Échelon en bois, en métal. Échelon de corde, entre des haubans.* ⇒ **Enfléchure.** *Échelon d'un rancher.* ⇒ **Ranche.** *Monter, gravir; descendre les échelons; sauter, passer un échelon.*

0.1 (...) quelques briques démolies me donnaient à la fois et la facilité de me servir des autres comme d'échelons, et celle d'enfoncer, pour me soutenir, la pointe de mon pied dans la terre (...) SADE, Justine..., t. I, p. 218.

1 Alors *(Jean Valjean)* monta sur le massif de maçonnerie et commença à s'élever dans l'angle du mur et du pignon avec autant de solidité et de certitude que s'il eût eu des échelons sous les talons et sous les coudes.
HUGO, les Misérables, II, V, 5.

1.1 Cette échelle fut confectionnée avec un soin extrême, et ses montants avaient la solidité d'un gros câble. Quant aux échelons, ce fut une sorte de cèdre rouge, aux branches légères et résistantes, qui les fournit.
J. VERNE, l'Île mystérieuse, t. I, p. 247.

Par anal. Degrés (crampon de fer, etc.) disposés de place en place pour monter.

♦ **2.** Fig. Ce par quoi on monte ou on descend d'un rang à un autre chacun des degrés successifs d'une série. *Cette situation modeste lui a servi d'échelon pour arriver.* ⇒ **Marchepied.** *S'élever par échelons, d'échelon en échelon.* ⇒ **Graduellement; palier** (par). *Monter, descendre un échelon. Gravir tous les échelons de la hiérarchie. Les échelons de la fortune, du succès.* ⇒ **Phase.**

2 Tout homme qui a été ministre, n'importe à quel titre, le redevient : un premier ministre est l'échelon du second; il reste sur l'individu qui a porté l'habit brodé une odeur de portefeuille qui le fait retrouver tôt ou tard par les bureaux.
CHATEAUBRIAND, Mémoires d'outre-tombe, t. IV, p. 124.

3 (...) nous sommes l'échelon (...) par lequel les musulmanes de Turquie sont appelées à monter et à s'affranchir. LOTI, les Désenchantées, IV, p. 135.

4 (...) ils étaient placés par leurs parents au bas d'une carrière administrative et ils gravissaient les échelons, si haut fussent-ils, avec la sûreté d'un funiculaire.
GIRAUDOUX, Bella, III, p. 57.

À l'échelon de qqn, à son niveau*.

Spécialt. **a** Position d'un fonctionnaire à l'intérieur d'un même grade, d'une même classe. *Les échelons de la carrière d'un fonctionnaire, marqués par des différences de traitement. Demeurer au premier échelon; passer au troisième échelon; parvenir à l'échelon le plus élevé. Avancer d'un échelon. Les échelons de solde.* ⇒ **Degré, grade, position, rang.**

Le dernier échelon : l'échelon, le point le plus élevé (dans le bien comme dans le mal), ou le plus bas.

5 Tous les hommes étaient montés au dernier échelon de la folie.
VOLTAIRE, Dialogues, 10, *in* LITTRÉ.

6 Quand il *(l'homme)* atteint au plus haut degré de civilisation, il est au dernier échelon de la morale (...) CHATEAUBRIAND, le Génie du christianisme, I, III, 3.

7 La critique est au dernier échelon de la littérature, comme forme presque toujours et comme *valeur morale,* incontestablement elle passe après le bout rimé et l'acrostiche, lesquels demandent au moins un travail d'invention quelconque.
FLAUBERT, Correspondance, t. II, p. 259.

b L'un des différents stades d'une organisation, d'une administration. ⇒ **Niveau, stade.** *À l'échelon communal, départemental, national.* — Milit. *Échelons de commandement. À l'échelon de la division, du corps d'armée.*

♦ **3.** (1823). Milit. Élément d'une troupe fractionnée en profondeur. *Disposer des troupes par échelons. Marcher, attaquer en premier échelon. Échelon d'attaque. Échelon débordant. Le dernier échelon :* les réserves. — Spécialt, artill. Ensemble des éléments autres

que les sections de combat; lieu où se tiennent ces éléments. *Rentrer à l'échelon.*
DÉR. **Échelonner.**

ÉCHELONNEMENT [eʃlɔnmɑ̃] n. m. — 1851, *in* D.D.L.; de *échelonner.*

♦ Action d'échelonner, de s'échelonner; son résultat.
L'échelonnement des troupes, leur disposition par échelons*. — (Dans l'espace). *L'échelonnement des poteaux le long d'une route.* — (Dans le temps). *L'échelonnement des paiements.* — (Abstrait). *L'échelonnement des valeurs.* Un « échelonnement en série (de concepts) »* (E. Mounier, *in* T. L. F.).

ÉCHELONNER [eʃlɔne] v. tr. — Fin XIVᵉ; repris 1823; de *échelon.*

♦ **1.** (1823). Milit. Disposer (des troupes) de distance en distance, par échelon (3.). *Échelonner un régiment d'infanterie en trois échelons.*

♦ **2.** Disposer (plusieurs choses) à une certaine distance les unes des autres. ⇒ **Distribuer, diviser, espacer, répartir.** — Disposer par degrés. ⇒ **Graduer, sérier.** *Échelonner des couleurs sur un tableau.*

1   Là, un homme qui donne à dîner sait échelonner ses vins de façon à ne pas émousser le goût et à faire boire le plus possible.
         TAINE, Philosophie de l'art, t. I, p. 261.

♦ **3.** Distribuer dans le temps, exécuter une chose en plusieurs fois, à intervalles réguliers. *Échelonner des livraisons, des paiements, des versements. Échelonner un travail sur six mois.* ⇒ **Étaler.**

♦ **4.** (Abstrait). Distribuer progressivement. *Échelonner des arguments, du général au particulier.*

▶ **S'ÉCHELONNER** v. pron.

♦ **1.** Milit. *Troupes qui s'échelonnent sur un kilomètre.*

2   Un bataillon de Régulars s'échelonnait par petits postes le long de la frontière.
         P. MAC ORLAN, la Bandera, X, p. 118.

♦ **2.** (1832). *Maisons qui s'échelonnent sur une colline,* qui y sont disposées « par échelons », à des hauteurs différentes. ⇒ **Étager** (s'). *Couleur qui s'échelonne en nuances de plus en plus vives.*

3   Les étages de ces prisons, en s'enfonçant dans le sol, allaient se rétrécissant et s'assombrissant. C'était autant de zones où s'échelonnaient les nuances de l'horreur.   HUGO, Notre-Dame de Paris, II, VIII, 4.
4   Au-dessus s'élèvent de grands hôtels européens et le quartier français, au-dessus encore s'échelonne la ville arabe (...)   MAUPASSANT, Au soleil, Alger, p. 25.

♦ **3.** (1842). Dans le temps. *Les paiements s'échelonneront sur un an.*

♦ **4.** (Abstrait). « *Leur scepticisme s'échelonne aux divers degrés de l'intelligence humaine* » (Renan, *in* T. L. F.).

▶ **ÉCHELONNÉ, ÉE** p. p. adj. Milit. *Troupes échelonnées en profondeur; en cordon* (cit. 9).
Maisons échelonnées sur la colline. Paiements échelonnés.

5   Toutes les sciences me paraissent échelonnées par leur objet à un moment de la durée.   RENAN, Dialogues et Fragments philosophiques, Œ. compl., t. I, p. 155.
6   Quand l'œuvre, après avoir ainsi passé de tribunaux en tribunaux, en sort qualifiée de la même manière, et que les juges, échelonnés sur toute la ligne des siècles, s'accordent en un même arrêt, il est probable que la sentence est vraie (...)
         TAINE, Philosophie de l'art, t. II, p. 235.
7   Les financiers français, comme les mandarins chinois et les grands d'Espagne, sont divisés en classes échelonnées (...)
         A. MAUROIS, le Cercle de famille, II, p. 177.

CONTR. **Bloquer, grouper, masser, ramasser.**
DÉR. **Échelonnement.**

ÉCHENAU, ÉCHENEAU [eʃ(ə)no] n. m. — 1287, *eschanal;* de é-, et *chenal.*

♦ Techn. Rigole où s'écoule un liquide. *Des échenaux, des écheneaux.*

Cet entassement pêle-mêle dans un coin, et tout à coup écumeuse, et toute chaude encore de vie, et fumante par tous les échenaux de l'abattoir (...)
         CLAUDEL, Poèmes de guerre, « Derrière eux », p. 138.
Spécialt. (Métall.). Bassin de terre destiné à recevoir le métal en fusion.

REM. La var. *échenal* [eʃ(ə)nal] est archaïque. On rencontre aussi la var. graphique *écheno* (des *échenos*).

ÉCHÉNÉIDE [ekeneid] ou **ÉCHENEIS** [ekeneis] n. m. — 1552, *echineis,* Rabelais; mot lat., du grec *ekhein* « retenir » et *naus, nêos* « navire ».

♦ Zool. ⇒ **Rémora.**

ÉCHENILLAGE [eʃnijaʒ] n. m. — 1783; de *écheniller.*

♦ **1.** Opération qui consiste à écheniller (1.). *L'échenillage est rendu obligatoire par arrêté préfectoral* (Loi du 21 juin 1898). —

Importance de l'échenillage dans certaines sociétés vivant de cueillette et de chasse, et qui consomment des insectes.

♦ **2.** Le fait d'enlever les éléments indésirables, de supprimer par endroits.
Le cœur a des raisons... de Flers et Caillavet. Le meilleur acte que j'aie vu depuis longtemps. Il n'est que spirituel, mais il l'est extrêmement. Avec un peu d'échenillage, ce serait un chef-d'œuvre.   J. RENARD, Journal, 11 mai 1902.
Spécialt, fin. Réduction de frais, de crédits budgétaires par postes successifs.

ÉCHENILLER [eʃnije] v. tr. — Fin XIVᵉ; de *é-, chenille,* et suff. verbal.

♦ **1.** Débarrasser (un arbre, une haie) des nids de chenilles qui s'y trouvent. *Écheniller un arbre au sécateur, à l'échenilloir. Écheniller une haie par enfumage, épandage d'insecticide...* Absolt. *On échenille en hiver.*

0.1   Qu'elle eût beaucoup à faire ou non, si elle jetait le regard sur ses plantes, elle s'y laissait prendre, « engluer » comme elle disait (...)
   — Je les échenille. Je les épucheronne. Je lave une feuille après l'autre.
   Tite-le-Long muet l'observait avec amour.   M. JOUHANDEAU, Tite-le-Long, p. 96.

♦ **2.** (1826, *in* D.D.L.). Fig. Débarrasser (qqch.) de nombreux éléments indésirables.
1   Peut-être convient-il d'écheniller cette histoire où le moral joue un grand rôle, des vils intérêts matériels dont se préoccupait exclusivement monsieur de La Baudraye (...)   BALZAC, la Muse du département, Pl., t. IV, p. 55.
2   Ne nous bornons pas à nous prosterner sous l'arbre Création (...) Nous avons un devoir (...) assainir la croyance, ôter les superstitions de dessus la religion; écheniller Dieu.   HUGO, les Misérables, II, VII, 5.

DÉR. **Échenillage, échenilleur, échenilloir.**

ÉCHENILLEUR, EUSE [eʃnijœʀ, øz] n. — 1839, Boiste; de *écheniller,* et *-eur.*

♦ **1.** Techn. ou didact. Personne qui échenille les arbres. Personne qui pratique l'échenillage.

♦ **2.** N. m. Zool. ou régional. Genre d'oiseaux destructeurs de chenilles.

ÉCHENILLOIR [eʃnijwaʀ] n. m. — XVIIᵉ; de *écheniller,* et *-oir.*

♦ Techn. (arbor.). Cisaille fixée à l'extrémité d'une perche et servant à écheniller les arbres.

ÉCHÉPHILE [eʃefil] n. — XXᵉ; de *échecs,* et *-phile.*

♦ Didact. Amateur d'échecs.

ÉCHER [eʃe] v. tr. ⇒ **Escher.**

ÉCHEVEAU [eʃ(ə)vo] n. m. — XVᵉ; *eschevel,* déb. XIVᵉ; *escheviauz* (plur.), v. 1165; probablt du lat. *scabellum* « petit banc » (→ Escabeau), et, par ext., « dévidoir », puis « écheveau ».

♦ **1.** Assemblage de fils repliés en plusieurs tours et réunis par un fil de liage afin qu'ils ne se mêlent pas. *Écheveau de laine, de soie. Mettre du fil, du coton en écheveau.* Dévidoir (cit. 1) *qui roule le fil en écheveaux. Défaire, dévider un écheveau. Mettre en pelote un écheveau. Petit écheveau* (⇒ **Échevette**). — Spécialt. Unité de mesure dans la filature du coton. Assemblage de fils d'une longueur de mille mètres.

1   Sur des perches partant du haut des greniers, des écheveaux de coton séchaient à l'air.   FLAUBERT, Mᵐᵉ Bovary, I, 1.
2   Tout le jour, quelques minces traînées de vapeur sont restées étendues au-dessus de l'horizon, pareilles à de longs écheveaux de soie blanche.
         E. FROMENTIN, Un été dans le Sahara, p. 74.
3   Hubert (...) alla chercher au fond du bahut un écheveau, le coupa, effila ses deux bouts en égratignant l'or qui recouvrait la soie; et il apportait l'écheveau, enfermé dans une torche de parchemin.   ZOLA, le Rêve, III.
4   (...) sa queue de cheveux tombée de son serre-tête comme un maigre écheveau de chanvre gris (...)   LOTI, Pêcheur d'Islande, III, XIII, p. 196.
Spécialt, artill. Vx. Assemblage de crins formant le ressort de certaines armes balistiques.
Par anal. *Écheveau de racines, de ficelles, de barbelés :* assemblage (d'éléments longs) plus ou moins emmêlé.
Fig. et littér. *Des écheveaux de fumée, de brouillard.* — *Un écheveau de ruelles.* ⇒ **Dédale, labyrinthe.**

♦ **2.** (1611). État embrouillé, complication. ⇒ **Dédale** (cit. 1), **embrouillamini, imbroglio.** *Débrouiller* (cit. 7), *démêler, désentortiller l'écheveau d'une intrigue, d'un récit.*

Loc. *Démêler (débrouiller, dévider) l'écheveau,* rendre claire une affaire très embrouillée.

5   (...) son chic unique à faire jaillir la lumière en démêlant en un clin d'œil des écheveaux d'affaires compliquées sur lesquelles employés et chefs avaient sué sang et eau, des mois.   COURTELINE, Messieurs les ronds-de-cuir, 1ᵉʳ tableau, III, p. 45.
6   (Il) sentait aujourd'hui dans sa tête l'algèbre et la trigonométrie à l'état d'éche-

veaux mêlés, indébrouillables, et s'imaginait avec une enfantine frayeur qu'il aurait toutes les peines du monde à remettre au point voulu ces abstractions-là.
LOTI, Matelot, XXVII, p. 104.

7 (...) aider un homme à débrouiller l'écheveau de sa vie intérieure (...)
F. MAURIAC, la Pharisienne, p. 68.

♦ **3.** a Vx. Déroulement temporel continu. *L'écheveau du temps.* → Dévider, cit. 4.

b Loc. *Dévider son écheveau, l'écheveau :* parler sans s'arrêter.
DÉR. Échevette.

ÉCHEVELÉ, ÉE [eʃəvle] adj. — V. 1050, *eschevelede ;* de *es- (é-), chevel (cheveu),* et *-é.*

♦ **1.** Dont les cheveux sont épars, en désordre. ⇒ **Ébouriffé, hérissé, hirsute.** *Des jeunes gens échevelés. Tête, perruque échevelée.*

1 Toutes ces femmes qui étaient à Saint-Cloud, criant échevelées comme des bacchantes.
SAINT-SIMON, III, 29.

2 Lorsque avec ses enfants vêtus de peaux de bêtes,
Échevelé, livide au milieu des tempêtes,
Caïn se fut enfui (...)
HUGO, la Légende des siècles, II, « La conscience ».

2.1 Angèle pleurait, pleurait et ses longs cheveux se défirent.
Ce fut alors que Hubert entra. En nous voyant échevelés : « Pardon ! — je vous dérange, » dit-il, en faisant mine de ressortir.
GIDE, Paludes, in Romans, Pl., p. 144.

N. *Un échevelé, une échevelée.*

Pâr anal. *Nuages échevelés. Arbres échevelés.*

3 (...) ils *(les palmiers)* sont échevelés, à moitié morts, tout jaunes. Le vent, qui fait un bruit d'enfer dans leurs bouquets de palmes, les rebrousse entièrement comme un parapluie retourné.
E. FROMENTIN, Un été dans le Sahara, p. 99.

♦ **2.** Fig. ⇒ **Désordonné, effréné.** *Une danse échevelée* (→ Amusette, cit. 2). — *Phrases échevelées.*
Excessif, désordonné. *Une passion échevelée. Histoire échevelée.* ⇒ **Insensé** (→ Capricieux, cit. 2). *Poète échevelé. Romantisme échevelé. Style échevelé.*

CONTR. Lisser, peigner ; lissé, ordonné, peigné. — Calme, sage.
DÉR. Écheveler.

ÉCHEVELER [eʃəvle] v. tr. — Conjug. *appeler* ou *geler.* — V. 1185 ; de *échevelé*.

♦ Littér. Mettre les cheveux en désordre. ⇒ **Dépeigner, ébouriffer.**

1 Gilliatt subitement sentit qu'un souffle l'échevelait. Trois ou quatre larges araignées de pluie s'écrasèrent autour de lui sur la roche. Puis il y eut un second coup de foudre. Le vent se leva.
HUGO, les Travailleurs de la mer, II, III, 6.

Par analogie :

2 Course à Criquetot. Le ciel était bas, très sombre, chargé d'averses ; un grand vent de mer échevelait les nuages.
GIDE, Journal, 15 déc. 1917, p. 641.

▶ **S'ÉCHEVELER** v. pron.
Se mettre en désordre (en parlant des cheveux).

2.1 Miette arrivait tout essouflée, traversant les chaumes ; dans sa course, les petits cheveux de son front et de ses tempes s'échevelaient.
ZOLA, la Fortune des Rougon, p. 182, in T. L. F.

Par métaphore :

3 (...) et, la nuit, nous voyons les forêts,
D'où cherchent à s'enfuir les larves enfermées,
S'écheveler dans l'ombre en lugubres fumées.
HUGO, les Contemplations, VI, XXVI.

4 Là-haut de grands nuages tors
S'échevelant avec furie.
VERLAINE, Poèmes saturniens, « Sub urbe ».

▶ **ÉCHEVELÉ, ÉE** p. p. ⇒ **Échevelé.**
DÉR. Échevellement.

ÉCHEVELLEMENT ou ÉCHEVÈLEMENT [eʃ(ə)vɛlmɑ̃] n. m. — 1642 ; de *écheveler,* et *-ment.*

♦ Rare. Action d'écheveler, de mettre les cheveux en désordre ; état de ce qui est échevelé.

1 Mᵐᵉ Xavier est un peu folle, et ça se voit. Même au repos, son visage, sous l'échevellement des mèches grises, paraît mobile et tourmenté.
MARTIN DU GARD, Vieille France, 1933, p. 1032, in T. L. F.

Par métaphore (littér.). Mouvement, forme qui rappelle des cheveux en désordre.

2 De ma cabine je regarde bêtement par l'œil rond, par le hublot du bateau, l'échevèlement des vagues (...)
Ed. et J. DE GONCOURT, Journal, t. III, p. 84.

3 Un spectacle s'éclairait à dix mètres de nous : un jardin potager soigné à en pleurer d'amour. Des rubans vert-de-gris coiffaient la terre : des poireaux avec leur échevellement. Une mêlée de copeaux antiques. J'arrivais, je divaguais.
Violette LEDUC, Folie en tête, p. 305.

ECHEVERIA [eʃeverja] ou ÉCHEVÉRIE [eʃeveri] n. m. ou f. — 1870, *echeveria ; échévérie,* 1846, Bescherelle ; du nom de M. *Echeveri* [etʃeveri], dessinateur de la *Flora Mexicana.*

♦ Bot. Plante grasse charnue *(Crassulacées)* originaire d'Amérique, dont plusieurs espèces sont cultivées en Europe comme plantes ornementales. *Des echeverias, des échéveries.*

(...) un gobelet de feuilles épaisses, charnues comme celles du sédum ou de l'echeveria (de la forme de ces dernières)...
GIDE, Retour du Tchad, VIII, in Souvenirs, Pl., p. 992.

ÉCHEVETTAGE [eʃ(ə)vetaʒ] n. m. — 1877 ; de *échevette.*

♦ Techn. Opération par laquelle on met le fil en échevettes.

ÉCHEVETTE [eʃ(ə)vɛt] n. f. — 1407 ; du rad. de *écheveau,* et *-ette.*

♦ Techn. ou régional. Petit écheveau. — Spécialt. Longueur déterminée de fil dévidé (variable suivant les textiles). *Pour le coton, l'échevette est de cent mètres (le dixième d'un écheveau).*
DÉR. Échevettage.

ÉCHEVIN [eʃ(ə)vɛ̃] n. m. — V. 1165, *eskievin ;* probablt. du francique *skapin* « juge » ; attesté en lat. médiéval *scabinus.* P. Guiraud rapproche le mot de l'anc. franç. *eschever* « achever », probablt de *chevir* (XIIᵉ) « venir à bout d'une affaire difficile ».

♦ **1.** (V. 1165). Au moyen âge, Assesseur du tribunal comtal, puis magistrat municipal. *Les échevins de Paris étaient au nombre de quatre. Échevins du sud de la France* (consuls) ; *de Toulouse* (capitouls) ; *de l'Ouest* (jurats) ; *d'Alsace* (ammeistres).

1 (...) les robes mi-parties rouge et tanné des échevins et des quarteniers (...)
HUGO, Notre-Dame de Paris, I, VI, 1.

2 La ville avait ses chefs, pris parmi les habitants (...) il y avait d'ordinaire un chef supérieur appelé *maïeur* ou *maire* (...) assisté d'un petit groupe d'adjoints appelés dans le Nord *échevins,* dans l'Ouest *jurats.*
Ch. SEIGNOBOS, Hist. sincère de la nation franç., p. 167.

♦ **2.** (1701, Pays-Bas). Mod. (Pays-Bas, Belgique). Magistrat adjoint au bourgmestre. *Le collège formé par le bourgmestre et les échevins. Les échevins de Liège.*

3 M. Coomans arriva avec son premier clerc. Puis Meulebeck qui était échevin des Travaux Publics.
G. SIMENON, le Bourgmestre de Furnes, I, v (1939).

Canada. Rare. Conseiller municipal.
DÉR. Échevinage, échevinal, échevinat.

ÉCHEVINAGE [eʃ(ə)vinaʒ] n. m. — 1219 ; de *échevin.*

♦ **1.** (1219). Hist. Corps des échevins d'une ville.

Une réponse par laquelle M. l'échevin m'assurait que les marmots de la rue Saint-Jacques étaient dignes de la sollicitude de l'échevinage parisien.
FRANCE, les Opinions de J. Coignard, 1893, p. 133, in T. L. F.

♦ **2.** Hist. et mod. (Belgique, etc.). Fonction d'échevin (⇒ **Échevinat**) ; durée de cette fonction.

ÉCHEVINAL, ALE, AUX [eʃ(ə)vinal, o] adj. — XVIᵉ, *eschevinal ;* de *échevin.*

♦ (Surtout au masc. sing.). De l'échevin. *Fonctions échevinales. Collège échevinal :* en Belgique, Collège formé du bourgmestre et des échevins d'une commune. ⇒ **Communal.**

Mon agent m'introduit dans la salle du conseil échevinal (nous sommes en Belgique).
VERLAINE, Aegri somnia.

ÉCHEVINAT [eʃ(ə)vina] n. m. — D. i. ; de *échevin.*

♦ (Belgique). Charge d'échevin. — Services administratifs d'un échevinat. *L'échevinat de l'Instruction publique. L'échevinat de l'état civil est souvent installé à la maison communale.*

ÉCHIDNÉ [ekidne] n. m. — 1806 ; lat. *echidna,* du grec *ekhidna* « vipère ».

♦ Zool. Mammifère australien *(Monotrèmes ;* famille des *Tachyglossidés),* ressemblant au hérisson, épineux, au museau prolongé en bec corné. *Les échidnés et les ornithorhynques* sont les seuls mammifères ovipares connus. L'échidné est insectivore, nocturne et fouisseur.*

ÉCHIF, IVE [eʃif, iv] adj. — 1573 ; de l'anc. franç. *escif* « difficile, abrupt » (déb. XIIᵉ), *eschif* « hostile » (mil. XIIᵉ) ; mot germanique *skioh* « farouche ».

♦ Techn. (chasse). Se dit d'un chien, d'un faucon avide, qui mange beaucoup.
HOM. Échiffe.

ÉCHIFFE [eʃif] ou ÉCHIFFRE [eʃifʀ] n. f. et m. — V. 1150, *eschive ;* probablt de l'anç. franç. *eschif, escif* « abrupt ». → Échif.

♦ **1.** N. f. Ancient. Guérite en bois sur les remparts d'une ville. ⇒ **Échauguette, guérite.**

♦ **2.** N. m. (1607). Techn. (archit.). *Mur d'échiffre,* et, ellipt., *échiffre :*

mur qui, dans un escalier, supporte les abouts des marches. — Par ext. Charpente d'un escalier.

HOM. (De *échiffe*) **Échif.**

ÉCHIGNER [eʃiɲe] v. tr. — 1660; altér. de *échiner*.
Familier et vieux.

♦ **1.** Battre, rosser. ⇒ **Échiner,** 1. *Il s'est fait échigner.* — Fatiguer péniblement. — Pron. *S'échigner à* (et inf.) : se donner du mal pour...

♦ **2.** (1852). Critiquer vivement. ⇒ **Échiner,** 2.

(...) c'est amusant de l'entendre abîmer ses petites camarades... Elle en fait des portraits... Jusqu'à des noms de muscles qu'elle a retenus pour les échigner !

Ed. et J. DE GONCOURT, Manette Salomon, p. 187.

1. ÉCHINE [eʃin] n. f. — 1080, *eschine;* du francique **skina* «baguette de bois», d'où «aiguille, os long». → Épine (épine dorsale).

♦ **1.** Colonne vertébrale (de l'homme et de certains animaux) ; partie du dos où elle se trouve. ⇒ **Colonne** (colonne vertébrale), **épine** (épine dorsale), **rachis** (→ Appeler, cit. 29 ; casser, cit. 20). *Avoir une douleur le long de l'échine. Avoir l'échine forte ; porter des fardeaux sur son échine. Avoir l'échine maigre.* — REM. Le mot était beaucoup plus courant dans la langue classique ; il a toujours été rare ou spécial pour désigner spécifiquement le rachis.

1   L'échine j'allongeais comme un âne rétif (...)   Mathurin RÉGNIER, Satires, VIII.
2   Le long de ton échine
     Je grimperai premièrement (...)   LA FONTAINE, Fables, III, 5.
3   L'animal à longue échine *(la belette)...*   LA FONTAINE, Fables, IV, 6.
4   Tandis que Colletet, crotté jusqu'à l'échine,
     S'en va chercher son pain de cuisine en cuisine (...)   BOILEAU, Satires, I.

Loc. (1678). Fam. et vieilli. *Caresser, frotter, rompre l'échine à qqn,* le battre, le rosser.

5   (...) si jamais volée de bois vert, appliquée sur une échine, a dûment redressé la moelle épinière à quelqu'un (...)   BEAUMARCHAIS, le Mariage de Figaro, I, 1.
6   Ô valets solennels, ô majestueux fourbes,
     Travaillant votre échine à produire des courbes (...)   HUGO, les Châtiments, III, VIII, II.

Mod. (suggérant la servilité, dans des loc.). — (1845). *Courber, plier l'échine :* se soumettre. — *L'échine basse,* humblement, avec servilité. *Avoir l'échine souple, flexible :* être bassement complaisant, servile, prêt à faire des courbettes.

7   Le préfet du Rhône, du nom d'Isidore Liochet, était un homme d'une remarquable souplesse d'échine, et cependant cette remarquable flexibilité de sa colonne vertébrale ne le sauvait pas toujours des fantaisies du destin (...)   G. CHEVALLIER, Clochemerle, p. 333.

Poét. Par métaphore. Arête montagneuse. *L'échine des montagnes* (→ Colline, cit. 5 ; creuser, cit. 27).

♦ **2.** Techn. (bouch.) et cour. Partie de la longe du porc. *Échine de porc au vin blanc. Une côte de porc dans l'échine.* ⇒ **Échinée.**

DÉR. **Échinée, échiner.**
HOM. 2. **Échine,** formes du v. **échiner.**

2. ÉCHINE [eʃin] n. f. — 1567 ; 1546, Rabelais, «aiguille» ; lat. *echinus,* grec *ekhinos* «oursin».

♦ Archit. Moulure saillante placée sous l'abaque du chapiteau dorique. — Ornement du chapiteau ionique. ⇒ **Ove.**

HOM. 1. **Échine,** formes du v. **échiner.**

ÉCHINÉE [eʃine] n. f. — 1398 ; v. 1131 «dos, reins» (d'un cheval) ; de 1. *échine,* et *-ée.*

♦ Cuis. Morceau du dos d'un porc. ⇒ 1. **Échine,** 2.

HOM. **Échiner.**

ÉCHINER [eʃine] v. tr. — V. 1225 ; de 1. *échine,* et *-er.*

♦ **1.** ⓐ Casser l'échine, les reins de (qqn). ⇒ **Éreinter.**

ⓑ Battre, rosser. *Échiner qqn de coups.* ⇒ **Accabler, assommer** (cit. 11), **battre, rouer.** — Battre à plates coutures. *L'armée s'est fait échiner.*

ⓒ Vieilli. Fatiguer péniblement. ⇒ **Éreinter, harasser.** *Échiner qqn par le travail.*

♦ **2.** (1775). Mod. Critiquer vivement. *Il s'est fait échiner par les critiques.* ⇒ **Maltraiter ;** → Échigner, cit.

▶ **S'ÉCHINER** v. pron.

♦ **1.** Vx. (Récipr.) Se battre violemment.

♦ **2.** (1785-1853). Mod. (Réfl.). Fam. Se donner beaucoup de peine. ⇒ **Épuiser** (s'), **éreinter** (s'), **esquinter** (s'), **exténuer** (s'), **fatiguer** (se), **tuer** (se). *S'échiner au travail, à travailler. S'échiner les yeux à broder.*

Je suis moulu. Car, sire, on s'échine à la guerre (...)   1
                HUGO, la Légende des siècles, I, 10.
(...) il fallait l'aimer, quoi ! Et la nourrir, et *s'échiner* pour elle ! Ah ! misère ! Il ne   2
me manquait plus que ce grain au chapelet.
                Louise MICHEL, la Misère, t. I, p. 20.

▶ **ÉCHINÉ, ÉE** p. p. adj.
Très fatigué. ⇒ **Brisé, fourbu, harassé, moulu, rompu.** *Être complètement échiné.*

DÉR. **Échigner.**
HOM. **Échinée.**

ÉCHINIDES [ekinid] n. m. pl. — 1812 ; du grec *ekhinos* «hérisson», suff. *-ides.*

♦ Zool. Classe d'animaux métazoaires échinodermes marins recouverts de piquants mobiles, qui comprend les oursins* et des espèces fossiles. — Au sing. *Un échinide.*

ÉCHINOCACTUS [ekinokaktys] n. m. — 1870 ; *échinocacte,* 1845, Bescherelle ; lat. sav., du grec *ekhinos* «hérisson, oursin», et *cactus.*

♦ Bot. Plante grasse *(Cactacées),* à tige trapue arrondie en globe (ressemblant à un oursin).

ÉCHINOCOCCOSE [ekinɔkɔkoz] n. f. — 1905, in *Rev. gén. des sc.,* n° 6, p. 235 ; de *échinocoque,* et *-ose.*

♦ Méd. Affection provoquée chez l'homme par les échinocoques qui se développent dans les viscères (surtout le foie et le poumon) à partir d'œufs avalés avec les aliments contaminés, et constituent des tumeurs (kystes hydatiques).

ÉCHINOCOQUE [ekinɔkɔk] n. m. — 1817, *in* D.D.L. ; lat. sav. *echinococcus,* du grec *ekhinos* «oursin», et *kokkos* «grain».

♦ Zool., méd. Larve d'un ténia *(Ténia echinococcus,* parasite du chien) qui, chez l'homme, produit des kystes hydatiques. ⇒ **Hydatide.**

DÉR. **Échinococcose.**

ÉCHINODERMES [ekinodɛrm] n. m. pl. — 1792, Bruguières ; du grec *ekhinos* «oursin», et *-derme.*

♦ Embranchement du règne animal, animaux marins à symétrie rayonnante (astérides, crinoïdes, oursins, holothurides, ophiurides). — Au sing. *Un échinoderme,* animal de cet embranchement.

L'eau reprenait sa noirceur, elle se perdait parmi les masses pierreuses composées de mollusques et d'échinodermes (...)
                J. CAYROL, Histoire de la mer, 1973, p. 182.

ÉCHIQUÉEN, ENNE [eʃikeɛ̃, ɛn] adj. — xxᵉ ; de *échec(s),* et *-éen.*

♦ Relatif aux échecs. *« L'analyse du jeu des échecs » de Philidor* (1749) *est un des classiques de la littérature échiquéenne.*

ÉCHIQUETÉ, ÉE [eʃikte] adj. — V. 1180, *eskierkeré; eschequeté,* 1189 ; *eschequeté,* v. 1234 ; de *échiquier,* et *-é.*

♦ Blason. Qui est divisé en cases semblables à celles d'un échiquier. *Écu, chef échiqueté. Croix échiquetée.*

ÉCHIQUIER [eʃikje] n. m. — xIIᵉ, *eschequier* (v. 1130, *eschaquier*) ; de *échec*,* et *-ier.*

A. ♦ **1.** (V. 1176). Tableau divisé en soixante-quatre cases alternativement blanches et noires (ou de deux autres couleurs) et sur lequel on joue aux échecs. ⇒ **Échecs** (cit. 14). *Disposer les pièces d'échecs sur l'échiquier. Renverser l'échiquier par dépit. Fabricant d'échiquier* (⇒ **Tabletier, tabletterie**). *Côté de l'échiquier sur lequel on joue.* ⇒ **Tablier.**

Jacques savait d'avance tout ce qu'ils allaient dire ; seule variait la disposition des   1
objections et des arguments, comme celle des pions sur un échiquier.
                MARTIN DU GARD, les Thibault, t. V, p. 53.

♦ **2.** (V. 1160). Surface couverte de carrés égaux et contigus, aux couleurs alternées. ⇒ **Damier, quadrillage.** *Un échiquier d'arbres.* **EN ÉCHIQUIER,** se dit d'objets disposés en une série de carrés dont les lignes se croisent comme sur un échiquier. *Arbres plantés en échiquier.* ⇒ **Quinconce.** — Blason. *Écu divisé en échiquier,* en plusieurs carrés alternativement de métal et de couleur. ⇒ **Échiqueté.** — Milit. Ancienne disposition des troupes formées sur plusieurs lignes, en carrés, ceux-ci étant séparés d'une distance égale à leur côté, et ceux de la seconde ligne placés derrière les vides de la première.

(...) un échiquier de fenêtres noires, où de jolies figures n'apparaissent que   2
par exception.
                NERVAL, Promenades et Souvenirs, I, « La butte Montmartre », Pl., t. I, p. 141.

Comptab. Tableau composé de cases contenant chacune un nombre qui satisfait à une loi de répartition.

♦ **3.** Techn. (pêche). Filet carré. ⇒ **Carrelet.**

B. Fig. (Par allus. à la partie qui se joue sur l'échiquier). Terrain, lieu où se joue une partie serrée, où s'effectue une manœuvre, où s'opposent plusieurs intérêts, plusieurs partis. *L'échiquier parlementaire* (Académie). *L'échiquier européen. L'échiquier colonial* (J. Ziegler).

3   (...) je le répète, il était assez indifférent pour moi que ce monde fût un échiquier, comme me le disait encore Augustin ; que la vie fût une partie jouée bien ou mal, et qu'il y eût des règles pour un pareil jeu.   E. FROMENTIN, Dominique, III, p. 54.

4   Tout d'abord, au moment de la livrer *(la bataille)*, avait-il l'avantage de connaître à fond l'échiquier — je veux dire le terrain.   Louis MADELIN, Hist. du Consulat et de l'Empire,   L'avènement de l'Empire, XXV, p. 313.

5   Être à la tête d'un pays qui tient une place sur l'échiquier, d'un pays qui possède un territoire, un empire colonial, ça oblige à une vision réaliste.   MARTIN DU GARD, les Thibault, t. VI, p. 126.

C. (1170 ; *eschekier* « trésor royal », parce que « la cour... des ducs de Normandie se réunissait autour d'une table recouverte d'un tapis orné de carreaux servant à faire les comptes », Bloch).

♦ **1.** (1280). Hist. Cour souveraine de Justice de Normandie, érigée en parlement en 1499.

♦ **2.** (1654, *in* D.D.L. ; adapt. angl. *exchequer*, franç. *échiquier*, au sens C, ci-dessus). Mod. En Angleterre, Administration financière centrale. *Le chancelier de l'Échiquier est l'équivalent du ministre des Finances.*

DÉR. Échiqueté.

ÉCHIURIENS [ekjyʀjɛ̃] n. m. pl. — Mil. xxᵉ ; *échiurides*, 1846 ; du lat. zool. *echiurus* « à queue hérissée de piquants », du grec *ekhos* « piquant » et *oura* « queue ».

♦ Zool. Embranchement d'animaux métazoaires coelomates classés parmi les vers*, marins et parfois abyssaux, à l'organisme composé d'une trompe (lobe céphalique) non invaginable et d'un « tronc » allongé, le plus souvent enfoncé dans le sable ou la vase. *Certains échiuriens présentent un dimorphisme sexuel considérable* (par exemple, la bonellie, à mâle nain parasite de la femelle). — Au sing. *Un échiurien.*

ÉCHO [eko] n. m. — V. 1227, *equo* ; lat. *echo*, grec *êkhô* « bruit, son répercuté ».

♦ **1.** (1279). Phénomène de réflexion du son par un obstacle qui le répercute. *Étude des échos.* ⇒ **Catacoustique.** *Il y a de l'écho dans cette salle. Bruit répercuté, répété, reproduit, amplifié par l'écho. Écho simple,* qui ne reproduit les sons qu'une fois. *Écho multiple,* qui peut les répercuter plusieurs fois de suite. *Écho monosyllabique, dissyllabique, polysyllabique,* qui répète une, deux, plusieurs syllabes. *Réponse de l'écho* (→ Bataille, cit. 12). *Aller, se répercuter d'écho en écho* (d'un son).

Par ext. Son répercuté par l'écho. *Entendre un écho, des échos* (→ ci-dessous, cit. 3). *L'écho d'un son, d'un cri :* le son, le cri répercuté par un écho.

1   *La Comtesse. Ce ne sera pas moi. — Le Comte. Ni moi. — Figaro* (à part). *Ni moi. — Suzanne* (à part). *Ni moi. — Le Comte. Il y a de l'écho ici, parlons plus bas.*   BEAUMARCHAIS, le Mariage de Figaro, V, 7.

2   *Un nom que nul écho n'a jamais répété !*   LAMARTINE, Harmonies..., « Premier regret ».

3   *Comme de longs échos qui de loin se confondent.*   BAUDELAIRE, les Fleurs du mal, « Correspondances ».

4   (...) *l'adieu du chasseur que l'écho faible accueille*   *Et que le vent du nord porte de feuille en feuille.*   A. DE VIGNY, Poésies, « Le cor ».

5   *Bientôt la tête du cortège pénétra dans le palais, et, répercutés par les échos, les clairons et les tambours résonnèrent avec un fracas qui fit s'envoler les ibis endormis sur les entablements.*   Th. GAUTIER, le Roman de la momie, IV, p. 86.

6   *Bien que l'orchestre se fût tu brusquement, l'écho de sa rumeur, survivant aux mélodies qui avaient tari les flûtes et épuisé les violons, se propageait, un moment encore, dans les branches, mêlé au vent et aux feuilles froissées.*   Edmond JALOUX, le Jeune Homme au masque, I, p. 1.

6.1   *Les peintres chasseurs de paysage avaient cédé la place aux chasseurs d'échos ; devant chaque montagne convexe, un Berlinois en vacances de Pâques faisait crier au chœur de ses enfants, juchés sur des pierres de taille différente, pour que leurs bouches du moins fussent à la même hauteur, un hymne de vengeance, ou, pour les reposer, une de ces questions comiques dont l'écho ne doit répondre que la dernière syllabe.*   GIRAUDOUX, Siegfried et le Limousin, p. 187.

6.2   *Un jour, au fond du bois d'Arghyros, le guide conduisit Soreau à l'angle d'un carrefour ombreux, en le priant d'expérimenter un écho vanté pour son étonnante pureté. Soreau obéit et lança une série de mots ou de sons qui furent aussitôt reproduits avec une parfaite exactitude.*   Raymond ROUSSEL, Impressions d'Afrique, p. 340.

Par anal. (techn., sc.). Réémission d'un signal vers l'émetteur. *Effet d'écho radioélectrique,* répétition légèrement différée d'un signal radioélectrique. *Écho radar*. Écho hertzien.* — Spécialt. Comparaison entre un signal émis et le signal reçu par réémission vers l'émetteur. *Méthode des échos.* — Image en double, décalée par rapport à l'image normale (en télévision, etc.).

Loc. *En écho :* en répétant. *Répondre en écho,* en utilisant les mêmes mots.

Ling. (En appos.). *Question-écho :* question ayant la même forme syntaxique que l'affirmation qui la précède. Ex. : *Il est parti hier.* — *Il est parti hier ?*

Loc. fig. *Faire écho à qqch.,* le répéter, le propager. Syn. : *se faire l'écho de...* (où *écho* a le sens 4).

♦ **2.** (1690, Furetière). Par ext. Lieu où l'écho se produit. *L'écho du bois, des gorges.*

Loc. *À tous les échos :* dans toutes les directions.

7   *(Les bergers)* faisaient répéter les doux sons de leurs flûtes (...) à tous les échos d'alentour.   FÉNELON, Télémaque, II.

8   Je pense surtout que le gouvernement commet une faute grave en laissant se propager à tous les échos votre (...) bruit de sabre !   MARTIN DU GARD, les Thibault, t. VI, p. 125.

♦ **3.** [a] (1687). Ce qui est répété par quelqu'un. ⇒ **Bruit, nouvelle.** *Nous avons eu un faible écho de ces événements. J'en ai eu quelques échos. Les échos de la grande ville* (→ Dénaturé, cit. 12).

9   J'écoute peu ces bruits que le peuple répète, Échos tumultueux d'une voix plus secrète.   VOLTAIRE, Sémiramis, II, 3.

10   L'écho des discussions passionnées du temps franchissait parfois les murs de la maison ; les discours de M. Mauguin (je ne sais pas bien pourquoi) avaient surtout le privilège d'émouvoir les jeunes.   RENAN, Souvenirs d'enfance..., IV, I, p. 159.

11   Enfin ce que j'en sais n'est pas direct ; je le tiens de lui ; c'est lui qui voit les gens, qui leur parle ; mon récit n'est jamais qu'un écho.   GIDE, Journal, 11 oct. 1916.

[b] (1860). Spécialt (journalisme). *Les échos d'un journal :* rubrique consacrée aux petites nouvelles mondaines ou locales. *Faire les échos.* ⇒ **Échotier.** — Titre de nombreux journaux. *Le Petit Écho de la mode. Les Échos. Le Journal des échos.*

♦ **4.** (1661). Personne qui répète, reflète ce qu'une autre a dit (ou fait). *La calomnie trouve ordinairement des échos* (Académie). *Être l'écho de faux bruits.* — Loc. *Se faire l'écho de,* répéter en propageant. ⇒ **Propager, répéter.** *Elle s'est fait l'écho, ils se sont fait l'écho de la nouvelle.* — Syn. : *faire écho à...* (où *écho* a le sens 1).

12   Mais je ne puis du tout approuver sa chimère, Et me rendre l'écho des choses qu'elle dit (...)   MOLIÈRE, les Femmes savantes, I, 3.

13   Ménippe est l'oiseau paré de divers plumages qui ne sont pas à lui. Il ne parle pas, il ne sent pas ; il répète des sentiments et des discours, se sert même si naturellement de l'esprit des autres (...) qu'il croit souvent dire son goût ou expliquer sa pensée, lorsqu'il n'est que l'écho de quelqu'un qu'il vient de quitter.   LA BRUYÈRE, les Caractères, II, 40.

♦ **5.** Littér. (Par métaphore du sens 1). Ce qui reflète, répète (qqch.). ⇒ **Expression, reflet, résonance.**

14   (...) et sa voix argentine, Écho limpide et pur de son âme enfantine, Musique de cette âme où tout semblait chanter, Égayait jusqu'à l'air qui l'entendait monter !   LAMARTINE, Harmonies..., « Premier regret ».

15   Tout souffle, tout rayon, ou propice ou fatal, Fait reluire et vibrer mon âme de cristal. Mon âme aux mille voix, que le Dieu que j'adore Mit au centre de tout comme un écho sonore.   HUGO, Feuilles d'automne, I, 1.

16   La voix du cygne qui s'apprêtait à mourir fut transmise par moi au cygne mourant : j'étais l'écho de ces ineffables et derniers concerts !   CHATEAUBRIAND, Mémoires d'outre-tombe, t. II, p. 264.

17   Ses paroles n'étaient qu'une réponse affaiblie, docile, presque un simple écho de mes paroles ; elle n'était plus que le reflet de ma propre pensée.   PROUST, À la recherche du temps perdu, t. IX, p. 234.

18   J'attends l'écho de ma grandeur interne, Amère, sombre et sonore citerne, Sonnant dans l'âme un creux toujours futur !   VALÉRY, Poésies, « Le cimetière marin ».

♦ **6.** Accueil et réaction favorable, sympathique. ⇒ **Adhésion, approbation, réponse, résonance, sympathie.** *Sans écho* (après des verbes comme *être, demeurer, rester*) : sans effet, sans résultat. *Sa protestation est restée sans écho. Offre qui ne trouve, n'éveille aucun écho.*

19   (...) une seule pensée creusée, une voix entendue, une souffrance vive, un seul écho que rencontre en vous la parole, change à jamais votre âme.   BALZAC, Séraphîta, Pl., t. X, p. 574.

20   On ne goûterait pas le comique si l'on se sentait isolé. Il semble que le rire ait besoin d'un écho.   H. BERGSON, le Rire, I, p. 4.

♦ **7.** [a] (1690, Furetière). Mus. Effet musical obtenu par une reprise ou un prolongement du son. *Note en écho. Faire un écho sur l'orgue.*

[b] (1680). Versification. Reprise d'un mot, pour donner une impression de réponse, de correspondance. *Vers en écho.* ⇒ **Échoïque** (→ Commis, cit. 2).

DÉR. Échoïque, échotier.
HOM. Écot.

ÉCHO- Élément servant à composer des substantifs désignant l'utilisation d'échos sonores. ⇒ **Échographie, écholocation, échomètre, échométrie, échosondeur, échotomographie.** — REM. De nombreux autres composés sont attestés dans l'usage scientifique ou technique.

ÉCHOGRAMME [ekɔgram] n. m. — 1978; de *écho-*, et *-gramme*. Didactique.

♦ **1.** Techn. Enregistrement graphique fourni par un échosondeur*.

♦ **2.** Méd. Image fournie par un échographe*. Syn. plus cour. : *échographie*.

HOM. Écogramme.

ÉCHOGRAPHE [ekɔgraf] n. m. — 1978; de *écho-*, et *-graphe*.

♦ Méd. Appareil qui permet, au moyen d'ultra-sons, l'enregistrement des échos des milieux réfringents du corps humain. ⇒ **Échographie; échogramme.** *Échographe à balayage.*

ÉCHOGRAPHIE [ekɔgrafi] n. f. — 1906, in *Rev. gén. des sc.,* n° 8, p. 388; de *écho-*, et *-graphie.* Didactique.

♦ **1.** Méd. (Rare). Incapacité pour un sujet de comprendre le sens d'un texte qu'il peut copier normalement et impossibilité de l'écrire spontanément.

♦ **2.** (Av. 1971). Méd., phys. et cour. Méthode d'exploration médicale utilisant la réflexion des ultra-sons par les structures organiques; image ainsi obtenue (⇒ **Échogramme**). *Échographie de l'abdomen, du foie, de la prostate; échographie de l'œil. L'échographie permet notamment de mesurer les composantes optiques de l'œil, de déterminer la position de la faux du cerveau, etc.; elle est utilisée dans la surveillance des grossesses, pour visualiser la position et la taille du fœtus, et pour contrôler son développement* (syn. : *échotomographie*). ⇒ **Ultrasonographie.** *Salles d'échographie d'un hôpital. Pratiquer une échographie* (⇒ **Échographe**).

Cela est particulièrement intéressant en échographie où il faut focaliser sur une grande profondeur de champ (...) L'échographie calquée sur le principe du sonar consiste à détecter et à enregistrer les échos provenant des interfaces réfléchissantes situées sur la trajectoire de l'onde incidente.
la Recherche, n° 101, juin 1979, p. 647.

DÉR. Échographique, échographiste.
HOM. Écographie.

ÉCHOGRAPHIQUE [ekɔgrafik] adj. — V. 1970; de *échographie*.

♦ Didact. Relatif à l'échographie (→ Échographiste, cit.). « *L'image échographique permet, par exemple, de déceler les structures liquidiennes qui, totalement vides d'échos, sont très bien cernées* » (*Sciences et Avenir*, mars 1978, p. 68).

ÉCHOGRAPHISTE [ekɔgrafist] n. — V. 1970; de *échographie*.

♦ Méd. Praticien qui se spécialise dans la technique de l'échographie (2.). « *D'une façon générale, la scène échographique est un lieu où la multiplicité des regards (ceux de la parturiente et du futur père sur l'écran, sur le fœtus, etc.; ceux de l'échographiste et de l'équipe soignante sur ces mêmes images et sur le corps de la patiente, etc.) est une composante importante du vécu de l'échographie* » (*Science et Vie*, déc. 1983, n° 145, p. 31).

HOM. Écographiste.

ÉCHOÏQUE [ekɔik] adj. — 1864; de *écho* (7, b), et *-ique*.

♦ Didact. (versification). Vers terminé par deux mots assonants ou qui riment, en grec, en latin. — En français, Vers terminé par un écho (vers *en écho*).

ÉCHOIR [eʃwar] v. intr. et défectif. — *Il échoit* (vx, *échet*), *ils échoient; il échut; il échoira* (vx, *écherra*); *il échoirait; échéant; échu.* — V. 1135; du lat. pop. *excadere*, class. *excidere*. → Choir.

♦ **1.** (V. 1135). Être dévolu* par le sort ou par cas fortuit. ⇒ **Advenir, arriver, revenir, survenir, venir.** *Échoir en partage à quelqu'un. Échoir par le sort. Le gros lot lui est échu. Échoir par succession. Ces biens lui sont échus en héritage. Il lui est échu une succession depuis son mariage.*

1   La seconde *(part)* par droit me doit échoir encor (...)
    LA FONTAINE, Fables, I, 6 (→ Droit, cit. 48).

2   Ô hommes, quels que vous soyez, et quelque sort qui vous soit échu par l'ordre de Dieu dans le grand partage qu'il a fait du monde (...)
    BOSSUET, Sermons, Justice, 1.

3   Les immeubles que les époux possèdent au jour de la célébration du mariage, ou qui leur échoient pendant son cours à titre de succession, n'entrent point en communauté.   Code civil, art. 1404.

4   Un observateur averti des choses de la table n'aurait pas manqué de se demander par quel paradoxe de la nature une maladie aussi raffinée, aussi sympathique que la goutte, avait bien pu échoir en partage à un si piètre mangeur.
    Pierre BENOÎT, Mᴵᴵᵉ de la Ferté, III, p. 161.

Le verbe est rare, sauf à l'infinitif, au prés. de l'indicatif et au p. p. *(échu)* :

5   Moréas et Ghil
    Ghil et Moréas
    Qui va vaincre? Hélas!
    Est-ce au plus agile
    Qu'écherra la palme
    Ou bien au plus calme?   VERLAINE, Invectives, X, Pl., p. 693.

6   On proposa ce jeu, licite dans un atelier, de tirer au sort qui monterait nu sur la table à modèle; et sans tricherie, quoique Sengle eût prédit que cela écherrait, le sort tomba sur Severus Altmensch.
    A. JARRY, les Jours et les Nuits, Pl., t. I, p. 750.

Procéd. Vx. *Si le cas y échoit, y échet,* ou simplement, *s'il y échet :* si l'occasion se présente, s'il y a lieu. ⇒ **Échéant** (le cas échéant).

♦ **2.** (1670). Arriver à échéance*. *Le terme échoit le 15 janvier.* Au passif. *Billet dont la date de paiement est échue. Intérêts à échoir.* — *Le délai est échu,* expiré, révolu.

7   (...) les quatre années sont échues où les jeux se doivent célébrer.
    RACINE, Livres annotés, Pindare, Olympique, IV.

▶ **ÉCHU, ÉCHUE** p. p. adj.
Dévolu. *Biens échus.* — Arrivé à échéance. *Payer le terme échu. Payer à terme échu. Délai échu,* expiré.

DÉR. Échéance, échéant, échute.

ÉCHOLALIE [ekɔlali] n. f. — 1890; en all., 1853; grec *êkhô* (→ Écho), et *lalia* « bavardage ».

♦ Psychiatrie. Répétition automatique des paroles (ou chutes de phrases) du locuteur, observée dans certains états démentiels ou confusionnels.

Et Valentin se met à observer cette écholalie que vient chasser (...) une voix grave et anonyme qui réclame impérieusement *de la gomme, de la gomme, de la gomme* (...)   R. QUENEAU, le Dimanche de la vie, p. 207.

DÉR. Écholalique.

ÉCHOLALIQUE [ekɔlalik] adj. — D. i. (xxᵉ); de *écholalie*.

♦ Psychiatrie. Relatif à l'écholalie. — Adj. et n. Atteint d'écholalie.

ÉCHOLOCATION [ekɔlɔkasjɔ̃] n. f. — V. 1950, in D.D.L.; de *écho-*, et *location*.

♦ Phys. Évaluation de la position et de la distance d'un objet par la mesure du temps nécessaire à une brève impulsion sonore (⇒ **Sonar**) pour revenir à sa source. *Le système d'écholocation des baleines, des dauphins.* « *Il est probable que, dans la recherche de nourriture, les manchots sont guidés par écholocation puisque leurs proies favorites sont connues comme émettrices de bruits divers* » (*la Recherche*, n° 93, oct. 1978).

ÉCHOMÈTRE [ekɔmɛtr] n. m. — 1771, Trévoux; de *écho-*, et *mètre*.

♦ Sc. et techn. Instrument destiné à mesurer la durée des sons, à déterminer leurs intervalles et leurs rapports.

ÉCHOMÉTRIE [ekɔmetri] n. f. — 1690, Furetière; de *écho-*, et *-métrie*.

♦ Sc., techn. Mesure des rapports des sons.

1. ÉCHOPPE [eʃɔp] n. f. — V. 1230, *escope;* néerl. *schoppe,* avec infl. de l'angl. *shop* « magasin ».

♦ **1.** Vieilli ou spécial. Petite boutique parfois en planches, en appentis et adossée contre un mur. ⇒ **Baraque, boutique, magasin.** *Une échoppe d'artisan, de cordonnier, de fleuriste. Les échoppes des bazars, des marchés orientaux, des souks.*

1   Les quelques maisons de cette ruelle étaient d'étroites bicoques mal alignées et dont les rez-de-chaussée devaient servir d'échoppes depuis le XVIᵉ siècle.
    MARTIN DU GARD, les Thibault, t. IV, p. 45.

2   Tantôt, dans les ruelles de l'immense bazar, une somnolence universelle assoupit tous ses commerçants. C'est l'heure des chapelets, des lectures coraniques, l'heure où un ami vient s'asseoir sur le bord de l'échoppe pour bavarder un moment.
    Jérôme et Jean THARAUD, Fez, p. 63.

3   Les échoppes ont encore un ténébreux aspect d'antan et les débits de vins, cette forte et fraîche odeur de cave qui, l'été, se répand au dehors.
    Francis CARCO, Nostalgie de Paris, p. 52.

♦ **2.** Régional (Bordeaux). Petite maison ne comportant que le rez-de-chaussée.

4   Il avait pris pension chez une veuve dans une de ces maisons sans étages que les Bordelais appellent échoppes.   F. MAURIAC, Un adolescent d'autrefois, p. 151.

HOM. 2. Échoppe.

2. ÉCHOPPE [eʃɔp] n. f. — 1579, *eschope; escoppre,* 1418; *eschaulbre,* 1366; du lat. *scalprum* « burin, ciseau ».

♦ (1579). Techn. Outil à pointe taillée en biseau qu'emploient les clicheurs, ciseleurs, graveurs, orfèvres. ⇒ **Burin**. — Pointe d'acier utilisée pour graver à l'eau-forte.

DÉR. Échopper.
HOM. 1. Échoppe.

ÉCHOPPER [eʃɔpe] v. tr. — 1676; *eschoppeler*, 1615, *in* D. D. L.; déb. xvᵉ «érafler d'un coup de lance»; de 2. *échoppe*.

♦ (1615). Techn. Graver, tailler ou effacer avec une échoppe.
Figuré :
Le fils Belvoir m'envoie chaque trimestre le recueil des passages qu'il est contraint d'échopper ou de corriger dans les auteurs français.
GIRAUDOUX, Juliette au pays des hommes, p. 58.

ÉCHOPRAXIE [ekopʀaksi] n. f. — xxᵉ; de *écho-*, et *-praxie*.

♦ Psychiatrie. Exécution automatique, par imitation, de gestes faits par autrui, observée dans certaines démences et états de confusion mentale.

ÉCHOSONDEUR [ekosɔ̃dœʀ] n. m. — Mil. xxᵉ; de *écho-*, et *sondeur*.

♦ Techn. Appareil de sondage (échosondage) utilisant la propagation des ondes sonores dans l'eau et permettant en particulier d'établir des cartes sous-marines (→ Échogramme). — Var. : *écho-sondeur*.
Mais je compte bien équiper *Joshua* d'un écho-sondeur moins encombrant que le bricolage éventuel du cigare-avertisseur (...)
Bernard MOITESSIER, Cap Horn à la voile, p. 65.

ÉCHOTIER, IÈRE [ekɔtje, jɛʀ] n. m. — 1866, *échotier*; de *écho* et *-ier*, avec un *-t* de liaison.

♦ Rédacteur des échos (dans un journal). *Un échotier mondain, des spectacles.*
(...) il s'agissait du prince Luigi Voudzoï, un prince poldève qui terminait ses études en France. Un échotier méchant prétendait qu'elles consistaient surtout en beuveries et bacchanales.
R. QUENEAU, Pierrot mon ami, éd. I.. de Poche, p. 57.

ÉCHOTOMOGRAPHIE [ekotɔmɔgʀafi] n. f. — V. 1970; de *écho-*, *tomo-*, et *-graphie*.

♦ Méd. Échographie*.
Une échotomographie perfectionnée fournira en temps réel l'image du cœur des cosmonautes, notamment au moment de la redistribution du volume sanguin. La méthode échotomographique consiste à visualiser les organes par échos d'ultrasons : elle permettra d'observer d'une manière générale les variations de volume des grands vaisseaux et le comportement des organes internes du spationaute.
Albert DUCROCQ, les Expériences du vol spatial franco-soviétique, *in* Sciences et Avenir, n° 424, juin 1982, p. 29.

DÉR. Échotomographique (→ cit. ci-dessus; V. **Échographique**).

ÉCHOUAGE [eʃwaʒ] n. m. — 1674; de *échouer*.

♦ Le fait d'échouer (I., 1.; ⇒ **Échouement**); situation d'un navire que l'on échoue volontairement. *Échouage au bassin. Échouage à l'ancrage. Échouage d'une barque, sur la plage. Lieu d'échouage. Cale d'échouage. Port d'échouage,* dans lequel les navires doivent échouer à marée basse. — Lieu propice à l'échouage. *Chercher un échouage pour faire hiverner un bateau.*

1   Plage unie sur la côte, où s'arrêtent, en touchant sans danger, les navires de petite dimension. Dans la Méditerranée, les pêcheurs de sardines viennent à l'échouage en rentrant de leur expédition (...) LEGOARANT, *in* LITTRÉ.
2   Échouages hideux au fond des golfes bruns (...)
RIMBAUD, Poésies, « Le bateau ivre ».

ÉCHOUEMENT [eʃumɑ̃] n. m. — 1626; de *échouer*.

♦ Arrêt accidentel d'un navire par contact avec le fond. *Échouement avec bris* (art. 369 du Code de commerce). *Échouement volontaire du navire pour sauver la cargaison.* ⇒ **Échouage**.

1   L'empereur Talou VII, qui, attendant depuis quelques heures l'inévitable échouement de notre navire signalé par un pêcheur indigène, comptait nous retenir en son pouvoir jusqu'au paiement d'une rançon suffisante.
Raymond ROUSSEL, Impressions d'Afrique, p. 220.
2   Balbet retrouva toutes ses cartouches mouillées par la mer, qui, à marée haute, profitant d'une large voie d'eau occasionnée par l'échouement, avait partiellement envahi la cale du Lyncée. Raymond ROUSSEL, Impressions d'Afrique, p. 295.

Par métaphore. Échec (d'une entreprise).

ÉCHOUER [eʃwe] v. — 1559; orig. incert., p.-ê. de *échoir* ou du normand *escover*, de *escoudre*, *escourre* «secouer». P. Guiraud rapproche le mot de l'anc. wallon *chouer* «essuyer», var. de *choyer**, du lat. *exsucare*.

★ I. V. intr. ♦ 1. (1573). En parlant d'un navire, d'une embarcation. Toucher le fond par accident et se trouver arrêté dans sa mar-
che. ⇒ **Aggraver** (s'), **enfoncer** (s'), **engraver** (s'), **ensabler** (s'), **envaser** (s'). *Le fait d'échouer.* ⇒ **Échouage, échouement, naufrage**. *Le navire a échoué sur un banc de sable, contre un écueil, un brisant.* ⇒ **Donner** (contre, sur un écueil). — REM. Sans être archaïque, cet emploi semble moins courant de nos jours que le pron. *s'échouer.*

1   Dans cette position où le vent et la mer le jetaient à terre, il lui était également impossible *(au vaisseau...)* d'échouer sur le rivage dont il était séparé par des hauts-fonds semés de récifs. BERNARDIN DE SAINT-PIERRE, Paul et Virginie, p. 123.

Par anal. Être poussé, jeté sur la côte. *Une baleine a échoué sur la côte, à la côte. Des débris ont échoué sur le sable. Épave qui échoue à la côte* (⇒ 2. **Atterrer**, vx).

(Navires, embarcations). Se placer de manière que la quille soit à sec, ou plus ou moins engagée sur le fond de la mer, sur le sable... *Les caboteurs échouent dans les havres à marée basse. Le navire échoue au bassin* (⇒ **Échouage**).

Par métonymie. (En parlant des passagers d'un navire). *Nous avons échoué sur un écueil près du rivage.*

Par métaphore :

2   Et pourtant, à la fleur de l'âge,
Sur quels autres, sur quel rivage
Déjà n'ai-je pas échoué ? LAMARTINE, Premières méditations, « Adieu ».

♦ **2.** (Personnes). Par métaphore du sens 1 (→ ci-dessous, cit. 4) ou fig. S'arrêter par lassitude en un lieu dont on se contente faute de mieux, ou par le hasard. *Ils ont fini par échouer au cinéma.*

3   Le restaurant où ils avaient échoué, immense hall plein de monde, de lumières et de bruit, était à la fois une taverne, un dancing, une académie de billard (...)
MARTIN DU GARD, les Thibault, t. III, p. 97.
4   Tu étais venu échouer là, sur la place de la Paix, comme un pauvre rouget poussé par une lame. P. MAC ORLAN, la Bandera, V, p. 58.

♦ **3.** (1660; d'abord métaphore : *échouer sur un écueil, près du port*; avec infl. probable de *échec*). Par ext. (Sujet n. de personnes). Ne pas réussir, éprouver un échec*, un insuccès. *Échouer devant l'obstacle.* → fam. Se casser* le nez; ramasser une pelle*, une tape*, une veste*. *Cette entreprise est trop difficile, vous y échouerez. Échouer simultanément dans deux entreprises.* → Demeurer le cul* entre deux selles. *Échouer plusieurs fois de suite.* ⇒ **Jouer** (de malheur). *Personne qui échoue souvent.* ⇒ **Perdant, raté; loser** (anglic.); → aussi Conduite d'échec. *Échouer près du but. Échouer à un examen,* ne pas y être reçu. ⇒ **Coller, rater, sécher**.

5   (...) Fédéric échoua
Près de ce roc *(ce cœur insensible),* et le nez s'y cassa (...)
LA FONTAINE, Contes et nouvelles, III, « Le Faucon ».
6   Rien n'est humiliant comme de voir les sots réussir dans les entreprises où l'on échoue. FLAUBERT, l'Éducation sentimentale, I, V, p. 93.

(Sujet n. de choses). ⇒ **Avorter, claquer, craquer, crever, crouler, manquer, merder** (fam.), **merdoyer** (fam.), **péter** (fam.), **rater, tomber, tourner** (mal tourner), **vasouiller** (fam.); → S'en aller en eau de boudin*, faire long feu*, faire naufrage*. *Toutes ses tentatives, tous ses efforts ont échoué. Entreprise mort-née qui échoue dès son début. Les attaques ennemies ont échoué devant notre résistance.* ⇒ **Briser** (se). *Faire échouer un plan.* ⇒ **Couler, torpiller**.

7   (...) ces rêves qui échouent dans la médiocrité.
A. THIBAUDET, Gustave Flaubert, p. 31.

★ **II. V. tr.** (1559). Mar. Faire échouer (un navire, une embarcation). Pousser (une embarcation) jusqu'au contact de la côte. *Échouer une barque, pour en nettoyer la carène. « J'échouais mon bateau au rivage »* (Chateaubriand). *Échouer un bateau sur ses béquilles* (⇒ **Béquille**). Jeter à la côte. *Le capitaine échoua son navire pour le soustraire à la prise de l'ennemi.*

▶ **S'ÉCHOUER** v. pron.

♦ **1.** (En parlant d'un navire, d'une embarcation). Se jeter à la côte*. Syn. plus cour. de *échouer* I., 1. *Le navire s'est échoué sur les écueils. Le capitaine aima mieux s'échouer que de se laisser prendre.*

8   Malheureusement on ne trouve que quatre ou cinq brasses d'eau, et on est réduit à s'échouer (...) G.-T. RAYNAL, Hist. philosophique..., VIII, 10.

(Objets, personnes à bord d'un navire). *Des caisses qui s'échouent sur une plage.* — *Les marins survivants s'étaient échoués sur une île.*

Par métaphore. *Après maintes entreprises malheureuses, il s'est échoué dans ce poste subalterne* (Académie).

9   Pauvre petite plante saine et fraîche, née dans les bois de Toulven, comment était-il venu s'échouer dans cette misère de la ville ? LOTI, Mon frère Yves, LI, p. 132.

♦ **2.** Fig. (Sens 2 de *échouer*). Rare. *« (Ils) s'échouèrent enfin dans un petit café »* (Zola, *in* T. L. F.).

▶ **ÉCHOUÉ, ÉE** p. p. adj.

(1559). Mar. et cour. (En parlant d'une embarcation). Qui, touchant le fond, ne peut plus flotter. *Trace d'un navire échoué dans la vase.* ⇒ **Souille**. *Barques de pêche échouées sur la plage* (→ Aborder, cit. 2). *Mettre à flot, afflouer, renflouer un bateau échoué.*

10   Au bord et parmi les joncs pliés en deux par le cours de l'eau, il y avait des bateaux amarrés chargés de planches et de vieux chalands échoués dans la vase, comme s'ils n'eussent jamais flotté. E. FROMENTIN, Dominique, IV, p. 61.

11 (...) si le navire échoué peut être relevé, réparé, et mis en état de continuer sa route pour le lieu de sa destination. Code de commerce, art. 389.

Par ext. *Caisses, débris échoués.*

Par anal. Qui a été poussé, jeté sur la côte. *Ils ramassaient les débris échoués sur le sable.*

12 Les enfants s'approchaient sans peur comme d'une immense baleine échouée, sans défense, et qu'on allait dépecer. PROUST, Du côté de chez Swann, p. 398, *in* T.L.F.

CONTR. Afflouer, renflouer; flotter. — Réussir.
DÉR. Échouage, échouement.

ÉCHU [eʃy] adj. ⇒ **Échoir** (p. p.).

ÉCHUTE [eʃyt] n. f. — 1611, *escheute; anc. p. p. fém. du v. échoir.*

♦ **1.** Anciennt (hist. du droit). Droit du seigneur à succéder dans certains cas à ses mainmortables. — La succession.
Je ne veux ni mainmorte ni échute dans ce petit coin de terre que j'habite (...) VOLTAIRE, Lettre à Perret, 28 déc. 1771.

♦ **2.** Mod. (Régional : Suisse). Part de la recette d'une vente publique qui échoit au commissaire-priseur.

ÉCILLÉ, ÉE [esile] adj. — Fin XIXe, Huysmans *in* G.L.L.F.; de *é-, cil,* et suff. *-é.*
♦ Littér. et rare. Qui n'a pas ou plus de cils.

ÉCIMAGE [esimaʒ] n. m. — 1791; de *écimer.*
♦ Techn. Action d'écimer (une plante). *L'écimage du maïs.*

ÉCIMER [esime] v. tr. — 1572, *escimer;* de *é-, cime* et suff. verbal.
♦ Techn. Couper la cime, la partie supérieure de (un arbre, une plante), pour favoriser la croissance des organes inférieurs. *Écimer un arbre.* ⇒ **Déshonorer, étêter, tailler.**
Au p. p. *Arbre écimé.*
1 (...) une avenue plantée d'arbres écimés et trapus (...) Th. GAUTIER, Voyage en Espagne, p. 48.
2 Promenade dans la plantation, cette terre pareille à du tabac fin. Les deux jiquitibas gigantesques dans ce qui reste de la forêt vierge, particulièrement ce vieux écimé par la foudre, les racines comme la patte d'un être monstrueux, 40 mètres de tour. CLAUDEL, Journal, 30 juil. 1918.
Spécialt. Enlever la partie supérieure (d'une plante herbacée) afin de favoriser le développement des feuilles ou des bourgeons inférieurs. *Écimer du tabac, du maïs.*
DÉR. Écimage, écimeuse.

ÉCIMEUSE [esimøz] n. f. — 1922; de *écimer.*
♦ Agric. Machine pour écimer le blé.

ÉCLABOUSSANT, ANTE [eklabusɑ̃, ɑ̃t] p. prés. adj. — D.i. (attesté XIXe); p. prés. de *éclabousser.*
Qui éclabousse.
♦ **1.** Qui couvre de liquide, en rejaillissant.
1 La pluie tombait à flots, une pluie normande qu'on aurait dit jetée par une main furieuse, une pluie en biais, épaisse comme un rideau, formant une sorte de mur à raies obliques, une pluie cinglante, éclaboussante, noyant tout. MAUPASSANT, Mademoiselle Fifi, p. 5-6.
Par métaphore :
2 Je ne suis et tu n'es, dans les vastes flux des choses, qu'un point d'arrêt favorable au rejaillissement (...) Un court moment d'arrêt : le complexe, le doux, le violent mouvement des mondes se fera de ta mort une écume éclaboussante. Georges BATAILLE, l'Expérience intérieure, p. 124.
♦ **2.** Fig. Qui atteint par contrecoup. *Un scandale éclaboussant.* — *Un luxe éclaboussant,* indécemment étalé.

ÉCLABOUSSEMENT [eklabusmɑ̃] n. m. — 1835; de *éclabousser.*
♦ **1.** Rare. Action d'éclabousser. *L'éclaboussement des piétons par une voiture.*
♦ **2.** Jaillissement. *Dans un éclaboussement d'écume.*
Par métaphore :
Ta gaucherie faisait rire les dieux. Ne cherche pas ailleurs les causes de l'abandon où ils t'ont laissé. Ils sont en train de marcher dans d'admirables éclaboussements d'astres, loin de toi. J. GIONO, les Vraies Richesses, p. 86.
♦ **3.** Fig. *L'éclaboussement d'un scandale.*

ÉCLABOUSSER [eklabuse] v. tr. — 1564, *esclabocher;* var. expressive de l'anc. franç. *esclaboter* v. 1225; traditionnellement rattaché à un rad. onomat. *klapp-klabb* et à *bouter.* Pour P. Guiraud, il s'agit d'un composé tautologique de *bousser,* doublet de *bouter* «pousser hors» et de *éclater,* d'où *éclabousser* «rejeter sous forme d'éclats».

♦ **1.** Faire rejaillir* de la boue sur (qqn, qqch.); couvrir d'un liquide salissant qu'on a fait rejaillir. ⇒ **Arroser, asperger, mouiller.** *Éclabousser qqn en marchant dans une flaque d'eau. Voiture qui roule dans le ruisseau et éclabousse les passants. Salir, souiller, tacher un vêtement en l'éclaboussant. Éclabousser de sauce les vêtements de qqn.* — (D'une chose). *Plume qui éclabousse.* — (Avec un compl. en de...). *Éclabousser qqn d'eau sale.* Par métaphore. → ci-dessous, cit. 2.
1 Guenaud sur son cheval en passant m'éclabousse. BOILEAU, Satires, VI.
2 Deux guerriers ont couru l'un sur l'autre; leurs armes / Ont éclaboussé l'air de lueurs et de sang. BAUDELAIRE, les Fleurs du mal, XXXV.
3 Il *(l'automobiliste)* éclabousse les piétons, double les véhicules qu'il « surclasse » par la puissance; il tient son rang dans une hiérarchie. G. DUHAMEL, Manuel du protestataire, IV, p. 131.
Littér. (à propos d'autre chose qu'un liquide; → aussi ci-dessus, cit. 2). *Éclabousser l'ombre de taches de lumière.*
4 Au milieu du jour, le soleil, tombant d'aplomb sur les larges verdures, les éclaboussait, suspendait des gouttes argentines à la pointe des branches, rayait le gazon de traînées d'émeraudes, jetait des taches d'or sur les couches de feuilles mortes (...) FLAUBERT, l'Éducation sentimentale, III, I.
(Le sujet désigne le liquide). Rejaillir sur (qqn, qqch.).
4.1 Il prit à plein poing la chandelle et la posa sur la cheminée avec un frappement si violent que la mèche faillit s'éteindre et que le suif éclaboussa le mur. HUGO, les Misérables, I, II, VII.

♦ **2.** Fig. Salir par contrecoup. *Le scandale qu'il a provoqué a éclaboussé ses amis.* ⇒ **Rejaillir** (sur), **souiller;** → Boue, cit. 12. *Être éclaboussé par des calomnies.* ⇒ **Éclaboussure** (→ Clapoter, cit. 3).
5 L'éloge hyperbolique, l'injure acrimonieuse, qu'on ne se ménageait pas alors de part et d'autre, n'éclaboussèrent même pas son nom. Th. GAUTIER, Portraits contemporains, H. Vernet, p. 312.
6 (...) je ne m'attendris pas à la pensée du scandale qui va vous éclabousser. M. AYMÉ, la Tête des autres, I, 10.

♦ **3.** Humilier par un étalage de luxe. *Un nouveau riche qui veut éclabousser tout le monde* (⇒ **Écraser**). *Le luxe éclabousse la misère.*

▸ **S'ÉCLABOUSSER** v. pron. (Réfl.). *Elle s'est éclaboussée en arrosant le jardin.*
7 Elle prenait évidemment beaucoup de plaisir à tirer de l'eau en évitant de s'éclabousser (...) J. ROMAINS, les Hommes de bonne volonté, t. V, IV, p. 30.
(Récipr.). *Les enfants s'éclaboussaient dans la piscine.*

▸ **ÉCLABOUSSÉ, ÉE** p.p. adj. (Souvent suivi d'un compl. prép. en de).
♦ **1.** Qui est couvert d'un liquide qui a rejailli accidentellement. *Manteau éclaboussé de boue.* ⇒ **Maculé.**
8 (...) une mouette énorme, qui se gorgeait activement de l'horrible viande, son bec et ses serres profondément enfouis dans le corps, et son blanc plumage tout éclaboussé de sang. BAUDELAIRE, Trad. E. POE, les Aventures d'A..Gordon Pym, X.
Poét. *Jardin éclaboussé de soleil.*
9 (...) les marronniers géants dont la lourde verdure est éclaboussée de grappes rouges ou blanches. MAUPASSANT, Fort comme la mort, p. 116.
♦ **2.** Fig. Compromis, sali moralement. *Un politicien éclaboussé par un scandale.*
DÉR. Éclaboussant, éclaboussement, éclaboussure.

ÉCLABOUSSURE [eklabusyʀ] n.f. — 1528, *esclabousseüre;* de *éclabousser.*

♦ **1.** (Rare au sing.). Liquide salissant qui a rejailli sur une personne, une chose. ⇒ **Salissure, souillure, tache.** *Manteau couvert, maculé d'éclaboussures. Éclaboussures d'encre, de sang.*
1 Son père et sa mère étaient devant lui, étendus sur le dos avec un trou dans la poitrine (...) des éclaboussures et des flaques de sang s'étalaient au milieu de leur peau blanche, sur les draps du lit, par terre, le long d'un christ d'ivoire suspendu dans l'alcôve. FLAUBERT, Trois contes, «La légende de saint Julien l'Hospitalier», II.
2 (...) au-dessus de la cuvette de zinc, luisait un miroir de bazar, taché d'éclaboussures. MARTIN DU GARD, les Thibault, t. VI, p. 235.
Littér. et rare. Éclat. *Des éclaboussures de pierres* (O. Feuillet *in* T.L.F.). — Plus cour. *Des éclaboussures de lumière, de couleur.*
♦ **2.** Fig. Coup indirectement reçu (quand on est trop près de gens qui se battent). *Écartez-vous de cette mêlée si vous voulez éviter les éclaboussures.*
3 (...) les traversins de crin, durs comme des bûches, servaient de projectiles. Pour moi, qui m'étais obstiné à garder mon lit, je ne veux point cacher que je reçus quelques éclaboussures de la bataille. NERVAL, Mes prisons, Pl., t. I, p. 77.
♦ **3.** Conséquence que l'on subit par ricochet (⇒ **Contrecoup**). Spécialt. Tache (à la réputation, etc.). *Si le scandale éclate, il en rejaillira sur vous des éclaboussures.*

1. ÉCLAIR [eklɛʀ] n.m. — V. 1121, *esclair*; déverbal de *éclairer*.

♦ **1.** (Fin XIIᵉ). Lumière intense et brève, formant une ligne sinueuse, parfois ramifiée, provoquée par une décharge électrique, pendant un orage. ⇒ **Foudre, tonnerre; fulgur-**. *Un violent éclair, un éclair éblouissant. Lueur des éclairs.* → Orage, cit. 2. *Éclairs qui sillonnent, illuminent le ciel pendant l'orage. Bruit succédant à un éclair.* ⇒ **Tonnerre**. *Éclair de chaleur :* éclair lointain, qui n'est pas accompagné de tonnerre. ⇒ **Fulguration** (→ Blémir, cit. 5). *Éclair fulminant,* à ligne très nette. *Éclair arborescent* ou *ramifié. Éclair en zigzag, en chapelet, en boule, en nappes...* (→ Déchirer, cit. 10).

1   La tempête s'élance de la terre aux mers et des mers à la terre, et les ceint d'une chaîne aux secousses furieuses; l'éclair trace devant la foudre un lumineux sentier.
         NERVAL, Trad. GOETHE, Faust, Prologue dans le ciel.

2   (...) un nuage de plus en plus sombre, de plus en plus chargé d'électricité qui éclatait en mille éclairs (...)   HUGO, Notre-Dame de Paris, VI, IV.

3   Soudain, dans l'air lourd et délicieux, passe une lueur lumineuse, un éclair qui, comme le rayon du docteur allemand, traverse les corps.
         FRANCE, in PROUST, les Plaisirs et les Jours, Préface.

4   (...) l'éclair qui troue une seconde les ténèbres et les laisse plus opaques après lui (...)   MARTIN DU GARD, les Thibault, t. III, p. 219.

4.1   En ce moment, de grands éclairs blanchâtres s'épanouissaient au-dessus de l'île et dessinaient en noir les découpures du feuillage. Ces éclats intenses éblouissaient et aveuglaient. L'orage, évidemment, ne pouvait tarder à se déchaîner. Les éclairs devinrent peu à peu plus rapides et plus lumineux. Des grondements lointains roulaient dans les profondeurs du ciel.   J. VERNE, l'Île mystérieuse, t. II, p. 786.

Par métaphore. Ce qui illumine brusquement.

5   Vous avez été un éclair de ma nuit, et vous avez illuminé bien des endroits sombres de mon âme; vous avez ouvert dans ma vie des perspectives toutes nouvelles. Je vous dois de connaître l'amour (...)   Th. GAUTIER, Mˡˡᵉ de Maupin, I, p. 22.

Loc. *Avec la rapidité de l'éclair, comme l'éclair, comme un éclair,* très vite. *Il a fait cette course avec la rapidité de l'éclair* (→ Beau, cit. 4). *Il est prompt, rapide comme l'éclair. Partir comme un éclair,* très rapidement. → Comme une flèche*, comme le vent*; (fam.) comme un pet*.

6   Il baisa la main et partit comme un éclair (...)
         Antoine HAMILTON, Mémoire du comte de Grammont, 5, in LITTRÉ.

7   (...) ramenez-moi comme un éclair à Constantinople, et vous serez payé sur le champ.   VOLTAIRE, Candide, XXVII.

Passer comme un éclair, comme l'éclair : passer très vite. *L'avion est passé comme un éclair. Il est passé comme un éclair sans même nous voir.* — (Choses abstraites). Avoir une courte durée. *Le temps des vacances a passé comme un éclair. Bonheur qui passe, qui s'enfuit comme un éclair.* → **Passager.**

8   Mais, comme un jour d'hiver où le soleil reluit,
      Ma joie en moins d'un rien comme un éclair s'enfuit (...)
         Mathurin RÉGNIER, Satires, X.

9   Pendant cet heureux temps, passé comme un éclair.   MOLIÈRE, Sganarelle, 2.

10   Monsieur de Rennes a passé ici comme un éclair (...)
         Mᵐᵉ DE SÉVIGNÉ, 835, 24 juil. 1680.

11   Tous ces usages naissent et passent comme un éclair.
         ROUSSEAU, Julie ou la Nouvelle Héloïse, IV, IX, note.

Fig. *Ce type est un véritable éclair.* (Dans un surnom). *Guy l'Éclair,* héros de bande dessinée (adapt. de l'angl. *Flash* [«éclair] *Gordon*).

Par appos., fam. Très rapide. *Déjeuner éclair. Il m'a fait une visite éclair.* Spécialt. *Guerre éclair. Nouvelle-éclair.* ⇒ **Flash.** *Message éclair.* — (1928). *Fermeture Éclair* (marque déposée). ⇒ **Fermeture;** → anglic. Zip.

♦ **2.** Lumière vive de courte durée. *Un éclair de soleil entre les nuages. Éclairs provoqués par la réfraction de la lumière sur des objets. Éclairs des épées qui se croisent. Pierres précieuses, cristaux, bijoux qui jettent des éclairs.* ⇒ **Étinceler.** — Chim. Lumière mobile et étincelante du bain d'argent au moment où la congélation se termine. — *Éclair de magnésium. Éclair électronique.* ⇒ **Flash** (anglic.). — Par appos. *Lampe éclair.*

Par exagér. *Les éclairs du sourire, des dents* (cit. 5). *L'éclair du regard, des yeux.* ⇒ **Éclat.** *Ses yeux lancent des éclairs.* ⇒ **Flamme; fulgurant.** *Éclair de malice, de colère qui passe dans le regard.* ⇒ **Lueur.**

12   Des éclairs de ses yeux l'œil était ébloui.   RACINE, Esther, II, 8.

13   Un regard offensé, vous le savez, madame,
      Change deux yeux d'azur en deux éclairs de flamme (...)
         A. DE MUSSET, Poésies nouvelles, «À Ninon».

14   — Oui, dit Bœhm, sérieux. (Ce qui fit passer un éclair de malice dans les yeux d'Alfreda).   MARTIN DU GARD, les Thibault, t. V, p. 123.

♦ **3.** Fig. (le plus souvent dans : *éclair de...*). Manifestation soudaine et passagère; bref moment. *Un éclair de bon sens, de lucidité. Il a tout compris en un éclair. Ce fut pour lui l'éclair, un éclair.* ⇒ **Illumination, révélation.** *Éclair de génie :* inspiration soudaine.

15   L'exemple froid vaut mieux qu'un éclair de fureur.   HUGO, Châtiments, III, XVI.

16   Vous avez la bonté, Monsieur, de juger de moi par mes vers, et de m'attribuer, comme dispositions habituelles, ce qui n'est qu'un éclair passager dans ma vie.
         SAINTE-BEUVE, Correspondance, t. I, p. 195.

17   Et pourtant, de la faiblesse traînée pendant des années, un éclair d'énergie surgit parfois.   PROUST, Albertine disparue, éd. La Gerbe, p. 106.

18   (...) cette idée obscure d'Ordre, de Loi, que, par éclairs, vous entrevoyez, il faut, en dépit de tout, vous tourner vers ça, mon cher enfant, et prier!
         MARTIN DU GARD, les Thibault, t. IV, p. 317.

CONTR. Noir, obscurité, ombre.
HOM. 2. Éclair, éclaire; formes du v. éclairer.

2. ÉCLAIR [eklɛʀ] n. m. — 1864; p.-ê. de 1. *éclair* parce qu'il peut se manger vite.

♦ Petit gâteau allongé, fourré d'une crème cuite (au chocolat, au café) et glacé par-dessus. *Éclair au café, éclair au chocolat. Donnez-moi deux éclairs et deux religieuses. Manger des éclairs.*

HOM. 1. Éclair, éclaire; formes du v. éclairer.

ÉCLAIRAGE [eklɛʀaʒ] n. m. — 1798, Académie; de *éclairer*. Action d'éclairer; son résultat.

★ **I.** ♦ **1.** Action, manière d'éclairer (la voie publique, les locaux) par une lumière artificielle. *L'éclairage d'une pièce, d'une salle, d'une maison* (⇒ **Lampe; applique, lampadaire, lustre, plafonnier, vasque**). *Éclairage des lieux publics, des vitrines* (⇒ **Rampe**), *des cafés. Éclairage des spectacles, de la scène, du plateau* (⇒ **Gouttière, projecteur, rampe, réflecteur...**). *Éclairage des voies publiques, des autoroutes. Éclairage des voies ferrées.* ⇒ **Signalisation.** *Éclairage des côtes.* ⇒ **Feu, phare.** — *Éclairage obligatoire des véhicules. Éclairage d'une automobile.* ⇒ **Code, feu** (feu de position, feu rouge), **phare, veilleuse.** — (Sans compl.). *Éclairage par combustion de matières concrètes* (résine, suif...). ⇒ **Bougie, candélabre, chandelle, cierge, flambeau, girandole, lanterne, torche.** *Éclairage par combustion d'huiles végétales et minérales.* ⇒ **Lampe** (à huile, à pétrole, à essence). *réverbère. Éclairage par le gaz, au gaz,* (acétylène, butane, gaz d'éclairage ou de ville). ⇒ **Bec** (de gaz), **brûleur, lampe** (à acétylène, à butane). — (1865). *Éclairage électrique* (lampes électriques, tubes luminescents...). ⇒ **Ampoule, tube.** *Appareil d'éclairage. Magasin de luminaire.* ⇒ **Luminaire.** — *Frais d'éclairage et de chauffage. Chauffage et éclairage compris* (dans les charges, le loyer). *Un éclairage blanc, jaune; vif, éblouissant. Éclairage imitant celui du jour.* ⇒ **Giorno** (à). *Éclairage faible, doux.* ⇒ **Lumière** (tamisée), **veilleuse.** *Éclairage direct,* dont le flux lumineux est dirigé sur ce qu'on veut éclairer (généralement vers le bas). *Éclairage indirect,* dont le flux est dirigé ailleurs que sur ce qu'on veut éclairer (généralement vers le haut). *Éclairage astral*.*
— (1934). *Éclairage d'ambiance*. Problèmes d'éclairage* (théâtre, cinéma, télévision, photogr.). ⇒ **Éclairagiste.**

1   Le radieux soleil tombait en plein sur leurs épais voiles, et André, à la faveur de cet éclairage à outrance, essayait de découvrir quelque chose de leurs traits.
         LOTI, les Désenchantées, III, XI, p. 96.

2   Vous avez un profil extraordinaire sous cet éclairage (...)
         J. ROMAINS, les Hommes de bonne volonté, t. III, XVI, p. 218.

2.1   (...) cette diffusion de l'action sur un espace immense obligera l'éclairage d'une scène et les éclairages divers d'une représentation à empoigner aussi bien le public que les personnages (...)
         A. ARTAUD, le Théâtre et son double, Le théâtre de la cruauté, Idées Gallimard, p. 146-147.

2.2   (...) ces brutes ignares qui abattent les tendres vieilles demeures et dressent à leur place ces blocs en ciment, ces cubes hideux, sans vie, où dans le désespoir glacé, sépulcral, qui filtre des éclairages indirects, des tubes de néon, flottent de sinistres objets de cabinets de dentiste, de salles d'opération (...)
         N. SARRAUTE, le Planétarium, p. 18.

♦ **2.** Distribution de la lumière. ⇒ **Lumière.** *Éclairage naturel, artificiel. Le bon éclairage d'une pièce à grandes fenêtres. Le faible éclairage d'un sous-sol. L'éclairage est insuffisant pour prendre cette photo.*

2.3   Pour l'éclairage, il ne fallait point songer à l'établir par le haut, puisqu'une énorme épaisseur de granit plafonnait au-dessus d'elle *(la grotte)*; mais peut-être pourrait-on percer la paroi antérieure, qui faisait face à la mer.
         J. VERNE, l'Île mystérieuse, t. I, p. 240 (1874).

2.4   (...) par moments, sous certains éclairages, si on se plaçait à certains endroits, on ne voyait plus rien (...)   N. SARRAUTE, le Planétarium, p. 31.

Peint. *Éclairage d'un tableau :* manière dont la scène qu'il représente est éclairée. *Éclairage d'un tableau en clair-obscur.* Par ext. Manière, propre à un peintre, d'éclairer ses scènes. *Éclairage d'un peintre.*

3   (...) je retrouvais, avec plus d'intensité, de transparence et de fraîcheur, les éclairages et les colorations que, au cours de ce même après-midi passé au Musée du Louvre, je venais d'admirer dans les toiles de Claude Gellée dit *le Lorrain*.
         Georges LECOMTE, Ma traversée, p. 223.

4   L'éclairage du Caravage venait d'une coulée de jour, souvent le rais de soleil soupirail; il servait à arracher à un fond sombre ses personnages, dont il accentuait les traits. Les pâles flammes de Latour servent à unir les siens; sa bougie est la source d'une lumière *diffuse* malgré la netteté de ses plans, et cette lumière n'est nullement réaliste, elle est intemporelle comme celle de Rembrandt.
         MALRAUX, les Voix du silence, p. 388.

♦ **3.** Fig. Manière particulière de décrire, d'envisager, de comprendre (qqch.). ⇒ **Aspect, perspective, point de vue.** → Baigner, cit. 10. *Sous, dans cet éclairage.* ⇒ **Angle, jour.** *C'est une question d'éclairage.*

5   À lire ces lettres de Sainte-Beuve sous cet éclairage, dont il mérite au premier chef qu'on le fasse bénéficier à son tour, on devient plus juste pour lui.
         Émile HENRIOT, les Romantiques, p. 256.

6 L'éclairage nouveau de son gros volume sur Stendhal est de considérer Stendhal comme un de ces vaincus, et de placer son œuvre sous ce jour (...)
Émile HENRIOT, les Romantiques, p. 361.

7 (...) les mêmes faits n'auraient-ils pu apparaître différents dans un autre éclairage ?
F. MAURIAC, le Nouveau Bloc-notes, 1958-1960, p. 36.

★ **II.** (De *éclairer*, I., B., 3.). Mar. *Bâtiment en éclairage*, qui assure la protection d'une force navale en la devançant pour détecter les engins ennemis qui sont sur sa route. ⇒ **Éclaireur.**

CONTR. Extinction. — Obscurité, ombre.
DÉR. Éclairagisme. — Éclairagiste.

ÉCLAIRAGISME [eklɛraʒism] n. m. — 1937, *in* D.D.L. ; de *éclairage.*

♦ Techn., comm. Ensemble de techniques employées pour obtenir un éclairage rationnel.

ÉCLAIRAGISTE [eklɛraʒist] n. m. — 1948 ; de *éclairage.*

♦ Techn. Technicien spécialisé dans l'étude des problèmes d'éclairage et dans la réalisation d'éclairages rationnels. *Éclairagiste attaché à un studio de cinéma.* — Par appos. *Ouvrier, technicien éclairagiste.*

ÉCLAIRANT, ANTE [eklɛrɑ̃, ɑ̃t] adj. — 1560, *in* D.D.L. ; p. prés. de *éclairer.*

♦ **1.** Qui a la propriété d'éclairer (cit. 14). *Le pouvoir éclairant de l'alcool, de l'acétylène.* — Vieilli. *Gaz, artifice éclairant.*

1 En apparence, tout au moins, le docteur Ox s'était engagé à éclairer la ville, qui en avait bien besoin, «la nuit surtout», disait finement le commissaire Passauf. Aussi, une usine pour la production d'un gaz éclairant avait-elle été installée.
J. VERNE, le Docteur Ox, p. 23.

♦ **2.** Fig. (Sujet n. de chose). Qui a la propriété d'éclaircir, d'expliquer. *Raisons peu éclairantes. C'est tout à fait éclairant. Ce n'est pas très éclairant.*

2 (...) j'ai rattaché l'idée de téléologie du sujet à la *Phénoménologie de l'esprit* de Hegel ; cet exemple n'est pas contraignant ; il est seulement éclairant (...)
P. RICŒUR, Une interprétation philosophique de Freud, *in* la Nef, nº 31, p. 124.

3 Un mot de mon père hier, si éclairant, si terrible (c'est la première fois que je l'entends dire quelque chose de semblable). Parlant de ses romans, que je disais beaux, il enchaîna : «... qui furent beaux mais qui ne le sont plus...». Éclairant non pas tant sur sa littérature que sur la littérature, dont les produits, à quelques exceptions près, se fanent comme des fleurs (...)
Claude MAURIAC, le Temps immobile, p. 255.

4 Purifié le corps, enseveli le destin éclairant dans la terre du verbe.
Yves BONNEFOY, Poèmes, «Vrai corps», p. 55.

ÉCLAIRCIE [eklɛrsi] n. f. — 1829 ; *esclarcye*, déb. XVIᵉ, «aurore» ; p. p. substantivé au fém. de *éclaircir.*

★ **I.** ♦ **1.** (1694). Endroit clair qui apparaît dans un ciel nuageux ou brumeux. *Petite éclaircie entre les nuages.* ⇒ **Trouée.** — Brève interruption du temps pluvieux, coïncidant avec cette apparition. ⇒ **Embellie.** *Temps pluvieux avec éclaircies. Profiter d'une éclaircie pour sortir.*

♦ **2.** Fig. Brève amélioration, brève détente. ⇒ **Amélioration, changement.** *Voici enfin une éclaircie dans le ciel diplomatique. Il y a des éclaircies dans leurs relations.* ⇒ **Détente, répit.** — Par éclaircies.

Les femmes des champs ne rient guère d'ailleurs. C'est affaire aux hommes, cela ! Elles ont l'âme triste et bornée, ayant une vie morne et sans éclaircie.
MAUPASSANT, Contes, «La mère sauvage», p. 209.

★ **II.** Rare. Espace découvert, dégarni d'arbres (dans une forêt, un bois). ⇒ **Clairière.** *Il y a une éclaircie après ces fourrés.*

★ **III.** Techn. Action d'éclaircir. ♦ **1.** Sylviculture. Coupe des jeunes arbres les plus chétifs dans une futaie, destinée à donner de la place aux plus robustes. *L'éclaircie a pour but d'empêcher que les jeunes arbres, par manque de place, ne se gênent dans leur croissance.*

♦ **2.** Hortic. *Éclaircie des fruits* : opération qui consiste à enlever certains fruits avant leur maturité, afin que ceux qui restent soient plus beaux. *Éclaircie des grappes de raisin.* ⇒ **Cisellement.**

CONTR. Obscurcissement, tension.

ÉCLAIRCIR [eklɛrsir] v. tr. — V. 1130, *esclarcir* ; *esclaircir*, v. 1230, sur *clair* ; du lat. pop. *exclaricire*, de *ex-*, et lat. *claricare* (p.-ê. par un comp. *exclaricare), de *clarus* «clair».

Rendre clair, plus clair. ⇒ **Clair.**

A. (Concret). ♦ **1.** Rendre pur, net. *Vent qui éclaircit le ciel en chassant les nuages.* ⇒ **Dégager.** *Éclaircir le teint*, le rendre frais, éclatant. *Ce régime vous éclaircira le teint.* — Se racler la gorge

pour que la voix soit plus pure, plus nette. *Boire de l'eau fraîche pour éclaircir sa voix.*
(Réfl. ind.). *S'éclaircir la voix, la gorge.*

1 Elle (...) toussa comme font souvent les personnes qui parlent seules, sans doute pour faire croire à ceux qui les auraient entendues qu'elles s'éclaircissent la gorge (...)
J. GREEN, Léviathan, p. 134.

♦ **2.** Rendre moins foncé. *Éclaircir une couleur. Éclaircir un bleu avec de l'eau.* ⇒ **Délaver.** — Spécialt (techn.). *Éclaircir de la vaisselle, de l'argenterie*, la rendre brillante.

♦ **3.** Rendre moins épais (une pâte, un liquide). *Éclaircir un sirop, une sauce en ajoutant de l'eau.* ⇒ **Allonger.** *Éclaircir du vin en le décantant.*

♦ **4.** Rendre moins serré, moins touffu, moins nombreux. *Éclaircir une futaie en coupant quelques arbres.* ⇒ **Éclaircie**, III. *Éclaircir des arbres, des branches.* ⇒ **Tailler ; élaguer.** *Éclaircir une planche de laitues. Éclaircir des cheveux. Elle a demandé au coiffeur de lui éclaircir les cheveux.*
(XIVᵉ). Fig. *La fusillade éclaircissait les rangs.*

B. (Abstrait). ♦ **1.** (1283). Rendre moins confus, plus compréhensible. *Éclaircir un point, une question embrouillée, une affaire compliquée.* ⇒ **Clarifier, débrouiller, débroussailler, défricher, démêler.** — *Éclaircir les idées de qqn.* — Fam. *Cela vous éclaircira les idées.* ⇒ **Remettre.** *Éclaircir qqch. en expliquant.* ⇒ **Démontrer, développer, expliquer.** *Éclaircir un sens par le contexte* (⇒ **Éclairer**), *par un exemple* (⇒ **Illustrer**). *Éclaircir un mystère, une énigme.* ⇒ **Déchiffrer, élucider ;** → Tirer au clair*. *Il est décidé à éclaircir la chose.* — Vieilli. *Éclaircir des doutes, un malentendu*, dissiper.

2 (...) à cette fois (...) les choses vont être éclaircies (...)
MOLIÈRE, George Dandin, III, 6.

3 (...) la fatigue d'éclaircir les difficultés (...)   RACINE, Bérénice, Préface.

4 Ce terme est équivoque, il le faut éclaircir.   BOILEAU, Art poétique, I.

5 (...) je fis une assez longue excursion pour éclaircir les doutes qui me restaient encore.   MÉRIMÉE, Carmen, I.

6 (...) plus on élague et plus on éclaircit. Réduit à un vocabulaire de choix, le français dit moins de choses, mais il les dit avec plus de justesse et d'agrément.
TAINE, les Origines de la France contemporaine, I, t. I, p. 296.

7 (...) les énigmes laissées à jamais insolubles par la mort du seul être qui eût pu les éclaircir.   PROUST, À la recherche du temps perdu, t. XIII, p. 94.

8 Ce que nous n'avons pas eu à déchiffrer, à éclaircir par notre effort personnel, ce qui était clair avant nous, n'est pas à nous.
PROUST, À la recherche du temps perdu, t. XV, p. 24.

♦ **2.** (XVIIᵉ). Vieilli. *Éclaircir qqn*, l'informer, le mettre au courant (→ Donner des éclaircissements*).

8.1 Il y a une chose qui me fait de la peine et sur laquelle je vous supplie de m'éclaircir, c'est que je ne puis comprendre comment vous pouvez vivre, agir ou vous mouvoir dans l'eau sans vous noyer.
A. GALLAND, les Mille et une Nuits, t. II, p. 284.

▶ **S'ÉCLAIRCIR** v. pron.

A. (Concret). ♦ **1.** (Passif). Devenir plus pur, plus net. *Le ciel, le temps commence à s'éclaircir*, à se dégager. — Par ext. *Brouillard qui s'éclaircit.* ⇒ **Dissiper** (se).

9 Dans le moment où le ciel commençait à s'éclaircir (...)
FÉNELON, Télémaque, I.

10 (...) comme le brouillard endormi sur la mare voisine ne paraissait nullement près de s'éclaircir, elle conseilla à Germain de s'arranger auprès du feu pour faire un somme.   G. SAND, la Mare au diable, X, p. 81.

10.1 Le ciel s'est un peu éclairci vers le soir et, tandis que j'écris ceci, la nuit monte dans un ciel admirable.   GIDE, Voyage au Congo, in Souvenirs, Pl., p. 763.
Fig. *L'horizon s'éclaircit* : l'avenir semble moins sombre, moins menaçant.

♦ **2.** Devenir moins foncé. *Cette couleur s'est éclaircie avec le temps.* ⇒ **Passer.**

11 (...) son visage a changé, son teint s'est éclairci (...)
MOLIÈRE, l'Amour médecin, III, 6.

♦ **3.** Devenir moins épais (d'un liquide). *Ce sirop s'est éclairci.* ⇒ **Fluidifier** (se).

♦ **4.** Devenir moins serré, moins touffu, moins dense. *Ses cheveux s'éclaircissent près des tempes.* ⇒ **Dégarnir** (se), **raréfier** (se). — *Les gens partaient, la foule s'éclaircissait. Les rangs s'éclaircissaient sous le feu ennemi.*

12 La troupe s'éclaircissait peu à peu (...)   VAUGELAS, in LITTRÉ.

B. (Abstrait). ♦ **1.** Devenir moins embrouillé, moins confus, plus compréhensible. *La situation politique s'est éclaircie. Ces difficultés s'éclairciront peu à peu. L'affaire s'est éclaircie.*

13 (...) il y a de certains avenirs obscurs qui s'éclaircissent quelquefois tout d'un coup (...)   Mᵐᵉ DE SÉVIGNÉ, 807, 10 mai 1680.

14 Tous vos doutes, mon fils, bientôt s'éclairciront.   RACINE, Athalie, IV, 1.

15 Une certaine confusion règne encore, mais encore un peu de temps et tout s'éclaircira ; nous verrons enfin apparaître le miracle d'une société animale, une parfaite et définitive fourmilière.   VALÉRY, Variété I, p. 22.

(Correspond à *éclaircir*, B., 2.). Vx. *S'éclaircir avec qqn* : s'expliquer avec qqn (Mᵐᵉ de Staël in T.L.F.).

♦ **2.** Vx. *S'éclaircir de qqch.* (Stendhal) : rendre clair (qqch.) pour soi.

16   (...) je prends la liberté de rappeler à Votre Majesté qu'elle s'est imposé elle-même un devoir de s'éclaircir en personne de la bonne police qu'elle veut qui soit observée dans sa capitale et aux environs.
                  A. GALLAND, les Mille et une Nuits, t. III, p. 195.

▶ **ÉCLAIRCI, IE** p. p. adj.
Devenu (plus) clair*. *Ciel, temps éclairci* (⇒ **Éclaircie**). — *Feuillage éclairci.* — *Front éclairci,* dégarni. — *Une foule éclaircie,* moins dense. — (Abstrait). *Affaire éclaircie,* devenue plus claire.

CONTR. Assombrir, couvrir, enténébrer, obscurcir, rembrunir, troubler ; brouiller. — Foncer, noircir, ombrer, ternir. — Condenser, épaissir. — Serrer. — Compliquer, embrouiller, obscurcir. — (Du p. p.). Inéclairci.
DÉR. Éclaircie, éclaircissage, éclaircissement.

ÉCLAIRCISSAGE [eklɛʀsisaʒ] n. m. — 1835 ; du rad. du p. prés. de *éclaircir,* et *-age.*

♦ **1.** Vieilli (techn.). Action de polir à la meule les verres de montre, les métaux. ⇒ **Polissage.**

♦ **2.** Agric. Action d'éclaircir un semis, une plantation en enlevant un certain nombre de plants. ⇒ **Démariage** (des betteraves), **éclaircie** (III.).

ÉCLAIRCISSEMENT [eklɛʀsismã] n. m. — XIIIᵉ ; du rad. du p.prés de *éclaircir,* et *-ment.*

A. (Concret). ♦ **1.** Action de rendre plus clair. *L'éclaircissement lent, progressif du ciel.*
Spécialt. Action d'éclaircir (une peinture).

♦ **2.** Le fait de devenir moins foncé. *L'éclaircissement du teint.*

♦ **3.** Le fait de devenir moins épais, moins pâteux.

♦ **4.** Le fait de devenir moins épais, moins serré. *L'éclaircissement d'une forêt, des cheveux.*

B. (Abstrait). ♦ **1.** Explication (d'une chose obscure ou douteuse). ⇒ **Commentaire, explication.** *L'éclaircissement d'un texte, d'un passage obscur. Éclaircissement d'une difficulté, d'un doute. Demande d'éclaircissement.* — *(Un, des éclaircissements). Donner des éclaircissements sur une affaire compliquée, sur des démarches à faire.* ⇒ **Renseignement.** — Note explicative, renseignement. *Éclaircissement en marge d'un texte. Notes et éclaircissements.*

1   Car voici comme raisonnent les hommes, quand ils choisissent de vivre dans cette ignorance de ce qu'ils sont et sans rechercher d'éclaircissement. «Je ne sais», disent-ils...
                  PASCAL, Pensées, III, 195.
2   Mon livre, le voilà tel que je l'ai fait et tel qu'on doit le lire, avant que les commentateurs ne l'obscurcissent de leurs éclaircissements.
           Aloysius BERTRAND, Gaspard de la nuit, p. 165.
3   *(Chez Hatzfeld)* les exemples ne sont pas, comme chez Littré, destinés à l'agrément du lecteur autant qu'à l'éclaircissement du sens des mots : ils ont exclusivement ce dernier objet.
        Gaston PARIS, *in* Revue des Deux-Mondes, 15 sept. 1901.
4   Les difficultés que ma santé, mon indécision (...) mettaient à réaliser n'importe quoi m'avaient fait remettre de jour en jour, de mois en mois, d'année en année, l'éclaircissement de certains soupçons comme l'accomplissement de certains désirs.
      PROUST, À la recherche du temps perdu, t. XIII, p. 121.
Sans un mot d'éclaircissement, sans éclaircissement : sans explication.

♦ **2.** Spécialt. *(Un, des éclaircissements).* Explication tendant à une mise au point, une justification. *Demander à qqn des éclaircissements sur sa conduite, ses intentions. Exiger des éclaircissements à propos d'une réflexion à double entente, d'une allusion... Donner un éclaircissement pour se justifier.*

5   Épargner à mon cœur cet éclaircissement.   RACINE, Bérénice, III, 1.
6   (...) je n'ai jamais pu souffrir les explications, les raccommodements par protestation et éclaircissement, lamentation et pleurs, verbiage et reproches, détails et apologie.   CHATEAUBRIAND, Mémoires d'outre-tombe, t. II, p. 105.
7   — Depuis quand êtes-vous ici ? demanda-t-elle, décidée à obtenir quelques éclaircissements.   MARTIN DU GARD, les Thibault, t. II, p. 235.

CONTR. Obscurcissement.

ÉCLAIRE [eklɛʀ] n. f. — Av. 1250 ; déverbal de *éclairer :* ces plantes avaient la réputation d'améliorer la vue.

♦ Régional. *Grande éclaire :* chélidoine *(Papavéracées). Petite éclaire :* ficaire, dite aussi *éclairette (Renonculacées).*

HOM. 1. et 2. **Éclair ;** formes du v. **éclairer.**

ÉCLAIREMENT [eklɛʀmã] n. m. — 1893 ; «clarté, éclairage» en anc. franç. (XIIᵉ) ; de *éclairer.*

♦ **1.** Phys. *Éclairement d'une surface :* quotient du flux lumineux qu'elle reçoit par la mesure de cette surface. *Unités d'éclairement.* ⇒ **Lux, phot.** — Bot. Durée ou intensité de la lumière qui agit sur une plante. *Phénomènes végétatifs liés à l'éclairement.*

♦ **2.** Littér. Action, fait d'éclairer, de s'éclairer. *L'éclairement*

solaire. ⇒ **Clarté, illumination.** *«Ses traits s'animèrent, ce fut un éclairement soudain»* (Gide).

♦ **3.** Fig., rare. Explication, révélation. *L'éclairement d'une question.*

ÉCLAIRER [ekleʀe ; eklɛʀe] v. — 1080, *esclairer ;* d'un lat. pop. **exclariare,* lat. class. *exclarare,* de *ex-,* et *clarare,* de *clarus.* → Clair.

★ **I.** V. tr. **A.** Concret. ♦ **1.** (V. 1200). Répandre de la lumière sur (qqch., qqn). *Le soleil, la lune éclairent la terre* (→ Astre, cit. 7). *Rayon de soleil qui éclaire un objet, un visage, un nuage. Un faible jour nous éclaire* (→ Aurore, cit. 3). — (Lumière artificielle). *Lampes, becs de gaz, luminaires... qui éclairent les maisons, les voies publiques pendant la nuit.* ⇒ **Éclairage.** *Une vive lumière électrique éclaira soudain la pièce.* ⇒ **Illuminer.** *Une veilleuse éclaire faiblement la pièce.* — *Éclairer un lieu d'une lumière vive, forte, douce.*

1   (...) voilà deux flambeaux pour éclairer la comédie.   MOLIÈRE, le Sicilien, 2.
2   Qu'il *(l'homme)* regarde cette éclatante lumière, mise comme une lampe éternelle pour éclairer l'univers (...)   PASCAL, Pensées, II, 72 (→ Contempler, cit. 1).
3   (...) je remarquai, avant d'arriver à la couchée, un admirable effet de soleil ; les rayons lumineux éclairaient en flanc une chaîne de montagnes très éloignées dont tous les côtés ressortaient avec une netteté extraordinaire ; les côtés baignés d'ombre étaient presque invisibles, le ciel avait des nuances de mine de saturne.   Th. GAUTIER, Voyage en Espagne, p. 45.
4   La lucarne du galetas où le jour paraissait était précisément en face de la porte et éclairait cette figure d'une lumière blafarde.
        HUGO, les Misérables, III, VIII, IV.
5   Une magnifique lumière, la lumière d'un beau jour verse ses ondes incorruptibles dans ce lieu sordide et éclaire cet homme. Au dehors, elle répand sa splendeur sur toutes les misères d'un quartier populeux.
      FRANCE, le Crime de S. Bonnard, Œ., t. II, p. 469.
6   Derrière le paravent, un insolite lumignon éclairait un angle généralement obscur de la pièce, où deux ombres s'étiraient jusqu'à la corniche.
      MARTIN DU GARD, les Thibault, t. IV, p. 122.
Laisser passer la lumière, donner du jour à (un lieu). *Deux larges baies éclairent le salon, l'éclairent d'un jour franc.* → ci-dessus, cit. 4.
Par ext. Commander l'éclairage de (un lieu). *Un bouton électrique, une minuterie éclaire l'escalier.* → Cochère, cit. 2.

Par métaphore :
7   (...) il ne pouvait plus se payer de mots, il était à l'une de ces rares minutes où l'introspection descend jusqu'à des bas-fonds qu'elle n'a jamais éclairés encore.   MARTIN DU GARD, les Thibault, t. I, p. 231.

Spécialt. (Sujet n. de personne). **a** Donner de la lumière à (qqn). *Éclairer une personne qui descend dans une cave* (Académie).
8   (...) vite un flambeau pour conduire M. Dimanche (...) je vais vous éclairer.   MOLIÈRE, Dom Juan, IV, 3.
Maison où l'on est chauffé et éclairé gratuitement, dont le chauffage, l'éclairage sont gratuits.

b Donner de la lumière, de l'éclairage à (un lieu). *Éclairez la pièce !* ⇒ **Allumer** (la lumière).

c Loc. *Éclairer sa lanterne.* ⇒ **Lanterne.**

♦ **2.** Répandre une espèce de lumière, de clarté sur (le visage) ; rendre clair. *Deux beaux yeux éclairent son visage.* ⇒ **Illuminer** (→ Brillant, cit. 7). *Un sourire éclaira sa figure.* — Fig. Donner de l'éclat. *La joie éclaire son regard, son visage.*
9   (...) une joie subite éclaira son regard et envoya le sang à son visage (...)   J. GREEN, Léviathan, p. 163.
10   Sans doute fut-elle émue de pitié en voyant la détresse de ce visage que le désir n'éclairait même plus (...)   J. GREEN, Léviathan, p. 14.

♦ **3.** (XVIᵉ ; à cause de l'éclat de l'argent, 1771). Argot. Payer. — Fam. *Éclairer le tapis,* ou, absolt, *éclairer :* miser.

B. Abstrait. ♦ **1.** (V. 1230). Rendre clair, compréhensible, intelligible. ⇒ **Éclaircir, expliquer.** *Cette thèse éclaire quelques problèmes, quelques points obscurs. Éclairer un texte par des commentaires. Un commentaire qui éclaire la pensée de l'auteur.*
11   Nous avons transcrit ces lignes, doublement intéressantes, parce qu'elles éclairent un côté peu connu de la vie de Balzac, et qu'elles montrent chez lui la conscience de cette puissante faculté d'intuition qu'il possédait déjà à un si haut degré et sans laquelle la réalisation de son œuvre eût été impossible.
      Th. GAUTIER, Portraits contemporains, Balzac, p. 63.
12   Il a vérifié tous ses textes sur les autographes, et il entoure leur publication méthodique d'un luxe inouï de commentaires et de références de tous ordres, propres à éclairer de la façon la plus complète la pensée de l'épistolier.
      Émile HENRIOT, les Romantiques, p. 232.
13   Aux reproches, aux critiques de son amie, Balzac répond en se justifiant ; ses explications éclairent son besoin de luxe, son goût du décor, son désir d'aimer, d'être aimé.   Émile HENRIOT, Portraits de femmes, p. 340.

(Cartes). *Éclairer le jeu :* jouer de façon à se faire comprendre de son partenaire.

♦ **2.** Mettre (qqn) en état de voir clair, de comprendre, de discerner le vrai du faux. *Éclairer un enfant, une personne qui demande conseil.* ⇒ **Guider, informer, initier, instruire.** → Donner des lumières*. *Éclairer qqn sur ce qu'il ignore, sur la conduite à suivre, le choix (cit. 6) à faire...* ⇒ **Apprendre, renseigner.** *Demandez-lui ce qu'il en est, peut-être pourra-t-il vous éclairer. Éclairez-nous sur ce sujet. Éclairer la conscience d'un juge, l'esprit d'un critique.*

Éclairer qqn qui est dans l'erreur. ⇒ **Désabuser, dessiller** (les yeux), **détromper, ouvrir** (les yeux). *Éclairer qqn de, par ses conseils.*

14 Dieu l'ayant (...) éclairée de fort bonne heure (...)
RACINE, Hist. de Port-Royal.

15 (...) c'est un petit esprit vif et tout battant neuf, que nous prenons plaisir d'éclairer.
Mᵐᵉ DE SÉVIGNÉ, 491, 12 janv. 1676.

16 (...) je sens (...) que toutes ces lumières dont il *(Bourdaloue)* a éclairé mon esprit, ne sont point capables d'opérer mon salut.
Mᵐᵉ DE SÉVIGNÉ, 912, 20 avr. 1683.

17 (...) ne m'abandonnez pas dans le délire où vous m'avez plongé : prêtez-moi votre raison, puisque vous avez ravi la mienne ; après m'avoir corrigé, éclairez-moi (...)
LACLOS, les Liaisons dangereuses, Lettre XXIV.

18 Il faut (...) éclairer le peuple pour pouvoir le constituer un jour.
HUGO, Littérature et Philosophie mêlées, 9 déc. 1830, p. 53.

(Au passif). *Être éclairé, parfaitement éclairé sur qqn, qqch.* → Être au clair*.

(Sujet n. de chose). *La raison, l'expérience nous éclaire* (→ Conscience, cit. 5). *Ce discours l'a éclairé.* ⇒ **Édifier.**

19 Faites choix d'un censeur solide et salutaire,
Que la raison conduise et le savoir éclaire (...)
BOILEAU, l'Art poétique, IV.

20 (...) j'étouffe en mon cœur la raison qui m'éclaire (...)
RACINE, Andromaque, V, 4.

♦ **3.** (1834). Milit. (du sens de « surveiller, observer », XVIᵉ). *Éclairer la marche, la progression d'une troupe,* la protéger en envoyant en avant des éléments de reconnaissance.

Par ext. *Éclairer une armée.* ⇒ **Reconnaître, reconnaissance** (aller, partir en reconnaissance). *Soldat qui éclaire une troupe.* ⇒ **Éclaireur** (plus cour. que le verbe).

21 Pendant que Ney attaquait, Murat éclairait ses flancs avec sa cavalerie (...)
Ph.-P. SÉGUR, Hist. de Napoléon, VI, 7.

♦ **4.** Fig. et vx. Incendier. « *Les incendiaires qui éclairèrent leurs châteaux* (des aristocrates) » (*Dictionnaire national,* 1790, *in* D. D. L.).

★ **II.** V. intr. ♦ **1.** (Impers.). Vx ou régional. Faire des éclairs. *Il tonne et il éclaire.*

♦ **2.** Cour. Répandre de la lumière. *Cette lampe éclaire mal et fatigue la vue. Lueur qui éclaire à peine* (→ Bougie, cit. 2). — *Les yeux des chats, les vers luisants éclairent pendant la nuit* (Académie). ⇒ **Briller, étinceler, luire.**

▶ **S'ÉCLAIRER** v. pron. (du sens I). Passif.

A. Concret. ♦ **1.** Recevoir de la lumière. *Le paysage s'éclaire au lever du soleil. La scène s'éclaira tout à coup* (cit. 71). *Toutes les fenêtres s'éclairent à la même heure.* ⇒ **Allumer** (s').

22 De véritables scènes avec plusieurs plans de portants et de personnages découpés qui s'éclairent, dès que la nuit tombe, par un peu de rampes et de herses électriques.
G. DUHAMEL, Scènes de la vie future, VI, p. 93.

(Sujet n. de personne). Se procurer un éclairage. *S'éclairer à la bougie, au gaz, à l'électricité. S'éclairer à bon marché. Prendre une bougie pour s'éclairer dans la cave.*

♦ **2.** Par anal. *Son visage s'éclaira d'un sourire.* — Fig. *À cette bonne nouvelle, son visage s'éclaira.* ⇒ **Illuminer** (s'), **rayonner.**

♦ **3.** (D'une couleur). *Les tons s'éclairent et s'assombrissent progressivement.*

B. Abstrait. Devenir clair, compréhensible. *Les symboles s'éclairent à la fin du livre. Tout s'éclaire.*

Réciproque :

23 Pour peu qu'on ait un vrai goût pour les sciences, la première chose qu'on sent en s'y livrant, c'est leur liaison, qui fait qu'elles s'attirent, s'aident, s'éclairent mutuellement, et que l'une ne peut se passer de l'autre. ROUSSEAU, les Confessions, VI.

▶ **ÉCLAIRÉ, ÉE** p. p. adj.

♦ **1.** Qui reçoit de la lumière. *Salle bien éclairée.* ⇒ **Lumineux.** *Vitrine éclairée toute la nuit. Café éclairé au néon. Parc éclairé à giorno par des projecteurs. Corridor* (cit. 2) *éclairé par une lanterne. Endroit, scène faiblement éclairés* (⇒ **Clair-obscur**). *Être éclairé par derrière, à contre-jour.*

24 C'était une salle carrée (...) éclairée au nord, au couchant et au midi par trois fenêtres (...)
FRANCE, l'Anneau d'améthyste, Œ., t. XII, p. 43.

Par anal. *Visage éclairé par de grands yeux, un large sourire...*

25 *(Miss Bell)* leva sa petite tête laide, éclairée et brûlée par des yeux splendides.
FRANCE, le Lys rouge, IX, p. 91.

♦ **2.** (1667). Dont la raison s'est formée par l'acquisition de l'instruction et l'exercice de l'esprit critique. ⇒ **Averti, avisé, clairvoyant, expérimenté, habile, lucide, sage, savant, sensé.** *Un homme éclairé ; des intelligences, des esprits éclairés. Juge éclairé* (→ Corrompre, cit. 18). *Il est très éclairé sur ce point.* ⇒ **Courant** (au courant), **instruit.** *Public éclairé,* capable d'apprécier, de critiquer ce qu'on lui présente. — Par ext. *Une critique éclairée. Une religion, une morale éclairée.*

26 (...) cette glorieuse déclaration du plus grand roi du monde et du plus éclairé (...)
MOLIÈRE, Tartuffe, 1ᵉʳ placet.

27 Tout éclairée qu'elle était, elle n'a point présumé de ses connaissances, et jamais ses lumières ne l'ont éblouie.
BOSSUET, Oraison funèbre de Henriette-Anne d'Angleterre.

28 (...) vous ne me jugerez pas selon les principes étroits dont je sais que vous avez horreur, mais selon une religion éclairée et humaine (...)
F. MAURIAC, la Pharisienne, p. 47.

Loc. (Hist.). *Le despotisme éclairé :* idéal politique de certains philosophes du XVIIIᵉ siècle. *Despote éclairé.*

CONTR. Assombrir, enténébrer, obscurcir ; éteindre. — Brouiller, compliquer, embrouiller. — Abuser, aveugler. — Inéclairer, obscur, sombre, ténébreux. — Aveugle, bouché, étroit, formaliste, ignorant.
DÉR. Éclair, éclairage, éclairant, éclaire, éclairement, éclaireur.

ÉCLAIREUR, EUSE [eklɛRœR, ǿz] n. — 1792 ; « surveillant », XVIᵉ ; de *éclairer,* au sens I, B, 3 et I, A, 1.

★ **I.** ♦ **1.** N. m. (1792). Soldat qui précède la marche d'une unité de combat, afin de reconnaître le terrain et de signaler la présence de l'ennemi. ⇒ **Éclairer** (I., B., 3.) *Envoyer un éclaireur en reconnaissance. Détachement d'éclaireurs.*

1 Le jour, il cheminait le plus souvent à pied, au-devant du chariot, en éclaireur, surtout lorsque près de la route quelques buissons, taillis, pans de murs, ou chaumines ruinées, pouvaient servir de retraite à une embuscade.
Th. GAUTIER, le Capitaine Fracasse, t. II, XI, p. 42.

2 Les hommes d'avant-garde le prendraient pour un éclaireur, pour quelque hardi et malin troupier parti seul en reconnaissance (...)
MAUPASSANT, Contes de la bécasse, Aventure de Walter Schnaffs.

Par ext. Personne envoyée en reconnaissance. — Loc. *Être, marcher en éclaireur.*

3 C'était un sol montueux, assez accidenté, très propre aux embûches, et sur lequel on ne se hasarda qu'avec une extrême précaution. Top et Jup marchaient en éclaireurs, et, se jetant de droite et de gauche dans les épais taillis, ils rivalisaient d'intelligence et d'adresse. Mais rien n'indiquait que les rives du cours d'eau eussent été récemment fréquentées, rien n'annonçait ni la présence ni la proximité des convicts.
J. VERNE, l'Île mystérieuse, t. II, p. 740 (1874).

Cour. *Personne qui part en éclaireur,* en avant. ⇒ **Avant-coureur.** Fig. *On m'a envoyé en éclaireur pour tâter le terrain.*

Spécialt (mar.). Petit bâtiment de guerre qui, détaché d'une escadre, va à la découverte.

Adj. *Avion éclaireur :* avion chargé de guider une formation de bombardement.

♦ **2.** **ÉCLAIREUR, ÉCLAIREUSE** (1911 ; trad. angl. *scout.* → Scout, guide) : membre de certaines associations de scoutisme français (protestantes, israélites). Par appos. *Scout éclaireur.*

★ **II.** N. m. Chir. (de *éclairer,* I., A., 1.). Dispositif portant une lampe électrique utilisé lors de l'inspection d'une cavité de l'organisme.

ÉCLAMÉ, ÉE [eklame] adj. — 1709 ; de l'anc. franç. *esclame* « défectueux », rattaché au francique **slimb* « oblique, de travers ».

♦ Vx ou régional. (En parlant d'un oiseau). Qui a une patte ou une aile cassée.

ÉCLAMPSIE [eklɑ̃psi] n. f. — 1783 ; lat. mod. *eclampsis,* grec *eklampsis,* de *eklampein* « briller soudainement, éclater »).

♦ Méd. (et mod., vétér.). *Éclampsie puerpérale :* syndrome atteignant les femmes enceintes à la fin de la grossesse, caractérisé par des convulsions accompagnées de coma. *Éclampsie gravide des premiers mois.* — *Éclampsie infantile,* caractérisée par des convulsions.
Éclampsie des chiennes.
DÉR. Éclamptique.

ÉCLAMPTIQUE [eklɑ̃ptik] adj. — 1841, *in* D. D. L. ; de *éclampsie.*

♦ Méd. Qui a rapport à l'éclampsie, qui est atteint d'éclampsie. *Crise, accès éclamptique.* — N. f. (1849). *Une éclamptique :* femme, femelle atteinte d'éclampsie.

ÉCLANCHE [eklɑ̃ʃ] n. f. — V. 1190, *(main) esclanche,* adj. « gauche » ; *esclange,* 1548, *in* Rabelais ; probablt du francique **slink* « gauche ».

♦ Vx. Épaule de mouton séparée du corps de l'animal.

ÉCLAT [ekla] n. m. — V. 1165, *esclat ;* déverbal de *éclater.*

★ **I.** *L'éclat (de...) ; (un, des éclats).* ♦ **1.** (V. 1165). Fragment d'un corps qui éclate, se brise ou a été brisé en nombreux morceaux. ⇒ **Brisure, fragment, morceau.** *Éclat de verre. Éclat de bois qui saute sous la hache. Éclat de bois en forme de coin.* ⇒ **Éclisse.** *Éclat de roche* (→ Crépiter, cit. 1), *de pierre taillée.* ⇒ **Recoupe.** *Éclat enlevé à l'angle d'une pierre, d'un meuble.* ⇒ **Écornure.** *Éclat d'os.* ⇒ **Esquille.** *Éclat qui pénètre sous la peau.* ⇒ **Écharde.** *Éclat de bombe, éclat d'obus. Un éclat d'obus lui a traversé la jambe. Blessé par un éclat d'obus. Être blessé d'un éclat dans l'œil.* — Loc. *En éclats. Voler en éclats :* éclater, se briser. *La vitre a volé en éclats.*

1   L'essieu crie et se rompt. L'intrépide Hippolyte
Voit voler en éclats tout son char fracassé (...)   RACINE, Phèdre, V, 6.

2   À Luxembourg, blessé d'un éclat de grenade (...)
       MASSILLON, Oraison funèbre de Conti.

3   La marmite saute en l'air, vole en éclats ; la sauce retombe en pluie.
       LOTI, Figures et choses..., « Trois journées de guerre », III.

4   Un assez gros éclat de bombe a crevé un volet de bois et fait sauter le panneau
d'en bas d'une des fenêtres du salon.   GIDE, Journal, 6 janv. 1943.

Hortic. Fragment d'une plante muni de racines que l'on a détaché
pour obtenir une nouvelle plante.

♦ **2.** (Après 1450). Vx. Bruit violent et soudain de ce qui éclate.
⇒ **Bruit.** *Éclat de tonnerre.* ⇒ **Fracas** (→ Blesser, cit. 5). *Éclats
de trompette* (→ Bataille, cit. 20). *Des sons pleins d'éclat.*
⇒ **Éclatant.**

5   Je l'allais aborder, quand, d'un son plein d'éclat,
L'autre *(le coq)* m'a fait prendre la fuite.   LA FONTAINE, Fables, VI, 5.

6   (...) ô nuit effroyable ! où retentit tout à coup comme un éclat de tonnerre cette
étonnante nouvelle (...)
       BOSSUET, Oraison funèbre de Henriette-Anne d'Angleterre
       (→ Désastreux, cit. 1).

(1643, *in* D.D.L.). Mod. a **ÉCLAT DE VOIX.** *Parler avec de grands
éclats de voix. Éclats de voix d'une dispute.* ⇒ **Cri, gueulement**
(fam.). — Par ext. *Éclat de joie, de colère :* joie, colère soudaine et
bruyante (→ Charivari, cit. 2).

7   On parlait très fort, avec des éclats de voix qui déchiraient le murmure gras des
enrouements.   ZOLA, l'Assommoir, t. I, II, p. 47.

8   Hommes taciturnes le plus souvent, avec les éclats violents d'une joie brusque ; un
long silence et, quand il est rompu, beaucoup de bruit.
       André SUARÈS, Trois hommes, « Ibsen », I, p. 73.

b **ÉCLAT DE RIRE.** ⇒ 2. **Rire** (→ Effarement, cit. 2 ; fuser, cit. 10 ;
gai, cit. 2 ; gaieté cit. 3 ; pétulant, cit. 3. *De grands éclats de
rire. Partir d'un éclat de rire.* ⇒ **Éclater** (de rire). — *La
salle tout entière partit d'un grand éclat de rire. Rire* aux éclats.
⇒ 1. **Rire.** (rire aux larmes, à gorge déployée ; crever de rire...)

9   Il ne faut que voir les continuels éclats de rire que le parterre y fait.
       MOLIÈRE, la Critique de l'École des femmes, 5.

10   (...) on ne l'entendait jamais rire à grands éclats et, comme disent nos pères, rire
d'un pied carré (...)   NERVAL, la Main enchantée, I.

11   Il faut croire qu'il y avait dans cette phrase une intention très comique, car l'impériale tout entière partit d'un gros éclat de rire (...)
       Alphonse DAUDET, Lettres de mon moulin, « La diligence de Beaucaire ».

(1645). Grand retentissement. ⇒ **Bruit.** *Cette affaire fit beaucoup
d'éclat dans la presse.* ⇒ **Retentissement** (avoir un). *Intervenir avec
éclat dans le débat* (cit. 7). *Cette nouvelle fera de l'éclat.* ⇒ **Scandale, tapage ; boucan** (fam.). *L'éclat d'une rupture.* — *(Un, des
éclats). Avoir peur des éclats.* — *Faire un éclat :* provoquer un scandale en manifestant son opinion. *Il est violent et n'hésitera pas à
faire un éclat. Éviter, craindre les éclats.*

12   (...) une honnête femme n'aime point les éclats ; je n'ai garde de lui en rien dire (...)
       MOLIÈRE, George Dandin, II, 8.

13   Et le mal n'est jamais que dans l'éclat qu'on fait ;
Le scandale du monde est ce qui fait l'offense,
Et ce n'est pas pécher que pécher en silence.   MOLIÈRE, Tartuffe, IV, 5.

14   La dame, qui était prudente, au lieu de faire un éclat qui aurait eu de fâcheuses
suites, reprit son parent avec douceur (...)   A. R. LESAGE, Gil Blas, VIII, VIII.

15   Mᵐᵉ d'Houdetot ne m'avait rien tant recommandé que de rester tranquille, et de
lui laisser le soin de se tirer seule de cette affaire, et d'éviter, surtout dans le
moment même, toute rupture et tout éclat (...)   ROUSSEAU, les Confessions, IX.

16   Le livre fit, dans la presse, un grand éclat.   A. MAUROIS, Lélia, IV, I, p. 188.

★ **II.** ♦ **1.** a (1564). *L'éclat (de...).* Intensité d'une lumière vive
et brillante. *L'éclat d'une lumière, d'une flamme. L'éclat du soleil
éblouit. Éclat du jour.* ⇒ **Clarté, splendeur.** *Lumière qui brille avec
éclat.* ⇒ **Étinceler, luire, resplendir, scintiller.** — Astron. *Éclat stel-
laire, éclat d'une étoile, d'un astre.* ⇒ **Magnitude.** — Chim. *Éclat
du phosphore.* ⇒ **Phosphorescence.**

17   (...) l'éclair trace devant la foudre un lumineux sentier. Mais plus haut tes messagers, Seigneur, adorent l'éclat paisible de ton jour.
       NERVAL, Trad. de GOETHE, Faust, Prologue dans le ciel.

18   Quand ils rentrèrent, les étoiles se détachaient avec éclat sur un ciel bleu de
velours sombre.   A. MAUROIS, les Silences du colonel Bramble, XVII, p. 169.

19   L'éclat de la lumière m'aveuglait.   MARTIN DU GARD, les Thibault, t. VIII, p. 69.

Spécialt. Apparition brusque de lumière. *L'éclat de lumière d'un
météore.* ⇒ **Coruscation.**

Par ext. Lumière reflétée par un corps brillant. *Éclat des métaux,
des minéraux. Éclat métallique* (→ Caractère, cit. 6), *adamantin,
vitreux, nacré, perlé, soyeux, ivoirin, incolore... — Éclat dur de
l'acier. Éclat des bijoux, des pierres précieuses. L'éclat d'un diamant* (cit. 6). ⇒ **Bluette, feu, scintillation, scintillement.** *L'or, les
pierreries de sa parure brillaient avec un vif éclat.* ⇒ **Brillance, bril-
lement, flamboiement** (→ Dorure, cit. 1). *Éclat de l'escarboucle.
Doux éclat.* ⇒ **Chatoiement, miroitement.** *L'éclat argenté de la mer*
(→ Briser, cit. 27). *Éclat d'une surface lisse, vernie...* ⇒ **Lustre.**
Donner de l'éclat à qqch. ⇒ **Brillanter, polir, reluire** (faire). *Faire
perdre l'éclat.* ⇒ **Dépolir, éteindre, obscurcir, ternir, voiler.** *Sans
éclat.* ⇒ **Mat, terne.**

20   Et comme elle *(votre félicité)* a l'éclat du verre,
Elle en a la fragilité.   CORNEILLE, Polyeucte, IV, 2.

21   (...) l'insoutenable éclat d'une lame d'acier au soleil.
       COURTELINE, Messieurs les ronds-de-cuir, 5ᵉ tableau, I, p. 171.

22   Ses yeux étaient noirs et brillaient d'un éclat de jais, comme ceux de sa mère,
entre de très longs cils charmants.   LOTI, Mon frère Yves, LVII, p. 139.

Éclat des yeux, du regard. ⇒ **Animation, éclair, feu, flamme, pétil-
lement, vivacité.** *La joie avivait* *l'éclat de ses yeux. Donner de
l'éclat au regard.* ⇒ **Animer.**

23   Je n'aurais adoré que l'éclat de vos yeux (...)   CORNEILLE, Polyeucte, IV, 5.

b *(Un, des éclats).* ⇒ **Éclair.** — Techn. *Phare, feu à éclats*
(aviat., marine).

♦ **2.** (1643). Vivacité et fraîcheur (d'une couleur) ; couleur vive et
fraîche qui plaît. *L'éclat du blanc, du vermillon, du jaune d'or.
Donner de l'éclat à une couleur* (⇒ **Aviver, rehausser**). *L'opposition des couleurs leur donne de l'éclat.* ⇒ **Relief.** *Couleur qui perd
son éclat* (⇒ **Pâlir, passer**). *Éclat des coloris* (cit. 2), *d'un tableau.
Éclat d'un chaud crépi* (→ Peinturlurage, cit.). *Éclat de la neige.
L'éclat des fleurs, du plumage d'un oiseau.*

24   *(La fresque)* Se conserve un éclat d'éternelle durée (...)
       MOLIÈRE, la Gloire du Val-de-Grâce, 240.

25   Sous votre aimable tête un cou blanc, délicat,
Se plie, et de la neige effacerait l'éclat.
       André CHÉNIER, Bucoliques, « Les colombes » (→ Cou, cit. 4 et 5).

26   (...) « Elle avait seize ans ! » Oui, seize ans ! et cet âge
N'avait jamais brillé sur un front plus charmant !
Et jamais tout l'éclat de ce brûlant rivage
Ne s'était réfléchi dans un œil plus aimant !
       LAMARTINE, Harmonies..., « Premier regret. »

27   (...) comme s'avivent d'un éclat mouillé les tons d'une peinture fraîchement séchée (...)
       LOTI, Mᵐᵉ Chrysanthème, XXXIV, p. 158.

Éclat du teint, pureté et fraîcheur. — Par ext. *L'éclat d'une femme :*
beauté fraîche, radieuse. —*Avoir de l'éclat. Elle a perdu son éclat.*
→ Se flétrir. — *Être dans tout l'éclat de sa beauté.* ⇒ **Beauté,
fraîcheur.** *L'éclat de la jeunesse.*

28   (...) elle avait encor cet éclat emprunté
Dont elle eut soin de peindre et d'orner son visage (...)   RACINE, Athalie, II, 5.

29   Elle avait de ces beautés qui se conservent, parce qu'elles sont plus dans la physionomie que dans les traits ; aussi la sienne était-elle encore dans tout son premier éclat.   ROUSSEAU, les Confessions, II.

30   (...) madame de Guiche, alors dans tout l'éclat de sa jeunesse et suivie d'un peuple
d'adorateurs (...)   CHATEAUBRIAND, Mémoires d'outre-tombe, t. VI, p. 56.

31   (...) les femmes *(en Suède)* avaient un éclat froid, cristallin (...)
       A. MAUROIS, Climats, I, X, p. 83.

32   Mais les muqueuses restaient pâles ; les yeux, souvent cernés ; le regard et le teint
manquaient d'éclat.
       J. ROMAINS, les Hommes de bonne volonté, t. III, VIII, p. 124.

♦ **3.** (1604). Littér. ou style soutenu. Caractère de ce qui est brillant*, magnifique. ⇒ **Apparat, effet, faste, luxe, majesté, magnificence, pompe, richesse.** *L'éclat des grandeurs, des richesses.
Éclat de son rang, de ses titres... Éclat tapageur. Éclat trompeur, faux éclat de qqch.* ⇒ **Apparence, brillant, clinquant, vernis.**

33   C'est de fort bonne foi que vous vantez son zèle ;
Mais par un faux éclat je vous crois ébloui.   MOLIÈRE, Tartuffe, I, 5.

34   Elle *(Thérèse)* était née riche, dans l'éclat criard d'une fortune trop neuve.
       FRANCE, le Lys rouge, I, p. 19.

35   La richesse des costumes et l'éclat des décors étouffent le drame qui ne veut pour
parure que la grandeur de l'action et la vérité des caractères.
       FRANCE, le Petit Pierre, X, p. 66.

36   Tout le génie de Milton sort de là : il a porté l'éclat de la Renaissance dans le
sérieux de la Réforme, les magnificences de Spencer parmi les sévérités de Calvin.
       GIDE, Feuillets, *in* Journal 1889-1939, Pl., p. 351.

Éclat du style, de l'éloquence... (→ Chaleur, cit. 7). *Faux éclat
du style.*

37   Nicole dit que l'éloquence et la facilité donnent un certain éclat aux pensées (...)
       Mᵐᵉ DE SÉVIGNÉ, 96, *in* LITTRÉ.

Spécialt. Renommée éclatante. *L'éclat de sa vertu, de son nom.*
⇒ **Auréole, célébrité, gloire, grandeur, prestige.**

38   Meurs ; mais quitte du moins la vie avec éclat (...)   CORNEILLE, Cinna, IV, 2.

39   L'éclat que le nom de Charlemagne a laissé dans l'histoire (...)
       J. BAINVILLE, Hist. de France, III, p. 33.

Cour. ...**D'ÉCLAT :** remarquable, éclatant. *Action, coup d'éclat :* action
remarquable.

CONTR. Murmure. — Ombre ; matité ; sobriété. — Humilité, médiocrité, sobriété.
COMP. Pare-éclats.

ÉCLATAGE [eklataʒ] n. m. — 1922 ; de *éclater.*

♦ Techn. Sectionnement d'une tige en nombreux éclats.

ÉCLATAMMENT [eklatamã] adv. — D. i. (xxᵉ) ; de *éclatant.*

♦ Rare. D'une manière éclatante.

Bien affermie dans sa chair magnifique et satisfaite, éclatamment victorieuse de
cette jalouse (...)   G. CHEVALLIER, Clochemerle, p. 124.

ÉCLATANT, ANTE [eklatã, ãt] adj. — 1538 ; « cassant, fragile »,
1436 ; p. prés. de *éclater.*

REM. L'adj. se place le plus souvent après le nom ; l'antéposition est
stylistique *(une éclatante revanche).*

♦ **1.** Qui brille avec éclat (⇒ **Éclat, II.**). *Lumière éclatante.*
⇒ **Ardent, éblouissant, étincelant, flamboyant.** *Ciel éclatant de*

lumière. Métal, objet éclatant, qui reflète la lumière. ⇒ **Brillant, rutilant.**

1 (...) une mosquée éclatante luit sous le soleil. MAUPASSANT, Au soleil, Alger.

2 (...)Des cafés tapageurs aux lustres éclatants ! RIMBAUD, Poésies, « Roman », I.

2.1 Il faisait éclatant ; de la neige, séparés comme les grains d'un riz à l'indienne, chacun des cristaux étincelait à son compte.
GIRAUDOUX, Siegfried et le Limousin, p. 122.

Couleur éclatante. ⇒ **Clair, vif, voyant.** *Un rouge éclatant.* ⇒ **Rutilant.** *Une blancheur éclatante. La blancheur* (cit. 1) *éclatante des pentes neigeuses. Ses mains, son cou étaient d'une blancheur éclatante.* Cf. *Une blancheur d'albâtre, d'ivoire, de lys, de neige.*

Par ext. Dont la couleur, le coloris a de l'éclat. *Fleurs éclatantes. Oiseau au plumage éclatant* (→ Coq, cit. 11). *Parure, décoration éclatante.* ⇒ **Fastueux, luxueux, magnifique, riche.** *Dents* (cit. 3), *sourire éclatant.* ⇒ **Coloré, frais.** *Chevelure* (cit. 5) *éclatante. Un mur éclatant de blancheur sous le soleil. Teint éclatant.* ⇒ **Coloré, frais.** *Chevelure* (cit. 5) *éclatante. Une beauté* (cit. 20) *éclatante.* ⇒ **Radieux, rayonnant, resplendissant.** (Personnes). *Être éclatant de beauté, de santé.*

3 (...) et nos prés au printemps,
Avec toutes leurs fleurs, sont bien moins éclatants. MOLIÈRE, Mélicerte, I, 3.

4 Un jeune enfant couvert d'une robe éclatante (...) RACINE, Athalie, II, 5.

5 Il avait les yeux bleus limpides, un teint d'une blancheur éclatante, des traits d'une extrême finesse. FRANCE, le Petit Pierre, XXXII, p. 228.

♦ **2.** Vieilli ou littér. Qui fait un grand bruit. *Le son éclatant de la trompette. Fanfare éclatante* (→ Bondir, cit. 2). *Le chant éclatant des oiseaux. Voix éclatante.* ⇒ **Tonnant.** *Pousser des cris* (cit. 13) *éclatants.* ⇒ **Aigu, perçant, strident.** *Rire éclatant.* ⇒ **Bruyant, sonore.**

Par ext. *Joie éclatante,* qui s'extériorise avec bruit (ou, autre sens : qui est manifeste, qui est clairement visible — emploi à rattacher au sens 3).

REM. On rencontre exceptionnellement l'adjectif au sens de *éclater* « exploser ». → Éclater, cit. 2.1.

♦ **3.** Fig. Qui se manifeste de la façon la plus frappante. *Un éclatant succès, une victoire éclatante. Action* (cit. 14) *éclatante :* action d'éclat. ⇒ **Glorieux, illustre, remarquable.** *Mérite, service éclatant. Des dons éclatants. Une vengeance, une revanche éclatante, publique et manifeste.* ⇒ **Retentissant, triomphal** (→ Début, cit. 2).

6 Notre vengeance, pour être différée, n'en sera pas moins éclatante (...)
MOLIÈRE, Dom Juan, III, 4.

Qui s'impose. ⇒ **Évident, flagrant, frappant, fulgurant, irrécusable, manifeste, notoire.** *Des preuves, des marques éclatantes. Une vérité éclatante. Une mauvaise foi éclatante.*

7 Voilà des dons éclatants, et des insuffisances notoires.
André SIEGFRIED, l'Âme des peuples, VI, IV, p. 154.

8 Oui, j'ai souvent remarqué qu'on tient pour aliénés ceux qui hasardent par exception des vérités éclatantes. Les paradoxes trouvent tout le monde d'accord.
Pierre LOUŸS, Aphrodite, III, II, p. 152.

CONTR. Mat, obscur, sombre, terne ; discret, effacé, éteint, fade, foncé, neutre ; pâle, sobre ; fané, flétri, morne, passé. — Doux, sourd. — Caché, humble, modeste ; équivoque ; douteux.
DÉR. Éclatamment.

ÉCLATÉ [eklate] n. m. — Mil. XXᵉ ; p. p. substantivé de *éclater.*

♦ Techn. Représentation graphique d'un objet complexe (machine, moteur, ouvrage d'art), qui en montre les éléments ordinairement invisibles par séparation de ces éléments représentés en perspective *(perspective éclatée). Dessiner un éclaté d'une machine, d'une distillerie de pétrole.*

ÉCLATEMENT [eklatmã] n. m. — 1553 ; de *éclater.*

♦ **1.** Fait d'éclater — (Avec bruit). *L'éclatement d'une chaudière, d'une conduite ; l'éclatement d'une bombe, d'un obus.* ⇒ **Explosion.** (Sans bruit). *Éclatement d'un vaisseau sanguin.* ⇒ **Rupture.** *Éclatement d'un abcès.*

1 (...) les tirs de barrage, le ronflement des avions, le sourd éclatement des bombes, lui martelaient le crâne (...) MARTIN DU GARD, les Thibault, t. IX, p. 136.

Spécialt. *Éclatement d'un pneu* (⇒ **Crevaison**).

Par métaphore :

2 Une hypertrophie de joie lui gonflait le cœur, jusqu'à l'éclatement de sa poitrine.
Léon BLOY, le Désespéré, V, p. 226.

Par anal. Bruit analogue à celui que fait une chose qui éclate. *On entendait des coups, des éclatements.*

♦ **2.** Fig. Fragmentation (d'un ensemble, d'un groupe humain) en plusieurs éléments. *L'éclatement d'un parti,* sa division brutale en groupes nouveaux. *L'éclatement d'un État en pays autonomes* (⇒ **Balkanisation**). *Éclatement d'un ministère en divers services séparés. Ports, gares d'éclatement.*

Brusque extension, épanouissement. *« Un art en plein éclatement »* (le Monde, sept. 1967).

ÉCLATER [eklate] v. — Av. 1150, *esclater ;* traditionnellement considéré comme issu du francique **slaitan* « fendre, briser ». P. Guiraud

suggère l'étymon **exclaccitare* « s'ouvrir avec bruit », d'après la rac. onomatopéique *clacc-* « coup, bruit qui l'accompagne ».

★ **I.** V. tr. ♦ **1.** Vx. Casser, faire voler en éclats. *Éclater une branche, un arbre* (cit. 18).

♦ **2.** (1651). Mod. Hortic. Diviser (une plante) en séparant des drageons.

★ **II.** V. intr. (1532). ♦ **1.** (1564). Se rompre* avec violence et généralement avec bruit, en projetant des fragments, ou en s'ouvrant. ⇒ **Briser** (se), **casser** (se). *Le gel fait éclater les roches. Chaudière, radiateur qui éclate. Les conduites ont éclaté.* ⇒ **Crever.** *Vitre qui éclate.* ⇒ **Voler** (en éclats). *Bombe, obus, pétard, fusée qui éclate.* ⇒ **Exploser.** *La grenade lui a éclaté dans les mains.* ⇒ **Péter** (fam.). *Mine qui éclate.* ⇒ **Sauter** (→ Détruire, cit. 30). *Bruit d'un engin qui éclate.* ⇒ **Déflagration, détonation.** *Le pneu arrière droit a éclaté.* ⇒ **Crever.** — *Le bois vert qu'on brûle éclate en pétillant*. Les châtaignes éclatent sur le feu.* ⇒ **Fendre** (se). *Bourgeons qui éclatent.* ⇒ **Ouvrir** (s'). — Se rompre sans bruit, en s'ouvrant. *Un abcès qui éclate.*

1 Vois, — c'est un météore ! il éclate et s'éteint. HUGO, Odes et Ballades, V, 20.

2 D'un coup de doigt, sans prendre le temps de s'asseoir, il fit éclater l'enveloppe.
COURTELINE, Messieurs les ronds-de-cuir, 2ᵉ tableau, I, p. 54.

2.1 Les bombes éclatant en l'air, ne tombaient pas et demeuraient éternellement éclatantes. Ed. et J. DE GONCOURT, Journal, t. II, p. 138.

Par exagér. *Il lui semble que sa tête va éclater* (→ Bourdonner, cit. 6).

3 Après les liqueurs surtout, Fumichon ne se connaissait plus ; et son visage apoplectique était près d'éclater comme un obus.
FLAUBERT, l'Éducation sentimentale, III, II.

4 Son cœur battait dans sa poitrine et ses tempes menaçaient d'éclater.
P. MAC ORLAN, la Bandera, XVII, p. 207.

Par ext. Vx. *Vêtement, tissu qui éclate,* se déchire brusquement.

♦ **2.** Se diviser en plusieurs éléments. *« La revue (...) éclate en cinq publications »* (l'Express, 26 mai 1969). *« En moins de deux ans, la coalition* (gouvernementale) *éclatera »* (le Monde, 22 sept. 1965).

(Concret). *La voie express éclate en trois branches.*

♦ **3.** (1671). Faire entendre un bruit violent et soudain (⇒ **Éclat**). *Orage, tonnerre qui éclate.* — Fig. *L'orage va éclater,* se dit d'une querelle, d'une menace imminente. — *Trompette qui éclate avec un son perçant. Le cri de la chouette éclata dans la nuit.* ⇒ **Retentir.** *Des applaudissements éclatent de toutes parts.* ⇒ **Crépiter.** *« La Marseillaise » éclata* (→ Bruit, cit. 9).

5 (...) la crépitation des coups de feu d'un tir voisin, qui éclataient comme l'explosion des bouchons de champagne (...) BAUDELAIRE, le Spleen de Paris, XLV.

6 (...) tous à la fois entonnaient un hymne, et répétant toujours les mêmes syllabes et renforçant les sons, leurs voix montaient, éclatèrent, devinrent terribles, puis d'un seul coup, se turent. FLAUBERT, Salammbô, VII, p. 128.

7 Ils vont. Et la trompette éclate, et le clairon,
Et le sistre, et la harpe, et le tambour (...)
LECONTE DE LISLE, Poèmes barbares, « La vigne de Naboth », II.

8 Il est midi. La canicule tombe des ormeaux bleus et noirs où éclate le cri d'une cigale. Francis JAMMES, Clara d'Ellébeuse, I.

9 Les musiciens s'accordaient ; soudain, après un bref silence, une marche pompeuse et bruyante éclata. T. GREEN, Adrienne Mesurat, I, XI, p. 99.

(Sujet n. de personne). *Éclater en, éclater de* (suivi d'un nom). — (1640). *Éclater de rire :* rire* soudainement avec bruit. ⇒ **Pouffer.** → Chemise, cit. 1 ; exempt, cit. 15 ; patatras, cit. 1 ; purger, cit. 7. *Il éclate de rire au récit de cette aventure.* — Vx. *Éclater :* éclater de rire.

10 (...) il rit (...) il éclate d'une chose qui lui passe par l'esprit (...)
LA BRUYÈRE, les Caractères, XI, 7.

11 On conte une histoire touchante, le Belge éclate de rire pour faire croire qu'il a compris. BAUDELAIRE, Argument du livre sur la Belgique, VI, Pl., p. 1283.

REM. *Éclater de rire, éclater en sanglots* sont les seuls syntagmes courants. En revanche les constructions avec *rire, sanglot* comme sujet sont plutôt littéraires.

12 Les jeunes filles, assises sur les balcons, chantaient des couplets que les *novios* accompagnaient en bas ; à chaque stance éclataient des rires, des cris, des applaudissements à n'en plus finir. Th. GAUTIER, Voyage en Espagne, p. 202.

13 D'ailleurs, les rires éclataient à certains moments, ces rires, qui lorsqu'ils viennent d'un groupe de femmes, sont aussi impudiquement révélateurs que du linge à une fenêtre. J. ROMAINS, les Hommes de bonne volonté, t. III, XV, p. 194.

14 (...) les sanglots que j'eus la force de contenir devant mon père et qui n'éclatèrent que quand je me retrouvai seul avec maman.
PROUST, À la recherche du temps perdu, t. I, p. 55.

Éclater en sanglots. — Rare. *Éclater en menaces, en hurlements...* (→ ci-dessous, cit. 23 et *supra*).

15 Des larmes de colère et d'émotion commençaient à couvrir sa voix, mais elle se domina et reprit avec précipitation, comme si elle eût craint d'éclater en sanglots avant d'arriver au bout de ce qu'elle voulait dire (...)
J. GREEN, Adrienne Mesurat, III, VIII, p. 276.

♦ **4.** (1640). Fig. Se manifester tout à coup, brutalement. — (En parlant d'un événement, d'un état). *L'incendie a éclaté dans un atelier, dans un entrepôt. La guerre, la révolution va éclater.* — *Un scandale a éclaté à propos de cette affaire. Dispute qui éclate entre deux personnes.* — *Maladie qui éclate.* ⇒ **Déclarer** (se).

16 À chaque instant les intérêts diffèrent, les conflits et les compétitions éclatent.
J. BAINVILLE, Hist. de France, V, p. 70.

17 Il y a des maladies qui commencent lentement, par des malaises légers et convergents ; d'autres éclatent en une soirée dans un accès de fièvre violent.
A. MAUROIS, Climats, I, VIII, p. 63.

18 La guerre, si par malheur elle éclate, sera un événement entièrement nouveau dans le monde par la profondeur et l'étendue du désastre (...)
J. ROMAINS, les Hommes de bonne volonté, t. IV, XXIII, p. 255.

19 Elle se rappelait surtout la querelle qui avait éclaté presque tout de suite entre eux (...) MARTIN DU GARD, les Thibault, t. III, p. 84.

(En parlant d'un sentiment). *Colère qui éclate, qui explose.* ⇒ **Explosion** (de colère). *Laisser éclater sa joie* (→ Attendre, cit. 42), *sa haine* (→ Discorde, cit. 2), *sa tendresse* (→ Accumuler, cit. 14)... ⇒ **Montrer.**

20 Quand une femme hait l'homme qui l'a violée, elle ne peut plus se trouver devant lui sans que cette haine éclate. MAUPASSANT, Fort comme la mort, p. 53.

(Personnes). *Éclater en injures, en invectives, en reproches.* ⇒ **Répandre** (se). *Éclater en menaces.* ⇒ **Fulminer.**

21 Vous voudriez que (...) j'allasse éclater promptement en invectives et en injures, MOLIÈRE, l'Impromptu de Versailles, 5.

22 Dans la conversation, il éclatait en colères littéraires risibles. En politique, il déraisonnait (...) CHATEAUBRIAND, Mémoires d'outre-tombe, t. II, p. 122.

(1643). Absolt. S'emporter bruyamment (d'une personne qui ne peut plus se dominer et exprime soudain son ressentiment). ⇒ **Colère** (se mettre en colère), **emporter** (s'). *Sa patience a des limites ; il finira par éclater.* ⇒ **Débonder** (se), **déborder.**

23 Voulez-vous que je dise ? il faut qu'enfin j'éclate,
Que je lève le masque, et décharge ma rate (...)
MOLIÈRE, les Femmes savantes, II, 7.

24 Incapable d'éclater, de me mettre en colère, aucun geste ne manifesterait ma haine. R. RADIGUET, le Diable au corps, p. 180.

◆ **5.** (1564). Avoir de l'éclat, frapper la vue par une vive lumière (⇒ **Briller**) ; briller d'un vif éclat. — REM. Cet emploi est vieux avec un sujet n. de personne (→ ci-dessous, cit. 25).

25 Il eût été inutile à Notre Seigneur Jésus-Christ, pour éclater dans son règne de sainteté, de venir en roi ; mais il y est bien venu avec l'éclat de son ordre !
PASCAL, Pensées, XII, 793.

26 L'or éclate, dites-vous, sur les habits de Philémon. — Il éclate de même chez les marchands. LA BRUYÈRE, les Caractères, II, 27.

27 Le nez, rouge et gonflé, éclatait comme une braise dans la figure commune.
F. MAURIAC, l'Enfant chargé de chaînes, p. 145.

27.1 Elle s'étire au soleil avec un étrange frisson. La lumière fouille encore le misérable visage torturé où la bouche peinte éclate lugubrement.
BERNANOS, Monsieur Ouine, p. 10.

Par anal. *Intelligence qui éclate dans les yeux.* ⇒ **Pétiller.** *La joie éclate sur son visage.* ⇒ **Rayonner.**

28 La beauté, les grâces, la joie, les plaisirs éclataient également sur leurs visages (...) FÉNELON, Télémaque, IV.

29 Quel était ce feu intérieur qui éclatait parfois dans son regard, au point que son œil ressemblait à un trou percé dans la paroi d'une fournaise ?
HUGO, Notre-Dame de Paris, IV, V.

Littér. *Éclater de..., en... « La rivière éclatait de lumière »* (Maupassant). *Des villas « éclataient en blancheur »* (Daudet, in T. L. F.).

◆ **6.** (1643). Paraître clairement, avec évidence. ⇒ **Manifester** (se). *La partialité de l'auteur éclate à chaque page de ce livre.* ⇒ **Sauter** (aux yeux). *La faiblesse de l'homme éclate en tout ce qu'il fait* (→ Attacher, cit. 60).

30 (...) il ne se voit rien où le goût attique se fasse mieux remarquer et où l'élégance grecque éclate davantage (...) LA BRUYÈRE, Discours sur Théophraste.

31 Au contraire : la droiture, la modestie naturelle, la bonté de Battaincourt, éclataient en ses moindres propos, jusque dans les gaucheries de son maintien.
MARTIN DU GARD, les Thibault, t. VII, p. 103.

Fig. (Sujet n. de personne). Accéder soudain à la célébrité. *« Le pilote suédois a éclaté sur la scène internationale »* (l'Auto-journal, 29 janv. 1970). — (Choses, entreprises). Se développer rapidement, prendre brusquement de l'importance.

▶ **S'ÉCLATER** v. pron.

◆ **1.** Vx, fig. *S'éclater de rire :* éclater de rire. → Mordieu, cit. *« La surprise est cause qu'on s'éclate de rire »* (Descartes). Par plaisanterie :

32 Les deux autres trouvèrent la plaisanterie merveilleuse,
Ils s'éclatèrent de rire comme un cent de pets (...)
R. QUENEAU, Pierrot mon ami, éd. L. de Poche, p. 23.

◆ **2.** (V. 1968). Mod. S'exprimer violemment dans le plaisir, sans contrainte (surtout dans l'expr. à la mode : *s'éclater comme une bête).*

33 (...) au cinéma, je veux être un satrape. Plus ça coûte cher, plus il y a de vedettes, plus l'écran est vaste, plus c'est soigné, plus je m'éclate.
Jean-Louis CURTIS, l'Horizon, t. II, p. 183.

▶ **ÉCLATÉ, ÉE** p. p. et adj.

◆ **1.** Spécialt (blason). Se dit d'une pièce dont la section n'est pas nette. *Écu éclaté.*

◆ **2.** Techn. *Perspective éclatée.* ⇒ **Éclaté.**

CONTR. Comprimer, contenir, retenir. — Apaiser (s'). — Dominer (se), maîtriser (se). — Cacher (se), dissimuler (se). — Taire (se).
DÉR. Éclat, éclatage, éclatant, éclaté, éclatement, éclateur.

ÉCLATEUR [eklatœR] n. m. — 1922 ; de *éclater.*

◆ Techn. Appareil à deux électrodes séparées par un diélectrique, disposées de façon qu'une étincelle jaillisse entre elles quand la différence de potentiel atteint une certaine valeur.

(...) entré à mi-corps dans le coffre de l'émetteur, il essayait d'engager, sous l'éclateur, un imperceptible écrou nickelé qui s'échappait entre ses doigts épais.
R. VERCEL, Remorques, p. 105.

ÉCLECTIQUE [eklɛktik] adj. — 1651 ; grec *eklektikos,* de *eklegein* «choisir».

◆ **1.** (1732). Philos. Qui professe l'éclectisme, est inspiré par l'éclectisme. *Philosophie éclectique. Un, une philosophe éclectique,* et, n., *un, une éclectique.*

(...) une secte de philosophes (*l'école de Potamon d'Alexandrie*) qu'on appelait *éclectique,* c'est-à-dire *choisissante,* dans laquelle on faisait profession de choisir ce que chacune des autres avait de meilleur (...)
Encyclopédie, DIDEROT, art. *Éclectique.* [1]

◆ **2.** (1832). Cour. Qui n'a pas de goût exclusif, ne se limite pas à une catégorie d'objets ; à une tendance. *Elle est éclectique en littérature, en peinture, en politique, en amour, en fait de lecture.* — N. *Un, une éclectique :* personne qui n'a pas de goût exclusif. — *Goûts, opinions éclectiques.*

C'était l'esprit le plus ouvert à toutes les notions et à toutes les impressions, le jouisseur le plus éclectique et le plus impartial. [2]
BAUDELAIRE, Curiosités esthétiques, XV.

CONTR. Absolu, exclusif, fanatique, sectaire.
DÉR. Éclectiquement. — Éclectisme.

ÉCLECTIQUEMENT [eklɛktikmɑ̃] adv. — 1842 ; de *éclectique.*

◆ Didact. ou littér. D'une manière éclectique ; sans se limiter à une tendance, une catégorie d'objets.

ÉCLECTISME [eklɛktism] n. m. — 1755 ; de *éclectique,* et *-isme.*

◆ **1.** (1755). Philos. École et méthode philosophique grecque de Potamon d'Alexandrie, recommandant d'emprunter aux divers systèmes les thèses les meilleures quand elles sont conciliables, plutôt que d'édifier un système nouveau. ⇒ **Syncrétisme.**
(1817). Position analogue (soutenue par Victor Cousin, notamment). *Éclectisme philosophique, médical, politique. L'éclectisme en esthétique.*

L'éclectisme est une direction de goût qui consiste à réunir les qualités d'écoles différentes pour en former un ensemble harmonieux. C'est aussi, pour la critique, savoir apprécier et louer les qualités particulières et opposées de ces écoles. [1]
A. THIERS, in Grande encyclopédie BERTHELOT, art. *Éclectisme.*

(...) ce que je recommande, c'est cet éclectisme éclairé qui, jugeant avec équité et même avec bienveillance toutes les doctrines, leur emprunte ce qu'elles ont de commun et de vrai, néglige ce qu'elles ont d'opposé et de faux. [1.1]
Victor COUSIN, Cours d'histoire de la philosophie moderne, t. II, p. 12, in T. L. F. (1847).

◆ **2** (1831). Disposition d'esprit éclectique. *Faire preuve d'éclectisme dans ses lectures, dans ses relations. L'éclectisme des lectures. Se cultiver avec éclectisme.*

(...) nous avons de tous les siècles, hors du nôtre, chose qui n'a jamais été vue à une autre époque : l'éclectisme est notre goût ; nous prenons tout ce que nous trouvons, ceci pour sa beauté, cela pour sa commodité, telle autre chose pour son antiquité, telle autre pour sa laideur même (...) [2]
A. DE MUSSET, la Confession d'un enfant du siècle, I, IV, p. 39.

CONTR. Sectarisme.

ÉCLIMÈTRE [eklimɛtR] n. m. — 1870 ; du grec *ekkli(nês)* « incliné », et *-mètre.*

◆ Techn. Instrument d'arpenteur pour mesurer la différence de niveau entre deux points.

ÉCLIPSE [eklips] n. f. — V. 1150 ; lat. impérial *eclipsis,* grec *ekleipsis.*

◆ **1.** (V. 1150). Occultation passagère d'un astre, produite par l'interposition d'un autre corps céleste entre cet astre et la source de lumière (*éclipse vraie*) ou entre cet astre et le point d'observation (*éclipse apparente*). *Éclipse de Soleil,* lorsque la Lune passe entre le Soleil et la Terre. *Éclipse de Lune,* lorsque la Lune, dans certains des cas où elle est en opposition* avec le Soleil, pénètre dans le cône d'ombre projeté par la Terre. *Éclipse totale, partielle. Éclipse visible, invisible de tel endroit. Éclipse annulaire :* éclipse partielle de Soleil, dans laquelle le bord de l'astre, demeurant seul visible, forme un anneau lumineux. — *Atmosphère lumineuse du Soleil,* observable dans les éclipses totales. ⇒ **Saros.** — Obscurcissement produit par une éclipse (→ Déployer, cit. 9). ⇒ **Obscuration.**

L'ancienne coutume (*indienne*) de se plonger dans les fleuves au moment d'une éclipse n'a pu encore être abolie ; et, quoiqu'il y eût des astronomes indiens qui sussent calculer les éclipses, les peuples n'en étaient pas moins persuadés que le soleil tombait dans la gueule d'un dragon, et qu'on ne pouvait le délivrer qu'en se [1] mettant tout nu dans l'eau, et en faisant un grand bruit qui épouvantait le dragon et lui faisait lâcher prise.   VOLTAIRE, Essai sur les mœurs, CLVII.

2   La lune ne disparaît pas entièrement dans ses éclipses ; elle est encore éclairée d'une très faible lumière qui lui vient des rayons du soleil, infléchis par l'atmosphère terrestre.   LAPLACE, Exposition du système du monde, I, 4, *in* LITTRÉ.

Par anal. Disparition d'un point lumineux. — À ÉCLIPSES : qui apparaît et disparaît de façon intermittente. *Phare à éclipses.*

♦ **2.** (V. 1223). Période de fléchissement, de défaillance, période où quelque chose disparaît, ne se fait plus sentir, n'agit plus. *Périodes d'éclipses dans l'histoire d'un peuple, d'une civilisation.* ⇒ **Décadence, déchéance, sommeil** (→ Assise, cit. 5). *Mémoire sujette à de brèves éclipses.* ⇒ **Absence, défaillance, défaut, manque, obnubilation.** *Sa popularité connaît une éclipse.* ⇒ **Chute, défaveur.** *Souffrir une éclipse.* — *À éclipses :* intermittent (→ ci-dessous, cit. 5).

3   *(Durant la Fronde)* les astres les plus brillants souffrirent presque tous quelque éclipse (...)   FLÉCHIER, Oraison funèbre, Turenne, *in* LITTRÉ.

4   La vertu la plus pure et la plus brillante a ses taches et ses éclipses (...)   MASSILLON, Sermon pour le lundi de la 4e semaine de Carême, Médisance, *in* LITTRÉ.

5   (...) cette publicité à éclipses, à répétitions, à explosions (...)   G. DUHAMEL, Scènes de la vie future, X, p. 159.

6   Il y a souvent de longues périodes silencieuses qui sont, pour un peuple, comme des éclipses de génie.   G. DUHAMEL, la Défense des lettres, IV, I, p. 280.

L'éclipse de (qqch.), action d'éclipser (qqch.).

7   Les méprises relatives aux visages sont le résultat de l'éclipse de l'image réelle par l'hallucination (...)   BAUDELAIRE, Journaux intimes, Fusées, VIII.

Fam. Disparition momentanée. *Faire une courte, une longue éclipse.* ⇒ **Absence, disparition.** *Reparaître après une éclipse.* « *L'homme qu'il chassait n'était plus là. Éclipse totale de l'homme en blouse* » (Hugo).

Méd. *Éclipse cérébrale :* paralysie passagère frappant un malade atteint d'hypertension artérielle. *Éclipse visuelle :* accès de cécité.

CONTR. **Apparition, réapparition.**
DÉR. **Éclipser.**

ÉCLIPSER [eklipse] v. tr. — V. 1250 ; de *éclipse.*

♦ **1.** Astron. Provoquer l'éclipse de (un autre astre). *La Lune éclipse parfois le Soleil, et la Terre éclipse parfois la Lune.*

0.1 On n'empêchera pas la lune d'éclipser parfois le soleil, mais il est important de savoir que c'est par excès d'influence du principe femelle pour pouvoir réformer le ciel en réformant les actes des habitants du microcosme humanisé.   A. LEROI-GOURHAN, le Geste et la Parole, t. II, p. 166.

Rendre momentanément invisible. ⇒ **Cacher, intercepter, offusquer, voiler.** *Nuage qui éclipse le soleil.*

Obscurcir en répandant un éclat plus grand. *Le soleil éclipse les étoiles.* ⇒ **Pâlir** (faire).

♦ **2.** Fig. et cour. Empêcher de paraître, de plaire, en brillant soi-même davantage. *Éclipser ses rivaux.* ⇒ **Effacer, emporter** (l'emporter sur), **surpasser, vaincre** (→ Effet, cit. 29). *Il craint tout ce qui pourrait l'éclipser.* ⇒ **Ombrage, ombre** (faire) ; **pâlir** (faire).

1   Un roi dont la grandeur éclipsa ses ancêtres.   VOLTAIRE, Disc. sur la loi naturelle, IV.

2   *(Les rossignols)* font tous leurs efforts pour éclipser leurs rivaux, pour couvrir toutes les autres voix et même tous les autres bruits.   BUFFON, Hist. naturelle des oiseaux, Le rossignol, t. VI, p. 494.

3   (...) si elles ne sont pas belles, elles ont de la physionomie, qui supplée à la beauté, et l'éclipse quelquefois (...)   ROUSSEAU, Julie ou la Nouvelle Héloïse, II, Lettre XXI.

4   (...) la gloire de l'auteur d'une découverte éclipse celle des savants qui l'ont préparée (...)   CONDORCET, Duhamel, *in* LITTRÉ.

▶ **S'ÉCLIPSER** v. pron.

♦ **1.** Astron. Subir une éclipse. *Le soleil s'est éclipsé trente-neuf fois à Paris au XIXe siècle.*

♦ **2.** Littér. Devenir invisible ; être éclipsé, voilé. *Le soleil s'éclipse derrière un nuage. Paysage qui s'éclipse dans le brouillard.*

5   (...) la crainte et la honte me subjuguent à tel point que je voudrais m'éclipser aux yeux de tous les mortels.   ROUSSEAU, les Confessions, I.

♦ **3.** (V. 1275). Sujet n. de personne. ⓐ Vx. Être éclipsé. ⇒ **Disparaître.**

6   Tel brille au second rang qui s'éclipse au premier (...)   VOLTAIRE, la Henriade, I.

ⓑ Mod. S'éloigner, ne plus paraître aux yeux du monde. *S'éclipser pendant une longue période. S'éclipser de la scène politique.*

ⓒ Cour. S'en aller à la dérobée. ⇒ **Partir ; déguerpir, filer, retirer** (se), **sortir.** *Il s'est éclipsé avant la fin de la cérémonie.*

7   Que fait-il ? il s'éclipse ; il part (...)   LA FONTAINE, Contes, « Le petit chien qui secoue de l'argent et des pierreries ».

♦ **4.** (Sujet n. de chose). Disparaître. *J'avais mis là des papiers, je ne les retrouve plus, ils se sont éclipsés* (Académie). Cesser d'exister. ⇒ **Disparaître, évanouir** (s').

8   Ainsi s'éclipsèrent en un instant toutes mes grandes espérances (...)   ROUSSEAU, les Confessions, II.

CONTR. **Apparaître, réapparaître.**

ÉCLIPTIQUE [ekliptik] adj. et n. m. — Après 1250, *ecliptike ;* rare av. 1611 ; du lat. *eclipticus,* grec *ekleiptikos* « relatif aux éclipses », de *ekleipsis.* → Éclipse.
Didactique.

♦ **1.** Adj. Vx. Propre aux éclipses. *Conjonction écliptique :* conjonction de deux astres amenant l'éclipse de l'un par l'autre. — (1870). Mod. Relatif à l'écliptique. *Coordonnées écliptiques d'un astre.*

♦ **2.** N. m. (XVIIe, n. f. ; grec *ekleiptikos [kuklos],* les éclipses se produisant près des points où ce cercle coupe l'orbite de la Lune). Grand cercle d'intersection du plan de l'orbite terrestre avec la sphère céleste ; ce plan. *Axe de l'écliptique :* diamètre de la sphère céleste, perpendiculaire au plan de l'écliptique. *Obliquité de l'écliptique :* angle formé par le plan de l'écliptique et le plan de l'équateur. *Pôles de l'écliptique :* les deux points où l'axe de l'écliptique rencontre la sphère céleste.

Pour comprendre toute l'importance de l'inclinaison de l'écliptique, il suffit de supposer qu'elle varie et de considérer les changements géographiques qui en résulteraient. Si l'inclinaison était nulle, c'est-à-dire si l'écliptique coïncidait avec l'équateur, la Terre serait constamment dans la situation réalisée aux équinoxes. Plus de jours inégaux, partant plus de saisons.   E. DE MARTONNE, Traité de géographie physique, t. I, II, p. 41.

ÉCLIS [ekli] n. m. — 1873, cit., Corbière ; de *éclisse.*

♦ Rare. Éclat (d'une matière dure).

Et vous viendrez alors, imbécile caillette,
Taper dans ce miroir clignant qui se paillette
D'un éclis d'or, accroc de l'astre jaune, éteint.   Tristan CORBIÈRE, les Amours jaunes, Pl., p. 740.

ÉCLISSAGE [eklisaʒ] n. m. — 1870 ; de *éclisser.*

♦ Techn. Action d'éclisser ; système d'éclisses.

ÉCLISSE [eklis] n. f. — V. 1170, *esclisse ; esclice,* v. 1100 ; déverbal de *esclicer.* → Éclisser.

♦ **1.** (V. 1100). Techn. Éclat de bois. — Par ext. Éclat (d'une matière dure).

1   Sur l'eau, des détritus vont à la dérive, des brins d'herbe arrachés aux rives, des éclisses de bois, des racines.   J.-M. G. LE CLÉZIO, la Fièvre, p. 182.

2   Derrière l'étal, un homme rougeaud armé d'une hache coupait, tranchait, mutilait sans cesse, avec des gestes précis et rapides, sans souci des éclisses d'os qui sautaient vers sa figure.   J.-M. G. LE CLÉZIO, le Déluge, p. 74.

Plaque de bois mince utilisée en lutherie ; (1680) bois de fente utilisé en boissellerie, etc. (pour faire des ouvrages légers, seaux, minots, tamis, tambours, etc.). *Les éclisses d'un violon font le tour de la caisse de résonance.*

3   (...) des tambours de toutes grandeurs, garnis de leurs taffetas et de leur éclisse, servant à broder au crochet.   ZOLA, le Rêve, III, p. 18.

4   Il se redressa, plaqua les éclisses sur le galbe de bois et les y fixa avec des barrettes pour le temps de refroidissement.   Herbert LE PORRIER, le Luthier de Crémone, p. 102.

(1549). Chir. Plaque de bois ou bandage de carton qu'on applique le long d'un membre fracturé pour maintenir les os. ⇒ **Attelle, gouttière.**

Hortic. Lame (de bois, de carton) soutenant une branche, un rameau.

♦ **2.** (1539). Techn. Rond d'osier sur lequel on fait égoutter le lait caillé, le fromage. ⇒ **Claie, clisse.**

♦ **3.** (1870). Techn. Pièce d'acier reliant les rails les uns aux autres. *Boulon d'éclisse. Jonction par éclisse.*
DÉR. **Éclis.**

ÉCLISSER [eklise] v. tr. — 1552, *ecclisser ; esclicer* « fendre en éclats », v. 1100 ; du francique *slitan* « fendre », sans doute apparenté à *slaitan.* → Éclater.

♦ **1.** Chir. Assujettir (un membre) par des éclisses.

♦ **2.** Techn. Fixer à l'aide d'éclisses (un rail, un aiguillage).

▶ **ÉCLISSÉ, ÉE** p. p. adj. *Jambe éclissée.* — *Rails éclissés.*
DÉR. **Éclissage, éclisse, éclisseuse.**

ÉCLISSEUSE [eklisøz] n. f. — XXe ; de *éclisser.*

♦ Techn. Machine qui prépare les quartiers d'osier servant d'éclisses en vannerie.

ÉCLOPÉ, ÉE [eklɔpe] adj. et n. — 1176, Chrétien ; p. p. de *écloper,* ou directement formé sur le p. p. de l'anc. franç. *cloper.*

♦ **1.** Qui marche péniblement (⇒ **Clopin-clopant**), en raison d'un accident, d'une blessure. ⇒ **Blessé, boiteux, estropié, infirme.** *Être tout éclopé.* — N. Spécialt. *Un éclopé :* soldat légèrement blessé.

1　(…) à chaque étape, l'armée laissait en arrière un grand nombre d'écloppés *(sic)* et de traînards.
　　　　　MÉRIMÉE, Histoire du règne de Pierre le Grand, p. 558 *in* T. L. F.

2　On avait dû loger dans nos baraques, une foule d'éclopés exigeants et querelleurs qui jouaient, criaient, brisaient tout et n'obéissaient à personne.
　　　　　G. DUHAMEL, la Pesée des âmes, XIII, p. 318.

♦ **2.** Fig. (Choses). Littér. Qui est détérioré. *Une maison éclopée. Un tabouret éclopé.*

♦ **3.** N. Fig. *Un éclopé, une éclopée :* personne qui a subi des épreuves pénibles, par lesquelles elle a été moralement blessée. *« Les éclopés de l'amour et des passions »* (Sainte-Beuve).

3　Vauvenargues dit que dans les jardins publics il est des allées hantées principalement par l'ambition déçue, par les inventeurs malheureux, par les gloires avortées, par les cœurs brisés, par toutes ces âmes tumultueuses et fermées, en qui grondent encore les derniers soupirs d'un orage, et qui reculent loin du regard insolent des joyeux et des oisifs. Ces retraites ombreuses sont les rendez-vous des éclopés de la vie.
　　　　　BAUDELAIRE, Petits poèmes en prose, « Les veuves », 1867, p. 63, *in* T. L. F.

ÉCLOPER [eklɔpe] v. tr. — V. 1179, *le Roman de Renart;* de é-, et de l'anc. franç. *cloper* « boiter ». → Clopinant.

♦ Rare. Rendre boiteux, bancal. — Par ext. ⇒ **Estropier.**

Ce damné barbier qui vient d'écloper toute ma maison en un tour de main (…)
　　　　　BEAUMARCHAIS, le Barbier de Séville, II, 4.

ÉCLORE [eklɔʀ] v. intr. — *Il éclôt* (Acad. : *il éclot*), *ils éclosent; il éclora; il éclorait; qu'il éclose; éclos, éclose; éclosant;* rare sauf au prés., inf. et p. p. — V. 1170, du lat. pop. **exclaudere,* du lat. class. *excludere* « faire sortir ». → Exclure.

♦ **1.** Sortir de l'œuf (en parlant d'un animal ovipare). ⇒ **Éclosion.** *La poule couve* ses œufs pour faire éclore les poussins. Les poussins sont éclos, viennent d'éclore.* — Au p. p. *Oisillon à peine éclos.* N. m. *Dernier éclos d'une couvée.* ⇒ **Culot.**

1　(…) la plupart des oiseaux sortent de l'œuf au bout de vingt et un jours; quelques-uns, comme les serins, éclosent au bout de treize ou quatorze jours (…)
　　　　　BUFFON, Hist. nat. des animaux, IX, t. I, p. 599.

2　(…) toutes les ambitions étaient éveillées, et chacun espérait devenir ministre : les orages font éclore les insectes.
　　　　　CHATEAUBRIAND, Mémoires d'outre-tombe, t. V, p. 180.

Par ext. S'ouvrir (en parlant d'un œuf). *L'œuf est éclos. Faire éclore des œufs.* ⇒ **Incubation.** — Au p. p. *Œufs éclos.*

Par métaphore (littér.). *Éclore à la vie, éclore* (d'un être humain). ⇒ **Naître.**

♦ **2.** Par anal. S'ouvrir (en parlant d'une fleur en bouton); commencer à s'ouvrir (végétal). ⇒ **Épanouir** (s'), **fleurir.** *Les roses vont éclore* (→ Carnaval, cit. 3). — Au p. p. *Une fleur à peine éclose, fraîche éclose.*

3　Avec les fleurs et les boutons éclos
Le beau printemps fait printaner ma peine (…)
　　　　　RONSARD, Amours de Cassandre, I, CCXII.

4　(…) de même que le moissonneur tranche de sa faux une tendre fleur qui commence à éclore (…)
　　　　　FÉNELON, Télémaque, III.

5　Les coquelicots et les bluets éclosent dans des oppositions ravissantes.
　　　　　BERNARDIN DE SAINT-PIERRE, Études de la nature, V.

6　La fleur de l'églantier sent ses bourgeons éclore.
Le printemps naît ce soir; les vents vont s'embraser (…)
　　　　　MUSSET, Poésies nouvelles, « Nuit de mai ».

♦ **3.** (V. 1260). Fig. et littér. Naître, paraître. *Aube* (cit. 7), *vie qui vient d'éclore.* ⇒ **Commencer.** *« L'astre* (cit. 7.1) *à peine vient d'éclore… ». Époque qui voit éclore de grands talents* (⇒ **Apparaître, manifester** [se]; **surgir**), *de belles œuvres.* ⇒ **Produire** (se).

7　Ainsi commencèrent à germer avec mes malheurs les vertus dont la semence était au fond de mon âme, que l'étude avait cultivées, et qui n'attendaient pour éclore que le ferment de l'adversité.
　　　　　ROUSSEAU, les Confessions, VI.

8　Il avait suffi de la chaleur des ailes de la renommée de Marengo et d'Austerlitz pour faire éclore des armées dans cette France qui n'est qu'un grand nid de soldats.
　　　　　CHATEAUBRIAND, Mémoires d'outre-tombe, t. IV, p. 11.

9　J'ai compris quelle douleur peut éclore de l'amour, et quel aveuglement naître d'un regard.　　　　　Francis JAMMES, Notes, p. 277.

10　La sympathie peut faire éclore bien des qualités somnolentes; je me suis souvent persuadé que les pires gredins sont ceux auxquels d'abord les sourires affectueux ont manqué.　　　　　GIDE, Si le grain ne meurt, I, III, p. 80.

11　Son intelligence *(de Mme de Staël)* est passionnée, et, pour éclore, il faut à ses idées la température de l'enthousiasme.
　　　　　A. THIBAUDET, Histoire de la littérature franç., p. 46.

CONTR. **Mourir, faner** (se), **flétrir** (se), **passer.** — **Avorter, disparaître, finir.** (Du p. p.). **Inéclos.**
DÉR. **Écloserie, éclosion.**

ÉCLOS, OSE [eklo, oz] p. p. adj. ⇒ **Éclore.**

ÉCLOSERIE [eklozʀi] n. f. — xxe; du p. p. de *éclore, éclos.*

♦ Techn. Emplacement où sont placés les œufs au moment de l'éclosion. *Une écloserie de homards, de crevettes. « Sa production* (du poisson) *en écloseries »* (le Nouvel Obs., 10 avr. 1978, p. 52).

ÉCLOSION [eklozjɔ̃] n. f. — 1747; du p. p. de *éclore, éclos.*

♦ **1.** Fait d'éclore. *L'éclosion d'une couvée.*

1　Entre l'éclosion des œufs et l'essor des oisillons, la tâche d'un couple de mésanges confond l'observateur.　　　COLETTE, Histoires pour Bel-Gazou, « Mésanges ».

Fait de s'ouvrir (en parlant d'un œuf). *L'éclosion d'un œuf.*

♦ **2.** Par anal. Épanouissement (du bourgeon, de la fleur). *L'éclosion d'une rose.*

Par métaphore (littér.). *L'éclosion du printemps.*

♦ **3.** (1830). Fig. Naissance, apparition. ⇒ **Commencement.** *Éclosion du jour. L'éclosion d'une œuvre* (⇒ **Production**), *d'un poète, d'un talent, d'une idée, d'un projet, d'un monde nouveau.*

2　(…) l'éclosion lente et suprême de la liberté (…)
　　　　　HUGO, la Légende des siècles, Préface (1857).

3　(…) j'assiste à l'éclosion de ma pensée : je la regarde, je l'écoute : je lance un coup d'archet : la symphonie fait son remuement dans les profondeurs, ou vient d'un bond sur la scène.　　　　　RIMBAUD, Correspondance, 15 mai 1871.

REM. Dans cet emploi, le compl. désigne en général une chose abstraite (ou une personne prise comme type général : *l'éclosion d'un nouveau Michel-Ange*); lorsque le compl. désigne une chose individuelle, concrète (*« l'éclosion des vagues »*, Camus, *in* T. L. F.), il s'agit plutôt d'une métaphore stylistique des sens 1 ou 2.

CONTR. **Mort.** — **Flétrissement.** — **Anéantissement, avortement, chute, déclin, disparition, évanouissement, fin.**

ÉCLUSAGE [eklyzaʒ] n. m. — 1410, *esclusage; éclusement,* 1877; de *écluser,* et *-age.*

♦ Techn. Action d'écluser (un bateau), de faire passer par l'écluse. ⇒ **Sassement.**

ÉCLUSE [eklyz] n. f. — V. 1200, *escluse;* bas lat. *exclusa,* p. p. fém. de *excludere* (→ Exclure), proprt « (eau) séparée du courant ».

♦ **1.** Ouvrage hydraulique formé essentiellement de portes munies de vannes et qui est destiné à lâcher l'eau selon les besoins. *Écluse simple,* qui retient l'eau à un seul niveau. *Écluse double,* qui retient l'eau à deux niveaux différents. *Écluse à sas,* formée de deux écluses séparées par un sas. *Écluse de chasse*. Écluse en palis sur une rivière.* ⇒ **Portereau.** *Petite écluse provisoire.* ⇒ **Batardeau.** *Écluses d'un canal,* destinées à faire passer, aux changements de niveau, les bateaux du bief* d'amont au bief d'aval ou inversement. *Bassin où séjourne le bateau entre les portes de l'écluse.* ⇒ **Chambre, sas.** *Faire passer un bateau par l'écluse.* ⇒ **Écluser, sasser.** *Hydrobascule récupérant l'eau perdue par l'écluse. Charpente, maçonnerie d'une écluse.* ⇒ **Bajoyer, barrage, digue, musoir, radier.** — Par métonymie. *Lever, baisser, ouvrir, fermer, lâcher les écluses,* les portes de l'écluse. — Spécialt. *Écluse (provisionnelle) :* écluse qui permet l'inondation des fossés d'une forteresse.

1　Des torrents d'eau s'écoulaient en tourbillonnant comme au débouché d'une écluse.
　　　　　CHATEAUBRIAND, les Natchez, VII.

2　Quand on doit traiter un fleuve comme la Seine (…) on emploie la canalisation; on divise le cours en biefs séparés par des barrages, de manière à relever le niveau de l'eau, en amont des barrages, sur les seuils qu'on veut noyer sous une plus grande épaisseur d'eau. L'inconvénient de cette méthode, c'est que les barrages avec leurs écluses sont des ouvrages immuables.
　　　　　DEMANGEON, Géographie économique et humaine de la France, t. I, p. 427.

Par métaphore :

3　(…) en ouvrant les écluses du cœur, elle fait que le sang circule plus vite (…)
　　　　　DESCARTES, les Passions de l'âme, II.

Par extension et figuré :

4　Mais avant qu'il lâchât les écluses des cieux (…)　　　BOILEAU, Satires, XII.

5　Là-dessus il repartit, il mit son cœur à nu, ouvrit l'écluse au flot amer de ses rancunes.　　　COURTELINE, Messieurs les ronds-de-cuir, 1er tableau, II, p. 34.

6　(…) le poète *(Lamartine)* ne pouvant revenir à son art (…) sans laisser en lui se rouvrir les larges écluses de son effusion universelle, quitte à tomber parfois dans le ronron (…)　　　Émile HENRIOT, les Romantiques, p. 111.

Par anal. (techn.). *Écluse (à air) :* sas permettant l'entrée et la sortie d'un compartiment à air comprimé (⇒ **Éclusement**).

Loc. fig. ou fam. *Lâcher les écluses :* uriner; pleurer abondamment.

♦ **2.** Technique. **a** Parc fermé par un mur de pierres pour retenir le poisson, les coquillages amenés par la marée.

b Compartiment permettant d'entrer ou de sortir d'un caisson sous air comprimé.

[C] Plaque de fer mobile permettant de laisser s'écouler le métal en fusion vers les moules de fonderie.

DÉR. Écluser, éclusier.

ÉCLUSÉE [eklyze] n. f. — 1627 ; p. p. de *écluser,* substantivé au féminin.

Technique.

♦ **1.** Quantité d'eau qui coule depuis qu'on a lâché l'écluse jusqu'à ce qu'on l'ait refermée.

♦ **2.** (1715). Train de bois flotté construit pour passer dans les écluses.

ÉCLUSEMENT [eklyzmã] n. m. — 1877, *in* Littré, *Suppl. ;* de *écluser.*

♦ Techn. Opération par laquelle on fait pénétrer de l'air comprimé dans un sas, pour permettre l'entrée dans un compartiment mis sous pression.

ÉCLUSER [eklyze] v. tr. — xiᵉ, *escluser ;* de *écluse,* et -er.

★ **I. ♦ 1.** Techn. Barrer (une rivière, un canal) par une écluse.

♦ **2.** Faire passer (un bateau) par une écluse. *Écluser une péniche.* Par anal. Pratiquer l'éclusement de (personnes), sasser.

♦ **3.** Techn. (fonderie). Ouvrir ou fermer l'écluse (→ Écluse, 2.).

★ **II.** (1936). Pop. ou fam. Boire. *Écluser un godet :* boire un verre. *En écluser un :* vider un verre.

1   Charles éclusa son beaujolais, s'essuya les moustaches du revers de la main (...)
            R. QUENEAU, Zazie dans le métro, Folio, p. 21 (1959).

2   (...) Jane se nourrit et écluse de la bière comme quatre (...)
            A. SARRAZIN, la Cavale, p. 160.

Absolument :

3   Entre deux ritournelles, on trinquait, on buvait à Paris, à Paname, au *Crapouillot,* et Galtier, le verre en main, orchestrait les réjouissances, non sans l'emplir, ce verre, ni surtout oublier de le vider en honnête homme qui sait ce qu'*écluser* veut dire.
            Francis CARCO, Ombres vivantes, p. 207.

▶ **ÉCLUSÉ, ÉE** p. p. et adj.

♦ **1.** (1898). Retenu dans une écluse. *Péniche éclusée.*

♦ **2.** Bu. *Tous les verres éclusés avec les copains.*

DÉR. Éclusage, éclusée, éclusement.

ÉCLUSIER, IÈRE [eklyzje, jɛʀ] n. et adj. — V. 1470 ; de *écluse.*

♦ **1.** N. Personne chargée de la garde et de la manœuvre d'une écluse.

(...) un éclusier, las d'avoir ouvert cinq fois l'écluse, en cette nuit du samedi au dimanche, à des bateaux berrichons qui remontaient par le canal du Nivernais, ronflait dans les draps du lit défait (...)
            R. BAZIN, le Blé qui lève, 1907, p. 176, *in* T. L. F.

♦ **2.** Adj. (1838). Techn. Qui a rapport à une écluse. *Maison éclusière. Porte éclusière.*

ECMNÉSIE [ɛkmnezi] n. f. — Fin xixᵉ ; du grec *ek-,* préf. qui marque le mouvement du dedans vers le dehors, et *mnêmê* «mémoire».

♦ Psychiatrie. Évocation hallucinatoire de tranches du passé.

ÉCO- Élément, du grec *oikos* « maison, habitat » entrant dans la formation de substantifs avec le sens «maison, choses domestiques » (→ Écophobie), ou, plus souvent, « habitat, milieu naturel », d'après *écologie.* Outre les composés traités à l'ordre alphabétique, on peut mentionner : *éco-communauté,* n. f. (1977) ; *écogéologue,* n. (1978) ; *écolinguistique,* n. f. (1974) ; *écopathologie,* n. f. (1977).

ÉCOBUAGE [ekɔbyaʒ ; ekɔbɥaʒ] n. m. — 1797 ; de *écobuer.*

♦ Agric. Action de fertiliser (des terres) en les écobuant (à distinguer de *brûlis*).

Par métaphore :

1   L'écobuage est une méthode de préparation du champ : le sol gazonné est détaché à la houe, à la bêche ou à la charrue, les gazons sont mis à sécher, puis disposés en fourneaux et brûlés ; les cendres sont ensuite répandues sur le champ.
            François SIGAUT, *in* le Monde, 24 mars 1982, p. 18.

Par métaphore :

2   Sueur et cris sous le fer saisonnier
   pratiquer en soi-même la culture sur brûlis
   vouer son âme à l'écobuage.
            Michel LEIRIS, Haut mal, p. 199.

ÉCOBUE [ekɔby] n. f. — 1753, au sens 2 ; déverbal de *écobuer.*

Technique ancienne.

♦ **1.** (1767). Houe servant à détacher les mottes de terre.

♦ **2.** (1753). Au plur. Les herbes et les racines brûlées par écobuage.

ÉCOBUER [ekɔbye ; ekɔbɥe] v. tr. — 1721 ; *égobuer,* 1539 ; *gobuer,* 1519 ; terme dial. de l'Ouest ; de *gobuis* «terre pelée où l'on met le feu », du saintongeais *gobe* «motte de terre», rad. gaul. **gobbo* «gueule, bouche».

♦ Agric. Peler (la terre) en arrachant les mottes, avec les herbes et les racines, que l'on brûle ensuite pour fertiliser le sol avec les cendres.

Au p. p. :
La terre du soleil d'août écobuée
Où de petits chevaux lentement se promènent (...)
            ARAGON, le Voyage de Hollande et autres poèmes, p. 18.

DÉR. Écobuage, écobue, écobueur.

ÉCOBUEUR, EUSE [ekɔbyœʀ, øz ; ekɔbɥœʀ, øz] n. — 1760, au masc. ; de *écobuer.*

♦ Techn. (agric.). Personne qui pratique l'écobuage.

ÉCOCIDE [ekɔsid] n. m. — 1972 ; de *éco-* ou *écologie,* et *-cide,* d'après *génocide* (mot mal formé sauf si *éco-* correspond à «milieu»).

♦ Didact. Destruction de milieux naturels (flore et faune). « *L'écocide viêtnamien* » (*le Nouvel Obs.,* 7 août 1972).

ÉCOCLIMATOLOGIE [ekoklimatɔlɔʒi] n. f. — 1968 ; de *éco- (écologie),* et *climatologie,* p.-ê. d'après l'angl. *ecoclimatology* (attesté 1966), de *ecoclimate* (1931) ; le franç. *écoclimat* est attesté en 1949 (*in* C. I. L. F.)

♦ Didact. Science qui étudie l'influence du climat sur les êtres vivants, et leur répartition en fonction de celui-ci (→ Bioclimatologie).

ÉCO-ÉTHOLOGIE [ekoetɔlɔʒi] n. f. — V. 1970 ; de *éco- (écologie),* et *éthologie* (*écologie éthologique,* 1969).

♦ Didact. Science qui étudie, d'un point de vue dynamique, le fonctionnement des organismes vivants, en relation avec leur environnement. ⇒ Écologie, éthologie.

ÉCŒURANT, ANTE [ekœrã, ãt] adj. — xixᵉ ; p. prés. de *écœurer.*

♦ **1.** Qui écœure, soulève le cœur. *Odeur désagréable, écœurante.* ⇒ **Fade, fétide, nauséabond, nauséeux** (→ Chaufferie, cit. 1). *Une écœurante odeur de violette.* → Pommade, cit. 3. *Nourriture écœurante, qui coupe l'appétit.* ⇒ **Dégoûtant, infect, répugnant.**

1   L'engraissement forcé des bestiaux ne donne qu'une viande aussi malsaine qu'écœurante.   RASPAIL, *in* Pierre LAROUSSE.

2   Je pense à ceux dont la rencontre vous jette au nez des odeurs écœurantes d'ail ou d'humanité.   MAUPASSANT, les Sœurs Rondoli, I, p. 11.

3   L'écœurante chaleur gorge la chambre étroite (...)
            RIMBAUD, Poésies, « Accroupissements».

4   L'odeur de la chevelure dénouée montait vers lui dans la tiédeur de l'alcôve : une odeur excitante à la fois et douce, une odeur tenace, un peu écœurante (...)
            MARTIN DU GARD, les Thibault, t. III, p. 12.

Par ext. Fade, trop gras ou trop sucré. *Un gâteau écœurant.*

♦ **2.** Fig. Moralement répugnant, révoltant. ⇒ **Dégoûtant.** *Procédé écœurant. Flatteries écœurantes. Spectacle écœurant de banalité.*

5   Quel volume insipide, affadissant, nauséabond et d'une lecture écœurante !
            SAINTE-BEUVE, *in* P. LAROUSSE.

Résultats écœurants. ⇒ **Décourageant.** *Travail écœurant.* ⇒ **Rebutant.**

6   (...) il *(son destin)* est là, tout entier, écœurant à force d'être prévisible (...)
            SARTRE, le Sursis, p. 100.

♦ **3.** Qui crée une espèce de malaise, de découragement. *Il a une facilité ! c'est écœurant.* ⇒ **Décourageant.**

CONTR. Agréable, suave. — Alléchant, appétissant. — Encourageant, exaltant.

ÉCŒUREMENT [ekœrmã] n. m. — 1870, Bloch ; de *écœurer.*

♦ **1.** État d'une personne écœurée. ⇒ **Dégoût, haut-le-cœur, nausée.**

Il vous en reste une sensation morale et physique d'écœurement comme lorsqu'on a mis la main, par hasard, en des choses poisseuses, et qu'on n'a pas d'eau pour se laver.   MAUPASSANT, les Sœurs Rondoli, « Le verrou».

♦ **2.** Fig. Dégoût profond, répugnance. *Des combinaisons auxquelles on ne peut assister sans écœurement. On est pris, saisi* *d'écœurement devant pareil spectacle* (Académie). ⇒ **Dégoût, répugnance, répulsion.**

♦ **3.** Fig. Découragement. *Écœurement causé par une déception* (cit. 4), *par des échecs répétés.* ⇒ **Abattement, lassitude.**

CONTR. Appétit, faim. — Euphorie. — Confiance, courage, enthousiasme.

ÉCŒURER [ekœʀe] v. tr. — 1640, vulgaire; *esqueuré,* adj., 1611, «accablé, découragé»; rare av. 1864; de *é-, cœur,* et suff. verbal.

♦ **1.** Dégoûter au point de donner envie de vomir. ⇒ **Dégoûter.** *Cette odeur de cuisine m'écœure* (→ Lever, soulever le cœur*, donner mal au cœur*). — Absolt. *Les crèmes trop sucrées écœurent.* — Pron. *Vous allez vous écœurer.*

1   D'autres restent assis, très silencieux et songeurs, écœurés maintenant d'avoir dû charger à la baïonnette, de se voir du sang sur leurs habits de toile, et attendant le jour avec impatience pour aller laver cela «à l'eau douce».
               LOTI, Figures et choses..., p. 225.

2   Elle réfléchit une seconde, saisit la bouteille de sirop placée devant elle et but au goulot. Cette liqueur épaisse l'écœura. Elle en avala une gorgée, puis regarda l'étiquette d'un air de dégoût.   J. GREEN, Adrienne Mesurat, II, v, p. 198.

♦ **2.** Fig. Dégoûter* au plus haut point en inspirant l'indignation ou le mépris. ⇒ **Indigner, révolter.** *De tels procédés m'écœurent. J'en suis écœuré.*

2.1   Ce qu'ils avaient vu de l'invasion, de ces incendies, de ces pillages, de ces meurtres, les avait profondément écœurés, et ils avaient hâte d'être dans les rangs de l'armée sibérienne.   J. VERNE, Michel Strogoff, p. 327 (1876).

Au p. p. :

3   J'étais las, las, écœuré plus que je ne saurais dire par toutes les bêtises, toutes les bassesses, toutes les saletés que j'avais vues et auxquelles j'avais participé pendant quinze ans.   MAUPASSANT, Clair de lune, «Le père».

4   (...) le pays, écœuré des abus du pouvoir comme de l'incapacité des gouvernants civils (...)   Louis MADELIN, Hist. du Consulat et de l'Empire, L'ascension de Bonaparte, XIII, p. 184.

♦ **3.** Fig. Décourager, démoraliser profondément. ⇒ **Abattre, décourager.** *Ses échecs l'ont écœuré. Ses succès faciles écœurent les autres élèves.*

(1924, Montherlant). Spécialt (sports). Décourager (l'adversaire) en imposant un effort trop grand. *Écœurer ses concurrents.*

▶ **ÉCŒURÉ, ÉE** p. p. et adj.

♦ **1.** Qui est dégoûté au point d'avoir envie de vomir.

5   Je veille à présent, du fond de ma demi-ivresse, je ne veux pas le sommeil, la syncope dont on sort écœuré, je ne veux du petit génie de l'éther (...) que le battement d'ailes en éventail.   COLETTE et WILLY, Claudine s'en va, 1900, p. 223, *in* T. L. F.

♦ **2.** Fig. Qui est dégoûté et éprouve ou manifeste de l'indignation ou du mépris (→ ci-dessus, cit. 3, 4). *Un regard écœuré.*

♦ **3.** Qui est découragé, profondément démoralisé. *Il est écœuré de ses mauvais résultats.*

N. (aux sens 1, 2, 3). *Un écœuré, une écœurée.*

CONTR. Appétit (mettre en). — Enthousiasmer, plaire.
DÉR. Écœurant, écœurement.

ÉCOFRAI [ekofʀɛ] ou ÉCOFROI [ekofʀwa] n. m. — 1554, *escofret; escofrole,* 1318; du germanique *skōh- «chaussure».

♦ Techn. Table dont se servent les tanneurs, les selliers, pour couper le cuir.

ÉCOGÉNÉTIQUE [ekoʒenetik] n. f. — Av. 1969; de *éco- (écologie),* et *génétique.*

♦ Didact. Étude des différents types génétiques d'une espèce, relativement aux diverses caractéristiques du milieu naturel (→ Écotype) et des variations phénotypiques dues au milieu (→ Accommodat, écomorphose).

ÉCOGRAMME [ekogʀam] n. m. — V. 1970; de *éco- (écologie),* et *-gramme.*

♦ Didact. Représentation graphique de l'évolution des paramètres de l'environnement.

HOM. Échogramme.

ÉCOGRAPHIE [ekogʀafi] n. f. — 1971; de *éco- (écologie),* et *-graphie.*

♦ Didact. Étude (observation et enregistrement) de l'évolution de l'environnement, dans ses ressources et dans ses peuplements (⇒ **Écogramme**).

HOM. Échographie.

ÉCOIN [ekwɛ̃] n. m. — 1876; *escoyn,* mil. xvᵉ, «première planche sciée»; de *é-* (lat. *ex-),* et anc. franç. *coin* «peau» (→ Couenne) plus ou moins confondu avec *coin*.*

♦ Techn. Planche non équarrie (syn. : *croûte*) utilisée dans les mines.

ÉCOINÇON [ekwɛ̃sɔ̃] n. m. — 1331, *escoinçon;* de *é-, coin* (→ Coincer), et *-on.*
Technique.

♦ **1.** Pièce de menuiserie, de maçonnerie formant encoignure. *Meuble en écoinçon :* dont la forme triangulaire épouse les côtés de l'angle formé par deux murs. ⇒ **Encoignure.**

♦ **2.** Pierre qui fait l'encoignure de l'embrasure d'une porte, d'une fenêtre.

♦ **3.** En mobilier, Élément décoratif servant à raccorder un motif central rond ou ovale à un cadre rectiligne. *Les écoinçons d'un panneau.*

ÉCOINE ou ÉCOUANE [ekwan] n. f. — 1819, *in* Littré, *Suppl.* 1877; *escohine,* 1344, puis *escuene, escouenne* au xviiᵉ, *ecouanne* au xviiiᵉ; du lat. *scobina,* de *scobis* «chose râpée, grattée», de *scabere.*

♦ Techn. Lime, râpe à une seule rangée de tailles.

DÉR. Écoiner, écoinette.

ÉCOINER [ekwane] v. tr. — 1723; de *écoine.*

♦ Techn. Limer, râper avec une écoine.

ÉCOINETTE [ekwanɛt] n. f. — 1723; de *écoine.*

♦ Techn. Petite écoine.

ÉCOLAGE [ekolaʒ] n. m. — V. 1340, «instruction»; de *école,* et *-age.*

♦ **1.** Vx ou régional (Suisse). Frais de scolarité (notamment dans une école privée).

Bien joli partir, mais qui rapporte l'argent pour le ménage, qui paye l'écolage des gosses?   Germain CLAVIEN, Un hiver en Ardèche, p. 50.

♦ **2.** Admin. milit. (aviat.). Cycle d'instruction pour l'apprentissage des techniques aériennes.

HOM. Écollage.

ÉCOLÂTRE [ekolatʀ] n. m. — 1304, *escolastre; scolaistre,* xiiiᵉ; du lat. médiéval *scholaster, -tri.*

♦ Ancient, hist. Au moyen âge et à la Renaissance, Ecclésiastique qui dirigeait l'école attachée à l'église cathédrale.

Langue class. Ecclésiastique inspecteur des écoles d'un diocèse.

Ce n'est point, dit l'écolâtre, mon intérêt qui me mène, mais celui de la prébende.   LA BRUYÈRE, les Caractères, XIV, 26.   1

Jadis Odon d'Orléans, écolâtre de cette cathédrale, assis pendant la nuit devant le portail de l'église, enseignait à ses disciples le cours des astres, leur montrant du doigt la voie lactée et les étoiles.   2
         CHATEAUBRIAND, Mémoires d'outre-tombe, t. II, p. 34.

ÉCOLE [ekol] n. f. — V. 1050, *escole;* du lat. *schola,* du grec *skholê.*

♦ **1.** Établissement dans lequel est donné un enseignement* collectif. *École privée, publique. École d'État; école laïque. École religieuse. École confessionnelle.* ⇒ **Cours, institution.** *École de filles, de garçons. École mixte. École d'adultes. Celui, celle qui fréquente une école.* ⇒ **Écolier, élève.** *Entrer dans une école; suivre les cours d'une école. Personne qui enseigne, donne des cours dans une école.* ⇒ **Enseignant, maître, maîtresse, professeur.** *Ouvrir une école.* Vx. *Tenir école* (→ Blason, cit. 2). *École dans laquelle les élèves vivent* (⇒ **Internat, pension**), *ne viennent que pour travailler* (⇒ **Externat**). *École qui prépare à un examen*, à un concours*. Fréquentation d'une école.* ⇒ **Scolarité.** *Règlement, discipline d'une école. Frais d'école.* ⇒ **Écolage** (régional). *Congés d'une école.* ⇒ **Vacances.** *Rentrée des écoles* ou *rentrée des classes*. Fournitures, livres à l'usage des écoles.* ⇒ **Scolaire.** — *Directeur, directrice d'école. Ses camarades d'école. Maître d'école* (ci-dessous : spécialt, a).

Mais quoi? Je fuyoie *(fuyais)* l'école,   1
Comme fait le mauvais enfant.   VILLON, le Testament, XXVI, p. 25.

Par ext. Ensemble des élèves, du personnel d'une école. *L'école aura congé le 11 novembre. Licencier l'école en raison d'une épidémie.*

Incident qui crée de l'agitation dans une école. L'école est à la promenade.

Le local lui-même. Construction de nouvelles écoles. École moderne, bien aérée. Classes, salles d'études et de travail, parloir, réfectoire*, dortoir, préau d'une école. La cour de l'école est animée à l'heure de la récréation. Les pupitres, le tableau noir, le matériel d'une salle d'école. User ses fonds de culottes sur les bancs de l'école (fam.) : faire des études.

Spécialt. **a** Dans les pays francophones et dans les civilisations analogues, Établissement où l'on donne un enseignement général, sans spécialisation.

Établissement d'enseignement primaire. *Écoles primaires. — École maternelle*, enfantine.* ⇒ **Garderie, jardin** (d'enfants). — *École primaire élémentaire* ou (vx) *école communale,* et, absolt, *l'école :* établissement où l'on enseigne aux enfants les premiers éléments de l'instruction. *Un enfant en âge d'aller à l'école* (⇒ **Classe, scolarité**). *Envoyer un enfant à l'école. Maître* (Baïf, 1567), *maîtresse d'école.* ⇒ **Instituteur** (→ vx Magister, régent). *Devoirs*, compositions* exécutés à l'école. Punitions, sanctions infligées à l'école* (⇒ **Coin, ligne, pensum, piquet, retenue**). *Distribution des prix aux élèves d'une école. Caisse* des écoles. École de village. École en plein air. École buissonnière** (vx).

2 *Par cet endroit passe un maître d'école.* LA FONTAINE, *Fables,* I, 19.

3 *J'avais distingué la seule fillette qui me ressemblât, parce qu'elle était propre, et allait à l'école accompagnée d'une petite sœur, comme moi de mon petit frère.* R. RADIGUET, *le Diable au corps,* p. 8.

4 *La cour fourmillait d'enfants dont les cris me terrifièrent, ignorant que j'étais encore de l'école et de ses coutumes.* G. DUHAMEL, *Chronique des Pasquier,* I, V, p. 66.

5 *Mais Romains a passé de l'École communale de Montmartre au Lycée Condorcet, c'est-à-dire de l'école essentiellement populaire au Lycée essentiellement bourgeois (...)* A. MAUROIS, *Études littéraires, Des Romains,* t. II, I, p. 118.

6 *Au cours du semestre de l'année civile où un enfant atteint l'âge de six ans, les personnes responsables (...) doivent, quinze jours au moins avant la rentrée des classes, soit le faire inscrire dans une école publique ou privée, soit déclarer au maire et à l'inspecteur d'académie qu'elles lui feront donner l'instruction dans la famille.* Loi du 22 mai 1946.

Loc. fig. *Prendre le chemin de l'école* (ou *le chemin des écoliers**). *Faire l'école buissonnière*.* ⇒ **Buissonnier** (cit.) ; → 1. Muser, cit. 2.

Anciennt. *École primaire supérieure. École normale primaire :* établissement où étaient formés les instituteurs et institutrices. *École normale d'enseignement primaire,* où étaient formés les professeurs d'école normale primaire. — Mod. *École normale d'instituteurs, d'institutrices.*

Vx. *Écoles secondaires.* ⇒ **Collège, gymnase, lycée ;** (fam.) **bahut, boîte.**

b Dans d'autres cultures. *École musulmane.* ⇒ **Zaouia.** *École coranique*. École de brousse.*

c Établissements spéciaux (pour une catégorie d'élèves ; où sont enseignées des matières particulières).
Écoles spéciales. École de danse, de musique, d'art dramatique (⇒ **Conservatoire, cours**), *de dessin* (⇒ **Académie**). *École des beaux-arts. L'École des arts décoratifs. L'École du Louvre. École qui forme les prêtres* (⇒ **Séminaire**), *les enfants de chœur* (⇒ **Maîtrise, psallette**). *La Schola Cantorum, école de chant liturgique. — École de conduite automobile.* ⇒ **Auto-école.** *École de voile.* Cf. *Centre nautique. École d'escalade*, en alpinisme*. Les écoles de samba, au Brésil* (→ 1. Samba, cit.).

Écoles techniques. École d'apprentissage. ⇒ **Centre.** *École professionnelle. École commerciale, école de commerce.* → *Business school* (anglic.). *École d'horlogerie ; école des mousses ; école de chimie, d'électricité.*

7 *Elle suivit les cours d'une école de dactylographie. Devant les pupitres d'école, des filles de tout âge chuchotaient tandis qu'une femme assise à une table lisait à voix haute (...)* J. CHARDONNE, *les Destinées sentimentales,* p. 182.

École du dimanche (probablt de l'angl. *sunday school*) : dans la religion protestante, Établissement dépendant du temple qui dispense le dimanche un enseignement religieux ; cet enseignement (→ Catéchisme).

École d'adultes, école du soir. ⇒ **Cours.**

Écoles pour handicapés, pour enfants dyslexiques.

GRANDE ÉCOLE : école de l'enseignement supérieur, de l'enseignement supérieur technique. *Anciens élèves d'une grande école. Les grandes écoles et l'université*.*

Préparation aux grandes écoles (dans les classes* préparatoires aux grandes écoles). Concours d'admission dans une grande école. École normale supérieure, où sont formés (en principe) les professeurs de l'enseignement secondaire. ⇒ **Normale.** *École des chartes*. École des langues orientales. École de médecine.* ⇒ **Faculté.** *La Sorbonne, ancienne école de théologie. École supérieure musulmane.* ⇒ **Médersa.** — *École nationale d'administration* (E. N. A. ; ⇒ **Énarque**). *École des arts et métiers. École des mines.* ⇒ **Polytechnique.** *École militaire. École centrale.* ⇒ **Centrale.** *École de guerre.* ⇒ **Prytanée.** *École spéciale militaire de Saint-Cyr,* devenue *École militaire interarmes* de Coëtquidan (→ argot scol. Bahut). *École navale,* spécialt, ou, ellipt. *Navale,*

n. f. (→ argot scol. Baille). *Groupe d'écoles ou facultés* qui donnent l'enseignement supérieur.* ⇒ **Université.** — *École,* pour grande école. *L'argot des écoles* (de Polytechnique, de Saint-Cyr, etc.). *Quartier des Écoles, à Paris :* le Quartier latin*, où se trouvaient la plupart des facultés et grandes écoles. *École qui prépare à la carrière de..., fournit les cadres de... Cette école donne une formation scientifique. Il est sorti premier de l'école de...* Spécialt. *L'École :* l'École normale supérieure de la rue d'Ulm, à Paris. Vx ou par plais. (→ ci-dessous cit. 8). *Sortir des écoles.*

8 *Thomas Diafoirus est un grand benêt, nouvellement sorti des Écoles (...)* MOLIÈRE, *le Malade imaginaire,* II, 5.

9 *(...) le jour même, son nom avait paru à l'Officiel : Jean Berny, admissible à l'École navale !* LOTI, *Matelot,* III, p. 10.

10 *Il faut avouer aussi que le Scientifique de l'École (normale supérieure), avec sa blouse crasseuse, sa tignasse, sa trogne de potard mal embouché laisse la part belle aux jeunes messieurs à bicorne (de l'École polytechnique).* J. ROMAINS, *les Hommes de bonne volonté,* t. IV, XVIII, p. 200.

10.1 *Elle me parla d'un sentiment grave et profond qu'elle nourrissait depuis plus d'un an pour un garçon de très bonne famille, qui sortait «des grandes écoles».* M. AYMÉ, *le Vin de Paris,* «l'indifférent», p. 21.

Loc. (Vx). *Mot d'école :* terme ou expression sans rapport avec la réalité concrète, trop abstrait. — Mod. *Renvoyer, faire retourner qqn à l'école,* lui faire sentir son ignorance. — Vieilli. *Sentir l'école* (d'une personne) : avoir des manières pédantes* et gauches (⇒ **Cuistre**) ; (d'une chose) : être acquis par l'enseignement, hors de la vie active. *« Ce pédantisme qui sent l'école »* (Proust).

En appos., formant un nom composé. ⇒ **Auto-école** *(école de conduite automobile).* Par anal. *Un avion-école, un navire*-école, un voilier-école ; une ferme-école.*

♦ **2.** **a** Milit. Enseignement, exercice faisant partie de l'instruction*. ⇒ **Exercice.** *École du soldat. École de peloton. École de pièce, de groupe, de la section, du bataillon. École de tir ; écoles à feu :* exercices de tir réel.

11 *On m'apprit l'école du soldat et l'école de peloton de manière à exécuter les charges en douze temps, les charges précipitées et les charges à volonté, en comptant ou sans compter les mouvements (...)* A. DE VIGNY, *Servitude et grandeur militaires,* II, VIII, p. 138.

b (1755). Exercice d'équitation. *Basse école :* exercices par lesquels on apprend à monter à cheval. — Cour. *Haute école :* exercices de la voltige, équitation savante, et, par ext., tout exercice acrobatique.

11.1 *Dans la basse-école, le cheval est exercé sur une et sur deux pistes dans toutes les allures «naturelles» amenées à leur plus haut degré de régularité à toutes les vitesses, ainsi qu'à l'inversion instantanée du galop dans les changements de direction.* Henri AUBLET, *l'Équitation,* p. 94.

11.2 *Trouvé une carte que Reine Gianoli m'avait écrite il y a un an : Je joue à la radio un concerto de Saint-Saëns. Écoutez-le, si vous aimez la haute école (...)* J. GREEN, *Journal,* 5 déc. 1965, Vers l'invisible, p. 455.

♦ **3.** Loc. (Vx). *Faire une école :* au jeu, Faire une faute, une erreur grave (telle qu'on mériterait d'être renvoyé à l'école). *Faire une école, au trictrac* (cit. 1). — Par ext. *École :* faute grave (Mauriac, in T. L. F.).

♦ **4.** Vieilli ou littér. Ce qui est propre à instruire et à former ; source d'enseignement.

12 *(...) il y a merveilleusement à profiter de tout ce que vous dites ; c'est une école que votre conversation (...)* MOLIÈRE, *la Comtesse d'Escarbagnas,* 2.

13 *C'était (la Hollande) une école où se formaient les soldats et les capitaines.* RACINE, *les Campagnes de Louis XIV.*

14 *Il n'y a aucun métier qui n'ait son apprentissage, et (...) on remarque dans toutes (les conditions) un temps de pratique et d'exercice qui prépare aux emplois (...) Il y a à l'école de la guerre : où est l'école du magistrat ?* LA BRUYÈRE, *les Caractères,* XIV, 48.

15 *Toute femme est une école, et c'est d'elle que les générations reçoivent vraiment leur croyance.* MICHELET, *la Femme,* p. 163.

Vx. *L'école des jeunes filles :* l'éducation, les conseils qu'on leur donne. *L'École des femmes, l'École des maris,* comédies de Molière. *L'École des femmes,* récit de Gide. *L'École des indifférents,* ouvrage de Giraudoux. — *L'École des cadavres,* pamphlet de Céline.

Spécialt et mod. **L'ÉCOLE DE...** **a** Enseignement donné par ; ce que l'on apprend par l'habitude, l'expérience de. *L'école de la pauvreté,* ce qu'apprend la pauvreté. *L'école du malheur. Il a été à dure, à rude école,* le malheur, les difficultés l'ont instruit. *L'école du monde.* — REM. Le complément désigne ici l'enseignant.

16 *Et à l'école du monde, en l'air dont il faut vivre Instruit mieux, à mon gré, que ne fait aucun livre.* MOLIÈRE, *l'École des maris,* I, 2.

17 *Un homme qui serait en peine de connaître (...) s'il commence à vieillir, peut consulter les yeux d'une jeune femme qu'il aborde, et le ton dont elle lui parle : il apprendra ce qu'il craint de savoir. Rude école.* LA BRUYÈRE, *les Caractères,* III, 64.

Loc. (V. 1160). À... (L')ÉCOLE (DE...) : par l'enseignement (de qqn). *Avec vous, il a été à bonne école,* vous saurez le former. *Il s'est formé à l'école des grands savants. À votre école, il perdra vite sa timidité. L'école du travail, de la rue.*

17.1 *Et la bonne elle-même regardait monsieur d'un œil émerveillé, en songeant qu'il accompagnerait la voiture à cheval ; et pendant tous les repas elle l'écoutait parler*

d'équitation, raconter ses exploits de jadis, chez son père. Oh! il avait été à bonne école, et, une fois la bête entre ses jambes, il ne craignait rien, mais rien!
MAUPASSANT, Mademoiselle Fifi, p. 109.

b (Le compl. désigne la chose enseignée). Ce qui donne la connaissance, l'expérience (de qqch.). *L'école du mensonge,* ce qui apprend à mentir. *Cette œuvre est une école de grandeur. L'École de la médisance (School for Scandal),* comédie de Sheridan.

18 Corneille, ancien Romain parmi les Français, a établi une école de grandeur d'âme; et Molière a fondé celle de la vie civile.
VOLTAIRE, Lettre à un premier commis, *in* Œ., t. XLVII.

19 (...) qui peut disconvenir aussi que le théâtre de ce même Molière (...) ne soit une école de vices et de mauvaises mœurs, plus dangereuse que les livres mêmes où l'on fait profession de les enseigner? ROUSSEAU, Lettre à d'Alembert.

20 Je suis à moitié des Confessions de J.-J. Rousseau; c'est admirable. Voilà la vraie école de style. FLAUBERT, Correspondance, 23, 11 oct. 1838.

21 Le théâtre de la France est l'école sans fin de la morale, de la politique, le miroir des lois et des coutumes, une imitation qui n'a pas sa pareille des sentiments communs à tout un peuple, des plus bas aux plus héroïques.
André SUARÈS, Trois hommes, « Ibsen », II, p. 81.

♦ **5.** Absolt. *L'École :* l'enseignement et la philosophie scolastique, inspirée d'Aristote et des Pères de l'Église. *L'ange de l'École :* saint Thomas d'Aquin.

♦ **6.** Groupe ou suite de personnes, d'écrivains, d'artistes qui se réclament d'un même maître ou professent les mêmes doctrines. ⇒ **Chapelle, mouvement, secte** (→ Coterie, cit. 2). *Formation d'une école autour d'un chef* d'école. Personne qui appartient à une école.* ⇒ **Adepte.** *Le manifeste d'une école. Divergences, rupture au sein d'une école. Une école de penseurs* (cit. 4).
Écoles philosophiques. L'école de Platon. L'école d'Aristote. L'école d'Alexandrie. L'École d'Athènes, fresque de Raphaël.
Écoles littéraires. ⇒ **Groupe.** *L'école classique* (cit. 5). *L'École romantique,* essai de Heine. *L'École païenne,* article de Baudelaire (dirigé contre Banville, Ménard, Gautier, Leconte de Lisle).

22 (...) les vieilles écoles se remuent et se raniment pour pousser un dernier cri (...)
SAINTE-BEUVE, Correspondance, 58, 6 déc. 1828.

23 Il était leur directeur à tous; cela faisait une coterie à part, une sorte d'école d'où les profanes étaient exclus et qui avait ses hauts secrets.
RENAN, Souvenirs d'enfance..., IV, II, p. 176.

24 Depuis quatre siècles, l'évolution de nos arts procède par écoles successives, actions et réactions, manifestes et pamphlets.
VALÉRY, Regards sur le monde actuel, p. 187.

25 Toute famille, tout clan, toute école forme ses «mots» et ses locutions familières, qu'elle charge d'un sens, secret pour l'étranger.
J. PAULHAN, les Fleurs de Tarbes, II, VI, p. 97.

Spécialt. Ensemble de peintres liés par des influences communes et un style apparenté. — REM. Dans le domaine pictural, le mot a une valeur moins précise et ne suppose pas forcément un maître (un *chef d'école*) et des disciples ; mais cette valeur plus stricte est néanmoins possible. — *L'école de Michel-Ange. On ne peut attribuer ce tableau au Caravage, mais il est sans aucun doute de son atelier ou de son école.* — *Rembrandt appartient à l'école flamande. L'école florentine, vénitienne. L'école impressionniste, surréaliste, futuriste.* — ci-dessous le sens extensif (cit. 28 et *supra*).

26 Le mot : école, où l'idée d'un enseignement se mêle comme elle peut à celle d'une communauté de recherches (...) MALRAUX, les Voix du silence, p. 358.

26.1 Mort, le Douanier *(Henri Rousseau)* est un chef d'école. Mais sa véritable école n'est pas celle des naïfs qui l'imitent et le suivent. Car, quoi qu'il mesure le nez de ses modèles, son art si appliqué, comme celui de Bosch, est un art fantastique.
MALRAUX, les Voix du silence, p. 508.

Loc. *Faire école :* avoir de nombreux imitateurs, des disciples, des adeptes. *X fait école en matière d'économie politique.* ⇒ **Autorité** (faire autorité).

27 Jamais un denier, une branche d'arbre appartenant à autrui ne passa dans les mains de ce sublime républicain, qui rendrait la république acceptable s'il pouvait faire école. BALZAC, les Paysans, Pl., t. VIII, p. 186.

Par ext. *Une idée, une théorie, une œuvre... qui fait école,* qui est approuvée, qui se répand. ⇒ **Classique.**
Être de la vieille école : avoir une formation fondée sur des principes vieillis.

27.1 Je peux me raconter une histoire, les moules seront vite cuites. Je serais un laboureur, je commencerais ma journée à quatre heures, j'aurais des percherons, je suis de la vieille école, je préfère le balancement de leurs reins aux soubresauts des tracteurs. Violette LEDUC, la Folie en tête, p. 240.

Par ext. Esprit commun à certains artistes ou savants. *École historique,* dans la philosophie, les sciences. *École de Montpellier,* en médecine... ⇒ **Doctrine, système, tendance.** — (Arts). Ensemble d'artistes (notamment de peintres) rapprochés par une attitude commune, un milieu commun (sans qu'il y ait forcément influences).

28 L'exposition qui, après vingt ans d'esthétique hitlérienne, groupait à Munich les autodidactes, sous le titre «Peintres libres», semblait dans son ensemble un pastiche de l'école de Paris, bien qu'aucun maître français en particulier n'y fût imité.
MALRAUX, les Voix du silence, p. 313.

DÉR. Écolage.
COMP. Auto-école, vaisseau-école.

ÉCOLIER, IÈRE [ekɔlje, jɛʀ] n. et adj. — 1206, *escolier*; du bas lat. *scholaris* «d'école», de *schola*. → École.

♦ **1.** (1206). Vx. Celui, celle qui fréquente une école, reçoit des leçons d'un maître. ⇒ **Élève.** Spécialt (anciennt). Étudiant. *Les écoliers des universités du moyen âge. Écolier de Sorbonne.* ⇒ **Étudiant.** *L'écolier limousin* (personnage de Rabelais). — REM. Cet emploi était déjà ambigu au XVIIᵉ s., du fait de la fréquence du sens 2. → ci-dessous la cit. 2.

1 — Et à quoi passez-vous le temps, vous autres messieurs étudiants audit Paris ? Répondit l'écolier : — Nous transfretons la Sequane... (traversons la Seine).
RABELAIS, Pantagruel, VI.

2 — C'est un de mes écoliers,... — il ne fallait pas faire faire cela par un écolier ; et vous n'étiez pas trop bon vous-même pour cette besogne-là. — Il ne faut pas, Monsieur, que le nom d'écolier vous abuse. Ces sortes d'écoliers en savent autant que les plus grands maîtres (...) MOLIÈRE, le Bourgeois gentilhomme, I, 2.

3 (...) Seigneur écolier (...) je viens d'apprendre que vous êtes le seigneur Gil Blas de Santillane (...) A.-R. LESAGE, Gil Blas, I, II.

♦ **2.** Enfant qui fréquente l'école. **a** Ancient (avant l'école publique de la IIIᵉ République).

4 Et ne sais bête au monde pire
Que l'écolier, si ce n'est le pédant. LA FONTAINE, Fables, IX, 5.

5 Ouvrez un journal : ne semble-t-il pas voir un dur répétiteur, la férule ou la verge levée sur des écoliers négligents, les traiter en esclaves au plus léger défaut dans le devoir ? BEAUMARCHAIS, le Barbier de Séville, Lettre sur la critique.

6 Homère emportera dans son vaste reflux
L'écolier ébloui ; l'enfant ne sera plus
Une bête de somme attelée à Virgile (...) HUGO, les Contemplations, I, XIII.

b (XIXᵉ). Mod. Enfant qui fréquente l'école primaire, les petites classes d'un collège. ⇒ **Élève.** *Un petit écolier. Des écolières retour de l'école. Écoliers du cours moyen, de sixième. Une bande d'écolières. Cartable, plumier, trousse d'écolier... Le maître et les écoliers. Devoirs, dictées d'écoliers. Bons, mauvais écoliers. Écolier qui dissipe la classe, copie sur son voisin. Tour, malice d'écolier. Confisquer un objet à un écolier. Envoyer un écolier au coin, au piquet. Bons points, croix, prix, couronnes distribués aux meilleurs écoliers.*

7 Dans la vie de l'écolière, le lundi a le tort de succéder au dimanche, et de ne pas être encore éclairé par le rayonnement du jeudi.
J. ROMAINS, les Hommes de bonne volonté, t. II, XI, p. 109.

REM. Sans être vieilli, le mot connote une image traditionnelle, qui s'est surtout formée avec l'enseignement public de 1900 à 1930 ou 1940 : *la blouse, le tablier d'écolier* (et *d'écolière*) comme nombre d'exemples donnés ci-dessus, disparaissent du monde contemporain qui préfère le mot *élève**.

Par appos. *Papier écolier :* papier blanc, de qualité moyenne, du type employé dans les cahiers d'écolier. *Cahier format écolier.*
Le chemin des écoliers, le plus long. ⇒ **Chemin** (cit. 10, 10.1).

♦ **3.** Fig. et fam. Personne encore peu versée dans son art ou qui a peu d'expérience. ⇒ **Apprenti, débutant, novice** (→ Apprentissage, cit. 7). *Il a besoin de conseils, ce n'est encore qu'un écolier. Faute d'écolier.*

8 (...) vous n'avez pas le génie de votre état; vous n'en avez que ce que vous en avez appris, et vous n'inventez rien. Aussi, dès (...) qu'il vous faut sortir de la route ordinaire, vous restez court comme un écolier.
LACLOS, les Liaisons dangereuses, Lettre CVI.

♦ **4.** Adj. (XIVᵉ). **a** Rare. Qui est propre à l'écolier. *Des manières écolières. La gent écolière.*

b Fig. et vx. Qui sent l'école. ⇒ **Scolaire.**

9 Les gens de cette sorte sont académistes, écoliers, et c'est le plus méchant caractère d'homme que je connaisse. PASCAL, Pensées, III, 194 bis.

10 Elle *(la Révolution)* a été, au point de vue littéraire, plus conservatrice, plus écolière, plus primaire que n'importe quelle autre époque.
A. THIBAUDET, Hist. de la littérature franç..., p. 5.

CONTR. Maître. — Expert, savant.

ÉCOLLAGE [ekɔlaʒ] n. m. — Attesté mil. XXᵉ ; de *é-* (lat. *ex-*), et *collage.*

♦ Techn. Soudure de deux pièces métalliques mises bout à bout (⇒ **Écolleter**).

HOM. Écolage.

ÉCOLLETER [ekɔlte] v. tr. — Conjug. *jeter.* — 1611 ; de l'anc. franç. *escoleter* «décapiter», puis «décolleter», de *é-* (lat. *ex-*), et *col, collet.*

Technique.

★ **I.** Orfèvr. Élargir le bas d'une pièce.

★ **II.** (Par croisement avec *écollage,* de *coller*). Souder bout à bout (deux pièces métalliques). ⇒ **Écollage.**

ÉCOLO [ekɔlo] n. — V. 1970; apocope de *écologiste.*

♦ Fam. Écologiste (au sens extensif, politique). ⇒ **Écologiste** (3.) ; **vert** (I., 6., b). *Les écolos ont manifesté contre l'implantation d'une centrale nucléaire.* « Il vit dans un petit village commingeois au pied des Pyrénées et c'est un adorateur des énergies éolienne et solaire.

Un gentil écolo donc... » (*le Nouvel Obs.*, 22 mai 1978, p. 60). — Adj. *Des candidats écolos. La mode écolo.* — *Voter écolo.*

ÉCOLOGIE [ekɔlɔʒi] n. f. — 1874; all. *Ecologie*, 1866, Haeckel; didact. jusqu'en 1968-1970, où le mot s'est répandu; du grec *oikos* «maison, habitat», et *-logie*, d'après *économie*.

♦ **1.** Didact. Science qui étudie les milieux où vivent et se reproduisent les êtres vivants, ainsi que les rapports de ces êtres avec le milieu. ⇒ **Bionomie, éthologie; autoécologie, synécologie; écographie, écophysiologie.** *L'écologie étudie conjointement les relations des espèces entre elles et avec leur milieu, ainsi que la dynamique de leurs populations.* ⇒ **Écosystème** (et **biocénose, biotope**); **biosphère, écosphère; milieu.** *Écologie quantitative, basée notamment sur l'évaluation de la production des écosystèmes* (⇒ **Biomasse**). *Écologie animale* (zooécologie), *écologie végétale* (phytoécologie). *Écologie éthologique.* ⇒ **Éco-éthologie.** *Écologie humaine. Écologie marine, écologie forestière. Écologie d'une espèce, d'un milieu. Spécialiste de l'écologie.* ⇒ **Écologiste** (1.), **écologue.** *Écologie et agriculture, écologie agricole* (⇒ **Agrobiologie**). *Écologie et respect de l'environnement*, *des cycles naturels. Utilisation de l'écologie dans la protection ou la restauration des équilibres naturels* (aménagement du littoral, etc.).

1 L'écologie tend à combler le fossé que l'industrie a creusé entre l'homme et les animaux.   Emmanuel BERL, le Virage, p. 163.

Écologie culturelle : étude des différences entre les cultures et civilisations humaines, en fonction de leur environnement.

Par métonymie. Les réalités étudiées par l'écologie, les êtres vivants et leurs milieux. *Étudier l'écologie d'une zone.*

2 (...) le Brésil cherche déjà sa défense et fait valoir non seulement les grandes difficultés du défrichement de l'Amazonie, mais le danger que présenterait, pour l'écologie mondiale, la disparition de forêts productrices d'oxygène.
                 A. SAUVY, Croissance zéro?, p. 119.

♦ **2.** Cour. Doctrine visant à une meilleure adaptation de l'homme à son environnement naturel, vivant (animaux, plantes) et non vivant, ainsi qu'à une protection de celui-ci (⇒ **Écologisme**); courant politique défendant cette doctrine. ⇒ **Écolo** (fam.), **écologiste.**

DÉR. Écologique, écologisme, écologiste, écologue.
COMP. Autoécologie, phytoécologie, synécologie.

ÉCOLOGIQUE [ekɔlɔʒik] adj. — 1900; didact. jusque v. 1970, puis cour.; de *écologie*.

♦ **1.** Relatif à l'écologie (1.); qui concerne les rapports entre les êtres vivants et leur milieu. *L'écosystème*, *unité écologique fondamentale. Équilibres écologiques. Les paramètres écologiques d'un milieu. Facteurs* écologiques (*biotiques* ou *abiotiques*), *qui conditionnent le développement des organismes vivants.* — Loc. *Niche écologique :* fonction d'une espèce, d'une population, dans le milieu dont elle fait partie. — *Catastrophe écologique. Destructions, pertes écologiques liées à une marée noire.*

1 L'émigration (...) est déclenchée par des facteurs très divers tels que la densité trop grande des individus qui entraîne des compétitions intraspécifiques, la disette de nourriture, des conditions écologiques défavorables (assèchement, variations thermiques...).   Jean GUIBÉ, les Batraciens, p. 105.
2 Bien d'autres menaces se profilent, par destruction des équilibres écologiques naturels.   A. SAUVY, Croissance zéro?, p. 10.

REM. On rencontre parfois la graphie *œcologique* (didact.; 1907, in *Rev. gén. des sc.*, n° 23, p. 961).

3 Dans les régions subarctiques, l'homme doit s'adapter à un milieu dont les caractères œcologiques fondamentaux sont la sévérité des grands froids et la variation annuelle de la durée d'insolation.   Charles-Pierre PÉGUY, la Neige, p. 109.

Spécialt. Relatif à l'écologie humaine. «*(...) les communes d'habitat dispersé où les études écologiques constatent un certain isolement social et des caractères anomiques*» (Antoine et Oulif, cités par J. Cazeneuve, *Sociologie de la radio-télévision*, p. 94).

♦ **2.** Cour. Qui respecte les équilibres écologiques naturels. ⇒ **Écologiste** (2.). *Mesures écologiques de défense de l'environnement, de lutte contre les pollutions.* ⇒ **Environnemental** (anglic.).

DÉR. Écologiquement.

ÉCOLOGIQUEMENT [ekɔlɔʒikmɑ̃] adv. — 1969, cour.; de *écologique*.

♦ D'un point de vue écologique. «*(...) du jour où l'homme découvrit le miel, la cire et la gelée royale, il domestiqua le précieux insecte* (l'abeille), *améliora l'habitat des ouvrières, construisit des ruches facilement accessibles, dans des régions écologiquement appropriées*» (*Sciences et Avenir*, n° 418, déc. 1981, p. 63).

ÉCOLOGISME [ekɔlɔʒism] n. m. — V. 1975; de *écologie*, et *-isme*.

♦ Doctrine, action des écologistes (B., 2.). ⇒ **Écologie** (2.). «*On se trompe si l'on croit que l'"écologisme" se réduit à un mouvement de protestation contre la pollution, le béton, la dégradation du cadre de vie...* » (*le Nouvel Obs.*, 7 mars 1977, p. 22).

ÉCOLOGISTE [ekɔlɔʒist] adj. et n. — 1964; de *écologie*, et *-iste*.

A. Adj. ♦ **1.** Relatif à l'écologie, à l'étude et à la sauvegarde des équilibres écologiques. *Mesures écologistes.* ⇒ **Écologique, 2.**

♦ **2.** ⇒ **Écolo** (fam.), **vert** (I., 6., b). *Candidat écologiste.* — Relatif à l'écologisme; favorable aux écologistes. *Les suffrages écologistes.*

B. N. ♦ **1.** Spécialiste de l'écologie. ⇒ **Écologue.** «*Pour sauver la nature, un corps d'écologistes-conseils*» (*la Croix*, 7 janv. 1970). *Écologiste du monde animal, végétal* (zooécologiste, phytoécologiste).

♦ **2.** Personne qui, en défendant des thèses inspirées de l'écologie, critique la société industrielle d'efficacité et de profit, et adopte des positions politiques non traditionnelles. ⇒ **Écolo** (fam.). *La lutte des écologistes contre la pollution*, *la dégradation de l'environnement. Les écologistes ont soutenu un candidat de gauche.*

ÉCOLOGUE [ekɔlɔɡ] n. — V. 1979; de *écologie*.

♦ Didact. Spécialiste de l'écologie (1.); scientifique, chercheur ou technicien s'occupant d'écologie. — REM. Le mot remédie à l'ambiguïté de *écologiste*, depuis la diffusion du sens extensif de ce mot (→ Écologiste, B., 2.).

ÉCOMORPHOSE [ekɔmɔrfoz] n. f. — 1922; de *éco- (écologie)*, et *-morphose* «processus concernant une forme», du grec *-morphôsis*. → Anamorphose, métamorphose...

♦ Didact. Réalisation particulière d'un génotype, en tant que déterminée par le milieu. ⇒ aussi **Phénotype; écogénétique.**

ÉCOMUSÉE [ekɔmyze] n. m. — Av. 1960, mot créé par Georges-Henri Rivière; de *éco-*, et *musée*.

♦ Didact. «*Musée de l'homme et de la nature* (...) *où l'homme est interprété dans son milieu naturel, la nature dans sa sauvagerie, mais aussi telle que la société* (... *l'a*) *adaptée à* (*son*) *usage*» (G.-H. Rivière). «*Une exposition vient d'être organisée par l'Écomusée de Fresnes, dans la banlieue sud de Paris. La ville de Fresnes a en effet voulu posséder un écomusée où la population puisse prendre conscience de son environnement*» (*Sciences et Avenir*, n° 425, juil. 1982, p. 56). «*Le but de l'écomusée est de mettre en place* (...) *les moyens de conservation, sur les lieux mêmes de leur installation, des témoignages de l'activité des hommes au travail, de leur vie sociale et culturelle*» (M.-F. Noël, *in* P. Cabanne, *Guide des musées de France*, p. 189). *Écomusée et patrimoine ethnographique.*

ÉCONDUIRE [ekɔ̃dɥir] v. tr. — Conjug. *conduire*. — V. 1485; altération, sous l'infl. de *conduire*, de l'anc. franç. *escondire* «refuser», *s'escondire* «s'excuser»; lat. médiéval *excondicere*, de *ex-*, négatif, et du lat. class. *condicere* «convenir de».

♦ **1.** Repousser (un solliciteur), ne pas accéder à la demande de (qqn). ⇒ **Refuser**; → fam. Envoyer* au bain, aux pelotes, envoyer balader, bouler, paître, promener... *Éconduire un solliciteur* (→ Croulant, cit. 10). *Il s'est fait éconduire brutalement. Je l'ai poliment éconduit.* ⇒ **Excuser** (s'). *Un des soupirants qu'elle a éconduits.* — Au p. p. *Prétendant éconduit.*

1 Éconduire un lion rarement se pratique.
Le voilà donc admis, soulagé, bien reçu (...)   LA FONTAINE, Fables, IV, 12.
2 Je pris mon parti, en attendant mieux, le parti d'aller m'offrir de boutique en boutique pour graver un chiffre ou des armes sur de la vaisselle, espérant tenter les gens par le bon marché, en me mettant à leur discrétion. Cet expédient ne fut pas fort heureux. Je fus presque partout éconduit (...)   ROUSSEAU, les Confessions, II.
3 Éconduit, il insiste (*le courtisan*); repoussé, il tient bon; qu'on le chasse, il revient; qu'on le batte, il se couche à terre.   P.-L. COURIER, Simple discours.

Par ext. Littér. «*Nous éconduisons sa curiosité* (de l'enfant)» (Valéry, *in* T. L. F.).

♦ **2.** Congédier. ⇒ **Chasser, congédier, débarrasser** (se), **reconduire, renvoyer**; **porte** (refuser sa porte, mettre à la porte...). *Éconduire un visiteur, un importun.*

4 Je l'éconduis, car je craignais que, tout en chuchotant, il ne finît par éveiller maman.   PROUST, À la recherche du temps perdu, t. X, p. 331.
5 Il (*Sainte-Beuve*) se serait volontiers offert comme consolateur. Il fut éconduit, ne revint pas — et il ne parlera jamais des livres de madame d'Agoult.   Émile HENRIOT, les Romantiques, p. 442.

CONTR. Accueillir, admettre, recevoir.

ÉCONOCROQUES [ekɔnɔkrɔk] n. f. pl. — 1913, Esnault; de *économie*, et argot *croque* «sou».

♦ Argot ou fam. Économies. *Ils lui ont piqué ses éconocroques.*

Bonne santé. Costaud. Sûrement des éconocroques.
                 R. QUENEAU, Zazie dans le métro, Folio, p. 75 (1959).

ÉCONOMAT [ekɔnɔma] n. m. — 1553 ; de *économe*, et *-at*.

♦ **1.** (1553). Fonction d'économe. *L'économat d'un collège, d'un lycée, d'un hospice. Obtenir l'économat d'un établissement.* — Service chargé de cette fonction. *Adressez-vous à l'économat.* ⇒ **Intendance.** — (1835). Bureau de l'économe.

♦ **2.** Anc. dr. Régie d'un bien ecclésiastique vacant exercée au nom du roi.

Le roi lui confia *(à Pelisson)...* les revenus du tiers des économats (...)
         VOLTAIRE, le Siècle de Louis XIV, XXXVI.

♦ **3.** Magasin de vente, créé et administré par un employeur à l'usage de ses salariés, ouvriers et employés, et où les marchandises sont délivrées en échange de bons remis à l'employé en paiement de son salaire. *Les économats des chemins de fer. Les abus engendrés par les économats ont déterminé leur prohibition presque totale* (loi du 25 mars 1910, *Code du travail*).

Par ext. Nom de magasins à succursales multiples (→ Coopérative).

ÉCONOME [ekɔnɔm] n. et adj. — 1337 ; lat. *œconomus* « administrateur », du grec *oikonomos*, de *oikos* « maison », et *nomos* « administration ».

★ **I.** N. ♦ **1.** Vx. Personne qui administre une maison, des biens. ⇒ **Administrateur.**

1   (...) de sages économes, ou d'excellents pères de famille (...)
         LA BRUYÈRE, les Caractères, II, 11.

(En parlant d'un homme d'État, d'un financier). *Colbert, excellent économe des biens de l'État.*

♦ **2.** Anciennt (hist.). Intendant d'une grande maison. ⇒ **Intendant, régisseur.** *Mauvais économe* (→ Dissipateur, cit.).

Allus. bibl. *Parabole de l'économe infidèle* (Évangile selon saint Luc, XVI).

2   (...) Un homme riche avait un économe qui fut accusé devant lui, comme ayant dissipé les biens de son maître. Et il le fit venir et il lui dit : Qu'est-ce que j'entends dire de vous ? Rendez-moi compte de votre administration, car vous ne pourrez plus gouverner mon bien. Alors cet économe dit en lui-même : Que ferai-je, mon maître m'ôtant l'administration de son bien ?
         BIBLE (SACY), Évangile selon saint Luc, XVI, 1-2-3.

♦ **3.** Mod. Personne chargée de l'administration matérielle, des recettes et dépenses (dans une communauté religieuse, un établissement hospitalier, un établissement d'enseignement). ⇒ **Dépensier, gestionnaire, intendant ; économat.** *L'économe d'un lycée s'appelle officiellement aujourd'hui intendant universitaire. Sous-économe :* fonctionnaire adjoint à l'économe. — Par appos. ou adj. (Dans les communautés religieuses). *Le père économe, la mère économe.*

3   Pot *(à l'École normale supérieure...)* désigne (...) le repas considéré en particulier ; la nourriture en général ; et l'Économe, parce qu'entre autres opérations louches il veille à la nourriture.
         J. ROMAINS, les Hommes de bonne volonté, t. III, I, p. 6.

★ **II.** Adj. (1690). Cour. Qui dépense avec mesure, avec modération ; qui sait éviter toute dépense inutile. ⇒ **Ménager** (vx) **; parcimonieux, serré** (fam.). → Dépenser, cit. 6. *Maîtresse de maison économe. Il, elle n'est pas très économe. Être économe jusqu'à l'avarice.* ⇒ **Avare** (cit. 10). *Être économe pour pouvoir épargner.* ⇒ **Épargnant.** *Être sobre*, prévoyant* et économe.*

4   Leurs pères étaient de la vieille génération israélite, laborieuse et tenace (...) élevant leur fortune avec une âpre énergie, et jouissant de celle-ci bien plus que de celle-là. Les fils semblaient faits pour détruire ce que leurs pères avaient édifié : ils persiflaient les préjugés familiaux et cette manie de fourmis économes et fouisseuses : ils jouaient aux artistes, ils affectaient de mépriser la fortune et de la jeter par les fenêtres. R. ROLLAND, Jean-Christophe, La révolte, I, p. 416.

(1810). Fig. *Économe de qqch. Être économe de ses paroles, de ses promesses.* ⇒ **Mesuré, modéré ; ménager.** *Il n'est pas économe de louanges,* il en fait beaucoup. *Être économe de son temps,* ne pas le perdre, l'utiliser au mieux. — (Sans compl. en *de*). → ci-dessous, cit. 5.

4.1   Phileas Fogg était de ces gens mathématiquement exacts, qui, jamais pressés et toujours prêts, sont économes de leurs pas et de leurs mouvements. Il ne faisait pas une enjambée de trop, allant toujours par le plus court.
         J. VERNE, le Tour du monde en 80 jours, p. 10 (1873).

5   Pour en être plus économe, je noterai minutieusement l'emploi de mon temps.
         GIDE, Journal, 1912, p. 362.

CONTR. Dépensier, dilapidateur, dissipateur, gaspilleur, prodigue. — Excessif.
DÉR. Économat. — V. Économie, économique.
COMP. Sous-économe.

ÉCONOMÈTRE [ekɔnɔmɛtʀ] n. — 1952, *in* D. D. L. ; de *économie*, et *-mètre*.

♦ Didact. ⇒ **Économétricien.**

Plus d'un ménage dans une *favela* du Brésil ou dans un logis fort modeste d'Asie ou d'Afrique possède un téléviseur, sans avoir à sa table les rations alimentaires réglementaires. Les économètres peuvent débattre sur la réalisation de la satisfaction optimale, mais le fait est socialement important. Une demande plus forte d'aliments aurait stimulé la production agricole et quelque peu amélioré la balance des comptes des pays intéressés.   A. SAUVY, Croissance zéro ?, 1973, p. 143.

ÉCONOMÉTRICIEN, IENNE [ekɔnɔmetʀisjɛ̃, jɛn] n. — 1955, *Dict. des métiers* ; de *économétrique*, et *-(ic)ien.*

♦ Didact. (sc.). Spécialiste de l'économétrie. Syn. : *économètre.*

ÉCONOMÉTRIE [ekɔnɔmetʀi] n. f. — 1949, *in* D. D. L. ; de *économie*, et *-métrie*.

♦ Sc. Traitement mathématique de données statistiques concernant les phénomènes économiques ; technique qui utilise ce traitement.

1   (...) les normes de l'économétrie moderne permettent de prévoir une modification de la structure de la demande, qui résulterait avant tout des rapports salaires-prix.
         L.-V. VASSEUR, J.-J. BIMBENET, et M. HILLAIRET, les Industries de l'alimentation, p. 48.

2   (...) en économétrie, les spécialistes soulignent souvent l'écart qui subsiste, à leurs yeux, entre le « modèle » mathématique et le « schéma expérimental », un modèle sans relations suffisantes avec le concret n'étant alors qu'un jeu de relations mathématiques, tandis qu'un modèle épousant le détail du schéma expérimental peut prétendre à atteindre le rang de structure « réelle ».
         J. PIAGET, Épistémologie des sciences de l'homme, p. 286 (1970).

DÉR. Économétrique.

ÉCONOMÉTRIQUE [ekɔnɔmetʀik] adj. — 1952, *in* D. D. L. ; de *économétrie*.

♦ Sc. Relatif à l'économétrie. *Calcul, méthode économétrique.*

Quand les jeunes révoltés placent leur idéal dans l'amour et la musique, leur choix ne résulte pas d'un calcul économétrique ou écologique, tout en allant curieusement dans le même sens que les solutions préconisées par de beaucoup moins jeunes, plus chauves que chevelus, au bout d'un cheminement bien différent.
         A. SAUVY, Croissance zéro ?, p. 240.

DÉR. Économétricien.

ÉCONOMICITÉ [ekɔnɔmisite] n. f. — 1949 ; de *économique*, et *-ité*.

♦ Didact. Rapport favorable entre les résultats obtenus et leur coût d'obtention, dans un groupe social important ; caractère économique (II.) d'un processus économique (I.).

ÉCONOMICO- Forme que prend l'adj. *économique* lorsqu'on lui adjoint un autre adjectif. Ex. : *économico-administratif* (1968) ; *économico-culturel* (1972) ; *économico-juridique* (1908) ; *économico-politique* (1960), *économico-social* (1936) ; *économico-sociologique* (1966) ; *économico-technique* (1970).

ÉCONOMIE [ekɔnɔmi] n. f. — 1546 ; *yconomie*, v. 1371 ; lat. class. *œconomia*, de *oikonomos*. → Économe.

★ **I.** ♦ **1.** (V. 1371). Vx. Art de bien conduire, de bien administrer une maison. ⇒ **Administration, gestion, ménage.** *Économie domestique, privée. Administrer sa maison, son ménage avec une sage économie.*

1   (L') économie est (l') art de gouverner un hôtel *(une maison)* et les appartenances pour acquérir *(des)* richesses.
         ORESME, trad. d'ARISTOTE, l'Éthique, XI, *in* LITTRÉ.

2   L'économie privée nous enseigne à régler convenablement les consommations de la famille.   J.-B. SAY, Traité d'économie politique, éd. de 1841, p. 453.

Par ext. Art de bien gérer les biens d'un particulier (rare dans cette acception par suite du développement du sens II).

3   Ce mot ne signifie dans l'acception ordinaire que la manière d'administrer son bien ; elle est commune à un père de famille et à un surintendant des finances d'un royaume (...) La première économie, celle par qui subsistent toutes les autres, est celle de la campagne (...)
(...) L'économie d'un État n'est précisément que celle d'une grande famille (...)
C'est en France et en Angleterre que l'économie publique est le plus compliquée.
On n'a pas d'idée d'une telle administration dans le reste du globe (...)
         VOLTAIRE, Dict. philosophique, Économie.

4   Toute région habitée par une population sédentaire se transfigure peu à peu (...)
Une terre entreprise depuis des siècles est donc une œuvre des actes de la vie : l'économie et la volonté humaine s'y sont inscrites (...)
         VALÉRY, Regards sur le monde actuel, p. 256.

(1615, *œconomie*). Spécialt. *Économie politique* (aux XVIIᵉ et XVIIIᵉ s.) : art d'administrer, de gérer les richesses de l'État, de la cité. *Traité de l'œconomie politique,* d'A. de Montchrestien. *Une sage économie.* → 1. Pratique, cit. 2. — (1615). *Économie publique* (→ ci-dessus, cit. 3, Voltaire) ; *économie générale.* ⇒ **Administration, gestion.** — REM. Pour le sens actuel, → ci-dessous I., 3.

5   Économie (...) ne signifie originairement que le sage et légitime gouvernement de la maison, pour le bien commun de toute la famille. Le sens de ce terme a été dans la suite étendu au gouvernement de la grande famille, qui est l'État. Pour distinguer ces deux acceptions, on l'appelle dans ce dernier cas, *économie générale* ou *politique* (...)   ROUSSEAU, *in* Encyclopédie (DIDEROT), art. *Économie.*

♦ **2.** (XVIIᵉ). ▣ Littér. Organisation des divers éléments (d'un ensemble) ; manière dont sont distribuées les parties. ⇒ **Arrangement, distribution, harmonie, ordre, organisation, structure.** *L'économie du corps humain. L'économie animale. L'économie d'une entreprise, d'une affaire. L'économie d'une loi. L'économie générale d'une œuvre littéraire* (⇒ **Plan**).

6   Vous fûtes témoin avec quelle pénétration d'esprit il *(Colbert)* jugea de l'économie de la pièce (...)
      RACINE, Britannicus, Épître dédicatoire, À Monseigneur le Duc de Chevreuse.

7   Tout est disposé dans l'univers avec une économie digne de l'auteur de la nature (...)   MASSILLON, Carême, Prospérité, *in* LITTRÉ.

8   (...) tous ces globes *(les astres)* ne se choquent point, ils ne se dérangent point (...) ô économie merveilleuse du hasard !   LA BRUYÈRE, les Caractères, XVI, 43.

9   (...) rien ne vous est caché de leur économie *(des corps humains)* (...)
      LA BRUYÈRE, les Caractères, XIV, 68.

10   On sait (...) combien la nécessité de produire sans arrêt (...) a grevé l'économie même de son œuvre *(de Balzac)* gigantesque, certes, mais hâtive, fiévreuse, encombrée (...)   Émile HENRIOT, Portraits de femmes, p. 338.

  b Relation, articulation des parties (d'un système). *Économie d'un projet.*

Ling. Principe d'organisation de l'énergie requise pour satisfaire aux besoins de la communication. *Économie des changements phonétiques,* ouvrage d'A. Martinet.

♦ **3.** (Sens précisé vers le milieu du XVIIIᵉ ; → ci-dessous, cit. 14). ÉCONOMIE POLITIQUE ou ÉCONOMIE : science qui a pour objets la connaissance des phénomènes concernant la production (⇒ **Chrématistique**), la distribution et la consommation des richesses, des biens matériels dans la société humaine. Syn. : *science économique* ou *science de l'économie.* ⇒ **Macroéconomie, micro-économie.** *L'économie politique, science sociale, liée à la sociologie. L'économie politique étudie les besoins* (⇒ **Besoin, richesse ; utilité, valeur**), *les facteurs de la production* (richesses naturelles : ⇒ **Énergie, matière** [matières premières]... ; **démographie, population ; productivité, travail ; capital, investissement, machinisme**), *l'organisation de la production* (⇒ **Agriculture, industrie ; artisanat, coopérative, corporation, entreprise, exploitation, société ; capitalisme, concurrence ; association, cartel, cartellisation, concentration, intégration, duopole, monopole, oligopole, trust ; collectivisme, socialisme**), *la circulation des richesses* (⇒ **Circulation, commerce, échange, transport ; achat, troc, vente**), *les prix* (⇒ **Prix ; demande, marché, offre**), *le crédit* (⇒ **Crédit ; banque**), *la monnaie* (⇒ **Monnaie**), *la bourse** ; *les échanges* internationaux* (⇒ **Commerce ; change, douane...**), *la répartition des richesses* (⇒ **Gain, intérêt, profit, propriété, rente, revenu, salaire ; plus-value**) ; *le rôle de l'État dans la production, la répartition...* (⇒ **Collectivisme, dirigisme, étatisme, nationalisation, planification, travail** [travaux publics] ; **budget, finance, trésor** [public] ; **impôt ; droit, taxe ; rationnement...**) ; *la consommation* (⇒ **Consommation, dépense, épargne...**). *La méthode en économie politique.* ⇒ **Conjoncture, prévision, statistique.** *Doctrines en économie politique.* ⇒ **Collectivisme, coopératisme, dirigisme, étatisme, industrialisme, libéralisme, marxisme, mercantilisme, physiocratie, socialisme, syndicalisme, utilitarisme...** — *Apprendre, étudier l'économie politique. Cours, professeur, traité d'économie politique. En France, l'économie politique est enseignée à la faculté de droit*. Étudiant en droit qui fait de l'économie politique* (argot scol. : *écopo* [ekopo] 1950 ; *in* D.D.L.).

11   Traité d'économie politique ou simple exposition de la manière dont se forment, se distribuent et se consomment les richesses.
      J.-B. SAY, Titre du Traité de 1803.

12   Heureusement l'économie politique lui restait encore (...) Bien qu'elle doive être considérée comme une science, c'est-à-dire comme un tout organique, cependant quelques-unes de ses parties intégrantes en peuvent être détachées isolément.
      BAUDELAIRE, les Paradis artificiels, Un mangeur d'opium, IV.

13   L'économie politique a pour objet, parmi les rapports des hommes vivant en société, ceux-là seulement qui tendent à la satisfaction de leurs besoins matériels (...)   Ch. GIDE, Traité d'économie politique, t. I, p. 3.

14   (...) naguère encore, on enseignait couramment, que le père de l'économie politique (...) était Adam Smith, l'illustre Écossais, auteur de l'*Essai sur la richesse des nations* (1776)... Depuis un tiers de siècle environ, l'accord se fait de plus en plus pour reconnaître le droit de paternité de Quesnay, et l'origine française de l'économie politique scientifique, née chez nous (...)
      René GONNARD, Hist. des doctrines économiques, p. 186.

15   La *production* et la *consommation* ne sont économiques que par un certain côté. À les prendre dans leur totalité, elles impliquent un grand nombre de notions étrangères à l'économie politique (...) empruntées (...) à la technologie (...) à la physiologie, à l'ethnographie (...) L'économie politique traite de la production et de la consommation (...) dans la mesure où elles sont en rapport avec la distribution, à titre de cause ou d'effet.
      E. HALÉVY, *in* LALANDE, Voc. de la philosophie, art. *Économie politique.*

16   L'économie politique est un département dans cette vaste province du savoir humain que forme la Sociologie ou Science sociale.
      G. PIROU, Introd. à l'étude de l'économie politique, p. 11.

Vocabulaire de l'économie politique. ⇒ ci-dessus, et : **Abondance, abondanciste, agrégat, anti-inflationniste, autarcie, auto-consommation, auto-financement, autogestion, bloc, blocus, cartellisation, centrale** (d'achats), **chalandise, circuit, collectivisation, commercialiser, compétitif, complexe, concurrence, concurrentiel, concerter, conjoncture, conjoncturel, conjoncturiste, consommation, consortial ; décartellisation, déflationniste, déplanification, dési(dé)rabilité, despécialisation, développement, directivisme, distorsion, dumping, fourchette, implantation, leasing, libéralisation, libération, libre-échangisme, macrodécision, marginalisation, marketing, maximation, microdécision, modèle, monopoliste** (-ique), **monopsone, néocapitalisme, néocolonialisme, néolibéralisme, oligopole, opacité, optimiser, pénibilité, plan, planisme** (-iste), **prescripteur, prévision, prévisionniste, processif, productivisme, ratio, récessif, reconversion, reconvertir, recyclage, régionalisation, rentabiliser, semi-fini, semi-produit, socio-éco-**

nomique, surcapacité, surchauffe, surconsommation, surdéveloppé, surprofit, sursalaire, techno-économique, transparence.

Économie agricole ou rurale ; économie industrielle : parties de l'économie politique relatives à l'agriculture, à l'industrie.

17   L'économie industrielle n'est que l'application de l'économie politique aux choses qui tiennent à l'industrie.
      J.-B. SAY, Cours complet d'économie politique pratique, t. I, éd. de 1840, p. 34.

Économie humaine : l'économie politique sous l'angle des valeurs humaines (alimentation, habitation ; niveau de vie ; conditions de travail ; éducation, hygiène, médecine...). — *Économie sociale :* ensemble des connaissances relatives à la condition ouvrière et à son amélioration. — Spécialt. Pour certains économistes (Walras, Ch. Gide), Ensemble des études tendant à la détermination et à la réalisation d'un idéal dans l'ordre économique.

REM. Les économistes modernes ont tendance à préférer l'emploi de *économie* sans l'adj. *politique* (sauf à préciser le domaine par d'autres adjectifs). — *Économie pure, appliquée. Économie mathématique, statistique* (⇒ **Économétrie**).

(Tendances, écoles). *L'économie marxiste, post-marxiste. L'économie keynésienne*.*

♦ **4.** Activité, vie économique ; ensemble des faits relatifs à la production, à la distribution et à la consommation des richesses dans une collectivité humaine. *Économie mondiale, européenne. Ministère de l'Économie. Étudier l'économie des États-Unis, de l'U. R. S. S.* (→ Géographie* économique). *Économie en plein développement, en période de prospérité ; économie en expansion ; économie en crise* (⇒ **Boom, krach ; crise, cycle...**). *Vivre en économie fermée* (⇒ **Autarcie, autoconsommation**). *Économie de subsistance. Économie primitive. Économie moderne. Les économies des pays en développement.*

18   Merveilles de l'art agricole et merveilles de l'art du vêtement, ils *(les vins et les tissus français)* ont partout fait connaître ce qu'il y a de plus raffiné dans l'économie française.
      DEMANGEON, Géographie économique et humaine de la France, t. I, p. 14.

18.1   Dans les économies de subsistance du passé (et même du présent), l'extrême richesse côtoyait souvent l'extrême pauvreté.
      A. SAUVY, Croissance zéro ?, p. 301.

Économie capitaliste (opposé à *étatisme, socialisme*) ; *économie libérale.* ⇒ **Capitalisme, libéralisme.** *Économie de marché. Économie dirigée, planifiée,* qui comporte une forte intervention de l'État. ⇒ **Dirigisme** (cit. 1). *Système d'économie collectiviste. Économie collectivisée.* — *Économie fermée, autarcique.*

18.2   Les paysans ont vécu et vivent encore dans cette période en économie naturelle ou fermée. Ils disposent de peu d'argent ; la gestion se distingue en celle de la maison avec ses dépendances (jardin, poulailler, etc.) où règne la femme, et celle de l'exploitation, domaine de l'homme. Les provisions en nature, en semences, en conserves, constituent un fonds que l'on gaspille parfois en le jetant dans le tourbillon de la Fête.
      Henri LEFEBVRE, la Vie quotidienne dans le monde moderne, 1968, p. 70.

Économie concertée : principe d'organisation de la prise de décision économique en commun par l'État et les entreprises privées. *Sociétés d'économie mixte :* «sociétés dans lesquelles l'État ou une collectivité publique sont associés à des capitaux privés» (Bernard, Colli et Lewandowski).

★ **II.** ♦ **1.** *(L'économie).* (XVIᵉ). Cour. Gestion où l'on évite toute dépense inutile. ⇒ **Épargne, parcimonie ; frugalité, mesure, modération, sobriété, tempérance** (→ Bienfaisance, cit. 1) ; **prévoyance.** *Avoir de l'économie ; vivre avec économie. Économie excessive, sordide.* ⇒ **Avarice** (cit. 4), **mesquinerie.** *Économie très stricte.*

19   Si je ne vous fais pas aussi bonne chère que je voudrais, c'est la faute de Monsieur votre intendant, qui m'a rogné les ailes avec les ciseaux de son économie.
      MOLIÈRE, l'Avare, V, 2.

20   (...) plus riches par leur économie et par leur modestie que de leurs revenus et de leurs domaines.   LA BRUYÈRE, les Caractères, VII, 22.

21   Les biens qu'acquiert une utile industrie
  Ou ceux que la vertu doit à l'économie (...)   M.-J. DE CHÉNIER, Gracques, II, 3.

22   Devenue veuve, elle gérait avec une sévère économie son modique avoir (...)
      FRANCE, le Petit Pierre, XVII, p. 105.

♦ **2.** *(Une, des économies).* Ce qu'on épargne, ce qu'on évite de dépenser. *Une notable, une sérieuse économie. Réaliser une économie de matières premières. Faire des économies d'énergie :* diminuer la consommation de pétrole, de gaz, d'électricité. — Loc. prov. *Il n'y a pas de petites économies.* — Loc. *Faire des économies de bouts de chandelle*.*

23   Là où le patron a tort, c'est quand il s'obstine, pour une économie de bouts de chandelle, à employer un calicot de mauvaise qualité.
      J. ROMAINS, les Hommes de bonne volonté, t. I, VIII, p. 78.

Économies d'énergie. Cf. le slogan (1982-1983) : la chasse au Gaspi.

Fig. *Une sérieuse économie de temps et d'argent. Économie d'effort, de fatigue.*

Loc. fig. *Faire l'économie de :* éviter, se dispenser de. *Elle a fait l'économie d'un coup de téléphone. Il a fait l'économie d'une explication.*

(1829). Au plur. Somme d'argent que l'on a économisée. *Faire des économies.* ⇒ **Économiser, épargner ; boursicoter** (vx), **compter, lésiner, regarder** (à la dépense). → Mettre de côté, et, fam., à gauche ; garder une poire pour la soif. *Avoir des économies.* ⇒ **Pécule, réserve ; éconocroques** (argot.). → Bas de laine... *Mettre ses économies à la caisse d'épargne. Tirelire contenant les économies d'un enfant. Placer ses économies. Le montant de mes économies.*

24 Tous ces grands artistes brûlent la chandelle par les deux bouts (...) Mais ils meurent à l'hôpital, parce qu'ils n'ont pas eu l'esprit, étant jeunes, de faire des économies.
                                      FLAUBERT, Mme Bovary, XIV, p. 141.

CONTR. (II.) Dépense, dilapidation, dissipation, gaspillage, prodigalité, profusion. — Démesure, excès.

DÉR. Économètre, économétrie.

COMP. Macroéconomie, micro-économie.

ÉCONOMIQUE [ekɔnɔmik] adj. et n. — V. 1371, *yconomique ; iconomike,* n. f., v. 1265 ; du lat. class., d'orig. grecque *œconomicus,* de *œconomia.* → Économe, économie.

★ **I.** ♦ **1.** Vx. Qui concerne l'économie (I., 1.), l'administration d'une maison, d'un ménage. *Prudence, sagesse économique* (Académie).

♦ **2.** (1767). Mod. Qui concerne la production, la distribution, la consommation des richesses ou l'étude de ces phénomènes. ⇒ **Économie** (politique). *Activité, vie économique d'un pays* (⇒ **Économie,** I., 4.). *Évolution, cycle, progrès, croissance économique, crise** (cit. 7, 8) *économique. Conjoncture économique. Mécanismes, phénomènes économiques. Politique, organisation, système, plan* économique. Dans le domaine économique, dans l'ordre économique, du point de vue économique... Débouchés* (cit. 6) *économiques. Isolement ; blocus* économique. — Loi économique. Doctrine économique. Études économiques. Pensée, science économique. Histoire, géographie économique. Prévision, conjoncture économique. Analyse économique* (⇒ **Économétrie**). *Statistiques économiques. Le dumping* (cit. 1), *arme de guerre économique.*

1 En quoi un phénomène est-il économique ? Au lieu de définir ce caractère par la considération des « richesses » (...) il me paraîtrait préférable de suivre les économistes récents qui prennent comme notion centrale l'idée de satisfaction des besoins matériels...
                 F. SIMIAND, in LALANDE, Voc. de la philosophie, art. *Économie politique*
                                      (→ Économie, cit. 13).

2 (...) la profession (...) est à l'ordre économique ce que la commune est à l'ordre politique, la cellule vivante sur laquelle l'organisation s'édifie.
                                      CAMUS, l'Homme révolté, p. 367.

N. m. **L'ÉCONOMIQUE :** l'ensemble des phénomènes économiques ; le domaine économique. *L'économique, le politique et le social.*

3 (...) il est trop évident aujourd'hui que l'économique nous entraîne vers une ruine de la civilisation tout entière pour qu'on songe à insister.
                                      DANIEL-ROPS, Ce qui meurt et ce qui naît, III, p. 109.

N. f. **L'ÉCONOMIQUE** (1694 ; *iconomike,* v. 1265) : la science économique, l'économie* politique. *L'économique et la politique. « Les lois de l'économique »* (Alain, *Propos*).

♦ **3.** Spécialt (psychan.). Dans la pensée freudienne, « Qualifie tout ce qui se rapporte à l'hypothèse selon laquelle les processus psychiques consistent en la circulation et la répartition d'une énergie quantifiable (énergie pulsionnelle), c'est-à-dire susceptible d'augmentation, de diminution, d'équivalences » (Laplanche et Pontalis). ⇒ aussi **Dynamique, topique.**

★ **II.** (1690). Cour. Qui réduit les frais, épargne la dépense. *Procédé, méthode économique.* ⇒ **Avantageux.** — Qui n'est pas cher. *Ce n'est pas très économique. Chauffage économique.* — Loc. *Bûche* économique.* — *Des distractions assez économiques. Cette voiture est économique,* consomme peu, nécessite peu de frais d'entretien.

4 Un esprit, observant les événements, dans l'Histoire, l'énorme dépense de vies, de misères, de souffrances, de choses utiles, et toutes les destructions de toute espèce qu'ils entraînent, et considérant ensuite les résultats, peut, et même doit, imaginer que ces mêmes résultats, en ce qu'ils avaient de souhaitable, pouvaient être obtenus par des voies plus économiques. C'est là son rôle d'esprit.
                                      VALÉRY, Mauvaises pensées et autres, 1942, p. 208, in T. L. F.

CONTR. Cher, coûteux, dispendieux, onéreux, ruineux.

DÉR. Économicité, économiquement.

COMP. Antiéconomique.

ÉCONOMIQUEMENT [ekɔnɔmikmɑ̃] adv. — 1690, Furetière ; de *économique.*

★ **I.** (1690). En épargnant la dépense, d'une manière économique (II.). *Vivre économiquement. Se distraire, voyager économiquement,* à peu de frais.

(...) ils restent debout l'un à côté de l'autre sans se parler, tirant silencieusement et économiquement sur leurs cigarettes, attendant sans doute le départ du train pour passer sur un autre quai. Claude SIMON, le Palace, 10/18, p. 36.

★ **II.** (V. 1770). Relativement à la vie ou à la science économique (I.). *Envisager économiquement une question. Économiquement parlant.* — Loc. *Les économiquement faibles :* les personnes qui disposent de ressources insuffisantes (sans être proprement indigentes). *L'État aide les économiquement faibles.*

ÉCONOMISER [ekɔnɔmize] v. tr. — 1718, au sens I ; de *économie.*

★ **I.** Vx. Gérer avec sagesse.

En faisant son champ de narcisses, Jourdan avait trouvé une source. Toute petite.   0.1
Pas plus grosse qu'un tuyau de pipe (...) Il avait pensé à l'économiser dans un bassin de terre colmaté d'argile. Elle y dormait. Elle lui avait permis deux ou trois choses nouvelles : d'abord un potager.
                 J. GIONO, Que ma joie demeure, 1935, p. 376, in T. L. F.

★ **II.** Mod. ♦ **1.** (1759). Mod. Dépenser, utiliser avec mesure. ⇒ **Ménager.** *Économiser ses revenus. Économiser des vivres en prévision de la disette. Économiser ses provisions pendant la guerre.* ⇒ **Emmagasiner.** *Économiser l'énergie, l'électricité. Économiser de la place.*
Fig. *Économiser son temps, ses instants, les minutes* (→ Agitation, cit. 4). *Économiser ses forces.* ⇒ **Ménager.** *Économiser les paroles, les flatteries, les louanges.* ⇒ **Avare** (être avare de...).

♦ **2.** (1835). Mettre de côté en épargnant. ⇒ **Épargner, garder ;** → Mettre de côté* ; mettre à gauche*. *Économiser mille francs.*

À force de privations, il économiserait quatre mille francs (...)   1
                 FLAUBERT, l'Éducation sentimentale, I, II.

Absolt. *Il économise sur tout. Il économise depuis dix ans pour s'acheter une maison.* ⇒ **Amasser, thésauriser.** *Économiser pour les mauvais jours, pour ses vieux jours.* → Garder une poire* pour la soif.

(...) pendant que la maman et le grand-père là-bas, et aussi l'humble Miette, économisaient sur toutes choses pour payer sa pension et ses répétiteurs.   2
                 LOTI, Matelot, III, p. 11.

CONTR. Dépenser (sans compter), dilapider, dissiper, gaspiller, jeter (l'argent par les fenêtres), prodiguer.

DÉR. (Du sens II.) Économiseur.

ÉCONOMISEUR [ekɔnɔmizœʀ] n. m. et adj. m. — 1890 ; de *économiser.*
Qui économise (II.).

♦ **1.** N. m. (1901). Techn. Appareil permettant de réaliser une économie sur la consommation de carburant d'une machine. — (1890). Spécialt. Réchauffeur d'eau d'une chaudière, permettant une récupération de la chaleur.

♦ **2.** Adj. m. Qui économise, et, spécialt, permet de réaliser une économie sur la consommation (de gaz, essence, électricité). *Dispositif économiseur de piles d'un poste à transistors.* — REM. Le fém. *économiseuse* est virtuel.

ÉCONOMISME [ekɔnɔmism] n. m. — 1775, au sens I ; du rad. de *économiste.*

♦ **1.** Vx. Économie (politique).

♦ **2.** Polit. Doctrine de certains théoriciens de la social-démocratie russe qui, contrairement aux thèses de Lénine, demandaient que le combat ouvrier se limitât au terrain économique ; tendance à donner à l'économique la priorité sur le politique. *« Les économistes* (chinois) *accusèrent les militaires d'économisme et se firent eux-mêmes qualifier de* soldatesque en papier » (*l'Express,* 8-14 juil. 1968).

Cet ouvrage comporte une interprétation de la pensée marxiste sur laquelle il faut   1
revenir. Elle récuse d'un côté le philosophisme et de l'autre l'économisme. Elle n'admet pas que l'héritage légué par Marx se réduise à un système philosophique *(le matérialisme dialectique)* ou à une théorie d'économie politique.
                 Henri LEFEBVRE, la Vie quotidienne dans le monde moderne, 1968, p. 62.

Le cas de la Chine est souvent cité en modèle, par son hostilité à l'économisme.   2
                 A. SAUVY, Croissance zéro ?, p. 305.

ÉCONOMISTE [ekɔnɔmist] n. — 1767 ; de *économie,* et -iste.

♦ (1802). Spécialiste d'économie politique. *Un bon, un mauvais économiste.*

Les économistes sont des chirurgiens qui ont un excellent scalpel et un bistouri   1
ébréché, opérant à merveille sur le mort et martyrisant le vif.
                 CHAMFORT, Maximes, Sur la science, XVI.

Je sais qu'il y en a qui préfèrent les moulins aux églises, et le pain du corps à   2
celui de l'âme. À ceux-là, je n'ai rien à leur dire. Ils méritent d'être économistes dans ce monde, et aussi dans l'autre.
                 Th. GAUTIER, Préface de Mlle de Maupin, p. 30 (éd. critique MATORÉ).

Philippe en fut quitte (...) pour un immense pensum, consistant à résumer en un   2.1
travail de trois cents pages tout ce que les économistes avaient écrit sur la formation des capitaux et sur la monnaie, métal ou papier, et autres signes représentatifs de valeurs.
                 A. ROBIDA, le Vingtième Siècle, p. 269.

(...) ce prophète était déjà en passe de devenir un de nos sociologues les plus éminents, le sociologue n'étant pas moins naturellement éminent que l'économiste   3
n'est actuellement.
                 Ch. PÉGUY, la République..., p. 189.

(...) la science économique n'est pas toute l'économie politique. Il arrive à l'économiste d'apprécier après avoir décrit, et de proposer la réforme de ce qu'il a constaté. Quand l'économiste passe ainsi du champ de la science à celui de la doctrine ou de la politique économiques, la morale intervient, qu'il en ait ou non conscience. Il ne peut juger la réalité qu'en fonction de certaines fins.   4
                 PIROU, Introd. à l'étude de l'économie politique, p. 116.

Spécialt. *Les économistes* : écrivains français du XVIIIᵉ siècle qui écrivirent sur des questions de richesse sociale.
Partisan de l'économisme (2.).
DÉR. Économisme.

ÉCOPAGE [ekɔpaʒ] n. m. — xxᵉ ; de *écoper*.

♦ Mar. Action d'écoper.

La tempête arrivait... Heureusement, ma technique d'écopage s'était perfectionnée. Une fois le canot rempli, je commençais à vider avec mon chapeau, qui contenait deux ou trois litres d'eau, puis je fignolais à la chaussure.
Alain BOMBARD, Naufragé volontaire, p. 242.

ÉCOPE [ekɔp] ou ESCOPE [ɛskɔp] n. f. — 1369 ; du francique *skopa, cf. moy. néerl. *Schope*.

♦ **1.** Pelle de bois à long manche servant à puiser ou à vider l'eau (⇒ **Sasse**).

1 Jasper Hobson et Mrs Paulina Barrett vidèrent donc promptement cette eau, qui, par sa mobilité même, pouvait les faire chavirer. Ce ne fut pas une petite besogne, car, à chaque moment, quelque crête de vague embarquait, et il fallait avoir constamment l'écope à la main.   J. VERNE, le Pays des fourrures, t. I, p. 117.

2 Fred a sauté ; il a, sous le banc où s'allongent les gaffes, saisi l'écope et pesant sur un bord, retrouvant le tour de bras, la cadence, il expédie de longues giclées sales.   Hervé BAZIN, Cri de la chouette, p. 159.

♦ **2.** Techn. Vx. Coupe en bois peu profonde qui servait à écrémer le lait. — Mod. Pièce d'alimentation d'un broyeur.
DÉR. Écoper.

ÉCOPER [ekɔpe] v. tr. — 1837 ; de *écope*, et suff. verbal.

♦ **1.** (1837). Mar. Vider (un bateau) avec une écope. — Absolt. *Il va falloir écoper.*

0.1 Presque instinctivement, j'écope d'abord des deux mains, puis avec mon chapeau : instrument absurde de ce travail impossible. Il fallait écoper assez vite entre les plus grosses vagues pour que l'*Hérétique*, allégé, émergeât suffisamment.
Alain BOMBARD, Naufragé volontaire, p. 158.

0.2 Il *(le bateau)* a besoin d'être écopé, l'eau affleure le caillebotis.
Hervé BAZIN, Cri de la chouette, p. 159.

Par ext. Vider (un lieu) avec un récipient. *Écoper un bassin avec un seau.*

♦ **2.** (1867). Fam., vx. Boire. ⇒ **Écluser.**

♦ **3.** (1879). Mod. Recevoir (un coup), subir (un dommage).

0.3 Pourtant dans les premiers jous de son incorporation, le jeune vicomte «écopa», comme on dit dans l'armée, deux jours de salle de police.
A. ALLAIS, Contes et chroniques, p. 55.

Trans. ind. *Écoper de...* : recevoir (une punition). *Il a écopé d'une réprimande.* — (1880). Être condamné (à une peine de prison). *Il a écopé de dix jours de prison.*

(1867). Absolt. Être atteint, puni. ⇒ **Trinquer.**

1 Si on pouvait les pincer une bonne fois, elles écoperaient ferme, c'est fort probable. Mais il faudrait pouvoir les convaincre de quelque délit prévu.
Léon BLOY, la Femme pauvre, p. 257.

2 *(Il)* a été sept fois blessé avant d'être tué, et chaque fois qu'il revenait d'une expédition sans avoir écopé, il avait l'air de s'excuser et de dire que ce n'était pas sa faute.   PROUST, À la recherche du temps perdu, t. XIV, p. 72.
DÉR. Écopage.

ÉCOPERCHE [ekopɛRʃ] n. f. — 1315, *escouberge, escorberge* «perche» ; comp. de 2. *écot*, et *perche*.

Technique.

♦ **1.** (1755). Grande perche verticale d'échafaudage, soutenant les boulins et les planches.

♦ **2.** (1676). Grande pièce de bois verticale munie d'une poulie et servant à élever des matériaux de construction.

ÉCOPHOBIE [ekofɔbi] n. f. — Mil. xxᵉ ; de *éco-*, et *phobie*.

♦ Psychiatrie. Aversion pathologique pour tout ce qui a trait à la vie domestique.

ÉCOPHYSIOLOGIE [ekofizjɔlɔʒi] n. f. — 1965 ; de *éco-* (*écologie*), et *physiologie*.

♦ Didact. Science qui étudie l'influence des facteurs écologiques sur le fonctionnement des processus physiologiques des êtres vivants.

ÉCOPROTÉINE [ekopRɔtein] n. f. — 1971, Marty, *in* Cottez ; de *éco-* (*écologie*), et *protéine*.

♦ Didact. Protéine dont la synthèse est liée à une variation des facteurs écologiques (pression, température, etc.).

ÉCOQUAGE [ekɔkaʒ] ou ÉCOQUETAGE [ekɔktaʒ] n. m. — 1908, *écoquage* ; *écoquetage*, 1930 ; de *écoquer*.

♦ Chasse. Action d'écoquer, d'écoqueter.

ÉCOQUER [ekɔke] ou ÉCOQUETER [ekɔk(ə)te] v. tr. — 1834 ; de *é-*, *coq*, et *-eter*.

♦ Chasse. Dégarnir (une chasse) des mâles trop nombreux de faisans, perdrix, etc.
DÉR. Écoquage ou écoquetage.

ÉCORAGE [ekɔRaʒ] n. m. — 1870 ; de 2. *écorer*.

♦ **1.** Techn. Tenue des comptes d'un bateau de pêche.

♦ **2.** Dr. mar. Contrat de gérance d'un bateau de pêche.

ÉCORÇAGE [ekɔRsaʒ] ou ÉCORCEMENT [ekɔRsəmɑ̃] n. m. — 1799, *écorçage* ; *écorcement*, 1538 ; de *écorcer*, et *-age, -ment*.

♦ Action d'écorcer (un arbre) ; résultat de cette action.

ÉCORCE [ekɔRs] n. f. — 1176 ; du lat. impérial *scŏrtea*, d'abord «manteau de peau», de *scortum* «peau, cuir».

♦ **1.** (1176). Enveloppe d'un tronc (d'arbre) et des branches, qu'on peut détacher du bois ; enveloppe de la tige et des racines composées de grandes cellules, dont les parois s'épaississent avec l'âge. *L'épiderme, l'écorce et le cylindre central. L'écorce recouvre immédiatement l'aubier. Écorce lisse, rugueuse, cannelée, présentant de petites fentes* (⇒ **Gerçure**), *des taches brunes* (⇒ **Lenticelle**), *couverte de lichen, de mousse* (⇒ **Bryon**). *Écorce argentée* (cit. 3) *du bouleau, du peuplier. Écorce de platane. Écorce du prunier, du cerisier laissant exsuder de la gomme* (⇒ **Bran**). *Écorce du grenadier, riche en pelletiérine*, du quillaja* (→ Bois* de Panama), *du cannelier* (⇒ **Cannelle**), *du chêne-liège* (⇒ **Liège**), *du chanvre* (⇒ **Teille**). *Écorce tinctoriale du quercitron*. Écorce du chêne* (⇒ **Regros**), *utilisée pour le corroyage* (⇒ **Tan**). *Tanin des écorces* (corticine). — *Plantes dont l'écorce est employée en médecine.* ⇒ **Angustura, nauclée, quinquina...** *Écorce laissée sur le bois coupé.* ⇒ **Grume.** *Enlever* (⇒ **Écorcer**), *inciser* (⇒ **Baguer, gemmer**), *gratter* (⇒ **Décortiquer**), *flamber ou «couliner» l'écorce d'un arbre. Graver une date, des initiales sur l'écorce d'un arbre. Enlever un anneau d'écorce et de cambium pour interrompre la circulation de la sève* (⇒ **Annélation**).

1 Ne vois-tu pas le sang, lequel dégoutte à force,
Des Nymphes qui vivaient dessous la rude écorce ?
RONSARD, Contre les bûcherons de la forêt de Gastine.

2 (...) le parfum (...) des écorces soulevées sur la peau neuve des arbres (...)
René BAZIN, les Oberlé, I, p. 1.

Prov. *Entre l'arbre et l'écorce, il ne faut pas mettre le doigt.* ⇒ **Arbre.**

Loc. fig. *Il ne faut pas juger l'arbre par l'écorce* : il ne faut pas juger d'après les apparences.

Morceau d'écorce. *Jeter les écorces. Jeter des écorces dans le feu.*

3 *(Il suffit)* De jeter à la cendre où couve l'étincelle,
Une à une, dans l'âtre, en offrande au Sylvain,
Des écorces de hêtre et des pommes de pin.
H. DE RÉGNIER, Médailles d'argile, «Le feu».

♦ **2.** (XIIIᵉ). Sens aberrant en botanique. Enveloppe coriace (de fruits). *Écorce de châtaigne, de noix* (⇒ **Écale**), *de melon, de pastèque* (→ Diaprer, cit. 1). *Écorce de citron* (cit. 1), *d'orange.* ⇒ **Peau, pelure, zeste.** *Sirop d'écorce d'oranges amères.*

4 On nous racontera sans fin qu'il *(Hugo)* mangeait le homard avec sa carapace et l'orange avec son écorce (...)   Émile HENRIOT, les Romantiques, p. 76.

Par métonymie. *Parquet jonché d'écorces d'orange, de morceaux d'écorce.* ⇒ **Pelure.**

Prov. *On presse l'orange et on jette l'écorce* : on tire tout le profit possible de qqn puis on l'abandonne.

5 (...) il *(La Mettrie)* m'a juré qu'en parlant au roi *(Frédéric)*, ces jours passés, de ma prétendue faveur et de la petite jalousie qu'elle excite, le roi lui avait répondu : «J'aurai besoin de lui encore un an, tout au plus ; on presse l'orange, et on jette l'écorce. »   VOLTAIRE, Lettre à Madame Denis, 2 sept. 1751.

♦ **3.** Par anal. *L'écorce terrestre* : partie superficielle du globe. ⇒ **Croûte.**

6 L'expression d'*écorce terrestre* dérive de cette conception (*l'hypothèse périmée du feu central*) et est tellement passée dans la langue pour désigner les couches superficielles du globe terrestre, qu'il est difficile de s'en défaire.
E. DE MARTONNE, Traité de géographie physique, t. I, p. 93.

Anat. Vx. *Écorce cérébrale.* ⇒ **Cortex, cortical ;** → Réflexe, cit. 2.

♦ **4.** (1265). Fig. Vx ou littér. Enveloppe extérieure, apparence. ⇒ **Apparence, aspect, dehors, enveloppe, extérieur.** *Paysan d'écorce assez rude* (→ Aiguiser, cit. 10). *Une écorce superficielle, trompeuse.* ⇒ **Superficie, vernis.**

7 Le peuple qui voit tout seulement par l'écorce (...)   CORNEILLE, Horace, v, 2.

8 Nous ne connaissons que la surface et l'écorce de la plupart des choses (...)
                                   Pierre NICOLE, Essais de morale, 1er traité, 8.

9 (...) ici *(chez les grands)* se cache une sève maligne et corrompue sous l'écorce de
   la politesse.   LA BRUYÈRE, les Caractères, IX, 25.

10 Je regardais, à la lumière de la lune, ce front pâle, ces yeux clos, ces mèches de
   cheveux qui tremblaient au vent, et je me disais : ce que je vois là n'est qu'une
   écorce. Le plus important est invisible.   SAINT-EXUPÉRY, le Petit Prince, p. 78.

CONTR. Cœur, fond.
DÉR. Écorcer.

ÉCORCEMENT [ekɔʀsəmɑ̃] n. m. ⇒ Écorçage.

ÉCORCER [ekɔʀse] v. tr. — Conjug. *placer*. — XIIIᵉ ; de *écorce*, et
suff. verbal.

♦ **1.** Dépouiller de son écorce. *Écorcer un arbre.* ⇒ **Baguer, démascler, gemmer, inciser.** — Pron. (Passif). Perdre son écorce. *Arbre qui
s'écorce naturellement.* ⇒ **Exfolier** (s').

1 (...) non seulement ils jetaient bas les arbres, mais ils les écorçaient à mesure :
   d'abord sur pied jusqu'à hauteur d'homme, ensuite sur des tréteaux où ils les faisaient basculer, à deux seulement, d'un coup d'épaule. Et ils n'employaient pas la
   bêche comme font les bûcheux du pays, mais une grande plane pareille à celle
   des tonneliers.   M. GENEVOIX, Forêt voisine, XIV, p. 216.

♦ **2.** Décortiquer, peler (le grain, les fruits). *Écorcer du riz*
(⇒ **Décortiquer**), *des oranges* (⇒ **Peler**).

2 Ils étaient même en train, tous ensemble, mais chacun pour soi, de couper des
   branches de genêts qu'ils charriaient ensuite par fagots à leur ombre. Les femmes
   en écorçaient les grosses tiges et en tressaient des claies.
                                   J. GIONO, le Hussard sur le toit, p. 174.

▶ **ÉCORCÉ, ÉE** p. p. adj. *Bois écorcé et bois non écorcé, en
grume**. — *Orange écorcée.*

3 (...) de sorte qu'ils étaient — disait-il — doublement prisonniers : une première
   fois de cette clôture de barbelés tendue sur les poteaux de pin brut, non écorcé,
   rougeâtre, et une seconde fois de leur propre infection (...)
                                   Claude SIMON, la Route des Flandres, p. 119.

DÉR. Écorçage ou écorcement, écorceur, écorceuse, écorçoir.

ÉCORCEUR [ekɔʀsœʀ] n. m. — 1893, *in* D.D.L. ; de *écorcer*,
et *-eur*.

♦ Agric. Ouvrier procédant à l'écorçage des arbres. — REM. Le fém.
écorceuse est virtuel.
Outil avec lequel on écorce.

ÉCORCEUSE [ekɔʀsøz] n. f. — Mil. XXᵉ ; fém. de *écorceur*.

♦ Techn. Machine à écorcer les troncs d'arbres coupés.

ÉCORCHANT, ANTE [ekɔʀʃɑ̃, ɑ̃t] adj. — Mil. XVIIIᵉ ; p. prés.
de *écorcher*.

♦ Rare. Qui écorche l'oreille (d'un son).

ÉCORCHE-CUL (À ou À L') [aekɔʀʃ(ə)ky ; alekɔʀʃ(ə)ky] loc.
adv. — 1552, Rabelais ; de *écorcher*, et *cul*.

♦ Fam., vieilli. En glissant sur le derrière. *Descendre une pente
à écorche-cul.*

ÉCORCHEMENT [ekɔʀʃəmɑ̃] n. m. — Fin XIIIᵉ ; de *écorcher*.

♦ (1827). Action d'écorcher (un animal).

(...) alors que l'équivalent de la préparation culinaire des lapins et des lièvres,
écorchement, dépiautement, éjection des viscères, avec comme but dernier l'innocence absolue et gratuite de l'idiot (...)
                                   R. QUENEAU, Loin de Rueil, 1944, p. 167.

ÉCORCHER [ekɔʀʃe] v. tr. — 1155 ; du bas lat. *excorticare* «écor-
cer», de *ex-*, et *cortex, corticis* «enveloppe, écorce».

♦ **1.** (V. 1160). Dépouiller de sa peau (un animal). ⇒ **Dépouiller ;
dépiauter.** *Écorcher un animal, un lapin, un loup, un bœuf, un
cheval* (⇒ **Équarrir ;** → Démembrer, cit. 1). — *Certains criminels étaient écorchés vifs. Écorcher les bêtes à l'abattoir* (⇒ **Écorcherie**).

1 Ce drôle est toujours le même ! Et à moins qu'on ne l'écorche vif, je prédis qu'il
   mourra dans la peau du plus cher insolent (...)
                                   BEAUMARCHAIS, le Mariage de Figaro, I, 4.

2 Ces gentillesses devaient se renouveler chaque année pendant des siècles. Monuments et textes nous représentent le sort des vaincus (...) les prisonniers sont empalés ou pendus devant la ville assiégée pour épouvanter les habitants ; parfois le roi
   d'Assyrie les fait écorcher vifs et tapisse de leurs peaux les murs de son camp.
                                   G. CONTENAU, Asie occidentale ancienne,
                                   in CAPART et G. CONTENAU, Hist. de l'Orient ancien, p. 283.

Prov. *Il faut tondre les brebis et non les écorcher* : il ne faut pas
exiger du contribuable plus qu'il ne peut donner. — Loc. *Il crie
comme si on l'écorchait* : il crie très fort. *Il crie avant qu'on l'écorche*, pour rien du tout, sans raison (⇒ **Anguille**, proverbe).

— Vous avez plus de peur que de mal, et votre cœur crie avant qu'on l'écorche.   3
— Comment diable ! il est écorché depuis la tête jusqu'aux pieds.
                                   MOLIÈRE, les Précieuses ridicules, 9.

♦ **2.** (V. 1225, pron.). Blesser en entamant superficiellement la peau.
⇒ **Déchirer, égratigner, érafler, excorier, griffer, labourer.** *Les épi-
nes l'ont écorché, lui ont écorché le bras, la peau.* — Faux pron.
Elle s'est écorché la jambe.

La pierre âpre et cruelle écorche ses flancs nus (...)   4
                                   HUGO, la Légende des siècles, IV, «Le Titan», v.

Et cependant il *(le chiffonnier)* a le dos et les reins écorchés par le poids de sa   5
hotte.   BAUDELAIRE, Du vin et du haschisch, II.

(1598). Compl. n. de chose. Entamer superficiellement, érafler.
⇒ **Érafler.** *La voiture a écorché l'arbre en reculant. Écorcher le
mur en poussant un meuble. Écorcher le sol en le labourant superficiellement.*

(...) quelques spectres à demi nus, qui écorchaient, avec des bœufs aussi décharnés   6
qu'eux, un sol encore plus amaigri (...)
                                   VOLTAIRE, Dict. philosophique, Fertilisation.

Par exagér. *Ce vin écorche le gosier. Des cris, des hurlements qui
écorchent les oreilles. Ça t'écorcherait le gosier (la bouche...), de
dire merci ?*

— Puisque le propriétaire nous flanque à la porte parce qu'elle lui écorche les   6.1
oreilles !   E. LABICHE, la Chasse aux corbeaux, II, 1.

♦ **3.** ⓐ Abstrait. Rare. Déformer. *Écorcher la vérité*, l'altérer.

ⓑ (1532). Cour. Déformer, prononcer de travers. *Écorcher un mot
en le prononçant mal.* ⇒ **Estropier.** *Il écorche tous les
noms propres. Écorcher une langue,* la parler, la prononcer mal.

(...) il *(Mazarin)* ne parle pas bien français ; et il l'écorche tellement (...)   7
                                   MONTESQUIEU, Lettres persanes, CXII.

♦ **4.** (1673). Fig. (Compl. n. de personne). *Écorcher les clients,* les
faire payer trop cher. ⇒ **Échauder, exploiter, estamper, rançonner.**
Un restaurant où nous nous sommes fait écorcher.
Écorcher son prochain : tenir des propos malveillants. — Pron.
(récipr.). *Ils passent leur temps à s'écorcher,* à se quereller, à
se nuire.

Cette reprise du thomisme, et les écrits de Maritain, et la querelle de l'*Action*   8
Française, etc. où nous nous écorchons, ne paraîtront bientôt plus que curiosités
historiques et je doute si quelque autre qu'un archéologue y pourra prendre
quelque intérêt.   GIDE, Journal, févr. 1930.

▶ **ÉCORCHÉ, ÉE** p. p. adj. et n.

★ **I.** Adj. ♦ **1.** Qui est dépouillé de sa peau. *Un lapin écorché.*
⇒ **Dépouillé, dépiauté.** — *Écorché vif* : dont on a enlevé la peau
sans le tuer. *Un criminel écorché vif.*

♦ **2.** Dont la peau est superficiellement entamée. ⇒ **Égratigné,
griffé.** *Main écorchée, genoux écorchés.*
Par ext. Dont la surface est entamée. *Mur écorché.*

♦ **3.** Fig. Qui est déformé, prononcé de travers. *Nom propre écorché. Langue écorchée. Une chanson écorchée par un mauvais chanteur.*

★ **II.** N. ♦ **1.** *(Un, une écorchée).* Personne qui a été écorchée
(⇒ **Écorcher**, 1.). Fig. *Une sensibilité d'écorché vif.*

(...) cette sorte de poésie qui vient du frémissement des nerfs à nu, une poésie   9
d'écorché vif.   M. BARRÈS, Un jardin sur l'Oronte, p. 3.

(...) Vigny, toujours sur la réserve *(avec Hugo)* en sa disposition d'écorché vif mal- 10
gré l'effusion et les protestations fraternelles.
                                   Émile HENRIOT, les Romantiques, p. 76.

On devient, à force de s'étudier, au lieu de s'endurcir, une sorte d'écorché *moral*   10.1
et sensitif, blessé à la moindre impression, sans défense, sans enveloppe, tout saignant.   Ed. et J. DE GONCOURT, Journal, t. II, p. 15.

♦ **2.** N. m. Arts. Statue d'homme, d'animal représenté comme
dépouillé de sa peau, d'après laquelle les étudiants des beaux-
arts dessinent des études. L'*Écorché,* de Houdon. *Dessiner d'après
l'écorché.* — Par ext. *Faire voir l'écorché sous la peau,* les muscles,
les nerfs... (→ Draper, cit. 2).

Après la séance de dessin, un habile anatomiste expliquera à mon élève l'écorché,   11
et lui fera l'application de ses leçons sur le nu animé et vivant ; et il ne dessinera
d'après l'écorché que douze fois au plus dans une année.
                                   DIDEROT, Essai sur la peinture, I.

(...) il *(Michel-Ange)* insiste pour prouver qu'il sait manier le squelette et faire le 12
mouvement ; vous trouverez des Èves et des Adams ... des Horatius Coclès, qui
ressemblent à des écorchés vivants et grotesques ; les personnages ont l'air de vouloir sortir de leur peau.   TAINE, Philosophie de l'art, t. II, p. 36.

Techn. Dessin d'une machine, d'une installation dépourvue de son
enveloppe extérieure (carrosserie, etc.). *Dessiner un écorché et un
éclaté** *de moteur.*

DÉR. Écorchant, écorchement, écorcherie, écorcheur, écorchure.
COMP. Écorche-cul (à l').

ÉCORCHERIE [ekɔʀʃəʀi] n. f. — 1320 ; de *écorcher*, et *-erie*.

♦ **1.** Techn. (Ancienn). Lieu de l'abattoir où l'on écorche les bêtes.

Une des curiosités de Francfort, qui disparaîtra bientôt, j'en ai peur, c'est la bou-   1
cherie (...) les bouchers sanglants et les bouchères roses causent avec grâce sous
des guirlandes de gigots. Un ruisseau rouge, dont deux fontaines jaillissantes modi-
fient à peine la couleur, coule et fume au milieu de la rue. Au moment où j'y

passais, elle était pleine de cris effrayants. D'inexorables garçons tueurs, à figures hérodiennes, y commettaient un massacre de cochons de lait (...) Une superbe et grandiose enseigne dorée, soutenue par une grille en potence, la plus belle et la plus riche du monde, composée de tous les emblèmes du corps des bouchers et surmontée de la couronne impériale, domine et complète cette magnifique écorcherie digne de Paris au moyen âge.
            HUGO, le Rhin, Lettre XXIV, Francfort-sur-le-Main.

♦ **2.** Rare. Action d'écorcher (au fig.).

2   À suffocation très atroce, mille écorcheries d'agrément et vertes contorsions de blessures (...) n'apaisent à gré votre soif qu'à l'outre pleine de vinaigre (...)
            CÉLINE, Guignol's band, p. 22.

ÉCORCHEUR, EUSE [ekɔRʃœR, øz] n. et adj. — Av. 1250; de écorcher.

♦ **1.** (Inus. au fém.). Personne qui écorche les bêtes pour la boucherie. — (1441). Spécialt. *Les écorcheurs :* brigands qui rançonnaient les paysans lors de la guerre de Cent Ans.

1   Pour la France, elle est dans la plus désastreuse période de son histoire : le pays est conquis, dévasté par les Anglais; sous Charles VII, les loups entraient dans les faubourgs de Paris; quand les Anglais sont chassés, les *écorcheurs* et capitaines d'aventure vivent sur le paysan, le rançonnent et le pillent à plaisir; un de ces seigneurs assassins, Gilles de Retz, a donné naissance à la légende de Barbe-Bleue.   TAINE, Philosophie de l'art, t. I, p. 128.

♦ **2.** Fig. et vieilli. Personne qui «écorche», vole (les clients); usurier, commerçant.

♦ **3.** Adj. Littér. et rare. Qui irrite, qui choque l'oreille, le goût esthétique.

2   Dans un panier accroché au signal d'arrêt des autobus, une mandarine à moitié mangée étale son acidité. Ces souvenirs d'agrumes qui passent sur la cornée de l'œil, légèrement écorcheurs, et suscitent une larme (...)
            J.-M. G. LE CLÉZIO, le Déluge, p. 279.

ÉCORCHURE [ekɔRʃyR] n. f. — XIIIᵉ; de écorcher.

♦ Déchirure légère de la peau. ⇒ **Égratignure, entaille, éraflure, excoriation, griffure, plaie.** *Avoir une écorchure à la main, au genou. Des écorchures sans gravité.* «*Ces plaies, écorchures plutôt que blessures...*» (Hugo, *les Travailleurs de la mer*).

Je me relevai (...) et ma manche droite, déchirée au coude, laissait voir une petite écorchure qui saignait un peu.
            GYP, Souvenirs d'une petite fille, p. 341, in T. L. F.

Par métaphore. «*Une écorchure au flanc d'une montagne*» (Gautier, in T. L. F.).

ÉCORÇOIR [ekɔRswaR] n. m. — 1905, in D. D. L.; de écorcer, et -oir.

♦ Techn. (sylv.). Outil servant à enlever l'écorce.

Deux hommes (...) me rapportent mon écorçoir que j'avais égaré là-bas.
            GIDE, Voyage au Congo, in Souvenirs, Pl., p. 744.

ÉCORE [ekɔR] n. f. — V. 1383, escore. ⇒ **Accore.**

1. ÉCORER [ekɔRe] v. tr. — V. 1383, escorer. ⇒ **Accore, accorer.**

2. ÉCORER [ekɔRe] v. tr. — 1870; p.-ê., bien que le mot soit récent, empr. à l'anc. nordique *skora* «couper, entailler».

♦ Techn. Tenir les comptes d'un bateau de pêche.
DÉR. **Écorage.**

ÉCORNAGE [ekɔRnaʒ] n. m. — 1866; de écorner.

♦ **1.** Rare. Action d'écorner (2.); son résultat.

♦ **2.** (xxᵉ). Techn. (méd. vétér.). Amputation, accidentelle ou non, des cornes (d'un animal).

ÉCORNE [ekɔRn] n. f. — 1569; déverbal de écorner.

♦ Vx (langue class.). Action d'écorner (3., fig.). ⇒ **Écornage.**

ÉCORNER [ekɔRne] v. tr. — V. 1200; de é-, corne, et suff. verbal.

♦ **1.** (V. 1200). Priver, accidentellement ou non, (un animal) de ses cornes. ⇒ **Décorner** (1.).

♦ **2.** (1611). Casser, endommager un angle de... *Écorner une pierre. Écorner un livre,* faire des cornes à ses pages. — Au p. p. *Ces dés sont tout écornés. Livre aux pages écornées.* — Par ext. *Écorner une assiette, une tasse.* ⇒ **Ébrécher.**

1   (...) des vieux cadres, des vieux cuivres, des porcelaines écornées.
            BALZAC, le Cousin Pons, Pl., t. VI, p. 614.

2   Oui! ce taudis (...) est bien le mien. Voici les meubles sots, poudreux, écornés (...)
            BAUDELAIRE, le Spleen de Paris, v.

2.1   (...) la barricade-forteresse (...) résista vaillamment au canon et repoussa deux assauts de l'infanterie. Les maisons voisines furent légèrement écornées dans

---

l'ardeur de la lutte; mais les propriétaires, certains d'être indemnisés, ne songèrent pas à se plaindre.   A. ROBIDA, le Vingtième Siècle, p. 290.

3   (...) il y en avait d'autres *(de livres),* brochés, tout écornés par l'usage.
            J. DE LACRETELLE, Retour de Silbermann, p. 51.

Par anal. Ôter une partie de (qqch.) en enlevant un angle.

3.1   Autrefois, ma maison était pleine de livres à moitié lus. C'est aussi dégoûtant que ces gens qui écornent un foie gras et font jeter le reste.
            CAMUS, la Chute, p. 140.

La route a écorné sa propriété, a légèrement empiété sur elle.

♦ **3.** Fig. Entamer, réduire. *Écorner ses provisions.* ⇒ **Entamer.** *On lui a écorné sa pension.* ⇒ **Diminuer, réduire.** *Écorner une journée. Écorner son patrimoine.* ⇒ **Amoindrir; dépenser, dissiper.** — Au p. p. → cit. 4.

4   Cette fortune, bien qu'écornée déjà, lui avait permis jusqu'alors de subsister tant bien que mal, sans abandonner son appartement ni lésiner sur l'éducation des enfants.   MARTIN DU GARD, les Thibault, t. III, p. 50.

5   (...) désolé cependant d'écorner une journée que j'espérais pouvoir donner toute au travail.   GIDE, Journal, 22 nov. 1912.

DÉR. **Écornage, écorne, écornure.**
COMP. **Écornifler.**

ÉCORNIFLAGE [ekɔRniflaʒ] n. m. — Mil. xxᵉ; de écornifler.

♦ Fam. Action d'écornifler; son résultat.

ÉCORNIFLER [ekɔRnifle] v. tr. — V. 1441; de écorner «amputer», et du moy. franç. *nifler* (→ Renifler), avec, p.-ê., infl. du moy. franç. *rifler* «piller».

♦ **1.** Fam. **ⓐ** Se procurer çà et là aux dépens d'autrui (de l'argent, un bon repas...). ⇒ **Escroquer, grappiller, rafler; resquiller.** *Écornifler un repas.*

1   (...) et pendant ce temps-là le regard effleure nonchalamment un jeune dos nu, une croupe un peu tendue, écornifle toutes les aubaines qu'offrent les après-midi d'été.   SARTRE, le Sursis, p. 105.

ⓑ Se procurer qqch. aux dépens de (qqn). *Il s'est fait écornifler par un tapeur.*

♦ **2.** Endommager, érafler. *Écornifler un meuble.*
Fig., littér. Porter atteinte à (qqn, qqch.).

2   Histoires de putinerie et de tribaderie, qu'elle trouve toutes naturelles et n'écorniflant en rien l'austérité de la grande et sublime morale.
            Ed. et J. DE GONCOURT, Journal, 1876, p. 1120, in T. L. F.

▶ **ÉCORNIFLÉ, ÉE** p. p. adj. (surtout au sens 2). *Meuble écorniflé. Il a le visage un peu écorniflé,* blessé, égratigné.

DÉR. **Écorniflage, écorniflerie, écornifleur, écorniflure.**

ÉCORNIFLERIE [ekɔRnifləRi] n. f. — 1573; de écornifler.

♦ Vx. Opération par laquelle on écornifle (1.) qqch. ou qqn.

ÉCORNIFLEUR, EUSE [ekɔRniflœR, øz] n. — 1537; de écornifler, et -eur.

♦ Pique-assiette, parasite. ⇒ **Écumeur, escroc, parasite, pique-assiette; resquilleur** (fam.). *L'Écornifleur,* roman de Jules Renard.

1   Comme ils *(les rats)* pouvaient gagner leur habitation,
L'écornifleur *(le renard)* étant à demi-quart de lieue (...)
            LA FONTAINE, Fables, IX, «Les deux rats, le renard et l'œuf».

2   Parmi ces aventuriers que le fumet de notre cuisine attirait au logis, il en venait un qui surpassait tous les autres en effronterie (...) Nous étant défaits de cet écornifleur (...)   A.-R. LESAGE, in LAFAYE, Dict. des synonymes.

ÉCORNIFLURE [ekɔRniflyR] n. f. — 1855, Champel; de écornifler, 2.

♦ Éraflure.

Un étonnement de ne trouver ni trou ni écorniflure à mon immeuble.
            Ed. et J. DE GONCOURT, Journal, 1871, p. 718, in T. L. F.

ÉCORNURE [ekɔRnyR] n. f. — 1694, Corneille; de écorner.

♦ **1.** Éclat d'une pierre, d'un marbre, d'un meuble écorné. — (1855). Brèche occasionnée par la cassure.

1   Sur le marbre de la commode était posée une réplique du buste du poète (...) le mouleur avait donné à cette réplique la teinte du bronze, mais une écornure au nez trahissait d'un éclat plâtreux la vraie matière.
            M. DRUON, les Grandes Familles, I, III, p. 29.

♦ **2.** (1846). Fig., vx. Partie de qqch. qui a été écorné, entamé.

2   L'esprit à moitié égaré, je quitte la voiture à Saint-Sulpice, et j'y oublie mon portefeuille renfermant l'écornure de mon trésor. Je cours chez moi et je raconte que j'ai laissé les dix mille francs dans un fiacre.
            CHATEAUBRIAND, Mémoires d'outre-tombe, t. I, 1848, p. 384, in T. L. F.

12 — Somme toute, un bon prote est tenu, selon vous, de savoir le français mieux que l'écrivain lui-même.
— Son métier de correcteur l'y oblige.
— Pourtant vous considérez Proust comme un grand écrivain.
— Très grand et des plus importants.
— Ce qui implique, selon vous, que l'on peut être un grand écrivain sans être un écrivain correct.
— De fait, l'un ne va pas nécessairement avec l'autre.
GIDE, Attendu que..., p. 51.

13 La seconde partie de mon ouvrage est consacrée à la déontologie ou science des devoirs. Qu'on n'y cherche pas un traité, mais des réflexions jaillissantes sur la vie des écrivains, sur les rapports de l'écrivain avec son œuvre et son métier.
G. DUHAMEL, la Défense des lettres, Préface, p. 13.

14 (...) je suis auteur d'abord par mon libre projet d'écrire. Mais tout aussitôt vient ceci : c'est que je deviens un homme que les autres hommes considèrent comme écrivain, c'est-à-dire qui doit répondre à une certaine demande et que l'on pourvoit (...) d'une certaine fonction sociale (...) Aussi le public intervient (...) il cerne l'écrivain, il l'investit et ses exigences (...) ses refus, ses fuites sont les données à partir de quoi l'on peut construire une œuvre. SARTRE, Situations II, p. 125.

15 Un écrivain garde un espoir même s'il est méconnu. Il suppose que ses œuvres témoigneront de ce qu'il fut. CAMUS, le Mythe de Sisyphe, p. 108.

15.1 JULES VERNE, dernier écrivain voyant. Ce qu'il imaginait est devenu réalité (...)
E. IONESCO, Journal en miettes, p. 27.

Absolt. *Un écrivain* : une personne qui écrit bien, qui est douée pour le métier d'écrivain, qui a le don du style. *C'est un excellent orateur mais ce n'est pas un écrivain : son dernier livre le prouve. Il, elle a un tempérament d'écrivain.*

16 Un «écrivain», en France, est autre chose qu'un homme qui écrit et publie. Un auteur, même du plus grand talent, connût-il le plus grand succès, n'est pas nécessairement un «écrivain». Tout l'esprit, toute la culture possible, ne lui font pas un «style». VALÉRY, Regards sur le monde actuel, p. 186.

Par appos. (pour suppléer l'absence de forme féminine). *Une femme écrivain.* — REM. *Écrivain* n'a pas de forme féminine. On dit : «*Madame de Sévigné est un grand écrivain*» (Académie). Cependant il arrive qu'on lui forge plaisamment un féminin (1885, *in* D.D.L.).

17 Vite mes savates! je sens le poème! s'écriait une écrivaine.
COLETTE, Trois... six... neuf..., p. 34, *in* GREVISSE.

Cet emploi est le plus souvent ironique. On trouve aussi rarement : *une écrivain* (Barrès, *in* T. L. F.).

★ **II.** (1863). Fig. Entomol. Parasite de la vigne qui ronge les feuilles en formant des découpures comparables à des caractères écrits. ⇒ **Eumolpe, gribouri.**

18 Cet insecte est celui que l'on désigne en Bourgogne sous le nom d'*Écrivain*, parce qu'il laisse sur les feuilles et les tiges de la vigne, des traces qui forment des lignes assez régulières, offrant un peu l'aspect d'une sorte d'écriture.
L. FIGUIER, l'Année scientifique et industrielle 1864, p. 458 (1863).

DÉR. Écrivailler, écrivasser.

ÉCRIVANT, ANTE [ekʀivɑ̃, ɑ̃t] adj. et n. — V. 1120; p. prés. de *écrire.*

★ **I.** Adj. ♦ **1.** Qui écrit, s'exprime par écrit. *Une «créature écrivante»* (Gide) : un écrivain.
Qui écrit beaucoup, facilement (des lettres).

♦ **2.** (1839). Qui fait écrire. «*Humeur écrivante*» (Stendhal).

★ **II.** N. (Déb. XIIIᵉ, «scribe»). ♦ **1.** (XVIᵉ). Rare. Écrivain (Moréas, *in* T. L. F.).

♦ **2.** Didact. (opposé à *écrivain*). Personne qui écrit sans préoccupation d'écriture littéraire. ⇒ **Auteur.** *Un écrivant polygraphe.*

♦ **3.** Didact. Personne qui écrit. *Les écrivants et les lisants.* ⇒ **Scripteur.**

L'écriture, de même que le dessin, fait connaître à la fois le modèle et l'homme. Seulement, parce que le modèle d'écriture est commun à tous, ici c'est la nature de l'écrivant qui saute aux yeux en quelque sorte. ALAIN, Propos, 20 oct. 1923.

ÉCRIVASSER [ekʀivase] v. intr. — V. 1800; de *écrivain*, et *-asser.*

♦ Péj. Écrire mal. ⇒ **Écrivailler.**

DÉR. Écrivasserie, écrivassier.

ÉCRIVASSERIE [ekʀivasʀi] n. f. — 1842; de *écrivasser.*

♦ Action d'écrivasser.

ÉCRIVASSIER, IÈRE [ekʀivasje, jɛʀ] n. et adj. — 1745; de *écrivasser.*

♦ Péj. Mauvais écrivain. ⇒ **Écrivailleur, plumitif.**

Adj. *Manie écrivassière.*

1 (...) c'est bien toujours la race écrivassière, l'affreuse peste moderne qui sacrifie tranquillement un peuple à des idées de cerveau malade.
E. DELACROIX, Journal, 5 avr. 1849.

2 Souvent, relayant mon écœurement — transposé Dieu sait comme! — face aux occupations jugées presque toutes rebutantes des journées qui viennent, l'obsession écrivassière hante mon louche demi-sommeil.
Michel LEIRIS, Frêle bruit, p. 283.

ÉCRIVEUR, EUSE [ekʀivœʀ, øz] adj. et n. — Déb. XIVᵉ, «copiste, scribe»; de *écrire*, d'après le rad. de *écrivain*, et *-eur.*

♦ Fam. (Personne) qui aime écrire, qui écrit facilement. «*Les peuples de la Gaule, contrairement aux Romains et aux Grecs, n'étant pas de grands écriveurs...*» (*Science et Vie*, mai 1974, p. 75).

ÉCROTAGE [ekʀotaʒ] n. m. — 1755; de *écroter.*

♦ Techn. Action d'écroter le sel; terre enlevée en écrotant.

ÉCROTER [ekʀote] v. tr. — 1832, mais antérieur (→ Écrotage); de l'anc. franç. *escroter* (XIIIᵉ) «sortir d'un lieu, d'une cachette» (avec infl. probable de *écroûter*, pour le sens); de *é-, es-* (lat. *ex-*), et anc. franç. *crot* «trou, cachette», mot gaulois, *klotton* «cavité».

♦ Techn. anc. Enlever la terre de (un bloc de sel).

DÉR. Écrotage.

1. ÉCROU [ekʀu] n. m. — 1611; *escroue*, fin XIIᵉ; *escroe*, v. 1171; du francique **skrôda* «morceau coupé, lambeau».

♦ **1.** Vx. ⇒ **Écroue.**

♦ **2.** (XVIIᵉ). Dr. Acte, procès-verbal constatant qu'un individu a été remis à un directeur de prison (⇒ **Emprisonnement, incarcération**). *L'écrou mentionne la date et la cause de l'emprisonnement; il est consigné sur un registre (registre des emprisonnements ou registre d'écrou). Ordre d'écrou* : ordre d'incarcération. — S'emploie surtout dans la loc. **LEVÉE D'ÉCROU** : constatation de la remise en liberté d'un détenu. ⇒ **Élargissement, libération.**

Élisa, était enfin habillée en détenue, avec sur le bras le double numéro de son écrou et de son linge. Ed. DE GONCOURT, la Fille Élisa, 1877, p. 166, *in* T. L. F.

DÉR. Écrouer.
HOM. 2. Écrou, écroue.

2. ÉCROU [ekʀu] n. m. — 1567; *écroue*, fém., 1752; *escroue*, 1542; *escroe*, fin XIIIᵉ; du lat. *scrofa* «truie», par une métaphore sexuelle, analogue de celle qui a donné *porcellana.* → Porcelaine.

♦ Pièce de métal, de bois, etc., percée d'un trou fileté dans lequel s'engage une vis, un boulon. *Écrou de mouvement*, transformant le mouvement circulaire d'une vis en mouvement rectiligne. *Écrou de serrage* (⇒ **Assemblage**). *Écrou carré, cylindrique, à six pans, à chapeau, à oreilles. Filet* d'un écrou. Écrou fileté, taraudé. Écrou brasé*, où la partie filetée est soudée à l'intérieur. *Serrer, desserrer un écrou à l'aide d'une clef. Écrou qui foire*, dont le pas de vis est usé et ne prend plus. — *Écrou de direction* : pièce qui actionne le levier de direction d'une automobile. *Industrie des boulons et des écrous.* ⇒ **Boulonnerie.**

1 *(Le)* chef de pièce (...) avait négligé de serrer l'écrou de la chaîne d'amarrage (...)
HUGO, Quatre-vingt-treize, I, II, 4 (→ Caronade, cit. 1).

2 Alors les couchettes, le hublot, les têtes d'écrou peintes en jaune qui hérissaient les parois, tout lui serait familier, intime. SARTRE, le Sursis, p. 101.

Par métaphore. «*La tête vissée sur l'écrou de sa guimpe*» (H. Bazin).

COMP. Contre-écrou.
HOM. 1. Écrou, écroue.

ÉCROUE [ekʀu] n. f. — Fin XIIᵉ, *escroue.* → 1. Écrou.

♦ Vx (hist.). Morceau de parchemin, registre.

Spécialt. **a** Liste, rôle des receveurs de la taille.

b (1611). *Écroues de la maison du roi*, états de dépense.
HOM. 1. Écrou, 2. écrou.

ÉCROUELLES [ekʀuɛl] n. f. pl. — V. 1245, *escroiele*; du lat. pop. *scrofellæ*, var. de *scrofulæ* (→ Scrofule), rac. *scrofa* «truie», par anal. avec les tumeurs ganglionnaires du porc.

♦ Vx. Adénopathie cervicale chronique d'origine tuberculeuse. *Avoir les écrouelles. On appelait parfois les écrouelles «humeurs froides».*

Anciennt (hist.). Abcès du cou, cicatrices provenant d'une adénite tuberculeuse cervicale. *Le roi de France, le jour du sacre, touchait les écrouelles des malades; on pensait qu'il avait le pouvoir de les guérir.*

1 *(Mᵐᵉ de Soubise)* avait eu beaucoup d'enfants, dont quelques-uns étaient morts des écrouelles (...) SAINT-SIMON, Mémoires, t. III, I.

2 On prétend que cette maladie *(les écrouelles)* fut traitée de divine, parce qu'il n'était pas au pouvoir humain de la guérir (...) Il y a quelque apparence que quelque songe-creux de Normandie, pour rendre l'usurpation de Guillaume-le-Bâtard plus respectable, lui concéda de la part de Dieu la faculté de guérir les écrouel-

les avec le bout du doigt (...) On ne pouvait gratifier les rois d'Angleterre de ce don miraculeux, et le refuser aux rois de France leurs suzerains.
VOLTAIRE, Dict. philosophique, *Écrouelles.*

Loc. (Vx ou régional). *Herbe aux écrouelles.* ⇒ **Scrofulaire.**

DÉR. Écrouelleux.

ÉCROUELLEUX, EUSE [ekʀuɛlø, øz] adj. — 1575, *escrouelleux* ; de *écrouelles,* et *-eux.*

♦ Méd. anc. Qui est atteint des écrouelles. *Malade écrouelleux.* N. *Un écrouelleux, une écrouelleuse.* — Relatif aux écrouelles. *Diathèse écrouelleuse.*

ÉCROUER [ekʀue] v. tr. — 1642, *escrouer* ; de 1. *écrou,* et *-er.*

♦ **1.** Dr. Inscrire sur le registre d'écrou*. *Il a été arrêté et écroué.*

1   Il se loue fort du procédé de ces messieurs ; on ne saurait être écroué avec plus de civilité, interrogé plus sagement, ni élargi plus promptement qu'il n'a été (...)
P.-L. COURIER, Collection d'articles, 1ᵉʳ nov. 1823.

2   Cet homme était écroué sous le n° 9430 et se nommait Jean Valjean.
HUGO, les Misérables, II, II, 3.

♦ **2.** Cour. Emprisonner, enfermer dans une prison. ⇒ **Incarcérer.**

3   (...) le débiteur est écroué à la prison où l'on incarcère les inculpés, les prévenus, les accusés et les condamnés.   BALZAC, Illusions perdues, Pl., p. 730, *in* T. L. F.

CONTR. Élargir, libérer, relâcher.

ÉCROUES [ekʀu] n. f. pl. ⇒ **Écroue.**

ÉCROUIR [ekʀuiʀ] v. tr. — 1704 ; *escrouir,* 1676 ; de *é-,* probabIt de *crou,* forme wallonne de *cru,* au sens de « brut », et *-ir.*

♦ Techn. Traiter (un métal, un alliage) en le soumettant à l'écrouissage.

▶ **ÉCROUI, IE** p. p. adj. *Acier, métal écroui.*

Il en était d'elle, intimement, comme d'un métal écroui devenu sous le battement répété du marteau plus dense et plus dur.
Raymond ABELLIO, Ma dernière mémoire, p. 107.

ÉCROUISSAGE [ekʀuisaʒ] ou **ÉCROUISSEMENT** [ekʀuismɑ̃] n. m. — 1797, *écrouissage* ; *écrouissement,* 1690 ; de *écrouir,* et *-age, -ment.*

♦ Techn. Opération consistant à travailler (en le frappant, laminant, étirant) un métal à une température inférieure à sa température de recuit ; effet ainsi obtenu (résistance à la déformation).

ÉCROULEMENT [ekʀulmɑ̃] n. m. — 1587 ; *ecrollement* « action d'ébranler », 1561 ; de *écrouler.*

♦ **1.** (1587). Fait de s'écrouler ; chute soudaine. ⇒ **Affaissement, chute, dégringolade** (fam.), **effondrement.** *L'écroulement d'un mur, d'un édifice. L'écroulement d'un rocher, d'une montagne.* ⇒ **Éboulement.** *Écroulement d'un échafaudage.*

1   L'eau s'infiltrait dans de certains terrains sous-jacents, particulièrement friables ; le radier (...) n'ayant plus de point d'appui, pliait. Un pli dans un plancher de ce genre, c'est une fente, c'est l'écroulement.   HUGO, les Misérables, V, III, v.

2   Il se dressa sur sa chaise pour mieux voir et posa sa semelle sur le bord de la table pour soutenir son équilibre. Son équilibre !... Fatale idée ! La table y laissa immédiatement le sien, et, en moins de temps qu'il n'en faut pour le dire, ce fut l'écroulement général et de la table, et de la chaise, et de Bourdon (...)
COURTELINE, Messieurs les ronds-de-cuir, 6ᵉ tableau, III.

♦ **2.** (Av. 1742). Fig. Destruction soudaine et complète. ⇒ **Anéantissement, chute, culbute** (fam.), **désagrégation, destruction, disparition, renversement, ruine.** *L'écroulement d'un empire, d'une puissance.* ⇒ **Chute** (cit. 11), **dissolution** (→ Disloquer, cit. 3). *L'écroulement d'une fortune.* — *Écroulement d'un projet, d'une entreprise. Ce fut l'écroulement de ses espérances. L'écroulement d'un système.* — *L'écroulement de la santé, de la raison.*

3   Que de fois, depuis qu'ils cheminent, la vieille monarchie est tombée à leurs pieds ! À peine échappés à ces écroulements successifs, ils sont obligés d'en traverser de nouveau les décombres et la poussière.
CHATEAUBRIAND, Mémoires d'outre-tombe, t. v, p. 412.

4   Journée fulgurante, en effet, écroulement de la monarchie militaire qui, à la grande stupeur des rois, a entraîné tous les royaumes, chute de la force, déroute de la guerre.   HUGO, les Misérables, II, I, XVI.

5   L'écroulement de ma vie sur elle-même me laissait un sentiment de vide comme celui qui suit un accès de fièvre ou un amour brisé.
RENAN, Souvenirs d'enfance..., VI, II, p. 238.

6   Avec ça, un symptôme plus grave à lui seul que l'ensemble de tous les autres attestait l'écroulement final de cette intelligence sombrée ; l'écriture du pauvre garçon allait s'altérant de jour en jour !
COURTELINE, Messieurs les ronds-de-cuir, 5ᵉ tableau, I.

♦ **3.** (En parlant d'une personne). Fait de s'affaler, de s'écrouler physiquement, de s'effondrer.

7   Quand le bateau fut au milieu du détroit et qu'il commença à danser sérieuse-

---

ment, tout (...) disparut pour laisser place à cette abominable sueur froide qui précédait l'écroulement physique de Lucas, victime négligeable du mal de mer.
P. MAC ORLAN, la Bandera, XIX, p. 233.

CONTR. Construction, élévation, érection. — Création, établissement, renforcement...

ÉCROULER (S') [ekʀule] v. pron. — 1690, Furetière ; trans., déb. XIIᵉ ; de *é-,* et *crouler.*

♦ **1.** (Sujet n. de chose concrète). Tomber soudainement de toute sa masse. ⇒ **Abattre** (s'), **abîmer** (s'), **affaisser** (s'), **choir, crouler, culbuter, dégringoler, ébouler** (s'), **effondrer** (s'), **tomber.** *Mur, édifice, échafaudage qui s'écroule. Le plafond s'écroula sur les occupants. S'écrouler avec bruit, avec fracas. Maison délabrée (cit. 4), près de s'écrouler. Poutre qui s'écroule sous une charge.* ⇒ **Céder, craquer.**

1   D'admirables édifices dont la perte sera irréparable, et qui avaient été conservés jusqu'alors dans l'intégrité la plus minutieuse, vont se dégrader, s'écrouler (...)
Th. GAUTIER, Voyage en Espagne, p. 33.

2   Les battants des portes éclatent. Des pans de murs s'écroulent. Des architraves tombent.   FLAUBERT, la Tentation de saint Antoine, II, p. 25.

3   Une bûche s'écroula dans les cendres.
MARTIN DU GARD, les Thibault, t. III, p. 267.

Par extension :

4   Sa robe exagérée, en sa royale ampleur,
S'écroule abondamment sur un pied sec que pince
Un soulier pomponné, joli comme une fleur.
BAUDELAIRE, Tableaux parisiens, « Danse macabre ».

♦ **2.** (1790). (Sujet n. de chose abstraite). Subir une destruction, une fin brutale. ⇒ **Anéantir** (s'), **désagréger** (se), **sombrer, tomber.** *Empire, puissance qui s'écroule.* ⇒ **Renverser** (être renversé). *Gouvernement qui s'écroule* (→ Asseoir, cit. 45). *Sa fortune s'écroula brusquement.* — *Ses derniers espoirs se sont écroulés.* ⇒ **Dissoudre** (se), **disparaître.** *Tous leurs projets s'écroulèrent. Système qui s'écroule* (→ Base, cit. 11).

5   Et les choses qu'on crut éternelles s'écroulent
Avant qu'on ait le temps de compter jusqu'à vingt.
HUGO, la Légende des siècles, XXII, IV.

6   Vous allez dire que je détruis l'édifice de notre amour (...) Ce que je vais détruire se fût écroulé bientôt et eût enseveli sous les décombres ce que nous possédons encore en commun.   A. MAUROIS, Terre promise, p. 288.

7   (...) le contraste, tous les jours plus criant, de cette misère générale avec la débauche dorée qui, plus que jamais, s'étalait. Des fortunes énormes s'élevaient et s'écroulaient en un an (...)
Louis MADELIN, Hist. du Consulat et de l'Empire, Ascension de Bonaparte, XIII, p. 181.

♦ **3.** (1880). (Sujet n. de personne). Se laisser tomber lourdement. ⇒ **Affaler** (s'), **effondrer** (s'). *Il s'écroula sur un siège, sur son lit, dans un fauteuil. S'écrouler de tout son long.*

8   (...) il y a, devant des guérites grises, entre un haut mur et un fossé, des sentinelles qui vacillent sur leurs jambes, et luttent de toutes leurs forces pour ne pas s'écrouler dans ce sommeil dont d'autres ne veulent plus.
J. ROMAINS, les Hommes de bonne volonté, t. III, XVII, p. 229.

Sports. Connaître une défaillance totale et brutale. *Longtemps en tête, il s'est écroulé dans la ligne d'arrivée.*

(1842). Fig. S'effondrer. *À l'annonce de ce malheur, il s'écroula.*

♦ **4.** (Sujet n. de personne ; abstrait). S'ÉCROULER DE... : être accablé de... *S'écrouler de fatigue, d'ennui, de désespoir.* — Fam. *S'écrouler de rire :* n'en plus pouvoir à force de rire. ⇒ **Tordre** (se).

▶ **ÉCROULÉ, ÉE** p. p. adj.

♦ **1.** Tombé en ruines. *Débris, décombres d'une maison écroulée. Mur à demi écroulé.*

9   Tous ces vieux pans de murs écroulés, Salonique.
HUGO, la Légende des siècles, XVI, I.

10   Elle aimait les grottes perdues dans les bois, les ruines des vieux châteaux, les temples écroulés aux colonnes festonnées de lierre (...)
NERVAL, Promenades et souvenirs, VIII.

♦ **2.** Fig. Détruit, anéanti. *L'histoire d'un empire écroulé. Des fortunes écroulées.*

♦ **3.** (Personnes). Affalé, accablé (de fatigue, par un malheur). *Un homme écroulé dans un fauteuil. Il était complètement écroulé.*

11   Enfin, au pied de ces reliques, écroulé dans le voltaire, Fernand, la tête ballante, pris par le sommeil à la gorge (...)   F. MAURIAC, Génitrix, VII, p. 88.

Fam. *Écroulé (de rire). On était tous écroulés, avec ses pitreries.*

CONTR. Élever (s'), ériger (s'). — **Dresser** (se), **lever** (se). — **Debout, droit.**
DÉR. Écroulement.

ÉCROÛTAGE [ekʀutaʒ] ou **ÉCROÛTEMENT** [ekʀutmɑ̃] n. m. — 1755, *écroûtage* ; *écroûtement,* 1611 ; de *écroûter,* et *-age, -ment.*

♦ Agric. Action d'écroûter (une terre).

ÉCROÛTER [ekʀute] v. tr. — V. 1180, *escrouster;* xɪɪᵉ ; de *é-, croûte,* et suff. verbal.

♦ **1.** Dégarnir de sa croûte. *Écroûter le pain.* — *Écroûter une plaie.*

♦ **2.** (1845). Agric. Labourer* superficiellement (une terre).

DÉR. Écroûtage ou écroûtement. — Écroûteuse.

ÉCROÛTEUSE [ekʀutøz] n. f. — 1907 ; de *écroûter,* et *-euse ;* cf. Écroûteur, 1861.

♦ Techn. (agric.). Herse destinée à émietter la croûte superficielle d'une terre.

ÉCRU, UE [ekʀy] adj. — 1260, *escru;* de *é- (es-)* intensif, et *cru.*

♦ **1.** Vx. Qui est à l'état naturel, brut. ⇒ **Brut** (2.), 2. **cru** (2.).

♦ **2.** Mod. *Toile écrue,* qui n'a pas été blanchie. ⇒ **Blanchiment.** *Coton écru. Soie écrue,* qui n'a pas été décruée*. *Fil écru.*

1   Sa robe de foulard écru collait à ses épaules un peu tombantes (...)
                          FLAUBERT, l'Éducation sentimentale, III, ɪ.

N. m. Étoffe écrue. *Des écrus.*

Par anal. Qui a une teinte jaunâtre analogue à celle d'une toile ou de la soie écrue. — N. m. Cette teinte.

2   (...) le monde était devenu lentement une drôle de symphonie de flanelles, les unes grises, les autres rouges, ou brunes, ou bleuâtres, qui s'irritaient et se grattaient mutuellement. La laine des murs contre l'écru de l'air ; la broderie orange, toute seule, un point rond, de l'ampoule électrique (...)
                          J.-M. G. LE CLÉZIO, la Fièvre, p. 76.

♦ **3.** (1762, in D.D.L.). Techn. *Fer écru,* qui a été mal corroyé. — *Cuir écru,* qui n'a pas été corroyé à l'eau. — *Pâte (à papier) écrue :* pâte obtenue par cuisson de bois, de végétaux et qui n'a pas été blanchie.

CONTR. Blanchi, préparé, décrué ou décreusé. — Corroyé.
HOM. Écrues.

ÉCRUES [ekʀy] n. f. pl. — xvɪᵉ, *escrue ; écrues, in* Littré ; de l'anc. franç. *escroitre,* de *es- (é-),* et *croistre (croître*).*

♦ Agric. et régional. Broussailles poussant dans une terre labourable. *Nettoyer les écrues.*
HOM. Écru.

ECTASIE [ektɑzi] n. f. — 1824 ; *ectasis,* 1792 ; du grec *ektasis* « dilatation », de *ekteinein* « étendre, allonger ».

♦ **1.** Méd. Dilatation anormale d'un organe creux. *Ectasie bronchique.*

♦ **2.** Didact. Fait d'allonger une syllabe qui est normalement brève, en prosodie grecque. (On a dit aussi *ectase* [ektɑz] n. f.).
DÉR. Ectasier.

-ECTASIE Élément de mots de médecine, du grec *ektasis* « dilatation ». ⇒ **Atélectasie, bronchectasie.**

ECTASIER [ektɑzje] v. tr. — 1896, p. p. ; de *ectasie,* et *-er.*

♦ Méd. Dilater (un organe creux). — REM. Ne pas confondre avec le paronyme *extasier.*

ECTHYMA [ektima] n. m. — 1824, Nysten, *in* D.D.L. ; *ecthymate,* 1808 ; grec *ekthuma* « bouton d'échauffement ».

♦ Méd. Affection cutanée microbienne, caractérisée par des pustules dont le centre se recouvre d'une croûte masquant une ulcération.

ECTO- Élément tiré du grec *ektos* « au dehors » et servant à former des mots savants. ⇒ **Ectoderme, ectogenèse, ectomorphe, ectoparasite, ectophyte, ectoplasme, ectozoaire.** — Spécialt, en biol., sert à former des comp. avec le sens de « d'origine ectodermique » (ex. : *ectomésenchyme*).

ECTOBLASTE [ektɔblast] n. m. — 1905, *in Rev. gén. des sc.,* nº 8, p. 383 ; de *ecto-,* et *-blaste.*

♦ Biol. ⇒ **Ectoderme.**
DÉR. Ectoblastique.

ECTOBLASTIQUE [ektɔblastik] adj. — Déb. xxᵉ ; de *ectoblaste.*

♦ Biol. ⇒ **Ectodermique.**

ECTODERME [ektɔdɛʀm] n. m. — 1855, *in* D.D.L. ; formé comme contr. de *endoderme* à l'aide de l'élément *ecto-,* et *-derme.*

♦ (1901). Biol. Feuillet superficiel ou externe du troisième stade de développement de l'embryon (⇒ **Gastrula**), dont dérivent l'épiderme (et ses annexes : phanères et glandes ; ⇒ **Épiblaste**) et le système nerveux (⇒ **Neuroblaste**). ⇒ aussi **Endoderme, mésoderme.** — REM. L'usage scientifique mod. préfère le syn. *ectoblaste.*
DÉR. Ectodermique.

ECTODERMIQUE [ektɔdɛʀmik] adj. — 1877 ; de *ectoderme,* et *-ique.*

♦ Biol. Qui a rapport à l'ectoderme. *Tissus d'origine ectodermique. Formations ectodermiques* (opposé à *endodermique*).

ECTOGENÈSE [ektɔʒənɛz] n. f. — Mil. xxᵉ ; de *ecto-,* et *genèse.*

♦ Biol. Développement complet de l'embryon des mammifères placentaires en dehors du corps maternel.

ECTOLÉCITHE [ektɔlesit] adj. — 1904, in *Rev. gén. des sc.,* nº 3, p. 144 ; de *ecto-,* et *-lécithe.*

♦ Biol. Se dit des œufs dont le vitellus se trouve à la périphérie.

-ECTOMIE Élément, du grec *ektomê* « ablation ». ⇒ **Amygdalectomie, appendicectomie, artériectomie, gastrectomie, hystérectomie, mastectomie, ménisectomie, néphrectomie, omphalectomie, orchidectomie, ovariectomie, parotidectomie, pharyngectomie, phlébectomie, vasectomie.** — REM. Les composés de ce suffixe ont des dérivés verbaux en *-ectomiser (gastrectomiser, laryngectomiser).*

ECTOMISER [ektɔmize] v. tr. — xxᵉ ; de *-ectomie.*

♦ Didact. Faire l'ablation de. — Au p. p. adj. Dont on a fait l'ablation.
(...) lui est mort, et elle (...) épouse tardive, à la maternité rendue impossible par ses organes douloureux, stériles et finalement ectomisés, elle n'a sans doute jamais espéré d'autre joie, parmi celles du mariage, que de pouponner l'enfant d'une autre (...)
                          A. SARRAZIN, la Traversière, p. 15 (1966).

ECTOMORPHE [ektɔmɔʀf] adj. et n. — V. 1950 ; de *ecto-,* et *-morphe.*

♦ Anthrop. Un des trois biotypes* de la classification établie par W. H. Sheldon, et qui est caractérisé par un physique longiligne.
Comme M. Martiny en France, William H. Sheldon, de l'Université Columbia (New York), a eu l'originalité de rattacher les *trois types* choisis par lui (outre un type moyen), au développement relativement plus grand, selon les individus, de tel ou tel des trois feuillets de l'embryon, feuillets appelés *endoderme, mésoderme* et *ectoderme,* et qui chacun, au cours de l'organogenèse (ou croissance embryonnaire) donne naissance à un groupe de tissus distincts : on a ainsi l'*endomorphe* (= digestif), le *mésomorphe* (= musculaire) et l'*ectomorphe* (= cérébral).
                          Pierre GRAPIN, l'Anthropologie criminelle, p. 57-58.

ECTOMORPHIQUE [ektɔmɔʀfik] adj. — V. 1950 ; de *ecto-,* et *-morphique.*

♦ Anthrop. Qui correspond à l'ectomorphe. *« La composante que Sheldon appelle* ectomorphique » (Pierre Grapin, *l'Anthropologie criminelle,* p. 60).

ECTOMORPHISME [ektɔmɔʀfism] n. m. — V. 1950 ; de *ecto-,* et *-morphisme.*

♦ Anthrop. Morphologie de l'ectomorphe.

ECTOPARASITE [ektɔpaʀazit] n. m. et adj. — 1878, *in* D.D.L. ; de *ecto-,* et *parasite.*

♦ Zool. Parasite externe. *Insectes ectoparasites* (opposé à *endoparasite*). — N. m. *Ectoparasites des végétaux, des animaux.* ⇒ **Ectophyte, ectozoaire.**
Les Lamproies et les Myxines peuvent être considérées comme des parasites externes (...) On trouve d'autres ectoparasites parmi les Poissons-Chats d'Amérique du Sud (...) qui, qui ont en tous points les mœurs des Lamproies, se fixent sur la peau de divers animaux, qu'ils perforent pour sucer le sang ; d'autres, beaucoup plus petits, s'insinuent entre les lamelles branchiales des grands poissons d'eau douce et leur font de cruelles saignées.   R. et M.-L. BAUCHOT, les Poissons, p. 101.

ECTOPHYTE [ektɔfit] adj. et n. m. — 1910 ; de *ecto-,* et *-phyte.*

♦ Biol. (Végétal) Qui vit à la surface d'un hôte, en symbiose ou en tant que parasite. ⇒ **Endophyte.** — N. m. *Un ectophyte.*

ECTOPIE [ektɔpi] n. f. — Av. 1837 ; « luxation », 1808 ; du grec *ektopos* « éloigné de sa place », et suff. *-ie.*

♦ Anat., méd. Situation (d'un organe) hors de sa place habituelle.

Ectopie des testicules (cryptorchidie). *Ectopie du cœur, du rein. Dent en ectopie,* qui n'a pas évolué vers sa place normale.

Parmi les traits tératologiques dont la transmission est plus ou moins bien éclaircie, nous citerons l'ectopie du cristallin (...)
L. CUÉNOT et Jean ROSTAND, Introd. à la génétique, 1936, p. 110, *in* T. L. F.

DÉR. Ectopique.

ECTOPIQUE [ɛktɔpik] adj. — 1894, *in* D. D. L.; de *ectopie.*

♦ Anat., méd. (en parlant d'un organe). Qui n'occupe pas sa place normale. *Testicules ectopiques. Rein ectopique.*

ECTOPLASME [ɛktɔplasm] n. m. — 1890; de *ecto-,* et *-plasme.*

♦ **1.** Biol. Couche superficielle de la cellule animale, surtout visible chez certains protozoaires (amibes). Opposé à *endoplasme.*

♦ **2.** (1922). Occultisme et cour. Émanation visible du corps du médium.

1 Une espèce d'ectoplasme translucide se formait tout autour, une espèce de visage, mon visage. B. CENDRARS, Moravagine, *in* Œ. compl., t. IV, p. 169.

♦ **3.** Personne (et, par ext., chose) sans consistance, qui ne se manifeste pas avec une vivacité normale. *Qu'est-ce que c'est que cet ectoplasme? On ne l'entend jamais, il ne bouge pas...* ⇒ **Zombie.**

2 Elle *(une banane écrasée)* ne ressemblait pas à un fruit écrasé, ce qui n'a rien d'étonnant, puisque la banane est un ectoplasme végétal.
Jacques LAURENT, les Bêtises, p. 93.

DÉR. Ectoplasmie, ectoplasmique.

ECTOPLASMIE [ɛktɔplasmi] n. f. — 1922; de *ectoplasme,* 2.

♦ Don attribué à certains médiums de produire des ectoplasmes (2.).

ECTOPLASMIQUE [ɛktɔplasmik] adj. — 1903, in *Rev. gén. des sc.,* n° 21, p. 1102; de *ectoplasme,* 1.

♦ Biol. Relatif à l'ectoplasme (1.). *Membrane ectoplasmique.*

ECTOTHERME [ɛktɔtɛʀm] adj. et n. — Av. 1981 (*la Recherche,* juin 1981, p. 690); de *ecto-,* et *-therme.*

♦ Didact. Se dit des animaux qui, ne produisant pas de chaleur interne (→ Endotherme), dépendent des sources extérieures de chaleur pour augmenter leur température. ⇒ **Poïkilotherme.**

ECTOZOAIRE [ɛktɔzɔɛʀ] n. m. — 1898, *Nouveau Larousse illustré;* de *ecto-,* et *-zoaire.*

♦ Biol. Parasite animal qui vit sur le corps de son hôte. *Les poux sont des ectozoaires.* ⇒ **Dermatozoaire.**

ECTRO- Préfixe tiré du mot grec *ektrosis* «avortement», entrant dans la composition de quelques termes récents de médecine. ⇒ **Ectrodactylie, ectromèle.**

ECTRODACTYLIE [ɛktʀɔdaktili] n. f. — 1855, Nysten; comp. du grec *ektro;* de *ectro-,* et *-dactylie.*

♦ Physiol. Absence congénitale d'un ou plusieurs doigts.

ECTROMÈLE [ɛktʀɔmɛl] adj. et n. — 1864, Littré; de *ectro-,* et *-mèle,* de *mêlos* «membre».

♦ Méd. Dont les membres sont atrophiés ou absents. → Phocomèle.

ECTROPION [ɛktʀɔpjɔ̃] n. m. — V. 1577; du grec *ektropion,* de *ektrepein* «détourner», de *ek-,* et *tropein* «tourner». Médecine.

♦ **1.** Renversement des paupières en dehors. ⇒ **Éraillement.** *Ectropion de la paupière supérieure.*

♦ **2.** (1878). Éversion de la muqueuse du col utérin.

ECTYPE [ɛktip] n. m. et f. — 1661, *in* D. D. L.; empr. au lat. impérial *ectypus* «qui est relatif, saillant», du grec *ek-,* et *tupos* «empreinte». → Type. Didactique.

♦ **1.** N. m. Philos. Idée provenant de la représentation.

♦ **2.** N. f. Empreinte d'une médaille, d'un cachet.

ÉCU [eky] n. m. — V. 1080, *escut* «bouclier»; du lat. *scutum* «bouclier».

★ **I.** ♦ **1.** Anciennt. Bouclier des hommes d'armes, au moyen âge. ⇒ **Bouclier.** *Écu oblong, triangulaire, quadrangulaire. Écu en bois recouvert de cuir. Écu en métal. Combattre avec la lance et l'écu. Porter l'écu d'un chevalier* ⇒ **Écuyer.** *Emblèmes, armoiries qui décorent un écu.*

1 Comme pour exprimer les détours du destin
Dont le héros triomphe, un graveur florentin
Avait sur son écu sculpté le labyrinthe (...)
HUGO, la Légende des siècles, XVIII, «La confiance du marquis Fabrice», I.

♦ **2.** (1254). Blason et cour. Champ en forme de bouclier où sont représentées les pièces des armoiries. ⇒ **Armoirie** (cit. 2), **écusson.** *Formes de l'écu* (triangulaire, en amande, ovale, carré, rond, en losange). *Position ou points dans l'écu, état de l'écu. Amades de l'écu. Barres et bandes de l'écu. Écu barré...* ⇒ **Blason.** — Par ext. Armoiries* représentées dans l'écu. *L'écu de France. Écu marquant la juridiction d'un seigneur.* ⇒ **Panonceau.**

2 (...) un héraut d'armes même, en cette conjoncture, n'aurait pas discerné les émaux et couleurs d'un écu, encore moins ses partitions, figures et pièces honorables.
Th. GAUTIER, le Capitaine Fracasse, t. II, XI, p. 73.

♦ **3.** Zool. Pièce en triangle derrière le corselet, entre la base des élytres (d'un insecte). ⇒ **Écusson.**

★ **II.** (1336). ♦ **1.** Hist. Ancienne monnaie qui portait, à l'origine, l'écu de France sur une de ses faces. *Premiers écus d'or, frappés sous saint Louis. Écu d'or au soleil,* frappé sous Louis XI et Charles VIII. — (1641). *Écu blanc* ou *petit écu :* pièce d'argent de trois livres. « *En 1641, le Roi ordonna la fabrication d'une nouvelle monnaie d'argent sous le nom de Louis d'argent, ou de pièce de 60 sous. C'est ce qu'on nomme communément écu blanc* (...) *ainsi, partout où il est parlé d'écu avant 1641, il faut l'entendre de l'écu d'or* (...) *Il y a aussi des écus de 6 francs* » (Trévoux). *Double écu, demi écu, quart d'écu.* ⇒ **Seizain.** *L'écu républicain de l'an II,* dernier écu d'argent. *L'Homme aux quarante écus,* conte de Voltaire.

3 — (...) Vous dites qu'il y avait dans cette cassette...? — Dix mille écus bien comptés. — Dix mille écus! — Dix mille écus. — Le vol est considérable.
MOLIÈRE, l'Avare, V, 1.

4 L'homme aux quarante écus s'étant beaucoup formé, et ayant fait une petite fortune, épousa une jolie fille qui possédait cent écus de rente.
VOLTAIRE, l'Homme aux quarante écus, VII.

Par anal. Ancienne pièce de cinq francs en argent.

4.1 On ne découvrit pas un écu d'argent sonnant.
ZOLA, le Ventre de Paris, 1873, p. 650, *in* T. L. F.

Loc. Vx. *Avoir des écus,* de l'argent. — (1690, Furetière). Vx. *Avoir des écus moisis :* être riche et avare. — *N'avoir pas un écu vaillant :* être démuni d'argent. ⇒ **Sou.** — (Déb. XIXᵉ). *Mettre écu sur écu :* thésauriser. — (Fin XVIIᵉ). *Remuer les écus à la pelle :* être très riche.

(1690, Furetière, les avocats ayant au XVIIᵉ s. une réputation d'avidité bien établie). *Cela ne lui fait non plus de peur qu'un écu à un avocat :* «il n'en a aucune frayeur; il aime assez cela» (Furetière). — (XVIIᵉ-XIXᵉ). Fig. *Le reste, le restant de mon (notre) écu :* ce qui arrive de désagréable après une série d'ennuis.

Loc. prov. Vx. « *Écu changé, écu mangé* » *:* une somme entamée risque d'être entièrement dépensée.

♦ **2.** (1765). Techn. Papier de petit format (0,40 m × 0,52 m), ainsi nommé parce qu'il portait un écu (monnaie) en filigrane. — En appos. (après le nom d'un format) :

5 J'ai les *Fêtes Galantes* de Verlaine, un joli in-12 écu.
RIMBAUD, Lettre à Georges Izambard, 25 août 1870, Pl., p. 243.

DÉR. Écuage ou **écuiage, écusson, écuyer.**
HOM. E. C. U.

E. C. U. [eky] n. m. invar. — 1978; sigle de *European Currency Unit,* utilisé en franç. grâce à l'homonymie avec *écu.*

♦ Unité de compte du système monétaire européen. «*On évaluera chaque monnaie européenne en E. C. U.*» (le Nouvel Obs., 16 oct. 1978).

HOM. Écu.

ÉCUAGE [ekɥaʒ] ou **ÉCUIAGE** [ekɥijaʒ] n. m. — 1215; de *écu,* ou de *écuyer,* et suff. *-age.* Histoire.

♦ **1.** État d'écuyer; service féodal auquel était tenu un écuyer.

♦ **2.** (1690, Furetière). Droit payé par l'écuyer pour s'exempter de ce service.

ÉCUANTEUR [ekɥɑ̃tœʀ] n. f. — 1795, *in* D. D. L.; orig. incert., soit à rapprocher du dial. du Haut-Maine *équanter* «donner aux raies d'une roue l'inclinaison nécessaire sur le moyeu», de *cant,* forme normande de 2. *chant;* soit à rapprocher du dial. du Centre *écuer,* même sens.

♦ Techn. Inclinaison des rayons d'une roue de véhicule sur l'axe du moyeu, pour augmenter la résistance. ⇒ **Déport.**

Aux IVe-IIIe siècle avant notre ère (...) l'usage se répand en Chine de donner aux rayons une légère obliquité par rapport au plan de la roue *(écuanteur)* qui augmente la résistance aux chocs latéraux.
          Jacques GERNET, le Monde chinois, p. 68.

ÉCUBIER [ekybje] n. m. — V. 1602, *escubbier*; *escumier*, 1553; *esquenbieu, esquembieu*, v. 1383; orig. incert., p.-ê. adaptation du port. *escouvem.*

♦ Mar. Chacune des ouvertures ménagées à l'avant d'un navire, de chaque côté de l'étrave, pour le passage des câbles ou des chaînes. *Écubier de bâbord* (→ Roder, cit. 2). *Bouchon d'écubier.* ⇒ 2. **Tape.**

1 L'examen burlesque de l'avant d'un bâtiment pourrait faire considérer les écubiers comme étant les deux yeux et la guibre un nez retourné.
    Jules LECOMTE et P. LUCO, Dict. pittoresque de marine (1836), art. *Écubiers.*

2 (...) on entendit un bruit de chaînes qui couraient en grinçant à travers les écubiers. Le navire venait de mouiller en vue de Granite-House !
    J. VERNE, l'Île mystérieuse, t. II, p. 609 (1874).

ÉCUEIL [ekœj] n. m. — 1604; *escueil*, 1538; empr. à l'anc. provençal *escueyll*, du lat. pop. *scoclus*, du lat. *scopulus*, du grec *skopelos* «rocher».

♦ **1.** Rocher, banc de sable, de coquillages, de corail, à fleur d'eau ou caché sous l'eau, contre lequel un navire risque de se briser ou de s'échouer. ⇒ **Brisant, chaussée, récif.** *Contour d'un écueil.* ⇒ (vx) 2. **Accore.** *Mer semée d'écueils* (→ Argenté, cit. 6). *Les écueils qui bordent une côte dangereuse. Rencontrer, heurter un écueil ; donner sur un écueil. Navire qui se brise sur un écueil, contre un écueil.*

1 Les Turcs ont passé là. Tout est ruine et deuil.
  Chio, l'île des vins, n'est plus qu'un sombre écueil. HUGO, les Orientales, XVIII.

2 (...) les écueils connus de là-bas, les feux de la côte, la pointe du Finistère avec ses grandes roches sombres; et les approches dangereuses d'Ouessant les soirs d'hiver (...)   LOTI, Mon frère Yves, LXXV, p. 178.

3 L'escadre, qui venait de Toulon et qui se dirigeait vers Brest, se trouva tout à coup, au milieu d'un beau jour, saisie par la brume, dans les parages dangereux de l'île de Sein, semés de roches : six cuirassés, une trentaine de bâtiments légers, de sous-marins, tout à coup aveuglés et stoppant, à la merci du vent et des courants, au milieu d'un champ d'écueils. VALÉRY, Variété III, p. 197.

Par métaphore (même sens global que le sens fig. ; → ci-dessous, 2. :

4 Combien à cet écueil se sont déjà brisés (...) CORNEILLE, Cinna, I, 2.

♦ **2.** (1604). Fig. Obstacle dangereux (pour la vertu, la réputation, la fortune...), cause d'échec. ⇒ **Achoppement** (pierre d'achoppement), **chausse-trappe, danger, obstacle, péril, piège ; cactus** (fig. et fam.). *La vie est pleine d'écueils. Les écueils d'une carrière, d'une politique.* — Rare. *L'écueil de...* (et inf.) : l'obstacle qu'il y a à... (→ ci-dessous, cit. 7). *Rencontrer, éviter un écueil.*

5 Un ouvrage satirique (...) qui est donné en feuilles sous le manteau (...) s'il est médiocre, passe pour merveilleux; l'impression est l'écueil.
    LA BRUYÈRE, les Caractères, I, 5.

6 Les premiers jours du mariage sont un écueil pour les petits esprits comme pour les grands amours. BALZAC, Béatrix, Pl., t. II, p. 394.

7 (...) l'écueil d'être beau, c'est d'être fade (...) HUGO, l'Homme qui rit, II, I, III, 1.

8 Le vers libre, qui favorise les talents originaux et qui est l'écueil des autres.
    R. DE GOURMONT, Livre des masques, p. 225.

ÉCUELLE [ekɥɛl] n. f. — V. 1119, *escüelle*; du lat. pop. *scutella* (u long), «écuelle», dimin. (u bref) du lat. class. *scuta*, p.-ê. d'après *scutum* (u long). → Écu.

♦ **1.** Assiette large et creuse, sans rebord, destinée à contenir une portion d'un aliment liquide. *Écuelle en bois, en terre, en métal. Écuelle à couvercle, à oreilles.* ⇒ **Orillon.** *Manger sa soupe dans une écuelle.* — REM. Au moyen âge, on se servait de l'écuelle dans les plus grands dîners ; dans l'usage actuel, le mot connote la campagne, la rusticité.

1 Les bourgeois de Loches lui envoyaient à dîner et à souper dans une petite écuelle qui faisait le tour de la ville. SAINT-SIMON, Mémoires, I, 133, *in* LITTRÉ.

2 Mon cher maître, répondit Cacambo, Cunégonde lave les écuelles sur le bord de la Propontide, chez un prince qui a très peu d'écuelles (...)
    VOLTAIRE, Candide, XXVII.

Spécialt. *L'écuelle d'un chien, d'un chat.*

Par ext. L'écuelle et son contenu ; le contenu lui-même. ⇒ **Écuellée.** *Manger une écuellée de soupe.*

3 Elle s'avançait vers eux, portant, sur un plateau, une écuelle de porridge, des pruneaux cuits, une timbale de lait, qu'elle déposa sur la table de jardin.
    MARTIN DU GARD, les Thibault, t. IX, p. 30.

Loc. fig. Vx. *Il a bien plu dans son écuelle* : il a fait un gros héritage. — Vieilli. *Manger à la même écuelle* : avoir les mêmes sources de profits, les mêmes intérêts. — (XVIe-XIXe). Vx. *Mettre (jeter) tout par écuelles* : tout dépenser en mangeailles.

♦ **2.** (Emplois techn., par anal.). Archit. Calotte formée par la face interne d'un voussoir de voûte sphérique.

Mar. *Écuelle de cabestan* : plaque de fer concave, dans laquelle est fixé le dé sur lequel tourne le pivot d'un cabestan (Gruss).

♦ **3.** *Écuelle d'eau* : plante amphibie, ombellifère, qui croît dans les marécages et dont les feuilles forment godet. ⇒ **Hydrocotyle.**
DÉR. Écuellée, écuellier.

ÉCUELLÉE [ekɥele ; ekɥɛle] n. f. — XIIIe, *escüelee*; de *écuelle*, et *-ée.*

♦ Rare. Contenu d'une écuelle. *Une écuellée de soupe* (→ Chenil, cit. 2). — Syn. : *écuelle.*
Les Rémonencq payaient (...) un centime et demi une écuellée de pommes de terre (...) BALZAC, le Cousin Pons, Pl., t. VI, p. 616.
Par anal. Petite quantité (→ Écrabouiller, cit. 3).

ÉCUELLIER [ekɥelje ; ekɥɛlje] n. m. — 1260; de *écuelle.*

♦ Vx (ou hist. du mobilier). Meuble où l'on rangeait la vaisselle ordinaire. ⇒ **Vaisselier.**

ÉCUISSAGE [ekɥisaʒ] n. m. — 1864, *in* Littré; de *écuisser.*

♦ Techn. Rare. Action d'écuisser (un arbre).

ÉCUISSER [ekɥise] v. tr. — V. 1179, *escuisser*; de *é-, cuisse,* et suff. verbal.

♦ **1.** Vx. Estropier en rompant la cuisse.

♦ **2.** (1571). Techn. Faire éclater (le tronc d'un arbre) en l'abattant. ⇒ **Arbre** (cit. 18). *Écuisser un arbre, un tronc.*
DÉR. Écuissage.

ÉCULER [ekyle] v. tr. — 1564, *esculer*; de *é-, cul* (au sens fig., «partie postérieure d'un objet»), et *-er.*

♦ Rare. Déformer, user (une chaussure) à l'endroit du talon. *Enfant qui écule ses souliers en marchant.* — Pron. *Les talons se sont très vite éculés.*

▶ **ÉCULÉ, ÉE** p. p. adj. Cour.

♦ **1.** (1611). Dont le talon est usé, déformé. ⇒ **Déformé, usé.** *Des chaussures, des sandales éculées.*
1 Elles traînaient leurs pieds dans des savates éculées (...)
    P. MAC ORLAN, Quai des brumes, VIII, p. 125.

♦ **2.** (Mil. XIXe). Fig. Qui est usé, défraîchi, qui n'a plus de pouvoir à force d'avoir servi. ⇒ **Usé ; ressassé.** *Expression éculée* (→ Démagogue, cit. 3). *Des plaisanteries, des jeux de mots éculés qui ne font plus rire.*

2 Un peu plus et nous traînerons
  Notre rauque idylle éculée
  Dans le ruisseau des Porcherons. HUGO, la Légende des siècles, LVI.

3 Rabâchage de séculaires rengaines (...) parodies éculées depuis deux mille ans, on n'imagine rien de plus. Léon BLOY, le Désespéré, p. 138.

CONTR. Neuf, nouveau, original.

ÉCUMAGE [ekymaʒ] n. m. — 1838; de *écumer.*

♦ Action d'écumer, d'épurer. *L'écumage du bouillon, des confitures. Écumage de l'effluent urbain* (épuré des huiles et des graisses).

ÉCUMANT, ANTE [ekymɑ̃, ɑ̃t] p. prés. adj. — 1480; p. prés. de *écumer.*

♦ **1.** Littér. Qui écume. ⇒ **Spumescent.** *Mer, vague écumante* (→ Bondir, cit. 12).
1 (...) l'onde était écumante sous les coups de rames (...) FÉNELON, Télémaque, II.
2 Ici gronde le fleuve aux vagues écumantes (...)
    LAMARTINE, Premières méditations, « L'isolement ».
2.1 Des vaguelettes écumantes remontaient le courant et venaient crachoter contre la berge. B. CENDRARS, Moravagine, *in* Œ. compl., t. IV, p. 129.
Couvert d'écume. *Un rocher écumant.*

♦ **2.** Cour. Couvert de bave. *Cheval, chien écumant.* — *Sa bouche était écumante.*
3 (...) il était grotesque et repoussant plus encore que pitoyable, avec sa face empourprée et ruisselante, son œil égaré, sa bouche écumante de colère et de souffrance, et sa langue à demi tirée. HUGO, Notre-Dame de Paris, VI, IV.
Fig. *Être écumant de colère, de rage...* ⇒ **Furieux.**
4 Là bornant son discours, encor toute écumante,
  Elle souffle *(la Sibylle)* aux guerriers l'esprit qui la tourmente.
    BOILEAU, le Lutrin, V.

ÉCUME [ekym] n. f. — V. 1160, *escume*; probablt issu du germanique occidental *skum.*

A. ♦ **1.** (Déb. XIIIe). Mousse blanchâtre, chargée ou non d'impuretés, qui se forme à la surface des liquides agités, chauffés ou en fermentation. ⇒ **Mousse.** *Les bulles* de l'écume. Écume d'un bouillon ; d'une confiture qu'on vient de faire. Écume d'un liquide organique.* ⇒ **Spume.** *Écume d'un torrent, d'une cascade* (→ Bouillon, cit. 2). *Écume de la mer. Mer blanche d'écume. Écume à la crête des vagues.* ⇒ **Mouton** (→ Crinière, cit. 3). *Paquets d'écume laissés sur le rivage quand la mer se retire ; sur la rive, par un cours d'eau qui serpente.*

1 L'écume jette aux rocs ses blanches mousselines (...)
HUGO, les Châtiments, VI, v.

2 Ouessant apparaît ; toutes ses roches sombres, tous ses écueils se dessinent en grisailles obscures, battus par de hautes gerbes d'écume blanche, sous un ciel qui paraît lourd comme un globe de plomb. LOTI, Mon frère Yves, LXXII, p. 173.

3 Quel pur travail de fins éclairs consume
Maint diamant d'imperceptible écume (...)
VALÉRY, Poésies, « Le cimetière marin ».

4 Il nageait régulièrement. Le battement de ses pieds laissait derrière lui un bouillonnement d'écume (...) CAMUS, la Peste, p. 278.

♦ **2.** Par anal. **ÉCUME (DE MER).** **ⓐ** Plantes marines laissées sur le sable par la marée descendante, et utilisées comme engrais.

ⓑ Par anal. (de couleur, de légèreté). Magnésite (silicate).
Cour. Faïence imitant cette magnésite. *Pipe en écume de mer* (→ Culotté, cit. 1). — Ellipt. *Pipe en écume, d'écume.*

5 (...) une pipe d'écume qui figurait une sirène, et qui, au râtelier, sans qu'on s'en aperçût, s'était brisée comme dans un vulgaire tir forain (...)
ARAGON, le Paysan de Paris, p. 31.

♦ **3.** Par métaphore. Ce qui reste du temps écoulé, et qui est sans valeur. *L'Écume des jours,* ouvrage de Boris Vian.

6 Toutes *(ces pages écrites)* ne sont que la vaine écume d'une vie agitée, mais qui maintenant se calme. PROUST, les Plaisirs et les Jours, Dédicace, p. 14.

7 Qu'importe au véritable amour l'écume injuste de la vie !
M. BARRÈS, Un jardin sur l'Oronte, p. 127.

♦ **4.** (1770). Vieilli. *L'écume d'un peuple, d'une société,* le ramassis de gens qui en forment la partie la plus vile. ⇒ **Lie, populace, ramas, ramassis, rebut** (opposé à *élite, crème, gratin*).

8 Contenson, un des plus curieux produits de l'écume qui surnage aux bouillonnements de la cuve parisienne, où tout est en fermentation (...)
BALZAC, Splendeurs et Misères des courtisanes, Œ., Pl., t. V, p. 746.

9 (...) il y avait une quantité de valets et de porteurs d'eau, hâves, jaunis par les fièvres et tout sales de vermine, écume de la plèbe carthaginoise, qui s'attachait aux Barbares. FLAUBERT, Salammbô, II, p. 24.

10 Juifs, Musulmans, Italiens du Sud, Siciliens ou Maltais, écume accumulée et comme rejetée en marge du courant des eaux claires, capable toutefois de remous inquiétants (...) GIDE, Journal, 27 avr. 1943.

B. (V. 1160). Bave mousseuse (de certains animaux échauffés ou irrités). *Écume d'un chien, d'un cheval harassé. Taureau qui a l'écume à la bouche.*

11 (...) il *(le taureau)* se mit à courir çà et là, à beugler affreusement. Son mufle noir blanchissait d'écume, et, dans l'enivrement de sa rage (...)
Th. GAUTIER, Voyage en Espagne, p. 58.

Bave mousseuse qui vient aux lèvres d'une personne sous l'effet d'une maladie (comme l'épilepsie), de la souffrance, de l'agonie, ou d'une violente émotion (colère, etc.). — Loc. *Avoir l'écume à la bouche, aux lèvres.* ⇒ **Écumant, écumer** (I., 2.).

12 Aussi pâle qu'elle, l'écume aux lèvres, Évariste s'enfuit et court chercher auprès d'Élodie l'oubli, le sommeil, l'avant-goût délicieux du néant.
FRANCE, Les dieux ont soif, p. 193.

13 Le sourire que Tarrou essaya encore de former ne put passer au-delà des maxillaires serrés et des lèvres cimentées par une écume blanchâtre.
CAMUS, la Peste, p. 309.

Par ext. Sueur qui s'amasse sur le corps (d'un cheval, d'un taureau). → Beugler, cit. 2.

C. (V. 1288). Impuretés, scories* qui flottent à la surface des métaux en fusion. ⇒ **Chiasse, crasse.** — *Écume de défécation :* résidu de sucrerie provenant de la clarification et utilisé pour l'amendement des terres.

DÉR. *Écumer, écumeux.*

ÉCUMÈNE [ekymɛn] n. m., ÉCUMÉNIQUE [ekymenik] adj.
⇒ **Œcumène, œcuménique.**

ÉCUMER [ekyme] v. — V. 1135, *escumer* ; de *écume,* et *-er.*

★ **I.** ♦ **1.** V. intr. (V. 1165). Se couvrir d'écume. ⇒ **Mousser.** *Mer agitée qui écume.* ⇒ **Moutonner.**

1 Les brises fraîchissaient, la vague écumait et nous trempait souvent de ses jaillissements. LAMARTINE, Graziella, Épisode, VII.

2 La mer monte, prend les rochers un à un, ensevelit celui-ci, lèche celui-là, écume sur cet autre (...) J. RENARD, Journal, 9 août 1887.

3 « Ton beau lac, il écume aujourd'hui comme une mauvaise mer », constata Antoine.
MARTIN DU GARD, les Thibault, t. IV, p. 63.

♦ **2.** (V. 1135). Baver. *Animal qui écume de rage.*

4 Le quadrupède écume, et son œil étincelle ;
Il rugit : on se cache, on tremble à l'environ (...) LA FONTAINE, Fables, II, 9.

(V. 1230). Fig. *Écumer (de rage) :* être au dernier degré de l'exaspération (→ Boire, cit. 32). *Il écumait de rage, de colère.* — Absolt. *Il écumait.*

Le dit sieur recteur suait, tempêtait, écumait et frappait du pied (...) 5
la Satire Ménippée, p. 96, in LITTRÉ.

Cette réponse le fit écumer de rage. Il fit mine d'appeler ses gens pour me 6
faire, dit-il, jeter par la fenêtre. ROUSSEAU, les Confessions, VII.

★ **II.** V. tr. ♦ **1.** (V. 1200). Débarrasser de l'écume, des impuretés de l'écume (une matière). *Écumer le pot-au-feu. Écumer des confitures. Écumer le sucre, le sirop. Ustensile qui sert à écumer.* ⇒ **Écumoire.** *Écumer l'étain fondu.*

Par métaphore ou fig. (Vx). Débarrasser de toute impureté (→ Bouillonnant, cit.).

Vous aimer, penser à vous (...) m'occuper de vos affaires, m'inquiéter de ce que 7
vous pensez (...) écumer votre cœur, comme j'écumais votre chambre des fâcheux dont je la voyais remplie (...) Mme DE SÉVIGNÉ, 150, 1er avr. 1671.

Épurer son goût, en écumant son esprit, est un des avantages de la bonne com- 8
pagnie et de la société des lettres, à Paris. Les idées médiocres s'y dépensent en conversation ; on garde les exquises pour les écrire.
Joseph JOUBERT, Pensées, VIII, XXXIV.

Par ext. (Vx). Débarrasser de l'écume (un récipient). *Écumer une marmite.*

(...) elle met le pot-au-feu pour le bouillon ; et, pendant qu'elle écume le pot, la 8.1
lampe s'éteint. A. GALLAND, les Mille et une Nuits, t. III, p. 291.

Loc. fig. (1677, in D. D. L.). Vx ou régional. *Écumer le pot, la marmite de qqn :* vivre en parasite.

♦ **2.** Parcourir en pillant, en raflant. *Écumer les mers, les côtes,* y exercer la piraterie*. *Brigands qui écument les chemins.* ⇒ **Brigandage, écumeur.**

Les corsaires ne cessaient d'écumer toutes les côtes et de faire mille ravages (...) 9
VAUGELAS, Trad. QUINTE-CURCE, VIII, 8, in LITTRÉ.

♦ **3.** (1460, Villon). Piller (en raflant tout ce qui est profitable ou intéressant). *Écumer les richesses d'un endroit, écumer un héritage, écumer les affaires. Les antiquaires ont écumé la région.*

Monsieur de Vendôme arrivera affamé, et fort bien intentionné d'écumer ce qui 10
reste d'argent dans cette province (...) Mme DE SÉVIGNÉ, 867, nov. 1680.

Par ext. Ramasser çà et là, recueillir. *Écumer des nouvelles.*

▶ **ÉCUMÉ, ÉE** p. p. adj. *Pot-au-feu écumé.* — Fig. et littér. Ramassé comme une écume, une impureté.

Il n'est pas un bandit écumé dans nos villes, 11
Pas un forçat hideux blanchi dans les prisons (...)
HUGO, les Chants du crépuscule, X.

DÉR. *Écumage, écumant, écumeur, écumoire.*

ÉCUMEUR, EUSE [ekymœʀ, øz] n. — 1351 ; de *écumer.*

Personne qui écume (inusité au sens concret d'*écumer*).

♦ **1.** N. m. **ⓐ** Celui qui écume les mers. *Écumeur (de mer).* ⇒ **Corsaire, flibustier, pirate.**

Nous emmenions en esclavage 1
Cent chrétiens, pêcheurs de corail ;
Nous recrutions pour le sérail
Dans tous les moutiers du rivage.
En mer, les hardis écumeurs ! HUGO, les Orientales, VIII.

Descendant des vieux Normands, Childe-Harold, ce type de toute la jeunesse dorée 2
d'Albion, est sorti un matin de son île comme un écumeur des mers son ancêtre, comme un pirate avide de toutes les sensations.
SAINTE-BEUVE, Chateaubriand..., t. I, p. 300.

ⓑ Par ext. Pillard. ⇒ **Bandit, détrousseur.** *Un écumeur de grands chemins.*

Son passé de coureur et d'écumeur de brousse était connu depuis la côte de l'océan 2.1
Indien jusqu'aux grands lacs d'Afrique. J. KESSEL, le Lion, p. 71.

Pomposa donne un exemple achevé de colonisation avant la lettre. Ses magasins, 2.2
ses entrepôts, ses établissements commerciaux et financiers couvrent le pays d'un réseau d'écumeurs. Les richesses sont exploitées avec science.
Jean D'ORMESSON, la Gloire de l'Empire, t. I, p. 38.

ⓒ Fig. et vieilli. *Écumeur littéraire :* écrivain qui exploite sans scrupule les œuvres d'autrui. ⇒ **Pillard** (fig.), **plagiaire.**

(...) un fripon de libraire, 3
Des beaux esprits écumeur mercenaire (...)
VOLTAIRE, le Temple du goût, t. XII, p. 303.

On sent bien que je ne parle pas de ces écumeurs littéraires qui vendent leurs 4
bulletins ou leurs affiches à tant de liards le paragraphe. Ceux-là, comme l'abbé Bazile, peuvent calomnier, qu'on ne les croirait pas.
BEAUMARCHAIS, le Mariage de Figaro, Préface.

♦ **2.** Vx. *Écumeur de marmites, de tables.* ⇒ **Écornifleur, parasite.**

ÉCUMEUX, EUSE [ekymø, øz] adj. — Déb. XIVe ; de *écume,* et *-eux.*

♦ **1.** Qui écume, qui mousse ; couvert d'écume. ⇒ **Écumant, mousseux.** *Flots écumeux* (→ Avant, cit. 46). *Soupe écumeuse* (→ Caramélé, cit.). *Sang écumeux. Bouche écumeuse.*

(...) des ruisseaux de sang écumeux coulaient sur l'épaisse toile du tablier (...)
Léon BLOY, le Désespéré, p. 129.

♦ **2.** Qui évoque l'écume. *Des dentelles écumeuses.*

ÉCUMOIRE [ekymwaʀ] n. f. — 1372, *escumoire*, fém.; *escumoir*, masc., 1333; de *écumer*, et suff. *-oire*.

♦ **1.** Ustensile de cuisine composé d'un disque aplati, percé de trous, monté sur un manche, et qui sert à écumer. *Écumoire en cuivre, en aluminium. Écumoire à manche en bois. Écumer des confitures, un bouillon avec une écumoire. Écumoire pour ôter la crème.* ⇒ **Écrémoir.**

Spécialt. *Écumoire à friture,* servant à retirer des beignets, des pommes de terre frites, etc.

Techn. *Écumoire pour ôter les scories des métaux en fusion.*

♦ **2.** Loc. *Comme une écumoire, en écumoire :* criblé, percé de nombreux trous (se dit d'un visage marqué par la petite vérole). — Par extension :

Et il entendait déjà les détonations irrégulières des soldats couchés dans les broussailles, tandis que lui, debout au milieu d'un champ, s'affaissait, troué comme une écumoire par les balles qu'il sentait entrer dans sa chair.
MAUPASSANT, Contes de la Bécasse, « L'aventure de Walter Schnaffs ».

Fam. *Avoir une mémoire comme une écumoire :* ne rien retenir. ⇒ **Passoire.**

ÉCURAGE [ekyʀaʒ] n. m. — 1611; de *écurer*.

♦ Techn. Action d'écurer. ⇒ **Récurage.** — Spécialt. Action de nettoyer la tôle destinée à la fabrication du fer blanc.

ÉCUREMENT [ekyʀmã] n. m. — XIIIᵉ; de *écurer*.

♦ Agric. Sillon tracé dans un champ pour faciliter l'écoulement des eaux.

ÉCURER [ekyʀe] v. tr. — V. 1223, *escurer*; de é-, et *curer*.

♦ **1.** Vx, techn. ou régional. Curer complètement. ⇒ **Curer, nettoyer.** *Écurer un puits. Écurer des ustensiles de cuisine.* ⇒ **Récurer** (→ Balayer, cit. 1).

1   Mais est-il bien possible que ma sœur soit en Turquie? disait-il. Rien n'est si possible, reprit Cacambo, puisqu'elle écure la vaisselle chez un prince de Transylvanie.
VOLTAIRE, Candide, XXVII.

2   (...) cette porte (...) dont le bouton de cuivre écuré au tripoli reluit comme s'il était d'or (...)
Th. GAUTIER, la Toison d'or, III.

Au p. p. :

3   Je marchais parmi les bosses d'une terre écurée, les haleines secrètes, les plantes sans mémoire.
René CHAR, les Matinaux, p. 64 (1950).

♦ **2.** Techn. *Écurer des cardes, des chardons,* les débarrasser de la bourre dont ils se remplissent lors du grattage des draps.

CONTR. **Salir.**
DÉR. **Écurage, écurement, écureur.**

ÉCUREUIL [ekyʀœj] n. m. — Av. 1250, *escural; escuriax,* v. 1178; issu, à travers différentes formes *(escureul, escuireul, escuriel, escuriuel),* d'un lat. pop. *scuriolus,* du lat. class. *sciurus,* grec *skiouros.*

♦ **1.** Petit mammifère rongeur *(Sciuridés)* au pelage généralement roux, à la queue longue et en panache, et qui vit dans les bois. *L'écureuil, animal très agile, à la queue longue et touffue en panache, au pelage variant du roux au noir, se nourrit de noisettes, de faines, de bourgeons; sa chair est comestible, sa fourrure très recherchée. Nid d'écureuils* (→ Bas, cit. 77). *Petit écureuil d'Afrique et d'Asie.* ⇒ **Xérus.** — *Petite cage tournante pour les écureuils apprivoisés.* ⇒ **Tournette.**

1   L'écureuil : du panache! du panache! oui, sans doute; mais mon petit ami, ce n'est pas là que ça se met.
J. RENARD, Histoires naturelles, « L'écureuil ».

2   (...) l'écureuil Guerriot, une faîne entre les dents, sautait de branche en branche, les petites oreilles droites à peine pointant, l'œil vif, la queue en traîne retroussée ou relevée en panache s'épanouissant juste au-dessus de sa tête comme un parasol gracieux.
L. PERGAUD, De Goupil à Margot, Fatal étonnement de Guerriot.

(Qualifié; désignant d'autres mammifères). *Écureuil des palmiers* (→ Palmiste, cit. 2).

Écureuil volant : petit mammifère muni d'une membrane parachute grâce à laquelle il peut franchir certaines distances en vol plané. ⇒ **Anomalure, polatouche.**

Fourrure de l'écureuil. *Une veste en écureuil.* ⇒ **Petit-gris, vair.**

Par compar. *Être vif, agile comme un écureuil. C'est un écureuil! Tourner comme un écureuil en cage.*

♦ **2.** Vx. Ouvrier, forçat qui faisait tourner une roue actionnant une machine.

3   J'ai travaillé dans les carrières de Montrouge. Mais au bout de deux ans ça m'a scié de faire toujours l'écureuil dans les grandes roues pour tirer la pierre.
Eugène SUE, les Mystères de Paris, t. I, 1842-1843, p. 90, in T.L.F.

(1897, in Petiot). Sports. Cycliste qui court sur piste circulaire ou qui fait partie d'une tournée.

Électr. *Cage* (II., 3.) *d'écureuil.*

ÉCUREUR, EUSE [ekyʀœʀ, øz] n. — 1260, *escuriere;* de *écurer.*

♦ Vx. Personne qui écure. ⇒ **Éboueur.** — Spécialt. Personne qui écure les cardes, les chardons.

ÉCURIE [ekyʀi] n. f. — 1317, *escuierie; escurie,* 1285; *esqüierie,* du rad. de *écuyer,* et *-erie.*

♦ **1.** Vx ou hist. Fonction d'écuyer. ⇒ **Écuyer.**

♦ **2.** (V. 1200). Par ext. Ensemble des écuyers, des pages, des chevaux, des voitures, des carrosses... (d'un seigneur, d'un prince). *La petite écurie du roi.* — Spécialt. *La Musique de l'écurie, l'Écurie (royale) :* orchestre de plein air, dépendant du grand écuyer. Local pour les écuyers et leurs chevaux. *Les Grandes, les Petites Écuries de Versailles.*

♦ **3.** (Fin XVIᵉ). Mod. Bâtiment destiné à loger des chevaux ou autres équidés (ânes, mulets). *Écurie de ferme. Écurie industrielle. Écurie d'élevage, d'entraînement. Logement réservé à chaque animal dans une écurie.* ⇒ **Box, stalle.** *Paille de l'écurie.* ⇒ **Litière.** *Écurie à une, deux rangées de stalles. Aménagements, accessoires d'une écurie.* ⇒ **Abat-foin, auge, bat-flanc, fosse** (à purin), **mangeoire, piscine, râtelier**; aussi **cheval** (dressage, élevage, traitement du cheval). *Mode d'attache des bat-flanc, chaînes, cordes d'une écurie.* ⇒ **Sauterelle.** *Cour d'écurie. Garçon, valet d'écurie.* ⇒ **Lad, palefrenier.** *Mettre un cheval à l'écurie* (⇒ **Établage**). *Fumier d'une écurie. Hygiène de l'écurie* (→ Crottin, cit. 2).

1   On m'éleva jusqu'à quatorze ans dans un palais auquel tous les châteaux de vos barons allemands n'auraient pas servi d'écurie (...)
VOLTAIRE, Candide, XI.

2   (...) Ruy, qui sortait de table,
Était dans l'écurie avec Babieça (...)
Et le bon Cid, prenant dans l'auge un peu d'avoine,
La lui faisait manger dans le creux de sa main.
HUGO, la Légende des siècles, XI, v.

Allus. myth. *Les écuries d'Augias :* écuries très sales dont le nettoiement compte au nombre des travaux d'Hercule. Fig., littér. *Nettoyer les écuries d'Augias :* porter l'ordre, la propreté dans un milieu corrompu, une affaire malhonnête.

Loc. *Cheval qui sent l'écurie,* qui accélère son allure à l'approche de l'écurie (→ Charge, cit. 31; approche, cit. 5). Fig. *Sentir l'écurie :* accélérer, être plus vif à l'approche du but, du retour.

Fig. *C'est une vraie écurie,* se dit d'une maison, d'une chambre particulièrement sale. — *Entrer quelque part comme dans une écurie,* sans saluer, d'une façon cavalière et impolie. *Vous vous croyez dans une écurie!*

♦ **4.** Par ext. Ensemble des bêtes logées dans une écurie (3.). *Toute l'écurie est malade.*

(1854, in Petiot). *Écurie de courses, écurie :* ensemble des chevaux qu'un propriétaire fait courir. Spécialt. Chevaux appartenant à un même propriétaire et s'alignant dans la même course. *L'écurie X a gagné le Grand Prix. Les couleurs d'une écurie.*

Par anal. ⓐ Ensemble des voitures, des motos de courses courant pour une même marque.

(1913, in Petiot). Cyclistes courant dans la même équipe.

ⓑ Ensemble des candidats préparant un concours sous la direction d'un même patron.

Littér. (Par plais.). Ensemble des candidats mis en compétition dans la course des prix littéraires. *L'écurie Gallimard, Grasset.*

♦ **5.** Régional (notamment Suisse; impropre dans l'usage normal). Étable (à vaches).

3   Par moments, seulement, venait de l'écurie le bruit de chaînes d'une vache qui changeait de place sur sa litière.
C.-F. RAMUZ, Aimé Pache, peintre vaudois, in Œ. compl., t. IV, p. 295.

ÉCUSSON [ekysɔ̃] n. m. — 1760; *escusson,* 1538; *escuchon,* 1274; de *écu,* et *-on,* avec *-ss-* consonnes d'appui, d'après *caisson, chausson,* etc.

♦ **1.** Petit écu figuré comme meuble dans l'écu armorial.

(1274). Par ext. Écu armorial. ⇒ **Écu.** *L'écusson de France. Écusson peint; écusson en cartouche*.* *Écusson monté en broche. En forme d'écusson.* ⇒ **Scutiforme.**

1   Il nous fut difficile de distinguer les détails de l'écusson écartelé, qui avait été repeint postérieurement en bleu et en blanc. Au 1 et au 4, c'étaient d'abord des oiseaux que le fils du garde appelait des cygnes (...) Au 2 et au 3, ce sont des fers de lance, ou des fleurs de lis, ce qui est la même chose. Un chapeau de cardinal recouvrait l'écusson et laissait tomber des deux côtés ses résilles triangulaires ornées de glands (...)
NERVAL, les Filles du feu, « Angélique », Xᵉ lettre.

2   Et de grands écussons, aux murailles cloués,
Brillent, et maints drapeaux où l'oiseau noir s'étale
Pendent de çà de là, vaguement remués!...
VERLAINE, Poèmes saturniens, Mort de Philippe II.

Fig. Ce qui symbolise l'illustration d'une race, d'un nom. ⇒ **Blason** (fig.).

3   C'est déjà lui *(Chateaubriand),* homme politique; c'est son écusson politique qu'il nous décrit, avec ces mots en lettres d'or : Honneur et Liberté!
SAINTE-BEUVE, Chateaubriand..., t. II, p. 87.

♦ **2.** (XVIIᵉ). Plaque blasonnée servant d'enseigne à un marchand (⇒ **Enseigne**), qui indique l'office d'un notaire, d'un huissier... (⇒ **Panonceau**), ou plaque simplement décorative.

Archit. Cartouche décoratif destiné à porter des emblèmes, des inscriptions.

Petit morceau d'étoffe cousu sur le col de l'uniforme d'un soldat, qui indique l'arme et l'unité ou le service auxquels il appartient (→ Coudre, cit. 1).

Morceau de satin, de taffetas rond ou ovale fixé au fond d'un chapeau pour servir de marque.

♦ **3.** Mar. Partie du tableau qui porte le nom du navire, son port d'attache et quelquefois un emblème.

♦ **4.** (1660). Techn. Petite plaque métallique (à l'origine et encore souvent en forme d'écu) protégeant l'ouverture d'une serrure.

♦ **5.** (1760). Zool. Pièce dorsale du thorax de certains insectes. ⇒ **Écu.** Plaque calcaire sur le corps de certains poissons.

Disposition du poil de la vache, à l'arrière du pis, dont la forme variable indique sa valeur laitière. *Écusson de vache flandrine, liserine.*

♦ **6.** Histol. *Écusson embryonnaire.* ⇒ **Blastoderme.**

♦ **7.** (1538). Arbor. Fragment d'écorce portant un œil ou bourgeon, qu'on introduit sous l'écorce d'un sujet pour le greffer. ⇒ **Greffe, greffon.**

DÉR. Écussonner.

ÉCUSSONNAGE [ekysɔnaʒ] n. m. — 1870; de *écussonner.*

♦ Action d'écussonner; type de greffe. *Écussonnage à œil* dormant, à œil poussant.* ⇒ **Greffe.**

ÉCUSSONNER [ekysɔne] v. tr. — 1600, *escussoner*; au p. p., *escucené,* 1297; de *écusson,* et *-er.*

♦ **1.** Arbor. Greffer* en écusson. *Écussonner un poirier.*

1   Ainsi écussonne-t-on les jeunes arbres au tronc et les vieux aux branches.
                                    O. DE SERRES, 669, *in* LITTRÉ.

♦ **2.** Orner d'un écusson. *Écussonner une automobile.*

▶ **ÉCUSSONNÉ, ÉE** p. p. adj. (1297, *escucené*).
Orné d'un écusson. *Manteau écussonné.*

2   Il jeta sur son lit son grand manteau réglementaire, moitié djellaba, moitié manteau de paysan andalou écussonné sur la poitrine aux armes de la Légion (...)
                          P. MAC ORLAN, la Bandera, V, p. 62.

Côté écussonné d'une pièce de monnaie.
Arbre fruitier écussonné, greffé en écusson.

DÉR. Écussonnage, écussonnoir.

ÉCUSSONNOIR [ekysɔnwaʀ] n. m. — 1721; de *écussonner.*

♦ Agric. Petit couteau servant à écussonner.

ÉCUYER, YÈRE [ekɥije, jɛʀ] n. — 1549, *escuyer*; *escuier,* v. 1100; lat. *scutarius* «celui qui porte l'écu, le bouclier», de *scutum* (→ **Écu**); les sens I, 3 et I, 4 manifestent l'infl. probable de *equus* «cheval»; l'idée de «cheval» semble dominante aujourd'hui.

★ **I.** ♦ **1.** N. m. Anciennt. Au moyen âge, Gentilhomme qui accompagnait un chevalier, pour lui porter son écu* et le servir. ⇒ **Ordonnance, page.**

1   Au sortir de page on devenait écuyer (...) Le service de l'écuyer consistait en paix, à trancher à table, à servir lui-même les viandes, comme les guerriers d'Homère, à donner à laver aux convives (...) L'écuyer suivait le chevalier à la guerre, portait sa lance et son heaume élevé sur le pommeau de la selle, et conduisait ses chevaux en les tenant par la droite (...) Son devoir, dans les duels et les batailles, était de fournir des armes à son chevalier, de le relever quand il était abattu, de lui donner un cheval frais, de parer les coups qu'on lui portait, mais sans pouvoir combattre lui-même.
                     CHATEAUBRIAND, le Génie du christianisme, IV, V, IV.

Par ext. (du fait des offices divers remplis par l'écuyer). *Écuyer tranchant :* officier qui découpait les viandes. — *Écuyer de bouche,* qui servait à la table du prince. — *Écuyer de cuisine :* premier officier de la cuisine du prince.

♦ **2.** N. m. (Déb. XIIIᵉ). Hist. Titre porté par les jeunes nobles jusqu'à l'adoubement*.

Titre que portaient les gentilshommes des derniers rangs, les anoblis... (au-dessous du chevalier). *«On a fait la recherche des Nobles et on a fait des taxes sur ceux qui avaient usurpé la qualité d'écuyer»* (Trévoux).

2   (...) on vous contesterait après cela le titre d'écuyer.
                     MOLIÈRE, Monsieur de Pourceaugnac, III, 2.

♦ **3.** N. m. (1265). Anciennt. Intendant des écuries* d'un prince. *Le grand écuyer de France,* qui commandait l'écurie du roi. — *Écuyer cavalcadour*.*

Par ext. Membre du personnel de cet intendant (→ Condition, cit. 18.1). *Écuyer de main,* qui aide un prince, une grande dame à monter à cheval, en voiture.

♦ **4.** N. (1636). Mod. Personne qui sait monter à cheval. ⇒ **Amazone, cavalier.** *Une bonne écuyère. Un écuyer remarquable.* — *Bottes à l'écuyère :* hautes bottes souples à revers.

(1636). Spécialt. Professeur d'équitation*, et, spécialt, instructeur d'équitation militaire. *Les écuyers du Cadre noir de Saumur.*

(1842, Balzac, au fém.). Personne qui fait des exercices d'équitation dans un cirque.

3   «(...) tout ce qui règne ou régna sur les planches ne me semble pas digne de délier les cothurnes de Malaga qui sait descendre et remonter sur un cheval au grandissime galop, qui se glisse dessous à gauche pour remonter à droite, qui voltige comme un feu follet blanc autour de l'animal le plus fougueux, qui peut se tenir sur la pointe d'un seul pied et tomber assise les pieds pendants sur le dos de ce cheval toujours au galop, et qui, enfin, debout sur le coursier sans bride, tricote des bas, casse des œufs ou fricasse une omelette, à la profonde admiration du peuple, du vrai peuple, les paysans et les soldats!...» Dans son récit, il n'y avait de vrai que le moment d'attention obtenu par l'illustre Malaga, l'écuyère de la famille Bouthor, à Saint-Cloud, et dont le nom venait de frapper ses yeux le matin dans l'affiche du cirque.   BALZAC, la Fausse Maîtresse, Pl., t. II, p. 38.

4   L'écuyer Urbain fit alors son apparition, en veste bleue, culotte de peau et bottes à revers, conduisant un magnifique cheval noir plein de sang et de vigueur (...) Urbain fit quelques pas sur la scène et plaça de face le splendide coursier, qu'il présenta sous le nom de Romulus, appelé en argot de cirque le *cheval à platine.*
           Raymond ROUSSEL, Impressions d'Afrique, p. 95.

★ **II.** N. m. (du sens I, 1, avec l'idée de «suite» ou d'«aide»). Techn.

♦ **1.** Vén. Jeune cerf qui en suit un plus vieux.

♦ **2.** Agric. Faux bourgeon qui croît au pied d'un cep de vigne.

♦ **3.** Techn. Main courante soutenue par des supports le long du mur d'un escalier (⇒ **Rampe**) et qui sert d'appui. *«Une corde servant d'écuyer et luisante par le frottement»* (P. Borel, 1833, *in* T. L. F.).

DÉR. Écurie.

ECZÉMA [ɛgzema] n. m. — 1747; lat. médical *eczema,* du grec médical *ekzema* «éruption cutanée, eczéma», de *ekzein* «bouillonner».

♦ Méd. et cour. Affection cutanée caractérisée par des rougeurs, des vésicules suintantes et la formation de croûtes et de squames. *Eczéma dû à des agents irritants ou allergisants. Vives démangeaisons provoquées par l'eczéma.*

   C'étaient des têtes mangées par l'eczéma, des fronts couronnés de roséole (...)
                        ZOLA, Lourdes, p. 149.

Par métaphore (en parlant de ce qui enlaidit ou démange, fait souffrir, comme une éruption, une maladie de peau). *Un «eczéma moral»* (Saint-Exupéry).

DÉR. Eczémateux, eczématiser (s').
COMP. Eczématogène.

ECZÉMATEUX, EUSE [ɛgzematø, øz] adj. — 1838, *in* D. D. L.; de *eczéma,* et *-eux, -t-* de liaison.

Médecine.

♦ **1.** Propre à l'eczéma. *Affection eczémateuse. Éruption eczémateuse.*

♦ **2.** Atteint d'eczéma. *Malade eczémateux.* — N. *Un eczémateux, une eczémateuse.* — *Visage eczémateux.*

ECZÉMATISATION [ɛgzematizasjɔ̃] n. f. — 1901; de *eczématiser (s').*

♦ Méd. Le fait de s'eczématiser.

ECZÉMATISER (S') [ɛgzematize] v. pron. — XXᵉ; de *eczéma,* et suff. *-iser.*

♦ Méd. Devenir eczémateux. *Prurigo qui s'eczématise.*

▶ **ECZÉMATISÉ, ÉE** p. p. adj.
Devenu eczémateux. *Psoriasis eczématisé.*

DÉR. Eczématisation.

ECZÉMATOGÈNE [ɛgzematɔʒɛn] adj. — XXᵉ; de *eczéma,* et *-gène,* avec un élément de liaison.

♦ Méd. (en parlant d'une substance). Qui peut provoquer l'eczéma.

ÉDACITÉ [edasite] n. f. — 1801; lat. class. *edacitas, -atis* «voracité», de *edax* «vorace», de *edere* «manger».

♦ Didact. et vx. Force qui détruit, dévore (fig.).

ÉDAM [edam] n. m. — xxᵉ ; de *Edam*, ville de Hollande.

♦ Fromage de Hollande, à pâte cuite, à croûte rouge. *Une tranche d'édam. Manger de l'édam. Les variétés d'édams. L'édam s'appelait couramment en France* tête de Maure (*ou* : de mort).

ÉDAPHIQUE [edafik] adj. — 1907, in *Rev. gén. des sc.*, nº 7, p. 297 ; du rad. du grec *edaphos* «sol», et *-ique*.

♦ Didact. Relatif au sol. *Facteurs édaphique et climatique en viticulture.* «(...) *en laboratoire, on sait faire pousser beaucoup de champignons recherchés pour leurs qualités gastronomiques : on sait reconstituer l'environnement climatique, "édaphique" (sol et voisinage) nécessaire à leur développement, leur reproduction*» (*Sciences et Avenir*, déc. 1983, p. 85).

EDELWEISS [edɛlvajs ; edɛlvɛs] n. m. invar. — 1861 ; mot allemand, de *edel* «noble», et *weiss* «blanc», emprunté au suisse alémanique.

♦ Plante alpine *(Composacées)*, en forme d'étoile, couverte d'un duvet blanc et laineux, appelée aussi *immortelle des neiges* ou *pied-de-lion*.

1 Un guide nous apporta quelques edelweiss, les pâles fleurs des glaciers. Berthe s'en fit un bouquet de corsage. MAUPASSANT, Au soleil, «Aux eaux».
  Image de cette fleur.

2 (...) elle en croisa un *(soldat allemand)* qui, revêtu de l'uniforme vert clair des troupes de montagne et coiffé d'une casquette de drap ornée d'un edelweiss, prenait un enfantin plaisir à faire craquer sous ses semelles les feuilles mortes des platanes dont l'avenue des Bains était jonchée. F. CARCO, les Belles Manières, p. 7.

ÉDEN [edɛn] n. m. — 1547 ; *eden*, v. 1235 ; mot hébreu, nom du Paradis terrestre dans la Genèse.

♦ **1.** (1547). Didact. (en général employé avec l'art. déf.). Le Paradis terrestre. *Le jardin d'Éden. L'Éden, berceau des humains* (→ Berceau, cit. 13).

1 (...) il ne manque à l'amour que la durée pour être à la fois l'Éden avant la chute et l'Hosanna sans fin. CHATEAUBRIAND, Mémoires d'outre-tombe, t. II, p. 96.

2 Il semblait avoir vu l'éden, l'âge d'amour,
  Les temps antérieurs, l'ère immémoriale.
  HUGO, la Légende des siècles, IX, «L'an neuf de l'hégire».

♦ **2.** (1794). I littér. (en général employé avec l'art. indét. ou au plur.). Lieu de délices ; séjour agréable. ⇒ **Paradis** (fig.). *Ce pays est un véritable éden. Nous passâmes dans cet éden deux jours paradisiaques* (cit.).

3 La pluie, la bienfaisante pluie inconnue au désert, tambourine sur nos tentes, arrose abondamment cet éden de verdure où nous sommes. LOTI, Jérusalem, III, p. 16.

CONTR. Enfer.
DÉR. Édénien, édénique, édéniser, édénisme.

ÉDÉNIEN, IENNE [edenjɛ̃, jɛn] adj. — D. i. ; de *éden* et suff. *-ien, ienne*.

♦ Vieilli. ⇒ **Édénique** (1.).

ÉDÉNIQUE [edenik] adj. — 1865, Proudhon ; de *éden*, et suff. *-ique*.

♦ **1.** Littér. ou didact. Qui est propre à l'Éden, évoque le paradis terrestre et l'état d'innocence.

1 Les juges punissaient, les accusés expiaient et moi, libre de tout devoir, soustrait au jugement comme à la sanction, je régnais, librement, dans une lumière édénique. N'était-ce pas cela, en effet, l'Éden, cher monsieur : la vie en prise directe ? Ce fut la mienne. CAMUS, la Chute, p. 34.

2 On voit que Jeanne Guyon accepte une marge de risque beaucoup plus considérable que Fénelon, son optimisme édénique l'y aide. F. MALLET-JORIS, Jeanne Guyon, p. 270.

3 La découverte d'îles polynésiennes, le mythe du «bon sauvage», ont contribué à renforcer encore cette vue édénique. A. SAUVY, Croissance zéro?, p. 33.

♦ **2.** Plus cour. Agréable comme un éden. ⇒ **Paradisiaque.** *Cet endroit est édénique.*

4 (...) cette oasis édénique où tout est fait pour le plaisir de l'homme. J. GREEN, Journal, La terre est si belle, 13 oct. 1977.

DÉR. Édéniquement.

ÉDÉNIQUEMENT [edenikmɑ̃] adv. — 1887 ; de *édénique*.

♦ Littér. D'une manière édénique. *Vivre édéniquement. Une île édéniquement tranquille.*

ÉDÉNISATION [edenizasjɔ̃] n. f. — 1862, Hugo ; de *édéniser*.

♦ Littér. Action d'édéniser, de s'édéniser. «*L'édénisation du monde, le Progrès*» (Hugo, les Misérables).

ÉDÉNISER [edenize] v. tr. — 1866 ; de *éden*.

♦ Littér. (création de Hugo). Transformer en éden.
DÉR. Édénisation.

ÉDÉNISME [edenism] n. m. — 1843, Proudhon ; de *éden*, et *-isme*.

♦ Didact. ou littér. Période de bonheur qui aurait formé la première période de l'humanité, précédant l'état «sauvage».
Vx. État édénique. «*L'édénisme dont jouit le Tagal sous la domination des Blancs*» (Itier, *Voyage en Chine*, 1848).

ÉDENTATION [edɑ̃tasjɔ̃] n. f. — xxᵉ ; de *édenter*.

♦ Méd. État d'un individu édenté. ⇒ **Édentement.**

ÉDENTEMENT [edɑ̃tmɑ̃] n. m. — 1860 ; de *édenter*.

♦ Fait d'être édenté ; état d'une personne, d'un animal, d'une bouche, d'une mâchoire édentée.

Son menton tout écourté et ravalé par l'édentement a un perpétuel tremblotement. Il semble mâcher des restes d'idées, de souvenirs, de mots. Ed. et J. DE GONCOURT, Journal, t. I, p. 262 (1860).

ÉDENTER [edɑ̃te] v. tr. — V. 1200, intrans., «ébrécher, se casser les dents» ; de *é-, dent*, et suff. verbal.

♦ Priver (qqn) de ses dents. *La vieillesse nous édente tour à tour* (Littré). — Par ext. Rompre les (ou des) dents de (qqch.). *Édenter un engrenage.*

▶ **S'ÉDENTER** v. pron. (réfl.).
Perdre ses dents.

▶ **ÉDENTÉ, ÉE** p. p. adj.
Plus cour. Qui a perdu une partie ou la totalité de ses dents. ⇒ **Brèche-dent** (vx). *Vieillard édenté. Un vieux chien édenté.* — *Bouche édentée.*

1 Notre parent a peur qu'étant édenté il ne puisse plus mâcher (...) Charles SOREL, Histoire comique de Francion, p. 428, *in* HATZFELD.

2 (...) elle dessinait sur le mur une ombre étrange : sa bouche édentée et véloce remuait. F. MAURIAC, Génitrix, p. 72.

3 C'était vrai qu'il l'avait vue déformée par la fluxion, battue par la souffrance et que, maintenant, après une semaine, ces accidents avaient disparu. Mais cette bouche complètement édentée il ne pouvait plus la reconnaître, et le souvenir de ce qu'elle avait été lui faisait paraître épouvantable. Léon BLOY, le Désespéré, p. 131.

N. *Un édenté. Une vieille édentée.*
Par métonymie. *Un sourire édenté.*
Par ext. *Un peigne édenté, une scie édentée.*

DÉR. Édentation, édentement, édentés.
HOM. Édentés.

ÉDENTÉS [edɑ̃te] n. m. pl. — 1829 ; p. p. substantivé de *édenter*, lat. sav. *edentata*.

♦ Ordre de mammifères placentaires à incisives réduites ou absentes (seuls les fourmiliers sont dépourvus de dents). *Familles d'édentés actuels représentées en Amérique.* ⇒ **Fourmilier** (myrmécophagidæ), **paresseux** (bradypodidæ), **tatou** (dasypodidæ). — *Édentés fossiles : Palæonodonta*, petits animaux de l'éocène, *Pilosa* (paresseux géants et arboricoles, fourmiliers, gros animaux comme le *Mégathérium**), *Cingulata* (glyptodontes*, tatous). On distingue *les édentés xénarthres* (paresseux : aï ou bradype, unau ; fourmilier, tamandua, tamanoir ; tatou, priodonte) et *les édentés pholidotes* (pangolin).

Au sing. *Un édenté.* Animal (espèce ou individu) de cet ordre.
HOM. Édenter.

E. D. F. [ədeɛf] n. f. — 1946 ; sigle de *Électricité de France*.

♦ Électricité de France (entreprise d'État). *Il travaille à l'E. D. F.*

Avouez qu'on ne peut rien trouver de plus laid que le paysage ferroviaire d'autrefois, dit-il. Maintenant la S. N. C. F. et l'E. D. F. font un remarquable effort pour sauvegarder la beauté des sites français. S. DE BEAUVOIR, les Belles Images, p. 55.

ÉDICTER [edikte] v. tr. — 1619 ; *éditer*, 1399 ; dér. savant du supin *edictum*, du lat. class. *edicere*, pour servir de verbe à *édit**, et suff. verbal.

♦ **1.** Établir, prescrire par un édit, par une loi, par un règlement. ⇒ **Décréter, promulguer, publier.** *Édicter des peines, des mesures d'exception. Édicter une loi, un statut.* — Figuré :

1 Sans doute la société édicte une loi moyenne, mais presque toute l'humanité vit en-deçà ou au-delà de cette frontière. A. MAUROIS, Études littéraires, Martin du Gard, t. II, p. 191.

♦ **2.** Exprimer, prononcer d'une manière péremptoire (→ Défense, cit. 12). *Édicter une règle, sa volonté.*

2 Ainsi, c'est du haut d'une foi que Tolstoï édicte ses jugements artistiques.
R. ROLLAND, *Vie de Tolstoï*, p. 122.

ÉDICTION [ediksjɔ̃] n. f. — 1896 ; lat. class. *edictio* «ordre, ordonnance», de *edictum*, supin de *edicere*.

♦ Didact., admin. Action d'édicter une loi, un règlement. ⇒ **Promulgation, publication.**

ÉDICULE [edikyl] n. m. — 1863 ; lat. *ædicula*, dimin. de *ædes* «chambre ; maison». → Édifier, édile.

♦ **1.** Rare (à cause du sens 3). Petit temple, chapelle ou dépendance d'un édifice religieux.

1 Aux abords immédiats de la mosquée, où les dalles sont plus intactes, où l'herbe est moins haute et plus rare, il y a une morne réverbération de soleil sur le pavage blanc et sur les édicules secondaires, portiques ou mirhabs, dont le sanctuaire est entouré.
LOTI, *Jérusalem*, XXII, p. 257.

2 (...) l'aiguille de bronze servant à friser les cheveux d'une vieille Tanit, dans le troisième édicule, près de la vigne d'émeraude.
FLAUBERT, *Salammbô*, Pl., t. I, p. 906.

♦ **2.** (1876). Vx ou rare. Petite construction édifiée sur la voie publique. ⇒ **Kiosque.** *Édicule servant d'abri aux voyageurs.* ⇒ **Reposoir** (vx).

♦ **3.** Cour. Urinoir. ⇒ **Chalet** (de nécessité), **pissotière, vespasienne.**

3 Il *(le maître d'hôtel)* croyait que ce que M. de Rambuteau avait été si froissé un jour d'entendre appeler par le duc de Guermantes «les édicules Rambuteau» s'appelait des pistières.
Sans doute dans son enfance n'avait-il pas entendu l'o, et cela lui était resté.
PROUST, *le Temps retrouvé*, Pl., t. III, p. 749-750.

4 Je trottais (...) jusqu'à la pissotière de la place des Fêtes. Premier abri. Dans l'édicule, à hauteur des jambes, je trouvais justement Bébert.
CÉLINE, *Voyage au bout de la nuit*, Pl., p. 322.

ÉDIFIANT, ANTE [edifjɑ̃, ɑ̃t] p. prés. adj. — V. 1190 ; p. prés. de *édifier.*

♦ **1.** (V. 1190). Qui édifie ; qui porte à la vertu, à la piété. ⇒ **Exemplaire, moral.** *Lectures édifiantes ; littérature édifiante.* ⇒ **Moralisateur, pieux.** *Conduite, vie édifiante.* ⇒ **Modèle, vertueux.** *Son attitude est peu édifiante. Lettres édifiantes et curieuses, écrites des missions étrangères,* publiées tout au long du XVIIIᵉ siècle.

1 Le prince, dont les péchés sont plus éclatants, doit les expier aussi par une pénitence plus édifiante.
BOSSUET, *Politique...*, VII, VI, 13.

2 Il s'agit pour lui *(Chateaubriand)* d'achever le *Génie du Christianisme* (...) qu'il va (...) finir dans ce tête-à-tête amoureux, bien curieusement aménagé pour la mise au point d'un si édifiant ouvrage : Pauline de Beaumont sur ses genoux pour compulser à deux les Pères de l'Église (...)
Émile HENRIOT, *Portraits de femmes*, p. 267.

♦ **2.** (1713). Iron. Qui est particulièrement instructif quant au comportement moral. *Voilà un témoignage édifiant sur les mœurs de l'époque. Je peux vous fournir des détails édifiants sur sa façon de procéder.*

CONTR. (Du sens 1.) **Déshonorant, scandaleux.**

ÉDIFICATEUR, TRICE [edifikatœʀ, tʀis] n. et adj. — Av. 1517 ; lat. *ædificator*, du supin de *ædificare*. → Édifier.
Rare.

♦ **1.** (Personne) qui édifie, qui construit ou fait construire un édifice. ⇒ **Architecte, bâtisseur, constructeur.**

♦ **2.** (Personne) qui établit, crée (une œuvre importante, un vaste ensemble).

(...) nous autres beaux esprits nous ne sommes pas grands édificateurs.
VOITURE, *Lettres*, 125.

♦ **3.** Adj. Qui édifie. *L'œuvre édificatrice d'un grand urbaniste.*
Fig. *L'activité édificatrice des cellules embryonnaires.*

ÉDIFICATION [edifikɑsjɔ̃] n. f. — V. 1200 ; lat. *ædificatio*, du supin de *ædificare*. → Édifier.

★ **I.** ♦ **1.** (V. 1380). Action d'édifier*, de construire (un édifice). *L'édification d'un temple, d'un palais, d'un monument. L'édification d'une ville nouvelle.*
Par métaphore.

1 (...) si on dit que les amours, les chagrins du poète (...) l'ont aidé à construire son œuvre, que les inconnues qui s'en doutaient le moins, l'une par une méchanceté, l'autre par une raillerie, ont apporté chacune leur pierre pour l'édification du monument qu'elles ne verront pas (...)
PROUST, *À la recherche du temps perdu*, t. XV, p. 54.

♦ **2.** Fig. Organisation, création (d'un vaste ensemble). ⇒ **Constitution** (3.), **création.** *Édification d'un empire.* ⇒ **Établissement, fondation.** *Édification d'une œuvre.* ⇒ **Composition, élaboration...** *Édification d'une science* (→ Discipline, cit. 6).

2 Édification de l'homme. — Ne peut se concevoir que par deux voies : primo — par le choix des *Idéaux* ; secundo — par *l'exercice*, développement, *travail.*
VALÉRY, *Mélange*, III, p. 82.

★ **II.** ♦ **1.** (V. 1200 ; → Édifier, II.). Action de porter à la vertu, à la piété ; sentiments de vertu inspirés par la parole, l'exemple. ⇒ **Éducation, moralisation, perfectionnement.**

3 Je recevrai bonne édification de votre vertu (...)
BOSSUET, *Perfection des religieuses.*

4 (...) vos vertus ont des suites plus étendues pour l'utilité de l'Église et pour l'édification des fidèles (...)
MASSILLON, *Petit carême*, Vices.

♦ **2.** Par ext. Action d'éclairer, d'instruire. ⇒ **Instruction.** *Sachez, pour votre édification, que...*

5 Avec lui *(Goethe)* tout est instruction, édification, moyen de culture ; tout conspire à mener à perfection l'affirmation de soi-même et de tout être.
GIDE, *Attendu que...*, p. 106.

Iron. Le fait d'instruire sur un comportement moral critiquable.

CONTR. **Démolition, destruction. — Corruption, scandale.**

ÉDIFICE [edifis] n. m. — Av. 1150 ; lat. class. *ædificium*, de *ædificare.* → Édifier.

♦ **1.** Bâtiment important. ⇒ **Bâtiment, bâtisse, construction, monument ; amphithéâtre, château** (cit. 1), **église, habitation, hôtel, immeuble, maison, 1. palais** (et cit. 4), **salle** (de spectacle...), **temple.** *Bâtir*, construire, élever un édifice. Superbe, vaste, immense édifice. Édifice monumental, somptueux. Les proportions d'un édifice. Le plan, l'élévation d'un édifice. Assises, bases, fondations, fondements d'un édifice. Les murs, la couverture, la voûte, les travées d'un édifice. Façade ; couronnement, faîte, frontispice, fronton d'un édifice. Édifice soutenu par des colonnes** (→ Appui, cit. 15), entouré de colonnes* (⇒ suff. **-ptère**). *Édifice en rotonde, à plan carré... Édifice surmonté d'une tour, d'un belvédère, d'un clocher... ; d'une coupole, d'un dôme. Pierres, matériaux d'un édifice. Poser la première pierre d'un édifice ; inaugurer un édifice. Détruire, démolir un édifice. Édifice qui tombe en ruine, croule, s'écroule, s'effondre...*

1 À partir de François II, la forme architecturale de l'édifice s'efface de plus en plus et laisse saillir la forme géométrique (...) Un édifice n'est plus un édifice, c'est un polyèdre (...) L'art n'a plus que la peau sur les os.
HUGO, *Notre-Dame de Paris*, I, V, II.

2 La silhouette de l'édifice *(un casino)* offrait une grande simplicité : une assez vaste coupole, d'un dessin très pur, posée sur un bâtiment quadrilatère d'un seul étage, tout fait de lignes horizontales, et raccordée à lui par deux bases en gradins.
J. ROMAINS, *les Hommes de bonne volonté*, t. V, XXVII, p. 285.

3 Un édifice accompli nous remontre dans un seul regard une somme des intentions, des inventions, des connaissances et des forces que son existence implique ; il manifeste à la lumière l'œuvre combinée du vouloir, du savoir et du pouvoir de l'homme. Seule entre tous les arts (...) l'architecture charge notre âme du sentiment total des facultés humaines.
VALÉRY, *Variété* III, p. 81.

4 Ceux des édifices qui ne parlent ni ne chantent, ne méritent que le dédain ; ce sont choses mortes, inférieures dans la hiérarchie à ces tas de moellons que vomissent les chariots des entrepreneurs, et qui amusent, du moins, l'œil sagace, par l'ordre accidentel qu'ils empruntent de leur chute (...)
VALÉRY, *Eupalinos*, p. 35 (→ Chanter, cit. 11).

Dr. admin. et cour. *Édifices publics ; édifices cultuels,* faisant partie du domaine public.

♦ **2.** Dr. Construction*.

5 Par «édifice», il faut comprendre non seulement les *bâtiments proprement dits,* tels que les maisons d'habitation, magasins, ateliers, hangars, granges, etc., mais aussi les *travaux d'art de toute espèce* (...) Par conséquent, il faut définir ici les édifices : *tout assemblage de matériaux consolidés à demeure, soit à la surface du sol, soit à l'intérieur.* M. PLANIOL, *Traité de droit civil*, t. I, p. 748.

Spécialt. *Édifices et superficies* : constructions élevées par le preneur et qui restent sa propriété, dans le bail à domaine congéable (⇒ **Congé,** 5. ; **congéable**).

♦ **3.** Par anal. Assemblage résultant d'un arrangement. ⇒ **Architecture, arrangement, assemblage.** *Un édifice de cheveux.* ⇒ **Échafaudage.**

6 Et qu'une main savante, avec tant d'artifice,
Bâtit de ses cheveux le galant édifice.
BOILEAU, *Satires*, X.

7 N'y avait-il pas dans ces édifices de cheveux quelque chose de lourd, de vulgaire à la fois de et de cossu, où semblait se perpétuer le goût de la bourgeoisie de 1889 ou même l'emphase épaisse du Second Empire ?
J. ROMAINS, *les Hommes de bonne volonté*, t. III, X, p. 135.

(Abstrait). Ensemble vaste et organisé. ⇒ **Arrangement, assemblage, combinaison, ensemble.** *L'édifice social.* ⇒ **Organisation.** *L'édifice de la religion, de l'État. L'édifice de l'Empire romain. — Apporter* (cit. 19) *sa pierre à l'édifice* : contribuer à une œuvre. ⇒ **Entreprise, œuvre ; ouvrage.** « *L'édifice immense du souvenir* » (→ 2. Souvenir, cit. 3, Proust).

8 *(Lui seul)* De la religion soutient tout l'édifice.
RACINE, *Esther*, Prologue.

9 Il est difficile à la cour que de toutes les pièces que l'on emploie à l'édifice de sa fortune, il n'y en ait quelqu'une qui porte à faux.
LA BRUYÈRE, *les Caractères*, VIII, 28.

10 Il faut admirer (...) le livre écrit par l'architecture ; mais, il ne faut pas nier la grandeur de l'édifice qu'élève à son tour l'imprimerie. Cet édifice est colossal (...) Depuis la cathédrale de Shakespeare jusqu'à la mosquée de Byron, mille clochetons s'encombrent pêle-mêle sur cette métropole de la pensée universelle (...) Du

reste, le prodigieux édifice demeure toujours inachevé (...) Le genre humain tout entier est sur l'échafaudage. Chaque esprit est maçon.
HUGO, Notre-Dame de Paris, II, v, II.

11 Si d'autres peuples ont été plus heureux, si, à l'étranger, plusieurs habitations politiques sont solides et subsistent indéfiniment, c'est qu'elles ont été construites d'une façon particulière, autour d'un noyau primitif et massif, en s'appuyant sur quelque vieil édifice central plusieurs fois raccommodé mais toujours conservé, élargi par degrés, approprié par tâtonnements et rallonges aux besoins des habitants.
TAINE, les Origines de la France contemporaine, I, t. I, Préface.

12 (...) il (l'esprit humain) a essayé de reconstruire l'édifice sur de meilleures proportions, mais sans y réussir (...)
RENAN, l'Avenir de la science, Œ. compl., t. III, p. 752.

13 Je venais d'achever l'édifice de dix ans (Jean-Christophe), je me sentais vainqueur et apaisé, bien moins par le succès que par le contentement de la tâche accomplie et de la vie secrète arrachée au néant.
R. ROLLAND, le Voyage intérieur, p. 137.

REM. Dans certains emplois, édifice peut avoir la valeur active de « action d'édifier » (→ ci-dessus, cit. 9).

Sc. Structure complexe. L'édifice atomique, moléculaire. Un édifice cristallin : un cristal.

ÉDIFIER [edifje] v. tr. — Av. 1150; lat. ædificare «construire», de ædes «maison», et facere «faire»; sens moral repris au lat. chrétien.

★ I. ♦ 1. (Av. 1150). Élever (un édifice*, un ensemble architectural). ⇒ **Bâtir, construire, élever; édificateur, édification.** Édifier un temple, une cathédrale, un palais. Édifier des villes, des cités (→ Architecte, cit. 2 et 4).

1 Voilà comment la brique a dû servir à édifier les villes industrielles modernes (...)
Jean BRUNHES, la Géographie humaine, t. I, p. 222.

2 L'architecte est celui qui a vocation par son art d'édifier quelque chose de nécessaire et de permanent. Non pas pour être regardé seulement ou compris, mais pour que l'on vive dedans (...)
CLAUDEL, Feuilles de saints, L'architecte, p. 47.

3 À cinquante mètres, ils avaient fait édifier un vaste bâtiment à usage de collège.
J. ROMAINS, les Hommes de bonne volonté, t. V, IX, p. 74.

♦ 2. Fig. Créer (un vaste ensemble). ⇒ **Arranger, combiner, constituer, créer, organiser.** Édifier un empire. ⇒ **Établir, fonder.**
Abstrait. Édifier une œuvre, un système, une théorie. ⇒ **Composer, échafauder, élaborer, élever.** Édifier sa vie, son bonheur sur une base fragile, inébranlable. ⇒ **Bâtir, construire; baser.** Détruire, démolir (cit. 6) ce qui a été édifié. — Emploi pron. Les bases sur lesquelles s'édifie sa théorie.

4 En moi aussi bien des choses ont été détruites que je croyais devoir durer toujours, et de nouvelles se sont édifiées, donnant naissance à des peines et à des joies nouvelles que je n'aurais pu prévoir alors (...)
PROUST, À la recherche du temps perdu, t. I, p. 55.

5 (...) on ne peut rien édifier de durable, sans le cimenter de ses larmes et de son sang.
R. ROLLAND, Jean-Christophe, VII, p. 50.

6 Que m'importe un bonheur édifié sur l'ignorance.
GIDE, les Nouvelles Nourritures, p. 64.

7 Vouloir édifier l'avenir à l'imitation du passé, quelle coupable folie!...
GIDE, Journal, 14 févr. 1932.

8 Il a fallu vingt ans à Wagner pour construire la Tétralogie, une vie à Littré pour édifier son dictionnaire.
G. DUHAMEL, Scènes de la vie future, III, p. 59.

Absolt. Élever, créer, construire (par oppos. à détruire).

9 Le temps a deux pouvoirs; d'une main il renverse, de l'autre il édifie.
CHATEAUBRIAND, Mémoires d'outre-tombe, t. VI, p. 149.

10 (...) les peuples s'entendront, non pour détruire, mais pour édifier (...)
PASTEUR, Disc. du 27 déc. 1892, in THAMIN et LAPIE, Lectures morales.

★ II. (Fin XIIᵉ; du lat. ecclés. ædificare). Compl. n. de personne.
♦ 1. Porter (qqn) à la vertu, à la piété, par l'exemple ou par le discours (→ **Édifiant**). Ce sermon, cette lecture l'a beaucoup édifié. Il édifie ses proches par sa piété, sa dévotion, ses qualités... (→ Donner l'exemple*).

11 Nous sommes fort édifiés de sa dévotion (...)
Mᵐᵉ DE SÉVIGNÉ, 388, in LITTRÉ.

12 Cette union si douce, et presque fraternelle,
Édifiait tous les voisins.
LA FONTAINE, Fables, XII, 8.

12.1 Mademoiselle, continua la bergère, allez vous édifier dans cette sainte solitude, et vous n'en reviendrez que meilleure.
SADE, Justine ou les Malheurs de la vertu, I, 136 (Presses du Livre français, 1950).

13 (...) ces pieuses gens édifiaient les habitants de la ville au point que ceux-ci, étaient sur leurs portes, se levaient par respect et faisaient grand silence pendant qu'ils passaient.
F. MAURIAC, Vie de Jean Racine, p. 11.

Par ext. Impressionner favorablement. Édifier qqn par des discours savants.

♦ 2. Mettre (qqn) à même d'apprécier, de juger sans illusion. ⇒ **Éclairer, instruire, renseigner** (→ Mettre au courant*). — REM. À la différence du dér. édification, édifier est alors presque toujours iron. et péj. — Je vais vous édifier sur le compte de cet homme. — Passif et p. p. Je suis tout à fait édifié sur ce qu'il sait faire, sur ses intentions. Après son dernier discours, nous voilà édifiés! ⇒ **Édifiant.**

14 (...) vous allez être bien édifié : ils vous diront en latin que votre fille est malade.
MOLIÈRE, l'Amour médecin, II, 1.

CONTR. (Du sens I.) **Abattre, démolir, renverser, ruiner.** — **Anéantir, défaire, détruire*.** — (Du sens II.) **Choquer, scandaliser; corrompre, démoraliser** (1.), **dépraver, pervertir.**
DÉR. **Édifiant.**

ÉDILE [edil] n. m. — 1213; lat. ædilis, de ædes «maison». → Édifier.

♦ 1. Hist. rom. Magistrat chargé de l'inspection des édifices et des jeux et du soin de l'approvisionnement de la ville. Il y avait à Rome quatre édiles, deux édiles plébéiens et deux édiles patriciens ou édiles curules.

1 Les deux chaises d'ivoire ont reçu les édiles. HUGO, Odes, IV, 11.

♦ 2. (1754). Magistrat municipal d'une grande ville (en style officiel ou de journalisme). Les édiles de la ville de Paris.

2 La chronique locale (...) est maintenant occupée tout entière par une campagne contre la municipalité : « Nos édiles se sont-ils avisés du danger que pouvaient présenter les cadavres putréfiés de ces rongeurs (les rats)? ».
CAMUS, la Peste, p. 39.

3 Le lieutenant reçoit des ordres : le maire du village sera convoqué au milieu du camp, avec ses adjoints, les conseillers municipaux, les édiles, les citoyens influents. Ils sont huit en tout. On leur fait visiter les chambres à gaz, sans rien leur épargner.
Alain BOSQUET, les Bonnes Intentions, p. 28.

ÉDILITAIRE [edilitɛʀ] adj. — 1875; du rad. de édilité (2.), et -aire.

♦ Admin. ou hist. Relatif à l'édilité (2.), à la magistrature municipale. Des travaux édilitaires. Une décision édilitaire.

ÉDILITÉ [edilite] n. m. — XVᵉ, au sens 1; lat. class. ædilitas, de ædilis. → Édile.
Didactique ou administratif.

♦ 1. Hist. rom. Magistrature de l'édile*; exercice de cette magistrature.

♦ 2. (1838). Mod. Rare. Magistrature municipale. Service municipal chargé de l'entretien des rues, des édifices, dans les grandes villes. — Loc. adj. D'édilité : qui concerne ce service municipal. Travaux d'édilité.

Après une bonne heure d'attente, au moment de monter dans la voiture, voilà que la petite se sent une de ces colères furieuses qui ne pardonnent à personne, et comme l'édilité parisienne n'a pas multiplié les chalets inodores à l'infini, force est d'aller jusqu'à la gare du Havre, où l'on arrive. Il était temps.
Germain NOUVEAU, Petits tableaux parisiens, « Le bois de Boulogne », Pl., p. 460-461.

DÉR. **Édilitaire.**

ÉDIT [edi] n. m. — XIVᵉ, esdit; empr. lat. edictum, supin de edicere, de e- (ex-) intensif, et dicere «dire». → Édicter.

♦ 1. Hist. Règlement fait par un magistrat (édile, préteur, consul...) pour être observé durant sa magistrature. Édit du préteur : proclamation par laquelle le préteur faisait connaître les principes qui devaient régler sa conduite en matière juridique. Codification de l'Édit perpétuel, par Julien sous l'empereur Hadrien.
Constitution* impériale relative surtout au droit public. L'édit de Dioclétien.

1 Galérius (...) le contraignit (Dioclétien) à faire ce sanglant édit qui ordonnait de persécuter les chrétiens plus violemment que jamais (...)
BOSSUET, Hist., I, 10, in LITTRÉ.

♦ 2. Hist. Acte législatif émanant des rois francs. ⇒ **Capitulaire.** L'édit de Clotaire II, relatif aux maires du palais ; l'édit de Théodoric.
En France, sous l'Ancien Régime, Disposition législative statuant sur une matière spéciale (alors que l'ordonnance* avait un caractère général). ⇒ **Loi, règlement.** Édit de Moulins (1566), proclamant le domaine royal inaliénable. Édit de Nantes (1598), par lequel Henri IV reconnaissait aux protestants la liberté de conscience. Révocation de l'édit de Nantes par Louis XIV : édit de Fontainebleau (1685). Porter, faire, renouveler ; enregistrer un édit. ⇒ **Enregistrement, jussion; lit** (de justice). Établir par un édit. ⇒ **Édicter.**

2 (...) c'est là (...) ce combat singulier
(...) pour qui les édits n'ont point fait de défense.
MOLIÈRE, le Dépit amoureux, V, 8.

♦ 3. Ordonnance rendue par un souverain. Édit du tsar. ⇒ **Ukase.**

3 Et le Roi, trop crédule, a signé cet édit. RACINE, Esther, I, 3.
COMP. **Contre-édit.**

ÉDITER [edite] v. tr. — 1784, Restif, au p. p.; le v. est formé sur édité, du p. p. latin editus, de edere «produire, faire paraître au jour»; cf. l'adj. edit «publié», déb. XIVᵉ, de même origine. → aussi Éditeur, édition.

♦ 1. Didact. Établir et présenter (un texte, un manuscrit) pour la publication, parfois en le présentant et en l'annotant. ⇒ **Éditeur** (1.), **édition** (1.); **procurer** (une édition). Éditer un manuscrit ancien. Éditer un texte inconnu, un classique avec des variantes, avec des notes critiques. — Au p. p. Œuvres de X..., éditées par le professeur Y..., avec une préface et des notes. Texte inédit édité par un philologue.

REM. Cet emploi est proche du sens anglais du verbe to edit «préparer matériellement (un texte) pour la publication», qui donne lieu à un anglicisme en français. On dira plutôt : *préparer (le texte, la copie).*

♦ **2.** Cour. Publier et faire circuler (un texte reproduit : imprimé, etc.); par ext., organiser l'édition (d'ouvrages imprimés). ⇒ **Publier; paraître** (faire). *Éditer un livre, un texte, un ouvrage. Éditer des romans, de la poésie, des traductions, des ouvrages techniques. Il ne trouve personne pour éditer son livre. — Cette société compose, imprime* et édite des livres, mais ne les diffuse* pas. Cet atelier compose et imprime, mais n'édite pas. — (Au passif). Son livre vient d'être édité par* (tel éditeur). → Vient de paraître*, de sortir*. *Livre édité à compte d'auteur.*

Par anal. *Éditer des cartes géographiques, des partitions musicales, des estampes, des gravures, des cartes postales, des reproductions d'œuvres d'art.*

Par ext. Reproduire pour la vente. « *La robe du grand couturier éditée à plusieurs exemplaires* » (Proust, 1922, *in* T. L. F.).

Par métonymie. *Éditer un auteur. Personne ne veut l'éditer.* « *Vous ferez la même remise à tous ceux que nous éditons* » (Gide).

♦ **3.** Inform. (angl. *to edit*). Préparer (un ensemble d'informations) pour le traitement.

▶ **S'ÉDITER** v. pron.

(Passif). Être édité. *Les livres qui s'éditent chaque année en France.* — (Réfl.). Éditer son propre, ses propres livres. *Il s'édite à compte d'auteur.*

▶ **ÉDITÉ, ÉE** p. p. adj. *Manuscrit bien, mal édité. — Livres édités et textes inédits.* — Nom :

Mais il y a tant d'inédit que tout le monde connaît d'avance, il y a tant d'édité que tout le monde ignore.   Ch. PÉGUY, la République..., p. 16.

CONTR. (Du p. p.). **Inédit.**
COMP. Coéditer, rééditer.

ÉDITEUR, TRICE [editœʀ, tʀis] n. — 1732; lat. impérial *editor,* de *editum.* → Éditer, édition.

♦ **1.** (1732). Didact. Personne qui fait paraître un texte après l'avoir établi. ⇒ **Éditer** (1.). *Joseph Bédier, éditeur de la* Chanson de Roland. *Marot a été l'éditeur de Villon. Notes de l'éditeur. L'éditrice d'un texte grec, médiéval.*

1 (...) les éditeurs de Kehl eux-mêmes, auxquels elle *(cette lettre)* était parvenue trop tard pour être insérée à sa véritable place, ont eu soin, dans les *additions et corrections* qui terminent le dernier volume de l'édition in-12, d'inviter les lecteurs à en prendre connaissance.   Avis des éditeurs des œuvres de Voltaire (en 42 vol. in-8°, dite : Édition de Kehl).

REM. Cet emploi est ancien et normal en français. En revanche, au sens de «personne qui prépare un texte pour l'impression», *éditeur* est un anglicisme (angl. *editor*). On dit en français *préparateur de copie,* ou *réviseur, correcteur-réviseur,* selon les cas. → aussi le sens 3, ci-dessous.

♦ **2.** (Fin XVIIIᵉ). Cour. Personne ou société qui assure la publication et la mise en vente (d'ouvrages imprimés). ⇒ **Éditer** (2.), **édition** (2.). *Les premiers éditeurs étaient des libraires.* ⇒ **Libraire,** 1. (cit. 3). *L'éditeur d'un livre. Contrat entre l'auteur et l'éditeur :* contrat d'édition. *L'éditeur doit publier loyalement l'œuvre cédée et s'acquitter de la rémunération convenue (forfait ou pourcentage). Elle fut libraire, avant d'être éditrice* (ou *éditeur ;* → ci-dessous, REM.). — Par ext. Maison, société d'édition. ⇒ **Édition** (2.), absolt. *Un grand éditeur. Les principaux éditeurs européens. Cet éditeur est en relation avec plusieurs imprimeurs. La librairie Hachette, éditeur du dictionnaire d'Émile Littré.* — Adj. *Société éditrice.*

2 (...) ces maudits éditeurs veulent imprimer tout : ce sont des corbeaux qui s'acharnent sur les morts, comme l'envie sur les vivants.   VOLTAIRE, Lettre à M. de la Visclède, 1775.

3 En publiant le premier roman d'un auteur, un éditeur doit risquer seize cent francs d'impression et de papier (...) J'ai cent manuscrits de romans chez moi, et n'ai pas cent soixante mille francs dans ma caisse (...) On ne fait donc pas fortune au métier d'imprimer des romans.   BALZAC, Illusions perdues, Pl., t. IV, p. 643.

4 (...) notre monument construit avec notre sang devient pour les éditeurs une affaire bonne ou mauvaise. Les libraires vendront ou ne vendront pas votre manuscrit, voilà pour eux tout le problème. Un livre, pour eux, représente des capitaux à risquer.   BALZAC, Illusions perdues, Pl., t. IV, p. 705.

5 Monsieur Vanier, éditeur neuf
Venu pour subjuguer la foule
Habite numéro dix-neuf
Quai Saint-Michel, où de l'eau coule.
          MALLARMÉ, Vers de circonstance, CXXVII.

Appos. *Libraire-éditeur. Auteur-éditeur.*

Par anal. *Éditeur de musique, de gravures, de photographies, de reproductions d'œuvres d'art.*

Par ext. *Éditeur de films.*

Éditeur, éditeur responsable : personne qui fait paraître sous sa responsabilité un journal, une revue, un périodique (⇒ **Gérant**). — Fig., vieilli. Personne qui est responsable d'une opinion, d'une nouvelle... « *Il est l'éditeur responsable des sottises qui se font chez lui* » (Littré).

Spécialt. Directeur politique (d'une publication périodique); celui qui rédige l'éditorial*.

REM. Dans ces emplois, le fém. *éditrice* est peu employé (mais on dit, adjectivement : *la société éditrice*) : on dira plutôt *Mᵐᵉ X, éditeur. Elle est éditeur.*

♦ **3.** Anglicisme (angl. *editor,* de *to edit* «préparer»). Inform. *Éditeur de texte(s) :* programme qui permet la composition de textes sur ordinateur. « *Le TO7 possède un éditeur de texte plein écran, un mode graphique haute résolution (64 000 points)* » (Publicité, in *Sciences et Avenir,* n° 441, nov. 1983, p. 20).

ÉDITION [edisjɔ̃] n. f. — XVIᵉ, *edicion;* lat. impérial *editio,* du lat. class. *editum.* → Éditer.

♦ **1.** Didact. Action d'éditer (1.), d'établir et de faire paraître (un texte, qu'on peut présenter, annoter, etc.). *Ce chartiste prépare l'édition d'un manuscrit grec, arabe... Le philologue, le spécialiste qui fournit l'édition de ce manuscrit. L'édition de ce texte lui a coûté de nombreuses recherches. Édition avec préface et notes de X... Appareil* critique d'une édition* (→ Discrimination, cit. 2). *Édition variorum :* édition d'un texte publié avec les notes de plusieurs commentateurs. *Les* Pensées *de Pascal, édition Havet, édition Brunschwicg.*

Le texte* ainsi édité. *Une édition correcte, fautive de Montaigne. Édition expurgée, complète. Comparaison d'une édition ancienne avec le manuscrit.* ⇒ **Recension.** *Édition critique. Donner, procurer une édition avec la collation* (cit. 2) *des manuscrits. Édition savante. Édition définitive.*

1 (...) c'est à leurs travaux *(des littérateurs du XVIᵉ et du XVIIᵉ siècles)* que nous devons les dictionnaires, les éditions correctes, les commentaires des chefs-d'œuvre de l'antiquité.   VOLTAIRE, Dict. philosophique, Gens de lettres.

♦ **2.** (Mil. XVIIᵉ). Cour. Le fait d'éditer (2.), de reproduire et de diffuser (une œuvre écrite). ⇒ **Publication.** *C'est un libraire, c'est l'auteur même, c'est une société* (⇒ **Éditeur,** 2.) *qui s'est chargée de l'édition de cet ouvrage. Procéder à la première édition, à une nouvelle édition* (⇒ **Réédition**) *d'un livre. Souscrire à l'édition d'un livre d'art, d'un dictionnaire. Contrat d'édition. Édition à compte d'auteur d'un recueil de poèmes.*

Par anal. *Édition de partitions musicales, de cartes géographiques, de jeux. Édition de gravures, de cartes postales. — Par ext. L'édition d'un film, d'un disque.*

Loc. fig. *Une, la nouvelle édition de... :* la reprise, la répétition de...

2 Avec ses chambellans, sa pompe et ses réceptions aux Tuileries, il *(l'empereur Napoléon)* a donné une nouvelle édition de toutes les niaiseries monarchiques. Elle était corrigée, elle eût pu passer encore un siècle ou deux.
          STENDHAL, le Rouge et le Noir, II, I.

Absolt. *L'édition :* l'ensemble des activités économiques par lesquelles les textes et les graphismes sont reproduits et distribués le plus souvent sous la forme de livres*. — REM. Le mot *édition, stricto sensu,* exclut la fabrication des objets imprimés (composition*, impression*, façonnage, etc.), comme il peut exclure la diffusion, la commercialisation et la vente au public (→ Diffusion, librairie); cependant, en cas d'intégration de ces diverses activités, c'est le concept d'édition qui est le plus large. ⇒ aussi **Livre.** — *Les métiers de l'édition. Travailler dans l'édition. L'édition française, allemande, japonaise, soviétique. Syndicats de l'édition. Convention collective de l'édition.*

♦ **3.** Ensemble des exemplaires d'un ouvrage publié; série des exemplaires édités en une fois. ⇒ **Tirage.** *Édition à 5 000, à 100 000 exemplaires.* ⇒ **Tirage.** *Édition de luxe, hors commerce, à tirage restreint, limité. Édition illustrée. Édition courante, ordinaire, populaire, à bon marché. Édition reliée, brochée. Édition de poche. Édition originale, en partie originale, édition princeps, première édition. Édition collective. Édition particulière. Édition posthume. Les* Pensées *de Pascal, édition de Port-Royal* (1670). *Les* Contes et Nouvelles *de La Fontaine, édition des Fermiers Généraux. Les bibliophiles recherchent les éditions originales, les éditions rares. Nouvelle édition. Édition revue et corrigée, augmentée* par l'auteur* (⇒ **Augmentation,** 3.; → Addition, cit. 2). *Édition définitive, ne varietur. Édition épuisée.*

3 Oui, c'est la bonne édition;
Voilà bien, page douze et seize,
Les deux fautes d'impression
Qui n'étaient pas dans la mauvaise.   PONS DE VERDUN, Contes et poésies, p. 9.

4 (...) les renseignements qu'on m'avait adressés des pays du Nord indiquaient seulement des traductions hollandaises du livre, sans donner aucune indication sur l'édition originale, imprimée à Francfort, avec l'allemand en regard.
          NERVAL, les Filles du feu, « Angélique », XII.

5 *(Il)* va publier un livre (...) édition de luxe, vignettes, culs-de-lampe et fesses de quinquet, portrait de l'auteur, vers latins en tête à sa louange, éloge critique et papier blanc?   FLAUBERT, Correspondance, 36, À É. Chevalier, 20 oct. 1839.

(Une, des éditions). Exemplaire (de telle ou telle édition). ⇒ **Exemplaire, livre.** *Avoir Racine dans une édition du XVIIᵉ siècle; du XVIIIᵉ siècle; dans une édition romantique, moderne* (cf. Un Racine du XVIIIᵉ siècle, etc.). *Acheter l'édition originale de* Madame Bovary. *Il achète des éditions rares. Édition numérotée. Je l'ai lu dans mon édition de la Bible...* (→ Authenticité, cit. 7).

6 Il s'était interrompu de découper avec les ciseaux maternels des maximes dans une édition populaire d'Épictète.   F. MAURIAC, Génitrix, II, p. 16.

♦ **4.** Spécialt. *Édition d'un journal :* ensemble des exemplaires imprimés en une fois. *(Une, des éditions). Édition de Paris, édition de province. Édition de midi, édition du soir* (aussi en expression exclamative, pour vendre). *Première, cinquième, sixième et dernière édition. Édition spéciale* (→ Camelot, cit. 2).

♦ **5.** Inform. (Anglic.). Matérialisation des informations traitées.

DÉR. **Éditionner.**

COMP. **Coédition, réédition.**

ÉDITIONNER [edisjɔne] v. tr. — 1967 ; de *édition*, et *-er.*

♦ T. de librairie, d'édition. Marquer (les exemplaires d'une édition) d'une mention de tirage.

ÉDITORIAL, ALE, AUX [editɔRjal, o] adj. et n. m. — 1856 ; angl. *editorial*, adj. «propre à un éditeur», et n. «article de journal écrit sous la responsabilité d'un rédacteur en chef», de *editor*, de même orig. que le franç. *éditeur.*

♦ **1.** Adj. Vieilli. Qui émane de la direction politique d'un journal, d'une revue. *Article éditorial.*

♦ **2.** N. m. (1870, *in* Höfler). Article qui émane de la direction d'un journal, d'une revue et qui définit ou reflète une orientation générale (politique, littéraire, etc.). *Lire l'éditorial en première page.*

Abrév. fam. : *un édito* (1939, *in* D. D. L.).

DÉR. **Éditorialiste.**

ÉDITORIALISTE [editɔRjalist] n. — 1934, *in* Höfler ; de *éditorial*, et *-iste.*

♦ Personne qui écrit l'éditorial d'un journal, d'une revue. *C'est le directeur politique qui est l'éditorialiste de cette revue.* ⇒ **Éditeur** (responsable). *« L'éditorialiste de "Combat" estime que c'est la question de la presse qui surtout nous divise »* (Mauriac, *in* T. L. F.).

-ÈDRE Élément tiré du grec *hedra* «siège, base», et qui sert à former des termes de géométrie. ⇒ **Décaèdre, dièdre, dodécaèdre, hémièdre, heptaèdre, hexaèdre, icosaèdre, isoédrique, octaèdre, pentaèdre, polyèdre, rhomboèdre, tétraèdre, trapézoèdre, trièdre.**

ÉDREDON [edRədɔ̃] n. m. — 1700 ; empr. au danois *ederduun*, de *eder* (→ Eider), et *duun* «duvet».

♦ **1.** Vx. Duvet de l'eider*. *Couvre-pied d'édredon.*

1   Un lit mollet, où l'on s'ensevelit dans la plume ou dans l'édredon, fond et dissout le corps pour ainsi dire.   ROUSSEAU, Émile, II.

Par métaphore :

1.1   Au même instant du moins le spectre menaçant se dissipa en flocons légers comme ceux que le souffle du matin roule sur l'onde invisible, et qu'on prendrait de loin pour un nuage d'édredon enlevé au nid des grands oiseaux qui habitent ses rivages.   Charles NODIER, Contes, p. 86.

♦ **2.** (1830). Par métonymie. Couvre-pied fait avec le duvet de l'eider. — Par ext. Couvre-pied d'un duvet quelconque (oie, etc.), de plume, de fibres synthétiques. *Un édredon moelleux. Édredon américain* : couvre-pied formé de deux tissus juxtaposés et piqués entre lesquels se trouve une couche de duvet. ⇒ **Matelassé.** *Dormir avec deux couvertures* et un édredon.* ⇒ **Couette.**

2   Outre les lits de plumes, il y avait un édredon. J'étais dans les plumes de tous côtés.   NERVAL, les Nuits d'octobre, XXIV.

Par compar. ou métaphore. Coussin, matelas (fig.). *Un édredon de neige.*

3   (...) l'édredon du ciel gris qui se vide de toute sa neige (...)   J. RENARD, Poil de carotte, L'aveugle (→ aussi Crever, cit. 42, Colette).

(Abstrait). Ce qui protège et amollit. *L'« édredon parlementaire, administratif »* (le Nouvel Obs., *in* la Banque des mots).

ÉDUCABILITÉ [edykabilite] n. f. — 1855, Sand ; de *éducable.*

♦ Didact. Aptitude à être éduqué, formé par l'éducation.

   Mes pensées avaient pris ce cours, et je ne m'apercevais pas que cette confiance dans l'éducabilité de l'homme était fortifiée en moi par les influences extérieures.   G. SAND, la Mare au diable, II, p. 18.

ÉDUCABLE [edykabl] adj. — 1831 ; du rad. de *éduquer*, et *-able.*

♦ Apte à recevoir l'éducation. *Cet enfant est arriéré mais il est éducable. La mémoire est éducable.*

   (...) les animaux (...) Dieu ne les a point faits éducables dans le sens complet du mot ; à quoi bon ?   HUGO, les Misérables, I, V, V.

CONTR. et COMP. **Inéducable.**

DÉR. **Éducabilité.**

ÉDUCATEUR, TRICE [edykatœR, tRis] n. et adj. — 1527, au sens I ; lat. *educator*, du supin de *educare.* → Éduquer.

★ **I.** N. Personne qui s'occupe d'éducation, qui donne l'éducation (⇒ **Instructeur, maître, pédagogue**). *Ce professeur*, cet instituteur* est un excellent éducateur. L'éducateur d'un prince.* ⇒ **Gouverneur, mentor, précepteur.** *« Il n'y a pas d'éducateurs plus rigides que les parents dévergondés »* (Merleau-Ponty).

1   Le rôle des professeurs de Faculté pourrait être immense, s'ils prenaient conscience et de la grandeur de leur tâche, et de leur autorité sur les étudiants (...) On va répétant que le rôle du professeur de Faculté diffère essentiellement de celui du professeur de lycée. Ce dernier est avant tout un éducateur. Le premier est un savant. Au dernier d'agir sur l'âme de l'enfant, de la modeler, s'il le peut ; au premier la sereine indifférence du chercheur qui n'a d'autre souci que la vérité. — De telles assertions sont monstrueuses (...)
    Jules PAYOT, l'Éducation de la volonté, p. 252.

2   *(L'attitude)* de récents éducateurs, qui condamnent l'étude des humanités gréco-latines (...)
    Julien BENDA, la Trahison des clercs, Préface de la nouvelle éd., p. 67.

Spécialt. Personne qui a reçu une formation spécifique et qui est chargée de l'éducation de certains groupes de jeunes. *Éducateur spécialisé.* *« Son goût pour la vie communautaire, le contact, l'entraîne vers le métier d'éducateur. Il passe quelques mois à animer des camps de vacances »* (Sciences et Avenir, nov. 1983, p. 25).

Fig. ⇒ **Initiateur ; guide** (→ Éducation, cit. 12).

3   La douleur est la grande éducatrice des hommes.
    FRANCE, Pierre Nozière, II, p. 18.

4   (...) nous nous en remettons à la vie qui connaît, il est vrai, son métier d'éducatrice.
    F. MAURIAC, le Jeune Homme, p. 68.

Spécialt. Personne qui élève, soigne (des animaux). ⇒ **Éleveur.** *Éducateur de vers à soie.*

★ **II.** Adj. (1805). Relatif à l'éducation ; qui donne, contribue à l'éducation. *Rôle éducateur du maître, des parents. Méthodes éducatrices.* ⇒ **Pédagogique.** *Ouvrages, livres éducateurs ; cinéma éducateur.* ⇒ **Éducatif.** *« La fonction éducatrice de l'art n'existe que dans la mesure où l'intention éducatrice est absente »* (Thierry Maulnier).

ÉDUCATIF, IVE [edykatif, iv] adj. — 1488 ; sens mod., 1866 ; du rad. de *éducation*, et *-(a)tif.*

♦ Qui a l'éducation pour but ; qui éduque, forme efficacement. ⇒ **Didactique, pédagogique.** *Méthode éducative. Caractère éducatif d'un livre, d'un auteur, d'un exercice. Littérature éducative. Film éducatif. Jeux, jouets éducatifs. Atelier* éducatif.*

1   Il n'y eut jamais poésie plus éducative que l'Iliade pour l'éducation d'énergie, qui est celle de la Grèce.   MICHELET, *in* P. LAROUSSE.

2   Ajoutez (...) les conseils de la radio, des correspondances dans les journaux et surtout l'action des innombrables associations dont le but est presque toujours éducatif. Vous voyez que le citoyen américain est bien encadré.   SARTRE, Situations III, p. 80.

3   Mais il s'est dégagé autre chose encore de ces réunions. C'est le facteur «éducatif», pour nous comme pour vous.   L.-H. LYAUTEY, Paroles d'action, p. 161.

Sports. *Mouvements éducatifs*, et, n. (1934, *in* Petiot), *l'éducatif de la course, du saut* : mouvements destinés à préparer les muscles à un exercice déterminé.

Dr. *Assistance éducative* (Code civil, art. 377) : mesures ordonnées par la Justice dans les cas où «la santé, la sécurité ou la moralité d'un mineur non émancipé sont en danger, ou si les conditions de son éducation sont gravement compromises».

ÉDUCATION [edykasjɔ̃] n. f. — 1527 ; lat. *educatio*, de *educatum*, supin de *educare.* → Éduquer.

A. ♦ **1.** Mise en œuvre des moyens propres à assurer la formation et le développement d'un être humain. ⇒ **Formation, institution** (vx), **nourriture** (vx). *Ces moyens. Résultats obtenus grâce à eux* (⇒ **Connaissance, culture**). *L'éducation des enfants* (⇒ **Pédagogie**), *des adultes* (⇒ **Andragogie**). *L'éducation a pour objet non seulement le développement intellectuel* (⇒ **Instruction**), *mais encore la formation physique et morale, l'adaptation sociale... Système, traité d'éducation. Philosophie de l'éducation. Les moyens, les méthodes de l'éducation moderne. Sciences de l'éducation.* ⇒ **Pédagogie.** *Système d'auto-éducation. — Éducation méthodique, progressive ; éducation laissée au hasard. Faire l'éducation d'un enfant, d'un adolescent...* ⇒ **Éducateur ; éduquer, élever, former.** *La première éducation. Recevoir une bonne, une forte, une solide éducation. Éducation familiale. Devoir d'éducation des parents* (des enfants par les parents). *Éducation religieuse, puritaine ; laïque. Éducation conformiste* (cit. 2), *conventionnelle* (→ Danger, cit. 12) *; libérale. Système d'éducation. Sentiments acquis, imposés par l'éducation. Éducation scolaire, universitaire.* ⇒ **Enseignement** (→ Dépourvoir, cit. 5). *Établissement, institution, maison d'éducation.* ⇒ **École.** *Ministère de l'Éducation* (en France) : ancien ministère de l'Éducation nationale, autrefois «ministère de l'Instruction publique». — *De l'éducation*, ouvrage de Milton (1544). *Émile ou De l'éducation*, œuvre de J.-J. Rousseau (1762). *Traité de l'éducation des filles*, de Fénelon (1687). *L'Éducation*, ouvrage de Dupanloup (1851).

De l'éducation intellectuelle, morale et physique, de Spencer (1861). *Psychologie de l'éducation,* ouvrage de Gustave Lebon (1902). — *L'éducation d'Achille,* sujet de tableaux célèbres (Rubens, Champaigne, Delacroix...).

1 J'accuse toute violence en l'éducation d'une âme tendre (...) ce qui ne se peut faire par la raison, et par prudence et adresse, ne se fait jamais par la force.
MONTAIGNE, Essais, II, VIII.

2 C'est un excès de confiance dans les parents d'espérer tout de la bonne éducation de leurs enfants (...)
LA BRUYÈRE, les Caractères, XII, 84.

3 Rien n'est plus négligé que l'éducation des filles. La coutume et le caprice des mères y décident souvent de tout ; on suppose qu'on doit donner à ce sexe peu d'instruction. L'éducation des garçons passe pour une des principales affaires par rapport au bien public ; et, quoiqu'on n'y fasse guère moins de fautes que dans celle des filles, du moins on est persuadé qu'il faut beaucoup de lumières pour y réussir.
FÉNELON, l'Éducation des filles, I.

4 Les lois de l'éducation seront donc différentes dans chaque espèce de gouvernement : dans les monarchies, elles auront pour objet l'honneur ; dans les républiques, la vertu ; dans le despotisme, la crainte. MONTESQUIEU, l'Esprit des lois, IV, 1.

5 *(L'ex-jésuite)* — (...) J'ai fait ce que j'ai pu pour vous bien élever. — Vraiment, vous m'avez donné là une plaisante éducation (...) je ne connaissais ni les lois principales, ni les intérêts de ma patrie : pas un mot de mathématiques, pas un mot de saine philosophie ; je savais du latin et des sottises (...) Je vis qu'on m'avait donné une éducation très inutile pour me conduire dans le monde (...)
VOLTAIRE, Dict. philosophique, Éducation.

6 On façonne les plantes par la culture, et les hommes par l'éducation (...) Tout ce que nous n'avons pas à notre naissance et dont nous avons besoin étant grands, nous est donné par l'éducation. Cette éducation nous vient de la nature, ou des hommes ou des choses...
L'éducation n'est certainement qu'une habitude. ROUSSEAU, Émile, I
(→ aussi Approprier, cit. 3 ; babillard, cit. 5 ;
condition, cit. 15 ; désobéir, cit. 6 ; correspondance, cit. 2).

7 (...) l'éducation a pour objets, 1º la santé et la bonne conformation du corps ; 2º ce qui regarde la droiture et l'instruction de l'esprit ; 3º les mœurs, c'est-à-dire la conduite de la vie et les qualités sociales.
DU MARSAIS, in Encycl. (DIDEROT), art. *Éducation.*

8 L'éducation doit être tendre et sévère et non pas froide et molle (...) l'éducation ne consiste pas seulement à orner la mémoire et à éclairer l'entendement ; elle doit surtout s'occuper à diriger la volonté (...) L'éducation se compose de ce qu'il faut dire et de ce qu'il faut taire, de silences et d'instructions.
Joseph JOUBERT, Pensées, XIX, 5-12-19.

9 (...) après le pain, l'éducation est le premier besoin du peuple.
DANTON, in BARTHOU, Danton, p. 307.

10 Ombres qui habitez les cavernes de ces montagnes, je dois à vos soins silencieux l'éducation cachée qui m'a si fortement nourri, et d'avoir, sous votre garde, goûté la vie toute pure, et telle qu'elle me venait sortant du sein des dieux !
M. DE GUÉRIN, Poèmes, « Le centaure ».

11 L'éducation sociale bien faite peut toujours tirer d'une âme, quelle qu'elle soit, l'utilité qu'elle contient. HUGO, les Misérables, I, V, V.

12 L'éducation ne se borne pas à l'enfance et à l'adolescence. L'enseignement ne se limite pas à l'école. Toute la vie, notre milieu est notre éducation, et un éducateur à la fois sévère et dangereux. VALÉRY, Variété III, p. 281.

12.1 L'éducation consiste à acquérir des réflexes nouveaux qui engendrent par leurs répétitions des habitudes, c'est ainsi que la plupart des actes de notre vie quotidienne qui ont commencé par exiger l'intervention de l'intelligence et de l'attention, ont fini par s'accomplir automatiquement. Mais sous un autre aspect, l'éducation consiste à acquérir des réflexes conditionnels capables d'inhiber les réflexes innés. Jean DELAY, la Psycho-physiologie humaine, p. 105.

(Avec un déterminatif). ⇒ **Formation, initiation.** *Éducation générale,* opposée aux *spécialisations.*

13 Delacroix était (...) un homme d'éducation générale, au contraire des autres artistes modernes, qui (...) ne sont guère que de tristes spécialistes (...)
BAUDELAIRE, Curiosités esthétiques, Œuvre et vie de Delacroix, II.
Éducation littéraire, scientifique. Éducation sexuelle. Éducation politique, civique. — Éducation artistique. Éducation professionnelle, fournissant aux jeunes gens la connaissance d'un métier, d'une technique. ⇒ **Apprentissage,** 1. — (1958). *Éducation permanente :* formation continue destinée à maintenir ou accroître les connaissances professionnelles (⇒ **Recyclage**), intellectuelles ou culturelles aux divers niveaux. — (1819, *in* Petiot). *Éducation surveillée.* — *Éducation physique :* ensemble des exercices physiques, des sports propres à favoriser le développement harmonieux du corps. ⇒ **Gymnastique, sport.**

Par ext. (le compl. désigne une collectivité). *Faire l'éducation politique d'un peuple. L'éducation artistique d'une nation. — De l'éducation du genre humain,* œuvre de Lessing (1780).

14 Le spectacle est la seule forme d'éducation morale ou artistique d'une nation.
GIRAUDOUX, Littérature, p. 233.

Fig. ⇒ **Apprentissage, formation, initiation.** *L'Éducation sentimentale,* roman de Flaubert (1869).

15 Il manque à ces malheureuses victimes, qu'on nomme filles à marier, une honteuse éducation, je veux dire la connaissance des vices d'un monde.
BAUDELAIRE, la Fanfarlo.

♦ **2.** Développement méthodique donné à une faculté, un organe... ⇒ **Exercice.** *Éducation des réflexes. Éducation de l'œil, de l'oreille. Éducation des sens. Éducation de la mémoire. L'Éducation de la volonté,* ouvrage de Payot (1893). *Éducation du sens artistique. Éducation du goût.*

16 (...) il ne définit pas bien cela, car son sens d'artiste et de voyant, qu'aucune éducation n'a affiné, est demeuré rudimentaire (...) LOTI, Ramuntcho, I, XIII, p. 121.

♦ **3.** Art d'élever (certains animaux). ⇒ **Élevage.** *L'éducation des abeilles, des vers à soie* (1763, *in* D.D.L.). — *L'éducation du chien, du cheval.* ⇒ **Domestication, dressage.**
Soins que les animaux donnent à leurs petits.

17 (...) l'autruche (...) n'ayant jamais besoin du secours de ses père et mère, vit isolée (...) et se prive ainsi des avantages de leur société qui (...) est la première éducation des animaux et celle qui développe le plus leurs qualités naturelles (...)
BUFFON, Hist. nat. des oiseaux, Le solitaire.

Rare. Soins donnés à une plante.

B. Par métonymie (de A., 1.) ; au sing. ; non qualifié. *L'éducation :* connaissance et pratique des usages* de la société. ⇒ **Bienséance, distinction, politesse, savoir-vivre** (→ Chic, cit. 5). *Avoir de l'éducation. Il est sans éducation, il manque d'éducation. Il a du tact* et de l'éducation.*

18 Cette chose qu'on est convenu d'appeler éducation, cette espèce de vernis, appliqué d'ailleurs assez grossièrement sur tant d'autres, manquait tout à fait à mon frère Yves ; mais il avait par nature un certain tact, une délicatesse beaucoup plus rares et qui ne se donnent pas. LOTI, Mon frère Yves, LXVIII, p. 162.

CONTR. Grossièreté, impolitesse, inéducation, rudesse, rusticité.
DÉR. Éducatif, éducationnel.

ÉDUCATIONNEL, ELLE [edykasjɔnɛl] adj. — 1873 ; de *éducation,* et *-el.*

♦ Didact., rare. Relatif à l'éducation. ⇒ **Éducatif.** *Le système éducationnel.* — REM. Semble un calque de l'anglais *educational.*

ÉDULCORANT, ANTE [edylkɔrɑ̃, ɑ̃t] adj. et n. m. — V. 1900 ; p. prés. de *édulcorer.*

♦ Se dit d'une substance qui donne une saveur douce. — N. *La saccharine est un édulcorant artificiel, non nutritif.*

ÉDULCORATION [edylkɔrasjɔ̃] n. f. — 1620 ; de *édulcorer,* et *-ation.*

♦ (1620). Didact. Action d'édulcorer ; son résultat. — Spécialt. Action de rendre doux (une préparation médicamenteuse dont on désire masquer le goût désagréable) par adjonction d'un édulcorant ; son résultat.

(Av. 1868). Fig. Action d'adoucir l'âpreté, la vigueur de qqn, de qqch. *L'édulcoration d'un roman.*

ÉDULCORER [edylkɔre] v. tr. — 1690 ; lat. médiéval *edulcorare,* de *ex-,* et bas lat. *dulcorare,* de *dulcis.* → Doux.

♦ **1.** (1704). Pharm. Adoucir (un breuvage, un médicament) par addition d'une substance sucrée (sucre, miel, sirop, saccharose...). *Édulcorer une tisane.*

♦ **2.** (1872, Goncourt). Fig., cour. Adoucir, affaiblir, dans l'expression. *Rapporter des propos violents en les édulcorant.* ⇒ **Atténuer, envelopper.** *Édulcorer un blâme, une menace.* ⇒ **Mitiger.**

1 (...) l'homme aura toujours les *formules* heureuses qui, sans rien *édulcorer,* envelopperont les volontés du maître. Louis MADELIN, Talleyrand, II, IX, p. 109.

2 Partout flotte d'ailleurs une indulgence préalable qui édulcore les péchés possibles et prépare une aimable absolution (...) H. BOSCO, Un rameau de la nuit, p. 305.

▶ **ÉDULCORÉ, ÉE** p. p. adj. *Médicament édulcoré.* — (1836, Barbey). Fig. *Un compte rendu très édulcoré.*

3 (...) en dictant à l'adresse de personnages plus puissants que lui des projets de lettres qui ne parviendront jamais à leurs destinataires — sinon sous une forme très édulcorée. P. DANINOS, Un certain Monsieur Blot, p. 36.

CONTR. Corser, renforcer.
DÉR. Édulcorant, édulcoration.

ÉDUQUER [edyke] v. tr. — 1385, p. p. ; rare av. 1746 ; mot mal reçu jusqu'au XIXe (→ REM. ci-dessous) ; lat. *educare,* fréquentatif de *educere,* de *e- (ex-),* et *ducere* « conduire ».

♦ **1.** Diriger le développement, la formation de (qqn) par l'éducation*. ⇒ **Cultiver, développer, dresser, élever, former, nourrir** (vx). *Éduquer des enfants. Éduquer une personne en lui apprenant*, en lui enseignant* qqch. Cet enfant a reçu une bonne instruction, mais il n'a pas été éduqué.* ⇒ **Conduire, guider.** — Par anal. (Sujet n. de chose). *Le malheur, l'infortune l'a éduqué durement.* ⇒ **Former.**

Par anal. *Éduquer le cœur, l'esprit, la volonté, les sens de qqn.* ⇒ **Discipliner, façonner.**

Par ext. (vieilli). *Éduquer une classe, une collectivité sociale ; éduquer le peuple.* — Au p. p. *Peuple éduqué.* ⇒ **Civilisé, policé.**

REM. *Éduquer,* malgré sa formation régulière (lat. *educare*) est mal reçu jusqu'au XIXe s. Littré écrit en 1864 qu'*éduquer* « qui est correct, et qui répond à *éducation,* n'obtient point, malgré son cadre, droit de bourgeoisie » ; le *Dictionnaire général,* v. 1900, le qualifie de « populaire » et certains dictionnaires de « familier ». Bien au contraire, le mot est aujourd'hui plus recherché et moins courant qu'*élever.* De bons écrivains l'emploient dès le XIXe s.

1 La langue d'ailleurs s'embellit tous les jours : on commence à *éduquer* les enfants au lieu de les élever (...) Notre jargon deviendra ce qu'il pourra.
VOLTAIRE, Lettres, 3 456, À M. Linguet, 15 mars 1769.

2 Éduquer (...) terme nouveau, qu'on a voulu mettre à la mode : c'est un vrai bar-

barisme de mots, qui figurerait très bien dans le Dictionnaire Néologique des petits Maîtres, et des Précieuses ridicules. Dict. de Trévoux (1771).

3 (...) M. de Maugiron (...) lui proposa (à *Julien Sorel*) d'entrer chez un fonctionnaire qui avait des enfants à *éduquer* (...) Leur précepteur jouirait de huit cents francs d'appointement (...) STENDHAL, le Rouge et le Noir, I, XXII.

Au participe passé :

4 (...) je me trouve assez grand garçon maintenant pour me considérer comme éduqué. FLAUBERT, Correspondance, II, p. 375.

Pron. *S'éduquer* : recevoir une éducation.

5 (...) plus d'une épouse de nos socialistes intransigeants pourrait venir avec fruit s'éduquer dans les harems, pour ensuite traiter sa femme de chambre, où son institutrice, comme les dames turques traitent leurs esclaves. LOTI, les Désenchantées, III, X, p. 87.

(Factitif). *Faire éduquer qqn. — Se faire éduquer par un maître.*

6 C'est vraiment du cœur de la collectivité que jaillit cette tendance éducative : chaque Américain se fait éduquer par d'autres Américains et il en éduque d'autres à son tour. SARTRE, Situations III, p. 81.

♦ **2.** Par ext. Élever (un animal). ⇒ **Apprivoiser, dresser; éducation,** 3.

▶ **ÉDUQUÉ, ÉE** p. p. adj.

(Sens général. → ci-dessus, cit. 4). — (1763). Spécialt (vieilli ou régional). *Personne bien éduquée, mal éduquée,* qui a, qui n'a pas d'éducation. ⇒ **Éducation** (4.); **élevé** (bien, mal), **poli, distingué;** (vx) **appris** (bien, mal); **grossier, vulgaire.**

7 Il était devenu un joli garçon entre les quatorze et les quinze ans, pas bien fort, mais vif à plaisir et si bien éduqué qu'on n'en avait jamais vu que des paroles d'honnêteté et d'amitié. G. SAND, François le Champi, XVIII, p. 126.

CONTR. (Du p. p.) Grossier, inéduqué, vulgaire.
DÉR. Éducable.

-ÉE Élément (tiré du suff. d'adj. latin *-ea,* fém. de *-eus),* utilisé pour former des noms de plantes. Ex. : *centaurée* (lat. sc. : *centaurea).* — Au plur. **-ÉES** : suffixe taxinomique (lat. scient. *-eœ)* de noms féminins plur. de familles et de tribus de plantes (réservé dans l'usage moderne aux noms de tribus).

-(É)EN, -(É)ENNE Élément tiré du lat. *-eum* et servant à former :

ⓐ des noms et des adjectifs indiquant l'appartenance, la propriété. — REM. Il prend la forme *-en, -enne* après une voyelle. Ex. : *herculéen; quotidien.*

ⓑ des noms et des adjectifs indiquant l'appartenance géographique. Ex. : *européen; méditerranéen, pyrénéen.*

ÉFAUFILER [efofile] v. tr. — 1701; de é-, et *faufiler.*

♦ Techn. Défaire (la trame d'un tissu) en tirant des fils. ⇒ **Défaufiler, effiler, effilocher.** *Éfaufiler une étoffe pour faire de la charpie.* — Pron. (passif). *Ruban qui s'éfaufile.* ⇒ **Effiler** (s'), **effilocher** (s').

EFENDI (rare) ou **EFFENDI** [efɛ̃di; efɛndi] n. m. — 1624, *in* D.D.L.; mot turc signifiant «maître», du grec mod. *afendis* «maître», du grec anc. *authentês* «qui agit de sa propre autorité». → Authentique.

♦ Titre de dignitaires civils ou religieux, chez les Turcs (→ Cadi, cit.). *Des efendis* ou *des effendis.*

(...) l'autorité, malgré mon langage encore hésitant, se laisse prendre à mon chapelet et à mon costume; me voilà pour tout de bon un indiscutable effendi. LOTI, Aziyadé, III, LXIV.

EFFAÇABLE [efasabl] adj. — 1549, *effassable;* de *effacer.*

♦ Rare. Qui peut être effacé. *Un dessin effaçable. Une tache effaçable.* — Fig. *Une impression difficilement effaçable.*

Spécialt, cour. *Ruban effaçable de machine à écrire :* ruban présentant une possibilité d'effacement.

CONTR. Indélébile, ineffaçable.

EFFAÇAGE [efasaʒ] n. m. — 1866; de *effacer.*

♦ Action d'effacer, de faire disparaître (ce qui était écrit). ⇒ **Effacement** (1.). — Techn. *L'effaçage des pierres lithographiques.*

EFFACEMENT [efasmɑ̃] n. m. — XIIIᵉ, *esfacement;* de *effacer.*

♦ **1.** (XIIIᵉ). Action d'effacer* (qqch.). ⇒ **Effaçage.** Fait de s'effacer; résultat de cette action. ⇒ **Biffage, gommage.** *L'effacement des lettres, des lignes d'un manuscrit, d'un palimpseste. Cette inscription est peu lisible à cause de son effacement partiel. — Touche d'effacement d'une machine à écrire.*

Par métaphore.

1 L'oubli n'est autre chose qu'un palimpseste. Qu'un accident survienne, et tous les effacements revivent dans les interlignes de la mémoire étonnée. HUGO, l'Homme qui rit, II, IV, I.

Fig. Destruction, suppression (→ Effacer, 2.). *L'effacement des péchés par la contrition. L'effacement des caractères d'un peuple, d'une civilisation. Effacement d'une impression, d'un souvenir, sous l'action du temps.* ⇒ **Affaiblissement, disparition, évanouissement.**

2 (...) le souvenir d'un rêve de la dernière nuit, qui peut nous paraître plus lointain dans son imprécision et son effacement qu'un événement qui date de plusieurs années. PROUST, À la recherche du temps perdu, t. XIII, p. 147.

Didact. (ling.). Suppression (d'un constituant d'une phrase) dans des conditions définies (par la grammaire transformationnelle).

♦ **2.** (1839). Fig. Action de s'effacer (2.), attitude effacée (3.). *Effacement de soi-même :* état de qqn qui s'efface, qui tient à rester dans l'ombre (→ Anéantissement, cit. 7). *Rester, vivre dans l'effacement,* sans se manifester, par modestie, discrétion, prudence.

3 (...) ils avaient manqué de cette modestie, de cet effacement de soi, de cet art sobre qui se contente d'un seul trait juste et n'appuie pas, qui fuit plus que tout le ridicule de la grandiloquence (...) PROUST, À la recherche du temps perdu, t. IV, p. 137.

4 Tous nos invités furent conquis par la grandeur si simple du Général, par la noblesse de son esprit, par le volontaire effacement — qu'on pourrait dire pudique — avec lequel il parlait des actions militaires qu'il avait combinées (...) Georges LECOMTE, Ma traversée, p. 568.

EFFACER [efase] v. tr. — Conjug. *placer.* — Av. 1150; de *é, face,* et *-er.*

♦ **1.** ⓐ Faire disparaître sans laisser de trace (ce qui était marqué, écrit). ⇒ aussi **Biffer.** *Effacer un mot, une ligne* (⇒ **Enlever, supprimer**) *en frottant avec une gomme* (⇒ **Gommer**). *Effacer une tache d'encre avec un grattoir* (⇒ **Gratter**), *un produit chimique. Effacer légèrement un trait.* ⇒ **Estomper.** *Laver, essuyer, brosser pour effacer. Effacez ce qui est écrit au tableau.* — Par ext. Supprimer (une trace). *Effacer les rides par des massages. La neige qui tombe efface les empreintes des pas. L'assassin avait effacé soigneusement toute trace de sang. Le voleur a effacé ses empreintes, toute trace de son passage. Effacer un pli sur un vêtement.*

1 Et d'autres réflexions survinrent, tandis qu'il effaçait avec sa manche une rebroussure dans la soie de son chapeau. J. ROMAINS, les Hommes de bonne volonté, t. V, VI, p. 44.

ⓑ Par métonymie. Faire disparaître ce qui était marqué, tracé sur (une surface). *Un chiffon pour effacer le tableau.*

ⓒ Faire disparaître (ce qui était écrit) en raturant, en corrigeant. ⇒ **Annuler, barrer, biffer, canceller** (vx), **caviarder, censurer, couper, détruire, radier, raturer, rayer, sabrer, supprimer** (→ Critique, cit. 9). *Effacer un nom sur une liste, un article d'un compte, un paragraphe dans un exposé, une clause de contrat...* Absolt. *Il efface sans cesse.* ⇒ **Enlever.**

2 Ajoutez quelquefois, et souvent effacez. BOILEAU, l'Art poétique, I.

Par métaphore. *Conquérant qui cherche à effacer un pays, un royaume de la carte.*

ⓓ Par ext. Littér. (Sujet n. de chose). Rendre moins net, moins visible. *Le soleil efface les couleurs.* ⇒ **Affaiblir, éteindre, faner, passer** (faire), **ternir.** *L'usure avait effacé l'empreinte des médailles.* Ellipt. *L'usure avait effacé la médaille. Le temps efface les vestiges du passé. Une inscription que le temps a effacée.* ⇒ **Détruire, oblitérer.**

3 (...) quelle étrange pâleur
De son teint tout à coup efface la couleur? RACINE, Esther, II, 7.

4 Je me souviendrai toute ma vie d'avoir vu (...) cet air superbe et menaçant, que la mort même n'avait pu effacer. FÉNELON, Télémaque, II.

5 Quand le râteau de la peste ou le soc de la guerre, quand le génie des déserts a passé sur un coin du globe en y effaçant tout, qui a eu raison du sauvage de Nubie ou du patricien de Thèbes? BALZAC, Séraphîta, Pl., t. X, p. 542.

♦ **2.** Fig. (Abstrait). Faire disparaître, faire oublier. *Effacer le souvenir d'un événement. Effacer un souvenir de sa mémoire. Effacer le passé.* ⇒ **Oublier** (faire); → Faire tomber dans l'oubli*, faire table* rase. *Le temps efface les chagrins, les humiliations. L'absence efface-t-elle l'amour?* (→ Attiédir, cit. 7). *Effacer un affront, une offense. L'excuse n'efface pas la faute.* ⇒ **Couvrir, racheter, réparer** (→ Apostat, cit. 2). *Dieu efface les péchés.* ⇒ **Absoudre, pardonner;** → Passer l'éponge* sur. *Familiarité, politesse qui efface les distances.* ⇒ **Abolir** (→ Critique, cit. 9). *Politique qui s'efforce d'effacer les distinctions entre les classes.* ⇒ **Confondre.**

6 Je t'ai fait une offense, et j'ai dû m'y porter
Pour effacer ma honte et pour mériter (...) CORNEILLE, le Cid, III, 4.

7 Que l'embrassement d'un ami peut effacer de torts! Quel ressentiment peut après cela rester dans le cœur? ROUSSEAU, les Confessions, IX.

8 J'écoute : — | L'espace
Tout fuit, | Efface
Tout passe; | Le bruit.
HUGO, les Orientales, « Les djinns ».

9 Efface ce séjour, ô Dieu! de ma paupière,
Ou rends-le moi semblable à celui d'autrefois.
LAMARTINE, Cours familier de littérature, « La vigne et la maison », II.

10 La nuit volupteuse monte,
Apaisant tout, même la faim,
Effaçant tout, même la honte.
BAUDELAIRE, les Fleurs du mal, « La mort », CXXIV.

11 Les haines effaçaient dans le cœur tout sentiment d'humanité.
FUSTEL DE COULANGES, la Cité antique, p. 402.

12 (...) effaçant son passé pour repartir à zéro. CAMUS, la Peste, p. 301.
Effacer de la terre, de la surface du globe. On veut effacer la variole de la surface du globe.

Argot. **a** (Compl. n. de personne). Tuer. ⇒ **Éliminer.**

12.1 Je venais de penser qu'au cas où Riton se ferait effacer, elles seraient tout entières pour mézigue, les cinquante briques de notre planque.
A. SIMONIN, Touchez pas au grisbi, p. 143.

b Absorber totalement en buvant ou mangeant. *Effacer un verre de vin, un plat.*

c Recevoir (un coup, un projectile). ⇒ **Encaisser.**

♦ **3.** Fig. Empêcher (qqch., qqn) de paraître, de se manifester, par sa propre existence, par ses propres manifestations.

a Concret. *« La lune effaçait la clarté des étoiles »* (G. Sand, *in* T. L. F.).

13 (...) une tunique d'une laine fine dont la blancheur effaçait celle de la neige (...)
FÉNELON, Télémaque, I.

b Abstrait :

14 Tout ce qui vous efface blesse votre orgueil.
MASSILLON, Carême, Confessions, *in* LITTRÉ.

15 Un jeune homme qui en éclipse un autre par sa parure, a quelquefois la douleur de voir cet autre l'effacer par son esprit.
ROUSSEAU, *in* LAFAYE, Dict. des synonymes.

16 Parmi ces peintres, il en est un *(Rubens)* qui semble effacer tous les autres; en effet, dans l'histoire de l'art aucun nom n'est plus grand, et il n'y en a que trois ou quatre aussi grands. TAINE, Philosophie de l'art, t. II, p. 50.

♦ **4.** (1670, Molière). Escrime. Tenir de côté ou en retrait (une partie du corps, un membre), de manière à présenter le moins de surface ou de saillie. *Effacer le corps, une épaule, le ventre. — Alignez-vous, effacez l'épaule droite* (ci-dessous v. pron., 2.).

▶ **S'EFFACER** v. pron.

♦ **1.** (Sujet n. de chose; passif). Être effacé; disparaître plus ou moins. — (D'une trace). *Crayon qui s'efface facilement.* ⇒ **Partir.** *L'inscription s'est effacée. Effigie d'une médaille qui s'efface.* ⇒ **Estomper** (s'). — (Choses visibles). *Les couleurs s'effacent. Lumière, jour qui s'efface.* ⇒ **Obscurcir** (s').

17 Une fresque du Dominiquin ou du Titien, qui s'efface; un palais de Michel-Ange ou de Palladio, qui s'écroule mettent en deuil le génie de tous les siècles.
CHATEAUBRIAND, Mémoires d'outre-tombe, t. VI, p. 132.

18 La pâle nuit levait son front dans les nuées;
Les choses s'effaçaient, blêmes, diminuées,
Sans forme et sans couleur (...)
HUGO, les Contemplations, III, « Magnitudo parvi », I.

19 Heureux les hommes dont le cœur, comme une glace où glissent et s'effacent les reflets, oublie tout ce qu'il a contenu (...) MAUPASSANT, la Morte.

20 Sur sa figure ronde où rien d'autre ne bouge, un petit pli, entre les sourcils, se forme et disparaît, reparaît et s'efface, seul indice du débat intérieur.
MARTIN DU GARD, les Thibault, t. III, p. 168.

Fig. (Abstrait). *Souvenir qui s'efface difficilement.* ⇒ **Disparaître, obscurcir** (s'); → Décliner, cit. 9; demeurer, cit. 23. *Les haines s'effacent peu à peu.* ⇒ **Assoupir** (s'). *Le charme s'efface.* ⇒ **Cesser, évanouir** (s').

21 Le ciel de l'Attique a produit en moi un enchantement qui ne s'efface point; mon imagination est encore parfumée des myrtes du temple de la *Vénus aux jardins* et de l'iris du Céphise.
CHATEAUBRIAND, Mémoires d'outre-tombe, t. II, p. 387.

22 Durant cet intervalle, le peu que je savais s'est presque entièrement effacé de ma mémoire, et bien plus rapidement qu'il ne s'y était gravé.
ROUSSEAU, les Rêveries..., 7ᵉ promenade.

23 Triste à peine tant s'effacent
Ces apparences d'automne. VERLAINE, Romances sans paroles, « Bruxelles ».

24 Les jours heureux qui furent ne s'effacent pas d'un coup; leur rayonnement persiste longtemps encore après qu'ils ne sont plus.
R. ROLLAND, Vie de Beethoven, p. 16.

25 Je croyais que tout s'oubliait, que tout s'effaçait; quelque chose résiste donc au temps? Quoi, l'amour, la gloire, la fidélité? Non, non! mais quelques simples douleurs, mais les souvenirs qui ne pardonnent pas.
Edmond JALOUX, Fumées dans la campagne, XXVII, p. 228.

26 (...) l'Empire d'Occident, inoubliable et brillant modèle, qui, malgré ses vices et ses convulsions, avait laissé un regret qui ne s'effaçait pas.
J. BAINVILLE, Hist. de France, III, p. 34.

Les intérêts privés doivent s'effacer devant l'intérêt général (cet exemple peut être senti et compris au sens 3).

♦ **2.** (Réfl.). Sujet n. de personne. Se tenir de façon à paraître le moins possible, à présenter le moins de surface ou de saillie. ⇒ **Dérober** (se), **retirer** (se). *S'effacer pour éviter un coup. Ils s'effacèrent pour le laisser entrer.* ⇒ **Écarter** (s').

27 Il se couchait, puis se redressait, s'effaçait dans un coin de porte, puis bondissait, disparaissait, reparaissait, se sauvait, revenait, ripostait à la mitraille par des pieds de nez (...) HUGO, les Misérables, V, I, XV.

28 Il arrive toujours le premier à la porte du restaurant, s'efface, laisse passer sa femme (...) et entre alors (...) CAMUS, la Peste, p. 39.

♦ **3.** Fig. *S'effacer devant qqn,* lui laisser la première place, le laisser agir. ⇒ **Incliner** (s'); → Absorption, cit. 2. — *Il s'effaçait pour faire briller* (cit. 22) *son ami. S'effacer par humilité, par politesse,*

par timidité : ne pas vouloir se faire remarquer. → Se faire tout petit*.

29 Sympathique d'ailleurs, discret, et cherchant plus à s'effacer qu'à épater, ni même qu'à paraître ou qu'à plaire. GIDE, Journal, 7 févr. 1902.

30 On connaît mal l'homme que fut Moïse, cette personnalité puissante, mais qui s'efface devant son œuvre.
DANIEL-ROPS, le Peuple de la Bible, II, II, p. 109.

▶ **EFFACÉ, ÉE** p. p. adj.

♦ **1.** Qui a disparu par effacement. *Écriture effacée. Dessin effacé.*
Par métonymie. *Tableau effacé,* dont l'inscription qu'il portait a été effacée. *Une médaille effacée par l'usure,* dont l'empreinte a disparu. ⇒ **Fruste.**
Par ext. Rendu moins net, moins visible. ⇒ **Flou.** *Sentier effacé* (→ Appuyer, cit. 43).
Qui a peu d'éclat, qui a passé. *Couleur, teinte effacée.* ⇒ **Éteint, pâli, passé.**
Abstrait. *Souvenirs, regrets effacés. Tradition effacée.* ⇒ **Oublié; amorti.**
Éliminé. *Pays effacé de la carte, de la terre.*

♦ **2.** (XVIIᵉ). Qui paraît en retrait, qui n'est pas saillant. *Épaules effacées. Menton effacé. Corps effacé. Poitrine effacée* (→ Atténuer, cit. 3). *Ventre effacé.*

31 Quand vous portez la botte, Monsieur, il faut que l'épée parte la première, et que le corps soit bien effacé. MOLIÈRE, le Bourgeois gentilhomme, II, 2.

Techn. (chemin de fer). *Signal effacé :* signal de profil qui indique que la voie est libre.

♦ **3.** (XIXᵉ). Fig. Qui ne se fait pas voir, reste dans l'ombre. ⇒ **Falot, humble, ignoré, insignifiant, modeste, terne.** *Caractère effacé. C'est un individu effacé. Attitude effacée. Mener une vie effacée* (→ Cheville, cit. 3). *Jouer un rôle effacé.*

32 (...) une vieille fille, toute petite, et si menue, si effacée, que l'on remarque seulement ses doigts noueux sur le fond noir de sa jupe.
J. CHARDONNE, les Destinées sentimentales, I, IV, p. 163.

CONTR. Écrire; ajouter, remplir. — Accentuer, aviver, exalter, raviver, renforcer, ressortir (faire). — Demeurer, résister, rester. — Montrer (se). — Renaître, reparaître, revenir. — (Du p. p.) Brillant, distingué, dominateur, vif, vivant.
DÉR. Effaçable, effaçage, effacement, effaceur, effaçure.

EFFACEUR, EUSE [efasœʀ, øz] adj. et n. — XIVᵉ, *effaicer; de effacer.*

♦ Rare. (Personne) qui efface. Au fig. *« La main effaceuse du temps »* (Peladan, *in* T. L. F.).

EFFAÇURE [efasyʀ] n. f. — 1238, *effaceure; de effacer.*

♦ Rare. Action d'effacer. — (1800). Fig. Ce qui est effacé. ⇒ **Rature.**

EFFANAGE [efanaʒ] n. m. — 1791; *de effaner.*

♦ Agric. Action d'effaner. *L'effanage du blé.*

EFFANER [efane] v. tr. — 1732, Trévoux; *de é-, fane, et -er.*

♦ Agric. Débarrasser (une plante) de ses fanes, de ses feuilles superflues. *Effaner les blés.* ⇒ **Effeuiller.**
DÉR. Effanage, effanure.

EFFANURE [efanyʀ] n. f. — 1798; *de effaner.*

♦ Agric. Ce qui provient d'une plante effanée (fane, feuille, etc.). *Effanures de maïs.*

EFFARADE [efaʀad] n. f. — Av. 1848, Chateaubriand; *de effarer.*

♦ Vx. État d'une personne effarée. ⇒ **Effarement.** *« L'effarade du gouvernement était à mourir de rire »* (Chateaubriand, *Mémoires d'outre-tombe,* t. V, p. 336).

EFFARANT, ANTE [efaʀɑ̃, ɑ̃t] adj. — 1895; p. prés. de *effarer.*

♦ **1.** Littér. Qui effare, plonge dans une stupeur mêlée d'effroi ou d'indignation. ⇒ **Effrayant, stupéfiant.** *Une nouvelle effarante.* — Par exagér. *Un pédantisme effarant* (→ Brillant, cit. 14).

(...) cette effarante imputation de « haine » (...) était assimilable à une émission de billets faux, tant elle trouvait peu de crédit et d'assentiment dans mon cœur.
GIDE, Journal, 19 août 1927.

♦ **2.** Par exagér. Cour. *C'est effarant!,* inouï, incroyable. *Rouler à une vitesse effarante,* extrême. *Il a un aplomb effarant.* ⇒ **Étonnant.**

EFFARÉ, ÉE [efaʀe] adj. ⇒ **Effarer.**

EFFAREMENT [efaʀmɑ̃] n. m. — Av. 1790 ; de *effarer.*

♦ **1.** État d'une personne, d'un animal effaré. ⇒ **Agitation, ahurissement, effroi, égarement, stupeur, trouble.** *L'effarement de qqn. Son effarement était complet. Il y eut dans la foule un moment d'effarement.*

1   Mademoiselle Baptistine se retourna, aperçut l'homme qui entrait et se dressa à demi d'effarement, puis, ramenant peu à peu sa tête vers la cheminée, elle se mit à regarder son frère, et son visage redevint profondément calme et serein.
         HUGO, les Misérables, I, II, III.

2   (...) le malheureux petit Chose, arraché à son rêve, tombé de son ciel, promenait autour de lui de grands yeux étonnés où se peignait un effarement si naturel, si comique que toute la salle partait d'un gros éclat de rire.
         Alphonse DAUDET, le Petit Chose, XII, p. 333.

3   (...) très malade, avec un effarement d'esprit qui ne la laisse reconnaître personne.
         GIDE, Journal, janv. 1890.

4   Montage de textes, ce à quoi, dans mon amour des citations, se sont toujours réduites mes critiques. Il se trouve seulement que ces textes sont de moi. Leur ancienneté me permet de les utiliser comme s'ils étaient d'un autre. À quelques rares attendrissements et fréquents effarements près.
         Claude MAURIAC, le Temps immobile, p. 116-117.

♦ **2.** Rare. Action d'effarer (qqn, un groupe).

5   Lions volants, serpents ailés, guivres palmées,
Faits pour l'effarement des livides armées (...)
         HUGO, la Légende des siècles, t. I, 1859, p. 358, in T. L. F.

EFFARER [efaʀe] v. tr. — 1611 ; *effaree,* XIIIᵉ ; *effere* «troublé», v. 1200 ; orig. obscure ; p.-ê. doublet, avec métathèse du *r* d'*esfreer, esfraer.* → **Effrayer.**

♦ Troubler en provoquant un effroi mêlé de stupeur. ⇒ **Affoler, effaroucher, effrayer, stupéfier, troubler.** *Cette politique hardie effarait les vieux parlementaires.* — REM. Sans être littéraire, cet emploi est du style soutenu, moins courant que le p. p. *effaré.*

1   Tes grandes visions étranglaient ta parole
— Et l'Infini terrible effara ton œil bleu !   RIMBAUD, Poésies, «Ophélie», II.

2   Louisa passait ses journées dans sa chambre ; et, le soir, Christophe s'obligeait, quand il le pouvait, à lui tenir compagnie, à la forcer à prendre un peu l'air. Seule, elle ne fût point sortie ; le bruit de la rue l'effarait.
         R. ROLLAND, Jean-Christophe, L'adolescent, II.

Par anal., littér. « *Les candélabres, dont une croisée ouverte effarait les flammes, allumaient les pièces d'argenterie et les cristaux* » (Zola, *Pot-Bouille*, 1882, p. 188).

▶ **S'EFFARER** v. pron.

(Réfl.). Devenir effaré.

3   L'on chercha en s'éveillant, comme à tâtons, les lois : l'on ne les trouva plus ; l'on s'effara, l'on cria, l'on se les demanda ; et dans cette agitation (...)
         RETZ, Mémoires, II, p. 72.

4   Il *(Javert)* s'adressait des questions, et il se faisait des réponses, et ses réponses l'effrayaient (...) qu'ai-je fait ? Mon devoir. Non. Quelque chose de plus. Il y a donc quelque chose de plus que le devoir ? Ici, il s'effarait ; sa balance se disloquait (...)
         HUGO, les Misérables, V, IV.

Par ext. (Réfl.). Le sujet est personnalisé :

5   (...) certains bruits sournois, à peine perceptibles, l'affolent, et tout son pelage s'effare, se moire d'épis nerveux (...)
         COLETTE, la Paix chez les bêtes, « La shah ».

▶ **EFFARÉ, ÉE** p. p. adj.

♦ **1.** Qui ressent un effroi mêlé de stupeur. ⇒ **Effarouché, effrayé, étonné, hagard, inquiet, interdit, stupéfait, troublé.** *Personne effarée* (→ Anxiété, cit. 6 ; crier, cit. 1 ; démarche, cit. 7). *Les Effarés,* poème de Rimbaud.

6   Comme il les écarquille *(les yeux)* et paraît effaré.
         MOLIÈRE, Amphitryon, III, 2.

7   (...) ceux qui se vantaient d'être les plus hardis descendirent les premiers, mais ils revinrent bientôt, leurs torches éteintes, tremblants, pâles, effarés, et ceux qui pouvaient parler racontèrent qu'ils avaient été effrayés par une épouvantable vision.
         Th. GAUTIER, Voyage en Espagne, p. 124.

(Avec une valeur atténuée). Ahuri. *Des badauds complètement effarés de, par l'événement.*

Dont l'expression trahit ce sentiment. ⇒ **Égaré, hagard, inquiet ;** (par ext.) **ahuri.** *Visage, air effaré. Rouler des yeux effarés.*

8   Il en sortit courbé en deux, avec l'air effaré des bêtes fauves quand on les rend libres tout à coup.   FLAUBERT, Salammbô, XV, p. 347.

9   Soudain un choc formidable, un cri, un seul cri, un cri immense, des bras tendus, des mains qui se cramponnent, des regards effarés où la vision de la mort passe comme un éclair (...)
         Alphonse DAUDET, Lettres de mon moulin, « Agonie de la Sémillante ».

10   L'on voit des fenêtres s'ouvrir sur le boulevard et une figure effarée, une lumière à la main, après avoir jeté les yeux sur la chaussée, refermer le volet avec impétuosité.   LAUTRÉAMONT, les Chants de Maldoror, II, p. 61.

Par anal., littér. (Qualifiant une abstraction) :

11   Tout l'univers était contre moi et m'accablait, je connus l'isolement effaré et superbe de l'assassin. Je me pliais naturellement à l'opinion du monde, et pourtant il y avait au fond de moi-même une retraite sombre où quelque chose ne se rendait pas.   Claude MAURIAC, le Temps immobile, p. 405.

♦ **2.** Blason. Cabré. *Cheval effaré. Licorne effarée.* ⇒ **Effrayé, rampant, saillant.**

CONTR. Rassurer. — (Du p. p.) **Calme, serein.**
DÉR. Effarade, effarant, effarement.

EFFAROUCHABLE [efaʀuʃabl] adj. — D. i. ; de *effaroucher,* et *-able.*

♦ Susceptible d'être effarouché. ⇒ **Craintif, ombrageux, timide.** *Un cheval facilement effarouchable.*

EFFAROUCHANT, ANTE [efaʀuʃɑ̃, ɑ̃t] adj. — Av. 1778, J.-J. Rousseau ; p. prés. de *effaroucher.*

♦ Rare. Qui effarouche ; propre à effaroucher.

1   Elles *(les jeunes femmes)* passaient vite (...) leurs oreilles accrochaient au passage des fragments d'histoires effarouchantes (...) qui leur faisaient peur.
         Ed. et J. DE GONCOURT, Manette Salomon, 1867, p. 50, in T. L. F.

2   C'est ainsi que la vieille et pudique Angleterre, patrie du *cant* et du *shocking,* terre des misses rougissantes et des ladies pudibondes, devint le pays le plus *shocking* du globe, le plus effarouchant au point de vue de la morale continentale (...)
         A. ROBIDA, le Vingtième Siècle, p. 328.

EFFAROUCHEMENT [efaʀuʃmɑ̃] n. m. — 1559, *effarouchemens* ; de *effaroucher.*

♦ **1.** Action d'effaroucher ; fait de s'effaroucher.

(...) si par malchance le fil de la ligne ou l'hameçon se prenait, on en avait pour une heure, sans parler de l'effarouchement définitif du poisson.
         GIDE, Si le grain ne meurt, I, III, p. 76.

♦ **2.** État d'une personne effarouchée. — Par ext. « *Le prude effarouchement des vertus de provinces* » (S. de Beauvoir, *in* T. L. F.).

EFFAROUCHER [efaʀuʃe] v. tr. — 1495 ; de *é-, farouche,* et suff. verbal.

♦ **1.** Effrayer (un animal) de sorte qu'on le fait fuir. *Effaroucher le gibier, des volailles. Attention, pas de bruit, vous allez effaroucher le poisson.*

1   Les cris effrayants de l'armée ennemie, joints à une grêle de traits et de pierres (...) les troublaient *(les éléphants),* les effarouchaient, les mettaient en fureur et souvent les obligeaient de se tourner contre leurs propres troupes.
         ROLLIN, Hist. ancienne, t. XI, p. 389, in LITTRÉ.

♦ **2.** (1585). Mettre (qqn) dans un état de crainte, de défiance, de gêne tel qu'il s'éloigne ou a envie de fuir. ⇒ **Effrayer, épouvanter, intimider ; ombrage** (donner de l'), **peur** (faire peur). *Cette proposition l'effarouchera. Cet examinateur effarouche les candidats.* ⇒ **Affoler.**

2   Il faut, si vous m'en croyez, n'effaroucher personne (...)   MOLIÈRE, l'Avare, V, 1.

3   Prenez-moi dans le calme, je suis l'indolence et la timidité même : tout m'effarouche, tout me rebute ; une mouche en volant me fait peur ; un mot à dire, un geste à faire épouvante ma paresse ; la crainte et la honte me subjuguent à tel point que je voudrais m'éclipser aux yeux de tous les mortels.
         ROUSSEAU, les Confessions, I.

Effaroucher l'âme, l'esprit. — (Le compl. désigne un sentiment). *Effaroucher la modestie, la pudeur, la timidité de qqn.* ⇒ **Alarmer, blesser.**

4   (...) je devenais une portion de sa vie, sans qu'elle s'en aperçût elle-même, tant j'avais souci de ne pas effaroucher cette âme, en train de se prendre, par un mot qui lui fît sentir le danger.   Paul BOURGET, le Disciple, IV, p. 220.

Spécialt (plus cour.). Troubler (qqn) dans son équilibre, sa quiétude (⇒ **Inquiéter**), notamment en choquant les habitudes morales (⇒ **Choquer, offusquer, troubler**). *Il ne faut pas effaroucher le client par des prix excessifs. Effaroucher les bourgeois par un langage cru.*

5   Ce païen *(Gautier)* qu'aucune nudité n'effarouchait, éprouvait une honte extraordinaire devant l'effusion sentimentale, et à force de s'en défendre il a fini par persuader beaucoup de gens qu'il était un homme impassible.
         Émile HENRIOT, les Romantiques, p. 200.

♦ **3.** Argot anc. Voler.

5.1   Qu'est-ce qu'a effarouché ma veste ?
         Henri MONNIER, Scènes populaires, L'exécution, t. I, p. 102.

▶ **S'EFFAROUCHER** v. pron. (réfl.).

♦ **1.** Rare. Devenir effarouché. *Un cheval qui s'effarouche.*

♦ **2.** Vx. Avoir peur. *Il s'effarouchait de ces projets.*

♦ **3.** Être choqué, troublé (notamment, dans ses habitudes morales). *S'effaroucher de qqch., pour un rien.*

Par métonymie. *Sa pudeur s'est effarouchée* (→ ci-dessous, cit. 7, 8).

6   Les Marquis, les Précieuses, les Cocus et les Médecins ont souffert doucement qu'on les ait représentés, et ont fait semblant de se divertir avec tout le monde des peintures que l'on faisait d'eux ; mais les Hypocrites n'ont point entendu raillerie ; ils se sont effarouchés d'abord, et ont trouvé étrange que j'eusse la hardiesse de jouer leurs grimaces (...)   MOLIÈRE, Tartuffe, Préface.

7   Je connais sa vertu prompte à s'effaroucher.   RACINE, Bajazet, I, 4.

8   Rien ne peindra jamais les angoisses que me fit sentir le malheur de mon ami. Ma funeste imagination, qui porte toujours le mal au pis, s'effaroucha.
         ROUSSEAU, les Confessions, VII.

9 Vous adressez des galanteries (...) à des dames que j'estime assez pour croire qu'elles doivent parfois s'en effaroucher.　　　　BAUDELAIRE, la Fanfarlo.

▶ **EFFAROUCHÉ, ÉE** p. p. adj.

♦ **1.** (En parlant d'un animal). Qui est effrayé et s'enfuit. *Cheval* (cit. 2) *effarouché.* ⇒ **Effrayé.**

Par comparaison :

10 Il revoyait, sous la suspension, le petit front jaune entre les bandeaux gris, les petites mains d'ivoire qui tremblotaient sur la nappe, les petits yeux de lama effarouché (...)　　　　MARTIN DU GARD, les Thibault, t. VIII, p. 201.

♦ **2.** Vx. Frappé de peur. ⇒ **Apeuré.**

11 Ici nous avons pensé être perdus tous les deux : la petite fille, toute effarouchée, a voulu crier (...)　　　　LACLOS, les Liaisons dangereuses, Lettre XCVI.

♦ **3.** Fig. Alarmé, troublé, choqué. *Des allures de vierge effarouchée. Elle rougit, toute effarouchée. — Un air effarouché.*

12 (...) il avait entendu ses cris effarouchés, mêlés de rires étouffés et de défis (...)　　　　COURTELINE, Messieurs les ronds-de-cuir, 2e tableau, I, p. 62.

CONTR. **Apprivoiser, enhardir, rasséréner, rassurer, tranquilliser.**
DÉR. **Effarouchable, effarouchant, effarouchement.**

EFFARVATTE [efaʀvat] n. f. — 1775 ; altér. dial. de *fauvette.*

♦ Rousserolle des roseaux. — REM. La var. *effervatte* est attestée.

EFFECTEUR, TRICE [efɛktœʀ, tʀis] adj. et n. m. — 1791, *in* D.D.L. ; du rad. du lat. *effectus,* et *-eur ;* de l'angl. *effector* (sens 2).

♦ **1.** Philos. Vx. *Cause effectrice.* ⇒ **Efficient.**

♦ **2.** (Mil. xxe ; de l'angl. *effector* [1906], de *to effect.* → Effectuer).

a Physiol. Se dit des organes d'où partent les réponses aux stimulations reçues par les organes récepteurs.

1 Une voie ou arc réflexe renferme au moins deux neurones, un sensitif qui transmet l'excitation au centre et un moteur ou effecteur pour la réponse (...)　　　　Paul CHAUCHARD, le Système nerveux et ses inconnues, p. 26.

b Biochim. Substance capable d'activer ou d'inhiber l'activité d'une enzyme.

2 (...) les enzymes allostériques reconnaissent en s'y associant un substrat spécifique, et activent sa conversion en produits. Mais en outre, ces enzymes ont la propriété de reconnaître électivement un ou plusieurs *autres* composés dont l'association (stéréospécifique) avec la protéine a pour effet de modifier, c'est-à-dire, selon les cas, *d'accroître* ou *d'inhiber son activité à l'égard du substrat.*
La fonction régulatrice, coordinatrice, des interactions de ce type (dites interactions allostériques) est aujourd'hui prouvée par d'innombrables exemples. On peut classer ces interactions en un certain nombre de «modes régulatoires», d'après les relations existant entre la réaction considérée et l'origine métabolique des «effecteurs allostériques» qui l'asservissent.
　　　　Jacques MONOD, le Hasard et la Nécessité, p. 88-89.

1. EFFECTIF, IVE [efɛktif, iv] adj. — 1464 ; lat. *effectivus,* de *effectum,* supin de *efficere.* → Effet.

♦ **1.** Qui se traduit par un effet, par des actes réels. ⇒ **Concret, efficace, réel, tangible, vrai.** *Accord, traité effectif. Avantage effectif.* ⇒ **Certain, concret, positif.** *Pouvoir effectif* (→ Anathème, cit. 3). *Autorité effective. S'appuyer sur des raisons effectives.* ⇒ **Solide.** *Apporter une aide effective. Rendre un projet effectif en le réalisant*. Différence effective, et non formelle. Valeur effective d'une monnaie.* — Techn. *Puissance effective d'un moteur.*

1 C'est ce glorieux titre, à présent effectif,
Que je viens ennoblir par celui de captif (...)　　　　CORNEILLE, Pompée, IV, 3.

2 Les grandeurs naturelles sont celles qui sont indépendantes de la fantaisie des hommes, parce qu'elles consistent dans les qualités réelles et effectives de l'âme ou du corps, qui rendent l'une ou l'autre plus estimable, comme les sciences, la lumière de l'esprit, la vertu, la santé, la force.　　　　PASCAL, IIe disc. sur la condition des Grands.

3 Ne semble-t-il pas que Dieu n'ait mis cette merveilleuse idée de vertu dans l'esprit d'un philosophe (*Socrate*) que pour rendre cette idée effective dans la personne de son fils ?　　　　BOSSUET, Hist., II, 6, *in* LITTRÉ.

Théol. *Amour effectif :* amour de Dieu qui se traduit par des actes.

(D'une chose concrète). Réel, qui existe réellement. — Spécialt (au xviiie). Se dit des soldats effectivement présents. ⇒ 2. **Effectif.**

4 (...) les plus grands rois ont eu rarement à la fois trois cent trente mille combattants effectifs.　　　　VOLTAIRE, Essai sur les mœurs, Introd., Des Juifs...

N. m. *L'effectif :* ce qui est effectif.

5 Mais ma volonté est fatiguée. Je ne puis me décider à rien d'effectif.　　　　FLAUBERT, Correspondance, IV, p. 210.

♦ **2.** Vx. *Homme effectif :* homme qui ne promet rien qu'il ne tienne.

CONTR. **Abstrait, apparent, chimérique, fictif, hypothétique, illusoire, imaginaire, ineffectif, irréel, nominal, possible, potentiel, virtuel.**
DÉR. **2. Effectif, effectivement.**

2. EFFECTIF [efɛktif] n. m. — 1792 ; de 1. *effectif (supra* cit. 4).

♦ **1.** Nombre de combattants réels (dans une unité).

1 Un an plus tard, 100 000 maquisards, au moins, tiennent la campagne. Dès le

début de la bataille de France, leur nombre dépassera 200 000. En fait, l'effectif des soldats de l'intérieur dépend directement de l'armement qui leur est donné.　　　　Ch. DE GAULLE, Mémoires de guerre, 1956, p. 252, *in* T.L.F.

♦ **2.** Nombre réglementaire des hommes qui constituent théoriquement une formation (→ Armée, cit. 14). *L'effectif d'une compagnie, d'un bataillon. Avoir son effectif au complet.*

♦ **3.** Au plur. Troupes considérées dans leur importance numérique. *Les effectifs en temps de paix, en temps de guerre. Grossir les effectifs* (→ Augmenter, cit. 7). *Les effectifs engagés* (→ Accrocher, cit. 4).

2 (...) la moitié des effectifs est en déroute et l'autre cernée sur place (...)　　　　SARTRE, la Mort dans l'âme, p. 48.

♦ **4.** (1819). Par anal. Nombre des personnes (constituant un groupe défini). *L'effectif d'une classe, d'une administration, d'un parti. Les effectifs d'une entreprise.*

EFFECTIVEMENT [efɛktivmɑ̃] adv. — 1495 ; de 1. *effectif.*

♦ **1.** Didact. D'une manière effective. ⇒ **Réellement, véritablement, vraiment ; bon** (tout de bon). *C'est effectivement arrivé* (→ Contrecarrer, cit. 4). *Il paraît moins touché qu'il ne l'est effectivement* (Académie).

1 Mais, lui dit le malade, ai-je toute la force nécessaire pour m'en servir *(des jambes)* ? Non certainement, dit le médecin ; et vous ne marcherez jamais effectivement, si Dieu ne vous envoie un secours extraordinaire pour vous soutenir et vous conduire.　　　　PASCAL, les Provinciales, II.

♦ **2.** (1797). Cour. S'emploie pour confirmer une affirmation. *Il m'avait annoncé son départ ; effectivement, j'ai trouvé sa maison fermée* (→ Décoction, cit. 1). ⇒ **Effet** (en), **fait** (de). Pour renforcer une affirmation. *Oui, effectivement.*

2 (...) effectivement, quand l'artiste crée, c'est d'après sa fantaisie qui est personnelle.　　　　TAINE, Philosophie de l'art, Préface (→ Arbitraire, cit. 10).

CONTR. **Apparemment, apparence** (en).

EFFECTUALITÉ [efɛktɥalite] n. f. — Fin xixe ; de *effectuer.*

♦ Didact. et rare. Capacité de réaliser.

EFFECTUATION [efɛktɥasjɔ̃] n. f. — 1545, Godefroy ; de *effectuer,* et suff. *-ation.*

♦ Didact. Action d'effectuer qqch. ; son résultat. ⇒ **Actualisation, réalisation.**

Il me plaît, pour ne pas me supprimer toute raison d'être et d'aimer être, de considérer l'humanité comme l'effectuation des rapports possibles.　　　　GIDE, Littérature et morale, *in* Journal 1889-1939, Pl., p. 91.

EFFECTUER [efɛktɥe] v. tr. — xve, *affecter ;* au sens 1, 1588 ; lat. médiéval *effectuare,* de *effectus.* → Effet.

♦ **1.** Vx. Mettre à effet, à exécution. *Il a effectué ses promesses* (Académie). ⇒ **Accomplir, tenir.**

1 Allez, cruelle sœur, vous me désespérez,
Si vous effectuez vos desseins déclarés.　　　　MOLIÈRE, le Dépit amoureux, II, 3.

♦ **2.** (1818). Mod. Mener à bien, faire, exécuter (une opération complexe ou délicate, technique, etc.). ⇒ **Accomplir, faire, réaliser.** *Effectuer une retraite, une sortie, une reconnaissance, une manœuvre, une levée de troupes* (→ Arrière-ban, cit. 10). — *Effectuer une opération mathématique, une conversion. — Effectuer une expérience, des réformes. Effectuer un paiement, une dépense, un échange* (→ Débouché, cit. 7), *un trajet* (→ Circuit, cit. 3).

2 (...) la plupart effectuaient des pèlerinages délicats aux lieux où ils avaient souffert.　　　　CAMUS, la Peste, p. 319.

REM. L'extension du sens de *effectuer* à des emplois non didactiques a été jugée abusive par certains (cf. Thérive, *Querelles de langage,* III, 117) ; elle semble en effet très rare avant le xixe s. (→ Faire). Au xvie s., *effectuer* signifiait «produire», et, absolt, «avoir de l'action, de l'effet».

▶ **S'EFFECTUER** v. pron. (passif).

♦ **1.** Être mis à exécution.

3 Mais enfin mes projets pourront s'effectuer (...)　　　　MOLIÈRE, le Dépit amoureux, III, 7.

♦ **2.** Être accompli, réalisé. *L'entrée s'effectua sans désordre* (→ Désordre, cit. 25).

4 Je sais bien que la représentation raccourcit la durée de l'action, et qu'elle fait voir en deux heures, sans sortir de la règle, ce qui souvent a besoin d'un jour entier pour s'effectuer (...)　　　　CORNEILLE, Examen de Mélite.

5 Pendant ce temps, le passage du Borysthène s'effectua sur plusieurs points.　　　　Ph. P. SÉGUR, Hist. de Napoléon, VI, 7.

DÉR. **Effectualité, effectuation.**

EFFÉMINATION [efeminɑsjɔ̃] n. f. — 1503 ; de *efféminer.*

♦ Rare. Action d'efféminer, de s'efféminer ; résultat de cette action.

1 On recherche les causes de la corruption des Romains et du bouleversement de la République; il n'y en a pas d'autre que l'abâtardissement et l'effémination des races Romaines à la Ville.
RESTIF DE LA BRETONNE, la Vie de mon père, p. 90.

2 L'histoire des civilisations nous montre les moyens mis en œuvre par les hommes pour se défendre contre l'avachissement et l'effémination. Arts, religions, doctrines, lois, immortalité ne sont que des armes inventées par les mâles pour résister au prestige universel de la femme. Hélas, cette vaine tentative est et sera toujours sans résultat aucun, car la femme triomphe de toutes les abstractions.
B. CENDRARS, Moravagine, Œ. compl., t. V, p. 117.

EFFÉMINER [efemine] v. tr. — 1170; lat. class. *effeminare* «féminiser, efféminer», de *ex-*, et *femina* «femme».

♦ Littér., souvent péj. Donner les caractères physiques et moraux qu'on prête traditionnellement aux femmes à (un homme, un groupe humain). *Le luxe effémine une nation* (Académie). ⇒ **Abâtardir, affaiblir, amollir** (cit. 3), **émasculer, féminiser, ramollir**.

1 Les spectacles du théâtre ne sont propres qu'à amollir et à efféminer la jeunesse.
SAINT-ÉVREMONT, *in* Dict. de Trévoux.

Oisiveté qui effémine les mœurs, l'énergie, la volonté.

2 (...) l'exagération et les recherches affectées, qui efféminent et trahissent la pensée.
R. ROLLAND, Musiciens d'autrefois, p. 169.

▶ **S'EFFÉMINER** v. pron. (réfl.).
Prendre des caractères féminins.

▶ **EFFÉMINÉ, ÉE** p. p. adj. et n.
Cour. Qui a les caractères physiques et moraux qu'on prête traditionnellement aux femmes. *Homme efféminé.* ⇒ **Amolli, douillet, mou.** — *Cœur, air, caractère, naturel efféminé.* ⇒ **Délicat, féminin.** — Vx. *Mœurs efféminées.* ⇒ **Mou, voluptueux** (cit. 3).

3 Il y avait à Tyr un jeune Lydien nommé Malachon, d'une merveilleuse beauté, mais mou, efféminé, noyé dans les plaisirs.
FÉNELON, Télémaque, III.

4 Toutes les passions sensuelles logent dans des corps efféminés; ils s'en irritent d'autant plus qu'ils peuvent moins les satisfaire.
ROUSSEAU, Émile, I.

Spécialt (d'un homme). Qui se comporte comme une femme, sur le plan érotique; propre aux hommes qui se comportent ainsi. *Les allures efféminées des mignons de Henri III.*

5 (...) à cause de son extraordinaire beauté certains lui trouvaient même un air efféminé, mais sans le lui reprocher, car on savait combien il était viril et qu'il aimait passionnément les femmes.
PROUST, À la recherche du temps perdu, t. IV, p. 160.

N. m. Souvent péj. *C'est un efféminé.* ⇒ **Femmelette.** — Par euphém. *Homosexuel efféminé.*

6 C'est le propre d'un efféminé de se lever tard, de passer une partie du jour à sa toilette, de se voir au miroir, de se parfumer, de se mettre des mouches, de recevoir des billets et d'y faire réponse.
LA BRUYÈRE, les Caractères, I, 52.

(En parlant des choses). Mou, sans énergie, sans virilité. *Un art efféminé. Une musique efféminée.*

CONTR. Viriliser. — (Du p. p.) **Énergique, mâle, viril** (→ aussi Hommasse, virago).
DÉR. Effémination.

EFFENDI [efɛdi; efɛndi] n. m. ⇒ **Efendi.**

EFFÉRENCE [eferɑ̃s] n. f. — 1586; du lat. médiéval *efferentia* «orgueil, arrogance», du lat. class. *(se) efferre* «s'enorgueillir, se gonfler».

♦ Didact. (anat.). Caractère de ce qui est efférent*.

EFFÉRENT, ENTE [eferɑ̃, ɑ̃t] adj. — 1805; lat. *efferens*, de *efferre* «porter hors».

♦ Didact. (anat.). Qui conduit hors d'un organe, qui va du centre vers la périphérie. *Vaisseaux, nerfs efférents. Canaux* (ou *cônes*) *efférents* : fins canaux spermatiques qui partent du réseau testiculaire vers l'épididyme.

CONTR. Afférent.

EFFERVESCENCE [efɛrvesɑ̃s] n. f. — 1644; lat. *effervescens*, de *effervescere* «bouillonner».

♦ **1.** Bouillonnement d'un liquide produit par un dégagement de bulles gazeuses, lorsqu'on y introduit certaines substances (dites *effervescentes*). ⇒ **Ébullition, fermentation.** *L'effervescence d'une substance.* — Vieilli. *Les alcalis font effervescence avec les acides.* — *En effervescence. Chaux vive qui entre, qui est en effervescence au contact de l'eau. Calcaire en effervescence.*

1 On les distingue (*certaines pierres*) des pierres purement vitreuses ou calcaires en leur faisant subir l'action des acides; ils ne font d'abord aucune effervescence avec ces matières, et cependant elles se convertissent à la longue en une forte gelée.
BUFFON, Hist. nat. des minéraux, t. VIII, 139, *in* LITTRÉ.

(1689). Par anal. Anc. méd. ⇒ **Bouillonnement, échauffement.** *L'effervescence du sang, des humeurs.*

2 (...) cela s'appelle donc, comment dites-vous, ma fille? des *effervescences*

---

d'humeur. Voilà un mot dont je n'avais jamais entendu parler; mais il est de votre *père* Descartes, je l'honore à cause de vous.
Mme DE SÉVIGNÉ, 1202, 2 août 1689.

3 Une effervescence subite, un bouillon de sang peut-il à ce point mater les résolutions les plus superbes? et la voix du corps parle-t-elle plus haut que la voix de l'esprit?
Th. GAUTIER, Mlle de Maupin, V, p. 95.

♦ **2.** (1772). Fig. Agitation, émotion vive mais passagère. *L'effervescence de l'âme, des esprits, des passions.* ⇒ **Agitation, ardeur, bouillonnement, embrasement, émoi, exaltation, excitation, fermentation, fougue, incandescence, mouvement, tumulte.** — Spécialt (dans le domaine social). *Une grande effervescence régnait dans la ville. La ville était en effervescence.*

4 L'effet des *Lettres de la Montagne*, à Neuchâtel, fut d'abord très paisible (...) Cependant la rumeur commençait; on brûla le livre je ne sais où. De Genève, de Berne, et de Versailles peut-être, le foyer de l'effervescence passa bientôt à Neuchâtel, et surtout dans le Val-de-Travers, où (...) on avait commencé d'ameuter le peuple par des pratiques souterraines.
ROUSSEAU, les Confessions, XII.

5 En ce moment où les mots se pressaient sur la langue de Wilfrid, aussi vivement que les idées abondaient dans sa tête, il vit Séraphîta sortant du château suédois, suivie de David. Cette apparition calma son effervescence.
BALZAC, Séraphîta, Pl., t. X, p. 562.

6 Dans la galerie tout à l'heure houleuse et pareille à une ruche en effervescence, l'immobilité s'établit soudain.
Georges LECOMTE, Ma traversée, p. 475.

6.1 Or, le lendemain, chacun eut comme un ressouvenir de ce qui s'était passé la veille. En effet, à l'un manquait son chapeau, perdu dans la bagarre, à l'autre un pan de son habit, déchiré dans la mêlée; à celle-ci, son fin soulier de prunelle, à celle-là sa mante des grands jours. La mémoire revint à ces honnêtes bourgeois, et, avec la mémoire, une certaine honte de leur inqualifiable effervescence. Cela leur apparaissait comme une orgie dont ils auraient été les héros inconscients!
J. VERNE, le Docteur Ox, p. 59-60.

7 (...) trois souverains pareillement inquiets de l'effervescence révolutionnaire qui couvait en Europe.
MARTIN DU GARD, les Thibault, t. VII, p. 11.

Rare. (*Une, des effervescences*).

8 Il est passionné de vos œuvres. Et la vie de Tolstoï a mis le comble à ses effervescences.
J.-R. BLOCH, Deux hommes se rencontrent, p. 69.

CONTR. Défervescence. — **Calme, quiétude, tranquillité.**

EFFERVESCENT, ENTE [efɛrvesɑ̃, ɑ̃t] adj. — 1755; lat. *effervescens* «bouillonnant», de *effervescere* (→ Effervescence), de *ex-*, et *fervescere*, inchoatif de *fervere* «bouillir».

♦ **1.** Qui est en effervescence* ou susceptible d'entrer en effervescence. *Matières effervescentes. Liquide effervescent. Boisson effervescente*, gazeuse. — *Comprimés médicamenteux effervescents.*

♦ **2.** (1835). Fig. Agité, bouillonnant. *Foule effervescente.* — *Avoir l'esprit effervescent. Caractère effervescent.* ⇒ **Ardent, bouillonnant, fougueux.** *Âme effervescente.*

Ainsi, passons-nous du froid au chaud (...) tantôt bouillants d'ardeur, effervescents, tantôt froids (...)
BERNANOS, Sous le soleil de Satan, p. 301, *in* T.L.F.

EFFET [efɛ] n. m. — 1430; *effect*, XIIIe; *aifait*, 1272; lat. impérial *effectus* «exécution, réalisation», de *effectum*, supin de *efficere*, de *ex-*, et *facere* «faire». → Efficace.

★ I. ♦ **1.** Événement, fait produit par une cause*. ⇒ **Conséquence, contrecoup, réaction, résultat, retentissement, suite.** *Effet direct, immédiat, nécessaire de qqch., d'une cause. Effet indirect.* ⇒ **Choc** (en retour), **contrecoup, éclaboussure, rejaillissement, retour, ricochet.** *Effet boomerang*. Il n'y a pas d'effet sans cause.* ⇒ **Causalité, déterminisme.** *Rapport de cause à effet* (⇒ aussi **Corrélation, correspondance, dépendance, filiation**). *Enchaînement des effets et des causes* (cit. 7 et 10). — Prov. *A petite cause grands effets* : des événements insignifiants peuvent être à l'origine d'événements essentiels. *Remonter de l'effet à la cause. Déduire l'effet de la cause.* → Analyse, cit. 5. *Ce vice, effet de l'oisiveté.* ⇒ **Enfant, fils, fruit, produit.** *C'est l'effet du destin.* ⇒ **Main** (→ Ciel, cit. 54). *L'effet, un effet du hasard. L'effet de l'âge* (cit. 50). *Effet de l'art* (cit. 50). *Effet nerveux.* → Pisser, cit. 2.1. — *Accomplir, avoir, produire son effet* : produire le résultat attendu. ⇒ **Efficace, efficient, valable.** *Faire effet, faire son effet.* ⇒ **Agir, opérer.** *Le remède a fait son effet. Avoir pour effet de (et inf.)...* ⇒ **Causer, déterminer, engendrer, entraîner, produire.** *Découlement des effets.* ⇒ **Découler, ensuivre** (s'), **résulter.** *Sans effet actuel.* ⇒ **Potentiel, puissance** (en puissance), **virtuel.** *Sans grand effet.* ⇒ **Portée.** *Mesures qui restent sans effet. Efforts qui ne sont pas suivis d'effets* (⇒ **Inefficace, inopérant, nul, vain**). *Produire un effet décisif.* → Frapper* un grand coup. *Les effets se font sentir. Ressentir les effets. Mauvais effets d'une doctrine. Arme à double tranchant qui peut avoir deux effets opposés. Atténuer les effets d'un mal* (→ Cause, cit. 23).

1 (...) j'ai tâché de trouver en général les principes ou premières causes de tout ce qui est ou qui peut être dans le monde (...) j'ai examiné quels étaient les premiers et les plus ordinaires effets qu'on pouvait déduire de ces causes (...)
DESCARTES, Disc. de la méthode, VI.

2 Cette préférence est peut-être en moi un effet de ces inclinations aveugles qu'ont beaucoup de pères pour quelques-uns de leurs enfants plus que pour les autres (...)
CORNEILLE, Examen de Rodogune.

3 Quand nous voyons un effet arriver toujours de même, nous en concluons une nécessité naturelle, comme qu'il sera demain jour, etc.
PASCAL, Pensées, II, 91.

4   Il y a donc des effets immédiats produits par les causes finales, et des effets en très grand nombre qui sont des produits éloignés de ces causes.
> VOLTAIRE, *Dict. philosophique*, Causes finales, III.

5   Si ce sont là des effets de l'amitié, quels seront donc ceux de la haine ?
> ROUSSEAU, *les Confessions*, IX.

6   L'homme aujourd'hui sème la cause,
Demain Dieu fait mûrir l'effet.
> HUGO, *les Chants du crépuscule*, V, Napoléon, II, 2 (→ Cause, cit. 6).

7   La sensation cesse avec l'organe qui la produit, l'effet disparaît avec la cause.
> RENAN, *Dialogues et fragments philosophiques*, p. 142.

8   Il en percevait les effets jusque dans son travail, dont sa liaison, au début, avait un moment troublé le cours (...)
> MARTIN DU GARD, *les Thibault*, t. III, p. 46.

9   La véritable grandeur n'est point affaire de dimensions absolues, c'est l'effet de proportions heureuses.
> G. DUHAMEL, *Scènes de la vie future*, VII, p. 110.

(XXe). Biol. *Effets génétiques :* modifications héréditaires produites par les rayonnements ionisants. *Effets somatiques :* effets produits sur un individu irradié par les rayonnements ionisants, mais qui ne se transmettent pas à sa descendance.

Spécialt (dr.). *Les effets d'une loi, d'un jugement, d'un acte juridique,* les conséquences qu'ils comportent. *Effet rétroactif* d'une loi.* ⇒ **Rétroactivité.** — *Effet déclaratif,* produit par un acte déclaratif. *Effet dévolutif,* qui résulte d'une dévolution*. *Effet suspensif* de l'appel.* — *Effets civils :* droits découlant de la loi civile.

Mécan. (dans des expr.). Puissance transmise par une force, une machine. *Machine à simple effet, à double effet. Effet utile.* ⇒ **Rendement.**

♦ **2.** Spécialt. Phénomène particulier (acoustique, électrique, etc.) apparaissant dans certaines conditions. *Effet électro-acoustique.* — (Qualifié par un nom propre). *Effet Doppler-Fizeau, Compton, Joule, Edison,* effet découvert, décrit par... *Effet Mössbauer.* — Par plais. *L'Effet Glapion,* pièce d'Audiberti. — (Avec un nom commun en appos.). *Effet sol* (en aérodynamique), *effet tunnel* (en électronique), etc.

♦ **3.** |a| Au billard, Rotation que l'on imprime à la bille en la frappant d'une manière qui modifie son mouvement normal. *Effet ou effet de queue.* Calculer, combiner *un effet de recul* (→ Billard, cit. 4). *Effets de bande. Mettre trop d'effet.* — Par anal. *Donner de l'effet à une balle de tennis, de ping-pong. Balle qui a de l'effet.*

|b| (1690, Furetière). Équit. Action de la main ou de la jambe du cavalier, qui sert à conduire un cheval. *Effets de rênes :* les cinq principaux mouvements de la main sur les rênes.

♦ **4.** Acte effectif ; réalisation d'une chose. ⇒ **Exécution, réalisation.** *J'attends l'effet de ses promesses. Mettre qqch., une intention à effet.* ⇒ **Effectuer.** — Vx. *En venir à l'effet.* ⇒ **Acte, action, fait.** — *Ses promesses sont restées sans effet.*

10   Et le désir s'accroît quand l'effet se recule (...)
> CORNEILLE, *Polyeucte*, I, 1.

11   Il me faut des effets et non pas des promesses.
> CORNEILLE, *Suréna*, II, 3.

12   (...) il faut faire et non pas dire, et les effets décident mieux que les paroles.
> MOLIÈRE, *Dom Juan*, II, 4.

13   Ce n'était là que des paroles mais on en vint aux effets.
> BOSSUET, *Avert.*, 5, *in* LITTRÉ.

14   Je crains qu'un prompt effet n'ait suivi la menace.
> RACINE, *Phèdre*, IV, 4.

Loc. *Prendre effet :* devenir effectif, applicable, exécutoire... *La loi du 23 mars 1855 sur la transcription hypothécaire n'a pris effet que le 1er janvier 1856.* ⇒ **Application, vigueur** (entrer en vigueur).

♦ **5.** Loc. adv. (1536). |a| EN EFFET. Vx. En réalité, en fait, effectivement. ⇒ **Effectivement, réellement, vraiment.** *Ce n'est pas une invention, cela est arrivé en effet.*

15   (...) tous ceux qui sont en effet vertueux, et non point par faux semblant ni seulement par opinion (...)
> DESCARTES, *Disc. de la méthode*, VI.

16   (...) enchantés de ce projet en apparence, mais au fond le prenant tous pour un pur château en Espagne, dont on cause en conversation sans vouloir l'exécuter en effet.
> ROUSSEAU, *les Confessions*, II.

Mod. *En effet,* employé pour confirmer ce qui est dit (⇒ **Assurément, effectivement, véritablement**), pour introduire un argument, une preuve (⇒ **Car, parce** [que]), ou pour simplement servir de liaison.

17   En effet, les hommes ne peuvent comprendre que des sentiments analogues à ceux qu'ils éprouvent.
> TAINE, *Philosophie de l'art*, t. I, p. 61.

|b| À CET EFFET, POUR CET EFFET : en vue de cela, dans cette intention, pour cet usage.

17.1   Il descendit vers la Seine qu'il traversa, grâce au pont disposé à cet effet.
> R. QUENEAU, *Loin de Rueil*, p. 75.

|c| Loc. prép. À L'EFFET DE. ⇒ **Afin** (de), **pour ; but** (dans le but de), **intention** (dans l'intention de), **vue** (en vue de). *À effet de vendre, de répartir :* en vue de vendre, de répartir. — REM. Cette locution n'est guère usitée qu'en style juridique (Académie).

♦ **6.** Impression produite (sur qqn, par qqch. ou par qqn). ⇒ **Impression, sensation.** *Ce médicament a sur lui un effet salutaire. — Sous l'effet de... Le malade est encore sous l'effet de la morphine. Agir sous l'effet de la menace, de la violence, de la colère, de la passion...* ⇒ **Action, empire, influence.** — *L'effet que produisit ce discours. Produire un effet de surprise. Son arrogance a produit un mauvais effet.*

18   Malgré sa perspicacité habituelle, Nofré n'avait pas remarqué l'effet produit sur ma maîtresse par le dédaigneux inconnu (...)
> Th. GAUTIER, *le Roman de la momie*, III, p. 73.

19   (...) j'avais peur de l'effet que produirait la visite de ce monsieur imposant, des propos qui risquaient de lui échapper.
> J. ROMAINS, *les Hommes de bonne volonté*, t. V, XXII, p. 180.

20   (...) sous l'effet des plus terribles menaces, toutes les portes se fermeraient devant l'homme pourchassé.
> Louis MADELIN, *Hist. du Consulat et de l'Empire*, Avènement de l'Empire, V, p. 51.

20.1   L'homme commence par vous répondre qu'il ne parlera qu'en présence de son avocat. Vous lui donnez le temps d'en choisir un. Cela lui laisse cinq ou six jours de répit pendant lesquels il a tout le temps de réfléchir. Et surtout, vous devez laisser son avocat prendre communication du dossier au moins vingt-quatre heures avant l'interrogatoire. Vous ne bénéficiez plus de l'effet de surprise.
> René FLORIOT, *La vérité tient à un fil*, p. 74.

Faire tel ou tel effet sur qqn, produire telle ou telle impression sur lui. *Ce médicament me fait un drôle d'effet. Son intervention a fait très mauvais effet sur l'auditoire.*

21   (...) ses paroles n'ont fait aucun effet sur vous.
> MOLIÈRE, *Dom Juan*, IV, 7.

22   Ce discours éloquent ne fit pas grand effet :
L'auditoire était aussi bien que muet.
> LA FONTAINE, *Fables*, X, 10.

Absolt. *Faire un bon, un bel, un mauvais, un vilain effet; faire bon, bel, mauvais, vilain effet :* avoir une belle, une vilaine apparence.

23   (...) il y a quelque chose à son nez et à son front *(de la Dauphine)* qui est trop long, à proportion du reste : cela fait un mauvais effet d'abord (...)
> Mme DE SÉVIGNÉ, 789, 13 mars 1680.

24   (...) votre clocher que vous avez paré d'une balustrade qui doit faire un très bel effet (...)
> Mme DE SÉVIGNÉ, 835, 24 juil. 1680.

25   Les manches du Chevalier font un bel effet à table (...)
> Mme DE SÉVIGNÉ, 195, 19 août 1671.

Faire effet, faire de l'effet : produire une vive impression (en frappant l'esprit du spectateur, du lecteur, de l'auditeur...). *Cela fera grand effet.* ⇒ **Frapper, sensation** (faire). — Fam. *Faire un effet bœuf, un effet monstre* (1841). — *Faire de l'effet à qqn. Ça lui fait de l'effet.*

26   Lorsque la danse sera mêlée avec la musique, cela fera plus d'effet encore (...)
> MOLIÈRE, *le Bourgeois gentilhomme*, II, I.

27   Il faut que je prenne du punch, et que je danse beaucoup, se dit-elle ; je veux choisir ce qu'il y a de mieux, et faire effet à tout prix.
> STENDHAL, *le Rouge et le Noir*, II, IX.

28   Steinbock ne voulut pas se laisser éclipser par son camarade, il déploya son esprit, il eut des saillies, il fit de l'effet, il fut content de lui ; madame Marneffe lui sourit à plusieurs reprises en lui montrant qu'elle le comprenait bien.
> BALZAC, *la Cousine Bette*, Pl., t. VI, p. 334.

29   (...) le personnage semblerait affecté, arrangé pour faire effet (...)
> TAINE, *Philosophie de l'art*, t. II, p. 161.

♦ **7.** Impression esthétique recherchée par l'emploi de certaines techniques. — (*L'effet*). *Recherche de l'effet. Viser à l'effet.* — (*Un, des effets*). *Produire un effet.* — (1821). *Effets de lumière,* dans un tableau (→ Clair-obscur, cit. 3). *Effets littéraires. Effet théâtral, musical, oratoire. Effet de contraste. Préparer, ménager ses effets. Tirer des effets comiques d'une situation. Pousser les effets* (→ Diapason, cit. 3). *Manquer, rater son effet.*

30   L'union, les concerts, et les tons de couleurs.
Contrastes, amitiés, ruptures et valeurs,
Qui font les grands effets (...)
> MOLIÈRE, *la Gloire du Val-de-Grâce*, 157.

31   (...) désaccord dont l'artiste habile peut tirer des effets comiques.
> Th. GAUTIER, *le Capitaine Fracasse*, I, VIII, p. 279.

32   Ce n'est pas la faute de l'art si certains amateurs ou artistes d'une intelligence bornée et d'un goût trivial lui demandent des effets qui ne lui appartiennent point, et prétendent découvrir dans la phrase, *la plus simplement musicale,* des intentions que tous les gens de quelque bon sens trouveront toujours niaises ou grotesques.
> BERLIOZ, *Beethoven*, p. 41.

33   (...) il demande à l'art des sensations imprévues et fortes, des effets nouveaux de couleurs, de physionomies et de sites, des accents qui à tout prix le troublent, le piquent ou l'amusent, bref, un style qui tourne à la manière, au parti pris et à l'excès.
> TAINE, *Philosophie de l'art*, t. II, p. 160.

34   (...) les ténors et les basses soignent leurs effets, se mirent dans l'eau plus ou moins ridée de leur voix (...)
> HUYSMANS, *En route*, p. 17.

35   L'ordre logique de la phrase française permet de beaux effets à nos écrivains, à condition qu'ils sachent en sortir.
> A. THIBAUDET, *Gustave Flaubert*, p. 242.

36   Toute bonne exécution doit être une *explication* du morceau. Mais le pianiste cherche l'effet, comme l'acteur ; et l'effet n'est obtenu d'ordinaire qu'aux dépens du texte.
> GIDE, *Journal*, 3 juin 1921.

37   (...) M. Charles Floquet ménagea son effet, comme on dit au théâtre (...)
> Georges LECOMTE, *Ma traversée*, p. 180.

37.1   Prêts à fournir un sujet touffu et animé, quinze ou vingt spectateurs, sur la prière de Louise, allèrent se grouper à courte distance, dans le champ embrassé par la plaque. Cherchant un effet de vie et de mouvement, ils se posèrent comme les passants d'une rue fréquentée (...)
> Raymond ROUSSEL, *Impressions d'Afrique*, p. 207.

Loc. *À effet :* destiné à produire de l'effet, prétentieux. *Morceau à effet. Mot à effet* (→ Captivant, cit. 8).

(1912, *in* D.D.L.). Cin., télév. *Effets spéciaux :* procédés destinés à produire une illusion (*effets de prise de vue :* trucages*, etc. ; *effets de laboratoire,* au cours du traitement du film).

♦ **8.** Plur. Attitude affectée par ostentation, désir de mettre en valeur quelque avantage. *Faire des effets de mains en parlant. Faire des effets de jambes, de torse.* ⇒ **Étalage** (faire étalage), **étaler, montre.** *Effets de voix, d'autorité* (→ Autorité, cit. 36). ⇒ **Coup, éclat.** — Loc. *Réussir, manquer, rater son effet, son petit effet.*

♦ **9.** **FAIRE L'EFFET DE...** : avoir l'apparence, l'air de, ressembler à, donner l'impression de. *Faire à qqn l'effet de... Cela me fait l'effet d'un reproche. Cette robe me fait l'effet d'être trop longue. Il nous a fait l'effet d'un revenant* (→ Apparition, cit. 13).

38 Quand tu vas balayant l'air de ta jupe large,
Tu fais l'effet d'un beau vaisseau qui prend le large.
                                        BAUDELAIRE, Spleen et Idéal, LII.

39 Je t'aime. Tu me fais l'effet d'une harmonie
Éclose d'on ne sait quelle harpe infinie.
                                        HUGO, la Légende des siècles, XXXIX, « En Grèce ».

★ **II.** (Ce que quelqu'un possède sous une forme effective).

♦ **1.** (XIVᵉ). Fin. **EFFET DE COMMERCE**, **EFFET** : titre à ordre ou au porteur, négociable et transmissible par le créancier, et donnant droit au paiement d'une somme d'argent à une échéance* générale-ment prochaine. ⇒ **Papier, titre, valeur.** *Principaux effets de com-merce.* ⇒ **Billet, chèque, lettre** (de change) ou **traite, warrant; mandat.** *Effet bancable*, négociable** (→ Agent, cit. 13; banque, cit. 2). *Effet de complaisance*. Souscrire, avaliser, endosser, escompter* (⇒ **Escompte**), *payer, encaisser, négocier, protester* (⇒ **Protêt**) *un effet. Recouvrement d'un effet. Circulation des effets. Bordereau des effets présentés à l'escompte. Les effets de commerce, instruments de crédit. Effets en portefeuille.* ⇒ **Porte-feuille.** *Effet de cavalerie.* ⇒ **Cavalerie,** 5.

40 (...) les *effets de commerce* (...) sont des instruments employés pour régler des opérations commerciales et procurer du crédit à ceux que ces opérations ont rendu créanciers.   Léon LACOUR, Précis de droit commercial, nᵒ 391.

41 (...) *escompter un effet de commerce, c'est faire immédiatement au porteur de l'effet non échu l'avance du montant de l'effet, sauf déduction d'une certaine somme.* Le porteur de la lettre de change ou du billet à ordre l'endosse au profit d'un banquier et le lui remet : en échange, celui-ci paie au porteur ou inscrit au crédit de son compte une somme égale à celle qui figure sur l'effet de com-merce (...)   Paul REBOUD, Précis d'économie politique, nᵒ 573.

Effets publics : rentes, obligations, bons du Trésor... émis et garan-tis par l'État, les départements, les établissements publics, et côtés en bourse (→ Agent, cit. 13).

♦ **2.** Dr. civ. Rare. **EFFETS.** Syn. de *biens. Les effets de la commu-nauté* (→ Divertir, cit. 3). *Les effets d'une succession.*

42 Chaque cohéritier est censé avoir succédé seul et immédiatement à tous les effets compris dans son lot, ou à lui échus sur licitation, et n'avoir jamais eu la propriété des autres effets de la succession.   Code civil, art. 883.

Effets mobiliers, et, absolt, *effets :* les biens meubles (→ Demeure, cit. 15).

♦ **3.** (XVIIᵉ). Cour. Le linge et les vêtements. ⇒ **Affaire** (affaires), **défroque, fringue, frusque, habit, harde, nippe, trousseau, vêtement.** *Mettre ses effets dans une valise. Ballot d'effets.* ⇒ **Bagage.** *Les effets d'un militaire.* ⇒ **Paquetage.** *Effets civils, militaires.*

43 Maintenant il ramassait ses effets par terre, les époussetait et se rhabillait sans rien (...)   LOTI, Mon frère Yves, XLVIII, p. 125.

44 Alors que je laissais traîner, où qu'ils se trouvent, mes effets, Stilitano, la nuit, déposait les siens sur une chaise, arrangeant bien le pantalon, la veste, la chemise, afin que rien ne soit froissé.   Jean GENET, Journal du voleur, p. 67.

CONTR. (De I.) **Cause.**

EFFEUILLAGE [efœjaʒ] n. m. — 1763; de *effeuiller.*

♦ **1.** (1763). Arbor. Action d'enlever une partie des feuilles (d'un arbre) pour exposer les fruits à l'action solaire et favoriser leur maturation.

♦ **2.** (1970). Strip-tease*.

Les danseuses exécutent leur effeuillage sur une estrade, au milieu de la cave, visi-bles de cette façon sous toutes les coutures.   Pierre ACCOCE, le Polonais, p. 95.

EFFEUILLAISON [efœjɛzɔ̃] n. f. — 1763; de *effeuiller,* et suff. *-aison.*

♦ **1.** Vx. Action d'effeuiller. ⇒ **Effeuillage.** *L'effeuillaison de la vigne.*

♦ **2.** Chute naturelle des feuilles ou des pétales (⇒ **Défoliation**). *L'effeuillaison des arbres en automne* (Larousse). *« Des pétales en cuivre rougeâtre sembleraient être la vivante effeuillaison de la fleur »* (Proust, *le Temps retrouvé,* 1922, p. 710, *in* T. L. F.).

Par métaphore (poét.). Chute.

Je pleure quand le soleil se couche parce qu'il te dérobe à ma vue et parce que je ne sais pas m'accorder avec ses rivaux nocturnes. Bien qu'il soit au bas et mainte-nant sans fièvre, impossible d'aller contre son déclin, de suspendre son effeuillai-son, d'arracher quelque envie encore à sa lueur moribonde.   René CHAR, les Matinaux, p. 120.

EFFEUILLEMENT [efœjmɑ̃] n. m. — 1546; de *effeuiller.*

♦ **1.** Vx. Action d'effeuiller. ⇒ **Effeuillage.**

♦ **2.** Chute des feuilles, des pétales. ⇒ **Effeuillaison.**

EFFEUILLER [efœje] v. tr. — V. 1300, *esfeulier;* de *é-, feuille,* et suff. verbal.

♦ **1.** Dépouiller de ses feuilles. ⇒ **Défeuiller, effaner.** *Effeuiller une branche* (→ Courant, cit. 2), *une tige, un arbre* (→ Arracher, cit. 8). — Au p. p. *Un rameau effeuillé par l'hiver* (→ Cristallisa-tion, cit. 4). — Arbor. Pratiquer l'effeuillage de. — Enlever les feuil-les de (un légume). *Effeuiller des artichauts.*

Il pleuvait à verse, ce matin-là, et des rafales effeuillaient le jardin des Grosgeorge   1
avec une sorte de joie furieuse, secouant les buissons, fauchant les fleurs (...)
                                        J. GREEN, Léviathan, I, v, p. 37.

♦ **2.** (1784). Par ext. Dépouiller (une fleur) de ses pétales. *Effeuil-ler une fleur* (→ Abandonner, cit. 18).

(...) le geste romantique de Gise, effeuillant les roses à cette place où ils s'étaient   2
donné ce timide gage d'amour (...)
                                        MARTIN DU GARD, les Thibault, t. IV, p. 80.

Spécialt. *Effeuiller la marguerite,* en détacher un à un les pétales jusqu'au dernier, par jeu ou superstition, en disant successivement, pour savoir si l'on est aimé : il (ou elle) m'aime, un peu, beaucoup, passionnément, à la folie, pas du tout.

♦ **3.** (1416). Régional (Suisse). Épamprer (la vigne). ⇒ **Effeuilles.** — Absolut.

Il fait partie de la caravane des mille bons enfants nés au pays du vin (...) des gros-   3
ses savoyardes venues effeuiller et danser aussi sur la terre battue de nos rives.
                                        E. GARDAZ, le Vin vaudois, p. 39.

♦ **4.** Fig. Détruire progressivement. ⇒ **Anéantir, enlever, ôter.** *Le temps effeuille nos illusions.*

▸ **S'EFFEUILLER** v. pron. (passif).
Perdre ses feuilles, ses pétales (→ Automne, cit. 6). *Une rose fanée qui s'effeuille.*

DÉR. Effeuillage, effeuillaison, effeuillement, effeuilles, effeuilleur, effeuillure.

EFFEUILLES [efœj] n. f. pl. — 1758; de *effeuiller* (régional).

♦ Régional (Suisse). Épamprage de la vigne; saison où cette opéra-tion se fait.

À Lavaux les Savoyardes, pour les effeuilles, traversent cette autre plaine du Rhône, cette plaine d'eau qu'est le lac.
                                        C.-F. RAMUZ, Vendanges, Œ. compl., t. XVII, p. 186.

EFFEUILLEUR, EUSE [efœjœʀ, øz] n. — Fin XIVᵉ, *effueilleur,* sens général; de *effeuiller.*

★ **I.** ♦ **1.** (1783). Agric. Personne qui effeuille les plantes, la vigne.

♦ **2.** N. f. Appareil utilisé pour effeuiller les épis de maïs, les tiges de houblon. *Une effeuilleuse de maïs.*

★ **II.** N. f. (1949). Fam. Femme qui pratique le strip-tease. ⇒ **Strip-teaseuse.**

On devine que ce n'est pas la première fois, que cela fait partie de leur rituel éro-tique (...) Ici, Martial interrompt la projection. Delphine en effeuilleuse, c'était grotesque, impensable... La mère de ses enfants ! C'était même blasphématoire.
                                        Jean-Louis CURTIS, le Roseau pensant, p. 177.

EFFEUILLURE [efœjyʀ] n. f. — 1636; de *effeuiller.*

♦ Rare. Feuilles détachées d'un arbre.

1. EFFICACE [efikas] adj. — XIVᵉ; lat. *efficax, -acis,* de *efficere.* → Effet.

♦ **1.** Qui produit l'effet* qu'on en attend. ⇒ **Actif, agissant, bon, énergique, infaillible, puissant, sûr.** *Moyen efficace.* ⇒ **Certain** (cit. 5). *Remède efficace.* ⇒ **Souverain.** *Ce remède n'est pas très efficace, ce n'est qu'un palliatif. Discours efficace,* qui atteint son but. *Aide, appui, volonté efficace. Tir efficace.*

— (...) on s'avisa (...) de lui donner de l'émétique (...) il mourut. — L'effet est   1
admirable. — (...) cela le fit mourir tout d'un coup. Voulez-vous rien de plus efficace ?   MOLIÈRE, Dom Juan, III, 1.

C'est un vieux préjugé, dit M. Bergeret, que de croire à la nécessité des peines et   2
d'estimer les plus fortes sont les plus efficaces.
                                        FRANCE, le Mannequin d'osier, in Œ., t. XI, p. 362.

Si je n'affirme pas davantage, c'est que je crois l'insinuation plus efficace.   3
                                        GIDE, Pages de journal, p. 110.

Telle eau est efficace pour les dermatoses, pour la peau... et telle autre, d'une for-   4
mule toute voisine, ne s'adresse qu'aux muqueuses (...)
                                        J. ROMAINS, les Hommes de bonne volonté, t. V, XIV, p. 105.

♦ **2.** (1834). Personnes. Dont la volonté, l'activité sont efficaces. ⇒ **Efficient, 2.** (anglic.), **valable; agressif** (3.). *Défenseur, protecteur efficace. Un ministre efficace. Un homme efficace est celui qui rem-plit avec succès sa tâche, qui obtient* effectivement *les résultats auxquels tend sa volonté* (⇒ **Efficacité; capable, compétent, réali-sateur**).

Trois choses contribuent ordinairement à rendre un orateur agréable et efficace : la   5
personne de celui qui parle, la beauté des choses qu'il traite, la manière ingénieuse dont il les explique (...)
                                        BOSSUET, Panégyrique de saint Paul.

6 Ceux-là seuls sont d'efficaces défenseurs de la religion qui en même temps professent la foi chrétienne et acceptent la liberté. GUIZOT, *in* P. LAROUSSE.
7 (...) une classe dirigeante et efficace (...)
MALRAUX, les Voix du silence, IV, p. 482 (→ Dirigeant, cit.).

♦ **3.** Spécialt. **ⓐ** (1656). Théol. *Grâce efficace,* qui fournit la réalisation même du bien (alors que la *grâce suffisante* ne fournit que la possibilité de faire le bien). → Déterminer, cit. 10.

8 (...) les Jésuites prétendent qu'il y a une grâce donnée généralement à tous les hommes, soumise de telle sorte au Libre Arbitre, qu'il la rend efficace ou inefficace à son choix, sans aucun nouveau secours de Dieu, et sans qu'il manque rien de sa part pour agir effectivement ; ce qui fait qu'ils l'appellent *suffisante,* parce qu'elle seule suffit pour agir, et que les Jansénistes, au contraire, veulent qu'il n'y ait aucune grâce actuellement suffisante, qui ne soit aussi efficace, c'est-à-dire que toutes celles qui ne déterminent point la volonté à agir effectivement sont insuffisantes pour agir, parce qu'ils disent qu'on n'agit jamais sans *grâce efficace.*
PASCAL, les Provinciales, II.
9 Cette grâce, qui tourne les cœurs comme il lui plaît, qu'on appelle par cette raison « la grâce efficace », parce qu'elle agit efficacement en nous et qu'elle nous fait effectivement croire en Jésus-Christ (...)
BOSSUET, Défense de la tradition des Saints Pères, II, X, VI.

ⓑ Math. *Grandeur efficace :* quantité dont le carré est égal à la valeur moyenne du carré de la variable, pendant une période.

ⓒ Électr. Se dit de la valeur moyenne de la tension, de l'intensité d'un courant alternatif comparable à celle d'un courant continu.

CONTR. Inefficace. — Anodin, impuissant, inopérant, inutile, palliatif, stérile, vain.
DÉR. Efficacement.

2. EFFICACE [efikas] n. f. — V. 1160 ; lat. impérial *efficacia,* de *efficax, -acis.* → 1. Efficace.

♦ Littér. ou didact. Efficacité. *Avec une remarquable efficace, une grande efficace. L'efficace d'une mesure.*
1 (...) sa grâce *(de Dieu)*
Ne descend pas toujours avec même efficace (...) CORNEILLE, Polyeucte, I, 1.
2 Je crois devoir admirer davantage l'efficace et la vertu du sacrifice religieux.
BOURDALOUE, Œuvres, t. II, p. 424, *in* LITTRÉ.
3 (...) elle s'ingéniait, grâce à quelques oraisons jaculatoires dont elle connaissait l'efficace, à retrouver l'équilibre de son esprit.
F. MAURIAC, la Pharisienne, XII, p. 175.
4 Mais, que la médecine ne l'oublie pas, elle doit rester indépendante à peine de s'avilir et de perdre l'efficace en même temps que l'autorité.
G. DUHAMEL, Paroles de médecin, p. 40.
5 Elle ne s'adresse pas aux hommes, elle s'adresse à Dieu, elle emploie un langage en quelque sorte convenu, contractuel, des mots pénétrés d'une vertu et d'une efficace propres. CLAUDEL, Journal, t. II, Pl., p. 8.
6 L'humanité eût pu demeurer dans la stagnation et prolonger sa durée si elle ne se fût composée que de brutes et de sceptiques ; mais, éprise d'efficace, elle a promu cette foule haletante et positive, vouée à la ruine par excès de labeur et de curiosité. E. M. CIORAN, Précis de décomposition, p. 172-173.

EFFICACEMENT [efikasmã] adv. — 1309 ; de 1. *efficace.*

♦ D'une manière efficace. *Travailler efficacement à la paix. Se soigner efficacement. Il n'est pas intervenu très efficacement.*
Ne frapper qu'efficacement, à coup sûr.
MAURRAS, Kiel et Tanger, p. 105, *in* T. L. F.
CONTR. Inefficacement, inutilement.

EFFICACITÉ [efikasite] n. f. — 1495 ; rare jusqu'en 1675 ; lat. class. *efficacitas* « force, vertu », de *efficax, -acis.* → 1. Efficace.

♦ **1.** Caractère de ce qui est efficace. ⇒ **Action, énergie, force, pouvoir, propriété, puissance.** *L'efficacité d'un remède, d'un moyen, d'une loi, d'une méthode.*
1 Laissez-moi vous indiquer un moyen qui ne serait certainement pas une panacée, mais dont l'efficacité m'inspire toute confiance.
PASTEUR, *in* Henri MONDOR, Pasteur, VII, p. 122.
2 Je ne serais pourtant pas étonné si cette source se révélait à l'usage comme d'une efficacité non négligeable pour combattre l'*encrassement organique* et les manifestations très variées qui s'y rattachent.
J. ROMAINS, les Hommes de bonne volonté, t. V, XXII, p. 176.
3 Je n'ai jamais, moi, rationaliste, mis en doute l'efficacité de la prière. Un jour, les savants, mes confrères, découvriront qu'une certaine tension de notre esprit peut se manifester à distance et modifier la marche des événements, la vie du monde humain, peut-être la structure du monde matériel. Il ne faut rien rejeter : nous avons vu les hommes renier presque tous leurs reniements.
G. DUHAMEL, le Voyage de Patrice Périot, X, p. 188.

♦ **2.** Capacité de produire le maximum de résultats avec le minimum d'effort, de dépense. ⇒ **Productivité, rendement.** *L'efficacité d'une machine, d'une organisation commerciale, industrielle. Recherche de l'efficacité* (→ Discipliner, cit. 3).
4 *(l'Occidental)* mesure exactement la valeur et l'efficacité des instruments dont il dispose et il sait notamment que son outillage, s'il n'est pas entretenu, périclitera : il faut donc le soigner, ce qui demande de l'attention et de l'esprit de prévision.
André SIEGFRIED, l'Âme des peuples, Conclusion, III, p. 213.

♦ **3.** Relig., théol. Caractère de ce qui est efficace (3., a). *L'efficacité de la grâce, de la prière.*
5 (...) On entend toujours que de soi il est beau d'être fécond et d'engendrer de soi-même et de sa propre substance un autre soi-même. Qu'on laisse cette féconde efficacité dans sa pureté primitive et originaire, elle pourra cesser quand Dieu voudra (...) BOSSUET, Élévation sur tous les mystères..., II, 1.

♦ **4.** (1861). Cour. Caractère d'une personne efficace, d'un comportement, d'une action efficace. *Il est compétent, mais il manque un peu d'efficacité. Avoir le culte de l'efficacité et du pragmatisme.*
6 Notons essentiellement *(parmi les traits caractéristiques de l'Américain)* l'initiative, et avec elle l'efficacité, vertus résultant de la conscience, du respect de l'effort, de l'absence de routine.
André SIEGFRIED, l'Âme des peuples, p. 180.
7 En attendant, avec des dons merveilleux, avec une dépense étonnante de talent, et du reste aussi de dévouement, ce qui nous frappe surtout en France, c'est l'inefficacité de la vie publique faisant contraste avec l'efficacité de l'individu.
André SIEGFRIED, l'Âme des peuples, III, IV, p. 72.
CONTR. Inefficacité ; impuissance, inanité, stérilité, vanité.

EFFICIENCE [efisjãs] n. f. — 1893 ; angl. *efficiency ;* du lat. *efficientia* « faculté de produire un effet », qui avait donné l'anc. franç. *effisance.*

♦ **1.** Philos. Capacité de produire un effet. — Psychol. Rendement de l'intelligence. *L'efficience au cours d'un test se précise par rapport à des critères convenablement choisis* (temps, nombre de résultats, bons ou mauvais, fréquence, etc.).
1 Si *efficient* est ancien dans la langue, *efficience* est venu de l'anglais ; il fait riche avec son suffixe abstrait pour exprimer l'effet utile, l'efficacité d'une mesure.
René GEORGIN, Pour un meilleur français, p. 92.

♦ **2.** (1923, *in* Höfler). Anglic. Efficacité, capacité de rendement. « *Le profit mobilise le meilleur et le pire au profit de l'efficience économique* » (Perroux).
2 On dit que le judo contient une part secrète de symbolique ; même dans l'efficience, il s'agit de gestes retenus, précis mais courts, dessinés juste mais d'un trait sans volume. R. BARTHES, Mythologies, p. 14.
REM. Cet emploi est considéré comme abusif : on dira *efficacité.*

EFFICIENT, ENTE [efisjã, ãt] adj. — 1290 ; lat. *efficiens,* de *efficere* « accomplir, réaliser » ; angl. *efficient,* au sens 2.

♦ **1.** Philos. Qui produit un effet. *Cause efficiente* (opposé à *cause finale*). → Cause, cit. 16.
1 Les expressions *cause efficiente* et *cause finale* sont seules demeurées en usage de nos jours, la première pour désigner le phénomène qui en produit un autre (...) ou quelquefois l'être qui produit une action ; la seconde pour désigner le but en vue duquel s'accomplit un *acte.* A. LALANDE, Voc. de la philosophie, art. *Cause.*
2 (...) le créateur éprouvé, mûri, a le plus souvent conscience d'être, avec douleur, l'agent efficient de l'œuvre (...)
G. DUHAMEL, Défense des lettres, II, IV, p. 147.

♦ **2.** (1948 ; angl. *efficient*). Anglic. Efficace, dynamique, capable de rendement. *Un travailleur efficient.*
3 Que signifie une telle attitude en politique ? Et d'abord est-elle efficace ? Il faut répondre sans hésiter qu'elle est seule à l'être aujourd'hui. Il y a deux sortes d'efficacité, celle du typhon et celle de la sève. L'absolutisme historique n'est pas efficace, il est efficient ; il a pris et conserve le pouvoir. Une fois muni du pouvoir, il détruit la seule réalité créatrice. CAMUS, l'Homme révolté, p. 696.
REM. Cet emploi, comme celui d'*efficience,* est considéré comme abusif. On dira : *efficace.*
CONTR. Inefficient.
DÉR. Efficience.
COMP. Cœfficient.

EFFIGIE [efiʒi] n. f. — V. 1468, « forme, apparence décrite » ; aussi, « aspect, stature (d'une personne) » ; lat. class. *effigies* « représentation, portrait », de *effingere ;* de *ex-,* et *fingere* « façonner ».

♦ **1.** (1510). Littér. Représentation, en peinture, sculpture... (d'une personne). ⇒ **Figure, image, portrait, représentation.** *On exposait l'effigie des rois défunts. Effigie de cire, effigie funéraire.*
1 À la tête du tombeau, une effigie d'Osiris, la barbe nattée, semblait veiller sur le sommeil du mort. Th. GAUTIER, le Roman de la momie, p. 32.
2 Que si j'étais placé devant cette effigie
Inconnu de moi-même, ignorant de mes traits,
À tant de plis affreux d'angoisse et d'énergie
Je lirais mes tourments et me reconnaîtrais.
VALÉRY, Mélange, p. 36.
2.1 L'hiératisme des costumes donne à chaque acteur comme un double corps, de doubles membres, — et dans son costume l'artiste engoncé semble n'être plus à lui-même que sa propre effigie.
A. ARTAUD, le Théâtre et son double, Sur le théâtre balinais, Idées/Gallimard, p. 87-88.
En effigie : représenté en effigie.

♦ **2.** Fig. Image, représentation sous forme humaine de (une abstraction, une entité). *C'était la vivante effigie du malheur.* ⇒ **Symbole.**
3 Or, le Verbe, en entrant dans le sein d'une femme, a daigné se faire semblable à nous. D'un côté, il touche à son Père par sa spiritualité, de l'autre, il s'unit à la chair par son effigie humaine.
CHATEAUBRIAND, le Génie du christianisme, I, I, VII.
4 Les domestiques sont roides et perpendiculaires, inertes et se ressemblant tous ; c'est toujours l'effigie monotone et sans relief de la servilité, ponctuelle, discipliné (...) BAUDELAIRE, Curiosités esthétiques, XVI, XIII.
Littér. Image sensible (d'une abstraction). « *L'effigie de la grandeur romaine* (en Italie) » (Vidal de la Blache, *in* T. L. F.).

♦ **3.** (1669). Spécialt. Représentation du visage (d'une personne, sur une monnaie, une médaille...). ⇒ **Empreinte, marque, sceau.** *Monnaie, médaille à l'effigie d'un souverain. L'effigie représente généralement le visage de profil.*

5 (...) une épingle sur laquelle était montée une pièce d'or à l'effigie du pape Clément XIII.   J. ROMAINS, les Hommes de bonne volonté, t. III, XI, p. 147.

♦ **4.** (1611). Dr. anc. Représentation grossière (tableau, mannequin) d'un condamné, à laquelle on fait subir fictivement la peine prononcée par contumace. Loc. *Exécution en effigie, par effigie. Brûler, pendre, exécuter un criminel en effigie.* ⇒ **Effigier** (vx).

6 L'exécution par effigie a deux objets : l'un d'imprimer une plus grande ignominie sur l'accusé ; l'autre est afin que cet appareil inspire au peuple plus d'horreur du crime.   Encyclopédie (DIDEROT), art. *Effigie.*

7 (...) il ressemble aux honnêtes gens qui pendent les autres en effigie : ils ne s'embarrassent pas que le portrait soit ressemblant.   VOLTAIRE, Lettre à Le Clerc, 2624, 10 févr. 1765.

7.1 Mais, à l'heure où la belle jeunesse française dépense son énergie à casser les carreaux des Juifs et à brûler Zola en effigie sur un bûcher d'exemplaires de l'*Aurore* (...)   CLEMENCEAU, Iniquité, 1899, p. 152, *in* T.L.F.

Représentation humaine jouant un rôle propitiatoire.

8 (...) plus singulièrement accoutré que l'effigie de Mardi-Gras, quand on la mène brûler au mercredi des Cendres (...)   Th. GAUTIER, le Capitaine Fracasse, t. II, XI, p. 67.

DÉR. Effigier.

EFFIGIER [efiʒje] v. tr. — 1549, « représenter en effigie » ; de *effigie.*

♦ (1676). Vx. Exécuter en effigie (un condamné).

EFFILAGE [efilaʒ] n. m. — Av. 1780 ; de *effiler.*

♦ Techn. Action d'effiler (un tissu). — (1845). État de ce qui est effilé.

Spécialt. En coiffure, Action d'effiler (les cheveux).

EFFILÉ [efile] n. m. — 1718 ; de *effiler.*

♦ **1.** Frange* formée en effilant les fils de la chaîne d'un tissu, et qui sert à border une étoffe. *Effilé de soie.* ⇒ **Grenadine.** *Les effilés d'un châle, d'une serviette. Le linge bordé d'effilé se portait autrefois pendant le deuil. — L'effilé :* ce linge. *Être en effilé. Porter l'effilé.*

1 La jupe, garnie de trois rangs d'effilés, faisait des plis charmants, et annonçait par sa coupe et sa façon la science d'une couturière de Paris.   BALZAC, le Député d'Arcis, Pl., t. VII, p. 687.

♦ **2.** Cuis. Émincé.

2 (...) des effilés de pommes de terre qui étaient mêlés à des truffes.   FLAUBERT, l'Éducation sentimentale, II, IV (1869).

EFFILEMENT [efilmɑ̃] n. m. — 1796 ; de *effiler.*

♦ Qualité, état de ce qui est effilé.

(...) mais des roches escarpées, de sécrétions pointues dont les herbages cachaient de terribles appétits, de fosses, avec une végétation molle et détendue, parfois semblable à des torches enflammées dont les boursouflures, les effilements, les franges, les effluves se réveillaient à la moindre pression.   Jean CAYROL, Histoire de la mer, p. 38 (1973).

EFFILER [efile] v. tr. — 1526, au p. p. « aiguisé » ; attestation isolée, fin XIᵉ, *s'esfiler* « se défaire fil à fil » ; de *é-, fil,* et suff. verbal.

★ **I.** (1611). Défaire (un tissu) fil à fil. ⇒ **Défiler, détisser, éfaufiler, effilocher, effranger, érailler, parfiler.** *Effiler une étoffe. Effiler de la toile pour en faire de la charpie,* et, par ext., *effiler de la charpie.*
Figuré :

1 (...) la lune effilait entre les branches une pluie de rayons fins qui glissaient jusqu'à terre en mouillant les feuilles et se répandait sur le chemin par petites flaques de clarté jaune.   MAUPASSANT, Fort comme la mort, p. 202.

2 (...) le vent d'est effilait les fumées des toits et des herbes brûlées.   F. MAURIAC, Souffrances et bonheur du chrétien, p. 154.

Par anal. *Effiler des haricots verts,* en enlever les fils.

★ **II.** Amincir* ; rendre allongé et fin ou pointu. *Effiler la pointe d'un crayon.*

3 (...) avec quelle élégante fierté Moréas, tout en parlant, en effilait les pointes *(de ses moustaches).*   Georges LECOMTE, Ma traversée, p. 204.

4 (...) toute la laideur morale de l'individu paraissait, résumée dans son nez que la nature avait effilé en bec d'oiseau (...)   J. GREEN, Léviathan, I, X, p. 87.

Effiler (les cheveux), les couper de manière que les mèches s'amincissent à leur extrémité et à diminuer l'épaisseur des cheveux.

★ **III.** Chasse. *Effiler les chiens,* les épuiser de fatigue.

▶ **S'EFFILER** v. pron. (passif).

♦ **1.** (1606, *in* D.D.L.). Se défaire, en parlant d'une étoffe, d'un tissu. *Le bord de cette étoffe s'effile.* — Spécialt. *Fil de laine qui s'effile,* qui laisse échapper des brins lorsque sa torsion est insuffisante. — Fig. *Fumée qui s'effile au vent* (→ Brouillard, cit. 7).

♦ **2.** (1781). S'amincir, se rétrécir en s'allongeant. ⇒ **Amincir** (s') ; **allonger** (s'). *Visage qui s'effile en lame de couteau. Salle qui s'effile en ogive* (→ Côte, cit. 6).

5 Le visage s'effile en avant comme une lame.   MARTIN DU GARD, Jean Barois, II, II, p. 217.

▶ **EFFILÉ, ÉE** p. p. adj.

♦ **1.** Dont le fil est défait. *Linge effilé. Toile effilée.*

♦ **2.** (1654). Qui va en s'amincissant. ⇒ **Aigu, allongé, délié, étroit, long, mince.** *Crayon effilé. Taille effilée.* ⇒ **Élancé, svelte.** *Visage effilé. Doigts effilés.*

6 L'encolure d'un cygne, effilée et bien droite (...)   MOLIÈRE, les Fâcheux, II, 6.

7 Sa longue figure effilée, son petit visage de pomme cuite, son air mou, sa démarche nonchalante, excitaient les enfants à se moquer de lui.   ROUSSEAU, les Confessions, I.

8 (...) comme le bout de ses doigts est admirablement effilé !   Th. GAUTIER, Mlle de Maupin, III, p. 43.

9 Du visage et du corps, également effilés, on ne savait lequel était le plus spirituel.   Maurice CLAVEL, le Tiers des étoiles, p. 23.

(1680). Techn. *Cheval effilé,* à l'encolure fine et déliée.
Amandes effilées, coupées en lamelles très fines.
Volaille effilée, poulet effilé, dont seuls les intestins ont été enlevés, mais qui garde le gésier.

♦ **3.** Chasse. *Chien effilé,* épuisé par la course ou qui a couru trop jeune.

♦ **4.** N. m. ⇒ **Effilé.**

CONTR. Filer. — Élargir, épaissir, grossir. — (Du p. p.) Épais, gros, large.
DÉR. Effilage, effilé, effilement, effileur, effilure.

EFFILEUR, EUSE [efilœʀ, øz] n. — 1870 ; de *effiler.*

♦ Techn. Ouvrier, ouvrière dont le métier est d'effiler la toile.

EFFILOCHAGE [efilɔʃaʒ] n. m. — 1761 ; de *effilocher.*

♦ Action d'effilocher (des étoffes, des chiffons) pour en faire de la charpie, du papier, etc. ; résultat de cette action. ⇒ **Défilage.** —
Figuré :

Rien de plus démoralisant que l'effilochage des heures, un jour de vacances, chez les Allégret.   GIDE, Journal, 30 déc. 1922.

REM. On rencontre aussi la forme *effiloquage.*

EFFILOCHE [efilɔʃ] n. f. — 1838 ; déverbal de *effilocher.*
Technique.

♦ **1.** Soie trop légère que l'on met au rebut. — Fil sur la lisière d'une étoffe.

♦ **2.** Au pluriel. Soies non torses, appelées aussi *soies folles.*
Fig. et littér. « *Des effiloches de brume* » (J. Renard).

REM. On rencontre aussi la forme *effiloque.* ⇒ **Effilocher.**

EFFILOCHEMENT [efilɔʃmɑ̃] n. m. — 1901 ; de *effilocher.*

♦ Action d'effilocher ; état de ce qui est effiloché.

1 Tout doucement, il quittait cet univers impalpable et trompeur, plongeait dans un effilochement de fumée aux lents tourbillons et soudain surgit la surface ondulée du désert, son ocre.   Jean CAYROL, Histoire d'un désert, p. 185.

REM. On rencontre aussi la forme *effiloquement.* ⇒ **Effilocher.**

2 Il voyait les tanks ténébreux et muets dans l'effiloquement des minces flocons de brumes et l'angoisse se coulait dans sa poitrine au sentiment de toute cette fièvre matinale qui dressait alentour les hommes dégingandés.   P. GRAINVILLE, les Flamboyants, p. 159.

EFFILOCHER [efilɔʃe] ou (régional) **EFFILOQUER** [efilɔke] v. tr. — 1761 ; de *é-,* de l'anc. franç. *filoche* (dér. de *fil*), et *-er ;* le verbe est admis par l'Académie en 1798, sous la forme *effiloquer.*

♦ Effiler (des tissus) pour réduire en bourre, en ouate, en charpie. — Techn. *Effilocher les chiffons,* pour en faire de la pâte à papier. ⇒ **Défiler.**

▶ **S'EFFILOCHER** ou **S'EFFILOQUER** v. pron.

(1851). S'effiler, en parlant d'un tissu usagé. ⇒ **Effranger** (s'). *Une étoffe usée qui s'effiloche. Bougier* le bord d'un tissu pour éviter qu'il ne s'effiloche.

0.1 Le petit Quenu allait avec des culottes percées, des blouses dont les manches s'effiloquaient (...)   ZOLA, le Ventre de Paris, t. I, p. 62 (1875).

Fig. S'allonger comme un fil. *Fumée qui s'effiloche au vent.*

1 La D.C.A. s'était tue ; les nuages s'effilochaient ; on n'entendait plus qu'un ronronnement glorieux et régulier.   SARTRE, la Mort dans l'âme, I, p. 38.

▶ **EFFILOCHÉ, ÉE** p. p. adj. et n.

♦ **1.** Adj. *Vêtement effiloché,* qui s'effiloche, par l'effet de l'usure.
REM. On rencontre aussi la forme *effiloqué, ée* (1858, *in* D.D.L.).

2   La lueur du soleil couchant qui frappait en plein son visage pâlissait le lasting de sa soutane, luisante sous les coudes, effiloquée par le bas.
FLAUBERT, Mme Bovary, II, VI, p. 75.

3   Il était lamentable, avec son pantalon noir, sa redingote noire, tout effiloqués, montrant les sécheresses des os.   ZOLA, le Ventre de Paris, t. I, p. 7.

♦ **2.** N. m. (1657). Laine obtenue par l'effilochage des chiffons pour être refilée.

N. f. (1845). Techn. Matière obtenue par effilochage pour être transformée en pâte à papier.

DÉR. **Effilochage, effiloche, effilochement, effilocheur, effilochure.**

EFFILOCHEUR, EUSE [efilɔʃœʀ, øz] n. — 1761 ; de *effilocher*.
Technique.

♦ **1.** Personne dont le métier est d'opérer l'effilochage (des chiffons). — Par appos. *Cylindre effilocheur.*

♦ **2.** N. f. (Av. 1870). **EFFILOCHEUSE** : machine à effilocher (syn. : *défileuse*).

REM. La var. *effiloqueur* est attestée. ⇒ **Effilocher.**

EFFILOCHURE [efilɔʃyʀ] n. f. — 1870 ; de *effilocher*.
Technique.

♦ **1.** Produit de l'effilochage.

♦ **2.** Partie effilochée d'une étoffe.
Par métaphore et fig. « *Effilochures d'ombre* » (Valéry).

EFFILOQUE [efilɔk], EFFILOQUEMENT [efilɔkmã], EFFILOQUER [efilɔke], etc. ⇒ **Effiloche, effilochement, effilocher.**

EFFILURE [efilyʀ] n. f. — 1685 ; de *effiler*.

♦ Techn. Fil qui tombe d'un tissu qu'on effile (surtout au pluriel).

EFFLANQUÉ, ÉE [eflãke] adj. — 1573, *esflanqué* (→ Rage) ; *efflanchée* (d'un animal) « qui fait maigrir à l'extrême », 1390 ; de *é-, es-, flanc*, et suff. *-é*.

♦ **1.** (En parlant des animaux, et particulièrement du cheval). Dont les flancs sont creusés par la maigreur. ⇒ **Décharné, maigre, squelettique.** *Un mauvais cheval* (cit. 27) *efflanqué.* ⇒ **Haridelle.**

1   (...) petites rosses barbes à tous crins, efflanquées, haletantes, ayant la maigreur, la coupe aiguë et la vive allure des hirondelles.
E. FROMENTIN, Une année dans le Sahel, p. 34.

♦ **2.** Par ext. (en parlant des personnes). Maigre, décharné. ⇒ **Maigre, mince, sec** (→ Décoller, cit. 4). *Un grand garçon efflanqué.*

2   Devant ce petit homme maigre *(Bonaparte)*, efflanqué dans un uniforme porté à la diable, la figure blême sous les cheveux en désordre, « un vrai parchemin », dit un témoin, on s'esclaffa ; c'était donc, « ce gringalet », l'homme que le Directoire imposait comme chef à un Masséna, à un Augereau (...)
Louis MADELIN, Hist. du Consulat et de l'Empire, L'ascension de Bonaparte, IV, p. 51.

Fig. *Un meuble, un objet efflanqué,* allongé et mince (avec une idée de maigreur excessive).
Par métaphore :

3   (...) vous avez longtemps courtisé la muse, vous avez essayé de la dévirginer ; mais vous n'avez pas assez de vigueur pour cela ; l'haleine vous a manqué, et vous êtes retombés pâles et efflanqués au pied de la sainte montagne.
Th. GAUTIER, Préface de Mlle de Maupin, éd. critique MATORÉ, p. 17.

CONTR. **Gras, gros, rebondi.**
DÉR. **Efflanquer.**

EFFLANQUER [eflãke] v. tr. — 1611, *esflanquer* ; de *efflanqué*.

♦ Rare. Rendre maigres des flancs, par un excès de fatigue, par privation de nourriture. *Efflanquer un cheval. L'excès de travail a efflanqué la pauvre bête.* ⇒ **Efflanqué, adj.**

EFFLEURAGE [eflœʀaʒ] n. m. — 1723 ; de *effleurer*.

♦ **1.** Techn. Action d'effleurer (les peaux, les cuirs) ; résultat de cette action (→ Chamoisage*).

♦ **2.** (1901). Méd. Massage léger de tout ou partie de la main, agissant sur les tissus superficiels.

EFFLEUREMENT [eflœʀmã] n. m. — 1578 ; de *effleurer*, et *-ment*.

♦ Action d'effleurer ; résultat de cette action. ⇒ **Atteinte, attouchement, caresse** (cit. 14), **frôlement.** *L'effleurement d'une robe.* → Platonisme, cit. 3. *L'effleurement de la peau par une caresse.*

Mise en route d'une machine par simple effleurement digital. — L'effleurement d'une caresse.
Par métaphore :

1   Avait-elle subi une de ces imperceptibles émotions dont l'effleurement a été si fugitif que la raison ne s'en souvient point, mais dont la vibration demeure aux cordes du cœur les plus sensibles.   MAUPASSANT, Fort comme la mort, p. 222.

1.1   L'envie de devenir une vraie dame du grand monde, avec un titre de noblesse devant son nom, ne l'avait jamais pénétrée. À peine, achevant un roman d'amour, en avait-elle rêvassé quelques minutes sous l'effleurement de ce joli désir, qui s'était aussitôt envolé de son âme, comme s'envolent les chimères.
MAUPASSANT, Mont-Oriol, p. 260.

L'effleurement d'un sujet, d'une question (le compl. désigne ce qui est effleuré). *L'effleurement d'un soupçon* (le compl. désigne ce qui effleure).

2   Il y avait dans ses livres un art consommé de l'effleurement des idées et des problèmes les plus graves.   A. MAUROIS, Études littéraires, Valéry, t. I, p. 27.

EFFLEURER [eflœʀe] v. tr. — 1549 ; *esflourée*, p. p., av. 1236 ; de *é-, fleur,* et suff. verbal.

♦ **1.** Vx. Dépouiller (une plante) de ses fleurs.

♦ **2.** (1611). Par anal. Entamer (qqch.) en n'enlevant que la partie superficielle. ⇒ **Égratigner, érafler.** *La balle lui effleura la peau.*

1   Le dieu qui fait aimer prit son temps ; il tira
Deux traits de son carquois : de l'un il entama
Le soldat jusqu'au vif ; l'autre effleura la dame.
LA FONTAINE, Contes, « Matrone d'Éphèse ».

2   (...) un coup de corne qui effleura le bras d'un *capeador,* blessure qui n'avait rien de dangereux, et ne l'empêcha pas de reparaître le lendemain dans le cirque.
Th. GAUTIER, Voyage en Espagne, p. 209.

(1723). Techn. (tannerie). *Effleurer une peau, un cuir,* en enlever une couche très mince du côté de l'épiderme (pour faire disparaître les défauts superficiels).

Spécialt (vieilli). Entamer légèrement. « *Il effleurait à peine chaque plat* » (A. Dumas, in T. L. F.). ⇒ **Toucher** (à).

♦ **3.** (1578). Toucher légèrement. ⇒ **Friser, frôler, lécher, raser** ; (littér.) **attoucher.** *Rocher qu'effleure la vague. La barque effleura le rivage. Effleurer quelque chose de la main* (→ Bruyère, cit. 1 ; dissimuler, cit. 8). *Une brise légère effleure à peine les feuillages.*

3   Qui ne sait que la nuit a des puissances telles
Que les femmes y sont, comme les fleurs, plus belles,
Et que tout vent du soir qui les peut effleurer
Leur enlève un parfum plus doux à respirer ?
A. DE MUSSET, Premières poésies, « Portia ».

4   Le vase où meurt cette verveine
D'un coup d'éventail fut fêlé ;
Le coup dut l'effleurer à peine (...)
SULLY PRUDHOMME, Poésies, « Le vase brisé ».

5   (...) un pas qui ne fait qu'effleurer la terre.
M. BARRÈS, la Colline inspirée, p. 101.

6   Antoine sentit une main légère effleurer son épaule (...)
MARTIN DU GARD, les Thibault, t. III, p. 44.

(Sujet n. de personne). *Il effleura doucement son bras.* ⇒ **Caresser, chatouiller.** *Effleurer de ses lèvres le front, la main de qqn.*

7   Se penchant un peu plus, elle effleura son front, puis ses yeux, puis ses joues de baisers lents, légers, délicats comme des soins.
MAUPASSANT, Fort comme la mort, p. 362.

8   Je profitais de son faux sommeil pour respirer ses cheveux, son cou, ses joues brûlantes, et en les effleurant à peine pour qu'elle ne se réveillât point (...)
R. RADIGUET, le Diable au corps, p. 60.

Littér. *Effleurer du regard.*

♦ **4.** (1693). Fig. et littér. Blesser, faire une atteinte légère à (→ ci-dessus, 2.). ⇒ **Écorcher, égratigner ; atteinte** (porter). *Critique qui effleure sa vanité* (→ Dauber, cit. 2). *Aucun soupçon n'a effleuré sa réputation.*

9   (...) j'ai mis votre choix à tel prix, que je n'ai pas osé en blesser, pas même en effleurer la liberté (...)   LA BRUYÈRE, Disc. de réception à l'Acad. franç.

10   Au milieu de cette vie qui s'écoulait le matin avec des savants et le soir dans des bals d'ambassadeurs, l'amour n'effleura jamais le cœur de la riche héritière.
STENDHAL, Mina de Vanghel.

11   Leurs coutumes sont restées rudimentaires. Notre civilisation glisse sur eux sans les effleurer.   MAUPASSANT, Au soleil, Le Zar'ez, p. 128.

♦ **5.** Abstrait. (Sujet n. de chose). Toucher légèrement (→ ci-dessus, 4.) ; faire une impression légère et fugitive sur (qqn). *Ce désir l'avait à peine effleuré* (→ Blottir, cit. 7). *Cette idée n'a fait qu'effleurer son esprit,* lui est venue à l'esprit, sans être suivie d'une réflexion (→ Complication, cit. 5 ; détourner, cit. 21).

12   (...) il possède un dossier (...) La pensée ne m'avait jamais effleuré que je dusse m'en servir.   F. MAURIAC, le Nœud de vipères, II, XII.

(1611). Toucher à peine à (un sujet) ; examiner superficiellement (un problème, une question...). ⇒ **Aborder, glisser** (sur). *Effleurer rapidement son sujet* (→ Dire, cit. 70).

13   L'art de penser n'est pas étranger aux femmes, mais elles ne doivent faire qu'effleurer les sciences de raisonnement.   ROUSSEAU, Émile, V.

14   Écoutez, monsieur : il est de ces questions brûlantes qu'un galant homme ne saurait effleurer d'un main trop légère et trop souple.
COURTELINE, Boubouroche, Nouvelle, II.

♦ **6.** Vieilli. Goûter à peine, user à peine de. *Effleurer seulement un plat. Effleurer les plaisirs.*

15 (...) je me vis déjà sur le déclin de l'âge (...) sans avoir donné l'essor aux vifs sentiments que j'y sentais en réserve, sans avoir savouré, sans avoir effleuré du moins cette enivrante volupté que je sentais dans mon âme en puissance (...)
ROUSSEAU, les Confessions, IX.

CONTR. Pénétrer. — Presser. — Approfondir, traiter (à fond).
DÉR. Effleurage, effleurement, effleurure.

EFFLEURIR v. intr. ou **EFFLEURIR** (S') [eflœRiR] v. pron. — 1755, *effleurir*; *s'effleurir*, 1783; de *é-*, et *fleurir*.

♦ Chim. et minér. Devenir efflorescent (en parlant des minéraux). *Pierre qui effleurit, qui s'effleurit. Corps qui effleurit après avoir cristallisé.*

EFFLEURURE [eflœRyR] n. f. — 1755; de *effleurer*.

♦ Techn. Vx. Débris qui provient de l'effleurage des peaux.

EFFLORAISON [eflɔRezõ] n. f. — 1876, *Journal officiel*; de *é-*, et *floraison*.

♦ Littér. Action de commencer à fleurir; résultat de cette action. ⇒ **Floraison**.

Amoureuse beauté de la terre, l'effloraison de ta surface est merveilleuse.
GIDE, les Nourritures terrestres, I, III.

EFFLORER (S') [eflɔRe] v. pron. — 1842; var. de *effleurer*, d'après les dér. du lat. *flor*.

♦ Littér. et rare. Perdre ses fleurs.

EFFLORESCENCE [eflɔResãs] n. f. — V. 1562, « surface, croûte »; du lat. sav. *efflorescere* « fleurir », et *-ence*.

♦ **1.** Bot. (vieilli). Début de la floraison.

1 Malgré ces derniers jeux de l'hiver, quelques bouffées d'air tiède chargées des senteurs du bouleau, déjà paré de ses blondes efflorescences (...) attestaient le beau printemps du Nord, rapide joie de la plus mélancolique des natures.
BALZAC, Séraphîta, Pl., t. X, p. 563.

♦ **2.** (1834). Fig. et littér. Apparition, commencement, éveil, naissance (de qqch.). *Efflorescence sexuelle* (⇒ **Puberté**).

2 Les réunions syndicales ont été tolérées. Les meetings publics, interdits. Le gouvernement craint moins l'émeute que l'efflorescence çà et là, d'une malveillance sournoise.
J. ROMAINS, les Hommes de bonne volonté, t. V, XXVIII, p. 300.

2.1 L'efflorescence des absurdités dévoile une existence devant laquelle toute netteté de vision apparaît d'une indigence dérisoire. C'est l'agression perpétuelle de l'Imprévisible.
E. M. CIORAN, Précis de décomposition, p. 102.

♦ **3.** Floraison épanouie, luxuriante. ⇒ **Épanouissement, luxuriance.**

3 Un volume in-8 de description, un atlas de deux mille planches, vingt salles remplies de plâtres moulés, ne donneraient pas encore une idée complète de cette prodigieuse efflorescence de l'art gothique *(dans la cathédrale de Burgos)*, plus touffue et plus compliquée qu'une forêt vierge du Brésil.
Th. GAUTIER, Voyage en Espagne, p. 21.

4 Aux étalages débordait une efflorescence de mousselines et de dentelles, des touffes de plumes, des fleurs de soie. Une peu grisée, Pauline s'arrêtait aux vitrines.
J. CHARDONNE, les Destinées sentimentales, p. 359.

♦ **4.** (1755). Chim. Transformation de certains sels qui perdent à l'air une partie de leur eau de cristallisation et deviennent superficiellement pulvérulents; couche pulvérulente ainsi produite. *Des efflorescences salines* (→ Délétère, cit. 2).
Par anal. Poussière fine qui recouvre certains fruits, certaines feuilles. ⇒ **Fleur, pruine.**

♦ **5.** (1755). Méd. Lésion élémentaire de la peau, offrant de légères boursouflures, quelle que soit leur nature (bulle, papule, pustule, vésicule). ⇒ **Exanthème.**

EFFLORESCENT, ENTE [eflɔResã, ãt] adj. — 1755, au sens 2; lat. *efflorescens* (→ Efflorescence), p. prés. de *efflorescere*, inchoatif de *florere* « fleurir », de *flos, floris* « fleur ».

♦ **1.** (1845). Bot. Qui est en pleine floraison. ⇒ **Luxuriant.** *Végétation, nature efflorescente.* — (1832). Fig. Qui s'épanouit.

Notre-Dame de Paris (...) n'est pas, comme la cathédrale de Bourges, le produit magnifique, léger, multiforme, touffu, hérissé, efflorescent de l'ogive.
HUGO, Notre-Dame de Paris, III, I.

♦ **2.** (1755). Chim. En efflorescence; couvert de sels en efflorescence. *Couche efflorescente. Sels efflorescents. Mur efflorescent.* Couvert de pruine. *Raisins efflorescents.*

EFFLUENCE [eflyãs] n. f. — 1747; de *effluent*, et *-ence*.

♦ Littér. Émanation. ⇒ **Effluve, émanation.** *Les effluences des marais.* ⇒ **Miasme.**

1 Des légumes tristes, des fleurs navrées y végètent à l'ombre de quelques fruitiers avares, « dans une terre grasse et pleine d'escargots » d'où s'exhalent des effluences de putréfaction ou de moisissure (...)
Léon BLOY, la Femme pauvre, I, XXVIII, p. 152.

2 Notre-Dame s'est lavée de son stupre et, bien qu'elle soit relativement jeune, elle est aujourd'hui saturée d'émanations, injectée d'effluences angéliques, pénétrées de sels divins (...)
HUYSMANS, En route, p. 76.

Vx. *Effluences électriques.* ⇒ **Effluve.**

3 (...) le *Nautilus*, s'enfonçant peu à peu, disparut sous la nappe liquide. (...) Sa puissante lumière éclairait les eaux transparentes, tandis que la crypte redevenait obscure. Puis, ce vaste épanchement d'effluences électriques s'effaça enfin, et bientôt le *Nautilus*, devenu le cercueil du capitaine Nemo, reposait au fond des mers.
J. VERNE, l'Île mystérieuse, t. II, p. 823-824 (1874).

EFFLUENT, ENTE [eflyã, ãt] adj. et n. m. — Av. 1475; du lat. *effluens*, p. prés. de *effluere* « s'écouler », de *ex-*, et *fluere* « couler ».

♦ **1.** Adj. (Av. 1475). Didact. Qui s'écoule d'une source.

♦ **2.** N. m. (1953). Géogr. Cours d'eau issu d'un lac ou d'un glacier. ⇒ **2. Émissaire.**
(1961). Techn. et cour. *Effluent urbain* : ensemble des eaux (eaux de ruissellement, eaux usées) à évacuer de la ville et des matières qu'elles sont susceptibles d'entraîner.
(1957). *Effluents radioactifs* : matériaux radioactifs résiduels produits par la génération d'énergie nucléaire.

DÉR. Effluence.

EFFLUER [eflye] v. tr. — 1404, intrans., « découler »; repris 1895, trans., Huysmans; lat. *effluere* « couler de, s'écouler; laisser couler », de *ex-*, et *fluere*.

♦ Littér. Rare. Produire une émanation de, une odeur de (...).

(...) l'église, devenue vide, effluait, mélangée à son odeur naturelle de tombe, le sédatif et le joyeux parfum des encens consumés et des cires mortes (...)
HUYSMANS, l'Oblat, t. II, 1903, p. 155, *in* T. L. F.

EFFLUVATION [eflyvasjõ] n. f. — 1908, *in* D. D. L.; de *effluver*.

♦ Méd. Traitement par des effluves d'électricité statique au moyen d'électrodes placées sur la peau d'une région déterminée (effet calmant général, effet cicatrisant dans les plaies torpides).

EFFLUVE [eflyv] n. m. — 1755, n. m. pl., *Encyclopédie*; lat. *effluvium* « écoulement », de *effluere*. → Effluent.

♦ **1.** Émanation qui se dégage (des corps organisés, de matières organiques, de certaines substances, altérées ou non). ⇒ **Émanation, exhalaison, haleine, transpiration, vapeur.** *Un effluve* (rare). *Les effluves des marais passaient pour produire des fièvres.* ⇒ **Effluence, miasme.** — *Effluves qui s'exhalent des fleurs.* ⇒ **Odeur, parfum.** *Effluves subtils d'un parfum. Effluves enivrants. Les effluves du pressoir* (→ Capiteux, cit. 3). *Les effluves du printemps.*

1 Fouché (...) avait l'air d'une hyène habillée; il halenait les futurs effluves du sang (...)
CHATEAUBRIAND, Mémoires d'outre-tombe, t. II, I, 7.

2 (...) je me dirigeais par le sentier sinueux d'un couloir tout embaumé à distance des essences précieuses qui exhalaient sans cesse du cabinet de toilette leurs effluves odoriférants.
PROUST, À la recherche du temps perdu, t. III, p. 104.

3 (...) cette odeur d'herbe fauchée enivrait et les effluves des tilleuls paraissaient avoir la mortelle douceur des fleurs monstrueuses qui endorment et qui tuent (...)
F. MAURIAC, l'Enfant chargé de chaînes, p. 181.

Effluves qui se dégagent d'un mets. ⇒ **Arôme, fumet.**

4 Il trempa ses lèvres dans le whisky qu'on venait d'apporter, et, soulevant lui-même le couvercle de la soupière, il huma les effluves généreux qui montaient vers lui.
MARTIN DU GARD, les Thibault, t. III, p. 224.

REM. Sans être exclusivement littéraire, le mot appartient plutôt au registre écrit ou au style soutenu. Il est rare au singulier et son genre, dans l'usage relâché, est flottant. → ci-dessous, cit. 9.

♦ **2.** (1884, *in Année sc. et industr.* 1885, p. 176). Spécialt. *Effluve électrique* : décharge électrique à faible luminescence. *Air chargé d'effluves avant l'orage.* — (1834). *Effluve magnétique* : émanation de fluide (d'après les partisans du magnétisme* animal). — (1904, *in Rev. gén. des sc.*, n° 12, p. 581). *Effluve radioactif.*

5 Un effluve de l'ouragan divin se détache et vient passer à travers ces hommes, et ils tressaillent, et l'un chante le chant suprême et l'autre pousse le cri terrible.
HUGO, les Misérables, II, I, XV.

♦ **3.** (Déb. XIXᵉ). Fig. et littér. Émanation, influence d'ordre moral, psychologique. ⇒ **Souffle.** *Les effluves du passé* (→ Dégager, cit. 21).

6 (...) ces subtiles émanations, ces effluvions *(effluves)* invisibles, qui entretiennent des courants perpétuels entre les différents êtres.
Joseph JOUBERT, Pensées, XI, XL.

7 La religion est l'effluve divin qui pénètre et anime la création entière.
F. DE LAMENNAIS, *in* P. LAROUSSE.

8 (...) le ciel était bleu, des cantharides bourdonnaient autour des lis en fleur, et Charles suffoquait comme un adolescent sous les vagues effluves amoureux qui gonflaient son cœur chagrin.
FLAUBERT, Mᵐᵉ Bovary, III, XI.

REM. Effluve est donné comme masculin par tous les dictionnaires. Cependant, en raison de sa terminaison féminine, plusieurs auteurs l'emploient au féminin (cf. Grevisse, n° 273, 6°, citant notamment Verlaine, Giraudoux, Guéhenno, etc., *in* T. L. F.).

9 D'ailleurs, le salut
Viendra d'un Messie
Dont tu ne sens plus
Depuis bien des lieues
Les effluves bleues.   VERLAINE, Sagesse, III, 2.

DÉR. Effluver.
COMP. Effluviothérapie.

EFFLUVER (S') [eflyve] v. pron. — 1945, Cendrars ; de *effluve*.

♦ Rare. Émettre des effluves électriques. — REM. On trouve aussi *effluver*, v. intr.

DÉR. Effluvation.

EFFLUVIOTHÉRAPIE [eflyvjoteʀapi] n. f. — Mil. xxᵉ ; de *efflув(e)*, et *-thérapie* ; le segment *-io-* n'est pas normal.

♦ Didact. Effluvation.

EFFLUX [efly] n. m. — 1883, le mot existe en 1792, « expulsion du fœtus » ; du lat. *effluere* (→ Effluer), d'après *flux*.

♦ Rare. Écoulement (d'un liquide). — Fig. *Les anges, « efflux éternisés de la nécessité divine »* (Villiers de l'Isle-Adam, *in* T. L. F.).

EFFONDREMENT [efɔ̃dʀəmɑ̃] n. m. — Av. 1562 ; de *effondrer*.

♦ **1.** Agric. Action d'effondrer, de creuser (la terre) ; résultat de cette action.

♦ **2.** (1848). Cour. Le fait de s'effondrer, de s'écrouler. ⇒ **Éboulement, écroulement.** *Un effondrement de rochers. L'effondrement d'un bâtiment.*

1 L'effondrement du toit obstruait toute la partie nord de la plate-forme ; les gravats et les poutres bouchaient la trappe ; une barre de fer pendait du plafond béant (...)   SARTRE, la Mort dans l'âme, I, p. 193.

(1862). Spécialt (géol.). Affaissement brusque du sol provoqué par l'action des eaux d'infiltration, par les secousses volcaniques, etc. ⇒ **Affaissement, dépression ; boulance.** *Cratères, lacs, vallées d'effondrement.*

♦ **3.** (Av. 1862, *in* Littré). Abstrait. Chute, fin brutale. ⇒ **Chute, écroulement.** *L'effondrement d'un empire, d'une puissance.* ⇒ **Anéantissement, décadence, destruction, disparition, fin.**

2 L'ensemble, emmêlé, fait de pièces et de morceaux, formidable encore dans sa vieillesse millénaire, raconte le néant humain, l'effondrement des civilisations et des races (...)   LOTI, Jérusalem, VIII, p. 88.

L'effondrement d'un ministère, d'un homme politique. L'effondrement de ses espérances (→ Avenir, cit. 24). *L'effondrement de sa fortune l'a laissé anéanti.* ⇒ **Ruine.**

3 (...) évidemment la mort de papa entraîne l'effondrement de notre fortune (...)   GIDE, Si le grain ne meurt, I, V, p. 132.

L'effondrement de sa résistance, de ses facultés mentales. L'effondrement de son courage.

♦ **4.** (1864 ; personnes). État d'abattement extrême. *Il est dans un état d'effondrement total.* ⇒ **Abattement, accablement, anéantissement.**

4 (...) les pauvres parents ont eu la permission de venir à l'enterrement *(de leur fils)*. Le pauvre père était dans un tel état que je t'assure que (...) je ne pouvais pas me contenir en voyant l'effondrement du pauvre Vaugoubert qui n'était plus qu'une espèce de loque. PROUST, À la recherche du temps perdu, t. XIV, p. 73.

♦ **5.** (1891). Fin. et cour. (en parlant d'une valeur, d'une monnaie). Baisse importante et brutale. *L'effondrement des prix, des cours, des valeurs.* ⇒ **Baisse, chute** (→ Cours, cit. 21).

Par métaphore :

5 J'ai parlé, il me semble, de la baisse et de l'effondrement qui se fait sous nos yeux, des valeurs de notre vie (...)   VALÉRY, Regards sur le monde actuel, p. 227.

CONTR. Prospérité, puissance, relèvement. — Vigueur. — Hausse.

EFFONDRER [efɔ̃dʀe] v. tr. — V. 1150, *esfondrer* ; du lat. pop. *exfunderare* « défoncer », de *ex-*, et *fundus* « fond », au plur. *fundi* en lat. class., mais **fundora* en lat. pop. (**fundus, -oris*).

♦ **1.** Défoncer, faire crouler. ⇒ **Briser, défoncer, détruire, rompre.** *Effondrer une caisse, une armoire, un plancher.*

1 Dans ces contrées, les neiges séjournent longtemps sur les terres ; elles filtrent au travers de leus parties les moins solides, qu'elles pénètrent profondément, qu'elles délavent et effondrent (...)   Ph. P. SÉGUR, Hist. de Napoléon, V, 1.

1.1 (...) si ce bloc se fût retourné deux minutes plus tard, il se précipitait sur le brick et l'effondrait dans sa chute.   J. VERNE, Un hivernage dans les glaces, p. 244.

2 Il *(Haverkamp, constructeur d'immeubles)* efface les monticules. Il est la substance qui fait fermenter les quartiers. Il effondre les tas de masures. Il prend comme avec des pincettes les locataires moisis, et les dépose plus loin.   J. ROMAINS, les Hommes de bonne volonté, t. IV, IV, p. 24.

(...) l'éclat d'obus lui avait effondré la face. Il ne restait rien de son visage qu'une immense plaie barbare (...)   3
                    G. DUHAMEL, Récits des temps de guerre, t. I, II, p. 165.

Fig. Faire s'écrouler ; détruire.

C'est un homme d'environ quarante ans, qui porte haut une tête au vaste front,   3.1
découverte par une calvitie due moins au ravage des ans qu'aux veilles pénibles sur les documents, aux travaux acharnés qui ont bouleversé le champ de l'histoire, effondré tant d'antiques erreurs et révélé au monde des vérités longtemps ensevelies sous la poussière des siècles.   A. ROBIDA, le Vingtième Siècle, p. 196.

♦ **2.** (1704). Agric. Creuser, remuer, fouiller profondément (la terre), en y mêlant de l'engrais (⇒ **Labourer**).

♦ **3.** Cuis. *Effondrer une volaille,* la vider.

▶ **S'EFFONDRER** v. pron. (1690, Furetière).

♦ **1.** (Choses). Cour. Crouler sous le poids ou faute d'appui. ⇒ **Abattre** (s'), **abîmer** (s'), **affaisser** (s'), **briser** (se), **crouler, ébouler** (s'), **écraser** (s'), **tomber.** *Plancher, voûte, toit qui s'effondre. Voiture trop chargée qui s'effondre.*

Le sol s'était effondré, le dallage avait croulé, l'égout s'était changé en puits   4
perdu (...)   HUGO, les Misérables, IV, II, IV.
Il avait cru que la galerie s'effondrait derrière son dos.   5
                    ZOLA, Germinal, t. I, p. 209.

Par métaphore. Littér. Tomber brusquement (avec des sujets comme : *le ciel, l'orage, la lueur...* ; *in* T. L. F.).

(Sujet n. de personne). Tomber, s'écrouler comme une masse. *S'effondrer dans un fauteuil,* s'y laisser tomber. — (1915). Spécialt. Tomber mort ou blessé. *Soldats blessés qui s'effondrent.*

On cannait moins fort, mais, par les soupiraux, des mitrailleuses fauchaient   6
le village. Des hommes s'effondraient, pliés en deux, comme emportés par le poids de leur tête.   R. DORGELÈS, les Croix de bois, XI, p. 212.

♦ **2.** (1862). Fig. (Personnes). S'écrouler sous l'effet d'une émotion. *S'effondrer dans la douleur, le désespoir.* ⇒ **Abandonner** (s'). *S'effondrer de chagrin.*

(Choses). *Empire qui s'effondre.* ⇒ 1. **Agoniser** (2.), **écrouler** (s'), **tomber.** — (1856). *Espérances, projets qui s'effondrent.* ⇒ **Anéantir** (s'). — *Le cours de l'or s'est effondré.*

(...) vivre, voir le soleil, être en pleine possession de la force virile, avoir la santé   7
et la joie (...) et tout à coup, le temps d'un cri, en moins d'une minute, s'effondrer dans un abîme, tomber, rouler, écraser, être écrasé (...)
                    HUGO, les Misérables, II, I, XIX.
En fait *(à la veille de la Révolution),* il n'y avait plus de gouvernement ; l'édifice   8
artificiel de la société humaine s'effondrait tout entier ; on rentrait dans l'état de nature. Ce n'était pas une révolution, mais une *dissolution.*
                    TAINE, les Origines de la France contemporaine, t. III, I, p. 4.
Toute son histoire, péniblement reconstruite, s'effondre : rien ne reste de cette con-   9
fession préparée.   F. MAURIAC, Thérèse Desqueyroux, IX, p. 155.
(...) j'ai appris que j'étais condamné (...) Devant une pareille révélation, tous les   10
points d'appui s'effondrent.   MARTIN DU GARD, les Thibault, t. IX, p. 144.
Tant de conjectures, tant de rêveries n'avaient meublé que le pourtour de ce grand   11
mystère : au milieu, il s'effondrait dans le vide.
                    J. ROMAINS, les Hommes de bonne volonté, t. III, IX, p. 132.

♦ **3.** (1901, *in* Petiot). Sports. Avoir une défaillance soudaine lors d'un effort. *Il s'est effondré dans la ligne droite.*

▶ **EFFONDRÉ, ÉE** p. p. adj.

♦ **1.** (Choses). *Tonneau effondré. Toits effondrés* (→ Brasier, cit. 1).

Il est difficile d'imaginer une malle plus rapiécée, plus vermoulue et plus effon-   12
drée. C'est à coup sûr la doyenne des malles du monde (...)
                    Th. GAUTIER, Voyage en Espagne, p. 24.
(...) pauvre manoir délabré, effondré, tombant en ruine au milieu du silence et de   13
l'oubli (...) près de s'écrouler sur son maître désastreux qui l'avait quitté au dernier moment, pour ne pas être écrasé sous sa chute.
                    Th. GAUTIER, le Capitaine Fracasse, t. I, V, p. 123.

♦ **2.** Fig. et cour. (Personnes). Très abattu, prostré (après un malheur, un échec). ⇒ **Abattu, anéanti, découragé, miné, prostré.** *Depuis qu'il a appris cette nouvelle, il est effondré. Nous étions tous effondrés.*

CONTR. Dresser (se), **raidir** (se), **résister.**
DÉR. Effondrement. — V. Effondrilles.

EFFONDRILLES [efɔ̃dʀij] n. f. pl. — 1564 ; *fondrille,* fin XIᵉ ; réfection d'après *effondrer*,* de *fondrille,* dér. du type *fundus,* et *-ille.*

♦ Techn. ou régional. Dépôt* qui reste au fond d'un récipient dans lequel on a fait bouillir ou infuser quelque chose. *Les effondrilles d'un bouillon.*

EFFORCER (S') [efɔʀse] v. pron. — Conjug. *placer.* — V. 1050, *se esforcer* ; de *é-*, et *forcer.*

Faire tous ses efforts, employer toute sa force, toute son énergie, toute son adresse ou son intelligence pour atteindre un but, vaincre une résistance. ⇒ **Appliquer** (s'), **attacher** (s'), **escrimer** (s'), **essayer, évertuer** (s'), **faire** (faire tout au monde pour), **forcer** (se), **lutter** (pour), **tâcher, tendre, tenter, travailler, viser** ; → Faire effort* pour, prendre à tâche* de...

♦ **1.** S'EFFORCER DE... (et inf.). *S'efforcer de soulever un fardeau*

(→ Commande, cit. 7). *S'efforcer de repousser, de refouler l'ennemi* (→ Attroupement, cit. 7). *S'efforcer d'atteindre* (⇒ **Courir**), *de trouver* (⇒ **Chercher**). *S'efforcer de dépasser ses adversaires, au terme d'une course.*

1 Le long d'un clair ruisseau buvait une colombe,
Quand, sur l'eau se penchant, une fourmis *(sic)* y tombe ;
Et dans cet océan l'on eût vu la fourmis
S'efforcer, mais en vain, de regagner la rive.   LA FONTAINE, Fables, II, 12.

2 Quand un autre à l'instant s'efforçant de passer (...)   BOILEAU, Satires, VI.

3 *(Il)* s'efforçait de se dérober aux regards fixés sur lui de tous côtés (...)
HUGO, Notre-Dame de Paris, I, I.

S'efforcer de plaire, d'être aimable (→ Agréer, cit. 4), *de sourire* (→ Appliquer, cit. 28). *S'efforcer de contenter qqn* (→ Prendre soin* de...). *S'efforcer de comprendre* (→ Crise, cit. 3), *de croire...* (→ Diable, cit. 5). *S'efforcer de paraître calme. Il ne s'efforce que de dénigrer* (cit. 2). *Elle s'est efforcée par tous les moyens d'obtenir gain de cause.*

4 Le juste ne devrait donc plus espérer en Dieu, car il ne doit pas espérer, mais s'efforcer d'obtenir ce qu'il demande.   PASCAL, Pensées, VII, 514.

5 Efforcez-vous ici de paraître fidèle,
Et je m'efforcerai, moi, de vous croire telle.   MOLIÈRE, le Misanthrope, IV, 3.

6 Dans chacune de mes trois carrières, je m'étais proposé un but important : voyageur, j'ai aspiré à la découverte du monde polaire, littérateur, j'ai essayé de rétablir le culte sur ses ruines ; homme d'État, je me suis efforcé de donner aux peuples le système de la monarchie pondérée (...)
CHATEAUBRIAND, Mémoires d'outre-tombe, t. VI, p. 334.

7 Si elle avait cherché à tromper, elle se serait efforcée de coordonner ses propos, de leur donner au moins un air de vérité et je n'ai jamais vu qu'elle s'en donnât la peine.   A. MAUROIS, Climats, I, VIII, p. 65.

Vieilli. **S'EFFORCER À...** (et inf.).

8 Et ce lâche attentat n'est qu'un trait de l'envie
Qui s'efforce à noircir une si belle vie.   CORNEILLE, Nicomède, III, 8.

9 Cependant le petit frère pleure, porte une main à ses yeux ; et, pendu au bras droit de son grand frère, il s'efforce à l'entraîner hors de la maison.
DIDEROT, Salons, « Le fils ingrat ».

10 Là, l'écume s'efforce à se faire visible (...)   VALÉRY, Poésies, « La jeune Parque ».

♦ **2.** (V. 1165). Absolt et littér. Faire effort sur soi, prendre sur soi, se contraindre. ⇒ **Contraindre** (se), **forcer** (se). *Efforcez-vous, soyez aimable ! Ne vous efforcez pas à ce point, cela se voit trop.*

11 Feignez, efforcez-vous : songez qu'il est mon père.   RACINE, Mithridate, IV, 2.

12 Elle s'efforça, mais l'effort n'est pas la force !
BARBEY D'AUREVILLY, Une histoire sans nom, p. 200.

S'efforcer pour... : se faire violence pour...

13 On sentait le chiqué, comme dans les livres des auteurs qui s'efforcent pour parler argot.   PROUST, À la recherche du temps perdu, t. XIV, p. 161.

♦ **3.** Littér. (Suivi d'un subst. compl. de but). *S'efforcer vers... : vouloir atteindre... S'efforcer vers un idéal, une victoire* (→ Ascétisme, cit. 3 ; dédoublement, cit. 2).

14 C'est vers la volupté que s'efforce toute la nature.
GIDE, les Nouvelles Nourritures, III, I.

14.1 La vérité est un idéal inaccessible, comme tout idéal. On ne peut demander aux meilleurs des hommes que de s'efforcer vers elle, avec amour et loyauté, sans tricherie d'orgueil ou d'intérêt.   R. ROLLAND, Deux hommes se rencontrent, p. 358.

S'efforcer à... : s'appliquer à... S'efforcer à un travail minutieux. S'efforcer à une cordialité (cit. 2) *qui sonne faux.*

15 (...) s'efforcer au langage clair pour ne pas épaissir le mensonge universel (...)
CAMUS, l'Homme révolté, p. 352.

CONTR. Laisser (se laisser aller), **renoncer, reposer** (se).
DÉR. Effort.

EFFORT [efɔʀ] n. m. — 1547 ; *esforz*, 1080 ; déverbal de *efforcer*.

♦ **1.** Activité d'un être conscient qui utilise ses forces pour résister ou vaincre une résistance, extérieure ou intérieure ; en général *(l'effort)* ou par un acte particulier *(un, des efforts).*

a (Au physique). *Effort physique* (caractérisé par une contraction musculaire qui produit un certain travail, développe une certaine force). *Sentiment de l'effort* (donnée élémentaire du sens intime, fondement de la conscience de soi, selon Maine de Biran). *Effort musculaire. Les efforts de l'accouchement. Faire un grand, un gros, un violent effort.* ⇒ **Suer** (suer sang et eau). *Entraînement à l'effort. Être fatigué par l'effort accompli. Soulever un fardeau sans effort apparent, sans le moindre effort* (→ Coque, cit. 4). *Déplacer par un effort.* ⇒ **Pousser.** *Effort de l'épaule pour pousser.* ⇒ **Épaulée.** *Effort fait avec un levier.* ⇒ **Pesée.**

1 Pour que je sente le passage d'une modification à une autre, il faut qu'il y ait quelque chose qui reste et ce qui reste, *moi,* est différent de ce qui est changé. Ce qui reste, c'est l'effort continu que j'exerce sur mon corps tant que la veille dure ou que j'existe pour moi-même.
MAINE DE BIRAN, Œuvres inédites, II, p. 323.

2 Lorsque le prêtre lui approcha des lèvres le crucifix en vermeil pour lui faire baiser le Christ, il *(le père Grandet)* fit un épouvantable geste pour le saisir, et ce dernier effort lui coûta la vie (...)
BALZAC, Eugénie Grandet, Pl., t. III, p. 626.

3 (...) le râle épais d'un blessé qu'on oublie
Au bord d'un lac de sang, sous un grand tas de morts,
Et qui meurt, sans bouger, dans d'immenses efforts.
BAUDELAIRE, les Fleurs du mal, Spleen et idéal, « La cloche fêlée ».

Je prends de plus en plus en horreur le tipoye, où l'on est inconfortablement secoué et où je ne puis perdre un instant le sentiment de l'effort des porteurs.   3.1
GIDE, Voyage au Congo, *in* Souvenirs, Pl., p. 763.

Faire un effort, des efforts. Il fit un effort désespéré pour...

(Jean Valjean) soulevait toujours Marius, et, avec une dépense de force inouïe, il   4
avançait ; mais il enfonçait (...) il renversa sa face en arrière pour échapper à l'eau et pouvoir respirer (...) il fit un effort désespéré et lança son pied en avant ; son pied heurta on ne sait quoi de solide (...)
HUGO, les Misérables, V, III, VI.

(1547). Par ext. Action énergique, effet produit par cette action. ⇒ **Force.** *L'effort de ses coups* (→ Approcher, cit. 54). *L'effort de la digestion* (→ Assoupir, cit. 9).

Le traître, quel qu'il soit, n'aura pas l'avantage   5
De dérober sa vie à l'effort de ma rage.   MOLIÈRE, Dom Garcie, IV, 8.

b (Domaine psychique). *Effort (intellectuel) :* tension dynamique et généralement volontaire de l'esprit cherchant à résoudre une difficulté, à vaincre une résistance intérieure. ⇒ **Application, concentration.**

(...) à mesure que l'état de concentration intellectuelle se complique, il devient   6
plus solidaire de l'effort qui l'accompagne. Il y a des travaux de l'esprit dont on ne conçoit pas qu'ils s'accomplissent avec aisance et facilité. Pourrait-on, sans effort, inventer une nouvelle machine ou même simplement extraire une racine carrée ? L'état intellectuel porte donc ici imprimée sur lui (...) la marque de l'effort.
H. BERGSON, l'Énergie spirituelle, Effort intellectuel, p. 154.

La vie moderne tend à nous épargner l'effort intellectuel comme elle fait l'effort   7
physique. Elle remplace, par exemple, l'imagination par les images, le raisonnement par les symboles et les écritures, ou par des mécaniques ; et souvent par rien.
VALÉRY, Variété IV, Discours de l'histoire, p. 141.

Effort de... (suivi du nom d'une faculté). *Un effort de mémoire, d'imagination, d'intelligence. Faites un petit effort d'imagination. Effort d'adaptation, de compréhension* (→ Adaptation, cit. 2). *Un effort de l'esprit. — Effort (et adj.). Effort intellectuel, mental, psychologique.*

(...) depuis cinquante ans qu'il *(le Cid)* tient sa place sur nos théâtres, l'histoire ni   8
l'effort de l'imagination n'y ont rien fait voir qui en ait effacé l'éclat.
CORNEILLE, Examen du Cid.

Encore maintenant, il admettait comme un dogme que la science médicale était   9
l'aboutissement de l'effort intellectuel, et constituait le plus clair profit de vingt siècles de tâtonnements dans toutes les voies de la connaissance, le plus riche domaine ouvert au génie de l'homme.
MARTIN DU GARD, les Thibault, t. III, p. 226.

(...) tandis qu'il accomplissait un effort de mémoire, ordonné et rapide, en simu-   10
ler un autre, beaucoup plus tâtonnant.
J. ROMAINS, les Hommes de bonne volonté, t. II, XIII, p. 136.

J'avoue que je prenais très au sérieux les affaires de mon esprit, et que je me   11
préoccupais de son salut comme d'autres font celui de leur âme. Je n'estimais rien et ne voulais rien retenir de ce qu'il pouvait produire sans effort, car je croyais que l'effort seul nous transforme et nous change notre facilité première qui suit de l'occasion, et s'épuise avec elle, en une facilité dernière qui la sait créer et la domine.   VALÉRY, Variété V, Mémoires d'un poème, p. 80.

L'effort de l'écrivain, de l'artiste. — Par ext. L'effort d'un art, d'une science, qui tend vers son but. L'effort du drame (→ Consommer, cit. 4).

L'effort de la grande littérature semble être de créer des univers clos ou des types   12
achevés.   CAMUS, l'Homme révolté, p. 320.

L'effort (avec une nuance un peu péjorative, par oppos. à *naturel). Style tourmenté où l'effort se fait sentir. La poésie de Vigny trahit souvent l'effort.* ⇒ **Volonté.** *Un ouvrage laborieux qui sent l'effort.*

L'effort, dans l'ordre moral, considéré comme une ascèse (→ Ascèse, cit. 2), comme une valeur morale. *Effort de vertu. La vertu est toute dans l'effort. Glorifier l'effort. Provoquer qqn à l'effort.*

(...) il n'y a pas de création sans effort et sans souffrance.   13
Gustave LANSON, l'Art de la prose, p. 290.

Gringalet n'a pas assez considéré que le mal est nécessaire au bien, comme l'ombre   14
à la lumière ; que la vertu est toute dans l'effort et que, si l'on n'a plus de diable à combattre, les saints seront aussi désœuvrés que les pécheurs.
FRANCE, le Livre de mon ami, p. 177.

L'effort excitant à l'effort. Tel est le nom de ce qui a fait toutes les grandes cho-   15
ses. *Sudare jucunde.*   VALÉRY, Mélange, p. 191.

L'effort, c'est dans l'action qu'il faut le porter ; dans la sensation ou les pensées   16
il fausse tout.   GIDE, Pages de journal, 9 juil. 1940, p. 68.

(...) je fais toujours des efforts qui m'élèvent au-dessus de moi-même et qui comp-   17
tent parmi les plus joyeuses victoires de ma vie.
G. DUHAMEL, Scènes de la vie future, III, p. 61.

Loc. *Faire effort sur soi-même :* se déterminer à..., se faire violence, s'obliger à... *Se faire effort pour être calme.*

Quels efforts à moi-même il a fallu me faire !   CORNEILLE, Polyeucte, V, 3.   18

(Je doute) Si vous pourrez sur vous faire ce grand effort.   19
MOLIÈRE, Dom Garcie, I, 3.

(...) on se cache de la pitié, de peur qu'elle ne ressemble à la faiblesse ; on se fait   20
effort pour dissimuler le sentiment divin de la compassion (...)
A. DE VIGNY, Servitude et grandeur militaires,
II, XIII, p. 167 (→ Durcir, cit. 2).

c (Sans précision quant au domaine : syntagmes). *Un, des efforts. L'effort de qqn. Un effort soutenu, constant, continu* (cit. 2). ⇒ **Application, attention, concentration, contention, tension.** *La persévérance de son effort* (→ Dignité, cit. 6). *Un long effort de patience. Un effort désespéré, dramatique* (cit. 9), *surhumain. Dans un suprême effort.* ⇒ **Sursaut, tentative** (→ Bagne, cit. 1 ; concevoir, cit. 15). *Un effort mesuré* (→ Apathie, cit. 8). *Des efforts* *touchants d'amabilité. Des efforts impuissants, stériles, vains.* → Coup d'épée* dans l'eau. *S'épuiser en efforts inutiles. Faire de grands efforts* (→ Blanc, cit. 13). *Son effort n'est pas sans mérite.* — *Au prix de quels efforts ! Se décider à fournir un effort énergique.* → Donner un coup de collier*. *Faites un petit effort, un dernier effort :* un peu de courage*, manifestez votre bonne volonté. *Il n'y a pas de réussite sans un certain effort.* ⇒ **Difficulté, mal, peine, travail.** — *Cet élève n'a fait aucun effort,* ne travaille pas. *Faire un effort exceptionnel.* ⇒ pop. **Arracher** (s'). *Poursuivre, soutenir, relâcher son effort. Ouvrage qui coûte de longs efforts.* ⇒ **Haleine, patience.** *Après bien des efforts. Déployer tous ses efforts pour se tirer d'affaire.* ⇒ **Accrocher** (s'), **débattre** (se), **lutter.** *Multiplier ses efforts* (→ Cinq, cit. 9). *Soutenir l'effort, les efforts d'un ennemi, d'un adversaire. Consacrer tous ses efforts à... Unir ses efforts.* ⇒ **Coaliser** (se). *Unis dans un même effort, dans un effort commun. Un effort de coopération. Avec un gros effort* (→ D'arrache*-pied ; à l'arraché*).

21   Tout le monde va faire des efforts pour remporter le prix de cette course.
            MOLIÈRE, la Princesse d'Élide, II, 4.

22   Je n'entre point dans la politique (...) la politique n'est pas mon affaire : je me suis toujours borné à faire mes petits efforts pour rendre les hommes moins sots et plus honnêtes.   VOLTAIRE, Correspondance au roi de Prusse, 244, nov. 1769.

23   La Dauphine faisait des efforts touchants, mais visibles, pour être gracieuse, elle adressait un mot à chacun.
            CHATEAUBRIAND, Mémoires d'outre-tombe, t. VI, p. 104.

24   En littérature, il n'y a que des bœufs. Les génies sont les plus gros, ceux qui peinent dix-huit heures par jour d'une manière infatigable. La gloire est un effort constant.   J. RENARD, Journal, 1887, p. 8.

25   (...) l'assurance que l'œuvre que je n'avais plus aucune hésitation à entreprendre méritait l'effort que j'allais lui consacrer (...)
            PROUST, À la recherche du temps perdu, t. XV, p. 73.

Le moindre effort. C'est un partisan du moindre effort. ⇒ **Paresseux.**

26   Il n'est pas de doctrine plus funeste que celle du moindre effort. Cette sorte d'idéal qui invite les objets à venir à nous au lieu que nous allions vers les objets (...)
            GIDE, Journal, 27 sept. 1942.

Faire un, des efforts pour... ⇒ **Efforcer** (s') ; → Remuer ciel* et terre. — *Faire effort :* se donner du mal. *Il a dû faire effort pour y parvenir.*

27   Quelque effort qu'il fît ensuite pour obtenir de la vieille dame au moins une bienveillante neutralité, il n'y parvint pas.   CAMUS, la Peste, p. 250.

Collectif. *L'effort. L'effort, ça fatigue. Après l'effort, il faut se reposer. Après l'effort, le réconfort.*

   ⒹSpécialt. Fam. *Faire un effort* (en matière d'argent, de dépense). *Faire un effort pour qqn,* lui apporter une aide financière dépassant les limites prévues. *Sa banque a fait un gros effort pour le soutenir. Demander à qqn de faire un effort* (dans un marchandage). ⇒ **Rabais, sacrifice.** *Un généreux effort* (→ Avaricieux, cit. 1).

28   (...) le mari et la femme étaient d'avis de réserver leur effort pour quelques réceptions assez fastueuses qu'ils donnaient l'été dans leur château, et pour quelques chasses que le marquis y organisait au cours de l'automne.
            J. ROMAINS, les Hommes de bonne volonté, t. III, XI, p. 146.

   ⒺLoc. adv. SANS EFFORT : sans peine. ⇒ **Facilement.** *Travailler sans effort. On n'obtient rien sans effort.* ⇒ **Peine** (sans). *Écrire sans effort,* au courant de la plume (→ Abondant, cit. 5). *Atteindre son but sans effort* (→ Assigner, cit. 8). — *Avec effort :* difficilement (→ Atteindre, cit. 48 ; bras, cit. 14 ; dilater, cit. 6).

♦ **2.** (1559). Par métonymie. Résultat de l'effort ; chose produite par une activité. *C'est un bel effort. Ce barrage est un magnifique effort de la technique.* ⇒ **Réalisation.**

29   (...) si je souhaite quelque durée pour cet heureux effort de ma plume, ce n'est point pour apprendre mon nom à la postérité (...)
            CORNEILLE, Dédicace du Cid, À Mᵐᵉ de Combalet.

30   Quant à ces chefs magnanimes, Bonchamps, Lescure, La Rochejaquelein, ils se trompèrent. La grande armée catholique a été un effort insensé ; le désastre devait suivre (...)   HUGO, Quatre-vingt-treize, III, I, VI.

♦ **3.** (1678). Vieilli. Vive douleur musculaire ou articulaire due à une tension excessive des muscles. — Spécialt. Fam. Hernie. *Attraper, se donner un effort.* — Vétér. Entorse, distension. *Effort de boulet :* entorse et tuméfaction de l'articulation du boulet. ⇒ **Bouleture.** *Effort de genou, de couronne. Effort de tendon.* ⇒ **Nerf-férure.** *Effort de reins :* entorse des vertèbres lombaires. ⇒ **Tour** (de reins, de bateau). *Effort d'épaule.* ⇒ **Écart.** *Effort de cuisse, de hanche :* écart du membre postérieur.

♦ **4.** Sc. (phys. et mécan.). Force exercée par un corps. ⇒ **Force, poussée, pression, travail.** *Effort normal, effort tranchant,* d'un couple décomposé en deux composantes, l'une d'axe normal au plan de la section, l'autre dont l'axe est dans le plan de la section. *Effort de torsion, de traction, de compression, de tension, de cisaillement. Indicateur d'effort.* ⇒ **Résistance.**

Effort de traction (d'un véhicule à moteur) : charge qui peut être tirée sur un plan horizontal.

Force de résistance qu'oppose (une pièce) aux forces extérieures. *Effort du bois, du fer. L'effort des arches d'un pont, d'une voûte.*

♦ **5.** Manifestation (d'une force). *Les efforts du vent. Le vent redouble ses efforts* (→ Arbre, cit. 7). *L'effort du vent sur*

un bâtiment produit un décentrement de la résultante des charges (→ Déchirer, cit. 11). *L'effort de la tempête* (→ Arrêter, cit. 9). *L'effort de l'eau, des eaux a rompu la digue.*

Fig. *Être soumis à des efforts contraires.* ⇒ **Force, influence, tendance** (→ Déchirer, cit. 26).

CONTR. Détente, relâchement, repos. — Aisance, facilité. — Abandon, naturel.
HOM. Éphore.

EFFRACTION [efʀaksjɔ̃] n. f. — 1404 ; lat. pop. *effractio, -onis,* du lat. *effractura* « vol avec effraction », de *effractum,* supin de *effringere* « rompre », de ex-, intensif, et *frangere* « rompre ». → Fraction.

♦ **1.** Dr. (et cour.). Bris de clôture fait en vue de s'introduire sur une propriété publique ou privée ; fracture de serrures à l'intérieur de ce lieu (hors les cas prévus par la loi). *Effraction extérieure, intérieure* (ci-dessous, cit. 2). *Pénétrer par effraction dans une maison, un musée. Trace d'effraction. Il y a eu effraction. Vol avec effraction.*

Est qualifié *effraction,* tout forcement, rupture, dégradation, démolition, enlèvement de murs, toits, planchers, portes, fenêtres, serrures, cadenas, ou autres ustensiles ou instruments servant à fermer ou à empêcher le passage, et de toute espèce de clôture, quelle qu'elle soit.   Code pénal, art. 393.   1

Les effractions extérieures sont celles à l'aide desquelles on peut s'introduire dans les maisons, cours (...)   2
Les effractions intérieures sont celles qui, après l'introduction dans les lieux mentionnés en l'article précédent, sont faites aux portes ou clôtures du dedans, ainsi qu'aux armoires ou autres meubles fermés.   Code pénal, art. 395-396.

Il délibéra en lui-même pour savoir s'il n'attaquerait pas la porte (...) à grands coups de pavé. Une réflexion l'arrêta : « Pas d'effraction, pas de dégradation ; il vaut mieux aller trouver mon ami le préfet de police ».   3
            NERVAL, les Nuits d'octobre, IV.

Il est arrivé qu'un grand nombre de Français, réagissant violemment, sont sortis de l'Église en quelque sorte par effraction et en adversaires, mais la plupart y sont restés, en vertu d'un *modus vivendi* ménageant leur liberté d'esprit.   4
            André SIEGFRIED, l'Âme des peuples, III, III, p. 64.

♦ **2.** Fig. et didact. Violation (d'un domaine mental, artistique...).

Le mécanisme de son action *(narco-analyse)* donne lieu à des interprétations diverses, mais, à ce sujet, on est obligé de rappeler les problèmes (...) relatifs aux méthodes d'effraction de la personnalité (...) La crainte de la prise du moi est particulièrement marquée dans certaines psychoses à leur début.   5
            H. BARUK, Psychoses et névroses, p. 115.

Par effraction, sans effraction : avec violence, sans violence.

DÉR. Effractionnaire.

EFFRACTIONNAIRE [efʀaksjɔnɛʀ] adj. — 1828, in D.D.L. ; de *effraction.*

♦ Dr. Coupable d'effraction. *Voleur effractionnaire.*

EFFRAIE [efʀɛ] n. f. — 1553, *effraye* ; formation obscure ; p.-ê. altér. de *orfraie,* par attr. de *effrayer,* ou apparenté au lat. *praesagus* (→ Fresaie).

♦ Espèce de chouette au plumage clair, destructrice de rongeurs. ⇒ **Chouette, fresaie** (→ Chevêche, cit. 1).

Les effraies empaillées, sous leur masque de velours blanc percé d'yeux en étui de peigne, ouvrent leur bec de ciseaux.   1
            A. JARRY, les Minutes de sable mémorial, V, Pl., t. I, p. 209.

Un peu plus haut, juste à la fourche de ce hêtre, une effraie au ventre neigeux lissera ses plumes à la pointe de son bec. Elle ne s'envolera pas, chantera doucement sa chanson du soir.   M. GENEVOIX, Forêt voisine, VIII, p. 91.   2

Et ce fut au couchant, dans les premiers frissons du soir encombré de viscères, quand (...) l'esprit sacré s'éveille aux nids d'effraies (...)   3
            SAINT-JOHN PERSE, Amers, VI, in Poètes d'aujourd'hui, p. 194.

EFFRANGEMENT [efʀɑ̃ʒmɑ̃] n. m. — 1869 ; de *effranger.*

♦ Rare. Action d'effranger ; état de ce qui est effrangé. *L'effrangement d'une jupe.*

Un méchant complet bleu sombre dont le pantalon tirebouchonne, dont la mauvaise teinture vire au violâtre, sous un lustre d'usure à la limite de l'effrangement.
            M. GENEVOIX, L'aventure est en nous, 1952, p. 68, in T.L.F.

EFFRANGER [efʀɑ̃ʒe] v. tr. — Conjug. *bouger.* — 1863, Goncourt ; de é, *frange,* et suff. verbal.

♦ Effiler* (un tissu...) sur les bords de manière que les fils pendent comme une frange. *Effranger un foulard, un châle.*

▶ S'EFFRANGER v. pron. (passif).
S'effilocher (en parlant d'un tissu, d'un vêtement usagé).

Mais un complet de quinze cents francs, ou un complet de sept cents, s'effrangent au talon après le même nombre de mois.   1
            MONTHERLANT, Pitié pour les femmes, p. 206.

Par métaphore. *Les nuages s'effrangent.*

▶ EFFRANGÉ, ÉE p. p. adj.
Effiloché.

Leurs petits chevaux étaient caparaçonnés de vieilles tapisseries, dont les lambeaux effilés et effrangés traînaient presque jusqu'à terre.   2
            Th. GAUTIER, in P. LAROUSSE.

3 (...) un vieux pantalon soigneusement plié qu'il examina, le tournant et le retournant, regardant d'un œil navré le revers effrangé, le fond de culotte presque transparent (...) Claude SIMON, le Vent, p. 199.

DÉR. Effrangement.

EFFRAYAMMENT [efʀejamɑ̃] adv. — 1636, *effroiement*; repris 1860, Goncourt; de *effrayant*.

♦ Littér. et rare. D'une manière effrayante.

EFFRAYANT, ANTE [efʀejɑ̃, ɑ̃t] adj. — 1539; p. prés. de *effrayer*.

♦ **1.** Qui inspire ou peut inspirer de la frayeur, de l'effroi. ⇒ **Affreux, atroce, effroyable, épouvantable, horrible, ignoble, laid, monstrueux, redoutable, sinistre, terrible.** *Des bruits, des cris effrayants. Un spectacle effrayant* (→ Désespérant, cit. 1). *Mystère effrayant.* ⇒ **Affolant** (→ Côté, cit. 15). *Il a fait un rêve effrayant, un cauchemar effrayant. Visage d'une laideur effrayante.* ⇒ **Repoussant.** *Elle était d'une pâleur effrayante. Calme effrayant* (→ Colère, cit. 16). *Silence effrayant.* ⇒ **Inquiétant.** *Liberté effrayante* (→ Choix, cit. 10).

1 Le roi d'un noir chagrin paraît enveloppé.
Quelque songe effrayant cette nuit l'a frappé. RACINE, Esther, II, 1.

2 Horloge! dieu sinistre, effrayant, impassible,
Dont le doigt nous menace et nous dit : «Souviens-toi!»
BAUDELAIRE, les Fleurs du mal, Spleen et idéal, «L'horloge».

3 Elle était inquiétante à voir (...) et si effrayée qu'elle était effrayante.
HUGO, Quatre-vingt-treize, III, IV, 3 (→ Anxiété, cit. 6).

Par ext. Qui, par sa force, son intensité, fait naître un sentiment voisin de l'effroi. ⇒ **Terrible.** *Énergie effrayante* (→ Atome, cit. 18). *C'est effrayant. Il est effrayant d'ambition.*

4 Il était très difficile de croire, il y a environ cent ans, que les corps agissaient les uns sur les autres, non seulement sans se toucher et sans aucune émission, mais à des distances effrayantes (...) VOLTAIRE, Dict. philosophique, Feu.

5 Il y avait un homme qui, à douze ans, avec des *barres* et des *ronds*, avait créé les mathématiques (...) cet effrayant génie se nommait *Blaise Pascal.*
CHATEAUBRIAND, le Génie du christianisme, III, II, VI.

N. m. *L'effrayant de l'affaire, c'est que... Il adore l'effrayant, les films d'épouvante.*

♦ **2.** Par exagér. Fam. ⇒ **Extraordinaire, formidable, immense, terrible.** *Il a un appétit effrayant. Sa capacité de travail est effrayante. Il fait une chaleur effrayante. Des prix effrayants.*

6 Les snobs (au XVIIIᵉ s.) voulant parler et juger quand même, lançaient des mots vides ou ridicules : une jolie femme était «effrayante»; c'est presque notre *formidable* (...) BRUNOT, Hist. de la langue franç., VI, I, II, p. 771.

CONTR. Attirant, rassurant, séduisant. — Infime, ridicule.
DÉR. Effrayamment.

EFFRAYER [efʀeje] v. tr. — Conjug. *payer*. — Déb. XIVᵉ, *effroyer*; *esfreier*, v. 1155, au sens 1; *esfreer*, v. 1100; *esfreder*, fin Xᵉ; du lat. pop. *exfridare* «faire sortir de la paix», de *ex-*, et francique **fridu* «paix». Cf. all. *Friede* «paix».

♦ **1.** Frapper de frayeur, d'effroi. ⇒ **Affoler, alarmer, angoisser, apeurer, effarer, effaroucher, épouvanter, inquiéter, terrifier, tourmenter; peur** (faire); → Glacer* le sang; faire dresser les cheveux* sur la tête. *Effrayer un enfant. Épouvantail qui effraie les oiseaux. Ses cris ont effrayé tout le monde. Être facile à effrayer.* ⇒ **Farouche, ombrageux, timide.** *Spectacle qui effraye tout le monde. L'événement a effrayé toute la population* (→ Alarme, cit. 4; chimère, cit. 10). *Ce silence nous effrayait* (→ Accalmie, cit. 3). *L'avenir, la mort l'effraye* (→ Attrister, cit. 2).

1 Nous troublons la vie par le soin de la mort, et la mort par le soin de la vie. L'une nous ennuie, l'autre nous effraie. MONTAIGNE, Essais, III, XII.

2 Le silence éternel de ces espaces infinis m'effraie. PASCAL, Pensées, III, 206.

3 La solitude effraye une âme de vingt ans. MOLIÈRE, le Misanthrope, V, 4.

4 On ne les avait jamais effrayés en leur disant que Dieu réserve des punitions terribles aux enfants ingrats; chez eux, l'amitié filiale était née de l'amitié maternelle. BERNARDIN DE SAINT-PIERRE, Paul et Virginie, p. 27.

5 Les *picadores* montaient des chevaux dont les yeux étaient bandés, parce que la vue du taureau pourrait les effrayer et les jeter dans des écarts dangereux.
Th. GAUTIER, Voyage en Espagne, p. 53.

6 La mort l'effrayait moins que les tentations de la vie.
MONTHERLANT, la Relève du matin, p. 42.

Par exagér. Provoquer de l'appréhension, de l'inquiétude chez (qqn). *L'oral du concours l'effraie.*

Absolt. *Une chose terrible, qui effraie.*

♦ **2.** Choquer; mettre en défiance (qqn). ⇒ **Effaroucher.** *Les obscénités l'effrayent. J'aime cette robe, mais le prix m'effraie un peu.* ⇒ **Effrayant, 2.**

▶ **S'EFFRAYER** v. pron.
Éprouver de la frayeur. ⇒ **Peur** (avoir peur); **craindre, redouter.** *Il s'effraye de peu de chose, pour rien, facilement.* → Avoir peur de son ombre*. *S'effrayer à la vue de... Il s'effraie de cette démarche à accomplir. S'effrayer de soi-même* (→ Contempler, cit. 1).

7 (...) je m'effraie et m'étonne de me voir ici plutôt que là (...)
PASCAL, Pensées, III, 205 (→ Durée, cit. 2).

8 Mon sang commence à se glacer
Et je crois qu'à moins on s'effraie. LA FONTAINE, Fables, I, 12.

9 Le père Barbeau inclinait à suivre ce conseil, mais la mère Barbeau s'en effraya.
G. SAND, la Petite Fadette, XXXI, p. 208.

10 (...) la bourgeoisie possédante s'effraie plus de l'armement général du peuple que du droit de coalition. JAURÈS, Hist. socialiste..., II, p. 266.

(Récipr.). *Ils se sont effrayés l'un l'autre.*

▶ **EFFRAYÉ, ÉE** p. p. adj.
Qui éprouve une grande peur. ⇒ **Affolé, angoissé, anxieux, apeuré, craintif** (cit. 1), **épouvanté.** *Un enfant, un animal effrayé. Effrayé de sa responsabilité. Effrayé devant la colère de Dieu* (→ Angoisser, cit. 2). *Effrayé à l'apparition* (cit. 11) *de... Effrayé d'apprendre qqch.* (→ Affiler, cit. 2). — Par métonymie. *Un visage, un air effrayé.*

11 On ne rencontrait dans les rues que des figures effrayées ou farouches, des gens qui se glissaient le long des maisons afin de n'être pas aperçus, ou qui rôdaient cherchant leur proie : des regards peureux et baissés se détournaient de vous, ou d'âpres regards se fixaient sur les vôtres pour vous deviner et vous percer.
CHATEAUBRIAND, Mémoires d'outre-tombe, t. II, p. 10.

12 Il se passait peu de jours qu'il ne pleurât sa femme en secret et, quoique la solitude commençât à lui peser, il était plus effrayé de former une union nouvelle que désireux de se soustraire à son chagrin.
G. SAND, la Mare au diable, IV, p. 39.

13 Mais la Commune, effrayée de sa responsabilité, ne parlait à Paris que d'une voix un peu basse et sourde. JAURÈS, Hist. socialiste..., VII, p. 458.

Blason. *Cheval effrayé,* représenté dressé sur les pattes de derrière. ⇒ **Effaré.**

Qui éprouve de l'inquiétude, de l'appréhension. *Être effrayé d'un changement.*

Choqué; défiant. *Pudeur effrayée.*

CONTR. Apaiser, apprivoiser, calmer, enhardir, rassurer, tranquilliser.
DÉR. Effrayant, effroi.

EFFRÉNÉ, ÉE [efʀene] adj. — V. 1200; lat. *effrenatus* «débridé», p. p. de *effrenare*, de *ex-*, et *frenare*. → Freiner.
Qui est sans frein*.

♦ **1.** Blason. *Cheval effréné,* représenté sans frein, sans bride. Syn. : *cheval gai.*

♦ **2.** Fig., cour. Qui est sans retenue, sans mesure. ⇒ **Déchaîné, délirant, démesuré, désordonné, échevelé, exagéré, excessif, fou, illimité, immodéré, passionné.** *Torrent effréné. Hordes effrénées ravageant un pays. Un agitateur effréné* (→ Démagogue, cit. 2). *Une course effrénée. Débauche, licence effrénée* (→ Dénoncer, cit. 2). *Ambition, passion, jalousie, joie effrénée* (→ Ardeur, cit. 38; bacchante, cit. 2). *Aspirations, convoitise, désirs effrénés* (→ Allumer, cit. 10). *Luxe effréné. Concurrence, spéculation effrénée. Poète d'une inspiration effrénée. Mysticisme effréné.*

1 Parvenus au point culminant de la crête, effrénés, tout à leur furie et à leur course d'extermination sur les carrés et les canons, les cuirassiers venaient d'apercevoir entre eux et les Anglais un fossé (...) HUGO, les Misérables, II, I, IX.

2 Je deviens fou de désirs «effrénés» (j'écris le mot et le souligne).
FLAUBERT, Correspondance, t. II, p. 53.

CONTR. Contenu, mesuré, modéré, réservé, retenu, sage, tempéré.
DÉR. Effrénément.

EFFRÉNÉMENT [efʀenemɑ̃] adv. — XVᵉ; de *effréné*.

♦ Vx. D'une manière effrénée, sans frein.

Sans Justice, le peuple effrénément vivait,
Comme un navire en mer qui en poupe n'aurait
Un pilote rusé pour ses voies conduire. RONSARD, Hymne de la justice.

EFFRIT [efʀi] n. m. ⇒ **Efrit.**

EFFRITEMENT [efʀitmɑ̃] n. m. — 1846, au sens 1; de *effriter,* et *-ment.*

♦ **1.** Agric. (vieilli). Épuisement d'une terre.

♦ **2.** (1879). Fait de s'effriter, état de ce qui est effrité. ⇒ **Dégradation, désagrégation, usure...** *L'effritement d'un bas-relief antique. Effritement de l'épiderme.* ⇒ **Desquamation.** — Fig. *Effritement des cours* (en bourse).

Si au contraire nous donnons en bourse des ordres d'achat, les coupons touchés ne nous consoleront pas de l'effritement ininterrompu des valeurs.
F. MAURIAC, le Nœud de vipères, XX, p. 250.

EFFRITER [efʀite] v. tr. — 1611; au sens I, *esfruitie*, 1213; au sens II, 1801; de *é-*, *fruit*, et suff. verbal; le sens II semble dû à l'influence de *friable.*

★ **I.** Vx. Épuiser, user (une terre); rendre stérile. ⇒ **Effruiter.** *Effriter un champ.* — Pronominal :

1 Toutes les terres s'usent, ou, pour me servir du terme de jardinage, s'effritent avec le temps. Louis LIGER, Nouvelle maison rustique, II, I, I, *in* HATZFELD.

★ **II.** (1801, Bloch-Wartburg). Mod. ♦ **1.** Rendre friable* ; réduire en poussière. *Effriter des mottes de terre. Essayer d'effriter un croûton, un gâteau sec.*

Par métaphore :

2 L'intelligence est un îlot, que les marées humaines rongent, effritent et recouvrent.
R. ROLLAND, Jean-Christophe, Buisson ardent, I, p. 1265.

♦ **2.** Fig. Faire perdre ses éléments à ; affaiblir en désagrégeant. *Il essayait d'effriter la majorité, le pouvoir du ministère.*

▶ **S'EFFRITER** v. pron. (1852). Plus cour.

♦ **1.** Se désagréger progressivement, tomber en poussière. *Ces vieilles pierres s'effritent.* ⇒ **Écailler** (s'). — *Bas-reliefs qui s'effritent et se dégradent*. Le bois vermoulu s'effrite. Fleurs séchées qui s'effritent* (→ Bruyère, cit. 1).

3 Le toit penche, le mur s'effrite,
Le seuil de la porte est moussu.
Th. GAUTIER, Émaux et Camées, « Fumée ».

♦ **2.** S'affaiblir en perdant ses éléments, en se dissociant (→ Drame, cit. 1).

▶ **EFFRITÉ, ÉE** p. p. adj.
Désagrégé, en poussière.

4 (...) des masses énormes de roches calcaires, rugueuses, lépreuses, effritées, fendillées, pulvérulentes, en pleine décomposition sous l'implacable soleil.
Th. GAUTIER, le Roman de la momie, p. 15.

DÉR. Effritement.

EFFROI [efʀwa] n. m. — V. 1210, *esfroi* ; *esfrei, effrei,* 1140 ; déverbal de *effrayer.*
Littéraire.

♦ **1.** Grande frayeur, souvent mêlée d'horreur, qui glace et qui saisit. ⇒ **Affolement** (cit. 2), **affres, alarme, angoisse, anxiété** (cit. 5), **crainte, effarement, épouvante, frayeur, horreur, peur, terreur, transe, trouble, trouille** (fam.). *Inspirer, jeter, porter, répandre, semer l'effroi. Vivre dans l'effroi* (→ Affreux, cit. 6). *Remplir les méchants d'effroi* (→ Bon, cit. 134). *Attendre, regarder qqch. avec effroi. Des yeux, un regard plein d'effroi. Glacer qqn d'effroi* (→ Approche, cit. 20). *Être saisi d'effroi, d'un effroi sans nom. Pâlir, trembler d'effroi. Ses cheveux, ses poils se hérissèrent d'effroi.* ⇒ **Horripilation** (→ Abominable, cit. 1). *Un effroi mortel. Cri d'effroi* (→ Détresse, cit. 5). *Hurlement d'effroi. L'effroi du mystère,* qu'inspire le mystère (→ Attraction, cit. 14). *L'effroi de qqn, son effroi,* celui qu'il éprouve.

1 En voyant l'aveuglement et la misère de l'homme ; en regardant tout l'univers muet, et l'homme sans lumière, abandonné à lui-même, et comme égaré dans ce recoin de l'univers (...) j'entre en effroi comme un homme qu'on aurait porté endormi dans une île déserte et effroyable (...)
PASCAL, Pensées, XI, 693.

2 Quand les périls sont passés (...) on pâlit de la peur qu'on aurait pu avoir ; on s'applaudit de ne s'être laissé surprendre à aucune faiblesse, et l'on sent une sorte d'effroi réfléchi auquel on n'avait pas songé dans l'action.
A. DE VIGNY, Servitude et grandeur militaires, II, XIII, p. 165.

3 Comme d'autres par la tendresse,
Sur ta vie et sur ta jeunesse,
Moi, je veux régner par l'effroi.
BAUDELAIRE, les Fleurs du mal, Spleen et idéal, « Le revenant ».

4 Il se jeta sur elle, ardent, les bras avides. Elle, les yeux pleins d'effroi, le repoussa avec une horreur glaciale.
FRANCE, le Lys rouge, XXI, p. 159.

5 Je regardais mon père avec effroi, et je crus voir passer sur son visage le frisson d'angoisse et de terreur qui venait de m'envahir.
Alphonse DAUDET, le Petit Chose, III, p. 32.

Loc. Vén. *Partir d'effroi* (en parlant d'un animal qui a été surpris et effrayé) : s'enfuir.

Par exagér. Appréhension, peur (surtout dans des loc.). *Envisager l'avenir, un examen avec effroi. À son grand effroi, il devait parler en public sans préparation.*

♦ **2.** (1553). *L'effroi de (qqn) :* ce qui cause de l'effroi, de la frayeur (à qqn). *Ce tyran est l'effroi de son peuple.*

6 Le grand nom de Pompée assure sa conquête :
C'est l'effroi de l'Asie (...)
RACINE, Mithridate, III, 1.

7 Au dieu persécuteur, effroi du genre humain (...)
VOLTAIRE, Mahomet, I, 4.

Par exagér. « *M. Beauchamp, terrible journaliste, effroi du gouvernement et délices de ses amis* » (A. Dumas père, in T. L. F.).

CONTR. Assurance, calme, courage, quiétude, sérénité, tranquillité. — Délice (délices, II.).
DÉR. Effroyable.

EFFRONTÉ, ÉE [efʀɔ̃te] adj. et n. — V. 1278, *esfrontez* ; de *é-, front,* et *-é,* étymologiquement « sans front ».

♦ **1.** Qui ne rougit, qui n'a honte de rien, qui se conduit de façon impudente. ⇒ **Audacieux, cynique, éhonté, grossier, hardi, impertinent, impudent, impudique, insolent, malappris, outrecuidant** ; → Mal élevé*, sans gêne*, sans vergogne*. — *Il est naturellement effronté* (→ Complexion, cit. 1). *Un homme effronté. Domestique effronté* (→ Bord, cit. 14). *Menteur effronté.* — (En parlant des pensées et de la parole). *Une idée effrontée. Des paroles effrontées.* Spécialt et vx (d'un genre littéraire). → cit. 1, Boileau.

1 Au mépris du bon sens, le burlesque effronté
Trompa les yeux d'abord, plut par sa nouveauté.
BOILEAU, l'Art poétique, I.

2 Un homme que l'avarice rend effronté ose emprunter une somme d'argent à celui à qui il en doit déjà, et qu'il lui retient avec injustice.
LA BRUYÈRE, les Caractères de Théophraste,
« De l'effronterie causée par l'avarice ».

Loc. (Vx). *Être effronté comme un page, comme un moineau.*

Spécialt (dans le domaine du comportement érotique, notamment en parlant des femmes). Qui manifeste sans honte sa liberté de mœurs. ⇒ **Dévergondé.**

3 Ô ciel ! disais-je, est-il possible qu'une personne qui se montre si réservée soit capable de vivre dans le libertinage ? Je m'imaginais que toutes les femmes galantes devaient être effrontées.
A. R. LESAGE, Gil Blas, IV, VII.

4 Dorine, la soubrette effrontée, peut très bien étaler devant moi sa gorge rebondie (...)
Th. GAUTIER, Préface de Mlle de Maupin, p. 5 (éd. critique MATORÉ).

N. *Un effronté, une effrontée :* une personne qui ne manque pas de toupet*, qui n'a pas froid* aux yeux, qui n'a pas les yeux* dans sa poche... (→ Chicaneur, cit. 2 ; continuer, cit. 3). *Petit effronté !* ⇒ **Galopin.** *Quelle effrontée !*

5 Avez-vous vu cette effrontée, comme elle le regarde ?
LOTI, Pêcheur d'Islande, I, V, p. 49.

6 Nous étions une bande d'effrontés, de jeunes roués (entre seize et dix-neuf ans) qui mettions notre honneur à tout oser en fait d'indiscipline et d'insolence.
Valéry LARBAUD, Fermina Marquez, I, p. 10.

REM. Le mot tend à vieillir, sauf dans l'usage soutenu et écrit.

♦ **2.** (Choses). Qui indique l'effronterie. ⇒ **Impertinent.** *Un air, un regard effronté. Visage effronté* (→ Couvrir, cit. 7). *Une attitude effrontée* (→ Cafard, cit. 1). *Un mensonge effronté.*

7 (Ciel) qui mêle à nos vils désastres,
À nos deuils, aux éclats de rires effrontés,
À nos méchancetés, à nos rapidités,
La douceur profonde des astres.
HUGO, la Légende des siècles, I.

8 Il est impossible de parcourir une gazette quelconque (...) sans y trouver, à chaque ligne, les signes de la perversité humaine la plus épouvantable, en même temps que les *vanteries* les plus surprenantes de probité (...) les affirmations les plus effrontées relatives au progrès et à la civilisation.
BAUDELAIRE, Journaux intimes, LXXXI.

Spécialt (avec une connotation sexuelle). *Des désirs effrontés. Mœurs effrontées.* ⇒ **Licencieux.**

CONTR. Confus, craintif, décent, délicat, honteux, humble, intimidé, modeste, pudibond, pudique, réservé, timide, timoré.
DÉR. Effrontément, effronterie.

EFFRONTÉMENT [efʀɔ̃temɑ̃] adv. — Fin XIIe, *effronteyment* ; de *effronté,* et *-ment.*

♦ D'une manière effrontée ; sans honte, sans vergogne*. *Mentir, répondre effrontément* (→ Échantillon, cit. 12). *Regarder qqn effrontément. Louer qqn effrontément. Il est effrontément menteur.*

1 (...) il y avait un jeune homme blond et frais, à figure joyeuse, qui embrassait, avec de grands éclats de rire, une jeune fille fort effrontément parée (...)
HUGO, Notre-Dame de Paris, IX, I.

2 Moi, je répondais de mon mieux à toutes leurs questions, donnant sur mon ami les détails que je savais, inventant effrontément ceux que je ne savais pas (...)
Alphonse DAUDET, Lettres de mon moulin, « Les vieux ».

EFFRONTERIE [efʀɔ̃tʀi] n. f. — Mil. XIVe, *enfronterie* ; de *effronté,* et *-erie.*

♦ Caractère, attitude d'une personne effrontée ou d'un acte effronté. ⇒ **Audace, hardiesse, impudence, insolence, outrecuidance, sans-gêne ; aplomb, culot, toupet.** *Audacieux, hardi jusqu'à l'effronterie. Regarder qqn avec effronterie. Nier avec effronterie. Un masque d'effronterie* (→ Abjection, cit. 2). *Il a l'effronterie de soutenir ce mensonge.*

1 Un insolent qui a eu l'effronterie d'entreprendre (...)
MOLIÈRE, l'Amour médecin, III, 2.

2 (...) celui qui préférant une sorte d'effronterie aux bienséances et à la pudeur (...)
LA BRUYÈRE, les Caractères, VII, 19.

3 Serait-ce par un effet de la pudeur et du mortel ennui qu'elle doit imposer à plusieurs femmes, que la plupart d'entre elles n'estiment rien tant dans un homme que l'effronterie ? ou prennent-elles l'effronterie pour le caractère ?
STENDHAL, De l'amour, XXVI.

4 Victurnien avait cette effronterie de page qui aide beaucoup à l'aisance.
BALZAC, le Cabinet des antiques, Pl., t. IV, p. 382.

5 Il la regardait avec une familiarité cynique, avec une effronterie audacieuse qui la fit rougir.
FRANCE, Jocaste, Œ., t. V, p. 58.

(Une, des effronteries). Littér. Action d'un effronté. *Ses effronteries continuelles le font détester de tous.*

CONTR. Modestie, réserve, timidité.

EFFROYABLE [efʀwajabl] adj. — XVe-XVIe ; de *effroi,* et *-able.*

♦ **1.** Qui remplit d'effroi, de terreur. ⇒ **Effrayant ; affreux, atroce, épouvantable, horrible, terrible, tragique.** *Spectacle, vision effroyable.* ⇒ **Dantesque.** *Un bruit, des cris effroyables* (→ Brusque, cit. 5 ; débâcle, cit. 1). *Une mêlée effroyable* (→ Combat, cit. 6). *Un événement effroyable* (→ Désastreux, cit. 1). *Déluge* (cit. 3) *effroyable. D'effroyables convulsions. Un effroyable tremblement de terre.*

⇒ **Catastrophique.** *Une nuit effroyable* (→ Désastreux, cit. 1). *Un crime effroyable. Un châtiment effroyable. Vivre dans une misère effroyable* (→ Affamé, cit. 4). *D'effroyables menaces.*

1   Que Dieu ne nous impute pas nos péchés, c'est-à-dire toutes les conséquences et suites de nos péchés, qui sont effroyables (...)   PASCAL, Pensées, VII, 506.

2   Je frémissais, Doris, et d'un vainqueur sauvage
Craignais de rencontrer l'effroyable visage.
       RACINE, Iphigénie, II, 1.

3   On dit, maîtres, on dit qu'alors votre sourcil,
En voyant cette lune, et ce point sur cet i,
Prit l'effroyable aspect d'un accent circonflexe !
       A. DE MUSSET, Premières poésies, «Les secrètes pensées de Rafaël».

4   (...) supplier leur Allah qu'il me prenne aussi en pitié, qu'il me fasse grâce (...) de cet effroyable avenir de désespérance, de fer, de feu et de sang, vers lequel des vertiges nous emportent.   LOTI, Suprêmes visions d'Orient, p. 103.

4.1   *(Il)* me montra sa face de démon (...) Effroyable vision ! La hideur et la douleur s'étaient réunies pour faire de ce masque la chose la plus tragique et la plus épouvantable à regarder qui se pût concevoir !...   G. LEROUX, Rouletabille chez Krupp, p. 141.

Qui est d'une laideur repoussante. ⇒ **Laid, monstrueux, repoussant.** *Un visage effroyable.*

♦ **2.** (1647). Fam. Énorme, effrayant. ⇒ **Effrayant, excessif, incroyable.** *Faire des dépenses effroyables. L'effroyable distance qui nous sépare des autres astres. Un embouteillage effroyable. C'est effroyable, le temps qu'il faut pour traverser Paris.*

5   J'ai eu une peine effroyable à la faire venir ici.
       MOLIÈRE, le Bourgeois gentilhomme, III, 16.

CONTR. Admirable, attirant, charmant, délicieux, magnifique, ravissant, superbe.
DÉR. Effroyablement.

EFFROYABLEMENT [efʀwajabləmɑ̃] adv. — 1554; de *effroyable.*

D'une manière effroyable.

♦ **1.** (Au sens fort). *Il hurlait effroyablement.*

♦ **2.** (1659). Fam. Excessivement, terriblement. ⇒ **Incroyablement.** *Une affaire effroyablement compliquée.*

REM. Dans la langue moderne, l'adverbe conserve une valeur sémantique précise (désagrément, etc.); l'emploi comme simple intensif était courant dans la langue précieuse au XVIIe s. (Molière s'en rit) :

1   — Comment les trouvez-vous? — Effroyablement belles.
       MOLIÈRE, les Précieuses ridicules, 9.

2   Plusieurs de ces adverbes sont entrés dans les textes littéraires :
(...) Mon mari a des idées effroyablement rétrogrades (...)
       F. BRUNOT, la Pensée et la Langue, XVII, v, p. 690.

EFFRUITER [efʀɥite] v. tr. — 1213, *esfruitie*; de *é, fruit,* et suff. verbal.

♦ **1.** ⇒ **Effriter.**

♦ **2.** (1611). Régional. Dépouiller (un arbre, un verger) de ses fruits. ⇒ **Défruiter.**

EFFULGENCE [efylʒɑ̃s] n. f. — 1863, Baudelaire; du lat. *effulgens,* p. prés. de *effulgere.* → Effulger.

♦ Littér. et rare. Lueur, clarté.

Ses retraites du bois se remplissent (...) de rayons jaunes, d'effulgences rosées.
       BAUDELAIRE, le Peintre de la vie moderne, 1863, XIII, Pl., p. 919.

EFFULGENT, ENTE [efylʒɑ̃, ɑ̃t] adj. — 1860; lat. *effulgens,* p. prés. de *effulgere.* → Effulger.

♦ Littér. et rare. Qui luit.

EFFULGER [efylʒe] v. intr. — Conjug. *bouger.* — 1898; lat. class. *effulgere* «briller, éclater, luire», de *ex-,* intensif, et *fulgere* «luire».

♦ Littér. et rare. Jeter une vive lueur.

La muraille insensiblement devenait d'une clarté solaire, de son centre, des rayons comme d'immenses cimeterres effulgeaient plus terriblement (...)
       G. KAHN, le Conte de l'or et du silence, 1898, p. 241-242, *in* T. L. F.

EFFUMER [efyme] v. tr. — 1676, peint.; «s'évaporer», au fig., 1608; de *é-,* et *fumer.*

♦ Peint. Atténuer les teintes, les lignes de (une peinture) pour lui donner de la légèreté. ⇒ **Voiler.**

▶ **S'EFFUMER** v. pron.

(En parlant d'une peinture). Perdre ses contours, ses couleurs.
Fig. S'évanouir, disparaître.

Voyage à Philadelphie. Inauguration du Musée Rodin donné par les Mastbaum. La Porte de l'Enfer. Grand froid. Désillusion de tout cet art en grande partie périmé, violent et faible, plutôt mesquin et tortillé. Tout cela s'effrange et s'effume.
       CLAUDEL, Journal, 29 nov. 1929.

EFFUSANT, ANTE [efyzɑ̃, ɑ̃t] adj. — Attesté XXe; p. prés. de *effuser.*

♦ Littér. et rare. Qui effuse, s'épanche.

(...) entendant ma voix il accourt et tout aussitôt son effusante amabilité me submerge; il me traite avec une subite intimité qui ne s'encombre pas d'estime et qui, ma foi, est sa façon de dominer.   GIDE, Journal, janv. 1907.

EFFUSER [efyze] v. tr. — XVe, repris 1898; du lat. *effusum,* supin de *effundere* «répandre en dehors», de *ex-,* et *fundere* «répandre». → Fondre.

♦ Littér. Faire jaillir au dehors.

Le temps des lilas approchait de sa fin; quelques-uns effusaient encore en hauts lustres mauves les bulles délicates de leurs fleurs (...)
       PROUST, À la recherche du temps perdu, t. I, p. 185.

Fig. Laisser jaillir, laisser s'épancher (un sentiment).

▶ **S'EFFUSER** v. pron.
Jaillir au dehors.

DÉR. Effusant.

EFFUSIF, IVE [efyzif, iv] adj. — 1929; du rad. de *effusion.*

♦ **1.** Géol. Se dit de roches consolidées à la suite d'éruptions volcaniques.

♦ **2.** Littér. Qui constitue une effusion (3.). *Les épanchements effusifs des romantiques.*

EFFUSION [efyzjɔ̃] n. f. — Av. 1150; lat. *effusio,* du supin de *effundere,* de *ex-,* et *fundere* «répandre».

♦ **1.** Vx. Action de répandre (un liquide). *L'effusion du vin dans les libations, dans les sacrifices.*

1   Lucullus (...) lui fit les effusions funérales accoutumées aux enterrements.
       AMYOT, Lucullus, 29.

2   Votre ami vous mandera la joie éclatante de toute la cour *(à la naissance du duc de Bourgogne)* quel bruit, quels feux de joie, quelle effusion de vin (...)
       Mme DE SÉVIGNÉ, 896, 7 août 1682.

Mod. **EFFUSION DE SANG** : action de faire couler le sang (dans une action violente). — (Surtout avec *sans*). *S'emparer d'une ville sans effusion de sang. L'ordre a été rétabli sans effusion de sang.*

3   Le propre corps et le propre sang dont l'immolation et l'effusion nous ont sauvés sur la croix (...)   BOSSUET, His. des variations, IV, 8.

Méd. anc. *Effusion du sang.* ⇒ **Hémorragie.** — Mod. Épanchement.
Littér. *Effusion de larmes.*

4   (...) dans l'effusion des plus tendres larmes.
       André SUARÈS, Trois hommes, «Dostoïevski», v, p. 246.

♦ **2.** Théol. Action de communiquer (un don) avec abondance. *L'effusion de la grâce; effusion de grâces.*

5   L'Église tient que le Père produit continuellement le Fils et maintient l'éternité de son essence par une effusion de sa substance.
       PASCAL, Lettre à Mme Périer, 5 nov. 1648.

♦ **3.** (1648). Fig. Littér. ou style soutenu. Le fait de donner libre cours (à un sentiment profond); manifestation sincère (d'un sentiment). ⇒ **Épanchement.** *Une effusion d'amour, de charité, de tendresse* (→ Déchaînement, cit. 4). *Effusion du cœur.* ⇒ **Élan.** *Effusions cordiales* (cit. 6). *Amis qui s'abandonnent aux effusions après une longue séparation. Effusions lyriques, mystiques.* — *Effusion de paroles, de mots.* ⇒ **Flot.**

(L'effusion). Loc. cour. *Avec effusion. Parler avec effusion.* ⇒ **Abandon, confiance;** → À cœur* ouvert. *Besoin d'effusion.* ⇒ **Confidence.** *Remercier avec effusion.* ⇒ **Ferveur.** *Manifester sa joie avec effusion.* ⇒ **Transport.** *Accueillir qqn avec effusion.* → À bras* ouverts.

6   Les bras étendus vers son gendre, il lui parle avec une effusion de cœur qui enchante (...)   DIDEROT, Salon de 1761, Greuze.

7   Quel accent profond et nouveau! quelles aspirations éthérées, quels élancements vers l'idéal, quelles pures effusions d'amour, quelles notes tendres et mélancoliques, quels soupirs et quelles postulations de l'âme que nul poète n'avait encore fait vibrer!   Th. GAUTIER, Portraits contemporains, Lamartine, p. 172.

8   Comme elle l'embrasse! comme elle l'étreint! comme elle l'étouffe! (...) Au milieu de ces effusions, l'homme du comptoir se réveille.
       Alphonse DAUDET, le Petit Chose, I, IV, p. 48.

9   (...) plusieurs de ces dames se retirèrent, non pas déçues, comme elles auraient dû l'être, mais remerciant avec effusion Mme de Guermantes de la délicieuse soirée qu'elles avaient passée (...)
       PROUST, À la recherche du temps perdu, t. VIII, p. 196.

10   Comme j'exagérais ma sympathie, j'ai dû essuyer des effusions assez gênantes.
       GIDE, les Faux-monnayeurs, III, XII, p. 426.

CONTR. Dissimulation, froideur, refoulement, réserve, retenue.
DÉR. Effusionniste.

EFFUSIONNISTE [efyzjɔnist] adj. — XXe; de *effusion,* et *-iste.*

♦ Littér. (iron.). Qui a rapport à l'effusion (érotique). *Sentiments, penchants effusionnistes.* — N. *Un, une effusionniste.*

(...) trouvant donc sa femme occupée à mettre en pratique ces principes naturistes et effusionnistes dont n'avaient pas voulu les Espagnols (...)
Claude SIMON, la Route des Flandres, p. 280.

E FINITA LA COMMEDIA [efinitalakɔ(m)medja] Mots italiens signifiant « la comédie est finie », par lesquels les acteurs italiens annonçaient la fin de la représentation (cf. la loc. lat. *Acta est fabula* « la pièce est jouée »). S'emploie par plaisanterie en manière de conclusion à une histoire, un récit qui fait penser à une comédie astucieusement jouée. ⇒ **Comédie.**

ÉFOURCEAU [efuʀso] n. m. — 1752, Trévoux ; probablt de *é-,* du lat. class. *furcilla* « petite fourche », et suff. *-eau.*

♦ Techn. Chariot à deux roues, servant au transport de masses allongées et très pesantes (troncs, poutres, etc.). ⇒ **Triqueballe.**

EFRIT ou **EFFRIT** [efʀi] n. m. — 1910, Claudel ; mot arabe.

♦ Génie* malfaisant (dans la mythologie arabe). *Les effrits* ou *les efrits.* ⇒ **Afrite** (vx).
Contre la large poitrine vient se rompre la charge de l'efrit et du diable sanglotant.
CLAUDEL, Grandes odes, p. 286, *in* T. L. F.

E. G. — xxe ; abrév. du lat. *exempli gratiae* « par l'effet, par la grâce de l'exemple », réemprunté à l'anglais.

♦ Par exemple*.

ÉGAGROPILE ou **ÆGAGROPILE** [egagʀopil] n. m. — 1752, *égagropile ;* du grec *aigagros* « chèvre sauvage », de *aiks, aigos* « chèvre », *agrios* « sauvage », et *pîlos* « boule ».

♦ Didact. Concrétion de poils et de débris agglomérés, que l'on trouve dans l'estomac de ruminants. ⇒ **Bézoard.**

ÉGAIEMENT [egɛmɑ̃] ou **ÉGAYEMENT** [egɛjmɑ̃] n. m. — V. 1175, *esgaiement ;* de *égayer,* et *-ment.*

♦ Rare. Action d'égayer ; fait de s'égayer. *Pour l'égaiement de la société.*

ÉGAILLEMENT [egajmɑ̃ ; cour. egɛjmɑ̃] n. m. — 1870, Erckmann-Chatrian ; de *égailler.*

♦ Rare. Fait de s'égailler ; dispersement, éparpillement (d'une troupe).
CONTR. **Regroupement.**
HOM. **Égayement** (éventuel).

ÉGAILLER (S') [egaje ; cour. egɛje ; egeje] v. pron. et tr. — 1829, Balzac ; *esgailler,* trans., « éparpiller », 1474 ; *esguaillied* « niveler », 1155 ; mot dial. de l'Ouest (en Vendée, il servait à caractériser la manœuvre des insurgés qui fuyaient la bataille rangée), probablt du lat. pop. *ægueliare,* du lat. *æqualis* « égal, uni » ; selon Guiraud, avec influence de dérivés de *gai.*

♦ **1.** V. pron. Se disperser*, s'éparpiller (en parlant de plusieurs personnes, de plusieurs animaux). *Les soldats s'égaillèrent dans un bois pour ne pas être vus.* ⇒ **Déployer** (se), **disséminer** (se), **éparpiller** (s').

1   Ces deux officiers devaient prendre à propos les Chouans en flanc et les empêcher de s'*égailler.* Ce mot du patois de ces contrées exprime l'action de se répandre dans la campagne, où chaque paysan allait se poster de manière à tirer les Bleus sans danger (...)
BALZAC, les Chouans, Pl., t. VII, p. 793.

1.1   Nous nous égaillions par groupes dans les taillis et nous saccagions, après tant d'autres trésors, le trésor sylvestre du pays.
DRIEU LA ROCHELLE, la Comédie de Charleroi, p. 130.

Par ext. Être répandu, dispersé (en parlant de plusieurs choses).

2   La figure était dévorée de taches de rousseur qui s'accumulaient sur le nez et sur les pommettes puis s'égaillaient jusqu'aux paupières (...)
F. MAURIAC, la Pharisienne, XIII, p. 202.

♦ **2.** V. tr. (1474, repris xxe). Disperser, éparpiller.

3   Pareils à des flèches, presque invisibles, les animaux jaillissent, se coagulent en un fuseau tendu, lancé à une allure de train express à la poursuite du lièvre ; le premier tournant leur couche sur le côté, les égaille (...)
Paul MORAND, Londres, 1933, p. 144, *in* T. L. F.

CONTR. **Grouper** (se), **masser** (se), **réunir** (se).
DÉR. **Égaillement.**
HOM. **Égayer** (éventuel).

ÉGAL, ALE, AUX [egal, o] adj. — V. 1160 ; *igal,* v. 1150 ; réfect. de l'anc. franç. *evel, ivel,* d'après le lat. *æqualis* « égal (par l'âge, la grandeur, etc.) ; régulier, égal à soi-même ; uni », de *æquus.* → **Équi-.**

♦ **1.** **a** Qui est de même quantité, dimension ou valeur. ⇒ **Identi-**

que, **même, pareil, semblable, similaire ; équivalent** (et les comp. des préf. **équi-, iso-**). *Chose égale à une autre. Choses égales, égales en grandeur, en hauteur, par la hauteur. Être égal, rendre égal à...* ⇒ **Égaler, égaliser ; égalité.** *A peu près égal* (⇒ **Approchant**).

Géom. et cour. *Deux quantités égales à une même troisième sont égales entre elles. La somme des angles d'un triangle est égale à deux droits. Qui a deux côtés égaux* (⇒ **Isocèle**), *trois côtés égaux* (⇒ **Équilatéral**). *Figures à angles égaux.* ⇒ **Équiangle, isogone.** *Des cercles égaux ont leurs diamètres égaux. Deux triangles égaux ont leurs trois côtés respectivement égaux. Figures égales,* exactement superposables (⇒ **Coïncidence ; superposable**).

1   Ce terme *(égal)* exprime, dit-on, un rapport entre deux ou plusieurs choses qui ont la même grandeur, la même quantité, ou la même qualité. Wolf définit les choses *égales,* celles dont l'une peut être substituée à l'autre sans aucune altération dans leur quantité. Je crois pour moi que toutes ces définitions ne sont pas plus claires que la chose définie et que le mot *égal* présente à l'esprit une idée plus précise et plus nette que tout autre mot ou phrase synonyme qu'on voudrait faire servir à l'expliquer.
D'ALEMBERT, Encyclopédie, art. *Égal.*

Qui a même mesure. *Quantités, dimensions égales. Hauteur, distance égale à une autre. Des volumes, des prix égaux. Arbres plantés à intervalles égaux.* ⇒ **Équidistant.** *Poids égaux. Le jour est égal à la nuit pendant l'équinoxe. De température égale.* ⇒ **Isotherme.** *D'égale pression.* ⇒ **Isobare.** *Mouvements qui se font en temps égaux.* ⇒ **Isochrone** (→ *Course,* cit. 1). — (Dans un partage, dans la division d'un tout). *Diviser un tout en parties égales. Parts égales d'une succession* (⇒ **Équilibre**).

Spécialt. *Troupes égales en nombre* (→ *Bataille,* cit. 18).

(Choses non mesurables). Qui est de même nature ou qualité, qui est estimé identiquement. *Beautés égales. Sa peur était au moins égale à la mienne,* au moins aussi forte, intense. — (Avec un compl. spécifiant le champ de comparaison). *Sentiments égaux en force, en intensité, en pureté, égaux par leur caractère inconscient.*

2   Hélas ! Seigneur, quel trouble au mien peut être égal ?
RACINE, Phèdre, I, 2.

3   Depuis qu'à Pharaon ce peuple est échappé,
Une égale terreur ne l'avait point frappé.
RACINE, Athalie, III, 7.

Œuvres égales, de valeur égale.

Qui obtient le même résultat, produit les mêmes effets. *Des forces égales.* — Loc. *Combattre à armes égales,* en disposant de moyens égaux ou analogues.

(Au sing., qualifiant en fait une pluralité d'états égaux). — REM. Lorsque la valeur temporelle l'emporte, il s'agit du sens 4, ci-dessous.

3.1   Notre nombre est toujours égal ; les arrangements sont pris de manière à ce que nous soyons toujours seize, huit dans chaque chambre (...)
SADE, Justine..., t. I, p. 162.

4   Le génie d'ailleurs sait employer avec un égal succès les moyens les plus divers.
E. DELACROIX, Écrits, Journal, 15 janv. 1857.

5   Si j'allais vite pour la dépasser, elle courait presque pour maintenir la distance égale ; mais si je ralentissais le pas pour qu'il y eût un intervalle de chemin assez grand entre elle et moi, alors, elle le ralentissait aussi (...)
LAUTRÉAMONT, les Chants de Maldoror, II, p. 64.

Loc. *Être d'égale force, de force égale :* avoir des forces égales.

6   Tant qu'Achille vivait, Ajax et lui, d'égale force, d'égal mérite, d'égal orgueil, se balançaient ; l'un maintenait en respect l'autre.
GIDE, Théâtre, Ajax, 1.

Une quantité, une proportion égale de... et de..., identique (les deux compl. sont *égaux*).

7   Prélevez n'importe où le même nombre d'individus, en les entourant des mêmes soins, vous obtiendrez une proportion égale de valeurs et de déchets.
J. CHARDONNE, l'Amour du prochain, p. 172.

b Qui ne crée pas de différence entre les personnes (→ ci-dessous, **2.**). *La justice doit être égale pour tous. Un partage égal.* ⇒ **Équitable.** *Une répartition égale des bénéfices.* ⇒ **Égalitaire.**

Qui met sur un pied d'égalité. *La partie est égale :* les adversaires sont de même force (→ *Détruire,* cit. 14).

Sports. *Faire jeu égal,* se dit d'adversaires qui se montrent de force égale.

Loc. *Tenir la balance* (supra cit. 20) *égale.* — *Toutes choses égales d'ailleurs,* ou (vx), *par ailleurs :* en supposant que tous les autres éléments de la situation restent les mêmes.

♦ **2.** (1155). Personnes. Qui est sur le même rang ; qui a les mêmes avantages ou désavantages, les mêmes droits ou charges. *Les hommes naissent-ils égaux ?* (→ *Apporter,* cit. 24 ; *domination,* cit. 1). *Français égaux devant la loi. Être égaux en richesse, par la richesse, quant à la richesse.* — *Être égaux par le destin,* par la cause du destin.

8   Le moyen de choisir de deux grandes beautés,
Égales en naissance et rares qualités ?
MOLIÈRE, Mélicerte, I, 5.

9   Les hommes sont tous égaux dans le gouvernement républicain ; ils sont égaux dans le gouvernement despotique : dans le premier, c'est parce qu'ils sont tout ; dans le second, c'est parce qu'ils ne sont rien.
MONTESQUIEU, l'Esprit des lois, VI, II.

10   Les mortels sont égaux : ce n'est point la naissance
C'est la seule vertu qui fait leur différence.
VOLTAIRE, Ériphyle, II, 1.

11   Égaux pour la nature, égaux pour le malheur,
Tout mortel est chargé de sa propre douleur (...)
VOLTAIRE, l'Orphelin de la Chine, II, 3.

12   Soutenir vaguement que les deux sexes sont égaux, et que leurs devoirs sont les mêmes, c'est se perdre en déclamations vaines (...)
ROUSSEAU, Émile, V.

Loc. *Libres et égaux en droits.*

13 Les hommes naissent et demeurent libres et égaux en droits. Les distinctions sociales ne peuvent être fondées que sur l'utilité commune.
                    Déclaration des droits de l'homme et du citoyen
                    (Constitution du 3 sept. 1791), art. 1 (→ Admissible, cit. 2).

Être égaux devant la loi, devant la mort, aux yeux de qqn.

14 Ainsi tous seront égaux devant la loi ; nulle personne, famille ou classe, n'aura de privilège ; nul ne pourra réclamer un droit dont un autre serait privé ; nul ne devra porter une charge dont un autre serait exempt.
                    TAINE, les Origines de la France contemporaine, II, t. II, p. 48.

Être égal, égale à qqn (dans un domaine, à un certain point de vue).
N. *L'égal, l'égale de... ; son égal :* personne égale (à une autre, à d'autres) par le mérite ou par la condition. *Être l'égal de qqn en mérite, par l'intelligence.* ⇒ **Valoir.** *Il a trouvé son égal. Il est mon égal* (⇒ **Camarade, compagnon ; citoyen, collègue, confrère**)*. La femme est l'égale de l'homme. — Les égaux de qqn.* ⇒ **Pair.** *Il ne supporte pas d'égaux.*

15 Ne nous associons qu'avecque nos égaux (...)   LA FONTAINE, Fables, V, 2.
16 (...) une personne de cette qualité, qui (...) me traite comme si j'étais son égal ?
                    MOLIÈRE, le Bourgeois gentilhomme, III, 3.
17 Lucile aime mieux user sa vie et se faire supporter de quelques grands, que d'être réduit à vivre familièrement avec ses égaux.
                    LA BRUYÈRE, les Caractères, IX, 14.
18 En entrant là *(au couvent),* celui qui était riche se fait pauvre. Il se donne à tous. Celui qui était ce qu'on appelle noble, gentilhomme et seigneur, est l'égal de celui qui était paysan. La cellule est identique pour tous.
                    HUGO, les Misérables, II, VII, IV.
19 C'est la faiblesse de la volonté de puissance de ne pouvoir supporter un égal (...)
                    J. CHARDONNE, l'Amour du prochain, p. 23.

♦ **3.** Loc. (où *égal* est substantif).

a (1637). Vx. *Traiter d'égal avec qqn. Il traitait d'égal avec les plus grands personnages* (Académie). — Mod. **D'ÉGAL À ÉGAL.** *Traiter d'égal à égal avec qqn,* sur un pied d'égalité. — REM. Ce dernier tour, le plus souvent invariable, ne l'est pas toujours. *Elles ont traité d'égale à égale. Il a traité avec elle d'égal à égale.*

20 Je ne dois qu'à moi seul toute ma renommée,
    Et pense, toutefois, n'avoir point de rival
    À qui je fasse tort en le traitant d'égal.
                    CORNEILLE, Poésies, « Excuse à Ariste ».
21 *(Abraham)* traitait d'égal avec les rois (...)   BOSSUET, Hist., II, II, *in* LITTRÉ.
22 *(La Hollande)* traitait d'égale avec l'Angleterre (...)
                    RACINE, les Campagnes de Louis XIV.

b N. m. (1641). *L'égal de, son égal :* ce qui est égal à la chose désignée. *N'avoir point d'égal, n'avoir pas son égal :* être seul, unique en son genre, ne pouvoir être égalé.

23 Et moi, par un malheur qui n'eut jamais d'égal (...)   CORNEILLE, Cinna, III, 1.

c **SANS ÉGAL :** incomparable ; par ext., extrême.

24 Mais ce serait pour vous un bonheur sans égal   CORNEILLE, le Menteur, I, 1.
25 Une tendresse qui ne saurait avoir d'égale (...)
                    Mme DE SÉVIGNÉ, 14, *in* LITTRÉ.
26 Les faucons voient d'une hauteur et d'une rapidité sans égales.
                    BUFFON, Hist. nat. des oiseaux, le Faucon, t. V, p. 132.

Vieilli. *Il n'est rien d'égal à...* → Rien n'égale*...

27 (...) jamais il ne s'est rien vu d'égal à ma disgrâce.
                    MOLIÈRE, George Dandin, II, 8.

d *N'avoir d'égal que... :* n'être égalé que par une seule chose, n'avoir rien d'égal que..., n'avoir d'autre égal que... (→ Assemblée, cit. 6). *Sa bêtise n'a d'égale que sa méchanceté.* — REM. Grevisse (n° 395) observe que « lorsque les noms mis en rapport par cette expression sont de genres différents, l'accord de l'adjectif substantivé *égal* se fait avec le premier nom ou avec le second : l'usage est indécis. » On écrirait donc aussi bien *son talent n'a d'égal que sa modestie* que *son talent n'a d'égale que sa modestie* (seule sa modestie est égale à son talent). Cependant, l'accord avec l'un ou l'autre des deux termes semble bien difficile quand leur nombre comme leur genre est différent. Le neutre paraît dans tous les cas préférable. *Ses talents n'ont d'égal que sa modestie. Sa vanité n'a d'égal que sa bêtise* (n'a rien d'égal que...).

e Loc. prép. (1595). **À L'ÉGAL DE :** autant que. ⇒ **Autant, comme, même** (de même titre que). *Aimer qqn à l'égal de soi-même* (→ Aimer, cit. 27). *Admirer une œuvre à l'égal d'une autre* (→ Discipline, cit. 11). *Redouter, haïr qqch. à l'égal de la peste* (→ Dur, cit. 12).

28 Le nom *(du grand Louis)* se faisait craindre à l'égal du tonnerre.
                    CORNEILLE, Poésies diverses, 50.
28.1 Sa voix est de miel lorsqu'elle lui demande — sa voix en est changée — s'il aime ça, à l'égal d'elle.
    — On le trouvera tout à l'heure, dit Maria, dans quatre heures. Pour le moment, il est toujours dans le blé.
                    M. DURAS, Dix heures et demie du soir en été, p. 158.

♦ **4.** (1580). Par anal. **a** (Temporel). Qui est toujours le même ; qui ne varie pas. ⇒ **Constant, invariable, régulier, uniforme.** *Les produits que vend ce commerçant sont de qualité égale. Un mouvement égal. Aller d'un train, d'un pas égal. Le bruit égal des eaux* (⇒ **Monotone** ; → Averse, cit. 3). *Parler d'une voix égale. Climat égal. Un pouls égal. Respiration égale* (→ Dormir, cit. 8). *Mener une vie égale.*

29 (...) Ce train toujours égal dont marche l'univers ?
                    LA FONTAINE, Fables, II, 13.
30 La brise longue et égale courait à travers les arbres avec un murmure de rivière.
                    COLETTE, la Chatte, p. 184.

REM. Quand le substantif désigne une quantité, ce sens ne se distingue pas de celui qui est indiqué *supra* cit. 3.1, 4 et 5.

b (V. 1165). Spatial. ⇒ **Plain, plan, plat, ras, uni.** *Un terrain égal. Une allée bien égale,* aplanie, de niveau*.

31 (...) ou leur superficie est toute égale et unie, ou raboteuse et inégale (...)
                    DESCARTES, la Dioptrique, I.

Une lumière, une teinte égale. Rendre égal. ⇒ **Égaliser.**

c Fig. *Style égal.*

32 Un style trop égal et toujours uniforme
    En vain brille à nos yeux, il faut qu'il nous endorme.   BOILEAU, l'Art poétique, I.

♦ **5.** (1671). Dont la nature reste toujours la même (en parlant du caractère humain). ⇒ **Tranquille.** *Avoir un caractère égal. Être d'une humeur égale.* ⇒ **Calme.**

33 (...) pour son humeur, je puis vous assurer qu'il n'y en a point de plus égale ni de plus douce.
                    A. R. LESAGE, Gil Blas, IV, VII.
34 (...) il était moins capable d'envisager d'une âme égale les revers et les succès, car il passait facilement de l'enthousiasme à l'abattement (...)
                    Louis MADELIN, Hist. du Consulat et de l'Empire, Le Consulat, I, p. 11.

Loc. *Égal à lui-même :* dont le caractère, la valeur, les qualités, le talent sont ce qu'ils ont toujours été. — *Se montrer égal à soi-même :* avoir un comportement prévisible.

(1641). Vx. (Personnes). Qui est dans les mêmes sentiments, les mêmes dispositions à l'égard de personnes ou de choses diverses ; qui ne fait pas de différence, est impartial. ⇒ **Impartial, neutre.**

35 Je crains pour l'une et l'autre, en ce dernier effort,
    Et serai du parti qu'affligera le sort.
    Égale à tous les deux jusques à la victoire (...)   CORNEILLE, Horace, I, 1.

(1641). Spécialt. Qui est indifférent. *Voir qqch., voir tout d'un œil égal.* ⇒ **Détaché, indifférent.** *Voir d'un œil égal le succès ou l'échec d'un projet.*

♦ **6.** (1663). Qui est objet d'indifférence. ⇒ **Indifférent.**

a Vieilli ou littér. *La chose est égale :* cela revient au même, cela importe peu. *Cela lui paraît, lui semble égal, absolument égal.*

35.1 La reine alors :
    — Qu'est-ce que cela vous fait ? me dit-elle. Et cela me parut soudain tellement égal que je fus bien forcé d'en convenir.
    Et les jours s'en allaient ainsi ; en promenades ou en fêtes.
                    GIDE, le Voyage d'Urien, *in* Romans, Pl., p. 36.

b Cour. *Être égal à qqn, lui être égal :* lui être indifférent, revenir au même pour lui. *Tout lui est égal. Il lui est égal d'être ici ou là* (→ Apathique, cit. 2). — (1814, *in* D.D.L.). *Cela m'est égal, parfaitement égal* (cf. Je m'en moque, je m'en fiche, ça ne m'intéresse pas, c'est tout un, c'est bonnet blanc et blanc bonnet, etc.). *Cela (ça) m'est égal qu'elle vienne. Cela lui est égal de partir. Tout ça, c'est égal.*

36 Que je vive avec vous ou chez nos citoyens,
    La chose leur est égale (...)   CORNEILLE, Sophonisbe, IV, 5.
37 (...) tout lui est égal, pourvu qu'il accable ses ennemis.   FÉNELON, Télémaque, IX.
37.1 Étant donc simplement nulle part ou quelque part, ce qui est égal, j'ai trouvé de quoi fabriquer un morceau de verre, ayant rencontré divers démons, dont le Distributeur de Maxwell.   A. JARRY, Gestes et opinions du Dr Faustroll, Pl., p. 726.
38 — Te casse pas la tête. La guerre, la paix, c'est égal. — C'est égal ? dit Jacques, étonné. Va donc dire ça aux millions d'hommes qui se préparent à se faire tuer.
                    SARTRE, le Sursis, p. 168.

Ça m'est (complètement, parfaitement, tout à fait) égal. Ça lui est égal que vous veniez. — Moins cour. (avec un sujet n. de personne ou de chose). *Les privations lui sont égales.* ⇒ **Indifférent.**

Loc. fam. (1779, *in* D.D.L.). **C'EST ÉGAL :** quoi qu'il en soit, quand même, tout de même, malgré tout, cela ne fait rien. *C'est égal, j'aimerais mieux être ailleurs.*

39 Mais c'est égal, je pars en guerre et je tuerai tout le monde. Gare à qui ne marchera pas droit !   A. JARRY, Ubu Roi, III, 8.

CONTR. Inégal. — Différent, dissemblable, disproportionné, divers. — Mouvementé, tourmenté ; accidenté, raboteux. — Capricieux, lunatique.
DÉR. Également, égaler, égaliser.
COMP. V. Inégal.

ÉGALABLE [egalabl] adj. — XVIe ; « égal », fin XIIIe ; de *égaler.*

♦ Qui peut être égalé. *Une « équipe poétique difficilement égalable »* *(Arts et littérature,* 1936, *in* T. L. F.).

CONTR. Inégalable (plus cour.).

ÉGALEMENT [egalmã] adv. — V. 1150, *egalment* ; de *égal.*

♦ **1.** D'une manière égale, au même degré, au même titre. ⇒ **Pareillement.** *Aimer également tous ses enfants. Les citoyens sont également admissibles à toutes dignités* (→ Aptitude, cit. 8). *Ces terres ne sont pas également fertiles* (→ Capacité, cit. 5). *J'aime également les chats et les chiens.* ⇒ **Autant.** *Deux hypothèses également angoissantes.*

1   Il y a deux vérités (...) aussi constantes l'une que l'autre, et dont je puis vous assurer également.   MOLIÈRE, la Princesse d'Élide, II, 4.

2   Et le riche et le pauvre, et le faible et le fort
Vont tous également des douleurs à la mort (...)   VOLTAIRE, 1er disc.

♦ **2.** (Cour. à partir du XIXe). De même, aussi ; en outre, en plus. ⇒ **Aussi.** *Vous avez vu ce film, je l'ai vu également. Il est professeur de latin, mais il enseigne également l'histoire.* ⇒ **Outre** (en), **plus** (en). — REM. Critiqué lors de son apparition, cet emploi est absent de Littré ; il est fréquent à partir du mil. du XIXe s. (→ Création, cit. 9, Balzac ; 1. baliste, cit. 2, Flaubert ; couvrir, cit. 30, Gide ; désoler, cit. 3, Giraudoux).

CONTR. **Inégalement.**

ÉGALER [egale] v. tr. — Fin XVe ; au sens 1, 1470 ; *ygaillier*, v. 1260 ; *soi egailler à*, v. 1225 ; de *égal*.

♦ **1.** Vx. Rendre égal*, mettre sur le même pied, au même niveau. ⇒ **Égaliser.** *Égaler les parts, les portions* (Académie). — Fig. *La mort qui égale tout.* ⇒ **Niveler** (→ Anéantissement, cit. 1 ; dominer, cit. 13).

(1558). Par ext. *Égaler qqn à qqn d'autre,* le considérer comme égal, le mettre au même niveau, sur le même rang. ⇒ **Assimiler, comparer.** *Il n'y a personne qu'on puisse lui égaler* (Académie). *Égaler qqn à soi-même* (→ Approuver, cit. 20). — *Vouloir égaler le vice à la vertu* (→ Artifice, cit. 7).

1   Et ceux qui méprisent le plus les hommes, et les égalent aux bêtes (...)   PASCAL, Pensées, VI, 404.

♦ **2.** (1643). Être égal à, valoir autant que... ⇒ **Équivaloir, équipoller** (vx), **valoir.** *Force qui en égale une autre et lui fait équilibre.* ⇒ **Balancer, compenser, contrebalancer, équilibrer.** *La recette égale la dépense. Deux multiplié par trois égale six. Deux plus trois égalent cinq* (2 + 3 = 5).

2   *(La grenouille)* Envieuse s'étend, et s'enfle, et se travaille
Pour égaler l'animal *(le bœuf)* en grosseur (...)   LA FONTAINE, Fables, I, 3.

Atteindre en degré. Égaler qqn en beauté, en intelligence, en vertu, en talents, en importance... Sa prudence égale son courage. Chercher à égaler qqn. ⇒ **Rivaliser** (avec). *Ville qui prétend égaler Paris* (→ Circuit, cit. 1). *Cet auteur a égalé les anciens. Rien ne peut égaler une telle perfection.* ⇒ **Atteindre** (cit. 26), **parvenir.** *Un génie qui ne saurait être égalé* (→ Discerner, cit. 5).

3   Corneille ne peut être égalé dans les endroits où il excelle : il a pour lors un caractère original et inimitable (...)   LA BRUYÈRE, les Caractères, I, 54.

4   Je n'ai pas encore vu la *casbah* de la Mecque, mais je doute qu'elle égale en magnificence et en étendue la mosquée espagnole.   Th. GAUTIER, Voyage en Espagne, p. 237.

5   Rien n'égale la douceur et la majesté nue de ses cloîtres.   M. BARRÈS, la Colline inspirée, p. 42.

6   (...) une page magnifique de passion désolée et déçue, d'un tragique profond, qu'aucune invention romanesque ne peut égaler à nos yeux.   Émile HENRIOT, Portraits de femmes, p. 286.

Être comparable à... :

6.1   Sa saleté égalait sa paresse et sa voracité.   R. QUENEAU, le Chiendent, p. 385.

♦ **3.** Sports. Faire une performance égale à... *Égaler le record.*

▶ **S'ÉGALER** v. pron.

(V. 1225). Se rendre égal à, rivaliser avec.

7   L'autre (...) dès sa première bataille, s'égale aux maîtres les plus consommés (...)   BOSSUET, Oraison funèbre du prince de Condé.

Se prétendre égal à... Imitateur qui s'égale aux maîtres.

CONTR. **Dépasser, surpasser.** — **Inférieur** (être inférieur à). — (Du p. p.). **Inégalé.**
DÉR. **Égalable.**

ÉGALISABLE [egalizabl] adj. — Attesté XXe ; de *égaliser*.

♦ Qui peut être rendu égal (à qqch.), qui peuvent être rendus égaux.

Le suprême en ce genre est atteint quand on arrive à la quantification — à la substitution au donné d'un ensemble d'éléments égaux ou égalisables.   VALÉRY, Cahiers, t. I, Pl., p. 779.

ÉGALISATEUR, TRICE [egalizatœʀ, tʀis] adj. et n. m. — 1870 ; de *égaliser*.

♦ **1.** Adj. Qui égalise. *Système égalisateur. Un règlement qui a sur les prix une action égalisatrice.* — Sports. *Le but égalisateur.*

♦ **2.** N. m. Dispositif permettant d'égaliser une surface. *L'égalisateur d'une moissonneuse-batteuse.*

ÉGALISATION [egalizasjɔ̃] n. f. — Av. 1593 ; de *égaliser*.

♦ Action d'égaliser ; son résultat.

(...) il faut remarquer que beaucoup de socialistes n'admettent pas comme idéal une égalisation matérielle aussi grande que possible ; ils veulent seulement ajouter à l'égalité formelle la plus complète le degré d'égalité matérielle nécessaire pour assurer à chacun l'indépendance et un minimum de bien-être.   RAUH, cité par A. LALANDE, Voc. de la philosophie, p. 269.

(1904, *in* Petiot). Sports. *Égalisation en fin de match.*

ÉGALISER [egalize] v. tr. — XVIe ; *egualiser*, 1539 ; *equaliser*, pron., XVe ; de *égal*, et suff. *-iser*.

♦ **1.** Rendre égal (complément n. de chose). ⇒ **Ajuster, égaler, équilibrer.** *Égaliser les lots pour faire un partage équitable.* — Fig. *La mort égalise les conditions.*

1   Il ne faudrait pas non plus que la religion encourageât les dépenses des funérailles. Qu'y-a-t-il de plus naturel que d'ôter la différence des fortunes dans une chose et dans les moments qui égalisent toutes les fortunes ?   MONTESQUIEU, l'Esprit des lois, XXV, 7.

2   (...) la concurrence doit avoir une action égalitaire (...) en nivelant les profits qui dépassent le niveau commun, en égalisant les revenus tout comme elle égalise les prix.   Charles GIDE, Cours d'économie politique, t. I, p. 214.

(1900, *in* Petiot). Sports. *Égaliser le score en marquant un point.* — Absolt. Obtenir le même nombre de points, de buts que l'adversaire. *Ils ont égalisé une minute avant la fin du match.*

Rendre uni, égal, en coupant. *Égaliser les cheveux, les mèches de qqn.*

♦ **2.** (1834). Rendre égal (4., b), uni, plan. ⇒ **Aplanir, niveler, polir, régaler, unir.** *Égaliser un terrain, une allée.*

3   (...) il piocha la terre, la pelleta, la lissa, l'égalisa et pataugea dans l'eau boueuse qui s'étalait comme une crème sous le rouleau asthmatique.   P. MAC ORLAN, la Bandera, XVIII, p. 219.

Rendre égal. *Égaliser sa voix, son souffle.*

♦ **3.** Fig. Rendre plus homogène en rendant les éléments égaux.

4   (...) ce n'est pas seulement d'égaliser la condition humaine, c'est de la hausser que se préoccupait Condorcet (...)   JAURÈS, Hist. socialiste..., VIII, p. 379.

CONTR. **Différencier.** — **Baisser, rabaisser ; hausser.**
DÉR. **Égalisable, égalisateur, égalisation, égaliseur.**

ÉGALISEUR, EUSE [egalizœʀ, øz] n. — 1792, au sens 1 ; de *égaliser*.

♦ **1.** Vx. Partisan de l'égalitarisme.

♦ **2.** (XXe). Techn. Technicien qui vérifie la précision de l'accord des pianos et des orgues.

♦ **3.** N. m. Techn. *Égaliseur de potentiel* : appareil qui ramène le potentiel d'un conducteur à une valeur de référence. *« Les égaliseurs (...) permettent d'obtenir des effets sonores originaux »* (*Sciences et Avenir*, mars 1978, p. 94).

♦ **4.** N. f. Techn. Machine servant à égaliser une surface.

ÉGALITAIRE [egalitɛʀ] adj. et n. — 1836 ; de *égalité*, et *-aire*.

♦ Qui tend, qui vise à l'égalité* absolue en matière politique et sociale (→ Démocrate, cit. 2). *Doctrine, système égalitaire. Socialisme égalitaire. Répartition égalitaire. Lois égalitaires.*

1   Le socialisme du XVIIIe siècle est essentiellement égalitaire ; ce qui le choque, c'est l'inégalité de jouissance et de bien-être et les distinctions sociales dont il rend la propriété responsable.   GIDE et RIST, Hist. des doctrines économiques, p. 237.

2   Le rationnement s'efforce d'appliquer le principe : à chacun selon ses besoins (...) nous avons appris (...) combien, pour faire fonctionner ce système égalitaire, il fallait de règlements, de contrôle, de sanctions, et combien il comportait de fraudes.   Charles GIDE, Cours d'économie politique, t. II, p. 177.

N. (1857). *Un, une égalitaire :* un partisan de l'égalité. ⇒ **Égalitariste, niveleur** (péj.).

3   Ne pas payer comme tout le monde : rêve de tous nos Français, de tout homme distingué. Avoir un privilège, rêve de tout égalitaire, particulièrement de tout égalitaire français.   Ch. PÉGUY, la République..., p. 189.

CONTR. **Inégalitaire.**
DÉR. **Égalitairement, égalitarisme.**

ÉGALITAIREMENT [egalitɛʀmɑ̃] adv. — 1870 ; de *égalitaire*.

♦ Rare. D'une manière égalitaire.

ÉGALITARISME [egalitaʀism] n. m. — 1863 ; du rad. de *égalitaire*.

♦ Doctrine selon laquelle les personnes sont et doivent être considérées comme égales en droit. *L'égalitarisme de certaines doctrines socialistes.*

1   (...) l'égalité ne peut être que le fruit de la contrainte sociale, car d'elle, en tout cas, on peut dire qu'elle ne résulte *jamais* du jeu des actions individuelles livrées à elles-mêmes. Si donc c'est l'égalitarisme qui fait le fond de la manière de penser socialiste, le socialisme libéral paraît bien n'être qu'une *contradictio in terminis*. Le socialisme logique, c'est le socialisme autoritaire.   René GONNARD, Hist. des doctrines économiques, p. 445.

2   *(Une)* réalité que la démocratie viole cyniquement avec son romantique égalitarisme.   Julien BENDA, la Trahison des clercs, p. 19.

3   Voilà où ça mène la démagogie, l'égalitarisme !   F. MALLET-JORIS, le Jeu du souterrain, p. 187.

DÉR. **Égalitariste.**

ÉGALITARISTE [egalitaʀist] adj. et n. — 1927 ; de *égalitarisme*.

♦ **1.** Adj. Inspiré par l'égalitarisme.

♦ 2. N. *Un, une égalitariste :* partisan de l'égalitarisme.

ÉGALITÉ [egalite] n. f. — Av. 1450 ; var. *equalité,* 1549 ; nombreuses var. en anc. franç. ; lat. *æqualitas,* de *æqualis.* → Égal.

A. ♦ 1. Qualité de ce qui est égal. ⇒ **Concordance, conformité, équipollence, équivalence, parité.** — Géom. *L'égalité de deux lignes, de deux angles. Égalité de deux figures exactement superposables* (⇒ **Congruence**). *Cas d'égalité des triangles.*
Math. Rapport existant entre des grandeurs égales ; formule qui l'exprime. *Égalité de deux nombres.* — Par métonymie. *Égalité algébrique :* ensemble d'expressions algébriques réunies par le signe =. ⇒ **Équation, identité, proposition.** *Le signe =* (égal à) *sépare les deux membres de l'égalité. Égalité de rapports par différence ou par quotient.* ⇒ **Proportion.**

1   (...) il vous réduira les égalités de l'algèbre les plus composées avec une facilité surprenante. MALEBRANCHE, Entretiens philosophiques, V.

Philos. *Égalité logique :* le fait pour des propositions, des classes, des concepts de s'impliquer mutuellement ou d'avoir la même extension.
Mots qui marquent un rapport d'égalité. ⇒ **Aussi, autant, comme, même** ; et les préf. **équi-, iso-.** *Comparatif d'égalité* (aussi, autant... que). *Égalité des forces en présence.* ⇒ **Équilibre.** *Égalité dans un partage, une répartition.* ⇒ **Péréquation** (→ Distribution, cit. 2). *Égalité de prix. Égalité d'âge. A égalité de mérite, le plus âgé doit avoir la préférence* (Académie). *Joueurs qui sont à égalité de points,* et, absolt, *à égalité. Arriver, être à égalité.* ⇒ **Ex æquo.** — Turf. *Parier à égalité sur un cheval,* de telle sorte que le bénéfice soit égal à la mise.

♦ 2. (1647). Le fait pour les humains d'être égaux devant la loi, de jouir des mêmes droits. *Le concept d'égalité. Idéal d'égalité* (→ Bastille, cit. 2 ; cœur, cit. 10). *Principe d'égalité. L'Égalité ou la mort,* devise des *Égaux,* partisans de Babeuf (1796). *Liberté, égalité, fraternité,* devise de la République française. *Être sur un pied** (cit. 50.1) *d'égalité avec qqn.*

2   L'égalité, madame, est la loi de nature.
NIVELLE DE LA CHAUSSÉE, l'École des mères, III, 3.

3   Il est faux que l'égalité soit une loi de la nature. La nature n'a rien fait d'égal ; la loi souveraine est la subordination et la dépendance.
VAUVENARGUES, Maximes, 227.

4   Autant que le ciel est éloigné de la terre, autant le véritable esprit d'égalité l'est-il de l'esprit d'égalité extrême. Le premier ne consiste point à faire en sorte que tout le monde commande ou que personne ne soit commandé, mais à obéir et à commander à ses égaux. Il ne cherche pas à n'avoir point de maîtres, mais à n'avoir que ses égaux pour maîtres. MONTESQUIEU, l'Esprit des lois, VIII, 3.

5   Dans l'état de nature, les hommes naissent bien dans l'égalité ; mais ils n'y sauraient rester. La société la leur fait perdre, et ils ne redeviennent égaux que par les lois. MONTESQUIEU, l'Esprit des lois, VIII, 3.

6   L'égalité est donc à la fois la chose la plus naturelle, et en même temps la plus chimérique. VOLTAIRE, Dict. philosophique, Égalité.

7   L'égalité, partage naturel des hommes, subsiste encore en Suisse autant qu'il est possible. Vous n'entendez pas par ce mot cette égalité absurde et impossible par laquelle le serviteur et le maître, le manœuvre et le magistrat, le plaideur et le juge, seraient confondus ensemble ; mais cette égalité par laquelle le citoyen ne dépend que des lois, et qui maintient la liberté des faibles contre l'ambition du plus fort. VOLTAIRE, Essai sur les mœurs, LXVII.

8   Avoir les mêmes droits à la félicité,
C'est pour nous la parfaite et seule égalité.
VOLTAIRE, Disc., De l'égalité des conditions.

9   Si l'on recherche en quoi consiste précisément le plus grand bien de tous, qui doit être la fin de tout système de législation, on trouvera qu'il se réduit à deux objets principaux, la *liberté* et l'*égalité :* la liberté, parce que toute dépendance particulière est autant de force ôtée au corps de l'État ; l'égalité, parce que la liberté ne peut subsister sans elle. ROUSSEAU, Du contrat social, II, XI.

(Qualifié par un compl. de nom ou un adj.). *L'égalité des droits, des chances, des conditions* (→ Compensation, cit. 8). *Égalité formelle ou extérieure,* définie, réglementée par le législateur. *Égalité devant la loi, égalité des droits* (égalité juridique). *Égalité civile,* au regard de la loi civile, pénale et administrative. *Égalité politique,* au regard de la loi politique (droits du citoyen dans le gouvernement de l'État). *Égalité des citoyens des deux sexes. Égalité sociale, égalité des richesses, des fortunes.*
Égalité naturelle ; égalité matérielle, réelle.

10 (...) les maximes actuelles ne tendent qu'à détruire. Elles ont déjà ruiné les riches, sans enrichir les pauvres ; et au lieu de l'égalité des biens, nous n'avons encore que l'égalité des misères et des maux. RIVAROL, Politique, Journ. polit. nation., II.

11 (...) à mesure que l'égalité politique devenait un fait plus certain, c'est l'inégalité sociale qui heurtait le plus les esprits. JAURÈS, Hist. socialiste..., VII, p. 13.

12 Ce à quoi il faudrait viser c'est moins à l'égalité des fortunes qu'à l'*égalité des chances,* c'est-à-dire procurer à chacun les mêmes possibilités de faire fortune.
Charles GIDE, Cours d'économie politique, t. II, p. 135.

13 Ce qu'elle (*G. Sand*) demandait pour les femmes, ce n'était pas le droit de suffrage et d'élection, c'était l'égalité civile et l'égalité sentimentale. Elle pensait que la servitude où l'homme tient la femme détruit le bonheur du couple, qui n'est possible que dans la liberté. A. MAUROIS, Lélia, p. 367.

Spécialt (jeux de cartes). Ancienn (pendant la révolution de 1789). Carte remplaçant le valet.

B. ♦ 1. Qualité de ce qui est constant, régulier. ⇒ **Continuité, régularité, uniformité.** *L'égalité d'un mouvement, du pouls, de la respiration.* — Fig. *Égalité d'humeur, de caractère.* ⇒ **Calme, pondé-**

ration, sociabilité. *Égalité d'âme*.* ⇒ **Équanimité, sérénité, tranquillité.**

14 Qu'est-ce que la sagesse ? une égalité d'âme
Que rien ne peut troubler, qu'aucun désir n'enflamme (...) BOILEAU, Satires, VIII.

15 Les qualités de son âme, la franchise et l'égalité naturelle de son caractère (...)
CONDORCET, Bertin, in LITTRÉ.

♦ 2. (1835). Rare. Qualité d'un terrain plat, uni. *Égalité d'un sol, d'un terrain bien nivelé.*

CONTR. Inégalité. — Disparité, diversité, variété. — Infériorité, supériorité. — Hiérarchie. — Aspérité, irrégularité.
DÉR. Égalitaire.
COMP. V. Inégalité.

ÉGARD [egaʀ] n. m. — 1549 ; *esquar,* v. 1165 ; *esgart,* v. 1140 ; déverbal de l'anc. franç. *esguarder* « veiller sur, avoir soin », de *é-,* et *garder.*

♦ 1. Action de considérer (une personne ou une chose) avec une particulière attention. ⇒ **Considération.** — REM. S'emploie surtout comme complément du verbe *avoir ,* et dans diverses locutions prépositives et adverbiales. — *Il a eu quelque égard, il n'a eu aucun égard à ce que je lui ai dit. Il m'a condamné sans aucun égard, sans le moindre égard pour mes explications.* — *Avoir égard à... Avoir égard aux circonstances. Avoir égard à une prière, à une requête.*

1   Contre la médisance il n'est point de rempart.
À tous les sots caquets n'ayons donc nul égard (...) MOLIÈRE, Tartuffe, I, 1.

2   (...) l'inclination d'une fille est une chose sans doute où l'on doit avoir de l'égard (...) MOLIÈRE, l'Avare, I, 5.

3   Qu'ils s'abstiennent de toute colère, de tout égard aux différentes conditions des personnes, et de tout jugement injuste (...)
RACINE, Traductions, Appendice, Ép. saint Polycarpe.

4   Les jugements humains ne sont si médiocres et si injustes même, que parce qu'ils n'ont jamais égard au bien dans le mal, ni au mal dans le bien.
André SUARÈS, Trois hommes, « Pascal », p. 35.

♦ 2. (Avec un sens atténué, dans des loc.). — Loc. prép. (1549). EU ÉGARD À : en tenant compte de. ⇒ **Attendu, considération** (en considération de) ; **raison** (en raison de), **vu.** *Il a été dispensé eu égard à son âge. Eu égard à sa situation difficile. Eu égard à la saison* (→ Autoriser, cit. 23).

5   (...) si je veux bien me rendre à vos ordres, eu égard à votre état d'exaltation, vous ne sauriez moins faire, convenez-en, que de céder à ma prière.
COURTELINE, Boubouroche, II, 3.

À L'ÉGARD DE : pour ce qui concerne, regarde (qqn). ⇒ **Envers** (→ Agressivité, cit. 2 ; bienséance, cit. 10 ; adulte, cit. 6 ; aiguiser, cit. 10 ; crédit, cit. 14). *Il a été injuste à votre égard.*

6   (*Sainte-Beuve*) s'est quelquefois trompé, à l'égard des contemporains, pour avoir trop souvent nourri de ressentiments personnels les dessous de ses jugements.
Émile HENRIOT, les Romantiques, p. 160.

Pour ce qui concerne (qqch.). ⇒ **Quant** (à), **relativement** (à). *À l'égard de cette affaire,* sous ce rapport, de ce côté, sur ce point, de ce point de vue. — Vx. *À l'égard de :* en comparaison de, en proportion de, au regard de. ⇒ **Regard** (au).

7   Car, enfin, qu'est-ce que l'homme dans la nature ? Un néant à l'égard de l'infini, un tout à l'égard du néant, un milieu entre rien et tout. PASCAL, Pensées, II, 72.

SANS ÉGARD POUR : en ne tenant pas compte de... *Il a persévéré sans égard pour les difficultés.* ⇒ **Nonobstant.**

Loc. adv. (Av. 1606). À CET ÉGARD : sous ce rapport, de ce point de vue. *N'ayez aucun souci à cet égard.*

(1740). À TOUS (LES) ÉGARDS : sous tous les rapports. *Il est de bon conseil à tous égards* (→ Coulant, cit. 2).

8   Peu de maximes sont vraies à tous égards. VAUVENARGUES, Maximes, 111.

(Dans le même sens). *À différents égards, à divers égards, à quelques égards, à certains égards, à beaucoup d'égards, à maints égards.* ⇒ **Point de vue** (→ Anarchiste, cit. 1 ; démocratie, cit. 1).

♦ 3. Au sens fort (→ ci-dessus 1.), dans des loc.

Loc. prép. PAR ÉGARD À..., ou, POUR ÉGARD À... : en prenant en considération, eu égard à. *Il y a consenti par égard pour votre situation.*

9   Illustres chevaliers, vengeurs de la Sicile,
Qui daignez, par égard au déclin de mes ans,
Vous assembler chez moi (...) VOLTAIRE, Tancrède, I, 1.

SANS ÉGARD POUR... : en ne tenant aucun compte, en n'ayant pas d'égard. *Il a quitté son poste sans égard pour ses protecteurs.*

10 (...) vous revenez ici sans y être rappelé ; sans égard pour mes prières, pour mes raisons ; sans avoir même l'attention de m'en prévenir.
LACLOS, les Liaisons dangereuses, Lettre LXXVIII.

10.1 (...) il est au contraire très-essentiel que l'homme ne jouisse qu'aux dépens de la femme, qu'il prenne d'elle (quelque sensation qu'elle en éprouve) tout ce qui peut donner de l'accroissement à la volupté dont il veut jouir, sans le plus léger égard aux effets qui peuvent en résulter pour la femme, car ces égards la troubleront (...)
SADE, Justine..., I, p. 193.

♦ 4. Par ext. (généralt au plur. : *les, des égards*). Marque de considération, d'estime, de ménagements dus à la politesse. ⇒ **Attention, considération, déférence, ménagement, respect.** *Je le fais uniquement par égard pour vous. Marque d'égards. Avoir de grands égards pour qqn* (→ Déclin, cit. 6). *Témoigner à qqn beaucoup* *d'égards. Ils l'ont reçu avec les égards dus à son rang.* ⇒ **Distinction, honneur.** *Traiter qqn avec beaucoup d'égards. Les hommes en société se doivent des égards réciproques. Elle est attentionnée et pleine d'égards pour autrui. Une critique pleine d'égards.* ⇒ **Ménagement** (→ 2. Critique, cit. 3). *Manquer d'égards envers qqn. Manquer aux égards,* à la bienséance* (⇒ **Politesse**). *Un manque d'égards inexcusable* (→ Attendre, cit. 13).

11 Les grands seigneurs sont pleins d'égards pour les princes (...)
LA BRUYÈRE, les Caractères, VIII, 76.

12 Jamais époux n'a eu tant d'égards pour une femme, et jamais amant n'a fait voir tant de complaisance pour une maîtresse. A. R. LESAGE, Gil Blas, I, XI.

13 (...) honoré moi-même de ses éloges *(de d'Alembert),* un juste retour d'honnêteté m'oblige à toutes sortes d'égards envers lui; mais les égards ne l'emportent sur les devoirs que pour ceux dont toute la morale consiste en apparences.
ROUSSEAU, Lettres à d'Alembert, Préface.

14 (...) ces esprits sans culture et sans lumières, qui ne connaissent d'autre objet de leur estime que le crédit, la puissance et l'argent, sont bien éloignés même de soupçonner qu'on doive quelque égard aux talents, et qu'il y ait du déshonneur à les outrager. ROUSSEAU, les Confessions, XII.

15 Les hommes d'aujourd'hui ont si peu d'égards et de savoir-vivre qu'il faut se montrer toujours sévère. C'est vraiment le règne de la goujaterie.
MAUPASSANT, Contes, « Correspondance ».

16 La timidité de cet homme se communiquait à elle et la gênait; elle n'était pas accoutumée à ce silence, à cette attitude pleine d'égards et de soumission.
J. GREEN, Léviathan, p. 78.

CONTR. Indifférence. — Dédain, grossièreté, impertinence, impolitesse, inconvenance, insolence, mépris.

ÉGARÉ, ÉE [egaʀe] adj. ⇒ **Égarer.**

ÉGAREMENT [egaʀmɑ̃] n. m. — V. 1175, *esgarement;* de *égarer.*

♦ **1.** Sens propre (rare). Action de s'égarer; fait de s'égarer.

1 Elle *(l'âme)* fait la même chose qu'une personne qui, désirant arriver en quelque lieu, ayant perdu le chemin, et connaissant son égarement, aurait recours à ceux qui sauraient parfaitement ce chemin (...) PASCAL, Sur la conversion du pécheur.

♦ **2.** Fig. et littér. Action de s'écarter de ce qui est défini par la morale, la raison, de la norme; état qui en résulte. ⇒ **Aberration, dérèglement, désarroi, désordre, erreur, fourvoiement.** *L'égarement de l'âme, des mœurs. Être dans l'égarement de l'ivresse, de la colère, de la douleur.* — Absolt. *L'égarement* (→ ci-dessous, cit. 3, 4) : le fait de s'écarter du comportement admis par la morale, la religion. — *(Un, des égarements).* Acte qui dénote cet état. ⇒ **Dérèglement.**

2 (...) si quelques-uns de ces hommes qui, par une vocation extraordinaire, ont fait profession de sortir du monde et de prendre l'habit de religieux pour vivre dans un état plus parfait que le commun des chrétiens, sont tombés dans des égarements qui font horreur au commun des chrétiens et sont devenus entre nous ce que les faux prophètes étaient entre les Juifs, c'est un malheur particulier et personnel (...)
PASCAL, Pensées, XIV, 889.

3 Je parvins jusqu'à l'âge de quarante ans, flottant entre l'indigence et la fortune, entre la sagesse et l'égarement, plein de vices d'habitude sans aucun mauvais penchant dans le cœur, vivant au hasard sans principes bien décidés par ma raison, et distrait sur mes devoirs sans les mépriser, mais souvent sans les bien connaître.
ROUSSEAU, Rêveries..., 3e promenade.

4 La faiblesse commence l'égarement, la passion entraîne dans la mauvaise voie, le vice, qui est une habitude, y embourbe; et l'homme ne fait aucun progrès vers les états meilleurs. BALZAC, Séraphîta, Pl., t. X, p. 573.

Égarement du cerveau, de l'esprit; de la conduite, des sens. → ci-dessous les emplois absolus. *Égarement moral.* ⇒ **Aveuglement.**

Spécialt. État où l'on perd le contrôle de soi, parfois la conscience, par excès d'émotion, de plaisir, de douleur... ⇒ **Absence, aliénation, délire, démence, dérangement, divagation, folie, frénésie.** *Être dans un égarement total.* ⇒ **Affolement.** *Un égarement de bonheur.* ⇒ **Éblouissement, trouble, vertige.**

5 De tous leurs égarements, c'est sans doute celui qui les convainc le plus de folie et d'aveuglement, et dans lequel il est le plus facile de les confondre par les premières vues du sens commun et par les sentiments de la nature.
PASCAL, Pensées, III, 195.

5.1 (...) il paraissait très enflammé; une sorte d'égarement se peignait dans ses yeux (...) SADE, Justine..., t. I, p. 205.

Action qui exprime, témoigne de l'égarement.

6 (...) elle fut amenée à une incroyable aberration. Que veux-tu! ces pauvres folles prouvent par leurs égarements les saintes lois de la nature et leur inévitable fatalité. RENAN, Souvenirs d'enfance..., I, IV, p. 48.

Spécialt (souvent au plur.). Dérèglement de la conduite, des mœurs. ⇒ **Abandon, débauche, dérèglement, écart, faute, perversion** (→ Dépraver, cit. 5). *Des égarements de jeunesse. Revenir de ses égarements. Les égarements de mon cœur.* → Recoin, cit. 3. — *Les Égarements du cœur et de l'esprit,* roman de Crébillon fils (1736).

7 Ô haine de Vénus! Ô fatale colère!
Dans quels égarements l'amour jeta ma mère! RACINE, Phèdre, I, 3.

8 Ce ne sera qu'après cette expiation préliminaire, que j'oserai déposer à vos pieds l'humiliant aveu de mes longs égarements (...)
LACLOS, les Liaisons dangereuses, Lettre CXX.

CONTR. Calme, lucidité, ordre, prudence, tranquillité.

ÉGARER [egaʀe] v. tr. — V. 1120, *esguarer;* de *é-,* et du germanique **warôn* « faire attention à ». → Garer.

♦ **1.** (V. 1120). Mettre (qqn) hors du droit chemin. ⇒ **Dérouter, désorienter, dévoyer, fourvoyer, perdre.** *Notre guide nous a égarés* (→ Chien, cit. 8; détour, cit. 2).

(...) des vaisseaux qu'il envoyait (...) le vent en a égaré et séparé cinq ou six. 1
Mme DE SÉVIGNÉ, 1074, 20 oct. 1688.

Le général Lagercron, qui marchait devant avec cinq mille hommes et des pionniers, égara l'armée vers l'orient, à trente lieues de la véritable route. 2
VOLTAIRE, Charles XII, IV.

♦ **2.** (V. 1397). Mettre (qqch.) à une place qu'on oublie et où on ne la retrouve pas par la suite; perdre momentanément. *Égarer son mouchoir, ses clefs* (→ Bois, cit. 43). *Égarer un papier, un dossier. Égarer une pièce.* ⇒ **Adirer** (dr.). — Par plais. *Égarer une personne. J'ai égaré mon mari, vous ne l'auriez pas vu?*

Pour ne pas les égarer, mets les choses toujours où tu les mettrais spontanément. 3
On n'oublie pas ce qu'on ferait toujours. VALÉRY, Analecta, p. 169.

♦ **3.** Faire errer, laisser errer. *Égarer ses pas dans la campagne.* — Fig. *Égarer son regard sur la foule* (→ Cloître, cit. 4). *Égarer ses pensées dans une rêverie lointaine.*

Par ces chemins de fleurs (...) 4
Qu'il est doux d'égarer ses désirs et ses pas. C. DELAVIGNE, le Paria, II, 2.

Nous n'irons plus dans les prairies, 5
Égarer, d'un pas incertain,
Nos poétiques rêveries. LAMARTINE, Premières méditations, « Adieu ».

♦ **4.** Fig. Détourner, écarter (qqn) de la vérité, du bien. ⇒ **Abuser, aveugler, dérouter, détourner, dévier, tromper, troubler.** *Difficultés qui égarent la réflexion* (→ Complexité, cit. 1). *Lecture qui égare la curiosité sans la satisfaire* (→ Dénicher, cit. 4). *Égarer la jalousie, les soupçons de qqn* (→ Donner le change*). *Ses conseils risquent de vous égarer. Mauvais guides, faux prophètes, doctrines subversives qui égarent le peuple, les esprits. Campagne de presse qui égare l'opinion. Faux bruits qui égarent le public.* ⇒ **Confusion** (jeter la confusion), **désordre** (cit. 17). *Les mauvais exemples l'ont égaré.* ⇒ **Dévoyé.** *La colère, la douleur, la joie vous égare.* ⇒ **Tête** (tourner la tête).

(Passif et p. p.). *Être égaré par la passion.*

Le plaisir, de lui-même, est un trompeur, et, quand l'âme s'y abandonne sans raison, il ne manque jamais de l'égarer. 6
BOSSUET, Traité de la connaissance de Dieu, III, 8.

Ne nous laissons point égarer par l'imagination qui embellit tout, par le sentiment qui aime à se créer des illusions et réalise tout ce qu'il espère. 7
G.-T. RAYNAL, Hist. philosophique, XVIII, 52, *in* LITTRÉ.

Il ne faut pas trop s'appesantir sur ces idées de tristesse et de misanthropie; c'est un poison qui s'irrite et s'aigrit dans le cœur et finit par égarer la raison. 8
CHATEAUBRIAND, *in* SAINTE-BEUVE, Chateaubriand, t. II, p. 410, n. 273.

Aucune hypocrisie ne venait altérer la pureté de cette âme naïve, égarée par une passion qu'elle n'avait jamais éprouvée. 9
STENDHAL, le Rouge et le Noir, I, XI, p. 66.

Le goût vindicatif de la destruction peut-il à ce point égarer votre jugement et vous détourner de votre propre intérêt? 10
G. DUHAMEL, Récits des temps de guerre, IV, XX.

Pathol. Troubler l'esprit, la raison de qqn. ⇒ **Aliéner, désaxer.** *Cet accident lui a égaré l'esprit.*

▶ S'ÉGARER v. pron.

♦ **1.** Se fourvoyer, se perdre. ⇒ **Fourvoyer** (se). *S'égarer dans un labyrinthe, un dédale. S'égarer de plusieurs kilomètres.* ⇒ **Écarter** (s'). *Nous nous sommes égarés, je ne reconnais pas le chemin. Animal qui s'égare loin du troupeau* (→ Brebis, cit. 3). — *Lettre, colis qui s'égare en route,* qui prend une mauvaise direction.

Les voilà *(le Petit Poucet et ses frères)* bien affligés; car plus ils s'égaraient, plus ils s'enfonçaient dans la forêt. Ch. PERRAULT, Contes, « Le petit Poucet ». 11

Le chemin de la vérité! j'y ai fait un long détour; aussi le pays où vous vous égarez m'est bien connu. Joseph JOUBERT, Pensées, Titre préliminaire. 12

(Le sujet désigne ce qui est à une place anormale). *Sa main s'égarait...* Spécialt. *Plusieurs votes se sont égarés sur un candidat peu sérieux,* se sont portés inutilement sur lui. ⇒ **Disperser** (se).

Par métaphore. ⇒ **Errer.** *Rêverie qui s'égare* (→ Aplanir, cit. 2).

Mon esprit est un vagabond qui se plaît à s'égarer (...) Lâchons-lui donc encore une fois la bride (...) DESCARTES, Méditations métaphysiques, II. 13

Vous pleurez cependant, et votre œil qui s'égare, 14
Parcourt avec horreur cette enceinte barbare (...) VOLTAIRE, les Scythes, III, 4.

Mon esprit tourmenté s'égarait dans le rêve (...) 15
MAUPASSANT, Contes, « L'épave », p. 171.

♦ **2.** Fig. (dans l'ordre intellectuel ou moral). Faire fausse route, sortir du sujet. *S'égarer à force de digressions.* → Se perdre, se noyer dans les détails*. *Orateur qui s'égare dans son discours* (→ Perdre le fil*). *S'égarer dans la recherche d'une solution.* → Faire fausse route*. *La discussion s'égare. — Désir, amour qui s'égare.*

La raison agit avec lenteur, et avec tant de vues, sur tant de principes (...) qu'à toute heure elle s'assoupit ou s'égare, manque d'avoir tous ses principes présents. 16
PASCAL, Pensées, IV, 252.

Insensée, où suis-je? et qu'ai-je dit? 17
Où laissé-je égarer mes vœux et mon esprit?
Je l'ai perdu : les dieux m'en ont ravi l'usage. RACINE, Phèdre, I, 3.

Cette méthode me paraît utile pour empêcher un auteur qui se défie de lui, de s'égarer dans des visions (...) ROUSSEAU, Émile, I. 18

Il lui est arrivé de se tromper (...) mais il (...) ne faisait aucune difficulté pour reconnaître la mauvaise route et le temps parfois perdu à s'y égarer. 19
Henri MONDOR, Pasteur, p. 56.

19.1 Et il *(le soldat)* continue de parler, s'égarant dans une surabondance de précisions d'une confusion sans cesse croissante, s'en rendant compte tout à fait, s'arrêtant presque à chaque pas pour repartir dans une direction différente, persuadé maintenant, mais trop tard, de s'être fourvoyé dès le début (...) A. ROBBE-GRILLET, Dans le labyrinthe, p. 151.

S'écarter du bon sens. ⇒ **Divaguer.** *Cerveau qui s'égare. Je sens ma tête s'égarer. Ma raison s'égare.* → Poison, cit. 3.

20 Que veux-tu? Je suis folle, et mon esprit s'égare. CORNEILLE, le Cid, II, 5.

21 (...) ma tête s'égare ; voilà mes idées qui se bouleversent. A. DE MUSSET, On ne badine pas avec l'amour, I, 5.

▶ **ÉGARÉ, ÉE** p. p. adj. et n.

♦ **1.** Qui s'est égaré, qui a perdu son chemin. *Voyageur égaré. Animal égaré* (→ Bouger, cit. 1). *Soldat égaré après un combat* (→ Bagage, cit. 2). *Nageur égaré* (→ Courant, cit. 5). *Colis égaré.*

22 (...) imitant en ceci les voyageurs qui, se trouvant égarés en quelque forêt, ne doivent pas errer en tournoyant tantôt d'un côté, tantôt d'un autre (...) mais marcher le plus droit qu'ils peuvent vers un même côté (...) DESCARTES, Disc. de la méthode, III.

23 (...) l'homme sans lumière, abandonné à lui-même, et comme égaré dans ce recoin de l'univers (...) PASCAL, Pensées, III, 693 (→ Aveuglement, cit. 9; détourner, cit. 24).

Relig. Qui s'est éloigné de l'Église. *La brebis égarée,* que le Bon Pasteur ramène au troupeau (⇒ **Hérétique, pécheur**). *Ramener au bercail la brebis égarée.*

24 Insensé! Que t'a fait Jésus que tu fuis opiniâtrement sa douce présence? D'où vient que la brebis égarée ne reconnaît plus la voix du pasteur qui l'appelle et lui tend les bras (...)? BOSSUET, Sermons, 3e dimanche après la Pentecôte.

25 Viens donc (...) viens faire une paix durable avec ton ancien maître ; il te recevra comme un fils égaré, et ne s'apercevra point de l'énorme quantité de culpabilité que tu as (...) LAUTRÉAMONT, les Chants de Maldoror, VI, p. 256.

26 L'Église n'a été si dure pour les hérétiques que parce qu'elle estimait qu'il n'est pas de pire ennemi qu'un enfant égaré. CAMUS, le Mythe de Sisyphe, p. 153.

N. *Un, une égarée. Les égarés.*

26.1 L'épreuve ramène à Dieu. On en est quitte pour prier pour les égarés. Rien n'empêche de les voir. J. RENARD, Journal, 5 août 1899.

Vx. (Choses). Éloigné, écarté. *Village, chemin égaré.* Qui paraît égaré, qui est dispersé. *Deux ou trois grappes égarées sur une vaste treille. Quelques rares lumières égarées dans la Grand-Rue en pleine nuit. Voix égarées dans une élection sur des candidats peu sérieux.*

Qui paraît égaré, qui est déplacé. *Voir en Corneille un ancien Romain égaré dans le siècle de Louis XIV* (→ Avenant, cit. 5). *Un collégien égaré dans un bal musette.*

27 Comme, en outre, ce charmant camarade avait de la fantaisie et de la verve, dans tous les services du Ministre, il passait pour un véritable artiste égaré dans la paperasse. Georges LECOMTE, Ma traversée, p. 122.

♦ **2.** Rare. (Personnes). Qui est en proie à l'égarement, comme fou, qui trahit le désordre mental. — N. (plus cour.). *Un égaré. Une gesticulation d'égaré. Pauvre égaré!*

28 En rentrant dans ces lieux, nous l'avons rencontrée Qui courait vers le temple, inquiète, égarée. RACINE, Andromaque, V, 5.

28.1 Levez-vous, nous dit-il alors en reprenant des verges, oui, levez-vous et craignez-moi : ses yeux étincellent, il écume : également menacées sur tout le corps, nous l'évitons (...), nous courons comme des égarées dans toutes les parties de la chambre, il nous suit, frappant indifféremment et sur l'une et sur l'autre (...) SADE, Justine..., t. I, p. 185-186.

Qui porte la marque de l'égarement. *Un air égaré. Des yeux égarés.* ⇒ **Hagard** (→ Affairé, cit. 1 ; aliéné, cit. 8).

29 Près de trois ans après la fin de ses épreuves, il apparaissait encore prodigieusement maigre et montrait un regard égaré. G. DUHAMEL, le Voyage de Patrice Périot, II, p. 36.

♦ **3.** Qui a été égaré, perdu (→ Égarer, 1., par anal.). *Il cherchait fiévreusement son billet égaré. Un objet égaré n'est encore un objet perdu.*

CONTR. Diriger, orienter ; gouverner. — Retrouver.
DÉR. Égarement.

ÉGAYANT, ANTE [egɛjɑ̃, ɑ̃t] adj. — 1870 ; p. prés. de *égayer.*

♦ Rare. Amusant.

Aller se coucher ensuite était une chose très égayante, surtout avec la perspective du lendemain jeudi qui prédisposait à s'amuser de tout. LOTI, le Roman d'un enfant, 1890, p. 149, in T. L. F.

1. ÉGAYEMENT [egɛjmɑ̃] n. m. ⇒ **Égaiement.**

2. ÉGAYEMENT [egɛjmɑ̃] n. m. — 1870 ; de l'anc. v. *égayer, esgaier* (1600), de *aigue* «eau».

♦ Techn. Fossé d'écoulement pour les eaux d'irrigation.
HOM. 1. Égayement ou égaiement.

ÉGAYER [egɛje ; egeje] v. tr. — Conjug. *payer.* — V. 1228, *agueer ; soi esgaier,* v. 1175 ; de *é-, gai,* et *-er.*

♦ **1.** Rendre gai, plus gai. ⇒ **Amuser, dérider, désennuyer, distraire,**

divertir, réjouir. *Égayer un malade. Il égayait les convives par ses bons mots* (⇒ **Bouffonner**). — Par ext. *Égayer la conversation.*

1 Mais quant aux discours de la philosophie, ils ont accoutumé d'égayer et réjouir ceux qui les traitent, non les renfrogner et contrister. MONTAIGNE, Essais, I, XXVI.

2 Un roman, dites-vous, pourrait vous égayer ; Triste chose à vous envoyer! Que ne demandez-vous un conte à La Fontaine? C'est avec celui-là qu'il est bon de veiller (...) A. DE MUSSET, Poésies nouvelles, «Silvia».

3 (...) au lieu de m'égayer, l'observation de Jacques me fit monter aux yeux un grand flot de larmes. Alphonse DAUDET, le Petit Chose, II, XIV, p. 356.

(1821). Argot de théâtre (vx). *Égayer une pièce, égayer l'ours :* siffler une pièce.

♦ **2.** (1547). Rendre agréable, plus agréable.

[a] (Sujet n. de personne). *Égayer un sujet, un ouvrage sérieux.* ⇒ **Orner.** *Égayer de, par quelques plaisanteries un entretien sérieux. Égayer son style. Égayer un tableau. — Égayer son deuil :* porter un deuil moins sévère.

[b] (Sujet n. de chose). Colorer (une chose) d'une certaine gaieté. *Un bon feu égayait la chambre. Fleurs, aquarelles qui égaient un appartement* (→ Capucine, cit.; curiosité, cit. 21). *Il faudrait une rencontre claire pour égayer ce rez-de-chaussée. — Rencontre qui égaie un séjour monotone* (→ Chimpanzé, cit.).

4 (...) il a fort égayé la tristesse du voyage. Mme DE SÉVIGNÉ, 424, in LITTRÉ.

5 (...) ces jupons sont d'un jaune queue de serin très vif, égayé de broderies de plusieurs nuances, représentant des oiseaux et des fleurs. Th. GAUTIER, Voyage en Espagne, p. 44.

6 Étonnants voyageurs! (...) Faites, pour égayer l'ennui de nos prisons, Passer sur nos esprits, tendus comme une toile, Vos souvenirs avec leurs cadres d'horizons. BAUDELAIRE, les Fleurs du mal, «Le voyage».

♦ **3.** Arbor. *Égayer un arbre.* ⇒ **Élaguer.**

▶ **S'ÉGAYER** v. pron.

Se divertir gaiement. ⇒ **Amuser** (s'), **réjouir** (se), **rire.**

7 Je voudrais qu'à l'utile on joignît l'agréable ; J'aime à voir le bon sens sous le masque des ris ; Et c'est pour m'égayer que je viens à Paris. VOLTAIRE, le Russe à Paris.

8 Quand la maison n'est qu'une triste solitude, il faut bien aller s'égayer ailleurs. ROUSSEAU, Émile, I.

9 (...) la divinité d'Empédocle alla échouer contre le scepticisme des rieurs, et la malicieuse légende s'égaya de ses sandales trouvées sur le mont Etna. RENAN, l'Avenir de la science, in Œ. compl., t. III, p. 957.

10 Ah çà! il est saoul! se dit Lahrier, qui s'égayait à le voir faire. COURTELINE, Messieurs les ronds-de-cuir, 6e tableau, II, p. 243.

S'égayer aux dépens de qqn, s'en moquer. ⇒ **Gausser** (se).

11 (...) au billard du *Casino* ou *Cercle Noble* de Verrières, quand quelque beau parleur interrompt la poule pour s'égayer aux dépens d'un mari trompé. STENDHAL, le Rouge et le Noir, I, XXI.

Spécialt et vx. Donner libre cours à sa fantaisie, à sa moquerie... (notamment par la parole).

12 Ce Monsieur Fleurant-là et ce Monsieur Purgon s'égayent bien sur votre corps (...) MOLIÈRE, le Malade imaginaire, I, 2.

13 Ainsi, dans cet amas de nobles fictions, Le poète s'égaie en mille inventions (...) BOILEAU, l'Art poétique, III.

▶ **ÉGAYÉ, ÉE** p. p. adj. Voir à l'article.

CONTR. Affliger, assombrir, attrister, chagriner, endeuiller, ennuyer, rembrunir.
DÉR. 1. Égaiement ou égayement, égayant, égayeur.
HOM. Égailler (éventuel).

ÉGAYEUR, EUSE [egɛjœʀ, øz] n. — Av. 1896, Goncourt ; de *égayer.*

♦ Rare. Personne qui égaye (qqn, une compagnie).

ÉGÉEN, ENNE [eʒeɛ̃, ɛn] adj. et n. — 1914 ; surnom de Neptune, 1838 ; de *(mer) Égée,* et *-éen.*

♦ (1914). Qui concerne les pays baignés par la mer Égée (notamment la Grèce antique). *La civilisation, les langues égéennes.* — N. *Un Égéen, une Égéenne :* personne qui habitait ces pays.

ÉGÉRIE [eʒeʀi] n. f. — 1846, Balzac ; du lat. *Egeria,* nymphe qui aurait été la conseillère de Numa Pompilius, roi légendaire de Rome.

♦ Littér. Femme considérée comme la conseillère, l'inspiratrice d'un homme politique, d'un homme de lettres. *Madame Roland fut l'égérie des Girondins ; Madame de Caillavet, l'égérie d'Anatole France.*

1 Ma sœur jusqu'à présent fut ma seule Égérie : Sur vos deux bras charmants maintenant, appuyé, J'aurai deux confidents, l'amour et l'amitié. A. DE MUSSET, Songe d'Auguste.

2 Son ambition *(de Mme de Staël)* visait à être l'Égérie des hommes d'État et, pour un maître de la France, une maîtresse dirigeante. Louis MADELIN, Hist. du Consulat et de l'Empire, De Brumaire à Marengo, IX, p. 135.

3 (...) cette jolie femme *(Hortense Allart)* d'esprit et de cœur, un peu trop reléguée,

il me semble, au nombre des Égéries à tout faire, et qui, par le style et par la culture, valait beaucoup mieux que cela.
ÉMILE HENRIOT, Portraits de femmes, p. 290.

Fig. (par plais.). *La bouteille est son égérie.*

ÉGERMAGE [eʒɛʀmaʒ] n. m. — 1877, Littré, *Suppl.* ; de *égermer.*

♦ Techn. (agric.). Action d'enlever les germes. *L'égermage des pommes de terre.* Syn. : *dégermage.*

ÉGERMER [eʒɛʀme] v. tr. — 1897, *Nouveau Larousse illustré* ; de *é-, germe,* et suff. *-er.*

♦ Techn. (agric.). ⇒ **Dégermer.**

DÉR. Égermage.

EGESTA [eʒɛsta] n. m. pl. — D. i. (xxᵉ) ; mot lat., plur. de *egestum,* p. p. neutre de *egere* «rejeter, évacuer».

♦ Physiol. Ensemble de substances éliminées par le tube digestif : déchets de la digestion (⇒ **Excrément**) et matières non digérées ayant traversé le tube digestif.

ÉGIDE [eʒid] n. f. — 1512 ; lat. *ægis, -idis,* grec *aigis, -idos,* proprt «peau de chèvre», de *aix, aigos* «chèvre».

♦ **1.** (1512). Didact. Bouclier ou cuirasse de Zeus qu'il confiait souvent à sa fille Athéna (Minerve, Pallas). *Sur l'égide, couverte de la peau de la chèvre Amalthée, était fixée la tête de Méduse.*

1 Sa cuirasse ressemblait dans le combat, à l'immortelle égide.
FÉNELON, Télémaque, I.

2 Il *(Cupidon)* tira de son carquois d'or la plus aiguë de ses flèches, il banda son arc, et allait me percer, quand Minerve se montra soudainement pour me couvrir de son égide.
FÉNELON, Télémaque, IV.

♦ **2.** (1569). Fig. (littér. ou didact., sauf dans l'expression usuelle *sous l'égide de...*). Ce qui défend, protège. ⇒ **Appui, auspice, bouclier, bras, patronage, protection, sauvegarde, tutelle.** *Prendre qqn sous son égide. Se mettre sous l'égide de qqn. Être sous l'égide des lois. Servir d'égide à qqn.*

3 Ce sera dessous cette égide *(la paix),*
Qu'invincible de tous côtés,
Tu verras ces peuples sans bride
Obéir à tes volontés (...)
MALHERBE, Ode à la Reine sur les heureux succès de sa régence.

4 Ce généreux appui, le seul qui m'est resté,
Me servirait d'égide et serait respecté.
VOLTAIRE, Sophonisbe, 1769, III, 3.

4.1 (...) un nouveau délit pouvait seul me sauver : la Providence voulut que le crime servît au moins une fois d'égide à la vertu, qu'il la préservât de l'abîme où l'allait engloutir l'imbécillité des juges.
SADE, Justine..., t. I, p. 34.

5 Ma fierté est une trompeuse égide, je suis sans défense contre la douleur.
BALZAC, Béatrix, Pl., t. II, p. 567.

(Concret). Littéraire :

6 (...) elle se coula, sous l'égide des haies, vers la forêt où se trouvait sa demeure.
Louis PERGAUD, De Goupil à Margot, Fin de Fusel, p. 91.

ÉGIPAN [eʒipɑ̃] n. m. ⇒ Ægipan.

ÉGLANTIER [eglɑ̃tje] n. m. — 1080, *églenter* ; de l'anc. franç. *aiglent,* et suff. *-ier* ; du lat. pop. *æquilentum,* pour *aculentum* ; du lat. class. *aculeatus* «qui a des piquants», de *acus* «aiguille, pointe».

♦ Rosier sauvage *(Rosacées).* Baie (cit. 1) *d'églantier. Branche, buisson d'églantier. Fruit de l'églantier.* ⇒ **Cynorrhodon, gratte-cul.** *Galle de l'églantier :* bédégar. *Fleur de l'églantier.* ⇒ **Églantine.**

1 La fleur de l'églantier sent ses bourgeons éclore.
A. DE MUSSET, Poésies nouvelles, « La nuit de mai ».

2 Dans le taillis touffu, les églantiers fleuris tendaient leurs bouquets blancs.
R. DORGELÈS, les Croix de bois, VII, p. 148.

L'églantier mystique, représenté, dans l'iconographie chrétienne, aux pieds de la Vierge Marie (⇒ 1. **Rose**).

ÉGLANTINE [eglɑ̃tin] n. f. — 1600 ; *englantine,* 1560 ; de l'anc. franç. *aiglantin* (adj.), de *aiglent.* → Églantier.

♦ **1.** Fleur de l'églantier. *Un bouquet d'églantines.*

1 Je lui demandai mon chemin
Il tenait un luth d'une main,
De l'autre un bouquet d'églantine.
A. DE MUSSET, Poésies nouvelles, « La nuit de décembre ».

2 Ce poète *(Musset)* blessé au cœur, et qui crie avec de si vrais sanglots, a des retours de jeunesse et comme des ivresses de printemps. Il se retrouve plus sensible qu'auparavant (...) à la verdure, aux fleurs (...) et il porte aussi frais qu'à quinze ans son bouquet de muguet et d'églantine.
SAINTE-BEUVE, Causeries du lundi, Musset, t. I, p. 303.

3 (...) était-ce qu'ayant vu auparavant de l'épine blanche, la vue d'une épine rose et dont les fleurs ne sont plus simples mais composées, le frappa à la fois de ces deux prestiges de l'analogie et de la différence qui ont tant de pouvoir sur notre

esprit? Mais pourtant il avait peut-être vu des églantines avant de voir des roses et n'aima jamais beaucoup les unes ni les autres.
PROUST, Jean Santeuil, Pl., p. 331.

Par métonymie. *Couleur d'églantine* ou *églantine* (adj. invar.) : rose pâle. *Des tuniques églantine.*

Vx (hist.). *Les églantines rouges :* les socialistes et communistes, qui portaient (v. 1900-1910) une églantine rouge à la boutonnière et s'opposaient aux « œillets blancs » (on a parlé des « *églantinards* », Barrès, *in* T. L. F.).

♦ **2.** (1560). Hist. Églantine (1.) d'or décernée aux *Jeux Floraux* de Toulouse.

ÉGLEFIN [egləfɛ̃] ou AIGLEFIN [egləfɛ̃] n. m. — 1554 ; *egreffin, esclefin,* v. 1300 ; var. *aiglefin, aigrefin* ; du moy. néerl. *schelvich,* avec infl. probable de *aigle.*

♦ Poisson de mer *(Gadidés),* proche de la morue, dont il se distingue notamment par une tache noire sur chaque flanc. *Églefin fumé.* ⇒ **Haddock.** *Une tranche, un filet d'églefin.* ⇒ **Cabillaud.** — REM. On trouve aussi la variante *aigrefin.* → 2. Aigrefin.

ÉGLISE [egliz] n. f. — V. 1050 ; du lat. *eclesia* ou *ecclesia,* grec *ekklésia* «assemblée».

★ **I.** (Avec un É majuscule, sauf, quelquefois, aux sens 5 et 6).

♦ **1.** Assemblée réunissant les premiers chrétiens. *L'Église d'Éphèse, d'Antioche. L'Église primitive ; la primitive Église* (→ Altruisme, cit. 3 ; baptême, cit. 7). *L'Église des apôtres. Les diacres*, les archidiacres, les diaconesses de l'Église primitive.*

1 C'est Jésus-Christ lui-même qui nous a appris à croire l'Église en ce sens. Car pour fonder cette Église, il est sorti du sein invisible de son Père, et s'est rendu visible aux hommes ; il a assemblé autour de lui une société d'hommes qui le reconnaissait pour maître : voilà ce qu'il a appelé son Église. C'est à cette Église primitive que les fidèles qui ont cru depuis se sont agrégés, et c'est de là qu'est née l'Église que le Symbole appelle *universelle.* Jésus-Christ a employé le mot d'*Église* pour signifier cette société visible, lorsqu'il a dit lui-même qu'il fallait écouter l'Église : « Dites-le à l'Église »; et encore lorsqu'il a dit : « Tu es Pierre, et sur cette pierre je bâtirai mon Église, et les portes d'enfer n'auront point de force contre elle. »
BOSSUET, Conférence avec M. Claude, I.

2 Un germe d'Église commençait dès lors à paraître. Cette idée féconde du pouvoir des hommes réunis *(ecclesia)* semble bien une idée de Jésus.
RENAN, Vie de Jésus, Œ. compl., t. IV, p. 269.

♦ **2.** (1135). *L'Église chrétienne* ou *l'Église :* assemblée de tous ceux qui ont la foi en Jésus-Christ (→ Assemblée, cit. 7). *L'Église catholique* (cit. 1), *universelle, œcuménique.* ⇒ **Chrétienté, communauté** (chrétienne), **communion** (des fidèles, des saints), **corps** (de l'Église) ; (→ Autel, cit. 22 ; corps, cit. 42. — *Les membres de l'Église* (→ Avouer, cit. 2). *L'Église visible, invisible. L'Église du Christ. Histoire de l'Église. Les Pères, les Docteurs de l'Église* (⇒ **Patrologie**). *L'Église chrétienne,* ouvrage de Renan.

L'Église militante : l'ensemble des fidèles sur la terre. *L'Église souffrante :* les justes qui souffrent au purgatoire. *L'Église triomphante :* les bienheureux qui connaissent Dieu dans le ciel. *L'éternité, la sainteté de l'Église.*

3 Alors Jésus-Christ vient dire aux hommes qu'ils n'ont point d'autres ennemis qu'eux-mêmes, que ce sont leurs passions qui les séparent de Dieu, qu'il vient pour les détruire, et pour leur donner sa grâce, afin de faire d'eux tous une Église sainte, qu'il vient ramener dans cette Église les païens et les Juifs, qu'il vient détruire les idoles des uns et la superstition des autres.
PASCAL, Pensées, XII, 783.

♦ **3.** (1546). Ensemble de fidèles unis, au sein du christianisme, dans une communion particulière. ⇒ **Communion, confession, croyance, culte, religion.** *L'Église latine* (→ ci-dessous, 4.). *L'Église orthodoxe grecque, russe. L'Église d'Occident, d'Orient.*
Église grecque romanisante, latinisante. Églises réformées ou protestantes ; *évangéliques* ; *anglicane* ; *presbytérienne* ; *baptiste, méthodiste... Les sectes d'une Église. Église schismatique.* ⇒ **Schisme** (→ Antiquité, cit. 2). *Histoire des variations des Églises protestantes,* ouvrage de Bossuet.

4 Pour ce qui est de la vraie Église, elle est, dit-il, représentée par saint Pierre, lorsque Jésus-Christ ayant demandé à ses disciples : « Ne voulez-vous point aussi vous retirer ? cet apôtre lui répondit au nom de tous : Seigneur, à qui irions-nous ? Vous avez des paroles de vie éternelle » nous montrant par cette réponse, poursuit le saint martyr, que qui que ce soit qui quitte Jésus-Christ, « l'Église ne le quitte pas, et que ceux-là sont l'Église qui demeurent dans la maison de Dieu » de sorte que le caractère des novateurs est de la quitter, ainsi que le caractère des vrais fidèles est d'y demeurer toujours.
BOSSUET, Première instruction pastorale sur les promesses de J.-C. à l'Église, XXVI.

(Au plur.). Confessions chrétiennes. *Séparation des Églises et de l'État, en Belgique, en France* (⇒ **Laïcité**). *Adversaire de l'intervention de l'Église dans les affaires publiques.* ⇒ **Anticlérical.**

♦ **4.** Spécialt. L'Église catholique romaine. ⇒ **Catholicité.** *Le Pape, chef visible de l'Église. L'autorité de l'Église* (→ Baisser, cit. 11). *Pouvoir temporel* (→ Ascendant, adj., cit. 1), *juridiction temporelle de l'Église.* ⇒ **For** (ecclésiastique). *Les biens de l'Église.* ⇒ **Aumône,** 3. (→ Assignation, cit.). *Les États de l'Église* ou *États pontificaux,* restés jusqu'en 1870 sous la souveraineté du Pape. *Le siège de l'Église.* ⇒ **Siège** (Saint-Siège). *Les privilèges de l'Église*

(→ Asile, cit. 13). — *L'enseignement de l'Église.* ⇒ 2. **Canon** (cit. 1); **bulle, croyance, décret, doctrine, dogme; définition; encyclique; magistère.** *La discipline, les commandements de l'Église. Problème de l'évolution de l'Église.* ⇒ **Modernisme.** *Croire ce que l'Église enseigne. Le pouvoir spirituel, l'infaillibilité de l'Église* (→ Associer, cit. 3). *« Hors de l'Église, pas de salut ». — Notre mère, la sainte Église. L'Église, la mère des fidèles* (→ Allaiter, cit. 4). *La France, la fille aînée* (cit. 1) *de l'Église. — Les enfants de l'Église. Se marier devant l'Église, en face de l'Église* (vieilli) : se marier religieusement. *Mourir dans l'Église, en paix avec l'Église, muni des sacrements de l'Église.*

L'Église et l'État. Luttes entre le pouvoir spirituel (Église) *et le pouvoir temporel* (État). *Église tendant à gouverner et absorber l'État.* ⇒ aussi **Théocratie.** *Les rois de France s'efforcèrent de défendre leur autorité contre les empiétements de l'Église. Union de l'Église et de l'État,* avant 1789. *Accord réglant les rapports entre l'Église et l'État.* ⇒ **Concordat.**

La discipline de l'Église. Les condamnations, les foudres de l'Église. ⇒ **Anathème, censure, excommunication, index, interdit, monition, sentence, suspens.** *Retrancher qqn de l'Église, du sein de l'Église,* l'excommunier. *Publication qui reçoit l'approbation de l'Église* (→ Imprimatur, nihil obstat). *Indulgences accordées par l'Église. Entrer, rentrer* (→ Abjurer, cit. 2) *dans l'Église, dans le giron de l'Église* (→ Bercail). *Adjurer qqn de se soumettre aux décisions de l'Église. Luttes de la Réforme contre l'Église* (⇒ **Papisme**).

La prière, les prières, les cérémonies, les offices, les pompes, les chants de l'Église. ⇒ **Office** (divin); **antiphonaire, bréviaire, cérémonial, heure, missel, rituel; culte, liturgie.** *Les fêtes de l'Église.* ⇒ **Annonciation, Ascension, Assomption, Chandeleur, Circoncision, Épiphanie, Exaltation** (de la Sainte Croix), **Noël, Pâques, Pentecôte, rogation, Trinité, vendredi** (Vendredi saint), **Visitation.** *Le calendrier* des offices de l'Église.* ⇒ **Ordo.** *Fête d'un saint, commémoration d'un saint, vigile d'une fête, célébrées dans l'Église. Béatification, canonisation des saints, par l'Église. — Les sacrements de l'Église.* ⇒ **Sacrement** (→ Appeler, cit. 13).

5 (...) il faut dire (...) que le renouvellement des sciences, des arts et des lettres, est dû à l'Église; que la plupart des grandes découvertes modernes (...) lui appartiennent; que l'agriculture, le commerce, les lois et le gouvernement lui ont des obligations immenses; que ses missions ont porté les sciences et les arts chez des peuples civilisés, et les lois chez des peuples sauvages; que sa chevalerie a puissamment contribué à sauver l'Europe d'une invasion de nouveaux Barbares; que le genre humain lui doit (...) une plus grande humanité chez les hommes (...)
CHATEAUBRIAND, le Génie du christianisme, IV, VI, XII.

6 Que l'Église veuille tout faire et tout être, c'est une loi de l'esprit humain.
BAUDELAIRE, Journaux intimes, « Fusées », II.

7 (...) les titres de l'Église valent les titres de l'État. C'est pourquoi, s'il est juste qu'il soit indépendant et souverain chez lui, il est juste qu'elle soit chez elle indépendante et souveraine; si l'Église empiète quand elle prétend régler la constitution de l'État, l'État empiète quand il prétend régler la constitution de l'Église, et si, dans son domaine, il doit être respecté par elle, dans son domaine, elle doit être respectée par lui.
TAINE, les Origines de la France contemporaine, III, t. I, p. 274.

8 Dans une Église fondée sur l'autorité divine, on est aussi hérétique pour nier un seul point que pour nier le tout. Une seule pierre arrachée de cet édifice, l'ensemble croule fatalement. RENAN, Souvenirs d'enfance..., V, III.

9 Je suis très assuré que l'Église doit tout surmonter à la fin des fins et que rien ne prévaudra contre elle (...) Mais Elle peut tomber, demain, dans le mépris absolu, dans l'ignominie la plus excessive. Elle peut être conspuée, fouettée, crucifiée, comme Celui dont elle se nomme l'Épouse. Léon BLOY, le Désespéré, p. 177.

L'autorité ecclésiale (dans un lieu donné). *L'Église de Rome :* le Vatican. *L'Église de France. L'Église latino-américaine. L'Église gallicane*. De l'Église gallicane dans ses rapports avec le Souverain Pontife,* traité de Joseph de Maistre.

♦ **5.** (1549). L'état ecclésiastique, l'ensemble des ecclésiastiques. ⇒ **Clergé.** — REM. Dans cet emploi, on écrit aussi *église* avec une minuscule. Le mot s'emploie surtout en parlant de l'Église catholique romaine. — *Se faire, être d'Église, appartenir à l'Église. Un homme d'Église. Les gens d'Église. L'Église, l'Épée, la Robe :* les trois états, sous l'Ancien Régime (→ Amphibie, cit. 2). *Il fut destiné de bonne heure à l'Église. Entrer dans l'Église. Cérémonie qui introduit un homme dans l'Église.* ⇒ **Tonsure; ordre; consécration, ordination.** *La hiérarchie, dans l'Église.* ⇒ **Clerc, ecclésiastique, prêtre.** *Dignitaires, prélats de l'Église.* ⇒ **Archiprêtre, chanoine; cardinal, évêque...** *Les conciles, les consistoires réunissent les princes de l'Église. Cour d'Église :* juridiction de l'Évêque.

10 Rien n'est plus sagement ordonné que ces cercles qui partant du dernier chantre de village, s'élèvent jusqu'au trône pontifical qu'ils supportent, et qui les couronne. L'Église ainsi, par ses différents degrés, touchait à nos divers besoins (...) Si jadis l'Église fut pauvre, depuis le dernier échelon jusqu'au premier, c'est que la chrétienté était indigente comme elle. Mais on ne saurait exiger que le clergé fût demeuré pauvre, quand l'opulence croissait autour de lui.
CHATEAUBRIAND, le Génie du christianisme, IV, III, II.

11 D'autre part, dans un État qui peu à peu se dépeuplait, se dissolvait et fatalement devenait une proie, il *(le clergé)* avait formé une société vivante, guidée par une discipline et des lois, ralliée autour d'un but et d'une doctrine, soutenue par le dévouement des chefs et l'obéissance des fidèles, seule capable de subsister sous le flot de barbares que l'Empire en ruine laissait entrer par toutes ses brèches : voilà l'Église. TAINE, les Origines de la France contemporaine, t. I, I, p. 4.

12 Je me demande ce que vous avez dans les veines aujourd'hui, vous autres jeunes prêtres! De mon temps, on formait des hommes d'Église... oui, des hommes d'Église, prenez le mot comme vous voudrez, des chefs de paroisse, des maîtres, quoi, des hommes de gouvernement.
BERNANOS, Journal d'un curé de campagne, I, p. 17.

♦ **6.** (1862). Fig. (avec un *é* minuscule). Ensemble de personnes professant une même doctrine, se ralliant aux mêmes principes (→ Adepte, cit. 2; communiste, cit. 3). ⇒ **Chapelle, clan, congrégation** (cit. 3), **coterie, école...** *Une petite église très fermée.*

(...) le surréalisme avec son aspect ambigu de chapelle littéraire, de collège spirituel, d'église et de société secrète n'est qu'un des produits de l'après-guerre. 12.1
SARTRE, Situations II, p. 226.

★ **II.** *Une, des églises* (avec un *é* minuscule). Édifice consacré au culte de la religion chrétienne. ⇒ **Basilique, cathédrale, chapelle** (cit. 2), **lieu** (saint), **maison** (de Dieu), **oratoire, temple.** *Bâtir* (cit. 13), *consacrer, bénir une église. La consécration d'une église.* ⇒ **Dédicace.** *Église cathédrale, épiscopale, métropolitaine. Le chapitre d'une église cathédrale. Église abbatiale* (⇒ **Abbaye**), *collégiale, conventuelle* (⇒ **Prieuré**), *paroissiale* (⇒ **Paroisse**). *La cure, le presbytère, le cimetière d'une église paroissiale* (→ Attenant, cit. 4; disséminer, cit. 1). *Les églises au moyen âge servaient de lieu d'asile* (⇒ aussi **Ambitus**). *La succursale d'une église paroissiale.* ⇒ **Annexe.** *Le desservant d'une église* (→ Curé, cit. 3).

Église dédiée à un martyr. ⇒ **Martyrium.** *Église désignée comme lieu de pèlerinage* (⇒ **Station**). *Église placée sous le vocable de Notre-Dame, de saint Pierre. Titres et privilèges d'une église* (⇒ **Cartulaire**). *Profanation d'une église. Réconcilier une église :* bénir de nouveau une église qui a été profanée.

L'architecture et le décor d'une église. ⇒ **Baptistère, cloître; clocher** (→ Beffroi, cit. 1), **clocheton, pinacle, tour; flèche; coupole, dôme; façade, narthex, parvis, porche, portail, porte, portique, tympan; chœur, sanctuaire; chapelle; nef, vaisseau; bas-côté, collatéral, transept** (bras et croisée); **abside, absidiale, chevet, choréa, déambulatoire; étage, galerie, tribune, triforium; ambon, jubé; caveau, crypte; arc, arcade, chapiteau, cintre** (plein cintre), **colonne, ogive, pilier, voûte; travée; rosace, rose, vitrail.** — *Le plan d'une église :* croix latine (†), croix grecque (+). — *Église fortifiée. Église byzantine* (⇒ **Iconostase**), *carolingienne, préromane, romane*, gothique*. Église Renaissance, classique, jésuite, baroque, rococo, Empire, moderne. L'horloge* (→ Blutoir, cit. 1), *les cloches, le carillon d'une église.*

(...) madame de Villeparisis nous mena à Carqueville où était cette église couverte 13
de lierre (...) Dans le bloc de verdure devant lequel on me laissa, il fallait pour reconnaître une église faire un effort qui me fit serrer de plus près l'idée d'église (...) cette idée d'église (...) j'étais obligé d'y faire perpétuellement appel pour ne pas oublier, ici, que le cintre de cette touffe de lierre était celui d'une verrière ogivale, là, que la saillie des feuilles était due au relief d'un chapiteau. Mais alors un peu de vent soufflait, faisait frémir le porche mobile que parcouraient des remous propagés et tremblants comme une clarté; les feuilles déferlaient les unes contre les autres; et frissonnante, la façade végétale entraînait avec elle les piliers onduleux, caressés et fuyants. PROUST, À la recherche du temps perdu, t. IV, p. 142.

Le trésor d'une église (⇒ **Monstrance, reliquaire**); *les vases sacrés d'une église.* ⇒ **Calice, ciboire, custode, ostensoir, patène.** *L'autel, le maître-autel d'une église.* ⇒ **Autel.** *Signaux réglant les cérémonies dans une église.* ⇒ **Claquette, clochette, crécelle.** *Instruction, prône, sermon prononcé de la chaire* d'une église.* ⇒ aussi **Bannière** (cit. 7), **bénitier, candélabre, confessionnal, croix, dais, ex-voto, fonts** (baptismaux), **harmonium, lampe, luminaire, lustre, lutrin, orgue, porte-chape, prie-Dieu, stalle** (stalle de miséricorde), **tronc.** *Ornements servant au clergé pour célébrer les offices dans une église.* ⇒ **Ornement.** *Personnes attachées au service d'une église.* ⇒ **Bedeau, cérémoniaire, chaisier, enfant** (de chœur), **gardien, sacristain, sacristine, suisse.** *Faire la quête dans une église. Revenus servant à entretenir une église.* ⇒ **Œuvre.** *Les bénéfices d'une église* (→ 1. Bénéficier, cit.). *Administration des biens d'une église.* ⇒ **Fabrique; fabricien, marguillier.** *Archives d'une église.* ⇒ **Marguillerie.**

D'église : propre à une église, aux églises. *Argenterie, linges d'église. Chants d'église.* ⇒ **Cantique; chapelle** (et maître de chapelle), **maîtrise, psallette.**

Entrer dans une église (→ Apaisement, cit. 1). *Visiter une église* (→ Bénédiction, cit. 7; dévot, cit. 3). *Les fidèles, le troupeau d'une église. Faire le signe de la croix en entrant dans une église. Prier dans une église. Aller à l'église. C'est un pilier d'église. Il est toujours fourré à l'église.* ⇒ **Bigot** (cit. 4). — *Se marier à l'église,* religieusement. — Par plais. *Se marier derrière l'église :* vivre en concubinage. *Publier les bans à l'église. Se faire enterrer à l'église. Les honneurs de l'église,* réservés aux fondateurs et patrons d'une église. — *Balayer l'église,* en sortir le dernier.

Je ne remarque point qu'il hante les églises. MOLIÈRE, Tartuffe, II, 2. 14

Et toi que les fenêtres observent la honte te retient 15
D'entrer dans une église et de t'y confesser ce matin (...)
APOLLINAIRE, Alcools, « Zone ».

L'enfant de chœur n'est pas venu, je me croyais seul dans l'église. À cette heure, 16
en cette saison, à peine le regard porte-t-il un peu plus loin que les marches du chœur, et le reste est dans l'ombre. J'ai entendu tout à coup, distinctement, le faible bruit d'un chapelet glissant le long d'un banc de chêne, sur les dalles.
BERNANOS, Journal d'un curé de campagne, II, p. 146.

ÉGLOGUE [eglɔg] n. f. — 1375; *éclogue*, xiiᵉ; lat. *ecloga* «choix, recueil» d'où «pièce de vers», grec *eklogê* «pièce choisie», de *eklegein* «choisir».

♦ Petit poème pastoral où l'on met en scène des bergers. ⇒ **Bergerie, bucolique, idylle, pastorale.** *Églogues de Théocrite, de Virgile, de Ronsard.* — Genre littéraire qui caractérise de tels poèmes. *L'églogue est une forme poétique de la pastorale.*

1   Mais souvent dans ce style un rimeur aux abois
     Jette là, de dépit, la flûte et le hautbois;
     Et, follement pompeux, dans sa verve indiscrète,
     Au milieu d'une églogue entonne la trompette.
     De peur de l'écouter, Pan fuit dans les roseaux,
     Et les nymphes, d'effroi, se cachent sous les eaux.   BOILEAU, l'Art poétique, II.

2   Je veux, pour composer chastement mes églogues,
     Coucher auprès du ciel, comme les astrologues (...)
                    BAUDELAIRE, Tableaux parisiens, LXXXVI, « Paysage ».

Par métaphore. Genre de vie qui rappelle l'atmosphère des églogues. ⇒ **Idylle.**

3   (...) les sages du temps supposeront toujours qu'ils vivent en pleine églogue, et qu'avec un air de flûte ils vont ramener dans la bergerie la meute hurlante des colères bestiales et des appétits déchaînés.
                    TAINE, les Origines de la France contemporaine, II, I, II, p. 56.

Par ext. Œuvre musicale ou picturale utilisant les thèmes de l'églogue.

ÉGLOMISATION [eglɔmizasjɔ̃] n. f. — xixᵉ; de *églomiser*.

♦ Techn. Action d'églomiser; son résultat.

ÉGLOMISER [eglɔmize] v. tr. — 1825; de *é-*, *Glomy*, nom d'un décorateur du xviiiᵉ, et suff. verbal.

♦ Techn. Décorer (un objet) de verre au moyen d'une dorure intérieure. — P. p. adj. *Un presse-papiers en verre églomisé.* « *C'est surtout sous l'Empire et la Restauration que des plaques de verre églomisé revêtiront le plateau de petites tables* » (*Terminologie du mobilier,* in *la Banque des mots,* nᵒ 24, 1982, p. 227).
DÉR. Églomisation.

EGNOT [ɛgno] adj. et n. m. — Var. anc. de *huguenot**.

EGO [ego] n. m. — 1886; le mot est attesté fin xviiiᵉ en angl. et en all.; mot lat. «je» par l'allemand.

♦ Philos. Le sujet, l'unité transcendantale du moi (depuis Kant). ⇒ **Ipse, je, moi.**
Psychan. Le moi*.
Ethnol. Nom conventionnel retenu pour désigner l'individu choisi comme point de référence quand on décrit un système de parenté.
HOM. Égaux.

ÉGO-ALTRUISME [egoaltrɥism] n. m. — xxᵉ; *égo-altruiste,* 1922, Larousse; de *égoïsme,* et *altruisme,* d'après l'angl. *ego-altruistic* (H. Spencer, 1855).

♦ Philos. Égoïsme qui se réalise dans l'altruisme.

ÉGOCENTRIQUE [egosɑ̃tʀik] adj. — V. 1880; du lat. *ego* «moi», et *centre,* d'après *géocentrique, anthropocentrique.*

♦ **1.** Qui manifeste de l'égocentrisme. *Une attitude égocentrique.* — *Elle est un peu trop égocentrique.* ⇒ **Égocentriste.** — N. *C'est un égocentrique, une égocentrique.*

♦ **2.** Didact. **a** (Psychol.). *Langage égocentrique* (d'un enfant), qui ne se réfère pas de façon explicite à autrui.
b Ethnol. *Groupe égocentrique,* formé autour d'un individu vivant. ⇒ **Ego.**
DÉR. Égocentriquement, égocentrisme.

ÉGOCENTRIQUEMENT [egosɑ̃tʀikmɑ̃] adv. — 1940; de *égocentrique.*

♦ De manière égocentrique.

ÉGOCENTRISME [egosɑ̃tʀism] n. m. — Déb. xxᵉ; du rad. de *égocentrique,* et suff. *-isme.*

♦ **1.** Tendance à être centré sur soi-même et à ne considérer le monde extérieur qu'en fonction de l'intérêt qu'on se porte. ⇒ **Égoïsme, égotisme.**

Je n'irai pas jusqu'à l'accuser d'être communiste (...) les idées qu'il affiche sont un peu plus particulières. Plus dangereuses, plus subtiles et témoignant en tout cas d'un égocentrisme guère admissible chez un marxiste.
                    Pierre GASCAR, les Bêtes, p. 181.

♦ **2.** Psychol. Caractère individuel, non social, de la pensée enfantine, se traduisant par l'absence d'objectivité. *Égocentrisme persistant de l'adulte* (opposé à *allocentrisme*).
CONTR. Altérocentrisme.
DÉR. Égocentriste.

ÉGOCENTRISTE [egosɑ̃tʀist] adj. et n. — 1923; du rad. de *égocentrisme,* et *-iste.*

♦ Qui a un comportement, une personnalité égocentrique (1.). ⇒ **Égoïste.** *C'est l'être le plus égocentriste que je connaisse.* — N. *Un, une égocentriste.*
Je me laisse aller, je m'écoute, je suis un effroyable égocentriste.
                    Robert SABATIER, le Marchand de sable, p. 197.

ÉGOÏNE [egɔin] n. f. — 1676, *egohine,* altér. de *escohine,* 1344; du lat. *scobina* «lime, râpe» (→ Écouane); l'élément *égo* est p.-ê. induit par le lat. *ego* «je», la scie étant utilisable par une seule personne.

♦ Petite scie à main, composée d'une lame terminée par une poignée. — Appos. *Scie égoïne.*
REM. On trouve encore la graphie *égohine.*
La fabrication d'une scie à main, du genre de celles qu'on appelle égohines, coûta des peines infinies.   J. VERNE, l'Île mystérieuse, t. I, p. 261 (1874).

ÉGOÏSME [egɔism] n. m. — 1743, *in* D.D.L.; du lat. *ego* «moi», et *-isme.*

♦ **1.** Disposition à parler trop de soi, à se citer sans cesse, à rapporter tout à soi. ⇒ **Amour-propre** (sens 1, vieilli), **égocentrisme, égotisme, vanité.**

1   MM. de Port-Royal ont généralement banni de leurs écrits l'usage de parler d'eux-mêmes à la première personne, dans l'idée que cet usage, pour peu qu'il fût fréquent, ne procédait que d'un principe de vaine gloire et de trop bonne opinion de soi-même. Pour en marquer leur éloignement, ils l'ont tourné en ridicule sous le nom d'*égoïsme,* adopté depuis dans notre langue, et qui est une espèce de figure inconnue à tous les anciens rhéteurs (...) On est fâché de trouver perpétuellement l'*égoïsme,* dans Montaigne; il eût sans doute mieux fait de puiser ses exemples dans l'histoire, que d'entretenir ses lecteurs de ses inclinations, de ses fantaisies, de ses maladies, de ses vertus et de ses vices.   Encycl. (DIDEROT), art. *Égoïsme.*

♦ **2.** Attachement excessif à soi-même qui fait que l'on subordonne l'intérêt d'autrui à son propre intérêt. ⇒ **Intérêt** (personnel); **individualisme, narcissisme; moi, soi.** *Chacun pour soi et Dieu pour tous,* formule de l'égoïsme. *Les calculs, la muflerie de l'égoïsme. L'inconscience de l'égoïsme* (cf. le prov. : À qui a la panse pleine, il semble que les autres sont soûls). *Un sot, un vil égoïsme* (→ Blasphème, cit. 4). *L'égoïsme est un vice presque général* (→ Apathie, cit. 4). *Un égoïsme raffiné* (→ Célibataire, cit. 1; dureté, cit. 6). *C'est un monstre d'égoïsme. Geste, action dénuée d'égoïsme. S'élever au-dessus de l'égoïsme* (→ Douleur, cit. 20). *Lutter contre son égoïsme* (→ Ascèse, cit. 3; dépenser, cit. 2). *Agir par égoïsme. Être aveuglé par son égoïsme.*
Par ext. Tendance, chez les membres d'un groupe, à tout subordonner à leur intérêt. *L'égoïsme familial. L'égoïsme d'une classe sociale.*

« *L'amour est un égoïsme à deux* », aphorisme attribué à Mᵐᵉ de Staël.

2   (...) que tout aille, peu importe au prétendu sage, pourvu qu'il reste en repos dans son cabinet. Ses principes ne font pas tuer les hommes, mais ils les empêchent de naître, en détruisant les mœurs qui les multiplient, en les détachant de leur espèce, en réduisant toutes leurs affections à un secret égoïsme, aussi funeste à la population qu'à la vertu.   ROUSSEAU, Émile, IV (note).

3   Ma foi, pas si bête ! chacun pour soi dans ce désert qu'on appelle la vie.
                    STENDHAL, le Rouge et le Noir, p. 522.

4   (...) l'amour, qui est l'égoïsme à deux, sacrifie tout à soi, et vit de mensonges.
                    R. RADIGUET, le Diable au corps, p. 83.

5   Comment voulez-vous que ne périsse pas celui qui par un aveugle égoïsme, voudra lutter seul contre les intérêts réunis des autres.   SADE, Justine..., t. I, p. 51.

♦ **3.** Spécialt (psychan.). Intérêt porté par le moi* à lui-même.

6   (...) l'égoïsme ou « intérêt du moi » (...) se définit comme investissement par les pulsions du moi, le narcissisme comme investissement du moi par les pulsions sexuelles.
                    J. LAPLANCHE et J.-B. PONTALIS, Voc. de la psychanalyse, art. *Égoïsme.*

CONTR. Abandon, abnégation, altruisme, bienfaisance, bonté, charité, désintéressement, dévouement, don (de soi), **générosité.**
DÉR. V. Égoïste.

ÉGOÏSTE [egɔist] adj. et n. — 1721, *in* D.D.L.; du lat. *ego* «moi», et *-iste.*

★ **I.** Adj. ♦ **1.** Vx. Égotiste. — Philos. et vx. Solipsiste.

♦ **2.** Qui fait preuve d'égoïsme, est caractérisé par l'égoïsme. ⇒ **Dur, égocentrique, égocentriste, indifférent, ingrat, insensible, intéressé, mufle, personnel, sans-cœur, soi** (plein de soi, satisfait de soi)... *L'homme, né égoïste* (→ Cynique, cit. 6). *Un bonheur* (→ But, cit. 12), *une souffrance* (→ Accabler, cit. 15) *égoïste.*

0.1   Les jouissances isolées ont donc des charmes, elles peuvent donc en avoir plus que toutes autres; eh! s'il n'en était pas ainsi, comment jouiraient tant de vieillards,

tant de gens ou contrefaits ou pleins de défauts ; ils sont bien sûrs qu'on ne les aime pas ; bien certains qu'il est impossible qu'on partage ce qu'ils éprouvent, en ont-ils moins de volupté ? Désirent-ils seulement l'illusion ? Entièrement égoïstes dans leurs plaisirs, vous ne les voyez occupés que d'en prendre, tout sacrifier pour en recevoir.
SADE, Justine..., t. I, p. 194.

1 (...) comme si l'amour n'était pas de tous les sentiments le plus égoïste, et, par conséquent, lorsqu'il est blessé, le moins généreux.
B. CONSTANT, Adolphe, VI, p. 60.

2 Je ne sais si tu comprends ce qu'il y a d'égoïste dans l'expression «faire son salut». Ça sent le «chacun pour soi», le «sauve qui peut», l'«après moi le déluge».
G. DUHAMEL, Chronique des Pasquier, VII, II.

♦ **3.** Didact. (psychol.). *Instincts, penchants égoïstes,* qui poussent l'individu à se conserver.

Psychan. Qui concerne l'égoïsme* (cit. 6 et *supra*).

★ **II.** N. (1721). Celui, celle qui fait preuve d'égoïsme. *Un grand égoïste* (→ Dévot, cit. 12). *Vivre en égoïste ; se conduire en égoïste.* — Par ext. *Un, une égoïste à deux.*

3 Impassibles égoïstes qui pensez que ces convulsions du désespoir et de la misère passeront comme tant d'autres (...)
MIRABEAU, Collection, t. II, p. 185, *in* LITTRÉ.

4 Chez les égoïstes, les préjugés, les ténèbres de l'éducation riche, l'appétit croissant par l'enivrement, un étourdissement de prospérité qui assourdit, la crainte de souffrir qui, dans quelques-uns, va jusqu'à l'aversion des souffrants, une satisfaction implacable, le moi si enflé qu'il ferme l'âme (...)
HUGO, les Misérables, IV, VII, IV.

5 L'enfant n'est que lui, ne voit que lui, n'aime que lui, et ne souffre que de lui : c'est le plus énorme, le plus innocent et le plus angélique des égoïstes.
Ed. et J. DE GONCOURT, Journal, t. II, p. 204.

CONTR. **Altruiste, bienfaisant, bon, charitable, désintéressé, dévoué, généreux, large.**
DÉR. **Égoïstement.**

ÉGOÏSTEMENT [egɔistəmɑ̃] adv. — 1785 ; de *égoïste.*

♦ D'une manière égoïste (I., 2.). *Agir, réagir égoïstement. Profiter égoïstement de qqch. Égoïstement, il a refusé de partager. Il est égoïstement intéressé.*

Je lui gardais donc foi et hommage pour ce qui regardait cette santé à laquelle il prenait égoïstement tant d'intérêt, mais sur tout le reste je me crus permis de faire à peu près tout ce qui me procurerait de l'argent.
SADE, les 120 Journées de Sodome, I, 1 (1785), *in* D.D.L., II, 14.

CONTR. **Charitablement, généreusement.**

ÉGOMORPHISME [egomɔrfism] n. m. — XXᵉ ; du lat. *ego* «moi», et *-morphisme,* d'après *anthropomorphisme.*

♦ Didact. (psychol.). Tendance à attribuer aux autres personnes ses propres désirs, besoins et intérêts.

ÉGORGEMENT [egɔrʒəmɑ̃] n. m. — 1538 ; de *égorger.*
Action d'égorger.

♦ **1.** Action de tuer en tranchant la gorge. *L'égorgement d'un mouton.*

Par ext. Meurtre sauvage, massacre de personnes sans défense. ⇒ **Assassinat, carnage, tuerie.**

♦ **2.** Fig. (vieilli ou littér.). Action de mettre (qqn) dans une situation intenable, de faire disparaître (qqch.) par des moyens violents. *Cette loi permet l'égorgement des paysans pauvres.*

(...) égorgement de la liberté, étranglement du droit, viol des lois, souveraineté du sabre, massacre, trahison.
HUGO, Napoléon le Petit, p. 198.

Action d'attaquer violemment (une œuvre). ⇒ **Éreintement.** *L'égorgement d'une pièce par la critique.*

ÉGORGEOIR [egɔrʒwar] n. m. — 1773 ; de *égorger.*
Technique ou littéraire.

♦ **1.** Mar. Cargue servant à serrer les huniers.

♦ **2.** (1845). Littér. Lieu où l'on égorge.

♦ **3.** (1857). Techn. Machine à égorger les porcs (aux États-Unis).

ÉGORGER [egɔrʒe] v. tr. — Conjug. *bouger.* — 1450, *esgorger ; esgorgeter* plus fréquent au XVIᵉ ; de *é-, gorge,* et suff. verbal.

♦ **1.** Tuer (un animal) en lui coupant la gorge. ⇒ **Juguler, saigner.** *Égorger un poulet, un mouton, un bœuf* (→ Biche, cit. 3 ; cuisinier, cit. 1).

Spécialt. Égorger (une victime) pour l'offrir en sacrifice. ⇒ **Immoler, sacrifier.** *Les prêtres hébreux égorgeaient des brebis et des génisses.*

♦ **2.** Tuer (un être humain, généralement sans défense) en lui tranchant la gorge, et, par ext., avec une arme tranchante. ⇒ **Abattre, assassiner, égorgiller** (fam. et vx), **massacrer, poignarder, tuer.** *Égorger qqn avec un rasoir, un poignard. On l'a égorgé au coin d'un bois. Les prisonniers égorgèrent les sentinelles. Se faire égorger.* — Absolt. *On n'égorge plus pour cela.*

Je ne crois que les histoires dont les témoins se feraient égorger.					1
PASCAL, Pensées, IX, p. 593.

Nous payons vingt francs par domestique afin qu'un jour ils ne nous égorgent pas.					2
STENDHAL, le Rouge et le Noir, I, XVII.

♦ **3.** Fig. (Vieilli). Ruiner (qqn) par des exigences impitoyables. ⇒ **Assassiner, écorcher, exploiter.**

J'ai pour moi la justice, et je perds mon procès !					3
Un traître, dont on sait la scandaleuse histoire,
Est sorti triomphant d'une fausseté noire !...
(...) Il trouve, en m'égorgeant, moyen d'avoir raison.
MOLIÈRE, le Misanthrope, V, 1.

Faire payer trop cher une marchandise à (qqn). ⇒ pop. **Estamper, saigner.** *Cet hôtelier, ce restaurateur égorge ses clients.* ⇒ **Rançonner.**

♦ **4.** Fig. (Vieilli). Attaquer violemment (qqn). ⇒ **Dénigrer.** — Spécialt. Attaquer violemment (un auteur). ⇒ **Éreinter.**

Ces messieurs *(de la critique)* sont toujours très surpris, quand un auteur qu'ils égorgent se fâche et les étrangle.					3.1
ZOLA, Renée, p. 13.

Détruire (des valeurs, une institution) par la violence. *Égorger la liberté.*

Vx. Défigurer (une œuvre littéraire, musicale) par une mauvaise exécution. *On a égorgé sa musique.* — Par métonymie. *Égorger un compositeur.*

▶ **S'ÉGORGER** v. pron.
Se couper la gorge. — (Récipr.). *S'entr'égorger* (→ Bouger, cit. 8).

On vit sous Claude (...) dix-neuf mille hommes s'égorger sur le lac Fucin pour l'amusement de la populace romaine (...)					4
CHATEAUBRIAND, le Génie du christianisme, IV, VI, XIII.

▶ **ÉGORGÉ, ÉE** p. p. adj. *Bêtes égorgées.* — *Victime sauvagement égorgée.* — Fig. « *Les lois égorgées* » (Hugo). — N. *Un égorgé, une égorgée. Pousser des cris d'égorgé. Les égorgeurs et les égorgés.*

Souvent ils sortaient couteaux et rasoirs et alors ça valsait les estafilades. On comptait en moyenne deux égorgés par semaine.					5
R. QUENEAU, Loin de Rueil, p. 214.

DÉR. **Égorgement, égorgeoir, égorgeur, égorgiller.**

ÉGORGEUR, EUSE [egɔrʒœr, øz] n. — 1606 ; adj., XVIᵉ ; de *égorger.*

♦ **1.** Celui, celle qui égorge (des animaux, des êtres humains). ⇒ **Assassin, massacreur, meurtrier, tueur.**

— (...) pouah ! la vieille avec son fusil, son imperméable et ses bottes — mon cousin par ci, mon cousin par là... c'est qu'elle sent le carnier, l'égorgeuse !
BERNANOS, Monsieur Ouine, p. 23.

♦ **2.** (1837). Fig. (Vieilli). Commerçant qui fait payer trop cher sa marchandise ; homme d'affaires impitoyable à l'égard de ses débiteurs. *Les égorgeurs du commerce.*

♦ **3.** Fig. et littér. Personne qui anéantit une institution par la violence.

ÉGORGILLEMENT [egɔrʒijmɑ̃] n. m. — 1871 ; de *égorgiller.*

♦ Vx et fam. Action d'égorgiller.
Fig. Machination pour éliminer quelqu'un.

ÉGORGILLER [egɔrʒije] v. tr. — Av. 1799 ; de *égorger.*

♦ Vx et fam. Égorger (qqn).

(...) est-ce bien sérieusement que vous croyez faire un exemple quand vous égorgillez misérablement un pauvre homme dans le recoin le plus désert des boulevards extérieurs ? En Grève, en plein jour, passe encore ; mais à la barrière Saint-Jacques ! mais à huit heures du matin !
HUGO, le Dernier Jour d'un condamné, p. 15 (1829).

Fig. Nuire à (qqn).
DÉR. **Égorgillement.**

ÉGOSILLEMENT [egozijmɑ̃] n. m. — 1802 ; «action d'égorger», 1606 ; de *égosiller.*

♦ **1.** Fait de s'égosiller.

♦ **2.** Chant prolongé et très haut (d'un oiseau). *Un égosillement de rossignol.*

ÉGOSILLER (S') [egozije] v. pron. — 1653, Scarron ; «égorger», 1488 ; de *é-,* du rad. de *gosier,* suff. *-iller.*

♦ **1.** Se fatiguer la gorge à force de parler, de crier, de chanter. ⇒ **Crier, époumoner (s'), gueuler, hurler.** *S'égosiller à discuter, à expliquer quelque chose.*

Parlez bien haut, messieurs, de grâce (...)					1
Vérifions un peu ma surdité d'oreille.
(Tous font semblant de parler, et ne font qu'ouvrir la bouche sans prononcer.)
Hélas ! on s'égosille, et je n'entends non plus
Que si l'on me vouloit emprunter mes écus.
SCARRON, Don Japhet d'Arménie, III, 16.

2   Anne criait à la sourde d'inutiles paroles de bienvenue : « Ne t'égosille pas, chérie, elle comprend tout au mouvement des lèvres (...) »
                                              F. MAURIAC, Thérèse Desqueyroux, III, p. 45.

♦ **2.** Chanter longtemps et très haut, en parlant des oiseaux
(→ Douteux, cit. 5).

3   (...) des enfants qui piaillaient, des oiseaux qui s'égosillaient dans leurs cages.
                                              GIDE, Si le grain ne meurt, I, IV, p. 106.

CONTR. Parler (bas).
DÉR. Égosillement.

ÉGOTIQUE [egɔtik] adj. — Fin XIXe ; du rad. de *égotisme*.

♦ Littér. Qui se rapporte à l'égotisme, manifeste de l'égotisme. *Des
discours, des sentiments égotiques.*

ÉGOTISME [egɔtism] n. m. — 1823, Stendhal, cf. les *Souve-*
nirs d'égotisme ; attestation isolée, 1726 ; de l'angl. *egotism*, par lequel
Addison, dans *The Spectator,* no 562 de 1714, traduit le franç. *égoïsme*
au premier sens du mot.
Anglicisme.

♦ **1.** Littér. Disposition à parler de soi, à faire des analyses détaillées
de sa personnalité physique et morale. ⇒ **Égoïsme** (1.). *L'égotisme*
de Montaigne, de Rousseau, de Chateaubriand, d'Amiel, leur propension à l'autobiographie, aux confessions, au journal intime.
REM. Le mot est d'abord employé par Stendhal seul, et très souvent
appliqué à lui.

1   (...) s'il *(ce livre)* n'ennuie pas, on verra que l'égotisme, mais sincère, est une façon
de peindre ce cœur humain dans la connaissance duquel nous avons fait des pas
de géant depuis 1721, époque des Lettres persanes de ce grand homme que j'ai
tant étudié, Montesquieu.   STENDHAL, Souvenirs d'égotisme, p. 81.
1.1 Or ces secrets personnels ont pour l'intéressé trop de gravité (je songe aux miens,
dans mon Journal à moi, où j'évite désormais autant que je puis l'égotisme) pour
que l'on risque de les voir moquer.   Claude MAURIAC, le Temps immobile, p. 266.

♦ **2.** Didact. (philos., psychol.). Mode de connaissance, de comportement où le moi constitue la référence essentielle.

2   Emprunter un mot à Stendhal, qui l'a introduit dans notre langue, et le détournant un peu pour mon usage, je dirai que la vraie Méthode de Descartes devrait
se nommer l'*égotisme,* le développement de la conscience pour les fins de la connaissance.   VALÉRY, Variété IV, p. 228.
3   L'égotisme juvénile (...) est cette incessante référence à soi qu'on observe à ce
moment dans l'amitié, dans l'amour, dans la rêverie, dans les rapports avec l'entourage, dans l'aperception des valeurs...
M. DEBESSE, Situation de l'adolescence, *in* Revue de métaphysique et de morale,
avr. 1941 (*in* LALANDE, Voc. de la philosophie).

♦ **3.** Tendance à rapporter à son moi toute la vie mentale ; culte
du moi, poursuite trop exclusive de son développement personnel
(⇒ **Égocentrisme**). *Un égotisme complaisant.* ⇒ **Narcissisme, suffi-**
sance, vanité.

4   Il *(Guizot)* ne doute pas un instant qu'il ne possède en lui la vérité (...) Ce qu'il
y a de beau (...) dans son cas, c'est l'ardeur dépensée à la poursuite, au dégagement profond de cette vérité (...) On s'étonne (...) qu'un Barrès, au temps de ses
premières curiosités psychologiques, ne se soit pas intéressé à cette forme d'égotisme et de culte de soi avant la lettre (...)
                                              Émile HENRIOT, les Romantiques, p. 424.

DÉR. V. Égotique, égotiste.

ÉGOTISTE [egɔtist] adj. et n. — 1825 ; attestation isolée, 1726 ; du
rad. de *égotisme,* suff. *-iste.*

♦ **1.** Littér. Qui est pénétré d'égotisme (1.). *Écrivain, littérature,*
œuvre égotiste. — N. Celui, celle qui pratique l'égotisme. *Un,*
une égotiste.

Malgré le manque de documents, il est facile de faire une vie très détaillée de Villon ; c'est un poète égotiste : le *moi,* le *je* reviennent très souvent dans ses vers.
                                              Th. GAUTIER, les Grotesques, p. 13.

♦ **2.** Philos., psychol. Relatif à l'égotisme (2.). *Tendances égotistes.*

♦ **3.** Égocentrique. ⇒ **Égoïste.** *Sacrifier ses aspirations égotistes.*
— N. Celui, celle qui fait preuve d'égotisme.

ÉGOUT [egu] n. m. — XIIIe, *esgor* ; déverbal de *égoutter (esgouter).*

★ **I.** Vx ou littér. Action de s'égoutter ; eau, liquide qui s'égoutte.
Recueillir l'égout de plusieurs sources. — Spécialt. Chute et écoulement des eaux de pluie. ⇒ **Écoulement.**

0.1 Ici, dans la forêt marécageuse, sous l'égout des arbres, avec le dégel qui commence, on finira par mariner tout autant.
                                              Roger VERCEL, Capitaine Conan, I, p. 11.

Dr. *Servitude d'égout :* servitude conventionnelle consistant à supporter l'égout des toits d'un immeuble voisin.

1   De l'égout des toits. — Art. 681. Tout propriétaire doit établir des toits de manière
que les eaux pluviales s'écoulent sur son terrain ou sur la voie publique ; il ne
peut les faire verser sur le fonds de son voisin.   Code civil, art. 681.

★ **II.** Mod. ♦ **1.** Techn. Canal qui permet l'écoulement des eaux de
pluie. ⇒ **Chéneau, gouttière.** — Spécialt. Rangée d'ardoises, de tuiles
formant saillie hors d'un toit (⇒ **Avant-toit, battellement**). *L'égout*
d'un toit. Un solement, ravalement soutenant l'égout d'un toit.

Versant (d'un toit). *Toit en bâtière, à deux égouts.* ⇒ **Comble** (à
deux égouts).

♦ **2.** Vétér. *Égout nasal d'un cheval, d'un âne :* orifice étroit où
débouche le canal lacrymal, et qui conduit les larmes jusque dans
les nasaux.

♦ **3.** (1538). Cour. Canalisation, généralement souterraine, servant à
l'écoulement et à l'évacuation des eaux ménagères et industrielles
des villes. ⇒ **Canalisation, conduit, puisard.** *Un égout, les égouts.*
Les eaux d'égout : eaux pluviales, eaux des services publics, eaux
sales, eaux-vannes ou eaux de vidange, boues des rues, ordures
ménagères. *Évacuation des eaux d'égouts dans la mer, dans les*
fleuves. Épuration biologique naturelle (⇒ **Épandage**), *artificielle*
(⇒ **Nitrification** [par lits bactériens]) *des eaux d'égouts.* — *Réseau*
d'égouts (→ Dédaléen, cit.). *Égout élémentaire. Égouts collec-*
*teurs** (→ Chemise, cit. 6). *Branchement d'un égout. La galerie,*
la cunette ou cuvette, la banquette ou trottoir d'un égout. Curage,
dragage, nettoyage des égouts au moyen d'une raclette (dite rabot),
de chasses d'eau, de siphons intermittents. — Loc. *Système du tout-*
à-l'égout, conduisant les eaux usées directement dans les égouts.
⇒ **Tout-à-l'égout.** — *Bouche d'égout :* orifice pratiqué sur le
bord d'une chaussée pour permettre l'écoulement des eaux. *Pla-*
que d'égout. Regard, siphon obturateur d'un égout. — Au plur. *Les*
égouts de Rome, construits par les Tarquins. ⇒ **Cloaque.** *Les égouts*
de Paris. Visiter les égouts.

2   Tortueux, crevassé, dépavé, craquelé, coupé de fondrières, cahoté par des coudes
bizarres, montant et descendant sans logique, fétide, sauvage, farouche, submergé
d'obscurité, avec des cicatrices sur ses dalles et des balafres sur ses murs, épouvantable, tel était, vu rétrospectivement, l'antique égout de Paris. Ramifications
en tous sens, croisements de tranchées, branchements, pattes d'oie, étoiles comme
dans les sapes, cæcums, culs-de-sac, voûtes salpêtrées, puisards infects, suintements dartreux sur les parois, gouttes tombant des plafonds, ténèbres ; rien n'égalait l'horreur de cette vieille crypte exutoire, appareil digestif de Babylone, antre,
fosse, gouffre percé de rues, taupinière titanique où l'esprit croit voir rôder à travers l'ombre, dans de l'ordure qui a été de la splendeur, cette énorme taupe aveugle, le passé. Ceci, nous le répétons, c'était l'égout d'Autrefois.
                                              HUGO, les Misérables, V, II, IV.
3   (...) le ruisseau, lit funèbre où s'en vont les billets doux et les orgies de la veille,
charriait en bouillonnant ses mille secrets aux égouts (...)
                                              BAUDELAIRE, la Fanfarlo.
3.1 Jeter le paquet, sans le défaire, constituerait de tous les points de vue la solution la plus simple. Le soldat, qui traverse une rue latérale, avise précisément une
bouche d'égout, devant lui, près de l'angle arrondi du trottoir. Il s'en approche et,
surmontant ses courbatures, il se baisse, de manière à contrôler que la boîte n'est
pas trop haute pour passer par l'ouverture arquée, taillée dans la bordure de pierre.
                                              A. ROBBE-GRILLET, Dans le labyrinthe, p. 156.

Rat d'égout : gros rat fréquentant les égouts. — (Terme d'insulte).
Espèce de petit rat d'égout !

♦ **4.** Fig. Lieu où viennent aboutir les gens les plus vils, les souillures, les vices. ⇒ **Bourbier, cloaque.**

4   Le goût, l'exemple et la faveur de feu roi avaient fait de Paris l'égout des voluptés
de toute l'Europe (...)   SAINT-SIMON, Mémoires, 453, 112.
5   (...) le monde n'est qu'un égout sans fond où les phoques les plus informes rampent et se tordent sur des montagnes de fange ; mais il y a au monde une chose
sainte et sublime, c'est l'union de deux de ces êtres si imparfaits et si affreux.
                                              A. DE MUSSET, On ne badine pas avec l'amour, II, 5.
6   Née dans un port breton, d'une ribaude à matelots malencontreusement fruitée
par un cosmopolite inconnu, nourrie on ne savait comment, dans cet égout, polluée
dès son enfance (...)   Léon BLOY, le Désespéré, p. 52.

Réceptacle où l'on dépose les choses dont on veut se débarrasser.
⇒ **Exutoire.**

7   Pons était d'ailleurs partout une espèce d'égout aux confidences domestiques, il
offrait les plus grandes garanties dans sa discrétion connue et nécessaire (...)
                                              BALZAC, le Cousin Pons, Pl., t. VI, p. 557.

DÉR. Égoutier.
COMP. Tout-à-l'égout.

ÉGOUTIER, IÈRE [egutje, jɛʀ] n. m. et adj. — 1824 ; de *égout.*

♦ **1.** Personne qui travaille à l'entretien, au curage des égouts. *Bot-*
tes d'égoutier.

1   L'instinct populaire ne s'y est jamais trompé. Le métier d'égoutier était autrefois presque aussi périlleux, et presque aussi répugnant au peuple, que le métier
d'équarrisseur, frappé d'horreur et si longtemps abandonné au bourreau.
                                              HUGO, les Misérables, V, II, VI.
2   Il sortait de la nuit comme un égoutier de sa caverne avec ses bottes lourdes, son
cuir et ses cheveux collés au front (...)
                                              SAINT-EXUPÉRY, Courrier sud, III, I, p. 159.
REM. Le fém. *égoutière* est virtuel.

♦ **2.** Adj. (Rare). Qui est relatif aux égouts. *Les miasmes égoutiers.*

ÉGOUTTAGE [egutaʒ] n. m. — 1778 ; de *égoutter.*

♦ Action d'égoutter, de faire égoutter. *L'égouttage des fromages.*
— *L'égouttage des terres,* action d'en ôter l'humidité excessive par
drainage. ⇒ **Assainissement, égouttement.**

ÉGOUTTEMENT [egutmɑ̃] n. m. — 1330 ; de *égoutter.*

♦ Fait de s'égoutter. ⇒ **Égout** (I.). *L'égouttement des feuilles après*
la pluie. — Spécialt. Action d'égoutter (des terres). ⇒ **Égouttage.**

ÉGOUTTER [egute] v. — XIII⁰ ; de é-, et goutte.

A. V. tr. Débarrasser (qqch.) du liquide contenu en faisant écouler ce liquide goutte à goutte. *Égoutter de la vaisselle, du linge, des légumes. Égoutter du lait caillé, du fromage*, du beurre.* — *Égoutter un terrain, des terres basses,* en y ménageant des rigoles, des canaux de drainage. ⇒ **Drainer, écouler** (faire).

▶ **S'ÉGOUTTER** v. pron.
Perdre son eau goutte à goutte. *La vaisselle s'égoutte sur un évier. Laisser s'égoutter des fromages dans un clayon* (⇒ **Égouttoir**). Couler goutte à goutte (en parlant d'un liquide). *L'eau s'égouttait de ses cheveux.* ⇒ **Dégoutter.**

1   Des prairies qui s'égouttent un ruisselet se forme et se débrouille vivement dans les rides enchevêtrées du terrain.   M. BARRÈS, la Colline inspirée, p. 9.
2   (...) des paquets de neige saturée d'eau s'égouttaient des grands arbres comme le linge d'une immense lessive (...)
L. PERGAUD, De Goupil à Margot, L'horrible délivrance.
3   (...) Non, laisse, que je goûte
Ce bruit voluptueux d'un orme qui s'égoutte :
Tel est le pleur furtif d'un plaisir effacé.
P.-J. TOULET, Contrerimes, «Coples», CXLVII.

B. V. intr. (Mêmes sens que *s'égoutter*). *Faire égoutter qqch. Laisser égoutter un liquide de quelque chose.*

4   Elle acheva de rincer le filtre à café qu'elle tenait à la main, le mit à égoutter, et s'essuya vivement les doigts (...)   MARTIN DU GARD, les Thibault, t. V, p. 28.

DÉR. Égouttage, égouttement, égouttis, égouttoir, égoutture.

ÉGOUTTIS ou **ÉGOUTIS** [eguti] n. m. — Déb. xx⁰ ; *égouttîs*, Troyes, 1887 ; de *égoutter*.

♦ Régional. Fait de s'écouler goutte à goutte. — Quantité accumulée d'un liquide qui s'égoutte ou qui s'est égoutté. — Par ext. Bruit d'un liquide qui s'égoutte.
L'égouttis de la pluie enveloppait leur sommeil.   M. GENEVOIX, Raboliot, p. 128.

ÉGOUTTOIR [egutwaʀ] n. m. — 1554 ; de *égoutter*.

♦ Appareil, ustensile servant à faire égoutter quelque chose. *Égouttoir à vaisselle, à bouteilles* (⇒ **Hérisson, porte-bouteilles**), *à légumes* (⇒ **Panier** [à salade]), *à fromages* (⇒ **Cagerotte, caget, caserel, claie, clayon, clisse, couloire, éclisse, faisselle**).

ÉGOUTTURE [egutyʀ] n. f. — Fin xvii⁰ ; de *égoutter*.

♦ Liquide provenant de ce qui s'égoutte ; dernières gouttes au fond d'un récipient.

ÉGRAIN ou **ÉGRIN** [egʀɛ̃] n. m. — 1864 ; var. graphique de *aigrin*.

♦ Techn. (hortic.). Jeune pommier ou jeune poirier issu de graine, et destiné à être greffé. ⇒ **Aigrin.**

ÉGRAINAGE [egʀɛnaʒ] n. m. ⇒ **Égrenage.**

ÉGRAINER [egʀɛne ; egʀene] v. tr. ⇒ **Égrener.**

ÉGRAINOIR [egʀɛnwaʀ] n. m. ⇒ **Égrenoir.**

ÉGRAPPAGE [egʀapaʒ] n. m. — 1831 ; de *égrapper*.

♦ Action d'égrapper ; résultat de cette action. *Égrappage des raisins au trident, à la claie, à l'aide d'un égrappoir* mécanique.* « *L'égrappage est pratiqué de temps immémorial dans les vignobles à vins fins* » (Omnium agricole).

ÉGRAPPER [egʀape] v. tr. — 1732 ; de é-, *grappe* et suff. verbal.

♦ **1.** Détacher (les fruits) de la grappe. *Égrapper le raisin. Égrapper des groseilles.* — Au p. p. *Raisins égrappés.*
Au départ de Newcastle, Jérôme s'était fait servir un souper de fruits et de champagne frappé. Il égrappa quelques raisins, vida la bouteille.
Maurice BEDEL, Jérôme 60⁰ latitude Nord, I, p. 10.

♦ **2.** Techn. Séparer (le minerai de fer) de la grappe (gravois, sable, pierres) à laquelle il est mêlé.

DÉR. Égrappage, égrappeur, égrappoir.

ÉGRAPPEUR, EUSE [egʀapœʀ, øz] n. — 1761 ; de *égrapper*.

♦ Techn. Celui, celle dont le métier est d'égrapper (du raisin, du houblon, du minerai de fer...).

ÉGRAPPOIR [egʀapwaʀ] n. m. — 1761 ; de *égrapper*.
Technique.

♦ **1.** Agric. Outil, appareil servant à égrapper les raisins. *Égrappoir mécanique.*

♦ **2.** Mines. Lavoir où l'on égrappe le minerai de fer.

ÉGRATIGNEMENT [egʀatiɲmɑ̃] n. m. — 1532, *esgratinemens* ; de *égratigner*.

♦ Action d'égratigner ; son résultat. « *Les doigts se crispaient, avec des égratignements de griffes* » (Zola, *in* T. L. F.). Fig. *L'égratignement d'un auteur par la critique. Des égratignements sans gravité.*

ÉGRATIGNER [egʀatiɲe] v. tr. — XIII⁰ ; *égratiner*, XII⁰ ; de é-, et de l'anc. franç. *gratiner*, dér. de *gratter*.

♦ **1.** Écorcher, en déchirant superficiellement la peau (peut s'opposer à *couper, entamer*). ⇒ **Écorcher, effleurer, érafler, grafigner** (régional), **gratter, rifler** (vx). *Égratigner avec les ongles, les griffes* (⇒ **Griffer**). *Le chat l'a égratigné.*

♦ **2.** Par anal. Dégrader légèrement par des rayures. *Égratigner un meuble, en le transportant. Égratigner une peinture. La plume égratigne le papier. Égratigner un fruit en le cueillant* (→ Cueillette, cit. 1).

♦ **3.** Techn. [a] Travailler une étoffe avec la pointe d'un fer pour lui donner une forme particulière. *Égratigner la soie.*

[b] Labourer superficiellement. *Égratigner le sol.*

♦ **4.** Fig. Blesser légèrement par un mot piquant, par quelque trait ironique. ⇒ **Blesser, piquer.** *Égratigner qqn de ses railleries* (→ Caresser, cit. 20). *Les critiques l'ont quelque peu égratigné.* — Spécialt. Médire légèrement. — Absolt. *S'il ne peut mordre, il égratigne.*

1   Toutes ces pauvres petites injustices égratignaient Mirabeau et le faisaient souffrir au milieu de sa puissance et de ses triomphes.
HUGO, Littérature et Philosophie mêlées, Sur Mirabeau, II.
Porter légèrement atteinte à (qqch.). *Égratigner la morale, la réputation de quelqu'un.*

▶ **S'ÉGRATIGNER** v. pron. (Réfl.). *S'égratigner en cueillant des mûres. S'égratigner à des épines.*
(Récipr.). Se blesser réciproquement, par des railleries, des vexations.
2   Mettez trois Français aux déserts de Libye, ils ne seront pas un mois ensemble sans se harceler et égratigner (...)   MONTAIGNE, Essais, II, XXVII.
3   (...) ce sont des lâches, qui ne s'égratignent qu'avec des injures.
HUGO, Notre-Dame de Paris, I, IV.

▶ **ÉGRATIGNÉ, ÉE** p. p. adj. *Jambes égratignées (par les ronces). Meuble au vernis égratigné.* — Spécialt. Arts. *Trait égratigné,* qui paraît accrocher la lumière par ses irrégularités. *Manière égratignée :* procédé (de fresquiste...) qui consiste à dessiner en découvrant un fond noir par grattage de l'enduit blanc qui le recouvre.

DÉR. Égratignement, égratigneur, égratignoir, égratignure.

ÉGRATIGNEUR, EUSE [egʀatiɲœʀ, øz] adj. et n. — 1558 ; de *égratigner*.

♦ **1.** (Personne, animal). Qui égratigne. *Chat égratigneur.* — *Un égratigneur, une égratigneuse.* Fig. « *Égratigné par les journaux, il s'ingénie à faire savoir à l'égratigneur qu'il ne lui en veut nullement* » (Léon Daudet, *in* T. L. F.).

♦ **2.** Techn. Ouvrier, ouvrière qui utilise l'égratignoir.

ÉGRATIGNOIR [egʀatiɲwaʀ] n. m. — 1755 ; de *égratigner*.

♦ Techn. Fer tranchant utilisé par les passementiers pour égratigner (3., a) les étoffes de soie.

ÉGRATIGNURE [egʀatiɲyʀ] n. f. — XIII⁰, *esgratineuré* ; de *égratigner*.

♦ **1.** Blessure superficielle faite en égratignant. ⇒ **Blessure, déchirure, écorchure, éraflure, griffure.** *Se faire recevoir des égratignures.*
1   La figure portait quelques fortes égratignures, et la gorge était stigmatisée par des meurtrissures noires et de profondes traces d'ongles (...)
BAUDELAIRE, Trad. E. POE, Histoires extraordinaires, « Double assassinat dans la rue Morgue ».
Par ext. Blessure superficielle et sans gravité. *En être quitte pour des égratignures. Il s'en est tiré (de l'accident) sans une égratignure.*
2   (...) moi, qui me suis mesuré avec les plus fines lames du temps, et qui suis toujours revenu du pré sans une égratignure (...)
Th. GAUTIER, le Capitaine Fracasse, t. II, X, p. 2.
Par anal. Dégradation légère, rayure (d'un meuble, d'un objet). *La carrosserie a quelques égratignures.* ⇒ **Rayure.**
Vén. Trace légère laissée par un cerf sur la terre dure.

♦ **2.** (1844). Fig. Légère blessure d'amour-propre. ⇒ **Vexation** (→ Baume, cit. 11). — Atteinte légère à l'honneur, à la réputation.

ÉGRAVILLONNER [egʀavijɔne] v. tr. — 1700; de é-, gravillon, et suff. verbal.

♦ Hortic. Débarrasser les racines de (un arbre qu'on veut transplanter) d'une partie de la terre qui les entoure.

ÉGRÉGORE [egʀegɔʀ] n. m. — Après 1950, Hugo; grec ecclés. egrêgoros «qui veille, vigilant».

♦ Didact. Chacun des anges qui s'unirent aux filles de Seth, qui veillèrent sur le mont Hermon avant de les posséder (Bible, livre d'Enoch).

ÉGRENAGE [egʀənaʒ] n. m. — 1835; de égrener.

♦ **1.** Action d'égrener. *L'égrenage du blé, du coton, du lin. Égrenage du raisin.* ⇒ **Égrappage.**

♦ **2.** Techn. Opération par laquelle on enlève les aspérités granuleuses. *L'égrenage du plâtre. L'égrenage sur fer, sur fonte.*

♦ **3.** Pêche. Action de lancer quelques grains de chènevis ou de blé sur un coup amorcé pour appâter le poisson (d'après Pollet, in T. L. F.).

REM. On écrit aussi *égrainage.*

ÉGRÈNEMENT [egʀɛnmɑ̃] n. m. — 1606, esgrenement; de égrener.

♦ **1.** Fait de s'égrener. *Éviter l'égrènement du raisin.* — Action d'égrener (un chapelet). *L'égrènement du rosaire.*

♦ **2.** Fig. Succession (de choses semblables et distinctes) dans le temps. *Un égrènement de notes. L'égrènement des heures.* — Dispersion (de choses semblables et distinctes) dans l'espace. *Un égrènement de maisons sur les plages.*

1   C'est le Musette Tonnerre de Dieu!... Et l'égrènement des cent mille morts, des mille oiseaux piaillants, piaulants au vol autour, tramant les airs...
    CÉLINE, Guignol's band, p. 16 (1951).

2   Cela n'avait pas de nom, détresse inconnue qui rebondissait entre les murailles froides, qui sonnait le glas, longuement, par égrènements traînant loin à l'intérieur de la terre, cela n'avait rien qu'on pût connaître ou dire.
    J.-M. G. LE CLÉZIO, le Déluge, p. 199.

REM. On écrit aussi *égrainement.*

ÉGRENER [egʀəne] v. tr. — Conjug. lever. — XIIᵉ, «perdre son grain»; de é-, grain et suff. verbal.

♦ **1.** (1600). Dégarnir de ses grains (un épi, une gousse, une cosse; ⇒ **Écosser**), une capsule, une grappe (⇒ **Égrapper**). *Égrener du blé, des pois, du coton, des raisins. Machine à égrener.* ⇒ **Batteuse, égrappoir, égreneuse.**

♦ **2.** (V. 1830). Par anal. *Égrener son chapelet* (cit. 1), en faire passer successivement chaque grain entre ses doigts. ⇒ **Dire, dévider.**

1   Dans mon chemin isolé, je ne croise qu'un groupe de vieux Turcs, en longues robes, barbes blanches et turbans verts, qui se racontent des choses sombres et anciennes, en égrenant des chapelets d'ambre.
    LOTI, Jérusalem, XIX, p. 220.

Loc. fam. *Égrener un chapelet d'injures, égrener son chapelet* : débiter une série d'injures (ou de paroles violentes).

♦ **3.** (1842). Par ext. Présenter un à un, de façon détachée (des éléments semblables, le plus souvent des sons). *L'horloge égrène les heures. Boîte à musique égrenant ses notes. Égrener des projectiles.*

2   Aux reliefs de la voûte et aux aspérités du roc pendaient de longues et fines végétations baignant probablement leurs racines à travers le granit dans quelque nappe d'eau supérieure, et égrenant, l'une après l'autre, à leur extrémité, une goutte d'eau, une perle.
    HUGO, les Travailleurs de la mer, II, I, XII.

3   (...) chaque chèvre qui passe égrène en trottinant la note unique de sa clochette.
    GIDE, Journal, mars-avr. 1910.

♦ **4.** Techn. Aplanir (une surface), en enlever les aspérités. *Égrener une paroi de plâtre avant de la peindre.*

▶ **S'ÉGRENER** v. pron.

♦ **1.** Tomber en grains. *Le blé trop mûr s'égrène.*

Par ext. Se décomposer (en éléments semblables et distincts). *Les derniers groupes de manifestants s'égrènent sur la place.* ⇒ **Éparpiller** (s'). *S'égrener en...* (poussière, fragments, etc.).

4   Les enfants et les chiens se couchaient les premiers. Les groupes s'égrenaient.
    R. ROLLAND, Jean-Christophe, L'adolescent, II, p. 275.

♦ **2.** Fig. Présenter (dans l'espace ou plus souvent dans le temps) une série d'éléments semblables et distincts; se présenter en une

telle série. *Les voitures s'égrènent sur l'autoroute. Les notes s'égrènent lentement.* — (Sujet au sing.). *Un rire qui s'égrène.*

▶ **ÉGRENÉ, ÉE** p. p. adj.

♦ **1.** *Grappe égrenée.* — Fig. (→ Arrosage, cit. 1; diane, cit. 3).

♦ **2.** Techn. *Un mur égrené.* — *Plâtre égrené.*

REM. On écrit aussi *égrainer.*

DÉR. Égrenage, égrènement, égreneur, égreneuse, égrenoir.

ÉGRENEUR, EUSE [egʀənœʀ, øz] n. — 1876; égreneuse «machine», 1870; de égrener.

♦ **1.** Celui, celle qui travaille à l'égrenage de certaines plantes.

♦ **2.** N. f. (Agric.). ÉGRENEUSE : machine servant à égrener (le maïs, les plantes textiles). ⇒ **Égrenoir.**

REM. On écrit aussi *égraineuse* (attesté 1874).

ÉGRENOIR [egʀənwaʀ] n. m. — 1785; de égrener, et -oir.

♦ Techn. (Agric.). Machine servant à égrener les épis, certaines plantes fourragères (→ supra Égreneuse).

ÉGRÉSER [egʀeze] v. tr. ⇒ **Égriser.**

ÉGRILLARD, ARDE [egʀijaʀ, aʀd] n. et adj. — 1640; esgrillard «malfaiteur», 1573; probablt du normand égriller «glisser», de l'anc. franç. escriller (XIIᵉ), sous l'infl. de glisser; anc. scandinave *skridla.

♦ **1.** N. (Vx). Personne d'une humeur gaillarde dont l'allure et les propos peuvent effaroucher. ⇒ **Coquin, fripon, gaillard, luron.**

1   (Julie)... Que je suis contente d'avoir un tel époux! Souffrez que je l'embrasse, et que je lui témoigne (...) — (Oronte). Doucement, ma fille, doucement. — (M. de Pourceaugnac). Tudieu, quelle galante! Comme elle prend feu d'abord! (...) — (Julie s'approche de M. de Pourceaugnac, le regarde d'un air languissant, et lui veut prendre la main). — (M. de Pourceaugnac). Ho, ho, quelle égrillarde!
    MOLIÈRE, M. de Pourceaugnac, II, 6.

2   C'est un jeune égrillard, beau, bien fait, de bonne mine, un peu étourdi, beaucoup libertin.
    DANCOURT, les Fées, I, 9, in LITTRÉ.

♦ **2.** Adj. (1668). En parlant d'une personne. Qui se complaît dans des propos ou des sous-entendus licencieux. ⇒ **Dessalé, grivois, libertin.** *Il devient égrillard avec l'âge. Ce n'est pas un pornographe, c'est seulement un auteur égrillard.*

(1656). En parlant d'une chose. Un peu libre, qui a une tendance à la gauloiserie. ⇒ **Décolleté** (vx), épicé, gaulois, libre, osé, salé, vert. *Histoire, chanson égrillarde. Propos égrillards. Il la regardait d'un air égrillard.*

3   Leurs maris sont revenus sur ce même bâtiment qui a ramené Yves, et elles sont là postées; soutenues déjà par quelque peu d'eau-de-vie, elles font le guet, l'œil moitié égrillard, moitié attendri.
    LOTI, Mon frère Yves, IV, p. 20.

4   Molinier affecte avec moi un ton plaisantin, parfois même égrillard, qu'il pense sans doute de nature à plaire à un artiste. Certain souci de se montrer encore vert.
    GIDE, les Faux-monnayeurs, III, I, p. 287.

5   À partir du XVIIᵉ siècle, l'art d'assouvissement envahira tous les lieux où la chrétienté se désagrégera, jusqu'à proclamer enfin son triomphe par la gravure égrillarde, la déclamation sentimentale et la peinture pieuse.
    MALRAUX, les Voix du silence, IV, II, p. 528.

CONTR. Austère, modeste, pudibond, pudique, puritain, réservé, sérieux.
DÉR. Égrillardise.

ÉGRILLARDISE [egʀijaʀdiz] n. f. — 1867; de égrillard.

♦ Rare. Caractère égrillard, propos égrillard. ⇒ **Gaillardise, gauloiserie.** — REM. On trouve aussi, avec le même sens, *égrillarderie* :

Le vénérable Mogul *(est)* représenté fort dodûment et fort chinoisement par (...) Moëssard, dont la pudicité aura dû souffrir plus d'une fois de l'égrillarderie de certains passages du même rôle.
    Th. GAUTIER, Hist. de l'art dramatique en France, II, p. 335-336, in D. D. L., II, 9.

ÉGRIN [egʀɛ̃] n. m. ⇒ **Égrain.**

ÉGRISAGE [egʀizaʒ] n. m. — 1774; de égriser.

♦ Techn. Action d'égriser; son résultat. *Égrisage du marbre.* ⇒ **Polissage.** — REM. La var. *égrésage* semble archaïque.

ÉGRISÉ n. m. ou **ÉGRISÉE** [egʀize] n. f. — 1845, égrisé; égrisée, 1776; de égriser.

♦ Techn. Poudre de diamant obtenue à partir de l'égrisage de diamants bruts qui, mêlée d'huile végétale, sert à la taille des pierres précieuses.

REM. La var. *égrisée* est plus fréquente.

ÉGRISER [egʀize] v. tr. — 1601 ; du néerl. *gruizen* «broyer», préfixé en -é.

♦ Techn. Polir par frottement (un gemme, une glace, du marbre) avec un abrasif en poudre (égrisée, émeri, etc.). *Égriser une glace pour en dresser l'épaisseur.*

(...) les orientaux ne taillent ni le diamant ni le rubis, soit qu'ils ne connaissent pas la poudre à égriser, soit qu'ils craignent de diminuer le nombre de carats en abattant les angles des pierres (...)   Th. GAUTIER, Constantinople, p. 129.

REM. *Égréser* (xxᵉ ; var. de *égriser*) s'emploie plutôt quand on parle d'une pierre dure, d'un marbre.

DÉR. **Égrisage, égrisé, égrisoir.**

ÉGRISOIR [egʀizwaʀ] n. m. — 1676 ; de *égriser*.

♦ Techn. Petit récipient dans lequel on recueille l'égrisée.

ÉGROTANT, ANTE [egʀɔtɑ̃, ɑ̃t] n. et adj. — xiiiᵉ ; latin *ægrotans*, p. prés. de *ægrotare* «être malade», de *ægrotus* «malade».

♦ **1.** Vx ou littér. Malade.

1 — Hé! ce n'est pas lui qui est malade, c'est sa fille. — (...) Monsieur Gorgibus, y aurait-il moyen de voir de l'urine de l'égrotante ?
         MOLIÈRE, le Médecin volant, 4.

♦ **2.** (1834). Littér. Qui est dans un état maladif permanent. ⇒ **Cacochyme, maladif, souffreteux, valétudinaire ; patraque.**

2 Là vivait son frère qui était de cinq ans plus âgé que lui, célibataire et pauvre. C'était un homme de caractère sombre à qui tout avait manqué : les vertus et la chance. Deux fois par mois, Patrice lui rendait visite. Il le trouvait au lit, égrotant et amer.   G. DUHAMEL, le Voyage de P. Périot, III, p. 66.

3 Le docteur Lajoie conseille un peu de tisane après dîner et un petit régime pas trop sévère.
— Pas de purée de marrons alors ? demande le souffreteux.
— Pas de purée de marrons.
— Vous me privez de tout ce qui est bon dans la vie, dit l'égrotant.
         R. QUENEAU, le Vol d'Icare, p. 42.

4 Il en avait de bonnes, Pascal ! Qu'il parlât pour lui ! Peut-être, en effet, n'avait-il pas, lui, grand-chose à perdre ; son pauvre corps égrotant de valétudinaire ne pouvait faire un usage bien agréable du monde ; et son génie inquiet aspirait à un Amour qui ne fût pas de la terre.
         Jean-Louis CURTIS, le Roseau pensant, p. 266-267.

ÉGRUGEAGE [egʀyʒaʒ] n. m. — 1888 ; *égrugement*, 1606 ; de *égruger* et suff. *-age*.

♦ Techn. Action d'égruger ; résultat de cette action. ⇒ **Écrasement, pulvérisation.**

ÉGRUGEOIR [egʀyʒwaʀ] n. m. — 1611 ; var. vieillie *égrugeoire* «râpe», 1660 ; de *égruger*.

♦ **1.** Petit récipient dans lequel on égruge (le sel, le sucre...). ⇒ **Mortier, moulin.** *Égrugeoir de table. Égrugeoir à engrenage, à pilon.*

♦ **2.** (1752). Techn. Instrument servant à égrener le lin, le chanvre.

♦ **3.** (1965). Techn. ⇒ **Grésoir, grugeoir.**

ÉGRUGER [egʀyʒe] v. tr. — Conjug. *bouger.* — 1556, *s'esgruger* ; de *é-*, et *gruger.*

♦ **1.** Réduire en granules, en poudre. ⇒ **Concasser, écraser, émietter, piler, pulvériser, triturer.** *Égruger du sel, du sucre, du poivre.* Fig. *Écraser.*

La grande aire de Bohême où pendant un siècle le fléau hussite égruge toute la chevalerie d'Allemagne.   CLAUDEL, Journal, avr. 1910.

♦ **2.** (1617). Techn. Détacher les graines du lin, du chanvre. ⇒ **Égrener.**

♦ **3.** Fig. et pop. (Vx). Infl. probable de *gruger.* «*Filou ! t'as osé dire filou ! tu veux donc que je t'égruge ?*» (Paul de Koch, in T. L. F.).

▶ **S'ÉGRUGER** v. pron.
Littér. S'user, s'effriter.

▶ **ÉGRUGÉ, ÉE** p. p. adj. *Saupoudrer qqch. de sel égrugé.*

DÉR. **Égrugeage, égrugeoir, égrugeur, égrugeure.**

ÉGRUGEUR, EUSE [egʀyʒœʀ, øz] adj. — 1888 ; de *égruger.*

♦ Techn. Qui égruge. *Cylindres égrugeurs.*

Rare et figuré :

Ah çà ! depuis que je ne t'ai vu, tu es donc devenu un ravageur de femmes, un égrugeur de cœurs ?   E. LABICHE, Un gros mot, 6.

ÉGRUGEURE [egʀyʒyʀ] n. f. — 1680 ; de *égruger.*

♦ Techn. Parties menues d'un corps dur détachées par le frottement.

ÉGUEULÉ, ÉE [egœle] adj. ⇒ 1. **Égueuler,** 2. **égueuler** (s').

ÉGUEULEMENT [egœlmɑ̃] n. m. — 1798 ; «égorgement», 1617 ; de *égueuler.*

♦ Rare. Fait d'égueuler, de s'égueuler, d'être égueulé. *Égueulement d'une bouche de canon.*

(...) la forme du cratère, l'égueulement creusé à son bord supérieur devaient projeter les matières vomies à l'opposé des portions fertiles de l'île.
         J. VERNE, l'Île mystérieuse, t. II, p. 780.

ÉGUEULER [egœle] v. tr. — 1564, sens 2 ; 1396 «égorger», autres sens en anc. franç. ; de *é-, gueule* et suff. verbal.

♦ (1690). Rare. Détériorer, déformer (un récipient) par le bord, l'orifice. ⇒ **Ébrécher.** — Milit. *Égueuler la bouche d'un canon,* l'endommager soit par un accident, soit par un long usage.

▶ **S'ÉGUEULER** v. pron.
Se déformer, être déformé à l'ouverture.

▶ **ÉGUEULÉ, ÉE** p. p. adj. (Cour.). *Bocal égueulé, seau égueulé,* dont le pourtour de l'ouverture est ébréché. — Spécialt. (géol.). *Cône égueulé d'un volcan.*

(...) un pot à eau égueulé dans lequel trempait une botte de myosotis.   1
         FRANCE, Jocaste, Œ., t. II, p. 89.

Au type strombolien correspondent principalement des *cônes de débris,* formés   1.1
exclusivement d'entassements de bombes et de lapilli (...) Les cratères, à parois abruptes, sont d'ordinaire *égueulés* sur l'un des côtés. C'est par cette dépression que s'épanchent les coulées de laves plus ou moins étroites. Les volcans éteints à cratères de la chaîne des Puys (...) et du Vivarais ont conservé encore ces divers caractères, souvent avec une netteté et une fraîcheur qui révèlent leur âge récent.
         Émile HAUG, Traité de géologie, t. I.

▶ **S'ÉGUEULER** v. pron. (1564).
Pop. et vieilli. Se fatiguer la gorge, la voix à force de crier.

Je m'égueule de rire, écrivant d'une broche   2
En mots de Pathelin ce grotesque sonnet.
         SAINT-AMANT, Sonnet, Œuvres poétiques, p. 94.

▶ **ÉGUEULÉ, ÉE** p. p. adj.
(1656). Fam. et vx. Qui se fait à gueule ouverte, en ouvrant la gueule. *Rire égueulé.*

N. *(Un, une égueulée).* Personne criarde. ⇒ **Gueulard** (fam.).

(...) la fille de la duchesse de la Ferté qui ne me le pardonnerait point si j'y man-   3
quais, et qui était une égueulée sans aucun ménagement.
         SAINT-SIMON, Mémoires, t. I, IX.

DÉR. **Égueulement.**

ÉGYPTIAC [eʒiptjak] adj. et n. m. — 1560 ; du lat. *Ægyptiacus* «d'Égypte».

♦ Vx. *Onguent égyptiac* ou *égyptiac :* onguent composé de miel, de vinaigre et de sous-acétate de cuivre.

HOM. **Égyptiaque.**

ÉGYPTIANISER [eʒiptjanize] v. tr. — 1887, Renan ; du rad. de *égyptien.*

♦ Donner un caractère égyptien à quelqu'un, quelque chose.
Pron. *Peuple qui s'égyptianise.*

Ce que nous rapporte un correspondant à l'Associated Press en Égypte : «Toutes nos firmes sont sous séquestre, toutes les actions des compagnies passent aux Égyptiens. Plus de films ni de livres franco-britanniques (...) Cent cinquante écoles et instituts vont être "égyptianisés".»
         F. MAURIAC, Bloc-notes 1952-1957, p. 287.

ÉGYPTIAQUE [eʒiptjak] adj. — 1488 ; du lat. *Ægyptiacus* «d'Égypte», de *Ægyptia.*

♦ **1.** Vx et parfois péj. Égyptien. *Idole égyptiaque.* — REM. Attesté aussi au sens 2 de *égyptien. De l'égyptiaque* (Hugo) : du gitan (langue).

(...) le corps de Georgette, à la taille d'anguille, aux reins serpentins, l'idéal dans un type égyptiaque de la ligne de beauté professée par Hogarth (...)
         Ed. et J. DE GONCOURT, Manette Salomon, p. 32.

♦ **2.** Didact. *Jours, heures égyptiaques :* jours, heures néfastes dont la liste a été dressée par les astrologues de l'ancienne Égypte.

HOM. **Égyptiac.**

ÉGYPTIEN, ENNE [eʒipsjɛ̃, ɛn] adj. — Déb. xiiiᵉ, n. m. pl., de *Égypte,* nom du pays situé au Nord-Est de l'Afrique.

♦ **1.** De l'Égypte (ancienne ou moderne). *Le Nil fertilise le delta égyptien. Les déserts égyptiens, refuge des anciens anachorètes*

(⇒ **Thébaïde**). *Le fellah, paysan égyptien. La sakièh, noria égyptienne. Le sultani, ancienne monnaie égyptienne. Livre égyptienne,* monnaie actuelle de l'Égypte. — *L'arabe égyptien,* parlé en Égypte. *La civilisation égyptienne antique* (⇒ **Pharaonique**), *les dynasties* égyptiennes. Symboles de l'ancienne civilisation égyptienne.* (⇒ **Ansée** [croix ansée], **bœuf** [Apis], **ibis, lotus, scarabée...**). *Dieux égyptiens. Momie égyptienne. Prêtres, scribes égyptiens* (⇒ **Hiérogrammate**). *Écriture hiératique* (⇒ **Hiéroglyphe**), *écriture démotique égyptiennes. Monuments, tombeaux* (⇒ **Mastaba, pyramide**), *statues colossales* (⇒ **Sphinx**), *temples* (⇒ **Hypostyle** [salle], **obélisque, pylône**), *bijoux, objets d'art* (⇒ **Canope, pectoral**) *égyptiens. Étude des antiquités égyptiennes.* ⇒ **Égyptologie, égyptologue.**

N. *Un Égyptien, une Égyptienne :* celui, celle qui est originaire de l'Égypte. *Égyptien de religion chrétienne, jacobite.* ⇒ **Copte.** *Gouverneurs, commandants militaires des Égyptiens.* ⇒ **Soudan, khédive, sirdar.** *Un Égyptien du Caire* (⇒ **Cairote**), *d'Alexandrie, de Nubie* (Nubien).

1   Une des choses qu'on imprimait le plus fortement dans l'esprit des Égyptiens, était l'estime et l'amour de leur patrie. Elle était, disaient-ils, le séjour des dieux : ils y avaient régné durant des milliers infinis d'années. Elle était la mère des hommes et des animaux, que la terre d'Égypte arrosée du Nil avait enfantée pendant que le reste de la nature était stérile.   BOSSUET, Disc. sur l'hist. universelle, III, III.

N. m. *L'égyptien ancien :* la langue des anciens Égyptiens.

1.1   Le savant Jean-François Champollion, armé de la connaissance du copte et de tous les documents possibles — en particulier d'un texte en trois versions (incomplètes) en égyptien hiéroglyphique, égyptien démotique, grec, qui permettait d'identifier des noms propres, — doué de persévérance et d'ingéniosité, a réussi (moment essentiel, 1822) à percer le mystère du système orthographique complexe de l'égyptien avec son mélange d'idéogrammes et de phonogrammes. Il a pu lire les textes et reconstituer les grandes lignes de la grammaire.   Marcel COHEN, l'Écriture, p. 31.

L'Égyptien (moderne) : arabe parlé en Égypte.

♦ **2.** Vx. ⇒ **Bohémien, gipsy.**

2   (...) une bande de ces personnes qu'on appelle Égyptiens, et qui, rôdant de province en province, se mêlent de dire la bonne fortune (...)   MOLIÈRE, les Fourberies de Scapin, III, 3.

♦ **3.** N. f. Nom donné à un caractère d'imprimerie (→ Caractère, cit. 6), à empattements acérés.

♦ **4.** N. f. Étoffe de soie à rayures, à la mode dans la seconde moitié du XVIIIe siècle.

DÉR. V. **Égyptianiser.**

ÉGYPTO- Élément de mots didactiques tiré de *Égypte* (⇒ **Égyptologie, égyptologique, égyptologue**) et qui signifie « égyptien » dans des adjectifs composés (ex. : *texte égypto-araméen ; frontière égypto-lybienne ; accord égypto-israélien*).

ÉGYPTOLOGIE [eʒiptɔlɔʒi] n. f. — Mil. XIXe ; de *égypto-*, et *-logie.*

♦ Connaissance de l'ancienne Égypte, de son histoire, de sa langue, de sa civilisation. *Chaire d'égyptologie.*

DÉR. **Égyptologique.**

ÉGYPTOLOGIQUE [eʒiptɔlɔʒik] adj. — 1851 ; de *égyptologie.*

♦ Relatif à l'égyptologie. « *L'institution américaine dispose d'ailleurs de la bibliothèque égyptologique la mieux fournie d'Égypte : c'est l'une des plus riches du monde. Tous les chercheurs y sont accueillis.* » (Sciences et Avenir, n° spécial, n° 30, mai 1980, la Nouvelle Égypte ancienne, p. 59).

ÉGYPTOLOGUE [eʒiptɔlɔg] n. — 1827 ; de *égypto-*, et *-logue.*

♦ Spécialiste d'égyptologie ; archéologue qui s'occupe des antiquités égyptiennes. *Champollion, Mariette, Maspéro, célèbres égyptologues. Une égyptologue de l'école française, anglaise, américaine.*

EH [e ; ɛ] mot invar. — XIe, *e* ; onomatopée.

★ **I.** Interj. ⇒ **Hé.** ♦ **1.** (Sert à interpeller, à attirer l'attention d'autrui). *Eh ! vous. Eh ! Pierre ! Eh ! la vieille... Eh ! là-bas. Eh ! Reviens. Eh ! Attention. Eh ! Faites attention !*

REM. *Eh* n'est pas toujours suivi d'un point d'exclamation ; *Eh !* n'est pas toujours suivi d'une majuscule. *Eh, là-haut...*

1   Eh ! mon ami, tire-moi de danger :
Tu feras après ta harangue.   LA FONTAINE, Fables, I, 19.

2   Eh ! doucement, de grâce : un peu de charité (...)   MOLIÈRE, les Femmes savantes, IV, 2.

3   Eh ! Monsieur Ubu, êtes-vous remis de votre terreur (...)?   A. JARRY, Ubu sur la butte, II, 4, Pl., p. 649.

4   Eh ! je suis encore là, mademoiselle ! Ouvrez-moi...   A. JARRY, l'Amour en visites, IX, Chez la Muse, Pl., p. 890.

(Suivi de *dis, dites*). *Eh, dites-donc, où allez-vous ? Eh dis ! Fais attention.*

(Dans une question). ⇒ **Hein, être** (n'est-ce pas). « *Ça ne va pas fort, eh ?* » (Montherlant).

(Pour apostropher, suivi d'un nom). *Eh ! ballot ! Eh ! pauv' mec !*

EH, LÀ ! (Vise à modérer, à arrêter qqch. d'excessif).

5   — J'aime Ike et sa Mamie qui lui fait bouillir sa marmite. J'aime Charlotte ma petite.
— Oh ! ça, je n'y crois pas beaucoup.
— Ce n'est pas tout ! J'aime Aphrodite...
— Eh ! là, là, mais vous aimez tout !   Paul FORT, Chansonnette de « N'aimez plus rien ».

♦ **2.** Marque une émotion, un état émotif de celui qui parle, le plus souvent la surprise, l'étonnement.

6   Eh, qu'as-tu ? Elle pâlit, elle tombe, au secours !   A. JARRY, Ubu sur la butte, I, 2, Pl., p. 638.

(Suivi de *mais* : note qqch. d'inattendu qui vient à l'esprit ou revient à la mémoire de celui qui parle). *Eh, mais, j'y pense...*

(Interrogatif). *Eh ?* ⇒ **Comment, hein, quoi.**

♦ **3.** Sert à renforcer le mot qu'il précède. *Eh oui ! Eh ! non. Eh ! si. Eh parbleu !*

7   — Mais enfin, Père Ubu, quel roi tu fais, tu massacres tout le monde.
— Eh ! merde ! Dans la trappe ! Amenez tout ce qui reste de personnages considérables !   A. JARRY, Ubu sur la butte, I, 4, Pl., p. 641.

♦ **4.** (Sert à souligner une opposition, à introduire une digression, une incidente). *Eh ! ne le savait-il pas ? Eh ! à qui le dites-vous !*

8   — Ah ! Mère Ubu, vous me faites injure et vous allez tout à l'heure passer par la casserole.
— Eh ! pauvre malheureux, si je passais par la casserole, qui te raccommoderait tes fonds de culotte ?   A. JARRY, Ubu roi, I, 2, Pl., p. 354.

EH QUOI ! (Sert à introduire un argument contraire à ce qui précède, situation ou discours). *Eh quoi ! J'aurai fait tout cela pour rien ! Eh quoi ! déjà ?*

♦ **5.** EH ! EH ! (Indique un sous-entendu).

9   — Que dis-tu de cela ?
— Ce que j'en dis ?
— Oui.
— Eh ! Eh !
— Quoi ?
— Je dis que dans le fond je suis de votre sentiment, et que vous ne pouvez pas que vous n'ayez raison ; mais (...)   MOLIÈRE, l'Avare, I, 5.

★ **II.** EH BIEN. ♦ **1.** (Sert à introduire une information, une digression, une opposition, une conclusion par rapport à un contexte donné [situation, discours], à marquer une transition stylistique).

Exclamatif :

10   — Vous chantiez ? j'en suis fort aise :
Eh bien ! dansez maintenant.   LA FONTAINE, Fables, I, 1.

Dans une question. ⇒ **Alors.**

Eh bien oui (marque une concession).

♦ **2.** (Marque l'émotion du locuteur. → ci-dessus I., 2.). — REM. On écrit aussi *Hé bien !* → Hé. Noter les déformations familières *eh ben, eh bé...* (méridional).

♦ **3.** *Eh bien* (sert à faire une remarque à autrui sur son comportement).

★ **III.** Onomat. Répété, sert à noter un rire (plus souvent : *Hé !*). ⇒ **Ah !, hi !**

ÉHANCHÉ, ÉE [eɑ̃ʃe] adj. — XVIIe ; *eshanch(i)é*, v. 1360 ; de *é-*, et *hanche.*

♦ ⇒ **Déhanché, ée** (III., 1.).

ÉHONTÉ, ÉE [eɔ̃te] adj. — V. 1361 ; de *é-*, et *honte.*

♦ Qui commet des actes réprouvés par la morale (du locuteur), sans en éprouver de honte. ⇒ **Impudent, vergogne** (sans). *Quémandeur éhonté ; fripon, criminel éhonté.* ⇒ **Audacieux.** *Personne éhontée.* ⇒ **Effronté, hardi, impudique, osé.** — Par métonymie. *Action éhontée.* ⇒ **Scandaleux.** *Mensonge éhonté. Propos éhontés.* ⇒ **Cynique.**

(...) cette scène éhontée où la parodie de la douleur s'étale (...)   André SUARÈS, Voyage du condottiere, I, IX, p. 53.

CONTR. Confus, décent, honteux, modeste, pudibond, pudique, réservé.
DÉR. **Éhontément.**

ÉHONTÉMENT [eɔ̃temɑ̃] adv. — XVIe ; de *éhonté.*

♦ Littér. et rare. D'une manière éhontée. ⇒ **Impudemment.**

ÉHOUPER [eupe] v. tr. — 1669 ; de *é-*, *houppe* « cime d'arbre » et suff. verbal.

♦ Techn. Couper le sommet de la cime d'un arbre *(le houpier).* ⇒ **Écimer, étêter.**

EIDER [edɛʀ] n. m. — 1755; *edre* «duvet», XIIᵉ; anc. nordique et islandais *oedur, aedar.*

♦ Genre de grand canard *(Anatidés)* des pays du Nord, recherché pour son duvet. *Le duvet de l'eider est appelé édredon. Le vol des eiders.*

1   C'est cet oiseau qui donne ce duvet si doux, si chaud et si léger, connu sous le nom d'*eider-don* ou *duvet d'eider,* dont on a fait ensuite *edre-don* (...)
BUFFON, Hist. nat. des oiseaux, L'eider, Œ. compl., t. VIII.

2   Sous le nom d'eider, les cygnes aidèrent à l'édredon. Et cela ne lui va pas mal. On appelle hommes-cygnes ou hommes insignes les hommes qui ont le cou long comme Fénelon, cygne de Cambrai. Etc.   Max JACOB, le Cornet à dés, p. 91.

DÉR. V. **Édredon.**

ÉIDÉTIQUE [eidetik] adj. et n. — 1925; all. *eidetisch,* adj., sens 2, 1913, Husserl; sens 1, 1920, Jaensch; du grec *eidos* «forme, essence», d'après le grec *eidétikos* «qui concerne la connaissance, la représentation».

♦ **1.** Psychol. *Image éidétique,* vive, détaillée, d'une netteté hallucinatoire. — N. (fém. non attesté). *Les éidétiques,* ceux qui ont des images de ce genre.
Caractér. *Type éidétique,* qui se représente le réel tel qu'il se donne (sans l'intégrer à son psychisme).

♦ **2.** (1936). Philos. (phénoménologie). Qui concerne les essences, abstraction faite de l'existence (abstraction dite *réduction éidétique).* — N. f. (all. *Eidetik,* Husserl, 1913). *L'éidétique,* partie de la phénoménologie qui traite des essences universelles.

On doit chercher à construire une éidétique de l'image, c'est-à-dire à fixer et à décrire l'essence de cette structure psychologique telle qu'elle apparaît à l'intuition réflexive.   SARTRE, l'Imagination, p. 143.

REM. La graphie *éidétique,* sans accent, est très fréquente.

DÉR. **Éidétisme.**

ÉIDÉTISME [eidetism] n. m. — 1952; de *éidétique.*

♦ Psychol. Aptitude particulière à évoquer avec une très grande précision des faits, des objets vus antérieurement. — Var. graphique : *eidétisme.*

L'éidétisme a été découvert par les frères Jaensch, de Marbourg, pour lesquels il serait relativement fréquent chez les enfants, avec point culminant vers l'âge de 6 ans, s'atténuant par la suite.
J. SUTTER, in A. POROT, Manuel alphabétique de psychiatrie, éd. 1952, art. *Éidétisme.*

EIDOPHORE [ejdɔfɔʀ; ɛdɔfɔʀ] n. m. — V. 1962; n. déposé; formation savante, du grec *eidos* «image» et *-phore.*

♦ Télév. Procédé de télévision permettant la projection de l'image sur grand écran, un rayon cathodique commandant la réflexion de la lumière par un miroir concave.

EINSTEINIEN, IENNE [ajnʃtajnjɛ̃, jɛn; ɛnʃtɛnjɛ̃, jɛn] adj. — 1922; du n. propre *Einstein.*

♦ Relatif aux théories de Einstein. *La théorie einsteinienne de la gravitation.* — N. *Les einsteiniens.*
REM. On trouve aussi la graphie *einsténien, ienne.*

EINSTEINISME [ajnʃtajnism; ɛnʃtɛnism] n. m. — 1922, Vanderem, *in* D.D.L.; du n. propre *Einstein.*

♦ Théories de Einstein.

EINSTEINIUM [ajnʃtajnjɔm; ɛnʃtɛnjɔm] n. m. — 1955, A. Ghiorso, *Physical Review*; du n. propre *Einstein.*

♦ Élément chimique de numéro atomique 99 (symb. *Es*), de la série des actinides.

ÉJACULATEUR, TRICE [eʒakylatœʀ, tʀis] adj. — 1732; *vertu éjaculatrice* «faculté d'émettre, d'influencer (par la vue)», 1580, Montaigne, calque de Pline, *Histoire naturelle,* IX, 20; de *éjaculer.*

♦ **1.** Qui sert à l'éjaculation. *Conduits, canaux, muscles éjaculateurs.*

♦ **2.** N. m. *Éjaculateur précoce :* homme qui éjacule prématurément.

ÉJACULATION [eʒakylɑsjɔ̃] n. f. — 1552, Rabelais; de *éjaculer.*

♦ **1.** Rare. Action d'éjaculer; résultat de cette action. ⇒ **Jet.** — (1611). Cour. Émission du sperme par la verge en érection. *L'orgasme coïncide avec l'éjaculation. Éjaculation précoce, prématurée,* qui survient après le début de l'érection ou après quelques mouvements copulatoires.

On avoue sa sodomie et on en parle à table d'hôte. Quelquefois on nie un petit peu, tout le monde alors vous engueule et cela finit par s'avouer. Voyageant pour

notre instruction et chargés d'une mission par le gouvernement, nous avons regardé comme de notre devoir de nous livrer à ce mode d'éjaculation. L'occasion ne s'en est pas encore présentée, nous la cherchons pourtant. C'est aux bains que cela se pratique.
FLAUBERT, Lettre à L. Bouilhet, 15 janv. 1850, *in* Correspondance, t. I, Pl., p. 572.

♦ **2.** Fig. et vx (souvent au plur.). Prières brèves, dites avec ferveur.

ÉJACULATOIRE [eʒakylatwaʀ] adj. — 1611; n. m., XVIᵉ, Paré; de *éjaculer.*

♦ Didact. Qui se rapporte à l'éjaculation. *Fonction éjaculatoire.*

ÉJACULER [eʒakyle] v. tr. — 1835; «lancer une arme de trait», XVIᵉ; lat. *ejaculari* «lancer», de *ex-* et *jaculari* «lancer», de *jaculum* «javelot», de *jacere* «lancer».

♦ **1.** Rare. Lancer hors de soi avec force (un liquide secrété par l'organisme). *Certains reptiles éjaculent une humeur caustique* (Académie). ⇒ **Projeter.**

Absolt et cour. Émettre le sperme. → Pine, cit. 2.

Je m'en rappelle une, à cheveux noirs crépus, qui avait une branche de jasmin dans les cheveux et qui m'a semblé sentir bien bon (de ces odeurs qui portent au cœur) au moment où j'éjaculai en elle.
FLAUBERT, Lettre à L. Bouilhet, 20 août 1850, *in* Correspondance, t. I, Pl., p. 668.

♦ **2.** Fig. et littér. Exprimer avec force (des propos). *Éjaculer des injures.* — REM. Cet emploi est rarissime, à cause du sens 1.

DÉR. **Éjaculateur, éjaculation, éjaculatoire.**

ÉJARRAGE [eʒaʀaʒ] n. m. — 1845; de *éjarrer.*

♦ Techn. Opération pour laquelle on éjarre une fourrure.

ÉJARRER [eʒaʀe] v. tr. — 1753; de *e-,* 2. *jarre* et suff. verbal.

♦ Techn. Dépouiller (une fourrure) de ses jarres.

Une peau de loutre, d'otarie, ne prend sa beauté que lorsqu'elle a été éjarrée. Ailleurs, comme dans une peau de renard, les deux éléments sont conservés, le jarre ayant la plupart du temps des couleurs plus brillantes, cependant que le duvet, pour fin qu'il soit, est terne et gris.   René THÉVENIN, les Fourrures, p. 28.

DÉR. **Éjarrage, éjarreur.**

ÉJARREUR, EUSE [eʒaʀœʀ, øz] n. — 1753, n. m.; de *éjarrer.*

♦ Techn. Ouvrier, ouvrière qui arrache à la machine les jarres des fourrures.

EJECTA [eʒɛkta] n. m. pl. — Mil. XXᵉ; mot lat. attesté en 1886 en anglais des États-Unis; plur. neutre du p. p. *(ejectum)* de *ejicere* «jeter hors».

♦ Géol. Matières projetées en l'air lors d'une éruption volcanique, de l'impact d'un météorite. « *Il s'agit de la topographie du cratère (...) de la couverture d'éjectas* (sic), *des débris du projectile* » (la *Recherche,* nov. 1978, p. 1015).

N.B. La francisation du *e* en *é* est acceptable, mais le *s* au plur. suppose une lexicalisation au sing. (le sing. lat. serait *un éjectum*).

ÉJECTABLE [eʒɛktabl] adj. — 1956; de *éjecter.*

♦ *Siège, cabine éjectable :* dans un avion, Siège, cabine qui peut être éjecté(e) hors de l'appareil avec son occupant en cas de perdition. ⇒ **Largable.** — REM. On a dit *siège éjecteur.*
Cabine éjectable : dans un vaisseau spatial, Cabine qui peut être éjectée en vue de l'atterrissage.

Le début de l'épopée cosmique remonte au 15 mai 1960. C'est en effet à cette date que les Russes lançaient avec succès leur premier vaisseau cosmique (korabl spoutnik) dont ils récupéraient le satellite proprement dit et la cabine éjectable qu'il contenait.   Louis GUILBERT, le Vocabulaire de l'astronautique, p. 73.

ÉJECTER [eʒɛkte] v. tr. — Fin XIXᵉ; *ejecter, esjetter,* du XVᵉ au déb. XVIIᵉ, dans divers sens; lat. *ejectare* «rejeter», de *ex-* intensif et *jactare,* fréquentatif de *jacere* «jeter».

♦ **1.** Rejeter au dehors, hors de (qqch.). ⇒ **Projeter.** *La douille est éjectée quand le tireur réarme.* — Par ext. (Rare). Projeter au loin.

Petit-Pouce, qui avait fini sa cigarette, en écrasa la braise contre son talon, et du pouce et de l'index éjecta le mégot à distance appréciable.
R. QUENEAU, Pierrot mon ami, éd. L. de Poche, p. 8 (1942).

Réfl. *S'éjecter :* se projeter au dehors en utilisant un dispositif éjectable. *Le pilote s'est éjecté.*

♦ 2. Fam. Expulser, renvoyer. *Il s'est fait éjecter avec perte et fracas.* ⇒ **Jeter** (dehors).

DÉR. Éjectable, éjecteur, éjectif.

ÉJECTEUR [eʒɛktœʀ] n. m. — 1874; de *éjecter.*

♦ 1. Appareil qui sert à rejeter (un objet, un fluide...). *Éjecteur de vapeur, d'un réservoir. Éjecteur hydraulique. Éjecteur d'un fusil :* pièce qui projette hors de l'arme la douille des cartouches tirées. ⇒ **Éjection.**

♦ 2. Appos. ou adj. (Vieilli). *Siège éjecteur* (calque de l'anglo-amér. *ejector seat,* 1945). ⇒ **Éjectable.**

ÉJECTIF, IVE [eʒɛktif, iv] adj. et n. f. — Déb. xxᵉ; attestation isolée, 1649, «qui concerne l'éjection»; de *éjecter.*

♦ 1. (V. 1917). Géol. *Plissement de style éjectif :* plissement dans lequel des anticlinaux étroits sont séparés par de larges synclinaux.

♦ 2. (1946). Psychol. Dans lequel la personne, la conscience se projette en autrui ou vers l'extérieur.

♦ 3. (1950). Phonét. Se dit d'une consonne glottalisée produite sans expiration grâce à la pression de l'air contenu dans la bouche (opposé à *implosive,* 1.). — N. f. *Une éjective.*

ÉJECTION [eʒɛksjɔ̃] n. f. — xiiiᵉ; lat. *ejectio,* de *ejectum,* supin de *ejicere.* → Ejecta.

A. ♦ 1. Physiol. (Vieilli). Évacuation, déjection. *Éjection d'excréments.*

♦ 2. (xixᵉ). Action d'éjecter, fait d'être éjecté. *Éjection d'une douille,* rejet par l'éjecteur. *L'éjection d'un pilote,* sa projection hors d'un avion au moyen d'un siège éjectable.

♦ 3. (1951). Phonét. Processus articulaire des éjectives*.

♦ 4. Fam. Expulsion, action de congédier sans ménagement. *L'éjection d'un contestataire.*

B. Par métonymie. Matières éjectées. *Éjections volcaniques.* ⇒ **Ejecta, projections.**

ÉJOINTER [eʒwɛ̃te] v. tr. — 1756; de *é-,* anc. franç. *jointe* «articulation», de *joindre,* et suff. verbal.

♦ Fauconn. (Rare). *Éjointer un oiseau :* casser l'articulation extérieure de l'aile (pour l'empêcher de voler). *Éjointer un faucon.*

ÉJOUIR [eʒwiʀ] v. tr. — Déb. xiiᵉ; de *é-,* et *jouir.*

♦ Vx et littér. Rendre (qqn) joyeux. *Le jeu des comédiens, la finesse des réparties l'éjouissaient.*

▶ S'ÉJOUIR v. pron.

(Déb. xiiᵉ). Vx ou littér. Éprouver, manifester de la joie. ⇒ **Divertir** (se). — REM. S'emploie absolument, ou avec un compl. introduit par *à, de.*

▶ ÉJOUI, IE p. p. adj.

(xiiᵉ). Littér. Qui éprouve ou manifeste la gaieté.

Blaud est un gros garçon bien en chair, le teint frais, la face éjouie (...) il accuse quarante-deux ans, mais ne paraît pas son âge. GIDE, Voyage au Congo, *in* Souvenirs, Pl., p. 774.

DÉR. Éjouissance.

ÉJOUISSANCE [eʒwisɑ̃s] n. f. — 1867, F. Fabre; de *éjouir.*

♦ Vx et littér. Impression de joie; divertissement.

EJUSDEM FARINÆ [eʒysdɛmfaʀine] Mots latins signifiant «de la même farine» et toujours pris en mauvaise part pour marquer une communauté de vice, de défaut, etc. *Deux escrocs ejusdem farinæ.* ⇒ **Farine.**

ÉKISTIQUE [ekistik] n. f. — 1974; du grec mod. *ê oikistikê,* A. Doxiadis, 1942; de *oikos* «maison, habitat». → Éco-.

♦ Didact. Étude de l'habitat humain. *Centre d'ékistique d'Athènes.*

EKKLESIASTERION [eklezjasteʀjɔ̃] n. m. — D. i. (mil. xxᵉ); mot grec *ekklêsiastêrion,* de *ekklêsia* «assemblée».

♦ Archéol. En Grèce et dans les colonies grecques, Lieu où se réunissait l'assemblée de tous les citoyens ayant le droit de vote. *L'ekklesiasterion de Paestum.*

EKTACHROME [ɛktakʀom; ɛktakʀom] n. m. — Mil. xxᵉ; nom déposé (1942) par la firme Kodak; suff. *-chrome.*

♦ Photogr. Film pour la photographie en couleurs par trichromie. — Photographie en couleurs sur ce film. — Abrév. fam. (1980, *in* D.D.L.). *Un ekta, des ektas.*

-EL Suffixe (du lat. *-alis*) d'adjectifs généraux, tels que *fraternel, traditionnel.*

ÉLABORATEUR, TRICE [elabɔʀatœʀ, tʀis] adj. et n. — 1864, Littré; de *élaborer.*

♦ Qui élabore (qqch.). *Fonction élaboratrice d'un organe.* — N. *L'élaborateur, l'élaboratrice d'un plan.* ⇒ **Organisateur.**

Est décelé comme le plus dangereux l'homme aux pensées élaboratrices d'un seul crime. Henri MICHAUX, Ailleurs, p. 246.

ÉLABORATION [elabɔʀasjɔ̃] n. f. — 1478, *ellaboration*; lat. *elaboratio,* du supin de *elaborare.* → Élaborer.

Action d'élaborer, de s'élaborer. ⇒ **Formation, œuvre** (mise en), **préparation, transformation, travail.**

♦ 1. Physiol. Production, dans un organisme vivant, de substances nouvelles aux dépens de celles qui y sont apportées lors de divers processus physiologiques, qu'il s'agisse de sécrétion par des glandes ou de déchets destinés à être éliminés. *Élaboration des aliments.* ⇒ **Assimilation, digestion.** *L'élaboration de la bile par le foie, de l'urine par le rein.* ⇒ **Production.** — *Élaboration de la sève.* Figuré :

Elle (*l'œuvre*) est une floraison préparée profondément et de loin par une élaboration de la sève, conformément à la structure acquise et à la nature primitive de la plante qui l'a portée. TAINE, Philosophie de l'art, t. I, p. 226. [1]

Techn. (textile). *Élaboration du fil :* opérations qui, à partir de la fibre brute, permettent de produire un fil destiné à la fabrication des étoffes.

♦ 2. (1845). Abstrait. Travail de l'esprit sur des données, des matériaux qu'il utilise à certaines fins. ⇒ **Composition, constitution, construction, création, élucubration, préparation, travail.** *Élaboration d'un plan, d'un projet, d'un ouvrage, d'une œuvre. La conception* (cit. 2) *et l'élaboration. L'élaboration d'un diagnostic* (→ Aggravation, cit.).

(...) un dictionnaire de la langue française, même lorsqu'il porte le moins le caractère d'une *élaboration* originale et le plus celui d'une compilation, est toujours une œuvre et bien longue et bien lourde (...) LITTRÉ, Dict., Préface. [2]

Il (*Bonaparte*) interroge, il lit aussi avec une *attention prodigieuse* et son incroyable mémoire aidant, tout se grave, je le répète, en son cerveau comme sur le bronze. Mais ce ne sont là que simples aliments à la réflexion, simples éléments de méditation. Le voici plus *élabore* et c'est là qu'il faudrait le voir. L'*élaboration!* Le mot implique, chez l'homme, le *labeur* le plus magnifique, mais, à ce labeur, il se complaît, sans repos. Louis MADELIN, Hist. du Consulat et de l'Empire, De Brumaire à Marengo, VI, p. 87. [3]

L'élaboration de ses découvertes fut un extraordinaire enchaînement de prévisions, de perceptions, de solutions admirables. Henri MONDOR, Pasteur, p. 161. [4]

Psychol. *Fonctions d'élaboration.*

On appelle ainsi (*élaboration*), par opposition à l'*Acquisition* et à la *Conservation* de la connaissance, l'ensemble des opérations par lesquelles nous transformons les données immédiates qui sont considérées comme formant la matière de cette connaissance. Elle comprend l'association des idées et l'imagination en tant que créatrices (*élaboration spontanée*); l'attention, la conception, le jugement et le raisonnement (*élaboration réfléchie*). On y joint même quelquefois la mémoire, en tant qu'elle sélectionne et modifie les souvenirs. LALANDE, Voc. de la philosophie, art. *Élaboration.* [5]

Psychan. *Élaboration psychique* (all. *psychische Verarbeitung*) : travail accompli par l'appareil psychique pour intégrer et associer les excitations dont l'accumulation est dangereuse pour l'équilibre.

Élaboration secondaire (all. *sekundäre Bearbeitung*) : remaniement des éléments d'un rêve destiné à le présenter sous la forme d'un récit à peu près cohérent et compréhensible.

Enlever au rêve son apparence d'absurdité et d'incohérence, en boucher les trous, effectuer un remaniement partiel ou total de ses éléments en y opérant un tri et des adjonctions, chercher à créer quelque chose comme une rêverie diurne (...) voilà en quoi consiste l'essentiel de ce que Freud a nommé élaboration secondaire (...) J. LAPLANCHE et J.-B. PONTALIS, Voc. de la psychanalyse, art. *Élaboration secondaire.* [6]

ÉLABORER [elabɔʀe] v. tr. — Av. 1650; *élabouré* au p. p. *in* Rabelais, 1534; *élabourer* encore au xviiiᵉ, dans Trévoux qui le donne comme inusité; Littré note que «ce mot, sous la forme *élaborer,* a repris faveur»; lat. *elaborare* «produire par le travail, perfectionner», de *ex-* intensif et *laborare* «travailler», de *labor* «travail».

♦ 1. Façonner par un long labeur, selon un programme. ⇒ **Façonner, ouvrir, travailler.**

Ni pilier, ni terme dorique
D'histoires vieilles décoré,
Ni marbre tiré de l'Afrique
En colonnes élabouré (*élaboré*)... RONSARD, Odes, I, 8. [1]

♦ 2. Physiol. Soumettre à ou produire par une transformation généralement complexe et soumise à des règles. ⇒ **Former, transformer.** *L'appareil digestif rend les aliments assimilables en les élaborant* (⇒ **Assimiler**). *Les cellules hépatiques élaborent la bile avec les substances que leur fournit le sang. Les globules blancs élaborent les antitoxines* (cit. 2). ⇒ **Produire.**

2 Le lait, bien qu'élaboré dans le corps de l'animal, est une substance végétale (...)
ROUSSEAU, Émile, I.

3 (...) les veines pulmonaires aboutissant à l'oreillette gauche récoltent le sang rouge nouvellement élaboré aux poumons.   P. VALLERY-RADOT, Notre corps..., p. 38.

♦ **3.** Préparer mûrement, par un lent travail de l'esprit. *Élaborer un plan, un projet, un système.* ⇒ **Construire, créer, échafauder, faire, former, préparer** (→ **Dénouement,** cit. 4). *Élaborer des vers, un ouvrage.* ⇒ **Composer, fabriquer.**

4 (...) nous élaborions d'ineptes gloses, des paraphrases qui me feraient rougir aujourd'hui si je les revoyais.   GIDE, Si le grain ne meurt, I, VI, p. 176.

5 *En tant que créateur,* l'artiste n'appartient pas à la collectivité qui subit sa culture, mais à celle qui l'élabore (...)   MALRAUX, les Voix du silence, p. 414.

▶ **S'ÉLABORER** v. pron.
Être élaboré. *La sève s'élabore. Son ouvrage s'élabore lentement.*

6 (...) elle *(la sève brute)* subit des modifications profondes, elle *s'élabore* et devient capable de fournir aux diverses parties de la plante les matériaux nécessaires à leur édification (...) La sève élaborée est appelée aussi quelquefois *descendante.*
P. POIRÉ, Dict. des sciences, art. *Sève.*

7 C'est (...) dans l'Europe du centre et du Nord-ouest que s'est élaboré le système industriel qui caractérise aujourd'hui l'Occident (...)
André SIEGFRIED, l'Âme des peuples, Conclusion, II, p. 199.

▶ **ÉLABORÉ, ÉE** p. p. adj. (XIXᵉ).

♦ **1.** Qui est le résultat d'un long travail. *Un art élaboré. Des plats très élaborés, une cuisine élaborée.*

♦ **2.** Que des transformations ont rendu assimilable par l'organisme. *Aliments élaborés.* — *Sève élaborée,* enrichie en matières protéiques par l'activité des feuilles.

DÉR. **Élaborateur.** — V. **Élaboration.**

ELÆGNACÉES [elɛgnase] n. f. pl. ⇒ **Éléagnacées.**

ELÆIS [eleis] ⇒ **Éléis.**

ÉLÆO-, ÉLAI-, ÉLAIO-, ÉLÉO- Premier élément de mots savants, du grec *elaion* « huile »*.

ÉLAGAGE [elagaʒ] n. m. — 1755; de *élaguer.*

A. ♦ **1.** Action d'élaguer (les arbres), résultat de cette action. ⇒ **Ébranchage, émondage, étêtage, taille.**

1 (...) l'élagage judicieusement opéré *(dans les taillis sous futaie),* en supprimant les branches en excès, en raccourcissant les branches trop longues, permet au jeune arbre de prendre une forme régulière.   *Omnium agricole,* Élagage.

2 (...) il se mit, en criant, à invoquer tous les Baals. Ce n'était pas sa faute! il n'y pouvait rien! il avait observé les températures, les terrains, les étoiles, fait les plantations au solstice d'hiver, les élagages au décours de la lune, inspecté les esclaves, ménagé leurs habits.   FLAUBERT, Salammbô, Pl., t. I, p. 858.

Par métaphore :
3 L'instruction obligatoire aboutit au plus bel élagage de la personnalité.
B. CENDRARS, Moravagine, *in* Œ. compl., t. IV, p. 233.

♦ **2.** (XIXᵉ). Fig. Action de débarrasser (un texte, une œuvre, etc.) de ce qui est superflu. *L'élagage d'un reportage.*
REM. En ce sens, on trouve aussi *élaguement,* n. m. (1722).

B. Par métonymie et collectif. Branches coupées en élaguant.

ÉLAGUEMENT [elagmã] n. m. ⇒ **Élagage.**

ÉLAGUER [elage] v. tr. — 1535, *eslaguer; eslaguees* au p. p., XVᵉ; *eslaver* en 1425; *alaguer,* 1373; de *é-, es-* (lat. *ex-*) et anc. scandinave *laga* « arranger ».

♦ **1.** Arbor. Retrancher (d'un arbre) les branches que l'on juge superflues. ⇒ **Couper, ébrancher, écimer, éclaircir, égayer, émonder, étêter, tailler.** *Élaguer les branches mortes. Élaguer un arbre. Se servir d'une cisaille, d'un croissant, d'une serpe pour élaguer.* Absolt. « *Voici venu le moment d'élaguer* » (Académie).

1 Les arbres de la route, toujours élagués à la mode du pays, ne lui donnaient presque aucune ombre (...)   ROUSSEAU, les Confessions, VIII.

2 Quelques tilleuls élagués cachaient mal leur villa au fond du jardin.
R. RADIGUET, le Diable au corps, p. 17.

♦ **2.** (XVIIIᵉ). Fig. Débarrasser (qqch.) des détails ou développements inutiles. *Élaguer un discours, un écrit.* — Enlever de qqch. (ce qu'on juge superflu). *Élaguez ces détails superflus* ⇒ **Amphigouri,** cit. 2). *Il y a beaucoup à élaguer dans cet article.* ⇒ **Couper, retrancher, supprimer.**

CONTR. **Compléter, développer.**
DÉR. **Élagage, élaguement, élagueur.**

ÉLAGUEUR, EUSE [elagœʀ, øz] n. — 1756; de *élaguer.*
Technique.

♦ **1.** Ouvrier, ouvrière spécialisé(e) dans l'élagage des arbres. — Par appos. *Ouvrier élagueur.*

♦ **2.** N. m. Instrument servant à élaguer, sorte de sécateur à long manche et à démultiplication, permettant de couper les branches et les jeunes arbres.

ÉLAMITE [elamit] adj. et n. — 1870; lat. *Elamita,* p.-ê. de *Elamtu,* nom assyrien de l'Élam.

♦ **1.** Adj. Relatif à l'Élam, ancien pays d'Asie Mineure. — N. Personne originaire de ce pays.
Le peuple élamite qui a joué un rôle important dans l'histoire ancienne de l'Asie Mineure habitait la région montagneuse qui va de la plaine mésopotamienne au plateau iranien, et qui compend le Zagros, le Louristan et le Khouzistan actuels.
A. MEILLET et M. COHEN, les Langues du monde, p. 195.

♦ **2.** N. m. Langue autrefois parlée en Élam. *L'élamite a été une des langues de l'empire achéménide.*

1. ÉLAN [elã] n. m. — 1409; déverbal de *élancer.*

♦ **1.** Mouvement par lequel on s'élance, on s'apprête à lancer qqch. Spécialt. Mouvement progressif préparant l'exécution d'un saut, d'un exercice. *L'acrobate a mal calculé son élan* (→ Calculer, cit. 7). *Prendre son appel* (III., 3.) *après une course d'élan. Prendre son élan sur un tremplin* (→ Bondir, cit. 4). *Perdre son élan. Prendre, reprendre de l'élan.* — Loc. *D'un seul élan* : d'un seul effort ou en une seule fois. — Par métaphore, en parlant des choses. *L'élan tumultueux des vagues, du torrent* (→ Déjection, cit. 3), *des cloches* (→ Cloche, cit. 4).

1 (...) cette eau folle et bondissante (...) quand elle se recueille, en frémissant, dans une conque de rochers, pour un élan plus furieux et pour une chute plus irrémédiable.   Léon BLOY, le Désespéré, p. 65.

2 (...) et tout d'un coup, par un brusque élan, il se jeta sur la terre (...)
J. GREEN, Léviathan, XIII, p. 117.

3 (...) redevenir celui qui, au début de l'épidémie, voulait courir d'un seul élan hors de la ville (...)   CAMUS, la Peste, p. 316.

(1907). Philos. *L'élan vital,* selon Bergson, Mouvement vital, créateur, qui traverse la matière en se diversifiant.

3.1 L'élan vital dont nous parlons consiste, en somme, dans une exigence de création. Il ne peut créer absolument, parce qu'il rencontre devant lui la matière, c'est-à-dire le mouvement inverse du sien. Mais il se saisit de cette matière, qui est la nécessité même, et tend à y introduire la plus grande somme possible d'indétermination.   H. BERGSON, l'Évolution créatrice, p. 252.

Par ext. Mouvement d'une chose lancée. *Camion, skieur emporté par son élan. Rien ne peut arrêter, briser, ralentir l'élan des troupes,* leur progression. — Fig. *Donner, apporter un élan, de l'élan à quelque chose,* lui transmettre une impulsion. ⇒ **Essor, impulsion.** *L'aide gouvernementale a donné de l'élan à l'exportation. Briser l'élan de quelqu'un,* le décourager.

♦ **2.** Mouvement brusque vers l'avant. ⇒ **Bond** (→ Arriver, cit. 12). *Ce cheval n'avance que par élans.*
Par anal. Mouvement par lequel la voix reprend, s'élance. *Mélopée coupée* (cit. 32) *d'élans.*

4 Aux élans redoublés de sa voix douloureuse (...)   BOILEAU, le Lutrin, IV.

5 Il eut *(le rire)* des soubresauts, des rebondissements, des à-coups, des reculs (...) de soudaines reprises, des élans, des bonds furieux (...)
Léon BLOY, la Femme pauvre, II, XXII, p. 277.

♦ **3.** Fig. Mouvement* ardent, subit, qu'un vif sentiment inspire. ⇒ **Ardeur, impulsion, poussée.** *Brusque élan. Élans impétueux. Élans de jeunesse, de passion*.* ⇒ **Entraînement, fougue.** *Ne pas savoir contenir, maîtriser, réfréner, refouler ses élans. Irrésistible élan. Élan du cœur.* ⇒ **Effusion.** *Élan de sympathie, de générosité, de solidarité. Élan patriotique* (→ Ardeur, cit. 37), *de fraternité* (→ Conquête, cit. 2). *Élans de zèle, d'enthousiasme* (⇒ **Transport;** → Don, cit. 5). *Élan de foi* (→ Agir, cit. 13; électriser, cit. 4). *Dans les élans de la passion, de la colère...* ⇒ **Emportement.** *Élans de l'espérance. Élan vers...* ⇒ **Aspiration, élancé** (élancée). *Élan de l'âme vers Dieu. Élan vers l'avenir. Élan capricieux, passager.* ⇒ fam. **Foucade, toquade.** *Avoir de l'élan.* ⇒ **Ardeur.** *Parler avec élan.* ⇒ **Chaleur, vivacité.** *Un bel élan* (dans un discours). ⇒ **Envolée.**

6 La jeunesse a perdu l'élan qui la gonflait (...)
HUGO, la Légende des siècles, XX, II.

7 Même élan de foi, d'espérance et d'enthousiasme, même esprit de propagande et de domination, même raideur et même intolérance, même ambition de refondre l'homme et de modeler toute la vie humaine d'après un type préconçu.
TAINE, les Origines de la France contemporaine, II, t. II, p. 2.

8 (...) des passions violentes, de grands élans de tout leur être qui les poussaient aux choses les plus exaltées, aux dévouements fanatiques, même aux crimes.
MAUPASSANT, Clair de lune, «Une veuve».

9 J'ai été plus d'une fois victime de ces crises et de ces élans, qui nous autorisent à croire que des Démons malicieux se glissent en nous et nous font accomplir, à notre insu, leurs plus absurdes volontés.   BAUDELAIRE, le Spleen de Paris, IX.

10 Alors il eut un élan, comme jadis dans son enfance, vers ce refuge très doux qu'était pour lui sa mère (...)   LOTI, Ramuntcho, II, IV.

11

Mes premiers élans vers lui, du temps que je ne connaissais pas la retenue, ne m'ont valu que des rebuffades, qui m'ont instruit.
GIDE, les Faux-monnayeurs, I, IV, p. 56.

HOM. 2. Élan.

2. ÉLAN [elɑ̃] n. m. — 1609, ellan; eslams plur. 1519; hellent, 1414; ellend, 1564; haut all. elend, du baltique elnis.

♦ Grand cerf (Cervidés) des pays du Nord, à grosse tête, aux bois aplatis en éventail. Élan du Canada. ⇒ **Orignal.** Andouiller d'élan. Une troupe d'élans. — N. sc. : abcès*.

1   Nous vîmes la petite île d'Aland, à quarante milles de Stockholm : cette île est très fertile, et sert de retraite aux élans (...)
J.-F. REGNARD, Voyage en Laponie, p. 79.

Élan gris, élan rouge. ⇒ **Wapiti.**

2   De la distance à laquelle ils se trouvaient, Jasper Hobson, Mrs Paulina Barnett et leurs compagnons pouvaient facilement distinguer le groupe des wapitis. C'étaient de magnifiques échantillons de cette famille de daims, que l'on connaît sous les noms variés de cerfs à cornes rondes, cerfs américains, biches, élans gris et élans rouges.
J. VERNE, le Pays des fourrures, t. I, p. 72.

HOM. 1. Élan.

ÉLANCÉ, ÉE [elɑ̃se] adj. et n. f. — 1549; p. p. de élancer.

★ I. ♦ **1.** Vx. Maigre. ⇒ **Crête.** Cheval élancé. ⇒ **Efflanqué.**

♦ **2.** (1636). Mod. Mince et svelte. Taille élancée. ⇒ **Délié, fin, svelte.** Cou élancé. ⇒ **Long.** — Développé en hauteur et de forme légère. Arbre au tronc élancé. Clocher (cit. 1) élancé. Colonnes élancées (→ Campanile, cit. 1).

1   Le prince de Léon était un grand garçon élancé, laid et vilain au possible (...)
SAINT-SIMON, Mémoires, t. I, LVI.

2   Vous avez vu, chez les artistes florentins, le type allongé, élancé, musculeux, aux instincts nobles, aux aptitudes gymnastiques, tel qu'il peut se dégager dans une race sobre, élégante, active (...)   TAINE, Philosophie de l'art, t. II, p. 279.

★ II. ♦ **1.** (1690). Blason. Cerf élancé, représenté au galop.

♦ **2.** N. f. (xxᵉ). Rare. **ÉLANCÉE** : mouvement plein d'élan. Une élancée vers l'avenir.

CONTR. (Du sens I) Court, massif, rabougri, ramassé, ratatiné, trapu.

ÉLANCEMENT [elɑ̃smɑ̃] n. m. — 1549; de élancer.

♦ **1.** Vx. Action de s'élancer. — Fig. et littér. Mouvement de ce qui s'élance.

♦ **2.** Caractère de ce qui est élancé.

1   Nous redescendîmes pour voir la chapelle; c'est une merveille d'architecture. L'élancement des piliers et des nervures, l'ornement sobre et fin des détails, révélaient l'époque intermédiaire entre le gothique fleuri et la Renaissance.
NERVAL, les Filles du feu, Angélique, X.

Techn. (Mar.). Angle que forme l'étrave ou l'étambot avec le prolongement de la quille. Élancement avant, élancement arrière.

♦ **3.** (1587). Littér. Mouvement ardent de l'âme (vers Dieu, vers l'infini). ⇒ 1. **Élan.** Un élancement de pitié.

2   Il faisait des soupirs, de grands élancements (...)   MOLIÈRE, Tartuffe, I, 5.

3   De notre temps, où tout est sacrifié à je ne sais quel bien-être grossier et stupide, l'on ne comprend plus ces sublimes élancements de l'âme vers l'infini, traduits en aiguilles, en flèches, en clochetons, en ogives, tendant au ciel leurs bras de pierre, et se joignant, par-dessus la tête du peuple prosterné, comme de gigantesques mains qui supplient.   Th. GAUTIER, Voyage en Espagne, p. 254.

4   (...) retrouvant au milieu d'un apaisement extraordinaire la volupté perdue de ses premiers élancements mystiques (...)   FLAUBERT, Mᵐᵉ Bovary, III, VIII, p. 206.

♦ **4.** Douleur* brusque, aiguë, lancinante (→ Courbature, cit. 5; coup, cit. 3; méralgie, cit.)

5   (...) il avait sommeil et des élancements violents lui trouaient le crâne; il aurait aimé dormir et ne plus penser à rien.   SARTRE, la Mort dans l'âme, p. 96.

Sensation brusque, proche de la douleur. « Un élancement au cœur » (Simone de Beauvoir).

ÉLANCER [elɑ̃se] v. — Conjug. lancer. → Placer. — xiiᵉ; rare jusqu'au xviᵉ; de é-, et lancer.

♦ **1.** V. tr. (xviᵉ). Vx. Lancer avec force. Le bouquet élance une forte odeur. — Vx et fig. Pousser avec force (des cris, des regards).

1   Et les yeux vers le ciel de fureur élancés (...)   BOILEAU, Satires, IV, 1.

2   Thésée est arrivé, Thésée est en ces lieux.
Le peuple, pour le voir, court et se précipite.
Je sortais par votre ordre, et cherchais Hippolyte;
Lorsque jusques au ciel mille cris élancés (...)   RACINE, Phèdre, III, 3.

Mod. Dresser, élever. La salle élançait à des hauteurs de cathédrale les arceaux de sa voûte (Huysmans, → Côte, cit. 6; crypte, cit. 1).

♦ **2.** V. intr. (xviᵉ; fin xiiiᵉ, « palpiter »). Causer des élancements (⇒ **Élancement,** 4.). La blessure est refermée, mais le doigt lui élance encore.

2.1   Son abcès si douloureux qui l'élançait de plus en plus.
CÉLINE, Mort à crédit, éd. Denoël et Steel, p. 370 (1936).

▶ **S'ÉLANCER** v. pron.

♦ **1.** (xiiᵉ). Se lancer en avant impétueusement. ⇒ **Bondir, jeter** (se), **porter** (se), **précipiter** (se), **ruer** (se), **voler** (vers). Je n'eus que le temps de m'élancer (→ Arracher, cit. 27). S'élancer le sabre à la main (→ Abordage, cit. 1). S'élancer d'un seul bond hors de sa chambre. S'élancer à travers les flammes. S'élancer vers quelqu'un, à sa poursuite, derrière lui. Le chien s'élança sur lui. ⇒ **Foncer** (fam.). S'élancer dans l'abîme (⇒ **Piquer,** fam.; **sauter**).

3   Vendôme, que soutient l'orgueil de sa naissance,
Au même instant dans l'onde impatient s'élance (...)   BOILEAU, Épîtres, IV.

4   Entrer, voler vers nous, s'élancer sur Gusman,
L'attaquer, le frapper, n'est pour lui qu'un moment.   VOLTAIRE, Alzire, V, 2.

5   Nous nous attendions tous les deux, très naturellement, à voir le docteur s'élancer hors de sa chambre; car généralement, s'il entendait remuer une souris, il bondissait comme un mâtin hors de sa niche.
BAUDELAIRE, les Paradis artificiels, « Mangeur d'opium », II.

6   Fi du chien bellâtre (...) si enchanté de lui-même qu'il s'élance indiscrètement dans les jambes ou sur les genoux du visiteur (...)
BAUDELAIRE, le Spleen de Paris, I.

7   On dirait (ce combat) un ballet guerrier, une figure de carrousel. Les deux partis sont face à face. L'un d'eux s'élance ventre à terre, derrière ses porte-étendards, décharge ses fusils, tourne bride, et toujours à fond de train s'enfuit, ses drapeaux déployés.   Jérôme et Jean THARAUD, Marrakech, XVI, p. 258.

♦ **2.** (xviiiᵉ). Sujet n. de chose. Vieilli ou littér. Surgir, jaillir. L'eau s'élance du rocher (→ Bouillonner, cit. 1). ⇒ **Échapper** (s'). Les vagues s'élancent contre le navire. Le bateau s'élance dans la nuit. Par métaphore : « La calomnie (cit. 5) s'élance, étend son vol... »

♦ **3.** Par métaphore ou fig. Littér. Se lancer dans une entreprise hasardeuse. S'élancer à la conquête de la gloire. ⇒ **Lancer** (se), **marcher, partir.** — En s'élançant trop haut, on risque la chute (cit. 13).

Se tourner (vers un but élevé). Son âme s'élance vers Dieu, vers l'avenir (→ Contemplation, cit. 2; chercher, cit. 24). Pensée qui s'élance. ⇒ **Envoler** (s'), **voler.**

8   Dans ce voyage de Vevay, je me livrais, en suivant ce beau rivage, à la plus douce mélancolie. Mon cœur s'élançait avec ardeur à mille félicités innocentes : je m'attendrissais, je soupirais, et pleurais comme un enfant.
ROUSSEAU, les Confessions, IV.

9   Derrière les ennuis et les vastes chagrins
Qui chargent de leur poids l'existence brumeuse,
Heureux celui qui peut d'une aile vigoureuse
S'élancer vers les champs lumineux et sereins !
BAUDELAIRE, les Fleurs du mal, Spleen et idéal, « Élévation ».

♦ **4.** Littér. Avoir une forme, une silhouette élancée (⇒ **Élancé**). Ce clocher s'élance vers le ciel. ⇒ **Dresser** (se).

10   Elle n'était pas grande, mais elle le semblait, tant sa fine taille s'élançait hardiment.   HUGO, Notre-Dame de Paris, II, III.

Devenir élancé. Sa taille s'élance, gagne en hauteur sans épaissir.

CONTR. Cabrer (se), reculer. — Épaissir, ramasser (se).
DÉR. Élan, élancé (adj.), élancée (n. f.), élancement.

ÉLAPHE [elaf] ou ÉLAPHUS [elafys] n. m. — 1807, élaphe; élaphus, 1870; lat. sc., du grec elaphos « cerf, biche ».

♦ Didact. Cerf élaphe, ou cerf noble : cerf* commun d'Europe.

ÉLAPHIS [elafis] n. m. invar.— 1878, in P. Larousse; mot latin.

♦ Zool. Genre de reptiles ophidiens (Colubriformes) de l'hémisphère nord. ⇒ **Couleuvre.** L'élaphis peut dépasser deux mètres.

ÉLAPS [elaps] n. m. — 1839, Boiste; mot lat., elaps.

♦ Zool. Genre de reptiles ophidiens venimeux (Élapidés) dont le type est le serpent corail, rouge annelé de noir, qui vit en Amérique du Sud.

ÉLARGIR [elaRʒiR] v. tr. — xiiᵉ; de é-, large, et suff. verbal.

★ I. V. tr. ♦ **1.** Rendre plus large. Élargir une rue, un chemin, un trottoir, une porte. ⇒ **Agrandir.** Élargir un orifice, un conduit, un tuyau. ⇒ **Dilater, évaser.** Élargir une plaie. Élargir des chaussures. Élargir une jupe, une veste, la ceinture d'une robe. Cet exercice élargit les épaules.

(Sujet n. de chose). Faire paraître plus large. Cette veste l'élargit. Cette coiffure élargit son visage. — Littér. (Sujet n. de personne). Les explorateurs, les savants ont élargi le monde.

1   L'ombre, où se mêle une rumeur,
Semble élargir jusqu'aux étoiles
Le geste auguste du semeur.   HUGO, Chansons des rues et des bois, II, I, III.

♦ **2.** Par ext. Rendre plus ample; augmenter la surface. ⇒ **Agrandir.** Élargir son domaine, sa propriété.

Fig. Étendre le domaine, la portée de (une activité, un phénomène). ⇒ **Accroître, augmenter, étendre.** Élargir son action, son influence. Élargir son horizon, ses vues, sa façon de voir. Élargir un débat, lui donner un caractère plus général. Élargir le cercle de ses connaissances, son instruction. Ces études élargissent l'intelligence. ⇒ **Développer.**

2 (...) la méditation avait aiguisé sa pensée, les sciences avaient élargi son entendement.   BALZAC, Séraphîta, Pl., t. X, p. 522.

3 (...) songer avant tout aux foules déshéritées et douloureuses, les soulager, les aérer,
les éclairer, les aimer, leur élargir magnifiquement l'horizon, leur prodiguer sous
toutes les formes l'éducation (...)   HUGO, les Misérables, IV, VII, IV.

4 Elle attend de la vie future tout ce qui lui manque ici-bas (...) ceci lui permet
d'élargir indéfiniment ses espoirs.   GIDE, les Faux-monnayeurs, III, II, p. 303.

Accroître l'importance de (qqch.). *Le gouvernement cherche à élargir sa majorité.*

♦ **3.** (XIVe). Mettre en liberté, au large (un détenu). ⇒ **Libérer, relâcher, relaxer, sortir** (faire). *Élargir un prisonnier.*

5 Je ne doutais pas qu'on ne vous élargît bientôt : les choses que j'avais dites au
corrégidor à votre décharge suffisaient pour cela.
                                                          A. R. LESAGE, Gil Blas, I, XIV.

6 (...) on ne saurait être écroué avec plus de civilité, interrogé plus sagement, ni
élargi plus promptement qu'il n'a été.   P.-L. COURIER, Art. du 1er nov. 1823.

★ **II.** V. intr. (Par infl. de *grandir, grossir*). Fam. *Il a beaucoup
élargi :* sa carrure s'est élargie. ⇒ **Forcir.**

▶ **S'ÉLARGIR** v. pron.

♦ **1.** (XIIIe). Devenir plus large. ⇒ **Augmenter.** *La route s'élargit. Le
fleuve s'élargit vers son embouchure. Sa face s'élargit.* ⇒ **Enfler,
gonfler.** *Chaussures qui s'élargissent à l'usage.* ⇒ **Avachir** (s').

7 Vous m'avez envoyé des bas de soie si étroits, que j'ai eu toutes les peines du
monde à les mettre (...) — Ils ne s'élargiront que trop.
                                            MOLIÈRE, le Bourgeois gentilhomme, II, 5.

8 Le sentier s'élargissait de nouveau pour aboutir à une clairière où s'offrait un banc,
entre deux chênes mangés de chenilles.
                                              MARTIN DU GARD, les Thibault, t. II, p. 261.

♦ **2.** Devenir plus étendu.

8.1 L'espace scénique est alors restauré dans sa dignité première, rendu à sa liberté, à
ses vraies dimensions, à sa fonction. Délivré de sa rigide enveloppe, l'espace n'est
plus momie inerte, mais substance vivante, élastique. Il peut s'élargir ou se rétrécir, se resserrer ou se dilater, respirer au rythme du drame.
                                Marie-Thérèse SERRIÈRE, le T. N. P. et nous, p. 72, *in* T. L. F.

Vieilli. Agrandir ses propriétés. *Ses terres ne lui suffisent plus, il
veut s'élargir.*

Fig. (→ *supra,* 2.; converger, cit. 3; communauté, cit. 2; agrandir,
cit. 9). *Le débat s'élargit.*

9 Quel que soit le souci que ta jeunesse endure,
Laisse-la s'élargir, cette sainte blessure
Que les noirs séraphins t'ont faite au fond du cœur (...)
                                      A. DE MUSSET, Poésies nouvelles, « Nuit de mai ».

Morale, idées qui s'élargissent, qui perdent leur rigueur. ⇒ **Relâcher** (se).

10 (...) la perception du bien et du mal s'obscurcit à mesure que l'intelligence
s'éclaire ; la conscience se rétrécit à mesure que les idées s'élargissent.
                              CHATEAUBRIAND, Mémoires d'outre-tombe, t. VI, p. 321.

11 Si l'épidémie s'étend, la morale s'élargira aussi. Nous reverrons les saturnales mila-
naises au bord des tombes.   CAMUS, la Peste, p. 136.

▶ **ÉLARGI, IE** p. p. adj.

♦ **1.** Qui a été rendu ou est devenu plus large. *Route élargie. Souliers élargis. Plaie élargie* (→ Aviver, cit. 10).

12 (...) le visage pâle de la mère qui avait mis un mouchoir sur sa bouche et suivait
les gestes du docteur avec des yeux élargis.   CAMUS, la Peste, p. 230.

♦ **2.** Qui a été rendu ou qui est devenu plus important. *Une majorité élargie. La famille élargie.*

♦ **3.** Libéré, relâché.

13 Je me sentais, pareil au prisonnier brusquement élargi, pris de vertige, pareil au
cerf-volant dont on aurait soudain coupé la corde, à la barque en rupture d'amarre,
à l'épave dont le vent et le flot vont jouer.
                                            GIDE, Si le grain ne meurt, II, II, p. 308.

**CONTR. Amincir, étrécir, resserrer, rétrécir. — Borner, circonscrire, restreindre.
— Arrêter, écrouer, emprisonner, incarcérer.
DÉR. Élargissement, élargisseur, élargissure.**

ÉLARGISSEMENT [elaʀʒismɑ̃] n. m. — 1314 ; de *élargir.*

♦ **1.** Action d'élargir, de s'élargir ; résultat de cette action.
⇒ **Agrandissement.** *Les travaux d'élargissement d'une voie publique. Élargissement d'un tissu.* ⇒ **Distension.** — Fait de devenir
plus large (dans l'espace, selon la longueur). *Élargissement d'une
jupe vers le bas.* ⇒ **Évasement.**

1 Le bras du Pô de Venise a absorbé le bras de Ferrare (...) sans aucun élargissement de son lit.   FONTENELLE, Guglielmini.

2 Il était de taille assez haute, les épaules bien carrées, la tête plutôt enfoncée,
grosse, sans être énorme, et d'une forme très singulière : peu de menton, peu de
crâne ; entre les deux un élargissement progressif (...)
                        J. ROMAINS, les Hommes de bonne volonté, t. V, XXIII, p. 203.

♦ **2.** Action de rendre plus grand ; fait de devenir plus grand,
plus important. *Élargissement d'un domaine.* ⇒ **Extension.** — Fig.
⇒ **Accroissement, augmentation, développement, dilatation, extension.**

3 (...) ils sentent confusément qu'il pourrait y avoir peut-être pour l'homme un élargissement de l'âme et de la sensation.   MAUPASSANT, la Vie errante, « La nuit ».

4 C'est un plaisir des plus vifs (...) que de suivre avec eux les sens des mots dans

leurs enchaînements, leurs rayonnements, leurs élargissements, leurs restrictions,
leurs métaphores, leurs allusions, leurs sous-entendus.
G. PARIS, Compte rendu du dict. général de la langue franç.,
                                            Journal des savants, oct.-nov. 1890.

Ling. Addition d'un morphème à un mot ou à un élément de formation.

♦ **3.** (1333). Mise en liberté (d'un détenu). ⇒ **Écrou** (levée d'écrou),
libération, relâchement, relaxation. *L'élargissement d'un prisonnier.*

5 Mais c'était dans un sentiment tout différent que cette enquête était lue par toutes
les personnes qui désiraient l'élargissement de Dreyfus s'il était innocent, l'élargissement de Picquart, et qui ne voulaient aucun mal à du Paty de Clam ni au
général de Boisdeffre.   PROUST, Jean Santeuil, Pl., t. III, p. 652.

**CONTR. Amincissement, étrécissement, rétrécissement. — Diminution ; compres-
sion, rapetissement, restriction. — Emprisonnement, incarcération.**

ÉLARGISSEUR [elaʀʒisœʀ] n. m. — 1888 ; attestation isolée,
1568, « celui qui élargit » ; de *élargir.*

♦ Techn. Trépan spécial qui permet d'augmenter le diamètre d'un
puits en forage. — Appareil utilisé pour augmenter la largeur
des tissus.

ÉLARGISSURE [elaʀʒisyʀ] n. f. — 1690 ; de *élargir.*

♦ Vx. Ce qu'on ajoute à (une chose) pour l'élargir. *L'élargissure
d'une robe, d'un meuble.*

ÉLASMOBRANCHES [elasmɔbʀɑ̃ʃ] n. m. pl. — 1907, in *Rev.
gén. des sc.,* n° 9, p. 376 ; de *elasmos* « lame métallique », et de *branchie.*

♦ Zool. Sous-classe de poissons cartilagineux (⇒ **Sélaciens**) qui comprend les raies et les requins. — Au sing. *Un élasmobranche.*

ÉLASTANCE [elastɑ̃s] n. f. — Mil. XXe ; probablt de l'anglo-améri-
cain *elastance* (Bayliss, Robertson, 1939) ; 1885, en électricité ; de *elastic,* et *-ance.*

♦ Méd., physiol. Rapport entre la pression d'un fluide et le volume
du réservoir élastique qui le contient (syn. : *coefficient d'élasticité*).
L'élastance du thorax.

ÉLASTICIMÈTRE [elastisimɛtʀ] n. m. — 1895, Frémont ; du rad.
de *élasticité,* et *-mètre.* → Élasticimétrie.

♦ Appareil destiné à mesurer les déformations subies par un corps.

ÉLASTICIMÉTRIE [elastisimetʀi] n. f. — Mil. XXe ; du rad. de
élasticité, et *-métrie.* → Élasticimètre.

♦ Sc. Mesure des contraintes subies par un corps et des déformations qui en résultent.

ÉLASTICITÉ [elastisite] n. f. — 1687 ; lat. sc. mod. *elasticitas,* de
elasticus. → Élastique.

♦ **1.** Sc. et cour. Propriété qu'ont certains corps de reprendre (au
moins partiellement) leur forme et leur volume primitifs quand la
force qui s'exerçait sur eux cesse d'agir. *Élasticité des métaux :
élasticité de traction, de torsion, de fluxion. Grande élasticité des
gaz* (⇒ **Compressibilité, détente**). *L'élasticité du caoutchouc. Limite
d'élasticité,* au delà de laquelle les corps restent déformés. *Coefficient d'élasticité.* ⇒ **Élastance.** *Module d'élasticité,* quotient de la
contrainte exercée sur un corps par la déformation qui en résulte.
Élasticité d'un ressort ; bonne élasticité d'un sommier, d'un siège.
⇒ **Souplesse.** *Élasticité d'un textile, d'un tissu, d'un tricot* (1798).
Physiol. *Élasticité de la peau* (→ Derme, cit. 1), *de la chair, des
artères* (→ Caoutchouteux, cit. 2). *Élasticité des muscles.* ⇒ **Ton,
tonicité, tonus** (musculaire).

1 Cette propriété se trouve à un degré plus ou moins grand dans presque tous les
corps, il y en a même dont l'*élasticité* est presque parfaite, c'est-à-dire qui paraissent reprendre exactement la même figure qu'ils avaient avant la compression...
Cependant il paraît presque impossible qu'il se trouve des corps absolument doués
d'une parfaite élasticité.   D'ALEMBERT, Encycl., art. *Élasticité.*

2 Au milieu se trouvait un sofa en forme de trône. Quelques passants s'y asseyaient
pour en éprouver l'élasticité (...)   NERVAL, *Aurélia*, p. 384.

3 L'on ne distinguait que le craquement saccadé des fragments de la cage qui, en
vertu de l'élasticité du bois, reprenait en partie la position primordiale de leur construction.   LAUTRÉAMONT, les Chants de Maldoror, VI, p. 251.

♦ **2.** Cour. Souplesse, aisance (de l'allure, des mouvements). *Élasticité des jambes, du pas, des reins, de la démarche.* ⇒ **Agilité, souplesse** (→ Aplomb, cit. 2).

4 Allant toujours du même pas, par longues enjambées, avec cette élasticité du
genou qui est l'art des grands marcheurs (...)
                                        E. FROMENTIN, Un été dans le Sahara, I, p. 90.

5 Il marchait en éprouvant à chaque pas, soigneusement, l'élasticité du jarret et du
cou-de-pied (...)   COLETTE, la Fin de Chéri, p. 15.

5.1 L'air de Florence me paraît être la chose du monde la plus grisante que je connaisse. Nous y vivons dans un état de légèreté et d'élasticité que je n'avais jamais trouvé.   J.-R. BLOCH, Deux hommes se rencontrent, p. 216.

♦ **3.** (1767). Abstrait. Aptitude à réagir vivement, à se redresser. ⇒ **Ressort.** *Élasticité de l'esprit.*

6 (...) il ne faut jamais, dans aucun art, travailler contre son propre sentiment (...) l'esprit mis à la gêne perd toute son élasticité.
                              VOLTAIRE, Lettre à Chauvelin, 3048, 23 févr. 1767.

♦ **4.** Fig. Aptitude à se plier, à s'adapter (intellectuellement, moralement). ⇒ **Souplesse.** *C'est un homme tout d'une pièce, qui manque d'élasticité. L'élasticité d'un régime politique.*

7 Impitoyable dictature que celle de l'opinion dans les sociétés démocratiques ; n'implorez d'elle ni charité, ni indulgence, ni élasticité quelconque dans l'application de ses lois.
                              BAUDELAIRE, Edgar Poe, sa vie et ses œuvres, in E. POE, Œ., Pl., p. 1043.

8 Ce que la vie et la société exigent de chacun de nous, c'est une attention constamment en éveil, qui discerne les contours de la situation présente, c'est aussi une certaine élasticité du corps et de l'esprit, qui nous mette à même de nous y adapter. *Tension* et *élasticité,* voilà deux forces complémentaires l'une de l'autre que la vie met en jeu.   H. BERGSON, le Rire, p. 14.

Péj. *L'élasticité d'une conscience, d'une morale,* son manque de rigueur.

Possibilité de s'interpréter, de s'appliquer de façons diverses. *Élasticité d'un mot, d'une expression.* ⇒ **Extensibilité.** *Élasticité d'une loi, d'un règlement.*

Spécialt. Possibilité de s'élargir. *Élasticité d'un budget. Élasticité d'une majorité parlementaire.*

Écon. *Élasticité d'un phénomène* (par rapport à un autre), le quotient de leur variation relative. *L'élasticité de l'offre et de la demande.*

CONTR. Dureté, inélasticité, rigidité, rigueur.

ÉLASTINE [elastin] n. f. — 1901 ; angl. *elastine* (1875), de *elastic,* de même orig. que *élastique.*

♦ Chim., biol. Protéine caractéristique des fibres élastiques de l'organisme (ligaments, parois artérielles), résistante aux acides et à la plupart des enzymes protéolytiques. « *Prenons un exemple concret : le vieillissement du tissu conjonctif élastique de la peau et des vaisseaux sanguins. Avec l'âge, la souplesse de ces tissus diminue (...) Cette souplesse provient surtout de l'élastine, qui tapisse les parois des artères et la peau* » (*Science et Vie,* p. 55, mai 1973). — On a dit aussi *élasticine* (1855).

ÉLASTIQUE [elastik] adj. et n. — 1674 ; lat. sc. *elasticus* (1651, Pecquet), du grec *elasis* « action de pousser, de chasser devant soi », de *elaunein* « pousser ».

★ **I.** Adj. ♦ **1.** Phys. Qui a de l'élasticité*. ⇒ **Compressible, extensible.** *Les gaz sont très élastiques. L'acier est le plus élastique des métaux.* ⇒ **Flexible.**
Relatif à l'élasticité. *Déformation élastique.*
Vx. *Force, vertu élastique,* pression (de l'air, d'un gaz).

♦ **2.** Cour. Qui est fait d'une matière douée d'élasticité. *Gomme élastique.* ⇒ **Caoutchouc.** *Balle élastique* (→ Bondir, cit. 5). *Tissu élastique.* ⇒ **Étirable, extensible.** *Bretelles, jarretelles, jarretières élastiques. Bandage, gaine élastique.*
Qui présente de l'élasticité ; qui tend, sous une action déformante, à reprendre sa forme. *Tricot élastique. Sommier, siège élastique.* ⇒ **Moelleux, souple.** — *Chair d'une fermeté élastique* (→ Céder, cit. 24).

1 Lorsque mes doigts caressent à loisir
Ta tête et ton dos élastique,
Et que ma main s'enivre du plaisir
De palper ton corps électrique (...)
                              BAUDELAIRE, les Fleurs du mal, Spleen et idéal, XXXIV, « Le chat ».

Anat. *Fibres élastiques :* fibres du tissu conjonctif constituées surtout d'élastine*, qui leur confère de la souplesse et une grande résistance à la traction. *Tissu élastique :* variété de tissu conjonctif formé essentiellement de fibres* élastiques. *Les cartilages, les ligaments sont élastiques. Tunique élastique des artères. Muscles élastiques.*

♦ **3.** Souple. *Démarche, pas élastique. Foulée élastique* (→ Démarche, cit. 1). *La démarche élastique de la panthère, du chat.*

2 Tous ces hommes pouvaient se comparer à des loups, dont ils avaient le pas élastique et tenace.   P. MAC ORLAN, Quai des brumes, p. 90.

♦ **4.** Fig. Dont les dimensions, le sens, l'application... peuvent varier. ⇒ **Variable.** *Règlement élastique.*

3 Ce mot (*représentant du peuple* français...) était élastique, pouvait dire peu ou beaucoup.   MICHELET, Hist. de la Révolution franç., t. I, I, III, p. 103.

4 Le temps dont nous disposons chaque jour est élastique ; les passions que nous ressentons le dilatent, celles que nous inspirons le rétrécissent, et l'habitude le remplit.
                              PROUST, À la recherche du temps perdu, t. IV, p. 18.

Qui a de la souplesse, qui change, se plie facilement. *Esprit élastique.* ⇒ **Changeant, malléable, mobile.**

5 (...) nous sommes un peuple si fantasque et si élastique qu'il ne faut jurer de rien.
                              SAINTE-BEUVE, Correspondance, t. IV, 1227 bis, 4 août 1841.

Péj. *Morale, conscience élastique,* sans rigueur, très accommodante. ⇒ **Lâche.**

♦ **5.** Milit. *Défense élastique :* défense qui, au lieu d'opposer à l'ennemi un front continu et rigide, évite la percée et l'enveloppement par une série de replis successifs. *Repli élastique.*

5.1 (...) les communiqués annonçaient que les forces européennes effectuaient un repli élastique afin de « raccourcir » le front (...)
                              S. DE BEAUVOIR, la Force de l'âge, p. 568.

★ **II.** N. ♦ **1.** N. m. (1783). Vx. *Les élastiques d'un sommier,* ses ressorts. — *Une balle en élastique,* en caoutchouc.
Mod. Tissu souple contenant des fils de caoutchouc. *Bretelles, portechaussettes en élastique.* — Spécialt. Ruban plus ou moins large de caoutchouc, de textile tissé avec des fils de caoutchouc... ⇒ **Caoutchouc.** *Tirer sur un élastique. Élastique trop tendu qui se rompt. Élastique extra-souple. Élastique circulaire. Élastique rond, plat, à boutonnières. Culotte à élastique. Mettre des élastiques à des chaussettes. Bottines, souliers à élastiques.*

6 (*Ces soirs*) Où, rimant au milieu des ombres fantastiques,
Comme des lyres, je tirais les élastiques
De mes souliers blessés, un pied près de mon cœur !
                              RIMBAUD, Poésies, XXIII, « Ma bohème ».

Loc. fam. *Il les lâche avec un élastique :* il paie, donne son argent avec beaucoup de réticence.

Syn. fam. : *élastoche,* n. m. (attesté chez Montherlant).

♦ **2.** N. f. (1865). Didact. *Une élastique,* ou adj., *une courbe élastique :* courbe constituée d'une lame métallique que l'on fixe à une de ses extrémités en un plan vertical et que l'on charge à l'autre extrémité d'un poids qui la fait ployer.

CONTR. Dur, ferme, incompressible, inélastique, inerte, raide, rigide. — Rigoureux, strict.
DÉR. Élastiquement.

ÉLASTIQUEMENT [elastikmã] adv. — 1860 ; de *élastique,* et *-ment.*

♦ D'une manière élastique. *Se déformer élastiquement. Rebondir élastiquement sur ses pieds.*

ÉLASTO- Élément de composition, du rad. de *élastique.*

ÉLASTOBLASTE [elastoblast] n. m. — 1930 ; de *élasto-,* et *-blaste* « cellule-mère ».

♦ Biol. Cellule qui produit les fibres élastiques (⇒ **Élastine**).

ÉLASTOCHE [elastɔʃ] n. m. (Fam.). ⇒ **Élastique.**

ÉLASTOMÈRE [elastɔmɛʀ] n. m. — 1953 ; de *élasto-,* et *(poly)mère.*

♦ Chim. Caoutchouc synthétique obtenu par polymérisation. — REM. L'appellation courante de *caoutchouc synthétique* est impropre.

ÉLATÉ [elate] n. m. — 1814, sens 2 ; *élate,* n. f., sens 1, 1829 ; du grec *elatê* « spathe enveloppant le fruit du palmier ».
Didactique.

♦ **1.** Palmier des Indes, proche du dattier.

♦ **2.** Gaine enveloppant les grappes de fleurs femelles du dattier.

ÉLATER [elatɛʀ] n. m. — 1864 ; lat. sc. *elater,* Linné (av. 1778), du grec *elatêr* « qui pousse, chasse devant soi ».

♦ Zool. Coléoptère (*Élatéridés*) dont les larves vivent dans les bois vermoulus. ⇒ **Taupin.**
HOM. Élatère.

ÉLATÈRE [elatɛʀ] n. m. — 1846 ; grec *elatêr* « qui meut, pousse devant soi ».

♦ **1.** Bot. Organe hygroscopique de dissémination des spores (de certains cryptogames). *Les élatères sont des cellules stériles chez les hépatiques, les mousses et les fougères, des appendices spiralés de la spore chez les prêles.*

♦ **2.** (1877, Littré, *Suppl.*). Zool. (Vx). Élatéridé*.
HOM. Élater.

ÉLATÉRIDÉS [elateʀide] n. m. pl. — 1806, *élatérides* ; *élatéridés,* 1901 ; du lat. sc. *elater* (→ Élater), et suff. *-ides, -idés.*

♦ Zool. Famille de coléoptères qui peuvent sauter, étant sur le dos, en s'aidant de leur tête et de leur abdomen. *L'agriote*, l'élater, le* *lacon, types principaux des élatéridés.* — Au sing. *Le taupin est un élatéridé.*

ÉLATÉRITE [elateʀit] n. f. — 1819 ; du grec *elatêr* «qui meut, pousse devant soi», et suff. *-ite.*

◆ Didact., techn. Bitume élastique appelé aussi caoutchouc fossile ou caoutchouc minéral. ⇒ **Bitume, caoutchouc.**

ÉLATIF [elatif] n. m. — 1933 ; du lat. *elatus* «élevé, relevé», du verbe *effero* «porter hors de» (sens 1) et «élever, soulever» (sens 2). Grammaire, linguistique.

◆ **1.** Dans les langues finno-ougriennes, cas qui exprime le mouvement de l'intérieur vers l'extérieur.

◆ **2.** Procédé grammatical qui exprime la qualité à un degré intensif. — Spécialt. En arabe, Procédé qui correspond à peu près au comparatif et au superlatif français.
REM. Certains auteurs (Marouzeau, etc.) emploient *élatif* comme syn. de *superlatif absolu*, d'autres, comme syn. de *superlatif relatif.*
Terme qui exprime un degré intensif de la qualité. *Excellent est un élatif par rapport à bon.* — Adj. *Adjectif élatif.*

ÉLATION [elɑsjɔ̃] n. f. — XIIIᵉ ; lat. class. *elatio* «action d'élever ; orgueil ; grandeur, noblesse», du supin de *efferre* «relever».

◆ **1.** Vx. Noblesse exaltée du sentiment ; orgueil naïf.

◆ **2.** Psychan., psychol. (angl. *elation*). Exaltation provenant d'un sentiment d'auto-satisfaction narcissique.
(...) tout en ayant gardé la vitesse du quadrupède et son élation, je suis portée par mon corps humain (...)   Hélène CIXOUS, Souffles, p. 127.

ÉLAVAGE [elavaʒ] n. m. — 1870 ; de *élaver.*

◆ Techn. Action d'élaver.

ÉLAVER [elave] v. tr. — XIIᵉ, *eslaver* ; de *é-*, et *laver.*

◆ **1.** Vx ou dial. Effacer à force de mouiller, de laver (des traces, une couleur).

◆ **2.** (1870). Techn. Laver à grande eau (les chiffons, les vieux papiers, dans une papeterie).

▶ **ÉLAVÉ, ÉE** p. p. adj.
(1561). Détrempé. — (1665). Vén. De couleur pâle, blafarde, en parlant du poil des chiens, de la bête. *Un chien au poil élavé.*
DÉR. **Élavage.**

ELBEUF [ɛlbœf] n. m. — 1730 ; du nom de la ville.

◆ Drap* fin qui se fabrique principalement à Elbeuf, ville de Normandie. *Un costume en elbeuf. Un choix d'elbeufs.*

ELBOT [ɛlbo] n. m. — 1563, *helbot*, du néerl. *heilbot*, même sens ; cf. angl. *hallibut* et all. *Heilbutt.*

◆ Régional (Belgique). Flétan.

ELDORADO [ɛldɔʀado] n. m. — 1579, *dorado* ; *eldorado* en 1640 ; de l'esp. *eldorado*, proprt «le doré», pays de l'or.

◆ **1.** N. pr. Pays imaginaire qui aurait été découvert par un lieutenant de Pizarre en Amérique du Sud, et qu'on disait abonder en or et en pierres précieuses. *Séjour de Candide, héros de Voltaire, au pays de l'Eldorado* (ou *dans le Dorado*).

◆ **2.** (1835). Pays merveilleux, lieu d'abondance et de délices. ⇒ **Eden, paradis ; cocagne** (pays de) ; → aussi Californie (vx). *Un Eldorado* ou *un eldorado. Des eldorados.*

1 Tu vois quel est mon Eldorado, ma terre promise : c'est un rêve comme un autre ; mais il a cela de spécial que je n'y introduis jamais aucune figure connue ; que pas un de mes amis n'a franchi le seuil de ce palais imaginaire (...)
Th. GAUTIER, Mˡˡᵉ de Maupin, IV, p. 64.

2 Chaque îlot signalé par l'homme de vigie
Est un Eldorado promis par le Destin ;
L'imagination qui dresse son orgie
Ne trouve qu'un récif aux clartés du matin.
BAUDELAIRE, les Fleurs du mal, La mort, CXXVI, « Le voyage».

ÉLÉAGNACÉES ou **ELÆAGNACÉES** [eleagnase] n. f. pl. — XXᵉ ; *éléagnées*, 1867, P. Larousse ; lat. sc. *Elæagnaceae*, probablt J. Lindley, déb. XIXᵉ ; de *elæagnus*, nom sc. du genre Chalef, type de la famille, du grec *elaia* «olivier, olive», et *agnos* «pur, chaste», suff. *-acées.*

◆ Bot. Famille de plantes dicotylédones dialypétales appartenant à l'ordre des Myrtales, composée d'arbres, d'arbustes ou d'arbrisseaux souvent épineux, aux feuilles alternes ou opposées couvertes, surtout à leur face inférieure, de poils argentés ou brunâtres. *Les Éléagnacées comprennent les genres chalef* (Elæagnus), argousier* (Hippophae), canulée et shepherdie.* — Au sing. *Une éléagnacée, une elæagnacée.*

ÉLÉATE [eleat] n. et adj. — 1838 ; lat. *Eleates* ou grec *Eleatês*, même sens, de *Elea*, nom de la ville d'«Élée».
Didactique.

◆ **1.** Adj. D'Élée, ville de l'Italie ancienne, dans la Grande-Grèce. — N. Habitant ou originaire de cette ville (REM. → Éléen).

◆ **2.** N. m. (1854). Hist. de la philos. Philosophe de l'école d'Élée (le plus souvent au pluriel). *Réfuter les Éléates.* — Adj. De l'école d'Élée. *Philosophie éléate.* ⇒ **Éléatique.**

ÉLÉATIQUE [eleatik] adj. — 1755, *Encyclopédie* ; lat. *eleaticus*, grec *eleatikos*, de *Elea* «Élée».

◆ Hist. de la philos. Qui concerne les doctrines de l'école philosophique représentée surtout par Parménide et Zénon, natifs d'Élée. *La métaphysique et la physique éléatiques.* ⇒ **Éléate.**
DÉR. Éléatisme.

ÉLÉATISME [eleatism] n. m. — 1755 ; de *éléatique.*

◆ Didact. Doctrine des philosophes d'Élée.

ÉLECTEUR, TRICE [elɛktœʀ, tʀis] n. — V. 1350 ; lat. *elector* «qui choisit», du supin de *eligere.* → Élire.
Personne qui élit, qui a le droit de vote dans une élection. *Les électeurs d'un candidat à l'Académie. Il s'est assuré au moins dix électeurs.*

◆ **1.** Spécialt. Hist. Chacun des princes et évêques de l'Empire germanique qui avaient le droit d'élire l'empereur. *Les électeurs du Saint-Empire étaient originairement au nombre de sept* (quatre laïques et trois ecclésiastiques). *L'Électeur de Bavière, l'Électeur Palatin* (→ Architrésorier), *l'Électrice de Saxe... L'Électeur de Brandebourg* (→ Arrondir, cit. 8) ou *Grand Électeur* (nom donné particulièrement à Frédéric-Guillaume, créateur de l'État prussien). La majuscule est fréquente, mais non obligatoire.
REM. *Électrice* peut désigner aussi la femme d'un électeur de l'Empire.

◆ **2.** (1790 ; *électrice*, v. 1890, cit. 1.1 ci-dessous). Personne qui participe aux élections* politiques ou administratives. ⇒ **Votant.** *Conditions pour être électeur* (→ ci-dessous, cit. 2). *Électeur censitaire*.* ⇒ **Cens.** *Inscription d'un électeur sur une liste électorale*. Carte d'électeur. Ensemble des électeurs d'une circonscription électorale.* ⇒ **Collège** (électoral). *Sur 500 électeurs inscrits, il y eut 420 votants* et 80 abstentionnistes*. Candidat qui sollicite le suffrage des électeurs. Électeur qui donne sa voix* à un candidat, un parti. Promesses faites aux électeurs* (⇒ **Électoral**). *Visites faites périodiquement par un député à ses électeurs. Comparaître devant les électeurs.* — (Au sing. collectif). *L'électeur a voté massivement :* il y a eu peu d'abstentions.

1 En 1849, ayant vingt et un ans, j'étais électeur et fort embarrassé ; car j'avais à nommer quinze ou vingt députés, et de plus, selon l'usage français, je devais non seulement choisir des hommes, mais opter entre des théories. On me proposait d'être royaliste ou républicain, démocrate ou conservateur, socialiste ou bonapartiste : je n'étais rien de tout cela, ni même d'aucun parti, et parfois j'enviais tant de gens convaincus qui avaient le bonheur d'être quelque chose.
TAINE, les Origines de la France contemporaine, I, t. I, Préface, p. 1.

1.1 — Comment, tu ne comprends pas ? Maman me dit que te voilà devenue une femme sérieuse et tu ne sais pas ce que c'est qu'un comité de surveillance ?
— Non !
— Et tu seras bientôt électrice ! tu m'étonnes !
A. ROBIDA, le Vingtième Siècle, p. 122 (1883 ; roman d'anticipation).

2 Sont électeurs, dans les conditions déterminées par la loi, tous les nationaux et ressortissants français majeurs des deux sexes, jouissant de leurs droits civils et politiques.   Constitution du 27 octobre 1946, Titre Iᵉʳ.

3 Dès l'installation de la municipalité ou de la délégation spéciale l'administration communale entreprend la révision ou la reconstitution des listes électorales et procède à l'inscription sur ces listes des femmes devenues électrices.
Ch. DE GAULLE, Mémoires de guerre, t. II, p. 572.

DÉR. **Électoral, électorat.** — REM. Péguy a forgé les dérivés iron. *électoroculteur, électoroculture* (1900, *in* T. L. F.).

ÉLECTIF, IVE [elɛktif, iv] adj. — V. 1361 ; lat. *electivus* «qui marque le choix», du supin de *eligere.* → Élire.

★ **I.** Vx ou littér. Qui élit, choisit.
Le franc arbitre est une vertu élective.
CALVIN, Institution de la religion chrétienne, II, II, IV.
Chim. anc. *Affinité* ou *attraction élective :* propriété que possède un corps simple de déterminer la décomposition d'un corps composé pour s'unir à l'un de ses composants.

Fig. *Les affinités électives de deux personnes, de deux pays...* ⇒ **Affinité** (cit. 7).

Physiol. *Sensibilité élective :* affinité naturelle de certains organes pour certaines substances. *Propriété élective.* ⇒ **Électivité.**

Méd., pathol. *Trouble électif,* qui n'affecte pas l'ensemble d'une fonction. *Amnésie élective.*

★ **II.** (1404). Qui est nommé par élection. *Chef électif. Roi électif. Le pape est électif. Aristocratie* (cit. 2) *élective.*

Qui est conféré par élection. *Royauté, couronne élective. Charge élective.*

2 Aussitôt que la couronne, d'abord élective, fut devenue héréditaire au dixième siècle (...)   G.-T. RAYNAL, Hist. philosophique, VI, II.

Qui implique une procédure d'élection. *Constitution élective. Système électif.*

DÉR. Électivement, électivité.

ÉLECTION [elɛksjɔ̃] n. f. — 1135 ; lat. *electio,* de *electum,* supin de *eligere* « choisir, élire ». → Élire.

★ **I.** ♦ **1.** Vieilli. Faculté de choisir, choix. *De l'élection de son sépulcre,* ode de Ronsard.

1 S'il n'était, disent-ils, en notre élection de faire le bien ou le mal (...)   CALVIN, Institution de la religion chrétienne, II, p. 44.

2 Telle est l'humeur du sexe : il aime à contredire (...)
Et n'est jamais d'accord de nos élections.   CORNEILLE, l'Illusion comique, III, 2.

♦ **2.** Loc. adj. **D'ÉLECTION** : choisi, digne d'être choisi pour ses qualités. ⇒ **Choix** (de), **élite** (d'). *Pays, terre d'élection* (ne pas confondre avec l'emploi II, 2). *L'Italie fut pour Stendhal la patrie d'élection. Enfant, sujet d'élection.*

Théol. Choix fait par Dieu (→ Devoir, cit. 16). — Loc. *Vase d'élection :* créature choisie par Dieu pour l'accomplissement de ses desseins. *Le peuple d'élection :* le peuple élu, c'est-à-dire les Juifs*.

3 L'élévation de ces deux grands rois *(David et Salomon)* et de la famille royale fut l'effet d'une élection particulière ; David célèbre lui-même la merveille de cette élection par ces paroles : Dieu a choisi les princes dans la tribu de Juda.   BOSSUET, Hist., II, 4, *in* LITTRÉ.

3.1 (...) il a parlé d'une façon très surnaturelle de ceux qui refusent l'amour parce qu'ils le craignent et le blasphèment jusqu'au jour où cet amour les foudroie, parce que ce sont des violents et parfois des âmes d'élection (...)   J. GREEN, Journal, Vers l'invisible, 21 janv. 1959.

Signe d'élection, censé indiquer le choix fait par Dieu d'un être humain qui l'aidera dans son œuvre.

Sc. *Lieu* (ou *point*) *d'élection,* auquel un phénomène pathologique, un animal, un végétal est attaché par une affinité naturelle.

Méd. *Médicament d'élection,* efficace pour une affection précise.

♦ **3. Dr.** *Élection de domicile :* choix d'un domicile légal en vue d'un acte juridique déterminé. ⇒ **Domicile.** *Faire élection de domicile.*

4 Lorsqu'un acte contiendra, de la part des parties ou de l'une d'elles, élection de domicile pour l'exécution de ce même acte dans un autre lieu que celui du domicile réel, les significations, demandes et poursuites relatives à cet acte, pourront être faites au domicile convenu, et devant le juge de ce domicile.   Code civil, art. 111.

★ **II.** Plus cour. ♦ **1.** (1155). Choix, désignation* d'une ou plusieurs personnes par voie de suffrages. ⇒ **Vote.** *Faire une élection. L'élection de (qqn). L'élection du président d'une assemblée, d'une société ; l'élection d'un bureau. Élection d'une personne au poste de... Élection d'un académicien, à la candidature à une élection. Élection du pape* (⇒ **Conclave**). *Élection d'un homme d'État, d'une assemblée. — Élection d'une miss.* — Loc. *Élection de maréchal,* acquise d'avance (en raison de la notoriété, de la personnalité du candidat).

Spécialt. *Élections administratives :* élections *départementales,* qui désignent les membres du Conseil général ; *élections municipales,* qui désignent ceux du Conseil municipal. *Élections politiques : élections sénatoriales,* qui désignent les sénateurs ; *élections législatives,* celles qui désignent les députés de l'Assemblée nationale. ⇒ **Législatif** (législatives, n. f. pl.). *Élection présidentielle* ou *élection du président de la République* (⇒ **Présidentiel** [présidentielles, n. f. pl.]) *par le parlement en France sous la IVᵉ République, par le Congrès* aux États-Unis, au suffrage universel. — *Élections européennes,* ou, ellipt, n. f. pl., *les européennes,* qui désignent les membres du parlement européen.

Ellipt. *Les élections* (le plus souvent *élections législatives*). *Se porter candidat aux élections* (⇒ **Candidat,** cit. 1). *Se présenter aux élections. Régime des élections.* ⇒ **Représentation** (des minorités ; majoritaire, proportionnelle). *Candidat, parti qui a triomphé aux dernières élections. Se faire blackbouler* (cit. 1) *aux élections.*

Ensemble des procédures par lesquelles des électeurs accordent leurs suffrages (souvent au plur.). *Aptitude juridique au vote dans une élection* (⇒ **Électeur, électoral**). *La candidature à une élection* (⇒ **Éligible, éligibilité**). *Cautionnement* versé par les candidats à une élection. Nombre de sièges* à pourvoir dans une élection. Modes d'élection..* ⇒ **Cooptation, plébiscite, suffrage** (capacitaire, censitaire, universel, direct, indirect) *Élections au suffrage indirect* (⇒ **Primaire**) *Élections au scrutin uninominal, au scrutin de liste...* ⇒ **Scrutin ; liste, panachage, préférentiel** (vote) *Élections*

à un..., plusieurs tours de scrutin. ⇒ **Ballottage.** *Alliance de deux ou plusieurs listes déclarée avant les élections.* ⇒ **Apparentement.** *En France, à l'échelon national, les élections ont généralement lieu le dimanche. Fixer la date des élections, du premier tour d'une élection. Ajourner les élections. Prendre part à une élection, voter aux élections.* ⇒ **Vote ; voix.** *Résultats des élections :* dépouillement* du scrutin, recensement des votes, détermination des élus. *Procès-verbal d'élection. Élections frauduleuses. — Élections partielles* (cit. 2).

Fait d'avoir été élu. Ses amis l'ont félicité de son élection. Propagande pour une élection (⇒ **Électoral**). *Proclamer une élection. Valider* une élection. Contester, casser, invalider une élection.*

5 (...) les maîtres (...) ordonnent que la force qui est entre leurs mains succèdera comme il leur plaît ; les uns la remettent à l'élection des peuples, les autres à la succession de naissance, etc.   PASCAL, Pensées, V, 304.

6 A l'égard des élections du prince et des magistrats, qui sont, comme je l'ai dit, des actes complexes, il y a deux voies pour y procéder, savoir, le choix et le sort. L'une et l'autre ont été employées en diverses républiques, et l'on voit encore actuellement un mélange très compliqué des deux dans l'élection du doge de Venise.   ROUSSEAU, Du contrat social, IV, III.

7 L'élection eut lieu ; je passai au scrutin à une assez forte majorité.   CHATEAUBRIAND, Mémoires d'outre-tombe, t. III, p. 23.

8 Quelques habitants humiliés (...) se joignirent aux démocrates, quoique ennemis de la démocratie. En France, au scrutin des élections, il se forme des produits politico-chimiques où les lois des affinités sont renversées.   BALZAC, le Député d'Arcis, Pl., t. VII, p. 646.

9 Tout citoyen qui aura, dans les élections, acheté ou vendu un suffrage à un prix quelconque, sera puni d'interdiction des droits de citoyen (...)   Code pénal, art. 113.

10 Parvenu à la vie consciente au lendemain de la crise boulangiste, j'ai, durant toute mon enfance, entendu les grandes personnes soupirer après de « bonnes élections ».   F. MAURIAC, Bloc-notes 1952-1957, p. 53.

♦ **2.** (1469). Anc. dr. Avant la Révolution de 1789, Circonscription financière administrée par des élus*. *Pays d'élection* (par oppos. à *pays d'État*) : pays qui ne possédaient pas d'États provinciaux et qui étaient directement imposés à la taille et aux aides. — Par ext. Juridiction, tribunal des élus.

COMP. Réélection. — V. aussi **Élire,** et dér.

ÉLECTIVEMENT [elɛktivmɑ̃] adv. — 1515 ; de *électif.*

♦ **1.** Par voie d'élection. *Désigner qqn électivement.*

♦ **2.** (V. 1960). Chim., biol. Par affinité naturelle (→ Chromosome, cit.). *L'éosine colore électivement certains leucocytes. Réaction provoquée électivement par une protéine* (→ Électivité, cit. 2).

ÉLECTIVITÉ [elɛktivite] n. f. — 1808, sens I ; de *électif,* et suff. -ité. Didactique.

★ **I.** Fait d'être désigné, constitué par voie d'élection. *L'électivité d'un fonctionnaire, d'une assemblée.*

★ **II.** (1877). Biol. Propriété qu'ont certaines substances de se fixer sur un élément cellulaire plutôt que sur un autre.

1 (...) les virus se caractérisent par leurs tropismes électifs (...) toutefois, l'électivité virale n'est pas rigoureuse (...)   Victor VIC-DUPONT, la Maladie infectieuse, p. 53.

2 Parmi les milliers de réactions chimiques qui contribuent au développement et aux performances d'un organisme, chacune est provoquée électivement par une protéine-enzyme particulière. On peut, en ne simplifiant qu'à peine, admettre que chaque enzyme, dans l'organisme, n'exerce son activité catalytique qu'en un seul point du métabolisme. C'est avant tout par leur extraordinaire électivité d'action que les enzymes se distinguent des catalyseurs non biologiques employés au laboratoire ou dans l'industrie.   Jacques MONOD, le Hasard et la Nécessité, p. 71.

ÉLECTORAL, ALE, AUX [elɛktɔʀal, o] adj. — 1571 ; de *électeur,* d'après le lat. *elector.*

♦ **1.** Anciennt. Propre ou relatif à un électeur du Saint-Empire (→ Électeur, 1.). *Altesse électorale. Prince électoral :* fils aîné d'un électeur. *Collège électoral* (Richelet).

Mod. Propre ou relatif à des électeurs. *Corps, collège* électoral. Liste électorale :* catalogue alphabétique officiel des personnes qui exercent le droit de vote dans la commune. *Se faire inscrire sur une liste électorale. Révision annuelle des listes électorales. Comportement électoral.*

♦ **2.** (XVIIIᵉ). Mod. Qui est relatif au droit d'élire, aux élections. *Droit électoral, lois électorales* (→ Droit, cit. 22), *réforme électorale* (→ Réalisation, cit. 1). *Cautionnement* électoral. Circonscription, section électorale. Consultation électorale.* ⇒ **Élection.** *Période électorale. Propagande électorale faite par les candidats. Campagne* (→ Panneau, cit. 11), *tournée, réunion électorale,* au cours desquelles le candidat à une élection expose son programme. *Discours électoraux. Promesses électorales. Plate-forme* électorale. Comité électoral :* ensemble des personnes qui se groupent pour aider un candidat à une élection. *Manœuvres électorales. Corruption, cuisine, surenchère électorale. Bataille électorale. Position électorale d'un candidat. Le fief électoral d'un candidat, d'un* *parti ; agent électoral. Affichage électoral. Validité, régularité des opérations électorales. Contentieux électoral.*

1   Le médecin, dans les bourgs et les villages, est un utile instrument électoral, un levier d'influence, un propagateur d'opinion qui pénètre dans toutes les demeures.
G. DUHAMEL, Inventaire de l'abîme, XII, p. 170.

2   De là à supposer que le chanoine a servi d'intermédiaire, qu'il y a eu des tractations occultes, des promesses de soutien électoral, des subsides (...)
J. ROMAINS, les Hommes de bonne volonté, t. II, p. 147.

DÉR. Électoralement, électoralisme, électoraliste.

ÉLECTORALEMENT [elɛktɔʀalmɑ̃] adv. — Av. 1850 ; de *électoral.*

♦ Rare. Du point de vue électoral ; d'une manière électorale.

M. André Siegfried a montré qu'électoralement, elle *(la France)* ne change pas, qu'après un siècle et demi, la répartition géographique des voix est restée la même.
F. MAURIAC, Bloc-notes 1952-1957, p. 54.

ÉLECTORALISME [elɛktɔʀalism] n. m. — 1922, *in* D.D.L. ; de *électoral.*

♦ Polit. Tendance d'un parti à subordonner sa politique à la recherche de succès électoraux. « *Les anarchistes crurent trouver (...) un moyen d'arracher le prolétariat à l'électoralisme en faisant du syndicalisme un instrument révolutionnaire détaché des partis* » (in le Figaro littéraire, sept. 1968).

Le flux vous a portés, le reflux vous remporte. Vous êtes à la remorque des événements, et passer en un mois de l'insurrectionnalisme le plus effréné à l'électoralisme le plus insipide montre bien que vous n'avez su corriger une déviation opportuniste de gauche que par une nouvelle flambée d'opportunisme de droite.
Régis DEBRAY, les Indésirables, p. 252.

ÉLECTORALISTE [elɛktɔʀalist] n. et adj. — Mil. XXᵉ ; de *électoral.*

♦ Polit. Partisan de l'électoralisme. — Adj. *Une politique électoraliste.* « *L'opposition pourrait admettre ces mesures si elles étaient appliquées de manière permanente. Présentées ainsi, elles sont trop circonstancielles et électoralistes* » (le Figaro, 18 nov. 1966, *in* Gilbert).

ÉLECTORAT [elɛktɔʀa] n. m. — 1601 ; de *électeur,* et suff. *-at,* d'après le lat. *elector* « électeur », et *eloctoratus* « dignité d'électeur impérial ».

♦ **1.** Vx. Dignité d'électeur, dans l'ancien empire allemand. Par ext. Le pays gouverné par un électeur. *L'électorat de Bavière.*

♦ **2.** (Fin XVIIIᵉ). Didact. ou admin. Qualité d'électeur, usage du droit d'électeur. *La constitution de 1946 accorde l'électorat aux femmes. Être privé de l'électorat pour cinq ans.*

♦ **3.** (1847). Collège électoral, ensemble des électeurs. *L'électorat français.* — Sous-groupe de cet ensemble ou ensemble des électeurs constituant une fraction, géographiquement ou socialement définie, de la totalité des électeurs. *Aucun candidat n'ignore l'importance de l'électorat féminin. L'électorat fidèle de ce parti. Électorat flottant,* qui ne suit pas les consignes d'un parti.

ÉLECTR-, ÉLECTRO- Élément tiré du rad. du lat. sc. *electricus,* d'après la forme *êlektr(o)-,* en composition, du grec *êlektron* « ambre » (⇒ **Électrique**) et qui entre, avec le sens « électricité » ou « électrique », dans la composition de nombreux mots scientifiques et techniques (d'abord *électromètre,* 1749). — REM. Les composés sont généralement écrits avec trait d'union lorsque le deuxième terme commence par une voyelle, sans trait d'union quand il commence par une consonne. C'est la règle adoptée ici, et l'on n'a signalé les variantes graphiques portant sur ce seul aspect ni dans l'entrée, ni dans la rubrique étymologique. Les graphies non retenues (ex. : *électroaffinité, électro-positif*) ne sont pas pour autant fautives.

ÉLECTRET [elɛktʀɛ] n. m. — 1905, in Rev. gén. des sc., nᵒ 2, p. 85 ; angl. *electret* (1885), mot-valise, de *electr(icity)* et *(magn)et* « aimant ».

♦ Techn. Diélectrique qui reste électrisé d'une façon permanente, après avoir été soumis à un champ électrique. *Microphone, casque à électrets.* « *L'électret est le produit d'une technologie très largement employée dans la fabrication des microphones. Il a la faculté de pouvoir garder sa charge électrique de la même manière qu'un aimant conserve ses propriétés magnétiques* » (le Figaro, 28 janv. 1978, p. 23).

L'électret permanent. — Un savant japonais, M. Mototaro Eguchi, vient de décrire de très curieuses expériences *(Philos. Magazine,* janvier 1925) qui l'ont amené à la préparation d'un diélectrique qui reste électrisé d'une façon permanente ; à ce corps il a donné le nom d'*électret* (par analogie avec le mot *magnet* qui, en anglais, désigne l'aimant permanent).
Revue générale des sciences pures et appliquées, 30 mai 1925, p. 290.

ÉLECTRICIEN, IENNE [elɛktʀisjɛ̃, jɛn] n. — 1861 ; «physicien s'occupant d'électricité», 1754 ; du rad. de *électricité*.*

♦ **1.** Cour. Technicien ou ouvrier spécialisé dans le matériel et les installations électriques. *L'électricien d'un cinéma, d'une usine.*

Voilà un langage d'ingénieur ambitieux — d'électricien devant un torrent alpestre —, où se mêlent la volonté personnelle de puissance, l'ardeur créatrice, le goût désintéressé du nouveau (...)   1
J. ROMAINS, les Hommes de bonne volonté, t. V, p. 236.

Mais à ce moment l'électricien venant pour arranger les lampes pour une soirée qu'il devait donner, il cessa complètement de s'occuper de Jean.   2
PROUST, Jean Santeuil, Pl., p. 731.

Appos. *Ingénieur électricien. Ouvrier électricien.*

♦ **2.** Didact. Physicien, physicienne spécialiste en électricité. *Un électricien éminent, dont on parle pour le prix Nobel de physique.*

ÉLECTRICITÉ [elɛktʀisite] n. f. — 1720, trad. Newton ; angl. *electricity,* 1646, de *electric,* et *-ity* ; le lat. sc. *electricitas* est postérieur.

♦ **1.** Une des formes de l'énergie, mise en évidence, à l'origine par ses propriétés attractives ou répulsives, plus tard par la structure de la matière elle-même ; ensemble des phénomènes causés par une charge électrique. ⇒ **Électrique ; électromagnétisme, magnétisme.** *Électricité positive* (ou, vx, *électricité vitrée*, vitreuse),* celle du noyau de l'atome. *Électricité négative* (ou, vx, *résineuse*),* celle des électrons. *Électricité statique :* électricité en équilibre sur les conducteurs (phénomènes d'électrisation par frottement, par influence ou par piézo-électricité). ⇒ **Électrostatique.** *Électricité dynamique :* courant électrique. ⇒ **Électrocinétique ; électrodynamique ; électromagnétisme.** *Électricité affluente,* qui se porte dans une direction déterminée. *Grain élémentaire d'électricité,* structure granulaire de l'électricité. ⇒ **Électron** (→ cit. 1), **électronique, neutron, positon, proton.** *Faire apparaître de l'électricité sur un corps.* ⇒ **Électriser.** *Quantité d'électricité d'un corps électrisé* (→ Charge* électrique). *Corps bons conducteurs, mauvais conducteurs d'électricité* (⇒ **Isolant).** *L'électricité est localisée à la surface extérieure d'un conducteur isolé. Voltage* d'une source d'électricité. Déperdition d'électricité.* → ci-dessous, les cit. 4 et 5.

L'électricité atmosphérique, produite par le champ électrique terrestre. ⇒ **Éclair, effluve, foudre, orage, tonnerre.** *L'air, le temps est chargé d'électricité.* ⇒ **Orageux** (→ Accablant, cit. 2). — Fig. Loc. *Il y a de l'électricité dans l'air :* l'atmosphère est tendue, les gens sont énervés, excités... — Par métaphore. Tension nerveuse, surexcitation.

Mais la colère, la haine, le désespoir abaissaient lentement sur ce visage hideux un nuage de plus en plus sombre, de plus en plus chargé d'électricité qui éclatait en mille éclairs dans l'œil du cyclope.   1
HUGO, Notre-Dame de Paris, VI, IV.

Cependant, les nuages s'amoncelaient ; le ciel orageux chauffant l'électricité de la multitude, elle tourbillonnait sur elle-même, indécise, avec un large balancement de houle (...)   2
FLAUBERT, l'Éducation sentimentale, III, I.

L'électricité cérébrale.

Dès 1875 le physiologiste anglais Caton avait démontré l'existence de l'*électricité cérébrale.* Après avoir enfoncé des électrodes dans la substance grise cérébrale d'un singe trépané, il avait vu s'inscrire sur le galvanomètre relié à ces électrodes des oscillations rythmiques traduisant la présence d'un courant électrique.   3
Jean DELAY, l'Électricité cérébrale, p. 6.

Spécialt. Cette énergie dans ses applications techniques, industrielles, domestiques. *L'essor de l'électricité.* ⇒ **Électrotechnique ; communication, transmission** (télégraphe, téléphone, T.S.F.) ; **chauffage, éclairage** (lumière, arc voltaïque...), **travail** (moteur, traction électrique. → Artisanat, cit. 3) ; **électrochimie, électrométallurgie.** *Les applications thérapeutiques de l'électricité.* ⇒ **Électrologie** (médicale) ; **électrodiagnostic, électrographie, électrothérapie ; diathermie.** *Accidents dus à l'électricité.* ⇒ **Électrocuter, électrocution.** *L'électricité qui tue.* → Mixer, cit.

La force de l'électricité. ⇒ **Électromotrice** (force). *Électricité d'origine hydraulique* (⇒ **Hydro-électricité ; houille* blanche, bleue, thermique,** electricité d'origine nucléaire [⇒ **Électronucléaire**]). *Production de l'électricité.* ⇒ **Centrale, générateur ; électrogène** (groupe). *La production, la consommation d'électricité dans le monde* (évaluée en millions de kWh). *Nationalisation des entreprises d'électricité.* — *Alimentation en électricité d'une ville, d'un secteur*, d'une usine, d'un hôpital.* ⇒ **Distribution, installation ; pointe** (heure de pointe). *Panne* (2. Panne, cit. 5), *coupure d'électricité.* — *L'électricité domestique.* ⇒ **Électrodomestique, électroménager.** *Avoir l'électricité. Faire poser, installer l'électricité* (→ Ligne). *Se chauffer à l'électricité. Payer sa note d'électricité. Compteur d'électricité. Allumer, fermer, éteindre, couper l'électricité,* le courant électrique. *Interrupteur automatique d'électricité.* ⇒ **Disjoncteur.**

Il y a, à côté des villes, sur des plateaux arides, dans des endroits oubliés où vit l'électricité. C'est là que vivent ses demeures. Connaissez-vous ces endroits ? Ce sont comme des villes, faites seulement de pylônes et de fils, dans des régions où personne ne va. C'est beaucoup plus terrible à voir que les cimetières, les abattoirs, les casernes, les prisons et ces choses-là. Personne n'y va jamais. Dans ces endroits, il n'y a que l'électricité, et la mort. Les pylônes sont géants, ils portent des douzaines de câbles d'acier qui sifflent dans le vent.
Les câbles reposent sur des isolateurs de verre et de porcelaine, sur des supports de bakélite et de caoutchouc. Est sur cette aire déserte, où ne vient jamais personne, ni un homme, ni une femme, ni un chien, rien, l'électricité règne tout le temps. Elle vibre jour et nuit, elle chantonne son chant d'abeilles, elle tournoie sur elle-même, à l'intérieur des nuages s'amoncelaient ; le ciel orageux chauffant l'électricité de la condensateurs grands comme des églises, elle va et vient le long des câbles d'acier épais comme des arbres, d'un pylône à l'autre, comme cela, invisiblement, infatigablement. Elle n'arrête pas, elle n'en finit pas de naître   3.1

(...) Dans les endroits où naît l'électricité, il n'y a jamais personne. Quelquefois les oiseaux s'y aventurent, et ils tombent foudroyés. Il ne faut pas y aller, non. Si on approche de ces endroits, on entend le bruit mortel des abeilles, et on sent le corps qui est attiré vers les réseaux bleutés.
J.-M. G. LE CLÉZIO, les Géants, p. 199-201.

Loc. vieillie. *La fée électricité.*

Histoire de la notion d'électricité (⇒ aussi **Galvanisme, mesmérisme...**).

4 Les sentiments des Physiciens sont partagés sur la cause de l'électricité; tous cependant conviennent de l'existence d'une matière électrique plus ou moins ramassée autour des corps électrisés, et qui produit par ses mouvements les effets d'électricité que nous apercevons (...) Comme on ne connaît point encore l'essence de la matière électrique, il est impossible de la définir autrement que par ses principales propriétés. Celle d'attirer et de repousser les corps légers, est une des plus remarquables, et qui pourrait d'autant mieux servir à caractériser la matière électrique, qu'elle est jointe à presque tous ses effets, et qu'elle en fait reconnaître aisément la présence, même dans les corps qui en contiennent la plus petite quantité.
Encycl. (DIDEROT), art. *Électricité.*

4.1 Les gens adonnés à la haute science pensaient comme lui, que la lumière, la chaleur, l'électricité, le galvanisme et le magnétisme étaient les différents effets d'une même cause, que la différence qui existait entre les corps jusque-là réputés simples devait être produite par les divers dosages d'un principe inconnu. La peur de voir trouver par un autre la réduction des métaux et le principe constituant de l'électricité, deux découvertes qui menaient à la solution de l'Absolu chimique, augmenta ce que les habitants de Douai appelaient une folie, et porta ses désirs à un paroxysme que concevront les personnes passionnées pour les sciences, ou qui ont connu la tyrannie des idées.
BALZAC, la Recherche de l'absolu, Pl., t. IX, p. 588.

5 Comme les électricités s'appellent et s'accumulent entre les deux plaques du condensateur d'où l'on fera jaillir l'étincelle, ainsi, par la seule mise en présence des hommes entre eux, des attractions et des répulsions profondes se produisent, des ruptures complètes d'équilibre, enfin cette électrisation de l'âme qui est la passion.
H. BERGSON, le Rire, p. 121.

6 Mieux que le dieu Protée de la fable, l'électricité se métamorphose avec souplesse pour les usages les plus divers. Elle se fait lumière dans les lampes, chaleur dans les radiateurs d'appartement, les cuisinières électriques, les fours d'aciérie, les pinces à souder...; elle se transforme en énergie mécanique dans les moteurs, en énergie chimique dans les accumulateurs, en énergie rayonnante dans les antennes de T. S. F.; elle assainit l'air que nous respirons, grâce à la formation d'ozone, elle purifie l'eau que nous buvons, par l'intermédiaire des rayons ultra-violets. En Amérique, on l'utilise pour tuer les condamnés (...)
L'électricité est une des formes « nobles » de l'énergie; les physiciens entendent par ce terme lyrique qu'elle se transforme presque sans pertes (...) Étincelante, parée de perles de feu et de mortels prestiges, claire et terrible comme la foudre, sa sœur jumelle, intouchable comme ces princesses hindoues qu'on ne saurait effleurer sans mourir, l'Électricité est la pure noblesse de notre civilisation mécanique. Nous l'appelons moderne, mais il faudrait la dire « Immortelle » : cette force fulgurante que nous avons libérée de la matière, rien ne donne mieux l'idée du divin.
P. DEVAUX, Hist. de l'électricité, p. 6 et 10.

Spécialt. Lumière électrique. *Allumer, éteindre l'électricité,* un appareil (ou des appareils) d'éclairage électrique. → Congédier, cit. 4.

7 Quoi, vous êtes dans le noir! Il fallait allumer l'électricité. À ces mots la lumière se fait dans le corridor, une lumière jaune qui tombe d'une ampoule nue suspendue au bout de son fil.
A. ROBBE-GRILLET, Dans le labyrinthe, p. 61.

Appareillage, matériel électrique. *Bazar d'électricité.* Installation électrique. *Toute l'électricité est à refaire dans la maison qu'ils ont achetée.*

♦ **2.** Partie de la physique étudiant les phénomènes électriques. *Cours, traité d'électricité.*

DÉR. Électricien.

COMP. Hydro-électricité, photoélectricité, piézoélectricité, radioélectricité, thermoélectricité.

ÉLECTRIFICATION [elɛktʀifikasjɔ̃] n. f. — 1875; de *électrifier.*

♦ **1.** Vx. Production d'électricité; fait de s'électriser. ⇒ **Électrisation.**

♦ **2.** (1907). Mod. Action d'électrifier; résultat de cette action. *L'électrification des campagnes. L'électrification des chemins de fer.*

(...) à l'Est de Marrakech il y a un semblable front qui permet à notre industrie de tirer parti des forces hydrauliques qui doivent servir à l'électrification de Casablanca et assurer son avenir économique.
L.-H. LYAUTEY, Paroles d'action, p. 331.

ÉLECTRIFIER [elɛktʀifje] v. tr. — Fin XIXe; du rad. de *électrique,* et suff. *-(i)fier.*

♦ **1.** Pourvoir d'énergie électrique. *Électrifier un village, une exploitation agricole.*

En 1931, nous électrifiâmes d'un coup quatre-vingt-quatorze communes de montagne. La réception des travaux fut l'occasion d'une grande fête avec ripaille énorme de gibier.
Raymond ABELLIO, Ma dernière mémoire, t. II, p. 196.

♦ **2.** Faire fonctionner en utilisant l'énergie électrique. *Électrifier une ligne de chemin de fer.* — P. p. adj. *Ligne électrifiée.*

DÉR. Électrification.

ÉLECTRIQUE [elɛktʀik] adj. — 1660; lat. sc. *electricus* « propre à l'ambre », 1600; du lat. *electrum* « ambre jaune ». → Électricité.

♦ **1.** Vx. Qui peut recevoir ou communiquer l'électricité (→ Élastique, cit. 1). — Mod. Propre ou relatif à l'électricité. *L'énergie* électrique. Phénomènes électriques. Effluves* électriques. Loi des attractions et des répulsions électriques* (Coulomb). *Ondes* lumineuses ou électriques. Radiations électriques. Écran électrique. Fluide, influence, tension électrique. Décharge, secousse, commotion électrique. Décharge électrique du gymnote, du poisson torpille. Plateau électrique,* électrisé par frottement. *Effet photo-électrique.* ⇒ **Photoélectrique.** *Charge électrique portée par un corps électrisé. Mesure de la charge électrique d'un corps.* ⇒ **Électromètre, électroscope** (à feuilles d'or). *Pendule* électrique. Unité de charge électrique.* ⇒ **Coulomb.** *Action de la masse électrique d'un corps électrisé* (⇒ **Diélectrique**). *Densité électrique d'un corps. Balance électrique de Coulomb. Champ* électrique* (⇒ **Magnétisme; aimant**). *Lignes de forces, intensité d'un champ électrique* (⇒ **Dyne, gauss**). *Travail accompli par les forces électriques d'un champ.* ⇒ **Potentiel.** *Propriétés du potentiel électrique. Unité de potentiel électrique.* ⇒ **Volt.** *Mesure de la différence de potentiel entre deux points d'un champ électrique à l'aide de l'électroscope, de l'électromètre, de l'ampèremètre, du potentiomètre, du voltmètre* (⇒ **Électrométrie**). *Accumuler de la force électrique dans un condensateur.* ⇒ **Condensateur; accumulateur, électrophore; bobine** (d'induction). *Capacité* électrique d'un condensateur. Oscillations électriques produites par un condensateur* (→ Ondes hertziennes*).

Le courant électrique :* écoulement de charges électriques dans une chaîne de conducteurs. ⇒ **Courant; extra-courant, juxta-courant; conducteur, circuit, générateur; farad; collecteur, coupleur, excitateur, induit; inducteur, induction; balai, bobine, contact; pôle; polarisation; plan** (d'épreuve), **rupteur, serre-fils.** *Résistance électrique.* ⇒ **Résistance; résistivité; conductance; ohm; fil, enroulement, montage, solénoïde...** *Génératrices électriques de type compound, série, shunt, séparé. Le sens d'un courant électrique. Intensité d'un courant électrique.* ⇒ **Ampère; ampèremètre, galvanomètre; rhéostat; self-induction; charge.** *Production de courant électrique.* ⇒ **Accumulateur, batterie, dynamo, électrogène** (groupe), **lampe** (à deux électrodes), **magnéto, pile.** *Arc* électrique. Décomposition chimique due au courant électrique.* ⇒ **Électrolyse; électrolyte; anode, cathode; anion, cation, ion; polarisation.** *Les effets calorifiques du courant électrique* (cf. Effet Joule). *Action d'un courant électrique sur un aimant.* ⇒ **Rémanence; électro-aimant.** *Courant électrique continu. Action d'un courant continu sur un aimant* (cf. la règle du « bonhomme d'Ampère »). *Courant alternatif.* ⇒ **Alternateur** (monophasé, diphasé..., polyphasé); **bobine** (d'induction), **bouteille** (de Leyde), **condensateur, convertisseur, inverseur, redresseur, transformateur; fréquence; oscillographe.**

Relatif à l'électricité dans ses applications techniques; qui utilise l'électricité comme source d'énergie. *L'énergie électrique. Production de l'énergie électrique* (usines hydrauliques, thermiques; houille [blanche, bleue]). *Puissance électrique, force électromotrice d'un générateur.* (⇒ **Joule, volt, voltampère, watt**). *L'équipement, le réseau électrique d'un pays. Distribution, transport de l'énergie électrique.* ⇒ **Branchement, canalisation, circuit, dérivation, ligne; câble, isolateur, jonction, moulure, tube.** *Station électrique.* ⇒ **Central** (centrale électrique). *Tableau de distribution électrique. Transformation de l'énergie électrique en énergie mécanique.* ⇒ **Moteur** (moteur électrique, synchrome, asynchrone). *Allumage électrique d'un moteur* (⇒ **Bougie, distributeur, vis** [platinée]). *Étincelle électrique.*

(1864). *Éclairage électrique. Lumière électrique.* ⇒ **Ampoule, arc, fil, filament, lampe, phare, projecteur** (→ Abat-jour, cit. 1; brancher, cit. 2). *Fil électrique. Installation électrique.* ⇒ **Bouton, commutateur, compteur, coupe-circuit, disjoncteur, douille, fiche, interrupteur, minuterie, plot, poire, prise** (de courant), **rosace** (de plafond), **suspension, trembleur, va-et-vient...** *Chauffage électrique.* — *Appareils électriques* (⇒ **Électroménager**). *Cireuse, cuisinière, fer à repasser, réfrigérateur, four, radiateur, rasoir, sonnerie... électriques* (⇒ **Appareil; chauffage; éclairage...**). *Traction électrique. Locomotive, machine électrique. Train, tramway électrique. Train électrique miniature. Jouer au train électrique. Voiture électrique. Ligne électrique de chemin de fer.* — *Télégraphe* électrique.* — *Chaise* électrique.* ⇒ **Électrocution.** — *Billard** (cit. 5, 6) *électrique.*

Traitement électrique, en médecine. *Rayons électriques. Bain électrique.*

(...) j'attends l'effet d'une belle expérience à laquelle les autres n'ont pas songé. 0.1
Voici trois jours que nous guettons un rayon de soleil. J'ai les moyens de soumettre les métaux dans un vide parfait, aux feux solaires concentrés et à des courants électriques. Vois-tu, dans un moment, l'action la plus énergique dont puisse disposer un chimiste va éclater (...)
BALZAC, la Recherche de l'absolu, Pl., t. IX, p. 598.

La voiture électrique de M. Paul Pouchain et celle du comte Joseph Carli mon- 0.2
trent que l'installation d'un moteur électrique et des accumulateurs qui l'entretiennent n'a pas présenté de difficultés particulières. Il est donc à croire que dans les villes la voiture électrique et surtout le fiacre électrique ne tarderont pas à faire leur apparition (...) Au lieu de donner l'avoine aux chevaux pendant le cours de leur travail, on donnera de l'électricité à leurs succédanés de fer, des dispositifs de chargement étant installés aux stations de voitures.
L. FIGUIER, l'Année scientifique et industrielle 1895, p. 99 (1894).

Son mignon petit hôtel (...) était un véritable bijou de maison électrique, où tous 0.3
les services étaient combinés de façon à donner vraiment le dernier mot du confortable moderne : ascenseurs électriques, éclairage et chauffage électriques, communications électriques, réservoir électrique dans la cave, et serviteurs presque élec-

triques, que l'on ne voyait pour ainsi dire pas, leur service s'effectuant presque complètement par l'électricité. A. ROBIDA, le Vingtième Siècle, p. 78 (1883).

0.4 Quand on touche les moteurs électriques, les parois des ascenseurs, les postes de télévision, les douilles, les fers à repasser, et les fers à souder : on sent le tremblement léger qui entre dans le corps et dilue les forces de la vie. L'électricité est comme ça, elle tremble toujours. Un jour, peut-être, elle retrouvera ses véritables demeures, qui sont à la fois dans le ciel et dans les troncs des arbres. Il y aura de terribles orages électriques, et le monde se débarrassera de la tension douloureuse, en expulsant de grands éclairs.
J.-M. G. LE CLÉZIO, les Géants, p. 205-206.

1 (...) de nombreux chercheurs ont étudié l'activité électrique du cerveau, précisé la technique de l'électro-encéphalographie et la description des électro-encéphalogrammes, et ils ont étendu ses applications tant à la psycho-physiologie qu'à la médecine nerveuse et mentale. Jean DELAY, l'Électricité cérébrale, p. 8.

2 (...) la *lumière froide* fulgure sur les façades, pénètre dans les lieux publics sous forme de *tubes luminescents;* dans nos appartements, nous en sommes encore à la lampe à incandescence à filament chaud, hérésie technique qui disparaîtra devant les tubes perfectionnés à lumière synthétique ; nous vivrons alors dans un bain de lumière. Les *ondes ultra-courtes,* dirigées par projecteurs, établissent un pont des plus curieux entre la radio et la lumière... *(elles)* sont probablement les seules qui puissent prêter un essor définitif à la *télévision,* type de l'invention «en panne», qui piétine après des débuts prometteurs. N'oublions pas, parmi les réalisations de la très haute fréquence électrique les *instruments d'ondes* Martenot, nouveauté artistique saisissante (...) ni les *fièvres artificielles* et autres thérapeutiques électrotechniques, qui s'enrichissent chaque jour de quelque application nouvelle.
P. DEVAUX, Hist. de l'électricité, p. 121.

3 Le sourire possède depuis l'origine du monde une propriété que les physiciens ont découverte depuis au courant électrique. Dès qu'il passe sur un visage, le visage d'en face est traversé tout aussitôt par une espèce de sourire induit qu'il n'est pas question d'empêcher. J. ROMAINS, les Hommes de bonne volonté, t. IV, XVIII, p. 197.

♦ **2.** Fig. Qui produit une impression vive, excitante. *Impression électrique* (→ Approche, cit. 23 ; baiser, cit. 16 ; élastique, cit. 1). *Tressaillement électrique. Un effet, une impression électrique.*

4 L'invasion *(en 1214)* produisait déjà l'effet électrique qu'on a vu par les volontaires de 1792 et par la mobilisation de 1914.
J. BAINVILLE, Hist. de France, v, p. 62.

DÉR. Électrifier, électriquement, électriser.
COMP. Diélectrique, dynamo-électrique, hydro-électrique, isoélectrique, nucléo-électrique, photoélectrique, piézoélectrique, radioélectrique, thermoélectrique.

ÉLECTRIQUEMENT [elɛktRikmã] adv. — 1832 ; de *électrique.*

♦ **1.** Au point de vue électrique. *Atome électriquement neutre.*

♦ **2.** Par un procédé électrique. *Jouet actionné électriquement. Sucre purifié électriquement.*

1 (...) des masses confuses de maisons se déroulaient, coupées par les raies lumineuses des rues, et striées soudain par des éclats de lumière, par l'étincellement des places et le flamboiement des monuments électriquement éclairés de la base au faîte. A. ROBIDA, le Vingtième Siècle, p. 96 (av. 1890).

♦ **3.** Fig. À la façon de l'électricité.

2 J'ai rarement vu la vie se dégager aussi électriquement d'une femme.
Ed. et J. DE GONCOURT, Journal, t. II, p. 237.

ÉLECTRISABLE [elɛktRizabl] adj. — 1746 ; de *électriser.*

♦ Sc. Qui peut être électrisé.

1 (...) lorsqu'on veut simplement transmettre l'électricité d'un corps à un autre, il faut employer les substances les plus électrisables par communication qu'il est possible, comme l'eau, les métaux, etc. L'eau même a cet avantage, que toutes sortes de substances, comme pierres, bois, etc. qui en sont bien imbues, peuvent devenir par-là de fort bons conducteurs, quelque peu électrisables par communication qu'elles soient d'ailleurs (...) Encycl. (DIDEROT), art. *Conducteur.*

2 Un vieux chat musculeux (...) fait signe à un chien cagneux, qui se précipite. Le noble animal de la race féline attend son adversaire avec courage, et dispute chèrement sa vie. Demain quelque chiffonnier achètera une peau électrisable.
LAUTRÉAMONT, les Chants de Maldoror, 1869, p. 329, *in* T.L.F.

ÉLECTRISANT, ANTE [elɛktRizã, ãt] adj. — 1834 ; p. prés. de *électriser.*
Qui électrise.

♦ **1.** Qui produit de l'électricité, qui rend électrique.

♦ **2.** Fig. Qui électrise, mobilise et excite l'énergie. *Des paroles électrisantes.*

ÉLECTRISATION [elɛktRizasjõ] n. f. — 1738 ; de *électriser.*

♦ **1.** Sc. Action d'électriser, de s'électriser ; résultat de cette action. *Électrisation positive d'un corpuscule.*

♦ **2.** Fig. et rare. *L'électrisation de la foule* (→ Électricité, cit. 5).

(...) cette vie incidentée du théâtre, cette camaraderie entre hommes et femmes, ce potinage des coulisses, et l'intérêt fiévreux aux chutes et aux succès des pièces représentées, et l'électrisation par les bravos du public.
Ed. et J. DE GONCOURT, Journal, t. I, p. 285.

ÉLECTRISER [elɛktRize] v. tr. — 1732, au p. p. ; du rad. de *électrique.*

♦ **1.** Communiquer à (un corps) des propriétés, des charges électriques*. *Électriser positivement, négativement un corps,* faire apparaître sur lui de l'électricité positive ou négative.

(1731). Au p. p. **ÉLECTRISÉ, ÉE.** *Atomes, corpuscules, particules électrisés. Corps électrisé par contact, par influence, par frottement, par la chaleur* (→ Pyroélectricité), *par la pression* (→ Piézoélectricité). *Fil de fer électrisé.*

0.1 (...) on peut décharger la bouteille la plus électrisée ou la plus chargée sans crainte, lorsqu'en la tenant d'une main (...) on en approche une pointe de métal, cette pointe tirant successivement l'électricité de la bouteille, et par-là la déchargeant insensiblement. Encycl. (DIDEROT), art. *Coup-foudroyant.*

0.2 (...) un corps ne peut être dit électrisé que par rapport à un autre.
ALAIN, Hegel, *in* les Passions et la Sagesse, Pl., p. 1006.

Vx. *Électriser quelqu'un,* produire en lui une commotion électrique.

♦ **2.** (1772). Fig. Produire sur (qqn) une impression vive, exaltante. ⇒ **Animer, enflammer, enthousiasmer, exalter, exciter, passionner, saisir, soulever, transporter.** *Électriser son auditoire. Vos promesses l'ont électrisé. Ce roman a électrisé son imagination. Être électrisé par l'éloquence de quelqu'un.* ⇒ **Entraîner, galvaniser, remonter** (→ Boire, cit. 33).

1 Bernadotte répétait sans cesse à madame Récamier qu'elle était faite pour électriser le monde et pour créer des séides.
CHATEAUBRIAND, Mémoires d'outre-tombe, t. IV, p. 285.

2 Oscar dit alors à son escadron : — Messieurs, c'est aller à la mort, mais nous ne devons pas abandonner notre colonel (...) Il fondit le premier sur les Arabes, et ses gens électrisés le suivirent. BALZAC, Un début dans la vie, Pl., t. I, p. 742.

3 L'espoir de pouvoir bientôt aller rejoindre André Benjamin-Constant à Alger, électrise toutes mes pensées. GIDE, Journal, 14 févr. 1912.

4 Il éprouve le même transport, le même tumulte du sang, le même surpassement de soi, qui l'électrisaient naguère, quand un subit élan de foi, de colère et d'amour, un fougueux besoin de convaincre et d'entraîner, le projetaient à la tribune d'un meeting, et l'élevaient soudain au-dessus des foules, et de lui-même, dans l'ivresse de l'improvisation. MARTIN DU GARD, les Thibault, t. VIII, p. 109.

▶ **S'ÉLECTRISER** v. pron. (Passif). *Le verre s'électrise par frottement.*

(1795). Fig. (Sens réfléchi). *La foule s'électrisait en écoutant le leader.*

▶ **ÉLECTRISÉ, ÉE** p. p. adj. (Voir ci-dessus).

CONTR. Calmer, endormir, ennuyer, lasser.
DÉR. Électrisable, électrisant, électrisation, électriseur.

ÉLECTRISEUR, EUSE [elɛktRizœR, øz] n. — 1846 ; de *électriser.*
Vieux.

♦ **1.** Médecin qui a recours à l'électricité comme thérapeutique.

♦ **2.** N. m. Appareil permettant de s'électriser soi-même.

ÉLECTRO [elɛktRo] adj. invar. — 1925 ; de *électro-* ou de *électrolyse.*

♦ Chim. industr. Produit par électrolyse. *Fabrication du zinc électro.*

ÉLECTRO-ACOUSTICIEN, IENNE [elɛktRoakustisjɛ̃, jɛn] adj. et n. — 1948 ; de *électro-acoustique,* suff. *-ien.*

♦ Techn. Spécialisé en électro-acoustique. *Une équipe d'ingénieurs électroniciens et électro-acousticiens.* — N. *Des électro-acousticiens.*

ÉLECTRO-ACOUSTIQUE ou ÉLECTROACOUSTIQUE [elɛktRoakustik] adj. et n. f. — 1904, adj., in *Rev. gén. des sc.,* nº 16, p. 758 ; de *électro-* et *acoustique,* peut-être d'après l'anglais *electro-acoustics,* n., 1927.
Technique.

♦ **1.** Adj. Relatif à l'électro-acoustique ; produit par ses méthodes. *Musique électro-acoustique. Studios électro-acoustiques de Gravesano, fondés par Scherchen en 1954.* — *Chaîne électro-acoustique :* système de circuits qui transmet un signal sonore de la prise de son (microphone) à sa restitution (haut-parleur). *Appareils électro-acoustiques.*

♦ **2.** N. f. (1948). Étude et technique de la production, de l'enregistrement, de la transmission et de la restitution du son par des procédés électriques (→ Écouteur, enregistrement, haute-fidélité, haut-parleur, microphone). *Amateur d'électro-acoustique.* ⇒ **Audiophile.**

DÉR. Électro-acousticien.

ÉLECTRO-AFFINITÉ [elɛktRoafinite] n. f. — 1903, in *Rev. gén. des sc.,* nº 4, p. 224 ; de *électro-* et *affinité.*

♦ Chim. Aptitude plus ou moins grande d'un élément chimique à exister sous une forme ionisée. *Échelle d'électro-affinité.* « Le potassium, le calcium et le sodium possèdent l'électro-affinité la plus marquée » (*Dict. de médecine et de biologie,* Manuila).

ÉLECTRO-AIMANT [elɛktRoɛmã] n. m. — 1849 ; de *électro-,* et *aimant.*

♦ Sc. et cour. Aimant artificiel, composé d'un barreau de fer doux sur lequel sont fixées deux bobines parcourues par un courant.

→ Manipulateur, cit. 1. *Les pôles et l'entrefer d'un électro-aimant. La puissance magnétique d'un électro-aimant* (force portante) *est proportionnelle au nombre de spires...* → Électromagnétisme. *Applications de l'électro-aimant :* sonnerie, télégraphie, dynamo... *Électro-aimants employés comme relais, comme appareils de levage.*

Quant au récepteur et au manipulateur, ils furent très simples. Aux deux stations, le fil s'enroulait sur un électro-aimant, c'est-à-dire sur un morceau de fer doux entouré d'un fil. La communication était-elle établie entre les deux pôles, le courant, partant du pôle positif, traversait le fil, passait dans l'électro-aimant, qui s'aimantait temporairement, et revenait par le sol au pôle négatif.
J. VERNE, l'Île mystérieuse, t. II, p. 560-561.

ÉLECTRO-AIMANTATION [elɛktʀoɛmɑ̃tɑsjɔ̃] n. f. — 1932, attestation isolée ; de *électro-* dans *électro-aimant,* et *aimantation.*

♦ Sc. Phénomènes physiques engendrés par un ou des électro-aimants.

(...) la plaque brune mettait tout en mouvement par un système basé sur le principe de l'électro-aimantation. Raymond ROUSSEL, Impressions d'Afrique, p. 204.

ÉLECTRO-ANALYSE [elɛktʀoanaliz] n. f. — Mil. xxᵉ ; cf. angl. *electro-analysis,* 1903 ; de *électro-,* et *analyse.*

♦ Chim., techn. Méthode d'analyse où l'on utilise l'électricité. ⇒ **Polarographie.** — Spécialt. Méthode qui consiste à provoquer le dépôt électrolytique d'un élément, pour déterminer en quelle quantité il apparaît dans la solution électrolysée. *Des électro-analyses.*

ÉLECTRO-ANESTHÉSIE [elɛktʀoanɛstezi] n. f. — 1959, sens 1 ; de *électro-,* et *anesthésie.*
Médecine.

♦ **1.** Anesthésie générale ou locale obtenue par l'application de courants électriques. (On dit aussi *anesthésie électrique.) Des électro-anesthésies.*

♦ **2.** (1971). Insensibilité cutanée à une stimulation électrique.

ÉLECTROBIOGENÈSE [elɛktʀobjoʒɛnɛz] n. f. — Mil. xxᵉ ; de *électro-,* et *biogenèse.*

♦ Biol. Production autogène de phénomènes électriques au sein des structures vivantes. (On dit aussi *électrogenèse*, électrogénie*.)*

ÉLECTROBIOLOGIE [elɛktʀobjoloʒi] n. f. — 1845 ; de *électro-,* et *biologie.*

♦ **1.** Vx. Étude des phénomènes électriques observés chez les êtres vivants.

♦ **2.** (1900). Mod. et sc. Emploi de l'électricité dans les études biologiques (notamment en physiologie). ⇒ **Électrophysiologie.**
DÉR. Électrobiologique.

ÉLECTROBIOLOGIQUE [elɛktʀobjoloʒik] adj. — 1854 ; de *électro-,* et *biologique.*
Sciences.

♦ **1.** Vx. Relatif aux phénomènes électriques observés chez les êtres vivants.

♦ **2.** (1900). Mod. Relatif à l'électrobiologie (2.). *Des études électro-biologiques.*

ÉLECTROBUS [elɛktʀobys] n. m. inv. — 1908 ; probablt de l'angl. *electrobus,* 1906, de *électro-* et *(omni)bus.*

♦ Vx. Autobus électrique. ⇒ **Trolleybus.**

ÉLECTROCAPILLAIRE [elɛktʀokapi(l)lɛʀ] adj. — 1877 ; de *électro-,* et *capillaire.*

♦ Phys. Relatif à l'électrocapillarité. *Phénomènes électrocapillaires.*

ÉLECTROCAPILLARITÉ [elɛktʀokapi(l)laʀite] n. f. — 1877 ; de *électro-,* et *capillarité.* → Électrocapillaire.

♦ Phys. Phénomènes de variation qui apparaissent, dans la tension superficielle d'une cathode constituée par un ménisque de mercure, quand on modifie son état de polarisation par une force électromotrice extérieure. — Étude de ces phénomènes.

ÉLECTROCARDIOGRAMME [elɛktʀokaʀdjoɡʀam] n. m. — 1916 ; *électrocardiagramme,* 1903, in *Rev. gén. des sc.,* nᵒ 18, p. 968 ; de *électro-, cardio-,* et *-gramme,* d'après l'all. *Elektrocardiogramm,* W. Einthoven, 1894.

♦ Méd. et cour. Tracé obtenu par électrocardiographie*. *Appareil pour la surveillance automatique des électrocardiogrammes.* ⇒ **Moniteur.**
Figuré :

Il sismographie seulement son œuvre complète : dessinant sans relâche la bande dessinée de sa vie, l'électrocardiogramme de ses sentiments.
Claude ROY, Nous, p. 368.

ÉLECTROCARDIOGRAPHE [elɛktʀokaʀdjoɡʀaf] n. m. — 1930 ; de *électro-, cardio-,* et *-graphe,* d'après *électrocardiographie.*

♦ Méd. Appareil destiné à l'électrocardiographie. — Abrév. fam. : *électro,* n. m. (1981, *in* D.D.L.). *« "Mon électro fonctionne encore" s'écrie l'assistant cardiologue »* (*Actuel,* janv. 1981, *in* Dico-Plus, nᵒ 17, p. 19, *in* D.D.L.).

ÉLECTROCARDIOGRAPHIE [elɛktʀokaʀdjoɡʀafi] n. f. — 1912 ; de *électro-,* et *cardiographie.*

♦ Méd. Exploration de la fonction cardiaque au moyen de la traduction graphique des phénomènes électriques qui se produisent au cours de la révolution cardiaque.
DÉR. Électrocardiographique.

ÉLECTROCARDIOGRAPHIQUE [elɛktʀokaʀdjoɡʀafik] adj. — 1919 ; de *électrocardiographie.*

♦ Méd. Relatif à l'électrocardiographie. ⇒ **Électrocardiogramme, électrocardiographie.**

ÉLECTROCAUTÈRE [elɛktʀokotɛʀ] n. m. — 1946 ; de *électro-,* et *cautère.*

♦ Méd. Cautère composé d'un fil conducteur porté au rouge par le passage d'un courant électrique.

ÉLECTROCAUTÉRISATION [elɛktʀokoteʀizasjɔ̃] n. f. — 1925 ; de *électro-,* et *cautérisation.*

♦ Méd. Cautérisation par des moyens électriques (⇒ **Électrocautère**).

ÉLECTROCHIMIE [elɛktʀoʃimi] n. f. — 1826 ; de *électro-,* et *chimie.*
Siences, technique.

♦ **1.** Branche de la chimie étudiant les transformations réciproques de l'énergie électrique et de l'énergie chimique.

♦ **2.** Physiol. Étude des réactions chimiques provoquées dans un tissu vivant par les courants électriques.

♦ **3.** Techn. Étude et technique des applications industrielles de l'électricité, spécialt de l'électrolyse. ⇒ **Electrolyse, électrométallurgie, métalloplastie.** *Usine d'électrochimie.*
DÉR. V. (antérieur) Électrochimique.

ÉLECTROCHIMIQUE [elɛktʀoʃimik] adj. — 1813 ; de *électro-,* et *chimique,* ou de *électrochimie* (attesté plus tard).
Sciences, technique.

♦ **1.** Relatif aux échanges réciproques de l'énergie chimique et de l'énergie électrique. *Réaction électrochimique. Théorie électrochimique de Berzelius. Générateur électrochimique* (⇒ **Électromoteur**).

♦ **2.** Relatif à l'électrochimie (3.) ; produit par ses techniques. *Procédé électrochimique.*
DÉR. Électrochimiquement.

ÉLECTROCHIMIQUEMENT [elɛktʀoʃimikmɑ̃] adv. — 1844 ; de *électrochimique.*

♦ Sc., techn. Par un procédé électrochimique. *Décomposer un corps électrochimiquement.*

ÉLECTROCHIRURGICAL, ALE, AUX [elɛktʀoʃiʀyʀʒikal, o] adj. — Mil. xxᵉ (1956, *in* T.L.F.) ; de *électrochirurgie,* et *chirurgical.*

♦ Qui est relatif à l'électrochirurgie. *Des matériels électrochirurgicaux.*

ÉLECTROCHIRURGIE [elɛktʀoʃiʀyʀʒi] n. f. — V. 1935 ; de *électro-,* et *chirurgie.*

♦ **Didact.** Utilisation de l'électricité dans les traitements chirurgicaux.

DÉR. V. Électrochirurgical.

ÉLECTROCHOC [elɛktroʃɔk] n. m. — 1938; de *électro-*, et *choc*.

♦ **Méd.** et cour. Procédé de traitement psychiatrique consistant à provoquer une perte de conscience, suivie de convulsions, par le passage d'un courant alternatif à travers la boîte cranienne. ⇒ **Convulsivothérapie.**

L'électro-choc est une épilepsie électrique expérimentale, appliquée par Cerletti au traitement des maladies mentales. Il entraîne d'une part des modifications psychologiques de l'humeur et de la conscience (...) d'autre part des modifications biologiques neuro-végétatives et humorales, que nous avons individualisées avec A. Soulairac sous le nom de syndrome neuro-humoral de l'électro-choc (1943).
Jean DELAY, Introd. à la médecine psychosomatique, Notes et observations, p. 62.

ÉLECTROCINÉTIQUE [elɛktrosinetik] n. f. et adj. — 1888; de *électro-*, et *cinétique*.

Didactique.

♦ **1. N. f. (Sc.).** Partie de la science qui étudie la propagation des courants électriques.

♦ **2. Adj. (1933).** *Potentiel électrocinétique :* différence de potentiel existant, dans un électrolyte, entre les couches avoisinant les électrodes et celles qui en sont le plus éloignées.

CONTR. (Du sens 1) **Électrostatique.**

ÉLECTROCOAGULATION [elɛktrokɔagylasjɔ̃] n. f. — 1922; de *électro-*, et *coagulation*.

♦ **1. Méd.** Coagulation de tissus vivants par la chaleur, obtenue au moyen de courants électriques et provoquant soit leur destruction soit leur section (→ **Bistouri*** électrique). ⇒ **Électrocautère, électropuncture, galvanocautère.**

♦ **2. (1974). Techn.** Traitement des eaux polluées qui consiste à en précipiter les déchets solides en faisant passer un courant électrique dans les cuves d'épuration.

ÉLECTROCOPIE [elɛktrokɔpi] n. f. — Mil. xxᵉ (v. 1965); de *électro-*, et *copie*.

♦ **Techn.** Procédé de reproduction des documents fondé sur l'électrostatique. ⇒ **Reprographie, xérographie.** — REM. On dit aussi *copie électrostatique*.

ÉLECTROCOPIEUR [elɛktrokɔpjœr] n. m. — Mil. xxᵉ (attesté 1964); de *électro-*, et *copieur*. → Photocopieur.

♦ **Techn.** Appareil de reprographie utilisant des procédés électrostatiques. — REM. On dit aussi *copieur*** électrostatique*.

ÉLECTROCULTURE [elɛktrokyltyr] n. f. — 1918; de *électro-*, et *culture*.

♦ **Techn. (agric.).** Ensemble des procédés d'utilisation de l'électricité pour la culture des plantes (charrue électrique, chauffage, lumière...).

ÉLECTROCUTER [elɛktrokyte] v. tr. — 1891; aussi *électro-exécuter*, 1892; anglais des États-Unis *to electrocute*, 1889, de *électro-*, et *(to exe)cute* « exécuter ».

♦ **1.** Exécuter (un condamné à mort) par une décharge électrique (→ **Chaise*** électrique). *On électrocute les condamnés dans certains états des États-Unis.*

Électrocutera-t-on? N'électrocutera-t-on pas? Le point d'interrogation se dresse devant les amateurs de la peine de mort. On sait qu'aux États-Unis les premières exécutions électriques avaient donné un piteux résultat.
P. GIRARD, *in* le Charivari, 10 juil. 1891, p. 1.

♦ **2.** Tuer ou faire perdre connaissance à (un homme, un animal) par une décharge électrique. *Se faire électrocuter accidentellement.*

Parmi ses fournitures, l'architecte possédait un paratonnerre du plus récent modèle, qu'il destinait au château du baron Ballesteros. Il était facile, au prochain orage suffisamment direct, de mettre Djizmé en contact avec le fil conducteur de l'appareil et de la faire ainsi électrocuter par les nuages.
Raymond ROUSSEL, Impressions d'Afrique, p. 415.

▶ **S'ÉLECTROCUTER v. pron.**

(1954). Recevoir une décharge électrique qui entraîne la mort ou une mort apparente.

▶ **ÉLECTROCUTÉ, ÉE** p. p. adj. et n. (1900, *in* Höfler). *Ranimer*

une personne électrocutée. Pratiquer la respiration artificielle sur un électrocuté.

DÉR. Électrocuteur. — V. aussi Électrocution (anglic.).

ÉLECTROCUTEUR, TRICE [elɛktrokytœr, tris] adj. — 1905, *in* Höfler; de *électrocuter*.

♦ **Rare.** Qui provoque l'électrocution. *Courant électrocuteur.* — Par exagér. (Céline, *in* T.L.F.). Qui donne des décharges électriques.

ÉLECTROCUTION [elɛktrokysjɔ̃] n. f. — 1890; aussi *électro-exécution*, 1892; anglais des États-Unis *electrocution*, 1890 (*electricution*, 1889), de *to electrocute*. → Électrocuter.

♦ **1.** Exécution (d'un condamné à mort) par le passage d'un courant électrique; la mort ainsi causée. *Partisans et ennemis de l'électrocution. Dans certains états des États-Unis, l'électrocution des condamnés se fait au moyen d'une chaise*** électrique.*

♦ **2.** Fait d'électrocuter, d'être électrocuté; ensemble des effets provoqués dans un organisme vivant par les courants électriques, surtout par les courants de haute tension (mort instantanée, perte de connaissance brutale, convulsions, brûlures au point de contact). *Électrocution produite par une ligne à haute tension.*

Particulièrement séduit par l'idée de faire périr Djizmé sous une étincelle céleste, Talou avait pleinement approuvé le projet de Chènevillot. Mise au courant du genre de supplice qu'on lui réservait, la malheureuse avait obtenu de l'empereur deux suprêmes faveurs : celle de mourir sur la natte blanche aux multiples dessins (...) Chènevillot s'était servi de la natte en question pour tapisser un appareil d'électrocution que la foudre seule devait actionner.
Raymond ROUSSEL, Impressions d'Afrique, p. 418.

DÉR. V. Hydrocution.

ÉLECTRODE [elɛktrɔd] n. f. — 1836; angl. *electrode*, Faraday, 1834; de *electric*, et *-ode*, grec *hodos* « chemin » dans *anode*, et *cathode*.

Didactique et (courant).

♦ **1. Électr.** Conducteur par lequel le courant arrive *(électrode positive* ou *anode)* ou sort *(électrode négative* ou *cathode)* dans un électrolyseur, un tube à gaz raréfié et, en général, un milieu où il doit être utilisé. *Électrode soluble,* qui se décompose pendant l'électrolyse. *Électrodes d'un tube cathodique.* — Chacune des tiges (de graphite, de métal) entre lesquelles on fait jaillir un arc*** électrique.

♦ **2. (1890). Phys., méd.** Conducteur électrique appliqué sur une partie de l'organisme. *Électrode cutanée, interne. Appliquer, fixer, implanter des électrodes.*

En électrophysiologie, M. D'Arsonval a imaginé de nouvelles électrodes impolarisables, n'exerçant aucune influence nuisible sur les tissus vivants.
L. FIGUIER, l'Année scientifique et industrielle 1891, p. 519 (1890).

ÉLECTRODÉPOSITION [elɛktrodepozisjɔ̃] n. f. — 1930; de *électro-*, et *déposition*, de *se déposer*.

♦ **Techn.** Plaquage métallique par procédé électrolytique. ⇒ **Électroformage.** *Bain d'électrodéposition. Électrodéposition du nickel.* « (...) une entreprise britannique a (...) mis au point un appareil de récupération (de l'argent des solutions de fixage, en photo...). Formée essentiellement d'une cellule d'électrodéposition sur laquelle la solution arrive par pompage, la machine peut être réglée automatiquement de façon à s'arrêter quand la totalité de l'argent a été extraite » (*Sciences et Avenir*, mars 1982, p. 28).

ÉLECTRODIAGNOSTIC [elɛktrodjagnɔstik] n. m. — 1890, *in* P. Larousse, Deuxième Suppl.; de *électro-*, et *diagnostic*.

♦ **Méd.** Méthode de diagnostic au moyen de l'électricité (exploration utilisant l'action stimulante des courants électriques; enregistrement des phénomènes électriques liés à la perturbation des diverses fonctions de l'organisme). ⇒ **Électrocardiographie, électroencéphalographie, électromyographie.**

ÉLECTRODIALYSE [elɛktrodjaliz] n. f. — V. 1920; de *électro-*, et *dyalise*.

♦ Séparation des électrolytes d'un système colloïdal par électrolyse à travers une membrane semi-perméable qui retient des particules colloïdales, alors que les ions des électrolytes sont déplacés vers la cathode ou vers l'anode.

La variété des procédés utilisés *(dans les centrales nucléaires)* : distillation (deux méthodes), congélation, ionisation par électro-dialyse, osmose inverse, suffirait à montrer que nous sommes en période expérimentale et qu'aucune méthode ne l'emporte.
A. SAUVY, Croissance zéro?, p. 247.

ÉLECTRODIALYSEUR [elɛktrodjalizœr] n. m. — 1974; de *électrodialyse*, et *dialyseur*.

♦ Chim. Dialyseur équipé d'électrodes, destiné à l'électrodialyse. *Membranes cationiques, anioniques d'un électrodialyseur.*

ÉLECTRODIALYTIQUE [elɛktʀodjalitik] adj. — 1974 ; de *électrodialyse*, et *dialytique*.

♦ Chim., techn. Relatif à l'électrodialyse ; qui utilise l'électrodialyse. *Préparation électrodialytique d'émulsions photographiques.*

ÉLECTRODOMESTIQUE [elɛktʀodɔmɛstik] adj. et n. m. — 1957 ; de *électro-*, et *domestique*.

♦ Techn., comm. Relatif aux applications de l'électricité pour l'amélioration des travaux et du confort domestique. ⇒ **Électroménager** (cour.). *Civilisation électrodomestique. Matériel électrodomestique.*
N. m. (1966). *« L'activité a fléchi dans le secteur de l'électrodomestique »* (*le Monde*, 2 janv. 1966, *in* Gilbert).

ÉLECTRODYNAMIQUE [elɛktʀodinamik] adj. et n. f. — 1823 ; de *électro-*, et *dynamique*.

♦ **1.** Adj. Relatif aux effets de l'électricité en mouvement, à l'action des courants électriques les uns sur les autres. *Énergie, attraction électrodynamique.* ⇒ **Électrocinétique.**

♦ **2.** N. f. (1837). Partie de la physique qui traite de l'électricité dynamique, de l'action des courants électriques.
Adj. Relatif à cette science. *Théorie électrodynamique.*
DÉR. Électrodynamisme.

ÉLECTRODYNAMISME [elɛktʀodinamism] n. m. — 1856 ; de *électrodynamique*, et suff. *-isme.*

♦ Sc. Ensemble des phénomènes étudiés par l'électrodynamique.

ÉLECTRODYNAMOMÈTRE [elɛktʀodinamɔmɛtʀ] n. m. — 1883, *in* D. D. L. ; de *électrodynamique*, et *-mètre*, d'après l'all. *Elektrodynamometer.*

♦ Phys., techn. Galvanomètre basé sur l'action magnétique exercée par un courant fixe sur un courant mobile.

ÉLECTRO-ENCÉPHALOGRAMME [elɛktʀoɑ̃sefalɔgʀam] n. m. — 1929 ; de *électro-*, *encéphale* et *-gramme*, d'après l'angl. *electroencephalogram*, lui-même d'après l'all. *Elektrenkephalogramm*, Berger, 1929.

♦ Méd. Tracé obtenu par les procédés de l'électro-encéphalographie (abrév. : *E. E. G.*). *Des électro-encéphalogrammes.* — Abrév. fam. : *un électro-encéphalo.*

[1] Jean passa un électro-encéphalo de contrôle.
Claude COURCHAY, La vie finira bien par commencer, p. 89.

[2] *(Le sommeil paradoxal).* Sommeil caractérisé par sa profondeur, mais par un EEG de veille, un affaissement du tonus musculaire et des mouvements rapides des yeux. Denise VAN CANEGHEM, Agressivité et Combativité, p. 10.

ÉLECTRO-ENCÉPHALOGRAPHIE [elɛktʀoɑ̃sefalɔgʀafi] n. f. — 1929 ; de *électro-*, *encéphale*, et *-graphie.*

♦ Méd. Enregistrement de l'activité électrique du cerveau, le plus souvent par l'application d'électrodes sur le cuir chevelu intact. ⇒ **Électro-encéphalogramme.**
L'électro-encéphalographie, méthode toute récente puisque la découverte d'Hans Berger date de 1924, s'est révélée déjà riche de réalisations. Grâce aux oscillographes cathodiques et aux oscillographes électro-magnétiques il est possible d'enregistrer les ondes électriques du cerveau humain et d'étudier leurs modifications dans divers processus psychiques.
Jean DELAY, la Psycho-physiologie humaine, p. 10.
DÉR. Électro-encéphalographique.

ÉLECTRO-ENCÉPHALOGRAPHIQUE [elɛktʀoɑ̃sefalɔgʀafik] adj. — 1929 ; de *électro-encéphalographie.*

♦ Méd. Qui se rapporte à l'électro-encéphalographie. *Des examens électro-encéphalographiques.*

ÉLECTRO-ENDOSMOSE [elɛktʀoɑ̃dɔsmoz] n. f. — 1914 ; de *électro-*, et *endosmose.*

♦ Sc., techn. ⇒ **Électro-osmose.**

ÉLECTROFONDU [elɛktʀofɔ̃dy] n. m. et adj. — 1972, adj. ; de *électro-*, et *fondre* au p. p. passif.

♦ Techn. Oxyde réfractaire qui se prête à la fusion électrique. *Forte conductibilité des électrofondus.* — Adj. *« Produits électrofondus*

utilisés pour doubler les fours dans la verrerie et la sidérurgie » (*l'Express*, 23 oct. 1972, p. 109).

ÉLECTROGALVANIQUE [elɛktʀogalvanik] adj. — 1856 ; de *électro-*, et *galvanique.*

♦ Vieilli. Se dit d'un courant produit par une pile voltaïque.
DÉR. Électrogalvanisme.

ÉLECTROGALVANISME [elɛktʀogalvanism] n. m. — 1864 ; de *électrogalvanique*, et suff. *-isme* ou de *électro-*, et *galvanisme* (Littré).

♦ **1.** Électr. Vieilli. Phénomènes produits par les piles voltaïques ; leur étude.

♦ **2.** (Mil. XXᵉ). Méd. *Électrogalvanisme buccal :* phénomène électrolytique qui se produit dans la bouche entre deux pôles métalliques (par exemple, couronne, obturation).

ÉLECTROGÈNE [elɛktʀoʒɛn] adj. — 1847 ; n. m. «cause inconnue des phénomènes de l'électricité», 1834 ; de *électro-*, et *-gène.*

♦ Qui produit de l'électricité (naturellement ou artificiellement). *L'appareil électrogène du gymnote.*

Qui invente ? Qui dit quelque chose ? Les hommes croient que c'est eux, mais ce n'est pas vrai. C'est seulement l'usine électrogène qui émet ses ondes pour les cerveaux de filaments de tungstène. Personne ne sait cela. Personne ne veut le croire. Mais c'est ainsi : ils sont ligotés les uns aux autres, ils sont tout à fait pareils aux petites lampes qui s'allument sur le fronton des banques, aux carrefours, et qui écrivent ce que dicte la voix inaudible. J.-M. G. LE CLÉZIO, les Géants, p. 205. [1]

(1900). Cour. *Groupe électrogène :* ensemble formé par un moteur (à vapeur, à explosion) et un système dynamo-électrique qui transforme son travail en électricité. ⇒ **Génératrice.** — N. m. Ellipt. *« Les électrogènes pétaradant sur le trottoir »* (Cendrars, *in* T. L. F.).

Des bâtiments plus solidement construits abritaient un groupe électrogène, un atelier de réparation, la réserve d'essence, un entrepôt de vivres et de vêtements. [2]
J. KESSEL, le Lion, p. 63.

ÉLECTROGENÈSE [elɛktʀoʒɛnɛz] ou **ÉLECTROGÉNIE** [elɛktʀoʒeni] n. f. — 1856 ; de *électro-*, et *genèse*, *-génie.*

♦ Biol. (Rare). Production d'électricité par les tissus vivants. ⇒ **Électrobiogenèse.** — REM. D'abord employé à propos des phénomènes observés chez le gymnote, le poisson torpille...

ÉLECTROGRAMME [elɛktʀogʀam] n. m. — 1971 ; de *électro-*, et *-gramme.*

♦ Méd. Tracé obtenu par électrographie. ⇒ **Électrocardiogramme, électro-encéphalogramme, électromyogramme, électrorétinogramme.**

ÉLECTROGRAPHE [elɛktʀogʀaf] n. m. — 1864, Littré, sens 1 ; de *électro-*, et *-graphe.*
Vieux.

♦ **1.** Auteur qui traite d'électricité.

♦ **2.** Techn. Appareil télégraphique inscripteur.

ÉLECTROGRAPHIE [elɛktʀogʀafi] n. f. — 1843 ; de *électro-*, et *-graphie*.*

♦ **1.** Vx. Ouvrage sur l'électricité.

♦ **2.** Reproduction (d'un texte, d'un tracé) à l'aide d'un électrographe.

♦ **3.** Physiol., méd. Enregistrement des variations des potentiels électriques existant dans un tissu, un organe au repos ou au cours d'une activité physiologique ou d'un dérèglement pathologique. ⇒ **Électro-cardiographie, électro-encéphalographie, électro-myographie, électrorétinographie.** *Tracé obtenu par électrographie.* ⇒ **Électrogramme.**

ÉLECTROLEPSIE [elɛktʀolɛpsi] n. f. — 1901 ; de *électro-*, et *-lepsie.* → -leptique.

♦ Méd. (Rare). Affection de l'enfance caractérisée par des contractions musculaires involontaires qui se produisent à intervalles réguliers. ⇒ **Chorée.**

ÉLECTROLOGIE [elɛktʀoloʒi] n. f. — 1843 ; de *électro-*, et *-logie.*

♦ Didact. et vx. Partie de la physique qui étudie tout ce qui se rapporte à l'électricité. ⇒ **Électricité.** — *Électrologie médicale :* étude des applications médicales de l'électricité. ⇒ **Électrodiagnostic, électrothérapie.**

ÉLECTROLUMINESCENCE [elɛktʀolyminesɑ̃s] n. f. — 1930 ; de *électro-*, et *luminescence*.

♦ Phys. Propriété qu'ont certains corps de devenir lumineux sous l'action d'un courant, d'une décharge, d'un champ électrique.

DÉR. Électroluminescent.

ÉLECTROLUMINESCENT, ENTE [elɛktʀolyminesɑ̃, ɑ̃t] adj. — V. 1932 ; *électrolumineux*, 1910 (de *électro-*, et *lumineux*) ; de *électroluminescence*.

♦ Phys. Qui est doué d'électroluminescence.

ÉLECTROLYSABLE [elɛktʀolizabl] adj. — 1838 ; de *électrolyser*.

♦ Sc., techn. Qui peut être électrolysé. *Composé non électrolysable.*

ÉLECTROLYSE [elɛktʀoliz] n. f. — 1845 ; *électrolysation*, 1837 ; de *électro-*, et *-lyse*, grec *lusis* « action de délier, de dissoudre », d'après *analyse* et l'angl. *electrolysis*, 1834. → Électrolyser. — REM. Ce mot est le premier composé où apparaît l'élément *-lyse*.

♦ **1.** Décomposition chimique de certaines substances en fusion ou en solution, obtenue par le passage d'un courant électrique. *Cuve d'électrolyse* (ou *cuve électrolytique*). ⇒ **Électrolyseur, voltamètre.** *Corps décomposé par une électrolyse.* ⇒ **Électrolyte.**

♦ **2.** Réaction chimique des produits de cette décomposition sur les électrodes (dépôts métalliques sur la cathode, utilisés dans l'argenture, le chromage, le nickelage). ⇒ **Électrodéposition.**

ÉLECTROLYSER [elɛktʀolize] v. tr. — 1838 ; de l'angl. *to electrolyze*, 1834, Faraday, de *électro-*, et *(to ana)lyze*. → Électrolyte.

♦ Sc. Décomposer par électrolyse.
Pron. (Passif). « *Il ne paraît pas que l'eau absolument pure s'électrolyse* » (Wurtz, *Dict. de chimie*, art. *Électricité*).

DÉR. Électrolysable, électrolyseur.

ÉLECTROLYSEUR [elɛktʀolizœʀ] n. m. — 1890 ; de *électrolyser*, et suff. *-eur*.

♦ Techn. Appareil destiné à effectuer des électrolyses. *Électrode d'entrée du courant* (⇒ **Anode**), *de sortie du courant* (⇒ **Cathode**), *dans un électrolyseur.*

ÉLECTROLYTE [elɛktʀolit] n. m. — 1838 ; angl. *electrolyte*, 1834, Faraday ; de *électro-*, et grec *lutos* « qui peut être décomposé » de *luein* « décomposer, dissoudre ».

♦ Sc. Corps qui, à l'état liquide, peut se décomposer sous l'action d'un courant électrique (⇒ **Électrolyse** ; → Condensateur, cit. 0.1). *Dans l'électrolyse, la molécule de l'électrolyte est dissociée en deux ions, l'un porteur de charge positive* (⇒ **Cation**), *l'autre de charge négative* (⇒ **Anion**).

ÉLECTROLYTIQUE [elɛktʀolitik] adj. — 1838 ; de *électrolyte*, suff. *-ique*. Cf. angl. *electrolytical*, 1834 ; *electrolytic*, 1842.

♦ **1.** Chim. Qui a les caractères d'un électrolyte, renferme un électrolyte. *Solution électrolytique.*

♦ **2.** (1864 ; de *électrolyse*, d'après *analyse/analytique*). Chim. Relatif à l'électrolyse. *Procédés électrolytiques*, employés dans les industries électrochimiques. *Cellule* électrolytique. Cuve électrolytique.* ⇒ **Électrolyseur, voltamètre.** *Condensateur* (cit. 0.1) *électrolytique.*

(...) pour chaque molécule d'acide sulfurique (...) qui s'électrolyse, une double molécule d'eau subit la décomposition. M. Bourgoin interprète ce fait d'après une hypothèse soutenue d'abord par Graham, à savoir que les molécules liquides, celles sur lesquelles s'exerce l'action électrolytique, sont beaucoup plus complexes que les molécules gazeuses.
G. SALET, in WURTZ, Dict. de chimie, art. *Électricité.*
Qui se fait par électrolyse. *Argenture électrolytique. Décomposition électrolytique. Préparation électrolytique des métaux.*

DÉR. Électrolytiquement.

ÉLECTROLYTIQUEMENT [elɛktʀolitikmɑ̃] adv. — 1870 ; de *électrolytique*, 2.

♦ Chim. Par électrolyse.

ÉLECTROMAGNÉTIQUE [elɛktʀomaɲetik] adj. — 1781 ; de *électro-*, et *magnétique*.

♦ **1.** Phys. Relatif à l'action réciproque des champs électriques et magnétiques. ⇒ **Magnétoélectrique.** *Énergie, vibration, induction électromagnétique. Phénomènes électromagnétiques* (⇒ **Électromagnétisme**), *où l'on utilise l'électromagnétisme. Appareil électroma-*

gnétique. Séparation électromagnétique (→ Électrotrieur). *Prospection électromagnétique, en géophysique.* — REM. On écrit encore parfois *électro-magnétique.*

La seule manière d'apprivoiser l'ordinateur était donc de pouvoir en avoir un contrôle manuel (...) un assemblage de machines dont un mini-ordinateur, une table à dessin spéciale et un stylo électro-magnétique (...) Reste à dessiner la musique, à apprendre la signification graphique face aux sons produits ; et un beau dessin ne donnera pas forcément de la belle musique ! En outre, en fonction des possibilités de l'ordinateur, on peut désormais avoir une écoute directe des graphiques inventés. L'UPIC est « conversationnel ».
Iannis XÉNAKIS, *in* Diapason, mars 1981, p. 27-28.

♦ **2.** Relatif à la science de l'électromagnétisme. *Unités électromagnétiques*, définies à partir des phénomènes électromagnétiques (symb. *Uem* CGS. ⇒ aussi **Biot, gauss, gilbert, maxwell, oersted**). *La théorie électromagnétique de la lumière, de Maxwell.*

ÉLECTROMAGNÉTISME [elɛktʀomaɲetism] n. m. — 1781 ; de *électro-*, et *magnétisme*. → Électromagnétique.
Sciences, technique.

♦ **1.** Ensemble des phénomènes résultant de l'action réciproque des courants et des champs électriques, ainsi que des champs magnétiques (→ Aimant ; magnétisme).

♦ **2.** Partie de la physique qui étudie ces phénomènes. « *L'Électromagnétisme a laissé entrevoir la cause des Aurores Boréales (...)* » (Bailly de Merlieux, *Résumé complet de météorologie*, p. 38, 1830).

L'homme, qui représente le plus haut point de l'intelligence et qui nous offre le seul appareil d'où résulte un pouvoir à demi créateur, la pensée ! est, parmi les créations zoologiques, celle où la combustion se rencontre dans son degré le plus intense (...) L'électricité ne se manifesterait-elle pas en lui par des combinaisons plus variées qu'en tout autre animal ? N'aurait-il pas des facultés plus grandes que toute autre créature pour absorber de plus fortes portions du principe absolu (...) Je le crois. L'homme est un matras. Ainsi, selon moi, l'idiot serait celui dont le cerveau contiendrait le moins de phosphore ou tout autre produit de l'électro-magnétisme, le fou celui dont le cerveau en contiendrait trop, l'homme ordinaire celui qui en aurait peu, l'homme de génie celui dont la cervelle en serait saturée à un degré convenable. L'homme constamment amoureux, le portefaix, le danseur, le grand mangeur, sont ceux qui déplaceraient la force résultante de leur appareil électrique. BALZAC, la Recherche de l'absolu, Pl., t. IX, p. 537 (1834).

ÉLECTROMANOMÈTRE [elɛktʀomanomɛtʀ] n. m. — Mil. xxᵉ ; de *électro-*, et *manomètre*.

♦ Méd. Manomètre muni d'un amplificateur électrique, utilisé en cardiologie pour l'enregistrement très précis des pressions systoliques et diastoliques à l'intérieur du cœur et des vaisseaux.

ÉLECTROMASSAGE [elɛktʀomasaʒ] n. m. — Mil. xxᵉ ; de *électro-*, et *massage*.

♦ Méd. Massage réalisé au moyen d'un appareil électrique.

ELECTROMÉCANICIEN, IENNE [elɛktʀomekanisjɛ̃, jɛn] n. — 1928 ; de *électro-*, et *mécanicien*.

♦ Techn. Mécanicien ayant une formation complémentaire d'électricien. — Appos. *Employé électromécanicien.*

ÉLECTROMÉCANIQUE [elɛktʀomekanik] adj. et n. f. — 1894 ; de *électro-*, et *mécanique*.
Sciences et technique.

♦ **1.** Adj. Se dit d'un dispositif mécanique de commande ou de contrôle en liaison avec les organes électriques. *Commande, tête électromécanique.*

♦ **2.** N. f. Application de l'électricité à la mécanique.

ÉLECTROMÉDICAL, ALE, AUX [elɛktʀomedikal, o] adj. — 1867 ; de *électro-*, et *médical*.

♦ Techn. Se dit d'un appareil électrique à usage médical.

ÉLECTROMÉNAGER [elɛktʀomenaʒe] adj. et n. — 1949 ; de *électro-*, et *ménager*.
Courant.

♦ Adj. m. Se dit de divers appareils ménagers (fers, aspirateurs, réfrigérateurs, etc.) utilisant l'énergie électrique. *L'appareillage électroménager.*

N. m. (1965). *L'électroménager*, l'ensemble de ces appareils ; l'industrie qui les produit. *Petit électroménager, gros électroménager. Magasin, exposition d'électroménager.* — Adj. Relatif à l'industrie de l'électroménager.

Au fém. « *La filiale électro-ménagère de H.* » (le Monde, 16 mars 1967, *in* Gilbert).

L'électro-ménager *(sic)* rend la vie de famille plus agréable : ce ne sont que lave-vaisselle, ce ne sont que machines à laver.
Alain BOSQUET, les Bonnes Intentions, p. 127 (1975).
DÉR. Électroménagiste.

ÉLECTROMÉNAGISTE [elɛktʀomenaʒist] n. — 1958 ; de *électroménager*, et suff. *-iste.*

♦ Comm. Vendeur de matériel électroménager. « *Des électroménagistes et des lessiviers qui me lavent le cerveau avec la mousse de leurs shampooings à moquette, le jet de leurs vaporisateurs à four et le programme spécial casseroles de leurs lave-vaisselle* » (*le Nouvel Obs.*, n° 643, p. 52, 7 mars 1977).

ÉLECTROMÉTALLURGIE [elɛktʀometalyʀʒi] n. f. — 1858 ; de *électro-*, et *métallurgie.*

♦ Techn. Étude et technique des applications à la métallurgie de procédés électrothermiques et électrolytiques. ⇒ **Électrosidérurgie.**
DÉR. Électrométallurgique, électrométallurgiste.

ÉLECTROMÉTALLURGIQUE [elɛktʀometalyʀʒik] adj. — 1858 ; de *électrométallurgie.*

♦ Techn. Qui est relatif à l'électrométallurgie. → Électrométallurgiste, cit.

ÉLECTROMÉTALLURGISTE [elɛktʀometalyʀʒist] n. — 1894 ; de *électrométallurgie*, et suff. *-iste.*
Technique.

♦ **1.** Spécialiste, chercheur en électrométallurgie. *Une électrométallurgiste.*
Parmi les électrométallurgistes qui se sont le plus signalés, on peut citer MM. Thomson et de Benardos, qui ont imaginé les dispositifs les plus intéressants pour le soudage ; mais voici que trois ingénieurs belges (...) viennent d'inventer un système électrométallurgique des plus intéressants.
L. FIGUIER, l'Année scientifique et industrielle 1895, p. 269-271 (1894).

♦ **2.** Fondeur de four d'aciérie électrique. — Appos. *Ouvrier électrométallurgiste.*

ÉLECTROMÈTRE [elɛktʀomɛtʀ] n. m. — 1749 ; du rad. de *électrique* (grec *êlektro-* ; → Électro-), et *-mètre.* — REM. Ce mot est le premier où apparaît l'élément *électro-.*

♦ Sc. et techn. Instrument destiné à mesurer des grandeurs électriques (charge électrique d'un corps, force électromotrice), spécialt, des différences de potentiel (→ Balance* de Coulomb, électroscope). *Électromètre capillaire.* — Appos. *Lampe, tube électromètre* : triode permettant de mesurer des courants de très faible intensité.
Par ext. Appareil servant à mesurer de faibles doses de radio-activité.
DÉR. V. Électrométrie.

ÉLECTROMÉTRIE [elɛktʀometʀi] n. f. — 1845 ; de *électro-*, et *métrie*, d'après *électromètre.*

♦ Sc., techn. Ensemble des méthodes de mesure de grandeurs électriques (tensions, charges, différences de potentiel...).
DÉR. Électrométrique.

ÉLECTROMÉTRIQUE [elɛktʀometʀik] adj. — 1843 ; de *électrométrie.*

♦ Sc., techn. Relatif à l'électrométrie.

ÉLECTROMOTEUR, TRICE [elɛktʀomotœʀ, tʀis] adj. et n. m. — 1801 ; de *électro-*, et *moteur.*
Sciences, technique.

♦ **1.** Adj. Qui développe de l'électricité sous l'action d'un agent mécanique ou chimique. *Appareil électromoteur* (⇒ **Générateur**).
N. m. (Vx). Appareil transformant l'énergie mécanique ou chimique en énergie électrique.
Physiol. *Centres électromoteurs de l'encéphale.*

♦ **2.** Adj. Qui maintient une différence de potentiel électrique ou qui entretient un courant électrique. *Champ électromoteur.* **FORCE ÉLECTROMOTRICE** (abrév. : *f.é.m.*) : force exprimée par le quotient de la puissance électrique empruntée à la source et dirigée dans le circuit, par l'intensité du courant qui traverse celui-ci. *L'unité de*

f.é.m. est le volt (→ Contre-électromotrice). *La force électromotrice d'une pile.*
DÉR. Contre-électromotrice.

ÉLECTROMUSCULAIRE [elɛktʀomyskylɛʀ] adj. — 1849, *in* D.D.L. ; de *électro-*, et *musculaire.*

♦ Physiol. Se dit des phénomènes de sensibilité et de contractilité provoqués dans les muscles par une excitation électrique. *La sensibilité électromusculaire.*

ÉLECTROMYOGRAMME [elɛktʀomjogʀam] n. m. — 1959 ; de *électro-*, et *myogramme.*

♦ Méd. Tracé obtenu par électromyographie (abrév. : *emg*). ⇒ **Myogramme.**

ÉLECTROMYOGRAPHIE [elɛktʀomjogʀafi] n. f. — 1960 ; de *électro-*, et *myographie.*

♦ Méd. Enregistrement des variations de potentiel électrique dans les muscles au repos ou en activité. ⇒ **Myographie.**

1. ÉLECTRON [elɛktʀɔ̃] n. m. — 1902 ; « matière électrique », 1808 (du grec *êlektron*) ; angl. *electron*, v. 1902, Larmor, « particule électrique élémentaire », d'abord « charge électrique élémentaire », 1891, Stoney, du rad. de *electric*, et p.-ê. *-on* de *ion, anion, cation*, d'après le grec *êlektron* « ambre ». → Électrique.

♦ Particule élémentaire stable possédant la plus petite charge d'électricité, négative (*électron négatif* → Négaton, rare) ou positive (*électron positif* ou *positon* → Positon, cit. 1, 2). *Les électrons sont l'un des constituants de la matière.* ⇒ **Atome** (cit. 17) ; → Matière, cit. 4, 5. *Masse, vitesse de l'électron. Mouvements de rotation* (⇒ **Spin**), *mouvements circulaires* (⇒ **Magnéton**) *de l'électron. Corpuscule lourd de même charge que l'électron* (⇒ **Méson**).
Cour. Électron négatif, élément constitutif de l'atome*, autour du noyau (opposé à *nucléon*). Syn. : *négaton. Orbite* (vieilli), *orbitale* (cit.) *d'un électron. Nombre d'électrons d'un atome au repos.* ⇒ **Atomique** (numéro). *L'aptitude des électrons de l'atome à s'échanger explique les propriétés chimiques de celui-ci* (⇒ **Covalence, électrovalence, valence**). *Émission d'électrons. Électron émettant un photon. Représentation de l'électron dans la théorie corpusculaire, ondulatoire. Électron célibataire. Électrons appariés. Électrons suprathermiques*. Électrons relativistes*, électrons accélérés, animés d'une vitesse voisine de la vitesse de la lumière. — Production de faisceaux d'électrons. Canon* à électrons. Méthodes d'usinage par faisceau d'électrons.*

(...) l'électricité consiste en grains, en corpuscules. Le grain d'électricité, le corpuscule d'électricité a reçu (1891) le nom d'*électron* : hypothèse d'abord vague, mais qui est devenue, elle aussi, l'expression même de la réalité, puisque ces électrons, *qui sont tous identiques*, et qu'on a recensés, et qu'on a dépisté leurs effets *individuels...* L'électron est *négatif*. Deux électrons, mis en présence, *se repoussent*, avec une force d'autant plus grande que la distance, qui les sépare, est plus petite. Marcel BOLL, Électricité, Magnétisme, p. 11. [1]

La découverte, en 1932, d'un électron positif ou positon exactement symétrique de l'électron négatif ou négaton, c'est-à-dire ayant la même masse et une charge exactement égale et de signe contraire (...) A. BOUTARIC, Physique de la vie, p. 736. [2]

CONTR. (Du sens 2) **Positon.**
DÉR. Électronique.
COMP. Électron-gramme, électron-volt.
HOM. 2. Électron.

2. ÉLECTRON ou **ÉLEKTRON** [elɛktʀɔ̃] n. m. — 1953 ; p.-ê. de l'all., d'après le grec *êlektron.* → Électrum.

♦ Techn. Alliage ultra-léger à base de magnésium principalement et d'aluminium, souvent avec addition de zinc.

HOM. 1. Électron.

ÉLECTRONARCOSE [elɛktʀonaʀkoz] n. f. — 1953, Quillet ; de *électro-*, et *narcose.*

♦ Psychiatrie. Sommeil (de quelques minutes) provoqué par le passage prolongé d'un faible courant électrique à travers le cerveau. *L'électronarcose provoque un état comateux entretenu par le passage du courant, alors qu'il n'existe qu'après l'arrêt du courant dans l'électrochoc. Traitement de certaines psychoses par électronarcose.*

ÉLECTRONÉGATIF, IVE [elɛktʀonegatif, iv] adj. — 1813 ; de *électro-*, et *négatif.*
Sciences.

♦ **1.** Qui est chargé d'électricité négative.

♦ **2.** Se dit des éléments chimiques qui, dans l'électrolyse, se portent à l'anode, et dont les atomes peuvent capter des électrons.

CONTR. Électropositif.
DÉR. Électronégativité.

ÉLECTRONÉGATIVITÉ [elɛktʀɔnegativite] n. f. — 1911, in *Rev. gén. des sc.*, n° 10, p. 432 ; de *électronégatif, ive*.

♦ Sc. Attraction que possède un atome d'un élément donné pour le doublet électronique mis en commun dans la liaison avec un autre atome. *Coefficient d'électronégativité d'un élément. Échelle d'électronégativité* (présentant les coefficients des éléments).

ÉLECTRON-GRAMME [elɛktʀɔ̃gʀam] n. m. — 1961 ; de *électron*, et *gramme*, d'après *atome-gramme*.

♦ Sc. Masse totale d'une mole* d'électrons (masse des électrons que contient une mole d'atomes d'hydrogène). *Des électrons-grammes.* — On écrit aussi *électrongramme*.

ÉLECTRONICIEN, IENNE [elɛktʀɔnisjɛ̃, jɛn] n. — 1955 ; de *électronique*, et suff. *-ien*.

♦ Spécialiste de l'électronique. *Elle veut être électronicienne.*

1   Il portait un gros sac de simili-cuir marron, évoquant le médecin et même le faiseur d'anges plutôt que l'électronicien.
         Vladimir VOLKOFF, le Retournement, p. 254.

Par appos. *Ingénieur électronicien.*

2   Plus tard, lorsqu'il eut passé son baccalauréat, ses parents l'accompagnèrent à Paris et il devint ingénieur électronicien spécialisé dans la recherche.
         Daniel ODIER, l'Année du lièvre, p. 15.

COMP. Radio-électronicien.

ÉLECTRONIQUE [elɛktʀɔnik] adj. et n. f. — 1903, in *Rev. gén. des sc.*, n° 8, p. 410 ; de *électron*, et suff. *-ique*, d'après l'angl. *electronic (theory)*, 1902, Fleming.

Sciences et courant.

♦ **1.** Adj. **ⓐ** Sc. Propre ou relatif à l'électron. *Charge électronique. Théorie électronique de la valence** (⇒ aussi **Coordinance, covalence, électrovalence**). *Couches électroniques d'un atome. Émission, flux, faisceau électroniques.*

1   Les observations faites au moyen de l'appareil à détente de Wilson avec un champ magnétique, ont révélé la présence de trajectoires d'électrons rapides atteignant une énergie de 4.8×10^6 eV. On a observé, en même temps, des trajectoires électroniques courbées en sens inverse des autres.
         F. JOLIOT et I. JOLIOT-CURIE, in Revue générale des sciences, 1934, n° 8, p. 230.

ⓑ Cour. Qui appartient à l'électronique (→ ci-dessous, n. f.), fonctionne suivant les lois de l'électronique. *Optique électronique. Microscope, télescope électronique. Tube électronique. Calculateur électronique. Flash électronique. Jeux* électroniques.*

2   On voudrait passer, traverser. Pas moyen. Les rideaux d'aluminium ferment leurs paupières électroniques si vite qu'à peine une étincelle de lumière a le temps de sortir. Paupière de métal, qui retombe avec un claquement sec, et décapite les idées.
         J.-M. G. LE CLÉZIO, les Géants, p. 115.

3   Dans le domaine musical, il convient de dissocier ce qui est électronique de ce qui n'est qu'électrique (...) une guitare ne saurait être dite électronique parce qu'elle utilise un micro et un amplificateur ; à ce titre, combien de chanteurs électroniques n'aurions-nous pas déjà entendus ?
N'est électronique au sens strict, en musique, que ce qui fait appel à une source électronique (par exemple une lampe triode) pour produire des oscillations électriques, qui seront transformées en vibrations mécanoacoustiques par le truchement d'une membrane (haut-parleur).
         Jean-Étienne MARIE, Musique électronique, expérimentale et concrète, in Encycl. Pl., Hist. de la musique, t. II, p. 1420.

Qui est fait par des procédés électroniques, au moyen d'appareils électroniques. *Musique électronique* (→ ci-dessus, cit. 3). *Tri électronique du courrier. — Annuaire électronique.* « *L'annuaire électronique consiste à remplacer chez l'abonné volontaire les annuaires téléphoniques en papier par un petit terminal (le minitel)* » (*Sciences et Avenir*, n° 44, oct. 1983, p. 37). *Monnaie* électronique.* « *À partir des mêmes terminaux, les commandes directes d'articles sur les ordinateurs de gestion (...) associées au paiement électronique, apportent un certain confort à l'usager (...) l'utilisation de la "monnaie électronique" grâce, en particulier, à la "carte à mémoire", sont la préfiguration de ce que certains appellent la banque à domicile* » (*Sciences et Avenir*, n° 44, oct. 1983, p. 22). *— Traitement électronique de l'information. — Mariage électronique*, par ordinateur. — (1962). Par métonymie. *Compositeur, musicien, chanteur électronique*. REM. Ces emplois sont abusifs.

Relatif à l'électronique, en tant que technique, industrie.

4   Ô paysages électroniques! Le paysage, cela commence avant les poètes. Au sud de Paris, à partir de Châtillon, les mathématiques modernes et la physique atomique règnent au-dessus des pavillons d'hier.
         ARAGON, Blanche ou l'oubli, III, II, p. 383.

♦ **2.** N. f. (1930). L'ÉLECTRONIQUE : partie de la physique étudiant les phénomènes où sont mis en jeu des électrons à l'état libre ; technique dérivant de cette science (fondée sur le déplacement des électrons dans des circuits comportant des tubes électroniques, des transistors, etc.).
Électronique spatiale, aérospatiale, appliquée aux techniques spatiales, aéronautiques (⇒ **Avionique**).

DÉR. Électronicien, électroniquement, électronisation.
COMP. Bioélectronique, microélectronique, optoélectronique, radioélectronique, thermoélectronique.

ÉLECTRONIQUEMENT [elɛktʀɔnikmɑ̃] adv. — 1936 ; de *électronique*, et suff. *-ment*.

♦ Sc., techn. et cour. Par un procédé électronique. *Système contrôlé électroniquement. — Sur le plan de l'électronique.*

L'espace circumterrestre se trouve actuellement occupé par plusieurs centaines de « *satellites-épaves* » très gênants. Les réseaux de poursuite doivent en effet les suivre quotidiennement. Question de sécurité : il faut produire des éphémérides les concernant. Un travail fastidieux, dont les centres de surveillance seront dispensés le jour où les satellites électroniquement morts, et donc devenus inutiles, pourront être retirés du cosmos.
         Albert DUCROQ, Des robots dans le cosmos, in Sciences et Avenir, n° 421, mars 1982, p. 48.

ÉLECTRONISATION [elɛktʀɔnizasjɔ̃] n. f. — 1964 ; du rad. de *électronique*, et suff. *-isation*.

REM. Le verbe *électroniser* semble plus rare (in *Sciences et Avenir*, n° 43, 1983, p. 18).

♦ Techn. Action d'équiper en machines électroniques, de faire fonctionner électroniquement. *L'électronisation d'un central téléphonique ; de la composition* (en imprimerie). ⇒ **Informatisation**.

ÉLECTRONOTHÉRAPIE [elɛktʀɔnoteʀapi] n. f. — 1973 ; *électronthérapie*, 1971 ; de *électron*, et *-thérapie*, d'après l'angl. *electron therapy*.

♦ Méd. Traitement (d'un cancer) au moyen d'électrons de très haute énergie produits par des accélérateurs linéaires (→ Radiothérapie). — REM. Ne pas confondre avec *électrothérapie*.

ÉLECTRONUCLÉAIRE [elɛktʀɔnykleɛʀ] adj. et n. m. — 1962 ; de *électro-*, et *nucléaire*.

♦ Didact. Qui produit des électrons, de l'électricité par la fission nucléaire. *L'énergie électronucléaire. Le développement du programme électronucléaire, de la politique électronucléaire d'un pays. Une centrale électronucléaire. — N. m. L'électronucléaire.* ⇒ **Nucléaire**.

Aux États-Unis, au Canada, au Japon, en Europe occidentale et dans les pays de l'Est, les années 1960 ont vu la réalisation de nombreux prototypes et le démarrage d'importants programmes de constructions de centrales électronucléaires. La contribution de l'énergie nucléaire restait cependant faible puisque, en 1973, elle ne représentait que 3 % de la production énergétique mondiale.
         Syndicat C. F. D. T. de l'énergie atomique, l'Électronucléaire en France, p. 8-9 (1975).

DÉR. Électronucléarisation.

ÉLECTRONUCLÉARISATION [elɛktʀɔnykleaʀizasjɔ̃] n. f. — 1972 ; de *électronucléaire*.

♦ Didact. Fait d'équiper, de s'équiper en sources d'énergie électronucléaires. *L'électronucléarisation d'une région.*

ÉLECTRON-VOLT [elɛktʀɔ̃vɔlt] n. m. — 1938 ; de *électron*, et *volt*.

♦ Phys. Unité d'énergie employée en physique nucléaire (symb. *e V*), égale à l'énergie acquise dans un champ électrique, sous l'effet d'une différence de potentiel de un volt, par un électron en mouvement dans le vide. *Des électrons-volts* ou *des électron-volts. Un million d'électrons-volts* (un méga-électron-volt). — REM. On trouve aussi la graphie *électronvolt*, plur. *électronvolts*.

COMP. Méga-électron-volt.

ÉLECTRO-OPTIQUE [elɛktʀɔɔptik] n. f. et adj. — 1903, in *Rev. gén. des sc.*, n° 10, p. 575 ; aussi *électroptique*, 1923 ; de *électro-*, et *optique*.

♦ **1.** N. f. Partie de la physique qui étudie les relations existant entre les phénomènes électriques et lumineux.

♦ **2.** Adj. (1936). Relatif à la modification de propriétés optiques sous l'action d'un champ électrique. *Effets électro-optiques de certaines phases des cristaux liquides.*

ÉLECTRO-OSMOSE [elɛktʀɔɔsmoz] n. f. — V. 1920 ; aussi *électrosmose*, 1945 ; de *électro-*, et *osmose*.

♦ Sc., techn. Passage de fluides à travers des parois capillaires ou poreuses, des membranes semi-perméables, sous l'action d'un champ électrique. *Consolidation de terrains argileux par électro-osmose, en géotechnie.*

REM. On dit aussi *électro-endosmose.*

ÉLECTRO-OSMOTIQUE [elɛktroosmotik] adj. — 1961; de *électro-*, et *osmotique*, d'après *électro-osmose*, angl. *electroosmotic*, 1967.

♦ Sc. et techn. Relatif à l'électro-osmose; qui utilise ses propriétés. *Drainage électro-osmotique d'un terrain.*

ÉLECTROPERMÉABILITÉ [elɛktropɛrmeabilite] n. f. — 1972; de *électro-*, et *perméabilité.*

♦ Électr., physiol., méd. Perméabilité à l'électricité. « *Les importantes recherches du Dr. Niboyet de Marseille, ont montré qu'il existait une différence d'électroperméabilité entre les points utilisés traditionnellement par les acupuncteurs et d'autres points choisis au hasard sur la peau* » (*la Recherche*, nov. 1972, in *la Clef des mots*, oct. 1973). — REM. L'adj. *électroperméable* semble plus rare.

ÉLECTROPHILE [elɛktrofil] adj. — Mil. xxᵉ; de *électro(n)*, et *-phile.*

♦ Chim., phys. *Particules électrophiles*, que leur configuration électronique rend capables d'accepter une paire d'électrons.

(...) nous avons été frappés de ce que la plupart des haptènes sont des substances *électrophiles*, c'est-à-dire des substances avides d'électrons. Elles peuvent donc se lier à des substances qui leur en fournissent (...).
Claude BENEZRA et Gilles DUPUIS, l'Allergie de contact, *in* la Recherche, nº 147, sept. 1983, p. 1070.

ÉLECTROPHONE [elɛktrofon] n. m. — 1888; de *électro-*, et *-phone.*

♦ **1.** Vx. Récepteur téléphonique servant à amplifier les sons par l'intermédiaire de petits électro-aimants agissant sur une plaque vibrante.

♦ **2.** (1929, *in* D.D.L.). Mod. et cour. Appareil de reproduction d'enregistrements phonographiques sur disque. ⇒ **Chaîne** (II., A., 6.); **phono, phonographe** (vx), **pick-up, platine, tourne-disque.**

Des élèves de sixième, nuls en calcul et médiocres en géographie, implorent un mot de toi qui hâterait leurs progrès et permettrait à leur père de leur payer un électrophone avant les vacances (...)
P. GUTH, Lettre ouverte aux idoles, Sheila, p. 96.

Abrév. fam. : *électro.* « *Premier acide, premier voyage : "Il faisait noir, tu comprends, sur l'électro, il y avait les Pink Floyd. Je ne sentais plus rien"* » (*le Nouvel Obs.*, 3 mars 1975, p. 42, *in* D.D.L.).

REM. Depuis la diffusion des «chaînes» de reproduction acoustique, le mot, après *phono* et *pick-up*, a vieilli.

ÉLECTROPHORE [elɛktrofor] n. m. — 1783; du lat. *electrophorus*, Volta, v. 1776, de *électro-* et *-phorus*, du grec *phorein*. → *-phore.*

♦ Hist. des techn. Appareil qui permet de conserver, de condenser de l'électricité. *Le disque, le plateau, le collecteur d'un électrophore.*

ÉLECTROPHORÈSE [elɛktroforɛz] n. f. — 1923; de *électro-*, et *-phorèse*, du grec *phorêsis* «transport».

♦ Sc., techn. Migration de molécules ou de particules ayant une charge électrique (par ex., micelles d'une suspension colloïdale) sous l'effet d'un champ électrique créé en plaçant deux électrodes dans la solution. ⇒ **Anaphorèse, cataphorèse.** *Peinture des carrosseries d'automobiles par électrophorèse.*
Méthode d'analyse fondée sur ce phénomène. *Électrophorèse pour la séparation des fractions protidiques du sérum sanguin. Électrophorèse sur papier.*

DÉR. Électrophorétique.

ÉLECTROPHORÉTIQUE [elɛktroforetik] adj. — 1961; de *électrophorèse.*

♦ Sc., techn. Relatif à l'électrophorèse. *Mobilité électrophorétique des enzymes.* « *Le principe de la technique électrophorétique est le suivant : différentes protéines d'un mélange seront séparées sur un gel selon leurs charges électriques; dans la mesure où des variants individuels d'une protéine donnée (ou ceux concernant des individus appartenant à des espèces voisines) diffèrent par leurs charges, ils seront discriminés par électrophorèse* » (*Sciences et Avenir*, nº 38, 1982, p. 67).

ÉLECTROPHYSIOLOGIE [elɛktrofizjɔlɔʒi] n. f. — 1852; de *électro-*, et *physiologie.*

♦ Sc. Étude des réactions des êtres vivants à des excitations électriques. ⇒ **Électrobiologie.**

DÉR. Électrophysiologique.

ÉLECTROPHYSIOLOGIQUE [elɛktrofizjɔlɔʒik] adj. — 1868; de *électrophysiologie.*

♦ Sc. Relatif à l'électrophysiologie. *Exploration électrophysiologique d'un organe.* « *Les principes du codage olfactif sont étudiés grâce aux techniques électrophysiologiques. Celles-ci consistent à mesurer, à l'aide de microélectrodes, l'activité d'un seul neurone stimulé par des qualités odorantes testées à diverses concentrations* » (*la Recherche*, nº 121, avr. 1981, p. 412).

ÉLECTROPNEUMATIQUE [elɛktropnømatik] adj. — 1904, in *Rev. gén. des sc.*, nº 3, p. 110; de *électro-*, et *pneumatique.*

♦ Techn. Qui fonctionne à l'air comprimé, la manœuvre des valves de commande étant déterminée par électro-aimants. *Perforatrice électropneumatique.*

DÉR. Électropneumatiquement.

ÉLECTROPNEUMATIQUEMENT [elɛktropnømatikmɑ̃] adv. — Déb. xxᵉ; de *électropneumatique.*

♦ Techn. Avec une installation électropneumatique. « *Les portes d'accès du type pliant et pivotant à deux vantaux inégaux ouvrent vers l'extérieur. Elles sont disposées en retrait de la face. Leur fermeture est réalisée : manuellement, sans effort excessif; électropneumatiquement (...)* » (*la Vie du rail*, nº 1527, 25 janv. 1976, p. 4).

ÉLECTROPOMPE [elɛktropɔp] n. f. — 1953; de *électro-*, et *pompe.*

♦ Techn. Ensemble formé par une pompe rotative et le moteur électrique qui l'entraîne.

ÉLECTROPONCTURE [elɛktropɔ̃ktyr] n. f. ⇒ **Électropuncture.**

ÉLECTROPOSITIF, IVE [elɛktropozitif, iv] adj. — 1834; de *électro-*, et *positif.*
Sciences.

♦ **1.** Qui est chargé d'électricité positive.

♦ **2.** Se dit des éléments chimiques qui, dans l'électrolyse, se portent à la cathode, et dont les atomes peuvent céder des électrons.

Voici pourtant, dit-il en s'arrêtant devant une capsule dans laquelle plongeaient les deux fils d'une pile de Volta, une expérience dont le résultat devrait être attendu. (...) Voilà une combinaison de carbone et de soufre (...) dans laquelle le carbone joue le rôle de corps électropositif; la cristallisation doit commencer au pôle négatif; et, dans le cas de décomposition, le carbone s'y porterait cristallisé (...)
BALZAC, la Recherche de l'absolu, Pl., t. IX, p. 623.

CONTR. Électronégatif.

ÉLECTROPTIQUE [elɛktroptik] adj. ⇒ **Électro-optique.**

ÉLECTROPUNCTURE ou ÉLECTROPONCTURE [elɛktropɔ̃ktyr] n. f. — 1834; de *électro-*, et *-puncture*, 2ᵉ élément de *acupuncture.*

♦ Méd. Emploi thérapeutique (pour la volatilisation, la carbonisation, la coagulation de tissus) d'une électrode pointue, rendue incandescente par un courant galvanique. ⇒ **Électrocautère, électrocoagulation, galvanocautère.** — Syn. : *galvanopuncture.*

DÉR. Électropuncturer.

ÉLECTROPUNCTURER ou ÉLECTROPONCTURER [elɛktropɔ̃ktyre] v. tr. — 1834; de *électropuncture* ou *électroponcture.*

♦ Méd. Pratiquer l'électropuncture sur (un malade). — Au p. p. *Patient électropuncturé.*

ÉLECTROPYREXIE [elɛktropirɛksi] n. f. — 1953; de *électro-*, et *pyrexie* «état fébrile».

♦ Méd. Élévation artificielle de la température du corps humain, par le moyen d'ondes courtes électriques, dans un but thérapeutique (→ Diathermie). — Syn. : *fièvre artificielle.*

ÉLECTRORADIOLOGIE [elɛktʀoʀadjɔlɔʒi] n. f. — 1945, *in* D. D. L. ; de *électro-*, et *radiologie*.

♦ Méd. Ensemble des applications de l'électricité et de la radiologie à la médecine, pour le diagnostic et le traitement (→ Électrologie* médicale).
DÉR. Électroradiologique, électroradiologiste.

ÉLECTRORADIOLOGIQUE [elɛktʀoʀadjɔlɔʒik] adj. — Mil. xxᵉ ; de *électroradiologie*.

♦ Méd. De l'électroradiologie.

ÉLECTRORADIOLOGISTE [elɛktʀoʀadjɔlɔʒist] n. — V. 1950 ; de *électroradiologie*, et suff. *-iste*.

♦ Méd. Médecin spécialiste d'électroradiologie.

ÉLECTRORÉTINOGRAMME [elɛktʀoʀetinɔgʀam] n. m. — 1961 ; de *électro-*, *rétine* et *-gramme*.

♦ Méd. Tracé obtenu par électrorétinographie. (Abrév. : *erg* [ɛʀʒe].)

ÉLECTRORÉTINOGRAPHIE [elɛktʀoʀetinɔgʀafi] n. f. — 1959 ; de *électro-*, *rétine*, et *-graphie*, d'après *électro-encéphalographie*.

♦ Méd. Méthode d'enregistrement graphique des variations du potentiel électrique de la cornée et de la rétine à la suite d'une stimulation lumineuse. *Tracé obtenu par électro-rétinographie.* ⇒ **Électrorétinogramme.**

ÉLECTROSCOPE [elɛktʀɔskɔp] n. m. — 1753 ; de *électro-*, et *-scope*.

♦ Sc., techn. Instrument permettant de déceler les charges électriques et d'en déterminer le signe. *Électroscope à feuilles d'or. Électromètres et électroscopes.*
DÉR. Électroscopie, électroscopique.

ÉLECTROSCOPIE [elɛktʀɔskɔpi] n. f. — 1846 ; de *électroscope*, et suff. *-ie*.

♦ Phys. Partie de la physique qui traite des électroscopes, de leurs applications.

ÉLECTROSCOPIQUE [elɛktʀɔskɔpik] adj. — 1843 ; de *électroscope*, et suff. *-ique*.

♦ Phys. Relatif à l'électroscope, à l'étude de l'électricité par l'électroscopie.

ÉLECTROSIDÉRURGIE [elɛktʀosideʀyʀʒi] n. f. — 1907, in *Rev. gén. des sc.*, nᵒ 21, p. 899 ; de *électro-*, et *sidérurgie*.

♦ Techn. Traitement du fer, de l'acier..., par des procédés électriques (→ Électrométallurgie). *Ferro-alliages obtenus en électrosidérurgie.*
DÉR. Électrosidérurgique.

ÉLECTROSIDÉRURGIQUE [elɛktʀosideʀyʀʒik] adj. — 1911 ; de *électrosidérurgie*.

♦ Techn. Relatif à l'électrosidérurgie. ⇒ **Électrométallurgique.** *Fours électrosidérurgiques à arc, à résistances.*

ÉLECTROSMOSE [elɛktʀɔsmoz] n. f. ⇒ **Électro-osmose.**

ÉLECTROSOUDURE [elɛktʀosudyʀ] n. f. — 1922 ; de *électro-*, et *soudure*.

♦ Techn. Soudure faite à l'aide de procédés électriques. — Syn : *soudure électrothermique.*

ÉLECTROSTATIQUE [elɛktʀostatik] adj. et n. f. — Av. 1827, Ampère ; de *électro-*, et *statique*.
Sciences, technique.

♦ **1.** Adj. Propre ou relatif à l'électricité statique. *Charge électrostatique. Champ électrostatique. Gradient électrostatique. Produit qui empêche l'accumulation de charges électrostatiques.* ⇒ **Antistatique.**
Qui utilise les propriétés de l'électricité statique. *Voltmètre, générateur électrostatique. Machines électrostatiques.*
(...) on pourrait dire en conséquence que le schème de fonctionnement de la tétrode n'est pas parfaitement complet par lui-même, si l'on conçoit l'écran comme un

simple blindage électrostatique, c'est-à-dire comme une enceinte portée à une tension continue quelconque (...)
   Gilbert SIMONDON, Du mode d'existence des objets techniques, p. 29.
Relatif à l'électrostatique (→ ci-dessous, n. f.). *Unités électrostatiques.*

♦ **2.** N. f. Partie de la physique traitant des phénomènes d'électricité statique, étudiant les charges électriques en équilibre.

ÉLECTROSTRICTION [elɛktʀostʀiksjɔ̃] n. f. — 1930 ; de *électro-*, et *striction*, probablt d'après l'angl. *electrostriction*, 1909. → Magnétostriction.

♦ Phys. Déformation d'un diélectrique soumis à un champ électrique.

ÉLECTROTECHNICIEN, IENNE [elɛktʀoteknisjɛ̃, jɛn] n. — 1948 ; de *électrotechnique*, et suff. *-ien*.

♦ Spécialiste d'électrotechnique. — Appos. *Ingénieur électrotechnicien.*

ÉLECTROTECHNIQUE [elɛktʀoteknik] adj. et n. f. — 1882 ; de *électro-*, et *technique*.
Didactique (sciences, technique).

♦ **1.** Adj. Qui concerne les applications techniques de l'électricité. *Institut électrotechnique.*

♦ **2.** N. f. (1907). Étude de ces applications.
DÉR. Électrotechnicien.

ÉLECTROTHÉRAPEUTIQUE [elɛktʀoteʀapøtik] adj. ⇒ **Électrothérapique.**

ÉLECTROTHÉRAPIE [elɛktʀoteʀapi] n. f. — 1857 ; de *électro-*, et *-thérapie*.

♦ Méd. Emploi des courants électriques continus ou alternatifs (bains statiques, courants de basse, moyenne ou haute fréquence) comme moyen thérapeutique. ⇒ **Diathermie, électrologie** (médicale).
DÉR. Électrothérapique.

ÉLECTROTHÉRAPIQUE [elɛktʀoteʀapik] ou **ÉLECTROTHÉRAPEUTIQUE** [elɛktʀoteʀapøtik] adj. — 1860, *électrothérapique* ; *électrothérapeutique*, 1864 ; de *électrothérapie*, et suff. *-ique*, ou de *électro-*, et *thérapeutique*.

♦ Méd. Relatif à l'électrothérapie.

ÉLECTROTHERMIE [elɛktʀoteʀmi] n. f. — 1870 ; de *électro-*, et *-thermie*.

♦ **1.** Vx. Utilisation médicale de la chaleur produite par l'électricité.

♦ **2.** (1923). Mod. (Sc. et techn.). Étude des transformations de l'énergie électrique en chaleur et de leurs applications.
DÉR. Électrothermique.

ÉLECTROTHERMIQUE [elɛktʀoteʀmik] adj. — 1877, sens méd. ; 1922, techn. ; de *électrothermie*.

♦ Relatif à l'électrothermie. *Chauffage électrothermique* (par arc électrique, par induction, résistance, rayonnement infrarouge, bombardement électronique).
REM. Ne pas confondre avec *thermo-électrique*.

ÉLECTROTONIQUE [elɛktʀotɔnik] adj. — Av. 1890 ; de *électro-*, et *tonique*, d'après *électrotonus*, et *tonique*.

♦ Didact. (électrophysiol.). Relatif à l'électrotonus.

ÉLECTROTONUS [elɛktʀotɔnys] n. m. — Av. 1890 ; de *électro-*, et *tonus*.

♦ Didact. (électrophysiol.). « État électrique d'un nerf parcouru dans une partie de sa longueur par un courant constant » (du Bois-Reymond).

ÉLECTROTRIEUR [elɛktʀotʀijœʀ] n. m. ou **ÉLECTROTRIEUSE** [elɛktʀotʀijøz] n. f. — 1908, *électrotrieur* ; *électrotrieuse*, 1870 ; de *électro-*, et *trieur, trieuse*.

♦ Techn. Machine utilisant les propriétés des électro-aimants pour trier les minerais ferrugineux.

ÉLECTROTROPISME [elɛktʀotʀɔpism] n. m. — 1907 ; de *électro-*, et *tropisme*.

♦ Biol. (Vx). Propriété du protoplasme d'être attiré ou repoussé par l'électricité. ⇒ **Galvanotaxie.** — REM. On a dit aussi *galvanotropisme*, 1899.

ÉLECTROTYPE [elɛktʀotip] n. m. — 1870 ; « appareil d'électrotypie », 1864 ; de *électro-*, et *-type*, d'après *électrotypie*.

♦ Techn. Cliché obtenu par électrotypie.

ÉLECTROTYPIE [elɛktʀotipi] n. f. — 1842 ; de *électro-*, et *-typie*, d'après *-type*, grec *tupos* « empreinte ».
REM. Ce mot est le premier où apparaît l'élément *-typie*.

♦ Techn. Typographie (cliché, gravure...) exécutée en utilisant les propriétés de l'électrolyse. ⇒ **Galvanotypie** (→ Clichage, galvanoplastie...). *Cliché obtenu par électrotypie.* ⇒ **Électrotype.**

ÉLECTROVALENCE [elɛktʀovalɑ̃s] n. f. — 1936 ; de *électro-*, et *valence*.

♦ Chim. Liaison chimique due à l'attraction électrostatique entre ions chargés dans une solution, un cristal, etc.

ÉLECTRUM [elɛktʀɔm] n. m. — 1549 ; *électron*, av. 1530 ; *electres*, v. 1200 ; lat. *electrum* ; grec *élektron* même sens, par analogie de couleur avec l'ambre. → 2. Électron.

♦ Didact. Alliage naturel d'or et d'argent estimé dans l'Antiquité et ayant la couleur de l'ambre jaune.

1 L'électrum des anciens, outre l'ambre qu'il désigne dans Virgile, signifie dans Pline, t. XXXIII. c.iv. un mélange d'or et d'argent, qui est cette espece d'orichalque, qui, selon Homere, brilloit à la lumière beaucoup plus que l'argent.
Encycl. (DIDEROT), art. *Orichalque* (1765).

2 Il versa un parfum sur sa tête ; il passa autour de son cou un collier d'électrum, et il le chaussa de sandales à talons de perles, — les propres sandales de sa fille.
FLAUBERT, Salammbô, Pl., t. I, p. 974.

ÉLECTUAIRE [elɛktɥɛʀ] n. m. — V. 1300 ; *lettuaire* et variantes au XIIᵉ ; bas lat. *electuarium*, altér. d'après *electus* « choisi », du grec *ekleikton*, même sens.

♦ Didact. et vieilli. Préparation pharmaceutique de consistance molle, formée de poudres mélangées à du sirop, du miel, des pulpes végétales. ⇒ 2. **Bol, catholicon, confection, diascordium, mithridate, opiat, orviétan, thériaque** (→ Dictame, cit. 3). *Électuaire astringent.*

ÉLÉEN, ENNE [eleɛ̃, ɛn] adj. et n. — 1765 ; du n. propre *Élis* ; lat. *eleus* et *elideusis*.
Didactique.

♦ **1.** Adj. Propre ou relatif à l'Élide, région de la Grèce ancienne, ou à sa capitale Élis. — N. Habitant de cette région, de cette ville.

Pausanias raconte que les Arcadiens ayant fait une grande irruption en Élide, les Éléens s'avancèrent contr'eux pour éviter la prise de leur capitale. Comme ils étoient sur le point de livrer bataille, une femme se présenta aux chefs de l'armée, portant entre ses bras un enfant à la mamelle, et leur dit, qu'elle avoit été avertie en songe que cet enfant combattroit pour eux. Les généraux éléens crurent que l'avis n'étoit pas à négliger ; ils mirent cet enfant à la tête de l'armée, et l'exposèrent tout nud ; au moment du combat cet enfant se transforma tout-à-coup en serpent, et les Arcadiens furent si effrayés de ce prodige, qu'ils se sauvèrent ; les Éléens les poursuivirent, en firent un grand carnage, et remportèrent une victoire signalée.
Encycl. (DIDEROT), art. *Sosipolis* (1765).
(REM. Parfois défini comme synonyme de *éléate*).

♦ **2. ÉLÉEN** [eleɛ̃] n. m. (Déb. XXᵉ). Dialecte du grec ancien.

ÉLÉGAMMENT [elegamɑ̃] adj. — 1373 ; de *élégant*.

♦ D'une manière élégante ; avec élégance. — (Concret). *Bijou élégamment ciselé. Il est élégamment vêtu.* ⇒ **Bien.** *Un appartement élégamment meublé, décoré.*
Écrire, parler, élégamment.

1 Phèdre sur ce sujet dit fort élégamment :
Il n'est pour voir que l'œil du maître (...)
LA FONTAINE, Fables, IV, 21.

2 Je parle assez élégamment d'amour, parce que j'ai lu beaucoup de belles choses là-dessus.
Th. GAUTIER, Mˡˡᵉ de Maupin, IV, p. 60.

Avec élégance, moralement ou intellectuellement. *Il s'en est tiré assez élégamment.* ⇒ **Adroitement, habilement.** *Il n'a pas agi très élégamment dans cette affaire.* ⇒ **Correctement.**

CONTR. **Grossièrement, inélégamment, lourdement, mal.**

ÉLÉGANCE [elegɑ̃s] n. f. — Fin XIVᵉ ; lat. *elegantia*, de *elegans, elegantis*. → Élégant.

♦ **1.** Qualité esthétique qu'on reconnaît à certaines formes (naturelles ou créées par l'homme) dont la perfection est faite de grâce et

de simplicité. ⇒ **Agrément, beauté ; grâce, harmonie.** *Élégance des formes, des contours, des proportions. Élégance de la tournure, de la taille.* ⇒ **Finesse, sveltesse.** *L'élégance d'un corps.* ⇒ 2. **Charme** (→ Bijou, cit. 9). *L'élégance d'un animal, d'une fleur. L'élégance d'une œuvre d'art. Les œuvres de ce peintre ont plus d'élégance que de vigueur.* — Par ext. *L'élégance de Boucher, de Fragonard.* — *L'élégance d'un bibelot, d'un meuble. Décor d'une rare élégance. Intérieur d'une élégance simple, sans apprêt ; d'une élégance raffinée.* — *L'élégance d'un geste, d'un mouvement, d'une danse...*

1 L'élégance n'est pas fondée sur la correction du dessin (...) Elle se fait sentir dans les ouvrages peu châtiés et négligés d'ailleurs, comme dans le Corrège, où malgré les fautes contre la justesse du dessin, l'élégance se fait sentir dans le goût du dessin même, dans le tour que ce peintre donne aux actions (...) L'élégance du dessin est une manière d'être qui embellit les objets, ou dans la forme, ou dans la couleur, ou dans les deux, sans en détruire le vrai.
R. DE PILES, in TRÉVOUX.

2 La ligne oblique et soutenue, qui descend de la nuque à l'extrémité de l'étoffe, est superbe ; et le mouvement de la marche y produit des frissonnements et des ondulations de la plus grande élégance.
E. FROMENTIN, Un été dans le Sahara, p. 147.

2.1 De toutes les villes du département du Nord, Douai est, hélas ! celle qui se modernise le plus. Le ton, les modes, les façons de Paris y dominent ; et de l'ancienne vie flamande, les Douaisiens n'auront plus bientôt que la cordialité des soins hospitaliers, la courtoisie espagnole, la richesse et la propreté de la Hollande. Les hôtels de pierre blanche auront remplacé les maisons de briques. Le cossu des formes batares aura cédé devant la changeante élégance des nouveautés françaises.
BALZAC, la Recherche de l'absolu, Pl., t. IX, p. 478.

3 Contemplons ce trésor de grâces florentines ;
Dans l'ondulation de ce corps musculeux
L'Élégance et la Force abondent, sœurs divines.
BAUDELAIRE, les Fleurs du mal, « Le masque ».

Vx. *(Une, des élégances).* Éléments formels, motifs décoratifs considérés comme possédant cette qualité. *Les élégances d'une chapelle gothique.*

♦ **2.** (XVIIIᵉ). Bon goût manifestant un style personnel dans l'habillement, la parure, les manières. ⇒ **Chic, classe** (fam.), **distinction** (cit. 15), **propreté** (vx ; langue class.). *Se présenter, évoluer avec élégance dans un salon, une société.* ⇒ **Aisance, savoir-vivre.** *Élégance aristocratique.* ⇒ **Aristocratie** (cit. 8). — *S'habiller, se vêtir, être mis avec élégance.* ⇒ **Chic, goût...** (→ Costumer, cit.). *Élégance masculine, féminine. Il est vêtu avec une grande élégance, à la dernière mode** (⇒ **Dandysme**). *Élégance de bon ton* ; élégance recherchée, tapageuse, voyante. Une élégance de gravure de mode.* → Nouer, cit. 2. *Élégance affectée* (→ Afféterie, cit. 4), *fausse élégance. Être habillé richement, mais sans élégance. Cette femme a de l'élégance, du cachet*.* — *Élégance d'une parure, d'une toilette, de la mise, du costume.* ⇒ **Chic...** *Élégance d'une robe, d'un manteau, d'un habit* (→ Complet-veston, cit.).

4 Il était ce jour-là revêtu d'un costume de soie vert-pomme brodé d'argent, d'une élégance et d'un luxe extrêmes (...)   Th. GAUTIER, Voyage en Espagne, p. 211.

5 Enfin, j'aimais ma mère pour son élégance. J'étais donc un dandy précoce.
BAUDELAIRE, Journal intime, Fusées, XVIII.

6 J'allais vers l'allée des Acacias (...) ils *(les arbres)* m'évoquaient la dryade, la belle mondaine rapide et colorée qu'au passage ils couvrent de leurs branches (...) ils me rappelaient le temps heureux de ma croyante jeunesse, quand je venais avidement aux lieux où des chefs-d'œuvre d'élégance féminine se réaliseraient pour quelques instants entre les feuillages inconscients et complices.
PROUST, À la recherche du temps perdu, t. II, p. 276.

7 Elle aimait les vêtements de coupe sobre, strictement pratiques. Élégante, pourtant : mais d'une élégance un peu sèche et sévère, faite surtout de simplicité, de naturelle distinction.
MARTIN DU GARD, les Thibault, t. VI, p. 266.

8 — Il est beau ? — Pas mal. Avec ça, un certain chic dans la façon de s'habiller, une élégance un peu particulière.
M. AYMÉ, la Tête des autres, I, 1.

Par ext. Qualité d'une assemblée, d'une société composée de personnes élégantes. *L'élégance d'un public, d'une assistance. L'élégance d'une réunion, d'une soirée mondaine.*

(Une, des élégances). Trait, détail où se manifeste cette qualité. *Les élégances raffinées d'une mode.* — Loc. *Être l'arbitre* des élégances.*

♦ **3.** Qualité de style, consistant en un choix heureux des expressions, une langue harmonieuse, une discrétion dans les effets. ⇒ **Bien-dire, style.** *L'élégance d'une strophe, d'une phrase, d'une tournure. Récit d'une grande, d'une rare élégance. Élégance d'un discours. S'exprimer, parler, écrire avec élégance. Langue correcte mais sans élégance. Élégance d'un auteur. L'élégance et la force de Racine.*

9 (...) la science de Talon et l'élégance et les grâces de Racine, y étaient toutes déployées.
SAINT-SIMON, Mémoires, t. I, IX.

10 Il est à remarquer que si l'élégance a toujours l'air facile, tout ce qui est facile et naturel n'est cependant pas élégant. Il n'y a rien de si facile, de si naturel que,
La cigale ayant chanté
Tout l'été,
et,
Maître corbeau, sur un arbre perché...
Pourquoi ces morceaux manquent-ils d'élégance ? C'est que cette naïveté est dépourvue de mots choisis et d'harmonie.
Amants, heureux amants, voulez-vous voyager ?
Que ce soit aux rives prochaines...
et cent autres traits ont, avec d'autres mérites, celui de l'élégance.
VOLTAIRE, Dict. philosophique, Élégance.

Spécialt. *(Une, des élégances).* Surtout au plur. Tournures plus ou moins convenues considérées comme des marques de l'élégance du style (souvent péj.). *Des élégances inutiles.* ⇒ **Fioritures, ornement...** *Les élégances de la langue post-classique* (→ Décréditer, cit. 3).

11 Pendant la première partie du cours, Jerphanion s'était simplement ennuyé. De temps à autre, il notait une phrase d'Honoré en la débarrassant de ses vaines élégances et de ses redites ; ce qui parfois la réduisait à peu de chose.
J. ROMAINS, les Hommes de bonne volonté, t. IV, XV, p. 146.

♦ **4.** Bon goût, distinction accompagnés d'aisance et de style dans l'ordre moral ou intellectuel. ⇒ **Délicatesse.** *Il est arrivé à ses fins mais ses procédés manquent d'élégance. Il a fait cela pour l'élégance du geste. Charité qui a l'élégance de se cacher. Savoir perdre avec élégance. Élégance d'une démonstration, d'un raisonnement. Défendre une hypothèse, un point de vue avec élégance.* ⇒ **Adresse, aisance, habileté.** *Élégance d'une époque, d'une civilisation...* ⇒ **Raffinement.** *L'élégance grecque* (→ Attique, cit. 2, 4 et 8).
(Une, des élégances). Action, pensée, opinion manifestant cette qualité (souvent péj.). → Ancien, cit. 3 ; attifer, cit. 6.

CONTR. **Grossièreté, inélégance, laisser-aller, lourdeur, négligence, vulgarité.**

ÉLÉGANT, ANTE [elegɑ̃, ɑ̃t] adj. — 1150 ; rare jusqu'au xvᵉ ; lat. *elegans, elegantis* «distingué, de bon goût ; exquis ; pur (style)», forme de p. prés. qui fait supposer un intensif duratif de *eligere* (→ Élire), **elegare* «savoir choisir, bien choisir», de *ex-* (→ é-, 1. ex-) et **legare* intensif duratif correspondant à *legere* «ramasser, cueillir, choisir, lire» (→ Lire).

Qui a de l'élégance*.

♦ **1.** (Choses). Qui a de l'élégance, de la grâce. ⇒ **Agréable, charmant, délicat, gracieux, joli ; beau, chouette** (fam.). *Tournure, taille élégante.* ⇒ **Fin ; élancé, svelte ;** et aussi **bien** (bien fait, bien pris, bien tourné). *Formes minces et élégantes. Mains élégantes. Le galbe élégant d'un vase* (→ Albâtre, cit. 3). *Dessin élégant ; écriture élégante ; élégantes arabesques. Élégante architecture, colonne* (cit. 1), *sculpture élégante* (→ Corinthien, cit. 2). *Un petit appartement élégant.* ⇒ **Bonbonnière.** — En parlant du vêtement. ⇒ **Chic, propre, smart** (vx). *Costume élégant. Toilette, parure, robe élégante et pimpante*. — *Élégant mobilier ; élégant équipage* (→ Contraster, cit. 2). — *Gestes, mouvements élégants. Manières élégantes.* ⇒ **Aisé, dégagé, distingué, poli, raffiné.** *Allure vive et élégante* (⇒ **Fringant ;** → **Raffiné ;** → Beau, cit. 107). *Vie élégante. Traité de la vie élégante,* opuscule de Balzac.

1 Il a tout à fait la taille élégante. MOLIÈRE, les Précieuses ridicules, 12.
2 Elle savait ce que l'élégante minceur de ses formes donnait de grâce à sa beauté. FRANCE, Histoire comique, VI, p. 86.
3 Souriante, heureuse du beau temps (...) ayant l'air d'assurance et de calme du créateur qui a accompli son œuvre et ne se soucie plus du reste, certaine que sa toilette (...) était la plus élégante de toutes, elle *(Mᵐᵉ Swann)* la portait pour soi-même et pour ses amis, naturellement, sans attention exagérée, mais aussi sans détachement complet (...) PROUST, À la recherche du temps perdu, t. IV, p. 48.

♦ **2.** (XVIIIᵉ). Personnes. Qui a de l'élégance, du chic ; dont la toilette, les manières sont élégantes. *Il est toujours très élégant.* ⇒ **Bichonné, chic, coquet, pomponné, soigné** (→ **Bien habillé, bien mis ;** (fam.) bien ficelé, bien fringué, tiré à quatre épingles*, sur son trente-et-un. *Femme élégante.* — *Assistance, clientèle, réunion élégante ; public élégant,* composé de personnes élégantes. ⇒ **Choisi, distingué, sélect.**

4 Il est en habit du matin, chapeau à trois cornes, debout dans une des allées de Versailles ; beau, fin, délicat de visage, élégant de taille, de port, de geste, la jambe bien faite. SAINTE-BEUVE, Causeries du lundi, 15 mars 1852, t. V, p. 485.
5 Un milieu élégant est celui où l'opinion de chacun est faite de l'opinion des autres. PROUST, les Plaisirs et les Jours, p. 82.

Par ext. Restaurant, dancing élégant, fréquenté par un public élégant. *Un magasin, un quartier élégant.*

6 Ils essayèrent aussi de plusieurs restaurants ; mais ils eurent l'impression qu'un guide leur manquait, qui leur eût enseigné les maisons les plus élégantes. J. ROMAINS, les Hommes de bonne volonté, t. V, XXVI, p. 262.

♦ **3.** (Av. 1486). Qui a de l'élégance, de la pureté dans l'expression. *Discours, parler, style* élégant. Un style élégant et simple, élégant et brillant. Phrase élégante* (→ Bien tournée). *Traduction élégante. Parler d'une manière élégante* (→ Disert, cit. 2). *Dire des choses grossières d'un ton élégant* (→ Badin, cit. 4). *Élégant badinage* (cit. 2). — *Par ext. Auteur élégant.* — *Élégante ironie, scepticisme élégant* (→ Discret, cit. 6). *Les mensonges élégants d'un diplomate* (cit. 2). *Opinions élégantes* (→ A la mode*, de bon ton*, dans le vent* ; anglic. in).

♦ **4.** Qui a de l'élégance morale, intellectuelle. *Procédé peu élégant,* qui manque de délicatesse.
Spécialt. *Démonstration, solution élégante,* ingénieuse, simple et claire. *Il existe plusieurs solutions correctes, dont l'une est plus élégante que les autres.*

♦ **5.** N. (1771, masc. et fém.). UN ÉLÉGANT, UNE ÉLÉGANTE : personne élégante ou qui affecte de l'élégance. *Les élégantes s'étaient réunies pour la présentation des modèles de X. Bijoux* (cit. 7) *portés par une élégante. Noms portés par les élégants à différentes époques* (XVIIIᵉ-XXᵉ siècle). ⇒ **Beau** (cit. 107), **crevé** (petit crevé), **dandy, fashionable, gandin, gommeux, incroyable, lion, merveilleux, mirliflore, muguet, muscadin, petit-maître, zazou.**

REM. *Élégant,* n. m., est moins usité aujourd'hui qu'*élégante ;* il a généralement une nuance péjorative.

7 Après avoir consacré de longues veilles à l'étude du derme et de l'épiderme chez les deux sexes (...) le sieur Birotteau, parfumeur (...) a découvert une pâte et une eau à juste titre nommées, dès leur apparition, merveilleuses par les élégants et par les élégantes de Paris. BALZAC, César Birotteau, Pl., t. V, p. 352.
8 À l'*incroyable,* au *merveilleux,* à l'*élégant,* ces trois héritiers des *petits-maîtres* dont l'étymologie est assez indécente, ont succédé le *dandy,* puis le *lion.* BALZAC, Albert Savarus, Pl., t. I, p. 755.
9 (...) l'élégant qui tient le haut du pavé n'a plus la même sorte d'élégance ; il étale d'autres gilets et d'autres cravates (...) nous avons eu tour à tour le petit-maître, l'incroyable, le mirliflore, le dandy, le lion, le grandin, le cocodès et le petit-crevé. Il a suffi de quelques années pour balayer et remplacer le nom et la chose (...) TAINE, Philosophie de l'art, t. II, p. 247.

CONTR. **Commun, crapoussin, épais, grossier, inélégant, lourd, plat, vulgaire.**
DÉR. **Élégamment, élégantiser.**

ÉLÉGANTISER [elegɑ̃tize] v. tr. — 1840 ; de *élégant.*

♦ Littér. Rare. Rendre élégant. — REM. On trouve aussi avec le même sens *élégantifier.*

Mᵐᵉ Mégard *(une actrice)* a un peu élégantisé — est-ce un tort ? — la rusticité de la Rabouilleuse.
A. JARRY, Critiques de théâtre, la Rabouilleuse, Œ. compl., t. VII, p. 258.

ÉLÉGIAQUE [eleʒjak] adj. — 1480 ; bas lat. *elegiacius,* grec *elegeiakos,* de *elegeia.* → Élégie.

Littérature.

♦ **1.** Relatif à l'élégie*. *Genre élégiaque ; poésies élégiaques.* — *Poète, auteur élégiaque,* qui écrit des élégies. — N. *Un élégiaque :* un poète élégiaque. *Ovide, Properce sont de grands élégiaques. Les élégiaques français de la fin du XVIIIᵉ siècle.*
Métrique anc. *Distique élégiaque,* composé d'un hexamètre et d'un pentamètre. *Poème élégiaque,* composé d'hexamètres et de pentamètres alternés.

♦ **2.** Fig. Qui est dans le ton mélancolique, tendre de l'élégie. *Accents élégiaques.* — Par ext. ⇒ **Mélancolique, tendre, triste.** *Soupirs, plaintes élégiaques.*
En parlant d'une personne :

1 Tu ne pêches pas. Les poissons te semblent des êtres animés, qui intéressent comme d'autres bêtes, qui ont des ailes pour voler dans l'eau, qui luttent, qui rusent, qui existent. Tu te fais élégiaque. J. RENARD, Journal, 31 juil. 1889.

Poét. En parlant de choses visibles. *Un paysage élégiaque.*

2 (...) mais il y a dans l'esprit de certains hommes je ne sais quelle brume élégiaque toujours prête à se répandre en pluie sur leurs idées. E. FROMENTIN, Dominique, p. 10.

ÉLÉGIE [eleʒi] n. f. — 1500 ; lat. *elegia,* grec *elegeia,* de *elegos* «chant de deuil».

♦ **1.** Dans la poésie gréco-latine, Poème lyrique exprimant une plainte douloureuse, des sentiments mélancoliques, composé de distiques élégiaques. ⇒ **Élégiaque.** *Les élégies de Catulle, de Properce, de Tibulle. Élégies de l'Arioste. Élégies de Ronsard, de Chénier. Élégie aux nymphes de Vaux,* poème de La Fontaine. *Élégies romaines,* de Goethe. *Élégies de Duino,* de R.-M. Rilke. — *Élégie plaintive, tendre. Élégie fade* (→ Assoupissant, cit. 1).

1 La plaintive élégie, en longs habits de deuil,
Sait, les cheveux épars, gémir sur un cercueil.
Elle peint des amants la joie et la tristesse ;
Flatte, menace, irrite, apaise une maîtresse.
Mais, pour bien exprimer ces caprices heureux,
C'est peu d'être poète, il faut être amoureux. BOILEAU, l'Art poétique, II.

2 Mais la tendre élégie et sa grâce touchante
M'ont séduit : l'élégie à la voix gémissante,
Au ris mêlé de pleurs, aux longs cheveux épars ;
Belle, levant au ciel ses humides regards (...)
André CHÉNIER, Élégies, « À Le Brun ».

3 (...) l'Élégie vraiment moderne, inaugurée par Lamartine (...) SAINTE-BEUVE, Causeries du lundi, 4 sept. 1854, t. X, p. 452.

♦ **2.** Par ext. Œuvre poétique dont le thème est la plainte. *La « Bérénice » de Racine est une admirable élégie.*
Mus. Morceau composé sur le mode mineur (pour exprimer la tristesse).

♦ **3.** Au plur. Fig. Vx. Plaintes, lamentations répétées. *Il nous fatigue avec ses perpétuelles élégies.*

ÉLÉGIR [eleʒiʀ] v. tr. — 1694 ; *eslegier* «alléger», XIIIᵉ ; de *é-,* et bas lat. *leviare.* → Alléger.

♦ Techn. Réduire les dimensions de (une pièce de bois). ⇒ **Allégir.**

ÉLÉIDINE [eleidin] n. f. — XXᵉ ; du grec *elaiôdês* «huileux» de *elaia* «olivier» (→ Éléis), et suff. *-ine.*

♦ Biochim. Substance protéique contenue dans les couches moyennes de l'épiderme, considérée comme un précurseur de la kératine.

ÉLÉIS ou **ÉLÆIS** [eleis] ou **ÉLAIS** [elais] n. m. — 1839, Boiste ; mot du lat. bot., grec *elaiêeis* « huileux » de *elaia* « olivier ; olive ».

♦ Bot. Techn. Genre de palmiers dont on tire de l'huile, cultivé en Afrique tropicale et en Indo-Malaisie.

ÉLÉMENT [elemɑ̃] n. m. — xᵉ ; fin ixᵉ « doctrine » lat. *elementum*, dont le premier sens paraît avoir été « lettre de l'alphabet » (cf. Lucrèce).
Partie constitutive (d'une chose).

★ **I.** ♦ **1.** Chacune des choses dont la combinaison, la réunion forme une autre chose. ⇒ **Composante, détail, morceau, partie***. *Les éléments d'un assemblage, d'une combinaison, d'un ensemble, d'une masse, d'une réunion. Comporter plusieurs éléments. Élément constitutif, formateur. Éléments qui composent, forment une chose ; éléments qui se combinent, s'assemblent pour former une chose. Les éléments qui entrent dans la fabrication d'un objet, dans la construction d'un édifice* (→ Architecture, cit. 3), *dans la composition, la constitution, la contexture, la structure d'un ensemble. Agencer, arranger, coordonner, combiner divers éléments. Rassembler, réunir, grouper les éléments d'un ensemble* (⇒ **Synthèse**). *S'assimiler* (cit. 5, 6) *des éléments extérieurs. Séparer, dissocier, décomposer les éléments de qqch. Faire l'analyse des éléments.* ⇒ **Analyse** (cit. 6). *Élément séparé d'un tout.* ⇒ **Division** (2.), **morceau.** *Éléments différents, disparates* (cit. 3), *contraires* (cit. 5), *contradictoires, hétéroclites. Chose complexe, hétérogène, formée d'éléments divers. Éléments nécessaires, indispensables pour provoquer un phénomène, pour constituer une chose.* ⇒ **Condition.** *Élément déterminant, capital, fondamental* (→ Assise, cit. 4). *Éléments de base* (cit. 18). *Élément de déséquilibre, de trouble.* ⇒ **Cause, facteur, principe.** *Éléments d'anarchie* (cit. 7). *Éléments d'appréciation, de comparaison.* ⇒ **Critère.** — *Éléments nécessaires pour la rédaction d'un rapport. Vous trouverez là tous les éléments dont vous avez besoin.* ⇒ **Donnée, matériau.** *Éléments de documentation. Éléments matériels, concrets.* ⇒ **Détail.** *Éléments affectifs, sentimentaux, psychologiques, intellectuels. Éléments d'une personnalité. Les éléments d'un ouvrage, d'un plan, d'un projet. Les éléments d'un problème. Éléments d'une définition* (cit. 9), *d'une démonstration, d'une théorie. La famille, élément de la société.* ⇒ **Cellule.** — REM. L'expression *élément de...*, signifie soit *élément entrant dans la composition de...*, soit *élément constitué par...* Ainsi on dira : *l'élément de la couleur est capital dans un tableau ; l'élément du temps est essentiel au roman.*

1   Jean Valjean voyait-il distinctement, après leur formation, et avait-il vu distinctement, à mesure qu'ils se formaient, tous les éléments dont se composait sa misère morale ?   HUGO, les Misérables, I, II, VII.

2   (...) un bon tableau *(est)* exactement comme un bon plat composé des mêmes éléments qu'un mauvais : l'artiste fait tout.
       E. DELACROIX, Écrits, Journal, 8 juin 1850, p. 45.

3   (...) il arrive souvent qu'à partir d'un certain âge, l'œil d'un grand chercheur trouve partout les éléments nécessaires à établir les rapports qui seuls l'intéressent.
       PROUST, À la recherche du temps perdu, t. V, p. 119.

4   (...) loin des êtres on oublie leurs défauts, leurs manies (...) l'on découvre qu'ils apportent dans notre vie un élément précieux, indispensable, élément que nous n'avions pas remarqué parce qu'il était trop intimement mêlé à nous.
       A. MAUROIS, Climats, II, XVI, p. 228.

Spécialt. Géom. *Éléments d'une ligne, d'une surface, d'un solide.*
Math. Un des « objets » qui constituent un ensemble*. *La relation « a est élément de l'ensemble* A », *ou « l'élément a appartient à l'ensemble* A », *s'écrit a* ∈ A (relation d'appartenance*). *Couple d'éléments d'un ensemble, couple d'éléments pris dans deux ensembles. Relations* portant sur les éléments d'un ensemble (relation d'ordre, d'équivalence...). Élément supérieur ou égal, inférieur ou égal à tous les éléments d'une partie d'un ensemble.* ⇒ **Majorant, minorant.** *Plus grand élément, plus petit élément d'un ensemble ordonné.* ⇒ **Maximum, minimum.** *Élément neutre** (pour une loi de composition sur un ensemble). *Le symétrique* d'un élément par une loi de composition.*
Techn. *Éléments de tir :* données préalables à la préparation d'un tir. *Éléments de lancement d'une fusée.* ⇒ **Donnée.**
Techn. Partie (d'un mécanisme, d'un appareil composé de séries semblables). *Les éléments d'un radiateur. Éléments d'une pile voltaïque, d'un accumulateur. Éléments de série pour des meubles de rangement. Éléments prédécoupés,* objet manufacturé vendu en *éléments prêts pour le montage.* ⇒ **Kit.** *Éléments préfabriqués* (construction). — Techn. (électronique). *Éléments discrets :* composants électroniques (transistors, résistances, etc.) fabriqués séparément puis reliés entre eux dans un montage, par câblage ou circuit imprimé. — Dr. *Élément d'infraction :* partie des conditions nécessaires pour qu'un fait constitue une infraction. — Anat. *Éléments organiques des tissus. Éléments anatomiques* (→ Artériel, cit. 1). — Méd. *Éléments d'une maladie :* ensemble des phénomènes constants qui la caractérisent.
Mus. *Éléments musicaux :* les composantes d'une composition musicale. *Éléments rythmiques, thématiques, mélodiques.* — Ling. Partie (d'un énoncé, d'un discours) isolable par l'analyse. *Élément vocalique, consonantique d'un radical. Élément de formation d'un mot.* ⇒ **Formant, morphème.** *Élément verbal, nominal, dans une*

phrase. — Philos. et log. *Éléments de connaissance :* les concepts et les jugements. *Éléments d'une classe :* les individus* appartenant à cette classe.
Inform. *Élément binaire :* symbole choisi dans un ensemble de deux éléments pour représenter des données. ⇒ 2. **Bit.**

4.1   Les objets techniques (...) peuvent s'intégrer dans un individu ; une lampe à cathode chaude est un élément technique plutôt qu'un individu technique complet ; on peut le comparer à ce qu'est un organe dans un corps vivant.
       Gilbert SIMONDON, Du mode d'existence des objets techniques, p. 65.

♦ **2.** (Au plur.). Premiers principes sur lesquels on fonde une science, une technique. ⇒ **Notion, principe, rudiment ; base, fondement.** *Enseigner à des enfants les éléments de l'algèbre. Connaissance des éléments* (⇒ **Élémentaire**). *En être aux premiers éléments.* ⇒ **A b c, b. a.-ba, balbutiement, bégaiement, commencement, début.** *Il n'en connaît pas même les premiers éléments* (→ Le premier mot*, un traître mot). *Il n'en est plus aux éléments.*

5   Tu veux te mêler de raisonner, et tu ne sais pas seulement les éléments de la raison.   MOLIÈRE, le Mariage forcé, 4.

6   Ce début eut un grand succès. Les gens adroits parmi les séminaristes virent qu'ils avaient affaire à un homme qui n'en était pas aux éléments du métier.
       STENDHAL, le Rouge et le Noir, I, XXVI, p. 175.

7   Les mathématiques sont très difficiles ou très faciles, suivant que les éléments ont été mal ou bien enseignés.   A. MAUROIS, Un art de vivre, III, 4, p. 122.

(Par métonymie). *Éléments :* livre, manuel qui expose les rudiments, les principes d'une science, d'une discipline. *Éléments d'algèbre, de géométrie... Les Éléments d'Euclide* (→ Base, cit. 9). *Éléments de philosophie,* de Hobbes. *Éléments de la philosophie de Newton,* œuvre de Voltaire (1738). *Éléments d'économie politique pure,* de L. Walras. *Éléments d'une doctrine radicale,* ouvrage d'Alain.

♦ **3.** (Surtout au plur.). Personne appartenant à un groupe. *Il y a dans cette classe quelques bons éléments.* ⇒ **Sujet.** *C'est un excellent élément. Les éléments actifs de ce groupe, de ce parti. Réunir, rassembler de bons éléments* (→ Commander, cit. 7). — Collectif. *L'élément masculin, féminin.*

8   La princesse de Caprarola, qui avait fait la connaissance de Mᵐᵉ Verdurin (...) avait bien été rendre à celle-ci une longue visite, dans l'espoir de débaucher quelques éléments intéressants du petit clan et de les agréger à son propre salon (...)
       PROUST, À la recherche du temps perdu, t. IX, p. 185.

Milit. (Au plur.). Formation militaire appartenant à un ensemble plus important. *Des éléments de la 4ᵉ division progressent sur X... Des éléments ennemis ont été signalés près de nos positions. Éléments blindés, motorisés.*

9   Les divers éléments de cette colonne devaient opérer leur jonction dans la vallée, à deux cents mètres de Bir Djedid, sous la protection du poste.
       P. MAC ORLAN, la Bandera, XIII, p. 154.

★ **II.** Substance considérée comme indécomposable (⇒ **Atome,** 1.) ; un des corps simples dont les autres sont formés.

♦ **1.** (1119). Anciennt. *Les quatre éléments :* la terre, l'eau, l'air et le feu, considérés comme principes constitutifs de tous les corps de l'univers (→ Atome, cit. 7) et parfois associés à des signes astrologiques ou à une symbolique (en alchimie. ⇒ **Tétrasomie**). — *Les trois éléments imaginés par Descartes (Principes de la philosophie,* III, § 52).

10   La matière en général est composée de quatre substances principales, qu'on appelle *éléments ;* la terre, l'eau, l'air et le feu entrent tous quatre en plus ou moins grande quantité dans la composition de toutes les matières particulières.
       BUFFON, Introd. à l'hist. des minéraux, Des éléments, I.

11   Les cinq principes des chimistes étaient si peu reconnus qu'ils les réduisirent eux-mêmes à trois, puis à deux. Ils revinrent ensuite au feu, à l'eau, à la terre. Il a bien fallu enfin admettre l'air. Ainsi les quatre éléments d'Aristote sont rentrés dans tout leur honneur. Mais ces éléments de quoi sont-ils faits eux-mêmes ? S'ils sont composés de parties, ils ne sont pas éléments.
       VOLTAIRE, Des singularités de la nature, XXVIII.

Par ext. Poét. et littér. *L'élément liquide,* ou (langue class.) *le liquide élément :* l'eau, la mer. *Le feu, élément destructeur. L'air, élément mouvant* (→ Avion, cit. 2). *L'élément solide :* la terre.

12   Si près de l'Océan, que faut-il davantage
Que d'aller me montrer à ce fier élément.   RACINE, Alexandre, V, 1.

13   Si tout le tableau *(d'Elstir)* donnait cette impression des ports où la mer entre dans la terre, où la terre est déjà marine, et la population amphibie, la force de l'élément marin éclatait partout.
       PROUST, À la recherche du temps perdu, t. V, p. 89.

(1450). Mod. LES ÉLÉMENTS : l'ensemble des forces naturelles qui agitent la terre, la mer, l'atmosphère. *Le déchaînement, le chaos des éléments. Avoir les éléments contre soi. Lutter contre les éléments déchaînés. Les éléments qui désolent* (cit. 2) *la terre.*

14   Élie aux éléments parlant en souverain,
Les cieux par lui fermés et devenus d'airain,
Et la terre trois ans sans pluie et sans rosée.   RACINE, Athalie, I, 1.

♦ **2.** (1588). Littér. Le milieu dans lequel vit un organisme, une espèce. ⇒ **Air, eau.** *L'eau est l'élément du poisson.* — Loc. *Remettre un poisson dans son élément.*
Spécialt. Entourage habituel, convenable ; occasion, activité familière dans laquelle on est à l'aise*. *L'étude, la solitude est son élément.*

15   O que j'aime la solitude !
C'est l'élément des bons esprits (...)   SAINT-AMANT, Poèmes, « La solitude ».

16   De ses pareils la guerre est l'unique élément (...)   CORNEILLE, Don Sanche, I, 1.

17 Ma joie tient à ce que je rentre dans mon élément, et l'on est toujours mal hors de
son élément. L'eau ne convient pas aux oiseaux non plus que l'air aux poissons.
Th. GAUTIER, le Capitaine Fracasse, t. I, VIII, p. 259.

Loc. cour. *Être dans son élément* : être à l'aise (dans une situation,
une activité).

18 (...) il aime tant son métier et son art, il y est si bien dans son élément, que ce
qui mettrait un autre hors de combat ne fait que le mettre, lui, plus en train et
en haleine. SAINTE-BEUVE, Causeries du lundi, 13 oct. 1851, t. V, p. 23.

♦ **3.** Sc. Corps simple. — REM. *Corps simple* s'emploie généralement
pour désigner la substance effective, isolable par l'analyse (→ Molécule) ; *élément* se dit plutôt de la substance théorique, entrant dans la
composition des corps simples ou constituant l'élément commun au
corps simple et à ses composés (→ Atome, 2.). *L'oxygène (O_2) et
l'ozone (O_3), corps simples constitués par l'élément oxygène (O).
L'eau (H_2O), corps composé formé des éléments hydrogène (H) et
oxygène (O). Éléments classés d'après leur numéro atomique* (le
nombre de leurs électrons planétaires) ; *classsification* (ou *tableau*)
périodique des éléments. Masse, poids atomique d'un élément.
Éléments radioactifs (naturels, artificiels).* ⇒ **Radioélément.** *Élément marqué* (radioactif). ⇒ **Indicateur** (radioactif), **marqueur**
(B., 3.), **radio-indicateur, radiotraceur, traceur** (I., 3.). — *Éléments
chimiques présents dans l'organisme humain.* ⇒ **Bioélément ; oligo-
élément.**

CONTR. Ensemble, réunion, synthèse, tout.
DÉR. Élémental.
COMP. Bioélément, oligo-élément, radioélément, sous-élément.

ÉLÉMENTAIRE [elemɑ̃tɛʀ] adj. — V. 1380 ; lat. *elementarius ; de
elementum.* → Élément.

♦ **1.** Vx. Qui constitue un des quatre éléments ; qui appartient à
l'élément. *Corps élémentaire.* ⇒ **Élément** (II., 1.), **élémental.** —
Esprits élémentaires, ou, n. m., *élémentaires :* esprits qui vivaient
dans un des quatre éléments*.

1 Je te donne le choix de trois ou quatre morts :
Je vais, d'un coup de poing, te briser comme verre (...)
Ou te jeter si haut au-dessus des éclairs,
Que tu sois dévoré des feux élémentaires. CORNEILLE, l'Illusion comique, III, 9.

Chim. Mod. Qui se rapporte à un élément. *Analyse élémentaire :*
recherche des éléments constituant un corps composé. — Phys. nucl.
Particules élémentaires.

Littér. Qui participe du caractère des substances, des forces primor-
diales. *Le chaos élémentaire. Des tendances élémentaires.*

♦ **2.** Qui contient, qui concerne les premiers éléments (d'une
science, d'un art...). *Traité de géométrie élémentaire. Livre,
ouvrage élémentaire. Notions élémentaires :* premières* notions.
Vérités élémentaires. Principe élémentaire. ⇒ **Fondamental.** *Mathématiques élémentaires :* première partie d'un cours complet de
mathématiques*.

Spécialt. *Classe de mathématiques élémentaires,* ou, fam., *de math-
élem* [matelɛm] : classe terminale où l'enseignement des mathématiques est prépondérant. *Classes élémentaires :* autrefois, classes de
8e et de 7e dans les lycées. *Cours élémentaire :* classe intermédiaire
entre le cours préparatoire et le cours moyen dans les écoles primaires.

♦ **3.** Par anal. Réduit à l'essentiel, au minimum. ⇒ **Essentiel, pri-
mitif, rudimentaire, simple.** *Formes organiques élémentaires*
(→ Animal, cit. 1). *Sensations élémentaires* (→ Centre, cit. 8).
*Installation élémentaire. Besoin élémentaire. Soins, précautions
élémentaires. — La plus élémentaire des politesses voulait que...
Manquer de la plus élémentaire discrétion* (cit. 11).

2 J'ai eu la douleur de perdre, à votre sujet, bien des illusions déjà. Mais je ne
croyais pas qu'il me faudrait un jour vous rappeler à votre plus *élémentaire* dignité
d'homme. MARTIN DU GARD, Jean Barois, III, La fêlure, I.

3 Mais le critique, qui pense le voir à tout instant, c'est à la condition de négliger
les précautions élémentaires que prend, en pareil cas, un observateur scrupuleux.
J. PAULHAN, les Fleurs de Tarbes, p. 84.

♦ **4.** Très simple, facile. *C'est élémentaire, vous ne pouvez pas
ne pas comprendre. L'explication était élémentaire et évidente.* —
En interj. *« Élémentaire, mon cher Watson »* : évident (formule de
Sherlock Holmes présentant une de ses fameuses déductions).

CONTR. Composé. — Complet, supérieur ; difficile, transcendant. — Compliqué,
évolué.

ÉLÉMENTAL, ALE, AUX ou ALS [elemɑ̃tal, o] adj. et n. m.
— 1562 ; de *élément.*
Didactique.

♦ **1.** Adj. (Repris xxe). Qui participe de la nature des éléments
(⇒ **Élémentaire,** 1.) ; de l'élément premier. *Des faits élémentaux.*

♦ **2.** N. m. (1891). Au plur. *Des élémentals,* ou *des élémentaux :*
dans la tradition occulte, Esprits qui habitent les quatre éléments
et peuvent exercer une influence (bonne ou mauvaise) sur les
êtres vivants.

(...) des êtres immatériels, des élémentals comme on les nomme.
HUYSMANS, Là-bas, p. 128.

ÉLÉMI [elemi] n. m. — 1573 ; arabe class. (ɔ)ăl-lămī « gomme élémi ».

♦ Techn. Résine extraite de l'écorce de certains arbres exotiques
(Malaisie, Antilles, Brésil), utilisée dans la fabrication des laques et
des vernis et, en médecine, dans la préparation de baumes décon-
gestionnants. *L'élémi des Antilles. Élémi en pains.* — En appos.
Onguent élémi.

Musc, myrrhe, élémi,
Chants de toute sorte,
Je m'endors parmi
Votre âcre cohorte. Charles CROS, le Coffret de santal, Pl., p. 115.

ÉLÉMOSINAIRE [elemozinɛʀ] adj. et n. m. — 1418, « aumônier » ;
du bas lat. *elecmosynarius,* de *elemosyna* « aumône », grec *eleëmosunê*
« don charitable », de *eleëmon* « charitable ». → Aumône.

♦ **1.** Adj. (1863). Littér. Rare. Qui a rapport à l'aumône.

1 De tout son corps on ne voyait que les mains qui sortaient tremblotantes par
l'ouverture du manteau pour agiter l'écuelle élémosinaire.
Th. GAUTIER, le Capitaine Fracasse, t. II, xv, p. 157.

♦ **2.** N. m. Hist. Officier du palais qui distribuait les aumônes.
⇒ **Aumônier.**

2 Fra Angelo s'approcha de l'élémosinaire du palais avec autant de retenue et de
discrétion que ses confrères y avaient mis d'ardeur et d'insistance.
G. SAND, in P. LAROUSSE.

ÉLÉPHANT [elefɑ̃] n. m. — xiie, *élefant ;* surtout *olifant* jusqu'au
xve ; lat. *elephantus,* du grec *elephas, elephantos.*

♦ **1.** Mammifère ongulé (famille des *Proboscidiens,* ancien ordre
des *Pachydermes),* herbivore, vivant par bandes dans les forêts
humides et chaudes ou dans la savane, remarquable par sa masse
pesante, sa peau rugueuse, ses grandes oreilles plates, son nez
allongé en trompe* et ses défenses* dont on tire l'ivoire. *L'éléphant
d'Afrique est plus grand que l'éléphant d'Asie. Éléphant gris, noir.
Éléphant blanc,* variété albinos vénérée dans certains pays d'Asie.
Troupeau d'éléphants. Éléphant rogue, devenu méchant parce qu'il
a perdu ses compagnons. *Éléphant domestiqué, conduit par son cornac.* ⇒ **Cornac ; mahout.** *Éléphant caparaçonné. Éléphant de guerre
des anciens* (→ Cataphracte, cit. ; développer, cit. 15), *porteur
d'une tour*. Les éléphants d'Hannibal, de Pyrrhus. Dent d'éléphant.* ⇒ 1. **Morfil** (vx). *Défenses d'éléphant. Troupe d'éléphants.
Éléphants de cirque. Éléphant dressé. Cri de l'éléphant.* ⇒ **Barrissement, barrit.** *L'éléphant barète* ou *barrit. Le caractère doux*
(→ Compter, cit. 1), *la docilité, l'intelligence, le pas lent et pesant
de l'éléphant. — Un éléphant mâle, un éléphant femelle* (ou
une éléphante).

1 Pareils appétits agitent un ciron et un éléphant. MONTAIGNE, Essais, II, XII, p. 161.

2 Un rat des plus petits voyait un éléphant
Des plus gros, et raillait le marcher un peu lent
De la bête du haut parage (...) LA FONTAINE, Fables, VIII, 15.

3 Dans l'état de sauvage, l'éléphant (...) est d'un naturel doux, et jamais il ne fait
abus de ses armes ou de sa force (...) il ne les exerce que pour se défendre lui-
même ou pour protéger ses semblables ; il a les mœurs sociales, on le voit rarement errant ou solitaire ; il marche ordinairement de compagnie (...)
BUFFON, Hist. nat. des animaux, L'éléphant, Œ., t. III, p. 177.

4 (...) sylphide au jarret triomphant,
Qui voulez enseigner la walse à l'éléphant (...)
BAUDELAIRE, les Épaves, « Bouffonneries », XXI.

5 Mais un cri, un cri épouvantable éclata, un rugissement de douleur et de colère :
c'étaient les soixante-douze éléphants qui se précipitaient sur une double ligne (...)
FLAUBERT, Salammbô, VIII, p. 174.

6 Les éléphants rugueux, voyageurs lents et rudes,
Vont au pays natal à travers les déserts (...)
L'oreille en éventail, la trompe entre les dents,
Ils cheminent, l'œil clos. LECONTE DE LISLE, Poèmes barbares, « Les éléphants ».

Animal proboscidien apparenté à l'éléphant. *Les éléphants fossiles.*
⇒ **Mammouth.**

♦ **2.** (V. 1560). **ÉLÉPHANT DE MER** ou **ÉLÉPHANT MARIN :** phoque
(cit. 2) à trompe, de grande taille.

7 (...) trois ou quatre éléphants marins, d'un gris bleuâtre, et longs de vingt-cinq à
trente pieds. Ces énormes amphibies, paresseusement étendus sur d'épais lits de
laminaires géantes, dressaient leur trompe érectile et agitaient d'une grimaçante
façon les voiles rudes de leurs moustaches raides et tordues (...)
J. VERNE, les Enfants du capitaine Grant, t. III, 1868, p. 92, in T. L. F.

♦ **3.** Par compar. (En parlant des humains). *Être gros comme un éléphant. Il a l'air d'un éléphant.*

Par métaphore, fig. *Un éléphant :* une personne très grosse, à la
démarche pesante. → Baleine. *Qu'est-ce que c'est que ce gros éléphant ?*

(1849). Loc. fam. *Un éléphant dans un magasin de porcelaine,* se dit
d'un lourdaud qui intervient dans une affaire délicate. — *Il a une
mémoire d'éléphant :* il a une mémoire exceptionnelle, d'où, par
ext., il n'oublie jamais le mal qu'on lui a fait, il est rancunier (*l'éléphant* passant pour vindicatif). — *Faire d'une mouche un éléphant :*
exagérer une faute légère.

Avoir une peau d'éléphant, très dure, impénétrable. Fig. :

8   (...) elle essuie les coups en souriant. Tout glisse sur elle, n'est-ce pas, ils doivent se dire cela, « elle a une peau d'éléphant »... Jamais un mot quand les autres, ainsi, sans préavis, passent à l'attaque...   N. SARRAUTE, le Planétarium, p. 43.

(1933, in D. D. L.). Spécialt. *Pantalon à pattes d'éléphant,* (vieilli) *pantalon (à l') éléphant,* dont le bas des jambes est très large.

DÉR. Éléphante, éléphanteau, éléphantesque, éléphantin. — V. **Éléphantiasis.**

ÉLÉPHANTE [elefɑ̃t] n. f. — 1856, La Châtre ; de *éléphant.*

♦ Femelle de l'éléphant. *Une éléphante et ses petits.*

REM. Le mot ne s'emploie que lorsque la prise en considération du sexe est essentielle ; en l'ignorance du sexe, on emploie *éléphant.*

ÉLÉPHANTEAU [elefɑ̃to] n. m. — XVIᵉ ; de *éléphant.*

♦ Jeune éléphant (mâle ou femelle). — Petit (de l'éléphant). *Éléphante suivie de son éléphanteau. Des éléphanteaux.*

ÉLÉPHANTESQUE [elefɑ̃tɛsk] adj. — 1890 ; de *éléphant,* et *-esque.*

♦ D'une grosseur inhabituelle et monstrueuse (en parlant des humains ou de choses de taille humaine). ⇒ **Énorme, gigantesque, immense, monstrueux.** *Un bonhomme éléphantesque, de taille, de proportion éléphantesque.* — (Choses). *Un fauteuil énorme, éléphantesque.* — REM. On trouve (rarement) la variante *éléphantique.*

(...) l'acteur Charles Laughton : lippu, bouffi, éléphantesque, avec une expression candide de gosse.   Claude MAURIAC, le Temps immobile, p. 302-303.

CONTR. Microscopique, minuscule.

ÉLÉPHANTIASIQUE [elefɑ̃tjazik] adj. — 1808 ; de *éléphantiasis.*

♦ Méd. Atteint d'éléphantiasis ; ressemblant à l'éléphantiasis. — N. *Un éléphantiasique.* (Le syn. *éléphantiaque* [1864] est vieilli).

ÉLÉPHANTIASIS [elefɑ̃tjazis] n. f. — 1538 ; lat. *elephantiasis,* mot grec « lèpre tuberculeuse » du v. *elephantian,* de *elephas, elephantos.* → Éléphant.

♦ Méd. Augmentation considérable de volume d'un membre ou d'une partie du corps, causée par un œdème dur des téguments (→ Pachydermie). *Éléphantiasis des pays chauds :* œdème énorme des membres inférieurs et des organes génitaux provoqué par les filaires. *Éléphantiasis des Grecs.* ⇒ **Lèpre.**

DÉR. Éléphantiasique.

ÉLÉPHANTIN, INE [elefɑ̃tɛ̃, in] — XIIIᵉ ; lat. *elephantinus.*

♦ Didact. Qui ressemble à l'éléphant (en parlant d'un animal voisin, d'une représentation).

(1837). Par ext. *Une corpulence éléphantine.* ⇒ **Éléphantesque.** Relatif à l'éléphant. *Statue éléphantine,* faite d'ivoire d'éléphant.

COMP. V. **Chryséléphantin.**

ÉLEVAGE [elvaʒ ; ɛlvaʒ] n. m. — 1836 ; de *élever.*

A. (De *élever,* III.) ♦ **1.** [a] Rare. Action d'élever [III.] (un animal, des animaux). ⇒ **2. Élève** (vx). *L'élevage de ces lapins a été difficile. L'élevage d'un hamster par un enfant.*

[b] Techniques par lesquelles on élève (des animaux domestiques ou utiles) en les faisant naître et se développer dans de bonnes conditions, en contrôlant leur entretien et leur reproduction, de manière à obtenir un résultat économique. *L'élevage des chevaux, du bétail* (→ ci-dessous), *des vers à soie, etc.* ⇒ **Apiculture** (abeilles), **aquaculture** (poissons), **astaciculture** (écrevisses), **aviculture** (volaille), **carpiculture** (carpes), **colombophilie** (pigeons), **conchyliculture** (coquillages), **cuniculiculture** (lapins), **héliciculture** (escargots), **hirudiniculture** (sangsues), **mytiliculture** (moules), **ostréiculture** (huîtres), **pisciculture** (poissons), **sériciculture** (vers à soie) ; aussi **-culture.** *Lieux spécialement aménagés pour l'élevage de certains animaux.* ⇒ **Arche** (d'élevage), **autrucherie, basse-cour, chenil, clapier, écurie, escargotière, étable, faisanderie, haras, limaçonnière, magnanerie, nourricerie, poulailler, visonnière, vivier, volière...** — Absolt. *Parcs* (cit. 3) *d'élevage* (pour les huîtres). Spécialt (plus cour.). *L'élevage du bétail*, des vaches, des moutons... Soins et travaux que nécessite l'élevage du bétail.* ⇒ **Affenage, appareillement, castration, croisement, engraissement, herbagement, nourrissage, reproduction, sélection.**

[c] Absolt. Élevage du bétail. *Faire de l'élevage.* ⇒ **Éleveur.** *Pays d'élevage* (→ Appoint, cit. 3 ; bocage, cit. 3). *Produits de l'élevage. Élevage extensif, intensif. Élevage hors-sol. Qui concerne à la fois l'agriculture et l'élevage.* ⇒ **Agropastoral.** *Élevage et industries agro-alimentaires*.*

1   La même évolution transforme les produits de l'élevage (...) au XVIIᵉ siècle, le Limousin se livrait surtout à l'engraissement des bœufs pour Paris ; de nos jours, il s'oriente vers la production de bêtes jeunes. Jadis, on entretenait beaucoup de

bêtes à cornes pour le travail des champs ; de nos jours on préfère les vaches laitières. Jadis on élevait les moutons pour leur laine ; de nos jours (...) on en fait des animaux de boucherie, ou bien des bêtes laitières. Jadis on laissait souvent les bêtes en plein air chercher leur maigre pitance dans les pacages ; de nos jours elles séjournent longtemps à l'étable, pourvues d'une abondante provende.
    DEMANGEON, Géographie économique et humaine de la France, t. I, p. 109.

♦ **2.** Didact. (pédiatrie) ou stylistique. Le fait d'élever [III.] (des enfants, des êtres humains). « *L'élevage de la jeune fille au couvent* » (Goncourt, *in* T. L. F.). « *Les charges, si lourdes, de l'élevage de l'enfant* » (A. Sauvy, *Croissance zéro ?,* p. 89).

2   Susceptible d'élevage, comme les autres espèces, l'humanité y répugne parce qu'elle révoque toujours en doute ses valeurs et ses fins.
    Emmanuel BERL, le Virage, p. 161.

♦ **3.** Rare. Techniques par lesquelles on amène (des plantes) à leur développement. *L'élevage des jeunes plants par les pépiniéristes.*

♦ **4.** Techn. *Élevage des vins :* ensemble des opérations qui permettent de donner aux vins toutes leurs qualités (⇒ **Éleveur,** 3.).

B. Par métonymie. ♦ **1.** Ensemble des animaux élevés ensemble. *Un élevage de sangliers. Il a perdu tout son élevage.*

♦ **2.** Installation où des animaux sont élevés. «*Alban désirait être invité à l'élevage* (de taureaux) *du duc* » (Montherlant, *les Bestiaires,* p. 46).

ÉLÉVATEUR, TRICE [elevatœr, tris] adj. et n. — XIVᵉ, *eslevateur* «celui qui pousse à la révolte» ; bas lat. *elevator* «qui élève», du supin de *elevare.* → Élever.

Qui sert à élever qqch.

♦ **1.** Anat. Se dit de certains muscles qui élèvent, relèvent (certaines parties du corps). *Muscle élévateur de la paupière, de la lèvre supérieure.* — On dit aussi *releveur. Le deltoïde, muscle élévateur du bras.* — N. m. *L'élévateur de la lèvre supérieure.*

♦ **2.** (1801). Techn. *Appareil élévateur, machine élévatrice,* ou, n. m., *un élévateur,* appareil destiné à prendre un corps à un niveau donné pour l'élever à un niveau supérieur. ⇒ **Levage** (appareils de) ; **élévatoire ; ascenseur, chèvre, levier, monte-charge, noria, tapis** (roulant), **treuil, vérin.**

1   Depuis longtemps, tous ces exténuants portages à dos d'hommes ont été remplacés par des machines élévatrices qui accélèrent et simplifient le travail.
    Georges LECOMTE, Ma traversée, p. 19.

Élévateur d'eau. ⇒ **Chadouf** (cit.), **pompe.** *Élévateur de paille,* qui édifie automatiquement les meules avec la paille qui sort des batteuses. *Élévateur de grains,* à godets ou pneumatique. — Mar. *Élévateur destiné à soulever les navires dans les bassins de radoub. Élévateur dentaire :* instrument destiné à faciliter l'extraction d'une dent, sa pointe étant engagée entre l'os et la racine de la dent qui doit être extraite.

REM. Le mot reste technique et ne s'emploie pas spécifiquement pour désigner les appareils ayant un nom courant, comme *ascenseur, monte-charge.*

[a] (1871, Littré, *Suppl.* ; de l'angl. des États-Unis *elevator*). Spécialt. Silo* à grains permettant le chargement et le déchargement rapide des céréales.

2   Parlerai-je des *élévateurs,* ces immenses édifices où le blé arrive d'un côté en wagon et est envoyé de l'autre dans les navires (...)
    L. SIMONIN, le Far-West américain, in le Tour du monde, 1868, t. I, p. 231.

[b] Électr. *Élévateur de tension :* transformateur* qui élève la tension du courant.

CONTR. Abaisseur.

ÉLÉVATION [elevasjɔ̃] n. f. — XIIIᵉ ; lat. *elevatio,* du supin de *elevare.* → Élever.

Action de lever, d'élever, de s'élever ; résultat de cette action.

★ **I.** ♦ **1.** (XIVᵉ, Mondeville). Action de lever, de soulever (une partie du corps). *Mouvement d'élévation de l'épaule. Élévation horizontale, verticale du bras.*

1   En même temps que l'omoplate bascule, la clavicule élève son extrémité externe. Cette élévation se produit dès le début du mouvement pour atteindre son point culminant lorsque le bras est vertical.
    Paul RICHER, Nouvelle anatomie artistique, III, p. 90.

2   L'élévation de l'épaule peut être produite par la contraction isolée d'un assez grand nombre de muscles ou de portions musculaires qui vont du tronc à l'omoplate (...)
    L. TESTUT, Traité d'anatomie, t. I, p. 595.

Danse. Mouvement circulaire, perpendiculaire au sol, décrit par les bras ou par les jambes.

♦ **2.** Action de lever, d'élever (un objet). — Liturgie. *Élévation de l'hostie* (par le prêtre). — Absolt. Le moment de la messe où le prêtre élève l'hostie et la montre aux fidèles. ⇒ **Lever-Dieu** (vx). *On en était à l'élévation.* — Morceau de musique, de chant exécuté à ce moment.

3   Dans ces fronts qui se baissaient avec un mouvement de ferveur soumise, à l'Élévation (...)
    Paul BOURGET, le Disciple, p. 127.

Rare. Action de transporter plus haut. *Élévation des fardeaux au moyen d'appareils de levage**.

♦ **3.** Action de bâtir, de construire. *Travailler à l'élévation d'un mur, d'un monument.* ⇒ **Construction, édification, érection.** — Spécialt. Œuvre d'art qui représente l'érection de la croix du Christ. *L'Élévation de la Croix,* tableau de Rubens.

♦ **4.** Vx. Hauteur, altitude. *Il faut donner plus d'élévation à ce plancher, à cette muraille* (Académie). *Élévation d'une montagne au-dessus du niveau de la mer.* ⇒ **Altitude.** *Un rocher de trois cents pieds d'élévation* (→ Déchirure, cit. 6).

4 L'élévation de cet escarpement peut encore être mesurée aujourd'hui par la hauteur des deux tertres des deux grandes sépultures qui encaissent la route de Genappe à Bruxelles (...) HUGO, les Misérables, III, I, VII.

Astron. Mod. *Élévation du pôle dans un lieu :* la distance du pôle à l'horizon du lieu. *Angle d'élévation.*

Par ext. *(Une, des élévations).* Terrain élevé. ⇒ **Bosse, butte, éminence, hauteur, tertre.** *Élévation de terrain,* ou, absolt, *élévation. Une élévation nous dérobe la vue. Une petite élévation qui leur servait d'épaulement* (Erckmann-Chatrian, *in* T. L. F.).

Spécialt. Géom. Représentation graphique d'une des faces d'un corps sur un plan vertical parallèle à cette face. — Archit. *Élévation perspective. Coupe* ou *élévation d'un bâtiment.*

★ **II.** ♦ **1.** Action de s'élever ; fait de s'élever. *L'élévation de l'eau dans le corps de la pompe. L'élévation du niveau des eaux. L'élévation d'un ballon dans les airs.*

Par métonymie. Hauteur dont on s'élève (saut).

♦ **2.** Fig. *L'élévation du prix des denrées, du coût de la vie.* ⇒ **Accroissement, hausse.** *Élévation de température* (→ Crise, cit. 7). *Augmentation, élévation du pouls :* augmentation du nombre de pulsations. ⇒ **Accélération.** — *Élévation d'un nombre à la seconde, à la troisième puissance*.* — (1549). *Élévation de la voix,* son passage à un ton plus haut et souvent à une intensité plus forte ; ton plus haut que celui qu'on prend habituellement.

★ **III.** Fig. (Abstrait). ♦ **1.** (1666). Action d'élever, de s'élever à un rang supérieur. ⇒ **Accession, ascension.** *L'élévation de qqn à une dignité. L'élévation d'un prince au trône, à l'empire. Élévation d'un officier au grade supérieur.* ⇒ **Avancement, promotion.** *Son élévation au grade d'officier de la Légion d'honneur. L'élévation de son rival au poste qu'il convoitait.* ⇒ **Nomination** ; → Apprivoiser, cit. 6 ; balance, cit. 11.

5 (...) l'élévation du duc d'Anjou sur le trône de Charles-Quint remplit l'Europe d'inquiétudes et la replongea dans les horreurs d'une guerre universelle (...) G.-T. RAYNAL, Hist. philosophique, XV, 11, *in* LITTRÉ.

6 S'il souhaitait de s'élever et s'il le répétait sans cesse, il avait l'horreur des servitudes bureaucratiques et n'eût pas considéré comme une élévation de travailler à heures fixes, derrière des portes closes, même au prix d'un traitement princier. G. DUHAMEL, Chronique des Pasquier, II, V, p. 267.

Par ext. Vx ou littér. Rang auquel qqn est élevé.

7 Considérez ces grandes puissances que nous regardons de si bas ; pendant que nous tremblons sous leur main, Dieu les frappe pour nous avertir ; leur élévation en est la cause (...) BOSSUET, Oraison funèbre de la Duchesse d'Orléans.

7.1 L'un de ces hommes, celui qui se prêtait, était âgé de vingt-quatre ans, assez bien mis pour faire croire à l'élévation de son rang, l'autre à peu près du même âge, paraissait un de ses domestiques. SADE, Justine..., t. I, p. 66.

8 Ce sera plus tard *(Jeanne Poisson),* par la faveur du roi, la marquise de Pompadour. En son élévation, la favorite n'aura pas oublié sa compagne du temps de l'Hôtel des Invalides (...) Émile HENRIOT, Portraits de femmes, p. 169.

♦ **2.** Relig. Mouvement (de l'âme, du cœur) vers Dieu. *Élévations de l'âme vers Dieu.* ⇒ **Mouvement, prière.** *Élévations à Dieu sur tous les mystères de la religion chrétienne,* ouvrage de Bossuet.

9 Là, tout en me promenant, je faisais ma prière qui ne consistait pas en un vain balbutiement de lèvres, mais dans une sincère élévation de cœur à l'auteur de cette aimable nature dont les beautés étaient sous mes yeux. ROUSSEAU, les Confessions, VI.

♦ **3.** (1665). Qualité qui élève moralement l'homme. ⇒ **Noblesse ; distinction, grandeur.** *L'élévation de son caractère et de son esprit. Une grande élévation de sentiments, de pensée. Manquer d'élévation.* ⇒ **Hardiesse, hauteur** (de vues), **largeur** (de vues).

10 La première et la plus considérable source du sublime est une certaine élévation d'esprit qui nous fait penser heureusement les choses. BOILEAU, Longin, VI.

11 L'étude n'a point émoussé ta vivacité ni appesanti ta personne : la fade galanterie n'a point rétréci ton esprit ni hébété ta raison. L'ardent amour, en t'inspirant tous les sentiments sublimes dont il est le père, t'a donné cette élévation d'idées et cette justesse de sens qui en sont inséparables. ROUSSEAU, Julie ou la Nouvelle Héloïse, II, XI.

12 (...) l'élévation du caractère est une qualité qui élève le caractère au-dessus des choses basses ; la hauteur est un défaut qui, dans notre idée ou dans nos manières, nous place au-dessus des autres. LITTRÉ, Dict., art. *Élévation.*

Absolument :

13 (...) cette élévation que le véritable humanisme inspire à tout homme bien né (...) STROWSKI, Montaigne, p. 36.

♦ **4.** Noblesse de l'expression. *L'élévation du style.*

CONTR. Abaissement, affaiblissement, baisse, chute, dépression, diminution. — Bassesse.

ÉLÉVATOIRE [elevatwaʀ] adj. — 1861 ; «instrument de chirurgie», n. m., 1561 ; dér. sav. du lat. *elevare* «élever».

♦ Techn. Qui sert à élever, au levage. ⇒ **Élévateur ; levage** (appareil de). *Machine, pompe élévatoire,* destinée à élever des liquides.

1. ÉLÈVE [elɛv] n. — 1653 ; déverbal de *élever,* d'après ital. *allievo.*

♦ **1.** Personne qui reçoit, ou suit l'enseignement d'un maître (dans un art, une science). *Raphaël fut l'élève du Pérugin.* ⇒ **Disciple.**

1 Combien de fresques attribuées naguère à l'Angelico ont été peintes par ses élèves ? MALRAUX, les Voix du silence, p. 363.

Par ext. Personne, enfant qui reçoit, ou a reçu, les leçons d'un précepteur. *Ce précepteur ne quitte jamais son élève. Le duc de Bourgogne, élève de Fénelon* (→ Copie, cit. 1).

2 J'ai donc pris le parti de me donner un élève imaginaire, de me supposer l'âge, la santé, les connaissances et tous les talents convenables pour travailler à son éducation, de le conduire depuis le moment de sa naissance jusqu'à celui où, devenu homme fait, il n'aura plus besoin d'autre guide que lui-même. ROUSSEAU, Émile, I.

Spécialt. Celui, celle qui reçoit l'enseignement donné dans un établissement d'enseignement. *Un élève, une élève des écoles primaires* (⇒ **Écolier**), *des collèges* (⇒ **Collégien**), *des lycées* (⇒ **Lycéen**), *des facultés* (⇒ **Étudiant**), *des grandes écoles. Élève des classes* préparatoires aux grandes écoles. Élève de l'École des chartes*. Élève du Conservatoire. Élève, ancien* élève de l'École normale* supérieure, de l'École polytechnique*, de l'École des hautes études commerciales* (H. É. C.), *de l'Institut national agronomique*... Élève-maître, élève-maîtresse :* élève d'une école normale d'instituteurs, d'institutrices. *Élève-ingénieur.* — *Élève boursier ; externe, interne, demi-pensionnaire, pensionnaire. Élève de première année.* ⇒ **Bizut.** *Brimade imposée à un nouvel élève* (→ Bizutage). *Élèves d'une même classe.* ⇒ **Condisciple.** *Cour où se rassemblent les élèves* (→ Dévisager, cit. 5). *Compositions, devoirs, notes, classement des élèves. Un bon, un brillant élève.* ⇒ **Excellence** (prix d'), **fort** (en thème), **sujet** (bon sujet). *Mauvais élève.* ⇒ **Cancre.** *Élève qui recommence sa classe.* ⇒ **Redoubler ; vétéran.** *Élève qui prend des leçons particulières* (⇒ **Tapir**). *Consigner, punir des élèves.* — *Les parents des élèves. Une association de parents d'élèves.*

2.1 Ce sont eux pourtant, ces quarante-sept petits élèves-maîtres qui portent dans leurs faibles mains ce feu que le Fils de l'Homme est venu jeter sur la terre. F. MAURIAC, Bloc-notes 1952-1957, p. 100.

Milit. Candidat à un grade, suivant un peloton ou les cours d'une école. *Élève caporal. Élève officier d'active* (E. O. A.), *de réserve* (E. O. R.). ⇒ **Aspirant** (cit. 3), **cadet ; pilotin** (mar.).

3 De temps en temps la voix monotone d'un élève récitant sa leçon, une exclamation de professeur en colère (...) puis tout rentrait dans le silence, le collège avait l'air de dormir. Alphonse DAUDET, le Petit Chose, Les petits.

4 Oh ! je déteste maintenant le temps où les élèves étaient comme de grosses brebis suant dans leurs habits sales, et dormaient dans l'atmosphère empuantie de l'étude, sous la lumière du gaz, dans la chaleur fade du poêle ! RIMBAUD, Un cœur sous une soutane.

♦ **2.** (1801). Par anal. Vieilli. Jeune animal dont l'élevage est en cours ; jeune plante dont on dirige la croissance.

5 Incessamment, ils parlaient de la sève et du cambium, du palissage, du cassage, de l'éborgnage. Ils avaient au milieu de leur salle à manger, dans un cadre, la liste de leurs élèves, avec un numéro qui se répétait dans le jardin, sur un petit morceau de bois, au pied de l'arbre. FLAUBERT, Bouvard et Pécuchet, II, Pl., p. 747.

HOM. 2. Élève.

2. ÉLÈVE [elɛv] n. f. — 1615, en bot. ; 1770, «élevage».

♦ Vx. Action d'élever (les animaux, les plantes). ⇒ **Élevage.** *L'élève des chevaux, des bestiaux. L'élève du melon* (→ Cantaloup, cit. 1).

HOM. 1. Élève.

ÉLEVÉ, ÉE [elve ; ɛlve] p. p. adj. ⇒ **Élever.**

ÉLEVER [elve ; ɛlve] v. tr. — Conjug. *lever.* — Fin XIe ; de *é-,* et *lever.*

★ **I.** ♦ **1.** Mettre, placer, porter, transporter (qqch.) plus haut. *Élever des pierres au moyen d'une grue. Appareils de levage* pour élever les fardeaux.* ⇒ **Hisser, lever, soulever.** *Élever de l'eau au moyen d'une pompe. Élever les bras au-dessus de sa tête. Élever un étendard.* ⇒ **Arborer.** *Le prêtre élève le calice pour la consécration.*

Faire monter à un niveau supérieur. *Il faut élever ce mur encore plus haut.* ⇒ **Exhausser, hausser, rehausser, relever, surélever, surhausser.** *La fonte des neiges a élevé le niveau de la rivière.* ⇒ **Monter** (faire). — (Avec un compl. en *de*). *Élever la crémaillère d'un cran, la maison d'un étage, le mur d'un mètre.*

REM. En parlant d'objets que l'on doit porter à une hauteur plus grande on peut dire *élever* ou *lever* plus haut : *Élevez davantage cette lampe* (Académie) ou *Levez la lampe plus haut* (Académie). Quand il s'agit d'objets à *soulever,* «*Élever* suppose plus d'efforts et une opération plus difficile (que *lever*), ou bien une hauteur plus considérable à laquelle l'objet arrive en parcourant progressivement différents degrés.

On lève quelque chose de terre sans peine et avec la main » (Lafaye, p. 128).

1 On les suspendait *(les corps)* à de longues bascules qu'on élevait et qu'on baissait tour à tour. VOLTAIRE, *Philosophie*, II, 24.

2 Un machiniste, il y a quelques années, présenta à l'hôtel de ville de Paris le modèle en petit d'une pompe, par laquelle il assurait qu'il élèverait à cent trente pieds de hauteur cent mille muids d'eau par jour.
VOLTAIRE, *Dict. philosophique*, Force mécanique.

3 (...) des vapeurs que le soleil élève au-dessus de la surface des mers.
BUFFON, *Théorie de la terre*. Introd.

4 Vingt marteaux pesants, et retombant avec un bruit qui fait trembler le pavé, sont élevés par une roue que l'eau du torrent fait mouvoir.
STENDHAL, *le Rouge et le Noir*, I, I.

5 Hélène, pour dénouer les brides de son chapeau, éleva les bras comme deux anses d'amphore, par un mouvement plein de grâce dont le spectacle donna à René une minute délicieuse. FRANCE, *Jocaste*, XI, Œ., t. II, p. 108.

Par anal. Faire monter l'âme de (qqn) au ciel.

6 Le coup à l'un et l'autre en sera précieux,
Puisqu'il t'assure en terre en m'élevant aux cieux. CORNEILLE, *Polyeucte*, V, 5.

Tenir haut (le sujet désigne une chose qui semble porter son sommet à une grande hauteur). ⇒ **Dresser.**

7 (...) la mer, quelquefois claire et unie comme une glace, quelquefois follement irritée contre les rochers, où elle se brisait en gémissant, et élevant ses vagues comme des montagnes. FÉNELON, *Télémaque*, I.

8 (..) un rocher qui élevait vers le ciel deux pointes semblables à deux têtes (...)
FÉNELON, *Télémaque*, XII.

9 (...) les cyprès élevaient leurs quenouilles noires et les oliviers moutonnaient sur les pentes. FRANCE, *le Lys rouge*, V, VIII, p. 86.

♦ 2. Construire (qqch.) en hauteur. ⇒ **Bâtir, construire.** *Élever un mur, une cloison, une maison, un bâtiment, un château, des fortifications. Élever un monument, une statue, un autel, un temple.* ⇒ **Dresser, édifier, ériger ; érection.** *Élever un mât pour arborer* un drapeau. Élever les colonnes d'un temple.*

10 (...) nous vîmes élever cette belle façade du Louvre qui fait tant désirer l'achèvement de ce palais. VOLTAIRE, *le Siècle de Louis XIV*, XXXIII.

Fig. Littér. ⇒ **Créer, établir, fonder.** *Élever sa fortune sur la ruine d'autrui. Élever des systèmes.*

11 J'ai vu sur ma ruine élever l'injustice (...) RACINE, *Britannicus*, III, 7.

12 Sur ces débris du monde élevons l'Arabie. VOLTAIRE, *Mahomet*, II, 5.

13 Je ne serais pas étonné de m'entendre répondre : Fonder la société sur un *devoir*, c'est l'élever sur une fiction ; la placer dans un *intérêt*, c'est l'établir dans une réalité. CHATEAUBRIAND, *Mémoires d'outre-tombe*, t. IV, p. 116.

Fig. *Élever des digues, un rempart contre...* ⇒ **Opposer.** — **Loc.** *Élever autel* contre autel.*

Élever des obstacles, des difficultés. ⇒ **Soulever, susciter.** *Élever des objections, des doutes, des soupçons.* ⇒ **Objecter.**

14 Il était impossible d'élever le moindre doute.
Pierre BENOÎT, *l'Atlantide*, p. 234, *in* T.L.F.

♦ 3. Géom. *Élever une perpendiculaire :* tracer d'un point pris sur une ligne ou un plan une droite qui lui soit perpendiculaire.

★ II. Fig. A. ♦ 1. (Compl. n. de personne). Porter plus haut ; porter (qqn) à un haut rang, à un rang supérieur. ⇒ **Promouvoir.** *Élever qqn aux premiers rangs, au trône, au pouvoir, aux honneurs* (→ Capitaine, cit. 2), *aux plus hautes dignités...*

15 Enfin vous l'emportez, et la faveur du Roi
Vous élève en un rang qui n'était dû qu'à moi (...) CORNEILLE, *le Cid*, I, 3.

16 Dans l'espoir d'élever Bérénice à l'Empire (...) RACINE, *Bérénice*, II, 2.

17 Une fois de plus, il *attendait* la France qui, nous venons de le voir, se portait, d'un grand élan, vers lui pour l'élever au pouvoir suprême, — au plus haut des trônes.
Louis MADELIN, *Hist. du Consulat et de l'Empire*, Avènement de l'Empire, VII, p. 86.

18 Sa vie *(de Lamartine)* est belle, noble, contrastée ; elle est celle d'un génie inspiré, tombé pour vivre dans la fabrication (...) élevé au faîte du bonheur par le consentement unanime de la France qu'il représentait, et précipité un jour dans le discrédit et l'oubli. Émile HENRIOT, *les Romantiques*, p. 101.

(Compl. n. de chose). **Vx.** Rendre éminent, supérieur. *Élever la gloire, la fortune de qqn.*

19 Soit qu'il élève les trônes, soit qu'il les abaisse (...)
BOSSUET, *Oraison funèbre de la reine d'Angleterre*.

20 Ai-je donc élevé si haut votre fortune
Pour mettre une barrière entre mon fils et moi ? RACINE, *Britannicus*, I, 2.

Élever une chose au rang d'une autre, lui donner ou lui attribuer une importance égale. *Il a, par ses découvertes, élevé cette science au rang des sciences exactes* (Académie). *Élever le mariage à la dignité de sacrement* (→ Conjugal, cit. 3).

Par plais. *Élever qqch. à la hauteur d'une institution** : pratiquer de manière systématique ; illustrer.

♦ 2. Porter à un degré supérieur ; rendre plus grand, plus considérable (une quantité, un prix, une valeur...). ⇒ **Accroître, augmenter, relever.** *Élever le prix des denrées, le taux de l'intérêt, la valeur d'une monnaie, la température d'un liquide.*

Élever le degré, le niveau du savoir, des connaissances (cit. 21).

Spécialt. Math. *Élever un nombre au carré, au cube, à une puissance quelconque,* le multiplier* par lui-même autant de fois que l'indique l'exposant.

B. (Le compl. désigne l'âme, l'esprit, un être humain...). Rendre moralement ou intellectuellement supérieur. *Élever son âme, son cœur, son esprit, ses pensées vers Dieu, vers un noble idéal.*

21 À de plus hauts objets élevez vos désirs (...) MOLIÈRE, *les Femmes savantes*, II, 1.

Inspirer des sentiments élevés ; rendre plus noble. ⇒ **Ennoblir, fortifier, grandir.** *Cette lecture élève l'esprit. Sermon qui élève l'âme.* ⇒ **Édifier ;** → Action, cit. 19. *Exemple qui élève le courage jusqu'à l'héroïsme.* ⇒ **Exalter ;** → Courage, cit. 16. *Son geste l'éleva dans notre estime.* ⇒ **Grandir.**

22 Malgré la vue de toutes nos misères, qui nous touchent, qui nous tiennent à la gorge, nous avons un instinct que nous ne pouvons réprimer, qui nous élève.
PASCAL, *Pensées*, VI, 411.

23 Quand une lecture vous élève l'esprit, et qu'elle vous inspire des sentiments nobles et courageux, ne cherchez pas une autre règle pour juger l'ouvrage ; il est bon, et fait de main d'ouvrier. LA BRUYÈRE, *les Caractères*, I, 31.

24 Il est des sortes d'adversités qui élèvent et renforcent l'âme, mais il en est qui l'abattent et la tuent : telle est celle dont je suis la proie.
ROUSSEAU, *Rêveries...*, 6ᵉ promenade.

25 (...) une terreur secrète qui loin d'abaisser l'âme, donne du courage et élève le génie. CHATEAUBRIAND, *Mémoires d'outre-tombe*, t. II, p. 373.

26 (...) la piété a une valeur, ne fût-elle que psychologique. Elle nous moralise délicieusement et nous élève au-dessus des misérables soucis de l'utile ; or là où finit l'utile commence le beau, Dieu, l'infini, et l'air pur qui vient de là est la vie.
RENAN, *Souvenirs d'enfance...*, Appendice.

27 (...) cette pureté (...) élève, auréole, et grandit l'enfantine Marie.
Émile HENRIOT, *Portraits de femmes*, p. 444.

Rendre (qqn) supérieur aux autres. *La générosité élève l'homme au-dessus de lui-même* (→ Cornélien, cit.).

28 Conte-moi tes vertus, tes glorieux travaux (...)
Et tout ce qui t'élève au-dessus du vulgaire. CORNEILLE, *Cinna*, V, 1.

29 Le rang de sa maîtresse semblait l'élever au-dessus de lui-même.
STENDHAL, *le Rouge et le Noir*, I, XVI.

Déclarer supérieur. ⇒ **Exalter, prôner, vanter.** — **Par hyperb.** *Élever qqn sur un piédestal. Élever qqn aux nues, jusqu'aux nues,* lui donner des louanges excessives. ⇒ **Louer ; déifier, porter** (aux nues).

30 (...) le peuple élevant vos vertus jusqu'aux nues (...) RACINE, *Bérénice*, IV, 6.

31 (...) les combats d'Ulysse et sa sagesse furent élevés jusqu'aux cieux.
FÉNELON, *Télémaque*, I.

Élever le niveau d'un débat, d'une discussion.

C. Faire entendre, émettre plus fortement (la voix, des paroles). *Élever la voix :* parler plus haut, plus fort. *Il n'ose plus élever la voix :* il n'ose plus parler. *Élever la voix dans une discussion. Élever le ton :* prendre un ton de menace ou de supériorité. — *Élever la voix en faveur de qqn,* prendre hautement sa défense. *Élever la voix contre qqn,* l'accuser. — *Élever une protestation.* ⇒ **Protester.**

32 Plus haut que les acteurs élevant ses paroles. MOLIÈRE, *les Fâcheux*, I, 1.

33 Les contre-révolutionnaires plus modérés étaient eux-mêmes si terrifiés par le sort d'un Barbe-Marbois ou d'un Portalis, que, ni dans la Nation, ni dans les Conseils, ils n'osaient plus élever la voix.
Louis MADELIN, *Hist. du Consulat et de l'Empire*, Ascension de Bonaparte, XIII, p. 181.

34 Il avait élevé le ton ; sa voix vibrait de plaisir et de défi.
MARTIN DU GARD, *les Thibault*, t. V, p. 58.

35 Le scandale n'est pas qu'on dise de votre femme qu'elle a des amants. Le scandale est qu'on m'ait emprisonné, jugé, condamné, et qu'elle n'ait pas élevé la voix pour m'innocenter. M. AYMÉ, *la Tête des autres*, I, XII.

Fig. *Élever un cri, une plainte, une prière... vers Dieu.*

35.1 Qui de nous vers le ciel n'élève pas des cris
Pour les jours d'un époux, ou d'un père, ou d'un fils ?
VOLTAIRE, *l'Orphelin de la Chine*, I, 1.

Spécialt. Mus. *Élever le ton d'un morceau :* transposer un morceau afin qu'il soit exécuté sur un ton plus haut que celui dans lequel il a été composé.

★ III. ♦ 1. (XIIIᵉ ; rare av. XVIᵉ). Amener (un être vivant) à son développement physique, intellectuel ou moral. ⇒ **Entretenir, nourrir, soigner ; soin** (prendre). *Obligation des parents d'élever leurs enfants* (→ Contracter, cit. 2 ; dispenser, cit. 9). *Elle a élevé les enfants de sa sœur comme les siens propres. Ils ont été élevés ensemble* (→ Double, cit. 14). *Enfant facile à élever. Élever un bébé au sein.* ⇒ **Allaiter.** *Élever un enfant dans du coton*, à la dure*.*

36 On m'élevait alors, solitaire et cachée. RACINE, *Esther*, I, 1.

(Le compl. désigne un animal). *Élever des chevaux, des lapins.*

37 Il m'est, disait-elle, facile
D'élever des poulets autour de ma maison (...) LA FONTAINE, *Fables*, VII, 10.

(Plantes). *J'ai eu de la peine à élever ces plantes, ces fleurs, ces arbres* (Académie).

Faire l'éducation* (d'un être humain). ⇒ **Éduquer, former, instruire ;** et aussi **conduire, cultiver, dresser** (péj.), **gouverner.** *On a mal élevé cet enfant, il a été mal élevé* → ci-dessous *Mal élevé. Élever une jeune fille au couvent. Être élevé dans la religion chrétienne. On l'a élevé dans de bons principes, dans le sentiment du devoir.* ⇒ **Nourrir ;** → Consacrer, cit. 6.

38 — Songe avec quel amour j'élevai ta jeunesse.
— Il éleva la vôtre avec même tendresse. CORNEILLE, *Cinna*, V, 2.

39 Fille chaste et pudique, élevée dans la maison paternelle, dans une retenue incroyable. BOSSUET, *Honneur du monde*, 1.

40 Il est bien étrange que, depuis qu'on se mêle d'élever des enfants, on n'ait imaginé d'autre instrument pour les conduire que l'émulation, la jalousie, l'envie, la vanité, l'avidité, la vile crainte, toutes les passions les plus dangereuses, les plus

promptes à fermenter, et les plus propres à corrompre l'âme, même avant que le corps soit formé.   ROUSSEAU, *Émile*, II.

♦ **2.** Amener (des vins) à leur état optimal. ⇒ **Élevage, éleveur** (3.).

▶ **S'ÉLEVER** v. pron.

A. Réfl. ♦ **1.** Concret (spatial). Monter ; aller plus haut. *Le mercure s'élève dans le thermomètre sous l'action de la chaleur. Le niveau du fleuve s'est encore élevé. L'aigle s'élève dans les airs.* ⇒ **Voler.** *L'avion s'élève de terre* (⇒ **Décoller,** cit. 2), *prend de la hauteur. S'élever à une grande altitude* (→ Ascension, cit. 5). *Astre qui s'élève au-dessus de l'horizon* (⇒ **Ascendance**). *Fumée, nuage de poussière qui s'élève en tourbillon. Le lierre s'élève jusqu'au premier étage.* ⇒ **Grimper ; aller, arriver** (jusqu'à). *Le cyprès s'élève très haut.* — (Êtres animés). *S'élever d'un bond.* (Personnes). → ci-dessous, cit. 41, 43.1. *S'élever dans l'air, les airs. S'élever très haut en sautant, en dansant.* ⇒ **Bondir** (cit. 7), **sauter.**

41   Puis sur tes cornes m'élevant,
      À l'aide de cette machine,
      De ce lieu-ci je sortirai (...)   LA FONTAINE, *Fables*, III, 5.

42   Comme un liège emplumé qui bondit sur la raquette, il *(mon esprit)* s'élève, il retombe, il égaye mes yeux, repart en l'air, y fait la roue, et revient encore.
      BEAUMARCHAIS, *le Barbier de Séville*, Lettre sur la critique.

43   Du port obscur montèrent les premières fusées des réjouissances officielles (...) les gerbes multicolores s'élevaient plus nombreuses dans le ciel (...)
      CAMUS, *la Peste*, p. 331.

43.1 Et Narcense s'éleva dans l'ascenseur, s'interrogeant sur l'avenir qui s'annonçait.
      R. QUENEAU, *le Chiendent*, p. 325.

Loc. Spécialt. Mar. *S'élever à la lame :* céder à l'action de la lame qui soulève le navire. — *S'élever en latitude, en longitude :* s'écarter de l'équateur, du premier méridien. — *S'élever au vent, dans le vent :* avancer dans la direction d'où souffle le vent.

43.2 Le Bonadventure se conduisait parfaitement. Il s'élevait facilement à la lame et faisait une route rapide. Pencroff avait gréé sa voile de flèche, et, ayant tout dessus, il marchait suivant une direction rectiligne, relevée à la boussole.
      J. VERNE, *l'Île mystérieuse*, t. II, p. 486.

Se dresser. Des falaises s'élèvent à pic au-dessus des flots (→ Arc, cit. 7). *Montagnes qui s'élèvent en pente douce, en gradins. La ville s'élève en amphithéâtre. Une maison s'élève sur la colline* (→ Château, cit. 4). *Quelques sapins s'élèvent au milieu des pins. Le clocher s'élève à une hauteur de vingt mètres.* ⇒ **Atteindre.**

44   (...) édifier une tour qui s'élève à l'infini (...)   PASCAL, *Pensées*, II, 72.

45   Et les Alpes de loin, s'élevant dans la nue
      D'un long amphithéâtre enferment les coteaux.
      VOLTAIRE, *Épîtres*, CCII, « À Horace. »

46   Sur le côté oriental de la montagne qui s'élève derrière le Port-Louis de l'île de France, on voit, dans un terrain jadis cultivé, les ruines de deux petites cabanes.
      BERNARDIN DE SAINT-PIERRE, *Paul et Virginie*, p. 13.

47   (...) il me conduisit sur le bord de la Seine, jusqu'à l'île aux Cygnes, qui s'élevait au milieu du fleuve comme un navire de feuillage.
      FRANCE, *la Rôtisserie de la reine Pédauque*, Œ., t. VIII, p. 106.

♦ **2.** Par anal. (sons). **[a]** Devenir plus fort. *Sa voix s'éleva avec force. Le ton de la discussion s'élève.* ⇒ **Monter.**

[b] Devenir plus aigu. *La voix s'élève du grave à l'aigu.*

♦ **3.** Fig. ⇒ **Naître, surgir, survenir.** *Le vent s'élève,* commence à souffler avec force. ⇒ **Lever** (se) ; → Démonter, cit. 12. *Une brise fraîche s'éleva. Un orage s'est élevé tout à coup.* Commencer à se manifester. *Bruits, cris, clameurs* (cit. 2), *murmures, protestations, qui s'élèvent dans une assemblée* (→ Bramement, cit. 2). *Une voix s'éleva* (→ Autoritaire, cit. 3). *Des discussions s'élèvent sans cesse sur...* (→ Académie, cit. 4). *Des doutes, des soupçons s'élevèrent dans son esprit* (→ Droiture, cit. 3). — Impers. *Il s'éleva une dispute dans l'assemblée* (→ Délibératif, cit.).

48   Il s'élève un grand bruit, et mille cris confus (...)   CORNEILLE, *Héraclius*, V, 6.

49   Un trouble s'éleva dans mon âme éperdue (...)   RACINE, *Phèdre*, I, 3.

50   Quelle effroyable voix dans mon âme s'élève !   VOLTAIRE, *Mahomet*, IV, 4.

51   Un tumulte s'éleva sous la porte. On introduisait une file de mules blanches, montées par des personnages en costume de prêtres.
      FLAUBERT, *Trois contes*, « Hérodias », II.

♦ **4.** (Sujet n. de personne). **S'ÉLEVER CONTRE (qqn),** intervenir, prendre fortement parti contre lui, porter témoignage contre. ⇒ **Accuser ;** → Crier haro* sur... *S'élever contre qqch. Je m'élève contre cette interprétation abusive.* ⇒ **Protester ; inscrire** (s'inscrire en faux). *S'élever contre les abus.* ⇒ **Combattre.**

52   Il est temps de s'élever contre de tels désordres.   PASCAL, *les Provinciales*, I.

53   Voilà des nouveautés contre lesquelles on ne peut assez s'élever.
      BOSSUET, 3e *Écrit.*

54   (...) la raison classique, contre laquelle s'élèvent aujourd'hui les surréalistes (...) au nom de tout ce qui dans l'homme échappe à la raison.
      Émile HENRIOT, *les Romantiques*, p. 469.

♦ **5.** Fig. (sujet n. de personne). Se hausser, être porté à un rang élevé, supérieur. *S'élever au-dessus de sa condition sociale, de sa classe* (→ Contenter, cit. 13). *S'élever aux honneurs, à la gloire* (→ Corbeau, cit. 6). *S'élever aux premières charges de l'État. S'élever au rang des grandes puissances.* ⇒ **Arriver, atteindre, parvenir** (à). — Absolt. *S'élever par son travail, par ses propres moyens, aux dépens de qqn.*

(...) les paysans qui veulent s'élever au-dessus de leur condition (...)   55
      MOLIÈRE, *George Dandin*, I, 1.

Il est assez naturel aux hommes de vouloir s'élever aux lieux éminents pour étaler de loin, avec pompe, l'éclat d'une superbe grandeur.   56
      BOSSUET, *Panégyrique de saint François de Sales.*

Il n'y a au monde que deux manières de s'élever, ou par sa propre industrie, ou par l'imbécillité des autres.   LA BRUYÈRE, *les Caractères*, Pl., VI, 52.   57

Il *(Fouché)* s'éleva, sous le Directoire, à la hauteur d'où les hommes profonds savent voir l'avenir en jugeant le passé (...)   58
      BALZAC, *Une ténébreuse affaire*, Pl., t. VII, p. 498.

(Dans l'ordre intellectuel). *S'élever à la connaissance de Dieu. L'esprit humain ne peut s'élever jusque-là, il ne peut comprendre cela* (→ Bourgeois, cit. 12).

C'était une âme naïve, qui jamais ne s'était élevée même jusqu'à juger son mari, et à s'avouer qu'il l'ennuyait.   STENDHAL, *le Rouge et le Noir*, I, III, p. 14.   59

Louis XI est une nature moyenne, qui n'est ni au-dessus ni au-dessous du niveau moyen auquel s'élèvent les intelligences et les consciences à son époque.   60
      FUSTEL DE COULANGES, *Leçons à l'Impératrice...*, p. 218.

(Michelet) s'élève aux grandes vues générales, aux prosopopées, aux rêveries, tâche de se tirer de la poussière des notes et des petits faits par de belles envolées lyriques.   Émile HENRIOT, *les Romantiques*, p. 404.   61

(Dans l'ordre moral). Devenir plus grand, plus noble. *L'esprit s'élève par la contemplation de la nature.* ⇒ **Ennoblir** (s'). *L'intelligence et le cœur s'élèvent ensemble* (→ Agrandir, cit. 9). *S'élever au sublime. S'élever dans la douleur* (cit. 20). *Âmes qui s'élèvent dans la prière, dans la communion* (→ Cime, cit. 4).

Pour t'élever de terre, homme, il te faut deux ailes,   62
      La pureté du cœur et la simplicité.   CORNEILLE, *Imitation de J.-C.*, II, 4.

S'élever au-dessus de... : se hausser au-dessus de, se rendre inaccessible à... *S'élever au-dessus des intérêts humains, des passions, des préjugés...*

C'est là *(dans les hôpitaux)* que, s'élevant au-dessus des craintes et des délicatesses de la nature, pour satisfaire à sa charité au péril de sa santé même (...)   63
      FLÉCHIER, *Oraison funèbre de Marie-Thérèse.*

Je vois, monsieur, que vous vous élevez au-dessus des préjugés.   64
      FRANCE, *la Rôtisserie de la reine Pédauque*, Œ., t. VIII, p. 156.

Spécialt. Vieilli. Se mettre au-dessus des autres par orgueil. ⇒ **Enorgueillir** (s') ; → Applaudir, cit. 17. *« Quiconque s'élève sera abaissé »* (cit. 15). *S'abaisser* (cit. 18) *pour mieux s'élever.*

Du même fond d'orgueil dont on s'élève fièrement au-dessus de ses inférieurs, l'on rampe vilement devant ceux qui sont au-dessus de soi.   65
      LA BRUYÈRE, *les Caractères*, VI, 57.

♦ **6.** (Sujet n. de chose). Parvenir à un degré supérieur. ⇒ **Augmenter.** *Les prix s'élèvent chaque jour* (→ Chute, cit. 15). *La température s'élève à mesure que l'on s'approche des tropiques. S'élever à... :* atteindre* une certaine quantité (avec un compl. de mesure). ⇒ **Chiffrer** (se), **monter** (se). *La foule s'élevait à dix mille personnes. La succession s'élève à plusieurs millions. Votre compte s'élève à peu de chose.*

Les rentrées ne s'y élevaient guère qu'à soixante-cinq mille francs dont une cinquantaine de mille fournis par M. de Montech, et le reste par les revenus de la dot.   J. ROMAINS, *les Hommes de bonne volonté*, t. III, XI, p. 145.   66

B. Passif. ♦ **1.** Être bâti, construit, fondé. *Les maisons, en éléments préfabriqués s'élèvent rapidement.*

Divers quartiers de Paris, tels que ceux de Sainte-Geneviève et de Saint-Germain-l'Auxerrois, se sont élevés en partie aux frais des abbayes du même nom.   67
      CHATEAUBRIAND, *in* P. LAROUSSE.

♦ **2.** Être nourri, instruit, éduqué. *Cet enfant s'élève facilement. Animaux, plantes qui s'élèvent difficilement.* — *Ce vin s'élèvera bien.*

▶ **ÉLEVÉ, ÉE** p. p. adj.

♦ **1.** Qui est situé à une certaine hauteur, sur une hauteur. ⇒ **Altier** (vx), **haut ; grand, imposant.** *Terrain élevé qui borne la vue.* ⇒ **Élévation** (→ Dérober, cit. 7). *Plafond peu élevé. Pic très élevé. Hauteur peu élevée* (→ Atteindre, cit. 11). *Construction en un lieu élevé.* ⇒ **Belvédère.** *De ce point élevé on domine toute la vallée.* — Fig. *Arriver au point le plus élevé, au degré le plus élevé de sa carrière.* ⇒ **Apogée, cime, comble, faîte, sommet.** — *Taille élevée.* ⇒ **Haut.** *Il est d'une taille élevée :* il est grand.

♦ **2.** Qui atteint une grande importance. *Le prix des denrées est très élevé.* ⇒ **Considérable, excessif.** *Tarif peu élevé. Prêter de l'argent à un taux élevé.* — *Température élevée.* — *D'un ton très élevé.* ⇒ **Aigu, pointu.** *Chanter dans les notes élevées* (→ Accent, cit. 1). — *Pouls très élevé.* ⇒ **Rapide.** *Vitesse de rotation élevée.*

♦ **3.** Qui a atteint un haut niveau (dans un ensemble hiérarchisé). ⇒ **Éminent, supérieur.** *Les dignités les plus élevées. Rang social très élevé. L'officier le plus ancien dans le grade le plus élevé.*

♦ **4.** (Personnes ; facultés humaines). Noble, supérieur moralement ou intellectuellement. *Esprit élevé. Caractère élevé.* — *Âme très élevée.* ⇒ **Sublime.** *Avoir des pensées, des vues élevées. Un sentiment très élevé du devoir.*

(...) ayez un cœur plus grand, plus élevé.   VOLTAIRE, *Triumvirat*, IV, 4.   68

(...) les âmes élevées doivent être presque toujours malheureuses, et d'autant plus malheureuses qu'elles méprisent l'obstacle qui s'oppose à leur félicité.   69
      STENDHAL, *Souvenirs d'égotisme*, p. 167.

Style élevé : style noble et soutenu. *Conversation élevée* (→ Banalité, cit. 6). *Avoir un langage élevé,* dépouillé de toute expression triviale ou familière.

70   Y a-t-il un style plus délicat, plus élégant, plus nombreux, plus élevé que celui de Platon ?   ROLLIN, Traité des Études, III, 3, *in* LITTRÉ.

71   Si l'on s'est élevé aux idées les plus générales, et si l'objet en lui-même est grand, le ton paraîtra s'élever à la même hauteur ; et si en la soutenant à cette élévation, le génie fournit assez pour donner à chaque objet une forte lumière (...) le ton sera non seulement élevé, mais sublime.
                                            BUFFON, Disc. sur le style, Œ., t. XII, p. 329.

Nom masculin :

71.1 La lettre était rédigée de telle façon, que si l'officier eût compris tant soit peu le beau et l'élevé, il serait certainement venu chez moi pour me sauter au cou et m'offrir son amitié.   GIDE, Dostoïevsky, p. 110.

Par ext. ⇒ **Inaccessible.** *Ce raisonnement est trop élevé pour moi.*

72   Les choses abstraites ou trop élevées pour moi ne m'ennuient pas à entendre ; j'y trouve un enchantement presque musical.   VALÉRY, M. Teste, p. 37.

♦ **5.** (Personnes). **BIEN ÉLEVÉ, MAL ÉLEVÉ,** qui a reçu une bonne, une mauvaise éducation, est poli, impoli. *Un enfant bien élevé, mal élevé. Elle n'a pas été bien élevée* (→ Cire, cit. 3). *Les gens les mieux élevés s'y bousculaient* (→ Bousculer, cit. 4).

73   (...) très bien élevées, trop bien élevées, si bien élevées qu'elles passent inaperçues comme deux jolies poupées.   MAUPASSANT, Contes, « Mlle Perle », p. 174.

74   Le caractère violent et parfois injurieux de Napoléon froisse toutes les fibres de son être, et il *(Talleyrand)* exprimera, après une scène atroce (...) son opinion de toujours : « Il est dommage qu'un si grand homme soit si mal élevé ».
                                            Louis MADELIN, Hist. du Consulat et de l'Empire, Vers l'Empire d'Occident, III, p. 40.

75   Pourquoi aussi ces intonations toujours traînantes, ou gouailleuses, comme s'il y avait plaisir à parler mal, à se faire prendre pour encore moins instruit et moins bien élevé qu'on n'est ?
                                            J. ROMAINS, les Hommes de bonne volonté, t. IV, XIX, p. 212.

N. Fam. *C'est un mal élevé. Il s'est conduit comme un mal élevé.* Fam. *C'est très mal élevé de dire, de faire cela :* c'est très impoli. ⇒ **Incorrect.**
Loc. fam. *Être élevé comme un rez-de-chaussée,* très mal élevé.

CONTR. **Abaisser, abattre, affaisser, baisser, coucher, déprimer, descendre, détruire, ravaler, renverser, surbaisser. — Abêtir, pervertir.**
DÉR. **Élevage, élève, éleveur, élevure.**
COMP. **Surélever.**

ÉLEVEUR, EUSE [elvœR, øz ; εlvœR, øz] n. — 1611 ; XIIe, « celui qui élève moralement » ; de *élever.*

♦ **1.** Personne qui élève des animaux domestiques. ⇒ **Élevage** (cit. 1). *Un agriculteur éleveur. Éleveur de chevaux, de bestiaux* (⇒ **Herbager**). *Éleveur de coqs de combat.* ⇒ **Coqueleux.** — *Une éleveuse d'abeilles :* une apicultrice.

Les éleveurs ont fait de grands efforts pour conserver les caractères utiles ou rares et, ensuite pour mettre en évidence, par sélection, chez le plus grand nombre possible de sujets, certaines propriétés remarquables.
                                            G. DUHAMEL, Manuel du protestataire, II, p. 56.

(1883). Vieilli. Fam. *Éleveuse d'enfants.* ⇒ **Nourrice.**

♦ **2.** N. f. (Déb. xxe). **ÉLEVEUSE :** couveuse, ou parquet chauffé qui fournit aux poussins nouvellement éclos la chaleur nécessaire à leur développement. ⇒ **Couveuse.**

♦ **3.** N. m. (xxe). Celui qui surveille le vieillissement des vins, après la récolte. *Propriétaire éleveur. Négociant éleveur.*

ÉLEVON [elvɔ̃ ; εlvɔ̃] n. m. — xxe ; contraction de *élév(ateur),* et *(ailer)on.*

♦ Techn. Gouverne d'avion utilisée comme gouverne de profondeur ou comme gouverne de roulis. « *Les portances élevées nécessaires au décollage et à l'atterrissage* (...) *ne peuvent être obtenues qu'en braquant vers le haut les "élevons" qui garnissent le bord de fuite de l'aile* » (*Sciences et Avenir,* août 1978, L'avion demain, p. 70).

ÉLEVURE [elvyR ; εlvyR] n. f. — XIIIe ; de *élever.*

♦ Vieilli. Petite saillie qui s'élève sur la peau, due ou non à une irritation. *Des élevures et des boutons.*

ELFE [εlf] n. m. — 1561, *les Elves ;* repris 1822, Nodier, *elf,* d'après l'angl. *elf ;* anc. scandinave *älf,* de l'anc. nordique *alfr,* mot répandu dans les langues germaniques.

♦ Génie qui symbolise les forces de l'air, du feu, dans certaines mythologies (scandinaves, gaéliques). ⇒ **Génie, lutin, sylphe.** *Les Elfes,* poème de Leconte de Lisle (→ Couronner, cit. 18).

1   C'est la nuit que les Elfes sortent
Avec leur robe humide au bord,
Et sous les nénuphars emportent
Leur valseur de fatigue mort (...)
                        Th. GAUTIER, Émaux et Camées, « Vieux de la vieille ».

2   Il avait toujours eu l'étonnant pouvoir de s'évanouir dans les airs comme un Elfe.
                                            A. MAUROIS, Ariel, p. 82.

ÉLIDER [elide] v. tr. — 1548 ; lat. *elidere,* proprt « expulser, écraser », de *ex-,* et *lædere* « blesser ».
Didactique.

♦ **1.** Prosodie. Supprimer, dans la prononciation et le compte des syllabes, la voyelle finale d'un mot devant la voyelle initiale du mot suivant. *Les Latins élidaient les différentes voyelles.* — *Élider une voyelle, le e muet.*

♦ **2.** Gramm. Supprimer, dans la prononciation et l'écriture (une voyelle finale) devant un mot commençant par une voyelle (ou un *h* muet) en la remplaçant par une apostrophe (*l'âme* au lieu de : *la âme ; l'homme* au lieu de : *le homme*). ⇒ **Élision.** — Pron. *Une voyelle qui s'élide.* — *Article élidé,* qui présente une élision de la voyelle (*l'*).

ÉLIER [elje] v. tr. — 1856, Lachâtre ; de *é-, lie* et suff. verbal.

♦ Techn. Soutirer (le vin) en laissant la lie. ⇒ **Clarifier.**

ÉLIGIBILITÉ [eliʒibilite] n. f. — 1721, Trévoux, en dr. canon ; de *éligible.*

♦ Qualité de celui, de celle qui est éligible. *La dégradation* (cit. 1) *prive du droit d'éligibilité. Les conditions d'éligibilité sont déterminées par la loi.*
CONTR. **Inéligibilité.**

ÉLIGIBLE [eliʒibl] adj. — V. 1300 ; lat. *eligibilis,* même sens ; de *eligere.* → Élire.

♦ Qui est dans les conditions requises pour pouvoir être élu, et, spécialt, pour être élu député. *Personne éligible.* — N. *Les éligibles.*

Monsieur le Maire (...) avait déclaré qu'il nommerait le premier inscrit sur la liste des éligibles d'Arcis, plutôt que de donner sa voix à Charles Keller (...)
                                            BALZAC, le Député d'Arcis, Pl., t. VII, p. 647.
CONTR. **Inéligible.**
DÉR. **Éligibilité.**

ÉLIMER [elime] v. tr. — xviie ; 1225, fig. « polir » ; 1580, fig. « user » ; de *é-,* et *limer.*

♦ User (une étoffe) par le frottement, à force de s'en servir. ⇒ **Amincir, râper, user.** *Élimer ses vêtements.* — Pron. *Cette veste s'élime aux coudes et aux poignets.*
Fig. Littér. *L'intérêt élime, atténue* (cit. 4) *les véritables passions.* ⇒ **Affaiblir.**

▶ **ÉLIMÉ, ÉE** p. p. adj. Plus cour. *Chemise élimée aux poignets.* ⇒ **Usé.** *Tapisserie élimée* (→ Découche, cit. 4). *Linge élimé. Une vieille veste tout élimée aux coudes.*
Fig. *Il est élimé jusqu'à la corde,* fatigué, usé.

ÉLIMINABLE [eliminabl] adj. — xxe (1964, F. Perroux *in* T. L. F.) ; de *éliminer.*

♦ Qui peut être éliminé. *Les erreurs éliminables.* ⇒ **Corrigeable.**

ÉLIMINATEUR, TRICE [eliminatœR, tRis] adj. et n. — 1856, Lachâtre ; de *éliminer.*

♦ Qui élimine, sert à éliminer. *Action éliminatrice.* — N. *L'éliminateur le plus sévère.*

Si la peine capitale, en effet, est d'un exemple douteux et d'une justice boiteuse, il faut convenir, avec ses défenseurs, qu'elle est éliminatrice. La peine de mort élimine définitivement le condamné.
                                            CAMUS, Réflexions sur la guillotine, *in* Essais, Pl., p. 1 047.

ÉLIMINATION [eliminasjɔ̃] n. f. — 1765, *Encyclopédie,* t. d'algèbre ; répandu xixe ; de *éliminer.*

A. Le fait d'éliminer (A.) ; son résultat.

♦ **1.** (1765). Math. Opération qui consiste à faire disparaître d'un système d'équations une ou plusieurs inconnues. — REM. D'Alembert, dans *l'Encyclopédie,* emploie encore dans ce sens le mot *évanouissement. Méthode d'élimination entre deux équations algébriques.*

♦ **2.** (1842, Sainte-Beuve). Action de faire disparaître (qqn, qqch.) d'un ensemble (⇒ **Éliminer,** A., 1.). *L'élimination de plusieurs dirigeants.* ⇒ **Expulsion.** *L'élimination d'un nom dans une liste, des fautes d'un texte.*
Procéder par élimination : retrancher peu à peu tout ce qui ne paraît pas satisfaisant. ⇒ **Rejet.** *Éliminations auxquelles se livre un écrivain* (→ Discours, cit. 20).

S'il *(Flaubert)* travaillait tant, entassant tant de ratures et de brouillons, c'est que, pour arriver à cette création et à cette peinture, il procédait par élimination.
                                            A. THIBAUDET, Gustave Flaubert, p. 220.

Didact. « Procédé de recherche qui consiste à aboutir à la vérité par la négation de toutes les hypothèses que le raisonnement ou l'expérience ne permettent pas d'admettre » (Lalande).

♦ **3.** Spécialt. Le fait d'éliminer (A., 3.) qqn, dans un concours, une compétition. *L'élimination des candidats jugés les plus faibles, après une première épreuve. Élimination, dans une compétition sportive, d'un concurrent au premier tour ; élimination en huitième de finale. Course par éliminations successives,* où, à chaque tour, le coureur arrivé en dernière position se retire. *Élimination par accident, par crevaison.* ⇒ **Abandon.** *Élimination par décision des commissaires.* ⇒ **Disqualification.**

B. ♦ **1.** Le fait de supprimer l'existence (⇒ **Éliminer,** B.). *Élimination, du fait de la concurrence vitale, des espèces ou des individus mal armés.* ⇒ **Sélection** (naturelle). *Élimination des inadaptés* (→ Darwinien, cit. 1). — *L'élimination des causes de guerre.* — *L'élimination d'un sentiment, d'un souvenir.*

2   Notre représentation de la matière est la mesure de notre action possible sur les corps ; elle résulte de l'élimination de ce qui n'intéresse pas nos besoins et plus généralement nos fonctions.   H. BERGSON, Matière et Mémoire, p. 25.

♦ **2.** Spécialt. Par euphém. (Souvent précisé, pour éviter l'ambiguïté, par un adj. tel que *physique*). Le fait de mettre à mort. *L'élimination d'un gangster par une bande rivale.*

C. (1844, probablt antérieur, → Éliminatoire, étym.). Physiol. et cour. Le fait d'éliminer (C.) les toxines, les déchets de l'organisme. *L'élimination est une fonction essentielle des organismes vivants. Élimination des toxines, des matières non assimilées, des résidus de substances mal assimilées...* ⇒ **Évacuation, excrétion, expulsion.** *Principaux organes d'élimination :* reins, intestin, poumons, peau... *Agents actifs de l'élimination :* foie, glandes... *Élimination excessive de substances minérales.* ⇒ **Déminéralisation.**

CONTR. **Inclusion, incorporation, intégration. — Admission, réception. — (Du sens C) Assimilation.**
DÉR. V. **Élimination.**

ÉLIMINATOIRE [eliminatwaʀ] adj. et n. f. — 1875, *Journ. off.,* in Littré *Suppl.,* mais antérieur ; 1836, physiol. ; du rad. de *élimination.*

♦ **1.** Adj. Qui sert à éliminer*. *Procédé, travail éliminatoire. Épreuve éliminatoire,* destinée à écarter des dernières épreuves d'un concours les candidats d'une valeur insuffisante. *Note éliminatoire,* qui élimine un concurrent quelles que soient ses notes dans les autres matières. *Le zéro n'est pas toujours éliminatoire.*

♦ **2.** N. f. (1886, in Petiot). *Une éliminatoire* (par ellipse de *épreuve éliminatoire*) : épreuve sportive dont l'objet est de sélectionner les sujets les plus qualifiés en éliminant les autres. *Les éliminatoires d'un championnat. Procéder aux éliminatoires,* aux rencontres préliminaires. *Il a franchi le cap des éliminatoires.*

ÉLIMINER [elimine] v. tr. — Attestation isolée fin XIVe, « écarter (qqn) » ; repris au XVIIIe (1726), où on le considère *(Encyclopédie, Dict. de Trévoux)* comme un néologisme inutile ; remis en honneur par les mathématiciens (1777, *Encyclopédie*) ; lat. *eliminare* « mettre dehors », de *e- (ex-),* et *limen, liminis* « seuil ». → Liminaire.

A. Faire disparaître (qqch.) d'un ensemble, sans supprimer l'existence.

♦ **1.** Faire disparaître, supprimer (ce qui est considéré comme gênant, inutile ou nuisible). ⇒ **Écarter, exclure, rejeter, supprimer.** — Éliminer (un élément) de (un ensemble). *Éliminer un nom d'une liste.* ⇒ **Rayer.** *Éliminer la moitié des collaborateurs d'un projet, d'une équipe.* ⇒ **Évincer, exclure.** — (Au passif). *Être éliminé d'un comité de direction.* — (Sans compl. en de). *Éliminer qqch., qqn. Éliminer un incapable.* — (Au passif). *Être éliminé* (d'un groupe, d'une activité, etc.).

1   Le monde de Paris se renouvelle vite ; et l'on est éliminé avant le temps par les nouvelles mœurs (...)
          SAINTE-BEUVE, Correspondance, 1385, 3 déc. 1842, t. IV, p. 327.

Rejeter en tant que superflu, erroné, étranger à un programme. *Éliminer les erreurs* (dans un texte, un calcul, un raisonnement). *Éliminer divers projets après examen.* ⇒ **Repousser.** *Éliminer les faiblesses, les ambiguïtés, les hésitations* (dans un texte, un raisonnement). — Pron. *Cette imperfection s'éliminera facilement.*

2   La première édition de mon *Histoire générale des langues sémitiques* contient (...) des faiblesses pour les opinions traditionnelles que j'ai depuis successivement éliminées.   RENAN, Souvenirs d'enfance..., VI, III.

Ne pas inclure. *Dictionnaire qui élimine les provincialismes* (→ Définition, cit. 7), *les termes techniques.*

♦ **2.** (1777). Spécialt. Alg. Faire disparaître (une inconnue, des inconnues) d'un ensemble d'équations, de manière à obtenir une équation à une seule inconnue.

♦ **3.** Spécialt. Écarter (qqn) du nombre des personnes sélectionnées, reçues (dans un concours, une compétition). *Le jury a éliminé les trois quarts des candidats.* — *Note qui élimine* (les candidats). ⇒ **Éliminatoire.**

(1861, *in* Petiot). Sports. Écarter (qqn) du nombre des vainqueurs possibles (dans une compétition). *Ce joueur a éliminé successivement quatre adversaires.* — (Au passif et au p. p.). *Être éliminé en quarts de finale.*

B. Faire disparaître en supprimant l'existence de (qqch., qqn).

♦ **1.** (Compl. non humain). *Espèce animale qui en élimine une autre par le jeu de la sélection. Renard a éliminé goupil. Régime qui vise à éliminer une classe sociale. Filtres éliminant les parasites* (cit. 16). — (Sujet n. de personne). *Éliminer inconsciemment certains souvenirs.* ⇒ **Refouler ;** → 1. Causer, cit. 7.

♦ **2.** (Compl. humain). Tuer. ⇒ **Détruire.** *Le dictateur a éliminé, a fait éliminer ses adversaires politiques.*

C. Faire disparaître en faisant sortir concrètement, et, spécialt, réaliser l'élimination (C.) physiologique de. *Éliminer les toxines, les déchets de l'organisme. Éliminer un poison.* — Absolt. *Il élimine mal.*

Spécialt. Transpirer.

Éliminer. — Transpirer en bonne société.   Pierre DANINOS, le Jacassin, p. 134.   3

Éliminer les impuretés (d'une substance, d'un mélange, de l'eau). ⇒ **Épurer, filtrer, tamiser, tirer.**

▶ **ÉLIMINÉ, ÉE** p. p. adj. *Candidats éliminés,* et, n. m. ou f., *les éliminés.* — *Erreurs éliminées.* — *Déchets éliminés.*

CONTR. **Inclure, incorporer, intégrer. — Admettre, recevoir.**
DÉR. **Éliminable, éliminateur, élimination.**

ÉLINGUE [elɛ̃g] n. f. — 1322 ; XIIe, *eslinge* « fronde » ; du francique *slinga,* ou, d'après P. Guiraud, d'un gallo-roman *exclinica,* du lat. *linum.* → Ligne.

♦ **a** Mar. Cordage dont on entoure les fardeaux pour les soulever et que l'on accroche au palan ou à la chaîne d'un mât de charge ; filin garni de crocs utilisés pour mettre à la mer un canot léger. *Élingue à griffes, à pattes.*

(...) nous prenons place à cinq ou six dans une sorte de balancelle qu'on suspend par un crochet à une élingue, et qu'une grue soulève et dirige à travers les airs, au-dessus des flots (...)   GIDE, Voyage au congo, in Souvenirs, Pl., p. 686.

b Techn. Cordage employé dans les corderies pour le commettage.
DÉR. **Élinguer.**

ÉLINGUER [elɛ̃ge] v. tr. — 1771 ; « lancer avec l'élingue », XIVe ; de *élingue.*

♦ Mar. Entourer d'une élingue pour soulever.

ÉLINVAR [elɛ̃vaʀ] n. m. — 1920 ; de *él(asticité) invar(iable).*

♦ Techn. Alliage de fer, de nickel, de chrome et de tungstène, insensible aux variations de température (entre − 50° et + 100°) et, pour cette raison, employé en horlogerie.

ÉLIRE [eliʀ] v. tr. — Conjug. lire. — 1080, *eslire* ; lat. pop. *exlegere,* lat. class. *eligere* « choisir », d'après *legere.*

♦ **1.** Vx ou littér. Choisir. *Élire un plan, un projet.* ⇒ **Adopter.** *Dame élue par un chevalier* (cit. 4). — REM. *Élire* était déjà jugé vieilli en ce sens par le P. Bonhours au XVIIe s. ; encore employé à l'époque classique, il réapparaît au XXe s. dans la langue littéraire. *Élire son destin.* — Absolt. *« Qu'il est cruel d'élire et d'exclure ! »* (Ricœur, in T. L. F.).

Le roi doit à son fils élire un gouverneur (...)   CORNEILLE, le Cid, I, 1.   1
Ma fille, vous devez approuver mon dessein (...)
Croire que le mari (...) que j'ai su vous élire (...)   MOLIÈRE, Tartuffe, II, 2.   2
La nécessité de l'option me fut toujours intolérable ; choisir m'apparaissait non tant élire, que repousser ce que je n'élisais pas (...)
          GIDE, les Nourritures terrestres, IV, I.   3
Mais les plus délicieux abris étaient ceux qu'élurent les colombes.
          Francis JAMMES, le Roman du lièvre, I.   4
Le Tintoret est un de ces colosses épars de la Renaissance (...) qui tentent tout, et atteignent le plus haut, sans élire rien.   MALRAUX, les Voix du silence, p. 442.   5

Dr. Mod. *Élire domicile* (cit. 4 et *supra*). — *Élire un arbitre,* le désigner.

♦ **2.** Théol. (le sujet désigne Dieu). Prédestiner (qqn) à l'accomplissement d'un dessein, et, spécialt, à la vie éternelle. *Dieu élut le peuple juif pour se révéler aux hommes.*

Comment Dieu qui t'avait élu t'a-t-il oublié (...) ?   6
          BOSSUET, Disc. sur l'hist. universelle, II, XXIV.

♦ **3.** (XIIIe). Mod. Cour. (Le sujet désigne une collectivité, le compl., une personne). Nommer (qqn) à une dignité, à une fonction par voie de suffrage (⇒ **Élection, vote**). *Élire qqn, un candidat à la pluralité des voix, à l'unanimité, à la majorité absolue, relative. Élire qqn au premier, au second tour de scrutin. Élire les députés au scrutin* de liste. *Élire une tête de liste. Élire qqn par voie de plébiscite.* ⇒ **Plébisciter.** *Élire un pape* (→ fam. Papifier). *Les moines éli-*

saient leur supérieur (→ Abbé, cit. 1). *Élire un académicien. Élire qqn par cooptation.* ⇒ **Coopter.** *Ville qui élit ses représentants, ses conseillers municipaux. Le Congrès avait élu le Président de la République.*

7 Le Président de la République est élu par le Parlement. Il est élu pour sept ans. Il n'est rééligible qu'une fois. Constitution de 1946, Titre V, art. 29.

▶ **ÉLU, UE** p. p. adj. et n. (XIIᵉ).

♦ **1.** Spécialt. Vx ou littér. Choisi. *Le moyen d'expression élu par une société. Un langage élu.* — Dr. *Domicile élu.* — *Produit élu par un magazine,* choisi, recommandé.

(Personnes). Choisi affectivement. *Une famille, un milieu élu.*

N. Plus cour. (souvent iron.). Personne choisie par le sentiment. ⇒ **Aimé.** *C'est l'élu de son cœur. L'heureux élu :* l'homme aimé d'une femme (notamment l'homme choisi comme amant ou mari). *Vous allez vous marier? Peut-on connaître l'heureux élu?* — *Choix des élues,* roman de Giraudoux.

7.1 Entre les bras de l'élu, la pure jeune fille se change allègrement en une claire jeune femme. S. DE BEAUVOIR, Mémoires d'une jeune fille rangée, p. 289.

♦ **2.** Relig. Choisi par Dieu. *Le peuple élu :* le peuple juif (→ Armature, cit. 7).

N. *Les élus de Dieu :* les êtres prédestinés à la vie éternelle. — Loc. prov. *Il y a beaucoup d'appelés mais peu d'élus* (→ Appeler, cit. 46).

8 Mais ces secrets pour vous sont fâcheux à comprendre :
Ce n'est qu'à ses élus que Dieu les fait entendre. CORNEILLE, Polyeucte, V, 2.

9 On me dit cependant qu'une joie infinie
Attend quelques élus. — Où sont-ils, ces heureux?
 A. DE MUSSET, Poésies nouvelles, «Espoir en Dieu».

Par anal. *La race élue,* celle qui se prétend supérieure, appelée à un destin supérieur.

N. Personne qui a reçu en naissant une inspiration quasi divine, ou une chance, un don spécial. *Les élus de la fortune.* ⇒ **Privilégié.** «*Josué, l'élu du Tout-Puissant*» (Vigny).

10 L'imagination de Delacroix! (...) Voilà bien le type du peintre-poète! il est bien un des rares élus (...) BAUDELAIRE, Salon de 1859, V.

♦ **3.** Soumis à élection, désigné par élection. *Les corps élus. Député élu et réélu dans la même circonscription. Député mal élu.*

N. *Un élu, une élue. Les électeurs* et les élus. Les élus du peuple,* ses représentants (→ Branche, cit. 5; cens, cit. 4). *Le premier élu de la cité :* le maire. *Les nouveaux élus d'une assemblée. Recevoir un nouvel élu dans une académie* (→ Appariteur, cit.).

CONTR. Éliminer, refuser, rejeter, repousser. — Blackbouler.
DÉR. Élisant, élite.
COMP. Réélire.

ÉLISABÉTHAIN, AINE [elizabetɛ̃, ɛn] adj. — 1922; angl. *elizabethan,* de *Elizabeth.*

♦ Didact. Hist. Relatif au règne d'Élizabeth Iʳᵉ (1533-1603), reine d'Angleterre. *Le théâtre élisabéthain* (Ben Jonson, Shakespeare...).

ÉLISANT, ANTE [elizɑ̃, ɑ̃t] adj. et n. — 1373, p. prés. de *élire.*

♦ Vx. Qui est chargé d'élire. ⇒ **Électeur.** — N. Relig. *Un élisant :* membre du clergé qui avait droit de vote autrefois pour l'élection des évêques. — Se dit aussi des trois cardinaux chargés par le Sacré Collège de l'élection du pape quand le conclave ne peut aboutir à un scrutin définitif. — *Une élisante :* religieuse du Calvaire qui a droit de vote au chapitre général.

ÉLISION [elizjɔ̃] n. f. — 1548; lat. *elisio,* de *elisum,* supin de *elidere.* → Élider.

♦ Gramm. Action d'élider*; résultat de cette action. *Élision d'une voyelle devant un h muet. Il n'y a pas d'élision devant un h aspiré* (→ Aspirer, cit. 22). *Rencontre de deux voyelles sans élision.* ⇒ **Hiatus.** *Apostrophe* qui marque l'élision. L'aphérèse, l'apocope, l'élision et la syncope constituent différents métaplasmes* par suppression.*

— Et vous n'êtes pas horripilé par cette systématique élision des e muets? — Cette élision est naturelle et va dans le sens de notre parler. Donner une valeur métrique égale aux sons creux de notre langue et aux syllabes pleines, c'est au contraire là qu'est l'artifice. GIDE, Attendu que..., p. 59.

REM. Les noms propres ne font pas exception à la règle d'élision : *il est originaire d'Amiens, une symphonie d'Hector Berlioz.* Mais, quand on emploie un style juridique ou administratif, dans un souci de précision et pour les besoins de la classification, l'élision n'est pas faite et, contrairement à l'usage de la langue courante, le patronyme précède le prénom : *Untel, fils de Indy (Vincent d').*

ÉLITAIRE [elitɛʀ] adj. — Mil. XXᵉ (1968, cit.); de *élite.*

♦ Qui appartient à une élite.

Il faudrait un volume pour relater cette faillite *(en matière de politique culturelle),* la dégradation de tout effort populaire, même sincère au départ, en luxe élitaire et ségrégatif. Morvan LEBESQUE, in le Canard enchaîné, 21 févr. 1968.

ÉLITE [elit] n. f. — XIVᵉ; «choix, action d'élire (1.)», au XIIᵉ (1176); substantivation du fém. de *élit,* anc. p. p. de *élire* «choisir».

♦ **1.** Ensemble des personnes considérées comme les meilleures, dans un groupe, une communauté, formant une minorité caractérisée par sa supériorité (le choix des critères étant ou non exprimé). — (Avec un compl. de n. désignant le milieu, le groupe auquel appartient et dont se distingue l'élite). *L'élite de la population, d'une nation. L'élite de la bourgeoisie, de la cour, de la haute société.* ⇒ **Aristocratie** (4.), **fleur** (5.); fam. **crème, gratin;** → Le dessus du panier*. *L'élite d'une profession.* — REM. Certains compléments, désignant un groupe considéré comme «bas», ne sont pas usuels («*l'élite de la roture*», in T. L. F.) ou entraînent un effet stylistique (ironique, etc.). En outre, le mot a aujourd'hui une valeur abstraite qu'il n'avait pas dans la langue classique.

1 L'élite de leurs troupes était là (...) RACINE, les Campagnes de Louis XIV.

Une élite de... (compl. au plur.) : un groupe supérieur parmi les... *Une élite d'artistes, de connaisseurs.*

(Qualifié par un adj. désignant le groupe). *L'élite ouvrière, syndicaliste. L'élite rurale.* — (Qualifié par un adj. désignant le domaine de supériorité). *L'élite, une élite intellectuelle, morale, artistique.* «*L'élite intellectuelle militaire d'alors*» (Joffre, in T. L. F.).

1.1 Nous nous trouvons donc là en présence d'une élite politique, religieuse et économique qu'il serait insensé d'ignorer, de méconnaître et de ne pas utiliser car, associée étroitement à l'œuvre que nous avons à réaliser au Maroc, elle peut et doit l'aider puissamment. L.-H. LYAUTEY, Paroles d'action, p. 173.

(Qualifié par un adj. qualificatif). *L'élite, une élite brillante, cultivée. Une petite élite. Une minuscule élite.* — Iron. *L'élite pensante.* — *Fausse élite :* groupe qui se considère ou est considéré comme une élite, mais ne le mérite pas (selon le locuteur). *Une soi-disant élite.*

1.2 On doit en finir avec cette idée des chefs-d'œuvre réservés à une soi-disant élite, et que la foule ne comprend pas; et se dire qu'il n'y a pas dans l'esprit de quartier réservé comme il y en a pour les rapprochements sexuels clandestins. A. ARTAUD, le Théâtre et son double, En finir avec les chefs-d'œuvre, Idées/Gallimard, p. 103.

(Non qualifié). *Une élite, l'élite. Opposer l'élite à la masse, au peuple.* ⇒ **Élitisme.** «*Il n'y a que l'élite qui compte*» (Léautaud). *Une culture réservée à l'élite.* ⇒ **Élitaire.**

2 (...) dans une société, ceux qui ont des lumières, de l'aisance et de la conscience, ne sont qu'une petite élite; la grosse masse, égoïste, ignorante, besogneuse, ne lâche son argent que par contrainte (...) TAINE, les Origines de la France contemporaine, III, t. I, p. 110.

3 Et n'est-ce pas faire tort à Normale, dont le tamis sans pareil extrait de l'élite même une poignée, que de la comparer à Polytechnique, où l'on est bien forcé de croire qu'il se glisse, dans le tas, pas mal de tout venant? J. ROMAINS, les Hommes de bonne volonté, t. IV, XVIII, p. 200.

♦ **2.** Milit. Régional (Suisse). Troupe composée des hommes âgés de vingt à trente-deux ans. *Être incorporé dans l'élite. Troupes d'élite. Cours d'élite :* période de service correspondant à cette classe d'âge. ⇒ **Landsturm, landwehr.**

♦ **3.** (1928). Au plur. LES ÉLITES : les personnes qui, dans tous les domaines, occupent le premier rang. *Le recrutement des élites* (→ Cellule, cit. 10). *La responsabilité des élites.* — (Qualifié). *Les élites locales.* ⇒ **Notable.** *Les élites ouvrières. Favoriser la formation des élites, plutôt que la culture populaire.*

4 On a dit souvent que les peuples valent ce que valent leurs élites. C'est vrai. Encore faut-il s'entendre sur le sens de ce mot. Trop longtemps l'élite a été définie comme une classe pourvue d'un droit. Elle le tint d'abord de la naissance (...) Elle le tint ensuite de la richesse (...) Ou enfin elle le tint de l'intelligence (...) Si nous assistons aujourd'hui à la disparition de ces anciennes élites, ce dont il est de bon ton de se désoler, c'est parce qu'elles avaient cessé d'assumer le rôle qui doit être celui d'une aristocratie véritable; de provoquer la marche en avant de la société tout entière. DANIEL-ROPS, Ce qui meurt et qui naît, I, p. 28.

♦ **4.** Vx. *L'élite de...* (compl. n. de chose) : la partie la meilleure.

♦ **5.** D'ÉLITE : qui appartient à l'élite; distingué, éminent, supérieur. *Soldat d'élite. Tireur d'élite. Un corps d'élite* (→ Créer, cit. 18). *Troupes d'élite.* — *Âme, caractère, créature, nature, sujet d'élite* (→ Donner, cit. 57). — REM. *Élite* ne se dit plus en parlant des choses matérielles. On dira par exemple : *Les cuisiniers d'élite n'emploient que des produits de choix.* Cf. cependant «*ce vignoble d'élite*» (Maupassant, in T. L. F.).

5 (...) la bonne société, la société délicate, la société d'élite, la société fine et maniérée qui, d'ordinaire, a des nausées devant le peuple qui peine et sent la fatigue humaine. MAUPASSANT, la Vie errante, Lassitude.

6 (...) chacun a les aventures qu'il mérite; et, pour les âmes d'élite, il y a des situations privilégiées, des souffrances de choix, dont précisément sont incapables les âmes vulgaires. GIDE, Journal, 20 juil. 1921.

CONTR. Déchet, écume, lie, rebut.

ÉLITISME [elitism] n. m. — V. 1967; de *élite.*

♦ Didact. ou littér. Le fait (dans un système d'enseignement, de gestion, etc.) de n'attacher d'importance qu'à la formation d'une élite intellectuelle (sans se soucier du niveau moyen). → Mandarinat.

Il faut renverser l'esprit de notre enseignement, qui souffre de la maladie de «l'élitisme»; au lieu de subordonner notre système scolaire à la sélection des brillants sujets que l'on force comme des plantes de serre, il conviendrait d'adapter la pédagogie au niveau et aux besoins de la majorité des élèves qui suivent mal un enseignement trop conceptuel.   A. PEYREFITTE, *in* le Figaro, 13 oct. 1967.

ÉLITISTE [elitist] adj. — V. 1968; de *élitisme*.

♦ Qui sacrifie à l'élitisme. *Une conception élitiste de l'enseignement, de la culture* (⇒ **Mandarinat**). *Caractère élitiste d'une discipline. Une filière scientifique élitiste.* — N. *C'est un élitiste.*

Créer est l'acte le plus quotidien de l'homme.
Celui qui définit l'homme. Chaque homme. Il ne s'agit pas d'une conception élitiste de la création qui serait seulement invention scientifique ou technique, œuvre d'art ou génie politique, mais de ce qu'il y a de plus simple et de plus humain dans la vie de chaque femme et de chaque homme.
                                        Roger GARAUDY, Parole d'homme, p. 54 (1975).

ÉLIXIR [eliksiʀ] n. m. — xɪvᵉ; *eslissir*, xɪɪɪᵉ; arabe *(ɔ)ăl-ɔïksīr* «pierre philosophale (chez les alchimistes arabes); médicament»; grec *ksêrion* «médicament de poudre sèche».

♦ **1.** Vx. Substance la plus pure que l'on tirait de certains corps. ⇒ **Essence.**

Fig. La quintessence (d'une chose).

1 | De tous ces catholiques de salons et d'assemblées, on pourrait faire un élixir et on n'y trouverait pas assurément l'âme d'un seul bon chrétien (...)
                                        SAINTE-BEUVE, Correspondance, t. II, p. 155.

♦ **2.** (1685). Mod. Préparation médicamenteuse liquide destinée à être prise par la bouche, composée d'un mélange d'un sirop ou de glycérine avec un alcool renfermant des substances aromatiques. ⇒ **Baume** (cit. 7), **magistère.** — REM. En pharmacie, on dit aussi *teinture composée. Élixir parégorique*. *Élixir dentifrice, pectoral.* — *Élixir de longue vie :* teinture d'aloès composée. *L'Élixir de longue vie,* nouvelle de Balzac.

Par ext. Liqueur digestive (à base de plantes macérées dans de l'alcool). — Drogue censée posséder des vertus magiques. *Un élixir d'amour.*

2 | Voici un élixir que j'ai composé ce matin des sucs de certaines plantes distillées à l'alambic (...)   A. R. LESAGE, Gil Blas, VII, ɪx.

3 | Un pêcheur accroupi sous des rochers arides
Tire dans ses filets le flacon précieux (...)
Et, sans l'oser ouvrir, demande qu'on lui dise
Quel est cet élixir noir et mystérieux.
Quel est cet élixir! Pêcheur, c'est la science,
C'est l'élixir divin que boivent les esprits (...)
                                        A. DE VIGNY, Poèmes philosophiques, «La bouteille à la mer».

4 | C'est la Mort qui console, hélas! et qui fait vivre;
C'est le but de la vie, et c'est le seul espoir
Qui, comme un élixir, nous monte et nous enivre (...)
                                        BAUDELAIRE, les Fleurs du mal, La mort, CXXII, «La mort des pauvres».

ELLE [ɛl] pron. pers. f. — xᵉ, *ele*; lat. *illa* «celle, celle-là».

♦ **ELLE** employé comme sujet. *Elle arrive, elles arrivent.*

1 | Hier au soir, Madame n'a pas soupé : elle n'a pris que du thé. Elle a sonné de bonne heure ce matin; elle a demandé ses chevaux tout de suite, et elle a été, avant neuf heures, aux Feuillans, où elle a entendu la Messe.
                                        LACLOS, les Liaisons dangereuses, Lettre CVII.

REM. Le code de la «civilité puérile et honnête» recommandait aux enfants de ne pas dire «elle» en parlant de leur mère.

Fam. Désignant la chose dont on parle. *Elle est bien bonne*. Elle est raide, celle-là !*

2 | Ah! non, elle est trop drôle! bégayait Loubet, la bouche pleine, en agitant sa cuiller. Comment! c'est l'ennemi qu'on nous menait combattre? Il n'y avait personne (...)   ZOLA, la Débâcle, I, ɪ.

Employé comme complément — REM. *Elle* n'est complément d'objet direct qu'accompagné; seul, il est remplacé par le pronom *la* devant le verbe : *Je la chéris.* — *Je n'aime qu'elle. Je veux la voir, elle. Le lion la dévora, elle et ses petits.*

3 | Je n'aimais qu'elle au monde, et vivre un jour sans elle
Me semblait un destin plus affreux que la mort.
                                        A. DE MUSSET, Poésies nouvelles, Nuit d'octobre.

4 | Quand j'écris «nous», je la mets à part, elle, de qui me vient le don de secouer les années comme un pommier ses fleurs.   COLETTE, la Naissance du jour, p. 154.

Employé comme complément du verbe et de l'adjectif et introduit par une préposition. — REM. Avec les prépositions *avec, après, en, par, pour, vers..., elle* s'emploie indifféremment pour les personnes et les choses (animées ou inanimées). *Les ruines que la guerre accumule derrière elle.*

5 | Je trouvais du plaisir à me perdre pour elle.   RACINE, Andromaque, ɪɪ, 5.

Avec les prépositions *à* et *de,* la construction de *elle* est une question d'usage, quand il s'agit de personnes (ou de choses personnifiées). *Je ne suis pas content d'elle. Je songe à elle. Elle ne pense qu'à elle. Ces gants sont à elle. Des sœurs à elle* (→ Bourgeoisement, cit. 1). *Adressez-vous à elle. Parlez-lui* (et non «parlez à elle»). *C'est à elle que vous devez parler. Dites-lui, à elle.* ⇒ **Lui.** *Dites-le leur, à elles.* ⇒ **Leur.** — REM. On ne dira pas : *il est désagréable, facile, pénible... à elle de...;* mais : *il lui est désagréable, facile, pénible... de...* En

revanche, on dira : *il est honteux à elle de s'afficher ainsi;* et non pas : *il lui est honteux de...*

Quand il s'agit de choses, les pronoms *en* et *y,* aujourd'hui réservés aux choses, doivent être préférés à *elle. Cette maison menace ruine, ne vous en approchez pas,* plutôt que *ne vous approchez pas d'elle. Il aime la musique, il s'y adonne depuis l'enfance,* plutôt que *il s'adonne à elle..*

C'est à elle que... C'est à elle (une science, une technique...) *que nous devons consacrer le plus d'efforts.*

Absolt. La femme aimée, l'éternel féminin... *Elle et Lui,* roman de George Sand, inspiré par sa liaison avec Musset.

ELLE-MÊME (plur., *elles-mêmes*), forme renforcée. *Elle-même l'a déclaré :* elle, en personne.

REM. On note parfois des prononciations populaires du pronom comme [al] ou [e] :

6 | Mam'zelle Jeannette Laurier, s'il vous plaît?
— Sortie. — Ah! Où qué déjeune? — Où qué déjeune?
Est-ce que je sais, moi! Où qué déjeune? Ah! bien!
                                        Germain NOUVEAU, Œuvres en prose, «Le manouvrier» (1878), Pl., p. 445.

HOM. Aile, ale.

ELLÉBORE [ɛ(l)lebɔʀ; elebɔʀ] n. m. — Mil. xɪɪɪᵉ; lat. *helleborus* (ou *helleborum*), grec *helleboros.*

♦ Plante dicotylédone *(Renonculacées),* herbacée, vivace, dangereuse par le principe toxique qu'elle contient *(elléborine),* et dont la racine a des propriétés purgatives et vermifuges. *L'ellébore passait autrefois pour guérir la folie. Ellébore fétide* (syn. : *patte d'ours, pied de griffon),* à odeur repoussante. *Ellébore noir* ou *rose de Noël,* cultivé pour ses belles fleurs blanches qui s'épanouissent en hiver. *Ellébore blanc.* ⇒ **Vératre.**

Fig. Vx. *Avoir besoin d'ellébore, de quelques grains d'ellébore :* être fou. *L'ellébore d'Anticyre était renommé* (d'où *avoir besoin d'un voyage à Anticyre :* être fou).

1 | Ma comtesse, il vous faut purger
Avec quatre grains d'ellébore.   LA FONTAINE, Fables, vɪ, 10.

2 | Elle a besoin de six grains d'ellébore,
Monsieur, son esprit est tourné.   MOLIÈRE, Amphitryon, ɪɪ, 2.

REM. La graphie *hellébore* est didactique (en botanique).

1. ELLIPSE [elips] n. f. — 1573; lat. *ellipsis,* grec *elleipsis,* proprt «manque», de *elleipsein* «laisser de côté».

♦ **1.** Figure de rhétorique, procédé de discours consistant à ne pas exprimer un ou plusieurs mots que l'esprit doit suppléer. *L'ellipse peut être le fait soit de l'usage, soit d'une hardiesse de langage.* — *Ellipse intervenant dans la formation de certains mots et expressions* (→ Abrégement, cit.; composer, cit. 34). *Ellipse du sujet* (fais ce que dois), *du verbe* (à chacun son métier : à quand votre visite?), *du sujet et du verbe à la fois* (loin des yeux, loin du cœur; bon voyage; faites pour moi comme pour vous). *Ellipse des mots qui feraient la liaison régulière entre deux membres de phrase.* ⇒ **Anacoluthe.** *Ellipse caractérisée par la suppression dans la phrase de certaines conjonctions.* ⇒ **Asyndète.** *Tour présentant une ellipse.* ⇒ **Elliptique.**

1 | Il est incontestable que dans un certain nombre de phrases où manque un élément, le verbe par exemple, on se trouve en présence de phrases incomplètes que volontairement on a abrégées. Il y a alors **ellipse,** une ellipse que l'esprit supplée.   F. BRUNOT, la Pensée et la Langue, p. 18.

2 | Sa langue passe pour la plus belle de la littérature scandinave; elle est brève, forte, précise; tendue à l'excès, et d'une trempe métallique; elle abonde en ellipses, en raccourcis rapides (...)   André SUARÈS, Trois hommes, «Ibsen», p. 75.

♦ **2.** Par ext. Se dit de procédés de style tendant à raccourcir le discours, de l'art de sous-entendre, l'écrivain faisant appel à l'esprit et à l'imagination du lecteur. ⇒ **Sous-entendu.** *L'art de l'ellipse dans la poésie de Mallarmé. Ellipse pratiquée par certains romanciers modernes.* — Par ext. Fait de ne pas tout exprimer.

3 | Même si le propos de l'auteur est de donner la représentation la plus complète de son objet, il n'est jamais question qu'il raconte *tout,* il sait plus de choses encore qu'il n'en dit. C'est que le langage est ellipse.
                                        SARTRE, Situations II, p. 117.

Omission dans une suite logique, narrative. *Les ellipses d'un récit. Les ellipses de son raisonnement rendent la lecture difficile.*

Dans les arts narratifs autres que ceux du langage (notamment au cinéma) :

3.1 | Comme en littérature, l'ellipse est, au cinéma, une figure narrative consistant à supprimer du récit un certain nombre d'éléments, tels que plans, scènes, etc., faisant partie du déroulement logique de la fiction, mais jugés inessentiels à sa compréhension. L'ellipse est classiquement utilisée pour «alléger» le récit, en éliminant ce qui est considéré comme des temps morts.
                                        Encyclopædia Universalis, vol. 18, p. 616, a.

2. ELLIPSE [elips] n. f. — 1625; lat. sc. *ellipsis,* grec *elleipsis* (Apollonius de Perga, *Coniques),* métaphore de *manque,* comme *huperbolé* de «excès».

♦ Didact. (géom.) et cour. Courbe plane fermée dont chaque point est tel que la somme de ses distances à deux points fixes appelés foyers* est constante. ⇒ aussi **Ovale** (II.). *Centre, foyers d'une ellipse; excentricité d'une ellipse. Axes* (axe focal ou grand axe,

Ordinairement, la cervelle se vidait par le nez; les intestins, par une incision dans le flanc; le corps était alors rasé, lavé et salé; on le laissait ainsi reposer quelques semaines, puis commençait, à proprement parler, l'opération de l'embaumement.
BAUDELAIRE, Trad. E. POE, Petite discussion avec une momie.

♦ **2.** Par métaphore ou fig. Littér. Action de préserver de toute dégradation; résultat de cette action (cf. Hugo, *in* T. L. F.).

♦ **3.** (1834). Action d'embaumer (2.), de sentir bon; fait d'être odorant.

EMBAUMER [ābome] v. tr. — XIIIe; *embasmer*, XIIe; de *em- (en-), basme, boume* (→ Baume), et suff. verbal.

♦ **1.** Remplir (un cadavre) de substances balsamiques, dessiccatives et antiseptiques destinées à en assurer la conservation (→ Cadavre, cit. 3). *Les Égyptiens embaumaient leurs morts.* ⇒ **Embaumement.**

1 Mais quel bien fait le bruit, et qu'importe la gloire?
Est-on plus ou moins mort quand on est embaumé?
A. DE MUSSET, Poésies nouvelles, «Après une lecture».

(XVIIIe). Fig. Littér. Préserver de l'oubli, rendre immuable.

2 (...) tout l'immense et compliqué palimpseste de la mémoire (...) avec toutes ses couches superposées de sentiments défunts, mystérieusement embaumés dans ce que nous appelons l'oubli.
BAUDELAIRE, les Paradis artificiels, «Mangeur d'opium», VIII.

3 Le peuple arabe a ceci d'admirable que, son art, il le vit, il le chante et le dissipe au jour le jour; il ne le fixe point et ne l'embaume dans aucune œuvre.
GIDE, l'Immoraliste, p. 238.

♦ **2.** Remplir, imprégner (qqch.) d'une odeur suave. ⇒ **Parfumer.** *Les fleurs embaument le jardin, la cour, la plaine...* (→ Absinthe, cit. 2). — Au p. p. *Air embaumé, brise embaumée* (→ Aspirer, cit. 17). *Église embaumée d'encens* (→ Cierge, cit. 2). — *Embaumer son linge à la lavande, à la menthe* (→ Cueillir, cit. 3). — Pron. (Passif). *L'air s'embaumait du parfum des lilas.*

4 Que les parfums légers de ton air embaumé,
Que tout ce qu'on entend, l'on voit ou l'on respire,
Tout dise : «Ils ont aimé!»
LAMARTINE, Premières méditations poétiques, «Le lac».

5 Au printemps, ce désert se couvre, dit-on, d'un riche tapis de verdure tout émaillé de fleurs sauvages. Le genêt, la lavande, le thym embaument l'air de leurs émanations aromatiques.
Th. GAUTIER, Voyage en Espagne, p. 269.

Fig. Emplir d'une impression agréable. «*Quelque chose à leur insu émane d'eux, qui embaume et attire*» (Sainte-Beuve, *Volupté, in* T. L. F.). → Émaner, cit. 5.

♦ **3.** Absolt. Exhaler, répandre une odeur agréable. ⇒ **Sentir** (bon). *Cette rose embaume* (→ Cueillette, cit. 2).

6 Et il embaume, s'écria Durtal, humant l'odeur d'un pétulant pot-au-feu qu'éperonnait une pointe de céleri affiliée aux parfums des autres légumes.
HUYSMANS, Là-bas, p. 57.

Fam. Répandre une bonne odeur de (qqch.). *Cela embaume le jasmin, la rose.* ⇒ **Fleurer.**

7 Ils prirent un couloir, puis un escalier qui embaumait l'encaustique.
MARTIN DU GARD, les Thibault, t. II, p. 231.

Fam. (négatif). *Ça n'embaume pas* (*la rose*, etc.) : ça sent mauvais.

♦ **4.** (1842, Reybaud, *Jérôme Paturot, in* T. L. F.). Vx, fam. Prodiguer (à qqn) des flatteries abusives. ⇒ **Encenser, flagorner.**

▶ **EMBAUMÉ, ÉE** p. p. adj. Voir ci-dessus à l'article.

CONTR. Empester, empuantir, infecter, puer.
DÉR. Embaumant, embaumement, embaumeur.

EMBAUMEUR, EUSE [ābomœʀ, øz] n. — 1556; de *embaumer.*

♦ **1.** Celui, celle dont le métier est d'embaumer les morts. ⇒ **Taricheute.**

1 (...) le corps n'avait pas été englué et durci dans ce bitume noir qui pétrifie les cadavres vulgaires et tout l'art des embaumeurs, anciens habitants des Memnonia, semblait s'être épuisé à conserver cette dépouille précieuse.
Th. GAUTIER, le Roman de la momie, p. 38.

2 Une troupe d'embaumeuses dorait des cadavres dans la nuit bleue.
M. SCHWOB, le Livre de Monelle, 1894, p. 144, *in* T. L. F.

♦ **2.** Vx. Fam. Personne qui entoure (qqn) d'hommages outranciers.

EMBECQUER [ābeke] v. tr. — 1611; de *em- (en-), bec,* et suff. verbal.

♦ **1.** Vx. Nourrir en donnant la becquée. ⇒ **Abecquer.**
(1870). Techn. Gaver (une volaille). *Embecquer des oies.*

♦ **2.** (1827). Pêche. *Embecquer l'hameçon,* y fixer l'appât.

♦ **3.** Rare. Garnir le bec (et fig., la bouche) de... — Au p. p. :
(...) Madame (...) née Daroux, au Perraux, de parents natifs de Bourges, banlieusarde typique, embecquée et ongulée de carmin (...)
Hervé BAZIN, Cri de la chouette, p. 30.

EMBÉGUINER [ābegine] v. tr. — Av. 1544; de *em- (en-), béguin,* et suff. verbal.

♦ **1.** Vx. Coiffer (qqn) d'un béguin ou d'une étoffe en forme de béguin. — Au p. p. :
D'un crêpe noir Hécube embéguinée (...) 1
RACINE, Sonnet sur la Troade (tragédie de Pradon, 1679).
Et la petite nonne, si embéguinée à la manière du moyen âge, baisse encore plus 2
la tête pour se maintenir les yeux cachés dans l'ombre de la coiffe austère.
LOTI, Ramuntcho, II, XIII, p. 307.

♦ **2.** (1593). Fig. Vx et fam. Entêter sottement. ⇒ **Coiffer, infatuer.** *Esprit faible qui se laisse embéguiner.* ⇒ **Endoctriner.** — Au p. p. :
Est-il possible que vous serez toujours embéguiné de vos apothicaires et de 3
vos médecins (...)
MOLIÈRE, le Malade imaginaire, III, 3.

▶ **S'EMBÉGUINER** v. pron.
Vx et fam. Se prendre d'une passion déraisonnable pour qqn. ⇒ **Amouracher** (s'), **enticher** (s'), **éprendre** (s'), **toquer** (se).

▶ **EMBÉGUINÉ, ÉE** p. p. adj. Voir ci-dessus à l'article.

EMBELLE [ābɛl] n. f. — 1694; de *em- (en-),* et *belle.*

♦ Mar. Partie comprise entre le gaillard d'avant et le gaillard d'arrière.

EMBELLIE [ābeli; ābɛli] n. f. — 1753; p. p. de *embellir,* substantivé au féminin.

♦ **1.** Mar. Amélioration momentanée du temps, de l'état de la mer au cours d'une bourrasque. ⇒ **Accalmie.** *Grain coupé d'embellies.*

Elle voulut aller sur les flots de la mer, 1
Et comme un vent bénin soufflait une embellie,
Nous nous prêtâmes tous à sa belle folie (...)
VERLAINE, Romances sans paroles, «Beams».

♦ **2.** (1862). Cour. Brève amélioration du temps. ⇒ **Éclaircie.** *Embellie au cours d'un orage.*

Dans la soirée, il se fit une embellie qui nous permit de sortir. 2
E. FROMENTIN, Dominique, XIV, p. 211.

Par métaphore ou fig. Amélioration momentanée (d'une situation).

(...) pour eux (*les ivrognes*), la boisson introduit une dimension supplémentaire 3
dans l'existence, surtout s'il s'agit d'un pauvre bougre d'aubergiste comme moi,
une espèce d'embellie, dont tu ne dois pas te sentir exclue d'ailleurs, et qui n'est sans
doute qu'une illusion (...)
A. BLONDIN, Un singe en hiver, p. 170.

CONTR. Grain, tempête.

EMBELLIR [ābelir; ābɛliʀ] v. — XIIe; de *em- (en-), bel, beau,* et suff. verbal.

A. V. tr. ♦ **1.** Rendre beau ou plus beau (une personne, un visage). *Ce peintre embellit son modèle.* — (Sujet n. de chose). *Cette coiffure embellit même un visage ingrat.* ⇒ **Arranger, flatter.** *Expression qui embellit les traits* (→ Douceur, cit. 33). — Orner, décorer de manière à rendre beau. *Embellir un intérieur en l'ornant de fleurs* (⇒ **Fleurir**), *de dessins, de peintures* (⇒ **Décorer, égayer**). *Motif gracieux qui embellit un fronton.* ⇒ **Enjoliver, ornementer.** — Passif et p. p. *Être embelli par... Objet embelli de matières précieuses.* ⇒ **Émailler, enrichir, rehausser.** — Absolt. *Un discret maquillage embellit. L'amour embellit.*

(...) cette charmante figure, embellie encore par l'attrait puissant des larmes. 1
LACLOS, les Liaisons dangereuses, Lettre XXIII.

(...) la gloire est pour un vieil homme ce que sont les diamants pour une vieille 2
femme; ils la parent et ne peuvent l'embellir.
CHATEAUBRIAND, Mémoires d'outre-tombe, t. II, p. 136.

Le temps, qui change si malheureusement les figures à traits fins et délicats, 3
embellit celles qui, dans la jeunesse, ont les formes grosses et massives (...)
BALZAC, le Petit Bourgeois, Pl., t. VII, p. 137.

♦ **2.** Fig. Faire apparaître sous un plus bel aspect. *Cette rencontre embellit son existence. L'imagination embellit la réalité. Embellir son héros,* en parlant d'un auteur. ⇒ **Idéaliser, poétiser** (→ Amoindrir, cit. 3). *Embellir un récit, une histoire,* en l'agrémentant de fictions. ⇒ **Agrémenter, émailler.** — Rendre trop beau. *Embellir la vérité. Embellir la situation,* en dissimulant les dangers (cf. Semer de fleurs le bord du précipice). — Absolt. *Vous embellissez toujours! Auteur qui dénature sous prétexte d'embellir.* ⇒ **Broder.**

La vie des héros a enrichi l'histoire, et l'histoire a embelli les actions des héros (...) 4
LA BRUYÈRE, les Caractères, I, 12.

Ma mauvaise tête ne peut s'assujettir aux choses. Elle ne saurait embellir, elle veut 5
créer. Les objets réels s'y peignent tout au plus tels qu'ils sont; elle ne sait
parer que les objets imaginaires.
ROUSSEAU, les Confessions, IV.

(...) notre enfance laisse quelque chose d'elle-même aux lieux embellis par elle, 6
comme une fleur communique un parfum aux objets qu'elle a touchés.
CHATEAUBRIAND, Mémoires d'outre-tombe, t. I, p. 92.

(...) j'étais obligée d'embellir de misérables aventures (...) 7
F. MAURIAC, le Nœud de vipères, I, p. 18.

B. V. intr. Devenir beau, plus beau. — REM. Dans ce sens, on emploie les auxiliaires *être* ou *avoir* selon la nuance à traduire (l'action ou l'état). *Cette jeune fille a beaucoup embelli ces derniers temps; elle est maintenant très embellie.*

8 Votre enfant embellit tous les jours ; elle rit, elle connaît ; j'en prends beaucoup de soin.   Mᵐᵉ DE SÉVIGNÉ, 139, 25 févr. 1671.

Loc. *Ne faire que croître** (cit. 5 et 6) *et embellir.* ⇒ **Amplifier** (s').

▶ **S'EMBELLIR** v. pron.

♦ **1.** (Réfl.). Se rendre plus beau. *Chercher à s'embellir par la parure.*

9 Tel est le sentiment qu'avait nourri l'éducation, et qui (...) lui donnait pour but la formation de la beauté. Certainement la race était belle, mais elle s'était embellie par système ; la volonté avait perfectionné la nature (...)
                                          TAINE, Philosophie de l'art, t. II, p. 198.

♦ **2.** (Passif). Être embelli ; devenir plus beau (→ ci-dessus, B.).

10 (...) son esprit s'ouvre et se forme de jour à autre, comme sa taille, qui s'embellit extraordinairement (...)
                                          LA BRUYÈRE, Lettre à Condé.

11 En l'écoutant, la face épaisse et suante de l'abbé Godard se transfigurait d'une bonté exquise, ses petits yeux colères s'embellissaient de charité, sa bouche grande prenait une grâce douloureuse.   ZOLA, la Terre, p. 54.

12 Ce n'est point que le souvenir de ces lieux s'embellisse (...)
                                          GIDE, Si le grain ne meurt, I, III, p. 69.

CONTR. Enlaidir. — **Déparer, désembellir, désenchanter, gâter.** — **Amoindrir** (cit. 3).
DÉR. Embellie. — Embellissement.

EMBELLISSEMENT [ãbelismã ; ãbɛlismã] n. m. — 1228 ; de *embellir.*

♦ **1.** Action ou manière d'embellir ; fait d'être embelli. *Ses parures contribuent à son embellissement. L'embellissement d'une maison, d'une salle (par une décoration ; par une décoration).* ⇒ **Décoration, ornementation.** *L'embellissement d'une ville.* ⇒ **Urbanisme.**

Par métonymie. Chose qui embellit. *Que d'embellissements depuis notre dernière visite.* ⇒ **Amélioration.**

Les embellissements de la ville de Cachemire (...) On parlait cependant beaucoup de rendre la capitale plus commode, plus propre, plus saine et plus belle qu'elle ne l'était : on en parlait, et on ne faisait rien.   VOLTAIRE, Dialogues, I.

♦ **2.** Fig. Action de rendre (plus) beau. *L'embellissement moral, intellectuel de... L'embellissement d'un héros, d'une situation, d'un caractère, d'une époque.* ⇒ **Idéalisation.**
Modification tendant à embellir la réalité. *Il y a des embellissements dans son récit.* ⇒ **Enjolivement.**

CONTR. Enlaidissement. — **Avilissement, dégradation.**

EMBERLIFICOTER [ãbɛʀlifikɔte] v. tr. — 1755 ; terme champenois aux variantes multiples, *embirelicoquier* (XIVᵉ), *embrelicoquer, emberloquer,* etc., ou, d'après P. Guiraud, de *em- (en-),* rad. *berl-* (cf. *berloque, breloque,* anc. franç. *berele* «menu objet»), et une combinaison des suff. *-ique* et *-oque.*

♦ **1.** Fam. Rare. Gêner (qqn) dans ses mouvements. ⇒ **Empêtrer, entortiller.** *Être emberlificoté dans une corde.*

♦ **2.** Fig. Entortiller, embrouiller (qqn pour le tromper). ⇒ **Désorienter, embarrasser.** *Il a réponse à tout ; ne cherchez pas à l'emberlificoter.* — Amener (qqn) à ses propres vues, par des paroles ou des promesses. *Emberlificoter ses juges, ses créanciers.* ⇒ **Circonvenir, embobeliner, embobiner** (fam.).

▶ **S'EMBERLIFICOTER** v. pron.

(Concret). S'embarrasser. — (Abstrait). *Il commence à s'emberlificoter dans ses explications.* ⇒ **Embrouiller** (s').

Il s'avança vers Gervaise, les bras ouverts, très ému.
— T'es une bonne femme, bégayait-il. Faut que je t'embrasse. Mais il s'emberlificota dans les jupons, qui lui barraient le chemin et faillit tomber.
                                          ZOLA, l'Assommoir, 1877, p. 509, in T. L. F.

▶ **EMBERLIFICOTÉ, ÉE** p. p. adj. *Réponse, discussion, explication emberlificotée.* ⇒ **Compliqué.** *Sa lettre est tellement emberlificotée que je ne sais pas ce qu'il me demande.* ⇒ **Embarrassé, gêné.**

CONTR. Débarrasser (se), dépêtrer (se).
DÉR. Emberlificoteur.

EMBERLIFICOTEUR, EUSE [ãbɛʀlifikɔtœʀ, øz] n. — 1867 ; de *emberlificoter.*

♦ Personne qui emberlificote, gêne, empêtre, et, fig., trompe habilement ou emmêle.

EMBERLUCOQUER (S') [ãbɛʀlykɔke] v. pron. — XVIᵉ ; var. de *emberloquer (s'),* de *em- (en-),* et *berloque,* anc. forme de *breloque.*

♦ Vx. Fam. *S'emberlucoquer de :* s'entêter ridiculement de (une idée). ⇒ **Coiffer** (se), **enticher** (s'). — REM. On trouvait aussi les formes (1721) *emberloquer (s'),* (1732) *emberlicoquer (s'),* (1674) *embrelicoquer (s').*

EMBESOGNÉ, ÉE [ãbəzɔɲe] adj. — XIIᵉ (v. 1175) ; de *em- (en-), besogne,* et *-é.*

♦ Vx. Occupé par une besogne absorbante (→ Araignée, cit. 1).
CONTR. **Inoccupé, oisif.**

EMBESOGNER [ãbəzɔɲe] v. tr. — XIVᵉ ; au p. p. (→ Embesogné), v. 1175 ; de *em- (en-), besogne,* et suff. verbal.

♦ Vx. Occuper par un travail absorbant.

EMBÊTANT, ANTE [ãbɛtã, ãt] adj. — 1788, sens 2 ; sens 1, 1826 ; p. prés. de *embêter.*

♦ **1.** Fam. Qui embête (1.), engendre l'ennui. ⇒ **Ennuyeux.** *Ce garçon est embêtant.* ⇒ **Importun.**

♦ **2.** Fam. Qui cause des ennuis, contrarie. *On m'a dit sur vous des choses embêtantes.* ⇒ **Fâcheux.** *Toutes ces histoires, c'est embêtant.*

Dieu ! qu'il est embêtant, celui-là ! Tout le temps à se mêler des affaires des autres.   GIDE, Œdipe, I.

N. m. *L'embêtant, c'est que je dois partir bientôt.* ⇒ **Ennui, inconvénient.**

REM. *Embêtant,* en français contemporain, est essentiellement un euphémisme pour *emmerdant*.

EMBÊTEMENT [ãbɛtmã] n. m. — Fin XVIIIᵉ ; de *embêter.*
Familier.

♦ **1.** (*Un, des embêtements*). Chose, circonstance qui donne du souci. ⇒ **Contrariété, ennui, souci, tracas.** *Il a toujours des embêtements.* ⇒ **Emmerdement** (fam.).

1 (...) son besoin d'être heureuse lui faisait tirer tout le bonheur possible de ses embêtements.   ZOLA, l'Assommoir, t. II, p. 55.

2 J'ai assez d'embêtements dans ma propre vie, je ne veux pas m'appuyer ceux des autres.   SARTRE, la P... respectueuse, I, 1.

♦ **2.** (*L'embêtement*). Fait d'embêter (qqn, un groupe) ; état de qui est embêté (ennuyé ou dans l'ennui). *L'embêtement de qqn par qqn* (rare). «*L'embêtement radical des villes d'eau*» (Flaubert, *in* T. L. F.). «*Les embêtements bleuâtres du lyrisme poitrinaire*» (cit. 2).

EMBÊTER [ãbɛte ; ãbete] v. tr. — 1794, Hébert, *le Père Duchesne,* nº 312 ; de *em- (en-), bête,* et suff. verbal.

♦ **1.** Fam. *Ce spectacle m'embête,* me semble dépourvu d'intérêt. ⇒ (fam.) **Emmerder ; raser.**

♦ **2.** Contrarier fortement. *Cette affaire l'embête,* lui cause du souci. *Ne l'embête pas ! :* laisse-le tranquille. ⇒ **Agacer, contrarier, importuner.** *Il m'embête avec ses questions.* ⇒ (fam.) **Assommer, empoisonner.**

1 Allons-nous nous laisser *embêter* par des brigands ? — Le verbe par lequel nous remplaçons ici l'expression dont se servit le brave commandant, n'en est qu'un faible équivalent ; mais les vétérans sauront y substituer le véritable, qui certes est d'un plus haut goût soldatesque.   BALZAC, les Chouans, Pl., t. VII, p. 796.

2 (...) tâche de venir vers la Toussaint, nous serons plus ensemble et je n'aurai pas le collège pour m'embêter (...)   FLAUBERT, Correspondance, 23, 11 oct. 1838.

3 Les ouvriers étaient encore là. Je leur dis : «C'est pour embêter qui ?» Ils ne répondent pas. «Si c'est pour embêter le gouvernement, vous perdez votre peine, car il n'y a guère de chance qu'il se balade par ici (...)»
                                 J. ROMAINS, les Hommes de bonne volonté, t. V, XXVIII, p. 293.

♦ **3.** Régional (Canada). Embarrasser. *Je suis bien embêté pour vous répondre.*

▶ **S'EMBÊTER** v. pron.

Éprouver un ennui morne. ⇒ (fam.) **Emmerder** (s') ; **ennuyer** (s').

4 (...) ce vieux Rouen où je me suis embêté sur tous les pavés, où j'ai bâillé de tristesse à tous les coins de rue.   FLAUBERT, Correspondance, 93, 1ᵉʳ mai 1845.

5 Je m'embête ; cueillez-moi des jeunes filles
et des iris bleus à l'ombre des charmilles (...)
Ces vers que je fais m'embêtent aussi,
et mon chien se met à loucher, assis,
en écoutant la pendule
qui l'embête comme je m'embête.
                                 Francis JAMMES, l'Angélus de l'aube..., «Je m'embête».

6 Les blancs retenus ici par leurs fonctions s'embêtent et rongent leur frein.
                                 GIDE, Voyage au Congo, in Souvenirs, Pl., p. 824.

Par litote. Fam. *Ne pas s'embêter :* avoir une vie agréable (→ Ne pas s'en faire*). Avec sa fortune, il ne doit pas s'embêter. Venez passer la soirée avec nous, on ne s'embêtera pas.*

7 J'ouvris les yeux. Le gendarme dénouait le cordon du sac. Je regardais Michel, j'implorais Michel. Il était impassible.
Le gendarme enfonça une main.
— Du cho-co-lat a-mé-ri-cain ! Eh bien mes cocos... vous ne vous embêtez pas !
                                 Violette LEDUC, la Folie en tête, p. 110-111.

REM. Jugé «très trivial» par Littré, le mot est aujourd'hui un euphémisme à peine familier de *emmerder.*

▶ **EMBÊTÉ, ÉE** p. p. adj. *Des gens embêtés, très embêtés* (au sens

2). *Nous étions bien embêtés.* — *Un air embêté.* — N. Rare. *Des embêtés.*

CONTR. Amuser, distraire, intéresser. — Arranger, servir.
DÉR. Embêtant, embêtement, embêteur.

EMBÊTEUR, EUSE [ɑ̃bɛtœʀ, øz] n. — 1901 ; de *embêter.*

♦ Rare. Fâcheux, importun. — REM. Ce mot, moins courant que *embêter, embêtant,* est parfois utilisé pour éviter *emmerdeur* (cf. J. Renard : « *C'est un em...bêteur* », in *Journal,* 14 nov. 1901).

Il m'embête ! répondit Levadoux (...)
— C'est vraiment un embêteur ! approuve Emmanuel (...)
— Oui, il nous embête, conclut avec énergie Victor, dont les lèvres pures n'eussent, malgré cette énergie, pu éjaculer un mot plus indécent.
    Boris VIAN, Vercoquin et le plancton, p. 86.

EMBIELLAGE [ɑ̃bjelaʒ] n. m. — 1922, *in* D. D. L. ; de *embieller.*

♦ **1.** Techn. Ensemble des bielles (d'un moteur, d'une machine à vapeur). *Refaire, réparer l'embiellage.*

1 À deux heures de Dakar, où le déjeuner se prépare, l'embiellage saute (...)
    SAINT-EXUPÉRY, Terre des hommes, p. 188, *in* T. L. F.
2 Il avait donné des ordres aux machines, mais l'embiellage trop neuf manquait de souplesse.   Maurice DENUZIÈRE, Louisiane, p. 445.

♦ **2.** Techn. Montage et ajustage des bielles (d'un moteur). *L'embiellage du moteur fait partie du montage.*

EMBIELLER [ɑ̃bjele] v. tr. — xxᵉ ; de *em- (en-), bielle,* et suff. verbal.

♦ Techn. Ajuster les bielles de (un moteur, une machine à vapeur).
DÉR. Embiellage.

EMBLAVAGE [ɑ̃blavaʒ] n. m. — 1845 ; attestation isolée, xviiiᵉ ; de *emblaver.*

♦ Agric. Action d'emblaver ; son résultat. *L'emblavage d'un champ.* ⇒ **Emblavement** (1.).

EMBLAVE [ɑ̃blav] n. f. — 1755 ; déverbal de *emblaver.*

♦ Agric. Terre récemment emblavée. ⇒ **Emblavure.** « *Les vieux murs et les emblaves* » (A. Arnoux, *in* T. L. F.).

EMBLAVEMENT [ɑ̃blavmɑ̃] n. m. — 1613, « récolte de blé » ; de *emblaver,* et suff. *-ure.*
Agriculture.

♦ **1.** (1878). Action d'emblaver. ⇒ **Emblavage.**

♦ **2.** (1932). Terre emblavée. ⇒ **Emblave, emblavure.**

EMBLAVER [ɑ̃blave] v. tr. — 1242 ; de *em- (en-),* et *blé,* avec changement de timbre de la voyelle radicale atone, et développement d'une consonne d'appui (var. anc. *emblaer, embleer*).

♦ Agric. Ensemencer (une terre) en blé, ou, par ext., en toute céréale. ⇒ **Bléer.** — Au p. p. *Terre emblavée.* ⇒ **Emblave, emblavure.**

1 Quelques arpents qu'Edmond avait emblavés (...) produisirent de bon grain, en suffisante quantité pour nourrir la Famille, en triant l'orge de l'avoine.
    RESTIF DE LA BRETONNE, la Vie de mon père, p. 49.

Emblaver une jachère, une friche. Emblaver d'anciens prés, des champs.

Absolt. Semer les céréales.

2 Les paysans sont contents : ils vont pouvoir emblaver « mou ». Le temps a mal au cœur.   J. RENARD, Journal, 10 oct. 1903.

DÉR. Emblavage, emblave, emblavement, emblavure.

EMBLAVURE [ɑ̃blavyʀ] n. f. — 1732 ; *emblaveure* « récolte », 1509 ; *emblaüre* ; de *emblaver.*

♦ Agric. Terre ensemencée de blé, et, par ext., d'une autre céréale. ⇒ **Emblave, emblavement** (2.).

EMBLÉE (D') [dɑ̃ble] loc. adv. — Av. 1453, « attaque par surprise » ; *à (en) emblée* « en cachette », xiiᵉ ; du v. *embler**.

♦ Du premier coup, au premier effort fait pour obtenir le résultat en question. ⇒ **Abord** (d'), **entrée** (d'entrée de jeu) ; **aussitôt.** *Il a emporté le marché d'emblée. Conquérir d'emblée son auditoire, son public* (→ À-propos, cit. 6). *Adopter d'emblée un projet, un plan* (→ Amphithéâtre, cit. 1). *Il fut d'emblée élu président. Marquer d'emblée un but.*

(...) je venais de m'installer parmi les amis du grand écrivain, d'emblée et tranquillement, comme quelqu'un qui, au lieu de faire la queue avec tout le monde pour avoir une mauvaise place, gagne les meilleures, ayant passé par un couloir fermé aux autres.   PROUST, À la recherche du temps perdu, t. III, p. 180.

EMBLÉMATIQUE [ɑ̃blematik] adj. — 1564 ; bas lat. *emblematicus* « plaqué », de *emblema.* → Emblème.

♦ Didact. Qui présente un emblème, qui se rapporte à un emblème. ⇒ **Allégorique, symbolique.** *Dessin, décoration emblématique. La colombe, figure emblématique de l'innocence, de la paix.* ⇒ **Représentatif.** *Reliure ancienne à décor emblématique.*

1 Ces mots (...) disposent l'esprit à chercher un sens moral dans tout le récit développé antérieurement. Le lecteur commence dès lors à considérer le Corbeau comme emblématique ; — mais ce n'est que juste au dernier vers de la dernière stance qu'il lui est permis de voir distinctement l'intention de faire du Corbeau le symbole du *Souvenir funèbre et éternel.*
    BAUDELAIRE, Trad. POE, Histoires grotesques et sérieuses, Genèse d'un poème.

2 (...) un selam d'Orient, un de ces bouquets emblématiques que les Bach'agas offrent à leurs amoureuses, et auxquels ils savent faire exprimer toutes les nuances de la passion.   Alphonse DAUDET, le Petit Chose, p. 242.

DÉR. Emblématiquement.

EMBLÉMATIQUEMENT [ɑ̃blematikmɑ̃] adv. — 1847 ; de *emblématique.*

♦ Didact. De manière emblématique. ⇒ **Symboliquement.** *Le poisson figure emblématiquement le Christ, dans l'iconographie chrétienne.*

EMBLÈME [ɑ̃blɛm] n. m. — 1560 ; lat. *emblema,* du grec *emblêma* « ornement rapporté, mosaïque ».

♦ **1.** Figure symbolique, généralement accompagnée d'une devise. *Composer, expliquer un emblème. L'emblème de Louis XIV comportait un soleil* (→ Devise, cit. 1).

♦ **2.** Par ext. Figure, attribut destinés à représenter symboliquement (un personnage, une autorité, un métier, un parti...). ⇒ **Insigne, symbole.** *Les fleurs de lis, emblèmes ornant les armoiries des rois de France. Le bonnet phrygien* (cit.), *emblème de la liberté. La femme au bonnet phrygien, emblème de la République. La tiare et les clefs de saint Pierre, emblèmes de la Papauté. Le sceptre et la couronne, emblèmes de la royauté. La croix, emblème des chrétiens. Emblèmes figurant sur des drapeaux, des décorations* (cit. 8). *Emblème politique.* ⇒ **Cocarde.** *Emblèmes militaires.* ⇒ **Drapeau.** *Emblèmes maçonniques :* ornements qui indiquent les grades des francs-maçons.

1 (...) le groupe des anges portant les emblèmes des arts : la houlette des pasteurs, la gerbe du laboureur, les grappes de la vigne, les fruits des jardins précèdent les figures qui tiennent les symboles de la musique, de l'architecture et de l'art céramique.   Th. GAUTIER, Portraits contemporains, p. 276.

2 (...) le crâne ou la tête de mort est l'emblème bien connu des pirates. Ils ont toujours, dans tous leurs engagements, hissé le pavillon à tête de mort.
    BAUDELAIRE, Trad. POE, Histoires extraordinaires, « Le scarabée d'or », p. 102.

3 Qu'est-ce qu'un thyrse ? Selon le sens moral et poétique, c'est un emblème sacerdotal dans la main des prêtres et des prêtresses célébrant la divinité dont ils sont les interprètes et les serviteurs.   BAUDELAIRE, le Spleen de Paris, « Le thyrse ».

Spécialt. Signe typique représentant un personnage. *L'emblème mythologique d'un héros.* ⇒ **Attribut.** *Diane a pour emblème le croissant ; Mercure, le caducée ; Hercule, la massue ; Neptune, le trident.*

♦ **3.** Être ou objet concret, consacré par la tradition comme représentatif d'une chose abstraite (idée, sentiment, vertu...). ⇒ **Symbole.** *La violette est l'emblème de la modestie ; le lis, de la pureté ; le lion, du courage.*

4 La fauvette fut l'emblème des amours volages, comme la tourterelle de l'amour fidèle ; cependant, la fauvette, vive et gaie, n'en est ni moins aimante ni moins fidèlement attachée et la tourterelle, triste et plaintive, n'en est que plus scandaleusement libertine.   BUFFON, Hist. nat. des oiseaux, Fauvette, Œ., t. VI.

Par ext. Vieilli. Image.

5 Ces folles robes sont l'emblème
De ton esprit bariolé (...)
    BAUDELAIRE, les Fleurs du mal, « À celle qui est trop gaie ».

DÉR. Emblématique.

EMBLER [ɑ̃ble] v. tr. — V. 980 ; du lat. class. *involare* « voler dans », d'où « se précipiter sur », « se saisir de », de *in-,* et *volare.* → Voler.

♦ Vx. Voler, enlever avec violence.

Embler les joyaux de l'électeur de Bavière ! les truands ne respectent rien (...)
    BALZAC, Maître Cornélius, p. 236, *in* T. L. F.

DÉR. Emblée (d').

EMBOBELINAGE [ɑ̃bɔblinaʒ] n. m. — Fin xixᵉ, A. Daudet ; de *embobeliner.*

♦ Rare. Action d'embobeliner, d'être embobeliné. — Concret :

(...) la petite comtesse de Foder, son bout de nez pointu tout affairé de curiosité dans un embobelinage de dentelles.   Alphonse DAUDET, l'Immortel, p. 279.

EMBOBELINER [ãbɔbline] v. tr. — 1585, «rapiécer»; de *em-* *(en-)*, anc. franç. *bobelin* «chaussure grossière», probablt de l'onomat. *bob-*, exprimant une idée de difformité, et suff. verbal.

♦ **1.** Vx. Envelopper (qqn, qqch.) dans qqch. *Embobeliner un bébé dans une couverture.* ⇒ **Embobiner** (2.), **emmitoufler.** — Pron. *Ils s'embobelinèrent dans leurs manteaux.*

1   Puis, en attendant les voitures, on s'embobelina dans les capelines et les manteaux.
         FLAUBERT, l'Éducation sentimentale, p. 157.

Figuré. Entourer, envelopper.

1.1 L'âme est embobelinée d'Amour qui ressemble en tout à une gaze couleur du temps, et prend la figure masquée d'une chrysalide.
         A. JARRY, Gestes et Opinions du Dr Faustroll, Pl., p. 716.

♦ **2.** Fig. Fam. Circonvenir* (qqn) par des paroles captieuses. ⇒ **Emberlificoter, embobiner, enjôler, envelopper, séduire.**

2   Si vous arrivez à embobeliner le juge, je l'aurai d'une autre façon, c'est tout.
         SARTRE, l'Âge de raison, p. 302.

CONTR. Aliéner (s'), indisposer.
DÉR. Embobelinage, embobelineur.

EMBOBELINEUR, EUSE [ãbɔblinœʀ, øz] adj. et n. — Déb. xxe; de *embobeliner.*

♦ Vx. (Personne) qui embobeline, trompe. ⇒ **Trompeur.**

EMBOBINAGE [ãbɔbinaʒ] n. m. — 1945, Cendrars, au fig.; de *embobiner.*

♦ Action d'embobiner; son résultat.

EMBOBINER [ãbɔbine] v. tr. — 1839, au fig.; altér. de *embobeliner*, d'après *bobine*; ou (sens 1.), de em- *(en-)*, *bobine*, et suff. verbal.

♦ **1.** (1876). Rare. Enrouler (du fil) sur une bobine. ⇒ **Bobiner, enrouler.** *Embobiner un câble.*

♦ **2.** Envelopper (qqn, qqch.) dans (qqch.). ⇒ **Embobeliner** (1.), **emmitoufler.** *Embobiner un enfant dans une couverture.* — REM. Cet emploi est senti aujourd'hui comme une métaphore stylistique du sens 1, mais il est antérieur.

♦ **3.** Fig., fam. Tromper par des paroles captieuses. ⇒ **Baratiner** (2.), **emberlificoter, embobeliner** (2.), **enjôler.** *Il, elle s'est fait, laissé embobiner. Le vendeur l'a facilement embobiné.*

1   «Il y a un type à nous dans la piaule du curé?» «Oui!» «Il est dégourdi?» «Encore assez.» «Qu'il se laisse embobiner, qu'il fasse semblant d'être convaincu, nous avons besoin d'un informateur.»   SARTRE, la Mort dans l'âme, p. 241.

2   Le soleil tourne autour de la terre, déclama l'astrologue, et bien fol et bien malicieux celui qui prétend le contraire (...) Ils cherchent tous à m'embobiner, dit le duc d'un air ronchon.   R. QUENEAU, les Fleurs bleues, p. 151.

DÉR. Embobinage.
COMP. Rembobiner.

EMBOIRE [ãbwaʀ] v. tr. — Conjug. *boire.* — xiie; du lat. *imbibere* «s'imprégner de». → Imbiber.

♦ Techn. Imbiber, imprégner. *Emboire un moule,* l'enduire de cire fondue pour empêcher toute adhérence.

▶ **S'EMBOIRE** v. pron. réfl.
Peint. *Tableau qui s'emboit,* dont les couleurs deviennent ternes et confuses, parce que la toile ou le bois a bu l'huile, l'essence. — Récipr. *Couleurs qui s'emboivent.*

▶ **EMBU, UE** p. p. adj. et n. m.
Peint. *Toile embue,* devenue terne, le support ayant absorbé l'huile. *Couleurs embues.* — N. m. *Ce tableau a de l'embu, des embus.* — Mar. *Voile embue,* alourdie par l'eau.
Yeux embus de larmes. ⇒ **Embué, mouillé.**

1   Quand Valmajour *(le tambourinaire)* eut fini, des acclamations folles éclatèrent. Les chapeaux, les mouchoirs étaient en l'air. Roumestan appela le musicien sur l'estrade et lui sauta au cou : «Tu m'as fait pleurer, mon brave.» Et il montrait ses yeux, de grands yeux bruns dorés, tout embus de larmes.
         DAUDET, Numa Roumestan, I, p. 24.

2   (...) il fallait suivre un long couloir mal éclairé dont les murs embus laissaient, de-ci de-là, rouler avec lenteur une lame couleur de café.
         G. DUHAMEL, Chronique des Pasquier, IX, I, p. 16.

N. m. Fig. et rare :

3   Elle se nommait Vervin, et claire elle était, dans l'embu d'un chagrin inexpliqué.
         Claude ROY, Nous, p. 34.

CONTR. Assécher, dessécher.
HOM. (Du p. p.) Embut.

EMBOISER [ãbwaze] v. tr. — 1680; semble s'être employé jusqu'au mil. du xixe; de em- *(en-)*, et anc. franç. *boisier* «tromper» (xiie), du francique *bansjan* «dire des sottises, dénaturer».

♦ Vx. Tromper par de petites flatteries, des promesses. *Le «petit*

traquenard où nous serons tôt ou tard emboisés » (Balzac, *les Proscrits*).

EMBOÎTABLE [ãbwatabl] adj. — xxe; attestation isolée, 1845, Radonvilliers; de *emboîter.*

♦ Qui peut s'emboîter. *Éléments, pièces emboîtables. Cubes emboîtables.*
De salle en salle, ils voyaient des personnes se passionner devant des éléments géométriques, des cylindres emboîtables, des jouets mécaniques, des pistes, des damiers étranges.   Robert SABATIER, les Enfants de l'été, p. 150.

EMBOÎTAGE [ãbwataʒ] n. m. — 1787; de *emboîter.*

♦ **1.** Action d'emboîter (un livre, qqch.); résultat de cette action. *Il n'y a aucun jeu à craindre dans l'emboîtage des diverses pièces.* — (D'un ancien sens de *emboîter,* aujourd'hui disparu). Mise en boîte. ⇒ **Boîtage.** *« Triage, emboîtage, empaquetage des plumes métalliques »* (*J. O.,* 18 août 1875, *in* Littré).

♦ **2.** Action de fixer par collage les cahiers cousus dans une couverture destinée à cet usage.
Par métonymie. Enveloppe d'un livre, généralement constituée d'une chemise et d'un étui, parfois aussi en forme de boîte. *Emboîtage d'une édition de luxe en feuilles, en cahiers non cousus. Somptueux emboîtage décoré par l'illustrateur. Emboîtage de l'éditeur,* livré avec l'édition.

EMBOÎTANT, ANTE [ãbwatã, ãt] adj. — Attesté xxe; p. prés. de *emboîter.*

♦ Qui emboîte. *Pièce emboîtante et pièce emboîtée.* — Qui enveloppe étroitement. *Chaussures emboîtantes,* qui emboîtent la cheville.

EMBOÎTEMENT [ãbwatmã] n. m. — 1611; de *emboîter.*

♦ **1.** Assemblage de deux pièces qui s'emboîtent l'une dans l'autre. *Emboîtement des mortaises, des abouts d'une charpente.* ⇒ **Assemblage.** *Emboîtement d'un os dans un autre.* ⇒ **Articulation, jointure** (→ Chignon, cit. 1).

1   Les *surfaces articulaires* sont concaves et convexes en sens inverse : la concavité de l'une correspond à la convexité de l'autre. Les deux pièces osseuses en présence rappellent exactement la disposition d'un cavalier sur sa selle, d'où le nom d'*articulations en selle,* qu'on donne parfois à l'articulation par emboîtement réciproque (...)   L. TESTUT, Traité d'anatomie, t. I, p. 505.

♦ **2.** Fig., didact. Inclusions successives; objets de connaissance abstraits présentant une relation d'inclusion.

2   Ces structures sont constituées par des classes et des emboîtements de classes (inclusion d'une sous-classe dans une classe)...
         J. PIAGET, Logique et Connaissance scientifique, Encycl. Pl., p. 3.

Ling. Enchâssement*.

♦ **3.** Élément qui s'emboîte. *Tuyaux à emboîtements, munis d'un emboîtement.*

EMBOÎTER [ãbwate] v. tr. — 1328; de em- *(en-)*, *boîte,* et suff. verbal.

♦ **1.** Faire entrer (une chose dans une autre; plusieurs choses l'une dans l'autre). ⇒ **Accoupler, ajuster, assembler.** *Emboîter un tuyau dans un autre; emboîter des tuyaux.* ⇒ **Aboucher.** *Emboîter un tenon dans une mortaise.* ⇒ **Embrever** (2.), **encastrer, enchâsser.** *Emboîter dans un manche un outil, un instrument.* ⇒ **Emmancher.** *Emboîter un pignon dans une roue dentée.* ⇒ **Engrener.** *Emboîter les disques, les cônes d'un embrayage.* ⇒ **Embrayer.** *Emboîter des tuiles, des ardoises.* ⇒ **Embroncher, imbriquer.**

Reliure. *Emboîter un livre :* fixer un livre cousu, par simple collage, dans une couverture toute prête.

Au p. p. *Pièces emboîtées.* — Par ext. Pris comme dans un emboîtement.

1   Ces deux piliers, c'étaient les Douvres. L'espèce de masse emboîtée, entre eux, comme une architrave entre deux chambranles, c'était la Durande.
         HUGO, les Travailleurs de la mer, II, I, I.

2   Les matelots de quart, en vêtements de toile, dorment à plat pont, par rangées, couchés sur le même côté tous, emboîtés les uns dans les autres, comme des séries de momies blanches.   LOTI, Mon frère Yves, LXXXIV, p. 199.

Envelopper* exactement à la façon d'une boîte. *Ces souliers emboîtent bien le pied.*

3   (...) des souliers sans talon, qui n'emboîtent que les doigts du pied, brodés de paillettes d'argent (...)   LAMARTINE, Graziella, III, Épisode XIV.

♦ **2.** Loc. (1825). **EMBOÎTER LE PAS À QQN :** marcher juste derrière qqn de telle sorte que le pied se pose à la place où était le pied de la personne qui précède. — Par ext. Suivre qqn de très près, pas à pas.

4   Et, comme on rattache un fil à un autre fil, emboîtant le pas de son mieux dans l'itinéraire que l'homme avait dû suivre, il se mit en marche à travers le taillis.
         HUGO, les Misérables, V, V, I.

5 (...) pliée en deux, le nez à terre, épiant les bruits, elle errait de pièce en pièce comme un chien perdu, emboîtant le pas à tous ceux qui passaient à sa portée (...)
MARTIN DU GARD, les Thibault, t. IV, p. 150.

Par ext. Suivre.

5.1 Tout prend un sens dans ce boulevard, tout va dans un sens. On emboîte le pas à une vie ramassée et raccourcie qui sait où elle va, à la mort. L'œil fixé sur ton but, tu trouves ton rythme. Un rythme, c'est énorme.
DRIEU LA ROCHELLE, la Comédie de Charleroi, p. 175.

Fig. Suivre qqn en tout docilement. ⇒ **Imiter, modeler** (se modeler sur); → Abri, cit. 6.

6 Sa surprise n'était qu'excessive : il n'en connut plus les limites, à voir Adèle lui emboîter carrément le pas, à l'entendre abonder bruyamment dans son sens, lui crier qu'il avait raison (...)
COURTELINE, Boubouroche, Nouvelle, v, p. 74.

▶ **S'EMBOÎTER** v. pron. (Récipr.).

S'ajuster exactement. *Pièces d'un puzzle qui s'emboîtent facilement.* ⇒ **Ajuster** (s').

7 Nous divisons un tout en parties. Et nous nous étonnons que les pièces découpées par nous s'emboîtent exactement les unes dans les autres quand nous les rapprochons.
Alexis CARREL, l'Homme, cet inconnu, p. 238.

Anat. *Les os s'emboîtent. Tête du fémur qui s'emboîte dans la cavité cotyloïde.*

8 Les os ont des jointures où ils s'emboîtent les uns dans les autres.
,   FÉNELON, Traité de l'existence de Dieu, 31.

Fig. *Des corps étroitement embrassés, qui semblent s'emboîter l'un dans l'autre.*

9 Ils étaient tassés, les épaules s'emboîtant les unes dans les autres (...)
LOTI, Matelot, LI, p. 197.

▶ **EMBOÎTÉ, ÉE** p. p. adj. et n.

♦ **1.** Voir à l'article.

♦ **2. Danse.** *Pas emboîté,* et, n. m., *l'emboîté :* marche talon contre pointe.

10 L'emboîté (...) c'est une marche légère et agile caractérisée par le passage des pieds l'un devant l'autre, talon contre pointe, soit pour avancer, soit pour reculer.
Marcelle BOURGAT, Technique de la danse, p. 67.

♦ **3. Inform.** *Boucles emboîtées,* dont l'une (boucle d'instruction) contient l'autre (boucle intérieure).

CONTR. Déboîter, démonter, disjoindre, disloquer.
DÉR. Emboîtable, emboîtage, emboîtant, emboîtement, emboîteuse, emboîture.
COMP. Remboîter.

EMBOÎTEUSE [ãbwatø̸z] n. f. — Mil. xxe ; de *emboîter* «mettre en boîte» (vx).

♦ **Techn.** Machine mettant automatiquement en conserve des aliments additionnés de jus. *Emboîteuse-juteuse pour fruits et légumes.*

EMBOÎTURE [ãbwatyR] n. f. — 1547 ; de *emboîter.*
Technique.

♦ **1.** Insertion d'une chose dans une autre ; endroit où se fait cette insertion. *L'emboîture du tibia.*

♦ **2.** Traverse de bois à rainure dans laquelle entrent les extrémités de plusieurs planches assemblées. *Les emboîtures d'une porte :* les ais transversaux où s'emboîtent les autres ais.

EMBOLE [ãbɔl] ou **EMBOLUS** [ãbɔlys] n. m. — 1870, *embole; embolus,* 1857 ; du grec *embolê* «action de jeter dans ; inversion», de *emballein* «jeter dans, sur».

♦ **Pathol.** Tout corps étranger qui peut provoquer une embolie. *« Le thrombus peut aussi se fragmenter en plusieurs amas cellulaires : les emboles qui, véhiculés par le sang, peuvent oblitérer une artériole, entraînant un infarctus du tissu normalement irrigué. L'embole peut aussi être constitué uniquement d'un agrégat de plaquettes » (Sciences et Avenir, nº 22, p. 37).*

Ce professeur a vu une dame qui tout à coup avait éprouvé un engourdissement de la main suivi plus tard de la gangrène des doigts. C'était un embolus qui avait oblitéré l'artère brachiale (...) Les autopsies ont démontré qu'un embolus, c'est-à-dire une concrétion fibrineuse développée sur les valvules du cœur ou flottant dans le système artériel, peut fermer la lumière d'un vaisseau, et devenir ainsi une cause d'asphyxie locale. Journal de médecine et de chirurgie pratiques, XXVIII, p. 446, 1857, *in* D.D.L.

EMBOLIE [ãbɔli] n. f. — 1845-1856, Virchow, *in* Garnier ; du grec *embolê* «action de jeter dans, sur», et suff. *-ie.*

♦ **1. Pathol.** et cour. Oblitération* brusque d'un vaisseau par un corps étranger (⇒ **Embole**), caillot entraîné par le sang (⇒ **Thrombose**), amas de bactéries ou de cellules cancéreuses, bulles gazeuses *(embolie gazeuse). Caillot, fragment de tumeur qui provoque une embolie* (⇒ Artérite, cit.). *Embolie qui entraîne l'anémie, la gangrène d'un membre. Embolie cérébrale, pulmonaire. Mourir d'une embolie.*

1 (...) une embolie pulmonaire, c'est-à-dire une obstruction de l'artère pulmonaire

par un caillot sanguin, prive de circulation toute une partie du territoire pulmonaire (...)
P. VALLÉRY-RADOT, Notre corps..., p. 75.

♦ **2. Embryol.** Processus d'invagination d'une partie de l'hémisphère végétatif de l'embryon, un des types de gastrulation, notamment chez l'oursin. ⇒ aussi **Épibolie.**

Les lèvres qui bordent ce dernier *(le blastopore)* s'invaginent à l'intérieur et donnent le plafond de l'intestin embryonnaire primitif (archentéron), et ainsi prend naissance la gastrula, dont la formation est donc une combinaison d'épibolie et d'embolie.   2
Jean GUIBÉ, les Batraciens, p. 75.

DÉR. Embolique.
COMP. (Du sens 1) **Aéroembolisme.**

EMBOLIQUE [ãbɔlik] adj. — 1864 ; de *embolie.*

♦ **Méd.** Relatif à l'embolie (1.).

L'éventualité d'un accident embolique, d'une infection pulmonaire, d'une défaillance circulatoire, d'une insuffisance rénale, ne peut jamais être exclue des risques opératoires (...)
Pr J. GOSSET, *in* le Figaro littéraire, 18-24 sept. 1967.

EMBOLISME [ãbɔlism] n. m. — 1119 ; bas lat. *embolismus,* grec *embolimos* ou *embolismos* «(jour) intercalaire», de *embolê.* → Embole.

♦ **Didact.** (antiq.). Intercalation d'un mois lunaire (les troisième, cinquième et huitième années d'une période de dix-huit ans) destinée à faire concorder les années solaires et lunaires.

DÉR. Embolismique.

EMBOLISMIQUE [ãbɔlismik] adj. — xve ; de *embolisme.*

♦ **Didact.** Relatif à l'embolisme. *Mois, année embolismique.*

EMBOLOLALIE [ãbɔlɔlali] n. f. — xxe ; du grec *imbolê* «invasion», et *-lalie.*

♦ **Didact.** Introduction involontaire et répétée de mots ou interjections sans valeur sémantique précise dans le langage parlé («euh», «ben», «n'est-ce pas», etc.).

EMBOLOMÈRES [ãbɔlɔmɛR] n. m. pl. — xxe ; *embolomériens,* 1893 ; du grec *embolon,* lat. *embolus* «piston», et suff. *-mère.*

♦ **Didact.** (zool., paléont.). Famille d'amphibiens fossiles *(Stégocéphales)* du permien et du carbonifère, comprenant des formes à corps allongés, à l'aspect de salamandre. — Au sing. *Un embolomère.*

EMBONPOINT [ãbɔ̃pwɛ̃] n. m. — 1528 ; *en bon point* «en bonne situation, condition», 1164 ; de *em-* (en-), *bon,* et *point* «en bon état».

♦ **1. Vx.** État d'une personne en bonne santé ; éclat que donne la santé à telle ou telle partie du corps.

Je veux mourir pour tes beautés, Maîtresse (...)   1
Je veux mourir pour cette blonde tresse (...)
Pour l'embonpoint de ce trop chaste sein (...)
RONSARD, Cassandre, I, 46.

On le prendrait pour vous : il a votre air, votre âge,   2
Vos yeux, votre action, votre maigre embonpoint (...)
CORNEILLE, la Suite du Menteur, I, 3.

Par métaphore :

La France, à la mort du feu roi, était un corps accablé de mille maux : *(Noailles)* mais il restait toujours un vice intérieur à guérir. Un étranger *(Law)* est venu qui a entrepris cette cure. Après bien des remèdes violents, il a cru lui avoir rendu son embonpoint, et il l'a seulement tournée en bouffie.   3
MONTESQUIEU, Lettres persanes, CXXXVIII.

♦ **2. Mod.** État d'un corps bien en chair, un peu gras. *Un léger embonpoint. Excès d'embonpoint.* ⇒ **Adiposité, corpulence, grosseur, réplétion, rotondité** (fam.). *Avoir, prendre de l'embonpoint.* ⇒ **Arrondir** (s'), **engraisser, grossir, remplumer** (se); **dodu, gras, gros, potelé, rebondi, replet, rondelet.** *Femme qui a beaucoup d'embonpoint.* ⇒ **Dondon.** *Avoir tendance à l'embonpoint. Prendre de l'embonpoint. Embonpoint qui vient avec l'âge. Chairs avachies par l'embonpoint. Perdre de son embonpoint. C'est plus que de l'embonpoint, c'est un début d'obésité*.*

Elle n'avait pas dans ses mouvements la pesanteur des femmes trop grasses; son embonpoint ni sa gorge ne l'embarrassaient pas.   4
MARIVAUX, le Paysan parvenu, IV.

(...) le chasseur était un gros homme court dont le ventre proéminent accusait un   5
embonpoint véritablement ministériel.   BALZAC, Adieu, Pl., t. IX, p. 750.

Il n'était pas grand ; il avait quelque embonpoint, et, pour le combattre, il faisait   6
volontiers de longues marches à pied (...)   HUGO, les Misérables, I, I, XIII.

Elle est forte et grasse, mais il y a loin de son embonpoint, potelé et soutenu, aux   7
avalanches de chair humaine du peintre d'Anvers (...)
Th. GAUTIER, Portraits contemporains, p. 383.

(...) comment le trouvez-vous?   7.1
— Bien portant surtout !
— Il prend du ventre... et il m'est arrivé maigre comme un clou ! Notez ceci, quand un criminel prend du ventre, c'est que la régénération commence ! Quand mes pensionnaires prennent de l'embonpoint, je suis tranquille sur leur santé physique et morale.
A. ROBIDA, le Vingtième Siècle, p. 139.

(En parlant d'animaux, généralement comestibles). *L'embonpoint d'un chapon.*

Fig. et vieux :

8 Quant à l'ouvrage, il est maigre, mais il est aisé de lui donner de l'embonpoint dans une seconde édition (...) D'ALEMBERT, Lettre à Voltaire, 25 juin 1766.

CONTR. Amaigrissement, émaciation, étisie, maigreur.

EMBOQUER [ãbɔke] v. tr. — 1864, *in* Littré ; de *emboque,* forme dial. de *bouche,* et suff. verbal.

♦ Régional. Gaver* pour engraisser (un animal).

EMBOSSAGE [ãbɔsaʒ] n. m. — 1792 ; de *embosser.*

♦ Mar. Action d'embosser un navire ; position d'un navire embossé. — *Ligne d'embossage,* formée par des navires (de guerre) embossés.

EMBOSSER [ãbɔse] v. tr. — 1752 ; pron., 1688 ; de *em- (en-), bosse* «sorte de cordage», et suff. verbal.

♦ Mar. Amarrer (un navire) de façon à le maintenir dans une direction déterminée malgré le vent et le courant. — Au p. p. *Navire embossé cap à l'est.*

1 — Arrive Paul, on n'a pas encore attaqué la dinde ! Henry lui envoie un lance-amarres et Paul embosse son petit *Vénus* sur l'arrière de *Pheb.* Bernard MOITESSIER, Cap Horn à la voile, p. 101.

▶ **S'EMBOSSER** v. pron.

♦ **1.** Mar. S'amarrer de manière à présenter le travers. *L'escadre s'embossa en rade.*

2 La route suivie précédemment par les embarcations lui avait permis de reconnaître le chenal, et il s'y était effrontément engagé. Son projet n'était que trop compréhensible : il voulait s'embosser devant les Cheminées et, de là, répondre par des obus et des boulets aux balles qui avaient jusqu'alors décimé son équipage. J. VERNE, l'Île mystérieuse, t. II, p. 638.

3 L'escadre s'approche avec précaution en sondant, mouille le plus près possible, et s'embosse, en hissant les pavillons français, pour commencer le bombardement. LOTI, Figures et choses..., Trois journées de guerre, p. 207.

♦ **2.** Mar. Fam. S'installer dans une position défensive. *Les marins s'embossèrent contre le pied du grand mât.* — Par ext. Se fixer dans une position stable, solide.

4 Comme toujours, il y avait un fourgon d'agents embossé au carrefour et une voiture pie toute vibrante d'antennes, poisson pilote de cette baleine échouée. A. BLONDIN, Monsieur Jadis..., p. 13.

Passif et p. p. :

5 (...) la plupart des rideaux bougent aux fenêtres. Quelques vieilles sont carrément embossées derrières ces portillons bipartis, dont le haut ne se ferme que le soir et qui laissent dépasser leurs têtes comme celles des chevaux dans un box. Hervé BAZIN, Cri de la chouette, 1972, p. 165.

♦ **3.** (Mil. XIXᵉ). Fig. S'abriter, se mettre à couvert.

6 Il rabattit son chapeau sur les yeux, s'embossa à l'espagnole dans un manteau de couleur sombre. Th. GAUTIER, le Capitaine Fracasse, p. 239.

DÉR. Embossage, embossure.

EMBOSSURE [ãbɔsyʀ] n. f. — 1687 ; de *embosser.* Marine.

♦ **1.** Amarre fixant le navire embossé.

♦ **2.** (1864). Nœud fixant le navire sur une amarre.

EMBOTTELER [ãbɔtle] v. tr. — 1600 ; de *em- (en-),* et *botteler.*

♦ Techn., agric. Mettre en botte(s). *Embotteler le chanvre.*

EMBOUAGE [ãbwaʒ] n. m. — Déb. XXᵉ ; de *embouer.*

♦ Techn. Procédé de lutte contre l'incendie dans les houillères, qui consiste à injecter un mélange d'eau et de matériaux stériles fins. *L'embouage d'un puits de mine.*

EMBOUCANER [ãbukane] v. — 1878, Rigaud ; de *em- (en-),* et *boucaner,* de *bouc ;* cf. *emboconner, in* Wartburg. Vx et populaire.

♦ **1.** V. intr. Sentir mauvais. ⇒ **Puer.**

♦ **2.** V. tr. Gêner par une odeur infecte.

EMBOUCHE [ãbuʃ] n. f. — 1837 ; de 2. *emboucher.*

♦ Engraissement du bétail dans les prés. *Élevage d'embouche, régions d'embouche.* — Par métonymie. *Pré d'embouche,* ou, ellipt., *embouche* (n. m.) : pré où les bestiaux s'engraissent rapidement. *Les embouches du Charolais.* — REM. La variante *embauche* [ãboʃ] est vieillie ou régionale (Centre).

1. EMBOUCHÉ, ÉE (MAL) [malãbuʃe] adj. et n. — 1573 ; de *mal,* adv., et *emboucher* «mettre en bouche», proprt «mal appris*, mal endoctriné».

♦ Qui parle de manière grossière ; mal élevé en matière de langage. *Une gamine particulièrement mal embouchée.*

1 Il attrapa sa femme et l'enfant, avec des raisons d'ivrogne, des mots dégoûtants (...) D'ailleurs, Nana elle-même mal embouchée, au milieu des conversations sales qu'elle entendait continuellement. Les jours de dispute, elle traitait très bien sa mère de chameau et de vache. ZOLA, l'Assommoir, t. II, X, p. 114.

N. *Un, une mal embouchée.*

2 (...) je sortis de ma voiture dans l'intention de frotter les oreilles de ce mal embouché. Je ne pense pas être lâche (mais que ne pense-t-on pas !), je dépassais d'une tête mon adversaire, mes muscles m'ont toujours bien servi. CAMUS, la Chute, p. 62.

HOM. 2. Embouché, 1. emboucher, 2. emboucher.

2. EMBOUCHÉ, ÉE [ãbuʃe] adj. — 1690 ; de *embouche* «embouchure», et *-é.*

♦ Blason. Figuré avec une embouchure d'un émail différent du corps (en parlant d'un instrument à embouchure).

HOM. 1. Embouché, 1. emboucher, 2. emboucher.

1. EMBOUCHER [ãbuʃe] v. tr. — 1273 ; de *en-, bouche,* et suff. verbal.

★ **I.** ♦ **1.** (XVIᵉ). Mus. Mettre à sa bouche (un instrument à vent) afin de produire des sons. *Emboucher un cor* (cit. 2), *une flûte, une clarinette, une trompette.*

1 Alors un vieil homme, tout couturé, tout basané, qui attendait ce signal, emboucha son clairon, — son ancien clairon des zouaves d'Afrique, — et sonna «aux champs». LOTI, Ramuntcho, I, XVII, p. 149.

Par métaphore :

2 Il y a du feu dans l'âtre, mais le vent a embouché la cheminé et il souffle sa musique avec de la fumée, des cendres volantes et en aplatissant la flamme. J. GIONO, Regain, p. 47.

Loc. Vieilli. *Emboucher la trompette :* prendre un ton élevé, épique. — (1864). Vieilli et fam. Clamer à grand bruit, divulguer. ⇒ **Claironner, trompeter.** *Emboucher la trompette en l'honneur de qqn.*

3 Les gens de lettres, bien ou mal accueillis chez la gouvernante des enfants du duc d'Orléans (*Mᵐᵉ de Genlis*), embouchaient la trompette de la renommée, pour exalter ou déprécier cette femme auteur. RIVAROL, Rivaroliana, *in* Œ., p. 364.

♦ **2.** Munir (un animal) de qqch. qu'on introduit dans la bouche. — (1525). *Emboucher un cheval,* lui mettre le mors.

Fig., vieilli. *Emboucher qqn,* lui faire la leçon, lui dicter ce qu'il a à dire. *On l'a bien mal embouché.* ⇒ 1. **Embouché.**

★ **II.** (1415). Mar. En parlant d'un bateau, Entrer dans l'embouchure de... *Emboucher une rivière, un canal, un détroit.* ⇒ **Embouquer.**

▶ **S'EMBOUCHER** v. pron.

♦ **1.** Mar. S'engager dans une passe resserrée. *Bateau qui s'embouche.*

♦ **2.** (1680). Vieilli. Se déverser, en parlant d'un cours d'eau qui se jette dans un autre ou dans la mer. *La Seine va s'emboucher dans la Manche.* ⇒ 2. **Déboucher, jeter** (se).

▶ **EMBOUCHÉ, ÉE** p. p. adj.

Mar. *Bateau embouché,* qui s'est engagé dans une passe.

DÉR. Embouchoir, embouchure.
HOM. 1. Embouché, 2. embouché, 2. emboucher.

2. EMBOUCHER [ãbuʃe] v. tr. — XIXᵉ ; altér., sous l'infl. de *bouche,* de *embaucher** dans le sens dial. de «mettre à l'engrais».

♦ Placer (un animal) sur une embouche* pour l'engraisser.

DÉR. Embouche, emboucheur.
HOM. 1. Embouché, 2. embouché, 1. emboucher.

EMBOUCHEUR [ãbuʃœʀ] n. m. — 1920, *embaucheur ;* de 2. *emboucher.*

♦ Techn. Professionnel qui engraisse des bestiaux, des volailles. *Emboucheur de bovins, d'ovins, de porcs.* ⇒ **Herbager.** — REM. Le fém. *emboucheuse* [ãbuʃøz] est virtuel.

EMBOUCHOIR [ãbuʃwaʀ] n. m. — 1629 ; *embauchoir,* 1558 ; de 1. *emboucher.*

♦ **1.** Forme pour élargir les chaussures ou empêcher qu'elles se déforment. ⇒ **Embauchoir.**

♦ **2.** (XVIIᵉ). Mus. Partie mobile d'un instrument à vent qui porte l'embouchure* et qu'on adapte à l'instrument quand on veut en jouer.

♦ **3.** (1777, Encyclopédie, *Suppl.*). Techn. Douille qui joint le canon d'un fusil au fût.

EMBOUCHURE [ãbuʃyʀ] n. f. — 1328, au sens 3 ; de 1. *emboucher.*

♦ **1.** (1636). Partie (d'un instrument à vent) qu'on met à la bouche pour en jouer. *L'embouchure d'un clairon, d'un cor, d'une trompette. Embouchure ordinaire, moderne, rayée, nickelée. Changer d'embouchure. Embouchure de clarinette, de hautbois.* ⇒ **Bec.**

1   Les instruments à anche se distinguent (...) des instruments à embouchure où ce sont les lèvres de l'exécutant qui font office d'anche.
                                          Initiation à la musique, p. 162.

Trou latéral, dans certaines flûtes.
Par ext. Manière dont on embouche certains instruments à vent. *Avoir une bonne embouchure.*

♦ **2.** (1611). Partie du mors placée dans la bouche du cheval. ⇒ **Canon.** — (1596). Par ext. Manière dont le cheval est sensible au mors. *Cheval délicat d'embouchure.*

♦ **3.** (1328). Ouverture extérieure. *L'embouchure d'un bocal, d'un tuyau.* — *Embouchure de canon :* bouche d'un canon.

2   En un vase à long col et d'étroite embouchure.   LA FONTAINE, Fables, I, 18.
3   On est venu m'apporter un énorme «goliath» que j'ai le plus grand mal à faire entrer dans mon flacon de cyanure, si large que soit mon embouchure.
                                          GIDE, Voyage au Congo, *in* Souvenirs, Pl., p. 770.

♦ **4.** [a] Géogr. Ouverture constituant une entrée. *L'embouchure d'une plaine, d'un vallon.* — *Embouchure d'un volcan.* ⇒ **Cratère.**

[b] Cour. Ouverture par laquelle un cours d'eau se jette à la mer (⇒ **Bouche, estuaire, grau**) ou dans un autre cours d'eau. *Embouchures fluviales, marécageuses. Embouchure en delta*. Barre* à l'embouchure d'un fleuve. Alluvions* (cit. 1) *à l'embouchure d'un fleuve. Embouchure qui s'ensable. Aller vers l'embouchure.* ⇒ **Aval** (en aval, vers l'aval). *Envahisseurs entrant par l'embouchure des rivières* (→ Dévaster, cit. 1). *Aborder, débarquer à l'embouchure d'un fleuve. Ville bâtie à l'embouchure d'un fleuve.* — Par ext. *L'embouchure d'un détroit, d'un golfe, d'une baie.*

[c] Par anal. *L'embouchure d'un sentier,* la partie qui s'élargit avant d'aboutir à un carrefour. — Anat. *L'embouchure des sinus, du canal excréteur.* — Techn. *Embouchure des trous d'une filière,* par où entre le fil à étirer.

EMBOUER [ãbwe] v. — XIIᵉ ; de *em- (en-), boue,* et suff. verbal.

♦ **1.** V. tr. Vx. Salir, couvrir de boue. — Au p. p. *Chaussures embouées.*

♦ **2.** V. intr. Techn. Dans une houillère, Procéder à un embouage. *Embouer un puits de mine en feu.*

DÉR. Embouage.

EMBOUQUEMENT [ãbukmã] n. m. — 1792 ; de *embouquer.* Marine.

♦ **1.** Entrée d'une bouque*.

♦ **2.** Action d'embouquer.

EMBOUQUER [ãbuke] v. — 1687 ; de *em- (en-), bouque,* et suff. verbal.

♦ **1.** Mar. [a] V. intr. S'engager dans une bouque*. *Le navire a embouqué dans le détroit.*

[b] V. tr. *Le navire a embouqué le canal* (cit. 11), *la passe.* ⇒ 1. **Emboucher.**

♦ **2.** V. tr. Par ext. S'engager dans (un lieu).

(...) il pénétra dans le bel immeuble à tapis et ascenseur, s'abstint, par humilité, de prendre l'ascenseur, et embouqua l'escalier en saluant poliment la concierge derrière sa vitre.   Roger IKOR, les Fils d'Avrom, p. 407.

CONTR. Débouquer.
DÉR. Embouquement.

EMBOURBEMENT [ãbuʀbəmã] n. m. — 1611 ; de *embourber.*

♦ Rare. Action d'embourber ou de s'embourber ; résultat de cette action. *L'embourbement d'une voiture dans un mauvais chemin.*

EMBOURBER [ãbuʀbe] v. tr. — V. 1220 ; de *em- (en-), bourbe,* et suff. verbal.

♦ **1.** Engager dans un bourbier, dans la boue. ⇒ **Enliser, envaser.** *Embourber une voiture.*

1   Je trouvai les chemins et les postes en grand désarroi, et, entre autres aventures, je fus mené par un postillon sourd et muet, qui m'embourba de nuit auprès du Quesnoy.   SAINT-SIMON, Mémoires, t. I, VII.

♦ **2.** Fig. Engager (qqn) dans une situation difficile. *Embourber qqn* (dans une mauvaise affaire, dans le vice...).

La faiblesse commence l'égarement, la passion entraîne dans la mauvaise voie, le   2
vice, qui est une habitude, y embourbe ; et l'homme ne fait aucun progrès vers les
états meilleurs.   BALZAC, Séraphîta, Pl., t. X, p. 573.

▶ **S'EMBOURBER** v. pron.

♦ **1.** S'enfoncer dans la boue, dans un bourbier. ⇒ **Enliser** (s'), **envaser** (s'). *La voiture s'embourba jusqu'aux essieux. Nous nous sommes embourbés.*

Pour venir au chartier embourbé dans ces lieux,   3
Le voilà qui déteste et jure de son mieux (...)
Ôte d'autour de chaque roue
Ce malheureux mortier, cette maudite boue,
Qui jusqu'à l'essieu les enduit.   LA FONTAINE, Fables, VI, 18.

♦ **2.** Fig. S'engager dans une situation difficile. ⇒ **Embarrasser** (s'), **emberlificoter** (s'), **empêtrer** (s') ; (fam.) **fourrer** (se). *S'embourber dans des explications confuses.*

Jamais art véritable n'a connu pareil engouement. Les intellectuels qui fréquen-   4
tent et patronnent le cinéma lui demandent de lâches récréations, mais le regardent s'embourber dans la pire sottise avec une admirable désinvolture.
                                          G. DUHAMEL, Scènes de la vie future, III, p. 63.

▶ **EMBOURBÉ, ÉE** p. p. adj.

Enfoncé, engagé dans la boue (d'une manière telle qu'il est difficile de se dégager seul). *Roues embourbées. Charrette, voiture embourbée. Le Chartier* (charretier) *embourbé,* fable de La Fontaine.

Fig. *Être embourbé,* dans une situation difficile, mauvaise, dont on ne peut sortir (→ Dette, cit. 5).

CONTR. Débourber, désembourber.
DÉR. Embourbement.
COMP. Désembourber.

EMBOURGEOISEMENT [ãbuʀʒwazmã] n. m. — 1867 ; de *embourgeoiser.*

♦ Action d'embourgeoiser ou de s'embourgeoiser ; résultat de cette action. *Le refus de l'embourgeoisement. Un embourgeoisement progressif.*

EMBOURGEOISER [ãbuʀʒwaze] v. tr. — 1831 ; *s'embourgeoiser* «s'abaisser à fréquenter des bourgeois», 1777 ; de *em- (en-), bourgeois,* et suff. verbal.

♦ **1.** Littér. Revêtir d'un caractère bourgeois ou commun ; dépouiller de toute grandeur. ⇒ **Banaliser.**

Raphaël, Michel-Ange, n'ont pas, comme Horace Vernet, la prétention ou le mal-   1
heur d'enjoliver et d'embourgeoiser le drame biblique en essayant de le renouveler, de l'habiller en costume moderne.   G. PLANCHE, Salon de 1831, Delaroche.

Comment, ma chère, dans l'intérêt de ta vie à la campagne, tu traites les plaisirs en   2
coupes réglées, tu traites l'amour comme tu traiteras tes bois ! Oh ! j'aime mieux
périr dans la violence des tourbillons de mon cœur, que de vivre dans la sécheresse de ta sage arithmétique (...) Tiens, Renée, j'ai ta lettre sur le cœur, tu m'as
embourgeoisé la vie.
                                          BALZAC, Mémoires de deux jeunes mariées, Pl., t. I, p. 190-196.

♦ **2.** Vx. Faire entrer dans la bourgeoisie (par une alliance).

▶ **S'EMBOURGEOISER** v. pron.

♦ **1.** Vx. S'allier à une famille bourgeoise.

♦ **2.** Cour. Prendre les habitudes, l'esprit, les préjugés de la classe bourgeoise (goût de l'ordre, du confort, respect des conventions). *S'embourgeoiser en prenant de l'âge.* — *Un socialisme qui s'est embourgeoisé,* qui a perdu son caractère révolutionnaire.

▶ **EMBOURGEOISÉ, ÉE** p. p. adj. *Des anciens prolétaires embourgeoisés. Un révolutionnaire, un maoïste embourgeoisé.* — *Une morale embourgeoisée.* — N. *Les embourgeoisés.*

(...) nous condamnions froidement à mort tous ceux qui, de près ou de loin, étaient   3
entrés en pourparlers avec la police, tous ceux qui nous paraissaient avoir flanché,
tous les délateurs, les tièdis, les fatigués, les embourgeoisés.
                                          B. CENDRARS, Moravagine, Œ. compl., t. IV, p. 123.

DÉR. Embourgeoisement.

EMBOURRER [ãbuʀe] v. tr. — XIIᵉ-XIIIᵉ ; de *em- (en-), bourre,* et suff. verbal.

♦ Vx. Garnir de bourre. ⇒ **Bourrer, rembourrer.** — Techn. Dissimuler les défauts de (une céramique) au moyen d'un mélange de terre et de chaux.

DÉR. Embourrure.

EMBOURRURE [ãbuʀyʀ] n. f. — XVIᵉ ; de *embourrer.*

♦ Techn., vx. Ce qui sert à embourrer. *L'embourrure d'un fauteuil.*

⇒ **Bourre**. *Toile d'embourrure*, ou, ellipt., *embourrure :* grosse toile qui couvre la matière dont le tapissier embourre certains meubles.

Ceux qui ont le corps grêle le grossiront d'embourrures.
MONTAIGNE, Essais, I, XXVI.

EMBOURSER [ãbuʀse] v. tr. — XIIe; de *em- (en-)*, 1. *bourse*, et suff. verbal.

♦ Vx ou littér. Mettre dans sa bourse, toucher (de l'argent).

0.1   Des plongeurs happent et emboursent dans leurs joues des piécettes qu'on leur jette du pont de l'Asie.   GIDE, Voyage au Congo, *in* Souvenirs, Pl., p. 686.

Figuré :

1   (...) et si dans la province
Il se donnait en tout vingt coups de nerfs de bœuf,
Mon père, pour sa part, en emboursait dix-neuf.   RACINE, les Plaideurs, I, 5.

2   Cet homme a manié des millions, dit Norbert, et je ne conçois pas qu'il vienne ici embourser les épigrammes de mon père, souvent abominables.
STENDHAL, le Rouge et le Noir, II, IV.

CONTR. Débourser.
COMP. Rembourser.

EMBOUT [ãbu] n. m. — 1838; déverbal de *embouter*.

♦ Garniture qui se place à l'extrémité (de certains objets allongés). *Embout d'une canne, d'un parapluie. Embout en caoutchouc, en cuivre,* adapté au bout d'une canne. *Embout isolant,* placé à l'extrémité d'un conducteur électrique. *Embout d'une seringue,* où s'emboîte l'aiguille.

REM. La graphie *en-bout* est étymologique, mais anormale :

Il est habillé avec élégance. Il allume un de ces cigarillos à en-bout de plastique que mon père fume le dimanche.   Yanny HUREAUX, la Prof, p. 288.

EMBOUTEILLAGE [ãbutɛjaʒ] n. m. — 1845; de *embouteiller*.

♦ **1.** Mise en bouteilles. *L'embouteillage du lait.*

♦ **2.** (1906). Mar. Action d'embouteiller (des navires).

♦ **3.** (Av. 1916, Barbusse). Cour. Encombrement qui arrête la circulation (des voitures, des piétons...). ⇒ **Bouchon, embarras.**

1   Je ne veux pas attendre l'heure de l'embouteillage du métro, tu penses.
COLETTE, la Fin de Chéri, p. 85.

2   Il s'est fait prendre sur la route dans des embouteillages inextricables.
SAINT-EXUPÉRY, Pilote de guerre, I, p. 13.

Par anal. Fait d'être rempli à l'excès, de façon gênante. « L'"explosion" du nombre des étudiants et ses conséquences : l'embouteillage des facultés » (*Entreprise*, 11 mai 1968, *in* P. Gilbert). — Fait de ne plus pouvoir fonctionner par une accumulation excessive. *L'embouteillage des lignes téléphoniques.*

EMBOUTEILLEMENT [ãbutɛjmã] n. m. — 1878; de *embouteiller*.

Rare.

♦ **1.** Action d'embouteiller (2.). ⇒ **Embouteillage** (2.).

♦ **2.** Action d'obstruer (une voie) par excès de circulation. ⇒ **Embouteillage** (3.).

EMBOUTEILLER [ãbutɛje] v. tr. — 1864; de *em- (en-)*, *bouteille*, et suff. verbal.

♦ **1.** Mettre en bouteilles. *Embouteiller du vin, de la bière, de l'eau minérale.*

♦ **2.** (1906; métaphore angl., 1898). Mar. Bloquer (des navires) dans un port, une rade à *goulet* étroit, obstruant ainsi les passes. *Embouteiller une flotte. — Navires qui embouteillent un port, une rade,* qui les obstruent.

♦ **3.** (XXe). Obstruer (une rue, une voie de communication) en provoquant un encombrement. *Les camions embouteillent cette rue.* — Par anal. Empêcher le fonctionnement de qqch., par une accumulation excessive.

Chaque camion qui progresse *(durant l'exode de 1940),* ou qui tente de progresser, risque de condamner un peuple. Car, en progressant contre le courant, il embouteille inexorablement une route entière.
SAINT-EXUPÉRY, Pilote de guerre, p. 130.

▶ **EMBOUTEILLÉ, ÉE** p. p. adj. *Rue embouteillée. Gare de triage embouteillée. — Lignes, circuits téléphoniques embouteillés.*

DÉR. Embouteillage, embouteillement, embouteilleur, embouteilleuse.

EMBOUTEILLEUR, EUSE [ãbutɛjœʀ, øz] n. m. — 1870; de *embouteiller*.

♦ Techn. Personne qui met le vin en bouteilles.

EMBOUTEILLEUSE [ãbutɛjøz] n. f. — XXe; de *embouteiller*.

♦ Techn. Machine qui met (un liquide) en bouteilles. *Des embouteilleuses automatiques.*

EMBOUTER [ãbute] v. tr. — 1535; de *em- (en-)*, *bout*, et suff. verbal.

♦ Techn. Garnir d'un bout, d'un embout. *Embouter un parapluie.*

DÉR. Embout.

EMBOUTIR [ãbutiʀ] v. tr. — XIVe; d'abord « façonner en bout, étirer »; de *em- (en-)*, *bout* « coup », et suff. verbal. → Bouter.

♦ **1.** Techn. Travailler au marteau ou au repoussoir (un métal) pour y former le relief d'une empreinte. *Emboutir l'argent.* — Travailler une plaque de métal (dite *flan*) pour la courber, l'arrondir. *Emboutir du fer-blanc. Presse à emboutir.*

♦ **2.** (1694; pour *embouter*). Techn. Revêtir d'une garniture métallique de protection. *Emboutir une corniche, une moulure.*

♦ **3.** (1907). Cour. Enfoncer en heurtant violemment. ⇒ **Défoncer, démolir, enfoncer.** *Un camion a embouti l'arrière de ma voiture. Il s'est fait emboutir par un camion.* — Pron. *Aller s'emboutir contre un arbre.*

▶ **EMBOUTI, IE** p. p. adj. *Argent embouti. Bassine en tôle emboutie.*

Sous-douane, cigarettes, whisky, poufs, cuivres emboutis (...)
Claude COURCHAY, La vie finira bien par commencer, p. 197.

Sa voiture est complètement emboutie.

DÉR. Emboutissage, emboutisseur, emboutisseuse.

EMBOUTISSAGE [ãbutisaʒ] n. m. — 1856, La Châtre; de *emboutir*.

♦ **1.** Techn. Action d'emboutir (une plaque de métal). *L'emboutissage des flans. Emboutissage à la main, mécanique. L'emboutissage permet d'obtenir des récipients sans soudure.*

♦ **2.** (1901). Techn. Travail en relief sur étoffe, pour faire ressortir les décorations.

♦ **3.** (1907). Cour. Choc d'un véhicule (contre un autre véhicule ou contre un obstacle). *L'emboutissage de l'aile d'une voiture par un camion.*

EMBOUTISSEUR, EUSE [ãbutisœʀ, øz] n. — 1838, au masc.; de *emboutir*.

♦ Techn. Ouvrier, ouvrière chargé(e) de l'emboutissage.

EMBOUTISSEUSE [ãbutisøz] n. f. — Fin XIXe; de *emboutir*.

♦ Techn. Machine-outil qui sert à emboutir.

EMBOUTISSOIR [ãbutiswaʀ] n. m. — 1803; « poinçon d'acier qui sert à faire les têtes de clous », 1676.

♦ Techn. Marteau ou poinçon permettant d'emboutir les plaques de métal.

EMBRANCHEMENT [ãbʀãʃmã] n. m. — 1494; de *em- (en-)*, *branche*, et suff. -(e)ment.

♦ **1.** Division du tronc d'un arbre en branches. — Par anal. Subdivision d'une chose principale (voie de communication, conduit) en une ou plusieurs autres secondaires; point de jonction* de deux ou plusieurs de ces choses. *Plaque indicatrice à l'embranchement de deux chemins.* ⇒ **Bifurcation, carrefour, croisement, fourche, intersection.** *Embranchement d'une voie ferrée principale et d'une ligne secondaire.* ⇒ **Branchement, nœud.** — *Quitter la voie principale pour l'embranchement.*

1   Il y a sous la rue Saint-Denis un vieil égout en pierre (...) qui va droit à l'égout collecteur dit Grand Égout, avec un seul coude, à droite (...) et un seul embranchement, l'égout Saint-Martin, dont les quatre bras se coupent en croix.
HUGO, les Misérables, V, III, 1.

2   Quelquefois des stations, Larsac, Le Raynou, dont je ne lui avais jamais entendu parler, et l'air, le sol m'étaient dans cette zone sans saveur; mais arrivait soudain Saint-Sulpice-Laurière, embranchement vers les trois villes d'Universités, où il dormait sur un banc dans ses voyages d'examens (...)
GIRAUDOUX, Siegfried et le Limousin, p. 295.

♦ **2.** (1805). Fig. Sc. nat. Grande division* du monde animal ou végétal. ⇒ **Classification.** *Les quatre embranchements du règne animal selon Cuvier (articulés*, mollusques*, rayonnés*, vertébrés*). Embranchement des mollusques, des vertébrés...,* en zoologie; *des cryptogames, des phanérogames,* en botanique. *On compte actuellement une vingtaine d'embranchements réunis en clades*.*

♦ **3.** Par métaphore et fig. (du sens 1). *Les embranchements de sa pensée, d'une décision.*

DÉR. **Embrancher.**

COMP. (Du sens 2) **Sous-embranchement.**

EMBRANCHER [ãbʀãʃe] v. tr. — 1773; de *embranchement;* le verbe dérivé de *em-, branche,* et suff. verbal a existé au XIIIᵉ, au sens de «suspendre aux branches». → Brancher (I. et II., 1.).

♦ **1.** Relier (une voie de communication, une canalisation...) à une ligne déjà existante. ⇒ **Brancher, raccorder.** *Embrancher une voie ferrée à la ligne principale.* — Pron. :

1   Les chemins de ses quatre fermes pouvaient tous aboutir à une grande avenue qui de Clochegourde irait en droite ligne s'embrancher sur la route de Chinon.
     BALZAC, le Lys dans la vallée, Pl., t. VIII, p. 866.

1.1   De temps en temps un vieux chemin recouvert de cette herbe d'été blanche comme la craie s'embranchait à la route et, tournant tout de suite dans le petit bois, dissimulait ses avenues, mais avait en tout cas l'intention d'aller quelque part.
     J. GIONO, le Hussard sur le toit, p. 15.

♦ **2.** Fig. Relier à qqch. ⇒ **Allier, associer.**

2   Tandis que pour moi la course du lift chez Saint-Loup avait été le moyen commode de lui faire porter une lettre et d'avoir sa réponse, pour lui cela avait été le moyen de faire la connaissance de quelqu'un qui lui avait plu (...) Sur l'acte le plus insignifiant que nous accomplissons un autre homme embranche une série d'actes entièrement différents (...)
     PROUST, À la recherche du temps perdu, t. XIII, p. 318.

EMBRAQUER [ãbʀake] v. tr. — 1694; de *em- (en-),* et *braquer.*

♦ Mar. Tendre, raidir (un cordage).

CONTR. **Lâcher, relâcher.**

EMBRASEMENT [ãbʀazmã] n. m. — XIIᵉ; de 1. *embraser.*
Action d'embraser; résultat de cette action.

♦ **1.** Vx. Action d'embraser; incendie qui en résulte. ⇒ **Feu, incendie.** *L'embrasement de la ville de Troie. La lueur de l'embrasement.*

1   Dieu détruira le siècle au jour de sa fureur;
   Un vaste embrasement sera l'avant-coureur.   LA FONTAINE, Ode, VI.

2   (...) un embrasement qui (...) s'épand au loin dans une forêt (...)
     LA BRUYÈRE, les Caractères, I, 29.

♦ **2.** Grande lumière, clarté ardente. *L'embrasement du couchant, de l'horizon.* ⇒ **Clarté, lumière.**

3   (...) les lointains apparaissaient, le grand décor incomparable : tout Stamboul et son golfe, dans leur plein embrasement des soirs purs.
     LOTI, les Désenchantées, I, III, p. 37.

Éclairement général (au moyen de feux de Bengale, de projecteurs). ⇒ **Illumination.** *L'embrasement du château de Versailles.*

4   Les enseignes électriques de toutes couleurs ne resplendissaient pas encore au-dessus des magasins (...) Quelle différence avec les embrasements et les flamboiements d'aujourd'hui, avec l'amusante publicité aérienne à éclipses (...)
     Georges LECOMTE, Ma traversée, p. 67.

♦ **3.** Fig. Agitation qui conduit à des troubles sociaux importants. ⇒ **Conflagration, désordre, effervescence, trouble** (→ Contagion, cit. 2). *L'embrasement d'un pays par la guerre, par la révolution.*

5   Un coup de canon en Amérique peut être le signal de l'embrasement de l'Europe (...)
     VOLTAIRE, Essai sur les mœurs, in LITTRÉ.

Ardeur de la passion. ⇒ **Attisement, excitation, passion.** *L'embrasement des sens.*

6   Elle ne m'accorda rien qui pût la rendre infidèle, et j'eus l'humiliation de voir que l'embrasement dont ses légères faveurs allumaient mes sens n'en porta jamais aux siens la moindre étincelle.   ROUSSEAU, les Confessions, IX.

Embrasement des esprits. ⇒ **Exaltation.**

CONTR. **Apaisement, refroidissement. — Calme.**

1. EMBRASER [ãbʀaze] v. tr. — 1100; de *em- (en-), braise,* et suff. verbal.
Littéraire ou style soutenu.

♦ **1.** Vx. Mettre en feu. ⇒ **Allumer, enflammer, incendier.** *Embraser des charbons, un fagot, des bûches. Feu qui embrase la forêt* (→ Brande, cit. 2).

1   Peut-être dans nos ports nous le verrons descendre,
   Tel qu'on a vu son père embraser nos vaisseaux (...)   RACINE, Andromaque, I, 2.

♦ **2.** Rendre très chaud. ⇒ **Brûler, chauffer.** *Le soleil embrase l'air* (→ Chaleur, cit. 2).

2   Malheureuse la terre de malédiction que ces trois fleuves de feu embrasent plutôt qu'ils n'arrosent!   PASCAL, Pensées, VII, 458.

3   Une chaleur pénétrante brûlait nos yeux; un air dévorant, des cendres étincelantes, des flammes détachées embrasaient notre respiration courte, sèche, haletante et déjà presque suffoquée par la fumée (...)
     Ph. P. SÉGUR, Hist. de Napoléon, VIII, 7.

♦ **3.** Rendre très lumineux. ⇒ **Éclairer, illuminer.** *Ciel qu'embrase le soleil couchant.*

4   Un beau soleil couchant, empourprant le taudis,
   Embrasait la fenêtre et le plafond (...)   HUGO, les Contemplations, III, XVIII.

♦ **4.** Fig. et littér. Livrer à la ruine, au désordre, à la guerre. ⇒ **Brûler, détruire, ravager.**

5   Embrasez par nos mains le couchant et l'aurore (...)   RACINE, Mithridate, III, 1.

♦ **5.** Fig. et littér. Emplir d'une passion ardente. ⇒ **Agiter, allumer, échauffer, enflammer, exalter, exciter, passionner** (→ Ardeur, cit. 10). *L'amour embrase les cœurs* (cit. 78). — (Avec un compl. second). *Embraser qqn d'amour. — Embraser les convoitises, les désirs.* ⇒ **Attiser.**

6   (...) elle m'a tout à coup embrasé d'amour; la foudre est moins prompte que le trait qu'elle a lancé dans mon cœur.   A.-R. LESAGE, Gil Blas, X, VIII.

7   (...) voilà d'où se répandit dans mes premiers livres ce feu vraiment céleste qui m'embrasait, et dont pendant quarante ans il ne s'était pas échappé la moindre étincelle, parce qu'il n'était pas encore allumé.   ROUSSEAU, les Confessions, IX.

8   Pour l'embraser du feu dont je suis dévoré (...)   LAMARTINE, Harmonies, III, 3.

9   *(Thaïs)* embrasait ainsi tous les spectateurs du feu de la luxure (...)
     FRANCE, Thaïs, p. 11.

▶ **S'EMBRASER** v. pron.

♦ **1.** Vx. Prendre feu. ⇒ **Brûler.** *Poutre qui s'embrase. Le phosphore s'embrase facilement. Feu prêt à s'embraser* (→ Cendre, cit. 6).

♦ **2.** S'illuminer, s'éclairer d'une lueur vive.

10   Le couchant s'embrasa, des étincelles tremblaient sur la rivière; puis le ciel et l'eau s'éteignirent; une brise fraîche s'éleva dans la verdure sombre.
     FRANCE, Jocaste, XI, Œ., t. II, p. 109.

11   Le sable se veloute délicatement dans l'ombre; s'embrase au soir et paraît de cendre au matin.   GIDE, les Nourritures terrestres, p. 173.

♦ **3.** Se passionner, s'exalter. *S'embraser d'amour* (→ Brûlant, cit. 10).

12   Si votre cœur ainsi s'embrase en un moment (...)   CORNEILLE, le Menteur, I, 3.

▶ **EMBRASÉ, ÉE** p. p. adj.

♦ **1.** Mis en feu. *Poutre embrasée. Vaisseaux embrasés* (→ Brûlot, cit. 1).

♦ **2.** Rendu brûlant. *Air, vent, souffle embrasé.* ⇒ **Brûlant, chaud** (→ Carré, cit. 4).

13   Je défie votre Provence d'être plus embrasée que ce pays (...)
     Mᵐᵉ DE SÉVIGNÉ, 552, 26 juin 1676.

14   Ils *(des laboureurs)* relevaient tant bien que mal leurs reins faussés, et découvraient de grands fronts frisés de cheveux courts, bizarrement blancs, dans un visage embrasé de soleil.   E. FROMENTIN, Dominique, p. 29.

♦ **3.** Par anal. Éclatant de lumière. *Ciel, horizon embrasé.*

♦ **4.** Fig. Soumis à une passion extrême. *Cœur embrasé d'amour* (→ Amant, cit. 9). ⇒ **Ardent.** *Être embrasé de colère.*

15   (...) l'ardeur dont je suis embrasée?   RACINE, Phèdre, III, 3.

CONTR. **Éteindre. — Amortir, apaiser, freiner, modérer, refroidir.**

DÉR. **Embrasement.**

2. EMBRASER [ãbʀaze] v. tr. — XVIᵉ; peut-être de 1. *embraser* au sens de «mettre le feu au canon, à la charge du canon», puis «élargir». → Embrasure.

♦ Vx. *Ébraser* (en termes d'architecture).

DÉR. **Embrasure.**

EMBRASSADE [ãbʀasad] n. f. — 1500; de *embrasser.*

♦ Fam. Action d'embrasser, de s'embrasser, de (se) serrer dans les bras; situation de personnes qui s'embrassent. ⇒ **Accolade, étreinte** (→ Amitié, cit. 25; caresser, cit. 18). *Accabler qqn d'embrassades* (→ Bienvenu, cit. 4). *Se faire mille embrassades. Rendre à qqn son embrassade. Assister à des embrassades.*

1   Ah! que cette embrassade est pleine de tendresse.
     MOLIÈRE, l'École des femmes, V, 7.

2   Ces affables donneurs d'embrassades frivoles (...)   MOLIÈRE, le Misanthrope, I, 1.

3   Les hommes m'accablèrent d'embrassades; et les femmes à leur tour, appliquant leur visage enluminé sur le mien, le couvrirent de rouge et de blanc.
     A.-R. LESAGE, Gil Blas, VII, 8.

REM. Par suite de l'évolution de sens de *embrasser* (2.), *embrassade* prend le sens complexe de «action de serrer dans ses bras en donnant des baisers», et même de «fait de se donner réciproquement des baisers», en français contemporain.

EMBRASSANT, ANTE [ãbʀasã, ãt] adj. — D. i. (XIXᵉ); p. prés. de *embrasser.*

♦ **1.** Vieilli. Qui embrasse (cf. A. France, in T. L. F.).

♦ **2.** Bot. Se dit d'organes qui entourent un axe. *Pétioles embrassants.*

♦ **3.** Rare. Qui englobe, embrasse (II.). *Un raisonnement embrassant.* ⇒ **Englobant.**

EMBRASSE [ɑ̃bʀɑs] n. f. — 1831; «embrassement», XIVe; déverbal de *embrasser.*

♦ **1.** Vx. Action d'embrasser. ⇒ **Embrassement.**

♦ **2.** Mod. Ce qui sert à entourer, à embrasser. — Spécialt. Bande d'étoffe, cordelière, ganse fixée à une patère et servant à retenir un rideau. *Embrasse à glands de soie, de velours. Rideaux à embrasses.*

Devant la fenêtre, un rideau de peluche rouge était retenu par une embrasse en torsade qui se terminait par un gland.   A. MAUROIS, Terre promise, I, p. 8.

EMBRASSÉ, ÉE [ɑ̃bʀɑse] adj. et n. m. — 1690; p. p. de *embrasser.*

♦ **1.** Blason. Se dit d'un écu dont la partition présente un triangle sur un axe horizontal. *Écu embrassé à dextre, à senestre.*
N. m. *Un embrassé.*

♦ **2.** *Rimes embrassées :* rimes masculines et féminines se succédant dans l'ordre abba, cddc...

EMBRASSEMENT [ɑ̃bʀɑsmɑ̃] n. m. — 1160; de *embrasser.*
Littéraire.

♦ **1.** Action d'embrasser (I., 1.), de serrer dans ses bras; résultat de cette action. ⇒ **Accolade, embrassade, enlacement, étreinte** (→ Âme, cit. 37; bras, cit. 6; déborder, cit. 6). *Un long, un tendre embrassement. Embrassements qui scellent la concorde, la paix, l'union. Étouffer qqn de, sous ses embrassements. Ardeur, tiédeur d'un embrassement.*

1 De vos embrassements on se passerait fort.   MOLIÈRE, l'Étourdi, V, 11.
2 Dans cet embrassement recevez mes adieux.   RACINE, Mithridate, III, 1.
3 Et hors de lui le vannier éperdument vient se jeter sur le corps de Mireille, et l'infortuné dans ses embrassements frénétiques serre la morte.
                    MISTRAL, Mireille, Chant XII, 3e strophe.

♦ **2.** Spécialt (au plur.). Vx. Union charnelle. ⇒ **Accouplement, étreinte.** *De voluptueux embrassements.*

4 Toutefois, ne croyez pas désormais recevoir impunément les caresses d'un autre homme; ne croyez pas que de faibles embrassements puissent effacer de votre âme ceux de René.   CHATEAUBRIAND, les Natchez.
5 Pendant que la nature entière sommeillait dans sa chasteté, lui, il s'est accouplé avec une femme dégradée, dans des embrassements lascifs et impurs.
                    LAUTRÉAMONT, les Chants de Maldoror, III, p. 138.

♦ **3.** Littér. Fait d'entourer (en parlant de choses). ⇒ **Union.**

6 Un mur très bas va d'une case à l'autre et rattache dans un embrassement circulaire toutes les constructions d'une même communauté.
                    GIDE, le Retour du Tchad, I, in Souvenirs, Pl., p. 881.

♦ **4.** Rare. Action de s'attacher à qqch., de s'y consacrer. *L'embrassement d'une croyance, d'une erreur.*

♦ **5.** Littér. Action de saisir (par le regard, par l'esprit, la mémoire, etc.) qqch.

7 Germinie regarda un moment tout autour d'elle : elle enveloppa la pièce d'un embrassement suprême et qui semblait vouloir emporter les choses.
                    Ed. et J. DE GONCOURT, Germinie Lacerteux, p. 253, 1864, in T. L. F.

EMBRASSER [ɑ̃bʀɑse] v. tr. — 1080; le sens «donner un baiser» (sans «prendre dans ses bras») est encore signalé comme «néologisme» par Hatzfeld à la fin du XIXe; de *em-* (*en-*), *bras,* et suff. verbal.

★ **I.** Prendre et serrer entre ses bras. ⇒ **Accoler, enlacer, entourer, étreindre, serrer.** ♦ **1.** Vieilli (compl. n. de chose). *Cet arbre est si gros, que deux personnes ne sauraient l'embrasser* (Académie). — Au p. p. *Tenir qqch. embrassé.*

1 Ensanglantant l'autel qu'il tenait embrassé?   RACINE, Andromaque, III, 8.

(Compl. n. de pers.). Étreindre avec les deux bras. *Embrasser étroitement qqn* (→ Châtier, cit. 3).

2 J'embrasse mon rival, mais c'est pour l'étouffer.   RACINE, Britannicus, IV, 3.
3 Il embrasse un homme qu'il trouve sous sa main, il lui presse la tête contre sa poitrine; il demande ensuite qui est celui qu'il a embrassé.
                    LA BRUYÈRE, les Caractères, IX, 48.

Spécialt. Serrer entre ses bras, en démonstration d'amitié, d'amour, d'affection, de tendresse («caresse qui est souvent accompagnée d'un baiser», note Littré). ⇒ **Approcher,** cit. 58; attendre, cit. 42; bas, cit. 10; caresser, cit. 4; congratuler, cit. — REM. Ce sens devient archaïque ou ambigu au cours du XIXe s., avec l'évolution du sens 2. *Il l'embrassa tendrement, avec effusion. Sauter au cou* de qqn pour l'embrasser. — Je vous embrasse tendrement, mille fois, de tout mon cœur...,* formules finales d'une lettre.

4 (...) j'estime tous les hommes mes compatriotes et embrasse un Polonais comme un Français (...)   MONTAIGNE, Essais, III, IX.
5 Lorsqu'un homme vous vient embrasser avec joie (...)
                    MOLIÈRE, le Misanthrope, I, 1.
6 Je sentis aussitôt que la jolie prêcheuse ne pourrait se défendre d'être embrassée à son tour. Cependant, elle voulut fuir; mais elle fut bientôt dans mes bras (...)
                    LACLOS, les Liaisons dangereuses, Lettre XXIII.

7 (...) comme elle l'embrasse! comme elle l'étreint! comme elle l'étouffe! (...) Au milieu de ces effusions, l'homme du comptoir se réveille.
                    Alphonse DAUDET, le Petit Chose, IV, p. 48.

Embrasser les pieds, les genoux de qqn, se jeter à ses pieds, serrer ses genoux pour l'implorer. ⇒ **Implorer, supplier** (→ Auparavant, cit. 6).

8 Je me jetterai à ses pieds, j'embrasserai ses genoux, je ne le laisserai point aller qu'il ne m'ait accordé de vous suivre.   FÉNELON, Télémaque, IV.

♦ **2.** Donner un baiser, des baisers à (qqn). ⇒ 1. **Baiser.** — *Embrasser qqn au front* (→ Dérober, cit. 12), *sur le front, sur les deux joues, sur les lèvres, sur la bouche. Embrasser qqn à bouche que veux-tu* (cf. fam. Rouler une galoche, un patin, une pelle). — *Embrasser la bouche, les lèvres de qqn.*

REM. Ce sens, aujourd'hui admis par l'Académie (huitième éd., 1932), était jugé abusif par P. Larousse (1870) et condamné par Littré. L'évolution érotique du verbe *baiser* explique l'extension moderne de *embrasser.*

9 On lit parfois dans les auteurs contemporains : il lui embrasse la main. C'est mal parler; il faut dire : il lui baise la main. Embrasser c'est non appliquer la bouche, mais serrer dans les bras.   LITTRÉ, Dict., art. *Embrasser.*
10 Viens m'embrasser, François, dit la meunière en asseyant l'enfant sur ses genoux et en l'embrassant au front avec beaucoup de sentiment.
                    G. SAND, François le Champi, IV, p. 54.
11 (...) à propos d'un rien vous embrassant à pleine bouche, avec ses grosses lèvres ballantes qui mouillent un peu, mais qui sont bien fraîches, bien rouges (...)
                    LOTI, Mme Chrysanthème, XIV, p. 91.
12 (...) ayant souvent embrassé, sans grand plaisir, des lèvres de petites filles, et oubliant que c'était parce que je ne les aimais pas, je désirais peu les lèvres de Marthe.   R. RADIGUET, le Diable au corps, p. 43.
13 Il plie le journal, embrasse Juliette, qui s'arrange pour dérober ses lèvres; puis il se hâte de sortir.   J. ROMAINS, les Hommes de bonne volonté, t. II, I, p. 9.

(À la fin d'une lettre amicale). *En attendant de vous revoir, je vous embrasse. Ton père qui t'embrasse. Embrasse les enfants pour moi. Embrasser la main de qqn,* lui faire le baisemain*.

♦ **3.** (Par anal. du sens 1; sujet n. de chose). Littér. Enserrer, entourer. ⇒ **Ceindre, ceinturer, environner.** *Les draperies qui embrassent le corps.* ⇒ **Épouser** (→ Caresser, cit. 12). *Le lierre embrasse l'ormeau. L'océan embrasse toute la terre.*

13.1 En voyant sa fille s'approcher d'elle avec son compagnon, l'excellente femme, reconnaissante pour toutes les attentions de Séil-kor, se tourna en souriant vers le jeune nègre, et dit d'une voix douce, en lui montrant Nina : « Embrasse-la ! »
Séil-kor, pris de vertige, entoura son amie de ses bras et déposa sur ses joues fraîches deux chastes baisers qui le laissèrent ivre et chancelant.
                    Raymond ROUSSEL, Impressions d'Afrique, p. 226.
13.2 Ce baiser dans son lit, c'était le don attendu avec une impatience fiévreuse dont le merveilleux pouvoir calmait comme un enchantement, comme l'huile la mer, son cœur agité. Le geste de sa mère qui se baissait pour l'embrasser exterminait aussitôt l'inquiétude et l'insomnie.   PROUST, Jean Santeuil, Pl., p. 206.

♦ **4.** (Sujet n. de personne). S'attacher à, commencer à pratiquer... *Embrasser une carrière.* ⇒ **Choisir, prendre.** *Embrasser une religion* (→ Courtoisie, cit. 1). *Embrasser la profession des armes; la vie religieuse.*

14 Quel qu'eût été le motif de son changement de religion, elle fut sincère dans celle qu'elle avait embrassée.   ROUSSEAU, les Confessions, II.

Accepter (une idée, une opinion). ⇒ **Accepter, adopter, partager, prendre, suivre; sien** (faire sien). *Embrasser la cause, le parti de qqn. Embrasser une opinion, des idées, des principes* (→ Détacher, cit. 6). *Embrasser la cause de la paix.*

15 Non, non, n'embrassez pas de vertu par contrainte (...)   CORNEILLE, Horace, II, 4.
16 Quel est le grand reproche que les prédicateurs du XVIIe siècle adressent aux libertins? C'est d'avoir embrassé ce qu'ils désiraient, c'est d'être arrivés aux opinions irréligieuses parce qu'ils avaient envie qu'elles fussent vraies.
                    RENAN, Souvenirs d'enfance..., V, III, p. 215.

Prendre à cœur (qqch.). *Embrasser l'intérêt, le parti, la défense de qqn,* s'y attacher avec ardeur, le faire sien, le défendre. ⇒ **Épouser.**

17 Vous saurez embrasser bien mieux son intérêt.   CORNEILLE, Horace, V, 3.

Vouloir entreprendre, s'engager dans (qqch.). *Il embrasse trop d'affaires, de choses à la fois.* ⇒ **Charger** (se). *Il veut trop embrasser.* — Prov. *Qui trop embrasse mal étreint :* qui veut trop entreprendre risque de ne rien réussir (→ Avoir les yeux* plus grands que le ventre).

18 Dans les grandes affaires, il faut tout envisager, et se contenter de ce qu'on peut exécuter avec succès, sans vouloir embrasser tout à la fois (...)
                    ROLLIN, Hist. anc., Œ., t. VIII, p. 320, in POUGENS.

★ **II.** ♦ **1.** (Sujet n. de chose). Contenir en soi (concrètement, dans l'espace). ⇒ **Comprendre, couvrir, recouvrir.** *Royaume qui embrasse plusieurs provinces. Son domaine embrasse une grande partie de la commune.* ⇒ **Occuper, renfermer, tenir.** *Embrasser un grand espace* (→ Agrandir, cit. 1).

♦ **2.** (Sujet n. de personne). Saisir par la vue, par le regard (qqch. dans toute son étendue). ⇒ **Apercevoir, voir.** *Embrasser d'un coup d'œil, d'un regard tout l'espace parcouru* (→ Côte, cit. 9; cabinet, cit. 6; dépouiller, cit. 27). — *Regard, œil qui embrasse tout l'horizon.*

19 De là, il embrassait d'un coup d'œil tout le pays.
                    ZOLA, la Faute de l'abbé Mouret, p. 31.

♦ **3.** (xviiᵉ). Saisir* par la pensée. ⇒ **Comprendre, concevoir, connaître.** *Embrasser l'ensemble d'une question* (→ Appréhension, cit. 2; circonscrire, cit. 5; cycle, cit. 5). *L'esprit d'un seul homme ne peut embrasser tant de questions complexes* (→ Affaire, cit. 57). *Embrasser un sujet dans son ensemble, sous tous ses aspects. Son intelligence embrasse tout d'un coup d'œil.*

20 L'esprit plane sur les sommets comme s'il avait des ailes; d'un regard, il embrasse les plus vastes horizons, toute la vie humaine, toute l'économie du monde, le principe de l'univers, des religions, des sociétés.
TAINE, les Origines de la France contemporaine, t. II, ii, p. 121.

21 Si votre pensée s'élance dans l'espace et dans le temps; si elle embrasse l'infinie simultanéité des faits qui se passent sur toute la surface de la terre (...)
LOTI, Aziyadé, III, XL, p. 132.

22 C'est Littré (...) qui, pour la première fois, a essayé de rattacher la langue française actuelle dans son ensemble à ses états anciens depuis mille ans, et non seulement du premier coup d'œil il a réuni en vue de ce noble but une telle masse de matériaux qu'on a peine à croire qu'un seul homme ait pu les recueillir, mais il a su les mettre en œuvre sans embarras, les utiliser avec attention et finesse, les embrasser d'une vue constamment claire et souvent étonnamment pénétrante.
G. PARIS, Journal des Savants, oct.-nov. 1890.

23 (...) ce qui lui manquait (*à Villeneuve*) c'était l'intelligence supérieure qui permet d'embrasser de grands desseins (...)
Louis MADELIN,
Hist. du Consulat et de l'Empire, Avènement de l'Empire, XII, p. 173.

♦ **4.** (1580; sujet n. de chose). Contenir, englober (abstraitement). *C'est une question complexe qui embrasse bien des matières.* ⇒ **Comprendre, toucher** (à). *Les êtres, les choses qu'embrasse un concept.* ⇒ **Compréhension, extension.** — *Ce dictionnaire* (cit. 6) *embrasse la langue classique et la langue moderne. Science qui embrasse l'univers* (→ Astronomie, cit. 3).

24 La foi embrasse plusieurs vérités qui semblent se contredire (...)
PASCAL, Pensées, XIV, 862.

25 Une histoire des *Origines du Christianisme* devrait embrasser toute la période obscure et, j'ose le dire, souterraine, qui s'étend depuis les premiers commencements de cette religion jusqu'au moment où son existence devient un fait public, notoire, évident aux yeux de tous.
RENAN, Vie de Jésus, Introd., p. 41.

▶ **S'EMBRASSER** v. pron. (Récipr.).

♦ **1.** Se serrer dans les bras l'un de l'autre (→ Attendre, cit. 42; convulsif, cit. 2).

26 (...) le Destin, pour lui faire plaisir, fit embrasser en bonne amitié ceux qui un moment auparavant ne s'embrassaient que pour s'étrangler.
SCARRON, le Roman comique, II, 6, p. 184.

27 Ça s'est éteint, ils se sont trouvés dans la nuit. Ils se sont embrassés de l'emplein des bras pour se sentir le gros du corps.
J. GIONO, le Grand Troupeau, in Œ. roman., Pl., t. I, p. 596.

♦ **2.** Se donner mutuellement un baiser* (cf. fam. Se sucer le caillou, la pomme, la poire...). → Brinder, cit. *S'embrasser sur la bouche, sur les deux joues. Allons, la dispute est finie, embrassez-vous!*

▶ **EMBRASSÉ, ÉE** p. p. adj. Voir à l'article. ⇒ aussi **Embrassé,** adj.
CONTR. Repousser.
DÉR. Embrassade, embrassant embrasse, embrassé, embrassement, **embrasseur,** embrassure.

EMBRASSEUR, EUSE [ãbʀɑsœʀ, ∅z] n. et adj. — 1537; de *embrasser.*

♦ Personne qui aime à embrasser, qui embrasse à tout propos.

1 L'*embrasseur* était un maniaque, relativement inoffensif, dont le faible consistait à embrasser le plus possible de jeunes mariées en blanc.
A. ALLAIS, Contes et chroniques, p. 37.

Adj. *Elle n'est pas très embrasseuse.*

2 (...) cheveux châtain caressés yeux noisette et l'écureuil affectueux qui me les grignote puis ma bouche aussi ils sont embrasseurs (...)
Tony DUVERT, Paysage de fantaisie, p. 224.

EMBRASSURE [ãbʀɑsyʀ] n. f. — 1782; *embraceure,* xiiiᵉ; de *embrasser.*

♦ Techn. Bande de fer servant à maintenir un tuyau de cheminée, une poutre. — En serrurerie, Grande bande qui entoure, réunit.

EMBRASURE [ãbʀɑzyʀ] n. f. — 1522, «action d'embraser, de mettre le feu»; de 2. *embraser;* l'histoire du mot n'est pas claire, le sens 1 semblant postérieur au sens 2, à moins que ce dernier ne provienne d'une métaphore sur *embraser* «donner de la lumière».

♦ **1.** (1616). Fortif. Ouverture pratiquée dans un parapet pour pointer et tirer le canon. ⇒ **Créneau.** *Après avoir pointé le canon dans l'embrasure, les canonniers mettaient au feu au moyen d'une mèche. Dans les embrasures des fortifications modernes, l'ébrasement* est tantôt intérieur, tantôt extérieur.*

1 Les embrasures doivent être distantes entre elles de douze pieds, ouvertes par dehors de six à neuf pieds, par dedans de deux ou trois. On les appelle aussi *canonnières,* lorsque les ouvertures sont assez grandes pour passer la bouche du canon; et *meurtrières* ou créneaux, lorsqu'elles sont petites, en sorte qu'on n'y passe que le fusil. Afin que le canon puisse tirer, il faut que le parapet des *embrasures,* dont les merlons soient de bonne terre, pour pouvoir résister au canon de l'ennemi.
TRÉVOUX, Dict. (1771), art. *Embrasure.*

Je trouvai quelques vieux canons de vingt-quatre, placés aux embrasures d'un bastion gothique (...)
CHATEAUBRIAND, Itinéraire..., II, 291. 2

♦ **2.** (1539). Ouverture pratiquée dans l'épaisseur d'un mur pour recevoir une porte, une fenêtre. *L'embrasure d'une porte, d'une fenêtre. Embrasure profonde. Il faut lambrisser cette embrasure* (Académie).

La ronce fait sortir ses cercles bruns de l'embrasure d'une fenêtre (...)
CHATEAUBRIAND, le Génie du christianisme, III, v, 5. 3

REM. *Embrasure* se disait particulièrement de l'élargissement que présente le mur du dehors au dedans. Quand le mur est taillé en biais, on dit plutôt aujourd'hui *ébrasement* (*intérieur* quand le mur s'élargit du dehors au dedans, *extérieur* dans le cas contraire).

Par ext. Espace vide compris entre les parois du mur. *Il m'a parlé dans l'embrasure de la fenêtre.*

Nos petits soupers à la croisée de ma fenêtre, assis en vis-à-vis sur deux petites chaises posées sur une malle qui tenait la largeur de l'embrasure.
ROUSSEAU, les Confessions, VIII. 4

On voyait cependant s'ouvrir toutes les petites portes byzantines, rongées de vétusté, et dans leurs embrasures massives apparaissaient des jeunes filles, vêtues comme des Parisiennes, qui jetaient aux musiciens des piastres de cuivre.
LOTI, Aziyadé, III, XXXI, p. 117. 5

Non seulement elle n'aurait pas été saisie de le voir brusquement surgir dans l'embrasure de la porte, mais, presque à tout instant, elle s'attendait à le voir paraître devant elle (...)
MARTIN DU GARD, les Thibault, t. III, p. 164. 6

Le soldat lève la tête vers la façade grise aux rangées de fenêtres uniformes, sans balcon, soulignées d'un trait blanc au bas de chaque embrasure, pensant voir peut-être le gamin, quelque part derrière un carreau.
A. ROBBE-GRILLET, Dans le labyrinthe, p. 47. 7

Par ext. Espace ouvrant sur l'extérieur.

Louis-Philippe des Cigales se gratta le côté droit de la poitrine à travers sa chemise, l'avant-bras posé dans l'embrasure de sa robe de chambre.
R. QUENEAU, Loin de Rueil, p. 80. 8

Mar. *Embrasure pratiquée dans la muraille d'un navire.* ⇒ **Sabord.**

EMBRAYAGE [ãbʀɛjaʒ] n. m. — 1856, La Châtre; de *embrayer.*

♦ **1.** Rare. Action d'embrayer. — Mécanisme permettant d'établir la communication entre un moteur et une machine ou de les désaccoupler sans arrêter le moteur. *Progressivité d'un embrayage.*

(...) pour démarrer à la 1ʳᵉ vitesse, il suffit au conducteur de tourner lentement son volant (...) jusqu'à ce qu'il sente un arrêt complet qui lui indique que l'embrayage est total (...) le même appareil comporte donc embrayage et débrayage aussi progressifs que désire les faire le conducteur.
L. BAUDRY DE SAULNIER, l'Automobile théorique et pratique, p. 102 (1900). 1

♦ **2.** Par métonymie, plus cour. Organe permettant de relier le moteur au changement de vitesse pour l'entraînement de la transmission. *Pédale d'embrayage. Faire patiner l'embrayage. Embrayage qui broute*. Embrayage à cônes de frictions, à griffes, à manchons, à disques. Embrayage automatique. Embrayage par courroies et poulies. Poulie d'embrayage. Embrayages électromagnétiques ou hydrauliques.*

Chaque combinaison d'engrenages est munie de son embrayage particulier (*dans la De Dion-Bouton*).
L. BAUDRY DE SAULNIER, l'Automobile théorique et pratique, p. 102 (1900). 2

EMBRAYER [ãbʀeje] v. — Conjug. *payer* — 1858; *rembrayer,* 1783, «serrer la braie»; de *em- (en-), braie* «pièce de bois mobile dans un moulin à vent», et suff. verbal.

♦ **1.** V. tr. Mettre en communication (une pièce mobile) avec l'arbre moteur. *Embrayer une hélice, une courroie.* — Absolt. Mettre en communication un moteur avec les organes qu'il doit mettre en mouvement. ⇒ **Engrener.** *Débrayez, changez de vitesse et embrayez.*

Vous vous rendez compte, dit-il sévèrement. Freiner, déraper, embrayer tous les vingt mètres. Changer de vitesse cent fois par heure, c'est ça qui arrange une voiture!
SARTRE, la Mort dans l'âme, p. 18. 1

(...) au moment où je me préparais à doubler, il en vient deux (*motos*) par derrière, trois par devant (...) une locomobile qui montait le remblai. C'était délicat. J'accélère à fond, j'embraye, je braye (*sic*), je débraye, je vire au frein, je bloque, je lâche tout et je passe de justesse.
M. AYMÉ, Travelingue, p. 214. 2

♦ **2.** V. intr. (1927). Fam. Prendre ou reprendre le travail (dans une usine). *On embraye à 7 heures.* — (1927). Fam. Commencer un travail, entreprendre une action.

Ça dégèlerait le public, ça encouragerait les philosophes (*des voyeurs*) et, une fois embrayée, la soirée n'aurait plus qu'à rouler de séance en séance jusque vers le minuit (...)
R. QUENEAU, Pierrot mon ami, éd. L. de Poche, p. 10. 3

♦ **3.** Fig. et fam. (Sujet n. de personne). *Embrayer sur* (qqch., qqn) : commencer à discourir sur. *Il embraye sur le film qu'il vient de voir et on ne peut plus l'arrêter.* — (Sujet n. de chose). *Embrayer sur qqch.* : être en rapport avec qqch. qui fonctionne, être efficace, mener à une action efficace (même image dans l'antonyme *tourner à vide*).

(...) mais que dire de cette dialectique tranchante et inefficace des hommes de gauche qui n'embraye sur rien?
F. MAURIAC, le Nouveau Bloc-notes 1958-1960, p. 299. 4

Mon père chantonne un air de *Manon* sur un beau jour et une belle promenade (je ne note plus pour ne pas lui faire renoncer à ces citations; ce n'est pas un jeu pour moi, c'est une façon d'embrayer sur sa bibliothèque intérieure, afin d'en sauver ce qui peut l'être).
Claude MAURIAC, le Temps immobile, p. 241. 5

Par ext. Avoir de l'influence, de l'autorité sur... « *Rien n'est plus grave, au fond, qu'une pensée qui n'embraye plus sur l'événement* » (*l'Express,* 17 mars 1969, *in* Gilbert).

CONTR. Débrayer ou désembrayer.
DÉR. Embrayage, embrayeur.

EMBRAYEUR [ɑ̃bʀɛjœʀ] n. m. — 1878 ; de *embrayer.*

♦ **1.** Techn. Levier permettant d'embrayer un moteur. *Embrayeur électrique.*

L'embrayeur électrique appliqué aux machines à vapeur, par M. Aug. Trêve (...) un embrayeur électrique pour commander la valve d'admission de la vapeur dans les grands cylindres des machines à vapeur qui actionnent le navire.
L. FIGUIER, *in* l'Année sc. et industr. 1879, p. 151 (1878).

♦ **2.** (V. 1960). Ling. Classe de mots dont le sens varie selon la situation de communication (par ex. : *je, hier*). *Les déictiques*, les pronoms, les temps verbaux jouent dans la phrase le rôle d'embrayeurs.*

EMBRÈNEMENT [ɑ̃bʀɛnmɑ̃] n. m. — 1676 ; de *embrener.*

♦ Vx. Action d'embrener, de s'embrener.

EMBRENER [ɑ̃bʀəne] v. tr. — 1532, Rabelais ; de *em- (en-),* et *bren,* anc. forme de *bran.*
Vx et familier.

♦ **1.** Salir d'excréments. ⇒ **Souiller.** — Pron. *Enfant qui s'embrène.*

♦ **2.** Fig. Ennuyer qqn. ⇒ **Emmerder** (fam.).

1 L'esprit protestant embrène tout en Amérique, pareil à cette ignoble mayonnaise qui couvre tous les plats de sa masse insipide et gluante. Quelque chose de gras, de composite et de vaguement sucré. Une cochonnerie sans nom.
CLAUDEL, Journal, août 1931.

2 (...) tu commences à m'embrener avec tes méchantes questions.
R. QUENEAU, les Fleurs bleues, p. 18.

DÉR. Embrènement.

EMBRÈVEMENT [ɑ̃bʀɛvmɑ̃] ou **EMBREUVEMENT** [ɑ̃bʀœvmɑ̃] n. m. — 1676 ; de *embrever, embreuver.*

♦ Techn. Assemblage oblique de deux pièces de bois et dont la pénétration forme un prisme triangulaire. *Embrèvement à simple, à double languette ; à feuillure. Embrèvement carré ; d'encastrement. Former un embrèvement.*

Ça va, mais ne lâche pas la corde pour cracher dans tes mains, ni pour te gratter. Là, voilà ; dans l'embrèvement du poinçon, ça rentre tout seul.
Jean PRÉVOST, les Frères Bouquinquant, p. 152.

EMBREVER [ɑ̃bʀəve] ou **EMBREUVER** [ɑ̃bʀœve] v. tr. — XIIᵉ, *embevrer ;* du lat. pop. **imbiberare.* → Abreuver, imbiber.

♦ **1.** Vx. Abreuver, imbiber.

♦ **2.** (1223, « enfoncer »). Techn. Assembler deux pièces de bois, dont l'une a l'extrémité taillée en forme de prisme triangulaire et pénètre obliquement dans l'autre. ⇒ **Emboîter.** *Embrever deux pièces à rainure, à languette.*

DÉR. Embrèvement ou embreuvement.

EMBRIGADEMENT [ɑ̃bʀigadmɑ̃] n. m. — 1793 ; de *embrigader.*

♦ **1.** Vx. Action d'embrigader (1.) ; résultat de cette action.

♦ **2.** Action d'embrigader (2.). ⇒ **Recrutement.** *L'embrigadement des agents, des gardes champêtres. L'embrigadement de partisans dans une association, une ligue politique.*
Fig. *L'embrigadement des esprits, des volontés.*

Les paysans (...) une fois sortis de leur monde, sont réfractaires à tout embrigadement dans un autre monde, à toute répression de leur propre personnalité (...)
Jacques RIVIÈRE, Correspondance avec Alain Fournier, p. 365, *in* T. L. F.

EMBRIGADER [ɑ̃bʀigade] v. tr. — 1792 ; de *em- (en-),* brigade, et suff. verbal.

♦ **1.** Vx. Réunir (des régiments) pour en former une brigade*. Faire entrer (des hommes) dans le cadre d'une brigade. ⇒ **Incorporer.** *Embrigader des soldats.*

♦ **2.** (1864). Mod. Rassembler, réunir (un certain nombre de personnes) sous une même autorité et en vue d'une action commune. ⇒ **Enrégimenter, enrôler, mobiliser ; recruter.** *Il a réussi à embrigader beaucoup de gens dans son nouveau parti. Il n'a pas voulu se laisser embrigader.*
Fig. *Embrigader les esprits, les volontés.*
Pron. Se placer sous l'autorité de qqn, d'un groupe. *S'embrigader dans une organisation politique.*

(...) comme si l'individu ne pouvait pas s'embrigader, participer au groupe, à la force collective, sans abdiquer d'abord sa valeur (...)
MARTIN DU GARD, les Thibault, t. V, p. 102.

▶ **EMBRIGADÉ, ÉE** p. p. adj.
Vx. *Des mercenaires embrigadés.* — Mod. *Des militants embrigadés.* — *Des opinions publiques embrigadées par une idéologie.*
CONTR. Démobiliser, libérer.
DÉR. Embrigadement.

EMBRINGUER [ɑ̃bʀɛ̃ge] v. tr. — 1915, pron. ; *imbringuer* « charger de dettes, hypothéquer », XIVᵉ ; *embriguer* « embarrasser », XVIᵉ ; mot dial., de *em- (en-),* bringue ou brigue « morceau », et suff. verbal.

♦ **1.** Fam. Engager (qqn) de telle sorte qu'il soit mécontent, embarrassé, qu'il ait des regrets. ⇒ **Embarquer, embrigader.** *Il l'a embringué dans une collaboration qui ne lui plaît qu'à moitié. Il s'est laissé embringuer dans cette affaire. Nous voilà bien embringués !* — Pron. *Il s'est embringué dans un travail interminable.*

L'homme se laisse embringuer : c'est la règle.   1
MONTHERLANT, Pitié pour les femmes, p. 201.

Après l'École des Chartes, j'aurais mieux fait de continuer, au lieu de me laisser   2
embringuer dans la politique.
J. ROMAINS, les Hommes de bonne volonté, t. XXII, p. 106.

(...) il était à peu près décidé à ne pas se laisser embringuer dans un cirque ambu-   3
lant.   R. QUENEAU, Pierrot mon ami, éd. L. de Poche, p. 124.

♦ **2.** Passif et p. p. *Être embringué :* être embarrassé* par ce qu'on porte sur soi, avec soi.

Je les évoque *(les fantassins portugais du XVIᵉ siècle)...* soufflant, suant sous la   4
cuirasse et le haubert (...) inextricablement embringués (...) dans la brousse de la
côte qui monte de Santos à Sao-Paulo (...)   B. CENDRARS, Bourlinguer, p. 361.

Gustin s'assombrissait, non qu'il fût peiné de passer si près du poste où dormait   5
Rougioux, qu'il commençait à oublier au profit de sa petite Anglaise, mais parce
qu'il souffrait d'être embringué dans un nouveau printemps.
Jacques LAURENT, les Bêtises, p. 47.

EMBROCATION [ɑ̃bʀɔkasjɔ̃] n. f. — XIVᵉ ; lat. médiéval *embrocatio,* du bas lat. *embrocha* « enveloppe humide », grec *embrokhê* « action d'arroser ».

♦ **1.** Méd. Action de verser lentement un liquide huileux et calmant sur une partie malade. ⇒ **Fomentation.**

♦ **2.** Ce liquide lui-même. ⇒ **Liniment, onguent.** *Embrocations utilisées pour le massage des athlètes, dans le traitement des foulures.*

La foule s'est un peu animée, mais c'est encore une politesse. Elle respire avec gravité l'odeur sacrée de l'embrocation.   CAMUS, l'Été, *in* Essais, Pl., p. 821.

Abrév. (argot sportif) : *embroc'* [ɑ̃bʀɔk].

EMBROCHAGE [ɑ̃bʀɔʃaʒ] n. m. — Fin XIXᵉ ; de *embrocher.*

♦ **1.** Techn. Dispositif qui permet à plusieurs bureaux télégraphiques d'être joints par un seul fil de ligne.

♦ **2.** Chir. Réunion, selon un axe longitudinal, des deux fragments d'un os fracturé, au moyen d'une broche spéciale.

EMBROCHEMENT [ɑ̃bʀɔʃmɑ̃] n. m. — XVIᵉ ; de *embrocher.*

♦ Action d'embrocher (1., 2.).

EMBROCHER [ɑ̃bʀɔʃe] v. tr. — XIIᵉ ; de *em- (en-),* broche, et suff. verbal.

♦ **1.** Enfiler (une viande, des morceaux de viande) sur une broche, sur des brochettes. ⇒ **Brocheter.** *Embrocher un gigot, une volaille* (→ Cuire, cit. 3). — P. p. *Morceaux embrochés.* ⇒ **Brochette.**

Le moine *(Watteville)* se fâche, et dit (...) qu'il a assez bon appétit pour tout man-   1
ger. L'hôte n'ose répliquer et embroche.   SAINT-SIMON, Mémoires, t. II, II.

♦ **2.** Fam. Transpercer (qqn) d'un coup d'épée. ⇒ **Enfiler.** *Embrocher son adversaire.*

— Misérable ! — m'écriai-je d'une voix enrouée par la rage (...) tu ne me harcè-   2
leras pas jusqu'à la mort ! Suis-moi, ou je t'embroche sur place !
BAUDELAIRE, Trad. POE, Nouvelles histoires extraordinaires, « W. Wilson ».

♦ **3.** Techn. Raccorder (un appareil) sur une ligne à haute tension, téléphonique, déjà existante.

CONTR. Débrocher.
DÉR. Embrochage, embrochement.

EMBRONCHEMENT [ɑ̃bʀɔ̃ʃmɑ̃] n. m. — 1900 ; *embranchement,* 1690 ; de *embroncher.*

♦ Techn. Action, manière d'embroncher ; assemblage de pièces embronchées. *Un embronchement d'ardoises.*

EMBRONCHER [ãbʀõʃe] v. tr. — 1845 ; *embrunchier* «recouvrir», 1080 ; *embruncher*, 1690 ; de *em- (en-)*, anc. franç. *bronc* «saillie, nœud», du lat. pop. **bruncus* «souche», et suff. verbal.

Technique.

♦ **1.** (1864). Disposer (des tuiles, des ardoises) de manière que chacune d'elles recouvre en partie la suivante. ⇒ **Emboîter.**

♦ **2.** Charpent. Disposer (des pièces de bois, poutres, lattes...) de manière que chacune s'ajuste avec les pièces voisines.

DÉR. Embronchement.

EMBROUILLAGE [ãbʀujaʒ] n. m. — 1768 ; de *embrouiller*.

♦ **1.** Rare et fam. Action d'embrouiller ; confusion, embarras de ce qui est embrouillé. ⇒ **Embrouillement.**

Les femmes vont et viennent, et parlent, et sont comme bouillantes d'une nouvelle passion. Les jeunes recherchent les plus âgées. Il y a eu un moment d'embrouillages. On les voyait aller les unes chez les autres, entrer, sortir, revenir, repartir, à deux, à trois. Maintenant, c'est tout en ordre.
J. GIONO, les Vraies Richesses, p. 154.

♦ **2.** Techn. (télécommunications). «Opération destinée à transformer un signal numérique en un signal numérique aléatoire ou pseudo-aléatoire, de même signification et de même débit binaire, en vue d'en faciliter la transmission ou l'enregistrement.» (Recomm. off.). ⇒ **Brouillage** (déconseillé officiellement).

EMBROUILLAMINI [ãbʀujamini] n. m. — 1688 ; de *brouillamini*, d'après *embrouiller*.

♦ Fam. Désordre, confusion extrême qui induit en erreur. ⇒ **Brouillamini** (fam.), **embrouillage, imbroglio.**

1 (...) il y a au troisième acte un embrouillamini qui me déplaît, et au cinq il y a deux poignards qui me font de la peine.
VOLTAIRE, Lettre à d'Argental, 1842, 26 nov. 1760.

2 Rien ne bougera, rien ne changera. Les rocs sont impassibles, en équilibre, les arbres et les herbes sont plantés droit dans le sol, et le silence peuplé règne. C'est un embrouillamini de tissage avec des nœuds, des couleurs placées, des pâtés noirâtres.
J.-M. G. LE CLÉZIO, la Fièvre, p. 183.

EMBROUILLARDER [ãbʀujaʀde] v. tr. — Déb. XXᵉ ; «s'enivrer», 1867 ; de *em- (en-)*, *brouillard*, et suff. verbal.

♦ Rare. Rendre trouble, brumeux. — Au p. p. *Paysage embrouillardé.* — Fig. Obscurcir. *L'alcool embrouillarde l'esprit.*

EMBROUILLE [ãbʀuj] n. f. — 1747, repris XXᵉ ; déverbal de *embrouiller*.

♦ Fam. Action ou manière d'embrouiller les gens, de les tromper ; situation embrouillée (⇒ **Embrouillamini, imbroglio**) de nature à tromper. — (Rare en emploi libre) :

1 Il y a des stigmates imperceptibles pour qui n'a pas connu la taule : une façon de parler sans s'accompagner des lèvres, cependant que les yeux expriment, pour l'embrouille, l'indifférence ou la chose opposée (...)
A. SARRAZIN, l'Astragale, p. 35.

2 Je préfère l'eau qui court, qui s'enfuit : comme le temps, précisément. On est dans le vrai avec elle. Pas d'embrouille. Pas de tricherie.
Francis CARCO, Ombres vivantes, p. 219.

Plus cour. *Sac d'embrouilles :* affaire confuse, compliquée (→ Sac de nœuds*).

EMBROUILLÉ, ÉE [ãbʀuje] adj. ⇒ **Embrouiller.**

EMBROUILLEMENT [ãbʀujmã] n. m. — 1546 ; de *embrouiller*.

♦ **1.** Action, fait d'embrouiller. ⇒ **Emmêlement, enchevêtrement.** *L'embrouillement d'une pelote de laine, de fils, des cheveux.* — État de ce qui est embrouillé. ⇒ **Embarras.** *Un embrouillement inextricable de lignes. Des embrouillements de lianes, de cordes.*

0.1 Ici le graveur voudrait peindre ; il ne le peut point. Rien ne peut effacer la ligne ; et l'embrouillement des lignes n'offre qu'incertitude et dénonce l'insuffisance de l'idée.
ALAIN, Propos, 13 mars 1924, Vertu du dessin.

0.2 On voyait les étirements des bulles, les rides longiformes, la texture filante des fibres et d'embrouillements qui circulaient sur place.
J.-M. G. LE CLÉZIO, le Déluge, p. 171.

♦ **2.** Par métaphore ou fig. État de ce qui est embrouillé, complexe, peu compréhensible. ⇒ **Désordre, embrouillamini.** *Un embrouillement inextricable de circonstances.* ⇒ **Imbroglio.**

1 Quelle chimère est-ce donc que l'homme ? Quelle nouveauté, quel monstre, quel chaos, quel sujet de contradiction, quel prodige ! (...) Qui démêlera cet embrouillement ? La nature confond les pyrrhoniens, et la raison confond les dogmatiques.
PASCAL, Pensées, VII, 434.

2 Ces idées, dont Dostoïevsky, dans chacun de ses grands livres, forme comme une tresse épaisse, il est souvent malaisé d'en démêler l'embrouillement.
GIDE, Dostoïevsky, p. 78.

♦ **3.** Fig. et vieilli. *Embrouillement du cerveau, de l'esprit :* manque

de lucidité, perte de la clarté des idées. — *Être dans un embrouillement d'idées total.*

EMBROUILLER [ãbʀuje] v. tr. — XIVᵉ ; de *em- (en-)*, et *brouiller*.

♦ **1.** Mêler (des choses longues et fines), enrouler en désordre (une chose longue et fine). *Embrouiller un écheveau.* ⇒ **Emmêler, enchevêtrer, mêler.** *Le petit chat embrouille des fils en jouant avec la boîte à ouvrage.* ⇒ **Entortiller.** *Embrouiller des cordons* (→ Délacer, cit. 2). — Mar. *Embrouiller les voiles,* les ferler, les joindre ensemble.

♦ **2.** Fig. Compliquer, rendre obscur, confus. *Embrouiller les choses au lieu de les simplifier. Embrouiller une affaire, une situation.* ⇒ **Troubler.** *Embrouiller un sujet, des notions,* les rendre obscures. *Embrouiller un récit, une histoire.*

1 Cela suffit pour embrouiller au moins la matière (...) PASCAL, Pensées, VI, 392.

1.1 (...) choisir pour spectateur le peuple le plus fourbe et le plus visionnaire ; pour substitut, le plus vil artisan, le plus absurde, et le plus fripon ; embrouiller si bien la doctrine, qu'il soit impossible de la comprendre (...) SADE, Justine..., t. I, p. 81.

Embrouiller ses phrases, son style.

2 Il avait, dans les entretiens publics et singuliers, une étonnante manière d'enrouler, d'embrouiller et d'entortiller la phrase (...)
G. DUHAMEL, le Temps de la recherche, XII, p. 170.

♦ **3.** *Embrouiller le cerveau, la cervelle (de qqn).* — Passif et p. p. *Avoir l'esprit embrouillé par l'alcool.* ⇒ **Obscurcir, troubler.** — REM. L'idée de «brouillard» est ici plus présente que l'idée de «mélange»).

3 Des marauds, dont le vin embrouillait la cervelle,
Vidaient à coups de poing une vieille querelle (...)
CORNEILLE, Suite du Menteur, IV, 6.

♦ **4.** *Embrouiller qqn,* le troubler, lui faire perdre le fil de ses idées (→ Clair, cit. 13), et, par ext., tromper. *Embrouiller un adversaire.*

4 Je ne m'y reconnais plus ; vous m'avez embrouillée ; vous pensez trop vite pour moi.
SARTRE, la P... respectueuse, II, 1.

Loc. fam. *Ni vu ni connu je t'embrouille :* cela se fait (s'est fait) secrètement, sans qu'on y comprenne rien, de façon à tromper.

4.1 (...) ça se passerait très bien, on vous ouvre le ventre, on sort tout, on recoud, cric-crac, ni vu ni connu je t'embrouille. J. DUTOURD, Pluche, XI, p. 157.

4.2 — Jacques n'est pas embarrassé ? Jacques n'est jamais embarrassé. Ses gestes sont feutrés. Le calcul est parfait entre lui et l'objet.
— ...
— Vous dites qu'un chemisier lui a peut-être livré une échelle en soie ?
— ...
— Il la sort de sa poche... ni vu ni connu je t'embrouille.
— ...
— Il entre dans le grenier par la trappe. Par où entrerait-il ? Le principal est fait.
Violette LEDUC, la Chasse à l'amour, p. 31.

▶ **S'EMBROUILLER** v. pron.

♦ **1.** Être embrouillé. *Les fils se sont embrouillés* (→ Corde, cit. 6). — Passif. *S'embrouiller de :* être chargé de (qqch. qui nuit à la clarté, à la lisibilité). *Le dessin s'embrouille d'ornements superflus.* — Mar. *Le temps s'embrouille,* il se couvre de nuages, de brume. ⇒ **Brouiller** (se). — Abstrait. *Esprit, idées qui s'embrouillent.*

5 Je n'y comprends rien ; mes idées s'embrouillent tout à fait.
A. DE MUSSET, Comédies et proverbes, On ne badine pas avec l'amour..., II, 4.

♦ **2.** Devenir confus. ⇒ **Emmêler** (s'). *L'affaire commence à s'embrouiller.* — (Sujet n. de personne). *S'embrouiller dans une affaire confuse :* ne plus s'y reconnaître (→ Démêler, cit. 3).

♦ **3.** Se perdre (dans qqch., une opération mentale). *S'embrouiller dans ses explications, dans son discours.* ⇒ **Bafouiller, bredouiller, embarbouiller** (s'), **embarrasser** (s'), **empêtrer** (s'), **enferrer** (s'), **patauger, perdre** (se perdre, perdre le fil). — Se tromper. *Il note tout pour ne pas s'embrouiller. S'embrouiller dans ses calculs.*

▶ **EMBROUILLÉ, ÉE** p. p. adj.

♦ **1.** Mêlé dans un grand désordre. *Écheveau embrouillé.*

♦ **2.** Fig. Qui manque de clarté, de netteté. ⇒ **Obscur.** *Discours, calcul, raisonnement embrouillé. Explications embrouillées. Question embrouillée.* ⇒ **Compliqué, confus, difficile.** *Esprit embrouillé.* ⇒ **Brouillon.** — *Des affaires embrouillées,* en désordre, et, par ext., peu prospères.

6 Jamais assassinat si mystérieux, si embrouillé, n'a été commis à Paris (...)
BAUDELAIRE, Trad. POE, le Double Assassinat...

7 Leurs combinaisons étaient innombrables comme la poussière, compliquées à l'infini, tramées, tressées, imbriquées, repliées les unes dans les autres, entrelacées et embrouillées à toutes les profondeurs. Léon BLOY, le Désespéré, p. 101.

CONTR. Débrouiller. — Classer, clarifier, démêler, éclairer, éclaircir. — Clair, lumineux.
DÉR. Embrouillage, embrouille, embrouillement, embrouilleur. — V. **Embrouillamini**

EMBROUILLEUR, EUSE [ãbʀujœʀ, øz] n. — Déb. XVIIᵉ, Oudin, d'après Littré ; de *embrouiller*.

♦ **1.** Personne qui embrouille (qqch.).

Jamais embrouilleur de péripéties inextricables imagina-t-il plus exhilarante con-fusion que celle du scaphandre et de l'armure !   A. JARRY, Critiques
de théâtre, La fiancée du scaphandrier, in Œ. compl., t. VII, p. 239.

♦ **2.** Techn. Appareil permettant l'embrouillage (2.), en télécommu-nications. (Recomm. off.). — REM. Le terme *brouilleur* est déconseillé dans ce contexte.

EMBROUSSAILLEMENT [ãbʀusajmã] n. m. — 1895; de *embroussailler.*

♦ **1.** Rare. Ensemble de plantes, et, par ext., de choses embrous-saillées. *L'inextricable embroussaillement des taillis.*
(...) à travers l'embroussaillement des solives, des brindilles et du paillis.
GIDE, le Retour du Tchad, IV, in Souvenirs, Pl., p. 937.
Par anal. (En parlant des cheveux, de la barbe). Emmêlement à la façon des broussailles. *L'embroussaillement de son épaisse cheve-lure.*

♦ **2.** Fig. et littér. Embrouillement* de choses confuses.

EMBROUSSAILLER [ãbʀusaje] v. tr. — 1854; de *broussaille.*

♦ **1.** (Sujet n. de plante). Couvrir de broussailles. *Bruyères et genêts embroussaillaient le sol.*
Par anal. Couvrir, à la manière des broussailles. *Sa barbe lui embroussaillait le visage.*

♦ **2.** (1874). Fig. Embarrasser d'éléments disparates. ⇒ **Encombrer.**

1 Je crois que le majeur défaut des littérateurs et des artistes d'aujourd'hui c'est l'impatience : s'ils savaient attendre, leur sujet se composerait lentement de lui-même dans leur esprit ; de lui-même il se dépouillerait de l'inutile et de ce qui l'embroussaille, il croîtrait à la manière d'un arbre dont les maîtresses branches se développent (...)   GIDE, Feuillets, in Journal, 1889-1939, Pl., p. 716.
Pron. *Ce terrain s'embroussaille.*

▶ **EMBROUSSAILLÉ, ÉE** p. p. adj.
Couvert de broussailles. ⇒ **Broussailleux.** *Terre embroussaillée.*
Fig. Qui ressemble à une broussaille. *Cheveux embroussaillés,* épais et emmêlés. *Barbe embroussaillée.* ⇒ **Inculte.**

2 La porte, enfin, s'entrebâilla. Une tête passa, un masque embroussaillé de barbe (...)   COURTELINE, Messieurs les ronds-de-cuir, 2e tableau, 2.
CONTR. Ordonné, soigné.
DÉR. Embroussaillement.

EMBRUINÉ, ÉE [ãbʀɥine] adj. — xixe; fig., «embrouillé», v. 1460; de *em- (en-), bruine,* et suff. *-é.*

♦ Littér. Qui est couvert de bruine*. ⇒ **Brumeux, embrumé.** *Pay-sage embruiné.*

EMBRUMER [ãbʀyme] v. tr. — Fin xiiie, p. p.; de *em- (en-), brume,* et suff. verbal.

♦ **1.** Couvrir de brume*. *L'automne embrumait déjà les prés le long de la rivière.*
Par ext. Couvrir, envelopper d'une matière qui estompe les formes. *La fumée embrumait la pièce.*

♦ **2.** Fig. Rendre moins net, estomper. ⇒ **Embuer.** *Le temps avait embrumé ses souvenirs.*
Spécialt. *Embrumer les idées, la tête, le cerveau,* y mettre de la confusion. ⇒ **Troubler.** *L'alcool lui avait embrumé le cerveau.* — *Embrumer le regard,* le rendre terne.

♦ **3.** (1837). Fig. Rendre triste. ⇒ **Assombrir, attrister, obscurcir.**

1 Ce spectacle m'avait embrumé le paysage, et la joie calme où s'ébaudissait mon âme avant d'avoir vu ces petits hommes avait totalement disparu (...)
BAUDELAIRE, le Spleen de Paris, XV, « Le gâteau ».
2 (...) des fronts qu'embrume le souci d'une préoccupation commune.
COURTELINE, Messieurs les ronds-de-cuir, 5e tableau, 1.

▶ **S'EMBRUMER** v. pron.

♦ **1.** Se couvrir de brume. *L'horizon commence à s'embrumer.*

♦ **2.** Fig. Devenir triste, sombre.

3 (...) tout mon chagrin s'embrume des subtiles particules qui se lèvent de nos amours réunies, mais quelle effroyable limpidité sèche, peu après ton départ !
M. BARRÈS, Un jardin sur l'Oronte, p. 183.

▶ **EMBRUMÉ, ÉE** p. p. adj.

♦ **1.** Couvert de brume. *Horizon, ciel embrumé.* ⇒ **Embrun.**

4 L'orbe de la lune tout rouge se levait, dans un horizon embrumé, d'une grandeur démesurée (...)   BERNARDIN DE SAINT-PIERRE, Paul et Virginie.
5 (...) un océan sauvage, des syrtes embrumées (...) c'est tout ce qui s'offre aux regards.   CHATEAUBRIAND, le Génie du christianisme, III, v, 5.
Par ext. *Yeux embrumés,* couverts d'un voile de larmes. ⇒ **Embué, humide.**

6 Les légionnaires gelés, le visage raide, le nez rouge et les yeux embrumés par des larmes de froid se groupaient autour de Gilieth.
P. MAC ORLAN, la Bandera, XVII, p. 202.

♦ **2.** Fig. Qui manque de netteté. ⇒ **Confus, nébuleux.** *Des rêveries embrumées.* — *Une voix embrumée,* qui a perdu sa clarté.
CONTR. Éclaircir, ensoleiller.

EMBRUN [ãbʀœ̃] n. m. — 1828; *anbrun,* 1521; du provençal *embrun,* de *embruma* «bruiner, embrumer».

♦ **1.** Vx. Ciel embrumé, couvert de brouillard.

♦ **2.** Mod. (Surtout au plur.). **LES EMBRUNS,** pluie fine formée par l'eau de la mer emportée en une poussière de gouttelettes dans la direction du vent. ⇒ **Poudrin; bruine** (→ Brouillard, cit. 5). *Avoir le visage fouetté par les embruns. Des embruns froids, glacés.*

1 Jasper Hobson regarda à travers les embruns qui passaient au-dessus de lui comme des nappes liquides.   J. VERNE, le Pays des fourrures, t. II, p. 81-82.

(Au singulier) :

2 Il se promena en faisant craquer ses phalanges, et huma l'embrun douceâtre que la lourde pluie vaporisait en frappant le balcon.   COLETTE, la Fin de Chéri, p. 69.

EMBRUNIR [ãbʀyniʀ] v. — xiiie; de *em- (en-), brun,* et suff. verbal.
→ Brunir.

♦ **1.** V. tr. Vx. Rendre brun, sombre. ⇒ **Assombrir.** — Pron. *S'embru-nir* (même sens que l'intrans.; → ci-dessous, 2.).
(1552). Fig. et littér. Rendre triste. ⇒ **Attrister.**

♦ **2.** V. intr. Devenir brun, sombre (même sens que le pron.; → ci-dessus, 1.). *À la tombée de la nuit, les vergers embrunissaient.*

▶ **EMBRUNI, IE** p. p. adj.
(Au sens 1). «*Un endroit de la place déjà bien embruni par la nuit tombante*» (G. Sand, *les Maîtres sonneurs,* in T. L. F.).
Arts. *Tableau embruni,* aux couleurs trop sombres ou trop assom-bries.

EMBRYO- Élément, du grec *embruon* «embryon».

EMBRYOCARDIE [ãbʀijokaʀdi] n. f. — 1890; de *embryo-,* et *-cardie,* grec *kardia* «cœur».

♦ Pathol. Augmentation du nombre des battements cardiaques, dont le rythme rapide est analogue à celui du cœur fœtal.
DÉR. Embryocardique.

EMBRYOCARDIQUE [ãbʀijokaʀdik] adj. — xxe; de *embryocar-die.*

♦ Pathol. Relatif à l'embryocardie. *Rythme embryocardique.*
Le 26 novembre 1916, sans raison apparente, se manifestent à nouveau des phéno-mènes cardiovasculaires analogues à ceux que nous avons vus précédemment. Les battements cardiaques se précipitent et le pouls bat à 136 par minute; on note un rythme embryocardique typique avec affaiblissement des bruits du cœur.
B. CENDRARS, Moravagine, in Œ. compl., t. IV, p. 257-258.

EMBRYOGENÈSE [ãbʀijoʒənɛz] n. f. — 1905; de *embryo-,* et *-genèse.*

♦ Sc. (embryol.). Formation et développement de l'œuf jusqu'à l'éclosion ou à la naissance. — Étude des formes successives de l'embryon *(stades embryonnaires*).*

EMBRYOGÉNIE [ãbʀijoʒeni] n. f. — 1839; de *embryo-,* et *-génie.*
Didactique.

♦ **1.** Vieilli. Embryogenèse (surtout humaine).

♦ **2.** Étude des stades embryonnaires, faisant partie de l'embryolo-gie.
Les études récentes sur la « vie » — embryogénie, chimie... organisatrice — les actions que l'on peut exercer sur l'œuf etc. (...) — font bien voir quelle blagolo-gie ont dépensée les philosophes depuis x siècles — sur ces choses (...)
VALÉRY, Cahiers, t. II, Pl., p. 766.

♦ **3.** Fig. et littér. Genèse (de ce qui naît et se développe). «*L'embryogénie des peuples*» (Hugo, *in* T. L. F.).
DÉR. Embryogénique.

EMBRYOGÉNIQUE [ãbʀijoʒenik] adj. — 1839; de *embryogénie.*

♦ Didact. De l'embryogénie. *Développement, processus embryogéni-que.*

EMBRYOGRAPHIE [ãbʀijogʀafi] n. f. — 1864; de *embryo-,* et *-graphie.*

♦ Didact. (Vieilli). Description des embryons.

EMBRYOLOGIE [ɑ̃bʀijɔlɔʒi] n. f. — 1762, Académie, « traité sur l'embryon (humain) » ; de *embryo-*, et *-logie*.
Didactique.

♦ **1.** Vx. Étude de l'embryon humain et de son développement (élément des études médicales). « *La science du mouvement, de l'embryologie...* » (Flaubert, *Souvenirs*, 1841, *in* T. L. F.).

♦ **2.** Mod. (le concept se dégage au mil. du XIXᵉ s. ; *embryology*, en angl., est employé par Darwin, 1851). Science faisant partie de la biologie*, qui étudie le développement (ontogenèse) des organismes animaux depuis l'apparition de structures reconnaissables jusqu'à l'éclosion ou la naissance. ⇒ **Morphogenèse ; ébauche, embryon, feuillet, œuf.** *Embryologie descriptive des oursins, des batraciens. Embryologie des cténophores*, par Agassiz (1874). *Embryologie comparée* : étude des analogies et des différences dans la morphogenèse de types zoologiques voisins. *Embryologie causale. Embryologie expérimentale*, modifiant les conditions normales du développement. ⇒ **Chimère ; tératologie.** *Embryologie générale. Embryologie moléculaire.*

Ensemble des phénomènes évolutifs étudiés par cette science.

« L'embryologie n'est autre chose que l'histoire des transformations par lesquelles l'œuf fécondé donne naissance à un embryon et finalement à l'organisme complètement différencié. Pour chaque type du règne animal, cette histoire a ses particularités précises et son déterminisme strict, aboutissant à la réalisation stéréotypée de l'adulte ; l'embryologie descriptive a donc un contenu extrêmement vaste et divers, qui a donné lieu, depuis trois quarts de siècle, à des travaux quasi innombrables. »   CAULLERY, L'embryologie, p. 9.

DÉR. Embryologique, embryologiste.

EMBRYOLOGIQUE [ɑ̃bʀijɔlɔʒik] adj. — 1832 ; de *embryologie*.

♦ Didact. Relatif à l'embryologie, aux phénomènes étudiés par cette science (morphogenèse, ontogenèse). *Études embryologiques sur les vers et les arthropodes*, de A. Kowalevsky (1871). — *Processus embryologiques.*

DÉR. Embryologiquement.

EMBRYOLOGIQUEMENT [ɑ̃bʀijɔlɔʒikmɑ̃] adv. — D. i. (XXᵉ) ; de *embryologique*.

♦ Du point de vue de l'embryologie.

EMBRYOLOGISTE [ɑ̃bʀijɔlɔʒist] n. — 1846 ; *embryologue*, 1846 ; de *embryologie*.

♦ Didact. Spécialiste de l'embryologie.

(...) le champ de recherche de l'embryologie expérimentale s'est prodigieusement étendu ; les embryologistes ont été obligés d'avoir recours à de nombreuses techniques variées. Parmi celles-ci, la culture d'organes s'annonçait comme un outil de choix, car les expériences d'isolement représentent une des méthodes principales d'investigation embryologique.   Michel SIGOT, la Culture d'organes, p. 26-27.

EMBRYOME [ɑ̃bʀijom] n. m. — XXᵉ ; de *embryo-*, et *-ome*.

♦ Pathol. Tumeur qui résulte d'une malformation congénitale. « *Les embryomes, que l'on trouve fréquemment dans le testicule, donnent naissance à des structures aberrantes en cette place, mais qui ressemblent à celles d'un embryon normal* » (la Recherche, sept. 1970, p. 313).

EMBRYON [ɑ̃bʀijɔ̃] n. m. — V. 1361, Oresme ; grec *embruon*, de *bruein* « croître » ; écrit *embrion* jusqu'au XIXᵉ.

A. (Concret). ♦ **1.** Cour. Œuf des animaux vivipares, notamment des mammifères et de l'homme, depuis le moment où il est conçu dans l'organisme maternel jusqu'à un certain stade (conventionnellement, la huitième semaine, chez l'Homme).

1   Puis d'une femme morte avec son embryon
    Il faut chez Du Verney voir la dissection.   BOILEAU, Satires, X.

2   D'où vient-il *(l'homme)* ? Sombre-t-il dans l'Océan profond
    Des Germes, des Fœtus, des Embryons, au fond
    De l'immense Creuset d'où la Mère-Nature
    Le ressuscitera, vivante créature (...)   RIMBAUD, Poésies, V, « Soleil et chair », III.

3   La période des feuillets durera trois semaines. À ce moment le nouvel être — qui ne mesure que deux à trois millimètres et pèse quatre centigrammes — sera devenu l'*Embryon*. Sa forme est celle d'un petit animal sans pattes, et pourvu d'une queue. Il ne se distingue guère de n'importe quel autre Mammifère considéré à ce stade. — Cinq semaines plus tard, l'embryon est devenu le *Fœtus*. Les membres lui ont poussé ; la tête s'est modelée, ainsi que le visage. Bien qu'il ne mesure que trois centimètres et ne pèse que trois grammes, il a revêtu, dans l'ensemble, la forme qui caractérise le type adulte de son espèce. Encore sept mois, et le fœtus sera le *Nouveau-né*.   Jean ROSTAND, l'Homme, II, p. 33.

Par ext. Œuf fécondé des animaux ovipares, jusqu'à l'éclosion. *Embryon de poulet.*

♦ **2.** Sc. (Le concept moderne se dégage au milieu du XIXᵉ s., avec l'embryologie*). Organisme en développement des animaux ; œuf* (II.) à partir de la segmentation*, et, spécialt, quand apparaissent des structures reconnaissables, pendant la différenciation des tissus et leur mise en place, jusqu'à la séparation des membranes enveloppantes (éclosion ou naissance). *Développement de l'embryon.*

⇒ **Embryogenèse, ontogenèse.** *Stades du développement de l'embryon* (stades embryonnaires). ⇒ **Blastula, gastrula, morula.** *Annexes, membranes de l'embryon.* ⇒ **Allantoïde, amnios, chorion, placenta ; vitelline.** *Embryon d'insecte, de ver, de poisson, de batracien, de mammifère. Embryon des oiseaux.* ⇒ **Œuf,** I. (et → ci-dessus, 1., par ext.). *Embryon humain* (→ ci-dessus, 1.). *Études expérimentales sur des embryons d'oursins, de grenouilles.*

♦ **3.** Bot. Ensemble de cellules issues de l'œuf et donnant naissance à une plante au sein de la graine. ⇒ **Germe ; graine ; plantule ; semence ; sporange, spore.** *Partie de l'embryon végétal qui se développe à la germination.* ⇒ **Blaste ; radicule, tigelle ; gemmule.** *Réserve alimentaire de l'embryon.* ⇒ **Albumen ; aleurone.** *La secondine, enveloppe de l'embryon.* ⇒ **Périsperme.**

B. Par métaphore et fig. ♦ **1.** Fam. et vx. Homme insignifiant. ⇒ **Avorton.** « *Ce n'est qu'un petit embrion* (sic), *un avorton, un homme de néant* » (Furetière, 1690).

♦ **2.** (1654). Littér. Ce qui commence d'être, mais qui n'est pas achevé. ⇒ **Germe ; commencement, origine.**

4   Quelque important qu'il soit, pour bien juger de l'état naturel de l'homme, de le considérer dès son origine et de l'examiner, pour ainsi dire, dans le premier embryon de l'espèce (...)   ROUSSEAU, De l'inégalité parmi les hommes, I.

Spécialt (dans un contexte intellectuel). *L'embryon d'une idée, d'un projet, d'une œuvre.*

5   Tantôt l'embryon de l'idée est de vous *(Marcelin Berthelot)* et le développement m'appartient ; tantôt le germe est venu de moi, et c'est vous qui l'avez fécondé.   RENAN, Dialogues et Fragments philosophiques, Œ. compl., t. I, p. 1.

6   (...) il y a une différence incalculable, *un intervalle indéterminé*, entre l'embryon d'une idée et l'entité intellectuelle qu'elle peut enfin devenir.
   VALÉRY, Analecta, p. 17.

♦ **3.** Loc. *À l'état d'embryon*, d'ébauche.

DÉR. Embryonnaire, embryonné. — V. aussi les comp. en **embryo-**.

EMBRYONNAIRE [ɑ̃bʀijɔnɛʀ] adj. — 1834 ; de *embryon*.
Sc. et courant.

♦ **1.** Relatif ou propre à l'embryon. *Vie, période embryonnaire. Développement, ébauche embryonnaire. Sac* embryonnaire. Feuillets* embryonnaires. Annexes* embryonnaires.* — *Stades embryonnaires.* ⇒ **Blastula, gastrula, morula.**

♦ **2.** (1855). Fig. Qui n'est qu'en germe, à l'état rudimentaire. *Un dialogue embryonnaire. Un plan encore embryonnaire. À l'état embryonnaire, d'ébauche* (→ À l'état d'embryon*).

Je ne voyais aucun moyen d'attraper la trace du meurtrier. — Nous ne devons pas juger des moyens possibles, dit Dupin, par une instruction embryonnaire.   BAUDELAIRE, Trad. POE, Histoires extraordinaires, « Double assassinat de la rue Morgue ».

EMBRYONNÉ [ɑ̃bʀijɔne] adj. m. — 1908, Encyclopédie universelle ; de *embryon*.

♦ Didact. *Œuf embryonné*, dans lequel l'embryon est bien visible (chez les ovipares).

L'embryon est devenu bien visible : on aperçoit surtout très nettement ses yeux sous l'aspect de deux points noirs. Les praticiens disent que l'œuf est *embryonné*.   Paul VIVIER, la Pisciculture, p. 16.

EMBRYOPATHIE [ɑ̃bʀijopati] n. f. — V. 1960 ; de *embryo-*, et *-pathie*.

♦ Méd. Maladie qui atteint l'embryon au cours des deux à trois mois de son développement dans l'utérus, et qui aboutit à des malformations. *Embryopathie due à la rubéole* (provoquant surtout des malformations oculaires). *Embryopathie par exposition aux radiations.*

EMBRYOTOME [ɑ̃bʀijotom ; ɑ̃bʀijotom] n. m. — 1845 ; de *embryotomie*.

♦ Chir. Instrument chirurgical servant à pratiquer l'embryotomie.

EMBRYOTOMIE [ɑ̃bʀijotomi] n. f. — 1707 ; de *embryo-*, et *-tomie*.

♦ Chir. Opération qui consiste à réduire chirurgicalement dans l'utérus le fœtus mort pour en faciliter l'extraction.

DÉR. Embryotome.

EMBU, UE [ɑ̃by] p. p. adj. et n. m. ⇒ **Emboire.**

EMBÛCHE [ɑ̃byʃ] n. f. — XXᵉ ; déverbal de l'anc. franç. *embuschier* « se mettre en embuscade », XIIᵉ ; de *em- (en-)*, et *bûche*.

♦ **1.** Vx. Embuscade, guet-apens. *Faire tomber qqn dans une embûche. Craindre une embûche* (→ Chevaucher, cit. 1). ⇒ **Piège.**

1   (...) on cherche à vous monter quelque coup de Jarnac ou à vous faire tomber en quelque embûche (...)   Th. GAUTIER, le Capitaine Fracasse, t. II, XI, p. 74.

♦ **2.** (xvᵉ). Mod. (au plur.). Ruse, machination organisée en vue de nuire à qqn. ⇒ **Filet, machination, piège, rets, traquenard.** *Dresser, semer, tendre des embûches à qqn. Échapper aux embûches de ses ennemis. Questions pleines d'embûches.* ⇒ **Insidieux.** *Triompher de toutes les embûches.*

2   Toutes ces larmes, tous ces soupirs, tous ces hommages, tous ces respects sont des embûches qu'on tend à notre cœur, et qui souvent l'engagent à commettre des lâchetés.   MOLIÈRE, la Princesse d'Élide, II, 1.

3   Mes malheurs n'avaient pas encore détruit cette confiance naturelle à mon cœur, et l'expérience ne m'avait pas encore appris à voir partout des embûches sous les caresses.   ROUSSEAU, les Confessions, XII.

Par ext. Obstacle qui compromet la réussite d'une entreprise. ⇒ **Difficulté.**

4   C'est moi qui ait tranché cette vie, qui ait réduit à néant ce monument d'amour, de larmes, d'embûches surmontées qu'est une existence humaine.
                                    Pierre BENOÎT, l'Atlantide, p. 272.

♦ **3.** Spécialt (théol.). Tentation du démon. *Les embûches de Satan.*

EMBÛCHER [ãbyʃe] v. tr. — xiiᵉ ; de *em- (en-)*, *bûche* « bois, forêt », et suff. verbal.

♦ **1.** (1636). T. de vén. Faire entrer une bête dans le bois, dans son gîte. *Embûcher le cerf.* — Pron. *La bête s'embûche lorsque, poursuivie, elle entre dans le bois.*

♦ **2.** (1838). Techn. Commencer la coupe de (un bois).

CONTR. **Débucher.**
COMP. **Rembucher.**

EMBUER [ãbɥe] v. tr. — 1877 ; de *em- (en-)*, *buée*, et suff. verbal.

♦ **1.** Couvrir d'une buée. *La vapeur embuait la vitre.* — Pron. ⇒ littér. **Buer.** *Le pare-brise s'embue.*

♦ **2.** Par anal. Voiler (les yeux) de larmes. — Pron. *Son regard s'embua.*

1   Et maintenant, quand il pensait à Gilieth, les larmes embuaient ses yeux.
                                    P. MAC ORLAN, la Bandera, XVIII, p. 221.

2   Ses gros yeux ronds s'étaient embués de larmes, il avait levé les sourcils, il regardait Horace et Neville d'un air interrogateur.   SARTRE, le Sursis, p. 9.

▶ **EMBUÉ, ÉE** p. p. adj.

♦ **1.** Couvert de buée. *Vitres embuées. Pare-brise embué.*

♦ **2.** Par anal. Voilé de larmes (en parlant des yeux). *Regard embué. Yeux embués de larmes.* ⇒ **Embu.**

CONTR. **Clair, net.**

EMBUISSONNÉ, ÉE [ãbɥisɔne] adj. — xvᵉ, repris 1758 ; de *em- (en-)*, *buisson*, et suff. *-é.*

♦ Rare et littér. Qui est dans les buissons, au milieu des buissons. *« Une petite maison embuissonnée de roses grimpantes »* (Goncourt, *Journal*, t. I, p. 57, 1854).

EMBUSCADE [ãbyskad] n. f. — 1425 ; ital. *imboscata*, p. p. subst. de *imboscare*, de *bosco* « bois ».

♦ **1.** Manœuvre par laquelle on dissimule une troupe, en vue de surprendre et d'attaquer l'ennemi, et, par métonymie, lieu de la manœuvre. ⇒ **Aguet, embûche** (vx), **piège** (→ Capture, cit. 2). *Dresser, faire, préparer une embuscade. Découvrir, éviter une embuscade.* — *En embuscade. Troupe en embuscade.* ⇒ **Embusquer.** *Se cacher, se mettre, se poster, se tenir, être en embuscade :* se dissimuler pour surprendre qqn (à l'endroit où il doit passer). — *Tomber dans une embuscade.* ⇒ **Guet-apens, traquenard.**

1   Comme il *(le moucheron)* sonna la charge, il sonne la victoire,
Va partout l'annoncer, et rencontre en chemin
L'embuscade d'une araignée ;
Il y rencontre aussi sa fin.   LA FONTAINE, Fables, II, 9.

2   La guerre civile (...) prenait un caractère de gravité tout nouveau, du moment où les Chouans concevaient le dessein d'attaquer une si forte escorte (...) il *(Hulot)* crut apercevoir, dans l'apparition de Marche-à-terre, l'indice d'une embuscade habilement préparée (...)   BALZAC, les Chouans, Pl., t. VII, p. 780.

3   (...) il me surprenait comme un voleur en embuscade, comme l'ennemi sauvage, couché à terre, qu'on prendrait de loin pour une broussaille, et qui se relève inopinément.   SAINTE-BEUVE, Volupté, XXII, p. 225.

♦ **2.** Troupe, hommes qui sont en embuscade. *Poster une embuscade.*

4   Le jour, il cheminait le plus souvent à pied, au-devant du chariot, en éclaireur, surtout lorsque près de la route quelques buissons, taillis, pans de murs ou chaumines ruinées pouvaient servir de retraite à une embuscade.
                                    Th. GAUTIER, le Capitaine Fracasse, t. II, XI, p. 42.

♦ **3.** Fig. Embûches. *Les embuscades d'un examen* (→ Concours, cit. 12).

DÉR. On trouve chez Barrès *(les Barbares)* le dér. verbal **s'embuscader** pour **s'embusquer.**

EMBUSQUAGE [ãbyskaʒ] n. m. — Av. 1918, *in* D.D.L. ; de *embusquer.*

♦ Action de s'embusquer (2.), de se mettre à l'abri du danger ; situation qui résulte de cette action, de cette attitude.

Aussi faisait-elle toutes les démarches pour qu'ils restassent, ce qui lui donnerait le double plaisir de les avoir à dîner et, quand ils n'étaient pas encore arrivés ou déjà partis, de flétrir leur inaction. Encore fallait-il que le fidèle se prêtât à cet embusquage, et elle était désolée de voir Morel s'y montrer récalcitrant ; aussi lui avait-elle dit longtemps et vainement : « Mais si, vous servez dans ce bureau, et plus qu'au front. Ce qu'il faut, c'est être utile, faire vraiment partie de la guerre, en être ».   PROUST, le Temps retrouvé, Pl., t. III, p. 768.

EMBUSQUER [ãbyske] v. tr. — xvᵉ ; réfection de *embûcher* (xiiᵉ), de *bûche*, d'après l'ital. *imboscare*, de *bosco* « bois ».

♦ **1.** Mettre (une troupe, des hommes) en embuscade*, poster en vue d'une agression. *Il embusqua ses hommes derrière un petit bois* (→ Détour, cit. 3).

1   (...) nous conduisons au gibet un malheureux que l'indigence embusque sur un grand chemin (...) et l'on fera grâce à un brigand infiniment plus dangereux (...)
                                    G.-T. RAYNAL, Hist. philosophique..., XVIII, 14, *in* LITTRÉ.

♦ **2.** (1914-1918). Affecter par faveur (un mobilisé) à un poste non exposé, à une unité non combattante de l'arrière (rare, sauf en emploi factitif et au pron. ; → ci-dessous). *Avoir assez de protections pour se faire embusquer.* — Par ext. Soustraire par faveur un civil à la mobilisation et en général à ses obligations militaires.

▶ **S'EMBUSQUER** v. pron.

♦ **1.** Se cacher, se poster en embuscade, pour surprendre qqn. *Les assaillants s'embusquèrent derrière un taillis.*

Fig. Se dissimuler. ⇒ **Enfermer** (s') ; → Agitation, cit. 15.

2   Aucune expérience n'avait enseigné à Thérèse que derrière toute bizarrerie, qu'à l'abri d'une outrance, d'une affectation, souvent des vices s'embusquent.
                                    F. MAURIAC, le Mal, p. 20.

♦ **2.** Se faire affecter à un poste sans danger. ⇒ **Planquer** (se). *Militaire qui a réussi à s'embusquer.*

▶ **EMBUSQUÉ, ÉE** p. p. adj. et n. m.

♦ **1.** En embuscade. *Troupe embusquée au fond d'un ravin.*

3   Aimons-nous doucement. L'Amour dans sa guérite,
Ténébreux, embusqué, bande son arc fatal.
                                    BAUDELAIRE, Spleen et idéal, LXIV, « Sonnet d'automne ».

♦ **2.** Par ext. Caché, dissimulé.

4   Je ne suis pas de ces démons pusillanimes, terrés dans la cave, embusqués sous l'auvent du toit, ou grelottants dans le puits.
                                    COLETTE, la Paix chez les bêtes, « Poum », p. 5.

♦ **3.** N. m. *Un embusqué,* militaire ou civil qui s'est fait embusquer en temps de guerre, militaire qui bénéficie d'un poste facile en temps de paix. — REM. Le fém. est virtuel.

5   Le producteur sera déifié, le mercanti prendra dans la haine publique la place de l'embusqué (...)   A. MAUROIS, les Discours du Dʳ O'Grady, XIV, p. 147.

6   (...) c'est d'un hochement de tête philosophe, sans haine, que, prêt à repartir pour la guerre, il disait en voyant se bousculer les embusqués retenant leurs tables : « On ne dirait pas que c'est la guerre ici ».
                                    PROUST, le Temps retrouvé, Pl., t. III, p. 735.

CONTR. **Découvrir, exposer, montrer.**
DÉR. **Embusquage.**

EMBUT [ãby] n. m. — xivᵉ, « entonnoir », probablt du lat. *imbuere* « abreuver ; imbiber », de *im- (in-)*, et *bibere* « boire », par une forme pop. *imbutum* « entonnoir ».

♦ **1.** Vx. Puisard en entonnoir.

♦ **2.** (Attesté xxᵉ). Géogr. ou régional. Gouffre, aven (dans un terrain calcaire).

HOM. **Embu** (p. p. de *emboire*), **en-but.**

-ÈME Élément de mots savants, tiré de *phonème** (grec *phônêma*), utilisé en linguistique et en sémiotique pour former des noms masculins désignant une unité minimale distinctive, dans le domaine exprimé par la base nominale. ⇒ **Graphème, lexème, monème, morphème, sème, sémème, tonème.** — REM. Cet élément est très productif dans la terminologie sémiotique (cf. *in* Josette Rey-Debove, *Sémiotique : dansème, idéologème, mythème, phème, pictème, proxème, virtuème...*).

ÉMÉCHER [emeʃe] v. tr. — Conjug. *céder.* — 1576 ; de *é-, mèche*, et suff. verbal.

♦ **1.** Vx. Débarrasser (une bougie, une lampe à pétrole...) des extrémités charbonnées de la mèche. *Émécher une chandelle.* ⇒ **Moucher.**

1 — On va allumer les lampes, dit l'épicier. Il se leva en gémissant, émécha les lampes, en essuya les verres avec son mouchoir, et les alluma.
M. DURAS, les Petits Chevaux de Tarquinia, p. 226.

♦ **2.** (1826). Mettre en mèches. *Émécher des cheveux.*

♦ **3.** (1859). Fig. et fam. Rare à l'actif. Rendre légèrement ivre. ⇒ **Enivrer.** *Deux ou trois verres suffisent à l'émécher.*

▶ ÉMÉCHÉ, ÉE p. p. adj. (1859). Fam. et cour.
Un peu ivre. *Il était légèrement éméché.* ⇒ **Gai, gris ;** et aussi **pompette.**

2 Les noctambules du Boul « Mich » aphones, poisseux, éméchés, puant l'absinthe.
B. CENDRARS, Bourlinguer, *in* T. L. F.

ÉMENDATION [emɑ̃dɑsjɔ̃] n. f. — XIIIᵉ ; du lat. *emendatio* « action de corriger », de *emendatum*, supin de *emendare*. → Émender.
Didactique.

♦ **1.** Rare. Action d'émender (1.). *L'émendation d'un texte par un archiviste paléographe.*

♦ **2.** Spécialt (sc. nat.). Modification intentionnelle de l'orthographe (d'un nom savant).

ÉMENDER [emɑ̃de] v. tr. — 1547 ; « améliorer », XIIᵉ ; lat. *emendare*. → Amender.

♦ **1.** Vx. Corriger (un texte). ⇒ **Émendation.**

♦ **2.** (1554). Dr. Amender, réformer un jugement. ⇒ **Corriger, réformer.** « *La Cour, émendant la sentence dont est appel...* », formule utilisée par une juridiction d'appel lorsqu'elle veut infirmer la sentence de la juridiction inférieure.
CONTR. **Confirmer, ratifier.**

ÉMERALDINE [emʀaldin] n. f. — 1872 ; de *émeraude*.

♦ Chim., techn. Matière colorante bleu-vert.

ÉMERAUDE [emʀod] n. et adj. invar. — XVIIᵉ ; *esmaragde, esmeraude*, v. 1120 ; *esmeralde*, v. 1130 ; du lat. *smaragdus*, grec *smaragdos*, d'orig. orientale.

♦ **1.** N. f. Pierre précieuse, diaphane, généralement de couleur verte, de poids spécifique 2,7 ; silicate double d'alumine et de glucine (Al_2O_3, 3GlO, $6SiO_2$). *Émeraude cylindroïde, fibreuse. L'émeraude noble, verte et limpide. L'émeraude orientale,* variété verte du corindon*. *Émeraude bleuâtre du Brésil.* ⇒ **Aigue-marine.** *Émeraude rose, jaune, pierreuse.* ⇒ **Béryl.** *L'émeraude se rencontre dans diverses roches* (gîtes stannifères, gneiss, granites, pegmatites, micaschistes). *L'émeraude utilisée dans la préparation du glucinium*. Émeraudes brutes* (⇒ **Morillon**), *taillées. Diamant taillé en émeraude* (→ Diamant, cit. 8). *Bracelet, collier d'émeraudes* (→ Albâtre, cit. 2). *Émeraude montée en bague.*

1 Jadis, un directeur de théâtre dépensait des centaines de mille francs pour consteller de vraies émeraudes le trône où la diva jouait un rôle d'impératrice.
PROUST, À la recherche du temps perdu, t. XI, p. 11.

La limpidité, la pureté de l'émeraude. Ciel limpide comme l'émeraude (→ Descendre, cit. 27).

Le vert de l'émeraude (→ Cornaline, cit. 1). *Yeux couleur de l'émeraude. Un vert de la plus pure émeraude.*

2 (...) le banc émerge du courant en talus, et s'élève par une haute pente très douce, formant une large pelouse de gazon, qui ressemble parfaitement à un tissu de velours, et d'un vert si brillant, qu'il pourrait soutenir la comparaison avec celui de la plus pure émeraude.
BAUDELAIRE, Trad. POE, Histoires grotesques, « Le domaine d'Arnheim ».

(Mil. XVIIIᵉ). Par métonymie. Couleur verte de l'émeraude. ⇒ **Smaragdin, vert** (→ Coq, cit. 11). *L'émeraude des vagues. L'émeraude des feuillages.* — *Côte d'Émeraude :* côte nord de la Bretagne où la Manche est d'une couleur verte. *L'Île d'Émeraude :* l'Irlande, ainsi appelée en raison de la richesse de sa végétation. — Adj. (invar.). *Vert émeraude. Courtine* (cit. 2) *de soie émeraude.*

3 Le crépuscule ami s'endort dans la vallée
Sur l'herbe d'émeraude et sur l'or du gazon (...)
A. DE VIGNY, les Destinées, « La maison du berger ».

4 Un clair croissant perdu par une blanche nue
Trempe sa corne calme en la glace des eaux,
Non loin de trois grands cils d'émeraude, roseaux.
MALLARMÉ, Poésies, « Las de l'amer repos ».

♦ **2.** N. m. Oiseau paradisier (Nouvelle-Guinée) dont la gorge est verte.
Émeraude-améthyste : colibri de Guyane au plumage bleu et vert.
DÉR. **Émeraldine, émeraudine.**

ÉMERAUDINE [emʀodin] n. f. — 1762 ; de *émeraude*.

♦ Insecte du genre cétoine*, de couleur verte.

ÉMERGEMENT [emɛʀʒemɑ̃] n. m. — 1865 ; de *émerger*.
Rare.

♦ **1.** Fait d'apparaître au-dessus du niveau de la mer. *L'émergement d'un récif, d'une île.* ⇒ **Émersion ; affleurement.**

♦ **2.** (Abstrait). Apparition, manifestation.
(...) comment vous expliquez-vous ce... cet émergement des côtés fâcheux du caractère ?
J. ROMAINS, les Hommes de bonne volonté, t. XXII, p. 57.

ÉMERGENCE [emɛʀʒɑ̃s] n. f. — 1720 ; dr., « dépendance », 1498 ; de *émergent*.

♦ **1.** Phys. Sortie d'un rayonnement. *Point d'émergence d'un rayon lumineux,* le point où il sort d'un milieu qu'il traverse. *Les conditions d'émergence d'un rayon réfracté.*

♦ **2.** (1846). Anat. *Émergence d'un nerf,* point où il se détache du centre nerveux. — Géol. *Émergence d'une source,* l'endroit où elle sort de terre. *Émergence d'un geyser.* ⇒ **Apparition, sortie.**

1 Il y aurait intérêt à faire procéder à une étude géologique du terrain jusqu'à une certaine distance du point d'émergence.
J. ROMAINS, les Hommes de bonne volonté, t. V, XXII, p. 176.

♦ **3.** Fig. (Biol., philos.). *Théorie de l'émergence* (de G.-H. Lewes, 1874) : théorie « selon laquelle la combinaison d'unités d'un certain ordre réalise une entité d'ordre supérieur dont les propriétés sont entièrement nouvelles » (P. Ostoya, *in* Foulquié, *Dict. de la langue philosophique*). *Relation de l'émergence et de l'évolution de l'espèce, de la pensée.*

2 Il convient de rechercher (...) les *innovations* qu'apporte au monde chaque nouveau palier évolutif. C'est ce fait que l'on désigne parfois par le terme d'*émergence.*
A. VANDEL, l'Homme et l'Évolution, *in* FOULQUIÉ, Dict. de la langue philosophique, art. *Émergence.*

3 Ces trois grands types *(de structuration)* sont ceux de la composition additive ou atomistique (la société conçue comme une somme d'individus possédant déjà les caractères à expliquer) de l'émergence (le tout comme tel engendre des propriétés nouvelles qui s'imposent aux individus) et de la totalité relationnelle (système d'interactions modifiant dès le départ les individus et expliquant par ailleurs les variations du tout).
J. PIAGET, Épistémologie des sciences de l'homme, p. 56.

♦ **4.** Fig. Apparition soudaine, dans une suite d'événements, d'idées. *L'émergence d'un fait historique. Émergence d'une solution* (à un problème), *d'une signification* (cf. J. Ricardou, *in* Cl. Simon, *la Route des Flandres*).

4 L'espérance est anticipation militante de l'avenir. L'homme naît avec l'émergence du projet.
Roger GARAUDY, Parole d'homme, p. 164.

♦ **5.** Rare. (Philos.). Action ou fait d'émerger, de faire irruption dans. « *L'émergence de l'être dans le non-être* » (Sartre, *l'Être et le Néant*).

ÉMERGENT, ENTE [emɛʀʒɑ̃, ɑ̃t] adj. et n. m. — Déb. XVIᵉ ; dr., « dépendant », 1471 ; lat. *emergens, -entis*, p. prés. de *emergere*. → Émerger.
Didactique.

♦ **1.** Chronologie. *Année émergente,* à partir de laquelle on compte les années d'une ère. *L'an émergent de l'ère chrétienne, de l'Église.*

♦ **2.** (1720 ; angl. *emergent*, de même orig. que le franç.). Opt. *Rayons émergents,* qui sortent d'un milieu après l'avoir traversé. *Source lumineuse émergente.*
Minér. *Cristal émergent,* composé de six prismes rhomboïdes, dont l'un paraît se détacher des cinq autres.

♦ **3.** (XIXᵉ). Rare. Qui émerge. *Île, terre émergente. Terrain émergent,* qui se trouve découvert pendant la marée basse.

1 (...) au delà, les îles sont encore des échines et des têtes de montagnes émergentes.
TAINE, Philosophie de l'art, t. II, p. 91.

♦ **4.** Biol., philos. Qui se rapporte à la théorie de l'émergence. *Synthèse émergente constitutive de chaque palier évolutif.* — N. m. *Un émergent :* un élément émergent.

2 Alexander, qui voit dans la Divinité le prochain émergent appelé à se produire sur le niveau psychologique le plus élevé des êtres conscients, n'admet pas que ce Dieu soit intervenu comme créateur de l'Espace-Temps primitif, ni des émergents qui s'y sont ajoutés.
LALANDE, Voc. de la philosophie, art. *Émergence.*

CONTR. **Immergent** (phys.).
DÉR. **Émergence.**

ÉMERGER [emɛʀʒe] v. intr. — Conjug. *bouger.* — XIVᵉ ; rare jusqu'au XIXᵉ, Chateaubriand ; lat. *emergere* « sortir de l'eau », de *ex-*, et *mergere* « plonger, enfoncer ».

♦ **1.** Sortir d'un milieu liquide (où qqch., qqn est plongé) de manière à apparaître* à la surface. *L'îlot émerge à marée basse. Les roches émergeaient à peine.* ⇒ **Affleurer.** *Sous-marin qui émerge dans un port.* ⇒ **Flotter.** *Plongeur qui émerge à la surface de l'eau.* — Sortir* d'un milieu quelconque et apparaître. ⇒ **Montrer** (se). *Le soleil émerge à l'horizon. La lune émerge au-dessus des nuages. Une silhouette émerge de l'ombre* (→ Dégradation, cit. 3). *Émerger à la lumière.* ⇒ **Paraître.** *Tête d'un dormeur qui émerge du drap.*

1   Le soleil émergeant d'une nuit sombre éclairait le fleuve.
                                  CHATEAUBRIAND, les Natchez, p. 230.

2   Çà et là émerge, comme une pointe d'écueil, le haut d'une colonne engloutie à moitié ou aux trois quarts, indiquant un édifice, un temple peu à peu recouvert.
                                  Th. GAUTIER, Souvenirs de théâtre..., p. 322.

3   Brusquement, très à gauche du point vers lequel il était tourné, une silhouette émergea en plein milieu de ce halo qui marquait la naissance du jour.
                                  MARTIN DU GARD, les Thibault, t. III, p. 101.

♦ **2.** Fig. Se manifester, se produire, apparaître plus clairement. ⇒ **Jour** (se faire jour). *De tant de dépositions contradictoires, la vérité finissait par émerger peu à peu. Peu à peu, ses souvenirs émergeaient du fond de la conscience. Mérite, réputation qui commence à émerger.* ⇒ **Imposer** (s'), **percer.** *Il émerge à peine du sommeil.* ⇒ **Sortir.** — Fam. Sortir d'un état d'inconscience, d'incertitude...; devenir actif, attentif. *Émerger après une anesthésie. Il a du mal à émerger le matin.*

4   (...) le passé ne peut être saisi par nous comme passé que si nous suivons et adoptons le mouvement par lequel il s'épanouit en image présente, émergeant des ténèbres au grand jour.   H. BERGSON, Matière et Mémoire, p. 145.

5   L'acte qui, durant le déjeuner, était déjà en elle à son insu, commença alors d'émerger du fond de son être, — informe encore, mais à demi-baigné de conscience.   F. MAURIAC, Thérèse Desqueyroux, VIII, p. 147.

6   (...) un Rembrandt nouveau nous est à l'avance familier alors qu'une œuvre byzantine nouvelle se dégage mal de la confusion dont elle émerge (...)
                                  MALRAUX, les Voix du silence, p. 315.

7   Dans un tout autre domaine, la sociologie de Durkheim procédait de façon analogue en voyant dans le tout social une totalité nouvelle, émergeant à une échelle supérieure de la réunion des individus et réagissant sur eux en leur imposant des « contraintes » diverses.
                                  J. PIAGET, Épistémologie des sciences de l'homme, p. 280.

CONTR. Immerger (être immergé). — **Abîmer** (s'), **couler, enfoncer** (s'), **plonger.** — **Disparaître, voiler** (se).
DÉR. **Émergement.**

ÉMERI [emʀi] n. m. — XVIIᵉ; *esmerill*, v. 1200; *esmery*, 1440; var. *emeril*, XVIᵉ-XVIIIᵉ; du bas lat. *smyris*, grec class. *smuris.*

♦ **1.** Variété granulaire très dure du corindon* (alumine), contenant des oxydes de fer, et qui, réduit en poudre, sert à polir les pierres, le cristal, les métaux, etc. ⇒ **Abrasif.** *Polir un diamant avec de la poudre d'émeri. — Potée d'émeri :* matière contenant de la poudre d'émeri, qui tombe de la meule des lapidaires. — (1866). Cour. *Papier* ou *toile (d') émeri,* obtenu(e) en saupoudrant de poudre d'émeri une feuille de papier ou de toile recouverte de colle forte. — Loc. (1818, in D.D.L.). *(Flacon) bouché à l'émeri,* dont le bouchon poli à l'émeri s'adapte parfaitement au goulot.

C'était (...) un tohu-bohu de fioles. Il empoigna résolument les flacons de parfums, débarbouilla les goulots et les bouchons à l'émeri, frotta les étiquettes (...)
                                  HUYSMANS, Là-bas, X, p. 151.

♦ **2.** (1897). Fam. *Bouché à l'émeri :* particulièrement borné et fermé. ⇒ **Bouché** (3.). *Ce type est bouché à l'émeri, il ne comprend rien.*

DÉR. **Émeriser.**

ÉMERILLON [emʀijɔ̃] n. m. — XIIᵉ, *esmerillon;* de l'anc. franç. *esmeril,* du francique *smeril,* de sens incertain.

★ **I.** Oiseau rapace diurne *(Falconidés),* dressé autrefois pour la chasse des perdrix, de la caille.

(...) c'est le véritable émerillon dont on se sert tous les jours dans la fauconnerie et que l'on dresse au vol pour sa taille, à l'exception des pies-grièches, le plus petit de tous les oiseaux de proie (...) On peut en faire un bon oiseau de chasse pour les alouettes, les cailles et même les perdrix (...)
                                  BUFFON, Hist. nat. des oiseaux, in Œ., t. V.

★ **II.** ♦ **1.** Anciennt. Petite pièce d'artillerie, en usage du XVIᵉ siècle au XVIIIᵉ siècle.

♦ **2.** (1680). Techn. Anneau ou croc rivé par une petite tige dans une bague de façon à pouvoir tourner librement. *Émerillon d'affourche,* servant à réunir deux chaînes. *Croc, poulie à émerillon,* tournant sur eux-mêmes (pour défaire les cordages). — Outil du cordier, du boutonnier. — (Pêche). Attache métallique tournante empêchant la ligne de vriller.

DÉR. (Du I.) **Émerillonné.** — (Du II.) **Émerillonner.**

ÉMERILLONNÉ, ÉE [emʀijɔne] adj. — V. 1479; de *émerillon* (I.), à cause du regard perçant de l'oiseau.

♦ Littér. Dont le regard est vif, gai. *Des yeux émerillonnés* (⇒ **Brillant, éveillé**).

1   Vous voilà bien émerillonnée, mademoiselle Geneviève? lui dis-je en la voyant.
                                  MARIVAUX, le Paysan parvenu, p. 14.

2   Assez grand, dodu sans obésité, le teint fleuri, la lèvre gaie et vermeille, la moustache fine, relevée en croc, une mouche au menton, de grosses joues roses sous des yeux émerillonnés (...)   J. ROMAINS, les Hommes de bonne volonté, t. III, v, p. 90.

3   (...) les unes la joue dans la main, le coude sur la table; les autres, renversées

au dossier des chaises, l'éventail déplié sur la bouche; le fusillant toutes de leurs yeux émerillonnés et inquisiteurs.
                                  BARBEY D'AUREVILLY, les Diaboliques, « Le plus bel amour de Don Juan ».

ÉMERILLONNER [emʀijɔne] v. tr. — D. i. (XXᵉ); de *émerillon* (II., 2.).

♦ Techn. Tordre (un câble, une corde) à l'aide d'un outil qui comporte un crochet rotatif.

ÉMERISAGE [emʀizaʒ] n. m. — Mil. XXᵉ; de *émeriser.*

♦ Techn. Procédé permettant d'adoucir les tissus de coton en les mettant au contact d'un cylindre garni d'émeri, très fin et tournant à grande vitesse.

ÉMERISER [emʀize] v. tr. — 1868; de *émeri.*
Technique.

♦ **1.** Couvrir de poudre d'émeri. — Au p. p. *Papier émerisé.*

♦ **2.** (Mil. XXᵉ). Procéder à l'émerisage de (un tissu).
DÉR. **Émerisage, émeriseuse.**

ÉMERISEUSE [emʀizøz] n. f. — Mil. XXᵉ; de *émeriser.*

♦ Techn. Machine servant à émeriser les tissus.

ÉMÉRITAT [emeʀita] n. m. — 1824; de *émérite.*

♦ **1.** Rare et vx. État du professeur émérite; prérogatives propres à cet état.

♦ **2.** Mod. En Belgique, État d'un professeur honoraire d'université ou du magistrat sorti de charge; privilège accordé à ces personnes. ⇒ **Retraite.** *Les pensions relevant du régime de l'éméritat ont été réduites.*

ÉMÉRITE [emeʀit] adj. — 1355, repris XVIIIᵉ; lat. *emeritus* «(soldat) qui a fait son temps, son service, vétéran», de *emereri* «achever le service militaire», de *emerer,* même sens, et aussi «mériter, gagner», de *ex-,* et *merere, mereri.*

♦ **1.** Vx. Qui, ayant exercé un emploi pendant un certain temps, a pris sa retraite et jouit des honneurs de son titre. ⇒ **Honoraire, retraité.** — *Auguste établit des récompenses pour les soldats qu'on appelait* émérites, *c'est-à-dire, qui avaient bien servi pendant un certain nombre d'années* (Trévoux). — *Professeur émérite, et, n., un émérite,* se disait autrefois des professeurs après un certain temps de service. *En quittant leur chaire, les* Émérites *ont une pension* (Trévoux).
En Belgique, Professeur honoraire d'université ou magistrat sorti de charge et ayant obtenu l'éméritat.

♦ **2.** Fig. Vx. Qui a une longue pratique, une longue habitude de qqch., a vieilli dans son emploi. ⇒ **Chevronné.** — Par plais. *Buveur émérite.* ⇒ **Invétéré.** *Menteur émérite. « Trois ou quatre femmes, adultères émérites »* (Mérimée, in T. L. F.).

1   Du fond de sa bergère, que sa robe remplissait entièrement, la coquette émérite, tout en causant avec le diplomate qui la recherchait afin de recueillir les anecdotes qu'elle contait si bien, s'admirait elle-même dans la jeune coquette (...)
                                  BALZAC, la Paix du ménage, Pl., t. I, p. 1010.

♦ **3.** (Fin XIXᵉ). Mod. Qui, par une longue pratique, a acquis une compétence, une habileté remarquable. ⇒ **Distingué, éminent, éprouvé, expérimenté, habile, remarquable, supérieur.** *Philologue émérite* (Académie).

2   J'ai, pendant la fin de mes études, suivi parfois la consultation de Doleris, accoucheur émérite.   G. DUHAMEL, Biographie de mes fantômes, p. 187.

REM. L'emploi de *émérite* est abusif quand il ne s'agit pas d'une qualité acquise par une longue pratique.

CONTR. Apprenti, novice. — **Maladroit.**
DÉR. **Éméritat.**

ÉMERSION [emɛʀsjɔ̃] n. f. — 1694; lat. sc. *emersio,* du lat. class. *emersus,* de *emergere.* → Émerger.

♦ **1.** Astron. Brusque réapparition d'un astre qui était éclipsé. *Arc d'émersion. Émersion de la Lune.*

Si la terre était immobile, l'observateur verrait, en trente fois 42 heures et demie, 30 émersions de ce satellite *(de Jupiter).*
                                  VOLTAIRE, Éléments de la philosophie de Newton, II, 1.

♦ **2.** (1755). Didact. Action ou état d'un corps qui émerge d'un fluide, d'un milieu. ⇒ **Émergement, émergence.** *Émersion d'un corps solide plongé dans un fluide plus pesant. L'émersion d'un rocher à marée basse, d'une île.*

♦ **3.** Rare et didact. (philos.). Apparition soudaine, irruption.

⇒ **Émergence** (3.). « *L'émersion du microscopique hors du molécu-laire* » (Teilhard de Chardin, *in* T. L. F.).
CONTR. **Immersion, plongeon.** — **Disparition, éclipse.**

ÉMÉRUS [emeʀys] n. m. — 1694, *emerus*, mot lat. sc., orig. incert., p.-ê. du grec *hêmeros* «apprivoisé ; cultivé».

♦ Bot. Séné bâtard (arbrisseau ornemental).

ÉMERVEILLABLE [emeʀvejabl] adj. — Déb. XIIᵉ, *esmervillable* ; *esmerveillable*, v. 1265, *Roman de la rose* ; de *émerveiller.*

♦ Vx (langue class.). Admirable ; qui suscite l'émerveillement.

ÉMERVEILLANT, ANTE [emeʀvejã, ãt] adj. — V. 1220 ; p. prés. de *émerveiller.*

♦ Rare et littér. Qui provoque l'émerveillement.
L'émerveillante beauté de ce monde vient de ceci précisément que rien n'y dure (...)   GIDE, Journal, 10 mai 1940, Pl., p. 20.

ÉMERVEILLEMENT [emeʀvejmã] n. m. — Fin XIIᵉ ; de *émerveil-ler.*

♦ Fait de s'émerveiller, d'être émerveillé ; état d'une personne émer-veillée. ⇒ **Admiration, étonnement, enchantement.** *L'émerveillement de qqn devant qqch., à la vue de qqch. L'émerveillement de l'enfance. Découvrir qqch. avec émerveillement. Être plongé dans l'émerveillement. Pousser un cri d'émerveillement. C'était pour lui un émerveillement constant. Son savoir-faire faisait mon émerveil-lement. L'émerveillement d'un spectacle* (→ Divette, cit. 1), que cause, que procure un spectacle.
(...) une longue tragédie qui a commencé avec le premier homme et ne se ter-minera sans doute qu'avec l'espèce. Ce personnage reflétera au fond de ses yeux l'émerveillement des premières eaux et la terreur du dernier rayon.
Jacques DE LACRETELLE, cité par A. MAUROIS, Études littéraires, t. II, p. 250.

ÉMERVEILLER [emeʀveje] v. tr. — XIIᵉ ; de *é-, merveille,* et suff. verbal.

♦ Frapper d'étonnement et d'admiration. ⇒ **Éblouir, enchanter, étonner, fasciner.** *Émerveiller qqn, plusieurs personnes, le public. Le jeune Mozart émerveilla la cour par son génie précoce. Ce film m'a émerveillé.* — Absolt. *Il est toujours soucieux d'émerveiller.*
0.1   Sanglé dans son uniforme de tzigane qu'il ne quittait jamais, l'habile virtuose exé-cutait d'étourdissants morceaux, qui avaient le don d'émerveiller les indigènes.
Raymond ROUSSEL, Impressions d'Afrique, p. 382.

▶ **S'ÉMERVEILLER** v. pron.
Éprouver un étonnement agréable (devant qqch. d'inattendu qu'on juge merveilleux). ⇒ **Admirer.** *S'émerveiller de la beauté d'un spec-tacle. Il s'émerveillait de voir...* (→ Docile, cit. 5 ; doubler, cit. 8). *Enfant qui s'émerveille devant un objet* (→ Accord, cit. 24). *Les moindres choses dont elle ne cessait de s'émerveiller.*
1   Quand vous serez bien vieille, au soir à la chandelle,
Assise auprès du feu, dévidant et filant,
Direz chantant mes vers, en vous émerveillant :
Ronsard me célébrait du temps que j'étais belle.
RONSARD, Sonnets pour Hélène, II, XLIII.
2   La mère Barbeau ne pouvait assez s'émerveiller de l'habileté de la petite Fadette, et, le soir, elle disait à son homme (...)   G. SAND, la Petite Fadette, XL, p. 251.
3   La terre tendre et sombre,
Ô Platane, jamais ne laissera d'un pas
S'émerveiller ton ombre !   VALÉRY, Poésies, « Au platane ».

▶ **ÉMERVEILLÉ, ÉE** p. p. adj.
Qui montre l'admiration, la surprise. *Un sourire, un regard émer-veillé. Des yeux émerveillés* (→ Clocheton, cit.).
CONTR. **Décevoir, désenchanter, désillusionner, lasser.**
DÉR. **Émerveillable, émerveillant, émerveillement.**

ÉMÉTICITÉ [emetisite] n. f. — 1771 ; de *émétique.*

♦ Méd. Propriété vomitive (d'un médicament). *Éméticité de l'ipéca, de l'émétine.*

ÉMÉTINE [emetin] n. f. — 1817 ; du rad. de *émétique.*

♦ Méd., chim. Alcaloïde extrait de l'ipéca, et utilisé comme éméti-que ou contre la dysenterie amibienne (→ 1. Asclépiade, cit. 1). *L'émétine s'administre par voie sous-cutanée. Sirop d'émétine, chlorhydrate d'émétine.*
Moi aussi, j'ai de la dysenterie, lui dit le toubib, et je n'ai rien pour te soigner, il faudrait de l'émétine.   Jean LARTÉGUY, les Centurions, p. 80.

ÉMÉTIQUE [emetik] adj. et n. m. — V. 1560 ; lat. *emeticus,* grec *emetikos,* de *emeîn* «vomir».
Didact. (méd., pharmacie).

♦ **1.** Adj. Qui provoque le vomissement. ⇒ **Vomitif.** *Vin émétique. Tartre émétique. Poudre, préparation émétique. Racines émétiques.* ⇒ **Ipéca, vératre ; émétine.**

♦ **2.** N. m. Vomitif composé de tartrate double d'antimoine et de potassium. *Donner, prendre de l'émétique* (→ Aviser, cit. 23). *Pres-crire un émétique* (→ Aller, cit. 65).
DÉR. **Éméticité.** — V. **Émétine, émétisant, émétiser.**
COMP. **Antiémétique.**

ÉMÉTISANT, ANTE [emetizã, ãt] adj. — 1835 ; du rad. de *émé-tique* ou de *émétiser.* → Émétiser.

♦ Méd. Qui provoque un vomissement. *Toux émétisante.* ⇒ **Éméti-que.**
Par anal. (Littér.). « *La chaleur émétisante que lui avait communi-quée sa plume* » (Balzac, *in* T. L. F.).

ÉMÉTISER [emetize] v. tr. — 1760 ; du rad. de *émétique.*
Méd., vieilli.

♦ **1.** Mettre un émétique dans (une boisson). *Émétiser une tisane.* — Au p. p. *Eau émétisée.*

♦ **2.** Traiter (un malade) par un émétique.
J'ai eu les intestins brouillés (...) je devois être émétisé aujourd'huy.
DIDEROT, Lettre à Sophie Volland, 21 nov. 1760, *in* D. D. L., II, 1.
DÉR. V. **Émétisant.**

ÉMETTEUR, TRICE [emetœʀ, tʀis] n. et adj. — 1792, *émetteur de billets, in* Brunot, H. L. F., t. IX, p. 1079 ; de *émettre.*

♦ **1.** Fin. et banque. Personne, organisme qui émet (des billets, des effets). *L'émetteur d'un chèque, d'un effet de commerce.* ⇒ **Signa-taire, tireur.** — Adj. *Bureau émetteur. Banque émettrice.*

♦ **2.** (1910, *poste émetteur d'ondes*). *Poste émetteur,* ou *émetteur :* ensemble des dispositifs et appareils destinés à produire des oscilla-tions électriques, dont l'énergie est rayonnée à distance sous forme d'ondes électromagnétiques capables de transmettre des messages télégraphiques, des sons ou des images. *Émetteurs radiotélégra-phiques, radiotéléphoniques, radioélectriques, radiophoniques, de télévision. Émetteur de brouillage. Émetteur-récepteur.* — Par ext. (cour.). Station qui effectue des émissions* radiophoniques, de télé-vision. *Un émetteur peu puissant. Émetteur clandestin. Canal* (III., 3.) réservé à un émetteur.* — Adj. *Poste émetteur,* par oppos. à *poste récepteur. Antenne* émettrice.* — *Émetteur de radar.*
Le bouton tourné, le poste émetteur repéré, l'appareil au point voulu, toute la   1
société prête l'oreille.   G. DUHAMEL, Manuel du protestataire, VI, p. 153.
Le poste récepteur radiophonique et le poste émetteur avaient travaillé toute la   2
nuit.   P. MAC ORLAN, la Bandera, XV, p. 184.

♦ **3.** Phys. Radioélément qui se désintègre en projetant un rayonne-ment. *Émetteur de radiations dangereuses, de rayons bêta.* — Adj. *Noyau émetteur, substance émettrice de radiations.*

♦ **4.** Sc. *L'émetteur :* celui qui émet un message, par rapport à celui ou à ceux qui le reçoivent (théorie de la communication). ⇒ **Desti-nateur.** *L'émetteur d'un message en langue naturelle.* ⇒ **Locuteur.** *L'émetteur et le destinataire.*

♦ **5.** Littér. Personne qui émet (une idée, un jugement, une influence...).
Il y aurait à dénoncer une série de bonnes blagues, inventées par de prétendus   3
émetteurs d'idées (...)   Ed. et J. DE GONCOURT, Journal, t. VI, p. 223.
CONTR. **Bénéficiaire, preneur** (d'un effet). — **Récepteur.** — **Destinataire.**
COMP. **Photoémetteur.**

ÉMETTRE [emɛtʀ] v. tr. — Conjug. **mettre.** — 1790 ; dr., 1476 ; lat. *emittere* «lancer hors de», de *ex-,* et *mittere* «envoyer» ; d'après *mettre.*

♦ **1.** Dr. anc. Interjeter. *Émettre appel comme d'abus.*

♦ **2.** Produire (une matière) en envoyant hors de soi. ⇒ **Jeter, lan-cer.** *Les étoiles émettent des radiations. Émettre des rayons brû-lants.* ⇒ **Darder.** *Émettre un gaz, une odeur caractéristique.* ⇒ **Dégager, exhaler, répandre.** — Spécialt (phys.). Projeter sponta-nément hors de soi, par rayonnement (des radiations, des ondes). *Substance qui émet un rayonnement, des radiations. Émettre un courant électrique, des ondes.*
Il semble que certaines réalités transcendantes émettent autour d'elles des rayons   1
auxquels la foule est sensible.   PROUST, À la recherche du temps perdu, t. III, p. 30.
On croyait que l'énergie s'écoulait de façon continue, pareille à l'eau d'un torrent.   2
En 1901, l'Allemand Planck a établi que, lumineuse ou électrique, elle est émise sous forme de corpuscules (...)
Pierre GAXOTTE, Hist. des Français, t. II, p. 547.
Techn. (télécommunications). Envoyer (des signaux, des images) sur ondes électromagnétiques. *Bateau en détresse qui émet un S.O.S.* — Absolt. Faire des émissions. *Émettre de Paris, de Lyon. Émettre*

sur une longueur d'ondes donnée, sur telle fréquence. Poste émetteur qui émet sur ondes courtes, sur modulation de fréquence.

♦ **3.** Produire au dehors, mettre en circulation, offrir au public (le compl. désigne un instrument de paiement, monnaie, titre...). *Émettre des effets de commerce* (→ Chèque, cit. 1). *Émettre un chèque.* ⇒ **Tirer.** *Émettre de faux billets, une nouvelle pièce de monnaie. La Banque de France émet de nouvelles coupures. Émettre un timbre.*

3   Ce sont donc les besoins du public et nullement les désirs de la banque qui règlent l'émission. *La quantité des billets qu'elle émettra dépendra du nombre des effets qu'on présentera à l'escompte, et la quantité de ces effets eux-mêmes dépendra du mouvement des affaires.*
                                    Charles GIDE, Cours d'économie politique, t. I, p. 574.

♦ **4.** Par ext. Faire sortir de soi (un son). *Émettre un vague grognement* (⇒ **Grogner**), *un cri* (⇒ **Lâcher ; crier**), *des injures* (⇒ **Proférer**), *un gémissement* (⇒ **Gémir**), *un hurlement* (⇒ **Hurler**). — Spécialt. Produire une suite de sons articulés. ⇒ **Articuler, prononcer ; avancer, dire, énoncer, exprimer, formuler, hasarder, manifester, prononcer, publier.** *Émettre un jugement, son opinion, son avis, des vœux. Émettre l'idée, l'hypothèse que... Émettre un doute, une objection, des réserves. Il a émis le souhait que nous partions rapidement.*

4   — *Venez avec moi, monsieur, et en présence du geôlier et surtout des surveillants du dépôt de mendicité, veuillez n'émettre aucune opinion sur les choses que nous verrons.*
                                    STENDHAL, le Rouge et le Noir, I, III.
5   *Voilà ce qu'eût été le jugement de Guillaume s'il avait été capable d'en émettre un.*   F. MAURIAC, le Sagouin, I, p. 40.

(Relig.). *Émettre des vœux :* s'engager dans la vie religieuse. ⇒ **Prononcer.**

▶ **ÉMIS, ISE** p. p. adj. *Lumière émise par le soleil. Les particules émises par un corps radioactif.* — (Au sens 3). *Actions, obligations émises par une société. Emprunt émis par l'État* (→ Dette, cit. 9). — (Au sens 4). *Jugement tout récemment émis.*

DÉR. Émetteur. — V. Émittance.

ÉMEU [em∅] ou **ÉMOU** [emu] n. m. — 1605, en lat. zool. ; *Eeme,* 1598 ; mot des îles Moluques.

♦ Oiseau coureur, ratite* *(Casuaridés)* de grande taille, aux ailes très réduites, appelé scientifiquement *Dromaeus. Les émeus sont incapables de voler. L'émeu vit en petites bandes de quelques individus dans les plaines australiennes.*

(...) ils (les chasseurs) *entrevirent, mais sans pouvoir l'approcher, un couple de ces grands oiseaux qui sont particuliers à l'Australie, sorte de casoars, que l'on nomme émeus, et qui, hauts de cinq pieds et bruns de plumage, appartiennent à l'ordre des échassiers* (sic).   J. VERNE, l'Île mystérieuse, t. II, p. 736 (1874).

ÉMEUTE [em∅t] n. f. — 1326 ; *esmote, esmuete,* XIIᵉ, « émoi ; mouvement, explosion (d'une guerre) » ; encore *émute* au XVIIᵉ ; anc. p. p. de *émouvoir.*

♦ **1.** Vx. Émoi. ⇒ **Émotion.**

1   *L'écrevisse en hâte s'en va*
    Conter le cas : grande est l'émeute
    On court, on s'assemble, on député
    À l'oiseau : « Seigneur Cormoran,
    D'où vous vient cet avis ?
    Quel est votre garant ? »
                                    LA FONTAINE, Fables, X, 3.

♦ **2.** Mod. Soulèvement populaire, généralement spontané et non organisé, pouvant prendre la forme d'un simple rassemblement tumultueux, accompagné de cris et de bagarres. ⇒ **Agitation, insurrection, révolte, sédition, soulèvement, trouble.** *Une atmosphère d'émeute. Émeute sanglante. Les émeutes de la faim. Une émeute de paysans. Les émeutes de 1830, de 1848. Émeute qui fermente, gronde, se déchaîne.* ⇒ **Anarchie.** *Déchaîner une émeute.* ⇒ **Ameuter** (→ Doré, cit. 5). *Juguler, réprimer une émeute. Enrayer une émeute en dispersant les attroupements* (cit. 2). *Loi martiale en vue de prévenir toute nouvelle émeute. Émeute qui dégénère en insurrection*, *qui renverse le régime* (→ Abdiquer, cit. 3). *Gouvernement fondé sur l'émeute* (→ Baïonnette, cit. 4 ; barricade, cit. 6 et 7). *Émeute dirigée contre les Juifs.* ⇒ **Pogrom.**

2   *Tout ainsi qu'il advient quand une tourbe* (foule) *émue,*
    Qui deçà, qui delà, ardente se remue,
    De courroux forcenée, et d'un bras furieux
    Pierres, flammes et dards fait voler jusqu'aux cieux,
    Si de fortune (par hasard) *alors un grave personnage*
    Survient en telle émeute (...)   RONSARD, Élégies, XV.
3   *De cette barrière* (du Trocadéro) *on découvre Paris. J'aperçus le drapeau tricolore flottant ; je jugeai qu'il ne s'agissait pas d'une émeute, mais d'une révolution.*   CHATEAUBRIAND, Mémoires d'outre-tombe, V, p. 184.
4   *(...) au point de vue du pouvoir un peu d'émeute est souhaitable. Système : l'émeute raffermit les gouvernements qu'elle ne renverse pas. Elle éprouve l'armée ; elle concentre la bourgeoisie ; elle étire les muscles de la police ; elle constate la force de l'ossature sociale. C'est une gymnastique ; c'est presque de l'hygiène. Le pouvoir se porte mieux après une émeute comme l'homme après une friction.*   HUGO, les Misérables, IV, X, I.
5   *(...) contre l'émeute qui grondait le gouvernement n'avait pas pris de précautions extraordinaires. Pour se défendre et pour défendre le régime, il comptait surtout sur la garde nationale (...) des barricades se dressaient le 22 février (1848)... Les gardiens de l'ordre, au lieu de combattre l'émeute, la renforçaient.*
                                    J. BAINVILLE, Hist. de France, XIX, p. 474.

5.1   *Là où l'esclave se révolte contre le maître, il y a un homme dressé contre un autre (...) Le résultat est seulement le meurtre d'un homme. Les émeutes serviles, les jacqueries, les guerres des gueux, les révoltes des rustauds, mettent en avant un principe d'équivalence, vie contre vie (...)*   CAMUS, l'Homme révolté, p. 138.

Par ext. Tapage, désordre. ⇒ **Chahut.** *La salle sifflait les acteurs, cela tournait à l'émeute.* — Loc. (Vieilli). *Faire émeute :* produire un effet vif sur le public, émouvoir à l'extrême. — REM. L'expression se rattache étymologiquement au sens 1, mais ne peut plus être comprise dans ce sens.

6   *Claude eut le cœur serré, en le voyant jeter un coup d'œil à son tableau solitaire, puis un autre à celui de Fagerolles, qui faisait émeute.*   ZOLA, l'Œuvre, p. 388.

DÉR. Émeutier.

ÉMEUTIER, IÈRE [em∅tje, jɛʀ] n. et adj. — 1834 ; de *émeute.*

♦ Personne qui excite à une émeute ou qui y prend part. *Des bandes d'émeutiers. Disperser, arrêter les émeutiers.*

Adj. *Une « populace émeutière »* (Renan, *Apôtres, in* T. L. F.).

Par ext. (Littér.). Personne qui exerce le pouvoir de manière illégitime.

La révolte (...) est quelquefois dans le pouvoir. Polignac est un émeutier ; Camille Desmoulins est un gouvernant.   HUGO, les Misérables, IV, X, II.

-ÉMIE Suffixe, du grec *aimia,* de *haima* « sang », qui entre dans la composition de nombreux mots savants indiquant la présence (normale ou anormale), dans le sang, de la substance désignée par le premier terme. — Ex. : *acétonémie, adrénalinémie, albuminémie, alcoolémie, anémie, anoxémie, calcémie, cholémie, glycémie, hydrémie, hyperémie, ischémie, leucémie, mélanémie, septicémie, toxémie, typhoémie, urémie, uricémie...* ⇒ aussi **Oligohémie, toxinhémie...** ; **héma-, hémat(o)-, hémo-.**

ÉMIER [emje] v. tr. — Conjug. *prier.* — V. 1170, *esmier* ; de *é-, mie,* et suff. verbal.

♦ Vx ou littér. Réduire (qqch.) en petits fragments, mettre en miettes. ⇒ **Émietter.** *Émier de la cassonnade* (Académie), *du pain.*

ÉMIETTEMENT [emjɛtmã] n. m. — 1611 ; de *émietter.*

♦ **1.** Action d'émietter, de réduire en miettes ; résultat de cette action. *Émiettement d'un sablé, d'une tranche de pain.*

♦ **2.** (1870). Fig. Action de diviser, d'éparpiller ; résultat de cette action. *L'émiettement du pouvoir, de la richesse, des responsabilités. Émiettement d'un groupe* (→ Conglomérat, cit.).

(...) cet émiettement d'énergies, cette dispersion de la force publique en faiblesses particulières, — la grande misère moderne, dont la Révolution française est en partie responsable.   R. ROLLAND, Jean-Christophe, Le buisson ardent, I, p. 1285.

ÉMIETTER [emjɛte] v. tr. — 1572 ; de *é-, miette,* et *-er.* → Mie.

♦ **1.** Réduire en miettes. *Émietter de la terre, du fumier. Le gel émiette les pierres.* — Au p. p. ⇒ **Désagréger, émier** (vx), **fragmenter.** *Émietter du pain pour les oiseaux,* le désagréger en petits morceaux. *Roche émiettée par l'érosion.*

1   *Le pauvre homme n'est plus qu'un petit tas d'ossements émiettés dont personne ne se souvient.*   Léon BLOY, la Femme pauvre, p. 239.
2   *Elle emplit la tasse de lait chaud ; et, tandis qu'Antoine y émiettait un peu de pain, elle recula d'un pas, attentive, les mains dans les poches de son tablier.*
                                    MARTIN DU GARD, les Thibault, t. IX, p. 22.

♦ **2.** (1838). Fig. Diviser, morceler à l'excès. *Émietter un domaine, une fortune.*

3   *La cause du mal gît dans le Titre des Successions du Code civil, qui ordonne le partage égal des biens. Là est le pilon dont le jeu perpétuel émiette le territoire, individualise les fortunes (...) Si le Titre des Successions est le principe du mal, le paysan en est le moyen (...) La valeur insensée que le paysan attache aux moindres parcelles, rend impossible la recomposition de la Propriété.*
                                    BALZAC, le Curé de village, Pl., t. VIII, p. 713-714.

♦ **3.** (1818). Disperser, éparpiller. *Émietter ses activités, son temps, son existence, son inspiration.*

4   *(...) obligé pour vivre à multiplier les articles, à « émietter » comme il* (Sainte-Beuve) *dit, son effort, en collaborations diverses (...)*
                                    Émile HENRIOT, les Romantiques, p. 254.

▶ **S'ÉMIETTER** v. pron.

Tomber en miettes. — Fig. Se disperser. *La foule s'émietta.* — Se morceler.

5   *Le patrimoine était menacé de s'émietter, la propriété de se morceler à l'infini.*   Louis MADELIN, Hist. du Consulat et de l'Empire, XII, p. 185.

CONTR. Agglomérer, agréger.
DÉR. Émiettement, émietteur.

ÉMIETTEUR [emjɛtœʀ] n. m. — Mil. XXᵉ ; de *émietter.*

♦ Techn. Instrument servant à émietter le fumier.

ÉMIGRANT, ANTE [emigʀɑ̃, ɑ̃t] n. — 1770 ; p. prés. substantivé de *émigrer*.

♦ Personne qui émigre. — Hist. Émigré*, sous la Révolution. *Loi de 1791 sur les émigrants* (→ Assemblée, cit. 12). — Mod. *Des émigrants de tous pays ont peuplé l'Amérique. Convoi, navire d'émigrants. Les émigrants constituent une catégorie spéciale de passagers sur certains bateaux.*

1 Tu regardes les yeux pleins de larmes ces pauvres émigrants
  Ils croient en Dieu ils prient les femmes allaitent des enfants
  Ils emplissent de leur odeur le hall de la gare Saint-Lazare
  Ils ont foi dans leur étoile comme les rois-mages
  Ils espèrent gagner de l'argent dans l'Argentine
  Et revenir dans leur pays après avoir fait fortune (...)
                                    APOLLINAIRE, Alcools, « Zone ».

2 Chaque progrès nous a chassé un peu plus loin hors d'habitudes que nous avions
  à peine acquises, et nous sommes véritablement des émigrants qui n'ont pas fondé
  encore leur patrie.   SAINT-EXUPÉRY, Terre des hommes, p. 59.

Adj. (Vieilli). Zool. *Troupe émigrante d'oiseaux. Grue émigrante* (→ Brise, cit. 1). ⇒ **Migrateur.**

CONTR. **Immigrant.**

ÉMIGRATION [emigʀɑsjɔ̃] n. f. — 1752 ; lat. *emigratio*, du supin de *emigrare*. → Émigrer.

♦ **1.** Action d'émigrer*. ⇒ **Expatriation, migration, transplantation.** *Les conditions économiques, la misère, les persécutions, facteurs d'émigration. Pays à forte émigration. Émigration à l'étranger. Émigration de colons.* ⇒ **Colonisation.** *Émigration d'un peuple.* ⇒ **Exode.** *Réglementation de l'émigration. Émigration obligatoire,* imposée, par exemple, aux Grecs d'Asie Mineure en 1923, à certaines populations de Russie ou d'Allemagne. ⇒ **Déportation.**

1 Les guerres, qui sont le plus horrible fléau du genre humain, laissent en vie
  l'espèce femelle qui le répare (...) Les émigrations des familles sont plus funestes.
  La révocation de l'édit de Nantes et les dragonnades ont fait à la France une plaie
  cruelle (...)   VOLTAIRE, Dict. philosophique, art. *Population.*

2 L'émigration est un phénomène démographique, c'est-à-dire spontané : il se manifeste très souvent sans colonisation, toutes les fois que l'émigration se déverse dans
  un pays déjà constitué et indépendant. C'est le cas non seulement des émigrations
  inter-européennes qui font entrer en France, par exemple, de nombreux Italiens et
  Belges, mais surtout du grand courant européen qui depuis un siècle vient peupler
  l'Amérique.   Charles GIDE, Cours d'économie politique, t. I, p. 141.

Ensemble de personnes qui émigrent. *L'émigration italienne aux États-Unis.*

Hist. Départ hors de France des adversaires de la Révolution. *L'émigration des nobles fuyant la France pendant la Révolution.* — Absolt et par métonymie. L'ensemble des émigrés. — Temps de cet exil des nobles hors de France durant l'émigration. *Pendant, après l'émigration.*

3 Et cependant, mon zèle surpassait ma foi ; je sentais que l'émigration était une sottise et une folie (...) Mon peu de goût pour la monarchie absolue ne me laissait
  aucune illusion sur le parti que je prenais : je nourrissais des scrupules, et bien
  que résolu à me sacrifier à l'honneur, je voulus avoir sur l'émigration l'opinion de
  M. de Malesherbes.   CHATEAUBRIAND, Mémoires d'outre-tombe, t. II, p. 23.

4 Bruxelles était le quartier général de la haute émigration : les femmes les plus
  élégantes de Paris et les hommes les plus à la mode, ceux qui ne pouvaient marcher que comme aides de camp, attendaient dans les plaisirs le moment de la victoire.   CHATEAUBRIAND, Mémoires d'outre-tombe, p. 34.

5 Il *(Brissot)* demanda qu'on distinguât entre l'émigration de la haine et l'émigration
  de la peur, qu'on eût de l'indulgence pour celle-ci, de la sévérité pour l'autre.
                          MICHELET, Hist. de la Révolution franç., VI, I.

♦ **2.** (Sujet n. de chose). Fait de quitter un pays. *Émigration de capitaux.*

♦ **3.** (1778). Zool. Action de changer de contrée selon la saison. ⇒ **Migration.** *Émigration des cigognes, des hirondelles.*

CONTR. **Immigration.**

ÉMIGRÉ, ÉE [emigʀe] n. et adj. — 1791 ; p. p. de *émigrer*.

♦ **1.** Hist. Personne qui se réfugia hors de France sous la Révolution. *Mesures dirigées contre les émigrés entre 1791 et 1802. Vente des biens des émigrés. Sentiments des Patriotes envers les émigrés* (→ Anathématiser, cit. 2 ; clouer, cit. 6). *Le milliard des émigrés,* indemnité votée en 1825 pour les dédommager.

1 Ne sachant où porter leurs pas dans cette ville où le nom d'émigré et celui de proscrit étaient synonymes, le désespoir était comme plombé pour ces deux infortunés.
                          RIVAROL, Rivaroliana, in Œ., p. 363.

2 De temps en temps, la Révolution nous envoyait des émigrés d'une espèce et d'une
  opinion nouvelles ; il se formait diverses couches d'exilés (...)
                          CHATEAUBRIAND, Mémoires d'outre-tombe, t. II, p. 116.

Adj. *Les prêtres émigrés.* ⇒ **Réfugié.**

♦ **2.** Personne qui s'est expatriée pour des raisons politiques. ⇒ **Réfugié** (politique). *L'accueil des émigrés allemands, espagnols en France, lors de la montée du nazisme, pendant la guerre d'Espagne. — Émigrés chassés de leur pays par des persécutions racistes.*

Adj. *Prince russe émigré. Communistes espagnols émigrés en France.*

♦ **3.** Personne qui a émigré, vit hors de son pays. *Des Français*

émigrés (en Amérique latine, etc.). *Travailleurs émigrés et travailleurs immigrés.*

ÉMIGRER [emigʀe] v. intr. — V. 1780 ; lat. *emigrare*, de *ex-*, et *migrare*. → Migrer.

♦ **1.** (Sujet n. de personne). Quitter son pays pour aller s'établir dans un autre, momentanément ou définitivement. ⇒ **Exiler** (s'), **expatrier** (s'), **partir, réfugier** (se) ; **émigration.** *Émigrer pour des raisons politiques, économiques. Les protestants français émigrèrent en masse après la révocation de l'édit de Nantes. Des millions d'Hindous ont émigré du Pakistan après la constitution de ce pays en État indépendant. — Émigrer dans un pays neuf pour améliorer son existence. Juifs de tous pays qui ont émigré en Israël.*

(1791). Hist. Quitter la France (en parlant des adversaires de la Révolution). *Sous la Révolution, le comte d'Artois fut le premier à émigrer le 16 juillet 1789. Familles nobles qui durent émigrer.*

Les lois les plus tyranniques sur les émigrations n'ont jamais eu d'autre effet que
de pousser le peuple à émigrer, contre le vœu de la nature, le plus impérieux de
tous, qui l'attache à son pays.
          MIRABEAU, in BUCHEZ, Hist. de l'Assemblée constituante, t. IV, p. 415.

♦ **2.** (1827). En parlant de certaines espèces animales. Quitter périodiquement et par troupes une contrée pour séjourner ailleurs. ⇒ **Migrateur, migration.** *Les hirondelles émigrent à l'automne vers des climats plus doux. Bisons qui émigrent* (→ Défiler, cit. 1).

♦ **3.** Fig. (Choses). Quitter un pays. *Pendant la crise économique, beaucoup de capitaux ont émigré.*

CONTR. **Immigrer. — Rapatrier** (se).
DÉR. **Émigrant, émigré, émigrette.**

ÉMIGRETTE [emigʀɛt] n. f. — 1827 ; de *émigrer*, et suff. *-ette*.

♦ Hist. Jouet en vogue pendant l'émigration de 1790, formé d'un double disque autour duquel s'enroule et se déroule un cordonnet attaché à un axe. ⇒ **Yo-yo.**

ÉMILIEN, ENNE [emiljɛ̃, ɛn] adj. et n. — xxᵉ ; de *Émilie*, région d'Italie.

♦ De l'Émilie. *La peinture émilienne.* — N. *Les Émiliens, une Émilienne.*

ÉMINCÉ, ÉE [emɛ̃se] adj. et n. m. — 1750 ; *une émincée*, 1762 ; p. p. de *émincer*.

★ **I.** Cuis. ♦ **1.** Adj. Coupé en tranches très minces. *Oignons, champignons émincés. Du fromage émincé.*

♦ **2.** N. m. Fine tranche de viande. *Des émincés de gigot.* — Plat composé de viande en sauce cuite en fines tranches. *Un émincé de foie de veau, de poularde.* — Conserve où les champignons sont présentés coupés en lamelles fines.

★ **II.** Adj. Rare et littér. Devenu mince, plus mince. ⇒ **Émincer** (2.) ; **aminci.** *« Des flèches gothiques émincées »* (T'Serstevens, in T. L. F.).

ÉMINCER [emɛ̃se] v. tr. — Conjug. *placer*. — V. 1560 ; de *é-*, *mince*, et suff. verbal.

♦ **1.** Cuis. Couper en tranches minces. *Émincer de la viande, des légumes. Appareil à émincer.*

1 Ses doigts s'étaient boudinés, tordus (...)
  À quoi bon des doigts quand ils étaient incapables de guider la lame du couteau
  pour émincer les oignons.   Paul FOURNEL, les Grosses Rêveuses, p. 163.

♦ **2.** (1701). Rare. Rendre mince, plus mince.

2 M. Wasselin se rongeait en effet les ongles, avec des mines, des délicatesses d'incisives, de légers grognements de plaisir quand il découvrait un coin d'ongle oublié,
  une infime bribe de corne (...) Au moyen d'un petit canif crasseux mais tranchant,
  il attaquait en outre les régions de l'ongle inaccessibles aux dents, s'éminçait l'épiderme, se sculptait la pulpe à vif.   G. DUHAMEL, Chronique des Pasquier, I, VI.

DÉR. **Émincé, éminceur.**

ÉMINCEUR [emɛ̃sœʀ] n. m. — V. 1980 ; de *émincer*.

♦ Cuis. Petit rabot pour couper (le fromage, etc.) en tranches minces. *« On s'en fait tout un fromage, de couper en fines lamelles le gruyère. Et pourtant c'est chose facile avec cet éminceur, étudié pour débiter des tranches minces à glisser dans un croque-monsieur entre le pain et le jambon, ou pour décorer des hors-d'œuvre »* (le Point, n° 575, 26 sept. 1983, p. 195).

ÉMINEMMENT [eminamɑ̃] adv. — 1587 ; de *éminent*.

♦ **1.** À un degré éminent, supérieur. ⇒ **Particulièrement, supérieurement.** *Il est éminemment généreux. Œuvre éminemment française.*

1   On est éminemment malheureux quand on a des goûts opposés à ses besoins. Par exemple, moi, j'ai le goût du repos et le besoin du mouvement.
RIVAROL, Notes, pensées et maximes, II, p. 77.

2   M. Le Hir était un savant et un saint; il était éminemment l'un et l'autre. Cette cohabitation dans une même personne de deux entités qui ne vont guère ensemble se faisait chez lui sans collision trop sensible; car le saint l'emportait absolument et régnait en maître.
RENAN, Souvenirs d'enfance, V, I.

♦ **2.** (1647). Philos. De manière essentielle, fondamentale. ⇒ **Éminent** (3.).

3   La cause contient éminemment l'effet, disaient jadis les philosophes.
H. BERGSON, les Deux Sources de la morale et de la religion, p. 152 (1932).

ÉMINENCE [eminãs] n. f. — 1314; lat. *eminentia*, de *eminens, -entis*. → Éminent.
Qualité de ce qui est éminent.

A. ♦ **1.** Anat. Saillie, protubérance. ⇒ **Apophyse, tubercule, tubérosité.** *Éminence osseuse, cartilagineuse, charnue.*

♦ **2.** Cour. Élévation de terrain relativement isolée et d'où l'on peut voir de tous côtés. ⇒ **Bosse, butte, colline, hauteur, mamelon, montagne, monticule, motte, pic, piton, pli** (de terrain), **sommet, tertre.** *Éminence escarpée, peu élevée. Au sommet, en haut d'une éminence. Escalader une éminence. Belvédère, calvaire, observatoire établi sur une éminence. Camoufler une batterie derrière une éminence.*

1   (...) les blessés gagnèrent le haut de l'éminence qui flanquait la route à droite, et y furent suivis de la moitié des Chouans qui la gravirent lestement pour en occuper le sommet (...)
BALZAC, les Chouans, Pl., t. VII, p. 797.

2   Le tas de déblais faisait au bord de l'eau une sorte d'éminence qui se prolongeait en promontoire jusqu'à la muraille du quai.
HUGO, les Misérables, V, III, III.

B. Fig. ♦ **1.** (1570). Vx. Degré élevé de (une qualité), situation, état remarquable de (une personne, une chose). ⇒ **Élévation, supériorité.** *L'éminence d'un rang* (→ Anoblir, cit. 5). *L'éminence de sa valeur.*

Loc. adv. (Vx). **PAR ÉMINENCE, EN ÉMINENCE.** ⇒ **Éminemment, excellence** (par).

3   Pitié qui n'est point vague ni fumeuse; elle ne comporte aucune faiblesse, elle ne tient pas au larmoiement : elle est la vertu humaine par éminence, la vertu des vertus, la charité sans quoi tout reste mort et vide.
André SUARÈS, Trois hommes, « Dostoïevski », v, p. 262.

♦ **2.** (Mil. XVIIe). Spécialt. (Avec un É majuscule). Titre d'honneur qu'on donne aux cardinaux. — En abrégé : *É.* ou *Ém. Son Éminence le cardinal.* — Par ext. Personne qui porte ce titre. — Hist. *L'Éminence grise :* le Père Joseph de Tremblay, célèbre capucin qui fut le confident de Richelieu et son ministre occulte. — Fig. Conseiller intime qui, dans l'ombre, manœuvre un personnage officiel ou un parti.

4   Comment savoir si, derrière tel vieillard à bout de course, ne se dissimule pas une robuste Éminence grise, et si cette faiblesse n'est pas en réalité plus redoutable que la vigueur de tel autre rival bâti en force ?
F. MAURIAC, Bloc-notes 1952-1957, p. 51.

CONTR. Abîme, bas-fond, creux, dépression, gouffre, précipice.

ÉMINENT, ENTE [eminã, ãt] adj. — 1216; lat. *eminens, -entis*, p. prés. de *eminere* « faire saillie », de *ex-*, et *minere* « s'élever au-dessus ».

★ **I.** Vx (en parlant d'un lieu). Élevé.

1   Son élévation ne servira qu'à faire voir à tout l'univers, comme du lieu le plus éminent qu'on découvre dans son enceinte, cette importante vérité (...)
BOSSUET, Oraison funèbre de Marie-Thérèse d'Autriche.

★ **II.** Fig. et mod. ♦ **1.** (1559; personnes). Qui est remarquable, supérieur aux autres. ⇒ **Distingué, remarquable, supérieur.** *Un juriste éminent.* ⇒ **Sommité.** *Personnage éminent par le savoir, éminent en richesse, en puissance* (→ Après, cit. 62). *Artiste éminent. Œuvre d'un maître éminent* (→ Connaisseur, cit. 2). *Les savants les plus éminents. Mon éminent collègue, confrère.*

2   C'est de beaucoup le sujet le plus éminent que j'aie eu pour condisciple dans mon éducation ecclésiastique.
RENAN, Souvenirs d'enfance, III, III.

3   Les hommes éminents des spécialités les plus différentes finissent toujours par s'y rencontrer *(à Paris)* et faire échange de leurs richesses.
VALÉRY, Regards sur le monde actuel, Présence de Paris, p. 152.
(Choses). Qui est au-dessus du niveau commun, d'ordre supérieur. ⇒ **Prééminent, supérieur.** *Degré éminent* (→ Couronnement, cit. 2). *Faveur éminente.* ⇒ **Insigne.** *Service éminent. Avantage éminent* (→ Dieu, cit. 2). *Un poste éminent. Éminentes dignités* (→ Après, cit. 64). *Mérite, qualité, vertu éminente.* ⇒ **Élevé** (→ Apparaître, cit. 9). *Ce qu'il y a de plus éminent, partie éminente en qqn* (→ Âme, cit. 43). *Un savoir éminent. De l'éminente dignité des pauvres dans l'Église,* titre d'un sermon de Bossuet. — *À un degré éminent.* ⇒ **Éminemment.**

4   En 1789, trois sortes de personnes, les ecclésiastiques, les nobles et le roi, avaient dans l'État la place éminente avec tous les avantages qu'elle comporte, autorité, biens, honneurs, ou, tout au moins, privilèges, exemptions, grâces, pensions, préférences et le reste. Si depuis longtemps ils avaient cette place, c'est que pendant longtemps ils l'avaient méritée.
TAINE, les Origines de la France contemporaine, t. I, I, p. 3.

♦ **2.** Philos. « Chez Descartes, qui suit en cela l'usage des scolastiques, *éminent* s'oppose à la fois à *formel* et à *objectif.* Une entité peut exister de trois façons : *objectivement* dans l'idée que nous en avons; *formellement* dans l'être que représente cette idée; *éminemment* dans le principe d'où cet être tire sa réalité » (Lalande). ⇒ **Essentiel, fondamental.**

CONTR. Abject, inférieur, infime, médiocre, nul.
DÉR. Éminemment.
COMP. Prééminent, proéminent, suréminent.

ÉMINENTISSIME [eminãtisim] adj. — 1680; ital. *eminentissimo*; lat. *eminentissimus*, superl. de *eminens*. → Éminent.

♦ Très éminent. — Titre parfois donné à des cardinaux. — (1864). Titre du grand maître de l'ordre de Malte.

Depuis trente ans, tous les Boccanera, les enfants, les femmes, et jusqu'à l'éminentissime cardinal lui-même, ne passaient que par ses mains prudentes.
ZOLA, Rome, p. 365.

ÉMIR [emir] n. m. — XIIIe, rare jusqu'au XVIe; arabe *ʾamīr* « prince, commandant ». → Amiral.

♦ **1.** Hist. Titre honorifique du chef du monde musulman (⇒ **Calife**), puis des descendants de Mahomet.

1   Ce titre ne se donnait d'abord qu'aux califes (...) Dans la suite, les califes ayant pris le titre de *sultans,* celui d'*émir* demeura à leurs enfants, comme celui de *césar* chez les Romains. Ce titre d'*émir,* par succession de temps, a été donné à tous ceux qui sont censés descendre de Mahomet par sa fille Fatima, et qui portent le turban vert.
Encycl. (DIDEROT), art. *Émir.*

♦ **2.** Prince, gouverneur, chef militaire. *L'émir Abd-el-Kader.* — Spécialt. Chef d'État d'un émirat (2.).

2   Le cheik-ul-islam en manteau vert, les émirs en turban de cachemire, les ulémas en turban blanc à bandelettes d'or (...)
LOTI, Aziyadé, II, XIII, p. 54.

DÉR. Émirat.

ÉMIRAT [emiʀa] n. m. — 1938; de *émir.*

♦ **1.** Dignité, fonctions d'un émir.

♦ **2.** Territoire administré, gouverné par un émir. — Spécialt. État musulman indépendant, gouverné par un émir. *L'émirat de Bahreïn, de Koweit.* — Absolt. *Les émirats :* les États musulmans de l'ancienne « côte des pirates » (golfe d'Arabie). « *Koweit, petit émirat de 800 000 habitants, qui est déjà un vieux producteur* (de pétrole) » (*l'Express,* 2 avr. 1973, p. 86).

ÉMIS, ISE [emi, iz] p. p. adj. ⇒ **Émettre.**

1. ÉMISSAIRE [emisɛʀ] n. m. et adj. — 1519; rare jusqu'à la fin du XVIIe; lat. *emissarius* « envoyé » et *emissarium* « déversoir », du supin de *emittere.* → Émettre.

♦ N. m. Agent chargé d'une mission secrète. *Envoyer, dépêcher des émissaires* (→ Couvert, cit. 9). *C'est un simple émissaire et non pas un ambassadeur officiel.* — Adj. (rare). *J'ai reçu la visite de votre agent émissaire.*

1   L'*émissaire* (...) diffère bien de l'*espion :* il joue un rôle moins odieux, plus étendu et plus actif. L'*émissaire* fait des propositions et des ouvertures, sème des bruits et des alarmes, sonde la disposition des esprits, cherche à les gagner, les tourne, les excite, les soulève, et se tient prêt à tout événement.
LAFAYE, Dict. des synonymes, Émissaire, espion.

2   Je suis fou ! Infâmes suborneurs, émissaires du diable, dont vous faites ici l'office, et qui puisse vous emporter tous (...)
BEAUMARCHAIS, le Barbier de Séville, III, 14.

3   Partout nous avons résisté à la poussée des tribus, auxquelles les émissaires allemands racontaient tous les jours que nous étions battus en Europe, et qu'elles n'avaient qu'un suprême effort à donner pour nous expulser du pays.
Jérôme et Jean THARAUD, Marrakech..., II, p. 40.

2. ÉMISSAIRE [emisɛʀ] n. m. — 1611; lat. *emissarium.* → 1. Émissaire au sens de « déversoir ».

♦ **1.** (1814). Anat. *Veine émissaire :* chacune des veines qui relient les sinus veineux intracrâniens et le réseau veineux exocrânien en traversant les trous de la base du crâne.

♦ **2.** Techn. Canal d'évacuation, cours d'eau évacuant les eaux d'un lac. ⇒ **Effluent.** — *Émissaire d'évacuation :* déversoir d'eaux usées reliant directement une agglomération au lieu de traitement ou de rejet.

3. ÉMISSAIRE [emisɛʀ] adj. m. — 1690; lat. de la Vulgate *(caper) emissarius,* trad. du grec *apopompaios* (Septante) « qui écarte (les fléaux) », mauvaise interprétation de l'hébreu « destiné à Azazel (démon du désert) ».

♦ *Bouc émissaire.* ⇒ **Bouc.**

ÉMISSIF, IVE [emisif, iv] adj. — 1834 ; du lat. *emissum,* supin de *emittere.* → **Émettre.**

♦ Phys. Qui a la faculté d'émettre (de la chaleur, de la lumière...). *Filament émissif,* utilisé dans les tubes fluorescents. — (1903, in *Rev. gén. des sc.,* n° 7, p. 398). *Pouvoir émissif : énergie rayonnée, dans une bande de longueur d'onde, par unité d'aire et unité de temps.*

(...) dans les tubes électroniques, la découverte du pouvoir émissif élevé de certains oxydes ou de métaux comme le thorium a permis de construire des cathodes à oxydes qui fonctionnent à température plus basse et absorbent moins d'énergie de chauffage pour une même densité du flux électronique.
         Gilbert SIMONDON, Du mode d'existence des objets techniques, p. 38.

DÉR. **Émissivité.**

ÉMISSION [emisjɔ̃] n. f. — 1390 ; lat. *emissio,* de *emissum,* supin de *emittere.* → **Émettre.**

♦ **1.** Physiol. Action de projeter au dehors (un liquide). ⇒ **Écoulement, éruption.** *Émission d'urine ; de sperme.* ⇒ **Éjaculation.** *Émission sanguine,* produite par une saignée.

♦ **2.** (XVe). Production de sons vocaux. *L'émission de la voix par le chanteur. Émission d'un son articulé, musical. Syllabe musicale prononcée d'une seule émission de voix,* sans reprendre sa respiration. *Émission d'une voyelle, d'une consonne.*

♦ **3.** Dr. canon. *Émission des vœux :* prononciation solennelle des vœux.

♦ **4.** (1789). Fin. et cour. Mise en circulation (de monnaie, titres, effets, etc.). *Émission de billets de banque. Banque d'émission,* qui a le privilège d'émettre des billets* (→ Banque, cit. 3). *Émission surabondante de papier-monnaie.* ⇒ **Inflation, surémission.** *Limite d'émission d'une banque.* ⇒ **Plafond.** *Émission de nouvelles pièces. Émission de chèques.* — Action d'offrir au public (des emprunts, des actions, des obligations). *Émission d'actions, d'obligations, de titres*. Souscription à une émission. Prime à l'émission.*

1   L'émission d'assignats, en même temps qu'elle est un étai moral et infaillible de notre Révolution (...)   MIRABEAU, Collection, t. IV, p. 67, *in* LITTRÉ.

2   (...) il y a lieu de penser qu'une banque occupant une situation unique dans un pays, forte de son histoire et de sa majesté, ayant le sentiment de sa responsabilité, apportera dans l'émission des billets toute la prudence désirable (...) Il semble donc (...) que la meilleure solution c'est le monopole d'émission confié à une banque privée, sous le contrôle de l'État (...)
         Charles GIDE, Cours d'économie politique, t. I, p. 578.

3   Nous allons prochainement quintupler le capital dans ce but et les porteurs d'actions anciennes auront droit à quatre actions nouvelles au cours d'émission : c'est un cadeau (...)   A. MAUROIS, Bernard Quesnay, XXIV, p. 158.

Par anal. *Émission de timbres-poste.*

♦ **5.** (1720, angl. *emission* ; « envoi, par les corps, d'espèces visibles », XVIIe). Phys. (Vx). « Action par laquelle un corps lance hors de lui des corpuscules » (d'Alembert). *Ancienne théorie de l'émission de particules lumineuses.* — *Émission de corpuscules odorantes.* ⇒ **Émanation.**

(Mod.). Production en un point donné et rayonnement dans l'espace (d'ondes électromagnétiques, de particules élémentaires, de chaleur, de vibrations mécaniques ou gazeuses, etc.). *Émission de chaleur, de gaz. Émission d'ondes radio-électriques. Émission électronique, lumineuse.*

Techn. (télécommunications) et cour. Transmission à l'aide d'ondes électromagnétiques, de signaux, de sons et d'images. *Émission sur diverses longueurs d'ondes. Appareillage d'émission et de réception. Utilisé au moment de l'émission ou de la réception, l'antifading permet d'obtenir une meilleure écoute. Antenne*, station, poste d'émission.*

♦ **6.** Cour. Ce qui est transmis par les ondes. *Émission radiophonique, télévisée ; de radio, de télévision. Programme des émissions de la soirée. Émission musicale, théâtrale. Émission de variétés. Nos émissions sont terminées.* ⇒ **Diffusion, transmission.** *Émission en direct. Émission en différé. Brouiller* une émission de radio.* — Absolt (selon les contextes). *Émission de radio. Écouter une émission sur France Inter, sur France Culture. Faire une émission* (→ Être sur l'antenne*). — *Émission de télévision. Regarder une bonne émission.*

4   Lorsque les ondes émises par un poste émetteur, sont découpées au rythme des signaux Morse, pour passer des messages, on dit que l'on a affaire à une émission *radiotélégraphique.* Au contraire si les ondes émises sont porteuses d'un langage parlé, il s'agit d'une émission *radiotéléphonique.* Enfin, si au langage parlé peut être joint de la musique, il s'agit de *radiodiffusion... (Ces émissions)* sont les seules qui soient suivies par l'auditeur privé.
         André DE SAINT-ANDRIEU, les Stations de radiodiffusion, p. 7.

5   (...) *Huis-clos,* une de mes pièces, interdite en Angleterre par la censure théâtrale, a été diffusée à quatre reprises par la B. B. C. Sur une scène londonienne elle n'eût, même dans l'hypothèse improbable d'un succès, pas trouvé plus de vingt à trente mille spectateurs. L'émission théâtrale de la B. B. C. m'en a fourni automatiquement un demi-million.   SARTRE, Situations II, p. 269.

CONTR. **Réception, souscription.**

COMP. **Surémission.**

ÉMISSIVITÉ [emisivite] n. f. — 1905 ; de *émissif,* in *Rev. gén. des sc.,* n° 12, p. 586.

♦ Phys. Rapport entre le pouvoir émissif d'un corps incandescent et celui d'un corps noir de forme et de température identiques.

ÉMISSOLE [emisɔl] n. f. — 1753 ; ital. *mussolo,* du lat. *mustela.*

♦ Petit squale commun en Méditerranée, un des poissons comestibles appelés *chiens de mer.*

ÉMITTANCE [emitɑ̃s] n. f. — Mil. XXe ; du rad. de *émettre,* probablt par l'anglais.

♦ Phys. Flux d'énergie émis par unité de surface d'une source. *L'émittance s'exprime en watts par centimètre carré.*

EMMAGASINAGE [ɑ̃magazinaʒ] n. m. — 1781 ; de *emmagasiner.*

♦ **1.** Action de mettre (des marchandises) en magasins ; son résultat. ⇒ **Emmagasinement.** *Frais d'emmagasinage.* — Par métonymie. Droits acquittés à cette occasion. *Payer l'emmagasinage de marchandises.*

L'approvisionnement de fourrures était considérable et il devenait nécessaire d'établir un local spécialement destiné à l'emmagasinage des pelleteries.
         J. VERNE, le Pays des fourrures, t. I, p. 308.

♦ **2.** Accumulation, mise en réserve. ⇒ **Stockage.** *Emmagasinage de provisions, de chaleur, d'énergie.* « *Par suite d'un emmagasinage d'air, la glace avait formé voûte au-dessous de l'eau* » (J. Verne, *le Pays des fourrures,* t. II, p. 52).

♦ **3.** Spécialt (bibliothéconomie, documentation). Action de recueillir et d'accumuler des connaissances enregistrées sous une forme quelconque (livre, index, calculateur) en vue de leur traitement.

EMMAGASINEMENT [ɑ̃magazinmɑ̃] n. m. — Av. 1781 ; de *emmagasiner.*

♦ **1.** Action de mettre (des marchandises) en magasin. ⇒ **Emmagasinage** (1.). *L'emmagasinement de fournitures dans un entrepôt.*
Par anal. Accumulation, mise en réserve. *Emmagasinement de chaleur, d'énergie. Capacité d'emmagasinement d'un accumulateur.*

♦ **2.** Fig. Action de conserver (qqch.) par la pensée. *L'emmagasinement des souvenirs, des connaissances par la mémoire.*

EMMAGASINER [ɑ̃magazine] v. tr. — 1762, Académie ; de *en-, magasin,* et suff. verbal.

♦ **1.** Mettre en magasin, entreposer (des marchandises). *Emmagasiner des marchandises. Emmagasiner des vivres dans un entrepôt.* ⇒ **Entreposer, stocker.**

1   On devrait encourager (...) la culture d'un blé qu'on ne peut emmagasiner.
         BERNARDIN DE SAINT-PIERRE, in P. LAROUSSE.

(1834). Accumuler, mettre en réserve. *Emmagasiner des provisions, des richesses. Ce collectionneur emmagasine des œuvres d'art.* ⇒ **Amasser, entasser.**

2   Ce garçon emmagasine dans sa chambre un tas de curiosités achetées à bon marché.   BALZAC, in P. LAROUSSE.

2.1   Vous saurez, cependant, Madame, qu'on n'avait jamais d'autre lumière dans l'appartement de M. du *Harpin* que celle qu'il dérobait au réverbère heureusement placé en face de sa chambre ; jamais ni l'un ni l'autre n'usaient de linge ; on emmagasinait celui que je faisais, on n'y touchait de la vie (...)
         SADE, Justine..., t. I, p. 29-30.

Par anal. *Emmagasiner de la chaleur, de la lumière, de l'énergie.* — Au p. p. *Électricité emmagasinée dans une batterie. Pétrole emmagasiné dans des réservoirs.* ⇒ **Accumuler.**

♦ **2.** (1807). Fig. Conserver par la pensée, garder en mémoire. *Emmagasiner des idées, des connaissances, des souvenirs* (→ Choisir, cit. 7).

3   (...) une image s'agitait dans mon cœur, une image tenue en réserve pendant tant d'années que, même si j'avais pu deviner, en l'emmagasinant jadis, qu'elle avait un pouvoir nocif, j'eusse cru qu'à la longue elle l'avait entièrement perdu (...)
         PROUST, À la recherche du temps perdu, t. X, p. 318.

DÉR. **Emmagasinage, emmagasinement, emmagasineur.**

EMMAGASINEUR, EUSE [ɑ̃magazinœʀ, øz] n. — 1795, « celui qui met en magasin » ; de *emmagasiner.*

♦ Rare et littér. Celui qui accumule, qui met en réserve.

J'ai pensé toujours, d'accord avec la cohorte serrée des savants modernes (...) que la vérité conçue non dans quelques vaines universalités, mais dans un volume immense et confus, n'est abordable partiellement qu'aux gratteurs, rogneurs, fureteurs, commissionnaires et emmagasineurs de faits réels, constatables, indéniables (...)   Charles CROS, le Collier de griffes (1874), « La science de l'amour », Pl., p. 223.

EMMAILLER [ɑ̃maje] v. tr. — V. 1160; de *em-* *(en-)*, *maille*, et suff. verbal.

♦ Prendre dans les mailles d'un filet. *Emmailler des poissons.* — Pron. (1832). S'entrelacer comme des mailles, s'enchevêtrer.

(...) immense entassement de baillages et de seigneuries se croisant sur la ville, se gênant, s'enchevêtrant, s'emmaillant de travers (...)
HUGO, Notre-Dame de Paris, 1832, p. 468, *in* T. L. F.

EMMAILLOTAGE [ɑ̃majɔtaʒ] ou **EMMAILLOTEMENT** [ɑ̃majɔtmɑ̃] n. m. — 1896, *emmaillotage*; *emmaillotement*, 1580; de *emmailloter*.

♦ Action ou manière d'emmailloter. *L'emmaillotement d'un nourrisson.*

Aucune, en tous cas, ne résiste à la tentation de l'infirmerie, du dévouement, de l'emmaillotage.
Geneviève DORMANN, le Chemin des Dames, p. 75.

Par métonymie. Ce qui emmaillote. ⇒ **Maillot.**

Par ext. Ce qui enveloppe comme un maillot. « *(L')emmaillotage de la culasse* (d'un fusil) » (Barbusse, *le Feu*).

REM. La forme *emmaillotement* paraît plus fréquente que *emmaillotage.*

EMMAILLOTER [ɑ̃majɔte] v. tr. — XIIᵉ; de *em-* *(en-)*, *maillot*, et suff. verbal.

♦ **1.** Vieilli. Envelopper (un enfant) d'un maillot, d'un lange. ⇒ **Langer.** *Autrefois, on emmaillotait les nouveau-nés.* — Au p. p. *Enfant emmailloté.*

1   Les pays où l'on emmaillote les enfants sont ceux qui fourmillent de bossus, de boiteux, de cagneux, de noués, de rachitiques, de gens contrefaits de toute espèce.
ROUSSEAU, Émile, I.

♦ **2.** Envelopper complètement (un membre, le corps). *Bandelettes qui emmaillotent une momie. Emmailloter un doigt blessé. S'emmailloter les pieds dans une couverture.*

2   (...) console-toi, tu auras pour linceul les bandelettes tachetées d'or d'une peau de serpent, dont je t'emmailloterai comme une momie.
Aloysius BERTRAND, Gaspard de la nuit, Scarbo.

3   Des bandages les emmaillotent, et elles sont garrottées, des genoux aux chevilles, sur des éclisses arrachées sans doute à quelque ancienne caisse d'emballage (...)
MARTIN DU GARD, les Thibault, t. VIII, p. 160.

Au participe passé :

3.1   Ce pauvre Verlaque, comme le nommait Gavard, était un petit homme pâle, toussant beaucoup, emmailloté de flanelle, de foulards, de cache-nez, se promenant dans l'humidité fraîche et dans les eaux courantes de la poissonnerie, avec des jambes maigres d'enfant maladif. ZOLA, le Ventre de Paris, t. I, p. 147-148 (1875).

Envelopper* (un objet). → Bouillotte, cit. 3.

4   (...) tout ce qui d'abord protégeait le tendre germe le gêne aussitôt que la germination s'accomplit; et aucune croissance n'est possible qu'en faisant éclater ces gaines, ce qui l'emmaillotait d'abord. GIDE, les Nouvelles Nourritures, p. 155.

♦ **3.** (1800). Fig. Entourer de toutes parts, et, par ext., rendre incapable d'agir (qqn). ⇒ **Emprisonner, garrotter.** — Au p. p. :

5   Comparez l'homme moderne emmailloté de milliers d'articles de loi, ne pouvant faire un pas sans rencontrer un sergent ou une consigne, à Antar, dans son désert, sans autre loi que le feu de sa race, ne dépendant que de lui-même, dans un monde où n'existe aucune idée de pénalité ni de coercition exercée au nom de la société.
RENAN, l'Avenir de la science, Œ. compl., t. III, p. 1068.

▶ **S'EMMAILLOTER** v. pron.
S'envelopper (dans des vêtements). *Par crainte du froid, elle s'était emmaillotée dans une couverture.*

6   Nos magistrats ont bien connu ce mystère. Leurs robes rouges, leurs hermines, dont ils s'emmaillotent en chats fourrés (...) PASCAL, Pensées, II, 82.

7   Le Provençal est trop vif pour s'emmailloter du manteau espagnol.
MICHELET, Extraits historiques, p. 89.

▶ **EMMAILLOTÉ, ÉE** p. p. adj. Voir ci-dessus à l'article.
CONTR. Démailloter. — Libérer.
DÉR. Emmaillotage ou emmaillotement.

EMMANCHAGE [ɑ̃mɑ̃ʃaʒ] n. m. — 1874; de *emmancher.*

♦ Techn. Action d'emmancher (un outil); liaison du manche et de l'outil. ⇒ **Emmanchement.** *L'emmanchage d'une bêche. Emmanchage à férule et capuchon.*

L'emmanchage d'un balai posait bien des problèmes.
R. SABATIER, Trois sucettes à la menthe, p. 152.

EMMANCHEMENT [ɑ̃mɑ̃ʃmɑ̃] n. m. — 1636; de *emmancher.*

♦ **1.** Action, manière d'emmancher (un outil). ⇒ **Emmanchage.** *La gaine d'emmanchement d'une hache.*

♦ **2.** (1684). Vx. Arts. Manière dont les membres sont attachés au corps (dans une peinture ou une sculpture). ⇒ **Attache.**

1   Et puis j'ai suivi au hasard une très jolie fille court vêtue qui passait devant moi, et dont la cheville me paraissait un chef-d'œuvre d'emmanchement.
G. SAND, Elle et lui, X, p. 216.

2   Ces belles paupières turques, ce regard limpide et profond, cette chaude couleur d'ambre pâle, ces longs cheveux noirs lustrés, ce nez d'une coupe fine et fière, ces

emmanchements et ces extrémités déliées et sveltes à la manière du Parmeginiano (...)
Th. GAUTIER, Mˡˡᵉ de Maupin, III, p. 43.

3   C'était toute une foule de Lisa, montrant la largeur des épaules, l'emmanchement puissant des bras, la poitrine arrondie (...) ZOLA, le Ventre de Paris, t. I, p. 103.

♦ **3.** Techn. Assemblage bloqué d'une tige dans une pièce massive.

EMMANCHER [ɑ̃mɑ̃ʃe] v. tr. — V. 1160, *emmanchier*; de *em-* *(en-)*, *manche*, et suff. verbal.

♦ **1.** Ajuster dans ou sur un manche; engager et fixer dans un support. *Emmancher un balai, une faux.* ⇒ **Emboîter.**

1   Un bûcheron venait de rompre ou d'égarer
Le bois dont il avait emmanché sa cognée. LA FONTAINE, Fables, XII, 16.

(XXᵉ). Techn. Emboîter (une pièce dans une autre). *Emmancher un tuyau à une conduite d'eau.*

♦ **2.** (1682). Fig. et fam. Engager, mettre en train. ⇒ **Commencer, entreprendre.** *Emmancher adroitement une affaire. Il a bien emmanché les négociations.*

2   Enfin on avait dû le prévenir (...) Ça se sentait à la manière furtive dont il emmanchait sa palabre. CÉLINE, Voyage au bout de la nuit, XXX, p. 305.

▶ **S'EMMANCHER** v. pron.

♦ **1.** Se fixer sur un manche. ⇒ **Ajuster** (s'). *Cet outil s'emmanche mal.*

♦ **2.** Fig. et fam. Se présenter. *L'affaire s'est mal emmanchée.* ⇒ **Débuter, ébaucher** (s').

♦ **3.** (1828). Vx. Arts. Se joindre (bien ou mal) au corps (en parlant d'un membre).

▶ **EMMANCHÉ, ÉE** p. p. adj. et n. m.

♦ **1.** Blason. Qui a un manche d'un émail différent. *Hache, faux emmanchée.* — *Pièces emmanchées,* qui s'enclavent les unes dans les autres en pyramide triangulaire.

♦ **2.** Vx. Arts. Se dit d'un membre joint au tronc. *Membre bien, mal emmanché.*

3   — Viens donc voir !... Hein? est-elle plantée? en a-t-elle, des muscles emmanchés finement? ZOLA, l'Œuvre, p. 338.

Par ext. « *Le héron au long bec emmanché d'un long cou* » (cit. 1). *Une affaire mal emmanchée,* mal engagée.

4   Que dites-vous de cette affaire? comment vous paraît-elle emmanchée?
Mᵐᵉ DE SÉVIGNÉ, 895, 28 juil. 1682.

♦ **3.** N. m. Fam. et vulg. Personne peu intelligente, abrutie. ⇒ **Con** (fam. et vulg.), **idiot, imbécile.**

5   — Regarde-moi ces emmanchés, ils viennent de gauche, ils ont un stop, et tu crois qu'ils s'arrêteraient?
Claude COURCHAY, La vie finira bien par commencer, p. 166.

CONTR. Déboîter, démancher, désemmancher.
DÉR. Emmanchage, emmanchement, emmancheur.
COMP. Remmancher.

EMMANCHEUR [ɑ̃mɑ̃ʃœʀ] n. m. — 1660; « fabricant de manches de couteaux », 1260; de *emmancher.*

♦ Techn. Ouvrier qui emmanche des outils, des couteaux. *Un emmancheur de couteaux.* — REM. Le fém. *emmancheuse* [ɑ̃mɑ̃ʃøz] est virtuel.

EMMANCHURE [ɑ̃mɑ̃ʃyʀ] n. f. — Fin XVᵉ; de *em-* *(en-)*, *manche*, et suff. *-ure.*

♦ Chacune des deux ouvertures d'un vêtement faites pour adapter une manche. *Échancrer les emmanchures d'une robe. Cette veste me gêne aux emmanchures.* ⇒ **Entournure.**

(...) un costume tailleur noir médiocrement coupé, étroit aux emmanchures, et la chemisette de batiste blanche, très fine, un peu bridée à la hauteur des seins.
COLETTE, la Fin de Chéri, p. 81.

Dans les vêtements sans manches, Ouverture pour laisser passer le bras. *Tenir les pouces dans l'emmanchure de son gilet.*

EMMANTELER [ɑ̃mɑ̃tle] v. tr. — Conjug. *appeler.* — XIIIᵉ; de *em-* *(en-)*, et anc. franç. *mantel*, du lat. *mantellus.* → Manteau.

♦ Littér. et rare. Envelopper d'un manteau. *Elle s'était emmantelée d'une longue cape.* — Figuré :

Des fumées lourdes coulent le long des toits et emmantellent les maisons.
J. GIONO, Un roi sans divertissement, p. 13.

▶ **EMMANTELÉ, ÉE** p. p. adj.
Littér. Enveloppé d'un manteau. *Une personne bien emmantelée.* — Spécialt. *Corneille emmantelée* (ou *mantelée*) : espèce de corneille dont une partie du corps est noire et le reste grisâtre.

EMMARCHEMENT [ɑ̃maʁʃəmɑ̃] n. m. — 1769 ; de *em- (en-)*, *marche*, et suff. *-ement*.
Technique.

♦ **1.** Entaille faite dans le limon d'un escalier pour recevoir les marches.

♦ **2.** (1838). Disposition ou ensemble des marches d'un escalier.

♦ **3.** (1928). Largeur d'un escalier. *Emmarchement très étroit*.

♦ **4.** Techn. Système de marches qui donne accès à une voiture de voyageurs. ⇒ **Marchepied.** *« Sur les voitures ANF, les portes ouvertes ne débordent pas en courbe (...) tout en autorisant un emmarchement aisé à gravir »* (la Vie du rail, n° 892, 14 avr. 1963, p. 20).

EMMARQUISER [ɑ̃maʁkize] v. tr. — 1652 ; de *em- (en-)*, *marquis*, et suff. verbal.

♦ Vx et plais. Élever (qqn) au rang de marquis. — Pron. Prendre le rang de marquis, marquise.
Vous avez voulu vous emmarquiser, vous encanailler de noblesse (...)
Jules SANDEAU, Sacs et Parchemins, 1851, p. 60, *in* T. L. F.

EMMÊLEMENT [ɑ̃mɛlmɑ̃] n. m. — Fin XIIIᵉ ; de *emmêler*.

♦ Action d'emmêler ; résultat de cette action. ⇒ **Confusion, embrouillamini, enchevêtrement, fouillis.** *Un emmêlement de tourelles, de gargouilles* (→ Clocheton, cit.).
(...) dans ces haleines de trois cent mille bouches soufflant le relent de leurs nourritures, dans le coudoiement, dans le frôlement, dans l'emmêlement de toute cette chair échauffée (...) MAUPASSANT, la Vie errante, I, p. 6.
REM. On trouve parfois, plus rarement, *emmêlage* [ɑ̃mɛlaʒ] n. m., et *emmêlure* [ɑ̃mɛlyʁ] n. f.

EMMÊLER [ɑ̃mele] v. tr. — XIIᵉ ; de *em- (en-)*, et *mêler*.

♦ **1.** Mêler ensemble, enrouler en désordre (des choses longues et fines). ⇒ **Brouiller, embrouiller, enchevêtrer, mêler.** *Emmêler les fils d'un écheveau, une pelote de laine.*
1 (...) on a pu croire que, dans ces pages ardentes, désolées, le vieil amoureux (Chateaubriand) avait emmêlé diverses figures de femmes autour de la rapide silhouette de l'Occitanienne (...) Émile HENRIOT, Portraits de femmes, p. 284.

♦ **2.** (1611). Fig. Embrouiller. *Il emmêle tout, c'est un brouillon ! Emmêler une affaire.* — *S'emmêler les pieds, les pédales, les pinceaux :* s'embrouiller (dans une explication, une affaire).

▶ **EMMÊLÉ, ÉE** p. p. adj.

♦ **1.** Mêlé ensemble, embrouillé. *Nœuds dans un cordage emmêlé. Cheveux emmêlés.*
2 Les jambes emmêlées, les hanches et les poitrines jointes, ils avançaient avec des oscillations cadencées et des visages impassibles.
J. CHARDONNE, les Destinées sentimentales, III, IV.

♦ **2.** Mélangé, embrouillé. — *Éléments emmêlés, étroitement liés* (→ Démographie, cit. 1). *Une intrigue terriblement emmêlée,* embrouillée. ⇒ **Embrouille, imbroglio.**
3 (...) un chien à poil gris emmêlé de noir et de blanc (...)
G. SAND, François le Champi, XV, p. 116.
DÉR. **Emmêlement.**

EMMÉNAGEMENT [ɑ̃menaʒmɑ̃] n. m. — 1493 ; de *emménager*.

♦ **1.** Action d'emménager ; résultat de cette action. *Mon emménagement ne m'a pas coûté bien cher.* ⇒ **Déménagement** (à la fois contr. et quasi syn., dans certains contextes).
Le jour de mon emménagement était déjà marqué, et j'avais écrit à Thérèse de me venir joindre (...) ROUSSEAU, les Confessions, XII.

♦ **2.** (1793). Mar. (Au plur.). Logements et compartiments pratiqués dans un navire.

EMMÉNAGER [ɑ̃menaʒe] v. — Conjug. *bouger*. — 1424 ; de *em- (en-)*, *ménage*, et suff. verbal.

★ **I.** V. tr. ♦ **1.** Installer dans un logement. — (Choses). *Il convient d'emménager ses meubles.* — (Personnes). *Les parents ont emménagé les jeunes mariés.*
Pron. (1425). Vieilli. S'installer* ; se pourvoir d'un mobilier. *Il lui a fallu huit jours pour s'emménager* (Académie).
1 Les révolutionnaires enrichis commençaient à s'emménager dans les grands hôtels vendus du faubourg Saint-Germain.
CHATEAUBRIAND, Mémoires d'outre-tombe, t. II, p. 175.

♦ **2.** V. tr. (1794). Mar. Compartimenter l'intérieur de (un navire). *Emménager un bâtiment, un navire.* ⇒ **Emménagement** (2.).

★ **II.** V. intr. (1694). Cour. S'installer dans un nouveau logement. *Nous emménageons la semaine prochaine. Dès que nous aurons emménagé, nous pendrons la crémaillère*.

Tenez, voilà dix écus pour payer votre ferme ou pour emménager ailleurs, si on s'obstine à vous chasser de chez nous. G. SAND, François le Champi, III, p. 45. `2`

▶ **EMMÉNAGÉ, ÉE** p. p. adj. et n. *Locataire récemment emménagé.* — N. (vx.). Personne qui vient d'emménager.
Pauline Fredais, y est-elle ? — (La concierge) C'est-il une des trois emménagées d'hier soir ? Henri MONNIER, Scènes populaires, p. 29. `3`
CONTR. **Déloger, déménager.**
DÉR. **Emménagement.**

EMMÉNAGOGUE [ɑ̃menagɔg] adj. et n. m. — 1720 ; du grec *emména* «menstrues», et *agôgos* «qui amène».

♦ Méd. Qui provoque ou régularise le flux menstruel. *Tisane emménagogue.* — N. m. *Un emménagogue :* un médicament emménagogue.
Les médicaments emménagogues sont fort nombreux ; citons : la rue, la sabine, l'armoise, l'absinthe, l'apiol (...) A. BINET, Vie sexuelle de la femme, p. 133. `1`
À ma connaissance celles *(les pilules)* de Bertille, jusqu'ici, étaient bleues et, pas plus que les emménagogues, ne traînaient dans la salle.
Hervé BAZIN, Cri de la chouette, p. 101. `2`

EMMENER [ɑ̃mne] v. tr. — Conjug. *mener* (→ Lever). — 1080 ; de *em- (en-)*, et *mener*.

♦ **1.** Faire aller, mener* avec soi (qqn, un animal) en allant d'un lieu à un autre ; prendre avec soi en partant, en allant ailleurs.

🅐 (Sans compl. second). *Emmener qqn. J'emporte peu de bagages, mais j'emmène mon chien, le chien. Emmener qqn contre son gré.* ⇒ **Enlever, ravir.** *Emmener un condamné, un prévenu* (→ Croix, cit. 3). *Deux gendarmes l'ont arrêté* et emmené (cf. Il est parti entre deux gendarmes). *Nous vous emmenons :* vous partez* avec nous. — *Emmener qqn avec soi* (pléonasme cour.). — Par métaphore (le sujet désignant un agent abstrait, humanisé). *La mort l'a emmené.*
(...) la rapidité du temps, qui travaille autant contre nous que pour nous, en emmenant nos chères créatures comme il nous les amène (...) `1`
Mᵐᵉ DE SÉVIGNÉ, 1289, juil. 1690.
Est-ce que vous croyez que vous allez rester ici ? Nous vous emmenons. Ah ! mon Dieu ! quand je pense que c'est par hasard que j'ai appris tout cela ! Nous vous emmenons. Vous faites partie de nous-mêmes. Vous êtes son père et le mien. Vous ne passerez pas dans cette affreuse maison un jour de plus. Ne vous figurez pas que vous serez demain ici. HUGO, les Misérables, V, IX, V. `2`
Spéciall. *Des voleurs ont emmené les chevaux, le bétail.* ⇒ **Voler.** Faire partir, s'en aller. *Son associé, en se séparant de lui, a emmené toute sa clientèle.*

🅑 (Avec un compl. prépositionnel ou adverbial). Mener (qqn, etc.) avec soi en allant (quelque part). *Emmener qqn quelque part, dans un lieu, à la campagne.* → **Conduire.** *Elle l'emmena chez ses parents. Il faut l'emmener d'urgence chez le médecin.* ⇒ **Accompagner.** — *Emmener des amis au cinéma, au théâtre.* — (Le compl., construit avec *en*, désigne une activité). *Il doit l'emmener en vacances, en voyage. J'emmène le chien en promenade. Emmener des copains en vadrouille.* — (Avec un adv.). *Emmène-moi là-bas, ailleurs, loin. Emmenez-les loin d'ici, je ne veux plus les voir.*
La belle saison venue, mon père aimait à nous emmener, mes frères et moi, dans de longues promenades. R. RADIGUET, le Diable au corps, p. 28. `3`
(Avec un compl. prépositionnel de moyen). *On l'emmena dans une voiture* (→ Cidre, cit. 4), *en voiture.*

🅒 (Suivi d'un inf.). Conduire, accompagner (qqn) dans l'exercice d'une activité. *Je l'emmène boire avec moi. Viens, je t'emmène manger. Il a emmené les enfants se baigner.*

REM. 1. Alors que *emmener* correspond à «éloigner (qqn) d'un point de départ», *amener* correspond à «approcher, rapprocher (qqn) d'un point d'arrivée» : *Amenez-le vers moi, ici,* etc. En outre, *emmener* suppose que l'accompagnateur reste avec l'accompagné. Cf. *Je t'amène au cinéma,* jusqu'au cinéma (syn. : *conduire*), différent de : *je t'emmène au cinéma,* j'y vais avec toi.
2. *Emmener* s'oppose à *emporter* (et *remmener* à *remporter*), dont le compl. désigne un objet sans mouvement. *Emporter les valises* diffère de *emmener les enfants.* Cependant *emmener* s'emploie, dans le style familier et dans la langue parlée. *Est-ce qu'il a emmené tous les bagages ?* Cet emploi est condamné par la norme.
J'emmène tout le pèze dans ma poche. CÉLINE, Mort à crédit, p. 516. `4`

En revanche *emmener* peut se construire avec des noms désignant des véhicules, lorsque *emporter* ne se dit pas (→ Emporter). *Cette année, ils n'emmènent pas leur caravane.*

Enfin, lorsque le compl. désigne une personne ou un animal incapable de se mouvoir, *emporter* est possible et *emmener* peut devenir stylistique, ou insister sur l'aspect volontaire de l'accompagnement. *On l'a emporté inconscient. Emmener un paralytique, un grand malade.*

Loc. fam. (V. 1888, Verlaine). *Emmener (qqn) à la campagne, à pied et à cheval :* envoyer promener, ne tenir aucun compte de. ⇒ **Emmerder** (fam.).

5   J'insistai, toujours poli (...) on me fit savoir aussitôt que, de toute manière, on m'emmenait à pied et à cheval.
                                    CAMUS, la Chute, in Récits et nouvelles, Pl., p. 1500 (1956).

♦ **2.** (1853). Fig. Transporter par la pensée, l'imagination.

6   La nouveauté d'une douleur errante qui ne savait encore où se poser, emmenait Michel... vers la jeunesse d'Alice et la sienne.   COLETTE, Duo, p. 82.

♦ **3.** (1831). Milit. et sports. Conduire, entraîner en avant avec élan. *Emmener l'attaque. Les avants étaient bien emmenés par le capitaine.*

♦ **4.** (Sujet n. de chose). Conduire, transporter (spécialt, au loin). *L'avion qui les emmène en Amérique. Le bateau qui les emmène.*

CONTR. Amener. — Laisser.
COMP. Remmener.

EMMENOTTER [ãm(ə)nɔte] v. tr. — XVIᵉ ; de em- (en-), menotte, et suff. verbal.

♦ Vieilli. Mettre des menottes, des fers aux mains. *Emmenotter un voleur.*

EMMENTHAL [emɛ̃tal] n. m. — 1880, in D.D.L. ; all. *Emmenthaler*, nom propre de la vallée (-thal) de l'*Emme*, en Suisse.

♦ Fromage à pâte cuite, analogue au gruyère, présentant de plus gros trous. *Faire une fondue avec de l'emmenthal.* — On trouve aussi la graphie *emmental*.

EMMERDANT, ANTE [ãmɛrdã, ãt] adj. et n. m. — Fin XIXᵉ ; de *emmerder*.

Familier.

♦ **1.** Qui importune, dérange fortement (qqn). *Des voisins emmerdants. Ce gosse est vraiment emmerdant.* ⇒ **Chiant** (vulg.), gênant.

1   Elle avait une voix fausse mais agréable. Je sentais l'âme qui s'ennuie vite et n'achève jamais rien, qui est de toutes peut-être la moins emmerdante.
                                    S. BECKETT, Premier amour, p. 19.

(Avec un complément) :

2   — Ce que tu peux être emmerdant avec la nourriture, dit Sara, c'est incroyable.
                                    M. DURAS, les Petits Chevaux de Tarquinia, p. 79.

Qui cause de la contrariété. *Il est toujours malade, c'est emmerdant, on ne pourra pas sortir. C'est bien emmerdant, cette histoire !*

♦ **2.** Qui cause un ennui profond. ⇒ **Ennuyeux.** *Un spectacle emmerdant. Ce livre est emmerdant au possible.* ⇒ **Barbant, rasant ; chiant** (vulg.).

N. m. (Personne, → Emmerdeur, euse, REM.). *L'emmerdant* (toujours précédé ou suivi du verbe *être*) la chose emmerdante, le fait emmerdant. *Ce n'est pas encore ça le plus emmerdant dans l'histoire !*

3   L'emmerdant, c'est qu'un pèdezouille mâle dans la quarantaine et une jeune fille pèdezouille ne s'amadouent pas avec les mêmes méthodes.
                                    Roger IKOR, les Fils d'Avrom, Les eaux mêlées, p. 474.

EMMERDE [ãmɛrd] n. f. — Fin XIXᵉ ; déverbal de *emmerder*, ou abrév. de *emmerdement*.

♦ Fam. Gros ennui. ⇒ **Emmerdement** (1.). *Il v'a s'attirer des emmerdes, de grosses emmerdes.* ⇒ **Merde** (fig.).

— Je n'aurais probablement pas envie d'occasionner à un ami le genre d'emmerde qui m'arrive en ce moment (contente d'avoir dit «emmerde» à ce type). Mais après tout, pourquoi pas ?   Colette AUDRY, l'Autre Planète, p. 163.

EMMERDEMENT [ãmɛrdəmã] n. m. — 1839, Flaubert, *Correspondance* (11 oct.), «ennui, fait d'ennuyer» ; de *emmerder*.

Familier.

♦ **1.** (Un, des emmerdements). Gros ennui*, vive contrariété. *Je n'ai eu cette année que des emmerdements.* ⇒ **Embêtement, empoisonnement.** *Il n'arrête pas d'avoir des emmerdements avec sa voiture.* ⇒ **Emmerde.** *Quel emmerdement !* (→ Quelle merde*, quelle chiotte*, quelle chierie*). *Des emmerdements d'argent.*

♦ **2.** *L'emmerdement* (de qqn). — Rare. Action d'emmerder (qqn). — Plus cour. Fait d'être emmerdé.

1   Je rouvre ma lettre pour te demander qu'est-ce qui a le plus de moyens, de Pigny ou de Defodon. Le prix de Discours français a dû trancher la question définitivement. Il n'y a pas à y revenir. C'est un fait qu'il faut accepter comme la république. Mais vois-tu mon emmerdement si un des deux était crevé avant que l'épreuve n'eût eu lieu.   FLAUBERT, Lettre à Louis Bouilhet,
                        20 août 1850, in Correspondance, Pl., t. I, p. 669.

Fait de s'emmerder, de s'ennuyer fortement.

2   Eh bien, non, celle-ci fait semblant de vivre ; elle rit, elle se plaint de ceci ou de cela comme si sa vie en bloc n'était pas un immense emmerdement. Je suppose

qu'avec l'âge vous vient une grâce d'état, un brouillard qui fait oublier comme le bonheur était bon et comme la mort est proche.
                        Benoîte et Flora GROULT, Journal à quatre mains, p. 88.

DÉR. V. Emmerde.

EMMERDER [ãmɛrde] v. tr. — XIVᵉ ; de em- (en-), merde, et suff. verbal.

Familier.

A. Vx. Salir, couvrir (qqn, qqch.) de merde. ⇒ **Conchier.**

B. (Fin XVIIIᵉ). Fig. ♦ **1.** Importuner (qqn). ⇒ **Agacer, embêter, empoisonner ;** (fam. et par euphém.) **emmouscailler, emmieller, enquiquiner ; chier** (faire chier). *Dites-lui que je ne peux pas le recevoir, il commence à m'emmerder avec ses histoires. Vous emmerdez le monde. Emmerder qqn jusqu'à la gauche, le plus possible.* — Pron. *S'emmerder avec, à qqch. (ou avec l'inf.). S'emmerder à, pour faire qqch. :* se donner (sans succès) beaucoup de peine (pour qqch.). *Il s'emmerde pour régler les histoires de son frère. On ne va pas s'emmerder à démonter ce moteur. On ne va pas s'emmerder à ça.*

♦ **2.** Ennuyer. *Je n'ai pas pu m'empêcher de bâiller devant lui ; que voulez-vous, il m'emmerde. Ce genre de littérature m'emmerde. La politique, l'opéra m'emmerde.* — Pron. *On s'emmerde ici* (→ Crémerie, cit. 1). → vulg. Se faire chier*. *S'emmerder avec qqn, tout seul.*

1   — Ça t'amuse, les articles de Maurras ?
    Et *(Bernard entendait)* le premier répondre :
    — Ça m'emmerde ; mais je trouve qu'il a raison.
    Puis un quatrième, dont Bernard ne reconnaissait pas la voix :
    — Toi, tout ce qui ne t'embête pas, tu crois que ça manque de profondeur.
                                    GIDE, les Faux-monnayeurs, in Romans, Pl., p. 936.

2   Bertrande dit à Cidrolin :
    — Tu devrais lui acheter une tévé. Elle va s'emmerder toute seule avec toi. Surtout le soir.   R. QUENEAU, les Fleurs bleues, p. 219 (1965).

3   Je me sentais contre et je m'emmerdais. Il faudrait avoir la force d'âme de rester chez soi lorsqu'on sait qu'on va s'emmerder (...)
                        Benoîte et Flora GROULT, Journal à quatre mains, p. 182.

Contrarier, embarrasser. *La montée du dollar m'emmerde, parce que je dois aller souvent à New York.*

♦ **3.** (En manière de défi). Tenir pour inexistant, pour négligeable. *Je vous emmerde, tous tant que vous êtes ! Oh ! il n'en saura rien, et puis d'ailleurs on l'emmerde.* — Loc. *Emmerder (qqn) à pied, à cheval* et *en voiture* (→ Chier*, foirer* dans les bottes de qqn).

4   — Vous en faites pas ! répliqua Turpin. Ils ne m'emmerderont jamais autant que je les emmerde.   J. ROMAINS, les Hommes de bonne volonté, t. V, XXVII, p. 291.

5   Les gens du quartier ? Je les emmerde.
                                    R. QUENEAU, le Dimanche de la vie, p. 152.

REM. Par souci de correction, on trouvait parfois dans les textes littéraires, emm... pour *emmerder* et ses dérivés, qui étaient moins bien tolérés qu'aujourd'hui.

▶ **EMMERDÉ, ÉE** p. p. adj.

Fam. Embarrassé, ennuyé. ⇒ **Emmiellé, emmouscaillé.** *Je commençais à être emmerdée. Le type avait l'air un peu emmerdé. Il était rudement, drôlement emmerdé.*

DÉR. Emmerdant, emmerde, emmerdement, emmerdeur.

EMMERDEUR, EUSE [ãmɛrdœr, øz] n. — 1866 ; de *emmerder*.

♦ Fam. Personne particulièrement embêtante, ennuyeuse. ⇒ **Fâcheux, gêneur, raseur.** *Je le fuis comme la peste, c'est un emmerdeur. C'est la reine des emmerdeuses.* — Spécialt. Personne chicanière, tatillonne à l'excès. *Je ne peux plus supporter le contremaître, c'est un emmerdeur fini.*

— Et les perroquets, dit Cidrolin, ils ne parlent pas ?
— Ils ne comprennent pas ce qu'ils disent.
— Prouvez-le, dit Cidrolin.
— Quel emmerdeur ! Il n'y a pas de conversation possible avec un emmerdeur comme vous.   R. QUENEAU, les Fleurs bleues, p. 46.

REM. Un renforcement plaisant du fém. est *emmerderesse* [ãmɛrd(ə)rɛs] n. f. (cf. Brassens, *Poèmes et Chansons*, opposant les *emmerdantes*, les *emmerdeuses* et les *emmerderesses*, in Cellard et Rey).

EMMÉTRAGE [ãmetraʒ] n. m. — 1838 ; de em- (en-), et métrage.

♦ Techn. Action d'emmétrer (des matériaux).

EMMÉTRER [ãmetre] v. tr. — Conjug. céder. — 1845 ; «métrer», 1808 ; de em- (en-), mètre, et suff. verbal.

♦ Techn. Disposer en vue de faciliter le métrage.

DÉR. Emmétrage.

EMMÉTROPE [ãmetrɔp] n. et adj. m. — 1865 ; du grec *emmetros* «bien proportionné» (de en- «dans» et *metron* «mesure»), et -ôpos «qui voit», de ôps «œil, vue». → -ope.

◆ Physiol. Se dit d'un œil bien conformé, dont l'accommodation est normale. *Œil, vision emmétrope.* ⇒ **Hypermétrope, myope, presbyte.**

CONTR. Amétrope.
DÉR. Emmétropie.

EMMÉTROPIE [ãmetʀɔpi] n. f. — 1865 ; de *emmétrope*.

◆ Physiol. Qualité de l'œil emmétrope.

CONTR. Amétrope.

EMMI [ãmi] prép. ou adv. — 1080 ; *en me*, xᵉ ; de *en-*, et *mi*.

◆ Vx. Au milieu (de). — Mod. (Par archaïsme de style). « *Emmi les champs de chardons* » (Cendrars, *Bourlinguer*, in T. L. F.).

EMMIASMER [ãmjasme] v. tr. — 1851 ; de *em- (en-)*, *miasme*, et suff. verbal.

◆ Rare et littér. Rempli de miasmes, d'émanations nocives.

Figuré :

Je cherchais la Rome de Néron et je n'ai trouvé que celle de Sixte-Quint. L'air prêtre emmiasme d'ennui la ville des Césars. La robe du jésuite a tout recouvert d'une teinte morne et séminariste.   FLAUBERT,
    Lettre à Louis Bouilhet, 9 avr. 1851, *in* Correspondance, Pl., t. I, p. 772.

EMMIELLER [ãmjele] v. tr. — XIIIᵉ ; de *em- (en-)*, *miel*, et suff. verbal.

◆ **1.** Vx. Enduire ou mêler de miel. *Emmieller une tisane, une tartine.* — Par métaphore :

1   (...) aujourd'hui : toute bouche de savant qui complimente un autre savant est un vase de fiel emmiellé.   HUGO, Notre-Dame de Paris, I, v, I.

Fig. Envelopper (qqch.) d'une douceur forcée. *Emmieller un reproche, un refus.* ⇒ **Édulcorer.**

2   Ne pouviez-vous exprimer les mêmes vérités en les énonçant avec moins de crudité ? « Oui, oui, en délayant, tournoyant, emmiellant, chevrotant, tremblotant (...) »
        CHATEAUBRIAND, Mémoires d'outre-tombe, t. VI, p. 145.

◆ **2.** Fam. (Par euphémisme). Emmerder* (qqn).

2.1 Coupeau cria qu'on était chez soi, qu'il emmiellait les voisins.
        ZOLA, l'Assommoir, 1877, p. 577, *in* T. L. F.

▶ **EMMIELLÉ, ÉE** p. p. adj.

Fig. et vieilli.

◆ **1.** (Choses). Mielleux. *Un ton emmiellé,* doucereux, sucré (cf. Être tout sucre, tout miel). *Paroles emmiellées :* paroles flatteuses, d'une douceur affectée.

3   Au nom de l'amitié, soyez moins épineux dans la société (...) la vie a tant d'amertume, qu'il ne faut pas que ceux qui peuvent l'adoucir y versent du poison. L'humeur est de tous les poisons le plus amer. Les fripons sont emmiellés. Faut-il que les honnêtes gens soient difficiles ?
        VOLTAIRE, Lettre à d'Argens, 1100, août 1752.

4   (...) elle accommode leurs différends, et ne leur marque pas l'affabilité de son caractère par des paroles emmiellées et sans effet, mais par des services véritables et par de continuels actes de bonté.
        ROUSSEAU, Julie ou la Nouvelle Héloïse, IV, Lettre X.

◆ **2.** (Personnes). Emmerdé (par euphémisme).

5   Même que j'étais passablement emmiellé, passez-moi l'expression.
        GIONO, Un de Baumugnes, Pl., t. I, p. 251.

DÉR. Emmiellure.

EMMIELLURE [ãmjelyʀ] n. f. — 1445 ; de *emmieller*.

◆ Méd. vétér. Topique à base de miel utilisé pour assouplir le sabot d'un cheval en cas de foulure, d'enflure.

EMMITONNER [ãmitɔne] v. tr. — 1580, Montaigne ; de *em- (en-)*, *miton*, de l'anc. franç. *mite* « caresse de la chatte », et suff. verbal.

◆ Fam. et vx. Envelopper* dans qqch. de moelleux. ⇒ **Emmitoufler.** *Emmitonner un convalescent dans une robe de chambre.*
Fig. Circonvenir.

EMMITOUFLEMENT [ãmituflømã] n. m. — 1904, Huysmans ; de *emmitoufler*.

◆ Rare. Action d'emmitoufler ; résultat de cette action.

(...) dans l'emmitouflement de son manteau fourré de grèbe, aussi duveteux que les blanches fourrures qui tapissaient ce salon (...)
        PROUST, À l'ombre des jeunes filles en fleurs, Pl., t. I, p. 601.

EMMITOUFLER [ãmitufle] v. tr. — 1547, p. p. ; de *en-*, et *mitoufle*, altér. de *mitaine*, d'après *moufle*, et anc. franç. *emmoufler*.

◆ Fam. Envelopper dans des vêtements chauds et moelleux. ⇒ **Couvrir.** *On l'emmitoufla dans un gros manteau. S'emmitoufler les*

mains, le cou dans une écharpe. — Passif et p. p. *Emmitouflé jusqu'au cou dans un châle* (cit. 1). *Être emmitouflé dans des fourrures, de fourrures.* — P. p. adj. *Des enfants emmitouflés.*

1   (...) je reste jusqu'à neuf heures et demie ou dix heures, emmitouflé de trois pantalons, dont deux de pyjamas — deux sweaters.
        GIDE, Voyage au Congo, in Souvenirs, Pl., p. 848.

Pron. *Elle s'était frileusement emmitouflée d'un gros chandail de laine.*
Fig. S'envelopper.

2   Le soleil s'est couvert d'un crêpe. Comme lui,
    Ô Lune de ma vie ! emmitoufle-toi d'ombre ;
    Dors ou fume à ton gré ; sois muette, sois sombre,
    Et plonge tout entière au gouffre de l'Ennui (...)
        BAUDELAIRE, les Fleurs du mal, Spleen et idéal, XXXVII.

DÉR. Emmitouflement.

EMMITRÉ, ÉE [ãmitʀe] adj. — Av. 1848, Chateaubriand ; de *em- (en-)*, *mitre*, et *-é*.

◆ Littér. Coiffé d'une mitre, surmonté de qqch. que l'on compare à une mitre. « *Tour emmitrée d'un clocher* » (Chateaubriand). — REM. Le verbe *emmitrer* est virtuel.

EMMORTAISER [ãmɔʀteze] v. tr. — 1289 ; de *em- (en-)*, *mortaise*, et suff. verbal.

◆ Techn. Introduire dans une mortaise. ⇒ **Assembler ; assemblage.** *Emmortaiser le tenon.* — Au p. p. *Poutre solidement emmortaisée.*

1   Vers le 15 mai, la quille du nouveau bâtiment s'allongeait sur le chantier, et bientôt l'entrave et l'étambot, emmortaisés à chacune de ses extrémités, s'y dressèrent presque perpendiculairement.   J. VERNE, l'Île mystérieuse, t. II, p. 771-772.

Par métaphore :

2   Une chèvre dormait en travers du seuil, son petit emmortaisé contre elle.
        G. CESBRON, Je suis mal dans ta peau, p. 49.

EMMOTTER [ãmɔte] v. tr. — 1690 ; de *em- (en-)*, *motte*, et suff. verbal.

◆ Agric. Entourer d'une motte de terre la racine de (un plant, un arbre qui doit être replanté).

▶ **EMMOTTÉ, ÉE** p. p. adj. (1620). Dont la racine est entourée d'une motte de terre. *Plant emmotté.*

REM. Le p. p. adj. est plus courant que le verbe.

EMMOUSCAILLEMENT [ãmuskajmã] n. m. — Fin XIXᵉ ; de *emmouscailler*.

◆ Fam. Ennui, embêtement. *N'avoir que des emmouscaillements.* ⇒ **Emmerdement.**

Ça m'a fait penser qu'on était un jeudi, puis instantanément que les événements cascadaient un peu vite depuis lundi, jour où avaient débuté tous ces emmouscaillements.   Albert SIMONIN, Touchez pas au grisbi, p. 129.

EMMOUSCAILLER [ãmuskaje] v. tr. — Fin XIXᵉ ; de *em- (en-)*, *mouscaille*, et suff. verbal.

◆ Fam., fig. Euphémisme pour *emmerder*. ⇒ **Embêter, ennuyer.**

▶ **EMMOUSCAILLÉ, ÉE** p. p. adj.
Fig. Gêné, ennuyé.

Après le souper, la Martine jolie me file son œillade 17 *bis*, modifiée par l'arrêté du 3 avril dernier. Je lui réponds par un regard en cinémascope-couleur... Très emmouscaillé, le petit San-Antonio radieux. C'est toujours idiot de décevoir une dame.   SAN-ANTONIO, le Secret de Polichinelle, p. 97.

DÉR. Emmouscaillement.

EMMURAGE [ãmyʀaʒ] n. m. ⇒ **Emmurement.**

EMMURÉ, ÉE [ãmyʀe] adj. et n. — V. 1180 ; de *em- (en-)*, *mur*, et *-é*. → Emmurer.

A. Adj. ◆ **1.** Vx. (Choses). Entouré de murs. *Ville, cour emmurée.*

◆ **2.** (Personnes). Enfermé à vie. *Prisonnier emmuré dans un cachot. Religieuses emmurées dans un cloître.*

◆ **3.** Fig. (Personnes). Isolé, coupé des autres. *Emmuré dans le silence.* ⇒ **Muré.**

1   Pas un seul jour, pas un instant, je n'ai su oser lui parler. L'un et l'autre nous restions emmurés dans notre silence.   GIDE, Et nunc manet in te, p. 102.

2   *Emmuré dans son matérialisme.*
        F. MAURIAC, le Mystère Frontenac, 1933, p. 26, *in* T. L. F.

B. N. ◆ **1.** Vieilli. Personne enfermée dans un cachot qu'on murait ensuite. *Une emmurée vivante. Les emmurés de Carcassonne,* Albigeois ainsi suppliciés.
Par ext. Personne accidentellement enfouie sous un éboulement, des décombres. *Venir en aide à des emmurés.*

♦ **2.** Personne enfermée de façon définitive. *Les emmurées de Rouen*, religieuses dominicaines qui vivaient strictement cloîtrées. **DÉR. Emmurement.**

EMMUREMENT [ɑ̃myʀmɑ̃] n. m. — xxᵉ; de *emmurer*.

♦ Emprisonnement perpétuel prononcé par l'Inquisition. *Être condamné à l'emmurement.* — REM. La forme *emmurage* [ɑ̃myʀaʒ] est plus rare.

EMMURER [ɑ̃myʀe] v. tr. — Mil. xvⁱᵉ, Amyot, probablt antérieur (→ Emmuré); de *em-* (en-), *mur*, et suff. verbal.

♦ **1.** Vx. Entourer de murailles. *Emmurer* (ou *emmurailler*) *une ville.*

♦ **2.** (xvⁱᵉ). Enfermer (un condamné) dans un cachot que l'on murait ensuite. *Au moyen âge on emmurait parfois les hérétiques. Être emmuré dans un in-pace.*

♦ **3.** Enfermer, emprisonner de façon définitive. *Emmurer dans un cloître.*

♦ **4.** (Déb. ꭗxᵉ). Isoler du monde. ⇒ **Enfermer.**
Là où la vie emmure, l'intelligence perce une issue (...)
PROUST, À la recherche du temps perdu, t. XV, p. 55.
Pron. *S'emmurer dans le silence.*
DÉR. Emmuré, emmurement.

EMMUSELER [ɑ̃myzle] v. tr. — 1416; de *em-* (en-), *musel* (→ Museau), et *-er.*

♦ **1.** Vx. ⇒ **Museler.**

♦ **2.** Fig. et littér. (langue class.). Museler (fig.), empêcher de parler.

ÉMOI [emwa] n. m. — xıııᵉ, répandu xvıᵉ; *esmai*, xııᵉ; déverbal de l'anc. franç. *esmaier* «troubler»; germanique *magan* «pouvoir», et *ex-* privatif; cf. lat. pop. *exmagare*, que Meyer-Lübke rattachent à *magus* «sorcier», hypothèse reprise par Guiraud.

♦ **1.** Littér. ou vieilli. Émotion, trouble, agitation qui s'empare d'êtres sensibles. ⇒ **Commotion, choc** (nerveux), **ébranlement, effervescence, excitation, saisissement, surexcitation.** *L'arrivée inattendue du Président avait causé un grand émoi. Le médecin légiste considérait sans émoi le cadavre à autopsier.* — *Être, mettre... en émoi.*

1 (...) durcissant et femmes et enfants, par long usage, à ne sentir et plaindre plus vos maux. Les soupirs de ma colique *(néphrétique)* n'apportent plus d'émoi à personne.   MONTAIGNE, Essais, III, ix.
2 (...) elle eut peine à se retenir de pleurer et tourna vivement le nez d'un autre côté pour qu'il ne la vît dans cet émoi.   G. SAND, François le Champi, xx, p. 143.
3 Grand émoi dans le village intarissable sujet de conversations pour les baigneurs de la table d'hôte.   MARTIN DU GARD, les Thibault, t. III, p. 216.
4 (...) vos vos joies, vos tristesses, vos colères, vos frayeurs, bref sur les émois de votre âme (...)   Julien BENDA, Lettres à Mélisande, p. 116.

♦ **2.** Spécialt. Émotion considérée sous son aspect affectif, sous l'angle du plaisir ou de la douleur. *En émoi, en grand émoi, avec émoi.*
Émotion mêlée de crainte, d'appréhension. *Semer l'émoi chez qqn.*

5 (...) moi-même, qui suis Dieu,
Tremble et frémis de frayeur et d'émoi,
Voyant la terre et la mer dessous moi.
Clément MAROT, les Métamorphoses d'Ovide, II.
Émotion mêlée d'inquiétude, de tristesse. ⇒ **Contrariété, ennui, souci, tracas.** *L'émoi des candidats, un jour d'examen. L'émoi d'un jour d'examen. L'émoi du départ.*

6 Vous n'entendez procès non plus que moi;
Ne plaidons point : ce n'est que tout émoi.   Clément MAROT, Épître au Roi, 1527.

♦ **3.** Plus cour. Trouble agréable, sensuel. *L'émoi d'un adolescent auprès d'une jolie femme. Émoi amoureux. L'émoi du printemps. Ne ressentir aucun émoi.*

7 (...) afin que sa candeur de plume
Se teignît à l'émoi de sa sœur qui s'allume (...)
MALLARMÉ, Poèmes, «L'après-midi d'un faune».

♦ **4.** Fig. et poét. (en parlant de choses dont le mouvement est assimilé à une émotion humaine). *Un éternel émoi* (→ Apprivoiser, cit. 19). *Tressaillir d'émoi* (→ Bondir, cit. 4).

REM. Très employé au xvⁱᵉ s., le mot *émoi* tombe en désuétude à l'époque class., et Trévoux le définit «vieux mot»; il sera remis en honneur au xıxᵉ s. par le romantisme et le symbolisme, mais restera littéraire.

CONTR. Calme, froideur, insensibilité, placidité, sérénité.

ÉMOLLIENT, ENTE [emɔljɑ̃, ɑ̃t] adj. — 1549; lat. *emolliens*, p. prés. de *emollire* «amollir», de *ex-* et *mollire*, de *mollis* «souple, flexible». → Mou.

♦ **1.** Méd. Qui a pour effet d'amollir, de relâcher des tissus enflammés. *Remèdes émollients. Pansement, cataplasme, emplâtre émol-*

lient. *Boissons, eau de son, tisanes émollientes. Farines émollientes* (graine de lin, seigle, orge, avoine... → Avoine, cit. 1). *Gargarisme, lavement émollient* (→ Anodin, cit. 2). *L'action émolliente des eaux d'un fleuve.* → 2. Porter, cit.

1 Et ce n'est qu'une fois à bord que nous nous sommes rendu compte de la préexcellence curative de l'Angleterre, de son climat émollient, de son ambiance d'innocence, de l'admirable correction de ses habitants (...)
B. CENDRARS, Moravagine, *in* Œ. compl., t. IV, p. 179.
N. m. Remède calmant, adoucissant. *Faire usage d'émollients.*

♦ **2.** (xıxᵉ). Fig. Doux, doucereux. ⇒ **Apaisant.** *Atmosphère émolliente. Prononcer des paroles émollientes. Présence émolliente.*

2 On aurait dit que les journalistes étaient devenus quakers (...) — Jamais on ne les avait vus si fondants, si émollients; — c'était de la crème et du petit-lait.
Th. GAUTIER, Préface de Mⁱˡˡᵉ de Maupin, éd. critique MATORÉ, p. 21.
REM. On trouve chez Proust la forme *émollié, ée,* adj. «ramolli».
CONTR. Excitant, irritant.

ÉMOLUMENT [emɔlymɑ̃] n. m. — 1265; lat. *emolumentum* «profit», d'abord «somme payée au meunier pour moudre le grain», du supin de *emolere,* de *ex-* intensif, et *molere* «moudre».

♦ **1.** Vx. Avantage*, profit* revenant légalement à quelqu'un.
Mod. (Dr.). Actif que recueille un héritier, un légataire universel ou un époux commun en biens. *Celui qui a l'émolument est tenu de payer les charges* (cf. l'adage latin *Ubi est emolumentum, ibi onus*). *Émolument d'une succession. Bénéfice d'émolument : droit établi au profit de la femme dans le partage de la communauté.*

1 La femme n'est tenue des dettes de la communauté, soit à l'égard du mari, soit à l'égard des créanciers, que jusqu'à concurrence de son émolument, pourvu qu'il y ait eu bon et fidèle inventaire, en rendant compte tant du contenu de cet inventaire que de ce qui lui est échu par le partage.   Code civil, art. 1483.

♦ **2.** (Au plur.). Revenu casuel d'une charge, constitué par les rétributions tarifiées allouées à un officier ministériel pour un acte de son ministère (⇒ **Honoraires**). *Émoluments de notaires.* ⇒ **Vacation.**

♦ **3.** Admin. Au plur. Rétribution représentant un traitement fixe ou variable. ⇒ **Rétribution; rémunération; appointement, cachet, gain, honoraire, indemnité, salaire, traitement.** — Spécialt. Ensemble des sommes perçues par un fonctionnaire comprenant le traitement proprement dit (soumis à la retenue) augmenté des indemnités ou allocations.

2 Mopse, pour tous émoluments, longtemps vécut
De coups de pied au cul.   P.-J. TOULET, Contrerimes, «Coples», LII.
DÉR. Émolumentaire.

ÉMOLUMENTAIRE [emɔlymɑ̃tɛʀ] adj. — 1829; de *émolument.*

♦ Dr. Relatif à un émolument. *Portion émolumentaire.*

ÉMONCTOIRE [emɔ̃ktwaʀ] n. m. — 1314; du lat. *emunctus,* p. p. de *emungere* «moucher», de *ex-* et *mungere,* même sens; et suff. *-oire.*

♦ **1.** Physiol. Organe destiné à éliminer les substances inutiles formées au cours des processus de désassimilation. *Émonctoires naturels* (anus, foie, méat urinaire, narine, poumon, pore de la peau, rein, uretère, vessie...). *Émonctoires artificiels* (cautère, exutoire, vésicatoire; abcès de fixation).

0.1 Amor conduit sur-le-champ les amants à l'intimité physiologique et il n'y a plus rien de dégoûtant-relatif entre eux. Tous les secrets du corps et des émonctoires sont mis en commun.   VALÉRY, Cahiers, t. II, Pl., p. 490.

♦ **2.** (xıxᵉ). Fig. Moyen d'éliminer ce qui est gênant, nuisible. ⇒ **Exutoire.**

1 Mademoiselle Cormon était, sans s'en douter, très heureuse de ces petites querelles qui servaient d'émonctoire à ses acrimonies.
BALZAC, la Vieille Fille, Pl., t. IV, p. 264.
2 La plupart des grandes puissances ont été déterminées, depuis plus de cinquante ans, par le besoin impérieux de trouver des émonctoires, de se procurer à toute force des clients, d'écouler les produits de leur activité, même quand les acheteurs de la veille doivent, de toute évidence, se révéler comme les ennemis du lendemain.   G. DUHAMEL, Manuel du protestataire, II, p. 64.

ÉMONDAGE [emɔ̃daʒ] n. m. — 1572, mais rare av. le xıxᵉ; de *émonder.*

♦ **1.** Arbor. Action d'émonder (1.); résultat de cette action. ⇒ **Ébranchage, élagage, émondement, taille.** *Émondage d'une charmille, d'une vigne vierge.* — Spécialt. Mode d'exploitation des arbres forestiers, qui consiste à couper les branches latérales, et parfois le tronc (⇒ **Têtard**) pour faire naître des rejets dont on utilise le bois.

♦ **2.** Fig. Action de débarrasser (qqch.) du superflu. *Émondage d'un texte. Émondage des effectifs d'une administration sur des critères politiques, judiciaires ou de moralité.* ⇒ **Épuration.**

♦ **3.** Chir. Excision (à l'aide de ciseaux) des tissus très endommagés d'une plaie, afin d'en accélérer la guérison.

ÉMONDATION [emɔ̃dasjɔ̃] n. f. — 1864; 1523, «purification morale»; du lat. *emundatio* «purification», du supin de *emondare*. → Émonder.

♦ Méd. Épuration des substances médicamenteuses.

ÉMONDE [emɔ̃d] n. f. — 1214; déverbal de *émonder*.

Arboriculture.

♦ **1.** Enlèvement des branches mortes ou inutiles de (un arbre). ⇒ **Émondage**. *Arbre d'émonde*, qui a subi l'émondage.

♦ **2.** (1214). Par métonymie (au plur.). Branches inutiles ou nuisibles ou retranchées (d'un arbre). *Fagots faits avec des émondes.*

ÉMONDEMENT [emɔ̃dmã] n. m. — 1538; de *émonder*.

♦ Arbor. Action d'émonder (1.); résultat de cette action. ⇒ **Ébranchage, élagage, émondage, taille.**

ÉMONDER [emɔ̃de] v. tr. — Fin XIIᵉ; du lat. impérial *emundare* «nettoyer», de *ex-*, et *mundare* (→ Monder), plutôt que composé de *monder*.

♦ **1.** Débarrasser (un arbre) des branches mortes, inutiles, nuisibles, des plantes parasites... ⇒ **Ébrancher, élaguer, monder.** *Émonder des chênes, des peupliers, des rosiers* (→ Amputer, cit. 4; arbre, cit. 11). ⇒ **Tailler.** *Outil servant à émonder.* ⇒ **Émondoir.**

1 Que ne l'émondait-on sans prendre la cognée? LA FONTAINE, Fables, X, 1.

2 La serpe qui émonde les rameaux faibles ne fait que donner aux autres plus de force. RENAN, Avenir de la science, Œ. compl., t. III, p. 1017.

3 On voyait Mus, un peu plus bas, qui émondait une vigne grimpante. Choisissant avec soin le rejet nuisible, le sarment fatigué, il faisait claquer son gros sécateur, d'un air compétent et sans hâte. H. BOSCO, Un rameau de la nuit, p. 163.

Au p. p. *Arbres émondés.*

4 (...) nos ombres équestres marchaient à notre gauche maintenant épousant la forme de la haie taillée à l'équerre : comme c'était le printemps elles n'avaient pas encore beaucoup poussé et la campagne avait l'air d'un jardin bien émondé. Claude SIMON, la Route des Flandres, p. 78.

Par ext. Soigner (une plante) en enlevant certains éléments; tailler, enlever (les éléments inutiles d'une plante).

5 Il descendait au jardin et courait dire bonjour au jardinier qui, son chapeau de paille sur les yeux, tant le soleil était aveuglant, était en haut d'une échelle adossée aux treillages du mur, émondant les feuilles des capucines. PROUST, Jean Santeuil, Pl., p. 297.

♦ **2.** Par anal. Nettoyer et trier (des graines). — Techn. Tailler (une pierre). — Spécialt (cuis.). Retirer l'enveloppe d'un aliment. *Émonder des amandes, une cervelle.*

♦ **3.** Fig. Débarrasser du superflu. ⇒ **Couper, élaguer, raccourcir.** *Émonder un article, le texte d'un discours. Émonder un article, un texte à virtues fautes.* ⇒ **Corriger.**

6 Habitué par une bonne éducation suprême à émonder sa conduite de toute apologie, de toute invective, de toute phrase, il avait évité devant l'ennemi, comme au moment de la mobilisation, ce qui aurait pu assurer sa vie, par cet effacement de soi devant les autres que symbolisaient toutes ses manières (...) PROUST, le Temps retrouvé, Pl., t. III, p. 847.

CONTR. Amplifier, augmenter, grossir.
DÉR. Émondage, émonde, émondement, émondeur, émondoir.

ÉMONDEUR, EUSE [emɔ̃dœʀ, øz] n. — 1542; de *émonder*.

♦ **1.** Arbor. Personne qui émonde les arbres. ⇒ **Élagueur.**

1 Plus loin, s'épaississait un bois, et, contenu par la ligne de ses cimes que l'émondeur avait creusée comme une coupe, un bateau imperceptible semblait arrêté sur la mer, d'un bleu solide, vif et clair. PROUST, Jean Santeuil, Pl., p. 363.

2 (...) j'ai trop peu d'ouvriers. Comment atteindront-ils les hautes branches? Il faudrait des émondeurs. Je n'en connais que deux dans le pays.
Deux, lui dis-je, c'est déjà quelque chose. Ils s'occuperont des hautes branches. D'autres, moins habiles, se serviront d'échelles. ALAIN, Propos, 5 mai 1909, Les ormeaux.

Par métaphore (poét.) :

3 Tu es l'émondeur de ta vie. ÉLUARD, le Jugement originel, Pl., t. I, p. 353.

♦ **2.** Fig. Personne qui épure un texte.

ÉMONDOIR [emɔ̃dwaʀ] n. m. — 1873; de *émonder*.

♦ Arbor. Outil servant à émonder les arbres (→ Croissant, écheniloir, sécateur, serpe, serpette, vouge).

ÉMORFILAGE [emɔʀfilaʒ] n. m. — 1870; de *émorfiler*.

♦ Techn. Action d'émorfiler; résultat de cette action.

ÉMORFILER [emɔʀfile] v. tr. — 1808; de é-, *morfil* et suff. verbal.

♦ Techn. Enlever le morfil de (une lame); supprimer les arêtes vives de (un objet).
DÉR. Émorfilage.

ÉMOTIF, IVE [emotif, iv] adj. — 1877, Littré, *Suppl.*; de *emotum*, supin de *emovere*. → Émouvoir.

♦ **1.** Didact. Relatif aux émotions, à l'émotion. *Troubles émotifs. Choc émotif* : «émotion brusque et intense provoquant un ébranlement de l'affectivité du sujet» (Lalande). ⇒ **Émotionnel.** *Comportement, geste émotif. Réaction, tension émotive.* — *Crise émotive* ou (cour.) *crise de nerfs.*

♦ **2.** (1898). Plus cour. Personnes. Qui réagit vivement aux émotions. *Un enfant très émotif. Caractère, tempérament émotif.* ⇒ **Émotionnable, impressionnable, nerveux, sensible.** *Constitution émotive*, qui se caractérise par l'amplitude et la vivacité des différents réflexes et par une certaine instabilité psychique.

1 Je sais qu'elle avoua plus tard à Cottard qu'elle me trouvait bien enthousiaste; il lui répondit que j'étais trop émotif et que j'aurais eu besoin de calmants et de faire du tricot. PROUST, A la recherche du temps perdu, t. X, p. 48.

2 Sans doute l'individu est-il génétiquement plus ou moins émotif, riche en affectivité, capable de convertir ses tendances égoïstes en tendances sociales (...) Jean ROSTAND, l'Homme, V, p. 82.

N. *Un émotif, une émotive* : personne chez qui domine l'émotivité.

3 L'émotif se distingue, en effet, non seulement par la sensibilité de ses réactions affectives, mais par leur intensité et leur violence (...) il est émotif parce que l'état d'émotion revient chez lui avec une fréquence remarquable et sous des sollicitations insignifiantes. E. MOUNIER, Traité du caractère, p. 232.

4 (...) l'émotion est un problème de psycho-physiologie générale, mais c'est un problème de psycho-physiologie individuelle que celui de l'émotif. Jean DELAY, la Psycho-physiologie humaine, p. 25.

CONTR. Amorphe, apathique, blasé, ferme, flegmatique, froid, impassible, indifférent, inébranlable, insensible, placide.
DÉR. Émotivité.

ÉMOTION [emosjɔ̃; ɛmɔsjɔ̃] n. f. — En 1534, *esmotion*; de *émouvoir*, d'après *motion* «mouvement», XIIIᵉ. → Motion, émouvoir.

Action d'émouvoir; résultat de cette action.

♦ **1.** Vx. Mouvement (du corps, d'un corps). — Spécialt. Mouvement (par oppos. à l'état normal de calme) d'un corps collectif, agitation et fermentation populaire à l'occasion d'un événement inquiétant, pouvant dégénérer en troubles civils; par ext., ces troubles. ⇒ **Conspiration, émeute, révolte, sédition.** «*L'émotion de Catilina*» (Montaigne). *Calmer l'émotion populaire. Une grande émotion se dessinait dans l'armée.*

1 Rome autrefois a vu de ces émotions (...)
Quand il fallait calmer toute une populace,
Le sénat n'épargnait promesse ni menace (...) CORNEILLE, Nicomède, V, 2.

2 On ne parle que de la guerre (...) toute l'Europe est en émotion.
Mᵐᵉ DE SÉVIGNÉ, Lettres, 259, 23 mars 1672.

Mouvement affectant un individu et ayant pour effet de le soustraire à l'état de repos et d'équilibre. *Émotion d'esprit* (→ Coquetterie, cit. 3).

3 *La définition des passions de l'âme* (...) On les peut nommer des perceptions (...) On les peut aussi nommer des sentiments (...) mais on peut encore mieux les nommer des émotions de l'âme, non seulement à cause que ce nom peut être attribué à tous les changements qui arrivent en elle, c'est-à-dire à toutes les diverses pensées qui lui viennent, mais particulièrement pour ce que, de toutes les sortes de pensées qu'elle peut avoir, il n'y en a point d'autres qui l'agitent et l'ébranlent si fort que font ces passions. DESCARTES, les Passions de l'âme, I, 27-28.

Ce mouvement, considéré dans ses effets physiologiques. ⇒ **Malaise, trouble.** *Sentir un peu d'émotion. Émotion du pouls. Émotion de fièvre* : mouvement fébrile.

4 Nous-mêmes, pour bien faire, ne devrions jamais mettre la main sur nos serviteurs, tandis que la colère nous dure. Pendant que le pouls nous bat et que nous sentons de l'émotion, remettons la partie (...) c'est la passion qui commande alors (...) ce n'est plus nous. MONTAIGNE, Essais, II, 437.

5 (...) le printemps vous fait toujours quelque émotion (...)
Mᵐᵉ DE SÉVIGNÉ, Lettres 961, 29 avr. 1685.

6 (...) le bon abbé ne se porte pas bien; il a mal à un genou, et un peu d'émotion tous les soirs. Mᵐᵉ DE SÉVIGNÉ, Lettres 504, 19 févr. 1676.

Mouvement plus complexe, intéressant le «cœur» autant que la vie organique.

7 La tendresse visible de leurs mutuelles ardeurs me donna de l'émotion; j'en fus frappé au cœur et mon amour commença par la jalousie (...) le dépit alarma mes désirs (...) MOLIÈRE, Dom Juan, I, 2.

8 Je ne répondrai point, Madame, à toute l'émotion que vous a donnée le gain d'une bataille *(Neerwinde)* qui nous coûte si cher. Nous avons passé des tristes réflexions (...) Mᵐᵉ DE SÉVIGNÉ, Lettres 1362, 26 août 1693.

♦ **2.** Mod. Psychol. et cour. État de conscience complexe, généralement brusque et momentané, accompagné de troubles physiologiques (pâleur ou rougissement, accélération du pouls, palpitations, sensation de malaise, tremblements, incapacité de bouger ou agitation). *Les théories physiologiques, intellectualistes de l'émotion* (→ ci-dessous, cit. 10 et 11).

9 Il n'y a, ce me semble, émotion que là où il y a choc, secousse. On devrait, par suite, appeler émotion l'action exercée sur la volonté *(au sens large)* par une repré-

sentation ou une affection simple, action qui provoque ensuite la réaction de la volonté.   J. LACHELIER, cité par LALANDE.

10 J'entends par émotion un choc brusque, souvent violent, intense, avec augmentation ou arrêt des mouvements : la peur, la colère, le coup de foudre en amour, etc. En cela, je me conforme à l'étymologie du mot «émotion» qui signifie surtout mouvement.   Th. RIBOT, Logique des sentiments, p. 67.

11 L'émotion est une cause dont les manifestations physiques sont ·les effets, disent les uns ; les manifestations physiques sont la cause dont l'émotion est l'effet, disent les autres. Selon moi, il y aurait un grand avantage à éliminer de la question toute notion de cause et d'effet (...) et substituer à la position dualiste une conception unitaire (...) Aucun état de conscience ne doit être dissocié de ses conditions physiques : ils composent un tout (...) Chaque espèce d'émotion doit être considérée de cette manière : ce que les mouvements de la face et du corps, les troubles vaso-moteurs, respiratoires, sécrétoires expriment objectivement, les états de conscience corrélatifs (...) l'expriment subjectivement.
Th. RIBOT, Psychologie des sentiments, p. 113.

Par ext. Sensation (agréable ou désagréable), considérée du point de vue affectif. ⇒ **Affection, douleur, plaisir, sentiment ; émoi, excitation, impression.** Émotions simples, composées. Émotion sexuelle. Émotions religieuses, morales, esthétiques, intellectuelles. Émotions stimulantes, sthéniques (→ Asthénique, cit.). L'émotion tendre. ⇒ **Sympathie.** Émotions fondamentales : amour, chagrin, colère, désir, frayeur, haine, jalousie, joie, peur, plaisir, tristesse. Les racines de l'émotion. ⇒ **Attraction, aversion, désir, inclination, instinct, répulsion, tendance.**

(Syntagmes didact.). L'émotion-choc, brusque et brève. ⇒ cour. ou littér. **Affolement, agitation, bouleversement, commotion, désarroi, ébranlement, effervescence, enthousiasme, frisson, saisissement, transe, trouble.** — L'émotion-sentiment, progressive et stable. ⇒ **Sentiment.**
Conditions intérieures et extérieures de l'émotion. Modifications organiques qui accompagnent l'émotion (→ Cœur, cit. 6). L'expression des émotions. L'émotion étouffe, coupe (cit. 18) le souffle, affaiblit (→ Amollir, cit. 2), paralyse, annihile (cit. 2) la volonté. — Causer une grande émotion à qqn. ⇒ **Bouleverser, émotionner, émouvoir, suffoquer.** Être brisé (cit. 5) d'émotion. Frémir, frissonner, trembler, tressaillir, s'évanouir d'émotion (→ Angoisse, cit. 2). Le cœur, la gorge se serre d'émotion. Frapper, saisir d'émotion. Idées qui suscitent une émotion. Éprouver, ressentir beaucoup d'émotions (⇒ **Émotif**). La qualité, l'intensité d'une émotion. Une émotion contenue (cit. 18). Dissimuler (cit. 6), maîtriser son émotion. Simuler une émotion. Une émotion forte, intense, poignante, vive ; délicate, légère, douce, tendre (→ Aube, cit. 10). Des émotions enivrantes (→ Annoncer, cit. 17). Le charme d'une émotion. Être avide d'émotions. Le monde des émotions. Il était plein, vibrant d'émotion. Un cri d'émotion. Parler avec émotion. ⇒ **Balbutier** (→ Balbutiement, cit. 1). Être égaré par une émotion violente. — Perdre ses esprits* ; être éperdu* ; être hors de soi. S'abandonner à une émotion (→ Caresse, cit. 3 ; dessécher, cit. 15). ⇒ **Attendrir** (s'). Ne pouvoir cacher son émotion. Trahir son émotion. Rougir d'émotion, devenir cramoisi, rouge d'émotion. Sa voix se brisa d'émotion. Devenir blanc, vert d'émotion. Cf. Changer de couleur, de visage. Ne ressentir aucune émotion (⇒ **Apathique**). Accueillir sans émotion une mauvaise nouvelle (→ Devoir, cit. 30), avec indifférence ; → Sans sourciller*. — Fam. On n'a pas eu d'émotion : on n'a eu aucune inquiétude.

11.1 (...) un physionomiste eût eu peine reconnu que le bourgmestre van Tricasse était le flegme personnifié. Jamais — ni par la colère, ni par la passion —, jamais une émotion quelconque n'avait accéléré les mouvements du cœur de cet homme ni rougi sa face ; jamais ses pupilles ne s'étaient contractées sous l'influence d'une irritation, si passagère qu'on voudrait la supposer.
J. VERNE, le Docteur Ox, p. 10, Hachette 1966.

12 Si le goût est une chose de caprice, s'il n'y a aucune règle du beau, d'où viennent donc ces émotions délicieuses qui s'élèvent si subitement, si involontairement, si tumultueusement au fond de nos âmes, qui les dilatent ou qui les serrent, et qui forcent de nos yeux les pleurs de la joie, de la douleur, de l'admiration, soit à l'aspect de quelque grand phénomène physique, soit au récit de quelque grand trait moral ? Apage, Sophista ! tu ne persuaderas jamais à mon cœur qu'il a tort de frémir ; à mes entrailles, qu'elles ont tort de s'émouvoir.
DIDEROT, Sur la peinture, VII.

13 J'avoue que, pour ma part, j'avais le cœur serré comme par une main invisible ; les tempes me sifflaient, et des sueurs chaudes et froides me passaient dans le dos. C'est une des plus fortes émotions que j'aie jamais éprouvée.
Th. GAUTIER, Voyage en Espagne, p. 55.

14 Car l'amour est un art, comme la musique. Il donne des émotions du même ordre, aussi délicates, aussi vibrantes, parfois peut-être plus intenses (...)
Pierre LOUŸS, Aphrodite, I, Chrysis.

15 (...) l'émotion presque religieuse qu'inspire un passé très lointain.
Ch. MAURRAS, Anthinéa, p. 51.

16 Nathanaël, que toute émotion sache te devenir une ivresse. Si ce que tu manges ne te grise pas, c'est que tu n'avais pas assez faim.
GIDE, les Nourritures terrestres, p. 41.

(Sens affaibli). État affectif, plaisir ou douleur, nettement prononcé. L'émotion dans l'art. Problème de l'émotion chez l'artiste. ⇒ **Sensibilité.** Émotion créatrice. ⇒ **Délire, enthousiasme, fureur** (vx), **inspiration.** Émotion esthétique, ressentie par le lecteur, l'auditeur, le spectateur. ⇒ **Sentiment.** Émotion ou insensibilité de l'acteur, de l'exécutant.

17 Quel jeu plus parfait que celui de la Clairon ? cependant suivez-la, étudiez-la, et vous serez convaincu qu'à la sixième représentation elle sait par cœur tous les détails de son jeu comme tous les mots de son rôle (...) Je ne doute point que la Clairon n'éprouve le tourment du Quesnoy dans ses premières tentatives ; mais lutte passée, lorsqu'elle s'est une fois élevée à la hauteur de son fantôme, elle se possède, elle se répète sans émotion.   DIDEROT, Paradoxe sur le comédien.

En un mot, la poésie ne peut exister sans l'émotion, ou, si l'on veut, sans un mouvement de l'âme qui règle celui des paroles.   18
CLAUDEL, Positions et Propositions, p. 97.

L'émotion créatrice est la seule et véritable connaissance.   19
André SUARÈS, Trois hommes, « Dostoïevski », III, p. 223.

CONTR. Calme, paix, sérénité ; apathie, froideur, indifférence, insensibilité, sangfroid.
DÉR. Émotionnel, émotionner.

ÉMOTIONNABLE [emɔsjɔnabl] adj. — 1870 ; de émotionner.

♦ Rare. Qui s'émeut facilement. ⇒ **Émotif, impressionnable, sensible.** Cet enfant est émotionnable, trop émotionnable.

ÉMOTIONNANT, ANTE [emɔsjɔnɑ̃, ɑ̃t] adj. — 1890 ; p. prés. de émotionner.

♦ Fam. Qui cause une vive émotion. ⇒ **Impressionnant.** Scène émotionnante.

ÉMOTIONNEL, ELLE [emɔsjɔnɛl] adj. — 1875 ; de émotion.

♦ Psychol. Relatif à l'émotion. Activité, vie émotionnelle. État émotionnel.
Qui provoque l'émotion. Un art émotionnel.

Quel est le plus émotionnel de tous les arts ? La musique (...) Aucun art n'a une   1
puissance de pénétration plus profonde, aucun ne peut traduire des nuances si ténues de sentiment qu'elles échappent à tout autre mode d'expression.
Th. RIBOT, Psychologie des sentiments, p. 104.

En ce sens, on pourrait presque dire que les nombres d'un usage journalier ont chacun leur équivalent émotionnel. Les marchands le savent bien, et au lieu d'indiquer le prix d'un objet par un nombre rond de francs, ils marqueront le chiffre immédiatement inférieur, quittes à intercaler ensuite un nombre suffisant de centimes.   2
H. BERGSON, Essai sur les données immédiates de la conscience, p. 91.

ÉMOTIONNER [emɔsjɔne] v. tr. — 1823 ; de émotion.

♦ Fam. Toucher, agiter par une émotion. Cette scène l'avait un peu émotionné. ⇒ **Impressionner.**

Florent, toujours perdu dans son rêve humanitaire, se prétendait socialiste et s'appuyait sur Alexandre et sur Lacaille. Quant à Gavard, il ne répugnait pas aux idées violentes ; mais, comme on lui reprochait quelquefois sa fortune, avec d'aigres plaisanteries qui l'émotionnaient, il était communiste.   1
ZOLA, le Ventre de Paris, t. I, p. 224.

Pron. Il s'émotionne pour peu de chose.
REM. Ce verbe, ainsi que ses dérivés, a été souvent condamné par les puristes, qui y voient un doublet inutile et barbare de émouvoir.

Émotionner est du style familier ; émouvoir est de tous les styles. Puis émouvoir s'applique à ce qui est touchant, triste, etc. Émotionner se dit des petites perturbations de la vie habituelle (...) Ce verbe nouveau est d'un assez mauvais style ; cependant il est régulièrement fait, comme affectionner d'affection.   2
LITTRÉ, Dict., art. Émotionner.

▶ **ÉMOTIONNÉ, ÉE** p. p. et adj.
(Fin XIXe ; de émotionner). Fam. Troublé par l'émotion. Un air tout émotionné. ⇒ **Ému.**

Landry fut, je ne sais comment, émotionné de la manière dont la petite Fadette parlait humblement et tranquillement de sa laideur (...)   3
G. SAND, la Petite Fadette, XIX, p. 130.

N'est-ce pas que j'ai du flair ? J'avais vu du premier coup que la petite ferait de l'effet ! J'en suis encore tout émotionné ! A. ROBIDA, le Vingtième Siècle, p. 109.   4

Nom :
Un choc émotionnel violent peut sensibiliser le sujet à des événements insignifiants comme s'il s'était produit une véritable anaphylaxie : l'émotionné est devenu un émotif.   5
Jean DELAY, la Psycho-physiologie humaine, p. 28.
DÉR. Émotionnable, émotionnant.

ÉMOTIVITÉ [emɔtivite] n. f. — 1877 ; de émotif.

♦ Capacité de ressentir des émotions. — Caractère d'une personne émotive. C'est un enfant d'une grande émotivité. ⇒ **Impressionnabilité, sensibilité.**

La femme est plus émotive que l'homme ou tout au moins manifeste davantage son émotivité. Chez elle, certaines stimulations donneront des réactions inexistantes chez l'homme. A. BINET, Vie sexuelle de la femme, p. 42.   1

Caractér. Un des éléments essentiels du caractère (opposé à l'activité). L'émotivité est l'une des bases essentielles de l'affectivité.

(...) aucun événement subi par nous (...) ne peut se produire sans nous émouvoir à quelque degré, c'est-à-dire sans provoquer dans notre vie organique et psychologique un ébranlement plus ou moins fort (...) Dans l'ordre de la conscience l'émotivité doit entraîner (...) l'attachement du sujet ému à ce qui l'émeut.   2
René LE SENNE, Traité de caractérologie, p. 63.

CONTR. Inémotivité.
COMP. Hyperémotivité.

ÉMOTTAGE [emɔtaʒ] n. m. — 1835 ; de émotter.

♦ Agric. Action d'émotter (un champ labouré) ; résultat de cette action. — REM. On a dit aussi émottement.

ÉMOTTER [emɔte] v. tr. — 1551, *esmotter ;* de *é-, motte,* et suff. verbal.

♦ Agric. Débarrasser (un champ labouré) des mottes de terre restées entières, en les brisant (en vue d'ameublir la terre et de la préparer à recevoir les semences). ⇒ **Herser, rouler.**

DÉR. Émottage, émotteur, émotteuse, émottoir.

ÉMOTTEUR, EUSE [emotœʀ, øz] n. — 1606 ; 1531, *esmoteur ;* de *émotter.*

♦ Agric. Qui émotte. *Rouleau émotteur, herse émotteuse.* ⇒ **Émotteuse.** *Émotteur-cribleur.*

N. m. (1922). Agric. et techn. Rouleau servant à émotter la terre. — Rouleau servant à concasser le sucre. ⇒ **Concasseur.**

ÉMOTTEUSE [emotøz] n. f. — 1880 ; de *émotter.*

♦ Agric. Herse servant à émotter un champ labouré.

ÉMOTTOIR [emotwaʀ] n. m. — 1836 ; xivᵉ, *esmotouer ;* de *émotter.*

♦ Agric. Outil servant à émotter la terre.

ÉMOU [emu] n. m. ⇒ **Émeu.**

ÉMOUCHER [emuʃe] v. tr. — 1611 ; xiiiᵉ, *esmochier ;* de *é-, mouche,* et suff. verbal.

♦ **1.** Rare. Débarrasser (un animal) des mouches, en les chassant. *Émoucher un cheval.* — Pron. *Les chevaux s'émouchent avec leur queue.*

— Vous voyez cette jument, Steeny ? Hé bien ! vous la retrouverez ici-même, elle n'aura pas remué une patte, sinon pour s'émoucher. On ne l'attache jamais.
　　　　　　　　　　　BERNANOS, Monsieur Ouine, p. 16.

♦ **2.** (1690 ; 1549 « ombelle »). Vx. Débarrasser (un fleuret) de la mouche, du bouton. ⇒ **Démoucheter.**

DÉR. Émouchette, émoucheur, émouchoir, émouchure.

ÉMOUCHET [emuʃɛ] n. m. — 1740 ; *esmouchet,* 1558 ; *é-* d'après *épervier, émerillon ;* de l'anc. franç. *moschet, mouchet* « mâle de l'épervier », proprt « petite mouche », en raison de la petite taille de l'oiseau.

♦ Rapace de petite taille. ⇒ **Autour, épervier, faucon, hobereau.** *Émouchet rouge.* ⇒ **Crécerelle** (→ Circulairement, cit. 1).

1　Rien que le cri des émouchets qui planent et tournoient (...)
　　　　　　　Jérôme et Jean THARAUD, Marrakech..., IV, p. 86.
2　Un clocher grêle planait en forme d'émouchet déployé, immobile comme l'ombre de sa proie.　　　A. JARRY, les Jours et les Nuits, Pl., p. 764.

ÉMOUCHETAGE [emuʃtaʒ] n. m. — 1892 ; de *émoucheter.*

♦ Techn. Action d'émoucheter (2.). *Émouchetage du lin. Déchet d'émouchetage.* ⇒ **Émouchure.**

ÉMOUCHETER [emuʃte] v. tr. — Conjug. *jeter.* — 1838 ; *esmoucheter,* xviᵉ ; de *é-, mouche,* et suff. verbal *-eter.*

♦ **1.** Rare. Débarrasser (un fleuret) de sa mouche. (On dit plutôt *démoucheter*). — Casser la pointe d'un instrument aigu. *Émoucheter un poinçon.*

♦ **2.** (1845). Techn. Débarrasser (les fibres de lin, les rubans) de leurs impuretés.

CONTR. (Du sens 1) **Moucheter.**
DÉR. Émouchetage.

ÉMOUCHETTE [emuʃɛt] n. f. — 1690 ; 1549, « ombelle » ; de *émoucher,* et suff. *-ette.*

♦ Caparaçon fait d'un réseau de cordelettes pendantes et servant à protéger un cheval contre les mouches.

ÉMOUCHEUR, EUSE [emuʃœʀ, øz] n. — xviiᵉ ; de *émoucher.*

♦ Vx. Celui, celle qui émouche. *Un émoucheur de chevaux.*

ÉMOUCHOIR [emuʃwaʀ] n. m. — xviiᵉ ; *esmecheor* au xiiiᵉ ; de *émoucher.*

♦ Techn. Queue de cheval attachée à un manche et qui sert à émoucher. ⇒ **Chasse-mouches.**

ÉMOUCHURE [emuʃyʀ] n. f. — Fin xixᵉ ; de *émoucher,* 2.

♦ Techn. (le plus souvent au plur.). Déchet provenant de l'émouchetage du lin. *Des émouchures.*

ÉMOUDRE [emudʀ] v. tr. — Conjug. *moudre.* — 1636 ; *esmoldre,* v. 1155 ; *esmoudre,* xiiiᵉ ; du lat. pop. **exmolere,* du lat. impérial *emolere* « moudre entièrement », de *ex-,* et *molere.* → Moudre.

♦ Rare et techn. Aiguiser* sur la meule. ⇒ **Affiler, repasser.** *(Faire) émoudre un couteau, des ciseaux. Meule à émoudre.* ⇒ aussi **Émoulu.**

DÉR. Émoulage, émouleur, émoulu.

ÉMOULAGE [emulaʒ] n. m. — 1611, *esmoulage ;* de *émoudre.*

♦ Rare et techn. Action d'émoudre ; résultat de cette action. *Émoulage d'une lame de couteau.*

ÉMOULEUR, EUSE [emulœʀ, øz] n. — 1313 ; de *émoudre.*

♦ Rare et techn. Artisan, personne qui aiguise les instruments tranchants. ⇒ **Rémouleur, repasseur.**

COMP. Rémouleur.

ÉMOULU, UE [emuly] adj. — Déb. xiiᵉ ; p. p. de *émoudre.*

♦ **1.** Vx. Qui est bien aiguisé. *Lame émoulue.*

Loc. (littér.). *Se battre à fer émoulu :* combattre dans un tournoi avec des armes affilées, contrairement à l'usage ordinaire suivant lequel les armes étaient émoussées et rabattues.

Ce pas d'armes n'était pas dangereux ; on n'y combattait pas à fer émoulu.　1
　　　　　　　　　VOLTAIRE, Essai sur les mœurs, XCIX.

♦ **2.** (Av. 1615). Fig. et cour. ÊTRE FRAIS, FRAÎCHE ÉMOULU(E) DE : être fraîchement, récemment sorti de... *Jeune fille fraîche émoulue du collège. Ingénieur frais émoulu de l'école. Il est frais émoulu de sa province* (→ Dégourdir, cit. 4).

— Vous avez beau raisonner : Monsieur est frais émoulu du collège, et il vous　2
donnera toujours votre reste.　　　MOLIÈRE, le Malade imaginaire, II, 6.

ÉMOUSSAGE [emusaʒ] n. m. — 1838 ; de 2. *émousser.*

♦ Arbor. Action d'émousser (un arbre) ; résultat de cette action. *L'émoussage d'un arbre, des tuiles d'un toit.*

ÉMOUSSEMENT [emusmɑ̃] n. m. — 1641 ; de 1. *émousser.*

♦ **1.** Action de rendre moins tranchant, moins pointu. *L'émoussement d'une épée, d'un rasoir, d'un couteau. L'émoussement des dents, des griffes d'un animal.*

♦ **2.** (1851). Fig. Action de rendre moins incisif, moins sensible ; résultat de cette action. ⇒ **Affaiblissement, atténuation.** *L'émoussement du désir, de la curiosité.*

1. ÉMOUSSER [emuse] v. tr. — xivᵉ ; de *é-,* et de 3. *mousse.*

♦ **1.** (xviᵉ). Rendre moins coupant, moins aigu ; rendre mousse*. *Émousser la pointe d'un couteau.* ⇒ **Désappointer, épointer.** *Émousser une épée en la rabattant. Émousser un fleuret avec une mouche** (⇒ **Moucheter**), *un bouton** ; *émousser une lance avec une morne.* — Par métaphore :

La force blesse. Le regard qui pénètre les cœurs est un poignard pour eux : on　1
lui en veut de la piqûre, fût-il de la pointe la plus fine, et quand il l'émousserait
dans l'effusion des plus tendres larmes.
　　　　　　André SUARÈS, Trois hommes, « Dostoïevski », v, p. 246.

♦ **2.** Fig. Rendre moins vif, moins pénétrant, moins incisif. ⇒ **Abattre, affaiblir, amortir, atténuer, diminuer, endormir.** *Émousser la curiosité de qqn. Émousser les sens.* ⇒ **Blaser.** *L'oisiveté émousse le goût de l'effort, l'intelligence.* ⇒ **Hébéter.** *Les délices de Capoue émoussèrent le courage des soldats d'Hannibal.* ⇒ **Énerver** (vx).

Le mariage a pour sa part l'utilité, la justice, l'honneur et la constance (...)　2
L'amour se fonde au seul plaisir, et il l'a de vrai plus chatouillant, plus vif et plus
aigu (...) la libéralité des dames est trop profuse au mariage et émousse la pointe
de l'affection et du désir.　　　　　MONTAIGNE, Essais, III, v.

L'étude n'a point émoussé ta vivacité ni appesanti ta personne : la fade galante-　3
rie n'a point rétréci ton esprit ni hébété ta raison.
　　　　　　ROUSSEAU, Julie ou la Nouvelle Héloïse, II, Lettre XI.

(...) quand l'amour perd de sa vivacité, c'est-à-dire de ses craintes, il acquiert le　4
charme d'un entier abandon, d'une confiance sans bornes ; une douce habitude
vient émousser toutes les peines de la vie (...)　　STENDHAL, De l'amour, VI.

(...) je les accueillis *(les adulations)* comme la naïve expression du jugement　5
public, à une époque où l'abondance du médiocre avait rendu le goût indulgent et
émoussé le sens acéré des choses supérieures.　E. FROMENTIN, Dominique, p. 253.

À quel point l'accoutumance émousse la sensation (...) Il suffit, pour s'en rendre　6 compte, de l'émerveillement que nous cause un paysage familier, inopinément retourné dans un miroir.   GIDE, Journal, 14 août 1929.

▶ **S'ÉMOUSSER** v. pron.

♦ **1.** Devenir moins aigu, moins tranchant. *La lame de ce rasoir s'est émoussée.*

♦ **2.** Fig. Devenir moins vif, moins fort. *Violence, sentiment, douleur, force qui s'émousse. Notre sensibilité semble s'émousser avec l'âge.* → Rêve, cit. 3.

7   C'est une femme belle et de riche encolure,
    Qui laisse dans son vin traîner sa chevelure.
    Les griffes de l'amour, les poisons du tripot,
    Tout glisse et tout s'émousse au granit de sa peau.
                            BAUDELAIRE, les Fleurs du mal, « Allégorie ».

8   Le rayon de midi dans nos fraîcheurs s'émousse.
                            HUGO, la Légende des siècles, XII, II.

9   (...) ce regard de myope, aigu et décidé, s'était comme émoussé (...)
                            MARTIN DU GARD, les Thibault, t. III, p. 206.

▶ **ÉMOUSSÉ, ÉE** p. p. et adj.

♦ **1.** Qui est devenu moins pointu, moins tranchant. ⇒ 3. **Mousse, obtus.** *Rasoir émoussé. Lame émoussée. Pointe émoussée. Armes émoussées.* ⇒ **Arme** (armes courtoises, *infra* cit. 40). *Griffes émoussées.* — Par métaphore :

10 La justice et la vérité sont deux pointes si subtiles que nos instruments sont trop émoussés pour y toucher exactement.   PASCAL, Pensées, II, 83.

Blason. *Instruments émoussés,* figurés sans pointe sur l'écu.

♦ **2.** Fig. Devenu moins sensible, moins incisif. *Sensations émoussées* (→ Blaser, cit. 4). *Goût émoussé.* ⇒ **Usé** (→ Breuvage, cit. 2). *Esprit émoussé.* ⇒ **Hébété.** *Intérêt émoussé. Sensibilité, curiosité émoussée.* ⇒ **Atténué, affaibli.**

11 (...) mais sa sensibilité était émoussée autant que son énergie, et le spectacle de cette détresse, au lieu d'exalter la sienne, la paralysait.
                            MARTIN DU GARD, les Thibault, t. IV, p. 180.

CONTR. Acérer, aiguiser, appointer, appointir ; affiner, développer.
DÉR. Émoussement.

2. ÉMOUSSER [emuse] v. tr. — 1549, *esmousser* ; de 1. *mousse.*

♦ Arbor. Débarrasser (un arbre) des mousses, des lichens dont il est recouvert. — Par anal. *Émousser un toit, un gazon.*

DÉR. Émoussage, émoussoir.

ÉMOUSSOIR [emuswaʀ] n. m. — 1761 ; de 2. *émousser.*

♦ Arbor. Outil servant à émousser les arbres. *Émousser l'écorce d'un arbre avec un émoussoir.*

ÉMOUSTILLANT, ANTE [emustijã, ãt] adj. — 1854, Flaubert ; p. prés. de *émoustiller.*

♦ Qui émoustille. *Vin émoustillant.* — Fig. Excitant. *Sourire émoustillant. Beauté émoustillante.* ⇒ **Capiteux.**

ÉMOUSTILLER [emustije] v. tr. — 1705 ; *amoustiller,* 1534, Rabelais ; de *moustille* « moût, vin nouveau », de *moust,* « vin nouveau, pétillement du vin ». → 1. Mousse.

♦ Exciter à la gaieté, mettre de bonne humeur. ⇒ **Animer, exciter, fouetter, réveiller.** *Émoustiller ses convives par des histoires drôles.* — Absolt. *Le champagne émoustille.*

1   En lui faisant apprendre à chanter, en lui donnant un jeune maître, elle faisait tout de son mieux pour l'émoustiller ; mais cela ne réussit point.
                            ROUSSEAU, les Confessions, V.

Par ext. Mettre en excitation. *Émoustiller les sentiments, la jalousie (de qqn).* ⇒ **Provoquer.**

2   Il les amusait par ses boutades, les émoustillait par sa bonne humeur (...)
                            J. ROMAINS, les Hommes de bonne volonté, t. V, VIII, p. 68.

▶ **ÉMOUSTILLÉ, ÉE** p. p. adj. Mis en gaieté, excité. *Avoir l'air tout émoustillé.*

3   (...) c'étaient les cris de joie, les éclats de rire des petits-cousins et des petites-cousines qui commençaient à se sentir très émoustillés par le cidre.
                            LOTI, Pêcheur d'Islande, p. 247.

CONTR. Assoupir, calmer, refroidir.
DÉR. Émoustillant.

ÉMOUVANT, ANTE [emuvã, ãt] adj. — 1834 ; « effectif », fin XVIe ; p. prés. de *émouvoir.*

♦ Qui émeut, qui fait naître une émotion d'espèce supérieure (compassion, admiration...). ⇒ **Attendrissant, dramatique, impressionnant, navrant, pathétique, saisissant, tragique, troublant.** *Un récit, un spectacle émouvant. Discours émouvant.* ⇒ **Éloquent.** *Une émouvante cérémonie* (→ Caserner, cit. 2). *Scène émouvante. Découvrir la trace émouvante des civilisations* (→ Couche, cit. 9). *Un paysage*

émouvant ; une nudité émouvante. ⇒ **Touchant.** *C'est très émouvant.* ⇒ (plus forts) **Poignant, bouleversant.**

1   Nous étions seul à seule et marchions en rêvant,
    Elle et moi, les cheveux et la pensée au vent.
    Soudain, tournant vers moi son regard émouvant (...)
                            VERLAINE, Poèmes saturniens, « Nevermore ».

2   Sous cette meurtrière ironie, la petite maison de Marie-Anne Sellier restait les volets clos, émouvante de silence et de tristesse.
                            M. BARRÈS, la Colline inspirée, p. 198.

CONTR. Calmant, froid.

ÉMOUVOIR [emuvwaʀ] v. tr. — Conjug. *mouvoir,* mais le p. p. *ému* ne prend pas l'accent circonflexe. — XVIe ; 1080, *esmoveir* ; *esmouvoir,* XIIIe ; du lat. pop. **exmovere,* du lat. class. *emovere* « mettre en mouvement », de *ex-,* et *movere.* → Mouvoir.

A. ♦ **1.** Vx. ou littér. Mettre en mouvement. *Émouvoir une porte,* l'ébranler. ⇒ **Agiter, ébranler, mouvoir** (→ Durée, cit. 5).

1   Six chevaux attelés à ce fardeau pesant
    Ont peine à l'émouvoir sur le pavé glissant.   BOILEAU, Satires, VI.

2   J'erre ; un vent tiède émeut les bois (...)
                            HUGO, la Légende des siècles, XXXIX, « L'amour ».

3   Aucun souffle n'émouvait le maigre platane.   F. MAURIAC, la Pharisienne, I, p. 10.

4   Trois ou quatre images, s'ébranlant l'une l'autre, comme le pendule émeut le pendule synchrone (...)   MONTHERLANT, la Relève du matin, VII, p. 118.

♦ **2.** (1196). Vx. Faire naître, susciter (une querelle, un débat). ⇒ **Provoquer, soulever.** — *Émouvoir une question,* la soulever.

♦ **3.** (XIIIe). Vieilli. Faire sortir du calme (une collectivité) ; pousser au soulèvement. ⇒ **Exciter.** *Ces bruits de guerre ont ému les esprits.*

5   M. de Beaufort ne savait pas que qui assemble le peuple l'émeut toujours.
                            RETZ, Mémoires, IV, 169.

♦ **4.** (1673). Vieilli. Agiter, troubler (en parlant des fonctions organiques d'un individu). ⇒ **Déranger, dérégler, ébranler ; sang** (tourner le sang). *Émouvoir les humeurs. Émouvoir le pouls. Émouvoir la bile, la colère de quelqu'un.*

6   Et je vais lui dicter une lettre d'un style
    Qui de madame Argante émouvra bien la bile.
                            J.-F. REGNARD, le Légataire universel, II, 6.

7   — Un coup d'épée dans le cœur, ajouta-t-elle, m'aurait moins ému le sang.
                            Abbé PRÉVOST, Manon Lescaut, I, p. 47.

B. ♦ **1.** (Fin XIIe, *émouvoir le cœur*). Cour. Agiter par une émotion, ébranler les fonctions psychiques ou les sensations de (qqn). ⇒ **Affecter, émotionner, troubler ; alarmer, apitoyer, attendrir, atteindre, attrister, blesser, bouleverser, consterner, déchirer, empoigner, enflammer, exciter, fléchir, froisser, impressionner, inquiéter, intéresser, piquer** (au vif), **remuer, retourner, révolutionner, saisir, suffoquer, surexciter, toucher, troubler, vibrer** (faire) ; **cœur** (aller au cœur ; allumer le cœur ; parler au cœur, trouver le chemin du cœur). *Émouvoir le cœur, l'âme, la sensibilité de qqn* (→ Commun, cit. 21). — Spécialt. Éveiller l'érotisme, la sensibilité amoureuse de. *Émouvoir les sens. Émouvoir charnellement quelqu'un.*

8   Ces vers que n'ont émus ni soupirs ni terreur (...)   RACINE, Britannicus, V, 1.

9   Combien peu de chose il faut pour émouvoir le cœur d'un homme, d'un homme vieillissant, chez qui le souvenir se fait regret (...)
                            MAUPASSANT, Fort comme la mort, p. 128.

♦ **2.** Toucher en éveillant une sympathie profonde, un intérêt puissant. *Émouvoir qqn* (→ Ardeur, cit. 21 ; chagriner, cit. 1). *Émouvoir la femme que l'on aime* (→ Croire, cit. 44). *Écrivain qui réussit à émouvoir ses lecteurs. Rien ne peut l'émouvoir. Facile à émouvoir.* ⇒ **Émotif** (→ 1. Aimant, cit. 1).

10 Mademoiselle Ida représente le calme. Elle a, du reste, si peu à faire pour émouvoir une salle ! Il lui suffit presque de la regarder ; sa beauté est le plus grand moyen d'action à la scène comme à la ville.
                            Th. GAUTIER, Portraits contemporains, Ida Ferrier, p. 406.

11 Les anciens vers que vous m'envoyez m'ont tellement ému que j'en ai pleuré comme un veau.   FLAUBERT, Correspondance, IV, p. 343.

12 Car enfin, pour émouvoir l'homme, il faut bien quelque chose : désir, ou plaisir, ou besoin.   GIDE, Journal, 25 févr. 1943.

13 Il ne faut jamais avoir peur de la banalité d'un sujet s'il vous émeut réellement.
                            A. MAUROIS, Bernard Quesnay, XXII, p. 146.

Loc. *Émouvoir les pierres,* en parlant d'une personne capable de toucher ce qui est réputé insensible. *Récit à émouvoir les pierres. Il serait capable d'émouvoir un caillou.*

Émouvoir de (suivi d'un complément désignant un sentiment) : porter à un sentiment. *Cette injustice l'avait ému d'indignation. Le spectacle l'émut de compassion.*

Absolt. *L'art d'émouvoir* (→ Briser, cit. 14 ; civilisateur, cit. 1). *Ce livre émeut agréablement* (→ Charmer, cit. 8). *On n'émeut pas sans être ému.*

14 Au lieu d'une horreur sérieuse et profonde, il *(Lamartine)* n'a produit par ses descriptions *(de la Révolution),* comme en son genre d'impression presque nerveuse (...) Je ne dirai pas que cet ouvrage des *Girondins* émeut, mais il *émotionne :* mauvais mot, mauvaise chose.
                            SAINTE-BEUVE, Causeries du lundi, 4 août 1851, t. IV, p. 392.

▶ **S'ÉMOUVOIR** v. pron.

♦ **1.** Vx. Être agité, se mettre en mouvement ; accélérer le mouvement.

15 Puis, obéissant à la mesure qui devient plus vive, elle (*la danseuse*) s'émeut, son pas s'anime, son geste s'enhardit.   E. FROMENTIN, *Un été dans le Sahara*, I, p. 33.

16 La mer s'émeut. Je l'entends qui gronde au large, sous une nuit sans lune, sans étoiles, écrasée de nuages, et rendue plus épaisse encore par les flots de la pluie.   E. FROMENTIN, *Une année dans le Sahel*, p. 104.

♦ **2.** Vx. (Choses). Être soulevé, naître. ⇒ **Élever** (s').

17 Entre deux bourgeois d'une ville
S'émut jadis un différend.   LA FONTAINE, *Fables*, VIII, 19.

♦ **3.** Vieilli ou littér. Sortir de son calme ; être poussé à la révolte. ⇒ **Agiter** (s'), **insurger** (s').

18 À ce spectacle, le peuple s'émut : les statues de l'empereur furent renversées en divers endroits (...)   BOSSUET, *Disc. sur l'hist. universelle*, I, 11.

♦ **4.** Vx. Se troubler, se dérégler (en parlant des fonctions organiques). *Sa bile s'est émue.*

♦ **5.** Mod. Se troubler (le sujet désigne les sentiments, l'équilibre psycho-physiologique) ; être ému. *Les sentiments s'émeuvent. Sa colère, sa rage, son désir* (→ Chair, cit. 54) *s'émeut.*

19 Sans doute à cet objet sa rage s'est émue.   RACINE, *Andromaque*, V, 5.

20 (...) que de sentiments s'émouvaient en lui ! Paul BOURGET, *Un divorce*, X, p. 364.

Vx. *S'émouvoir contre...* ⇒ **Emporter** (s'), **exciter** (s'), **irriter** (s').

Absolt :

21 — Le Comte. Jeune présomptueux !
— D. Rodrigue. Parle sans t'émouvoir.   CORNEILLE, *le Cid*, II, 2.

S'émouvoir de (qqch.). ⇒ **Alarmer** (s'), **frapper** (se), **inquiéter** (s'). *Il ne s'en émeut pas le moins du monde.*

22 Tout ce qui concernait la sûreté civile gardait à ses yeux trop peu de mystère pour qu'il ne lui parût pas légèrement naïf de s'en émouvoir.   J. ROMAINS, *les Hommes de bonne volonté*, t. IV, XIX, p. 205.

S'émouvoir à l'idée, au souvenir, à la pensée de, à la vue de... S'émouvoir à propos de tout et de rien. Ne s'émouvoir de rien.

23 Bien des cœurs s'émouvaient, en France, en Europe, à cette image tragique du royal *Ecce homo*, montré sous le bonnet rouge, ferme pourtant sous les outrages, disant : « Je suis votre roi ».   MICHELET, *Hist. de la révolution franç.*, I, p. 923.

24 Il s'émouvait au souvenir d'une phrase de Beethoven ou d'un vitrail de Notre-Dame.   J. ROMAINS, *les Hommes de bonne volonté*, t. V, XXV, p. 240.

S'émouvoir sur qqch. : considérer quelque chose avec émotion. *Il s'émeut sur son enfance.* — *S'émouvoir en faveur de qqn*, parler, faire qqch. pour lui. — Absolt. *Il s'émeut facilement.* ⇒ **Exalter** (s')...

25 Au lieu de ces sages réflexions, l'âme de Julien, exaltée par ces sons si mâles et si pleins, errait dans les espaces imaginaires. Jamais il ne fera un bon prêtre, ni un grand administrateur. Les âmes qui s'émeuvent ainsi sont bonnes tout au plus à produire un artiste.   STENDHAL, *le Rouge et le Noir*, I, XXVIII.

▶ **ÉMU, UE** p. p. et adj.

♦ **1.** Vx ou littér. Mis en mouvement, agité.

26 (...) nos mers sont tout émues ; il n'y a que votre Méditerranée qui soit tranquille.   Mᵐᵉ DE SÉVIGNÉ, *Lettres*, 1128, 26 janv. 1689.

27 (...) tu vois au moins que tout est ému et dérangé de sa place (...)   CLAUDEL, *l'Annonce faite à Marie*, I, 1.

♦ **2.** Vx. Troublé, agité (en parlant d'un peuple, d'une foule).

28 Tout est calme, Seigneur : un moment de ma vue
A soudain apaisé la populace émue.   CORNEILLE, *Nicomède*, V, 9.

♦ **3.** Vx. Dérangé, déréglé (en parlant des fonctions organiques).

29 Quelquefois on se représente si vivement un accident ou une maladie (...) que la machine en est tout émue, et qu'on a peine à l'apaiser.   Mᵐᵉ DE SÉVIGNÉ, *Lettres*, 941, 15 nov. 1684.

♦ **4.** Mod. Touché par une émotion, une passion. *Être, paraître ému* (→ Altéré, cit. 12). *Il se sentait ému : était-ce la joie, la tristesse, l'inquiétude* (→ Anxieux, cit. 2), *la compassion* (cit. 1) ? *Âme émue, cœur ému* (→ Allumer, cit. 20). *Il était plus ému qu'il n'en avait l'air. Je n'étais pas seulement ému, j'étais bouleversé*. — Qui manifeste une émotion. *Parler d'une voix émue. Regrets, remerciements émus. Garder de qqch. (de qqn) un souvenir ému.*

30 Quoique très ému lui-même, il affecta jusqu'au dernier moment la plus grande gaieté. Jusqu'au dernier moment aussi il me montra la générosité de son âme et l'ardeur admirable qu'il mettait à m'aimer (...)   Alphonse DAUDET, *le Petit Chose*, II, IX, p. 291.

31 Un moment Robespierre parut ému, presque troublé (...)   JAURÈS, *Hist. socialiste...*, VI, p. 226.

Loc. *Cuisse de nymphe émue*, d'une couleur rose tendre.

Allus. plais. « *Je suis ému... Vive zému !* »... (parodie des allocutions ridicules).

CONTR. **Apaiser, calmer, glacer, refroidir ; laisser** (laisser froid, indifférent ; cf. aussi Ne faire ni chaud ni froid) ; **calme, froid, imperturbable, indifférent, insensible.**

DÉR. **Émouvant.**

EMPAILLAGE [ɑ̃pɑjaʒ] n. m. — 1811, au sens 3 ; de *empailler.*

♦ **1.** Action d'empailler (1.). *L'empaillage d'une chaise, d'un fauteuil.* ⇒ **Cannage, rempaillage.**

♦ **2.** (Mil. XIXᵉ). Action d'empailler (des végétaux). *Empaillage d'arbres fruitiers.*

♦ **3.** Action d'empailler (des animaux). *L'empaillage des oiseaux.* ⇒ **Naturalisation, taxidermie.**

EMPAILLÉ, ÉE [ɑ̃pɑje] adj. ⇒ **Empailler.**

EMPAILLEMENT [ɑ̃pɑjmɑ̃] n. m. — 1838 ; de *empailler.*

♦ **1.** Action d'empailler (1., 2. et 3.). ⇒ **Empaillage.**

♦ **2.** (1842). Agric. Pailles provenant de la récolte des céréales. *L'empaillement d'une ferme*, son approvisionnement en paille.

♦ **3.** (1864). Agric. Action de mettre de la litière dans le fumier pour la faire pourrir.

EMPAILLER [ɑ̃pɑje] v. tr. — 1660 ; *empaillé* « mêlé de paille », 1543 ; de *en-, paille,* et suff. verbal.
Garnir de paille*.

♦ **1.** Garnir, couvrir de paille (un siège). *Empailler des chaises, des fauteuils.* ⇒ 1. **Canner, rempailler.**

♦ **2.** (1680). Envelopper, entourer de paille (pour protéger des chocs). *Empailler de la verrerie, de la porcelaine. Empailler des bouteilles* (dans des paillons).

♦ **3.** Hortic. Mettre de la paille autour de jeunes arbres, de jeunes plantes, en vue de les garantir des intempéries. — *Empailler une couche, un semis.* — Par anal. *Empailler une conduite d'eau, une fontaine*, pour la protéger de la gelée.

♦ **4.** Remplir, bourrer de paille (la peau d'animaux morts que l'on veut conserver). ⇒ **Naturaliser ; taxidermie.** *Empailler un renard, une effraie.*

▶ **EMPAILLÉ, ÉE** p. p. adj.
Rempli de paille. *Oiseau empaillé* (→ Cage, cit. 1).

1 (...) dans l'ombre, un renard, un loup empaillé, ouvraient une gueule de carton, vestiges des chasses de sa jeunesse.   J. CHARDONNE, *les Destinées sentimentales*, p. 11.

Fig., fam. *Avoir l'air empaillé* : avoir l'air niais*, peu dégourdi. ⇒ **Empoté, gauche, maladroit.**
Nom : *Quel empaillé !* ⇒ **Emplâtre, empoté.**

2 I's appellent la baïonnette Rosalie, pas ?
— Oui, ces empaillés-là Mais pendant l'dîner, ces messieurs parlaient surtout d'eux.   H. BARBUSSE, *le Feu*, t. I, I, IX, p. 52.

CONTR. Dépailler ; dégourdi.
DÉR. Empaillage, empaillement, empailleur.
COMP. Rempailler.

EMPAILLEUR, EUSE [ɑ̃pɑjœʀ, øz] n. — 1860 ; de *empailler.*

♦ **1.** Artisan, personne qui empaille les sièges. *Empailleur de chaises.* ⇒ **Canneur, rempailleur.**

♦ **2.** (1801). Personne qui empaille les animaux. ⇒ **Naturaliste, taxidermiste.** *Un empailleur d'oiseaux.*

1. EMPALEMENT [ɑ̃palmɑ̃] n. m. — Fin XVIᵉ ; de *empaler.*

♦ Action d'empaler, de s'empaler ; état de celui qui est empalé. Spécialt. Supplice du pal*. *L'empalement était l'un des supplices les plus cruels.*

2. EMPALEMENT [ɑ̃palmɑ̃] n. m. — 1704 ; *empellement*, 1584 ; de *em- (en-),* 1. *pale,* et *-ement.*

♦ Techn. Petite vanne d'une écluse, d'un moulin. — REM. On trouve parfois la variante *empellement* (p.-ê. sous l'influence de *pelle*).

On en réglait le cours des eaux vers des bassins de tri (...) par un jeu d'empellements de fer, de portes grillagées (...)   M. GENEVOIX, *Raboliot*, 1925, p. 18, *in* T. L. F.

EMPALER [ɑ̃pale] v. tr. — V. 1265, « mettre entre des poteaux » ; de *em- (en-), pal,* et suff. verbal.

♦ **1.** Transpercer d'un pal*, d'un pieu. — (1515). Spécialt. Faire subir le supplice du pal* à (qqn), en transperçant d'un pieu dont on fait entrer la pointe par le fondement. *Les Turcs empalaient les condamnés à mort.*

1 (...) un troisième (*derviche*) vous déférera au petit divan d'une petite province, et vous serez légalement empalé.   VOLTAIRE, *Dict. philosophique*, Sens commun.

♦ **2.** (XVIIIᵉ). Par ext. Fixer (qqch., un animal) sur un objet pointu en le traversant de part en part. *Empaler un mouton pour le faire rôtir.* ⇒ **Embrocher.** — *Empaler des insectes.*

2 (...) je passerais ma vie à me mettre hors d'haleine pour courir après des papillons, ou à piquer de pauvres insectes (...)   ROUSSEAU, *Rêveries...*, 7ᵉ promenade.

3 (...) on les apporte (*les moutons rôtis*) empalés dans de longues perches et tout frissonnants de graisse brûlante (...)   E. FROMENTIN, *Un été dans le Sahara*, p. 20.

Par métaphore et littér. *Être empalé sur... :* se tenir (debout, assis) dans une attitude raide et guindée (comme si on était empalé).

4   Elle devint un symbole bien droit et bien net, clair ou sombre, une espèce d'I triomphal sur quoi il était empalé tout entier.
                                  J.-M. G. LE CLÉZIO, la Fièvre, p. 75.

▶ **S'EMPALER** v. pron.
Se blesser en tombant sur un objet pointu qui s'enfonce dans le corps à la manière d'un pal. *S'empaler sur une grille, une fourche.*
DÉR. 1. Empalement.

EMPALMAGE [ãpalmaʒ] n. m. — 1870 ; de *em-* *(en-),* lat. *palma* « paume », et suff. *-age.*

♦ Techn. Manipulation d'un illusionniste consistant à escamoter un objet (carte, boule, pièce, etc.), la main paraissant vide.

EMPALMER [ãpalme] v. tr. — 1907 ; de *em-* *(en-),* et *palm-,* dans *empalmage.*

♦ Techn. Escamoter (qqch.) par un empalmage.

EMPAN [ãpã] n. m. — 1532, Rabelais ; altér. de l'anc. franç. *espan,* XIIᵉ, de *espane,* francique **spanna ;* cf. all. *Spanne ;* P. Guiraud y voit plutôt la forme **expannus* « étendue (de la main) », du lat. *pannus* « étendue », par croisement éventuel avec *espanir* « épanouir ».

♦ **1.** Vx. ou littér. Mesure de longueur qui représentait l'intervalle compris entre l'extrémité du pouce et celle du petit doigt, lorsque la main est ouverte le plus possible.

1   (...) Et toi qui me suis en rampant
     Dieu de mes dieux morts en automne
     Tu mesures combien d'empans
     J'ai droit que la terre me donne
     Ô mon ombre ô mon vieux serpent (...)
            APOLLINAIRE, Alcools, « La chanson du mal-aimé », p. 28.

Par ext. (Vx). Intervalle compris entre l'extrémité des deux bras lorsqu'ils sont écartés.

2   (...) elle prenait de l'eau avec un capuchon d'avoine, a *(elle)* tirait sa moue d'un empan a faisait voir ses belles dents, branlait du croupion comme pomme au vent.
                       J. GIONO, Colline, Pl., t. I, p. 142.

♦ **2.** Fig. et littér. Ampleur, envergure.

3   Où que je tourne la tête j'envisage l'immense octave de la création ! le monde s'ouvre et, si large qu'en soit l'empan, mon regard le traverse d'un bout à l'autre.
                       CLAUDEL, Cinq grandes odes, p. 240.

♦ **3.** Psychol. *Empan de mémoire :* nombre maximal d'éléments constituant une série qui peut être mémorisée en une seule fois.

EMPANACHAGE [ãpanaʃaʒ] n. m. — 1870 ; de *empanacher.*

♦ Littér. Action d'empanacher, d'être empanaché ; résultat de cette action. *L'empanachage du style.* — REM. On trouve parfois *empanachement :* « *Sous l'empanachement de grandes plumes* » (Ed. de Goncourt, *in* T.L.F.).

EMPANACHER [ãpanaʃe] v. tr. — 1636 ; *empennaché,* v. 1500 ; de *em-* *(en-), panache,* et suff. verbal.
REM. S'emploie surtout au participe passé.

♦ **1.** Garnir, orner d'un panache*. *Empanacher un chapeau, un casque.* — Par métaphore. Garnir d'un ornement qui surmonte une chose à la façon d'un panache.

0.1   Depuis ce jour, les vapeurs ne cessèrent d'empanacher la cime de la montagne, et l'on put même reconnaître qu'elles gagnaient en hauteur et en épaisseur, sans qu'aucune flamme se mêlât à leurs épaisses volutes.
                       J. VERNE, L'Île mystérieuse, t. II, p. 781 (1874).

♦ **2.** (XIXᵉ). Orner de fioritures, de redondances. *Empanacher son style, son discours.*

▶ **EMPANACHÉ, ÉE** p. p. adj.

♦ **1.** Garni d'un panache. *Feutre empanaché.* — Par ext. *Tête empanachée.*

1   Une tête empanachée
     N'est pas petit embarras (...)   LA FONTAINE, Fables, IV, 6.

2   (...) les cinq Directeurs, dans leur costume tintamarresque, sous les chapeaux empanachés et les manteaux rouges brodés d'or (...)
               Louis MADELIN, Hist. du Consulat et de l'Empire,
                       L'ascension de Bonaparte, XV, p. 212.

Par métaphore. Garni, surmonté comme par un panache.

3   (...) dans le parc empanaché de gigantesques ramées, sur de larges pelouses d'émeraude (...)
             Aloysius BERTRAND, Gaspard de la nuit, Le maçon.

4   Le grand Atlas aux longues lignes paisibles d'où surgissaient des pics éblouissants, de hauts cimiers empanachés de neige (...)
            Jérôme et Jean THARAUD, Marrakech, p. 61.

♦ **2.** (En parlant du style, de l'écriture). Littér. Très orné. *Style empanaché. Des compliments empanachés.*
DÉR. Empanachage.

EMPANNAGE [ãpanaʒ] n. m. — XXᵉ ; de *empanner.*

♦ Mar. Action d'empanner. *Un empannage involontaire. L'empannage est une manœuvre délicate.*

EMPANNER [ãpane] v. — 1703 ; de *en-,* 2. *panne,* et suff. verbal.
Marine.

♦ **1.** Trans. Mettre (un navire) en panne* (2. Panne).
Pronominal :
Un des petits torpilleurs qui s'étaient empannés près de la côte, démarra brutalement, piqua vers le large (...)   Robert MERLE, Week-end à Zuydcoote, p. 86.
Au p. p. *Navire empanné.*

♦ **2.** (1870). Intrans. Faire passer la grand-voile d'un bord à l'autre, volontairement ou non, en virant de bord vent arrière. *Le navire empanne. Attention, on va empanner !*
DÉR. Empannage.

EMPANNON [ãpanɔ̃] n. m. — 1676 ; de *em-* *(en-),* de l'anc. franç. *panne* « pièce de charpente qui porte les chevrons », et suff. *-on.*

♦ Techn. Chevron reposant sur la sablière et assemblé obliquement depuis l'arêtier, dans la charpente d'un comble. *Empannon de long pan,* placé sur le plus grand côté d'une toiture.

EMPANSEMENT [ãpãsmã] n. m. — Fin XIXᵉ, *in* P. Larousse ; de *em-* *(en-), panse,* et suff. *-ement.*

♦ Vétér. Météorisme* des bestiaux.

EMPAQUETAGE [ãpaktaʒ] n. m. — 1813 ; de *empaqueter.*

♦ **1.** Action d'empaqueter ; résultat de cette action. ⇒ **Emballage.** *L'empaquetage d'un colis. Poids net à l'empaquetage.*

♦ **2.** Par métonymie (fam.). Ce qui est empaqueté. ⇒ **Ballot, colis, paquet ; paquetage.**

EMPAQUETER [ãpakte] v. tr. — Conjug. *jeter.* — XVᵉ-XVIᵉ ; de *em-* *(en-), paquet,* et suff. verbal.

♦ Mettre en paquet*. *Empaqueter du linge, des effets, des livres.* ⇒ **Emballer.**
Par ext. Envelopper (qqn) comme un paquet. *Empaqueter un malade, un défunt* (→ 1. Bien, cit. 31).

▶ **S'EMPAQUETER** v. pron.
Fig. et fam. S'envelopper soigneusement (dans des vêtements). ⇒ **Emmitoufler** (s'). *Il s'empaqueta dans son manteau* (Académie).
(...) le second, mis beaucoup plus simplement, engouffre ses petites jambes dans un grand pantalon à la mameluk, retombant sur ses babouches microscopiques, et s'empaquette dans un benich à manches traînantes (...)
                Th. GAUTIER, Constantinople, p. 317.

▶ **EMPAQUETÉ, ÉE** p. p. adj.
Fig. (Personnes). Niais. — N. *Espèce d'empaqueté !*
CONTR. Dépaqueter.
DÉR. Empaquetage, empaqueteur, empaqueteuse.
COMP. Rempaqueter.

EMPAQUETEUR, EUSE [ãpaktœʀ, øz] n. — XXᵉ ; de *empaqueter.*

♦ Ouvrier, ouvrière qui fait des paquets, remplit des boîtes à la main. *Pour toute réclamation, veuillez rappeler le numéro de l'empaqueteuse.*
C'est Hagelstroem qui parle, l'inventeur des allumettes suédoises. Johann August Suter est garçon livreur, empaqueteur et comptable chez lui.
              B. CENDRARS, l'Or, *in* Œ. compl., t. II, p. 145.

EMPAQUETEUSE [ãpaktøz] n. f. — Mil. XXᵉ ; de *empaqueter.*

♦ Techn. Machine qui fait les paquets.

EMPARADISEMENT [ãpaʀadizmã] n. m. — 1866 ; de *emparadiser.*

♦ Rare et littér. Action d'emparadiser ; fait d'être dans un bonheur paradisiaque.

EMPARADISER [ɑ̃paʀadize] v. tr. — 1833; attestation isolée, 1599, fig.; de en-, paradis, et suff. verbal.

♦ Rare et littér. Donner à (qqn) un état de bonheur comparable à celui dans lequel on vit au paradis, un état paradisiaque*.

DÉR. Emparadisement.

EMPAREMENT [ɑ̃paʀmɑ̃] n. m. — 1611; de (s') emparer.

♦ Rare. Action de s'emparer (de qqch. ou de qqn); résultat de cette action.

(...) il (le duc d'Enghien) n'était point prisonnier de guerre (...) c'était un emparement violent de la personne, comparable aux captures que font les pirates de Tunis et d'Alger.   CHATEAUBRIAND, Mémoires d'outre-tombe, t. II, 1848, p. 146, in T. L. F.

EMPARER (S') [ɑ̃paʀe] v. pron. — 1514; «munir, fortifier», 1323 (→ Rempart); anc. provençal amparar «protéger»; du lat. pop. *anteparare «se protéger devant», de ante et parare «préparer, arranger».

♦ **1.** Prendre violemment ou indûment possession de (quelque chose).
Prendre par les armes, par la conquête. ⇒ **Assurer** (s'), **capturer, conquérir, enlever, envahir, occuper, prendre**; → Se rendre maître* de. S'emparer d'une ville (→ Algarade, cit. 1). Les soldats se sont emparés de tout le pays (→ Blanc, cit. 35). S'emparer d'une place forte. L'action de s'emparer d'une ville. → **Prise, rapt.**

1   Autre événement, lointain celui-là, riche, lui aussi, de conséquences. En 1453, les Turcs s'emparent de Constantinople.   J. BAINVILLE, Hist. de France, VI, p. 119.

Prendre (le bien d'autrui en général, privé ou public). ⇒ **Accaparer, approprier** (s'), **attribuer** (s'), **emporter, escroquer, intercepter, prendre, usurper, voler**; fam. **allonger** (s'), **appuyer** (s'), **enlever, faucher, rafler, soulever...**; → Mettre le grappin* sur; mettre la main* sur. S'emparer du bien d'autrui, d'un héritage, d'un trésor. S'emparer de papiers importants. S'emparer du poste, de l'emploi de qqn (→ Croc-en-jambe, cit. 3). S'emparer des postes-clés d'un État, d'un régime, du pouvoir. S'emparer d'un secret (→ Confier, cit. 7).

2   Du palais d'un jeune lapin
    Dame belette, un beau matin
    S'empara : c'est une rusée.   LA FONTAINE, Fables, VII, 16.

3   En somme, devant l'histoire et devant le peuple français, la grande gloire de Napoléon III aura été de prouver que le premier venu peut, en s'emparant du télégraphe et de l'imprimerie nationale, gouverner une grande nation.
                          BAUDELAIRE, Journal intime, «Mon cœur mis à nu», XLIV.

4   S'emparer de ce qui ne peut se défendre, c'est une lâcheté.
                                       GIDE, la Symphonie pastorale, p. 78.

♦ **2.** Fig. (Le compl. désigne des personnes ou des qualités humaines). Se rendre maître (d'un esprit, d'une personne), au point d'exercer une domination entière, de recouvrir de son autorité, de son influence. S'emparer du cœur, de la confiance, de la volonté, de l'attention de qqn. ⇒ **Capter, forcer** (→ Avance, cit. 30). S'emparer de qqn, ne pas lui laisser de liberté, l'accaparer. Orateur qui s'empare de son auditoire. ⇒ **Subjuguer**. Comédien, virtuose qui s'empare du public dès les premiers moments. ⇒ **Conquérir**.

5   Personne ne conspire avec la pauvre Julie pour s'emparer de ta volonté et la lui amener pieds et poings liés.   E. FROMENTIN, Dominique, p. 234.

6   Elle sentait, de seconde en seconde, qu'il s'emparait d'elle davantage : et, réciproquement, qu'il lui appartenait davantage, dans la mesure même où elle cédait à son amour.   MARTIN DU GARD, les Thibault, t. VI, p. 162.

(Sujet n. de chose). ⇒ **Envahir, gagner**.

7   (...) l'ombre s'empare du côté du pays que la chaleur a fatigué pendant l'autre moitié du jour; tout semble un peu soulagé.
                                   E. FROMENTIN, Un été dans le Sahara, p. 192.

(Le sujet désigne un état, un sentiment, une idée). Prendre possession de (qqn). Le sommeil s'empara de lui. ⇒ **Gagner** (→ Défaillir, cit. 7). La rêverie s'empara de toute son âme (→ Contemplateur, cit. 7). ⇒ **Envahir**. Émotion, colère, hilarité, peur... qui s'empare de qqn. Idée, doctrine, manie qui s'empare d'un esprit. ⇒ **Occuper**. Spectacle qui s'empare des yeux, de l'attention. ⇒ **Capter, fasciner**.

8   (La première figure) Riche d'un agrément, d'un brillant de grandeur
    Qui s'empare d'abord des yeux du spectateur (...)
                                     MOLIÈRE, la Gloire du Val-de-Grâce, 94.

9   Les vertus devraient être sœurs,
    Ainsi que les vices sont frères.
    Dès que l'un de ceux-ci s'empare de nos cœurs,
    Tous viennent à la file, il ne s'en manque guère.   LA FONTAINE, Fables, VIII, 25.

10 Un vertige s'emparait de lui (...)   RENAN, Souvenirs d'enfance..., IV, II.

11 L'idée, d'ailleurs plausible, d'une embolie provoquée par les troubles phlébitiques, s'était immédiatement emparée de son esprit.
                                     MARTIN DU GARD, les Thibault, t. III, p. 194.

12 Le démon de la vitesse et du joyeux vagabondage ne s'était pas encore emparé du monde.   Georges LECOMTE, Ma traversée, p. 91.

♦ **3.** Se saisir de (qqch.) en vue d'une utilisation, d'une jouissance. Le joueur, le gardien de but s'empare du ballon. — Fig. Cet intrigant s'empare de toutes les occasions (→ Faire flèche* de tout bois). — Abstrait. C'est un esprit qui s'empare d'une idée et

l'exploite jusqu'au bout. Son imagination, son intelligence s'emparait du moindre fait pour en tirer des idées brillantes.

13 La nuit, quand de si loin le monde nous sépare,
    Quand je rentre chez moi pour tirer mes verrous,
    De mille souvenirs en jaloux je m'empare;
    Et là, seul devant Dieu, plein d'une joie avare,
    J'ouvre, comme un trésor, mon cœur tout plein de vous.
                          A. DE MUSSET, Poésies nouvelles, «À Ninon».

14 Le critique ne doit pas s'emparer méchamment des faiblesses que présentent souvent les plus beaux talents, de même que l'histoire ne doit point abuser des petitesses qui se rencontrent dans presque tous les grands caractères.
              HUGO, Littérature et philosophie mêlées, Fantaisies satiriques et morales.

15 Tout ce que j'écris ce matin, j'aurais dû le noter aussitôt; le temps m'a manqué. Ce travail de simplification, d'ordonnance, auquel se livre malgré moi mon esprit sur tout ce dont il s'empare, travail excellent s'il aboutit à l'œuvre d'art, est déplorable ici où le particulier importe plus que l'essentiel.
                                        GIDE, Journal, 19 mai 1913.

Figuré :

16 La puissante lumière de l'été s'empare (...) du moindre objet, l'exhume, le glorifie ou le dissout.   COLETTE, la Naissance du jour, p. 119.

S'approprier (une chose abstraite) comme un dû exclusif.

17 Les grands croient être seuls parfaits, n'admettent qu'à peine dans les autres hommes la droiture d'esprit, l'habileté, la délicatesse, et s'emparent de ces riches talents comme de choses dues à leur naissance.
                                     LA BRUYÈRE, les Caractères, IX, 19.

CONTR. Abandonner, laisser, négliger, perdre; rendre, restituer; choquer, rebuter.
DÉR. Emparement.

EMPÂTAGE [ɑ̃pataʒ] n. m. — 1838; de empâter.
Technique.

♦ **1.** Action de mélanger la lessive caustique avec un corps gras dans la fabrication du savon.

♦ **2.** (Brasserie). Action de mélanger le malt moulu et l'eau avant le brassage.

♦ **3.** Action de mélanger de la semoule de blé et de l'eau, dans la fabrication des pâtes.
REM. Ne pas confondre avec le paronyme empattage [ɑ̃pataʒ].

EMPÂTÉ, ÉE [ɑ̃pate] adj. ⇒ **Empâter**.

EMPÂTEMENT [ɑ̃patmɑ̃] n. m. — 1600; «action d'embarrasser», v. 1355; de empâter.

♦ **1.** Action d'empâter, de couvrir de pâte; résultat de cette action. — (Souvent au plur.). Amas de pâte ou d'une matière analogue. Des empâtements de boue, de glace.

♦ **2.** (1752). Peint. Empâtement (de couleurs) : couches épaisses de couleurs (pour produire un relief).

Il y a un défaut (...) spécialement dans la femme attachée au cheval; cela manque de vigueur et d'empâtement.   E. DELACROIX, Journal, 11 avr. 1824.

Gravure. Effet du même ordre obtenu en augmentant la densité des tailles et des hachures.

Imprim. Obstruction de l'œil d'une lettre (par un défaut d'encrage ou de papier).

Par ext. (Péj.). Surcharge dans l'écriture. Empâtement du style.

♦ **3.** (1798). Épaississement diffus du tissu sous-cutané, produisant un effacement des traits (⇒ **Bouffissure**). L'empâtement des joues, du menton. — Empâtement de la bouche, de la langue, surcharge provoquée par la salive, par une matière pâteuse. — Par ext. Manque de netteté dans la voix. Empâtement de la parole.

♦ **4.** Agric. Action d'engraisser (des volailles). ⇒ **Engraissement**.
REM. Ne pas confondre avec le paronyme empattement [ɑ̃patmɑ̃]

EMPÂTER [ɑ̃pate] v. tr. — Déb. XIIIᵉ, empaster, intr.; de em- (en-), pâte, et suff. verbal.

♦ **1.** Techn. Couvrir, remplir (qqch.) de pâte, d'une matière pâteuse. Empâter les plaques d'un accumulateur (d'une pâte de minium). Empâter un moule.

♦ **2.** (1694). Cour. Surcharger (qqch., la bouche...) d'une matière épaisse, rendre pâteux. ⇒ **Encombrer**. Alcool qui empâte la langue. Par ext. Empâter la voix, lui faire perdre sa netteté.

♦ **3.** Techn. Enduire de plâtre ou d'une matière similaire (des éléments pour les unir). — Mélanger (un produit solide) avec de l'eau pour obtenir une pâte homogène (⇒ **Empâtage**, 2.).
(1669). Peint. Peindre en posant des couleurs en couches épaisses (⇒ **Empâtement**). Empâter un premier plan. — Intransitif :

1   Elle (cette main) prend les pinceaux, trace, étend la couleur,
    Empâte, adoucit, touche, et ne fait nulle pose (...)
                                MOLIÈRE, la Gloire du Val-de-Grâce, 315.

Gravure. Donner un effet d'épaisseur par l'emploi de tailles et de pointes.

♦ **4.** (1752). Engraisser (de pâtée) les volailles. Empâter des cha-

pons. — (1795, *in* D. D. L.). Par anal. Vx. Nourrir abondamment (qqn). → Traiter comme un coq* en pâte.

2 Je serais un excellent mari! Je vous soignerais, je vous empâterais.
C^sse^ DE SÉGUR, l'Auberge de l'Ange Gardien, 1863, p. 266, *in* T. L. F.

▶ **S'EMPÂTER** v. pron.

♦ **1.** Devenir pâteux, épais. *J'ai la langue qui s'empâte.* ⇒ **Embarrasser** (s'). — Par ext. Perdre de sa netteté. *Sa voix s'empâte.*

♦ **2.** (1808). Devenir gras, prendre de l'embonpoint. ⇒ **Épaissir, grossir.** *Il commence à s'empâter. Visage qui s'empâte. Articulation qui s'empâte.* ⇒ **Gonfler** (→ Dessous, cit. 14).

3 (...) un corps un peu gras, des joues qui s'empâtaient, une beauté orientale qui se fanait (...)
SARTRE, l'Âge de raison, IX, p. 156.

▶ **EMPÂTÉ, ÉE** p. p. adj.

♦ **1.** Peint. Se dit de couleurs mêlées sur la toile et, par ext., d'une toile recouverte de couches de peinture épaisses. *Des touches empâtées.* — N. :

4 Voilà ce que j'ai cherché si longtemps, cet empâté ferme et pourtant fondu.
E. DELACROIX, Journal, 11 avr. 1824.

♦ **2.** *Bouche, langue empâtée,* chargée comme par une sorte de pâte. — Par ext. *Voix empâtée,* sans netteté.

(D'une partie du corps, d'une personne). Bouffi par un excès de graisse. *Des traits empâtés.*

5 (...) toujours sous l'empire de ses charmes — cependant bien empâtés, car elle tournait à l'obésité.
Louis MADELIN, Talleyrand, V, XXXIV, p. 373.

♦ **3.** *Volaille empâtée,* gavée avec de la pâtée.

REM. Ne pas confondre avec le paronyme *empatter* [ɑ̃pate]

CONTR. Amaigrir, maigrir.

DÉR. Empâtage, empâtement, empâteur.

EMPÂTEUR, EUSE [ɑ̃pɑtœʀ, øz] n. — 1838; de *empâter.*

♦ **1.** Agric. Personne qui engraisse les volailles.

♦ **2.** N. m. Techn. Appareil qui recouvre de pâte ou qui débite de la pâte.

EMPATHIE [ɑ̃pati] n. f. — D. i. (XXe); de *em-* *(en-)* «dedans», et *-pathie,* d'après *sympathie.*

♦ Didact. (philos., psychol.). Capacité de s'identifier à autrui, de ressentir ce qu'il ressent.

(...) une espèce de capacité de sentir par l'intérieur qui dépasse la simple compréhension. C'est en quelque sorte une démarche qui consiste à se mettre à la place de l'autre. La philosophie aristotélicienne avait d'ailleurs admirablement décrit ce phénomène avant que la psychologie invente le mot empathie pour le décrire (...)
François CLOUTIER, la Santé mentale, p. 53.

DÉR. Empathique.

EMPATHIQUE [ɑ̃patik] adj. — D. i. (XXe); de *empathie.*

♦ Didact. Relatif à l'empathie.

(...) un psychiatre qualifié dont l'écoute patiente et empathique lui permettra d'exposer ses difficultés existentielles (...)
A. POROT, Manuel alphabétique de psychiatrie, 1975, art. *Suicide,* p. 627 b.

EMPATTAGE [ɑ̃pataʒ] n. m. — 1764; de *empatter.*

♦ Techn. Action d'empatter; son résultat. ⇒ **Étayage, renforcement, soutien.** *Empattage d'un mur, d'une grue.*

REM. Ne pas confondre avec le paronyme *empâtage* [ɑ̃pɑtaʒ].

EMPATTEMENT [ɑ̃patmɑ̃] n. m. — 1499; de *empatter.*

♦ **1.** Archit. Maçonnerie en saillie à la base d'un mur. — (Archit. romane). Griffe à la base d'une colonne.

Arbor. Base épaisse (du tronc, d'une branche).

Un fromager énorme, au monstrueux empattement, que l'on contourne; de dessous le tronc, jaillit une source. GIDE, Voyage au Congo, *in* Souvenirs, Pl., p. 691.

(1930). Typogr. Trait horizontal plus ou moins épais au pied et à la tête d'un jambage. — Par ext. Plein. *Empattements d'une lettre. Empattements obliques.*

♦ **2.** (XIXe). Techn. Pied, base, partie plus large. *Empattement d'un rail. Machines à empattement rigide.*

Spécialt. Pièce de bois servant à soutenir une grue à sa base. — (1873). Distance séparant les essieux d'une voiture (automobile). *Cette voiture a un empattement insuffisant.*

♦ **3.** Mar. Joint servant à unir les torons de deux cordages.

REM. Ne pas confondre avec le paronyme *empâtement* [ɑ̃pɑtmɑ̃].

EMPATTER [ɑ̃pate] v. tr. — 1327; de *em-* *(en-), patte,* et suff. verbal.

♦ Techn. Joindre, fixer, maintenir avec des pattes*. ⇒ **Étayer, renforcer, soutenir.** — Spécialt. Soutenir une grue au moyen de pièces de bois.

Archit. Soutenir (un mur) par une maçonnerie plus large à la base. *Empatter la base d'un mur.*

(1736). Mar. Tordre ensemble les torons de deux cordages.

REM. Ne pas confondre avec le paronyme *empâter* [ɑ̃pɑte].

DÉR. Empattage, empattement, empatture.

EMPATTURE [ɑ̃patyʀ] n. f. — 1634; de *empatter.*

♦ Techn. Assemblage de deux pièces de bois à l'aide de pattes, de tenons.

EMPAUMER [ɑ̃pome] v. tr. — 1611; «saisir (une lance) avec la paume», av. 1440; de *en-, paume,* et suff. verbal.

♦ **1.** Techn. (jeux). Recevoir (une balle, une pelote...) dans la paume de la main (ou dans tout instrument tenu à la main) et la relancer.

Chir. Prendre dans la paume de la main.

(...) on peut non seulement exposer le cœur (...) mais aussi le toucher, l'empaumer, y poser des points de suture. Cl. D'ALLAINES, la Chirurgie du cœur, p. 16. 0.1

Vx et fig. *Empaumer la balle :* saisir avec à-propos l'occasion. → Saisir l'occasion au vol*.

♦ **2.** (1661). Chasse (le sujet désigne des chiens). *Empaumer la voie, la piste :* trouver la piste du gibier et la suivre.

Une part de mes chiens se sépare de l'autre, 1
Et je les vois, Marquis, comme tu peux penser,
Chasser tous avec crainte, et Finaut balancer.
Il se rabat soudain, dont j'eus l'âme ravie;
Il empaume la voie (...)
MOLIÈRE, les Fâcheux, II, 6.

Empaumer le change : suivre une fausse piste.

♦ **3.** (1694). Vx. *Empaumer une affaire,* la prendre en main et la diriger avec adresse et énergie. — Au p. p. Argot vieilli. *C'est empaumé! :* c'est chose faite (→ C'est dans la poche*).

♦ **4.** (1659). Mod. (Fam.). *Empaumer qqn,* se rendre maître de son esprit en le séduisant. ⇒ **Conquérir, enjôler, séduire.**

Prendre un avantage sur (qqn) en le trompant. ⇒ **Duper, tromper, voler.** *Se faire, se laisser empaumer :* se faire, se laisser duper (par un concurrent, un adversaire, etc.). *Il s'est laissé empaumer comme un enfant.* ⇒ **Rouler.**

(...) il me suffira d'un café noir mieux tassé que d'habitude, et je me charge d'empaumer tous les commissaires et juges d'instruction de la terre. 2
J. ROMAINS, les Hommes de bonne volonté, t. II, XII, p. 128.

EMPAUMURE [ɑ̃pomyʀ] n. f. — 1550; de *em-* *(en-),* et *paumure* (XIVe), même sens, de *paume.*

Technique.

♦ **1.** Chasse. Partie supérieure de la tête du cerf, qui s'élargit comme la paume de la main et porte les andouillers.

Tandis que le bois droit était celui d'un dix-cors jeunement avec un merrain qui portait six andouillers, dont trois groupés en trident au sommet formaient une empaumure de belle venue, le gauche atrophié, mince et de matière friable était celui d'un daguet de deux ans, simple tige droite, terminée par une amorce de fourche.
M. TOURNIER, le Roi des Aulnes, p. 226.

♦ **2.** (1680; de *em-* [en], *paume,* et *-ure*). Partie du gant qui recouvre la paume de la main.

EMPÊCHÉ, ÉE [ɑ̃peʃe] adj. ⇒ **Empêcher.**

EMPÊCHEMENT [ɑ̃pɛʃmɑ̃] n. m. — Fin XIIe; de *empêcher.*

♦ **1.** Cour. Ce qui empêche d'agir, de faire ce qu'on voudrait. ⇒ **Accroc, achoppement, barrière, complication, contrariété, contretemps, difficulté, embarras, entrave, gêne, obstacle, opposition, rémora, traverse.** *Empêchement d'agir* (→ Confusion, cit. 7), *de prononcer certaines syllabes* (→ Balbutiement, cit. 1). *Il est parvenu à ses fins sans empêchement.* — Spécialt. Ce qui empêche d'être présent ou disponible. *Un empêchement, survenu au dernier moment, a contrarié ses projets. Il est retenu par un empêchement* (→ Absence, cit. 11.2). *En cas d'absence ou d'empêchement. Avoir un empêchement de dernière minute.*

Ordinairement les biographies d'artistes commencent par le récit des obstacles qu'élève la famille contre la vocation. Le père qui désire un notaire, un médecin, ou un avocat, brûle les vers, déchire les dessins et cache les pinceaux. Ici, point d'empêchement de ce genre : chose rare! le projet du fils se trouva d'accord avec le vœu paternel. 1
Th. GAUTIER, Portraits contemporains, Ingres, p. 283.

(...) quel empêchement majeur peut-il bien trouver *(Chateaubriand)* pour que son René soit véritablement exclu de la voie ordinaire (...) 2
Émile HENRIOT, Portraits de femmes, p. 261.

Empêchement de mariage : absence d'une des conditions que la loi met au mariage. *Signifier à l'officier de l'état civil un empêchement au mariage* (⇒ **Opposition**). *Empêchement dirimant,* qui entraîne la nullité du mariage, s'il a été passé outre à cet empêchement. *Empêchement prohibitif,* qui met obstacle à la célébration du mariage, mais ne l'annule pas s'il a été célébré.

♦ **2.** Rare. Action d'empêcher. *L'empêchement de qqch. par qqn.* — *Mettre (un) empêchement aux projets de qqn.*

CONTR. Autorisation, encouragement, permission.

EMPÊCHER [ɑ̃peʃe] v. tr. — XIIᵉ, *empeschier ; du bas lat. impedicare* «prendre au piège», *de in-, et pedica* (→ Piège), *de pes, pedis* (→ Pied).

♦ **1.** Vx. Entraver, obstruer (un passage, etc.).

1   (...) si on refuse aliments *(à cet appétit, il)* empêche les conduits, arrête la respiration, causant mille sortes de maux (...)   MONTAIGNE, Essais, III, 5.

Vx. Encombrer, gêner (quelqu'un).

2   La raison nous commande assez de nous dépouiller quand nos robes nous chargent et empêchent.   MONTAIGNE, Essais, II, 8.

3   Et dit en soupirant que la nuit de sa vue
Ne l'empêche pas tant que la nuit de son cœur.   MALHERBE, Larmes de saint Pierre, Au Roy.

♦ **2.** Mod. **EMPÊCHER qqch.** : mettre obstacle*, s'opposer* à (une chose) de sorte qu'elle n'a pas lieu, ne se produit pas. ⇒ **Éviter.** *Il faut à tout prix empêcher cela. Faire de vains efforts pour empêcher qqch. Mal qu'on ne peut empêcher.* ⇒ **Conjurer, écarter** (→ Arrêt, cit. 10). *Accepter, tolérer ce qu'on ne peut empêcher. Empêcher un mariage. Empêcher un crime* (→ Criminel, cit. 9), *un délit* (cit. 4). *Empêcher un complot* (⇒ **Déjouer**), *une révolte* (⇒ **Étouffer, prévenir**). *Empêcher la vente d'une marchandise.* ⇒ **Défendre, interdire, prohiber.** *Empêcher la manifestation d'un phénomène* (→ Déterminisme, cit. 1), *la déperdition de chaleur, le développement des microbes* (→ Antisepsie, cit.). *Empêcher les progrès d'une idée.* ⇒ **Enrayer** (→ Aristocratie, cit. 7). — (Sujet n. de chose). *Digue qui empêche les inondations* (⇒ **Endiguer**). *Isthme qui empêche la communication des mers. L'effondrement du pont empêche tout passage, toute circulation sur cette route.* ⇒ **Arrêter, barrer, bloquer, condamner, couper, fermer, interdire, supprimer.** *Cette muraille empêche la vue* (Académie). ⇒ **Barrer, cacher, dérober, masquer, offusquer.**

4   Nos sens n'aperçoivent rien d'extrême (...) trop de distance et trop de proximité empêche la vue (...)   PASCAL, Pensées, II, 72 (→ Apercevoir, cit. 11).

5   Si le tourment empêche le sommeil les larmes sont un narcotique.   Alphonse DAUDET, le Petit Chose, II, XIV, p. 358.

6   J'ai tout fait pour empêcher ce mariage inepte.   MARTIN DU GARD, les Thibault, t. II, p. 215.

7   Car que sert d'interdire ce qu'on ne peut pas empêcher ?   GIDE, les Faux-monnayeurs, I, II, p. 20.

♦ **3.** Cour. Entraver* (qqn), arrêter* (qqch.) dans son action, dans son évolution.
EMPÊCHER (qqn) DE FAIRE (qqch.) : faire en sorte qu'il, elle ne puisse pas. ⇒ **Détourner, retenir** (qqn de...). *Empêcher qqn d'agir comme il l'entend, d'aller où il lui plaît* (⇒ **Brider, contraindre, contrecarrer, enchaîner, enfermer, gêner**). *Empêcher qqn de s'enfuir* (→ Accusé, cit. 1), *de sortir* (⇒ **Consigner**), *de passer* (→ Barrer* la route). *Empêcher qqn de parler,* le faire taire*, l'interrompre, lui couper* la parole... (⇒ **Bâillonner, museler**). *Empêcher qqn de travailler* (→ Besogne, cit. 9), *de vivre en paix* (⇒ Achever, cit. 17), *de se disputer* (→ Chamailler, cit. 3). *Soutenir qqn pour l'empêcher de tomber.* — *Pétition à la Chambre des députés pour les villageois que l'on empêche de danser,* pamphlet de P.-L. Courier (1822).

8   (...) L'amour que vous lui donnez (...) l'empêche d'avoir des yeux que pour vous.   MOLIÈRE, la Comtesse d'Escarbagnas, II.

9   Ce guerrier franc (...) qui fendit le vase à coups de hache, sans que le chef osât l'en empêcher.   VOLTAIRE, Essai sur les mœurs, 18.

10   En occupant les gens de leur propre intérêt, on les empêche de nuire à l'intérêt d'autrui.   BEAUMARCHAIS, le Barbier de Séville, I, 4.

11   — Ne venez pas ici, pour empêcher les autres de travailler (...)   P. MAC ORLAN, la Bandera, XV, p. 183.

(Sujet n. de chose). *Circonstances, obstacles qui empêchent qqn de faire qqch.* (→ Contretemps, cit. 2 ; coupure, cit. 2). *Rien ne peut l'empêcher d'accomplir* (cit. 8) *ce qu'il a décidé* (→ Décision, cit. 3). *Ces difficultés ne l'ont pas empêché de réussir* (⇒ **Nonobstant**). *Le bruit l'empêche de travailler. La maturité ne l'empêche pas d'être désirable* (cit. 4). *Sa timidité l'empêche de s'exprimer. Sa colère l'empêche de penser, d'y voir clair* (→ Aveugler, fig.). *Une paralysie l'empêche de parler, l'asthme de respirer. Cette haie, ces arbres nous empêchent de voir. Les soucis ne l'empêchent pas de dormir.*

12   (...) Cette crainte maudite
M'empêche de dormir, sinon les yeux ouverts.   LA FONTAINE, Fables, II, 14.

13   Deux obstacles presque invincibles nous empêchent d'être les maîtres de nos volontés, l'inclination et l'habitude.   BOSSUET, Sermon pour le carême, IV, Pénitence, 2.

14   (...) qu'est-ce qui nous empêche d'être des hommes comme eux *(les Romains et les Grecs)* ?   ROUSSEAU, le Gouvernement de Pologne, II.

15   *(Un amour tel qu')* un Sultan peut le ressentir pour sa Sultane favorite, ce qui ne l'empêche pas de lui préférer souvent une simple Odalisque.   LACLOS, les Liaisons dangereuses, Lettre, CXLI.

16   Comme l'amour d'une femme ne l'a jamais empêché non plus *(B. Constant)* d'en aimer une autre dans le même instant (...)   Émile HENRIOT, les Romantiques, p. 473.

17   Rien ne l'empêchait de se confesser avant (...)   J. ROMAINS, les Hommes de bonne volonté, t. V, II, p. 19.

(Sans compl. dir.). *Écrire empêche de vivre* (→ Acte, cit. 3). *Sa robe n'empêche pas de deviner ses formes. La passion empêche de voir la réalité* (⇒ **Aveugler**).
Absolt. *La discipline* ne se borne pas à empêcher.* ⇒ **Interdire.**
Empêcher qqch. de (avec l'inf.). *Un secret pour empêcher la terre de trembler* (→ Autodafé, cit. 3). *Presse-papiers qui empêche les feuilles de s'envoler. Rien n'empêche le temps de courir. Empêcher une illusion de naître, la colère d'éclater* (⇒ **Comprimer**), *les larmes de couler* (⇒ **Contenir**).

18   La nature soutient la raison impuissante et l'empêche d'extravaguer jusqu'à ce point.   PASCAL, Pensées, VII, 434.

19   Quand la pierre, opprimant ta poitrine peureuse
Et tes flancs qu'assouplit un charmant nonchaloir,
Empêchera ton cœur de battre et de vouloir,
Et tes pieds de courir leur course aventureuse.   BAUDELAIRE, Spleen et Idéal, XXXIII.

EMPÊCHER QUE (avec le subj.). *Élever des digues pour empêcher qu'un fleuve ne déborde. Empêcher que la vérité ne soit connue. Détruire les installations pour empêcher que l'ennemi n'en profite.* — REM. Après *empêcher que,* on met ordinairement *ne* (→ Affranchir, cit. 1 ; ange, cit. 19 ; carnation, cit. 3 ; contenter, cit. 7). Cependant l'Académie admet qu'on dise : avec la négation *je n'empêche pas qu'il ne fasse* ou *qu'il fasse ce qu'il voudra.* De même Littré : *je n'empêche pas qu'il ne sorte* ou *qu'il sorte.*

20   (...) qu'on empêche qu'il ne sorte.   MOLIÈRE, le Médecin malgré lui, III, 8.

21   Faut-il tuer pour empêcher qu'il n'y ait des méchants ?   PASCAL, Pensées, XIV, 911.

22   Elles avaient les yeux baissés en terre et le visage couvert d'un voile qui n'empêchait pas qu'on n'entrevît la rougeur que répandait sur leurs joues une pudeur virginale (...)   ROLLIN, Traité des Études, VI, II, 5.

23   La lecture des journaux empêche qu'il n'y ait de vrais savants et de vrais artistes (...)   Th. GAUTIER, Préface de Mlle de Maupin, éd. critique MATORÉ, p. 49.

24   Rambert luttait pour empêcher que la peste ne le recouvrît.   CAMUS, la Peste, p. 156.

Cela n'empêche pas que (suivi de l'indicatif quand on constate un fait). *Cela n'empêche pas que vous avez tort.*

25   Sa gaieté n'empêche que Voltaire eut un véritable chagrin de la mort de sa vieille amie (...)   Émile HENRIOT, Portraits de femmes, p. 182.

REM. L'emploi du subjonctif est cependant possible. *Cela n'empêche pas que vous puissiez partir.*

♦ **4.** Loc. (de coordination). (Il) **N'EMPÊCHE, IL N'EMPÊCHE QUE, N'EMPÊCHE QUE** : cependant, malgré cela (→ Copte, cit. 2 ; creux, cit. 6). Avec le verbe au conditionnel, pour exprimer une éventualité. *N'empêche que tu pourrais venir, si tu le voulais bien. N'empêche que j'aurais bien aimé le voir.*

26   Dans notre langue actuelle, nous avons des formes qui ont pu être jadis des propositions, mais qui en réalité sont réduites au rôle d'éléments lexicologiques ; *tu dis qu'il ne va pas dans cette maison,* n'empêche *qu'on l'y a encore vu hier soir.*   F. BRUNOT, la Pensée et la Langue, p. 29.

27   Raisonnablement, ces drames *(de Hugo)* sont plus discutables (...) N'empêche que cela se lit, et ne vous lâche plus, une fois qu'on y a mis le nez.   Émile HENRIOT, les Romantiques, p. 15.

Fam. *N'empêche* : ce n'est pas une raison.

27.1   — Et mariée, elle, dit-elle, trois enfants, et ivrogne, c'est à se demander.
— N'empêche, peut-être ?   M. DURAS, Moderato cantabile, p. 37.

▶ **S'EMPÊCHER** v. pron.

♦ **1.** Vx. S'abstenir, se dispenser de.

♦ **2.** Mod. (Souvent dans un contexte négatif). **S'EMPÊCHER DE** (avec l'inf.) : se retenir de. *Il ne put s'empêcher de parler, de répondre, de trembler* (→ Carcasse, cit. 5), *de pleurer. Se mordre les lèvres pour s'empêcher de rire. Je ne puis m'empêcher de penser qu'il aurait pu en être autrement. Je n'ai pas pu m'en empêcher.*

28   Aussitôt que je vous vis, je ne pus m'empêcher de vous aimer.   SCARRON, le Roman comique, I, XIII, p. 70.

▶ **EMPÊCHÉ, ÉE** p. p. adj.

♦ **1.** Vx et littér. Embarrassé.

29   Les mystères de cour souvent sont si cachés
Que les plus clairvoyants y sont bien empêchés.   CORNEILLE, Nicomède, III, 4.

30   *(Le pauvre loup)* Empêché par son hoqueton,
Ne peut ni fuir ni se défendre.   LA FONTAINE, Fables, III, 3.

♦ **2.** Loc. (vx). *Être empêché de sa personne, de sa contenance* : ne savoir comment se tenir. ⇒ **Emprunté, gauche.**

31   (...) vous dites que vous avez peur des beaux esprits. Hélas ! ma chère, si vous saviez qu'ils sont petits de près, et combien ils sont quelquefois empêchés de leur personne (...)   Mme DE SÉVIGNÉ, Lettres 237, 13 janv. 1672.

Mod. (rare). *Un air empêché.* ⇒ **Emprunté.**

32   (...) les airs un peu empêchés que prenaient les gens (...)   J. ROMAINS, les Hommes de bonne volonté, t. V, XXII, p. 190 (→ Colloque, cit. 2).

♦ **3.** Littér. *Être empêché de,* incapable de. *Je serais bien empêché de vous répondre* (⇒ **Incapable**).

33   (...) on serait bien empêché de dire ce qui arrivera de ce nuage répandu partout *(sur toute l'Europe).*   Mme DE SÉVIGNÉ, Lettres 1168, 22 avr. 1689.

♦ **4.** Cour. Retenu par des occupations. ⇒ **Occupé.** *M. X...,* directeur du cabinet, représentait le ministre empêché. Juré régulièrement empêché. ⇒ **Excusé** (→ Assesseur, cit. 2).

34 Dis-lui que je suis empêché, et qu'il revienne une autre fois.
MOLIÈRE, l'Avare, III, 8.

♦ **5.** Arrêté, entravé dans son action.

35 Tout ce qui n'est pas défendu par la Loi ne peut être empêché (...)
Déclaration des droits de l'homme, Constitution du 3 sept. 1791, art. 5.

CONTR. **Aider, autoriser, consentir, encourager, exciter, faciliter, favoriser, laisser, permettre, pousser, seconder.**
DÉR. **Empêchement, empêcheur.**

EMPÊCHEUR, EUSE [ãpɛʃœʀ, øz] n. — V. 1265, *empescheor*; disparu au XVIIᵉ, repris au XIXᵉ; de *empêcher*.

♦ **1.** Vieilli. Personne qui empêche autrui de faire qqch. ⇒ **Gêneur, importun.**

♦ **2.** Loc. (V. 1860; p.-ê. empr. au pamphlet de P.-L. Courier, *Pétition (...) pour les villageois que l'on empêche de danser*, juil. 1822; → *Empêcher*, supra cit. 8). *Empêcheur de danser en rond* : ennemi de la gaieté, trouble-fête. ⇒ (fam.) **Rabat-joie.**

1 Celui aux yeux de qui j'espère malgré tout être un ami un peu balourd, plutôt qu'un sinistre empêcheur de danser en rond, est un boxer fauve, que nous appelons Puck mais dont le nom officiel est Pyrex. Michel LEIRIS, Frêle Bruit, p. 161.

Adj. (rare) :

2 Quand on a promis, faut tenir et tout de suite, sans quoi il se mêle dans le mitan de ce qu'on veut faire et soi-même un tas de choses bien gentilles mais bien empêcheuses. J. GIONO, Un de Baumugnes, Pl., t. I, p. 240.

EMPEIGNAGE [ãpɛɲaʒ] n. m. — XXᵉ; de *empeigner*.

♦ Techn. Manière dont les fils sont empeignés sur le métier à filer. — Largeur maximale du tissu pouvant être fabriqué sur un métier donné.
REM. On trouve parfois *empeignement*, n. m. (*in* Littré).

EMPEIGNE [ãpɛɲ] n. f. — Mil. XVᵉ; *empeine, enpeigne*, XIIIᵉ; de *em- (en-)*, et *peigne*, de l'anc. franç. *peigne, piegne* «métacarpe», par anal. de forme.

♦ **1.** Dessus d'une chaussure*, du cou-de-pied jusqu'à la pointe. ⇒ **Claque.** *Chaussure à empeigne montante, découpée.*
M. Hannequin portait son complet sport, avec sa musette en bandoulière; il avait chaussé des souliers neufs, dont les empeignes le blessaient.
SARTRE, le Sursis, p. 110.

♦ **2.** (V. 1900). Loc. fig. et fam. (terme d'injure). *Gueule (face) d'empeigne* : visage laid et désagréable, et, par ext., individu désagréable, antipathique. *Avoir une gueule d'empeigne*, très mauvais caractère.

EMPEIGNER [ãpeɲe] v. tr. — 1877; de *em- (en-)*, et *peigne*.

♦ Techn. Disposer en tissu plus ou moins serré, au moyen du peigne.
DÉR. **Empeignage.**

EMPELLEMENT [ãpɛlmã] n. m. ⇒ 2. **Empalement.**

EMPELOTER [ãp(ə)lɔte] v. tr. — XVIᵉ; de *em- (en-)*, *pelote*, et suff. verbal.

Technique.

♦ Mettre en pelote*. *Empeloter du fil.*
Une fois le chanvre filé et mis en échevette, on le lavait à grande eau chaude et, sec, on l'empelotait. Jean FOLLONIER, Valais d'autrefois, p. 126.

▶ S'EMPELOTER. v. pron.
(En parlant d'un oiseau de fauconnerie). Ne pas digérer ce qui a été avalé, les aliments formant une pelote dans le gosier.

EMPÊNAGE [ãpɛnaʒ] n. m. — 1890; «état d'une serrure empennée», 1836; de *empêner*.

♦ Techn. Mortaise destinée à recevoir le pêne d'une fermeture.
REM. Ne pas confondre avec le paronyme *empennage* [ãpe-].

EMPÊNER [ãpene] v. tr. — 1836; de *em- (en-)*, *pêne*, et suff. verbal.

♦ Techn. Fixer le pêne de (une serrure) sur le pilastre.
REM. Ne pas confondre avec le paronyme *empenner* [ãpe-].
DÉR. **Empênage.**

EMPENNAGE [ãpenaʒ] n. m. — 1832; de *empenner*.

♦ **1.** Action d'empenner. *L'empennage d'une flèche.* — Ensemble des plumes qui empennent (quelque chose, quelqu'un).
Ces piquants furent ajustés solidement à l'extrémité des flèches, dont la direction fut assurée par un empennage de plumes de kakatoès.
J. VERNE, l'Île mystérieuse, t. I, p. 166.

♦ **2.** (1904, in *Rev. gén. des sc.*, nᵒ 18, p. 838). Aéron. Surfaces placées (comme une empenne) à l'arrière des ailes ou de la queue (d'un avion, d'un dirigeable) et destinées à lui donner de la stabilité en profondeur et en direction.

♦ **3.** (Mil. XXᵉ). Par anal. Ailettes (d'une bombe d'avion). — Ailettes (d'un projectile) destinées à assurer la stabilité de la trajectoire. *L'empennage d'un obus; empennage d'obus.*
REM. Ne pas confondre avec le paronyme *empênage* [ãpɛ-].

EMPENNE [ãpɛn] n. f. — 1701; déverbal de *empenner*.

♦ Techn. Partie du talon d'une flèche munie de plumes ou d'ailerons destinés à régulariser sa direction.
DÉR. **Empennelle.**

EMPENNÉ, ÉE [ãpene] adj. ⇒ **Empenner.**

EMPENNELAGE [ãpɛnlaʒ] n. m. — 1773; de *empenneler*.

♦ Mar. Action de mouiller une empennelle* devant une ancre. *Nœud d'empennelage*, amarrant l'empennelle à l'autre ancre.

EMPENNELER [ãpɛnle] v. intr. — 1701; de *empennelle*.

♦ Mar. Mouiller une empennelle avec une autre ancre.
DÉR. **Empennelage.**

EMPENNELLE [ãpənɛl] n. f. — 1691; de *empenne*.

♦ Mar. Petite ancre amarrée à une ancre plus grosse, et que l'on mouille devant celle-ci pour en améliorer la tenue. — On écrit aussi *empenelle*.
DÉR. **Empenneler.**
HOM. Formes du v. **empenneler.**

EMPENNER [ãpene] v. tr. — 1080; de *em- (en-)*, *penne*, et suff. verbal.

♦ Garnir (une flèche) de plumes, d'une empenne*.
La nièce de Chactas empennait des flèches avec des plumes de faucon (...)   1
CHATEAUBRIAND, les Natchez, II, p. 105.

Figuré et rare :

Il chancela, le cri des femmes l'empenna de deux dards au long desquels son sang   1.1
et toute sa vie chaude coulèrent. J. GIONO, Naissance de l'Odyssée, Pl., t. I, p. 93.

▶ EMPENNÉ, ÉE p. p. adj. *Flèche empennée* (→ Atteindre, cit. 1).

Cette flèche empennée et armée d'une pointe d'or, toujours en l'air et n'arrivant   2
jamais au but, faisait l'effet le plus singulier, était comme un triste et douloureux symbole de la destinée humaine, et plus je la regardais, plus j'y découvrais de sens mystérieux et sinistres. Th. GAUTIER, Mˡˡᵉ de Maupin, VII, p. 151.

Blason. Dont l'empenne est d'un émail particulier. *Flèche d'or, empennée d'argent.*

Par plais. ⇒ **Emplumé.**

(...) on le convia à suivre les obsèques du capitaine de La Hure qui eurent lieu   3
discrètement dans une chapelle de la cathédrale. Le colonel de service n'avait mis que le tiers de ses décorations. Madame de La Hure et les cinq filles du capitaine de La Hure étaient là, empennées de noir.
Jacques LAURENT, les Bêtises, p. 56.
REM. Ne pas confondre avec le paronyme *empêner* [ãpɛ-].
DÉR. **Empennage, empenne.**

EMPEREUR [ãpʀœʀ] n. m. — 1080, au sens 3, *Chanson de Roland; emperedre*, 1050, cas sujet; du lat. *imperatorem*, accusatif de *imperator*, de *imperatum*, supin de *imperare* «commander, ordonner». → Impératrice, impérieux.

★ I. ♦ **1.** Antiq. rom. (vx). Général commandant en chef une armée (investi de l'*imperium* «pouvoir suprême»).
(...) L. Paulus Æmilius, lorsque par le Sénat romain fut élu empereur, c'est-à-dire   1
chef de l'armée qu'ils envoyaient contre Persés, roi de Macédoine.
RABELAIS, le Quart Livre, XXXVII.

♦ **2.** Hist. Titre donné depuis Auguste au détenteur du pouvoir suprême dans l'Empire romain. ⇒ **César.** *Les empereurs romains. Empereur romain divinisé* (→ Apothéose, cit. 1; asile, cit. 11). *Tunique portée par certains empereurs.* ⇒ **Dalmatique.**

Les Empereurs tiraient excuse de la superfluité de leurs jeux et montres (*specta-*   2
cles) publiques de ce que leur autorité dépendait aucunement (*dans une certaine mesure*), au moins par apparence, de la volonté du peuple romain, lequel avait de tout temps accoutumé d'être flatté par telle sorte de spectacles et excès.
MONTAIGNE, Essais, III, VI.

La transformation des institutions politiques, réalisée par Auguste, n'a pas été une   3
révolution brisant avec le passé. Auguste a pris pour lui à titre viager un certain nombre de magistratures, l'*imperium* proconsulaire, la puissance tribunicienne, le souverain pontificat (...) Le Sénat est associé par l'empereur au gouvernement, et c'est le Sénat qui gouverne les anciennes provinces, tandis que les nouvelles provinces dites «impériales» sont gouvernées par des commissaires de l'empereur.
GIFFARD, Précis de droit romain, t. I, nᵒ 66.

(Après le partage de l'Empire). *L'empereur d'Occident. L'empereur d'Orient.*

♦ **3.** (Depuis Charlemagne). Chef de l'Empire d'Occident, du Saint-Empire romain germanique. *Charlemagne, empereur d'Occident. L'empereur à la barbe* (cit. 19) *fleurie. Le palais des empereurs. Les empereurs et les rois. Le couronnement d'un empereur.*

♦ **4.** (XIIe). Mod. ou hist. Chef souverain de certains États. ⇒ **Monarque.** *Empereur d'Allemagne* (⇒ **Kaiser**), *de Chine* (⇒ **Ciel** [fils du]), *du Japon* (⇒ **Mikado**), *de Russie* (⇒ **Tsar**), *des Turcs* (⇒ **Padischa, sultan**)... *Le roi d'Angleterre, naguère empereur des Indes. Titre donné à un empereur.* ⇒ **Majesté, sire.** *Couronne d'empereur.* — Spécialt (en France). *L'Empereur :* Napoléon Ier, puis Napoléon III (dans ce cas écrit avec une majuscule). *Napoléon Ier, Empereur des Français. Vive l'Empereur !*

4   Tout à coup le maréchal des logis cria à ses hommes : — Vous ne voyez donc pas l'Empereur, s...! Sur-le-champ l'escorte cria *vive l'Empereur !* à tue-tête. On peut penser si notre héros regarda de tous ses yeux, mais il ne vit que des généraux qui galopaient, suivis, eux aussi, d'une escorte.
                                    STENDHAL, la Chartreuse de Parme, III.

5   L'empereur mort tomba sur l'empire détruit.
     Napoléon alla s'endormir sous le saule.
     Et les peuples alors, de l'un à l'autre pôle,
     Oubliant le tyran, s'éprirent du héros.   HUGO, les Châtiments, « L'expiation », IV.

6   Il *(Cambacérès)* termina par les mots attendus : *« Pour la gloire comme pour le bonheur de la République, le Sénat proclame à l'instant même Napoléon, Empereur des Français. »*
     Louis MADELIN, Hist. du Consulat et de l'Empire, L'avènement de l'Empire, VIII, p. 102.

♦ **5.** (1643). Vx. Titre donné, dans certains établissements scolaires, à un élève qui avait la première place en classe. *« On appelle aussi dans les collèges, Empereur d'Orient, Empereur d'Occident, les écoliers qui ont les premières places de la classe »* (Furetière, 1690).

★ **II.** (Nom donné à quelques animaux). ♦ **1.** Grand poisson des mers occidentales (dit aussi *espadon, épée de mer*).

7   Le grand art consiste à pêcher plusieurs bonites à la fois, afin de les garder vivantes comme appâts pour l'« empereur des mers », le marlin.
                                    l'Express, 28 avr. 1981, p. 153.

♦ **2.** Régional. Roitelet. — Papillon diurne.

♦ **3.** En appos. *Boa empereur.*

EMPERLER [ɑ̃pɛʁle] v. tr. — Mil. XVIe, repris XIXe ; de *em-* (*en-*), *perle*, et suff. verbal.

♦ **1.** Rare. Orner de perles*. *Emperler une coiffure.* — Fig. *Emperler son style.* ⇒ **Embellir.**

♦ **2.** Fig. Couvrir de gouttelettes. *La sueur commençait à emperler son front* (⇒ **Perler**).

1   Rien n'était plus charmant à voir. Ses belles épaules, fermes et polies, tout emperlées de gouttes d'eau, luisaient comme un marbre submergé ; l'onde amoureuse frissonnait de plaisir en touchant son beau corps et suspendait à ses bras des bracelets d'argent.   Th. GAUTIER, Fortunio, XX, p. 136.

▶ **S'EMPERLER** v. pron.
Se couvrir de gouttelettes.

2   Un duvet blanc, à peine visible d'ordinaire, s'emperlait, autour de la bouche, d'une rosée d'émotion.   COLETTE, la Naissance du jour, p. 124.

▶ **EMPERLÉ, ÉE** p. p. adj.
Littér. Orné de perles. *Diadème emperlé.*
Fig. Couvert de gouttelettes. *Prés emperlés de rosée.*

EMPERRUQUÉ, ÉE [ɑ̃peʁyke] adj. — 1842 ; «qui appartient à la chevelure», 1571 ; de *em-* (*en-*), *perruque*, et suff. *-é.*

♦ Fam. et rare. Qui porte une perruque. *Des courtisans emperruqués.*

1   Diane-Saphir, ou Saphir-Diane emperruqué, nu, le corps poudré, remettait du rimmel, la verge dressée, sa verge dirigeant le raccord et la petite brosse avec des oscillations.   Violette LEDUC, la Chasse à l'amour, p. 121.

N. (1855, *in* D. D. L.).

2   Ses occupations sévères de chef baron ne l'empêchent pas de revenir quelquefois à la littérature. Le grave emperruqué met alors à son esprit «des bas couleur de rose».
     GONCOURT, Quelques créatures de ce temps, p. 52-53, in D. D. L., II, 22.

EMPESAGE [ɑ̃pəzaʒ] n. m. — 1650 ; de *empeser.*

♦ **1.** Action d'empeser ; résultat de cette action. ⇒ **Amidonnage.** *L'empesage du linge est suivi du lissage ou repassage.* — *Un bel empesage.*

♦ **2.** Fig. et littér. Manières empesées.

     Il prenait avec sa Femme un air de considération ; mais sans apprêt et sans empesage. Son Épouse de son côté lui parlait avec respect.
     RESTIF DE LA BRETONNE, la Vie de mon père, p. 235.

EMPESER [ɑ̃pəze] v. tr. — Conjug. *lever.* — Fin XIe ; de *empoise* «poix, empois», du lat. *impensa* «dépense», puis «ustensiles, matériaux», d'où «ingrédients pour quelque chose».

♦ **1.** Apprêter (du linge) avec de l'empois. ⇒ **Amidonner.** *Empeser de la dentelle. Vous empèserez légèrement le col.*

♦ **2.** (1691). Mar. *Empeser les voiles*, les mouiller en vue de resserrer le tissu des fils.

▶ **EMPESÉ, ÉE** p. p. adj.

♦ **1.** (Fin XIe). Qu'on a empesé. *Linge empesé* (→ Apprêté, cit. 1). *Chemise empesée. Col empesé.* ⇒ **Dur.**

1   (...) cinq ou six chemises d'hommes, placées à la devanture, offraient aux regards les surfaces miroitantes du linge fraîchement empesé.
                                    J. GREEN, Léviathan, I, p. 7.

N. *L'empesé de la chemise* (→ 1. Basque, cit. 3).

♦ **2.** (Fin XVIIe). Fig. Qui a quelque chose de raide et de compassé dans l'attitude, les manières. ⇒ **Apprêté, gourmé, guindé,...** *Dignité, démarche empesée. Avoir un air empesé.* — Par anal. *Style empesé*, qui manque de naturel. ⇒ **Recherché.**

2   (...) il a l'air empesé du pays d'où il vient. Il est sérieux et froid (...)
                                    ROUSSEAU, Julie ou la Nouvelle Héloïse, VI, Lettre I.

3   (...) peut-être ma démarche eût-elle eu quelque chose d'empesé, comme celle d'un fat timide qui entre dans un salon.   STENDHAL, le Rouge et le Noir, II, XLIV.

4   (...) cet homme dont la solennité, la raideur empesée était encore présente à mon souvenir (...)   PROUST, À la recherche du temps perdu, t. XV, p. 75.

CONTR. **Désempeser.** — (Du p. p.) **Souple.** — **Aisé, naturel, simple.**
DÉR. **Empesage, empeseur, empois.**

EMPESEUR, EUSE [ɑ̃pəzœʁ, øz] n. — 1616 ; de *empeser.*

♦ Techn. Celui, celle qui empèse le linge, dont le métier est d'empeser le linge.

EMPESTANT, ANTE [ɑ̃pɛstɑ̃, ɑ̃t] adj. — Fin XIXe ; p. prés. de *empester.*

♦ Rare. Qui empeste. *Vapeur empestante* (Maupassant, *in* T. L. F.).

     Que ça soye en Correctionnelle, sous les coups «d'attendus» farouches, ou dans l'antichambre des patrons, je me trouve à l'instant bouleversé, décapé, racorni infect, au rang des larves empestantes (...)   CÉLINE, Guignol's band, p. 28.

EMPESTER [ɑ̃pɛste] v. tr. — 1575 ; de *em-* (*en-*), *peste*, et suff. verbal.

♦ **1.** Rare. Infecter de la peste ou d'une autre grave maladie contagieuse (peste au sens ancien). *Les cadavres en décomposition ont empesté le champ de bataille. Les rats ont empesté la ville.*

♦ **2.** (1584). Cour. Infecter de mauvaises odeurs. ⇒ **Empoisonner, 3., empuantir.** *L'odeur de cigare empeste ce compartiment.*

1   Croiriez-vous qu'il avait pris l'habitude de manger constamment de l'ail et qu'il empestait de cette infâme odeur mon appartement (...)
                                    Léon BLOY, le Désespéré, p. 22.

Sentir mauvais en dégageant (une odeur désagréable). ⇒ **Puer.** *Ses vêtements empestent le parfum à bon marché. Son bureau empeste le tabac.*

2   La salle d'attente était une glacière et empestait le moisi.
                                    MARTIN DU GARD, les Thibault, t. IV, p. 284.

Absolt. Sentir très mauvais. *Ses vêtements empestent. Ça empeste ici.* ⇒ **Puer** (→ fam. ou pop. Cogner, corner...).

3   Eh ! vous empestez, Père Ubu. Vous ne vous lavez donc jamais ?
                                    A. JARRY, Ubu Roi, I, 4.

♦ **3.** Fig. et vx. Souiller, corrompre (les esprits, les cœurs) par des idées jugées néfastes. ⇒ **Empoisonner, 4., gâter, vicier.** *Les hérésies qui empestaient l'Église.*

4   (...) sa bonté et la délicatesse de son cœur (...) empesteraient de remords et de honte la joie de ces amours coupables (...)   PROUST, les Plaisirs et les Jours, p. 127.

▶ **EMPESTÉ, ÉE** p. p. adj.

♦ **1.** Rare. Qui est infecté de la peste ou d'une autre maladie contagieuse. *Ville empestée. Champs de bataille empestés* (→ Confusément, cit. 1).

5   Enfin les ondes jaunes du Tibre, des marais empestés, des habitants hâves (...)
                                    VOLTAIRE, la Princesse de Babylone, IX.

6   (...) Tarrou entreprenait la description assez minutieuse d'une journée dans la ville empestée (...) « Au petit matin, des souffles légers parcourent la ville encore déserte. À cette heure (...) il semble que la peste suspende un instant son effort et reprenne son souffle. Toutes les boutiques sont fermées. Mais sur quelques-unes, l'écriteau «Fermé pour cause de peste» atteste qu'elles n'ouvriront pas tout à l'heure avec les autres. »   CAMUS, la Peste, p. 134.

♦ **2.** Cour. Qui sent mauvais ou répand une odeur désagréable. *Air empesté. Atmosphère empestée. Appartement empesté. Haleine empestée.* ⇒ **Infect, puant** (→ Approcher, cit. 13).

♦ **3.** Fig. et vx. Qui est corrompu. *« Empesté d'hérésie »* (Ronsard).

— Loc. *Bouche empestée :* personne qui répand le poison de l'erreur, du mensonge, de la calomnie (→ Attrait, cit. 7).
CONTR. Assainir, désempester, désinfecter ; embaumer.
DÉR. Empestant.

EMPÊTRE [ɑ̃pɛtʀ] ou **EMPETRUM** [ɑ̃petʀɔm] n. m. — XIXᵉ, *empêtre ; empetrum,* XVIIIᵉ ; du lat. class. *empetros,* grec *empetron* «(plante) qui croît dans les rochers».

♦ Bot. Type principal de la famille des *Empétrées.* — Syn. : *camarine.*
DÉR. Empétrées.

EMPÉTRÉES [ɑ̃petʀe] n. f. pl. — XIXᵉ ; de *empêtre.*

♦ Famille de plantes phanérogames angiospermes, classe des dicotylédones apétales, comprenant notamment des arbustes à feuilles coriaces et persistantes. — Au sing. *Une empétrée.*
HOM. Empêtrer.

EMPÊTRER [ɑ̃petʀe] v. tr. — XVᵉ ; *empaistrier,* XIIᵉ ; du lat. pop. *impastoriare,* du bas lat. *pastoria* «entrave à bestiaux», du lat. class. *pastus* «pâturage».

♦ 1. Vx. ou régional. Entraver* (un cheval) que l'on met en pâture. *Empêtrer un cheval.*

♦ 2. Mod. (techn.). Engager (généralement les pieds, les jambes) dans des entraves, des liens, un filet, dans quelque chose qui retient, embarrasse. — Cour. *S'empêtrer les jambes dans les ronciers.*

1 *(Sa toison)* Était d'une épaisseur extrême (...)
Elle empêtra si bien les serres du corbeau
Que le pauvre animal ne put faire retraite. LA FONTAINE, Fables, II, 16.
2 Il secoua les épaules, comme un animal au filet, que chaque soubresaut empêtre davantage. MARTIN DU GARD, les Thibault, t. IV, p. 151.
Par analogie :
3 Puis elle prenait à travers les champs en labour, où elle enfonçait, trébuchait et empêtrait ses bottines minces. FLAUBERT, Mᵐᵉ Bovary, II, IX, p. 107.

♦ 3. Fig. Engager (qqn) dans une difficulté, dans une situation embarrassante. ⇒ **Compromettre, embarrasser, gêner.** *Il m'a empêtré dans une méchante affaire. Vous m'avez empêtré d'un propre à rien ; je préférerais travailler seul.*

▶ **S'EMPÊTRER** v. pron.

♦ 1. Se prendre dans un lien, un obstacle. *Cheval qui s'empêtre dans ses traits. L'oiseau s'est empêtré dans un filet.* — Par ext. S'engager dans un lieu d'où l'on ne peut se sortir qu'à grand-peine. *S'empêtrer dans la boue ; dans la neige.* ⇒ **Embourber** (s'), **patauger.**
4 Dans la neige et la boue il allait s'empêtrant (...)
BAUDELAIRE, les Fleurs du mal, Tableaux parisiens, XC, « Les sept vieillards ».

♦ 2. Fig. S'engager dans une situation difficile. *S'empêtrer dans une liaison. S'empêtrer dans un discours, dans des explications.* ⇒ **Embarrasser** (s'); et aussi (fam.) **emberlificoter** (s'), **embrouiller** (s'). *S'empêtrer dans ses souvenirs. Il s'empêtre dans ses mensonges.* ⇒ **Enferrer** (s').
5 L'amant est une bête, et bête qui s'empêtre
Dans les liens d'amour (...) RONSARD, le Second Livre des amours, I, XVIII.
6 (...) le *Cromwell* de Balzac est beaucoup moins mauvais qu'on ne l'assurait de confiance, et malgré ses longueurs, qui tiennent à la lourdeur des monologues où le dramaturge s'empêtre, témoigne par instant de réelles qualités dramatiques.
Émile HENRIOT, les Romantiques, p. 317.
Absolt. S'embarrasser.
7 Or, plus je m'en défie *(de ma mémoire),* plus elle se trouble (...) car, si je la presse, elle s'étonne ; et, depuis qu'elle a commencé à chanceler, plus je la sonde, plus elle s'empêtre et *(s')* embarrasse (...) MONTAIGNE, Essais, II, XVII.
S'empêtrer de... (par...). S'empêtrer d'un importun, d'un incapable. ⇒ **Embarrasser** (s').
8 Un homme de ma connaissance s'était empêtré comme vous, d'une femme qui lui faisait peu d'honneur. Il avait bien, par intervalle, le bon esprit de sentir que, tôt ou tard, cette aventure lui ferait tort ; mais quoiqu'il en rougît il n'avait pas le courage de rompre. Son embarras était d'autant plus grand (...)
LACLOS, les Liaisons dangereuses, Lettre CXLI.

▶ **EMPÊTRÉ, ÉE** p. p. adj.

♦ 1. Qui est pris dans des liens, dans un obstacle. *Cheval empêtré. Clown empêtré dans une longue redingote.*
9 C'étaient d'abord des familles allant en promenade, deux petits garçons en costume marin, la culotte au-dessous du genou, un peu empêtrés dans leurs vêtements raides (...) CAMUS, l'Étranger, II, p. 35.
Absolument :
10 Quel gros chignon !
Et ces souliers tout blancs, ça doit vous coûter bon ;
Pas moins, vous devez bien être un brin empêtrée.
A. DE MUSSET, Comédies et proverbes, Louison, I, 4.

♦ 2. Fig. *Empêtré de...* ⇒ **Encombré, gêné.**

11 Je vois un dessous de cartes funeste ; je vois encore l'embarras de son fils, déchiré d'amitié, de reconnaissance pour sa mère (...) empêtré d'une jeune femme (...)
Mᵐᵉ DE SÉVIGNÉ, Lettres, 817, 9 juin 1680.
12 (...) il était empêtré de ses grandes mains et de sa dignité d'inspecteur.
SAINT-EXUPÉRY, Vol de nuit, p. 44.
13 Tous ces hommes s'étaient fait violence pour partir les yeux secs, tous avaient soudain vu la mort en face et tous, après beaucoup d'embarras ou modestement, s'étaient déterminés à mourir. À présent ils restaient hébétés, les bras ballants, empêtrés de cette vie qui avait reflué sur eux, qu'on leur laissait encore pour un moment, pour un petit moment et dont ils ne savaient plus que faire.
SARTRE, le Sursis, p. 348.
13.1 La vie amoureuse de Félix, notamment, plongeait ces jeunes gens dans une joie constante. On le savait très salace, mais en même temps, gêné avec les femmes, empêtré de gaucherie. Jean-Louis CURTIS, le Roseau pensant, p. 21.
Empêtré dans... : embarrassé, enfoncé dans... *Empêtré dans des paquets.*
14 (...) on est quelquefois empêtré dans son orgueil (...)
Mᵐᵉ DE SÉVIGNÉ, 832, 17 juil. 1680.
15 Lorsque la guerre éclata en 1866 entre la Prusse et l'Autriche soutenue par les États de l'Allemagne du Sud, Napoléon III était empêtré dans une aventure d'Amérique. J. BAINVILLE, Hist. de France, XX, p. 496.
16 (...) nous voyons, exemplairement, comment un vigoureux esprit peut rester empêtré dans le dogme. GIDE, Journal, 18 févr. 1943.
CONTR. Débarrasser, dégager, dépêtrer.
HOM. Empétrées.

EMPETRUM [ɑ̃petʀɔm] n. m. ⇒ **Empêtre.**

EMPHASE [ɑ̃faz] n. f. — 1543 ; lat. *emphasis,* du grec *emphasis* «expression forte».

♦ 1. Vx. (Rhét.). Énergie, force expressive (dans la manière de s'exprimer, dans le ton). — (1588). Mod. Péj. Emploi abusif ou déplacé du style élevé, du ton déclamatoire. ⇒ **Affectation, air** (de grands airs), **boursouflure, déclamation, enflure, grandiloquence, pathos, pédantisme, phrase** (faire des phrases), **prétention** (→ Ambitieux, cit. 9). *Parler avec emphase.* ⇒ **Pontifier, pérorer** (→ Arme, cit. 29). *Discours, style plein d'emphase.* ⇒ **Ampoulé, ronflant.** *Écrire avec emphase. Parler sans emphase,* simplement. *Avoir horreur de l'emphase. Cette tournure marque une certaine emphase* (→ Celui-ci, cit. 3). *Prononcer avec emphase une phrase banale. Avocat qui fait voler ses manches avec emphase.*
1 Quel supplice que celui d'entendre (...) prononcer de médiocres vers avec toute l'emphase d'un mauvais poète ! LA BRUYÈRE, les Caractères, I, 7.
2 L'emphase de *(Guez de)* Balzac n'est qu'un jeu, car il n'en est jamais la dupe. Ceux qui le censurent avec amertume et gravité sont des gens qui n'entendent pas la plaisanterie sérieuse, et qui ne savent pas distinguer l'hyperbole de l'exagération, l'emphase de l'enflure, la rhétorique d'un homme de la sincérité de son personnage, enfin ce qui tient à l'art de ce qui tient à l'artiste.
Joseph JOUBERT, Pensées, XXIV, X.
3 (...) tout le monde nous faisait des récits merveilleux de l'Andalousie avec cette emphase où l'on fanfaronne dont les Espagnols ne se déshabituent jamais, pas plus que les Gascons de France. Th. GAUTIER, Voyage en Espagne, p. 132.
4 Il parla à son tour d'un ton doctrinaire, avec l'emphase apprise dans les proclamations qu'on collait chaque jour aux murs, et il finit par un morceau d'éloquence où il étrillait magistralement cette « crapule de Badinguet ».
MAUPASSANT, Boule de suif, p. 28.
5 Remarquable discours de Valéry. D'une gravité, d'une ampleur, d'une solennité admirables, sans emphase aucune, d'une langue des plus particulières, mais noble et belle au point d'en être comme dépersonnalisée. S'élève loin au-dessus de tout ce qu'on écrit aujourd'hui. GIDE, Journal, 24 janv. 1931.
Par anal. Manque de simplicité dans l'expression d'un art. ⇒ **Outrance.** *L'emphase dans la peinture, la musique.*
6 Ses deux paysages *(sont)* d'une native et sévère mélancolie. Les eaux y sont plus lourdes et plus solennelles qu'ailleurs, la solitude plus silencieuse, les arbres eux-mêmes plus monumentaux. On a souvent ri de l'emphase de M. Clésinger (...)
BAUDELAIRE, Curiosités esthétiques, Salon de 1859.

♦ 2. Ling. Accent particulier, affectif, porté sur un constituant de la phrase. *L'emphase peut se situer au niveau phonologique* (intonation) *ou syntaxique. Transformation d'emphase* (⇒ **Emphatique**).

♦ 3. Exagération dans la manifestation des émotions, des sentiments. ⇒ **Affectation, cérémonie.** *Porter le deuil avec une certaine emphase. Poignée de main pleine d'emphase scellant une réconciliation. La réserve et la pudeur sont le contraire d'une emphase.*
7 Figurez-vous une personne incapable de commettre une erreur de sentiment ou de calcul ; figurez-vous une sérénité désolante de caractère ; un dévouement sans comédie et sans emphase ; une douceur sans faiblesse (...)
BAUDELAIRE, le Spleen de Paris, XLII.
CONTR. Naturel, simplicité. — Discrétion, réserve.
DÉR. Emphatique.

EMPHATIQUE [ɑ̃fatik] adj. — 1579 ; grec *emphatikos,* de *emphasis.* → Emphase.

♦ 1. Rhét. Qui donne de la force par exagération. *Tour emphatique. Sens emphatique d'un terme. Forme emphatique du pronom personnel* (moi, toi...). *Pluriel emphatique.*

♦ 2. (En parlant du discours, du ton, de la voix...). Qui est empreint d'emphase, qui s'exprime avec emphase. ⇒ **Académique, affecté, apprêté, boursouflé, déclamatoire, guindé, pédantesque, pompeux,**

prétentieux, sentencieux, solennel. *Discours, voix, paroles emphatiques. Prendre un ton emphatique.* → Employer de grands mots*, faire des phrases*, emboucher la trompette*. *Prononciation emphatique. Style emphatique.* ⇒ **Ampoulé** (cit. 2). *Geste, mouvement emphatique. Qualification emphatique* (→ Cacao, cit. 1).

1 — Monsieur, moi j'ai lu Swedenborg en entier, reprit monsieur Becker en laissant échapper un geste emphatique. 					BALZAC, Séraphîta, Pl., t. X, p. 503.

2 (...) la pièce est dans ce genre roide, rude, tendu et emphatique, qui rappelle parfois le ton et le tic, mais non le génie de Corneille.
									SAINTE-BEUVE, Causeries du lundi, 6 oct. 1851, t. V, p. 5.

3 Salut aux gens de bien! reprit enfin le fou dont on devinait le large mouvement emphatique, distributeur de justes palmes.
									COURTELINE, Messieurs les ronds-de-cuir, 3ᵉ tableau, II.

3.1 Sur un dernier vers emphatique, dont chaque syllabe fut hurlée isolément d'une voix enrouée par l'effort, la géniale tragédienne s'en alla d'un pas lent, tenant sa tête à deux mains, non sans répandre jusqu'à la fin ses pleurs limpides et abondants. 				Raymond ROUSSEL, Impressions d'Afrique, p. 104.

Personnes. *Personnage emphatique,* qui adopte un ton, des gestes emphatiques. *Un orateur emphatique.*

4 N'est-ce pas, madame, que voici un madrigal vraiment méritoire, et aussi emphatique que vous-même? En vérité, j'ai eu tant de plaisir à broder cette prétentieuse galanterie, que je ne vous demanderai rien en échange.
									BAUDELAIRE, le Spleen de Paris, XVI.

N. m. (au sing.). Caractère de ce qui est exprimé avec emphase. *Détester l'emphatique.*

♦ **3.** Ling. Relatif au procédé d'emphase. *Transformation emphatique.*

♦ **4.** Phonét. *Consonne emphatique,* articulée avec une pharyngalisation. *Le t emphatique de l'arabe.* — N. f. *(Une, des emphatiques).* Consonne(s) emphatique(s).

CONTR. **Naturel, simple, sobre.**

DÉR. **Emphatiquement.** — V. **Emphatiser.**

EMPHATIQUEMENT [ãfatikmã] adv. — XVIᵉ; de *emphatique.*

♦ D'une manière emphatique. *Parler, s'exprimer emphatiquement.*

EMPHATISER [ãfatize] v. intr. et tr. — Mil. XXᵉ; du rad. de *emphati(que).*

♦ **1.** V. intr. Rare et littér. S'exprimer avec emphase, être emphatique.

Me réclamer d'Oreste, ce ne sera toutefois qu'emphatiser burlesquement tant que, tête moins brûlée que déboussolée, je ne saurai pas de qui — ou de quoi — je pourrais dire, m'abandonnant sans marchander : «Et je lui porte enfin mon cœur à dévorer.»
									Michel LEIRIS, Frêle Bruit, t. IV, p. 219.

♦ **2.** V. tr. Ling. *Emphatiser une phrase,* lui faire subir une transformation emphatique (3.).

EMPHYSÉMATEUX, EUSE [ãfizematø, øz] adj. et n. — 1755; de *emphysème.*

Pathologie.

♦ **1.** Adj. Relatif à l'emphysème. *Gonflement emphysémateux. Tumeur emphysémateuse.*

♦ **2.** N. (1852). Malade atteint d'emphysème. *Une emphysémateuse.*

EMPHYSÈME [ãfizɛm] n. m. — 1628; grec médical *emphusêma* «gonflement».

♦ Pathol. Gonflement produit par une infiltration gazeuse dans le tissu cellulaire. *Emphysème de l'intestin.* — *Emphysème pulmonaire :* dilatation anormale et permanente des alvéoles pulmonaires pouvant entraîner la rupture de leurs parois et l'infiltration gazeuse du tissu cellulaire.

DÉR. **Emphysémateux.**

EMPHYTÉOSE [ãfiteoz] n. f. — 1271; lat médiéval *emphyteosis,* lat. jurid. *emphyteusis,* grec *emphuteusis,* de *phuteuein* «planter», de *phuton.* → Phyto-.

♦ Dr. Bail de longue durée (18 à 99 ans) qui confère au preneur un droit réel susceptible d'hypothèque.

EMPHYTÉOTE [ãfiteɔt] n. — 1596; lat. médiéval *emphyteota,* du grec tardif *emphuteeutes.* → Emphytéose.

♦ Dr. Personne qui jouit d'un fonds par bail emphytéotique. ⇒ **Emphytéose.**

EMPHYTÉOTIQUE [ãfiteɔtik] adj. — XIVᵉ; lat. médiéval *emphyteoticus,* de même orig. que *emphythéose*.

♦ Dr. Relatif à l'emphytéose*. *Bail emphytéotique,* d'une durée de 18 à 99 ans.

EMPIÈCEMENT [ãpjɛsmã] n. m. — 1870; de *em-* (en-), *pièce,* et suff. -ment.

♦ Pièce rapportée constituant le haut d'un corsage, d'un chemisier, d'une robe et couvrant les épaules. — Partie plate d'une jupe, de la taille aux hanches, qui maintient les plis de l'ampleur du bas. *Empiècement d'une chemise, d'un corsage, d'un tablier. Empiècement de guipure, de broderie.*

(...) l'empiècement de dentelle qui engainait la gorge et le col et se maintenait jusque sous les oreilles au moyen de ces tiges plates que l'on appelait des baleines (...)
									G. DUHAMEL, Inventaire de l'abîme, XV, p. 224.

EMPIÉGER [ãpjeʒe] v. tr. — Conjug. *céder* et *bouger.* — V. 1380; de *em-* (en-), *piège,* et suff. verbal.

♦ **1.** Vx. Prendre au piège.

♦ **2.** Fig. et littér. Embarrasser, empêtrer, et, fig., tromper (Lamartine, A. Arnoux, in T. L. F.). → Piéger.

Pronominal :

En de tels passages, où l'on soupçonne que l'esprit humain s'empiège lui-même, comme dit Montaigne, on connaît le prix d'un auteur auquel on puisse se fier tout à fait. 			ALAIN, Descartes, in les Passions et la Sagesse, Pl., p. 962.

EMPIERRAGE [ãpjɛʀaʒ] n. m. — 1836; de *empierrer.*

♦ Action d'empierrer; résultat de cette action. *L'empierrage d'un chemin.* ⇒ **Empierrement.**

EMPIERREMENT [ãpjɛʀmã] n. m. — 1750; de *empierrer.*

♦ **1.** Action d'empierrer; résultat de cette action. *Faire l'empierrement d'une route.* ⇒ **Empierrage.** *Un bel empierrement.*

♦ **2.** (1829). Couche de pierres cassées, destinées à recouvrir une route, un chemin.

EMPIERRER [ãpjeʀe] v. tr. — 1636; attestation p.-ê. isolée, 1323; «changer en pierre», 1552; de *em-* (en-), *pierre,* et suff. verbal.

♦ Garnir de pierres, de caillasse. *Empierrer un chemin, une route*.* ⇒ **Cailloter, macadamiser, recharger.** *Empierrer un fossé, un bassin (pour faciliter l'écoulement des eaux).*

▶ **EMPIERRÉ, ÉE** p. p. adj.

(...) une tache verte dans le vert crépuscule, allant se rétrécissant puis cessant à l'endroit où le chemin empierré débouchait sur la route (...)
									Claude SIMON, la Route des Flandres, p. 241 (1960).

DÉR. **Empierrage, empierrement.**

EMPIÉTEMENT [ãpjetmã] ou **EMPIÈTEMENT** [ãpjɛtmã] n. m. — 1376; «base», 1490; de *empiéter.*

♦ **1.** Action d'empiéter; résultat de cette action. *Ils avaient étendu leurs domaines par empiétements successifs sur les terres voisines.*

♦ **2.** Extension (d'une chose sur une autre). *Empiétement de la mer sur le rivage.*

♦ **3.** Fig. Fait d'usurper les droits de qqn. *Les empiétements du pouvoir* (→ Assujettir, cit. 9). *Nous ne devons pas tolérer ces empiétements.* ⇒ **Abus, excès** (de pouvoir), **usurpation.**

(...) ce qu'elle appelait nos empiétements, c'étaient nos droits.
									HUGO, les Misérables, IV, I, I.

EMPIÉTER [ãpjete] v. — Conjug. *céder.* — XIVᵉ; trans., «saisir, occuper», XVIᵉ; de *em-* (en-), *pied,* et suff. verbal.

A. V. tr. Vx. ♦ **1.** Fauconn. Prendre, tenir entre ses serres. *Le faucon empiète sa proie.*

Un pigeon blanc empiété d'un autour (...) 			RONSARD, in HATZFELD.		1

♦ **2.** Rare. Gagner (qqch.) pied à pied. *Ce laboureur empiète tous les ans quelques sillons sur la terre de son voisin* (Académie).

B. V. intr. Mod. EMPIÉTER SUR. ♦ **1.** (1636). Mettre le pied, gagner pied à pied (sur le terrain du voisin). ⇒ **Gagner, grignoter.** *J'ai dû poser des bornes pour qu'il n'empiète pas sur mon chemin. État qui empiète sur ses voisins.*

(...) cet État *(Rome)* fondé sur la guerre, et par là naturellement disposé à empiéter sur ses voisins (...) 			BOSSUET, Disc. sur l'hist. universelle, III, VII.		2

♦ **2.** Sujet n. de chose. S'étendre, déborder sur. *La mer empiète de plus en plus sur le rivage.* ⇒ **Gagner, mordre.** *Lignes qui empiètent l'une sur l'autre.* ⇒ **Chevaucher.**

Au pied on aperçoit une multitude de tombes serrées, accumulées, empiétant les unes sur les autres; la foule des morts s'y presse; c'est à qui dormira le plus près du saint. 			E. FROMENTIN, Un été dans le Sahara, p. 99.		3

Par anal. *Vers qui empiète sur le suivant* (⇒ **Enjambement**).

♦ **3.** (1690). Abstrait. Usurper les droits de qqn. *Empiéter sur les* *attributions de qqn.* ⇒ **Anticiper, entreprendre ; dépasser, outrepasser ; et,** fam., **marcher** (sur les plates-bandes de quelqu'un).

4   Vous dites qu'il faut être modeste ; les gens bien nés ne demandent pas mieux : faites seulement que les hommes n'empiètent pas sur ceux qui cèdent par modestie (...)   LA BRUYÈRE, les Caractères, XI, 71.

5   Il ne m'est pas permis de m'introduire auprès des souverains ; ce serait empiéter sur les droits de Léviathan, de Belphégor et d'Astaroth.
       A. R. LESAGE, le Diable boiteux, XVIII.

6   (...) mon passé me suit et empiète sur mon présent, et presque sur mon avenir (...)
       Th. GAUTIER, Mlle de Maupin, III, p. 37.

7   Un prince accompli, remplissant ses devoirs avec discrétion (...) n'empiétant sur la liberté de personne (...)
       RENAN, Questions contemporaines, *in* Œ. compl., t. I, p. 56.

8   (...) les garanties parlementaires sont indispensables, car sans elles tout gouvernement est amené par la force des choses à empiéter sur ce qui ne le concerne pas (...)   RENAN, Questions contemporaines, *in* Œ. compl., t. I, p. 64.

CONTR. **Abandonner, céder concéder. — Respecter.**
DÉR. **Empiètement.**

EMPIFFRER [ɑ̃pifʀe] v. tr. — XVIe ; de *em- (en-), piffre* « homme ventru », vx ou dial., du rad. expressif. *piff-,* et suff. verbal.

♦ Fam. et rare. Faire manger avec excès. ⇒ **Bourrer, gaver, gorger.** *Empiffrer un enfant de friandises.*

▶ **S'EMPIFFRER** v. pron.
(1669). Cour. Manger* avec excès, gloutonnement. ⇒ **Dévorer.** *Dès qu'il est à table, il s'empiffre. S'empiffrer de gâteaux* (→ Se flanquer une ventrée* la...).

1   Il s'imaginait servir un affamé et il avait effectivement sujet de penser que j'allais m'empiffrer de ses ragoûts (...)   A. R. LESAGE, Gil Blas, IX, IV.

2   On posait devant lui les innombrables plats qui composent l'ordinaire d'un grand seigneur marocain ; il s'empiffrait de nourriture, car il était vorace ; et repu, s'endormait sur place (...)   Jérôme et Jean THARAUD, Marrakech, p. 81.

CONTR. **Affamer, priver** (de), **rationner ; jeûner.**

1. EMPILAGE [ɑ̃pilaʒ] n. m. — 1679 ; de 1. *empiler.*

♦ Action d'empiler ; résultat de cette action. ⇒ **Empilement.** *Empilage et séchage du bois. L'empilage de la vaisselle sale dans l'évier.*
Fig. Aviat. ⇒ 1. **Empiler.**

2. EMPILAGE [ɑ̃pilaʒ] n. m. — 1769 ; de 2. *empiler.*

♦ Techn. (pêche). Action d'attacher un hameçon à une empile.

EMPILE [ɑ̃pil] n. f. — 1769 ; de 2. *empiler.*

♦ Techn. (pêche). Petit fil ou crin auquel on attache l'hameçon.
HOM. Formes des v. 1. **empiler,** 2. **empiler.**

EMPILEMENT [ɑ̃pilmɑ̃] n. m. — 1548 ; de 1. *empiler.*

♦ **1.** Action d'empiler ; son résultat. ⇒ **Empilage.** *L'empilement de dossiers les uns sur les autres.*

♦ **2.** Ensemble de choses entassées. ⇒ **Entassement, superposition.** *Un empilement invraisemblable de caisses.* — Par ext. (fam.). Le fait d'être entassé (personnes, êtres vivants). *L'empilement des voyageurs dans un wagon.*

♦ **3.** (1973). Sc. Phénomène par lequel des impulsions trop rapprochées dans le temps produisent le même effet qu'une impulsion unique.

1. EMPILER [ɑ̃pile] v. tr. — Fin XIIe ; de *em- (en-), pile,* et suff. verbal.

♦ **1.** Mettre en pile, entasser. *Empiler du bois, des livres, des vêtements, de la vaisselle. Empiler du linge dans une armoire.*

1   Sur la petite table du kiosque il y a les journaux du soir pliés et empilés.
       J. ROMAINS, les Hommes de bonne volonté, t. IV, XV, p. 153.
Loc. fig. et vx. *Empiler des écus :* amasser de l'argent.

♦ **2.** Par ext. Entasser (des êtres vivants) dans un espace exigu. *Empiler des voyageurs dans un wagon.* ⇒ **Presser.**
Argot techn. (aviat.). Faire attendre (des avions) à des altitudes différentes au-dessus d'un aérodrome (*l'Express,* 14 juil. 1971).

♦ **3.** (Fin XIXe). Fam. Tromper (qqn), voler. ⇒ **Avoir** (fam.), **duper, posséder** (fam.), **refaire** (fam.). *Il s'est fait empiler.*

1.1   (...) il s'agit de l'état de santé de M. d'Espivant, qui est assez gravement atteint pour...
— Pour qu'il l'empile, dit Coco Vatard.   COLETTE, Julie de Carneilhan, p. 104.

▶ **S'EMPILER** v. pron. passif.
Être mis en pile. *Les livres s'empilent sur la table.* — (Sujet n. de personne). S'entasser. *Aux heures d'affluence, les Parisiens s'empilent dans les voitures du métro.*

2   Il prépare ainsi vingt dessins à la fois avec une pétulance et une joie charmantes,

---

amusantes même pour lui ; les croquis s'empilent et se superposent par dizaines, par centaines, par milliers.
       BAUDELAIRE, Curiosités esthétiques, « Le peintre de la vie moderne », v.

3   Là, des Levantins de toute race (et quelques jeunes Turcs aussi, hélas !) [...] s'empilaient dans des brasseries, des « beuglants » ineptes, ou autour des tables de poker, dans les cercles de la haute élégance pérote (...)
       LOTI, les Désenchantées, XVII, p. 124.

▶ **EMPILÉ, ÉE** p. p. adj. *Livres empilés,* formant une pile. — *Des voyageurs empilés dans l'autobus.*

DÉR. 1. **Empilage, empilement, empileur.**

2. EMPILER [ɑ̃pile] v. tr. — 1769 ; de em- *(en-), pile* « petites cordes *en pile* sur la ligne », 1765, et suff. verbal.

♦ Techn. (pêche). Attacher (un hameçon) à l'empile*.

DÉR. 2. **Empilage, empile.**

EMPILEUR, EUSE [ɑ̃pilœʀ, øz] n. — 1715 ; de 1. *empiler.*

♦ **1.** Celui, celle qui empile (des objets). *Empileur de bois.*

Elle a la figure résignée, presque mauvaise. Lui, empileur, il gagne de bonnes journées. Elle aurait pu être heureuse chez elle, mais il boit et il la bat. Elle ne voit rien de ce qu'il gagne.   J. RENARD, Journal, 7 sept. 1907.

♦ **2.** (V. 1900). Fam. et rare. Escroc, voleur.

EMPIRE [ɑ̃piʀ] n. m. — 1080 ; *empirie,* v. 1050 ; du lat. *imperium* « pouvoir suprême », de *imperare.* → Empereur.

♦ **1.** Littér. Autorité, domination absolue (de qqn sur qqch.). ⇒ **Commandement, gouvernement, souveraineté.** *Détenir l'empire des mers.* ⇒ **Contrôle, maîtrise.** *L'empire du monde* (→ Abhorrer, cit. 3 ; acheminer, cit. 3).

Cet empire absolu sur la terre et sur l'onde (...)   CORNEILLE, Cinna, II, 1.   1
(Aux mains) À qui Rome a commis l'empire des humains.   2
       RACINE, Britannicus, II, 3.
L'homme a établi son empire sur la nature. ⇒ **Pouvoir, puissance** (→ Découverte, cit. 11).

(Abstrait). *Exercer sur les siens un empire despotique.* ⇒ **Autorité, tyrannie.** *Elle a pris beaucoup d'empire sur lui.* ⇒ **Ascendant** (cit. 7 et 8), **emprise, influence.** *Exercer sur qqn empire absolu.* ⇒ **Assujettir,** *subjuguer. User de son empire.* ⇒ **Autorité, crédit, prestige.** *Avoir de l'empire sur soi, sur ses passions,* rester maître de soi. ⇒ **Contrôle, maîtrise, sang-froid.**

Hé bien ! je me suis tu, malgré ce que je voi*(s),*   3
Et j'ai laissé parler tout le monde avant moi :
Ai-je pris sur moi-même un assez long empire,
Et puis-je maintenant (...)   MOLIÈRE, le Misanthrope, V, 4.
Henriette me tient sous son aimable empire (...)   4
       MOLIÈRE, les Femmes savantes, I, 4.
Depuis cette explosion *(du règne de Louis XIV),* la France a continué de donner   5
un théâtre, des habits, du goût, des manières, une langue, un nouvel art de vivre et des jouissances inconnues aux États qui l'entourent : sorte d'empire qu'aucun peuple n'a jamais exercé.
       RIVAROL, Littérature, De l'universalité de la langue franç., *in* Œ., p. 20.

♦ **2.** Fig. Influence, domination exercée (par une chose). *L'empire de la mode, de la beauté.* — Pouvoir, forte influence morale (de qqch.) sur une personne. *L'empire des sens. L'empire du cœur* (→ Délire, cit. 5), *de la raison* (→ Âge, cit. 28 ; délectation, cit. 3), *des passions, de l'amour* (→ Assujettir, cit. 26 ; cuisant, cit. 4). *Cette doctrine exerce, a pris un grand empire sur la jeunesse. Agir sous l'empire des circonstances* (⇒ **Pression**), *de la nécessité, de la terreur. Il était sous l'empire de la boisson quand il a commis ce crime.*

Comme l'esprit a grand empire sur le corps (...)   6
       MOLIÈRE, l'Amour médecin, III, 6.
Une grande façon qui tenait à sa naissance, une observation rigoureuse des bien-   7
séances, un air froid et dédaigneux contribuaient à nourrir l'illusion autour du prince de Bénévent. Ses manières exerçaient de l'empire sur les petites gens et sur les hommes de la société nouvelle, lesquels ignoraient la société du vieux temps.
       CHATEAUBRIAND, Mémoires d'outre-tombe, t. VI, p. 301.
La religion prit de plus en plus d'empire dans cette âme toute faite pour l'accueil-   8
lir et si naturellement ordonnée.
       SAINTE-BEUVE, Causeries du lundi, 1er déc. 1851, t. V, p. 188.
Expliquerai-je comment, sous l'empire du poison, mon homme se fait bientôt   9
centre de l'univers ?
       BAUDELAIRE, les Paradis artificiels, « Le poème du haschisch », IV.

♦ **3.** (1668). Vx. ou littér. Lieu, domaine où s'exerce une domination, un empire (1.). *L'empire des morts :* les enfers. *L'empire de Neptune :* la mer.

Celui de qui la tête au ciel était voisine,   10
Et dont les pieds touchaient à l'empire des morts.   LA FONTAINE, Fables, I, 22.
L'empire des femmes est beaucoup trop grand en France, l'empire de la femme   11
beaucoup trop restreint.   STENDHAL, De l'amour, p. 288.

♦ **4.** Mod. Autorité souveraine (d'un chef d'État qui porte le titre d'empereur). *Appeler* (cit. 16), *associer* (cit. 1 et 2) *qqn à l'empire* (→ Association, cit. 2). *Dioclétien abdiqua...* (cit. 2) *l'empire.*

J'ai souhaité l'empire et j'y suis parvenu.   CORNEILLE, Cinna, II, 1.   12

13 Là, consul jeune et fier, amaigri par des veilles
    Que des rêves d'empire emplissaient de merveilles,
    Pâle sous ses longs cheveux noirs.
                              HUGO, les Orientales, XL, I.

14 L'Empire ! Le mot avait toujours couronné une hégémonie. Il s'était forgé à Rome
    à l'heure où, par la conquête des Gaules, après celle de toute la Méditerranée, la
    grande République avait complété son système de domination universelle (...)
    Les grands princes de France, d'un Philippe le Bel à un François Ier, avaient, eux
    aussi, ambitionné, aux heures de grandeur, ce titre prestigieux. Il était allé tout
    naturellement à un Charles-Quint, maître de la moitié de l'Europe. L'aigle s'était
    ainsi promenée de Rome à Aix-la-Chapelle, de Madrid à Francfort et à Vienne ;
    elle avait au printemps de 1804, se poser sur les tours de Notre-Dame parce
    que, pour la France, les temps étaient révolus.
    Louis MADELIN, Hist. du Consulat et de l'Empire, L'avènement de l'Empire,
                                                    VIII, p. 106-107.

♦ **5.** L'État ou l'ensemble des États soumis à cette autorité. *Capitale, frontières d'un empire. L'Empire romain* (→ Auguste, cit. 1 ; désunir, cit. 3). *L'Empire byzantin. L'Empire romain d'Occident et le Saint-Empire romain germanique,* ou, absolt, *l'Empire* (→ Corps, cit. 37). *Mettre qqn au ban de l'Empire* (⇒ 1. **Ban,** 4.). — *L'empire du Milieu, le Céleste Empire,* noms donnés anciennement à la Chine. *L'Empire du Soleil-Levant :* le Japon. *L'Empire chérifien :* le Maroc. — *Le Premier Empire* (absolt *l'Empire*) : le régime fondé en France par Napoléon Ier. *Les guerres de l'Empire* (absolt), de l'Empire de Napoléon Ier. *Le Second Empire,* de Napoléon III.

15 Comme Cyrus dans Babylone,
    Il voulait, sous sa large main,
    Ne faire du monde qu'un trône
    Et qu'un peuple du genre humain (...)
    Et bâtir, malgré les huées,
    Un tel empire sous son nom,
    Que Jéhovah dans les nuées
    Fût jaloux de Napoléon !
                              HUGO, les Châtiments, V, XIII, 5.

16 Aussi bien la conception même du Grand Empire était-elle (...) bien scabreuse (...)
    disons dès maintenant qu'en renonçant, en 1806, au simple système d'un Empire
    français enfermé dans des limites assez larges, mais fort de son unité (...) l'Empereur, — si surhumain que fût son génie, — s'exposait non point à se fortifier, mais,
    en se surmenant, à affaiblir son action.
    Louis MADELIN, Hist. du Consulat et de l'Empire, Vers l'Empire d'Occident,
                                                    X, p. 137.

    Par métonymie. La période du Premier Empire, en France. *Histoire du Consulat et de l'Empire,* de Thiers, de Madelin. — Appos. *Avoir un salon Empire, des meubles Empire.* — *Le Second Empire :* le règne de Napoléon III. — Appos. *Des mobiliers Second Empire.*

17 (...) J'étais au lit ;
    Mon pied nu dépassait, et sur le bois poli
    Posé comme ces pieds que cisèle Thomire,
    Du meuble Médicis faisait un meuble Empire.   Edmond ROSTAND, l'Aiglon, IV, 7.

♦ **6.** Ensemble d'États, de territoires relevant d'un gouvernement central. *Empire colonial. L'Empire français, l'Empire britannique* (⇒ **Colonie ; commonwealth**). *L'empire universel rêvé par les dictateurs.*

17.1 Déjà, d'ailleurs, la puissance ne se rassemblait plus à l'échelle des nations mais des
      empires. Vastes et soudés comme des continents, les U.S.A. et la Russie étaient
      spontanément des empires.
                              Raymond ABELLIO, Ma dernière mémoire, t. II, p. 8.

♦ **7.** État puissant et dominateur ; son territoire. *Le partage de l'empire d'Alexandre. Celui de qui relèvent tous les empires* (→ Appartenir, cit. 20). *Fonder un empire* (→ Arme, cit. 20). *Apogée, décadence, chute des empires* (→ Couler, cit. 23). *Veillons au Salut de l'Empire,* chant de guerre composé sous la première République. — Loc. *Pour un empire* (après une proposition négative comprenant un verbe d'action ou d'intention au conditionnel ou au subjonctif, au sens de « en aucune façon »). *Je ne céderais pas ma place pour un empire,* pour rien au monde.

18 Je n'en eusse quitté ma part pour un empire.   LA FONTAINE, Fables, XII, 12.
19 Si vous croyez que je vais dire
    Qui j'ose aimer,
    Je ne saurais, pour un empire,
    Vous la nommer.
                              A. DE MUSSET, le Chandelier, I, 4.

DÉR. V. **Empereur, impératrice, impérial, impérialisme.**
HOM. Formes du v. **Empirer.**

EMPIREMENT [ɑ̃piʀmɑ̃] n. m. — Mil. XIIe ; de *empirer.*

♦ Rare. Action d'empirer ; état d'une chose qui empire. *L'empirement d'une maladie, d'une situation.*

EMPIRER [ɑ̃piʀe] v. — XIIIe ; réfection d'après *pire,* de *empeirier,* XIe, du lat. pop. **impejorare,* du bas lat. *pejorare* « aggraver », de *pejor* « pire ».

★ **I.** V. tr. Vieilli ou littér. Rendre pire*. ⇒ **Aggraver, augmenter.** *Le traitement qu'il a suivi n'a fait qu'empirer son mal. Le souvenir du passé empirait la misère présente* (→ Abrutissement, cit. 3).

1 Pour vouloir fuir le mal, quelquefois on l'empire (...)
                    Thomas CORNEILLE, la Comtesse d'Orgueil, I, 2, *in* LITTRÉ.

2 Il faut surtout ne pas empirer son mauvais sort en regimbant contre.
                              G. SAND, François le Champi, X, p. 89.

3 Les dons qu'elle *(la nature)* accorde, on ne s'en sert d'abord que pour le mal, pour
   empirer ce qu'elle semblait vouloir améliorer (...)
                              MAETERLINCK, la Vie des abeilles, XII, p. 251.

★ **II.** V. intr. Cour. Devenir pire. — REM. *Empirer* s'emploie dans ce cas avec l'auxiliaire *avoir* ou *être,* suivant que l'on veut indiquer l'action ou l'état. *Son état empire, a beaucoup empiré depuis hier. Son état est empiré. Le mal empire, ne fait qu'empirer chaque jour.* ⇒ **Progresser.** *Ses affaires empirent.* ⇒ **Péricliter, mal** (aller de mal en pis). *La situation empire à vue d'œil.* — Par ext. (rare). Devenir plus malade. *Il empire à vue d'œil. Son moral empire.* ⇒ **Dégrader** (se).

4 (...) ce mal, qui pourrait empirer par le retardement.
                              MOLIÈRE, le Médecin malgré lui, III, 6.
5 (...) elle *(la mère Barbeau)* demandait qu'on fît d'abord l'essai de garder Landry
   quinze jours à la maison, pour savoir si son frère, le voyant à toute heure, ne
   se guérirait point. S'il empirait, au contraire, elle se rendrait à l'avis du père Caillaud.
                              G. SAND, la Petite Fadette, XXXI, p. 208.
6 Pourtant nous n'avons pas craint d'en parler ; mais plus encore de sa prochaine
   convalescence, alors qu'il semble que son état, déjà si pitoyable, ne puisse qu'empirer bientôt.
                              GIDE, Journal, 18 août 1930.

▶ S'EMPIRER v. pron.

Vieilli ou rare. Devenir pire.

7 Leur état allait s'empirant (...)   BOSSUET, Hist., II, 1, *in* LITTRÉ.

CONTR. **Améliorer, amender ; mieux** (aller mieux).
DÉR. **Empirement.**
HOM. **Empyrée.**

EMPIRICITÉ [ɑ̃piʀisite] n. f. — XXe ; de *empirique.*

♦ Didact. et rare. Caractère de ce qui est empirique. *L'empiricité des connaissances.* — Ensemble de connaissances empiriques.

Ces domaines (...) se sont tous constitués sur fond d'une science possible de l'ordre
(...) Ainsi sont apparues la grammaire générale, l'histoire naturelle, l'analyse des
richesses, sciences de l'ordre dans le domaine des mots, des êtres et des besoins ; et
toutes ces empiricités, neuves à l'époque classique (...) n'ont pu se constituer sans
le rapport que toute l'*épistémè* (art) de la culture occidentale a entretenu alors
avec une science universelle de l'ordre.
                              Michel FOUCAULT, les Mots et les Choses, p. 71.

EMPIRIE [ɑ̃piʀi] n. f. — 1866, Amiel ; 1585, « empirisme » ; du grec *empeiria,* d'après *empirique.*

♦ Philos. et rare. Réalité empirique, expérience. *L'empirie et la théorie.*
CONTR. **Science.**

EMPIRIOCRITICISME [ɑ̃piʀjokʀitisism] n. m. — 1897, Avenarius, Esquisse de l'empiriocriticisme, par H. Delacroix ; de *empirio-* (élément formé sur *empirique*), et *criticisme,* d'après l'allemand.

♦ Philos. Doctrine de la fin du XIXe siècle, issue du criticisme* kantien, qui critique la valeur objective de la science. *Matérialisme et Empirio-Criticisme,* ouvrage de Lénine.
REM. S'écrit aussi *empirio-criticisme.*

Contre la philosophie digestive de l'empirio-criticisme, du néo-kantisme, contre
tout « psychologisme », Husserl ne se lasse pas d'affirmer qu'on ne peut pas dissoudre les choses dans la conscience.   SARTRE, Situations, I, p. 32.

EMPIRIQUE [ɑ̃piʀik] adj. — 1314 ; lat. *empiricus,* grec *empeirikos,* de *empeiros* « expérimenté ».

Didact. Qui se guide seulement par l'expérience* ; qui résulte de l'expérience et ne se déduit d'aucune loi ou système (⇒ **Expérimental**).

♦ **1.** Vx. ou didact. (en parlant d'une pratique médicale). Qui s'appuie principalement sur l'expérience et non pas sur les données scientifiques et rationnelles. ⇒ **Empirisme** (1.). *Médecine thérapeutique empirique.* — *La secte empirique,* qui, au IIIe siècle av. J.-C., prétendit se passer systématiquement de tout raisonnement en médecine. *Médecin empirique.* — N. *Les empiriques. Sextus Empiricus,* ou *l'Empirique,* médecin et philosophe grec.

1 Toute la médecine des empiriques se réduisait donc à avoir vu, à se ressouvenir
   et à comparer (...) Ajoutons qu'ils rejetaient toutes les causes diversifiées, occultes, ou cachées des maladies, toute hypothèse (...)
                              Encycl. (DIDEROT), art *Empirique.*

(XVIIe). Péj. (Du fait que cette expérience se réduisait trop souvent à une expérience personnelle, secrète et informulable). *Médecine empirique,* qui ne tient aucun compte des données de la science. *Médication empirique.* — N. (vx). *Un empirique :* un médecin qui n'applique qu'une médecine empirique. ⇒ **Charlatan, guérisseur, rebouteux.**

2 C'était un Italien *(Caretti)* [...] qui gagnait de l'argent en faisant l'empirique.
                              SAINT-SIMON, Mémoires, I, XXXV.
3 (...) M. Fagon n'aura pas fait beaucoup de grâce aux empiriques ; ces sortes de
   médecins, d'autant plus accrédités qu'ils sont moins éclairés, de quoi leur ignorance est plus obscure et même plus visionnaire ou même de
   leur ignorance, ont trop souvent puni la crédulité de leurs malades (...)
                              FONTENELLE, Fagon, *in* LITTRÉ.
4 (...) elle ne laissa pas de prendre le goût que son père avait pour la médecine empirique et pour l'alchimie : elle faisait des élixirs, des teintures, des baumes, des
   magistères ; elle prétendait avoir des secrets.   ROUSSEAU, Confessions, II.
5 Un marchand d'orviétan passa dans le village ; mon père, qui ne croyait point aux

médecins, croyait aux charlatans : il envoya chercher l'empirique, qui déclara me guérir en vingt-quatre heures.
CHATEAUBRIAND, Mémoires d'outre-tombe, t. I, p. 87.

♦ **2.** Mod. Qui reste au niveau de l'expérience spontanée ou commune, n'a rien de rationnel ni de systématique. *Morale, précepte empirique. Procédés purement empiriques. Politique empirique.* ⇒ **Pragmatique.**

Péj. Approximatif. *Des recettes empiriques.*

♦ **3.** (1808). Philos. Qui résulte de l'expérience, de l'empirisme (2.). *Connaissance empirique* par oppos. à *connaissance rationnelle* et, dans un sens plus particulier, à *connaissance expérimentale. La connaissance empirique est a posteriori*. Intuition empirique. Formule empirique. Procédés empiriques. Méthode empirique. Une science empirique. Psychologie empirique. Philosophie empirique,* qui professe l'empirisme. ⇒ **Empirisme.** — *Stade empirique d'une science :* première étape d'une démarche scientifique (avant l'étape de l'abstraction, de la théorisation). ⇒ **Expérimental.**

(Sujet n. de personne). Qui fait des découvertes spontanées, fortuites, ne reposant sur aucun système ou théorie. *Chercheur empirique.* — N. *Les empiriques.* ⇒ **Empiriste.**

6   On peut s'instruire, c'est-à-dire acquérir de l'expérience sur ce qui nous entoure, de deux manières, empiriquement et expérimentalement. Il y a d'abord une sorte d'instruction ou d'expérience inconsciente et empirique, que l'on obtient par la pratique de chaque chose. Mais cette connaissance que l'on acquiert ainsi n'en est pas moins nécessairement accompagnée d'un raisonnement expérimental vague que l'on fait sans s'en rendre compte (...)
Cl. BERNARD, Introd. à l'étude de la médecine expérimentale, p. 47.

CONTR. Déductif, dogmatique, méthodique, rationnel, scientifique, systématique, théorique.
DÉR. Empiricité, empiriquement.

EMPIRIQUEMENT [ãpiʀikmã] adv. — 1593 ; de *empirique.*

♦ D'une manière empirique* (cit. 6). *Résultats obtenus empiriquement.*

EMPIRISME [ãpiʀism] n. m. — 1732, méd. ; dér. sav. du grec *empeiria* « expérience ». → Empirique.

♦ **1.** Vx. Médecine empirique*. — Péj. Pratique de la médecine sans connaissance médicale. *L'empirisme des charlatans.* ⇒ **Charlatanisme.**

1   Ainsi tous ceux qui ont réduit l'expérience à l'empirisme particulier de chaque praticien, c'est-à-dire à quelques connaissances insuffisantes, obscures, équivoques, séduisantes, dangereuses, n'ont pas compris que la véritable expérience, la seule digne de ce nom, est l'expérience générale qui résulte des découvertes physiques, chimiques, anatomiques et des observations particulières des médecins de tous les temps et de tous les pays ; que cette expérience est renfermée dans la théorie (...)
Encycl. (DIDEROT), art. *Empirisme.*

♦ **2.** (1782). Méthode, procédé de pensée qui ne s'appuie que sur l'expérience. *Empirisme moral, politique.* ⇒ **Pragmatisme.**

2   *Empirisme* représente très bien l'habitude ou la manière de procéder d'un esprit qui se contente de l'expérience. La philosophie qui n'admet rien en dehors de l'expérience devrait s'appeler *empiricisme.*
LACHELIER, in LALANDE, Voc. de la philosophie, art. *Empirisme.*

2.1   J'ai appris à redouter chez les hommes politiques, même chez les grands, un empirisme qui les soumet à l'événement.
F. MAURIAC, le Nouveau Bloc-notes 1958-1960, p. 98.

♦ **3.** (Déb. XIXᵉ). Philos. Système philosophique suivant lequel les connaissances de l'esprit ne sont que le fruit de l'expérience (⇒ **Associationnisme, évolutionnisme, sensualisme**). *Dans l'empirisme, l'esprit est comparé à une table rase. L'empirisme anglais* (Locke, Hume, Mill). *Empirisme logique.* ⇒ **Logico-positivisme, néo-positivisme.** *Empirisme et pragmatisme*.*

3   L'empirisme moderne (...) est allé parfois jusqu'à nier toute activité propre de l'esprit. Son premier grand représentant fut l'Anglais Locke qui, dans son *Essai concernant l'entendement humain* (1690), combat la théorie cartésienne des « idées innées ». D'après lui, rien n'est inné, ni les principes, ni les idées dont ils sont composés, ni les règles de morale. La preuve en est que les enfants, les idiots, les sauvages n'en ont point connaissance. L'âme est, à l'origine, une table rase, une tablette de cire « vide de tout caractère, sans aucune idée quelle qu'elle soit ».
CUVILLIER, Philosophie, I, p. 540.

4   J'appelle empirisme logique un courant philosophique dont les trois manifestations principales furent l'atomisme logique en Grande-Bretagne, le néo-positivisme ou positivisme logique issu du Cercle de Vienne, et la philosophie logique contemporaine qui, particulièrement florissante aux États-Unis, tend à reconquérir l'Europe continentale. Ces philosophies présentent des traits communs : attachement à l'expérience sensible, défiance à l'égard de la spéculation et des prétendues évidences du sens intime, goût de la rigueur logique dans les inférences, effort vers la clarté et la netteté dans l'exposé.
Louis VAX, l'Empirisme logique, p. 5.

CONTR. Dogmatisme, innéisme, rationalisme.
DÉR. Empiriste.

EMPIRISTE [ãpiʀist] adj. et n. — Av. 1842 ; de *empirisme.*

♦ **1.** Adj. Relatif à l'empirisme. *L'école empiriste anglaise. Les philosophes empiristes. Théorie, thèse, explication empiriste.*

♦ **2.** N. Vx. Mauvais médecin, charlatan. ⇒ **Empirique.**

♦ **3.** N. Philosophe partisan de l'empirisme. *Les empiristes anglais.*

EMPLACEMENT [ãplasmã] n. m. — 1611 ; « assignation, donation », 1422 ; du moy. franç. *emplacer* « placer », XVIᵉ ; de *em- (en-),* et *placer.*

♦ **1.** (1694). Lieu, endroit choisi pour y édifier une construction, y exercer une activité. ⇒ **Place ; terrain.** *Choisir un bon emplacement. Arrêter l'emplacement d'un camp* (⇒ **Campement ; castramétation**). *Emplacement aménagé* (cit. 2) *pour un terrain de sport. Emplacement destiné à une maison de commerce* (→ 2. Bourse, cit. 2). — *Emplacement à louer.*

Pour Yves, c'était là une question très sérieuse, arrêter l'emplacement de cette   1
petite maison, où il entrevoit, au fond d'un lointain mélancolique et étrange, sa
retraite, sa vieillesse et sa mort.   LOTI, Mon frère Yves, LXX, p. 168.
Il notera l'emplacement du terrain (à droite ou à gauche de la rue ; à un angle) ;   2
ses dimensions approximatives (...)
J. ROMAINS, les Hommes de bonne volonté, IV, II, p. 13.
Le petit capital souscrit jusqu'à ce jour a surtout servi à rétribuer quelques voya-   3
ges d'études dans le Bas-Congo, pour fixer l'emplacement des usines.
A. MAUROIS, Bernard Quesnay, XXIV, p. 158.

♦ **2.** Place effectivement occupée (par qqch.). *L'emplacement d'une troupe sur le front.* ⇒ **Secteur.** *Occuper un emplacement.* — Par ext. Place à laquelle une chose a été mise par l'homme. *L'emplacement d'un chantier. C'était ici l'emplacement de la Bastille. Fouilles exécutées sur l'emplacement d'une ville ancienne. Discuter de l'emplacement des meubles.* ⇒ **Position, situation.** *Reconnaître l'emplacement d'une chose.* ⇒ **Localiser** (→ Déshabiller, cit. 8).

Il ne reconnaissait plus l'emplacement des meubles. Il trouva enfin son veston et   4
craqua une allumette.   P. MAC ORLAN, la Bandera, I, p. 8.
Au loin, un noir rougeoiement indiquait l'emplacement des boulevards et des pla-   5
ces illuminées.   CAMUS, la Peste, p. 330.

Spécialt. Lieu de stationnement (d'un véhicule). *Emplacement réservé aux livraisons, aux visiteurs, au personnel de l'entreprise. Louer un emplacement dans un garage.*

EMPLAFONNER [ãplafɔne] v. tr. — 1953, *in* Cellard et Rey ; de *em- (en-), plafond,* et suff. verbal.

♦ Fam. (En parlant de véhicules). Heurter violemment (un autre véhicule ou un obstacle). ⇒ 2. **Emplâtrer,** 3. — Foncer dans (quelqu'un).

Ça ne roule pas vite mais on a tout le temps de lire le numéro. On file au premier rond-point, demi-tour ; un camion de déménagement manque de nous emplafonner.   Martin ROLLAND, la Rouquine, p. 153.

▶ **S'EMPLAFONNER** v. pron. Se heurter violemment, entrer en collision.

EMPLANTURE [ãplãtyʀ] n. f. — 1773 ; de *emplanter* « planter », XVᵉ ; de *em- (en-),* et *planter* ; suff. *-ure.*

♦ **1.** Mar. Encaissement destiné à supporter le pied d'un bas-mât.

Elle *(la remorque)* avait encore écorché la lisse, rongé le mât de misaine au ras de l'emplanture, là où ils l'avaient tournée.   Roger VERCEL, Remorques, p. 150.

♦ **2.** Aviat. Ligne de raccordement de l'aile au fuselage.

EMPLASTIQUE [ãplastik] adj. — 1538 ; *emplastrique,* 1478 ; du grec *emplastikos* « propre à servir d'emplâtre », de *emplastos* « moule », de *emplassein* « façonner ».

♦ Méd. Employé comme emplâtre, qui a les caractères de l'emplâtre. ⇒ **Emplâtre.**

EMPLÂTRE [ãplatʀ] n. m. — XIIᵉ, *emplastre* ; masc. ou fém. jusqu'au XVIIIᵉ ; lat. *emplastrum,* grec *emplastron,* de *emplassein* « façonner ».

♦ **1.** Méd. Topique, onguent glutineux se ramollissant légèrement à la chaleur, ce qui le fait adhérer à la partie du corps sur laquelle on l'applique. ⇒ **Cataplasme** (cit. 1), **compresse, diachylon, magdaléon, sparadrap.** *Emplâtre adhésif, agglutinant, calmant, dessiccatif, épispastique, fondant, résolutif, révulsif, sédatif. Emplâtre fait avec de la cire, des corps gras, de la résine. Appliquer, mettre, lever, ôter un emplâtre.*

(...) un(e) emplâtre qui me défigure (...)   RACINE, Lettres, 95, 21 mai 1692.   1
(...) il s'était mis un emplâtre sur le visage à la sortie de Tours pour se rendre   2
méconnaissable à son ennemi (...)   SCARRON, le Roman comique, I, XII, p. 53.

Emplâtre pour les chevaux. ⇒ **Brouillamini** (vieux).

Vx. Remède, pansement. — Fig. Remède (→ Combat, cit. 24).

(...) un mari est un(e) emplâtre qui garit *(guérit)* tous les maux des filles.   3
MOLIÈRE, le Médecin malgré lui, II, 1.

Loc. fig. *Un emplâtre sur une jambe* de bois.*

♦ **2.** Par métaphore. Aliment lourd, épais. ⇒ **Cataplasme.** *Ce plat est un véritable emplâtre, c'est un emplâtre sur l'estomac.*

♦ **3.** (1932). Techn. Pièce collée sur l'enveloppe d'un pneumatique et servant à réparer une déchirure.

L'emplâtre d'une affiche. ⇒ **Colle** (→ 2. Décoller, cit. 1).

♦ **4.** (1852). Fig. et fam. (vieilli). Gifle, coup violent. *Appliquer un emplâtre sur la figure de quelqu'un.*

♦ **5.** (1690). Fig. et fam. (infl. probable d'*empêtrer*). Personne incapable d'agir, inutile. *Espèce d'emplâtre! tu n'es bon à rien!*

4   Tu as raison, lui dit-il, brusquement, je ne suis qu'un vieil emplâtre et je n'ai rien à dire sur cette guerre, puisque je ne la fais pas.   SARTRE, le Sursis, p. 79.

DÉR. 1. **Emplâtrer**, 2. **emplâtrer**.

1. EMPLÂTRER [ɑ̃plɑtʀe] v. tr. — 1260; de *emplâtre*.

♦ Recouvrir d'un emplâtre, et, par ext., d'une substance consistante comme un emplâtre.

2. EMPLÂTRER [ɑ̃plɑtʀe] v. tr. — 1864; de *emplâtre*.
Populaire.

♦ **1.** Rare. Embarrasser, encombrer. *Emplâtrer qqn de colis.* Pron. *S'emplâtrer :* s'embarrasser (au propre et au figuré).

♦ **2.** (1876, «cacher [un objet volé] pour le reprendre par la suite»). Voler. — Recevoir (un objet volé).

Je me suis donc rabattue sur les mignardises de la trousse mais là non plus... au retour du gars, je n'avais pu emplâtrer qu'une petite fiole de truc à endormir les gencives.   A. SARRAZIN, la Cavale, p. 35.

♦ **3.** (1870). Heurter avec violence. *La voiture est allée emplâtrer un platane.* — Syn. : *emplafonner*.

EMPLETTE [ɑ̃plɛt] n. f. — XIVᵉ; *emploite*, fin XIIᵉ; du lat. pop. *implicta*, de *implicita*, p. p. subst. au fém., de *implicare*. → Employer («emploi de l'argent en achats»).

♦ **1.** Achat* (d'objets d'usage ordinaire, d'une marchandise courante). ⇒ **Acquisition.** *Une emplette intéressante.* — *Faire l'emplette d'un objet.* ⇒ **Acheter** (→ Ciseau, cit. 2). *Faire des emplettes, quelques emplettes.* — Vieilli. *Faire emplette de... :* acheter.

1   J'ai su là-bas que, pour quelques emplettes,
Éliante est sortie, et Célimène aussi (...)   MOLIÈRE, le Misanthrope, I, 2.

2   Il revint au bazar, et pour un franc quarante-cinq fit l'emplette d'un porte-monnaie.   J. ROMAINS, les Hommes de bonne volonté, t. II, IX, p. 99.

Loc. vieillie. *Faire une mauvaise emplette :* se tromper en engageant une personne en vue de lui confier un travail, une responsabilité. → **Acquisition.** — Iron. *Nous avons fait là une belle emplette!*

♦ **2.** 1610. (Souvent au plur.). L'objet que l'on a acheté ⇒ **Achat.** *Montrer ses emplettes.*

EMPLIR [ɑ̃pliʀ] v. tr. — Déb. XIIᵉ; du lat. pop. *implire*, lat. class. *implere* «rendre plein».

♦ **1.** (Sujet n. de personne ou de chose; compl. n. de chose). Vieilli ou littér. (le verbe courant est *remplir**). Faire occuper (par quelque chose d'autre que soi) la capacité d'un contenant. ⇒ **Bourrer; bonder, combler, remplir, saturer.** *Emplir un sac, une valise, un tiroir. Emplir d'eau un verre. Emplir un récipient jusqu'au bord, à ras bords. Emplir un vase, une bouteille, un tonneau, un réservoir* (→ Abreuvoir, cit.). *Emplir un bateau de marchandises.* ⇒ **Charger** (→ 1. Coco, cit. 1). *Le glouton ne songe qu'à s'emplir la panse.*

1   (...) un berceau vide, qu'on emplit d'un petit enfant rond et rose comme un radis (...)   COLETTE, la Naissance du jour, p. 232.

Loc. fig. *Emplir ses poches d'argent; emplir ses poches :* gagner de l'argent, tirer profit d'une situation (→ Après, cit. 75). — REM. On dit plus couramment *(se) remplir les poches.*

2   On ne lui (*Mazarin*) a pas pardonné d'avoir aimé l'argent et d'avoir empli ses poches. Des services qu'il rendait, il se payait lui-même.   J. BAINVILLE, Hist. de France, XII, p. 219.

Le vent emplit le ciel de nuages (→ Bourre, cit. 2). *Le plat emplit de son fumet tout l'appartement* (→ Bouillotter, cit.). *Emplir un lieu de son odeur. Emplir la maison de ses cris, de ses chants.*

3   (...) cette sinistre salle à manger que la flamme de la bougie emplissait de fantastiques ombres (...)   COURTELINE, Boubouroche, Nouvelle, IV.

4   Passé minuit, quand tout enfin se tait, le silence appartient aux rossignols, qui emplissent l'oasis d'une exquise et grêle musique de cristal.   LOTI, Jérusalem, XV, p. 187.

5   Le soleil encore invisible emplissait tout le ciel d'une blancheur de perle, diffuse et multicolore.   MARTIN DU GARD, les Thibault, t. II, p. 225.

6   Le soleil emplissait maintenant les rues d'ombre.   MALRAUX, l'Espoir, III, I.

Par ext. *Emplir une maison de son activité.*

7   De son activité turbulente de petit chien, elle emplissait le bureau, au contraire; follement amusée, quand tout enfin se tait, elle galopant d'un mur à l'autre avec de brusques et admiratifs temps d'arrêt devant les rangées superposées de cartons verts (...)   COURTELINE, Messieurs les ronds-de-cuir, 4ᵉ tableau, II.

Fig. *Emplir qqn de joie.* ⇒ **Combler.** *Ce spectacle nous a emplis de dégoût, de pitié. Son succès l'a empli d'orgueil.* ⇒ **Gonfler.**

8   Il eût voulu que l'ombre dans la pièce fût encore plus épaisse pour mieux cacher le sentiment âpre et tragique dont l'emplissait cette scène.   M. BARRÈS, Leurs figures, p. 328.

♦ **2.** (1580). Sujet n. de personne ou de chose. Occuper complètement (un espace). *Meubles qui emplissent une pièce* (→ Chambre, cit. 5). ⇒ **Garnir; encombrer.** *La foule emplit les rues, les terrasses des cafés.* ⇒ **Occuper;** → Congé, cit. 4; craquer, cit. 4. — *Son corps amaigri n'emplit plus ses vêtements.*

9   Dans la dernière image qu'on a prise de lui (*Tolstoï*), courbé, sur les genoux, maigre et défait, ravagé, la taille réduite, les épaules obliques, le corps n'emplissant plus les vêtements presque vides de chair (...)   André SUARÈS, Trois hommes, «Ibsen», VII, p. 159.

La brume emplit la vallée (→ Doux, cit. 2). *L'odeur qui emplissait la cuisine.* ⇒ **Envahir, répandre** (se répandre dans). *Le froid emplit l'église* (→ Catacombe, cit. 5). *Des lumières emplissent le ciel.*

Par ext. *Les grands mots qui lui emplissent la bouche. Joie, tristesse qui emplit l'âme, le regard. L'amour emplit son cœur.*

10   Que croire? — La pitié me prend, m'emplit, m'enivre,
Me donne le dégoût formidable de vivre.   HUGO, la Légende des siècles, LV.

11   Au moment qu'elle en parle, il est trop clair que l'uniforme de ces jeunes messieurs lui emplit le regard.   J. ROMAINS, les Hommes de bonne volonté, t. IV, XVIII, p. 200.

♦ **3.** Régional (Centre, Normandie). Rendre (une femelle) pleine. *Faire emplir une chienne, une jument.* — Par anal. (pop. et vx). Rendre enceinte.

♦ **4.** (Déb. XIIIᵉ). Intrans. (vieilli). *Le navire emplit,* il a une voie d'eau. ⇒ **Embarquer.**

▶ **S'EMPLIR** v. pron. (1680).

Devenir plein (au propre et au figuré). *Le réservoir s'emplit rapidement. Le canal s'emplit d'eau* (→ Courant, cit. 2). *Le navire s'emplissait à chaque vague.* — *Ses yeux s'emplissent de larmes. La salle s'emplit rapidement de spectateurs.* ⇒ **Couvrir** (se). *La nuit s'emplissait de la clarté des étoiles.* — *La campagne s'emplissait de chants d'oiseaux* (→ Airain, cit. 6). *La nuit s'emplit de rumeurs* (→ Désir, cit. 16).

12   L'ombre autour d'eux s'emplit de sinistres clartés.   HUGO, la Légende des siècles, X, «Mariage de Roland».

13   Peu à peu la nuit était venue; mais la lune était si lumineuse que la chambre s'emplissait de clarté bleue.   Pierre LOUŸS, Aphrodite, I, I, p. 25.

14   Le ciel s'emplit alors de millions d'hirondelles.   APOLLINAIRE, Alcools, «Zone».

15   La rue vide s'emplit peu à peu du bruit régulier des pas.   MALRAUX, l'Espoir, I, II.

16   Mais je pensais tellement à une femme, aux femmes, à toutes celles que j'avais connues, à toutes les circonstances où je les avais aimées, que ma cellule s'emplissait de tous les visages et se peuplait de mes désirs.   CAMUS, l'Étranger, II, II, p. 111.

▶ **EMPLI, IE** p. p. adj.

Verre empli jusqu'au bord. ⇒ **Plein.** — Figuré :

17   Il est midi. La canicule tombe des ormeaux bleus et noirs où éclate le cri d'une cigale. L'air tremble et sue. Un souffle chaud, empli d'âmes, de fleurs lourdes se traîne.   Francis JAMMES, Clara d'Ellébeuse, I.

N. m. (*Empli*). Opération qui consiste à remplir les moules avec le sirop cuit, en sucrerie. — Remplissage des formes, dans les savonneries, les sucreries...

REM. *Emplir* semble lentement éliminé par le composé *remplir*, qui peut dans tous les cas lui être substitué, alors que l'inverse n'est pas toujours possible (on ne peut pas dire *remplir* sa tâche, sa mission, etc.).

CONTR. Désemplir, vider.
DÉR. Emplissage, emplisseur.
COMP. Remplir.
HOM. (Du p. p.). Ampli.

EMPLISSAGE [ɑ̃plisaʒ] n. m. — 1596; de *emplir*.

♦ **1.** Vieilli. Action d'emplir; résultat de cette action. *L'emplissage d'un tonneau, d'une bouteille.* ⇒ **Remplissage.** — *Dépôt d'emplissage :* lieu où s'effectuent le conditionnement des produits pétroliers et le chargement des camions-citernes.

♦ **2.** (1816). Techn. Manière dont on emplit un récipient.

EMPLISSEUR, EUSE [ɑ̃plisœʀ, øz] n. — 1606; de *emplir*.

♦ Techn. Personne employée dans un atelier d'emplissage.

EMPLOI [ɑ̃plwa] n. m. — XVIᵉ, *emploite* (→ Emplette); *employ*, 1538, R. Estienne; déverbal de *employer*.

♦ **1.** Action ou manière d'utiliser (une chose); ce à quoi une chose est utilisée, destination. ⇒ **Usage, utilisation; mise** (en jeu, en œuvre). *L'emploi des substances toxiques, en pharmacie. L'emploi de certains outils par un ouvrier, dans une profession. L'emploi du béton, de la brique, du bois dans la construction. L'emploi du pétrole, de l'électricité a diminué l'importance du charbon dans l'économie mondiale. Cet outil, cet instrument est d'un emploi délicat.* ⇒ **Maniement.** *Quels sont les emplois de cette substance? Être d'un emploi courant, rare.* ⇒ **Application.** *Emploi thérapeutique du charbon. Exiger, nécessiter, déconseiller l'emploi de qqch.* — *Mode d'emploi :* notice expliquant la manière de se servir d'un objet, d'une substance... *Trouver son emploi (dans qqch.). Changer d'emploi. Ceci est demeuré, est resté sans emploi,* inutilisé. *Emploi d'un moyen, d'un procédé, d'une recette. L'emploi de la violence, de la ruse. Des qualités restées sans emploi. Faire un bon, un mauvais emploi de son temps, de son argent, de son intelligence, de ses connaissances. Moments sans emploi* (→ Dîner, cit. 6). *Avoir l'emploi de qqch.,* avoir l'occasion de s'en servir. — *Faire emploi de qqch., de moyens,* employer.

1   Tous ces défauts humains nous donnent dans la vie
    Des moyens d'exercer notre philosophie :
    C'est le plus bel emploi que trouve la vertu (...)   MOLIÈRE, le Misanthrope, V, 1.

2   (...) souvent on l'a détournée *(la philosophie)* de son emploi, et (...) on l'a occupée publiquement à soutenir l'impiété.   MOLIÈRE, Tartuffe, Préface.

3   Buffon et Jean-Jacques ont une prose noble, juste, vigoureuse, souple et brillante, qui suffit à tous les emplois, qui triomphe dans plusieurs, qui ne paraît ni déplacée ni gênée dans aucun.   SAINTE-BEUVE, Chateaubriand, X^e leçon, t. I, p. 204.

4   Parmi les drogues les plus propres à créer ce que je nomme l'*Idéal artificiel* (...) celles dont l'emploi est le plus commode et le plus sous la main, sont le haschisch et l'opium.   BAUDELAIRE, les Paradis artificiels, Le poème du haschisch, I.

5   Je ne veux plus comprendre une morale qui ne permette et n'enseigne pas le plus grand, le plus beau, le plus libre emploi et développement de nos forces.   GIDE, Journal, 1894, p. 52.

5.1 (...) Monsieur Jadis passait difficilement les portes de la France sans une appréhension irraisonnée. Ignorant la plupart des mots, des mœurs, des monnaies, suspectant partout une police dont il n'avait pas le mode d'emploi, il circulait sur la pointe des pieds.   A. BLONDIN, Monsieur Jadis, p. 103.

Utilisation, rôle (d'un animal). L'emploi de l'éléphant comme animal de trait. L'emploi du cheval (cit. 3) *à diverses fins.*

Façon dont une personne occupe son temps, une partie de son temps. *Emploi de la journée, de la semaine.*

Loc. **EMPLOI DU TEMPS** : répartition dans le temps de tâches à effectuer, d'exercices. ⇒ **Horaire, programme.** *Rendre compte de son emploi du temps. Avoir un emploi du temps chargé, rigide, rigoureux. L'emploi du temps des élèves d'une classe.* — Tableau portant la répartition des tâches. *L'emploi du temps est affiché dans le couloir.*

Ling. Le fait de se servir (d'une forme de la langue). ⇒ **Usage.** *Emploi d'un mot, d'une locution, d'une expression, de formules* (→ Ce, cit. 13). *Emploi libre d'un mot; emploi en locution.* — Signification (d'un mot) selon le contexte. *L'emploi d'un mot au sens figuré. Ces mots diffèrent non par le sens mais par l'emploi* (→ Courroux, cit. 1). *Emploi rare, correct, incorrect, abusif. Évitez cet emploi* (→ Appui, cit. 36). *L'exemple des bons écrivains autorise cet emploi* (→ Coûter, cit. 20). *Les différents emplois du verbe avoir...*

6   Les mots ne sont immuables ni dans leur orthographe, ni dans leur forme, ni dans leur sens, ni dans leur emploi. Ce ne sont pas des particules inaltérables, et la fixité n'en est qu'apparente.   LITTRÉ, Dict., Préface, p. 37.

L'emploi d'une somme d'argent. Justifier l'emploi des fonds alloués. Quittance d'emploi.

7   La manufacture lui avait versé, à plusieurs reprises, d'assez fortes sommes, dont, paraît-il, il ne parvenait pas à justifier l'emploi.   MARTIN DU GARD, les Thibault, t. V, p. 260.

Dr. Achat d'un bien déterminé, fait avec des capitaux disponibles (⇒ **Remploi**). *Clauses d'emploi dans un contrat de mariage. Défaut d'emploi. Emploi par anticipation :* achat d'un bien au moyen de fonds qui seront touchés plus tard par l'acquéreur. — Comptab. Action de porter une somme en recette ou en dépense. *Faux emploi :* inscription sur un compte d'une dépense qui n'a pas été faite.

DOUBLE EMPLOI : somme inscrite deux fois. — Fig. (cour.). *Faire double emploi :* comporter une répétition inutile, superflue. *Ces deux hypothèses font double emploi.* — N. m. *Un double emploi.*

8   (...) si *(ces principes sont)* semblables c'est comme s'il n'y en avait qu'un ; c'est un double emploi.   VOLTAIRE, Principes d'action, I.

♦ **2.** (Déb. XVIIe). Vx. Ce à quoi une personne est occupée, employée. ⇒ **Occupation, rôle** (→ Bannir, cit. 12). *Avoir, se donner pour emploi de, faire son emploi de qqch.,* s'y occuper.

9   Le ciel (...)
    Pour différents emplois nous fabrique en naissant.   MOLIÈRE, les Femmes savantes, I, 1.

10 Et que je fasse enfin mes plus fréquents emplois
    De parcourir nos monts, nos plaines et nos bois (...)   MOLIÈRE, la Princesse d'Élide, I, 3.

Mod. Ce à quoi s'applique l'activité rétribuée d'une personne. ⇒ **Charge, état, fonction, ministère, office, place, poste, profession, service, situation, travail ; gagne-pain.** *En matière de législation industrielle, emploi ne désigne que la profession exercée en sous-ordre par un salarié. Rétribution attachée à un emploi.* ⇒ **Appointement, émolument, salaire.** *Chercher un emploi. Briguer, postuler, solliciter un emploi. Être admissible* (cit. 2) *à un emploi. Les candidats à un emploi. Trouver un emploi à qqn ; pourvoir d'un emploi ; installer dans un emploi.* ⇒ **Caser** (fam.). *Nommer brusquement à un emploi* (⇒ **Bombarder, parachuter**). *Prendre un emploi. Avoir, exercer un emploi.* (→ Faire* quelque chose ; travailler*). *Un emploi de secrétaire, de vendeur. Garder, conserver son emploi ; demeurer longtemps dans un emploi* (→ Vieillir* dans...). *Renvoyer d'un emploi.* ⇒ **Casser** (aux gages), **chasser, congédier, dehors** (mettre), **destituer** (cit. 3), **licencier, pied** (mettre à) ; fam. **balayer,**

bourlinguer (vx), dégommer, lourder, vider, virer. *Retrait d'emploi. Quitter un emploi* (⇒ **Démissionner**) ; *changer d'emploi* (⇒ **Permuter**). *Perdre son emploi. Être sans emploi.* ⇒ **Chômage** (en) ; → Être sur le pavé*, être à pied*. *Emploi stable, solide.* ⇒ **Position.** *Emploi amovible, inamovible.* — Vieilli. *Haut emploi ; bas* (cit. 21) *emploi.* — *Emploi subalterne. Emploi ne demandant aucun travail.* ⇒ **Sinécure.** *Emploi de commis* (cit. 5). *Emplois publics* (→ Capacité, cit. 8). *Emplois réservés, en faveur d'anciens militaires ou victimes de la guerre. Emplois civils, militaires, industriels, commerciaux. Titre, brevet, commission* conférant autrefois un emploi dans l'armée.*

(Dans le contexte social et politique). *Créations, suppressions d'emplois. Chercher à développer les emplois pour les jeunes.* → ci-dessous, L'emploi.

.11 Ceux qui sont nés en un rang élevé peuvent se proposer l'honneur de servir Votre Majesté dans les grands emplois (...)   MOLIÈRE, les Fâcheux, Épître au roi.

12 *(Réduit)* à vous revêtir de l'emploi de domestique de mon père.   MOLIÈRE, l'Avare, I, 1.

13 Il faut en France beaucoup de fermeté et une grande étendue d'esprit pour se passer des charges et des emplois (...)   LA BRUYÈRE, les Caractères, II, 12.

14 Je me dois d'autant plus, continua la petite vanité de Julien, de réussir auprès de cette femme, que si jamais je fais fortune, et que quelqu'un me reproche le bas emploi de précepteur, je pourrai faire entendre que l'amour m'avait jeté à cette place.   STENDHAL, le Rouge et le Noir, I, XIII.

15 Obligés d'obéir aux princes ou aux Chambres qui leur imposent des parties prenantes au budget et forcés de garder des travailleurs, les ministres diminuaient les salaires et augmentaient les emplois, en pensant que plus il y aurait de monde employé par le gouvernement, plus le gouvernement serait fort.   BALZAC, les Employés, Pl., t. VI, p. 874.

15.1 Heureusement que, pour épancher sa bile, l'enragé petit homme avait près de lui son ami Delobelle, vieux comédien en retrait d'emploi, qui l'écoutait avec sa physionomie placide et majestueuse des grands jours.   Alphonse DAUDET, Fromont jeune et Risler aîné, p. 6.

16 C'était (...) pour se marier qu'il avait interrompu ses études et pris un emploi.   CAMUS, la Peste, p. 96.

Absolt. *Chercher, trouver un emploi.* ⇒ **Travail.** *Demandeur d'emploi :* personne qui cherche de l'emploi (notamment *chômeur**). *La demande d'emploi s'accélère, se ralentit. Demandes ; offres d'emploi,* dans les petites annonces d'un journal. *Feuille d'emploi.*

17 (...) il semblait avoir été mis au monde pour exercer les fonctions discrètes mais indispensables d'auxiliaire municipal temporaire... C'était en effet la mention qu'il disait faire figurer sur les feuilles d'emploi, à la suite du mot «qualification».   CAMUS, la Peste, p. 57.

Dans le contexte politique et social. *Politique de l'emploi.* (En France). *Le ministère de l'Emploi* (1983). *L'Agence nationale pour l'emploi* (A. N. P. E.). *Bourse* nationale de l'emploi.* — *L'effet sur l'emploi des mesures contre le chômage, de la réduction de la durée du travail, du développement des entreprises.*

Écon. (trad. angl. *employment*). La somme du travail humain effectivement employé et rémunéré, dans un système économique. *Le volume de l'emploi. Marché de l'emploi. Théorie générale de l'Emploi,* ouvrage de Keynes. *Théorie du plein emploi. Le Plein Emploi dans une Société libre,* ouvrage de Beveridge (1944). ⇒ **Plein-emploi ; sous-emploi, suremploi.** *L'emploi à mi-temps, à temps partiel. L'emploi des femmes, des jeunes.*

♦ **3.** (1775). Spécialt. Genre de rôle dont est chargé un acteur, au théâtre. *Avoir, tenir l'emploi de valet de comédie, de jeune premier. Avoir le physique (la tête, la gueule) de l'emploi :* (au fig.) avoir bien l'air de ce qu'on fait (→ 1. Physique, cit. 7).

18 (...) Par exemple, on sait que les comédiens ont multiplié chez eux les emplois à l'infini : emplois de grande, moyenne et petite amoureuse ; emplois de grands, moyens et petits valets, emplois de niais ; d'important, de croquant, de paysan, de tabellion, de bailli ; mais on sait qu'ils n'ont pas encore appointé celui de bâillant.   BEAUMARCHAIS, le Barbier de Séville, Lettre sur la critique.

19 (...) souvent nous ne revoyons jamais ces figures grotesques ou belles que nous avons vues dans un lieu public, souvent dans un wagon de chemin de fer, un omnibus chargé de monde, véritables chariots de Thespis où nous nous amusons, comme Jean venait de le faire tout à l'heure, à reconnaître l'Isabelle, le pédant, la Zerbinette, acteurs tout grimés, ayant déjà sur la figure la mine de leur emploi, la langue des bouts de leur rôle (...)   PROUST, Jean Santeuil, Pl., p. 380.

20 — Enlève donc tes lunettes, dit Tortose à Pierrot, enlève donc tes lunettes, si tu veux avoir la gueule de l'emploi.   R. QUENEAU, Pierrot mon ami, éd. L. de Poche, p. 7.

Fig. ⇒ **Rôle.** *Tenir son emploi avec conviction* (cit. 6).

CONTR. Inaction, inactivité, inemploi, inoccupation ; chômage.
COMP. Plein-emploi, remploi, sous-emploi, suremploi.

EMPLOYABLE [ɑ̃plwajabl] adj. — XVIe ; de *employer.*

♦ Qu'on peut employer. *Matériaux, instruments employables.* ⇒ **Utilisable.**

(Avec un nom de personne). Qu'on peut employer (à qqch.). *Il n'est employable à rien.*

Que penseriez-vous d'une reluisante annonce dans les journaux : « *Jeune homme de grand avenir, employable à n'importe quoi* ».   GIDE, les Faux-monnayeurs, III, XIV.

CONTR. Inemployable.

EMPLOYÉ, ÉE [ɑ̃plwaje] n. — 1723 ; p. p. subst. de *employer.*

♦ Auxiliaire salarié du commerce ou de l'industrie, et, par ext., Salarié, préposé à un travail d'ordre plutôt intellectuel que matériel (opposé à *ouvrier**) mais sans rôle d'encadrement ou de direction. ⇒ **Adjoint, agent, auxiliaire, commis** (cit. 1), **préposé, salarié, subordonné**; et aussi **métier.** *Employé subalterne* (⇒ **Suppôt,** vx). *Employé non titularisé.* ⇒ **Surnuméraire.** *Les employés d'une entreprise, d'une société, d'une administration. Employé de commerce, de magasin, de banque. Employé de bureau**. ⇒ **Bureaucrate** (3., cit.). *Employé aux écritures. Les employés des administrations publiques. Employé d'un ministère.* ⇒ **Fonctionnaire; auxiliaire.** *Une employée des postes. Employé de mairie, d'état civil. Employé de chemin de fer* (⇒ **Cheminot**). *Un bon* (→ Note, cit. 31), *un excellent employé. Employé assidu, consciencieux, scrupuleux. Des employés modèles. Les Employés,* roman (inachevé) de Balzac.

1   *Employé,* adj. pris subst. signifie quelquefois *commis.* Les directeurs des fermes du roi ont inspection sur les receveurs, contrôleurs et autres *employés.*
Abbé MALLET, *in* Encycl. (DIDEROT), 1755.

2   Autrefois sous la monarchie, les armées bureaucratiques n'existaient point. Peu nombreux, les employés obéissaient à un premier ministre toujours en communication avec le souverain (...) Dans les parties d'administration que le roi ne régissait pas lui-même, comme les Fermes, les employés étaient à leurs chefs ce que les commis d'une maison de commerce sont à leurs patrons : ils apprenaient une science qui devait leur servir à se faire une fortune (...) Depuis 1789, l'État, la *patrie* si l'on veut, a remplacé le Prince. Au lieu de relever directement d'un premier magistrat politique, les commis sont devenus (...) *des employés du gouvernement,* et leurs chefs flottent à tous les vents d'un pouvoir appelé *Ministère* qui ne sait pas la veille s'il existera le lendemain.
BALZAC, les Employés, Pl., t. VI, p. 872.

3   Or, la Nature, pour l'employé, c'est les Bureaux ; son horizon est de toutes parts borné par des cartons verts ; pour lui, les circonstances atmosphériques, c'est l'air des corridors, les exhalaisons masculines contenues dans des chambres sans ventilateurs (...) son terroir est un carreau, ou un parquet émaillé de débris singuliers, humecté par l'arrosoir du garçon de bureau ; son ciel est un plafond auquel il adresse ses bâillements et son élément est la poussière.
BALZAC, les Employés, Pl., t. VI, p. 954.

4   Elle dut user de la même tenace lenteur qu'un employé de ministère qui veut changer sa place près de la fenêtre contre un coin douillet près du poêle.
J. ROMAINS, les Hommes de bonne volonté, t. II, XI, p. 107.

EMPLOYÉ(E) DE MAISON : personne au service d'une famille, d'une autre personne (appellation officielle des travailleurs autrefois appelés *domestiques*). ⇒ **Domestique.**

CONTR. Chef, directeur, patron, supérieur.

EMPLOYER [ãplwaje] v. tr. — Conjug. *noyer.* — Fin XIIᵉ ; *empleier,* 1080 ; du lat. *implicare* «plier dedans», d'où «mêler à, engager dans». → Impliquer.

♦ **1.** Compl. n. de chose. Faire servir à une fin ; faire emploi*, usage de (qqch.). ⇒ **Appliquer** (2.), **disposer** (de), **servir** (se servir de), **user, utiliser ; mettre** (en œuvre, en pratique...). *Employer utilement, efficacement une chose.* ⇒ **Profit** (mettre à profit), **profiter.** *Employer qqch. pour la première fois.* ⇒ **Essayer, étrenner.** *Employer un matériel avec économie, mesure, parcimonie.* ⇒ **Ménager.** *Employer un outil, un instrument, des matériaux. Employer la pierre, le béton pour une construction. Employer du combustible.* ⇒ **Consommer.** — *Employer qqch. à... Employer l'électricité à l'éclairage. Employer tout son argent à des distractions, en distractions.* ⇒ **Dépenser.** *J'emploierai cette somme à l'achat d'un piano.* ⇒ **Destiner.** — Au p. p. *Somme d'argent bien, mal employée.* ⇒ **Comptab.** *Employer une somme en recette, en dépense,* l'inscrire en recette, en dépense dans un compte. — *Employer tous les moyens, toutes les ressources dont on dispose. Employer par précaution certains moyens.* ⇒ **Prendre** (prendre des mesures). — (Le compl. désigne une abstraction, une réalité psychologique). *Employer la force, l'autorité* (cit. 12). ⇒ **Recourir** (à). *Employer la douceur.* ⇒ **Agir** (avec). *Employer toute son activité, toute son énergie, tout son zèle à une tâche.* ⇒ **Appliquer, apporter, consacrer, dépenser, déployer, vouer.** *Employer tout son talent à une œuvre. Employer ses efforts, ses soins à l'exécution d'un projet. Employer son crédit en faveur de qqn.* ⇒ **User** (de). *Employer sa verve à ridiculiser qqn.* ⇒ **Exercer.** *Employer un ton peu naturel.* ⇒ **Adopter, affecter.**

1   L'intelligence qui nous a été donnée pour notre plus grand bien nous l'emploierons-nous à notre ruine, combattant le dessein de nature, et l'universel ordre des choses, qui porte que chacun use de ses outils et moyens pour sa commodité ?
MONTAIGNE, Essais, I, XIV.

2   Vous n'avez pas le temps de faire aucun usage de la beauté et de l'étendue de votre esprit ; vous ne vous servez que du bon et du solide (...) mais c'est dommage que tout ne soit pas employé.   Mᵐᵉ DE SÉVIGNÉ, Lettres, 1127, 24 janv. 1689.

3   Tous ceux qui emploient de l'argent pour obtenir des ministères ecclésiastiques (...)
PASCAL, Réfutation de la réponse à la 12ᵉ lettre.

4   Dieu (...) qui, fécond en moyens, emploie toutes choses à ses fins cachées (...)
BOSSUET, Oraison funèbre de la reine d'Angleterre.

5   (...) dans l'*Antigone* il *(Sophocle)* emploie autant de vers à représenter la fureur d'Hémon (...) que j'en ai employé aux imprécations d'Agrippine (...)
RACINE, Britannicus, 1ʳᵉ Préface.

6   J'employais les soupirs, et même la menace.   RACINE, Britannicus, II, 2.

7   (...) il fallait employer le pouvoir que cette princesse avait sur lui pour l'engager à servir Mˡˡᵉ de Chartres auprès du roi (...)
Mᵐᵉ DE LA FAYETTE, la Princesse de Clèves, I, p. 254.

8   (...) il faut nous séparer. J'essaie déjà depuis quinze jours, et j'ai employé, tour à tour, la froideur, le caprice, l'humeur, les querelles ; mais le tenace personnage ne quitte pas prise ainsi (...)   LACLOS, les Liaisons dangereuses, Lettre CXIII.

9   Il vint chez Moïse, chez moi, chez ceux qu'il savait connus ou chéris, de Bella,

employant des ruses d'enfant pour voir les photographies que j'avais prises d'elle à Évry et dont chacune devenait pour lui un souvenir.
GIRAUDOUX, Bella, IX, p. 215.

Occuper (un intervalle de temps). *Employer une heure, l'après-midi, huit jours à faire qqch.* ⇒ **Mettre, passer.** *Employer tout son temps, sa vie entière à travailler.* ⇒ **Consacrer, consumer** (4.), **donner.** *Employer son temps inutilement.* ⇒ **Perdre.** *Ne pas savoir employer son temps* (→ Couler, cit. 17).

10   C'est une précieuse chose que la santé, et la seule chose qui mérite à la vérité qu'on y emploie, non le temps seulement, la sueur, la peine, les biens, mais encore la vie à sa poursuite (...)   MONTAIGNE, Essais, II, XXXVII.

11   (...) je crois être d'autant plus obligé à ménager le temps qui me reste, que j'ai plus d'espérance de le pouvoir bien employer (...)
DESCARTES, Discours de la méthode, VI.

12   La plupart des hommes emploient la meilleure partie de leur vie à rendre l'autre misérable.   LA BRUYÈRE, les Caractères, XI, 102.

13   Excellente est l'attitude de celui qui a bien employé le temps qu'on lui octroie et ne s'est pas mêlé d'être son propre juge.   COCTEAU, la Difficulté d'être, p. 137.

Au p. p. *Bien, mal employé. Une vie pleine, bien employée.*

Employer un mot, une tournure, une locution, s'en servir en parlant, en écrivant. *Employer des mots grossiers, vulgaires. Employer le terme exact, des termes impropres, un mot pour un autre. Employer couramment, fréquemment une interjection, une locution. Employer des comparaisons, des antithèses. Se servir d'un dictionnaire* (cit. 11) *pour bien employer les mots. Ce mot n'est plus employé.* ⇒ **Usité.** *On emploie le verbe* employer *avec les prépositions* à *et* pour.

14   Je n'emploierai point pour vous rassurer les grandes phrases d'honneur et de dévouement dont on abuse à la journée ; je n'ai qu'un mot : mon intérêt vous répond de moi (...)   BEAUMARCHAIS, le Barbier de Séville, I, 4.

15   Michels employait à chaque instant les mots de chef, de meneur, de guide, par lesquels tour à tour il traduisait un même mot qu'il avait dans l'esprit, et qui était celui de «führer».   J. ROMAINS, les Hommes de bonne volonté, t. IV, XVI, p. 176.

Loc. prov. *Employer toutes les herbes de la Saint-Jean :* avoir recours à tous les moyens dont on dispose.

♦ **2.** Compl. n. de personne. Faire travailler* (qqn) pour son compte en échange d'une rémunération, donner de l'emploi à... *Société qui emploie plusieurs milliers d'ouvriers. Employer de nouveaux ouvriers.* ⇒ **Embaucher, engager, recruter.** *Son patron l'emploie à toutes sortes de travaux.* ⇒ **Charger, commettre, préposer.** *On ne sait à quoi l'employer.* ⇒ **Occuper.** — *Employer (qqn) à l'heure, à la journée.*

16   Ta mère est une brave femme (...) Tu lui diras (...) que je compte t'employer au restaurant (...) Est-elle satisfaite des gages que je te donne ?
J. GREEN, Léviathan, p. 61.

Par ext. *Employer qqn,* se servir de son crédit, de son action.

17   Monsieur (...) Faites-moi la grâce de m'employer. Soyez persuadé que je suis entièrement à vous.   MOLIÈRE, l'Impromptu de Versailles, 3.

(Passif). *Être employé dans les bureaux* (⇒ **Employé**). *Être employé dans une société comme comptable.*

▶ **S'EMPLOYER** v. pron.

♦ **1.** (Passif). Être employé, être utilisé. *Ce remède doit s'employer avec prudence.* — *Ce mot ne s'emploie pas dans ce sens, ne s'emploie pas dans le langage courant.* ⇒ **Usité** (être usité). *Ce terme ne s'emploie qu'au figuré.*

♦ **2.** (Réfl.). S'occuper avec ardeur ou dévouement. ⇒ **Appliquer** (s'), **consacrer** (se), **donner** (se). *S'employer à chercher* (cit. 8) *Dieu. S'employer entièrement à...* → Se donner corps* et âme ; payer* de sa personne ; se mettre en quatre* pour... *S'employer activement.* ⇒ **Dépenser** (se), **multiplier** (se). — *S'employer pour qqn, en faveur de qqn :* user de son crédit, de son influence en faveur de qqn. *S'employer pour qqn en appuyant* (cit. 7) *sa demande, en faisant des démarches en sa faveur. S'employer au bien* (cit. 17) *de qqn.*

18   Sauvez ce malheureux, employez-vous pour lui (...)   CORNEILLE, Polyeucte, IV, 5.

19   Je n'aime pas à manquer de parole quand j'ai promis de m'employer pour quelqu'un.   RACINE, Lettres, t. VI, 502.

20   Vous verrez (...) quel médiateur j'avais choisi pour me rapprocher de ma Belle, et avec quel zèle le saint personnage s'est employé pour nous réunir.
LACLOS, les Liaisons dangereuses, Lettre CXXV.

21   Ils s'employaient, au hasard, à des besognes obscures et mal payées, qu'ils abandonnaient dès qu'ils avaient un peu d'argent en poche.
MARTIN DU GARD, les Thibault, t. V, p. 13.

(1880, *in* Petiot). Sports. Se donner dans un effort soutenu.

▶ **EMPLOYÉ, ÉE** p. p. adj. et n. Voir ci-dessus à l'article et ⇒ **Employé.**

CONTR. Dédaigner, laisser (de côté), négliger ; dérober (se). — Licencier, renvoyer. — (Du p. p.). Inemployé.
DÉR. Emploi, employable, employé, employeur.
COMP. Inemployable, inemployé, sous-employer.

EMPLOYEUR, EUSE [ãplwajœʀ, øz] n. — 1794 ; «celui qui emploie son argent à», 1304 ; de *employer.*

♦ Dr. du travail. Personne, entreprise ayant à son service un ou plusieurs salariés. ⇒ **Patron, patronne.** *L'employeur doit à ses employés une rétribution* (⇒ **Salaire**). *L'employeur et les salariés.*

Certificat, adresse de l'employeur. Les employeurs et leur personnel (employés*, ouvriers, cadres, etc.).

REM. Le fém. est rare, le mot ayant surtout une valeur abstraite.

EMPLUMER [ɑ̃plyme] v. tr. — XIIᵉ; de *em- (en-)*, *plume*, et suff. verbal.

♦ **1.** Garnir de plumes*. *Emplumer une flèche.* ⇒ **Empenner.**

♦ **2.** Orner de plumes. *Emplumer un chapeau.*

▶ **S'EMPLUMER** v. pron.
Se garnir de plumes. *Oisillon qui s'emplume.*

▶ **EMPLUMÉ, ÉE** p. p. adj.
Couvert, orné de plumes. *Bête emplumée.* ⇒ **Oiseau.** *La gent emplumée. Têtes emplumées.*
On ne put se défendre d'être fasciné par les arabesques, les trèfles de galon qui escaladaient son dolman et le casque étincelant emplumé de faisanneries, sous lequel on vit un très pur et très grave visage.
         J. GIONO, le Hussard sur le toit, p. 112.

CONTR. **Déplumer.**

EMPOCHER [ɑ̃pɔʃe] v. tr. — 1611; «mettre dans un sac», 1580; de *em- (en-)*, *poche*, et suff. verbal.

♦ **1.** Vieilli. Mettre dans sa poche* (un objet).
1   (...) quand j'avais empoché mon livre, je ne songeais plus à rien.
         ROUSSEAU, les Confessions, I.

♦ **2.** Toucher, recevoir (de l'argent). *Empocher de l'argent.* ⇒ **Encaisser, gagner, percevoir, recevoir, toucher.** *Combien avez-vous empoché dans cette affaire? Il a empoché tous les bénéfices.*
2   D'abord avancer l'heure de votre petite fête, pour épouser plus sûrement (...) empocher l'or et les présents (...)   BEAUMARCHAIS, le Mariage de Figaro, I, 2.
3   Mon cousin (...) vient d'hériter; si l'on ne découvre pas de testament vendredi prochain, mon homme empoche environ 700 000 francs et plus.
         FLAUBERT, Correspondance, 52, 25 nov. 1841, t. I, p. 87.

♦ **3.** Fam. et vx. ⇒ **Encaisser, recevoir.** *Empocher des coups.* Supporter, subir. *Empocher des humiliations, des injures.*
4   Mesnard avait, hier, une bonne occasion de se servir de son flegme; il lui fallait empocher sans sourciller ce que je lui ai dit et nous montrer *par des actes* (...) qu'il n'avait pas été insensible à mon algarade.   J. DUTOURD, Pluche, XII, p. 207.

CONTR. **Débourser.**

EMPOICRER [ɑ̃pwakʀe] v. tr. — Fin XIXᵉ, *in* Huysmans, t. régional (Vendômois); de *em- (en-)*, *poicre*, et suff. verbal, du lat. *podagra*. → Podagre.

♦ Littér. et rare. Salir extrêmement. — Pron. :
1   (...) lorsqu'un peu plus tard je veux sortir de ma baleinière, je m'empoicre dans une immonde fondrière. Forcé de changer de souliers, de pantalons, de chaussettes.   GIDE, Retour du Tchad, III, *in* Souvenirs, Pl., p. 906.
REM. On trouve le mot écrit *empouacrer.*
2   Une fumée épaisse empouacrait la station.   Félix VALLOTTON, Corbehaut, p. 25.

EMPOIGNADE [ɑ̃pwaɲad] n. f. — 1836; de *s'empoigner.*

♦ Altercation, discussion violente (où l'on en vient facilement aux mains).
Mais les choses semblaient se passer plutôt pacifiquement. Les coups de poing et les empoignades n'étaient guère que de personne à personne.   M. AYMÉ, Travelingue, p. 37.

EMPOIGNANT, ANTE [ɑ̃pwaɲɑ̃, ɑ̃t] adj. — 1853; p. prés. de *empoigner.*

♦ Rare. Qui empoigne, émeut fortement. ⇒ **Émouvant.**
7 *(février).* Reprise au Théâtre-Français de *L'otage* avec l'ancienne distribution. Impression du public : le 1ᵉʳ acte est long et ennuyeux. Le 2ᵉ acte empoignant. Le 3ᵉ acte : on ne comprend pas.   CLAUDEL, Journal, 7 févr. 1939.

EMPOIGNE [ɑ̃pwaɲ] n. f. — 1773; déverbal de *empoigner.*

♦ (1864). Rare. Action d'empoigner. ⇒ **Empoignement.** *« Des embrassades à pleine empoigne »* (Goncourt).
(1867 au sens moderne; *être à la foire d'empoigne* «être porté aux attouchements grossiers à l'égard des femmes», 1773). Cour. **FOIRE D'EMPOIGNE** : mêlée, affrontement d'intérêts et de spéculations malhonnêtes. ⇒ **Crabe** (panier de crabes). *La foire d'empoigne du commerce. C'est une vraie foire d'empoigne, c'est la foire d'empoigne* (→ 1. Manier, cit. 20). — Loc., vieilli. *Acheter qqch. à la foire d'empoigne,* le voler.

EMPOIGNEMENT [ɑ̃pwaɲmɑ̃] n. m. — 1582; de *s'empoigner.*

♦ Rare. Action d'empoigner (qqch., qqn); action de s'empoigner (⇒ **Empoignade**). *«Un geste d'empoignement»* (Goncourt, *in* T. L. F.).

EMPOIGNER [ɑ̃pwaɲe] v. tr. — XIVᵉ; *enpuignier*, v. 1175; de *em- (en-)*, *poing*, et suff. verbal.

♦ **1.** Prendre* en serrant dans la main; saisir fortement. ⇒ **Saisir.** *Empoigner le manche d'une hache. Empoigner qqn par le bras, par les cheveux. Il l'empoigna par le fond de sa culotte* (cit. 3). *Empoigner un pavé* (→ Casser, cit. 5).
1   L'un s'attachait aux racines d'un bois, / L'autre essayait d'empoigner une branche (...)   RONSARD, la Franciade, II.
2   (...) Legrand, poussant un terrible juron, sauta sur Jupiter et l'empoigna au collet.   BAUDELAIRE, Trad. E. POE, Histoires extraordinaires, « Le scarabée d'or ».
3   Il empoigna son pardessus, son chapeau et tira derrière lui la porte de l'appartement.   MARTIN DU GARD, les Thibault, t. III, p. 126.
Fam. (Compl. n. de personne). Retenir (qqn que l'on vient de rencontrer). ⇒ **Accrocher, agripper.** *Il m'a empoigné à la sortie du spectacle; il ne voulait plus me quitter.* ⇒ **Main** (mettre la main dessus; → Débarquer, cit. 2).

♦ **2.** Vx. et fam. Se saisir de (qqn) pour mettre en état d'arrestation. ⇒ **Arrêter.**
4   *(Un gendarme)* ne gagne point de batailles, il empoigne les gens (...)   P.-L. COURIER, II, 263, *in* LITTRÉ.

♦ **3.** Fig. Saisir (une occasion) avec énergie et empressement.
5   Jusques aux moindres occasions de plaisir que je puis rencontrer, je les empoigne.   MONTAIGNE, Essais, III, 5.

♦ **4.** Abstrait. (Sujet n. de chose, compl. n. de personne). Émouvoir, intéresser profondément (qqn). ⇒ **Passionner.** *Le dernier acte empoigna tous les spectateurs* (⇒ **Empoignant**).
6   Parfois, cependant, la lecture d'un paragraphe l'empoignait assez pour qu'il eût envie d'en connaître les lignes suivantes.   J. ROMAINS, les Hommes de bonne volonté, t. III, XVIII, p. 244.

▶ **S'EMPOIGNER** v. pron.
(Récipr.). Se saisir l'un l'autre pour se battre. ⇒ **Colleter** (se). *Ils s'empoignèrent et tombèrent à terre.* — Fig. Se quereller, s'injurier. *Ils se sont sérieusement empoignés* (⇒ **Empoignade**).

▶ **EMPOIGNÉ, ÉE** p. p. adj.
Spécialt (blason). *Flèche empoignée,* tenue à la main.

CONTR. **Lâcher.**
DÉR. Empoignade, empoignant, empoigne, empoignement, empoigneur.

EMPOIGNEUR, EUSE [ɑ̃pwaɲœʀ, øz] n. — V. 1220; de *empoigner*; cf. anc. franç. *poigneor* «combattant».

♦ Rare. Personne qui empoigne (qqch., qqn). — Fig. et vx (Balzac). Personne qui saisit, arrête (quelqu'un).

EMPOILER [ɑ̃pwale] v. tr. — 1914, Gide; de *em- (en-)*, *poil*, et suff. verbal.

♦ Littér. et par plais. Couvrir de poils.
Aux approches de la puberté le facies de Gaston s'obombra, on eût dit que la sève allait empoiler tout son corps (...)   GIDE, les Caves du Vatican, III, II, *in* Romans, Pl., p. 761.

EMPOINTAGE [ɑ̃pwɛ̃taʒ] n. m. — 1825, *in* D.D.L.; de *empointer.*

♦ Techn. Action d'empointer (1. Empointer); son résultat.

1. EMPOINTER [ɑ̃pwɛ̃te] v. tr. — XIVᵉ; de *em- (en-)*, *pointe*, et suff. verbal.

♦ Techn. Aiguiser* la pointe de (une aiguille, une épingle). ⇒ **Acérer, appointer, appointir.**

CONTR. **Émousser, épointer.**
DÉR. Empointage.

2. EMPOINTER [ɑ̃pwɛ̃te] v. tr. — XVIIᵉ; *empointier*, fin XIIᵉ; de *em- (en-)*, *point*, et suff. verbal.

♦ Techn. (cout.). Retenir par quelques points d'aiguille (les plis d'une étoffe). ⇒ **Bâtir, coudre, faufiler** (→ fam. Taquiner).

EMPOINTURE [ɑ̃pwɛ̃tyʀ] n. f. — 1792; de *em- (en-)*, *point*, et suff. -ure. → Pointure.

♦ Mar. Angle supérieur d'une voile carrée.

EMPOIS [ɑ̃pwa] n. m. — XIIIᵉ; de *empeser*, d'après l'ancien présent *j'empoise.*

♦ Substance gluante et épaisse (⇒ **Colle**) obtenue en faisant macérer des grains d'amidon* dans de l'eau. *L'empois est généralement destiné à donner de la raideur au linge* (⇒ **Empeser**). *Col raide d'empois* (→ Calotte, cit. 2). *Empois des blanchisseuses.*

ENCÉPHALISATION [ɑ̃sefalizɑsjɔ̃] n. f. — Mil. xxᵉ; du rad. de *encéphale*.

♦ Biol. Développement du cerveau chez l'embryon.

ENCÉPHALITE [ɑ̃sefalit] n. f. — 1803; de *encéphale*.

♦ Méd. Inflammation de l'encéphale, touchant spécialement la substance grise *(polioencéphalite)* ou la substance blanche *(leucoencéphalite)*. — (1928, Netter). *Encéphalite léthargique* : maladie infectieuse et épidémique grave, d'origine virale, caractérisée par la somnolence et divers troubles nerveux.

Lorsque le virus de l'encéphalite léthargique attaque les noyaux centraux, il détermine des troubles profonds de la personnalité... En somme, les manifestations de la vie mentale sont solidaires de l'état de l'encéphale.
Alexis CARREL, l'Homme, cet inconnu, p. 166.

REM. Le mot entre dans plusieurs composés (avec ou sans trait d'union) : *méningoencéphalite* (n. f.) : inflammation de l'encéphale et des méninges, *leucoencéphalite, polioencéphalite* (→ ci-dessus).

ENCÉPHALO- ⇒ **Encéphal-.**

ENCÉPHALOGRAMME [ɑ̃sefalɔgʀam] n. m. ⇒ **Électro-encéphalogramme.**

ENCÉPHALOGRAPHIE [ɑ̃sefalɔgʀafi] n. f. — 1927; de *encéphalo-*, et *(radio)graphie*.

♦ Méd. Exploration radiographique de l'encéphale.
Encéphalographie gazeuse : examen des ventricules cérébraux par injection de gaz dans les régions sous-occipitale ou lombaire.

ENCÉPHALOMYÉLITE [ɑ̃sefalomjelit] n. f. — 1971; de *encéphalo-*, et *myélite*.

♦ Méd. Inflammation du cerveau et de la moelle épinière. — REM. On écrit aussi *encéphalo-myélite*.

ENCÉPHALOPATHIE [ɑ̃sefalopati] n. f. — 1839; de *encéphalo-*, et *-pathie*.

♦ Méd. Affection du cerveau, de nature non inflammatoire (à la différence de l'encéphalite*). *Les affections dégénératives et les lésions cérébrales qui compliquent certaines intoxications sont des encéphalopathies.*

ENCÉPHALOSE [ɑ̃sefaloz] n. f. — Mil. xxᵉ (in *Grand Larousse encycl.)*; de *encéphale*, et 2. *-ose*.

♦ Méd. Affection cérébrale (surtout de nature dégénérative).

ENCERCLEMENT [ɑ̃sɛʀkləmɑ̃] n. m. — 1909, pour traduire l'all. *Einkreisung;* «fait d'entourer», 1579; de *encercler*.

♦ Action d'encercler, fait d'être encerclé (diplomatiquement ou militairement). *L'encerclement de l'ennemi* (→ Communiqué, cit.), *par l'ennemi. L'encerclement d'un pays par un réseau d'alliances. Rompre l'encerclement* (→ Chiper, cit. 3). *Des encerclements menaçants.*

L'ennemi est d'ores et déjà *coupé de Vienne*. Il ne s'agit plus que de resserrer l'étreinte (...) Napoléon s'installait de sa personne, à Augsbourg, pour diriger l'opération d'encerclement par le Sud-Est; déjà, de ce fait, Mack se trouvait dans la position de Mélas la veille de Marengo. Il n'avait plus qu'une voie possible de retraite, au Sud, vers le Tyrol; il fallait lui fermer cette voie encore à Memmingen (...)
Louis MADELIN, Hist. du Consulat et de l'Empire, Avènement de l'Empire, XXII, p. 277.

ENCERCLER [ɑ̃sɛʀkle] v. tr. — 1160, «entourer d'un cercle»; repris déb. xxᵉ (1914), pour traduire l'all. *einkreisen;* de *en-*, *cercle*, et suff. verbal.

♦ **1.** Rare. Entourer d'un cercle*. *Encercler un tonneau.* ⇒ **Cercler.** — *Encercler un dessin, une gravure dans un filet d'or.* ⇒ **Entourer.** — (Le sujet désigne ce qui entoure)

1   Des narcisses! voilà bien leur petite couronne d'or qui encercle un anneau de rubis.
Mme DE GASPARIN, Voyages, Bande du Jura, I, in LITTRÉ, *Supplément.*

♦ **2.** (Début xxᵉ). Cour. Enfermer, emprisonner dans un cercle* d'alliances (un pays qui se juge menacé).

2   Ainsi fut achevée «la Triple entente» qui apparut comme un contrepoids à la Triple Alliance. Elle donna à l'Allemagne l'impression d'être «encerclée» par les autres puissances (...)
Ch. SEIGNOBOS, Essai d'une hist. comparée des peuples..., XIX, p. 410.

3   (...) l'Allemagne commercialement encerclée, et qui se cherche des expansions nouvelles (...)
MARTIN DU GARD, les Thibault, t. V, p. 125.
Cerner de toutes parts à la suite de manœuvres d'enveloppement. *Encercler l'ennemi.*

(...) Mack étant encerclé dans Ulm, le cabinet autrichien en étant encore à croire que l'armée russe de Kutusof, venant à la rescousse, allait marcher sur le Rhin (...)   4
Louis MADELIN, Hist. du Consulat et de l'Empire, Avènement de l'Empire, XXII, p. 281.

▶ **ENCERCLÉ, ÉE** p. p. adj. *Troupes encerclées* (→ ci-dessus, cit. 3).

CONTR. Dégager, rompre (le cercle).
DÉR. Encerclement.

ENCHAÎNÉ, ÉE [ɑ̃ʃene] adj. ⇒ **Enchaîner.**

ENCHAÎNEMENT [ɑ̃ʃɛnmɑ̃] n. m. — 1611; «chaîne», 1396; de *enchaîner*.

♦ **1.** (1864). Action d'enchaîner* (qqn); état de personnes enchaînées. *L'enchaînement des forçats.*
Fig. État d'une personne enchaînée. ⇒ **Assujettissement, chaîne.** *Il n'est pire enchaînement que celui qui laisse une apparence de liberté.*

♦ **2.** (Av. 1678). Série* de choses enchaînées ou qui sont entre elles dans un certain rapport de dépendance*. ⇒ **Chaîne, succession, suite, train.** *L'enchaînement des vertèbres.* — Temporel. *L'enchaînement des heures, des jours, des saisons.* ⇒ **Cours.** — *L'enchaînement des faits, des événements, des circonstances, des calamités.* ⇒ **Destin** (→ Avis, cit. 19; certain, cit. 6; désoler, cit. 2).

1   (...) vous verrez aussi l'enchaînement des affaires humaines, et par là vous connaîtrez avec combien de réflexion et de prévoyance elles doivent être gouvernées.
BOSSUET, Hist. universelle, Avant-propos.

Spécialt. Suite de pas de danse (→ Coupé, cit. 4; danseur, cit. 4).
Mus. Juxtaposition d'accords·musicaux successifs selon les lois harmoniques.

♦ **3.** (Av. 1662). Caractère lié, rapport de successivité (entre des éléments). ⇒ **Liaison, suite.** *Un enchaînement de belles actions, de nobles occupations.* ⇒ **Chaîne, tissu.** *L'enchaînement des causes* (cit. 7) *et des effets.* ⇒ **Déterminisme.** — *L'enchaînement des idées.* ⇒ **Association, filiation.** *Enchaînement logique de vérités.* ⇒ **Connexion** (→ Chaîne, cit. 28; élaboration, cit. 4). — (Sans compl.). *Déduire qqch. par enchaînement. Par voie d'enchaînement.* ⇒ **Conséquence.** — *L'enchaînement des sens d'un mot* (→ Élargissement, cit. 4). *Enchaînement des mots dans une phrase.* ⇒ **Agencement.** *Discours qui manque d'enchaînement,* d'ordre.

2   Je m'applique à bien développer partout les premières causes pour faire sentir l'enchaînement des effets. ROUSSEAU, les Confessions, IV.

3   Ce à quoi Buffon tenait avant tout en écrivant, c'était à la suite, au lien du discours, à son enchaînement continu. Il ne pouvait souffrir ce qui était haché, saccadé (...) SAINTE-BEUVE, Causeries du lundi, 21 juil. 1851.

4   (...) Mariolle s'agitait, entraîné comme un homme qui glisse sur une pente par l'enchaînement de ses suppositions MAUPASSANT, Notre cœur, II, IV, p. 157.

5   Plus on remonte haut, plus on a de chance de trouver le sens premier, et, par lui, l'enchaînement des significations. LITTRÉ, Dictionnaire, Préface, p. 17.

6   (...) la longue suite des effets et l'enchaînement des conséquences.
F. MAURIAC, le Nœud de vipères, V, p. 62.

7   L'ensemble, l'enchaînement seuls comptent pour lui *(l'Indien).* Et le sujet importe peu. Qu'il s'agisse de livres de religion ou de traités de l'amour, toujours des 20-30 propositions avec réenchaînements partiels.
Henri MICHAUX, Un barbare en Asie, p. 33.

ENCHAÎNER [ɑ̃ʃene] v. tr. — 1080; de *en-*, *chaîne*, et suff. verbal.

♦ **1.** Attacher (qqn, qqch.) avec une chaîne*, des chaînes. ⇒ **Attacher, lier; charger** (de chaînes...). *Enchaîner un chien méchant. Enchaîner un esclave, un prisonnier. Les captifs étaient enchaînés au char du triomphateur.* ⇒ **Atteler** (cit. 3). *Jupiter fit enchaîner Prométhée sur un sommet du Caucase.*

1   (...) mon oncle levait les épaules quand il lisait dans Rollin que Xerxès avait fait donner trois cents coups de fouet à la mer; qu'il avait fait jeter dans l'Hellespont une paire de menottes pour l'enchaîner (...)
VOLTAIRE, Défense de mon oncle, IX.

Par anal. *Lianes qui enchaînent des arbres déracinés* (→ Cimenter, cit. 2).

♦ **2.** (1640). Par métaphore ou fig. Asservir, mettre sous une dépendance (sujet n. de personne ou d'abstraction). ⇒ **Assujettir, soumettre, subjuguer.** *Enchaîner un peuple, la liberté. Enchaîner la presse.* ⇒ **Museler.** *Enchaîner les forces de la nature.* ⇒ **Dompter, maîtriser.** *Enchaîner ses mauvais instincts* ⇒ **Bête,** cit. 23; caractère, cit. 41). ⇒ **Contenir, contraindre, dominer.** *Enchaîner qqn à une discipline, à un travail.* ⇒ **Astreindre, plier** (à). *Enchaîner qqn à sa promesse. Enchaîner sa destinée, sa vie à celle de qqn.* ⇒ **Lier, unir** (à). — Spécialt (surtout dans la langue classique). Soumettre à son pouvoir, en matière amoureuse. *Enchaîner tous les cœurs.* ⇒ **Captiver** (vx). — Vx. *Enchaîner qqn* (amoureusement). → ci-dessous, cit. 9. Mod. (passif ou p. p.). *Des êtres enchaînés l'un à l'autre* (→ ci-dessous, cit. 2, 3).

2   Mais par sa destinée on se trouve enchaîné (...) MOLIÈRE, Mélicerte, I, 5.

3   Un prétexte à briser les nœuds d'un hyménée Qui me tient à vous enchaînée. MOLIÈRE, Amphitryon, II, 2.

4 Le Roi, jusqu'à ce jour, ignore qui je suis.
Celui par qui le ciel règle ma destinée
Sur ce secret encor tient ma langue enchaînée. RACINE, Esther, I, 1.

5 Nous gémissons quand on lie nos mains, et nous portons sans peine ces fers invisibles dans lesquels nos cœurs sont enchaînés. BOSSUET, Sermon, Ambition, I.

6 L'inclination nous enchaîne et nous jette dans une prison; l'habitude nous y enferme (...) BOSSUET, 4e Sermon, 1er dimanche de carême, 2.

7 L'homme, en ses passions toujours errant, sans guide,
A besoin qu'on lui mette et le mors et la bride :
Son pouvoir malheureux ne sert qu'à le gêner;
Et, pour le rendre libre, il le faut enchaîner. BOILEAU, Satires, X.

8 Maudit soit le premier dont la verve insensée
Dans les bornes d'un vers renferma la pensée,
Et, donnant à ses mots une étroite prison,
Voulut avec la rime enchaîner la raison! BOILEAU, Satires, II.

9 Je serais femme à vous enchaîner de nouveau, à vous faire oublier votre Présidente (...) LACLOS, les Liaisons dangereuses, Lettre XX.

10 N'aurait-il pas été plus commode pour les Bourbons d'adopter en arrivant le gouvernement établi, un corps législatif muet, un sénat secret et esclave, une presse enchaînée? CHATEAUBRIAND, Mémoires d'outre-tombe, t. III, p. 299.

11 On ne peut enchaîner ensemble les volontés de deux êtres qu'en mutilant l'une d'elles, sinon toutes les deux (...) R. ROLLAND, Jean-Christophe, X, p. 51.

(1690). Sujet n. de chose; compl. n. de personne. Attacher, retenir en un lieu. *Les souvenirs qui nous enchaînent au sol natal.* ⇒ **Attacher.** *La destinée* (cit. 4) *nous enchaîne ici.* ⇒ **Fixer, immobiliser, maintenir, retenir, river.**

12 La patrie est aux lieux où l'âme est enchaînée. VOLTAIRE, Mahomet, I, 2.

13 La fraîcheur de leurs lits, l'ombre qui les couronne,
M'enchaînent tout le jour sur le bord des ruisseaux (...)
LAMARTINE, Premières méditations, « Le vallon ».

♦ **3.** (1636). Compl. n. de chose. Unir par l'effet d'une succession naturelle ou le rapport de liens logiques. ⇒ **Allier, associer, coordonner, lier, relier.** *Enchaîner des idées, des mots, des propositions, des phrases, les parties d'un discours* (→ Alliance, cit. 14; bloc, cit. 7). — Au passif. → ci-dessous, cit. 14.

14 Les malheurs sont souvent enchaînés l'un à l'autre. RACINE, Esther, III, 1.

15 Les lois générales enchaînent les uns aux autres les phénomènes qui semblent les plus disparates (...) LAPLACE, Exposition du système du monde, IV, 14.

Enchaîner la conversation, la continuer, ne point la laisser s'interrompre.

Absolt. Théâtre. Reprendre la suite des répliques après une interruption. *On enchaîne!*

(Déb. XXe). Passer d'une séquence à une autre, au cinéma.

▶ **S'ENCHAÎNER** v. pron.

♦ **1.** Réfléchi. Se mettre soi-même à la chaîne. ⇒ **Attacher** (s').

16 Moi-même à votre char je me suis enchaînée. RACINE, Iphigénie, II, 5.

Fig. et littér. *S'enchaîner à une dure besogne.* ⇒ **Atteler** (s'). *S'enchaîner à quelqu'un par les liens du mariage, d'une promesse.* ⇒ **Lier** (se).

♦ **2.** Réciproque et passif. Être lié l'un à l'autre. *Les événements s'enchaînent les uns aux autres* (→ Décanter, cit. 2). *Ces idées s'enchaînent logiquement.* ⇒ **Associer** (s'), **découler, déduire** (se), **succéder** (se), **suivre** (se), **unir** (s'). *Le raisonnement s'enchaîne bien. Tout s'enchaîne.*

17 Ici-bas, la douleur à la douleur s'enchaîne,
Le jour succède au jour, et la peine à la peine.
LAMARTINE, Premières méditations, « L'homme ».

▶ **ENCHAÎNÉ, ÉE** p. p. adj. *Captifs, esclaves* enchaînés. Forçats enchaînés les uns aux autres. Prométhée enchaîné. Prométhée mal enchaîné,* œuvre de Gide (1899). — *Ubu enchaîné,* œuvre de Jarry. — *Le Canard** (cit. 7) *enchaîné* (nom d'un journal satirique).

Par métaphore ou fig. (→ ci-dessus, cit. 2 à 5).

Mots enchaînés (dans une phrase). — *Réplique enchaînée* (au théâtre).

Cin. *Fondu* enchaîné.* — N. (1945). *Un enchaîné.*

CONTR. Déchaîner, désenchaîner. — Dégager, délivrer, détacher.
DÉR. Enchaînement.
COMP. Désenchaîner, renchaîner.

ENCHANTEMENT [ɑ̃ʃɑ̃tmɑ̃] n. m. — Déb. XIIe; de *enchanter.* Action d'enchanter, résultat de cette action.

♦ **1.** Opération magique consistant à enchanter, effet de cette opération. ⇒ **Charme, ensorcellement, envoûtement, incantation, sort, sortilège.** *Jeter, pratiquer, faire, défaire, détruire, rompre, briser un enchantement. Conjuration, talisman, pour se défendre des enchantements. Hallucination, illusion résultant d'un enchantement. L'enchantement du Vendredi saint,* scène du Parsifal de Wagner.

1 (...) les arbres et les plantes
Sont devenus chez moi créatures parlantes.
Qui ne prendrait ceci pour un enchantement? LA FONTAINE, Fables, II, 1.

2 (...) aimer est un mauvais sort comme ceux qu'il y a dans les contes contre quoi on ne peut rien jusqu'à ce que l'enchantement ait cessé.
PROUST, À la recherche du temps perdu, t. XIV, p. 20.

3 En ce temps-là, on appelait fées toutes les femmes qui s'entendaient aux enchantements (...) Elles savaient la vertu des paroles, des pierres et des herbes, et par là elles se maintenaient en jeunesse, beauté et richesse à leur volonté. Et tout cela fut établi au temps de Merlin (...)
J. BOULENGER, les Enfances de Lancelot du Lac, VII.

(...) c'était la fumée du pays défendu, où vivait un vieux magicien, un voyageur 4
venu des îles, qui faisait par enchantement pousser les arbres et les fruits, qui captivait les bêtes, et à qui l'eau, le feu, le vent lui-même obéissaient.
H. BOSCO, le Jardin d'Hyacinthe, p. 214.

Loc. *Comme par enchantement* : d'une manière inattendue. → Comme par magie*. *Disparaître comme par enchantement* (→ Dextérité, cit. 3).

(...) sa parole donnait la vie, comme par enchantement, aux choses les plus étran- 5
ges. A. DE MUSSET, Comédies et Proverbes, Fantasio, II, 1.

(...) la tempête s'est bientôt éloignée, s'est évanouie comme par enchantement, 6
après une petite ondée. GIDE, Journal, 14 juin 1914.

♦ **2.** (Mil. XVIe). Charme irrésistible. *Les enchantements de la poésie, de l'amour. Ce spectacle est une succession d'enchantements, un véritable enchantement* (→ Une pure merveille*).

Ce sont les enchantements de l'esprit et non les bonnes intentions qui produisent 7
les beaux ouvrages (...) Il ne suffit pas d'être clair et d'être entendu; il faut plaire, il faut séduire, et mettre des illusions dans tous les yeux (...)
Joseph JOUBERT, Pensées, XXIII, V.

(...) il fallait appeler tous les enchantements de l'imagination et tous les intérêts 8
du cœur au secours de cette même religion contre laquelle on les avait armés.
CHATEAUBRIAND, le Génie du christianisme, I, I, 1.

Il avait attendu sa cinquantième année pour souffrir à cause d'un autre être. Ce 9
que la plupart des hommes découvrent adolescents, il le savait, ce soir, enfin! Un enchantement amer l'enchaînait à ce cadavre. F. MAURIAC, Génitrix, VI, p. 67.

♦ **3.** (1674). [a] *L'enchantement :* état d'une personne qui est enchantée (2.); joie extrêmement vive. *L'enchantement de qqn. Un enchantement absolu. — Être dans l'enchantement.* ⇒ **Ange** (être aux anges), **bonheur, ciel** (être au septième ciel), **ivresse, ravissement.** *Cette nouvelle l'a mis dans l'enchantement.*

Il y a des êtres qui nous procurent à la fois un enchantement des sens par leur 10
beauté et une parfaite satisfaction de l'esprit par la grâce de leurs propos.
A. MAUROIS, Un art de vivre, II, 1, p. 53.

[b] *Un, des enchantements.* Sujet de joie, chose qui fait un immense plaisir. *Ce spectacle est un enchantement.*

CONTR. Désenchantement.

ENCHANTER [ɑ̃ʃɑ̃te] v. tr. — Déb. XIIe; du lat. *incantare* « prononcer des formules magiques », de *in-* marquant l'effet, le résultat, et *cantare.* → Chanter.

♦ **1.** Soumettre à une action surnaturelle, par l'effet d'une opération magique. ⇒ **Charmer, ensorceler.** *Enchanter qqn au moyen d'un philtre, d'une formule, d'un rite, d'un sortilège. Enchanter les yeux de fantasmagories. — Enchanter un objet.* — Au p. p. → ci-dessous, cit. 1, 3, et *supra* cit. 12.1.

Je faux *(me trompe)* : l'amour qu'on charme est de peu de séjour. 1
Être beau, jeune, riche, éloquent, agréable,
Non les vers enchantés, sont les sorciers d'Amour.
RONSARD, Sonnets pour Hélène, XXIV.

Quelque divinité ennemie avait enchanté mes yeux; je croyais voir Ithaque. 2
FÉNELON, Télémaque, IX.

Tristan, dit la reine, les gens de mer n'assurent-ils pas que ce château de Tinta- 3
gel est enchanté et que, par sortilège, deux fois l'an, en hiver et en été, il se perd et disparaît aux yeux? J. BÉDIER, Tristan et Iseult, VI, p. 65.

Je compris tout à coup qu'elle ne pouvait pas s'échapper. Il l'avait enchantée 4
comme une bête. H. BOSCO, l'Âne Culotte, p. 166.

(V. 1190). Soumettre à un charme irrésistible et inexplicable. *Enchanter les cœurs.* ⇒ **Captiver, conquérir, envoûter, subjuguer.** Par ext. *Il a perdu la femme qui enchantait sa vie. La musique qui enchante nos soirées.*

S'il faut des coups de surprise à nos cœurs enchantés de l'amour du monde (...) 5
BOSSUET, Oraison funèbre de la duchesse d'Orléans.

(...) les traîtres appas dont je fus enchanté. MOLIÈRE, Don Garcie, II, 5. 6

(...) ce peintre est à peu près en peinture ce que l'Arioste est en poésie. Celui qui 7
est enchanté de l'un est inconséquent s'il n'est pas fou de l'autre.
DIDEROT, Salons, Boucher.

Enchanté, tourmenté et comme possédé par le démon de mon cœur. 8
CHATEAUBRIAND, René (→ Démon, cit. 11).

♦ **2.** (Av. 1648). Par ext. Remplir (qqn) d'un vif plaisir, satisfaire au plus haut point. *Cette solution m'enchante,* me satisfait au plus haut point. *Il ne s'y attendait pas, cela l'enchante.* ⇒ **Ravir.** — (Passif et p. p.). *Il a été enchanté de cette soirée, il en est revenu enchanté* (→ ci-dessous, cit. 9, et Enchanté).

Une conversation ingénieuse avec un homme est un unisson; avec une femme, 9
c'est une harmonie, un concert. Vous sortez satisfait de l'une; vous sortez de l'autre enchanté. Joseph JOUBERT, Pensées, VIII, LXVIII.

J'aimais sortir avec mon père; et, comme il s'occupait de moi rarement, le peu 10
que je faisais avec lui gardait un aspect insolite, grave et quelque peu mystérieux qui m'enchantait. GIDE, Si le grain ne meurt, I, I, p. 17.

La sagesse serait de dormir jusqu'à cette gare terminus *(la mort).* Mais, hélas, le 11
trajet nous enchante, et nous prenons un intérêt si démesuré à ce qui ne devrait nous servir que de passe-temps qu'il est dur, le dernier jour, de boucler nos valises.
COCTEAU, le Grand Écart, IX, p. 172.

▶ **S'ENCHANTER** v. pron.

♦ **1.** Se parer d'un charme poétique.

12 (...) toutes ces petites choses, rattachées à quelques souvenirs, s'enchanteront des mystères de mon bonheur ou de la tristesse de mes regrets.
CHATEAUBRIAND, Mémoires d'outre-tombe, t. V, p. 394.

♦ **2.** Littér. Se plaire, se délecter à une idée. *S'enchanter d'une idée* (→ Arbitre, cit. 15), *de fictions* (→ Arracher, cit. 47).

▶ **ENCHANTÉ, ÉE** p. p. adj.

♦ **1.** (1661). Soumis à un enchantement, frappé par un sortilège. *La princesse enchantée de la Belle au bois dormant. Château enchanté.* → ci-dessus, cit. 3. — *Cercle enchanté.* — Par anal. *L'Âme enchantée*, roman de Romain Rolland.

12.1 Cependant, la nuit étant fort avancée, le sultan prit quelque repos. Pour le jeune prince, il la passa à son ordinaire dans une insomnie continuelle (il ne pouvait dormir depuis qu'il était enchanté) mais avec quelque espérance néanmoins d'être bientôt délivré de ses souffrances.
A. GALLAND, les Mille et Une Nuits, t. I, p. 85.

(Av. 1648). Qui détient un pouvoir d'enchantement (après l'avoir reçu). ⇒ **Magique.** *Le cor enchanté des légendes allemandes. La Flûte enchantée*, titre français d'un opéra de Mozart. — *Des vers enchantés.* → ci-dessus, cit. 1. — N. (Rare). *Un, une enchanté(e).*

♦ **2.** (1669). Vieilli. Qui produit, transmet un effet irrésistible, inexplicable. *Un séjour enchanté.* ⇒ **Enchanteur.** *Des lieux enchantés.*

13 Ô terre, ô mer, ô nuit, que vous avez de charmes !
Miroir éblouissant d'éternelle beauté,
Pourquoi, pourquoi mes yeux se voilent-ils de larmes
Devant ce spectacle enchanté ?
LAMARTINE, Harmonies, I, 10.

♦ **3.** (Déb. XIIIᵉ). Personnes. Qui ressent un grand plaisir, une intense satisfaction (→ ci-dessus, cit. 9). *Ils étaient, ils paraissaient tous enchantés, enchantés de cette soirée. Je suis enchanté que vous veniez, de votre venue, de vous recevoir.*

(Avec une valeur conventionnelle). *Je suis enchanté de faire votre connaissance.* Ellipt. *Enchanté !*

14 Quand on le présentait, il s'inclinait à la fois avec un sourire de scepticisme et un respect exagéré, et si c'était à un homme, disait : « Enchanté, Monsieur », d'une voix qui se moquait des mots qu'elle prononçait, mais avait conscience d'appartenir à quelqu'un qui n'était pas un mufle.
PROUST, À la recherche du temps perdu, Pl., t. I, p. 881.

Par ext. *Un air enchanté.*

CONTR. et COMP. Désenchanter.
DÉR. Enchantement, enchanteur.

ENCHANTEUR, ERESSE [ãʃãtœʀ, (ə)ʀɛs] n. et adj. — 1080 ; de *enchanter.*

★ **I.** N. ♦ **1.** Personne qui pratique des enchantements. ⇒ **Mage, magicien, nécromant, sorcier.** *Les enchanteresses de la mythologie, Médée, Circé. L'enchanteur Maugis*, cousin des Quatre Fils Aymon. *Merlin l'Enchanteur, les enchanteresses Viviane, Morgane* (⇒ **Fée**), personnages des romans de la Table ronde. *Armide, l'enchanteresse de* `la «Jérusalem délivrée». — Les tours, les sortilèges d'un enchanteur. — L'Enchanteur pourrissant, œuvre d'Apollinaire (1909).

1 Sur les tréteaux l'arlequin blême
Salue d'abord les spectateurs
Des sorciers venus de Bohême
Quelques fées et les enchanteurs.
APOLLINAIRE, Alcools, « Crépuscule ».

♦ **2.** (1632). Fig. Personne douée d'un charme irrésistible (par sa beauté, son talent, etc.). *Défiez-vous de cet enchanteur ! Le charme de son style a fait surnommer Chateaubriand « l'Enchanteur ».*

2 Il avait surtout de l'enchanteur et du fascinateur. Il s'est peint avec ses philtres et sa magie, comme aussi avec ses ardeurs, ses violences de désirs et ses orages (...)
SAINTE-BEUVE, Causeries du lundi, 27 mai 1850.

3 Suis-je, pour vous aimer, ô blonde enchanteresse,
Un timide écolier qui rêve de vos yeux (...)
BAUDELAIRE, Premiers poèmes, « Sonnet cavalier ».

★ **II.** Adj. ♦ **1.** (V. 1160). Qui enchante (1.). *Un talisman enchanteur.*

♦ **2.** (Av. 1589). Vx. Qui séduit jusqu'à égarer, qui charme.

4 (...) et des lâches flatteurs la voix enchanteresse.
RACINE, Athalie, IV, 3.

♦ **3.** Mod. Qui séduit beaucoup. — REM. Selon les contextes et les usages, le mot garde plus ou moins d'écho de sa valeur forte « qui captive, ravit, charme ». Il reste plus significatif que *enchanter* et *enchanté. Un séjour enchanteur.* ⇒ **Charmant, paradisiaque.** *Sous un ciel enchanteur.* ⇒ **Merveilleux, rêve** (→ Rêve). *Spectacle enchanteur.* ⇒ **Enchanté** (2.), **ravissant.** *Des songes enchanteurs* (→ Défilé, cit. 7). *Attraits* (cit. 6) *enchanteurs. Sourire enchanteur.* ⇒ **Charmeur, séduisant.** *La voix enchanteresse des sirènes.* ⇒ **Ensorceleur.** *Créature enchanteresse. Musique enchanteresse.*

5 Ne tâchez pas d'imaginer les charmes et les grâces de cette fille enchanteresse, vous resteriez trop loin de la vérité. Les jeunes vierges des cloîtres sont moins fraîches, les beautés du sérail sont moins vives, les houris du paradis sont moins piquantes.
ROUSSEAU, les Confessions, VII.

6 (...) il fallait faire la part à son organe enchanteur *(la voix de Séraphîta)*, à sa beauté séduisante, à son geste fascinateur (...)
BALZAC, Séraphîta, Pl., t. X, p. 561.

7 C'est *(la femme)* une espèce d'idole, stupide peut-être, mais éblouissante, enchanteresse, qui tient les destinées et les volontés suspendues à ses regards.
BAUDELAIRE, Curiosités esthétiques, XVI, X.

CONTR. Désagréable.

ENCHAPÉ, ÉE [ãʃape] p. p. adj. — XVᵉ ; *enchaper*, XIIᵉ ; de *en-, chape*, et suff. *-é.*

♦ Littér. Recouvert comme d'une chape, encapuchonné.

Écoute-moi, dit-il, tu te souviens de ces belles îles enchapées de pinèdes entre lesquelles nous courions ?
J. GIONO, Naissance de l'Odyssée, p. 15.

ENCHAPERONNER [ãʃapʀɔne] v. tr. — V. 1160 ; de *en-, chaperon*, et suff. verbal.

♦ Rare. Coiffer, envelopper d'un chaperon*. ⇒ **Encapuchonner.** *Enchaperonner un enfant.* Fauconn. *Enchaperonner l'oiseau.*

ENCHARGER [ãʃaʀʒe] v. tr. — Mil. XIIᵉ, *enchargier* ; de *-en*, et *charger.*

♦ Vx (langue class.). Charger (qqn).

ENCHÂSSEMENT [ãʃɑsmã] n. m. — 1611 ; « châssis, cadre » (→ 2.), 1385 ; de *enchâsser.*

♦ **1.** Action d'enchâsser (qqch.) ; manière dont une chose est enchâssée. *L'enchâssement de brillants dans un diadème.*
Fig. *L'enchâssement d'une citation dans un texte.*
Ling. Inclusion d'une suite d'éléments dans une autre (notamment en grammaire générative). *Transformation d'enchâssement par relativisation. Grammaire à enchâssements récursifs* (par oppos. aux *grammaires à états finis* et aux *grammaires à dépendances emboîtées consécutives*).

♦ **2.** Par métonymie. Ce qui enchâsse (qqch.). *L'enchâssement de plomb des verres d'un vitrail.* ⇒ aussi **Châssis.**

ENCHÂSSER [ãʃase] v. tr. — V. 1120, *encassé*, au sens 2 ; de *en-, châsse*, et suff. verbal.

♦ **1.** (1226). Relig. Mettre (des reliques) dans une châsse. *Enchâsser des reliques, la dépouille d'un saint religieux.*
Fig., vx. Conserver précieusement, avec piété.

1 (...) enchâssons ces reliques dans nos cœurs (...)
BOSSUET, Panégyrique de saint François de Paule, II, in LITTRÉ.

Ironique :
2 (...) Est-ce la mode
Que baudet aille à l'aise et meunier s'incommode ?
Qui de l'un ou du maître est fait pour se lasser ?
Je conseille à ces gens de le faire enchâsser.
LA FONTAINE, Fables, III, 1.

♦ **2.** Mettre dans une monture. ⇒ **Monter ; encastrer, sertir.** *Enchâsser un rubis dans une boucle, un diamant, un brillant dans le chaton d'une bague* (⇒ **Enchatonner**). — Par métaphore :

3 Le soleil tomba derrière ce rideau ; un rayon glissant à travers le dôme d'une futaie scintillait comme une escarboucle enchâssée dans le feuillage sombre (...)
CHATEAUBRIAND, Mémoires d'outre-tombe, t. I, p. 320.

Encastrer, fixer (dans une entaille, un châssis, un encadrement). ⇒ **Fixer.** *Enchâsser une mine de crayon dans sa gaine, un tableau dans un lambris.* ⇒ **Assembler.** *Enchâsser les pièces d'une machine, les panneaux d'une porte. — Enchâsser un tenon dans une mortaise, une pièce de bois dans une autre.* ⇒ **Emboîter, endenter.**

♦ **3.** (Sujet n. de chose). Constituer la monture, l'enchâssement de... *Le cadre, la monture qui enchâsse qqch.*
Fig. *Des yeux qu'enchâsse un cercle noir.* ⇒ **Encadrer, entourer.**

4 (...) c'était bien ces petits yeux vifs, enchâssés par des cercles de rides et surmontés d'épais sourcils grisonnants (...)
BALZAC, Séraphîta, Pl., t. X, p. 487.

5 Ses doux yeux d'ardoise étaient exténués ; les paupières gonflées enchâssaient le regard d'une lumière pâle.
André SUARÈS, Trois hommes, « Ibsen », VI, p. 153.

♦ **4.** (Av. 1559). Abstrait. ⇒ **Insérer, intercaler.** *Enchâsser un trait, une citation, une pensée dans un discours* (→ Distinguer, cit. 32). *Enchâsser un mot, une expression dans une phrase.*

6 Nous savons tous les mots dont ils *(les écrivains de Port-Royal)* se servent ; mais jamais, ce me semble, nous ne les avons vus si bien placés ni si bien enchâssés.
Mᵐᵉ DE SÉVIGNÉ, Lettres, 473, 1ᵉʳ déc. 1675.

7 Le prédicateur a enchâssé dans son avant-propos, le plus agréablement du monde, l'histoire d'Artémise sur les cendres de son époux.
FÉNELON, Œuvres, t. XXI, in LITTRÉ.

Spécialt, ling. Faire subir à (une suite) un enchâssement* (dans une autre suite). → ci-dessous, cit. 10.

▶ **S'ENCHÂSSER** v. pron.
Être enchâssé.

8 (...) la patte redoutable et nerveuse où s'enchâssent des griffes courbes (...)
COLETTE, la Paix chez les bêtes, Prrou, p. 25.

Figuré :

9 Mais c'est dans Racine que l'élégie, discrètement et adroitement ménagée (...), vient s'enchâsser le plus souvent dans les discours des personnages.
Émile FAGUET, Études littéraires, XVIIᵉ siècle, p. 334.

▶ **ENCHÂSSÉ, ÉE** p. p. adj. *Reliques enchâssées.* — *Diamant enchâssé.* — Ling. *Phrase, proposition enchâssée.*

10 On peut (...) enchâsser 2 (« l'homme est arrivé hier ») dans 1 (« l'homme est mort ») pour obtenir 4 (« l'homme qui est arrivé hier est mort ») [...] la phrase enchâssée est dite phrase-constituante, et la phrase à l'intérieur de laquelle elle est enchâssée est dite phrase-matrice.
Nicolas RUWET, Introd. à la grammaire générative, p. 210.

CONTR. Désenchâsser, sortir.
DÉR. Enchâssement, enchâssure.
COMP. Désenchâsser.

ENCHÂSSURE [ɑ̃ʃɑsyʀ] n. f. — Fin XIVᵉ, enchasseure ; de enchâsser.

♦ Techn. Ce dans quoi une chose est enchâssée. *Une solide enchâssure. Enchâssure de pierre.*

ENCHATONNEMENT [ɑ̃ʃatɔnmɑ̃] n. m. — 1832 ; de enchatonner.

♦ **1.** Techn. Action d'enchatonner, manière dont une pierre est enchatonnée.

♦ **2.** Mod. *Enchatonnement du placenta :* rétention totale (incarcération) ou partielle du placenta après l'expulsion du fœtus, due à une contraction spasmodique de l'utérus.

ENCHATONNER [ɑ̃ʃatɔne] v. tr. — V. 1160 ; de en-, et 1. chaton.

♦ Techn. Enchâsser (une pierre) dans un chaton*. ⇒ **Sertir.** *Enchatonner un rubis, un brillant.*

▶ **S'ENCHATONNER** v. pron.

(1836 ; en parlant d'une tumeur du placenta). S'incruster dans les chairs.

▶ **ENCHATONNÉ, ÉE** p. p. adj. — *Diamant enchatonné.* — Mod. *Calcul enchatonné, tumeur enchatonnée,* incrustée dans les chairs. — (1865). Spécialt. (Méd.). *Placenta enchatonné,* retenu par l'utérus après l'expulsion du fœtus.

DÉR. Enchatonnement.

ENCHAUSSAGE [ɑ̃ʃosaʒ] n. m. — 1930, Larousse ; de 2. enchausser.

♦ Techn. Opération par laquelle on enchausse (le velours).

1. ENCHAUSSER [ɑ̃ʃose] v. tr. — 1752 ; de en-, et chausser. Technique.

♦ **1.** Hortic. Couvrir (des plantes, des légumes, le pied d'un arbre...) de paille, de fumier en vue de les faire blanchir ou de les garantir de la gelée. ⇒ **Chausser** (5.), **pailler.**

♦ **2.** Garnir (une roue) de rayons.

HOM. 2. Enchausser.

2. ENCHAUSSER [ɑ̃ʃose] v. tr. — 1835 ; de en-, chaux, et suff. verbal.

♦ Techn. Imbiber (le velours de coton) de lait de chaux, pour durcir la trame.

DÉR. Enchaussage.
HOM. 1. Enchausser.

ENCHEMISAGE [ɑ̃ʃmizaʒ] n. m. — 1930, Larousse ; de enchemiser.

♦ Techn. Action d'enchemiser (un livre) ; chemise (d'un livre).

ENCHEMISER [ɑ̃ʃmize] v. tr. — 1901, in D.D.L. ; de en-, chemise, et suff. verbal. Technique.

♦ **1.** Garnir (qqch.) d'une chemise, d'une enveloppe protectrice. *Enchemiser un livre.*

♦ **2.** (1948). Chemiser* (un projectile).

DÉR. Enchemisage.

ENCHÈRE [ɑ̃ʃɛʀ] n. f. — 1259 ; déverbal de enchérir.

♦ **1.** Rare ou dr. (Sing. et plur.). Action d'enchérir ; offre d'achat, de bail, etc. d'une somme supérieure à la somme antérieurement fixée

ou proposée, dans une vente au plus offrant. *Faire, mettre, porter une enchère (sur qqch.). Mettre enchère (sur qqch.). Première enchère* (après mise à prix). *Couvrir une enchère :* mettre une enchère supérieure à celle qui vient d'être faite (« dire mieux »). *Celui qui porte l'enchère la plus haute, la plus élevée, est déclaré adjudicataire.* ⇒ **Adjudication.** *Enchère faite après coup.* ⇒ **Surenchère.** *Enchères successives. Pousser les enchères. Il n'y a pas eu d'enchère, d'enchères. Faute d'enchères, à défaut d'enchères, la vente aura lieu sur une mise à prix abaissée.*

0.1 Les banquiers amateurs de ce temps-ci font courir des enchères au lieu de faire courir des chevaux, sur n'importe quoi, sur une porcelaine, une toile, un morceau de papier. Ce qu'ils font en achetant ? Ils parient seulement qu'ils sont plus riches les uns que les autres.
Ed. et J. DE GONCOURT, Journal, 11 avr. 1866.

(XVᵉ). Loc. (dr.). **FOLLE ENCHÈRE :** enchère faite par l'adjudicataire dernier enchérisseur qui ne remplit pas les obligations qui lui incombent (notamment le paiement du prix d'adjudication). *Procédure de la folle enchère. Adjudication sur folle enchère.*

(1641). Vx (langue class.). *Porter la folle enchère :* supporter les inconvénients d'une situation.

Loc. *Mettre , porter qqch. à l'enchère, aux enchères* (→ ci-dessous, 2.).

♦ **2.** (1549). Cour. (Plur.). **ⓐ** AUX ENCHÈRES : par le moyen d'enchères successives. *Vendre qqch. aux enchères, à la criée.* ⇒ **Criée.** *Vente* aux enchères. Estimation*, mise à prix* des biens vendus aux enchères. Vente aux enchères d'un bien indivis, soit à l'audience soit à la barre du tribunal.* ⇒ **Licitation.** *Vente d'immeubles aux enchères publiques devant un juge du tribunal à l'audience des criées* ou devant un notaire commis. Vente publique de meubles aux enchères, volontaire ou forcée* (⇒ **Encan, saisie**), par officier public* (⇒ **Commissaire-priseur, greffier, huissier, notaire**). Mettre des lots aux enchères dans une vente de charité.*

ⓑ *Les enchères :* la suite d'enchères qui constituent l'essentiel d'une vente au plus offrant. ⇒ **Vente.** *Les enchères sont ouvertes. Pendant les enchères... Les enchères ont été vives, animées* (→ cit. 3). *Enchères à l'américaine*. Dans les enchères d'immeubles, l'adjudication ne peut être prononcée qu'après l'extinction successive de trois bougies* (→ Adjudication, cit.).

1 Aussitôt que les enchères sont ouvertes (à l'audience des saisies immobilières), il est allumé successivement des bougies préparées de manière que chacune ait une durée d'environ une minute (...)
Code de procédure civile, art. 705.

2 (L'adjudication sur saisie mobilière) se fait aux enchères, portées directement par les enchérisseurs, sans intermédiaire d'avoué, à la différence de ce qui se passe dans la saisie immobilière. C'est l'officier public qui apprécie lui-même le temps qu'une enchère doit rester sans être couverte, pour aboutir à l'adjudication. Aucun procédé de chronométrage, tel que l'emploi de bougies, n'est imposé par la loi.
Paul CUCHE, Voies d'exécution (nº 57, éd. Dalloz).

3 Les enchères étaient vives. Un volume isolé parvint jusqu'à six cents francs. À dix heures moins un quart, l'*Histoire de l'abbé de Bucquoy* fut mise sur table à vingt-cinq francs... À cinquante-cinq francs, les habitués et M. Techener lui-même abandonnèrent le livre : une seule personne poussait contre moi. À soixante-cinq francs, l'amateur a manqué d'haleine. Le marteau du commissaire-priseur m'a adjugé le livre pour soixante-six francs.
NERVAL, les Filles du feu, Angélique, XIIᵉ lettre.

Au feu des enchères (par allusion aux bougies allumées à l'audience des saisies immobilières). → ci-dessus, cit. 1.

4 Après sa mort, les tableaux et les objets d'art amassés avec tant de soins, d'amour et de passion devront s'éparpiller au feu des enchères.
Th. GAUTIER, in LITTRÉ, Suppl., art. Enchère.

♦ **3.** Par anal. (avec les v. *être, mettre...*). *À l'enchère* (vx) ; *aux enchères :* offert à celui qui paye, qui est disposé à payer le plus (s'agissant de biens qui ne sont pas normalement monnayés). « *Mettre son amour à l'enchère* » (Zola, in T.L.F.). *Être à l'enchère* (vx), *aux enchères :* se vendre, être prêt à se vendre au plus offrant. *Un électeur influent qui met sa voix aux enchères. Mettre des titres, des décorations aux enchères.*

♦ **4.** (Fin XIXᵉ). À certains jeux de cartes, Demande supérieure à celle de l'adversaire. *Manille aux enchères. Le système des enchères au bridge. Faire une enchère* (⇒ aussi **Annonce**).

COMP. Surenchère.

ENCHÉRIR [ɑ̃ʃeʀiʀ] v. — XIIᵉ ; de en-, cher, et suff. verbal.

★ **I.** V. intr. ♦ **1.** Vieilli. Devenir plus cher, plus coûteux. ⇒ **Augmenter, renchérir.** *Les blés ont beaucoup enchéri, sont enchéris. Tout a enchéri depuis la guerre. La viande enchérit de jour en jour.* — REM. Dans ce sens, la langue moderne substitue de plus en plus *renchérir* à *enchérir.*

♦ **2.** Dans une vente au plus offrant, Mettre une enchère*. *Enchérir sur qqn :* faire une enchère plus élevée. *Enchérir après l'adjudication.* ⇒ **Surenchérir.**

♦ **3.** (1580). Fig. (littér. ou didact.). Aller au delà de ce qu'un autre a dit ou fait. ⇒ **Ajouter, aller** (aller plus loin), **dépasser.**

1 Phèdre enchérit souvent (sur Ésope) par un motif de gloire (...)
LA FONTAINE, Fables, IV, 18.

2 Quand l'absurde est outré, l'on lui fait trop d'honneur
De vouloir par raison combattre son erreur :
Enchérir est plus court, sans s'échauffer la bile.
LA FONTAINE, Fables, IX, 1.

3 Les hommes (...) ont (...) enchéri de siècle en siècle sur la manière de se détruire réciproquement. LA BRUYÈRE, les Caractères, X, 9.

4 Enchérissant, d'ordinaire, sur les devoirs tracés par la Loi et les anciens, il voulait la perfection. RENAN, Vie de Jésus, v, Œuvres, t. IV, p. 137.

5 Souvent ne sachant plus comment enchérir, on lâche une phrase marquant qu'on est au bout : je ne vous dis qu'ça : Elle était mise ! je ne vous dis qu'ça. F. BRUNOT, la Pensée et la Langue, p. 688.

Ce mot enchérit sur tel autre, il ajoute à l'idée exprimée. Approfondir* *enchérit sur* creuser, réprouver *sur* improuver.

★ **II.** V. tr. ♦ **1.** (V. 1265). Vieilli. Rendre plus cher. ⇒ **Renchérir.** *« La guerre a tout enchéri »* (Académie). *Enchérir les loyers.* ⇒ **Augmenter.**

♦ **2.** (1549). Proposer une enchère supérieure pour (qqch.). *« Deux femmes (...) enchérissaient, par clins d'œil au crieur, un lot de trente-six paniers de rougeots. »* (P. Hamp, *Marée, in* T. L. F.).

6 Quand le vizir Saouy eut attendu quelque temps et qu'il vit qu'aucun des marchands n'enchérissait : « Eh bien, qu'attends-tu ? » dit-il à Hagi Hassan. A. GALLAND, les Mille et Une Nuits, t. II, p. 233.

♦ **3.** (1580). Vx (langue class.). Rendre meilleur. ⇒ **Améliorer.**

♦ **4.** Littér. *Enchérir qqch. de...* : compléter (de manière désagréable). → Renchérir* sur... (ex. de H. Bazin, *in* T. L. F.). *Il enchérissait ses prétentions de demandes extravagantes.*

CONTR. Baisser, diminuer, rabattre.
DÉR. Enchère, enchérissement, enchérisseur.

ENCHÉRISSEMENT [ãʃeʀismã] n. m. — 1213, *enchierissement; de* enchérir.

♦ Vieilli. Augmentation de prix. *L'enchérissement des légumes, de la viande.*

ENCHÉRISSEUR [ãʃeʀisœʀ] n. m. — 1325, *ancherisseur;* de enchérir.

♦ Personne qui fait une enchère. *Vendre au plus offrant et dernier enchérisseur. — Fol enchérisseur :* personne qui fait une folle enchère.

REM. Le fém. *enchérisseuse* est virtuel.

ENCHEVALEMENT [ãʃ(ə)valmã] n. m. — 1755; de *enchevaler* (xvᵉ, vx) «étayer»; de *en-, cheval,* et suff. -ement.

♦ Techn. Travaux destinés à étayer un mur, une construction avant de faire des reprises en sous-œuvre. ⇒ **Chevalement.**

ENCHEVAUCHER [ãʃ(ə)voʃe] v. tr. — 1771; de *en-,* et *chevaucher,* p.-ê. antérieur. → Enchevauchure.

♦ Techn. Faire joindre par recouvrement (des planches, des ardoises, des tuiles...).

ENCHEVAUCHURE [ãʃ(ə)voʃyʀ] n. f. — 1690; de *en-, chevaucher* (→ Enchevaucher), et suff. -ure.

♦ Techn. Disposition de planches, de tuiles enchevauchées.

ENCHEVÊTRÉ, ÉE [ãʃ(ə)vetʀe] adj. ⇒ **Enchevêtrer.**

ENCHEVÊTREMENT [ãʃ(ə)vetʀəmã] n. m. — 1564; de *enchevêtrer.*

♦ **1.** Disposition de choses enchevêtrées. — Amas, réseau de choses enchevêtrées. *L'enchevêtrement d'un écheveau.* ⇒ **Embrouillement.** *Enchevêtrement d'objets de toute sorte.* ⇒ **Confusion, désordre, mélange.** *Un enchevêtrement inextricable de ronces et de lianes. Un enchevêtrement de couloirs, de ruelles, de canaux.* ⇒ **Labyrinthe, réseau.**

1 Ces constructions sont multiformes. Elles ont l'enchevêtrement du polypier (...) HUGO, les Travailleurs de la mer, II, I, XI.

2 À mesure qu'on s'éloigne de l'enchevêtrement des ruelles qui forment le cœur de la cité, des chemins plus larges s'en vont entre des murs de vergers (...) Jérôme et Jean THARAUD, Marrakech, p. 143.

3 Prendre quelques organes choisis parmi les principaux rouages de cette étonnante mécanique, en montrer les aspects merveilleux au milieu d'un prodigieux enchevêtrement de vaisseaux et de nerfs, telle est l'idée maîtresse de cet exposé. P. VALLERY-RADOT, Notre corps, p. 7.

♦ **2.** (Av. 1850). Abstrait. Complication, désordre (d'éléments nombreux qu'on distingue mal). *Un enchevêtrement de mots, de phrases, d'idées.* ⇒ **Galimatias.** *Se perdre dans l'enchevêtrement de ses mensonges* (⇒ **Tissu**). — (Compl. au sing.). *Enchevêtrement d'une situation, d'une intrigue.* ⇒ **Complication, imbroglio.**

ENCHEVÊTRER [ãʃ(ə)vetʀe] v. tr. — V. 1175; de *en-, chevêtre,* et suff. verbal.

★ **I.** ♦ **1.** Vx. Attacher (un cheval) avec un chevêtre*, un licou.

♦ **2.** (xivᵉ). Techn. Assembler (des solives) avec un chevêtre*.

★ **II.** ♦ **1.** (xviᵉ). Cour. Engager les unes dans les autres (les différentes parties d'une chose); mettre (ces parties) en désordre. ⇒ **Embrouiller, emmêler.** *Enchevêtrer les fils d'un écheveau.* (Abstrait). *Enchevêtrer les phrases, les éléments de son discours.*

1 (...) et sa fantaisie, et sa verve, et son art d'enchevêtrer les situations, de brouiller l'intrigue, de filer la scène, de tenir le lecteur en suspens. Émile HENRIOT, les Romantiques, p. 210.

♦ **2.** (Compl. au sing.). *Enchevêtrer une intrigue,* les éléments de l'intrigue. ⇒ **Compliquer.**

▶ **S'ENCHEVÊTRER** v. pron.

♦ **1.** Vieilli. Être enchevêtré. *Cheval qui s'enchevêtre,* qui engage son pied dans la longe de son licou.

♦ **2.** Mod. *Branches, ronces, arbres qui s'enchevêtrent* (→ Chevaucher, cit. 5).

2 Au dehors le front de la barricade, composé de piles de pavés et de tonneaux reliés par des poutres et des planches qui s'enchevêtraient dans les roues de la charrette Anceau et de l'omnibus renversé, avait un aspect hérissé et inextricable. HUGO, les Misérables, III, XII, v.

Fig., vx. *S'enchevêtrer dans un raisonnement.* ⇒ **Embarrasser** (s'), **embrouiller** (s').

3 Chacun peut voir, dans les chapitres 3 et 4 du premier livre de Grotius, comment ce savant et son traducteur Barbeyrac s'enchevêtrent, s'embarrassent dans leurs sophismes (...) ROUSSEAU, Du contrat social, II, 2.

(Sujet n. de chose). Mod. :

4 Vingt idées contradictoires s'enchevêtraient dans sa cervelle. MARTIN DU GARD, les Thibault, t. III, p. 62.

▶ **ENCHEVÊTRÉ, ÉE** p. p. adj. (au sens II).

♦ **1.** *Arbres, fils enchevêtrés.*

♦ **2.** Fig. *Style, discours enchevêtré.* ⇒ **Confus, filandreux.** *Affaires enchevêtrées.* ⇒ **Complexe, embarrassé.**

5 (...) cet art qu'il avait, dans les problèmes sociaux les plus enchevêtrés, de dégager aussitôt l'essentiel et de le résumer en quelques formules frappantes (...) MARTIN DU GARD, les Thibault, t. V, p. 33.

CONTR. Classer, dégager, démêler.
DÉR. Enchevêtrement, enchevêtrure.

ENCHEVÊTRURE [ãʃ(ə)vetʀyʀ] n. f. — 1328; de *enchevêtrer.*

♦ **1.** Techn. Assemblage de solives disposées de façon à laisser entre elles un vide, une trémie. *Cheminée, escalier construit dans l'enchevêtrure.*

♦ **2.** (1678). Vétér. Blessure du cheval au pli du paturon.

ENCHEVILLEMENT [ãʃ(ə)vijmã] n. m. — 1935; de *encheviller.*

♦ Chir. Insertion d'un greffon osseux ou d'une pièce allongée métallique (cheville) dans la cavité médullaire des deux fragments d'un os fracturé.

ENCHEVILLER [ãʃ(ə)vije] v. tr. — Attesté xxᵉ; *suture enchevillée,* 1732; «assembler avec des chevilles» (→ Cheviller), 1425; de *en-, cheville,* et suff. verbal.

♦ Chir. Immobiliser (deux fragments d'os) par des chevilles.

DÉR. Enchevillement.

ENCHIFRENÉ, ÉE [ãʃifʀəne] adj. — 1611; «asservi, dompté», xiiiᵉ; de *en-,* et une altér. *cha(n)frener,* xiiiᵉ, de *chanfrein.*

♦ Fam. Qui a le nez embarrassé par un rhume de cerveau.

1 Je suis enrhumée du cerveau, dit-elle, je suis enchifrenée (...) Mᵐᵉ DE GENLIS, le Théâtre de l'éducation, «La lingère», I, 5.

2 Joly, enchifrené, avait un fort coryza que Laigle commençait à partager. HUGO, les Misérables, III, XII, II.

DÉR. V. Enchifrènement.

ENCHIFRÈNEMENT [ãʃifʀɛnmã] n. m. — 1680; de *enchifrener* ou de *enchifrené.*

♦ Rare. Embarras de la respiration nasale par suite du rhume de cerveau; fait d'être enchifrené.

ENCHIFRENER [ãʃifʀəne] v. tr. — 1611; fig., *«d'amours enchifrené»,* proprt *«pris comme dans un chanfrein»,* v. 1275; de 1. *chanfrein.*

♦ Vx. Le sujet désigne un mal : rhume, etc. *Gêner la respiration de (qqn)*, embarrasser le nez de (qqn).

DÉR. V. **Enchifrènement.**

ENCHIRIDION [ɑ̃kiʀidjɔ̃] n. m. — xviᵉ ; mot grec *enkheiridion* « manuel ».

♦ Didact. Manuel (d'un auteur ancien). *L'Enchiridion d'Épictète.*

ENCHONDRAL, ALE, AUX [ɑ̃kɔ̃dʀal, o] adj. — Mil. xxᵉ ; dér. sav. du grec *egkhondros* « cartilagineux ».

♦ Physiol. Qui se forme, ou se produit à l'intérieur du tissu cartilagineux. *Ossification enchondrale. Squelette enchondral.* ⇒ **Endosquelette.**

ENCHONDROME [ɑ̃kɔ̃dʀom] n. m. — 1855 ; lat. sc. *enchondroma* (J. Müller, 1801-1858) ; du grec *egkhondros* « cartilagineux », de *en-*, et *khondros* « cartilage ».

♦ Méd. Tumeur bénigne cartilagineuse.

ENCHYMOSE [ɑ̃kimoz] n. f. — 1752 ; grec *egkhumôsis* « diffusion des sucs à travers le corps », de *en* « dans », et *khumos* « suc, humeur ».

♦ Méd. anc. Afflux non pathologique de sang (rougissement de colère, de honte, etc.).
REM. Ne pas confondre avec *ecchymose.*

ENCLAVE [ɑ̃klav] n. f. — Mil. xvᵉ ; *encleve*, 1312 ; déverbal de *enclaver.*

♦ **1.** Dr. État, situation d'un terrain entouré par des fonds appartenant à d'autres propriétaires et qui n'a sur la voie publique aucune issue ou qu'une issue insuffisante pour son exploitation. ⇒ **Enclavement.** *L'enclave donne naissance à un droit de passage sur les fonds des voisins* (Code civil, art. 682). *Servitude d'enclave.*

♦ **2.** Par métonymie. (Plus cour.). **a** *Terrain enclavé. Supprimer une enclave.*

b Territoire, pays enfermé dans un autre. *Le comtat Venaissin était une des enclaves de la France.* — Territoire obéissant à des lois morales ou sociales différentes des régions alentour.

Vous avez peut-être entendu ou vous entendez regretter que des traités anciens aient laissé cette enclave marocaine au milieu de nos possessions, et qu'une occasion n'ait pas été saisie de nous l'annexer. L. H. LYAUTEY, Paroles d'action, p. 38.

♦ **3.** (1611). Partie d'un dégagement (escalier, soupente) qui empiète sur une pièce habitable. ⇒ **Empiètement.**

♦ **4.** (Av. 1893, Lacroix, in *Année sc. et industr.* 1894, p. 479). Géol. Fragment de roche étranger à la masse où il est englobé.

ENCLAVÉ, ÉE [ɑ̃klave] adj. ⇒ **Enclaver.**

ENCLAVEMENT [ɑ̃klavmɑ̃] n. m. — 1549 ; « territoire enclavé », av. 1453 ; de *enclaver.*

♦ Fait d'être enclavé. Spécialt, méd. Blocage d'un corps étranger dans un tissu ou organe. *Enclavement d'un calcul.*
Immobilisation de la tête du fœtus, en cours d'accouchement. *Dans l'enclavement, la tête du fœtus trop serrée, ne peut plus ni descendre, ni remonter.*
Physiol. *Enclavement de l'utérus :* immobilisation de l'utérus en rétroversion dans le petit bassin. *Troubles de fonctionnement des organes du bassin dans l'enclavement de l'utérus.*

ENCLAVER [ɑ̃klave] v. tr. — V. 1283 ; lat. pop. *inclavare* « fermer avec une clé », de *in-*, et *clavis* « clef ».

♦ **1.** Fixer (qqch.) au moyen d'une clé, de boulons. *Enclaver une poutre.* — (1409). Par ext. Engager (une pièce dans une autre). ⇒ **Encastrer.** *Enclaver une pierre, des tuiles. Enclaver des ardoises dans la couverture d'un toit.*

♦ **2.** Contenir, entourer (une autre terre) comme enclave. *La conquête a enclavé ce territoire dans un empire.* — Plus cour., au passif. *Cette parcelle est enclavée dans sa propriété.* ⇒ **Enclave.** — Pron. *Le territoire espagnol de Llivia s'enclave dans le département des Pyrénées-Orientales.*

1 Une partie des terres de la commanderie est enclavée dans celle de notre gendre Dupuits. VOLTAIRE, Lettre à d'Argental, 29 oct. 1764.

2 Ce département *(l'Ain)* comprend les pays de Bresse, Bugey, Valromey, Gex et la principauté de Dombes. Au temps des romains, ces différentes provinces faisaient partie de la première Lyonnaise ; plus tard elles furent enclavées dans le royaume de Bourgogne. Th. GAUTIER, Souvenirs de théâtre..., p. 1.

Par ext. Enclore, enfermer.

▶ **ENCLAVÉ, ÉE** p. p. adj. *Pierre enclavée. Tuiles, ardoises enclavées.* — *Parcelle de terre enclavée. Fonds enclavé.*

Le soir approchant, nous revenions au petit pas, par des chemins pierreux enclavés entre des champs fraîchement remués dont la terre était brune. E. FROMENTIN, Dominique, II, p. 27. 3

(...) une mignonne cour, enclavée comme un petit lac alpestre au milieu des buissonnets prévenants. MONTHERLANT, la Relève du matin, p. 93. 4

(Wailly, 1809). Méd. *Fœtus, utérus enclavé.* ⇒ **Enclavement.** *Tumeur enclavée :* tumeur bloquée entre le rectum et la vessie, ou l'utérus chez la femme.

CONTR. Dégager ; désenclaver.
DÉR. Enclave, enclavement.

ENCLENCHE [ɑ̃klɑ̃ʃ] n. f. — 1870 ; déverbal de *enclencher.*

♦ Techn. Entaille ménagée dans une pièce en mouvement, et dans laquelle pénètre le bouton d'une autre pièce que la première doit entraîner.

ENCLENCHEMENT [ɑ̃klɑ̃ʃmɑ̃] n. m. — 1864 ; de *enclencher.*

♦ **1.** Action d'enclencher*, de s'enclencher. — Fig. *Le processus d'enclenchement de la crise.*

♦ **2.** (1890). Par métonymie. Dispositif qui enclenche un mécanisme. Dispositif mécanique, électrique, destiné à rendre solidaires diverses pièces d'un mécanisme ou divers appareils (le fonctionnement de l'un étant subordonné à l'état ou à la position de l'autre). — Régional (Belgique, Suisse). *Poste d'enclenchement :* poste d'aiguillage*.

ENCLENCHER [ɑ̃klɑ̃ʃe] v. tr. — 1870 ; de *en-*, *clenche*, et suff. verbal.

♦ **1.** Faire fonctionner (un mécanisme) en faisant intervenir l'enclenchement, en rendant les pièces solidaires. *Enclencher un aiguillage. Enclencher les vitesses d'une voiture* (⇒ **Passer**).

Et ensuite quand le mécanisme est enclenché, il faut, vous l'avez vu, un mal du diable pour faire le décrochage (...) J. ROMAINS, les Hommes de bonne volonté, t. V, XXVI, p. 257. 1

Au participe passé :

Débrayage, point mort, frein, stop, première enclenchée bien avant le vert pour démarrer plus vite. Geneviève DORMANN, Fleur de péché, p. 16. 2

Fig. *Une fois le mécanisme enclenché, il est difficile de se dégager* (⇒ **Engager, engrener**).

♦ **2.** (1964, *in* T.L.F. ; sous l'infl. de *déclencher*). Engager, faire commencer (un processus). *Enclencher une évolution irréversible.* — Pron. *Le processus s'est enclenché.*

CONTR. Déclencher.
DÉR. Enclenche, enclenchement.

ENCLIN, INE [ɑ̃klɛ̃, in] adj. — Fin xiiᵉ ; « baissé », 1080 ; de l'anc. v. *encliner* « saluer (qqn) par une inclinaison profonde » ; lat. *inclinare*, de *inclinis* « incliné ». → Incliner.

♦ Porté, par un penchant naturel et permanent, à... ⇒ **Inclination, penchant ; disposé, porté, prédisposé, sujet** (à).

(Suivi d'un subst.). *Être enclin au mal, au bien, à la bienveillance, à la paresse, à la nonchalance, à l'insolence...* (→ Bienveillance, cit. 4 ; déployer, cit. 18 ; discussion, cit. 7). *Esprit enclin à un jugement rapide* (→ Desservir, cit. 5). *Il est naturellement, spontanément enclin, peu enclin à l'indulgence.*

(...) un âge naturellement enclin à l'avarice (...) MONTAIGNE, Essais, I, XIV. 1

(Certain animal) de qui la nature est fort encline au mal (...) MOLIÈRE, le Dépit amoureux, IV, 2. 2

(...) jouir de ce doux rien-faire auquel je sens avec effroi que je suis plus enclin que jamais. SAINTE-BEUVE, Correspondance, 6 déc. 1828. 3

(...) je suis un galant homme, enclin de nature aux pensées honnêtes (...) FRANCE, le Mannequin d'osier, Œuvres, t. XI, p. 370. 4

(Suivi d'un verbe à l'inf.). *Il est enclin, elle est encline à se fâcher, à blâmer* (cit. 5). → Admonition, cit. ; ascendant, cit. 3. *Nature encline à mal faire* (→ Confrère, cit. 3).

(...) à jouer on dit qu'il est enclin (...) MOLIÈRE, Tartuffe, II, 2. 5

J'ai toujours été tellement plus enclin à regarder, à enregistrer, qu'à juger, qu'à conclure (...) MARTIN DU GARD, les Thibault, t. V, p. 107. 6

CONTR. Rebelle, réfractaire.

ENCLIQUETAGE [ɑ̃klikta3] n. m. — 1734 ; de *encliqueter.*

♦ Techn. Dispositif mécanique destiné à entraîner dans un sens un organe de rotation et à empêcher la rétrogradation du mouvement. *Encliquetage à cliquet simple, à rochet. Un encliquetage de roue libre.*

ENCLIQUETER [ãklikte] v. intr. — Conjug. *jeter.* — 1755; de en-, *cliquet* et suff. verbal.

♦ Techn. Bloquer (un mécanisme) en faisant jouer l'encliquetage.

DÉR. **Encliquetage.**

ENCLISE [ãkliz] n. f. — 1904, Vendryes; grec *egklisis* «inclinaison», d'après *enclitique.*

♦ Didact. Existence, apparition d'un enclitique*.

ENCLITIQUE [ãklitik] adj. et n. m. — 1798; *encliticque,* 1533; bas lat. *encliticus,* grec *egklitikos* «penché», de *egklinein* «incliner». → Clin(o)-.

♦ Ling. Se dit d'un mot qui s'appuie sur le mot précédent et qui, du point de vue phonétique, s'y intègre. *Je et ce sont enclitiques dans « Que vois-je? ; qu'est-ce? ».* — N. f., puis (Académie, 1874) m. *Un enclitique :* élément signifiant (considéré comme un morphème ou comme un mot) joint au mot précédent pour constituer une unité syntactique et sémantique. *Dans le grec ancien, l'accent tonique des enclitiques se reporte sur le mot qui précède.*

Ainsi, en japonais, la prolifération des suffixes fonctionnels et la complexité des enclitiques supposent que le sujet s'avance dans l'énonciation à travers des précautions, des reprises, des retards et des insistances (...)
R. BARTHES, l'Empire des signes, p. 15.

DÉR. V. **Enclise.**

ENCLOÎTRER [ãklwatʀe] v. tr. — XIIᵉ-XIIIᵉ; de en-, *cloître,* et suff. verbal.

♦ Vx. Cloîtrer. — Pron. *« Je voudrais pouvoir m'encloîtrer dans quelque abbaye... »* (Martin du Gard).

ENCLORE [ãklɔʀ] v. tr. — Conjug. *clore;* 3ᵉ pers. du sing. *il enclôt* ou, Acad., *il enclot.* — V. 1050; du lat. pop. *inclaudere,* de *includere.* → Clore, inclure.

♦ **1.** (V. 1170). Entourer d'une clôture, d'une enceinte. ⇒ **Ceindre, clore, clôturer, enceindre, fermer.** *Enclore un terrain. Enclore un jardin d'une haie, d'un grillage, d'une palissade. Enclore une ville de murailles, un château de fossés.*
(Sujet n. de chose). Entourer* en tant que clôture, d'une manière continue. ⇒ **Enceindre.**

1 Cet après-midi nous allons à la Mosquée des Derviches. Un jardin clos l'entoure; faisant face à l'entrée de la mosquée, une suite de petites salles, qui sont je crois les chambres des derviches, ouvrent sur le jardin, qu'elles enclosent.
GIDE, Journal, 1914, La marche turque, p. 413.

♦ **2.** (1690). Comprendre* dans un clos, dans une enceinte. ⇒ **Enclaver, inclure.** *Enclore un bois dans son parc. Enclore les faubourgs dans la ville.*
Littér. ⇒ **Contenir, enfermer.**

2 À ceux qu'enclôt la tombe noire.   LA FONTAINE, Fables, III, 7.

♦ **3.** Par métaphore et fig. Littér. Enfermer de façon rigoureuse.

3 (...) il pensait qu'il n'oserait plus jamais bouger, qu'il lui fallait enclore sa vie dans les bornes les plus strictes.   G. DUHAMEL, Chronique des Pasquier, IX, X, p. 120.
(Sujet n. de chose). *Une notion qui en enclôt une autre.* ⇒ **Comprendre, subsumer.**

▶ **S'ENCLORE** v. pron.
Clore sa propriété (de murs, de haies...). *Il faudra qu'il s'enclose pour empêcher les promeneurs de traverser le parc.*

▶ **ENCLOS, OSE** p. p. adj.

♦ **1.** Ceint d'une clôture. *Champ enclos de treillages* (→ Barbelé, cit. 2).

3.1 Il se développe dans l'aire enclose du jardinage, d'où viennent les plantes tinctoriales et le raisin, et dans les espaces encore sauvages où paissent les animaux à viande et à laine.   Georges DUBY, Guerriers et Paysans, p. 284.

♦ **2.** Enfermé étroitement. Fig. *Idée enclose dans un mot* (→ Accompagnement, cit. 2). ⇒ **Compris, enfermé, inclus, renfermé.**

4 Quand viendra pour moi cet instant
Où tant de douceurs sont encloses?   CORNEILLE, l'Imitation de J.-C., III, 3646.

5 Elle vivait enclose dans son univers.
MARTIN DU GARD, les Thibault, t. VI, p. 271.

CONTR. **Déclore.**
DÉR. **Enclos, enclôture.**
HOM. (Du p. p.) **Enclos.**

ENCLOS [ãklo] n. m. — 1283; p. p. de *enclore,* substantivé.

♦ **1.** Espace de terrain entouré d'une clôture (cit. 1). ⇒ **Clos, parc, plessis.** *Enclos servant de potager. Enclos pour le bétail* (corral, parc), *pour les poules* (poulailler), *pour les poulains* (paddock)... *Enfermer qqn dans un enclos.*

0.1 Quant aux prisonniers, ils allaient être parqués dans quelque enclos, où, maltrai-

tés, à peine nourris, exposés à toutes les intempéries du climat, ils attendraient le bon plaisir de Féofar.   J. VERNE, Michel Strogoff, p. 268.

Par ext. (littér., vx). Espace borné.

1 Terre, que ton enclos tout entier retentisse
Des louanges de ton seigneur.   CORNEILLE, Office de la Vierge, I.

Spécialt. Espace (souvent clos auprès d'une église) enfermant un cimetière. *Enclos sacré, bénit. Les enclos paroissiaux de Bretagne.*

2 Les sentiers qui traversaient l'enclos bénit aboutissaient à l'église (...)
CHATEAUBRIAND, le Génie du christianisme, IV, II, 7.

3 Un petit mur croulant dessinait autour un enclos enfermant des croix.
LOTI, Pêcheur d'Islande, II, III, p. 87.

Petit domaine. ⇒ **Clos, pourpris** (vx).

♦ **2.** (1460). Par ext. Enceinte, clôture. ⇒ **Clôture.** *Un enclos de murailles, de haies, de planches. Réparer son enclos.*

♦ **3.** Géogr. *Pays, paysage d'enclos,* où les parcelles sont encloses. ⇒ **Enclosure.**

DÉR. V. **Enclosure.**
HOM. P. p. de **enclore.**

ENCLOSURE [ãklozyʀ] n. f. — D.i. (xxᵉ); 1804, comme terme de course; mot angl., *enclosure* (1538) «action d'enclore», de l'anc. franç. *enclosure* (1270), de *enclore, enclos.*

♦ Hist., géogr. En Grande-Bretagne, Parcelle de terre enclose (de haies, de murs). → Enclôture.

ENCLÔTURE [ãklotyʀ] n. f. — XIIIᵉ, *enclosture;* de *enclore,* d'après *clôture.*

♦ Techn. (agric., géogr.). Action d'enclore (les parcelles de terrain). — Clôture qui enclôt. *« Les enclôtures des magasins... »* (Chateaubriand, *in* T. L. F.). → Enclosure.

ENCLOUAGE [ãklua3] n. m. — 1755; de *enclouer.*
Action d'enclouer.

♦ **1.** Anciennt. Mise hors de service d'un canon par enfoncement d'un clou spécial dans la lumière.

♦ **2.** (1930). Chir. Enfoncement d'un clou dans les fragments d'un os fracturé, afin de les maintenir en bonne position.

ENCLOUER [ãklue] v. tr. — Fin XIIᵉ; de en-, *clou,* et suff. verbal.

♦ **1.** Blesser avec un clou (un animal quand on le ferre). ⇒ **Enclouure.**

1 Ou il m'envoie une compagnie qui me retient, ou il encloue mes chevaux, ou il me démet une jambe (...)   GUEZ DE BALZAC, Œuvres, livre VII, lettre 33.

♦ **2.** (xvᵉ). Mettre (un canon) hors d'usage en enfonçant un clou dans la lumière. *Enclouer des canons avant de les abandonner à l'ennemi.* ⇒ **Enclouage,** 1.
Par anal. Interdire (une serrure) en bouchant l'orifice.

2 Enlevez ce crayon qui bloque votre serrure. Je ne peux pas introduire ma clef (...) Le lendemain matin, (ils) se retrouvaient devant ma porte, dont la serrure était toujours enclouée d'un crayon.   Hervé BAZIN, Vipère au poing, p. 186 et 190.

♦ **3.** Fermer, tenir fermé par des clous. *Enclouer une porte, une trappe.*

♦ **4.** (1948). Chir. Maintenir (des os fracturés) par le procédé de l'enclouage* (2.).

CONTR. **Désenclouer.**
DÉR. **Enclouage, enclouure.**

ENCLOUURE [ãkluyʀ] n. f. — 1175; de *enclouer.*

♦ Vétér. Blessure d'un cheval encloué.

ENCLUME [ãklym] n. f. — XIIᵉ; du lat. pop. **includo,* altér. (p.-ê. par attr. de *includere* «enfermer») du bas lat. *incudo, incudinis,* du lat. class. *incus, incudis* «enclume».

♦ **1.** Masse de fer aciéré sur laquelle le forgeron bat les métaux, à froid ou à chaud. ⇒ **Enclumeau, enclumette.** *L'enclume repose sur un billot, sur une javotte. Parties d'une enclume.* ⇒ **Bigorne, estomac, table.** *Un trou carré sur la table de l'enclume reçoit le tranchet, l'étampe. Battre, frapper sur l'enclume.* ⇒ **Forger** (→ Cogner, cit. 1; coup, cit. 71). *Enclume de maréchal, de serrurier* (fixée à un établi), *d'orfèvre* (→ Dé* d'orfèvre). *Le bruit du marteau sur l'enclume.*

1 On ouït sonner les armes,
On ouït par les alarmes
Rompre harnois et couteaux,
Et les lames acérées
Sur les enclumes ferrées
S'amollir sous les marteaux.   RONSARD, Odes, livre I, XIX.

2 (...) on n'entendit plus *(dans l'Etna)* les coups des terribles marteaux qui, frappant

l'enclume, faisaient gémir les profondes cavernes de la terre et les abîmes de la mer (...)
FÉNELON, Télémaque, II.

3 (...) Bèze et sa magnifique comparaison de l'Église avec une enclume, qui n'était faite que pour recevoir des coups et non pas pour en donner, mais qui aussi, en les recevant, brisait souvent les marteaux dont elle était frappée.
BOSSUET, 5ᵉ avertissement, 4.

4 Partout où il entendait résonner une enclume littéraire, il arrivait. Il y mettait ses idées, il les laissait marteler à plaisir par la discussion, et souvent, à force de les reforger ainsi sans cesse, il les déformait.
HUGO, Littérature et Philosophie mêlées, p. 94.

(1676). Outil ou pièce d'un instrument destiné à recevoir un choc. *Enclume de cordonnier, de couvreur.*

Loc. fig. *Mettre, remettre sur l'enclume* (en parlant d'un ouvrage de l'esprit), le travailler, le corriger, le reprendre.

5 (...) ses fortes phrases qu'il forgeait, essayait, remettait encore sur l'enclume pour qu'elles ne lui manquassent pas dans la bataille.
M. BARRÈS, Leurs figures, p. 136.

6 M. d'Indy met sur l'enclume des styles et des pensées divers; il forge avec vigueur. Il est naturel qu'on y sente, çà et là, la marque du marteau, l'empreinte de la volonté.
R. ROLLAND, Musiciens d'aujourd'hui, p. 112.

Se trouver entre l'enclume et le marteau : être engagé entre deux partis, entre deux intérêts, sans pouvoir éviter les coups d'un côté ni de l'autre.

7 *(Le pape Clément VII)* écrivait qu'il était entre l'enclume et le marteau *(entre Charles-Quint et François Iᵉʳ...)*
VOLTAIRE, Essai sur les mœurs, 135.

Prov. *Il vaut mieux être marteau qu'enclume :* il est préférable de battre que d'être battu.
Il faut être enclume ou marteau, opprimé ou oppresseur.

8 Il faut être, en France, enclume ou marteau : j'étais né enclume.
VOLTAIRE, Mémoires..., Œ. compl., t. I, p. 350.

9 Il s'est fait marteau pour n'être pas enclume.
STENDHAL, le Rouge et le Noir, t. I, p. 251.

♦ **2.** (1611). Anat. L'un des osselets de l'oreille, servant de trait d'union entre le marteau et l'étrier.

DÉR. Enclumeau, enclumette.

ENCLUMEAU ou **ENCLUMOT** [ãklymo] n. m. — Fin XIVᵉ; de *enclume.*

♦ Techn. Petite enclume portative; spécialt Enclume de faucheur. → Enclumette.

ENCLUMETTE [ãklymɛt] n. f. — 1755; de *enclume.*

♦ Techn. Petite enclume (d'emballeur, de faucheur), pour battre la faux. → Enclumeau.

ENCLUMOT [ãklymo] n. m. ⇒ **Enclumeau.**

ENCOCHE [ãkɔʃ] n. f. — 1542; déverbal de *encocher.*

♦ **1.** Techn. et cour. Petite entaille ou découpure. ⇒ 1. **Coche.** *Pratiquer, tailler une encoche sur, dans. Faire une encoche dans, sur un morceau de bois. Tailler des encoches dans la glace.*

Spécialt. Entaille, servant à un mécanisme fabriqué. *Les encoches d'une clé, d'une gâchette* (⇒ **Cran**), *d'un caractère d'imprimerie* (→ Compositeur, cit.). *Encoche* (ou *coche*) *d'une flèche* (⇒ **Encocher,** 2.). — Entaille servant de marque. *Les encoches d'une fiche, d'un répertoire.*

♦ **2.** Géol. *Encoche marine :* découpure le long d'un littoral calcaire, due à la dissolution de la roche par la mer.

ENCOCHEMENT [ãkɔʃmã] ou **ENCOCHAGE** [ãkɔʃaʒ] n. m. — 1669, encochement; encochage, XXᵉ; de *encocher.*

♦ Techn. Action d'encocher; son résultat.

ENCOCHER [ãkɔʃe] v. tr. — V. 1160; de *en-, 1. coche,* et suff. verbal.
Technique.

♦ **1.** Faire une encoche à (une pièce métallique, une clé, etc.). *Encocher le pêne d'une serrure.* — *Encocher les tranches d'un répertoire,* y découper des cavités correspondant à un classement et permettant une consultation rapide.

♦ **2.** *Encocher une flèche,* l'appliquer par la coche du talon à la corde de l'arc.

▶ **ENCOCHÉ, ÉE** p. p. adj. *Trait encoché.* — *Flèche encochée.*

CONTR. Décocher.
DÉR. Encoche, encochement.

ENCOCONNER [ãkɔkɔne] v. tr. — 1877, «mettre les vers à soie sur la bruyère»; de *en-, cocon,* et suff. verbal.

♦ Techn. Enfermer dans un cocon.

▶ **S'ENCOCONNER** v. pron.
Rare, fig. S'enfermer comme dans un cocon protecteur.

On s'encoconnait là dans une liberté réduite, mais neuve.
Hervé BAZIN, Un feu dévore un autre feu, p. 152.   1

▶ **ENCOCONNÉ, ÉE** p. p. adj.

♦ **1.** Techn. Enfermé dans un cocon protecteur. *Chrysalide encoconnée.*

♦ **2.** Fig. Enfermé, isolé dans un cocon* (fig.) protecteur.

Il sera encore temps, hélas! de reprendre la bagarre après le jugement : le verdict sera un nouveau coup de boule, je rebondirai (...) Pour l'instant, j'hiberne, encoconnée dans la bienveillance et la loyauté.   A. SARRAZIN, la Cavale, p. 197.   2

ENCODAGE [ãkɔdaʒ] n. m. — V. 1960; de *encoder.*

♦ Didact. Processus de production d'un message selon un système de signes commun aux participants de la communication (code*) et susceptible de transmettre de l'information. — Spécialt (ling.). Production de messages (énoncés, phrases) dans une langue naturelle. ⇒ **Parole, phonation; écriture.** S'oppose à *décodage*.*

Lorsque les biologistes emploient le terme de «mémoire» dans le premier des trois sens que nous avons distingués, ils soulèvent en réalité le grand problème de l'organisation de l'acquis, et, en parlant de la conversation de l'information non héréditaire, ils nous font espérer la découverte d'organisations analogues, mais sur le terrain phénotypique, à celles des encodages de l'information héréditaire.
J. PIAGET, Épistémologie des sciences de l'homme, p. 199.   1

Toute parole, même dans la fonction phatique, se veut signifiante : l'encodage. «Parler pour ne rien dire» est un jugement du décodeur, jamais de l'encodeur. De la même manière, la parole fausse (au sens de «erroné» et non «mensonger») est vraie pour celui qui la construit.
Josette REY-DEBOVE, le Sens de la tautologie, *in* le Français moderne, oct. 1978, p. 327.   2

CONTR. Décodage.

ENCODER [ãkɔde] v. tr. — V. 1960; de *en-, code,* et suff. verbal.

♦ Didact. Constituer, produire selon un code*. — Inform. Coder* (une information) au moment de la saisie. — Ling., sémiol. Produire (un discours, un message) selon les règles d'un code (langue, etc.). ⇒ **Encodage.** Au p. p. *Message encodé.* — S'oppose à *décoder*.*

CONTR. Décoder.
DÉR. Encodage, encodeur.

ENCODEUR, EUSE [ãkɔdœʀ, øz] n. — V. 1960; de *encoder.*

♦ **1.** N. m. Didactique. Système fonctionnel (machine ou organisme) effectuant une opération d'encodage* (→ Emetteur, récepteur). — S'oppose à *décodeur.*

♦ **2.** Personne qui encode (un message).
CONTR. Décodeur.

ENCOFFRER [ãkɔfʀe] v. tr. — 1382; de *en-, coffre,* et suff. verbal.
Vieux.

♦ **1.** Enfermer dans un coffre*. *Encoffrer son argent.*

Le duc de Gramont et sa vilaine épouse (...) encoffrèrent leur belle et magnifique vaisselle (...)   SAINT-SIMON, Mémoires, t. III, XI.

♦ **2.** Par ext. Mettre à l'abri, s'approprier (qqch.).

ENCOIGNER [ãkwaɲe] v. tr. — V. 1275, pron.; de *en-, coin,* et suff. verbal.

♦ Vx ou régional. Serrer comme dans un coin, un angle (surtout pron. et p. p.). *S'encoigner, être encoigné dans un angle.* → Rencoigner, rencogner (régional).
REM. L'Académie préconise l'orthographe *encogner* [ãkɔɲe].
DÉR. Encoignure.

ENCOIGNURE [ãkwaɲyʀ] n. f. — 1504; de *encoigner.*

♦ **1.** Angle* intérieur formé par la rencontre de deux pans de mur. ⇒ **Coin.** *Pierre d'encoignure ou pierre d'angle. Lit placé dans l'encoignure* (→ Démolisseur, cit. 2). *Se dissimuler dans une encoignure. Encoignure d'un comble.* ⇒ **Arêtier.**

(...) une maison de pierre de taille, raffermie dans les encoignures par des mains de fer (...)   LA BRUYÈRE, les Caractères, XI, 124.   1

(...) un château du temps de Henri IV avec ses toits pointus couverts d'ardoises et sa face rougeâtre aux encoignures dentelées de pierres jaunies (...)
NERVAL, les Filles du feu, «Sylvie», II.   2

Elle *(la chambre)* était sombre, à cause des rideaux tirés et d'un papier peint à ramages couleur de bois. Le lit était placé dans l'encoignure.
H. BOSCO, Un rameau de la nuit, p. 250.   3

Au bout de cinq ou six marches, l'escalier semble tourner, vers la droite. Le sol-   4 dat distingue à présent le mur du fond. Là, collée le plus qu'elle peut dans l'encoignure (...) il y a une femme (...)   A. ROBBE-GRILLET, Dans le labyrinthe, p. 55.

Spécialt. Angle formé par les maisons à l'intersection de deux rues.

5   À l'encoignure d'une de ces rues, ils arrivèrent à ce petit bar, où les garçons et le patron reçurent amicalement l'inconnu (...)   PROUST, Jean Santeuil, Pl., p. 881.

♦ **2.** (1750). Petit meuble servant d'armoire, d'étagère, fait de manière à être placé dans un coin, dans un angle d'appartement. *Une encoignure de bois de cerisier* (Académie). ⇒ **Écoinçon** (meuble en écoinçon).

6   Aux quatre angles de cette salle, se trouvaient des encoignures, espèces de buffets terminés par de crasseuses étagères.
                    BALZAC, Eugénie Grandet, éd. 1838, p. 51.

REM. L'Académie préconise désormais l'orthographe *encognure* [ãkɔɲyʀ].

ENCOLÉRER [ãkɔleʀe] v. tr. — 1836 ; de *en-, colère,* et suff. verbal.

♦ Vieilli ou régional. Mettre en colère (qqn). — Donner le ton de la colère à. *Sa véhémence encolère ses propos.*

▶ **S'ENCOLÉRER** v. pron.
S'emporter.
Ce n'était nullement un misanthrope à l'Alceste. Il ne s'indignait pas vertueusement. Il ne s'encolérait pas. Non ! il méprisait l'homme aussi tranquillement qu'il prenait sa prise de tabac (...)
                    BARBEY D'AUREVILLY, les Diaboliques, « Le bonheur dans le crime ».

ENCOLLAGE [ãkɔlaʒ] n. m. — 1771 ; de *encoller.*
Technique.

♦ **1.** Action d'encoller ; son résultat. *L'encollage d'une pièce de bois. Un encollage bien fait.*
J'ai été distrait, ou fatigué, ou maladroit, sans tenir compte des taches de résine dans le bois qui ne se révèlent qu'à découvert et que j'ai réussi à masquer avec le vernis, ou des imperceptibles fentes que l'encollage le plus habile n'empêchera pas de filer ou de s'élargir à la longue.
                    Herbert LE PORRIER, le Luthier de Crémone, p. 104.

Spécialt. *L'encollage du papier.* — Préparation de la chaîne (d'un tissu).

♦ **2.** (1903 ; in *Rev. gén. des sc.,* n° 2, p. 111). Apprêt qui sert à encoller.

ENCOLLER [ãkɔle] v. tr. — 1324 ; de *en-, colle,* et suff. verbal.

♦ **1.** Techn. Enduire (du papier, des tissus, du bois) de colle, de gomme, d'apprêt. *Encoller le dos d'un livre pour le relier. Encoller un mur que l'on va tapisser de papier. Encoller une toile.* — *Encoller une étoffe, en vue d'augmenter la résistance des fils* (encollage). — *Encoller un livre,* tremper les feuillets dans un apprêt qui donne au papier plus de résistance et le préserve des rousseurs. — Au p. p. *Exemplaire lavé et encollé.*

♦ **2.** Par anal. *Encoller ses cheveux de pommade.* — (Au p. p.). *Cheveux encollés de pommade.* Fig. « *Tignasse brune, encollée de sueur* » (Martin du Gard).

♦ **3.** Fig., rare. Envahir, saisir (le sujet désigne une substance quelconque).
Un crépuscule gris encolle les vitres.
                    H. TROYAT, les Héritiers de l'avenir, t. II, p. 109.

DÉR. Encollage, encolleur.
COMP. (Du p. p.). **Préencollé.**

ENCOLLEUR, EUSE [ãkɔlœʀ, øz] n. — 1832 ; de *encoller.*
Technique.

★ **I.** Personne travaillant à l'encollage des tissus.

★ **II.** N. f. (1877). Machine à encoller les tissus.

ENCOLURE [ãkɔlyʀ] n. f. — 1580 ; «isthme», 1554 ; de *en-, col,* anc. forme de *cou,* et suff. *-ure.*

★ **I.** ♦ **1.** (En parlant de certains animaux, et, spécialt, du cheval). Partie du corps qui s'étend entre la tête, le garrot, les épaules et le poitrail. *L'encolure d'un cheval. Encolure droite, renversée* (dite *encolure de cerf), rouée. Encolure bien sortie. Cheval à encolure de cygne. Encolure chargée, fausse ou mal sortie, tombante. Cheval* (cit. 5) *à encolure contournée. Cheval chargé d'encolure. Pli de l'encolure. La crinière flotte sur l'encolure. Flatter l'encolure d'un cheval. Se pencher sur l'encolure.*

1   (...) un volume, qu'il tapota plusieurs fois du plat de la main, comme on flatte l'encolure d'un cheval.   MARTIN DU GARD, les Thibault, t. VII, p. 146.

2   Les chevaux sont obligés de se mettre au pas ; et ils tirent par saccades, de toute leur encolure, en faisant des étincelles sur le pavé.
                    J. ROMAINS, les Hommes de bonne volonté, t. I, XVII, p. 174.

(1855, *in* Petiot). Turf. Longueur de cette partie du corps du cheval. *Il a gagné d'une encolure.*

♦ **2.** (1611). Cou de l'homme (considéré dans sa grosseur, sa force). *Mesurer l'encolure de qqn. Homme de robuste, de forte encolure. Reconnaître qqn à son encolure.*

3   Celui qui tâchait d'échapper avait peu d'encolure et une chétive mine, celui qui tâchait d'empoigner, gaillard de haute stature, était de rude aspect et devait être de rude rencontre.   HUGO, les Misérables, V, III, III.

Fig. (fam., vx). Apparence générale (d'une personne). ⇒ **Allure, tournure.**

4   Certain homme dont l'encolure
Ne me présage rien de bon.   MOLIÈRE, Amphitryon, I, 2.

♦ **3.** (1829). Dimension du col (d'un vêtement, et, spécialt, d'une chemise d'homme). *Chemise d'encolure 39. Quelle est votre encolure ?*

♦ **4.** (1845). Partie (d'un vêtement) qui entoure et dégage le cou. ⇒ **Col.** *Encolure d'une chemise. Encolure carrée, en pointe, encolure bateau.* ⇒ aussi **Décolleté.** *Robe à encolure dégagée.* ⇒ **Décolleté.**

5   Anne Desbaresdes releva ses mains vers son cou nu dans l'encolure de sa robe d'été.   M. DURAS, Moderato cantabile, p. 121.

★ **II.** (1845). Mar. *Encolure d'une varangue :* hauteur du milieu de cette varangue au-dessus de la quille. *Ligne d'encolure :* ligne passant par le milieu de toutes les varangues.

ENCOMBRANT, ANTE [ãkɔ̃bʀã, ãt] adj. — 1642 ; *encombreux,* XIIIᵉ ; p. prés. de *encombrer.*

♦ **1.** Qui encombre. ⇒ **Embarrassant.** *Se charger de colis, de paquets encombrants.* ⇒ **Volumineux** (→ Coltiner, cit. 1). *Marchandises encombrantes. Objets inutiles et encombrants* (→ Dilemme, cit. 1). *Ôte-toi du passage ! que tu es encombrant !*

1   Un éléphant, c'est très encombrant. Chez moi, c'est tout petit.
                    SAINT-EXUPÉRY, le Petit Prince, Pl., p. 416.

2   Il me parle de M. Pouget qui était «encombrant», qu'on voyait dans les couloirs avec sa machine à écrire.   J. GREEN, Journal, Vers l'invisible, 25 févr. 1965.

♦ **2.** (Av. 1850). Fig. Importun, pesant. *Un personnage encombrant.* ⇒ **Fâcheux, parasite.** *Des gens particulièrement encombrants.* — *Des scrupules, des souvenirs encombrants. Une encombrante richesse* (→ Accumuler, cit. 10). *Sa présence est encombrante.* ⇒ **Indiscret.** *Un passé encombrant.*

CONTR. Léger, mince. — Agréable, discret, effacé.

ENCOMBRE [ãkɔ̃bʀ] n. m. — Fin XIIᵉ ; «malheur», v. 1165 ; déverbal de *encombrer.*

♦ **1.** Vx. Accident ou incident fâcheux, obstacle. ⇒ **Traverse.**

1   (...) quelque sinistre encombre.   MOLIÈRE, le Dépit amoureux, V, 2.

♦ **2.** Loc. adv. (Av. 1526). Mod. **SANS ENCOMBRE :** sans rencontrer d'obstacle, sans ennui. *Arriver au port sans encombre* (→ Coussinet, cit. 1).

2   Il venait de subir sans encombre son dernier examen.
                    FLAUBERT, l'Éducation sentimentale, I, V.

3   (...) les trois petites Turques avaient réussi, par des chemins détournés, à gagner sans encombre une des échelles de la Corne-d'Or et à prendre un caïque (...)
                    LOTI, les Désenchantées, III, XI, p. 99.

Littér. (Avec un adj.). *Sans autre encombre que... Sans encombre important.* — (Avec un adv.). « *Sans trop d'encombre* » (Gide).

ENCOMBREMENT [ãkɔ̃bʀəmã] n. m. — Fin XIIᵉ ; «embarras, difficulté», v. 1172 ; de *encombrer.*

♦ **1.** (1762). Actif. Rare. Action d'encombrer ; fait de s'encombrer. *L'encombrement progressif d'un couloir par les passants.*

♦ **2.** État de ce qui est encombré. *L'encombrement des rues aux heures de sortie d'usine.* ⇒ **Embarras ; affluence.**

(Fin XIIᵉ). Amas de choses qui encombrent ; spécialt Embouteillage* de véhicules. *Un encombrement de voitures. Essayer d'éviter l'encombrement. Profiter de l'encombrement pour disparaître. Il y a des encombrements sur l'autoroute.* ⇒ **Bouchon** (II., A., 4.).

1   Cette multitude immense entassée sur la rive *(de la Bérézina),* pêle-mêle avec les chevaux et les chariots, y formait un épouvantable encombrement (...)
                    Ph. P. SÉGUR, Hist. de Napoléon, XI, 9.

2   Sitôt qu'il s'était vu délié, et pendant que Javert verbalisait, il avait profité du trouble, du tumulte, de l'encombrement, de l'obscurité, et d'un moment où l'attention n'était pas fixée sur lui, pour s'élancer dans la fenêtre.
                    HUGO, les Misérables, III, VIII, XXI.

3   S'il espère traverser la rue à la faveur d'un encombrement, il lui faudra se faufiler entre vingt machines, entre vingt volontés qui ne sont presque jamais de bonne volonté.   G. DUHAMEL, Manuel du protestataire, IV, p. 132.

L'encombrement d'un magasin, d'un bureau. Quel encombrement ! ⇒ **Désordre.** *Dans l'encombrement de ses papiers.* ⇒ **Amas, entassement.**

4   (...) les quatre couples attablés autour d'un joyeux encombrement de plats, d'assiettes, de verres et de bouteilles (...)   HUGO, les Misérables, I, III, V.

5   Il avait avancé la main. Il prit un crayon qui traînait dans l'encombrement de la table (...)   COURTELINE, Messieurs les ronds-de-cuir, 6ᵉ tableau.

Spécialt (méd.). *Encombrement des fosses nasales.* ⇒ **Enchifrènement, obstruction.**

6   (...) la présence de gaz toxiques (...) l'encombrement des alvéoles pulmonaires par des sécrétions abondantes (pneumonie, broncho-pneumonie) peuvent conduire à l'asphyxie.   P. VALLERY-RADOT, Notre corps, p. 75.

♦ **3.** (1930). Dimensions, volume qui font qu'un objet encombre plus ou moins. *Déterminer l'encombrement d'un véhicule, d'un meuble.*

♦ **4.** Fig. (des sens 1 et 2). *L'encombrement du marché.* ⇒ **Surabondance, surproduction.** *L'encombrement d'une profession. L'encombrement des candidats.* ⇒ **Foule, multitude.**

7   Les jurandes, au moins, en limitant le nombre des apprentis, empêchaient l'encombrement des travailleurs, et le sentiment de la fraternité se trouvait entretenu par les fêtes, les bannières.   FLAUBERT, l'Éducation sentimentale, II, II.

Ce qui encombre d'un point de vue moral, intellectuel. *L'encombrement de la mémoire* (→ Cérébral, cit. 1).

CONTR. Dégagement, désencombrement.
COMP. Surencombrement.

ENCOMBRER [ãkõbʀe] v. tr. — Fin XIᵉ ; de en-, anc. franç. et dial. *combre* «barrage de rivière», bas lat. d'orig. gaul. *combrus* «abattis d'arbres», et suff. verbal.

♦ **1.** (Sujet n. de chose). Remplir en s'entassant et en faisant obstacle à la circulation, au libre usage des choses. ⇒ **Embarrasser, gêner ; boucher, obstruer.** *Un flot de voitures encombrait la chaussée* (→ Coucou, cit. 5). *Les bagages qui encombrent le couloir d'un wagon. Des dépôts* (cit. 16), *des alluvions ont encombré le lit, l'embouchure du fleuve. Un amas* (cit. 5) *de livres et de papiers encombrait son bureau. Les meubles qui encombrent le salon. Marchandises qui encombrent un magasin.*

1   Une troupe de chameaux sans gardien encombrait la rue dans toute sa largeur.   E. FROMENTIN, Un été dans le Sahara, p. 260.

2   C'était l'heure du premier déjeuner. Des bols de café au lait encombraient un guéridon auprès du feu. Des savates traînaient sur le tapis, des vêtements sur les fauteuils.   FLAUBERT, l'Éducation sentimentale, II, III.

3   (...) tout ce qui ne vaut rien et qu'on garde chez soi par habitude, par négligence, parce qu'on ne sait qu'en faire, tout ce qui encombre, tout ce qui gêne !...   Alphonse DAUDET, le Petit Chose, II, VI, p. 226.

(Sujet n. de personne). **a** *Les voyageurs encombraient le passage. La foule encombre la place. N'encombrez pas le trottoir, circulez !*

b (Av. 1833). Sens actif. *Encombrer un lieu de paquets.*

♦ **2.** (1080). Fig. Remplir ou occuper à l'excès, en gênant. *Trop de nouveaux venus encombrent cette profession.* — (Valeur active). Gêner, causer de l'embarras par qqch. qui encombre. *Encombrer les autres de son bavardage, de ses aventures... N'as-tu pas fini de nous encombrer de ta petite personnalité ! Encombrer sa vie de préoccupations inutiles* (→ Adventice, cit. 2). *Il encombre sa mémoire de détails futiles.* ⇒ **Surcharger.**

4   Quel enfant je suis resté longtemps, pour chercher, pour inventer des points de sympathie — *quelle que soit la personne avec qui je me trouve.* Cela put me servir, il est vrai, à comprendre plus subtilement les autres, mais cela a encombré ma vie de pseudo-amitiés dont aujourd'hui je ne peux me dépêtrer sans peine. La complaisance envers autrui n'est pas beaucoup moins ruineuse que celle envers soi-même.   GIDE, Journal, 25 nov. 1905.

▶ **S'ENCOMBRER** v. pron.

♦ **1.** Devenir encombré. *Dès midi, la rue s'encombre de voitures, de bicyclettes...* — Être encombré. *S'encombrer de gros bagages. S'encombrer inutilement d'un parapluie.*

5   Pour des gens si pauvres, ils s'encombraient vraiment de beaucoup d'inutiles bagages.   LOTI, Matelot, XVI, p. 59.

S'encombrer de qqn : s'embarrasser d'un compagnon inutile ou gênant. *Je me suis encombré d'un bel empoté ! Elle s'est encombrée d'un mari insupportable.*

♦ **2.** Fig. (en parlant de choses d'ordre moral).

6   Et puis à quoi bon s'encombrer de tant de souvenirs, le passé nous mange trop, nous ne sommes jamais au présent qui seul est important dans la vie.   FLAUBERT, Correspondance, II, p. 292.

▶ **ENCOMBRÉ, ÉE** p. p. adj.

♦ **1.** Où il y a de l'encombrement, trop de choses ou trop de gens. *Chantier, rue, appartement encombré* (→ Bibliothèque, cit. 7 ; chantier, cit. 1 ; croiser, cit. 4 ; déménagement, cit. 1).

7   Il l'introduisit dans le salon, encore encombré et sens dessus dessous, et qui avait l'air du champ de bataille des joies de la veille.   HUGO, les Misérables, V, VII, I.

8   Quelle différence entre cet intérieur si net, si propre, si facilement compréhensible, et la chambre d'une jeune fille française, toujours encombrée de chiffons, de papier de musique, d'aquarelles commencées (...)   Th. GAUTIER, la Toison d'or, III.

Spécialt (méd.). *Estomac, intestins encombrés.*

9   L'architecture de chaque organe est dominée par la nécessité, où se trouvent les cellules, d'être immergées dans un milieu toujours riche en matières alimentaires, et jamais encombré par les déchets de la nutrition.   Alexis CARREL, l'Homme, cet inconnu, p. 88.

♦ **2.** Fig. *Marché encombré.* ⇒ **Saturé.** *C'est une carrière très encombrée.* — *Mémoire encombrée* (→ Dénonciation, cit. 2). *Discours encombré de rhétorique* (→ Amplification, cit. 2).

10   Elle en parlait *(du voyage)* dans le premier désordre d'une mémoire encombrée de souvenirs tumultueux, avec la volubilité d'un esprit impatient de répandre en quelques minutes cette multitude d'acquisitions faites en deux mois.   E. FROMENTIN, Dominique, p. 102.

11   J'ai la tête encombrée de mon œuvre ; elle se démène dans ma tête ; je ne peux plus lire, non plus qu'écrire ; elle s'interpose toujours entre le livre et mes yeux.   GIDE, Journal, 18 mars 1890.

CONTR. Décombrer (vx), désencombrer ; débarrasser, dégager ; libérer.
DÉR. Encombrant, encombre, encombrement.
COMP. Désencombrer, surencombrer.

ENCOMIASTIQUE [ãkɔmjastik] adj. — D. i. (attesté XXᵉ) ; grec *egkômiastikos*, de *egkômiastês* «panégyriste», (→ franç. *encomiaste,* déb. XVIIᵉ, Satire Ménippée *in* Littré), de *egkômios* «éloge».

♦ Didact. Qui relève de l'éloge, du panégyrique (en parlant d'un genre ou d'un texte littéraire). *L'hagiographie, l'hymne au XVIᵉ siècle ont un caractère encomiastique.*

ENCONTRE (À L') [alãkõtʀ] loc. adv. — V. 1145 ; *encontre*, prép. «vers», Xᵉ ; du bas lat. *incontra*.

Vieilli ou littéraire (style soutenu).

♦ **1.** Contre cela ; en s'opposant à (qqch.). *Je n'ai rien à dire à l'encontre. Je n'irai pas à l'encontre :* je ne ferai aucune opposition.

Rare. Au contraire.

♦ **2.** Loc. prép. (XVᵉ ; surtout avec des verbes de mouvement et d'action). **a** Vx. À la rencontre de, en sens contraire à celui de... ⇒ **Vers.** — Mar. *Navires qui vont à l'encontre l'un de l'autre.*

1   (...) l'héroïne (...) s'avança courageusement à l'encontre des douleurs (...)   CHATEAUBRIAND, René.

b Mod. À l'opposé de, contre (soit en s'opposant, soit en contredisant). *Cet écrivain va à l'encontre de la pensée de tout son siècle.* ⇒ **Contre-courant** (à). *À l'encontre de notre honorable confrère, nous sommes d'avis que...* ⇒ **Contraire** (au), **contrairement** (à), **opposé** (à l'opposé). *Cette opinion va à l'encontre des idées reçues.* ⇒ **Paradoxe.** *Agir à l'encontre des conseils reçus.* ⇒ **Rebours** (au rebours de) ; → Prendre le contrepied*. *Aller à l'encontre des projets de qqn.* ⇒ **Contrarier, contredire, obstacle** (faire), **opposer** (s').

2   « Une certaine littérature d'édification », dit Mauriac, « falsifie la vie. Ici le parti pris de faire du bien va à l'encontre du but cherché ».   A. MAUROIS, Études littéraires, t. II, p. 34.

3   Il faut admettre que les conditions modernes de la production industrielle vont à l'encontre des initiatives individuelles et des libertés personnelles.   SIEGFRIED, l'Âme des peuples, I, II, p. 12.

REM. La loc. est rare avec le possessif (*à son, à leur encontre, in* T. L. F.).

DÉR. Encontrer (anc. franç.) d'où **rencontrer.**

ENCOR [ãkɔʀ] adv. ⇒ **Encore.**

ENCORBELLÉ, ÉE [ãkɔʀbele] v. tr. — 1870 ; de *encorbell(ement).*

♦ Archit. Construit en encorbellement, orné d'un encorbellement.

1   (...) une masse d'architecture moitié gothique, moitié sarrasine, qui a l'air de se soutenir dans les airs comme par miracle, — faisant étinceler sous la rouge clarté du soleil ses fenêtres encorbellées, ses miradors, ses minarets et ses tourelles (...)   BAUDELAIRE, Trad. E. POE, Histoires grotesques et sérieuses, « Le domaine d'Arnheim ».

2   De-ci de-là on aperçoit encore d'anciennes maisons à colombages, aux fenêtres encorbellées, décorées de bois sculpté (...)   S. DE BEAUVOIR, Tout compte fait, p. 250.

REM. Le verbe *encorbeller* (1892, Guérin) semble inusité.

ENCORBELLEMENT [ãkɔʀbɛlmã] n. m. — 1394 ; de *en-, corbel,* anc. forme de *corbeau*, II., 2., et suff. *-ement.*

♦ Archit. Position d'une construction (balcon, corniche, tourelle...) en saillie sur un mur, et soutenue par des corbeaux*, des consoles (→ Cul-de-lampe, cit. 22) ; cette construction. *L'encorbellement d'une tourelle, d'un escalier. Perron* (cit. 2) *à encorbellement.*

1   La petite maison de Crevel, car il en était propriétaire, avait un appendice à toiture vitrée, bâti sur le terrain voisin, et grevé de l'interdiction d'élever cette construction, entièrement cachée à la vue de la loge et par l'encorbellement de l'escalier.   BALZAC, la Cousine Bette, Pl., t. VI, p. 309.

1.1   (...) des éléments de tranchées soigneusement faites, cloisonnées et en forme d'encorbellements.   B. CENDRARS, la Main coupée, *in* Œ. compl., t. X, p. 57.

Plus cour. EN ENCORBELLEMENT. *Fenêtre, échauguette, perron en encorbellement.* ⇒ **Surplomb.** *Galerie, escalier en encorbellement.*

Par analogie :

2   Dans l'ombre, sous l'encorbellement rectiligne des arcades, une paire d'yeux clairs et précis (...)   MARTIN DU GARD, Jean Barois, p. 44.

DÉR. Encorbellé.

ENCORDAGE [ãkɔrdaʒ] n. m. — 1870 ; de *encorder*.

♦ Techn. anc. Ensemble des cordes et ficelles utilisées pour le montage d'un métier à tisser.

ENCORDEMENT [ãkɔrdəmã] n. m. — Déb. xxᵉ ; «lien», déb. xivᵉ ; de *encorder*.

♦ Alpin. Action de s'encorder. *Distance d'encordement,* entre deux alpinistes encordés.

ENCORDER [ãkɔrde] v. tr. — V. 1160 ; de *en-, corde,* et suff. verbal.

♦ Rare ou littér. Lier par une corde. — Attacher comme avec une corde.

1   Les squelettes de grands sapins (...) encombraient le lit étroit d'un torrent (...) D'énormes clématites défeuillées encordaient de lianes blanches ces entassements de branches mortes et de troncs décharnés.   J. GIONO, le Hussard sur le toit, p. 278.

(1870). Techn. anc. Garnir (un métier à tisser) de ses cordes et ficelles.

▶ **S'ENCORDER** v. pron.

(1889, *in* Petiot). S'attacher avec une même corde pour constituer une cordée*. *Les alpinistes se sont encordés.*

▶ **ENCORDÉ, ÉE** p. p. adj. *Alpinistes encordés.*

2   Ce col n'avait rien de précisément périlleux, mais tout de même nous étions encordés, et suivis par des guides (...)   GIDE, Et nunc manet in te, p. 49.

DÉR. Encordage, encordement.

ENCORE ou (vx ou poét.) ENCOR [ãkɔr] adv. — xiiᵉ ; *uncor(e)*, xiᵉ ; du lat. pop.* *hinc ad horam* ou *hanc ad horam* «d'ici jusqu'à l'heure». → Or(e).

♦ **1.** Adverbe de temps. Marque la persistance d'une action ou d'un état au moment considéré. *Vous êtes encore là?* ⇒ **Toujours.** *Il est encore en vie. C'est encore l'hiver. Nous en avons encore pour longtemps. La veille encore, il me disait... On en parlera encore dans dix ans. Vous n'êtes encore qu'un enfant.* Péj. *Il en est encore là!*

(En tour négatif). Marque que ce qui doit se produire ne s'est pas, pour le moment, produit (→ ci-dessous, cit. 2 et 3). *Il ne fait pas encore jour. Je ne l'ai encore jamais rencontré.*

1   (...) maître loup s'enfuit, et court encor.   LA FONTAINE, Fables, I, 5.
2   Mᵐᵉ la princesse de Conti est tombée en apoplexie. Elle n'est pas encore morte, mais elle n'a aucune connaissance (...)   Mᵐᵉ DE SÉVIGNÉ, Lettres, 245, 3 févr. 1672 (→ Apoplexie, cit. 2).
3   Je ne l'ai point encore embrassé d'aujourd'hui.   RACINE, Andromaque, I, 4.
4   (...) on veut haïr et on veut aimer, mais on aime encore quand on hait, et on hait encore quand on aime.   LA ROCHEFOUCAULD, Réflexions diverses, De l'incertitude...
4.1 Et si alors un nom lu par hasard nous donne un sentiment de jalousie, nous sommes contents de penser que nous aimons encore (...)   PROUST, Jean Santeuil, Pl., p. 759.
5   Quand l'action atteint un point, on a le choix entre *encore* et *toujours : la révolte dure* encore, toujours ; *— j'ai beau attendre, elle ne vient* toujours *pas.*   F. BRUNOT, la Pensée et la Langue, p. 444.

Loc. (vx). *Pour encore :* pour l'instant.

♦ **2.** Marquant une idée de répétition ou de supplément. ⇒ **Nouveau** (de) ; et préf. **re-.** *Vous vous êtes encore trompé. Il nous a encore répondu la même chose. Que se passe-t-il encore? Encore vous?*

6   Je le ferais encor, si j'avais à le faire.   CORNEILLE, le Cid, III, 4.
7   Il ne pouvait confesser sa faute sans glisser malgré lui au besoin de la commettre encore en pensée.   ZOLA, la Faute de l'abbé Mouret, III, IX, p. 367.
8   (...) ça a coulé, clair, puis épais, puis clair encore, la lie et le vin mélangés.   J. GIONO, Colline, p. 110-111 (→ Bonde, cit. 2).

(Avec un nombre). *Pardonnez-lui encore une fois.* ⇒ **Plus** (une fois de plus). *Prenez encore un gâteau.* ⇒ **Autre** (un autre gâteau). *J'en ai acheté encore cinq.* — Exclam. *Encore! Encore. Ellipt. Encore une fois, encore un coup* (vieilli) : *je vous le dis encore une fois. Encore une fois, vous devriez vous méfier !*

9   Mettons encore un coup toute la Grèce en flammes (...)   RACINE, Andromaque, IV, 3.
10 Laissez donc tout cela (...) Prenez encore une assiettée de soupe.   M. BARRÈS, la Colline inspirée, p. 241.

(Avec un verbe marquant accroissement ou diminution). Davantage. *L'incident ne pouvait aggraver la situation. Outre ses propriétés en province, il possède encore des appartements à Paris.* ⇒ **Aussi.** *Vous n'êtes pas content? Que vous faut-il encore? Et puis quoi encore? Non seulement* il est égoïste, *mais il est avare.* ⇒ **Même.** *Vous l'aidez et il se moque de vous encore !* ⇒ **Surcroît** (par).

(...) je suis médecin ; apothicaire encore, si vous le trouvez bon.   11
       MOLIÈRE, le Médecin malgré lui, I, 5.

Roscius entre sur la scène de bonne grâce (...) et j'ajoute encore qu'il a les jambes   12
bien tournées (...)   LA BRUYÈRE, les Caractères, III, 33.

Les menées de M. le duc du Maine (...) vinrent encore approfondir sa chute.   13
       SAINT-SIMON, ACADÉMIE, Dict. historique (→ Approfondir, cit. 5).

Pour ajouter, on se sert d'autres expressions, d'adverbes tels que : encore : Je dois   14
encore vous avouer ; — celle-ci s'était mariée sur le tard avec Pierron, un veuf encore, qui avait une gamine de huit ans — par surcroît, en plus, il était borgne ; — en outre il a réussi à passer son examen.   F. BRUNOT, la Pensée et la Langue, p. 714.

(Avec un comparatif). Marquant un renchérissement. *Il est encore plus grand que je ne l'imaginais. Vous êtes encore moins patient que moi. Parlez encore plus bas. C'est encore pis.*

Quand on pense sortir d'une mauvaise affaire,   15
On s'enfonce encor plus avant (...)   LA FONTAINE, Fables, V, 6.

La famille antique est une association religieuse plus encore qu'une association   16
de nature.   FUSTEL DE COULANGES, la Cité antique, p. 41.

Je me sens connue encor plus que blessée (...)   17
       VALÉRY, Poésies, «la Jeune Parque».

Mais encore?, s'emploie pour demander plus d'éclaircissements que l'interlocuteur n'en donne. *C'est à vous d'agir prudemment. — Mais encore?* (que faut-il faire?). *Nous vous donnerons certains avantages. — Mais encore?* (lesquels?).

Chemin faisant il vit le col du chien pelé.   18
Qu'est-ce là? lui dit-il. — Rien. — Quoi rien? — Peu de chose.
— Mais encor? — Le collier dont je suis attaché
De ce que vous voyez est peut-être la cause.   LA FONTAINE, Fables, I, 5.

Mais encore, quelle est ta pensée là-dessus?   MOLIÈRE, Dom Juan, I, 2.   19

Loc. Vx. *D'encore en encore :* de plus en plus.

♦ **3.** Particule introduisant une restriction.

En tête d'une proposition (avec inversion du sujet). ⇒ **Cependant, mais.** *La route est directe, encore est-elle impraticable en hiver. Ce mot existait déjà au xviᵉ siècle ; encore n'était-il employé que dans la langue littéraire. Vous vouliez venir? Encore fallait-il nous le dire !*

Encore est-il plus raisonnable que je ne pensais (...)   20
       MOLIÈRE, le Mariage forcé, 8.

Encore s'est-il trouvé des gens qui se sont plaints qu'il s'emportât contre Andro-   21
maque (...)   RACINE, Andromaque, 1ʳᵉ Préface.

Avec une proposition conditionnelle, par une ellipse équivalant à une tournure telle que : *cela serait encore convenable, admissible si...* (sans inversion du sujet). ⇒ **Moins** (du moins), **seulement** (si seulement). *Encore, si nous pouvions lui parler, cela faciliterait les choses.* — Exclam. *Si encore il comprenait ce qu'on fait pour lui !* ⇒ **Seulement** (si).

Encor si vous naissiez à l'abri du feuillage   22
Dont je couvre le voisinage (...)   LA FONTAINE, Fables, I, 22.

Encore si l'on m'avait donné du temps, j'aurais pu (...)   23
       MOLIÈRE, les Précieuses ridicules, Préface.

Et encore, se dit pour modifier ce qui vient d'être évalué (en plus ou en moins). *On vous en donnera cinq cents francs, et encore!,* au cinq cents francs. *Je l'ai bien payé cinq cents francs, et encore!,* au moins cinq cents francs. *Il pourra s'en tirer tout juste, et encore !*

♦ **4.** Loc. conj. (xivᵉ). Littér. **ENCORE QUE :** bien que, quoique. *Nous l'aiderons, encore qu'il ne le mérite pas.* (Avec ellipse du verbe). *Encore que très riche, il vit très simplement.*

REM. *Encore que* s'emploie régulièrement avec le subjonctif ; mais on rencontre parfois le conditionnel pour marquer l'éventualité, et (rarement) au xviiᵉ s. l'indicatif pour marquer la réalité de la chose concédée.

Encor que je vous sois, peu s'en faut, inconnue (...)   CORNEILLE, Mélite, IV, 2.   24
Mon deuil est raisonnable, encor qu'il soit extrême (...)   MOLIÈRE, Psyché, II, 1.   25
(...) encore que cela est vrai en un sens pour quelques âmes (...)   26
       PASCAL, Pensées, IV, 244.

(...) rien de ce qui pousse à la révolte n'est définitivement dangereux — encore   27
que la révolte puisse fausser le caractère (...)   GIDE, les Faux-monnayeurs, I, XII, p. 146 (→ Cabrer, cit. 2).

Encore qu'un tel souci trouverait à se justifier.   28
       G. DUHAMEL, Chronique des Pasquier, I, p. 121.

Encore que avait apparu vers le xvᵉ siècle. Il était très usité dans la langue clas-   29
sique : *qu'il faut que je le perde, encore que je l'aime... — Les femmes croient souvent aimer, encore qu'elles n'aiment pas... — Ne dites-vous pas... que le ciel et les oiseaux prouvent Dieu?... Car encore que cela est vrai en un sens... néanmoins cela est faux à l'égard de la plupart...* De nos jours la locution a un air archaïque.   F. BRUNOT, la Pensée et la Langue, p. 863.

CONTR. Déjà (temps), **plus** (négation).

ENCORNER [ãkɔrne] v. tr. — V. 1250 ; de *en-, corne,* et suff. verbal.

♦ **1.** Garnir de cornes.

(Fin xviᵉ). Fig. et plais. *Encorner un homme, son mari,* lui faire porter des cornes, le faire cocu. ⇒ **Tromper.**

♦ **2.** (1530). Frapper, blesser à coups de cornes. *Le taureau a encorné le cheval du picador.*

▶ **ENCORNÉ, ÉE** p. p. adj.

♦ **1.** Rare. Qui a des cornes. ⇒ **Cornu.** *Animal encorné. Un bouc des plus haut encornés* (→ Compagnie, cit. 2).
(V. 1585). Fig. et plais. Cocu.

> Le mot d'encorné l'humilie plus que les autres.
> M. AYMÉ, la Jument verte, p. 137.

♦ **2.** Vétér. *Javart encorné :* javart qui vient sous la corne du sabot du cheval.

DÉR. V. Encornure.

ENCORNET [ɑ̃kɔʀnɛ] n. m. — 1612 ; *cornet*, 1542 ; de *en-*, et *cornet*.

♦ Régional. Calmar*. ⇒ aussi **Chipiron.**
REM. *Encornet* est le terme normalisé au Québec (n. sc. *Loligo*). — *Encornet nordique*, au Québec, appellation normalisée de (n. sc.) *Illex illecebrosus.*

ENCORNURE [ɑ̃kɔʀnyʀ] n. f. — 1611 ; de *en-*, *corne*, et suff. *-ure.*

♦ Techn. Implantation, forme de disposition des cornes.

1   (...) elle *(la vache)* utilisait son encornure particulière pour appuyer des pointes sur les blessures de sa rivale (...)
R. FRISON-ROCHE, Premier de cordée, p. 247.

2   La perspective des images isolées a été atteinte dès le style III et Lascaux en offre de nombreux exemples. Elle se traduit par une convention de fuite dans le dessin des encornures, dans l'implantation des oreilles, dans le modelé des masses corporelles et des membres.   A. LEROI-GOURHAN, le Geste et la Parole, II, p. 245.

ENCOTONNER [ɑ̃kɔtɔne] v. tr. — 1555, Ronsard ; de *en-*, *coton*, et suff. verbal.

♦ **1.** Rare. Garnir de coton, de duvet.

♦ **2.** Fig., littér. Entourer dans du coton (fig.). *« Ceux que la fortune n'a pas totalement abrutis et encotonnés »* (Arnoux, *in* T. L. F.).

ENCOUBLER (S') [ɑ̃kuble] v. pron. réfl. — 1528, *encoblez* «entravés» ; de *en-*, et du lat. *copula* «lien».

♦ Régional (Jura, Haute-Savoie, Suisse). S'empêtrer dans, trébucher.

> (...) ils titubent sur ces déserts de lichen rougeâtre, de cailloux blancs, ils s'encoublent dans des épaves (...)   Corinna BILLE, Juliette éternelle, p. 140.

ENCOURAGEANT, ANTE [ɑ̃kuʀaʒɑ̃, ɑ̃t] adj. — 1707 ; p. prés. de *encourager.*

♦ Qui encourage, est propre à encourager. ⇒ **Stimulant.** *Paroles, nouvelles encourageantes. Un sourire, un geste encourageant.* Syn. : *d'encouragement.* — Qui constitue un encouragement. *Début, résultat encourageant. La perspective n'est guère encourageante.*
Personnes :

> C'était toujours la femme confiante, encourageante que l'on connaît, et personne n'aurait pu deviner sous son humeur égale les vives préoccupations dont elle ne pouvait être exempte.   J. VERNE, le Pays des fourrures, t. II, p. 231.

CONTR. Décourageant, désespérant, rebutant.

ENCOURAGEMENT [ɑ̃kuʀaʒmɑ̃] n. m. — 1564 ; «courage», fin XIIᵉ ; de *encourager.*

♦ **1.** Action d'encourager. *L'encouragement (de qqn par qqn) au travail, à la vertu, à bien faire.* ⇒ **Exhortation, incitation.** *Les éloges sont pour lui le meilleur des encouragements.* ⇒ **Aiguillon, stimulant.** *L'émulation est un encouragement au bien. Geste d'encouragement.* ⇒ **Encourageant.** *Les arts et les lettres auraient besoin d'encouragement* (→ Dater, cit. 4). *Société d'encouragement,* nom de sociétés fondées pour encourager une activité. *Prix, accessit d'encouragement.* ⇒ **Récompense.**

1   *(Une religion)* qui offrirait aux hommes plus d'encouragement aux vertus sociales que d'expiations pour les perversités ?   VOLTAIRE, Dict. philosophique, Religion.

2   (...) ma vanité n'est pas encore résignée à n'avoir que des prix d'encouragement.
FLAUBERT, Correspondance, II, p. 11.

3   (...) des enfants qui déjà naïvement leur ressemblent *(à leurs parents)* et qui trouvent en eux l'exemple et l'encouragement de leurs secrètes dispositions (...)
GIDE, Journal, Feuillets, 1921, p. 718.

4   En matière de signes d'encouragement, l'amoureux n'est pas difficile.
A. MAUROIS, Un art de vivre, p. 58.

♦ **2.** (1764). *Un, des encouragements.* Acte, parole qui encourage. ⇒ **Aide, appui, soutien, stimulant.** *Il a reçu peu d'encouragements. Apporter des encouragements à un malheureux.* ⇒ **Appui** (cit. 34). **réconfort.** *Mériter des encouragements. Les encouragements de l'État à l'épargne.* Scol. *Encouragement du conseil de classe,* récompense inférieure aux félicitations de ce conseil, mais supérieure au tableau d'honneur.

CONTR. Découragement.

ENCOURAGER [ɑ̃kuʀaʒe] v. tr. — Conjug. *bouger.* — 1160 ; de *en-*, *courage*, et suff. verbal.

♦ **1.** Inspirer du courage à (qqn) ; donner du courage, de l'assurance à (qqn). ⇒ **Aiguillonner, animer, exciter, stimuler.** *Encourager une équipe, un groupe de travail. Encourager une personne désespérée.* ⇒ **Conforter, réconforter.** *On encourageait les comédiens, on faisait chorus.* ⇒ **Applaudir, approuver, appuyer** (→ Clabauder, cit. 2). *Encourager un débutant* (→ Commençant, cit. 1). — *Encourager qqn de..., par... Encourager les chiens du geste et de la voix. Encourager qqn de la voix et du geste. Elle l'encouragea d'un clin d'œil* (→ Approcher, cit. 59), *par des signes de connivence.*

1   Secondez-moi bien tous. — Laissez-moi, j'aurai soin
De vous encourager, s'il en est de besoin.   MOLIÈRE, les Femmes savantes, V, 2.

(Le sujet désigne la chose qui inspire du courage). *Cette pensée m'encourage.* ⇒ **Soutenir.** *Les applaudissements encouragent les acteurs. Ces premiers résultats nous encouragent.*

2   *(Cette immortalité)* dont l'espérance les piquait, les encourageait, les emportait au travers de tous les obstacles.   BOURDALOUE, Sermon pour la Toussaint, III.

3   Son exemple encourageait quiconque avait du mérite sans naissance *(noblesse).*
VOLTAIRE, Hist. de l'Empire de Russie, I, 12, *in* LITTRÉ.

4   (...) nos scélérats n'apprirent pas plutôt mes résolutions, qu'ils se décidèrent à faire de moi une victime, n'en pouvant faire une complice ; leurs principes, leurs mœurs, le sombre réduit où nous étions, l'espèce de sécurité dans laquelle ils se croyaient, leur ivresse, mon âge, mon innocence, tout les encouragea.
SADE, Justine..., t. I, p. 38.

(Au passif). *Être encouragé par qqn, par qqch.*

5   (...) bientôt il *(Germain)* s'aperçut qu'il était lui-même encouragé d'une manière particulière et qu'on souhaitait qu'il se livrât davantage.
G. SAND, la Mare au diable, XII, p. 105.

(1636). ENCOURAGER (qqn) À (suivi de l'inf.). *Encourager qqn à travailler.* ⇒ **Déterminer, disposer, engager, exhorter, inciter, incliner, porter, pousser.** — (Sans compl. dir.). *« Encourager à la vertu »* (Voltaire).

6   Mais toutes les divinités mythologiques me regardaient avec un charmant sourire, comme pour m'encourager à supporter patiemment le sortilège (...)
BAUDELAIRE, les Paradis artificiels, «Poème du haschich», III.

(En mauvaise part). *Encourager quelqu'un au mal, à la désobéissance.* ⇒ **Exciter, inciter.**

7   Le méchant par le prix au crime encouragé (...)   CORNEILLE, Cinna, I, 3.

8   À de nouveaux mépris ma bonté l'encourage.   VOLTAIRE, Alzire, IV, 1.

(Avec d'autres constructions). *Encourager qqn dans de mauvaises habitudes* (→ Borner, cit. 25). — *Encourager le crime, le vice.*

9   (...) je ne connais point de plus grand ennemi des hommes que l'ami de tout le monde, qui, toujours charmé de tout, encourage incessamment les méchants, et flatte, par sa coupable complaisance, les vices d'où naissent tous les désordres de la société.   ROUSSEAU, Lettre à d'Alembert.

♦ **2.** (Av. 1778). Aider ou favoriser par une protection spéciale, par des récompenses, des subventions. *Encourager les jeunes talents* (→ Académie, cit. 6). *Encourager les artistes et les savants. Encourager le mérite, le talent, le zèle. Encourager l'industrie, le commerce, une culture. Mécène qui encourage les arts et les lettres. Encourager un projet,* l'approuver et l'aider à se réaliser.

10   (...) que vous encouragiez, plutôt que de contrarier, le projet qu'elle paraît avoir formé ; et que dans l'attente de son exécution, vous n'hésitiez pas à rompre le mariage que vous aviez arrêté.
LACLOS, les Liaisons dangereuses, Lettre CLXXII.

11   *(Napoléon)* s'intéressait passionnément à la production et savait apprécier, encourager et récompenser l'ingéniosité dans l'entreprise et le succès après l'effort.
Louis MADELIN, Hist. du Consulat et de l'Empire, Vers l'Empire d'Occident, V, p. 91.

12   La finance encourage les entreprises privées, mais les surveille ; elle précipite la ruine des faibles ou s'empare de l'exploitation.
J. CHARDONNE, l'Amour du prochain, p. 109.

(En mauvaise part). *Encourager des agissements* (cit.) *louches. Encourager la révolte, le vice, les mauvais instincts.* ⇒ **Flatter.** *L'impunité encourage le crime. Les honneurs encouragent l'ambition, la jalousie.*

13   S'il existait un gouvernement qui eût intérêt à corrompre ses gouvernés, il n'aurait qu'à encourager l'usage du haschisch.   BAUDELAIRE, Du vin et du haschisch, VI.

CONTR. Décourager, dégoûter, désespérer, lasser, rebuter ; blâmer, châtier, punir ; brider, contrarier, détourner, empêcher.
DÉR. Encourageant, encouragement.

1. ENCOURIR [ɑ̃kuʀiʀ] v. tr. — Conjug. *courir.* — XIVᵉ ; *encorre*, déb. XIIᵉ ; du lat. *incurrere* «courir sur» ; au fig. «s'exposer à», d'après *courir.*

♦ Littér. Se mettre dans le cas de subir (quelque chose de fâcheux). ⇒ **Exposer** (s'exposer à), **mériter** ; → Être passible de, tomber sous le coup de... *Encourir les peines édictées par la loi. Encourir la sentence d'excommunication* (→ Coupable, cit. 4).

1   *S'attirer* une peine ou toute autre chose, c'est la subir présentement parce qu'on l'a *encourue ;* et *l'encourir,* c'est seulement se mettre dans le cas de la subir, s'y exposer.   LAFAYE, Dict. des synonymes, Suppl., S'attirer, encourir.

Encourir le blâme, la critique, la censure, le mépris, la disgrâce, l'indignation, la haine, la vengeance. Je ne veux point encourir de tels reproches (→ Commentaire, cit. 4). — REM. *On encourt* toujours quelque chose de fâcheux, de dangereux. Par ironie, Chateaubriand écrit *«qu'il est aussi dangereux d'encourir sa faveur (du tyran) que de* mériter sa disgrâce » (→ Abjection, cit. 1) et ailleurs (*Mémoires d'outre-tombe*, II, p. 620) qu'il a « *encouru l'amitié de M. de Talleyrand* ».

2 (...) je vous ordonne (...) de ne point célébrer, sans mon consentement, vos noces avec lui, sur peine d'encourir la disgrâce de la Faculté (...)
MOLIÈRE, Monsieur de Pourceaugnac, II, 2.

3 (...) Mme de Staël commençait à encourir la défaveur ou du moins le déplaisir marqué de celui qui devenait le maître.
SAINTE-BEUVE, Chateaubriand, t. I, p. 155.

4 Passavant voudrait que, dans le premier numéro, paraisse quelque chose de très libre et d'épicé, parce qu'il estime que le plus mortel reproche que puisse encourir une jeune revue, c'est d'être pudibonde ; je suis assez de son avis.
GIDE, les Faux-monnayeurs, II, VI, p. 271.

5 À repousser la main qu'il (*Bonaparte*) tendait au nom de la France, quelle effroyable responsabilité le pontife encourrait !
Louis MADELIN, Hist. du Consulat et de l'Empire, le Consulat, VIII, p. 111.

▶ **ENCOURU, UE** p. p. adj. *Peines encourues. Blâmes encourus. Les reproches encourus ne sont pas bien graves.*

CONTR. Mériter.

2. ENCOURIR (S') [ãkuRiR] v. pron. — XIIe ; de *en-*, et *courir.*

♦ Vx. Aller en courant.

1 (...) le pauvre homme
S'encourut chez celui qu'il ne réveillait plus.   LA FONTAINE, Fables, VIII, 2.

2 Haletant comme un homme qui se sauve, je mis une heure (...) à déverrouiller la porte de la rue (...) et après l'avoir refermée avec les précautions d'un voleur, je m'encourus comme un fuyard, chez mon colonel.
BARBEY D'AUREVILLY, les Diaboliques, « Le rideau cramoisi » (1874).

EN-COURS ou ENCOURS [ãkuR] n. m. inv. — XXe ; de 1. *en* (prép.), et *cours.*

♦ Fin. Montant des effets escomptés par une banque, non arrivés encore à échéance. *Encours de crédit*, ou *encours* : montant des crédits utilisés par un client auprès de sa banque ; (pour une banque) montant de l'ensemble des crédits utilisés par sa clientèle.

ENCRAGE [ãkRaʒ] n. m. — 1838 ; de *encrer.*

♦ **1.** Opération consistant à encrer (un rouleau de presse, une planche gravée) dans une machine d'impression. *L'encrage du rouleau est fait. Son résultat. L'encrage est bon, est inégal.*

♦ **2.** Par métonymie. Ensemble des mécanismes servant à encrer.

HOM. Ancrage.

ENCRASSAGE [ãkRasaʒ] n. m. — 1905, in *Rev. gén. des sc.*, n° 8, p. 393 ; de *encrasser.*

♦ Encrassement. — Par métonymie. (Plur.). Matières qui encrassent. « *Le tabac est une cause de cancer, d'angine de poitrine, d'encrassage artériel* » (« Fumeur » ou « Non Fumeur » ?, *in* Falkenstein 5, 1963, p. 63).

ENCRASSEMENT [ãkRasmã] n. m. — 1860, *Année sc. et industr.* 1861, p. 127 ; de *encrasser.*

♦ Fait de s'encrasser ; état de ce qui est encrassé. *L'encrassement d'une arme. Un encrassement, des encrassements nuisant au bon fonctionnement d'une machine.* — Fig. *L'encrassement de l'esprit. L'encrassement de qqn dans la routine.*

Chim. *Encrassement d'un catalyseur* :* perte d'activité ou de sélectivité d'un catalyseur, provoquée par l'action d'un des produits d'une réaction secondaire.

ENCRASSER [ãkRase] v. tr. — 1580 ; de *en-*, *crasse*, et suff. verbal.

♦ **1.** Couvrir de crasse*, de saleté. (Sujet n. de personne). *Encrasser un instrument, ses vêtements.* (Sujet n. de ce qui encrasse). *La poussière qui encrasse les vêtements.* ⇒ **Maculer, salir.** *Mains encrassées par le cambouis.* — Pron. (1680). *Moteur, arme qui s'encrasse.* — Au participe passé :

1 La paresse (...) l'empêchait de souffrir du désordre de sa chambre, de son linge et de ses cheveux encrassés et emmêlés à l'excès.   BAUDELAIRE, la Fanfarlo.

♦ **2.** Couvrir d'un dépôt (suie, rouille, saletés) qui empêche le bon fonctionnement. *La poudre, la rouille qui encrasse un fusil.* — Pron. *Cylindre, piston qui s'encrasse.* — Au p. p. *Cheminée encrassée* (par la suie).

2 Les salauds vous foutent une essence qui encrasse les bougies au bout de trente kilomètres.   J. ROMAINS, les Hommes de bonne volonté, t. V, XXVII, p. 288.

Fig. « *Les copies, qui encrassent (...) la vision du monde où l'on vit* » (Zola, *in* T. L. F.). — Pron. *Sa mémoire s'est encrassée.*

Au p. p. adj. :

3 S'il (*l'âge administratif*) ne se rationalise pas, comme il l'a su faire l'âge mécanique, l'organisme social encrassé ne peut que péricliter.
André SIEGFRIED, l'Âme des peuples, I, II, p. 14.

♦ **3.** (1740). Vx. Rendre vil, grossier (s'oppose à *décrasser*, fig.).

⇒ **Avilir.** Pron. « *Il s'est encrassé par ce mariage* » (Académie, 1878).

CONTR. Décrasser, désencrasser. — **Curer, dérouiller.**
DÉR. Encrassage, encrassement.
COMP. Désencrasser.

ENCRATIQUE [ãkRatik] adj. — XXe ; dér. sav. du grec *egkratês* « maître de soi ».

♦ Didact. et rare. Qui provient du pouvoir, exprime une position de pouvoir (langage, discours).

Or le langage encratique (celui qui se produit et se répand sous la protection du pouvoir) est statutairement un langage de répétition ; toutes les institutions officielles de langage sont des machines ressassantes.
R. BARTHES, le Plaisir du texte, p. 66.

ENCRE [ãkR] n. f. — 1160 ; *enque*, XIe ; du bas lat. *encau(s)tum* « encre de pourpre réservée à l'empereur » ; du grec *egkauston*. → Encaustique.

♦ **1.** Liquide, noir ou coloré, qui laisse une trace sur un support, et est utilisé notamment pour écrire. *Acheter une bouteille d'encre. Encres de couleur. Encre bleue, noire, rouge* (dite *rosette*), *verte, violette. Encre épaisse, pâteuse. Délayer* (cit. 2) *son encre. Encre à stylo. Remplir d'encre un encrier, le réservoir d'un stylo. Bouteille, flacon d'encre. Tremper sa plume dans l'encre.* ⇒ **Encrier.** *Écrire à l'encre. Biffer à l'encre noire un texte censuré.* ⇒ **Caviar ; caviarder.** *Buvard pour sécher l'encre. Mauvais papier qui boit l'encre. Plume qui crache* (cit. 6) *l'encre. Tache d'encre.* ⇒ **Pâté** (cit. 6, 6.1). *Gomme à encre. Pupitres couverts d'encre* (→ Briller, cit. 21). *Doigts maculés, visage barbouillé d'encre.*

1 (...) je soutiendrai mon opinion jusqu'à la dernière goutte de mon encre.
MOLIÈRE, le Mariage forcé, 4.

2 Ma mère ne me parle plus ; elle m'a ôté papier, plumes et encre ; je me sers d'un crayon, qui par bonheur m'est resté, et je vous écris sur un morceau de votre lettre.   LACLOS, les Liaisons dangereuses, Lettre LXIX, p. 147.

3 Elle relut cette lettre et, à défaut d'un buvard, l'agita un instant pour en sécher l'encre (...)   J. GREEN, Adrienne Mesurat, III, I, p. 205.

Encres d'imprimerie : mélanges d'huile cuite et de noir de fumée (⇒ **Ponce**) ou de matières colorantes. *Impression à l'encre.* ⇒ **Encrage.** *Encres typographiques, lithographiques. Feuilles de journal qui sentent l'encre. Encre autographique ou à report, employée en lithographie. Encre à copier ou communicative, pour obtenir des copies. Encre réticulable, séchant aux ultra-violets.* — *Encre sympathique*, dont la trace invisible apparaît sous l'action d'un réactif ou d'une température élevée. *Encre aveugle*. Encre indélébile*, dont on se sert pour marquer le linge. *Encre noire émise par la seiche.* ⇒ **Sépia.** *Encre de Chine*, composition employée pour les dessins au pinceau, à la plume... *Encres de couleur utilisées par les peintres.*

4 M. Sucre, avec mille grâces, du bout de son fin pinceau trempé dans l'encre de Chine, a tracé sur une jolie feuille de papier de riz deux cigognes charmantes et me les a offertes de la manière la plus aimable, comme un souvenir de lui.
LOTI, Mme Chrysanthème, XXXIII, p. 154.

Loc. *Noir** (cit. 15) *comme de l'encre :* très noir, d'un noir intense. *C'est la bouteille à l'encre.* ⇒ **Bouteille.**

D'ENCRE : très noir, sombre. *Nuit d'encre. Se faire un sang d'encre*, du souci, du mauvais sang*.

4.1 Le commandant, un secrétaire du bataillon et le lieutenant Soubeyrac marchaient en silence. La lune semblait voyager très vite dans la nuit d'encre. Entre les sautes de vent et les périodes d'obscurité intense, elle baignait le village d'une lueur maternelle, découpait des ombres d'un feutre couleur de prune, et frottait la campagne d'un sirop épais.   Armand LANOUX, le Commandant Watrin, p. 65.

4.2 Le regard fixe, dans une solitude d'encre.
ÉLUARD, Défense de savoir, Pl., t. I, p. 217.

(L'encre, symbole de l'écriture). *Faire couler** (cit. 9.1) *beaucoup d'encre. Fam. Un buveur* d'encre.* — (1585, *in* D.D.L.). *Manière d'écrire (dans des loc.). Un récit de très bonne encre. Écrire de sa meilleure encre. Ces deux œuvres sont de la même encre*, du même style, de la même inspiration.

5 (...) je me mis à écrire le livre d'un bout à l'autre, et, comme on dit, d'une seule encre.   A. DE VIGNY, Journal d'un poète, p. 240.

6 Mon éminent confrère Elie Faure m'a, lors de ce dernier deuil, écrit une lettre admirable, de sa meilleure encre.
G. DUHAMEL, Chronique des Pasquier, I, Prologue, p. 23.

7 (...) un certain marquis de Silly, dont Saint-Simon a tracé le portrait d'une encre virulente (...)   Émile HENRIOT, Portraits de femmes, p. 132.

♦ **2.** (1870). Liquide noir émis par certains céphalopodes, qui trouble l'eau et les dérobe à la vue (⇒ **Sépia**). — Cuis. *Calmars à l'encre*, cuits dans une sauce comportant ce liquide.

♦ **3.** Bot. Mycose du châtaignier.

8 Les châtaigneraies dépérissent surtout à cause de la maladie de l'encre (*Endothia parasitica*).   Henri BOULAY, Arboriculture et Production fruitière, p. 27.

DÉR. Encrer, encrier.
HOM. Ancre.

ENCRÊPER [ãkRepe] v. tr. — 1864 ; au p. p., 1673 ; de *en-*, 1. *crêpe*, et suff. verbal.

♦ Littér., vieilli. Garnir d'un crêpe, d'un voile noir, en signe de deuil. *Encrêper un chapeau de femme.*

Fig., littér. Rendre noir (avec une idée de tristesse, de deuil). ⇒ **Endeuiller.**

Après une soirée difficile (...) la nuit était venue, encrêpant la maison.
Hervé BAZIN, Qui j'ose aimer, p. 201.

ENCRER [ãkʀe] v. tr. — 1530 ; de *encre.*

♦ Charger, enduire d'encre (typographique, lithographique). *Encrer un rouleau, un tampon. Encrer une planche gravée en taille douce, une pierre lithographique à l'aide d'un tampon.*

(...) il avait une véritable anxiété à suivre la main noire du tireur encrant et chargeant sa planche sur la boîte, l'essuyant avec la paume, la tamponnant avec de la gaze, la bordant et la margeant avec du blanc d'Espagne, la passant sous le rouleau, serrant la presse, tournant la roue et la retournant.
Ed. et J. DE GONCOURT, Manette Salomon, p. 355.

Pron. *Ce papier s'encre mal.*

▶ **ENCRÉ, ÉE** p. p. adj. *Forme trop encrée. Feuille bien, mal encrée.*

DÉR. Encrage, encreur.
HOM. Ancrer.

ENCREUR, EUSE [ãkʀœʀ, øz] adj. — 1856 ; de *encrer.*

♦ Techn. Qui sert à encrer. *Rouleau encreur d'une presse.* ⇒ **Toucheur** (3.).

ENCRIER [ãkʀije] n. m. — 1380 ; de *encre.*

♦ **1.** Petit récipient destiné à mettre de l'encre. *Encrier d'argent, de porcelaine, de verre. Encrier portatif, inversable. Encrier d'une écritoire* (→ Écritoire, REM.). *Tremper la plume dans l'encrier.*

1 Mais en même temps il avait rapidement saisi un porte-plume qui se trouvait au coin du guichet, couché dans la rainure d'un encrier de verre, et il parut griffonner quelque chose à l'abri du carton.
J. ROMAINS, les Hommes de bonne volonté, t. IV, XVI, p. 169.

Par plais. Symbole de l'activité de l'écrivain.

2 Je fis une tempête au fond de l'encrier (...)
HUGO, Réponse à un acte d'accusation, I, 7.

♦ **2.** (1864). Techn. Réservoir alimentant les rouleaux encreurs (d'une presse, d'une rotative).

ENCRINES [ãkʀin] n. m. pl. — 1801 ; *encrinus* ou *encrinute*, 1755 ; lat. sc. *encrinus*, 1729 (Harenberg) ; du grec *en* «dans», et *krinon* «lis», à cause de leur forme en fleur de lis.

♦ Zool., paléont. Échinodermes (classe des crinoïdes) que l'on rencontre surtout à l'état de fossiles (trias). — Au sing. *Un encrine.*

ENCROISAGE [ãkʀwazaʒ] ou **ENCROISEMENT** [ãkʀwazmã] n. m. — Mil. XXᵉ, encroisage ; encroisement, 1829 ; de *encroiser.*

♦ Techn. Action d'encroiser les fils ; état des fils encroisés.

ENCROISER [ãkʀwaze] v. tr. — 1755 ; *encroisier* «croiser, mettre en croix», XIIᵉ ; de *en-*, et *croiser.*

♦ Techn. Croiser, disposer en croix (les fils d'une partie ourdie).
DÉR. Encroisage.

ENCROTTER [ãkʀɔte] v. tr. — 1877, *in* Littré, *Suppl.* ; de *en-*, *crotte,* et suff. verbal.

♦ Fam., vieilli. Salir de boue, de crotte (1.). ⇒ **Crotter.**

ENCROUÉ, ÉE [ãkʀue] adj. — 1376 ; de l'anc. v. *encrouer* «fixer, attacher à», 1155 ; du bas lat. *incrocare,* t. de droit, du francique * *krok.* → Croc.

♦ Sylv. *Arbre encroué :* arbre qui, en tombant, est resté embarrassé dans les branches d'un autre.
REM. On trouve aussi le v. au pron. : *arbre qui s'encroue.*

ENCROÛTEMENT [ãkʀutmã] n. m. — 1546 ; de *encroûter.*

♦ **1.** Fait de s'encroûter ; dépôt sur une surface encroûtée.

♦ **2.** (1848, Flaubert). Action, état de qqn qui s'encroûte (2.). — (1848). Fig. *«L'encroûtement dans les habitudes héréditaires»* (Gide).

ENCROÛTER [ãkʀute] v. tr. — 1538 ; de *en-*, et *croûte.*

♦ **1.** Couvrir (qqch., une surface) d'un dépôt, d'une croûte*. *Sédiments qui encroûtent un terrain* (→ Dépôt, cit. 16).

Techn. Enduire (un mur) de mortier.

♦ **2.** (1782). Fig. Enfermer comme dans une enveloppe qui interdit toute vie, toute spontanéité. *La routine qui l'encroûte.*

▶ **S'ENCROÛTER** v. pron. ⇒ **Abêtir** (s'), **abrutir** (s'), **croupir, dégénérer, encrasser** (s'), **végéter.** *S'encroûter dans des habitudes de paresse, d'indolence, dans une vie médiocre, routinière.*

1 (...) cela a vingt-deux ans et il y en a près de deux qu'elle est mariée. Croyez-moi, Vicomte, quand une femme s'est *encroûtée* à ce point, il faut l'abandonner à son sort (...)
LACLOS, les Liaisons dangereuses, Lettre V.

2 (...) elle s'était encroûtée dans les habitudes de la province, elle n'en était jamais sortie, elle en avait les préjugés, elle en épousait les intérêts, elle l'adorait.
BALZAC, la Vieille Fille, Pl., t. IV, p. 262.

Absolt. *Il commence à s'encroûter.*

▶ **ENCROÛTÉ, ÉE** p. p. adj. *Terre encroûtée,* qui forme une croûte. *Un vieux mur encroûté. Neige encroûtée. — Encroûté de boue. —* Fig. *Être encroûté de préjugés, dans des préjugés. Il est complètement encroûté. Un vieux professeur encroûté.*

N. *« C'est un vieil encroûté »* (Gyp, *in* T. L. F.).

CONTR. et COMP. Désencroûter.
DÉR. Encroûtement.

ENCULAGE [ãkylaʒ] n. m. — 1936 ; de *enculer.*

♦ Vulg. Action d'enculer.

Loc. fam. *Enculage de mouches :* histoire, affaire sans importance, sans intérêt, qui porte sur des détails et qu'on voudrait faire prendre au sérieux.

On t'oblige à apprendre toutes les âneries, toutes les théories périmées, tous les enculages de mouche *(sic)* officiels.
André SOUBIRAN, les Hommes en blanc, t. II, p. 48.

ENCULÉ [ãkyle] n. m. — Mil. XIXᵉ ; p. p. de *enculer.*

Vulgaire (souvent en appellatif).

♦ **1.** Homosexuel passif.

1 (...) pédé fous le camp enculé (...)   Tony DUVERT, Paysage de fantaisie, p. 108.

♦ **2.** T. d'injure à l'adresse d'un homme (sans préjuger de ses mœurs sexuelles). *Cet enculé de X. Quel enculé !*

2 Ce petit enculé, dit Alexandre, je lui aurais volontiers botté les fesses.
— Ce salaud de petit planqué, dit Maillat.
Robert MERLE, Week-end à Zuydcoote, p. 65 (1949).

3 Dès qu'il était au volant, il ne se connaissait plus et traitait chaque piéton, pour le moins, d'enculé.   Roger IKOR, les Fils d'Avrom, Les eaux mêlées, p. 466.

ENCULER [ãkyle] v. tr. — 1734, Piron, *in* Cellard et Rey ; de *en-, cul,* et suff. verbal.

♦ Vulg. Sodomiser.

1 Que dis-tu de ceci : des brigands grecs ont un jour une riotte avec la gendarmerie. Ils s'emparent de l'officier et de trois gendarmes, les enculent à outrance et les renvoient ensuite sans leur avoir fait autre chose. Quelle ironie de l'ordre !
FLAUBERT, À Louis Bouilhet, 10 févr. 1851, *in* Correspondance, Pl., t. I, p. 755.

(Dans des injures et insultes). *Va te faire enculer ! Je l'encule, celui-là !* ⇒ **Emmerder.**

2 Je tourne une page, et, l'air détaché, je me mets à fredonner : « Va t'faire enculer, va t'faire enculer. Avec la balayè-è-è-te. »   A. SARRAZIN, la Cavale, p. 294.

Par ext. Pénétrer sexuellement (une femme). ⇒ **Baiser.** — REM. Le verbe *enconner,* attesté dans le discours érotique, n'est pas entré dans l'usage général.

DÉR. Enculage, enculé, enculeur (d'autres dér. sont attestés).

ENCULEUR [ãkylœʀ] n. m. — 1790, *in* D. D. L. ; de *enculer.*

♦ Vulg. Celui qui encule. — Loc. fam. *Enculeur de mouches :* celui qui cherche la petite bête, fait des histoires pour des riens.

ENCUVAGE [ãkyvaʒ] ou **ENCUVEMENT** [ãkyvmã] n. m. — 1845, encuvage ; encuvement, 1680 ; de *encuver.*

♦ Techn. Action d'encuver.

ENCUVER [ãkyve] v. tr. — V. 1400 ; de *en-,* et *cuve.*

♦ Mettre dans une cuve. *Encuver la vendange. Encuver le linge.*
CONTR. Décuver.
DÉR. Encuvage.

ENCYCLIQUE [ɑ̃siklik] n. f. — 1832 ; adj. *lettre encyclique,* 1798 ; lat. ecclés. *litteræ encyclicæ ;* du lat. *encyclios* « circulaire, total » ; du grec *egkuklios* « circulaire ».

♦ Lettre envoyée par le pape à tous les évêques (ou parfois à ceux d'une seule nation), généralement pour rappeler la foi de l'Église à propos d'un problème d'actualité. *L'encyclique* Pacem in terris.

(...) Rome, aveuglée elle aussi par la montée des problèmes matériels et la déchristianisation des masses, prenait le tournant catastrophique des Encycliques dites sociales, par lesquelles elle admettait pour la première fois au rebours de son génie et de son essence, qu'il ne fallait pas seulement s'intéresser à l'esprit mais aussi au corps, c'est-à-dire à l'espèce en tant que seulement à l'homme (...)
Raymond ABELLIO, Ma dernière mémoire, t. I, p. 43.

ENCYCLOPÉDIE [ɑ̃siklɔpedi] n. f. — 1532, Rabelais ; lat. érudit *encyclopædia,* 1508 ; du grec *egkuklios paideia* « instruction circulaire », c'est-à-dire « embrassant le cercle *(kuklos)* entier des connaissances » (→ Cycle) ; le mot latin désigne au XVIe et au XVIIe des manuels et des traités, mais le sens moderne (2) est plus tardif.

♦ **1.** Vx. Ensemble de toutes les connaissances. *Encyclopédie du savoir humain.*

1   En quoi je vous peux assurer qu'il *(Panurge)* m'a ouvert le vrai puits et abîme de encyclopédie, voyre en une sorte que je ne pensoys trouver homme qui en sceut les premiers éléments seulement (...)   RABELAIS, Pantagruel, II, XX.

♦ **2.** (1750). Mod. Ouvrage où l'on traite d'un ensemble de connaissances à intention universelle, selon un classement conceptuel *(encyclopédie méthodique)* ou formel *(encyclopédie alphabétique).* ⇒ **Dictionnaire.** *La Grande Encyclopédie,* publiée de 1885 à 1902. *L'Encyclopédie française de Monzie.* Absolt. *L'Encyclopédie,* ou *Dictionnaire raisonné des Sciences, des Arts et des Métiers :* œuvre, composée au XVIIIe siècle, en France, par les Encyclopédistes* sous la direction de Diderot et d'Alembert, et publiée à partir de 1751. *Discours préliminaire de l'Encyclopédie,* par d'Alembert. *Les doctrines de l'Encyclopédie.*

2   (...) le but d'une *Encyclopédie* est de rassembler les connaissances éparses sur la surface de la terre, d'en exposer le système général aux hommes avec qui nous vivons, et de le transmettre aux hommes qui viendront après nous (...) Quand on vient à considérer la matière immense d'une *Encyclopédie,* la seule chose qu'on aperçoive distinctement, c'est que ce ne peut être l'ouvrage d'un seul homme. Et comment un seul homme, dans le court espace de sa vie, réussirait-il à connaître et à développer le système universel de la nature et de l'art ?
Encyclopédie (DIDEROT), art. *Encyclopédie.*

3   L'*Encyclopédie* est un monument qui honore la France ; aussi fut-elle persécutée dès qu'elle fut entreprise. Le discours préliminaire qui la précéda était un vestibule d'une ordonnance magnifique et sage, qui annonçait le palais des sciences ; mais il avertissait la jalousie et l'ignorance de s'armer. On décria l'ouvrage avant qu'il parût ; la basse littérature se déchaîna ; on écrivit des libelles diffamatoires contre ceux dont le travail n'avait pas encore paru. Mais à peine l'*Encyclopédie* a-t-elle été achevée que l'Europe en a reconnu l'utilité ; il a fallu réimprimer en France et augmenter cet ouvrage immense qui est de vingt-deux volumes in-folio (...)
VOLTAIRE, Dict. philosophique, Introd. aux questions sur l'Encyclopédie.

Par ext. Ouvrage qui traite de toutes les matières d'un domaine. *Une encyclopédie des sciences médicales. Encyclopédie du Droit romain* (→ 1. Digeste, cit.). ⇒ **Somme, traité.** *Encyclopédie des jeux, des vins.*
Une encyclopédie en dix volumes. Acheter une encyclopédie, une encyclopédie de (un domaine). *Consulter diverses encyclopédies. Une grande encyclopédie anglaise, allemande. Une petite encyclopédie en un volume. Lire un article* dans une encyclopédie.*
La partie encyclopédique (d'un texte). *L'encyclopédie et les noms propres, et la langue, dans un dictionnaire.*
Didact. Le texte encyclopédique, dans sa structure. → Polygraphie, cit. Barthes.

♦ **3.** Fig. *Une encyclopédie vivante :* une personne aux connaissances extrêmement étendues en toute espèce de matière. *Sa tête est une véritable encyclopédie.*

4   Tous ces goûts, tous ces talents divers, tous ces arts d'agrément, tous ces métiers (car elle n'omettait pas même les métiers), faisaient d'elle *(Mme de Genlis)* une Encyclopédie vivante, qui se piquait d'être la rivale et l'antagoniste de l'autre *Encyclopédie* (...)   SAINTE-BEUVE, Causeries du lundi, 14 oct. 1850, t. III, p. 20.

DÉR. Encyclopédique, encyclopédisme, encyclopédiste.

ENCYCLOPÉDIQUE [ɑ̃siklɔpedik] adj. — 1755, « qui recouvre toutes les connaissances » ; de *encyclopédie.*

♦ **1.** Qui embrasse l'ensemble des connaissances. *Un savoir encyclopédique. Une culture encyclopédique.* ⇒ **Universel.**

♦ **2.** Qui concerne l'encyclopédie (2.). *Dictionnaire encyclopédique,* qui fait connaître les choses et analyse les concepts (opposé à *dictionnaire de langue).* Par ext. *Partie encyclopédique et partie linguistique d'un article de dictionnaire* (encyclopédique). *Discours encyclopédique et discours lexicographique.*

1   Qu'il consulte seulement le *Journal encyclopédique* du mois d'avril 1758, journal que je regarde comme le premier des cent soixante-treize journaux qui paraissent tous les mois en Europe (...)   VOLTAIRE, l'Écossaise, À MM. les Parisiens.
Didact. Qui a le caractère rationnel et référentiel descriptif des encyclopédies (par oppos. au caractère formel et sémantique du

dictionnaire de langue). *Cette définition est trop encyclopédique.* ⇒ aussi **Terminologique.**

♦ **3.** (Mil. XIXe). Fig. D'un savoir extrêmement étendu.

Ziegler avait un cerveau encyclopédique, comme la plupart des artistes de la Renaissance. Il touchait à tout dans les choses de l'esprit, et sa curiosité vagabonde profitait, peut-être un peu au détriment de son art, des loisirs que lui faisait une médiocrité dorée.   Th. GAUTIER, Portraits contemporains, p. 277.   2

(...) séduit par les grâces de ce génie encyclopédique, de ce génie qui a failli perdre la France et qui finira peut-être par la sauver un jour.   3
G. DUHAMEL, le Temps de la recherche, VIII, p. 111.

Par plais. *Une ignorance encyclopédique,* totale, universelle.

En dehors de ce que, paraît-il, les Français ne savent pas un mot de géographie (...) on reproche également à nos compatriotes leur ignorance véritablement encyclopédique en matière de langues étrangères.   4
A. ALLAIS, Contes et Chroniques, p. 275 (1890).

ENCYCLOPÉDISME [ɑ̃siklɔpedism] n. m. — 1801 ; de *encyclopédie.*

♦ **1.** Vx. Système des encyclopédistes*.

♦ **2.** (1864). Mod. Tendance à l'accumulation systématique des connaissances dans diverses branches du savoir. « *L'encyclopédisme qui caractérisait l'enseignement primaire* » *(le Monde,* 6 avr. 1969). *L'encyclopédisme est par définition polytechnique* (cit. 1).

ENCYCLOPÉDISTE [ɑ̃siklɔpedist] n. — 1683 ; de *encyclopédie.*

♦ **1.** Vx. Personne qui possède des connaissances étendues dans tous les domaines.

♦ **2.** (1755). Mod. Auteur, collaborateur d'une encyclopédie. Spécialt, n. m. pl. Se dit des philosophes et écrivains du XVIIIe siècle qui collaborèrent à l'*Encyclopédie* de Diderot et d'Alembert ou en partageaient les idées.

Criaillez tant que vous voudrez contre les encyclopédistes.   1
VOLTAIRE, Lettre à Richelieu, 23 août 1765.

(...) les jésuites ne m'aimaient pas, non seulement comme encyclopédiste, mais (...)   2
ROUSSEAU, les Confessions, XI.

On rationalisa de plus en plus les problèmes artistiques — comme les encyclopédistes rationalisaient les problèmes religieux.   3
MALRAUX, les Voix du silence, p. 88.

Adj. (1870). *L'école encyclopédiste du XVIIIe siècle.*

Il appartenait à cette cohorte de praticiens illustres dont j'ai parlé déjà dans mes cahiers et qui, frappés par les erreurs de la France encyclopédiste et par sa défaite en 1870, s'étaient jetés d'abord dans la spécialisation avec une sorte de rigueur furieuse.   G. DUHAMEL, la Pesée des âmes, VIII, p. 195.   4

ENDAUBER [ɑ̃dobe] v. tr. — 1836 ; de *en-, daube,* et suff. verbal.

♦ Cuis. Mettre en daube. *Endauber une volaille.*

-ENDE ⇒ -ande.

ENDÉANS [ɑ̃deɑ̃] prép. — 1387, à Tournai ; de *en-, de,* et anc. franç. *enz* « dedans ».

♦ Vx ou régional (Belgique), et didact. (droit, admin.). Dans l'intervalle, le délai de... « *Nos pralines (...) doivent être consommées endéans la huitaine* » *(Publicité belge,* janv. 1976). « *Il faut proscrire* endéans *et dire :* dans les vingt-quatre heures, dans le délai d'un mois, etc. » (G. Hanse, *Nouveau dict. des difficultés du franç. mod.,* 1983, p. 391).

EN-DEÇÀ [ɑ̃d(ə)sa] loc. prép. ⇒ **Deçà.**

EN-DEHORS [ɑ̃dəɔR] n. m. invar. — D. i. (attesté XXe) ; de *en,* et *dehors.*

♦ Danse. Position des jambes et des pieds, produite par la rotation de l'articulation de la hanche vers l'extérieur. *L'en-dehors, position artificielle, élimine les déplacements disgracieux de la ligne des hanches et donne une plus grande liberté de mouvement aux danseurs.*

ENDÉMICITÉ [ɑ̃demisite] n. f. — 1844 ; du rad. de *endémique.*

♦ Didact. Caractère d'une maladie endémique.

ENDÉMIE [ɑ̃demi] n. f. — 1495 ; du grec *endêmon nosêma,* proprt « maladie indigène », d'après *épidémie.*

♦ Didact. Présence habituelle d'une maladie dans une région déterminée, soit d'une façon constante, soit à des époques particulières (⇒ **Épidémie**).

DÉR. Endémique.

ENDÉMIQUE [ãdemik] adj. — 1586; de *endémie*.

♦ **1.** Qui a un caractère d'endémie. *Cette affection, cette fièvre est endémique dans ce pays, dans cette région.*

♦ **2.** (1808). Fig. Qui sévit constamment dans un pays, un milieu. *Un chômage* (cit. 3) *endémique. La violence devient endémique. — À l'état endémique.*

(...) jalousie (maladie endémique du monde littéraire...)
A. THIBAUDET, Gustave Flaubert, p. 66.

♦ **3.** Biol. *Espèce endémique,* et, ellipt., *une endémique :* espèce (animale ou végétale) localisée sur une aire restreinte.

DÉR. Endémicité, endémisme.

ENDÉMIQUEMENT [ãdemikmã] adv. — 1952, *in* T.L.F.; de *endémique*.

♦ Didact. D'une manière endémique, constante.

Je sens déjà une espèce de lassitude constante qui s'est endémiquement emparée de moi.
Henri CHARRIÈRE, Papillon, p. 257.

ENDÉMISME [ãdemism] n. m. — 1908; de *endémique*.

♦ Didact. Caractère d'une maladie endémique (1.). — Spécialt (biol.). Caractère d'une espèce endémique (3.).

ENDENTÉ, ÉE [ãdãte] adj. — Av. 1134, Ph. de Thaon; de *endenter*.

♦ **1.** Rare. (Choses ou personnes). Pourvu de dents. « *Les mâchoires vigoureusement endentées* » (Baudelaire). — (1668). Fig. et vx. (Personnes). *Bien endenté :* pourvu d'un solide appétit.

♦ **2.** (V. 1234). Blason. Composé de triangles de couleurs alternés. *Écu endenté.*

♦ **3.** (Fin XVIIIᵉ). Mar. Se dit des navires, lorsqu'ils sont disposés en deux lignes parallèles, ceux de la première ligne se trouvant au milieu des intervalles séparant ceux de la seconde. — *Ligne endentée* (ou *endentement*).

CONTR. Édenté.
HOM. Endenter.

ENDENTEMENT [ãdãtmã] n. m. — 1792; de *endenter*.

♦ **1.** (1864). Rare. Action d'endenter; état de ce qui est endenté. *L'endentement d'une fourche.*

♦ **2.** Techn. Assemblage de deux pièces de bois à parties saillantes et rentrantes (dents). Syn. vx (1701) : *endente,* n. f.

♦ **3.** Mar. anc. Ligne endentée (de navires).

ENDENTER [ãdãte] v. tr. — V. 1119, «garnir de saillies semblables à des dents»; de *en-*, et *dent*.

Technique.

♦ **1.** (1690). Garnir de dents (une roue, une machine...).

♦ **2.** (1792). Assembler (deux pièces) au moyen de dents. ⇒ **Emboîter, encastrer, enchâsser; endentement,** 2.

♦ **3.** Mar. Disposer (des navires) en ligne endentée*.

CONTR. Édenter.
DÉR. Endenté, endentement.
HOM. Endenté.

ENDERMIQUE [ãdɛrmik] adj. — 1833, *méthode endermique;* de *en-*, *derme*, et suff. *-ique.*

♦ Méd. Se dit d'un médicament qui, appliqué sur la peau, la traverse et agit en profondeur.

ENDETTÉ, ÉE [ãdete] adj. ⇒ **Endetter.**

ENDETTEMENT [ãdetmã] n. m. — 1611, *endebtement;* de *endetter.*

♦ Fait de s'endetter ou d'être endetté. *L'endettement de qqn, son endettement. Avoir un endettement important auprès d'une banque, d'un prêteur.* ⇒ **Dette.** *Un endettement de plusieurs millions.*

Spécialt. *Endettement (public) :* total de tous les emprunts contractés par l'État, les collectivités publiques, les entreprises nationalisées.

ENDETTER [ãdete] v. tr. — V. 1180; de *en-*, *dette*, et suff. verbal.

♦ Charger (qqn) de dettes*, engager dans des dettes. — (Sujet n. de personne). Rare. *Endetter qqn, l'endetter de telle somme. Endetter son ménage, son entreprise* (s'endetter). — (Sujet n. de chose, désignant la dépense qui endette). *L'achat de sa voiture l'a endetté.*

▶ **S'ENDETTER** v. pron.

Contracter, faire des dettes. *Il s'endette chaque jour davantage. S'endetter par des achats à crédit*. État qui s'endette pendant une guerre. Cette société s'est endettée de plusieurs millions.*

Or, comme un endetté, de qui proche est le terme
De payer à son maître ou l'usure ou la ferme,
Et n'ayant ni argent ni biens pour secourir
Sa misère au besoin, désire de mourir (...)
RONSARD, les Amours diverses, Pl., t. I, p. 282. 1

Elle s'endettait, elle payait : l'argent faisait la navette et tout allait (...)
ROUSSEAU, les Confessions, III. 2

▶ **ENDETTÉ, ÉE** p. p. adj.

Qui a des dettes. *Être endetté de dix mille francs, envers qqn. Il est très endetté. Des industriels endettés. Entreprises endettées.* — N. « *Les endettés parmi leurs huissiers* » (Saint-Exupéry, *Citadelle*, Œ., Pl., p. 652).

Les Rognes-Bouqueval, ruinés, endettés, après avoir laissé crouler la dernière tour du château, abandonnaient depuis longtemps à leurs créanciers les fermages de la Borderie, dont les trois quarts des cultures demeuraient en jachères.
ZOLA, la Terre, p. 38 (1887). 3

DÉR. Endettement.

ENDEUILLER [ãdœje] v. tr. — 1887; de *en-*, *deuil*, et suff. verbal.

♦ **1.** Plonger (qqn) dans le deuil. *La mort, le décès qui vient de l'endeuiller. Cette catastrophe a endeuillé tout le pays.* — Rare, sujet n. de personne.

Ils m'ont endeuillé en un tour de main. Ils ont tout fait à ma place, de sorte que j'osais à peine avoir du chagrin, par souci de ne pas forcer la dose.
Geneviève DORMANN, le Chemin des dames, p. 155. 1

♦ **2.** Fig. et littér. Emplir de tristesse, produire une impression de deuil.

Éclat et parfum purs de fleurs rouges et bleues,
Par quoi l'âme, qu'endeuille un ennui morfondu (...)
VERLAINE, Liturgies intimes, XV, « Dévotions ». 2

♦ **3.** (Sujet n. de chose). Revêtir d'une apparence de tristesse. *Quelques cyprès endeuillaient le paysage. — La brume, le soir endeuille la plaine* (→ Clair, cit. 3).

Sans fin donner naissance
À des passions sans corps
À des étoiles mortes
Qui endeuillent la vue. ÉLUARD, les Mains libres, I, Pl., t. I, p. 559. 3

▶ **S'ENDEUILLER** v. pron. — (Réfl.). *Le pays tout entier s'est endeuillé après la catastrophe.* — (Passif). Fig. *Le ciel, le paysage s'endeuille en hiver.*

▶ **ENDEUILLÉ, ÉE** p. p. adj.

♦ **1.** Qui éprouve ou manifeste la douleur du deuil. *Des orphelins endeuillés. — Un pays endeuillé après une catastrophe.* ⇒ **Deuil** (en).

♦ **2.** Empreint de tristesse. *Un paysage sombre* et endeuillé.*

CONTR. Égayer.

ENDÊVER [ãdeve] v. intr. — XIIᵉ, *enderver, endesver;* de *en-*, et anc. franç. *desver* «être fou», d'origine incertaine, peut-être apparenté à *resver* «rêver».

♦ Vx ou régional (fam.). Avoir un violent dépit (de qqch.). ⇒ **Rager.** *Il endêve de voir les succès de son rival. Faire endêver quelqu'un.* ⇒ **Enrager** (faire), **fâcher, tourmenter.**

(...) la bonne servante Perrine, qui était si bonne fille et que les enfants de chœur faisaient tant endêver (...) ROUSSEAU, les Confessions, III. 1

Cependant, la bonne créature (...) rappelait en souriant mes espiègleries; disait combien je la faisais endêver soit en cachant ses balais, soit en mettant des poids très lourds dans son panier quand elle s'apprêtait pour aller au marché.
FRANCE, le Petit Pierre, XXX, p. 216. 2

REM. L'adj. *endêvé* «endiablé, enragé» ne peut être considéré comme le p. p. du verbe, qui est intransitif. — La documentation atteste le p. prés. et adj. *endêvant : «Qu'il est endêvant de n'oser pas dire tout ce qu'on pense...»* (Jacquot et Colas duellistes, 15 [Cailleau], 1783, in D.D.L.).

ENDIABLÉ, ÉE [ãdjable] adj. — V. 1460; de *en-*, *diable*, et suff. *-é.*

♦ **1.** Vx. Possédé du diable. ⇒ **Démoniaque.**

Puis si tost que vostre moyne endiablé fut parti (...)
Satire MÉNIPPÉE, p. 445, *in* LITTRÉ. 1

Les chrétiens (...) adoptèrent les possessions du démon, et se vantèrent de chasser le diable (...) Peu à peu l'opinion s'établit que tous les hommes naissent endia- 2 blés et damnés ; étrange idée, sans doute, idée exécrable, outrage affreux à la Divinité (...) VOLTAIRE, Dialogues entre A, B, C, XXIV, III.

(Choses). Soumis à un sortilège. *« On nous a jeté un sort, c'est bien sûr, et nous ne sortirons d'ici qu'au grand jour. Il faut que cet endroit soit endiablé »* (Sand, *la Mare au diable*, 1846, p. 100). ⇒ **Ensorcelé.**

(Personnes). Qui est comme possédé d'un démon qui égare l'esprit. *Il faut que vous soyez vraiment endiablé pour soutenir cela !*

♦ **2.** Mod. Qui est d'une vivacité excessive ou fatigante. *Un enfant endiablé.* ⇒ **Diable ; infernal.** *Être endiablé après quelque chose*, la rechercher avec fureur. ⇒ **Enragé.**

3 C'est être bien endiablé après mon argent. MOLIÈRE, l'Avare, V, 3.

Qui a une vivacité, une activité exceptionnelle. ⇒ **Ardent, impétueux.** *Un esprit endiablé.* — *La verve endiablée des romans de Voltaire. Quelle allure endiablée !*

4 C'est (le cardinal Dubois) un homme d'affaires vif et passionné, entraînant, endiablé, terrible pour aller à son but (...) MICHELET, la Régence, *in* LITTRÉ.

N. *Un, une endiablée. Cette endiablée de fille.*

♦ **3.** Qui est d'une vivacité entraînante (musique, rythme). *Une danse endiablée.* → Charleston, cit. 1. *Ronde endiablée. Un ragtime endiablé. Le rythme endiablé d'un air de jazz.*

5 (Liszt) improvisa une csardas endiablée de son pays, fermant les yeux, faisant courir ses doigts, plaquant les accords, changeant de rythmes (...) CENDRARS, Bourlinguer, p. 397, *in* T. L. F.

CONTR. (Des sens 2 et 3) **Calme, doux ; endormant, lent.**

DÉR. et HOM. **Endiabler.**

ENDIABLER [ãdjable] v. — 1579 ; de *endiablé*, ou de *en-, diable*, et suff. verbal.

♦ **1.** V. tr. Vx. Posséder du démon ; soumettre à un sortilège (⇒ **Enchanter**) diabolique.

Par ext. Rendre ardent, furieux comme un démon. ⇒ **Enrager.** Spécialt (avec la valeur érotique de *diable** *au corps*). *« Lui, qu'une fougue de sang endiablait près des autres filles... »* (H. Pourrat, *in* T. L. F.).

♦ **2.** V. intr. Vx ou régional. Enrager. ⇒ **Endêver.** *Faire endiabler qqn.* ⇒ **Enrager.**

Et puis, c'est convenu, si l'on vient, je me nomme.
Ah ! vous endiablerez, mon vieux cousin maudit ! HUGO, Ruy Blas, IV, 2.

HOM. **Endiablé.**

ENDIAMANTÉ, ÉE [ãdjamãte] adj. — 1611 ; v. tr. « orner de diamants », 1584 ; de *en-, diamant*, et suff. adjectival *-é*.

♦ **1.** Qui est paré de bijoux en diamants. — Orné de diamants. *Mains, épaules endiamantées.*

1 C'était un lourd collier de cuivre, d'ambre et d'os, un bijou exotique sans valeur marchande qui ferait sourire de mépris des femmes endiamantées.
S. DE BEAUVOIR, les Mandarins, p. 341.

2 Les bustes endiamantés se multipliaient à l'infini, dans des paravents de miroirs.
Edmonde CHARLES-ROUX, l'Irrégulière, p. 501.

♦ **2.** Fig. Orné de choses qui brillent comme des diamants. *L'herbe était endiamantée de gouttes de rosée.* ⇒ **Constellé.**

3 (...) nous lançons des poignées de petites sauterelles dans la toile endiamantée des grandes araignées de velours noir (...)
M. PAGNOL, la Gloire de mon père, I, p. 145.

ENDIGUEMENT [ãdigmã] ou **ENDIGAGE** [ãdigaʒ] n. m. — 1827, *endiguement ; endigage*, 1829 ; de *endiguer.*

♦ **1.** Action d'endiguer ; son résultat. *L'endiguement des eaux, du courant. « La concession d'endigage portuaire accordée par l'administration »* (*le Nouvel Obs.*, 9 avr. 1973, p. 56). — *Un endiguement de terre.*

♦ **2.** Fig. Action de refréner ; son résultat. *L'endiguement des passions, de la violence.*

ENDIGUER [ãdige] v. tr. — 1827 ; de *en-, digue*, et suff. verbal.

♦ **1.** Contenir au moyen de digues. *Endiguer un fleuve.*
Par métaphore. Contenir comme entre des digues.

a (Le sujet désigne des choses immobiles.)

1 La colonne, endiguée entre de sombres façades, avançait toujours, d'un glissement lent, implacable. MARTIN DU GARD, les Thibault, t. VII, p. 65.

b (Av. 1890). Sujet animé. *Un barrage d'agents endiguait le flot des manifestants.* ⇒ **Barrer** (le passage), **contenir, opposer** (à), **retenir ; obstacle** (faire).

c Arrêter, interrompre (une expression assimilée à un flot). *Endiguer le flot des paroles.*

♦ **2.** (1870). Abstrait. Retenir, réprimer (un courant, une force qui tend à déborder). *Endiguer la révolution, la marche des événements, du progrès.* ⇒ **Arrêter, empêcher, enrayer.**

2 Le courant (de l'opinion royaliste) était trop fort pour qu'une poignée d'hommes

raisonnables pussent, même pour l'instant, l'endiguer, à plus forte raison le faire reculer. Louis MADELIN, Talleyrand, IV, XXXIII, p. 359.

3 (...) de même qu'ils avaient évité, d'un tacite accord, et jusqu'à la minute de la séparation, tout geste, toute parole, qui eût pu rompre leurs volontés, et faire crever ce chagrin qu'ils endiguaient avec tant de peine.
MARTIN DU GARD, les Thibault, t. III, p. 103.

▶ **S'ENDIGUER** v. pron.

4 (...) le cours de l'esprit humain s'endigue entre deux murailles qu'on ne franchira plus : l'industrie et la vente. MAUPASSANT, la Vie errante, I, p. 8.

CONTR. **Lâcher, libérer.**

DÉR. **Endiguement.**

ENDIMANCHÉ, ÉE [ãdimãʃe] adj. — 1611 ; p. p. de *endimancher.*

♦ **1.** Qui a mis des habits réservés pour le dimanche, pour les jours où l'on ne travaille pas. *Paysans, ouvriers, bourgeois endimanchés. Une foule endimanchée.* — REM. Ce mot, comme le verbe *endimancher*, suppose un jugement social négatif, au moins condescendant, à l'égard de ceux qui éprouvent le besoin de changer d'apparence — et de tenter de s'identifier aux classes jugées supérieures — les jours de repos. Il s'applique surtout aux hommes et aux enfants, toujours à des classes (relativement) inférieures. C'est contre ces connotations que réagit Proust (→ Endimanchement, cit. 2).

1 Dans la rue, des couples de gens du peuple passaient, endimanchés, s'en allant sur les routes et dans les bois comme au printemps.
LOTI, Mon frère Yves, LXXVIII, p. 181.

1.1 Je sais maintenant pourquoi il (Dufferein-Chautel) a l'air scrin ! C'est qu'il porte ses vêtements un peu comme des « habits de fête », avec une gaucherie indélébile et sympathique, en beau paysan endimanché. COLETTE, la Vagabonde, p. 145.

Par métonymie. *« Dans la cour endimanchée, les types ont leurs têtes des jours de sortie »* (Sartre, *la Mort dans l'âme*, p. 244). (1818, Stendhal). Qui est mal à l'aise, gêné dans des vêtements inhabituels et apprêtés. *Être endimanché, avoir l'air endimanché.* → Merde, cit. 2.

2 (...) ce costume ne te va pas, où as-tu été le pêcher ? C'est terrible comme ta vulgarité ressort quand tu es endimanché. SARTRE, l'Âge de raison, p. 140.

N. (Rare). *Des endimanchés.*

♦ **2.** Fig. Sans naturel, gauche ou maladroitement maniéré. *« Une bêtise endimanchée »* (Goncourt). *Un style endimanché.*

3 Vous avez trouvé le moyen de remplir six pages en restant constamment en dehors du sujet. Mais le plus insupportable est ce ton endimanché que vous avez cru devoir adopter. M. AYMÉ, le Passe-muraille, p. 145 (1943).

♦ **3.** Vieilli. (Du vêtement). Du dimanche. *Une tenue endimanchée et ridicule.*

ENDIMANCHEMENT [ãdimãʃmã] n. m. — 1843 ; de *endimancher.*

♦ Rare. Action d'endimancher ; fait de s'endimancher. — Costume d'une personne endimanchée.

1 (...) l'endimanchement des uns réagit si bien sur les autres, que les gens les plus habitués à porter des habits convenables ont l'air d'appartenir à la catégorie de ceux pour qui la noce est une fête comptée dans leur vie.
BALZAC, la Cousine Bette, Pl., t. VI, p. 260.

2 Ainsi allait (Mme Laudet) de table en table (...) dans cette robe verte qui n'était qu'une des fleurs de ce joyeux printemps social, de (cette) floraison de l'humanité heureuse aux mille couleurs, qui s'appelle l'endimanchement. Mot que prononcera sûrement avec une nuance de mépris la femme du monde qui ce jour-là croit devoir mettre sa robe la plus simple, avec une irritation même qui trahit simplement le malaise qu'elle éprouve, ne daignant pas, ne pouvant pas s'associer à la joie universelle du dimanche, à subir pourtant son influence, qui lui fait sentir par le besoin et l'absence de plaisir quelque chose de presque insultant dans le plaisir des autres. PROUST, Jean Santeuil, Pl., p. 350.

ENDIMANCHER [ãdimãʃe] v. tr. — 1572 ; de *en-, dimanche*, et suff. verbal.

♦ **1.** Habiller (qqn) avec des habits de fête. *Des enfants que leurs parents avaient endimanchés pour l'occasion.*
Habiller de façon pompeuse, apprêtée. ⇒ **Affubler, costumer.**

1 (...) pour nous habiller, on nous endimanchait ; l'austérité des coiffures, les couleurs violentes ou sucrées des satins et des taffetas éteignaient tous les visages.
S. DE BEAUVOIR, Mémoires d'une jeune fille rangée, p. 152.

(Le sujet désigne le vêtement). *Un superbe costume à gilet et une cravate l'endimanchaient.*

♦ **2.** (1831, Balzac). Parer, orner d'une manière apprêtée, un peu ridicule. *Endimancher un lieu, une salle.* — (Abstrait). *Endimancher son style.*

▶ **S'ENDIMANCHER** v. pron. (plus cour. que l'actif). *Ils se sont tous endimanchés pour aller au baptême, à la réception.* → Se mettre sur son trente*-et-un.

2 Toute cette famille s'endimanche autant que ses moyens le lui permettent ; souvent un petit fichu en madras et un tablier neuf sont tout ce que la femme a pu ajouter à son costume de la semaine ; le mari a du linge blanc, et ce jour-là il met une cravate ; ses enfants ont des bas et des souliers, ne leur arrive pas tous les jours. Charles PAUL DE KOCK, la Grande Ville, t. I, p. 233 (éd. 1842).

Par métaphore :

3 Quand le maître se néglige et quand le disciple se soigne et s'endimanche ils se ressemblent (...)   SAINTE-BEUVE, Chateaubriand jugé par un ami intime en 1803.

CONTR. Laisser aller (se), **négliger** (se).
DÉR. Endimanché, endimanchement.

ENDIVE [ãdiv] n. f. — Déb. XIVᵉ, *indivie, endivi*; probablt du lat. impérial *intibum* « chicorée sauvage, endive », du grec *entubon*.

♦ **1.** Bot. *Endive* (ou *chicorée endive*) : espèce de chicorée comprenant la chicorée frisée et la scarole.

♦ **2.** (1878, *endive de Bruxelles*). Cour. Pousse blanche de la chicorée de Bruxelles *(witloof)* obtenue par forçage et étiolement. ⇒ **Chicon.** *Endives braisées, endives en salade. Endives au gratin; gratin d'endives.*

Ses endives auraient été lavées, épointées, avec le cœur taillé en cône pour éviter l'amertume ; elle les aurait mises à braiser, tout simplement.
Paul FOURNEL, les Grosses Rêveuses, p. 164-165.

Par compar. *Cet enfant relève de maladie, il est blanc comme une endive. Un teint d'endive,* pâle, maladif.

ENDIVISIONNEMENT [ãdivizjɔnmã] n. m. — 1838 ; de *endivisionner.*

♦ Techn. (milit.). Action d'endivisionner ; son résultat.

ENDIVISIONNER [ãdivizjɔne] v. tr. — 1871 ; de *en-, division,* et suff. verbal.

♦ Techn. (milit.). Organiser en division (des unités militaires).

DÉR. Endivisionnement.

ENDO- Élément, du grec *endon* « en dedans », entrant dans la composition de nombreux mots savants (voir à l'ordre alphab.). On peut signaler en outre les adj. : *endocellulaire* (qui se trouve à l'intérieur de la cellule); *endocentrique* (se dit d'une construction grammaticale dont la fonction est identique à celle de l'un au moins de ses constituants); des subst. ⇒ **Endolymphe, endophlébite.**

CONTR. Ecto-, exo-.

ENDOBLASTE [ãdoblast] n. m. — 1905, in *Rev. gén. des sc.*, nᵒ 8, p. 383 ; de *endo-,* et *-blaste.*

♦ Biol. ⇒ **Endoderme** (2.). — REM. Ce mot tend à être plus utilisé que son synonyme.

ENDOCARDE [ãdokaʀd] n. m. — 1841 ; de *endo-,* et *-carde.*

♦ Anat. Tunique interne du cœur.
DÉR. Endocardite.

ENDOCARDITE [ãdokaʀdit] n. f. — 1836 ; de *endocarde.*

♦ Méd. Inflammation de l'endocarde, aiguë ou chronique.

ENDOCARPE [ãdokaʀp] n. m. — 1808 ; de *endo-,* et *carpe.*

♦ Bot. Partie interne du fruit la plus proche de la graine. *Endocarpe noir; lignifié* (⇒ **Noyau**).

ENDOCRÂNE [ãdokʀan] n. m. — 1912, in T.L.F. ; de *endo-,* et *crâne.*

♦ Anat., méd. Intérieur du crâne.
DÉR. Endocrânien.

ENDOCRÂNIEN [ãdokʀanjẽ] adj. — 1964, in T.L.F. ; de *endo-, crâne.*

♦ Anat., méd. Qui concerne l'intérieur du crâne. *Tumeur endocrânienne.*

La considération de moulages endocrâniens de l'Australopithèque, du Pithécanthrope, du Néanderthalien ou de l'homme actuel montre entre les différentes parties des différences de proportions qui affectent surtout les lobes frontaux.
A. LEROI-GOURHAN, le Geste et la Parole, t. I, p. 118.

ENDOCRINE [ãdokʀin] adj. f. ou m. — 1919 ; de *endo-,* et grec *krinein* « sécréter ».

♦ Biol. Se dit des glandes à sécrétion interne dont les produits sont déversés directement dans le sang (ex. : *l'hypophyse, la thyroïde*).

1 D'autres glandes, désignées celles-là sous le nom de glandes à sécrétion interne ou glandes endocrines, parce qu'elles sont dépourvues de canal excréteur, déversent directement dans le sang leurs produits de sécrétion appelés hormones.
P. VALLERY-RADOT, Notre corps..., p. 102.

2 Il est probable que les activités nerveuses et psychologiques dépendent simultanément de l'état du cerveau et des substances libérées dans l'appareil circulatoire par les glandes endocrines, et que le sang porte aux cellules de l'encéphale.
Alexis CARREL, l'Homme, cet inconnu, p. 185.

CONTR. Exocrine.
DÉR. Endocrinien, endocrinologie.

ENDOCRINIEN, IENNE [ãdokʀinjẽ, jɛn] adj. — 1922 ; de *endocrine.*

♦ Biol. Relatif aux glandes endocrines. *Le système endocrinien. Troubles endocriniens.*

COMP. Neuro-endocrinien.

ENDOCRINOLOGIE [ãdokʀinɔlɔʒi] n. f. — 1915 ; de *endocrin(e),* et *-logie.*

♦ Didact., sc. Partie de la physiologie et de la médecine qui étudie les glandes endocrines et leurs maladies.

Leur découverte *(des hormones)* et leur étude, qui ne datent que du début du XXᵉ siècle, a créé toute une branche de la physiologie, qui en forme aujourd'hui un des domaines les plus féconds et les plus importants, l'*endocrinologie.*
Maurice CAULLERY, les Étapes de la biologie, p. 93.

DÉR. Endocrinologue.

ENDOCRINOLOGUE [ãdokʀinɔlɔg] ou **ENDOCRINOLOGISTE** [ãdokʀinɔlɔʒist] n. — 1965, *endocrinologue; endocrinologiste,* 1925 ; de *endocrinologie.*

♦ Didact. (sc.). Médecin spécialiste de l'endocrinologie, des glandes endocrines. *Une endocrinologue, une endocrinologiste de l'hôpital de Lyon.*

ENDOCTRINEMENT [ãdɔktʀinmã] n. m. — 1452 ; « enseignement, doctrine », v. 1170 ; de *endoctriner.*

♦ Vx. Instruction, enseignement. — Mod. Action, manière d'endoctriner.

La radio, qui pénètre dans l'intimité de presque toutes les maisons, est, pour un gouvernement, et quel que soit ce gouvernement, un très puissant moyen de pression ou même d'endoctrinement.
G. DUHAMEL, Manuel du protestataire, VI, p. 161.

ENDOCTRINER [ãdɔktʀine] v. tr. — V. 1165 ; de *en-, doctrine,* et suff. verbal.

♦ **1.** Vx. Mettre (qqn) en possession d'un enseignement, lui enseigner une science, des connaissances. ⇒ **Instruire.**

1 Je m'étais imaginé que les pédagogues dont j'avais fait choix pour endoctriner le fils de la Génoise y perdraient leur latin, le croyant à son âge un sujet peu disciplinable ; néanmoins, je me trompai.   A. R. LESAGE, Gil Blas, XII, VI.

2 Écoutez un petit bonhomme qu'on vient d'endoctriner ; laissez-le jaser, questionner, extravaguer à son aise, et vous allez être surpris du tour étrange qu'ont pris vos raisonnements dans son esprit (...)   ROUSSEAU, Émile, II.

Vx. Munir (qqn) d'instructions précises, de renseignements et d'indications nécessaires. *Endoctriner soigneusement un messager, un enfant qu'on charge d'une commission.*

3 (...) je vais vous envoyer le chérubin; coiffez-le, habillez-le ; je le renferme et l'endoctrine (...)   BEAUMARCHAIS, le Mariage de Figaro, II, 2.

♦ **2.** (1743). Mod. Chercher à gagner (qqn) à une doctrine, à une opinion, à un point de vue. ⇒ **Catéchiser, chambrer, circonvenir ; leçon** (faire la leçon). *Endoctriner les futurs citoyens* (→ Assigner, cit. 9). *Endoctriner des électeurs.*

4 Il était naturel que les *utilitaires* fissent appel aux écrivains et aux artistes dont le prestige était considérable, et qu'ils tentassent de les endoctriner.
Th. GAUTIER, Préface de Mˡˡᵉ de Maupin, éd. critique MATORÉ, p. 33.

▶ **ENDOCTRINÉ, ÉE** p. p. adj. *Une personne, une population endoctrinée.* — N. « *Les bourgeois, les endoctrinés et les soi-disant lettrés* » (V. Larbaud).

DÉR. Endoctrinement, endoctrineur. — REM. L'adj. *endoctrinant, ante,* est attesté (Lacan, *Écrits,* p. 264).

ENDOCTRINEUR, EUSE [ãdɔktʀinœʀ, øz] n. — Fin XIIᵉ ; de *endoctriner.*

♦ Rare. Personne qui endoctrine, cherche à endoctriner.

ENDODERME [ãdodɛʀm] n. m. — 1855 ; de *endo-,* et *-derme.*

♦ **1.** Bot. Couche la plus interne de l'écorce.

♦ **2.** (1890 ; all., 1877). Biol. Couche ou feuillet interne du troisième stade de développement de l'embryon (⇒ **Gastrula**), dont le développement donne l'intestin primitif et la vésicule ombilicale (⇒ aussi

Ectoderme, mésoderme). — REM. L'usage scientifique moderne préfère le synonyme *endoblaste*.

DÉR. Endodermique.

ENDODERMIQUE [ãdodɛʀmik] adj. — 1877 ; de *endoderme*.

♦ Biol. Qui appartient à l'endoderme. *Tissus d'origine endodermique.*

ENDODONTE [ãdodɔ̃t] n. m. — xxᵉ ; de *endo-*, et suff. *-odonte*, du grec *odous, odontos*.

♦ Didact. (histol.). «Ensemble des tissus propres à la dent : émail, dentine et pulpe» (*Dict. odonto-stomatologique*, Suppl. nᵒ 19, juil. 1967).

DÉR. Endodontie.

ENDODONTIE [ãdodɔ̃si] n. f. — xxᵉ ; de *endodonte*.

♦ Didact. (méd. dentaire). Traitement interne de la dent (opposé à *exodontie*).

DÉR. Endodontique.

ENDODONTIQUE [ãdodɔ̃tik] adj. — xxᵉ ; de *endodontie*.

♦ Didact. De l'endodontie. *Thérapeutique endodontique.*

ENDOGAME [ãdogam] adj. et n. — 1893 ; de *endo-*, et *-game*.

♦ Sociol. Qui pratique l'endogamie. *Les peuples endogames.*

CONTR. Exogame.

ENDOGAMIE [ãdogami] n. f. — 1893 ; angl. *endogamy*, 1865, de *endo-*, et *-gamy.* → Endo-, et *-game, -gamie.*

♦ **1.** Sociol. Obligation, pour les membres de certaines tribus, de se marier dans leur propre tribu.

♦ **2.** Biol. Mode de reproduction sexuée par fécondation entre deux gamètes provenant d'un même individu *(autogamie),* ou entre individus apparentés (par oppos. à *allogamie*). ⇒ **Consanguin.**

CONTR. Exogamie.
DÉR. Endogamique.

ENDOGAMIQUE [ãdogamik] adj. — 1893 (→ Exogamique) ; de *endogamie*.

♦ Didact. (ethnol.). Relatif à l'endogamie.

CONTR. Exogamique.

ENDOGÈNE [ãdoʒɛn] adj. — 1813 ; de *endo-*, et *-gène.* Didactique.

♦ **1.** Qui prend naissance à l'intérieur d'un corps, d'un organisme ; qui est dû à une cause interne. *Intoxication endogène. Pigment endogène. Affection, agression endogène.* — Qui se développe à l'intérieur de l'organisme, d'un organe. — Bot. *Organes endogènes :* organes nés de cellules situées dans la profondeur des tissus.

♦ **2.** Géol. *Roche endogène :* roche dont la matière vient des profondeurs de l'écorce terrestre ; «roche d'origine interne ou éruptive» (Haug).

♦ **3.** Qui vient de l'intérieur. ⇒ **Interne.** *Causes endogènes,* en économie.

CONTR. Exogène.

ENDOGLOBULAIRE [ãdoglobylɛʀ] adj. — 1904, in *Rev. gén. des sc.,* nᵒ 3, p. 159 ; de *endo-*, et *globulaire*.

♦ Biochim. Qui est situé à l'intérieur d'un globule.

ENDOGNATHIE [ãdognati] n. f. — xxᵉ ; de *endo-*, et *-gnathie.*

♦ Didact. Déformation de la mâchoire par étroitesse du maxillaire. «*Endognathie bi-maxillaire*» (P.-L. Rousseau, *les Dents*).

CONTR. Exognathie.

ENDOLORI, IE [ãdolɔʀi] adj. — 1762 ; p. p. de *endolorir*.

♦ Qui souffre, éprouve une douleur (en général, une douleur répandue mal délimitée). ⇒ **Douloureux.** *Être tout endolori, endolori dans tous ses membres, des pieds à la tête.* ⇒ **Perclus.** *Tête endolorie.*

1 Elle éprouvait le besoin de changer de place ses jambes, toujours endolories par la galopade forcenée de la veille.   MONTHERLANT, les Jeunes Filles, p. 122.

(1862). Par métaphore ou fig. Qui éprouve une douleur morale. *Les âmes endolories.*

2 Je n'étais plus un adolescent que le moindre chagrin cloue tout endolori sur les pentes molles de la jeunesse.   E. FROMENTIN, Dominique, p. 247.

3 Jacques cessa d'écouter ; il se sentait endolori, triste.
           MARTIN DU GARD, les Thibault, Pl., p. 833.

ENDOLORIR [ãdolɔʀiʀ] v. tr. — 1762 ; réfection, d'après le lat. *dolor*, de l'anc. v. *endoulourir* (1503) ; de *en-*, et *douleur*.

♦ (Rare). Rendre douloureux. *La marche avait endolori ses pieds.* — Pronominal :

1 (...) tous ses membres s'endolorissaient, il avait les muscles froissés, la peau meurtrie, comme au sortir des bras d'une amante de pierre.   ZOLA, l'Œuvre, p. 300.

REM. Le v. est surtout employé aux temps composés, au passif *(être endolori par qqch.)* et au p. p. → Endolori.

(1862). Fig. *Attrister, faire souffrir.*

2 Vous avez endolori mon âme.
           GIDE, les Nourritures terrestres, *in* Romans, Pl., p. 215.

3 Toujours endoloris par la défaite de 1870, les innombrables deuils causés par la guerre et toutes les ruines qui se relèvent lentement, beaucoup de gens ne trouvent de consolation que dans le sentiment religieux et d'espoir que dans la prière.
           Georges LECOMTE, Ma traversée, p. 20.

▶ **S'ENDOLORIR** v. pron. — Figuré :

4 Mon regard, mon esprit, ne se posaient nulle part, qu'ils ne trouvassent à s'égratigner et s'endolorir (...)   GIDE, Journal, 14 janv. 1929.

CONTR. **Calmer, panser, soulager.**
DÉR. Endolori, endolorissement.

ENDOLORISSEMENT [ãdolɔʀismã] n. m. — 1833 ; de *endolorir*.

♦ Littér. ou rare. État du corps, d'un membre endolori.

1 Il ne restait qu'une fatigue générale et qu'un endolorissement léger du côté souffrant.   GIDE, Journal, 3 mai 1916.

Figuré :

2 (...) sa voix, par moments, se faisait tremblante en exprimant par un mot ou seulement par une intonation l'endolorissement de son cœur.
           MAUPASSANT, Fort comme la mort, p. 35.

ENDOLYMPHE [ãdolɛ̃f] n. f. — 1855 ; de *endo-*, et *lymphe*.

♦ Anat. Liquide albumineux, clair, contenu dans le labyrinthe de l'oreille interne.

ENDOMÈTRE [ãdomɛtʀ] n. m. — 1922 ; de *endo-*, et grec *mêtra* «matrice». → Endométrite.

♦ Anat. Tissu qui tapisse la cavité utérine et dont les couches moyennes et superficielles sont éliminées par la menstruation si l'ovule n'est pas fécondé.

La phase cataméniale ou menstruation est essentiellement constituée par une hémorragie utérine. Pendant que l'organisme se débarrasse des hormones sexuelles, sur la paroi interne de l'utérus le sang commence à suinter par dépédèse, c'est-à-dire en s'insinuant à travers les parois des vaisseaux sanguins ; ceux-ci ne tardent pas à être rompus et bientôt l'endomètre lui-même se désagrège. La plus grande partie de la membrane est emportée par cette débâcle (...)
           Jules CARLES, la Fécondation, p. 42.

ENDOMÉTRITE [ãdometʀit] n. f. — 1867 ; de *endo-*, et *métrite*.

♦ Méd. Inflammation de l'endomètre. *L'endométrite est une cause de stérilité.*

ENDOMMAGEMENT [ãdomaʒmã] n. m. — xɪɪɪᵉ ; de *endommager*.

♦ Rare. Action d'endommager ; son résultat. *L'endommagement des récoltes par la grêle. Des endommagements assez graves.*

ENDOMMAGER [ãdomaʒe] v. tr. — Conjug. *bouger.* — V. 1165, *endamagier* ; de *en-*, *dommage*, et suff. verbal.

♦ Mettre en mauvais état ; faire subir des dégâts, des dommages à (qqch.). ⇒ **Abîmer, altérer, attaquer, avarier ; briser, dégrader, détériorer, écorcher, gâter, ravager.** *La grêle a endommagé les blés.* ⇒ **Hacher.** *La gelée a endommagé les fruits.* ⇒ **Atteindre, meurtrir.** *La guerre a endommagé ce château.* — *Cette perte a endommagé sa fortune.* ⇒ **Ébrécher, entamer.**

1 Nous étions à table ; ils ont dîné miraculeusement sur notre dîner, qui était déjà un peu endommagé.   Mᵐᵉ DE SÉVIGNÉ, Lettres, 1116, 3 janv. 1689.

2 On ne s'élève point à cette importante fonction sans endommager sa fortune (...)   DIDEROT, Essai sur les règnes de Claude et de Néron.

Rare. (Compl. n. de personne). Faire subir des dommages à (qqn), blesser, faire souffrir (souvent iron.). *Il «endommagerait des voyageurs sur la grande route»* (Hugo).

3 J'ai connu autour de moi beaucoup de souffrances qui n'étaient pas littéraires ou

figurées : elles endommageaient leurs hommes ainsi que la morve endommage un cheval.   Ch. PÉGUY, la République..., p. 27.

Fig. *Les scandales qui ont un peu endommagé sa réputation.*

▶ **ENDOMMAGÉ, ÉE** p. p. adj. *Récoltes endommagées (par la grêle). Voiture endommagée dans un accident* (⇒ **Accidenté**). *Acheter une maison, une ferme assez endommagée,* en mauvais état. — Fam., plais. Entamé, mis à mal (→ ci-dessus, cit. 1). — Fig. *Une réputation endommagée.* — Plais. (de personnes) :

4   Nous assistons à l'extraction de deux dames pas trop endommagées, mais pantelantes, de dessous l'auto retournée.
    GIDE, Carnets d'Égypte, *in* Souvenirs, Pl., p. 1049.

CONTR. Refaire, réparer, restaurer ; respecter. — (Du p. p.) **Indemne, sauf.**
DÉR. Endommagement.

ENDOMORPHE [ɑ̃dɔmɔʀf] adj. — 1893 ; de *endo-,* et *-morphe.*
Didactique.

♦ **1.** Géol. Qui a le caractère de l'endomorphisme (1.).
Il semble plus conforme aux faits d'expérience de supposer une différenciation des parties fluides alcalines et des parties lourdes basiques par simple *rochage.* Chacun des magmas (alcalins et ferro-magnésiens) suivrait ensuite ses voies propres, en modifiant sa composition par des actions endomorphes, suivant la nature des roches traversées.
    Émile HAUG, Traité de géologie, t. I, Structure et composition des roches d'origine interne, p. 312 (1927).

♦ **2.** (V. 1950 ; angl. *endomorph,* W. H. Sheldon). Qui est caractérisé par des formes rondes et trapues.
N. *Un, une endomorphe. Les endomorphes constituent l'un des trois biotypes* de Sheldon.* → aussi Ectomorphe, mésomorphe.

CONTR. (Du sens 1) **Exomorphe.**

ENDOMORPHIQUE [ɑ̃dɔmɔʀfik] adj. — 1903, *in Rev. gén. des sc.,* n° 2, p. 106 ; de *endo-,* et *-morphique.*
Didactique.

♦ **1.** Géol. De caractère endomorphe. « *Modifications endomorphiques du granite* » (*la Terre,* 1959).

♦ **2.** Du type endomorphe (2.).

CONTR. (Du sens 1) **Exomorphique.**

ENDOMORPHISME [ɑ̃dɔmɔʀfism] n. m. — 1893, *in* Encycl. Berthelot ; de *endo-,* et *-morphisme.*
Didactique.

♦ **1.** Géol. Changement de nature d'une roche endogène au contact d'une roche qu'elle traverse. ⇒ **Métamorphisme.**

1   On appelle exomorphisme l'étude du métamorphisme de contact, et endomorphisme l'étude des anomalies constatées à l'intérieur du granite.
    P. LAFFITTE, Roches plutoniques, *in* Encycl. Pl., la Terre, p. 749.

♦ **2.** (V. 1950 ; angl. *endomorphism,* W. H. Sheldon). Morphologie de l'endomorphe (2.).

2   Enfin, Sheldon a établi la corrélation de ces trois types morphologiques avec trois types psychophysiologiques dégagés statistiquement de cinquante traits de cette nature : il a trouvé ainsi que l'*endomorphisme* allait avec la *viscérotonie,* le *mésomorphisme* avec la *somatotonie* et l'*ectomorphisme* avec la *cérébrotonie.*
    Pierre GRAPIN, l'Anthropologie criminelle, p. 59-60.

♦ **3.** Math. Homomorphisme* d'un ensemble dans lui-même. *Endomorphisme bijectif.* ⇒ **Automorphisme.** « *Un endomorphisme dans E est un homomorphisme de E vers E pour la même opération* » (P. Longuet, *les Mathématiques en terminale,* p. 32).

CONTR. (Du sens 1) **Exomorphisme.**

ENDONÉPHRITE [ɑ̃donefʀit] n. f. — XIXᵉ ; de *endo-,* et *néphrite.*

♦ Méd. Inflammation de la membrane qui tapisse le bassinet du rein.

ENDOPARASITE [ɑ̃dopaʀazit] n. m. — 1877 ; de *endo-,* et *parasite.*

♦ Didact. Parasite végétal ou animal vivant dans l'intérieur de l'organisme : tube digestif, appareil circulatoire, etc. (opposé à *ectoparasite*). ⇒ **Endophage, endophyte.** — Adj. *Organismes endoparasites.*

CONTR. Ectoparasite.
DÉR. Endoparasitisme.

ENDOPARASITISME [ɑ̃dopaʀazitism] n. m. — 1903, *in Rev. gén. des sc.,* n° 14, p. 779 ; de *endoparasite.*

♦ Didact. Mode de vie des endoparasites.

ENDOPHAGE [ɑ̃dofaʒ] adj. et n. m. — XXᵉ ; de *endo-,* et *-phage.*

♦ Biol. Se dit d'un parasite qui se développe dans le corps de son

hôte, ou d'un insecte qui pénètre dans une plante pour en tirer sa nourriture. — N. *Un endophage.* ⇒ **Endoparasite.**

ENDOPHASIE [ɑ̃dofazi] n. f. — XXᵉ ; de *endo-,* et *phasie.*

♦ Psychol., ling. Langage* (I., 1.) intérieur.

ENDOPHLÉBITE [ɑ̃doflebit] n. f. — 1905, *in Rev. gén. des sc.,* n° 8, p. 400 ; de *endo-,* et *phlébite.*

♦ Pathol. Inflammation de la tunique interne des veines.

ENDOPHYTE [ɑ̃dofit] n. m. et adj. — 1904, *in Rev. gén. des sc.,* n° 5, p. 273 ; de *endo-,* et *-phyte.*

♦ Biol. Parasite végétal qui vit dans le corps de son hôte. ⇒ **Ectophyte.**
Adj. (1904, *in Rev. gén. des sc.,* n° 6, p. 320). *Des champignons endophytes.*

ENDOPLASME [ɑ̃doplasm] n. m. — 1903, *in Rev. gén. des sc.,* n° 21, p. 1102 ; de *endo-,* et *-plasme.*

♦ Biol. Portion centrale du cytoplasme, chez les amibiens.

CONTR. Ectoplasme (1.).

ENDORÉIQUE [ɑ̃doʀeik] adj. — Mil. XXᵉ (1956) ; de *endoréisme.*

♦ Géogr. Se dit des régions où le réseau hydrographique ne se raccorde pas au niveau de la mer et où les eaux se perdent dans les terres (plaine d'épandage, lac intérieur).

CONTR. Exoréique.

ENDORÉISME [ɑ̃doʀeism] n. m. — Mil. XXᵉ (1956) ; de *endo-,* et grec *rhein* « couler ».

♦ Géogr. Caractère d'une région endoréique*.

CONTR. Exoréisme.
DÉR. Endoréique.

ENDORMANT, ANTE [ɑ̃dɔʀmɑ̃, ɑ̃t] adj. — 1558 ; p. prés. de *endormir.*

♦ **1.** Qui endort. *Balancement, bruit endormant.* ⇒ **Berçant.** — (Vx). *Médicament endormant, drogue endormante.* ⇒ **Assoupissant, somnifère, soporifique.**

1   Ce ne sera pas une petite affaire pour moi que la prise des eaux, qui sont, dit-on, fort endormantes et avec lesquelles néanmoins il faut absolument s'empêcher de dormir.   BOILEAU, Lettre à Racine, IV.

♦ **2.** (1845). Mod. Qui donne envie de dormir à force d'ennui. ⇒ **Ennuyeux, fastidieux.** *Discours, sermon endormant. Il est endormant avec sa manie de vouloir tout expliquer* (⇒ fam. **Casse-pied, rasoir**).

2   M. Ponto avait un faible pour les pièces endormantes, en ce siècle, les pièces endormantes se font de plus en plus rares, non que la prose de nos auteurs dramatiques soit moins chargée de qualités soporifiques que celle des vieux écrivains du siècle dernier, mais parce que nos dramaturges actuels ont soin de garnir leurs pièces de clous nombreux et de semer leur prose — ou leurs vers — de coups de fusil, pistolet et mitrailleuse, de pendaisons, guillotinades, dissections et autres attractions qui tiennent forcément l'esprit en éveil.
    A. ROBIDA, le Vingtième Siècle, p. 93.

CONTR. Excitant, stimulant. — **Intéressant, passionnant.**

ENDORMEMENT [ɑ̃dɔʀməmɑ̃] n. m. — V. 1355, repris XIXᵉ ; de *endormir.*

♦ **1.** Vx. Le fait de s'endormir ; état de celui qui s'endort. ⇒ **Endormissement.**

0.1   Wagner a dépeint l'endormement par une musique qui devient *régulière,* répétée et dont le son s'approche peu à peu en descendant, d'un son non proféré et qui va de l'articulé à l'inarticulé.   VALÉRY, Cahiers, t. II, Pl., p. 22.

Par extension :

0.2   Dans son attitude (*de Mᵐᵉ Sand*), il y a une gravité, une placidité, quelque chose du demi-endormement d'un ruminant.
    Ed. et J. DE GONCOURT, Journal, t. II, p. 23.

♦ **2.** Mod. (fig. et littér.).

0.3   J'assiste encore au coucher des grives, au croule des bécasses, à l'endormement du bois.   J. RENARD, Journal, mars 1889.

1   Elle (*la neige*) tombait maintenant, du matin jusqu'au soir, par larges étoiles tourbillonnantes, avec un endormement de tout le paysage, et, dans les pièces tièdes du château, c'était un charme silencieux d'intimité (...)
    Paul BOURGET, le Disciple, p. 193.

2   (...) ce voluptueux endormement dans la nature.
    R. ROLLAND, Musiciens d'autrefois, p. 177.

ENDORMEUR, EUSE [ɑ̃dɔRmœR, øz] n. — 1297 ; de *endormir*. Rare.

♦ **1.** Personne qui peut endormir à volonté qqn. ⇒ **Hypnotiseur.** — Malfaiteur qui endort ses victimes.

♦ **2.** (1835). Personne qui cherche à endormir l'opinion, à bercer les gens d'illusions. — (1791). Hist. Partisan, sous la Révolution française, du recours à la douceur plutôt qu'à la terreur (dans le langage polémique de ses adversaires).

♦ **3.** Fig. et littér. Ce qui procure l'oubli, la paix. *« Endormeur des soucis... »* (MORÉAS, *in* T. L. F.).

ENDORMIR [ɑ̃dɔRmiR] v. tr. — Conjug. *dormir*. — 1080 ; du lat. *indormire* «dormir sur ; être négligent», d'après *dormir*.

♦ **1.** Faire dormir* (qqn), provoquer le sommeil* de (qqn). *Endormir un enfant ; cet enfant est difficile à endormir, il faut le bercer* (cit. 1). *Le balancement de la voiture l'endormait peu à peu.* ⇒ **Assoupir.**

(Mil. XIXᵉ). Spécialt. Provoquer artificiellement le sommeil. *Endormir un malade à l'aide du chloroforme, de l'éther.* ⇒ **Anesthésier, chloroformer.** *Endormir un malade avant de l'opérer. Absolt. Pour cette opération, il n'est pas nécessaire d'endormir.* — *Endormir par suggestion.* ⇒ **Hypnotiser.**

1 Il répliqua faiblement (...) : «Oui, je désire être magnétisé» (...) Pendant qu'il parlait, j'avais commencé les passes que j'avais déjà reconnues les plus efficaces pour l'endormir (...) avec quelques passes latérales rapides, je fis palpiter les paupières, comme quand le sommeil nous prend, et en insistant un peu je les fermai tout à fait. BAUDELAIRE, Trad. E. POE, Histoires extraordinaires, La vérité sur le cas de M. Valdemar.

2 (...) ça ressemblait à l'odeur de chloroforme quand on vous endort sur la grande table. SARTRE, le Sursis, p. 29.

(Sujet n. de la substance qui endort). *Le narcotique, le chloroforme l'endormit rapidement.* ⇒ **Anesthésier.**

♦ **2.** (1660). Donner envie de dormir à (qqn) par ennui. ⇒ **Assommer, ennuyer, fatiguer, lasser** (→ Affadir, cit. 3). *Il nous endort avec ses histoires. Ce livre, cette pièce m'endort. Endormir son auditoire* (cit. 5) *par un débit monotone* (→ Égal, cit. 32). *Ce jeu m'endort ; les cartes* (cit. 3) *l'endorment.*

3 Allez de vos sermons endormir l'auditeur ! BOILEAU, Satires, I.

4 Cette chanson me semble un peu lugubre, elle endort (...) MOLIÈRE, le Bourgeois gentilhomme, I, 2.

5 Voilà votre portier et votre secrétaire :
Vous en ferez, je crois, d'excellents avocats ;
Ils sont fort ignorants. — Non pas, Monsieur, non pas.
J'endormirai Monsieur tout aussi bien qu'un autre.
RACINE, les Plaideurs, II, 14.

♦ **3.** (1580). Rendre insensible ou moins sensible (un membre, un organe). ⇒ **Anesthésier, insensibiliser.** *Endormir un membre avant de l'amputer.* — Par ext. ⇒ **Ankyloser, engourdir.** *Endormir un bras, un membre par une attitude forcée, par une décharge électrique.* — (Le sujet désigne ce qui insensibilise). *La piqûre a endormi le membre.*

6 (...) la torpille a cette condition *(cette propriété)*, non seulement d'endormir les membres qui la touchent, mais au travers des filets et de la scène *(seine, filet à traîner)*, elle transmet une pesanteur endormie aux mains de ceux qui la remuent et manient. MONTAIGNE, Essais, II, XII.

♦ **4.** (1580). Fig. et littér. Atténuer jusqu'à faire disparaître (une sensation, un sentiment pénible). ⇒ **Adoucir, apaiser, attiédir, calmer, engourdir, soulager.** *Endormir la douleur, le chagrin de qqn par des paroles de consolation*.* ⇒ **Consoler.** *Endormir un souci, une peine,* les rendre moins cuisants, les faire oublier momentanément.

7 Le monde endort les chagrins mais il ne les guérit pas. MASSILLON, Avent, Des afflictions.

8 Il *(le christianisme)* endort la douleur, il fortifie la résolution chancelante (...) CHATEAUBRIAND, le Génie du christianisme, II, III, 4.

Rendre moins vif, moins agissant (un sentiment, une disposition d'esprit). ⇒ **Amuser, bercer, leurrer, tromper.** *Endormir la clairvoyance, la perspicacité, la prudence, la vigilance de quelqu'un* (→ Baguette, cit. 5). ⇒ **Émousser.** *Il a fallu endormir ses scrupules, ses appréhensions, ses soupçons...* ⇒ **Surmonter, vaincre.**

9 Les caresses du jeune bey qui lui étaient devenues de plus en plus douces, avaient peu à peu endormi ses projets de rébellion. LOTI, les Désenchantées, III, VIII, p. 81.

10 (...) quand il se trouvait mêlé à la foule, il éprouvait, malgré toutes les résolutions préalables, une sorte d'ivresse chaude et lucide qui ne lui était pas désagréable, au contraire, qui l'étonnait et finissait par endormir en lui les regrets qu'éprouve toujours un esprit scrupuleux quand il est distrait de ses tâches majeures. G. DUHAMEL, le Voyage de Patrice Périot, II, p. 36.

11 C'est à l'homme de savoir vaincre, ou endormir, les pudeurs qu'il rencontre, si singulières soient-elles. J. ROMAINS, les Hommes de bonne volonté, t. V, I, p. 7.

♦ **5.** (V. 1160). Littér. (Compl. n. de personne). *Endormir quelqu'un.* ⇒ **Tromper ; emboheliner, enjôler.** *Endormir quelqu'un en le berçant d'illusions. Il est méfiant et on ne l'endort pas facilement. Endormir ses ennemis par des manœuvres, un simulacre de réconciliation, de belles paroles, de belles promesses. Des discours destinés à endormir l'opinion publique.*

12 Il fallait l'endormir avec des paroles caressantes. FRANCE, le Lys rouge, XIX, p. 151.

13 On ne peut l'expliquer, ou que par une prodigieuse action de séduction exercée, presque à l'esbroufe, par Talleyrand, sur l'envoyé russe, ou que par une manœuvre machiavélique, le baron n'ayant peut-être mission que d'endormir le gouvernement français. Louis MADELIN, Hist. du Consulat et de l'Empire, Vers l'Empire d'Occident, XIII, p. 168.

(Passif). *L'opinion a été endormie par la propagande.* ⇒ ci-dessous **Endormi,** p. p. adj.

▶ **S'ENDORMIR** v. pron.

♦ **1.** Commencer à dormir, glisser dans le sommeil. *S'endormir à demi.* ⇒ **Appesantir** (s'), **assoupir** (s'), **somnoler** (→ Âtre, cit. 6 ; calme, cit. 12 ; dodeliner, cit. 1). *Il ferma les yeux, les paupières et s'endormit. S'endormir aussitôt la tête sur l'oreiller* (→ Peu, cit. 45). *Se coucher et s'endormir. S'endormir avec peine, après de longues insomnies. S'endormir d'un sommeil pesant. S'endormir tard, au milieu de la nuit* (→ Assoupir, cit. 1). *Brisé de fatigue, il s'était endormi au volant de sa voiture. S'endormir sur un livre, par ennui, par fatigue. S'endormir au théâtre, au cinéma.*

14 Il s'endort, il s'éveille au son des instruments ;
Son cœur nage dans la mollesse. RACINE, Esther, II, 8.

15 Qui s'endort dans le sein d'un père n'est pas en souci du réveil. ROUSSEAU, Julie ou la Nouvelle Héloïse, VI, Lettre XI.

16 À propos du sommeil, aventure sinistre de tous les soirs, on peut dire que les hommes s'endorment journellement avec une audace qui serait inintelligible si nous ne savions qu'elle est le résultat de l'ignorance du danger. BAUDELAIRE, Journaux intimes, Fusées, IX.

17 Je m'étais endormi la nuit, près de la grève.
Un vent frais m'éveilla, je sortis de mon rêve,
J'ouvris les yeux, je vis l'étoile du matin. HUGO, les Châtiments, VI, «Stella».

18 Telle était la fatigue de son long voyage qu'il s'endormit, malgré le trouble extrême de sa pensée, de ce sommeil obscur de la bête recrue, où il n'y a plus place même pour le rêve. M. BARRÈS, la Colline inspirée, IV, p. 71.

19 Parmi les adultes, surtout parmi ceux qui habitent les grandes villes, il en est peu qui aient le bonheur de s'endormir «aussitôt la tête sur l'oreiller». J. ROMAINS, les Hommes de bonne volonté, t. III, XVII, p. 224.

Littér. (Choses). Entrer dans le repos de la nuit.

20 Salamanque en riant s'assied sur trois collines,
S'endort au son des mandolines,
Et s'éveille en sursaut aux cris des écoliers. HUGO, les Orientales, «Grenade».

21 Les soleils couchants
Revêtent les champs,
Les canaux, la ville entière,
D'hyacinthe et d'or ;
Le monde s'endort
Dans une chaude lumière.
BAUDELAIRE, les Fleurs du mal, «Invitation au voyage».

♦ **2.** Devenir moins actif, moins vivace... — (Choses). ⇒ **Assoupir** (s'). *Vigilance, clairvoyance qui s'endort. Avec le temps ses peines, ses remords, ses scrupules se sont endormis.* ⇒ **Apaiser** (s'), **effacer** (s'), **estomper** (s').

22 (...) ce langage affété,
Où s'endort un esprit de mollesse hébété. BOILEAU, Satires, IX.

23 Le remords s'endort durant un destin prospère, et s'aigrit dans l'adversité. ROUSSEAU, les Confessions, II.

24 Avec l'habitude de la continence, les sens aussi s'endorment pendant des périodes bien longues (...) LOTI, Pêcheur d'Islande, I, VI, p. 62.

(Personnes). *S'endormir dans les plaisirs, dans l'oisiveté, la mollesse.* ⇒ **Amollir** (s'), **oublier** (s'). *S'endormir dans une morne stupidité* (→ Détruire, cit. 28). *S'endormir sur ses succès* (→ Se reposer sur les lauriers*).

Spécialt. *S'endormir dans l'illusion, dans l'erreur, dans une trompeuse quiétude.* ⇒ **Illusionner** (s'), **fier** (se fier à), **leurrer** (se). — (Personnes et abstractions). *S'endormir sur (des illusions, des erreurs).* → Se laisser bercer* par...

25 De peur que, faute de rivaux, son amour ne s'endorme sur trop de confiance. MOLIÈRE, la Comtesse d'Escarbagnas, 2.

Loc. fig. *S'endormir sur une affaire,* ne pas s'en occuper (→ Laisser courir*, laisser tomber*). Fam. *S'endormir sur le rôti :* négliger l'occasion propice. Absolt. *Il ne s'endort pas :* il agit.

26 Votre belle-mère ne s'endort point, et c'est sans doute quelque conspiration contre vos intérêts où elle pousse votre père. MOLIÈRE, le Malade imaginaire, I, 8.

♦ **3.** Poét. (Choses). Diminuer de force, d'intensité ; aller en s'affaiblissant. ⇒ **Atténuer** (s'), cit. 10 ; **mourir.**

27 *(Leurs voix)* Ressemblaient à ces chants qu'on entend dans les rêves,
Aux bruits confus du flot qui s'endort sur les grèves,
Du vent qui s'endort dans les bois. HUGO, les Orientales, III, 2.

28 *(Vois...)* Le soleil moribond s'endort sous une arche. BAUDELAIRE, Nouvelles Fleurs du mal, «Recueillement».

29 Oh ! pourtant, la belle soirée enjôleuse qui se prépare, quel ravissement d'être étendu dans ce caïque, sur cette eau qui s'apaise et s'endort. LOTI, Suprêmes visions d'Orient, p. 50.

♦ **4.** Littér. (loc. concernant la mort). *S'endormir du sommeil de la mort, de la tombe ; du dernier sommeil.* ⇒ **Mourir.** — Relig. *S'endormir au Seigneur, dans le Seigneur :* mourir en état de grâce.

30 (...) le pauvre M. de Saintes s'est endormi cette nuit au Seigneur d'un sommeil éternel. Mᵐᵉ DE SÉVIGNÉ, 553, 1ᵉʳ juil. 1676.

31 Laissez-moi m'endormir du sommeil de la terre !
A. DE VIGNY, Livre mystique, « Moïse ».

▶ **ENDORMI, IE** p. p. adj.

A. Adj. (1080). ♦ **1.** Qui est en train de dormir. *Enfant endormi, à moitié endormi. On vient de le réveiller ; il est encore tout endormi.* ⇒ **Ensommeillé, somnolent** (→ Appesantissement, cit. 2). *Bêtes endormies.*

32 Jésus, voyant tous ses amis endormis et tous ses ennemis vigilants, se remet tout entier à son Père. PASCAL, Pensées, VII, 553.
33 Les conducteurs, à moitié endormis, dodelinaient de la tête, les jambes pendantes presque au ras du sol. P. MAC ORLAN, la Bandera, XIII, p. 160.
34 Des vendeurs de journaux encore endormis ne crient pas encore les nouvelles, mais, adossés au coin des rues, offrent leur marchandise aux réverbères dans un geste de somnambules. CAMUS, la Peste, p. 135.

Par métonymie (lieux). Où chacun dort, où tout semble en sommeil. *Ville, cité endormie. Ruelle endormie.* ⇒ **Silencieux.** *Campagne endormie...* (→ Aguet, cit. 4 ; cortège, cit. 3).

35 Il leur sembla meilleur de marcher dans les rues transversales, tout à fait endormies et muettes, où leurs propos, aussi protégés qu'entre les murs d'une chambre, recevaient de l'air nocturne une liberté de plus.
J. ROMAINS, les Hommes de bonne volonté, t. IV, X, p. 98.

♦ **2.** (Choses). Qui trahit le sommeil, l'ensommeillement. ⇒ **Ensommeillé.** *Gestes endormis* (→ Apathique, cit. 2). *Yeux endormis, regard endormi* (→ Assoupir, cit. 16). *Démarche endormie.*

♦ **3.** Fig. Dont l'activité est en sommeil, momentanément suspendue. ⇒ **Assoupi.** *Méfiance, vigilance endormie ; soupçons endormis. Peines, remords, scrupules endormis. Passion endormie.* ⇒ **Apaisé, calmé.**

36 Quelle passion endormie se réveilla dans son cœur, et avec quelle violence !
Mᵐᵉ DE LA FAYETTE, la Princesse de Clèves, IV, p. 380.
37 Il pensait à part lui qu'il n'était pas impossible qu'elle eût une petite lésion tuberculeuse, endormie depuis l'enfance et que la fin de la puberté réveillait, sans danger imminent. J. ROMAINS, les Hommes de bonne volonté, t. III, VIII, p. 124.

♦ **4.** (1580). Comportement psychique, intellectuel. Lent, paresseux. ⇒ **Appesanti, inactif, indolent, lent, lourd, mou, paresseux.** *Esprit endormi, intelligence endormie. Enfant apathique et endormi.* ⇒ **Inerte.**

38 (...) quoique j'eusse la santé ferme et entière (...) j'étais (...) si pesant, mou et endormi, qu'on ne me pouvait arracher de l'oisiveté, non *(même)* pas pour me faire jouer. MONTAIGNE, Essais, I, XXVI.
39 (...) la plupart de nos facultés restent endormies parce qu'elles se reposent sur l'habitude qui sait ce qu'il y a à faire et n'a pas besoin d'elles.
PROUST, À la recherche du temps perdu, t. IV, II, p. 71.

B. N. *Un, une endormie :* une personne molle et inactive. — *Faire l'endormi :* simuler le sommeil ou l'intelligence.

CONTR. Éveiller, réveiller. — Intéresser, passionner ; dégourdir, dérouiller, électriser. — Aggraver, augmenter, exalter, exciter, renforcer, stimuler. — Désabuser, détromper. — Veiller. — (Du p. p.) Éveillé, veilleur ; bruyant, vivant ; actif, alerte, ardent, courageux, pétulant, rapide, vif, vigilant.
DÉR. Endormant, endormement, endormeur, endormissement.

ENDORMISSEMENT [ɑ̃dɔʀmismɑ̃] n. m. — 1478 ; de *endormir.*

♦ Fait de s'endormir ; moment où l'on s'endort. *Le mécanisme de l'endormissement.*

ENDORPHINE [ɑ̃dɔʀfin] n. f. — 1977, dans *bêta-endorphine* ; angl. *endorphin,* 1974 (Eric Simon), de *endo(genous),* et *(mor)phin.* → Entréphaline.

♦ Sc. Substance endogène (polypeptide) mise en évidence dans l'hypophyse, qui joue dans l'inhibition de la douleur un rôle analogue à celui de la morphine.

Depuis la découverte, il y a cinq ans, des endorphines, ces « morphines naturelles » du cerveau, les chercheurs nourrissent l'espoir de mettre au point des analgésiques nouveaux, aussi puissants que la morphine mais dénués de ses effets secondaires. Sciences et Avenir, août 1980, p. 10.

ENDOS [ɑ̃do] n. m. — 1583 ; déverbal de *endosser.*

★ **I.** Comm., fin. Mention portée au dos d'un titre à ordre, d'un effet de commerce afin de le transmettre. *Par l'endos, le porteur du titre* (endosseur) *enjoint celui qui doit le payer* (souscripteur ou tiré) *d'effectuer le paiement à son ordre ou à celui d'une tierce personne* (endossataire). *Mettre son endos à une lettre de change. Endos comportant une simple signature. Libellé complet de l'endos :* « Payez à l'ordre de M..., Paris, le 10 janvier 1955, Signé X... ».

(...) mais toutes *(les tombes)* montraient des noms connus, des noms bien parisiens, notaires, magistrats, commerçants notables (...) et même de doubles noms alliant deux familles, association de richesse ou de situation, signatures prospères disparues du Bottin, des en-dos *(sic)* de banque et se retrouvant immuables sur les caveaux. Alphonse DAUDET, l'Immortel, p. 160.

Par ext. ⇒ **Endossement.**

★ **II.** Agric. Terre rejetée par la charrue. ⇒ **Ados.**

ENDOSCOPE [ɑ̃dɔskɔp] n. m. — 1852 ; de *endo-,* et *scope.*

♦ Méd. Instrument servant à examiner les cavités profondes du corps en les éclairant. ⇒ **Bronchoscope, cystoscope, gastroscope, rectoscope.** *Endoscope à lentilles, endoscope à fibres optiques.*
DÉR. Endoscopie.

ENDOSCOPIE [ɑ̃dɔskɔpi] n. f. — 1866 ; de *endoscope.*

♦ Méd. Examen de l'intérieur des organes ou cavités de l'organisme au moyen d'un tube optique muni d'un système d'éclairage (⇒ **Endoscope**). *Endoscopie des organes du petit bassin.* ⇒ **Cœlioscopie.** *Endoscopie des bronches* (⇒ **Bronchoscopie**), *de la vessie* (⇒ **Cystoscopie**), *de l'estomac* (⇒ **Gastroscopie**), *du rectum* (⇒ **Rectoscopie**), *etc. Endoscopie du larynx.*
DÉR. Endoscopique.

ENDOSCOPIQUE [ɑ̃dɔskɔpik] adj. — 1865 ; de *endoscopie.*

♦ Méd. Qui concerne, utilise l'endoscopie. *Examens endoscopiques. Exploration endoscopique.*

ENDOSMOMÈTRE [ɑ̃dɔsmɔmɛtʀ] n. m. — Av. 1845, Dutrochet ; de *endosmose,* et *-mètre.*

♦ Phys. Instrument destiné à mesurer l'intensité des phénomènes d'endosmose.

ENDOSMOSE [ɑ̃dɔsmoz] n. f. — 1826 ; de *endo-,* et adapt. du grec *ôsmos* « poussée ». → Osmose.

♦ Phys. Pénétration d'un liquide à l'intérieur d'un compartiment fermé, à travers une membrane semi-perméable, lorsque le liquide contenu dans ce compartiment est de densité plus faible. ⇒ **Osmose.**
Méd. *Endosmose électrique :* pénétration d'un médicament par action d'un courant électrique. — Syn. : *électro-endosmose.*
Par métaphore :

Mais ici encore un phénomène d'endosmose se produit, un mélange entre la sensation purement intensive de mobilité et la représentation extensive d'espace parcouru. H. BERGSON, Essai sur les données immédiates de la conscience, p. 83. 1
Ces deux actes, perception et souvenir, se pénètrent donc toujours, échangent toujours quelque chose de leurs substances par un phénomène d'endosmose. H. BERGSON, Matière et Mémoire, p. 60. 2
Dans la vie à deux il y a endosmose. Si l'un s'ennuie, il force l'autre à s'ennuyer. Si l'un souffre d'une incommodité quelconque, il force l'autre à en souffrir. MONTHERLANT, le Démon du bien, p. 233. 3

CONTR. Exosmose.
DÉR. et COMP. Endosmomètre, endosmotique.
COMP. Électro-endosmose.

ENDOSMOTIQUE [ɑ̃dɔsmɔtik] adj. — 1864 ; du rad. de *endosmose.*

♦ Phys. Relatif à l'endosmose.

ENDOSPERME [ɑ̃dɔspɛʀm] n. m. — 1808 ; de *endo-,* et *-sperme.*

♦ Bot. Réserve nutritive de la graine végétale, riche en amidon, en matières oléagineuses ou cornées (selon les espèces). S'oppose à *périsperme.*

ENDOSPORE [ɑ̃dɔspɔʀ] n. f. — 1906, in *Rev. gén. des sc.,* nᵒ 5, p. 216 ; de *endo-,* et *spore.*

♦ Biol. Spore qui se développe à l'intérieur d'un organisme unicellulaire animal ou végétal ou à l'intérieur d'un réceptacle spécial chez des organismes végétaux pluricellulaires.

ENDOSQUELETTE [ɑ̃dɔskəlɛt] n. m. — 1903, in *Rev. gén. des sc.,* nᵒ 14, p. 795 ; de *endo-,* et *squelette.*

♦ Biol., zool. Tissu conjonctif chondrifié des mollusques céphalopodes, entourant notamment le système nerveux central. — Chez les vertébrés, Squelette profond, enchondral ou cartilagineux.
CONTR. Exosquelette.

ENDOSSAGE [ɑ̃dosaʒ] n. m. — 1870 ; de *endosser.*

♦ **1.** Action d'endosser (un vêtement).

♦ **2.** Reliure. ⇒ **Endossure.**

ENDOSSATAIRE [ɑ̃dosatɛʀ] n. — 1935 ; du rad. de *endosser.*

♦ Dr. Personne au profit de laquelle est endossé un effet. *L'endosseur et l'endossataire.*

1. ENDOSSE [ãdos] n. f. — 1680 ; déverbal de *endosser*.

♦ Vx. Responsabilité d'une chose, charge pénible qui retombe sur quelqu'un. *Avoir l'endosse, porter l'endosse d'une vilaine affaire.* ⇒ **Endosser.**

HOM. 2. Endosse.

2. ENDOSSE [ãdos] n. f. — V. 1470, A. Gréban ; mil. xvᵉ, «vêtement» ; déverbal de *endosser*.

♦ Vx. Dos. — (xixᵉ). Mod. Argot et pop. (Au plur.). *Les endosses :* les épaules, les reins.

1   Ah ! plus du lourd ! volumineux !... finis les sainfrusquins crevants... Assez les tonnes aux endosses !... Non, que du léger, de l'agréable !...
                                    CÉLINE, le Pont de Londres, p. 236-237.

2   (...) pour que le juge ordonne une saisie, c'est qu'il va nous fiche le casse *(cambriolage)* de la bijouterie sur les endosses.   A. SARRAZIN, la Cavale, p. 40.

HOM. 1. Endosse.

ENDOSSEMENT [ãdosmã] n. m. — 1596 ; «action de mettre sur le dos», xivᵉ ; de *endosser*.

♦ **1.** Transmission (des titres à ordre, des effets de commerce) au moyen de l'endos*. *L'endossement d'un billet à ordre, d'un chèque, d'un effet de commerce, d'une lettre de change, d'une traite. On peut transférer, au moyen de l'endossement : la propriété du titre (endossement translatif), les droits et délégations de mandataire (endossement de procuration), ou encore un droit de gage sur le titre (endossement pignoratif).* — Cf. Code de commerce, art. 91. *Endossement en blanc,* consistant dans la seule signature de l'endosseur (loi du 8 févr. 1922 ; Code de commerce, art. 137). *Le payement d'une lettre de change peut être garanti par l'endossement, par l'acceptation** ou par l'aval*.*
La propriété d'une lettre de change se transmet par la voie de l'endossement. — L'endossement n'a besoin, en la forme, que de la signature de l'endosseur. — L'endossement opère le transport ; il n'est une procuration que si telle a été la volonté clairement exprimée des parties contractantes.
                                    Code de commerce, art. 136-137-138.

Par ext. ⇒ **Endos.**

♦ **2.** (1810). Techn. (reliure). ⇒ **Endossure.**

♦ **3.** Littér., rare. Le fait d'endosser (2.). *« L'endossement d'une situation »* (Claudel, *in* T. L. F.).

ENDOSSER [ãdose] v. tr. — Déb. xiiᵉ ; de *en-, dos,* et suff. verbal.

♦ **1.** Mettre sur son dos (un vêtement). ⇒ **Mettre, revêtir.** *Endosser un manteau, un pardessus, un imperméable avant de sortir. Endosser une robe de chambre.*

1   J'avais chaussé mes pantoufles et endossé ma robe de chambre.
                                    FRANCE, le Crime de Sylvestre Bonnard, Œ., t. II, p. 267.

Loc. (Vieilli). *Endosser la soutane :* devenir prêtre. *Endosser la soie et l'hermine* (→ Décorum, cit. 3). *Endosser la livrée de domestique. Endosser le harnais,* les vêtements de sa profession, et, fig., prendre un métier, un travail. — *Endosser la cuirasse* (vx), *l'uniforme :* entrer dans l'armée, dans la carrière militaire.

2   On vit les cardinaux de Richelieu, de la Valette et de Sourdis endosser la cuirasse (...)   VOLTAIRE, Essai sur les mœurs, CLXXVI.

3   (...) l'âge était venu du travail et des distractions forcées. Il lui fallait endosser le premier harnais de la vie et se préparer aux études classiques.
                                    BAUDELAIRE, les Paradis artificiels, «Un mangeur d'opium», VII.

Rare. Mettre sur le dos de qqn (un vêtement). *Endosser un vêtement à quelqu'un.* ⇒ **Enfiler.**

4   (...) les garçons du café voisin endossaient les pardessus aux derniers habitués (...)   VILLIERS DE L'ISLE-ADAM, Contes cruels, «Le Désir d'être un homme».

♦ **2.** (1829). Prendre ou accepter la responsabilité de... ⇒ **Assumer, charger** (se charger de). *Endosser une affaire délicate. Endosser les maladresses de ses collègues. J'en endosse toutes les suites, toutes les conséquences* (→ Catégoriquement, cit.). *Faire endosser à quelqu'un toutes les erreurs que l'on commet.* ⇒ **Décharger** (se décharger sur). — *Endosser la paternité d'un enfant* ⇒ **Reconnaître.**

5   Il ne sied pas de faire endosser à la vertu les lassitudes de la vieillesse.
                                    GIDE, Journal, 25 juil. 1934.

Par ext. Prendre à son compte. ⇒ **Prétendre** (à). *Endosser une œuvre.* ⇒ **Signer** (→ Créer, cit. 10).

6   Mais, bourrée de lecture, elle reste au contraire parfaitement naturelle, dénuée de la moindre pose, alors qu'il y en a tant, de ces femmes à lectures, qui endossent, plus ou moins inconsciemment, des sentiments qu'elles trouvent que «font bien ».
                                    MONTHERLANT, les Jeunes Filles, p. 178.

♦ **3.** (1600). Comm., fin. et cour. Procéder à l'endossement de (un effet, un chèque). *Endosser un billet, une lettre de change,* y mettre une mention, une signature au dos (⇒ **Endos**) afin d'en transmettre la propriété. ⇒ **Endossement.** *Endosser un chèque, une traite.* — Au p. p. *Lettre de change endossée par un banquier* (→ Banquier, cit. 2).

7   Abruti ! c'est malin ce que tu as inventé là ! de faire endosser ton chèque par un maladroit qui n'a même pas de passeport et que je vais devoir tenir à l'œil.
                                    GIDE, les Caves du Vatican, II, 11.

♦ **4.** (1755). Techn., reliure. Cambrer le dos de (un livre), après couture des cahiers. ⇒ **Endossure.** *Endosser un livre. Poinçon à endosser.* — Agric. Relever les sillons en labourant.

CONTR. Enlever, ôter ; dépouiller. — Décharger (se), refuser ; fuir (une responsabilité).

DÉR. Endos, endossage, endossataire, 1., 2. endosse, endossement, endosseur, endossure.

ENDOSSEUR [ãdosœr] n. m. — 1664 ; de *endosser*.

♦ Personne qui endosse (un effet, un chèque). *L'endosseur et l'endossataire d'un effet.* — (1864). Fig. Personne qui accepte la responsabilité de (qqch.).
Le fém. *endosseuse* est virtuel.

ENDOSSURE [ãdosyr] n. f. — 1845 ; «ce qu'on met sur le dos, vêtement», v. 1260 ; «toit, revêtement», 1535, Rabelais ; de *endosser*.

♦ Techn. (reliure). Opération par laquelle le relieur endosse un livre. On dit aussi *endossage, endossement.*

ENDOTHÉLIO- Élément, de *endothélium,* servant à former des adj. en anatomie (*virus endothéliomésodermique, in* T. L. F.).

ENDOTHÉLIAL, ALE, AUX [ãdoteljal, o] adj. — 1878 ; de *endothélium.*

♦ Anat. Relatif à l'endothélium ; qui en a la structure. *Cellules endothéliales.*

ENDOTHÉLIUM [ãdoteljɔm] n. m. — 1869 ; de *endo-,* et rad. de *épithélium.*

♦ Anat. Lame de tissu constituée par une seule couche de cellules, qui tapisse l'intérieur des vaisseaux et du cœur. ⇒ **Épithélium.**

DÉR. et COMP. Endothélial, endothélio-.

ENDOTHERME [ãdotɛrm] adj. et n. — Déb. xxᵉ ; de *endo-,* et *-therme.*

♦ Didact. Se dit des animaux capables de produire de la chaleur interne (opposé à *ectotherme**). — REM. Les termes (et les notions) d'*endotherme* et *ectotherme* tendent à remplacer *homéotherme** et *poïkilotherme**, moins conformes aux données actuelles.

ENDOTHERMIQUE [ãdotɛrmik] adj. — 1865, *Rev. des cours sc.,* t. II, p. 547 ; de *endo-,* et *thermique.*

♦ Sc. Accompagné d'une absorption de chaleur. *Réactions, combinaisons endothermiques.*

CONTR. Exothermique.

ENDOTHORACIQUE [ãdotɔrasik] adj. — Mil. xxᵉ ; de *endo-,* et *thoracique.*

♦ Anat., méd. Qui concerne l'intérieur du thorax, a lieu à l'intérieur du thorax. *Épanchement, opération endothoracique.*

ENDOTOXINE [ãdotɔksin] n. f. — 1906, in *Rev. gén. des sc.,* nᵒ 7, p. 343 ; de *endo-,* et *toxine.*

♦ Physiol. Toxine contenue dans un germe (bactérie) qui reste à l'intérieur du cytoplasme au lieu de diffuser à l'extérieur, et qui n'est libérée qu'à la destruction de ce dernier (opposé à *exotoxine*). *Les endotoxines sont très actives, et le plus souvent mortelles pour les mammifères.*

DÉR. Endotoxinique.

ENDOTOXINIQUE [ãdotɔksinik] adj. — Mil. xxᵉ ; de *endotoxine.*

♦ Physiol. Dû à une endotoxine. «*Le choc endotoxinique a été très étudié en pathologie expérimentale* » (V. Vic-Dupont, *la Maladie infectieuse,* p. 44).

ENDOTRACHÉAL, ALE, AUX [ãdotrakeal, o] adj. — xxᵉ ; de *endo-,* et *trachéal.*

♦ Anat., méd. Qui concerne l'intérieur de la trachée. *Intubation endotrachéale. Tube endotrachéal,* pour pratiquer l'intubation de la trachée.

ENDRIAGUE [ãdrijag] n. m. — 1542 ; repris 1838 (*endiraque*) ; esp. *endriago* ; p.-ê. de **hidriago,* de *hidria* «hydre », et *drago* «dragon ».

♦ Didact. (myth.). Monstre chevauché (par un héros de légende).
— On trouve aussi la graphie *andriague* (1866).

ENDROIT [ɑ̃dʀwa] n. m. — 1160; prép. «vers», XIᵉ; de *en-*, et *droit*.

★ **I.** ♦ **1.** Partie déterminée d'un espace. ⇒ **Lieu, place.** *Le plus bel endroit de la ville, de la région, du pays. Nous nous sommes retrouvés au même endroit. J'étais en cet endroit, dans cet endroit. Trouver un endroit agréable pour faire halte, pour camper, pour coucher.* ⇒ **Coin.** *Un bon endroit pour dormir* (→ Crécher, cit. 1). *Un bel endroit pour bâtir.* ⇒ **Emplacement, situation.** *Je vais vous montrer l'endroit sur la carte, sur le plan. À quel endroit de la ville habitez-vous? Il y a sur cette route un endroit très dangereux : les accidents y sont fréquents. Un endroit désert, sauvage, dangereux, un coupe-gorge. Endroit désolé, calciné* (cit. 3) *par le soleil. Attirer* (cit. 3) *qqn dans un endroit isolé. Se cacher dans un endroit sûr* (⇒ **Planque**). *Dans quel endroit de la maison couche-t-il?* ⇒ **Pièce.** *— À quel endroit?* ⇒ **Où.** *En différents endroits. Au même endroit. En cet endroit* (vx). *À quel endroit a-t-il mis mon chapeau? J'ai mis cela à un endroit où il n'ira pas le chercher. Je vais vous montrer l'endroit, l'endroit exact, précis.*

1 J'étais en cet endroit, où j'ai pu tout entendre (...) MOLIÈRE, Tartuffe, III, 4.
2 *(Je vais)* chercher sur la terre un endroit écarté
Où d'être homme d'honneur on ait la liberté. MOLIÈRE, le Misanthrope, V, 4.
3 Il est certain que nous voyons en plusieurs endroits du monde un peuple particulier, séparé de tous les autres peuples du monde, qui s'appelle le peuple juif. PASCAL, Pensées, IX, 619.
4 (...) il dit que la ville a des endroits faibles et mal fortifiés (...) LA BRUYÈRE, les Caractères, X, 11.
5 Du petit doigt, elle désignait un endroit sur la carte. J. ROMAINS, les Hommes de bonne volonté, t. V, XXIII, p. 200.
6 Il n'y avait plus (...) un seul lieu public qui ne fût transformé en hôpital ou en lazaret, et si l'on respectait la préfecture, c'est qu'il fallait bien garder un endroit où se réunir. CAMUS, la Peste, p. 257.

Fam. *Le petit endroit*, désigne, par euphémisme, les lieux d'aisance (⇒ **Cabinet**; → Le petit coin).

6.1 Quand Mᵐᵉ Loisillon vantait autrefois les charmes de son logement à l'Institut, elle ne manquait jamais d'ajouter avec emphase : « J'y ai reçu jusqu'à des souveraines. — Oui, dans le petit endroit... » ripostait acidement la bonne Adélaïde dressant son long cou. Alphonse DAUDET, l'Immortel, p. 257.

♦ **2.** (1851). Localité. ⇒ **Bourg, village.** *Les gens, les paysans de l'endroit sont très aimables, très accueillants. Il habite un petit endroit près d'Orléans. Un endroit perdu.* → Perdre, cit. 66. *Que faites-vous dans cet endroit perdu?* ⇒ **Trou.**

7 Ces Messieurs comptent-ils faire un long séjour dans notre endroit? PICARD, la Petite Ville, I, 4.

♦ **3.** (1580). Place déterminée, partie localisée (de qqch.). *L'endroit du mur où il y a une tache. La pluie transperce ses vêtements à l'endroit des bras* (→ Dégouliner, cit.). *Je cherche un endroit propre sur ce banc. — À quel endroit de la page faut-il signer?*

8 Elle se tournait et se retournait dans son lit, cherchant sur le traversin un endroit que le poids de sa tête n'eût pas encore creusé. J. GREEN, Adrienne Mesurat, p. 106.

Spécialt. *L'endroit sensible. Le bon endroit. Il a reçu un coup de pied au bon endroit* (par euphémisme : l'endroit qu'on ne veut pas nommer), au derrière.

9 Elle peut, tombant sur la tête,
Montrer quelque endroit déshonnête. SCARRON, Virgile travesti, 4.
10 Il n'y a qu'une seule chose qui m'a choqué : c'est l'endroit du foie et du cœur. Il me semble que vous les placez autrement qu'ils ne sont; que le cœur est du côté gauche (...) MOLIÈRE, le Médecin malgré lui, II, 4.
11 La pudeur a été très perfectionnée (...) Moi qui n'ai pas l'habitude de regarder les statues à de certains endroits, je trouvais, comme les autres, la feuille de vigne découpée par les ciseaux de M. le chargé des beaux-arts, la chose la plus ridicule du monde. Th. GAUTIER, Préface de Mˡˡᵉ de Maupin, éd. critique MATORÉ, p. 4.

(Abstrait). Partie de la personne morale. *Vous avez touché l'endroit sensible.* ⇒ **Point**; → Mettre le doigt sur la plaie*. *Endurcir les endroits sensibles de son cœur. Attaquer* (cit. 22) *qqn à l'endroit sensible. Flatter qqn à l'endroit sensible, au bon endroit. — Endroit faible.* ⇒ **Défaut, faiblesse.** *Chercher l'endroit faible de qqn* (→ Ascendant, cit. 6). *Donner prise par ses endroits faibles. — Se montrer par ses meilleurs endroits, par ses mauvais endroits.* ⇒ **Côté.**

12 (...) la vue d'un demandeur lui donne des convulsions. C'est le frapper par son endroit mortel. MOLIÈRE, l'Avare, II, 4.
13 Télèphe (...) passe outre, il se jette hors de sa sphère; il trouve lui-même son endroit faible, et se montre par cet endroit (...) LA BRUYÈRE, les Caractères, XI, 141.
14 Je ne comprends pas comment un mari qui (...) se montre par ses mauvais endroits (...) peut espérer de défendre le cœur d'une jeune femme contre les entreprises de son galant (...) LA BRUYÈRE, les Caractères, III, 74.
15 (...) quand une femme frappe dans le cœur d'une autre, elle manque rarement de trouver l'endroit sensible, et la blessure est incurable. LACLOS, les Liaisons dangereuses, Lettre CXLV.
16 (...) ce qui ne me flatte pas au bon endroit, me hérisse; et plutôt que d'être mal loué, je préfère ne l'être point. GIDE, Si le grain ne meurt, IX, p. 251.

♦ **4.** (XIIIᵉ). Vieilli. Aspect particulier (que l'on considère dans une personne, une chose). ⇒ **Aspect, côté.** *À considérer la chose par cet endroit...*

17 Et voyons l'homme enfin par l'endroit le plus beau. BOILEAU, Satires, VIII.

Loc. prép. (Fin XVIᵉ; *endroit de*, XIIIᵉ). Littér. **À L'ENDROIT DE** (qqn) : envers qqn. (→ Adorer, cit. 9; animosité, cit. 10; aventure, cit. 33; canaillerie, cit. 1). *Il a mal agi à son endroit.* ⇒ **Avec.** *Son attitude à mon endroit, en mon endroit* (vx). *Son animosité à votre endroit. Éprouver certains sentiments à l'endroit de quelqu'un.*

18 (...) Jacquemin, à l'endroit duquel il professait la plus profonde admiration (...) Th. GAUTIER, le Capitaine Fracasse, II, XII, p. 96.

♦ **5.** (Av. 1559). Passage déterminé (d'un ouvrage). ⇒ **Passage;** → (didact.) Lieu, topos. *Les meilleurs endroits d'un roman, d'un poème, d'une pièce de théâtre. Il y a plusieurs endroits assez faibles dans cet essai. L'Écriture dit en plusieurs endroits que...* (→ Chercher, cit. 7). *Cet endroit n'est pas clair, pas intelligible* (→ Amphithéâtre, cit. 3; détromper, cit. 5).

19 (...) vous verrez notés en marge tous les endroits qu'il a pillés. MOLIÈRE, les Femmes savantes, IV, 4.
20 (...) ce sens spirituel est si clairement expliqué en quelques endroits, qu'il fallut un aveuglement pareil à celui que la chair jette dans l'esprit (...) pour ne le pas reconnaître. PASCAL, Pensées, VIII, 571.

Par ext. *À cet endroit de l'histoire, du récit, du film.* ⇒ **Moment.** *À cet endroit de la conversation... Rire au bon endroit, au mauvais endroit. C'est l'endroit délicat de son histoire, de sa confidence.*

♦ **6.** Vx. Lieu d'où une chose provient. ⇒ **Origine, provenance, source.**

21 La conjuration d'Amboise, qui est l'endroit par où ont commencé toutes les guerres. BOSSUET, Hist. des variations..., 5ᵉ avertissement, 5.

♦ **7.** Loc. adv. **PAR ENDROITS** : à certains endroits; de place en place (→ De ci de là; çà et là). *Plaine plantée par endroits de bosquets. Son veston est taché par endroits. Par endroits, ce mur s'écroule. — Ce roman, ce film est bon, par endroits.*

22 Le livre de Ransome me paraît bon — et même très bon par endroits. GIDE, Journal, 29 juin 1913.

★ **II.** ♦ **1.** (1209). Côté destiné à être vu, dans un objet à deux faces (par oppos. à *envers*). *L'endroit d'une étoffe, d'un tapis.* ⇒ **Dessus.** *Ne pas reconnaître l'endroit de l'envers. Étoffe à deux endroits* : étoffe réversible*. *L'endroit d'un feuillet.* ⇒ **Recto.** *L'endroit d'un tableau, d'une gravure.* ⇒ **Devant.**

Loc. adv. **À L'ENDROIT** : du bon côté. *Remettre à l'endroit un gant retourné. Mettre ses chaussettes, sa culotte à l'endroit.*

(Av. 1841). Par métaphore. *Ne voir que l'endroit du décor, des événements.* ⇒ **Apparence.**

23 Je vous fais voir l'envers des événements que l'histoire ne montre pas; l'histoire n'étale que l'endroit. CHATEAUBRIAND, Mémoires d'outre-tombe, t. IV, p. 1.
24 À l'ombre des journaux délirants d'appels aux sacrifices (...) la vie (...) continuait (...) Tels sont l'envers et l'endroit, comme la lumière et l'ombre, de la même médaille. CÉLINE, Voyage au bout de la nuit, p. 71.

♦ **2.** Régional (Suisse). Côté (d'une vallée) exposé au soleil ⇒ **Adret.**

CONTR. (Du sens II) **Envers; verso.**

ENDUCTION [ɑ̃dyksjɔ̃] n. f. — 1955; formation savante et hybride, de *enduire* (cf. l'ancien mot *enduisson*, 1538) et de *induction*, qui a eu ce sens, en ancienne pharmacie, 1746.

♦ Techn. Action d'étendre un produit spécial sur la surface d'un support textile, afin de le protéger, d'en masquer les irrégularités, ou bien de lui donner des qualités particulières.

(...) le 17 décembre 1903, lors de leur premier vol, les frères Wright utilisèrent un appareil dont les ailes et une partie de la carlingue étaient tendues d'un tissu de lin raidi par enduction. J.-C. DESJEUX et J. DUFLOS, les Plastiques renforcés, p. 95.

ENDUIRE [ɑ̃dɥiʀ] v. tr. — Conjug. *conduire.* — 1175; du lat. *inducere* «mettre dans, sur...»; a signifié «absorber, digérer» et «inciter». → Induire.

♦ **1.** Recouvrir (une surface) d'une matière plus ou moins molle qui imprègne. ⇒ **Appliquer, barbouiller,** 1. **coucher** (I., A., 4.), **couvrir, étaler, étendre, frotter, plaquer, recouvrir, revêtir, tapisser; badigeonner, beurrer, bitumer, blanchir, braquer, brayer, chauler** (chaux), **cimenter, cirer, coaltarer, coller, crépir, emboire** (cire fondue, etc.), **emmieller, empoisser** (poix), **encaustiquer, encoller, encrer, encroûter** (mortier), **engluer, engourmer, ensoufrer, ensuifer, farter, galipoter, glacer, glaiser, gluer, glycériner, gommer, goudronner, graisser, huiler, lubrifier, luter, noircir, oindre, paraffiner, peindre, peinturer, plâtrer, poisser, pommader, soufrer, stéariner, stuquer, vermillonner, vernir, vernisser.** *Enduire un mur de plâtre, de chaux, de ciment. Enduire une barque de goudron. Enduire qqch. de gélatine* (⇒ **Gélatiné**). *Enduire ses mains de crème. — Couteau à enduire* : couteau de peintre... *— Enduire d'apprêt* une étoffe, un tissu (⇒ **Apprêtage, apprêter**). *Enduire une tartine de beurre* (⇒ **Tartiner**).

1 La pommade dont il avait enduit ses cheveux répandait une écœurante odeur (...) J. GREEN, Léviathan, p. 91.

2 Il (...) coupa une tranche de pain, qu'il enduisit soigneusement de rillettes appétissantes. P. MAC ORLAN, Quai des brumes, p. 33.

(Faux pron.). *S'enduire la peau, les mains de crème.*

♦ **2.** (1668). Le sujet désigne la matière qui recouvre (une surface, un objet). *La boue, la vase qui enduit un canal, un bassin.*

3 Ôte d'autour de chaque roue
Ce malheureux mortier, cette maudite boue,
Qui jusqu'à l'essieu les enduit. LA FONTAINE, Fables, VI, 18.

4 Regardez la vase fauve qui enduit le canal et le bord des claires (...)
J. CHARDONNE, les Destinées sentimentales, III, p. 372.

♦ **3.** Fig. Imprégner, empreindre.

5 Marthe se leva, comme quelqu'un qui, après la sieste, et le visage encore enduit de sommeil, secoue ses rêves. R. RADIGUET, le Diable au corps, p. 41.

▶ **S'ENDUIRE** v. pron.
Enduire son corps. *S'enduire de crème solaire.*

▶ **ENDUIT, ITE** p. p. adj. *Corps enduit de crème. Mur enduit de crépi.* → Boire, cit. 25. *Maison enduite de chaux* (cit. 1).

CONTR. Décaper, découvrir, enlever ; nu (mettre à nu).
DÉR. Enduction, enduisage, enduiseur, enduit.

ENDUISAGE [ɑ̃dɥizaʒ] n. m. — 1927 ; de *enduire.*

♦ Techn. Action d'enduire* (un textile, du cuir...) avec certains produits ; son résultat.

ENDUISEUR, EUSE [ɑ̃dɥizœʀ, øz] adj. et n. — 1337 ; de *enduire.*

♦ **1.** Adj. Qui sert à appliquer un enduit. *Rouleau enduiseur.*

♦ **2.** N. Ouvrier qui pose les enduits (⇒ **Maçon, peintre**).

ENDUIT [ɑ̃dɥi] n. m. — V. 1165 ; p. p. substantivé de *enduire.*

♦ **1.** Préparation molle ou semi-fluide qu'on applique en une ou plusieurs couches continues à la surface de certains objets pour les protéger, les garnir. ⇒ **Revêtement.** *Recouvrir, revêtir une surface d'un enduit ; étaler, étendre, plaquer un enduit sur une surface. Enduit gras, liquide. Enduit de goudron, de graisse, de poix. Enduit calorifuge, protecteur. Enduit destiné à donner de l'éclat, du brillant* ⇒ **Vernis, vernissure.** *Enduit dont on garnit un creuset, un fourneau* (⇒ **Brasque**), *dont on revêt les parois d'un bassin, d'un canal* (⇒ **Braye, corroi**). *Enduit utilisé pour boucher un récipient.* ⇒ **Lut.** *Enduit vitreux, vitrifiable sur une poterie.* ⇒ **Glaçure.** — *Enduit pierreux, naturel, déposé par des sels calcaires.* ⇒ **Dépôt, incrustation.**

Peint. Préparation destinée à isoler le support (pierre, toile, bois...) de la couche de peinture. *Enduit pour la fresque, formé d'un crépi, de revêtements plus fins et d'un enduit final frais sur lequel on peint. Enduit pour la détrempe, le badigeon. Enduits pour la peinture à l'huile : enduits à l'eau* (colle, carbonate, sulfate de calcium ou oxyde de zinc), *enduits à l'huile* (huile et carbonate de plomb). *Enduit à la colle, de colle* (cit. 1). *Passage de l'enduit.*

Photogr. *Enduit antihalo :* enduit absorbant appliqué au dos d'une plaque photographique.

Couche de plâtre, de chaux, de ciment, de mortier, dont on revêt une construction pour obtenir des surfaces unies et pour protéger les murs de l'humidité. *Enduit au plâtre* : *enduit simple,* où le plâtre est étalé à la truelle ; *enduit au crépi* (⇒ **Crépi**). *Enduit à la chaux. Enduit hydrofuge,* formé d'un mélange de cire, de résine, de corps gras, de bitume, d'huile de lin cuit. *Enduit au balai* ou *enduit tyrolien,* exécuté par projection de mortier. *Enduit à la brosse* ou *enduit peigné. Enduit bretté ; enduit rustique. Enduit imitant les briques* (⇒ **Briquetage**), *le marbre* (⇒ **Stuc**). *Enduit de plâtre sur les lattes d'un grenier.* ⇒ **Lambris.**

1 Une bombe était tombée sur la boutique voisine de la sienne, dont la façade crépie à la chaux avait elle-même été arrachée, mais le plâtre, en s'effritant, avait dévoilé une belle maison de bois qui cachait depuis des siècles, sous cet enduit misérable, la splendeur des poutres sculptées.
A. MAUROIS, les Discours du Dr O'Grady, III, p. 36.

Par anal. Littér. Couche recouvrant qqch. ⇒ **Pellicule.** *Ses bottes étaient recouvertes d'un enduit de boue. Ville couverte d'un enduit de poussière.*

2 Le sang sur les parois fait un rougeâtre enduit (...)
HUGO, la Légende des siècles, XV, Eviradnus, 15.

3 Après ces longs mois où pas une goutte d'eau n'avait rafraîchi la ville, elle s'était couverte d'un enduit gris qui s'écaillait sous le souffle du vent.
CAMUS, la Peste, p. 185.

Par métaphore (et péj.). *Un enduit de sentimentalité, de bonne conscience.*

♦ **2.** (1805). Sécrétion visqueuse à la surface de certains organes. *Enduit muqueux sur la langue. Enduit fœtal,* qui recouvre parfois le corps des nouveau-nés.

ENDURABLE [ɑ̃dyʀabl] adj. — 1571 ; de *endurer.*

♦ Qu'on peut endurer. ⇒ **Supportable.** *Une douleur difficilement endurable.*

ENDURANCE [ɑ̃dyʀɑ̃s] n. f. — XIVe ; dial. jusque vers 1870 ; (→ ci-dessous, REM., et cit. 4) ; de *endurer.*

♦ **1.** Aptitude à résister à la fatigue, à la souffrance. ⇒ **Fermeté, résistance, trempe.** *Endurance physique.* ⇒ **Force ; énergie.** *L'endurance d'un coureur de fond, d'un cycliste. Son endurance est le résultat d'un entraînement progressif. Avoir de l'endurance, une remarquable endurance. Manquer d'endurance.* — *Endurance morale, endurance à la douleur. Supporter mille maux avec calme et endurance.*

1 (...) son âme résistait, ancrée dans l'endurance (...)
V. BÉRARD, Trad. d'Homère, Odyssée, p. 333.

2 (...) une sorte d'endurance presque irrésistible à la longue, parce qu'elle ne tente pas de se mesurer avec la douleur, elle se glisse au dedans, elle en a fait peu à peu une habitude (...) BERNANOS, Journal d'un curé de campagne, II, p. 283.

3 (...) parlez-moi, pour un long mal, de l'enfant et du vieillard, qui sont égaux dans l'endurance, quand ils s'aperçoivent, de bonne foi, que ce qu'on nomme couramment « un martyre » se supporte plus aisément qu'une épine sous l'ongle ou qu'un mauvais panaris (...) COLETTE, l'Étoile Vesper, p. 10.

REM. *Endurance,* signalé dès le XIVe s. (*Secret d'Aristote, in* Godefroy) est d'un usage général récent. Jusqu'à la fin du XIXe s., il est considéré comme un « mot normand, qui manque en français » (P. Larousse), comme « vieilli et dialectal » (Hatzfeld). Littré, après avoir écrit en 1864 « qu'il mériterait de passer (...) dans la langue littéraire », constate en 1877 que son vœu s'est réalisé :

4 J'ai dit à propos de ce mot si français de forme qu'il méritait de passer dans la langue littéraire. Postérieurement à mon conseil, mais non sans doute par mon conseil, car rien de plus naturel que de former avec *endurant, endurance,* j'en trouve des exemples : (...) Journ. off., 23 mars 1872 ; Temps, 20 août 1875.
LITTRÉ, Dict., Suppl., art. *Endurance.*

♦ **2.** Capacité (d'un mécanisme) à fonctionner longtemps. *L'endurance d'un moteur.*

Autom., moto. *Épreuve d'endurance :* compétition sur longue distance destinée à éprouver la résistance mécanique des véhicules. ⇒ **Enduro.** *Faire des essais d'endurance.* — *L'endurance :* la compétition d'endurance. *Moto préparée pour l'endurance.*

CONTR. Abandon, faiblesse, fatigue, fragilité, lassitude, mollesse ; impatience.

ENDURANT, ANTE [ɑ̃dyʀɑ̃, ɑ̃t] adj. — Fin XIIe ; p. prés. de *endurer.*

♦ **1.** (Mil. XVIe). Vx. Qui a de la patience. « *N'être pas endurant, être peu endurant,* ne pas supporter ce qui offense, blesse, impatiente » (Littré). ⇒ **Patient.**

1 (...) vous savez que je n'ai pas l'âme endurante, et que j'ai le bras assez bon.
MOLIÈRE, le Médecin malgré lui, I, 1.

♦ **2.** (Après 1870 ; → Endurance, REM.). Mod. Qui endure, a de l'endurance*, supporte avec courage la fatigue, la souffrance. ⇒ **Dur, résistant.** *Il faut être endurant pour faire cette ascension longue et pénible. Une race sobre et endurante.*

2 C'est un climat sain qui rend l'homme endurant.
DANIEL-ROPS, le Peuple de la Bible, II, 2, p. 12.

♦ **3.** (Mécanismes). Qui résiste à l'usage, à l'usure, fonctionne longtemps. *Un moteur peu endurant.*

CONTR. Délicat, fragile.

ENDURCIR [ɑ̃dyʀsiʀ] v. tr. — Déb. XIIe ; de *en-,* et *durcir.*

♦ **1.** (1690). Rare. Rendre dur. *Le froid, le gel endurcissent le sol.* ⇒ **Durcir.**

0.1 (...) mais quand le froid a si fort endurci la neige qu'elle est aussi dure que la glace même ; les rennes mangent pour lors une certaine mousse faite comme une toile d'araignée, qui pend des pins (...)
J.-F. REGNARD, Voyage en Laponie, p. 116.

1 *Durcir* signifie proprement rendre dur, et *endurcir* faire devenir dur ; car celui-ci marque plus particulièrement le passage à un état de dureté. Comme il est ordinairement difficile de remarquer le passage dans les choses physiques, il faut d'ordinaire se servir de *durcir* dans les sens propre : *durcir* le fer, le bois, etc. Ce n'est que dans le cas où ce passage peut s'observer que *endurcir* est préférable : la plante des pieds s'endurcit à force de marcher.
CONDILLAC, Dict. de synonymes, art. *Durcir.*

♦ **2.** (Compl. humain). Rendre moins sensible physiquement ; rendre plus dur au mal, rendre résistant. ⇒ **Aguerrir, cuirasser.** *Endurcir le corps à la fatigue, aux travaux de force. Ce climat les a endurcis aux intempéries, aux grands froids. Endurcir un enfant contre la fragilité, contre la maladie.* Absolt. *Il n'y a rien qui endurcisse comme le travail des champs.* ⇒ **Fortifier, tremper.**

2 Endurcissez-le (*l'enfant*) à la sueur et au froid, au vent, au soleil et aux hasards qu'il lui faut mépriser ; ôtez-lui toute mollesse et délicatesse au vêtir et coucher, au manger et au boire ; accoutumez-le à tout. Que ce ne soit un beau garçon et dameret, mais un garçon vert et vigoureux. MONTAIGNE, Essais, I, XXVI.

3 La chasse endurcit le cœur aussi bien que le corps (...)
ROUSSEAU, Émile, IV (→ Chasse, cit. 1).

♦ **3.** Rendre moins sensible moralement. ⇒ **Bronzer** (3.), **cuirasser, dessécher, durcir.** *L'ambition, l'amour du gain lui ont endurci le cœur, l'ont endurci. Endurcir qqn aux misères d'autrui.* Absolt. *L'habitude endurcit.*

4   La multitude des malheureux vous endurcit à leurs misères.
                    MASSILLON, Carême, Aumône.

5   (...) la tendresse de cœur se perd souvent, parce que les passions et le commerce des hommes politiques endurcissent insensiblement les jeunes gens qui entrent dans le monde.   FÉNELON, l'Éducation des filles, V.

6   Les jurons, les râles, le canon, tous les bruits de notre pauvre vie de bêtes, cela ne pouvait pas endurcir notre âme et flétrir sa tendresse infinie.
          R. DORGELÈS, les Croix de bois, VI, p. 135.

En emploi absolu :

6.1   Il n'est malheureusement que trop commun de voir le libertinage éteindre la pitié dans l'homme ; son effet ordinaire est d'endurcir (...)
          SADE, Justine..., t. I, p. 68.

Endurcir le cœur, son cœur. S'endurcir le cœur (cit. 82), *l'âme.*
Loc. relig. *Dieu endurcit le cœur des pécheurs* (Académie), *il les ferme à la grâce. N'endurcissez pas votre cœur,* ne le fermez pas à la charité.

7   Il est donc vrai qu'il fait miséricorde à qui il lui plaît, et qu'il endurcit qui il lui plaît.   BIBLE (SACY), Épître aux Romains, IX, 18.

▶ **S'ENDURCIR** v. pron.

♦ **1.** (XVIIIe). Devenir dur. *« La plante des pieds s'endurcit à force de marcher »* (→ ci-dessus, cit. 1).

8   Ce sont *(d'abord)* deux dagues qui croissent, s'allongent et s'endurcissent à mesure que l'animal prend de la nourriture (...)
          BUFFON, Hist. nat. des animaux, Cerf, Œ., t. II, p. 517.

♦ **2.** Devenir plus résistant (en parlant du corps, de la peau, des muscles...).

9   Son corps (...) s'endurcissait chaque jour (...)   FÉNELON, Télémaque, XIII.

10   Il importe que la peau s'endurcisse aux impressions de l'air et puisse braver ses altérations ; car c'est elle qui défend tout le reste.   ROUSSEAU, Émile, II.

(1636). Devenir plus endurant, plus robuste, plus vigoureux ; s'accoutumer à la fatigue, à la douleur, aux privations.

11   Montrez-lui comme il faut s'endurcir à la peine,
    Dans le métier de Mars se rendre sans égal,
    Passer les jours entiers et les nuits à cheval,
    Reposer tout armé, forcer une muraille (...)   CORNEILLE, le Cid, I, 3.

12   Ils (...) mangent peu et vite, vivent plus mal à la ville qu'au camp : c'est qu'un futur soldat doit s'endurcir.   TAINE, Philosophie de l'art, t. II, p. 186.

♦ **3.** (1647). Devenir moins sensible, plus dur*. *Son cœur s'est endurci. — S'endurcir dans le vice, dans le crime :* s'accoutumer à vivre dans le vice, n'en plus éprouver ni remords, ni honte.

13   (...) les hommes corrompus s'endurcissent bientôt contre tout ce qui pourrait les toucher.   FÉNELON, Télémaque, XV.

14   Jamais un seul instant de sa vie Jean-Jacques n'a pu être un homme sans sentiment, sans entrailles, un père dénaturé. J'ai pu me tromper, mais non m'endurcir.   ROUSSEAU, les Confessions, VIII.

15   Faites que mon cœur ne s'endurcisse point !
          G. DUHAMEL, Récits des temps de guerre, IV, XIX, p. 74.

▶ **ENDURCI, IE** p. p. adj.

♦ **1.** Rare. Devenu plus dur. ⇒ **Dur, durci.** *Mains endurcies de calus* (cit. 1).

♦ **2.** Devenu endurant, résistant par l'entraînement, l'habitude. ⇒ **Résistant ; endurant, éprouvé, rompu.** *Être endurci au travail, à la fatigue. Il est très endurci, il n'est pas assez endurci aux intempéries.* Absolt. *Il n'est pas assez endurci pour supporter ce climat.*

16   (...) mes mains, endurcies au travail, me donnent facilement la nourriture qui m'est nécessaire (...)   FÉNELON, Télémaque, XI.

17   (...) le soleil blanc, chargé de pluie, ne gêne pas leurs visages endurcis au froid et au chaud (...)   M. BARRÈS, la Colline inspirée, p. 102.

♦ **3.** (XIIe). Devenu moralement insensible. ⇒ **Dur** (4.), **impitoyable, insensible, sec.** *Égoïste endurci aux malheurs d'autrui.* ⇒ **Indifférent.** — *Âme endurcie ; cœur endurci* (→ Cicatrice, cit. 8). *Haine endurcie.* ⇒ **Implacable, inflexible.**

18   Pour ce peuple endurci que rien ne peut gagner ?   RACINE, la Thébaïde, II, 3.

19   Je n'ai jamais vu d'âme aussi endurcie que la vôtre. Les criminels qui sont venus devant moi ont toujours pleuré devant cette image de la douleur.
          CAMUS, l'Étranger, II, 1, p. 100.

♦ **4.** Qui, avec le temps, s'est fortifié, figé dans son opinion, son occupation. ⇒ **Invétéré.** *Criminel endurci.*

20   (...) mais pour ces francs pêcheurs, pêcheurs endurcis, pêcheurs sans mélange, pleins et achevés (...)   PASCAL, les Provinciales, IV.

21   Un tyran dans le crime endurci dès l'enfance.   RACINE, Britannicus, V, 7.

Iron. ⇒ **Avéré, confirmé.** *Célibataire endurci. Rond-de-cuir endurci* (→ Délecter, cit. 4). *Fumeur, bridgeur endurci.*

N. *Les endurcis.*

CONTR. Amollir, attendrir, émouvoir, fléchir, ramollir, toucher. — (Du p. p.) **Amolli, aveuli, contrit, efféminé, ramolli.**
DÉR. Endurcissement.

ENDURCISSEMENT [ãdyʀsismã] n. m. — 1495 ; de *endurcir.*

♦ **1.** (1864). Rare. Le fait de s'endurcir, de devenir plus dur au mal, plus résistant. ⇒ **Accoutumance, endurance, entraînement, habitude, résistance.** *Endurcissement à la fatigue. Endurcissement d'un organe à la douleur :* perte de la sensibilité.

1   Il s'aperçut (...) d'un certain endurcissement, d'un manque de sensibilité dans l'estomac, qui semblait présager quelque affection squirreuse.
          BAUDELAIRE, les Paradis artificiels, « Un mangeur d'opium », V.

Spécialt (agric.). Accroissement de la résistance du blé au froid, par adaptation préalable.

♦ **2.** Diminution ou perte de la sensibilité morale. ⇒ **Dessèchement, dureté, insensibilité.** *L'endurcissement du cœur, de l'âme.* — *Endurcissement au péché.* ⇒ **Impénitence.** *Endurcissement au malheur, à l'infortune.* ⇒ **Accoutumance** (cit. 4).

2   Dom Juan, l'endurcissement au péché traîne une mort funeste (...)
          MOLIÈRE, Dom Juan, V, 6.

3   Dieu a voulu racheter les hommes et ouvrir le salut à ceux qui le cherchaient ; mais les hommes s'en rendent si indignes qu'il est juste que Dieu refuse à quelques-uns, à cause de leur endurcissement, ce qu'il accorde aux autres par une miséricorde qui ne leur est pas due.   PASCAL, Pensées, VII, 430.

4   On a dit que les dissolus sont compatissants, que ceux qui sont portés à l'incontinence paraissent d'ordinaire chatouilleux et fort tendres à pleurer, mais que les âmes qui travaillent à demeurer chastes n'ont pas une si grande tendresse. Cela ne contredit nullement, mon ami, ce que je vous dénonce de l'endurcissement et de la facilité de violence qui suit les plaisirs.
          SAINTE-BEUVE, Volupté, XXI, p. 213.

5   (...) j'ai peur de quelque chose qui serait pire que la mort et qui serait l'endurcissement de notre cœur.   G. DUHAMEL, Récits des temps de guerre, IV, XIX, p. 72.

6   (...) je regrette de ne pas lui avoir dit, hier soir, que le terme d' « endurcissement » dont je me suis servi à son propos et qui l'a peiné, je crois, trahit ma pensée, car il est péjoratif. C'est « durcissement » que je voulais dire. Mitterrand s'est durci et non endurci.   F. MAURIAC, le Nouveau Bloc-notes 1958-1960, p. 269.

CONTR. Amollissement, attendrissement, sensibilité ; contrition, pénitence.

ENDURER [ãdyʀe] v. — XIe ; du lat. médiéval *indurare* « rendre dur, devenir dur », ext. de sens du lat. class. « se durcir ».

★ **I.** V. tr. ♦ **1.** Supporter avec patience (ce qui est dur, pénible, désagréable). ⇒ **Pâtir** (de), **souffrir, subir.** *Endurer la faim, le froid, la soif.* ⇒ **Éprouver, ressentir.** *Endurer les pires souffrances, le martyre. Ils ont enduré beaucoup de peines* (→ Ahan, cit. 2). *Les tourments qu'il endure* (→ Dénier, cit. 4). *Endurer la fatigue, les privations, les mauvais traitements, les coups. Endurer la torture sans rien avouer.* ⇒ **Soutenir.** *Tout endurer sans se plaindre, avec constance, résignation. Faire endurer qqch. à qqn. Après ce qu'il lui a fait endurer, il est normal qu'elle le haïsse.*

1   *Souffrir* est le terme général applicable à tous les maux (...) *Endurer,* du latin *durare,* durer, persévérer, patienter, emporte l'idée de patience, de longanimité, de soumission (...) Les maux que vous *endurez* ne vous causent pas de colère ou d'emportement, ne vous font pas sortir de votre calme, vous trouvent *dur* ou *endurci* contre, persistent dans votre état.   LAFAYE, Dict. des synonymes, p. 961.

2   (...) toutes les misères
    Que durant notre enfance ont enduré(es) nos pères.
          CORNEILLE, Cinna, I, 3.

3   Quand Dieu nous exerce par les souffrances, si nous l'endurons chrétiennement, notre patience tient lieu de martyre.   BOSSUET, *in* LAFAYE, p. 961.

4   (...) au milieu des supplices et des tortures, au milieu des feux et des déboîtements de membres que l'on leur faisait endurer (...)
          RACINE, Appendices, traductions, Des Esséniens.

5   (...) endurer la question extraordinaire sans dire une parole.
          BALZAC, Une ténébreuse affaire, Pl., t. VII, p. 487.

5.1   (...) cette malheureuse qui doit pour servir de plastron à tous les caprices qui peuvent passer dans la tête de ce libertin ; soufflets, fustigations, mauvais propos, jouissances, il faut qu'elle endure tout (...)   SADE, Justine..., t. I, p. 169.

6   Théophile, errant de retraite en retraite, fut arrêté le 28 septembre suivant, et transporté à la Conciergerie, dans la tour dite de Montgommery, où il eut à endurer toutes les souffrances imaginables.   Th. GAUTIER, les Grotesques, p. 90.

7   Il ne mesurait la privation qu'il avait endurée qu'au moment où il s'avisait d'y mettre fin.   J. ROMAINS, les Hommes de bonne volonté, t. V, VII, p. 60.

8   Pour désirer la souffrance il faut l'aimer. Qui n'est pas capable de l'aimer, fait mieux de l'endurer humblement, aveuglément et même de se plaindre tout son saoul.   BERNANOS, le Scandale de la vérité, p. 8.

♦ **2.** (V. 1260). Tolérer (ce qui est désagréable). ⇒ **Permettre, supporter ;** fam. **avaler, boire, digérer.** *Endurer les insolences, la mauvaise conduite, les débauches* (cit. 9) *de qqn. Endurer des injures, des affronts, des outrages.* ⇒ **Essuyer.** *Il endure tout, il endurerait tout de son fils. Il nous a fallu endurer ses mauvaises manières par politesse. Endurer avec patience, par bonté, avec longanimité.* — *Je n'en endurerai pas plus.* → La mesure* est comble, ça suffit*. *N'endurez plus ses insolences, vous êtes trop indulgent.*

9   Endurer un affront comme celui-là, en notre présence !
          MOLIÈRE, les Précieuses ridicules, 14.

10   (...) il disait du ton le plus élégant les choses les plus grossières, et les faisait passer ; les femmes même les plus modestes s'étonnaient de ce qu'elles enduraient de lui.   ROUSSEAU, les Confessions, III.

REM. *Endurer que....* se construit avec le subjonctif ; *endurer de...* avec l'infinitif.

11   Mais haïr un rival, endurer d'être aimée (...)
    N'est-ce point dire trop ce qui sied mal à dire ?   CORNEILLE, Attila, II, 6.

12   Mais as-tu vu mon père et peut-il endurer
    Qu'ainsi dans sa maison tu t'oses retirer ?   CORNEILLE, Horace, I, 3.

13   Comment, Mesdames, nous endurerons que nos laquais soient mieux reçus que nous ?   MOLIÈRE, les Précieuses ridicules, 15.

♦ **3.** Absolt. (Vieilli). *Endurer :* avoir de la constance à supporter, souffrir avec patience.

14 Hélas! s'il est ainsi, quel malheur est le mien!
    Je soupire, j'endure, et je n'avance rien (...)   CORNEILLE, l'Illusion comique, II, 3.
15 Il veut me voir souffrir : je me tais et j'endure.
                                            Thomas CORNEILLE, Ariane, IV, 3.
    Proverbe :
16 Qui veut durer, doit endurer.   R. ROLLAND, Jean-Christophe, VII, p. 11.
    Vx. ⇒ **Souffrir.**
17 Qui a enduré sous Ponce-Pilate.   CORNEILLE, l'Office de la Vierge.

★ **II.** V. intr. (1870). Mar. Diminuer l'effort que l'on exerce sur les avirons. *Endure tribord!,* sur ce bord.

CONTR. Dérober (se), fuir. — Impatienter (s').
DÉR. Endurable, endurance, endurant.

ENDURISTE [ãdyʀist] n. — 1978; de *enduro*, et suff. *-iste*.

♦ Moto. Motocycliste qui participe à une épreuve d'enduro.

ENDURO [ãdyʀo] n. m. et f. — 1970; mot angl., du rad. de *endurance*, de même orig. que le franç. *endurance*.

♦ N. m. Moto. Épreuve de régularité tout-terrain disputée sur un circuit fléché de 40 à 120 km, à parcourir plusieurs fois à une moyenne imposée (30 à 40 km/h). ⇒ aussi **Moto** (verte). *Des enduros. L' «English Six Days Trial» (1913) et l' «International Six Days Trial» (1920) furent à l'origine de l'enduro.* — Au fém. (1977, *in* D.D.L.). *Une enduro :* une moto conçue pour l'enduro.

DÉR. Enduriste.

ENDYMION [ãdimjɔ̃] n. m. — 1870, *in* P. Larousse; nom du jeune chasseur aimé de Diane, personnage mythologique.

♦ Rare. Jacinthe des bois *(Liliacées).*

-ÈNE Élément choisi par Dumas (1833) pour noter en chimie les carbures d'hydrogène et réservé après 1866 aux hydrocarbures non saturés (alors opposé à *-ane*). Ex. : *acétylène, alcène, benzène, méthylène.*

ÉNÉOLITHIQUE [eneɔlitik] adj. et n. m. — 1914; du lat. *æneus* «airain», et grec *lithos* «pierre».

♦ Se dit de la période préhistorique marquée par les premières apparitions du cuivre et qui correspond à la fin de l'époque néolithique. Syn. : *chalcolithique* (du grec *khalkhos* «cuivre, bronze»). *Période énéolithique. Civilisation de l'énéolithique.*

La période énéolithique n'est pas caractérisée par une civilisation particulière. Stade final de l'époque néolithique ou, si l'on veut, transition entre le Néolithique et l'âge des Métaux, l'on y trouve à la fois l'usage partiel de la pierre polie, un outillage en pierre taillée et l'apparition du métal. De plus, les caractéristiques de cette période sont loin de coïncider dans le temps et dans l'espace.
                                    Fernand NIEL, Dolmens et Menhirs, p. 26.

ÉNERGÉTICIEN, IENNE [eneʀʒetisjɛ̃, jɛn] n. — V. 1970; de *énergétique.*

♦ Sc., techn. Spécialiste de l'énergétique.

ÉNERGÉTIQUE [eneʀʒetik] adj. et n. f. — 1895, sans doute antérieur, le n. f. (II.) étant attesté en 1868 (→ cit. 3); «qui paraît avoir une énergie innée», 1755; angl. *energetic*, grec *energêtikos.*

★ **I.** Adj. ♦ **1.** Relatif à l'énergie, aux grandeurs, aux unités, liées à l'énergie (sous toutes ses formes). *Puissance énergétique. Théorie énergétique :* système remplaçant en mécanique la notion de force par celle d'énergie.

1 Les difficultés soulevées par la mécanique classique ont conduit certains esprits à lui préférer un système nouveau qu'ils appellent *énergétique.* La science énergétique a pris naissance à la suite de la découverte du principe de la conservation de l'énergie. C'est Helmhöltz qui lui a donné sa forme définitive.
                                    H. POINCARÉ, la Science et l'Hypothèse, VIII, p. 139.
   Matérialisme énergétique : théorie (de Bachelard) d'après laquelle la matière se réduit à l'énergie. Syn. : *énergétisme restreint* (par opposition à l'*énergétisme absolu d'Ostwald*). → ci-dessous, II.

2 Du point de vue philosophique, le matérialisme énergétique s'éclaire en posant un véritable existentialisme de l'énergie. Dans le style ontologique où le philosophe aime à dire : l'être *est,* il faut dire : l'énergie *est.* Elle est absolument (...) l'énergie joue désormais le rôle de la *chose en soi* (...)
   Si l'énergétisme est si fondamental, il convient de mettre au rang des notions organiquement premières la notion d'énergie.
                                    G. BACHELARD, le Matérialisme rationnel, p. 177-178.

♦ **2.** Relatif à l'énergie utilisée industriellement. *Les ressources énergétiques d'un pays. L'équilibre énergétique mondial. La crise énergétique.*

♦ **3.** Physiol. *Dépense énergétique :* énergie qu'utilise l'organisme

pour une action ou une fonction déterminée. *Aliments énergétiques,* qui fournissent beaucoup d'énergie à l'organisme.

★ **II.** N. f. (1868; angl. *energetics.* Rankine, 1852).

♦ **1.** Système de mécanique remplaçant la notion de force par celle d'énergie. Par ext. Étude des différentes formes sous lesquelles se manifeste l'énergie. *Meyer, Carnot et Joule furent les pionniers de l'énergétique.*

3 On s'est attaché à présenter cette théorie indépendamment de toute hypothèse sur la nature des phénomènes calorifiques. C'est ainsi que Rankine abandonnant les suppositions ordinaires d'atomes et de force par lesquels on explique tous les phénomènes physiques a cherché à établir un système ne renfermant plus rien d'hypothétique, où il présente avec une généralité absolue les lois des phénomènes de la chaleur. À la considération ordinaire des forces il substitue celle d'une nouvelle quantité, l'énergie, qui existe dans les corps en partie à l'état actuel, en partie à l'état potentiel, et crée une nouvelle science qu'il nomme énergétique, dont la mécanique rationnelle ne serait qu'un cas particulier.
                                    E. VERDET, Théorie mécanique de la chaleur (cours), 1868.

♦ **2.** Système de cosmologie soutenu par Ostwald qui fait de l'énergie la substance du monde physique (on dit aussi *énergétisme*).
DÉR. Énergéticien, énergétiquement, énergétisme.

ÉNERGÉTIQUEMENT [eneʀʒetikmã] adv. — 1933; de *énergétique.*

♦ Didact. Sous le rapport de l'énergie.

1 Il suffit, pour cela, d'une abolition des associations psycho-cardio-organiques —, ces relations bizarres qui font la foi, l'amour, les fureurs, etc. en annexant énergétiquement et irrationnellement les images aux appareils vitaux essentiels.
                                    VALÉRY, Cahiers, t. II, Pl., p. 221.
2 (...) le moteur de la locomotive, en s'adaptant énergétiquement et en fréquence au réseau de distribution d'énergie (...)
                                    Gilbert SIMONDON, Du mode d'existence des objets techniques, p. 52.

ÉNERGÉTISME [eneʀʒetism] n. m. — 1901, *Nouveau Larousse illustré; de *énergét(ique),* et *-isme.*

♦ Didact. Théorie réduisant la matière à l'énergie (en phys., opposé à *atomisme;* en philos., à *matérialisme*).

Les communistes condamnaient la psychanalyse; Politzer (...) la définit comme un énergétisme, donc un idéalisme inconciliable avec le marxisme.
                                    S. DE BEAUVOIR, la Force de l'âge, p. 133.
Spécialt. Syn. de *matérialisme énergétique*,* de *énergétique* (II., 2.).
DÉR. Énergétiste.

ÉNERGÉTISTE [eneʀʒetist] adj. et n. — 1909, *in* D.D.L.; de *énergétisme.*

♦ Didact. De l'énergétisme. Adj. et n. Partisan de l'énergétisme, en sciences ou en philosophie.

(...) le conflit des énergétistes et des atomistes dans la physique de la fin du XIXᵉ siècle était davantage une opposition de caractère épistémologique qu'une manifestation d'écoles (...)
                                    J. PIAGET, Épistémologie des sciences de l'homme, p. 118.

ÉNERGIDE [eneʀʒid] n. m. — 1903, *in* Rev. gén. des sc., n° 1, p. 51; all. *energid* (J. Sachs), 1892; du grec *energ(os)* «actif» (→ Énergie), et *-ide* sur le modèle de l'allemand.

♦ Biol. Unité biologique formée d'un noyau entouré de cytoplasme. *La réunion de plusieurs énergides dans une seule membrane forme une structure cœnocytique ou syncytiale.* ⇒ **Plasmode.**

ÉNERGIE [eneʀʒi] n. f. — V. 1500; bas lat. *energia,* grec *energeia* «force en action».

★ **I.** Cour. ♦ **1.** Vieilli. Pouvoir, efficacité (d'un agent quelconque); principe actif. — Mod. *Énergie vitale.*

1 L'homme a une somme donnée d'énergie (...) La quantité d'énergie ou de volonté, que chacun de nous possède, se déploie comme le son : elle est tantôt faible, tantôt forte; elle se modifie selon les octaves qu'il lui est permis de parcourir. Cette force est unique, et bien qu'elle se résolve en désirs, en passions, en labeurs d'intelligence ou en travaux corporels, elle accourt là où l'homme l'appelle. Un boxeur la dépense en coups de poing, le boulanger à pétrir son pain, le poète dans une exaltation qui en absorbe et en demande une énorme quantité, le danseur la fait passer dans ses pieds; enfin, chacun la distribue à sa fantaisie (...) presque tous les hommes consument en des travaux nécessaires ou dans les angoisses de passions funestes, cette belle somme d'énergie et de volonté dont leur a fait présent la nature (...)   BALZAC, la Physiologie du mariage, Pl., t. X, p. 717.

(1829). Mod. et cour. Force, vitalité physique. *Se sentir plein d'énergie. Frotter un meuble avec énergie. Par ext. L'énergie d'un effort. Il y a mis un peu trop d'énergie.* → Il n'y est pas allé de main* morte.

2 (...) je battis *(le vieillard)* avec l'énergie obstinée des cuisiniers qui veulent attendrir un beefsteak.   BAUDELAIRE, le Spleen de Paris, XLIX.
3 Se retenir à une touffe d'herbe : contraste émouvant entre l'énergie extraordinaire de la prise et ce brin de graminée si fragile.
                                    VALÉRY, Rhumbs, p. 86 (→ Contraste, cit. 6).
Par ext. Force dont l'action a un effet concret. *L'énergie d'un remède.* ⇒ **Action, efficacité, vertu.**

♦ **2.** Force, vigueur* (dans l'expression, dans l'art). *L'énergie d'un dessin* (→ Coloris, cit. 5), *d'un mot, d'un style* (→ Argot, cit. 2; discours, cit. 20). ⇒ **Véhémence, vie.** *L'énergie du rythme, en musique.*

4 Mais quand vous avez fait ce charmant *quoi qu'on die,*
Avez-vous compris, vous, toute son énergie ?
MOLIÈRE, les Femmes savantes, III, 2.

5 Si pour les fixer je m'amuse à les décrire en moi-même, quelle vigueur de pinceau, quelle fraîcheur de coloris, quelle énergie d'expression je leur donne !
ROUSSEAU, les Confessions, IV.

Force, efficacité (d'un fait psychique).

6 Le véritable orgueil d'une femme ne devrait-il pas se placer dans l'énergie du sentiment qu'elle inspire ?
STENDHAL, De l'amour, XXVIII.

7 (...) ce n'est pas la qualité des objets qui fait la jouissance, mais l'énergie de l'appétit.
BAUDELAIRE, Projets de théâtre, I.

8 Nous retrouverons, peut-être, *par accident,* le souvenir de la *figure* de ces états critiques ; mais non plus la morsure, la chaleur, l'espèce particulière de douceur ou de vigueur infinie qui leur donnèrent en leur temps une importance incomparable. Notre passé se représente, mais il a perdu son *énergie.*
VALÉRY, Suite, p. 166.

Spécialt, psychan. *Énergie d'investissement*.*

♦ **3.** (Fin XVIIIᵉ). Force et fermeté dans l'action, qui rend capable de grands effets. ⇒ **Dynamisme, ressort, volonté.** *L'énergie qui l'anime. Agir avec énergie* (→ N'avoir pas froid aux yeux*). *Apporter toute son énergie à un travail difficile. Déployer de l'énergie.* ⇒ **Activité.** *Concentrer son énergie. Il a horreur des demi-mesures, il décide, il tranche avec énergie.* → *Aux grands maux* les grands remèdes. *Il lui a fallu beaucoup d'énergie pour ne pas se laisser abattre. Une énergie indomptable, farouche. Ayez assez d'énergie pour poursuivre le but que vous vous êtes assigné.* ⇒ **Constance, entêtement, persévérance.** *Protester avec énergie, avec la dernière énergie.* ⇒ **Véhémence.** *Manquer d'énergie. Briser l'énergie de qqn. Redonner de l'énergie à qqn.* ⇒ **Ranimer, remonter, retremper.** *Sursaut, regain d'énergie.* — Loc. *L'énergie du désespoir*. Stendhal ou le culte de l'énergie,* titre d'un essai de Barrès. *L'Énergie spirituelle,* œuvre de Bergson (1919).

9 Si c'est l'énergie qui conçoit les plans les plus vastes, c'est la réflexion qui doit les mûrir et les diriger.
DANTON, in BARTHOU, Danton, p. 309.

10 Je ne suis pas du bois dont on fait les grands hommes, puisque je crains que huit années passées à me procurer du pain ne m'enlèvent cette énergie sublime qui fait faire les choses extraordinaires.
STENDHAL, le Rouge et le Noir, I, XII.

11 L'homme qui, s'étant livré longtemps à l'opium ou au haschisch, a pu trouver, affaibli comme il l'était par l'habitude de son servage, l'énergie nécessaire pour se délivrer, m'apparaît comme un prisonnier évadé.
BAUDELAIRE, les Paradis artificiels, « Poème du haschisch », IV.

11.1 Christ ! ô Christ, éternel voleur des énergies.
RIMBAUD, Poésies, Les premières communions, IX.

12 Il gagnait de l'énervement, à peser le pour et le contre sans trouver l'énergie d'une détermination.
COURTELINE, Messieurs les ronds-de-cuir, 2ᵉ tableau, II.

13 (...) il était naturel que le vieux Castel mît toute sa confiance et son énergie à fabriquer des sérums sur place, avec du matériel de fortune.
CAMUS, la Peste, p. 150.

Par métonymie. *Galvaniser* les énergies (→ Affaiblir, cit. 8).

Manifestation, témoignage, signe de l'aptitude à agir. *Un regard plein d'énergie.* ⇒ **Énergique.**

♦ **4.** (Considérée dans son efficacité* sociale). *L'énergie du prolétariat* (→ Confisquer, cit. 3). *Le Roman de l'énergie nationale,* trilogie romanesque de Barrès.

14 (...) l'individualisme infécond, cet émiettement d'énergies, cette dispersion de la force publique en faiblesses particulières, — la grande misère moderne, dont la Révolution française est en partie responsable.
R. ROLLAND, Jean-Christophe, Le buisson ardent, I, p. 1285.

15 L'idée d'organisation a pour objet de faire produire le maximum du rendement dont il est capable, en supprimant les dissipations d'énergie dues aux libertés personnelles, à l'ensemble qui s'y inféode...
Julien BENDA, la Trahison des clercs, p. 36.

★ **II. Sc.** ♦ **1.** Phys. (Mil. XIXᵉ, → REM., ci-dessous ; autres emplois en phys. : 1717, J. Bernoulli ; 1725, Varignon ; le lat. *energia* a des emplois en sc. depuis le déb. du XVIIᵉ, l'ital. *energia* est déjà chez Galilée). Caractéristique que possède un système s'il est capable de produire du travail. *Les différentes formes de l'énergie et leurs transformations. Énergie mécanique potentielle d'un corps :* travail pouvant être produit en raison de la position d'un corps. *Énergie cinétique d'un corps* (acquise du fait de sa vitesse). *Énergie thermique.* ⇒ **Chaleur, thermodynamique.** *Énergie électrique, solaire* (⇒ **Rayonnement**), *chimique, nucléaire* (⇒ **Radiation ; fission, fusion**). *Principe de la conservation de l'énergie. Énergie interne :* en thermodynamique, somme des énergies potentielle et cinétique inhérentes à un système. *Les variations de l'énergie interne d'un système ne dépendent que de ses états initial et final.*

REM. Le concept moderne d'énergie se dégage au milieu du XIXᵉ s. (angl. *energy,* Thomson [Lord Relvin], 1851 ; Rankine, 1852) ; le mot apparaît en français dans une trad. de Thomson (1854) qui contient les syntagmes *énergie totale, actuelle, potentielle.* → aussi Énergétique, cit. 3.

16 Nous vivons sans être obligés de savoir que cela exige un cœur, des viscères, tout un labyrinthe de tubes et de fils, tout un matériel vivant de cornues et de filtres, grâce auquel il se fait en nous un échange perpétuel entre tous les ordres de gran-

deur de la matière et toutes les formes de l'énergie, depuis l'atome jusqu'à la cellule, et depuis la cellule jusqu'aux masses visibles et tangibles de notre corps.
VALÉRY, Variété V, p. 52.

Et voici maintenant que le noyau de l'atome (...) libère son effrayante énergie interne.   Marcel PESCHARD, Cours de chimie, t. I, p. 28 (→ Atome, cit. 18).   17

Cour. *L'énergie physique,* telle qu'elle est produite industriellement et utilisée par l'homme. ⇒ **Charbon, hydroélectricité, pétrole.** *L'énergie atomique, nucléaire* (⇒ **Nucléaire,** n. m.). — *La crise de l'énergie. Les problèmes d'énergie. Gaspiller l'énergie, gaspillage d'énergie.*

Énergies nouvelles : les énergies non traditionnelles (en particulier l'énergie atomique et les énergies renouvelables). *Énergies renouvelables :* les énergies provenant de sources naturelles qui ne s'épuisent pas (soleil, vent, marée...) et non de matières telles que charbon ou pétrole. — *Énergie solaire*. Énergies douces* (→ Doux). *Énergie verte :* transformation de l'énergie solaire par les plantes (envisagée par les écologistes comme « *énergie douce* » parmi d'autres). — *Énergie fossile* (pétrole, charbon...).

♦ **2.** (1903, in *Rev. gén. des sc.,* nᵒ 2, p. 105). Énergie chimique potentielle de l'être vivant. *Énergie physiologique minimale* (ou métabolisme* de base) : dépense énergétique de l'organisme au repos complet.

CONTR. (Du sens I) Indolence, inertie, mollesse, paresse.
DÉR. Énergique.

ÉNERGIQUE [enɛʀʒik] adj. — 1584 ; de *énergie.*

♦ **1.** (Mil. XIXᵉ). Qui a de la force, de la puissance physique. *Un effort, une détente énergique.* ⇒ **Fort, violent** (→ Détente, cit. 1). *Coup de collier énergique* (→ Assiduité, cit. 2). *Donner une poignée de main énergique.*

Ayant ensuite, par un coup de pied lancé dans le dos, assez énergique pour briser les omoplates, terrassé ce sexagénaire (...)   1
BAUDELAIRE, le Spleen de Paris, XLIX.

Par ext. *Remède énergique.* ⇒ **Actif, agissant, efficace, puissant** (→ Remède de cheval*).

♦ **2.** Plein d'énergie (dans l'expression). *Style, dessin énergique.* ⇒ **Robuste, vif, vigoureux.** *Vers énergique.* ⇒ **Frappé** (bien frappé).

Et déjà le notaire a, d'un style énergique,   2
Griffonné de ton joug l'instrument authentique.   BOILEAU, Satires, X.

♦ **3.** (Fin XVIIIᵉ). Qui a de l'énergie morale. ⇒ **Audacieux, courageux, décidé, ferme, fort, hardi, mâle, résolu, trempé** (bien trempé), **viril.** *C'est une personne, un caractère, une nature énergique* (→ Une femme énergique ; maîtresse* femme). *Homme d'État, médecin énergique. Pour bien élever vos enfants, soyez énergique.*

Un homme énergique n'a jamais peur en face du danger pressant   3
MAUPASSANT, la Peur, Pl., t. I, p. 600. (→ Anxieux, cit. 2).

Les gens toujours énergiques, ça n'existe pas. À moins que ce ne soient des brutes,   4
ou des fous.   J. ROMAINS, les Hommes de bonne volonté, t. VII, p. 21.

Par ext. *Un visage, une physionomie énergique,* qui exprime l'énergie (→ Brave, cit. 12).

(...) le futile jeu de l'artiste n'adoucissait en aucune façon ce qu'il y avait d'énergique et de batailleur dans cette carrure aux lignes puissantes.   5
J. GREEN, Adrienne Mesurat, I, I, p. 7.

♦ **4.** (1864). Qui témoigne d'énergie dans l'action et agit avec force (actes, décisions). *Une décision, une solution énergique.* ⇒ **Draconien, dur.** *Trancher une affaire par des moyens énergiques. Prendre des mesures énergiques. Commandement* (cit. 9) *énergique d'une armée. Intervention énergique de la police* (→ Agitation, cit. 20). ⇒ **Violent.** *Une politique énergique.* — REM. Le mot est souvent un euphémisme pour des adj. plus forts.

CONTR. Faible, indolent, languissant, mollasse, mou, pusillanime, timide, veule.
DÉR. Énergiquement.
COMP. V. Adrénergique (de l'anglais).

ÉNERGIQUEMENT [enɛʀʒikmɑ̃] adv. — 1584 ; de *énergique.*

♦ D'une manière énergique. *Frapper, serrer énergiquement.* ⇒ **Dur, fortement, vigoureusement, violemment** (→ Argile, cit. 4). — *Il ne travaille pas très énergiquement. Agir énergiquement.* ⇒ **Courageusement, fermement, hardiment, résolument.** *Il lui parla énergiquement. Soutenir énergiquement une opinion. Protester, résister énergiquement.*

Gémir, pleurer, prier est également lâche.
Fais énergiquement ta longue et lourde tâche,
Dans la voie où le sort a voulu t'appeler.
Puis après, comme moi, souffre et meurs sans parler.
A. DE VIGNY, les Destinées, « La mort du loup », III.

CONTR. Faiblement, indolemment, mollement, timidement.

ÉNERGISANT, ANTE [enɛʀʒizɑ̃, ɑ̃t] adj. et n. — V. 1970 ; calque de l'angl. *energizing,* p. prés. de *to energize,* de *energy* « énergie ».
Médecine.

♦ **1.** Adj. Qui stimule, donne de l'énergie. *L'action énergisante d'un médicament.*

♦ **2.** N. m. Médicament qui stimule l'activité psychique. *Prendre des énergisants.* ⇒ **Antidépresseur, psychotonique, psychotrope.**

ÉNERGUMÈNE [enɛʀgymɛn] n. — 1579; lat. ecclés. *energumenus (-os)* «possédé du démon», grec *energoumenos*, de *energein* «agir», et «inspirer» au figuré.

♦ **1.** Vx. Personne possédée du démon. ⇒ **Démoniaque, possédé.** *Exorciser un, une énergumène.* — Loc. mod. (où le mot est compris au sens 2). *Crier, s'agiter comme un énergumène.*

1 *(Il)* marchait hors de Paris, sur les routes et par les chemins déserts, en criant vers Dieu dans d'interminables perambulations solitaires. Mais la Tentation ne le lâchait pas (...) Des frénésies soudaines le saisissaient, le rendant vraiment énergumène. Il se jetait, en mugissant comme un buffle pourchassé, dans les taillis (...) se roulait sur l'herbe en écumant à la façon des épileptiques, appelant à son secours, indistinctement, les puissances de tous les abîmes.
Léon BLOY, le Désespéré, p. 225.

Littér. *Éros énergumène,* texte de Denis Roche.

♦ **2.** (1734). Mod. Personne exaltée qui se livre à des cris, à des gestes excessifs dans l'enthousiasme ou la fureur. ⇒ **Agité, exalté, excité, fanatique, forcené.** *C'est un violent, mais non pas un énergumène.*

2 À droite, c'est un contemplatif étendu sur une natte, qui attend, le nombril en l'air, que la lumière céleste vienne investir son âme. À gauche, c'est un énergumène prosterné qui frappe du front contre la terre, pour en faire sortir l'abondance. Là, c'est un saltimbanque qui danse sur la tombe de celui qu'il invoque.
VOLTAIRE, Dict. philosophique, art. *Fanatisme.*

3 En voilà, un énergumène, qui entre ici comme un boulet, pousse les portes, tire les rideaux, emplit la maison de ses cris, me traite comme la dernière des filles, va jusqu'à lever la main sur moi!...
COURTELINE, Boubouroche, II, II.

(Déb. xxᵉ). Par ext. Personne qui paraît dangereuse. *Des extrémistes, des énergumènes. Une bande d'énergumènes qui criaient des slogans racistes.*

4 Elle n'est conduite à ses grands destins douloureux que forcée par une poignée de factieux, une *minorité agissante,* une bande d'énergumènes et de fanatiques, une bande de forcenés, groupés autour de quelques têtes...
Ch. PÉGUY, la République..., p. 239.

ÉNERVANT, ANTE [enɛʀvã, ãt] adj. — 1586; p. prés. de *énerver.* Qui a la propriété d'énerver*.

♦ **1.** Vx ou littér. Qui prive de nerf, abat les forces. ⇒ **Amollissant.** *Une chaleur énervante.* Par ext. *Des habitudes, des plaisirs énervants* (→ Céder, cit. 11; confort, cit. 2).

1 Les sons d'une musique énervante et câline (...)
BAUDELAIRE, les Fleurs du mal, Le vin, CVII.

♦ **2.** (1867). Mod. Qui excite désagréablement les nerfs. ⇒ **Agaçant, exaspérant, excédant, irritant;** régional **agonant.** *Un bruit énervant, une présence énervante. C'est énervant d'avoir à attendre si longtemps.* ⇒ **Ennuyeux.**

1.1 J'ai été plus sensible que tout autre à l'énervante sottise, à l'irritante médiocrité des femmes. BAUDELAIRE, Poèmes en prose, Pl., p. 191 (1867).

2 Et très haut, dans le ciel pur, on devinait une présence hostile, un bruit énervant et fin, comme si un moustique invisible avait bourdonné dans les étoiles.
A. MAUROIS, les Discours du Dr O'Grady, XI, p. 114.

(Personnes). *Il est énervant avec ses rengaines. Vous êtes énervant d'arriver toujours en retard.*

CONTR. **Stimulant, vivifiant.** — **Apaisant, reposant.**

ÉNERVATION [enɛʀvasjõ] n. f. — 1401; bas lat. *enervatio* «épuisement, fatigue», du supin de *enervare.* → Énerver.

♦ **1.** (1611). Vx. Abattement des forces par relâchement des nerfs. ⇒ **Affaiblissement.**

L'orgie n'est plus la sœur de l'inspiration : nous avons cassé cette parenté adultère. L'énervation rapide et la faiblesse de quelques siècles témoignent assez contre cet odieux préjugé. BAUDELAIRE, l'Art romantique, IV, 6.

♦ **2.** (1752, à propos du moyen âge). Supplice consistant à brûler les tendons (nommés *nerfs*) des jarrets et des genoux.

(xxᵉ). Chir. Ablation ou section d'un nerf, d'un groupe de nerfs. (On dit aussi *dénervation.*)

ÉNERVEMENT [enɛʀvəmã] n. m. — 1413, «action d'affaiblir (qqch.)»; rare jusqu'au xviiiᵉ; de *énerver.*

♦ **1.** (Av. 1747). Vx. Diminution d'énergie, de force. ⇒ **Affaiblissement, énervation.**

1 La paix nous reproche l'énervement des courages et la corruption des esprits (...)
VAUVENARGUES, Éloge de Louis XV, in LITTRÉ.

Un, des énervements : moment, accès de faiblesse.

♦ **2.** (1867). Mod. (⇒ **Énerver,** II.). État d'une personne incapable de maîtriser ses nerfs. ⇒ **Agitation, excitation, surexcitation.** *Il était dans un état d'énervement indescriptible.* ⇒ **Irritabilité, nervosité.** *Être mort d'énervement et de fatigue* (→ Claquer, cit. 7). *Mots prononcés dans un moment d'énervement. Pleurer d'énervement.* ⇒ **Agacement, impatience, irritation.** *Maîtriser son énervement* (→ Déguiser, cit. 12).

2 Ils font d'abord rire, puis ricaner ; à la fin, leur comique est pareil à la chatouille interminable de la pensée : on crève d'ennui et d'énervement à ce rire.
André SUARÈS, Trois hommes, «Dostoïevski», p. 253.

3 Il avait aussi de ces énervements terribles, douloureux, et extrêmement rares comme en ont les éléphants lorsque, quittant une tranquillité qui leur a coûté des années de surveillance, ils s'abandonnent à la colère pour une bagatelle.
Henri MICHAUX, Plume, Difficultés, p. 109.

Un, des énervements : occasion, cause d'énervement; moment où l'on est énervé. *Un énervement passager.*

CONTR. **Calme, impassibilité, placidité, sérénité.**

ÉNERVER [enɛʀve] v. tr. — Déb. xiiiᵉ au sens I, 2 et en emploi pron. *(soi esnerver);* lat. *enervare,* proprt «couper les nerfs» de *ex-,* et *nervus.* → Nerf.

★ **I.** ♦ **1.** (1594, *squelette esnervé*). Vx. Priver de «nerfs» (tendons). (1690). Faire subir le supplice de l'énervation* à (qqn). Cuis. Enlever les tendons de. *Énerver un lapin. Énerver les chairs.*

♦ **2.** Fig. (vieilli ou littér.). Priver de nerf, de force. ⇒ **Affaiblir, amollir.** *Le climat lourd et humide finit par énerver les habitants.* ⇒ **Déprimer, fatiguer.** — Absolt. *Chant qui énerve et alanguit.* ⇒ **Alanguir,** cit. 2. *Les plaisirs, les voluptés énervent l'âme.* ⇒ **Aveulir, efféminer.** *L'inaction a énervé son courage.*

1 Toute l'éloquence de Démosthène ne put jamais ranimer un corps que le luxe et les arts avaient énervé. ROUSSEAU, Disc. sur les sciences et les arts, I.

2 Mais, en route, le bercement du fiacre et la chaleur du soleil matinal l'énervèrent. Son énergie était retombée. Il ne distinguait même plus où l'on était.
FLAUBERT, l'Éducation sentimentale, II, IV.

3 (...) l'égoïsme des mères et des pères, en général, énerve toutes les vertus au profit d'une seule. André SUARÈS, Trois hommes, «Ibsen», p. 148.

Par ext. *Des méthodes qui énervent les ressorts de l'État* (→ Dictateur, cit. 4). — *Énerver le style par des répétitions, des images faciles.* ⇒ **Affadir.**

★ **II.** (1882, Zola ; *énervant* est antérieur). Mod. Agacer, exciter, en provoquant la nervosité. ⇒ **Échauffer, exciter, surexciter.** *L'alcool qu'il a bu l'énerve.* — Absolt. *Le bruit fatigue et énerve.* — *Cette attente l'a énervé. Sa mauvaise foi m'énerve. Vous m'énervez avec vos perpétuelles allusions!* ⇒ **Agacer, crisper, impatienter, nerf** (porter sur les nerfs), **obséder, tourmenter.** *Tu commences à nous énerver !* ⇒ **Énervant.**

4 Elle entendait (...) les cailloux crissant sous les pas réguliers de sa sœur, dans l'allée. Ces sons l'énervaient (...) J. GREEN, Adrienne Mesurat, I, IV, p. 31.

▶ **S'ÉNERVER** v. pron.

♦ **1.** Vx ou littér. S'affaiblir, s'amollir.

5 (...) le siècle embourgeoisé s'énerve et les mœurs deviennent d'une fadeur qui me dégoûte. Th. GAUTIER, le Capitaine Fracasse, t. II, XII, p. 98.

♦ **2.** Mod. Être dans une agitation nerveuse qui va en augmentant. *S'énerver à attendre. Il ne peut rien faire sans s'énerver. Du calme ! Ne vous énervez pas pour si peu.* ⇒ **Affoler** (s').

6 Il s'énervait dangereusement, Raymond, à ces contacts prolongés qu'elle ne défendait pas. LOTI, Ramuntcho, I, XXIII, p. 183.

7 (...) ne t'énerve pas. Assieds-toi. Mets les mains sur les genoux, tes poignets te feront moins mal. Et puis tais-toi. Essaye de dormir ou réfléchis.
SARTRE, Morts sans sépulture, I, 1.

▶ **ÉNERVÉ, ÉE** p. p. adj.

♦ **1.** Anciennt. Qui a subi le supplice de l'énervation*. — Subst. *Les Énervés de Jumièges :* nom donné aux deux fils de Clovis II qui après avoir subi ce supplice furent abandonnés dans un bateau et recueillis par les moines de Jumièges.

7.1 Je tombai en arrêt devant un tableau dont j'avais vu, enfant, une reproduction sur la couverture du Petit Français illustré et qui m'avait fait grande impression : «Les énervés du Jumièges».
J'avais été troublée par le paradoxe du mot énervé (...)
S. DE BEAUVOIR, la Force de l'âge, p. 210.

Fig. Affaibli, privé de force (→ Affadi, cit. 8; dépeuplé, cit. 10).

8 Je parais énervé, sans vigueur, sans courage ;
Mais je suis né robuste (...) André CHÉNIER, Bucoliques, «Le mendiant».

♦ **2.** (1864, in Littré). Mod. Qui se trouve dans un état de nervosité inhabituel. *Elle est très énervée : elle attend les résultats de son examen. Pardonnez-lui le ton brutal, il était énervé, en colère*.* — N. (Fam.). *C'est un énervé, une énervée.* ⇒ **Nerveux.** — Qui marque l'énervement. *Un geste énervé. Une réponse énervée.*

9 Les menues difficultés qu'elle rencontre lui sont un prétexte à câlineries, à rires énervés, à émerveillements, à effusions.
J. ROMAINS, les Hommes de bonne volonté, t. II, X, p. 105.

10 — Comme vous êtes triste, dit Odette.
— Pas plus que les autres. Nous sommes tous un peu énervés par ces menaces de guerre. SARTRE, le Sursis, p. 27.

CONTR. **Animer, fortifier.** — **Abattre, apaiser, calmer, détendre, reposer.** — (Du p. p.) **Calme.**
DÉR. **Énervant, énervement.** — V. **Énervation.**

ENFAÎTEAU [ãfɛto] n. m. — 1402, *enfestan;* de *enfaîter.*

♦ Techn. Faîtière (tuile).

ENFAÎTEMENT [ɑ̃fɛtmɑ̃] n. m. — 1638; de *enfaîter*.

♦ Techn. Faîtage (feuille de plomb repliée sur le faîte d'un toit).

ENFAÎTER [ɑ̃fete; ɑ̃fɛte] v. tr. — 1402, *enfester*; de *en-*, et *faîte**. Technique.

♦ **1.** Couvrir le faîte de (un toit) avec du plomb, des tuiles spéciales. ⇒ **Enfaîtement.**

♦ **2.** Rare. Remplir (un récipient) par-dessus bord. Accumuler, tasser dans (un récipient). — Au p. p. :

Et Maheu se mit à engloutir, par lentes cuillerées, la pâtée de pain, de pommes de terre, de poireaux et d'oseille, enfaîtée dans la jatte qui lui servait d'assiette.
ZOLA, Germinal, t. I, p. 123.

DÉR. Enfaîteau, enfaîtement.

ENFANCE [ɑ̃fɑ̃s] n. f. — XIIᵉ; lat. *infantia* «bas âge», de *infans, infantis*. → Enfant.

♦ **1.** Première période de la vie humaine, de la naissance à l'adolescence. ⇒ **Âge** (le premier âge, l'âge tendre, l'âge innocent, être en bas âge). *L'enfance s'étend de la naissance jusqu'autour de la treizième année, où commence l'adolescence* (⇒ **Adolescence, jeunesse, puberté**). *Au sortir de l'enfance. L'enfance, apprentissage* (cit. 10) *de la vie. Avoir eu une enfance troublée, malheureuse, heureuse, choyée, comblée. Une enfance parisienne*, qui se passe, s'est passée à Paris. *C'est le berceau de mon enfance*, le lieu où elle s'est écoulée (→ Attendre, cit. 14). *Les bruits dont son enfance a été bercée* (cit. 4). *Souvenirs d'enfance* (→ Barbouiller, cit. 9; cadre, cit. 9). *Souvenirs d'enfance et de jeunesse*, œuvre de Renan (1883). — *Être amis, camarades d'enfance. Principes reçus dès la première, dès la plus tendre enfance.* → Dès le berceau*; sucés avec le lait*. *Goûts, ambitions, sentiments, habitudes que l'on a contractés dès l'enfance, dès sa première enfance, dans son enfance, depuis son enfance* (→ Adonner, cit. 1; approcher, cit. 6; attacher, cit. 98; déchirement, cit. 10; décorer, cit. 7; documenter, cit. 1; dragon, cit. 9).

1 Je trouve que nos plus grands vices prennent leur pli de notre plus tendre enfance, et que notre principal gouvernement est entre les mains des nourrices.
MONTAIGNE, Essais, I, XXIII.

2 Nous nous aimions tous deux dès la plus tendre enfance (...)
RACINE, la Thébaïde, II, 1.

3 (...) notre enfance laisse quelque chose d'elle-même aux lieux embellis par elle, comme une fleur communique un parfum aux objets qu'elle a touchés.
CHATEAUBRIAND, Mémoires d'outre-tombe, t. I, p. 92.

4 Oui, je reviens à toi, berceau de mon enfance,
Embrasser pour jamais tes foyers protecteurs.
LAMARTINE, Nouvelles méditations, « Préludes ».

5 Suis-je tellement changé que vous ne puissiez reconnaître en moi un camarade d'enfance, avec qui vous avez daigné jouer à cache-cache et faire l'école buissonnière?
BAUDELAIRE, la Fanfarlo.

6 (...) tous deux *(Proust et Ruskin)* avaient eu des enfances couvées par des familles trop tendres (...)
A. MAUROIS, Études littéraires, t. I, p. 105.

7 En somme, nous n'étions jamais sortis de l'enfance, nous inventions sans cesse, nous inventions nos peines, nos joies, nous inventions la Vie, au lieu de la vivre.
BERNANOS, Journal d'un curé de campagne, p. 52.

7.1 Facteurs et filiation répondent au principe même de la psychologie enfantine, s'il est vrai que l'enfance a dans la vie de l'individu une valeur fonctionnelle, comme période où s'achève de se réaliser en lui le type de l'espèce.
Henri WALLON, l'Évolution psychologique de l'enfant, p. 8.

Hist. littér. (au plur.). *Les enfances de Tristan, de Lancelot, de Vivien* (ou selon la syntaxe médiévale : *les enfances Tristan, les enfances Lancelot*) : les actions et exploits accomplis durant leur enfance et leur première jeunesse par ces héros de romans ou chansons de geste du moyen âge.

♦ **2.** (Av. 1650). Sing. collectif. Les enfants. *L'avenir d'un pays réside dans son enfance. L'enfance est espiègle. La tendresse, les grâces, l'enjouement de l'enfance* (→ Cupidon, cit.). *Les premiers développements* (cit. 2), *le caractère* (cit. 36) *de l'enfance. S'occuper de l'enfance. L'enfance malheureuse, abandonnée, délinquante. La protection de l'enfance.*

8 Tout était juste alors : la vieillesse et l'enfance
En vain sur leur faiblesse appuyaient leur défense (...)
RACINE, Andromaque, I, 2.

9 L'enfance a des manières de voir, de penser, de sentir, qui lui sont propres; rien n'est moins sensé que de vouloir y substituer les nôtres (...) ROUSSEAU, Émile, II.

10 (...) cette réalité de l'enfance, réalité grave, héroïque, mystérieuse, que d'humbles détails alimentent et dont l'interrogatoire des grandes personnes dérange brutalement la féerie.
COCTEAU, les Enfants terribles, p. 24.

♦ **3.** (V. 1260). Mentalité infantile réapparaissant dans le cas d'affaiblissement sénile des facultés (dans des expressions, notamment *en enfance*). ⇒ **Imbécillité, inconscience.** *Vieillard qui tombe, qui est retombé en enfance.* ⇒ **Gâtisme, sénilité** (→ Arguer, cit. 1). *Être en enfance.* ⇒ **Gâteux.**

11 L'imbécile *(faible)* Ibrahim (...)
Traîne, exempt de périls, une éternelle enfance. RACINE, Bajazet, I, 1.

11.1 « Messieurs, je deviens vieux et tombe en enfance. Traitez-moi comme un enfant. »
J. GREEN, Journal, 1ᵉʳ avr. 1962, Vers l'invisible, p. 312.

♦ **4.** (Av. 1613). Fig. Première période d'existence (d'une chose).

⇒ **Commencement, début.** — *L'enfance de qqch. La divine enfance du cœur.* ⇒ **Fraîcheur, ingénuité** (→ Athénien, cit. 5). *L'enfance du monde.* ⇒ **Origine.** *L'enfance de Rome, de l'humanité* (→ Développement, cit. 9; distinguer, cit. 16). — *Dans l'enfance, en enfance. Science, art qui est encore dans l'enfance.* ⇒ **Lange** (dans les langes); → Cinéma, cit. 3.

12 Dans les temps bienheureux du monde en son enfance (...) BOILEAU, Satires, V.

13 À cette époque (...) l'agriculture, le commerce, étaient dans l'enfance, et l'économie politique n'était pas encore née.
A. BRILLAT-SAVARIN, Physiologie du goût, t. I, p. 141.

14 (...) mais quand il s'agit d'une science dans l'enfance, comme la médecine, où existent des questions complexes ou obscures non encore étudiées, l'idée expérimentale ne se dégage pas toujours d'un sujet aussi vague.
Claude BERNARD, Introd. à l'étude de la médecine expérimentale, p. 56.

Fam. *C'est l'enfance de l'art* : c'est la première chose que l'on apprend dans un art, la plus élémentaire, la plus facile pour réussir (→ Corrupteur, cit. 3).

CONTR. Maturité, vieillesse. — Épanouissement; déclin.

ENFANÇON, ONNE [ɑ̃fɑ̃sɔ̃, ɔn] n. — Fin XIIᵉ; mot courant dans la littérature du XVIᵉ, puis archaïque, sauf régionalement; du lat. pop. *infantio, infantionis*, dimin. du lat. *infans, infantis* «enfant», d'après *enfant*.

♦ Vx ou archaïsme littér. Très petit enfant. ⇒ **Bébé.**

1 Elle ouvre son tablier à largeur de bras et l'enfançon est là-dedans, couché tout nu sur une poignée d'herbe. J. GIONO, le Grand Troupeau, Pl., t. I, p. 723.

Par ext. Littér. et rare. Personne innocente et sans défense; petit enfant (fig.).

2 Toute la souffrance créée dans le monde par la guerre, ne pèse pas plus que ne pèseraient les larmes de cette enfançonne.
MONTHERLANT, Pitié pour les femmes, p. 155.

ENFANT [ɑ̃fɑ̃] n. m. — XIᵉ; du lat. *infans*, à l'accusatif *infantem* «qui ne parle pas», de *in-*, préf. négatif, et *fari* «parler», mot désignant d'abord «l'enfant en bas âge», puis «le jeune enfant», avant de remplacer en bas lat. les mots *puer* «l'enfant de six à quatorze ou quinze ans» et *liberi* «les enfants (au sens II) par rapport aux parents».

★ **I.** ♦ **1.** Jeune être humain, dans l'âge de l'enfance* (indépendamment de son sexe). *Toutes les grandes personnes ont été des enfants* (→ 1. Personne, cit. 6, Saint-Exupéry).

Un, des enfants. ⇒ **Petit; fille, fillette, garçon, garçonnet**; fam. **bambin, chiard, drôle** (régional), **galopin, gamin, gnard** (pop.), **gone** (régional), **gosse, lardon, loupiot, marmot, merdeux, 3. minot** (régional), **minouche, minouchet, mioche, miston** (régional), **môme, mômichon** (et **mômignard, mômillon**), **morveux, mouflet, moutard.** *Un enfant qui vient de naître; un enfant en bas âge, au berceau,* (vx) *à la mamelle, au biberon.* ⇒ **Bébé, nourrisson, nouveau-né, poupard, poupon; 2. salé** (petit); (vx) **enfançon, enfantelet.** *Enfant qui apprend à parler, à marcher* (→ Développement, cit. 2, Rousseau). *Les premières sensations des enfants* (→ Affectif, cit. 1, Rousseau). *Saisir l'enfant au berceau* (→ Assigner, cit. 9, Duhamel). *Enfant à l'étroit dans ses langes* (→ Amnios, cit., Rousseau). *Un petit enfant* (valeur relative, en général entre l'âge de la parole et six ou sept ans). *Un jeune enfant. Cet enfant est déjà grand, grandelet.* — REM. Après le premier âge, *enfant* au sing. désigne plus souvent un garçon qu'une fille, à cause du genre grammatical. — *Savoir parler aux enfants. Noms d'affection* donnés aux enfants : amour, ange, petit bonhomme, petite bonne femme, chat, chou, coco, poussin, rat... *Représentation des enfants* (⇒ **Amour, ange, angelot, chérubin, cupidon, putto**; → Cupidon, cit. Fénelon). — *Un enfant blond* (⇒ **Blondinet**; → Chère tête blonde*), *roux* (⇒ **Rouquin**), *brun... Joli enfant qui a des joues comme une pomme* (cit. 9). — *L'enfant était cramponné à sa jupe* (→ Arracher, cit. 26, Sand). *Un pauvre enfant vêtu de noir* (→ Asseoir, cit. 27, Musset). — *Enfant maladif, fort* (→ Battre, cit. 3, La Bruyère).

Enfant câlin, charmant, doux, gentil. Un enfant calme et obéissant. Enfant bruyant, capricieux, espiègle, mutin (⇒ Choquant, cit. 3, Rousseau), *terrible, turbulent* (⇒ **Babouin** [vx], **coquin, diable, diablotin, garnement, polisson, vaurien**). *Enfant vif comme un papillon* (→ Causeur, cit. 1, Sand). *Enfant gâté*, mal élevé, insupportable, difficile. Les caprices* (cit. 4, Rousseau) *des enfants. Enfant attentif* (cit. 14, Bossuet). *Enfant candide, naïf. Candeur, fraîcheur, innocence, naïveté des enfants. La bienveillance* (cit. 4, Rousseau), *l'application* (cit. 5, La Bruyère), *l'indifférence* (→ Adulte, cit., Mauriac), *la paresse* (→ Appliquer, cit. 36, La Bruyère) *des enfants* (→ aussi Ascendant, cit. 6, La Bruyère). *L'air innocent d'un enfant* (→ Bégayer, cit. 6, Boileau). *Cet enfant est gai, équilibré. Enfants à problèmes. Enfants anormaux, arriérés* (cit. 3, Duhamel; cit. 4, Mauriac), *inadaptés, psychotiques, autistes, mongoliens. Enfant abandonnique.* *S'occuper d'un enfant. Élever plusieurs enfants* (→ ci-dessous, le sens II). *Soins donnés aux enfants.* ⇒ **Puériculture; crèche, garderie, jardin** (d'enfants), **maternelle, nursery, pouponnière.** *Personnes chargées de s'occuper des enfants.* ⇒ **Gouvernante, jardinière** (d'enfants), **nurse;** (anglic.) **baby-sitter.** — (Vieilli). *Bonne* d'enfants. Soigner les enfants. Médecine des enfants* : médecine infantile (⇒ **Pédiatre, pédiatrie**). *Éduquer un* *enfant* (⇒ **Pédagogie ; instruction ; école**). *Instituteur*, institutrice, pédagogue* qui s'occupe de nombreux enfants. Guider un enfant* (→ Affectueusement, cit., Rolland). *L'éducation d'un enfant* (→ Amas, cit. 13, Rolland). *De l'institution des enfants,* chapitre des *Essais* de Montaigne. — *Relations entre adultes et enfants. Attirance sexuelle pour les enfants.* ⇒ **Pédophilie**. — *Choyer, aduler, cajoler un enfant. Maltraiter un enfant. Bourreau* d'enfants* (→ ci-dessous Enfant martyr). — *Kidnapper* un enfant.*

1 Laissez venir à moi les petits enfants, et ne les empêchez point, car le royaume de Dieu est pour ceux qui leur ressemblent.
BIBLE (SACY), Évangile selon saint Marc, X, 14.

2 Mais un fripon d'enfant (cet âge est sans pitié) [...] LA FONTAINE, Fables, IX, 2.

3 L'enfant sent ses besoins, et ne les peut satisfaire, il implore le secours d'autrui par des cris : s'il a faim ou soif, il pleure ; s'il a trop froid ou trop chaud, il pleure ; s'il a besoin de mouvement et qu'on le tienne en repos, il pleure ; s'il veut dormir et qu'on l'agite, il pleure. ROUSSEAU, Émile, I.
N.B. Cette citation concerne aussi l'emploi collectif ci-dessous.

4 Lorsque l'enfant paraît, le cercle de famille
Applaudit à grands cris. Son doux regard qui brille
Fait briller tous les yeux (...)
Il est si beau, l'enfant, avec son doux sourire,
Sa douce bonne foi, sa voix qui veut tout dire,
Ses pleurs vite apaisés (...) HUGO, les Feuilles d'automne, XIX.

5 (...) je crois que la plupart des enfants sont des inspirés, des moyens pris par Dieu pour s'exprimer. MONTHERLANT, la Relève du matin, p. 8.

Spécialt (l'emploi du lat. class. *infans,* opposé à *puer,* reste vivant). Enfant à la naissance et peu après. ⇒ **Nouveau-né**. *Naissance d'un enfant* (⇒ **Accouchement, naissance**). *Enfant né* viable. Enfant prématuré*, élevé en couveuse*. Enfant mort-né. Enfants jumeaux* (⇒ **Jumeau** ; gémellité). *Enfants nés d'une même grossesse.* (⇒ **Triplés, quadruplés, quintuplés...**). *Nourrir un enfant au sein, au biberon.* ⇒ **Allaitement, biberon** (cit. 1), tétée ; nourrice, nourrir. *Sevrer* un enfant. Bercer un enfant pour l'endormir* (→ Assoupir, cit. 11, Lamartine ; berceau, cit. 1, Rousseau). ⇒ **Bercement**. *Nettoyer, baigner, changer un enfant. Peser un enfant* (⇒ **Pèse-bébé**). *Promener un enfant dans un landau*, une poussette*. Porter un enfant* (→ Baller, cit. 3, Colette). *La layette* d'un enfant.* ⇒ aussi **Barboteuse, bavette, brassière, chausson, couche, grenouillère, maillot ; bonnet, bourrelet** (vx). *Aliments pour enfant.* → Baby-food (anglic.).

5.1 Éternité du cri
De l'enfant qui semble
Naître de la douleur
Qui se fait lumière. Yves BONNEFOY, Poèmes, « La Terre », p. 283.

... *d'enfant :* pour enfant. *Chaise, lit d'enfant.*

(Syntagmes figés). *Enfant terrible,* particulièrement difficile à élever et à supporter (→ ci-dessous, les valeurs figurées).

6 Les enfants malheureux sont souvent, par dépit et ressentiment, des enfants terribles. A. MAUROIS, Lélia, I, IV, p. 43.

Enfant martyr, qui est soumis régulièrement à de mauvais traitements.

6.1 (...) tous ces horribles faits divers : enfants martyrs, enfants noyés par leur propre mère. S. DE BEAUVOIR, les Belles Images, p. 73.

Enfant prodige, d'une précocité extraordinaire. *Mozart fut un enfant prodige.*

Enfant sauvage : enfant élevé hors de tout groupe humain (par des animaux, etc.). *Les enfants-loups.*

6.2 La littérature sur les enfants-loups fortement teintée de légende, ne livre guère de données scientifiques sur ce que serait l'homme vivant sur son seul fonds génétique. A. LEROI-GOURHAN, le Geste et la Parole, t. II, p. 28.

En comp. (→ aussi ci-dessous Enfant-Dieu) :

6.3 (...) comme dans Shakespeare quand le jeune héritier du trône, l'enfant-roi aux cheveux coupés en frange, a été égorgé malgré les aboiements affolés du petit épagneul entendant approcher les pas des meurtriers.
Claude SIMON, le Palace, p. 89.

6.4 Les enfants m'ont touché. La voix de l'enfant-homme est bien autrement pénétrante que celle des femmes que j'ai toujours trouvée criarde et peu expressive (...)
E. DELACROIX, Journal, 7 sept. 1854.

Collectivt. *L'enfant :* l'ensemble des enfants. ⇒ **Enfance, 2.** (→ aussi ci-dessus, cit. 3). *L'imagination, la personnalité de l'enfant. Étapes de la vie de l'enfant. Développement* (cit. 2), *croissance de l'enfant. Morphologie, physiologie de l'enfant. Les maladies de l'enfant.* — *L'apprentissage du langage par l'enfant. Le babil, les cris de l'enfant* (→ Acéré, cit. 3). ⇒ **Babil, babiller** (cit. 6, Duhamel) ; **balbutiement, balbutier ; gazouillement, gazouiller** (→ Bêler, cit. 1, Lamartine) ; **lallation ; préverbal ; vagir, vagissement.** *Le langage, la syntaxe, le vocabulaire de l'enfant.* — *La psychologie, l'affectivité de l'enfant.*

6.5 L'enfant n'est que lui, ne voit que lui, n'aime que lui, et ne souffre que de lui : c'est le plus énorme, le plus innocent et le plus angélique des égoïstes.
Ed. et J. DE GONCOURT, Journal, t. II, p. 204.

6.6 L'enfant, Victor Hugo et bien d'autres l'ont vu ange. C'est féroce et infernal qu'il faut le voir. D'ailleurs la littérature sur l'enfant ne peut être renouvelée que si l'on se place à ce point de vue. Il faut casser l'enfant en sucre que tous les Droz ont donné jusqu'ici à sucer au public. L'enfant est un petit animal nécessaire. Un chat est plus humain. J. RENARD, Journal, 18 févr. 1890.

L'enfant Jésus : Jésus dans son enfance ; image le représentant. *Beau, sage comme l'enfant Jésus :* très beau, très sage. — *Le divin enfant* [divinɑ̃fɑ̃] : Jésus. — En comp. *L'Enfant-Dieu.* — **ENFANT DE CHŒUR** : enfant qui se tient dans le chœur pendant les offices pour servir le prêtre (→ Cristallin, cit. 2). *Apprendre le chant aux*

enfants de chœur (⇒ **Manécanterie, psallette**). *Il n'a pas l'air d'un enfant de chœur :* ce n'est pas un naïf.

7 Et ces enfants de chœur plus beaux que rien qui soit au monde,
Leurs soutanettes écarlates, leurs surplis jolis,
Et les lourds encensoirs bercés par leurs mains apâlies (...)
VERLAINE, Dédicaces, « Laurent Thailhade ».

8 Bien que plus d'un soit chenu et habillé de vert, je vous dis que ce sont des enfants de chœur. J. ROMAINS, les Hommes de bonne volonté, t. V, XVII, p. 124.

Loc. *C'est un jeu d'enfant :* cela ne présente aucune difficulté. ⇒ **Enfance** (c'est l'enfance de l'art), **enfantin, facile.**
Il n'y a plus (y a plus) d'enfants, se dit à propos d'enfants dont les paroles, les actes ne sont pas de leur âge.

9 Ah ! Il n'y a plus d'enfants. MOLIÈRE, le Malade imaginaire, II, 8.

Innocent (pur...) comme l'enfant qui vient de naître (souvent iron.).
Adj. *Lorsque j'étais enfant,* tout jeune, tout petit. *Tout enfant que j'étais* (→ 1. Canon, cit. 1). — Ellipt. *Ce que j'ai fait, enfant, encore enfant* (→ Apprendre, cit. 23).

10 Enfant, j'aimais comme eux à suivre dans la plaine
Les agneaux pas à pas, égarés jusqu'au soir (...)
LAMARTINE, Nouvelles méditations, « Préludes ».

(Après un n. propre). *Un portrait de Louis XIV enfant.*

♦ **2.** Homme, femme très jeune (par rapport à la norme implicite du contexte en matière de maturité). ⇒ **Adolescent.** *C'est encore un enfant, une enfant. Coquette qui affole* (cit. 1) *un enfant.*

11 J'avais donc dix-huit ans ! j'étais donc plein de songes ! (...)
J'étais un dieu pour toi qu'en mon cœur seul je nomme :
J'étais donc enfant, hélas, devant qui l'homme
Rougit presque aujourd'hui ! HUGO, les Feuilles d'automne, XIV.
REM. Cet emploi est rare, en parlant d'une femme. *Elle est encore un enfant* (→ ci-dessous le n. f.). « *Le commencement d'une femme dans la fin d'un enfant* » (→ Adolescence, cit. 1, Hugo).

♦ **3.** N. f. UNE ENFANT : une jeune femme, une jeune fille (avec une connotation condescendante). *C'est une charmante enfant. Une pauvre enfant, malheureuse et délaissée* (→ Compatissant, cit. 2).

12 Excusez ma tendresse pour une enfant dont je n'ai jamais eu aucun sujet de plainte. RACINE, Lettre à sa tante, in LITTRÉ.

♦ **4.** N. et adj. Personne qui a conservé dans l'âge adulte des sentiments, des traits propres à l'enfance ou qui se comporte comme un enfant dans certaines circonstances. *C'est un enfant, un grand enfant, un vieil enfant* (→ Coloriage, cit.). *Il sera toute sa vie un enfant.* — Adj. *Il a un côté enfant* (→ Civiliser, cit. 3). ⇒ **Gamin, gamine.** *Il, elle est très enfant. Une femme* enfant.* — REM. Alors que l'emploi subst. est souvent métaphorique (ci-dessous, cit. 15, 16 et 17), l'emploi adj. (cit. 13 et 14) est mieux lexicalisé.

13 Elle a grand besoin de cet exemple pour se former ; elle est enfant au delà de ce qu'on peut imaginer, et Madame la Dauphine est une merveille d'esprit, de raison et de bonne éducation. Mme DE SÉVIGNÉ, Lettres, 799, 12 avr. 1680.

14 (...) nous lisions tour à tour sans relâche et passions les nuits à cette occupation (...) quelquefois mon père, entendant le matin les hirondelles, disait tout honteux : Allons nous coucher ; je suis plus enfant que toi. ROUSSEAU, les Confessions, VI.

15 Pardonnez-moi, ô grands poètes, qui êtes maintenant un peu de cendre et qui reposez sous la terre ! pardonnez-moi ! Vous êtes des demi-dieux, et je ne suis qu'un enfant qui souffre. A. DE MUSSET, la Confession d'un enfant du siècle, II.

16 Heureux et confiant, cet homme est un enfant qui joue : il ne croit pas à sa mort ; il ne la pense même pas. André SUARÈS, Trois hommes, « Ibsen », V, p. 141.

17 Je ne suis, hélas ! qu'un vieil enfant chargé d'inexpérience, et vous n'avez pas grand'chose à craindre de moi. Redoutez ceux qui vont venir, qui vous jugeront, redoutez les enfants innocents car ils sont aussi des enfants terribles (...) redevenez vous-mêmes des enfants, retrouvez l'esprit d'enfance.
BERNANOS, les Grands Cimetières sous la lune, p. 262.

Loc. *Vous le prenez pour un enfant,* pour plus naïf qu'il n'est. *Traiter qqn en enfant,* ne pas le prendre au sérieux (→ Babiole, cit. 1). — *Faire l'enfant :* badiner comme un enfant ; s'amuser à des choses puériles, futiles ou, encore, s'entêter dans un caprice, affecter l'ignorance, l'innocence.

18 Ils me rient au nez, me disent que je fais l'enfant (...)
MARIVAUX, la Double Inconstance, II, 1.

19 Pendant que les philosophes radotent et font les enfants (...)
ROUSSEAU, Émile, III.

20 — Elle a dix-huit ans, César ! Dix-huit ans ! Elle finira comme sa tante Zoé ! (...) Qui l'aurait dit ? Une petite Sainte-N'y-Touche, qui faisait la pudeur, qui faisait l'enfant ! — Pourvu qu'elle ne le fasse pas pour de bon !
M. PAGNOL, Marius, IV, 4.

Les enfants s'amusent, se dit plaisamment d'adultes qui se livrent à une occupation puérile.

Un enfant gâté : une personne qui a l'habitude de voir tous ses caprices satisfaits. *Caprices d'enfant gâté.*

Un enfant terrible : celui qui, par une sincérité imprudente, par des incartades, des coups de tête, compromet les siens. *L'enfant terrible d'un parti, d'un groupe :* un membre qui aime à manifester son indépendance d'esprit.

Bon enfant, n. et adj. ⇒ **Bon** (cit. 54, 54.1 et 55). *Cadet Rousselle est bon enfant* (chanson populaire). *Le commissaire est bon enfant,* pièce de Courteline.

★ **II.** ♦ **1.** Être humain (généralement jeune) à l'égard de la filiation ; fils* ou fille* (soit dans des contextes particuliers, soit avec un compl. de nom ou un possessif). *Femme qui donne la vie à un enfant.* ⇒ **Conception ; génération ; concevoir, engendrer.** *Attendre* *un enfant :* être enceinte*. ⇒ **Porter; grossesse.** *Avoir* (→ ci-dessous, cit. 26), *mettre au monde un enfant, donner le jour à un enfant.* ⇒ **Accoucher, enfanter.** Péj. *Les pondeuses* (cit.) *d'enfants. Elle pondait* (cit. 4) *un enfant tous les ans. Mal d'enfant.* ⇒ **Accouchement, parturition** (→ Accoucher, cit. 2; clinique, cit. 2).

20.1 Les femmes mettaient les enfants au monde, simplement accroupies dans l'ombre de la tente, soutenues par deux femmes, le ventre serré par la grande ceinture de toile.   J.-M. G. LE CLÉZIO, Désert, p. 23.

Loc. fam. FAIRE UN ENFANT. **ⓐ** (Le sujet désigne une femme). Concevoir, porter, mettre au monde un enfant.

ⓑ (Le sujet désigne un homme). *Faire un enfant à une femme,* la rendre enceinte.

Les parents d'un enfant; un enfant et ses parents. Les parents de l'enfant; l'enfant et ses parents. ⇒ **Ascendance, famille, parenté; père** (et cit. 2, 5), **mère.** *Prépondérance des caractères maternels, paternels chez un enfant.* ⇒ **Matroclinie, patroclinie.** *Il, elle a eu un enfant, deux... enfants, de nombreux enfants.* ⇒ **Descendance, fils, fille; héritier, rejeton; lignée, postérité, progéniture.** (Loc. vieillie). *Être chargé d'enfants. Une ribambelle d'enfants.* ⇒ **Couvée, marmaille.** *Enfants mineurs; enfants majeurs. Enfant unique. — Enfant de famille*; enfant de bonne, de grande famille. Cet enfant a perdu ses parents.* ⇒ **Orphelin.** *— Enfant légitime*,* né de parents unis par le mariage. *Enfants du premier lit, du second.... lit*. Désavouer* un enfant.* ⇒ **Désaveu.** *Déshériter un enfant.* ⇒ **Exhérédation.** *Enfant adoptif.* ⇒ **Adoption.** *Enfants nés hors du mariage.* ⇒ **Illégitime, naturel; adultérin, incestueux.** *Un enfant de l'amour :* un enfant naturel. ⇒ **Bâtard.** *Reconnaître un enfant naturel.* ⇒ **Reconnaissance.** *Déclarer un enfant en mairie. Légitimer un enfant naturel.* ⇒ **Légitimation.** *Abandonner, exposer un enfant.* ⇒ **Abandon, exposition.** *Enfant de père et de mère inconnus. Enfant trouvé** (⇒ **Champi**), qu'on a trouvé qu'il était abandonné par ses parents, par sa mère. *Enfants assistés.* ⇒ **Assistance, assisté, pupille.** *— Enfant putatif*. Supposition* d'enfant. — Enfant à charge** (peut s'interpréter aussi au sens I).

L'enfant, les enfants de qqn, son enfant, ses enfants. L'enfant unique d'un couple. Les enfants d'Édouard. — (Avec le poss.). *Une mère et ses enfants. C'est son enfant préféré, le préféré de, parmi ses enfants. Ils sont venus avec, sans leurs enfants. Le plus âgé* (⇒ **Aîné**), *les plus jeunes* (⇒ **Benjamin, cadet, dernier-né, puîné**) *de leurs enfants. M. et M*ᵐᵉ *X et leurs enfants. M. X, sa femme et ses enfants; M*ᵐᵉ *Y, son mari et ses enfants.*

21 Les époux contractent ensemble, par le seul fait du mariage, l'obligation de nourrir, entretenir et élever leurs enfants.   Code civil, art. 203.

22 L'enfant, à tout âge, doit honneur et respect à ses père et mère. Il reste sous leur autorité jusqu'à sa majorité ou son émancipation.   Code civil, art. 371, 372.

23 Les enfants peut-être seraient plus chers à leurs pères, et réciproquement les pères à leurs enfants, sans le titre d'héritiers.   LA BRUYÈRE, les Caractères, I, 67.

24 Voyez-vous, nos enfants nous sont bien nécessaires,
Seigneur; quand on a vu dans sa vie, un matin,
Apparaître un enfant, tête chère et sacrée,
Petit être joyeux,
Si beau, qu'on a cru voir s'ouvrir à son entrée
Une porte des cieux (...)
Lorsqu'on a reconnu que cet enfant qu'on aime
Fait le jour dans notre âme et dans notre maison,
Que c'est la seule joie ici-bas qui persiste
De tout ce qu'on rêva,
Considérez que c'est une chose bien triste
De le voir qui s'en va !   HUGO, les Contemplations, « À Villequier ».

25 Quand elle eut un enfant, il le fallut mettre en nourrice. Rentré chez eux, le marmot fut gâté comme un prince. La mère le nourrissait de confitures; son père le laissait courir sans souliers, et, pour faire le philosophe, disait même qu'il pouvait bien aller tout nu, comme les enfants des bêtes.   FLAUBERT, Mᵐᵉ Bovary, I, 1.

26 Te rappelles-tu cette époque, mon doux maître, où nous faisions des vœux, pour avoir un enfant, dans lequel nous renaîtrions une seconde fois, et qui serait le soutien de notre vieillesse ?   LAUTRÉAMONT, les Chants de Maldoror, I.

27 Enfant perdu, trouvé, sans état civil, sans papiers, je suis surtout heureux de ne devoir rien qu'à moi-même.   GIDE, Œdipe, I.

28 Mademoiselle de Lespinasse était un enfant de l'amour. Si le nom de sa mère est connu (...) celui de son père a été longtemps ignoré (...)   Émile HENRIOT, Portraits de femmes, p. 197.

28.1 (...) elle venait tout le temps m'assassiner avec *notre* enfant, me montrant son ventre et ses seins, et me disant qu'il allait naître d'un moment à l'autre, elle le sentait qui bondissait déjà.   S. BECKETT, Premier amour, p. 53.

L'enfant prodigue (par allusion au fils qui, dans une parabole de l'Évangile, Luc, XV, 11-32, dissipe sa part et revient repentant au foyer où il est chaleureusement accueilli) : enfant que l'on accueille avec joie à son retour au foyer qu'il avait depuis longtemps abandonné. *Tuer le veau gras pour le retour de l'enfant prodigue. — Le Retour de l'enfant prodigue,* œuvre d'André Gide.

L'enfant chéri. → Chérir, cit. 14 et 16.

Traiter qqn comme l'enfant de la maison (→ Apprenti, cit. 2).

REM. 1. Par rapport au sens I, cette valeur — sauf avec le possessif — n'est pas toujours distincte hors contexte. Les phrases *« les enfants, venez à table »; « les enfants, fini de jouer »* peuvent correspondre aux deux sens, selon qu'il s'agit d'une même famille appelés par leurs parents, ou non. *Les X viendront avec les enfants* correspond à : *avec leurs enfants.*

2. Par rapport à *fils* et à *fille,* le mot *enfant,* au sens II, subit des contraintes du fait du sens I. On dira plus facilement : *son fils, sa fille a dépassé cinquante ans, est déjà âgé,* que : *son enfant... L'emploi des*

adj. est lui aussi moins libre (cf. *son fils aîné, son grand fils,* etc., impossibles avec *enfant*).

3. Les traits sémantiques communs aux sens I et II sont « être humain » et « considéré indépendamment du sexe ». *Enfant,* sur ce plan, s'apparente à *homme* (I.) et s'oppose à *femme.* Mais *homme,* possédant aussi (II.) le trait « sexe déterminé », est dans une situation différente.

♦ 2. Appellatif. **ⓐ** Au masc. sing., avec le possessif. *Mon enfant,* se dit à une personne plus jeune que le locuteur (qu'il s'agisse d'un enfant assez grand ou d'un adulte) et marque une bienveillance condescendante ou affectueuse. → Mon fils*, ma fille*; adieu, cit. 6; assiette, cit. 8; boire, cit. 43.

ⓑ Au fém., s'adressant à une femme (le locuteur est en général un homme). *Mon enfant, ma belle enfant, ma chère enfant* (légèrement archaïque ou ironique). → Mon petit*, ma petite.

28.2 (...) Va-t'en, ma pauvre enfant (...)   MOLIÈRE, les Femmes savantes, II, 6.

28.3 Mon enfant, ma sœur,
Songe à la douceur
D'aller là-bas vivre ensemble !   BAUDELAIRE, le Spleen de Paris, XVIII, « L'invitation au voyage ».

ⓒ Au plur., avec ou sans possessif. *Bonjour, mes enfants, les enfants ! Dites-donc, les enfants, on ne s'ennuie pas ici ! Eh bien, mes enfants.* → Mes agneaux*, mes cocos, etc.

♦ 3. ENFANT(S) DE... : descendance de... ⇒ **Descendant, petits-enfants.** *Une grande fête familiale a réuni les enfants de notre voisine pour son quatre-vingtième anniversaire. Les enfants d'Adam, d'Israël...* ⇒ **Postérité, race.**

29 Des enfants de Japet toujours une moitié
Fournira des armes à l'autre.   LA FONTAINE, Fables, II, 6.

30 Partez, enfants d'Aaron, partez.   RACINE, Athalie, IV, 6.

Sans complément :

31 Et les fautes des pères retomberont sur les enfants jusqu'à la troisième et la quatrième génération.   A. DUMAS père, P. Jones, V, 2, in T. L. F.

Personnes rattachées par leurs origines à qqn ou à qqch. *Les enfants de France* : les enfants légitimes du roi de France et ceux qui descendent des aînés (→ Baptismal, cit. 2). *Les enfants de Dieu,* par la grâce. *Les enfants de l'Église* : les chrétiens. — Au sing. *Un enfant égaré* (cit. 26) *de l'Église.*

32 On appelle figurément les *enfans de Dieu,* les *enfans de l'Église,* les bons chrestiens, les *enfans du Diable,* les meschants, et sur tout les menteurs.   FURETIÈRE, Dictionnaire, art. *Enfant.*

33 Mais il *(le Verbe)* a donné le pouvoir de devenir enfants de Dieu à tous ceux qui l'ont reçu, à ceux qui croient en son nom, qui ne sont point nés du sang, ni de la volonté de la chair, ni de la volonté de l'homme, mais de Dieu même.   BIBLE (SACY), Évangile selon saint Jean, I, 12-13.

ENFANTS DE MARIE : congrégation catholique de jeunes filles qui ont une dévotion particulière à la Vierge Marie. Au sing. *Une enfant de Marie.* Fig. Jeune fille chaste et naïve. *C'est une enfant de Marie et son frère un boy-scout.*

Les enfants de la patrie.

34 Ainsi la Grèce en vous trouve un enfant rebelle ?   RACINE, Andromaque, I, 2.

35 Allons, enfants de la patrie,
Le jour de gloire est arrivé !   ROUGET DE LISLE, la Marseillaise, I.

Littér. et vx. *Les enfants de la Louve* : les Romains. *Les enfants de Mars, de Bellone* : les guerriers. *Les enfants d'Apollon* : les poètes (le sing. est possible).

Loc. fam. *Il ne faut pas prendre les enfants du bon Dieu pour des canards* sauvages.*

♦ 4. Loc. (le sing. est normal). Ancienn. ENFANT DE TROUPE : fils de militaire élevé dans une caserne, dans une école militaire.

36 (...) j'ai commencé par être enfant de troupe, — gagnant ma demi-ration et mon demi-prêt dès l'âge de neuf ans, mon père étant soldat aux gardes.   A. DE VIGNY, Servitude et Grandeur militaires, I, V.

37 Il a d'abord été enfant de troupe à La Flèche, fils d'officier (...) tu vois (...) Seulement il s'est foulé un genou en faisant des exercices.   J. ROMAINS, les Hommes de bonne volonté, t. IV, V, p. 40.

Un enfant de la balle. ⇒ **Balle** (cit. 5 et 6).

38 Et le plus amer de tout, c'était que Suzanne était une vraie femme de théâtre, presque une enfant de la balle.   G. DUHAMEL, Chronique des Pasquier, IX, XX, p. 253.

♦ 5. Celui, celle qui est originaire de (un pays, un milieu). ⇒ **Citoyen, natif.** *Un enfant du midi. Un enfant de Paris, de Belleville. Un titi parisien, enfant des faubourgs* (⇒ Gavroche, poulbot). Celui qui porte l'empreinte de sa classe d'origine, de son temps... *Un enfant du peuple. Un enfant du siècle. — La Confession d'un enfant du siècle,* roman d'Alfred de Musset.

39 Moins dominé que les autres par la question religieuse, en sa qualité d'enfant du dix-neuvième siècle, le magistrat eut au cœur une féroce épouvante, car il put alors contempler le drame de la vie intérieure de Véronique (..)   BALZAC, le Curé de village, Pl., t. VIII, p. 761.

40 Olivier Patru (...) était un enfant de Paris, un des enfants les mieux doués de cette bourgeoisie la plus aimable de l'univers : avec les qualités il en eut aussi plus d'un défaut, et tout d'abord le trop de mollesse.   SAINTE-BEUVE, Causeries du lundi, 5 janv. 1852, t. V, p. 276.

41 Chacun (...) ne ressemble qu'à lui-même, selon sa nature et sa condition, aristocrate comme Octave, enfant du peuple comme Julien (...)   Émile HENRIOT, les Romantiques, p. 362.

♦ **6.** Fig. et littér. Produit, ce qui provient de. *Les personnages d'un romancier sont les enfants de ses rêves. Le succès, enfant de l'audace* (cit. 6). *La vengeance, enfant de la colère.*

42   Impatients désirs d'une illustre vengeance (...)
     Enfants impétueux de mon ressentiment (...)   CORNEILLE, Cinna, I, 1.

43   (...) si je n'avais pour vous qu'un goût ordinaire, que ce goût léger, enfant de la séduction et du plaisir, qu'aujourd'hui pourtant on nomme amour (...)
                     LACLOS, les Liaisons dangereuses, Lettre LXVIII.

44   Ce livre est enfant de la hâte.   VALÉRY, l'Idée fixe, p. 9.

CONTR. Adulte, vieillard. Parent(s) ; auteur, père, mère. — Étranger (à).

DÉR. Enfançon, enfantelet, enfanter, enfantin. — V. **Enfantillage.**

ENFANTELET, ETTE [ɑ̃fɑ̃tlɛ, ɛt] n. — XIIIe, repris comme archaïsme au mil. du XIXe ; de *enfantel* « petit enfant », de *enfant*.

♦ Vx ou archaïsme littér. Petit enfant. ⟹ **Enfançon.**

La vieille vit l'enfantelet tout nu, qui dormait bien au chaud sur le poil roux des deux mignonnes bêtes endormies comme lui.
         Jean AICARD, Maurin des Maures, 1908, IX, p. 98, *in* D.D.L., II, 9.

ENFANTEMENT [ɑ̃fɑ̃tmɑ̃] n. m. — Déb. XIIe ; de *enfanter*.

♦ **1.** Vx. Action d'enfanter, de mettre au monde un enfant. ⟹ **Accouchement.** *Les douleurs de l'enfantement. Un enfantement laborieux. L'enfantement d'une femme* : le fait d'enfanter, pour une femme. — (En parlant des animaux, avec une métaphore humaine) :

1   (...) avez-vous observé l'enfantement des biches ? Avez-vous compté les mois de leur conception, et savez-vous le temps de leur délivrance ? Elles se courbent pour se délivrer ; elles enfantent, et elles jettent des cris de douleur.
                BIBLE (SACY), Job, XXXIX, 1, 2, 3.

2   Qu'ont-ils à dire contre la résurrection, et contre l'enfantement de la Vierge ? qu'est-il plus difficile, de produire un homme ou un animal, que de le reproduire ?
                PASCAL, Pensées, III, 223.

Par métaphore. « *Le prodigieux enfantement du blé* » (Estaunié, *in* T. L. F.).

♦ **2.** (Fin XVIe). Littér. *La genèse et l'enfantement d'une œuvre littéraire, d'un monde nouveau.* ⟹ **Création, production.**

3   La peine, le supplice, la torture de la vie littéraire : c'est l'enfantement.
           Ed. et J. DE GONCOURT, Journal, p. 30.

4   (...) des hommes ont souffert, des hommes sont morts, tout un peuple a vécu pour que le dernier des imbéciles aujourd'hui ait le droit d'accomplir cette formalité truquée *(les élections).* Ce fut un terrible, un laborieux, un redoutable enfantement.
          Ch. PÉGUY, la République..., p. 230.

ENFANTER [ɑ̃fɑ̃te] v. tr.   V. 1130 ; de *enfant*.

♦ **1.** Littér. Mettre au monde (un enfant). ⟹ **Accoucher** (de), **engendrer.** *Ève enfanta Caïn et Abel.* — Absolt. *Une femme qui enfante pour la première fois, qui a enfanté plusieurs fois.* ⟹ suff. **-pare** (primipare, multipare).

1   Engendrer est relatif à la génération ; enfanter, à l'enfant qui est mis au monde. De là la différence de sens entre ces deux mots : d'abord engendrer se dit également du mâle et de la femelle, de l'homme et de la femme ; enfanter ne se dit que de la femme seule.   LITTRÉ, Dict., art. *Enfanter.*

2   À la femme, il dit : « Je multiplierai tes souffrances et spécialement celles de ta grossesse ; tu enfanteras des fils dans la douleur (...) »
           BIBLE (CRAMPON), Genèse, III, 16.

3   Pourquoi une vierge ne peut-elle enfanter ? une poule ne fait-elle pas des œufs sans coq ? qui les distingue par dehors d'avec les autres ?   PASCAL, Pensées, III, 222.

4   Elle *(la femme)* doit aimer et enfanter, c'est là son devoir sacré.
           MICHELET, la Femme, p. 120.

5   Est-ce que tu sais ce que c'est que de se déchirer en deux et de mettre au dehors ce petit être qui crie ? Et la sage-femme m'a dit que je n'enfanterai plus.
           CLAUDEL, l'Annonce faite à Marie, III, 3.

(D'un animal). Littér. (et par métaphore humaine). Mettre bas.

5.1   *(La chatte)* Nonoche aux trois couleurs avait enfanté l'avant-veille, Bijou, sa fille.
           COLETTE, la Maison de Claudine, p. 81.

REM. On trouve chez Flaubert un emploi anormal de *enfanter* avec le nom d'un homme pour sujet et la construction en *à de faire* (« *il lui enfanta deux enfants* », la Tentation de saint Antoine, Pl., p. 258).

Fig. *La montagne enfanta une souris* : les grands projets, les belles promesses n'ont abouti à rien. ⟹ **Accoucher** (cit. 2).

6   Que produira l'auteur après tous ces grands cris ?
     La montagne en travail enfante une souris.   BOILEAU, l'Art poétique, III.

Par métaphore (langue class.). Faire sortir de soi.

7   Ce peuple que la terre enfantait tout armé (...)   CORNEILLE, Médée, I, 1.

♦ **2.** (Déb. XIIIe). Littér. Créer, produire. *Une terre qui enfante des héros.* ⟹ **Produire.** *Le XIIIe siècle a enfanté presque toutes les cathédrales* (cit. 4). *Enfanter une œuvre, un projet.* ⟹ **Jour** (mettre au) **préparer.** — Au p. p. *Chimères* (cit. 4) *enfantées par l'imagination.* ⟹ **Créer.** — *Les maux qu'enfante la guerre.* ⟹ **Engendrer, naître** (faire). — *La colère enfante le crime, l'injustice enfante la révolte.*

8   Bienheureux Scudéri, dont la fertile plume
     Peut tous les mois sans peine enfanter un volume !   BOILEAU, Satires, II.

9   Nous avons beau avoir de nos conceptions, au delà des espaces imaginables, nous n'enfantons que des atomes, au prix de la réalité des choses.
         PASCAL, Pensées, II, 72 (→ Atome, cit. 9).

10   Et quel affreux projet avez vous enfanté
     Dont votre cœur encor doive être épouvanté ?   RACINE, Phèdre, I, 3.

(...) une intelligence supérieure n'enfante pas le mal sans douleur, parce que ce n'est pas son fruit naturel, et qu'elle ne devait pas le porter.   11
          CHATEAUBRIAND, Mémoires d'outre-tombe, t. II, p. 288.

C'est son passé même *(de la France)* qui doit enfanter son avenir.   12
          GIDE, Pages de journal, p. 51.

▶ **S'ENFANTER** v. pron. *Une œuvre considérable ne s'enfante pas en un jour.*

DÉR. Enfantement.

ENFANTILLAGE [ɑ̃fɑ̃tijaʒ] n. m. — Déb. XIIIe ; de l'anc. adj. *enfantil* « enfantin » (XIIe). → Infantile ; du lat. *infans.* → Enfant.

♦ (En parlant de personnes qui ont dépassé l'âge de l'enfance). Manière d'agir, de s'exprimer peu sérieuse, qui ne convient qu'à un enfant ; puérilité. *Raisonner de la sorte, c'est de l'enfantillage.*

1   Pourquoi n'allais-je point à Neuchâtel ? c'est un enfantillage qu'il ne faut pas taire (...)   ROUSSEAU, les Confessions, XII.

2   Il faut qu'une femme soit capable de sérieux et d'enfantillage.
         A. MAUROIS, Climats, II, X, p. 200.

2.1   (...) une femme sans enfantillage est un monstre affreux.
         MONTHERLANT, Pitié pour les femmes, p. 24.

Dire un enfantillage, des enfantillages. ⟹ **Baliverne, bêtise, sottise.** *C'est un enfantillage sans conséquence.* ⟹ **Futilité.**

3   Gamaches n'avait pu se contraindre de reprendre en face et en public les enfantillages qui échappaient à monseigneur le duc de Bourgogne (...)
         SAINT-SIMON, Mémoires, 214, 139, *in* LITTRÉ.

4   Eh oui, des enfantillages, des redites, des rires pour rien, des inutilités, des niaiseries (...)   HUGO, les Misérables, IV, VIII, I.

CONTR. Maturité, sérieux.

ENFANTIN, INE [ɑ̃fɑ̃tɛ̃, in] adj. — V. 1200 ; de *enfant*.

A. ♦ **1.** Qui appartient à l'enfant, a le caractère de l'enfance. *Visage enfantin. Une âme enfantine* (→ Argentin, cit. 3). *Le langage enfantin. Grâce, insouciance, joie enfantine. Innocence enfantine* (→ Attendrir, cit. 17). *La logique enfantine.*

1   (...) tous ces petits jeux que l'on nomme enfantins.
         MOLIÈRE, le Malade imaginaire, II, 5.

2   La jolie mine de la petite personne, sa bouche si fraîche, son air enfantin, sa gaucherie même (...)   LACLOS, les Liaisons dangereuses, Lettre XCVI.

3   Sur le palais doré des amours enfantines !
         A. DE MUSSET, Poésies nouvelles, « Rolla », V.

4   Mais le vert paradis des amours enfantines (...)
         BAUDELAIRE, Spleen et Idéal, LXII, « Mœsta et Errabunda ».

Digne d'un enfant.

5   L'ingénuité de ses amusements, la puérilité de ses manières et la maladresse enfantine de ses gestes (...)   FRANCE, le Petit Pierre, XXXII, p. 229.

6   (...) nous méconnaissons ce qu'il y a d'encore enfantin, pour ainsi dire, dans la plupart de nos émotions joyeuses.   H. BERGSON, le Rire, p. 68.

♦ **2.** (Déb. XXe). Péj., en parlant d'adultes. Qui ne convient guère qu'à un enfant. ⟹ **Puéril** (→ Chose, cit. 33). *Faire des remarques enfantines.*

7   À côté de réflexions enfantines — qui auraient pu d'ailleurs être dans la bouche de n'importe quel garçon de douze ans — il en avait d'autres qui montraient du sérieux, et une sorte de maturité précoce.
         J. ROMAINS, les Hommes de bonne volonté, t. V, XXIII, p. 205.

♦ **3.** (Déb. XXe). Qui est du niveau de l'enfant. *C'est d'une simplicité enfantine. Un problème enfantin, très facile.* ⟹ **Élémentaire** (→ Enfance* de l'art, jeu d'enfant*).

B. (Comme déterminatif). Formé d'enfants ; destiné aux jeunes enfants. *Un auditoire enfantin. Classe enfantine.* (En Suisse). *École enfantine.* ⟹ **Maternelle.** *Maîtresse enfantine* : institutrice de maternelle. — *Chanson, ronde enfantine.*

CONTR. Sénile. — (Du sens A, 3) **Difficile.**

DÉR. Enfantinement.

ENFANTINEMENT [ɑ̃fɑ̃tinmɑ̃] adv. — 1611 ; de *enfantin*.

♦ Littér. ou style soutenu. D'une manière enfantine, comme un enfant. ⟹ **Puérilement.**

1   (...) elle s'occupait enfantinement à pelotonner des rubans (...)
         GIDE, Isabelle, VII, *in* Romans, Pl., p. 668.

2   Oh oui ! dit-elle enfantinement, en tournant le visage vers lui.
         MONTHERLANT, Pitié pour les femmes, p. 89.

ENFARINEMENT [ɑ̃faʀinmɑ̃] n. m. — 1879, Goncourt ; de *enfariner*.

♦ Rare. Action d'enfariner ; son résultat.

1   Dans le visage d'un clown entouré de clarté, l'enfarinement met la netteté, la régularité et le découpage presque cassant d'un visage de pierre.
         Ed. DE GONCOURT, les Frères Zemganno, 1879, *in* D.D.L., II, 4.

Fig. par allus. au « *bloc* (cit. 2) *enfariné* » de La Fontaine :

2   Mais, grâce à l'enfarinement du Bloc national, on avait aussi repêché les vieilles canailles de la politique, qui sont toujours réélues.
         PROUST, le Temps retrouvé, Pl., t. III, p. 854.

ENFARINER [ɑ̃faʀine] v. tr. — V. 1393 ; de *en-*, *farine** et suff. verbal.

♦ **1.** Vieilli. Couvrir, poudrer de farine. *Enfariner une planche à pâtisserie.* Pron. :

1 Le lendemain notre amant se déguise,
Et s'enfarine en vrai garçon meunier (...)
LA FONTAINE, Contes, « La mandragore ».

♦ **2.** (1550). Couvrir d'une substance analogue, d'une poudre blanche. *Enfariner ses cheveux, sa peau de poudre, de talc.*
Fam. *S'enfariner le visage.* ⇒ **Blanchir.**

2 Toujours l'hiver de neiges blanches
Des pins n'enfarine les branches (...)
RONSARD, Odes, IV, 25.

♦ **3.** Pron. Fig. Vx. *S'enfariner de grec,* en prendre une légère teinture. *S'enfariner de qqn,* s'enticher.

▶ **ENFARINÉ, ÉE** p. p. adj.

♦ **1.** Couvert de farine. *Le visage enfariné d'un Pierrot. « Ce bloc enfariné ne me dit rien qui vaille »* (La Fontaine, → Bloc, cit. 2).
Par ext. *Enfariné de poussière.* ⇒ **Blanc.**

♦ **2.** Fig. et fam. *Venir la bouche, le bec, la gueule enfarinée,* avec une sotte confiance, de naïves illusions (par référence aux types de niais de l'ancien théâtre, au visage enfariné).

3 Il a fait un grand bruit (...) de l'amitié qu'il a pour moi (...) je hais ce style de dire toujours que tout est de nos amis : c'est un air de gueule enfarinée, qui n'appartient qu'à qui vous savez (...)
Mᵐᵉ DE SÉVIGNÉ, 478, 18 déc. 1675.

♦ **3.** N. Fam. et rare. Niais, Pierrot.

4 — Qu'est-ce qu'il dit? me demanda le général.
— C't'espèce d'enfariné, mon général, il ne veut rien dire. Il dit comme ça qu'il est fantassin, qu'il ne connaît rien à l'artillerie et qu'il n'a jamais vu un canon. (...) Il se fout de nous, mon général.
B. CENDRARS, la Main coupée, in Œ. compl., t. X, p. 174.

DÉR. Enfarinement.

ENFER [ɑ̃fɛʀ] n. m. — 1080 ; *enfern*, xᵉ ; lat. classique *inferna*, n. plur., « demeures des dieux » (sens I, 1) et lat. ecclés *infernus* « enfer » (sens II, 1), l'un et l'autre par substantivation de l'adj. *infernus* « d'en bas, d'une région inférieure », doublet de *inferus* → Infère.

★ **I.** ♦ **1.** (Au plur.). Dans la mythologie gréco-latine, Lieu souterrain habité par les morts, séjour des ombres. ⇒ **Abîme,** 2. **tartare** (cit.) ; → Les sombres bords, le sombre empire, les sombres rivages, le séjour des ombres, des morts, le ténébreux séjour. *Le Styx, l'Achéron, le Léthé, l'Éridan, le Cocyte, le Phlégéton, fleuves des enfers. La barque de Charon conduisait aux enfers les âmes des morts. Hadès ou Pluton, dieu des enfers. Minos, Éaque et Rhadamante, juges des enfers. Cerbère*, gardien de l'entrée des enfers. La descente aux enfers d'Ulysse* (Odyssée), *d'Énée* (Énéide), *d'Hercule, d'Orphée...* (→ Centaure, cit. 1). *Orphée aux enfers,* toile de Rubens. — Au sing. (rare). *Filles d'enfer* (→ ci-dessous, cit. 2). ⇒ **Euménides, furie.**

1 Minos juge aux enfers tous les pâles humains.
RACINE, Phèdre, IV, 6.

2 Hé bien! filles d'enfer, vos mains sont-elles prêtes?
Pour qui sont ces serpents qui sifflent sur vos têtes?
RACINE, Andromaque, V, 5.

3 Je vais chercher son ombre *(d'Ulysse)* jusque dans les enfers.
FÉNELON, Télémaque, XIV.

4 (...) il précipite dans les enfers une foule de combattants (...)
FÉNELON, Télémaque, XV.

♦ **2.** (Sing. ou plur.). Séjour des morts chez les Juifs de l'Ancien Testament. *Jésus-Christ est descendu aux enfers après sa mort. L'enfer des Hébreux.* ⇒ **Géhenne, schéol.** — Fig. *Les portes de l'enfer :* la mort et le mal.

5 Et moi je vous dis que vous êtes Pierre, et que sur cette pierre je bâtirai mon Église, et que les portes de l'enfer ne prévaudront point contre elle.
BIBLE (SACY), Évangile selon saint Matthieu, XVI, 18.

5.1 À quelques lieues d'ici, par ce beau soir paisible
Les portes de l'enfer s'ouvrent pour des vivants.
A. MAUROIS, les Silences du colonel Bramble, p. 224.

★ **II.** ♦ **1.** (Au sing.). Dans la religion chrétienne, Lieu destiné au supplice des damnés. *De l'enfer.* ⇒ **Infernal.** *Satan fut précipité du ciel en enfer* (→ Ange, cit. 11). *Aller, descendre, tomber en enfer.* Loc. *Croix de bois, croix de fer, si je mens je vais en enfer. —Avoir peur de l'enfer. Châtiment, peines, horreurs de l'enfer.* ⇒ **Dam, sens** (peine du). *Réprouvés condamnés aux flammes* éternelles, au feu*, aux ténèbres de l'enfer* (→ Chaudière, cit. 1). *Cris, lamentations des damnés* de l'enfer. Les démons, les diables de l'enfer* (⇒ **Démon, diable**). *Vestibule de l'enfer* (→ Antre, cit. 5). *Gouffre de l'enfer* (→ Barathre ; aussi littér. averne). *Les bouches de l'enfer. Les portes de l'enfer,* sculpture de Rodin. *Capitale imaginaire de l'enfer.* ⇒ **Pandémonium.** — *L'Enfer de Dante,* première partie de la Divine Comédie*, où l'enfer est matérialisé par neuf cercles concentriques s'enfonçant jusqu'au centre de la terre. *Les cercles de l'Enfer.* — Par ext. *Les suggestions de l'enfer.* ⇒ **Démon, mal.** — Prov. *L'enfer est pavé de bonnes intentions.* ⇒ **Intention.**

6 (...) je t'apprends (...) que tu vois en Dom Juan, mon maître, le plus grand scélérat que la terre ait jamais porté, un enragé, un chien, un diable, un Turc, un hérétique, qui ne croit ni Ciel ni Enfer (...)
MOLIÈRE, Dom Juan, I, 1.

7 Ceux qui espèrent leur salut sont heureux en cela, mais ils ont pour contrepoids la crainte de l'enfer. — Qui a plus de sujet de craindre l'enfer, ou celui qui est dans l'ignorance s'il y a un enfer, et dans la certitude de damnation, s'il y en a ; ou celui qui est dans une certaine persuasion qu'il y a un enfer, et dans l'espérance d'être sauvé, s'il y en est ?
PASCAL, Pensées, III, 239.

8 Ce qu'il y avait de bizarre était que, sans croire à l'enfer, elle ne laissait pas de croire au purgatoire. Cela venait de ce qu'elle ne savait que faire des âmes des méchants, ne pouvant ni les damner ni les mettre avec les bons jusqu'à ce qu'ils le fussent devenus, et il faut avouer qu'en effet, et dans ce monde et dans l'autre, les méchants sont toujours bien embarrassants.
ROUSSEAU, les Confessions, VI.

9 Ayez de la pitié, gouffres, prisons, géhenne,
Sépulcre, chaos, nuit, désolation, haine,
Ayez de la pitié, si le ciel n'en a pas !
Sur Satan, de si haut précipité si bas,
Ô voûtes de l'enfer, laissez tomber des larmes !
HUGO, la Fin de Satan, III, XII.

10 C'est le Diable qui tient les fils qui nous remuent !
Aux objets répugnants nous trouvons des appas ;
Chaque jour vers l'Enfer nous descendons d'un pas,
Sans horreur, à travers des ténèbres qui puent.
BAUDELAIRE, les Fleurs du mal, Au lecteur.

11 C'est ainsi que sur nous Dieu fait tonner Sa grâce.
Ne force pas qui veut les portes de l'enfer.
P.-J. TOULET, les Contrerimes, « Coples », IX.

12 Il sous-entendait par là qu'il n'y avait pas de demi-mesures, qu'il n'y avait que le Paradis et l'Enfer, et qu'on ne pouvait être que sauvé ou damné, selon ce qu'on avait choisi.
CAMUS, la Peste, p. 245.

Par métonymie. *Les puissances de l'enfer :* les démons. *Faire un pacte avec l'enfer.*

Loc. Vx. *Porte d'enfer, tison d'enfer :* personne méchante.

Situation des damnés, d'un damné, ou situation analogue. *L'enfer de qqn, son enfer. C'est un enfer.* — REM. Cette valeur reste métaphorique du sens religieux. → aussi le sens fig., ci-dessous, 2.

13 Je devrais avoir mon enfer pour la colère, mon enfer pour l'orgueil, — et l'enfer de la caresse ; un concert d'enfers.
RIMBAUD, Une saison en enfer, Nuit de l'enfer.

14 On juge l'enfer d'après les maximes de ce monde et l'enfer n'est pas de ce monde. Il n'est pas de ce monde, et moins encore du monde chrétien. Un châtiment éternel, une éternelle expiation — le miracle est que nous puissions en avoir l'idée ici-bas, alors que la faute à peine sortie de nous, il suffit d'un regard, d'un signe, d'un muet appel pour que le pardon fonce dessus, du haut des cieux, comme un aigle (...) L'enfer, madame, c'est de ne plus aimer.
BERNANOS, Journal d'un curé de campagne, p. 180.

15 Alors, c'est ça l'enfer. Je n'aurais jamais cru... Vous vous rappelez : le soufre, le bûcher, le gril... Ah! quelle plaisanterie. Pas besoin de gril, l'enfer, c'est les Autres.
SARTRE, Huis clos, V.

Loc. (allus. à Rimbaud). *Une saison en enfer :* un moment terrible, infernal.

Par métaphore. Le mal absolu, métaphysique. *Le ciel et l'enfer dans l'homme.*

♦ **2.** Fig. Lieu, situation qui évoque l'enfer, par son caractère douloureux, insupportable, ignoble.

a (Au physique). Lieu de supplices, de tortures.

15.1 Si elles perdent l'équilibre, elles risquent, ou de tomber sur des épines qui sont placées près de là, ou de se casser un membre, ou même de se tuer (...) — Oh Ciel ! dis-je à ma compagne en frémissant d'horreur, peut-on se porter à de tels excès ! Quel enfer !
SADE, Justine..., t. I, p. 170.

(Évoquant la chaleur, le feu...). *C'est un enfer, c'est l'enfer ici. La ville en flammes, le brasier était un enfer.*
L'enfer de... « *L'enfer des sables* » (Balzac). *Un enfer de pierres volcaniques. L'enfer des usines, des fonderies.*

15.2 Dans cet enfer de pierre, de brique et de métal, où pas une feuille d'arbre ne vient rafraîchir la vue.
J. GREEN, Journal (1950-1954), p. 17.

b (Au moral). Lieu ou situation de souffrances intenses. *Sa vie est un enfer. Quel enfer ! C'est l'enfer sur la terre. L'enfer des pauvres.* → Paradis, cit. 4, Hugo. *L'attente est un enfer pour les amoureux* (→ Attendre, cit. 28). *Ce travail est un enfer* (→ Difficile, cit. 25).

16 (...) j'abhorre des nœuds
Qui deviendraient sans doute un enfer pour tous deux.
MOLIÈRE, Dom Garcie, I, 1.

17 Combien n'a-t-on point vu de belles aux doux yeux,
Avant le mariage anges si gracieux,
Tout se changeant aussitôt en bourgeoises sauvages,
Vrais démons, apporter l'enfer dans leurs ménages (...)
BOILEAU, Satires, X.

18 C'est dans vos cœurs insatiables, rongés d'envie, d'avarice et d'ambition, qu'au sein de vos fausses prospérités les passions vengeresses punissent vos forfaits. Qu'est-il besoin d'aller chercher l'enfer dans l'autre vie ? il est celle-ci dans le cœur des méchants.
ROUSSEAU, Émile, IV.

19 Les remords restèrent, et ils furent ce qu'ils devaient être dans un cœur si sincère. Sa vie fut le ciel et l'enfer : l'enfer quand elle ne voyait pas Julien, le ciel quand elle était à ses pieds.
STENDHAL, le Rouge et le Noir, I, XIX.

20 Non, il n'est pas vrai que la vieillesse soit un enfer « à la porte duquel on doive écrire : «Vous qui entrez ici, laissez toute espérance ».
A. MAUROIS, Un art de vivre, p. 231.

Avoir l'enfer dans le cœur, l'âme : être tourmenté par le remords, la haine, les ressentiments... *Porter son enfer en soi :* être la cause de ses propres souffrances.

Enfer de... (le compl. qualifie les souffrances). *Un enfer d'ennui, de tristesse.*

c Lieu, situation où règne le mal. *L'enfer de l'argent.*

(Fin XIXᵉ). Spécialt, vx. Maison de jeu, tripot.

Département (d'une bibliothèque) où sont déposés les livres interdits au public. *L'Enfer de la Bibliothèque nationale.*

♦ **3.** Loc. adj. (1802). **D'ENFER** : qui évoque l'enfer. *C'était une vision d'enfer*, affreuse, horrible. — Par ext. (sans aspect pénible). Très intense (dans quelques contextes). ⇒ **Infernal.** *Aller un train d'enfer*, dangereusement vite (→ Brio, cit. 3). — *Jouer un jeu d'enfer*, un très gros jeu. — *Un feu d'enfer*, très violent.

21   Nous allions un train d'enfer, nous dévorions le terrain, et les vagues silhouettes des objets s'envolaient à droite et à gauche avec une rapidité fantasmagorique.
            Th. GAUTIER, Voyage en Espagne, p. 37.

22   Un appétit d'enfer, figure-toi, de ces faims terribles qui ne peuvent attendre.
            Alphonse DAUDET, Numa Roumestan, XI, p. 220.

CONTR. Ciel, paradis.

DÉR. (Du lat. *infernum*) V. **Infernal.**

ENFERMEMENT [ãfɛʀməmã] n. m. — 1549, Estienne ; de *enfermer.*

♦ Fait d'enfermer (qqn ou qqch.) ou d'être enfermé. *L'enfermement des opposants au régime dans des hôpitaux psychiatriques.* « *Il fallait bien tirer tous ces petits objets de leurs plis de deuil et d'enfermement* » (Daudet, *in* T. L. F.).

1   Dès les premiers mois de l'enfermement, les vénériens appartiennent de plein droit à l'Hôpital général. Les hommes sont envoyés à Bicêtre ; les femmes à la Salpêtrière. Défense a même été faite aux médecins de l'Hôtel-Dieu de les recueillir et de leur donner des soins.
            Michel FOUCAULT, Histoire de la folie à l'âge classique, p. 97.

Le fait de s'enfermer. « ... *un enfermement dans mon jardin et mes bibelots* » (Goncourt, *in* T. L. F.).

Figuré :

2   Parallèlement aux règles contraignantes de l'enfermement dans le mariage, et pour alléger les frustrations des jeunes hommes astreints au célibat par la politique du lignage, on assiste à la mise en place de jeux, de rites sociaux que les historiens appellent l' « amour courtois ».
            L'Express, nº 1560, 29 mai 1981, p. 73.

ENFERMER [ãfɛʀme] v. tr. — XIIᵉ ; de *en-*, et *fermer.*

★ **I.** ♦ **1.** Mettre, en général de force, (qqn) en un lieu d'où il est impossible de sortir. *Enfermer qqn dans une pièce, une maison* (⇒ **Chambrer, claustrer, cloîtrer, confiner, séquestrer**), *dans des murs* (⇒ **Claquemurer, emmurer, murer, parquer**). *Enfermer, mettre qqn sous clef**, *sous les verrous.* ⇒ **Boucler, verrouiller** (→ Drôlement, cit. 1). *Enfermer un oiseau dans une cage. Enfermer qqn dans une prison.* ⇒ **Coffrer** ; *écrouer, emprisonner* (→ Cage, cit. 1). — Vx. *Enfermer qqn dans la tombe.*

1   Avant qu'un peu de terre, obtenu par prière,
     Pour jamais sous la tombe eût enfermé Molière (...)
            BOILEAU, Épîtres, VII.

2   (...) ils demandèrent deux grâces : l'une, de me faire sortir sur-le-champ du Châtelet ; l'autre, d'enfermer Manon pour le reste de ses jours ou de l'envoyer en Amérique.
            Abbé PRÉVOST, Manon Lescaut, II, p. 186.

3   Torquemada a été condamné par son ordre à être enfermé dans un *in pace*, pour quelque infraction à la règle. On le voit en scène descendre vivant dans sa tombe, y être muré.
            Émile HENRIOT, les Romantiques, p. 54.

4   Il lui semblait qu'elle avait, pour ainsi dire, touché le fond de son désespoir lorsqu'elle s'était aperçue que son père fermait la grille à clef tous les matins (...) Maintenant on l'enfermait, on la gardait à vue.
            J. GREEN, Adrienne Mesurat, p. 65.

Enfermer un malade dans un asile, une maison d'aliénés. ⇒ **Interner.** Absolt. *Faire enfermer qqn. Il est bon à enfermer, il faut l'enfermer* : il est fou*.

5   Elle est folle à tel point qu'on ne peut l'exprimer ;
     Travaillez au plus tôt à la faire enfermer (...)
            J.-F. REGNARD, les Ménechmes, V, 3.

5.1   Le lendemain, il alla consulter un médecin aliéniste qui ne put rien dire de précis, sinon qu'il ne demandait pas mieux que de l'enfermer.
            M. AYMÉ, Maison basse, p. 56.

(1851). Fig. *Enfermer qqn dans un dilemme* (cit. 2, 3), *dans ses contradictions.* — *La douleur enferme* (cit. 20) *les médiocres dans l'égoïsme.*

6   (...) Mirabeau lui disant de la tribune, à propos de je ne sais quelle fausseté de raisonnement, qu'il allait l'enfermer dans un *cercle vicieux* : « Vous allez donc m'embrasser ? » répliqua de sa place l'abbé Maury.
            SAINTE-BEUVE, Causeries du lundi, 23 juin 1851.

7   Le cogito assure l'homme de son existence comme être pensant, mais il l'enferme en lui-même.
            Émile FAGUET, Études littéraires, XVIIᵉ s., p. 69.

♦ **2.** Mettre, placer (qqch.) dans un lieu clos (pour ranger, retrouver, protéger). ⇒ **Renfermer, serrer.** *Enfermer de l'argent dans un coffre-fort. Enfermer des vêtements dans une armoire, des provisions dans un buffet.* ⇒ **Clef** (mettre sous clef). *Enfermer dans un emballage.* ⇒ **Emballer.**

Fig. et littér. *Enfermer sa peine, son chagrin*, le cacher. — Par métaphore du sens 1 (*enfermer dans la tombe*) :

8   Dans la nuit du tombeau j'enfermerai ma honte (...)
            RACINE, Iphigénie, II, 1.

♦ **3.** (Fin XIXᵉ). Abstrait. Limiter. *Enfermer une notion dans une définition, un système entier en une seule formule.* ⇒ **Entrer** (faire) ; **circonscrire.**

(...) nous ne viserons pas à enfermer la fantaisie comique dans une définition. Nous voyons avant tout, quelque chose de vivant.   H. BERGSON, le Rire, p. 2.   9

Enfermer qqn dans un rôle, une fonction. ⇒ **Limiter.** — (Par métaphore du sens 1). ⇒ **Emprisonner.**

La théologie des laïcs enferme les mœurs dans une étroite prison de préjugés et de pratiques.   André SUARÈS, Trois hommes, II, « Ibsen », p. 100.   10

★ **II.** Entourer complètement. ⇒ **Entourer.**

♦ **1.** (1640). Vx. *Enfermer qqn.* ⇒ **Cerner, encercler.** *Être enfermé de, par qqn* : être encerclé.

Près d'être enfermé d'eux *(les Curiaces)*, sa fuite l'a sauvé.   CORNEILLE, Horace, III, 6.   11

♦ **2.** (1538). Mod. *Enfermer qqch.* ⇒ **Ceindre, clore, environner.** *Enfermer un terrain de haies, de fossés...* ⇒ **Clore, enclore.** *Enfermer un territoire dans un autre.* ⇒ **Enclaver, enserrer.** *Enfermer une ville de, par des murailles.* ⇒ **Ceindre, enceindre.**

♦ **3.** (1910). Sports (dans une course). *Enfermer un concurrent*, le serrer à la corde, ou à l'intérieur du peloton, de façon à briser son élan et à l'empêcher de se dégager. *Il s'est laissé stupidement enfermer au moment du sprint. Être enfermé à la corde.* Cf. Être dans la boîte.

♦ **4.** (Le sujet désigne ce qui enferme). *Les murs qui enferment qqn, qqch. La boîte enfermait des trésors.* ⇒ **Contenir.**

(...) ces allées de pierre, ces allées de menues colonnes enfermant un petit jardin (...)   MAUPASSANT, la Vie errante, La Sicile, p. 105 (→ Cloître, cit. 4).   12

Vieilli. Avoir en soi, renfermer. ⇒ **Comprendre, comporter, contenir.** *Cette page enferme des conseils dangereux. Son âme n'enferme pas de pareils desseins. L'idée d'homme enferme l'idée de liberté et de raison.* ⇒ **Impliquer.** *Elle se demanda si le compliment* (cit. 5) *n'enfermait pas quelque ironie.*

Ce corps n'enferme pas une âme si commune (...)   CORNEILLE, Médée, III, 3.   13

Contre quoi les pyrrhoniens opposent en un mot l'incertitude de notre origine, qui enferme celle de notre nature ; à quoi les dogmatistes sont encore à répondre depuis que le monde dure.   PASCAL, Pensées, VII, 434.   14

▶ **S'ENFERMER** v. pron.

♦ **1.** Se mettre en un lieu clos. *S'enfermer dans un cloître* (→ Dérèglement, cit. 8). *Armée qui s'enferme dans une place forte.*

J'irai m'enfermer dans des murs plus terribles pour moi que pour les femmes qui y sont gardées (...)   MONTESQUIEU, Lettres persanes, CLV.   15

Loc. fig. *S'enfermer dans son cocon**.

♦ **2.** Fermer la porte sur soi pour s'isoler. → **Barricader** (se), **cadenasser** (se), **calfeutrer** (se), **cantonner** (se), **confiner** (se), **isoler** (s'). *S'enfermer dans sa chambre pour travailler, s'enfermer à double tour pour ne pas être dérangé. Artiste qui s'enferme dans la solitude, dans sa tour d'ivoire.*

(Sans compl.). *Il voudrait pouvoir s'enfermer pour travailler.*

(...) je convins, avec candeur, que j'avais bien un escalier dérobé qui conduisait très près de mon boudoir ; que je pouvais y laisser la clef, et qu'il lui serait possible de s'y enfermer (...)   LACLOS, les Liaisons dangereuses, Lettre LXXXV.   16

Letondu, à vrai dire, venait encore à l'Administration ; il y venait même régulièrement. Mais, arrivé à l'heure précise, il s'enfermait en son bureau, s'y verrouillait à double tour et y demeurait de longues heures sans que l'on pût savoir ce qu'il y fabriquait.   COURTELINE, Messieurs les ronds-de-cuir, 5ᵉ tableau, I.   17

(Av. 1778). Fig. *S'enfermer dans une attitude, un rôle*, ne pas en sortir. ⇒ **Garder ; maintenir** (se) ; **rester.** *S'enfermer dans le silence.*

Le seul moyen de n'être pas malheureux c'est de t'enfermer dans l'Art et de compter pour rien tout le reste ; l'orgueil remplace tout quand il est assis sur une large base.   FLAUBERT, Correspondance, 13 mai 1845.   18

Aussi bien Dorothée elle-même n'était pas femme à renoncer, pour son oncle, aux attraits du pouvoir ; elle les subissait comme lui et ne se figurait certainement pas son grand homme s'enfermant, pour le reste de ses jours, dans le rôle d'un Cincinnatus.   Louis MADELIN, Talleyrand, V, XXXIV, p. 374.   19

À la suite de quoi ma mère s'enfermait dans le mutisme. Je lanternais quelque temps encore, puis commençais à me pressurer le cerveau au-dessus de mon papier blanc.   GIDE, Si le grain ne meurt, I, II, p. 48.   20

▶ **ENFERMÉ, ÉE** p. p. adj.

♦ **1.** Qui est en un lieu fermé, à l'intérieur* (de). *Personne enfermée en prison.* ⇒ **Détenu ; captif, emprisonné**, *dans un hôpital psychiatrique* (⇒ **Interné**), *un cloître* (→ Cloîtré). *Personne enfermée chez elle. Corps* (cit. 13) *enfermé dans un cercueil. Argent enfermé dans un coffre.*

(...) le commencement de l'hiver m'arrêta en un quartier, où ne trouvant aucune conversation qui me divertît, et n'ayant d'ailleurs par bonheur aucuns soins ni passions qui me troublassent, je demeurais tout le jour enfermé seul dans un poêle, où j'avais tout le loisir de m'entretenir de mes pensées (...)   DESCARTES, Discours de la méthode, II.   21

Me trouver ici seule avec vous enfermée (...)   MOLIÈRE, Tartuffe, IV, 5.   22

(...) un homme enfermé dans une chambre qui transforme toute sa vie en littérature et toute son expérience en style.   A. THIBAUDET, Gustave Flaubert, p. 71.   23

Par métaphore :

Je plongerai ma tête amoureuse d'ivresse
Dans ce noir océan, où l'autre est enfermé (...)   BAUDELAIRE, Spleen et Idéal, « La chevelure », XXIII.   24

♦ **2.** N. m. (1690). Spécialt (vx). *Odeur d'enfermé* : odeur désagréable de ce qui est resté longtemps enfermé, sans aération. ⇒ **Renfermé** (mod.). — Contr. : *aéré*.

♦ **3.** (En parlant d'un creux). Entouré, environné.

25   (...) une très petite commùne (...) enfermée de marais, acculée contre la mer (...)
     E. FROMENTIN, Dominique, II, p. 28 (→ Dévorer, cit. 22).
Contenu, inclus*. *Conséquence enfermée dans un principe.*

CONTR. Délivrer, élargir, libérer. — Extraire, sortir.
DÉR. Enfermement.

ENFERRER [ɑ̃feʀe] v. tr. — XIVᵉ; *enferer* «garnir de fers», v. 1170; de *en-*, *fer*, et suff. verbal.
Rare.

♦ **1.** Traverser, percer (qqn) avec le fer de son arme. *Enferrer son adversaire.*

♦ **2.** Techn. *Enferrer un bloc de pierre, d'ardoise,* y enfoncer des coins de fer pour le débiter.

▶ **S'ENFERRER** v. pron.

♦ **1.** Rare. Tomber, se jeter sur l'épée de son adversaire. *S'enferrer jusqu'à la garde.* — (Récipr.). *Ils se sont enferrés l'un l'autre.*

1   Quand elle s'enferrerait d'elle-même par désespoir en voyant son frère l'épée à la
     main (...)   CORNEILLE, Examen d'Horace.

♦ **2.** Fig., cour. Se prendre à ses propres mensonges, ses propres pièges. ⇒ **Embrouiller** (s'), **enfoncer** (s'), **nuire** (se). *Il essaya de se justifier mais ne réussit qu'à s'enferrer.* — (Avec un compl.). *Il s'est enferré dans ses contradictions, dans ses mensonges.*

2   Tu t'enferres, Aronte, et, pris au dépourvu,
     En vain tu veux cacher ce que nous avons vu.
     CORNEILLE, la Galerie du palais, IV, 2.

3   (...) l'auteur oublie à chaque page ce qu'il vient de dire dans l'autre, s'enferrant
     lui-même à l'aveugle dans ses propres raisonnements (...)
     MICHELET, Hist. de la Révolution franç., t. I, p. 440.

DÉR. Enferreur.

ENFERREUR, EUSE [ɑ̃feʀœʀ, øz] n. m. — XXᵉ; de *enferrer*.

♦ Rare. Celui, celle qui enferre.
(...) l'animal laisse jaillir son sang d'un jet gros comme le bras, il perd ses forces
aussitôt et tombe aux pieds de l'enferreur.
Paul VIALAR, la Grande Meute, p. 321.

ENFEU [ɑ̃fø] n. m. — 1482; déverbal de *enfouir*.

♦ Archéol. Niche funéraire à fond plat pratiquée dans les murs des églises pour y abriter un tombeau. *Des enfeus.*

ENFICHABLE [ɑ̃fiʃabl] adj. — Mil. XXᵉ; de *enficher*.

♦ Électr. Qu'on peut introduire dans une fiche (d'alimentation ou de standard téléphonique). *Coffret, boîtier enfichable.*

Spécialt (électron.). Qui peut être enfiché. *«Première machine à modules enfichables, ce qui lui confère une performance intéressante malgré un langage peu économique»* (Sciences et Avenir, «La science des jeux», n° 35, août 1981, p. 34).

ENFICHER [ɑ̃fiʃe] v. tr. — Mil. XXᵉ; de *en-*, 1. *fiche*, et suff. verbal.

♦ Techn. Insérer un module électrique ou électronique dans un ensemble par une prise ou un connecteur. *Enficher une prise mâle dans une prise femelle. Une machine qui «offre la possibilité d'enficher jusqu'à trois modules logiciels de 16 K chacun»* (Contact, Revue mensuelle de la F. N. A. C., n° 220, janv. 1983, p. 11).

DÉR. Enfichable.

ENFIELLER [ɑ̃fjele] v. tr. — V. 1220; de *en-*, *fiel*, et suff. verbal.
Rare.

♦ **1.** Emplir de fiel. ⇒ **Fiel** (fig.).

♦ **2.** (V. 1570). Vx ou littér. ⇒ **Empoisonner, envenimer** (qqch.); **aigrir, exciter** (qqn).

1   Ô monde, que m'as-tu fait pour que je haïsse ainsi? Qui m'a donc enfiellé de la
     sorte contre toi? qu'attendais-je donc de toi pour te conserver tant de rancœur
     de m'avoir trompé?   Th. GAUTIER, Mᶦᶦᵉ de Maupin, III, p. 40.

▶ **ENFIELLÉ, ÉE** p. p. adj.
Plein de fiel, venimeux. ⇒ **Haineux, méchant.** *Une langue, une plume enfiellée.*

2   Éclairé dès 1792 par l'affaire du testament, Gaubertin avait su sonder la ruse que
     contenait la figure enfiellée de cet habile hypocrite; aussi s'en était-il fait un com-
     père en communiant avec lui devant le Veau d'or.
     BALZAC, les Paysans, Pl., t. VIII, XIII, p. 212.

ENFIÈVREMENT [ɑ̃fjɛvʀəmɑ̃] n. m. — 1876; de *enfiévrer*.

♦ Rare. Surexcitation (des sens, de l'imagination).

ENFIÉVRER [ɑ̃fjevʀe] v. tr. — Conjug. *céder*. — 1588; de *en-*, *fièvre*, et suff. verbal.

♦ **1.** Vx. Rendre fiévreux. *Enfiévrer le pouls, la tête.*

♦ **2.** (1775). Fig. Mod. Animer (qqn) d'une sorte de fièvre, d'une vive ardeur. ⇒ **Agiter, animer, exciter, surexciter.** *La présence de cette inconnue l'enfiévrait.* ⇒ **Troubler.** *La passion l'enfièvre.* ⇒ **Brûler, enflammer, exalter.**

1   (...) il exhale un tel feu qu'il m'a presque enfiévré de sa passion (...)
     BEAUMARCHAIS, le Barbier de Séville, II, 4.

2   On eût dit les cris espagnols autour d'une danseuse qu'il s'agit d'enfiévrer.
     M. BARRÈS, Leurs figures, p. 262.

Par ext. *Enfiévrer l'âme, l'imagination de qqn.*

(Collectivité). Agiter.

3   (...) une sorte d'excitation hagarde, une liberté maladroite qui enfièvre tout un
     peuple.   CAMUS, la Peste, p. 138.

▶ **S'ENFIÉVRER** v. pron.
Fig. ⇒ **Enthousiasmer** (s'), **passionner** (se).

3.1 Il serait facile de noter les petits ridicules de Barrès. Aucun auteur de mon âge
     ne m'exaspère à ce point, ou ne me fait si souvent sourire. Remarquez d'abord la
     manie qu'il a de s'enfiévrer à tout propos.   J. RENARD, Journal, 27 avr. 1894.

4   Dans la cour et les couloirs de l'École de Droit, sur les travées des amphithéâtres,
     je me lie avec des camarades qui, au milieu des luttes parlementaires d'alors,
     s'enfièvrent pour la politique, brûlent de s'y mêler et, en attendant, se plaisent à
     des simulacres qui leur en donnent l'illusion.
     Georges LECOMTE, Ma traversée, ρ. 160.

▶ **ENFIÉVRÉ, ÉE** p. p. adj.

♦ **1.** Vx. Qui a de la fièvre. ⇒ **Fiévreux.** — Qui marque la fièvre. *Une voix enfiévrée.*

♦ **2.** Qui est dans un état d'exaltation, d'excitation. *Des gens enfiévrés; une foule enfiévrée. Enfiévré d'héroïsme, de passion.* — Qui dénote l'exaltation. *Une voix enfiévrée* (de, par la passion). Spécialt. Passionné. *Une étreinte enfiévrée.*

4.1 Guillaume, lui, sentait renaître son soupçon, cette inquiétude d'avoir vu Marie
     enfiévrée et changée par un sentiment nouveau, ignoré d'elle-même.
     ZOLA, Paris, t. II, p. 139.

♦ **3.** Empreint d'exaltation. ⇒ **Fébrile.**

5   Sous la profusion des images, l'heureuse vivacité du coloris, la musique enfiévrée
     du rythme lyrique ou la mollesse de l'élégie, c'est là son thème essentiel (...)
     Émile HENRIOT, Portraits de femmes, p. 450.

♦ **4.** Qui est le siège d'une activité fiévreuse, fébrile. *Une époque enfiévrée. «Ce chantier enfiévré de travail»* (Zola).

CONTR. Apaiser, calmer. — (Du p. p.) Calme.
DÉR. Enfièvrement.

ENFILADE [ɑ̃filad] n. f. — 1611; de *enfiler*.

♦ **1.** Suite* de choses situées à la suite l'une de l'autre, en file*. ⇒ **Rangée.** *Une enfilade de colonnes. Une enfilade de chambres.*

1   Langlée a fait tendre son beau lit (de la nouvelle mariée, fille de Louvois) dans
     la chambre de la Courtenvaux, qui est ouverte pour allonger l'enfilade (...)
     Mᵐᵉ DE SÉVIGNÉ, 1374, 19 avr. 1694.

2   Elle souleva la tenture et poussa les battants d'une porte qui s'ouvrit lentement
     sur une enfilade de pièces. Sept ou huit pièces pour le moins, larges, profondes,
     hautes, communiquant entre elles par des baies (...)
     H. BOSCO, Un rameau de la nuit, p. 104.

Enfilade de phrases, d'images, d'arguments...

3   Ce n'est pas une enfilade de strophes isolées dont on puisse sans inconvénient
     augmenter ou diminuer le nombre (...)   DIDEROT, Lettre à Galiani, *in* LITTRÉ.

4   Il arrive quelquefois que des gens tout à fait impropres aux jeux de mots impro-
     visent des enfilades interminables de calembours (...)
     BAUDELAIRE, Du vin et du haschisch, IV.

♦ **2.** EN ENFILADE : en forme d'enfilade. *Pièces en enfilade* (→ Comprendre, cit. 3).

5   (...) un Stamboul vu en raccourci, en enfilade, les dômes, les minarets chevau-
     chant les uns sur les autres en profusion confuse et superbe (...)
     LOTI, les Désenchantées, III, p. 95.

Rare. *À l'enfilade.*

6   Patios, salons de marbre, couloirs de cristal, jardins suspendus, boudoirs et anti-
     chambres se succèdent à l'enfilade (...)   Robert PINGET, Graal flibuste, p. 18.

♦ **3.** (1688). Milit. *Tir d'enfilade,* dirigé dans le sens de la plus grande dimension de l'objectif. — *En enfilade. Le détachement fut pris en enfilade,* soumis à un tir d'enfilade.

7   Je vois très bien qu'il y a une mitrailleuse turque dans le ravin en avant de moi
     avec sa flamme, et maintenant sur la pente opposée à celle où finit notre tranchée.
     C'est ça, ils s'installent en contre-haut et ils vont nous arroser et nous prendre en
     enfilade.   DRIEU LA ROCHELLE, la Comédie de Charleroi, p. 223.

ENFILAGE [ɑ̃filaʒ] n. m. — 1697, terme de cristallerie; de *enfiler*.

♦ Action d'enfiler. *L'enfilage des perles.* ⇒ **Enfilement.**

ENFILE-AIGUILLES [ɑ̃fileguij] n. m. invar. — 1870; de *enfiler*, et *aiguille*.

♦ Techn. Petit instrument qui permet d'enfiler les aiguilles.

ENFILEMENT [ɑ̃filmɑ̃] n. m. — 1577; de *enfiler*.

♦ Vx. Action d'enfiler. ⇒ **Enfilage.**

ENFILER [ɑ̃file] v. tr. — XIIIᵉ; de *en-, fil,* et suff. verbal.

♦ **1.** Traverser par un fil, mettre autour d'une ficelle, d'une tringle. *Enfiler une aiguille* (cit. 7). *Enfiler des perles,* et, par ext., *enfiler un collier, un chapelet. Enfiler des éponges avec une ficelle. Enfiler des anneaux sur une tringle. Enfiler une bague à son doigt. Enfiler des harengs sur une broche*, des rognons sur une brochette*.*

1   La fourmi ne perd pas sa peine à discuter et elle se hâte de rejoindre ses sœurs qui suivent toutes le même chemin, semblables à des perles noires qu'on enfile.
            J. RENARD, Histoires naturelles, p. 147.

Fam. *Nous ne sommes pas là pour enfiler des perles,* pour perdre notre temps à des futilités.

2   Est-il temps d'enfiler des perles
     Et d'aller à la chasse aux merles?   SCARRON, Virgile travesti, IV, *in* LITTRÉ.

♦ **2.** Par anal. Vx. Traverser le corps de (qqn) avec une lame, une épée. *Enfiler son adversaire au cours d'un duel.* ⇒ **Embrocher.**

3   (...) Macartney, qui lui servait de second, enfila sur-le-champ le duc d'Hamilton par derrière, et s'enfuit.   SAINT-SIMON, Mémoires, t. IV, IV.

REM. Comme le sens 6 et tous les emplois où le compl. est un nom de personne, ce sens a vieilli, à cause du sens 7.

♦ **3.** (1680). Par ext. S'engager* tout droit dans (une voie). *Enfiler une rue, un chemin.* ⇒ **Prendre.** *Enfiler la venelle.* ⇒ **Venelle.** — *Le vent enfile le boulevard.*

4   Vous enfiliez tout droit, sans mon instruction,
     Le grand chemin d'enfer et de perdition.   MOLIÈRE, l'École des femmes, III, 1.

5   Lorsque ces courbes se trouvent situées de manière à être enfilées par les vents froids et humides (...)   BUFFON, Expériences sur les végétaux, 2ᵉ mém., *in* LITTRÉ.

6   Nous enfilâmes à droite, au rez-de-chaussée, un long corridor qu'éclairaient de loin en loin des lanternes de verre accrochées aux parois du mur, comme dans une caserne ou un couvent.   CHATEAUBRIAND, Mémoires d'outre-tombe, t. VI, p. 50.

7   J'enfilai prudemment une ruelle voisine (...)
            FRANCE, le Crime de S. Bonnard, Œ., t. II, p. 306.

Milit. Prendre en enfilade*, battre dans le sens de la longueur. *Le tir enfile la tranchée.* ⇒ **Enfilade.**

♦ **4.** Fam. Mettre, passer (un vêtement). *Enfiler un pantalon, une jupe, une veste, un polo* (cit. 4). *Enfiler des bas, des bottes, des gants.*

8   (...) il ne lui fallait guère plus de cinq minutes pour passer sous la douche, se raser, enfiler la chemise glacée (...)   MARTIN DU GARD, les Thibault, t. VI, p 10.

♦ **5.** Débiter sans discontinuer, mettre à la suite. *Enfiler un discours, une histoire, des phrases interminables.* Vx. *Enfiler qqch. à qqn* (→ ci-dessous, cit. 10).

9   Quand un plaideur s'en vient m'enfiler son procès,
     Quelque excuse aussitôt m'épargne un mal de tête (...)
            LA FONTAINE, l'Eunuque, V, 2.

10   Il m'enfila de longs raisonnements où je ne compris rien du tout; puis en conséquence de sa sublime théorie, il commença *in anima vili* la cure expérimentale qu'il lui plut de tenter.   ROUSSEAU, les Confessions, VI.

♦ **6.** Vieilli. Engager (un joueur) dans une partie désavantageuse, ou truquée. — REM. Par suite de l'évolution du mot au sens 7, *enfiler* n'est plus d'usage normal en ce sens ou serait pris pour une métaphore érotique. ⇒ **Abuser, enjôler, rouler, tromper.**

11   Le comte *à part :* Il veut rester. J'entends (...) Suzanne m'a trahi.
     — Figaro : Je l'enfile, et le paye en sa monnaie.
            BEAUMARCHAIS, le Mariage de Figaro, III, 8.

♦ **7.** (XVIIᵉ). Fam. et vulg. Posséder sexuellement (une femme).

11.1   Elle est jolie, et elle mérite bien qu'on l'enfile.
            RICHELET, Dict. (1680), art. *Enfiler* (Remarques sur la lettre E).

11.2   Qu'est-ce qu'il espérait? qu'après ça elle ne coucherait plus qu'avec lui, qu'elle allait se priver de se faire enfiler par le premier venu (...)
            Claude SIMON, la Route des Flandres, p. 154.

Spécialt. Pénétrer (qqn, homme ou femme) par sodomie.

11.3   C'est aux bains que cela se pratique. On retient le bain pour soi (5 francs, y compris les masseurs, la pipe, le café, le linge) et on enfile quelque gamin dans une des salles.   FLAUBERT, À Louis Bouilhet, 15 janv. 1850, *in* Correspondance, Pl., t. I, p. 572.

▶ **S'ENFILER** v. pron.

(1859, *in* D.D.L.). Fam. ⇒ **Envoyer** (s'), **taper** (se). *S'enfiler un bon dîner,* le manger. *S'enfiler un grand verre d'eau,* le boire. — Avoir à supporter (une corvée). ⇒ **Taper** (se). *S'enfiler tout le travail, s'enfiler le chemin à pied,* le faire (avec une nuance de mécontentement).

(...) pendant que vos vieux cocos s'enfileront dans le gésier vos verres d'eau de bidet, l'air de la forêt de Rambouillet leur entrera dans le système respiratoire.   12
            J. ROMAINS, les Hommes de bonne volonté, t. V, XXVII, p. 288.

▶ **ENFILÉ, ÉE** p. p. adj.

Traversé d'un fil ou de quelque chose de semblable. *Aiguille enfilée* (→ Brochette, cit. 1; chapelet, cit. 4; collier, cit. 3).

Figuré :

Ce sont des notes sur des contemporains, des choses vues, enfilées à la diable, sans suite, comme des anecdotes viennent à l'esprit quand on parle.   13
            Émile HENRIOT, Portraits de femmes, p. 128.

CONTR. Désenfiler; ôter.
DÉR. Enfilade, enfilage, enfilement, enfileur.
COMP. Désenfiler, renfiler. — Enfile-aiguilles.

ENFILEUR, EUSE [ɑ̃filœʀ, øz] n. — 1542; de *enfiler*.

♦ **1.** (1755). Techn. Personne chargée d'enfiler (des perles, des lices de métier à tisser). *Enfileuse de perles.*

♦ **2.** Fig. *Un enfileur de grands mots, de belles phrases.*

ENFIN [ɑ̃fɛ̃] adv. — 1119; de *en,* et *fin,* n. f.

★ **I.** (Valeur chronologique et emplois dérivés).

♦ **1.** (Sans contenu affectif). Servant à introduire le dernier terme d'une série, ou d'une énumération. *Tous arrivèrent, d'abord la mère, puis (ensuite) les enfants, enfin le père, qui était allé fermer la voiture.* ⇒ **Fin** (à la fin), **finalement.** «*Avec lui j'appris vite l'hébreu, le sanscrit, et enfin le persan et l'arabe*» (Gide, *l'Immoraliste,* in T. L. F.).

♦ **2.** Servant à marquer le terme d'une longue attente (avec une valeur affective de soulagement). *Le printemps arriva enfin. Ce travail est enfin terminé. Après avoir cherché partout, il trouva enfin un hôtel.* ⇒ **Fin** (à la fin), **finalement.** *Il resta longtemps sans parler, et enfin, il se décida à lui dire...* — REM. *Enfin* est indéterminé et peut se rapporter à une attente non exprimée dans la phrase; *à la fin, finalement* s'emploient plutôt lorsque les motifs de l'attente sont donnés.

1   Voulez-vous que je dise? il faut qu'enfin j'éclate (...)
            MOLIÈRE, les Femmes savantes, II, 7.

2   Enfin Malherbe vint, et, le premier en France,
     Fit sentir dans les vers une juste cadence (...)   BOILEAU, l'Art poétique, I.

3   (...) le livre de Mademoiselle s'était enfin retrouvé sous un fauteuil (...)
            DIDEROT, le Neveu de Rameau, Pl., p. 448 (→ Doguin, cit.).

4   Lorsqu'il fut de retour enfin
     Dans sa patrie le sage Ulysse (...)
            APOLLINAIRE, Alcools, « La chanson du mal aimé ».

5   Enfin, après mille atermoiements, au printemps dernier, Mˡˡᵉ de Waize avait consenti à la séparation.   MARTIN DU GARD, les Thibault, t. III, p. 173.

(En interj., la valeur affective l'emportant sur le sens analysable). Exprime le soulagement. *Enfin, les voilà! Enfin une lettre d'elle! Vous êtes arrivé, enfin!* — *Enfin seuls!*

♦ **3.** (Marquant la résignation). *Enfin, on verra bien! Enfin, puisqu'il faut y aller, allons-y! Enfin, que voulez-vous!* — Employé seul :

5.1   Si l'on ne sait quoi ajouter ou répondre à ce que le parleur vient de dire, il n'est pas désavantageux de soupirer « Enfin »...
            P. DANINOS, Un certain monsieur Blot, p. 232.

♦ **4.** (Marquant la colère ou l'impatience, avec une exclamative ou une interrogative). *Enfin! quoi! vous vous décidez? Mais enfin, dépêchez-vous!* — *Rends-moi ça, enfin! M'écouterez-vous enfin?*

5.2   Enfin, c'est inadmissible : qu'est-ce que vous fabriquez ici à cette heure.
            MONTHERLANT, la Ville dont le prince est un enfant, II, 7.

♦ **5.** (Marquant la perplexité, l'inquiétude, l'étonnement, souvent avec une interrogative). *Enfin (mais enfin) qu'est-ce qu'il y a?* — Abrév. fam. (d'une bande dessinée connue des enfants). *M'enfin... :* mais enfin...

★ **II.** (Valeur logique). ♦ **1.** (Marquant le dernier terme d'une suite, dans le discours). ⇒ **Dernièrement, ultimo.** *Il est trop vieux; il n'est pas très intelligent; enfin, il n'a pas envie de travailler.*

6   Rome enfin que je hais, parce qu'elle t'honore!
            CORNEILLE, Horace, IV, 5 (→ Anaphore, cit. 2).

♦ **2.** (Servant à conclure, à résumer ce qui vient d'être dit). → ci-dessous, cit. 8. *Il y avait les parents, les oncles, les frères, enfin toute la famille. Il est timide, étourdi, paresseux, enfin incapable de quoi que ce soit. Il nous a donné des vêtements, des vivres, enfin tout ce qu'il fallait.*

Enfin, voilà... Enfin bref. ⇒ **Bref.** *Enfin, passons. Enfin, ils sont vivants, c'est le principal.*

(En apposition ou en incise). *Enfin, vous comprenez... Enfin, s'il est content, c'est l'essentiel. Enfin! prenons patience* (→ Artificiel, cit. 24; arbitrairement, cit. 2).

REM. Les valeurs de *enfin* dépendent largement du contexte; l'adverbe en apposition ou en incise sert à introduire une information supplémentaire, à titre d'explication (exprimant une connaissance assurée) ou d'approximation (impliquant le doute : *enfin, quelque chose de ce genre*). Dans ce dernier emploi, il sert de stéréotype dans la recherche du mot propre, pour y suppléer (→ cit. 7, ci-dessous). → **Euh!, hem!**

7 C'est un homme... qui... ha!... un homme... un homme... un homme.
                                                          MOLIÈRE, *Tartuffe*, I, 5.
8 Vous l'abhorriez ; enfin vous ne m'en parliez plus.   RACINE, *Andromaque*, I, 1.
9 Ce que je peux te promettre, c'est d'être discret, invisible, de me comporter enfin, comme un parfait gentleman (...)
                          G. DUHAMEL, *Chronique des Pasquier*, II, XIX, p. 411 (→ Comporter, cit. 8).

Ellipt. Enfin..., enfin bon..., sert de conclusion provisoire souvent désabusée.

♦ **3.** (xxe). Servant à rectifier ou à préciser ce qui vient d'être dit. → **C'est-à-dire, du moins*.** *Il n'a pas d'enfants, enfin, je crois. Ils sont tous là, enfin, tous ceux qui ne sont pas malades. Bon, c'est parfait ! Enfin, ça ira...*

♦ **4.** (Après *mais, car,* et...). *Tout bien considéré.* ⇒ **Compte** (tout compte fait), **somme** (somme toute), **tout** (après tout). *Mais enfin, que fallait-il faire? C'était à vous de vous en occuper, car enfin, vous êtes son père.*

10 J'ai le cœur aussi bon, mais enfin je suis homme (...)   CORNEILLE, *Horace*, II, 3.
11 On sait que la chair est fragile quelquefois,
    Et qu'une fille enfin n'est ni caillou ni bois.   MOLIÈRE, *le Dépit amoureux*, III, 9.
12 (...) Les Français arrivent tard à tout, mais enfin ils arrivent.
                                      VOLTAIRE, *Lettres*, 2 avr. 1764 (→ Arriver, cit. 58).

Mais enfin, après une négation, exprime une rectification par opposition. → **Cependant, néanmoins, toutefois.**

ENFLAMMER [ãflame] v. tr. — Fin xe ; var. *enflamber* ; du lat. *inflammare* «mettre le feu à (qqn, qqch.)»; d'après *flamme.* → Flamber, flamme.

♦ **1.** Mettre en flamme*. *Enflammer une allumette, une bûche.* ⇒ **Allumer.** *L'incendie enflamma tout l'entrepôt.* ⇒ **Embraser.** *Enflammer un bûcher, un tas de charbon, du pétrole. Enflammer du papier à l'aide d'une lentille, d'un miroir ardent.*

Par ext. (Sujet n. de chose). *Éclairer vivement. Un éclair enflamma le ciel.* ⇒ **Éclairer, illuminer.** *La lueur rouge des incendies enflammait l'horizon.* ⇒ **Empourprer.**

1 (...) Ah! quels coups de tonnerre
   Ont enflammé le ciel et fait trembler la terre !   VOLTAIRE, *Sémiramis*, V, 5.
2 L'aurore, paraissant derrière les montagnes, enflammait l'orient ; tout était d'or ou de rose dans la solitude.   CHATEAUBRIAND, *Atala*, Les laboureurs, p. 109.

Chauffer fortement. Un vent brûlant enflammait l'air, l'atmosphère. Un alcool qui enflamme le sang.

♦ **2.** *Fig.* Colorer, éclairer vivement d'une lueur de flamme. *Une violente rougeur enflammait ses pommettes.* ⇒ **Enluminer, rougir.** *La colère, la haine, la peur enflammait ses yeux, son visage.* ⇒ **Animer** (→ Dédaigneux, cit. 4). — *Passif et p. p. Ses yeux étaient enflammés par la colère. Des joues enflammées.* → ci-dessous, p. p. adj.

3 (...) le rouge *(du maquillage),* qui enflamme la pommette, augmente encore la clarté de la prunelle et ajoute à un beau visage féminin la passion mystérieuse de la prêtresse.
                  BAUDELAIRE, *Curiosités esthétiques*, « Le peintre de la vie moderne », XI.
4 Mais, comme par l'amour une joue enflammée (...)
                                      VALÉRY, *Poésies*, « La jeune Parque ».

♦ **3.** Mettre dans un état inflammatoire (⇒ **Inflammation**). *Cette pommade ne fera qu'enflammer la blessure, la plaie.* ⇒ **Envenimer, irriter.** *Enflammer un bouton* (cit. 6), *une piqûre d'insecte en se grattant.* « *Une piqûre lui enflamma le doigt* » (Littré).

5 Je me suis fait faire une jambe de bois très légère (...) je l'ai mise il y a quelques jours et ai essayé de me traîner en me soulevant encore sur des béquilles, mais je me suis enflammé le moignon et ai laissé l'instrument maudit de côté.
                                      RIMBAUD, *Correspondance*, 10 juil. 1891.

♦ **4.** Remplir (qqn) d'ardeur, de passion. ⇒ **Animer, échauffer, embraser, enfiévrer, exalter, passionner.** *Le zèle l'enflamme et le dévore** (cit. 31). *La colère l'enflamma brusquement.* ⇒ **Échauffer.** *Orateur qui enflamme son auditoire, tribun qui enflamme les foules.* ⇒ **Électriser, enlever, enthousiasmer, galvaniser.** *L'approche* (cit. 23) *de grands événements enflamme l'orateur. L'ambition enflammait son cœur. Se laisser enflammer par la colère, la haine.* ⇒ **Emporter, entraîner.**

6 Ça, je veux étouffer le courroux qui m'enflamme (...)
                                      MOLIÈRE, *Amphitryon*, II, 1.
7 L'homme est ainsi bâti : quand un sujet l'enflamme,
   L'impossibilité disparaît de son âme.   LA FONTAINE, *Fables*, VIII, 25.
8 J'enflammerai son jeune cœur de tous les sentiments d'amitié, de générosité, de reconnaissance que j'ai déjà fait naître et qui sont si doux à nourrir.
                                      ROUSSEAU, *Émile*, IV.
9 Depuis trois quarts d'heure, cet homme avait dans le geste et dans le regard une autorité despotique, irrésistible, puisée à la source commune et inconnue où puisent leurs pouvoirs extraordinaires et les grands généraux sur le champ de bataille où ils enflamment les masses, et les grands orateurs qui entraînent les assemblées (...)   BALZAC, *Une ténébreuse affaire*, Pl., t. VII, p. 475.
10 J'ai vu parfois, au fond d'un théâtre banal,
    Qu'enflammait l'orchestre sonore (...)
                                      BAUDELAIRE, *Spleen et idéal*, « L'irréparable ».

Faire naître, augmenter (une passion, un désir...). ⇒ **Attiser, exciter,**

provoquer, stimuler. Enflammer l'ardeur, le courage, le zèle d'un soldat. Enflammer la haine, la colère. ⇒ **Attirer, irriter.**

11 Ah! que vous enflammez mon désir curieux !   RACINE, *Esther*, II, 7.

Vx. Animer (qqn, son cœur, son sang...) *d'une vive passion amoureuse* (⇒ **Flamme**). *L'ardeur, la passion qui l'enflamme. Son imagination l'enflamme, enflamme son sang* (→ Amant, cit. 3). *Se laisser enflammer. Il a suffi d'un regard pour l'enflammer.* ⇒ **Affoler.** *Enflammer les désirs de qqn.* ⇒ **Allumer.**

12 Quand l'amour à vos yeux offre un choix agréable,
    Jeunes beautés, laissez-vous enflammer ;
    Moquez-vous d'affecter cet orgueil indomptable
    Dont on vous dit qu'il est beau de s'armer :
    Dans l'âge où l'on est aimable,
    Rien n'est si beau que d'aimer.   MOLIÈRE, *la Princesse d'Élide*, 1er intermède, 1.
13 Non, ce n'est pas par choix ni par raison d'aimer
    Qu'en voyant ce qui plaît on se laisse enflammer (...)
                                      Thomas CORNEILLE, *Ariane*, I, 1.

▶ **S'ENFLAMMER** v. pron.

♦ **1.** (1690). Prendre feu. ⇒ **Brûler.** *Ce bois s'enflamme difficilement. Qui peut s'enflammer.* ⇒ **Inflammable.** *S'enflammer en explosant.* ⇒ **Déflagrer.**

Littér. Devenir d'une couleur de flammes.

14 Le soleil penchait à l'horizon. Les pointes des cimes s'éteignaient l'une après l'autre tandis que les nuées s'enflammaient dans le ciel.
                                      FRANCE, *le Lys rouge*, VIII, p. 87.

Fig. Son visage s'enflamma de colère, de honte...

15 — Est-ce qu'on a maltraité mon fils ? s'écria Germain dont les yeux s'enflammèrent.   G. SAND, *la Mare au diable*, XIII, p. 113.
16 N'as-tu pas, en fouillant les recoins de ton âme,
    Un beau vice à tirer comme un sabre au soleil,
    Quelque vice joyeux, effronté, qui s'enflamme
    Et vibre, et darde rouge au front du ciel vermeil?   VERLAINE, *Sagesse*, III.

♦ **2.** (1640). Se passionner, s'animer. *S'enflammer de haine, de colère.* ⇒ **Emporter** (s'). *Il est prompt à s'enflammer. — Imagination qui s'enflamme, qui s'exalte.*

17 Tout mon sang de colère et de honte s'enflamme.   RACINE, *Esther*, III, 4.
18 Mon imagination, déjà moins vive, ne s'enflamme plus comme autrefois à la contemplation de l'objet qui l'anime ; je m'enivre moins du délire de la rêverie (...)
                                      ROUSSEAU, *Rêveries...*, 2e promenade.
19 «Allons à la chapelle mourir tous ensemble», s'écria l'excellent M...., prompt à s'enflammer.   RENAN, *Souvenirs d'enfance...*, IV, I, p. 159.

Spécialt. S'enflammer d'amour. S'enflammer pour une femme. Tempérament qui s'enflamme facilement. ⇒ **Combustible.**

20 Quand je brûle et que tu t'enflammes (...)
                                      VERLAINE, *Fêtes galantes*, « Les coquillages ».

▶ **ENFLAMMÉ, ÉE** p. p. adj.

♦ **1.** (xie). Qui est en flamme. ⇒ **Allumé, brûlant, ignescent ;** feu (en), ignition (en). *Brandon, tison enflammé ; torche enflammée. — Littér. Les flèches enflammées du soleil* (→ Cribler, cit. 7).

21 *(Il)* se roule, et leur présente une gueule enflammée,
    Qui les couvre de feu, de sang et de fumée.   RACINE, *Phèdre*, V, 6.

Éclairé par des flammes. Nuit enflammée.

22 Les commandements du chef *(Hitler),* dressé dans le buisson enflammé des projecteurs, sur un Sinaï de planches et de drapeaux (...)
                                      CAMUS, *l'Homme révolté*, p. 227.

(1695). *Dont la chaleur est intense.* ⇒ **Brûlant.** *L'air enflammé d'une après-midi d'été* (→ Atmosphère, cit. 7).

♦ **2.** *Fig.* ⇒ **Empourpré, rouge.** *Joues, pommettes enflammées.* ⇒ **Feu** (en). *Visage enflammé de honte* (→ Cacher, cit. 5), *de concupiscence* (cit. 4). → aussi Démon, cit. 11.

23 Le lion (...) me montre ses dents et ses griffes, ouvre une gueule sèche et enflammée.   FÉNELON, *Télémaque*, II.

♦ **3.** (1690). Qui est dans un état inflammatoire. *Plaie, blessure enflammée. Peau enflammée.* ⇒ **Irrité.**

♦ **4.** Rempli d'ardeur, de passion. ⇒ **Animé, ardent, embrasé, enfiévré, passionné, surexcité.** *Orateur, discours enflammé.* ⇒ **Éloquent.** *Enflammé d'ardeur, de courage, d'enthousiasme.* ⇒ **Enthousiaste.** *Enflammé de colère* (⇒ **Furieux, irrité...**), *de dépit* (→ Chasser, cit. 8). *C'est une nature enflammée.* ⇒ **Emporté.**

Spécialt. Enflammé d'amour. ⇒ **Amoureux, passionné...** *Un cœur enflammé. — Lettre, déclaration enflammée.*

24 — (...) un cœur bien enflammé ?
    — Un cœur bien plein de flamme (...)   MOLIÈRE, *Amphitryon*, II, 6.
25 L'objurgation amoureuse recommença, plus enflammée, plus véhémente (...)
                                      Léon BLOY, *le Désespéré*, p. 125.

CONTR. Éteindre, refroidir. — Calmer ; apaiser, lénifier. — (Du p. p.) Éteint, blême, livide ; calme, froid, tranquille.

DÉR. V. Inflammation.

COMP. Désenflammer.

ENFLÉ, ÉE [ãfle] adj. et n. ⇒ **Enfler**.

ENFLÉCHURE [ãfleʃyʀ] n. f. — 1606 ; de *en-*, *flèche*, et suff. *-ure*.

♦ Mar. Échelons de cordage tendus horizontalement entre les haubans pour monter dans la mâture.

1 Dans ses haubans, depuis le bas jusqu'en haut, à chaque enfléchure, pendaient des fanons de baleine pareils à de longues franges noires (...)
LOTI, Mon frère Yves, LXXXV, p. 203.

2 Appuyé contre le bordage, une main posée sur une enfléchure, le grêlé, tout en sifflotant, surveillait le quai toujours désert.
P. MAC ORLAN, l'Ancre de miséricorde, p. 109.

ENFLER [ãfle] v. — V. 980 ; du lat. *inflare* « souffler dans », de *in-*, et *flare* « souffler ».

★ **I.** V. tr. ♦ **1.** (1538). Vieilli. Remplir d'air, de gaz qu'on insuffle. ⇒ **Gonfler**. *Enfler un ballon, une cornemuse. Enfler ses joues, les narines.* ⇒ **Dilater**. *Le vent enfle les voiles.*

1 Le génie qui m'inspirait m'abandonna ; mon esprit et mon âme tombèrent languissants comme les voiles d'un navire auquel tout à coup manque le vent qui les enflait.
MARMONTEL, Mémoires, III, *in* LITTRÉ.

2 Toutes sortes d'intumescences déformaient la brume et se gonflaient à la fois sur tous les points de l'horizon, comme si des bouches qu'on ne voyait pas étaient occupées à enfler les outres de la tempête.
HUGO, l'Homme qui rit, I, II, 5.

3 Pendant que le parfum des verts tamariniers
Qui circule dans l'air et m'enfle la narine (...)
BAUDELAIRE, Spleen et idéal, XXII, Parfum exotique.

Poét. *Enfler ses chalumeaux.*

4 Viendrai-je, en une églogue, entouré de troupeaux,
Au milieu de Paris enfler mes chalumeaux (...)
BOILEAU, Satires, IX.

Par métaphore :

5 Le poète a un souffle qui enfle les mots, les rend légers et les colore. Il sait en quoi consiste le charme des paroles et par quel art on bâtit avec elles des édifices enchantés.
Joseph JOUBERT, Pensées, XXI, 51.

♦ **2.** Grossir, rendre plus important en volume. ⇒ **Augmenter, gonfler**. *Les pluies ont enflé les cours d'eau.* Intrans. *Les rivières enflent à la fonte des neiges.* ⇒ **Croître**.

6 Quand la neige fondue enfle un torrent fameux (...)
MOLIÈRE, le Malade imaginaire, Prologue.

7 L'œil est rentré sous l'arcade sourcilière qu'enfle un buisson de poils.
GIDE, les Faux-monnayeurs, I, IV, p. 57.

♦ **3.** Provoquer l'enflure de (une partie du corps). ⇒ **Enflure ; bouffir, boursoufler**. *L'hydropisie enfle le corps.* ⇒ **Ballonner, distendre**. *Les engelures enflent les doigts.*

8 Les efforts que le petit homme avait faits pour tirer son pied hors du pot l'avaient enflé (...)
SCARRON, le Roman comique, II, 8.

9 *Champagne*, au sortir d'un long dîner qui lui enfle l'estomac (...)
LA BRUYÈRE, les Caractères, VI, 18.

10 Comme il enflait la poitrine d'un soupir (...)
M. AYMÉ, la Jument verte, p. 302, *in* T. L. F.

♦ **4.** (En parlant de sons). Faire augmenter de volume. *Enfler un son*, en renforcer graduellement l'intensité. *Enfler sa voix.* ⇒ **Amplifier** (cit. 5).

11 Qu'importe la fanfare enflant ses voix de cuivre (...)
HUGO, l'Année terrible, Décembre, IX.

♦ **5.** (1587). Vieilli. Exagérer, grossir. ⇒ **Agrandir, gonfler**. *Enfler un texte, un développement*, le développer exagérément. *L'imagination enfle les choses.* ⇒ **Exagérer, surfaire**. *Enfler ses prétentions.* ⇒ **Augmenter**.

12 Dès l'abord il sut vaincre, et j'ai vu la victoire
Enfler de jour en jour sa puissance et sa gloire.
CORNEILLE, Sertorius, V, 1.

13 M. Adam ignorait et cachait son mérite avec le même soin que tant d'autres se donnent pour étaler et pour enfler le leur.
D'ALEMBERT, Éloges, Jacques Adam.

Enfler la dépense : porter comme dépensée une somme supérieure à la dépense réelle. ⇒ **Majorer**. *Enfler une note, un compte.*

13.1 (...) chacun n'aurait que cinq louis d'or par an ? — Pas davantage, suivant notre calcul, que j'ai un peu enflé.
VOLTAIRE, l'Homme aux quarante écus.

♦ **6.** Fig. (Vx). Enorgueillir, gonfler de vanité. *Avoir la tête enflée par la fortune, par une soudaine richesse. Ses succès l'ont changé et ridiculement enflé.* ⇒ **Exalter**.

14 (...) le nouvel éclat de votre dignité
Lui doit enfler le cœur d'une autre vanité.
CORNEILLE, le Cid, I, 3.

15 Vous allez donc voir (...) la force confondue par la faiblesse, la science qui enfle céder à la simplicité qui édifie.
MASSILLON, Panégyrique de saint François de Paule.

★ **II.** V. intr. (XIIᵉ). Augmenter anormalement de volume par suite d'une enflure. *Les ganglions ont cessé d'enfler* (→ Dur, cit. 4).

16 Bomston, à demi ivre, se donna en courant une entorse qui le força de s'asseoir. Sa jambe enfla sur-le-champ, et cela calma la querelle (...)
ROUSSEAU, Julie ou la Nouvelle Héloïse, I, Lettre LVI.

▶ **S'ENFLER** v. pron. *La voile s'enfle. La rivière, la mer s'enfle* (→ Bourrasque, cit. 1). *La grenouille s'enfle et crève* (cit. 2).

17 L'onde s'enfle dessous *(les navires)*, et d'un commun effort
Les Maures et la mer montent jusques au port.
CORNEILLE, le Cid, IV, 3.

18 Tout à coup la flamme engourdie
S'enfle, déborde, et l'incendie
Embrase un immense horizon !
LAMARTINE, Secondes méditations, VI.

19 Mon cœur bat ! mon cœur bat ! (...) Mon sein brûle et m'entraîne (...) Ah ! qu'il s'enfle, se gonfle et se tende (...)
VALÉRY, Poésies, « La Jeune Parque ».

Subir une enflure (syn. : *enfler*, II.).

20 Ses jambes *(de Louis XIV)* s'enflèrent ; la gangrène commença à se manifester.
VOLTAIRE, le Siècle de Louis XIV, XXVIII.

Par anal. Devenir plus fort (d'un son). *Voix, bruit... qui s'enfle.*

21 La conversation, d'abord grêle et menue, s'enfla, se prolongea en un murmure confus sur lequel s'éleva la voix de Garain (...)
FRANCE, le Lys rouge, III, p. 35.

22 (...) les senteurs devenaient plus pénétrantes et le tintement monotone des cigales s'enflait comme un crescendo d'orchestre.
LOTI, Mᵐᵉ Chrysanthème, II, p. 5.

Fig. ⇒ **Augmenter, grossir**.

23 Il y a tant d'hommes naturellement outrés et dans la bouche desquels tout s'enfle, tout grossit, tout sort de la vérité simple et naturelle.
MASSILLON, Carême, Pardon des offenses.

24 Dans l'établissement des prix de revient, la place de la fabrication proprement dite diminue, cependant que celle de l'administration s'enfle d'autant.
André SIEGFRIED, l'Âme des peuples, III, p. 212.

La charité (cit. 1) *ne s'enfle point d'orgueil.*

25 Ne vous enflez donc point d'une si grande gloire.
MOLIÈRE, le Misanthrope, III, 4.

▶ **ENFLÉ, ÉE** p. p. adj.

♦ **1.** Atteint d'enflure. ⇒ **Gonflé, volumineux**. *Mer enflée par la tempête* (→ Abaissement, cit. 1). *Organe enflé.* ⇒ **Bouffi, boursouflé, hypertrophié, intumescent, tuméfié, tumescent, turgescent**. *Joue, paupière enflée. Main enflée.* ⇒ **Pote** (→ Dedans, cit. 17 ; diabète, cit.). *Ventre enflé.* ⇒ **Ballonné**.

26 J'ai la tête plus grosse que le poing et si *(pourtant)* elle n'est pas enflée.
MOLIÈRE, le Bourgeois gentilhomme, III, 5.

27 Tant de visages défaits, bouffis, enflés de boutons : une pâleur livide, tigrée de pustules.
André SUARÈS, Voyage du condottiere, p. 84.

N. m. (1749). *Un gros enflé :* un gros homme. — Par ext. Gros lourdaud, imbécile. *Quel enflé ! Regardez-moi cet enflé !* ⇒ **Niais**.

28 C'est ce gros enflé de conseiller (...)
BEAUMARCHAIS, le Mariage de Figaro, III, 16.

28.1 Garnéro releva la tête : « Je crois que ça va fonctionner », dit-il en rangeant son tournevis dans la trousse à outils. « Non, mais tu le vois cet enflé qui fume sa pipe sur la mélinite : Pas de ça, mon vieux, tu nous ferais sauter ».
B. CENDRARS, la Main coupée, *in* Œ. compl., t. X, p. 109.

♦ **2.** Fig. ⇒ **Amplifié, exagéré, grossi**. *Incident considérablement enflé. Description enflée. Compte exagérément enflé.* ⇒ **Plein, rempli**.

♦ **3.** (Personnes). ENFLÉ DE... *Enflé d'orgueil, de suffisance :* rempli d'un sentiment d'orgueil, de suffisance. — *Enflé de ses succès.* ⇒ **Bouffi, enorgueilli, fier**.

29 On dit que le Printemps, pompeux de sa richesse,
Orgueilleux de ses fleurs, enflé de sa jeunesse,
Logé comme un grand Prince en ses vertes maisons,
Se vantait le plus beau de toutes les saisons,
Et se glorifiant le contait à Zéphyre.
RONSARD, Sonnets et madrigaux..., Élégie du printemps.

30 Cet orgueilleux esprit, enflé de ses succès (...)
CORNEILLE, Nicomède, II, 4.

31 Enflés d'une si belle origine, ils se croyaient saints par nature et non par grâce.
BOSSUET, Disc. sur l'hist. universelle, II, 5.

♦ **4.** *Style enflé.* ⇒ **Ampoulé, boursouflé, emphatique, redondant**.

32 Le défaut du style enflé c'est de vouloir aller au delà du grand.
BOILEAU, le Longin, Sublime, 2.

CONTR. Désenfler.
DÉR. Enflure.
COMP. Désenfler, renfler.

ENFLEURAGE [ãflœʀaʒ] n. m. — 1845 ; de *enfleurer*.

♦ Techn. Opération de parfumerie consistant à enfleurer* un corps gras, une huile.

ENFLEURER [ãflœʀe] v. tr. — 1845 ; *enflorer* « orner de fleurs », v. 1220 ; de *en-*, *fleur*, et suff. verbal.

♦ Techn. Charger (un corps gras, une huile de toilette) du parfum de certaines fleurs par macération.

DÉR. Enfleurage.

ENFLURE [ãflyʀ] n. f. — V. 1150, *enfleüre* ; de *enfler*.

♦ **1.** État d'un organisme, d'une partie du corps qui subit une augmentation anormale de volume par suite d'une maladie, d'un coup, d'un accident musculaire, etc. ⇒ **Ballonnement, bouffissure, boursouflure, congestion, dilatation, empâtement, gonflement, intumescence, œdème, tuméfaction** ; (littér.) **apostume** ; (régional) **2. gonfle**. *Enflure de la cheville provoquée par une entorse.* — *Enflure du ventre, l'enflure :* ballonnement de l'abdomen (⇒ **Flatulence, météorisme**).

1 (...) une vache au père Caillaud, qui avait pris l'enflure pour avoir mangé trop de vert (...) G. SAND, la Petite Fadette, XXVI, p. 172.

2 Et lui *(le médecin)* relevant drap et chemise, contemplait en silence les taches rouges sur le ventre et les cuisses, l'enflure des ganglions. CAMUS, la Peste, p. 105.

Une enflure : partie enflée.

♦ **2.** Fig. Exagération; expression redondante et excessive. ⇒ **Bouffissure, boursouflage, emphase** (cit. 2). — Vieilli. Style ampoulé. ⇒ **Boursouflure.** *Se garder de l'enflure et des grands airs* (→ Ballon, cit. 3).

3 Les Espagnols ont, dans leurs sentiments, l'enflure qu'on trouve dans leurs livres; enflure d'autant plus déplorable qu'elle couvre une force de caractère et une grandeur réelles (...) Joseph JOUBERT, Pensées, XVI, LXXXVI.

4 «Cinquante mille personnes au moins!» disait le *Forum* dans sa chronique du lendemain; mais on doit tenir compte de l'enflure méridionale. Alphonse DAUDET, Numa Roumestan, I, p. 9.

♦ **3.** Vx et littér. *L'enflure du cœur :* l'orgueil, la vanité, la prétention.

5 L'orgueil est une enflure du cœur. NICOLE, Essais, I, 1.

6 J'ai même pardonné *(à Nicole)* «l'enflure du cœur» en faveur du reste, et je maintiens qu'il n'y a point d'autre mot pour expliquer la vanité et l'orgueil, qui sont proprement du vent; cherchez un autre mot. Mᵐᵉ DE SÉVIGNÉ, 205, 23 sept. 1671.

♦ **4.** Pop. Terme d'injure. ⇒ **Enflé**; crétin.

7 Tu vas pas changer de gueule, un jour? Et l'autre rombière, la guenon, l'enflure, la dignité en gélatine avec ses trois mentons de renfort et ses gros nichons en saindoux qui lui dévalent sur la brioche. M. AYMÉ, le Vin de Paris, «La traversée de Paris», p. 56.

CONTR. Désenflure. — Simplicité.

ENFOIRÉ, ÉE [ɑ̃fware] adj. et n. — Déb. xxᵉ; p. p. de *enfoirer* «salir (d'excrément)», v. 1585; de *en-*, et 2. *foire*.

♦ **1.** Adj. (Vulg.). Souillé d'excrément.

♦ **2.** (1905). Fam. et vulg. Idiot. *Ce qu'il est enfoiré!* — N. Imbécile, maladroit. *Enfoiré mondain! C'est une enfoirée.*

1 (...) on peut grommeler tout le temps des injures contre ceux qui vous dépassent, ou ceux qui traversent la route. On dit : «... Et toi, tu veux mon poing dans la gueule? Imbécile, va! Et lui, alors? Il traverse ou il traverse pas? Enfoiré, va! Espèce de vérolé!» J.-M. G. LE CLÉZIO, le Déluge, XII, p. 236.

2 Quel est l'enfoiré qui a dit que j'allais foutre le feu? Qu'il se nomme si c'est pas un lâche! P. GUTH, le Naïf sous les drapeaux, II, II, p. 86.

ENFONCÉ, ÉE [ɑ̃fɔse] p. p. adj. ⇒ **Enfoncer.**

ENFONCEMENT [ɑ̃fɔsmɑ̃] n. m. — xvᵉ; de *enfoncer*.

A. ♦ **1.** (1690). Action d'enfoncer; fait de s'enfoncer. *L'enfoncement d'un pieu en terre, d'un clou dans le mur. Enfoncement progressif dans l'eau.* ⇒ **Immersion.**

1 Lorsque nous nous sentons enfoncer dans l'eau et dans les corps mous, ce qui nous fait sentir cet enfoncement, c'est que le froid ou le chaud que nous ne sentions qu'à une partie s'étend plus avant. BOSSUET, Traité de la connaissance de Dieu, III, 8.

2 Torsion du nez et des dents, extraction de la langue et enfoncement du petit bout de bois dans les oneilles *(oreilles).* A. JARRY, Ubu roi, III, 8.

♦ **2.** Action de rompre, de forcer; son résultat. *Enfoncement des murailles à coups de bélier.*

♦ **3.** Fig. Le fait d'être enfoncé (fig.). *L'enfoncement d'une armée, d'un candidat.*

B. *(Un, des enfoncements).* ♦ **1.** (1690). Partie enfoncée, creuse (de qqch.). ⇒ **Cavité, creux.** *Enfoncement du sol. Le terrain présente un enfoncement.* ⇒ **Baissière, bas-fond.** *Enfoncements d'une palette, pour y loger les couleurs* (cit. 19). *Dans un enfoncement.*

3 (...) une maison (...) située dans un enfoncement qui la tient à l'abri des vents (...) ROUSSEAU, les Confessions, XII.

♦ **2.** (xvᵉ). Partie en retrait*, située vers le fond (horizontalement). *Enfoncement d'un mur. Enfoncements dans une pièce.* ⇒ **Alcôve, niche, réduit, renfoncement.** *Se cacher dans l'enfoncement d'un mur.* ⇒ **Angle** (rentrant). *Enfoncement d'une fenêtre, d'une cheminée. Enfoncement dans un pilastre.* ⇒ **Ravalement.**

4 Le porche est profond, avec des enfoncements ménagés dans l'épaisseur des tours latérales (...) E. FROMENTIN, Un été dans le Sahara, p. 259.

5 Des enfoncements de culs-de-sac déserts abritaient ces entrevues (...) COURTELINE, Messieurs les ronds-de-cuir, 2ᵉ tableau, III.

Spécialt. Échancrure* (d'un rivage). ⇒ **Baie.** *Les enfoncements d'une côte rocheuse.* ⇒ **Abri-sous-roche.**

Vx. Partie la plus reculée, la plus éloignée. ⇒ **Fond, lointain, profondeur.** *Les enfoncements d'un paysage.*

6 La scène représente sur le devant un lieu champêtre, et dans l'enfoncement un rocher (...) MOLIÈRE, Psyché, Prologue (jeu de scène).

♦ **3.** Méd. Fracture incomplète (en particulier du crâne, des côtes, du bassin).

CONTR. Extraction. — Bosse, élévation, hauteur, relief, saillie.

ENFONCER [ɑ̃fɔse] v. — Conjug. *placer.* — 1278; de *en-*, *fonds*, sous la forme *fons*, et suff. verbal.

★ **I.** V. tr. **A.** ♦ **1.** Faire aller avec effort vers le fond; faire pénétrer profondément. *Enfoncer qqch., qqn dans la boue, dans le sable, dans la terre, la vase.* ⇒ **Embourber, enliser, enterrer, envaser.** *Enfoncer qqch. dans l'eau.* ⇒ **Engloutir, immerger, plonger, submerger.** *Enfoncer un pieu en terre.* ⇒ **Ficher, planter.** *Enfoncer un clou* dans le mur; *enfoncer une cheville, un coin, une épingle, une fiche dans qqch. Enfoncer des pitons d'escalade dans le rocher.* ⇒ **Pitonner** (alpin.). *Enfoncer les ongles, les griffes dans la chair. Enfoncer des clous dans le sabot d'un cheval.* ⇒ **Brocher** (4.). *Il enfonça sa cuiller dans le plat* (→ Croquer, cit. 3). *Il enfonça son mouchoir dans sa poche.* ⇒ **Mettre; fourrer, introduire.** — (Sans compl. de lieu). *Enfoncer des pavés avec une demoiselle, une hie. Frapper, cogner* pour enfoncer un clou. Enfoncer le bouchon d'une bouteille :* boucher ou reboucher la bouteille.

1 Il ne regarde que son but. S'il veut enfoncer un clou, il le frappe avec une pierre, ou avec un marteau qui est de fer, ou de bronze, ou même de bois très dur; et il l'enfonce à petits coups, ou d'un seul plus énergique, ou parfois par une pression; qu'importe à lui? VALÉRY, Eupalinos, p. 91.

2 J'étais, je suis encore comme quelqu'un qui s'enlise dans un marais puant, cherchant autour de lui quoi que ce soit de fixe, de solide, où prendre appui, mais entraînant avec lui et enfonçant dans cet enfer boueux tout ce à quoi il se raccroche. GIDE, Et nunc manet in te, 21 août 1938.

3 (...) il (...) arracha de l'oreiller la taie qui le recouvrait et l'enfonça dans la poche de son veston. J. GREEN, Léviathan, I, XI, p. 106.

Plante qui enfonce ses racines dans le sol, dont les racines poussent profondément. — Fig. *Civilisation qui enfonce ses racines dans le passé.*

4 Si j'ai voulu ces analogies au début de l'œuvre, c'était afin d'affirmer le lignage beethovenien de mon héros et d'enfoncer ses racines dans le passé de l'Occident rhénan. R. ROLLAND, Jean-Christophe, Introd., p. XVI.

Enfoncer une épée, un couteau dans le corps de son ennemi. ⇒ **Passer, plonger.** *Il lui enfonça un couteau* (cit. 10, 13) *dans le cœur, dans le sein.*

5 (...) il y en eut plusieurs qui m'apportèrent de petits clous fort jolis, pour m'enfoncer dans les bras et dans les cuisses en l'honneur de Brama. VOLTAIRE, Bababec et les fakirs.

Figuré :

6 Enfonçons dans son cœur le trait qui le déchire. VOLTAIRE, Brutus, II, 3.

Par exagér. *Mon voisin n'a cessé durant tout le voyage de m'enfoncer ses coudes dans les côtes.* ⇒ **Rentrer.**

Mettre (un chapeau) de telle façon que la tête y entre profondément.

7 Enfoncez bien votre bonnet jusque sur vos oreilles (...) MOLIÈRE, le Malade imaginaire, I, 6.

8 Ce particulier, enfonçant son chapeau sur sa tête, lui répondit qu'il ne s'entendait point en bas-reliefs. DIDEROT, Salon de 1767.

Loc. fig. *Enfoncer qqch. dans le crâne, dans la tête de qqn,* l'en persuader ou le lui faire entendre de force. ⇒ **Apprendre, convaincre, expliquer.** *Il a eu toutes les peines du monde à lui enfoncer ça dans la tête.* ⇒ **Mettre.**

Vx. *Enfoncer qqch. à qqn* (même sens).

9 (...) Mᵐᵉ là duchesse d'Orléans n'aurait ni la grâce ni la force nécessaire pour le lui bien enfoncer *(convaincre la duchesse de Bourgogne de l'importance du mariage du duc de Berry avec Mademoiselle)...* SAINT-SIMON, Mémoires, t. III, XXXII.

Fam. *Enfoncer le clou :* recommencer une explication, une argumentation sans craindre la répétition, afin de se faire bien entendre. ⇒ **Insister, répéter.**

10 (...) on lit vite, mal et (...) on juge avant d'avoir compris. Donc, recommençons. Cela n'amuse personne, ni vous, ni moi. Mais il faut enfoncer le clou. SARTRE, Situations II, p. 58.

♦ **2.** Fig. Entraîner, pousser dans une situation comparable à un fond, un abîme. *Enfoncer qqn dans le mal, le vice. Cela n'a fait que l'enfoncer dans ses défauts* (→ Conseil, cit. 12). *Sa prodigalité l'enfonce peu à peu dans la misère.* — Absolt. *Il était au bord de la banqueroute; ses concurrents ont fini de l'enfoncer.*

11 Quand les Juifs eurent vu par expérience que tous les messies qu'ils avaient suivis, loin de les tirer de leurs maux, n'avaient fait que les y enfoncer (...) BOSSUET, Hist., II, 10.

12 (...) j'espérais, à force de travail, arriver à reconstruire notre fortune; mais le démon s'en mêle! Je n'ai réussi qu'à nous enfoncer jusqu'au cou dans les dettes et dans la misère (...) À présent, c'est fini, nous sommes embourbés (...) Alphonse DAUDET, le Petit Chose, I, IV, p. 42.

13 (...) ses spéculations l'enfonçaient *(Lamartine)* chaque jour un peu plus. Émile HENRIOT, les Romantiques, p. 107.

B. (Sans compl. de lieu). ♦ **1.** (1635). Briser, faire plier en poussant, en pesant. ⇒ **Défoncer, forcer.** *Enfoncer une porte, une grille. Enfoncer un mur.* ⇒ **Abattre, renverser.** *Enfoncer le plancher. Une bombe enfonça la voûte de l'abri.* ⇒ **Crever.** *Enfoncer une côte.* ⇒ **Briser, rompre.**

14   (...) il alla avec cinq ou six gardes (...) enfoncer la grille du couvent avec une bûche (...)   Mᵐᵉ DE SÉVIGNÉ, 534, *in* LITTRÉ.

15   Et nous convînmes qu'au premier cri, j'enfoncerais la porte (...)   LACLOS, les Liaisons dangereuses, Lettre LXXI.

Loc. fig. *Enfoncer une porte* ouverte.*

♦ **2.** (1580). Par anal. Forcer (une troupe) à plier sur toute la ligne. ⇒ **Culbuter.**

16   (...) enfin le nombre l'emporta ; les Suédois furent rompus, enfoncés, et poussés jusqu'à leur bagage.   VOLTAIRE, Charles XII, Livre IV.

16.1   À peine en est un peu tranquille dans ce creux : pan. Le 2ᵉ bataillon vient de se faire enfoncer : il faut contre-attaquer.   DRIEU LA ROCHELLE, la Comédie de Charleroi, p. 213.

♦ **3.** (1820). Fam. *Enfoncer quelqu'un,* se montrer très supérieur à lui. ⇒ **Battre, surpasser.** *Il a enfoncé tous ses adversaires. Cette équipe de football s'est fait enfoncer.* ⇒ fam. **Piler, rosser ; battre** (à plate couture).

17   Darcet pioche comme un enragé pour le concours du bureau central. Mais il se fera probablement enfoncer.   FLAUBERT, Correspondance, 76, fin mars 1843, t. I, p. 133.

17.1   Oréa et Koukla vont faire un numéro de danses orientales. Tu viendras voir ça. Très original. Grande nouveauté. Ça enfonce les nègres.   R. QUENEAU, le Chiendent, p. 197.

★ **II.** V. intr. (1690). Aller vers le fond, pénétrer jusqu'au fond. — (Sujet n. de personne). *Enfoncer dans le sable, dans la vase. On y enfonce jusqu'aux genoux.* — (Sujet n. de chose). *Ce navire enfonce dans l'eau de tant de mètres.* ⇒ **Caler.** — (1544). Absolt. *La barque enfonça brusquement.* ⇒ **Couler.**

18   Il ne pouvait déjà plus reculer. Il enfonçait de plus en plus. Cette vase, assez dense pour le poids d'un homme, ne pouvait évidemment en porter deux.   HUGO, les Misérables, V, III, VI.

19   Puis elle prenait à travers des champs en labour, où elle enfonçait, trébuchait et empêtrait ses bottines minces.   FLAUBERT, Mᵐᵉ Bovary, II, IX.

20   La route était si mauvaise que ces huit kilomètres exigèrent deux heures. Les chevaux enfonçaient jusqu'aux paturons dans la boue, et faisaient pour en sortir de brusques mouvements des hanches ; ou bien ils butaient contre les ornières ; d'autres fois, il leur fallait sauter.   FLAUBERT, Trois contes, « Un cœur simple », II.

▶ **S'ENFONCER** v. pron.

♦ **1.** (1724). Aller vers le fond, vers le bas. — (Sujet n. de personne). *S'enfoncer dans un marais, dans la vase, dans le sable, dans la neige.* ⇒ **Embourber** (s'), **enliser** (s'). *S'enfoncer dans un abîme*.* ⇒ **Abîmer** (s'), **engouffrer** (s'). — (Sujet n. de chose). *Navire qui s'enfonce dans les flots.* ⇒ **Couler, engloutir** (s'), **sombrer.**

21   À la seconde journée deux de leurs moutons s'enfoncèrent dans des marais (...)   VOLTAIRE, Candide, XIX.

22   Le sol devenait de plus en plus sablonneux, et les roues de la calessine s'enfonçaient jusqu'aux moyeux dans les terrains mouvants. Nous comprîmes alors pourquoi notre voiturin s'inquiétait si fort de notre pesanteur spécifique.   Th. GAUTIER, Voyage en Espagne, p. 242.

Pénétrer profondément. *La vis s'enfonce dans le bois.* ⇒ **Mordre, percer.** *Le fer s'était profondément enfoncé dans la plaie.*

23   Et lorsque tu sentis s'enfoncer les épines
Dans ton crâne où vivait l'immense Humanité (...)   BAUDELAIRE, les Fleurs du mal, « Révolte », CXVIII.

(Av. 1848). Par anal. Disparaître progressivement. *Le soleil s'enfonça derrière un nuage, derrière la montagne.*

24   Le soir vient. Sur nos têtes le ciel est resté bleu, mais devant nous s'étale une nuée violette, opaque, derrière laquelle le soleil s'enfonce.   MAUPASSANT, la Vie errante, p. 189.

(Sujet n. de personne). S'installer tout au fond. *S'enfoncer dans un fauteuil* (→ Asseoir, cit. 17). *S'enfoncer dans son lit, sous les couvertures.* ⇒ **Enfouir** (s').

25   Il s'enfonça dans son lit et ne tarda guère à se rendormir.   A. R. LESAGE, Gil Blas, III, 8.

26   Charlotte m'a dit : « Je suis en deuil de ma mère ; mon père est mort depuis plusieurs années. Voilà mes enfants ». À ces mots, elle a retiré sa main et s'est enfoncée dans son fauteuil, en couvrant ses yeux de son mouchoir.   CHATEAUBRIAND, Mémoires d'outre-tombe, t. II, p. 101.

(1671). Fig. Être entraîné de plus en plus bas. *S'enfoncer dans l'ignorance, dans l'erreur, dans les préjugés.* ⇒ **Enferrer** (s').

27   Ils n'ont fait que s'enfoncer de plus en plus dans l'ignorance (...)   BOSSUET, Hist., II, 10.

28   En ce sens il pouvait dans la fièvre du combat, crier la joie amère qu'il avait à voir la société ennemie s'enfoncer ainsi dans sa pourriture et précipiter sa propre ruine.   Ch. PÉGUY, la République, p. 21.

S'enfoncer dans le passé, dans le néant. Les années s'enfoncent dans l'abîme* des temps (→ Détruire, cit. 6).

29   Cependant, avec lenteur, la journée s'enfonçait dans le néant.   G. DUHAMEL, Chronique des Pasquier, VII, VII.

30   Il est assis au Luxembourg, sur une chaise de fer, il regarde pour toujours les marronniers en fleurs, la guerre s'est enfoncée dans le passé (...)   SARTRE, le Sursis, p. 53.

♦ **2.** Absolt. (Sujet n. de chose ou de personne). Se perdre dans une situation dangereuse. *Cette affaire s'enfonce de plus en plus.* ⇒ **Péricliter.** — *Avec de telles dépenses, il finira par s'enfoncer.* ⇒ **Ruiner** (se) ; → Boire la tasse*.

♦ **3.** (Sujet n. de chose). Être situé dans un fond. *Les fondations s'enfoncent à plus de dix mètres. Ravin qui s'enfonce profondément. Ici, la terre s'enfonce de deux mètres,* forme un enfoncement de deux mètres. — Être dans un retrait.

31   Un jardin fort élevé dans lequel la maison s'enfonçait sur le derrière (...)   ROUSSEAU, les Confessions, I.

32   (...) l'on nous fit entrer sous un vestibule fort obscur, et dans lequel s'enfonçait, suivant l'usage, un divan en maçonnerie élevé de quatre pieds au-dessus du sol.   E. FROMENTIN, Un été dans le Sahara, III, p. 242.

33   La tête immobile s'enfonçait mollement dans l'oreiller ; l'ombre des cils s'allongeait sur les joues, et les lèvres laissaient passer une haleine égale.   MARTIN DU GARD, les Thibault, t. I, p. 65.

♦ **4.** (1695). Pénétrer bien avant ; s'engager dans. — (Êtres animés). ⇒ **Avancer** (s'). *S'enfoncer dans une forêt, dans un bois, dans un chemin creux. S'enfoncer dans une gorge, un tunnel.* — Se dérober aux regards. *Silhouette qui s'enfonce et disparaît* (→ Décroître, cit. 2). *S'enfoncer dans le lointain, dans l'horizon.* ⇒ **Disparaître** (→ Amoindrissement, cit. 2). — (Inanimés). Aller, se situer dans, à l'intérieur de (qqch.). *Route, rue qui s'enfonce entre les arbres, les maisons* (→ Cime, cit. 2 ; desservir, cit. 2). *Golfe qui s'enfonce dans les terres.*

34   (...) je m'enfonçai dans une sombre forêt (...)   FÉNELON, Télémaque, II.

35   Ici gronde le fleuve aux vagues écumantes ;
Il serpente, et s'enfonce en un lointain obscur (...)   LAMARTINE, Premières méditations, « L'isolement ».

36   Une allée sablonneuse, douce aux pieds, s'enfonçait dans l'ombre du taillis (...)   MARTIN DU GARD, les Thibault, t. II, p. 258.

37   (...) comme elle allait s'enfoncer dans une rue obscure (...)   MARTIN DU GARD, les Thibault, t. II, p. 122.

Fig. ⇒ **Avancer.**

38   (...) plus ils sentent, et plus ils souffrent ; plus ils s'enfoncent dans la vie, et plus ils sont malheureux.   ROUSSEAU, Julie ou la Nouvelle Héloïse, III, Lettre XXI.

Fig. S'adonner, s'abandonner à (qqch. qui absorbe entièrement). ⇒ **Absorber** (s'), **livrer** (se). *S'enfoncer dans l'étude, dans la dévotion.* ⇒ **Plonger** (se). *S'enfoncer dans une rêverie, dans le mutisme, dans le sommeil. S'enfoncer dans ses mauvaises habitudes.* ⇒ **Encroûter** (s'). *S'enfoncer dans de mauvaises pensées* (→ Cœur, cit. 60), *dans le désespoir* (⇒ **Sombrer**).

39   (...) Lantier n'écoutait plus, s'enfonçait dans une idée fixe.   ZOLA, l'Assommoir, t. I, p. 11.

40   (...) il avait résolu de s'enfoncer, comme il pourrait, dans ce silence, dans cette contemplation, dans ce crépuscule d'argent de l'oraison (...)   Léon BLOY, le Désespéré, p. 68.

41   À mesure qu'une âme s'enfonce dans la dévotion, elle perd le sens, le goût, le besoin, l'amour de la réalité.   GIDE, les Faux-monnayeurs, I, XII, p. 138.

42   Et il s'enfonça dans une rêverie qui dura longtemps.   SAINT-EXUPÉRY, le Petit Prince, p. 16.

♦ **5.** Fam. *S'enfoncer qqch.* ⇒ **Envoyer** (s'), **farcir** (se).

42.1   Bourlinguer un cochon du boulevard de l'Hôpital à la rue Caulaincourt, s'enfoncer au pas de chasseur toute la traversée de Paris en plein noir, huit kilomètres au raccourci depuis la montée de Montmartre en finale (...)   M. AYMÉ, le Vin de Paris, « La traversée de Paris », p. 30.

▶ **ENFONCÉ, ÉE** p. p. adj.

♦ **1.** *Pieu à demi enfoncé dans la terre. Clou enfoncé jusqu'à la tête. Poings enfoncés dans les poches* (→ Déformer, cit. 8). — *Épine enfoncée dans le pied. Épée enfoncée jusqu'à la garde.* — Par ext. *Je l'ai trouvé enfoncé dans un fauteuil.*

Fig. *Homme enfoncé dans le vice, dans l'ignorance.*

Spécialt. *Avoir l'esprit enfoncé dans la matière :* être épais, borné, terre à terre.

43   Mon Dieu ! ma chère, que ton père a la forme enfoncée dans la matière ! que son intelligence est épaisse, et qu'il fait sombre dans son âme !   MOLIÈRE, les Précieuses ridicules, 5.

44   Il te faut du positif, Jeanne, et tu as l'esprit un peu enfoncé dans la matière.   Th. GAUTIER, le Capitaine Fracasse, t. I, V, p. 147.

♦ **2.** (Personnes). Occupé complètement. ⇒ **Absorbé, plongé.** *Être enfoncé dans une lecture passionnante, dans la méditation. Enfoncé dans ses préjugés.* ⇒ **Entêté.** *Être enfoncé jusqu'au cou dans les affaires.* ⇒ **Engagé.**

45   L'introduction représente Don Quichotte enfoncé dans la lecture des romans de chevalerie (...)   R. ROLLAND, Musiciens d'aujourd'hui, p. 133.

46   Je retrouve Degas vieilli, mais toujours ressemblant ; à peine un peu plus buté, plus enfoncé dans son opinion, exagérant sa hargne et grattant toujours le même endroit de son cerveau où le prurit se localise toujours plus.   GIDE, Journal, 4 juil. 1909, p. 274.

47   Archimède est trop enfoncé dans sa méditation pour prendre garde au soldat qui lui porte le coup mortel.   G. DUHAMEL, Récits des temps de guerre, IV, p. 123.

♦ **3.** (Choses). ⇒ **Bas, profond ; dedans** (en), **retrait** (en). *Une alcôve* (cit. 2) *enfoncée. Terrain enfoncé.* ⇒ **Bas-fond.**

Qui rentre dans le visage, dans le corps. (1690). *Avoir les yeux enfoncés.* ⇒ **Cave, creusé, creux.** *Lèvres enfoncées.* (1714). *Avoir la tête enfoncée entre les épaules, la tête enfoncée.* ⇒ **Rentré.**

48   (...) un petit homme haut de trois pieds et demi, extraordinairement gros, avec une tête enfoncée entre les deux épaules : voilà mon oncle.   A. R. LESAGE, Gil Blas, I, I.

49   Dom Claude écoutait en silence. Tout à coup son œil enfoncé prit une telle expression sagace et pénétrante, que Gringoire se sentit, pour ainsi dire, fouillé jusqu'au fond de l'âme par ce regard.   HUGO, Notre-Dame de Paris, II, I, II.

50   Il était de taille assez haute, les épaules bien carrées, la tête plutôt enfoncée, grosse, sans être énorme (...)
                J. ROMAINS, les Hommes de bonne volonté, t. V, XXIII, p. 203.

♦ **4.** Rompu, défoncé. ⇒ **Brisé, crevé.** *Plafond enfoncé.* — *Porte enfoncée.* — *Côte enfoncée.* ⇒ **Rompu.** — Par ext. *Troupe, armée enfoncée par les ennemis.* ⇒ **Battu, vaincu ; déroute** (en).

51   Les Parthes, au combat par les nôtres forcés,
   Tantôt presque vainqueurs, tantôt presque enfoncés (...)
                CORNEILLE, Rodogune, I, 4.

Fam. *La partie est perdue, nous voilà enfoncés.*

52   C'est encore un nouveau mot, mais il est adopté : maintenant les jeunes gens de la haute société, les petits maîtres, les lions, disent : Je suis floué ! comme ils auraient dit autrefois : Je suis pris pour dupe ! et dans le style plus familier : Je suis enfoncé !   Charles PAUL DE KOCK, la Grande Ville, p. 81 (éd. 1842).

53   Garnotelle connaît le préfet de police, il vient de faire son portrait... Il nous aura une permission... Nous aurons un municipal à la porte... C'est ça qui aura de l'œil ! Enfoncés les bourgeois !   Ed. et J. DE GONCOURT, Manette Salomon, p. 226.

♦ **5.** N. f. *Une enfoncée* : partie en retrait dans une surface. ⇒ **Enfonçure.** *Une enfoncée de terrain.* ⇒ **Cavité.**

54   (...) et maintenant Georges et Blum se tenaient debout sur le seuil de la grange, à l'abri de l'enfoncée du mur, en train de regarder (...)
              Claude SIMON, la Route des Flandres, p. 59.

CONTR. Arracher, enlever, extirper, sortir, tirer. — Remonter, surnager. — Apparaître, arriver, paraître, surgir, venir. — (Du p. p.) Élevé, haut, saillant.
DÉR. Enfoncement, enfonceur, enfonçoir, enfonçure.
COMP. Renfoncer.

ENFONCEUR, EUSE [ɑ̃fɔ̃sœʀ, øz] n. — 1565 ; «personne qui approfondit», av. 1555 ; de *enfoncer.*

♦ Personne qui enfonce (qqch.). — Vieilli. Personne qui triomphe (de qqn).

Ça te la coupe, monsieur l'enfonceur, reprit le forçat en regardant le célèbre directeur de la police judiciaire.   BALZAC, le Père Goriot, 1834, Pl., t. II, p. 1014.

(1718). Spécialt. *Enfonceur de porte* ouverte, de portes ouvertes* : personne qui démontre des évidences.

ENFONÇOIR [ɑ̃fɔ̃swaʀ] n. m. — 1839 ; de *enfoncer.*

♦ Techn. Outil servant à enfoncer un objet.

ENFONÇURE [ɑ̃fɔ̃syʀ] n. f. — V. 1365, *enfosseure* ; de *enfoncer.*

♦ **1.** (V. 1560). Rare ou régional. Creux, dépression. ⇒ **Enfoncement.**
1   Le vieillard couchait en une enfonçure de roches.   LA FONTAINE, Psyché, II.
2   Au sifflement de la première flèche, tous les cerfs à la fois tournèrent la tête. Il se fit des enfonçures dans leur masse ; des voix plaintives s'élevaient, et un grand mouvement agita le troupeau.
              FLAUBERT, la Légende de saint Julien l'Hospitalier, I.

♦ **2.** Techn. (Vieilli). *Les enfonçures ;* (collectif) *l'enfonçure* : pièces qui forment le fond d'un tonneau. ⇒ **Fonçailles.**

ENFORCIR [ɑ̃fɔʀsiʀ] v. — Fin XIIe ; anc. franç. *enforcier,* v. 1130 (→ Renforcer) ; de *en-, force,* et suff. verbal.
Vieux.

♦ **1.** V. tr. Rendre plus fort. ⇒ **Consolider, fortifier, renforcer.**

♦ **2.** V. intr. Devenir plus fort, plus vigoureux. ⇒ **Forcir, renforcir.**

ENFORMER [ɑ̃fɔʀme] v. tr. — 1564 ; de *en-, forme,* et suff. verbal.

♦ Techn. Mettre sur la forme*. *Enformer un chapeau, une chaussure.*

ENFOUIR [ɑ̃fwiʀ] v. tr. — XIIIe ; *enfodir,* v. 1050 ; du lat. pop. **infodire,* du lat. class. *infodere* «creuser», de *in-,* et *fodere.* → Fouir.

♦ **1.** Mettre en terre, sous terre, après avoir creusé ou labouré le sol. ⇒ **Enterrer.** *Enfouir des graines, des plantes, du fumier, un cadavre, une charogne. Enfouir un trésor*, une cassette pleine d'or* (⇒ **Cacher ;** → Avec, cit. 94).
1   Ils vont enfouir le trésor.   LA FONTAINE, Fables, X, 4.
2   (...) dans les endroits qui sont cultivés on ne trouve point de vivres, les paysans enfouissent dans la terre tous leurs grains, et tout ce qui peut s'y conserver (...)
              VOLTAIRE, Charles XII, Livre IV.
3   Soutenir les voûtes de ces galeries, contre l'énorme pesanteur des terres qui tendent à enfouir sous leur chute les hommes avares et audacieux qui les ont construites.   G.-T. RAYNAL, Hist. philosophique, VI, 19.

♦ **2.** (1636). Par ext. Enfoncer*, mettre dans un lieu recouvert et caché. *Enfouir une bûche sous la cendre.*
Enfouir ses mains dans ses poches. ⇒ **Plonger.** *Enfouir des livres, des documents au fond d'une armoire.*
Abstrait. *Enfouir ses griefs, sa rancune.* ⇒ **Dissimuler** (→ Déterrer,

cit. 4). *Enfouir sa douleur au fond de son âme.* ⇒ **Taire ; secret** (garder secret).
Enfouir ses dons, ses talents, les laisser en friche.

▶ **S'ENFOUIR** v. pron.

♦ **1.** (1835). Se blottir, se cacher, se tapir. *Lapin qui s'enfouit dans son terrier.* — Figuré :
Chacun n'a qu'une pensée : se faire le plus plat possible, s'enfouir dans la terre, comme s'ensablent les soles à marée basse.   4
             MARTIN DU GARD, les Thibault, t. VIII, p. 181.

♦ **2.** ⇒ **Enfoncer** (s'). *S'enfouir sous ses couvertures.* — Fig. *S'enfouir dans son travail, dans ses livres.* ⇒ **Plonger** (se). *S'enfouir au fond d'une province. S'enfouir dans un monastère.* — *S'enfouir en soi-même.* ⇒ **Réfugier** (se), **retirer** (se).
(...) il pouvait s'enfouir profondément en lui-même *(Boris)* et s'occuper des petites pensées plaisantes qui lui venaient.   SARTRE, l'Âge de raison, II, p. 29. 5

▶ **ENFOUI, IE** p. p. adj.

♦ **1.** Mis dans un trou creusé en terre. *Trésor enfoui dans la terre. Graines enfouies dans le sol* (→ Déchaumage, cit.). — *Braise* (cit. 1) *enfouie sous les cendres.*

♦ **2.** Caché, enfoncé. *Document, papier enfoui sous une montagne de livres* (→ Archive, cit. 6). — *Yeux enfouis au fond des orbites.*
Son père riait, ses petits yeux de macaque malicieusement enfouis au-dessus de ses pommettes plissées.   P. MAC ORLAN, la Bandera, V, p. 57. 6
Mains enfouies dans les poches (→ Douillette, cit. 2). *Enfoui sous ses couvertures* (→ Boyard, cit.). *Un gros homme enfoui dans un fauteuil.*
Les maraîchers accroupis dans leurs voitures parmi les salades et les légumes, à demi plongés, enfouis jusqu'aux yeux dans leurs roulières à cause de la pluie battante, ne regardaient même pas ces étranges passants. 7
             HUGO, les Misérables, IV, VI, II.
Maison enfouie sous la verdure.
C'était une habitation ancienne, entièrement enfouie dans de grands bois de châtaigniers et de chênes.   E. FROMENTIN, Dominique, p. 131. 8

♦ **3.** Réfugié dans (un lieu, une occupation).
Fig. *Enfoui dans ses livres* (→ Armer, cit. 25). — *Moines enfouis au fond d'un monastère. Enfoui dans le silence, la solitude.*
Je resterai enfoui dans le silence et dans l'obscurité ; je fuirai le monde. 9
             Valery LARBAUD, Fermina Marquez, XVIII, p. 185.

CONTR. Déterrer, extraire, sortir.
DÉR. Enfer, enfouissement, enfouisseur.

ENFOUISSEMENT [ɑ̃fwismɑ̃] n. m. — 1539 ; de *enfouir.*

♦ **1.** Action d'enfouir ; son résultat. *L'enfouissement du fumier, de l'engrais vert dans le sol. Enfouissement des cadavres d'animaux. Fosses d'enfouissement.*
Tout était blanc autour d'eux ; l'enceinte était comblée ; le toit de la maison et ses murs se confondaient dans un égal enfouissement, et sans deux tourbillons de fumée bleuâtre qui se tordaient dans l'air, un étranger n'aurait pu soupçonner en cet endroit l'existence d'une maison habitée. 1
             J. VERNE, le Pays des fourrures, t. I, p. 210.
La collectivité paie l'évacuation et la destruction éventuelle ou l'enfouissement des déchets, mais son débours n'est pas compté dans l'opération. Il est cependant de plus en plus élevé. 2
           A. SAUVY, Croissance zéro?, p. 214.

♦ **2.** Par ext. Action de placer (qqch.) dans un endroit gardé secret, par hasard ou volontairement.
L'histoire des manuscrits d'Aristote si étrange ; le catalogue de la bibliothèque d'Alexandrie, leur trouvaille après un siècle et demi d'enfouissement en Troade. 3
           CLAUDEL, Journal, juin 1910.

ENFOUISSEUR, EUSE [ɑ̃fwisœʀ, øz] n. — 1627 ; de *enfouir.*

♦ **1.** Rare. Personne qui enfouit.

♦ **2.** N. m. (1890). Agric. Appareil adapté à la charrue, servant à enfouir du fumier, des fanes.

ENFOURCHEMENT [ɑ̃fuʀʃəmɑ̃] n. m. — XIIIe ; de *en-, fourche,* et suff. *-ement,* et de *enfourcher* (sens 2 et 3).

♦ **1.** (1676). Techn. Archit. Angle formé par la rencontre de deux douelles, dans une voûte d'arête. — Menuis. Angle formé par l'assemblage de deux chevrons d'un toit, de deux pièces unies à tenons et à mortaises ouvertes.

♦ **2.** Action d'enfourcher (2.).

♦ **3.** (1906, *in* Petiot). Spécialt. Prise de lutte où l'adversaire est maintenu entre les jambes.

ENFOURCHER [ɑ̃fuʀʃe] v. tr. — 1553 ; de *en-,* et *fourche.*

♦ **1.** Vx. Blesser avec une fourche, percer d'une fourche.

♦ **2.** (Le compl. désigne une monture, qqch. sur quoi on peut monter).

Monter (un cheval) à califourchon, une jambe d'un côté, une jambe de l'autre.

1 Le divin Mahomet enfourchait tour à tour
Son mulet Daïdol et son âne Yafour;
Car le sage lui-même a, selon l'occurrence,
Son jour d'entêtement et son jour d'ignorance. HUGO, la Légende des siècles, IX.

2 Il enfourche pesamment sa grande jument blanche, dont la croupe et les pieds sont teints de rose (...) E. FROMENTIN, Un été dans le Sahara, I, p. 82.

Par anal. *Enfourcher une bicyclette* (cit. 1). — *Enfourcher une chaise, une branche.*

3 Sur le trottoir d'en face, le marchand de tabac a sorti une chaise, l'a installée devant sa porte et l'a enfourchée en s'appuyant des deux bras sur le dossier. CAMUS, l'Étranger, II, p. 36.

♦ **3.** Fig. *Enfourcher son dada, enfourcher une idée, une opinion :* se complaire à exposer, à développer son sujet favori.

DÉR. Enfourchement (2., 3.).

ENFOURCHURE [ɑ̃fuRʃyR] n. f. — XIIᵉ, *enforcheüre*; de *en-*, *fourche*, et suff. *-ure.*

♦ **1.** Vieilli. Disposition en fourche*. ⇒ **Bifurcation.** — (Mil. XVIIIᵉ). *L'enfourchure d'un arbre :* le point au niveau duquel le tronc bifurque en deux rameaux.

L'enfourchure, placée fort bas, en était déformée par une grossière cicatrice, pareille à la tête d'un saule, couverte d'écailles grises, et d'une espèce de lichen desséché par l'hiver. BERNANOS, la Joie, *in* Œ. roman., Pl., p. 686.

(1675). *L'enfourchure du cerf,* en parlant du bois qui se divise en deux pointes.

♦ **2.** Partie du corps humain où les jambes se réunissent au tronc. *L'enfourchure des jambes.*

(1832, *in* D. D. L.). *L'enfourchure d'un pantalon.* ⇒ **Entre-deux, fourche.**

ENFOURNAGE [ɑ̃fuRnaʒ] ou ENFOURNEMENT [ɑ̃fuRnəmɑ̃] n. m. — 1763, *enfournage*; *enfournement*, 1559; de *enfourner.*

Technique.

♦ **1.** Action, manière d'enfourner (le pain, les poteries).

♦ **2.** (1864). Opération de verrerie précédant l'affinage.

ENFOURNER [ɑ̃fuRne] v. tr. — V. 1200; de *en-*, *fo(u)rn*, anc. forme de *four*, et suff. verbal.

♦ **1.** Mettre dans un four* (du pain, un aliment, des poteries). *Enfourner du pain; de la pâtisserie* (→ 1. Boulanger, cit. 1). — *Enfourner des poteries, des briques.*

Absolt. Mettre la pâte (du pain, etc.) à cuire dans le four.

0.1 C'était le nettoiement du four sur la place. Il était tout en feu au milieu de la nuit. On avait retiré les braises et nettoyé pour enfourner. J. GIONO, les Vraies Richesses, p. 159.

♦ **2.** (1849). Fam. Avaler rapidement (qqch.). *Enfourner un gâteau.* ⇒ **Engloutir, ingurgiter.** — Faux pron. *S'enfourner qqch.*

1 (...) porte le bol à ses lèvres et enfourne tout ce riz, en le poussant avec ses deux baguettes jusqu'au fond de son gosier. LOTI, Mᵐᵉ Chrysanthème, XXII, p. 109.

♦ **3.** Fam. (Compl. n. de personne). Introduire sans ménagement dans. *Enfourner qqn quelque part, dans...* ⇒ **Emballer, fourrer.**

2 Il l'enfourna dans un taxi où elle se confondit avec l'ombre et cessa d'exister. COLETTE, la Fin de Chéri, p. 117.

Spécialt. Ancienn. Attacher (le condamné) sur l'échafaud.

3 — Monsieur Sanson? dit-elle.
— Mademoiselle? dit le bourreau.
— Comment fait-on, quand l'homme est sur l'échafaud? comment l'attache-t-on? Le bourreau lui expliqua cette chose affreuse et lui dit : Nous appelons cela *enfourner.*
— Eh bien, Monsieur Sanson, dit la jeune fille, je désire que vous m'enfourniez. Francis CARCO, Nostalgie de Paris, p. 69.

♦ **4.** (Compl. n. de chose). Introduire (dans une ouverture). ⇒ **Fourrer.** *Enfourner une cuiller dans la bouche de qqn.*

▶ **S'ENFOURNER** v. pron.

(Réfl.). Entrer avec force (dans un lieu fermé, étroit, obscur...). *Ils se sont enfournés dans ce petit cinéma.*

DÉR. Enfournage ou enfournement, enfourneur.

ENFOURNEUR, EUSE [ɑ̃fuRnœR, øz] n. — 1763; de *enfourner.*

Technique.

♦ **1.** Ouvrier, ouvrière chargée des opérations d'enfournage.

♦ **2.** N. f. (1851). Machine qui alimente en charbon les chambres de distillation des usines à gaz.

ENFREINDRE [ɑ̃fRɛ̃dR] v. tr. — Conjug. *feindre.* — XIIIᵉ; *enfraindre*, fin XIᵉ; du lat. pop. *infrangere,* du lat. class. *infringere,* d'après *frangere* «briser, rompre, mettre en pièces». → Infraction.

♦ Littér. Ne pas respecter (un engagement, une loi). ⇒ **Contrevenir, désobéir** (à); **transgresser, violer.** *Les lois qu'il a enfreintes. Enfreindre un règlement. Celui qui enfreindra la règle paiera une amende* (⇒ **Contrevenant, infracteur**). *Enfreindre un ordre, une défense.* ⇒ **Passer** (passer outre). *Ils ont enfreint la consigne.* ⇒ **Forcer.** *Enfreindre les prescriptions du médecin* (→ Diète, cit. 3). *Enfreindre une convention, un traité.* ⇒ **Rompre.** *Enfreindre un vœu, une promesse, un serment...* ⇒ **Manquer** (à); **fausser** (vx).

1 Quand on craint d'être injuste, on a toujours à craindre;
Et qui veut tout pouvoir doit oser tout enfreindre (...) CORNEILLE, Pompée, I, 1.

2 Si quelque transgresseur enfreint cette promesse,
Qu'il éprouve, grand Dieu, ta fureur vengeresse (...) RACINE, Athalie, IV, 3.

3 (...) une prêtresse parjure a enfreint ses vœux, trahi sa patrie, outragé les dieux de ses pères! Th. GAUTIER, Souvenirs de théâtre..., V, p. 165.

▶ **ENFREINT, EINTE** p. p. adj. *Consigne enfreinte.*

CONTR. Observer, respecter, suivre.

DÉR. (Du lat. *infractio,* de *infringere.*) V. **Infraction.**

ENFROQUÉ, ÉE [ɑ̃fRɔke] adj. et n. m. — 1552, Rabelais, au fig.; de *en-*, *froc*, et suff. verbal.

♦ Péj. et vx. Vêtu d'un froc*.

(...) il est accueilli à coups d'escopette par des moines enfroqués et fanatiques. William DE BAZELAIRE, l'Or de la Bérézina, p. 178.

N. m. Moine.

ENFUIR (S') [ɑ̃fɥiR] v. pron. — Conjug. *fuir.* — 1080, pour *s'en fuir*; de 1. *en*, et *fuir*.

♦ **1.** S'en aller, s'éloigner en fuyant, ou en hâte. ⇒ **Aller** (s'en); **décamper, déguerpir, déloger, dérober** (se), **détaler, disparaître, échapper** (s'), **éclipser** (s'), **envoler** (s'), **esquiver** (s'), **évader** (s'), **filer, fuir, partir, sauver** (se); → (vx) Se carrer, escamper, tirer ses chausses, ses grègues, tirer chemin; (fam.) se barrer, caleter, se carapater, se cavaler, mettre la clef* sous la porte, se débiner, décaniller, se défiler, s'esbigner, se déguiser en cerf*, en courant* d'air, prendre la poudre d'escampette*, fausser compagnie*, foutre le camp*, gagner le large*, prendre ses jambes* à son cou, jouer des jambes, jouer la fille* de l'air, mettre les adjas*, les mettre, mettre les bouts, les voiles, lever le pied*, montrer, tourner les talons, se tirer, tricoter des pincettes, se trisser; et les loc. fig. (vieilli) faire un trou à la lune*, enfiler la venelle*; courir, cit. 22; danser, cit. 4; démordre, cit. 5; desserrer, cit. 2. *S'enfuir à toutes jambes, à toute vitesse, rapidement, au galop. Gibier qui s'enfuit* (→ Chasse, cit. 5; défaut, cit. 15). *Il parvint à s'enfuir.* ⇒ **Réfugier** (se). *S'enfuir à l'étranger.* ⇒ **Réfugier** (se). *S'enfuir devant le danger, s'enfuir de peur* (→ Chameau, cit. 1). *S'enfuir sur le champ de bataille.* ⇒ **Déserter** (→ Capitaine, cit. 1; désemparer, cit. 1). — *S'enfuir de... S'enfuir d'un lieu où l'on était retenu.* ⇒ **Évader** (s'). *S'enfuir de la maison paternelle.* ⇒ **Abandonner, quitter.** — *S'enfuir vers..., dans...*

1 La vraie épreuve de courage
N'est que dans le danger que l'on touche du doigt.
Tel le chercha, dit-il, qui, changeant de langage,
S'enfuit aussitôt qu'il le voit. LA FONTAINE, Fables, VI, 2.

2 Elle n'eut plus qu'une pensée, s'enfuir; s'enfuir à toutes jambes, à travers bois, à travers champs, jusqu'aux maisons, jusqu'aux fenêtres, jusqu'aux chandelles allumées. HUGO, les Misérables, II, III, V.

3 (...) le voleur, qui s'enfuit au galop de son cheval après avoir commis un crime (...) LAUTRÉAMONT, les Chants de Maldoror, I, p. 21.

♦ **2.** Par anal. S'échapper, s'écouler (le sujet désigne un fluide). ⇒ **Fuir, sauver** (se). *La fumée s'enfuit. Le vin s'enfuit du tonneau. Le ruisseau s'enfuit au travers de la prairie* (→ Bouillon, cit. 2).

Figuré :

4 (...) Adraste, d'un coup de lance, le rend immobile, et son âme s'enfuit d'abord avec son sang. FÉNELON, Télémaque, XV.

5 Beaux yeux de mon enfant, par où filtre et s'enfuit
Je ne sais quoi de bon, de doux comme la Nuit ! BAUDELAIRE, les Épaves, IX.

♦ **3.** (Sujet n. de chose). Passer rapidement en s'éloignant. *Les nuages s'enfuient.*

♦ **4.** Fig. (Poét.). S'écouler rapidement. ⇒ **Disparaître, évanouir** (s'), **passer** (dans le temps). *Le temps s'enfuit et coule.*

Disparaître. *Les beaux jours se sont enfuis. Souvenirs qui s'enfuient.* ⇒ **Envoler** (s').

6 (...) la vie s'enfuit, ne te montre donc point si difficile envers le bonheur qui se présente, hâte-toi d'en jouir. STENDHAL, la Chartreuse de Parme, t. II, p. 42.

7 (...) Qu'est-ce donc que des jours pour valoir qu'on les pleure ?
Un soleil, un soleil, une heure, et puis une heure ;
Celle qui vient ressemble à celle qui s'enfuit (...) LAMARTINE, Méditations, II, 5.

8 Le mal dont j'ai souffert s'est enfui comme un rêve (...) A. DE MUSSET, Nouvelles poésies, «La nuit d'octobre».

9   Je t'aime surtout quand la joie
S'enfuit de ton front terrassé (...)
          BAUDELAIRE, Nouvelles fleurs du mal, Madrigal triste.

▶ **ENFUI, IE** p. p. adj. *Les jours enfuis,* passés. *Rêves enfuis.*

CONTR. **Demeurer, durer, rester ; faire** (face, front), **résister, tenir.**

ENFUMAGE [ɑ̃fymaʒ] n. m. — 1846 ; de *enfumer.*

♦ **1.** Action d'enfumer ; son résultat.
(...) le poêle bourré de papiers brûlés et responsable d'un dernier enfumage (...)
          Hervé BAZIN, Cri de la chouette, p. 288.

♦ **2.** Spécialt. Techn. [a] Défaut provoqué par la fumée, au cours de la cuisson de la porcelaine.

[b] (1922). Procédé par lequel l'apiculteur neutralise les abeilles en enfumant la ruche.

[c] Chauffage préalable des produits (briques, tuiles) à chauffer dans un four, pour éviter la condensation de vapeur d'eau au début de la cuisson.

ENFUMER [ɑ̃fyme] v. tr. — V. 1150 ; de *en-,* et *fumer.*

♦ **1.** Emplir, ou environner de fumée*. *Poêle qui enfume un appartement.*

♦ **2.** (1636). Incommoder par la fumée. *Enfumer qqn avec la fumée d'une pipe. Ce bois vert nous enfumait.* — Spécialt. *Enfumer un renard dans son terrier,* pour l'en faire sortir. *Enfumer des abeilles dans leur ruche,* pour les neutraliser (⇒ **Enfumoir**).
1   (...) le prince tout à l'heure
Veut qu'on aille enfumer renard dans sa demeure (...)
          LA FONTAINE, Fables, VIII, 3.

♦ **3.** (1674). Fig. et vx. Troubler l'esprit de (qqn), par des vapeurs d'alcool, des bouffées d'orgueil, etc.
2   Mais pour un vain bonheur qui vous a fait rimer,
Gardez qu'un sot orgueil ne vous vienne enfumer. BOILEAU, l'Art poétique, II.

♦ **4.** (Vieilli à l'actif). Noircir ou ternir par la fumée. *Enfumer des verres de lunettes.* — Spécialt. Peint. *Enfumer un tableau,* lui donner par certains procédés l'apparence d'une vieille toile.
Par ext. Noircir de fumée, de suie.

▶ **S'ENFUMER** v. pron.
S'entourer de fumée. *S'enfumer près d'un feu de bois vert.*
3   Les Lapons n'ont point d'autre remède contre ces maudits animaux *(moucherons)* que d'emplir de fumée le lieu où ils demeurent (...) nous fîmes la même chose et nous enfumâmes (...)   J.-F. REGNARD, Voyage en Laponie, t. IV, p. 206.
Fig. *La vallée s'enfume de brouillard* (cit. 7).

▶ **ENFUMÉ, ÉE** p. p. adj.

♦ **1.** *Salles basses et enfumées* (→ Bistrot, cit. 3 ; dancing, cit. 1). *Chaumine* (cit. 1) *enfumée. Gare enfumée.* — *Chapelle* (cit. 3) *enfumée d'encens.*
4   (...) la petite gare enfumée d'où l'on partait pour Saint-Maur. Il n'y avait plus qu'un seul train, vers une heure et demie. J'étais crotté jusqu'à l'âme, sale, farouche, irrité.   G. DUHAMEL, Chronique des Pasquier, III, v, p. 62.

♦ **2.** Vx. *Verres enfumés.* ⇒ **Fumé ; noir.**
Mur enfumé, couvert de suie*. — Fig. *Teint enfumé,* gris, terne, couleur de fumée.

CONTR. **Désenfumer ; aérer ; éclaircir.**
DÉR. Enfumage, enfumoir.

ENFUMOIR [ɑ̃fymwaʀ] n. m. — 1845, Bescherelle ; de *enfumer.*

♦ Techn. Appareil utilisé pour enfumer les ruches.
(...) l'apiculteur amateur avait encore fait charger à bord deux enfumoirs, l'un à l'air froid, l'autre à pipes, système Dathe.
          Maurice DENUZIÈRE, Louisiane, t. II, p. 87.

ENFÛTAGE [ɑ̃fytaʒ] n. m. — 1870 ; de *enfûter.*

♦ Techn. Action d'enfûter ; son résultat.

ENFUTAILLER [ɑ̃fytaje] ou ENFÛTER [ɑ̃fyte] v. tr. — 1722, *enfutailler ; enfûter,* 1285 ; au fig., v. 1250 ; de *en-, futaille* ou *fût,* et suff. verbal.

♦ Techn. Mettre en fût, en futaille (du vin, du cidre).
DÉR. (De *enfûter.*) Enfûtage.

ENGADINOIS, OISE [ɑ̃gadinwa, az] adj. et n. — D. i. ; de *Engadine,* nom d'une région de Suisse.

♦ De l'Engadine (vallée de l'Inn). — N. *Un Engadinois, une Engadinoise.* — N. m. Ling. *L'engadinois.* ⇒ **Ladin.**

ENGAGEABLE [ɑ̃gaʒabl] adj. — 1843 ; de *engager.*

♦ Rare. Qui peut être engagé. *Des objets engageables.*
Vous prendrez un prête-nom à qui je déléguerai pour trois ans la quotité engageable de mes appointements, elle monte à vingt-cinq mille francs par an, c'est soixante-quinze mille francs.   BALZAC, la Cousine Bette, Pl., t. VI, p. 256.
(Personnes). Susceptible d'être engagé, recruté.

ENGAGEANT, ANTE [ɑ̃gaʒɑ̃, ɑ̃t] adj. — XVIIᵉ ; de *engager.*

♦ **1.** Qui engage, attire, séduit (en parlant des comportements, des caractéristiques humaines). ⇒ **Agréable, aguichant, alléchant, appétissant, attirant, attrayant, plaisant, séduisant.** *Douceur engageante. Sourire engageant. Manières engageantes.* ⇒ **Bienveillant, doux ; insinuant.** *Paroles, propositions engageantes.*
1   Un air tout engageant, je ne sais quoi de tendre (...)
          MOLIÈRE, l'École des femmes, I, 4.
2   (...) en vérité, me dit-il d'un air gai, vous êtes bien séduisant, seigneur Gil Blas ; vous me faites faire tout ce qu'il vous plaît. Vous avez des manières engageantes et qui m'ôtent jusqu'à la crainte d'abuser de votre humeur bienfaisante.
          A. R. LESAGE, Gil Blas, VII, XII.
(En parlant des personnes). Qui donne envie d'entrer en relations. ⇒ **Avenant, charmant.**
3   (...) je vous trouve la plus engageante personne du monde (...)
          MOLIÈRE, Critique de l'École des femmes, 3.
(Choses). *Un petit air de musique très engageant. Son intérieur n'est pas bien engageant ; il est même sinistre.*

♦ **2.** Vieilli. Qui engage (à faire qqch.).
4   Je vois que vous avez fait beaucoup de places... beaucoup trop de places, même... À votre âge, comme c'est engageant !... Enfin, laissez-moi vos certificats... je verrai...   O. MIRBEAU, le Journal d'une femme de chambre, p. 322.

CONTR. **Désagréable, rébarbatif, repoussant.**
DÉR. Engageantes.

ENGAGEANTES [ɑ̃gaʒɑ̃t] n. f. pl. — 1694 ; substantivation de *engageant.*

♦ Hist. de la mode. Manchettes de dentelles portées par les femmes (ex. du XIXᵉ, *in* T. L. F.).
(...) une large robe de chambre ou comme un domino étoffé qui laisserait échapper les bras nus d'engageantes de dentelles.
          Ed. et J. DE GONCOURT, la Femme au XVIIIᵉ siècle, II, p. 51.

ENGAGEMENT [ɑ̃gaʒmɑ̃] n. m. — 1183 ; de *engager.*
Action d'engager ; résultat de cette action.

★ **I.** ♦ **1.** Dr. Action de mettre (qqch.) en gage*. *Engagement d'effets à un usurier. Engagement de bijoux au mont-de-piété.* ⇒ **Dépôt.** *Reçu d'un engagement.* ⇒ **Reconnaissance.**

♦ **2.** (V. 1283). Action de lier (qqn), de se lier par une promesse ou une convention *(l'engagement de qqn envers, à l'égard de qqn)* ; cette promesse, cette convention *(un engagement). Engagement formel* (⇒ **Promesse, serment ; contrat, convention**), *engagement moral, tacite. Engagement envers soi-même. Engagement mutuel.* — *Engagement religieux.* ⇒ **Vœu.** — *Accepter, contracter, prendre un engagement, l'engagement de faire qqch. Honorer ses engagements.* ⇒ **Parole, signature.** *Faire face, faire honneur à ses engagements.* ⇒ **Acquitter** (s'). *Observer, remplir, respecter ses engagements. Satisfaire à ses engagements.* → Prévoyance, cit. 3. *Fidèle aux engagements pris. Un engagement antérieur le tient, le lie, l'empêche d'agir* (⇒ **Empêchement**). *Un engagement accepté doit être tenu* (→ Quand le vin est tiré, il faut le boire*). *Être lié par ses engagements* (→ Chaîne, cit. 7). *Sortir, délier quelqu'un d'un engagement. Manquer à ses engagements ; rompre, violer un engagement.* ⇒ **Dédire** (se), **reprendre** (sa parole). — Dr. Action d'engager, de s'engager par un acte. ⇒ **Obligation ; 2. aval, bail** (cit. 7), **billet, dette, reconnaissance, souscription.** *Engagement solidaire*. Cause d'un engagement, d'une obligation.* ⇒ **Cause** (cit. 42). *Garantie d'un engagement.* ⇒ **Antichrèse, assurance, caution, gage, garantie, hypothèque, nantissement.** *Il n'a pu tenir ses engagements envers ses créanciers.* ⇒ **Banqueroute, faillite.** *Exécution d'un engagement.* ⇒ **Échéance.** *Contraindre un débiteur à remplir ses engagements.* → Contrainte, cit. 10.
1   Bien que j'aie toujours très bien opéré, l'accumulation des stocks d'une part, la mévente d'autre part, me mettent dans l'impossibilité de tenir mes engagements avec autant de rigueur que je souhaiterais pouvoir le faire.
          A. MAUROIS, Bernard Quesnay, XXIV, p. 156.
2   Au reste, quand ce devoir de tenir ses engagements ne serait pas affermi dans l'esprit de l'enfant par le poids de son utilité, bientôt le sentiment intérieur, commençant à poindre, le lui imposerait comme une loi de la conscience, comme un principe inné qui n'attend pour se développer que les connaissances auxquelles il s'applique.   ROUSSEAU, Émile, II.
3   (...) je lui offris la main pour sceller l'engagement : elle y mit la sienne en répétant mes derniers mots.   SAINTE-BEUVE, Volupté, XIV, p. 131.
4   (...) manquer (...) à tant d'engagements profonds pris avec lui-même (...)
          HUGO, les Misérables, III, VIII, XX.
5   Cet engagement, passé entre nous deux, nous l'avons tenu.
          Paul BOURGET, Un divorce, VI, p. 215.

6 La première communion est tardive dans notre religion, parce que nous voulons que l'enfant ait conscience de ses actes et de ses engagements.
J. CHARDONNE, les Destinées sentimentales, p. 468.

Dr. publ. *Engagement de dépenses publiques :* acte qui rend l'État débiteur. *L'engagement est le point de départ de toute dépense publique, qui se développe ensuite par la liquidation, l'ordonnance et le paiement* (Capitant, *Vocabulaire juridique*).

Dr. internat. *Engagement diplomatique.* ⇒ **Protocole, traite.** *Union par engagement mutuel.* ⇒ **Alliance.**

Féod. *Engagement du vassal au seigneur.* ⇒ **Aveu** (cit. 1).

♦ **3.** État où l'on est engagé (→ Embarquer, cit. 5). Spécialt. *Engagement de cœur.* ⇒ **Affaire** (de cœur), **liaison ; mariage.**

7 (...) cet engagement mutuel de leur foi (...) MOLIÈRE, le Dépit amoureux, I, 4.
8 (...) l'engagement ne compatit point avec mon humeur. J'aime la liberté en amour (...) MOLIÈRE, Dom Juan, III, 5.
9 (...) un engagement qui doit durer jusqu'à la mort ne se doit jamais faire qu'avec de grandes précautions. MOLIÈRE, l'Avare, I, 5.
10 L'amitié elle-même, ce sentiment grave, qui ne semble pas poétique, qui a inspiré très peu de belles pages, que Montaigne seul chez nous a exprimé avec une profondeur émouvante, La Fontaine lui donne tout le charme que d'autres savent donner à de plus tendres engagements.
Émile FAGUET, Études littéraires, XVII⁰ s., La Fontaine, p. 243.

Vx. *Les engagements du monde.* ⇒ **Obligation, occupation.**

♦ **4.** (XVIII⁰). Recrutement par accord entre l'administration militaire et un individu qui n'est pas soumis à l'obligation du service actif. *Prime d'engagement. Engagement de deux ans. Engagement dans l'armée de l'air, dans l'infanterie. Engagement par devancement d'appel. Engagement volontaire.*
Par anal. Contrat par lequel certaines personnes louent leurs services. *L'engagement d'un employé, d'un collaborateur. Engagement à l'essai, pour une durée déterminée.* — Spécialt. *Engagement d'un artiste* (pour un spectacle, le tournage d'un film...), *d'un sportif* (dans un club, pour une compétition). *Acteur, coureur professionnel qui se trouve sans engagement.*

★ **II.** ♦ **1.** État (d'une chose) engagée dans une autre. *L'engagement d'une roue dentée dans une crémaillère.* — **Méd.** Descente de la tête du fœtus dans l'excavation pelvienne.

♦ **2.** Introduction (d'une unité) dans la bataille ; combat localisé et de courte durée. *Blessé au cours d'un engagement de patrouilles.*
Spécialt. (escr.). Action de toucher le fer de son adversaire. *Engagement corps à corps.*

♦ **3.** (Déb. XX⁰). **Sports.** Action d'engager (la partie), coup d'envoi d'un match.
(1858, *in* Petiot). Inscription sur la liste des concurrents qui doivent participer à une épreuve sportive. *Les engagements seront reçus jusqu'à telle date.*
Spécialt. (turf). L'épreuve elle-même.

10.1 « Est-ce qu'il a les grands engagements ? — Tous, monsieur, voyez... » On vous tend la feuille aux noms mirifiques : Prix Lupin, Derby d'Epsom, Jockey Club, Grand Prix. P. DANINOS, Un certain monsieur Blot, 1960, p. 260.

♦ **4.** (V. 1945). Acte ou attitude de l'intellectuel, de l'artiste qui, prenant conscience de son appartenance à la société et au monde de son temps, renonce à une position de simple spectateur et met sa pensée ou son art au service d'une cause. ⇒ **Engager** (engagé).

11 (...) les clercs trahissent présentement leur fonction (...) En ne conférant de valeur à la pensée que si elle implique chez son auteur un « engagement », exactement un engagement politique et moral (...) un engagement dans la bataille du moment (...) — l'écrivain doit « s'engager dans le présent » (Sartre) —, une prise de position, dans l'actuel *en tant qu'actuel* (...)
Julien BENDA, la Trahison des clercs, Préface de l'éd. 1946, p. 65.
12 Si tout homme est embarqué, cela ne veut point dire qu'il en ait pleine conscience (...) Je dirai qu'un écrivain est engagé (...) lorsqu'il fait passer pour lui et pour les autres l'engagement de la spontanéité immédiate au réfléchi.
SARTRE, Situations II, p. 123-124 (→ Embarquer, cit. 4, Pascal).

CONTR. Dégagement. — Parjure, refus, reniement. — Congé, renvoi ; démission. — Désengagement.
COMP. Non-engagement.

ENGAGER [ãgaʒe] v. tr. — Conjug. *bouger.* — V. 1150 ; de *en-, gage*, et suff. verbal.

★ **I.** ♦ **1.** Mettre en gage ; donner en gage (qqch.). *Engager ses bijoux au mont-de-piété* (cit.). *Engager ses meubles.*

1 Hé ! que diable engager ? que vendre ? pour tout meuble et immeuble vous n'avez que votre habit et le mien ; encore le tailleur n'est-il pas payé. J.-F. REGNARD, Sérénade, 11.
2 (...) il n'y a plus rien dans la maison (...) tout ce qui valait deux sous a été porté au mont-de-piété (...) toutes les reconnaissances ont été engagées pour avoir du pain. Léon BLOY, la Femme pauvre, p. 14.

Assigner pour gage. *Engager ses meubles, sa maison à ses créanciers* (→ Emprunt, cit. 1).

3 Robert (...) lui engagea *(à Guillaume-le-Roux)* la Normandie pour subvenir aux frais de son armement. VOLTAIRE, Essai sur les mœurs, LIV.

♦ **2.** Donner pour caution (sa parole, etc.). *Engager son honneur, sa responsabilité. Engager sa parole.* ⇒ **Jurer, promettre ; serment.**

Engager à Dieu sa foi, son amour (→ Divin, cit. 1). *Engager son cœur, son amour à une femme,* lui jurer fidélité.

4 Engagé n'avais ni mon cœur ni ma foi ;
De ma volonté j'étais Seigneur et Roi. RONSARD, Odes, V, XXXIV.
5 Je lui prête mon bras sans engager mon âme (...) CORNEILLE, Sertorius, III, 1.
6 J'engageai mon honneur engageant ma parole (...) ROTROU, Venceslas, III, 5.

Engager l'avenir. ⇒ **Hypothéquer** (fig.).

7 À plusieurs reprises, il avait laissé percer sa préoccupation et hasardé un mot qui cherchait à engager l'avenir (...) MARTIN DU GARD, les Thibault, t. II, p. 176.

♦ **3.** (Mil. XVI⁰). Sujet n. de chose. Lier (qqn) par une promesse, une convention. *Engager qqn.* ⇒ **Lier, obliger, tenir.** *Cette signature, ce contrat vous engage. Les paroles n'engagent personne,* on peut parler en restant libre de ses décisions. *Il évite tout ce qui peut l'engager.* ⇒ **Contraindre.**

8 Outre mon intérêt ma parole m'engage. ROTROU, Bélisaire, I, 2.
9 Songez-vous quel serment vous et moi nous engage ? RACINE, Iphigénie, V, 2.
10 (...) la manière dont vous venez de m'obliger m'engage toute ma vie à la plus vive reconnaissance dont je puisse être capable.
LA BRUYÈRE, Lettre à Bussy, 9 déc. 1691.
11 L'essence, ou plutôt le ressort du style Norpois, c'est que le diplomate ne veut rien dire qui puisse l'engager ou le compromettre.
A. MAUROIS, À la recherche de Marcel Proust, VIII, III, p. 250.

Spécialt. *Engager qqn par le mariage.* ⇒ **Fiancer, marier.** — **Vx.** *Engager sa fille à un jeune homme.* — (Au passif). *Être engagé à qqn.*

12 (...) c'est elle qui me témoignait une envie d'être ma femme, et je lui répondais que j'étais engagé à vous. MOLIÈRE, Dom Juan, II, 4.
13 Les dernières paroles de ces messieurs sont que d'engager un enfant *(Jacqueline Pascal)* à un homme du commun, c'est une espèce d'homicide (...)
PASCAL, Lettre à Mᵐᵉ Périer.
14 Je vais, en recevant sa foi sur les autels,
L'engager à mon fils par des nœuds immortels (...)
RACINE, Andromaque, IV, 1.

♦ **4.** (XVI⁰). Recruter par engagement. — (1835). Par anal. Attacher à son service, prendre à gages. ⇒ **Embaucher.** *Engager un collaborateur, un jardinier, un chauffeur. Engager un secrétaire.* — *La direction du théâtre a engagé une excellente troupe, un orchestre.*

15 Il *(Sandeau)* a déçu aussi Balzac, qui l'avait connu chez George Sand, et, sans sympathie pour elle, en avait montré beaucoup au jeune écrivain — au point (...) de payer ses dettes, et de l'engager comme secrétaire.
Émile HENRIOT, les Romantiques, p. 418.

Spécialt. ⇒ **Enrôler, recruter.** *Engager des soldats, des mercenaires.* — *Engager dans un parti, une association.*

★ **II.** ♦ **1.** (Mil. XVI⁰). Faire entrer, faire pénétrer dans (qqch. qui retient, qui ne laisse pas libre). ⇒ **Enclencher, enfoncer, introduire, mettre.** *Engager la clef dans la serrure. Avoir le pied engagé dans l'étrier. Engager une barre, un levier sous une pierre.* ⇒ **Glisser.** *Joindre et engager des pierres ensemble.* ⇒ **Enlier.** *Engager une roue dentée dans un pignon, une crémaillère.* ⇒ **Engrener.** — **Mar.** *Engager un navire dans une passe, un chenal.*

Escr. *Engager le fer :* mettre son arme au contact de celle de l'adversaire.

(1660). Faire entrer (dans un lieu resserré ou difficile). *Engager le vaisseau dans une passe. Le lieutenant engagea sa section dans un chemin creux.* — (Sans compl. de lieu). *Il a mal engagé sa voiture pour la garer.*

16 Malheur donc à celui qu'une affaire imprévue
Engage un peu trop tard au détour d'une rue ! BOILEAU, Satires, VI.

♦ **2.** (Fin XVI⁰). Fig. Mettre en train, commencer. *Engager la partie** (III., 2.).

17 (...) l'homme de guerre intelligent, exerçant non en ambitieux, mais en artiste, l'*art de la guerre*, tout en le jugeant de haut et en le méprisant maintes fois, comme ce Montecuculli qui, Turenne étant tué, se retira, ne daignant plus engager la partie contre un joueur ordinaire.
A. DE VIGNY, Servitude et grandeur militaires, III, VI, p. 231.
18 Ne trouvez-vous pas, justement, qu'un franc-tireur peut risquer certaines parties que le chef d'une armée régulière hésiterait à engager ?
J. ROMAINS, les Hommes de bonne volonté, t. III, XXII, p. 296.

Par ext. ⇒ **Entamer, entreprendre.** *Engager des négociations. Engager des poursuites contre qqn. Engager le jeu. Engager une affaire délicate, une entreprise... Engager un pari.* — **Spécialt.** *Engager la conversation, l'entretien, la discussion, une polémique...*

19 Ma sœur, auparavant, engagez l'entretien (...) CORNEILLE, Agésilas, I, 2.
20 Durant la longue route, j'avais essayé d'engager la conversation, mais n'avais pu tirer d'elle quatre paroles. GIDE, la Symphonie pastorale, p. 10.
21 Mais à quoi sert d'engager la discussion sur ce point ? GIDE, Journal, 1ᵉʳ févr. 1916.

Engager les dépenses nécessaires.

♦ **3.** (Fin XVI⁰). Faire entrer (dans une entreprise ou une situation qui ne laisse pas libre). ⇒ **Aventurer, embarquer, entraîner ;** (fam.) **embarquer, embringuer, fourrer.** *Il a réussi à l'engager dans cette entreprise. Il l'a engagé dans une vilaine affaire, dans un beau pétrin. Engager son pays dans une aventure militaire.*

22 Si dans quelque attentat il osait l'engager (...) CORNEILLE, Œdipe, I, 4.
23 Dans quel emportement la douleur vous engage (...) RACINE, Britannicus, III, 4.

24   Quoi (...) vous n'avez pas su l'engager dans vos intérêts !
FÉNELON, Télémaque, IX.

Engager des capitaux dans une affaire. ⇒ **Investir.**

(1859, *in* Petiot). Turf. *Il a engagé deux chevaux dans le Grand Prix.*
⇒ **Engagement** (II., 2.).

Mettre dans une situation qui crée des responsabilités et implique
certains choix.

25   Je vais éprouver de grandes émotions, à ce spectacle où une partie de mon être
est engagée.   LAUTRÉAMONT, les Chants de Maldoror, III, p. 130.

26   (...) vous savez bien, monseigneur, que les baisers de théâtre n'engagent pas une
seule fibre de la chair.   G. DUHAMEL, Chronique des Pasquier, IX, III, p. 38.

27   Je crois, je suis sûr que beaucoup d'hommes n'engagent jamais leur être, leur sincérité profonde. Ils vivent à la surface d'eux-mêmes (...)
BERNANOS, Journal d'un curé de campagne, p. 123.

28   (...) l'on a vu des écrivains, blâmés ou punis parce qu'ils ont loué leur plume aux
Allemands, faire montre d'un étonnement douloureux. « Eh quoi ? disent-ils, ça
engage donc, ce qu'on écrit ? » (...) Pour nous (...) l'écrivain (...) est « dans le coup »,
quoi qu'il fasse, marqué, compromis, jusque dans sa plus lointaine retraite.
SARTRE, Situations II, p. 11-12.

★ **III.** (Fin XVIᵉ). ENGAGER (qqn) À... *Engager qqn à l'action.* —
(Avec l'inf.). Tenter d'amener (à une décision ou à une action). *Nous
l'avons engagé à agir, à réagir.* ⇒ **Appeler, exhorter, inciter ; presser ; conseiller.** — (Sujet n. de chose). Amener, disposer. ⇒ **Inciter, porter.**

29   (...) des embûches qu'on tend à notre cœur, et qui souvent l'engagent à commettre des lâchetés.   MOLIÈRE, la Princesse d'Élide, II, 1 (→ Embûche, cit. 2).

30   L'intérêt qui fait tout, les pourrait engager
    À vous donner retraite, et même à vous venger (...)
VOLTAIRE, le Triumvirat, III, 2.

31   La pendule, sonnant minuit,
    Ironiquement nous engage
    À nous rappeler quel usage
    Nous fîmes du jour qui s'enfuit (...)   BAUDELAIRE, Nouvelles fleurs du mal, II.

32   J'ai presque fini les *Confessions* de Rousseau et je t'engage fort à lire cette
œuvre admirable (...)   FLAUBERT, Correspondance, 24, 28 oct. 1838, t. I, p. 33.

Loc. *Ça n'engage à rien* (→ Discipline, cit. 2). *Ça ne vous engage
à rien, essayez ce costume.*

▶ **S'ENGAGER** v. pron.

♦ **1.** (Passif). Être mis en gage. *Objets qui s'engagent facilement.*

(1666). Réfl. Contracter* un engagement. *Il s'est endetté, et il
s'engage tous les jours de plus en plus* (Littré). — *S'engager pour
qqn.* ⇒ **Caution ; cautionner, prêter** (son crédit).

♦ **2.** Se lier par une promesse, une convention ; s'obliger à... *S'engager à faire, de faire* (vx) *qqch.* ⇒ **Fort** (se faire fort de...). *Il s'y
est engagé sous la foi du serment*. ⇒ **Jurer, promettre**. *S'engager
sans retour. S'engager d'honneur. Il ne savait pas à quoi il s'engageait. Ne vous engagez à rien avant de consulter votre avocat.
S'engager à fournir de l'argent pour une entreprise* (⇒ **Souscrire**).

33   Il n'est si bonne compagnie qui ne se quitte ; mais je m'engage ici à prendre courtoisement mon congé.   COLETTE, la Naissance du jour, p. 35.

34   (...) nous sommes en présence d'un monsieur — je parle de Benès — qui s'est
formellement engagé à faire de la Tchécoslovaquie une fédération sur le modèle
helvétique.   SARTRE, le Sursis, p. 87.

Vieilli. *S'engager à quelqu'un*, s'obliger envers lui. *S'engager à une
femme*, lui jurer fidélité. — Absolument :

35   Que deux époux se voient engagés pour toute une vie, quelle contrainte intolérable. Pourtant ce qu'exigeaient deux amoureux, avec force et dans leur vive liberté,
c'était justement de s'engager pour toute une vie.
J. PAULHAN, les Fleurs de Tarbes, p. 174.

♦ **3.** (1580). Se lier par une convention ; entrer au service de qqn
ou dans une condition où l'on est tenu de rester. *S'engager comme
chauffeur, comme commis, comme vendeur, comme secrétaire.*

Spécialt. *S'engager dans l'armée. S'engager en devançant l'appel*
(cit. 7). *Il s'est engagé dans les blindés, dans l'aviation.*

Absolt. *Il veut s'engager. Engagez-vous, rengagez-vous.*

36   (...) je suis à Besançon ; là, je m'engage comme soldat, et, s'il le faut, je passe en
Suisse.   STENDHAL, le Rouge et le Noir, I, V.

37   Moi, je n'étais pas mobilisable. J'ai voulu m'engager.
G. DUHAMEL, Récits des temps de guerre, IV, XXXI, p. 116.

38   Il y avait trois affiches. Deux en couleurs : « Engagez-vous, rengagez-vous dans
l'armée coloniale » et une troisième toute blanche : « Rappel immédiat de certaines catégories de réservistes ».   SARTRE, le Sursis, p. 67.

♦ **4.** (1671). Sujet n. de chose. Entrer, se loger (dans une pièce, un
mécanisme). *Le pêne s'engage dans la gâche.*

(1669). Personnes, véhicules. Entrer, pénétrer (dans un lieu). *Véhicule, conducteur qui s'engage sur une route.* ⇒ **Prendre.** *S'engager dans une rue.* ⇒ **Enfiler.** *S'engager dans un couloir, dans
un jardin.*

39   Au coin du bois, débouchait entre deux poteaux blancs, une allée où Meaulnes s'engagea.   ALAIN-FOURNIER, le Grand Meaulnes, p. 72.

40   Je sortis de l'ascenseur, mais au lieu d'aller vers ma chambre je m'engageai
plus avant dans le couloir (...)   PROUST, À la recherche du temps perdu, t. V, p. 48.

♦ **5.** S'engager dans une voie, commencer à y pénétrer. *L'automobiliste s'était déjà engagé quand on l'a heurté par la droite.*

♦ **6.** (Sujet n. de chose). Commencer à être, à se faire. *Querelle,
discussion qui s'engage. La partie, le jeu s'engage.*

41   (...) le jeu m'amuse et la partie s'engage.
BEAUMARCHAIS, le Barbier de Séville, Lettre sur la critique.

42   Une grande bataille se prépare et s'engage.
Georges LECOMTE, Ma traversée, p. 183.

♦ **7.** (1580). S'aventurer, se lancer. *S'engager dans une entreprise.
S'engager dans une affaire difficile.* ⇒ **Aventurer** (s'), **embarquer**
(s'), **entreprendre, jeter** (se), **lancer** (se) ; **avant** (se mettre en avant).
Il s'y est engagé tête baissée, sans précautions. — Absolt. *Il s'est
trop engagé, il s'est engagé trop avant. S'engager dans de longues
explications.* ⇒ **Entrer** (dans).

43   Y a-t-il quelque volupté qui me chatouille ? Je ne la laisse pas friponner aux sens,
j'y associe mon âme, non pas pour s'y engager, mais pour s'y agréer, non pas
pour s'y perdre, mais pour s'y trouver (...)   MONTAIGNE, Essais, III, XIII.

44   Trouvez bon, Madame, que sans m'engager dans une énumération de vos perfections et charmes (...) je conclue (...) en vous faisant considérer (...)
MOLIÈRE, la Comtesse d'Escarbagnas, 4.

45   Le vieil Autrichien Kœnigseck (à Fontenoy) conseillait de tâter, de ne pas trop
s'engager à fond.   MICHELET, Extraits historiques, p. 263.

46   Il (Louis XI) le voyait (Charles le Téméraire) s'engager dans des entreprises de
plus en plus hasardeuses, affronter la Lorraine, l'Alsace, l'Allemagne, la Suisse.
J. BAINVILLE, Hist. de France, VII, p. 126.

(En littérature, en arts). Réaliser, manifester un engagement (II., 3.).
Avoir peur de s'engager. Écrivain qui s'engage, qui prend position
devant les problèmes de son temps. ⇒ **Engagement, II.,** 3.

47   Statuer que l'essentiel pour le penseur est de savoir s'engager conduit à lui assigner pour vertu capitale (...) le courage, l'acceptation de mourir pour la position
adoptée (...)   Julien BENDA, la Trahison des clercs, Préface de l'éd. 1946, p. 68.

48   L'écrivain contemporain se préoccupe avant tout de présenter à ses lecteurs une
image complète de la condition humaine. Ce faisant, il s'engage. On méprise un
peu, aujourd'hui, un livre qui n'est pas un engagement. Quant à la beauté, elle
vient par surcroît, quand elle peut.   SARTRE, Situations I, p. 310.

♦ **8.** S'exhorter soi-même à (qqch.), à faire (qqch.).

49   (...) mais, quand je considère avec quelle rapidité ces trois premiers mois se sont
écoulés, je m'engage à la patience (...)
SAINTE-BEUVE, Correspondance, I, p. 26.

▶ **ENGAGÉ, ÉE** p. p. adj.

♦ **1.** (1762). Qui a un engagement dans l'armée. *Soldats engagés*
(→ ci-dessous, cit. 54). — N. m. *Un engagé volontaire*. *Ce bataillon comprend des engagés et des appelés. Un engagé par devancement d'appel.* — REM. Le fém. *engagée* est virtuel.

50   Engagé volontaire pour défendre la Révolution, il se plaisait,
le soir, à raconter ses vieilles guerres.   MISTRAL, Mes origines, p. 22.

♦ **2.** (1845). Archit. *Colonne engagée, pilastre engagé :* colonne,
pilastre en partie intégré dans la maçonnerie (mur, pilier, etc.).
⇒ **Demi-colonne.**

51   Le cloître n'a laissé qu'une longue galerie d'ogives qui relie l'abbaye à un premier
monument, où l'on distingue encore des colonnes byzantines taillées à l'époque de
Charles le Gros, et engagées dans de lourdes murailles du seizième siècle.
NERVAL, les Filles du feu, « Angélique », X.

♦ **3.** (V. 1945). Mis par son engagement au service d'une cause.
*Littérature engagée. Auteur, écrivain engagé. Être politiquement
engagé.*

52   (...) dans la « littérature engagée », l'*engagement* ne doit, en aucun cas, faire oublier
la *littérature* (...) notre préoccupation doit être de servir la littérature en lui infu-
sant un sang nouveau, tout autant que de servir la collectivité en essayant de lui
donner la littérature qui lui convient.   SARTRE, Situations II, p. 30.

53   D'aucuns se demanderont si ma protestation contre une école qui ne respecte que
la pensée engagée n'impliquerait pas mon adhésion à une autre qui n'estime que
la pensée *non engagée* résolue à ne jamais sortir de la « disponibilité ». Il n'en est
rien (...)   Julien BENDA, la Trahison des clercs, Préface de l'éd. 1946, p. 68.

54   (...) je suis engagé, au sens matériel du terme, comme un soldat qui a signé son
engagement. Que la passion politique m'entraîne ou m'égare, il n'en reste pas
moins que je suis engagé dans ces problèmes d'en-bas, pour des raisons d'en-haut.
F. MAURIAC, Bloc-notes 1952-1957, p. 69.

♦ **4.** (1864). Mar. (Choses). Entravé. *Cordage engagé,* bloqué. *Ancre
engagée,* prise au fond. — *Navire engagé,* qui gîte fortement et
sans pouvoir se relever (à cause du vent, des lames ou d'un déplacement de la cargaison).

♦ **5.** (De *s'engager*). Personnes, véhicules. En train de pénétrer dans
une voie. *J'étais déjà engagé dans le chemin, quand j'ai vu qu'il
était coupé.*

CONTR. Dégager, reprendre. — Délier, libérer ; quitte (tenir quitte de...). —
Débaucher ; chasser, congédier, remercier, renvoyer. — Enlever, retirer, sortir, tirer.
— Finir, terminer ; conclure. — Déconseiller, décourager, dégoûter, détourner, dissuader, repousser, retenir. — Dédire (se), reculer, renier. — Démissionner, partir ;
déserter. — Sortir. — Finir. — Dégagé. — Démissionnaire, déserteur. — Disponible, libre.

DÉR. Engageable, engageant, engagement, engagiste.

ENGAGISTE [ɑ̃gaʒist] n. — 1648 ; de *engager.*

♦ Dr. (Vx). Personne qui avait la possession d'un domaine par suite
d'un engagement. « *L'argent fut rendu aux engagistes...* » (Chateaubriand).

ENGAINANT, ANTE [ɑ̃gɛnɑ̃, ɑ̃t] adj. — 1798 ; p. prés. de *engainer.*

♦ Qui engaine. — Anat. Qui recouvre d'une gaine. — Bot. Qui enveloppe comme ferait une gaine. *Feuille engainante.*

ENGAINÉ, ÉE [ɑ̃gene] adj. — 1864, *in* Littré ; p. p. de *engainer.*

♦ **1.** Engagé dans une gaine.

Par métaphore. Gainé, serré dans (un vêtement) :

(...) cette affranchie serait-elle aujourd'hui une mince fille à ample chevelure, aux jambes et aux hanches engainées dans des jeans de cuir, avec une grosse ceinture placée très bas, sous le ventre plat dont on voit le nombril (...)
Michel LEIRIS, *Frêle bruit,* p. 57.

♦ **2.** Arts. Se dit d'une statue dont la partie inférieure est enfermée dans une gaine qui se rétrécit vers la base.

♦ **3.** Bot. *Tige engainée,* dont la base est enveloppée de feuilles, de pétioles.

ENGAINER [ɑ̃gene] v. tr. — XIVᵉ ; de *en-, gaine,* et suff. verbal.

♦ **1.** Mettre dans une gaine. ⇒ **Rengainer.** *Engainer un poignard.*

♦ **2.** (Av. 1665). Tenir serré. — Bot. *Feuilles qui engainent les tiges des graminées.* ⇒ **Engainant** (→ Calice, cit. 3). — *Robe qui engaine la taille.* ⇒ **Gainer.**
CONTR. Dégainer.
DÉR. Engainant, engainé.

ENGAMER [ɑ̃game] v. tr. — XVIᵉ ; de *en-,* du mot régional *gâmo* « goître » ; du francique **wamba,* et suff. verbal.

♦ T. de pêche. Avaler (l'appât muni d'un hameçon), en parlant du poisson.

ENGANE [ɑ̃gan] n. f. — Fin XIXᵉ ; provençal *engano* (Nice, *engana*) « salicorne », rattaché par Wartburg, comme *engano* « ruse, séduction, tromperie » (de *enganar* « tromper »), à un étymon latin **ingannare* « tromper ».

♦ Régional. Peuplement de salicornes*, au bord de la Méditerranée.
« Si l'on ne cultive plus le riz, poursuit-il, on ne pourra plus rien cultiver du tout. Le sel reviendra et, avec lui, les enganes (...) La culture du riz s'étend, domine. Elle gagne sur les marais, les vignes, les enganes, terres parsemées de touffes d'herbe rares »
(*l'Express,* août 1979, p. 45-46).

ENGANTER [ɑ̃gɑ̃te] v. tr. — Mil. XIVᵉ ; *engaunté,* v. 1300 ; de *en-, gant,* et suff. verbal.
Vieux.

♦ **1.** ⇒ **Ganter.**

♦ **2.** (1834). Séduire (qqn) en flattant, en trompant (Balzac, *et al.*).

ENGARDE [ɑ̃gaʀd] n. f. — 1811 ; de l'anc. v. *engarder* (XIIᵉ) « surveiller, préserver », de *en-,* et *garder.*

♦ Techn. Sarment de vigne taillé long.

ENGAVER [ɑ̃gave] v. tr. — 1782 ; de *en-,* et *gaver.*

♦ **1.** Vx. Gaver (une volaille).

♦ **2.** Didact. (d'un oiseau). Nourrir (ses petits) par des aliments gardés et humectés dans le bec.

ENGAZONNEMENT [ɑ̃gazɔnmɑ̃] n. m. — 1856 ; de *engazonner.*

♦ Techn. Action d'engazonner (une terre), de semer d'herbe ; état d'un sol engazonné.

ENGAZONNER [ɑ̃gazɔne] v. tr. — 1554 ; de *en-,* et *gazon.*

♦ Techn. Semer, couvrir de gazon. ⇒ **Enherber, gazonner.** *Terrain à engazonner.* — Au p. p. *Jardin, terrain engazonné.*
DÉR. Engazonnement.

ENGEANCE [ɑ̃ʒɑ̃s] n. f. — 1539 ; de *enger.*

♦ **1.** Vx. Race* (d'animaux). *Poules d'une belle engeance.* — Par anal. *L'engeance humaine.*

1   Du temps que les bêtes parlaient,
     Les lions, entre autres, voulaient
     Être admis dans notre alliance,
     Pourquoi non, puisque leur engeance
     Valait la nôtre en ce temps-là (...)   LA FONTAINE, *Fables,* IV, 1.

♦ **2.** (XVIIᵉ). Catégorie d'hommes méprisables ou détestables. *Ce sont*

tous des hypocrites ! c'est une engeance que je ne peux pas supporter. Quelle sale engeance ! ⇒ **Graine** (mauvaise graine).

(...) cette canaille *(les crieurs d'eau-de-vie),* qui est à mon avis la plus importune engeance qui soit dans la république humaine (...)   2
SCARRON, *le Roman comique,* III, 2, p. 308.

Mais je hais les pleurards, les rêveurs à nacelles,   3
Les amants de la nuit, des lacs, des cascatelles,
Cette engeance sans nom, qui ne peut faire un pas
Sans s'inonder de vers, de pleurs et d'agendas.
A. DE MUSSET, *Premières poésies,*
« La coupe et les lèvres », Dédic. M. Alfred T.

DÉR. Engeancer.

ENGEANCER [ɑ̃ʒɑ̃se] v. tr. — Conjug. *placer.* — 1686 ; de *engeance* au sens 2 ; cf. *engeancer* « fournir d'animaux reproducteurs », 1571.

♦ Vx. Embarrasser (qqn) par une engeance, par un importun. ⇒ **Enger** (vx).

ENGEIGNER [ɑ̃ʒeɲe] v. tr. — XIIᵉ ; de *engin,* en anc. franç. « tromperie, ruse ».

♦ Vx ou archaïsme littér. ⇒ **Tromper** (→ Cuider, cit., La Fontaine). Passif. « *Être engeigné, lui, meilleur que du pain...* » (Léon Cladel, *in* T. L. F.).
Pronominal :
(...) chaque an il allait passer un mois sur les bords de la Marne à pêcher. En attendant que l'animal s'engeigne, il réfléchissait.
R. QUENEAU, *les Enfants du limon,* VI, CVI, p. 177.

ENGELURE [ɑ̃ʒlyʀ] n. f. — XIIIᵉ ; de l'anc. v. *engeler* « geler complètement », XIIᵉ ; de *en-, gel,* et suff. *-ure.*

♦ Lésion due au froid, caractérisée par une enflure douloureuse, rouge, violacée, accompagnée parfois d'ampoules ou de crevasses. ⇒ **Érythème** (érythème pernio), **froidure.** *Les engelures apparaissent aux doigts des mains et des pieds, aux talons, aux oreilles, au nez. Attraper des engelures.*

Le pauvre postillon, sous le dais de fer blanc,   1
Chauffant une engelure énorme sous son gant,
Suit son lourd omnibus parmi la rive gauche (...)
RIMBAUD, *Poésies,* « État de siège ».

(...) elle posa ses mains rougies par les engelures sur son tablier (...)   2
J. CHARDONNE, *les Destinées sentimentales,* p. 236.

ENGENDREMENT [ɑ̃ʒɑ̃dʀəmɑ̃] n. m. — V. 1130 ; de 1. *engendrer.*

Rare. Action d'engendrer. ⇒ **Génération.**

♦ **1.** Action de donner, de produire la vie (en parlant d'un être humain). *L'engendrement d'un enfant.* — Absolt. « *Ces travaux frocés de l'engendrement...* » (Maupassant, *in* T. L. F.). ⇒ **Maternité.** Par anal. Production de la vie, d'un être vivant.

♦ **2.** Par métaphore et fig. Le fait de produire, de donner une réalité à qqch. *L'engendrement d'institutions, d'industries nouvelles.* (Abstrait). *L'engendrement d'idées, de théories.*
Spécial. Production indéfinie de messages au moyen des éléments finis d'un code.

1. ENGENDRER [ɑ̃ʒɑ̃dʀe] v. tr. — 1135 ; du lat. *ingenerare* « faire naître, créer, enfanter », de *in-,* et *generare.* → Génération.

♦ **1.** (Le sujet désigne un être humain). Produire, faire naître un enfant. ⇒ **Procréer.** *Abraham engendra Isaac* (→ Circoncision, cit. 1). *Elle n'a pas encore engendré d'enfant. Les fils qu'ils ont engendrés.* — Absolt. *Qui a le pouvoir d'engendrer.* ⇒ **Prolifique.**

(...) après la mort du patron, il répandit par le monde que ce défunt l'avait engendré, n'hésitant pas à déshonorer sa propre mère, que le progéniteur supposé ne connut peut-être jamais.   1
Léon BLOY, *le Désespéré,* p. 197.

À propos, qu'est-ce que Champcenais peut bien avoir, pour avoir engendré ce *minus habens* ?   2
J. ROMAINS, *les Hommes de bonne volonté,* t. V, XXVI, p. 271.

(1679). Théol. *Le Fils, engendré par le Père.*

(...) le nom de son fils est le nom de Verbe, Verbe qu'il *(Dieu)* engendre éternellement, en se contemplant lui-même, qui est l'expression parfaite de la vérité, son image, son fils unique, l'éclat de sa clarté et l'empreinte de sa substance.   3
BOSSUET, Disc. sur l'Hist. universelle, II, 6.

Par anal. Provoquer l'apparition de (un phénomène vital, un être vivant). *La matière a-t-elle engendré la vie ? Engendrer des organismes, des individus nouveaux* (par un mécanisme de reproduction). *Animal qui engendre* (→ Copulation, cit. 1, 2).
Par anal. ⇒ **Créer.** — Au participe passé :

Malheureux qui se fie à femme après cela !   4
La meilleure est toujours en malice féconde ;
C'est un sexe engendré pour damner tout le monde.
J'y renonce à jamais, à ce sexe trompeur,
Et je le donne tout au diable de bon cœur.   MOLIÈRE, *l'École des maris,* III, 9.

♦ **2.** (XIIIᵉ). Fig. (Sujet et compl. n. de chose). Avoir pour effet ; donner naissance à. ⇒ **Causer, créer, déterminer, entraîner, naître** (faire), **occasionner, produire.** *La cause engendre l'effet* (→ Créateur, cit. 7). *États, passions, sentiments qui en engendrent d'autres* (→ Contraire, cit. 1 ; croyance, cit. 4 ; différence, cit. 10). *L'excès de familiarité engendre le mépris. Mal qui engendre le mal* (→ Chômage, cit. 2). *Atmosphère qui engendre la rêverie* (→ Cloître, cit. 4).

5 Si l'indolente oisiveté n'engendre que la tristesse et l'ennui, le charme des doux loisirs est le fruit d'une vie laborieuse.
            ROUSSEAU, Julie ou la Nouvelle Héloïse, IV, Lettre XI.

6 Le besoin général de paix et de tranquillité que chacun éprouvait après de violentes commotions, engendrait un complet oubli des faits antérieurs les plus graves.
            BALZAC, Une ténébreuse affaire, Pl., t. VII, p. 454.

7 L'amour naît d'un regard ; et un regard suffit pour engendrer une éternelle haine.
            VALÉRY, Rhumbs, p. 91.

8 Les gens de ma génération ont vu le génie français engendrer de grandes œuvres.
            G. DUHAMEL, Biographie de mes fantômes, XI, p. 215.

(1666). Loc. fam. *Ne pas engendrer la mélancolie :* être d'un naturel gai, répandre la bonne humeur autour de soi.

9 Allons, morbleu ! il ne faut point engendrer de mélancolie !
            MOLIÈRE, le Médecin malgré lui, I, 5.

♦ **3.** (1752). Géom. Décrire ou produire (une figure) en se déplaçant (⇒ **Génération**). *La révolution d'un demi-cercle autour de son diamètre engendre la sphère. Engendrer un cône* (→ Cône, cit. 2).

♦ **4.** Produire en nombre indéterminé (des messages, des énoncés) par application des règles d'un code. ⇒ **Générer** (anglicisme).

▶ **S'ENGENDRER** v. pron.

10 Le phénix ce bûcher qui soi-même s'engendre.   APOLLINAIRE, Alcools, Zone.
11 Les visions qui, hier encore, se poussaient, s'engendraient confusément l'une l'autre comme les nuages au ciel, seront remplacées par des idées articulées l'une sur l'autre avec précision.   J. ROMAINS, les Hommes de bonne volonté, t. V, XV, p. 113.

▶ **ENGENDRÉ, ÉE** p. p. adj. *Enfants engendrés.* ⇒ **Né.**
N. *Les générateurs, les géniteurs et les engendrés.*
Êtres, organismes engendrés. ⇒ **Vivant.**
Par métaphore. *Effets engendrés. Les soleils « engendrés dans l'espace »* (Sully-Prudhomme), créés, formés. — (Abstrait). *Idées engendrées dans l'esprit. Sentiments engendrés. — Messages engendrés.* ⇒ **Généré** (anglicisme).

12 Il y a des gens étincelants (...) qui vous étonnent par la suite infinie des propos inattendus (...) Et toutefois, ce jeu et cette création si variés, si abondants, donnent enfin l'étrange impression de l'automatisme (...) La suite de tant de trouvailles donne l'idée d'une série mécaniquement engendrée.
            VALÉRY, Tel quel I, p. 29.

CONTR. (Du p. p.) **Inengendré.**
DÉR. **Engendrement, engendreur.**

2. ENGENDRER [ãʒɑ̃dʀe] v. tr. — XIIIᵉ ; de *en, gendre,* et suff. verbal.

♦ Vx ou par plais. Pourvoir d'un gendre. Prendre pour gendre. — Pronominal :
Ma foi, je m'engendrais d'une belle manière (...)   MOLIÈRE, l'Étourdi, II, 5.

ENGENDREUR, EUSE [ãʒɑ̃dʀœʀ, øz] adj. — XIIᵉ, *engendreur* (n. m.) « géniteur » ; *engendresse* (n. f. ; XVᵉ) « mère » ; de 1. *engendrer.*

♦ Rare. Qui engendre (fig.), qui cause. ⇒ **Générateur.**
Et les domestiques, que sont-ils donc, eux, sinon des esclaves (...) Esclaves de fait, avec tout ce que l'esclavage comporte de vileté morale, d'inévitable corruption, de révolte engendreuse de haine.
            O. MIRBEAU, le Journal d'une femme de chambre, p. 279.

ENGER [ãʒe] v. tr. — Conjug. *bouger.* — V. 1190, *engier* « augmenter, accroître (la force) » ; dér. normal du lat. *indicare* (→ Indiquer) ; mais le sens fait problème, on suppose que *index, -icis* ayant signifié « œuf pour inciter les poules à pondre », *indicare* aurait pris la valeur de « propager » ; P. Guiraud propose l'étymon lat. *ingignere* « faire pousser dans, implanter », d'où le fréquentatif *ingignicare* « faire propager ».

♦ Vx (langue class.). Pourvoir d'une progéniture. — (Mil. XVIᵉ). *Enger qqn de (qqn, qqch.),* l'embarrasser de (une personne, chose désagréable). ⇒ **Engeancer** (vx).
Votre père se moque-t-il de vouloir vous enger de son avocat de Limoges ?
            MOLIÈRE, Monsieur de Pourceaugnac, I, 1.

DÉR. **Engeance.**

ENGERBAGE [ãʒɛʀbaʒ] n. m. — 1835 ; de *engerber.*
♦ Agric. Gerbage.

ENGERBEMENT [ãʒɛʀbəmã] n. m. — 1870 ; de *engerber.*
♦ **1.** Agric. Gerbage.
♦ **2.** (1901). Milit. Disposition (des armes, des munitions) dans un arsenal.

ENGERBER [ãʒɛʀbe] v. tr. — 1368 ; « remplir de gerbes », 1226 ; de *en-, gerbe,* et suff. verbal.

♦ Agric. Mettre en gerbes. ⇒ **Gerber.**
(1803). Par ext. (Vx). Mettre en tas. *Engerber des tonneaux, des sacs.* ⇒ **Gerber.**
DÉR. **Engerbage, engerbement.**

ENGIN [ãʒɛ̃] n. m. — Mil. XIIᵉ ; du lat. *ingenium,* en lat. class. « talent, intelligence ; invention », puis en bas lat. « ruse ».

★ **I.** (Du XIIᵉ au XVᵉ). Vx. Conservé dans certains dialectes et dans des formules figées : *engin vaut mieux que vigueur.* ⇒ **Ingéniosité.**

★ **II. A. ♦ 1.** (XIIIᵉ). Vx. Tout objet servant à faire une opération précise. ⇒ **Appareil, instrument, outil.**

1 (...) Un guichet
Qui n'avait pour serrure autre engin qu'un crochet.
            Mathurin RÉGNIER, Satires, XI.

♦ **2.** Mod. Instrument caractérisé par sa grosseur, sa complexité (« *sa machine* [à écrire], *c'était un engin énorme* » Céline), ou son caractère dangereux, nuisible.

2 En effet, n'y a-t-il pas un très grand rapport entre Panurge et l'écolier Villon ? Panurge, avec son nez fait en manche de rasoir. Panurge, poltron, gourmand, hâbleur, ribleur, avec ses vingt-six poches pleines de pinces, de crocs, de ciseaux à couper les bourses, et mille autres engins nuisibles (...)
            Th. GAUTIER, les Grotesques, François Villon, p. 31.

♦ **3.** (1487). Fam. Objet (qu'on ne veut ou ne peut désigner). ⇒ **Bidule, instrument, machin, truc.** *Qu'est-ce que c'est que cet engin ? Un drôle d'engin.*

2.1 Chaque fois qu'il tournait la tête, elle en profitait pour chercher ses engins dans son sac, et asticoter sa beauté.
            MONTHERLANT, les Lépreuses, *in* Romans, t. I, Pl., p. 1495.

Par euphém. Sexe de l'homme (surtout avec les adj. *gros, énorme,* etc.).

REM. Les emplois généraux modernes et les emplois spéciaux (B.) manifestent l'unité sémantique du mot, qui entraîne les idées de « force, puissance, grosseur » ou « faculté de nuire » (chasse, guerre... et les métaphores).

B. (Emplois spéciaux). ♦ **1.** Machine, pièce mécanique servant à lever, à tirer, à manipuler des fardeaux... *Imaginer, inventer des engins nouveaux* (→ Découverte, cit. 5). *Engins de levage, de manutention.*

3 M. Maelzel annonce alors à l'assemblée qu'il va exposer à ses yeux le mécanisme de l'*Automate* (...) Tout cet espace est en apparence rempli de roues, de pignons, de leviers et d'autres engins mécaniques, entassés et serrés les uns contre les autres (...)   BAUDELAIRE, trad. d'E. POE, le Joueur d'échecs de Maelzel.

Spécialt. Machine mobile et puissante, servant à des opération diverses. *Engins de travaux publics :* pelleteuses, bulldozers, etc. *Engin de forage. Conduire un engin* (⇒ **Enginiste**).

♦ **2.** (XIIᵉ). *Engins de guerre* (anciennt) : toute arme lançant des projectiles (en dehors du canon). ⇒ Arbalète, cit. 1 ; (mod.) *engins à tir courbe* (mortiers, obusiers). — *Compagnie d'engins :* unité d'infanterie équipée de mortiers, armes antichars et antiaériennes.

4 Le dernier soldat de la section d'engins chargé d'un socle de canon lance-grenade ayant franchi la porte de Dar Riffien, le tambour-major leva sa canne et la musique s'arrêta net (...)   P. MAC ORLAN, la Bandera, VIII, p. 99.

4.1 C'est une erreur de croire, comme je l'ai cru longtemps moi-même, que les usines d'Essen ne fabriquent que des canons, des obus, des cuirassés et tous autres engins de guerre ; en effet, une partie assez grande même des ateliers produit des articles des genres les plus variés, destinés à être échangés contre des victuailles ou des objets de première nécessité dans les pays neutres.
            G. LEROUX, Rouletabille chez Krupp, p. 42.

Engins blindés : véhicules blindés. ⇒ **Char.** *Engins blindés de reconnaissance :* automitrailleuses.
Engins ou *engins spéciaux :* projectiles autopropulsés et autoguidés ou téléguidés (dits, selon leur point de départ et leur objectif, *sol-sol, air-sol, air-air,* etc.). ⇒ **Missile.**
Dispositif explosif (grenade, bombe, mine...) complexe. *Engin à retardement.*

5 Les engins nouveaux tendent à supprimer indistinctement toute vie dans une aire toujours plus grande.   VALÉRY, Variété, IV, p. 58.
6 N'a-t-on pas donné, pendant la dernière guerre, le nom de robot à certaines machines qui portaient la mort en un lieu donné, sans le secours d'une intelligence directrice, toutes les pièces de l'engin s'étant trouvées bien réglées au départ.
            G. DUHAMEL, Manuel du protestataire, IV, p. 123.
7 « Un engin d'une telle force explosive », se disait Meynestrel, que, ma foi, si on l'utilisait bien, l'effet pourrait dépasser toutes prévisions (...)
            MARTIN DU GARD, les Thibault, t. VII, p. 46.
7.1 Il était dans une tranchée sinueuse, dont le haut lui arrivait juste à hauteur du front ; il tenait à la main une sorte de grande explosive, de forme allongée, un engin à retardement dont il venait de mettre le mécanisme en marche. Sans perdre une seconde, il devait lancer la chose hors de la tranchée. Il entendait son mouvement d'horlogerie, comme le tic-tac d'un gros réveil.
            A. ROBBE-GRILLET, Dans le labyrinthe, p. 119.

♦ **3.** (Fin XIIIᵉ). Dispositif servant à prendre, à tuer les animaux. *Engins de pêche* (→ Chalut, cit. 1), *de chasse* (→ Attraper, cit. 1 ; chausse-trape, cit. 5), destinés à prendre le poisson, le gibier. *Engins* *prohibés par la loi* (certains filets, les collets, panneaux, etc., à cause des ravages que feraient les chasseurs et les pêcheurs en les utilisant).

8   Il est interdit (...) de faire usage de tous engins, tels que foënes, harpons, fourches, tridents, grappins, crochets permettant de darder, harponner ou accrocher le poisson autrement que par la bouche (Décret 1939, art. 19) [...]
DALLOZ, Nouveau répertoire, Pêche fluviale, art. 50.

9   On doit également considérer comme engins prohibés, les lacets, les collets, les filets, les panneaux, les raquettes ou sauterelles, les trébuchets, les traquenards, les maisonnettes à lièvre, la glu.
DALLOZ, Nouveau répertoire, Chasse-louveterie, art. 94.

10   M. Bluette (grand chasseur devant l'éternel) fabriquait ces mille engins subtils qui servent à la vénerie ou à la pêche, tels que pièges, filets, bertavelles, nasses, rissoles, vredelles, tonnelles, bouquetouts, gluaux, éperviers, panneaux, sennes, drèges, pousaux, pantières, contre-bougres, libourets, gangueils, etc.
A. ALLAIS, l'Affaire Blaireau, p. 30.

♦ **4.** (Mil. xxᵉ). *Engin spatial :* «objet spatial de fabrication humaine» (*in* Journ. off.). *Amarrage d'un engin spatial à une station orbitale.*

♦ **5.** Sports. Appareil utilisé pour les exercices de gymnastique (tel que barres fixes et parallèles, cheval-arçons, etc.). *Concours par engin. Travail aux engins.* ⇒ aussi **Agrès.**

DÉR. Enginiste.
COMP. Antiengin.

ENGINEERING [inʒiniʀiŋ ; ɑ̃ʒinəʀiŋ] n. m. — 1949, *in* Höfler ; mot angl. «art de l'ingénieur». → Génie, III.

♦ Anglic. Étude globale d'un projet industriel, qui est la synthèse d'études particulières faites par des spécialistes (aspects technique, économique, financier, monétaire, social). — REM. On a proposé *ingénierie* ou *ingénieurie* pour remplacer cet emprunt dont l'assimilation est difficile. → aussi Génie.

1   (...) on risque de tomber d'un suréquipement apparent dans un sous-équipement trop réel.
Les inconvénients d'un tel empirisme pourraient être aisément écartés par un recours aux sociétés d'*engineering* et à leurs ingénieurs-conseils.
L.-V. VASSEUR, J.-J. BIMBENET,
M. HILLAIRET, les Industries de l'alimentation, p. 72.

2   (...) il est devenu ingénieur et enfin P.D.G. (...) d'un brain-trust spécialisé dans l'engineering.   Hervé BAZIN, Cri de la chouette, p. 26.
Engineering génétique, moléculaire (cf. J. Monod, *le Hasard et la Nécessité*, p. 103). ⇒ **Génie.**

ENGINISTE [ɑ̃ʒinist] n. — Av. 1977 ; de *engin*, et *-iste.*

♦ Techn. Conducteur, conductrice d'engins de travaux publics. « *Il existe au moins une catégorie de travailleurs manuels qui n'a pas à se plaindre de son sort. Ce sont les "enginistes", les conducteurs des gros engins de travaux publics (...) ils touchent des salaires de cadres* » (*l'Express*, 5 déc. 1977, p. 137).

ENGLACER [ɑ̃glase] v. tr. — Conjug. *placer.* — xiiᵉ, *englacier,* v. intr. ; *englacer,* v. tr., xvᵉ ; de *en-, glace* «eau congelée», et suff. verbal.

♦ **1.** Vx. Faire geler.

♦ **2.** Rare. Recouvrir de glace, mettre dans la glace.

   (...) quand vous collez votre poisson dans la glace, il est déjà mort. Ce qu'il faudrait, c'est l'englacer, ce cochon de poisson, alors qu'il est en pleine et vivace et grouillante existence.
A. ALLAIS, Contes et chroniques (fin xixᵉ s.), p. 176.

▶ **ENGLACÉ, ÉE** p. p. adj.
Régional. Recouvert de glace (en parlant d'un terrain). *Versants, sommets englacés.*

ENGLACIATION [ɑ̃glasjasjɔ̃] n. f. — xxᵉ ; de *en-*, et *glace,* d'après *glaciation.*

♦ Didact. Envahissement progressif d'une région par les glaciers.

ENGLICHE [ɑ̃gliʃ] n. et adj. ⇒ **Angliche.**

ENGLOBANT, ANTE [ɑ̃glɔbɑ̃, ɑ̃t] adj. — Fin xixᵉ ; p. prés. de *englober.*

♦ Qui englobe, inclut (qqch.) en soi. *Minéraux englobants.* — Abstrait. *Théorie englobante.*

ENGLOBEMENT [ɑ̃glɔbmɑ̃] n. m. — 1861, Proudhon ; de *englober.*

♦ Fait d'englober ou d'être englobé.

ENGLOBER [ɑ̃glɔbe] v. tr. — 1611 ; de *en-, globe,* et suff. verbal.

♦ **1.** ENGLOBER DANS..., EN... : faire entrer dans un ensemble déjà existant. *Englober un champ, plusieurs parcelles de terre dans un vaste domaine.* ⇒ **Annexer, enclaver, joindre, réunir.** *Englober différents comptes dans la dépense générale.* — Au p. p. *Hameaux englobés dans les limites de la commune.* ⇒ **Comprendre, contenir.**

1   Quand les Romains joignent la Syrie à leur vaste domination, et englobent le petit pays de la Judée dans leur empire (...)
VOLTAIRE, Dict. philosophique, Histoire, II.
Englober plusieurs notions sous un nom, un terme.

♦ **2.** (1764). Réunir en un tout (plusieurs choses ou personnes). *Le réquisitoire englobait tous les accusés. Exécutions sommaires qui englobent innocents et coupables. Englober tous les hommes dans le même mépris.* → Mettre dans le même sac*. *Somme qui englobe toutes les autres.* ⇒ **Global.**

2   Jadis, avec mes idées calvinistes, j'englobais dans une même réprobation la magnificence des autels et celles des prêtres.   LOTI, Jérusalem, XIX, p. 218.

♦ **3.** (Le sujet désigne ce qui englobe). Intégrer, réunir en soi. *Ce recensement n'englobe que les étrangers.* ⇒ **Inclure.**

CONTR. Dissocier, séparer.
DÉR. Englobant, englobement.

ENGLOUTIR [ɑ̃glutiʀ] v. tr. — Fin xiᵉ ; du bas lat. *ingluttire* «avaler», de *in,* et lat. class. *gluttire* «avaler», de *gluttus* «gosier». → Glouton.

♦ **1.** (Fin xviᵉ). Avaler tout d'un coup, gloutonnement. ⇒ **Dévorer, enfourner, engouffrer.** *Engloutir les morceaux sans les mâcher* (→ Appétissant, cit. 1).

1   (...) il se trouva là un grand poisson qui engloutit Jonas ; il demeura trois jours et trois nuits dans le ventre de ce poisson.   BIBLE (SACY), Jonas, II, 1.

Absolt. S'empiffrer. *Il ne mange pas, il engloutit.*

2   Elle mangeait, mâchait, broyait, dévorait, engloutissait, mais avec l'air le plus léger et le plus insouciant du monde.   BAUDELAIRE, le Spleen de Paris, XLII.

3   À huit heures on mangeait encore. Les hommes déboutonnés, en bras de chemise, la face rougie, engloutissaient comme des gouffres.
MAUPASSANT, Contes de la bécasse, «Farce normande».

Par métaphore. *Conquérant, empire qui engloutit de petits États.* ⇒ **Absorber, dévorer.**

♦ **2.** (V. 1460). Fig. Dépenser* rapidement. ⇒ **Dévorer** (littér.), **dissiper, gaspiller.** *Il a englouti son héritage en moins d'un an. Engloutir des sommes considérables dans une entreprise.*

4   Pourquoi les quatre mille francs destinés à cette vaisselle ont-ils été engloutis encore cette année et pour cet équipage ?   Mᵐᵉ DE SÉVIGNÉ, 1270, mars 1690.

5   Une de ces fameuses coquettes qui dévorent et engloutissent en peu de temps les plus gros patrimoines.   A.-R. LESAGE, Gil Blas, X, 11.

(Sujet n. de chose). Absorber, épuiser.

6   Villa et château, par leurs frais d'entretien et de personnel eussent englouti plus que le revenu total des Genillé.
J. ROMAINS, les Hommes de bonne volonté, t. III, XIII, p. 181.

♦ **3.** (Sujet et compl. n. de chose). Faire disparaître brusquement, en noyant ou submergeant. ⇒ **Abîmer, détruire.** *Le déluge* (cit. 1) *engloutit les terres.* ⇒ **Noyer, submerger.** *La ville d'Ys aurait été engloutie par les flots. Séisme qui engloutit une ville.* ⇒ **Ensevelir, enterrer.**

7   J'entends le signal et les cris des matelots ; je vois fraîchir le vent et déployer les voiles : il faut monter à bord, il faut partir. Mer vaste, mer immense, où dois-je peut-être m'engloutir dans ton sein, puissé-je retrouver sur tes flots le calme qui fuit mon cœur agité.
ROUSSEAU, Julie ou la Nouvelle Héloïse, III, Lettre XXVI.

8   C'est d'un reflet pareil que la mer brille languissamment, quand le dernier cercle de l'eau se ferme sur un navire englouti.
André SUARÈS, Trois hommes, «Pascal», p. 30.

Fig. (poét.). *La mort nous engloutit. Le temps nous engloutit* (→ Abîme, cit. 8 ; cours, cit. 11). *L'homme est englouti dans l'immensité de l'univers* (→ Comprendre, cit. 1).

9   Et le Temps m'engloutit minute par minute,
Comme la neige immense un corps pris de roideur (...)
BAUDELAIRE, les Fleurs du mal, Spleen et idéal, LXXX.

▶ **S'ENGLOUTIR** v. pron. (Av. 1781). *Le navire s'est englouti dans les flots.* ⇒ **Abîmer** (s'), **couler, disparaître, sombrer.** *Le toit s'engloutit dans le brasier.* — Par métaphore :

10   Oh ! s'arracher les yeux pour ne plus les revoir !
S'engloutir dans la nuit solitaire et profonde
Dans l'oubli de la vie et de son désespoir !
LECONTE DE LISLE, Poèmes tragiques, «Le lévrier de Magnus», III.

▶ **ENGLOUTI, IE** p. p. adj. *Aliments engloutis.* — *Fortune englou-*

tie en un instant. — Navire englouti (→ ci-dessus, cit. 8). *La Cathédrale engloutie,* pièce pour piano de Debussy.

DÉR. Engloutissement, engloutisseur.

ENGLOUTISSEMENT [ɑ̃glutismɑ̃] n. m. — Déb. xvᵉ ; de *engloutir.*

Rare.

♦ **1.** Action, fait d'engloutir.

Les engloutissements de l'abîme sans fond (...)
HUGO, les Contemplations, VI, IV.

♦ **2.** Le fait d'être englouti, de sombrer. *L'engloutissement d'un navire dans l'océan.*

ENGLOUTISSEUR, EUSE [ɑ̃glutisœʀ, øz] adj. et n. — xvⁱᵉ ; de *engloutir.*

♦ Rare. (Personne ou chose) qui engloutit.

Un mot que vous n'entendrez peut-être pas, et que je veux quand même confier au temps qui nous emporte comme des épaves, confier à l'espace qui nous sépare, au silence engloutisseur qui nous étreint, et qui nous étouffera.
G. DUHAMEL, Récits des temps de guerre, IV, XLVI.

ENGLUAGE [ɑ̃glyaʒ] n. m. — 1870 ; de *engluer.*

♦ **1.** Rare. Action d'engluer ; fait d'être englué.

♦ **2.** Techn. Enduit protecteur (mastic, coaltar) employé en arboriculture.

ENGLUANT, ANTE [ɑ̃glyɑ̃, ɑ̃t] adj. — Attesté xxᵉ ; p. prés. de *engluer.*

♦ Qui englue.

(...) le désir est l'engluement d'un corps par le monde ; et le monde se fait engluant, la conscience s'enlise dans un corps qui s'enlise dans le monde.
SARTRE, l'Être et le Néant, p. 462.

ENGLUEMENT [ɑ̃glymɑ̃] n. m. — Fin xiiiᵉ ; de *engluer.*

♦ **1.** ⇒ Engluage.

♦ **2.** Fig. Le fait d'être englué, de s'engluer. ⇒ **Enlisement ;** → Engluant, cit.

ENGLUER [ɑ̃glye] v. tr. — *J'engluais, nous engluïons, vous engluïez ; que j'englue.* — Déb. xiiᵉ ; de *en-, glu,* et suff. verbal.

♦ **1.** (xivᵉ). Compl. n. de chose. Enduire de glu, d'une matière gluante. *Engluer un rameau pour prendre des oiseaux.*

1   (...) et comme il *(le merle)* allongeait
Le col pour s'abreuver, pauvret qui ne songeait
Qu'à prendre son plaisir ! se vit outre coutume
Engluer tout le col et puis toute la plume (...)
RONSARD, Églogues, I.

Par métaphore. Rendre poisseux, collant.

2   Dites toujours : *Préférer que,* et non pas *j'aime mieux que* qui englue les lèvres comme un morceau de collenbouche.
CLAUDEL, Positions et propositions, p. 84.

Par anal. (Le sujet désigne ce qui rend gluant). *Boue qui englue les chaussures.*

3   (...) une énorme botte de glaise qui englue nos chaussures, appesantit notre marche jusqu'à la rendre exténuante (...)
MAUPASSANT, la Vie errante, Vers Kairouan, 14 déc.

♦ **2.** (Fin xiiᵉ). Compl. n. animé. Prendre à la glu. *Engluer des oiseaux.* — Prendre, retenir dans une matière gluante.

Au participe passé :

4   Les charrettes n'avançaient pas, elles avaient l'air engluées sur la route.
SARTRE, le Sursis, p. 66.

(Déb. xiiᵉ). Par métaphore. (Vieilli.) Prendre au piège. *Se laisser engluer par un aigrefin.*

5   La nouvelle n'est pas reçue avec un grand enthousiasme par les pauvres amants, qui se trouvent pris dans le piège qu'ils ont tendu, et englués de leurs propres finesses.
Th. GAUTIER, les Grotesques, p. 331.

6   (...) on n'englue pas le diable comme un merle à la pipée.
Aloysius BERTRAND, Gaspard de la nuit, Chroniques, VI, 1.

▶ **S'ENGLUER** v. pron.

Être retenu par de la glu, par une matière gluante. *Oiseaux qui s'engluent. Doigts qui s'engluent dans la résine* (→ Branche, cit. 4). — Fig. *« La France s'englua dans des complications italiennes »* (Bainville, *in* T. L. F.).

▶ **ENGLUÉ, ÉE** p. p. adj.

[a] Enduit d'une matière collante. *Chaussures engluées de boue.*

[b] Fig. et littér. Pris dans.

7   Tout le village était immobile, englué dans l'oubli de la sieste d'été.
M. DURAS, les Petits Chevaux de Tarquinia, p. 193.

[c] Vieilli. Mielleux. *« Des manières engluées »* (Pierre Hamp, *in* T. L. F.).

CONTR. Dégluer.
DÉR. Engluage, engluant, engluement.

ENGOBAGE [ɑ̃gɔbaʒ] n. m. — 1845 ; de *engober.*

♦ Techn. Action, manière d'engober.

ENGOBE [ɑ̃gɔb] n. m. — 1807 ; déverbal de *engober.*

♦ Techn. Enduit terreux qu'on applique sur la pâte céramique pour en masquer la couleur naturelle (⇒ **Couverte**).

Je palpe cette céramique épaisse, d'une facture incontestablement tupi par son engobe blanc bordé de rouge et le fin lacis de traits noirs, labyrinthe destiné, dit-on, à égarer les mauvais esprits en quête des ossements humains jadis préservés dans ces urnes.
Claude LÉVI-STRAUSS, Tristes tropiques, p. 67.

ENGOBER [ɑ̃gɔbe] v. tr. — 1807 ; de *en-,* et *gobe,* dial. «motte de terre». → Écobuer.

♦ Techn. Revêtir d'un engobe*.

DÉR. Engobage, engobe.

ENGOMMAGE [ɑ̃gɔmaʒ] n. m. — 1856 ; de *engommer.*

♦ Techn. Action, manière d'engommer.

ENGOMMER [ɑ̃gɔme] v. tr. — 1581 ; de *en-, gomme,* et suff. verbal.

♦ Techn. Enduire de gomme (un tissu, le support d'une poterie mise au four). *Engommer un tissu.*

DÉR. Engommage.

ENGONÇAGE [ɑ̃gɔ̃saʒ] n. m. — D.i. (1951, *le Monde, in* T.L.F.) ; de *engoncer.*

♦ Rare. Action, fait d'engoncer. *« Un empiècement (...) qui évite tout engonçage »* (*le Monde, in* T. L. F.).

ENGONÇANT, ANTE [ɑ̃gɔ̃sɑ̃, ɑ̃t] adj. — 1895 ; p. prés. de *engoncer.*

♦ Qui engonce. *Un col engonçant.*

Le nouveau venu, en pourpoint brodé, en culotte courte et en toquet de velours, portait une fraise engonçante et un loup mystérieux (...)
Raymond ROUSSEL, Impressions d'Afrique, p. 228.

ENGONCÉ, ÉE [ɑ̃gɔ̃se] p. p. adj. ⇒ **Engoncer.**

ENGONCEMENT [ɑ̃gɔ̃səmɑ̃] n. m. — 1803, Boiste ; de *engoncer.*

♦ Le fait d'être engoncé (dans un vêtement). — Fig. *« L'engoncement dans le sérieux »* (Mounier, *in* T. L. F.).

ENGONCER [ɑ̃gɔ̃se] v. tr. — Conjug. *placer.* — 1643 ; au p. p., 1611 ; de *en, gond,* et suff. verbal.

♦ Se dit d'un vêtement qui habille d'une façon disgracieuse, en faisant paraître le cou enfoncé dans les épaules. *Cet habit vous engonce.* — Absolt. *Les cols de fourrure engoncent.*

Par métaphore :

Le tronc des arbres, que n'engonce plus le taillis, apparaît dans toute sa noblesse.   0.1
GIDE, Voyage au Congo, *in* Souvenirs, Pl., p. 715.

REM. Le mot est littéraire à l'actif, plus courant au passif et au p. p. (voir ci-dessous).

▶ **S'ENGONCER** v. pron. réfl.

Enfoncer son cou (dans un vêtement qui paraît gêner).

Michel, qui vivait le plus souvent le col largement ouvert, s'était engoncé ce jour-là   0.2
dans je ne sais quel col-carcan (...)   GIDE, Journal, 7 août 1917.

▶ **ENGONCÉ, ÉE** p. p. adj.

♦ **1.** *Nuque engoncée* (→ Cou, cit. 7).

(...) vêtu comme à son ordinaire, à l'ancienne mode, le cou engoncé dans l'énorme   1
cravate de mousseline blanche (...)
Louis MADELIN, Talleyrand, V, XXXVII, p. 403.

Qui paraît enfoncé dans les épaules.

♦ **2.** Fig. *Avoir l'air engoncé,* gauche, contraint, comme lorsque le cou est gêné par le vêtement. — Par ext. ⇒ **Guindé, raide, rigide** (→ Collet* monté).

(Elle) avait la réputation d'une jeune personne fort engoncée et dévote.   2
F. MAURIAC, le Mal, I, p. 14.

Par analogie :

3 Ils devaient presque forcément se rabattre sur quelqu'un qui, sans être véreux, ne fût pas encore engoncé dans la respectabilité.
J. ROMAINS, les Hommes de bonne volonté, t. V, IX, p. 74.

CONTR. Dégager ; libérer.

DÉR. Engonçage, engonçant, engoncement, engonçure.

ENGONÇURE [ãgõsyʀ] n. f. — Déb. xxᵉ selon G. L. L. F. qui cite Jules Romains ; de *engoncer*.

◆ Rare. Ce qui engonce (vêtement, partie de vêtement).

ENGORGEMENT [ãgɔʀʒəmã] n. m. — 1611 ; «action d'avaler, de gorger», xvᵉ ; de *engorger*.

◆ **1.** État d'un conduit engorgé. ⇒ **Engouement,** I. (vx). — (1707). Méd. Enflure et durcissement (d'un organe) provoqués par une accumulation de sang, de sérosité ou d'une sécrétion. *Engorgement mammaire.*

1 Rieux l'examina et fut surpris de ne découvrir aucun des symptômes principaux de la peste bubonique ou pulmonaire, sinon l'engorgement et l'oppression des poumons.
CAMUS, la Peste, p. 253.

◆ **2.** (xxᵉ). Par anal. Obstruction des voies de circulation par afflux incessant de voitures. ⇒ **Bouchon, encombrement.** *Engorgement aux embranchements importants. Engorgement à l'entrée, à la sortie des grandes villes.*

2 Les surfaces des quais plus que doublées en douze mois, les surfaces couvertes, les magasins, doublés également, vous garantissent désormais contre l'engorgement et le désordre.
L. H. LYAUTEY, Paroles d'action, p. 110.

◆ **3.** (1767). Fig. Encombrement du marché (par surproduction, fermeture des débouchés, etc.). *L'engorgement des capitaux.*

ENGORGER [ãgɔʀʒe] v. tr. — Conjug. *bouger.* — 1611 ; «gorger, avaler», xiiᵉ ; de *en-, gorge,* et suff. verbal.

★ **I.** ◆ **1.** (Sujet et compl. n. de chose). Obstruer (un conduit, un passage) par l'accumulation de matières étrangères. *Les immondices qui engorgent l'égout. Vase qui engorge un canal.* ⇒ **Envaser.** Pron. *Tuyau d'évier qui s'engorge.* ⇒ **Boucher** (se). — Au participe passé :

1 Ces honnêtes enfants,
Qui de Savoie arrivent tous les ans,
Et dont la main légèrement essuie
Ces longs canaux engorgés par la suie. VOLTAIRE, Pauvre diable, *in* LITTRÉ.

(1611). Méd. Provoquer l'engorgement de (un organe). *Le sang circule mal et engorge les vaisseaux.* ⇒ **Congestionner.** *Des végétations, des mucosités engorgeaient les voies respiratoires.*

Pron. *Les vaisseaux s'engorgent.*

◆ **2.** (1864). Techn. (Sujet n. de personne). Empâter (une moulure) par une couche trop épaisse de peinture.

◆ **3.** Par anal. Causer un embarras de circulation dans... *Le rassemblement des badauds engorge le trottoir.* — Pron. *La rue étroite s'engorge de voitures.*

★ **II.** ◆ **1.** Rare (d'après *dégorger,* I., 1.). Faire entrer en soi.

1.1 Les magasins engorgeaient et dégorgeaient des flots de badauds.
J.-M. G. LE CLÉZIO, le Déluge, p. 78.

◆ **2.** Rare. Se remplir la gorge de (qqch.). ⇒ **Ingurgiter.** *Engorger qqch.* — Faux pron. « *Lui, s'engorgea précipitamment des rasades* » (Huysmans, les Sœurs Vatard, *in* T. L. F.).

◆ **3.** Par ext. Obstruer la gorge de (qqn). ⇒ **Étrangler.** *Faire engorger qqn,* le faire s'étrangler.

▶ **ENGORGÉ, ÉE** p. p. adj.

◆ **1.** Obstrué. *Tuyaux, canaux engorgés.*

2 De chaque côté, à gauche, des étangs sont là, qui communiquent avec le ruisseau par de minces canaux engorgés d'herbes aquatiques, des canaux où parfois les brochets s'engagent.
Pierre BENOIT, Mˡˡᵉ de la Ferté, IV, p. 231.

Techn. *Moulin engorgé,* l'élévation du niveau de l'eau empêchant les roues de tourner. — Méd. *Glandes, tissus engorgés,* qui sont le siège d'un engorgement*. Cheval qui a les jambes engorgées,* la circulation s'y faisant mal. — Par anal. *Moulure engorgée,* dont les formes disparaissent dans l'empâtement de couches de peinture successives.

◆ **2.** (1911, *in* D. D. L.). Bouché par un embarras de circulation.

3 (...) adroit et pressé, glissant chaque soir à travers la foule sans jamais me laisser attarder dans ces rues engorgées et brillantes si bien disposées pour retenir le passant.
J. CHARDONNE, Éva, p. 18.

◆ **3.** (Du sens propre de *gorge*). Littér. Qui paraît étranglé.

4 Cette voix engorgée, pâteuse, qui sortait par le coin des dents, avait toujours une intention sardonique. M. DRUON, les Grandes Familles, IV, VII, p. 201.

CONTR. Désengorger. — Dégorger.
DÉR. Engorgement.

ENGOUEMENT [ãgumã] n. m. — 1694 ; de *(s') engouer.*

★ **I.** Rare. Obstruction* (d'un conduit, d'une cavité). ⇒ **Engorgement.** *Engouement de l'œsophage, du poumon.* — (1845). *Engouement intestinal,* dû à l'accumulation des matières fécales dans une anse intestinale herniée, et qui entraîne une constipation opiniâtre.

★ **II.** (1694). Cour. Action de s'engouer ; état d'une personne qui est engouée. ⇒ **Admiration, emballement, enthousiasme, infatuation** (vx), **toquade.** *Engouement pour un artiste, un spectacle, un ouvrage. Engouement factice, épidémique, dû au snobisme. Engouement pour une mode, une idée en vogue. Engouement du public pour le cinéma. La critique* (cit. 20) *succède à l'engouement du premier jour.*

1 Toute ma crainte, en voyant cet engouement, et me sentant si peu d'agrément dans l'esprit pour le soutenir, était qu'il ne se changeât en dégoût, et malheureusement pour moi cette crainte ne fut que trop bien fondée.
ROUSSEAU, les Confessions, X.

2 Qui prévoirait les étranges bonds et écarts de la mobilité de l'esprit français ? Qui pourrait comprendre comment ses exécrations et ses engouements, ses malédictions et ses bénédictions se transmuent sans raison apparente ?
CHATEAUBRIAND, Mémoires d'outre-tombe, t. VI, p. 271.

3 On a souvent peine à comprendre certaines vogues, certains engouements pour des écrits qui nous paraissent maintenant de l'insipidité la plus nauséabonde (...)
Th. GAUTIER, les Grotesques, Préface, p. 7.

4 (...) c'est là ce qui me fait, dans mes écrits, rechercher, entre toutes qualités, celles sur qui le temps ait le moins de prise, et par quoi ils se dérobent à tous les engouements passagers.
GIDE, Journal, 27 juil. 1922.

CONTR. Dégoût, désenchantement.

ENGOUER [ãgwe] v. — xivᵉ ; mot dial. ; de *en-,* rad. de *joue,* et suff. verbal.

★ **I.** Vx. Étouffer en obstruant le gosier. *Il avale de trop gros morceaux qui l'engouent.*

V. pron. (1555). Vieilli. S'étouffer en avalant trop vite. *S'engouer en mangeant gloutonnement. Bébé qui s'engoue en tétant trop vite.*

1 Il ne mange pas, il dévore,
Et le fait tant avidement
Qu'il s'engoue ordinairement. SCARRON, Virgile travesti, 3.

2 (...) on était venu m'avertir que le petit Roger s'étouffait (...) Ce n'était rien de grave ; tout simplement, il s'était engoué, comme il arrive aux bébés quelquefois.
LOTI, Figures et choses..., p. 16.

Par ext. S'étouffer.

2.1 Un homme (...) était agité d'une sorte de transe hystérique (...) Les yeux lui sortaient de la tête. Il finit par s'engouer dans sa fureur et par tousser. Enfin, il cracha la figure d'Angélo. J. GIONO, le Hussard sur le toit, p. 98.

★ **II.** V. pron. et passif. (V. 1680, Mᵐᵉ de Sévigné, Ménage, *in* Trévoux). **S'ENGOUER DE...** : se prendre de passion, d'enthousiasme exagéré et le plus souvent passager pour une personne ou une chose. ⇒ **Emballer** (s'), **éprendre** (s'), **entêter** (s'), **enthousiasmer** (s'), **enticher** (s'), **infatuer** (s'), **passionner** (se), **toquer** (se). *Je me demande bien comment il a pu s'engouer de cette femme à ce point ! S'engouer d'une nouveauté (engoué de...). Absolt et rare. Il s'engoue facilement.*

ÊTRE ENGOUÉ DE..., pris d'enthousiasme. — Au p. p. (1672, Sorel). ⇒ **Entiché, féru, imbu, infatué** (vx), **toqué.** *Être engoué de musique baroque.*

3 Madame de la Fayette vous a vue (...) elle est *engouée* de vous, c'est son mot (...)
Mᵐᵉ DE SÉVIGNÉ, 951, 4 févr. 1685.

4 On conviendra, je m'assure, qu'après m'être *engoué* de M. Bâcle, qui tout compté n'était qu'un manant, je pouvais m'engouer de M. Venture, qui avait de l'éducation, des talents, de l'esprit, de l'usage du monde, et qui pouvait passer pour un aimable débauché. ROUSSEAU, les Confessions, III.

5 Le curé m'écrivit en 1790 une lettre qui prouva qu'il s'était un peu *engoué* de la Révolution : il doit être dégrisé, ou il est bien têtu.
RIVAROL, Lettres, À F. de Rivarol, 18 août 1797.

6 Incapable de résister à une envie, elle s'*engouait* d'un bibelot qu'elle avait vu, n'en dormait pas, courait l'acheter (...)
FLAUBERT, l'Éducation sentimentale, II, II.

CONTR. Dégoûter (se), lasser (se) ; abandonner, mépriser.
DÉR. Engouement.

ENGOUFFREMENT [ãgufʀəmã] n. m. — 1866 ; de *(s') engouffrer.*

◆ Rare. Le fait de s'engouffrer. *L'engouffrement du vent dans un couloir.*

ENGOUFFRER [ãgufʀe] v. tr. — Fin xvᵉ ; *engoufler,* fin xiiᵉ ; de *en-, gouffre,* et suff. verbal.

◆ **1.** (Av. 1525). Littér. Jeter, entraîner dans un gouffre. ⇒ **Abîmer.** *La mer démontée a engouffré le navire. Il tomba du haut du rocher, l'abîme l'engouffra.*

◆ **2.** Fam. Avaler, manger avidement et en grande quantité. ⇒ **Dévorer, enfourner, engloutir.** — Absolt. *Quel appétit ! il engouffre !*

trarie dans le moment. ⇒ **Ennuyeux ; contrariant, fâcheux.** *Ce contretemps est bien ennuyant.*

1   C'est à mon gré un métier assez ennuyant.
                                      RACINE, Lettres, in Œ., t. VI, p. 504.

2   (...) tu regardes toujours dans la rue, tu ne sauras pas ta leçon ce soir.
    — Dame ! c'est ennuyant.
                                      Henri MONNIER, Scènes populaires,
                                      Le dîner bourgeois, sc. 1, éd. 1835, t. I, p. 127.

3   Ça ne paraît peut-être pas à première vue, mais c'est la bonté même. Il est
    ennuyant peut-être, mais on ne peut pas tout avoir.
                                      Jean-Yves SOUCY, Un dieu chasseur, p. 75.

CONTR. Agréable, heureux.

ENNUYER [ãnɥije] v. impers. et tr. — Conjug. *appuyer.* — XIIIe ; *enuier*, XIIe ; du bas lat. *inodiare (in odio esse)* « être un objet de haine », de *in-*, et *odium* « haine ». → Odieux.

A. V. impers. (Vx). Causer de l'ennui (1.), du désagrément. ⇒ **Déplaire.** *Il m'ennuie d'attendre.* « *J'ai cessé de les fréquenter, il m'ennuyait d'entendre toujours déraisonner* » (Académie).

1   Mon Dieu ! qu'il m'ennuie de ne vous point voir (...)
                                      Mme DE SÉVIGNÉ, 199, 2 sept. 1671.

2   Marquez-moi si je puis compter sur votre libraire, il m'ennuierait fort d'en chercher un autre (...)
                                      P.-L. COURIER, Lettres, I, 58.

3   Nous avons perdu quelques impersonnels : *il m'ennuie, il me fâche* (...) Mais ils
    ne sont morts qu'en apparence. On les retrouve avec d'autres sujets : *Cela
    m'ennuie ; ça me fâche* (...)
                                      F. BRUNOT, la Pensée et la Langue, p. 554.

B. ♦ **1.** (Sujet n. de chose ; compl. n. de personne). Causer du souci, de la contrariété, du tracas à (qqn). ⇒ **Contrarier, décevoir, désoler, mécontenter.** *Cette absence de nouvelles, cette fièvre persistante commence à m'ennuyer.* ⇒ **Inquiéter, préoccuper, tracasser, tourmenter.** *La chose m'ennuie un peu.* ⇒ **Soucier.**

4   (...) c'était bien assez d'ennuyer son père par sa tristesse, il ne voulait pas le fâcher
    et lui faire tort par sa lâcheté.   G. SAND, la Petite Fadette, XXVII, p. 181.

Cela, ça m'ennuie de... (et inf.). *Cela m'ennuie de vous voir dans cet
état.* ⇒ **Chagriner.** *Cela vous ennuierait-il d'attendre un moment ?*
⇒ **Déranger, gêner.** *Cela m'ennuierait d'arriver en retard.*

♦ **2.** (Sujet n. de personne). Importuner. *Il m'ennuie avec ses questions, ses revendications perpétuelles.* ⇒ **Accabler, agacer, assassiner** (vx), **assommer, assourdir** (vx), **énerver, excéder, obséder.** → aussi (fam.) Barber, bassiner, braire (faire), briser, brouter, canuler, casser (la tête, les pieds), cavaler, chier (faire), courir (sur le ciboulot, sur le haricot), cramponner, embêter, emmerder, empoisonner, enquiquiner, foirer* dans les bottes de qqn, seriner, soûler, suer (faire), tanner, tartir (faire) ; tuer (fig.). *Vous commencez à m'ennuyer* (→ Chaudronnée, cit. 1).

♦ **3.** Engendrer la lassitude de (qqn). ⇒ **Accabler, endormir, fatiguer, lasser** ; → fam. Barber, casser les pieds* à, faire chier*, raser. *Professeur, prédicateur, conférencier qui ennuie son auditoire. Ce spectacle nous ennuie à mourir.* — Absolt. *L'art d'ennuyer* (→ Dire, cit. 86). *Tout l'ennuie, il est blasé de tout.* ⇒ **Dégoûter.**

5   *(Cette chanson)* Qui vous pourrait par sa longueur déplaire
    Vous ennuyant, ce que je ne veux faire,
    Car vous avez à quoi passer le temps
    D'autres plus grands et meilleurs passe-temps (...)
                                      RONSARD, Pièces retranchées, « Prière à la fortune ».

6   Nous pardonnons souvent à ceux qui nous ennuient, mais nous ne pouvons pardonner à ceux que nous ennuyons.   LA ROCHEFOUCAULD, Maximes, 304.

7   L'éloquence continue ennuie.   PASCAL, Pensées, VI, 355.

8   Le fat lasse, ennuie, dégoûte, rebute (...)   LA BRUYÈRE, les Caractères, XII, 46.

9   (...) tout les ennuie, tout les excède, tout les assomme ; ils sont rassasiés, blasés,
    usés, inaccessibles. Ils connaissent d'avance ce que vous allez leur dire ; ils ont vu,
    senti, éprouvé, entendu tout ce qu'il est possible de voir, de sentir, d'éprouver et
    d'entendre (...)
                                      Th. GAUTIER, Préface de Mlle de Maupin, éd. critique MATORÉ, p. 41.

▶ **S'ENNUYER** v. pron.

♦ **1.** Éprouver de l'ennui. ⇒ **Morfondre** (se) ; (fam.) **assommer** (s'), **barber** (se), **barbifier** (se), **embêter** (s'), **emmerder** (s') ; cf. Avoir le blues, le cafard ; se faire chier, suer.... Loc. *S'ennuyer à cent sous* de *l'heure. S'ennuyer comme un rat mort,* beaucoup. *S'ennuyer quelque part, s'ennuyer partout* (→ Attendre, cit. 7 ; dégoûter, cit. 6 ; ennui, cit. 28). *S'ennuyer avec qqn, en sa compagnie. S'ennuyer à la lecture d'un roman* (→ Austérité, cit. 3). *S'ennuyer réciproquement, l'un l'autre.*

10 Seigneur, le Roi s'ennuie, et vous tardez longtemps.
                                      CORNEILLE, Nicomède, III, 8.

11 (...) les gens qui ont eu le malheur de s'accoutumer aux plaisirs violents perdent le
    goût des plaisirs modérés, et s'ennuient toujours dans une recherche inquiète de la
    joie.   FÉNELON, De l'éducation des filles, V, p. 55.

12 Je dis quelquefois en moi-même : La vie est trop courte pour mériter que je m'en
    inquiète. Mais, si quelque importun me rend visite et qu'il m'empêche de sortir et
    de m'habiller, je perds patience, et je ne puis supporter de m'ennuyer une demi-
    heure.   VAUVENARGUES, Réflexions et maximes, 144.

13 (...) cette vie de petite ville lui pesait, l'étouffait. Le grand homme de Tarascon
    s'ennuyait à Tarascon.   Alphonse DAUDET, Tartarin de Tarascon, I, IV, p. 31.

14 On s'ennuie presque toujours avec ceux que l'on ennuie.
                                      Antoine ALBALAT, la Formation du style, p. 221.

14.1 La vie est courte, mais on s'ennuie quand même.
                                      J. RENARD, Journal, 24 mai 1902.

♦ **2.** Vx ou régional. *S'ennuyer de qqn,* ressentir désagréablement son absence. ⇒ **Languir.** *S'ennuyer de qqch.*

15 (...) né inquiet et qui s'ennuie de tout, il *(l'homme)* ne s'ennuie point de vivre (...)
                                      LA BRUYÈRE, les Caractères, XVI, 32.

16 On ne s'ennuie jamais de son état quand on n'en connaît point de plus agréable.
                                      ROUSSEAU, Émile, IV.

17 La lumière du Midi, elle aussi, n'est qu'un rêve. Là-bas, la vie est plus facile. Le
    malheur veut que les cœurs profonds s'ennuient de la facilité.
                                      André SUARÈS, Trois hommes, « Ibsen », p. 103.

♦ **3.** (1610). *S'ennuyer à... S'ennuyer de...* suivi d'un inf. *Il s'ennuie
à l'attendre si longtemps. Il s'ennuie de voir que...*

18 On *s'ennuie à* attendre, c'est-à-dire en attendant ; on *s'ennuie* d'attendre, c'est-à-
    dire que l'attente elle-même est désagréable, qu'on ne peut plus la supporter.
                                      LAFAYE, Dict. des synonymes, p. 65.

19 Ce qui fait que les amants et les maîtresses ne s'ennuient point d'être ensemble,
    c'est qu'ils parlent toujours d'eux-mêmes.
                                      LA ROCHEFOUCAULD, Maximes, 312.

20 On ne s'ennuie point de manger et dormir tous les jours, car la faim renaît, et le
    sommeil ; sans cela on s'en ennuierait.   PASCAL, Pensées, IV, 264.

21 (...) après s'être si longtemps ennuyée à sonder le vide de tout, madame du Def-
    fand avait enfin trouvé sa raison de vivre (...)
                                      Émile HENRIOT, Portraits de femmes, p. 152.

▶ **ENNUYÉ, ÉE** p. p. adj.
Préoccupé, contrarié. ⇒ **Mécontent.** *Je suis très ennuyé. Il a
l'air ennuyé.*

22 (...) celui qui se retire, ennuyé et dégoûté de la vie (...)
                                      MONTAIGNE, Essais, I, XXXIX.

23 Ennuyé de ce que je suis, je voudrais toujours être ce que je ne suis pas (...)
                                      BOURDALOUE, Sur la récompense des saints, 1er avent.

24 Ennuyés de vivre dans un pays si inculte, et poussés par leur férocité naturelle,
    ils descendirent jusqu'aux environs de la Vistule (...)
                                      FLÉCHIER, Hist. de Théodose, I, 47.

25 (...) fatigué d'écrire, ennuyé de moi, dégoûté des autres, abîmé de dettes et léger
    d'argent ; à la fin convaincu que l'utile revenu du rasoir est préférable aux vains
    honneurs de la plume (...)   BEAUMARCHAIS, le Barbier de Séville, I, 2.

26 (...) il est doux de se croire malheureux, lorsqu'on est vide ou ennuyé.
                                      A. DE MUSSET, la Confession d'un enfant du siècle, in Prose, Pl., p. 92.

27 Et, très ennuyé de ce tête-à-tête taciturne, presque hostile, il se remit à examiner
    la route par les carreaux de la voiture.   HUYSMANS, Là-bas, XIX, p. 254.

CONTR. Amuser, charmer, désennuyer, distraire, divertir, égayer, enchanter, plaire,
ravir, récréer, réjouir. — Heureux, satisfait.
DÉR. Ennui, ennuyant, ennuyeux.

ENNUYEUSEMENT [ãnɥijøzmã] adv. — V. 1200, *anuieuse-
ment* ; de *ennuyeux.*

♦ D'une manière ennuyeuse. *Il est ennuyeusement bavard ; il
pérore ennuyeusement.*

(...) ils parlent proprement et ennuyeusement.
                                      LA BRUYÈRE, les Caractères, I, 15.

ENNUYEUX, EUSE [ãnɥijø, øz] adj. — Fin XIIe ; *annuus*, v. 1112 ;
du bas lat. *inodiosus* « très désagréable », de *in-*, intensif, et *odiosus*
(→ Odieux), de *odium* « haine ».

♦ **1.** Qui cause de la contrariété, du souci, du tracas.
⇒ **Ennuyer, 1.** ; **contrariant, désolant, embêtant** (fam.), **ennuyant**
(vieilli), **fâcheux, inquiétant.** *Cela est bien ennuyeux. Cette perte est
ennuyeuse, mais non pas catastrophique. D'ennuyeux symptômes.
Un contretemps bien ennuyeux.* — *Qui cause une gêne.* ⇒ **Désagréable, gênant, malencontreux.** *Quel temps ennuyeux ! Démarche
ennuyeuse.* ⇒ **Corvée.** *L'ennuyeux, c'est qu'on ne peut y échapper.
C'est bien ennuyeux à dire.* ⇒ **Difficile, embarrassant, pénible.**

1   (...) un service amusant à rendre ne saurait être ennuyeux à demander.
                                      GIDE, les Faux-monnayeurs, p. 11.

2   Berthe parut gênée, hésita... puis... «... Il paraît (dit-elle) que Maman est venue
    la voir et lui a fait des reproches... C'est bien ennuyeux ».
                                      A. MAUROIS, le Cercle de famille, p. 63.

3   (...) des questions ennuyeuses (...) qu'elle se croyait en droit de lui poser parce
    qu'elle était sa femme.   J. GREEN, Léviathan, p. 32.

♦ **2.** (Fin XIIe). Qui cause de l'ennui (3.). ⇒ **Accablant, assommant,
embêtant, fastidieux, fatigant, lassant, maussade, monotone** ; fam.
barbant, barbifiant (vieilli), **canulant, chiant, emmerdant, empoison-
nant, enquiquinant, mortel, rasant, soûlant, suant, tannant.** *Cet
homme est bien ennuyeux. Des gens horriblement ennuyeux.*
⇒ **Déplaisant, embarrassant, encombrant, fâcheux, importun** ; fam.
barbe, bassin (vx), 2. **bassinoire, canule, casse-pieds, emmerdeur, raseur, sciant.** *Conférencier, professeur ennuyeux.* ⇒ **Endormeur.** *Être mortellement, souverainement ennuyeux* (→ Assommer,
cit. 18). — *Ton, discours, livre, récit ennuyeux.* ⇒ **Endormant,
fade, insipide, monotone, soporifique.** *Il me rebat les oreilles de ses
histoires ennuyeuses.* ⇒ **Lancinant, obsédant.** *Bavardage ennuyeux*
(→ Babillard, cit. 6 ; caquetage, cit. 1). *L'ennuyeuse monotonie du
paysage* (→ Arbre, cit. 15). *Les ennuyeux devoirs* (cit. 3.) *de classe.*
⇒ **Pensum.** *Quelle vie ennuyeuse !* ⇒ **Triste.** « *Travailler est moins
ennuyeux que s'amuser* » (→ Désespoir, cit. 3, Baudelaire). — Loc.
(1844, in D. D. L.). *Ennuyeux comme la pluie, un jour de pluie :* très
ennuyeux. → ci-dessous, cit. 11.

4   La redite est partout ennuyeuse, fût-ce dans Homère (...)
                                               MONTAIGNE, Essais, III, IX.
5   Le chemin étant long, et partant ennuyeux.
    Pour l'accourcir ils disputèrent.   LA FONTAINE, Fables, IX, 14.
6   (...) livres froids et ennuyeux (...)   LA BRUYÈRE, les Caractères, Préface.
7   La vie est courte et ennuyeuse (...)   LA BRUYÈRE, les Caractères, XI, 19.
8   Je me souviens parfaitement que, durant mes courtes prospérités, ces mêmes pro-
    menades solitaires, qui me sont aujourd'hui si délicieuses, m'étaient insipides et
    ennuyeuses.   ROUSSEAU, Rêveries..., 8ᵉ promenade.
9   Tous les genres sont bons, hors le genre ennuyeux.
                                               VOLTAIRE, l'Enfant prodigue, Préface à l'édition de 1738.
10 Il y a des gens si ennuyeux qu'ils vous font perdre une journée en cinq minutes.
                                               J. RENARD, Journal, 1ᵉʳ févr. 1903.
11 Toute « nouvelle recrue » à qui les Verdurin ne pouvaient pas persuader que les
    soirées des gens qui n'allaient pas chez eux étaient ennuyeuses comme la pluie, se
    voyait immédiatement exclue.
                                               PROUST, À la recherche du temps perdu, I, p. 255.
12 Il faut, un jour d'énergie, prendre le livre que l'on tient pour ennuyeux, lui ordon-
    ner d'être, essayer de reconstituer l'intérêt qu'y a pris l'auteur.
                                               VALÉRY, Rhumbs, p. 232.
13 (...) c'est un père mal commode, mais il n'est pas ennuyeux. Il est même divertis-
    sant.   G. DUHAMEL, Chronique des Pasquier, IV, VI, p. 310.

CONTR. Amusant, divertissant, drôle, folichon, intéressant, récréatif.
DÉR. Ennuyeusement.

ÉNONÇABLE [enɔ̃sabl] adj. — 1845 ; de énoncer.

♦ Didact. Qui peut être énoncé, formulé.

1   La foi, continua l'abbé, n'est pas un ensemble de vérités énonçables. Elle est
    d'abord un élan vers ce Dieu caché, dont nous ne savons rien (...)
                                               Jean-Louis CURTIS, le Roseau pensant, p. 261.
    N. m. L'énonçable et l'indicible.
2   (...) cette couche uniforme où s'entrecroisaient indéfiniment le *vu* et le *lu*, le visible
    et l'énonçable.   Michel FOUCAULT, les Mots et les Choses, p. 58.

ÉNONCÉ [enɔ̃se] n. m. — 1675 ; p. p. de énoncer, substantivé.

♦ **1.** Cour. Action d'énoncer ; énonciation, déclaration. *L'énoncé des
faits. Un simple énoncé. L'énoncé de ses prétentions.* ⇒ **Énumération.**

1   Il importe donc, pour avoir bien l'énoncé de la volonté générale, qu'il n'y ait pas
    de société partielle dans l'État, et que chaque citoyen n'opine que d'après lui :
    telle fut l'unique et sublime institution du grand Lycurgue.
                                               ROUSSEAU, Du contrat social, II, III.
2   Le président du jury va lire les réponses. On ne vous fera entrer que pour l'énoncé
    du jugement.   CAMUS, l'Étranger, II, IV, p. 151.

♦ **2.** Formule, ensemble de formules exprimant qqch. *L'énoncé
d'une loi, d'un problème* (1870). ⇒ **Texte ; terme** (termes). *On va
vous distribuer les énoncés des problèmes.*

♦ **3.** Ling. Résultat de l'énonciation (opposé à *énonciation*). *Une linguistique de l'énoncé.* ⇒ **Discours.**

(Mil. xxᵉ). *Un énoncé :* segment de discours (oral : parole, ou écrit)
produit par l'énonciation d'un locuteur et dont les limites sont
variables selon les critères (phonétiques ; syntactiques, etc.). *Énoncé
minimum* (ou *minimal*) : unité fonctionnelle plus grande que le syntagme (phrase minimale, proposition...). *Énoncé simple ; complexe.
Énoncé qui constitue simultanément l'acte auquel il réfère.* ⇒ **Per-
formatif.** *Énoncés, fragments d'énoncés utilisés dans les dictionnaires.* ⇒ **Citation, exemple.**

ÉNONCER [enɔ̃se] v. tr. — Conjug. *placer.* — 1377 ; repris 1611 ;
du lat. *enuntiare* « exposer », de *ex-* intensif, et *nuntiare* « faire savoir »,
de *nuntius* « messager, envoyé » (→ Nonce). → Annoncer.

♦ Exprimer en termes nets, sous une forme arrêtée (ce qu'on pense,
ce qu'on a à dire). ⇒ **Dire, écrire, expliciter, exposer, formuler.** *Bien
énoncer ce que l'on pense.* ⇒ **Rendre.** *La manière d'énoncer oralement qqch.* ⇒ **Articuler, parler, prononcer.** *Énoncer quelques mots
avec peine.* ⇒ **Balbutier.** *Énoncer son nom, ses titres.* ⇒ **Décliner.**
Énoncer des vœux. ⇒ **Émettre, formuler.** *Énoncer ses prétentions,
ses conditions.* ⇒ **Énumérer, préciser.** *Énoncer les faits.* — (1890).
*Énoncer un problème, les chiffres, les données d'un problème.
Énoncer une proposition.* ⇒ **Avancer.** *Énoncer un théorème, un
axiome, une loi* (→ Débouché, cit. 10). *Énoncer un principe.* ⇒ **Établir, poser.** *Énoncer une vérité. Énoncer un faux. Énoncer une condition dans un acte.* ⇒ **Stipuler** (→ Assistance, cit. 6). *Acte* (cit. 12)
de l'état civil qui énonce l'année, le jour... ⇒ **Mentionner.**

1   Notre philosophie ordonne de ne point énoncer de proposition décisive (...)
                                               MOLIÈRE, le Mariage forcé, 5.
2   Ne pouviez-vous exprimer les mêmes vérités en les énonçant avec moins de cru-
    dité ? Oui, oui, en délayant, tournoyant, emmiellant, chevrotant, tremblotant (...)
                                               CHATEAUBRIAND, Mémoires d'outre-tombe, t. VI, p. 145.
3   De semblables hypothèses sont si hasardées que l'on ose à peine les énoncer.
                                               Paul BOURGET, Un divorce, II, p. 57.
4   Rien n'est plus odieux que le faux art. Et c'est où arrivent fatalement les braves
    gens, intelligents, sincères, qui ont quelque chose à dire, et le diraient mieux s'ils
    se contentaient de l'énoncer justement. Mais la justesse ne leur suffit pas, ils veu-
    lent la beauté ! Et c'est piteux.   Gustave LANSON, l'Art de la prose, p. 292.
5   Elle *(la science)* conduit à énoncer des propositions insupportables au sens com-

mun, car elles sont extravagantes dans les formes du langage ordinaire, auxquelles le dit sens est étroitement attaché.   VALÉRY, Rhumbs, p. 131.

▶ **S'ÉNONCER** v. pron.

♦ **1.** (Passif ; 1674). Être énoncé.
Ce que l'on conçoit bien s'énonce clairement,   6
Et les mots pour le dire arrivent aisément.   BOILEAU, l'Art poétique, I.
Mais ce que nous savons de science certaine et par un long usage, se réduit à   7
l'essentiel et s'énonce en peu de mots incompréhensibles à qui n'a pas le même
savoir.   J. CHARDONNE, l'Amour du prochain, p. 126.

♦ **2.** (Réfl. ; 1659). Vx. S'exprimer, exposer. *S'énoncer en termes corrects, clairement, nettement.*

Apprenez, sotte, à vous énoncer moins vulgairement.   8
                                               MOLIÈRE, les Précieuses ridicules, 6.
J'entendais presque tout ce qu'il disait, et j'étais le seul ; il ne pouvait s'énoncer   9
que par signes avec l'hôte et les gens du pays. Je lui dis quelques mots en italien
qu'il entendit parfaitement : il se leva, et vint m'embrasser avec transport.
                                               ROUSSEAU, les Confessions, IV.

DÉR. Énonçable, énoncé, énonceur.

ÉNONCEUR, EUSE [enɔ̃sœr, øz] n. — xxᵉ ; de énoncer.

♦ Rare. Personne qui énonce (qqch). ⇒ **Énonciateur.**
(...) passé un certain âge, l'énonceur de dicton ne fournit plus d'explication (...)
                                               Jacques PERRET, Bâtons dans les roues, p. 264.

ÉNONCIATEUR, TRICE [enɔ̃sjatœr, tris] n. et adj. — 1840,
n. ; 1843, adj., Proudhon ; bas lat. *enuntiator*, du supin de *enuntiare*.
→ Énoncer.
Didactique.

♦ **1.** N. Personne qui énonce (qqch.). ⇒ **Énonceur.** — N. m. Ling. Personne qui produit un énoncé. ⇒ **Locuteur ; énonciation** (3.).

♦ **2.** Adj. Qui énonce (qqch.). « *Sciences (...) énonciatrices de phénomènes* » (Proudhon, *in* T. L. F.).

ÉNONCIATIF, IVE [enɔ̃sjatif, iv] adj. — 1386 ; lat. *enuntiativus*
« qui énonce », du supin de *enuntiare*. → Énoncer.

♦ (1789). Didact. Qui sert à énoncer*. *Terme énonciatif. Proposition énonciative,* qui exprime un fait, un jugement, sans implication affective.

ÉNONCIATION [enɔ̃sjasjɔ̃] n. f. — 1361 ; lat. *enuntiatio* « énoncé,
proposition », du supin de *enuntiare*. → Énoncer.

♦ **1.** Action d'énoncer. ⇒ **Énoncé ; déclaration.** *L'énonciation des
faits par un témoin. Dr. L'énonciation d'une clause dans un contrat.
L'énonciation d'un jugement.* ⇒ **Mention, proposition.** — *Énonciation affirmative, négative.*

L'émotion transforme l'intonation des moindres énonciations. Qu'on songe à ce   1
que, dans certaines circonstances, devient un *c'est lui !*
                                               F. BRUNOT, la Pensée et la Langue, p. 541.

♦ **2.** Manière d'énoncer, d'exprimer sa pensée. *Avoir l'énonciation
difficile.* ⇒ **Élocution, prononciation.**

Sa voix passait rapidement d'une indécision tremblante, — (...) à cette espèce   2
de brièveté énergique, — à une énonciation abrupte, solide, pausée et sonnant le
creux, — à ce parler guttural et rude (...)
                                               BAUDELAIRE, trad. E. POE, Nouvelles histoires extraordinaires,
                                               « La chute de la maison Usher ».

♦ **3.** (1906, in *Rev. gén. des sc.,* nº 4, p. 162). Ling. Production individuelle d'un énoncé dans des circonstances données de communication (⇒ **Allocution,** 3.). *Le sujet de l'énonciation est* je. *Les traces de l'énonciation dans l'énoncé** (pronoms personnels, déicti-
ques*...).

ENOPHTALMIE [ɑ̃nɔftalmi] n. f. — 1898 ; du grec *en* « dans », et
de *(ex)ophtalmie.*

♦ Méd. Enfoncement anormal du globe oculaire dans l'orbite.
CONTR. Exophtalmie.

ENORGUEILLIR [ɑ̃nɔrgœjiR] v. tr. — V. 1160 ; de *en-, orgueil,* et
suff. verbal.

♦ (1538). Rendre orgueilleux*, flatter (qqn) dans sa vanité. *Sa fortune, son succès, sa réussite l'enorgueillit.* ⇒ **Éblouir, gonfler**
(→ Déesse, cit. 8).

Immolez, dis-je, Sire, au bien de tout l'État   1
Tout ce qu'enorgueillit un si grand attentat. CORNEILLE, le Cid, II, 8.
M. Formey, qui ne veut pas enorgueillir ses semblables, nous donne modestement   2
la mesure de sa cervelle pour celle de son entendement humain.
                                               ROUSSEAU, Émile, I.
De là des sympathies nombreuses et qui l'enorgueillissaient fort.   3
                                               COURTELINE, Messieurs les ronds-de-cuir, 5ᵉ tableau, III, p. 195.

▶ **S'ENORGUEILLIR** v. pron.

(V. 1160). Devenir orgueilleux. ⇒ **Enfler** (s'), **gonfler** (se), **glorifier** (se). → Christianisme, cit. 4. *S'enorgueillir de qqch.* ⇒ **Prévaloir** (se). *S'enorgueillir d'avoir réussi, d'exercer son autorité. Il s'enorgueillit sans en parler, sans se vanter*. S'enorgueillir de sa culture, de ses diplômes, s'en enorgueillir.* — Absolt. *Il ne faut pas s'enorgueillir exagérément.*

4   (...) cette hydre de l'Aristocratie qui se nourrit de la substance des peuples, et s'enorgueillit de leurs humiliations.
                                   ROBESPIERRE, Discours, «Contre le Veto royal», t. 6, p. 95, *in* T.L.F.

5   Ce bonheur, je l'ai, moi qui vous parle; j'en suis fier, et cependant je ne le dois qu'au hasard : mais c'est une faiblesse habituelle à l'homme qui trouve quelque chose de s'en enorgueillir, comme si ce n'était pas l'effet de quelque rencontre fortuite plutôt que de son habileté et de ses combinaisons (...)
                                   Th. GAUTIER, les Grotesques, p. 41.

6   (...) sur cette haute Moulouya que les plus grands sultans du Maroc n'ont jamais réellement occupée, bien qu'ils se soient toujours enorgueillis dans leurs actes officiels du titre de princes moulouyens.
                                   Jérôme et Jean THARAUD, Marrakech, p. 71.

▶ **ENORGUEILLI, IE** p. p. adj.
Rendu orgueilleux.

7   Les Espagnols (...) enorgueillis de la prise de Norden.
                                   RACINE, les Campagnes de Louis XIV.

8   En somme, notre mépris de l'argent proclamé haut et fort, nous serions grandement enorgueillis si le premier numéro nous rapportait dix sous.
                                   J. RENARD, Journal, 6 nov. 1889.

CONTR. Humilier, mortifier. — **Abaisser, rabattre, rabaisser** (l'orgueil).

ÉNORME [enɔʀm] adj. — 1340; lat. *enormis* «qui sort de la règle, qui est démesuré», de *ex* (→ É-), et *norma* «règle».

♦ **1.** Qui excède les bornes habituelles, dépasse ce que l'on a l'habitude d'observer et de juger. ⇒ **Anormal, astronomique** (fam.), **démesuré, étonnant, extraordinaire, monstrueux; colossal, considérable, cyclopéen, formidable, gigantesque, immense, incommensurable, monumental.** — REM. Dans les emplois où il fonctionne avec un substantif désignant une réalité non mesurable, *énorme* est un intensif pour *gros, grand*, pris abstraitement (→ Grand, gros, et les intensifs signalés à ces adj.). *Une faute, une erreur énorme,* très grande. En outre, *énorme* emporte souvent l'idée d'excès (→ Excessif, immodéré, outré), ce qui explique son emploi plus fréquent dans des contextes négatifs, péjoratifs. — *Une faute, un mensonge, un crime énorme. Commettre une énorme sottise* (→ Balourdise, cit. 1), *une énorme maladresse, une énorme bévue* (cit. 2). ⇒ **Phénoménal.** *Une injustice énorme* (→ Combine, cit. 11). *L'énorme accusation portée contre lui* (→ Agir, cit. 38). *Une énorme méchanceté* (→ Cataclysme, cit. 2).

(Contextes positifs). *Son succès a été énorme. Cela m'a fait un bien énorme.*

1   Son crime, quoique énorme et digne du trépas,
    Étant mieux impuni que puni par ton bras.
                                   CORNEILLE, Horace, V, 1.

Rare (qualifiant des abstractions, des sentiments). *Une énorme convoitise* (cit. 6).

2   Il faut que la justice de Dieu soit énorme comme sa miséricorde; or, la justice envers les réprouvés est moins énorme et doit moins choquer que la miséricorde envers les élus.
                                   PASCAL, Pensées, III, 233.

(Sons, avec une valeur expressive). Intense.

3   Rabelais que nul ne comprit;
    Il berce Adam pour qu'il s'endorme,
    Et son éclat de rire énorme
    Est un des gouffres de l'esprit (...)   HUGO, les Contemplations, VI, XXIII.

4   On entendait de là l'énorme grondement de Paris, sa respiration géante de bête monstre accroupie dans l'humidité, dévorant tout pour en faire du génie, de la beauté, du crime (...)
                                   Edmond JALOUX, le Jeune Homme au masque, V, p. 87.

Spécialt (idée d'intensité). *Un travail, un effort énorme* (→ Appui, cit. 12).

(Qualifiant des réalités sociales, les idées d'importance et d'intensité étant réunies). *Un énorme mouvement social* (→ Balayer, cit. 16). *Une énorme évolution en profondeur.* — *Conflit, guerre énorme. Une énorme bataille* (→ Bagarre, cit. 3; carnage, cit. 4).

5   Cet énorme événement, la guerre, est fait de milliers d'acceptations.
                                   ALAIN, Propos, p. 465, *in* T.L.F.

L'énorme, n. m.

6   Le colossal, l'énorme, le bizarre, tout ce qui est empreint d'une couleur étrange et splendide, attire Bouilhet et c'est à la peinture de tels sujets qu'est surtout propre son hexamètre long, sonore et puissant, d'une facture vraiment épique, qui rappelle parfois la manière ample et forte de Lucrèce.
                                   Th. GAUTIER, Portraits contemporains, p. 184.

7   Il ne faut jamais craindre d'être exagéré. Tous les très grands l'ont été, Michel-Ange, Rabelais, Shakespeare, Molière (...) Cela est tout bonnement le génie dans son vrai centre, qui est l'énorme.
                                   FLAUBERT, Correspondance, À L. Colet, 14-15 juin 1853.

(Domaine quantitatif, mesurable ou estimable). *Une énorme quantité de...* ⇒ **Incalculable** (→ Assemblage, cit. 17). *Une énorme différence.* — *Assemblée composée à une énorme majorité de...* (→ Braquer, cit. 3). *Un monde, une foule énorme* (→ Déferler, cit. 3). *Une cohue énorme* (→ Chaos, cit. 5). *Un poids* énorme (propre et fig.). — (Dans le contexte de l'argent). *Une énorme fortune. Ce tableau a une énorme valeur* (→ Couleur, cit. 21). *Gain, perte énorme.*

D'énormes bénéfices. Frais généraux énormes. Dettes énormes (→ Appauvrissement, cit. 1).

REM. Pour la plupart, ces emplois peuvent être considérés aussi comme des métaphores du sens concret 2. → ci-dessous, cit. 12, 13.

(Qualifiant l'expression par le langage). Qui dépasse les normes du bon goût, de la crédibilité, de la décence, etc. *Il nous raconte des choses énormes. Une histoire, une plaisanterie assez énorme.* — REM. Selon les contextes, cet emploi peut être péjoratif ou mélioratif, alors que le suivant est plutôt positif.

(Qualifiant une personne ou un phénomène humain). Remarquable par des caractères extrêmes (et généralement positifs). ⇒ **Formidable;** et les intensifs à la mode : **fabuleux, super,** etc. *Un bouquin énorme. Un type énorme.*

7.1   Qu'est-ce qu'un piston? et ils rugissaient tous ensemble : «C'est un type énorme!»
                                   SARTRE, le Mur, p. 161.

REM. C'est dans cet emploi que Flaubert utilise la graphie fantaisiste *hénaurme,* souvent reprise depuis.

7.2   Petrus Borel, qui est *hénaurme.*
                                   FLAUBERT, Correspondance, À L. Colet, janv. 1856.

(Qualifiant un comportement souvent péj.). *Il a un culot, un aplomb énorme.*

Loc. *C'est énorme.* **[a]** (Sens général). *C'est beaucoup*. *C'est déjà énorme qu'il ait reconnu ses torts.*

[b] (Sens affectif). *C'est extraordinaire* (péj., excessif, ou, mélioratif, étonnant).

♦ **2.** (XVIᵉ; concret). Dont les dimensions sont considérables. ⇒ **Colossal, gigantesque, grand, gros, immense.** *Énormes proportions. Une énorme muraille de rochers* (→ Déchirure, cit. 6). *D'énormes constructions.* ⇒ **Cyclopéen.** *Des poutres énormes* (→ Bélier, cit. 5; bûche, cit. 1). *La masse énorme d'un monument* (→ Assise, cit. 3). *Un arbre au tronc énorme. Une énorme pile de livres et de cahiers* (cit. 5). *Un livre énorme, un énorme dictionnaire. Une tête, une poitrine* (→ Ballant, cit. 3), *une bouche énorme* (→ Bâiller, cit. 3). *Un énorme chignon* (→ Chevelure, cit. 3; cheveu, cit. 25). *Une énorme bosse* (cit. 4). *Un foie énorme.* ⇒ **Hypertrophié.** *Une personne énorme.* ⇒ **Éléphantesque; éléphant, géant, hippopotame, mastodonte...** — (Qualifiant un subst. abstrait désignant la taille, les dimensions). *Grandeur, taille, hauteur... énorme...*

7.3   Je finis par comprendre qu'un homme énorme, extrêmement grand, extrêmement fort, avec des cheveux tout blancs, que je rencontrais un peu partout et dont je n'avais jamais su le nom était le mari de Mᵐᵉ de Saint-Euverte.
                                   PROUST, le Temps retrouvé, Pl., t. III, p. 1 024.

8   (...) un sanglier d'une énorme grandeur (...)
                                   MOLIÈRE, la Princesse d'Élide, I, 2.

9   Les jambes, les gorges, énormes, pleines de suif (...) En général, une précocité d'embonpoint monstrueuse, un gonflement marécageux (...)
                                   BAUDELAIRE, Argument du livre sur la Belgique, VI.

10   Alors Tubalcaïn, père des forgerons,
     Construisit une ville énorme et surhumaine.
                                   HUGO, la Légende des siècles, II, La conscience.

11   J'ai vu fermenter les marais énormes, nasses
     Où pourrit dans les joncs tout un Léviathan!
                                   RIMBAUD, Poésies, «Le bateau ivre», XLI.

Par métaphore (→ les emplois ci-dessus, 1., domaine quantitatif). *Un énorme trésor, une énorme fortune.*

12   Le savoir-faire et l'habileté ne mènent pas jusqu'aux énormes richesses.
                                   LA BRUYÈRE, les Caractères, VI, 44.

13   D'une façon générale, on oublie trop que les profits de l'industrie capitaliste, qui parfois semblent énormes, reposent sur des pointes d'épingle.
                                   J. ROMAINS, les Hommes de bonne volonté, t. III, XVI, p. 211.

CONTR. Exigu, insignifiant, médiocre, menu, microscopique, minime, minuscule, modéré, normal, ordinaire, petit.
DÉR. Énormément.

ÉNORMÉMENT [enɔʀmemɑ̃] adv. — V. 1350; de *énorme.*
D'une manière énorme (sert de superlatif à *beaucoup*).

♦ **1.** Beaucoup (avec un verbe) en quantité ou en intensité. *Il a souffert énormément. Il lit énormément* (→ Affût, cit. 5). *Il avait énormément spéculé* (→ Cours, cit. 21).
Très longtemps, très souvent. *Ils se sont vus énormément, cet été.*

♦ **2.** (En fonction de pronom). Beaucoup de choses. *Il y a énormément à faire.*

♦ **3.** (Avec un adj.). Emploi limité en français normal, souvent fautif ou régional. «*Énormément intimidés*» (Barbusse, *in* T.L.F.). — REM. Ici, *énormément* serait un intensif de *très.*

♦ **4.** (Avec un adj. tel que *plus, moins*). Emploi contestable. *Il y en a énormément plus.* «*C'est énormément trop déjà*» (Céline, *in* T.L.F.).

1   Le mélange de vrai et de faux est énormément plus toxique que le faux pur.
                                   VALÉRY, Cahiers, t. II, Pl., p. 1437.

♦ **5. ÉNORMÉMENT DE... [a]** Une très grande quantité de... *Passer énormément de temps à faire qqch.*

2   (...) il me faut de l'argent, il me faut beaucoup d'argent, il me faut énormément d'argent (...)
                                   HUGO, les Misérables, III, VIII, XX.

b Un très grand nombre de... *Énormément de gens, d'amis, de spectateurs.* — (En emploi absolu). *Il y a en a beaucoup? Énormément.*

ÉNORMITÉ [enɔʀmite] n. f. — V. 1220, «crime énorme», repris mil. xivᵉ; lat. *enormitas* «grandeur, ou grosseur démesurée», de *enormis.* → Énorme.

♦ **1.** *(L'énormité de...).* Caractère de ce qui est énorme ; taille, dimension ou intensité hors du commun, et qui frappe. ⇒ **Énorme** (1. et 2.); **grandeur, immensité**; et aussi **excès**. *L'énormité d'une faute, d'un crime. L'énormité de son erreur, de ses maladresses.* — *L'énormité du travail, de l'effort fourni.*

1 Il n'y a point de supplice assez grand pour l'énormité de ce crime (...)
MOLIÈRE, l'Avare, V, 1.

REM. L'emploi suivant est métonymique (→ ci-dessous, 2.), mais sans aucune des connotations du 2.; il correspond à «chose énorme, immense», et est archaïque.

2 (...) ce qui paraît une énormité, mesuré à la courte échelle des vieilles idées diplomatiques, n'était au fond rien du tout, dans l'ordre actuel de la société.
CHATEAUBRIAND, Mémoires d'outre-tombe, t. V, p. 120.

(En parlant de l'expression par le discours). *L'énormité d'une affirmation.*

3 Plus tard, quand je serai mieux au courant des choses japonaises, peut-être apprécierai-je moi-même l'énormité de ma demande : on dirait vraiment que j'ai parlé d'épouser le diable (...)
LOTI, Mᵐᵉ Chrysanthème, III, p. 36.

REM. Les emplois de *énormité* sont plus restreints que ceux de *énorme.*

(Quantitatif). *L'énormité de la somme, des bénéfices, des effectifs.*

3.1 Ses vœux tardifs *(pour la paix)* n'étant pas exaucés, il envisage l'énormité de ses forces (...) Ph.-P. SÉGUR, Hist. de Napoléon, II, 5, *in* LITTRÉ.

(Au sens 2, de énorme). *L'énormité de sa taille.* — Rare. Taille, corpulence énorme. *Elle est d'une énormité effrayante.*

♦ **2.** *(Une, des énormités).* — REM. Cette valeur sémantique, attestée dès 1220 : «crime énorme», est en fait une métonymie du sens 1, qui semble dater du déb. du xixᵉ s. — Action ou propos jugé «énorme», en général en parlant d'une erreur, d'une maladresse. ⇒ **Bévue** (cit. 3), **gaffe**. *Un livre, un discours plein d'énormités,* d'invraisemblances, d'erreurs, de tromperies... énormes. *Commettre une énormité,* un impair, une gaffe énorme. *Il nous a sorti quelques énormités,* d'énormes sottises.

4 La loufoquerie de la conversation tenait parfois du fantastique et l'on doutait alors si vraiment l'hôtesse était inconsciente et dupe de certaines énormités; mais une sorte de bonhomie cordiale, dont elle ne se départait point, décourageait l'ironie.
GIDE, Si le grain ne meurt, I, X, p. 279.

CONTR. (Du sens 1.) **Insignifiance, petitesse.**

ÉNOSTOSE [enɔstoz] n. f. — 1824, *in* D.D.L.; du grec *en* «dans», et de *(ex)ostose.*

♦ Méd. Production osseuse circonscrite, formée dans la profondeur d'un os et pouvant faire saillie dans le canal médullaire ou même l'obstruer. ⇒ **Exostose, ostéophyte.**

ÉNOUAGE [enwaʒ] n. m. — 1870; de *énouer.*

♦ Techn. Opération par laquelle on énoue le drap.

ÉNOUER [enwe] v. tr. — 1723; *ennouer,* xviᵉ; de *é-,* et *nouer.*

♦ Techn. Débarrasser (une étoffe, une toile) des nœuds, des fils qui apparaissent à sa surface. ⇒ **Épinceter** (→ Époutier).

DÉR. **Énouage, énoueur.**

ÉNOUEUR, EUSE [enwœʀ, øz] n. m. — xviiᵉ; de *énouer.*

♦ Techn. Ouvrier, ouvrière chargé(e) de l'énouage.

ÉNOYAUTER [enwajote] v. tr. — 1910; de *é-, noyau,* et suff. verbal.

♦ Techn. enlever les noyaux de (un fruit). ⇒ **Dénoyauter.** — REM. Larousse (1910, repris dans G.L.L.F.) signale aussi les dér. *énoyautage* et *énoyauteur.*

ENQUÉRIR (S') [ãkeʀiʀ] v. pron. et tr. — Conjug. *acquérir.* — Mil. xvᵉ; v. tr., «demander», xᵉ; du lat. *inquirere* «chercher à découvrir», ou réfection de l'anc. verbe *enquerre,* d'après *quérir.*

★ **I.** V. pron. S'ENQUÉRIR : chercher à savoir (en examinant, en interrogeant). ⇒ **Informer** (s'), **rechercher, renseigner** (se). *S'enquérir de qqn,* chercher à avoir de ses nouvelles. *Il s'est enquis de cela partout, il s'en est enquis avec soin. S'enquérir de la santé de qqn. S'enquérir du prix de qqch.* ⇒ **Demander.** — *S'enquérir de qqch. auprès de qqn.* — (Vx). *S'enquérir à qqn de qqch. Je m'en suis enquis à lui.* — Mod. *Je m'en suis enquis auprès de lui.* (Avec une interrogative indirecte). *S'enquérir si..., où..., comment... S'enquérir si une chose est vraie.* ⇒ **Voir.**

Ne vous enquérez pas si mes troupes sont fortes. 1
CORNEILLE, Poésies diverses, 22.

Je m'en suis enquis à M. l'avocat. RACINE, Lettres, 9, 2 juin 1661. 2

Le savant sait et s'enquiert, dit un proverbe indien : mais l'ignorant ne sait pas 3
même de quoi s'enquérir.
ROUSSEAU, Julie ou la Nouvelle Héloïse, V, Lettre III.

(...) afin de passer aux mystères chrétiens, commençons par nous enquérir de la 4
nature des choses mystérieuses.
CHATEAUBRIAND, le Génie du christianisme, I, I, 1.

(Bonaparte) s'enquérait si les planètes étaient habitées, quand elles seraient détrui- 5
tes par l'eau ou par le feu, comme s'il eût été chargé de l'inspection de l'armée
céleste. CHATEAUBRIAND, Mémoires d'outre-tombe, t. III, p. 97.

(...) il s'enquérait de tout le monde qu'il avait connu (...) et, de cette manière, il 6
eut quelque nouvelle d'elle et de sa famille.
G. SAND, François le Champi, XI, p. 97.

Il verrait, sonderait, s'enquerrait et, si, décidément, il ne pouvait encore agir, il 7
s'en irait. Louis MADELIN, Hist. du consulat et de l'Empire,
L'ascension de Bonaparte, XV, p. 211.

★ **II.** ENQUÉRIR v. tr. ♦ **1.** Vx. Interroger (qqn) sur qqch. Dr. (Vx). *Enquérir un témoin; le témoin a été enquis s'il avait...* Absolt. *«On chargea un comité d'enquérir dans la conduite de Sa Majesté Britannique»* (Chateaubriand).

♦ **2.** Blason. *Armes à enquérir.* ⇒ **Enquerre.**

▶ **ENQUIS, ISE** p. p. adj.

Dr. (Vx). Interrogé. *Témoins enquis.*

DÉR. **Enquête.** — V. **Enquerre** (à).

ENQUERRE (À) [aãkɛʀ] loc. adj. — 1690; proprt «à vérifier», de *enquerre* (xiᵉ), du lat. *inquirere.* → Enquérir.

♦ Blason. *Armes à enquerre* : armes qui présentent une singularité, une anomalie qui appelle une explication. (On dit aussi *armes à enquérir, enquérantes* ou *enquerrées*).

ENQUÊTE [ãkɛt] n. f. — Déb. xiiᵉ, *enqueste;* du lat. pop. **inquæsita,* lat. class. *inquisita,* p. p. subst. au fém. de *inquirere* «rechercher». ⇒ Enquerre, enquérir.
Recherche pour savoir (qqch., de qqn).

♦ **1.** (Droit privé). Procédure destinée à permettre à une partie plaidante d'établir par l'audition de témoins l'exactitude des faits qu'elle allègue. *Faire, ouvrir une enquête; procéder à une enquête. Ordonner l'enquête. Ouverture, clôture d'une enquête. Enquête faite devant, par devant tel juge.* — *Enquête ordinaire ou secrète,* effectuée à huis clos et dans laquelle les témoins sont interrogés par un juge-commissaire en présence des parties (ex. : *enquêtes en matière ordinaire devant les tribunaux civils* [Code de procédure civile, art. 255 et suivants]). *Procédure de l'enquête :* assignation* de la partie adverse et des témoins; comparution* des témoins; prestation de serment et dépositions* des témoins; procès-verbal d'enquête; déposition de la minute au greffe. *Le procès-verbal d'enquête est lu à l'audience et discuté dans les plaidoiries.* — *Enquête sommaire ou publique,* faite à l'audience par audition de témoins devant le tribunal tout entier (ex. : *enquêtes en justice de paix; enquêtes en matière sommaire et devant les tribunaux de commerce* [Code de procédure civile, art. 407 et suivants]). — *Enquête par laquelle le défendeur entend nier les faits allégués par le demandeur* (contre-enquête) *ou prouver d'autres faits en sa faveur* (enquête respective). — *Enquête à futur, in futurum,* portant sur des faits susceptibles de devenir litigieux.

Le jugement qui ordonnera la preuve contiendra : 1º les faits à prouver; 2º la nomi- 1
nation du juge devant qui l'enquête sera faite. Si les témoins sont trop éloignés, il
pourra être ordonné que l'enquête sera faite devant un juge commis par un tribunal désigné à cet effet. Code de procédure civile, art. 255.

S'il y a lieu à enquête (en matière sommaire), le jugement qui l'ordonnera contien- 2
dra les faits sans qu'il soit besoin de les articuler préalablement, et fixera les jour
et heure où les témoins seront entendus à l'audience.
Code de procédure civile, art. 407.

Dr. crim. *Enquête préparatoire, préliminaire,* première phase de l'instruction. ⇒ **Information.** *Enquête officieuse,* effectuée par les officiers et agents de police sous la direction du procureur de la République. *L'enquête officieuse est faite par le Ministère public avant l'information du juge d'instruction et parfois la remplace.* Absolt et cour. *L'enquête n'avance pas, n'a pas abouti. Inspecteur qui mène, conduit une enquête.*

Dans des investigations du genre de celle-ci, on commet assez fréquemment cette 3
erreur, de limiter l'enquête aux faits immédiats et de mépriser absolument les
faits collatéraux ou accessoires. C'est la détestable routine des cours criminelles
de confiner l'instruction et la discussion dans le domaine du relatif apparent.
BAUDELAIRE, trad. E. POE, Histoires grotesques et sérieuses,
«Le mystère de Marie Roget».

(...) à midi (...) le quartier ne se doutait de rien. Ni la police non plus (...) Sans quoi 4
il y aurait eu arrivée de policiers, et de magistrats; enquête, et le reste; remue-
ménage dans le quartier.
J. ROMAINS, les Hommes de bonne volonté, t. I, XIX, p. 213.

Avec la peste, plus question d'enquêtes secrètes, de dossiers, de fiches, d'instruc- 5

tions mystérieuses et d'arrestation imminente (...) il n'y a plus de police, plus de crimes anciens ou nouveaux, plus de coupables, il n'y a que des condamnés (...)
CAMUS, la Peste, p. 213.

♦ **2.** Dr. publ. et cour. *Enquête administrative :* procédure par laquelle l'administration réunit des informations, vérifie certains faits avant de prendre une décision. *Enquête dite « de commodo et incommodo »,* faite en vue de recueillir l'opinion du public sur un projet de certains travaux publics. *Enquête sur l'autorisation d'un établissement incommode, insalubre.*

Dr. parlementaire. *Enquête parlementaire,* faite au nom d'une assemblée par une commission*. *Commission d'enquête.*

♦ **3.** Anc. dr. et hist. du dr. Preuve testimoniale. *Enquête par turbes.* ⇒ **Turbe.** *Chambre des enquêtes :* chambre du Parlement qui préparait les projets d'arrêts.

Dr. canon. *Enquêtes en matière de béatification, de canonisation.*

♦ **4.** (XVIe). Sc. et cour. Recherche méthodique reposant notamment sur des questions et des témoignages. ⇒ **Examen, investigation.** *Faire une enquête sur la moralité de qqn. Il a fait sa petite enquête auprès des commerçants du quartier. Après enquête, je pense qu'il a raison. Faire enquête. Enquête serrée, sévère. Élucider un fait par une enquête. Une enquête aux pays du Levant,* ouvrage de Barrès. *Enquête sur la monarchie,* de Maurras. — *Enquête auprès des lecteurs d'une revue.*

6   La guêpe, ne sachant que dire à ces raisons,
    Fit enquête nouvelle, et, pour plus de lumière (...)   LA FONTAINE, Fables, I, 21.

7   *(Il)* s'était d'abord convaincu par une enquête sur place que la source avait connu, il y a plus d'un demi-siècle, une période prospère (...)
J. ROMAINS, les Hommes de bonne volonté, t. V, XXII, p. 173.

8   Les *Nouvelles littéraires* ne sont peut-être pas bien avisées en ouvrant une « grande enquête » sur l'influence des lettres françaises actuelles à l'étranger.
GIDE, Journal, Cuverville, 1924, Pl., p. 793.

9   (...) pour parler d'amour aux amoureux, il faut avoir été amoureux, il ne faut pas avoir fait une enquête sur l'amour.   MALRAUX, l'Espoir, p. 283.

(1870). Sc. Étude d'une question (sociale, économique, politique) par le rassemblement des avis, des témoignages des intéressés. ⇒ **Sondage.** *Enquête sur les opinions politiques de divers groupes sociaux. Enquête d'opinion publique. Enquête sociologique, statistique. Enquête par sondage. Enquête publicitaire, enquêtes d'une étude de marché. Pré-enquête, post-enquête* (avant et après la réalisation d'une campagne, d'un film publicitaire).

DÉR. Enquêter, enquêteur.

ENQUÊTER [ãkete] v. pron. et intr. — V. 1200 ; tr., *enquester quelqu'un,* encore au XVIe, au sens de « interroger, questionner », de *enquête.*

♦ **1.** V. pron. (1538). Vx. *S'enquêter (de...).* ⇒ **Enquérir (s'), informer (s'), renseigner** (se).

1   (...) ils ne s'enquêtent point de cela (...)
MOLIÈRE, Monsieur de Pourceaugnac, III, 2.

2   Au surplus, mademoiselle, vous pouvez vous enquêter de mon humeur et de mon caractère, je suis sûr qu'on fera de bons rapports (...)
MARIVAUX, Marianne, VI.

♦ **2.** V. intr. (Fin XIXe). Faire, conduire une enquête. *Enquêter en interrogeant, en cuisinant (cit. 4) des témoins. Enquêter sur une affaire embrouillée, obscure. Juge enquêtant sur une affaire. Il faut enquêter.*

3   (...) j'ai l'intention de remettre l'affaire entre les mains de mon ami, le procureur Déterne, et de lui demander, par la même occasion, si la justice ne ferait pas bien d'enquêter un peu sur l'origine des fonds du *Pacifiste.*
SARTRE, le Sursis, p. 120.

REM. L'emploi du p. p. *enquêté, ée (les personnes enquêtées* ; subst., *l'enquêté* et *l'enquêteur)* suppose un emploi transitif, dont le T. L. F. atteste d'ailleurs l'existence, mais qui est rarissime.

ENQUÊTEUR, EUSE [ãketœr, ∅z] n. et adj. — V. 1282 ; de *enquête.*

♦ **1.** N. m. Anc. dr. Commissaire envoyé par le roi pour surveiller l'administration des baillis et sénéchaux. *Enquêteurs royaux.*

♦ **2.** Commissaire de l'Assistance publique chargé d'examiner les demandes de secours reçues par les bureaux de bienfaisance.

♦ **3.** (Fin XIXe). Mod. Personne qui mène une enquête (policière, sociologique). *Enquêteur de la police.* ⇒ **Détective, limier.** *Enquêteur parlementaire. Une enquêteuse.*

1   Les nobles enquêteurs qui, tout en mimant un véritable acharnement contre les chéquards, murmurèrent à la cantonade (...)
M. BARRÈS, Leurs figures, p. 167.

2   (...) rien qui puisse se rapporter au crime, rien que l'enquêteur le plus enclin à l'arbitraire soit tenté de considérer comme une pièce à conviction, ou un objet volé dans la baraque.   J. ROMAINS, les Hommes de bonne volonté, t. II, II, p. 21.

Adj. *Commissaire, juge enquêteur.*

REM. La forme féminine *enquêtrice* est moins régulière et semble réservée aux professions de la publicité ; en outre, on dira fréquemment : *elle est enquêteur. L'enquêteur désigné est Madame X. Enquê-*

---

trices dans le domaine des problèmes économiques, sociaux. En appos. *Rédactrice enquêtrice.*

3   *Une rédactrice-enquêtrice :* compilation des données nécessaires aux analyses, établissement de graphiques et relevés statistiques, enquêtes auprès des consommateurs des produits de l'entreprise avec le concours des services commerciaux.
J. ROMEUF et J.-P. GUINOT, Manuel du chef d'entreprise, Étude du marché, « Organisation du service des études de marché », p. 461 (1960).

ENQUILLER (S') [ãkije] v. intr. et pron. — 1725, chanson *« j'enquille dans sa cabriole »,* Esnault ; de *en-,* 1. *quille* (2.), et suff. verbal.

Argot ancien.

★ **I.** V. intr. Entrer.

Pour enquiller dans ma chambre, Julien se faufile rapidement devant la Réception pendant que j'amuse le veilleur de nuit avec le bruit de ma clé (...)
A. SARRAZIN, l'Astragale, p. 165.

★ **II.** V. pron. (1874, Esnault). S'ENQUILLER : s'introduire. *S'enquiller dans la maison. S'enquiller au trottoir* (1953) : se poster sur le trottoir (pour observer, guetter).

DÉR. Enquilleuse.

ENQUILLEUSE [ãkij∅z] n. f. — 1725 ; de *enquiller.*

♦ Argot anc. Voleuse qui dissimulait ses larcins dans une poche ménagée sous ses jupes.

ENQUINAUDER [ãkinode] v. tr. — 1675, La Fontaine, in *le Florentin,* avec jeu de mots sur le nom du poète Quinault ; de *en-, quinaud,* et suff. verbal.

♦ Fam. et vx. Rendre ; faire quinaud. ⇒ **Duper, tromper.**

ENQUIQUINANT, ANTE [ãkikinã, ãt] adj. — 1844 ; p. prés. de *enquiquiner.*

♦ Fam. Qui enquiquine (euphémisme pour *emmerdant*).

1   Quelle belle invention que l'École de Droit pour vous emmerder ! C'est à coup sûr la plus enkikinante *(sic)* de la création !
FLAUBERT, Correspondance, 7 juin 1844.

2   D'autant plus que je les connais, moi, ces fonctionnaires tchèques, j'y ai été en Tchécoslovaquie : ce qu'ils peuvent être enquiquinants.
SARTRE, le Sursis, p. 87.

ENQUIQUINEMENT [ãkikinmã] n. m. — 1883 ; de *enquiquiner.*

♦ Fam. Le fait d'enquiquiner. — *(Un, des enquiquinements).* Ennui, tracas. *Des enquiquinements continuels.* ⇒ **Emmerdement.**

ENQUIQUINER [ãkikine] v. tr. — 1830, *in* D. D. L. ; p. prés., 1844 ; « insulter », 1858 ; formation expressive de *en-,* et *quiqui,* argot pour « gorge, cou ».

♦ Fam. Agacer, ennuyer, importuner, vexer. — REM. Il se dit par euphémisme pour *emmerder** dont il a tous les sens figurés. — *Il commence à nous enquiquiner, celui-là. On ne va pas s'enquiquiner avec ça.*

(Passif p. p.). *On a été bien enquiquinés quand il nous a dit... Le plus enquiquiné, c'était moi.*

(En interj.). *Toi, je t'enquiquine !*

Mais non, mon petit gars, les ministres, je m'en sers quand j'en ai besoin. Et puis, je les enquiquine.   G. DUHAMEL, Chronique des Pasquier, X, V, p. 370.

REM. On a écrit aussi *enkikiner.*

DÉR. Enquiquinant, enquiquinement, enquiquineur.

ENQUIQUINEUR, EUSE [ãkikinœr, ∅z] n. — 1940 ; de *enquiquiner.*

♦ Fam. Personne qui enquiquine. *C'est un enquiquineur de première.* ⇒ **Emmerdeur.**

Ah ! l'étonnante enquiquineuse qui chaperonne les Lyonnais *(en voyage)* en Inde !
Morvan LEBESQUE, in l'Express, 11-18 sept. 1967.

Adj. *Tu es vraiment enquiquineur !*

ENQUIS, ISE [ãki, iz] p. p. adj. ⇒ **Enquérir.**

ENRACINEMENT [ãRasinmã] n. m. — 1378 ; « racine, lignée », 1338 ; de *enraciner.*

♦ **1.** Fait de s'enraciner. *L'enracinement d'un arbre.*

♦ **2.** Fig. Fait (pour qqch.) de se fixer profondément dans l'esprit ou dans le cœur. *L'enracinement d'un souvenir, d'un sentiment.* — Fait (pour qqn) de ressentir un attachement profond (pour qqch.). *L'enracinement de l'individu dans le sol natal, dans les traditions* *morales ou religieuses.* L'Enracinement, essai philosophique et politique de Simone Weil.

Cette doctrine de l'enracinement qu'il *(Barrès)* préconise, je la crois bonne en effet pour les faibles, la masse ; j'accorde que c'est d'eux qu'il se faut occuper, car les individus qui s'en échappent s'occupent très suffisamment d'eux-mêmes (...) Mais je prétends que ceux-ci trouvent profit au déracinement, et que l'enracinement, tout au contraire, les empêche. GIDE, Prétextes, La querelle du peuplier.

ENRACINER [ɑ̃Rasine] v. tr. — V. 1175 ; aussi intr. «prendre racine», v. 1175 ; de *en-, racine,* et suff. verbal.

♦ **1.** (V. 1265). Fixer au sol par les racines ; faire prendre racine à (un arbre, une plante). *Enraciner un arbre.*

1 La joubarbe, la menthe, et ces fleurs parasites
Que la pluie enracine aux parois décrépites.
LAMARTINE, Jocelyn, 6e époque, Lettre à sa sœur.

Par anal. *Piliers qui enracinent un édifice au sol.*

(1870). Par métaphore. *Enraciner (qqn) dans un pays,* le fixer dans son lieu d'origine.

2 (...) peut-être pourrait-on mesurer la valeur d'un homme au degré de dépaysement (physique ou intellectuel) qu'il est capable de maîtriser (...) Quant aux faibles : enracinez! enracinez! GIDE, Prétextes, A propos des Déracinés.

♦ **2.** (V. 1175). Fig. Fixer profondément (dans l'esprit, le cœur) par des attaches morales. *Enraciner de bons principes dans l'esprit d'un enfant.* ⇒ **Ancrer, implanter.** *Préjugés que le temps a enracinés.*

3 (...) ces tendres sentiments
Que l'amour enracine au cœur des vrais amants (...)
CORNEILLE, la Toison d'or, III, 3.

4 Chez les uns, la peste avait enraciné un scepticisme profond dont ils ne pouvaient pas se débarrasser. L'espoir n'avait plus de prise sur eux.
CAMUS, la Peste, p. 292.

▶ **S'ENRACINER** v. pron. (Fin XIIIe).

♦ **1.** Prendre racine. *Arbuste qui s'enracine dans le creux d'un rocher. Chêne qui s'enracine profondément, solidement.* — Par analogie :

5 Les murs ont par endroits des trous où s'enracine
Un poing de fer portant un cierge de résine.
HUGO, la Légende des siècles, XXI, V.

♦ **2.** Fig. (En parlant des personnes). ⇒ **Établir** (s'), **incruster** (s'), **installer** (s'), **prendre** (racine). *Visiteur importun qui s'enracine.*

6 Né à Paris, d'un père Uzétien et d'une mère Normande, où voulez-vous, Monsieur Barrès, que je m'enracine? J'ai donc pris le parti de voyager.
GIDE, Prétextes, A propos des Déracinés.

7 Maud posa sa mallette sur le sol, elle essaya, pendant une seconde, de s'enraciner dans la cabine, de faire semblant d'y être depuis deux jours.
SARTRE, le Sursis, p. 101.

(En parlant des choses morales). ⇒ **Ancrer** (s'), **consolider** (se), **implanter** (s'). *Mauvaises habitudes qui s'enracinent peu à peu. Erreur qui va s'enracinant dans les esprits* (→ Dissiper, cit. 9). *La maladie s'est enracinée. Laisser s'enraciner les abus,* et, ellipt., *laisser enraciner les abus.*

8 La tristesse, l'ennui, les regrets, le désespoir, sont de douleurs peu durables qui ne s'enracinent jamais dans l'âme ; et l'expérience dément toujours ce sentiment d'amertume qui nous fait regarder nos peines comme éternelles.
ROUSSEAU, Julie ou la Nouvelle Héloïse, III, Lettre XXII.

9 Ça ne fait que croître et s'enraciner, sans même qu'on le sache!
MARTIN DU GARD, les Thibault, t. VI, p. 157.

▶ **ENRACINÉ, ÉE** p. p. adj.

♦ **1.** Fixé par des racines. *Plantes enracinées dans le sable.*

♦ **2.** Fig. Fixé profondément, de manière durable.

10 Plus j'ai de raisons de partir de ce monde, plus je m'y trouve enracinée.
Mme DE MAINTENON, Lettre au duc de Noailles, 18 mars 1712.

11 Paysans, petits artisans, ces gens des villages étaient encore fortement enracinés dans l'humus originel (...) G. DUHAMEL, Inventaire de l'abîme, VI, p. 80.

12 Là vivait depuis des siècles une bonne et ancienne famille du pays, les Proust, solidement enracinée dans ce terroir.
A. MAUROIS, À la recherche de Marcel Proust, p. 8.

Homme enraciné dans ses habitudes, ses vices. Préjugés, sentiments profondément enracinés. ⇒ **Tenace, vivace** (→ Coutume, cit. 3 ; créance, cit. 8).

13 Il faut que l'orgueil soit enraciné bien avant dans vos cœurs.
BOSSUET, Annonciation, III, 1, in LITTRÉ.

14 Les préjugés de race et de secte, ennemis directs de l'esprit de l'Évangile, y étaient trop enracinés. RENAN, Vie de Jésus, XXI, Œ., t. IV, p. 300.

15 Si j'étais plus jeune, les plis seraient moins marqués, les habitudes moins enracinées (...) F. MAURIAC, le Nœud de vipères, XVIII, p. 225.

CONTR. Arracher, déraciner, extirper.
DÉR. Enracinement.

ENRAGÉ, ÉE [ɑ̃Raʒe] adj. ⇒ **Enrager** (p. p. adj.).

ENRAGEANT, ANTE [ɑ̃Raʒɑ̃, ɑ̃t] adj. — 1690 ; de *enrager.*

♦ Rare. Qui fait enrager. ⇒ **Énervant, rageant.**

1 Se rappeler que le klaxon est utilisé au Japon de façon intensive et inutile. Cet

instrument aux notes aiguës, les mettent dans le ravissement, fait de Tokyo une ville plus bruyante et enrageante que Rome ou New York.
Henri MICHAUX, Un barbare en Asie, p. 205.

Nom masculin :

2 L'enrageant c'est de penser que la France est le pays des inventeurs! On en revient toujours à ceci : nous ne savons pas tirer parti de nos ressources.
GIDE, Journal, 10 mai 1918.

ENRAGEMENT [ɑ̃Raʒmɑ̃] n. m. — Mil. XIVe, Guillaume de Machaut ; de *enrager.*

♦ Vieilli. État d'une personne qui enrage. — REM. On trouve régionalement la forme *enragerie,* nom féminin.

ENRAGER [ɑ̃Raʒe] v. — Conjug. *bouger.* — XIIe ; de *en-, rage,* et suff. verbal.

★ **I.** V. intr. et tr. ind. ♦ **1.** Vx. Avoir la rage. — REM. Ce sens propre n'est plus usité qu'au p. p. (→ *infra*).

♦ **2.** (Mil. XXe). Avoir une furieuse envie (→ ci-dessous, Être enragé pour...).

1 L'un enrage après les femmes : l'autre veut toujours avoir le ventre à table.
MALHERBE, trad. SÉNÈQUE, les Bienfaits, VII, 26.

ENRAGER DE (v. tr. ind.).

Tentale enrage de manger ;
2 De mets friands sa table on couvre. SCARRON, Virgile travesti, VI.

♦ **3.** Vieilli. Être dans un état de désir, d'excitation (comparé à la rage). *Enrager de faim, de colère, de désir, de jalousie.*

♦ **4.** (V. 1165). Mod. Éprouver un violent dépit (de qqch.). ⇒ **Bisquer, écumer, endiabler** (vx), **fulminer, fumer** (fam.), **rager, râler** (fam.). *Enrager de quelque chose, à cause de quelque chose. J'enrage d'avoir échoué de si peu !* — Vx. *Enrager que...* (→ ci-dessous, cit. 5).

3 Plus j'y pense et plus j'en enrage. LA FONTAINE, Contes, « Joconde ».
4 J'enrage de trouver cette place usurpée,
Et j'enrage de voir ma prudence trompée, MOLIÈRE, l'École des femmes, III, 5.
5 (...) j'enrage que mon père et ma mère ne m'aient pas fait bien étudier dans toutes les sciences, quand j'étais jeune. MOLIÈRE, le Bourgeois gentilhomme, II, 4.
6 J'enrageais d'avoir laissé perdre par le sommeil les dernières heures que nous avions à passer ensemble. R. RADIGUET, le Diable au corps, p. 132.

Faire enrager qqn. ⇒ **Endêver** (faire), **taquiner, tourmenter.** *Avez-vous fini de faire enrager cet enfant? Événement fâcheux qui fait enrager* (→ Bien, cit. 49 ; cœur, cit. 56). *Époux qui se font enrager l'un l'autre* (→ Complaisance, cit. 1).

7 Faire enrager le monde est ma plus grande joie (...) MOLIÈRE, Tartuffe, III, 7.
8 (...) je vous avais conseillé de vivre, uniquement pour faire enrager ceux qui vous paient des rentes viagères. Pour moi, c'est presque le seul plaisir qui me reste.
VOLTAIRE, Lettre à Mme du Deffand, 1202, 23 avr. 1754.
9 (...) il ne faut jamais penser au bonheur, cela attire le diable, car c'est lui qui a inventé cette idée-là pour faire enrager le genre humain. La conception du paradis est au fond plus infernale que celle de l'enfer.
FLAUBERT, Correspondance, II, p. 225.

Par ext. *Cet enfant fait enrager ses parents, ses maîtres,* il est insupportable*.

★ **II.** V. tr. dir. (1870). ♦ **1.** Mettre (qqn) dans un état de colère extrême, d'excitation ; rendre enragé. — Rare. *Enrager quelqu'un.* Cour. (sujet n. de chose ; compl. pron.). *Cela m'enrage. Cette attitude obstinée finit par l'enrager.*

Exciter sexuellement. *Elle fait plus que l'aguicher, elle l'enrage.*

♦ **2.** (Compl. n. abstrait). Exciter. *Enrager la curiosité, la jalousie de quelqu'un.*

▶ **S'ENRAGER** v. pron. (réfl.). *Je m'enrage de le voir se pavaner ainsi.*

(Passif). « *Une lutte où son désir s'enrageait* » (Zola, in T. L. F.).

▶ **ENRAGÉ, ÉE** p. p. adj.

♦ **1.** (XIIIe). Qui a la rage. *Loup enragé. Tuer un chien enragé* (→ Assommer, cit. 4). *Cobaye enragé,* auquel on a inoculé le virus rabique. — Loc. fig. *Un chien enragé :* un criminel, un être que ses violences retranchent de la société.

10 Mais comment obtenir le vaccin contre un virus inconnu? (...) Une moelle de lapin enragé, convenablement traitée, devint peu à peu inoffensive et puis permit de rendre réfractaire à la rage les animaux de laboratoire.
Henri MONDOR, Pasteur, p. 177.

Fig. *Des révoltes de mouton* (cit. 14) *enragé.*

(Personnes). *Le petit Meister fut le premier sujet enragé vacciné par Pasteur.* — N. *Un enragé, une enragée.* — Loc. fig. *Crier comme un enragé.*

10.1 Un cabanon crépi tout blanc, un lit de fer défait, les couvertures à bas, et, là-dessus, nu, luisant de sueur et d'écume, contracturé, tordu comme un clown, avec des bonds, des hurlements qui remplissaient tout le Parvis, un enragé au dernier paroxisme *(sic)...* Alphonse DAUDET, l'Immortel, p. 230.

Fig. *Mener une vie enragée,* dure, difficile.

11 Votre frère (...) est entre Ninon et une comédienne (...) Nous lui faisons une vie enragée. Mme DE SÉVIGNÉ, 146, 18 mars 1671.

Loc. fam. *Manger de la vache enragée* : avoir une vie de privations, d'épreuves (→ Faim, cit. 13 ; illusion, cit. 30). — *De la vache enragée* : des épreuves, une vie difficile.

12 (...) madame Balzac installa Honoré dans une mansarde, en lui allouant une pension suffisante à peine aux plus strictes besoins, espérant qu'un peu de vache enragée le rendrait plus sage. Th. GAUTIER, Portraits contemporains, p. 60.

12.1 Non ! il faut que tu trimes, que tu connaisses la peine, le travail... Vois-tu, dans le corps de tous les hommes, écoute ça !... dans le corps de tous les hommes qui sont devenus remarquables... il y a un morceau de vache enragée.
LABICHE, les Petits Oiseaux, III, 8.

12.2 Elle a pleuré. Je ne sais pas si c'est de déception ou de joie. Pourquoi veux-tu que ce soit de plaisir ? Tu lui proposes de la vache enragée. La sainteté honteuse, elle la partagera, oui, c'est probable, mais combien de temps ? Il arrivera un moment où il lui faudra des fourrures, des voyages.
Alain BOSQUET, les Bonnes Intentions, p. 79.

♦ **2.** Fig. Qui est saisi d'une espèce de rage, d'un furieux désir ; qui agit sans mesure, sans jugement. ⇒ **Acharné, fou, furieux, violent.** *Il faut être enragé pour agir ainsi* (→ Avoir le diable* au corps). Spécialt. Atteint de passion pour quelque chose. *Un chasseur enragé*, passionné. ⇒ **Effréné.** *Être enragé au jeu. Un bavard enragé, un enragé bavard. Être enragé de musique, d'art abstrait.* ⇒ **Fanatique, mordu.** — N. *Un enragé de football, qui ne manque pas un match.* ⇒ **Fanatique.** *C'est une enragée de rock. Ils se sont battus comme des enragés.*

13 Mon maître est un vrai enragé d'aller se présenter à un péril qui ne le cherche pas (...) MOLIÈRE, Dom Juan, III, 3.

14 (...) prétendant que les montagnes sont plus curieuses d'en bas que d'en haut, et qu'il fallait être enragé pour s'exposer à se rompre les os cent mille fois, et se faire geler le nez et les oreilles en plein mois d'août, en Andalousie, en vue de l'Afrique. Th. GAUTIER, Voyage en Espagne, p. 192.

15 J'avais été raisonnable pendant plus de quatre années et je sentais, tout à coup, que j'allais devenir enragé. G. DUHAMEL, la Pesée des âmes, XIV, p. 323.

Spécialt, hist. **a** *Les Enragés*, ultra-révolutionnaires (1793-1799).

b Étudiants ultra-révolutionnaires de mai 1968. *Les Enragés et les Situationnistes.*

♦ **3.** (1552). Vieilli. (Choses). ⇒ **Excessif, violent.** *Une tempête enragée. Passion enragée. Vacarme enragé. Musique enragée*, bruyante, au rythme très vif.

16 Il a fait ici un temps enragé depuis trois jours (...)
Mme DE SÉVIGNÉ, 489, 8 janv. 1676.

17 Je suis monté (...) un jour d'orage, dans la pluie furieuse, dans l'effort des vents enragés, dans l'ouragan de mon espoir et le tourbillon de mes pensées (...)
Léon BLOY, la Femme pauvre, p. 76.

♦ **4.** Personnes. Très irrité. *Être enragé d'un refus, d'un échec...* (→ Cran, cit. 1). *Une déception qui le rend enragé* (→ Dépenser, cit. 11). *Être enragé contre qqn.* ⇒ **Emporté, furieux.**

18 (...) toutes les dames de la cour étaient enragées contre elle.
Mme DE SÉVIGNÉ, 799, 12 avr. 1680.

19 Il en était comme enragé en lui-même *(de la petite Fadette)* quand il ne pouvait lui parler à son aise (...) G. SAND, la Petite Fadette, XXV, p. 169.

DÉR. Enrageant, enragement.

ENRAIDIR [ɑ̃Redir ; ɑ̃rɛdir] v. tr. — XIIe, *enredir ; enroidir*, 1660 ; repris au XVIIIe ; de *en-, raide*, et suff. verbal.

♦ Rare. Rendre raide. — Pron. *S'enraidir* : se raidir*.

DÉR. Enraidissement.

ENRAIDISSEMENT [ɑ̃Redismɑ̃ ; ɑ̃rɛdismɑ̃] n. m. — 1314, *enroidissement* ; de *enraidir*.

♦ Rare. Action d'enraidir ; fait de devenir raide. *Un enraidissement du genou.* ⇒ **Raidissement.**

ENRAIEMENT [ɑ̃rɛmɑ̃] ou **ENRAYEMENT** [ɑ̃rɛjmɑ̃] n. m. — 1808, *enraiement ; enrayement*, 1870 ; de 2. *enrayer*.

♦ **1.** Vx. Action d'enrayer (un véhicule).

♦ **2.** Mod. (Fig.). Fait d'arrêter (une progression dangereuse). *L'enraiement d'une épidémie.*

ENRAILLER [ɑ̃raje] v. tr. — Mil. XXe ; de *en-, rail*, et suff. verbal.

♦ Techn. Mettre sur rails. *Enrailler un wagon.*

DÉR. Enrailleur.

ENRAILLEUR [ɑ̃rajœr] n. m. — Mil. XXe ; de *enrailler*.

♦ Techn. Dispositif permettant de remettre (un véhicule) sur rails.
(...) dans certains points particuliers de la voie où il y aurait tendance à avoir des déraillements, on place des enrailleurs qui ont pour but de remettre les berlines sur les rails. Michel CAZIN, les Mines, p. 100.

ENRAYAGE [ɑ̃rɛjaʒ] n. m. — 1826 ; de 2. *enrayer*.
Technique.

♦ **1.** Opération par laquelle on enraye une roue. — Spécialt. *Chaîne d'enrayage*, pour les pièces d'artillerie.

♦ **2.** (1932). Arrêt accidentel et momentané du fonctionnement d'une arme à feu.

ENRAYEMENT [ɑ̃rɛjmɑ̃] n. m. ⇒ **Enraiement.**

1. ENRAYER [ɑ̃rɛje] v. tr. — Conjug. *payer.* — 1680 ; *enroier*, XIIIe ; de *en-, raie* « sillon », et suff. verbal, d'après *rayer.*

♦ Agric. *Enrayer un champ.* — (1864). *Enrayer les sillons* : former les sillons avec un ados*.

DÉR. 1. Enrayure.

2. ENRAYER [ɑ̃rɛje] v. tr. — Conjug. *payer.* — 1552 ; de *en-, rai* « rayon de roue », et suff. verbal. → Rayure.

A. ♦ **1.** Vieilli. Entraver le mouvement de (une roue, un véhicule). ⇒ **Freiner.** *Enrayer une roue avec un sabot, un frein, en barrant les rayons avec un bâton, une chaîne.* — *Enrayer une charrette.* — Absolt. *Cette descente est trop rapide, il faut enrayer* (Académie).
Par métaphore et vx. *Enrayer qqn,* le retenir, l'arrêter.

1 Il faut faire à ces grands parleurs ce que l'on fait aux roues des carrosses (...) il faut les enrayer. MÉNAGE, in Dict. de Trévoux.

♦ **2.** (Fin XIXe). Mod. Empêcher accidentellement de fonctionner (une arme à feu, un mécanisme). *L'encrassement, la rouille risque d'enrayer cette arme à feu quand on voudra s'en servir.* ⇒ **Bloquer.**

♦ **3.** (1611). Fig. Arrêter dans son cours (une chose qui progresse rapidement et de façon menaçante). ⇒ **Juguler.** *Enrayer une maladie, une épidémie, les progrès du mal. Enrayer la dénatalité* (cit.). *Enrayer les progrès d'une propagande subversive. Mesures propres à enrayer une crise économique. Enrayer un mouvement d'insurrection* (→ Agitation, cit. 20). ⇒ **Briser.** — Milit. *Enrayer la marche de l'ennemi, une attaque ennemie.*

2 Un nouveau traitement, des soins énergiques, semblent avoir encore une fois enrayé la progression du mal. MARTIN DU GARD, les Thibault, t. IX, p. 144.
(Rare). Arrêter (un processus quelconque). *Enrayer le progrès. Enrayer une évolution nécessaire.*

B. (1680). Techn. Monter (une roue) en mettant les rayons dans les mortaises du moyeu et de la jante.

▶ **S'ENRAYER** v. pron.

Se bloquer (en parlant du mécanisme d'une arme automatique). *Le coup ne partit pas, son revolver s'était enrayé.*

3 Ce sont des engins terribles, en théorie, dans les stands de tir. Mais dans la pratique ! Il paraît que ça s'enraye au moindre grain de sable (...)
MARTIN DU GARD, les Thibault, t. VI, p. 201.

CONTR. et COMP. Désenrayer ; débloquer ; aider, favoriser.
DÉR. Enraiement ou enrayement, enrayage, enrayoir, 2. enrayure.

ENRAYOIR [ɑ̃rɛjwar] n. m. — Fin XVIe ; de 2. *enrayer.*

♦ Techn. et vieilli. Sabot d'enrayage.

1. ENRAYURE [ɑ̃rɛjyr ; ɑ̃rejyr] n. f. — 1680 ; de 1. *enrayer.*

♦ Agric. Premier sillon ouvert par la charrue.
Lorsqu'on laboure un champ (...) la première raie ouverte par la charrue s'appelle *l'enrayure* ; l'enrayure est recouverte par les bandes suivantes, et la dernière raie qui reste ouverte porte le nom de *dérayure*. Ordinairement, au labour suivant on enraye dans la dérayure précédente. Omnium agricol, Labour, p. 482.

2. ENRAYURE [ɑ̃rɛjyr ; ɑ̃rejyr] n. f. — 1740 ; *enrayeure*, 1676 ; de 2. *enrayer*, B.

♦ Techn. Assemblage de pièces de bois rayonnant autour d'un centre.

ENRÉGIMENTEMENT [ɑ̃reʒimɑ̃tmɑ̃] n. m. — 1865, fig. ; de *enrégimenter.*

♦ **1.** (1877). Action d'enrégimenter (des hommes, de petites unités militaires).

♦ **2.** Péj. Action de faire entrer ou d'entrer dans un groupe, un parti, de (se) soumettre à une discipline rigoureuse.
Malraux, qui adhère à un engagement politique, est un grand écrivain. On aimerait pouvoir en dire autant d'Aragon (...) Montherlant, qui se refuse à tout enrégimentement, demeure un des plus étonnants prosateurs du siècle.
CAMUS, « La Conspiration » de Paul Nizan, in Essais, Pl., p. 1396.

ENRÉGIMENTER [ɑ̃reʒimɑ̃te] v. tr. — 1722 ; de *en-, régiment,* et suff. verbal.

♦ **1.** Vieilli. Incorporer dans un régiment. *Enrégimenter des volontaires* ⇒ **Enrôler, mobiliser, recruter.**

1 Tout cela fait, on armerait tous ces paysans devenus hommes libres et citoyens, on les enrégimenterait, on les exercerait, et l'on finirait par avoir une milice vraiment excellente, plus que suffisante pour la défense de l'État.
ROUSSEAU, le Gouvernement de Pologne, XIII.

♦ **2.** (1864). Mod. Faire entrer dans un parti qui exige une obéissance quasi militaire. ⇒ **Embrigader.** *Conspirateur qui veut enrégimenter tous les mécontents. Électeurs dociles qui se laissent enrégimenter.*

2 Cet effort pour me mettre au pas ne réussit donc qu'à me différencier davantage, comme il advint chaque fois que je tentai de m'enrégimenter.
GIDE, Si le grain ne meurt, I, VIII, p. 209.

3 Viendra le temps où l'État, dans tous les pays, nous enrégimentera (...)
J. GREEN, Journal, 10 févr. 1970, Ce qui reste de jour, p. 219.

▶ **S'ENRÉGIMENTER** v. pron. (sens 1 et 2).

4 (...) les plus acharnés étaient ceux des nôtres qui tournaient carrément casaque et qui allaient s'enrégimenter dans les rangs de nos ennemis et menaient la police sur des pistes sérieuses et toutes fraîches.
B. CENDRARS, Moravagine, *in* Œ. compl., t. IV, p. 123.

▶ **ENRÉGIMENTÉ, ÉE** p. p. adj. (surtout au sens 2). *Des militants bien enrégimentés.*

5 Les seuls magasins du Trocadéro occupent quinze mille employés ou employées. Les employés masculins sont enrégimentés. Tous les mois, il y a grande revue et manœuvres militaires autour des magasins, spectacle très apprécié des Parisiens et des étrangers. A. ROBIDA, le Vingtième Siècle, p. 92.

DÉR. Enrégimentement.

ENREGISTRABLE [ɑ̃R(ə)ʒistRabl] adj. — 1580 ; de *enregistrer.*

♦ Qui peut être enregistré (2. ou 3.). *Image, son enregistrable, difficilement enregistrable.*

ENREGISTRANT, ANTE [ɑ̃R(ə)ʒistRɑ̃, ɑ̃t] adj. — 1898, in *Année sc. et industr.,* 1899, p. 170, «*bascule enregistrante*»; p. prés. de *enregistrer.*

♦ Qui enregistre; qui correspond à un enregistrement.

(...) son arrivée au fond du Tez avait coïncidé avec la phase enregistrante survenue dans l'évolution de la première plante, qui aussitôt s'était emparée âprement des images situées en face d'elle. Raymond ROUSSEL, Impressions d'Afrique, p. 367.

ENREGISTREMENT [ɑ̃R(ə)ʒistRəmɑ̃] n. m. — 1310 ; de *enregistrer.*

♦ **1.** Action d'inscrire (qqch.) sur un registre*. ⇒ **Inscription, transcription.** *Enregistrement d'une commande par un commerçant.*

ⓐ Dr. Transcription ou mention sur registre public, moyennant le paiement d'un droit fiscal (d'actes, de contrats, de déclarations de mutation) en vue d'en constater l'existence et de leur conférer date* certaine. *L'enregistrement d'un acte.* — Absolt. *L'enregistrement est réglé par la loi organique du 22 frimaire an VII, complétée et codifiée par le décret du 27 décembre 1934 (Code de l'enregistrement), modifié par le décret du 6 avril 1950 (Code général des impôts). Actes soumis à l'enregistrement. Droits* d'enregistrement : droits fixes; droits proportionnels et progressifs. Délai d'enregistrement. Quittance de l'enregistrement. dispense d'enregistrement.* — *Bureau de l'enregistrement. Administration de l'enregistrement,* et, absolt, *l'Enregistrement :* l'Administration publique chargée du service de l'enregistrement. *La direction de l'Enregistrement dépend du ministère des Finances. Receveur de l'Enregistrement. L'Enregistrement perçoit les droits de succession*, les impôts sur les valeurs mobilières et le droit de timbre*.*

1 L'État rend au public un service réel quand il mentionne ces actes (les actes auxquels les biens et les revenus donnent lieu) sur des registres publics : il assure la conservation (une *analyse* de leur contenu) ; il leur donne *date certaine* vis-à-vis des tiers (...) il assure à la transmission des droits immobiliers la *publicité* indispensable pour la sécurité des transactions. Il est naturel que le fisc perçoive (...) la rémunération nécessaire pour couvrir les frais de ce service, et qu'en outre il y ajoute un impôt modéré (...) Les droits sur les actes et les mutations existaient déjà sous l'Empire romain. L'ancienne monarchie percevait des droits de *contrôle* pour l'enregistrement de certains actes, d'*insinuation* (...), de *centième denier* (...) On distingue en principe trois catégories de droits : 1° les droits de *mutation...* 2° les droits d'*acte* (...) 3° les droits de *timbre* (...) Ces droits (...) sont recouvrés par l'administration de l'*enregistrement...* En dehors des contrats pour lesquels la déclaration est prescrite parce que c'est la *mutation* qui est taxée et non l'acte, l'enregistrement est *obligatoire, dans un délai déterminé, pour tous les actes dressés par les officiers ministériels et pour tous les actes judiciaires.*
Clément COLSON, Cours d'Économie politique, livre V, p. 369-371.

Anc. dr. Copie d'une ordonnance royale, faite par un parlement. *En cas de refus d'enregistrement par un parlement* (remontrance*), *le roi ordonnait d'enregistrer l'ordonnance par des lettres de jussion* ou la faisait enregistrer en sa présence par un lit de justice. L'enregistrement avait pour but de conserver le texte de l'ordonnance et de la rendre exécutoire.*

Dr. internat. publ. *Enregistrement des traités,* par les États membres de la société des Nations (1919-1939) puis de l'Organisation des Nations unies (Charte de San Francisco, art. 102). *L'enregistrement*

des traités se fait au secrétariat de l'O. N. U., afin d'en assurer la publicité.*

ⓑ (Mil. XXᵉ). Cour. *Enregistrement des bagages* : opération par laquelle un transporteur enregistre les bagages dont les voyageurs ne conservent pas la garde. Enregistrement des bagages par une compagnie de chemin de fer, une compagnie aérienne.*

ⓒ Inscription (d'un élément documentaire : livre, etc.) sur un registre.

♦ **2.** (1863). Action de consigner par écrit, de noter comme réel ou authentique. *L'enregistrement d'une observation, d'un fait.* — *Enregistrement d'un mot, d'une locution dans un dictionnaire* (⇒ **Enregistrer,** 2.).

2 (...) un dictionnaire doit être, ou, si l'on veut, ce dictionnaire est un enregistrement très étendu des usages de la langue, enregistrement qui, avec le présent, embrasse le passé, partout où le passé jette quelque lumière sur le présent quant aux mots, à leurs significations, à leur emploi. LITTRÉ, Dict., Préface, p. 4.

♦ **3.** (1870). Sc. et cour. Action ou manière d'enregistrer sur un support (des informations, signaux ou phénomènes divers). *Enregistrement d'une image, d'une pression.*

(Déb. XXᵉ). Spécialt. Cour. ⓐ *Enregistrement du son,* permettant de le conserver et de le reproduire. *Enregistrement mécanique* (gravure sur disque), *optique* (film cinématographique), *magnétique* (magnétophone, magnétoscope). *Enregistrement sur cassette*. Cabine, studio d'enregistrement. Enregistrement d'une émission à transmettre en différé. Enregistrement fractionné* (équiv. français de *recording, multiplay,* etc.; *Journ. off.,* 18 janv. 1973). — *Un bon, un excellent enregistrement. L'enregistrement de ce disque est excellent, mais le pressage laisse à désirer.*

ⓑ Support sur lequel a été effectué un enregistrement. *Cet enregistrement est en mauvais état.*

ENREGISTRER [ɑ̃R(ə)ʒistRe] v. tr. — XIIᵉ ; de *en-, registre,* et suff. verbal.

♦ **1.** Inscrire (qqch.) sur un registre*. ⇒ **Registrer, transcrire.** *Enregistrer une commande, une dépense.* — *Enregistrer officiellement un record.* ⇒ **Homologuer.**

1 Les prophéties s'enregistraient dans les archives du temple.
BOSSUET, Hist. des variations, I, 6.

Dr. Inscrire, mentionner, transcrire (un acte) sur un registre public; procéder à l'enregistrement (⇒ **Enregistrement,** 1.). *Rendre un acte authentique en l'enregistrant.* ⇒ **Authentifier, authentiquer.** *Faire enregistrer un acte, un bail, un contrat, une donation. Les actes sous seing privé n'ont de date* (cit. 6) *certaine que du jour où ils ont été enregistrés.*

Anc. dr. Procéder à l'enregistrement* de (une ordonnance).

(Mil. XXᵉ). Spécialt. Cour. *Faire enregistrer des bagages* (⇒ **Enregistrement,** 1., b). *Le service, les employés qui enregistrent les bagages.*

1.1 Le lendemain par un temps aussi bouché chacun reprend le chemin de l'aéroport. après trois heures d'attente; il faut enregistrer les bagages et bien que le plafond soit encore plus bas que la veille, on enregistre les bagages, on donne le signal du départ.
R. FRISON-ROCHE, Peuples chasseurs de l'Arctique, p. 21.

Par métonymie. Confier (des bagages) à l'enregistrement. — Syn. : *faire enregistrer. Dépêche-toi d'enregistrer ta malle.*
Enregistrer un livre, un périodique dans une bibliothèque. ⇒ **Archiver.**

♦ **2.** (V. 1360). Consigner par écrit; prendre note de (qqch.). ⇒ **Inscrire, mentionner, noter.** *Enregistrer un événement dans son journal, dans ses mémoires. Enregistrer une observation, une remarque. Enregistrer ses songes* (→ Dicter, cit. 1).

Inclure dans une description. *Enregistrer un mot, une locution, une tournure dans un dictionnaire. Les bonnes grammaires n'enregistrent par cette construction. Un dictionnaire doit enregistrer l'usage* (→ Enregistrement, cit. 2, Littré). *Les définitions* (cit. 7) *enregistrent les sens des mots.*

2 (...) il est indispensable d'enregistrer des façons de parler, qui, bien que formées de fraîche date, sont déjà familières (...) Dict. de l'Acad., 1932, 8ᵉ éd., Préface.

Prendre bonne note de..., constater avec l'intention de se rappeler. ⇒ **Noter.** *L'institut de statistique enregistre un net progrès des exportations. La mémoire enregistre quotidiennement des milliers de faits.* ⇒ **Conserver, recueillir.** *Enregistrer qqch. dans sa mémoire.* — *L'histoire n'a enregistré que ses échecs.* ⇒ **Compte** (tenir compte).

3 (Le) grand festin parlementaire où s'assoient trente convives dont l'histoire officielle n'enregistre que les toasts. M. BARRÈS, Leurs figures, p. 259.

4 Il est curieux que l'histoire, au lieu d'enregistrer les résultats, se laisse impressionner, même à longue distance, par des hommes qui n'ont pris la plume, comme c'est presque toujours le cas des auteurs de mémoires, que pour se plaindre ou se vanter. J. BAINVILLE, Hist. de France, VIII, p. 153.

5 (...) c'était la perspective du bas des murs qui s'était le mieux enregistrée dans sa mémoire... J. ROMAINS, les Hommes de bonne volonté, t. IV, VIII, p. 78.

6 Progrès professionnel, qu'il n'enregistrait pas sans satisfaction.
MARTIN DU GARD, les Thibault, t. III, p. 254.

7　À l'élection présidentielle (...) le vote national enregistrait la défaite du tribun *(Lamartine)*, qui n'obtenait que dix-sept mille voix (...)
Émile HENRIOT, les Romantiques, p. 106.

8　C'est un fait, voilà tout (...) Enregistrons-le et tirons-en les conséquences.
CAMUS, la Peste, p. 228.

Absolt. *J'enregistre :* je note.

Au p. p. *C'est enregistré.* → ci-dessous le p. p. adj.

Par ext. Fam. Remarquer (qqn, qqch.) de manière à s'en souvenir.

8.1　La première voiture qu'il carambola contenait également un couple ainsi serré. L'homme, qui se croyait habile, se retourna pour enregistrer l'audacieux qui lui avait manqué de respect.　R. QUENEAU, Pierrot mon ami, éd. L. de Poche, p. 24.

♦ **3.** (1864). Transcrire et fixer sur un support matériel, à l'aide de techniques et appareils divers (un phénomène à étudier, une information à conserver et à reproduire). *Enregistrer les pulsations du cœur. Enregistrer sur film.* ⇒ **Filmer.**

(Déb. xxᵉ). Spécialt. *Enregistrer un son, de la musique sur disque, sur bande* (⇒ **Enregistrement,** 3., spécialt). *Faire enregistrer sa voix. Cette marque de disque a enregistré toutes les sonates de Beethoven ; le reportage complet des fêtes du couronnement. Ingénieur du son qui enregistre un concert.*

9　Dira-t-on que je m'entends ? Pas tout à fait, puisque, si l'on enregistre ma voix, je ne la reconnais pas.　SARTRE, Situations I, p. 232.

Par ext. *Il a enregistré plusieurs chansons pour telle maison de disques,* il les a fait enregistrer.

▶ **ENREGISTRÉ, ÉE** p. p. adj. *Acte enregistré. Bagages enregistrés. — Événement enregistré dans un journal.*

Spécialt (sens 3). *Musique, voix enregistrée.* ⇒ **Enregistrement** 3. ; → fam. Musique en conserve*. *Programme enregistré* (radio, télé). ⇒ **Différé** (opposé à *en direct*).

DÉR. Enregistrable, enregistrant, enregistrement, enregistreur.

ENREGISTREUR, EUSE [ɑ̃R(ə)ʒistRœR, øz] n. m. et adj. — 1864 ; «personne qui enregistre un acte», 1310 ; de *enregistrer.*

★ **I.** N. ♦ **1.** Vx. Personne qui enregistre.

♦ **2.** N. m. (xixᵉ). Appareil qui enregistre automatiquement les variations de la quantité qu'il mesure. *Enregistreur de pression.* — Spécialt. Partie constitutive d'un récepteur télégraphique.

Aviat. *Enregistreur de vol* (dit *boîte* noire*). — *Enregistreur de temps* (pour le pointage du personnel). ⇒ **Pointeuse** (1.).
Appareil d'enregistrement sonore. *Enregistreur magnétique.* ⇒ **Magnétophone.** «*Chaque bande magnétique vendue a été véritablement enregistrée à la pièce, sur un enregistreur alimenté (...) par un magnétophone lecteur d'une bande mère*» (Science et Vie, 1975, nº 105, p. 22).

★ **II.** Adj. (xixᵉ ; 1864, Littré). Qui enregistre (un phénomène). *Appareils enregistreurs.* ⇒ **Compteur,** et le suff. **-graphe** (anémographe, cardiographe, marégraphe, myographe, sismographe, sphygmographe, thermographe, etc.) ; ⇒ aussi **caméra, photo** (appareil de). *Thermomètre enregistreur ; baromètre*, anémomètre, altimètre enregistreur. Caisse enregistreuse.*

Cette parole me choqua comme méconnaissant la façon dont se forment en nous les impressions artistiques, et parce qu'elle semblait impliquer que notre œil est dans ce cas un simple appareil enregistreur qui prend des instantanés.
PROUST, À la recherche du temps perdu, t. VIII, p. 172.

ENRÊNEMENT [ɑ̃Rɛnmɑ̃] n. m. — 1908 ; de *enrêner.*

Technique.

♦ **1.** Action d'enrêner ; résultat de cette action. *Enrênement de la tête du cheval.* ⇒ **Harnachement.**

♦ **2.** Équit. Système de rênes mobiles permettant de fixer le cheval dans une attitude de travail.

Le jeune cheval est débourré pendant deux ans d'abord à la longe, avec un enrênement peu serré (...)　Henri AUBLET, l'Équitation, p. 30.

ENRÊNER [ɑ̃Rene] v. tr. — V. 1170, *enreignier* ; de *en-, rêne,* et suff. verbal.

♦ Vx. Harnacher (un cheval de carrosse) en nouant les rênes.
Fig. et littér. Retenir (qqn) dans son action.

DÉR. Enrênement.

ENRÉSINEMENT [ɑ̃Rezinmɑ̃] n. m. — 1930, Larousse ; de *enrésiner.*

♦ Techn. Action de planter des résineux dans un taillis sous futaie.

ENRÉSINER [ɑ̃Rezine] v. tr. — Déb. xxᵉ ; v. pron. «se couvrir de résine», 1905 ; de *en-, résine,* et suff. verbal.

♦ Techn. Reboiser (une plantation, un taillis) en introduisant des essences résineuses.

DÉR. Enrésinement.

ENRHUMABLE [ɑ̃Rymabl] adj. — Av. 1922, Proust ; de *(s')enrhumer.*

♦ Qui s'enrhume facilement.

Docteur, je suis extrêmement rhumatisant et enrhumable, je viens de prendre trop d'exercice, et pendant que je me donnais bêtement chaud ainsi, mon cou était appuyé contre mes flanelles. (...) je suis sûr de prendre un torticolis et peut-être une bronchite.　PROUST, le Côté de Guermantes, éd. Folio, t. I, p. 366.

ENRHUMER [ɑ̃Ryme] v. tr. — 1636 ; *s'enrimer* «contracter un rhume», 1492 ; au p. p., *enrhumé,* 1549 ; *anrimé,* v. 1180, Marie de France ; de *en-, rhume,* et suff. verbal.

♦ Causer le rhume de (qqn) ; provoquer un rhume chez (qqn). *La moindre humidité suffit à l'enrhumer. Elle est enrhumée tout l'hiver* (⇒ **Enchifrené, grippé**).

0.1　(...) il n'y a rien qui enrhume tant que de prendre l'air par les oreilles.
MOLIÈRE, le Malade imaginaire, I, 6.

▶ **S'ENRHUMER** v. pron.
Attraper un rhume. *Je me suis enrhumé en attendant dehors. Cet enfant s'enrhume tous les hivers.*

▶ **ENRHUMÉ, ÉE** p. p. adj.

♦ **1.** Atteint de rhume. *Je suis très enrhumé. Un enfant enrhumé.*

1　Mais à grand-peine ce magot
A-t-il allumé le fagot
Que nous étranglons de fumée ;
Nous toussons d'un bruit importun,
Ainsi qu'une chatte enrhumée (...)　SAINT-AMANT, la Chambre du débauché.

N. *Un enrhumé, une enrhumée chronique.* ⇒ **Catarrheux.**

♦ **2.** Qui est symptomatique du rhume. *Des yeux enrhumés. Une voix enrhumée.*

2　*6 février.* Granier, *le Plaisir de rompre.* L'air d'un garçon rasé, frisé et roux. Une grave voix enrhumée.
— Moi, dit-elle, je ne suis pas une comédienne. Je joue comme ça.
J. RENARD, Journal, 6 févr. 1897.

Par plais. *Un violon, un harmonium enrhumé.* ⇒ **Nasillard.**

3　Le bourdon se lamente, et la bûche enfumée
Accompagne en fausset la pendule enrhumée.
BAUDELAIRE, les Fleurs du mal., Spleen et Idéal, LXXV.

REM. Pour évoquer la voix enrhumée, on dit [ɑ̃Rybe] et on écrit parfois *enrhubé.*

DÉR. Enrhumable.

ENRICHI, IE [ɑ̃Riʃi] adj. — xiiᵉ ; p. p. de *enrichir.*

♦ **1.** (Généralt péj.). Qui s'est enrichi, qui n'a pas toujours été riche. ⇒ **Parvenu.** *Un commerçant enrichi.* — N. (1800). *Un enrichi, une enrichie de fraîche date.* ⇒ **Riche** (nouveau riche).

♦ **2.** (V. 1946). Se dit d'un corps dont la proportion d'un des constituants a été augmentée. *Minerai enrichi. Uranium enrichi.* ⇒ **Enrichissement.** *Pain enrichi.*

CONTR. Ruiné. — Appauvri.

ENRICHIR [ɑ̃RiʃiR] v. tr. — xiiᵉ ; de *en-, riche,* et suff. verbal.

♦ **1.** Rendre riche ou plus riche. *Il a enrichi toute sa famille par son travail.* — (Sujet n. de choses). *Coup de bourse qui enrichit les spéculateurs* (→ 1. Agio, cit. 1). *Ce commerce l'a enrichi. Industrie qui enrichit une région, une ville. L'industrie enrichit l'agriculture* (cit. 2). — Absolt. *Le travail enrichit.*

1　De Romains que la guerre enrichit de nos pertes.　RACINE, Mithridate, III, 1.

2　Quelques-uns allaient jusqu'à supposer que M. Ellison se dépouillerait lui-même au moins d'une moitié de sa fortune (...) et qu'il enrichirait toute la multitude de ses parents par le partage de cette surabondance.
BAUDELAIRE, Trad. E. POE, Histoires grotesques et sérieuses, «Le domaine d'Arnheim.»

3　Il refusait de lier son destin à l'industrie qui l'enrichissait.
J. ROMAINS, les Hommes de bonne volonté, t. III, XIII, p. 182.

Par extension et par plaisanterie :

4　La peste (puisqu'il faut l'appeler par son nom),
Capable d'enrichir en un jour l'Achéron (...)　LA FONTAINE, Fables, VII, 1.

♦ **2.** (xvᵉ). Par ext. Rendre plus riche (6.) ou plus précieux (qqch.) en ajoutant un ornement ou un élément de valeur. *Aigrette de diamants qui enrichit un diadème.* — *Enrichir qqch. de qqch. Enrichir un livre de figures, une édition originale d'autographes ou de documents précieux.* ⇒ **Truffer.** *Amateur qui enrichit sa collection de quelques pièces rares.* ⇒ **Augmenter, compléter.**

Fig. (en parlant de choses de l'art, de l'esprit). *Découvertes qui viennent enrichir la science.* ⇒ **Agrandir.** *Les expériences qui enrichissent notre connaissance des hommes. Des lectures qui enrichissent la culture, la mémoire, le goût, l'esprit* (⇒ **Meubler**), *qui enrichis-*

sent. Féconds échanges d'idées qui enrichissent les travaux des savants. Œuvre qui enrichit une littérature, le patrimoine national.

5   (...) non qu'il faille ignorer les langues étrangères, je te conseille de les savoir parfaitement, et d'elles, comme d'un vieil trésor trouvé sous terre, enrichir ta propre nation (...)   RONSARD, l'Art poétique.

6   La vie des héros a enrichi l'histoire, et l'histoire a embelli les actions des héros (...)   LA BRUYÈRE, les Caractères, I, 12.

7   Tout ce qu'il *(l'enfant)* voit, tout ce qu'il entend le frappe, et il s'en souvient (...) tout ce qui l'environne est le livre dans lequel, sans y songer, il enrichit continuellement sa mémoire, en attendant que son jugement puisse en profiter.   ROUSSEAU, Émile, II.

8   Comme l'abeille butine et enrichit la ruche — de tous ses désirs qui le prennent dans la rue —, un amoureux enrichit son amour.   R. RADIGUET, le Diable au corps, p. 145.

Absolt. *Des lectures qui enrichissent* ⇒ **Enrichissant.**

Enrichir un récit, un discours. ⇒ **Développer, embellir, étoffer.** *Enrichir une langue,* par l'introduction de mots, d'expressions ou de sens nouveaux (→ Codifier, cit. 1 ; dérivation, cit. 3). *Enrichir son style, sa palette.*

9   (...) d'autant que notre langue est encore pauvre, et qu'il faut mettre *(prendre la)* peine (...) de l'enrichir et cultiver.   RONSARD, l'Art poétique.

10   (...) les ornant et enrichissant *(les alexandrins)* de figures, schèmes, tropes, métaphores, phrases et périphrases (...)   RONSARD, Au lecteur apprentif.

11   Il *(Ronsard)* n'avait pas tort, ce me semble, de tenter quelque nouvelle route pour enrichir notre langue, pour enhardir notre poésie (...)   FÉNELON, Lettre à l'Acad., v.

♦ **3.** (Fin XIXe). Augmenter la fertilité de (un sol). *Enrichir un sol par des engrais.* ⇒ **Améliorer, fertiliser.**
Traiter (un minerai) de façon à augmenter la teneur de l'un de ses constituants.

▶ **S'ENRICHIR** v. pron.

♦ **1.** (V. 1355). Devenir riche. ⇒ **Fortune** (faire fortune), **gagner** (de l'argent), et, fam., **engraisser** (s') ; → fam. Se bourrer, se remplir les poches*, s'en mettre plein les poches. *S'enrichir dans un commerce* (→ Art, cit. 60). *Il s'est enrichi par son travail. S'enrichir aux dépens des autres ; des dépouilles d'autrui* (→ Douaire, cit.). *S'enrichir frauduleusement, en exploitant, en pressurant. Enrichissez-vous !,* formule du ministre Guizot. — Prov. *Qui paie ses dettes s'enrichit.*

12   (...) plus d'une fois il nous arrive de nous enrichir à rebours en achetant du beau bien à bas prix.   G. SAND, François le champi, XIX, p. 137.

13   Un grand changement s'opère au dix-huitième siècle dans la condition du tiers état. Le bourgeois a travaillé, fabriqué, commercé, gagné, épargné, et tous les jours il s'enrichit davantage. On peut dater de Law ce grand essor des entreprises, du négoce, de la spéculation et des fortunes ; arrêté par la guerre, il reprend plus vif et plus fort à chaque intervalle de paix (...)   TAINE, les Origines de la France contemporaine, t. II, II, p. 165.

♦ **2.** (1680). Fig. *Collection qui s'enrichit de pièces curieuses. La langue s'enrichit tous les jours. La mémoire s'enrichit par l'exercice. S'enrichir de quelques vertus* (→ Corriger, cit. 18), *de nouvelles habitudes* (→ Automatisme, cit. 4).

14   (...) la patience, la douceur, la résignation, l'intégrité, la justice impartiale, sont un bien qu'on emporte avec soi, et dont on peut s'enrichir sans cesse, sans craindre que la mort même nous en fasse perdre le prix.   ROUSSEAU, Rêveries, 3e promenade.

▶ **ENRICHI, IE** p. p. adj. (1580). *Collection enrichie de manuscrits rares.* ⇒ aussi **Enrichi,** adj.

CONTR. Appauvrir, dépouiller, épuiser, ruiner.
DÉR. Enrichi, enrichissant, enrichissement, enrichisseur.

ENRICHISSANT, ANTE [ɑ̃riʃisɑ̃, ɑ̃t] adj. — 1845 ; p. prés. de *enrichir.*

♦ Qui enrichit l'esprit, apporte des connaissances. *Une lecture enrichissante. Une expérience enrichissante.*

CONTR. Abêtissant, appauvrissant.

ENRICHISSEMENT [ɑ̃riʃismɑ̃] n. m. — 1530 ; attestation isolée, XIIIe ; de *enrichir.*

♦ **1.** Action, manière de rendre (qqch.) plus précieux ou plus riche. *L'enrichissement d'un pays. Son enrichissement fut rapide.* ⇒ **Fortune, richesse.**

1   (...) ce qu'il respire, ce n'est pas tant la richesse que l'enrichissement.   J. ROMAINS, les Hommes de bonne volonté, t. V, XV, p. 113.

Travailler à l'enrichissement d'une collection, d'un ouvrage. — *L'enrichissement de la langue française au XVIe siècle.* — *L'enrichissement d'une personnalité.*

2   J'ai pris pour m'expliquer un style simple, et me contente d'une expression nue de mes opinions, bonnes ou mauvaises, sans y rechercher aucun enrichissement d'éloquence.   CORNEILLE, Disc. du poème dramatique, I, 51, *in* LITTRÉ.

3   Alors qu'on allait lui devoir *(à Pasteur)* le plus bel enrichissement que la science médicale eût connu, il avait à subir (...) le sarcasme de ceux qui l'appelaient chimiatre (...)   Henri MONDOR, Pasteur, p. 106.

4   (...) l'extraordinaire procédé de perfectionnement, de développement et d'enrichissement auquel Sainte-Beuve n'a pas cessé de se livrer, d'une page à l'autre de son

œuvre, revenant sans fin sur tel chapitre, l'amendant, le corrigeant, y ajoutant un trait nouveau, l'éclairant d'une citation inédite (...)   Émile HENRIOT, les Romantiques, p. 263.

♦ **2.** *(Un, des enrichissements).* Élément qui enrichit, peut enrichir. *Les derniers enrichissements d'un musée.* ⇒ **Acquisition.** *Cette expérience sera pour vous un enrichissement.*

♦ **3.** (Fin XVIIIe). Fait d'augmenter ses biens, de faire fortune. ⇒ **Enrichir** (s'). *L'enrichissement d'une classe, d'un pays.*

Dr. civ. *Enrichissement sans cause :* augmentation d'un patrimoine qui entraîne l'appauvrissement d'un autre sans que ce transfert de valeur soit légitimé par une juste cause. *L'enrichissement sans cause donne ouverture à l'action dite de in rem verso* (→ Quasi-contrat).

♦ **4.** (XXe). Traitement ayant pour but d'enrichir (3.), d'augmenter la teneur (d'un minerai). *L'enrichissement d'un minerai.*

♦ **5.** Phys. nucl. Processus d'augmentation de la teneur isotopique d'un élément relative à un isotope déterminé. — Teneur isotopique relative à un isotope déterminé lorsque cette teneur est supérieure à la teneur isotopique naturelle.

CONTR. Appauvrissement, déperdition, dépouillement, déprédation, ruine.

ENRICHISSEUR [ɑ̃riʃisœr] n. m. — 1971, in *la Clé des mots* ; de *enrichir,* 3.

♦ **Techn.** Appareil permettant l'enrichissement (4.), et, spécialt, la concentration d'un produit extrait, après séparation du solvant.

ENROBAGE [ɑ̃rɔbaʒ] n. m. — 1867 ; de *enrober.*

♦ **1.** Action, manière d'enrober (un produit). ⇒ **Enrobement.** *L'enrobage d'un produit dans une substance protectrice.* — Spécialt. *Enrobage des produits alimentaires, des substances médicamenteuses, des cigares* (→ Robe).

♦ **2.** Enveloppe, couche qui enrobe.
Spécialt. Partie extérieure (d'une électrode). — Syn. *Enrobement.*

ENROBANT, ANTE [ɑ̃rɔbɑ̃, ɑ̃t] adj. et n. m. — 1973, comme n. m., in *la Clé des mots* ; p. prés. de *enrober.*

♦ **Techn.** Qui sert à enrober (un produit). *Matières enrobantes.* N. m. *Enrobants minéraux formant un enrobage. Enrobants pour produits de sol agglomérés.*

ENROBEMENT [ɑ̃rɔbmɑ̃] n. m. — 1890 ; de *enrober.*

♦ **1.** Action d'enrober (propre et fig.).

(...) l'enrobement spirituel (...) l'étude profonde et nuancée qui a présidé à l'élaboration de ces jeux d'expressions du théâtre balinais.   A. ARTAUD, le Théâtre et son double, Sur le théâtre balinais, Idées/Gallimard, p. 82.

♦ **2.** Techn. ⇒ **Enrobage.**

ENROBER [ɑ̃rɔbe] v. tr. — 1838 ; « vêtir », XIIe ; de *en-, robe,* et suff. verbal.

♦ **1.** Entourer (une marchandise, un produit) d'une enveloppe ou d'une couche protectrice. *Enrober des fûts, des caisses,* ce qui leur fait éviter la visite en douane. *Enrober* (de graisse, de papier d'argent ou de toute espèce de substance protectrice) *des produits alimentaires* (viande, fruits, œufs, chocolat...) pour les conserver en les préservant de l'air. — Cuis. *Enrober des fruits,* en les trempant dans du sucre filé, dans un sirop. ⇒ **Glacer.** — *Enrober le corps d'un cigare dans une feuille de tabac* (⇒ Robe). — Pharm. *Enrober des pilules,* pour en masquer le goût. — Techn. Recouvrir (une route, un trottoir) d'asphalte.

♦ **2.** (Déb. XXe). Fig. Envelopper de manière à masquer ou adoucir. ⇒ **Déguiser, entourer, masquer.** *Il s'efforçait, en parlant avec douceur, d'enrober ses reproches.*

Dans la plupart des feuilles d'information, les dépêches officielles étaient enrobées de commentaires verbeux et contradictoires.   MARTIN DU GARD, les Thibault, t. VI, p. 238.

▶ **ENROBÉ, ÉE** p. p. adj. et n. ♦ **1.** *Produits enrobés de... Glace enrobée de chocolat.* — *Poutre métallique enrobée de béton. Pilules enrobées.*
Fig. *Des reproches enrobés,* dissimulés.

♦ **2.** N. m. Produits protégés ou agglomérés qui sont enrobés (⇒ **Enrobant**). *« Le tapis d'enrobé noir qui reliera la rue à la porte d'entrée »* (la Maison individuelle, févr.-mars 1975, p. 56).

DÉR. Enrobage ou enrobement, enrobant, enrobeuse.

ENROBEUSE [ɑ̃rɔbøz] n. f. — V. 1960 ; de *enrober.*
Technique.

♦ **1.** Machine servant à enrober les bonbons d'une couche dure de chocolat ou de caramel.

♦ **2.** Machine appliquant à chaud une couche bitumineuse (en trav. publ.).

ENROCHEMENT [ɑ̃ʀɔʃmɑ̃] n. m. — 1729 ; de *en-, roche,* et suff. *-ement.*

♦ Constr. Ensemble de quartiers de roche, de blocs de béton que l'on entasse sur un sol submergé ou mouvant, pour servir de fondations ou de protection à des ouvrages immergés.

ENROCHER [ɑ̃ʀɔʃe] v. tr. — 1838 ; «pétrifier», 1554 ; de *en-, roche,* et suff. verbal.

♦ **1.** Constr. Établir sur un enrochement*. *Enrocher les piles d'un pont.*

♦ **2.** Techn. *S'enrocher dans :* s'incruster (en parlant de la poudre).

ENRÔLEMENT [ɑ̃ʀolmɑ̃] n. m. — 1317 ; *enroulement* «enregistrement», 1285 ; de *enrôler.*

♦ **1.** Action d'enrôler, ou de s'enrôler. ⇒ **Recrutement.** *Enrôlements forcés* (⇒ **Conscription,** cit. 1), *volontaires.* ⇒ **Engagement.** *Enrôlements frauduleux.* ⇒ **Racolage.** *Enrôlement d'un marin,* son inscription au rôle d'équipage. *Acte d'enrôlement,* et, ellipt., *signer son enrôlement.*

1   Les plus anciennes ordonnances de Louis XIV défendirent d'enrôler pour moins d'un an ; c'était du moins un minimum connu. La loi accrut successivement la durée du service ; il fut de trois ans et ensuite de huit. Cette durée prolongée rendit et plus difficile l'enrôlement et plus chers la prime et les pourboires ; de là toutes les hideuses supercheries des racoleurs.
         Gal BARDIN, *Dict. des armées de terre,* in P. LAROUSSE.

(xxe). Fig. Embrigadement. *Enrôlement dans un parti, dans une ligue.*

2   (...) cet autre *(ouvrage),* dépourvu de toute vraie pensée, voire de tout art, mais où l'auteur clame violemment son enrôlement sous un drapeau, est traité comme une œuvre de haut rang.   Julien BENDA, *la Trahison des clercs,* p. 66.

♦ **2.** Dr. Action de comprendre une affaire dans le rôle (1. Rôle) général d'un tribunal ou dans le rôle particulier de la chambre qui doit en juger. — Action de dénombrer les pages de certains actes (acte notarié, cahier de charges, grosse de jugement).

ENRÔLER [ɑ̃ʀole] v. tr. — 1464 ; *enrouler* «enregistrer», 1174 ; de *en-, rôle,* et suff. verbal.

♦ **1.** Vx. Inscrire (qqn, qqch.) sur un rôle* (→ 1. Rôle) ; enregistrer officiellement, soigneusement.

1   Pensons-nous qu'à chaque arquebusade qui nous touche, et à chaque hasard que nous courons, il y ait soudain un greffier qui l'enrôle ?
         MONTAIGNE, *Essais,* II, XVI.

♦ **2.** Mod. Inscrire (qqn) sur les rôles de l'armée, et, par ext., amener à s'engager. ⇒ **Recruter ; lever, mobiliser.** *Enrôler des soldats, des marins. On l'a enrôlé dans un régiment d'artillerie.* ⇒ **Enrégimenter, incorporer.** — Pron. *S'enrôler dans une formation militaire.* ⇒ **Engager** (s'). Absolt :

2   (...) l'Athénien Xénophon, n'étant qu'une jeune volontaire, s'enrôla sous un capitaine lacédémonien (...) au service d'un rebelle (...)
         VOLTAIRE, *Dict. philosophique,* Xénophon.

3   (...) un cabaret fameux parmi les Islandais, où des capitaines et des armateurs viennent enrôler des matelots, faire leur choix parmi les plus forts, en buvant avec eux.   LOTI, *Pêcheur d'Islande,* III, XV, p. 205.

♦ **3.** (1553). Fig. et fam. Amener (qqn) à entrer dans un groupe, à s'affilier à un parti. *On l'a enrôlé dans notre groupe. Refuser de se laisser enrôler* (→ Aveulir, cit. 2). Pron. *S'enrôler dans un parti, sous une bannière.* ⇒ **Embrigader** (s'), **enrégimenter** (s').

4   Telle conclusion est faussement jetée,
Car tous les bons esprits n'ensuivent point tes pas (...)
Telle injure redonde *(rejaillit)* aux plus grands de l'Europe,
Dont à peine de mille un s'enrôle en ta trope.   RONSARD, *Réponse aux injures.*

5   Voltaire (...) eut l'art funeste chez un peuple capricieux et aimable, de rendre l'incrédulité à la mode. Il enrôla tous les amours-propres dans cette ligue insensée (...)   CHATEAUBRIAND, *le Génie du christianisme,* I, 1, 1.

6   (...) je l'enrôlais dans ma comédie.   Alphonse DAUDET, *le Petit Chose,* I, I, p. 9.

7   Dostoïevsky ne se laisse pas plus facilement enrôler pour ou contre le socialisme (...)   GIDE, *Dostoïevski,* p. 39.

▶ **ENRÔLÉ, ÉE** p. p. adj. et n. (xvie). *Être enrôlé dans une unité.* — Adj. (xvie). *Les hommes nouvellement enrôlés.* N. m. (Fin xviie, Saint-Simon). *Les enrôlés volontaires.* — Fig. *Enrôlé dans un groupe.* — Rare. *Une enrôlée.*

DÉR. Enrôlement, enrôleur.

ENRÔLEUR [ɑ̃ʀolœʀ] n. m. — 1660 ; de *enrôler.*

♦ Vx. Celui qui enrôlait des soldats. ⇒ **Recruteur.**

ENROUEMENT [ɑ̃ʀumɑ̃] n. m. — xve ; de *enrouer.*

♦ Altération du timbre de la voix consécutive à une inflammation du larynx. ⇒ **Extinction, graillement.**

1   On parlait très fort, avec des éclats de voix qui déchiraient le murmure gras des enrouements.   ZOLA, *l'Assommoir,* t. I, p. 47.

2   (...) depuis la dernière représentation, le baryton Ardonceau, surmené par le rôle écrasant de Dédale et atteint d'un enrouement tenace, était dans l'impossibilité de se produire en public (...)   Raymond ROUSSEL, *Impressions d'Afrique,* p. 269.

ENROUER [ɑ̃ʀwe] v. tr. — xiie ; de *en-,* et anc. adj. *ro(i)* «rauque, enroué», du lat. *raucus.* → Rauque.

♦ Altérer (la voix), rendre moins nette, moins libre (la voix) qu'à l'ordinaire. ⇒ **Enrouement ; érailler, voiler.** *Enrouer la voix de qqn.* — (Compl. n. de personne). Rendre rauque la voix de... *Le brouillard l'a enroué.* — Passif, plus cour. *Il est tellement enroué par sa bronchite qu'on l'entend à peine.* ⇒ **Aphone ;** et ci-dessous **enroué.**

1   (...) j'entendis une voix rauque et charmante, une voix hystérique et comme enrouée par l'eau-de-vie (...)
         BAUDELAIRE, *le Spleen de Paris,* «La soupe et les nuages».

Par métonymie. «*L'atmosphère glaciale (...) enrouait les gorges*» (Maupassant, *in* T. L. F.).

▶ **S'ENROUER** v. pron. (1549). *S'enrouer à force de crier. L'avocat parlait depuis deux heures, sa voix commençait à s'enrouer.*

2   Vous qui vous êtes enroué tant de fois à le louer.   RACINE, *Lettres,* t. VI, p. 599.

▶ **ENROUÉ, ÉE** p. p. adj. (xiie). *Un chanteur enroué,* atteint d'enrouement. *Voix enrouée.* ⇒ **Éraillé, rauque, sourd, terne, voilé ; chat** (avoir un chat dans la gorge), **rogomme** (voix de rogomme).

2.1   — Vous êtes enroué, aussi.
     — Enroué ?
     — Un peu enroué, oui. C'est pour cela que je ne reconnais pas votre voix.
         IONESCO, *Rhinocéros,* p. 143.

Par anal. *Les sons enroués d'un vieux phono.*
Par métonymie. *Instrument de musique enroué.*

3   *(La discorde)* d'un cor enroué fait sonner en ces lieux
La fureur des Français et le courroux des cieux.
         CORNEILLE, *Poésies diverses,* 211.

CONTR. Désenrouer, éclaircir.
DÉR. Enrouement.

ENROUILLER [ɑ̃ʀuje] v. tr. — xiie ; de *en-, rouille,* et suff. verbal.

♦ Vx. ⇒ **Rouiller.**

ENROULAGE [ɑ̃ʀulaʒ] n. m. — xixe ; de *enrouler.*

♦ Action d'enrouler. *L'enroulage du fil.* — État de ce qui est enroulé ; choses enroulées. *Un enroulage serré, lâche.* — Défaire *l'enroulage d'un fil électrique.*

ENROULEMENT [ɑ̃ʀulmɑ̃] n. m. — 1641 ; de *enrouler.*

♦ **1.** (1671). Action d'enrouler, de s'enrouler. ⇒ **Enroulage.**

♦ **2.** Disposition de ce qui est enroulé sur soi-même ou autour de quelque chose. *Enroulement des feuilles de la pomme de terre,* maladie de cette plante dont les feuilles s'enroulent en cornet.

♦ **3.** (1641). Ornement en spirale, objet présentant des spires. — Archit. Motif d'ornement en spirale. ⇒ **Cartouche, coquille, volute.** *Un enroulement baroque.* — (1762). *Enroulement de ferronnerie.*

1   Souvenez-vous, quand vous les verrez, qu'ils ne sont que les capricieux enroulements tracés par un peintre à la voûte de son tombeau.
         CHATEAUBRIAND, *Mémoires d'outre-tombe,* t. VI, p. 138.

2   (...) des messages (...) dans lesquels l'amplification amoureuse était remplacée par une broussaille d'arabesques, de feuillages impossibles, d'enroulements inextricables, de figures monstrueuses (...)   Léon BLOY, *la Femme pauvre,* p. 133.

(xxe). Techn. Bobinage électrique à spires espacées ou jointives constituant une bobine de self (1).

3   L'huile lubrifie la génératrice, isole l'enroulement, et conduit la chaleur de l'enroulement au carter, où elle est évacuée par l'eau (...)
         Gilbert SIMONDON, *Du mode d'existence des objets techniques,* p. 54.

ENROULER [ɑ̃ʀule] v. tr. — 1334 ; de *en-,* et *rouler.*

♦ **1.** Rouler* une chose (sur, autour d'une autre). *Enrouler un drapeau autour de sa hampe. Singe qui enroule sa queue autour d'une branche. Dans l'antiquité, on enroulait les feuillets manuscrits autour d'un bâtonnet* (⇒ **Volume**). *Enrouler une fourrure autour de son cou* (→ Boa, cit. 2). *Enrouler du fil sur une bobine, un fuseau.* ⇒ **Bobiner, caneter, embobiner, envider, renvider.** *Enrouler en pelote.* ⇒ **Peloter.** — Au p. p. *Fil enroulé autour du fer doux d'un électro-aimant. Câble fait de torons enroulés autour d'une âme* (→ Câble, cit. 1).

1   Elle maintenait le front de la jeune fille sur son genou, et enroulait distraitement une mèche de cheveux blonds autour de son doigt (...)
         MARTIN DU GARD, *les Thibault,* t. I, p. 250.

2 Il se plaça devant un cep, coupa et tira plusieurs sarments enroulés au fil de fer qui vibrait lorsque se rompaient les vrilles sèches.
J. CHARDONNE, les Destinées sentimentales, p. 95.

Par métaphore :

3 Le mouvement giratoire *(dans l'escalier)* est merveilleusement propice au recueillement. Il enroule toutes les pensées sur l'axe de l'être.
G. DUHAMEL, le Temps de la recherche, X, p. 134.

♦ **2.** (XXᵉ). Envelopper dans quelque chose que l'on roule ou qui s'enroule autour. *Enrouler un bâton dans un papier.* ⇒ **Envelopper.** *Enrouler une momie dans des bandelettes.* ⇒ **Emmailloter.** — Par anal. *Enrouler qqn dans des couvertures pour le réchauffer.* ⇒ **Emmitoufler.** — Au p. p. *Un bonbon enroulé dans du papier.*

♦ **3.** Rouler une chose sur elle-même, en rouleau ou en spirale. *Enrouler une pièce d'étoffe* (⇒ **Plier**). *Enrouler un parchemin, une toile.* — Au p. p. *Papier d'emballage enroulé.* ⇒ **Rouleau.** *Feuille, coquille enroulée en spirales* (⇒ **Convoluté, involuté**). Fig. :

4 Et la première phrase apparut, sûre de son élan, de sa courbe et de son but (...), enroula, déroula ses méandres, ses rugosités, ses mollesses et ses diaprures, avec une lenteur sacrée (...)
MONTHERLANT, le Démon du bien, p. 275.

▶ **S'ENROULER** v. pron.

♦ **1.** (Av. 1850). Entourer en faisant des anneaux, des spires. *Liane qui s'enroule autour des arbres.* ⇒ **Entourer.**

5 Regardez cette route, là-bas, qui s'enroule à la colline comme une plante grimpante.
G. DUHAMEL, Chronique des Pasquier, IX, XII, p. 150.

Figuré :

6 (...) cette espèce de jeu qui consistait à ne plus conduire sa pensée et à la laisser librement s'enrouler et se dérouler autour d'un souvenir (...)
J. GREEN, Adrienne Mesurat, p. 31.

♦ **2.** (XXᵉ). Par ext. S'envelopper dans (quelque chose qui entoure). *S'enrouler dans une couverture.* ⇒ **Rouler** (se).

7 Ils restent assis côte à côte pendant que les autres s'enroulent dans leurs couvertures.
SARTRE, la Mort dans l'âme, p. 216.

♦ **3.** (1834). *Copeau qui s'enroule en sortant du rabot. Chenille qui s'enroule. Serpent enroulé.*

8 Ses cheveux, d'un blond chaud, s'enroulaient en boucles mobiles, et encadraient presque gaiement une physionomie où le sourire indécis, le large regard un peu lent, exprimaient plutôt la mélancolie.
MARTIN DU GARD, les Thibault, t. III, p. 142.

▶ **ENROULÉ, ÉE** p. p. adj. Voir ci-dessus à l'article.

CONTR. Dérouler, développer, dévider.
DÉR. Enroulage, enroulement, enrouleur, enrouloire.

ENROULEUR, EUSE [ɑ̃Rulœʀ, øz] adj. et n. m. — 1870 ; de *enrouler.*

♦ Techn. Qui sert à enrouler. *Cylindres enrouleurs. Tambour enrouleur,* pour les tuyaux d'arrosage. ⇒ **Dévidoir.** *Galet enrouleur :* galet facilitant l'enroulement d'une courroie autour d'une poulie. N. m. *Faire installer des ceintures de sécurité à enrouleur dans sa voiture.*

N. m. (Mil. XXᵉ). Dispositif d'enroulement destiné à présenter une matière textile en roules*. *Enrouleur à roule montant commandé.* ⇒ aussi **Rouleau.**

ENROULOIR [ɑ̃RulwaR] n. m. — Mil. XXᵉ ; de *enrouler.*

♦ Techn. Cylindre sur lequel les bandes d'étoffes sont enroulées (tissage).

ENRUBANNAGE [ɑ̃Rybanaʒ] n. m. — Mil. XXᵉ ; de *enrubanner.*

♦ Techn. Action d'enrubanner, d'entourer d'un ruban ; son résultat. *Enrubannage métallique.*
Techn. Bandelette de tissu, de gomme, placée en hélice autour d'une tige, dans un pneu.

ENRUBANNER [ɑ̃Rybane] v. tr. — 1532, *enrubannié* ; repris à la fin du XVIIIᵉ par Beaumarchais ; de *en-, ruban,* et suff. verbal.

♦ **1.** Garnir, orner de rubans. *Enrubanner de soie une boîte de chocolats. Enrubanner un chapeau, un mât.* — Iron. Orner du ruban d'une décoration.
Techn. Entourer d'une matière protectrice en ruban.

♦ **2.** (Le sujet désigne la chose qui entoure). *Banderole qui enrubanne quelque chose.*

▶ **ENRUBANNÉ, ÉE** p. p. adj.
Orné de rubans, et, par ext., de garnitures décoratives. *Des dentelles enrubannées.*

1 Il y a une petite voiture abandonnée dans le taillis, ou qui descend le sentier en courant, enrubannée.
RIMBAUD, Illuminations, Enfance, III.
Fam. Qui porte, a reçu le ruban d'une décoration. *Des messieurs enrubannés de rouge.*
Fig. Orné.

2 (...) la vérité est plus vivante en ses cruels dessous qu'en son extérieur enrubanné (...)
Émile HENRIOT, Portraits de femmes, p. 199.

DÉR. Enrubannage.

ENRUE [ɑ̃Ry] n. f. — 1703, *in* Trévoux ; de *en-,* et *rue.*

♦ Agric. Sillon formé de plusieurs raies parallèles.

E. N. S. [ɛənɛs] n. f. — Mil. XXᵉ ; sigle.

♦ École normale supérieure. *Un ancien élève de l'E. N. S.* ⇒ **Normalien.**

ENSABLEMENT [ɑ̃sabləmɑ̃] n. m. — 1673, au sens 2 ; de *ensabler.*

♦ **1.** (1864). Fait de s'ensabler (2.). *L'ensablement d'un port. L'ensablement progressif de la baie du Mont Saint-Michel.*

♦ **2.** Amas, dépôt de sable formé par l'eau ou par le vent ; état d'une terre, d'un port recouvert ou engorgé par ces amas.
Un ramasseur de langoustes, disposant ses boutiques sur l'ensablement qui sépare le Port-Soif du Port-Enfer. HUGO, les Travailleurs de la mer, p. 229, *in* T. L. F.

♦ **3.** Fait de s'ensabler (1.), d'être ensablé. *L'ensablement d'une barque.*

ENSABLER [ɑ̃sable] v. tr. — 1585, v. intr., « s'ensabler » ; de *en-, sable,* et suff. verbal.

♦ **1.** (1636). Engager dans le sable (un bateau). *Ensabler une barque. Le batelier nous a ensablés.* — Pron. *Notre bateau s'est ensablé.* ⇒ **Assabler** (s'), **échouer** (s'), **engraver** (s'), **enliser** (s'). — Par métaphore :

1 Croyant avoir par cette manœuvre délivré le bateau de ma fortune du péril de s'ensabler, je ne craignis plus rien. A.-R. LESAGE, Gil Blas, VIII, XII.
Fig. S'enliser.

1.1 Nous le verrons, chaque fois que Bossuet se lasse, ranimer son ardeur, le piquer au vif, de crainte que le conflit ne s'ensable, ce qui risque plusieurs fois d'arriver.
F. MALLET-JORIS, Jeanne Guyon, p. 396.
(XXᵉ). *Notre véhicule s'est ensablé jusqu'aux essieux.* ⇒ **Enliser** (s').

♦ **2.** (1585). Recouvrir, remplir, combler de sable. ⇒ **Assabler.** *Les inondations ont ensablé la campagne.* — Pron. *Le port s'ensable graduellement.*

2 La Loire se déborda, inonda et ensabla beaucoup de pays.
SAINT-SIMON, Mémoires, 183, 202, *in* LITTRÉ.

♦ **3.** *Ensabler une allée,* la couvrir de sable. ⇒ **Sabler.**

▶ **ENSABLÉ, ÉE** p. p. adj. *Bateau ensablé.* — *Port, estuaire ensablé.* — *Allée ensablée.*
Fig. *Yeux ensablés de sommeil.*

CONTR. et COMP. Désensabler.
DÉR. Ensablement.

ENSACHAGE [ɑ̃saʃaʒ] n. m. — 1848 ; de *ensacher.*

♦ Techn. Action d'ensacher (on dit aussi *ensachement*).

ENSACHEMENT [ɑ̃saʃmɑ̃] n. m. — 1829 ; *ensacquement,* XVIᵉ ; de *ensacher.*

♦ Techn. ⇒ **Ensachage.**

ENSACHER [ɑ̃saʃe] v. tr. — V. 1220 ; de *en-, sac,* et suff. verbal.

♦ **1.** Mettre (qqch.) en sac, dans un sac. *Ensacher du grain, des pommes, des noix.* — Spécialt. Mettre (les fruits qui sont encore sur l'arbre) dans des sachets (pour les préserver jusqu'à maturité).

♦ **2.** Par anal. Enfermer comme dans un sac. — Au p. p. :

Dans les rues, ce n'était que fourmillement, va-et-vient incessant (...) sodats vêtus de cotonnades bleues à raies blanches et armés à fusil à percussion, hommes d'armes du mikado, ensachés dans leur pourpoint de soie, avec haubert et cotte de mailles (...) J. VERNE, le Tour du monde en 80 jours, p. 190.

DÉR. Ensachage, ensachement, ensacheur.

ENSACHEUR, EUSE [ɑ̃saʃœʀ, øz] n. — 1800 ; de *ensacher.*

♦ **1.** Techn. Personne chargée de l'ensachage à la main ou à la machine.

♦ **2.** N. f. (1888). Machine à ensacher des matières pulvérulentes.

♦ **3.** N. m. (1907). Dispositif facilitant le remplissage des sacs.

ENSAISINEMENT [ɑ̃sezinmɑ̃] n. m. — 1426 ; de *ensaisiner.*

♦ Hist. Action d'ensaisiner ; acte de mise en possession du fief.

ENSAISINER [ãsezine] v. tr. — XIIIe, *ensaisiné de...* « qui est en possession de » ; repris fin XIVe ; de *en-,* et *saisine.*

♦ Hist. (et dr. féod.). Mettre (un nouveau tenancier) en possession d'un fief par un acte.

DÉR. Ensaisinement.

ENSANGLANTEMENT [ãsãglãtmã] n. m. — Fin XIIe, « sang qui recouvre » ; puis mil. XIVe ; de *ensanglanter.*

♦ Rare. Action d'ensanglanter ; fait d'être ensanglanté.

ENSANGLANTER [ãsãglãte] v. tr. — V. 1135 ; au p. p., 1080 ; de *en-, sanglant,* et suff. verbal.

♦ **1.** Couvrir, tacher de sang. *Ensanglanter le sol.* — Au p. p. *Autel* (cit. 6) *ensanglanté par les sacrifices.*

1 Ensanglantant l'autel qu'il tenait embrassé ?   RACINE, Andromaque, III, 8.

Au p. p. adj. (plus cour.). *Vêtements ensanglantés, visage ensanglanté.* ⇒ **Sanglant.**

1.1 (...) il rassemble ses gens et vole à de nouveaux crimes. Peu après nous entendons des cris, et ces scélérats ensanglantés reviennent triomphants et chargés de dépouilles. Décampons lestement, dit *Cœur-de-fer,* nous avons tué trois hommes (...)
                                                          SADE, Justine..., t. I, p. 48.

2 (...) une femme qui hurlait à la mort, les aines ensanglantées, se tournait vers lui.
                                                          CAMUS, la Peste, p. 64.

Par ext. *Les bienséances, les règles de la tragédie classique interdisaient d'ensanglanter la scène,* d'y porter une action sanglante.

♦ **2.** (Av. 1848). Poét. et vieilli. Colorer de rouge. *Le soleil couchant ensanglantait l'horizon* (→ Couchant, cit. 1 et 3).

3 (...) à l'heure où le soleil tombant
Ensanglante le ciel de blessures vermeilles (...)
                                                          BAUDELAIRE, les Fleurs du mal, « Tableaux parisiens », XCI.

♦ **3.** (1640). Couvrir, souiller de sang qu'on fait couler (le sujet désigne le meurtre, la guerre, etc.). *Les guerres qui ont ensanglanté l'Europe. Manifestations ensanglantées par un choc avec le service d'ordre. Les jeux furent ensanglantés,* dégénérèrent en rixe sanglante. *Troubles qui ensanglantent une région.*

4 Enfin, l'Ossa, l'Olympe, et les bois du Pénée
Voyaient ensanglanter les banquets d'hyménée (...)
                                                          André CHÉNIER, Bucoliques, « L'aveugle ».

5 Des querelles et des jalousies ensanglantèrent dans la suite la terre de l'hospitalité.
                                                          CHATEAUBRIAND, Atala, Prologue.

(1643). Marquer par la violence, la mort, le sang répandu. *Ce crime cruel ensanglanta son règne.* ⇒ **Déshonorer.** *Soldats qui ensanglantent leur triomphe en ne faisant point de quartier. Époque ensanglantée* (→ Aveugle, cit. 10).

6 Jephté ensanglante sa victoire par un sacrifice qui ne peut être excusé que par un ordre secret de Dieu.   BOSSUET, Disc. sur l'Hist. universelle, I, 4.

▶ **ENSANGLANTÉ, ÉE** p. p. adj. Voir ci-dessus à l'article.
DÉR. Ensanglantement.

ENSAQUER [ãsake] v. tr. — D. i. (1889, cit.) ; de *en-, sac,* et suff. verbal.

♦ Fam. et rare. Mettre dans un sac (⇒ **Ensacher**) ; arranger, accoutrer (qqn) comme dans un sac. — Au p. p. :

D'autres étaient petits, actifs, fluets ou trapus, cravatés d'un foulard, vêtus de vestons ou ensaqués en de singuliers costumes spéciaux à la classe des rapins.
                                                          MAUPASSANT, Fort comme la mort, p. 137.

ENSAUVAGER [ãsovaʒe] v. tr. — Conjug. *bouger.* — 1792 ; de *en-, sauvage,* et suff. verbal.

♦ Littér. et rare. Rendre féroce, sauvage* (en parlant de l'homme, et des choses humaines). *L'anarchie, les guerres civiles ensauvagent les mœurs.*

1 Le duc de Lorraine (...) était bon et indulgent pour les jeux du soldat. Un de ces jeux, à Lagny, c'est de rôtir un enfant au four (...) Turenne n'aimait pas les gaietés excessives, non par souci du peuple, mais parce qu'elles ensauvageait le soldat et le rendent indisciplinable.   MICHELET, Hist. de France, t. XIV, p. 355.

2 Mais bientôt, c'est un deuxième flot qui arrive, le flot des troupes rendues libres par la prise de Strasbourg (...) Ces nouveaux venus sont plus redoutables que les premiers. Quelques semaines de campagne les ont ensauvagés (...) Ce sont des demi-brutes déchaînées, qui ont fait l'apprentissage du sang et de l'incendie.
                                                          M. BARRÈS, la Colline inspirée, p. 281.

▶ **S'ENSAUVAGER** v. pron. (XIXe).
Littér. Devenir sauvage.

3 Un antre, une tanière, où il fait bon de s'ensauvager toute une journée.
                                                          Ed. et J. DE GONCOURT, Journal, 24 nov. 1866.

4 La figure de la petite fille, si confiante et si tendre un instant plus tôt, s'était refermée, durcie, ensauvagée.   J. KESSEL, le Lion, p. 202.

ENSAUVER (S') [ãsove] v. pron. — 1821, mot normand ; de *en* adv. de lieu, et *sauver,* d'après *s'en aller, s'enfuir.*

♦ Régional (emploi rural ou plais.). Se sauver, s'enfuir.

(*D'autres*) s'ensauvaient par la voie du funiculaire et rejoignaient la Salita de San-Martino en faisant un grand détour mais non sans avoir saccagé le verger.   B. CENDRARS, Bourlinguer, p. 151.   1

Au bout de cinq jours la gamine lui a chipé un billet et s'est ensauvée.
                                                          Hervé BAZIN, Cri de la chouette, p. 79.   2

ENSE ET ARATRO [ɛnsɔctaʀatʀo] Mots latins signifiant « Par le fer et par la charrue ». Devise du maréchal Bugeaud, colonisateur de l'Algérie.

ENSEIGNABLE [ãsɛɲabl] adj. — 1838 ; « docile à l'enseignement », v. 1265 ; de *enseigner.*

♦ Rare. Qui est susceptible d'être enseigné.

ENSEIGNANT, ANTE [ãsɛɲã, ãt] adj. et n. — 1762 ; p. prés. de *enseigner.*

♦ **1.** Adj. Qui enseigne.

Notre manie enseignante et pédantesque est toujours d'apprendre aux enfants ce qu'ils apprendraient beaucoup mieux d'eux-mêmes, et d'oublier ce que nous aurions pu leur seuls leur enseigner.   ROUSSEAU, Émile, II.   1

Mme de Genlis était quelque chose de plus encore qu'une femme-auteur, elle était une femme enseignante ; elle était née avec le signe au front.
                                                          SAINTE-BEUVE, Causeries du lundi, III, Mme de Genlis, p. 20.   2

Spécialt. Qui enseigne au sein des institutions pédagogiques. — (1806). *Le corps enseignant,* ensemble des professeurs et instituteurs. *Le personnel enseignant,* d'un établissement scolaire.

Vous revoilà professeur. On se doit à la société, m'avez-vous dit ; vous faites partie des corps enseignants : vous roulez dans la bonne ornière.
                                                          RIMBAUD, Correspondance, XI, 13 mai 1871.   3

(...) C'est là que gîte *la congrégation* enseignante des Fidèles Compagnes de Jésus.
                                                          HUYSMANS, De tout, « À la Glacière », p. 53.   4

(1771). *L'Église enseignante :* le pape et les évêques dans l'Église catholique.

♦ **2.** N. (Av. 1865). *Un enseignant, une enseignante :* une personne appartenant au corps enseignant. ⇒ **Instituteur, professeur** (et les titres universitaires : **assistant, lecteur, maître-assistant**). *Les enseignants et les inspecteurs de l'enseignement, et le personnel administratif. Grève des enseignants. Relations entre enseignants. Les enseignants du secteur public et privé.* ⇒ **École.**

1. ENSEIGNE [ãsɛɲ] n. f. — 1080 ; *ensenna,* v. 980 ; lat. *insignia* « décorations, parure », pl. neutre de l'adj. *insignis* « remarquable » (→ Insigne), de *in-,* et *signum.* → Signe.

♦ **1.** Vx. Marque, indice servant à faire reconnaître quelque chose. ⇒ **Indice, marque, preuve, signe.**

Il a feint de me ne me connaître pas, encore que je lui aie dit mon nom et donné des enseignes de l'avoir autrefois vu en Provence (...)
                                                          MALHERBE, Lettre à Peiresc, 70, *in* HATZFELD.   1

(...) l'empreinte (...) dont tous ses traits portent la divine enseigne ?
                                                          ROUSSEAU, Julie ou la Nouvelle Héloïse, I, Lettre V.   2

Loc. adv. (Vx). *À bonnes enseignes :* à bon titre, avec des garanties. (Au sing.). *À bonne enseigne,* même sens. *Il ne veut prêter son argent qu'à bonne enseigne.*

(...) vous êtes tout comme il faut pour n'être persuadé qu'à bonnes enseignes.
                                                          Mme DE SÉVIGNÉ, 212, 18 oct. 1671.   3

Loc. conj. (Mod., littér.). *À telle enseigne, à telles enseignes que... :* la preuve en est que..., tellement* que..., à tel point que... ⇒ **Tellement.**

Oui, Madame, vous aurez de la musique, à telles enseignes que j'ai ordre de commander cent bouteilles de Suresnes pour abreuver la symphonie (...)
                                                          A.-R. LESAGE, Turcaret, II, 4.   4

Très parfaitement, et à telles enseignes que, si vous aviez la bonté de faire défendre votre porte, j'essayerais de vous le démontrer *(que je vous aime)* et, j'ose m'en flatter, d'une manière victorieuse.
                                                          Th. GAUTIER, Mlle de Maupin, II, p. 28.   5

♦ **2.** (Déb. XVIe). Cour. Tableau portant une inscription, un objet symbolique, un emblème..., qu'un commerçant, un artisan, un aubergiste, etc., met à son établissement pour se signaler au public. ⇒ **Pancarte, panonceau** (→ Aviser, cit. 5 ; caractère, cit. 4 ; chaussetier, cit. 2 ; cimetière, cit. 2 ; demain, cit. 6). *Vieilles enseignes en forme d'écusson, sur cartouches, pendues à un crochet. Botte, clef en métal servant d'enseigne à un cordonnier, un serrurier. Bouquet de feuillage qui servait d'enseigne dans les auberges de campagne.* ⇒ **Bouchon.** *Enseigne d'un bureau de tabac* ⇒ **Carotte.** *Enseigne d'une auberge. Auberge à l'enseigne du sanglier. Enseigne au-dessus d'une vitrine, sur le balcon d'un étage, sur le toit d'un bâtiment. L'enseigne lumineuse, à éclipses d'un café, d'un hôtel, d'un cinéma. Enseigne publicitaire d'une marque.* ⇒ **Affiche, panneau.** — *L'enseigne de Gersaint,* peinture de Watteau.

Je suis des tiens, il faut que je t'enseigne
Place à loger : va-t'en où pend l'enseigne
Du Chevalier, le logis y est bon.   RONSARD, le Bocage royal, II, « Amour logé ».   6

L'enseigne fait la chalandise.   LA FONTAINE, Fables, VII, 15.   7

8   (...) une enseigne, au bout d'une tringle de fer,
Que balance le vent pendant les nuits d'hiver.
BAUDELAIRE, Pièces condamnées, « Les métamorphoses du vampire ».

9   Chaque building est une enseigne : celui du marchand de gomme, celui de ce fameux journal, celui de ce grand cinéma.
G. DUHAMEL, Scènes de la vie future, VII, p. 107.

Loc. prov. *À bon vin point d'enseigne :* les choses de qualité se passent de publicité.

Loc. fig. *Être logé à la même enseigne que qqn,* être dans la même situation fâcheuse, dans le même embarras. *Ils ne sont pas logés à meilleure enseigne que nous,* leur sort n'est pas meilleur.

Dr. Signe distinctif d'une maison de commerce, qui fait partie du fonds, et est cédé avec lui.

10   Le privilège du vendeur d'un fonds de commerce (...) ne porte que sur les éléments du fonds énumérés dans la vente et dans l'inscription, et à défaut de désignation précise, que sur l'enseigne et le nom commercial, le droit au bail, la clientèle et l'achalandage.   Code de commerce, Loi du 17 mars 1909, art. 1er.

Figuré :

11   On ne passe point dans le monde pour se connaître en vers si l'on n'a mis l'enseigne de poète, de mathématicien, etc. Mais les gens universels ne veulent point d'enseigne (...)   PASCAL, Pensées, I, 34.

♦ **3.** (1080). Symbole de commandement servant de signe de ralliement pour des troupes.

Hist. (Antiq. rom.). Longue pique surmontée d'emblèmes de bronze, aigle, couronnes, médaillons..., de morceaux d'étoffe. ⇒ **Manipule.**

12   Vous marcherez vers Rome à communes enseignes.   CORNEILLE, Sertorius, I, 3.

Littér. ⇒ **Drapeau, étendard.** — *Enseigne féodale.* ⇒ **Bannière.** *Enseigne de cavalerie. Armée qui avance enseignes déployées.*

13   (...) tambour battant et enseignes déployées.   RACINE, les Campagnes de Louis XIV.

14   Lorsqu'on discutait des *armes* de l'Empire, Napoléon avait, nous le savons, exigé l'*Aigle,* et, s'il s'agissait des nouvelles enseignes, l'avait érigé à leur cime « de la même manière que le portaient les Romains ».   Louis MADELIN, Hist. du Consulat et de l'Empire, Vers l'Empire d'Occident, XII, p. 152.

Loc. fig. *Marcher, combattre sous les enseignes de qqn,* se mettre sous son autorité.

15   (...) tes maîtres séduits marchent sous tes enseignes (...)   VOLTAIRE, Mahomet, II, 5.

Par anal. *Enseigne de gendarmerie.* ⇒ **Guidon.** — Mar. Vx. Marque (d'un amiral). — Mod. Pavillon national. ⇒ **Pavillon.**

COMP. Porte-enseigne.

2. ENSEIGNE [ãsɛɲ] n. m. — 1515 ; pour *porte-enseigne.*

♦ **1.** Anciennt. Officier qui portait le drapeau. — *Enseigne de port :* officier qui assistait le lieutenant de port.

♦ **2.** (1691). *Enseigne de vaisseau, enseigne :* officier de la marine de guerre, d'un grade correspondant à sous-lieutenant (pour *l'enseigne de 2e classe*) et de lieutenant *(pour l'enseigne de 1re classe). Un jeune enseigne. Des enseignes de vaisseau.*

ENSEIGNEMENT [ãsɛɲmã] n. m. — XIIe, « précepte, leçon » ; de *enseigner.*
Action d'enseigner ; résultat de cette action.

♦ **1.** Littér. Précepte qui enseigne une manière d'agir, de penser. ⇒ **Avis, conseil** (cit. 4), **leçon, précepte.** *Un précieux enseignement.* — Surtout au plur. *Les enseignements de Dieu. Les enseignements que nous donnent les anciens. Se dégager* (cit. 30) *des enseignements du passé. Récit qui renferme des enseignements.* ⇒ **Apologue, fable, moralité.** — *Leçon* (qu'on tire de l'expérience). *Tirer d'utiles enseignements d'une expérience malheureuse.*

1   Mon fils, n'oublie pas mes enseignements,
Et que ton cœur garde mes préceptes.   BIBLE (CRAMPON), Proverbes, III, 1.

2   Je dis que les clercs modernes ont prêché que l'État doit être fort et se moquer d'être juste ; et, en effet, ils ont donné à cette affirmation un caractère de prédication, d'enseignement moral.   Julien BENDA, la Trahison des clercs, p. 181.

3   Quant au socialisme, en dehors des enseignements, d'ailleurs contradictoires à ses doctrines, qu'il pouvait tirer des révolutions françaises, il était obligé d'en parler au futur, et dans l'abstrait.   CAMUS, l'Homme révolté, p. 233.

♦ **2.** (1771 ; « leçon d'un maître », XVe). Action, art de transmettre des connaissances ; cette transmission. *L'enseignement d'une matière par un maître* (⇒ **Enseignant**). *Celui qui reçoit un enseignement* (⇒ **Disciple, élève**). *Enseignement par leçons* (⇒ **Conférence, cours, exposé, leçon**), *par lecture, par conversation, par correspondance* (⇒ **Téléenseignement**), *par audition de disques. Enseignement des langues vivantes, du dessin. Enseignement religieux. Enseignement de la grammaire, de la rhétorique et de la dialectique* (trivium, au moyen âge). *Enseignement de la philosophie au moyen âge.* ⇒ **Scolastique ; quadrivium, trivium.** *Enseignement individuel par leçons particulières* (⇒ **Précepteur**). *Enseignement collectif donné dans des établissements.* ⇒ **Cours, école, institut.** *Méthodes d'enseignement.* ⇒ **Pédagogie.** *Le bourrage* (cit.) *de crâne ne peut se donner comme une méthode d'enseignement. Enseignement simultané*, *mutuel* (⇒ **Moniteur**). *Enseignement théorique, pratique. Enseigne-*

ment par méthodes audiovisuelles, audio-orales (⇒ **Audiovisuel,** n. m.). *Enseignement audiotutoriel*. Enseignement clinique* (en médecine). *Enseignement acroamatique, ésotérique* — *Enseignement privé* (dans les écoles libres ou privées) ; spécialt, en France, par rapport à *l'enseignement public.* ⇒ **École** (libre). *Enseignement religieux,* dans des établissements religieux. *La liberté d'enseignement* (loi Falloux, du 15 mars 1850). *Enseignement public* (organisé par l'État).

4   (...) au sujet de l'enseignement, que Marius voulait gratuit et obligatoire, multiplié sous toutes les formes, prodigué à tous comme l'air et le soleil, en un mot, respirable au peuple tout entier, ils furent à l'unisson et causèrent presque.
HUGO, les Misérables, V, v, VIII.

5   L'influence qu'il exercera *(Claude Bernard)* sur les sciences médicales, sur leur enseignement, leur progrès, leur langage même, sera immense (...)
PASTEUR, in Henri MONDOR, Pasteur, p. 88.

6   Le but de l'enseignement n'étant plus la formation de l'esprit, mais l'acquisition du diplôme, c'est le minimum exigible qui devient l'objet des études. Il ne s'agit plus d'apprendre le latin, ou le grec, ou la géométrie. Il s'agit d'*emprunter*, et non plus d'*acquérir*, d'emprunter ce qu'il faut pour passer le *baccalauréat.*
VALÉRY, Variété III, p. 276.

Enseignement programmé (1963), méthode pédagogique de transmission des connaissances utilisant un programme divisé en courtes séquences (système « questions-réponses ») et dont le déroulement est assuré par l'élève. — *Enseignement à la carte*. — Enseignement assisté par ordinateur* (E. A. O.).

Spécialt. *Organisation de l'enseignement en France. L'enseignement d'État.* ⇒ **Éducation, instruction** (→ Concentration, cit. 2). *L'enseignement d'État est laïc et gratuit ; obligatoire de 6 à 16 ans. Matières, programmes de l'enseignement. Bourses* (cit. 14) *d'enseignement données aux meilleurs élèves. Réformes de l'enseignement. Budget de l'enseignement. Organisation de l'enseignement. Enseignement général. École maternelle* (2 à 6 ans) ; *enseignement du premier degré* ou *enseignement primaire* ou *enseignement du premier cycle* (6 à 11 ans), *qui donne les premiers éléments des connaissances et qui est subdivisé en cycle préparatoire* (CP), *cycle élémentaire* (CE 1 et CE 2), *cycle moyen* (CM 1 et CM 2). *Diplômes de l'enseignement primaire.* ⇒ **Certificat ; brevet** (anciennt). *Personnel de l'enseignement primaire.* ⇒ **Instituteur, maître** (d'école, d'études). *Enseignement secondaire, du second degré,* dispensé dans les collèges* (cycle d'observation : 6e-5e ; cycle d'orientation : 4e-3e ; sanctionné par un brevet* des collèges), puis dans les lycées* (enseignement général long : 2e, 1re et terminale ; sanctionné par le baccalauréat*). Professeurs de l'enseignement secondaire. — Enseignement technique* (sanctionné par le brevet de technicien et le baccalauréat de technicien). *Lycée d'enseignement professionnel,* délivrant en 2 ans le brevet d'études professionnelles (BEP), en 3 ans le certificat d'aptitude professionnelle (CAP). — *Enseignement pour la formation des maîtres* ⇒ **Normal** (écoles normales) — *Enseignement supérieur,* le plus haut des degrés de l'enseignement, qui donne une formation dans les sciences, la philosophie, les lettres, les langues, la médecine, le droit (1er cycle : 2 ans ; 2e cycle : licence et maîtrise ; 3e cycle : doctorat). ⇒ **École** (grandes écoles), **faculté, institut, université.** *Diplômes, grades de l'enseignement supérieur.* ⇒ **Agrégation, diplôme, doctorat, licence, maîtrise.** *Personnel de l'enseignement supérieur.* ⇒ **Assistant, maître** (de conférences), **maître-assistant, professeur.** *Enseignement technique supérieur.*

Enseignement spécialisé, réservé aux enfants et adolescents gênés dans leur scolarité par des difficultés psychophysiologiques. — *Enseignement agricole. — Enseignement commercial, enseignement ménager. — Enseignement pour adultes.* → Formation* permanente, recyclage.

En Belgique (depuis la loi de 1968). *Enseignement subventionné* (libre) ; *enseignement officiel. Enseignement préscolaire* (2 ans et demi à 5 ans) ; *enseignement primaire* (3 cycles de 2 ans). *Enseignement secondaire* (2 cycles de 3 ans) : formation générale (humanités anciennes ou humanités modernes) ; *enseignement technique, professionnel ; artistique. Enseignement secondaire rénové. Grades universitaires de l'enseignement supérieur : candidat, licencié, docteur, agrégé de l'enseignement supérieur. Établissement d'enseignement secondaire.* ⇒ **Athénée.** — Au Québec. *Collège d'enseignement général et professionnel (CEGEP), entre l'école secondaire et l'université (à partir de 17 ans).* — En Suisse. *Enseignement primaire. Enseignement secondaire, secondaire supérieur* (baccalauréat de maturité, préparé dans les gymnases*) ; « écoles nouvelles ».

♦ **3.** Profession, carrière des enseignants ; ensemble des enseignants. *Entrer dans l'enseignement. L'enseignement est divisé au sujet de la nouvelle réforme.*

COMP. Téléenseignement.

ENSEIGNER [ãsɛɲe] v. tr. — Fin XIe ; du lat. pop. *insignare*, du lat. class. *insignire* « indiquer », d'où « instruire », de l'adj. *insignis.* → Enseigne.

♦ **1.** Vieilli ou régional. Faire connaître par un signe, une indication. ⇒ **Indiquer, montrer.** *Enseigner le chemin à quelqu'un. Enseigner un lieu, une maison ; enseigner une personne à une autre.*

Enseignez-nous un peu le chemin qui mène à la ville.   MOLIÈRE, Dom Juan, III, 2.   1

2   (...) le marquis de Marialva, dont elle m'enseigna la demeure.
                             A.-R. LESAGE, Gil Blas, VII, VIII.

3   Ils essayèrent aussi de plusieurs restaurants; mais ils eurent l'impression qu'un guide leur manquait, qui leur eût enseigné les maisons les plus élégantes.
           J. ROMAINS, les Hommes de bonne volonté, t. V, XXVI, p. 262.

3.1 — Monsieur Jules, dit-elle, je vas vous enseigner une belle compagnie de perdrix.
    — Où donc?
    — Là, dans l'étable.   J. RENARD, Journal, 22 août 1909.

♦ **2. Cour.** Transmettre à un élève de façon qu'il comprenne et assimile (des connaissances). *Enseigner les mathématiques, dans un collège.* ⇒ **Professer.** *Matière enseignée dans une école* (→ Discipline, cit. 6). *Enseigner le dessin à un jeune élève.* ⇒ **Apprendre.** *Enseigner qqch. en montrant, en rendant intelligible.* ⇒ **Démontrer, expliquer, inculquer, révéler.** — *Enseigner des dogmes.* ⇒ **Dogmatiser.** *Enseigner la parole de Dieu.* ⇒ **Prêcher** (→ Commandement, cit. 6). *Enseigner le catéchisme aux enfants.* ⇒ **Catéchiser.** *Personne qui enseigne.* ⇒ **Maître.**

4   Il comprenait et retenait aisément tout ce qu'on lui enseignait; ses maîtres en étaient très contents.   A.-R. LESAGE, Gil Blas, XII, VI.

5   Il n'y a qu'une science à enseigner aux enfants : c'est celle des devoirs de l'homme.
                             ROUSSEAU, Émile, I.

Absolt. *Il faut des diplômes pour enseigner. — Enseigner sur un sujet.*

6   Enseigner, c'est apprendre deux fois.   Joseph JOUBERT, Pensées, XIX, LXVIII.

7   Il *(Comte)* donnait des leçons pour vivre, car sa vocation était d'enseigner. À ce titre, il professait les mathématiques dans une institution libre, l'astronomie à la mairie du quatrième arrondissement, et exerçait à l'École polytechnique l'emploi d'examinateur d'admission.   Émile HENRIOT, Portraits de femmes, p. 400.

♦ **3.** Apprendre à qqn, par exemple, par une sorte de leçon. *Enseigner qqch. (à qqn). Enseigner une méthode, une recette* (→ Cuivre, cit. 5). *Enseigner le moyen, la manière... Certains animaux nous ont enseigné à bâtir des maisons. Enseigner la haine du mensonge, l'amour de son prochain.* — *Bayle enseigne à douter* (→ Balance, cit. 9). — (1690). *Il lui enseigna qu'il faut savoir se dominer* (→ Domination, cit. 6). *Ce philosophe enseigne que...* ⇒ **Professer, soutenir.** — *Enseigner (à qqn) comment..., pourquoi, de quelle manière...*

8   (...) la vertu que mes parents m'ont enseignée. MOLIÈRE, George Dandin, II, 8.

9   Enseignez premièrement aux enfants à parler aux hommes, ils sauront bien parler aux femmes quand il le faudra.   ROUSSEAU, Émile, I.

10   Je pense, pour moi, qu'il faut toujours enseigner la vérité aux hommes, et qu'il n'y a jamais d'avantage à les tromper.
              D'ALEMBERT, Lettre au roi de Prusse, 18 déc. 1769.

11   Zénon enseigne à l'homme qu'il a une dignité, non de citoyen, mais d'homme (...)
      FUSTEL DE COULANGES, la Cité antique, V, I, p. 423 (→ Dignité, cit. 10).

12   Un bon maître a ce souci constant : enseigner à se passer de lui.
                       GIDE, Journal, 22 mars 1922.

(Sujet n. de chose). ⇒ **Apprendre.** *La crainte nous enseigne le mensonge.* ⇒ **Suggérer.** *Son récent échec lui a enseigné qu'on ne réussit pas sans travail* (→ aussi Assise, cit. 5; chance, cit. 5). *Le christianisme enseigne qu'il faut aimer son prochain comme soi-même.*

13   (...) un de ces remèdes que mon art m'enseigne.
                   MOLIÈRE, l'Amour médecin, III, 6.

14   Il le faut avouer, l'amour est un grand maître :
    Ce qu'on ne fut jamais il nous enseigne à l'être;
    Et souvent de nos mœurs l'absolu changement
    Devient, par ses leçons, l'ouvrage d'un moment.
               MOLIÈRE, l'École des femmes, III, 4.

15   Les grandeurs et les misères de l'homme sont tellement visibles, qu'il faut nécessairement que la véritable religion nous enseigne et qu'il y a quelque grand principe de grandeur en l'homme, et qu'il y a un grand principe de misère.
                    PASCAL, Pensées, VII, 430.

16   (...) la servitude et l'oppression enseignent la ruse.
               SAINTE-BEUVE, Proudhon, p. 96.

17   Le malheur est notre plus grand maître et notre meilleur ami. C'est lui qui nous enseigne le sens de la vie.   FRANCE, le Lys rouge, X, p. 96.

♦ **4. Vx** ou **rare. Instruire.** ⇒ **Éclairer, éduquer, former, initier.** *Enseigner la jeunesse. Les apôtres enseignèrent les nations.* ⇒ **Évangéliser.**

18   Allez donc, enseignez toutes les nations, les baptisant au nom du Père, du Fils et du Saint-Esprit, leur apprenant à observer tout ce que je vous ai commandé.
     BIBLE (CRAMPON), Évangile selon saint Matthieu, XXVIII, 19.

19   J'ai souvent ouï en proverbe vulgaire qu'un fou enseigne bien un sage.
               RABELAIS, Pantagruel, III, 37.

20   (...) les pères enseignaient eux-mêmes leurs enfants.
             RACINE, Livres annotés, Plutarque.

21   Quiconque enseigne une femme à ces degrés supérieurs est son prêtre et son amant.   MICHELET, la Femme, p. 305.

▶ **S'ENSEIGNER** v. pron.

♦ **1. (Passif).** Être enseigné. *Les langues vivantes s'enseignent à partir de la classe de 6ᵉ. La géographie ne peut s'enseigner sans cartes.*

22   Ces idées ne s'enseignaient à aucune école; mais elles étaient dans l'air.
          RENAN, Vie de Jésus, IV, p. 120 (→ Air, cit. 27).

♦ **2. (Réfl.). Rare.** S'instruire, s'éclairer soi-même.

23   (...) toi donc, qui enseignes les autres, tu ne t'enseignes pas toi-même !
        BIBLE (SEGOND), Épître aux Romains, II, 21.

---

24   (...) il faut savoir ce que l'on enseigne, c'est-à-dire qu'il faut avoir commencé par s'enseigner soi-même (...)   Ch. PÉGUY, la République..., p. 51.

▶ **ENSEIGNÉ, ÉE** p. p. adj. et n.

♦ **1.** Qui fait l'objet d'un enseignement. *Matières enseignées.*

♦ **2. (1967).** Qui reçoit un enseignement. — N. *Les enseignants et les enseignés.* ⇒ **Apprenant.**

25   Si l'enseigné avait, par exemple, le droit de demander des leçons particulières gratuites ou même de demander sans limitation des explications complémentaires, il faudrait un nombre de maîtres si élevé que toute l'économie croulerait sous le fardeau.   A. SAUVY, Croissance zéro?, p. 211.

REM. Cet emploi a été critiqué; si l'on tient compte du sens 4, de *enseigner*, il est vrai archaïque, il est néanmoins normal.

26   (...) parler comme on le fait couramment des enseignants et des enseignés me paraît sinon barbare, du moins archaïque. Il n'existe pas d'enseignés, car on enseigne quelque chose à quelqu'un, on n'enseigne pas quelqu'un. Par conséquent, il ne saurait exister d'enseignés. Il existe seulement des matières enseignées.
     A. HERSAY, in le Nouvel Observateur, 30 déc. 1968, p. 33.

DÉR. Enseignable, enseignant, enseignement, enseigneur.
COMP. Renseigner.

ENSEIGNEUR, EUSE [ãsɛɲœR, øz] n. — D. i. (mil. xxᵉ); de *enseigner.*

♦ **Rare.** Personne qui enseigne (qqch.) aux autres. ⇒ **Enseignant.**

Urgente en tout cas nous paraît la tâche de dégager dans des notions qui s'amortissent dans un usage de routine, le sens qu'elles retrouvent tant d'un retour sur leur histoire que d'une réflexion sur leurs fondements subjectifs.
C'est là sans doute la fonction de l'enseigneur, d'où toutes les autres dépendent, et c'est elle où s'inscrit le mieux le prix de l'expérience. J. LACAN, Écrits, p. 240.

ENSELLÉ, ÉE [ãsele] adj. — xIIᵉ, «muni d'une selle»; de *en-, selle,* et suff. *-é.*

♦ **1. Vx.** Muni d'une selle. *Cheval ensellé.*

♦ **2. (1561). Mod. (techn.).** *Cheval* (cit. 5) *ensellé,* dont le dos est exagérément concave au niveau des reins.
Par anal. *Un dos (humain) ensellé, bien ensellé.* ⇒ **Ensellure.**

♦ **3. (1691). Mar.** *Navire ensellé,* dont le milieu est bas et les extrémités très relevées.

DÉR. Ensellement, ensellure.

ENSELLEMENT [ãsɛlmã] n. m. — 1907; de *ensellé.*

♦ **Géol.** Abaissement d'un pli long.

ENSELLURE [ãselyR] n. f. — 1856; de *ensellé.*

♦ Courbure, concavité très prononcée de la région lombaire chez les quadrupèdes.

(Dans l'espèce humaine). Cambrure de la colonne vertébrale. « *L'ensellure s'exagère dans la grossesse et dans certaines états pathologiques* » (Garnier et Delamare). *Ensellure marquée. Une belle ensellure.*

Dans la station debout, le corps vu de profil, dessine toujours chez la femme, au niveau des reins, une forte cambrure ou ensellure.
          A. BINET, les Formes de la femme, p. 21.

1. ENSEMBLE [ãsãbl] adv. — 1050; du lat. pop. *insimul,* renforcement du lat. class. *simul* «ensemble».

♦ **1.** L'un avec l'autre, les uns avec les autres. *Deux, plusieurs personnes ensemble.* ⇒ **Réuni.** *Nous sommes ensemble pour discuter. Faire quelque chose ensemble.* ⇒ **Collectivement, commun** (en), **concert** (de), **concordance** (en), **conjointement, conserve** (de), **coude** (coude à coude); et aussi les préf. **co-, con-** et **sy-.** *Vivre ensemble.* — Fam. *Être ensemble,* vivre en ménage ou avoir des relations personnelles (sexuelles, etc.). *Tu crois qu'ils sont ensemble? Coucher* (cit. 13), *dormir ensemble. Partez-vous avec* lui? Oui, nous partons ensemble. Venez tous ensemble. Nous parlerons, nous jouerons ensemble. Faire une démarche ensemble.* ⇒ **Corps** (en corps), **masse** (en masse). *Ils font ensemble ce travail.* ⇒ **Collaborer** (→ Collaborateur, cit. 1). *Composer, s'arranger ensemble; reconnaître ensemble que...* ⇒ **Accord** (se mettre, tomber d'accord), **accorder** (s'). *Préparer, combiner ensemble.* ⇒ **Concerter.** — *Ces personnes sont bien* (cit. 18 et 24) *ensemble.* ⇒ **Entendre** (s'). *Être mal ensemble,* brouillé, fâché. — *Mettre ensemble des personnes, des choses.* ⇒ **Assembler, grouper, joindre, réunir, unir.** *Mettre ensemble, rapprocher des éléments, des aspects.* ⇒ **Synthèse.** *Choses qui vont ensemble.* ⇒ **Accorder** (s'), **assortir** (s'), **harmoniser** (s'), **pair** (aller de pair); **compatible.** *Faire aller ensemble en accordant.* ⇒ **Concilier.** *Cet objet est plus cher que tous les autres ensemble.* ⇒ **Réuni.**

À toute heure en tous lieux ensemble nous irons,
Et dessous même loge ensemble dormirons,   RONSARD, Églogues, II.   1
Que vois-je? Mon rival et Trufaldin ensemble !   MOLIÈRE, l'Étourdi, II, 7.   2
En voici les morceaux que je vais mettre ensemble. RACINE, les Plaideurs, II, 4.   3

4 Vous êtes là tous rangés au coin du feu (...) On joue aux dominos, on crie, on rit, on est tous ensemble. FLAUBERT, Correspondance, 77, fin avr. 1843.

5 M. Teste, d'ailleurs, pense que l'amour consiste *à pouvoir être bêtes ensemble* (...)
VALÉRY, M. Teste, p. 49.

6 Ces types-là ne sont contents que quand ils peuvent gueuler ensemble (...) ils se réunissent là le dimanche, ils se mettent à chanter en chœur en buvant de la bière. SARTRE, le Sursis, p. 252.

♦ **2.** L'un avec l'autre et en même temps. ⇒ **Simultanément.** *Crier, chanter ensemble.* ⇒ **Chœur** (en). → Canon, cit. 5. *Ne parlez pas tous ensemble, la parole est à X.* (→ Bourgeois, cit. 7). *Voitures qui démarrent ensemble. Marcher ensemble.* ⇒ **Pas** (du même pas). *Coureurs qui arrivent ensemble. Mener plusieurs affaires ensemble.* ⇒ **Front** (de front). *Les malheurs arrivent souvent ensemble.*

7 Ses gens m'assaillirent tous ensemble, et me donnèrent tant de coups de bâton (...)
A.-R. LESAGE, Gil Blas, III, 7 (→ Assaillir, cit. 3).

8 Mais dans le plus riche jardin jamais deux roses n'éclatent ensemble.
J. ROMAINS, les Hommes de bonne volonté, t. IV, xv, p. 166.

♦ **3.** Vx. À la fois. ⇒ **Fois.**

9 Les Amours, ensemble le Cinquième des Odes.
RONSARD (titre d'une édition collective de 1552).

10 Cher et cruel espoir d'une âme généreuse,
Mais ensemble amoureuse (...) CORNEILLE, le Cid, I, 6.

11 *Ensemble pour à la fois* devient archaïque pour Féraud (fin XVIIIᵉ s.), notamment dans Bossuet. *Ils méprisaient ensemble le mariage, l'usage des viandes et les sacrements.* F. BRUNOT, Hist. de la langue franç., t. VI, II, II, p. 1513.
Mod. (littér.). *Tout ensemble. Nous sommes tout ensemble fâchés et ravis* (→ Drame, cit. 5). *Dieu est tout ensemble Père, Fils et Saint-Esprit* (→ Baptême, cit. 2). — (Dans le même sens). *Ensemble* (suivi de deux adj. ou de deux noms) : en même temps. *Il est ensemble agréable et difficile à vivre.*

12 (...) jamais tant de charmes n'ont frappé tout ensemble mes yeux et mes oreilles.
MOLIÈRE, la Princesse d'Élide, III, 2.

13 Une angoisse, qui est tout ensemble douleur, joie démesurée et désespoir, la tient serrée au haut au bas de son corps.
J. ROMAINS, les Hommes de bonne volonté, t. VI, XVII (→ Délivrer, cit. 16).

CONTR. **Individuellement, isolément, séparément.**
DÉR. 2. **Ensemble.**

2. ENSEMBLE [ɑ̃sɑ̃bl] n. m. — 1694 ; « tout ensemble », 1668 ; substantivation de 1. *ensemble.*

★ **I.** Qualité d'un tout dont les parties sont harmonieusement unies.

♦ **1.** Vx (arts). Unité (d'une œuvre d'art), tenant à l'équilibre et à l'heureuse proportion des éléments. ⇒ **Cohésion, composition.** *Tableau, monument qui manque d'ensemble.*

1 L'*ensemble* est l'union des parties d'un tout. L'*ensemble* de l'univers est cette chaîne presque entièrement cachée à nos yeux, de laquelle résulte l'existence harmonieuse de tout ce dont nos sens jouissent. L'*ensemble* d'un tableau est l'union de toutes les parties de l'art d'imiter les objets ; enchaînement connu des artistes créateurs, qui le font servir de base à leurs productions (...)
WATELET, *in* Encycl. (DIDEROT) art. *Ensemble.*

2 Ensemble, en Architecture, se dit de toutes les parties d'un bâtiment qui, étant proportionnées les unes avec les autres, forment un beau tout (...)
WATELET, *in* Encycl. (DIDEROT) art. *Ensemble.*

3 (...) ce n'est pas assez que d'avoir bien établi l'ensemble, il s'agit d'y introduire les détails, sans détruire la masse (...)
DIDEROT, Essai sur la peinture, I, *in* LITTRÉ.

4 (...) travaille, médite surtout, condense ta pensée, tu sais que les beaux fragments ne font rien ; l'unité, l'unité, tout est là. L'ensemble, voilà ce qui manque à tous ceux d'aujourd'hui, aux grands comme aux petits.
FLAUBERT, Correspondance, t. I, p. 182.
Loc. vieillie. *Être d'ensemble* : être cohérent, harmonieux.

♦ **2.** Mod. Unité tenant au synchronisme des mouvements et à la collaboration des divers éléments. *Les troupes ont manœuvré avec un ensemble impressionnant. Il y a beaucoup d'ensemble dans ce ballet. L'orchestre attaqua avec un ensemble parfait.* — Iron. *Mentir avec un ensemble touchant.*

5 L'ensemble, dans la tactique, c'est l'exacte exécution des mêmes mouvements, de la même manière et dans le même temps.
LEBLOND, *in* Encycl. (DIDEROT), art. *Ensemble.*
... **D'ENSEMBLE.** *Mouvement* (cit. 22) *d'ensemble.*

★ **II.** (XIXᵉ). ♦ **1.** La totalité des éléments constituant un tout. — (Avec un compl., souvent au plur.). *L'ensemble des objets de cette pièce. Un ensemble de choses, de personnes.* ⇒ **Corps.** *Ensemble de médecins.* ⇒ **Corps.** *Ensemble de employés d'une entreprise.* ⇒ **Personnel.** *Ensemble du territoire national* (→ Armée, cit. 11). *L'ensemble des mots d'un dictionnaire :* la nomenclature. — *L'ensemble formé par... L'ensemble de son œuvre.* ⇒ **Somme.**

6 (...) pour traiter l'ensemble du problème, nous devons le plus possible partir de données exactes.
J. ROMAINS, les Hommes de bonne volonté, t. V, XI, p. 86 (→ Donnée, cit. 2).

7 (...) je connais les hommes et je les reconnais à leur conduite, à l'ensemble de leurs actes (...) CAMUS, le Mythe de Sisyphe, p. 25 (→ Conduite, cit. 18).
(Sans compl.). *Ne pas ôter un détail* à l'ensemble* (→ Crouler, cit. 4). *Ne s'intéresser qu'à l'ensemble.*

8 (...) tout est là : faire rentrer le détail dans l'ensemble.
FLAUBERT, Correspondance, t. II, p. 202.

9 Car, ce qui fait artiste, c'est l'habitude de dégager dans les objets le caractère essentiel et les traits saillants ; les autres hommes ne voient que des portions, il saisit l'ensemble et l'esprit.
TAINE, Philosophie de l'art, t. I, p. 59.

10 Il y avait du Napoléon en lui par sa faculté de pénétrer dans tous les détails sans perdre de vue l'ensemble.
FRANCE, la Vie en fleur, XXV, p. 284.

11 Tout se tient et je sens, entre tous les faits qu'on m'offre la vie, des dépendances si subtiles qu'il me semble toujours qu'on n'en saurait changer un seul sans modifier tout l'ensemble. GIDE, les Faux-monnayeurs, I, XI, p. 116.

12 (...) l'individu confère une personnalité mystique à l'ensemble dont il se sent membre (...) Julien BENDA, la Trahison des clercs, p. 97.

... **D'ENSEMBLE.** ⇒ **Général, global ; collectif, commun.** *Une vue, un effet d'ensemble. Étude d'ensemble sur un sujet. Se faire une idée d'ensemble.*

13 Les chefs ne s'étaient même pas (...) mis d'accord sur un plan tactique d'ensemble.
MARTIN DU GARD, les Thibault, VII, 7 (→ Accord, cit. 7).

14 Voyant de l'histoire, merveilleux à décrire ce qu'il imagine *(Michelet)*, jusqu'à créer l'illusion qu'il était là, qu'il a enregistré de ses yeux les spectacles qu'il réinvente ; donnant sans doute de ces choses la vue d'ensemble la plus juste, sinon toujours la plus fidèle. Émile HENRIOT, les Romantiques, p. 401.

Dans son ensemble : dans sa totalité. ⇒ **Complètement, intégralement, totalement.** *Il a étudié la question dans son ensemble.*

15 Plus tard, on reconnut que le but de l'auteur *(Balzac)* n'était pas de tisser des intrigues plus ou moins bien ourdies, mais de peindre la société dans son ensemble du sommet à la base, avec son personnel et son mobilier, et l'on admira l'immense variété de ses types. Th. GAUTIER, Portraits contemporains, Balzac, III, p. 79.

Loc. adv. **DANS L'ENSEMBLE,** en considérant plutôt l'ensemble que les divers composants. ⇒ **Gros** (en), **total** (au). *Bon travail dans l'ensemble, mais des faiblesses en mathématiques. La situation, dans son ensemble, est plutôt améliorée.*

16 Ce grand royaume de France, aristocrate dans ses parties ou ses provinces, était démocrate dans son ensemble (...)
CHATEAUBRIAND, Mémoires d'outre-tombe, IV, 2 (→ Aristocrate, cit. 5).

17 C'est un homme d'affaires, dont les affaires sont incertaines, mais qui dans l'ensemble gagne assez d'argent. Edmond JALOUX, la Chute d'Icare, p. 64.

♦ **2.** (Fin XIXᵉ). Groupe de plusieurs personnes, de plusieurs choses réunies en un tout. *Ensemble de personnes.* ⇒ **Assemblée, collectivité, collège, corps, groupe, groupement, réunion.** *Un ensemble de chanteurs, de musiciens ; ensemble vocal, instrumental.* ⇒ **Chœur, orchestre.** *Action collective* d'un ensemble de personnes.* — *Ensemble de choses.* ⇒ **Assemblage, assortiment, collection.** *Ensemble de deux*, de trois*... objets. L'ensemble du moteur et de la carrosserie ; l'ensemble moteur-carrosserie. Un ensemble de théories, d'idées...* ⇒ **Système.** *Ensemble de faits, de facteurs, de conditions. Un ensemble compact, homogène.* — *Ensemble d'organes.* ⇒ **Organisme.**

♦ **3.** (1890 ; trad. all. *Menge,* 1883). Math. Collection d'éléments, en nombre fini ou infini, susceptibles de posséder certaines propriétés (notamment dont le critère d'appartenance à cette collection est sans ambiguïté), et d'avoir entre eux, ou avec des éléments d'autres ensembles, certaines relations. *Partie d'un ensemble.* ⇒ **Sous-ensemble.** *La puissance* d'un ensemble. Ensembles équipotents*. La théorie des ensembles* (⇒ **Ensembliste**). *Ensembles ordonné*. Ensembles disjoints,* sans élément commun. ⇒ **Coupure.** *Ensemble vide,* ne possédant aucun élément. *Réunion de deux ensembles. Inclusion d'un ensemble dans un autre. Intersection de deux ensembles,* leurs éléments communs. *Relation d'un ensemble vers un autre ensemble.* ⇒ **Application, correspondance, fonction, relation ; bijection, injection, surjection ; antécédent, image.** *Relations* (relations d'équivalence, relations d'ordre) *sur un ensemble. Loi de composition (interne) sur un ensemble. Ensemble de définition*. Ensemble référentiel. Ensemble quotient. Ensemble de départ* (source), *ensemble d'arrivée* (but) *d'une application, d'une fonction. Produit* (cartésien) de deux ensembles.* ⇒ **Couple.** *Ensemble fini, infini. Ensemble dénombrable,* dont les éléments peuvent être mis en correspondance biunivoque avec les nombres entiers naturels. — *Complémentaire d'un ensemble.* — *Représentation graphique d'un ensemble.* ⇒ **Diagramme** (de Venn) ; fam. **patate.**

18 Un *ensemble* est formé d'*éléments* susceptibles de posséder certaines *propriétés,* et d'avoir entre eux, ou avec des éléments d'autres ensembles, certaines *relations.*
N. BOURBAKI, la Théorie des ensembles, I, 1.

♦ **4.** Spécialt. **a** Groupe d'habitations ou de monuments. ⇒ aussi **Grand ensemble.**

19 C'était un de ces ensembles architecturaux vers lesquels, dans une autre ville, les rues se dirigent, vous conduisent et le désignent.
PROUST, À la recherche du temps perdu, t. XIII, p. 281.

19.1 Nous sommes entrés dans l'ère de la philosophie des ensembles des grands ensembles, et je ne parle pas hachélem [1]. ARAGON, Blanche..., III, II, p. 401.
1. Voir H. L. M.

b (1924, *in* D.D.L.). Pièces d'habillement assorties destinées à être portées ensemble. *Un ensemble de plage en toile blanche.*

19.2 (...) il lui demandait si les détacheurs ordinaires sont efficaces contre les traces de larmes, à moins qu'elle ne voulût les y laisser, comme souvenir, et que son ensemble ne prît dorénavant (...) le nom de Fontaines d'Italie.
MONTHERLANT, le Démon du bien, p. 249.

20 Je t'ai acheté un ensemble ce mois-ci, je te paye vingt francs par jour, je te paye le loyer et toi, tu prends le café l'après-midi avec tes amies.
CAMUS, l'Étranger, III, p. 47.

c Réunion de pièces de mobilier allant ensemble. *Un ensemble décoratif. Un ensemble Louis XVI, Empire.*

d *Ensemble de lancement* (appartenant à une base de lancement de fusées).

♦ **5.** Chant simultané de plusieurs personnages dans un ouvrage lyrique (→ ci-dessus I., 2.). *Les airs et les ensembles.*

CONTR. Discordance; détail, élément, partie.

DÉR. Ensemblier, ensembliste.

COMP. Grand ensemble, sous-ensemble.

ENSEMBLIER [ɑ̃sɑ̃blije] n. m. — 1920; de 2. *ensemble.*

♦ Artiste qui crée des ensembles (2. Ensemble, II., 4., c) décoratifs.

L'ensemblier n'a sûrement pas consulté Mme Rezeau (...) Dans cette composition à la fois stricte et légère où chaque objet vaut par son volume, par sa tache de couleur (...)   Hervé BAZIN, Cri de la chouette, p. 214.

Au cinéma et à la télévision, Adjoint du décorateur.

ENSEMBLISTE [ɑ̃sɑ̃blist] adj. — Mil. xxe; de 2. *ensemble*, au sens mathématique.

♦ Sc. Relatif aux ensembles, qui opère sur des ensembles (2. Ensemble, II., 3.). *Théorie, logique ensembliste. Explication, interprétation ensembliste.* — *Un mathématicien ensembliste.*

ENSEMENCEMENT [ɑ̃smɑ̃smɑ̃] n. m. — 1552; de *ensemencer.*

♦ **1.** Action d'ensemencer; son résultat. *Le labour et l'ensemencement d'un champ.*

♦ **2.** Techn. et sc. Introduction de germes vivants dans un milieu. *Ensemencement d'un milieu, du sang. Ensemencement viral.*

Peuplement (d'un cours d'eau, d'une masse d'eau) au moyen de frai ou d'alevins.

Le fait d'ensemencer (un milieu). — Spécialt. Introduction d'iodure d'argent dans les formations nuageuses.

♦ **3.** Fig. *Un ensemencement d'idées. L'ensemencement de la jeunesse par des influences.*

ENSEMENCER [ɑ̃smɑ̃se] v. tr. — Conjug. *placer.* — 1355; de *en-, semence*, et suff. verbal.

♦ **1.** Pourvoir de semences (un terrain propice à leur développement). *Ensemencer des terres.* ⇒ **Emblaver, mettre** (mettre en blé, en avoine...), **semailles** (faire les), **semer.** — REM. Pour des terrains peu étendus, on emploie de préférence *semer* et *faire des semis.* Absolt. *Il faut avoir ensemencé pour récolter.*

1   Il fallait labourer les tristes champs de Mars,
Et des dents d'un serpent ensemencer leur terre (...)   CORNEILLE, Médée, II, 2.

Par métaphore :

2   (...) il y a plus de mérite à ensemencer un désert qu'à butiner avec insouciance dans un verger fructueux (...)   BAUDELAIRE, la Fanfarlo.

Sc., techn. *Ensemencer un bouillon de culture, un milieu,* y introduire des bactéries, des germes microbiens.

3   On trouve quelquefois ensemencer des graines dans. Il prend des spores..., il les ensemence dans du moût... naturellement, en ensemençant le *penicillium*, vous avez ensemencé à côté les spores de levûre, Pasteur, dans le *Compte rendu* de H. de Parville, *Journ. offic.*, 18 déc. 1873 (...) La locution n'est pas correcte. On *sème* des graines dans un champ; mais on *ensemence* le champ avec des graines.   LITTRÉ, Dict., supplément, art. *Ensemencer.*

♦ **2.** (1864). *Ensemencer une rivière, un étang,* y placer du menu poisson (alevin, frai). ⇒ **Aleviner, empoissonner.**

Par anal., sc., techn. Disposer dans (un milieu) des substances faisant office de « germe », cristaux, etc.

♦ **3.** (Av. 1615). Fig. *Ensemencer un terrain* (moral, spirituel). ⇒ **Féconder.**

4   (...) il *(Talma)* avait encore cette sensibilité indispensable pour ensemencer les succès.   STENDHAL, Souvenirs d'égotisme, p. 93.

5   (...) dans le même pays, à deux époques différentes, il y a très probablement le même nombre d'hommes de talent et d'hommes médiocres (...) il en est pour les esprits comme pour les corps, et la Nature est une semeuse d'hommes qui (...) répand à peu près la même quantité, la même qualité, la même proportion de graines dans les terrains qu'elle ensemence régulièrement et tour à tour.   TAINE, Philosophie de l'art, t. I, p. 55.

CONTR. V. Friche (laisser en), jachère (mettre en).

DÉR. Ensemencement.

COMP. Réensemencer.

1. ENSERRER [ɑ̃seʀe] v. tr. — 1549; « enfermer », v. 1120; de *en-*, et *serrer.*

♦ **1.** Vx. Enfermer (qqn); cacher, serrer (qqch.). — Pron. → cit. 1.

1   (...) lequel lui fit réponse que ses gens *(de Picrochole)* [...] s'étaient enserrés en La Roche Clermauld, et qu'il ne lui conseillait point de procéder outre, de peur du guet (...)   RABELAIS, Gargantua, XXX.

2   Il retourne chez lui; dans sa cave il enserre
L'argent et sa joie à la fois.   LA FONTAINE, Fables, VIII, 2.

♦ **2.** (1549). Entourer en serrant étroitement, de près. *Une gaine, un corset enserrait sa taille. Collier qui enserre le cou* (→ Col, cit. 4).

Il la tenait enserrée dans ses bras. ⇒ **Embrasser.** *Le boa, la pieuvre enserrent leur victime.*

3   Pour elle, malgré la chaleur, elle portait une guimpe et un col de guipure qui lui enserrait le cou jusqu'aux oreilles.   F. MAURIAC, la Pharisienne, p. 19.

4   (...) la main (...) qui enserrait son poignet (...)
      J. GREEN, Adrienne Mesurat, I, V, p. 48.

Par anal. *Le fleuve enserre la ville.* Par ext. *Tout ce que ce domaine enserre de près, de vignes.* ⇒ **Englober, renfermer.**

5   Notre chair n'est que notre pulpe; nos os, nos membranes, nos nerfs, ne sont que la charpente du noyau où nous sommes enfermés, comme en un étui. C'est par exfoliation que l'enveloppe corporelle se dissipe; mais l'amande qu'elle contient, l'être invisible qu'elle enserre, demeure indestructible.
      Joseph JOUBERT, Pensées, I, XX.

6   (...) une étroite vallée que la montagne enserre de partout comme un grand mur.   Alphonse DAUDET, le Petit Chose, I, V, p. 53.

(1870). Fig. *Liens qui enserrent l'âme.* ⇒ **Asservir, emprisonner, retenir** (→ Dégager, cit. 36).

7   Certainement, sans l'étau fatal qui m'enserrait, j'eusse aimé Noémie deux ou trois ans après, mais j'étais voué au raisonnement; la dialectique religieuse m'occupait déjà tout entier.   RENAN, Souvenirs d'enfance..., p. 96.

▶ **ENSERRÉ, ÉE** p. p. adj. *Taille enserrée. Être enserré par l'ennemi.*

8   Le Bouddha n'a-t-il raison de dire qu'enserré dans les seize embarras, on perd le goût de la connaissance délicate?   Paul MORAND, Bouddha vivant, p. 134.

CONTR. Dégager, libérer.

HOM. 2. Enserrer.

2. ENSERRER [ɑ̃seʀe] v. tr. — 1718; de *en-, serre*, et suff. verbal.

♦ Hortic. Mettre en serre. *Enserrer des orangers.*

HOM. 1. Enserrer.

ENSEUILLEMENT [ɑ̃sœjmɑ̃] n. m. — 1366; de *en-, seuil*, et suff. *-ement.*

♦ Techn. Hauteur comprise entre l'appui d'une fenêtre et le plancher. *Cette fenêtre a un mètre d'enseuillement.*

ENSEVELIR [ɑ̃səvliʀ] v. tr. — Déb. XIIe; de *en-*, et anc. franç. *sepelir, sevelir* « mettre un mort dans un tombeau »; du lat. *sepelire* « enterrer, faire disparaître ».

★ **I.** ♦ **1.** Littér. Mettre (un mort) au tombeau. ⇒ **Enterrer, sépulture** (donner la). *Il a été enseveli au cimetière de sa ville natale. On brûla les cadavres, faute de temps pour les ensevelir.*

1   Qui tôt ensevelit bien souvent assassine (...)   MOLIÈRE, l'Étourdi, II, 2.

2   J'ensevelis pour toujours dans le sein de la terre ce qu'elle avait porté de plus parfait et de plus aimable.   Abbé PRÉVOST, Manon Lescaut, II.

Inhumer.

2.1   (...) deux indigènes creusaient un trou très profond et peu large, ce qui nous laissa supposer qu'on ensevelit les morts verticalement, tout debout.
      GIDE, Voyage au Congo, in Souvenirs, Pl., p. 784.

Par métaphore, fig. (le compl. désigne des choses mortes, finies, dont on consacre ainsi la disparition). Surtout au p. p.

3   (...) je vois s'élever un nouvel empire. Je quitte à peine ces tombeaux où dorment les nations ensevelies, et j'aperçois un berceau chargé des destinées de l'avenir.
      CHATEAUBRIAND, Mémoires d'outre-tombe, t. III, p. 33.

4   Mon voisin feuilletait un livre, des pages duquel s'échappa à lui insu une fleur desséchée (...) — « Cette fleur, me hasardai-je à lui dire, est sans doute le symbole de quelque doux amour enseveli (...) »
      Aloysius BERTRAND, Gaspard de la nuit, p. 27.

5   L'immuable église, où sont restés ensevelis ses rêves de foi, s'entoure des mêmes cyprès obscurs, comme une mosquée.   LOTI, Ramuntcho, II, II, p. 222.

♦ **2.** Envelopper (qqn) dans un linceul. *Il est si pauvre qu'il n'a pas laissé un drap pour l'ensevelir. Malgré sa douleur, il voulut lui-même ensevelir son fils.*

6   (...) le chartreux est enseveli, comme sur un champ de bataille, sans bière ni linceul. Il est enseveli dans le pauvre habit blanc de son Ordre (...) Il est ainsi restitué à la poussière, pendant que ses frères assemblés pleurent et prient sur sa dépouille.   Léon BLOY, le Désespéré, p. 91.

Par métaphore :

7   Enfin, la sœur Marie-Angélique parle, et parle à Ramuntcho lui-même (...) Et c'est une contrebandier qui de nouveau baisse la tête, sentant bien que tout est fini, qu'elle est perdue pour jamais, la petite compagne de son enfance; qu'on l'a ensevelie dans un inviolable linceul (...) ils se comprennent et, l'un à l'autre, sans paroles, ils s'avouent qu'il n'y a rien à faire (...)
      LOTI, Ramuntcho, II, XIII, p. 314-315.

Par anal. Envelopper comme d'un linceul.

8   Voiles, crêpes, habits, lugubres ornements,
Pompe où m'ensevelit sa première victoire.   CORNEILLE, le Cid, IV, 1 (var.).

9   Il (...) n'a plus cette grande soutane où il était enseveli.
      Mme DE SÉVIGNÉ, 950, 30 janv. 1685.

★ **II.** (XIIIe). ♦ **1.** (Sujet n. de chose). Faire disparaître sous un amoncellement (sans que la mort, l'anéantissement s'ensuivent nécessairement). *Le fleuve de lave, l'avalanche avait enseveli plusieurs villages.* — Au p. p. *Pyramide à demi ensevelie dans les sables. Être enseveli sous les ruines de sa propre maison.*

10 Voudront-ils que leur temple enseveli sous l'herbe... RACINE, Athalie, III, 3.
11 (...) tout son corps était si profondément enseveli sous les décombres qu'il était impossible de l'en retirer.
BAUDELAIRE, Trad. E. POE, « Les aventures d'Arthur Gordon Pym », XXI.
11.1 Il était arrivé plus d'une fois que le sol sans consistance s'effondrât, ensevelissant les femmes et les enfants qui travaillaient au fond du trou.
GIDE, Voyage au Congo, in Souvenirs, Pl., p. 739.

En emploi absolu :

11.2 Ce vent, s'il ne démolissait pas, il enterrait, il ensevelissait, et il était probable que, douze heures après le début de la tempête, la maison, le chenil, le hangar, l'enceinte, auraient disparu sous une égale épaisseur de neige.
J. VERNE, le Pays des fourrures, t. I, p. 236.

Par exagér. (surtout au passif et au p. p.). ⇒ **Submerger.** *Être enseveli sous le travail.*

12 (...) j'étais enseveli sous un amas de billets parfumés.
CHATEAUBRIAND, Mémoires d'outre-tombe, t. II, p. 180.
13 Le salon était enseveli sous des housses.
MARTIN DU GARD, les Thibault, t. VI, p. 218.

♦ **2.** (V. 1220). Fig. Enfouir en cachant. ⇒ **Cacher.** *Ensevelir un secret dans son cœur. Ensevelir une découverte* (→ Découvrir, cit. 39). *Ensevelir sa vie dans un cabinet* (cit. 4) *d'études, dans la retraite.* — Au p. p. *Crime enseveli par l'oubli. Je l'ai trouvé enseveli dans son chagrin* (cit. 5), *dans ses méditations.* ⇒ **Plonger.** *Être enseveli dans un profond sommeil.*

14 Surtout je redoutais cette mélancolie
Où j'ai vu si longtemps votre âme ensevelie. RACINE, Andromaque, I, 1.
15 Elle vint me trouver et me représenta que mon époux ayant achevé son destin dans le royaume de Fez, comme on nous l'avait rapporté, il n'était pas raisonnable d'ensevelir plus longtemps mes charmes (...) A.-R. LESAGE, Gil Blas, I, XI.
16 (...) la nuit profonde où je vais ensevelir ma honte.
LACLOS, les Liaisons dangereuses, Lettre CXLIII.
17 (...) une jeunesse ensevelie sous les glaces d'un profond chagrin, sous la fatigue des études obstinées, sous les teintes chaudes de quelque passion contrariée.
BALZAC, Honorine, Pl., t. II, p. 259.
18 Rien n'explique mieux la vie de province que le silence profond dans lequel est ensevelie cette petite ville (...) BALZAC, le Député d'Arcis, Pl., t. VII, p. 682.
19 — Maint joyau dort enseveli
Dans les ténèbres et l'oubli,
Bien loin des pioches et des sondes (...)
BAUDELAIRE, les Fleurs du mal, « Le guignon ».
20 Les jours anciens recouvrent peu à peu ceux qui les ont précédés, sont eux-mêmes ensevelis sous ceux qui les suivent.
PROUST, À la recherche du temps perdu, t. XIII, p. 158.
21 (...) les pressentiments de la solitude coloniale énorme qui va les ensevelir bientôt eux et leur destin, les faire gémir déjà comme des agonisants.
CÉLINE, Voyage au bout de la nuit, p. 110.

▶ **S'ENSEVELIR** v. pron.

♦ **1.** (1662). *S'ensevelir sous les décombres d'une ville,* la défendre jusqu'à la mort. *Les espoirs qu'il donnait se sont ensevelis avec lui.* ⇒ **Disparaître.**

♦ **2.** (V. 1640). *S'ensevelir dans l'étude, dans sa peine, dans ses pensées.* ⇒ **Absorber** (s'). *S'ensevelir dans la retraite, dans la solitude.* ⇒ **Isoler** (s').

22 Moi, renoncer au monde avant que de vieillir,
Et dans votre désert aller m'ensevelir ! MOLIÈRE, le Misanthrope, V, 4.
23 La belle chose de vouloir se piquer d'un faux honneur d'être fidèle, de s'ensevelir pour toujours dans une passion et d'être mort dès sa jeunesse à toutes les autres beautés qui nous peuvent frapper les yeux ! MOLIÈRE, Dom Juan, I, 2.
24 Si je m'étais tué, tout ce que j'ai été s'ensevelissait avec moi (...)
CHATEAUBRIAND, t. I, p. 132.
25 (...) il était venu s'ensevelir, au fond de ses marais... dans la plus inconcevable solitude. E. FROMENTIN, Dominique, p. 42.

▶ **ENSEVELI, IE** p. p. adj. V. ci-dessus à l'article.

CONTR. Désensevelir, déterrer, exhumer. — Éterniser, ressusciter. — Évader (s'), sortir (de).
DÉR. Ensevelissement, ensevelisseur.
COMP. Désensevelir.

ENSEVELISSEMENT [ɑ̃səvlismɑ̃] n. m. — V. 1155 ; de *ensevelir.*

♦ **1.** Littér. Action d'ensevelir dans une tombe ; résultat de cette action. *L'ensevelissement d'un cadavre dans la tombe.* ⇒ **Enterrement, inhumation.** *Cérémonies qui accompagnent l'ensevelissement.* ⇒ **Funérailles.**

1 (...) la fosse attendait sa future habitante, et tous les préparatifs de l'ensevelissement étaient terminés.
BAUDELAIRE, Trad. E. POE, Nouvelles histoires extraordinaires, « Bérénice ».

Le fait d'ensevelir dans un linceul. *Procéder à la toilette et à l'ensevelissement d'un mort. L'ensevelissement des morts figure au nombre des œuvres de miséricorde.*

2 Quand (...) nous eûmes à le déshabiller pour l'ensevelissement, la rigidité cadavérique était telle que (...) BAUDELAIRE, le Spleen de Paris, « La corde ».

♦ **2.** (Av. 1896). Fait d'être enfoui, caché. *L'ensevelissement d'une ville sous les décombres. Ensevelissement d'une statue, d'un trésor.* — Par exagér. :

3 Reconnaissons qu'il y avait de la beauté dans cet ensevelissement des veuves sous des crêpes et des châles. F. MAURIAC, la Province, p. 46.

Fig. (littér.). *L'ensevelissement du passé.* ⇒ **Disparition.** — Le fait

de se retirer loin du monde. *L'ensevelissement de Rancé après une vie orageuse.* ⇒ **Isolement, retraite.**

CONTR. Déterrement, exhumation ; résurrection, survivance.

ENSEVELISSEUR [ɑ̃səvlisœʀ] n. — Fin XIVe ; de *ensevelir.*

♦ **1.** Techn. Personne chargée de la toilette funèbre d'un mort. *Ensevelisseurs et embaumeurs.*

1 C'était merveille de la voir ainsi affairée à sa besogne d'ensevelisseuse, passant et repassant contre la lumière de la lampe posée à terre (...)
BERNANOS, Monsieur Ouine, p. 245.

♦ **2.** Adj. (Littér. et rare). Qui ensevelit.

2 Léopold songeait à l'ensevelisseur de l'idole. Quel était-il, le fidèle qui, jadis, à l'heure où la foi nouvelle, avec des cris menaçants, escaladait la colline, saisit et coucha son dieu dans ce trou ? M. BARRÈS, la Colline inspirée, p. 271.

ENSIFORME [ɑ̃sifɔʀm] adj. — 1541 ; du lat. *ensis* « épée », et *-forme.*

♦ Didact. En forme d'épée. *Apophyse, cartilage, feuille ensiforme.*

ENSILAGE [ɑ̃silaʒ] ou (rare) **ENSILOTAGE** [ɑ̃silɔtaʒ] n. m. — 1838, *ensilage ; ensilotage,* 1873 ; de *en-,* et *silo,* ou de *ensiler, ensiloter.*

Agriculture.

♦ **1.** Méthode de conservation des produits agricoles, spécialement des fourrages verts, en les mettant dans des silos. *L'ensilage (l'ensilotage) du grain, de l'herbe. Conservation par ensilage.*

♦ **2.** (Seult *ensilage*). Fourrage conservé en silo. *Nourrir les bêtes avec de l'ensilage.*

ENSILER [ɑ̃sile] ou (rare) **ENSILOTER** [ɑ̃silɔte] v. tr. — 1865, *ensiler* au p. p. ; *ensiloter,* 1890 ; de *en-,* et *silo.*

♦ Agric. Mettre en silo* (des produits agricoles) en vue de (les) conserver. *Ensiler du blé, du grain, des fourrages, des betteraves.* ⇒ **Emmagasiner.**

DÉR. Ensilage ou ensilotage, ensileuse.

ENSILEUSE [ɑ̃siløz] n. f. — XXe, *in* G. L. L. F. ; de *ensiler.*

♦ **1.** Techn. Appareil qui transporte le fourrage (broyé) dans les silos.

♦ **2.** Machine qui coupe, hache et conditionne le fourrage destiné à la mise en silo.

ENSILOTAGE [ɑ̃silɔtaʒ] n. m. ; **ENSILOTER** [ɑ̃silɔte] v. tr. ⇒ **Ensilage ; ensiler.**

ENSIMAGE [ɑ̃simaʒ] n. m. — 1669 ; de *ensimer.*

♦ Techn. Opération par laquelle on ensime. *Huiles d'ensimage :* huiles végétales utilisées pour lubrifier les laines ou d'autres textiles.

Pour que les brins *(de fibranne)* puissent être transformés en fils, il faut leur incorporer une émulsion de corps gras : c'est l'*ensimage,* pratiqué de la même façon que dans la filature des textiles naturels. Un batteur donne le produit prêt à filer, qui ressemble à s'y méprendre à de la bourre de coton.
F. MEYER et L.-J. OLMER, le Papier et les Dérivés de la cellulose, p. 89-90.

ENSIMER [ɑ̃sime] v. tr. — 1723, Savary, mais antérieur (→ Ensimage) ; *ensaimer,* 1300 ; *ensaïmez* « engraissé », déb. XIIe ; de *en-,* et *saim* « graisse », du lat. *sagina* « graisse ». → Saindoux.

♦ Techn. (filat.). Graisser, lubrifier (les fibres) pour faciliter le cardage et la filature. — Au p. p. *Matière ensimée.*

À sa sortie, le four est muni de deux filières d'où sont tirés autant de brins que l'on réunit en un fil unique. Celui-ci est « ensimé » c'est-à-dire imbibé d'huile selon une pratique constante dans la filature des textiles naturels ou artificiels.
F. MEYER et P. GRIVET, le Verre, p. 101.

DÉR. Ensimage, ensimeuse.

ENSIMEUSE [ɑ̃simøz] n. f. — 1930 ; de *ensimer.*

♦ Techn. Machine à ensimer. *L'ensimeuse permet de répartir uniformément les corps gras sur les fibres.*

EN-SOI [ɑ̃swa] n. m. invar. — Av. 1865, Proudhon, *in* P. Larousse *« l'en soi des choses »* ; de *en* et *soi,* employé dans ce sens en philos., calque de l'all. *an sich* ; diffusé par Sartre. → Soi.

♦ Philos. Mode d'être de ce qui, étant privé de conscience*, n'est

que ce qu'il est et ne peut (intentionnellement) devenir autre.
— Syn. : *l'être en soi* (→ Soi). *L'en-soi et le pour-soi**.

L'en soi désigne la suffisance d'un être, le pour soi enferme une réflexion (...)
ALAIN, Hegel, La philosophie de la nature (1932),
in les Passions et la Sagesse, Pl., p. 1025.

ENSOLEILLÉ, ÉE adj. ⇒ Ensoleiller.

ENSOLEILLEMENT [ɑ̃sɔlɛjmɑ̃] n. m. — 1856; de *ensoleiller.*

♦ **1.** État d'un lieu ensoleillé; temps pendant lequel un lieu est ensoleillé. *Un ensoleillement prolongé peut mûrir* (cit. 2) *le raisin. Journées d'ensoleillement d'une station balnéaire. L'ensoleillement d'un versant de colline, d'une rue. Cet appartement jouit d'un ensoleillement exceptionnel.*

♦ **2.** Par métaphore (littér.). *L'ensoleillement de son regard.*
Les yeux étincelants, enflammés d'un ensoleillement radieux de gaîté.
PROUST, Du côté de chez Swann, Pl., t. I, p. 340.

ENSOLEILLER [ɑ̃sɔleje] v. tr. — 1852; de *en-, soleil,* et suff. verbal.

♦ **1.** Remplir de la lumière du soleil. *Les beaux jours vont bientôt ensoleiller la vallée.* — Peint. *Ensoleiller une toile, un paysage.*

♦ **2.** (1894). Fig. Illuminer, remplir de bonheur. *La joie ensoleillait son regard,* le rendait radieux*.

(Abstrait). *Cet amour, cette amitié ensoleille ma vie* (→ Mettre un rayon de soleil dans..., sur...).

▶ **S'ENSOLEILLER** v. pron.
Devenir ensoleillé. *Les nuages s'étaient dissipés, la campagne tout entière s'ensoleillait.* — Fig. *Son visage, son regard s'ensoleilla tout à coup,* prit de l'éclat, un air de bonheur. *Sa vie s'est ensoleillée.*

0.1 C'était un homme très petit, mince, qui ne devait pas peser beaucoup plus lourd qu'un enfant. Mais ses yeux s'ensoleillaient à la moindre nouveauté.
M. DURAS, les Petits Chevaux de Tarquinia, p. 45.

▶ **ENSOLEILLÉ, ÉE** p. p. adj.

♦ **1.** Qui reçoit du soleil, qui est éclairé par le soleil. *Appartement, jardin ensoleillé. Pluie ensoleillée,* traversée de soleil. (→ Absorber, cit. 3). *Ville ensoleillée.*

1   Cheret, le peintre des bois ombreux, des clairières ensoleillées (...)
Th. GAUTIER, Portraits contemporains, A. Glatigny.
2   Un jour, tout simplement (ne me console pas!)
Devant ma porte ensoleillée je m'étendrai.
Francis JAMMES, Le poète et sa femme, Ne me console pas.
3   (...) ce qui montait alors vers les terrasses encore ensoleillées (...)
CAMUS, la Peste, p. 203.
Pendant lequel il y a du soleil. *Un après-midi, un automne ensoleillé.*

♦ **2.** Fig. *Sourire, visage ensoleillé.* ⇒ **Lumineux, radieux.**

CONTR. **Assombrir, enténébrer, ombrager. — Attrister, endeuiller. — Mélancolique, morne, terne, triste.**
DÉR. **Ensoleillement.**

ENSOMMEILLÉ, ÉE [ɑ̃sɔmeje] adj. — xvᵉ; repris xixᵉ; p. p. de *ensommeiller.*

♦ Qui reste sous l'influence du sommeil; mal réveillé. ⇒ **Assoupi, somnolent.** *Je n'ai pas des idées très nettes, je suis encore tout ensommeillé* (→ Endormi).

CONTR. **Éveillé, réveillé.**

ENSOMMEILLEMENT [ɑ̃sɔmɛjmɑ̃] n. m. — 1870; de *ensommeiller.*

♦ **1.** Fait de prendre son sommeil, de s'ensommeiller, de s'endormir ⇒ **Endormissement; assoupissement.**

1   Ce qu'on aurait fait le jour, il arrive en effet, le sommeil venant, qu'on ne l'accomplisse qu'en rêve, c'est-à-dire après l'inflexion de l'ensommeillement (...)
PROUST, le Côté de Guermantes, Pl., t. II, p. 86.

♦ **2.** Fig. (littér.). *L'ensommeillement de la nature à l'automne.* ⇒ **Engourdissement.** — Atmosphère de sommeil, de calme.

2   Quand le soir (...) j'eus repris seul le train, du moins je ne trouvai pas pénible la nuit qui vint; c'est que je n'avais pas à la passer dans la prison d'une chambre dont l'ensommeillement me tiendrait éveillé; j'étais entouré par la calmante activité de tous ces mouvements du train (...)
PROUST, À l'ombre des jeunes filles en fleurs, Pl., t. I, p. 654.

ENSOMMEILLER [ɑ̃sɔmeje] v. tr. — 1578, *s'ensommeiller;* repris xixᵉ; de *ensommeillé.*
Littéraire.

♦ **1.** Donner sommeil à qqn. *La longue marche a fatigué et ensommeillé l'enfant.* — Absolt. *Le grand air ensommeille.* ⇒ **Endormir.**

♦ **2.** Fig. (littér.). Mettre dans un état analogue ou comparable au sommeil. *La nuit ensommeillait les rues.*

▶ **S'ENSOMMEILLER** v. pron.
Tomber dans le sommeil. ⇒ **Endormir** (s'). *Je m'ensommeille d'un coup.*

1   (...) le dîner où on bouffera encore, jusqu'à s'ensommeiller, ouf, dormir, encore une semaine de tirée.   A. SARRAZIN, l'Astragale, p. 41 (1964).

Par extension :
2   Le regard de Anne Desbaresdes s'évanouit lentement sous l'insulte, s'ensommeilla.   M. DURAS, Moderato cantabile, p. 113.

DÉR. **Ensommeillé, ensommeillement.**

ENSORCELANT, ANTE [ɑ̃sɔʀsəlɑ̃, ɑ̃t] adj. — 1605; p. prés. de *ensorceler.*

♦ Qui ensorcelle, séduit irrésistiblement. ⇒ **Envoûtant, fascinant, séduisant** (→ Dispenser, cit. 3). *Un regard, un sourire ensorcelant. Une musique ensorcelante. Le charme ensorcelant des îles du Pacifique.*

ENSORCELER [ɑ̃sɔʀsəle] v. tr. — Conjug. *appeler.* — xiiiᵉ, *ensorcerer,* déb. xiiᵉ; de *en-,* et *sorcer, sorcier.*

♦ **1.** Soumettre (une personne, un animal) à l'action d'un sortilège, jeter un sort sur (un être). ⇒ **Charmer** (vx), **enchanter, envoûter.** *Ensorceler qqn par une formule, une incantation, un philtre. Le paysan l'accusait d'avoir ensorcelé son troupeau. Elle ensorcelait ses ennemis.*

1   Le diable ordonna à Michelle Chaudron d'ensorceler deux filles. Elle obéit à son seigneur ponctuellement. Les parents des filles l'accusèrent juridiquement de diablerie. Les filles furent interrogées et confrontées avec la coupable; elles attestèrent qu'elles sentaient continuellement une fourmilière dans certaines parties de leurs corps et qu'elles étaient possédées.
VOLTAIRE, Commentaire sur le Traité des délits et peines, IX, Des sorciers.
2   (...) il *(Urbain Grandier)* avait déjà été accusé d'avoir ensorcelé les religieuses, et examiné par des saints prélats, par des magistrats éclairés, par des médecins instruits qui l'avaient absous, et qui tous, indignés, avaient imposé silence à ces démons de fabrique humaine.   A. DE VIGNY, Cinq-Mars, I, III.
3   Nous sommes loin du xvᵉ siècle; on ne voit plus au xviiᵉ siècle le cas terrible avoué au livre du « Marteau des sorcières », quand le juge, tenant la sorcière liée à ses pieds, se sentait pris par son regard, ensorcelé au tribunal, défaillait sous un tel siège.   MICHELET, Hist. de France, XIII, 18.
Il faut qu'on l'ait ensorcelé, se dit de qqn dont la conduite paraît inexplicable et qui semble subir une influence puissante.
4   Il faut absolument qu'on m'ait ensorcelé :
Si j'en crois ma raison, je veux être étranglé (...)   RACINE, les Plaideurs, II, 5.

♦ **2.** (V. 1398). Captiver entièrement (qqn, l'esprit, les facultés), comme par un sortilège. *Ensorceler l'esprit de qqn.* ⇒ **Suggestionner, troubler.** — (Spécialt). Captiver érotiquement. *Ensorceler qqn par des manières câlines.* ⇒ **Charmer, enjôler** (→ Cajolerie, cit. 2). *Être ensorcelé par l'amour, par une femme.* ⇒ **Fasciner, séduire.** — Absolt. *Un poème, une musique qui ensorcelle.*

5   L'amour fut bien fort(e) poison
Qui m'ensorcela la raison (...)
RONSARD, le Premier Livre des amours, Amours de Cassandre, CCXXVIII.
6   Une jeune comédienne dont le roi est ensorcelé (...)   Mᵐᵉ DE SÉVIGNÉ, *in* LITTRÉ.

▶ **ENSORCELÉ, ÉE** p. p. adj.

♦ **1.** Soumis à l'action d'un sortilège.
Par extension (d'une chose) :
7   — Ne cherchez plus, leur dit-il, d'autres causes :
C'est ce poirier; il s'est ensorcelé.   LA FONTAINE, Gageure, II.
Par ext. Qui présente qqch. d'inexplicable et de quasi diabolique (→ Dévidage, cit. 1).
N. *Un ensorcelé.* ⇒ **Possédé.** *L'Ensorcelée,* roman de Barbey d'Aurevilly (1854).

8   C'était là le dernier degré de sortilège et de misère, monsieur : elle ne voulait pas guérir! Elle aimait le sort qu'on lui avait jeté. Les uns parlaient du berger (...) les autres de l'abbé de La Croix-Jugan (...) mais (...) pour qui, comme moi, nombre de fois les vit à l'église, lui, cet abbé noir dans la nuée de sa stalle, et elle, rouge comme le feu de la honte dans son banc (...) Il n'y a pas moyen de penser que le maître de cette misérable ensorcelée ait été un autre que ce prêtre, qui semblait le démon en habit de prêtre (...)   BARBEY D'AUREVILLY, L'ensorcelée, p. 197.

♦ **2.** (Personnes). Soumis au charme de (qqn, qqch.). *Complètement ensorcelé, il ne pouvait plus quitter la pièce.*

CONTR. **Désensorceler; désenchanter, désenvoûter, exorciser.**
DÉR. **Ensorcelant, ensorceleur.**
COMP. **Désensorceler.**

ENSORCELEUR, EUSE [ɑ̃sɔʀsəlœʀ, øz] n. — 1539; *ensorceleresse,* v. 1390; de *ensorceler.*

♦ **1.** Vx. Enchanteur, sorcier.

♦ **2.** (1868). Fig. et littér. Personne ensorcelante. *Cette femme est une ensorceleuse* (→ Charme, cit. 13).

♦ **3.** Adj. (Av. 1648). Rare. Ensorcelant*. *« Un dernier coup d'œil ensorceleur »* (André Theuriet, *in* G. L. L. F.).

ENSORCELLEMENT [ɑ̃sɔʀsɛlmɑ̃] n. m. — V. 1390 ; *ensorcerement*, v. 1330 ; de *ensorceler*.

♦ **1.** Action d'ensorceler. ⇒ **Enchantement, envoûtement.** *L'ensorcellement de qqn par un sorcier.* ⇒ aussi **Maraboutage** (franç. d'Afrique).

1   L'idée de condamnation, d'ensorcellement, reparaissait ainsi, mais de superstitieuse devenant religieuse, et d'absurde, presque raisonnable.
      J. ROMAINS, les Hommes de bonne volonté, t. V, II, p. 14.
Par métonymie. *(Un, des ensorcellements).* Pratique de sorcellerie ; état d'un être ensorcelé. ⇒ **Charme, enchantement, envoûtement, maléfice, sortilège.** *Il a fait un pacte avec le diable, je crains ses ensorcellements.*

♦ **2.** Fig. Séduction irrésistible, notamment dans le domaine amoureux. ⇒ **Fascination.** *L'ensorcellement féminin* (→ Domination, cit. 4). *Mélomane qui éprouve l'ensorcellement de la musique.*

2   Je disais au Régent des raisons dont il sentait toute la force, mais son ensorcellement pour l'abbé Dubois était encore plus fort.
      SAINT-SIMON, Mémoires, 467, 251.

3   Il eut l'idée de recourir à Hérodias. Il la haïssait pourtant. Mais elle lui donnerait du courage, et tous les liens n'étaient pas rompus de l'ensorcellement qu'il avait autrefois subi. FLAUBERT, Trois contes, « Hérodias », II, p. 218.

CONTR. Désensorcellement ; désenchantement, désenvoûtement.

ENSOUFRER [ɑ̃sufʀe] v. tr. — V. 1265 ; de *en-, soufre,* et suff. verbal.

♦ Techn. (vx). Imprégner de soufre, de vapeurs de soufre. *Les chemises ensoufrées,* ou *chemises* (cit. 5) *ardentes.*

ENSOUILLAGE [ɑ̃suja3] n. m. — D. i. (v. 1975) ; de *ensouiller.*

♦ Techn. Opération par laquelle on enfouit (une canalisation, un câble...) dans une souille sous-marine.

ENSOUILLER [ɑ̃suje] v. tr. — D. i. ; de *en-, souille,* et suff. verbal.

♦ Techn. Enfouir (une canalisation sous-marine) dans une souille. *Ensouiller un oléoduc, un câble sous-marin.*

DÉR. Ensouillage, ensouilleuse.

ENSOUILLEUSE [ɑ̃sujøz] n. f. — D. i. (v. 1975) ; de *ensouiller.*

♦ Techn. Machine servant à l'ensouillage.

ENSOUPLE [ɑ̃supl] ou (rare) **ENSUBLE** [ɑ̃sybl] n. f. — 1557 ; *ensobles,* fin XIᵉ ; avec infl. de *souple ;* du bas lat. *insubulum ;* de *in-,* et lat. class. *subula* « alène ».
Technique.

♦ **1.** Cylindre d'un métier à tisser, sur lequel on monte les fils de chaîne. *Ensouple des brodeurs :* machine sur laquelle les brodeurs travaillent.

Il avait posé les deux ensubles sur la chanlatte et sur le tréteau, bien en face, de façon à placer de droit fil la soie cramoisie de la chape, qu'Hubertine venait de coudre aux coulisses. ZOLA, le Rêve, p. 18.

♦ **2.** Ensoupleau*.

DÉR. Ensoupleau.

ENSOUPLEAU [ɑ̃suplo] n. m. — 1606 ; de *ensouple.*
Technique.

♦ **1.** Gros cylindre d'un métier à tisser, sur lequel s'enroule l'étoffe au fur et à mesure qu'elle est tissée. ⇒ **Ensouple** (2.).

♦ **2.** Cylindre sur lequel est montée la chaîne, dans un métier à tisser. ⇒ **Ensouple.**

Peu à peu la chaîne gagnait de notre côté, entraînée par la lente rotation de l'ensoupleau, large cylindre transversal auquel tous ses fils étaient rattachés.
      Raymond ROUSSEL, Impressions d'Afrique, p. 130.

ENSOUTANÉ, ÉE [ɑ̃sutane] adj. — 1610, *ensoultané* « couvert d'une soutane » ; de *en-, soutane,* et suff. *-é.*

♦ Fam. et péj. Qui est vêtu d'une soutane, et, par ext., qui est prêtre, religieux. « *Braconnier ensoutané* » (Arène, *in* T. L. F.).
N. m. (1907). Prêtre, membre du clergé.

S'il est peu probable qu'il aille à Rome cette fois-ci, il y est peut-être déjà allé, ou rêve peut-être d'y aller pour voir son pape, pour se mêler à cette foule d'ensoutanés qui parcourent toutes les rues comme des essaims de mouches babillardes, gras ou osseux, enfants ou décatis. Michel BUTOR, la Modification, p. 74.

DÉR. Ensoutaner.

ENSOUTANER [ɑ̃sutane] v. tr. — 1845 ; de *ensoutané.*

♦ Fam. et rare. (Péj.). Faire prendre la soutane à (qqn) ; faire devenir prêtre. *Ils ont ensoutané leur dernier fils.*

ENSTÉRAGE [ɑ̃steʀa3] n. m. — Mil. XXᵉ ; de *enstérer.*

♦ Techn. Action d'enstérer.

ENSTÉRER [ɑ̃steʀe] v. tr. — Conjug. *céder.* — 1930 ; de *en-, stère,* et suff. verbal.

♦ Techn. Mettre (du bois, des bûches) en piles, par stères.

DÉR. Enstérage.

ENSUBLE [ɑ̃sybl] n. f. ⇒ **Ensouple.**

ENSUIFER [ɑ̃sɥife] v. tr. — 1757 ; de *en-, suif,* et suff. verbal.

♦ Techn. Enduire de suif. ⇒ **Suiffer.**

ENSUITE [ɑ̃sɥit] adv. — 1532 ; pour *en suite ;* encore écrit *en suite* au XVIIᵉ. → ci-dessous, cit. 2.

★ **I.** Loc. prép. **ENSUITE DE :** à la suite de.

♦ **1.** (1652). Vx. Marque une succession d'actions dans le temps.
(...) cette troisième saignée fut bien cruelle, ensuite de la seconde (...)   1
      Mᵐᵉ DE SÉVIGNÉ, 940, 5 nov. 1684.

♦ **2.** (1636). Vx. Succession dans l'espace.
Je vous conjure de ne la lire point que vous n'ayez pris la peine de corriger ce 2
que vous trouverez marqué en suite de cette épître.
      CORNEILLE, Épître de l'Illusion, À Mˡˡᵉ M. F. D. R.

♦ **3.** Vx ou littér. Par suite de. En conséquence de.
Nous pouvons donc définir la sensation (...) la première perception qui se fait en 3
notre âme à la présence des corps que nous appelons objets, et ensuite de l'impression qu'ils font sur les organes de nos sens.
      BOSSUET, Traité de la connaissance de dieu..., I, I.

★ **II.** Mod. **ENSUITE :** à la suite de, après, puis.

♦ **1.** Dans le temps. Après cela, plus tard, par la suite. ⇒ **Subséquemment, ultérieurement** (→ Amasser, cit. 6). *On appelle aîné le premier enfant, puîné celui qui naît ensuite.*
(...) Diogène, sans dire mot, écrivit ceci ensuite (...) 4
      RACINE, Traductions, Vie de Diogène le Cynique.
L'art d'enseigner n'est que l'art d'éveiller la curiosité des jeunes âmes pour la satis- 5
faire ensuite (...) FRANCE, le Crime de S. Bonnard, *in* Œ., t. II, p. 430.
On emploie *ensuite* sous forme elliptique avec une interrogation : *Qu'arrivera-t-il après ? et ensuite ?*
Fam. (pléonastique). *Et puis ensuite. Et puis ensuite, il faudra y aller.*

♦ **2.** (1890). Dans l'espace. Derrière, en suivant. ⇒ **Après.** *La fanfare marchait en tête, ensuite venait le cortège.*

♦ **3.** Fig. En second lieu, et de plus. *D'abord je ne veux pas ; ensuite je ne peux pas.*

CONTR. Abord (d'), avant, premier (en premier lieu), **premièrement, tête** (en).

ENSUIVANT, ANTE [ɑ̃sɥivɑ̃, ɑ̃t] adj. et adv. — XVᵉ ; *ensivant,* déb. XIIIᵉ ; p. prés. de *ensuivre.*
Vieux (langue classique).

♦ **1.** Adj. Qui vient après. ⇒ **Suivant.** « *Au mois de juillet ensuivant* » (Malherbe).

♦ **2.** Adv. (XIIIᵉ). Plus tard.

ENSUIVRE (S') [ɑ̃sɥivʀ] v. pron. — Conjug. *suivre ;* défectif : inf. et 3ᵉ pers. seult. — 1265 ; *ensuivre* « suivre », v. 1175 ; du lat. *insequi,* d'après *suivre.*

♦ **1.** (En loc.). Venir à la suite, après.
Après cela viennent (...) les désespoirs, les enlèvements, et ce qui s'ensuit. 1
      MOLIÈRE, les Précieuses ridicules, 4.
Loc. *Et tout ce qui s'ensuit :* et tout ce qui vient après, accompagne la chose. → Et tout le reste*.
Il faut un mariage, et tout ce qui s'ensuit ? MOLIÈRE, les Femmes savantes, IV, 2. 2

♦ **2.** Survenir en tant qu'effet naturel ou en tant que conséquence logique. ⇒ **Découler, procéder** (de), **résulter** (→ Dépopulation, cit. 1 ; dieu, cit. 11 ; duel, cit. 5). — Littér. *Un grand bien s'ensuivit de tant de maux* (Académie). — Loc. cour. *Jusqu'à ce que mort s'ensuive.*
Certaines données étant acceptées, certains résultats s'ensuivent nécessairement 3
et inévitablement.
      BAUDELAIRE, Trad. E. POE, Histoires grotesques et sérieuses, « Joueur d'échecs ».
Ce qui s'ensuivit de ce retour se laisse aisément deviner. 4
      Émile HENRIOT, Portraits de femmes, p. 206.
Impers. *Il s'ensuit que...* (→ Applaudir, cit. 21 ; démocratique, cit. 2). *Il s'ensuit de là que vous avez tort* (Littré). *Il ne s'ensuit pas de là, s'ensuit-il de là que vous ayez tort ?* (Littré). *D'où il s'ensuit que...* ⇒ **Suivre.**

5 D'où il s'ensuit qu'on peut en sûreté de conscience suivre dans la pratique les opinions probables dans la spéculation (...)
          PASCAL, Réfutation de la réponse à la 13ᵉ provinciale, *in* LITTRÉ.

6 D'où il s'ensuit que la liberté vient toujours de Dieu (...)
          BOSSUET, Traité du Libre arbitre, 8.

7 Il s'ensuit de là que si je ne sais pas me modérer dans les rencontres (...)
          BOURDALOUE, la Vraie et la Fausse Piété, 1.

8 Il s'ensuit que le comble du malheur pour un chrétien est de perdre absolument l'esprit de la prière (...)   BOURDALOUE, Prière, 1.

9 On constaterait l'assimilation du rapport de *conséquence* au rapport de *suite*, rien que dans les expressions comme *les suites d'une maladie* ou la locution *par suite.* C'est aussi le cas, alors que le rapport est marqué dans la principale à l'aide du verbe *il s'ensuit que : Se proposant l'honneur pour leur but,* il s'ensuit qu'*ils le préfèrent à la vertu même ; — de ce que je possède cet heureux équilibre (...) il ne s'ensuit pas que je sois incapable d'éprouver (...) une véritable affection.*
          F. BRUNOT, la Pensée et la Langue, p. 834.

Aux temps comp. *Il s'en est suivi,* ou (vx), *il s'en est ensuivi* (→ ci-dessous, cit. 10, 11).

REM. Certains, après Littré, expliquent la forme *il s'en est suivi* par la suppression du préfixe *en* du verbe, dans la forme *il s'en est ensuivi,* admettant ainsi qu'aux temps composés, *s'ensuivre* est toujours construit avec le pronom *en,* alors qu'aux temps simples, on a de nombreux exemples de construction sans complément en *de,* ou sans pronom. Par ailleurs, un passé composé « logique » *il s'est ensuivi,* comme *il s'est envolé,* avec ou sans compl. en *de,* n'est pas attesté. On peut donc penser qu'il ne s'agit pas de l'effacement du préfixe, mais de la séparation entre le préfixe et le radical, ce préfixe reprenant éventuellement à son compte l'anaphore. → aussi Suivre *(il suit de..., que...).*

9.1 (...) l'arrivée de Narcense à X..., la bagarre qui s'en était suivie, son départ avec Le Grand, tout cela ne présageait rien de bon.
          R. QUENEAU, le Chiendent, p. 232.

Vx. **S'EN ENSUIVRE.**

10 *(Vois)* Quels inconvénients auraient pu s'en ensuivre !
          MOLIÈRE, Amphitryon, II, 3.

11 (...) vous étonnerez-vous (...) s'il s'en est ensuivi un changement si épouvantable ?
          BOSSUET, 2ᵉ sermon sur les démons, 1.

DÉR. Ensuivant.

ENTABLEMENT [ɑ̃tabləmɑ̃] n. m. — XVIᵉ ; « plancher », v. 1130 ; var. *entaulement,* XIIIᵉ ; de *en-, table,* et suff. *-ement.*

♦ **1.** Saillie qui est au sommet des murs d'un bâtiment et qui supporte la charpente de la toiture. — Partie de certains édifices qui surmonte une colonnade et comprend l'architrave, la frise et la corniche. *L'entablement d'un portique. Figure humaine qui soutient un entablement.* ⇒ **Cariatide.** *Entablement soutenu par un faux attique*. Frise d'entablement décorée d'animaux.* ⇒ **Zoophore.**

1 (...) voici quatre écuyers de marbre (...) à genoux aux quatre coins de l'entablement d'un tombeau. CHATEAUBRIAND, le Génie du christianisme, IV, II, VIII.

2 On apercevait un toit démesuré, des pignons à volutes, des mansardes à visières comme des casques, des cheminées pareilles à des tours, et des entablements couverts de dieux et de déesses immobiles. HUGO, l'Homme qui rit, II, V, III.

3 (...) beaucoup de colonnes engagées, de frontons, d'entablements aux saillies monumentales (...) J. ROMAINS, les Hommes de bonne volonté, t. V, XXVI, p. 252.

♦ **2.** Partie saillante. — *Entablement d'une porte, d'un portail,* couronnement.

Entablement d'une fenêtre. ⇒ **Appui.**

(1870). Moulure ou saillie formant la corniche d'un meuble. *Entablement d'un buffet.*

♦ **3.** Saillie naturelle surplombant un escarpement. *Les alpinistes se reposaient sur un entablement rocheux.*

ENTABLER [ɑ̃table] v. tr. — 1838 ; « faire un plancher », v. 1170 ; de *en-, table,* et suff. verbal.
Technique.

♦ **1.** Ajuster (deux pièces) à demi-épaisseur. *Entabler les branches d'une paire de ciseaux. Entabler deux pièces de bois.* — Pron. *Pièces qui s'entablent sur un pivot.*

♦ **2.** Ajuster (les deux lames d'une paire de ciseaux).

DÉR. Entablure.

ENTABLURE [ɑ̃tablyʀ] n. f. — 1864 ; « assemblement de planches », 1541 ; *entableüre* « entablement ; v. 1160 ; de *entabler.*
Technique.

♦ **1.** Endroit d'une paire de ciseaux où se rejoignent les deux lames.

♦ **2.** (1870). Endroit où se réunissent deux pièces de bois entablées.

ENTACHER [ɑ̃taʃe] v. tr. — 1530 ; *entachié,* fin XIIᵉ, au sens 2 ; de *en-, tache,* et suff. verbal.

♦ **1.** Vx. Souiller d'une tache. — Au p. p. *Linge entaché de sang.*

♦ **2.** Marquer d'une tache morale. ⇒ **Gâter, salir, souiller, ternir.**

Cette condamnation entache son honneur. — Littér. *Entacher qqn, la réputation de qqn d'infamie, d'opprobre.* — *Ces rumeurs persistantes avaient fini par entacher sa réputation.* ⇒ **Compromettre.** — Plus cour. au passif et au participe passé.

Au passif et au p. p. (plus cour.). **ENTACHÉ DE.** *Religion entachée de superstition.* — Gâté par. *Exégèse entachée d'hérésie, d'erreur.*

1 *(Les péchés)* Dont les humains ont les corps entachés.
          RONSARD, la Franciade, IV.

2 Cécile, jeune personne très rousse, dont le maintien, entaché de pédantisme, affectait la gravité judiciaire du président (...)
          BALZAC, le Cousin Pons, Pl., t. VI, p. 556.

3 (...) la disparition de sa mère était, pour son fiancé du moins, une délivrance, la suppression du seul point noir qui, jusque-là, avait entaché leur avenir.
          MARTIN DU GARD, les Thibault, t. II, p. 245.

4 (...) ses conclusions *(de Ste-Beuve)* sur les hommes sont fâcheusement entachées d'envie et de rancune personnelle.
          Émile HENRIOT, les Romantiques, p. 235.

(1835). Spécialt (dr.). *Acte, arrêt entaché de nullité*.* ⇒ **Vicié.**

CONTR. Blanchir, réhabiliter.

ENTAGE [ɑ̃taʒ] n. m. — 1876 ; « greffage », XVIᵉ ; de *enter.*

♦ Techn. Opération (frauduleuse) par laquelle on substitue du cuivre au métal d'un bijou, que l'on fore. ⇒ **Fourrage** (des monnaies).

ENTAILLAGE [ɑ̃tajaʒ] n. m. — 1836 ; autre sens, av. 1410 ; de *entailler.*

♦ Techn. (rare). Action d'entailler. *L'entaillage d'une poutre. L'entaillage d'un arbre fruitier.*

ENTAILLE [ɑ̃taj] n. f. — V. 1130, « ouverture d'une fenêtre » ; déverbal de *entailler.*

★ **I. ♦ 1.** (1676). Coupure qui enlève une partie, laisse une marque allongée ; cette marque. ⇒ **Brèche** (2.), **coche, coupure, cran, échancrure, encoche, entaillure, entamure, fente, hoche, raie, rainure, rayure, sillon.** *Entaille d'assemblage, d'encastrement dans une pièce de bois.* ⇒ **Adent, lioube, mortaise, rainure.** *Entaille où s'emboîtent les portes, les fenêtres.* ⇒ **Feuillure.** *Entaille pratiquée sur un arbre.* ⇒ **Enter ; greffe, incision.** *Le surlé, entaille faite aux pins pour l'extraction de la résine.* — *Entailles pratiquées par le mineur* (→ Creuser, cit. 3). — *Entaille dans la lame d'un canif.* ⇒ **Onglet.** *Faire une entaille sur un caractère d'imprimerie* (⇒ **Créner**).

Par métaphore :

1 La lumière est un glaive ; elle fait des entailles
    Dans le nuage ainsi qu'un bélier dans la tour (...)
          HUGO, l'Année terrible, janv. 1871, V.

Rare. Coupure naturelle. *Il y avait de profondes entailles dans le sol* (⇒ **Crevasse, faille**).

♦ **2.** (1798). Incision* profonde faite dans les chairs au moyen d'un instrument tranchant. ⇒ **Balafre, blessure, coupure, estafilade, taillade.** *Il s'est fait une large entaille en coupant du pain.*

2 (...) le paraphant avec du sang qu'il se tira lui-même d'une entaille au bout du doigt. BAUDELAIRE, Trad. E. POE, les Aventures d'A. Gordon, Pym, VII..

3 Je me ferai des entailles par tout le corps, je me tatouerai, je veux devenir hideux comme un Mongol (...) RIMBAUD, Une saison en enfer, I, p. 43.

4 Avec une épine de la tige il se fit une entaille longitudinale sur la face inférieure du poignet gauche, ouvrant ainsi une veine saillante et gonflée d'où il retira, pour le déposer sur sa couche, un caillot de sang verdâtre entièrement solidifié.
          Raymond ROUSSEL, Impressions d'Afrique, p. 180.

★ **II.** (1757). Techn. Pièce de bois fendue qui permet de fixer la scie que l'on affûte. Instrument qui permet au graveur de fixer les petites pièces qu'il ne pourrait tenir entre les doigts.

ENTAILLER [ɑ̃taje] v. tr. — V. 1120 ; de *en-,* et *tailler.*

A. (Sujet n. de personne). ♦ **1.** Couper en faisant une entaille*. ⇒ **Couper, creuser.** *Entailler une poutre.* ⇒ **Mortaiser.** *Entailler un arbre fruitier.* ⇒ **Inciser.**

1 Et avec un poinçon je veux (de) sur l'écorce
    Engraver de ton nom les six lettres à force,
    Afin que les passants lisant Marion,
    Fassent honneur à l'arbre entaillé de ton nom.
          RONSARD, Le Second Livre des amours, Amours de Marie, II, I, « Le voyage de Tours ».

Former par une entaille. *« Une pente raide où la pioche des Bulgares avait (...) entaillé quelques marches »* (R. Vercel, *in* T. L. F.).

♦ **2.** (1864, pron. ; « tuer avec une arme tranchante », 1842). Faire une entaille (dans les chairs) à... *Il lui a entaillé le visage.* ⇒ **Blesser, écharper, entamer, taillader.** *S'entailler le doigt.* ⇒ **Charcuter** (se).

2 Un coup de couteau qu'il ne put parer lui entailla les chairs de l'épaule.
          J. VERNE, l'Île mystérieuse, p. 436.

♦ **3.** Techn. Enclaver (une pièce de serrurerie) dans le bois.

B. (Sujet de n. de la chose qui crée, délimite ou constitue une entaille).

Les courants, les eaux qui entaillent la roche. Les crevasses qui entaillent le sol.

▶ **ENTAILLÉ, ÉE** p. p. adj. (Av. 1854).

Qui forme, constitue une entaille, une coupure. *Vallée entaillée dans un bloc de granit* (→ 1. Coche, cit.).

Qui présente une, des entaille(s).

DÉR. Entaillage, entaille, entailloir, entaillure.

ENTAILLOIR [ɑ̃tajwaʀ] n. m. — 1755 ; de *entailler.*

♦ Techn. Outil servant à entailler.

ENTAILLURE [ɑ̃tajyʀ] n. f. — 1538 ; *entailléure* «sculpture», av. 1150 ; de *entailler.*

♦ Rare, vieilli. Entaille. *Les entaillures du pommeau de son épée* (Chateaubriand, *in* T. L. F.).

ENTAME [ɑ̃tam] n. f. — 1675 ; «blessure due à un instrument tranchant», v. 1360 ; déverbal de *entamer.*

♦ **1.** Premier morceau coupé d'une chose à manger. ⇒ **Bout.** *Entame du pain* (croûton), *d'un rôti. L'entame et le talon d'un jambon.*

L'apprenti, Léon, n'avait guère plus de quinze ans ; c'était un enfant, mince, l'air très doux, qui volait les entames de jambon et les bouts de saucissons oubliés (...)   ZOLA, le Ventre de Paris, t. I, p. 90-91.

Jeux. Premier pli, au bridge.

♦ **2.** (1870). Rare. Action d'entamer. «*Après l'entame au biseau*» (Zola, *in* T. L. F.).

Fig. *L'« entame d'une conférence*» (L. Bloy, *in* T. L. F.). ⇒ **Commencement.**

ENTAMER [ɑ̃tame] v. tr. — Déb. xiiᵉ ; du bas lat. *intaminare* «toucher à», proprt «souiller» de *in-,* et *taminare* «souiller», de *tagere, tangere* «toucher».

★ **I.** ♦ **1.** Couper (quelque chose d'intact) en en retranchant une partie. *Entamer un pain, un pâté.* ⇒ **Entame.** *Entamer une tartine à belles dents. Entamer une pièce de drap. Entamer une étoffe dans le bord.* ⇒ **Échancrer.** — Au p. p. *Pain, gigot entamé* (contr. : *intact, entier*).

♦ **2.** (V. 1155). Le compl. désigne la chair, une partie du corps. Couper en incisant. ⇒ **Blesser, égratigner, inciser, ouvrir.** *Entamer la peau, la chair. Le coup lui entama l'os. S'entamer la joue en se rasant. S'entamer les doigts* (→ Couteau, cit. 13). ⇒ **Piquer.** *Gerçures qui entament les lèvres.*

1   Le dieu qui fait aimer prit son temps ; il tira
Deux traits de son carquois : de l'un il entama
Le soldat jusqu'au vif ; l'autre effleura la dame.
     LA FONTAINE, Contes, V, VI, « La matrone d'Éphèse ».

2   Les sabres du Japon n'entament pas leur peau *(aux rhinocéros),* les javelots et les lances ne peuvent la percer, elle résiste même aux balles du mousquet.
     BUFFON, Hist. nat. des animaux. Rhinocéros, t. III.

3   (...) une barbe comme la mienne, je parie qu'ils usent tout un paquet de lames avant de m'avoir entamé un poil.
     J. ROMAINS, les Hommes de bonne volonté, t. II, VI, p. 70.

♦ **3.** (1580). Diminuer (un tout dont on n'a encore rien pris) en retranchant une partie. *Entamer un sac de bonbons, un litre de vin. Entamer ses provisions. Entamer son capital, son patrimoine.* ⇒ **Amoindrir, ébrécher, écorner.** — (Le compl. désigne une période de temps). *Entamer sa journée, l'année en faisant quelque chose, par une activité.* — Au p. p. *La journée est déjà bien entamée.*

4   Il n'entama point le fonds de son patrimoine qu'il conserva pour ses héritiers naturels.   Mᵐᵉ DE GENLIS, Mˡˡᵉ La Fayette, *in* LITTRÉ.

5   Devant la porte du cimetière, les ronds-de-cuir tinrent un grave conciliabule sur le point de savoir si, véritablement, il y avait nécessité d'aller achever au bureau une journée à demi entamée déjà.
     COURTELINE, Messieurs les ronds-de-cuir, 6ᵉ tableau, II, p. 227.

Spécialt (cartes). *Entamer une couleur,* en prendre la première carte pour l'abattre.

♦ **4.** (xxᵉ). Le compl. désigne une chose concrète. Couper, pénétrer en portant atteinte à l'intégrité de... (le sujet désigne le plus souvent une chose : outil, substance...). *Une matière tendre que la lime peut entamer.* ⇒ **Mordre.** *La rouille entame le fer.* ⇒ **Attaquer, corroder, manger, ronger.** *Le diamant entame le verre.* ⇒ **Rayer.** *L'incendie a entamé un pan de mur.* ⇒ **Détruire.** *Obus qui entame un retranchant.* ⇒ **Brèche** (ouvrir une).

6   Le feu n'a pu encore entamer le vieil arbre ; il pousse droit le long du mur et couvre à moitié ce petit préau sinistre d'un large éventail de feuilles jaunies.
     E. FROMENTIN, Un été dans le Sahara, p. 116.

(V. 1460). Spécialt. *Entamer le front des armées ennemies.* ⇒ **Percer.** *Les blindés réussirent à entamer la première ligne de résistance.*

♦ **5.** (V. 1190). Abstrait. *Doutes qui entament une foi, une croyance.* ⇒ **Ébranler** (→ Croire, cit. 55). *Une argumentation que rien ne peut*

entamer. La jalousie entama leur amitié. Rien n'a entamé son crédit, sa réputation. ⇒ **Effleurer, égratigner.**

Dès ce moment il dut entrevoir la perte de son crédit ; car, dès que la confiance   7
est entamée, elle est bientôt détruite.
     Abbé BARTHÉLEMY, Anacharis, 60, *in* LITTRÉ.

(...) la première espérance suffit à détruire ce que la peur et le désespoir n'avaient   8
pu entamer.   CAMUS, la Peste, p. 293.

Entamer l'équilibre, la santé morale de qqn. ⇒ **Compromettre, détruire.** *Rien n'entame sa volonté, son calme, son équilibre.*

♦ **6.** (V. 1460). Vx. **ENTAMER QUELQU'UN :** atteindre dans sa réputation. ⇒ **Attaquer, blesser** (→ Chantage, cit. 1).

(...) cette confiance le rend moins précautionné, et les mauvais plaisants l'enta-   9
ment par cet endroit.   LA BRUYÈRE, les Caractères, II, 36.

Mod. Commencer à convaincre, diminuer les réactions, les résistances de (qqn). ⇒ **Ébranler.** → Prendre de l'ascendant (cit. 6) sur... *Entamer qqn dans sa confiance, dans ses droits.* ⇒ **Empiéter** (sur).

Les abominables calomnies qu'on lui fait entendre sur moi l'ont entamé et,   10
comme il croit, d'après ce qu'on lui dit, que je suis un être fourbe et sans cœur, il
n'a pas à craindre de me faire souffrir.   GIDE, Journal, 17 oct. 1929.

(...) toi, tu es déjà insatisfait. Tu n'as pas un sou de vanité. Tu domines toutes les   10.1
situations... Rien ne peut t'entamer (...)   N. SARRAUTE, le Planétarium, p. 114.

★ **II.** (V. 1283). Faire le début de, se mettre à faire (qqch.). ⇒ **Commencer, entreprendre.** *Entamer une affaire, un discours* (→ Déclamation, cit. 6), *un sujet.* ⇒ **Aborder, attaquer.** *Entamer une œuvre.* ⇒ **Ébaucher.** *Entamer une conversation, des relations.* ⇒ **Amorcer.** *Entamer des négociations, une discussion, des poursuites.* ⇒ **Ouvrir.** *Entamer une partie.* ⇒ **Engager.** *L'affaire a été mal entamée.* ⇒ **Emmancher, engrener.** *Entamer une chose par les deux bouts,* l'entreprendre sans s'arrêter à une méthode, en commençant par plusieurs côtés à la fois. — Pron. (passif). → ci-dessous, cit. 12.

(...) quelques affreux périls qu'il commence à prévoir dans la suite de son entre-   11
prise, il faut qu'il l'entame (...)   LA BRUYÈRE, les Caractères, XII, 115.

Là fut mise en délibération une mesure d'où devait dépendre le sort futur de la   12
monarchie. La discussion s'entama : je soutins seul avec M. Beugnot, qu'en aucun
cas Louis XVIII ne devait admettre dans ses conseils M. Fouché.
     CHATEAUBRIAND, Mémoires d'outre-tombe, t. IV, p. 37.

(...) tournant dans sa tête le discours qu'il allait faire à sa femme et ne sachant   13
par quel bout entamer.   G. SAND, François le Champi, IX, p. 77.

Puis, le sextuor qui occupait la tribune entama son morceau final.   14
     MARTIN DU GARD, les Thibault, t. IV, p. 265.

Absolt. *Il ne se décide pas à entamer.* ⇒ **Commercer, débuter.**

Spécialt (manège). *Entamer le chemin* (en parlant de cheval), se mettre en marche. — Absolt. *Entamer du pied droit, du pied gauche.*

Les chevaux entament le chemin, en galopant, par la jambe droite de devant, qui   15
est plus avancée que la gauche.   BUFFON, Hist. nat. des animaux, « Le cheval ».

▶ **ENTAMÉ, ÉE** p. p. adj. Voir ci-dessus à l'article.

CONTR. V. Achever, finir. — (Du p. p.). **Inentamé.**
DÉR. Entame, entamure.
COMP. Inentamable, inentamé.

ENTAMURE [ɑ̃tamyʀ] n. f. — 1339, «blessure» ; de *entamer.*

♦ **1.** (1669). Vx. ⇒ **Entame.** *Entamure d'un pain.*

♦ **2.** (1694). Techn. *Entamure d'une carrière,* les pierres du premier lit d'une carrière nouvellement exploitée.

ENTARTRAGE [ɑ̃taʀtʀaʒ] ou **ENTARTREMENT** [ɑ̃taʀtʀəmɑ̃] n. m. — 1907, R. Champly, *entartrage* ; *entartrement,* 1922 ; de *entartrer.*

♦ Action d'entartrer, de s'entartrer. *L'entartrage d'une chaudière. L'entartrement des tuyaux de chauffage central.* — Présence de tartre. *Un entartrage, un entartrement complet.*

ENTARTRER [ɑ̃taʀtʀe] v. tr. — 1907, R. Champly, *Le moteur d'automobile à la portée de tous* ; de *en-, tartre,* et suff. verbal.

♦ Recouvrir, incruster de tartre*. *Eau calcaire qui entartre les tuyaux, les chaudières.* — Pron. *Tonneaux qui s'entartrent.*

▶ **ENTARTRÉ, ÉE** p. p. adj. *Radiateur entartré. Canalisations entartrées.*

DÉR. Entartrage ou entartrement.

ENTASSEMENT [ɑ̃tasmɑ̃] n. m. — V. 1195, sens 2 ; de *entasser.*

♦ **1.** (1538). Action d'entasser. ⇒ **Accumulation, amoncellement.** *L'entassement des marchandises dans un entrepôt.* — Choses entassées. ⇒ **Amas, pile, tas.** *Un entassement de livres* (⇒ **Échafaudage,** *de papiers sur une table. Quel entassement invraisemblable !* ⇒ **Capharnaüm, chantier, encombrement.** *Entassement de cadavres.* ⇒ **Charnier.** *Entassement de détritus, d'ordures dans un dépotoir.*

Rien ne donne l'idée d'un chaos, d'un univers encore aux mains du Créateur,   1
comme une chaîne de montagne vue de haut (...) Ces blocs énormes, ces entassements pharaoniens réveillent l'idée d'une race de géants disparus, tant la vieillesse

du monde est lisiblement écrite en rides profondes sur le front chenu et la face rechignée de ces montagnes millénaires.
Th. GAUTIER, Voyage en Espagne, p. 190.

2   Les placards, dont il amena à lui les portes, lui montrèrent des entassements de rien du tout, des accumulations de loques épinglées, de cartons démolis, de coupons hors d'usage (...)   COURTELINE, Boubouroche, Nouvelle, IV.

3   (...) l'affreux entassement des cadavres concentrationnaires.
CAMUS, l'Homme révolté, p. 100.

Spécialt. Action d'entasser de l'argent.

4   Pour la province, la richesse des nations consiste moins dans l'active rotation de l'argent que dans un stérile entassement.
BALZAC, la Vieille Fille, Pl., t. IV, p. 311.

♦ **2.** Fait de s'entasser, d'être trop nombreux dans un lieu. ⇒ **Agglomération, assemblage** (cit. 17), **rassemblement.** *L'entassement d'une famille dans une seule pièce. L'entassement d'émigrants sur le pont d'un bateau. Entassement des moutons dans un fourgon.* — *C'était un entassement invraisemblable dans la salle.* ⇒ **Cohue, presse.**

5   La chose était impossible par excès de l'entassement de la foule.
SAINT-SIMON, Mémoires, IX, p. 464.

6   On sait quelles mœurs l'entassement du peuple doit produire.
ROUSSEAU, Émile, V.

7   Jean était à demi couché sur le pont, à la lueur naissante des étoiles, au milieu de l'entassement des flâneurs en vareuse blanche (...)
LOTI, Matelot, XXIV, p. 89.

♦ **3.** (1660). Fig. Accumulation excessive et désordonnée. *Entassement de mots, de preuves* (→ Calculer, cit. 8; échafauder, cit. 4). *Entassement chaotique d'arguments.* ⇒ **Conglobation.**

8   L'entassement confus des mots et des phrases entrelacées.
MARMONTEL, Éléments de littérature, in Œ., t. X, p. 210.

CONTR. Dispersion; désentassement, éparpillement.

ENTASSER [ɑ̃tɑse] v. tr. — V. 1165 au sens 2; de *en-, tas,* et suff. verbal.

♦ **1.** (V. 1180). Mettre (des choses) en tas. ⇒ **Amonceler, empiler.** *Entasser des gerbes* (⇒ **Engerber, gerber**), *des caisses, des cageots, des dossiers, des papiers.* — (1530). Réunir en grand nombre (dans un même endroit). *Entasser des marchandises en vrac dans une caisse au lieu de les empaqueter. Entasser des livres, des souvenirs dans sa chambre.* ⇒ **Collectionner, emmagasiner.** *Entasser papiers sur papiers.*

1   (...) des hommes haletants, ouvriers, étudiants, sectionnaires, lisaient des proclamations, criaient : aux armes! brisaient les réverbères, dételaient les voitures, dépavaient les rues (...) entassaient pavés, moellons, meubles, planches, faisaient des barricades.   HUGO, les Misérables, IV, X, IV.

2   Un temple aussi barbare que le dieu auquel il est destiné, de lourds fragments de roche brute entassés les uns sur les autres sans ciment, comme les blocs des constructions cyclopéennes (...)   Th. GAUTIER, Souvenirs de théâtre..., p. 162.

3   Des coussins entassés sur son lit la soutenaient et la maintenaient presque assise.
GIDE, la Symphonie pastorale, p. 152.

Rare (compl. au sing.). *Entasser une chose sur d'autres.*

Loc. *Entasser Pélion sur Ossa* (par allusion aux Géants qui tentèrent d'escalader le ciel en mettant le mont Pélion sur le mont Ossa) : tenter une entreprise démesurée (→ Escalade, cit. 1).

3.1   Leur cœur un jour se révolta; mais elles le précipitèrent sous leur poitrine, entassant sur lui Ossa et Pélion.   GIRAUDOUX, Provinciales, p. 44.

(1530). *Entasser de l'argent.* ⇒ **Économiser, épargner, thésauriser.** *Entasser sou sur sou.*

Absolt. *Les avares* (cit. 13) *n'ont qu'une passion : entasser.* ⇒ **Accumuler** (cit. 6), **amasser** (cit. 3).

4   Madame de Coislin, avare de même que beaucoup de gens d'esprit, entassait son argent dans des armoires. Elle vivait toute rongée d'une vermine d'écus qui s'attachait à sa peau : ses gens la soulageaient.
CHATEAUBRIAND, Mémoires d'outre-tombe, t. II, p. 338.

5   Entasser des économies pour des héritiers qu'on ne verra jamais, quoi de plus insensé?   RENAN, Vie de Jésus, X.

Réunir (des personnes) dans un espace trop étroit. ⇒ **Empiler, presser, serrer, tasser.** *Entasser des prisonniers dans une grange.*

6   Ils étaient là, neuf cents hommes, entassés dans l'ordure, pêle-mêle, noirs de poudre et de sang caillé, grelottant de fièvre, criant de rage ; et on ne retirait pas ceux qui venaient à mourir parmi les autres.
FLAUBERT, l'Éducation sentimentale, III, I.

♦ **2.** (1530). Fig. Accumuler, multiplier. *Entasser des citations* (→ Compiler, cit.). *Entasser des mots injurieux* (→ Dédain, cit. 2). *Entasser arguments sur arguments, bévue sur bévue, sottise sur sottise* (→ fam. En remettre, en rajouter).

7   Quelques-uns, pour étendre leur renommée, entassent sur leurs personnes des pairies, des colliers d'ordre, des primaties, la pourpre,...
LA BRUYÈRE, les Caractères, II, 26.

8   Nous ne savons jamais nous mettre à la place des enfants; nous n'entrons pas dans leurs idées, nous leur prêtons les nôtres; et suivant toujours nos propres raisonnements, avec des chaînes de vérités nous n'entassons qu'extravagances et qu'erreurs dans leur tête.   ROUSSEAU, Émile, III.

9   (...) que de mensonges entassés pour cacher un seul fait!...
BEAUMARCHAIS, le Barbier de Séville, II, 11.

▶ **S'ENTASSER** v. pron. (V. 1190).

♦ **1.** Être entassé, former un tas. *Marchandises qui s'entassent sur*

---

un quai. *Courrier en retard qui s'entasse dans un tiroir. Fruits peu appétissants qui s'entassent dans un plat* (→ Dessert, cit. 3).

10   (...) une devanture assez mal tenue où s'entassaient sans beaucoup d'ordre des vêtements tricotés en laines pâles, des pantoufles (...)
J. GREEN, Adrienne Mesurat, II, III, p. 165.

♦ **2.** Aller, se trouver en grand nombre. *La foule s'entassait, les spectateurs s'entassaient dans la salle de spectacle.* ⇒ **Écraser** (s'), **presser** (se).

11   (...) quelle sorte de plaisir pouvait-on prendre à voir des troupeaux d'hommes avilis par la misère s'entasser, s'étouffer, s'estropier brutalement, pour s'arracher avidement quelques morceaux de pains d'épice foulés aux pieds et couverts de boue?
ROUSSEAU, Rêveries..., 9e promenade.

12   Il y a de ces temples gréco-romains dans le sinistre quartier noir de Chicago; du dehors ils ont encore bonne mine. Seulement, à l'intérieur, douze familles nègres, mangées aux poux et aux rats, s'entassent dans cinq ou six pièces.
SARTRE, Situations III, p. 98.

♦ **3.** Fig. S'accumuler sans organisation. *Connaissances fragmentaires qui s'entassent dans le cerveau.*

▶ **ENTASSÉ, ÉE** p. p. adj. *Papiers entassés.* — *Argent péniblement entassé.*

(Personnes). *Voyageurs entassés dans le métro* → aussi ci-dessus, cit. 6.

Fig. *Des mensonges entassés* → ci-dessus, cit. 9.

CONTR. Disperser, disséminer, éparpiller, semer. — **Dépenser, dilapider, gaspiller, prodiguer.** — **Ranger.**
DÉR. Entassement, entasseur.

ENTASSEUR, EUSE [ɑ̃tɑsœʀ, øz] n. — V. 1240; de *entasser.*

♦ Rare, fam. Personne qui entasse, amasse avec avidité (de l'argent, des objets précieux). *Un entasseur, une entasseuse d'écus.*

1. ENTE [ɑ̃t] n. f. — V. 1140, au sens 2; déverbal de *enter.*
Technique (arbor., agric.).

♦ **1.** (V. 1160). Scion qu'on prend à un arbre pour le greffer sur un autre. ⇒ **Greffon.** — Greffe opérée au moyen d'une ente.

♦ **2.** Arbre sur lequel on a inséré un scion. *Avoir de jeunes entes dans son jardin. Tailler une ente* (→ Couper, cit. 2).

♦ **3.** *Prune d'ente* ou *prune d'Agen*, qui, séchée, est appelée *pruneau.*

HOM. 1. **Ante,** 2. **ante,** formes des v. **enter** et **hanter.**

2. ENTE [ɑ̃t] n. f. ⇒ 1. **Ante.**

3. ENTE [ɑ̃t] n. f. ⇒ 2. **Ante.**

ENTÉLÉCHIE [ɑ̃teleʃi] n. f. — V. 1380, *endelechie*; lat. *entelechia,* grec *entelekheia* «énergie agissante et efficace», de *en-,* et *telos* «achèvement».
Didactique.

♦ **1.** Hist. philos. Chez Aristote, État de perfection, de parfait accomplissement de l'être (par opposition à l'être en puissance, inachevé et incomplet).

♦ **2.** Principe métaphysique qui détermine un être à une existence définie. *L'âme, entéléchie du corps.*

1   (...) Ô lumière enrichie
D'un feu divin qui m'ard *(brûle)* si vivement,
Pour me donner l'être et le mouvement,
Êtes-vous pas ma seule Entéléchie?
RONSARD, le Premier Livre des amours de Cassandre, LXVIII.

2   Gardons-nous d'imaginer des tendances au progrès, des principes directeurs, des élans vitaux, ou autres entéléchies (...)   Jean ROSTAND, l'Homme, VIII, p. 126.

♦ **3.** (Dans la philos. de Leibniz). Monade.

ENTEMENT [ɑ̃tmɑ̃] n. m. — XIIe; de *enter.*

♦ Vx. Action d'enter. ⇒ **Greffe.**

ENTENDANT, ANTE [ɑ̃tɑ̃dɑ̃, ɑ̃t] n. — XXe; p. prés. de *entendre.*

♦ Personne qui peut entendre, qui jouit de ses facultés auditives. — (Qualifié par un adverbe). *Les mal entendants :* les personnes qui ont des problèmes auditifs (on écrit aussi *malentendant*).

— Oui, mais son estomac et son abdomen étaient agités de légers mouvements, imperceptibles de vous, grossier entendant, mais facilement interprétables de moi, subtile sourde.   A. ALLAIS, Contes et Chroniques, p. 257.

CONTR. Sourd.

ENTENDEMENT [ɑ̃tɑ̃dmɑ̃] n. m. — Déb. XIIe, «intelligence»; de *entendre,* II.

♦ **1.** Philos et cour. (sens large). Faculté de comprendre*. ⇒ **Com-**

préhension, conception, intellection. *Les opérations de l'entende-ment ; la démarche de l'entendement. L'entendement humain. Essai philosophique concernant l'entendement humain,* de Locke (1690). *Essais* (ou *enquête*) *sur l'entendement humain,* de D. Hume (1748). *Opposer l'entendement à l'imagination, aux sensations* (→ Circons-crire, cit. 5).

1 L'entendement humain, tant soit-il admirable,
Du moindre fait de Dieu sans Grâce n'est capable.
RONSARD, Disc. misères de ce temps, Remontrance peuple France.

2 (...) notre imagination ni nos sens ne nous sauraient jamais assurer d'aucune chose si notre entendement n'y intervient. DESCARTES, Discours de la méthode, IV.

3 L'entendement est la lumière que Dieu nous a donnée pour nous conduire.
BOSSUET, Traité de la connaissance de Dieu, I, 7.

4 Par ce mot, entendement pur, nous ne prétendons désigner que la faculté qu'a l'esprit de connaître les objets du dehors sans en former d'images corporelles dans le cerveau pour se les représenter.
MALEBRANCHE, De la recherche de la vérité, III, I, 1.

5 Comme tout ce qui entre dans l'entendement humain y vient par les sens, la pre-mière raison de l'homme est une raison sensitive ; c'est elle qui sert de base à la raison intellectuelle (...) ROUSSEAU, Émile, II.

6 On juge par ce qu'on voit de ce qu'on ne voit pas ; du tout par la partie que l'on a sous les yeux. Faiblesse de nos sens et de l'entendement humain !
P.-L. COURIER, Œ., p. 30-31.

7 (...) l'étude avait agrandi son intelligence, la méditation avait aiguisé sa pensée, les sciences avaient élargi son entendement.
BALZAC, Séraphîta, Pl., t. X, p. 522.

Cour. (dans des expressions). Ensemble des facultés intellectuelles. ⇒ Cerveau, cervelle (fig.) esprit, intellect, intelligence, jugement, rai-son, sens (bons sens). → fam. Comprenette, jugeote... *Cela passe* (cit. 113), *dépasse l'entendement :* c'est incompréhensible. *Vérité qui se présente, s'offre à l'entendement.* — Absolt et vx. Raison, bon sens. *Perdre l'entendement :* devenir fou.

8 La façon de se vêtir présente lui fait *(à notre peuple)* incontinent condamner l'ancienne, d'une résolution si grande et d'un consentement si universel, que vous diriez que c'est une espèce de manie qui lui tourneboule ainsi l'entendement.
MONTAIGNE, Essais, I, XLIX.

9 L'oiseau chasseur lui dit *(au chapon) :* Ton peu d'entendement
Me rend tout étonné (...) LA FONTAINE, Fables, VIII, 21.

10 (...) le sentiment religieux est une passion d'amour et voilà ce qu'ils ne compren-dront jamais, ces pédagogues (...) quand il pleuvrait des clefs de lumière pour leur ouvrir l'entendement ! Léon BLOY, le Désespéré, I, p. 40.

11 (...) l'humeur de Blanche a quelque chose qui passe l'entendement ordinaire.
BERNANOS, le Dialogue des Carmélites, *in* Œ. roman., Pl., p. 1570.

(Qualifié). Capacité intellectuelle (de qqn). *Avoir l'entendement vif ; borné.*

Vieilli. *Homme, femme d'entendement,* intelligent(e).

♦ 2. Philos. (Distingué de *raison**). a Chez Kant, Fonction de l'esprit qui consiste à relier les sensations en systèmes cohérents au moyen de catégories* (la raison faisant la synthèse des concepts de l'enten-dement). — Chez Schopenhauer, Faculté de lier les représentations intuitives entre elles (la raison formant et combinant des con-cepts abstraits).

b Forme discursive* de la pensée, s'exerçant sur ce qui est empi-riquement donné. *L'entendement effectue les opérations dis-cursives de l'esprit : conceptions, jugements, raisonnements,* la rai-son s'appliquant à la connaissance de l'absolu.

ENTENDEUR [ɑ̃tɑ̃dœʀ] n. m. — XIIIᵉ, *entendere* ; de *entendre*.

♦ 1. Vx. Personne qui entend, comprend (bien ou mal).

1 Je crois que les bons entendeurs pourront profiter à cette lecture (...)
VOLTAIRE, Lettre à d'Argental, 17 mars 1765.

♦ 2. Loc. mod. *À bon entendeur, salut :* que celui qui comprend bien en fasse son profit (s'emploie pour souligner une menace, un avertis-sement voilé...).

Avec un calembour sur *salut :*

2 (...) tout acte manqué est un discours réussi, voire assez joliment tourné, et que dans le lapsus c'est le bâillon qui tourne sur la parole, et juste du quadrant qu'il faut pour qu'un bon entendeur y trouve son salut. LACAN, Écrits, p. 268.

Elliptiquement :

3 (...) je vous signale que je possède en entier la liste de ceux de vos clients qui détiennent des Carrières d'Orval. À bon entendeur.
M. AYMÉ, Travelingue, p. 146.

REM. Le mot n'a pas de forme féminine attestée.

ENTENDRE [ɑ̃tɑ̃dʀ] v. tr. — V. 1050 ; «percevoir par l'ouïe» ; du lat. *intendere* «tendre vers», d'où «porter son attention vers», «com-prendre», sens dominant jusqu'au XVIIᵉ, et, par ext., «ouïr» ; de *in-*, et *tendere*. → Tendre.

★ I. ♦ 1. V. tr. ind. ENTENDRE À... : (vx) tendre* son attention vers, prêter attention à... ; être occupé à...

1 (...) les bons avocats (...) tant distraits (...) du *(par le)* droit d'autrui qu'ils n'ont temps ni loisir d'entendre à leur propre. RABELAIS, le Tiers Livre, XXIX.

Par ext. Vx. Se prêter à (qqch.). ⇒ Acquiescer ; accepter, approu-ver, consentir. «*Il ne veut entendre à aucun arrangement*» (Acadé-mie).

2 Achille n'entend à aucune composition. RACINE, Livres annotés, Homère, XXII.

Les uns disent que j'ai bien fait d'entendre à un arrangement (...) 3
P.-L. COURIER, Au rédacteur du Courrier franç., 1ᵉʳ févr. 1823.

Loc. Vx. *Ne savoir auquel entendre :* avoir affaire à plusieurs per-sonnes à la fois et ne pouvoir toutes les satisfaire.

♦ 2. (V. 1121). V. tr. dir. Mod. ENTENDRE QUE, ENTENDRE (et inf.) : avoir l'intention*, le dessein de... ⇒ Vouloir. *J'entends qu'on m'obéisse ; j'entends être obéi.* ⇒ Exiger, prétendre. *Faites comme vous l'entendez.* ⇒ Désirer, préférer. *Ici, chacun fait, chacun agit comme il l'entend.* → À sa guise. *Je l'entends ainsi. Je n'entends pas méconnaître ses droits. Qu'entendez-vous faire maintenant ?* ⇒ Compter. — Loc. *Ne pas l'entendre ainsi, ne pas l'entendre de cette oreille :* avoir un autre avis sur la question, et agir pour con-trarier les intentions d'autrui.

J'entends et veux que tu apprennes les langues parfaitement. 4
RABELAIS, Pantagruel, VIII.

(...) je n'entends point que vous ayez d'autres noms que ceux qui vous ont été don- 5
nés par vos parrains et marraines (...) MOLIÈRE, les Précieuses ridicules, 4.

Ma maladie aura toujours eu l'avantage qu'on me laisse m'occuper comme je 6
l'entends, ce qui est un grand point dans la vie (...)
FLAUBERT, Correspondance, 90, janv. 1845.

Elle attendait de l'amant idéal qu'il fût un maître et un dieu, mais le choisissait 7
faible et humain parce qu'elle entendait le dominer.
A. MAUROIS, Lélia..., III, IV, p. 157.

Il n'entendait pas changer l'ordre social. Il voulait que chacun s'améliorât par la 8
pensée. J. CHARDONNE, l'Amour du prochain, p. 232.

★ II. V. tr. dir. A. ♦ 1. (V. 1080). Littér. Percevoir, saisir par l'intel-ligence. ⇒ Comprendre (II.), concevoir, saisir. *Entendre le fran-çais, l'anglais* (→ Arabesque, cit. 3). *Entendre un mot* (→ Attrac-tion, cit. 2), *une expression. Je ne vous entends pas, expliquez-vous mieux. J'entends bien que vous n'en êtes pas responsable.* ⇒ Admettre, confesser, reconnaître. *Entendre une plaisanterie.* ⇒ Apprécier, goûter. *Comment entendez-vous cette phrase ?* ⇒ Interpréter. *Je n'entends pas ce que vous dites.* — REM. Dans ce type d'exemples, ambigus avec le sens B ci-dessous, cette acception est vieillie. — *Entendre un mot dans telle ou telle acception* (cit.). *Entendre les moindres allusions* (→ Savoir ce que parler veut dire). *Entendre qqch. à demi-mot* (cit. 2). *Faire entendre beaucoup en peu de mots* (→ Dire, cit. 107). *Faire entendre qqch. à qqn ; faire entendre à qqn que...* (⇒ Expliquer, montrer). *Il se fait bien entendre de ses auditeurs.* — *Ne pas entendre un traître mot de, à :* ne rien connaître de, ne rien comprendre à.

Que sert, dit Salomon, toutes choses entendre, 9
Rechercher la nature et la vouloir comprendre,
Vouloir parler de tout, et toutes choses voir (...) RONSARD, Élégies, XV.

Ceux qui n'entendront pas ces trois petits mots latins (...) se les feront expliquer 10
s'il leur plaît. SCARRON, le Roman comique, I, XII.

(...) je n'entends point le latin (...) il faut parler chrétien, si vous voulez que je 11
vous entende. MOLIÈRE, les Précieuses ridicules, 6.

Quand on se fait entendre, on parle toujours bien (...) 12
MOLIÈRE, les Femmes savantes, II, 6.

(...) il a bien de l'esprit, et entend fort finement tout ce qui est bon. 13
Mᵐᵉ DE SÉVIGNÉ, 848, 1ᵉʳ sept. 1680.

Que dirai-je, Madame, et comment dois-je entendre 14
Cet ordre, ce discours que je ne puis comprendre ? RACINE, Mithridate, II, 6.

Les sots lisent un livre, et ne l'entendent point ; les esprits médiocres croient 15
l'entendre parfaitement ; les grands esprits ne l'entendent quelquefois pas tout entier (...) LA BRUYÈRE, les Caractères, I, 35.

(...) nous sommes d'accord sur deux ou trois points que nous entendons, et nous 16
disputons sur deux ou trois mille que nous n'entendons pas.
VOLTAIRE, Micromégas, VII.

(...) feindre d'ignorer ce qu'on sait, de savoir tout ce qu'on ignore ; d'entendre ce 17
qu'on ne comprend pas, de ne pas ouïr ce qu'on entend (...)
BEAUMARCHAIS, le Mariage de Figaro, III, 5.

(...) on se paye de mots que l'on n'entend pas, et l'on se figure être des génies 18
transcendants. CHATEAUBRIAND, Mémoires d'outre-tombe, t. II, p. 204.

Perrault n'entend pas la poésie. Il ne l'entend pas, et pourtant il jette à ce propos 19
mille pensées fort neuves, fort spirituelles, et que la science critique a depuis plus ou moins imprévues et heureuses ; il a des ouvertures imprévues et heureuses. Il entend donc certaines parties du moins de la poésie ; mais ce qui en est le fond et le fin il ne l'entend pas. SAINTE-BEUVE, Causeries du lundi, 29 déc. 1851, t. V, p. 270.

(...) j'entends très bien l'italien, il y a du moins peu de choses qui m'échappent 20
quand on ne le parle pas trop vite (...) FLAUBERT, Correspondance, t. II, p. 16.

ENTENDRE, CONCEVOIR, COMPRENDRE. Entendre et comprendre signifient saisir le 21
sens ; ce qui les distingue de concevoir qui signifie embrasser par l'idée : j'entends ou je comprends cette phrase ; et non je la conçois. Au contraire, dans le vers de Boileau : Ce que l'on conçoit bien s'énonce clairement, entendre ou comprendre ne conviendraient pas. La nuance est autre, entre comprendre et entendre. Au fond, l'idée d'entendre est de faire attention à, être habile dans, tandis que celle de comprendre est prendre en soi : j'entends l'allemand, je le sais, j'y suis habile ; je comprends l'allemand dirait moins. LITTRÉ, Dict., art. *Entendre.*

Plus cour. (dans des loc.). En réponse. *J'entends bien ce que vous voulez dire,* et, absolt, Oui, *j'entends, j'entends bien.* — *Enten-dez-vous ce que je viens de vous dire ?* — Absolt. *Entendez-vous ?* s'emploie pour appuyer un ordre, une menace. *Je vous chasserai, entendez-vous ?* — REM. Le double sens d'*entendre* est sensible dans cet emploi absolu : c'est à la fois *comprendre* et *entendre par l'oreille.* — *Vous m'entendez bien :* vous savez ce que je veux dire. — *J'entends :* je sais ce que je veux dire.

(...) Suffit, vous m'entendez (...) MOLIÈRE, les Femmes savantes, III, 4. 22

(...) il ne faut pas qu'on sache cela ? entendez-vous ? 23
MOLIÈRE, George Dandin, I, 2.

(...) tu comprends que j'en ai assez ; je veux savoir, tu entends (...) Veux-tu parler ? 24
J. GREEN, Adrienne Mesurat, p. 50.

Laisser entendre, donner à entendre : laisser deviner. ⇒ **Insinuer.** *On lui donna à entendre qu'il allait être renvoyé. On m'a laissé entendre que...* → Je me suis laissé dire*...

25 (...) ils *(les feuilletonistes)* donnaient bénignement à entendre que les auteurs étaient des assassins et des vampires.
Th. GAUTIER, Préface de Mlle de Maupin, éd. critique MATORÉ, p. 20.

Loc. *Ne pas entendre malice, finesse, à une chose,* (vx) *dans une chose,* ne pas y voir de malice. *Il n'y entend pas malice, il faut lui pardonner. Faire quelque chose sans y entendre malice :* sans mauvaise intention (⇒ **Innocemment, naïvement**).

26 (...) que trouvez-vous là de sale?... Pour moi, je n'y entends point de mal.
MOLIÈRE, Critique de l'École des femmes, 3.

Entendre la plaisanterie, ne pas s'en offenser. ⇒ **Prendre** (bien prendre). — Loc. (Vx, langue class. ou littér.). *Entendre, ne pas entendre raillerie. Il n'entend pas plaisanterie, raillerie là-dessus* (Académie). — *Entendre la devise :* se laisser conter fleurette.

♦ **2.** Vx. Connaître à fond; être habile dans... *Entendre l'algèbre, la politique. Entendre son métier.* — Mod. (en emploi négatif). *Ne rien entendre à... Il n'y entend rien* (→ *infra* S'entendre à).

27 (...) M. de Reynie, qui entend si bien la police (...)
Mme DE SÉVIGNÉ, 849, 4 sept. 1680.

28 Elle entend la cuisine et l'office. ROUSSEAU, Émile, V.

♦ **3.** (Sujet n. de personne). Vouloir dire. *Qu'entendez-vous par ce mot?,* quel sens lui donnez-vous? *J'entends par là que...* (→ C'est-à-dire que...).

29 Je viens de le tuer, de parole, j'entends (...) MOLIÈRE, l'Étourdi, II, 1.

30 Par le nom de Dieu, j'entends une substance infinie (...)
DESCARTES, Méditations métaphysiques, II. (→ Dieu, cit. 2).

31 Il y a huit ans, j'étais comme vous un jeune élève du conservatoire de Naples, j'entends j'avais votre âge; mais je n'avais pas l'honneur d'être le fils de l'illustre maire de la jolie ville de Verrières. STENDHAL, le Rouge et le Noir, I, XXIII.

B. (V. 1050). Mod. et cour. ♦ **1.** Percevoir par le sens de l'ouïe (un son). ⇒ **Ouïr; audio-, audi** et comp.; **audition, -acousie.** *Entendre qqch. avec peine.* ⇒ **Discerner, distinguer.** *Entendre qqch. clairement, distinctement, nettement. Bruit que l'on peut entendre* (⇒ **Audible**) *que l'on peut à peine entendre, que l'on ne peut pas entendre* (⇒ **Inaudible**). *Entendre un bruit* (cit. 5, 18, 19; → aussi Cachot, cit. 2; cadence, cit. 6; castagnette, cit. 1 et 2), *un son, une voix* (→ Argentin, cit. 3; casser, cit. 16). *Entendre des cris, des clameurs* (cit. 3), *des plaintes* (→ Douleur, cit. 2). *Entendre de la musique, un instrument* (→ Chalumeau, cit. 2). *Entendre un battement, un bourdonnement* (cit. 8), *un charivari* (cit. 4), *un cliquetis* (cit. 1 et 2). *J'ai cru entendre un coup de fusil. Ne rien entendre, n'entendre aucun bruit* (→ Accablement, cit. 8). *Chuchotement, voix qu'on entend à peine. Avez-vous entendu ce qu'il a dit? Non, je n'ai rien entendu* (concerne ici la perception des sons, et non la signification, mais celle-ci peut être impliquée). *Il n'entend rien :* il n'y a pas de bruit audible, ou, il est sourd. *Il fit entendre un craquement.* ⇒ **Émettre.** *Un grand bruit se fit entendre.* — *Entendre quelqu'un, un animal,* entendre les sons, les bruits qu'il produit. *Attention, on va nous entendre!,* nous entendre marcher, agir, parler... *Il me semble que j'entends quelqu'un; non, c'est le chien. J'ai entendu sa voiture.*

(Le compl. désigne une personne, et, par ext., la parole humaine, le sens étant pris en considération). *Parlez plus fort, je vous entends mal. On n'entend que lui :* il parle tout le temps. *Qu'est-ce qui se passe? On ne vous entend plus. Je n'ai pas entendu ce que vous avez dit. J'ai entendu cela de sa propre bouche. Et si on t'entendait?*

Loc. Iron. *Il fallait l'entendre! :* ce n'était pas très beau ou très agréable à entendre.

(Le compl. désigne l'auteur du bruit, la source sonore et une proposition complément spécifie la nature des sons). **a** Avec un infinitif. *Entendre une voiture passer, entendre passer une voiture. Entendre quelqu'un parler, chanter, crier* (→ Alarme, cit. 2). *Entendre sonner l'angélus. Entendre bruire* (cit. 6) *quelque chose.* — Loc. *On entendrait une mouche voler :* il n'y a aucun bruit.

b Avec une propos. relative. *Je l'entends qui parle, qui chante, qui remue dans sa chambre. J'entends le chien qui gratte, qui aboie à la porte.*

c Avec un p. prés. *Je l'ai entendu parlant à ma sœur.*

32 (...) il me semble que j'entends un chien qui aboie. MOLIÈRE, l'Avare, I, 5.

33 Entendez-vous dans les campagnes
Mugir ces féroces soldats? ROUGET DE LISLE, la Marseillaise.

34 Souvent, au bord d'une fosse dans laquelle on descendait une bière avec des cordes, j'ai entendu le râlement de ces cordes; ensuite, j'ai ouï le bruit de la première pelletée de terre tombant sur la bière : à chaque nouvelle pelletée, le bruit creux diminuait; la terre, en comblant la sépulture, faisait peu à peu monter le silence éternel à la surface du cercueil.
CHATEAUBRIAND, Mémoires d'outre-tombe, t. II, p. 125.

35 Il entendait la parole haute et magistrale du grand-père, les violons, le cliquetis des assiettes et des verres, des éclats de rire, et dans toute cette rumeur gaie il distinguait la douce voix joyeuse de Cosette. HUGO, les Misérables, V, VI, III.

36 À force de les entendre *(les cris, les menaces),* on ne les entendait plus.
MICHELET, Hist. de la Révolution franç., I, p. 636.

37 (...) je poussai un cri (...) un cri si déchirant (...) que je l'entendis! Les entraves de mon oreille se délièrent d'une manière brusque, le tympan craqua sous le choc de cette masse d'air sonore repoussée loin de moi avec énergie, et il se passa un phénomène nouveau dans l'organe condamné par la nature. Je venais d'entendre un son! LAUTRÉAMONT, les Chants de Maldoror, II, p. 77.

Je n'ai pas besoin d'écouter pour entendre. Même avant d'entendre les voix, je connais déjà les pensées. GIDE, Œdipe, I. 38

Entends ce bruit fin qui est continu, et qui est le silence. Écoute ce qu'on entend lorsque rien ne se fait entendre. VALÉRY, Autres rhumbs, L'ouïe, p. 42. 39

Loc. *Raconter, dire qqch. à qui veut l'entendre,* à tout le monde. — Fam. *Ce qu'il faut, qu'est-ce qu'il faut entendre!* (exprime l'indignation). *Il a fallu que je vienne ici pour entendre ça, pour entendre des choses pareilles!* — Loc. prov. *Il vaut mieux entendre ça que d'être sourd :* c'est une chose absurde.

... elle racontait tout ça fort bien... à tous ceux qui voulaient l'entendre... et même aux autres qui y tenaient pas. CÉLINE, Guignol's band, p. 197. 39.1

Qu'est-ce qu'elles te disent de faire tes voix? Ses voix! Enfin! Il vaut mieux entendre ça que d'être sourd! J. ANOUILH, l'Alouette, p. 34. 39.2

Entendre des voix : avoir des hallucinations auditives.

En entendre : entendre, recevoir (des reproches, des paroles désagréables, incroyables). *Il en a entendu! J'en ai vu et entendu d'autres! En entendre des vertes* et des pas mûres.*

Spécialt. *Entendre un mot, une tournure, une expression,* l'entendre employer, l'entendre dire. *On entend souvent..., on entend encore...* (→ Amuïr, cit.). *On entend parfois cette locution à la campagne :* elle est parfois en usage.

ENTENDRE avec un compl. verbal. — Inf. *J'ai entendu bouger, remuer* (→ ci-dessus : entendre quelqu'un bouger). *Entendre que...* (suivi de l'indicatif). *J'entends qu'on marche dans le jardin. « J'entends que vous me dites des nouvelles »* (Littré).

J'entends de tous côtés qu'on menace Pyrrhus (...) RACINE, Andromaque, I, 1. 40

Quelquefois je le peux *(vous écrire)* l'après-midi, sous prétexte de chanter ou de jouer de la harpe; encore faut-il que j'interrompe à chaque ligne pour qu'on entende que j'étudie. LACLOS, les Liaisons dangereuses, Lettre LXXXII. 41

L'essentiel est qu'on entende pas que nous parlons.
J. ROMAINS, les Hommes de bonne volonté, t. II, IV, p. 38. 42

ENTENDRE DIRE (accompagné d'un compl. d'objet dir.). *Je les ai entendus dire des gros mots.* — *Entendre dire qqch. à qqn :* entendre qqn qui dit qqch. ou entendre ce qui est dit à qqn. *Je lui ai entendu dire qu'il était content. Je lui ai entendu dire qu'il avait bien travaillé* (ambigu).

Je l'ai entendu dire à différentes personnes, est une locution à laquelle il faut prendre garde; car elle est amphibologique. Elle peut signifier : j'ai entendu qu'on le disait à différentes personnes, ou que différentes personnes le disaient. Il faut donc, quand on en use, bien considérer si le sens est suffisamment déterminé par le contexte. Même observation pour la phrase : *Je lui ai entendu dire cela...*
LITTRÉ, Dict., art *Entendre.* 43

Il s'est entendu dire que... : il a entendu dire de lui que...

A la lueur des bougies sa beauté est encore plus évidente. S'est-elle entendu dire qu'on l'aimait? Elle se tient là, souriante, prête pour une nuit qui n'aura pas lieu.
M. DURAS, Dix heures et demie du soir en été, p. 18. 43.1

Il s'est entendu dire qqch., que : il a entendu, il a dû entendre qu'on lui disait; on lui a dit. → Se faire dire. *Je ne suis pas venu ici pour m'entendre dire des choses désagréables, que j'aurais dû agir autrement.*

Entendre quelqu'un parler de quelque chose. Entendre parler d'une chose, d'une nouvelle. ⇒ **Apprendre, informer** (être informé)... *Je n'ai plus entendu parler de lui depuis longtemps. Je n'en ai jamais entendu parler.* → Je n'en ai pas eu vent*. — *Ne pas vouloir entendre parler d'une chose,* la rejeter sans même vouloir y prêter l'oreille.

Il n'en voulut jamais entendre parler (...) BOSSUET, Hist. des Variations, 1. 44

J'étais si surpris de n'avoir point entendu parler de Nunez pendant tout ce temps-là, que je jugeai qu'il devait être à la campagne.
A.-R. LESAGE, Gil Blas, VIII, I. 45

M. Bontemps ne voulait pas entendre parler de paix avant que l'Allemagne eût été réduite au même morcellement qu'au moyen âge, la déchéance de la maison de Hohenzollern prononcée, Guillaume ayant reçu douze balles dans la peau.
PROUST, À la recherche du temps perdu, t. XIV, p. 47. 46

Entendre dire : apprendre par la parole, par ce qui se dit. *J'ai entendu dire que...* (→ On dit que...). *Je ne l'ai pas entendu dire.*

J'entends dire que la tragédie mène à la pitié par la terreur, soit. Mais quelle est cette pitié? ROUSSEAU, Lettre à d'Alembert. 47

(Suivi d'un énoncé en discours direct). *On entendit soudain : tout le monde sur le pont!*

Loc. *Entendre quelque chose de ses oreilles, de ses propres oreilles. Le témoin l'a entendu de ses oreilles.*

Voici ce que j'ai entendu de mes propres oreilles et vu de ma propre vue.
FRANCE, le Petit Pierre, XIX, p. 127. 48

Car l'écrivain qui compte est celui qui voit de ses yeux, entend de ses oreilles, touche de sa main, sent de tout son corps, et ne peut enfin que son œuvre ne trahisse ce qu'il est en lui d'unique et d'irremplaçable.
J. PAULHAN, les Fleurs de Tarbes, I, p. 43. 49

Fig. *Il ne l'entend pas de cette oreille :* il n'est pas d'accord, il refuse la proposition, la suggestion qu'on lui fait.

(Précédé de *faire*). *Faire entendre un son, une parole.* ⇒ **Émettre, énoncer; dire, exprimer.** *Il fit entendre ces mots.* → Ces mots sortirent de sa bouche.

Dieu (...) fait entendre sa voix, quand il lui plaît, au milieu du bruit du monde.
BOSSUET, Oraison funèbre de Mlle de La Vallière. 50

(...) à gauche, l'eau captive dans le bassin du port ne faisait entendre qu'un clapotis confus (...) MARTIN DU GARD, les Thibault, t. III, p. 101. 51

Se faire entendre. ⇒ **Bruire, résonner, sonner, tinter...** *Un cri, une explosion, une voix se fit entendre.*

52   La voix de l'avenir semblait se faire entendre.   HUGO, Odes et Ballades, I, II, II.

53   Soudain, deux notes plaintives se firent entendre.
            COCTEAU, les Enfants terribles, p. 25.

Absolt. *Écouter sans pouvoir entendre. Il entend, mais il n'écoute pas. Parlez plus fort, il entend mal.* Vx. *Il entend dur* (→ Il a l'oreille dure). *Il n'entend pas plus qu'une bûche*.* — Mod. *Il n'entend pas, il est sourd. N'entendre que d'une oreille. Refuser d'entendre, se boucher les oreilles pour ne pas entendre.* → Faire la sourde oreille*. *S'empêcher d'entendre* (→ Attention, cit. 14). *Aussi loin qu'on peut entendre* (→ À perte d'ouïe*).

54   Le son trop aigu n'est plus perceptible à l'oreille; l'émotion trop aiguë n'est plus perceptible à l'intelligence. Il y a une limite pour comprendre comme pour entendre.   HUGO, l'Homme qui rit, II, V, I.

Spécialt. *Entendre juste :* avoir l'oreille musicale.

(Par rapport à la compréhension). *Répétez, j'ai mal entendu. Tu dois partir, tu entends?* (ou : *entends-tu?*). ⇒ **Compris?** — Fam. *Tire-toi, t'entends?* (⇒ aussi *supra* cit. 22).

Allus. biblique :

55   Fils de l'homme, vous demeurez au milieu d'un peuple qui ne cesse de m'irriter, au milieu de ceux qui ont des yeux pour voir, et ne voient point; qui ont des oreilles pour entendre, et n'entendent point (...)   BIBLE (SACY), Ézéchiel, XII, 2.

56   Que celui-là entende qui a des oreilles pour entendre.
     BIBLE (SACY), Évangile selon saint Mathieu, XIII, 9.
     (Cf. aussi Matthieu, XIII, 43; Marc, IV, 9, 23; VII, 16; Luc, VIII, 8; XIV, 35).

57   Ce jour-là, il trouva plus de bonheur auprès de son amie, car il songea moins constamment au rôle à jouer. Il eut des yeux pour voir et des oreilles pour entendre.
     STENDHAL, le Rouge et le Noir, I, XVI.

Prov. *Qui n'entend qu'une cloche* n'entend qu'un son.* — *Il n'est pire sourd* que celui qui ne veut pas entendre.*

♦ **2.** Vx. Apprendre par la rumeur publique (→ mod. **Entendre dire...;** *entendre parler de*). Mod. *Qu'est-ce que j'entends?,* qu'est-ce que j'apprends?

58   Avez-vous jamais entendu une victoire plus glorieuse?   BOSSUET, Pentecôte, II, 1.

59   (...) qu'entends-je de certains personnages qui ont des couronnes (...) ils viennent trouver cet homme *(le roi Guillaume)* dès qu'il a sifflé, ils se découvrent dans son antichambre (...)   LA BRUYÈRE, les Caractères, XII, 119.

♦ **3.** (Le compl. désigne les paroles ou la personne qui s'exprime). *Prêter l'oreille à...; écouter avec attention. Il faut d'abord entendre ses raisons.* — Spécialt. *Écouter (les parties) lors d'un procès. Entendez-le avant de le juger. Entendre les parties, les témoins, l'accusé. Ils l'ont condamné sans l'entendre. La cause* est entendue.* — Prov. *Qui n'entend qu'une partie n'entend rien.*

60   Elle n'entend ni pleurs, ni conseils, ni raison (...)   RACINE, Bérénice, IV, 6.

61   — Mais on entend les gens, au moins, sans se fâcher.
     — Moi, je veux me fâcher, et ne veux point entendre.
         MOLIÈRE, le Misanthrope, I, 1.

62   (...) ce n'est pas alors sur un mot que vous m'eussiez condamnée sans m'entendre.
     A. DE MUSSET, le Chandelier, I, 1.

63   C'est l'heure où le Khalyfe, avant la molle sieste (...)
     Entend et juge, et pardonne d'un geste,
     Ayant l'honneur, la vie et la mort dans sa main.
     LECONTE DE LISLE, Poèmes tragiques, « Apothéose de Mouça-al-Kébir ».

Loc. cour. *Entendre raison :* acquiescer à ce qui est raisonnable, juste (→ Affoler, cit. 8; chœur, cit. 4). *Il ne veut pas entendre raison, il refuse d'entendre raison, il n'entend aucune* (cit. 16) *raison, il n'entend ni rime ni raison. Faire entendre raison à qqn.* ⇒ **Convaincre, persuader.** *On n'arrive pas à lui faire entendre raison.* — *Ne vouloir rien entendre* (même sens). *Il, elle ne veut rien entendre.* → *Il ne veut rien savoir*. Quel entêté; il ne veut rien entendre.*

64   (...) les chameaux étaient exaspérés et ne voulaient plus rien entendre.
     E. FROMENTIN, Un été dans le Sahara, p. 99.

♦ **4.** Écouter en tant qu'auditeur* volontaire. ⇒ **Écouter.** *Entendre une histoire, un conteur. Aller entendre un concert, une conférence, une pièce de théâtre. Il y avait foule pour l'entendre* (⇒ **Auditoire**). *Ne manquez pas d'aller l'entendre, c'est un virtuose. Il se fait entendre à l'Opéra, au Théâtre-Français.* ⇒ **Chanter, jouer.** *Entendre un sermon; entendre la messe* (⇒ **Assister,** cit. 13). *Venir entendre la parole de Dieu* (→ Annoncer, cit. 7). *Prêtre qui entend un fidèle en confession*.*

65   Elle revenait du village. Elle était allée entendre la messe dans l'église de Vergy.
     STENDHAL, le Rouge et le Noir, I, XXI.

Littér. *Prêter l'oreille à..., écouter.*

66   Entends, ma chère, entends la douce Nuit qui marche.
     BAUDELAIRE, les Nouvelles fleurs du mal, « Recueillement ».

67   Mais, ô mon cœur, entends le chant des matelots.
         MALLARMÉ, Poésies, « Brise marine ».

Loc. *À l'entendre... :* si on l'en croit, si on l'écoute. *À l'entendre, il est innocent. À vous entendre, il semble que...* (→ Baisser, cit. 31). *À l'entendre, l'affaire serait sérieuse.*

68   À l'entendre parler, il sait les secrets du Cabinet (...)
     MOLIÈRE, la Comtesse d'Escarbagnas, 1.

69   À entendre mon père, vous auriez juré que cette Révolution de 18.. qui nous avait mis à mal, était spécialement dirigée contre nous.
     Alphonse DAUDET, le Petit Chose, I, I, p. 6.

♦ **5.** Le sujet désigne une puissance supérieure, Dieu. Écouter favo-

---

rablement (les demandes, les prières). ⇒ **Exaucer.** *Que le ciel l'entende! Dieu l'a entendu, a entendu ses prières. Ses plaintes ne furent jamais entendues.*

70   Sa plainte fut de l'Olympe entendue.   LA FONTAINE, Fables, V, 1.

71   Dieux impuissants, dieux sourds, tous ceux qui vous implorent
     Ne seront jamais entendus.   RACINE, Esther, II, 8.

▶ **S'ENTENDRE** v. pron.

♦ **1.** (Passif). **a** Vieilli ou littér. Être compris. *Ce mot peut s'entendre de diverses manières* (⇒ **Signifier**). *Comment doit s'entendre son attitude!* ⇒ **Interpréter** (s').

Loc. *Cela s'entend,* et, ellipt., *s'entend :* c'est évident, cela va sans dire, cela va de soi. ⇒ **Sûr** (bien sûr); **évidemment, naturellement.**

72   Ne connaîtrais-tu point quelque honnête faussaire
     Qui servît ses amis, en le payant, s'entend.   RACINE, les Plaideurs, I, 5.

73   Je ne regrette rien de cette Babylone impure que vous habitez; s'entend je ne regrette que vous.   P.-L. COURIER, Lettres, I, 323.

b Cour. Être entendu, ouï. *Sa voix ne s'entend pas à plus de trois mètres.* ⇒ **Porter.** — *Ce mot, cette tournure ne s'entend plus, s'entend encore.* ⇒ **Dire** (se), **employer** (s').

74   (...) diffamé, qui dérive de *fame,* qui ne s'entend plus.
     LA BRUYÈRE, les Caractères, XIV, 73.

♦ **2.** (XIIIe). Réfl. **a** Être habile dans une chose, se connaître* à... — Vx. *S'entendre en musique, en affaires.* — Mod. *Il s'entend bien à ce travail, il s'y entend bien. Il s'entend à réussir les soufflés; elle s'entend à conduire une moto.* Loc. fam. (vieilli). *Il s'y entend comme à ramer des choux* :* il n'y entend rien. — Iron. *Tu t'y entends!,* tu es bien fort, bien malin.

75   Le Français n'est ni poétique, ni plastique; il ne s'entend pas en statues qu'en tableaux; il est spirituel dans le sens le plus misérable du mot.
     Th. GAUTIER, les Grotesques, p. 261.

76   M. D..., l'homme rompu aux ficelles de théâtre (...) celui enfin qui a le mieux prouvé s'entendre à « enlever un succès... »
     VILLIERS DE L'ISLE-ADAM, Contes cruels, p. 189.

77   Sénac, qui s'entendait assez en femmes, en plaisirs et en sentiments (...)
     Émile HENRIOT, Portraits de femmes, p. 155.

b Entendre sa propre voix. *Tu ne t'entends pas! Tu ne t'es donc pas entendu :* tu ne te rends pas compte de ce que tu as dit. *S'entendre en disque* (→ Enregistrer, cit. 9), *à la radio.* — Loc. *On ne s'entend plus (plus) ici! :* il y a tellement de bruit qu'on n'entend plus sa propre voix (peut être compris au sens réciproque).

c (Vieilli). *Je m'entends :* je me comprends, je sais ce que je veux dire. ⇒ **Comprendre** (se).

77.1   Arsène n'a jamais été ce qui s'appelle... enfin je m'entends.
     BERNANOS, Monsieur Ouine, in Œ. roman., Pl., p. 1504.

♦ **3.** Récipr. **a** Entendre réciproquement les paroles d'autrui. *Ils ne peuvent pas s'entendre, ils sont trop loin.*

b Se comprendre l'un l'autre. *S'entendre à demi-mot.*

78   *(On voit)...* partout où certains proverbes ou dictons sont de mise (...) les interlocuteurs s'entendre sur le *courant d'une expression,* et constamment user de clichés sans jamais buter à leur langage.
     J. PAULHAN, les Fleurs de Tarbes, p. 142.

Par ext. Plus cour. Se mettre d'accord (cit. 7). ⇒ **Associer** (s'), **concerter** (se). → Être d'intelligence* avec. *Ils s'entendent pour lui nuire. Entendez-vous d'abord avec vos supérieurs.* ⇒ **Consulter.** *Entendons-nous sur l'heure du rendez-vous.* ⇒ **Convenir.** *Entendons-nous bien! :* mettons-nous bien d'accord. *Il faut, il faudrait s'entendre,* se mettre d'accord (s'emploie pour insister sur la contradiction entre deux affirmations). *Il vaut mieux vous entendre avec lui.* ⇒ **Arranger** (s'). *S'entendre sur les buts à atteindre* (cit. 38).

79   (...) vous croyez bien que je ne veux point m'entendre avec vos ennemis.
     Mme DE SÉVIGNÉ, 1148, 11 mars 1689.

80   Les orateurs, unis pour détruire, ne s'entendaient ni sur les chefs à choisir, ni sur les moyens à employer (...)
     CHATEAUBRIAND, Mémoires d'outre-tombe, t. II, p. 16.

81   Il *(l'aigle)* laisse les vautours s'entendre sur la terre (...)
     HUGO, la Légende des siècles, XXI, « Masferrer », III.

82   Je ne crois pas beaucoup à la survie de ceux sur qui d'abord tout le monde s'entend. Je doute fort que nos petits-enfants, rouvrant ses livres, y trouvent à lire plus et mieux que nous n'aurons lu.   GIDE, Journal, avr. 1906, p. 207.

Loc. fam. *Ils s'entendent comme larrons en foire,* très bien (pour faire quelque chose).

S'entendre avec quelqu'un, vivre en bonne intelligence avec lui. ⇒ **Accorder** (s'), **fraterniser, sympathiser.** — (Sans compl.). *Ils s'entendent très bien, à merveille. Ils s'entendent mal et se disputent sans cesse. Ils s'entendent comme chien et chat,* bien mal.

83   À propos des relations avec sa femme, X disait : « À force de silence nous sommes à peu près parvenus à nous entendre. »   GIDE, Journal, 3 août 1934, p. 1214.

▶ **ENTENDU, UE** p. p. adj.

♦ **1.** Littér. Dont le sens est saisi, compris.

84   Mais j'aurais dû sentir que ce langage n'est plus de saison dans notre siècle. Tâchons d'en prendre un qui soit mieux entendu.
     ROUSSEAU, Lettre à d'Alembert.

Par ext. Cour. ⇒ **Convenu, décidé.** *C'est une affaire entendue. C'est entendu, c'est bien entendu.* → C'est d'accord*, c'est dit*... *Vous* *m'écrivez? C'est entendu.* — (1870; *entendu et compris*). Ellipt. *Entendu! ⇒* **Accord** (d'). *Vous viendrez? Entendu!*

85 Près de Goncourt, certes, je fus en contact avec certains écrivains de grand talent qui avaient l'esprit satirique, le don de l'ironie, et une bonne humeur narquoise, c'est entendu. Georges LECOMTE, Ma traversée, p. 257.

Loc. adv. (1690, comm.). **BIEN ENTENDU.** ⇒ **Assurément, évidemment, naturellement; sûr** (bien sûr, pour sûr). → Bronche, cit. 8; collaboration, cit. 1; concordat, cit. 2. *Vous accepterez? Bien entendu! Je suis allé le voir et bien entendu il venait de sortir.* — Fam. et pop. *Comme de bien entendu* («appartient au langage concierge», écrivait A. Hermant).

86 Il n'y avait personne, comme de bien entendu. J. GIONO, le Hussard sur le toit, p. 288.

86.1 Mais naturellement je dis ça pour faire bien car, comme de bien entendu, tout le monde a son secret. R. QUENEAU, le Chiendent, p. 316 (1932).

Loc. conj. (1694). Vx. **Bien entendu que...** ⇒ **Cependant, pourtant, toutefois.** *Voilà la règle, bien entendu qu'il y a des exceptions* (Littré).

87 Causons, comme si nous n'avions rien à démêler; bien entendu que nous ne nous en aimerons pas davantage. Mᵐᵉ DE CAYLUS, Souvenirs *in* LITTRÉ.

♦ **2.** (Mil. XVIIᵉ). Vx. (Avec un adv., *bien, mal...*). ⇒ **Compris, conçu.** Par ext. Disposé avec ou sans art, fait avec ou sans goût. ⇒ **Arrangé, assorti, composé.**

88 Dieu qui avait fait un ouvrage si bien entendu et si capable de satisfaire tout ce qui entend. BOSSUET, Traité de la connaissance de Dieu, IV, 8.

89 Les jardins étaient bien entendus et ornés de belles statues de marbre (...) VOLTAIRE, Candide, XXV.

90 (...) un repas propre et bien entendu (...) VOLTAIRE, Zadig, XX.

Mod. (Abstrait). Compris, mis en œuvre. *Zèle mal entendu. Sévérité mal entendue. Dans son intérêt bien entendu.*

91 À l'égard des personnes qu'un zèle sincère, quoique mal entendu, pourra indisposer contre moi, j'en respecterai la cause, sans en craindre et sans en approuver l'effet. D'ALEMBERT, Abus de la critique, Œ., t. IV, p. 285, *in* LITTRÉ.

92 Loin d'être une mauvaise mère, elle a une tendresse très bien entendue pour ses enfants. Mᵐᵉ DE GENLIS, Adèle et Théodore, t. I, Lettre XXI, p. 154, *in* LITTRÉ.

♦ **3.** Vx ou régional. (Personnes). **ENTENDU À... :** qui s'entend bien à (qqch.), qui est habile à... ⇒ **Adroit, capable, compétent, connaisseur, habile, industrieux, ingénieux; courant** (au). *Un homme entendu aux affaires, entendu à tout, entendu à conduire les hommes.*

93 Un homme entendu à tout, voilà Perrault. De nos jours, il eût construit tour à tour un chemin de fer et un vaudeville. Il aurait donné ses idées pour le palais de cristal de Londres, et aurait perfectionné le daguerréotype. SAINTE-BEUVE, Causeries du lundi, 29 déc. 1851, t. V, p. 259.

Absolt. ⇒ **Astucieux, fin, intelligent, malin.** *Il n'est pas très entendu.*

94 S'il y avait moins de dupes, il y aurait moins de ce qu'on appelle des hommes fins ou entendus (...) LA BRUYÈRE, les Caractères, XI, 26.

95 (...) il te regardait vendre tes bêtes et il trouvait que tu t'y prenais bien, que tu étais un garçon de bonne mine, que tu paraissais actif et entendu (...) G. SAND, la Mare au diable, IV, p. 34.

Mod. *Prendre un air entendu* (→ Air, cit. 9). *Faire un clin d'œil, un sourire entendu* (⇒ **Complice**).

96 Je vois ce que c'est, dit le Petit Chose d'un air entendu (...) Alphonse DAUDET, le Petit Chose, I, X, p. 125.

(1651). N. Vieilli, péj. *Faire l'entendu :* faire l'important, le capable (→ Faire le malin*).

97 (...) il fait l'entendu, comme s'il était sorti de la côte de saint Louis (...) SCARRON, le Roman comique, I, 5.

98 *(Ils)* ont quelque teinture de cette science suffisante, et font les entendus (...) PASCAL, Pensées, V, 327.

99 (...) l'orgueil, l'éternel orgueil, le besoin de briller et d'étonner le monde par des mérites que l'on n'a pas!... Faire le malin et l'entendu... COURTELINE, Boubouroche, Comédie, I, 1.

CONTR. (Du sens I) Désintéresser (se), détourner (se), refuser. — Défendre, interdire. — (Du sens II) Ignorer, méconnaître, mésinterpréter. — V. Sourd (être, rester sourd à...). — Disputer (se); détester (se), haïr (se)... — Incompris, inentendu, inouï; ignare, ignorant, inhabile; incapable, incompétent, maladroit.

DÉR. Entendant, entendement, entendeur, entente.

COMP. Inentendu, malentendu; sous-entendre, sous-entendu. — Mésentente.

ENTÉNÈBREMENT [ãtenɛbRəmã] n. m. — 1880, Huysmans, *l'Art moderne*, p. 113; de enténébrer.

♦ Littér. Action d'enténébrer, d'obscurcir, de rendre confus.

L'enfant voit des théories reconnaissables d'ancêtres dans lesquelles il note les origines de toutes les ressemblances connues d'homme à homme. Le monde des apparences gagne et déborde dans l'insensible, l'inconnu. Mais l'enténébrement de la vie arrive et désormais des états pareils ne se retrouvent plus. A. ARTAUD, l'Ombilic des limbes, p. 134, *in* D.D.L., II, 15.

ENTÉNÉBRER [ãtenebRe] v. tr. — Conjug. *céder.* — Fin XIIIᵉ; de *en, ténèbre,* et suff. verbal.

♦ **1.** Littér. Envelopper de ténèbres*, plonger dans les ténèbres. ⇒ **Assombrir, obscurcir.** *Le crépuscule* (cit. 3) *enténébrait le ciel.*

1 Je courus de la *Vieille chapelle* à la cathédrale. Plus petite que celle d'Ulm, elle

est plus religieuse et d'un plus beau style. Ses vitraux coloriés l'enténèbrent de cette obscurité propre au recueillement. CHATEAUBRIAND, Mémoires d'outre-tombe, t. VI, p. 26.

Pron. *La plaine s'enténébrait.*

2 C'est que, maintenant, l'estuaire qui achève de s'enténébrer, et où ne se voient plus les amas d'habitations humaines, lui semble peu à peu devenir différent (...) LOTI, Ramuntcho, I, XIII, p. 120.

2.1 (...) l'ombre épaisse s'enténébrant de bleu, tombant sur eux maintenant, les recouvrant comme une couche opaque et uniforme de peinture (...) Claude SIMON, la Route des Flandres, p. 243.

♦ **2.** (Av. 1848). Abstrait. Assombrir, attrister.

2.2 (...) le malheur ayant fait tomber les squames qui enténébraient son génie, le simple pitre qu'il avait été jusque-là fit enfin place au grand moraliste. Léon BLOY, le Désespéré, p. 247.

3 Pendant des années (et c'était le secret de sa taciturnité), il avait à son insu tenu rigueur à sa mère de cette austérité inflexible. Il l'avait accusée de calomnier le monde, d'enténébrer la vie. F. MAURIAC, le Mal, p. 99 (→ aussi Croix, cit. 11).

▶ **ENTÉNÉBRÉ, ÉE** p. p. adj. *Nuit enténébrée.* ⇒ **Obscur, sombre.** *Une salle enténébrée.*

3.1 Le sifflet du train qui file à travers la campagne enténébrée m'arrive du fond d'un univers fictif. S. DE BEAUVOIR, Tout compte fait, p. 237.

Abstrait. *Un esprit enténébré.*

4 (...) cette nuit est enténébrée de désirs. MICHELET, la Femme, p. 212.

5 (...) les souvenirs des songes (...) si enténébrés que souvent nous ne les apercevons pour la première fois qu'en pleine après-midi quand le rayon d'une idée similaire vient fortuitement les frapper (...) PROUST, À la recherche du temps perdu, t. VI, p. 105.

CONTR. Éclaircir. — Égayer.

DÉR. Enténèbrement.

ENTENTE [ãtãt] n. f. — V. 1170; 1121, «préoccupation»; de *entendre,* (II., A.) «comprendre» et de *s'entendre,* 3, b.

♦ **1.** Vieilli. Connaissance approfondie, compréhension d'une chose. ⇒ **Compréhension, intelligence.** «*L'entente des affaires*» (Académie).

1 Il y a dans le morceau d'Anacréon couleur, entente des lumières, vigueur et transparence (...) DIDEROT, Salon de 1767.

Loc. Mod. (XIIIᵉ). **À DOUBLE ENTENTE :** qui a deux sens. *Mot, phrase... à double entente.* ⇒ **Ambigu, équivoque.**

♦ **2.** (1831). Mod. Fait de s'entendre (3., b) de s'accorder; état, situation qui en résulte. *Arriver, parvenir à une entente.* ⇒ **Accommodement, accord, convention.** *Entente muette, tacite. Entente secrète, illégale.* ⇒ **Collusion, complicité** (cit. 3), **connivence, intelligence.** *Entente dirigée contre qqn.* ⇒ **Brigue, cabale, conspiration, ligue** (→ Association, cit. 14). *Entente avec un concurrent, un adversaire. Après entente avec les autorités... Agir par une entente mutuelle.* ⇒ **Concert** (de). *Des ententes difficiles.*

2 Comme par une entente muette, maintenant ils se fuyaient. LOTI, Pêcheur d'Islande, III, XIV, p. 204.

Écon. *Entente entre producteurs, entre entreprises.* ⇒ **Cartel, comptoir** (de vente), **trust.** *Les ententes, procédé de concentration* industrielle. — **Admin.** *Entente préalable* (entre un assuré et la Sécurité sociale). *Entente directe* (entre médecin et assuré).

Spécialt. Collaboration politique entre États. ⇒ **Alliance, association** (internationale), **coalition, traité, union.** *Politique d'entente.*

Loc. *Entente cordiale :* rapprochement franco-britannique ébauché à l'époque de la Monarchie de Juillet, que Napoléon III tenta de poursuivre, et qui, reprise au début du XXᵉ siècle, aboutit à des accords signés en 1904. — *Triple Entente,* et, absolt. *l'Entente :* l'alliance de la France, la Russie et l'Angleterre contre l'Allemagne, en 1914. *Petite Entente :* accord de 1920 entre la Yougoslavie, la Tchécoslovaquie et la Roumanie.

3 (...) on le verra, dans la vieillesse, y revenir, à titre officiel pour réaliser, après trente-huit ans, cette «*entente cordiale*», que, rappellera-t-il alors, il a préconisée dès 1792, cette alliance qu'il n'a cessé de désirer parce qu'elle «aurait tenu la tige de la balance du monde.» Louis MADELIN, Talleyrand, II, IX, p. 106.

3.1 Il n'empêche que l'entente cordiale fut un chef-d'œuvre de la diplomatie, tout artificiel, qui ne répondait pas au sentiment des deux peuples et qui n'eût peut-être jamais abouti sans les maladresses du Kaiser mégalomane. F. MAURIAC, le Nouveau Bloc-notes 1958-1960, p. 242.

Absolt. *L'entente, la bonne entente,* accord, harmonie entre personnes. *L'entente régnait.*

D'entente. Terrain d'entente. — *Sourire, regard d'entente. Entente, bonne entente,* bonne intelligence entre plusieurs personnes. ⇒ **Amitié, concorde, harmonie, union.** *Il règne entre eux une entente parfaite. Entente entre deux époux.* ⇒ **Affection, amour.** — *Entente charnelle, sexuelle.*

4 (...) ce qui fait l'avenir, ce n'est pas la haine, c'est l'entente; ce n'est pas le roulement des bombardes, c'est la course des locomotives. HUGO, Paris, V, IV.

5 Antoine les suivit des yeux; ils suggéraient l'idée de l'entente modèle, du couple parfait. MARTIN DU GARD, les Thibault, t. III, p. 228.

6 Il lui sembla que cette sonate était l'image de l'amour tel qu'elle l'eût rêvé, entente, harmonie, dialogue, effort courageux pour soulever la vie d'un couple vers des sommets héroïques. A. MAUROIS, le Cercle de famille, III, XX, p. 335.

Par métaphore. *Entente entre choses.* ⇒ **Harmonie.**

♦ **3.** (De *entendre* II., A.) Rare. Action d'entendre, de percevoir par l'ouïe (ex. de Goncourt, *in* T. L. F.).

CONTR. Chicane, conflit, contestation, contradiction, désaccord, discordance, discussion, dispute, dissentiment, haine, mésentente.

ENTER [ɑ̃te] v. tr. — V. 1155 ; du lat. pop. *imputare,* de *im- (in-),* et *putare* « tailler, émonder », spécialisé au sens de « greffer » par croisement avec le grec *emphuton* « greffe ».

♦ **1.** Greffer* en insérant un scion. *Enter un prunier, une vigne. Enter un sauvageon. Enter sur un cognassier. Enter en écusson, en fente, en œillet.*

1   Le troisième tomba d'un arbre
Que lui-même il voulut enter ;   LA FONTAINE, Fables, XI, 8.
1.1   — L'Arthur ! dit le père. Ce grand-là ? Celui de la Félicie ? Celui qui savait si bien enter la vigne ?   J. GIONO, le Grand Troupeau, *in Œ. roman.,* Pl., p. 586.

Par métaphore. Au participe passé :

1.2   (...) dans l'Inde et la Perse, des dogmes et des rites nationaux, entés sur un même tronc primitif, ont donné naissance à deux religions différentes, celle des brâhmanes et celle des mages.   Émile BURNOUF, la Science des religions, p. 35.

Par anal. *Enter une famille sur une autre :* allier, unir une famille à une autre par un mariage. — Pron. *Maison qui s'ente sur telle autre.*

2   Nous y voilà, s'écria le comte d'un air fin. En considération du mariage, car la vanité de madame Bontems n'a pas été peu chatouillée par l'idée d'enter les Bontems sur l'arbre généalogique des Grandville, la susdite mère donne sa fortune en toute propriété à la petite, en ne s'en réservant que l'usufruit.
     BALZAC, Une double famille, t. I, p. 959.

♦ **2.** (V. 1220). Fig., littér. ⇒ **Fonder, greffer.** *Enter quelque chose sur quelque chose.* (Surtout passif et p. p.). *C'est un diplomate enté sur un financier* (Académie). → Doublé de. *Menus défauts qui se trouvent entés sur de réelles qualités,* qui en sont comme la rançon.

3   (...) ils entent sur cette extrême politesse que le commerce des femmes leur a donnée (...) un esprit de règle (...) et quelquefois une haute capacité (...)
     LA BRUYÈRE, les Caractères, XI, 99.
4   Faux raisonnements entés l'un sur l'autre.   SAINT-SIMON, Mémoires, IX, p. 350.
5   Le mort enté sur le vivant corrompt le vivant.
     André SUARÈS, Trois hommes, « Dostoïevski », p, 248.

(Mil. XIIIᵉ). Par ext. ⇒ **Adapter, insérer, joindre.**

6   (...) nous pouvons bien imaginer distinctement une tête de lion entée sur le corps d'une chèvre, sans qu'il faille conclure qu'il y ait au monde une chimère (...)
     DESCARTES, Discours de la méthode, IV.

♦ **3.** (1676). Techn. *Enter deux pièces de bois d'une charpente,* les assembler* dans la même direction.

▶ **ENTÉ, ÉE** p. p. (→ ci-dessus), et adj. *Canne entée,* dont les parties sont emboîtées les unes dans les autres.

(1671). Blason. Se dit d'un écu dont les partitions aux contours arrondis entrent les unes dans les autres. *Enté en pointe,* se dit de l'écu divisé par deux traits courbés qui vont du centre aux angles de la pointe.

DÉR. Entage, 1. ente, entement, entoir, enture.

ENTÉR-, ENTÉRO-, -ENTÈRE Éléments, du grec *enteron* « intestin » ; → les suiv. et Dysenterie, mésentère ; on peut citer aussi *entéroclyse,* n. f. (fin XIXᵉ) : « *L'entéroclyse ou injections dans l'intestin* » (*Année sc. et industr.* 1894 [1893], p. 381).

ENTÉRALGIE [ɑ̃teralʒi] n. f. — 1823, *in* D.D.L. ; de *entér-* et *-algie,* du grec *algos,* douleur.

♦ Méd. Douleur intestinale.

ENTÉRECTOMIE [ɑ̃terɛktomi] n. f. — 1898, Littré, *Dict. de médecine ;* de *entér-,* et *-ectomie.*

♦ Méd. Ablation d'une partie de l'intestin.

ENTÉRINEMENT [ɑ̃terinmɑ̃] n. m. — 1316, *enteringnement ;* de *entériner.*

♦ Rare. Action d'entériner ; son résultat. *L'entérinement des lettres de grâce. Conclure à l'entérinement d'un rapport.*

ENTÉRINER [ɑ̃terine] v. tr. — V. 1250, « accomplir entièrement » ; de l'anc. franç. *enterin* « complet, achevé », de *entier.*

♦ **1.** Dr. Rendre définitif, valide (un acte) en l'approuvant juridiquement. ⇒ **Confirmer, enregistrer, homologuer, ratifier, sanctionner, valider.** *Entériner un acte de grâce. Entériner une requête.* — Spécialt. *Entériner un rapport d'experts,* l'approuver (en parlant du tribunal compétent).

1   (...) encore que le roi ait donné grâce à un homme, si *(aussi)* faut-il qu'elle soit entérinée *(par le parlement).*   PASCAL, Pensées, XIV, 870.

Par ext. *Entériner une décision,* en confirmer la valeur en l'appliquant.

♦ **2.** (Av. 1695). Cour. Admettre, rendre durable. ⇒ **Approuver, confirmer, consacrer.**

2   Si les écrivains et les académies n'avaient, ce que je ne crois pas, aucune vertu pour arrêter la décadence du langage, ils auraient, en tout cas, le devoir de ne pas entériner les fautes et les abus des ignorants et des irresponsables.
     DUHAMEL, Discours aux nuages, p. 44.
3   J'ai cent fois relevé chez les plus honnêtes professeurs d'histoire, dans les livres les plus objectifs, cette tendance à entériner l'événement accompli simplement parce qu'il est accompli.   SARTRE, Situations III, p. 52.

CONTR. Désapprouver, refuser, rejeter.
DÉR. Entérinement.

ENTÉRIQUE [ɑ̃terik] adj. — 1855 ; de *entérite.*

♦ Méd. Relatif aux intestins. *Douleurs entériques.*

ENTÉRITE [ɑ̃terit] n. f. — 1801 ; lat. mod. *enteritis,* 1795 ; de *entér-,* et *-ite.*

♦ Méd. et cour. Inflammation de la muqueuse intestinale, généralement accompagnée de colique, de diarrhée. ⇒ **Entérocolite, gastro-entérite.** *Entérite chronique. Entérite aiguë. Entérite des nouveau-nés* ou *entérite cholériforme*,* accompagnée de diarrhée verte et causée par le colibacille. *Entérite des adultes. Entérite folliculaire ; couenneuse, glaireuse.*

Par la chaleur je me méfie des œufs pour ton père... Il a de l'entérite.   CÉLINE, Mort à crédit, p. 377.

DÉR. Entérique, entéritique.
COMP. Gastro-entérite.

ENTÉRITIQUE [ɑ̃teritik] adj. — 1863, *in* D.D.L. ; de *entérite.*

♦ Méd. De l'entérite. *Douleurs entéritiques.*

ENTÉRO- ⇒ Entér-.

ENTÉROBACTÉRIES [ɑ̃terobakteri] n. f. pl. — XXᵉ ; de *entéro-,* et *bactérie.*

♦ Biol. Famille de bactéries gram-négatives (lat. sc. : *enterobacteriaceæ*) dont certaines sont pathogènes, qui colonisent le tube digestif de l'homme et des animaux (⇒ aussi **Salmonella**). « *La putréfaction de surface est provoquée par les pseudomonas, les acinétobacter et les entérobactéries* » (*le Monde,* 22 févr. 1977, p. 19). « *En réalité les premières espèces bactériennes qui s'installent durant la première semaine de vie sont en nombre relativement limité (...) Le bébé humain (...) offre généreusement l'hospitalité aux entérobactéries, le plus souvent* Escherichia coli » (*la Recherche,* nᵒ 151, janv. 1984, p. 116). — Au sing. *Une entérobactérie.*

ENTÉROCOLITE [ɑ̃terokɔlit] n. f. — 1837, G.M. Billard, *Traité des maladies des enfants,* p. 426 ; de *entéro-,* et *colite.*

♦ Méd. Inflammation simultanée des muqueuses de l'intestin grêle et du côlon. *Entérocolite mucomembraneuse.*

ENTÉROCOQUE [ɑ̃terokɔk] n. m. — 1899, *in Rev. gén. des sc.,* nᵒ 13, p. 730 ; de *entéro-,* et *-coque.*

♦ Méd. Streptocoque isolé des matières fécales, vivant en saprophyte dans l'intestin, mais pouvant devenir pathogène.

ENTÉROKINASE [ɑ̃terokinaz] n. f. — 1903, *in Rev. gén. des sc.,* nᵒ 16, p. 884 ; du russe (Pavlov, 1899) ; de *entéro-,* grec *kinein* « mettre en mouvement », et *-ase.*

♦ Biochim. Enzyme des glandes de la muqueuse duodénale, qui joue un rôle dans la digestion des protides.
DÉR. V. Kinase.

ENTÉROPTOSE [ɑ̃terɔptoz] n. f. — 1855 ; de *entéro-,* et *ptose.*

♦ Méd. Descente d'un segment intestinal (surtout du côlon transverse) dans la cavité abdominale. *La distension de la paroi abdominale favorise l'entéroptose.*

ENTÉRO-RÉNAL, ALE, AUX [ɑ̃terorenal, o] adj. — 1926, A. Martinet, *Thérapeutique clinique ;* de *entéro-,* et *rénal.*

♦ Méd. Qui se rapporte à l'intestin et au rein. *Syndrome entéro-rénal :* infection urinaire qui complique une infection intestinale chronique.

ENTÉRORRAGIE [ɑ̃teʀɔʀaʒi] n. f. — 1837, Billard, *Traité des maladies des enfants*, écrit *enterorrhagie*; de *entéro-*, et *-rragie*.

◆ Méd. Passage de sang rouge dans les selles, par hémorragie au niveau du gros intestin (→ Mélæna).

ENTÉRORRAPHIE [ɑ̃teʀɔʀafi] n. f. — 1824, Nysten, *in* D.D.L.; de *entéro-*, et du grec *rhaphê* «suture».

◆ Méd. Suture d'une plaie intestinale.

ENTÉROTOXINE [ɑ̃teʀɔtɔksin] n. f. — Av. 1953, Quillet; de *entéro-*, et *toxine*.

◆ Méd. Toxine produite dans l'intestin ou qui agit sur la muqueuse intestinale.

ENTÉROVACCIN [ɑ̃teʀɔvaksɛ̃] n. m. — 1922; de *entéro-*, et *vaccin*.

◆ Méd. Vaccin introduit par voie buccale et absorbé par l'intestin.

ENTÉROVIRUS [ɑ̃teʀɔviʀys] n. m. invar. — Mil. xxᵉ; de *entéro-*, et *virus*.

◆ Méd., biol. Groupe de virus, qui s'établissent dans le tube digestif (⇒ **Poliovirus**). «*L'agent de l'hépatite A est un petit virus à ARN mesurant 27 nm (nanomètres) de diamètre (...) Il possède toutes les caractéristiques des entérovirus. Son enveloppe est formée de quatre chaînes polypeptidiques distinctes. Ce virus est assez résistant*» (*la Recherche*, nº 145, juin 1983, p. 863).

ENTERRAGE [ɑ̃teʀaʒ] n. m. — 1755; «enterrement», xivᵉ; de *enterrer*.

◆ Techn. Action de tasser de la terre autour d'un moule de fonderie; son résultat.

ENTERREMENT [ɑ̃teʀmɑ̃] n. m. — V. 1165; de *enterrer*.

◆ **1.** Action d'enterrer (un mort), de donner une sépulture à (un mort). ⇒ **Ensevelissement, inhumation, sépulture, tombeau** (mise au). *L'enterrement de quelqu'un, de Mᵐᵉ X. On ne peut procéder à l'enterrement qu'après déclaration du décès et obtention du permis d'inhumer. L'enterrement aura lieu au cimetière de..., dans le caveau de famille. Le droit canon interdit la crémation* et ne reconnaît que l'enterrement. Cadavre enseveli dans le linceul et mis au cercueil avant l'enterrement. Des pelletées de terre symboliques sont jetées (par le prêtre, par les proches...) après la déposition du cercueil, avant que les fossoyeurs ne procèdent à l'enterrement en comblant la fosse. — L'Enterrement du comte d'Orgaz, tableau du Greco. Un enterrement à Ornans, tableau de Courbet.*

0.1 Que c'est commode, un bon enterrement classique! Le mort disparaît dans la fosse et sa mort avec lui.   S. DE BEAUVOIR, la Force de l'âge, p. 620.

◆ **2.** Ensemble des cérémonies qui précèdent et accompagnent l'enterrement. ⇒ **Funérailles** (→ Poussière, cit. 7.2). *Enterrement religieux, civil. Enterrement de première, deuxième, troisième, quatrième classe. Messe d'enterrement. Chanter le Dies irae, le De profundis à un enterrement* (→ De profundis, cit. 1). *Mettre le catafalque, sonner le glas pour un enterrement. Tentures d'enterrement. Porter un crêpe* (cit. 2) *à l'enterrement d'un parent. Enterrement sans fleurs ni couronnes. Aller à un enterrement, à l'enterrement de qqn. Un bel, un grand enterrement.*

1 (...) il amusa toutes ses heures dernières avec un soin véhément, à disposer l'honneur et la cérémonie de son enterrement, et somma toute la noblesse qui le visitait de lui donner parole d'assister à son convoi.   MONTAIGNE, Essais, I, III.

2 Tout Paris, vêtu d'enterrement (...) remplissait les salons et la chambre du roi.   SAINT-SIMON, Mémoires, *in* LITTRÉ.

3 Car les cercueils se firent alors plus rares, la toile manqua pour les linceuls et la place au cimetière. Il fallut aviser. Le plus simple (...) parut de grouper les cérémonies (...) — Oui, dit Rieux, c'est le même enterrement *(que dans les chroniques des anciennes pestes)*, mais nous, nous faisons des fiches.   CAMUS, la Peste, p. 193.

3.1 On parlait des enterrements de *première classe*, forcément fort rares, comme d'un opéra fastueux et qui valait, aux premiers appels du glas, qu'on gagnât l'avenue et son banc de pierre, pour prendre place.   Raymond ABELLIO, Ma dernière mémoire, t. I, p. 128.

◆ **3.** (1636). Cortège funèbre. ⇒ **Convoi, deuil, obsèques.** *Se découvrir, se signer au passage d'un enterrement.*

4 Là, d'un enterrement à la funeste ordonnance, / D'un pas lugubre et lent vers l'église s'avance (...)   BOILEAU, Satires, VI.

5 Que lentement passent les heures / Comme passe un enterrement.   APOLLINAIRE, Alcools, «À la santé».

6 (...) l'enterrement de ma grand-mère avec tous les ouvriers de la Fabrique derrière le corbillard couvert de fleurs, une foule que l'on sentait respectueuse et consternée.   J. CHARDONNE, les Destinées sentimentales, p. 267.

Fig. *Aller d'un pas d'enterrement*, très lentement. *Faire une figure, (fam.) une gueule d'enterrement, avoir une mine d'enterrement*, lugubre, triste. *C'est une musique d'enterrement.*

7 Il avait bien fallu faire une musique assortissante. Ce fut pourtant là-dessus que Mᵐᵉ de la Poplinière fonda sa censure, en m'accusant, avec beaucoup d'aigreur, d'avoir fait une musique d'enterrement.   ROUSSEAU, les Confessions, VII.

◆ **4.** (1896). Fig. Fait de mettre fin à qqch. ⇒ **Échec, mort.** *C'est l'enterrement de toutes leurs espérances, de toutes leurs illusions.* ⇒ **Effondrement.** *L'enterrement d'un projet de loi, d'un rapport.* ⇒ **Abandon, rejet.**

Loc. *Un enterrement de première classe.*

ⓐ Le rejet, la mise à l'écart d'une personne; l'abandon, le délaissement d'une idée, d'un projet.

8 On m'assure qu'à Genève, on s'est occupé de la question, je veux dire qu'on a formé une commission, laquelle a désigné un rapporteur. Ces deux opérations équivalent toujours devant les assemblées, quelles qu'elles soient, à un enterrement de première classe.   Léon DAUDET, la Femme et l'Amour, III, p. 89.

ⓑ Endroit, réunion où l'on s'ennuie. *C'est l'enterrement de première classe, cette soirée!*

CONTR. Exhumation. — Résurrection. — Renouveau, vedette (mise en).

ENTERRER [ɑ̃teʀe] v. tr. — V. 1080, au sens 3; de *en-*, *terre*, et suff. verbal.

◆ **1.** (Déb. xiiᵉ). Enfermer dans la terre. ⇒ **Enfouir.** *Enterrer des oignons de tulipes. Enterrer profondément une canalisation. Enterrer un trésor.*

1 (...) je ne sais si j'aurai bien fait d'avoir enterré dans mon jardin dix mille écus qu'on me rendit hier.   MOLIÈRE, l'Avare, I, 4.

2 La tyrannie et la méfiance font que tout le monde y enterre son argent (...)   MONTESQUIEU, l'Esprit des lois, XXII, II.

3 Comme on avait eu soin d'enterrer suffisamment les vases, les lauriers et les orangers avaient l'air de sortir de terre.   STENDHAL, le Rouge et le Noir, II, VIII.

Fig. *Enterrer un secret, un chagrin dans son cœur.* ⇒ **Cacher.** — (1680). *Enterrer sa vie au couvent, ses charmes à la campagne...* ⇒ **Ensevelir.**

4 (...) se déguiser aux yeux du monde, et tenir enterrés les beaux talents (...)   MOLIÈRE, le Médecin malgré lui, I, 5.

5 Ainsi, loin du palais où vous fûtes nourrie, / Vous allez, belle Irène, enterrer votre vie!   VOLTAIRE, Irène, IV, 1.

◆ **2.** (1690). Par ext. Recouvrir d'un amoncellement. ⇒ **Engloutir, ensevelir** (→ Déjection, cit. 3). — (Surtout au passif et au p. p.). *Village enterré sous la lave, sous une avalanche. Être enterré sous les décombres.*

6 J'avais fait une excavation où je pouvais passer la tête et les épaules, mais la neige offrait maintenant un dur obstacle (...) Je comprenais parfaitement le danger de ma situation : j'étais enterré.   H. BOSCO, Hyacinthe, p. 150.

Par anal. Faire disparaître au milieu, au fond de quelque chose. *Son métier de bibliothécaire l'enterre dans les paperasses.* — (Plus cour. au passif et p. p.). *Archiviste enterré dans ses paperasses.* — *La neige enterrait la maison.* — Au p. p. *Maison enterrée*, tout à fait en contre-bas.

7 Le roi *(Charles VI)* était enterré dans un habit de velours noir, la tête chargée d'un chaperon écarlate, aussi de velours.   MICHELET, Hist. de France, VII, III.

Fig. *Être enterré dans ses pensées.*

8 Il tâcha bien de ne rien laisser paraître; mais pour plus d'une quinzaine il fut enterré dans des rêvasseries aux heures de son repas (...)   G. SAND, François le Champi, XIV, p. 109.

◆ **3.** Déposer le corps de qqn dans la terre, et, par ext., dans une sépulture (⇒ **Caveau, tombe, tombeau**). ⇒ **Ensevelir.** *Enterrer quelqu'un sans cérémonie; l'enterrer en grande pompe.* — (Le sujet désigne les personnes qui décident de l'enterrement). *On vient de l'enterrer.* — (Au passif et au p. p.). *Napoléon est enterré aux Invalides. Lieux où les morts sont enterrés.* ⇒ **Catacombe, cimetière, crypte, nécropole.** *Être enterré dans un cercueil* (cit. 1) *de chêne, de plomb. Les fossoyeurs l'ont enterré dans la fosse commune. Ici est enterré.* ⇒ **Gésir** (ci-gît), **reposer** (ici repose). — *Vestale enterrée vivante.*

9 (...) je fis réflexion, au commencement du second jour, que son corps serait exposé, après mon trépas, à devenir la pâture des bêtes sauvages. Je formai la résolution de l'enterrer et d'attendre la mort sur sa fosse.   Abbé PRÉVOST, Manon Lescaut, II, p. 226.

10 (...) des ordres transmis de loin arrivèrent trop tard pour prévenir une inhumation commune : ma sœur fut enterrée parmi les pauvres : dans quel cimetière fut-elle déposée? dans quel flot immobile d'un océan de morts fut-elle engloutie? Dans quelle maison expira-t-elle (...) Quand, en faisant des recherches, quand, en compulsant les archives des municipalités, les registres des paroisses, je rencontrais le nom de ma sœur, à quoi cela me servirait-il? Retrouverais-je le même gardien de l'enclos funèbre? retrouverais-je celui qui creusa une fosse demeurée sans nom et sans étiquette? (...) Quel nomenclateur des ombres m'indiquerait la tombe effacée? (...)   CHATEAUBRIAND, Mémoires d'outre-tombe, t. II, p. 361.

11 Mais cette fille miraculeuse était trop belle pour vivre longtemps; aussi est-elle morte quelques jours après que j'eus fait sa connaissance, et c'est moi-même qui l'ai enterrée, un jour que le printemps agitait son encensoir jusque dans les cimetières. Je l'y ai enterrée, bien close dans une bière d'un bois parfumé et incorruptible comme les coffres de l'Inde.   BAUDELAIRE, le Spleen de Paris, XXXVIII.

Par ext. Procéder ou participer aux cérémonies funèbres de (qqn). *C'est l'abbé X qui l'a enterré* (→ Curé, cit. 1). *Nous l'avons enterré hier.* ⇒ **Porter** (en terre).

12 Il aimait sa mère autant qu'il pouvait aimer et mit de l'amour-propre à la faire enterrer selon ses moyens.   G. SAND, François le Champi, IV, p. 48.

13 Le fossoyeur achève le creusement de la fosse ; l'on y dépose le cercueil avec toutes les précautions prises en pareil cas ; quelques pelletées de terre inattendues viennent recouvrir le corps de l'enfant. Le prêtre des religions, au milieu de l'assistance émue, prononce quelques paroles pour bien enterrer le mort (...)
LAUTRÉAMONT, les Chants de Maldoror, V.

Par métonymie. Causer la mort de ; survivre à...

Loc. (1864). *Il enterre tous ses malades,* en parlant d'un médecin inhabile. — (1718). *Vous nous enterrerez tous :* vous nous survivrez (→ Bâtir, cit. 54). — *Il faut laisser les morts enterrer les morts.* — Au p. p. *Il est mort et enterré,* sa mort remonte déjà à un certain temps.

14 Comment se porte son cocher ? — Fort bien : il est mort. — Mort ! — Oui. — Cela ne se peut (...) — Et moi je vous dis qu'il est mort et enterré.
MOLIÈRE, l'Amour médecin, II, 2.

15 Sa maladie fit de rapides progrès, mais personne ne croyait à un dénouement fatal, tant on avait confiance dans l'athlétique organisation de Balzac. Nous pensions fermement qu'il nous enterrerait tous.
Th. GAUTIER, Portraits contemporains, p. 128.

(Av. 1613). Fig. *Enterrer sa vie de garçon* (d'un jeune homme qui va se marier) : passer avec ses amis une dernière et joyeuse soirée de célibataire. — *Enterrer le carnaval :* se livrer aux dernières réjouissances du carnaval. — Fam. *Enterrer l'année :* réveillonner le 31 décembre. — *Enterrer un projet.* ⇒ **Abandonner.** — *Cet événement enterre leurs espérances.* ⇒ **Anéantir, détruire.** — Au p. p. *Une histoire enterrée, oubliée. Amours* (→ Dégoût, cit. 15), *superstitions* (→ Abêtissement, cit.), *croyances, illusions enterrées. Enterrer une fortune dans des travaux.* ⇒ **Engloutir.**

16 M. de Blacas (...) est l'entrepreneur des pompes funèbres de la monarchie ; il l'a enterrée à Hartwell, il l'a enterrée à Gand, il l'a réenterrée à Édimbourg et il la réenterrera à Prague ou ailleurs (...)
CHATEAUBRIAND, Mémoires d'outre-tombe, t. VI, p. 89.

17 (...) le jour même où la malveillance, la sottise, la routine et l'envie coalisées ont essayé d'enterrer l'ouvrage.
BAUDELAIRE, l'Art romantique, R. Wagner et Tannh., IV.

18 Avec la Saint-Théophile, voilà les vacances enterrées.
Alphonse DAUDET, le Petit Chose, I, IX.

♦ **4.** Enfouir sous la terre (le corps d'un animal). *Enterrer son chat dans le jardin.*

♦ **5.** Faire mourir en mettant sous la terre (en général sous la forme *enterrer quelqu'un vif, vivant,* pour éviter l'ambiguïté avec le sens 3).

18.1 (...) par une insigne cruauté, si la maladie devient trop grave ou qu'on en craigne la contagion, on n'attend pas que nous soyions mortes pour nous enterrer ; on nous enlève, et nous place où je t'ai dit encore toute vivante ; depuis dix-huit ans que je suis ici, j'ai vu plus de dix exemples de cette insigne férocité.
SADE, Justine, t. I, p. 167-168.

▶ **S'ENTERRER** v. pron. *Samson s'enterra sous le temple des Philistins.* — Loc. fig. (Vx). *S'enterrer sous les ruines de la patrie :* ne pas survivre aux désastres de la patrie. — Mod. *S'enterrer en province, s'enterrer vivant dans un couvent.* ⇒ **Cacher** (se), **confiner** (se), **ensevelir** (s'), **isoler** (s'), **retirer** (se).

19 (...) mon dessein n'est pas de renoncer au monde, et de m'enterrer toute vive dans un mari.
MOLIÈRE, George Dandin, II, 2.

20 Sauf quelques hommes apostoliques, les cent trente et un évêques résident le moins qu'ils peuvent ; presque tous nobles, tous gens du monde, que feraient-ils loin du monde confinés dans une ville de province ? Se figure-t-on un grand seigneur, jadis abbé brillant et galant, maintenant évêque avec cent mille livres de rente et qui volontairement s'enterre pour toute l'année à Mende, à Condom, à Comminges, dans une bicoque ?   TAINE, les Origines de la France contemporaine, t. I, I, p. 71.

▶ **ENTERRÉ, ÉE** p. p. adj. Voir à l'article (notamment 2., 3. : *mort et enterré,* et fig.).
N. *Un enterré vivant.*

CONTR. Déterrer. — Exhumer. — Produire.
DÉR. Enterrage, enterrement, enterreur.

ENTERREUR, EUSE [ɑ̃tɛʀœʀ, øz] n. — 1552 ; de *enterrer.*

♦ **1.** Rare. Personne qui enterre (un, des morts). ⇒ **Fossoyeur.**

♦ **2.** N. m. Insecte nécrophore.

ENTÊTANT, ANTE [ɑ̃tɛtɑ̃, ɑ̃t] adj. — 1896 ; attestation isolée, XIIIᵉ ; p. prés. de *entêter.*

♦ Qui entête (1.). ⇒ **Enivrant, obsédant.** *Odeur entêtante. Parfum entêtant* (→ Acacia, cit. 2).

(...) étourdis, presque exténués par cette musique obstinée, rapide, fuyante, entêtante, qui porte à l'extase, et qui ne se tait pas quand on la quitte, et qui m'obsède encore, certains soirs, à la façon même du désert.
GIDE, Journal, Feuilles de route, 7 avr. 1896.

(D'une sensation, d'une impression). Qui obsède. ⇒ **Lancinant, obsédant.**

EN-TÊTE [ɑ̃tɛt] n. m. — 1838 ; de *en-,* et *tête.*

♦ **1.** Inscription imprimée ou gravée en tête (de papiers employés dans l'administration, le commerce...). *Papier à lettre à en-tête, portant la raison sociale de la maison. Des en-têtes commerciaux.*

Elle *(l'enveloppe)* contenait une espèce de circulaire polycopiée. À gauche, un en-tête sur deux lignes : « Le contrôle social, Foyer. »
J. ROMAINS, les Hommes de bonne volonté, t. III, V, p. 88.

Gravure. Vignette placée en tête d'un chapitre, dans la partie supérieure de la page. *Édition illustrée d'en-tête, hors-texte et culs-de-lampe.*

Fig. Préambule.

♦ **2.** Inform. Portion initiale d'un message, contenant des informations extérieures au texte.

ENTÊTÉ, ÉE [ɑ̃tete] adj. et n. ⇒ **Entêter** (p. p. adj.).

ENTÊTEMENT [ɑ̃tetmɑ̃] n. m. — 1649 ; « mal de tête », 1566 ; de *entêter.*

♦ **1.** Vx. Mal de tête, étourdissement, vertige.

♦ **2.** Vieilli. Parti pris favorable. ⇒ **Engouement.** *C'est un enthousiasme, un entêtement général.* — Par métonymie. *Être l'entêtement, la coqueluche* (cit. 1) *des dames.*

La prévention du peuple en faveur des grands est si aveugle, et l'entêtement pour leur geste, leur visage, leur ton de voix et leurs manières si général, que s'ils s'avisaient d'être bons, cela irait à l'idolâtrie.   LA BRUYÈRE, les Caractères, IX, 1.   1

♦ **3.** Mod. Fait de persister dans un comportement volontaire sans tenir compte des circonstances, sans reconsidérer la situation. ⇒ **Aheurtement** (vx), **obstination, opiniâtreté** (cit. 6), **pertinacité.** *Il y met de l'entêtement. Un entêtement de mule,* extrême. *Faire une chose par entêtement.* ⇒ **Piquer** (se piquer au jeu). *Un doux entêtement. Son entêtement lui coûtera cher. Entêtement dans une attitude.* ⇒ **Persistance.** *Période d'entêtement* (→ Enfourcher, cit. 1). *Une fermeté, un entêtement dont nul obstacle n'aura raison.* ⇒ **Persévérance, ténacité** (→ Agir, cit. 13). — REM. Le passage du sens 2 au sens moderne est sensible dans la citation qui suit.

Rien ne ressemble plus à la vive persuasion que le mauvais entêtement : de là les partis, les cabales, les hérésies.   LA BRUYÈRE, les Caractères, XII, 1.   2

On ne put m'arracher l'aveu qu'on exigeait. Repris à plusieurs fois et mis dans l'état le plus affreux, je fus inébranlable. J'aurais souffert la mort, et j'y étais résolu. Il fallut que la force même cédât au diabolique entêtement d'un enfant, car on n'appela pas autrement ma constance. Enfin je sortis de cette cruelle épreuve en pièces, mais triomphant.   ROUSSEAU, les Confessions, I.   3

(...) il s'en allait avec un entêtement de brute ; il n'y avait plus ni force, ni prière, ni larmes capables de le retenir.   LOTI, Mon frère Yves, LII, p. 134.   4

« Ni la mer, ni la montagne, ne peuvent rien pour elle », affirma Mᵐᵉ de Fontanin, en secouant la tête, avec cet entêtement des êtres doux que possède une certitude inébranlable.   MARTIN DU GARD, t. VI, p. 111.   5

Caractère d'une personne têtue. *Cet enfant est d'un entêtement incroyable.*

Un, des entêtements : attitude, réaction d'une personne entêtée.

CONTR. Abandon, découragement, docilité, inconstance, souplesse, versalité.

ENTÊTER [ɑ̃tete] v. tr. — XIIIᵉ ; de *en-, tête,* et suff. verbal.

★ **I.** ♦ **1.** Incommoder par des vapeurs, des émanations qui montent à la tête. *Le vin les a entêtés.* ⇒ **Étourdir.** *Ces fleurs, ces odeurs m'entêtent.*

Les chèvrefeuilles ne m'entêtent point.   Mᵐᵉ DE SÉVIGNÉ, in LITTRÉ.   1

(...) tant de guirlandes de roses que nous en étions entêtés (...)   MARMONTEL, Mémoires, in LITTRÉ.   2

(...) elle était comme ces gens qui aiment les fleurs, et que leur parfum entête.   R. RADIGUET, le Bal du comte d'Orgel, p. 123.   3

♦ **2.** (XVIᵉ, « abrutir »). Vx. **ENTÊTER** (qqn) **DE** (qqch.) : remplir la tête de (qqn) d'une prévention aveuglément favorable pour (qqch.). *Il a fini par l'entêter de ce médecin à force de lui en dire du bien.* — REM. Le mot n'est vivant qu'au passif et au participe passé. ⇒ **Entêté.** *Il est entêté de cette idée, il ne veut pas en démordre.* ⇒ **Coiffé, engoué, entiché.**

Depuis que de Tartuffe on le voit entêté (...)   MOLIÈRE, Tartuffe, I, 2.   4

(Elle) me dit que, si les femmes savaient l'art d'entêter les hommes, en récompense les hommes n'ignoraient pas celui d'enjôler les femmes.   A.-R. LESAGE, Gil Blas, IX, VI.   5

(...) il est si entêté de ses opinions, qu'il les veut toujours suivre préférablement à celles des autres, de peur de paraître déférer aux lumières de quelqu'un.   A.-R. LESAGE, Gil Blas, XI, V.   6

Littér. *Entêter qqn dans (son idée, ses habitudes...).*

★ **II.** Vx ou techn. Pourvoir d'une tête. *Entêter des épingles, des clous.*

▶ **S'ENTÊTER** v. pron.

♦ **1.** Vx ou littér. **S'ENTÊTER DE** (quelqu'un, quelque chose) : s'attacher violemment et inconsidérément à (quelqu'un, quelque chose) ⇒ **Engouer** (s'), **enticher** (s'). *Il s'est entêté de cet auteur et de ce système au point d'en changer toute sa conduite.*

(...) aussi n'est-il point à propos de les engager *(les filles)* dans des études dont elles pourraient s'entêter (...)   FÉNELON, l'Éducation des filles, I.   7

♦ **2.** (Répandu XVIIIᵉ). **S'ENTÊTER À** (faire qqch.), **S'ENTÊTER DANS** (une opinion, une attitude) : persister avec obstination à (faire qqch.), dans (une attitude, une opinion). ⇒ **Aheurter** (s'), **buter** (se), **obstiner** (s'), **opiniâtrer** (s'). *S'entêter à vouloir, à faire quelque chose. S'entêter dans ses opinions. S'entêter dans une attitude* (→ Dissiper, cit. 9). — Absolt. *Il ne veut rien entendre, il s'entête.*

8 (...) elle inclinait à s'entêter pour jamais dans son silence vis-à-vis de l'étranger et à laisser couler humblement la vie de son Ramuntcho près d'elle (...)
LOTI, Ramuntcho, I, I, p. 19.

9 Il s'entêtait à nourrir des rancunes et des chimères politiques qui le faisaient peu sociable et pareil à un exilé. M. BARRÈS, Leurs figures, p. 14.

10 Voilà plusieurs jours déjà qu'il a compris que la guerre était inévitable, et qu'il serait fou, qu'il serait même criminel, de s'entêter dans l'opposition (...)
MARTIN DU GARD, les Thibault, t. VII, p. 77.

▶ **ENTÊTÉ, ÉE** p. p. adj.

♦ **1.** (XIIe). Qui fait preuve d'entêtement. ⇒ **Têtu.** *C'est un homme entêté, très entêté. Elle est encore plus entêtée que sa mère.* ⇒ **Obstiné, opiniâtre, persévérant.** *Être entêté comme un âne*, comme une mule. Entêté et querelleur.* ⇒ **Hutin** (vx). — *Enfant entêté,* qui n'écoute rien, n'en fait qu'à sa tête. ⇒ **Incorrigible, indocile.** — N. *Un entêté.* ⇒ (fam.) **Cabochard, cochon** (tête de).

11 La force de cervelle fait les entêtés, et la force d'esprit les caractères fermes.
Joseph JOUBERT, Pensées, IV, LIV.

11.1 Mais peut-on imaginer que cet entêté refusa de se déshabiller et de quitter sa redingote avant l'arrivée des médecins?
G. LEROUX, le Parfum de la dame en noir, p. 348.

Esprit entêté. ⇒ **Entier, exclusif, intraitable, systématique.**

12 Les esprits entêtés regimbent contre l'insistance; auprès d'eux on gâte tout en voulant tout emporter de haute lutte.
CHATEAUBRIAND, Mémoires d'outre-tombe, t. VI, p. 61.

(Choses). Qui manifeste de l'entêtement. *Une résistance entêtée.* ⇒ **Acharné, tenace.**

13 Mais l'erreur est plus entêtée que la foi et n'examine pas ses croyances.
PROUST, À la recherche du temps perdu, t. XI, p. 236.

♦ **2.** (Correspond à *s'entêter,* 1). Vx. *Entêté de* (qqch., qqn) : qui manifeste un intérêt passionné pour (qqch., qqn).

14 (...) la sultane les recevait toujours avec toutes les démonstrations d'estime et de considération qu'elles pouvaient attendre d'une sœur qui n'était pas entêtée de sa dignité, et qui ne cessait de les aimer avec la même cordialité qu'auparavant.
A. GALLAND, les Mille et une Nuits, t. III, p. 443.

CONTR. Dégoûter. — Capituler, céder, changer. — Étêter. — (Du p. p. adj.). **Faible, fantastique, inconstant, versatile. — Complaisant, traitable.**
DÉR. Entêtant, entêtement.

ENTHALPIE [ɑ̃talpi] n. f. — 1953; dér. sav. du grec *enthalpein* «réchauffer dans».

♦ Phys. En thermodynamique, fonction définie par la somme de l'énergie interne (U) d'un système et du produit de sa pression P par son volume V (U + PV). *La variation de l'enthalpie d'un système est, à pression constante, égale à l'énergie calorifique reçue.*

(...) il suffit d'écrire l'équation de la conservation de l'énergie qui exprime dans le cas d'un écoulement adiabatique de gaz parfait, l'égalité de la chute d'enthalpie dans la tuyère et de l'accroissement de l'énergie cinétique (...)
J.-F. THÉRY, les Carburants nouveaux, p. 13.

ENTHOUSIASMANT, ANTE [ɑ̃tuzjasmɑ̃, ɑ̃t] adj. — 1845; p. prés. de *enthousiasmer.*

♦ Qui enthousiasme. ⇒ **Passionnant.** *Une rencontre enthousiasmante. Ce n'est pas très enthousiasmant, mais enfin c'est acceptable. «Je me sentais, grâce à l'enthousiasmante beauté dont j'étais environné, en parfaite paix avec moi-même (...)»* (Baudelaire, Poèmes en prose).

ENTHOUSIASME [ɑ̃tuzjasm] n. m. — 1548; grec *enthousiasmos* «transport divin», de *enthousia* «inspiration», de l'adj. *entheos, enthous* «inspiré par un dieu», de *theos* «dieu». → Théo-.

♦ **1.** Didact. (dans l'Antiquité). Délire sacré qui saisit l'interprète de la divinité. ⇒ **Inspiration.** *L'enthousiasme de la pythie, de la sibylle, des prophètes.* ⇒ **Ravissement, transe, transport.** *Chant exprimant l'enthousiasme.* ⇒ **Dithyrambe, hymne.**

1 (...) donna-t-on d'abord le nom d'enthousiasme (...) aux contorsions de cette pythie, qui sur le trépied de Delphes recevait l'esprit d'Apollon (...)?
VOLTAIRE, Dict. philosophique, Enthousiasme.

2 *(La transe)* Mime de noirs enthousiasmes,
Hâte les dieux, presse les spasmes
De s'achever dans l'avenir! VALÉRY, Poésies, «Charmes», La pythie.

Par ext. *Enthousiasme poétique :* transports, exaltation du poète sous l'effet de l'inspiration* (→ Ardeur, cit. 27). ⇒ **Fureur** (vx). *Les partisans de l'enthousiasme s'opposent aux partisans de l'art, du travail. L'enthousiasme du poète lyrique.* ⇒ **Lyrisme.**

3 Vous ferez votre tragédie quand votre enthousiasme vous commandera; car vous savez qu'il faut recevoir l'inspiration, et ne la jamais chercher.
VOLTAIRE, Lettres, 2907, 30 août 1766.

4 La première sève de l'enthousiasme créateur.
D'ALEMBERT, *in* LITTRÉ, Dict., art. *Sève.*

5 Ainsi quand tu fonds sur mon âme,
Enthousiasme, aigle vainqueur,
Au bruit de tes ailes de flamme
Je frémis d'une sainte horreur;
Je me débats sous ta puissance,
Je fuis, je crains que la présence
N'anéantisse un cœur mortel (...)
Non, jamais un sein pacifique
N'enfanta ces divins élans,
Ni ce désordre sympathique
Qui soumet le monde à nos chants.
LAMARTINE, Premières méditations, «L'enthousiasme».

6 Ainsi, le principe de la poésie est strictement et simplement l'aspiration humaine vers une beauté supérieure, et la manifestation de ce principe est dans un enthousiasme, une excitation de l'âme, enthousiasme tout à fait indépendant de la passion qui est l'ivresse du cœur, et de la vérité qui est la pâture de la raison.
BAUDELAIRE, Notes nouvelles sur E. Poe.

7 (...) je trouvais indigne, et je le trouve encore, d'écrire par le seul enthousiasme. L'enthousiasme n'est pas un état d'âme d'écrivain. VALÉRY, Variété, p. 186.

Littér. État privilégié où l'homme, soulevé par une force qui le dépasse, se sent capable de créer. *L'enthousiasme de l'artiste, du savant, du musicien. Moments d'enthousiasme qui s'accompagnent de bonheur.*

8 (...) il *(le génie)* donne aux abstractions une existence indépendante de l'esprit qui les a faites; il réalise ses fantômes, son enthousiame augmente au spectacle de ses créations... Encycl. (DIDEROT), art. *Génie.*

9 Entourés de ces grandes images (...) ils *(les athlètes grecs)* arrivaient à cet état extrême qu'ils appelaient l'enthousiasme, indiquant par ce mot que le dieu était en eux (...) TAINE, Philosophie de l'art, t. II, p. 179.

10 (...) il *(Pasteur)* faisait de l'enthousiasme «le dieu intérieur qui mène à tout.»
Henri MONDOR, Pasteur, p. 121.

♦ **2.** Vx, littér. Émotion extraordinaire de l'âme, qui se livre avec transport, avec générosité.

11 Qu'entendons-nous par enthousiasme? Que de nuances dans nos affections! Approbation, sensibilité, émotion, trouble, saisissement, passion, emportement, démence, fureur, rage : voilà tous les états par lesquels peut passer cette pauvre âme humaine. VOLTAIRE, Dict. philosophique, Enthousiasme.

12 (...) le spectacle de l'équité me remplit d'une douceur, m'enflamme d'une chaleur et d'un enthousiasme où la vie, s'il fallait la perdre, ne me tiendrait à rien; alors il me semble que mon cœur s'étend au dedans de moi, qu'il nage; je ne sais quelle situation délicieuse et subite me parcourt partout; j'ai peine à respirer, il s'excite à toute la surface de mon corps comme un frémissement (...); et puis les symptômes de l'admiration et du plaisir viennent se mêler sur mon visage avec ceux de la joie, et mes yeux se remplissent de pleurs.
DIDEROT, Lettre à S. Volland, 18 oct. 1760.

♦ **3.** Mod. Émotion intense qui pousse à l'action dans la joie. *Élan*, mouvement* d'enthousiasme. Enthousiasme patriotique* (→ Citadelle, cit. 6), *guerrier, vertueux* (→ Chute, cit. 13). *L'enthousiasme religieux des premiers croisés. Enthousiasme dégénérant en fanatisme. Brûler d'enthousiasme. Apporter dans une entreprise tout son enthousiasme.* ⇒ **Ardeur, feu, flamme, passion, zèle.** (→ aussi Avoir le feu* sacré). *Prudence, réserve qui fondent devant l'enthousiasme général, qui cèdent à l'enthousiasme.* ⇒ **Entraînement.** *Enthousiasme déchaîné.* ⇒ **Frénésie.** *Se laisser gagner par l'enthousiasme.* ⇒ **Enfiévrer** (s'), **exalter**(s').

13 À toutes les grandes époques de l'histoire, les hommes ont eu pour principe universel d'action un enthousiasme quelconque (...) Ceux qu'on appelait des héros, dans les siècles les plus reculés, avaient pour but de civiliser la terre... Vint ensuite l'enthousiasme de la patrie : il inspira tout ce qui s'est fait de grand et de beau chez les Grecs et chez les Romains. Mme DE STAËL, De l'Allemagne, I, 4.

14 (...) l'enthousiasme soutenu avec lequel les plus jeunes gens, à travers les ronces et les épines de la dialectique, couraient aux idées.
TAINE, Philosophie de l'art, t. II, p. 102.

15 Enthousiaste, je le suis autant que personne; mais je pense que la réalité ne veut plus d'enthousiasme (...) un âge matérialiste *(a été inauguré)* où il sera aussi difficile de faire triompher une pensée généreuse que de produire le son argentin du bourdon de Notre-Dame avec une cloche de plomb ou d'étain.
RENAN, Souvenirs d'enfance, II, VII.

Cour. Émotion poussant à admirer. *Admiration allant jusqu'à l'enthousiasme. Remplir, transporter d'enthousiasme. Le spectacle déchaînait l'enthousiasme de la foule* (⇒ **Succès, triomphe**). *Des torrents, des vagues d'enthousiasme déferlèrent sur le stade. Enthousiasme irréfléchi, aveugle.* ⇒ **Emballement, engouement.** *Son enthousiasme pour la musique, le sport. Parler d'un artiste, d'un ouvrage avec enthousiasme* (→ Aspirer, cit. 4). ⇒ **Célébrer, exalter;** → Porter aux nues*; avoir la bouche* pleine de. *Enthousiasme de commande. Refréner, refroidir, tuer, calmer l'enthousiasme* (→ Déchaîner, cit. 4; dégoûter, cit. 8). *Son enthousiasme décrut, diminua brusquement.*

16 Je n'ai jamais rencontré personne qui partageât mon enthousiasme *(pour Richardson),* que je n'aie été tenté de le serrer entre mes bras et de l'embrasser.
DIDEROT, Éloge de Richardson.

17 L'enthousiasme est le dernier degré de la passion. Quand elle est à son comble, elle voit son objet parfait; elle en fait alors son idole; elle le place dans le ciel, et comme l'enthousiasme de la dévotion emprunte le langage de l'amour, l'enthousiasme de l'amour emprunte aussi le langage de la dévotion.
ROUSSEAU, Julie, Entret. s. romans entre édit. et hom. de lett.

18 La joie des spectateurs se traduisait en exclamations bruyantes, et les compliments les plus flatteurs pour le taureau s'élançaient de toutes les bouches. Une nouvelle prouesse de l'animal vint porter l'enthousiasme au dernier degré de l'exaspération.
Th. GAUTIER, Voyage en Espagne, p. 213.

19 Mais j'ai au moins un conseil à te donner, c'est de te défier de ton enthousiasme pour les hommes qui parviennent vite, et surtout pour Bonaparte.
A. DE VIGNY, Servitude et Grandeur militaires, III, IV.

20 J'ai perdu presque tout mon enthousiasme pour les grands écrivains. Leur basse et petite vanité a coupé le cou à mon admiration. STENDHAL, Journal, p. 312.

21 Mon enthousiasme pour Robinson n'en fut pas un instant refroidi.
Alphonse DAUDET, le Petit Chose, I, I.

22 Le plus grand signe du succès serait-il l'enthousiasme des gens bêtes ?
Ed. et J. DE GONCOURT, Journal, p. 263.

♦ **4.** (XVII°). Émotion collective se traduisant par une excitation joyeuse. ⇒ **Allégresse.** *Fête célébrée dans l'enthousiasme. L'enthousiasme du peuple parisien au retour de Napoléon. Personnage populaire accueilli avec enthousiasme. Motions votées d'enthousiasme pendant la nuit du 4 août. Un enthousiasme indescriptible soulève la foule qui applaudit... Débordements d'enthousiasme.* ⇒ **Délire, ivresse.** — *J'accepte avec enthousiasme, avec une grande joie.*

23 Les manifestations d'une foule ivre d'enthousiasme ne le mèneraient à rien, et cet enthousiasme, en se déchaînant dans le vide, s'épuiserait et, promptement, s'éteindrait. Louis MADELIN, Hist. du Consulat et de l'Empire, l'Ascension de Bonaparte, XV, p. 211.

24 Mais tout cynisme fut bientôt noyé sous les torrents d'enthousiasme de l'Armistice.
A. MAUROIS, Terre promise, p. 186.

♦ **5.** Par métonymie. *Un, des enthousiasmes.* Objet de l'enthousiasme. *La poésie, la musique furent ses premiers enthousiasmes.*

CONTR. Apathie, blasement (rare), détachement, écœurement, flegme, froideur, indifférence, insensibilité, scepticisme.
DÉR. Enthousiasmer. — V. Enthousiaste.

ENTHOUSIASMER [ãtuzjasme] v. tr. — Fin XVI°; de enthousiasme.

♦ Remplir d'enthousiasme (2., 3. ou 4.). *Cette actrice a su charmer* et enthousiasmer le public. Un orateur, un tribun qui enthousiasme les foules.* ⇒ **Électriser, enflammer, exalter, galvaniser.** *Dictateur qui enthousiasme ses troupes.* ⇒ **Fanatiser.** *Enthousiasmer les cœurs.* ⇒ **Embraser, enivrer.** *Cette théorie, cette découverte, cette lecture m'enthousiasme.* ⇒ **Passionner, ravir.** — Passif. *Être enthousiasmé de, par qqch.*

1 Tout est merveilleux, je vous assure; je suis enthousiasmé de l'air et des paroles.
MOLIÈRE, les Précieuses ridicules, 11.

2 (...) tout son être éclatait de joie, de santé et d'une espèce de turbulence intérieure qui le faisait inverter sans cesse quelque excentricité pleine de risques, par quoi il s'auréolait de prestige à mes yeux, et positivement m'enthousiasmait.
GIDE, Si le grain ne meurt..., p. 91.

▶ **S'ENTHOUSIASMER** v. pron. *S'enthousiasmer de qqn, qqch.* (vieilli), *pour qqn, qqch.* ⇒ **Emballer** (s'), **engouer** (s'). — *Il s'enthousiasme aisément.* ⇒ **Échauffer** (s'), **enfiévrer** (s'), **enflammer** (s'), **exalter** (s'), **exciter** (s').

3 (...) il est vrai que je suis porté naturellement à négliger les défauts et à m'enthousiasmer des qualités. DIDEROT, Lettre à S. Volland, 10 août 1759.

4 Il s'indigne et s'enthousiasme, on ne sait trop pourquoi, mais sincèrement je veux le croire (...) GIDE, Journal, 8 déc. 1907, p. 255.

▶ **ENTHOUSIASMÉ, ÉE** p. p. adj. *Des auditeurs enthousiasmés.* ⇒ **Transporté.** — *Regard, air enthousiasmé.*

CONTR. Assommer, consterner, dégoûter, désenchanter, écœurer, ennuyer, glacer, refroidir.
DÉR. Enthousiasmant.

ENTHOUSIASTE [ãtuzjast] adj. et n. — 1544; grec tardif enthousiastês, de enthousiasmos. → Enthousiasme.

A. Adj. ♦ **1.** Didact. Inspiré par la divinité (⇒ **Fanatique, visionnaire**).

1 Le philosophe n'est point enthousiaste, il ne s'érige point en prophète, il ne se dit point inspiré des dieux (...) VOLTAIRE, Dict. philosophique, Philosophe.

♦ **2.** Mod. Qui ressent de l'enthousiasme (2., 3., 4.); qui marque de l'enthousiasme. *Le grand acteur fut rappelé dix fois par une salle enthousiaste.* ⇒ **Transporté; délire** (en). *Une jeunesse enthousiaste.* ⇒ **Exalté, passionné.** *Il est enthousiaste de son nouveau métier.* → *Enthousiasmé par... Un partisan enthousiaste des idées nouvelles.* ⇒ **Fanatique, fervent.** — (Choses). *Il a reçu un accueil enthousiaste. Un éloge enthousiaste.* ⇒ **Enflammé, lyrique.** *Il fut salué à son arrivée par une ovation, des acclamations, des applaudissements enthousiastes.* ⇒ **Frénétique.**

2 Ne fit-on que des épingles, il faut être enthousiaste de son métier pour y exceller (...) DIDEROT, Observations sur la sculpture, in POUGENS.

3 (...) tel il était *(Victor Hugo)*, tel il est resté, un promeneur pensif, un homme solitaire mais enthousiaste de la vie, un esprit rêveur et interrogateur.
BAUDELAIRE, l'Art romantique, XXII, Victor Hugo.

4 Enthousiaste comme nous le sommes tous à vingt ans (...)
BALZAC, l'Auberge rouge, Pl., t. IX, p. 972.

B. N. ♦ **1.** Didact. Personne enthousiaste, inspirée par la divinité. — Spécialt. Membre de sectes anglaises (au XVII° siècle, notamment).

♦ **2.** Cour. Personne qui s'enthousiasme facilement. *Les enthousiastes et les indifférents.*
Les enthousiastes du progrès scientifique, des sports, du bien commun. ⇒ **Zélateur.**

5 (...) le docteur, comme tous les enthousiastes, avait travaillé de son mieux à faire de son pupille un parfait prosélyte (...)
BAUDELAIRE, Trad. POE, Histoires extraordinaires, Souv. de M. A. Bedioe.

CONTR. Apathique, blasé, désabusé, flegmatique, froid, glacial, sceptique.
DÉR. Enthousiastement.

ENTHOUSIASTEMENT [ãtuzjastəmã] adv. — Fin XIX°; de enthousiaste.

♦ Rare. Avec enthousiasme.

Ni propriétaire, ni fermier, ni journalier, ni commerçant, ni industriel, ni fonctionnaire de l'État, ni rien du tout, Blaireau appartenait à cette classe d'êtres difficilement catégorisables et qui semblent, d'ailleurs, ne pas tenir enthousiastement à occuper une case déterminée sur le damier social.
A. ALLAIS, l'Affaire Blaireau, p. 21.

CONTR. Froidement.

ENTHYMÈME [ãtimɛm] n. m. — XV°, emptimeme; lat. enthymema, grec enthumêma, «ce qu'on a dans la pensée» de enthumasthaî «déduire», de en «dans» et thumos «intelligence».

♦ Log. Forme abrégée du syllogisme* dans laquelle on sous-entend l'une des deux prémisses ou la conclusion. «Je pense, donc je suis», *célèbre enthymème de Descartes. Certains slogans publicitaires sont des enthymèmes.*

On peut même sous-entendre l'une des deux prémisses, lorsqu'elle est évidente; c'est ce qui fait l'enthymème, syllogisme abrégé qui convient beaucoup mieux à un raisonnement rapide, et que préfère l'orateur lorsqu'il veut être véhément et pressant (...) MARMONTEL, Éléments de littératures, Œ., t. IX, in POUGENS.

ENTICHÉ, ÉE [ãtiʃe] p. p. adj. ⇒ Enticher.

ENTICHEMENT [ãtiʃmã] n. m. — Mil. XIX°; de enticher.

♦ Rare. Goût extrême, irraisonné. ⇒ **Toquade.** *Les entichements nobiliaires de Saint-Simon.*

ENTICHER [ãtiʃe] v. tr. — XII°; de l'anc. v. entechier, de en-, teche, var. de tache et suff. verbal. → Entacher.

♦ **1.** Vx. **a** Commencer à gâter, à corrompre. ⇒ **Tacher.** Passif et p. p. *Ces fruits sont entichés.*

b Fig. Au passif. *Être entiché de :* gâté par.

Mon frère, ce discours sent le libertinage :
Vous en êtes un peu dans votre âme entiché (...) MOLIÈRE, Tartuffe, I, 5.

♦ **2.** Littér. **ENTICHER (quelqu'un) DE (quelque chose) :** inspirer à (qqn) un attachement déraisonnable, excessif pour (qqch.). *Qui vous a entiché de cette opinion?* — Passif. *Être entiché de...*

▶ **S'ENTICHER** (de) v. pron.
(1845). Cour. Se prendre d'un goût extrême et irraisonné pour. ⇒ **Engouer** (s'), **passionner** (se). *Il s'est entiché de cette femme.* ⇒ **Amouracher** (s'), **coiffer** (se), **embéguiner** (s'), **emberlucoquer** (s'), **éprendre** (s').

▶ **ENTICHÉ, ÉE** passif, p. p. et adj. *Être entiché de :* avoir un goût extrême et irraisonné pour. *Il est entiché de cette personne, de sport, de politique.* ⇒ **Épris, fou.** *Il est entiché de sa noblesse.* ⇒ **Imbu.** — *Des jeunes entichés de rock.*

J'ai connu vers 1924 un jeune homme de bonne famille, entiché de littérature et tout particulièrement des auteurs contemporains.
SARTRE, Situations, II, p. 212.

Bon nombre d'historiens, et surtout d'essayistes, d'auteurs de mélodrames ou de pièces de théâtre pseudo-historiques, de romanciers plus ou moins entichés d'histoire et adonnés à ce genre funeste entre tous du roman ou de l'histoire romancée, ont la responsabilité assez lourde d'avoir contribué à cette contagion et presque à la fusion entre les deux Théodora.
Jean D'ORMESSON, la Gloire de l'Empire, t. II, p. 450.

Rare. *Entiché de...* (et inf.). *Être entiché de faire qqch., de voyager.*

N. « *Les entichés de noblesse* » (Proust).

Absolt. *Une personne entichée.*

CONTR. Dégoûter, détacher.
DÉR. Entichement.

ENTIER, IÈRE [ãtje, jɛʀ] adj. — V. 1130; du lat. integer «non touché», de in-, et tangere «toucher». → Intégral, intègre.

A. Adj. ♦ **1.** (Après le nom, en épithète). Qui a toutes ses parties; qui est considéré dans toute son étendue. ⇒ **Complet, intact, intégral, plénier, total; holo-, et olo-** (préf.) *Manger un pain entier. Un morceau entier* (→ Assiette, cit. 14). *Le corps entier* (→ Contaminer, cit. 1). *Un chargement entier* (→ Cargaison, cit. 2). *Un train, un camion entier de...* ⇒ **Plein** (antéposé : un plein camion). *La maison entière* (→ Accabler, cit. 12). — *Lire un livre entier dans une soirée* (→ Barbare, cit. 15). *Faire des dénombrements* (cit. 1) *entiers. Payer une place entière,* sans réduction, intégralement. *Un billet entier de la loterie nationale.*

L'univers entier (→ Ainsi, cit. 17 ; bannir, cit. 26). *Le monde* entier* (→ Atome, cit. 10 ; bénir, cit. 18 ; dresser, cit. 29). *On le célèbre dans le monde entier* (→ Bondir, cit. 7). *La terre* entière* (→ Balbutiement, cit. 5 ; boucler, cit. 4). *La nation, la ville entière, le pays entier. L'humanité entière* (→ Absolu, cit. 16 ; appui, cit. 9 ; attaquer, cit. 44 ; beau, cit. 86). *La famille entière.*

(Dans le temps). *La vie entière* (→ Dimorphe, cit.). *Durant une année entière, des années entières.* ⇒ **Long.** (→ Affaire, cit. 56 ; atelier, cit. 11 ; cendre, cit. 14 ; différer, cit. 2 ; durant, cit. 2). *Passer un jour entier, une nuit entière à...* (→ Astrolabe, cit. 1 ; charpie, cit. 7). *Une heure entière* (→ Forme, cit. 30).

1   (...) il y a un homme caché chez l'un de ces magistrats depuis cinq jours entiers (...)   LA BRUYÈRE, les Caractères de Théophraste, Débit des nouv.

2   Le monde entier n'est plus qu'une vaste embuscade (...)
                                                  HUGO, l'Année terrible, Févr. v.

3   Mais égoïste, avide de soins et d'amour, je voulais que l'univers entier s'occupât de moi (...)   FRANCE, le Petit Pierre, XIX, p. 125.

♦ **2.** (V. 1135). Après le nom, en épithète ; plus souvent attribut sauf dans des syntagmes figés. Qui a toutes ses parties, à quoi il ne manque rien. ⇒ **Complet, intact, intégral.** *Le pain est entier, on ne l'a pas entamé. Il est revenu entier de la guerre.* ⇒ **Indemne.**

Cheval entier, qui n'est pas châtré (par oppos. à *hongre*). — N. *Un entier :* un cheval entier.

Bot. *Feuille entière,* qui ne présente pas de découpure sur les bords. *Pétale entier.*

Math. *Un nombre entier. Partie entière d'un nombre.* — N. m. *Un entier. Trois tiers forment un entier. Branche de la mathématique qui étudie les entiers et les rationnels.* ⇒ 2. **Arithmétique.** — *Ensemble N des entiers naturels. Ensemble Z des entiers rationnels, ou relatifs.*

Lait entier, non écrémé.

♦ **3.** (1172). D'une chose abstraite ; en épithète, avant ou après le nom. Qui n'a subi aucune altération ; qui s'entend sans aucune restriction. ⇒ **Absolu, intact, parfait, total ; réserve** (sans). *Une entière confiance* (cit. 2, 6), *une confiance entière. Être dans une entière ignorance* (→ Bon, cit. 2), *dans une entière dépendance, une entière soumission. Obéissance* (cit. 9) *entière. Un entier détachement. Une liberté entière* (→ Briser, cit. 10), *pleine et entière.* ⇒ **Plein** (antéposé).

4   Et j'avais sur mon cœur une entière puissance (...)   RACINE, la Thébaïde, II, 1.

5   Ses alliés ont une entière confiance en lui...   FÉNELON, Télémaque, III.

6   (...) la liberté du commerce était entière : bien loin de la gêner par des impôts, on promettait une récompense à tous les marchands qui pourraient attirer à Salente le commerce de quelque nouvelle nation.   FÉNELON, Télémaque, X.

Loc. *À part entière* ⇒ 1. Part, cit. 9.3. (Attribut). *Sa réputation est entière :* elle n'est pas entamée. *Sa vertu reste entière.* ⇒ **Intact ; intégrité** (dans son). *La question reste entière :* le problème n'a pas reçu un commencement de solution.

7   Il faut une autorité qui arrête nos éternelles contradictions (...) autrement, la présomption, l'ignorance, l'esprit de contradictions ne laissera rien d'entier parmi les hommes.   BOSSUET, Pensées chrétiennes, XIV.

8   Il abusa de ce secours *(les calmants),* si c'était en abuser que de l'employer à diminuer ses peines et à conserver plus entières les facultés de son âme.
                                                  CONDORCET, Bucquet.

♦ **4.** (En parlant des personnes). Vx. Qui n'a subi aucun dommage. ⇒ **Pur.** *Une pucelle entière* (→ Courir, cit. 58). — (Actions, pensées). Vx. *Action entière,* pure. *Idée entière, jugement entier.* ⇒ **Intègre, loyal.**

9   Si nos actions sont pures et entières, notre vie sainte et innocente (...)
                                                  DU VAIR, cité in HUGUET.

10 Il n'est vice véritablement vice qui n'offense, et qu'un jugement entier n'accuse (...)   MONTAIGNE, Essais, III, II.

♦ **5.** (1606). Domaine humain. (Après le nom). Qui n'admet aucune restriction, aucune demi-mesure. *Un caractère entier. Un homme d'un esprit entier. Il est fort entier, très entier dans ses opinions.* ⇒ **Absolu, brutal, catégorique, entêté, fier, intraitable, obstiné, opiniâtre, orgueilleux, têtu ; crin** (à tout crin). *Il est intelligent, mais un peu trop entier.* — *Avoir des opinions entières.* ⇒ **Arrêté, définitif.**

11 Son fanatisme pour les d'Esgrignon était entier sans être aveugle, et le rendait ainsi bien plus beau.   BALZAC, le Cabinet des antiques, Pl., t. IV, p. 352.

12 Cette opinion, chez sa mère et chez les bourgeoises de son entourage, était définitive et entière.   Valery LARBAUD, Fermina Marquez, IX, p. 75.

♦ **6.** **TOUT ENTIER :** absolument entier (→ Acier, cit. 2 ; algèbre, cit. 1 ; aristocrate, cit. 1). *Il but le verre tout entier* (→ Bénitier, cit. 1). *Le mur est presque tout entier tapissé de lierre* (→ Crouler, cit. 3). *Le corps tout entier* (→ Dissimuler, cit. 8). *L'être tout entier* (→ Désir, cit. 23). *Le pays tout entier, la ville tout entière* (→ Canal, cit. 3 ; casbah, cit. 1). *L'humanité* (ci. 9, 10) *tout entière. Il est tout entier concentré* (→ Attentif, cit. 5). *Elle brûlait* (→ Désir, cit. 39) *tout entière de fièvre.* — *Tout entier à... :* uniquement occupé de... *Il est tout entier à son ouvrage* (→ Demi, cit. 24). *Se livrer, se donner tout entier à... :* consacrer tout son temps à..., se dévouer (cit. 4) *tout entier à... — Être tout entier dans... :* être présent, reconnaissable totalement dans... *La Rochefoucauld est tout entier dans cette maxime.* — *Mourir tout entier,* sans laisser de souvenir, de trace de son passage sur la terre.

13 Que si j'eusse été entre ces nations qu'on dit vivre encore sous la douce liberté

---

des premières lois de nature, je t'assure que je m'y fusse *(dans mon livre)* très volontiers peint tout entier et tout nu.   MONTAIGNE, Essais, Au lecteur.

14 C'est Vénus tout entière à sa proie attachée.
                                                  RACINE, Phèdre, I, 3 (→ Ardeur, cit. 17).

15 Pain merveilleux qu'un Dieu partage et multiplie ! (...)
     Chacun en a sa part et tous l'ont tout entier !   HUGO, Feuilles d'automne, I.

16 (...) cette femme est morte pour moi (...) je ne la reverrai jamais, (...) tu m'as reconquis tout entier, et (...) ce passé terrible auquel ta tendresse m'arrache ne m'a laissé que des remords et pas un regret.
                                                  Alphonse DAUDET, le Petit Chose, II, XIV.

17 C'est l'état prodigieux des hommes d'action. Ils sont tout entiers dans le moment qu'ils vivent et leur génie se ramasse sur un point. Ils se renouvellent sans cesse, et ne se prolongent pas.   FRANCE, le Lys rouge, III, p. 41.

18 Elle sait bien que c'est surtout leur vanité qui a souffert : cette prétention qu'ils ont tous de vouloir être aimés exclusivement et de la posséder tout entière : son temps, ses pensées.   Valery LARBAUD, Amants, heureux amants, p. 121.

19 (...) un livre, un projet de livre, habitait uniquement mon cœur, m'occupait tout entier, me désœuvrait de tout le reste.   GIDE, Si le grain ne meurt, I, VIII, p. 222.

B. N. m. ♦ **1.** Loc. (1538). **EN SON (LEUR) ENTIER.** ⇒ **Ensemble, totalité.** *Le monde subsistera en son entier* (→ Acteur, cit. 5). *Rapporter un passage dans son entier.* ⇒ **Intégralement.** *Remettre les choses en leur entier* (Académie).

20 (...) le sceau était encore en son entier sur la serrure. J'entrai, et trouvai toutes choses dans le même état où je les avais laissées.
                                                  A. GALLAND, les Mille et une Nuits, t. I, p. 399.

21 Hier invité à déjeuner au Ritz, dans la grande salle décorée dans le style du XVIIIe siècle. Elle me plaît par son élégance et le jeu de glaces qui nous la fait revoir en son entier comme une immense grotte lumineuse !
                                                  J. GREEN, la Terre est si belle, 13 avril 1978, p. 253.

Loc. adv. **EN ENTIER.** ⇒ **Complètement, entièrement, intégralement.** *Rue occupée en entier par un bâtiment* (→ Dignité, cit. 8). *Lire un livre en entier. Écrire son nom en entier. Testament écrit en entier de la main de...* (→ Dater, cit. 2). — Dr. *Restitution* en entier.*

♦ **2.** (Emplois spéciaux). *Un entier :* un cheval entier (ci-dessus, A., 2.).

Nombre entier (ci-dessus, A., 2.)

En philatélie, carte, enveloppe portant un ou des timbres imprimés.

CONTR. Demi, divisé, fragmentaire, incomplet, morcelé, partiel, sectionné, tronqué. — Castré, hongre. — Fractionnaire ; fraction. — Compréhensif, conciliant, souple.

DÉR. Entièrement, entièreté.

ENTIÈREMENT [ɑ̃tjɛʀmɑ̃] adv. — XIIe ; de *entier.*

♦ D'une manière entière*. ⇒ **Absolument, cent** (à cent pour cent), **complètement, entier** (en entier), **partage** (sans), **point** (de point en point), **totalement, tout** (tout à fait). *Détruire quelque chose entièrement.* ⇒ **Fond** (de fond en comble). *Marchandises entièrement livrées. Capital entièrement versé.* ⇒ **Intégralement.** *Pentes entièrement couvertes de broussailles* (→ Couronner, cit. 16). — *Changer entièrement d'opinion* (→ Docte, cit. 5). *Ils sont entièrement d'accord.* ⇒ **Parfaitement.** *S'abandonner entièrement à la Providence. Se dévouer entièrement à une cause* (→ Corps et âme). *Vie entièrement consacrée* (cit. 5) *à une œuvre.* ⇒ **Pleinement.** *C'est entièrement différent.* ⇒ **Tout** (du tout au tout). *Compter,* cit. 5. *Il est entièrement guéri. Ses illusions sont entièrement détruites.*

1   *Entièrement,* d'une façon entière ; *en entier* sans que rien manque. *Entièrement,* se rapporte à la qualité comprise dans le verbe ; *en entier* se rapporte à l'objet : la somme est *entièrement payée ;* la somme *en entier* est dans le sac.
                                                  LITTRÉ, Dict., art. *Entièrement.*

2   Dame serez de mon cœur sans débat,
     Entièrement, jusque mort me consume,
                                                  VILLON, le Testament, « Ballade pour R. d'Estouteville ».

2.1 Il n'y a pas une seule chose qui soit entièrement connue, mais il n'y en a pas une seule qui soit entièrement cachée.   PROUST, Jean Santeuil, Pl., p. 282.

Régional (Suisse) et vx : *Ne... entièrement point,* pas du tout.

2.2 (...) et si sont tout nus excepté que encore en y a qui se démontrent avoir quelque vergogne, car ils portent des braies, mais en d'autres ils n'en ont entièrement point comme en celle qu'a découvert Villeguaignon, où ils ne couvrent aucunement leurs parties honteuses ains marchent nus droit comme ils sortent du ventre de leurs mères.   F. DE BONIVARD, Façon de vivre des sauvages, *in* Littératures de langue franç. hors de France, p. 541.

3   Ni le réel n'est entièrement rationnel ni le rationnel tout à fait réel.
                                                  CAMUS, l'Homme révolté, p. 365.

CONTR. Imparfaitement, incomplètement, partie (en), partiellement. — Demi (à).

ENTIÈRETÉ [ɑ̃tjɛʀte] n. f. — 1536, sorti d'usage au XVIIe, repris XXe ; de *entier.*

♦ Intégralité, totalité. *L'entièreté d'une somme. Envisager un problème dans son entièreté.* — REM. Le mot est plus courant en français de Belgique ; il est parfois critiqué en France.

Coopté comme sénateur, alors que j'étais rétribué comme ministre, je versai au parti *(socialiste)* l'entièreté de mon indemnité parlementaire.
                                                  Henri DE MAN, Après coup, p. 216 (1941).

ENTITÉ [ɑ̃tite] n. f. — V. 1500 ; lat. *entitas,* de *ens, entis,* p. prés. de *esse* « être ».

Didactique ou style soutenu.

♦ **1.** Philos. Ce qui constitue l'essence d'un genre ou d'un individu. ⇒ **Essence, nature** (simple).

1   Par la *réalité objective d'une idée,* j'entends l'entité ou l'être de la chose représentée par cette idée, en tant que cette entité est dans l'idée (...) Car tout ce que nous concevons comme étant dans les objets des idées, tout cela est objectivement ou par représentation dans les idées mêmes.
DESCARTES, Réponses aux 2ᵉˢ objections, Définitions, III.

Péj. Concept abstrait forgé par l'esprit et que l'on considère à tort comme un être réel (⇒ **Idée.** → Dieu, cit. 16).

2   Appliquez le *Contrat social,* si bon vous semble, mais ne l'appliquez qu'aux hommes pour lesquels on l'a fabriqué. Ce sont des hommes abstraits, qui ne sont d'aucun siècle et d'aucun pays, pures entités écloses sous la baguette métaphysique. En effet, on les a formés en retranchant expressément toutes les différences qui séparent un homme d'un autre, un Français d'un Papou, un Anglais moderne d'un Breton contemporain de César, et l'on n'a gardé que la portion commune.
TAINE, les Origines de la France contemporaine, I, t. III, p. 217.

3   (...) entité aussi inexistante que la quadrature du cercle (...)
PROUST, À la recherche du temps perdu, t. VIII, p. 95.

♦ **2.** Objet concret considéré comme un être doué d'unité matérielle et d'individualité, alors que son existence objective n'est fondée que sur des rapports. *Un fleuve, un courant d'air, une vague sont des entités.* — Par ext. *Entité rationnelle* : création de la raison, abstraction à qui l'on ne reconnaît qu'une existence purement logique (→ Droit, cit. 66, 67).

4   (...) l'État cette entité monstrueuse qui fabrique des fonctionnaires, des hommes-machines.   R. ROLLAND, Jean-Christophe, Buisson ardent, I, p. 1 285.

5   En Latins authentiques, nous considérons l'État comme une entité extérieure et supérieure à l'individu, éventuellement dangereuse pour lui.
André SIEGFRIED, l'Âme des peuples, III, IV, p. 66.

♦ **3.** Méd. *Entité morbide* : groupement constant de manifestations pathologiques formant un tout. ⇒ **Affection, complexe, maladie, syndrome.**

CONTR. Chose ; existence.

ENTO- ⇒ Endo-.

ENTOILAGE [ãtwalaʒ] n. m. — 1755 ; de *entoiler.*

♦ **1.** Cout. Pièce de toile sur laquelle on coud une broderie. Toile dont on se sert pour entoiler. *L'entoilage d'un col.*

(Mil. xxᵉ). Techn. Reliure.

♦ **2.** (1785). Action d'entoiler, de fixer sur une toile. *L'entoilage d'une carte de géographie.*

(1901). Action de recouvrir de toile. *L'entoilage des ailes d'un avion.*

ENTOILER [ãtwale] v. tr. — Fin xiiᵉ ; de *en-, toile,* et suff. verbal.

♦ **1.** Fixer (qqch.) sur une toile*. — *Entoiler une cravate, le col d'un vêtement.*

(1718). *Entoiler une carte de géographie, une estampe,* la coller sur de la toile.

♦ **2.** (1611). Garnir de toile ; relier en toile. *Entoiler des brochures.*

▶ **ENTOILÉ, ÉE** p. p. adj.

Livre entoilé. — N. *« Un petit entoilé »* (Sartre). ⇒ **Toilé.** — Tendu, garni de toile.

DÉR. Entoilage.

ENTOIR [ãtwaʀ] n. m. — 1651 ; de *enter.*

♦ Techn. Couteau à enter, à greffer.

ENTÔLAGE [ãtolaʒ] n. m. — 1903 ; de *entôler.*

♦ Argot fam. Action d'entôler quelqu'un. ⇒ **Vol.**

1   Une autre fois, confrontée chez le juge avec les amants maudits, pour une affaire de proxénétisme hôtelier, j'apprends que quelques mois avant cette réunion, Germaine Papin avait fait l'objet d'une procédure d'*entôlage,* ou si vous préférez, qu'en plus du client, elle s'était fait aussi le portefeuille.
Martin ROLLAND, la Rouquine, p. 230.

Var. : *entôlement.*

2   Il m'a en tout en échange embarqué que deux fois !... et pour deux sapes d'entôlement où que j'étais parfaitement indemne !...   CÉLINE, Guignol's band, p. 75.

ENTÔLER [ãtole] v. tr. — 1903 ; « introduire en fraude », 1829 ; de *en-,* argot *tôle* « chambre », et suff. verbal.

Argot familier.

♦ **1.** (En parlant d'une prostituée). Voler (un client).

♦ **2.** Voler en trompant. *Entôler un chaland. Il s'est fait complètement entôler.*

Vénus Callipyge, mon cher ! Quelque chose d'admirable et de monstrueux. Elle avait entôlé je ne sais trop qui, sous l'Ancien Régime et tu sais où le bourreau qui était facétieux la lui avait mise sa fleur de lis ?
J. ANOUILH, Pauvre Bitos, II, p. 92.

DÉR. Entôlage ou **entôlement, entôleur.**

ENTÔLEUR, EUSE [ãtolœʀ, øz] n. — 1901 ; de *entôler.*

♦ Argot. fam. Personne qui pratique l'entôlage.

ENTOLOME [ãtolom ; ãtɔlɔm] n. m. — 1878, *entoloma* ; du grec *entos,* et *lôma* « bordure ».

♦ Bot. Champignon des bois, à lames roses *(Basidiomycètes).*

ENTOMBER [ãtɔ̃be] v. tr. — V. 1160 ; de *en-, tombe,* et suff. verbal.

♦ Vx, littér. Mettre dans une tombe. ⇒ **Enterrer.** *« On l'a entombé sur une colline près de l'île de Rousseau »* (Stendhal, *in* G. L. L. F.).

ENTOMO- Élément, du grec *entomon* « insecte », de *entomos* « coupé ». ⇒ **-tome.**

ENTOMOLOGIE [ãtomolɔʒi] n. f. — 1745 ; de *entomo-,* et *-logie.*

♦ **1.** Partie de la zoologie qui traite des insectes. *L'entomologie étudie 90 % des Arthropodes, embranchement réunissant environ 80 % de la faune terrestre. Entomologie paléontologique* : étude des insectes fossiles. *L'entomologie des diptères, des orthoptères, des abeilles, des fourmis* (myrmécologie)...

Les plus beaux sujets de drame nous sont proposés par l'histoire naturelle et particulièrement par l'entomologie.   GIDE, Journal, 28 avr. 1943.

♦ **2.** Ouvrage de référence portant sur les insectes. *Consulter une entomologie.*

DÉR. Entomologique, entomologiste ou entomologue.

ENTOMOLOGIQUE [ãtomolɔʒik] adj. — 1762 ; de *entomologie.*

♦ Qui est relatif à l'entomologie. *Étude entomologique.* *« Souvenirs entomologiques »,* ouvrage de J.-H. Fabre.

ENTOMOLOGISTE [ãtomolɔʒist] ou **ENTOMOLOGUE** (rare) [ãtomolɔg] n. — 1783, Bertholon, *in* D.D.L. ; de *entomologie.*

♦ Spécialiste de l'entomologie. *« Il était entomologue »* (Queneau, *Loin de Rueil,* p. 30). *Un entomologiste.*

ENTOMOPHAGE [ãtomofaʒ] adj. — 1839 ; de *entomo-,* et *-phage.*

♦ Sc. Qui se nourrit d'insectes. ⇒ **Insectivore.** *Oiseau entomophage. Plantes entomophages.* ⇒ **Carnivore.** *La dionée, plante entomophage.*

(D'un insecte). Dont la larve vit en parasite à l'intérieur de l'organisme d'un autre insecte.

ENTOMOPHILE [ãtomofil] adj. — 1846 ; de *entomo-,* et *-phile* « qui aime ».

♦ Bot. Se dit des plantes dont la fécondation est assurée par les insectes (⇒ **Pollinisateur**) qui transportent le pollen d'une fleur mâle à une fleur femelle (pollinisation croisée) ou des étamines au stigmate dans une fleur hermaphrodite (pollinisation directe). *La vanille est une plante entomophile.*

ENTOMOSTRACÉS [ãtomostʀase] n. m. pl. — 1805, Cuvier ; du grec *entomon* « coupé », et *-ostracé* « à coquille (caractérisé par l'élément initial) ». → Ostraco-.

♦ Zool. Vx. Classe de crustacés inférieurs dont le nombre de segments n'est pas fixe. — Au sing. *Un entomostracé.*

ENTONNAGE [ãtonaʒ] n. m., **ENTONNAISON** [ãtonɛzɔ̃] n. f., **ENTONNEMENT** [ãtonmã] n. m. — 1611, *entonnage* ; *entonnaison,* 1864 ; *entonnement,* 1540 ; de 1. *entonner.*

♦ Techn. Action de mettre en tonneau ; son résultat. En brasserie, passage du moût à la fermentation (après brassage).

1. ENTONNER [ãtone] v. tr. — V. 1215 ; de *en-, tonne* et suff. verbal.

♦ **1.** Techn. Verser (un liquide) dans une tonne, un tonneau, un fût. ⇒ **Enfûter.** *Entonner du vin, du cidre.*

♦ 2. Fig. (vieilli). *Entonner la nourriture.* ⇒ **Ingurgiter.** — *S'entonner une énorme pièce de bœuf.*

0.1 Bœufs. On est déjà obligé de leur porter la paille au pré et, quand ils voient le domestique et sa botte, ils accourent comme si c'était du gâteau. Ils ne rentrent à l'écurie, pour entonner leur foin, qu'à la Saint-Martin, c'est-à-dire le 11 novembre.
J. RENARD, Journal, 7 sept. 1907.

Mod. *Entonner du vin.* — Absolt. *Il entonne bien.* ⇒ **Boire.** *Il s'est entonné deux litres de vin.*

0.2 (...) c'était un soiffard qui pouvait entonner des kiles *(litres)* et des kiles et des kiles de pinard et que rien ne pouvait faire remuer (...)
B. CENDRARS, la Main coupée, in Œ. compl., t. X, p. 134.

♦ 3. Vx. Faire manger, faire boire (qqn). *Entonner un enfant.* ⇒ **Gaver.**

1 Nous réussîmes si bien, qu'au dessert il n'avait déjà plus la force de tenir son verre : mais la secourable Émilie et moi l'entonnions à qui mieux mieux. Enfin, il tomba sous la table, dans une ivresse telle, qu'elle doit au moins durer huit jours.
LACLOS, les Liaisons dangereuses, Lettre XLVII.

Fig. **S'ENTONNER :** s'engouffrer, pénétrer avec impétuosité. *Le vent s'entonne dans la cheminée.*

2 Quand le vent siffle et s'entonne dans les portes d'une grande maison (...)
R. ROLLAND, Musiciens d'autrefois, p. 133.

S'entonner quelque chose, le boire, le manger.

DÉR. Entonnage, entonnaison ou entonnement, entonnoir.
HOM. 2. Entonner.

2. ENTONNER [ɑ̃tɔne] v. tr. — V. 1190 ; de en-, ton, et suff. verbal.

♦ 1. Mus. Commencer à chanter (un air) pour donner le ton aux autres. *Entonner les premières mesures. Entonner les notes.* — Absolt. *Bien, mal entonner. C'est à vous d'entonner.*

♦ 2. Cour. Commencer à chanter. *Entonner un cantique. Entonner la Marseillaise.*

1 *(Avec jeu de mots sur les deux sens du verbe).* — Chantons, buvons, un motet entonnons ! — Où est mon entonnoir ? — Quoi ! Je ne bois que par procuration !
RABELAIS, Gargantua, V.

2 Après un petit moment de désordre, la procession commença à marcher en entonnant un psaume. STENDHAL, le Rouge et le Noir, I, XVIII.

3 Le père Dodu se mit à entonner un air à boire ; on voulut en vain l'arrêter à un certain couplet scabreux que tout le monde savait par cœur. NERVAL, Sylvie, XII.

♦ 3. Fig. Chanter, déclamer. *Entonner l'éloge, la louange de qqn.* ⇒ **Chanter, louer, vanter.**

4 C'est lui *(le roi)* qui veut qu'en trompette j'échange
Mon luth, afin d'entonner sa louange ?
RONSARD, Amours de Cassandre, « Élégie à Cassandre ».

5 Et il *(Chateaubriand)* entonne un petit hymne en son honneur à propos de cette guerre d'Espagne dont il ne cesse de se glorifier, tout en voulant paraître le plus libéral des ministres de la Restauration.
SAINTE-BEUVE, Causeries du lundi, 27 mai 1850, t. II, p. 147.

6 (...) lorsque de mauvaise foi on entonne l'éloge d'un homme médiocre, qu'attendre, sinon une médiocrité ! La forme sort du fond, comme la chaleur du feu.
FLAUBERT, Correspondance, t. II, p. 107.

Poét. *Entonner la trompette :* chanter les combats.

7 *(Un rimeur)* dans sa verve indiscrète,
Au milieu d'une églogue entonne la trompette. BOILEAU, Art poétique, II.

HOM. 1. Entonner.

ENTONNOIR [ɑ̃tɔnwaʀ] n. m. — XIIIe ; entonedoir, fin XIe ; de 1. entonner.

♦ 1. Petit instrument de forme conique, terminé par un tube, et servant à verser un liquide dans un récipient de petite ouverture (ou quelquefois à diriger certains fluides sur une partie précise). *Entonnoir de bois, de verre, de plastique, de fer blanc. Ajutage* fixé à un entonnoir. Entonnoir à robinet, automatique, magique. Entonnoir autoclave. Entonnoir conique, ovale. Entonnoir à vin* (⇒ **Chantepleure**), *à huile, à eau-de-vie. Entonnoir muni d'un filtre. Entonnoir pour filtrer à chaud. Entonnoir servant à transvaser de la poudre. Entonnoir servant à faire du boudin.* ⇒ **Boudinière.** — Par métaphore :

1 Parbleu ! tes larges mains sont deux grands entonnoirs
Par où, comme en un philtre *(sic)* où l'eau perce une route,
A tous les cabarets l'argent fuit goutte à goutte.
BAUDELAIRE, Premiers poèmes, « Manoël », I, 1.

En entonnoir, en forme d'entonnoir. *Cirque de montagnes en entonnoir. Fleurs, champignons en entonnoir. Filet de pêche en entonnoir* (⇒ 1. **Verveux**). *Éteignoir en entonnoir.*

♦ 2. Par anal. de forme. **a** Choses naturelles. Régional. *Entonnoir de Provence, entonnoir vénéneux, demi-entonnoir,* espèces de champignons. — Pédoncule de certains lichens.
Coquillage profond et conique.

Anat. ⇒ **Infundibulum.** *Entonnoir crural.*

b Objets fabriqués. Techn. Partie du four à chaux.
Cour. *Gants, bottes à entonnoirs,* munis d'un large revers s'évasant.

c Cavités. Cour. *Cavité en forme d'entonnoir.*

1.1 (...) Nous examinons longuement les entonnoirs de fourmis-lions, où nous faisons dégringoler de petites fourmis en pâture.
GIDE, Voyage au Congo, in Souvenirs, Pl., p. 759.

Géol. et cour. Dépression de forme circulaire. ⇒ **Cirque, cuvette, gouffre.** *Eaux d'un torrent se perdant au fond d'un entonnoir.* — *Cratère d'un volcan éteint.*

Cour. Excavation produite par l'explosion d'une mine, d'un obus, d'une bombe (→ Trou d'obus). *Fantassins progressant d'entonnoir en entonnoir.*

2 La pluie avait laissé quelques gouttes d'eau au fond de cet entonnoir, creusé dans le sable.
LAUTRÉAMONT, les Chants de Maldoror, VI, p. 262.

3 Couchés au bord de l'entonnoir, quelques soldats guettaient, l'œil au ras de l'herbe ; les autres discutaient entassés dans le trou.
R. DORGELÈS, les Croix de bois, XI, p. 219.

d Fam., vieilli. *Il a l'entonnoir large,* une bonne descente de gosier. → Entonner.

COMP. Porte-entonnoir.

ENTOPTIQUE [ɑ̃tɔptik] adj. — 1838 ; de ent(o)-, et optique.

♦ Physiol. *Lueurs entoptiques,* provoquées par des stimulations intérieures (phosphènes).

ENTORSE [ɑ̃tɔʀs] n. f. — 1564 ; « dommage », 1543 ; p. p. substantivé de l'anc. v. entordre « tordre ».

♦ 1. Lésion douloureuse, traumatique, d'une articulation, provenant d'une distension violente avec ou sans arrachement des ligaments. ⇒ **Écart** (vétér.), **foulure, lumbago, luxation** (→ Ampoule, cit. 2 ; déboîter, cit. 2). *Se donner, se faire* (plus cour.) *une entorse au poignet, au pied. Entorse simple* (distension de ligaments), *compliquée* (avec arrachement d'une partie de l'os), *éclatée. Entorse du genou, avec épanchement de synovie.*

1 Bomston, à demi ivre, se donna en courant une entorse qui le força de s'asseoir. Sa jambe enfla sur-le-champ, et cela calma la querelle mieux que tous les soins que M. d'Orbe s'était donnés.
ROUSSEAU, Julie ou la Nouvelle Héloïse, I, lettre 56.

2 S'il y a eu torsion du membre, l'arrachement des ligaments de l'articulation produira l'entorse. P. VALLERY-RADOT, Notre corps, p. 25 (→ Luxation).

♦ 2. (XVIe). Fig. (Surtout avec les v. *donner, faire*). Infraction ou manquement. *C'est une grave entorse à la vérité.* — *Donner* (vx), *faire une entorse à :* ne pas respecter. *Faire une entorse à la vérité* (en mentant, en travestissant* la vérité), *à un principe* (→ Audace, cit. 16). *Il a fait une entorse à son régime. Faire une entorse au règlement* (⇒ **Infraction, manquement, violation**), *à la consigne* (→ Manger la consigne*). *Donner une entorse à un texte, à un passage,* l'altérer, en fausser le sens, généralement à son avantage. ⇒ **Altération.**

3 En t'oyant discourir d'une si sainte voix,
Qui donne aux voluptés une mortelle entorse.
RONSARD, Sonnets pour Hélène, I, LIII.

4 Madame Marie Dormoy proteste contre la légende qui a déformé son héroïne, mais elle aurait pu relever plus explicitement les entorses données à la vérité par nos deux poètes. Émile HENRIOT, Portraits de femmes, p. 47.

ENTORTILLAGE [ɑ̃tɔʀtijaʒ] n. m. — 1754 ; de entortiller.

♦ 1. (Abstrait). Ce qui, dans un discours ou un écrit, est entortillé. ⇒ **Artifice, équivoque, préciosité, subtilité.** *L'entortillage de son style.* — *Des entortillages de style.*

1 Je rentre dans la lice, armé de mes seuls principes et de la fermeté de ma conscience, et je prie tous ceux de mes adversaires qui ne m'entendront pas de m'arrêter, afin que je m'exprime plus clairement ; car je suis décidé à déjouer tous les reproches tant répétés d'évasion, de subtilité, d'entortillage.
MIRABEAU, Collection, t. III, p. 358.

2 Son style est le plus parfait modèle du mauvais goût ; c'est l'entortillage le plus fatigant, l'enluminure la plus fade.
LAHARPE, Correspondance, t. III, p. 323, in POUGENS.

♦ 2. (1863, Flaubert : *un entortillage de crins*). Rare. Action d'entortiller ; entortillement ; son résultat. Manière dont une chose est entortillée.

3 (...) Georges, et Blum, finissant par se fourrer entre les lèvres un mince, et plat, et informe entortillage de papier entourant plus de bourre d'étoffe et de débris de toutes sortes que de tabac (...) Claude SIMON, la Route des Flandres, p. 103.

ENTORTILLANT, ANTE [ɑ̃tɔʀtijɑ̃, ɑ̃t] adj. — 1874, → cit. ; p. prés. de entortiller.

♦ Littér., rare. Qui entortille.

Tous les jeunes nobles de la ville qu'il habitait, et il y en avait plusieurs de fort spirituels, curieux comme des femmes entortillants comme des couleuvres, étaient démangés du désir de lui faire raconter les mémoires inédits de sa jeunesse, entre deux cigarettes de maryland.
BARBEY D'AUREVILLY, les Diaboliques, « Le dessous de cartes... ».

ENTORTILLEMENT [ɑ̃tɔʀtijmɑ̃] n. m. — Av. 1374, Daudin ; de entortiller.

♦ **1.** (Abstrait). Ce qui est entortillé, enchevêtré, compliqué. ⇒ **Entortillage**. «*Un entortillement de raisons*» (Montherlant, *in* T. L. F.).

Quel entortillement dans tout ce discours ! BOSSUET, Remarques..., *in* LITTRÉ.

♦ **2.** (1538). Le fait de s'entortiller (autour d'une chose); état d'une chose entortillée. *L'entortillement du lierre, de la vigne.*
Un, des entortillements de... ⇒ **Tortillon**. *Des entortillements de fil.*

ENTORTILLER [ãtɔʀtije] v. tr. — XVIᵉ ; de *entourteillier*, v. 1190 ; de *entort*, p. p. de l'anc. franç. *entordre ;* → Entorse.

♦ **1.** Envelopper (un objet) dans quelque chose que l'on tortille*. *Entortiller un bonbon, une orange dans du papier.*

♦ **2.** Tortiller, enrouler, serrer (quelque chose de souple et d'allongé) autour de quelque chose. *Entortiller quelque chose autour de, sur, après quelque chose.* — (Sans compl. second). *Entortiller son mouchoir.* ⇒ **Tortiller**. *Entortiller du raphia autour d'un bouquet.* ⇒ **Attacher, nouer**.

♦ **3.** (1831). Fig. (du sens 1). Circonvenir, séduire (qqn) par la ruse. ⇒ **Conquérir, emberlificoter, embobeliner, embobiner, enjôler**. *Il a réussi à vous entortiller.* ⇒ **Avoir** (fam.). *Elle sait fort bien l'entortiller.* ⇒ **Prendre**. *Entortiller quelqu'un de promesses.*

1 Ignorant et léger comme l'est un garçon, je devais me ruiner au jeu, me laisser entortiller par quelque Parisienne. BALZAC, la Fausse maîtresse, Pl., t. II, p. 24.

2 (...) il sut entortiller les jurés avec une conviction si sérieuse que l'Accusateur public vit son échafaudage en pièces.
BALZAC, Une ténébreuse affaire, Pl., t. VII, p. 608.

♦ **4.** (1680). Fig. (du sens 1 ou du 2). Envelopper de circonlocutions et d'obscurités. ⇒ **Embrouiller**. *Entortiller ses phrases, son style, ses idées. Entortiller des métaphores.*

3 Il avait, dans les entretiens publics et singuliers, une étonnante manière d'enrouler, d'embrouiller et d'entortiller la phrase (...)
G. DUHAMEL, le Temps de la recherche, XII, p. 170.

▶ **S'ENTORTILLER** v. pron.

(Sens 2). S'attacher à une chose en l'entourant plusieurs fois. *Le lierre s'entortille autour des rameaux.* ⇒ **Enlacer** (s'). → Attacher, cit. 46. *Le serpent s'entortilla autour du bâton.* — Fig. :

4 L'orage recommence ; les éclairs s'entortillent aux rochers ; les échos grossissent et prolongent le bruit de la foudre (...)
CHATEAUBRIAND, Mémoires d'outre-tombe, t. V, p. 383.

(Sens 2). Fam. *S'entortiller dans ses draps, dans une couverture* (cit. 1), *dans une pèlerine.* ⇒ **Enrouler** (s'), **envelopper** (s').

(Sens 3 et 4). Fig. *S'entortiller dans un mauvais discours, dans des phrases maladroites.* ⇒ **Embarrasser** (s'), **embrouiller** (s'), **emmêler** (s').

▶ **ENTORTILLÉ, ÉE** p. p. adj. (Sens 1). *Bonbon entortillé (dans du papier).* — (Sens 2). *Papier, ruban, fil entortillé* (autour de quelque chose). *Spirale entortillée comme un serpent* (→ Biais, cit. 2).

(Sens 4). *Style entortillé.* ⇒ **Affecté, contourné, embarrassé**. *Des compliments entortillés, des excuses entortillées.*
N. *Aimer l'entortillé et le biscornu* (→ Contestation, cit. 4).

CONTR. **Délacer, dénouer, désentortiller ; éclairer ; simplifier.**
DÉR. **Entortillage, entortillant, entortillement.**

ENTOUR [ãtuʀ] n. m. — Fin Xᵉ ; *entorn*, adv. «tout autour»; de *en-*, et *tour*.

★ **I.** ♦ **1.** (1538, au plur. mil. XIVᵉ). Littér. Ce qui entoure.
Au sing. Rare. « *Et la rosace du plafond avait pour entour un large cadre carré* » (Goncourt, *in* G. L. L. F.).

0.1 Les humbles restaient à genoux sur le seuil, les grands de la terre se pressaient à son entour, se seraient fait gloire de lui servir d'escorte. ZOLA, Lourdes, p. 31.

♦ **2.** Au plur. (Plus cour.). Environs, voisinage. ⇒ **Abord, alentours**. *Les entours de la ville.*

1 (...) les noyers de ses bordures étaient les plus vieux et les plus gros de deux lieues aux entours. G. SAND, la Petite Fadette, I, VI.

2 Les entours de notre demeure sont occupés par des arbustes que les chenilles de printemps ont dévorés jusqu'au bois.
G. DUHAMEL, la Pesée des âmes, XIII, p. 295.

Les entours d'une question, tout ce qui y touche. ⇒ **Contexte**.
(XIVᵉ). *Les entours de quelqu'un.* ⇒ **Entourage**.

3 Je ne pensais qu'au Bourg Saint-Andéol et à la charmante vie qui m'y attendait ; je ne voyais que Mᵐᵉ de Larnage et ses entours : tout le reste de l'univers n'était rien pour moi (...) ROUSSEAU, les Confessions, VI.

★ **II.** (1395). Loc. À L'ENTOUR (DE...). ⇒ **Alentour** (cit. 4 à 6).
— REM. La loc. à *l'entour (de)* a donné naissance au comp. *alentour* et n'est plus analysée ; néanmoins on écrira : *les rues à l'entour du square.*

4 La laideur domine, parce que la vie n'est pas belle. Le public ne se connaît ni en beau, ni en joli. Il aime les vers, oui, quand ils sortent de la bouche d'une jolie

actrice ou d'un de ses acteurs préférés, ce qui est la même chose, ou quand il y a de la musique à l'entour. J. RENARD, Journal, 5 déc. 1909.

Littér. *À son entour*, à l'entour de lui, autour de lui.

D'où la qualité essentielle de cet être (végétal) libéré à la fois de tous soucis domiciliaires et alimentaires par la présence à son entour d'une ressource infinie d'aliments : *l'immobilité.* Francis PONGE, le Parti pris des choses, p. 86.

CONTR. **Milieu ; centre, intérieur.** — (Du sens II) **Dedans ; loin.**
DÉR. **Entourer.**

ENTOURAGE [ãtuʀaʒ] n. m. — 1776 ; attestation isolée, 1461 ; de *entourer.*

♦ **1.** Ensemble des personnes qui entourent habituellement quelqu'un, et vivent dans sa familiarité. ⇒ **Cercle, compagnie, entour** (entours), **milieu, proche** (les proches), **société, voisinage**. *L'entourage d'un poète* (→ Cénacle, cit. 3), *d'un roi* (→ Cour, cit. 14). *Agir à l'insu de son entourage, de tout son entourage* (→ Démarche, cit. 8). *Être à la merci de son entourage.*

Tout grand poète, tout grand romancier a son cortège d'admirateurs, et surtout de femmes, qui l'exaltent, qui l'entourent, qui le chérissent, qui se sacrifieraient de grand cœur à lui (...) c'est dans cet entourage où tout se reflète et s'exagère, qu'il est parfois commode et piquant de connaître un auteur et de le retrouver. Dis-moi qui t'admire, et je te dirai qui tu es (...)
SAINTE-BEUVE, Causeries du lundi, 29 avr. 1850, t. II, p. 64.

♦ **2.** (1780). Clôture* ou ornement déposé autour de certains objets. *L'entourage d'un massif, d'un parterre, d'une tombe. Un entourage de fenêtre.* — *Pierre précieuse dans un entourage de perles.*

ENTOURER [ãtuʀe] v. tr. — 1538 ; de *entour.*

♦ **1.** Garnir (une chose) de quelque chose qui en fait le tour. ⇒ **Autour** (disposer, mettre, placer autour). *Entourer une ville de murailles.* ⇒ **Ceindre**. *Entourer un espace d'une limite.* ⇒ **Circonscrire**. *Entourer un retranchement de pieux* (⇒ **Hérisser**), *une place de fortifications* (⇒ **Fortifier**). — *Entourer un lieu d'une clôture* (⇒ **Clore, clôturer, enclore**), *d'un mur* (⇒ **Murer**) *d'une palissade* (⇒ **Palissader**), *d'une balustrade* (⇒ **Balustrer**). — *Entourer d'un cercle* (⇒ **Cercler**), *d'un cadre* (⇒ **Encadrer**), *d'une enveloppe* (⇒ **Envelopper**), *d'une corde* (⇒ **Corder**), *d'une ficelle* (⇒ **Ficeler**), *d'une couronne* (⇒ **Couronner**), *d'une garniture* (⇒ **Garnir**), *d'une bordure* (⇒ **Border**), *d'une étoffe* (⇒ **Draper, habiller**), *d'une bande, d'un bandage* (cit. 1 ; ⇒ **Bander**), *d'un ruban* (⇒ **Enrubanner**). ⇒ aussi **Entortiller ; emmailloter, enrober** etc. *Entourer la tête d'un personnage d'une auréole* (cit. 3). ⇒ **Auréoler**. — Compl. n. de personne. *Entourer quelqu'un de ses bras.* ⇒ **Embrasser, étreindre, serrer.**

1 Puis, pendant que sa mère l'attirait contre elle et l'entourait de ses bras comme pour la protéger (...) MARTIN DU GARD, les Thibault, t. II, p. 284.

2 La loi de la puissance n'a jamais la patience d'atteindre l'empire du monde. Il lui faut délimiter sans tarder le terrain où elle s'exerce, même s'il faut l'entourer de barbelés et de miradors. CAMUS, l'Homme révolté, p. 61.

Entourer une personne (d'autres personnes). *Entourer quelqu'un d'espions* (⇒ **Espionner**). *Entourer un président de gardes du corps.*

(Fin XIXᵉ). Fig. Compl. n. de personne. *Entourer quelqu'un de soins, de prévenances, d'égards.* ⇒ **Accabler, combler**. *Entourer de respect la mémoire d'un disparu* (⇒ **Vénérer**).

3 (...) il l'entourait d'égards, tout en se méfiant (...)
FLAUBERT, Trois contes, «Hérodias», II, p. 194.

4 Pauvre Yves, qui s'est souvent fait traiter en enfant gâté et capricieux, c'est lui à présent, à l'heure de mon départ, qui m'entoure de mille petites prévenances, presque enfantines, ne sachant plus comment s'y prendre pour me montrer assez son affection. LOTI, Mon frère Yves, LXXIII, p. 174.

5 (...) de quelle tendre et respectueuse considération elle entoure cet anonyme protecteur qui lui vaut à cette heure ces douces merveilles.
Émile HENRIOT, Portraits de femmes, p. 382.

Entourer qqch. de qqch. Entourer de mystère les actes les plus insignifiants. Entourer la réalité de fictions (⇒ **Orner, parer**).

6 D'autre part elle était d'un tempérament romanesque, et il lui fallait entourer les réalités de l'amour de toute une nébuleuse de songes et de brillantes images.
Valery LARBAUD, Beauté, mon beau souci, p. 24.

♦ **2.** (Sujet n. de chose). Être autour de. *Les murailles qui entouraient la ville.* ⇒ **Ceinturer, enfermer**. *De profonds fossés entouraient le château* (→ Donjon, cit.). *Une clôture entoure le jardin.* ⇒ **Fermer, renfermer**. *Le cimetière qui entoure l'église* (→ Chevet, cit. 8). *Les monts qui entourent la vallée.* ⇒ **Encadrer, encaisser, encercler**. *Des bois entourent la campagne.* ⇒ **Environner**. *Le département des Pyrénées-Orientales entoure le territoire de Llivia ; l'Allemagne de l'Est entoure Berlin-Ouest.* ⇒ **Enclaver**. *L'océan entoure la terre.* ⇒ **Baigner, embrasser, enserrer**. *Une gaine entoure sa taille sans l'emprisonner. Une écharpe entoure son cou.* ⇒ **Enrouler** (s'). *Cache-nez, cit. Cerne, cercle qui entoure un point.* ⇒ **Aréole** (cit. 1).

7 (...) quant à l'honneur, il échappe à la tyrannie : c'est l'âme des martyrs ; les liens l'entourent et ne l'enchaînent pas ; il perce la voûte des prisons et emporte avec soi tout l'homme. CHATEAUBRIAND, Mémoires d'outre-tombe, t. IV, p. 64.

8 Le bonheur entourait cette maison tranquille
Comme une eau bleue entoure exactement une île.
Francis JAMMES, Géorgiques chrétiennes, Chant 1.

♦ **3.** (Sujet n. de personne). Se porter, se tenir tout autour de... *Les* *soldats entourent la ville.* ⇒ **Assiéger, attaquer, boucler, cerner, encercler** (→ Assiégeant, cit.). *Les convives entourèrent la table.* ⇒ **Ranger** (se ranger autour). *La police entoura les manifestants.* ⇒ **Contenir, encadrer.** *Ses amies l'entourèrent.* ⇒ **Presser** (se presser autour). *Clergé qui entoure son évêque dans une procession.* ⇒ **Accompagner.** *Les flatteurs, les courtisans qui entourent un personnage important.* ⇒ **Empresser** (s'). → Cour, cit. 19.

♦ **4.** (1690). Sujet n. de personne ou de chose. Être habituellement autour de. *Les gens qui nous entourent, qui vivent avec nous, près de nous.* ⇒ **Entourage; approcher, fréquenter** (→ Associer, cit. 13). *Tout ce qui nous entoure* (→ Affliger, cit. 15; attrister, cit. 11). ⇒ **Ambiance, atmosphère, milieu, sphère.** *Les plaisirs, les séductions, les dangers qui nous entourent* (→ Assiéger, cit. 10).

9   (...) ce bien-être de l'âme que donnent une vie réglée, des habitudes douces et l'harmonie des caractères chez ceux qui nous entourent.
                                              BALZAC, l'Initié, Pl., t. VII, p. 334.

10   Tout ce qui l'entourait, ce jardin paisible, ces fleurs embaumées, ces enfants poussant des cris joyeux, ces femmes graves et simples, ce cloître silencieux, le pénétraient lentement, et peu à peu son âme se composait de silence comme ce cloître, de parfum comme ces fleurs, de paix comme ce jardin, de simplicité comme ces femmes, de joie comme ces enfants.   HUGO, les Misérables, II, VIII, IX.

11   Depuis longtemps Jésus avait le sentiment des dangers qui l'entouraient.
                                              RENAN, Vie de Jésus, Œuvres, t. IV, XXI, p. 295.

12   Qui donc a écrit que notre esprit était un microcosme, et un abrégé du monde? Et qu'il était encore pareil à un miroir, où se reflètent les objets qui nous entourent?   J. PAULHAN, Entretien sur les faits divers, I, p. 20.

(Sujet compl. n. de personne). S'occuper de (qqn), aider ou soutenir par sa présence, ses attentions. *Ses amis l'entourent beaucoup, depuis son deuil.*

▶ **S'ENTOURER DE** v. pron.
Mettre autour de soi. *S'entourer d'une couverture.* ⇒ **Enrouler, entortiller** (s'enrouler, s'entortiller dans une couverture). *S'entourer d'objets d'art, de luxe, de confort* (→ Atmosphère, cit. 5).

(Compl. n. de personne). Réunir autour de soi. *S'entourer de savants, d'artistes. Savoir s'entourer d'amis.*

Fig. *S'entourer de conseils avant de prendre une décision. S'entourer de mystère. S'entourer de précautions* (→ Démocratie, cit. 7).

▶ **ENTOURÉ, ÉE** p. p. adj.

♦ **1.** *Entouré de...* garni tout autour de... ⇒ **Environné.** *Ville entourée de remparts. Maison entourée de verdure* (→ Abri, cit. 1; borner, cit. 20; déboucher, cit. 2 et 3). *Jardin entouré d'arbres* (→ Aire, cit. 1; collier, cit. 9). *Champs entourés de haies. Terre entourée d'eau.* ⇒ **Île.** *Être entouré d'amis, d'ennemis, de disciples. Être entouré de malveillance, de suspicion.* — REM. Dans la tournure *entouré de*, la préposition *de* introduit un complément de moyen; on réservera la tournure passive *entouré par* au cas où la préposition *par* introduit un complément d'agent. On ne dira pas : *Un jardin entouré par des arbres.* On dira au contraire : *Il a été entouré (de soins) par tous ses amis.*

♦ **2.** Adj. Absolt. Qui est recherché, admiré ou aidé, soutenu par de nombreuses personnes. *Une femme très entourée,* recherchée, adulée, admirée (→ Brûler, cit. 28). *À l'occasion de cette épreuve, il fut très entouré :*

13   Au moment où elle *(Madame Récamier)* apparaît brillante sous le Consulat, nous la voyons aussitôt entourée, admirée et passionnément aimée.
                                              SAINTE-BEUVE, Causeries du lundi, t. I, 26 nov. 1849, p. 127.

14   Il *(Copeau)* avait su provoquer, plus qu'aucun que j'aie pu connaître, les dévouements les plus fervents; nul ne fut plus entouré, plus secondé, plus aimé que lui.
                                              GIDE, Journal, 15 janv. 1931.

CONTR. Abandonner.
DÉR. Entourage.

ENTOURLOUPE [ɑ̃tuʀlup] n. f. — 1947, *in* T.L.F.; abrév. de *entourloupette.*

♦ Fam. Syn. de *entourloupette.*
Je feins de m'intéresser, je discute puis, craignant l'entourloupe, lui propose que nous réglions cette affaire dans ma voiture.
                                              Martin ROLLAND, la Rouquine, p. 161-162.

ENTOURLOUPER [ɑ̃tuʀlupe] v. tr. — Mil. XXᵉ; de *entourloupette.* → Entourloupette.

♦ Fam. Faire une entourloupette à (qqn). ⇒ **Abuser, tromper;** fam. **avoir.**
(...) il souhaitait dans cette série de tableaux « entourlouper » le public en lui jouant une « comédie des erreurs ».   S. DE BEAUVOIR, Tout compte fait, 1972, p. 224.

ENTOURLOUPETTE [ɑ̃tuʀlupɛt] n. f. — 1926; de l'argot *enturer, entourer* « duper », p.-ê. d'après *envelopper* « circonvenir »; ou de *en-, tour* « action rusée », p.-ê. avec infl. de *turlupin.*

♦ Fam. Mauvais tour joué à quelqu'un. ⇒ **Entourloupe.** *Il lui a fait une entourloupette.*
Mais, ma pauvre Simone, je suis comme toi, je suis une fille-mère qui n'a pas eu de mômes. Mon mariage, c'est un caprice, une entourloupette (...)
                                              A. SARRAZIN, la Cavale, p. 232.

DÉR. Entourloupe, entourlouper.

ENTOURNURE [ɑ̃tuʀnyʀ] n. f. — 1659; *entourneure* « ce qui entoure », 1538; de l'anc. franç. *entourner,* de *en-, torn* « tour » et suff. verbal. → Tour.

♦ Cout. Partie du vêtement qui fait le tour du bras, là où s'ajuste la manche. *Entournures trop larges, trop étroites.* ⇒ **Emmanchure.** *Échancrer une entournure.*

(1864). Loc. fig. Cour. *Être gêné dans les entournures, aux entournures :* être mal à l'aise, se sentir gauche, maladroit; être en difficulté.
Elles *(les dettes)* le pressent; elles l'épouvantent; il ne fait pas un mouvement qu'il n'en sente la gêne aux entournures; pas un geste qui ne les envenime.
                                              André SUARÈS, Trois hommes, « Dostoïevski », I, p. 205.

EN-TOUT-CAS [ɑ̃tuka] n. m. invar. ⇒ **En-cas.**
— Pourquoi, lui dis-je — chère amie, par un ciel toujours incertain, n'avoir emporté qu'une ombrelle?
— C'est un en-tout-cas, me dit-elle.   GIDE, Paludes, *in* Romans, Pl., p. 138.

ENTOZOAIRE [ɑ̃tozɔɛʀ] n. m. — 1816; grec *entos* « dedans », et *zôarion* « petit animal », de *zoôn.* → Zoo-.

♦ Zool. Animal parasite vivant à l'intérieur du corps de l'homme ou des animaux, et appartenant en général à l'embranchement des vers*. *Les Entozoaires.*

Cet ouvrage
a été réalisé en photocomposition programmée
par M.C.P., 45401 Fleury-les-Aubrais.

 *Aubin Imprimeur*
LIGUGÉ, POITIERS

Imprimé en France

et relié par la SIRC, 10350 Marigny-le-Châtel,
pour le compte des Dictionnaires LE ROBERT,
107, avenue Parmentier, 75011 Paris.

Dépôt légal : septembre 1987
Nº d'imprimeur : L 24865

Collection « les usuels du Robert » (volumes reliés) :

— *Dictionnaire des difficultés du français,*
par Jean-Paul COLIN,
prix Vaugelas.

— *Dictionnaire étymologique du français,*
par Jacqueline PICOCHE.

— *Dictionnaire des synonymes,*
par Henri BERTAUD DU CHAZAUD,
ouvrage couronné par l'Académie française.

— *Dictionnaire des idées par les mots*
(dictionnaire analogique),
par Daniel DELAS et Danièle DELAS-DEMON.

— *Dictionnaire des mots contemporains,*
par Pierre GILBERT.

— *Dictionnaire des anglicismes*
(les mots anglais et américains en français),
par Josette REY-DEBOVE et Gilberte GAGNON.

— *Dictionnaire des structures du vocabulaire savant*
(éléments et modèles de formation),
par Henri COTTEZ.

— *Dictionnaire des expressions et locutions,*
par Alain REY et Sophie CHANTREAU.

— *Dictionnaire de proverbes et dictons,*
par Florence MONTREYNAUD, Agnès PIERRON et François SUZZONI.

— *Dictionnaire de citations françaises,*
par Pierre OSTER.

— *Dictionnaire de citations du monde entier,*
par Florence MONTREYNAUD et Jeanne MATIGNON.

Ouvrages édités par les DICTIONNAIRES LE ROBERT
107, avenue Parmentier, 75011 PARIS (France).